D0876226

ANAYA

DICCIONARIO
DE LA
LENGUA
ESPAÑOLA

ANAYA

DICCIONARIO DE LA LENGUA ESPAÑOLA

Esta obra ha sido realizada bajo la iniciativa y la coordinación general del Editor.

Dirección editorial:
Jordi Induráin Pons

Coordinación editorial:
Sofía Acebo García

Edición:
Juan Pérez Robles

Redacción:
David Aguilar España, Fernando Polanco Martínez, Irene Renau Araque, Encarna Atienza Cerezo, Isabel Brosa Sádaba, Marta Cañís Alonso, Verónica Ferrando Aramo, Anna Martín Vizuete, Begoña Martínez Prieto, Tània Ors Romagosa, Esperanza Porras Aguilera, Francisca Bajo Santiago, Sergi Torner Castells

Revisión de voces escolares:
Miquel Albir Lorenz, Ángeles Andrés del Olmo, Ana Ayllón Cesteros, Nieves Bueno Jiménez, Fernando González del Campo Román, Carmen Carrasco González, Juan Domenech Lassaletta, Esther Duce Díaz, José María Faerna García-Bermejo, Mª Esther Fernández García, Cristina Fernández Sánchez, Mercedes García-Prieto Carabaña, Adolfo Gómez Cedillo, Rosa Mª Herrera Merino, María Hoyos Lassaletta, Javier Huete Benito, Margarita Marcos Muñoz, Teresa Mesegar Fernández, Gonzalo Morlanes González, Jesús Navas Santamaría, Jorge Pimenta Román, Marco Sánchez Morales, Enrique Sánchez Ludeña, Emilio Sanjuan Escalona, Ángela Vázquez Rodríguez, Georgina Villanueva Zaragoza, Sabino Zubiaurre Cortés

Informatización:
Marc Escarmís Arasa

Diseño de cubierta:
Francesc Sala

Algunas palabras tienen su origen en nombres comerciales o marcas registradas. Cuando los editores tienen constancia de este hecho lo hacen saber, aunque la presencia o ausencia de indicación al respecto no supone pronunciamiento alguno acerca de la situación legal de las palabras en cuestión.

Reservados todos los derechos. El contenido de esta obra está protegido por la Ley, que establece penas de prisión y/o multas, además de las correspondientes indemnizaciones por daños y perjuicios, para quienes reprodujeren, plagiaren, distribuyeren o comunicaren públicamente, en todo o en parte, una obra literaria, artística o científica, o su transformación, interpretación o ejecución artística fijada en cualquier tipo de soporte o comunicada a través de cualquier medio, sin la preceptiva autorización.

Diccionario adaptado a la normativa ortográfica.

Primera edición: 2007
Segunda edición: 2009
Tercera edición: 2012

© LAROUSSE EDITORIAL, S. L.
Mallorca, 45, 3ª - 08029 Barcelona
larousse@larousse.es
www.larousse.es

ISBN: 978-84-9974-061-4
Depósito legal: B-4240-2012
3E1I

ANTE LA PALABRA

Para introducir un diccionario, ningún término más transparente que *prólogo* ("ante la palabra"). Nos hallamos ante un libro que con palabras describe, compendia y define los signos de nuestra lengua. Si es cierto que el hombre inicia su conocimiento del mundo cuando ordena, clasifica y asigna nombres a las cosas, el diccionario es una cristalización del saber humano. Un cuento de Umberto Eco ("Memoria del silencio") narra esta imaginaria tragedia cultural: unos monjes medievales recogen la sabiduría heredada en descripciones de palabras que guardan en su biblioteca. Un aciago día el monasterio se incendia y el fuego calcina la biblioteca. Todo se pierde, porque, además, los monjes habían hecho voto de silencio. Otra referencia literaria nos aproxima de forma intuitiva a comprender la importancia del diccionario. En su reciente libro de memorias relata G. García Márquez una escena de infancia que vive junto a su abuelo:

> "Aquella tarde volvió del circo abatido a la oficina y consultó el diccionario con una atención infantil.
> Entonces supo él y supe yo para siempre la diferencia entre un dromedario y un camello. Al final me puso el glorioso tumbaburros en el regazo y me dijo:
> –Este libro no solo lo sabe todo, sino que es el único que nunca se equivoca."
> (*Vivir para contarla*, Mondadori)

Esta anécdota, no exenta de la hipérbole, nos sugiere la obligación de acudir constantemente, niños o viejos, al oráculo de la palabra significada. Y lo hace incidiendo en un rasgo esencial en la etapa de formación de un joven: la necesidad de incorporar conocimientos seguros y verdaderos.

En el entorno que constituyó el escenario en el que aprendimos a hablar hemos adquirido una variedad de lengua muy vivaz y emotiva, pero forzosamente limitada. Tal conocimiento nos permite resolver nuestras necesidades cotidianas en la convivencia con la familia, amigos y vecinos. Es lo que los técnicos denominan un *código restringido*. Sin embargo, el progreso en los estudios, el acceso a cotas profesionales, culturales, sociales y económicas más elevadas nos exigen un dominio adecuado de estrategias que no se adquieren en la familia ni en el entorno más cercano. Es necesario alcanzar un buen nivel en la comprensión auditiva y lectora, así como un perfecto dominio de la expresión oral y escrita en todas sus manifestaciones. El avance en cualquiera de estas destrezas pasa necesariamente por un enriquecimiento cuantitativo y cualitativo del vocabulario.

A veces, no somos conscientes de nuestras carencias lingüísticas. Desde la seguridad con la que uno se expresa y se hace comprender en el ámbito más próximo no se vislumbra la imperiosa necesidad de enriquecer nuestra lengua para resolver necesidades de un futuro que se desea perfecto. Fermín, el joven protagonista de una novela de Dimas Mas, no conoce sus limitaciones y muestra extrañeza ante las informaciones (sin duda exageradas) que le proporciona su profesor de Lengua:

> "–¿Qué número de palabras cree usted que usa habitualmente en la vida cotidiana?
> –No sé. ¿Cinco mil? ¿Diez mil?
> –Probablemente no pasen de quinientas.

–¡Quinientas!
–¿Y cuántas cree que recoge el *Diccionario*?
–¿Diez mil?
–Más de ochenta mil.
–¡Hala! –manifestó Fermín su sorpresa e incredulidad."
(*El tesoro de Fermín Minar*, Anaya)

Ante idéntica pregunta, el abuelo de García Márquez había respondido con toda la contundencia del realismo mágico:

"–¿Cuántas palabras tendrá?, pregunté.
–Todas –dijo el abuelo." (García Márquez, *o. cit.*)

El diccionario que hoy, joven lector, tienes en tus manos no es el tumbaburros del que hablaba nuestro Premio Nobel. Tampoco llega a las 80 000 palabras, pues es una obra pensada para satisfacer las necesidades lingüísticas que son propias de la etapa escolar, las que se necesitan para resolver los problemas de comprensión y de expresión que te abordan en esta época. También se ha aligerado considerablemente el número de acepciones. Aunque no se renuncia a la precisión en las definiciones, este diccionario incorpora ideas y técnicas de la nueva Lexicografía con el fin de hacer que su uso sea más ameno o, como ahora se dice en el lenguaje informático, más *amigable*.

Es, asimismo, un diccionario moderno, adaptado al uso lingüístico actual. D. Fernando Lázaro Carreter describía con precisión el proceso continuo de revisión a que está sometido ese archivo de experiencias que es la lengua y, por supuesto, el diccionario:

"Una lengua natural es el archivo adonde han ido a parar las experiencias, saberes y creencias de una comunidad. Pero este archivo no permanece inerte, sino que está en permanente actividad, parte de la cual es revisionista: los hablantes mudan el valor o la vigencia de las palabras y de las expresiones."
(*El dardo en la palabra*, Galaxia Gutenberg - Círculo de Lectores)

En la incorporación del léxico de una lengua seguimos normalmente un proceso intuitivo. Examinamos las circunstancias en las que aparece usada una palabra y realizamos inferencias que nos conducen a unas hipótesis que vamos perfeccionando poco a poco. Así operaba Beatriz, la encantadora niña de *Primavera con esquina rota* de Mario Benedetti:

"Libertad es una palabra enorme. Por ejemplo, cuando terminan las clases, se dice que una está en libertad. Mientras dura la libertad, una pasea, una juega, una no tiene que estudiar. Se dice que un país es libre cuando una mujer cualquiera o un hombre cualquiera hace lo que se le antoja. Pero hasta los países libres tienen cosas muy prohibidas. Por ejemplo, matar. Eso sí, se pueden matar mosquitos y cucarachas, y también vacas para hacer churrascos."
(M. Benedetti, *Primavera con esquina rota*, Edhasa)

Sin embargo, en la formación científica y académica necesitamos sobrepasar los umbrales del conocimiento intuitivo de los signos. ¿Qué significa con exactitud esta palabra? ¿En qué contextos puede ser usada con precisión? Entonces, solo el diccionario tiene la respuesta.

Detrás de las páginas que ahora tienes frente a tus ojos subyacen muchos siglos de tradición, revoluciones técnicas y metodológicas como la que en estos últimos decenios ha afectado a la lexicografía misma y en estos últimos años a los diccionarios escolares. Hay, pues, una larga peregrinación de aportaciones de cuantos nos han precedido, y también una generosa inversión de horas dedicadas por los autores de esta obra a la reflexión, a la investigación. En tus manos tienes un compendio del saber lingüístico elaborado por una editorial que desde hace muchos años viene ejerciendo liderazgo en la enseñanza de la lengua. Es el *Diccionario Anaya de la Lengua*.

"Inútil decir más.
Nombrar alcanza."
(Idea Vilariño, *Poesía completa*, Cal y Canto)

Salvador Gutiérrez
Catedrático de Lingüística General
Universidad de León

INTRODUCCIÓN

Este diccionario mantiene vivo el deseo de Anaya Educación por seguir proporcionando a los jóvenes usuarios la mejor herramienta de consulta para sus estudios de enseñanza secundaria. La obra que aquí presentamos es el fruto del esfuerzo de todo un equipo editorial por adecuar la información a las necesidades de los estudiantes de hoy.

Vocabulario actual

Uno de los principales cometidos ha sido nutrir el diccionario de un buen número de palabras, algunas de ellas no presentes en otros repertorios léxicos pero frecuentes en el castellano actual, ya sean voces de la lengua general o bien términos esenciales de las áreas que se imparten en la escuela.

Con el paso de los años, los cambios en la sociedad imponen modificaciones en la lengua, que los hablantes vamos incorporando a nuestro conocimiento del idioma sin apenas apercibirnos de ello. Realidades como la generalización y el auge de las nuevas tecnologías e Internet o la implantación del euro como moneda europea son ineludibles fuentes de nuevo léxico; nuevo léxico que, en buena medida, se va afianzando en el habla común y consigue convertirse en fuente generadora de nuevas palabras y expresiones, como ocurre en la locución *cambiar el chip* y en prefijos como *tele-* (*telebasura, telenovela, teletexto*). A este caudal léxico de nuestra lengua se van añadiendo también nuevos tecnicismos de las disciplinas científicas y del deporte, palabras de los medios de comunicación, voces de las jergas profesionales y sociales, extranjerismos, etc.

Los diccionarios deben reaccionar ante estos cambios, actualizándose, modernizándose, para atender mejor las necesidades lingüísticas de los usuarios actuales. A ello responde la presencia de un buen número de neologismos en la presente edición de este diccionario Anaya. Y a ello se debe también que en la obra se incluyan abreviaturas frecuentes (*a. C., ej., Sr.*) y siglas que funcionan como nombres comunes (*DVD, IVA, ONG*).

Y de la misma manera que se introducen nuevas voces o que algunas cambian de significado o adquieren nuevas acepciones, hay palabras y valores de palabras que caen en desuso y se pierden, y cuya aparición en una obra como esta no sería relevante (no así en los diccionarios generales, que cuentan con mayor número de entradas y no tienen la limitación de dirigirse a un tipo de destinatarios muy concreto). En consecuencia, no se han incluido en el diccionario aquellas palabras que pueden considerarse desusadas en la lengua actual, como tampoco aparecen muchas de significado fácilmente deducible (aumentativos y diminutivos regulares, adverbios acabados en *-mente*, adjetivos acabados en *-ble*...). Además, se ha procedido a la revisión de todo el léxico vigente, con especial hincapié en los conceptos fundamentales de la enseñanza escolar (a menudo ofreciendo en las definiciones multitud de datos o matices normalmente ausentes en otros diccionarios).

La definición

Este mismo esfuerzo renovador se ha aplicado en el lenguaje empleado en las definiciones. No tendría sentido, en un diccionario del siglo XXI, seguir con los a menudo anticuados modos de expresión de los diccionarios clásicos. La sociedad moderna, y en mayor medida la juventud, se aleja de ese estilo añejo y espera encontrar en las obras de consulta una manera actual, comprensible y natural de expresar los contenidos.

Nuestro diccionario pretende dar respuesta a esa demanda. En consecuencia, se ha tenido presente en todo momento a los destinatarios de la obra, y a ellos se han adecuado el lenguaje y los contenidos. El diccionario utiliza en sus definiciones un lenguaje actual, adaptado al nivel escolar, con un estilo de redacción no ambiguo ni rebuscado. Además, se ha pretendido que las definiciones sean suficientemente explicativas y precisas al mismo tiempo, para lo cual se ha incorporado toda la información considerada pertinente, se ha trabajado con homogeneidad en grupos de palabras de un mismo tipo o ámbito semántico, se han buscado los rasgos distintivos de las acepciones para precisar el significado, etc.

Asimismo, se han extraído los conceptos fundamentales de los libros de texto escolares y se han sometido a una profunda revisión, de modo que a menudo cuentan con definiciones extensas y elaboradas, más cercanas a las explicaciones de una enciclopedia o de un libro de texto.

Información en orden

Otro aspecto que se ha tenido muy en cuenta es cómo ofrecer la información de las palabras definidas. En nuestra obra, el artículo está estructurado de manera que a cada tipo de indicaciones (notas y observaciones gramaticales, pronunciación, variantes gráficas, familias de palabras, sinónimos y antónimos, etc.) le corresponde el lugar más adecuado dentro de la entrada. Ello permite que las consultas resulten más sencillas, rápidas y naturales.

Además, estas informaciones, en compañía de las definiciones, resultan siempre útiles para el estudiante, pues ayudan a conocer mejor la palabra que se consulta, aclaran dudas y problemas habituales de la lengua, resuelven tareas escolares, etc.

La información se organiza en dos niveles (acepción y artículo), de modo que queda distribuida en función de si concierne a una acepción en concreto o bien a todo el artículo.

Así, las informaciones que atañen a toda la entrada en conjunto, a todas sus acepciones, se incluyen o bien junto al lema, entre corchetes (en el caso de los modelos de conjugación, las pronunciaciones y las variantes gráficas), o bien al final del artículo (familia de palabras y observaciones gramaticales). Por su parte, las informaciones relativas a una acepción concreta se agrupan tras la definición formando un solo bloque.

Mención aparte merece el apartado de las locuciones. No figuran todas agrupadas a continuación del resto de las acepciones, sino que se organizan en dos clases:

• Las locuciones nominales que se pueden asociar, por su significado, a una de las acepciones del artículo: aparecen después de esta, ordenadas alfabéticamente; por ejemplo, *estrella amarilla*, *estrella fugaz* y *Estrella Polar*, en la primera acepción de la entrada *estrella*, ya que comparten el concepto de *estrella* como cuerpo celeste, son tipos de estrellas cuyo nombre incluye un adjetivo (*amarilla*, *fugaz*, *Polar*) que especifica al sustantivo *estrella*.

• Las locuciones nominales que no se pueden asociar a una acepción y las locuciones no nominales: aparecen al final del artículo, ordenadas alfabéticamente y cada una en párrafo aparte; por ejemplo, *estrella de mar*, *nacer con estrella* y *ver las estrellas*, también en la entrada *estrella*, ya que o bien no son locuciones nominales (*nacer con estrella*, *ver las estrellas*) o bien no pueden asociarse a una de las acepciones de la palabra definida (la *estrella de mar* no es un tipo de estrella, entendida como cuerpo celeste, sino un invertebrado marino).

Se ha hecho un esfuerzo importante, pues, por reunir el máximo de datos en el diccionario y por organizarlos de la manera más adecuada, con objeto de ofrecer una obra completa y al mismo tiempo fácil de consultar para los usuarios.

Un diccionario escolar

El diccionario se ha convertido en una obra de consulta imprescindible en la escuela. El currículo reconoce su importante papel como obra de referencia para acceder a los significados de las palabras, fundamental para asimilar los conceptos. El diccionario es un cúmulo de saberes, y su utilización no solo ayuda a progresar en el estudio sino que también permite mejorar el conocimiento de la lengua. La etapa escolar es la base del aprendizaje lingüístico, y en este sentido el diccionario es un instrumento clave para el enriquecimiento y consolidación de la competencia léxica: sirve tanto para entender qué significan las palabras como para aprender a utilizarlas.

En nuestra obra, la información se ha adecuado a los estudiantes, buscando el máximo de calidad, claridad y rigor, con el afán de que constituya una herramienta útil, adecuada para responder a todo tipo de dudas, para ayudar en la resolución de tareas escolares y para conseguir el mencionado propósito de que contribuya a avanzar en el enriquecimiento del conocimiento del vocabulario.

Pero, como herramienta didáctica, el diccionario se ha concebido como algo más que un producto lingüístico. Siguiendo la línea de los libros de texto de la editorial, las explicaciones y ejemplos de nuestra obra proponen actitudes tolerantes, solidarias y responsables y fomentan los valores que entendemos deben transmitirse en la educación, como la amistad, la solidaridad, la integración o la participación.

En definitiva...

El resultado de todos estos principios es un diccionario de orientación claramente didáctica, una obra actual, fiable y completa, con cerca de 30 000 artículos y 60 900 acepciones, que aspira a convertirse en una obra de referencia de la lexicografía escolar actual, en la línea de la labor profesional desarrollada por la editorial durante años de dedicación.

Los editores

ESTRUCTURA DE LOS ARTÍCULOS

Todos los artículos del diccionario están constituidos, como mínimo, por dos informaciones: el lema (o entrada) y las acepciones (o significados). Junto a estos dos elementos imprescindibles, pueden aparecer –según las necesidades de la palabra que se está definiendo– otras informaciones, que se ordenan en función del siguiente esquema general:

- lema o entrada
  - información complementaria del lema
- acepciones
  - categoría gramatical
  - subentrada
  - nivel de uso
  - marca geográfica
  - definición
  - ejemplos
  - notas
  - sinónimos
  - antónimos
- locuciones
- otras informaciones
  - familia de palabras
  - observaciones

El lema o entrada

El lema aparece escrito con letra negrita.

Las voces de entrada del diccionario siguen el denominado **orden alfabético internacional**, de manera que los dígrafos *ch* y *ll* se incluyen en el lugar que les corresponde dentro de la *c* y la *l*, respectivamente, y no como letras independientes.

En las entradas que admiten flexión de género, la **indicación de la forma femenina** sigue la siguiente regla: está constituida por su última sílaba (o sus últimas sílabas), de manera que tenga al menos un carácter consonántico común con la forma masculina; y en los casos de palabras que llevan tilde en la forma masculina y no en la femenina, se incluye la sílaba del femenino en que se ha perdido el acento gráfico. Ejemplos:

maestro, -tra	**conde, -desa**
gato, -ta	**danés, -nesa**
contemporáneo, -nea	**soñador, -ra**
alemán, -mana	**frío, fría**

Cuando dos o más artículos tienen la misma entrada (**homógrafos**), se diferencian con números volados. Ejemplos:

coco¹   mero¹

coco²   mero, -ra²

coco³

Los lemas suelen ser palabras simples, pero también hay en el diccionario **lemas dobles o triples**. Ello ocurre en el caso de palabras con alternancia acentual (se pueden escribir con o sin tilde) o de voces que admiten variaciones gráficas y que irían seguidas alfabéticamente en el diccionario. En tales ocasiones, se separan por medio de la conjunción *o*. Ejemplos:

periodo o **período**   **cardíaco** o **cardiaco**

jienense o **jiennense**   **mezzosoprano** o **mezzo-soprano**

macrocosmo o **macrocosmos**   **pardusco, -ca** o **parduzco, -ca**

■ La información complementaria del lema

Tras el lema aparece, entre corchetes, esta información adicional, en la cual se recogen las **variantes gráficas** que no van seguidas en el orden alfabético y/o la **pronunciación** de la palabra que se va a definir, cuando difiere de la ortografía (normalmente palabras de origen extranjero). Para los **verbos irregulares**, se indica entre corchetes el número del modelo verbal correspondiente (los modelos se encuentran en uno de los apéndices de la obra). Ejemplos:

septiembre [también **setiembre**, menos usado]

yudo [también **judo**, más usado]

pizza [se pronuncia aproximadamente 'pidsa']

mexicano, -na [también **mejicano, -na**; se pronuncia 'mejicano']

jugar [8]

Las acepciones

Las diferentes acepciones de un artículo van numeradas correlativamente.

El criterio de base en la **ordenación de las acepciones** de un artículo es la frecuencia de uso; así, el diccionario suele ofrecer en primer lugar la acepción más usual.

Por ejemplo, la palabra *álgido* aparece definida en primer lugar como "Se aplica al momento del proceso o de la evolución de una cosa que es el más importante o de máximo interés", y, en segundo lugar, como "Que está muy frío", por ser más usada la primera acepción que esta última. Otros diccionarios presentan estas acepciones ordenadas a la inversa porque no siguen un criterio de uso sino que prefieren mantener el orden histórico: la palabra se tomó del latín *algidus* en el sentido de 'muy frío', y posteriormente se aplicó este adjetivo a momentos de gran importancia o interés por comparación con el periodo crítico de ciertas enfermedades, durante el cual sienten un frío intenso quienes las padecen.

Esta determinación principal se conjuga con otros criterios de orden dentro de un artículo, como son los de agrupar las acepciones con igual categoría, reservar las últimas acepciones de estos grupos para las acepciones con marca geográfica, o agrupar al final del artículo las acepciones pronominales (en el caso de los verbos), las plurales (en el de los sustantivos) o las interjecciones.

■ La categoría gramatical

La categoría gramatical aparece escrita con letra cursiva.

Se muestra por medio de **abreviaturas** (*adj., s. m., prep., v. tr.*, etcétera). Estas abreviaturas se combinan, por medio de una barra oblicua, en las acepciones con categoría múltiple (*adj./s. m., det./pron., v. tr./prnl.*, etcétera).

Cuando una acepción no tiene asignada una categoría gramatical, se entiende que mantiene la misma categoría que la acepción anterior. El cambio de categoría se indica mediante el signo **‖**.

■ La subentrada

La subentrada aparece escrita con letra seminegrita.

Sirve para advertir de que la información que acompaña a la subentrada **hace referencia a la forma que se indica**, diferente de la forma del lema. Se emplea en los siguientes tipos de acepciones:

• Plurales: por ejemplo, *gracias*, acepción 7 de *gracia*.

• Verbos pronominales: por ejemplo, *lucirse*, acepciones 7, 8 y 9 de *lucir*.

• Locuciones nominales asociadas a una acepción en concreto: por ejemplo, *instrumento de cuerda*, *instrumento de percusión* e *instrumento de viento*, asociadas a la acepción 2 de *instrumento* ("Objeto formado por una o varias piezas que se usa para producir música"). Estas locuciones nominales se muestran a continuación de la acepción a la cual van asociadas, por orden alfabético y sin numeración propia.

■ El nivel de uso

El nivel de uso aparece escrito con letra estrecha.

Las **marcas de nivel de uso** empleadas en este diccionario son:

• *culto*: indica que es una palabra propia de situaciones formales, especialmente del lenguaje escrito, y del uso literario.

• *despectivo*: el uso de esta palabra denota desprecio del hablante hacia la persona o cosa a que se refiere.

• *familiar*: se emplea en situaciones informales, principalmente entre familiares y amigos.

• *jerga*: pertenece al argot, al lenguaje de la delincuencia, de los bajos fondos, etc.

• *vulgar*: es una palabra malsonante o que puede considerarse ofensiva en muchas ocasiones para la mayoría de las personas, y completamente inadecuada en situaciones formales.

■ La marca geográfica

Las marcas geográficas aparecen escritas con letra versalita. Indican que el uso de la palabra a la que acompañan está limitado a un país o conjunto de países.

Las marcas utilizadas en esta obra se corresponden con los nombres de los **países americanos** de habla hispana, además de las de América, América Central y América del Sur, más generales.

■ Las acepciones

La definición de cada acepción aparece escrita con letra redonda.

Una de las normas básicas que se suelen seguir en los diccionarios es la de que, en una definición, deben tener la misma categoría gramatical la palabra que se define y el sintagma que constituye su significado (por ejemplo, la palabra *perro* es un sustantivo, y su definición, "Mamífero doméstico de cuatro patas...", es un sintagma que desempeña una función también sustantiva).

En este diccionario, sin embargo, hay ocasiones en que nos ha parecido preferible no seguir esta norma básica, para que las definiciones puedan entenderse mucho mejor. Eso ocurre en:

• Definiciones de ciertas palabras (preposiciones, conjunciones, pronombres, determinantes, algunas locuciones, etc.) a las que no se les puede otorgar un significado pleno y lo importante es explicar **cómo se usan esas palabras**, qué indican, en qué situaciones o bajo qué condiciones se emplean, etc.

• Definiciones en que se desea ofrecer una **información más completa o más precisa**, como sucede en muchos adjetivos (es útil indicar a qué palabras puede referirse el adjetivo, con fórmulas de definición como "Se aplica a") o en algunos tecnicismos (al principio de la definición se indica en qué ámbito de especialidad se usa; por ejemplo, "En química").

■ Los ejemplos

Los ejemplos aparecen escritos con letra cursiva.

Los **principales usos** del ejemplo en el diccionario son los siguientes:

• Aclarar o concretar el significado de una acepción que puede resultar extraña o difícil de interpretar para el usuario, o para distinguir entre acepciones próximas de un mismo artículo.

guardar *v. tr.* ☐ Poner o colocar una cosa en un sitio adecuado para que no se pierda o para que se conserve en buen estado: *guarda la llave en el cajón.* ☐ Vigilar a una persona o una cosa para protegerla y cuidarla: *dos perros guardan la finca.* ☐ Cumplir una persona una regla o norma: *en las bibliotecas se guarda silencio.*

• Completar la descripción o contenido de la palabra definida:

compuesto, -ta ☐ [...] *adj./s. m.* ☐ Se aplica a la palabra que está formada por la unión de dos o más palabras que ya existen en la lengua: *"sacapuntas" y "lavaplatos" son compuestos.* [...]

• Proporcionar información sintáctica, como el régimen preposicional, que en el diccionario se marca siempre con letra seminegrita:

percatarse *v. prnl.* Darse cuenta una persona de una cosa: *el maestro se percató de que uno de los niños no estaba atento.* SIN notar.

• Proporcionar información cultural amplia:

desarrollismo *s. m.* Tendencia favorable al desarrollo y crecimiento económicos, aunque suponga desequilibrios: *el desarrollismo español tuvo lugar entre 1960 y 1975 y supuso la modernización industrial y agraria.*

■ Las notas

Las notas aparecen escritas con letra redonda, tras la indicación NOTA.

En este apartado se indican, cuando las hay, **irregularidades y particularidades de una acepción** en concreto, como son: la intención del hablante (uso humorístico, como apelativo cariñoso, como insulto...), la escritura de la palabra con mayúscula inicial, la preferencia de un uso en plural, etc.

■ Los sinónimos y antónimos

Los sinónimos y antónimos aparecen escritos con letra redonda, tras las indicaciones SIN y ANT, respectivamente, y acompañando cada uno de ellos a la acepción concreta a la que se refieren.

Solamente se incluyen como sinónimos o antónimos palabras que estén definidas en el diccionario. Además, no se consideran sinónimas o antónimas aquellas palabras que, aun teniendo igual significado, son diferentes en el nivel de uso (por ejemplo, *pinrel* no se considera sinónimo de *pie*, ni *octogenario* de *ochentón*).

Las locuciones

A continuación de las diversas acepciones de un artículo, se encuentran, ordenadas alfabéticamente, las locuciones no nominales, así como las locuciones nominales que no se pueden asociar a una acepción en concreto.

Las locuciones siguen el mismo esquema que cualquier acepción: categoría gramatical, subentrada, nivel de uso, marca geográfica, definición, ejemplo, notas, sinónimos y antónimos.

Para saber **en qué entrada debe buscarse una locución**, es preciso conocer que la distribución de las locuciones sigue un criterio de categorías gramaticales, en función del orden de preferencia que mostramos a continuación (se incluyen ejemplos de locuciones en cada una de las categorías; la palabra subrayada es la que contendrá la locución):

1. Sustantivos: *cruzarse de <u>brazos</u>; <u>código</u> civil.*

2. Adjetivos: *estar <u>bueno</u>; hacerse <u>fuerte</u>.*

3. Participios: *salir bien (o mal) <u>parado</u>.*

4. Adverbios [excepto *no, sí* e interrogativos *dónde, cuándo, cómo,* etc.]: *desde <u>siempre</u>; sin ir más <u>lejos</u>.*

5. Verbos [excepto *ser, estar, ir, dar, decir, ver* y verbos auxiliares modales y aspectuales]: *<u>traer</u> consigo.*

6. Pronombres [excepto interrogativos]: *ser un don nadie; para mí que.*

7. Numerales: *ni a la de tres; cada dos por tres.*

8. Verbos *ser, estar, ir, dar, decir, ver* y auxiliares modales y aspectuales: *a no ser que; dar de sí.*

9. Pronombres interrogativos: *¿y qué?*

10. Las unidades fraseológicas que no contienen ninguna palabra de las especificadas se registran bajo la primera palabra: *a que, para con.*

Cuando en una locución hay dos o más palabras de la misma categoría (y esta es la primera en importancia dentro de la locución), debemos buscarla en la primera de esas palabras. Así, la locución *hombre rana* la encontraremos en *hombre* (no en *rana*), y *sin comerlo ni beberlo* estará en la entrada *comer* (no en *beber*).

Otras informaciones

■ La familia de palabras

La familia de palabras aparece escrita con letra redonda, tras la marca FAM. Los derivados y compuestos aparecen separados por punto y coma según si se anteponen o posponen los afijos.

En este apartado se recogen los principales derivados y compuestos de la voz definida, lo cual permite al usuario fortalecer el conocimiento de las relaciones morfológicas entre palabras, al mismo tiempo que constituye una información léxica complementaria. En el diccionario se incluyen tanto los que están definidos en su lugar correspondiente como otros que no lo están pero que, por su forma, permiten al lector deducir su significado aproximado (estos últimos amplían en unas 3 000 el número de palabras que se incluyen en el diccionario).

■ Las observaciones

Las observaciones aparecen escritas con letra redonda, tras la marca OBS.

En este apartado se indican, cuando las hay, **irregularidades y particularidades** que afectan a **todas las acepciones** del artículo, como son: conjugación verbal, forma de los femeninos y plurales que se apartan de lo regular, forma de los participios o superlativos irregulares, variantes gráficas extranjeras, etc.

ABREVIATURAS Y SÍMBOLOS

Categorías

No se indican las posibles combinaciones de abreviaturas, del tipo *adj./s. m.*, que se separan con una barra oblicua.

adj.	adjetivo	*s. amb.*	sustantivo ambiguo
adj. pl.	adjetivo plural	*s. com.*	sustantivo común
adv.	adverbio	*s. f.*	sustantivo femenino
conj.	conjunción	*s. f. pl.*	sustantivo femenino plural
det.	determinante	*s. m.*	sustantivo masculino
int.	interjección	*s. m. pl.*	sustantivo masculino plural
num. card.	numeral cardinal	*s. m. y f.*	sustantivo masculino y femenino
num. ord.	numeral ordinal	*v.*	verbo
num. part.	numeral partitivo	*v. intr.*	verbo intransitivo
part.	participio	*v. prnl.*	verbo pronominal
prep.	preposición	*v. prnl. tr.*	verbo pronominal transitivo
pron.	pronombre	*v. tr.*	verbo transitivo

Marcas geográficas

AMÉR.	América	GUAT.	Guatemala
AMÉR. CENTRAL	América Central	HOND.	Honduras
AMÉR. SUR	América del Sur	MÉX.	México
ANT.	Antillas	NICAR.	Nicaragua
ARG.	Argentina	PAN.	Panamá
BOL.	Bolivia	PAR.	Paraguay
COL.	Colombia	P. RICO	Puerto Rico
C. RICA	Costa Rica	R. DOM.	República Dominicana
ECUAD.	Ecuador	URUG.	Uruguay
EL SALV.	El Salvador	VENEZ.	Venezuela

Otros

ANT	antónimos	fam. desp.	familiar despectivo
FAM	familia de palabras	V.	véase
OBS	observaciones	vulg. desp.	vulgar despectivo
SIN	sinónimos	∎	indica cambio de categoría
∎	locuciones asociadas		

ESQUEMA DE REFERENCIA RÁPIDA

lema o voz
de entrada

cíngaro, -ra [también **zíngaro, -ra**, más usado] *adj.* **1** Relativo al pueblo gitano, especialmente al que vive en algunos países del este de Europa, como Hungría o Rusia. ‖ *s. m. y f./adj.* **2** Persona perteneciente a este pueblo.

información
complementaria
del lema

lema doble

acepciones

amoniaco o **amoníaco** *s. m.* **1** Gas incoloro de olor fuerte y penetrante, compuesto por tres átomos de hidrógeno y uno de nitrógeno (NH_3); es muy soluble en agua. **2** Producto químico en forma líquida, elaborado a partir de este gas, que se usa para la limpieza.
FAM amoniacal.

albacetense V. albaceteño, -ña.

remisión a
otro artículo

locución nominal
asociada a una
acepción

locuciones
y frases

acero *s. m.* **1** Aleación de hierro y pequeñas cantidades de carbono que posee gran dureza y elasticidad. ■ **acero inoxidable** Acero aleado con una parte de cromo; es muy resistente a la oxidación: *estos cubiertos son de acero inoxidable*. **2** culto Arma blanca, especialmente la espada.
de acero Duro y fuerte, de gran resistencia: *músculos de acero*.
FAM acerar, acerería.

ejemplos

abasto *s. m.* **1** Conjunto de cosas necesarias, especialmente víveres y otros artículos de primera necesidad: *mercado de abastos*. **NOTA** Generalmente en plural con el mismo significado que en singular. **2** AMÉR. SUR Mercado de alimentos en el que se vende, fundamentalmente, carne al por menor. **3** VENEZ. Tienda de comestibles y artículos para el hogar.
dar abasto Ocuparse de todas las exigencias que genera una actividad: *no daban abasto para atender los pedidos de todos los clientes*.

nota

conjugación

cocer [6] *v. tr.* 1 Someter un alimento crudo a la acción de un líquido que hierve, generalmente agua, para cocinarlo: *cocer huevos; cuece las lentejas en un puchero de barro.* 2 Someter una masa de harina o barro a la acción del calor de un horno para que pierda humedad y adquiera dureza: *cocer pan; cocer una pizza; el alfarero tiene un horno donde cuece los cántaros.* ‖ *v. intr.* 3 Hervir un líquido: *cuando la leche cueza, retírala del fuego.* 4 Fermentar una sustancia líquida: *el mosto de la uva cuece en las cubas.* ‖ *v. prnl.* 5 **cocerse** familiar Tramarse o prepararse algo sin que se manifieste todavía al exterior: *algo se cocía en las altas esferas.* 6 familiar Sentir calor excesivo: *al lado del horno te cueces.*
FAM cocedero, cocción, cocido, cocimiento; recocer.

cambio de categoría

subentrada

observaciones

acusica *adj./s. com.* familiar Chivato, que tiene costumbre de acusar o decir las faltas de los demás.
OBS Frecuentemente usado en el lenguaje infantil.

categoría gramatical

sinónimos y antónimos

encantar *v. tr.* 1 Pronunciar un conjunto de palabras con poder mágico para cambiar la naturaleza o la forma de alguien o algo. **SIN** hechizar. **ANT** desencantar. 2 Gustar mucho una persona o cosa: *a algunas personas les encantan las novelas rosa.* **SIN** enloquecer, entusiasmar. **ANT** disgustar. 3 Cautivar completamente la atención de alguien.
FAM encantado, encantador, encantamiento, encanto; desencantar.

voces de la misma familia

nivel de uso

ágape *s. m.* 1 culto Banquete o comida para celebrar un acontecimiento. 2 Comida que hacían en común los primeros cristianos.

americanismos

aguamiel *s. f.* 1 Agua mezclada con miel. **SIN** hidromiel. 2 AMÉR. Bebida preparada con agua y caña de azúcar. 3 MÉX. Jugo del maguey.

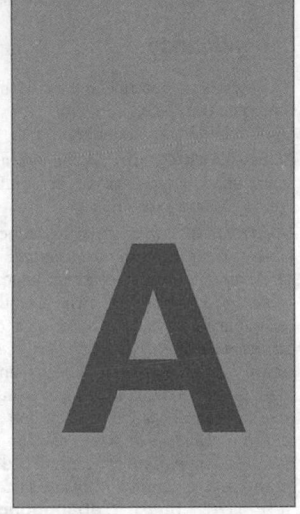

a¹ *s. f.* Primera letra del alfabeto español; su nombre es *a*.
OBS Plural: *aes*.

a² *prep.* ① Introduce el complemento indirecto: *llevé un regalo a mi hermano*. ② Introduce el complemento directo cuando se trata de personas y, en ocasiones, de animales o de cosas personificadas: *buscan a Luis; acarició al perro*. ③ Indica dirección, destino u orientación: *voy a Atenas; de espaldas a la montaña*. ④ Indica el lugar o posición en que está alguien o algo: *se situó a mi derecha; la tienda está al final de la calle*. ⑤ Indica el momento en que ocurre algo: *llegó a las seis de la tarde*. ⑥ Indica distancia en el espacio o en el tiempo entre dos cosas: *vive a diez minutos de aquí; el quiosco está a unos cien metros*. ⑦ Indica el final de un intervalo de lugar o de tiempo: *de esquina a esquina; de 5 a 7 de la tarde*. **SIN** hasta. ⑧ Indica el instrumento, el medio o la manera con que se hace una cosa: *abrió la puerta a golpes; lavó la prenda a mano*. ⑨ Indica una intención o finalidad: *vengo a verte; salió a que le diera el aire*. ⑩ Indica la parte que corresponde en un reparto: *toca a ocho cartas cada uno*. ⑪ Indica el precio de una cosa: *estas manzanas van a dos euros el kilo*. ⑫ Entra en la formación de locuciones temporales, modales, de lugar, etc.: *a ratos; a oscuras; a la sombra*. ⑬ Aparece detrás de ciertos verbos, adjetivos y sustantivos: *acostumbrarse a; parecido a; oposición a*.

a + infinitivo Introduce una orden o mandato: *¡a callar!*
a la o **a lo** Indica el estilo o manera como se realiza determinada cosa: *filete a la milanesa; lleva un peinado a lo chico*.
a por Indica que se va a buscar determinada cosa: *voy a por el pan*.
a que (**I**) Se usa para expresar convencimiento de que determinada cosa ha ocurrido u ocurrirá, especialmente algo que no se desea: *¿a que nos quedamos sin cenar?* (**II**) Se usa para expresar un reto o una apuesta: *¿a que no te atreves a saltar?*
OBS Seguida del artículo masculino *el*, forma la contracción *al*.

ababol *s. m.* Amapola.

ábaco *s. m.* ① Instrumento para hacer cálculos manualmente, consistente en un marco con cuerdas o alambres paralelos en cada uno de los cuales se hacen correr bolas. ② Pieza en forma de paralelepípedo de base cuadrada que remata el capitel, aumentando su saliente.

abacorar *v. tr.* ① AMÉR. Acosar o asir a alguien. ② CUBA, P. RICO, PERÚ, VENEZ. Hostigar a alguien para que haga algo.

abad, -desa *s. m. y f.* ① Superior de un monasterio: *la madre abadesa reunió a las monjas de la abadía*. ❚ *s. m.* ② Superior de algunas colegiatas.
FAM abacial, abadengo, abadesa, abadía.

abadejo *s. m.* ① Pez marino comestible parecido al bacalao, aunque de menor tamaño; es de color pardo verdoso, cuerpo alargado y cabeza grande. ② Bacalao.

abadengo, -ga *adj.* ① Relativo a la dignidad o jurisdicción del abad. ❚ *s. m.* ② Conjunto de bienes y terrenos pertenecientes a un monasterio gobernado por un abad o una abadesa. **SIN** abadía.

abadía *s. f.* ① Monasterio gobernado por un abad o una abadesa. ② Conjunto de bienes y terrenos pertenecientes a este monasterio. **SIN** abadengo. ③ Dignidad de abad o abadesa.

abajeño, -ña *adj./s. m. y f.* AMÉR. Se aplica a la persona que procede de las costas o tierras bajas de un país. **ANT** arribeño.

abajo *adv.* ① Hacia un lugar o parte más bajos: *vete abajo, a la calle*. **ANT** arriba. ② En un lugar o parte más bajos: *te espero abajo, en el portal*. **ANT** arriba. ③ En dirección a la parte inferior de algo: *rodaron cuesta abajo*. **ANT** arriba. ❚ *int.* ④ **¡abajo!** Se usa para expresar una protesta o manifestar que se está en contra de algo: *¡abajo los tiranos!* **ANT** arriba.

abalanzarse *v. prnl.* Lanzarse con ímpetu o rapidez hacia una persona o cosa: *el león se abalanzó sobre su presa*.

abalear *v. tr.* ① AMÉR. Disparar balas a alguien. ② AMÉR. Herir o matar a balazos.

abalorio *s. m.* ① Cuenta o bolita de vidrio perforada que sirve para hacer collares y adornos parecidos. ② Adorno llamativo de poco valor, especialmente el hecho con estas cuentas o bolitas ensartándolas en un hilo, alambre u otro material semejante.

abanderado, -da *s. m. y f.* ① Persona que lleva la bandera en un desfile, una procesión u otro acto público. ② Persona que actúa de representante, portavoz o defensor de un grupo de personas, una causa o un principio: *con su lucha contra la miseria, se convirtió en abanderado de los pobres*.

abanderar *v. tr.* ① Ponerse al frente de una causa, un movimiento o una organización para representarlo o defenderlo.

A

2 Registrar o matricular bajo la bandera de un estado un barco de otro país.
FAM abanderado, abanderamiento.

abandonado, -da *adj.* Se aplica a la persona que es despreocupada en sus actos o descuidada en sus obligaciones o en su aspecto exterior.

abandonar *v. tr.* **1** Dejar sin atención ni cuidado a una persona, animal o cosa: *sería incapaz de abandonar a sus hijos.* **2** Apartarse o retirarse de un lugar: *abandonó el domicilio paterno.* **|** *v. tr./intr.* **3** Renunciar a seguir haciendo una cosa que se había iniciado, o a hacer algo que se tenía pensado: *he abandonado la idea de marcharme; tras la tercera prueba, el atleta español abandonó.* **|** *v. tr.* **4** Dejar una cosa, como una actividad, un cargo o una ideología: *jamás abandonó su peculiar sentido del humor.* **5** Dejar caer con suavidad una parte del cuerpo: *abandonó la cabeza sobre su hombro; abandonarse sobre la cama.* **|** *v. tr./prnl.* **6** Confiar o dejar el cuidado de cierta cosa a algo o alguien: *abandoné la decisión al azar; se abandonó a su suerte.* **|** *v. prnl.* **7** **abandonarse** Declararse vencido o sin fuerzas para continuar en un empeño: *no te abandones y sigue luchando por tus hijos.* **SIN** dejarse. **8** Descuidar el cuidado personal o las obligaciones. **SIN** dejarse.
FAM abandono.

abandono *s. m.* **1** Falta de atención o cuidado hacia una persona, animal o cosa. **2** Alejamiento de un lugar. **3** Renuncia a seguir haciendo una cosa que se había iniciado o a hacer algo que se tenía pensado: *el abandono de la prueba se debió a problemas físicos.* **4** Descuido y negligencia en las obligaciones o en el aspecto físico. **SIN** dejadez.

abanicar *v. tr.* Dar aire con un abanico o con otro objeto moviéndolo de un lado a otro.
FAM abaniqueo.

abanico *s. m.* **1** Instrumento en forma de medio círculo, formado generalmente por una serie de varillas unidas en un extremo, y que sirve para dar o darse aire moviéndolo manualmente de un lado a otro. **2** Cosa que tiene forma parecida a la de este instrumento cuando está desplegado: *un abanico de naipes; el pavo real abre la cola en abanico.* **3** Conjunto de cosas o posibilidades entre las que se puede elegir: *nos presentaron un amplio abanico de rutas turísticas.*
FAM abanicar, abaniquería, abaniquero.

abaratamiento *s. m.* Disminución del precio de un producto, un servicio u otra cosa. **ANT** encarecimiento.

abaratar *v. tr.* Hacer que una cosa sea más barata: *la producción de objetos en serie permite abaratar el costo por unidad.* **ANT** encarecer.
FAM abaratamiento.

abarca [también **albarca**, menos usado] *s. f.* Sandalia rústica consistente en una suela de cuero, esparto o goma que se ata al pie con cuerdas, correas o tiras de cuero.
FAM abarquero.

abarcar *v. tr.* **1** Ceñir o rodear con los brazos o con las manos alguna cosa. **2** Incluir o contener una cosa dentro de sí a otra u otras: *el próximo examen abarcará cinco lecciones.* **SIN** abrazar, comprender, englobar. **3** Tomar alguien a su cargo muchos asuntos al mismo tiempo. **4** Alcanzar con la vista. **5** *AMÉR.* Adquirir y retener cosas con ánimo de lucro o especulación. **6** *ECUAD.* Empollar los huevos la gallina.
FAM inabarcable.

abarquillar *v. tr.* Encorvar un cuerpo plano y delgado (una plancha de madera, una lámina, un papel, etc.) como si fuera un barquillo: *el sombrero tejano tiene abarquillados los dos laterales del ala.*
FAM abarquillamiento.

abarrotar *v. tr.* Llenar por completo algo, especialmente un lugar amplio: *miles de personas abarrotaban el estadio de fútbol.*
FAM abarrotamiento, abarrote.

abarrote *s. m.* **1** Fardo pequeño de los usados para completar la carga de una embarcación. **|** *s. m. pl.* **2** **abarrotes** *AMÉR.* Artículos alimenticios y domésticos, como conservas, bebidas, papel, especias, velas, etc.
FAM abarrotería, abarrotero.

abarrotería *s. f.* *AMÉR. CENTRAL* Puesto o tienda donde se venden abarrotes al por menor.

abarrotero, -ra *s. m. y f.* *AMÉR.* Persona que tiene una tienda de abarrotes.

abasí [también **abbasí**] *adj.* **1** Relativo a la dinastía árabe fundada en el siglo VIII por Abu-l-Abbas, que destronó al califa omeya de Damasco y estableció la corte en Bagdad. **|** *s. com./adj.* **2** Persona perteneciente a esta dinastía.
OBS Plural: *abasíes.*

abastar *v. tr.* culto Abastecer.
FAM abasto.

abastecedor, -ra *adj.* **1** Que abastece de una cosa a una persona: *empresa abastecedora.* **|** *adj./s. m. y f.* **2** Se aplica a la persona que abastece de una cosa a alguien.

abastecer [16] *v. tr.* Proporcionar a una persona lo que necesita para su mantenimiento o para el funcionamiento de una cosa: *abastecer de materias primas; abastecerse de agua y víveres.* **ANT** desabastecer.
FAM abastecedor, abastecimiento; desabastecer.

abastecimiento *s. m.* Suministro o entrega de lo que se necesita de determinada cosa.

abastero, -ra *s. m. y f.* **1** *AMÉR.* Persona que abastece o provee de frutas, hortalizas, ganado y otros géneros de consumo. **2** *CHILE, CUBA* Persona que compra reses vivas, las sacrifica y vende su carne al por mayor.

abasto *s. m.* **1** Conjunto de cosas necesarias, especialmente víveres y otros artículos de primera necesidad: *mercado de abastos.* **NOTA** Generalmente en plural con el mismo significado que en singular. **2** *AMÉR. SUR* Mercado de alimentos en el que se vende, fundamentalmente, carne al por menor. **3** *VENEZ.* Tienda de comestibles y artículos para el hogar.
dar abasto Ocuparse de todas las exigencias que genera una actividad: *no daban abasto para atender los pedidos de todos los clientes.*

abate *s. m.* Clérigo italiano o francés, o clérigo español que ha vivido mucho tiempo en Italia o Francia.

abatí *s. m.* **1** *AMÉR.* Maíz. **2** *AMÉR.* Aguardiente de maíz.

abatible *adj.* Se aplica al mueble o parte de él que puede pasar de la posición vertical a la horizontal y viceversa haciéndolo girar en torno a un eje o bisagra: *un asiento con respaldo abatible.*

abatido, -da *adj.* Se aplica a la persona que ha perdido la energía, la fuerza o el ánimo, generalmente a causa de una desgracia u otro suceso negativo: *desde que cayó enfermo, se encuentra muy abatido.*

abatimiento *s. m.* Falta de energía, fuerza o ánimo, generalmente a causa de una desgracia u otro suceso negativo.

abatir *v. tr.* **1** Derribar o tirar al suelo: *abatieron las murallas* *de la ciudad; los cazadores abatieron cuatro perdices.* ② Inclinar o colocar en posición horizontal lo que estaba vertical: *el viento abatió varios árboles.* ③ Hacer que una persona pierda la energía, la fuerza o el ánimo: *los pequeños fracasos no deben abatirte.* ‖ *v. prnl.* ④ **abatirse** Caer repentinamente un mal sobre alguien o algo: *la desgracia se abatió sobre la familia.* FAM abatible, abatido, abatimiento.

abazón *s. m.* Cada una de las bolsas que tienen algunos roedores, monos y otros mamíferos a los dos lados de la boca, que les sirve para almacenar o transportar alimentos.

abbasí V. abasí.
OBS Plural: *abbasíes.*

abbevillense [también **abevilense**; se pronuncia 'abebilense'] *adj./s. m.* ① Se aplica a la época prehistórica que pertenece al paleolítico inferior y se caracteriza por una cultura en la que destaca la fabricación de pesadas puntas de sílex talladas por ambos lados: *el abbevillense precede al achelense.* ‖ *adj.* ② Relativo a esta época prehistórica.

abdicación *s. f.* ① Renuncia voluntaria a la soberanía de un pueblo o a una dignidad, cargo o derecho. ② Documento en el que consta esta renuncia.

abdicar *v. tr./intr.* ① Renunciar voluntariamente a una dignidad, un cargo o un derecho, en ocasiones traspasando la dignidad o cargo a otra persona: *la reina abdicó la corona en su hijo.* ‖ *v. intr.* ② Renunciar a un derecho, una ideología o una creencia: *nunca quiso abdicar de sus principios.*
FAM abdicación.

abdomen *s. m.* ① Región o parte del cuerpo de los animales vertebrados situada entre el tórax y la pelvis, donde se encuentran los órganos principales de los aparatos digestivo, genital y urinario; en los mamíferos, está limitado superiormente por el diafragma. ② Parte posterior del cuerpo de insectos, crustáceos y otros animales invertebrados, situada a continuación del tórax o cefalotórax, que contiene la mayor parte del aparato digestivo.
FAM abdominal.

abdominal *adj.* ① Relativo al abdomen. ‖ *adj./s. m.* ② Se aplica a los músculos que están situados en el abdomen. ‖ *s. m./ adj.* ③ Ejercicio gimnástico en el que se trabajan y fortalecen los músculos del abdomen. NOTA Más en plural.

abducción *s. f.* ① Movimiento por el cual un miembro o un órgano se aleja del eje central del cuerpo: *la abducción del brazo ocurre gracias al músculo pectoral y al dorsal.* ANT aducción. ② Secuestro de una persona por extraterrestres.

abducir [18] *v. tr.* Secuestrar los extraterrestres a una persona.
FAM abducción.

abductor *adj./s. m.* Se aplica al músculo que sirve para hacer un movimiento de abducción. ANT aductor.

abecé *s. m.* ① Abecedario (serie de letras). SIN alfabeto. ② Conocimientos básicos de una disciplina: *el abecé de la gramática.*

abecedario *s. m.* ① Serie ordenada de las letras de un idioma. SIN abecé, alfabeto. ② Cartel o libro pequeño con estas letras, que sirve para enseñar y aprender a leer.

abedul *s. m.* ① Árbol caducifolio de hasta 25 m, tronco recto, corteza fina, lisa y blanquecina, con ramas que crecen hacia arriba y hojas pequeñas, romboidales, ovaladas y dentadas. ② Madera de este árbol, de color blanco amarillento.

abeja *s. f.* Invertebrado del filo artrópodos, clase insectos; posee el cuerpo pardo oscuro y velloso, con dos pares de alas

transparentes y, en las hembras, un aguijón en el extremo del abdomen; se alimenta de polen y néctar; hay especies que viven en colmenas en comunidad y otras solitarias; produce la cera y la miel. ■ **abeja maestra** o **abeja reina** Única abeja hembra fértil de una colmena, que se encarga de poner los huevos; es más grande que el resto y no tiene aguijón. ■ **abeja obrera** Abeja hembra estéril, que se encarga de producir cera y miel.
FAM abejera, abejón, abejuno.

abejaruco *s. m.* Pájaro de color marrón y amarillo en su parte superior y verde azulado en la inferior, pico largo y curvado y cola alargada; se alimenta de abejas y otros insectos.

abejorro *s. m.* Invertebrado del filo artrópodos, clase insectos; es parecido a la abeja pero más grande, con el cuerpo muy peludo y sin aguijón; posee un aparato chupador desarrollado y puede morder para defenderse; vive en enjambres poco numerosos.
FAM abejorreo.

abencerraje *s. com.* Miembro de una familia del reino nazarí de Granada célebre por las disputas por el poder que mantuvo en el siglo XV con la familia de los cegríes y que debilitaron el reino.

aberración *s. f.* ① Acción o comportamiento que se aparta claramente de lo que se considera natural, correcto, lógico o lícito: *es una aberración discriminar a las personas por el color de su piel.* ② Defecto de una imagen producida por un sistema óptico, por el cual no hay una correspondencia exacta entre el objeto real y la imagen que de él se reproduce. ③ En biología, desviación con respecto al tipo normal que en algunos casos experimenta un carácter morfológico o fisiológico: *aberración cromosómica.* ④ En astronomía, desvío aparente de los astros causado por el movimiento de propagación de la luz combinado con el de la Tierra al girar alrededor del Sol.

aberrante *adj.* ① Que se aparta de lo que se considera natural, correcto, lógico o lícito: *conducta aberrante.* ② En biología, se aplica al ser vivo u órgano que presenta aberración.

abertura *s. f.* ① Acción de abrir o abrirse una cosa. ② Espacio abierto en una superficie: *la luz entraba por una pequeña abertura.* ③ Separación que hay en una cosa entre dos partes que la integran: *la abertura de una falda; la abertura de un compás.* ④ En lingüística, espacio que dejan los órganos articulatorios para que pase el aire durante la emisión de un sonido. ⑤ Diámetro del objetivo de un telescopio, una cámara fotográfica, etc., por el cual pasa la luz.

aberzale o **abertzale** [se pronuncia 'aberzale' o 'abertsale'] *adj.* ① Relativo al movimiento político y social partidario del nacionalismo vasco. ‖ *adj./s. com.* ② Se aplica a la persona que es partidaria de este movimiento.

abetal *s. m.* Bosque en el que el abeto es la especie dominante. SIN abetar.

abetar *s. m.* Abetal.

abeto *s. m.* ① Árbol conífero de tronco alto y recto (hasta 60 m de altura), copa en forma de cono, ramas horizontales, hojas aciculares perennes y fruto en forma de piña cilíndrica. ② Madera de este árbol.
FAM abetal.

abeviliense V. abbevillense.

abiertamente *adv.* ① De modo claro, ostensible y franco: *un carácter abiertamente manipulador; actuaba demasiado abierta-*

mente. ☑ De modo sincero y sin rodeos: *han confesado abiertamente su desánimo.*

abierto, -ta ① Participio irregular de *abrir: ya han abierto; no te dejes la puerta abierta.* ‖ *adj.* ② Se aplica a la persona que tiene facilidad para manifestar sus sentimientos y para relacionarse con los demás. **SIN** extrovertido. **ANT** cerrado, introvertido. ③ Se aplica a la persona que acepta con tolerancia ideas o modos de comportamiento distintos de los suyos: *tiene unos padres muy abiertos.* **ANT** cerrado. ④ Que se produce de manera clara, ostensible y franca: *se declaró la guerra abierta.* ⑤ Se aplica al terreno que es llano o raso, sin accidentes u obras que impidan el paso o ver a lo lejos: *salieron del bosque y llegaron a campo abierto.* ⑥ Se aplica a la embarcación que no tiene cubierta. ⑦ Se aplica a la herida que no ha cicatrizado. ⑧ Se aplica a la vocal que se articula con el mayor grado de abertura de la cavidad bucal: *en español, la "a" es la vocal más abierta.* ⑨ Se aplica al circuito eléctrico en el que interrumpimos la corriente al eliminar algún conductor. ‖ *s. m./adj.* ⑩ Prueba o torneo deportivo en el que pueden participar jugadores profesionales y aficionados: *un abierto de tenis.* **SIN** open.
en abierto Referido a la retransmisión televisiva de un canal de pago, de modo que se emita también para los no abonados: *el concierto se retransmitirá en abierto.*
estar abierto a Aceptar una cosa o ser tolerante con ella: *estoy abierto a cualquier sugerencia.*
FAM abiertamente.

abietáceo, -cea *adj./s. f.* ① Se aplica a la planta de hojas perennes de limbo muy estrecho o acicular, flores masculinas y femeninas separadas pero situadas sobre un mismo individuo y semillas cubiertas por escamas formando piña, como el pino, el abeto y el cedro. ‖ *s. f. pl.* ② **abietáceas** Grupo taxonómico, con categoría de familia, constituido por estas plantas.

abigarrado, -da *adj.* ① Que tiene muchos colores, generalmente mal combinados. ② Que está compuesto de elementos distintos reunidos desordenadamente.

abigarramiento *s. m.* Cualidad de abigarrado.

abigarrar *v. tr.* Componer una cosa con elementos muy diversos y sin conexión entre ellos, desordenadamente.
FAM abigarrado, abigarramiento.

abiogénesis *s. f.* Según una teoría antigua, generación de seres vivos a partir de materia inerte sin que intervengan otros seres vivos. **SIN** generación espontánea.
OBS Plural invariable.

abiótico, -ca *adj.* Sin vida; se aplica a cada uno de los factores físico-químicos de un ecosistema.

abisal *adj.* ① Se aplica a la zona marina que está a una profundidad de más de 2 000 metros. ② Relativo a esta zona marina: *fosas abisales; fauna abisal.*

abisinio, -nia *adj.* ① De Abisinia (antiguo país de África, actualmente Etiopía). ‖ *s. m. y f./adj.* ② Persona nacida en la antigua Abisinia.

abismal *adj.* ① Relativo al abismo: *las profundidades abismales del océano.* ② Que es grande y profundo como un abismo: *la abismal soledad del condenado; un abismal silencio reinaba en la sala.* ③ Se aplica a la diferencia u oposición que es muy marcada y profunda, de modo que es difícil de superar: *hay diferencias abismales entre las economías débiles y las fuertes.*

abismo *s. m.* ① Lugar de gran profundidad, imponente y peligroso: *pasa un puente sobre el abismo.* ② Parte muy profunda y desconocida del pensamiento o del alma: *su mente resultaba un abismo insondable.* ③ Diferencia u oposición muy grande entre dos personas o ideas: *este hecho abrió un abismo entre la vieja y la nueva cultura.* ④ culto Infierno: *las almas pecadoras serán arrojadas al abismo.*
FAM abismal, abismamiento, abismar.

abjurar *v. tr./intr.* Renunciar públicamente a una creencia, especialmente de tipo religioso: *abjurar sus ideas; el rey visigodo Recaredo abjuró del arrianismo.*
FAM abjuración.

ablación *s. f.* ① Extirpación de un órgano o parte del cuerpo: *ablación de pulmón.* ② En geología, acción erosiva de un río, el viento o el mar sobre un relieve, o del calor sobre un glaciar: *la orografía de ese valle es producto de la ablación del río.*

ablandar *v. tr.* ① Poner blanda una cosa: *ablandó el barro con un poco de agua.* **SIN** endurecer. **ANT** endurecer. ② Moderar o suavizar el rigor y la severidad de una persona: *los nietos le ablandaron su carácter agrio y antipático.* ③ Conmover a una persona: *el llanto del niño consiguió ablandarla.*
FAM ablandamiento, ablande.

ablande *s. m.* AMÉR. Periodo de tiempo durante el cual un automóvil nuevo debe marchar sin rebasar una velocidad determinada para que las piezas del motor se ajusten adecuadamente. **SIN** rodaje.

ablativo *s. m./adj.* Caso o relación sintáctica en algunas lenguas con declinación, como el latín, que expresa relaciones similares a la del complemento circunstancial.
ablativo absoluto Construcción subordinada circunstancial sin nexo gramatical de unión con el resto de la frase; en español, generalmente se compone de dos sustantivos en aposición o de un adjetivo, participio o gerundio seguido de sustantivo, y en latín se forma con un sustantivo y un participio en ablativo: *en la oración "en silencio la casa, pudimos acostarnos", "en silencio la casa" es ablativo absoluto.*

ablución *s. f.* ① culto Acción de lavar o lavarse una persona. ② Purificación ritual por medio del agua de algunas religiones. ③ Ceremonia de purificar el cáliz y lavarse los dedos que hace el sacerdote católico después de tomar el vino. ‖ *s. f. pl.* ④ **abluciones** Vino y agua con que el sacerdote católico realiza la ablución.

ablusado, -da *adj.* Se aplica a la prenda de vestir o a una parte de ella que queda holgada o ancha: *un vestido ablusado.*

abnegación *s. f.* Sacrificio o renuncia de los deseos e intereses propios en beneficio de los demás: *la extraordinaria abnegación con que cuidaba a los enfermos.*

abnegado, -da *adj.* Que tiene o muestra abnegación: *una abnegada labor.*

abocado, -da *adj.* Que está expuesto a un resultado determinado, generalmente perjudicial: *es un proyecto abocado al fracaso.*

abocar *v. tr.* ① Acercar la boca de un recipiente a la de otro e inclinar el primero para verter el líquido que contiene. ② Hacer que una persona se aproxime o acerque a algo, especialmente a una situación perjudicial o peligrosa: *una sórdida historia de amor que lo aboca al fracaso.*
FAM abocado.

abochornar *v. tr.* ① Provocar una sensación de calor que ahoga y dificulta la respiración: *el sol de la tarde nos abochor-*

naba. ② Sonrojar a una persona por hacerle sentir vergüenza o bochorno. ‖ *v. prnl.* ③ **abochornarse** Enfermar una planta a causa del calor.

abocinado, -da *adj.* ① Que tiene forma cónica semejante al extremo de una bocina. ② Se aplica al arco o vano que es más ancho por un lado de la pared que por el otro: *iglesias mudéjares con portadas abocinadas.*

abocinar *v. tr.* Ensanchar un objeto cilíndrico por uno de los extremos a modo de bocina.
FAM abocinado.

abofetear *v. tr.* Dar bofetadas a una persona.

abogacía *s. f.* ① Profesión del abogado: *ejerce la abogacía desde hace muchos años.* ② Conjunto de abogados en ejercicio: *la abogacía aún no se ha pronunciado.*

abogaderas *s. f. pl.* familiar AMÉR. SUR Argumentos capciosos que se emplean para evadir una situación complicada: *para no decir la verdad, se salió con abogaderas.*

abogado, -da *s. m. y f.* ① Persona legalmente autorizada para defender a sus clientes en juicio, representarlos o aconsejarlos. **SIN** letrado. ▪ **abogado de oficio** Abogado que asigna un juez o un tribunal para defender o representar a la persona que carece de recursos económicos para pagar a uno particular. ② Persona que intercede para que dos partes lleguen a un acuerdo.
abogado del diablo Persona que contradice los argumentos de otra para comprobar su veracidad, sin que ello signifique que se opone a dichos argumentos.
FAM abogacía, abogar.
OBS Femenino: *abogada.*

abogar *v. intr.* Declararse a favor de determinada persona o cosa: *defenderá una resolución política que aboga por la renovación.*

abolengo *s. m.* Ascendencia de una persona, en especial cuando es ilustre: *es una familia de rancio abolengo.*

abolición *s. f.* Anulación de una ley o de una costumbre mediante una disposición legal: *la abolición de la esclavitud.*

abolicionismo *s. m.* Doctrina que defiende la abolición o derogación de una ley o costumbre; se dice especialmente de una corriente nacida a finales del siglo XVIII, contraria a la esclavitud que era legal entonces en muchos países.
FAM abolicionista.

abolicionista *adj./s. com.* Se aplica a la persona que es partidaria del abolicionismo.

abolir *v. tr.* Suspender o dejar sin vigor una ley o una costumbre mediante una disposición legal: *abolir la pena de muerte.* **SIN** abrogar.
FAM abolición, abolicionismo.
OBS Verbo defectivo, solamente se usa en los tiempos y personas cuya terminación contiene la vocal *i*: *abolía, aboliendo,* etc.

abolladura *s. f.* Depresión producida en una superficie a causa de un golpe o una presión.

abollar *v. tr.* Hacer una o varias abolladuras en una superficie: *ha abollado el capó del coche.*
FAM abolladura, abollón; desabollar.

abollón *s. m.* Abolladura grande.

abombar *v. tr.* ① Dar a una superficie forma redondeada o curvada hacia afuera: *la madera se abombó con la humedad.* ② VENEZ. Inflar un cuerpo con gas u otra sustancia: *abombó los globos para la fiesta.* ‖ *v. prnl.* ③ **abombarse** AMÉR. Pudrirse

un líquido o un alimento. ④ ARG. Quedar imposibilitada una caballería para andar, por el calor y el cansancio. ⑤ CHILE, ECUAD., NICAR. Perder una persona el dominio de sí misma por exceso de alcohol.
FAM abombamiento.

abominable *adj.* Que se considera moralmente malo y merecedor de condena o rechazo, por atentar gravemente contra los principios establecidos: *durante la guerra se cometieron crímenes abominables.*

abominación *s. f.* ① Rechazo y condena enérgica de una cosa o persona. ② Cosa que causa este rechazo y condena.

abominar *v. tr./intr.* ① Rechazar y condenar enérgicamente una cosa que causa aborrecimiento o repulsión: *los adelantados de los nuevos tiempos abominaban de lo gótico.* ② Sentir rechazo o aborrecimiento por una persona o cosa: *abominaba de su presencia.*
FAM abominable, abominación.

abonado[1] *s. m.* Acción de abonar la tierra.

abonado, -da[2] *adj./s. m. y f.* Se aplica a la persona que es dueña de un abono que le da derecho al uso periódico o limitado de un servicio o una instalación o a la asistencia a una serie de espectáculos.

abonanzar *v. intr.* Calmarse una tormenta o mejorar el tiempo.

abonar[1] *v. tr.* ① Echar abono o fertilizante a la tierra. ② Ofrecer una cosa garantía de la calidad o veracidad de algo o de las buenas intenciones de una persona: *hay una serie de factores que abonan esta impresión.*
FAM abonado, abono.

abonar[2] *v. tr.* ① Pagar una cuota o una cantidad de dinero que se debe: *no podrá retirar el coche hasta que no abone la multa.* ② Inscribir a una persona, generalmente mediante pago, para recibir un servicio durante cierto tiempo o determinado número de veces: *abonó a sus hijos a un polideportivo; se abonó a una revista.*
FAM abonado, abono.

abono[1] *s. m.* Sustancia que se echa a la tierra para enriquecerla y hacerla más productiva: *el abono puede ser natural, como el estiércol, o producto de un proceso industrial, como el nitrato de sodio sintético.* **SIN** fertilizante.

abono[2] *s. m.* ① Acción de abonar o pagar una cuenta o un dinero que se debe: *la pena de cárcel sustituirá al abono de intereses en caso de falta de cumplimiento.* ② Carnet, pase o documento que da derecho al uso periódico o limitado de un servicio o una instalación o a la asistencia a una serie de espectáculos, durante cierto tiempo o un número determinado de veces: *para viajar en metro compro un abono mensual.*

abordaje *s. m.* ① Aproximación de un barco a otro hasta tocarlo, especialmente con la intención de entrar en lucha. ② Acción de abordar un tema o asunto.
al abordaje Pasando de un barco a otro para entrar en lucha: *habían apresado una embarcación al abordaje.*

abordar *v. tr./intr.* ① Acercarse un barco a otro hasta tocarlo, especialmente para entrar en lucha. ‖ *v. tr.* ② Acercarse a una persona, especialmente con cierto acoso, para hablar con ella: *a la salida del restaurante le abordaron muchos periodistas.* ③ Empezar a tratar un tema o a ocuparse de un asunto, especialmente si ello ofrece alguna dificultad: *no sabía cómo abordar el tema.*
FAM abordable, abordaje.

A

aborigen *adj.* ① Que es originario del territorio en que vive: *población aborigen; planta aborigen.* **SIN** autóctono, indígena. ‖ *s. com./adj.* ② Persona que es un habitante primitivo del territorio en que vive: *aborígenes australianos.* **SIN** indígena.

aborrecer [16] *v. tr.* ① Sentir rechazo o aversión hacia algo que se ha usado o consumido con frecuencia, especialmente un alimento: *de trabajar en el restaurante he aborrecido la comida china.* ② Sentir un gran rechazo o antipatía hacia una persona o cosa: *aborrecía los espectáculos de toda clase.* ③ Abandonar para siempre un ave el nido, los huevos o las crías. **FAM** aborrecible, aborrecimiento.

aborrecible *adj.* Que merece ser aborrecido o rechazado.

aborrecimiento *s. m.* ① Rechazo o aversión hacia una cosa, especialmente un alimento. ② Rechazo y antipatía hacia una persona o cosa.

aborregar *v. tr.* ① Convertir a una persona en servil, atontada o sin iniciativa, de modo que se someta fácilmente a lo que se le ofrece. ‖ *v. prnl.* ② **aborregarse** Cubrirse el cielo de pequeñas nubes blancas parecidas a vellones de lana. **FAM** aborregamiento.

abortar *v. intr.* ① Sufrir o provocar una interrupción del embarazo. ‖ *v. tr./intr.* ② Interrumpir una acción o proceso antes de que se complete: *decidieron abortar el despegue de la aeronave.* **FAM** abortista, abortivo, aborto.

abortista *adj./s. com.* Se aplica a la persona que es partidaria de la legalización del aborto voluntario.

abortivo, -va *adj.* ① Que provoca el aborto: *planta abortiva; práctica abortiva.* ‖ *s. m./adj.* ② Sustancia que puede provocar un aborto: *es delito expedir abortivos sin prescripción facultativa.*

aborto *s. m.* ① Interrupción natural o artificial del embarazo. ② Interrupción de una acción o un proceso antes de que se complete. ③ *familiar* Ser o cosa deforme, feo y repugnante. **FAM** abortista.

abotargamiento o **abotagamiento** *s. m.* Inflamación del cuerpo o de una parte de él, generalmente a causa de una enfermedad.

abotargar o **abotagar** *v. tr.* ① Atontar o entorpecer el entendimiento: *el calor lo abotargaba.* ‖ *v. prnl.* ② **abotargarse** o **abotagarse** Hincharse o inflamarse el cuerpo o una parte de él, generalmente a causa de una enfermedad. **FAM** abotagamiento.

abotonar *v. tr.* ① Cerrar o ajustar una prenda de vestir metiendo los botones en los ojales: *abotónate el cuello de la camisa.* **ANT** desabotonar. ② NICAR. Adular. **FAM** abotonadura; desabotonar.

abovedado, -da *adj.* Se aplica a la cubierta que tiene forma de bóveda, o a la construcción arquitectónica cuya cubierta es de este tipo: *techo abovedado; iglesia abovedada.*

abovedar *v. tr.* Dar a la cubierta de un recinto forma de bóveda o cubrirlo con una bóveda. **FAM** abovedado.

abra *s. f.* AMÉR. Lugar sin árboles en un bosque, monte o selva, o entre dos montañas: *el campo se extendía y ensanchaba en abra; el cálido paisaje inexplorado del abra.* **OBS** Los artículos de singular son *el* y *un*, salvo que entre artículo y sustantivo haya otra palabra.

abracadabra *s. m.* ① Palabra cabalística a la que se atribuía el poder de curar ciertas enfermedades; se escribía en once líneas, con una letra menos en cada una, de manera que el conjunto formara un triángulo. ② Palabra mágica a la que familiarmente se atribuye la propiedad de conceder lo que desea a quien la pronuncia.

abrasador, -ra *adj.* ① Que abrasa o quema: *sol abrasador.* ② Se aplica a la pasión o sentimiento que se siente con mucha fuerza.

abrasar *v. tr.* ① Quemar, reducir a brasas o destruir algo con fuego o con alguna materia muy caliente o corrosiva. ② Secar una planta el excesivo calor o frío: *la helada ha abrasado los frutales.* ③ Producir dolor, picor o escozor la sed o alguna sustancia: *la piel y la garganta las teníamos abrasadas.* ‖ *v. intr.* ④ Estar muy caliente una cosa: *la sopa abrasa.* **SIN** arder, quemar. ‖ *v. prnl.* ⑤ **abrasarse** Sentir demasiado calor. **SIN** asarse. ⑥ Estar muy agitado por una pasión, sentirla con mucha fuerza: *se abrasa de amor.* **FAM** abrasador, abrasamiento, abrasión.

abrasión *s. f.* ① Acción de arrancar, desgastar o pulir algo por rozamiento o fricción. ② Lesión superficial o irritación en la piel provocada por agentes mecánicos, como algo al rozar, o químicos. **FAM** abrasivo.

abrasivo, -va *adj.* ① Que desgasta o pule por fricción, especialmente una superficie: *las gomas que se usan para borrar tinta son abrasivas.* ‖ *s. m.* ② Material duro que sirve para pulir, cortar o afilar otro material más blando: *el diamante es un abrasivo del cristal.*

abrazadera *s. f.* Pieza de metal u otra materia que rodea una cosa y sirve para apretarla o asegurarla a otra.

abrazar *v. tr./prnl.* ① Rodear con los brazos y apretarlos como muestra de amor o afecto: *el niño se abrazó a su madre.* ‖ *v. tr.* ② Rodear con los brazos y apretarlos: *el tronco es tan grueso que entre dos personas no pueden abrazarlo.* ③ Adherirse a una creencia o unas ideas. ④ Contener o incluir algo un conjunto de cosas: *este capítulo final abraza los principales temas anteriormente tratados.* **SIN** abarcar. **FAM** abrazadera, abrazo.

abrazo *s. m.* Muestra de afecto o saludo que consiste en rodear y estrechar entre los brazos.

abrebotellas *s. m.* Utensilio que sirve para quitar las chapas metálicas de las botellas. **SIN** abridor. **OBS** Plural invariable.

abrecartas *s. m.* Utensilio con forma de cuchillo que sirve para abrir los sobres de las cartas. **OBS** Plural: *abrecartas.*

abrefácil *s. m.* Sistema de apertura de ciertos envases herméticos, como latas o tetrabriks, que permite abrirlas con las manos sin necesidad de ningún utensilio.

ábrego *s. m.* Viento del sur o sudoeste.

abrelatas *s. m.* Utensilio que sirve para abrir las latas o botes de conservas. **SIN** abridor. **OBS** Plural invariable.

abrevadero *s. m.* Fuente o lugar donde bebe el ganado.

abrevar *v. tr.* ① Dar de beber al ganado. ‖ *v. intr.* ② Beber, especialmente el ganado. **FAM** abrevadero.

abreviación *s. f.* ① Reducción de la extensión de algo. **SIN** abreviamiento. ② Reducción de la extensión de una palabra, generalmente por pérdida de alguna de sus sílabas: *"bici" se obtiene por abreviación de "bicicleta".* **SIN** abreviamiento.

abreviamiento *s. m.* Abreviación.

abreviar *v. tr.* **1** Hacer una cosa más corta o más breve: *abreviar una visita; los símbolos químicos se obtienen al abreviar el nombre de los elementos.* **‖** *v. intr.* **2** familiar Aumentar la velocidad en una acción: *abrevia, que ya nos vamos.* **FAM** abreviación, abreviado, abreviamiento, abreviatura. **OBS** Verbo regular, se acentúa como *cambiar.*

abreviatura *s. f.* Letra o conjunto de letras, generalmente seguidas de un punto, que reducen en la escritura la extensión de una o más palabras: *"Sr." y "adj." son las abreviaturas de "señor" y "adjetivo".*

abridor *s. m.* **1** Utensilio que sirve para abrir latas o botes de conservas. **SIN** abrelatas. **2** Utensilio que sirve para quitar las chapas metálicas de las botellas. **SIN** abrebotellas.

abrigar *v. tr.* **1** Proteger a alguien o algo del frío y los agentes climáticos, generalmente cubriéndolo o envolviéndolo: *este jersey abriga poco; abrigó con la manta al niño.* **ANT** desabrigar. **2** Tener una idea o sentimiento: *abrigan la esperanza de conseguir un acuerdo de paz.* **SIN** albergar. **FAM** abrigadero, abrigo; desabrigar.

abrigo *s. m.* **1** Prenda de vestir, larga, gruesa y con mangas, que se pone sobre otras prendas y sirve para protegerse del frío: *abrigo de pieles.* **2** Cosa que abriga: *dormíamos en cubierta sin apenas precisar abrigo.* **3** Protección contra el frío u otro fenómeno atmosférico: *encontraron abrigo en un refugio de montaña.* **4** Lugar protegido del viento; generalmente, cavidad natural en las rocas.

al abrigo de Con la protección o seguridad que proporciona determinada cosa: *estaban allí, al abrigo de una tapia.*

abril *s. m.* **1** Cuarto mes del año. **‖** *s. m. pl.* **2** **abriles** Años de edad de una persona, especialmente de la primera juventud: *la chica tiene solo quince abriles.* **FAM** abrileño.

abrillantador, -ra *adj.* **1** Se aplica al instrumento que se usa para dar brillo a una cosa. **‖** *s. m.* **2** Producto, generalmente comercial, que sirve para abrillantar.

abrillantar *v. tr.* Dar brillo a una cosa. **FAM** abrillantador.

abrir *v. tr.* **1** Hacer que el interior de un espacio o lugar tenga comunicación directa con el exterior: *he abierto mi casa a todo el mundo.* **2** Separar de su marco las hojas de una puerta, ventana o un balcón de forma que se pueda pasar o asomarse a través del hueco. **‖** *v. intr./prnl.* **3** Separarse de su marco las hojas de una puerta, ventana o un balcón de forma que se pueda pasar o asomarse a través del hueco: *esta puerta abre bien; esta puerta se abre bien.* **‖** *v. tr.* **4** Separar partes movibles del cuerpo o de cosas articuladas: *abrir los ojos.* **5** Separar o levantar la tapa que cubre una caja, olla u otro objeto semejante. **6** Extender o estirar lo que estaba plegado o encogido: *abrir un abanico.* **7** Despegar, destapar o desenvolver una cosa de modo que sea posible ver lo que contiene: *abrir una carta.* **8** Rasgar, cortar algo que está entero: *al abrir la sandía comprobamos que aún estaba verde.* **9** Descorrer el pestillo o cerrojo o levantar la aldaba con que se asegura una puerta, ventana o balcón. **10** Mover la llave en una cerradura de forma inversa de como se cerró. **11** Mover un mecanismo para dar paso a un fluido: *abre el grifo.* **12** Hacer un paso, practicar una abertura: *abrir un ojal.* **13** Permitir la entrada a un lugar: *han abierto la frontera.* **14** Dar comienzo a algo que se desarrolla durante un periodo concreto de tiempo: *esta semana se abre la temporada de ópera.* **15** Comenzar, dar principio a la activi-

dad de una corporación o de un establecimiento: *abrir un negocio.* **16** Ir a la cabeza o delante: *dos motoristas abrían el desfile.* **‖** *v. intr./prnl.* **17** Aclarar o mejorar el tiempo: *menos mal que ha abierto el día.* **18** Extenderse los pétalos de un capullo. **‖** *v. prnl.* **19** **abrirse** Tomar una curva por el lado exterior. **20** Ensancharse algo. **21** Comunicar una persona a otra sus pensamientos y preocupaciones: *se abrió a su madre y terminó llorando.* **22** familiar Irse, separarse de otras personas: *bueno, chicos, yo me abro.* **23** familiar AMÉR. Retirarse de una empresa o negocio en el que se está involucrado porque conlleva riesgos o responsabilidades que no se quieren asumir: *todavía tiene tiempo de abrirse y salvar su plata.* **24** familiar ARG., URUG. Desviarse de la ruta o dirección prevista: *la ambulancia se abrió por una calle con menos tránsito.* **25** familiar ARG., URUG., VENEZ. Hacerse a un lado para que pase una persona, un grupo o un vehículo. **FAM** abertura, abierto, abrecartas, abrelatas, abridor; entreabrir, reabrir. **OBS** Participio irregular: *abierto.*

abrochar *v. tr.* Cerrar o ajustar una cosa, especialmente una prenda de vestir, con botones, broches, corchetes u otros cierres. **ANT** desabrochar.

abrogar *v. tr.* Suspender o dejar sin vigor una ley o costumbre mediante una disposición legal. **SIN** abolir. **FAM** abrogación.

abrojo *s. m.* Planta de tallos largos, flores amarillas y fruto redondo y espinoso. **FAM** abrojal.

abroncar *v. tr.* **1** Regañar o corregir duramente a una persona por haber cometido un error o por su mal comportamiento. **2** Protestar o mostrar enfado mediante gritos y ruidos, especialmente un grupo de personas en un espectáculo o concentración pública. **SIN** abuchear.

abrumador, -ra *adj.* **1** Que agobia con esfuerzos físicos o sufrimientos: *aquel cargo exigía una responsabilidad abrumadora.* **2** Que confunde o desconcierta con un exceso de amabilidad, atenciones, burlas o suaves represiones. **3** Que es rotundo, total o completo: *la derrota de Napoleón en Rusia fue abrumadora.*

abrumar *v. tr.* **1** Agobiar o atosigar con penosos esfuerzos físicos o sufrimientos: *me abruma tanto trabajo.* **2** Confundir o desconcertar, especialmente con un exceso de atenciones, burlas o suaves represiones: *me abruma tanto interés por mi persona.* **FAM** abrumador.

abrupto, -ta *adj.* **1** Se aplica al terreno que es difícil de atravesar por estar lleno de rocas, cortes y pendientes muy pronunciadas. **SIN** escarpado. **2** Que es áspero y brusco: *una abrupta respuesta.*

absceso *s. m.* Acumulación de pus en un tejido orgánico.

abscisa *s. f.* Primera coordenada de un punto representado en unos ejes cartesianos. **ANT** ordenada.

absenta *s. f.* **1** Planta empleada para aromatizar licores de alta graduación. **2** Bebida alcohólica preparada con ajenjo y otras hierbas aromáticas. **SIN** ajenjo.

absentismo *s. m.* **1** Costumbre de ausentarse de un acto al que se debería asistir: *el absentismo laboral causa graves pérdidas a las empresas.* **2** Costumbre de abandonar el desempeño de las funciones y deberes propios de un cargo. **FAM** absentista.

absentista *adj.* **1** Relativo al absentismo. **‖** *s. com./adj.*

A

2 Persona que falta frecuentemente al trabajo o a otras obligaciones.

ábside *s. m.* Cabecera de la nave de una iglesia que sobresale en la fachada posterior, está abovedada y tiene planta semicircular o poligonal.
FAM absidiolo.

absidiolo *s. m.* Ábside de pequeño tamaño, construido generalmente en número impar junto al principal o rodeando la girola de un templo.

absolución *s. f.* Acción de absolver a un acusado. ■ **absolución sacramental** Acción de perdonar los pecados en nombre de Dios en el sacramento de la penitencia.

absolutismo *s. m.* Sistema político que se distingue por la reunión de todos los poderes en un sola persona o cuerpo: *el absolutismo fue la última forma de gobierno del Antiguo Régimen.* **FAM** absolutista.

absolutista *adj.* 1 Relativo al absolutismo. I *adj./s. com.* 2 Se aplica a la persona que es partidaria de este sistema político.

absoluto, -ta *adj.* 1 Que es ilimitado, sin restricciones: *el faraón gobernaba con un poder absoluto sobre muchas aldeas.* 2 Expresa la máxima cualidad de algo: *superlativo absoluto.* 3 Que existe con independencia de cualquier relación o comparación, como la masa de un cuerpo, que es un valor absoluto porque no depende del lugar en que esté situado. **ANT** relativo.
en absoluto Se emplea para negar algo con rotundidad: *ese asunto no me interesa en absoluto.*
FAM absolutamente, absolutismo.

absolutorio, -ria *adj.* Que absuelve: *sentencia absolutoria; declaración absolutoria.*

absolver [6] *v. tr.* 1 Declarar un juez o tribunal que una persona que estaba acusada de algo queda libre de la acusación o es inocente. 2 Perdonar un sacerdote, en nombre de Dios, los pecados de una persona.
FAM absolutorio.
OBS Participio irregular: *absuelto.*

absorbencia *s. f.* Capacidad de una materia o cuerpo sólido para atraer y retener líquidos.

absorbente *adj.* 1 Que retiene los líquidos o los gases fácilmente: *papel absorbente.* 2 Se aplica a la actividad que ocupa por completo la atención o el tiempo de una persona. I *adj./s. com.* 3 Se aplica a la persona que tiene un carácter dominante y siempre trata de imponer su voluntad.

absorber *v. tr.* 1 Atraer y retener un cuerpo sólido en su interior a otro en estado líquido o gaseoso: *la esponja absorbe el agua.* 2 Aspirar o atraer un cuerpo hacia el interior de otro o de un objeto: *esta aspiradora no absorbe bien el polvo.* 3 Ocupar por completo la atención o el tiempo de una persona: *los negocios lo absorben.* 4 Consumir totalmente cierta cosa: *el juego absorbió toda su fortuna.* 5 Incorporar una entidad política o comercial a otra más importante.
FAM absorbencia, absorbente, absorción, absorto.

absorción *s. f.* 1 Penetración de una sustancia en el seno de un cuerpo sólido: *absorción intestinal.* 2 Incorporación de una entidad política o comercial a otra más importante. 3 Fenómeno de amortiguamiento de una onda por el que parte de la energía que transporta es absorbida por el medio en el que se propaga, debido al rozamiento.

absorto, -ta *adj.* 1 Que tiene la atención puesta intensamente en un pensamiento o en una acción, con descuido de

cualquier otra cosa. 2 Que queda admirado ante un espectáculo, noticia, suceso, etc.

abstemio, -mia *adj./s. m. y f.* Se aplica a la persona que nunca toma bebidas alcohólicas.

abstención *s. f.* Renuncia a hacer algo, especialmente al derecho de dar un voto.
FAM abstencionismo.

abstencionismo *s. m.* Actitud de quien renuncia a dar el voto en unas elecciones: *un elevado índice de abstencionismo.*
FAM abstencionista.

abstenerse [45] *v. prnl.* 1 Privarse de una cosa: *se abstuvo de fumar en la reunión.* 2 No participar en algo a que se tiene derecho, especialmente en una votación.
FAM abstención, abstinencia.

abstinencia *s. f.* 1 Renuncia voluntaria a algo por razones religiosas o morales, en especial a experimentar cualquier tipo de placer sexual. 2 Precepto de la Iglesia católica que prohíbe comer carne en determinadas fechas. 3 Periodo durante el cual no puede satisfacerse una necesidad creada por un hábito.
FAM abstinente.

abstracción *s. f.* 1 Separación mental de las cualidades de una cosa y de su realidad física para considerarlas aisladamente: *tiene una gran capacidad de abstracción.* 2 Idea o cosa abstracta, poco definida o alejada de la realidad. 3 Atención fija en lo que se hace o en lo que se piensa hasta llegar a aislarse de lo demás. **SIN** concentración, ensimismamiento. 4 Representación artística de personas o cosas de manera abstracta, tomando sus características esenciales y no su forma real: *la abstracción cubista.*

abstracto, -ta *adj.* 1 Se aplica a la cualidad que se considera sin tener en cuenta el objeto en que se halla: *la verdad y el bien son ideas abstractas.* **ANT** concreto. 2 Se aplica al arte o artista que no representa objetos, sino sus características o cualidades. **ANT** figurativo. 3 Se aplica al sustantivo que expresa una realidad que no se percibe por los sentidos: *"paciencia", "movimiento" y "democracia" son sustantivos abstractos.* **ANT** concreto.
en abstracto Sin aplicación concreta, sin tener en cuenta el objeto en que se halla: *la envidia, en abstracto, es una noción difícil de comprender.*

abstraer [46] *v. tr.* 1 Separar en la mente las cualidades esenciales de una cosa y de su realidad física para considerarlas aisladamente: *elimina todo lo superficial y conseguirás abstraer las ideas centrales.* I *v. prnl.* 2 **abstraerse** Poner toda la atención en lo que se hace o en lo que se piensa hasta llegar a aislarse de todo lo demás. **SIN** concentrarse, ensimismarse.
FAM abstracción, abstracto.

abstraído, -da *adj.* Se aplica a la persona que permanece aislada de todo cuanto le rodea y está únicamente atenta a lo que hace o lo que piensa.
FAM abstracción, abstracto.

abstruso, -sa *adj.* Que es difícil de comprender: *argumentos abstrusos.*

absuelto, -ta 1 Participio irregular de *absolver.* I *adj.* 2 Libre de culpa.

absurdo, -da *adj.* 1 Contrario a la lógica o a la razón. **SIN** ilógico. **ANT** lógico. I *s. m.* 2 Dicho o hecho que no tiene lógica. **SIN** sinsentido.
FAM absurdidad.

abubilla *s. f.* Pájaro de cuerpo marrón rojizo, alas con franjas blancas y negras, pico largo, que tiene en la cabeza un penacho de plumas que puede levantar y abrir en forma de abanico; se alimenta de insectos.

abuchear *v. tr.* Protestar o mostrar enfado contra alguien mediante gritos, silbidos y otros ruidos, especialmente un grupo de personas en un espectáculo o concentración pública. **SIN** abroncar.
FAM abucheo.

abucheo *s. m.* Manifestación colectiva y ruidosa de desagrado en un espectáculo o concentración pública. **SIN** bronca.

abuelastro, -tra *s. m. y f.* ❶ Padre o madre del padrastro o de la madrastra de una persona. ❷ Cónyuge del abuelo de una persona, que no es su abuelo biológico.

abuelo, -la *s. m. y f.* ❶ Padre o madre del padre o de la madre de una persona. ❷ Persona anciana. ❘ *s. m. pl.* ❸ **abuelos** Padres del padre o de la madre de una persona. ❹ Antepasados o progenitores de una persona: *las costumbres antiguas de nuestros abuelos.*
no tener (o **no necesitar**) **abuela** Se aplica a la persona que se alaba demasiado a sí misma.
FAM abuelastro; bisabuelo, tatarabuelo.

abuenar *v. tr.* ❶ familiar AMÉR. Apaciguar a una persona encolerizada: *pudo abuenar al niño cuando lo convenció de que lo llevaría al parque.* ❘ *v. prnl.* ❷ **abuenarse** familiar ARG., URUG. Reanudar sus relaciones dos o más personas que se encontraban enemistadas: *madre e hija se abuenaron después de muchos años.*

abulense *adj.* ❶ De Ávila (ciudad y provincia de Castilla y León). **SIN** avilés. ❘ *s. com./adj.* ❷ Persona que es de Ávila. **SIN** avilés.

abulia *s. f.* Falta de voluntad, energía o ánimo. **SIN** indolencia.
FAM abúlico.

abúlico, -ca *adj./s. m. y f.* Se aplica a la persona que no tiene voluntad, energía o ánimo. **SIN** indolente.

abultado, -da *adj.* ❶ Que forma o tiene bulto: *tiene los ojos abultados de dormir poco.* ❷ Que es grande o voluminoso: *el equipo sufrió una abultada derrota.*

abultamiento *s. m.* ❶ Bulto, prominencia o parte hinchada de una cosa. ❷ Aumento del tamaño, la cantidad o el grado de algo.

abultar *v. tr.* ❶ Aumentar el tamaño, la cantidad o el grado de algo: *tanto dinero abulta peligrosamente tu cartera.* ❷ Hacer que algo parezca más grande o importante de lo que es en realidad: *los periódicos suelen abultar los problemas privados de los políticos.* **SIN** exagerar. ❘ *v. intr.* ❸ Ocupar determinado espacio: *este pequeño teléfono portátil apenas abulta.*
FAM abultado, abultamiento.

abundancia *s. f.* ❶ Existencia de una gran cantidad de una cosa: *sobrevivieron gracias a la abundancia de comestibles.* **ANT** escasez, pobreza. ❷ Buena situación económica. **ANT** pobreza.
nadar en la abundancia Tener mucho dinero.
FAM superabundancia.

abundante *adj.* ❶ Que abunda en algo: *esta tierra es abundante en buenos prados.* ❷ Que es numeroso o se da en gran cantidad: *dispones de una abundante bibliografía para realizar el trabajo.* **ANT** escaso.

abundar *v. intr.* ❶ Existir en gran cantidad: *en Castilla*

abunda el trigo. ❷ Tener abundancia de la cosa que se expresa: *el zoo de la ciudad abunda en pájaros tropicales.* ❸ Apoyar una idea, mostrarse de acuerdo con una opinión o insistir en ella: *mi compañero ha hecho una propuesta, y yo abundo en ella.*
FAM abundancia, abundante; sobreabundar, superabundar.

¡abur! *int.* familiar Se usa para despedirse.

aburguesarse *v. prnl.* Acostumbrarse a la forma de vida tranquila y cómoda que se considera propia de los burgueses.
FAM aburguesamiento.

aburrido, -da *adj.* ❶ Que produce aburrimiento. ❷ Que está cansado o molesto por la falta de diversión o de interés: *te daré nuevos estímulos para que no estés aburrido.* ❘ *adj./s. m. y f.* ❸ Que no se divierte con nada o que resulta una compañía que aburre.

aburrimiento *s. m.* ❶ Fastidio provocado por la falta de diversión o de interés. ❷ Cosa pesada o aburrida.

aburrir *v. tr.* ❶ Fastidiar una cosa a alguien porque no le divierte o no le interesa: *este trabajo me aburre; me aburrí mucho en la fiesta.* ❷ Cansar algo, fastidiar por su insistencia o persistencia: *sus quejas me aburren.*
FAM aburrido, aburrimiento.

abusado, -da *adj./s. m. y f.* ❶ GUAT., MÉX. Se aplica a la persona que muestra habilidad para comprender las cosas y obtener provecho o beneficio de determinadas situaciones. ❷ **¡abusado!** *int.* familiar MÉX. Se usa para advertir a alguien de que una situación de riesgo se va a producir de inmediato: *¡abusado!, ¡ahí viene la policía!*

abusar *v. intr.* ❶ Hacer uso excesivo o inadecuado de una cosa en perjuicio propio o ajeno: *abusar de la bebida.* ❷ Aprovecharse de forma excesiva del trabajo, las atenciones o la benevolencia de alguien: *no debes abusar de los amigos.* ❸ Obligar a una persona a tener relaciones sexuales en contra de su voluntad: *el Código Penal dice que abusar de un menor es un delito.*
FAM abusado.

abusivo, -va *adj.* Que excede de lo justo, normal o adecuado: *precios abusivos.*

abuso *s. m.* Uso injusto, indebido o excesivo de una persona o cosa en perjuicio ajeno: *si me despide sin motivo, cometerá un abuso de autoridad.* ■ **abuso deshonesto** Acción contraria a la ley que consiste en obligar a una persona a mantener relaciones sexuales que no lleguen a la penetración. **NOTA** También simplemente *abuso.*
FAM abusar, abusivo, abusón.

abusón, -sona *s. m. y f./adj.* familiar Persona que se aprovecha de su situación de superioridad en perjuicio ajeno.

abyección *s. f.* culto Acción que merece desprecio: *no sé cómo pudo caer en la abyección de abandonar a sus hijos.*

abyecto, -ta *adj.* culto Que es vil y despreciable en extremo.
FAM abyección.

a. C. o **a. de C.** Abreviatura de *antes de Cristo.*

acá *adv.* ❶ Aquí, en este lugar: *venid acá, muchachos.* **NOTA** Su determinación de lugar es menos precisa que la de *aquí.* ❷ Precedido de ciertas preposiciones y de adverbios que indican tiempo anterior, sirve para referirse al momento presente: *desde entonces acá no hemos sabido nada de él.*

acabado, -da *adj.* ❶ Que es perfecto o está completo: *este es uno de sus más acabados trabajos.* **ANT** inacabado. ❷ Que

está destruido, malparado, agotado o consumido: *se sentía acabado por haber suspendido.* **‖** *s. m.* ③ Conjunto de retoques que contribuyen a la mejor presentación de un producto u objeto: *el buen acabado del coche se nota en todos sus detalles.* **‖** *adj./s. m. y f.* ④ Se aplica a la persona que ha perdido las cualidades o posibilidades para continuar con aquello en lo que antes destacaba: *un actor acabado.*
FAM inacabado.

acabangarse *v. prnl.* AMÉR. CENTRAL Sentirse inquieto, preocupado o atemorizado.

acabar *v. tr.* ① Hacer que una cosa llegue a su fin: *cuando acabes la carta, ponla en un sobre.* **SIN** concluir, finalizar, terminar. **ANT** comenzar, empezar. **‖** *v. tr./prnl. tr.* ② Consumir completamente: *acábate la sopa, que te traigo el segundo plato.* **‖** *v. intr.* ③ Llegar al fin o al último momento: *si trabajamos juntos acabaremos pronto.* **SIN** terminar. ④ Terminar una relación: *Marta y yo hemos acabado.* ⑤ Destruir completamente una cosa o matar a una persona: *los liberales románticos deseaban acabar con el antiguo régimen.* ⑥ Indica la manera en que termina una acción o un objeto: *la Revolución rusa acabó en dictadura.*
acabar de + infinitivo Se emplea para indicar que una acción se ha producido poco antes del momento en que se habla: *acabo de llegar.*
FAM acabado, acabamiento, acabáramos, acabe, acabose.

¡acabáramos! *int.* Indica que al fin se ha entendido algo.

acabe *s. m.* COL. Término, fin.

acabose Se usa en la expresión:
ser el acabose Ser una cosa un desastre: *cuando comenzó a insultar al público, aquello fue el acabose.*

acacia *s. f.* ① Árbol de hojas alternas, ovaladas y lisas y flores olorosas en racimos, que vive en zonas tropicales y templadas; de algunas de sus especies se obtiene la goma arábiga. ② Madera de este árbol.

academia *s. f.* ① Institución pública formada por personas destacadas en las letras, las artes o las ciencias, que se dedica al estudio y a otros fines culturales o científicos. ② Local o edificio donde se reúnen los miembros de esta institución. ③ Centro de enseñanza privado, en el que se imparten clases para preparar un examen o adquirir conocimientos, teóricos o prácticos, sobre alguna materia: *academia de baile.*
FAM académico.

academicismo *s. m.* Actitud o técnica que se ajusta o sigue las normas clásicas o las que dicta una academia.
FAM academicista.

academicista *adj.* Se aplica al autor o la obra que se ajusta o sigue las normas clásicas. **SIN** académico.

académico, -ca *adj.* ① Relativo a una academia. ② Relativo al estudio o la enseñanza oficial. ③ Academicista. **‖** *s. m. y f.* ④ Persona que forma parte de una academia o institución pública dedicada al estudio y a otros fines.
FAM academicismo; antiacadémico.

acadio, -dia *adj.* ① Relativo al imperio de Acad, que se extendió hacia el 2300 a. C. por Mesopotamia, Elam, Siria y Anatolia oriental. **‖** *s. m. y f./adj.* ② Persona perteneciente a este imperio. **‖** *s. m./adj.* ③ Lengua semítica hablada antiguamente en este imperio.

acaecer [16] *v. intr.* culto Ocurrir o producirse un hecho.
SIN acontecer.
FAM acaecimiento.

acahual *s. m.* ① MÉX. Girasol. ② MÉX. Hierba alta y de tallo algo grueso de las que crecen en los sembrados.

acalambrarse *v. prnl.* MÉX. Paralizarse una persona por alguna emoción fuerte: *María se acalambró cuando vio a aquel hombre, tan parecido a su difunto marido.*

acalentado, -da *adj./s. m y f.* AMÉR. CENTRAL, BOL., P. RICO, PERÚ Se aplica a la persona que tiene una temperatura por encima de lo normal.

acalenturado, -da *adj./s. m y f.* C. RICA, CHILE, MÉX. Acalentado.

acallar *v. tr.* ① Hacer que cesen los gritos, quejas, voces, risas o llantos. ② Calmar o apaciguar algo, especialmente el ánimo de alguien.

acalorado, -da *adj.* Se aplica a la discusión o pelea que se sostiene con pasión y vehemencia: *aquel asunto provocó acaloradas disputas entre los diputados.*

acaloramiento *s. m.* ① Sofoco, sensación de calor. ② Excitación, vehemencia y pasión con que se discute de algo o se defienden las ideas y opiniones. **SIN** apasionamiento.

acalorar *v. tr.* ① Dar o causar calor: *este jersey me acalora.* ② Sofocar a alguien el exceso de calor, trabajo o actividad física. ③ Producir pasión o entusiasmo. **‖** *v. prnl.* ④ **acalorarse** Excitarse en una discusión o hablar de algo con mucha pasión. ⑤ Perder la calma o mostrar con vehemencia enfado por alguna cosa.
FAM acalorado, acaloramiento.

acampada *s. f.* Instalación en un lugar al aire libre para vivir temporalmente en él, generalmente en una tienda de campaña o en una caravana.

acampanado, -da *adj.* Que tiene forma de campana.

acampanar *v. tr.* Dar forma de campana: *la modista le ha acampanado la falda.*
FAM acampanado.

acampar *v. intr.* ① Instalarse en un lugar al aire libre para vivir temporalmente en él, generalmente alojándose en una tienda de campaña o en una caravana. ② Detenerse a descansar o a pasar la noche al aire libre.
FAM acampada.

acanalado, -da *adj.* ① Que pasa por un canal o lugar estrecho. ② Que tiene forma alargada y abarquillada como la de los canales. ③ Que tiene canales o estrías marcadas en hueco: *columnas acanaladas.*

acanalar *v. tr.* ① Hacer uno o varios canales o estrías en algún lugar u objeto: *acanalaron la huerta para conducir el agua por ella.* ② Dar forma de canal o de teja larga y abarquillada.
FAM acanalado, acanaladura.

acantilado *s. m.* ① Costa marina formada por rocas de gran altura cortadas casi verticalmente. ② Terreno escarpado.

acanto *s. m.* ① Planta herbácea de hojas largas, rizadas, espinosas, dispuestas en pares opuestos y flores blancas con tonos violetas o verdes. ② Adorno del capitel corintio que imita las hojas de esta planta.
FAM acantocéfalo, acantopterigios.

acantonamiento *s. m.* ① Lugar donde permanecen los soldados que están en guerra o en operaciones militares. ② Alojamiento y distribución de las fuerzas militares en un lugar próximo a aquel en que pueden intervenir.

acantonar *v. tr.* Alojar y distribuir a los soldados en un lugar próximo a aquel en que pueden intervenir.
FAM acantonamiento.

acaparador, -ra *adj./s. m. y f.* Se aplica a la persona que acumula cosas que también los demás desean o necesitan, con ánimo lucrativo o por el afán de poseer.

acaparamiento *s. m.* Acumulación de una cosa en mayor cantidad que la precisa para cubrir las necesidades ordinarias, en perjuicio de los demás y con ánimo lucrativo o por el afán de poseer.

acaparar *v. tr.* ① Acumular cosas que también los demás desean o necesitan, con ánimo lucrativo o por el afán de poseer. ② Ocupar por completo la atención o el tiempo de una persona. **SIN** absorber. ③ Apropiarse de todas las muestras de atención en perjuicio de otros.
FAM acaparador, acaparamiento.

acápite *s. m.* AMÉR. Párrafo aparte, especialmente de un texto legal.

acaramelar *v. tr.* ① Dar un baño a un alimento con caramelo u otra sustancia dulce: *acaramelar un pastel.* **SIN** caramelizar. **|** *v. prnl.* ② **acaramelarse** Darse los enamorados muestras de amor.
FAM acaramelado.

acariciar *v. tr.* ① Mostrar cariño rozando suavemente con los dedos o la mano una parte del cuerpo de una persona o animal. ② Tocar suavemente o rozar una cosa a otra: *la brisa le acariciaba el rostro.* ③ Desear una cosa con la esperanza de conseguirla o realizarla: *siempre acariciaba la idea de ganar.*
FAM acariciador.
OBS Verbo regular, se acentúa como *cambiar.*

acaricida *s. m./adj.* Sustancia que sirve para matar ácaros.

ácaro *s. m./adj.* ① Arácnido de tamaño microscópico, respiración traqueal o cutánea y abdomen fusionado con el tórax; en muchos casos es parásito de otros animales y plantas: *es alérgica a los ácaros del polvo.* **|** *s. m. pl.* ② **ácaros** Grupo taxonómico, con categoría de orden, constituido por estos arácnidos.
FAM acaricida.

acarrear *v. tr.* ① Llevar una carga de un lugar a otro. ② Transportar algo en carro. ③ Hacer una cosa que ocurra otra como reacción o respuesta a ella: *esa enfermedad puede acarrear la muerte.* ④ familiar MÉX. Llevar personas a un acto público dándoles a cambio una pequeña compensación: *el partido del gobierno acarreó muchos trabajadores al acto final de su campaña.*
FAM acarreo.

acarreo *s. m.* Traslado de una carga de un lugar a otro.
de acarreo Se aplica a los materiales que llevan y arrastran las aguas o el viento.

acartonado, -da *adj./s. m. y f.* ARG., URUG., VENEZ. Se aplica a la persona que tiene un comportamiento excesivamente formal y poco espontáneo.

acartonar *v. tr.* ① Poner rígido como el cartón: *el frío acartona la ropa tendida.* **|** *v. prnl.* ② **acartonarse** Quedarse delgada y seca una persona, especialmente a causa de la vejez.
FAM acartonado, acartonamiento.

acaso *adv.* ① Indica la posibilidad de que ocurra lo que se expresa: *acaso necesitemos tu ayuda.* **SIN** quizá. ② Se emplea en frases interrogativas para expresar una duda: *¿acaso podemos imaginar a un pueblo que no tenga cánticos?*

por si acaso Se emplea para indicar la posibilidad de que ocurra aquello de que se habla: *no suele enfadarse, pero, por si acaso, ven pronto.*

si acaso (**I**) Se emplea para indicar la posibilidad de que ocurra algo: *si acaso llega antes, llámame.* (**II**) Se emplea para atenuar una negación anterior introduciendo un matiz: *no es mala persona: si acaso, un poco brusco.*

acatamiento *s. m.* Aceptación y cumplimiento de una orden, disposición, ley o sentencia.

acatanca *s. f.* ARG., BOL., PERÚ Variedad de escarabajo que frecuenta los excrementos.

acatar *v. tr.* Aceptar y cumplir una orden, disposición, ley o sentencia. **ANT** desacatar.
FAM acatamiento; desacatar.

acatarrar *v. tr.* ① MÉX. Incomodar a una persona, especialmente con una pretensión o una solicitud: *tanto me acatarró, que terminé accediendo a su pedido.* **|** *v. prnl.* ② **acatarrarse** Contraer una enfermedad leve del aparato respiratorio que consistente en una inflamación de la garganta y del tejido interior de la nariz que a menudo va acompañada de fiebre y dolores musculares. **SIN** constiparse, enfriarse, resfriarse.
FAM acatarrado.

acaudalado, -da *adj.* Que tiene mucho dinero o muchos bienes. **SIN** caudaloso, rico.

acaudalar *v. tr.* Reunir una gran cantidad de una cosa, especialmente de dinero o de bienes.
FAM acaudalado.

acaudillar *v. tr.* ① Dirigir o guiar como jefe o caudillo a un grupo de personas, especialmente gente armada. ② Estar al mando de un grupo político o bando.

acceder *v. intr.* ① Mostrarse conforme con hacer o que se haga lo que otro solicita o quiere: *su padre accede a todos sus caprichos.* ② Ceder en la propia opinión, a favor de la de otro: *tras un breve diálogo, terminó por acceder.* ③ Tener paso o entrada a un lugar: *por esta puerta se accede al salón de actos.* ④ Alcanzar una condición o grado superior o tener acceso a ellos.
FAM accesible, acceso.

accelerando [se pronuncia 'achelerando'] *adv.* En música, aumentando gradualmente la velocidad de ejecución: *a partir del compás 32, se toca accelerando hasta el final.* **ANT** ritardando.

accesible *adj.* ① Se aplica al lugar que tiene acceso o entrada, que permite llegar hasta él: *tenemos que atravesar el río por un lugar que sea accesible para los niños.* **ANT** inaccesible. ② Se aplica a la persona de trato fácil, amable y cordial: *aunque tiene un cargo importante, es una persona muy accesible.* **ANT** inaccesible. ③ Que puede ser entendido: *es un libro accesible solamente para los entendidos.* **ANT** inaccesible.
FAM accesibilidad; inaccesible.

accésit *s. m.* Recompensa inmediatamente inferior al premio en un concurso científico, literario o artístico.
OBS Plural: *accésits.*

acceso *s. m.* ① Acción de acercarse o aproximarse: *no fue fácil el acceso a ese cargo.* ② Entrada o paso por donde se entra o se llega a un sitio. ③ Posibilidad de comunicar o tratar con alguien o de tener al alcance una cosa: *en las montañas habitan espíritus a los que solamente tiene acceso el chamán.* ④ Aparición repentina de cierto estado físico o psíquico: *acceso de tos.*
FAM accesorio.

accesorio, -ria *adj.* ① Que depende de una cosa principal o es menos importante que esta: *atiende a lo esencial del pro-*

A

blema, que ya veremos los aspectos accesorios. **|** *s. m.* **2** Herramienta u objeto auxiliar o de adorno en una cosa, actividad o disciplina: *una tienda de accesorios del automóvil.* **NOTA** Más en plural.

accidentado, -da *adj.* **1** Que es agitado, movido o presenta dificultades: *hemos tenido un viaje accidentado y lleno de incidencias.* **2** Se aplica al terreno que es difícil de atravesar por sus desniveles. **|** *adj./s. m. y f.* **3** Se aplica a la persona que ha sufrido un accidente.

accidental *adj.* **1** Que es secundario, de menor importancia que una cosa que es la principal: *detalles accidentales.* **2** Que se produce por azar o accidente, fuera de lo acostumbrado o previsto: *un encuentro accidental.* **3** Se aplica al cargo que se ocupa de manera provisional: *director accidental.*

accidentarse *v. prnl.* Sufrir un accidente.
FAM accidentado.

accidente *s. m.* **1** Suceso imprevisto que altera la marcha normal o prevista de las cosas, especialmente una desgracia. **2** Elemento que no forma parte de la naturaleza o esencia de una cosa: *Aristóteles distingue entre sustancia y accidente.* **3** Alteración de la uniformidad de un terreno, como un río, una montaña o un valle. **4** En lingüística, cambio que experimenta en su forma una palabra para expresar distintas categorías gramaticales: *en español, los accidentes gramaticales del sustantivo son el género y el número.* **SIN** variación.
FAM accidental, accidentarse.

acción *s. f.* **1** Hecho o acto voluntario: *todos esperan las primeras acciones del nuevo gobierno.* **2** Actividad o movimiento: *finalmente dejaron de discutir y entraron en acción.* **ANT** inacción. **3** Sucesión de hechos o actos relacionados entre sí que constituye el argumento de una narración, obra teatral o película cinematográfica. **4** Sucesión rápida y viva de hechos o actos movidos, intensos y con frecuencia violentos: *las películas de acción suelen estar llenas de violencia.* **■ acción directa** Empleo de la violencia con fines políticos por parte de un grupo social. **5** Enfrentamiento entre dos ejércitos contrarios en tiempo de guerra. **SIN** combate. **6** Efecto o influencia producido por la actividad de una cosa en otra: *la acción erosiva de las olas.* **7** Título cuyo valor nominal representa cada una de las partes en que se divide el capital de una sociedad o empresa. **8** Documento que representa el valor de una de estas partes. **acción de gracias** Expresión de agradecimiento a Dios: *fueron a la ermita en acción de gracias.*
FAM accionar, accionariado, accionista; inacción, interacción.

accionar *v. tr.* Poner en funcionamiento o movimiento un mecanismo.

accionariado *s. m.* Grupo de personas que tienen acciones de una empresa.

accionista *s. com.* Persona que posee una o más acciones de una empresa: *junta de accionistas.*

ace [se pronuncia 'eis'] *s. m.* Punto que obtiene el jugador de tenis que efectúa el saque cuando el que debe devolver la pelota no consigue tocarla.

acebo *s. m.* **1** Arbusto o árbol silvestre de hojas perennes, brillantes, duras y espinosas, con flores pequeñas y blancas y fruto en forma de pequeñas bolas rojas. **2** Madera de este árbol: *el acebo se emplea en ebanistería.*
FAM acebedo.

acebuche *s. m.* **1** Olivo silvestre, con menos ramas que el cultivado y de hojas más pequeñas. **2** Madera de este árbol.

acechanza *s. f.* Vigilancia, espera o persecución cautelosa. **SIN** acecho.

acechar *v. tr.* **1** Vigilar, esperar o perseguir con cautela para no ser notado. **|** *v. tr./intr.* **2** Existir indicios de que va a ocurrir un hecho adverso, una desgracia o un desastre: *les acecha un peligro.* **SIN** amenazar.
FAM acechanza, acecho.

acecho *s. m.* Acechanza.
al acecho Observando o vigilando a escondidas.

acedar *v. tr.* Poner agrio o ácido. **SIN** agriar.

acéfalo, -la *adj.* **1** Que no tiene cabeza. **2** Se aplica a la comunidad que carece de jefe o autoridad.

aceitar *v. tr.* **1** Untar algo con aceite. **2** familiar ARG., CHILE, PAR., URUG. Sobornar a una persona: *aceitó al funcionario para que no testificara en el juicio.*

aceite *s. m.* **1** Sustancia animal o vegetal que se encuentra en los tejidos orgánicos y que forma las reservas de energía de los seres vivos: *el aceite de oliva es un elemento fundamental de la dieta mediterránea.* **■ aceite de hígado de bacalao** Jugo que se obtiene del hígado del bacalao y se usa como reconstituyente. **2** Líquido graso que se encuentra en la naturaleza o que se obtiene, por destilación, de algunos minerales, y que tiene usos industriales.
FAM aceitar, aceitera, aceitero, aceitoso; ajiaceite.

aceitera *s. f.* **1** Recipiente destinado a contener una pequeña cantidad de aceite; se usa en la mesa, en la cocina o para poner aceite en alguna maquinaria. **|** *s. f. pl.* **2** **aceiteras** Conjunto de dos recipientes que contienen aceite y vinagre, empleado en el servicio de la mesa. **SIN** vinagreras.

aceitero, -ra *adj.* **1** Relativo al aceite: *industria aceitera.* **|** *s. m. y f.* **2** Persona que se dedica a fabricar o vender aceite.

aceitoso, -sa *adj.* **1** Que tiene mucho aceite, es graso o está grasiento. **2** Que es parecido al aceite.

aceituna *s. f.* Fruto del olivo, de tamaño pequeño, forma ovalada, color verde o negro y con hueso duro en su interior; es comestible una vez adobado y de él se extrae el aceite. **SIN** oliva.
FAM aceitunado, aceitunero, aceituno.

aceitunado, -da *adj.* **1** De color verde oscuro parecido al de las aceitunas. **SIN** oliváceo. **2** Que tiene un tono de este color: *gris aceitunado; rostro aceitunado.*

aceitunero, -ra *adj.* **1** Relativo a la aceituna. **|** *s. m. y f.* **2** Persona que se dedica a recoger o vender aceitunas.

aceituno, -na *s. m.* **1** Árbol de tronco corto, grueso y torcido, copa ancha y ramosa, hojas duras, perennes y de color verde oscuro por el haz y blanquecinas por el envés, y flores pequeñas, blancas y en racimos; su fruto es la oliva o aceituna. **SIN** olivo. **2** Madera de este árbol. **SIN** olivo. **|** *adj.* **3** AMÉR. Aceitunado (verde oscuro).

aceleración *s. f.* Aumento gradual de la velocidad en un movimiento o acción. **■ aceleración angular** Variación de la velocidad angular con respecto al tiempo; se mide en radianes/s^2. **■ aceleración de la gravedad** Variación de la velocidad que experimenta un cuerpo al ser atraído por la Tierra; su valor aproximado es 9,8 m/s^2, sea cual sea la masa del cuerpo atraído: *la aceleración de la gravedad varía, entre otros factores, con la distancia a la que se encuentra un cuerpo de la superficie.* **■ aceleración lineal** Variación de la velocidad que

A

experimenta un cuerpo cuando su movimiento es lineal y uniformemente acelerado; se mide en m/s².

acelerado, -da *adj.* ① Que implica aceleración: *la población crece de manera acelerada.* ② Se aplica a la persona que está nerviosa y hace las cosas con prisa o precipitación.

acelerador, -ra *adj.* ① Que acelera. ‖ *s. m.* ② Mecanismo que sirve para regular la entrada del combustible en el motor y que permite aumentar o disminuir la velocidad de un motor. ③ Pedal o cualquier otro dispositivo que acciona este mecanismo. ④ Sustancia química o sistema físico que origina el incremento de la velocidad de determinadas reacciones químicas o de haces de partículas cargadas eléctricamente.

acelerador de partículas En física, dispositivo de gran tamaño que sirve para dotar de una velocidad próxima a la de la luz a las partículas subatómicas, de modo que choquen con los átomos que se encuentran a su paso y los desintegren; estos choques se fotografían para obtener datos sobre la estructura de la materia.

acelerador lineal En física, dispositivo que acelera partículas nucleares mediante campos eléctricos en línea recta.

acelerar *v. tr.* ① Hacer más rápido o más vivo un movimiento o un proceso: *acelerar los trámites.* ‖ *v. tr./intr.* ② Aumentar la velocidad de un vehículo o de su motor accionando su acelerador. ‖ *v. prnl.* ③ **acelerarse** familiar Ponerse nervioso o apurarse.

FAM aceleración, acelerado, acelerador, acelerón; desacelerar.

acelerón *s. m.* Aceleración brusca e intensa, especialmente de un vehículo.

acelga *s. f.* Planta herbácea anual de hojas grandes comestibles, lisas y con el nervio central muy desarrollado.

acémila *s. f.* ① Mula o macho que se usa para llevar carga. ② fam. desp. Persona ruda y sin educación.

FAM acemilero.

acendrado, -da *adj.* Se aplica a la cualidad o conducta que es pura, sin defecto y sin faltas: *su vida en el barrio muestra su acendrada generosidad.*

acendrar *v. tr.* ① Purificar los metales con fuego en una pasta de cenizas de huesos, limpia y lavada. ② Eliminar cualquier defecto o falta del carácter de una persona: *con privaciones y sacrificios pretendía acendrar la personalidad del joven príncipe.* ③ Dejar una cosa sin manchas ni defectos.

FAM acendrado.

acento *s. m.* ① Rasgo prosódico que destaca en la palabra una sílaba más intensa, más larga o de tono más alto: *la palabra "camino" tiene su acento en la sílaba "mi".* **NOTA** También *acento prosódico, acento de intensidad* o *acento tónico.* ② Tilde o rayita que se pone sobre la vocal de una sílaba portadora de acento prosódico que le corresponde según las reglas de acentuación: *todas las palabras esdrújulas se escriben con acento.* **NOTA** También *acento ortográfico, acento gráfico* o *acento gramatical.* ▪ **acento agudo** Acento que tiene forma de raya pequeña que baja de derecha a izquierda (´): *en el español actual, solamente se usa el acento agudo.* ▪ **acento circunflejo** Acento que tiene forma de ángulo con el vértice hacia arriba (^): *el acento circunflejo no existe en español, pero sí en francés y otras lenguas.* ▪ **acento grave** Tilde que tiene forma de raya pequeña que baja de izquierda a derecha (`): *el acento grave existe en lenguas como el catalán o el francés.* ③ Pronunciación particular con que se distingue el modo de hablar de las personas que proceden de un lugar determinado: *aunque lleva va-*

rios años en Madrid, no ha perdido su acento andaluz. ④ Entonación particular que caracteriza determinados estilos de dicción o declamación. ▪ **acento métrico** Elemento constitutivo del verso cuya aparición regular engendra el ritmo.

poner el acento Insistir en una cosa para remarcar su importancia o para que quede clara.

FAM acentual, acentuar.

acentuación *s. f.* ① Pronunciación de una sílaba que destaca en la palabra por ser más intensa, más larga o de tono más alto. ② Colocación del acento ortográfico: *reglas de acentuación.* ③ Conjunto de acentos ortográficos de un escrito. ④ Aumento o intensificación del interés o la importancia concedido a una cosa.

acentual *adj.* Relativo al acento.

acentuar *v. tr.* ① Pronunciar una sílaba distinguiéndola de las demás de la misma palabra por ser más intensa, más larga o de tono más alto. ② Poner acento ortográfico a una letra o palabra: *las mayúsculas también se han de acentuar.* ③ Poner de relieve especialmente una idea o asunto para que otros lo tengan en cuenta. **SIN** remarcar. ‖ *v. prnl.* ④ **acentuarse** Crecer o hacerse algo cada vez más claro: *los rasgos de la vejez se acentúan en su rostro.*

FAM acentuación, acentuado.

OBS Verbo regular, se acentúa como *actuar.*

acepción *s. f.* Sentido en que se puede tomar una palabra o expresión y que, una vez aceptado y reconocido por el uso, se expresa en los diccionarios a través de la definición: *las palabras polisémicas tienen varias acepciones.*

aceptable *adj.* Que puede ser aceptado o dado por bueno: *hizo un trabajo aceptable, aunque se podía mejorar.* **ANT** inaceptable.

FAM aceptabilidad; inaceptable.

aceptación *s. f.* ① Recibimiento voluntario de algo que es ofrecido. ② Consideración de que algo está bien, es bueno o suficiente. ③ Admisión o conformidad con una cosa propuesta u obligada por otro.

aceptar *v. tr.* ① Recibir voluntariamente algo que se ofrece: *no acepté mi regalo.* ② Considerar que algo está bien, darlo por bueno o suficiente. **SIN** aprobar. **ANT** excluir. ③ Mostrarse conforme con una idea o asunto de otro: *aceptar una opinión.* ④ Considerar satisfactorias las excusas o explicaciones de una persona. ⑤ Reconocer que se tiene cierta obligación o responsabilidad sobre algo: *no querer aceptar ninguna responsabilidad.* **SIN** asumir. ⑥ Obligarse por escrito a pagar una letra de cambio.

FAM aceptable, aceptación.

acequia *s. f.* Zanja o canal pequeño que conduce agua para regar.

acera *s. f.* ① Parte de la calle situada a cada lado de la calzada, pavimentada y ligeramente más elevada que esta, destinada al paso de peatones. ② Hilera de casas a cada lado de la calle.

ser de la acera de enfrente (o **de la otra acera**) familiar Ser homosexual.

FAM acerar.

acerado, -da *adj.* ① Que es de acero o tiene alguna característica que se considera propia del acero. ② Que tiene mala intención y agresividad, sin manifestarlo con acciones claramente violentas: *le hizo callar con su acerada mirada.* ③ Se aplica al órgano o parte, vegetal o animal, cilíndrico y punzante: *hojas aceradas.*

acerar[1] *v. tr.* ☐ Dar al hierro las propiedades del acero; especialmente, convertir en acero el filo o la punta de un arma o una herramienta. ☐ Dar un baño de acero a las planchas de cobre para hacer grabados. ☐ Hacer fuerte moralmente a alguien: *las penalidades aceraron su carácter.*
FAM acerado.

acerar[2] *v. tr.* Poner aceras en una calle.

acerbo, -ba *adj.* ☐ Que es áspero en el sabor y en el olor. ☐ Que es cruel o duro: *sus acerbas críticas le causaron un gran dolor.*
FAM acerbidad.

acerca Se usa en la expresión:
acerca de Indica de qué materia o asunto trata cierta cosa: *Unamuno escribió acerca de cuestiones filosóficas.* SIN sobre.

acercamiento *s. m.* ☐ Colocación en una posición más cercana. SIN aproximación. ☐ Establecimiento de un contacto o relación cordial.

acercar *v. tr.* ☐ Poner a menor distancia: *acerca la silla a la mesa.* SIN aproximar. ANT apartar, retirar, separar. ☐ familiar Llevar a alguien a un lugar, especialmente en un vehículo: *si queréis, os acerco a la estación ahora mismo.* ‖ *v. prnl.* ☐ **acercarse** Estar próxima a suceder alguna cosa: *ya se acerca el verano.*
FAM acercamiento.

acerería *s. f.* Fábrica de acero. SIN acería.

acería *s. f.* Acerería.

acerico *s. m.* Almohadilla pequeña que se usa para clavar en ella alfileres y agujas. SIN alfiletero.

acero *s. m.* ☐ Aleación de hierro y pequeñas cantidades de carbono que posee gran dureza y elasticidad. ■ **acero inoxidable** Acero aleado con una parte de cromo; es muy resistente a la oxidación: *estos cubiertos son de acero inoxidable.* ☐ culto Arma blanca, especialmente la espada.
de acero Duro y fuerte, de gran resistencia: *músculos de acero.*
FAM acerar, acerería.

acérrimo, -ma *adj.* ☐ culto Superlativo de acre. ☐ Que es decidido, convencido y tenaz en relación con algo: *enemigos acérrimos; es un defensor acérrimo de la democracia.*

acertado, -da *adj.* Que está hecho con acierto y buen juicio: *una decisión muy acertada.*

acertante *adj./s. com.* Se aplica a la persona que ha acertado en algo, especialmente en un juego o concurso.

acertar [1] *v. tr.* ☐ Dar en el lugar previsto o propuesto: *acertó en el centro de la diana.* ☐ Dar con lo cierto o lo adecuado, especialmente en una cosa dudosa, ignorada u oculta: *ha acertado todas las respuestas.* ANT desacertar. ☐ Dar un resultado correcto por azar. ‖ *v. tr./intr.* ☐ Hacer algo con acierto: *he acertado comprando el coche.* ☐ Dar con la persona o cosa que se buscaba: *acertó la casa a la primera.*
acertar a + infinitivo Conseguir por casualidad que suceda determinada cosa: *los chimpancés acertaron a empalmar entre sí dos cañas.*
FAM acertado, acertante, acertijo, acierto; desacertar.

acertijo *s. m.* ☐ Frase o pregunta difícil que, como pasatiempo o juego, una persona propone a otra para que le encuentre el sentido oculto o le dé una solución. SIN adivinanza, rompecabezas. ☐ Idea difícil de entender o mal explicada.

acervo *s. m.* Conjunto de bienes o valores morales o culturales que pertenecen a un grupo, región o país.

acetato *s. m.* ☐ Sal formada por combinación del ácido acético y una base. ☐ Anión procedente del ácido acético. ☐ Material plástico resultante de la acción del ácido acético sobre la celulosa.

acético, -ca *adj.* ☐ Relativo al vinagre. ☐ Se aplica al ácido que se produce oxidando alcohol etílico; esta oxidación es la que llevan a cabo las bacterias sobre el vino (que contiene alcohol etílico) para producir vinagre.
FAM acetato, acetileno, acetona.

acetileno *s. m.* Gas inestable, incoloro, combustible, tóxico y de olor dulce que se desprende al ponerse en contacto el agua con el carburo de calcio; se usa para iluminar, en las soldaduras y la industria.

acetilsalicílico *adj.* Se aplica al ácido que se obtiene calentando en autoclave ácido acético y ácido salicílico durante dos horas a 150 °C; es cristalino, de color blanco, parcialmente soluble en agua y tiene propiedades que calman el dolor, bajan la fiebre y reducen el reúma.

acetona *s. f.* Compuesto orgánico, líquido, incoloro, transparente, de olor característico, volátil e inflamable, que se usa como disolvente de grasas y otros compuestos, así como materia prima en la fabricación de plásticos.

achacar *v. tr.* Atribuir algo, especialmente una falta o un delito, a una persona o cosa: *se convirtió en un fugitivo desde que le achacaron un crimen.*
FAM achaque.

achacoso, -sa *adj.* Que sufre achaques.

achaflanar *v. tr.* Hacer un chaflán en una casa cortando un ángulo o esquina.

achampañado, -da *adj.* Se aplica a la bebida que se parece al champán o lo imita.

achanchar *v. tr.* ☐ familiar AMÉR. Hacer que una persona pierda vigor, volviéndose indolente y abandonándose en su trabajo o en su aspecto personal: *fue el contrato fijo lo que terminó por achanchar a Juan.* ☐ familiar ARG., URUG. Engordar: *después de un buen tiempo sin hacer deporte me di cuenta de que me había achanchado, y enseguida me inscribí en un gimnasio.* ‖ *v. prnl.* ☐ **achancharse** familiar ARG. Perder potencia un motor por problemas de carburación: *el camión se achanchó en la mitad del viaje.* ☐ COL., ECUAD., PERÚ Hacer una persona vida sedentaria.

achantar *v. tr.* ☐ familiar Causar miedo, acobardar. ‖ *v. prnl.* ☐ **achantarse** familiar Callarse por resignación o cobardía: *no vale achantarse.*

achaparrado, -da *adj.* Que es grueso y de poca altura.

achaque *s. m.* Molestia pequeña pero frecuente provocada por una enfermedad o por la edad.
FAM achacoso.

achatar *v. tr.* Poner chato, hacer que una cosa sea más aplastada o que sobresalga menos entre otras de la misma especie o género.
FAM achatamiento.

achelense *adj./s. m.* ☐ Se aplica a la época prehistórica que pertenece al paleolítico inferior y se caracteriza por una cultura en la que destaca la fabricación de hachas talladas por las dos caras: *el achelense sigue al abbevillense.* ‖ *adj.* ☐ Relativo a esta época prehistórica.

achicar *v. tr.* ☐ Disminuir el tamaño, las dimensiones o la duración de una cosa. ☐ Causar miedo o hacer que alguien se sienta inferior. ☐ Sacar el agua de un lugar, especialmente

de una mina o una embarcación. ‖ *v. prnl.* ④ **achicarse** Valorarse por debajo de lo que uno mismo se merece.
FAM achicamiento.

achicharrar *v. tr.* ① Quemar, freír, tostar o asar un alimento, sin consumirlo por completo. ‖ *v. tr./intr.* ② Calentar demasiado: *el fuerte sol achicharró las plantas.* ‖ *v. prnl.* ③ **achicharrarse** familiar Notar un calor excesivo por efecto de un agente externo, como el sol.
FAM achicharramiento.

achichinque *s. m.* MÉX. Persona que acompaña a otra y cumple fielmente sus órdenes.

achicoria *s. f.* Planta herbácea de flores azules y hojas y raíces de sabor amargo; sus hojas tienen propiedades estomacales y la raíz tostada de una de sus variedades se utiliza como sucedáneo del café.

achiguarse *v. prnl.* ① ARG., CHILE Combarse una cosa. ② ARG., CHILE Echar panza una persona.
OBS Verbo regular, se acentúa como *averiguar.*

achilado, -da *adj.* COL. Que ha perdido el frescor y la lozanía de tiempos pasados: *en el jardín aún permanecían las flores, ahora achiladas.*

achinado, -da *adj.* Que tiene rasgos o facciones parecidos a los de los chinos.

achiquitar *v. tr.* ① AMÉR. Amilanar, acobardar. ② ARG., COL., GUAT., MÉX., URUG. Achicar una cosa, disminuir su tamaño.

achispar *v. tr.* Poner alegre por efecto del alcohol: *el vino me achispa enseguida.*

acholado, -da *adj./s. m y f.* ① familiar CHILE Se aplica a la persona que tiene la tez de color oscuro. ② familiar CHILE Se aplica a la persona que siente vergüenza: *la niña acholada no hablaba, susurraba.* ③ fam. desp. VENEZ. Se aplica a la persona que tiene modales poco refinados: *tanto gringo raro y acholado en las madrugadas limeñas.*

acholar *v. tr.* CHILE, ECUAD., PERÚ Avergonzar, amilanar.
FAM acholado.

achuchado, -da *adj.* ① Que tiene difícil solución: *la renovación de contrato de trabajo está muy achuchada.* ② Escaso de dinero: *este mes voy un poco achuchado.*

achuchón *s. m.* ① familiar Golpe o empujón. ② familiar Caricia o abrazo que se da en muestra de afecto. ③ familiar Indisposición súbita y pasajera.

achucuyar *v. tr.* AMÉR. CENTRAL Abatir, acobardar.

achura *s. f.* ARG., URUG. Menudos, despojos o intestinos de una res.
FAM achurar.

achurar *v. tr.* ① ARG., URUG. Quitar las achuras a una res. ② ARG., URUG. Apuñalar.

aciago, -ga *adj.* Desgraciado, nefasto o que presagia desgracias y mala suerte: *es preferible olvidar aquel aciago día.*

acíbar *s. m.* ① Planta tropical de hojas perennes, largas y carnosas de las cuales se extrae un jugo resinoso y una fibra muy resistente a la humedad. SIN áloe. ② Jugo de esta planta, resinoso y muy amargo, que se emplea en farmacia, especialmente como laxante. SIN áloe.
FAM acibarar.

acicalar *v. tr.* Adornar o arreglar a una persona: *no te acicales tanto que llegamos tarde.*
FAM acicalamiento.

acicate *s. m.* ① Cosa que mueve a actuar o a realizar una ac-

ción. SIN aguijón, aliciente. ② Espuela que tiene únicamente una sola punta de hierro.
FAM acicatear.

acicular *adj.* ① Que tiene forma de aguja. ② Se aplica a la textura de algunos minerales, que toma la forma de pequeñas agujas.

acidez *s. f.* ① Cualidad de ácido. ② Sensación desagradable de calor en el estómago o en la garganta provocada por una mala digestión.

ácido, -da *adj.* ① Que tiene un sabor fuerte y áspero, como el del vinagre o el del limón. SIN agrio. ② Se aplica a la persona que es áspera en el trato, tiene carácter desagradable o es poco sociable. ‖ *s. m.* ③ Sustancia química capaz de formar sales al combinarse con un óxido metálico u otro tipo de base: *ácido sulfúrico; ácido carbónico.* ■ **ácido ascórbico** Ácido presente en ciertas frutas (como cítricos y fresas) y vegetales (como tomates y pimientos verdes); es una sustancia cristalina, soluble en agua, sensible a la luz y al calor y necesaria en la formación y conservación del colágeno; se conoce también como vitamina C. ■ **ácido graso** Ácido orgánico que forma largas cadenas lineales y constituye el principal componente de la mayoría de lípidos. ■ **ácido insaturado** Ácido graso cuya cadena molecular contiene algún enlace doble o triple: *muchos ácidos insaturados son esenciales para nuestro organismo y deben incorporarse en la dieta a través de productos como el aceite virgen de oliva.* ■ **ácido nucleico** Ácido orgánico formado por la unión de varios nucleótidos: *el ADN y el ARN son ácidos nucleicos.* ■ **ácido saturado** Ácido graso cuya cadena molecular contiene únicamente enlaces sencillos. ④ Droga alucinógena procedente del ácido que deriva de los alcaloides que se encuentran en el centeno. SIN LSD.
FAM acidez, acidificar, acidimetría, acidosis, acidular, acídulo; antiácido.

acidulante *s. m./adj.* Sustancia ácida, generalmente orgánica, que se utiliza en muchos procesos como conservante, modificador de la viscosidad o de la acidez de los alimentos, etc.

acierto *s. m.* ① Elección de la solución correcta entre varias posibilidades: *tengo doce aciertos en la quiniela.* ② Acción que tiene éxito u obtiene el resultado adecuado: *ha sido un acierto venir hoy.* ③ Habilidad al hacer una cosa: *tiró al blanco con gran acierto.*

ácimo [también **ázimo**] *adj.* Se aplica al pan que se elabora sin levadura.

acimut [también **azimut**] *s. m.* Ángulo que forma el plano vertical de un astro con el meridiano del punto de observación.
FAM acimutal.

aclamación *s. f.* Muestra de entusiasmo y aprobación que da una multitud a alguien, generalmente mediante voces y aplausos.

aclamar *v. tr.* ① Mostrar una multitud su entusiasmo y aprobación hacia una o más personas, generalmente mediante voces y aplausos. ② Designar a una o más personas para un cargo u honor por acuerdo unánime de los miembros de un grupo.
FAM aclamación.

aclaración *s. f.* Explicación o comentario oral o escrito que hace más claro un asunto.

aclarado *s. m.* Limpieza con un líquido, generalmente agua,

A

de algo que está impregnado de otra sustancia, especialmente jabón.

aclarar *v. tr.* **1** Hacer más claro, quitar la oscuridad o lo que dificulta la claridad o transparencia de una cosa. **2** Hacer que algo sea más fácil de entender, dando más detalles o una explicación más sencilla. **SIN** clarificar. **3** Hacer que una sustancia sea menos densa o espesa: *aclarar la sopa con agua.* **SIN** clarificar. **4** Aumentar los espacios o intervalos que hay en una cosa: *a partir de aquí el bosque se aclara.* **5** Volver a lavar con agua sola para quitar el jabón. **6** Mejorar una capacidad o una habilidad: *las zanahorias aclaran la vista.* **7** Hacer más audible la voz: *tomaré unas pastillas para aclarar la voz.* **|** *v. intr./prnl.* **8** Mejorar el tiempo atmosférico, despejarse el cielo: *está lloviendo y no podremos salir mientras el cielo no aclare.* **|** *v. prnl.* **9** **aclararse** familiar Poner uno en claro sus propias ideas: *quiero pensar esto con calma, porque no me aclaro.* **FAM** aclaración, aclarado, aclaratorio.

aclaratorio, -ria *adj.* Que aclara o explica: *nota aclaratoria.*

aclimatación *s. f.* Adaptación a un clima, situación o ambiente distinto de aquel de que se procede.

aclimatar *v. tr.* Adaptar un ser vivo a un clima, situación o ambiente distinto de aquel de que se procede: *los frutos tropicales se aclimatan con facilidad al clima mediterráneo.* **FAM** aclimatable, aclimatación.

acné *s. m.* Enfermedad de la piel que consiste en la inflamación de las glándulas sebáceas y la aparición de espinillas y granos; aparece generalmente en los jóvenes.

acobardar *v. tr.* Causar miedo, hacer que una persona adopte una actitud de cobardía. **FAM** acobardamiento.

acodar *v. tr.* **1** Dar a una cosa forma de codo doblándola en ángulo recto. **|** *v. prnl.* **2** **acodarse** Apoyarse con los codos. **FAM** acodadura, acodo.

acogedor, -ra *adj.* **1** Se aplica a la persona que recibe y acoge en su casa o en su tierra a los visitantes o extranjeros con amabilidad y toda clase de atenciones. **SIN** hospitalario. **2** Se aplica al lugar que es agradable y cómodo.

acoger *v. tr.* **1** Recibir o admitir una persona a otra en su casa o en su compañía. **2** Proteger, servir de refugio o amparo: *este centro de caridad acoge a los necesitados.* **3** Considerar que algo está bien, darlo por bueno o suficiente. **SIN** aprobar. **4** Recibir a una persona o un hecho de cierta manera: *me acogieron con aplausos.* **|** *v. prnl.* **5** **acogerse** Refugiarse en un lugar. **6** Ampararse en una ley, derecho, costumbre o norma: *los empresarios se acogieron al nuevo convenio para cerrar.* **7** Usar como disculpa o pretexto: *suele acogerse a su sordera y decir que él no había oído nada.* **FAM** acogedor, acogida, acogido, acogimiento.

acogida *s. f.* **1** Recibimiento que se ofrece a una persona cuando llega a un lugar. **2** Protección y cuidado que se da a una persona que necesita ayuda o refugio: *la ciudad tiene varios centros de acogida para indigentes.* **3** Aceptación o aprobación pública que recibe una persona o cosa: *el nuevo trabajo discográfico del cantante ha tenido una cálida acogida.*

acogotar *v. tr.* Intimidar, oprimir o dominar de forma tiránica.

acojonante *adj.* vulgar Que impresiona mucho, positiva o negativamente.

acojonar *v. tr.* vulgar Causar miedo. **FAM** acojonante.

acolchar *v. tr.* **1** Poner lana, algodón, gomaespuma u otro material blando entre dos telas y coserlas para que no se mueva. **2** Forrar una superficie dura con material blando para amortiguar posibles golpes. **FAM** acolchado.

acólito *s. m.* **1** Clérigo que ha recibido la cuarta de las órdenes menores y que tiene potestad para ayudar en la celebración de la misa y para administrar la eucaristía. **2** Niño que ayuda al sacerdote en la misa. **SIN** monaguillo. **3** Persona que acompaña o sigue a otra y se muestra muy dependiente de ella: *el jefe de la banda siempre está rodeado de sus acólitos.* **NOTA** Frecuentemente usado de forma despectiva.

acomedirse *v. prnl.* AMÉR. Ofrecerse a prestar un servicio.

acometer *v. tr.* **1** Atacar rápidamente con violencia. **|** *v. tr./intr.* **2** Embestir o lanzarse violentamente contra algo: *el toro acometió contra el burladero.* **|** *v. tr.* **3** Comenzar una empresa o trabajo: *el trabajo que hemos acometido es difícil, pero no imposible.* **4** Venir súbitamente el sueño, una enfermedad, un deseo, etc. **5** Empalmar un ramal con la cañería o galería principal. **FAM** acometida, acometividad.

acometida *s. f.* **1** Ataque o agresión rápida y violenta. **2** Empalme o ramal secundario de un conducto. **3** Toma para el suministro de agua o energía eléctrica a una instalación particular.

acomodación *s. f.* **1** Acomodamiento. **2** Adaptación del ojo para mantener sin alteración el enfoque del objeto que se mira al variar la distancia o la luz. **3** Adaptación que permite a un organismo soportar sin peligro las modificaciones de su medio.

acomodadizo, -za *adj.* Que se adapta a todo con facilidad. **SIN** acomodaticio.

acomodado, -da *adj.* Se aplica a la persona que goza de buena posición económica.

acomodador, -ra *s. m. y f.* Persona que en un espectáculo público indica a los asistentes la situación de sus localidades.

acomodamiento *s. m.* Acción de situar a una persona o cosa en el lugar adecuado. **SIN** acomodación.

acomodar *v. tr.* **1** Colocar a una persona en un lugar adecuado o cómodo: *acomodó a sus invitados.* **2** Colocar el acomodador al público en sus localidades. **3** Colocar u ordenar una cosa de forma conveniente: *tengo que acomodar todo el equipaje en el armario.* **4** Amoldar o adaptar una cosa armónicamente: *no consigo acomodar el ejemplo con la teoría que nos han explicado.* **5** Conciliar o concertar cosas de manera que sean compatibles y no estén en oposición: *es inútil intentar acomodar a las partes en disputa.* **6** Procurar un empleo: *un amigo influyente intentó acomodarlo de chófer.* **|** *v. prnl.* **7** **acomodarse** Conformarse, aceptar o avenirse a algo: *no tuvo más remedio que acomodarse a lo que había.* **FAM** acomodación, acomodadizo, acomodado, acomodador, acomodamiento, acomodaticio, acomodo; desacomodar.

acomodaticio, -cia *adj.* Acomodadizo.

acomodo *s. m.* Alojamiento o lugar donde instalarse.

acompañamiento *s. m.* **1** Persona o grupo de personas que acompaña a alguien, especialmente cuando es con solemnidad. **2** Alimento o conjunto de alimentos presentados como complemento de un plato principal. **3** Grupo de personas que representan papeles de poca importancia en una obra de teatro y aparecen en escena sin apenas hablar. **SIN** comparsa. **4** Conjunto de elementos armónicos de una composición musical, generalmente acordes, que sirven para sostener o acompañar a la parte principal, generalmente una melodía: *la soprano canta la melodía y el pianista toca el acompañamiento.* **5** Ejecución de este soporte armónico, generalmente por parte de un instrumentista.

acompañante *adj./s. com.* Se aplica a la persona que acompaña a otra.

acompañar *v. tr.* **1** Estar con otra persona o ir junto a ella. ‖ *v. tr./intr.* **2** Hacer compañía una persona, animal o cosa a otra u otras: *los amigos me acompañaron mucho durante la enfermedad; la radio acompaña mucho cuando te sientes solo.* ‖ *v. tr.* **3** Compartir un afecto o un estado de ánimo: *le acompaño en el sentimiento.* **4** Existir algo en una persona, especialmente una cualidad o circunstancia: *parece que te acompaña la buena suerte.* **5** Coincidir o existir un fenómeno a la vez que otro: *las lluvias nos acompañaron durante toda la Semana Santa.* **6** Ir una cosa junto a otra o añadida a ella: *un informe acompañaba la carta.* **7** Tocar una música secundaria o de fondo mientras otro canta o toca.
FAM acompañamiento, acompañante.

acompasado, -da *adj.* **1** Que sigue un ritmo o compás. **2** Que acostumbra hablar pausadamente en un mismo tono o andar y moverse con lentitud.

acompasar *v. tr.* Adaptar o acomodar una cosa a otra: *es preciso acompasar los gastos con los ingresos.*
FAM acompasado; desacompasar.

acomplejado, -da *adj./s. m. y f.* **1** Se aplica a la persona que tiene algún complejo. **2** Se aplica a la persona que se comporta con gran timidez, vergüenza e inhibición.

acomplejar *v. tr.* **1** Hacer que una persona se sienta inferior al mostrarle sus defectos o considerar ella que los tiene: *la gente inteligente me acompleja.* ‖ *v. prnl.* **2** **acomplejarse** Sentir una persona ansiedad o infelicidad al tener sentimientos desfavorables sobre sí misma.
FAM acomplejado.

acondicionador *s. m.* **1** Aparato que sirve para regular la temperatura y la humedad del aire en un local. **2** Sustancia que se echa en el pelo después de lavarlo y que sirve para hacer más fácil el peinado.

acondicionamiento *s. m.* Acción de acondicionar.

acondicionar *v. tr.* **1** Poner una cosa en las condiciones adecuadas para un fin. **2** Climatizar un espacio cerrado, darle las condiciones de temperatura y humedad apropiadas para la salud o la comodidad.
FAM acondicionador, acondicionamiento.

acongojar *v. tr.* Causar sufrimiento, pena o preocupación intensa. **SIN** angustiar.
FAM acongojado.

aconsejar *v. tr.* **1** Indicar a alguien lo que cree que debe hacer, o cómo hacerlo, en una situación determinada: *te aconsejo que estudies más estos días.* **SIN** recomendar. **ANT** desaconsejar. ‖ *v. prnl.* **2** **aconsejarse** Tomar o pedir un consejo: *se aconseja de su mujer antes de tomar una decisión; se aconsejaba con los expertos.*
FAM aconsejable; desaconsejar, malaconsejado.

aconsonantar *v. tr.* **1** Hacer que tengan rima consonante un poema o unas palabras. ‖ *v. intr.* **2** Tener una palabra rima consonante con otra: *"crucero" aconsonanta con "majadero".*

acontecer [16] *v. intr.* culto Ocurrir o producirse un hecho. **SIN** acaecer.
FAM acontecimiento.

acontecimiento *s. m.* Hecho o suceso que ocurre, especialmente si es de cierta importancia. **SIN** evento.

acopar *v. tr.* Hacer cóncava una cosa para que en ella quede ajustada otra.

acopiar *v. tr.* Reunir en gran cantidad cosas que son o pueden ser necesarias, especialmente provisiones.
FAM acopio.
OBS Verbo regular, se acentúa como *cambiar*.

acopio *s. m.* Reunión o acumulación de gran cantidad de una cosa.

acoplado *s. m.* AMÉR. SUR Vehículo sin motor, destinado a ir remolcado.

acoplamiento *s. m.* **1** Unión de dos piezas o elementos que encajan perfectamente. **SIN** ajuste. **2** Relación entre dos o más circuitos o sistemas, de forma que puede transferirse potencia de uno a otro: *el acoplamiento de las dos máquinas aumentará la potencia frigorífica de la cámara.* **3** Apareamiento de dos animales.

acoplar *v. tr.* **1** Unir dos piezas o elementos de manera que encajen perfectamente. **SIN** ajustar. **2** Adaptar a una situación o ambiente distinto del que se procede: *no se ha acoplado al nuevo trabajo.* ‖ *v. prnl.* **3** **acoplarse** Unirse sexualmente un animal macho y la hembra.
FAM acoplado, acoplador, acoplamiento; desacoplar.

acoquinar *v. tr.* familiar Inspirar temor y hacer perder el ánimo y el valor.

acorazado *s. m.* Buque de guerra de grandes dimensiones, blindado y con potente artillería.

acorazar *v. tr.* **1** Revestir una cosa con planchas de hierro o de acero, especialmente un buque de guerra o un lugar de defensa, como protección. ‖ *v. prnl.* **2** **acorazarse** Hacerse fuerte o prepararse para soportar algo: *se ha acorazado con buenos argumentos.*
FAM acorazado.

acorazonado, -da *adj.* Que tiene forma de corazón.

acorchar *v. tr.* **1** Revestir con corcho. ‖ *v. prnl.* **2** **acorcharse** Ponerse reseca, fofa y correosa una cosa, especialmente un alimento, con características semejantes a las que se consideran propias del corcho. **3** Perder sensibilidad una parte del cuerpo: *debido a la anestesia se me han acorchado las piernas.* **SIN** dormirse.
FAM acorchado.

acordar [5] *v. tr.* **1** Decidir o resolver varias personas, de común acuerdo o por mayoría, qué es lo que se va a hacer con respecto a cierto asunto, o cómo se va a hacer algo: *acordaron un armisticio; acordaron dar por terminada la guerra.* **2** Poner de acuerdo o conciliar ideas: *no pudieron acordar las posturas enfrentadas.* **3** Determinar o decidir una cosa: *después de aquel susto acordé no volver a intentarlo.* **4** Afinar un instrumento musical o la voz. ‖ *v. prnl.* **5** **acordarse** Recordar, traer a la propia memoria: *¿te acuerdas de mí?*
FAM acorde, acuerdo; discordar.

acorde *adj.* **1** Que está conforme o de acuerdo: *en lo esencial nuestras opiniones son acordes.* **2** Que está en consonancia o en armonía con algo: *debemos tener una explotación minera acorde con el equilibrio del paisaje.* ‖ *s. m.* **3** Conjunto de tres o más notas musicales combinadas armónicamente y ejecutadas a la vez: *un acorde es mayor cuando distan dos tonos entre la primera y la segunda nota, y menor cuando distan un tono y medio.*
FAM desacorde, monoacorde.

A

acordeón *s. m.* Instrumento musical de viento formado por un fuelle rectangular y dos armazones (uno a cada lado) provistos de filas de botones (o con teclas como las del piano en el lado de la mano derecha); se toca llevándolo colgado de los hombros y sujeto con ambas manos por los lados, abriendo y cerrando el fuelle y pulsando las teclas y los botones. **FAM** acordeonista.

acordeonista *s. com.* Persona que toca el acordeón.

acordonar *v. tr.* ① Formar un cerco en torno a un lugar con un cordón de personas, generalmente policías o soldados, para incomunicarlo o impedir el acceso a él. ② Ceñir o sujetar con un cordón. **FAM** acordonamiento.

acorralar *v. tr.* ① Meter el ganado en el corral. ② Llevar a una persona o un animal hasta un lugar de estrechos límites e impedirle la salida. **SIN** arrinconar. ③ Confundir a una persona y dejarla sin saber qué responder durante una discusión o una entrevista. **FAM** acorralamiento.

acortamiento *s. m.* Disminución de la longitud, la duración o la cantidad de algo.

acortar *v. tr.* Disminuir la longitud, la duración o la cantidad de algo: *acortar un camino.* **FAM** acortamiento.

acosar *v. tr.* ① Perseguir a una persona o animal sin darle tregua ni descanso para detenerlo o cazarlo. ② Perseguir o molestar con peticiones, preguntas o quejas continuas e insistentes. **FAM** acoso.

acoso *s. m.* ① Persecución sin tregua ni descanso. ■ **acoso sexual** Acoso de una persona a otra para obtener de ella favores sexuales: *el acoso sexual en el trabajo está penado por la ley.* ② Molestia causada por la insistencia de alguien con sus peticiones o preguntas.

acostar [5] *v. tr.* ① Echar o tender a una persona para que duerma o descanse, especialmente en la cama: *voy a acostar a los niños.* ‖ *v. prnl.* ② **acostarse** Tener relaciones sexuales una persona con otra: *es posible que se haya acostado con él.* **FAM** recostar.

acostumbrar *v. tr.* ① Hacer que una persona tome cierta costumbre o hábito: *hay que acostumbrar a los niños a comer de todo.* ‖ *v. intr.* ② Tener costumbre o hábito de hacer una determinada cosa: *acostumbro ir todos los días a pasear; acostumbro a leer antes de acostarme.* **SIN** soler. ③ Suceder con frecuencia una cosa: *el clima turolense acostumbra ser muy frío.* **SIN** soler. ‖ *v. prnl.* ④ **acostumbrarse** Adquirir cierta costumbre o hábito: *me cuesta acostumbrarme a dormir en una cama tan dura.* **FAM** desacostumbrar, malacostumbrar.

acotación *s. f.* ① Limitación del uso de una cosa. ② Limitación del uso y aprovechamiento de un terreno marcándolo con mojones u otras marcas. **SIN** acotamiento. ③ Nota, advertencia o comentario puesto al margen de un escrito o impreso. ④ Texto que aparece en las obras teatrales con indicaciones relativas al escenario, el movimiento de los actores y otros aspectos sobre la realización de la obra. ⑤ Indicación de la medida de los objetos representados que se realiza en los dibujos técnicos.

acotamiento *s. m.* ① Conjunto de señales que indican los límites de determinada superficie. ② Acotación de un terreno.

acotar[1] *v. tr.* ① Limitar el uso de una cosa. ② Marcar los límites de un terreno para reservar su uso y aprovechamiento. ③ Hacer más corto o limitado. **FAM** acotación, acotamiento.

acotar[2] *v. tr.* ① Poner notas, advertencias o comentarios al margen de un escrito o impreso. ② Indicar en un plano o croquis las dimensiones de cada uno de sus elementos siguiendo una escala: *acotar un dibujo.* **FAM** acotación, acotamiento.

acracia *s. f.* Doctrina política que pretende la desaparición del estado o de sus organismos e instituciones representativas y defiende la libertad del individuo por encima de cualquier autoridad. **SIN** anarquía, anarquismo. **FAM** ácrata.

ácrata *adj./s. com.* Se aplica a la persona que es partidaria de la acracia. **SIN** anarquista, libertario.

acre[1] *s. m.* Medida de superficie anglosajona que equivale a 40,47 metros cuadrados.

acre[2] *adj.* ① Que es ácido, áspero y picante en el sabor y en el olor. ② Que es rudo o poco agradable: *por su carácter acre no es fácil ser su amigo.* **FAM** acritud. **OBS** Superlativo irregular: *acérrimo.*

acrecentar [1] *v. tr.* Hacer más grande, fuerte o intenso. **SIN** aumentar. **FAM** acrecentamiento.

acreditación *s. f.* Documento en el que se certifica la identidad y el cargo de una persona o que la autoriza para hacer alguna cosa.

acreditado, -da *adj.* Que tiene prestigio o reputación: *un autor acreditado.*

acreditar *v. tr.* ① Demostrar con un documento que una persona es quien dice ser o está autorizada para hacer algo. ② Asegurar por medio de un documento que una cosa es auténtica. ③ Comprobar o asegurar que algo es auténtico examinándolo o comparándolo con otra cosa que se sabe que es auténtica. ④ Dar fama por una cualidad. ⑤ Demostrar un trabajo realizado que una persona es muy buena realizándolo: *su labor de cirujano lo acredita como un gran médico.* ⑥ Autorizar a una persona para representar a otras o hacer algo en su nombre. **FAM** acreditación, acreditado, acreditativo; desacreditar.

acreditativo, -va *adj.* Se aplica al documento que demuestra que algo es verdad. **FAM** acreditación, acreditado; desacreditar.

acreedor, -ra *adj./s. m. y f.* ① Se aplica a la persona que tiene derecho a pedir que se cumpla una obligación, especialmente que se le pague una deuda. **ANT** deudor. ② Se aplica a la persona que merece aquello que se expresa o es digno de ello: *en poco tiempo se ha hecho acreedor de la confianza de todos.*

acribillar *v. tr.* ① Llenar de agujeros, de heridas o de picotazos. ② Importunar o molestar mucho a alguien, generalmente con preguntas.

acrílico, -ca *adj.* ① Se aplica al ácido que se presenta en forma líquida, soluble en agua, sin color, con olor muy fuerte y que se usa para hacer pinturas y en la industria. ‖ *adj./s. m.* ② Se aplica a la fibra textil sintética o al material plástico que se obtiene por una reacción química del ácido acrílico o de sus derivados.

acriollarse *v. prnl.* AMÉR. Adquirir un extranjero las costumbres propias del país hispanoamericano en que vive.

acrisolado, -da *adj.* ① Se aplica a la virtud o cualidad que mejora y sale depurada al ser puesta a prueba o practicada de forma frecuente: *es un médico de acrisolado prestigio.* ② Se aplica a la persona que es tan perfecta y sin tacha que no admite ni el más pequeño reproche.

acrisolar *v. tr.* ① Purificar los metales en el crisol. ② Confirmar la solidez de una virtud o cualidad moral al ponerla a prueba o al ser practicada con frecuencia: *el sufrimiento acrisola la paciencia.*
FAM acrisolado.

acristalar *v. tr.* Poner cristales en una puerta, ventana, terraza o lugar semejante.

acritud *s. f.* ① Sabor u olor desagradable que produce sensación de aspereza o picor. ② Falta de amabilidad y de trato agradable. ③ Endurecimiento o fragilidad que experimentan algunos metales al ser trabajados en frío.

acrobacia *s. f.* ① Ejercicio gimnástico o deportivo de gran dificultad que se realiza como espectáculo público y que suele exigir una habilidad extraordinaria para mantener el equilibrio sobre una cuerda floja, una barra o un trapecio. ② Ejercicio espectacular que realiza un avión en el aire.

acróbata *s. com.* Persona que realiza acrobacias en un espectáculo público.
FAM acrobacia, acrobático.

acrobático, -ca *adj.* Relativo a la acrobacia.

acrofobia *s. f.* Miedo enfermizo a estar en un lugar alto, aunque no exista peligro de caída.
FAM acrofóbico.

acromático, -ca *adj.* ① culto Que carece de color. ② Se aplica al cristal o sistema óptico que transmite la luz blanca sin descomponerla en los colores que la constituyen. ③ Se aplica a la parte del núcleo de una célula que no se tiñe con los colores usuales.
FAM acromatismo.

acronimia *s. f.* Procedimiento de formación de palabras que consiste en la unión de iniciales y otras letras del principio y el fin de dos o más palabras que forman un concepto o expresión: *"autobús" se ha formado por acronimia de "automóvil ómnibus".*

acrónimo *s. m.* Palabra formada por el procedimiento de la acronimia.
FAM acronimia.

acrópolis *s. f.* Lugar más alto y mejor fortificado de las ciudades griegas de la Antigüedad, donde se situaban los principales templos y edificios públicos: *la acrópolis de Atenas es la mejor conservada.*
OBS Plural invariable.

acróstico, -ca *s. m./adj.* Poema que permite formar una palabra o una frase leyendo verticalmente las letras iniciales, medias o finales de sus versos.

acrótera *s. f.* ① Pedestal adornado colocado en los ángulos y en la cúspide de un frontón, sobre el que suele colocarse una estatua, un macetón u otro adorno. ② Cruz que en algunas iglesias remata la bóveda del crucero.

acta *s. f.* ① Documento en el que están escritos los asuntos tratados o acordados en una junta o reunión: *antes de comenzar la reunión, se procedió a la lectura del acta de la sesión anterior.* ② Certificación oficial de un hecho. ■ **acta notarial** Relación o certificación que hace un notario de un hecho que presencia y autoriza. ③ Documento en que figura la elección de

una persona para un cargo. ‖ *s. f. pl.* ④ **actas** Documento en el que se exponen los trabajos presentados en ciertas reuniones o encuentros de carácter técnico o científico.
levantar acta Escribir los hechos ocurridos en un lugar y afirmar que son ciertos.
OBS Los artículos de singular son *el* y *un*, salvo que entre artículo y sustantivo haya otra palabra.

actinia *s. f.* Invertebrado marino del filo celentéreos, de cuerpo blando y de colores vivos, en forma de tubo abierto por un extremo, del que salen multitud de tentáculos que recuerdan la forma de una flor; la mayoría vive fija al fondo marino. **SIN** anémona de mar.

actínido *adj./s. m.* Se aplica al elemento químico cuyo número atómico está comprendido entre el 89 y el 103, ambos incluidos: *los actínidos son metales pesados y radiactivos, como el actinio, el uranio o el neptunio.*

actinio *s. m.* Elemento químico de símbolo *Ac* y número atómico 89; es un metal de color plateado, con propiedades radiactivas, que se forma por la transformación del uranio y del radio.
FAM actínido.

actinología *s. f.* Parte de la química que estudia los efectos químicos de la luz.

actitud *s. f.* ① Manera de comportarse u obrar una persona ante cierto hecho o situación. ② Postura del cuerpo que revela una intención o un estado de ánimo: *nos miró en actitud provocativa.*
FAM actitudinal.

activación *s. f.* ① Comienzo del funcionamiento de una cosa: *activación de una alarma.* ② Aumento o aceleración del movimiento o del funcionamiento de una cosa.

activador, -ra *adj./s. m.* ① Se aplica al mecanismo que pone en funcionamiento un aparato o un sistema. ‖ *adj.* ② Se aplica a la sustancia que inicia una reacción química.

activar *v. tr.* ① Poner en funcionamiento un mecanismo o provocar una reacción química. **ANT** desactivar. ② Aumentar la intensidad o la rapidez de una cosa: *activar las negociaciones.* ③ Hacer radiactiva una sustancia, generalmente bombardeándola con partículas materiales.
FAM activación, activador; desactivar, reactivar.

actividad *s. f.* ① Estado de lo que se mueve, funciona o ejerce una acción: *un volcán en actividad.* **ANT** inactividad. ② Capacidad de obrar o de tener un efecto: *la actividad de un ácido.* ③ Rapidez de acción. ④ Conjunto de trabajos o acciones que se hacen con un fin determinado o son propias de una persona, una profesión o una entidad: *actividad empresarial.* ⑤ Trabajo, deber o conjunto de cosas que hay que hacer. ⑥ Número de átomos de una sustancia radiactiva que se desintegran por unidad de tiempo. ‖ *s. f. pl.* ⑦ **actividades** Conjunto de trabajos complementarios o prácticas, especialmente en una materia escolar.
actividad óptica Capacidad de algunas sustancias de desviar el plano de luz polarizada que las atraviesan.

activista *adj./s. com.* Se aplica a la persona que interviene activamente en la propaganda del partido o sociedad a que pertenece o practica la acción directa en la lucha por los cambios sociales o políticos que pretende.

activo, -va *adj.* ① Que produce el efecto que le es propio. **ANT** pasivo. ② Que trabaja con energía y rapidez: *necesitamos personal activo que realice su trabajo con prontitud.* **ANT** inactivo,

A

pasivo. ③ Que realiza su función o trabajo en el momento en que se habla: *no se ha retirado, aún es miembro activo.* ④ En lingüística, se aplica al sujeto que designa a la persona o cosa que realiza la acción designada por el verbo: *en la oración "el perro mueve la cola", el sujeto activo es "el perro".* ANT pasivo. I *adj./s. f.* ⑤ Se aplica a la voz verbal que expresa que el sujeto realiza la acción designada por el verbo. ANT pasivo. ⑥ Se aplica a la oración que lleva un sujeto formado por la palabra o por el sintagma que designa la persona o cosa que realiza la acción expresada por el verbo: *la oración "los albañiles han construido una hermosa mansión" es activa.* ANT pasivo. I *s. m.* ⑦ Valor total de lo que posee una sociedad de comercio.
en activo Que está trabajando o prestando un servicio: *ya no es militar en activo.*
FAM activamente, activar, actividad, activista; inactivo, reactivo, retroactivo.

acto *s. m.* ① Hecho o acción: *fue un acto muy humanitario.* ■ **acto de contrición** Arrepentimiento por haber ofendido a Dios. ■ **acto reflejo** Acción instintiva o sin control consciente que se produce ante un estímulo: *cerrar los ojos cuando te tiran arena es un acto reflejo.* ■ **acto sexual** Unión sexual. SIN coito. ② Hecho público: *grandes personalidades asistirán al acto de clausura.* ③ Cada una de las partes en que se divide una obra de teatro.
acto seguido Inmediatamente después: *finalizó la reunión y, acto seguido, nos fuimos a comer.*
en el acto En este mismo momento, de forma inmediata: *se hacen copias de llaves en el acto.*
hacer acto de presencia Estar presente en una reunión o ceremonia brevemente y por cumplir una formalidad.
FAM activo, actuar; entreacto.

actor, -triz *s. m. y f.* ① Persona que interpreta un papel en el teatro, la televisión, la radio o el cine. I *adj./s. m. y f.* ② Se aplica a la persona que ha puesto la demanda en un juicio.
NOTA Femenino: actora.

actuación *s. f.* ① Hecho o conjunto de hechos realizados por una persona o una cosa: *están siendo investigadas sus últimas actuaciones como magistrado.* ② Efecto, trabajo o función realizada: *con la actuación del calmante podré dormir un poco.* ③ Representación o muestra del trabajo de un cantante, un actor o un grupo de ellos.

actual *adj.* ① Que existe, ocurre o se usa en el momento en que se habla: *los jóvenes son la esperanza de la sociedad actual.* ② Que es propio del tiempo presente: *este vestido tiene un diseño muy actual.*
FAM actualidad, actualizar, actualmente.

actualidad *s. f.* ① Momento o tiempo presente: *en la actualidad vivimos en Barcelona.* ② Cosa o suceso que atrae la atención de la gente en un determinado momento: *es un tema de actualidad.*

actualización *s. f.* Adaptación al presente de una cosa desfasada, que ha quedado anticuada.

actualizar *v. tr.* Poner al día, adaptar al momento presente aquello que se ha quedado desfasado o anticuado: *actualizar una cuenta bancaria.*
FAM actualización.

actualmente *adv.* Ahora, en el tiempo presente.

actuar *v. intr.* ① Realizar una acción, comportarse de determinada manera: *en aquella situación no sabía cómo actuar.* ② Realizar una persona o cosa actos propios de su natura-

leza o, una persona, las funciones propias de un oficio o un cargo: *la Tierra actúa como si fuese un imán cuyos polos están orientados en la dirección norte-sur; actuó como abogado defensor.* ③ Representar un papel o desarrollar una función, especialmente en una película u obra de teatro. ④ Producir una sustancia el efecto que le es propio: *este medicamento actúa con rapidez.*
FAM actuación.
OBS Verbo regular, en su conjugación se acentúa la *u* de algunas formas de los presentes de indicativo y subjuntivo y del imperativo.

acuarela *s. f.* ① Técnica de pintura sobre papel o cartón con colores diluidos en agua que no utiliza pigmento blanco, sino que se vale directamente del blanco del papel. ② Pintura hecha con esta técnica. ③ Color que, diluido en agua, permite pintar con esta técnica.
FAM acuarelista.

acuario¹ *s. m.* ① Depósito de agua, generalmente hecho de un material transparente, acondicionado para tener animales y plantas acuáticos. ② Edificio destinado a mostrar al público animales acuáticos.

acuario² *adj./s. com.* Se aplica a la persona que ha nacido entre el 21 de enero y el 18 de febrero, tiempo en que el Sol, visto desde la Tierra, recorre la constelación de Acuario, undécimo signo del Zodiaco.
OBS Se escribe normalmente con mayúscula inicial. Plural invariable.

acuartelamiento *s. m.* ① Reunión o estancia de los soldados en el cuartel en previsión de una intervención inmediata. ② Edificio o instalación donde viven los soldados cuando están de servicio. SIN cuartel.

acuartelar *v. tr.* Reunir a los soldados en un cuartel: *se recibió la orden de acuartelar las tropas.*
FAM acuartelamiento.

acuático, -ca *adj.* ① Relativo al agua: *deportes acuáticos; parque acuático.* ② Que vive o se desarrolla en el agua: *planta acuática.*
FAM subacuático.

acuchillar *v. tr.* Herir o matar con un cuchillo u otra arma blanca.
FAM acuchillado.

acuciante *adj.* Que necesita una acción o solución rápida: *atraviesa acuciantes problemas económicos.* SIN apremiante, urgente.

acuciar *v. tr.* Apremiar, estimular o dar prisa a una persona para que realice algo: *las preocupaciones acuciaban al ministro.*
FAM acuciante.
OBS Verbo regular, se acentúa como *cambiar.*

acucioso, -sa *adj.* Que requiere una acción o realización rápida: *tengo una necesidad acuciosa de verte.*

acuclillarse *v. prnl.* Ponerse en cuclillas, doblar las piernas de modo que el trasero se acerque al suelo o descanse en la parte posterior de las piernas.

acudir *v. intr.* ① Ir a un lugar por propia iniciativa o por haber sido llamado. ② Presentarse o sobrevenir una cosa a una persona, especialmente recuerdos o imágenes mentales: *los recuerdos de su niñez acudieron a su mente.* ③ Recurrir a alguien o algo, valerse de su ayuda para conseguir un provecho.

acueducto *s. m.* Canal o conducto artificial que sirve para llevar agua de un lugar a otro, especialmente el construido en forma de puente que abastece a una población: *el acueducto de Segovia tiene 128 arcos.*

acuerdo *s. m.* 1 Decisión tomada en común por varias personas sobre alguna cosa. 2 Relación pacífica mantenida entre personas o países. **SIN** concordia. **ANT** desacuerdo. 3 Documento en el que se exponen las obligaciones y derechos que aceptan las partes que lo firman. **SIN** convenio. ■ **acuerdo marco** Documento en el que se recogen las obligaciones y derechos generales que han de tenerse en cuenta al establecer otros de carácter más concreto.
de acuerdo (**I**) Con unión y conformidad: *¿estás de acuerdo conmigo?; los estudiosos no se ponen de acuerdo.* (**II**) Se usa para afirmar o aceptar algo: —*¿Damos una vuelta?* —*De acuerdo.*
FAM desacuerdo, preacuerdo.

acuicultivo *s. m.* Cría y explotación de peces, moluscos y algas con fines científicos o comerciales.

acuicultura *s. f.* Técnica de criar y fomentar la reproducción de especies animales o vegetales en agua dulce o salada.

acuífero, -ra *adj.* 1 Relativo al agua: *reservas acuíferas.* ‖ *s. m.* 2 Capa subterránea de roca permeable que almacena, filtra y libera agua.

acullá *adv.* culto En un lugar lejos del que habla.
OBS Se usa generalmente en contraposición a otro adverbio demostrativo de lugar.

acullico *s. m.* AMÉR. Bola hecha con hojas de coca que los indios quichuas y aimaras mantienen en la boca para mitigar la sed y el hambre.

aculturación *s. f.* Proceso de recepción de otra cultura y de adaptación a ella, especialmente si ello implica una pérdida de la cultura propia: *la aculturación se produce a menudo por la dominación política o militar de un pueblo sobre otro.*

acumulación *s. f.* Reunión y amontonamiento progresivo de un gran número de cosas.

acumulador, -ra *adj.* 1 Que acumula o sirve para acumular: *le va bien y se ha convertido en un acumulador de riquezas.* ‖ *s. m.* 2 Aparato o dispositivo que sirve para acumular o almacenar energía: *la batería del coche es un acumulador eléctrico.*

acumular *v. tr.* 1 Juntar y amontonar progresivamente personas, animales o cosas en gran cantidad. 2 Unir unos elementos a otros para sumar su efecto: *acumular los intereses al capital.*
FAM acumulación, acumulador, acumulativo.

acumulativo, -va *adj.* Que se debe a la acumulación o se forma por ese procedimiento: *los intereses acumulativos se suman al capital que los produce.*

acunar *v. tr.* Mecer o balancear suavemente a un niño que está en una cuna o en brazos de alguien.

acuñación *s. f.* 1 Grabación mediante la cual se imprime o da relieve a un objeto de metal, especialmente monedas y medallas. 2 Creación de una expresión que logra cierta popularidad o pasa a formar parte de la lengua común: *el auge de la informática ha propiciado la acuñación de muchas palabras nuevas.*

acuñar[1] *v. tr.* 1 Imprimir un objeto de metal, especialmente una moneda o una medalla, mediante un cuño o troquel. 2 Crear una expresión que logra cierta popularidad o pasa a formar parte de la lengua común: *los anuncios de publicidad suelen acuñar frases que se hacen famosas.*
FAM acuñación.

acuñar[2] *v. tr.* Sujetar o ajustar con cuñas: *antes de sentarnos hay que acuñar la mesa.*
FAM acuñación.

acuoso, -sa *adj.* 1 Que tiene mucha agua. **SIN** aguoso. 2 Se aplica a la fruta que tiene mucho jugo. **SIN** aguoso. 3 Que se parece al agua o tiene alguna de sus características, especialmente su densidad y color. **SIN** aguoso. 4 Que se encuentra disuelto en agua: *solución acuosa.*
FAM acuosidad.

acupuntura *s. f.* Procedimiento médico de origen oriental que consiste en clavar agujas en puntos especiales del cuerpo para aliviar dolores, anestesiar determinadas zonas y curar ciertas enfermedades.

acure *s. m.* VENEZ. Conejillo de Indias.

acurrucarse *v. prnl.* Doblarse y encogerse una persona o animal para ocupar el menor espacio posible, generalmente por miedo o frío: *vislumbré el bulto de un muchacho que se acurrucaba entre las ramas de aquellos matorrales.*
FAM acurrucado.

acusación *s. f.* 1 Atribución a una persona de un delito, una culpa o una falta: *ha sido detenido a causa de las acusaciones del fiscal.* 2 Cargo del que se culpa a una persona: *sufrió la cárcel por falsas acusaciones.* 3 Parte que en un juicio se encarga de demostrar la culpabilidad del acusado: *la acusación está encargada de demostrar la culpabilidad del acusado.* **ANT** defensa.

acusado, -da *adj.* 1 Que destaca y se percibe con claridad: *hay diferencias muy acusadas de renta per cápita entre los distintos países.* ‖ *s. m. y f.* 2 Persona a quien se acusa de un delito en un proceso judicial: *el acusado fue declarado inocente.*

acusar *v. tr.* 1 Atribuir a una persona la responsabilidad de un hecho que va en contra de la ley o la moral o que perjudica injustamente a otra: *fue acusado del robo cometido en la joyería.* **SIN** culpar. 2 Mostrar o revelar cierta cosa un dispositivo o aparato: *el sismógrafo acusó un movimiento de escasa magnitud.* 3 Notificar que se ha recibido una carta o un mensaje. 4 Manifestar, mostrar algo a causa de una cosa o como consecuencia de ella: *aún acusa los efectos de su reciente enfermedad.* ‖ *v. prnl.* 5 **acusarse** Admitir haber cometido una falta o delito.
FAM acusación, acusado, acusativo, acuse, acusica, acusón; excusar.

acusativo *s. m./adj.* Caso o relación sintáctica que, en algunas lenguas con declinación como el latín, indica el complemento directo.

acuse *s. m.* Nota en que se da cuenta de la recepción de cartas, oficios u otros documentos.
acuse de recibo Documento postal con el que se certifica haber recibido determinada notificación o comunicación.

acusica *adj./s. com.* familiar Chivato, que tiene costumbre de acusar o decir las faltas de los demás.
OBS Frecuentemente usado en el lenguaje infantil.

acústica *s. f.* 1 Parte de la física que se ocupa de la producción, transmisión, recepción y control del sonido: *la acústica musical estudia la frecuencia de onda de cada nota, la grabación y producción del sonido, la mejora de las condiciones acústicas de las salas, etc.* 2 Condiciones en que se oye el sonido en un local: *el concierto fue bueno, pero fallaba la acústica.*

acústico, -ca *adj.* 1 Relativo al órgano del oído: *nervio acústico.* 2 Relativo a la acústica o al sonido: *hay que mejorar las condiciones acústicas del local.*
FAM acústica.

acutí *s. m.* ARG., PAR. Agutí.

adagio[1] *s. m.* Proverbio o refrán de origen culto con contenido moral o doctrinal.

adagio[2] [se pronuncia aproximadamente 'adayio'] *adv.* ① Indica que una composición musical o parte de ella debe interpretarse con un tempo o ritmo moderadamente lento. ‖ *s. m.* ② Pieza musical o movimiento (parte) de una sonata, sinfonía, etc. que se interpreta con este tempo: *el adagio suele ser el segundo movimiento de la composición.*

adalid *s. m.* ① Jefe o caudillo de un grupo de soldados o guerreros. ② Guía o líder de un movimiento, escuela o tendencia, especialmente el que destaca por su defensa y sostenimiento.

adán *s. m.* familiar Hombre mal vestido, sucio y descuidado en su aspecto externo: *no le gusta arreglarse y va siempre hecho un adán.*

adaptabilidad *s. f.* Capacidad de una persona o cosa para adaptarse a un nuevo medio o situación.

adaptación *s. f.* ① Ajuste o acomodación de una cosa con otra. ② Transformación de una cosa para que desempeñe una función distinta de la original: *la adaptación del local como restaurante ha sido un éxito.* ③ Modificación de una obra intelectual para presentarla de forma distinta de la original u ofrecerla a otro destinatario: *debes encargarte de la adaptación de la novela para una película.* ④ Proceso por el que un ser vivo se acomoda al medio en que vive. ANT inadaptación. ■ **adaptación evolutiva** Carácter de un ser vivo que aumenta sus posibilidades de supervivencia en el medio en el que vive. ■ **adaptación fisiológica** Modificación que presenta un organismo que le permite reaccionar con más eficacia ante determinadas condiciones ambientales. ■ **adaptación sensorial** Alteración de la excitabilidad de los sentidos tras una estimulación continua que disminuye la sensibilidad temporalmente.

adaptador, -ra *adj./s. m. y f.* ① Se aplica a la persona que realiza la adaptación de una obra intelectual. ‖ *s. m.* ② Instrumento que sirve para acoplar elementos eléctricos de distinto tamaño, diseño o finalidad para diversos usos: *un adaptador para enchufes.*

adaptar *v. tr.* ① Ajustar o acomodar una cosa a otra: *compraremos un vehículo que se adapte a nuestras necesidades.* SIN amoldar. ② Modificar una cosa para que desempeñe una función distinta de la original. ③ Dar a una obra intelectual forma distinta de la original para que pueda ser difundida por un medio y entre un público distintos de aquellos para los que fue concebida. ‖ *v. prnl.* ④ **adaptarse** Acomodarse o ajustarse a una situación o un lugar distinto del habitual: *debes adaptarte a tu nuevo colegio.* SIN amoldarse.
FAM adaptable, adaptación, adaptador; inadaptado, readaptar.

adarga *s. f.* Escudo de cuero con forma ovalada o de corazón, usado antiguamente.

adarve *s. m.* Camino situado en la parte alta de la muralla que defiende un castillo u otra fortificación: *el adarve está situado tras el parapeto de la fortificación.*

addenda *s. f.* Adenda.

adecentar *v. tr.* Poner decente un lugar, dejándolo limpio y en orden.

adecuación *s. f.* Ajuste o acomodación de una cosa a otra.

adecuado, -da *adj.* Que se ajusta o acomoda a ciertas condiciones o circunstancias. ANT inadecuado.
FAM adecuadamente; inadecuado.

adecuar *v. tr.* Ajustar o acomodar una cosa a otra: *adecuó el producto a las necesidades del público.*
FAM adecuación, adecuado.
OBS Verbo regular, se acentúa como *actuar* o como *averiguar*.

adefesio *s. m.* Persona, animal o cosa muy fea, ridícula o extravagante: *vas hecho un adefesio con ese traje.*

adelantado, -da *adj.* ① Se aplica a la persona que muestra cualidades físicas o intelectuales más desarrolladas de lo que le corresponde por su edad. SIN precoz. ‖ *adj./s. m. y f.* ② Se aplica a la persona que tiene ideas o actitudes propias de un tiempo futuro: *fue un adelantado de su época.* SIN avanzado. **por adelantado** Antes de que ocurra o se haga otra cosa: *pagar por adelantado.*

adelantamiento *s. m.* ① Movimiento hacia adelante en el espacio o en el tiempo. ② Movimiento con el que un vehículo, un corredor, etc., se pone delante de otro que va más lento: *el adelantamiento es una de las maniobras de circulación más peligrosas.*

adelantar *v. tr.* ① Mover o llevar a alguien o algo hacia adelante: *los voluntarios se adelantaron unos pasos.* ② Pasar un vehículo, un corredor, etc., a estar delante de otro que va más lento. ③ Hacer que una cosa ocurra antes del tiempo previsto o normal: *adelantar un viaje.* SIN anticipar. ANT atrasar, retrasar. ④ Pagar una cantidad de dinero antes de la fecha señalada o de que el trabajo correspondiente esté terminado. SIN anticipar. ⑤ Comunicar la voluntad de hacer una cosa o informar de una noticia antes de lo que se esperaba: *me adelantó su intención de anunciar su dimisión.* SIN anticipar. ⑥ Ser indicio o señal de una cosa que ocurrirá a continuación: *el cruce de declaraciones de los entrenadores permite adelantar que el partido será bronco.* SIN anticipar. ⑦ familiar Conseguir o llegar a tener: *¿qué adelantas con eso?* ⑧ Hacer que un reloj señale un tiempo que todavía no ha llegado: *esta noche hay que adelantar el reloj una hora.* ANT atrasar, retrasar. ‖ *v. intr./prnl.* ⑨ Marcar un reloj un tiempo posterior al real: *he de llevar mi reloj al relojero porque adelanta mucho.* ANT atrasar. ‖ *v. intr.* ⑩ Progresar o avanzar: *mi hijo ha adelantado mucho en matemáticas.* ⑪ Ganar tiempo al hacer determinada cosa: *si vamos por aquí, adelantaremos.* ‖ *v. prnl.* ⑫ **adelantarse** Actuar con mayor rapidez de movimientos o ideas que otra: *me adelanté a pagar los cafés.* SIN anticiparse. ⑬ Ocurrir algo antes del tiempo previsto o normal: *se adelantó el invierno.* SIN anticiparse. ANT atrasarse, retrasarse.
FAM adelantado, adelantamiento, adelanto.

adelante *adv.* ① Hacia el frente: *dio un paso adelante.* ANT atrás. ② Más allá en el tiempo o en el espacio: *seguiremos adelante con el proyecto.* ③ Se emplea pospuesto a un sustantivo de lugar para indicar que se avanza por él: *seguimos carretera adelante.* ‖ *int.* **¡adelante!** (I) Se emplea para indicar a alguien que puede pasar, después de haber pedido permiso para ello: *—¿Se puede? —¡Adelante!* (II) Se emplea para dar ánimo a alguien: *¡adelante, lo estás haciendo muy bien!* **en adelante** A partir del momento presente: *en adelante tendré más cuidado.* **llevar adelante** Hacer que un asunto, proyecto o iniciativa funcione bien. **más adelante** Después en el tiempo o en el espacio: *lo dejaremos para más adelante.*

sacar adelante Hacer que algo tenga un buen desarrollo o un buen fin: *sacar adelante un proyecto.*

salir adelante Vencer las dificultades de una situación, especialmente de tipo económico: *ganaba poco pero siempre supo salir adelante.*

FAM adelantar.

adelanto *s. m.* **1** Anticipación en el tiempo o en el espacio en relación con lo previsto o lo regular: *el adelanto en la fecha del examen provocó muchas protestas.* **ANT** retraso. **2** Avance o mejora: *los grandes adelantos de la ciencia.* **NOTA** Generalmente en plural con el mismo significado que en singular. **3** Cantidad de dinero que se paga o se recibe antes de que se cumplan determinadas condiciones. **SIN** anticipo.

adelfa *s. f.* **1** Arbusto tóxico perenne de flores blancas, rojas o rosáceas y hojas largas, que crece en lugares húmedos. **2** Flor de esta planta.

FAM adélfico.

adelgazamiento *s. m.* Pérdida de peso o de grosor de una persona.

adelgazante *adj.* **1** Que adelgaza o sirve para adelgazar. **‖** *s. m./adj.* **2** Sustancia que sirve para adelgazar.

adelgazar *v. intr.* **1** Perder peso o grosor una persona, quedarse delgada: *no debes obsesionarte con la idea de adelgazar.* **ANT** engordar. **‖** *v. tr.* **2** Dejar con menor peso o tamaño: *usa una faja para adelgazar la barriga.* **ANT** engordar. **‖** *v. tr./intr.* **3** Hacer parecer más delgado: *el color negro adelgaza la figura.* **FAM** adelgazamiento, adelgazante.

ademán *s. m.* **1** Movimiento o actitud del cuerpo o de una de sus partes con que se manifiesta un estado de ánimo o una intención: *salimos corriendo cuando el león hizo ademán de atacarnos.* **‖** *s. m. pl.* **2** **ademanes** Conjunto de acciones de una persona con las que muestra su buena o mala educación: *tiene los ademanes típicos de un caballero.* **SIN** modales.

en ademán de En actitud o posición que expresa la intención de hacer una cosa determinada.

además *adv.* Expresa la idea de agregación: *estudia y además trabaja.*

además de Expresa una información nueva añadida a algo ya conocido: *además de inglés, habla también francés y alemán.*

adenda *s. f.* Conjunto de textos que se añaden a una obra escrita ya terminada o a una de sus partes para completarla y actualizarla.

adenitis *s. f.* Inflamación de una glándula o un grupo de ganglios.

OBS Plural invariable.

adenoide *s. f.* Tejido de la faringe alta, situado en la parte posterior de la nariz, que cuando se hipertrofia produce vegetaciones.

OBS Más en plural.

adensar *v. tr.* Hacer más densa o espesa una cosa: *una sustancia se adensa poniendo más materia en el mismo volumen o espacio.*

adentrarse *v. prnl.* **1** Entrar en la parte más interna y oculta de algo: *nos adentramos en el salón de baile de un palacio señorial.* **2** Entrar en un periodo de tiempo: *pronto nos adentraremos en el invierno.*

adentro *adv.* **1** Se usa para expresar movimiento o hacia la parte interior de algo: *vamos adentro.* **SIN** dentro. **ANT** afuera. **2** Precedido de algunos sustantivos indica dirección hacia la parte interior del objeto designado: *tierra aden-*

tro; mar adentro. **‖** *s. m. pl.* **3** **adentros** Interior de una persona, sus pensamientos y sus sentimientos: *hablaba para sus adentros.*

FAM adentrarse.

adepto, -ta *adj./s. m. y f.* **1** Afiliado a una secta o una asociación. **2** Se aplica a la persona que es partidaria de una persona o una idea.

aderezar *v. tr.* **1** Echar especias u otras sustancias a una comida para que tenga más sabor o el sabor deseado: *adereza la ensalada con sal, aceite y vinagre.* **SIN** aliñar, condimentar, sazonar. **2** Preparar un tejido aplicándole ciertas sustancias para que tome consistencia, especialmente las pieles. **3** Arreglar algo o a alguien para embellecerlo: *aderezaron la carreta para la romería.*

FAM aderezo.

aderezo *s. m.* **1** Especia o sustancia o conjunto de ellas que se echa a una comida para que tenga más sabor o el sabor deseado: *¿qué aderezo lleva este guiso?* **SIN** aliño. **2** Adornos con los que se arregla una persona o a una cosa: *aderezos navideños.*

adeudar *v. tr.* **1** Tener deudas, deber dinero: *aún me adeuda el alquiler de los tres últimos meses.* **2** Cargar, anotar una cantidad en el debe de una cuenta.

FAM adeudo.

adeudo *s. m.* **1** Acción de adeudar dinero. **2** Conjunto de deudas, cantidad de dinero que se debe: *todavía no se ha calculado el adeudo de la empresa.*

adherencia *s. f.* **1** Unión de una cosa a otra mediante una sustancia que las aglutina. **2** Capacidad de una cosa para mantener esta unión con otra. **3** Parte añadida a una cosa. **4** Resistencia al deslizamiento entre dos cuerpos que se encuentran en contacto.

adherente *adj.* **1** Que es capaz de adherirse o pegarse a otra cosa. **‖** *adj./s. m.* **2** Se aplica a la sustancia que se adhiere a otra o que sirve para pegar.

FAM adherencia; antiadherente.

adherir [9] *v. tr.* **1** Unir mediante una sustancia aglutinante: *has puesto poco pegamento y no se adhiere bien.* **‖** *v. prnl.* **2** **adherirse** Estar de acuerdo con una idea u opinión: *me adhiero al parecer de la mayoría.* **3** Unirse o afiliarse a un grupo o asociación: *se han adherido al nuevo partido.*

FAM adherente, adhesión, adhesivo.

adhesión *s. f.* **1** Unión y acuerdo con una idea u opinión: *en tu argumentación debes persuadir al oyente y lograr su adhesión.* **2** Fuerza con que se atraen las moléculas de diversos cuerpos que están en contacto.

adhesivo, -va *adj./s. m. y f.* **1** Que puede unirse o pegarse: *cinta adhesiva.* **‖** *adj./s. m.* **2** Se aplica al papel y al plástico que van provistos de una sustancia adhesiva y se pueden pegar fácilmente a una superficie, por simple contacto o mediante una pequeña presión: *los vehículos están obligados a llevar un adhesivo en que se certifica que se ha pasado la inspección técnica.* **SIN** autoadhesivo. **‖** *s. m.* **3** Sustancia que sirve para unir fuertemente dos superficies: *el pegamento es un adhesivo.*

FAM autoadhesivo.

ad hoc Expresión latina con la que se indica que algo es especialmente adecuado para un determinado fin: *tras el accidente aéreo en el aeropuerto se creó un comité de expertos ad hoc.*

adicción *s. f.* **1** Inclinación o propensión difícil de evitar, generalmente a algo negativo: *el tabaco produce adicción.*

FAM drogadicción.

A

adición *s. f.* ① Acción que consiste en añadir una cosa a otra: *el curado es un método que consiste en la adición de sal para eliminar el agua que el alimento contenga*. **ANT** supresión. ② Operación que consiste en unir varias cantidades en una sola: *este ejercicio se resuelve con una simple adición*. **SIN** suma. **ANT** sustracción. ③ Parte añadida en una obra: *el libro se ha enriquecido con las adiciones de los traductores*. **FAM** adicional, adicionar, aditamento, aditivo.

adicional *adj.* Que se añade a una cosa: *recibe una paga adicional por un trabajo que hace por las tardes*.

adicionar *v. tr.* Hacer adiciones o añadidos. **SIN** añadir, sumar. **ANT** restar, sustraer.

adicto, -ta *adj./s. m. y f.* ① Se aplica a la persona que tiene adicción a algo: *los ludópatas son adictos a las máquinas tragaperras y otros juegos*. ② Se aplica a la persona que está de acuerdo con una idea o tendencia y la defiende: *se mostraron muy adictos a las reformas propuestas*. **FAM** adicción.

adiestramiento *s. m.* Enseñanza o entrenamiento de una habilidad manual o un ejercicio físico: *trabaja en un centro de adiestramiento de perros*.

adiestrar *v. tr.* ① Enseñar a desarrollar una habilidad manual o un ejercicio físico: *adiestró a los alumnos en el manejo del arco*. ‖ *v. prnl.* ② **adiestrarse** Hacerse diestro en una habilidad manual o un ejercicio físico: *adiestrarse en el manejo de la pelota*. **FAM** adiestrador, adiestramiento.

adinerado, -da *adj.* Se aplica a la persona que es rica, que tiene mucho dinero.

adintelado, -da *adj.* ① Se aplica al arco que está formado por una parte recta horizontal que descansa sobre dos piezas verticales laterales. ② Se aplica a todo espacio o construcción que no está abovedado. ‖ *s. m.* ③ Sistema constructivo arquitectónico fundamentado en el pilar y el dintel como elementos sustentantes, cubiertos por un techo de madera plana o con maderos y tablas ensamblados. **SIN** arquitrabado.

adiós *s. m.* ① Despedida: *llega el momento del adiós*. ‖ *int.* ② **¡adiós!** Se usa para despedirse: *¡adiós, Luis, ya nos veremos!* ③ familiar Se usa para indicar sorpresa o contrariedad: *¡adiós, se me han olvidado las llaves!*

adiposidad *s. f.* Acumulación de grasa en el organismo.

adiposo, -sa *adj.* ① Que tiene la naturaleza de la grasa. **SIN** graso. ② Se aplica al tejido constituido por células que contienen una o más gotas de grasa y que forman una capa debajo de la piel: *el tejido adiposo sirve como reserva de energía*. **FAM** adiposidad.

aditamento *s. m.* ① Cosa que se añade para completar algo: *esta parte del capítulo es un aditamento de la tercera edición*. **SIN** añadido, añadidura. ② Complemento o cosa que es accesoria a otra: *al comprar el coche le regalaron las alfombrillas y otros aditamentos*.

aditivo, -va *s. m./adj.* Sustancia que se añade por razones de fabricación, presentación o conservación de un producto, especialmente en la industria alimentaria: *los conservantes son aditivos que inhiben el crecimiento de las bacterias*.

adivinación *s. f.* ① Facultad que tienen algunas personas para conocer hechos del futuro mediante el uso de la magia o de procedimientos que nada tienen que ver con la ciencia o la razón: *compró un libro sobre adivinación y magia*. ② Hecho del futuro que se conoce mediante esta facultad: *no se ha cumplido ni una sola de las adivinaciones que me hicieron*.

adivinador, -ra *adj./s. m. y f.* Persona que puede conocer un hecho del futuro mediante el uso de la magia o de procedimientos que nada tienen que ver con la ciencia o la razón: *tenía fama de bruja y de adivinadora*.

adivinanza *s. f.* Pasatiempo o juego que consiste en averiguar el sentido oculto de un poema, de una frase o expresión que incluye algunas pistas para encontrar la solución: *adivina adivinanza: "blanca por dentro, verde por fuera; si quieres que te lo diga, espera"*.

adivinar *v. tr.* ① Conocer un hecho del futuro mediante el uso de la magia o de procedimientos que nada tienen que ver con la ciencia o la razón: *hay quien puede adivinar el futuro mediante la observación de los astros*. ② Descubrir lo desconocido mediante la intuición y la imaginación: *adivina quién viene a cenar esta noche*. **FAM** adivinador, adivinación, adivinanza, adivinatorio, adivino.

adivinatorio, -ria *adj.* Relativo a la adivinación: *tenía poderes adivinatorios*.

adivino, -na *s. m. y f.* Persona que adivina o predice el futuro: *un adivino me echó las cartas*.

adjetivación *s. f.* ① Aplicación de uno o más adjetivos a un sustantivo. ② Conjunto de adjetivos o modo de adjetivar de una obra, autor, periodo o estilo: *es un escrito repleto de adjetivación colorista*. ③ Atribución de la función de adjetivo a una palabra que no lo es: *en la expresión "color malva" se ha producido la adjetivación del sustantivo "malva"*.

adjetival *adj.* Relativo al adjetivo.

adjetivar *v. tr.* ① Aplicar uno o más adjetivos a un sustantivo. ② Dar valor de adjetivo a una palabra o expresión. ③ Aplicar adjetivos a algo o alguien: *su conducta fue adjetivada como "irreprochable"*. **SIN** calificar. **FAM** adjetivación.

adjetivo, -va *s. m.* ① Palabra que acompaña al sustantivo para calificarlo o determinarlo. ■ **adjetivo calificativo** Adjetivo que expresa una cualidad del sustantivo. ■ **adjetivo determinativo** Adjetivo que señala la extensión en que se toma el sustantivo: *en "este libro" y "algunos libros", "este" y "algunos" son adjetivos determinativos*. ‖ *adj.* ② Que funciona como un adjetivo: *locución adjetiva*. ③ Relativo al adjetivo: *función adjetiva*. **SIN** adjetival. ④ Se aplica a la oración subordinada que funciona como un adjetivo. **FAM** adjetival, adjetivar.

adjudicación *s. f.* Concesión de una cosa a la que aspiran varias personas o entidades: *diez empresas compiten por la adjudicación de las obras proyectadas*.

adjudicar *v. tr.* ① Conceder o dar una cosa a la que aspiran varias personas o entidades. ② Atribuir una cosa a alguien o declarar que le corresponde: *pretende adjudicarse todos los méritos*. ‖ *v. prnl.* ③ **adjudicarse** Conseguir un premio o triunfo en una competición: *el equipo más modesto se adjudicó la victoria*. **FAM** adjudicación, adjudicatorio.

adjudicatario, -ria *adj./s. m. y f.* Se aplica a la persona o entidad que recibe una cosa, especialmente una obra o el derecho a comerciar con un producto: *el adjudicatario de las obras ha cumplido los plazos previstos*.

adjuntar *v. tr.* Unir una cosa a otra, generalmente a una

carta u otro escrito: *adjunta la factura a los libros y envía el pedido.*
FAM adjunto.

adjunto, -ta *adj.* ☐ Que está unido o que va con otra cosa: *para la instalación de la máquina, consulte el folleto adjunto.* ‖ *adj./s. m. y f.* ☐ Se aplica a la persona que acompaña o ayuda a otra en un cargo o trabajo: *director adjunto; es el adjunto a la cátedra de derecho.* ☐ Se aplica al profesor de universidad de categoría inferior al agregado. ‖ *s. m.* ☐ Elemento de un sintagma que restringe la aplicación de uso del núcleo o de un complemento del mismo sintagma: *el sintagma nominal puede estar constituido por uno o varios determinantes, un núcleo (sustantivo) y uno o varios adjuntos que funcionan como complementos del sustantivo.* **SIN** adyacente, modificador. ‖ *adv.* ☐ Junto a algo que ya ha sido mencionado anteriormente: *adjunto le remito el libro que me pidió.* **NOTA** Se utiliza en el lenguaje comercial y administrativo.

adlátere *s. com.* Persona que realiza su trabajo al lado de otra: *no tiene personalidad y es solo el adlátere de su maestro.*
OBS Frecuentemente usado de forma despectiva.

adminículo *s. m.* Objeto pequeño y simple que se emplea como ayuda para algo: *tiene una cajita con chinchetas, imperdibles y otros adminículos.*

administración *s. f.* ☐ Conjunto de funciones cuyo fin es administrar: *administración de justicia; administración de empresas.* ☐ Cargo de administrador. ☐ Oficina o lugar donde se administra un negocio u un organismo. ■ **administración de correos** Lugar donde se hacen las operaciones necesarias para el envío y reparto de las cartas. ■ **administración de lotería** Lugar donde se vende lotería y se cobran los premios. ☐ Conjunto de medios y personas que administran una empresa o un organismo. **NOTA** Con mayúscula inicial cuando hace referencia a la administración de un país o estado en concreto. ■ **Administración Pública** Conjunto de personas y organizaciones que forman parte del Estado: *los funcionarios son trabajadores de la Administración Pública.* ☐ Acción de aplicar o hacer tomar una medicina: *la aspirina es un medicamento de administración oral.*

administrador, -ra *adj./s. m. y f.* ☐ Se aplica a la persona que se ocupa de la economía de una persona, una casa o una empresa: *mi mujer es muy ahorradora y buena administradora del dinero.* ‖ *s. m. y f.* ☐ Persona que se dedica a administrar los bienes de otros: *trabaja de administrador en un colegio.* **SIN** gestor.

administrar *v. tr.* ☐ Organizar los bienes económicos propios o ajenos: *administrar un negocio.* ☐ Distribuir ordenadamente una cosa: *el atleta no supo administrar sus fuerzas.* ☐ Aplicar o hacer tomar una medicina: *el médico le administró un calmante.* ☐ Repartir, dar o conferir un sacramento: *administrar el bautismo.* ☐ Gobernar, dirigir: *administrar una república.*
FAM administración, administrador, administrativo.

administrativo, -va *adj.* ☐ Relativo a la administración: *la sentada se llevó a cabo en protesta por las nuevas medidas administrativas.* ‖ *adj./s. m. y f.* ☐ Se aplica a la persona que trabaja en las tareas de administración de una empresa o institución pública: *necesito un administrativo con conocimientos de informática.*

admirable *adj.* Que produce admiración o sorpresa: *es una persona admirable por su bondad.*

admiración *s. f.* ☐ Emoción que produce a alguien una persona o cosa por tener estas características extraordinarias: *siente gran admiración hacia su maestro.* ☐ Sorpresa o extrañeza que alguien causa o siente: *sus inesperadas respuestas causaron la admiración del público.* ☐ Signo ortográfico que se coloca al principio (¡) y al final (!) de una palabra o frase para expresar sorpresa, exclamación o emoción. **SIN** exclamación.

admirador, -ra *adj./s. m. y f.* Se aplica a la persona que admira a una persona o cosa: *un grupo de admiradores recibió al cantante en el aeropuerto.*

admirar *v. tr.* ☐ Tener en gran estima a una persona o cosa por lo extraordinario de sus cualidades: *sus compañeros de clase le admiran; admiro la belleza de esta obra de arte.* ☐ Provocar sorpresa o admiración: *la civilización china alcanzó un elevado grado de refinamiento que admiró a los europeos; de él me admiraba su tranquilidad.* ☐ Observar o contemplar a una persona o una cosa que parece extraordinaria por sus cualidades o su actuación: *me detuve a admirar el paisaje.* ‖ *v. prnl.* ☐ **admirarse** Sorprenderse o extrañarse mucho de algo: *yo mismo me admiraba de mi aplomo.*
FAM admirable, admiración, admirado, admirador, admirativo.

admirativo, -va *adj.* Que indica o expresa admiración: *sentido admirativo de una frase.*

admisible *adj.* Que puede ser admitido. **ANT** inadmisible.
FAM admisibilidad; inadmisible.

admisión *s. f.* Acción de admitir: *mañana se cierra el plazo de admisión de solicitudes.*

admitir *v. tr.* ☐ Aceptar a una persona o animal en un sitio o en un grupo: *no lo han admitido en ese colegio.* **ANT** excluir. ☐ Aceptar o permitir una cosa: *no quiso admitir la propina; no admite que se le reprenda.* ☐ Reconocer que una cosa es verdad: *no quiso admitir que estaba equivocado.* ☐ Tener determinada capacidad: *un vaso admite un volumen de líquido determinado.*
FAM admisible, admisión; readmitir.

admonición *s. f.* Amonestación o represión que se hace a una persona para advertirle de alguna cosa que ha hecho mal: *el director hizo una severa admonición a sus empleados.*
FAM admonitorio.

admonitorio, -ria *adj.* Que llama la atención sobre un error o una conducta equivocada: *el jefe de personal envió una carta admonitoria sobre el incumplimiento de horarios.*

ADN [se pronuncia 'a-de-ene'] *s. m.* Sigla de *ácido desoxirribonucleico,* ácido nucleico que contiene la información genética de un ser vivo y que está presente en algunos virus, en las células procariotas y en el núcleo de las células eucariotas.
OBS Puede encontrarse la abreviación internacional *DNA,* de su denominación en inglés: *deoxyribonucleic acid.*

adobar *v. tr.* ☐ Preparar la carne u otro alimento con ingredientes como sal, vinagre, aceite y especias para conservarlo o darle sabor. ☐ Curtir las pieles.
FAM adobe, adobo.

adobe *s. m.* Ladrillo que se hace con una masa de barro y paja secada al sol: *para la construcción de las viviendas solía usarse la piedra y el adobe.*

adobo *s. m.* ☐ Mezcla hecha con sal, vinagre, aceite y especias que se usa para conservar y dar sabor a las carnes y otros alimentos: *pondré en adobo tanto la carne como el pescado.* ☐ Acción de adobar.

adocenado, -da *adj.* Que es mediocre o vulgar, que no destaca: *un artista adocenado.*

A

adocenar *v. tr.* ① Hacer que una persona se estanque, se haga vulgar y conformista: *hay artistas que se adocenan cuando reciben críticas.* ② Ordenar por docenas.
FAM adocenado.

adoctrinamiento *s. m.* Enseñanza de los principios que una persona debe saber para actuar correctamente.

adoctrinar *v. tr.* Enseñar a una persona los principios y doctrinas necesarios para actuar correctamente.
FAM adoctrinamiento.

adolecer [16] *v. intr.* ① Tener determinado defecto: *su trabajo adolece de los errores de siempre.* ② Padecer una enfermedad, sufrir a causa de algo: *adolece de los nervios.*

adolescencia *s. f.* Periodo de la vida que sucede a la niñez y transcurre desde la pubertad hasta la edad adulta.

adolescente *adj./s. com.* ① Se aplica a la persona que está en la adolescencia. I *adj.* ② Relativo a la adolescencia o a los adolescentes: *en la década de 1960, el rock se convierte en bandera del movimiento adolescente.*
FAM adolescencia.

adonde *adv.* Indica el lugar en que ocurre una acción o al que se dirige una cosa, tiene antecedente y equivale a *el cual, la cual: conozco el bar adonde suele ir.*

adónde *adv.* Equivale a *a qué lugar, a qué parte* y funciona como interrogativo: *¿adónde vas?; me pregunto adónde se dirigen.*

adondequiera *adv.* A cualquier lugar: *nos seguía adondequiera que íbamos.*

adonis *s. m.* Hombre joven y bello.
FAM adónico.
OBS Plural invariable.

adopción *s. f.* ① Acción legal por la que una persona toma como hijo propio a uno que ha nacido de otros padres. ② Consideración como propias de ideas o costumbres ajenas: *la romanización comportó la adopción de la lengua, el derecho y las formas de vida romanas.* ③ Toma de una decisión o de un acuerdo tras discusión o deliberación: *adopción de medidas.*

adoptar *v. tr.* ① Tomar legalmente como hijo propio a uno que ha nacido de otros padres. **SIN** ahijar. ② Elegir o tomar algo como propio, especialmente ideas o costumbres ajenas: *en esta industria se adoptó la nueva tecnología alemana.* ③ Hacerse alguien suya una manera de pensar o de actuar, una actitud, una opinión, etc.: *adoptó una actitud rebelde.* ④ Tomar una resolución: *el Gobierno adoptará medidas urgentes.* ⑤ Adquirir una determinada configuración: *la arcilla puede adoptar formas diversas.*
FAM adopción, adoptado, adoptante, adoptivo.

adoptivo, -va *adj.* ① Se aplica a la persona que ha sido adoptada: *hija adoptiva.* ② Se aplica a la persona que adopta: *padre adoptivo.* ③ Se aplica a la persona o cosa que se toma y elige como propia aunque no lo sea: *patria adoptiva.*

adoquín *s. m.* Piedra labrada en forma de bloque rectangular que se usa para pavimentar calles o carreteras: *quedan pocas carreteras hechas con adoquines.*
FAM adoquinado, adoquinar.

adoquinado *s. m.* ① Pavimento o suelo hecho con adoquines. ② Conjunto de adoquines.

adoquinar *v. tr.* Revestir con adoquines un suelo o pavimento.
FAM adoquinado.

adorable *adj.* Que resulta muy agradable e inspira cariño, simpatía y admiración: *tiene un bebé adorable.*

adoración *s. f.* ① Acción de adorar. ② Amor muy profundo: *siente adoración por sus padres.* ③ Ceremonia o culto que se da a lo que es o se considera divino: *la adoración de los Reyes Magos.*

adorar *v. tr.* ① Rendir culto a alguien o algo que se considera como divinidad o que está relacionado con ella: *ciertos pueblos primitivos adoraban elementos de la naturaleza; los fieles adoran al Santísimo.* ② Amar mucho a alguien: *el abuelo adora a su nieto.* ③ Considerar muy buena o agradable una cosa, gustar de algo en extremo.
FAM adorable, adoración, adorador, adoratriz.

adormecer [16] *v. tr.* ① Hacer caer a alguien en estado de somnolencia: *este profesor adormece a los alumnos.* ② Calmar un dolor o una pena o hacer disminuir su fuerza. I *v. prnl.* ③ **adormecerse** Quedarse alguien medio dormido: *prepararé café, pues estamos empezando a adormecernos.* **SIN** adormilarse. ④ Quedar sin sensibilidad una parte del cuerpo durante un tiempo corto: *se me ha adormecido la pierna.* **SIN** dormirse.
FAM adormecimiento.

adormecimiento *s. m.* ① Torpeza de los sentidos provocada por el sueño: *estas pastillas provocan adormecimiento.* **SIN** somnolencia, sopor. ② Disminución de la intensidad o del efecto de algo: *tomaremos medidas contra el adormecimiento en la actividad.*

adormidera *s. f.* Planta herbácea de hojas anchas, flores blancas y fruto en cápsula, del que se extrae el opio: *la adormidera es originaria de Oriente.*

adormilarse *v. prnl.* Quedarse alguien medio dormido: *lleva al niño a la cama que ya comienza a adormilarse.* **SIN** adormecerse.

adornar *v. tr.* ① Embellecer con adornos: *adornar con flores un altar.* I *v. tr./intr.* ② Servir de adorno una cosa a otra: *las flores adornan mucho en una casa.* I *v. tr.* ③ Dotar de cualidades positivas a una persona: *la naturaleza le adornó con muchas virtudes.* ④ Tener una cualidad positiva: *son muchas las virtudes que le adornan.*
FAM adorno.

adorno *s. m.* Cosa que sirve para embellecer a una persona, animal o cosa, o un lugar: *adornos de Navidad; adornos para el pelo.*

adosado, -da *adj.* Se aplica a la casa unifamiliar que está construida junto a otra u otras de similares características unida por alguno de sus lados: *en la zona alta de la ciudad están construyendo chalés adosados.*

adosar *v. tr.* Poner una cosa contigua a otra en la que se apoya por alguno de sus lados: *ayúdame a adosar esta estantería a la pared.*
FAM adosado.

adquirir [4] *v. tr.* ① Pasar a tener o llegar a tener algo, bueno o malo: *adquirir experiencia; adquirir un vicio; añade agua hasta que la mezcla adquiera una distribución homogénea.* ② Comprar una cosa de cierto valor: *la empresa ha adquirido un nuevo local en pleno centro urbano.* ③ En derecho, apropiarse de algo que no pertenece a nadie.
FAM adquisición, adquisidor.

adquisición *s. f.* ① Acción de adquirir una cosa: *el objetivo de la asignatura es la adquisición de destrezas básicas.* ② Cosa que se compra: *esta motocicleta es mi última adquisición.*
FAM adquisitivo.

adquisitivo, -va *adj.* Relativo a la adquisición o que sirve para adquirir: *ha prometido mantener el poder adquisitivo de las pensiones.*

adrede *adv.* Deliberadamente, con intención de causar el efecto de que se trata: *es cierto que lo he roto yo, pero no ha sido adrede.* **SIN** aposta.

adrenalina *s. f.* Hormona segregada por las cápsulas suprarrenales; produce una respuesta del organismo al estrés, aumentando la presión sanguínea, el ritmo cardiaco o la cantidad de glucosa en la sangre.

adriático, -ca *adj.* Relativo al mar Adriático o a sus territorios: *Venecia está situada en la costa adriática.*

adscribir *v. tr.* ① Destinar a alguien a un empleo o servicio: *debes adscribir un empleado más al departamento de ventas.* ② Atribuir o asignar una cosa a otra: *han adscrito el caso a otro juzgado.* ③ Considerar a una persona como perteneciente a determinado grupo o ideología: *se adscribe al partido liberal.* **FAM** adscripción, adscrito. **OBS** Participio irregular: *adscrito.*

adscripción *s. f.* ① Acción de destinar a alguien a un empleo o servicio. ② Consideración de una persona como perteneciente a determinado grupo o ideología: *el deísmo se caracteriza por la ausencia de adscripción a religión alguna.*

adscrito, -ta ① Participio irregular de *adscribir.* ‖ *adj.* ② BOL., CHILE, PAR., PERÚ Se aplica al delegado que no es titular y al que asiste a un congreso, concilio o similares, solamente con derecho a voz.

ADSL [se pronuncia 'a-de-ese-ele'] Sigla de la expresión inglesa *Asymmetric Digital Subscriber Line,* 'línea de abonado digital asimétrica', con que se conoce a la línea digital de alta velocidad que utiliza la línea de telefonía convencional para permitir un acceso a internet de banda ancha, capaz de transmitir una gran cantidad de datos.

adsorber *v. tr.* Atraer y retener un sólido o un líquido en su superficie las moléculas de un gas, de un líquido o de cuerpos disueltos o dispersos en ellos. **FAM** adsorbente, adsorción.

adsorción *s. f.* Atracción y retención, por parte de un sólido o un líquido, de las moléculas de un gas o de un líquido o cuerpos disueltos o dispersos en él.

aduana *s. f.* ① Administración encargada de cobrar las tasas impuestas a las mercancías importadas o exportadas. ② Oficina de esta administración: *hay aduanas en las fronteras terrestres, puertos y aeropuertos.* **FAM** aduanero.

aduanero, -ra *adj.* ① Relativo a la aduana: *oficina aduanera; tasas aduaneras.* ‖ *s. m. y f.* ② Persona que trabaja en una aduana.

aducción *s. f.* Movimiento por el cual un miembro o un órgano se acerca al eje central del cuerpo: *aducción del brazo.* **ANT** abducción.

aducir [18] *v. tr.* Exponer pruebas y argumentos para demostrar o justificar algo: *aduce razones para fundamentar una opinión sobre el tema.* **FAM** aducción, aductor.

aductor *adj./s. m.* Se aplica al músculo que sirve para hacer un movimiento de aducción: *los aductores tienen una función complementaria a la de los abductores.* **ANT** abductor.

adueñarse *v. prnl.* ① Hacerse dueño de una cosa: *se adueñó de la casa como si fuera suya.* ② Apoderarse, hacerse domi-

nante algo en una persona o grupo, especialmente un sentimiento o una sensación: *el pánico se adueñó de los espectadores.*

adulación *s. f.* Muestra exagerada de admiración que se hace para conseguir el favor de una persona: *sus adulaciones fueron mal recibidas.*

adulador, -ra *adj./s. m. y f.* Se aplica a la persona que muestra admiración exagerada por una persona para agradarle y conseguir su favor.

adular *v. tr.* Alabar de forma exagerada a una persona para ganarse su voluntad o conseguir su favor: *no soporto su descarada forma de adular al jefe.* **FAM** adulación, adulador, adulón.

adulteración *s. f.* ① Alteración o pérdida de la pureza de una cosa, generalmente por agregación de una sustancia extraña: *la adulteración de los productos ha creado la desconfianza del consumidor.* ② Falsificación, cambio o alteración de la verdad o autenticidad de una cosa: *adulteración de una noticia.*

adulterar *v. tr.* ① Alterar o hacer perder la pureza de algo, generalmente añadiendo una sustancia extraña: *adulterar un alimento.* ② Falsificar una cosa o cambiar su sentido: *adulterar la verdad.* **FAM** adulteración.

adulterio *s. m.* ① Relación sexual que una persona casada mantiene con otra que no es su cónyuge: *cometer adulterio.* ② Falsificación, fraude. **FAM** adúltero.

adúltero, -ra *adj.* ① Relativo al adulterio. ‖ *adj./s. m. y f.* ② Se aplica a la persona que mantiene relaciones sexuales con una persona que no es su cónyuge.

adulto, -ta *adj./s. m. y f.* ① Se aplica al ser vivo que ha llegado a la madurez biológica, que conlleva la capacidad de procrear: *planta adulta; animal adulto; cuando dividimos la población en grupos de edad, se suele considerar adultas a las personas de 15 a 64 años.* ‖ *adj.* ② Que se considera propio de esa edad en que se alcanza pleno desarrollo. ③ Que ha llegado a cierto grado de perfección, de madurez o de experiencia: *ya tenemos una democracia adulta.*

adusto, -ta *adj.* ① Se aplica a la persona que es seca y seria en el trato. ② Se aplica al terreno o paisaje que está seco o quemado.

advenedizo, -za *adj./s. m. y f.* despectivo Se aplica a la persona que es extranjera, desconocida o intrusa, o que se introduce en un ambiente social o profesional para el que no reúne las condiciones adecuadas: *en las fiestas del pueblo no son bien vistos los advenedizos; siempre será un advenedizo a pesar de su dinero.*

advenimiento *s. m.* ① Llegada o venida, especialmente de un acontecimiento importante o de una época: *el advenimiento de la república.* ② Ascenso de un sumo pontífice o un rey al trono. **FAM** advenedizo, adventicio, adviento.

advenir [48] *v. intr.* Venir o llegar, especialmente un acontecimiento. **FAM** advenimiento.

adventicio, -cia *adj.* ① Que sucede de manera accidental, extraña o poco natural o de forma inesperada. ② Se aplica al órgano animal o vegetal que se desarrolla en un lugar distinto del habitual y cuya presencia no es común: *raíces adventicias.*

adverbial *adj.* ① Relativo al adverbio. ② Que hace las fun-

ciones propias de un adverbio: *locución adverbial; subordinada adverbial.* ▌*adj./s. f.* ③ Se aplica a la oración o proposición que en la oración compleja funciona como un adverbio: *en la oración "yo estaba allí cuando sucedió", "cuando sucedió" es una proposición adverbial.* ④ Se aplica a la locución que desempeña la función de adverbio: *en la oración "el invitado habló en primer lugar", "en primer lugar" es una locución adverbial.*
FAM adverbial.

adverbialización *s. f.* Atribución de la función de adverbio a una parte de la oración: *en la frase "no lo veo claro" hay una adverbialización del adjetivo "claro".*

adverbializar *v. tr.* Hacer que una palabra o una expresión pase a funcionar como un adverbio: *el sufijo "-mente" adverbializa adjetivos.*

adverbio *s. m.* Parte invariable de la oración que acompaña al verbo y modifica su significado indicando cómo se produce la acción en cuanto al tiempo, lugar, modo, intensidad, etc.; también puede modificar a un adjetivo, a otro adverbio o a una oración entera: *en la oración "tienes que levantarte temprano y desayunar rápido para llegar pronto allí", hay cuatro adverbios ("temprano", "rápido", "pronto" y "allí").*
FAM adverbial.

adversario, -ria *adj./s. m. y f.* Se aplica a la persona o grupo que es rival, competidor o contrario: *ha vencido a todos sus adversarios.*

adversativo, -va *adj.* ① Que denota oposición. ▌*adj./s. f.* ② Se aplica a la oración que indica oposición o restricción al significado de otra oración: *en la oración "íbamos a salir de compras, pero empezó a llover", la oración adversativa es "pero empezó a llover".* ③ Se aplica a la conjunción o partícula que introducen una oración adversativa: *"pero" y "sin embargo" son conjunciones adversativas.*

adversidad *s. f.* ① Situación contraria, de mala suerte o infortunio: *la adversidad forja personas de carácter; hay que hacer frente a la adversidad.* ② Carácter opuesto y desfavorable que presenta una cosa: *su salud se resiente con la adversidad del clima.* ③ Suceso o situación desgraciada: *ha sufrido algunas adversidades.*

adverso, -sa *adj.* Que es contrario o negativo: *es preciso superar el resultado adverso que obtuvimos en el partido de ida.*
FAM adversario, adversativo, adversidad.

advertencia *s. f.* ① Acto con el que se llama la atención a alguien, especialmente para avisarle o aconsejarle sobre alguna cosa: *todo esto te ocurre por no atender las advertencias de tus padres.* ② Frase con la que se llama la atención a alguien: *les han contado un secreto con la advertencia de que no se lo cuenten a nadie.* ③ Escrito con que en una publicación se advierte de algo al lector.

advertir [9] *v. tr.* ① Llamar la atención o avisar de alguna cosa a alguien: *ya me advirtieron que no sería fácil hablar contigo.* ② Darse cuenta de una cosa: *nada más llegar, advirtieron que no eran bien recibidos.* ③ Observar, percibir: *en la imagen de la fotografía advertimos una gran variedad de efectos cromáticos.* ④ Prevenir a alguien, hacerle saber algo por anticipado: *te lo advertí; ya nos advirtió que vendría tarde.*
FAM advertencia, advertido.

adviento *s. m.* Periodo que comprende las cuatro semanas anteriores al día de Navidad y que empieza el primer domingo de los cuatro que preceden la vigilia de esa fiesta: *durante el adviento, los niños de la catequesis preparan el belén que colocarán en la parroquia.*

advocación *s. f.* ① Denominación del santo bajo cuya protección se encuentra un lugar religioso y nombre que se da a ese lugar: *el santuario está bajo la advocación de san Isidro.* ② Nombre con que se venera a la Virgen o a otro personaje sagrado: *esta cofradía rinde culto a la Virgen en su advocación de Nuestra Señora de la Paz.*

adyacencia *s. f.* Proximidad entre dos cosas que están una al lado de la otra o unidas entre sí: *es necesario evitar la adyacencia entre industrias químicas y zonas urbanas.*

adyacente *adj.* ① Que está muy próximo o unido a otra cosa: *la explosión provocó la rotura de cristales de los edificios adyacentes al lugar del atentado.* SIN contiguo. ② Se aplica al ángulo que, en relación con otro, tiene un lado común y los otros en prolongación: *los ángulos adyacentes son consecutivos y suplementarios.* ▌*adj./s. m.* ③ Se aplica al elemento de un sintagma que restringe la aplicación de uso del núcleo o de un complemento del mismo sintagma: *en "el libro que me dejaste", "que me dejaste" funciona como término adyacente.* SIN adjunto, modificador.
FAM adyacencia.

aéreo, -rea *adj.* ① Que está o se hace en el aire: *fotografía aérea; espectáculo aéreo.* ② Relativo al aire: *contaminación aérea.* ③ Relativo a la aviación: *tráfico aéreo.* ④ Ligero, sutil, vaporoso. ⑤ Se aplica a la parte de una planta que se desarrolla por encima de la superficie del suelo: *las hojas son órganos aéreos.* ANT subterráneo.
FAM antiaéreo.

aeróbic o **aerobic** *s. m.* Técnica gimnástica que se basa en el control del ritmo respiratorio y generalmente se practica con música.

aerobio, -bia *adj./s. m. y f.* ① Se aplica al organismo que necesita el oxígeno para vivir o desarrollarse: *algas aerobias.* ANT anaeróbico, anaerobio. ▌*adj.* ② Se aplica al proceso que se desarrolla con utilización de oxígeno libre: *respiración aerobia.* ANT anaeróbico, anaerobio.
FAM aeróbico.

aerodeslizador *s. m.* Vehículo que se desplaza propulsado por un motor sobre un colchón de aire y puede circular por tierra o por agua al elevarse ligeramente mediante chorros de aire a presión proyectados verticalmente por debajo del casco.

aerodinámica *s. f.* Parte de la mecánica que estudia el movimiento de los gases.

aerodinámico, -ca *adj.* ① Se aplica al vehículo o móvil cuya forma ofrece poca resistencia al aire: *un coche con diseño aerodinámico.* ② Relativo a la aerodinámica.
FAM aerodinámica.

aeródromo *s. m.* Lugar destinado al aterrizaje y despegue de aviones provisto de las pistas e instalaciones necesarias, generalmente menor que un aeropuerto y destinado a usos militares.

aeroespacial *adj.* Relativo a la aviación y la astronáutica conjuntamente: *investigaciones aeroespaciales.*

aerofagia *s. f.* Ingestión o toma de aire de manera espasmódica o por contracciones musculares involuntarias que provoca dolorosas molestias intestinales: *la aerofagia suele ser síntoma de trastornos nerviosos.*

aerofaro *s. m.* Aparato que emite señales luminosas para facilitar el aterrizaje de aviones y orientar a estos cuando hay poca visibilidad.

aerófono *s. m.* Instrumento musical que suena por la vibración producida por una columna de aire: *la flauta, el clarinete, el acordeón y la armónica son aerófonos.*

aerofotografía *s. f.* Fotografía tomada desde un avión u otro vehículo aéreo.

aerogenerador *s. m.* Generador de energía eléctrica que aprovecha la fuerza del viento para funcionar; está formado generalmente por un poste o torre, un rotor con aspas y un generador eléctrico: *los aerogeneradores aprovechan la energía eólica para producir electricidad.*

aerógrafo *s. m.* Aparato que sirve para pulverizar pintura mediante aire a presión sobre la superficie que se quiere pintar o dibujar.
FAM aerografía.

aerolínea *s. f.* Organización o compañía de transporte aéreo.

aerolito *s. m.* Meteorito, formado principalmente por silicatos, que cae sobre la Tierra, poniéndose incandescente al entrar en la atmósfera y disgregándose, generalmente, antes de llegar al suelo.

aerología *s. f.* Ciencia que estudia el estado del aire y de las capas altas de la atmósfera en un lugar determinado.

aeromodelismo *s. m.* Actividad que consiste en construir y hacer volar pequeños modelos de aviones que se dirigen desde el suelo.
FAM aeromodelista.

aeronáutica *s. f.* ① Disciplina técnica y científica que se ocupa de la navegación aérea: *la aeronáutica y la informática son ciencias del siglo XX.* ② Conjunto de medios destinados a la construcción y mantenimiento técnico de vehículos capaces de volar: *la aeronáutica dispone de aviones dirigidos por ordenador.*
FAM aeronáutico.

aeronáutico, -ca *adj.* Relativo a la construcción y mantenimiento técnico de vehículos capaces de volar y a los factores que favorecen el vuelo: *es una de las mayores compañías aeronáuticas del mundo.*

aeronaval *adj.* Relativo a las fuerzas armadas del aire y de la marina: *en las maniobras aeronavales intervinieron tres portaaviones.*

aeronave *s. f.* Vehículo capaz de desplazarse por el aire o por el espacio: *el avión, el globo dirigido y la nave espacial son aeronaves.*
FAM aeronaval.

aeroplano *s. m.* Vehículo con alas, más pesado que el aire, que vuela generalmente propulsado por uno o varios motores y se usa para el transporte aéreo. SIN avión.

aeropuerto *s. m.* Lugar destinado al aterrizaje y despegue de aviones provisto de un conjunto de pistas, instalaciones y servicios.

aerosol *s. m.* ① Recipiente o envase para almacenar un líquido a presión y poder lanzarlo al exterior, generalmente en forma de diminutas gotas. SIN espray. ② Líquido acumulado a presión en este recipiente: *un aerosol para la garganta.* SIN espray. ③ Dispersión coloidal de partículas sólidas o líquidas en un gas: *el humo, las nubes y la niebla son aerosoles naturales.*

aerostática *s. f.* Parte de la mecánica que estudia el equilibrio de los gases y de los sólidos sumergidos en ellos, cuando están sometidos a la acción de la gravedad exclusivamente.
FAM aerostático, aerostato.

aerostático, -ca *adj.* Relativo a la aerostática: *un globo aerostático.*

aerostato o **aeróstato** *s. m.* Aparato para volar cuya suspensión en el aire se debe al empleo de un gas más ligero que el propio aire, lo que le permite elevarse y flotar en él: *los globos y dirigibles son aerostatos.*

aeroterrestre *adj.* Se aplica al sistema de transporte o a la organización militar que combina los medios de desplazamiento por aire y por tierra conjuntamente: *fuerzas aeroterrestres.*

aerovía *s. f.* Vía o ruta establecida para el vuelo de aviones comerciales.

afabilidad *s. f.* Amabilidad y atención en el trato de una persona con otra u otras.

afable *adj.* Se aplica a la persona que trata a los demás con amabilidad y atención: *mantengo un trato afable con mis vecinos.*
FAM afabilidad.

afamado, -da *adj.* Se aplica a la persona o cosa que tiene fama, que es conocida y admirada por tener características que la distinguen de los demás: *es propietario de una afamada escuela de danza.*

afamar *v. tr.* Hacer famoso a alguien o dar fama a algo, generalmente en sentido favorable.

afán *s. m.* ① Deseo intenso y ferviente que mueve a hacer una cosa: *no es bueno tanto afán de riquezas.* ② Actitud de quien se entrega a una actividad con esfuerzo e interés: *nunca le recompensaron el afán que ponía en su trabajo.* SIN empeño. ‖ *s. m. pl.* ③ **afanes** Trabajo excesivo y penoso.

afanar *v. tr.* ① familiar Robar con habilidad y sin violencia: *me han afanado la cartera y no me he enterado de nada.* ‖ *v. prnl.* ② **afanarse** Trabajar con apremio, procurar con vehemencia la consecución de una cosa: *la hormiga se afana en llenar sus graneros.*
FAM afán, afanoso.

afanoso, -sa *adj.* ① Se aplica a la persona que trabaja mucho y de manera constante y aplicada. ② Se aplica a la actividad o trabajo que exige mucho esfuerzo y dedicación.
FAM afanosamente.

afasia *s. f.* ① Pérdida del habla o dificultad al hablar causada por una lesión en el sistema nervioso central: *la afasia supone dificultad o imposibilidad de comprender el lenguaje.* ② Alteración de la capacidad perceptiva del lenguaje.
FAM afásico.

afear *v. tr.* ① Hacer o poner fea a una persona o cosa: *ese peinado te afea la cara.* ② Censurar o vituperar: *su padre le afeó su conducta.*

afección *s. f.* ① Enfermedad o dolencia de determinada parte del organismo: *afección cardíaca; afección pulmonar.* ② Propensión, inclinación del sentimiento: *su afección a las modas es exagerada.* SIN afecto, aprecio.
FAM desafección.

afectación *s. f.* Falta de naturalidad o sencillez en la manera de hablar o de comportarse: *se viste y adorna con afectación, como enamorado de sí mismo.*

afectado, -da *adj.* ① Que padece una enfermedad o está aquejado o molesto por alguna cosa: *afectado de una grave dolencia.* ② Que carece de naturalidad y sencillez en la manera de hablar o comportarse: *este escritor tiene un estilo afectado.*

afectar *v. tr.* ① Perjudicar o influir desfavorablemente: *la huelga afectó a cinco empresas; la sequía afecta a los campos.*

2 Atañer, tocar: *las nuevas leyes afectan a todos los contribuyentes.* 3 Causar impresión una cosa en una persona, produciendo en ella alguna sensación: *le afectó mucho la muerte de su padre.* 4 Poner demasiados artificios en la manera de hablar y en el comportamiento general, de forma que estos pierden su sencillez y naturalidad. 5 Dar a entender, aparentar o fingir algo que no es cierto: *afectar simpatía.*
FAM afectación, afectado.

afectividad *s. f.* 1 Conjunto de sentimientos y emociones de una persona: *ha escrito una poesía cargada de afectividad.* 2 Inclinación a sentir cariño y afecto: *era un hombre amable y de una intensa afectividad.*

afectivo, -va *adj.* 1 Relativo al afecto: *siempre ha recibido un trato muy afectivo por parte de sus compañeros.* 2 Propenso a sentir y manifestar afecto o cariño: *enseguida se encariña con la gente, es muy afectivo.*
FAM afectividad.

afecto, -ta *adj.* 1 Que es seguidor o partidario de una persona o cosa. l *s. m.* 2 Sentimiento de simpatía o cariño hacia una persona o cosa: *una caricia expresa afecto.*
FAM afectivo, afectuoso; desafecto.

afectuoso, -sa *adj.* Que muestra afecto: *nos recibieron con un afectuoso abrazo; es muy afectuoso con todo el mundo.*

afeitado, -da *s. m.* 1 Corte del pelo a ras de la piel, especialmente el de la cara: *debes usar una loción para después del afeitado.* l *adj./s. m.* 2 Se aplica al toro que tiene cortadas las puntas de los cuernos.

afeitar *v. tr.* 1 Cortar el pelo de la cara o de otra parte del cuerpo a ras de la piel: *afeitarse la barba.* 2 Cortar las puntas de los cuernos de los toros para que resulten menos peligrosos al torearlos.
FAM afeitado.

afeite *s. m.* Sustancia o producto que se usa para cuidar o embellecer el pelo o la piel, especialmente la de la cara: *en aquella época los artistas llevaban la cara llena de afeites.*

afelio *s. m.* Punto más alejado del Sol en la órbita de un planeta del sistema solar: *en la Tierra, el afelio se produce en los primeros días de julio.* **ANT** perihelio.

afelpado, -da *adj.* Que es semejante a la felpa o tiene alguna de sus características: *tejido afelpado.*

afelpar *v. tr.* Hacer que una cosa sea semejante a la felpa, especialmente en lo referente a su suavidad.

afeminado, -da *adj.* 1 Que es propio de la manera de hablar, gesticular o moverse que se considera característica de las mujeres: *tiene voz y ademanes afeminados.* **SIN** amanerado. 2 Se aplica al hombre que tiene movimientos y actitudes que se consideran propios de las mujeres.

afeminamiento *s. m.* Actitud, gesto o comportamiento que se considera propio de las mujeres: *el hecho de que un hombre llore no es necesariamente señal de afeminamiento.* **SIN** amaneramiento.

afeminar *v. tr.* Hacer perder la virilidad o adquirir modales de mujer.
FAM afeminado, afeminamiento.

afer *s. m.* Affaire.

aferente *adj.* Se aplica a la formación anatómica que lleva sangre, linfa o impulsos nerviosos, desde lugares cercanos a la periferia del cuerpo hacia su interior: *los vasos aferentes entran en los órganos.* **ANT** eferente.

aféresis *s. f.* Supresión de algún sonido al principio de una palabra: *en la expresión "que sea norabuena", hacemos aféresis de "enhorabuena".*
OBS Plural invariable.

aferrar *v. tr.* 1 Agarrar con fuerza: *el escalador se aferró a las rocas.* l *v. prnl.* 2 **aferrarse** Insistir, con fuerza y convicción, en mantener una idea, opinión o posición: *aferrarse a una idea.* 3 Unirse a una persona o cosa de la que se espera un bien: *se aferró a la familia para superar aquella mala época.*

affaire [se pronuncia aproximadamente 'afer'] *s. m.* 1 Negocio o asunto ilegal o escandaloso: *el affaire de los sobornos fue descubierto por la prensa.* **SIN** afer. 2 Relación amorosa o sexual que dura poco tiempo: *varios affaires le dieron fama de mujeriego.* **SIN** afer.

afgano, -na *adj.* 1 De Afganistán (país de Asia): *Kabul es la capital afgana.* l *s. m. y f./adj.* 2 Persona que es de Afganistán.

AFI [se pronuncia 'afi'] *s. m.* Sigla de *alfabeto fonético internacional*, sistema convencional de transcripción, de validez internacional, con el que en lingüística se intenta representar gráficamente los sonidos de una lengua de la forma más exacta posible.

afianzamiento *s. m.* Consolidación de una opinión, idea o circunstancia: *colabora en el afianzamiento de la democracia.*

afianzar *v. tr.* 1 Poner firme una cosa, reforzarla o sujetarla bien: *afianzaremos la puerta con un travesaño; afianzaron su fama con nuevos éxitos.* **SIN** afirmar. l *v. prnl.* 2 **afianzarse** Asegurarse alguien una base sólida y estable: *cada día me afianzo más en mi opinión.*
FAM afianzamiento.

afiche *s. m.* **AMÉR.** Cartel o impreso, generalmente de gran tamaño, que se emplea para propaganda o con fines informativos y que se fija en paredes y lugares públicos.

afición *s. f.* 1 Gusto o interés por una cosa: *siente gran afición por la música; afición al deporte.* 2 Actividad aparte del trabajo habitual: *durante el fin de semana se dedica a sus aficiones deportivas.* 3 Conjunto de personas que van regularmente a ver un espectáculo o una competición deportiva: *la afición ha salido decepcionada de la corrida de toros de hoy.*
FAM aficionar.

aficionado, -da *adj./s. m. y f.* 1 Se aplica a la persona que gusta de una cosa o tiene interés por ella: *aficionado a la lectura.* 2 Se aplica a la persona que practica una actividad, generalmente deportiva o artística, por placer y sin recibir dinero a cambio: *fotógrafo aficionado.* **SIN** amateur. **ANT** profesional. 3 Se aplica a la persona que asiste regularmente a un espectáculo o competición deportiva por el cual siente gran afición: *la policía controlaba a los aficionados más exaltados.*
FAM radioaficionado.

aficionar *v. tr.* 1 Hacer que una persona adquiera afición o interés por algo: *aficionó a sus hijos al deporte.* l *v. prnl.* 2 **aficionarse** Adquirir afición o interés por una cosa: *aficionarse a la lectura.*
FAM aficionado.

afiebrar *v. tr.* 1 **COL.** familiar Provocar cierta cosa un interés inusual en alguien: *los libros afiebran a Juan; se afiebró a las computadoras.* l *v. prnl.* 2 **afiebrarse** **AMÉR.** Tener temperatura más alta de lo normal: *se afiebró por el cambio de temperatura que hubo ayer.*

afijación *s. f.* Formación de palabras nuevas añadiendo un prefijo o un sufijo a una palabra ya existente o a su raíz: *mediante la afijación se modifica el sentido y la forma de las palabras.*

afijo, -ja *s. m./adj.* Partícula que se une a una palabra o a una raíz para formar palabras nuevas; puede aparecer al principio, en medio o al final: *"pre-" en "predestinar", "-ar-" en "polvareda" y "-ción" en "realización" son afijos.*
FAM afijación.

afilado, -da *adj.* **1** Que es delgado, puntiagudo y corta muy bien: *este cuchillo tiene una hoja afilada.* **2** Se aplica a la parte del cuerpo que es muy alargada, delgada y acabada en punta, como la cara, la nariz o los dedos: *tiene rostro alargado y nariz afilada.*

afilador, -ra *s. m. y f.* Persona que se dedica a afilar cuchillos y otros instrumentos cortantes.

afilalápices *s. m.* Utensilio que sirve para sacar punta a los lápices. **SIN** sacapuntas.
OBS Plural invariable.

afilar *v. tr.* **1** Sacar filo a un instrumento cortante o punta a un lápiz: *afilar un cuchillo; afilar un lápiz.* **2** Dejar más delgada de lo normal una parte del cuerpo: *una larga huelga de hambre afiló su rostro.*
FAM afilado, afilador.

afiliación *s. f.* Inscripción de una persona como miembro de un partido, un sindicato u otra asociación: *se ha conseguido la afiliación de mil nuevos socios.*

afiliar *v. tr.* Hacer a una persona miembro de un partido político, un sindicato u otra asociación: *María afilió a su marido al sindicato; se afilió al partido cuando tenía veinte años.*
FAM afiliación, afiliado.
OBS Verbo regular, se acentúa como *cambiar.*

afiligranar *v. tr.* **1** Adornar con hilos de oro y plata entrelazados con mucha perfección y delicadeza. **2** Adornar esmeradamente y con detalle una cosa.
FAM afiligranado.

afín *adj.* Que tiene afinidad con otro u otros: *Luis y María tienen gustos e ideas afines.*
FAM afinidad.

afinación *s. f.* **1** Acción de poner un instrumento musical o la voz a tono, utilizando un diapasón o tomando de referencia el tono de instrumentos como el piano, que no se desafinan con facilidad. **2** Resultado de afinar un instrumento musical o la voz: *hemos de lograr una buena afinación.*

afinador, -ra *s. m. y f.* **1** Persona que tiene por oficio afinar instrumentos musicales como el piano, el clavicémbalo o el órgano. **|** *s. m.* **2** Aparato que sirve para afinar un instrumento: *un afinador de guitarra.*

afinar *v. tr.* **1** Hacer que una cosa sea lo más perfecta, precisa o exacta posible: *afinar la puntería; nos queda afinar algunos detalles.* **2** Poner en el tono justo un instrumento musical: *afinar un piano.* **3** Hacer fino o delgado: *afinar un tablero.* **4** Hacer más educada a una persona: *es preciso afinar los modales de este niño.* **5** Ajustar al máximo la calidad, el precio o una condición de una cosa. **|** *v. intr.* **6** Cantar o tocar un instrumento con la entonación adecuada: *si no afinas, no podrás seguir cantando en el coro.*
FAM afinación, afinador; desafinar.

afincarse *v. prnl.* Establecerse en un lugar y fijar en él la residencia: *ha conseguido un trabajo y se ha afincado en Madrid.*

afinidad *s. f.* **1** Parecido o semejanza de una persona o cosa con otra: *hay bastante afinidad entre los dos sistemas informáticos.* **2** Coincidencia de gustos, caracteres u opiniones entre dos o más personas: *son muy amigos por la afinidad de sus aficiones.*

3 Relación de parentesco entre una persona y la familia de su cónyuge: *el suegro y la nuera son parientes por afinidad.* **4** Tendencia de los átomos, moléculas y grupos moleculares a combinarse con otros: *los metales tienen gran afinidad con el azufre para formar compuestos.*

afirmación *s. f.* **1** Expresión en la que se declara una cosa como cierta o verdadera: *dudo que esas afirmaciones sean ciertas.* **2** Palabra, expresión o gesto que sirve para afirmar: *"sí" es un adverbio de afirmación.*

afirmar *v. tr.* **1** Declarar una cosa o decir que una cosa es verdad: *el testigo afirmó que conocía al acusado; podemos afirmar que la población mundial se habrá duplicado en el año 2050.* **2** Poner firme una cosa, reforzarla o sujetarla bien: *afirma la lámpara, no se nos vaya a caer encima.* **SIN** afianzar. **|** *v. intr.* **3** Decir que sí: *Elena afirmó con la cabeza.* **|** *v. prnl.* **4** **afirmarse** Ratificarse, ponerse firme en lo que se ha dicho.
FAM afirmación, afirmativo; reafirmar.

afirmativo, -va *adj.* **1** Que indica o expresa afirmación: *una respuesta afirmativa.* **ANT** negativo. **|** *adj./s. f.* **2** Se aplica a la oración enunciativa que ofrece un enunciado compatible con el adverbio *sí*: *"mañana visitaremos a Andrés" es una oración afirmativa.*

aflatarse *v. prnl.* HOND., NICAR. Afligirse, entristecerse.

aflautado, -da *adj.* Se aplica al sonido agudo y de poca intensidad, generalmente dulce y melodioso, como el de una flauta: *voz aflautada.*

aflautar *v. tr.* Hacer más aguda o aflautada la voz: *cuando cantes, no aflautes tanto la voz.*
FAM aflautado.

aflicción *s. f.* **1** Tristeza, pena, congoja: *aquella desgracia provocó gran aflicción en todo el pueblo.* **2** Cosa que provoca este sentimiento.
FAM aflictivo.

aflictivo, -va *adj.* Que causa tristeza o aflicción.

afligir *v. tr.* **1** Causar aflicción a alguien: *tantas molestias y padecimientos afligen a cualquiera.* **2** Causar sufrimiento físico: *si se ven obligados a trabajar más por razón de necesidad, no se afligirán por ello.* **|** *v. prnl.* **3** **afligirse** Sentir pena o tristeza: *no te aflijas tanto, que al fin y al cabo no ha ocurrido nada grave.*
FAM aflicción, afligido.

aflojar *v. tr.* **1** Disminuir la presión o la fuerza de una cosa: *afloja los tornillos; aflójate el cordón del zapato.* **2** familiar Dar una cantidad de dinero u otra cosa: *afloja la pasta que me debes.* **|** *v. intr.* **3** Perder una cosa fuerza o intensidad: *saldremos más tarde, cuando afloje el calor.* **4** familiar Dejar de emplear el vigor o la fuerza que se acostumbraba al hacer algo: *ha aflojado en el trabajo cuando más lo necesitábamos.*
FAM aflojamiento.

aflorar *v. intr.* **1** Salir a la superficie, brotar, especialmente un mineral o un líquido: *un volcán es una fractura de la corteza terrestre por la que aflora el magma a la superficie.* **2** Mostrarse o surgir algo que estaba oculto o interno, especialmente una cualidad o un estado de ánimo: *al cabo de un rato afloró su mal genio.*

afluencia *s. f.* **1** Llegada de personas o cosas en gran cantidad: *este año ha habido una gran afluencia de turistas.* **2** culto Abundancia: *la afluencia de sangre es fruto de la excitación nerviosa.*

afluente *adj.* **1** Que afluye. **|** *s. m.* **2** Corriente de agua que no llega hasta el mar sino que desemboca en otra corriente

A

de agua: *tienes que aprenderte los ríos de España y sus principales afluentes.*
FAM subafluente.

afluir [21] *v. intr.* **1** Llegar una gran cantidad de personas o cosas a un lugar: *los peregrinos afluyen de distintas partes; las lágrimas afluyen a sus ojos.* **2** Desembocar un río en otro, en un lago o en el mar. **3** Moverse un líquido u otra cosa hacia un lugar.
FAM afluente.

Afmo., Afma. Abreviaturas de *afectísimo* y *afectísima*, superlativos de *afecto* que se emplean como fórmula de despedida en las cartas antes de la firma.

afonía *s. f.* Falta de voz, total o parcial: *gritó tanto durante el partido que ahora tiene afonía.*
FAM afónico.

afónico, -ca *adj.* Que ha perdido total o parcialmente la voz: *cogió frío en la garganta y ha estado afónico varios días.*

aforismo *s. m.* Sentencia breve, generalmente de carácter filosófico o moral, que se toma como regla en alguna ciencia o arte: *"todo es según el color del cristal con que se mira" es un aforismo.*
FAM aforístico.

aforístico, -ca *adj.* Relativo al aforismo: *Sancho Panza usa en el «Quijote» abundantes expresiones aforísticas.*

aforo *s. m.* Capacidad total de un recinto destinado a espectáculos públicos.

afortunadamente *adv.* Por suerte: *afortunadamente, nadie salió herido.*

afortunado, -da *adj./s. m. y f.* **1** Se aplica a la persona que tiene buena suerte: *los afortunados en el premio de la lotería.* **ANT** desafortunado. **|** *adj.* **2** Que conlleva buena suerte o felicidad: *afortunado suceso; afortunada coincidencia.* **ANT** desafortunado. **3** Que es acertado u oportuno para un fin determinado: *una idea muy afortunada.* **ANT** desafortunado.
FAM afortunadamente; desafortunado.

afrancesado, -da *adj.* **1** Que imita lo francés o tiene alguna de sus características: *acento afrancesado.* **|** *s. m. y f.* **2** Persona partidaria de los franceses, especialmente el español que en la Guerra de la Independencia apoyó a José Bonaparte.

afrancesar *v. tr.* Imprimir rasgos, cualidades o costumbres que se consideran propios de Francia.
FAM afrancesado, afrancesamiento.

afrenta *s. f.* Acto o dicho con que se muestra poca estimación por alguien y se pone en duda su honradez o su honor. **SIN** ofensa.
FAM afrentar.

afrentar *v. tr.* Decir o hacer a una persona algo que supone un desprecio o humillación para ella. **SIN** ofender.

africado, -da *adj.* **1** Se aplica al sonido consonántico que se pronuncia combinando una oclusión y una fricación en el mismo punto de articulación y con los mismos órganos. **|** *adj./s. f.* **2** Se aplica a la consonante que se pronuncia de este modo.

africanista *s. com.* Persona que se dedica al estudio de lenguas, culturas, etc., que tienen relación con África.

africano, -na *adj.* **1** De África: *danzas africanas.* **|** *s. m. y f./adj.* **2** Persona que es de África.
FAM africanista, africanizar, afro; centroafricano, negroafricano, norteafricano.

afrikáans *s. m./adj.* Variedad de la lengua holandesa que se habla en la República Sudafricana, a la que se han incorporado elementos indígenas.

afro *adj.* **1** Relacionado con las costumbres o usos africanos o que tiene alguna de sus características: *moda afro.* **2** Se aplica al peinado de rizos muy pequeños.
OBS Invariable en número.

afroamericano, -na *adj./s. m. y f.* **1** Persona que es de origen africano y vive en América, especialmente la de raza negra que vive en Estados Unidos. **|** *adj.* **2** Relativo a la cultura, costumbres o usos de estas personas.

afrodisíaco, -ca o **afrodisiaco, -ca** *adj./s. m.* Se aplica al alimento o la sustancia que excitan el apetito sexual.

afrontar *v. tr.* **1** Disponerse en actitud de oposición ante un problema, responsabilidad, etc., para tratar de resolverlos o llevarlos a cabo sin eludirlos: *afrontar una situación crítica.* **SIN** enfrentar. **2** Poner a una persona o una cosa frente a otra.

afrutado, -da *adj.* Que tiene cierto sabor o aroma a fruta, especialmente el vino.

after shave o **aftershave** [se pronuncia aproximadamente 'aftersheif'] *s. m.* Loción que se aplica sobre la cara para proteger la piel después del afeitado.

afuera *adv.* **1** Fuera del lugar en el que está: *viene de afuera; salimos afuera.* **2** En la parte exterior de un lugar. **|** *s. f. pl.* **3 afueras** Alrededores de una población: *tiene una casa en las afueras.* **SIN** arrabales.

agachar *v. tr.* **1** Inclinar hacia abajo la cabeza o la parte superior del cuerpo. **|** *v. prnl.* **2 agacharse** Ponerse de cuclillas o encoger el cuerpo hacia el suelo.
FAM agachadiza.

agalla *s. f.* **1** Órgano respiratorio de los peces, situado a ambos lados de la base de la cabeza, formado por láminas o filamentos con muchos vasos sanguíneos. **NOTA** Normalmente en plural. **SIN** branquia. **2** Prominencia redondeada en el tejido de una planta producida por la acción de parásitos, como hongos o bacterias, introducidos por insectos cuando inyectan sus huevos en la planta. **3** COL., ECUAD. Codicia. **4** ECUAD. Palo con un gancho para colgar y descolgar cosas. **|** *s. f. pl.* **5 agallas** Coraje, valor y determinación para enfrentarse a una situación difícil o adversa: *no tuvo agallas para decírselo.*
FAM agalludo.

agalludo, -da *adj.* **1** AMÉR. SUR, ANT. familiar Ambicioso, codicioso. **2** ARG., CHILE, P. RICO familiar Animoso, decidido.

ágape *s. m.* **1** culto Banquete o comida para celebrar un acontecimiento. **2** Comida que hacían en común los primeros cristianos.

agarrada *s. f.* familiar Pelea o discusión violenta que se inicia de manera imprevista.

agarradera *s. f.* **1** Agarradero (parte de una cosa para agarrarla o para agarrarse). **SIN** asa, asidero. **|** *s. f. pl.* **2 agarraderas** Influencias con que se cuenta para conseguir algo.

agarradero *s. m.* **1** Parte de un objeto que sirve para asirlo o cogerlo con la mano. **SIN** agarradera, asa, asidero. **2** Parte de un objeto o de un edificio que sirve para poder cogerse o sujetarse a él. **SIN** agarradera, asidero. **3** Persona o cosa que sirve de apoyo, ayuda o pretexto. **SIN** asidero.

agarrado, -da *adj.* **1** familiar Se aplica a la persona tacaña, a la que no le gusta gastar dinero: *se volvió muy aga-*

rrado. | *adj./s. m.* ② Se aplica al baile en el que la pareja se rodea con los brazos.

agarrador *s. m.* Paño o almohadilla que se utiliza en la cocina para agarrar los recipientes que están muy calientes: *para sacar la bandeja del horno, utiliza un par de agarradores.*

agarrar *v. tr.* ① Coger o sujetar a alguien o algo fuertemente, en especial con las manos: *está prohibido agarrar de las piernas al contrincante.* ② familiar Contraer una enfermedad o pasar a tener cierto estado: *agarrar un resfriado; agarrar una borrachera; agarrar una rabieta.* | *v. intr./prnl.* ③ Arraigar una planta en un terreno, una maceta, etc. | *v. prnl.* ④ **agarrarse** Reñir una persona con otra agrediéndose físicamente. ⑤ Quedarse adherida una cosa a otra, en especial un guiso al fondo del recipiente al quemarse ligeramente.

agarrar y + *verbo* En la narración o explicación de un suceso, introduce una acción súbita, y a menudo sorprendente, del protagonista: *entonces agarró y se fue sin decir adiós.* **SIN** coger, ir.

agarrarla familiar Emborracharse.

¡agárrate! Se usa para llamar la atención del oyente al que se le va a comunicar algo sorprendente.

FAM agarrada, agarradera, agarradero, agarrado, agarrador, agarrón.

agarre *s. m.* ① Adherencia de una cosa, en especial de una rueda o neumático, a la superficie de otra por la que generalmente se desliza. ② Agarradero, parte por la que se agarra una cosa: *el agarre de una raqueta.*

agarrón *s. m.* Acción de agarrar o coger con fuerza.

agarrotamiento *s. m.* Rigidez, falta de flexibilidad o movimiento, especialmente en una parte del cuerpo. **SIN** anquilosamiento, entumecimiento.

agarrotar *v. tr.* Dejar sin flexibilidad o movimiento, especialmente una parte del cuerpo. **SIN** anquilosar, entumecer.

FAM agarrotado, agarrotamiento.

agasajar *v. tr.* ① Tratar con afecto, atención y amabilidad a alguien: *agasajamos a los invitados.* ② Dar u ofrecer una cosa como muestra de afecto o de consideración.

FAM agasajador, agasajo.

agasajo *s. m.* ① Trato afectuoso, atento y amable. ② Regalo o muestra de atención o consideración con que se agasaja.

ágata *s. f.* Variedad de cuarzo dura, translúcida y con franjas concéntricas de colores, usada en joyería.

OBS Los artículos de singular son *el* y *un*, salvo que entre artículo y sustantivo haya otra palabra.

agazaparse *v. prnl.* Agacharse, encogerse o echarse al suelo, especialmente para esconderse.

agencia *s. f.* ① Empresa que se dedica a resolver asuntos ajenos o a prestar otros servicios: *agencia inmobiliaria; agencia de viajes.* ② Sucursal de una empresa: *agencia bancaria.* ③ Oficina o despacho del agente. ④ CHILE Casa de empeños o de préstamos.

FAM agenciar.

agenciar *v. tr.* ① Conseguir algo, especialmente con habilidad o maña: *yo te agenciaré ese libro.* ② Proporcionar a alguien algo que requiere ciertas gestiones.

agenciárselas Actuar con habilidad o maña para conseguir algo. **SIN** ingeniárselas.

OBS Verbo regular, se acentúa como *cambiar.*

agenda *s. f.* ① Libro o cuaderno para anotar lo que se ha de hacer y otros datos que a una persona le interesa recordar;

normalmente tiene consignados los días del año y un espacio para las anotaciones. ② Programa de actividades o de trabajo de un periodo de tiempo determinado.

agente *s. com.* ① Persona que trabaja en una agencia o sucursal: *agente de viajes.* ② Persona que gestiona alguna cosa en nombre de otra a la que representa: *agente de negocios; agente de seguros.* ③ Persona que realiza una determinada actividad o misión por cuenta de un gobierno o una organización: *agente diplomático; agente secreto.* ■ **agente fiscal** Funcionario de la hacienda pública. ④ Miembro de la policía encargado de velar por la seguridad y el orden públicos. | *adj.* ⑤ Que obra o actúa: *causa agente.* | *adj./s. m.* ⑥ Palabra o sintagma que designa la persona, animal o cosa que realiza la acción expresada por el verbo: *sujeto agente; complemento agente.* | *s. m.* ⑦ Persona o cosa que tiene poder para producir un efecto. ■ **agente geomorfológico** Agente natural que modela o cambia el relieve; puede ser de origen externo como los que causan la erosión, el transporte y la sedimentación, y de origen interno como los que causan el magmatismo o los plegamientos: *agentes geomorfológicos son el viento, las corrientes de agua y el hielo.*

agigantar *v. tr.* Hacer gigante a alguien o algo: *agigantar una imagen; se agigantaba ante las dificultades.*

FAM agigantado.

ágil *adj.* ① Que se mueve de manera rápida y con soltura: *un ágil guardameta; piernas ágiles.* **ANT** torpe. ② Se aplica al movimiento que se realiza con rapidez y soltura. ③ Que es vivo o rápido: *inteligencia ágil; estilo ágil.*

FAM agilidad, agilizar.

agilidad *s. f.* Cualidad de ágil.

agilipollar *v. tr.* Volver gilipollas a alguien.

FAM agilipollado.

agilizar *v. tr.* Hacer un movimiento, un proceso, etc., rápido y fácil: *agilizar un proceso.*

FAM agilización.

agio *s. m.* Especulación que se realiza negociando con el cambio de moneda o con los valores de bolsa.

agitación *s. f.* ① Acción de agitar. ② Estado de nerviosismo o excitación. ③ Estado de inquietud y descontento político y social.

agitador, -ra *adj./s. m. y f.* ① Que agita. ② Se aplica a la persona que causa agitación, promueve protestas o desórdenes sociales. **SIN** alborotador. | *s. m.* ③ Instrumento o dispositivo que sirve para agitar o mezclar líquidos.

agitanar *v. tr.* Dar aspecto o carácter gitano a alguien o algo.

FAM agitanado.

agitar *v. tr.* ① Mover una cosa rápidamente y con fuerza a un lado y otro. ② Mover un recipiente rápidamente y con fuerza para que se disuelva o mezcle bien su contenido. ③ Hacer que una persona se sienta nerviosa o agitada. ④ Promover protestas y desórdenes públicos.

FAM agitación, agitador.

aglomeración *s. f.* ① Acción de aglomerar. ② Conjunto grande de personas o cosas reunidas en un lugar, muy juntas y generalmente desordenadas. ③ Conjunto urbano formado por una gran ciudad y las localidades, pueblos o ciudades, más pequeñas que la rodean: *la mayor parte de las grandes ciudades forman hoy aglomeraciones.* **NOTA** También *aglomeración urbana.*

aglomerado *s. m.* Material compacto compuesto por pequeños fragmentos o partículas de distintos materiales prensados y unidos con un aglutinante: *el aglomerado se emplea en la construcción y en carpintería.* SIN conglomerado.

aglomerar *v. tr.* [1] Reunir o amontonar personas o cosas de la misma especie, generalmente sin orden: *los intermediarios se aglomeraban en las pequeñas tiendas.* [2] Unir fragmentos o partículas de una o más sustancias para obtener una masa compacta y cohesionada. SIN conglomerar.
FAM aglomeración, aglomerado.

aglutinante *adj.* [1] Que aglutina: *teoría aglutinante.* [2] Se aplica a la lengua cuya relación gramatical se establece mediante la aglutinación en una sola palabra de varios elementos, cada uno de los cuales posee una significación fija e independiente, como el turco. ‖ *s. m./adj.* [3] Sustancia que sirve para aglutinar o unir cosas: *la goma arábiga se usa como aglutinante.*

aglutinar *v. tr.* [1] Unir dos o más cosas con una sustancia de manera que se forme una masa compacta. [2] Reunir realidades distintas de manera que resulte un todo homogéneo: *la Iglesia consiguió aglutinar a toda la cristiandad con las cruzadas.*
FAM aglutinación, aglutinante.

agnosticismo *s. m.* Doctrina filosófica que considera que el entendimiento humano no puede comprender lo absoluto, especialmente la naturaleza y existencia de Dios, sino solamente lo que puede ser alcanzado por la experiencia.
FAM agnóstico.

agnóstico, -ca *adj.* [1] Relativo al agnosticismo. ‖ *adj./s. m. y f.* [2] Se aplica a la persona que es partidaria del agnosticismo.

agnus *s. m.* Oración o canto litúrgico que en la misa católica acompaña a la fracción del pan, antes de la comunión. SIN agnusdéi.
OBS Plural invariable. Se escribe normalmente con mayúscula inicial.

agnusdéi o **agnus Dei** *s. m.* Agnus.
OBS Plural: *agnusdéis* o *agnus Dei.* Se escribe normalmente con mayúscula inicial.

agobiante *adj.* Que agobia: *calor agobiante.*

agobiar *v. tr.* [1] Causar a una persona agobio o desasosiego: *no quiere agobiarla con preguntas; se agobió de tanto trabajo.* [2] Causar a una persona sensación de ahogo, especialmente el excesivo calor o el enrarecimiento del aire.
FAM agobiado, agobiante, agobio.
OBS Verbo regular, se acentúa como *cambiar.*

agobio *s. m.* [1] Desasosiego debido al trabajo excesivo, o a algo a lo que hay que enfrentarse o que se tiene que soportar. [2] Cosa o circunstancia que produce ese desasosiego. [3] Fatiga o sensación de ahogo, especialmente debidas al calor excesivo o al enrarecimiento del aire.

agolpamiento *s. m.* [1] Reunión o acumulación repentina de muchas personas o cosas en un lugar. [2] Acumulación repentina de gran cantidad de algo que fluye.

agolparse *v. prnl.* [1] Reunirse o acumularse de golpe muchas personas o cosas en un lugar: *la gente se agolpaba en la puerta.* [2] Acumularse de golpe gran cantidad de algo que fluye: *las lágrimas se agolparon en sus ojos.*
FAM agolpamiento.

agonía *s. f.* [1] Estado que precede a la muerte en las enfermedades en las que la vida se extingue gradualmente. [2] Angustia o dolor muy intensos. [3] Decadencia que presagia el

final de una civilización, sociedad o movimiento: *la agonía de Bizancio.*
FAM agónico, agonioso, agonizar.

agonías *s. com.* Persona que suele quejarse mucho y por cualquier contratiempo.
OBS Plural invariable.

agónico, -ca *adj.* [1] Relativo a la agonía o propio de este estado que precede a la muerte. ‖ *adj./s. com.* [2] Agonizante.

agonizante *adj.* [1] Que agoniza: *una dictadura agonizante.* ‖ *adj./s. com.* [2] Se aplica a la persona o animal que está muriéndose. SIN agónico.

agonizar *v. intr.* [1] Estar muriéndose una persona o animal. [2] Estar una cosa a punto de extinguirse o acabar. [3] Sentir mucha angustia o dolor.
FAM agonizante.

ágono, -na *adj.* Se aplica a la figura geométrica que no tiene ángulos.

ágora *s. f.* Plaza pública de las ciudades de la antigua Grecia, que constituía el centro cívico, para la reunión y la asamblea, y comercial.
OBS Los artículos de singular son *el* y *un*, salvo que entre artículo y sustantivo haya otra palabra.

agorafobia *s. f.* Miedo enfermizo a permanecer en espacios vacíos y descubiertos.
FAM agorafóbico.

agorero, -ra *adj.* [1] Que presagia males o desgracias: *pájaros agoreros.* ‖ *adj./s. m. y f.* [2] Se aplica a la persona que adivina o predice desgracias o males futuros.

agostar *v. tr.* [1] Secar el exceso de calor la vegetación: *el calor agostó los campos.* [2] Debilitar a alguien o algo: *las penurias agostaron su juventud.*

agosto *s. m.* Octavo mes del año: *agosto tiene 31 días.*
hacer su agosto Hacer un buen negocio aprovechando una ocasión oportuna.
FAM agostar.

agotador, -ra *adj.* Que agota o cansa mucho.

agotamiento *s. m.* [1] Acción de agotar o agotarse, especialmente un líquido o una cosa material o inmaterial. [2] Cansancio o fatiga intensos.

agotar *v. tr.* [1] Cansar o fatigar mucho a alguien hasta dejarle sin fuerzas: *el excesivo trabajo nos agota.* [2] Extraer todo el líquido de un recipiente o un lugar, o consumirlo completamente: *agotar los pozos de petróleo.* [3] Hacer que una cosa material o inmaterial se acabe o llegue a su fin: *la primera edición se agotó en tres días; consiguió agotar mi paciencia.* SIN apurar.
FAM agotado, agotador, agotamiento; inagotable.

agraciado, -da *adj.* [1] Se aplica a la persona que tiene gracia o atractivo físico. ‖ *adj./s. m. y f.* [2] Se aplica a la persona que ha obtenido un premio en un sorteo o rifa. SIN afortunado.
FAM desagraciado.

agraciar *v. tr.* [1] Favorecer o premiar a alguien, especialmente con una gracia o un don. [2] Premiar a alguien en un sorteo o rifa.
FAM agraciado.
OBS Verbo regular, se acentúa como *cambiar.*

agradabilísimo, -ma *adj.* Superlativo de *agradable.*

agradable *adj.* [1] Que agrada o complace: *sabor agradable; un día agradable.* ANT desagradable. [2] Que es amable y considerado: *una persona agradable; dar un trato agradable.* **ANT** desagradable.

OBS Superlativo irregular: *agradabilísimo.*

agradar *v. intr.* Causar agrado. **ANT** desagradar.
FAM agradable, agrado; desagradar.

agradecer [16] *v. tr.* **1** Manifestar gratitud, especialmente con palabras, por un bien o una atención recibidos: *os agradecemos vuestra ayuda.* **2** Mostrar que una cosa, generalmente necesaria, resulta beneficiosa: *las plantas agradecen el sol.*
FAM agradecido, agradecimiento.

agradecido, -da *adj.* Se aplica a la persona que manifiesta gratitud por un bien o atención recibidos: *es un signo de buena educación saber ser agradecido.* **ANT** desagradecido.
FAM desagradecido.

agradecimiento *s. m.* **1** Sentimiento de la persona que reconoce y estima un bien o atención recibidos. **SIN** gratitud. **2** Manifestación o demostración de este sentimiento: *no merecía tales agradecimientos.*

agrado *s. m.* **1** Placer moderado que se siente ante algo que produce en el ánimo una buena impresión: *la respuesta no fue de su agrado.* **ANT** desagrado. **2** Amabilidad y consideración en el trato.

agramatical *adj.* Que no se ajusta a las reglas de la gramática: *"la casa son verdes" es agramatical.*
FAM agramaticalidad.

agramontés, -tesa *adj.* **1** Relativo a la facción dirigida en un inicio por el señor de Agramont, rival de la de los beamonteses en Navarra durante los siglos XV y XVI. **1** *s. m. y f.* **2** Miembro de esta facción: *los agramonteses eran generalmente de extracción agraria, urbana y navarrohablante.*

agrandar *v. tr.* **1** Hacer grande o más grande una cosa. **SIN** engrandecer. **ANT** disminuir, empequeñecer, reducir.
FAM agrandamiento.

agrario, -ria *adj.* Relativo a la agricultura: *reforma agraria.* **SIN** agrícola.

agravamiento *s. m.* **1** Aumento de la gravedad de algo negativo o perjudicial. **2** Aumento de la gravedad de un enfermo.

agravante *adj.* **1** Que agrava o hace más grave algo negativo o perjudicial. **1** *adj./s. amb.* **2** Se aplica a la circunstancia o factor que agravan un delito o falta.

agravar *v. tr.* **1** Hacer más grave algo negativo o perjudicial: *agravar un problema.* **1** *v. prnl.* **2** **agravarse** Ponerse una persona enferma grave o más grave de lo que estaba.
FAM agravamiento, agravante.

agraviar *v. tr.* **1** Hacer que una persona se sienta ofendida, humillada o despreciada. **ANT** desagraviar. **2** Perjudicar a una persona en sus derechos o intereses.
FAM agravio; desagraviar.
OBS Verbo regular, se acentúa como *cambiar.*

agravio *s. m.* **1** Dicho o hecho con que se ofende, humilla o desprecia a alguien. **2** Perjuicio que se hace a una persona en sus derechos o intereses. ■ **agravio comparativo** Daño u ofensa que se hace a una persona o cosa al tratarla peor o de modo diferente que a otra de su misma condición.

agraz *adj./s. m.* **1** Se aplica a la uva que todavía no está madura. **1** *adj.* **2** Que se obtiene de esta uva: *mosto agraz.* **3** culto Amargo, penoso: *un camino agraz.*
en agraz Que está inmaduro o todavía se está preparando.

agredir *v. tr.* Atacar a alguien para hacerle daño física o mo-

ralmente: *fue expulsado del terreno de juego por agredir a un jugador contrario.*
FAM agresión, agresivo, agresor.

agregado, -da *adj./s. m. y f.* **1** Se aplica al profesor de categoría inmediatamente inferior a la de catedrático. **1** *s. m. y f.* **2** Funcionario de una embajada que desempeña funciones especiales: *agregado comercial; agregado militar.* **1** *s. m.* **3** Conjunto de cosas que forman un todo. **1** *adj.* **4** En botánica, se aplica a las flores o frutos que están unidos en un mismo tallo. **1** *s. m.* **5** En química, conjunto de partículas (átomos, iones o moléculas) que se reúnen interactuando entre sí. **6** AMÉR., Pequeño aparcero o arrendatario de un pedazo de tierra. **1** *adj./s. m. y f.* **7** ARG., CHILE, PAR., URUG. Se aplica a la persona que vive en una casa ajena y en la que realiza alguna tarea a cambio de alojamiento y comida. **1** *s. m.* **8** ARG., URUG. Hombre de condición humilde que en las estancias sirve de peón o ayuda en los quehaceres domésticos recibiendo a cambio únicamente el sustento: *la figura del agregado fue muy frecuente en la organización social del campo rioplatense.*

agregaduría *s. f.* **1** Cargo de agregado (profesor o funcionario). **2** Oficina donde trabaja un agregado diplomático.

agregar *v. tr.* **1** Sumar o unir una parte a un conjunto de elementos o a un todo: *para obtener el color rojo, agregaban óxido de hierro a la pintura utilizada.*
FAM agregado, agregaduría.

agremiar *v. tr.* Hacer que un grupo de personas formen un gremio.
OBS Verbo regular, se acentúa como *cambiar.*

agresión *s. f.* **1** Ataque violento, especialmente el que causa un daño físico. **2** Acción contraria a un derecho del individuo: *una agresión a la libertad de expresión.*

agresividad *s. f.* **1** Cualidad de agresivo: *la agresividad de unas palabras.* **2** Actitud de la persona agresiva.

agresivo, -va *adj.* **1** Se aplica a la persona o animal que tienden a agredir o atacar. **2** Se aplica a la persona audaz y decidida para emprender una tarea o enfrentarse a una dificultad: *ejecutivo agresivo.* **3** Que implica o denota agresividad: *palabras agresivas.* **1** *s. m./adj.* **4** Sustancia o producto que ataca o destruye ciertas materias: *agresivos químicos.*
FAM agresividad.

agresor, -ra *adj./s. m. y f.* Que agrede o ataca con violencia, en especial causando un daño físico.

agreste *adj.* **1** Se aplica al terreno abrupto o con vegetación salvaje. **2** Se aplica a la persona de modales rudos o toscos. **3** culto Que es salvaje o no ha sido cultivado o educado: *vegetación agreste.*

agriar *v. tr.* **1** Poner agria una cosa: *agriar el vino.* **2** Volver áspero o malhumorado a alguien o algo: *agriar el carácter; al oír aquello su gesto se agrió.*
FAM agriado.
OBS Verbo regular, se acentúa como *desviar* o como *cambiar.*

agrícola *adj.* Relativo a la agricultura: *máquina agrícola.*
FAM agricultura.

agricultor, -ra *s. m. y f.* Persona que se dedica a la agricultura.

agricultura *s. f.* Cultivo de la tierra destinado a obtener productos de ella. ■ **agricultura científica** Agricultura basada en el cultivo de ciertos productos, como frutas y hortalizas, aplicando técnicas que proceden de la investigación

A

científica y de la industria: *la agricultura científica utiliza suelos artificiales y técnicas hidropónicas.* ■ **agricultura comercial** Agricultura que dedica su producción a la venta en los mercados, en vez de al consumo propio. ■ **agricultura de plantación** Agricultura basada en las plantaciones o grandes extensiones de terreno dedicadas a cultivar un solo producto, como el café, el cacao y el azúcar, y que utiliza mano de obra muy barata. ■ **agricultura de regadío** Agricultura basada en el uso de técnicas para regar los plantíos de árboles frutales, hortalizas, etc., y generalmente organizada en terrenos de cultivo poco extensos. ■ **agricultura de secano** Agricultura que se desarrolla en grandes extensiones de terreno en el que se plantan cereales y otros productos que no necesitan riego. ■ **agricultura de subsistencia** Agricultura destinada a cultivar productos básicos para el consumo propio, que se desarrolla en parcelas pequeñas de terreno y usa técnicas rudimentarias. ■ **agricultura extensiva** Agricultura que basa su rendimiento en la extensión del terreno cultivado y no en el rendimiento por hectárea. ■ **agricultura intensiva** Agricultura que basa su rendimiento en la alta producción por hectárea, y no en la extensión del terreno cultivado. ■ **agricultura itinerante** Agricultura basada en ir abandonando los terrenos de cultivo conforme dejan de rendir, y cultivar otros nuevos.
FAM agricultor.

agridulce *adj.* ① Que es a la vez agrio y dulce: *sabor agridulce; naranjas agridulces.* ② Que es a la vez agradable y doloroso: *recuerdos agridulces.*

agrietamiento *s. m.* Formación de grietas en una superficie.

agrietar *v. tr.* Producir una grieta en una superficie.
FAM agrietamiento.

agrimensor, -ra *s. m. y f.* Persona que se dedica a medir las dimensiones de los terrenos.

agringarse *v. prnl.* AMÉR. Adoptar las costumbres de los gringos o parecerse a ellos: *al mes de llegar a Miami, el cubano comenzó a agringarse.*

agrio, -gria *adj.* ① Que tiene un sabor fuerte y áspero, como el del vinagre o el del limón. SIN ácido. ② Que es áspero o poco agradable: *agrias palabras; tiene un carácter agrio.* ‖ *s. m. pl.* ③ **agrios** Conjunto de frutas de sabor ácido o agridulce, como las naranjas y los limones. SIN cítricos.
FAM agriar.

agrisado, -da *adj.* Que tiene un tono gris: *el oso hormiguero es de color agrisado.* SIN grisáceo.

agrío *s. m.* Terreno destinado a la explotación agrícola.

agronomía *s. f.* Ciencia que estudia todo lo relacionado con el cultivo de la tierra.
FAM agrónomo.

agrónomo, -ma *s. m. y f.* Persona que se dedica a la agronomía.

agropecuario, -ria *adj.* Relativo a la agricultura y la ganadería.

agroquímica *s. f.* Industria química con aplicaciones en la agricultura: *las industrias de fertilizantes e insecticidas son agroquímicas.*

agroquímico, -ca *adj.* Relativo a la agroquímica.

agrovilla *s. f.* Núcleo de población de tamaño y número de habitantes similar a los de una ciudad, pero con una actividad predominantemente agrícola, por lo que no puede considerarse una ciudad: *las agrovillas de las campiñas del Guadalquivir.*

agrupación *s. f.* ① Agrupamiento. ② Conjunto de personas u organismos asociados con un fin determinado: *agrupación deportiva.*

agrupamiento *s. m.* Unión de elementos para formar un grupo: *agrupamiento de partículas; agrupamiento de tropas.* SIN agrupación.

agrupar *v. tr.* ① Unir elementos para formar un grupo, generalmente siguiendo un criterio determinado. ② Reunir a un conjunto de personas con intereses comunes para cierto fin.
FAM agrupación, agrupamiento; reagrupar.

agua *s. f.* ① Líquido incoloro, inodoro e insípido, compuesto de dos partes de hidrógeno por una de oxígeno (H_2O), que se encuentra en la naturaleza formando los ríos, lagos y mares: *el agua de los ríos y los lagos forma la llamada agua continental.* ■ **agua bendita** Agua bendecida por el sacerdote, con diversos usos, como bautizar, bendecir o santiguarse mojando los dedos con ella. ■ **agua blanda** Agua con pocas sales disueltas. ■ **agua corriente** Agua que fluye, que no está estancada, como la que mana de los grifos de las casas. ■ **agua de arroyada** o **aguas de arroyada** Agua de las precipitaciones, el deshielo o las crecidas de los ríos que corre por la superficie del suelo: *el agua de arroyada es un importante agente geológico responsable del modelado del relieve.* ■ **agua destilada** Agua a la que se le han eliminado las sales que contenía, por medio de un proceso de destilación: *el agua destilada no es potable porque carece de sales.* ■ **agua dulce** Agua con escaso contenido en sales, como la de los ríos: *pez de agua dulce.* ■ **agua dura** Agua con muchas sales disueltas: *las aguas muy duras pueden averiar las lavadoras.* ■ **agua mineral** Agua que procede de un manantial y lleva disueltas sustancias minerales. ■ **agua nieve** Aguanieve. ■ **agua salada** Agua que tiene gran cantidad de sal, como la del mar, no apta para el consumo. ■ **agua termal** o **aguas termales** Agua que brota de un manantial a elevada temperatura. ■ **agua viva** Agua de manantial. ② Líquido que se consigue mezclando o disolviendo en agua sustancias vegetales, como frutos, plantas o flores: *agua de azahar; agua de rosas.* ■ **agua de colonia** Líquido de olor agradable elaborado con agua, alcohol y esencias de flores o frutas. NOTA También simplemente *colonia.* ■ **agua de cristalización** Moléculas de agua que cristalizan con algunas sales incluyéndose en su estructura. ■ **agua de limón** Bebida refrescante hecha con agua, limón y azúcar. ■ **agua de Seltz** Bebida gaseosa transparente y sin alcohol, hecha con agua y ácido carbónico. NOTA También simplemente *seltz.* SIN soda. ③ Disolución en agua de ciertas sustancias químicas. ■ **agua fuerte** Disolución de ácido nítrico en una pequeña cantidad de agua, que se emplea para hacer grabados sobre superficies de cobre: *el agua fuerte disuelve la mayor parte de los metales.* NOTA También *aguafuerte.* ■ **agua oxigenada** Líquido compuesto por partes iguales de oxígeno e hidrógeno (H_2O_2), que se usa para desinfectar. ■ **agua pesada** Agua en la que se ha sustituido el hidrógeno por un isótopo más pesado (el deuterio) y que se emplea como moderador en reactores nucleares: *el buque transportaba agua pesada para la construcción de bombas atómicas.* ④ Lado inclinado de la cubierta de un edificio: *un tejado a dos aguas.* ⑤ Lluvia. ‖ *s. f. pl.* ⑥ **aguas** Agua contenida en el mar, un lago, etc., o que corre por un río u otra corriente: *las aguas del océano; las aguas del Guadalquivir.* ■ **aguas negras** o **aguas residuales** Aguas que proceden de viviendas, ciudades o zonas industriales y

arrastran sus residuos. ■ **aguas subterráneas** Aguas que circulan bajo tierra por corrientes naturales: *los vertederos pueden contaminar las aguas subterráneas.* ■ **aguas superficiales** Aguas que circulan por la superficie terrestre en forma de corrientes naturales. **7 aguas** Zona del mar cercana a una costa o que corresponde a un país: *en aguas gallegas.* ■ **aguas jurisdiccionales** o **aguas territoriales** Aguas que bañan las costas de un estado y pertenecen a su jurisdicción hasta un límite determinado. **8 aguas** Sustancia que se expulsa del cuerpo. ■ **aguas mayores** Excrementos sólidos de una persona. NOTA Se usa como eufemismo. ■ **aguas menores** Orina de una persona. NOTA Se usa como eufemismo. **9 aguas** Reflejos o brillos de ciertas telas y piedras o de otros objetos: *la tela de su falda hace aguas.*
agua pasada Cosa que ha ocurrido ya, que ha perdido importancia en el presente: *tienes que olvidar a esa mujer, vuestra relación es agua pasada.*
como agua de mayo Se usa para indicar lo bien recibida que es una persona o cosa: *tu ayuda nos ha llegado como agua de mayo.*
entre dos aguas (I) Con duda o cautela entre dos opciones o cosas opuestas. (II) Con una actitud equívoca, tratando de satisfacer al mismo tiempo a dos partes opuestas: *no puedes estar siempre nadando entre dos aguas, decídete de una vez.*
estar con el agua al cuello Estar en una dificultad o tener un problema de muy difícil solución.
hacer agua (I) Empezar a llenarse de agua una embarcación por alguna grieta. (II) Empezar una cosa a amenazar ruina: *el equipo hizo agua en la segunda parte del encuentro.*
quedar en agua de borrajas Quedar en nada algo que se pretendía.
romper aguas Romperse antes del parto la bolsa de líquido amniótico que rodea al feto.
FAM aguacero, aguada, aguadero, aguadilla, aguador, aguaje, aguamiel, aguanoso, aguar, aguatero, aguaza, aguoso.
OBS Los artículos de singular son *el* y *un*, salvo que entre artículo y sustantivo haya otra palabra.

aguacate *s. m.* **1** Árbol tropical de origen americano con grandes hojas siempre verdes, flores en espiga y fruto comestible. **2** Fruto de este árbol, de forma parecida a la pera, con la corteza gruesa de color verde negruzco, la carne suave y mantecosa, de color verde, y un hueso grande en el centro. **3** AMÉR. CENTRAL Persona floja o de poco ánimo.

aguacero *s. m.* Lluvia abundante, repentina y de corta duración.

aguachirle *s. f.* Bebida o alimento líquido que tienen poco sabor o sustancia, especialmente por contener demasiada agua.

aguada *s. f.* **1** Paraje natural donde hay agua potable y es posible surtirse de ella. **2** Técnica pictórica que emplea colores diluidos en agua que se superponen al ser aplicados sobre el papel o cartón: *la aguada es similar a la acuarela, pero sus colores son más densos y opacos y, a diferencia de esta, sí utiliza pigmento blanco.* **3** Dibujo realizado con tinta china diluida en agua. **4** Obra realizada mediante estas técnicas.

aguadilla *s. f.* Broma que se hace a una persona en el agua consistente en sumergirle la cabeza durante unos instantes. SIN ahogadilla.

aguado, -da *adj.* Se aplica al alimento o la bebida que contiene demasiada agua y tiene poco sabor: *una sopa aguada.*

aguador, -ra *s. m. y f.* Persona que se dedica a llevar o vender agua.

aguafiestas *s. com.* Persona que estropea una diversión. OBS Plural invariable.

aguafuerte *s. amb.* **1** Disolución de ácido nítrico que se usa para hacer grabados y para otros usos. **2** Técnica de grabado que consiste en imprimir un dibujo con esta sustancia sobre una plancha de metal. **3** Estampa o lámina grabada mediante esta técnica. OBS También *agua fuerte.*

aguaje *s. m.* **1** AMÉR. CENTRAL, COL., ECUAD. Aguacero.

aguamanil *s. m.* **1** Jarro con asa y con la boca terminada en pico que sirve para echar agua y lavarse las manos. **2** Armazón que sostiene una palangana para lavarse. SIN aguamanos, palanganero.

aguamanos *s. m.* Aguamanil (armazón). OBS Plural invariable.

aguamarina *s. f.* Variedad de berilo, transparente y de color azul parecido al del mar, muy apreciada en joyería como piedra preciosa.

aguamiel *s. f.* **1** Agua mezclada con miel. SIN hidromiel. **2** AMÉR. Bebida preparada con agua y caña de azúcar. **3** MÉX. Jugo del maguey.

aguanieve *s. f.* Lluvia fina mezclada con copos de nieve. OBS También *agua nieve.*

aguanoso, -sa *adj.* Que tiene demasiada agua: *frutos aguanosos.*

aguantable *adj.* Que puede ser aguantado. SIN soportable. ANT inaguantable. FAM inaguantable.

aguantaderas *s. f. pl.* familiar Aguante, especialmente para sufrir con paciencia algo desagradable o molesto.

aguantar *v. tr.* **1** Tener una cosa encima o asida impidiendo que se caiga: *las columnas aguantan la bóveda; aguántame los libros, por favor.* **2** Soportar algo sin caerse, romperse, doblarse, enfermar, etc.: *el dique aguanta el embate de las olas; no aguanta mucho el vino.* **3** Sufrir con paciencia a una persona o cosa desagradables o molestas. SIN soportar. **4** Resistir el paso del tiempo en buen estado: *el coche tiene que aguantar otro año.* SIN durar. ∥ *v. tr./prnl. tr.* **5** Contener o reprimir, especialmente un sentimiento o estado de ánimo: *aguantar la risa; aguantarse la rabia.*
FAM aguantable, aguante.

aguante *s. m.* Capacidad o fuerza para aguantar.

aguar *v. tr.* **1** Añadir agua, generalmente en exceso, a una bebida o un alimento. **2** Estropear una diversión la llegada de una persona, una mala noticia, un comentario inapropiado, etc. ∥ *v. prnl.* **3** **aguarse** Llenarse de agua un lugar: *se aguaron los campos.*
FAM aguado; desaguar.
OBS Verbo regular, se acentúa como *averiguar.*

aguardar *v. tr.* **1** Esperar a alguien o a que suceda o se produzca algo en un sitio y durante un tiempo determinado: *aquí le aguarda su familia hasta que vuelva.* **2** Esperar algo que se sabe que sucederá o se producirá: *aguardar noticias; aguardar la llegada de un amigo.* **3** Esperar un tiempo o una circunstancia determinados para hacer algo: *aguarda el momento oportuno antes de hablar.* ∥ *v. intr.* **4** Tener que ocurrir algo a alguien en un futuro: *le aguardaban días de felicidad.* SIN esperar. **5** Dar tiempo a que suceda o se produzca algo para actuar: *aguarda a hablar con él antes de decidirte*. **SIN** esperar.

aguardiente *s. m.* Bebida alcohólica muy fuerte que se obtiene por destilación del vino, de ciertas frutas o de otras sustancias.
FAM aguardentoso.

aguarrás *s. m.* Líquido aceitoso empleado como disolvente de pinturas, barnices y esmaltes y como materia prima en la industria farmacéutica y en la fabricación de corcho; se obtiene por destilación de la trementina.

aguatero, -ra *s. m. y f.* AMÉR. Aguador.

aguatinta *s. f.* **1** Técnica de grabado que consiste en aplicar una disolución de ácido nítrico a extensos segmentos de una lámina de cobre previamente recubierta con resina sobre la que se dibuja con pincel aplicando una tinta especial; es una variedad del aguafuerte que ofrece resultados parecidos a la acuarela. **2** Lámina impresa obtenida mediante esta técnica.

aguaza *s. f.* Líquido acuoso, en especial el que producen ciertos tumores o el destilado por algunas plantas y frutos.
FAM aguazal.

aguazal *s. m.* Terreno bajo donde queda agua estancada.

agudeza *s. f.* **1** Cualidad de lo que es agudo o termina en punta. **2** Capacidad de percibir con detalle o perfección las cosas a través de la vista, el oído o el olfato. **3** Capacidad para entender la naturaleza de las cosas, especialmente de las complicadas o confusas. **SIN** perspicacia. **4** Dicho agudo o ingenioso.

agudizar *v. tr.* Hacer algo agudo o más agudo: *agudizar una herida; agudizarse el frío.*

agudo, -da *adj.* **1** Que termina en punta afilada. **2** Se aplica al sentido de la vista, del olfato o del oído que perciben con detalle y perfección las cosas. **3** Se aplica a la persona capaz de entender la naturaleza de las cosas, especialmente de las complicadas o confusas. **SIN** perspicaz. **4** Que es ingenioso u ocurrente: *un chiste agudo; un cómico agudo.* **5** Se aplica al dolor físico o moral intenso. **6** Se aplica a la enfermedad o al síntoma que aparecen de forma repentina y violenta pero duran poco: *bronquitis aguda.* **7** Se aplica al sonido o la voz que tienen una frecuencia de vibraciones mayor que la normal: *los niños tienen la voz más aguda que los adultos; en una misma escala, el fa es más agudo que el re.* **SIN** alto. **ANT** bajo, grave. **8** Se aplica al ángulo que tiene menos de 90 grados: *todos los ángulos de un triángulo equilátero son agudos.* **9** En gramática, se aplica al acento gráfico que tiene forma de raya pequeña que baja de derecha a izquierda (´). | *adj./s. f.* **10** Se aplica a la palabra que lleva el acento de intensidad en la última sílaba: *las palabras agudas llevan tilde si terminan en vocal, en "n" o en "s".* **SIN** oxítono.
FAM agudeza, agudizar.

agüero *s. m.* **1** Cosa que presagia un acontecimiento futuro. **2** Suerte: *pájaro de mal agüero.*

aguerrido, -da *adj.* Se aplica a la persona valiente y esforzada.

aguijada *s. f.* Vara larga con una punta de hierro en el extremo para hacer andar a los animales de carga.

aguijar *v. tr.* **1** Hacer andar a un animal de carga con una aguijada. **SIN** aguijonear. **2** Incitar o estimular a alguien para que haga algo. **SIN** aguijonear.

aguijón *s. m.* **1** Órgano punzante situado en el extremo del abdomen de ciertos insectos, como las avispas, y arácnidos, como el escorpión; puede estar conectado a una glándula venenosa. **2** Cosa que incita o estimula a hacer algo. **SIN** acicate, estímulo. **3** Punta de hierro que tienen algunas varas, como la aguijada, en el extremo por el que se pinchan o clavan.
FAM aguijada, aguijar, aguijonazo, aguijonear.

aguijonazo *s. m.* **1** Pinchazo producido por el aguijón de una abeja u otro insecto. **2** Expresión irónica con la que se pretende herir u ofender a una persona. **SIN** pulla, puya, puyazo.

aguijonear *v. tr.* **1** Picar con el aguijón. **2** Hacer andar a un animal de carga con una aguijada. **SIN** aguijar. **3** Incitar o estimular a alguien para que haga algo. **SIN** aguijar.

águila *s. f.* **1** Ave rapaz diurna de gran envergadura, pico fuerte y curvado en la punta, potentes garras afiladas, vista muy aguda y vuelo muy rápido. ■ **águila imperial** Águila de color negruzco con una mancha clara en la nuca y que generalmente anida en los árboles. ■ **águila real** Águila de mayor tamaño que la común, de color pardo oscuro y cola cuadrada, que anida generalmente en las rocas. **2** Persona de mente muy despierta.
FAM aguileño, aguilón, aguilucho.
OBS Los artículos de singular son *el* y *un*, salvo que entre artículo y sustantivo haya otra palabra.

aguileño, -ña *adj.* **1** Se aplica a la nariz alargada y curvada hacia abajo. **2** Se aplica a la cara que tiene la nariz así. **3** Relativo al águila.

aguilucho *s. m.* **1** Cría del águila. **2** Ave rapaz diurna de menor tamaño que el águila, con el cuerpo alargado, las alas y la cola largas, y plumaje de color gris en el macho y marrón claro en la hembra.

aguinaldo *s. m.* Regalo, generalmente dinero, que se da en Navidad o en Reyes, en especial a los niños.

aguja *s. f.* **1** Barrita pequeña de metal muy fino, que tiene un extremo terminado en punta y el otro con un agujero por donde se pasa un hilo para coser o bordar. **2** Pequeño tubo metálico de diámetro muy pequeño, con un extremo cortado en diagonal y el otro provisto de un casquillo para adaptarlo a una jeringuilla e introducir sustancias en el organismo. **3** Barra pequeña muy delgada, generalmente metálica, de tamaño y forma variados y a menudo con un extremo acabado en punta, que se usa para distintos fines: *la aguja de un reloj de sol.* **4** Barra de metal, hueso u otro material, acabada en punta, que se usa para hacer labores de bordado, calceta o ganchillo. **5** Pieza de adorno que se lleva sujeta al vestido con una aguja y sirve también para unir dos piezas. **SIN** alfiler. **6** Alfiler grande que se lleva como adorno en el vestido o que sirve para sujetar un tocado u otra cosa parecida. **7** Cosa que tiene forma alargada y puntiaguda o afilada: *unos zapatos con tacón de aguja.* **8** Remate de una torre, estrecho, alto y con forma cónica. **9** Raíl movible que sirve para cambiar de vía los trenes. **10** Pastel de hojaldre alargado y fino, relleno de carne picada o de pescado. **11** Serie de costillas que corresponden al cuarto delantero de un animal cuadrúpedo. **12** Pico montañoso delgado y agudo. **13** Pez marino depredador de cuerpo largo con el dorso de color verde azulado y el vientre plateado.

aguja de marear Brújula.

aguja reproductora Elemento mecánico que sigue las modulaciones del surco de un disco y transmite el movimiento mecánico al mecanismo captador. **NOTA** También simplemente *aguja.*

buscar una aguja en un pajar Indica la dificultad de hallar algo entre multitud de cosas iguales o parecidas.

FAM guardagujas.

agujerear v. tr. Hacer uno o más agujeros en algo.

agujero s. m. ① Abertura más o menos redonda en un cuerpo, especialmente si la atraviesa de una parte a otra. ② Déficit o pérdida de dinero en un negocio, especialmente cuando se desconoce su causa.

agujero de ozono Agujero producido por la disminución del ozono de la estratosfera debido a la presencia de determinados gases.

agujero negro Región del espacio que ejerce una atracción gravitatoria tan intensa sobre cualquier materia o radiación, incluida la luz, que impide que pueda ser observado: *tras la explosión de una estrella muy grande queda un agujero negro.*

tapar agujeros Pagar deudas pendientes.

FAM agujerear.

agujetas s. f. pl. Dolor muscular semejante al de agujas que se clavan, que se siente un tiempo después de haber realizado un esfuerzo físico no habitual.

aguoso, -sa adj. ① Que tiene mucha agua. SIN acuoso. ② Se aplica a la fruta que tiene mucho jugo, o que tiene mucha agua y resulta insípida. SIN acuoso. ③ Que se parece al agua o tiene alguna de sus características, especialmente su densidad y color. SIN acuoso.

¡agur! int. familiar Se usa para despedirse.

agusanarse v. prnl. Llenarse de gusanos una cosa.

agustino, -na adj./s. m. y f. ① Se aplica al religioso que pertenece a alguna de las órdenes que siguen las reglas de san Agustín. ‖ adj. ② Relativo a alguna de estas órdenes. ③ Relativo a san Agustín (354-430).

agutí s. m. Mamífero roedor americano del tamaño de un conejo, de cuerpo alargado y pelaje anaranjado o marrón; su carne es comestible y su piel, muy apreciada.

aguzanieves s. f. Ave insectívora de pico largo y recto, vientre blanco o amarillo y cuello, pecho, alas y cola negros o grisáceos; existen varias especies que habitan en Europa y Asia septentrional y emigran al norte de África, a Asia central y a la Península Ibérica en invierno. SIN lavandera.

OBS Plural invariable.

aguzar v. tr. ① Hacer más agudo un objeto que acaba en punta: *aguzar un lápiz.* ② Hacer más afilado un objeto cortante: *aguzar un cuchillo.* ③ Disponer los sentidos para aumentar su capacidad y percibir mejor algo: *aguzar el oído; aguzar la vista.* ④ Hacer más aguda una capacidad, especialmente el ingenio.

FAM aguzado.

¡ah! int. ① Indica que la persona que habla ha comprendido algo o se ha dado cuenta de ello. ② Indica admiración, sorpresa o pena. ③ Indica satisfacción o alegría.

aherrojar v. tr. ① Atar o sujetar a alguien o algo con cadenas o instrumentos de hierro. ② Someter o tiranizar a alguien.

aherrumbrarse v. prnl. Cubrirse de herrumbre un metal u objeto de metal.

ahí adv. ① En ese lugar: *se puso ahí a contemplarnos.* ② A ese lugar: *llévaselo ahí.* ③ En ese tiempo o momento: *ahí fue cuando se dio cuenta de todo; de ahí partieron todos los problemas.* ④ En lo relacionado con ese asunto o hecho: *por ahí no vayas, que no te entenderá.*

ahí me las den todas Expresión que indica que no importa un suceso porque afecta a los demás.

ahí mismo Se usa para indicar que un lugar está muy cerca: *su casa está ahí mismo.*

de ahí que Por la razón que se ha expresado.

por ahí (I) Más o menos, aproximadamente: *serían las 7 de la tarde o por ahí cuando llegó.* (II) En un lugar indeterminado, no lejano: —¿Sabes dónde está? —Por ahí, supongo.

ahijado, -da s. m. y f. ① Persona que ha recibido el bautismo, en relación con la que le apadrinó en este acto. ② Persona que es apoyada o protegida, en relación con la que la apoya o protege.

ahijar v. tr. ① Adoptar a alguien como hijo propio. ② Poner a una hembra su propia cría o la de otra hembra para que la críe.

FAM ahijado.

ahínco s. m. Empeño o interés que se pone al hacer algo que requiere mucho esfuerzo.

ahíto, -ta adj. ① Que está lleno o saciado de comida: *estar ahíto.* SIN harto. ② Que está cansado o molesto: *ahíto de tantas protestas.* SIN harto.

ahogadilla s. f. Broma que se hace a una persona en el agua consistente en sumergirle la cabeza durante unos instantes. SIN aguadilla.

ahogado, -da s. m. y f. Persona que ha muerto ahogada, en especial dentro del agua.

ahogar v. tr. ① Matar a una persona impidiéndole que respire, en especial sumergiéndole la cabeza dentro del agua. ② Causar a alguien sensación de ahogo, en especial el excesivo calor o el enrarecimiento del aire. ③ Agobiar o angustiar a alguien una situación o sentimiento: *sentía una gran pena que la ahogaba.* ANT desahogar. ④ Perjudicar a las plantas el exceso de agua u otra sustancia o el estar muy juntas. ⑤ Apagar el fuego, en especial cubriéndolo con una manta u otra cosa semejante. ⑥ Interrumpir o impedir que un proceso se desarrolle completamente: *ahogar una rebelión.* ⑦ Reprimir la exteriorización natural de un sentimiento angustiante o agobiante: *ahogar un grito de rabia.* ⑧ Dificultar la acción de un motor al permitir que entre en el carburador excesiva cantidad de combustible.

FAM ahogadero, ahogadilla, ahogado, ahogo; desahogar, rehogar.

ahogo s. m. ① Sensación de falta de aire respirable, en especial causada por el exceso de calor o el enrarecimiento del aire. ② Dificultad al respirar: *sufrir ahogos.* NOTA Más en plural. ③ Dificultad económica: *vivir sin ahogos.* NOTA Más en plural. ④ COL. Salsa para rehogar.

ahondar v. tr. ① Hacer más hondo o profundo. SIN profundizar. ② Excavar un hoyo en un terreno: *ahondar un pozo; ahondar trincheras.* ③ Poner a mayor profundidad una cosa que ya está metida en otra. ‖ v. tr./intr. ④ Examinar un asunto en todos sus aspectos para conocerlo o entenderlo completamente: *ahondar un tema; ahondar en la cuestión.*

ahora adv. ① En este momento: *cuéntamelo mañana, ahora tengo prisa.* ② Hace poco tiempo: *se lo he dicho ahora mismo.* ③ Dentro de poco tiempo: *ahora viene, ya verás.* ‖ conj. ④ Ahora bien.

ahora bien Sin embargo: *puedes ir con ellos, ahora bien, luego atente a las consecuencias.*

hasta ahora (I) Hasta el momento presente: *nadie ha sabido nada hasta ahora.* (II) familiar Se usa para despedirse por un breve espacio de tiempo.

A

por ahora Por el momento, hasta el momento presente: *por ahora hay suficiente.*
FAM ahorita.

ahorcamiento *s. m.* Acción de ahorcar, en especial a una persona.

ahorcar *v. tr.* Colgar a una persona por el cuello hasta que muera por asfixia.
FAM ahorcamiento.

ahorita *adv.* familiar Enseguida, al momento: *ahorita lo acabo, dame unos minutos.*

ahormar *v. tr.* ① Ajustar una cosa a su horma o molde. ② Hacer que una persona o cosa se ajusten a unas normas establecidas. ③ Obligar al toro a colocar la cabeza a la altura conveniente para darle la estocada.

ahorquillado, -da *adj.* Que tiene forma de horquilla en el extremo: *la sardina tiene la cola ahorquillada.*

ahorrador, -ra *adj./s. m. y f.* Se aplica a la persona que reserva parte del dinero que obtiene para futuras necesidades.

ahorrar *v. tr.* ① Reservar una parte del dinero que se obtiene para futuras necesidades. ❙ *v. tr./prnl. tr.* ② Gastar menos dinero u otra cosa de lo que sería normal o estaría previsto: *con esta bombilla ahorras luz.* ③ Evitar algo inconveniente o molesto: *hemos ahorrado tres días de trabajo; se ahorrará pasar por Sevilla.*
FAM ahorrador, ahorrativo, ahorro.

ahorrativo, -va *adj.* ① Relativo al ahorro. ② Se aplica a la persona que tiende a ahorrar, especialmente a gastar menos de lo normal o previsto.

ahorro *s. m.* ① Gasto o consumo menor de lo que sería normal o estaría previsto. ❙ *s. m. pl.* ② **ahorros** Cantidad de dinero que se reserva para futuras necesidades.

ahuecar *v. tr.* ① Poner hueca o cóncava una cosa quitándole la materia interior: *ahuecar un tronco.* ② Poner más blanda y menos densa o compacta una cosa: *ahuecar la almohada.* **ANT** apelmazar. ③ Dar a la voz un tono más grave del habitual. ❙ *v. intr.* ④ familiar Irse, marcharse. ❙ *v. prnl.* ⑤ **ahuecarse** Sentirse muy importante.

ahuizote *s. m.* ① C. RICA, NICAR. Agüero, brujería. ② MÉX. Persona que molesta continuamente.

ahulado, -da *s. m.* ① AMÉR. CENTRAL Chanclo. ❙ *adj.* ② AMÉR. CENTRAL, MÉX. Se aplica al tejido impermeabilizado con hule o caucho.

ahumado, -da *adj.* ① Se aplica al objeto transparente de color grisáceo o negruzco: *unos cristales ahumados.* ❙ *adj./s. m.* ② Se aplica al alimento, como pescado, embutido o queso, que se expone al humo para conservarlo y darle un sabor especial: *salmón ahumado.*

ahumar *v. tr.* ① Exponer algo a la acción del humo, en especial un alimento, como pescado, embutido o queso, para conservarlo y darle un sabor especial. ② Llenar de humo un lugar. ③ Ennegrecer una cosa con humo. ❙ *v. intr.* ④ Desprender humo una cosa. **SIN** humear. ❙ *v. prnl.* ⑤ **ahumarse** Tomar un guiso sabor a humo.
FAM ahumado.

ahuyentar *v. tr.* ① Hacer que una persona o un animal huyan. ② Hacer desaparecer una cosa inmaterial que resulta desagradable: *cantaba para ahuyentar el miedo.*

aikido *s. m.* Arte marcial japonés que se utiliza para la defensa personal, no para el ataque, y cuyos combates se desarrollan con una armoniosa técnica parecida a la danza; no

existen competiciones deportivas: *el aikido está basado en diferentes artes marciales.*
FAM aikidoka.

aikidoka *s. com.* Persona que practica el aikido.

aimara o **aimará** *adj.* ① Relativo a un pueblo indígena que habita la región del lago Titicaca, entre Perú y Bolivia. ❙ *s. com./adj.* ② Persona perteneciente a este pueblo. ❙ *s. m./adj.* ③ Lengua hablada por estas personas.

aindiado, -da *adj./s. m. y f.* AMÉR. Se aplica a la persona que se parece a los indios en las facciones y el color de la piel.

airado, -da *adj.* ① Que está enfadado o irritado. ② Se aplica al modo de vida que es licencioso y desordenado.

airar *v. tr.* Hacer que una persona sienta ira.
FAM airado; desairar.

airbag [se pronuncia aproximadamente 'airbág'] *s. m.* Dispositivo de seguridad consistente en una bolsa que se infla automáticamente en caso de colisión violenta; se coloca principalmente en el volante (para el conductor) y en el salpicadero (para el ocupante del otro asiento delantero).
OBS Plural: *airbags.* Es marca registrada.

aire *s. m.* ① Mezcla gaseosa que envuelve la Tierra y forma la atmósfera; está compuesta principalmente por oxígeno y nitrógeno y algunos gases nobles, como el argón, en pequeñísima proporción. ■ **aire comprimido** Aire a presión obtenido mediante compresores; se utiliza como pulverizador de pintura y abrasivos, inyector de cemento, etc., y para el funcionamiento de mecanismos neumáticos. ② Corriente que se produce en la atmósfera al variar la presión: *cierra bien, que hace mucho aire.* **SIN** viento. ③ familiar Pedo (ventosidad): *el bebé llora porque tiene aires.* **NOTA** Frecuentemente usado como eufemismo. ④ Conjunto de rasgos que se perciben en una persona o cosa inmediatamente después de verla: *tener aire de salud; le vi un aire pensativo.* ⑤ Semejanza entre dos o más personas que se percibe en los rasgos de la cara: *todos los hermanos tienen un aire de familia.* ⑥ Ambiente o circunstancias que rodean una situación determinada y que pueden hacerla variar en algún aspecto: *aires de crisis; aires renovadores.* **NOTA** Normalmente en plural. ⑦ Modo particular de hacer las cosas: *ve a tu aire y ya te alcanzaré.* ⑧ Gracia, garbo o desenvoltura: *moverse con mucho aire.* ⑨ Canción popular: *la isa es un aire canario.* ⑩ Velocidad con que se ejecuta una obra musical. ❙ *s. m. pl.* ⑪ **aires** Actitud vanidosa con que se presenta una persona ante los demás: *tener aires de grandeza.*

aire acondicionado Sistema de ventilación mediante el cual se consigue mantener un recinto cerrado a la temperatura y humedad deseadas.

al aire libre Fuera de un lugar cerrado.

cambiar de aires Irse a vivir a otro lugar o a otro ambiente.

en el aire (**I**) familiar En una situación insegura, a la espera de que se resuelva. (**II**) Referido a un programa de radio o televisión, que se está emitiendo.

saltar por los aires familiar Reventar algo por explosión.

aireación *s. f.* Acción de airear o ventilar una cosa o un lugar. **SIN** ventilación.

airear *v. tr.* ① Exponer a la corriente de aire una cosa o un lugar que han estado cerrados: *abrió las ventanas para airear la habitación.* **SIN** aventar, ventilar. ② Dar a conocer una cosa a un gran número de personas. **SIN** aventar, difundir. ❙ *v. prnl.* ③ **airearse** Tomar el aire.
FAM aireación.

airón *s. m.* ① Conjunto de plumas levantadas que tienen en la cabeza ciertas aves. **SIN** penacho. ② Adorno de plumas que se pone en cascos, sombreros o tocados femeninos. **SIN** penacho.

airoso, -sa *adj.* ① Que tiene aire, gracia o garbo en sus movimientos. ② Que hace una cosa difícil o complicada con éxito y lucimiento: *salir airoso; quedar airoso.*

aislacionismo *s. m.* Tendencia política que defiende el mantenimiento del país al margen de alianzas o conflictos internacionales.
FAM aislacionista.

aislacionista *adj.* ① Relativo al aislacionismo. ‖ *adj./s. com.* ② Se aplica a la persona que es partidaria del aislacionismo.

aislado, -da *adj.* ① Se aplica al lugar que está incomunicado o mal comunicado con otros lugares. ② Que es único o excepcional, que se presenta o se produce separado en el espacio o en el tiempo: *un caso aislado de cólera.*

aislador, -ra *adj.* ① Aislante. ‖ *s. m./adj.* ② Aislante: *la mica es un buen aislador eléctrico.* ‖ *s. m.* ③ Pieza de cristal o porcelana con que se aíslan de sus soportes los alambres conductores de corriente eléctrica.

aislamiento *s. m.* ① Acción de aislar: *tras el aislamiento se le sometió a un test.* ② Situación de la persona, animal o cosa aislados: *la economía se moderniza y la gente sale de su aislamiento tradicional.*

aislante *adj.* ① Que aísla, especialmente del frío, el calor, el ruido o la electricidad: *los chips de un ordenador van encerrados en una cápsula negra de plástico aislante.* **SIN** aislador. ‖ *s. m./adj.* ② Cuerpo o sustancia que aísla, especialmente del frío, el calor, el ruido o la electricidad: *la madera es un material fuerte y elástico, buen aislante del calor y la electricidad.* **SIN** aislador.
FAM termoaislante.

aislar *v. tr.* ① Poner o dejar a una persona o una cosa en un lugar separado de donde están otras, o sin contacto o comunicación con ellas: *aislaron a los enfermos para evitar contagios.* ② Separar a una persona o animal del trato de los demás. ③ Poner un cuerpo fuera del alcance de la propagación de energía calorífica, sonora, etc., mediante el uso de materiales aislantes. ④ Separar un elemento químico de otros con los que estaba mezclado.
FAM aislacionismo, aislado, aislador, aislamiento, aislante.

¡ajá! *int.* Indica aprobación o satisfacción: *¡ajá!, así es como deben hacerse las cosas.*

ajar *v. tr.* ① Hacer que una cosa pierda su buen aspecto, en especial por el uso continuado o por el paso del tiempo. ② Hacer que una persona o una parte de su cuerpo pierdan su aspecto sano o saludable.

ajardinar *v. tr.* ① Dotar un lugar de jardines. ② Convertir un terreno en jardín.

ajedrecista *s. com.* Persona que juega al ajedrez, en especial si lo hace como profesional.

ajedrecístico, -ca *adj.* Relativo al ajedrez.

ajedrez *s. m.* ① Juego de mesa en el que participan dos personas, cada una de las cuales tiene 16 piezas que puede mover, según ciertas reglas, sobre un tablero dividido en 64 cuadros o escaques, alternativamente blancos y negros. ② Conjunto de piezas y tablero que se usan para este juego.
FAM ajedrecista, ajedrecístico, ajedrezado.

ajedrezado, -da *adj.* Que tiene cuadros claros y oscuros, como un tablero de ajedrez.

ajenjo *s. m.* ① Planta herbácea aromática con pequeñas flores amarillas agrupadas y hojas de color verde claro cubiertas de vello de las que se obtiene una esencia empleada para elaborar un licor. ② Licor elaborado con las hojas e inflorescencias de esta planta. **SIN** absenta.

ajeno, -na *adj.* ① Que pertenece o corresponde a otra persona: *respetar las opiniones ajenas.* ② Que no pertenece a un grupo o no tiene relación con una actividad: *prohibido el paso a toda persona ajena a la obra.* ③ Se aplica a la persona que está desprevenida o ignora cierta cosa: *era ajeno a las intrigas.* ④ Se aplica a la persona que se muestra desinteresada o indiferente ante un problema o situación determinados: *las autoridades no permanecieron ajenas a los disturbios.*
FAM enajenar.

ajete *s. m.* Ajo tierno que aún no ha desarrollado cabeza.

ajetrear *v. tr.* Someter a una persona a una actividad o trabajo, generalmente físico, intensos.
FAM ajetreado, ajetreo.

ajetreo *s. m.* Actividad o trabajo, generalmente físico, intensos.

ají *s. m.* ① Variedad de pimiento pequeño y muy picante que se usa como condimento. **SIN** chile. ② Salsa que se prepara con estos pimientos.
estar (o ponerse) como un ají picante familiar ARG., URUG. Enojarse mucho una persona: *cuando se enteró de la mala noticia, se puso como un ají picante.*

ajiaceite *s. m.* Salsa hecha principalmente con aceite y ajos machacados: *al ajiaceite también se le puede añadir una yema de huevo.* **SIN** ajoaceite, alioli.

ajillo Se usa en la expresión:
al ajillo Indica que un alimento está preparado o condimentado con ajos fritos, y generalmente con otros ingredientes, como perejil o guindilla: *conejo al ajillo.*

ajimez *s. m.* ① Ventana dividida en el centro por una columna fina o parteluz, sobre la cual voltean dos arcos gemelos. ② Ventana o balcón en voladizo cubierto con celosías.

ajo *s. m.* ① Planta herbácea de hojas largas y flores blancas y cuyo bulbo es comestible; se cultiva en zonas templadas y secas. ② Bulbo de esta planta, dividido en partes separables. **NOTA** También *cabeza de ajos.* ③ Parte separable del bulbo de esta planta, de color blanquecino y carne fina que tiene un sabor muy fuerte; se emplea principalmente como condimento. **NOTA** También *diente de ajo.* ④ Asunto, especialmente el que supone una intriga o un chanchullo: *estar metido en el ajo; andaban todos en el ajo.*
ajo arriero Ajoarriero.
FAM ajete, ajiaceite, ajillo, ajoaceite.

ajoaceite *s. m.* Ajiaceite. **SIN** alioli.

ajoarriero *s. m.* ① Salsa elaborada principalmente con aceite, huevos y ajos. ② Guiso de bacalao que se elabora con esta salsa.
OBS También *ajo arriero.*

ajolote *s. m.* Anfibio parecido a la salamandra, de color oscuro, que vive en algunos lagos de América del Norte y cuya carne es comestible y muy apreciada en México.

ajonjolí *s. m.* ① Planta herbácea de tallo recto, con las flores blancas o rosas en forma de campana y numerosas semillas amarillas que se usan como alimento. **SIN** sésamo. **2** Semilla de esta planta. **SIN** sésamo.

OBS Plural: *ajonjolíes* o *ajonjolís*.

ajorca *s. f.* Adorno consistente en un aro grueso de oro, plata u otro metal para llevarlo alrededor de la muñeca, el brazo o el tobillo.

ajuar *s. m.* **1** Conjunto de ropa, muebles y joyas que lleva la mujer cuando se casa o cuando entra en una orden religiosa. **2** Conjunto de muebles y ropa de uso común en las casas. **3** Canastilla con ropa y todo lo necesario para un recién nacido. **4** Conjunto de prendas de vestir de una persona.

ajuntar *v. tr.* **1** familiar Querer a una persona como amigo: *me he enfadado con él, ya no lo ajunto.* **v. prnl.** **2** **ajuntarse** familiar Ir a vivir juntas dos personas como si estuvieran casadas. **SIN** juntarse.

ajustado, -da *adj.* **1** Que es justo, adecuado o recto: *conseguir un precio ajustado.* **2** Que se produce con un escaso margen de diferencia: *una victoria ajustada.*

ajustar *v. tr.* **1** Juntar o unir dos o más cosas adaptándolas y sin dejar espacio entre ellas: *ajustar las piezas de un puzzle; la puerta no se ajusta bien al marco.* **ANT** desajustar. **2** Hacer justa o adecuada una cosa para que quede bien o sea aceptable: *ajustar los presupuestos.* **3** Hacer que una cosa esté de acuerdo o en correspondencia con otra: *este local se ajusta a nuestras necesidades.* **SIN** adaptar, amoldar. **4** Tratar un asunto y llegar a un acuerdo: *este es el precio que ajustamos; ajustamos la venta de la casa.* **SIN** fijar. **5** Comprobar una deuda o cuenta y pagarla: *ajustar las cuentas.* **6** Modificar o regular un aparato o mecanismo hasta que quede de la manera que se desea: *ajustar el televisor.* **ANT** desajustar. **7** En química, hacer que en los dos miembros de una ecuación química (reactivos y productos) exista el mismo número de átomos de cada especie. **v. tr./ prnl.** **8** MÉX., NICAR. Cumplir años. **v. prnl.** **9** **ajustarse** Conformarse o aceptar algo: *nos ajustamos a lo que digáis.* **SIN** acomodarse.

FAM ajustado, ajustador, ajuste; desajustar, desbarajustar, reajustar.

ajuste *s. m.* **1** Acción de ajustar o ajustarse. **2** Unión de dos piezas o elementos que encajan perfectamente. **SIN** acoplamiento. **3** Efecto de ajustar o ajustarse.

ajuste de cuentas Daño o mal que se hace a alguien en respuesta a un daño u ofensa recibidos.

ajusticiar *v. tr.* Ejecutar a un condenado a pena de muerte en cumplimiento de la sentencia.

FAM ajusticiado, ajusticiamiento.

OBS Verbo regular, se acentúa como *cambiar*.

al Contracción de la preposición *a* y el artículo masculino *el*: *voy al colegio.* **NOTA** Si el artículo forma parte de un nombre propio, no se produce esta unión: *voy a El Escorial.*

al + infinitivo Indica que la acción expresada por el infinitivo se produce al mismo tiempo que otra o en el momento en que ocurre una cosa: *al oír su voz, me emocioné.*

ala *s. f.* **1** Miembro o apéndice que en número par tienen algunos animales, como las aves y algunos insectos, y que les sirven para volar: *en las aves, las alas son las extremidades superiores.* **2** Parte plana que se extiende a cada lado del fuselaje o cuerpo central de un avión y que le permite sostenerse en el aire. **3** Parte inferior del sombrero, más o menos horizontal y plana, que rodea la copa y sobresale de ella. **4** Alero de un edificio. **5** Parte lateral de un edificio en el que se puede distinguir un cuerpo principal y central. **6** Parte lateral de un re-

cinto u otro lugar, como un campo de deportes o un escenario. **7** Conjunto de personas que, dentro de un partido político o grupo, adoptan una posición ideológica separada de la línea general: *ala conservadora; ala progresista.* **8** Jugador de ciertos deportes de equipo, como fútbol o balonmano, que desarrolla su actividad por una de las bandas o laterales del campo.

ahuecar el ala familiar Irse de un lugar.

ala delta (**I**) Aparato sin motor, muy ligero, que sirve para volar planeando; está constituido por una tela de forma triangular y por una estructura trapezoidal a la que se sujeta la persona que lo maneja. (**II**) Deporte que consiste en lanzarse desde una pendiente muy pronunciada utilizando este aparato.

cortar las alas Poner dificultades o inconvenientes a una persona para que no pueda hacer lo que pretende.

dar alas Animar o estimular a una persona para que realice lo que pretende.

del ala familiar Se aplica a una determinada cantidad de dinero que se debe pagar por algo: *pagó 7 000 del ala.*

tener alas en los pies Ser muy rápido corriendo o haciendo alguna cosa.

tocado del ala familiar Chiflado.

FAM alado, alar, alear, alero, aleta, aletear, alón; desalar.

OBS Los artículos de singular son *el* y *un*, salvo que entre artículo y sustantivo haya otra palabra.

alabanza *s. f.* Reconocimiento de los méritos o cualidades de una persona o de una cosa mediante expresiones o discursos favorables. **SIN** elogio.

alabar *v. tr.* **1** Decir de alguien o algo sus virtudes o méritos. **SIN** elogiar. **v. prnl.** **2** **alabarse** Presumir o vanagloriarse una persona de una cualidad o capacidad que posee.

FAM alabanza.

alabarda *s. f.* Arma constituida por un mango largo de madera y una punta de lanza atravesada por una cuchilla aguda por un lado y con forma de media luna por el otro; se usó entre los siglos XVI y XVIII.

FAM alabardero.

alabardero *s. m.* Soldado armado con una alabarda, especialmente el que hacía guardia en el Palacio Real hasta principios del siglo XX.

alabastro *s. m.* Variedad de yeso o calcita, blanca y translúcida, parecida al mármol, que se trabaja fácilmente debido a su escasa dureza y se usa en escultura y decoración.

FAM alabastrino.

alabear *v. tr.* Dar forma combada o curva a una superficie plana. **SIN** combar.

FAM alabeo.

alabeo *s. m.* **1** Forma combada o curva que toma una pieza u otra superficie al alabearse. **2** Curvatura de un tablero, placa, etc.: *el alabeo de las hélices.*

alacena *s. f.* Armario con puertas y estantes, hecho generalmente en un hueco de la pared, que se usa para guardar alimentos o poner el menaje de cocina: *en la alacena se guardan conservas y otros alimentos.*

alacrán *s. m.* Invertebrado de la clase arácnidos, de respiración traqueal, con dos apéndices articulados y movibles (pedipalpos) alrededor de la boca y una cola compuesta por seis segmentos y terminada en un aguijón venenoso con el que captura a sus presas. **SIN** escorpión.

alado, -da *adj.* **1** Que tiene alas. **2** culto Que es muy ligero o veloz: *caballo alado.*

alamán, -mana *adj.* Relativo a una confederación guerrera de tribus germánicas establecidas a principios del siglo III en la orilla derecha del Rin.

alamar *s. m.* ① Ojal o anilla de hilo que, con su respectivo botón, se cose en el borde de una capa u otra prenda de vestir y sirve como cierre o adorno: *las chaquetillas toreras suelen tener alamares en las mangas.* ② Adorno en forma de fleco que queda colgando en el borde de algunas telas o vestidos. SIN cairel.

alambicado, -da *adj.* Se aplica al lenguaje, la expresión o el estilo que resultan excesivamente rebuscados o sutiles.

alambicar *v. tr.* ① Separar una sustancia volátil de otra que no lo es, o lo es menos, en un alambique o destiladera. SIN destilar. ② Hacer que el lenguaje, la expresión o el estilo sean excesivamente rebuscados o sutiles.
FAM alambicado.

alambique *s. m.* Aparato utilizado para destilar líquidos; está formado por un recipiente, donde el líquido inicial se calienta hasta convertirse en vapor el componente que se quiera destilar, y un tubo largo en espiral (serpentín), donde el vapor se enfría y vuelve a convertirse en líquido.
FAM alambicar.

alambrada *s. f.* Valla o cerca hecha de alambre, como la que se emplea para defender un lugar de posibles ataques militares.

alambrar *v. tr.* Cercar o cerrar un lugar con una alambrada.
FAM alambrada, alambrado.

alambre *s. m.* Hilo o varilla fina de metal: *el alambre es flexible y resistente.*
FAM alambrar, alambrera, alámbrico, alambrista.

alambrista *s. com.* Equilibrista que hace ejercicios de acrobacia sobre una cuerda o alambre suspendido a cierta altura del suelo. SIN funambulista, funámbulo.

alameda *s. f.* ① Lugar en el que la especie dominante es el álamo. ② Paseo o avenida bordeado de álamos u otros árboles.

álamo *s. m.* ① Árbol caducifolio de tronco alto de hasta 30 m, con hojas en forma de corazón o redondeadas y corteza blanquecina, que crece en lugares húmedos, especialmente alrededor y a lo largo de corrientes de agua. ■ **álamo blanco** Álamo que tiene la corteza blanca plateada y hojas verdes por una cara y blancas y lanosas por la otra. ■ **álamo negro** Álamo que tiene la corteza rugosa y más oscura que el blanco, hojas verdes por ambos lados y ramas muy separadas del eje del tronco. SIN chopo. ② Madera de este árbol.
FAM alameda.

alano, -na *adj.* ① Relativo a un pueblo nómada que, procedente del Cáucaso, invadió la Galia a principios del siglo V y posteriormente la Península Ibérica, junto a los vándalos y los suevos: *los alanos fueron vencidos por los visigodos.* ❙ *s. m. y f./adj.* ② Persona perteneciente a este pueblo.

alantoides *adj./s. amb.* Se aplica a la membrana que tiene forma de saco y rodea el embrión de los mamíferos, las aves y los reptiles.
OBS Plural invariable.

alarde *s. m.* Exhibición vanidosa de una cualidad u otra cosa: *hacer alarde de conocimientos.*
FAM alardear.

alardear *v. intr.* Mostrar o exhibir con vanidad una cualidad u otra cosa, aunque no constituya un mérito: *alardear de rico.*

alargado, -da *adj.* Que es más largo que ancho: *hoja alargada.*

alargador *s. m.* Pieza o dispositivo para alargar algo; especialmente, cable que se acopla al de conexión de un aparato eléctrico para la toma de corriente cuando esta queda a cierta distancia.

alargamiento *s. m.* ① Acción de alargar o alargarse. ② Parte que se ha añadido a otra para alargarla o porción de esta que se alarga.

alargar *v. tr.* ① Hacer una cosa más larga en el espacio o en el tiempo: *alargar una falda.* ② Extender o estirar algo, especialmente un miembro del cuerpo: *alargar el brazo.* ③ Coger una cosa para dársela a otra persona que está más alejada de ella: *¿me alargas el azucarero?* ❙ *v. prnl.* ④ **alargarse** Extenderse en una explicación o discusión más tiempo del necesario.
FAM alargadera, alargador, alargamiento.

alarido *s. m.* Grito fuerte, especialmente de gran dolor o miedo.

alarma *s. f.* ① Señal sonora o visual que avisa de un peligro: *dar la alarma.* SIN alerta. ② Mecanismo o dispositivo que activa una señal sonora o visual para avisar de algo: *alarma de robo; la alarma del reloj; una alarma contra incendios.* ③ Señal sonora o visual para que los soldados tomen las armas y se preparen para el combate o para defenderse de un ataque. ④ Inquietud o preocupación causadas por la posibilidad de un peligro: *la amenaza de una bomba hace cundir la alarma.*
FAM alarmar, alarmismo.

alarmante *adj.* Que alarma o causa preocupación o intranquilidad: *una situación alarmante.*

alarmar *v. tr.* ① Avisar a alguien de un posible peligro. SIN alertar. ② Causar alarma, inquietud o preocupación: *todos se alarmaron al oír esas voces extrañas.*
FAM alarmante.

alarmismo *s. m.* Tendencia a propagar rumores inciertos o a exagerar peligros reales.
FAM alarmista.

alarmista *adj./s. com.* Se aplica a la persona que tiende a propagar rumores inciertos o a exagerar peligros reales.

alauí *adj.* Relativo a una dinastía marroquí fundada en 1659, a la que pertenece el actual rey de Marruecos.
OBS Plural: *alauíes.*

alavés, -vesa *adj.* ① De Álava (provincia del País Vasco). ❙ *s. m. y f./adj.* ② Persona que es de Álava.

alazán, -zana *adj./s. m. y f.* Se aplica al caballo que tiene el pelo del color de la canela, entre rojo y amarillo.

alba *s. f.* ① Momento inicial del día, desde que empieza a aparecer la luz hasta que sale el Sol: *se levantan al alba para trabajar.* SIN alborada, amanecer. ② Primera luz del día, antes de salir el Sol: *contemplaba el alba desde su ventana.* SIN albor. ③ Prenda de vestir blanca y larga hasta los pies que usan los sacerdotes católicos para decir misa y en otras ceremonias. ④ Composición de la poesía provenzal que expresa la pena de los amantes cuando tienen que separarse al amanecer.
OBS Los artículos de singular son *el* y *un*, salvo que entre artículo y sustantivo haya otra palabra.

albacea *s. com.* Persona encargada de hacer cumplir la última voluntad de un difunto y de custodiar sus bienes hasta que se repartan entre los herederos.

A

albacetense V. albaceteño, -ña.

albaceteño, -ña *adj.* **1** De Albacete (ciudad y provincia de Castilla-La Mancha). **SIN** albacetense. I *s. m. y f./adj.* **2** Persona que es de Albacete. **SIN** albacetense.

albacora *s. f.* Pez marino parecido al atún, pero más pequeño, de carne más blanca y aletas pectorales más largas.

albahaca *s. f.* Planta herbácea muy aromática, con el tallo recto ramoso, hojas pequeñas muy verdes y flores blancas o rosadas, que se emplea como condimento y en perfumería.

albanés, -nesa *adj.* **1** De Albania (país de Europa). I *s. m. y f./adj.* **2** Persona que es de Albania. I *s. m./adj.* **3** Lengua indoeuropea que se habla en Albania. I *adj.* **4** Relativo a esta lengua: *el sistema albanés de verbos.*

albañal *s. m.* Conducto que recoge las aguas residuales de las casas.

albañil *s. m.* Persona que se dedica a la construcción de edificios y de otras obras en las que se emplean ladrillos, arena, cal, cemento y materiales semejantes. **FAM** albañilería.

albañilería *s. f.* **1** Oficio de los albañiles. **2** Obra o trabajo de construcción en el que se emplean ladrillos, arena, cal, cemento y materiales semejantes.

albar *adj.* Que es de color blanco o blanquecino: *pino albar; conejo albar.*

albarán *s. m.* Nota de entrega de una cosa que debe firmar la persona que la recibe y devolvérsela a la persona que la ha llevado.

albarca *s. f.* Abarca.

albarda *s. f.* Pieza del aparejo de las caballerías, a modo de almohadones de paja, que se coloca sobre el lomo para que la carga no se lo lastime. **FAM** albardar, albardilla, albardón.

albaricoque *s. m.* **1** Fruto del albaricoquero, comestible, redondeado, de piel amarillenta o rojiza y carne suave y amarilla con un hueso liso en el centro. **2** Albaricoquero. **FAM** albaricoquero.

albaricoquero *s. m.* Árbol pequeño de hojas acorazonadas y brillantes, flores grandes, blancas y con la base roja, y fruto comestible (albaricoque). **SIN** albaricoque.

albariño *s. m./adj.* **1** Vino blanco de poca graduación y de sabor ácido y muy ligero que se produce en la comarca de Combados, en Pontevedra. **2** Variedad de uva con que se elabora este vino.

albatros *s. m.* Ave palmípeda marina de gran tamaño, de plumaje blanco manchado de oscuro en las alas, con el pico grande y ganchudo, y las alas largas y estrechas. **OBS** Plural invariable.

albedrío *s. m.* Facultad para obrar según la propia voluntad: *deja que actúe a su libre albedrío.*

alberca *s. f.* **1** Depósito de agua construido con muros de ladrillo o piedra que sirve para regar. **2** Méx. Piscina deportiva.

albergar *v. tr.* **1** Proporcionar a una persona un lugar para que resida en él temporalmente: *me albergó unos meses en su apartamento.* **SIN** alojar, hospedar. **2** Servir un lugar de vivienda para alguien: *el palacio de la Zarzuela alberga a la familia real.* **3** Contener una cosa otra determinada: *esta colección alberga más de 300 títulos.* **4** Tener una idea en la mente o cierto sentimiento: *albergar rabia; albergaba la posibilidad de*

quedarse definitivamente. I *v. prnl.* **5 albergarse** Vivir temporalmente en un establecimiento de hostelería, especialmente en un albergue: *se albergaron en una cabaña abandonada.* **SIN** alojarse. **FAM** albergue.

albergue *s. m.* **1** Lugar que sirve para protegerse de las inclemencias o de cualquier peligro: *encontraron albergue para los refugiados.* **SIN** cobijo. **2** Casa con muchas habitaciones y camas donde se pueden alojar o refugiar varias personas temporalmente: *albergue juvenil; albergue de montaña.* **3** Establecimiento benéfico que sirve para acoger provisionalmente a personas necesitadas. **4** Protección o amparo que se encuentra en alguien o algo. **SIN** cobijo.

albero *s. m.* **1** Tierra suelta de color amarillento o rojizo con la que se cubre el ruedo de las plazas de toros, los caminos o los jardines. **2** Zona central de la plaza de toros, cubierta de tierra, en la cual se torea. **SIN** arena, redondel, ruedo.

albinismo *s. m.* Ausencia congénita de pigmentación en un ser vivo, que hace que su piel, pelo, plumaje, etc., sean blancos o más claros, a diferencia del color propio de su especie, variedad o raza.

albino, -na *adj.* **1** Se aplica al ser vivo que tiene albinismo. **2** Que es característico o propio de las personas albinas: *ojos albinos; cabello albino.* **FAM** albinismo.

albis Se usa en la expresión latina:
in albis Indica que no se tiene ningún dato, información o conocimiento de un asunto o materia, por desconocimiento o por olvido: *iba a contestar pero se quedó in albis.*

albo, -ba *adj.* culto Blanco: *caballo albo.* **FAM** alba, albar, albarillo, albariño, albillo, albino, albor.

albóndiga *s. f.* Bola pequeña elaborada con carne o pescado picados y mezclados con pan, huevos y especias para darle consistencia y sabor; se come frita o guisada. **FAM** albondiguilla.

albor *s. m.* **1** Primera luz del día, antes de salir el Sol. **SIN** alba. **2** Principio u origen de algo, o momento en que una cosa comienza a tener existencia o ser: *los albores del Romanticismo.* **NOTA** Generalmente en plural con el mismo significado que en singular. **SIN** amanecer. **FAM** alborada, alborear.

alborada *s. f.* **1** Momento inicial del día, desde que empieza a aparecer la luz hasta que sale el Sol. **SIN** alba, amanecer. **2** Composición poética o musical de carácter popular que se dedica al amanecer. **3** Música militar que se toca al amanecer.

alborear *v. impersonal* **1** culto Amanecer, aparecer la claridad del día. I *v. intr.* **2** culto Iniciarse algo, en especial un periodo de tiempo o un proceso determinados: *alboreaba el nuevo siglo.*

albornoz *s. m.* Prenda de vestir para secarse después del baño, larga y abierta por delante, con mangas y cinturón.

alborotador, -ra *adj./s. m. y f.* Se aplica a la persona que alborota, en especial la que promueve disturbios: *grupos de alborotadores colocaron barricadas en algunas calles.*

alborotar *v. tr.* **1** Agitar o mover algo de manera que quede desordenado: *el viento le alborotaba el cabello.* **2** Perturbar un lugar promoviendo desorden: *alborotar las calles.* **3** Agitar o excitar a alguien: *cuando lo vimos estaba muy alborotado y apenas podía hablar.* I *v. intr.* **4** Hacer ruido o gritar y moverse: *los niños estaban muy excitados y no dejaban de alboro-tar.* **|** *v. prnl.* **5** **alborotarse** Agitarse las olas del mar. **FAM** alborotado, alborotador, alboroto.

alboroto *s. m.* **1** Vocerío o estrépito: *si hablamos todos a la vez armamos mucho alboroto.* **2** Desorden de cosas en un lugar: *¿cuándo ordenarás todo ese alboroto?* **SIN** jaleo. **3** Disturbio o alteración del orden público, generalmente debida a actos de protesta: *alborotos callejeros.* **4** Agitación o excitación que siente alguien: *la noticia provocó un gran alboroto en los medios de comunicación.* **5** AMÉR. CENTRAL Palomita de maíz.

alborozar *v. tr.* Producir alborozo.

alborozo *s. m.* Alegría o regocijo grandes, generalmente acompañados de risas, gritos u otras manifestaciones externas: *la acogió con gran alborozo.* **FAM** alborozar.

¡albricias! *int.* Expresión con la que se manifiesta alegría ante una buena noticia, un descubrimiento, etc.

albufera *s. f.* Laguna natural que se forma en una bahía o entrada de mar cuya boca ha quedado cerrada por cordones de arena.

álbum *s. m.* **1** Libro o cuaderno en cuyas hojas se colocan fotografías, cromos, sellos y cosas semejantes que se guardan o coleccionan. **2** Disco de música o conjunto de ellos que se vende dentro de una funda o un estuche de plástico con una carátula o cubierta. **3** Estuche con varias fundas colocadas a modo de libro para guardar discos de música. **OBS** Plural: *álbumes.*

albumen *s. m.* Tejido vegetal que envuelve el embrión de ciertas semillas, como las del trigo, y les sirve de alimento en el periodo inicial de germinación.

albúmina *s. f.* Proteína de reserva que es el componente principal de la clara del huevo y que se encuentra también en la sangre y en la leche. **FAM** albuminoso.

albur *s. m.* Suerte o azar al que está sometido un proyecto o un asunto: *puede el viajero entregarse al albur del transporte de la isla.*

albura *s. f.* **1** culto Blancura perfecta. **2** Capa blanda y blanquecina que se halla inmediatamente debajo de la corteza en los troncos y los tallos leñosos.

alcabala *s. f.* Impuesto indirecto de la Corona de Castilla, que pagaba el vendedor en el contrato de compraventa, y los dos contratantes en el de permuta.

alcachofa *s. f.* **1** Hortaliza de hojas grandes, gruesas y espinosas que rodean el tallo, en cuyo extremo crece un capítulo o cabezuela en el que sale la flor. **2** Capítulo o cabezuela de esta hortaliza, en forma de piña, cuyas partes blandas y blanquecinas son comestibles antes de que se desarrolle la flor. **3** Pieza con agujeros pequeños que se ajusta a un tubo o cañería y sirve para esparcir el agua: *la alcachofa de la ducha.*

alcahuete, -ta *s. m. y f.* Persona que facilita o encubre las relaciones amorosas o sexuales de dos amantes: *la figura de la alcahueta alcanza plasmación inmortal en «La Celestina».* **FAM** alcahuetear, alcahuetería.

alcahuetear *v. intr.* **1** Hacer de alcahuete entre dos personas. **2** familiar Chismorrear. **|** *v. tr.* **3** ARG., URUG. Adular a una persona para conseguir un favor o un beneficio: *ese niño tiene la costumbre de alcahuetear a su maestra.* **4** C. RICA Educar mal a un niño por concederle excesivos caprichos o por permitir que haga siempre lo que quiere.

alcaide *s. m.* **1** Director de un penal o centro penitenciario. **2** Hasta fines de la Edad Media, persona que tenía a su cargo algún castillo o fortaleza: *después de la Edad Media, el alcaide era un Grande de España encargado de administrar algún sitio real.* **3** En las alhóndigas (casas públicas para la compraventa de granos o cereales) y otros establecimientos, persona encargada de su custodia y buen orden.

alcalde, -desa *s. m. y f.* Persona que preside un ayuntamiento y es la máxima autoridad gubernativa en el municipio. **FAM** alcaldada, alcaldía.

alcaldía *s. f.* **1** Cargo de alcalde. **2** Oficina del alcalde o ayuntamiento.

álcali *s. m.* Óxido o hidróxido metálico soluble en agua que tiene propiedades básicas.

alcalimetría *s. f.* Determinación de la cantidad de álcali existente en una disolución.

alcalinidad *s. f.* Cualidad que tiene una sustancia alcalina: *grado de alcalinidad de la tierra.*

alcalino, -na *adj.* **1** Se aplica a la sustancia química que tiene propiedades básicas: *pilas alcalinas.* **2** Que contiene álcali o tiene alguna de sus propiedades: *agua alcalina.* **FAM** alcalinidad, alcaloide.

alcalinotérreo *adj.* Se aplica al elemento químico metálico que tiene propiedades parecidas a las de los metales alcalinos y pertenece al segundo grupo de la tabla periódica: *son alcalinotérreos el berilio, el magnesio, el calcio, el estroncio, el bario y el radio.*

alcaloide *s. m.* Compuesto químico orgánico nitrogenado, de carácter básico (o alcalino) y de origen vegetal que constituye el excitante de ciertos productos, como la nicotina en el tabaco o la cafeína en el café, y al que también pertenecen la cocaína y la morfina.

alcance *s. m.* **1** Distancia que puede ser alcanzada por una persona o cosa: *misil de corto alcance; manténgase fuera del alcance de los niños.* **2** Extensión que tiene la influencia o importancia de una persona o cosa: *no conocemos el alcance de esta tragedia.* **3** Inteligencia, talento o capacidad: *era un niño de cortos alcances.* **NOTA** Más en plural con el mismo significado que en singular.

al alcance Referido a una persona o cosa, que puede ser alcanzado: *al alcance de la vista.*

al alcance de la mano (o *de mi/tu/... mano*) Referido a una cosa positiva y deseable, que puede ser alcanzado con holgura y facilidad, que está cerca: *tenía la victoria al alcance de la mano.*

alcancía *s. f.* Recipiente cerrado con una ranura estrecha y alargada para echar monedas y guardarlas con el fin de ahorrar. **SIN** hucha.

alcanfor *s. m.* Sustancia sólida, blanca y de olor fuerte y característico que se obtiene de la destilación de la madera de un árbol tropical y que se usa generalmente para preservar la ropa guardada de la polilla. **FAM** alcanforero.

alcano *s. m.* Hidrocarburo saturado con enlaces de tipo sencillo entre los átomos de carbono: *los alcanos (como el metano, el etano, el propano y el butano) se encuentran en el gas natural y en el petróleo y reaccionan fácilmente en contacto con el oxígeno del aire, provocando reacciones de combustión con desprendimiento de calor.*

alcantarilla *s. f.* ⒈ Conducto subterráneo para recoger el agua de lluvia y las aguas residuales de una población. **SIN** cloaca. ⒉ Abertura en el suelo de las calles tapada con una reja de hierro que sirve para recoger el agua de lluvia y llevarla hasta este conducto. **FAM** alcantarillar.

alcantarillado *s. m.* Red de alcantarillas de una población: *alcantarillado urbano.*

alcantarillar *v. tr./intr.* Construir alcantarillas en una población o parte de ella: *calles sin alcantarillar.* **FAM** alcantarillado.

alcanzar *v. tr.* ⒈ Llegar una persona o cosa hasta otra que está delante en un recorrido o a cierta distancia: *id tirando, ya os alcanzaré; alcanzó la frontera a medianoche.* ⒉ Llegar a tocar o coger una cosa con la mano: *¿alcanzas el bote que está sobre el armario?* ⒊ Igualar una persona el resultado de otra en el mismo proceso o actividad: *comenzaste hace una hora y ya te hemos alcanzado.* ⒋ Llegar a tener una cosa que se había perseguido: *alcanzar la fama; alcanzó el puesto que merece.* ⒌ Llegar a entender o comprender una cosa o a una persona: *no alcanzo las razones de este malhumor.* ❙ *v. intr.* ⒍ Ser una cosa bastante o suficiente para un fin: *la harina no alcanza para el pastel.* **FAM** alcance; inalcanzable.

alcaparra *s. f.* ⒈ Arbusto de tallos espinosos, hojas redondeadas, flores grandes y blancas y fruto (alcaparrón) parecido a un higo pequeño. ⒉ Yema de la flor de este arbusto, de color verde oscuro, que se usa como aperitivo o condimento.

alcaparrón *s. m.* Fruto de la alcaparra (arbusto), de color verde oscuro, con forma de higo pequeño y que se conserva en vinagre.

alcaraván *s. m.* Ave zancuda de color pardo rayado de negro por el dorso y el pecho, y de color blanco por el vientre, que se alimenta de insectos y vertebrados pequeños.

alcarreño, -ña *adj.* ⒈ De La Alcarria (comarca de las provincias de Guadalajara y Cuenca). ❙ *s. m. y f./adj.* ⒉ Persona que es de La Alcarria.

alcarria *s. f.* Terreno alto y generalmente llano, sin árboles, en el que crecen arbustos y hierbas.

alcatraz *s. m.* Ave palmípeda marina de plumaje muy blanco con partes de las alas y de la cola negras, pico y cuello largos, y alas apuntadas.

alcaudón *s. m.* Ave de entre 17 y 25 cm de altura, pico fuerte y ganchudo, plumaje ceniciento y alas y cola negras con manchas blancas; se alimenta de insectos y pequeños vertebrados.

alcayata *s. f.* Clavo con la cabeza doblada en ángulo recto que sirve para colgar cosas de él. **SIN** escarpia.

alcazaba *s. f.* Recinto fortificado dentro de una ciudad musulmana medieval amurallada que servía para refugiar a sus soldados y habitantes.

alcázar *s. m.* ⒈ Fortaleza de origen musulmán situada en un lugar estratégico y construida a modo de castillo. ⒉ Castillo o palacio que es la residencia de un rey o un príncipe, o del gobernador de una ciudad.

alce *s. m.* Mamífero rumiante parecido al ciervo, pero muy corpulento, con el hocico ancho y caído y los cuernos planos en forma de pala con grandes recortes en los bordes; habita en los bosques del norte de Europa, de Asia y de América. **SIN** ante.

alcista *adj.* Referido al precio de un producto o al valor de una determinada cantidad, que tiende al alza o aumento: *el precio de la gasolina continúa con una clara tendencia alcista.* **ANT** bajista.

alcoba *s. f.* Habitación de una vivienda que se usa para dormir. **SIN** dormitorio.

alcohol *s. m.* ⒈ Nombre genérico de una familia de compuestos químicos de carbono, hidrógeno y oxígeno que siempre contienen el grupo funcional hidroxilo (–OH): *el nombre científico de los alcoholes termina en "-ol", como en "etanol".* ■ **alcohol etílico** Líquido transparente, incoloro, de olor penetrante e inflamable que se obtiene mediante la destilación del vino y otras sustancias fermentadas y se usa como componente de bebidas y en industria. **NOTA** También simplemente *alcohol.* **SIN** etanol. ⒉ Bebida que contiene alcohol etílico: *no puedo beber alcohol porque tengo que conducir.* **FAM** alcoholar, alcoholemia, alcoholera, alcoholero, alcohólico, alcoholismo, alcohómetro.

alcoholemia *s. f.* Cantidad de alcohol en la sangre, especialmente cuando excede de lo normal.

alcohólico, -ca *adj.* ⒈ Relativo al alcohol (líquido): *fermentación alcohólica.* **SIN** etílico. ⒉ Que contiene alcohol: *bebida alcohólica.* ❙ *adj./s. m. y f.* ⒊ Se aplica a la persona que padece la enfermedad del alcoholismo.

alcoholímetro *s. m.* Aparato que sirve para medir la cantidad de alcohol presente en el aire espirado por una persona.

alcoholismo *s. m.* ⒈ Enfermedad crónica causada por el consumo excesivo de bebidas alcohólicas, que provoca una dependencia física y psíquica. ⒉ Consumo excesivo de bebidas alcohólicas.

alcoholizado, -da *adj.* Se aplica a la persona que padece la enfermedad del alcoholismo. **SIN** alcohólico.

alcoholizar *v. tr.* ⒈ Añadir alcohol a un líquido. ❙ *v. prnl.* ⒉ **alcoholizarse** Adquirir una persona la enfermedad del alcoholismo. **FAM** alcoholizado, alcoholización.

alcor *s. m. culto* Colina.

alcorán *s. m.* Libro fundamental de la religión musulmana que contiene las revelaciones que Alá hizo a Mahoma. **SIN** corán. **OBS** Con mayúscula inicial excepto para referirse al objeto físico: *un alcorán lujoso.*

alcornoque *s. m.* ⒈ Árbol robusto de la familia de la encina, de no más de 20 m de altura, hojas perennes de color verde oscuro, copa amplia y fruto (bellota) en cápsula; tiene la madera muy dura y la corteza gruesa, de la cual se extrae el corcho. ⒉ Madera de este árbol. ⒊ Persona torpe y poco inteligente.

alcorque *s. m.* Hoyo que se hace en la tierra alrededor del pie de una planta para retener el agua del riego o recoger la de la lluvia.

alcotán *s. m.* Ave rapaz diurna parecida al halcón pero más pequeña (de unos 30 cm de longitud), plumaje oscuro en las alas y la cabeza, blanquecino en el cuello y listado en el vientre; se alimenta de pequeñas presas.

alcoyano, -na *adj.* ⒈ De Alcoy (localidad de Alicante). ❙ *s. m. y f./adj.* ⒉ Persona que es de Alcoy.

alcurnia *s. f.* Serie de antecesores de una persona o familia, especialmente si son ilustres: *una familia de alta alcurnia.*

alcuza *s. f.* ⒈ Recipiente en forma de cono con el extremo más ancho hacia abajo en que se guarda el aceite para su uso diario. **2** AMÉR. Conjunto de recipientes para poner aceite, vinagre, sal y especias en la mesa. **3** COL., CUBA, P. RICO Botella de barro para el agua.

aldaba *s. f.* **1** Pieza de metal, generalmente de hierro o bronce, fijada a una puerta para llamar dando golpes con ella. SIN aldabón, picaporte. **2** Travesaño o barra de metal o madera que sirve para asegurar desde dentro una puerta o ventana después de cerrarla.
FAM aldabilla, aldabón.

aldabilla *s. f.* Pieza de metal con forma de gancho que se introduce en una anilla y sirve para cerrar cajas, puertas, ventanas, etc.

aldabón *s. m.* Aldaba (pieza de metal).
FAM aldabonazo.

aldabonazo *s. m.* **1** Golpe que se da con la aldaba para llamar a la puerta. **2** Aviso o llamada de atención: *el gobierno ha querido dar un aldabonazo de atención.*

aldea *s. f.* Población más pequeña que el pueblo y que suele depender administrativamente de otra mayor.
FAM aldeano.

aldeano, -na *adj.* **1** Relativo a la aldea: *vida aldeana; costumbres aldeanas.* | *s. m. y f./adj.* **2** Persona que es de una aldea: *un apacible aldeano.*
FAM aldeanismo.

aldehído *s. m.* Compuesto químico orgánico, de fórmula general R–CHO, procedente de la oxidación moderada de un alcohol primario.

aleación *s. f.* **1** Acción de alear. **2** Material de características y propiedades parecidas a las de un metal, formado por la fusión de dos o más elementos químicos, de los cuales al menos uno es un metal: *el bronce y el latón son aleaciones.*

alear *v. tr.* Mezclar o fundir dos o más elementos químicos, de los cuales al menos uno es un metal, para obtener una aleación.
FAM aleación.

aleatorio, -ria *adj.* **1** Que depende del azar o de la suerte: *circunstancias aleatorias pueden decidir si el conflicto llega o no a estallar.* **2** Se aplica al estilo de música que se compone deliberadamente según el azar y no según reglas compositivas; se aplica especialmente a la música vanguardista surgida en el siglo XX e impulsada por Charles Ives, Henry Cowell y John Cage.

aleccionamiento *s. m.* Acción de aleccionar.

aleccionar *v. tr.* Enseñar o dar instrucciones a una persona sobre cómo debe comportarse o hablar.
FAM aleccionador, aleccionamiento.

aledaño, -ña *adj.* **1** Que está al lado o contiguo: *una valla aledaña a la carretera nacional.* | *s. m. pl.* **2 aledaños** Terreno que hay alrededor de una población, otro terreno u otro lugar, y que se considera parte de ellos: *el monasterio y sus aledaños.*

alegación *s. f.* **1** Acción de alegar. **2** Argumento, razón o prueba que se alega. SIN alegato.

alegar *v. tr.* **1** Presentar argumentos, razones o pruebas como defensa o disculpa en favor de una persona que ha hecho una cosa determinada o en favor de una acción determinada. **2** AMÉR. Discutir dos personas.
FAM alegación, alegato.

alegato *s. m.* **1** Argumento, razón o prueba que se alega. SIN alegación. **2** Escrito en el que un abogado expone argu-

mentos, razones y pruebas en favor de su cliente y niega la validez de los de la acusación. **3** AMÉR. Discusión o altercado, generalmente por un asunto poco importante.

alegoría *s. f.* **1** Figura retórica que consiste en representar una idea abstracta a través de símbolos o imágenes poéticas: *en la Edad Media se usa a menudo la alegoría.* **2** Representación, en literatura, pintura o escultura, de una idea abstracta a través de una figura, como una persona o un animal: *una mujer con los ojos vendados y una balanza es la alegoría de la justicia.*
FAM alegórico, alegorizar.

alegórico, -ca *adj.* Relativo a la alegoría.

alegrar *v. tr.* **1** Causar alegría: *el éxito académico del hijo alegró mucho a los padres.* **2** Hacer más alegre, viva y animada una cosa: *las nuevas cortinas alegran la habitación.*

alegre *adj.* **1** Se aplica a la persona que siente alegría: *está alegre porque pronto volverá a casa.* ANT triste. **2** Se aplica a la persona que tiende a sentir y mostrar alegría: *es un niño muy alegre.* ANT triste. **3** Se aplica a la cosa que expresa o produce alegría o que se ha desarrollado con alegría: *supimos enseguida la alegre noticia de su embarazo.* ANT triste. **4** Se aplica al color que es vivo, como el amarillo o el rojo, o a la cosa que tiene colores vivos. **5** Se aplica a la persona que está un poco borracha: *nos pusimos alegres con el champán.* SIN contento. **6** Se aplica a la persona que es despreocupada y actúa con falta de prudencia.
FAM alegrar, alegremente, alegreto, alegría, alegro, alegrón.

alegremente *adv.* **1** Con alegría. **2** Sin pensar ni preocuparse por lo que se dice o se hace: *no puedes hacer esos comentarios tan alegremente.*

alegreto *adv.* **1** Indica que una composición musical o parte de ella debe interpretarse con un tempo o ritmo un poco menos rápido que el alegro, pero más que el andante. | *s. m.* **2** Pieza musical breve interpretada con este tempo.
OBS Puede encontrarse la grafía italiana *allegretto.*

alegría *s. f.* **1** Sentimiento de placer que tiene una persona cuando se produce un suceso favorable o cuando obtiene una cosa que deseaba, y que suele expresarse externamente con una sonrisa, con risas, etc. SIN felicidad. ANT tristeza. **2** Falta de responsabilidad o de preocupación: *no es un asunto como para tratarlo con tanta alegría.*

alegro *adv.* **1** Indica que una composición musical o parte de ella debe interpretarse con un tempo o ritmo rápido o vivo. | *s. m.* **2** Pieza musical o movimiento (parte) de una sonata, sinfonía, etc. que se interpreta con este tempo: *el alegro suele ser el primer o último movimiento de la pieza.*
OBS Puede encontrarse la grafía italiana *allegro.*

alegrón *s. m.* Alegría intensa, especialmente la que se recibe inesperadamente: *¡me has dado un alegrón!*

alejamiento *s. m.* **1** Acción de alejar o alejarse. **2** Efecto de alejar o alejarse.

alejandrino, -na *adj.* **1** De Alejandría (ciudad de Egipto). | *s. m. y f./adj.* **2** Persona que es de Alejandría. | *adj.* **3** Relativo a Alejandro Magno (emperador del siglo IV fundador de Alejandría). | *adj./s. m.* **4** Se aplica al verso que tiene catorce sílabas y está dividido en dos hemistiquios o partes separadas por una pausa: *"la princesa está triste, / ¿qué tendrá la princesa?"* es un alejandrino de Rubén Darío.

alejar *v. tr.* **1** Poner lejos o más lejos a una persona o cosa: *pretendía alejar a su hijo de los problemas; el chico se alejaba de mí.*

2 Apartar de la mente un pensamiento: *no soy capaz de alejar de mí su recuerdo.*
FAM alejamiento.

alelado, -da *adj.* Se aplica a la persona que se comporta sin darse mucha cuenta de lo que ocurre, de manera torpe y sin viveza. **SIN** lelo.

alelar *v. tr.* Poner lela a una persona.
FAM alelado.

alelí [también **alhelí**, más usado] *s. m.* **1** Planta herbácea de jardín de hojas alargadas de color verde pálido, flores en espiga en el extremo del tallo y fruto en cápsula. **2** Flor de esta planta, de colores varios, como el rosa o el blanco, y olor perfumado. **OBS** Plural: *alelíes* o *alelís.*

alelo *s. m.* Cada una de las alternativas que puede presentar el gen que controla un determinado carácter.

aleluya *s. amb.* **1** Canto litúrgico católico en que se repite la palabra *aleluya* como voz de júbilo, y que se canta especialmente en tiempo de Pascua. **‖** *s. f.* **2** Pareado de versos octosílabos de carácter popular y escaso valor poético. **‖** *int.* **3** ¡**aleluya!** Expresión que indica alegría, especialmente porque ha ocurrido algo que se esperaba o deseaba desde hacía tiempo. **4** Expresión que se intercala en los oficios religiosos católicos en tiempo de Pascua como exclamación de júbilo.

alemán, -mana *adj.* **1** De Alemania (país de Europa). **SIN** germano. **‖** *s. m. y f./adj.* **2** Persona que es de Alemania. **SIN** germano. **‖** *s. m./adj.* **3** Lengua germánica que se habla en Alemania, Austria y parte de Suiza. **‖** *adj.* **4** Relativo a esta lengua.

alentador, -ra *adj.* Que alienta o da ánimos: *unos resultados electorales alentadores.*

alentar [1] *v. tr.* **1** Dar aliento o ánimos a una persona. **ANT** desalentar. **2** Hacer más intenso un sentimiento, una idea o una actividad: *la sociedad en que vivimos alienta la competitividad.*
FAM alentador, aliento; desalentar.

alerce *s. m.* Árbol de la familia del pino, alto y de tronco derecho, con ramas abiertas, hojas blandas de color verde claro y semillas en piñas.

alergénico, -ca *adj.* Que produce alergia.

alergia *s. f.* Respuesta inmunológica del organismo cuando este entra en contacto con ciertas sustancias, caracterizada por una especial sensibilidad, generalmente de carácter inofensivo: *tiene alergia al polen.*
FAM alérgico, alergista, alergólogo; hipoalergénico.

alérgico, -ca *adj.* **1** Relativo a la alergia. **‖** *adj./s. m. y f.* **2** Se aplica a la persona que tiene alergia a ciertas sustancias.

alergólogo, -ga *s. m. y f.* Médico especialista en el estudio y tratamiento de las alergias.

alero *s. m.* **1** Borde de un tejado que sobresale de la pared y sirve para desviar de ella el agua de lluvia. **2** Jugador de baloncesto que juega en el lado izquierdo o derecho de la cancha.

alerón *s. m.* **1** Pieza móvil y de forma rectangular a lo largo del borde trasero de las alas de un avión que sirve para cambiar la inclinación del aparato y efectuar maniobras. **2** Pieza saliente y alargada en la parte trasera de la carrocería de algunos coches, que sirve para hacerlos más aerodinámicos o de adorno.

alerta *adj.* **1** Se aplica a la persona que está atenta, vigilante: *llamó a sus compañeros para que se mantuviesen alertas.* **‖** *s. f.* **2** Voz o señal que avisa de un peligro: *dar la alerta.*

SIN alarma. **3** Situación en la que se debe vigilar o poner atención: *nos pusimos en alerta.* ■ **alerta roja** Situación de gran peligro: *estamos en alerta roja por el peligro de incendio.* **‖** *adv.* **4** Con atención, vigilando: *los bomberos permanecían alerta.*
FAM alertar.

alertar *v. tr.* Avisar de un peligro a una persona para ponerla alerta.

aleta *s. f.* **1** Miembro del cuerpo de los peces, mamíferos marinos y otros animales, de forma plana y más o menos triangular, que sirve para desplazarse en el agua. **2** Calzado de goma para darse impulso en el agua, con la parte delantera alargada que imita la forma del pie de un ave acuática. **SIN** pie de pato. **3** Guardabarros o parte de la chapa de un automóvil situada encima de las ruedas, que sobresale de la carrocería. **4** Reborde de la parte inferior de la nariz, a ambos lados del tabique nasal.

aletargamiento *s. m.* **1** Estado de adormecimiento e inactividad en que se quedan algunos animales, como los reptiles, en las épocas frías del año. **SIN** letargo. **2** Estado de cansancio o adormecimiento en que se encuentra una persona a causa del sueño o de una enfermedad. **SIN** letargo.

aletargar *v. tr.* **1** Producir aletargamiento. **‖** *v. prnl.* **2** **aletargarse** Quedarse un animal en estado de aletargamiento: *en invierno los reptiles se aletargan.* **3** Quedarse una persona en letargo, cansada o adormecida a causa del sueño o la enfermedad.
FAM aletargamiento.

aletear *v. intr.* **1** Mover un ave las alas repetidamente sin echar a volar: *los polluelos aleteaban en su nido.* **2** Agitar un pez las aletas cuando se le saca del agua.
FAM aleteo.

aleteo *s. m.* Movimiento repetido de las alas de un ave sin que eche a volar o de las aletas de un pez cuando se le saca fuera del agua.

aleve *adj.* culto Alevoso.

alevín *s. m.* **1** Pez de agua dulce de corta edad utilizado para repoblar estanques y ríos. **‖** *s. com.* **2** Joven que se inicia en una profesión o actividad.

alevosía *s. f.* **1** Circunstancia de haber puesto cuidado y atención una persona que comete un delito en que se resuelva según sus planes y en que no queden huellas de él que puedan delatarlo. **2** Circunstancia de actuar una persona a traición y tomando las precauciones necesarias.

alevoso, -sa *adj.* **1** Se aplica al delito o al acto que se realiza con alevosía. **2** Se aplica a la persona que actúa con alevosía.
FAM alevosía.

alexia *s. f.* Incapacidad total o parcial para leer, a causa de una lesión cerebral.

aleya *s. f.* Versículo o división breve y numerada de las distintas secciones del Corán.

alfa *s. f.* Nombre de la primera letra del alfabeto griego; se escribe A/α y se transcribe como *a.* ■ **alfa y omega** Principio y fin: *para los creyentes, Dios es alfa y omega de la creación.*

alfabético, -ca *adj.* Relativo al alfabeto: *orden alfabético.*

alfabetizar *v. tr.* **1** Enseñar a leer y escribir a una persona. **2** Ordenar una serie de palabras, libros, fichas, etc., siguiendo el orden de las letras en el alfabeto.
FAM alfabetización.

A

alfabeto *s. m.* **1** Serie ordenada de las letras de un idioma: *existen alfabetos muy diferentes, como el latino (utilizado por lenguas romances y germánicas, entre otras), el griego (usado por el griego clásico y moderno), el cirílico (que usan algunas lenguas eslavas), el árabe, el hebreo, etc.* **SIN** abecé, abecedario. **2** Sistema de signos en forma de gestos, sonidos, dibujos, etc., que tiene una equivalencia exacta con el alfabeto de un idioma y que sirve para comunicarse cuando no es posible hacerlo con el habla o la escritura convencional. ■ **alfabeto Braille** Alfabeto de signos constituidos por distintas combinaciones de puntos grabados en relieve sobre una superficie, que usan los ciegos para leer y escribir. **NOTA** También simplemente *braille.* ■ **alfabeto Morse** Sistema telegráfico de señales en el que a cada letra, número o signo de puntuación le corresponde una combinación de rayas, puntos y espacios. **NOTA** También *código Morse* o simplemente *morse.*
FAM alfabético, alfabetizar; analfabeto.

alfaguara *s. f.* Manantial de agua muy abundante.

alfajor *s. m.* Dulce hecho con una pasta de almendras, piñones o nueces, pan rallado y tostado, miel y especias.

alfalfa *s. f.* Planta herbácea de hojas compuestas, flores de color violeta en racimo y semillas en vaina, que se cultiva como forraje o alimento del ganado.

alfanje *s. m.* Arma blanca parecida al sable pero más ancha y corta.

alfanumérico, -ca *adj.* Que está compuesto por letras y números: *el código "24-F" es alfanumérico.*

alfar *s. m.* Alfarería (taller).
FAM alfarero.

alfarería *s. f.* **1** Oficio del alfarero. **2** Taller en el que trabaja el alfarero. **SIN** alfar. **3** Establecimiento en el que se venden recipientes y otros objetos de barro.

alfarero, -ra *s. m. y f.* Persona que se dedica a hacer recipientes y otros objetos de barro.
FAM alfarería.

alféizar *s. m.* Repisa o pieza horizontal en la base del hueco de una ventana, generalmente por el lado exterior: *se colocan macetas en los alféizares.*

alfeñique *s. m.* Persona de aspecto delicado y constitución física débil.

alférez *s. com.* **1** Militar del cuerpo de oficiales en las fuerzas de tierra y aire que tiene categoría inmediatamente superior a la de subteniente e inmediatamente inferior a la de teniente.
alférez de fragata Militar del cuerpo de oficiales de la Armada que tiene categoría inmediatamente superior a la de subteniente e inmediatamente inferior a la de alférez de navío.
alférez de navío Militar del cuerpo de oficiales de la Armada que tiene categoría inmediatamente superior a la de alférez de fragata e inmediatamente inferior a la de teniente de navío.
FAM alferecía.

alfil *s. m.* Pieza del ajedrez que se mueve en diagonal y puede recorrer en un solo movimiento todos los cuadros que estén libres en una dirección.

alfiler *s. m.* **1** Aguja pequeña y delgada con punta en uno de sus extremos y una bolita o cabecilla en el otro, que sirve para sujetar unas cosas a otras, especialmente telas. **2** Pieza de adorno que se lleva sujeta al vestido con una aguja y sirve también para unir dos piezas. **SIN** aguja.
FAM alfilerazo, alfiletero.

alfiletero *s. m.* **1** Tubo pequeño con tapa que sirve para guardar alfileres y agujas. **2** Almohadilla pequeña que se usa para clavar en ella los alfileres y las agujas de la costura.
SIN acerico.

alfiz *s. m.* Ornamento arquitectónico árabe formado por una moldura, generalmente rectangular, que enmarca el arco de una puerta o ventana, y que arranca desde las impostas o desde el suelo.

alfombra *s. f.* **1** Pieza de tela muy gruesa con la que se cubre el suelo de una habitación, escalera, rellano u otro lugar, generalmente como adorno. **2** Conjunto de cosas extendidas que cubren el suelo: *una alfombra de flores cubría el prado.*
FAM alfombrar, alfombrilla.

alfombrilla *s. f.* **1** Pieza pequeña de material resistente que se coloca en el suelo de un automóvil. **SIN** esterilla. **2** Pieza pequeña de tejido suave o de goma que se pone en el cuarto de baño para pisar con los pies descalzos. **SIN** esterilla. **3** Pieza pequeña de material áspero y resistente que se coloca en la entrada de un lugar para limpiarse la suela de los zapatos en ella antes de pasar. **SIN** esterilla.

alfonsí V. alfonsino, -na.
OBS Plural: *alfonsíes.*

alfonsino, -na *adj.* **1** Relativo a cualquiera de los reyes españoles llamados Alfonso. **SIN** alfonsí. ‖ *adj./s. m. y f.* **2** Se aplica a la persona que es partidaria de alguno de los reyes españoles llamados Alfonso. **SIN** alfonsí.

alforja *s. f.* Saco para transportar cosas que consiste en una tira ancha de un material fuerte con una bolsa en cada extremo, que se echa a hombros de una persona o a lomos de un animal de carga. **NOTA** También en plural con el mismo significado que en singular.
pasarse a la otra alforja CHILE Excederse una persona en moderación y cortesía.

alga *s. f.* Protoctista autótrofo que depende del agua o un medio húmedo; presenta diferentes tipos de pigmentos que le otorga color, como la clorofila; la mayoría de las algas son microscópicas unicelulares (sin raíces verdaderas, hojas y tallos) y otras macroscópicas, que pueden alcanzar tamaño gigantesco, como los sargazos; en simbiosis con un hongo forma un liquen.
OBS Los artículos de singular son *el* y *un,* salvo que entre artículo y sustantivo haya otra palabra.

algarabía *s. f.* Griterío o parloteo bullicioso y confuso de gente que grita o habla a la vez. **SIN** algazara.

algarada *s. f.* Vocerío o alboroto formado por un grupo de personas que protesta o discute.

algarroba *s. f.* **1** Fruto del algarrobo, formado por una vaina dura de color castaño de hasta 30 cm de largo, con una pulpa azucarada que cubre las semillas; se usa como forraje para el ganado. **2** Planta de la familia del haba, de tallos inclinados, flores blancas y semillas en vaina. **3** Semilla de esta planta, que se da de comer a aves, bueyes y caballerías.
FAM algarrobo.

algarrobo *s. m.* Árbol de hasta 15 m de altura, hojas perennes de color verde oscuro y fruto (algarroba) en vaina; es originario de la zona mediterránea.

algazara *s. f.* Algarabía.

álgebra *s. f.* Rama de las matemáticas que representa las ex-

A

presiones aritméticas mediante números, letras y otros símbolos: $a \times a = a^2$ *es una formulación de álgebra.*

FAM algebraico.

OBS Los artículos de singular son *el* y *un*, salvo que entre artículo y sustantivo haya otra palabra.

algebraico, -ca *adj.* Relativo al álgebra.

algecireño, -ña *adj.* ① De Algeciras (localidad de Cádiz). ❙ *s. m. y f./adj.* ② Persona que es de Algeciras.

álgido, -da *adj.* ① Se aplica al momento del proceso o de la evolución de una cosa que es el más importante o de máximo interés: *la empresa alcanzó su punto álgido en la década de 1960.* ② culto Que está muy frío. **SIN** frígido. ③ Se aplica a la enfermedad o a la etapa de una enfermedad que va acompañada de un frío intenso.

algo *pron.* ① Cosa que no está determinada o no se quiere determinar: *¿desea algo más, señora?; explícame algo divertido; pedimos algo a cambio.* ② Cantidad indeterminada y pequeña de una cosa: *aún falta algo para llegar; ¿nos apostamos algo?* ❙ *adv.* ③ En pequeña cantidad o en grado bajo: *una fotocopia algo ampliada; hoy he podido dormir algo.*

algo así o **algo así como** Indica aproximación o parecido: *serían las seis o algo así cuando llegó; era un color algo así como rubio tirando a castaño.*

algo de Indica una cantidad pequeña e indeterminada de una cosa.

algo es algo Expresión que indica conformidad o acuerdo con una cosa menos importante o adecuada que la que se esperaba obtener: —*No podremos ir al camping que todos nosotros queríamos, tendremos que conformarnos con otro que está más lejos del mar.* —*Algo es algo.*

darle algo familiar Darle a una persona un mal repentino, como un desmayo, al recibir una noticia muy desfavorable, presenciar un suceso impactante, etc.: *cuando lo vi subirse a la barandilla, por poco me da algo.*

algodón *s. m.* ① Algodonero. ② Borra o pelusa blanca y suave que cubre las semillas del algodonero. ③ Fibra que se hace con esta borra una vez limpia y esterilizada; se emplea para usos médicos e higiénicos. ④ Tejido hecho con esta fibra: *una camiseta de algodón.*

entre algodones Con muchas atenciones y cuidados: *como está enfermo, lo tienen entre algodones.*

FAM algodonal, algodonero, algodonoso.

algodonero, -ra *adj.* ① Relativo al algodón. ❙ *s. m. y f.* ② Persona que se dedica a recoger el algodón. ❙ *s. m.* ③ Arbusto de hojas alternas, flores amarillas con manchas rojas y fruto en una cápsula que contiene semillas envueltas en una borra o pelusa de fibras blancas y suaves (algodón); se cultiva en climas tropicales. **SIN** algodón.

algodonoso, -sa *adj.* Que tiene alguna de las características que se consideran propias del algodón: *nubes algodonosas.*

algoritmo *s. m.* En aritmética y programación informática, conjunto ordenado de instrucciones sistemáticas que permite hallar la solución de un problema específico: *un programa informático es un conjunto de secuencias de instrucciones elementales en forma de algoritmo.*

FAM algoritmia.

alguacil *s. m.* ① Empleado subalterno que ejecuta las órdenes de una autoridad administrativa. ② Oficial inferior de justicia, que ejecuta las órdenes de un tribunal. ③ Funcionario judicial que era nombrado por el pueblo o comunidad, a diferencia del juez que era nombra por el rey.

FAM alguacilillo.

alguacilillo *s. m.* Hombre que ejecuta las órdenes del presidente en las corridas de toros y lleva los trofeos al torero.

alguien *pron.* ① Una o varias personas indeterminadas: *pregunta si alguien ha visto al niño.* ② Persona concreta conocida por el hablante pero cuya identidad no se determina: *quiero presentarte a alguien.*

algún *det.* Apócope de *alguno*: *algún día volverá.*

OBS Se usa delante de sustantivos masculinos en singular, y también delante de sustantivos femeninos que empiecen por *a-* o *ha-* tónicas (*algún águila, algún haya*).

alguno, -na *det./pron.* ① Una o varias personas o cosas indeterminadas o que no se quieren determinar: *algunos escritores firmaban con un seudónimo; hubo algunos que prefirieron que les devolvieran la entrada.* ② Cantidad indeterminada o que no se quiere determinar: *algunos años después volvió a casa.* ❙ *det.* ③ En oraciones negativas y después del sustantivo, equivale a *ninguno* (ni una sola persona o cosa): *se marchó sin decir cosa alguna.*

alguno que otro o **algún que otro** Cantidad indeterminada y generalmente pequeña de cosas o personas: *sus hijos le han dado algún que otro disgusto.*

OBS Antepuesto a un sustantivo masculino singular, adopta la forma *algún*: *algún libro, algún coche.*

alhaja *s. f.* ① Joya u objeto de adorno de gran valor, generalmente con piedras y metales preciosos. ② Persona de gran valor y excelentes cualidades.

FAM alhajero.

alhajero *s. m.* AMÉR. Joyero.

alharaca *s. f.* Demostración exagerada de un sentimiento, generalmente acompañada de voces y gestos: *los personajes de renombre la visitan sin alharacas y logran pasar desapercibidos.*

alhelí [también **alelí**, menos usado] *s. m.* ① Planta herbácea de jardín de hojas alargadas de color verde pálido, flores en espiga en el extremo del tallo y fruto en cápsula. ② Flor de esta planta, de colores varios, como el rosa o el blanco, y olor perfumado.

OBS Plural: *alhelíes* o *alhelís.*

alhóndiga *s. f.* Local destinado a la venta, compra y depósito de cereales y otras mercancías.

aliado, -da *adj./s. m. y f.* ① Se aplica al estado que forma parte de una alianza y se une con otros para lograr un fin común, especialmente las naciones que combatieron contra Alemania y otros países en las dos guerras mundiales: *los aliados lucharon contra los nazis en la Segunda Guerra Mundial.* ② Se aplica a la persona que se alía o une con otra para un fin determinado: *en mi madre tendrás una aliada segura.*

aliadófilo, -la *adj.* Partidario de las naciones aliadas en cualquiera de las dos guerras mundiales.

aliaga *s. f.* Arbusto espinoso de hojas elípticas o lanceoladas y flores amarillas que crece en lugares secos.

alianza *s. f.* ① Unión o pacto entre personas, grupos sociales o estados para un fin común. **SIN** confederación, federación. ② Documento con el que se sella este pacto: *firmar la alianza.* ③ Anillo de oro que llevan en el dedo anular las personas casadas.

aliar *v. tr.* ① Unir o hacer concordar varias cosas para obtener un resultado: *aliar la inteligencia con la sensatez; la guerra se alió* con la peste. **I** *v. prnl.* **2 aliarse** Unirse en un pacto dos o más personas, estados o grupos sociales para lograr un fin común. **FAM** aliado, alianza.

OBS Verbo regular, se acentúa como *desviar.*

alias *s. m.* **1** Nombre por el que se conoce a una persona, distinto del suyo propio, generalmente usado para ocultar su identidad: *en la lucha antifranquista se usaban alias.* **I** *adv.* **2** Se utiliza antepuesto al sobrenombre o apodo por el que se conoce a una persona: *José María Hinojosa, alias el Tempranillo, fue un bandolero famoso.*

OBS Plural invariable.

alicaído, -da *adj.* **1** Se aplica al ave que tiene las alas caídas. **2** Se aplica a la persona que está abatida o débil.

alicantino, -na *adj.* **1** De Alicante (ciudad y provincia de la Comunidad Valenciana). **I** *s. m. y f./adj.* **2** Persona que es de Alicante.

alicatado *s. m.* **1** Revestimiento o capa de azulejos que se pone en una pared, un zócalo o en otra superficie. **2** Acción de alicatar.

alicatar *v. tr.* Revestir o cubrir con azulejos una pared u otra superficie.

FAM alicatado.

alicate *s. m.* Herramienta para apretar tuercas, doblar o cortar alambres, etc., formada por dos brazos móviles unidos por un eje a modo de tenazas, con las puntas planas o cónicas: *hay varios tipos de alicates, que se distinguen por la forma de sus puntas.*

OBS Más en plural con el mismo significado que en singular.

aliciente *s. m.* Estímulo que mueve a actuar o realizar una acción: *la gran demanda de este producto es un buen aliciente para fabricarlo.*

alicorto, -ta *adj.* **1** Se aplica al ave que tiene las alas cortas o cortadas. **2** Que tiene poca imaginación o escasas aspiraciones: *un pensamiento alicorto.*

alícuota *adj.* Referido especialmente a una cantidad, generalmente económica, que es proporcional: *la parte alícuota de una herencia.*

alienación *s. f.* **1** Alteración temporal o permanente de la razón y de los sentidos: *el abuelo sufre una alienación preocupante.* **2** Pérdida de la personalidad, la identidad o las ideas propias de una persona o de un colectivo debido a la influencia o dominación de otra u otras.

alienado, -da *adj./s. m. y f.* **1** Se aplica a la persona que padece una alteración temporal o permanente de la razón y de los sentidos. **2** Se aplica a la persona que padece una pérdida de la personalidad, la identidad o las ideas propias debido a la influencia o dominación de otra u otras.

alienante *adj.* Que aliena o causa la pérdida de la personalidad, la identidad o las ideas propias de una persona o de un colectivo.

alienar *v. tr.* **1** Quitar o causar la pérdida de la personalidad, la identidad o las ideas propias de una persona o de un colectivo: *las civilizaciones europeas alienaron la cultura de las tribus indígenas.* **2** Alterar la razón y los sentidos temporal o permanentemente.

FAM alienación, alienado, alienante; inalienable.

alienígena *s. com./adj.* Ser vivo que procede de otro planeta. **SIN** extraterrestre.

aliento *s. m.* **1** Aire que sale por la boca al respirar. **2** Aire que se inspira para respirar: *tomar aliento.* **SIN** respiración.

3 Ánimo o ayuda moral: *la afición daba aliento a su equipo.* **ANT** desaliento.

alifático, -ca *adj.* Se aplica al hidrocarburo de cadena abierta: *las parafinas son alifáticas.*

aligátor o **aligator** *s. m.* Reptil muy parecido al cocodrilo, pero de tamaño un poco menor (de 2 a 6 m de longitud), el hocico más aplanado y redondeado; es carnívoro y vive en zonas templadas de América del Norte y China.

aligerar *v. tr.* **1** Hacer que una cosa sea más ligera quitándole peso: *aligerar la carga; aligerar el navío.* **SIN** aliviar. **2** Hacer que una cosa, como un sentimiento o una preocupación, sea más ligera, menos grave o dolorosa: *aligerar los sentimientos de culpa.* **I** *v. tr./intr.* **3** Acelerar la velocidad con que se hace una cosa: *aligerar la marcha; diles que aligeren o no llegamos a tiempo.*

aligustre *s. m.* Arbusto de hojas aovadas y brillantes de color verde oscuro, flores blancas y olorosas agrupadas en ramilletes y frutos en forma de baya redonda y negra: *los aligustres se usan para formar setos.*

alijar *v. tr.* **1** Hacer más ligera la carga de un barco o desembarcarla toda. **2** Pasar mercancías ilegales de un barco a otro o de un barco a tierra.

FAM alijo.

alijo *s. m.* **1** Conjunto de género o mercancías de contrabando, que se transporta o compra de modo ilegal: *un alijo de drogas.* **2** Acción de alijar: *había planeado muy bien el alijo.*

alimaña *s. f.* **1** Animal salvaje que ataca o hace daño a los animales domésticos o a la caza menor: *el zorro puede ser considerado una alimaña porque en ocasiones caza gallinas.* **2** Animal, especialmente el salvaje o no domesticado: *sapos, avispas y otras alimañas.*

alimentación *s. f.* **1** Acción de alimentar o alimentarse: *una buena alimentación favorece la salud fuerte; la impresora tiene dos bandejas de alimentación de papel.* **2** Conjunto de productos para alimentarse: *trabaja en el ramo de la alimentación.* **3** Suministro de energía a una máquina o aparato: *no funciona porque se ha estropeado la fuente de alimentación.*

alimentador, -ra *adj.* **1** Que alimenta. **I** *s. m.* **2** Dispositivo que suministra energía o munición a una máquina o que la acondiciona para su funcionamiento: *un alimentador eléctrico.*

alimentar *v. tr.* **1** Dar alimento a un ser vivo para que obtenga sustancias nutritivas y energía: *la tierra alimenta los árboles.* **I** *v. intr.* **2** Servir de alimento: *las verduras alimentan mucho.* **I** *v. tr.* **3** Dar a una persona lo necesario para vivir: *con su trabajo alimentaba a toda la familia.* **SIN** mantener, sostener, sustentar. **4** Dar a una cosa, especialmente una máquina o aparato, la materia o energía necesarias para que se mantenga o funcione: *el combustible alimenta la caldera; alimentar de papel la impresora.* **5** Provocar o fomentar un sentimiento, un estado de ánimo, una opinión, etc.: *alimentar las esperanzas; alimentar el odio; alimentar una polémica.*

FAM alimentación, alimentador; sobrealimentar.

alimentario, -ria *adj.* Relativo a los alimentos o a la alimentación.

alimenticio, -cia *adj.* Que alimenta o sirve para alimentar.

alimento *s. m.* **1** Producto, natural o elaborado, que toman los seres vivos y que proporciona al organismo las sustancias nutritivas y la energía que necesitan para vivir: *los alimentos ricos en hidratos de carbono y otros elementos son energéticos porque*

nuestro organismo obtiene de ellos la energía necesaria para su funcionamiento. **2** Cosa que sostiene o mantiene vivo un sentimiento, un estado de ánimo, una opinión, etc.: *los recuerdos eran el alimento de su ilusión.*
FAM alimentar, alimentario, alimenticio.

alimoche *s. m.* Ave rapaz diurna de la familia del buitre, de hasta 65 cm de longitud, cara amarillenta y plumaje blanco con la punta de las alas de color negro; se alimenta de carroña.

alimón Se usa en la expresión:
al alimón Indica que dos o más personas hacen una cosa a la vez, en colaboración, conjuntamente: *torear al alimón; las tres hermanas desaparecieron al alimón.*

alineación *s. f.* **1** Colocación de varias cosas o personas en línea recta. **SIN** alineamiento. **2** Conjunto de cosas alineadas o colocadas en línea recta: *el sistema central está formado por alineaciones montañosas.* **SIN** alineamiento. **3** Inclusión de un jugador en un equipo para que participe en un partido o en una competición. **SIN** alineamiento. **4** Conjunto de jugadores que forman parte de un equipo y que participan en un partido o en una competición. **5** Vinculación o asociación de una persona a una tendencia ideológica, política o de otro tipo. **SIN** alineamiento.

alineado, -da *adj.* Que está vinculado o asociado a una determinada tendencia ideológica, política o de otro tipo y ha tomado partido por ella: *país no alineado; numerosos intelectuales estuvieron alineados en el bando republicano durante la Guerra Civil española.*

alineamiento *s. m.* **1** Colocación de varias cosas o personas en línea recta. **SIN** alineación. **2** Conjunto de cosas alineadas o colocadas en línea recta. **SIN** alineación. **3** Inclusión de un jugador en un equipo para que participe en un partido o en una competición. **SIN** alineación. **4** Vinculación o asociación de una persona a una tendencia ideológica, política o de otro tipo. **SIN** alineación.

alinear *v. tr.* **1** Colocar en línea recta varias personas o cosas: *alinear las fichas del dominó; el Sol se alineaba con las estrellas.* **2** Incluir a un jugador en el equipo que ha de participar en un partido o en una competición: *el entrenador no alineará al jugador ruso en el partido preparatorio.* **3** Vincular o asociar a una persona a una tendencia ideológica, política o de otro tipo: *los países productores de petróleo se alinearon con Arabia Saudí.*
FAM alineación, alineado, alineamiento; desalinear.

aliñar *v. tr.* **1** Echar especias u otras sustancias a una comida para que tenga más sabor o el sabor deseado. **SIN** aderezar, condimentar, sazonar. **2** Arreglar el aspecto físico de una persona. **SIN** aderezar. **3** CHILE Arreglar los huesos dislocados.
FAM aliño; desaliñar.

aliño *s. m.* **1** Preparación de un alimento con las especias y sustancias necesarias. **SIN** aderezo, condimentación. **2** Especia o sustancia o conjunto de ellas que se echa a una comida para que tenga más sabor o el sabor deseado: *la ensalada llevaba un aliño de salsa rosa.* **SIN** aderezo. **3** Aseo o buen orden en la limpieza de una cosa o un lugar, y en el modo de arreglarse una persona.

alioli *s. m.* Salsa hecha principalmente con aceite y ajos machacados. **SIN** ajiaceite, ajoaceite.

¡alirón! *int.* Exclamación que se usa para expresar alegría por el triunfo del vencedor en una competición deportiva.

cantar (o **entonar) el alirón** Celebrar que un equipo ha vencido en una competición deportiva.

alisador *s. m./adj.* Instrumento que sirve para alisar o quitar asperezas.

alisar *v. tr.* **1** Poner lisa una cosa quitándole las asperezas, los salientes o las arrugas: *alisar una pared.* **SIN** estirar. **2** Arreglar ligeramente el pelo pasando el peine o los dedos: *se alisó el flequillo.*
FAM alisador.

alisio *adj./s. m.* Se aplica al viento que sopla todo el año en las capas bajas de la atmósfera desde los trópicos hacia el ecuador, en dirección noreste en el hemisferio norte y en dirección sureste en el hemisferio sur.
OBS Normalmente en plural.

aliso *s. m.* **1** Árbol caducifolio de hasta 25 m, tronco grueso, copa redonda, hojas ovaladas y flores en corimbo; crece en las riberas, en climas húmedos y templados. **2** Madera de este árbol, muy dura y resistente.
FAM aliseda.

alistamiento *s. m.* **1** Inscripción en una lista, especialmente en la de los jóvenes que van a hacer el servicio militar. **2** Conjunto de jóvenes alistados anualmente para hacer el servicio militar.

alistar[1] *v. tr.* **1** Apuntar o inscribir a una persona en una lista. **l** *v. prnl.* **2 alistarse** Unirse o inscribirse voluntariamente a un ejército o a un grupo organizado.
FAM alistamiento.

alistar[2] *v. tr.* **1** Dejar lista una cosa o a una persona. **2** C. RICA, NICAR. Preparar y coser las piezas del calzado.

aliteración *s. f.* Figura retórica que consiste en repetir uno o varios sonidos en una palabra o frase para reforzar el contenido de lo que se quiere expresar; se usa especialmente en poesía: *"bajo el ala aleve del leve abanico"* es una aliteración de Rubén Darío que recuerda el sonido del aire al moverse.

aliviadero *s. m.* Conducto que sirve para dar salida a las aguas sobrantes de un embalse o de una canalización: *este canal sirve de aliviadero de un colector de aguas pluviales.*

aliviar *v. tr.* **1** Hacer que una cosa sea más ligera quitándole peso: *aliviar la carga.* **SIN** aligerar. **l** *v. tr./intr.* **2** Hacer que una cosa, especialmente una molestia física o una enfermedad, disminuya en intensidad y sea menos grave o dolorosa: *aliviar una pena; los paños fríos te aliviarán el calor; este remedio no cura, pero alivia.*
FAM aliviadero, alivio.
OBS Verbo regular, se acentúa como *cambiar.*

alivio *s. m.* **1** Disminución de una carga, un peso, un dolor, una molestia, etc.: *el alivio de la carga de un buque.* **2** Cosa que contribuye a disminuir la intensidad de una pena, una molestia o un dolor: *tu compañía fue para mí un gran alivio.* **3** Sensación placentera que experimenta una persona cuando una cosa acaba o disminuye un dolor, una molestia o una pena que sentía: *sentir alivio; suspiró de alivio.*

aljaba *s. f.* Bolsa para guardar flechas, generalmente hecha de un material rígido, en forma de tubo y con una correa para llevarla cruzada a la espalda. **SIN** carcaj.

aljama *s. f.* **1** Edificio donde una comunidad judía se reúne para rezar o realizar ceremonias religiosas. **SIN** sinagoga. **2** Edificio donde una comunidad musulmana se reúne para rezar o realizar ceremonias religiosas. **SIN** mezquita.

aljibe *s. m.* Depósito grande, generalmente con el borde a ras de tierra, donde se recoge y conserva el agua.

allá *adv.* ☐ Indica de forma imprecisa un lugar lejano a la persona que habla: *allá a lo lejos se ve la llanura; esta realidad aún necesitará ser proclamada muchas veces aquí, allá y en todas partes*. **NOTA** Su determinación de lugar es menos precisa que la de *allí*. ☐ Se utiliza seguido de pronombre personal de segunda o tercera persona para expresar que el hablante se inhibe de lo que haga la persona denotada por el pronombre, de modo que lo que esta haga es de su responsabilidad: *si se quieren tostar al sol, allá ellos, yo prefiero ir a comer*. ☐ Indica de modo impreciso un tiempo pasado lejano al presente: *allá por el mes de octubre; allá en el siglo I de nuestra era*. **SIN** allí.

el más allá Mundo que hay después de la muerte: *no sabemos qué hay en el más allá*.

más allá de (**I**) Después de una cosa o un momento determinados, habiendo pasado una fecha o un lugar: *su mandato no se extenderá más allá del 15 de junio; la fila de sillas llegaba más allá de la iglesia*. (**II**) Indica que una cosa sobre la que se está hablando no queda afectada por algo o está al margen de ello: *su labor social está más allá de toda duda*.

no muy allá familiar De regular calidad, no muy bueno: *como jugador de ajedrez, no es muy allá*.

allanamiento *s. m.* ☐ Acción de allanar (poner llano). ☐ Acción de allanar (hacer fácil). ☐ Entrada por la fuerza y sin permiso en la casa de una persona: *allanamiento de morada*.

allanar *v. tr.* ☐ Poner llano o plano: *allanar un camino*. **SIN** aplanar. ☐ Hacer fácil una cosa eliminando problemas o dificultades: *el padre allanó el camino a sus hijos*. ☐ Entrar por la fuerza y sin permiso en la casa de una persona: *allanar un domicilio es delito*. ‖ *v. prnl.* ☐ **allanarse** Conformarse o aceptar una cosa aunque no se esté completamente de acuerdo con ella: *allanarse a las condiciones*.
FAM allanamiento.

allegado, -da *adj.* ☐ Se aplica al familiar o amigo que mantiene una relación estrecha con una persona: *al acto solamente asistieron los más allegados al homenajeado*. ‖ *s. m. y f.* ☐ culto Pariente o familiar.

allegro V. alegro.

allende *adv.* culto Más allá de, en la parte de allá de: *allende los Pirineos; allende los mares; allende la casa*.

allí *adv.* ☐ Indica de forma imprecisa un lugar lejano a la persona que habla, pero de forma más precisa que *allá: vivo allí; tropas extranjeras allí estacionadas; hasta allí nos vamos*. ☐ Indica de modo impreciso un tiempo pasado lejano al presente: *hasta allí todo había marchado muy bien*. **SIN** allá. **ANT** aquí.

alma *s. f.* ☐ Parte inmaterial del ser humano que es capaz de sentir y pensar y que, con el cuerpo o parte material, constituye la esencia humana; según algunas religiones también es inmortal. ☐ Esta parte del alma, separada del cuerpo tras la muerte, según algunas religiones. ■ **alma en pena** (**I**) Espíritu o alma de una persona muerta que está en el purgatorio sufriendo para purificarse e ir al cielo, o que anda errante por el mundo de los vivos sin poder ir al cielo. (**II**) Persona que está siempre sola, triste y melancólica: *desde que perdió el empleo es un alma en pena*. ☐ Parte del ser humano que se mueve por la moral, los sentimientos y los afectos, y que se opone a la parte mental o racional. ☐ Persona, ser humano: *no se veía un alma en la calle; aquellos chicos eran almas nobles*. ■ **alma de cántaro** Persona ingenua, tonta o carente de sensibilidad. ■ **alma de Dios** Persona muy bon-

dadosa y sencilla. ☐ Persona que da vida, ánimo, fuerza o alegría a un lugar o una situación: *la nueva compañera fue el alma de la fiesta*. ☐ Interés, esfuerzo o voluntad que se pone en hacer una cosa: *pon un poco más de alma en el estudio*. ☐ Hueco interior de algunos objetos, especialmente del cañón de un arma de fuego. ☐ Material de relleno o refuerzo que se encuentra en el interior de determinados objetos, generalmente alargados: *una viga con alma de acero; el cable conduce la electricidad gracias a su alma de cobre*.

alma mía o **mi alma** Expresión que se usa como apelativo cariñoso.

caerse el alma a los pies Sufrir una decepción por no corresponderse la realidad con lo que se esperaba.

clavarse en el alma Producir mucha pena o dolor: *sus palabras de reproche se me clavaron en el alma*.

como alma que lleva el diablo Con gran velocidad y precipitación o nerviosismo: *salió como alma que lleva el diablo*.

estar con (o **tener**) **el alma en vilo** Estar una persona preocupada por algún peligro o temer que suceda alguna desgracia: *cuando torea su hijo está con el alma en vilo*.

llegar al alma Causar una impresión muy fuerte en el ánimo de una persona: *sus lamentos me llegaron al alma*.

partir el alma Dar una cosa o persona mucha pena a alguien: *me parte el alma verla llorar así*.

salir del alma Surgir una cosa espontáneamente de una persona, sin reflexionarla, especialmente una opinión o expresión: *me salió del alma decirle que nos la había jugado*.
FAM desalmado.
OBS Los artículos de singular son *el* y *un*, salvo que entre artículo y sustantivo haya otra palabra.

almacén *s. m.* ☐ Local o edificio que sirve para guardar mercancías u otras cosas en gran cantidad: *almacén de muebles*. ☐ Establecimiento donde se venden productos al por mayor. ■ **grandes almacenes** Establecimiento grande y dividido en secciones donde se venden todo tipo de productos.
FAM almacenar, almacenista.

almacenaje *s. m.* Almacenamiento.

almacenamiento *s. m.* Acción de almacenar. **SIN** almacenaje.

almacenar *v. tr.* ☐ Guardar mercancías u otras cosas, especialmente en un almacén: *el trigo se almacena en el granero; la cisterna almacena agua*. ☐ Reunir o guardar una cosa en grandes cantidades: *almacenar información; almacenar sabiduría*.
FAM almacenaje, almacenamiento.

almacenista *s. com.* ☐ Persona que es dueña de un almacén. ☐ Persona que se dedica a vender en un almacén o establecimiento de productos al por mayor.

almáciga *s. f.* Recipiente o lugar donde se siembran las semillas de las plantas para, una vez nacidas, trasplantarlas al lugar definitivo. **SIN** semillero.

almadraba *s. f.* ☐ Pesca del atún. ☐ Lugar donde se pesca y donde después se prepara el atún. ☐ Red o cerco de redes con que se pesca el atún.

almadreña *s. f.* Zueco de madera con tacos en la parte inferior que lo levantan del suelo, para andar por lugares embarrados. **SIN** madreña.

alma máter *s. f.* culto Expresión latina que se usa como denominación literaria para la Universidad.

almanaque *s. m.* ☐ Registro impreso de todos los días del año ordenados por meses y por semanas, que generalmente incluye información sobre las fases de la Luna y sobre las festividades religiosas y civiles. **SIN** calendario. **2** Calendario con los días o los meses en hojas sueltas y que incluye informaciones adicionales como refranes, citas o consejos.

almazara *s. f.* Molino o establecimiento donde se extrae el aceite de las olivas.

almeja *s. f.* Invertebrado del filo molusco, comestible, generalmente marino, pequeño y con dos valvas blanquecinas casi ovaladas y surcadas de pequeñas estrías concéntricas; vive en los fondos arenosos y poco profundos.

almena *s. f.* Bloque de piedra con forma de prisma que remata los muros de las antiguas fortificaciones o castillos; servía para resguardar los defensores de los ataques enemigos.

almenara[1] *s. f.* **1** Canal que recoge el agua sobrante de las acequias y la conduce a un río. **2** Compuerta de una acequia.

almenara[2] *s. f.* **1** Hoguera que se encendía en las atalayas o torres para alertar de algún peligro u otro acontecimiento. **2** Torre de vigilancia, en una muralla o una zona geográfica elevada.

almendra *s. f.* Fruto seco comestible, de forma ovalada y color marrón, con una corteza muy dura y carne blanca de sabor agradable en su interior: *la almendra es el fruto del almendro.*
FAM almendrado, almendro, almendruco.

almendrado, -da *adj.* **1** Que tiene forma parecida a la de una almendra: *ojos almendrados.* **2** Que lleva almendras: *helado almendrado.* **‖** *s. m.* **3** Dulce hecho con una pasta de almendras, harina y miel o azúcar.

almendro *s. m.* Árbol caducifolio de hasta 12 m, de hojas alargadas y estrechas, flores olorosas, blancas o rosas y fruto comestible (almendra); es común en el clima mediterráneo como árbol de cultivo.
FAM almendral.

almendruco *s. m.* Almendra tierna con semilla a medio cuajar y envoltura blanda.

almeriense *adj.* **1** De Almería (ciudad y provincia de Andalucía). **‖** *s. com./adj.* **2** Persona que es de Almería.

almíbar *s. m.* Líquido dulce hecho con azúcar disuelta en agua y espesada a fuego lento; se utiliza en repostería o para conservar fruta.
FAM almibarar.

almibarado, -da *adj.* Se aplica a la persona que es demasiado dulce o amable en su trato o modo de hablar.

almibarar *v. tr.* **1** Bañar o cubrir con almíbar un dulce. **2** Hacer excesivamente dulces y amables las palabras o el trato con otra persona para conseguir algo de ella.
FAM almibarado.

almidón *s. m.* Polisacárido de color blanquecino formado por glucosa; se encuentra en las células vegetales y constituye la principal reserva energética de casi todos los vegetales: *el almidón es muy abundante en el maíz, las patatas y las semillas en general.*
FAM almidonar.

almidonado, -da *adj.* **1** Se aplica a la prenda de vestir que ha sido planchada mojando previamente la tela con almidón para que quede tiesa y recia: *una cofia almidonada.* **2** Se aplica a la persona que va vestida y arreglada con excesiva pulcritud y cuidado.

almidonar *v. tr.* Mojar un tejido, generalmente una prenda de vestir, con almidón disuelto en agua para que, al plancharlo, quede tieso y recio.
FAM almidonado.

almimbar *s. m.* Púlpito de una mezquita. **SIN** mimbar.

alminar *s. m.* Torre de una mezquita, elevada y poco gruesa, desde la que el almuédano convoca a los musulmanes a la oración. **SIN** minarete.

almirante *s. m.* **1** Militar del cuerpo de generales de la Armada que tiene categoría inmediatamente superior a la de vicealmirante e inmediatamente inferior a la de capitán general. **2** Persona que estaba al mando de una armada, escuadra o flota: *el almirante Cristóbal Colón es uno de los más famosos descubridores.*
FAM almirantazgo; contraalmirante, vicealmirante.

almirez *s. m.* Recipiente grueso de barro, metal o madera con forma de vaso ancho que sirve para moler o machacar en él condimentos y otros ingredientes de cocina. **SIN** mortero.

almizcle *s. m.* **1** Sustancia grasa de olor fuerte y color entre rojo y marrón que se extrae de una glándula de una especie de ciervo (almizclero) y se emplea en cosmética y perfumería. **2** HOND. Sustancia grasa que tienen algunas aves en una bolsa junto a la cola, con la cual se untan las plumas para impermeabilizarlas.

almogávar *s. m.* Soldado medieval, principalmente de la Corona de Aragón y generalmente de infantería, que formaba parte de una tropa irregular especializada en hacer correrías (atacar y saquear) en territorio enemigo.

almohada *s. f.* Saco de tela, generalmente rectangular, relleno de un material blando, como espuma o plumas, que sirve para apoyar la cabeza cuando se está tumbado en la cama.
consultar con la almohada familiar Tomarse un tiempo para pensar y decidir con tranquilidad sobre un asunto.
FAM almohadilla, almohadón.

almohade *adj.* **1** Relativo a una antigua dinastía musulmana que reinó en el norte de África y en la Península Ibérica durante la segunda mitad del siglo XII y la primera del XIII: *los almohades sucedieron a los almorávides.* **‖** *s. com./adj.* **2** Persona perteneciente a esta dinastía.

almohadilla *s. f.* **1** Cojín pequeño y plano que se coloca sobre un asiento duro, generalmente en un recinto público como un estadio o una plaza de toros. **2** CHILE Agarrador para la plancha.
FAM almohadillar, almohadillero.

almohadillado, -da *adj./s. m.* **1** Se aplica al objeto o a la superficie de un objeto que están rellenos de lana, algodón, espuma u otro material blando: *una silla con respaldo almohadillado.* **‖** *s. m.* **2** Decoración del muro de un edificio consistente en hacer sobresalir los sillares o piedras que lo forman, dejando sus bordes más hundidos, a semejanza de una serie de almohadas.

almohadillar *v. tr.* **1** Poner lana, algodón, espuma u otro material blando entre dos superficies y unirlas para que no se muevan: *almohadillar una silla.* **2** Hacer sobresalir los sillares o piedras que forman el muro de un edificio, dejando sus bordes más hundidos, a semejanza de una serie de almohadas.
FAM almohadillado.

almohadón *s. m.* **1** Cojín, generalmente grande y cuadrado, que se coloca en una cama o asiento para apoyar la espalda, recostarse en él, como adorno, etc. ② Funda de tela suave en la que se mete una almohada.

almoneda *s. f.* ① Subasta pública de muebles y otros objetos, generalmente a bajo precio. ② Establecimiento donde se realiza esta subasta.

almorávide o **almorávid** *adj.* ① Relativo a una antigua dinastía musulmana que reinó en el norte de África y en la Península Ibérica durante la segunda mitad del siglo XI y la primera del XII: *los almorávides precedieron a los almohades.* ❘ *s. com./adj.* ② Persona perteneciente a esta dinastía.

almorrana *s. f.* Pequeño tumor o masa de tejido anormal que se forma en las inmediaciones del ano o en la parte final del intestino por una excesiva dilatación de las venas en esta zona. SIN hemorroide.
OBS Generalmente en plural con el mismo significado que en singular.

almorta *s. f.* ① Planta herbácea leguminosa de tallo ramoso y flores blancas o azules. ② Semilla de esta planta, comestible, de forma redondeada y con depresiones que le dan semejanza con una muela: *la almorta se utiliza como pienso.*

almorzar [5] *v. tr./intr.* Tomar el almuerzo o comida de media mañana o de mediodía: *fuimos a almorzar a un restaurante cercano al trabajo.*

almuecín *s. m.* Almuédano.

almuédano *s. m.* Musulmán que desde el minarete o torre de una mezquita se encarga de llamar, mediante un canto, a los fieles para que acudan a rezar. SIN almuecín.

almuerzo *s. m.* ① Alimento que se toma a mediodía; generalmente es el principal y más completo del día. SIN comida. ② Comida ligera que se toma a media mañana: *me llevo un bocadillo como almuerzo.* ③ Acción de almorzar: *hablamos durante el almuerzo.*
FAM almorzar.

almunia *s. f.* ① Huerto o granja. ② En las ciudades musulmanas medievales, villa o casa de campo en las proximidades de una ciudad.

alocado, -da *adj.* ① Que es movido o inquieto: *una semana alocada; una alocada persecución.* ❘ *adj./s. m. y f.* ② Se aplica a la persona que se comporta de forma irreflexiva y precipitada.

alocución *s. f.* Discurso, generalmente breve, que un jefe o superior dirige a sus subordinados o que es pronunciado por una autoridad en una ocasión especial.

áloe o **aloe** *s. m.* ① Planta tropical de hojas perennes, largas y carnosas de las cuales se extrae un jugo resinoso y una fibra muy resistente a la humedad. SIN acíbar. ② Jugo de esta planta, resinoso y muy amargo, que se emplea como laxante. SIN acíbar.

alófono *s. m.* Variante que se da en la pronunciación de un fonema, según su posición en la palabra o en la sílaba o según las características de los fonemas vecinos: *el fonema /d/ tiene varios alófonos.*

alojamiento *s. m.* ① Acción de alojar a una persona temporalmente en un lugar que no es el suyo. ② Lugar en el que se aloja temporalmente una persona.

alojar *v. tr.* ① Proporcionar a una persona un lugar para que resida en él temporalmente: *algunos vecinos alojaron a niños refugiados en sus casas.* SIN albergar, hospedar. ❘ *v. prnl.* ② **alojarse** Vivir una persona durante un tiempo en un establecimiento de hospedería o en una casa que no es la suya.

SIN albergarse, hospedarse. ③ Estar introducida o metida una cosa dentro de otra, generalmente por un tiempo determinado: *el trozo de metralla se alojó cerca del corazón.*
FAM alojamiento; desalojar.

alón *s. m.* Ala entera de un ave cuando se le han quitado las plumas: *compré alones de pavo.*

alondra *s. f.* Pájaro cantor de unos 15 cm de largo, plumaje pardo con bandas oscuras y cresta corta y redonda; vive en campos abiertos y hace el nido en el suelo, entre hierba alta; es común en España.

alopecia *s. f.* Caída o pérdida del cabello debida a una enfermedad de la piel.
FAM alopécico.

alotropía *s. f.* Característica de ciertos elementos que pueden existir en varias formas sólidas, líquidas o gaseosas, a causa de la distinta distribución y organización de los átomos que constituyen sus moléculas.
FAM alotrópico.

alotrópico, -ca *adj.* Relativo a la alotropía: *el diamante y el grafito, aunque son tan diferentes en su apariencia, son formas alotrópicas del carbono.*

alótropo *s. m.* Elemento que puede existir en varias formas sólidas, líquidas o gaseosas, a causa de la distinta agrupación de los átomos que constituyen sus moléculas.

alpaca[1] *s. f.* Metal blanco, de brillo y dureza parecidos a la plata, que se consigue con una aleación o mezcla de cobre, cinc y níquel y se usa en orfebrería y para hacer cubiertos.

alpaca[2] *s. f.* ① Mamífero rumiante americano parecido a la llama, de pelo rizado muy largo y fino, generalmente blanco, marrón o gris: *en los Andes se crían rebaños de alpacas para aprovechar su lana y su carne.* ② Pelo de este animal, que se utiliza como materia textil. ③ Tela de algodón brillante que se utiliza para confeccionar ropa de verano.

alpargata *s. f.* Calzado de lona con suela de esparto, cáñamo o goma, que se ajusta al pie sin cordones o con unas cintas que se atan al tobillo.

alpinismo *s. m.* Deporte que consiste en ascender o escalar altas montañas. SIN montañismo.
FAM alpinista.

alpinista *s. com.* Persona que practica el alpinismo. SIN montañero.

alpino, -na *adj.* ① Relativo a los Alpes (cordillera situada aproximadamente a lo largo de la frontera italiana con Francia, Austria y Suiza). ② Relativo a las montañas muy altas: *deportes alpinos; expedición alpina.*
FAM alpinismo; transalpino.

alpiste *s. m.* ① Planta de unos 50 cm de altura, hojas alargadas y flores y semillas en espiga en el extremo de los tallos. ② Semilla pequeña de esta planta, que se usa como alimento para los pájaros.

alqueno *s. m.* Hidrocarburo insaturado cuya molécula contiene al menos un doble enlace y en el que cada doble enlace se establece siempre entre dos átomos de carbono consecutivos; es muy reactivo y tiende a romper los dobles enlaces, generando otros compuestos químicos: *en un laboratorio, pueden obtenerse alquenos mediante la deshidratación de los alcoholes.*

alquería *s. f.* Casa de labranza o granja, generalmente alejada de una población, o conjunto de estas casas.

alquibla *s. f.* Muro de la mezquita, o punto del horizonte, que está orientado hacia La Meca, al que los fieles musulmanes miran cuando rezan. **SIN** quibla.

alquilar *v. tr.* ① Dar una cosa para usarla por un tiempo a cambio de una cantidad de dinero y con unas condiciones determinadas: *he alquilado mi apartamento a un amigo durante el invierno.* **SIN** arrendar. ② Tomar una cosa para usarla por un tiempo pagando a cambio una cantidad de dinero y con unas condiciones determinadas: *alquilaremos un coche para movernos por la isla.* **SIN** arrendar.
FAM alquiler; desalquilar, realquilar.

alquiler *s. m.* ① Acción de alquilar. **SIN** arrendamiento. ② Cantidad de dinero que se paga por alquilar una casa u otro bien: *me han subido el alquiler del piso.* **SIN** arrendamiento.

alquimia *s. f.* Antigua ciencia surgida en el siglo I d. C. en Egipto y practicada en Europa hasta el siglo XVI aproximadamente, que se basaba en la experimentación sobre las transformaciones de la materia y en la especulación filosófica, y se ejercía de manera oculta y secreta; fue la antecesora de la química moderna.
FAM alquímico, alquimista.

alquimista *s. com.* Persona que se dedicaba a practicar la alquimia.

alquino *s. m.* Hidrocarburo que contiene al menos un triple enlace entre dos átomos de carbono; es muy reactivo y sus triples enlaces tienden a romperse, dando lugar a otros compuestos químicos: *los alquinos pueden formar compuestos de adición con el hidrógeno o los halógenos.*

alquitrán *s. m.* Sustancia densa y pegajosa, de color oscuro y olor fuerte, que se obtiene por destilación del petróleo, la madera, el carbón vegetal u otra materia orgánica.
FAM alquitranar.

alquitranar *v. tr.* Cubrir una superficie con alquitrán.

alrededor *adv.* ① En torno a una persona o cosa, rodeándola completamente: *ha puesto una cerca alrededor de la casa.* ‖ *s. m. pl.* ② **alrededores** Zona que rodea un lugar o una población: *daremos una vuelta por los alrededores del edificio.*
alrededor de Referido a una medida o cantidad, más o menos, aproximadamente: *la pasta necesita alrededor de 100 gramos de azúcar.*

alta *s. f.* ① Ingreso o inscripción en un cuerpo, un grupo o una empresa, o en un servicio o una actividad determinados: *tener el alta en la Seguridad Social.* **ANT** baja. ② Permiso que un médico da a un enfermo que considera curado para que vuelva a su actividad normal: *espero tener el alta esta misma semana.* **ANT** baja. ③ Documento en que consta este ingreso o este permiso. **ANT** baja.
dar de alta Inscribir a una persona en un grupo, un servicio o una actividad determinados: *nos tenemos que dar de alta de teléfono.*
dar el alta Comunicar un médico a un enfermo que lo considera curado y puede volver a su actividad normal, generalmente dándole además un permiso por escrito.
OBS Los artículos de singular son *el* y *un*, salvo que entre artículo y sustantivo haya otra palabra.

altamente *adv.* En extremo, en gran manera: *el alcohol es altamente inflamable.*

altanería *s. f.* Característica que tiene una persona altanera, que la hace sentirse superior a los demás y comportarse o hablar de modo distante y orgulloso: *hablar con altanería.* **SIN** altivez.

altanero, -ra *adj.* Que se muestra distante y orgulloso por creerse más importante que los demás, especialmente al hablar o comportarse: *la baronesa llegó muy altanera con dos pajes.* **SIN** altivo.
FAM altanería.

altar *s. m.* ① Mesa consagrada, generalmente rectangular y de piedra o madera, desde donde el sacerdote oficia la misa: *en el altar se apoyan los textos litúrgicos, el pan y el vino.* ■ **altar mayor** Altar principal de un templo. ② Piedra, montículo o lugar elevado donde se celebran ritos en algunas religiones, como ofrendas y sacrificios a los dioses.
llevar al altar Casarse con una persona, especialmente por la iglesia: *por fin consiguió llevarla al altar.*
poner (o tener) en un altar Mostrar gran consideración y admiración por una persona y alabar sus cualidades: *los padres tienen a la maestra en un altar.*

altavoz *s. m.* Aparato que transforma las modulaciones eléctricas de una corriente alterna en modulaciones perceptibles por el oído humano; está constituido esencialmente por un diafragma o membrana que transmite las oscilaciones, y generalmente forma parte de aparatos como la radio, el reproductor de CD, etc.

alterable *adj.* ① Que puede alterarse o ser alterado. **ANT** inalterable. ② Se aplica a la persona que se altera o trastorna con facilidad: *estás muy alterable, no se te puede decir nada.*
FAM inalterable.

alteración *s. f.* ① Cambio en las características, la esencia o la forma de una cosa: *la alteración del orden de una frase; no ha habido alteraciones importantes en el proyecto.* ② Perturbación o trastorno del estado normal de una cosa: *alteraciones en el crecimiento del niño; los pesticidas provocan alteraciones en las aguas de los ríos.* ③ Altercado o perturbación del orden público: *la presencia de la policía evitó alteraciones en las calles.* ④ Nerviosismo, enfado o pérdida de la tranquilidad. ⑤ En música, modificación de la altura natural de una nota por medio de un signo que se coloca a su izquierda e indica si debe subirse o bajarse un semitono o un tono: *el sostenido indica una alteración de un semitono hacia arriba, y el bemol indica que se debe bajar un semitono.*

alterar *v. tr.* ① Cambiar las características, la esencia o la forma de una cosa: *alterar el orden lógico de una frase.* ② Perturbar o trastornar el estado normal de una cosa: *alterar la disciplina; el calor altera los alimentos; los pájaros alteraban el silencio.* ③ Hacer que una persona pierda la tranquilidad y esté nerviosa o enfadada: *pensar en el próximo partido le altera mucho.*
FAM alterable, alteración; inalterable.

altercado *s. m.* Enfrentamiento en forma de discusión o pelea violenta entre dos o más personas.

álter ego *s. m.* Expresión latina con que se hace referencia a una persona con quien otra se identifica enormemente, tanto que puede actuar como si fuera ella misma.

alternador *s. m.* Aparato o dispositivo electromagnético que genera corriente eléctrica alterna mediante la transformación de energía mecánica en energía eléctrica gracias a la inducción producida por un imán que se mueve en el interior de una bobina.

alternancia *s. f.* Cambio sucesivo en el estado o en la situación de dos personas o cosas, de modo que mientras una ocupa un puesto o desempeña una función, la otra no lo hace, y viceversa: *la alternancia en el poder político.*

alternancia de generación Ciclo vital de los organismos haplodiplontes en el que se alterna una fase de individuos con dotación cromosómica haploide con otra con dotación diploide.

alternante *adj.* Que alterna.

alternar *v. tr./intr.* **1** Cambiar sucesivamente el estado o la situación de dos personas o cosas, de modo que mientras una ocupa un puesto o desempeña una función, la otra no lo hace, y viceversa: *alterna el trabajo con los estudios; los cantantes se alternaban para salir al escenario.* ‖ *v. intr.* **2** Tener trato social o relación personal y amistosa: *durante el verano alterna con los otros chicos de la urbanización.* **3** Tratar con los clientes una mujer contratada para ello en una sala de fiestas u otro local de diversión, a fin de que estos prolonguen su estancia y aumenten así su gasto en consumiciones.
FAM alternador, alternancia, alternativa, alternativo, alterne.

alternativa *s. f.* **1** Posibilidad de elegir entre opciones o soluciones diferentes: *mis padres no me dieron alternativa y tuve que quedarme en casa.* **2** Opción o solución que es posible elegir entre varias: *las energías renovables son una alternativa a los problemas planteados por otras fuentes.* **3** Acto por el cual un torero concede a un novillero el derecho a matar toros y a convertirse, por tanto, también en torero: *dar la alternativa.*

alternativo, -va *adj.* **1** Que se dice, hace u ocurre alternándose sucesivamente: *el uso alternativo de estos dos fármacos reduce el riesgo de desarrollar la enfermedad.* **SIN** alterno. **2** Se aplica a la opción o solución que puede elegirse entre otras que se proponen: *una propuesta alternativa.* **3** Se aplica a la manifestación cultural o artística, al pensamiento, al modo de vida, etc. que se opone a lo convencional o establecido y se presenta como una opción distinta y nueva: *rock alternativo; teatro alternativo; turismo alternativo.*
FAM alternativamente.

alterne *s. m.* **1** Trato social o relación personal y amistosa con la intención de pasar el rato o divertirse. **2** Trato que tiene con los clientes de una sala de fiestas u otro local de diversión una mujer contratada para ello con el fin de que prolonguen su estancia y gasten más dinero en consumiciones: *local de alterne.*

alterno, -na *adj.* **1** Que se dice, se hace u ocurre alternándose sucesivamente: *en el partido hubo dominio alterno de los dos equipos y acabaron empatados.* **SIN** alternativo. **2** Que se produce o se hace de manera repetida cada dos periodos de tiempo iguales, pero de manera intermitente o discontinua, en uno sí y en el siguiente no: *trabaja en días alternos.* **3** Se aplica a la hoja o al órgano vegetal que se encuentra a diferente nivel en el tallo, de manera que cada uno ocupa en su lado la parte que corresponde a la que queda libre en el lado opuesto: *el abedul, el girasol y el maíz tienen hojas alternas.*
FAM alternar; subalterno.

alteza *s. f.* Tratamiento que se da a los hijos de los reyes, a los infantes de España y a los príncipes soberanos.

altibajos *s. m. pl.* **1** Sucesión alterna de circunstancias o acontecimientos positivos y negativos: *la negociación se desarrolló con altibajos.* **2** Conjunto de subidas y bajadas que experimenta el precio o el valor de una cosa: *el precio del petróleo sufre frecuentes altibajos.*

altillo *s. m.* **1** Armario de pequeña altura empotrado en la parte alta de una pared o en el techo: *hemos aprovechado el doble techo del corredor para hacer un altillo.* **2** Compartimento superior de un armario que tiene puertas independientes.

3 Habitación en la parte más alta de una casa o establecimiento: *subieron al altillo, que les servía de almacén.* **4** COL. Parte más alta de un local destinado a almacén.

altímetro *s. m.* Instrumento que sirve para medir la altura de un punto determinado respecto a un lugar de referencia, generalmente el nivel del mar, a partir de las variaciones que experimenta la presión atmosférica: *los aviones tienen un altímetro.*
FAM altimetría.

altiplanicie *s. f.* Altiplano.

altiplano *s. m.* Meseta muy extensa y a gran altitud: *el altiplano de Perú.* **SIN** altiplanicie.

altísimo, -ma *adj.* Que es muy alto.
el Altísimo Dios: *dirigía sus oraciones al Altísimo.*

altisonancia *s. f.* Manera de escribir o hablar que resulta altisonante.

altisonante *adj.* Se aplica al estilo o modo de expresión que se caracteriza por emplear palabras y construcciones demasiado cultas y rebuscadas, dando un énfasis excesivo a aspectos del discurso que no lo merecen. **SIN** ampuloso, pomposo.
FAM altisonancia.

altitud *s. f.* Distancia vertical que separa un punto respecto de otro que le sirve de referencia, generalmente el nivel del mar: *la altitud media del vuelo será de 9 000 pies; el Teide tiene 3 718 m de altitud.* **SIN** altura.

altivez *s. f.* Característica que tiene una persona altiva, que la hace sentirse superior a los demás y comportarse o hablar de modo distante y orgulloso. **SIN** altanería.

altivo, -va *adj.* Que se muestra distante y orgulloso por creerse más importante que los demás, especialmente al hablar o comportarse. **SIN** altanero.
FAM altivez.

alto, -ta¹ *adj.* **1** Que tiene una altura mayor de lo normal: *un niño alto; un edificio alto.* **ANT** bajo. **2** Que está situado en un lugar con altura con respecto al suelo o al nivel del mar: *un piso alto; una cima alta.* **ANT** bajo. **3** Que es de mucha cuantía o intensidad, especialmente en referencia a una cosa que puede cuantificarse o calcularse numéricamente: *alto índice de natalidad; un precio muy alto; tener la presión alta.* **ANT** bajo. **4** Que es rico u ocupa un lugar superior en la escala social o en otra escala: *tiene una familia de alto linaje; ocupa un alto puesto de poder.* **ANT** bajo. **5** Que es importante o superior en su línea, estilo o clase: *equipo de alta fidelidad; cárcel de alta seguridad.* **6** Se aplica al sonido o a la voz que son fuertes o intensos: *tenía la música muy alta.* **7** Se aplica al sonido o a la voz que tienen una frecuencia de vibraciones mayor que la normal: *me cuesta mucho hacer la voz alta de esta canción.* **SIN** agudo. **ANT** bajo, grave. **8** Que demuestra grandes cualidades morales o espirituales: *una persona de altos ideales.* **SIN** elevado. **ANT** bajo. ‖ *s. m.* **9** Dimensión perpendicular a la base de un cuerpo o una figura y considerada por encima de esta, desde la parte inferior a la superior: *este chico mide casi 2 m de alto.* **SIN** altura. **10** Parada o detención que se hace en una actividad o un desplazamiento con la intención de reanudarlo después: *hicimos un alto en el camino para descansar.* **11** Lugar elevado sobre el terreno que lo rodea: *nos subimos a un alto para ver el paisaje.* **SIN** altura. **12** Voz femenina más grave, sobre la cual está la de mezzosoprano; también es la voz infantil más grave y puede darse en algunos hombres. **SIN** contralto. ‖ *s. com.* **13** Persona que tiene esta voz.

A

SIN contralto. ▌*adv.* **14** Con altura con respecto al suelo o al nivel del mar: *el avión vuela muy alto.* **ANT** bajo. **15** Con un sonido o tono de voz fuerte o intenso: *no hables tan alto, que vas a despertar al niño.* **ANT** bajo. ▌*s. m.* **16** AMÉR. Conjunto de cosas compuestas, generalmente sin orden, unas sobre otras: *en un estante con vidrios había altos de periódicos en desorden.* ▌*s. m. pl.* **17** **altos** ARG., CHILE, PAR., URUG. Pisos superiores de una casa: *vivir en los altos de una casa; alquilar una casa de altos.*

pasar por alto Ignorar una cosa, no darle importancia ni prestarle atención: *el árbitro pasó por alto la falta.*

por todo lo alto Con mucho lujo y gasto: *una boda por todo lo alto.*

FAM alta, altanero, altar, alteza, altillo, altitud, altivo, altura; contralto, enaltecer, exaltar.

¡alto!² Se utiliza para ordenar a una persona que se detenga.

dar el alto Ordenar a una persona que se detenga: *la guardia urbana nos dio el alto en la carretera.*

altoparlante *s. m.* AMÉR. Altavoz.

altorrelieve *s. m.* Relieve cuyas figuras sobresalen del plano en más de la mitad de su volumen, resultando casi independientes respecto del fondo.

altozano *s. m.* **1** Monte de poca altura aislado en un terreno llano: *tiene un pequeño observatorio en un altozano.* **2** AMÉR. Atrio de una iglesia.

altramuz *s. m.* **1** Planta herbácea de tallo erecto, hojas en forma de estrella, flores blancas, azules o violeta agrupadas en grandes espigas y fruto en legumbre. **2** Semilla de esta planta, de forma redonda y plana y color anaranjado, que se conserva remojado en agua y se come como golosina. **SIN** chocho.

altruismo *s. m.* Actitud o característica de la persona que pretende conseguir el bien de los demás de manera desinteresada, generalmente realizando una labor social o humanitaria.

FAM altruista.

altruista *adj.* **1** Que está hecho con altruismo: *la labor altruista de las ONG.* ▌*adj./s. com.* **2** Se aplica a la persona que actúa con altruismo.

altura *s. f.* **1** Altitud. **2** Dimensión perpendicular a la base de un cuerpo o una figura y considerada por encima de esta, desde la parte inferior a la superior: *mido 1,80 m de altura.* **SIN** alto. **3** Distancia medida perpendicularmente desde una base de un cuerpo o figura hasta el punto más alejado de dicha base: *el área de un triángulo se calcula multiplicando la base por la altura y dividiendo el resultado por dos.* **4** Lugar elevado sobre el terreno que lo rodea: *colocaron varias piezas de artillería en una altura próxima a la ciudad.* **SIN** alto. **5** Importancia o valor de una cosa o persona que es superior en su línea, estilo o clase: *la carrera contaba con atletas de altura internacional; es un científico de gran altura.* **6** Característica de la persona que muestra grandes cualidades morales o espirituales: *la altura de sus ideales.* **SIN** elevación. ▌*s. f. pl.* **7** **alturas** culto Cielo (lugar en el que los santos, los ángeles y los bienaventurados gozan de la presencia de Dios para siempre). **8** Parte alta o situada en lo alto: *no me gustan las alturas.*

a la altura de (I) Al mismo nivel de una cosa o en el momento que se indica: *el farol levantado a la altura de la cara; mi casa está a la altura de la catedral.* (II) Según lo que requiere o exige una cosa determinada: *estar a la altura de las circunstancias.*

de altura Se aplica a la navegación o a la pesca que se hace en alta mar, en aguas alejadas de la costa: *campeonatos internacionales de pesca de altura.*

alubia *s. f.* **1** Planta leguminosa de tallo delgado y en espiral, hojas grandes, flores blancas o amarillas y fruto en vaina. **SIN** fríjol, habichuela, judía. **2** Fruto comestible de esa planta, en forma de vaina o cáscara flexible y alargada que encierra las semillas en hilera. **SIN** fríjol, habichuela, judía. **3** Semilla comestible contenida en esta vaina, de color blanco o rojizo y forma arriñonada: *la fabada se hace con alubias.* **SIN** fríjol, habichuela, judía.

alucinación *s. f.* Visión o sensación que no es real, sino producto de un trastorno o una enfermedad de la mente: *don Quijote tuvo una alucinación cuando confundió los molinos de viento con gigantes.*

alucinante *adj.* Que causa sorpresa y asombro o que gusta mucho.

alucinar *v. intr.* **1** Tener visiones o sensaciones que no son reales, sino producto de un trastorno o una enfermedad de la mente. **2** familiar Experimentar gran sorpresa o asombro: *he alucinado cuando nos ha dicho que se iba de la escuela; yo alucino con la gente de este pueblo.* **3** familiar Decir o hacer cosas insensatas o carentes de sentido común: *alucinas si piensas que voy a ir en avión, con el miedo que me da.* ▌*v. tr.* **4** familiar Gustar mucho una cosa o persona: *ser corresponsal de guerra me alucinaba.*

FAM alucinación, alucinado, alucinante, alucine, alucinógeno.

alucine *s. m.* familiar Sensación de sorpresa y asombro causada por algo inesperado o desconocido.

alucinógeno, -na *s. m./adj.* Sustancia que produce visiones o sensaciones que no son reales, sino producto de un trastorno de la mente.

alud *s. m.* **1** Masa grande de nieve que se desliza por la ladera de una montaña de manera violenta y ruidosa, arrasando todo lo que encuentra a su paso. **SIN** avalancha. **2** Cantidad grande de personas o cosas, especialmente cuando aparece repentinamente y al mismo tiempo. **SIN** aluvión, avalancha.

aludido, -da Se usa en la expresión:

darse por aludido Sentirse una persona afectada por lo que otra dice de ella sin mencionarla de manera expresa.

aludir *v. intr.* **1** Referirse a una persona o cosa sin nombrarla de manera expresa. **2** Mencionar o hacer referencia a una persona o cosa, generalmente de manera breve y sin considerarla el asunto principal de lo que se dice.

FAM aludido, alusión.

alumbrado, -da *s. m.* **1** Conjunto de luces eléctricas que alumbran un lugar, especialmente una vía pública o recinto exterior. **SIN** iluminación. ▌*adj./s. m. y f.* **2** Se aplica a la persona que pertenecía a una secta existente en España en el siglo XVI basada en la espiritualidad franciscana llevada al extremo y que era contraria a las formas externas de la religión. **SIN** iluminado.

alumbramiento *s. m.* **1** Salida al exterior del feto que una hembra tiene en su vientre. **SIN** nacimiento, parto. **2** Proceso de inspiración y creación que da como resultado una obra artística o científica.

alumbrar *v. tr./intr.* **1** Dar luz. **SIN** iluminar. ▌*v. tr.* **2** Poner luces eléctricas en un lugar para darle luz, especialmente en una vía pública o recinto exterior. **SIN** iluminar. ▌*v. tr./intr.*

3 Expulsar una hembra el feto que tiene en su vientre: *alumbró a su primer hijo en su propia cama*. **SIN** parir. | *v. tr.* **4** Formar en el pensamiento una idea, un proyecto o una obra del entendimiento: *el alto el fuego alumbra una posibilidad de paz en el conflicto*. **SIN** concebir.
FAM alumbrado, alumbramiento; deslumbrar.

alumbre *s. m.* Sulfato doble de aluminio y potasio cristalizado que se usa en medicina y tintorería.

alúmina *s. f.* Óxido de aluminio que se encuentra en la naturaleza en estado puro o cristalizado, y forma feldespatos y arcillas.
FAM aluminoso.

aluminio *s. m.* Elemento químico de símbolo *Al* y número atómico 13; es un metal ligero y dúctil, de color y brillo semejantes a los de la plata, inoxidable y buen conductor eléctrico y térmico.
FAM duraluminio.

alumnado *s. m.* Conjunto de alumnos de un centro docente.

alumno, -na *s. m. y f.* **1** Persona matriculada en un centro docente. **2** Persona que recibe educación o conocimientos de otra.
FAM alumnado.

alunizaje *s. m.* Descenso de una nave espacial sobre la superficie de la Luna hasta detenerse en ella.

alunizar *v. intr.* Descender una nave espacial sobre la superficie de la Luna hasta detenerse en ella: *el Apolo XI alunizó en el Mar de la Tranquilidad el 20 de julio de 1969*.
FAM alunizaje.

alusión *s. f.* Referencia a una cosa de manera breve y poco precisa cuando se trata otro tema.
FAM alusivo.

alusivo, -va *adj.* Que hace alusión a un tema.

aluvial *adj.* Se aplica al terreno que se ha creado por aluvión de materiales arrastrados por las corrientes de agua.

aluvión *s. m.* **1** Corriente de agua que ha sufrido una crecida brusca y se deplaza de manera rápida y violenta. **2** Conjunto de materiales y sedimentos terrestres arrastrados por esta corriente de agua y depositados en tierras emergidas. **3** Cantidad grande de personas o cosas, especialmente cuando aparece repentinamente y al mismo tiempo. **SIN** alud, avalancha.
FAM aluvial.

aluzar *v. tr.* **1** AMÉR. Alumbrar, iluminar. **2** P. RICO Examinar los huevos al trasluz.

alveolar *adj.* **1** Relativo a los alvéolos. **2** Se aplica al sonido o fonema consonántico cuyo punto de articulación está en los alvéolos de los incisivos superiores y en la punta de la lengua. | *adj./s. f.* **3** Se aplica a la consonante que se articula en este punto, como la "n" y la "l".

alvéolo o **alveolo** *s. m.* **1** Cavidad de la mandíbula de los animales vertebrados en la que está insertado el diente. **2** Cavidad pequeña de los pulmones, donde desembocan cada uno de los bronquiolos y se produce el intercambio de gases. **3** Casilla hexagonal de las que forman las abejas y otros insectos en el panal. **SIN** celda, celdilla.

alverja *s. f.* **1** Planta herbácea trepadora de la familia del guisante, de hojas compuestas y flores blanquecinas o violetas. **SIN** arveja. **2** Semilla de esta planta, que se da de comer a las aves de corral. **SIN** arveja. **3** AMÉR. Guisante.

alza *s. f.* **1** Subida o elevación, especialmente de la importancia o valor de una cosa: *preocupa el alza de los precios*. **ANT** baja. **2** Trozo de material que se pone en el zapato para hacerlo más alto.
FAM alcista.
OBS Los artículos de singular son *el* y *un*, salvo que entre artículo y sustantivo haya otra palabra.

alzacuello *s. m.* Cuello duro, de color rojo o blanco según la jerarquía, usado por los eclesiásticos.

alzada *s. f.* Altura de un animal cuadrúpedo, medida desde el talón de las patas delanteras hasta la parte alta del lomo.

alzado, -da *s. m.* **1** Diseño de un objeto o de un edificio representado frontalmente en proyección geométrica y vertical y sin tener en cuenta la perspectiva. | *adj.* **2** Se aplica al precio que se fija por adelantado como pago por una mercancía, una obra o un servicio: *la venta del inmueble se hizo por precio alzado*. **3** AMÉR. Soberbio, insolente. **4** AMÉR. SUR Se aplica al animal doméstico que se hace montaraz o está en celo.

alzamiento *s. m.* **1** Movimiento de abajo hacia arriba. **SIN** levantamiento. **2** Sublevación de una parte del ejército o de un grupo numeroso de personas armadas en contra del gobierno de un estado. **SIN** levantamiento. **3** Quiebra engañosa.

alzar *v. tr.* **1** Mover de abajo hacia arriba: *el capitán del equipo alzó la copa ante la afición*. **SIN** levantar. **2** Aumentar la intensidad o el volumen de la voz. **SIN** levantar. **3** Hacer un edificio, un monumento u otra obra de construcción: *los primeros rascacielos se alzan, majestuosos, a finales del siglo XIX*. **SIN** levantar. **4** Subir o elevar el precio o el valor de una cosa. **5** Poner fin a una pena, castigo o prohibición una persona autorizada para ello, antes de que transcurra el tiempo inicialmente marcado para su cumplimiento: *el comité de competición alzó las sanciones que pesaban sobre algunos jugadores con motivo del inicio del campeonato*. **SIN** levantar. | *v. prnl.* **6** **alzarse** Ponerse en pie. **SIN** levantarse. **7** Sublevarse una parte del ejército o un grupo numeroso de personas armadas en contra del gobierno de un estado. **8** Conseguir una cosa por la que se ha luchado o competido: *la tenista española se alzó con la victoria*. **9** AMÉR. Fugarse un animal doméstico al campo o al monte y hacerse montaraz.
FAM alzada, alzado, alzamiento; realzar.

alzhéimer *s. m.* Enfermedad mental progresiva que se caracteriza por una degeneración de las células nerviosas del cerebro y una disminución de la masa cerebral; las manifestaciones básicas son la pérdida de memoria, la desorientación temporal y espacial y el deterioro intelectual y personal.
OBS También *enfermedad de Alzheimer*.

a. m. Abreviatura de la expresión latina *ante merídiem*, 'antes del mediodía', que se usa en la indicación de la hora: *sucedió a las 8:00 a. m.*

AM [se pronuncia 'a-eme'] *s. f.* Sigla de la expresión inglesa *Amplitude Modulation*, modulación de amplitud; en uso corriente designa la "onda media": *una radio con AM y FM*.

ama *s. f.* Criada principal a cuyo cargo está el cuidado de una casa y la dirección de los otros miembros del servicio. **NOTA** También *ama de llaves*.
ama de casa Mujer que se dedica al cuidado de su casa.
ama de cría o **ama de leche** Mujer que amamanta a un niño que no es su hijo. **SIN** nodriza.
OBS Los artículos de singular son *el* y *un*, salvo que entre artículo y sustantivo haya otra palabra.

A

amabilidad *s. f.* Cualidad de la persona que es amable.

amabilísimo, -ma *adj.* Superlativo de *amable*.

amable *adj.* Se aplica a la persona que se comporta con simpatía, educación y de modo agradable.
FAM amabilidad.
OBS Superlativo irregular: *amabilísimo*.

amacayo *s. m.* AMÉR. Flor de lis.

amachinarse *v. prnl.* AMÉR. Amancebarse.

amado, -da *s. m. y f.* Persona a la que se ama.

amadrinar *v. tr.* Actuar como madrina de alguien o algo.

amaestramiento *s. m.* Enseñanza o entrenamiento de una habilidad o conducta: *se completó el amaestramiento del perro policía.*

amaestrar *v. tr.* Enseñar a un animal una habilidad o una conducta: *amaestró a su periquito para que tocara la campanilla cuando él entraba en la casa.*
FAM amaestrado, amaestramiento.

amagar *v. tr./intr.* ① Dejar ver la intención de hacer o decir algo: *aunque en un principio amagó un saludo, finalmente no se dirigió a nosotros.* ❙ *v. intr.* ② Aparecer manifestaciones de una enfermedad o suceso: *a medianoche amagó un apagón de luz.*
FAM amago.

amago *s. m.* ① Gesto que indica el inicio de un movimiento que no llega a consumarse. ② Indicio o señal que hace pensar que una cosa está próxima a ocurrir.

amainar *v. intr.* ① Perder fuerza o intensidad un fenómeno atmosférico: *ya amaina el temporal.* ❙ *v. tr.* ② Recoger total o parcialmente las velas de una embarcación.

amalgama *s. f.* ① Aleación de metales, especialmente la formada por el mercurio con otros metales. ② Mezcla de personas o cosas de origen y naturaleza distinta. **SIN** conglomerado.
FAM amalgamar.

amalgamar *v. tr.* ① Mezclar personas o cosas de distinto origen y naturaleza. **SIN** conglomerar. ② Producir una aleación mezclando mercurio con otro metal.

amamantar *v. tr.* Dar de mamar a las crías. **SIN** lactar.
FAM amamantamiento.

amancebarse *v. prnl.* despectivo Convivir y mantener relaciones sexuales dos personas sin estar casadas entre sí.
SIN juntarse¹.

amanecer¹ [16] *v. impersonal* ① Aparecer la claridad del día: *los cazadores ya están en el campo cuando amanece.* ❙ *v. intr.* ② Estar en un lugar, en una situación o en un estado determinados al hacerse de día: *seguimos carretera adelante y amanecimos en Salamanca.*

amanecer² *s. m.* ① Periodo inicial del día, desde que empieza a aparecer la luz hasta que sale el Sol. **SIN** alba, alborada. ② Principio u origen de algo, o momento en que una cosa comienza a tener existencia o ser: *la generalización de Internet supone el amanecer de una nueva era en las comunicaciones.*
SIN albor.

amanerado, -da *adj.* ① Que se caracteriza por la falta de naturalidad, espontaneidad o variedad. ② Que es propio de la manera de hablar, gesticular o moverse que se considera característica de las mujeres: *aunque es chico, tiene gestos amanerados.* **SIN** afeminado.

amaneramiento *s. m.* ① Falta de naturalidad y variedad en el estilo. ② Actitud, gesto o comportamiento que se considera propio de las mujeres. **SIN** afeminamiento.

amanerar *v. tr.* ① Privar de naturalidad y variedad el estilo de un autor: *la falta de ideas y de ilusión creativa amaneraron su pintura.* ❙ *v. prnl.* ② **amanerarse** Adoptar un hombre características que se consideran propias de las mujeres.
FAM amanerado, amaneramiento.

amansar *v. tr.* ① Domesticar a un animal salvaje. ② Calmar el ánimo violento o excitado de una persona: *sus palabras la amansaron.* **SIN** apaciguar, aplacar.

amante *adj./s. com.* ① Se aplica a la persona que ama a otra: *los amantes de Teruel vivieron una trágica historia de amor.* ② Se aplica a la persona que tiene gran afición por algo: *los amantes de la música folk acudieron al concierto.* ❙ *s. com.* ③ Persona con la que se mantiene relaciones sexuales al margen del matrimonio: *pidió el divorcio al saber que su marido tenía una amante.*

amanuense *s. com.* Persona que se dedica a copiar textos o a escribir al dictado: *durante la Edad Media, en los monasterios, los amanuenses hacían copias de los manuscritos más valiosos.* **SIN** copista, escriba.

amañar *v. tr.* ① Preparar o alterar el resultado de algo para engañar a los demás y obtener un beneficio. ❙ *v. prnl.* ② **amañarse** Tener maña o destreza para hacer algo: *se amaña para coser redes.*
FAM amaño.

amapola *s. f.* ① Planta silvestre de flores rojas, con cuatro pétalos y semilla negruzca, que crece entre los sembrados en primavera. ② Flor de esta planta.

amar *v. tr.* Sentir amor por una persona o cosa: *amar a una persona; amar el deporte.* **ANT** odiar.
FAM amado, amante, amatorio.

amaraje *s. m.* Descenso de un vehículo aéreo sobre la superficie del agua hasta quedar flotando sobre ella: *el amaraje de un hidroavión en un lago.* **SIN** amerizaje.

amarar *v. intr.* Descender un vehículo aéreo hasta la superficie del agua y quedar flotando sobre ella. **SIN** amerizar.
FAM amaraje.

amargar *v. intr.* ① Tener algo sabor amargo: *este chocolate amarga un poco.* ❙ *v. tr.* ② Dar sabor amargo a algo: *estas almendras han amargado el pastel.* ③ Causar disgusto o tristeza: *me ha amargado las vacaciones.*
FAM amargado.

amargo, -ga *adj.* ① Que tiene sabor áspero, fuerte y algo desagradable: *el café es amargo.* ② Que es desapacible y triste: *el amargo sabor de la derrota.*
FAM amargar, amargor, amarguillo, amargura.

amargor *s. m.* Sabor amargo: *no soporto el amargor de las endibias.* **SIN** amargura.

amargura *s. f.* ① Amargor. ② Disgusto o tristeza, especialmente por no haber podido satisfacer una necesidad o un deseo: *recuerda con amargura todas las ilusiones rotas de su infancia.*

amarillear *v. intr.* Empezar a tener una cosa color amarillo: *las hojas de los árboles amarillean en otoño.*

amarillento, -ta *adj.* Que tiene un tono amarillo.

amarillismo *s. m.* Tendencia a destacar los aspectos más llamativos o espectaculares de una información para provocar emoción: *el amarillismo de algunos programas de televisión.*
SIN sensacionalismo.

amarillo, -lla *s. m./adj.* ① Color como el del oro o el limón maduro. ❙ *adj.* ② Que es de este color. ③ Se aplica a la piel que ha perdido el color rosado y ha quedado más clara de lo normal. ④ Se aplica a la raza humana que se caracteriza por

tener la piel de color amarillento y los ojos rasgados, y que está integrada por individuos originarios de los principales pueblos de Asia. **5** Se aplica al sindicato cuyo objetivo es minar la actividad reivindicativa de los sindicatos obreros.
FAM amarillear, amarillecer, amarillento, amarillez, amarillismo.

amarra *s. f.* Cuerda para sujetar una embarcación por medio del ancla o bien amarrada a un muelle.

amarraje *s. m.* Impuesto que se aplica a las embarcaciones por amarrar en un puerto.

amarrar *v. tr.* **1** Atar o asegurar mediante cuerdas, cadenas, etc. **2** Sujetar una embarcación por medio de amarras. **3** familiar Asegurar.
FAM amarra, amarradero, amarre; desamarrar.

amarre *s. m.* Acción de amarrar una embarcación.

amartelado, -da *adj.* Se aplica a la persona que da muestras físicas de amar con gran pasión a otra: *una pareja de novios amartelados.*

amartelarse *v. prnl.* Ponerse muy cariñosa una persona con su enamorado y hacerle mimos y arrumacos.

amasar *v. tr.* **1** Mezclar una materia, generalmente en polvo, con un líquido hasta formar una masa compacta y blanda: *el pan se elabora amasando agua y harina.* **2** Reunir progresivamente una gran cantidad de dinero u otros bienes: *amasó una fortuna jugando al tenis.*
FAM amasijo.

amasijo *s. m.* **1** Mezcla desordenada de cosas diferentes: *tras el accidente, el coche quedó hecho un amasijo de hierros.* **2** Porción de masa de harina.

amateur *adj./s. com.* Se aplica a la persona que practica una actividad, generalmente deportiva o artística, por placer y sin recibir dinero a cambio. **SIN** aficionado. **ANT** profesional.
FAM amateurismo.

amatista *s. f.* Cuarzo transparente de color violeta que se usa como piedra preciosa.

amatorio, -ria *adj.* Relativo al amor: *poesía amatoria.*

amazacotado, -da *adj.* **1** Se aplica a la sustancia que está compacta y dura, cuando debería estar esponjosa: *la ensaimada, como era de hacía días, estaba amazacotada.* **2** Se aplica a la obra artística de mala calidad, difícil de entender por tener un estilo recargado.

amazona *s. f.* **1** Mujer que monta a caballo. **2** Mujer de una antigua raza guerrera formada solo por mujeres según la mitología griega.

amazónico, -ca *adj.* Relativo al Amazonas (río de América del Sur) o a sus territorios ribereños: *la selva amazónica es el gran pulmón del planeta.*

ambages Se usa en la expresión:
sin ambages De manera clara y directa, sin insinuaciones o rodeos: *le dio la noticia sin ambages.*

ámbar *s. m.* **1** Mineral compuesto de una resina fósil de las coníferas, de color entre amarillo y naranja, translúcida, muy ligera y dura, que arde con facilidad y desprende buen olor. **|** *s. m./adj.* **2** Color como el de esta resina fósil. **|** *adj.* **3** Que es de este color: *unos pendientes ámbar.* **NOTA** Invariable en número.
FAM ambarino.

ambición *s. f.* Deseo intenso y vehemente de conseguir una cosa difícil de lograr, especialmente poder, riqueza o fama: *en las empresas se suele valorar el tener ambición.*

ambicionar *v. tr.* Desear de manera intensa y vehemente una cosa difícil de lograr, especialmente poder, riqueza o fama.

ambicioso, -sa *adj./s. m. y f.* **1** Se aplica a la persona que tiene ambición. **|** *adj.* **2** Se aplica al plan, proyecto u obra que es muy importante y difícil de lograr o desarrollar: *la organización de unos juegos olímpicos es siempre un proyecto muy ambicioso.*

ambidextro, -tra *adj./s. m. y f.* Se aplica a la persona que tiene la misma habilidad en la mano izquierda que en la derecha. **SIN** ambidiestro.

ambidiestro, -tra *adj./s. m. y f.* Ambidextro.

ambientación *s. f.* **1** Situación de una obra artística dentro de las circunstancias peculiares de una época o sociedad determinadas. **2** Creación del ambiente deseado en un lugar: *encargó a un decorador la ambientación del bar.* **3** Adaptación de un ser vivo a unas condiciones de vida distintas de las que había tenido anteriormente: *la ambientación de un alumno a un nuevo instituto.* **4** Ambiente alegre y ruidoso producido por mucha gente reunida. **SIN** animación, bullicio, jaleo.

ambientador *s. m.* Producto para perfumar el ambiente o para eliminar los malos olores de un espacio cerrado.

ambiental *adj.* **1** Relativo al ambiente que rodea a una persona: *los factores ambientales influyen en la personalidad del niño.* **2** Relativo al medio ambiente. **SIN** medioambiental.

ambientar *v. tr.* **1** Enmarcar una obra artística en una época o sociedad determinadas. **2** Crear el ambiente deseado en un lugar: *la decoración del mesón está ambientada en la Edad Media.* **3** Adaptar a un ser vivo a unas condiciones de vida distintas de las que había tenido anteriormente: *le costó ambientarse los primeros días de guardería.* **4** Dar a un lugar un ambiente alegre y ruidoso producido por mucha gente reunida.
FAM ambientación, ambientador.

ambiente *s. m.* **1** Atmósfera o aire de un lugar. **2** Conjunto de circunstancias, físicas y morales, que rodean a una persona o cosa: *siempre ha vivido en un ambiente pobre.* **SIN** entorno. **3** Conjunto de circunstancias que hacen agradable la estancia en un lugar o acto: *me gusta el ambiente de este bar.* **4** Conjunto de factores que definen una sociedad determinada: *hizo un trabajo sobre el ambiente en España previo a la Guerra Civil.* **5** Grupo social o profesional integrado por personas con características comunes: *es muy conocido en los ambientes literarios de Madrid.*
FAM ambientar, ambiental.

ambigüedad *s. f.* **1** Cualidad de lo que es ambiguo: *a todos les molestó la ambigüedad de sus declaraciones.* **2** Cosa o dicho ambiguos: *las ambigüedades del lenguaje siempre crean confusión.*

ambiguo, -gua *adj.* Que puede entenderse de varias maneras: *la oración "voy a la academia por mis hijos" es una oración ambigua.*
FAM ambigüedad.

ámbito *s. m.* **1** Espacio comprendido dentro de unos límites determinados: *el 15 de agosto es fiesta en todo el ámbito nacional.* **2** Espacio en el que se enmarcan determinadas disciplinas o cuestiones: *dentro del ámbito laboral se valora el conocimiento de idiomas.* **SIN** esfera.

ambivalencia *s. f.* **1** Condición de lo que se presta a dos interpretaciones opuestas. **2** Estado de ánimo en el que conviven dos emociones o sentimientos opuestos: *ambivalencia de amor-odio.*
FAM ambivalente.

A

ambivalente *adj.* Que tiene ambivalencia.

ambliopía *s. f.* Debilidad de la vista por falta de sensibilidad en la retina, sin que exista lesión orgánica del ojo.

ambón *s. m.* Púlpito que se halla a ambos lados del altar mayor o a los lados del coro en algunas iglesias, desde donde se hacen las homilías y las lecturas.

ambos, -bas *det./pron.* Uno y otro, los dos: *ambos amigos son buenos estudiantes; me gustan tanto la corbata azul como la negra, así que me llevaré ambas.*

ambrosía *s. f.* ① Comida o bebida de gran calidad y excelente sabor. ② Alimento de los dioses, según la mitología.

ambulancia *s. f.* Automóvil con camilla e instrumental de primeros auxilios para el transporte de personas heridas o enfermas.

ambulante *adj.* Que va de un lugar a otro sin permanecer demasiado tiempo en un sitio: *vendedor ambulante; circo ambulante.* **FAM** ambulancia, ambulatorio; deambular, funámbulo, noctámbulo, preámbulo, sonámbulo.

ambulatorio, -ria *adj.* ① Se aplica al tratamiento médico que no exige que el enfermo permanezca ingresado en un hospital. I *s. m.* ② Establecimiento donde se presta atención médica a enfermos que no requieren ser internados en un hospital. **SIN** consultorio, dispensario.

ameba *s. f.* Organismo microscópico del reino protoctista constituido por una sola célula capaz de desplazarse mediante pseudópodos y alimentarse por sí mismo. **SIN** amiba. **FAM** amebocito, ameboideo.

amedrentar *v. tr.* culto Asustar, atemorizar: *encendió las luces de la casa para amedrentar a los ladrones.*

amelcochado, -da *adj.* ① Se aplica al dulce que tiene el punto espeso de la melcocha. ② AMÉR. De color rubio.

amén *s. m.* ① Se usa al final de algunas oraciones cristianas para indicar asentimiento y desear que se cumpla la oración. ② Se usa para indicar asentimiento y obediencia a lo que otra persona hace o dice: *siempre ha dicho amén a todo lo que dice y hace su mujer.*
amén de Además de, aparte de: *amén de un hombre de negocios, es un apasionado de la náutica.*

amenaza *s. f.* ① Advertencia que hace una persona para indicar su intención de causar un daño: *ha recibido amenazas de todo tipo.* ② Persona o cosa que puede suponer un daño: *la deforestación constituye una amenaza para la atmósfera.* **SIN** peligro. **FAM** amenazar.

amenazador, -ra *adj.* Que amenaza.

amenazar *v. tr.* ① Advertir una persona de su intención de causar daño: *nos ha amenazado con vengarse.* ② Existir indicios de que va a ocurrir un hecho adverso, una desgracia o un desastre: *el cielo amenaza lluvia.* **SIN** acechar. **FAM** amenazador.

amenizar *v. tr.* Hacer amena cierta cosa: *dos orquestas amenizaban el baile en la plaza.*

ameno, -na *adj.* Que hace pasar el tiempo de manera agradable. **SIN** distraído, divertido, entretenido. **ANT** aburrido. **FAM** amenizar.

amento *s. m.* Inflorescencia formada por muchas flores, generalmente unisexuales, dispuestas en un eje común, como en una espiga.

americana *s. f.* Chaqueta de vestir hecha de tejido fuerte, con solapas, abierta por delante y con botones.

americanismo *s. m.* ① Amor o admiración por la cultura y las tradiciones del continente americano. ② Palabra o modo de expresión propio del español hablado en América: *la palabra "carro" es un americanismo que designa al automóvil.* ③ Palabra o modo de expresión propio de una lengua americana y que se usa en otro idioma: *el castellano ha recogido muchos americanismos de lenguas como el quechua o el aimara.* **FAM** americanista.

americanista *s. com.* Persona que se dedica al estudio de la cultura americana, especialmente de los aspectos relativos a los pueblos indígenas del continente americano.

americano, -na *adj.* ① De América. I *s. m. y f./adj.* ② Persona que es de América. I *adj.* ③ familiar De Estados Unidos (país de América del Norte). I *s. m. y f./adj.* ④ familiar Persona que es de Estados Unidos. **FAM** americanada, americanismo, americanizar; afroamericano, angloamericano, centroamericano, latinoamericano, norteamericano, panamericano, sudamericano.

americio *s. m.* Elemento químico de símbolo Am y número atómico 95 del grupo de los actínidos; es un metal radiactivo, de color blanquecino, que se obtiene bombardeando el uranio con partículas radiactivas o bien bombardeando el plutonio con neutrones.

amerindio, -dia *adj.* ① Relativo a los pueblos que originariamente habitaban el continente americano antes de la llegada de los europeos. **SIN** indio. I *s. m. y f./adj.* ② Persona que pertenece a uno de estos pueblos. **SIN** indio.

ameritar *v. tr.* ① AMÉR. Merecer. ② AMÉR. Reconocer los méritos.

amerizaje *s. m.* Descenso de un vehículo aéreo sobre la superficie del agua hasta quedar flotando sobre ella. **SIN** amaraje.

amerizar *v. intr.* Descender un vehículo aéreo hasta la superficie del agua y quedar flotando sobre ella: *vimos cómo el hidroavión amerizó.* **SIN** amarar. **FAM** amerizaje.

ametralladora *s. f.* Arma de fuego automática, parecida a un fusil, que dispara de forma sucesiva y rápida gran número de balas.

ametrallamiento *s. m.* Acción de ametrallar.

ametrallar *v. tr.* Disparar contra un objetivo con una ametralladora. **FAM** ametralladora, ametrallamiento.

amianto *s. m.* Mineral compuesto de silicatos de calcio y magnesio, que se presenta en fibras flexibles, blancas o verdosas, brillantes y suaves y se emplea en la fabricación de tejidos resistentes al fuego y al calor.

amiba *s. f.* Ameba.

amicísimo, -ma *adj.* culto Superlativo de *amigo.*

amida *s. f.* Compuesto orgánico de fórmula $R-CO-NH_2$, derivado del ácido correspondiente: *casi todas las amidas son sólidas.*

amigable *adj.* ① Se aplica a la persona que se comporta con simpatía, educación y de modo agradable. ② Que se distingue por la amistad o tiene alguna de sus características. **SIN** amistoso.

amígdala *s. f.* Cada uno de los órganos de color rojo y de pequeño tamaño formados por acumulación de tejido linfático y situados a ambos lados de la garganta del ser humano y de algunos animales. **SIN** angina. **FAM** amigdalitis.

amigdalitis *s. f.* Inflamación de las amígdalas. **SIN** anginas. **OBS** Plural invariable.

amigo, -ga *adj./s. m. y f.* ① Se aplica a la persona que mantiene una relación de amistad con otra u otras personas. **ANT** enemigo. ② Se aplica a la persona que gusta de una cosa o tiene interés por ella: *amigo de la buena vida.* ‖ *s. m. y f.* ③ familiar Amante (persona con la que se mantiene relaciones sexuales al margen del matrimonio). **SIN** querido. **FAM** amigable, amigar, amigote, amiguete, amiguismo, amistad; enemigo. **OBS** Superlativo: *amicísimo* o *amiguísimo.*

amiguismo *s. m.* Tendencia a favorecer a los amigos en cargos de trabajo, en perjuicio de otras personas.

amilanar *v. tr.* Atemorizar a alguien, generalmente haciendo que se desanime y renuncie a algo que pretendía: *no se dejó amilanar por sus competidores.* **FAM** amilanado.

amino *s. m.* Radical químico compuesto por un átomo de nitrógeno y dos de hidrógeno.

aminoácido *s. m.* Sustancia química orgánica que constituye el componente básico de las proteínas, sus moléculas contienen el radical básico $-NH_2$ y el grupo ácido $-COOH$: *todas las proteínas de los seres vivos están compuestas por la combinación de 20 aminoácidos.*

aminorar *v. tr.* Disminuir la cantidad, el tamaño, el valor o la intensidad de una cosa: *el vehículo aminoró la marcha.* **FAM** aminoración, aminoramiento.

amistad *s. f.* ① Relación de confianza y afecto desinteresado entre personas. **ANT** enemistad. ‖ *s. f. pl.* ② **amistades** Conjunto de personas con las que se tiene esta relación. ③ familiar Influencias, contactos. **FAM** amistoso.

amistoso, -sa *adj.* ① Que se distingue por la amistad o tiene alguna de sus características. **SIN** amigable. ② Se aplica al encuentro deportivo que está fuera de competición oficial.

amnesia *s. f.* Pérdida total o parcial de la memoria. **FAM** amnésico.

amnésico, -ca *adj./s. m. y f.* Se aplica a la persona que ha perdido la memoria total o parcialmente.

amnios *s. m.* Membrana a modo de saco lleno de líquido acuoso que rodea y protege el embrión de reptiles, aves y mamíferos. **FAM** amniótico. **OBS** Plural invariable.

amniótico, -ca *adj.* ① Relativo al amnios. ② Se aplica al líquido que envuelve al embrión para protegerlo.

amnistía *s. f.* Perdón de delitos, generalmente políticos, que concede el gobierno de un país. **FAM** amnistiar.

amnistiar *v. tr.* Conceder la amnistía a alguien. **OBS** Verbo regular, se acentúa como *desviar.*

amo, ama *s. m. y f.* ① Persona que tiene la propiedad de una cosa: *el perro acude a la llamada de su ama.* **SIN** dueño. ② Persona que tiene a otras que trabajan a su servicio: *el amo ordenó pintar el cortijo.* ③ Persona que tiene predominio o autoridad sobre los demás: *el ciclista español ha sido durante algunos años el amo del pelotón internacional.* **OBS** Para la forma femenina, los artículos de singular son *el* y *un*, salvo que entre artículo y sustantivo haya otra palabra.

amodorrado, -da *adj.* Que está adormilado o con mucho sueño. **SIN** somnoliento, soñoliento.

amodorrar *v. intr.* Provocar ganas de dormir: *este calor amodorra.* **FAM** amodorrado, amodorramiento.

amojonar *v. tr.* Limitar un terreno con mojones.

amolar [5] *v. tr.* ① Afilar un objeto cortante con una muela (piedra en forma de disco): *el afilador amuela cuchillos.* ② familiar Molestar o fastidiar con insistencia. **FAM** amoladera, amoladura.

amoldar *v. tr.* ① Poner una cosa de acuerdo con otra: *debes amoldar tu relato a la extensión que marca la convocatoria del concurso.* **SIN** ajustar, conformar. ‖ *v. prnl.* ② **amoldarse** Adaptarse a un lugar o una situación distintos de los habituales: *se ha amoldado muy bien a su nuevo trabajo.* **FAM** amoldable; desamoldar.

amonestación *s. f.* ① Advertencia severa a una persona por un error o falta. ‖ *s. f. pl.* ② **amonestaciones** Publicación que se hace, en una iglesia, de los nombres de quienes van a casarse.

amonestar *v. tr.* ① Reprender severamente a una persona por un error o falta. ② Hacer públicas las amonestaciones en una iglesia. **FAM** amonestación.

amoniacal *adj.* Relativo al amoniaco.

amoniaco o **amoníaco** *s. m.* ① Gas incoloro de olor fuerte y penetrante, compuesto por tres átomos de hidrógeno y uno de nitrógeno (NH_3); es muy soluble en agua. ② Producto químico en forma líquida, elaborado a partir de este gas, que se usa para la limpieza. **FAM** amoniacal.

amónico, -ca *adj.* Relativo al amonio: *nitrato amónico.*

amonio *s. m.* Ion derivado del amoníaco por adición de un catión de hidrógeno procedente del agua; las sales de amonio se utilizan como fertilizantes (sulfato y nitrato), como componentes de explosivos (nitrato) y en metalurgia (cloruro de amonio).

amontonamiento *s. m.* Acumulación de personas o cosas en un lugar de manera desordenada: *la policía intentaba evitar el amontonamiento de hinchas.*

amontonar *v. tr.* ① Reunir cosas de manera desordenada, formando un montón: *amontonaron las cajas en el salón de la casa.* ‖ *v. prnl.* ② **amontonarse** Reunirse en un lugar un conjunto numeroso de personas o animales de manera desordenada: *los clientes se amontonan a las puertas del centro comercial.* **SIN** apelotonarse. ③ Ocurrir muchos sucesos en poco tiempo. **FAM** amontonamiento.

amor *s. m.* ① Afecto intenso que se tiene hacia una persona, animal o cosa: *los padres sienten amor por sus hijos.* **ANT** odio. ■ **amor propio** Consideración y estima que uno siente por sí mismo. ② Sentimiento intenso de atracción emocional y sexual que se tiene hacia una persona con la que se desea compartir una vida en común: *le declaró su amor.* ③ Afición apasionada que se tiene hacia una cosa: *amor a la literatura.* ④ Persona, animal o cosa que es objeto del cariño de alguien. ⑤ Cuidado, atención y gusto que se pone al hacer una cosa: *preparó la cena de fin de año con mucho amor.* ‖ *s. m. pl.* ⑥ **amores** Relaciones sentimentales y sexuales mantenidas durante un tiempo.

A

con (o **de**) **mil amores** Con mucho gusto o placer.

hacer el amor Realizar el acto sexual una persona con otra.

por amor al arte De manera desinteresada o gratuita. **NOTA** Frecuentemente usado de forma irónica.

FAM amorcillo, amorío, amoroso; desamor, enamorar, enamoricarse.

amoral *adj.* Que carece de sentido o valoración moral.
FAM amoralidad, amoralismo.

amoralismo *s. m.* Doctrina filosófica que niega la existencia en la conciencia humana de una dependencia de los conceptos del bien y del mal.

amoratado, -da *adj.* Que está morado: *tiene el ojo amoratado por el golpe.*

amoratarse *v. prnl.* Ponerse de color morado.
FAM amoratado, amoratamiento.

amorcillo *s. m.* Figura de un niño desnudo y alado con la que se representa a Cupido, dios romano del amor; a menudo lleva un carcaj, flechas, rosas, palomas o una venda.

amordazar *v. tr.* Tapar la boca a una persona con algún instrumento o material para impedir que hable o grite.

amorfo, -fa *adj.* **1** Sin forma determinada. **2** Se aplica al cuerpo cuyas partículas forman una estructura interna desordenada: *los líquidos y los gases son cuerpos amorfos.* **3** Se aplica al cuerpo cuyas partículas (átomos, moléculas o iones) no están geométricamente ordenadas, sino dispuestas al azar: *la cera, el jabón y el vidrio son sólidos amorfos.* **ANT** cristalino. **4** Que tiene características poco definidas; se aplica especialmente a la persona que tiene poco carácter o personalidad.
FAM amorfismo.

amorío *s. m.* Relación amorosa superficial y que dura poco tiempo. **SIN** devaneo.

amoroso, -sa *adj.* **1** Relativo al amor: *relación amorosa.* **2** Que demuestra o siente amor.
FAM amorosidad.

amortajar *v. tr.* Vestir el cuerpo de un difunto con la mortaja.

amortiguación *s. f.* **1** Conjunto de mecanismos destinados a hacer más suave y elástico el apoyo de la carrocería de un automóvil sobre los ejes de las ruedas y amortiguar así las irregularidades del suelo. **SIN** suspensión. **2** Disminución de la intensidad de una cosa. **3** Sistema destinado a reducir las vibraciones producidas por un motor.

amortiguador, -ra *adj.* **1** Que amortigua. I *s. m./adj.* **2** Mecanismo de un vehículo y otras máquinas que sirve para atenuar las vibraciones y las sacudidas bruscas.

amortiguar *v. tr.* Disminuir la intensidad o fuerza de una cosa: *el cinturón de seguridad amortiguó la fuerza del choque.*
FAM amortiguación, amortiguador, amortiguamiento.
OBS Verbo regular, se acentúa como *averiguar.*

amortización *s. f.* **1** Recuperación del dinero invertido en alguna empresa. **2** Pago del total o de parte de una deuda. **3** Paso de bienes a poseedores que no los pueden enajenar. **ANT** desamortización.

amortizar *v. tr.* **1** Recuperar el dinero invertido en una empresa: *con las ganancias del negocio no se amortizan los gastos del local.* **2** Pagar el total de una deuda o parte de ella: *amortizar un préstamo.*
FAM amortizable, amortización.

amoscarse *v. prnl.* familiar Enfadarse, disgustarse. **SIN** mosquearse.

amotinado, -da *adj./s. m. y f.* Se aplica a la persona que adopta una actitud de oposición a la autoridad, especialmente si va acompañada de violencia.

amotinar *v. tr.* Hacer que un grupo de personas adopten una actitud de oposición a la autoridad, especialmente si va acompañada de violencia: *la tripulación del buque se amotinó.*
FAM amotinado, amotinamiento.

ampalagua *s. f.* ARG., URUG. Boa, serpiente.

amparar *v. tr.* **1** Dar amparo a una persona o animal para evitarle un sufrimiento, peligro o daño: *amparar a los más necesitados.* I *v. prnl.* **2** **ampararse** Servirse de una persona o cosa para protegerse o defenderse: *se ampararon en una antigua ley para condenarlo.*
FAM amparo; desamparar.

amparo *s. m.* **1** Ayuda o protección dada a una persona o animal para evitarle un sufrimiento, peligro o daño: *al morir sus padres, buscó el amparo de sus abuelos.* **2** Ayuda o defensa que se presta a una persona o cosa para favorecerla.

ampere [se pronuncia 'amper'] *s. m.* Unidad de intensidad de la corriente eléctrica del Sistema Internacional, de símbolo A, que equivale a la intensidad de una corriente eléctrica constante que, al fluir por dos conductos paralelos de longitud infinita situados en el vacío y separados entre sí un metro, produce una fuerza de $2 \cdot 10^{-7}$ newtons por metro.
OBS Plural: *amperes.* Se ha adaptado al español con la forma *amperio.*

amperímetro *s. m.* Instrumento que mide la intensidad de una corriente eléctrica.

amperio *s. m.* Ampere.

ampliación *s. f.* **1** Aumento del tamaño, la intensidad o la duración de una cosa: *la ampliación de una vivienda.* **ANT** reducción. **2** Copia de una fotografía, un plano, etc. a mayor tamaño que el original.

ampliar *v. tr.* **1** Aumentar el tamaño, la intensidad o la duración de una cosa: *el ayuntamiento amplió su horario de atención al público.* **2** Hacer una copia de una cosa a mayor tamaño que el original. **ANT** reducir.
FAM ampliación, ampliador.
OBS Verbo regular, se acentúa como *desviar.*

amplificación *s. f.* **1** Aumento de una magnitud física, como el sonido, el espacio, etc., mediante un aparato apropiado: *la amplificación de una señal de radio.* **2** Figura retórica que consiste en desarrollar una idea de varios modos.

amplificador *s. m.* **1** Aparato o dispositivo que aumenta la amplitud o la intensidad de un fenómeno físico, especialmente el que amplifica la intensidad de una corriente eléctrica que llega hasta él: *las guitarras eléctricas necesitan un amplificador para poder sonar.* **2** Aparato portátil de forma parecida a una caja que consta de un amplificador y un altavoz, y sirve para conectar a él instrumentos musicales como la guitarra eléctrica o el teclado, o dispositivos como un micrófono.

amplificar *v. tr.* **1** Aumentar la intensidad de una cosa, especialmente de una magnitud física, como el sonido, el espacio, etc., mediante un aparato apropiado: *el sonido se amplifica al llegar al altavoz; la palanca amplifica la fuerza que se aplica sobre un punto.* **2** En una fracción, multiplicar el numerador y el denominador por un número mayor que 1.
FAM amplificación, amplificador.

amplio, -plia *adj.* **1** Que tiene una extensión o un espacio

mayor de lo normal: *el salón del palacio es muy amplio.* SIN ancho. ② Se aplica a la prenda de vestir que es ancha y permite moverse con facilidad por no ajustarse al cuerpo. SIN holgado, suelto. ANT ceñido.
FAM amplificar, amplitud.

amplitud *s. f.* ① Extensión o espacio mayor que el normal: *Canadá es un país de gran amplitud geográfica.* ② Anchura de una prenda de vestir. ③ Espacio que hay entre las posiciones extremas de un cuerpo que realiza un movimiento oscilatorio: *la amplitud de onda.* ④ Valor máximo alcanzado por una onda o cualquier otra magnitud durante un periodo.

ampolla *s. f.* ① Bolsa pequeña llena de líquido que se forma en la piel debido a una quemadura, un roce o una enfermedad. ② Tubo de cristal cerrado por ambos extremos para contener algo, generalmente un medicamento.

ampuloso, -sa *adj.* Se aplica al estilo o modo de expresión que se caracteriza por emplear palabras y construcciones demasiado cultas y rebuscadas, dando un énfasis excesivo a aspectos del discurso que no lo merecen. SIN altisonante, pomposo.
FAM ampulosidad.

amputación *s. f.* Separación completa, con respecto al cuerpo, de un miembro o parte de él.

amputar *v. tr.* Separar enteramente del cuerpo un miembro o parte de él: *amputar un dedo.*
FAM amputación.

amsterdamés, -mesa *adj.* ① De Amsterdam (capital de los Países Bajos). ‖ *s. m. y f./adj.* ② Persona que es de Amsterdam.

amueblar *v. tr.* Poner los muebles adecuados en un espacio o recinto: *amueblar un dormitorio.* ANT desamueblar.
FAM desamueblar.

amuermar *v. intr.* familiar Causar aburrimiento.

amuleto *s. m.* Objeto que se lleva encima y al que se le atribuye poderes sobrenaturales. SIN talismán.

anabaptismo *s. m.* Doctrina religiosa protestante de origen alemán (siglo XVI) que consideraba nulo el bautismo antes del uso de razón.
FAM anabaptista.

anabolismo *s. m.* Fase del metabolismo en la que se produce la síntesis de moléculas a partir de otras más simples: *las reacciones propias del anabolismo consumen energía.*
FAM anabólico, anabolizante.

anabolizante *s. m./adj.* Sustancia química que sirve para facilitar la síntesis y asimilación de materia energética por las células.

anacoluto *s. m.* Falta de correlación entre los elementos de una oración o periodo: *en la frase "se dedicó y destacó en el deporte" hay un anacoluto, porque el verbo "dedicarse" requiere la preposición "a", y no "en".*

anaconda *s. f.* Serpiente semiacuática no venenosa de las selvas de América del Sur, de gran tamaño, color verde oscuro y manchas negras que alcanza más de 8 m de longitud: *las anacondas matan a sus presas por constricción o estrangulamiento.*

anacoreta *s. com.* Persona que vive sola en lugar apartado, dedicada por entero a la contemplación, la oración y la penitencia.

anacrónico, -ca *adj.* ① Que sitúa a una persona o cosa en un periodo de tiempo que no se corresponde con el que le es propio. ② Que forma parte del pasado.

anacronismo *s. m.* ① Error que resulta de situar a una persona o cosa en un periodo de tiempo que no se corresponde con el que le es propio: *es un anacronismo describir un encuentro entre Aristóteles y Arquímedes.* ② Cosa que forma parte del pasado.
FAM anacrónico.

anacrusa *s. f.* Nota o conjunto de notas no acentuadas o en tiempo débil que preceden al primer tiempo acentuado o fuerte de un compás.

ánade *s. amb.* Ave acuática de pico ancho y aplanado, cuello largo, plumaje denso y patas cortas adaptadas a la natación. SIN pato.

anadiplosis *s. f.* Figura retórica que consiste en la repetición de la última parte de un grupo sintáctico o de un verso, al principio del siguiente: *en los siguientes versos de Villegas se produce anadiplosis: "Oye no temas, / y a mi ninfa dile, / dile que muero".*
OBS Plural invariable.

anadón *s. m.* Pollo del ánade.

anaeróbico, -ca V. anaerobio, -bia.

anaerobio, -bia *adj./s. m. y f.* ① Se aplica al organismo que vive y se desarrolla en ausencia del oxígeno: *bacterias anaerobias.* SIN anaeróbico. ANT aerobio. ‖ *adj.* ② Se aplica al proceso que se desarrolla en ausencia de oxígeno libre: *fermentación anaerobia.* SIN anaeróbico. ANT aerobio.
FAM anaeróbico.

anafase *s. f.* Tercera fase de la mitosis (división celular), en la cual las cromátidas de los cromosomas se separan formando dos grupos, uno en cada polo de la célula.

anafe *s. m.* Hornillo portátil. SIN infiernillo.

anáfora *s. f.* ① Figura retórica que consiste en la repetición de una o varias palabras al principio de frase o verso: *"todo aquello le pareció de pronto irreal: irreales los ruidos, irreales los libros, irreal el tiempo, irreal él mismo" es una anáfora de Luis Landero.* ② Referencia a un término o una parte anterior del discurso: *en la oración "Luis miró a su hermana y ella le sonrió", se da la anáfora en los pronombres "ella" y "le".*
FAM anafórico.

anafórico, -ca *adj.* Relativo a la anáfora.

anagrama *s. m.* ① Palabra o expresión que tiene las mismas letras o sonidos que otra, aunque cambiadas de orden: *"amor" es anagrama de "mora".* ② Dibujo, formado por letras, que distingue a una empresa.

anal *adj.* Relativo al ano.

anales *s. m. pl.* ① Publicación periódica anual en que se registran los acontecimientos históricos importantes de cada año. ② Publicación periódica en la que se recogen noticias y artículos de carácter cultural, científico o técnico.

analfabetismo *s. m.* ① Desconocimiento de la lectura y la escritura. ② Falta de instrucción elemental de un país. ③ Falta de cultura o conocimientos elementales. SIN incultura. ANT cultura.

analfabeto, -ta *adj./s. m. y f.* ① Se aplica a la persona que no sabe leer ni escribir. ② Se aplica a la persona que no tiene cultura o conocimientos elementales. SIN inculto. ANT culto.
FAM analfabetismo.

analgésico, -ca *s. m./adj.* Sustancia o medicina que hace que un dolor o molestia sea menos intenso o desaparezca. SIN calmante, sedante.

A

análisis *s. m.* ① Separación de las partes de un todo hasta llegar a conocer sus principios y elementos. ② Estudio minucioso de un asunto, una obra artística, etc. ③ Estudio de las oraciones de un texto y sus componentes. ■ **análisis morfológico** Análisis de la morfología de las palabras de una oración, de sus categorías gramaticales y sus desinencias. ■ **análisis sintáctico** Análisis de las relaciones sintácticas que se establecen entre los componentes de una oración, del tipo de oración y de la función sintáctica de sus partes. ④ Examen químico o bacteriológico que permite establecer un diagnóstico médico. ■ **análisis cualitativo** En química, conjunto de ensayos que permite determinar la naturaleza química y la identidad de una sustancia pura o de cada uno de los componentes de una disolución. ■ **análisis cuantitativo** En química, conjunto de ensayos que permite determinar la cantidad exacta de una sustancia pura o de cada uno de los componentes de una mezcla o disolución. **SIN** analítica.
FAM analista, analítica, analítico, analizar; psicoanálisis.
OBS Plural invariable.

analista *s. com.* ① Persona que se dedica a hacer análisis médicos. ② Persona que se dedica a analizar un asunto social, político, técnico o económico para determinar cuáles son los problemas principales que le afectan y cuáles las mejores soluciones.

analítica *s. f.* Examen químico o bacteriológico que permite establecer un diagnóstico médico. **SIN** análisis.

analítico, -ca *adj.* Relativo al análisis.

analizar *v. tr.* Hacer un análisis de determinada cosa: *analizar una muestra de orina; analizar una oración desde el punto de vista gramatical.*

analogía *s. f.* Relación de semejanza entre cosas distintas.
FAM analógico, análogo.

analógico, -ca *adj.* ① Relativo a la analogía. ② Se aplica al aparato o instrumento de medición que representa las variaciones o cambios de cualquier fenómeno físico, como el sonido, el peso o la luz, mediante variaciones equivalentes o análogas de un indicador físico, como una aguja o una barra: *en un reloj analógico, el desplazamiento de la aguja es equivalente a la variación del tiempo.* **ANT** digital. ③ Que funciona mediante esta analogía o equivalencia entre variables físicas, sin pasar a un sistema de dígitos: *los discos de vinilo son analógicos porque transforman las variaciones de los surcos directamente en ondas sonoras.* **ANT** digital.

análogo, -ga *adj.* Que tiene analogía con otra cosa: *la implantación de la informática ha tenido efectos análogos a los de una revolución industrial.*

anamorfosis *s. f.* Dibujo o pintura que ofrece una imagen distorsionada, confusa y deforme que tan solo una puede apreciarse correctamente si se observa desde un determinado ángulo.
OBS Plural invariable.

ananá o **ananás** *s. m.* ① Planta originaria de América con hojas rígidas acabadas en punta, flores moradas y fruto comestible (ananá o ananás). **SIN** piña. ② Fruto de esta planta, de forma redondeada y tamaño grande, con corteza rugosa y áspera, terminado en un penacho de hojas y de carne amarilla y jugosa. **SIN** piña.
OBS Plural: *ananás.*

anapesto *s. m.* Pie de la poesía clásica formado por dos sílabas breves y una larga.

anaquel *s. m.* Tabla o lámina horizontal que se coloca en una pared, dentro de un armario o en una estantería y sirve para colocar objetos sobre ella. **SIN** balda, estante.

anaranjado, -da *adj.* Que tiene un tono naranja.

anarcosindicalismo *s. m.* Movimiento anarquista que intenta alcanzar sus ideales revolucionarios mediante la actividad sindical y la liberación de la clase obrera.

anarquía *s. f.* ① Anarquismo. ② Desorganización en un organismo por falta de una autoridad.
FAM anarco, anárquico, anarquismo.

anárquico, -ca *adj.* ① Relativo a la anarquía: *ideología anárquica.* ❙ *adj./s. m. y f.* ② Anarquista.

anarquismo *s. m.* Doctrina política que pretende la desaparición del estado y de sus organismos e instituciones representativas y defiende la libertad del individuo por encima de cualquier autoridad: *el anarquismo político y social fue defendido por el revolucionario ruso Mijaíl Bakunin en el siglo XIX.* **SIN** acracia, anarquía.
FAM anarquista.

anarquista *adj.* ① Relativo al anarquismo. ❙ *adj./s. com.* ② Se aplica a la persona que cree en el anarquismo o es partidaria de él. **SIN** ácrata, libertario.

anatema *s. amb.* ① Exclusión de un fiel de la Iglesia católica, dictada por la autoridad eclesiástica, por la cual queda apartado de la comunidad y del derecho a recibir los sacramentos: *en las cruzadas había amenaza de anatema para quienes desertaran en la lucha contra los infieles.* **SIN** excomunión. ② Prohibición o persecución de una cosa que se considera perjudicial. ③ culto Maldición.
FAM anatematizar.

anatomía *s. f.* ① Ciencia que estudia la estructura, forma y relaciones de las diferentes partes del cuerpo de los seres vivos. ② Forma o aspecto exterior del cuerpo de un ser vivo: *por la anatomía de la yegua se podían adivinar sus excepcionales cualidades para la carrera.* ③ Análisis y estudio de las diversas partes que conforman un asunto o problema.
FAM anatómico, anatomista.

anatómico, -ca *adj.* ① Relativo a la anatomía. ② Se aplica al objeto construido para que se adapte perfectamente al cuerpo humano: *sillón anatómico.*

anatomista *s. com.* Médico especialista en anatomía humana.

anca *s. f.* ① Mitad lateral de la parte posterior de algunos animales o sus patas traseras: *las ancas de la rana.* ② Parte posterior del lomo de una caballería. **NOTA** También en plural con el mismo significado que en singular. **SIN** grupa.
OBS Los artículos de singular son el y un, salvo que entre artículo y sustantivo haya otra palabra.

ancestral *adj.* ① Relativo a los ancestros: *costumbres ancestrales.* ② Que es muy antiguo: *el sur de España suele padecer el ancestral problema del agua.*

ancestro *s. m.* Antepasado, especialmente el perteneciente a una época pasada remota.
FAM ancestral.

ancho, -cha *adj.* ① Que tiene anchura (amplitud): *el sombrero cordobés tiene el ala ancha.* **ANT** estrecho. ② Que abarca una extensión o un espacio mayor de lo normal. **SIN** amplio. ❙ *s. m.* ③ Anchura: *debemos medir el alto, el ancho y la profundidad del armario.*
a sus anchas Con completa comodidad y libertad.

ancho de banda Diferencia entre las frecuencias que limitan una banda.
FAM anchura; ensanchar.

anchoa *s. f.* ① Boquerón curado en sal. ② Pez marino comestible, de pequeño tamaño y cuerpo alargado de color azul por encima y plateado por el vientre. **SIN** boquerón.

anchura *s. f.* ① En una superficie, dimensión frontal y horizontal: *la anchura de la página de un libro determina la extensión de los renglones del texto.* ② Diámetro de un orificio. ③ Extensión o espacio mayor que el normal: *en La Mancha destaca la anchura de los campos de trigo.* **SIN** amplitud.
FAM anchuroso.

ancianidad *s. f.* ① Último periodo de la vida natural de una persona. ② Estado o condición de la persona que tiene una edad muy avanzada.

anciano, -na *adj./s. m. y f.* Se aplica a la persona que tiene una edad avanzada: *cuando dividimos la población en grupos de edad, se suele considerar ancianas a las personas de 65 años o más.*
FAM ancianidad.

ancla *s. f.* Instrumento de hierro, en forma de arpón o de anzuelo, que, sujeto a una cadena, se echa desde una embarcación al fondo del mar para impedir que esta se mueva.
FAM anclar.
OBS Los artículos de singular son *el* y *un*, salvo que entre artículo y sustantivo haya otra palabra.

anclaje *s. m.* ① Acción de anclar. ② Elemento o conjunto de elementos destinados a fijar algo, generalmente al suelo: *los anclajes del cinturón de seguridad; revisó los anclajes del arnés.*

anclar *v. tr./intr.* ① Sujetar una embarcación mediante un ancla. ❙ *v. tr.* ② Sujetar algo al suelo o a una base con firmeza: *anclar una antena de televisión.* ❙ *v. prnl.* ③ **anclarse** Aferrarse a una idea o posición: *se ancló en sus recuerdos y dejó de tener contacto con los demás.*
FAM anclaje.

ancón *s. m.* ① Ensenada pequeña para fondear. ② Méx. Rincón de un cuarto.

áncora *s. f.* culto Ancla.
OBS Los artículos de singular son *el* y *un*, salvo que entre artículo y sustantivo haya otra palabra.

andadas Se usa en la expresión:
volver a las andadas Volver a cometer el mismo error o la misma falta: *apenas salió de la cárcel, volvió a las andadas.*

andaderas *s. f. pl.* Andador.

andador *s. m.* Aparato formado por una estructura de barras con ruedas o soportes que sirve para ayudar a andar a un niño o a una persona que tiene problemas para andar por sí misma. **SIN** andaderas, tacatá.

andadura *s. f.* ① Movimiento para trasladarse de un lugar a otro. ② Desarrollo de un trabajo, actividad o proceso a lo largo del tiempo.

andalucismo *s. m.* ① Palabra o modo de expresión propio del español hablado en Andalucía: *las palabras "angurria" y "cañaduz" son andalucismos.* ② Amor o admiración por la cultura y las tradiciones de Andalucía: *algunos poemas de Lorca se caracterizan por su andalucismo.* ③ Movimiento que pretende el reconocimiento político de Andalucía y defiende sus valores históricos y culturales.
FAM andalucista.

andalucista *adj.* ① Relativo al andalucismo: *política andalu-*

cista. ❙ *adj./s. com.* ② Se aplica a la persona que es partidaria del andalucismo político.

andalusí *adj.* Relativo al Ándalus (cultura musulmana que ocupó la Península Ibérica hasta 1492).
OBS Plural: *andalusíes.*

andaluz, -za *adj.* ① De Andalucía (comunidad autónoma española). ❙ *s. m. y f./adj.* ② Persona que es de Andalucía. ❙ *s. m./adj.* ③ Variedad del español hablada en Andalucía.
FAM andalucismo, andalusí.

andamiaje *s. m.* Conjunto de andamios montados en un lugar.

andamio *s. m.* ① Armazón desmontable de madera o metal utilizado en la construcción o reparación de edificios. ② Grada puesta en sitios públicos para ver un espectáculo.
FAM andamiaje.

andanada *s. f.* ① Conjunto de disparos que realiza una batería de cañones al mismo tiempo. ② Conjunto de ataques o críticas negativas que se hace contra alguien. ③ Asiento situado en la grada cubierta que hay en la parte superior de una plaza de toros.

andante[1] *adj.* Que anda.

andante[2] *adv.* ① Indica que una composición musical o parte de ella debe interpretarse con un tempo o ritmo moderado, entre el adagio y el alegreto. ❙ *s. m.* ② Pieza musical o movimiento (parte) de una sonata, sinfonía, etc. que se interpreta con este tempo.

andantino *s. m.* ① Composición musical, o parte de ella, que se ejecuta con un movimiento más vivo que el andante y menos que el alegro. ❙ *adv.* ② Indica que una composición musical, o parte de ella, debe interpretarse con este movimiento.

andanza *s. f.* Aventura o peripecia que experimenta una persona, especialmente durante un viaje.
OBS Normalmente en plural.

andar[1] [22] *v. intr.* ① Moverse o trasladarse de un lugar a otro dando pasos. **SIN** caminar. ② Moverse o trasladarse de un lugar a otro: *el año pasado anduvo por el sur de Italia; las motos de nieve están preparadas para andar por terrenos helados.* ③ Funcionar un mecanismo: *el reloj no anda.* ④ Tener una persona un determinado estado de ánimo o salud: *andaba fastidiado desde que se rompió el brazo.* ⑤ Acercarse o aproximarse a una cantidad: *el coche que te gusta debe andar por los 12 000 euros.* ⑥ Tocar o hurgar una cosa con insistencia: *no andes en los cajones de tu hermano.* ⑦ Estar realizándose una acción: *tu madre debe andar arreglándose en el dormitorio.* ❙ *v. intr./prnl.* ⑧ Actuar o comportarse de determinada manera: *no se anduvo con miramientos y lo despidió sin explicaciones.* ❙ *int.* ⑨ **¡anda!** Expresión que indica sorpresa o intención de dar ánimo o hacer una petición: *¡anda, si ya son las cuatro!*
todo se andará Expresión con la que se indica que ya llegará el momento oportuno para que una cosa ocurra.
FAM andada, andaderas, andador, andadura, andanza, andariego, andarín; desandar.

andar[2] *s. m.* Manera de caminar peculiar de una persona.
OBS Más en plural con el mismo significado que en singular.

andarivel *s. m.* ① ARG., ECUAD. Calle de una pista de atletismo, una piscina o un hipódromo. ② CUBA Especie de batea que se utiliza para cruzar los ríos.

andas *s. f. pl.* Tablero o plataforma sostenido por dos barras horizontales para llevar algo, especialmente una imagen religiosa.

en andas A hombros o sostenido en alto por varias personas.

andén *s. m.* **1** Acera generalmente elevada situada a los lados de la vía o de la calzada en las estaciones de tren o de autobús, respectivamente, para que los pasajeros entren y salgan de ellos con facilidad. **2** AMÉR. SUR Grada o terraza que los indios quechuas y aimaras construyen en las faldas de los cerros para ampliar sus terrenos de cultivo. **3** COL., GUAT., HOND. Acera de la calle.

andino, -na *adj.* Relativo a los Andes (cordillera de América del Sur): *Chile y Perú son países andinos.* FAM transandino.

andorrano, -na *adj.* **1** De Andorra (país de Europa). I *s. m. y f./adj.* **2** Persona que es de Andorra.

andrajo *s. m.* Pedazo de tela vieja, rota o sucia. SIN harapo. FAM andrajoso.

andrajoso, -sa *adj./s. m. y f.* **1** Se aplica a la persona que viste con andrajos. SIN harapiento. I *adj.* **2** Se aplica a la prenda de vestir que está vieja, rota y sucia.

androceo *s. m.* Conjunto de estambres de una flor, que constituye su aparato sexual masculino.

andrógeno *s. m.* Hormona sexual que provoca la aparición de los caracteres secundarios masculinos, tales como la barba o el tono de la voz.

andrógino, -na *adj.* **1** Se aplica al ser vivo que es macho y hembra a la vez, por tener los órganos sexuales de las dos clases: *el percebe es un crustáceo andrógino.* SIN bisexual, hermafrodita. **2** Se aplica a la mujer que tiene rasgos corporales que no se corresponden con los propios de su sexo.

androide *s. m.* Robot con aspecto, movimientos y algunas funciones propias de los seres humanos.

andropausia *s. f.* **1** Desaparición progresiva de la actividad de las glándulas sexuales del hombre. **2** Periodo de tiempo en que se produce esta desaparición. FAM andropáusico.

andurrial *s. m.* Lugar poco frecuentado, generalmente por estar apartado o ser poco transitable.

anea *s. f.* **1** Planta de tallos altos y cilíndricos, con las hojas largas y estrechas dispuestas en dos filas a lo largo del tallo y las flores en forma de espiga. SIN enea, espadaña. **2** Hoja seca de esta planta que se usa para tejer asientos y otros objetos. SIN enea, espadaña.

anécdota *s. f.* **1** Relato breve de un suceso curioso, utilizado como ejemplo o entretenimiento. **2** Detalle accidental y sin importancia. FAM anecdotario, anecdótico.

anecdotario *s. m.* Conjunto de anécdotas sucedidas a una persona u ocurridas durante el desarrollo de una actividad o proceso.

anegar *v. tr.* **1** Cubrir el agua un lugar: *cuando comenzó a anegarse la cubierta inferior del barco, el capitán ordenó abandonar la nave.* SIN inundar. I *v. prnl.* **2** **anegarse** Llenarse por completo de algo: *cada mañana las plazas de Venecia se anegan de turistas.* **3** Dominar el estado de ánimo de una persona un sentimiento o pasión: *solo en su habitación, le anegaba el hastío.* FAM anegadizo, anegamiento.

anejo, -ja *adj./s. m.* Se aplica a la cosa que está unida a algo de lo que depende: *la vesícula biliar está aneja al hígado.* SIN anexo.

anélido *adj./s. m.* **1** Se aplica al gusano de piel fina cuyo cuerpo está dividido en anillos, cada uno de los cuales posee órganos reproductores, digestivos, etc., y posee respiración cutánea o branquial como la lombriz de tierra y la sanguijuela. I *s. m. pl.* **2** **anélidos** Grupo taxonómico, con categoría de filo, constituido por estos animales.

anemia *s. f.* Disminución anormal de la cantidad de glóbulos rojos o de hemoglobina. FAM anémico.

anémico, -ca *adj.* **1** Relativo a la anemia. I *adj./s. m. y f.* **2** Se aplica a la persona que padece anemia.

anemógamo, -ma *adj.* Se aplica a la flor o planta que es polinizada por la acción del viento.

anemómetro *s. m.* Instrumento que sirve para medir la velocidad de los fluidos, especialmente de gases como el aire.

anémona o **anemona** *s. f.* **1** Planta herbácea con tallo horizontal subterráneo, pocas hojas y flores de color vivo. **2** Flor de esta planta.

anémona de mar Invertebrado marino de cuerpo blando y de colores vivos, en forma de tubo abierto por un extremo, del que salen multitud de tentáculos que recuerdan la forma de una flor; vive fijo al fondo marino. SIN actinia.

anestesia *s. f.* **1** Pérdida temporal del conocimiento o de la sensibilidad de una parte del cuerpo provocada por la administración de una sustancia química. **2** Sustancia química que sirve para anestesiar. SIN anestésico. FAM anestesiar, anestésico, anestesista.

anestesiar *v. tr.* Producir la pérdida temporal del conocimiento o de la sensibilidad de una parte del cuerpo mediante la administración de una sustancia química. OBS Verbo regular, se acentúa como *cambiar.*

anestésico, -ca *adj.* **1** Relativo a la anestesia. I *s. m./adj.* **2** Sustancia química que sirve para anestesiar: *el cloroformo y el éter han sido usados tradicionalmente como anestésicos.* SIN anestesia.

anestesista *s. com.* Médico especialista en anestesia.

anexión *s. f.* Unión de una cosa a otra, de la que deriva o depende, especialmente de un estado o de una parte de su territorio a otro. FAM anexionar, anexionismo.

anexionar *v. tr.* Unir una cosa a otra para hacerla derivar o depender de ella, especialmente de un estado o de una parte de su territorio a otro.

anexionismo *s. m.* Tendencia política que defiende la anexión de territorios extranjeros. FAM anexionista.

anexionista *adj.* **1** Relativo al anexionismo: *política anexionista.* I *adj./s. com.* **2** Se aplica a la persona que es partidaria del anexionismo.

anexo, -xa *adj./s. m.* Se aplica a la cosa que está unida a algo de lo que depende: *el baptisterio está anexo a la catedral.* SIN anejo. FAM anexar.

anfetamina *s. f.* Sustancia química que excita el sistema nervioso, aumenta la resistencia física y disminuye el apetito. FAM anfeta.

anfibio, -bia *adj./s. m.* **1** Se aplica al animal de piel desnuda y sangre fría que pasa la primera parte de su vida en el agua respirando a través de branquias y experimenta una metamorfosis en que las branquias son sustituidas por pulmones; entonces se vuelve terrestre aunque vive cerca del agua y pone los huevos en ella: *la rana y la salamandra son anfibios.* SIN batracio. I *s. m. pl.* ② **anfibios** Grupo taxonómico, con categoría de clase, constituido por estos animales. SIN batracios. I *adj.* ③ Se aplica al vehículo que puede moverse por agua además de por tierra o aire.

anfibología *s. f.* ① Ambigüedad de una palabra u oración. ② Figura retórica que consiste en emplear intencionadamente voces o expresiones con doble sentido: *en la frase "ducados ganan ducados", se juega con los significados de 'título nobiliario' y de 'moneda española'.*

anfígeno *adj./s. m.* Se aplica a cada uno de los elementos que componen el decimosexto grupo de la tabla periódica; todos estos elementos, excepto el oxígeno, son sólidos en condiciones normales, y a medida que aumenta su masa molecular se hace más evidente su carácter metálico: *son anfígenos el oxígeno, el azufre, el selenio, el telurio y el polonio.*

anfipróstilo *adj./s. m.* Se aplica al edificio que tiene un pórtico de columnas en dos de sus fachadas.

anfiteatro *s. m.* ① Edificio de planta elíptica o circular, formado por un escenario o espacio llano central cubierto de arena con gradas alrededor, donde se celebraban, en la Roma imperial, algunos espectáculos públicos. ② Conjunto de gradas escalonadas, generalmente en forma de semicírculo, situadas en la parte superior de un teatro, un cine o un aula.

anfitrión, -triona *adj./s. m. y f.* ① Se aplica a la persona que invita y recibe en su casa a otras personas. ② Se aplica a la institución que invita y recibe en su sede o territorio a otras personas.

ánfora *s. f.* Cántaro o vasija de forma ovoidal, cuello estrecho y largo, con dos asas y base en punta con pie o sin él: *el ánfora fue usada habitualmente en Roma y Grecia para el transporte de alimentos, así como para guardar las cenizas de los difuntos.*
OBS Los artículos de singular son *el* y *un*, salvo que entre artículo y sustantivo haya otra palabra.

angarillas *s. f. pl.* Tablero con dos barras horizontales y paralelas que sirve para transportar cosas a mano.

ángel *s. m.* ① En algunas religiones, espíritu puro, servidor y mensajero de Dios, que en ocasiones se aparece a los seres humanos. ■ **ángel custodio** o **ángel de la guarda** Ángel encargado por Dios de la custodia de cada persona. ② Cualidad del carácter de una persona que la hace atractiva o simpática para los demás: *el director buscaba una actriz con ángel para el papel de heroína.* ③ Persona muy buena, simpática y servicial.
como los ángeles familiar Muy bien, de manera excelente: *esta soprano canta como los ángeles.*
FAM angelical, angélico, angelote; arcángel.

angelical *adj.* ① Relativo a los ángeles: *en el cuadro se representa a Dios rodeado de coros angelicales.* ② Que se caracteriza por una bondad, pureza o belleza considerada propia de los ángeles: *sonrisa angelical.*

ángelus *s. m.* Oración católica en conmemoración del anuncio de la concepción de Cristo que el arcángel Gabriel hizo a la Virgen María: *el ángelus se reza tres veces al día: por la mañana, a mediodía y por la noche.*
OBS Plural invariable.

angina *s. f.* ① Amígdala. I *s. f. pl.* ② **anginas** Inflamación de las amígdalas. SIN amigdalitis.

angina de pecho Obstrucción de las arterias del corazón que provoca inicialmente dolor en el brazo izquierdo y, posteriormente, un dolor muy agudo en el pecho.

angiospermo, -ma *adj./s. f.* ① Se aplica a la planta cuyos óvulos se hallan protegidos en una cavidad cerrada; su principal característica es la estructura de sus flores, que contienen estambres y carpelos y se hallan rodeadas de un perianto: *el trigo, el geranio y la calabaza son angiospermas.* I *s. f. pl.* ② **angiospermas** Grupo taxonómico, con categoría de filo, constituido por estas plantas.

anglicanismo *s. m.* Doctrina religiosa cristiana que se origina con la ruptura del rey inglés Enrique VIII con la Iglesia católica en el siglo XVI; el monarca mantuvo el dogma católico pero se nombró a sí mismo jefe de la Iglesia británica.

anglicano, -na *adj.* ① Relativo al anglicanismo. I *adj./s. m. y f.* ② Se aplica a la persona que profesa esta doctrina religiosa.
FAM anglicanismo.

anglicismo *s. m.* Palabra o modo de expresión propio de la lengua inglesa y que se usa en otro idioma: *la palabra "software" es un anglicismo.*
FAM anglicista.

anglo, -gla *adj.* ① Relativo a un pueblo de origen germánico que se estableció en Inglaterra en los siglos V y VI. I *s. m. y f./adj.* ② Persona perteneciente a este pueblo.

angloamericano, -na *adj.* ① Relativo a ingleses y americanos conjuntamente. ② De Estados Unidos (país de América del Norte). SIN estadounidense, norteamericano. I *s. m. y f./adj.* ③ Persona que es de los Estados Unidos, especialmente si es de origen inglés. SIN estadounidense, norteamericano.

anglofilia *s. f.* Simpatía hacia lo inglés o los ingleses.
FAM anglófilo.

anglófilo, -la *adj./s. m. y f.* Se aplica a la persona que tiene anglofilia.

anglofobia *s. f.* Odio u oposición hacia lo inglés o los ingleses.
FAM anglófobo.

anglófobo, -ba *adj./s. m. y f.* Se aplica a la persona que tiene anglofobia.

anglófono, -na *adj./s. m. y f.* ① Se aplica a la persona que tiene el inglés como lengua nativa. I *adj.* ② Se aplica al territorio que está habitado por población de habla inglesa.

anglosajón, -jona *adj.* ① Relativo a los pueblos anglos y sajones de origen germánico que se establecieron en Inglaterra en los siglos V y VI. ② De origen y cultura inglesa. I *s. m./adj.* ③ Lengua antigua de Inglaterra hablada por los pueblos anglos y sajones.

angoleño, -ña *adj.* ① De Angola (país de África). I *s. m. y f./adj.* ② Persona que es de Angola.

angora *s. f.* ① Raza de gatos, conejos y cabras originaria de Turquía (país de Europa), caracterizada por tener el pelaje abundante, sedoso y largo. ② Lana obtenida de estos conejos y cabras.
FAM angorina.

angorina *s. f.* Fibra textil sintética que imita la angora.

angostar *v. tr.* culto Estrechar.

angosto, -ta *adj.* Que es estrecho y reducido, especialmente para permitir el paso: *un pasadizo angosto.*
FAM angostar, angostura.

A

angostura¹ *s. f.* ⃞1 Falta de anchura y espacio, especialmente para permitir el paso. ⃞2 Lugar de paso estrecho y difícil de atravesar. ⃞3 Poco alcance intelectual o moral.

angostura² *s. f.* Bebida de sabor amargo que se extrae de la corteza de una planta americana y que se usa para hacer combinados.

ángstrom *s. m.* Unidad de longitud equivalente a la diezmillonésima parte de un milímetro: *el ángstrom se emplea para mediciones de átomos.*
OBS Se ha adaptado al español con la forma *angstromio.*

angstromio *s. m.* Ángstrom.

anguila *s. f.* Pez comestible parecido a la serpiente, de cuerpo alargado, cilíndrico y resbaladizo, sin aletas abdominales; vive en los ríos y desciende al mar para su reproducción.
FAM anguiliforme.

angula *s. f.* Cría de la anguila.

angular *adj.* ⃞1 Que tiene forma de ángulo: *puso unos protectores angulares a la mesa.* ⃞2 Relativo al ángulo.
gran angular Lente del objetivo de una cámara de fotografía, vídeo o cine que abarca un ángulo visual de 70 a 180 grados.

ángulo *s. m.* ⃞1 Cada una de las partes en que queda dividido un plano por dos semirrectas que parten de un mismo punto. ■ **ángulo agudo** Ángulo menor que 90°. ■ **ángulo central de un polígono regular** Ángulo que tiene su vértice en el centro de un polígono regular y cuya medida es igual a 360° dividido por el número de lados del polígono. ■ **ángulo central de una circunferencia** Ángulo que tiene su vértice en el centro de la circunferencia. ■ **ángulo completo** Ángulo de 360°. ■ **ángulo cóncavo** Ángulo en el que las prolongaciones de sus lados no pasan por él o, equivalentemente, ángulo menor que 180°. ■ **ángulo convexo** Ángulo en el que las prolongaciones de sus lados lo atraviesan o, equivalentemente, ángulo mayor que 180°. ■ **ángulo de incidencia** Ángulo que forma el rayo que incide sobre una superficie y la normal a esta en el punto de incidencia. ■ **ángulo de reflexión** Ángulo que forma el rayo reflejado sobre una superficie y la normal a esta en el punto de incidencia. ■ **ángulo de refracción** Ángulo que forma el rayo refractado sobre una superficie y la normal a esta en el punto de incidencia. ■ **ángulo de un polígono regular** Ángulo formado por dos lados consecutivos. ■ **ángulo diedro** Porción de espacio limitado por dos caras de un poliedro o, en general, por dos semiplanos con la misma recta de origen. ■ **ángulo exterior a una circunferencia** Ángulo que tiene su vértice fuera de la circunferencia y cuyos lados la cortan. ■ **ángulo exterior (o externo) de un polígono** Ángulo que no contiene al centro del polígono y está formado por un lado y la prolongación de un lado contiguo. ■ **ángulo inscrito en una circunferencia** Ángulo que tiene su vértice sobre un punto de la circunferencia y sus lados son dos cuerdas de la misma. ■ **ángulo interior a una circunferencia** Ángulo que tiene su vértice en el interior de la circunferencia. ■ **ángulo interior (o interno) de un polígono** Ángulo formado por dos lados consecutivos de un polígono. ■ **ángulo llano** Ángulo de 180°. ■ **ángulo obtuso** Ángulo de más de 90° y menos de 180°. ■ **ángulo poliedro** Porción de espacio limitado por tres o más planos que se cortan en un punto. ■ **ángulo recto** Ángulo de 90°. ■ **ángulo semiinscrito** Ángulo que tiene su vértice sobre la circunferencia y cuyos lados son una cuerda y una tangente a la circunferencia. ■ **ángulos adyacentes** Ángulos que tienen en común el vértice y un lado y cuya suma es180°; son suplementarios. ■ **ángulos alternos externos** Pareja de ángulos que se obtienen al cortar dos rectas paralelas con una secante a ambas, que quedan fuera del espacio comprendido entre las paralelas y cada uno a un lado de la secante; su medida es igual. ■ **ángulos alternos internos** Pareja de ángulos que se obtienen al cortar dos rectas paralelas con una secante a ambas, que quedan en la zona comprendida entre las dos paralelas y cada uno a un lado de la secante; su medida es igual. ■ **ángulos complementarios** Ángulos cuya suma es 90°. ■ **ángulos consecutivos** Ángulos que tienen en común un vértice y un lado. ■ **ángulos contiguos** Ángulos que están uno a continuación del otro. ■ **ángulos correspondientes** Pareja de ángulos que se obtienen al cortar dos rectas paralelas con una secante a ambas y que se encuentran en la misma posición con respecto a las paralelas y al mismo lado de la secante; su medida es igual. ■ **ángulos iguales** Ángulos que tienen la misma medida. ■ **ángulos opuestos por el vértice** Ángulos que comparten el vértice y los lados de uno se encuentran sobre la prolongación de los del otro; su medida es igual. ■ **ángulos suplementarios** Ángulos cuya suma es de 180°. ⃞2 Esquina en la que se unen dos superficies. ⃞3 Manera particular de considerar o considerar una cosa: *antes de emitir un juicio, debes enfocar el problema desde todos los ángulos.*
ángulo muerto Pequeña porción de un campo visual que queda fuera de la vista: *si no se colocan adecuadamente los espejos retrovisores de un coche, se pueden dejar peligrosos ángulos muertos.*
FAM angular, anguloso.

anguloso, -sa *adj.* ⃞1 Se aplica a la figura u objeto que tiene ángulos o esquinas. ⃞2 Se aplica al rostro de una persona que tiene formas salientes y pronunciadas marcadas por los huesos de la cara: *cara de facciones angulosas.*
FAM angulosidad.

angustia *s. f.* ⃞1 Sufrimiento y preocupación intensos provocados por un peligro o una amenaza. **SIN** ansia, congoja. ⃞2 Sensación de malestar que se tiene en el estómago cuando se quiere vomitar. **NOTA** Generalmente en plural con el mismo significado que en singular. **SIN** ansias, basca, náusea.
FAM angustiar, angustioso.

angustiado, -da *adj.* Que manifiesta angustia: *llanto angustiado; ojos angustiados.*

angustiar *v. tr.* Causar sufrimiento, pena o preocupación intensa: *la falta de noticias angustiaba a los familiares del secuestrado.* **SIN** acongojar.
FAM angustiado.
OBS Verbo regular, se acentúa como *cambiar.*

angustioso, -sa *adj.* ⃞1 Que causa angustia: *la operación de salvamento fue larga y angustiosa.* ⃞2 Que muestra una gran angustia.

anhelar *v. tr.* Desear una cosa de manera intensa y ansiosa: *anhelaba volver a su país.* **SIN** ansiar.
FAM anhelante, anhelo.

anhelo *s. m.* Deseo intenso de hacer o conseguir una cosa.
FAM anheloso.

anheloso, -sa *adj.* ⃞1 Que muestra anhelo o ansia por algo. ⃞2 Se aplica a la respiración que es fatigosa.

anhídrido *s. m.* Compuesto químico, óxido, formado por la combinación del oxígeno con un elemento no metálico y que al reaccionar con agua da un oxácido. **NOTA** Término en desuso que equivale al actual *óxido.*

anhídrido carbónico Gas inodoro e incoloro formado por carbono y oxígeno que se desprende en la respiración, en las combustiones y en algunas fermentaciones. **NOTA** Término en desuso que equivale al actual *dióxido de carbono.*

anhidro, -dra *adj.* Se aplica a la sustancia o el compuesto que no tiene agua: *sal anhidra; carbonato sódico anhidro.*

anidar *v. intr.* ① Hacer un nido un ave para vivir en él: *los flamencos anidan en zonas húmedas.* ② Formarse o residir un pensamiento o sentimiento en el interior de una persona: *en su corazón anida la bondad.*

anilla *s. f.* ① Pieza en forma de circunferencia que sirve para colgar o sujetar objetos: *las anillas de una cortina.* ② Pieza cilíndrica, de metal o plástico, donde se imprimen algunos datos, que se coloca a los animales para controlarlos y estudiarlos. **|** *s. f. pl.* ③ **anillas** Par de aros sostenidos por dos cables de suspensión que cuelgan de una estructura elevada y que se utilizan para hacer ejercicios de fuerza y equilibrio: *las anillas constituyen uno de los aparatos de la gimnasia masculina.* **FAM** anillado, anillar, anillo.

anillado, -da *adj.* ① Se aplica al objeto que tiene uno o más anillos: *una columna con el fuste anillado.* ② Se aplica al animal que tiene el cuerpo formado por anillos. ③ Se aplica al animal que tiene una anilla con datos para su control y estudio.

anillar *v. tr.* ① Sujetar con anillas. ② Poner anillas a los animales, generalmente en las patas, para controlarlos y estudiarlos: *el zoólogo anilló varias cigüeñas para estudiar sus movimientos migratorios.* **|** *v. prnl. tr.* ③ **anillarse** Colocarse una persona en una parte de su cuerpo un anillo como adorno: *anillarse una oreja.*

anillo *s. m.* ① Aro que se lleva en un dedo como adorno o como símbolo de un estado o cargo: *los fieles besaron el anillo del obispo en señal de respeto.* ② Segmento en que se divide el cuerpo de algunos animales, como los anélidos o los artrópodos. ③ Saliente o adorno circular que rodea algunos cuerpos o espacios cilíndricos: *los anillos de una columna.* ④ Capa circular, fina y ancha, formada por diversos materiales y gases, que rodea a algunos planetas: *los anillos de Saturno.* ⑤ Capa leñosa circular, concéntrica a otras, que se forma en el tronco de los árboles cada año y, por lo tanto, permite determinar su edad. **caérseme/te/... los anillos** Rebajarse y perder la categoría o el prestigio personal: *ayúdame a hacer fotocopias, que no se te van a caer los anillos.* **como anillo al dedo** En un momento muy oportuno o de manera muy adecuada: *tu llamada me viene como anillo al dedo para pedirte un favor.*

ánima *s. f.* ① Alma de una persona fallecida. ② Según la Iglesia católica, alma que se purifica en el purgatorio. ③ Hueco interior del cañón de un arma de fuego: *el ánima de pistolas y fusiles está estriada para que el proyectil salga con mayor control y velocidad.* **SIN** alma. **|** *s. f. pl.* ④ **ánimas** Toque de campanas de una iglesia que llama a la oración por las almas del purgatorio. ⑤ Hora a la que se tocan las campanas para dar comienzo a la oración por las almas del purgatorio. **FAM** anímico, animismo. **OBS** Los artículos de singular son *el* y *un,* salvo que entre artículo y sustantivo haya otra palabra.

animación *s. f.* ① Agilidad en las acciones, palabras o movimientos: *los corros de la bolsa experimentaron una gran animación al conocerse los últimos datos económicos.* ② Ambiente alegre

y ruidoso producido por mucha gente reunida: *los bares del puerto deportivo registran una gran animación todas las noches del verano.* **SIN** ambientación, bullicio, jaleo. ③ Técnica cinematográfica que consiste en fotografiar una serie de figuras, generalmente dibujadas o modeladas, con mínimos cambios de posición para dar una impresión de movimiento cuando se proyecten de manera continuada a cierta velocidad: *la Disney es una importante productora de películas de animación.* ④ Conjunto de técnicas para fomentar la participación y creatividad.

animado, -da *adj.* ① Que tiene alma. ② Se aplica al ser que tiene vida: *las plantas y los animales son seres animados.* **ANT** inanimado. ③ Se aplica a la persona que tiene un comportamiento activo y alegre. ④ Que es muy interesante y divertido: *una conversación muy animada.* ⑤ Se aplica al lugar o local que tiene un ambiente alegre por estar frecuentado por mucha gente.

animador, -ra *adj./s. m. y f.* ① Que anima. **|** *s. m. y f.* ② Persona que se dedica a animar a un grupo de personas organizando espectáculos y dirigiendo actividades de animación cultural: *en todos los grandes hoteles de la costa hay un grupo de animadores.* ③ Persona que se dedica a la animación cinematográfica.

animadversión *s. f.* Sentimiento de oposición o antipatía que se tiene contra alguien o algo. **SIN** animosidad.

animal *s. m./adj.* ① Ser vivo pluricelular, generalmente dotado de capacidad de movimiento y sensibilidad, que se alimenta de otros seres vivos: *aunque el hombre es también un animal, este término suele hacer referencia a los seres que no tienen capacidad de raciocinio.* **|** *adj.* ② Relativo al animal (ser vivo): *la vida animal.* ③ Relativo a la parte irracional de la persona: *instinto animal.* **|** *adj./s. com.* ④ familiar Se aplica a la persona que hace un uso excesivo de la fuerza, es violento o tiene malos modos: *¡es un animal, mira que pegarle de esa manera!* **SIN** bestia, bruto, burro. ⑤ familiar Se aplica a la persona que es torpe, poco inteligente o de escasa formación. **SIN** bestia, borrico, burro. **|** *s. m. pl.* ⑥ **animales** Grupo taxonómico, con categoría de reino, constituido por estos seres vivos. **FAM** animalada, animalario, animalizar.

animalada *s. f.* Acción o comentario que causa sorpresa y rechazo por ser especialmente torpe, equivocado o exagerado. **SIN** barbaridad, bestialidad, burrada.

animar *v. tr.* ① Dar fuerza moral a una persona: *tras la muerte de su padre, sus amigos pasaban mucho tiempo con él para animarlo.* **ANT** desanimar. ② Estimular a una persona para que se decida a hacer una cosa: *animó a su hijo para que continuara estudiando.* ③ Infundir alegría, vivacidad o diversión a cosas inanimadas o a una reunión de personas: *animó la habitación con un par de cuadros; animó la fiesta con sus chistes de siempre.* ④ Infundir fuerza y vigor a un ser vivo: *estas vitaminas le animarán.* ⑤ Realizar la animación de dibujos o imágenes modeladas. **|** *v. prnl.* ⑥ **animarse** Reunir el valor y la energía necesarios para hacer o decir una cosa: *ante la insistencia de sus amigos, se animó a subir a la montaña rusa.* **SIN** atreverse. **FAM** animación, animado, animador; desanimar.

anímico, -ca *adj.* ① Relativo al ánimo: *estado anímico; equilibrio anímico.* ② Relativo al alma.

animismo *s. m.* Creencia que atribuye un alma a todos los seres y fenómenos de la naturaleza: *el animismo es una creencia propia de culturas primitivas.* **FAM** animista.

animista *adj.* **1** Relativo al animismo. | *adj./s. com.* **2** Se aplica a la persona que cree en el animismo.

ánimo *s. m.* **1** Estado emocional de una persona: *su ánimo es excelente.* **2** Fuerza moral y energía que impulsan a la actividad: *perder los ánimos; empezó el trabajo con mucho ánimo.* **NOTA** También en plural con el mismo significado que en singular. **3** Intención o voluntad: *lo hizo con ánimo de ayudarte.* **4** Aplicación de los sentidos en un asunto: *tengo el ánimo en otra cosa.* | *int.* **5** **¡ánimo!** Se usa para dar fuerza moral o energía: *¡ánimo, que solo queda un minuto para acabar el partido!* **FAM** animoso.

animosidad *s. f.* **1** Sentimiento de oposición o antipatía que se tiene contra alguien o algo. **SIN** animadversión. **2** Ánimo con el que se emprende una actividad.

animoso, -sa *adj.* **1** Se aplica a la persona que actúa con fuerza moral, energía y valor. **2** Que infunde ánimo y energía. **FAM** animosidad.

aniñado, -da *adj.* Se aplica a la persona que tiene características o rasgos propios de un niño, o que actúa como tal.

anión *s. m.* Ion con carga negativa; se forma cuando un átomo, o un grupo de átomos, ha ganado uno o más electrones: *en la electrólisis, el anión se dirige al ánodo o polo positivo.* **ANT** catión.

aniquilar *v. tr.* **1** Destruir y acabar completamente con la vida: *el ejército invasor aniquiló a la población civil mediante el uso de armas químicas.* **2** Reducir a la nada. **SIN** anonadar. **FAM** aniquilación, aniquilador, aniquilamiento.

anís *s. m.* **1** Planta herbácea de flores blancas y semillas pequeñas y aromáticas, originaria de las zonas mediterráneas. **SIN** matalahúga, matalahúva. **2** Semilla de esta planta: *el anís se utiliza para la elaboración de licores y en repostería.* **SIN** matalahúga, matalahúva. **3** Licor hecho con aguardiente aromatizado con esta semilla. **4** Golosina en forma de bola hecha con un grano de anís cubierto con un baño de azúcar. **estar hecho un anís** AMÉR. SUR Ir una persona bien vestida, elegante y limpia. **FAM** anisar, anisete.

anisado, -da *adj.* Aromatizado o elaborado con anís: *un aguardiente anisado.*

anisar¹ *v. tr.* Echar anís a una cosa: *anisar un pastel.* **FAM** anisado.

anisar² *s. m.* Terreno plantado de anís.

anisete *s. m.* Licor hecho con aguardiente y azúcar y aromatizado con anís.

aniversario *s. m.* **1** Día en que se cumple un número exacto de años desde que se produjo un acontecimiento o desde el nacimiento de una persona. **2** Celebración con que se conmemora este día.

ano *s. m.* Orificio del cuerpo en el que termina el tubo digestivo, por el que se expulsan al exterior los excrementos. **FAM** anal.

anoche *adv.* En la noche de ayer. **FAM** anteanoche.

anochecer¹ [16] *v. impersonal* **1** Desaparecer la luz solar y hacerse de noche. | *v. intr.* **2** Estar en un lugar, en una situación o en un estado determinados al hacerse de noche: *salimos de casa por la tarde y anochecimos a medio camino de nuestro destino.*

anochecer² *s. m.* Parte del día durante la cual desaparece la luz solar y se hace de noche. **SIN** anochecida.

anodino, -na *adj.* Insustancial, insignificante o que carece de interés o importancia.

ánodo *s. m.* Electrodo o polo positivo de un generador eléctrico; es el electrodo de mayor potencial: *el ánodo y el cátodo son los polos de una pila eléctrica.* **ANT** cátodo.

anofeles *adj./s. m.* Se aplica al mosquito que pertenece a un género caracterizado por tener una larga prolongación como boca y palpos tan largos como esta, cuyas hembras son transmisoras del paludismo. **OBS** Plural invariable.

anomalía *s. f.* Cambio o desviación respecto de lo que es normal, regular, natural o previsible: *una anomalía cromosómica es cualquier alteración o cambio que se produzca tanto en uno de los cromosomas como en el número de estos en un individuo.* **SIN** irregularidad.

anómalo, -la *adj.* Que se desvía de lo que se considera normal, regular, natural o previsible: *el funcionamiento anómalo de uno de los reactores provocó el cierre de la central nuclear.* **FAM** anomalía.

anonadar *v. tr.* **1** Dejar a una persona sin capacidad de reacción o respuesta ante una sorpresa o una maravilla. **2** Hacer que una persona se sienta humillada y se valore en menos de lo debido. **SIN** apocar. **3** Reducir a la nada. **SIN** aniquilar. **4** Disminuir mucho una cosa. **FAM** anonadación, anonadamiento.

anonimato *s. m.* Condición o carácter de anónimo: *los nombres de los donantes de órganos permanecen en el anonimato.*

anónimo, -ma *adj.* **1** Se aplica al autor de una obra o acto de nombre desconocido o que no se da a conocer: *el «Cantar de Mio Cid» es de autor anónimo.* **2** Se aplica a la obra o acto de autor desconocido o que no se da a conocer: *una carta anónima.* **3** Se aplica a la persona que no es famosa ni conocida por muchos: *miles de héroes anónimos trabajan en el Tercer Mundo.* | *s. m.* **4** Carta o papel dirigido a una persona en el que no figura el nombre de su autor: *el juez había recibido varios anónimos amenazadores.* **FAM** anonimato.

anorak *s. m.* Prenda exterior de vestir hecha de tejido impermeable y forrada, con mangas largas, abierta por delante con botones o cremallera; llega más abajo de la cintura y generalmente tiene capucha. **OBS** Plural: *anoraks.*

anorexia *s. f.* Enfermedad nerviosa que se manifiesta por la pérdida del apetito, generalmente acompañada de vómitos provocados y adelgazamiento extremo; suele darse en personas jóvenes, a causa de un afán desmedido por adelgazar: *se han creado asociaciones para combatir la anorexia y la bulimia.* **FAM** anoréxico. **OBS** También *anorexia nerviosa.*

anoréxico, -ca *adj.* **1** Relativo a la anorexia: *los trastornos anoréxicos pueden provocar la muerte.* | *adj./s. m. y f.* **2** Se aplica a la persona que padece anorexia.

anormal *adj.* **1** Que sufre alguna anormalidad. | *adj./s. com.* **2** Se aplica a la persona que tiene una capacidad mental inferior a la normal. **SIN** deficiente, retrasado. **FAM** anormalidad.

anormalidad *s. f.* Cambio o desviación respecto de lo que es normal, regular, natural o previsible. **SIN** irregularidad.

anotación *s. f.* **1** Dato o información, generalmente breve, que se escribe en un papel. **2** Dato, aclaración o comentario, generalmente breve, que se escribe en los márgenes de un texto escrito, a pie de página o al final del mismo: *en la anotación de una obra clásica se aclara el significado de palabras y expresiones anticuadas.* **3** Acción de anotar un dato o información. **4** En el baloncesto, conjunto de puntos obtenidos por un jugador o por un equipo en un partido.

anotar *v. tr.* **1** Escribir en un papel un dato o información, generalmente breve. **SIN** apuntar. **2** Poner notas explicativas a un texto. **3** En el baloncesto y otros deportes, conseguir uno o varios tantos: *el nuevo pívot anotó 24 puntos.* ‖ *v. prnl. tr.* **4** **anotarse** Conseguir tantos o triunfos en una competición deportiva: *el tenista español se anotó una importante victoria.*
FAM anotación.

anovulatorio, -ria *s. m./adj.* Sustancia o medicamento que impide la ovulación durante el ciclo menstrual.

anquilosamiento *s. m.* **1** Falta de flexibilidad o movimiento, especialmente en una parte del cuerpo: *el progresivo anquilosamiento de las piernas le llevó a la silla de ruedas.* **2** Disminución del desarrollo de una actividad o de la facilidad con que esta se llevaba a cabo.

anquilosar *v. tr.* **1** Dejar sin flexibilidad o movimiento, especialmente una parte del cuerpo: *la artrosis anquilosa los huesos.* **2** Disminuir el desarrollo de una actividad o la facilidad con que esta se llevaba a cabo.
FAM anquilosamiento.

ánsar *s. m.* Ave acuática de patas rojas y pico cónico y fuerte, con las plumas de color blanco en el vientre, rosa en el pecho y casi gris en el resto del cuerpo; existe una variedad doméstica, con el pico de color naranja y casi negro en la punta, el pecho y el vientre amarillos, la cabeza y el cuello gris oscuro y el resto del cuerpo gris con rayas marrones.
FAM ansarino.

anschluss [se pronuncia aproximadamente 'anslus'] *s. m.* Anexión de Austria a Alemania hecha por Hitler: *el anschluss duró desde 1938 hasta el final de la Segunda Guerra Mundial.*

ansia *s. f.* **1** Deseo intenso de hacer o conseguir una cosa: *los jugadores lucharon con entrega y ansia de triunfo.* **SIN** anhelo. **2** Sufrimiento y preocupación intensos provocados por un peligro o por una amenaza: *siente ansia cuando se aproximan las fechas de los exámenes.* **SIN** angustia, congoja. ‖ *s. f. pl.* **3** **ansias** Sensación de malestar que se siente en el estómago cuando se tienen ganas de vomitar. **SIN** angustia, basca, náusea.
FAM ansiar, ansiedad, ansiolítico, ansioso.
OBS Los artículos de singular son *el* y *un*, salvo que entre artículo y sustantivo haya otra palabra.

ansiar *v. tr.* Desear algo con ansia.
OBS Verbo regular, se acentúa como *desviar.*

ansiedad *s. f.* **1** Preocupación o inquietud causadas por la inseguridad o el temor, que puede llevar a la angustia: *buscó con ansiedad el nombre de su amigo en la lista de fallecidos.* **SIN** angustia, ansia, congoja. **2** Estado de intensa excitación y nerviosismo: *las seguidoras esperaban con ansiedad poder ver a su ídolo en la puerta del hotel.*

ansiolítico, -ca *s. m./adj.* Sustancia o medicamento que sirve para reducir y calmar los estados de ansiedad.

ansioso, -sa *adj./s. m. y f.* **1** Que siente un deseo intenso por algo: *se mostraba ansioso por volver a torear.* **2** Que tiene ansiedad (preocupación).

antagónico, -ca *adj.* Que se caracteriza por su antago-

nismo con otra persona, opinión o idea: *sindicatos y empresarios defienden posiciones antagónicas en el pacto laboral.* **SIN** antagonista.

antagonismo *s. m.* **1** Incompatibilidad u oposición entre personas, opiniones o ideas. **2** Enfrentamiento o enemistad entre dos o más personas que aspiran a lograr una misma cosa.
FAM antagónico, antagonista.

antagonista *adj.* **1** Antagónico. ‖ *adj./s. com.* **2** Se aplica a la persona que actúa de manera contraria y opuesta a otra; especialmente, se aplica al personaje que se opone al protagonista de una narración o película cinematográfica.

antaño *adv.* En un tiempo pasado: *antaño se viajaba en diligencia.*

antártico, -ca *adj.* Relativo al polo sur y a las regiones que lo rodean: *costa antártica; la Antártida es un territorio antártico.* **ANT** ártico.

ante¹ *s. m.* **1** Mamífero rumiante parecido al ciervo, pero muy corpulento, con el hocico ancho y caído y los cuernos planos en forma de pala con grandes recortes en los bordes; habita en los bosques del norte de Europa, de Asia y de América. **SIN** alce. **2** Piel curtida de tacto muy delicado y sin brillo que procede de algunos animales, especialmente del alce: *tengo unas botas de ante.*

ante² *prep.* **1** En presencia de, delante de: *se declaró culpable ante sus compañeros.* **2** Teniendo en cuenta lo que se expresa o en comparación con ello: *ante la perspectiva del despido, la rebaja de sueldos le pareció aceptable.*

anteanoche *adv.* En la noche anterior a la de ayer.

anteayer *adv.* En el día anterior al de ayer.

antebrazo *s. m.* Parte del brazo que va desde el codo hasta la muñeca.

antecámara *s. f.* Habitación que precede a la sala principal de un palacio o una casa grande.

antecedente *adj.* **1** Que antecede. ‖ *s. m.* **2** Hecho, comentario o circunstancia del pasado que influye en hechos posteriores y sirve para juzgarlos, entenderlos o preverlos: *los antecedentes de la guerra en la antigua Yugoslavia.* **3** En gramática, primer término de una oración gramatical; se trata de un sustantivo, pronombre o proposición a que hace referencia un pronombre relativo: *en la frase "llegó a España el jugador que ha fichado nuestro equipo", el antecedente del pronombre relativo "que" es "el jugador".*

poner en antecedentes Informar a alguien de las circunstancias que preceden a un asunto.

anteceder *v. tr.* Estar o ir delante en el tiempo o en el espacio. **SIN** preceder, anteceder.
FAM antecedente, antecesor.

antecesor, -ra *s. m. y f.* **1** Persona que precedió en un puesto o cargo a determinada persona: *el antecesor de José María Aznar en la presidencia del Gobierno español fue Felipe González.* **SIN** predecesor. **ANT** sucesor. **2** Persona de la que descienden otra u otras, especialmente si pertenece a una época pasada remota. **SIN** antepasado. ‖ *adj.* **3** Que es anterior en el tiempo.

antedicho, -cha *adj.* Que ha sido citado o mencionado con anterioridad: *el ejemplo antedicho hacía referencia a la palabra "antecesor".* **SIN** susodicho.

antediluviano, -na *adj.* **1** Que es muy antiguo, que está pasado de moda: *tenemos un televisor antediluviano.* **2** Que es anterior al diluvio universal.

antelación *s. f.* Adelanto en el tiempo de un hecho o circunstancia que estaba previsto que sucediera con posterioridad. SIN anticipación.

antemano Se usa en la expresión:
de antemano Indica adelanto en el tiempo respecto de un hecho o circunstancia: *como había leído la novela, sabía de antemano el final de la película.*

antena *s. f.* **1** Parte de un aparato de radio o televisión que tiene contacto directo con el exterior, a través de la cual se pueden recibir o emitir ondas electromagnéticas. **2** Apéndice articulado, fino y alargado, que algunos grupos de artrópodos tienen a ambos lados de la cabeza y que funciona como órgano del tacto o del olfato: *las antenas de hormigas y langostas.* **|** *s. f. pl.* **3** **antenas** familiar Orejas.
en antena En emisión, en el aire: *«Informe semanal» es uno de los programas de televisión que más tiempo llevan en antena.*

anteojeras *s. f. pl.* Piezas opacas que se colocan junto a los ojos de las caballerías e impiden la visión lateral.

anteojo *s. m.* **1** Aparato óptico que reproduce la imagen de un objeto alejado, a un tamaño mayor del observado a simple vista; está formado por un tubo que tiene en su interior un sistema de lentes. **|** *s. m. pl.* **2** **anteojos** Aparato óptico para ver a distancia con los dos ojos, formado por dos tubos, uno para la visión de cada ojo, que tienen en su interior una combinación de prismas y lentes. SIN binoculares, gemelos, prismáticos. **3** Gafas; especialmente, las que no tienen patillas y se sujetan únicamente a la nariz.

antepasado, -da *s. m. y f.* **1** Persona de la que descienden otra u otras, especialmente si pertenece a una época pasada remota. SIN antecesor. **|** *adj.* **2** Que es anterior a un tiempo ya pasado.

antepecho *s. m.* **1** Baranda que cierra un lugar alto para impedir que las personas se caigan. **2** Reborde inferior de una ventana que permite que las personas se apoyen e impide las caídas.

antepenúltimo, -ma *adj./s. m. y f.* Que ocupa el lugar inmediatamente anterior al penúltimo: *la "x" es la antepenúltima letra del abecedario español.*

anteponer [36] *v. tr.* **1** Poner una cosa delante de otra. ANT posponer. **2** Preferir o considerar a una persona o cosa más importante que otra: *anteponer la felicidad al éxito.* FAM anteposición.

anteposición *s. f.* Acción de anteponer.

anteproyecto *s. m.* **1** Texto provisional aprobado por un gobierno que se envía al Parlamento para su debate como proyecto de ley: *el anteproyecto de ley de los Presupuestos Generales del Estado ha recibido numerosas enmiendas.* **2** Conjunto de trabajos anteriores al proyecto definitivo de una obra de arquitectura o ingeniería.

antepuesto, -ta Participio irregular de *anteponer.*

antera *s. f.* Extremo superior del estambre de una flor, que contiene el polen.

anteridio *s. m.* Órgano sexual masculino de ciertas especies primitivas, como las algas, las briofitas (musgos) y las pteridofitas (helechos).

anterior *adj.* **1** Que está antes en el tiempo o el espacio: *la desaparición de los dinosaurios fue anterior a la vida humana.* ANT posterior. **2** Que está situado en la parte de delante de una cosa vista frontalmente: *el caballo levantó las patas anteriores.* SIN delantero. ANT posterior, trasero. **|** *adj./s. f.* **3** Se

aplica al fonema vocálico cuyo punto de articulación está en la parte delantera de la cavidad bucal, hacia el paladar: *la "e" y la "i" son vocales anteriores.* **4** Se aplica al fonema consonántico que se articula en la parte delantera de la boca; son las labiales y las dentales. **|** *adj.* **5** Se aplica al tiempo verbal que expresa una acción pasada o futura terminada antes que otra también pasada o futura: *pretérito anterior.* FAM anterioridad.

anterioridad *s. f.* Circunstancia de ser una cosa anterior a otra. ANT posterioridad.
con anterioridad En tiempo anterior.

anterozoide *s. m.* Célula sexual masculina móvil que se produce en el anteridio.

antes *adv.* **1** En tiempo anterior: *antes de entrar en la piscina, es recomendable ducharse.* ANT después. **2** Más cerca en el espacio, con referencia a un punto concreto: *antes de la entrada a la sala de cine hay un puesto de palomitas.* ANT después. **3** Se emplea para expresar preferencia: *antes que montarme contigo en el coche, me voy andando.* **|** *adj.* **4** Que va inmediatamente delante de otra cosa en un orden determinado: *el día antes habían estado en el lugar del accidente.* ANT después. **|** *conj.* **5** Por el contrario: *no solo no renuncia a comer carne, antes la prefiere al pescado.*
antes bien Indica oposición en relación con lo que se ha expresado anteriormente: *no le gusta ir al fútbol, antes bien prefiere salir al campo con su familia.*
antes de Indica anterioridad respecto a un punto o hecho de referencia: *antes de comer, lávate las manos.*
antes de anoche Anteanoche.
antes de ayer Anteayer.
antes de que o **antes que** Indica que la acción de la subordinada es posterior a otra acción o hecho: *debemos irnos antes que anochezca.*
cuanto antes Lo más pronto posible: *sácate el pasaporte cuanto antes.*

antesala *s. f.* **1** Habitación que precede a la sala, despacho o lugar más importante en el que se recibe a una visita. **2** Conjunto de hechos o circunstancias que preceden a un acontecimiento de mayor importancia con el que tienen relación: *el rumor es, a veces, la antesala de la noticia.*

antiaéreo, -rea *adj.* **1** Que actúa ante los ataques aéreos: *un misil antiaéreo destruyó el avión enemigo.* **|** *adj./s. m.* **2** Se aplica al cañón utilizado en la defensa del espacio aéreo.

antibiótico, -ca *s. m./adj.* **1** Sustancia producida por un ser vivo o sintetizada artificialmente que destruye o frena el desarrollo de otras células; se utiliza en medicina para eliminar las infecciones provocadas por bacterias y hongos: *la penicilina se extrae de un hongo y fue el primer antibiótico descubierto.* **|** *adj.* **2** Relativo a este medicamento: *propiedades antibióticas.*

anticaspa *adj.* Que previene o elimina la caspa: *productos anticaspa.* OBS Invariable en número.

anticiclón *s. m.* Zona de la atmósfera en la que la presión atmosférica es más alta, la que se produce, generalmente, un tiempo despejado en el territorio que se halla bajo su influencia: *se considera anticiclón la región atmosférica con una presión central superior a 1 013 milibares.* FAM anticiclónico.

anticiclónico, -ca *adj.* Relativo al anticiclón: *una situación anticiclónica de la atmósfera suele ser sinónimo de tiempo bueno y estable.*

anticipación *s. f.* **1** Adelanto en el tiempo de un hecho o circunstancia que estaba previsto que sucediera con posterioridad. **SIN** antelación, anticipo. **2** Rapidez de movimientos e ideas que permite a una persona llegar a un lugar o desarrollar una actividad antes que lo hagan los demás.

anticipado, -da *adj.* Se aplica al hecho o circunstancia que sucede o se da antes del tiempo previsto: *jubilación anticipada*.

por anticipado Con antelación, antes del tiempo previsto o normal: *para poder comprar el coche, el concesionario me exige una cantidad por anticipado*.

anticipar *v. tr.* **1** Hacer que una cosa ocurra antes del tiempo previsto o normal. **SIN** adelantar. **2** Pagar una cantidad de dinero antes de la fecha señalada o de que el trabajo correspondiente esté terminado. **SIN** adelantar. **3** Comunicar la voluntad de hacer una cosa o informar de una noticia antes de lo que se esperaba: *el telediario anticipó el resultado de las elecciones*. **SIN** adelantar. **4** Ser indicio o señal de una cosa que ocurrirá a continuación: *la llegada de las golondrinas anticipa la primavera*. **SIN** adelantar. **ǁ** *v. prnl.* **5 anticiparse** Actuar una persona con mayor rapidez de movimientos o ideas que otra: *el delantero se anticipó a los defensas y logró marcar*. **SIN** adelantarse. **6** Ocurrir algo antes del tiempo previsto o normal: *parece que se anticipará el calor*. **SIN** adelantarse. **ANT** atrasarse, retrasarse.

FAM anticipación, anticipado, anticipo.

anticipo *s. m.* Cantidad de dinero que se paga anticipadamente. **SIN** adelanto.

anticlerical *adj.* **1** Relativo al anticlericalismo: *ya en el Renacimiento se produjeron en la cultura algunos síntomas anticlericales*. **ǁ** *adj./s. com.* **2** Se aplica a la persona que es partidaria del anticlericalismo.

FAM anticlericalismo.

anticlericalismo *s. m.* **1** Actitud contraria a la intervención de la Iglesia en los asuntos del estado, especialmente a su influencia política, económica o cultural. **2** Hostilidad contra todo lo que se relaciona con el clero.

anticlímax *s. m.* **1** En retórica, disposición de los términos de una gradación de manera que cada una de las palabras o expresiones de esta signifique o exprese algo menos que su inmediata anterior. **2** Término más bajo de una gradación. **3** Parte de una obra literaria o dramática que sigue al clímax y en la que se relaja progresivamente la tensión narrativa. **OBS** Plural invariable.

anticlinal *adj./s. m.* Se aplica al pliegue de terreno cuyas capas más antiguas están situadas en el núcleo o centro.

anticoagulante *s. m./adj.* Sustancia o medicamento que sirve para retrasar o impedir la coagulación de la sangre.

anticodón *s. m.* Conjunto de tres nucleótidos de la molécula de ARN de transferencia que es complementario a otro triplete de la secuencia de ARN mensajero (codón): *al unirse el anticodón a su codón correspondiente, la molécula de ARN de transferencia libera un aminoácido que se incorpora a la proteína que se esté sintetizando*.

anticoncepción *s. f.* Conjunto de métodos, sustancias o medios empleados como contraconceptivos. **SIN** contracepción, contraconcepción.

FAM anticonceptivo.

anticonceptivo, -va *adj./s. m.* Se aplica al método, sustancia o medio que impide el embarazo de una mujer o un animal hembra por vía mecánica, física u hormonal: *el preser-*

vativo y el diafragma son medios anticonceptivos. **SIN** contraceptivo, contraconceptivo.

anticongelante *adj.* **1** Que impide la congelación. **ǁ** *s. m./adj.* **2** Líquido que impide la congelación del agua que refrigera un motor, especialmente el de un automóvil.

anticonstitucional *adj.* Que es contrario al contenido de la Constitución de un estado: *medida anticonstitucional*. **SIN** inconstitucional. **ANT** constitucional.

anticorrosivo, -va *adj./s. m.* Se aplica a la sustancia que cubre una superficie y la protege de la corrosión química.

Anticristo *s. m.* En la religión cristiana, según las epístolas de san Juan, ser maligno, enemigo de Jesucristo y de su Iglesia, enviado por Satanás para dominar a los seres humanos, que será destruido por Jesucristo en su segunda venida.

anticuado, -da *adj.* **1** Que está pasado de moda o que no se usa desde hace tiempo. **SIN** antiguo. **ANT** moderno. **ǁ** *adj./ s. m. y f.* **2** Se aplica a la persona que no sigue las costumbres modernas.

anticuario, -ria *s. m. y f.* **1** Persona que se dedica a estudiar muebles y objetos antiguos de valor y a comerciar con ellos. **ǁ** *s. m.* **2** Establecimiento donde se venden estos muebles y objetos.

anticuerpo *s. m.* Proteína producida por los linfocitos de la sangre como respuesta a la presencia de un antígeno en el organismo: *las vacunas introducen en el organismo antígenos que provocan la creación de los anticuerpos necesarios para inmunizarlo contra una infección determinada*.

antideportivo, -va *adj.* Que no se ajusta a las normas de corrección y juego limpio que deben respetarse en la práctica de un deporte. **ANT** deportivo.

antideslizante *adj./s. m.* Se aplica al tejido, material o sustancia que impide o reduce el deslizamiento de una superficie sobre otra: *la goma de los neumáticos es antideslizante*.

antidisturbios *adj./s. com.* Se aplica a los miembros de policía que se encargan de combatir disturbios callejeros, disolver manifestaciones, etc.

OBS Plural invariable.

antidopaje *adj.* Se aplica al análisis o control que se realiza a los deportistas para detectar el posible uso de sustancias estimulantes prohibidas por el reglamento: *control antidopaje*. **SIN** antidoping.

OBS Invariable en número.

antidoping [se pronuncia aproximadamente 'antidopin'] *adj.* Antidopaje.

OBS Invariable en número.

antídoto *s. m.* **1** Sustancia que contrarresta o anula la acción de un veneno. **SIN** contraveneno. **2** Medio para evitar o prevenir un mal físico o moral: *la risa es un buen antídoto contra la depresión*.

antidroga *adj.* Que se opone al consumo o al tráfico de drogas: *se crearon varias comisiones antidroga*.

OBS Invariable en número.

antiesclavista *adj.* **1** Que está en contra de la esclavitud: *ley antiesclavista*. **ǁ** *adj./s. com.* **2** Se aplica a la persona que está en contra de la esclavitud.

antiespasmódico, -ca *adj./s. m.* Se aplica al medicamento que alivia o calma los espasmos o convulsiones.

antiestético, -ca *adj.* Que es feo o de mal gusto: *combinación antiestética*. **ANT** estético.

antifaz *s. m.* ① Pieza alargada de tela u otra materia semejante, con agujeros para los ojos, con que se cubre la parte superior de la cara. ② Pieza alargada de tela con la que se cubren los ojos para impedir la visión o para evitar la luz: *dormía con la luz encendida y con un antifaz.*

antifeminista *adj.* ① Que es contrario al feminismo o se opone a él. ‖ *adj./s. com.* ② Se aplica a la persona que es contraria al feminismo o se opone a él.
FAM antifeminismo.

antífona *s. f.* Texto breve, generalmente de la Biblia, que se canta o reza antes y después de los salmos y de los cánticos en las horas canónicas.

antifranquista *adj.* ① Que es contrario al franquismo. ‖ *adj./s. com.* ② Se aplica a la persona que es que es contraria al franquismo.

antífrasis *s. f.* Figura retórica que consiste en llamar a una persona o cosa con palabras que significan lo contrario de lo que se debería decir: *la antífrasis suele usarse irónicamente, como en "¡Bonita respuesta!" en lugar de "¡Qué respuesta tan inadecuada!".*
OBS Plural invariable.

antigás *adj.* Se aplica a la máscara o equipo que sirve para prevenir los efectos de un gas tóxico.
OBS Invariable en número.

antígeno *s. m.* Sustancia de naturaleza diversa que, al introducirse en el organismo, es considerada extraña y provoca la formación de anticuerpos.

antiglobalización *adj./s. f.* Se aplica al movimiento social que manifiesta su hostilidad hacia los objetivos y consecuencias de la globalización económica mundial: *grupos antiglobalización.*
OBS Invariable en número.

antigualla *s. f.* Objeto muy antiguo o anticuado.

antiguamente *adv.* Hace mucho tiempo, en el pasado.

antigüedad *s. f.* ① Existencia desde hace mucho tiempo: *las pirámides de Egipto tienen una antigüedad de más de 4 000 años.* ② Periodo histórico pasado, muy alejado de la actualidad: *el concepto de Antigüedad clásica se aplica sobre todo a las antiguas Grecia y Roma.* **NOTA** Se escribe normalmente con mayúscula inicial. ③ Periodo continuado durante el cual una persona ha realizado un trabajo o actividad. ‖ *s. f. pl.* ④ **antigüedades** Muebles u objetos antiguos de valor.

antiguo, -gua *adj.* ① Que existe desde hace mucho tiempo: *una colección de jarrones antiguos.* **SIN** viejo. **ANT** nuevo. ② Que existió o sucedió hace mucho tiempo: *los coches antiguos eran muy bonitos.* ③ Que ha dejado de existir o de tener las características que poseía en el pasado: *vi un reportaje sobre la antigua Unión Soviética.* ④ Que está pasado de moda, que no se usa desde hace tiempo. **SIN** anticuado. **ANT** moderno. ⑤ Se aplica a la persona que lleva mucho tiempo en un trabajo o actividad: *el patrón mandó llamar al capataz más antiguo.* ⑥ Se aplica a la persona que formó parte de una colectividad en el pasado: *acudió a una reunión de antiguos alumnos.* ‖ *s. m. pl.* ⑦ **antiguos** Personas que han vivido en la Antigüedad.
FAM anticuar, antigualla, antiguamente, antigüedad.
OBS Superlativo irregular: *antiquísimo.*

antihéroe *s. m.* Personaje de una obra de ficción que carece de las características ideales del héroe tradicional y tiene las virtudes y los defectos de una persona normal: *el pícaro, como el Lazarillo de Tormes, es la antítesis del caballero, es un antihéroe.*

antihistamínico, -ca *s. m./adj.* Sustancia o medicamento que sirve para evitar o combatir los efectos de las alergias.

antiinflamatorio, -ria *adj./s. m.* Se aplica al medicamento que disminuye o elimina una inflamación en una parte del cuerpo: *pomada antiinflamatoria.*

antillano, -na *adj.* ① De las Antillas (archipiélago de América Central): *Cuba y Haití son países antillanos.* ‖ *s. m. y f./adj.* ② Persona que es de las Antillas.

antílope *s. m.* Nombre común de diversos mamíferos rumiantes salvajes de cuerpo esbelto, patas largas y delgadas, y cuernos finos sin ramificaciones, como la gacela, el impala o el ñu: *los antílopes son muy veloces, viven en manadas y habitan en Asia y África.*
FAM antilopino.

antimateria *s. f.* Tipo de materia formada por antipartículas.

antimonio *s. m.* Elemento químico de símbolo *Sb* y número atómico 51; es un semimetal de color blanco azulado, brillante y quebradizo, por lo que se suele utilizar formando aleaciones (por ejemplo, aleado con plomo y estaño sirve para fabricar los caracteres de imprenta).
FAM antimonita.

antinatura *adj.* Que va contra las leyes naturales o humanas, especialmente en lo relativo a la moral.
OBS Invariable en número.

antinatural *adj.* ① Que es contrario a las leyes de la naturaleza. ② Que no es sencillo o espontáneo.

antinomia *s. f.* Contradicción u oposición, especialmente entre dos leyes o dos principios racionales.

antioxidante *adj./s. m.* Se aplica a la sustancia que evita la oxidación.

antipapa *s. m.* Papa elegido de manera irregular y, en consecuencia, no reconocido por la Iglesia como legítimo: *durante la historia ha habido varios antipapas, como Clemente VII en el siglo XIV.*

antiparras *s. f. pl.* familiar Gafas, anteojos.

antipartícula *s. f.* Partícula elemental simétrica de otra con igual masa pero con propiedades contrarias: *una partícula y su antipartícula se destruyen mutuamente producerndo energía.*

antipatía *s. f.* ① Modo de ser o de actuar de una persona que la hace desagradable a los demás. **ANT** simpatía. ② Sentimiento de rechazo o disgusto hacia alguien o algo: *les tengo antipatía a los aviones.* **SIN** manía, ojeriza. **ANT** simpatía.
FAM antipático, antipatizar.

antipatizar *v. intr.* ① AMÉR. Sentir antipatía por alguien o algo. ② AMÉR. Discrepar en genio e inclinaciones.

antipático, -ca *adj./s. m. y f.* Se aplica a la persona que inspira antipatía: *se mostró antipático con los medios de comunicación; tu hermano es un antipático y no quiero verlo más.* **ANT** simpático.

antipatriota *s. com.* Persona que no defiende su patria o actúa en contra de ella. **ANT** patriota.

antipirético, -ca *s. m./adj.* Sustancia o medicamento que sirve para reducir o eliminar la fiebre. **SIN** apirético, febrífugo.

antípoda *adj./s. amb.* ① Se aplica al lugar de la Tierra que está situado diametralmente opuesto a otro: *Nueva Zelanda es el país antípoda de España.* **NOTA** Como sustantivo suele usarse en plural. ‖ *adj./s. com.* ② Se aplica a la persona que habita en un lugar de la superficie de la Tierra diametralmente opuesto a otro: *con los antípodas hay siempre una diferencia de doce horas.* ‖ *s. amb. pl.* ③ **antípodas** Posición totalmente contraria u opuesta: *la forma de pensar del líder derechista está en las antípodas de la de su adversario.*

antiquísimo, -ma *adj.* Superlativo de *antiguo.*

antirreglamentario, -ria *adj.* Que es contrario a lo que dice el reglamento de un juego, deporte o concurso. **ANT** reglamentario.

antirrepublicano, -na *adj./s. m. y f.* Se aplica a la persona que es contraria al régimen republicano.

antirrobo *adj./s. m.* Se aplica al aparato o mecanismo que sirve para avisar o prevenir un robo, generalmenteen un establecimiento, una casa o un vehículo.
OBS Como adjetivo, es invariable en número.

antisemita *adj.* ① Relativo al antisemitismo. ‖ *adj./s. com.* ② Se aplica a la persona que es partidaria del antisemitismo. **FAM** antisemitismo.

antisemitismo *s. m.* Doctrina o actitud de rechazo hacia las personas de nacionalidad, ascendencia o religión judía.

antiséptico, -ca *adj.* ① Relativo a la antisepsia. ‖ *adj./ s. m.* ② Se aplica a la sustancia o método que destruye los microbios que infectan un organismo vivo: *durante una intervención quirúrgica, es esencial el uso de sustancias antisépticas para evitar infecciones.*

antisocial *adj.* ① Que es contrario a la sociedad o perjudicial para ella: *conducta antisocial.* ‖ *adj./s. com.* ② Se aplica a la persona que es contraria a la igualdad o al orden social establecido. ③ Se aplica a la persona que antepone el beneficio propio a la necesidad social.

antiterrorismo *s. m.* Conjunto de actividades policiales y legales dirigidas a luchar contra el terrorismo. **SIN** contraterrorismo.

antiterrorista *adj.* ① Que se opone al terrorismo o tiene como objetivo combatirlo. ‖ *adj./s. com.* ② Se aplica a la persona que se opone al terrorismo o tiene como objetivo combatirlo.

antítesis *s. f.* ① Oposición completa y absoluta entre personas, cosas, conceptos o proposiciones. ② Figura retórica que consiste en contraponer dos palabras o frases de significado contrario para construir una imagen o idea de especial fuerza expresiva: *el verso de Góngora "ayer naciste y morirás mañana" es una antítesis.*
FAM antitético.
OBS Plural invariable.

antitetánico, -ca *adj./s. m.* Se aplica a la sustancia o vacuna que evita o combate los efectos del tétanos (enfermedad grave producida por la infección de algunas heridas): *inyección antitetánica.*

antitético, -ca *adj.* Que denota o implica antítesis u oposición: *"guerra" y "paz" son conceptos antitéticos.*

antivirus *s. m./adj.* ① Sustancia o medicamento que sirve para evitar o combatir los efectos de una infección provocada por un virus. ② Programa informático que sirve para detectar, prevenir y eliminar virus informáticos en los distintos soportes de almacenamiento de datos, como el disco duro o un disquete.
OBS Plural invariable.

antojadizo, -za *adj./s. m. y f.* Se aplica a la persona que frecuentemente tiene antojos o caprichos. **SIN** caprichoso.

antojarse *v. prnl.* ① Ser deseada una cosa de manera in-

tensa e inesperada sin causa razonable justificada: *se le antojó un helado.* ② Ser considerada una cosa como probable: *se me antoja que vendrá pronto.*
FAM antojadizo, antojo.

antojo *s. m.* ① Deseo intenso, imprevisto y pasajero de una cosa. **SIN** capricho. ② Juicio hecho de alguna cosa sin reflexión previa. ③ Mancha oscura en la piel de una persona que se atribuye popularmente a algún deseo caprichoso no cumplido de la madre durante el embarazo.

antología *s. f.* Colección constituida por fragmentos de obras literarias, musicales, científicas, etc., de uno o varios autores, escogidas en función de un criterio.
de antología Que es extraordinario, de excelente calidad: *un gol de antología.*
FAM antológico, antólogo.

antológico, -ca *adj.* ① Relativo a la antología. ② Se aplica a la exposición o muestra artística que recoge obras representativas de las diversas etapas de creación de un pintor o un escultor. ③ Que tiene una calidad excepcional y merece ser destacado: *el tenista español tuvo una actuación antológica.*

antonimia *s. f.* Significación contraria de dos palabras: *las palabras "útil" e "inútil" tienen una relación de antonimia.* **ANT** sinonimia.
FAM antónimo.

antónimo, -ma *adj./s. m.* Se aplica a la palabra que tiene un significado contrario al de otra: *la palabra "bueno" es antónima de "malo".* **ANT** sinónimo.

antonomasia *s. f.* Figura retórica que consiste en usar un nombre común o un apelativo en lugar del nombre propio para hacer referencia a una persona o cosa, y viceversa: *la antonomasia aparece al decir "la Voz" para nombrar a Frank Sinatra, o al referirse a un hombre celoso como "un Otelo".*
por antonomasia Expresión con la que se indica que un nombre apelativo conviene a una persona o cosa por ser, entre las de su clase, la más característica: *el caballero andante por antonomasia es don Quijote.*

antorcha *s. f.* ① Trozo de madera con material inflamable en un extremo, al que se prende fuego para dar luz. ② Instrumento de forma alargada que puede mantener una llama encendida en uno de sus extremos y que se utiliza para transportar el fuego de un lugar a otro, especialmente en algunas ceremonias deportivas o conmemorativas. ③ culto Cosa que sirve de guía para la conducta o el entendimiento: *la antorcha de la libertad.*
tomar (o **recoger**) **la antorcha** Continuar con un trabajo o actividad comenzados por otra persona: *recogió la antorcha de su padre en el negocio familiar.*

antracita *s. f.* Tipo de carbón de color negro, que arde con dificultad, es rico en carbono y tiene gran poder calorífico: *la antracita es uno de los carbones más usados en la industria.*

ántrax *s. m.* ① Inflamación dura y dolorosa en el tejido situado bajo la piel, producida por una bacteria. ② Enfermedad infecciosa y contagiosa del ganado bovino y ovino, producida por una bacteria, que puede ser transmitida al ser humano. **SIN** carbunco.
OBS Plural invariable.

antro *s. m.* ① Local público de mal aspecto frecuentado por delincuentes y personas de mala reputación. ② despectivo Lugar sucio y de mal aspecto.

antropocéntrico, -ca *adj.* Relativo al antropocentrismo.

antropocentrismo *s. m.* Concepción filosófica que considera al ser humano como centro del Universo y el fin absoluto de la naturaleza.
FAM antropocéntrico.

antropofagia *s. f.* culto Costumbre humana de comer carne de seres de su misma especie. SIN canibalismo.
FAM antropófago.

antropófago, -ga *adj./s. m. y f.* culto Caníbal.

antropoide o **antropoideo, -dea** *adj.* ① Que se parece al ser humano en sus características externas. SIN antropomorfo. ‖ *adj./s. m.* ② Se aplica al primate que presenta el hocico reducido, un aumento progresivo de la capacidad craneal y los ojos en posición frontal. ‖ *s. m. pl.* ③ **antropoides** Grupo taxonómico, con categoría de suborden, constituido por estos primates.

antropología *s. f.* Ciencia que estudia la especie humana en cuanto a su evolución biológica, su comportamiento social y cultural y sus aspectos geográficos e históricos.
FAM antropológico, antropólogo.

antropológico, -ca *adj.* Relativo a la antropología.

antropólogo, -ga *s. m. y f.* Persona que se dedica al estudio de la antropología.

antropomórfico, -ca *adj.* ① Relativo al antropomorfismo: *las representaciones antropomórficas de los dioses egipcios.* ② Se aplica a la cosa o vegetal que tiene un aspecto físico parecido al del ser humano.

antropomorfismo *s. m.* Doctrina o creencia basada en atribuir aspecto y personalidad humana a animales, cosas y personajes divinos: *el antropomorfismo es una constante en la mitología griega y romana.*
FAM antropomórfico, antropomorfo.

antropomorfo, -fa *adj.* ① Que se parece al ser humano en sus características externas. SIN antropoide. ‖ *adj./s. m.* ② Se aplica al primate que tiene algunos caracteres que lo hacen parecido a un homínido, como la ausencia de cola, el desarrollo craneal o la capacidad de adoptar una posición más o menos erguida. ‖ *s. m. pl.* ③ **antropomorfos** Grupo taxonómico, con categoría de grupo, constituido por estos primates.

antroponimia *s. f.* Estudio del origen y el significado de los nombres propios de persona.

antropónimo *s. m.* Nombre propio de persona.

antropopiteco *s. m.* Mamífero homínido que vivió en el pleistoceno, al que algunas teorías científicas consideran el eslabón perdido entre el mono y el ser humano: *los huesos fósiles del antropopiteco se encontraron en la isla de Java.* SIN pitecántropo.

antropozoico, -ca *adj./s. m.* ① Se aplica a la era geológica que sigue a la era terciaria y es la última de las eras en que se divide la historia geológica de la Tierra; se extiende desde hace unos dos millones de años hasta la actualidad. SIN cuaternario, neozoico. ‖ *adj.* ② Relativo a esta era geológica. SIN cuaternario, neozoico.

anual *adj.* ① Se aplica al fenómeno, acontecimiento o situación que se repite cada año. ② Que dura un año: *los seguros de coche tienen una vigencia anual.*
FAM anualidad, anuario; bianual.

anualidad *s. f.* Cantidad de dinero que se cobra o se paga una vez al año, especialmente el derivado de una renta, de la amortización de un capital (crédito) o de una capitalización (seguro, pensiones, etc.).

anuario *s. m.* Libro o publicación que se edita anualmente con todos los datos de lo ocurrido durante el año anterior, dedicado a la información general o a una materia o actividad específica.

anudar *v. tr.* ① Hacer uno o más nudos en una cuerda, cinta, pieza de tela u otro material: *anudar una corbata.* ANT desanudar. ② Unir con uno o más nudos los extremos de una o varias cuerdas, cintas, piezas de tela u otro material. ANT desanudar.
FAM desanudar.

anulación *s. f.* Procedimiento mediante el cual una persona suspende o deja sin valor una decisión, procedimiento o actuación.

anular¹ *adj./s. m.* ① Se aplica al dedo de la mano situado entre los dedos corazón y meñique. ‖ *adj.* ② Que tiene forma de anillo.

anular² *v. tr.* ① Dejar sin efecto o valor una cosa, especialmente una norma, contrato, etc.: *anular un documento; anular un gol.* ② Suspender algo que se tenía previsto o programado: *anular una boda; anular un viaje.* SIN cancelar. ③ Impedir que una persona lleve a cabo con normalidad un trabajo o actividad: *el defensa anuló al delantero con su marcaje.*
FAM anulación, anulador.

anunciación *s. f.* ① Comunicación mediante la cual se da a conocer una noticia o información. SIN anuncio. ② Anuncio que el arcángel san Gabriel hizo a la Virgen María de que iba a ser madre de Jesucristo sin dejar de ser virgen. NOTA Se escribe con mayúscula inicial. ③ Fiesta en la que se celebra esta escena religiosa. NOTA Se escribe con mayúscula inicial.

anunciante *adj./s. m.* Se aplica a la empresa o sociedad que paga por anunciar un producto o servicio.

anunciar *v. tr.* ① Comunicar a alguien una noticia o información: *anunciar la fecha de una boda.* ② Hacer publicidad de un producto o servicio para convencer al público de que lo compre o lo use: *en Navidad anuncian muchos juguetes.* ③ Adelantar lo que va a suceder en el futuro a partir de algunos indicios, datos o informaciones: *el hombre del tiempo anunció que iba a llover.* SIN pronosticar. ④ Dar a conocer el nombre o la presencia de una persona a otra: *la secretaria anunció al director nuestra llegada.*
FAM anunciación, anunciante, anuncio.
OBS Verbo regular, se acentúa como *cambiar.*

anuncio *s. m.* ① Comunicación mediante la cual se da a conocer una noticia o información a alguien. SIN anunciación. ② Mensaje con el que se hace publicidad de un producto o servicio para convencer al público de que lo compre o lo use: *anuncio radiofónico.* ③ Acción de comunicar lo que va a ocurrir en un futuro teniendo en cuenta determinadas señales o indicios. SIN pronóstico.

anuro *adj./s. m.* ① Se aplica al anfibio que cuando es adulto carece de cola y que posee largas extremidades posteriores desarrolladas para el salto, como la rana y el sapo. ‖ *s. m. pl.* ② **anuros** Grupo taxonómico, con categoría de orden, constituido por estos anfibios.

anverso *s. m.* Cara o lado principal de una superficie, especialmente de una moneda, de una medalla o de una hoja de papel. ANT reverso.

anzuelo *s. m.* Objeto curvo de metal y con punta muy afilada, sujeto al extremo de un hilo, en el que se coloca el cebo para pescar.

A

añadido *s. m.* Añadidura.

añadidura *s. f.* Parte que se añade a un conjunto de elementos o a un todo. **SIN** añadido.

por añadidura Además, con la unión o suma de otra cosa: *perdieron el partido y, por añadidura, dos jugadores resultaron lesionados.*

añadir *v. tr.* ① Sumar o unir una parte a un conjunto de elementos o a un todo: *añadió sal al guiso.* **SIN** agregar, incorporar. ② Completar por medio de palabras el contenido de lo que ya se ha dicho o escrito: *antes de salir añadió: "¡Mucha suerte a todos!"* **SIN** agregar.
FAM añadido, añadidura.

añagaza *s. f.* Medio que se emplea con habilidad y astucia para engañar o conseguir algo. **SIN** artimaña.

añal *adj./s. m.* Se aplica al cordero, ternero o cabrito que tiene un año o poco más.

añejo, -ja *adj.* ① Que tiene más de un año: *vino añejo.* ② Antiguo, que existe desde hace mucho tiempo: *el escritorio estaba salpicado de añejas manchas de tinta.*

añicos *s. m. pl.* Trozos muy pequeños en que queda dividido un objeto al romperse.

añil *s. m.* ① Arbusto de hojas compuestas y flores en racimo o espigas, de cuyas hojas y tallos se obtiene un colorante. ② Sustancia, de color azul oscuro parecido al violeta, que se obtiene de esta planta, o de modo sintético, y que se usa en tintorería y pintura. ‖ *s. m./adj.* ③ Color azul oscuro parecido al violeta, como el de esta sustancia. ‖ *adj.* ④ Que es de este color.

año *s. m.* ① Tiempo que tarda la Tierra en dar una vuelta alrededor del Sol: *la posición de la Tierra con respecto al Sol a lo largo de un año determina las cuatro estaciones.* ② Periodo de 365 días (366 en los años bisiestos), desde el día 1 de enero hasta el 31 de diciembre: *nació en el año 1991.* **NOTA** También *año civil.* ③ Periodo de doce meses contando desde un día cualquiera: *tardó más de un año en contestar a mi carta.* ④ Periodo menor de 365 días, a lo largo del cual se desarrolla un trabajo o actividad determinada, que comienza en la fecha fijada por los organismos responsables y finaliza con la llegada de las vacaciones: *año judicial.* ‖ **año académico** Periodo que comprende desde el comienzo de un curso, generalmente en septiembre u octubre, hasta su final, generalmente en junio del año siguiente.

a años luz Con un conjunto de diferencias tan grandes que no es posible ni siquiera la comparación.

año lunar Tiempo que emplea la Luna en dar una vuelta alrededor del Sol, que equivale a 354 días: *la cultura islámica usa el año lunar para contar el tiempo.*

año luz Unidad de longitud empleada en astronomía, que equivale a la distancia recorrida por la luz en el vacío durante un año, aproximadamente nueve billones de kilómetros.

año nuevo Primer día del año (1 de enero): *el día de año nuevo es festivo.*

Año Santo Año de jubileo en el que el Papa concede especiales indulgencias a quienes peregrinan a Roma o a otros lugares santos; se celebra cada 25 años.

año viejo Último día del año (31 de diciembre): *el día de año viejo se celebran gran cantidad de banquetes y fiestas.*

años mozos Años de juventud de una persona: *recordaron sus años mozos.*

el año de la nana o **el año de la pera** familiar Tiempo incierto y muy antiguo: *esta mesa es del año de la nana, la heredé de mis bisabuelos.*

entrado en años Se aplica a la persona de edad avanzada.
estar de buen año Presentar una persona un aspecto gordo y saludable.
FAM añal, añejo, añojo, antaño.

añojo, -ja *s. m. y f.* Becerro o cordero de un año cumplido.

añoranza *s. f.* Sentimiento que causa el recuerdo de un bien perdido. **SIN** nostalgia.

añorar *v. tr.* Sentir añoranza por alguien o algo: *añoraba su pueblo.*
FAM añoranza.

aorta *s. f.* Arteria principal del sistema circulatorio de los vertebrados y de algunos invertebrados; en aves y mamíferos, parte del ventrículo izquierdo del corazón.
FAM aórtico.

aovado, -da *adj.* Que tiene forma de huevo. **SIN** ovoide, ovoideo.

aovar *v. intr.* ① Poner huevos un animal. ‖ *v. tr.* ② Dar forma de huevo a una cosa.
FAM aovado.

apabullar *v. tr.* Confundir o intimidar a una persona hasta dejarla sin posibilidad de reacción o de respuesta: *el abogado apabulló al testigo con preguntas comprometidas.* **SIN** arrollar, desarmar.
FAM apabullamiento, apabullante.

apacentar [1] *v. tr.* ① Conducir el ganado a terrenos con pasto y cuidarlo mientras pace. ‖ *v. intr./prnl.* ② Pacer el ganado.

apache *adj.* ① Relativo a una tribu india nómada de América del Norte que se caracterizó por su ferocidad y que habitó en un territorio americano que comprende zonas de Texas, Nuevo México y Arizona. ‖ *s. com./adj.* ② Persona perteneciente a esta tribu. ‖ *s. com.* ③ Malhechor de los bajos fondos de París.

apacheta *s. f.* ① AMÉR. SUR Montículo de piedras levantado por los indios en los Andes para el culto divino. ② AMÉR. SUR Lugar en el que se alza este montículo.

apacibilísimo, -ma *adj.* Superlativo de *apacible.*

apacible *adj.* ① Se aplica al lugar que resulta agradable porque no presenta agitación, movimiento o ruido. ② Se aplica a la condición atmosférica que es tranquila y agradable: *una apacible mañana de junio.* ③ Se aplica a la persona que es amable y considerada en el trato.
FAM desapacible.
OBS Superlativo irregular: *apacibilísimo.*

apaciguamiento *s. m.* ① Establecimiento de la paz o de una tregua donde había un enfrentamiento o una guerra. ② Restablecimiento de la calma y la tranquilidad en el ánimo violento o excitado de una persona.

apaciguar *v. tr.* ① Establecer la paz o la tranquilidad donde había un enfrentamiento. ② Calmar el ánimo violento o excitado de una persona: *apaciguar los ánimos.* **SIN** amansar, aplacar.
FAM apaciguamiento.
OBS Verbo regular, se acentúa como *averiguar.*

apadrinar *v. tr.* ① Acompañar como padrino a una persona cuando esta se bautiza, se casa o recibe un honor. ② Ayudar y proteger a una persona que comienza a trabajar o a desarrollar una actividad: *el veterano director apadrinó al joven realizador en sus primeras películas.*
FAM apadrinamiento.

apagado, -da *adj.* ① Se aplica al color, la luz o el sonido que es de poca intensidad: *vestía una camisa de color rojo apagado.* ② Se aplica a la persona que ha perdido energía y vitalidad.

apagar *v. tr.* ① Hacer que deje de arder un fuego o un cuerpo en combustión: *los bomberos apagaron el incendio.* ② Hacer que un sistema eléctrico deje de tener contacto con una fuente de energía e interrumpa su funcionamiento: *apaga el ordenador antes de irte.* ③ Hacer más suave o más débil un sentimiento, restarle importancia o extinguirlo: *se apagó su amor.* ④ Hacer que pierda intensidad un color, una luz o un sonido: *el fotógrafo usó un filtro para apagar el brillo del sol.*
FAM apagado, apagador, apagavelas, apagón.

apagón *s. m.* Interrupción brusca e inesperada del suministro de energía eléctrica en una casa, un edificio o una población.

apaisado, -da *adj.* Que es más ancho que alto colocado en su posición normal de uso: *folio apaisado; las tarjetas de visita suelen estar impresas en cartulinas apaisadas.*

apalabrar *v. tr.* Llegar a un acuerdo o compromiso mediante palabras hasta el momento de hacerlo por escrito.

apalancar *v. tr.* ① Apoyar una barra o palanca sobre un punto y aplicar una fuerza en ella para levantar o mover un cuerpo situado en el extremo opuesto: *los ladrones apalancaron la puerta de la casa.* ‖ *v. prnl.* ② **apalancarse** familiar Acomodarse en un lugar o situación y quedarse en él sin realizar mayores esfuerzos: *después de trabajar tres horas, nos apalancamos.*
FAM apalancado, apalancamiento.

apaleamiento *s. m.* Acción de apalear.

apalear[1] *v. tr.* ① Dar golpes con un palo o con otro objeto contundente. ② Golpear las ramas de ciertos árboles con un palo o vara para que caigan al suelo los frutos. **SIN** varear.
FAM apaleamiento.

apalear[2] *v. tr.* Aventar el grano con una pala para limpiarlo.

apañado, -da *adj.* ① Se aplica a la persona que es hábil y se da maña para hacer algo. ② Que es adecuado para el destino que se le quiere dar: *estuvo de rebajas y encontró un chaquetón muy apañado para la época.*

estar (o **ir**) **apañado** (**I**) familiar Tener un problema o estar en una situación difícil de resolver: *si con tan poco dinero tenemos que ir de viaje a París, estamos apañados.* (**II**) Estar equivocado o mantener falsa confianza en algo: *vas apañado si crees que llegará a tiempo.*

apañar *v. tr.* ① Limpiar y poner en orden o en las condiciones adecuadas. ② Resolver una situación difícil o problemática con habilidad y eficacia: *perdió el avión, pero en la agencia le apañaron otro vuelo en un momento.* ③ Hacer que una cosa estropeada deje de estarlo y vuelva a funcionar o a ser útil, especialmente si es de manera improvisada y para salir del paso: *un vecino me apañó la tele y ahora se ve estupendamente.* ④ familiar Sustraer una cosa ilícitamente. ⑤ ARG., NICAR., PERÚ Disculpar o proteger a una persona que ha cometido una falta para que no sea descubierta. ‖ *v. prnl.* ⑥ **apañarse** Darse maña para hacer una cosa: *con estas herramientas ya me apaño para colgar la estantería.*

apañárselas Hallar la solución a los problemas por uno mismo: *el joven se las apañó para compaginar trabajo y estudio.* **SIN** componérselas.
FAM apañado, apaño.

apaño *s. m.* ① Arreglo que se hace para que una cosa vuelva

a funcionar o a parecer nueva, especialmente si es de manera improvisada y para salir del paso. ② Treta, engaño o artificio para realizar o conseguir algo. **SIN** amaño. ③ familiar Relación amorosa o sexual pasajera. **SIN** aventura.

aparador *s. m.* ① Mueble ancho de mediana altura y con cajones que se coloca en el comedor y en el que se guardan los cubiertos, la cristalería y todo lo necesario para el servicio de la mesa. ② Espacio cerrado con cristales y situado al frente o a la entrada de un establecimiento, que sirve para exponer los productos ante el público. **SIN** escaparate. ③ Taller artesanal.

aparato *s. m.* ① Conjunto de piezas y elementos que, montados adecuadamente, desarrollan un trabajo o función práctica y que funcionan mediante el aporte de algún tipo de energía: *aparato de radio; aparato de aire acondicionado.* **SIN** dispositivo, mecanismo. ② Instrumento necesario para desarrollar una actividad específica: *el aprendiz está limpiando los aparatos del laboratorio.* ③ Conjunto de órganos que, en un animal o una planta, desempeñan una misma función dentro del organismo. ■ **aparato articulatorio** Aparato constituido por los órganos situados en la cavidad faríngea, bucal y nasal y que intervienen en la articulación de los sonidos: *la lengua, el paladar y los alvéolos forman parte del aparato articulatorio.* ■ **aparato circulatorio** Aparato que distribuye la sangre por todos los órganos del cuerpo; en los vertebrados, está formado por una serie de vasos (arterias, venas y capilares) por los que circula la sangre que es impulsada por el corazón. ■ **aparato digestivo** Aparato que interviene en la ingestión y digestión de los alimentos y en la absorción de sus sustancias nutritivas; en los vertebrados, consta de la cavidad bucal, la faringe, el esófago, el estómago, los intestinos, el ano y una serie de glándulas asociadas. ■ **aparato excretor** Aparato cuya función es eliminar del organismo las sustancias de desecho producidas en el metabolismo: *el aparato excretor humano consta de riñones, uréteres, uretra y vejiga.* ■ **aparato reproductor** Aparato cuya función es la reproducción: *en las personas, el aparato reproductor masculino consta de testículos, epidídimo, conductos deferentes, uretra y pene; el aparato reproductor femenino consta de ovarios, trompas de Falopio, útero, vagina y vulva.* ■ **aparato respiratorio** Aparato con que los animales toman del medio el oxígeno que necesitan para vivir; puede ser branquial en los animales acuáticos, como los peces y las larvas de anfibios, o pulmonar, como en los anfibios adultos y el resto de los vertebrados terrestres. ④ Conjunto de personas que deciden la política de un partido o del gobierno: *el aparato del partido respalda a su secretario general.* ⑤ Vehículo aéreo; especialmente, avión. ⑥ Teléfono: *ponerse al aparato.* ⑦ Pompa u ostentación que rodea a algo o a alguien para darle importancia: *una boda con gran aparato.*

aparato de Golgi Orgánulo celular situado en el citoplasma de las células eucariotas formado por un conjunto de sacos y vesículas aplanados cuya principal función es transportar y modificar los lípidos y las proteínas sintetizados por la célula.

aparato eléctrico Conjunto de relámpagos y truenos que acompañan a una tormenta: *en verano son comunes las tormentas con gran aparato eléctrico.*
FAM aparatoso.

aparatosidad *s. f.* Cualidad de aparatoso: *a pesar de la aparatosidad del choque, no hubo heridos.*

aparatoso, -sa *adj.* ① Se aplica al hecho que resulta espectacular y desmedido, en especial un accidente. ② Se aplica al

objeto exagerado, ostentoso o estrafalario: *se presentó en la fiesta con un coche aparatoso.*
FAM aparatosidad.

aparcamiento *s. m.* ① Acción de aparcar. ② Parte de la vía pública o del interior de un edificio destinada a que aparquen los vehículos: *a esta hora es difícil encontrar aparcamiento.*

aparcar *v. tr.* ① Colocar un vehículo en un lugar de la vía pública o en una zona señalizada del interior de un edificio. ② Detener la actividad o el trabajo sobre un asunto con la intención de retomarlo más adelante.
FAM aparcacoches, aparcamiento.

aparcería *s. f.* Contrato mediante el cual el propietario de un terreno agrícola o de una instalación ganadera cede su explotación a una o más personas a cambio del pago de una cantidad de dinero, de una parte de los beneficios o frutos, o de otra forma de compensación.
FAM aparcero.

aparcero, -ra *s. m. y f.* Persona que, sola o con otras, explota un terreno agrícola o una instalación ganadera mediante un contrato de aparcería.
FAM aparcería.

apareamiento *s. m.* ① Unión sexual del animal macho con la hembra con el fin de reproducirse. ② Unión de dos cosas que forman pareja.

aparear [16] *v. tr.* ① Unir sexualmente a un animal macho con la hembra con el fin de que se reproduzcan: *el caballo y la yegua se aparearon.* ② Juntar una cosa con otra formando pareja: *el carpintero apareó unas tablas.*
FAM apareamiento.

aparecer *v. intr./prnl.* ① Mostrarse o dejarse ver, generalmente de manera inesperada: *gritó cuando apareció un ratón en la cocina.* **ANT** desaparecer. ‖ *v. intr.* ② Encontrarse lo que estaba perdido o extraviado: *ayúdame a buscar las llaves a ver si aparecen.* ③ Llegar de improviso alguien a quien no se espera.
FAM aparecido, aparición; desaparecer, reaparecer.

aparecido, -da *s. m. y f.* Imagen de una persona muerta que se muestra visible a los ojos de alguien. **SIN** aparición, fantasma.

aparejado, -da *adj.* Que es idóneo o adecuado.
llevar (o traer) aparejado Conllevar una consecuencia o efecto inherente: *ser policía lleva aparejado poner en peligro la vida en ocasiones.*

aparejador, -ra *s. m. y f.* Persona que se dedica a dibujar planos y a realizar diversos trabajos técnicos relacionados con la construcción de edificios, generalmente bajo la supervisión de un arquitecto.

aparejar *v. tr.* ① Hacer los preparativos oportunos y disponer los elementos necesarios para desarrollar un trabajo o una actividad. ② Poner los aparejos a un animal, especialmente a una caballería, para montarlo, cargarlo o trabajar con él. **ANT** desaparejar. ③ Dotar a un barco del aparejo necesario para la navegación.
FAM aparejado.

aparejo *s. m.* ① Conjunto de instrumentos, herramientas y objetos necesarios para realizar una actividad. **NOTA** También en plural con el mismo significado que en singular. **SIN** instrumental. ② Disposición de los elementos necesarios para desarrollar un trabajo o una actividad. ③ Conjunto de correas y otros elementos que se sujetan al cuerpo de un animal, especialmente a una caballería, para montarlo, cargarlo

o trabajar con él. ④ Conjunto de palos, velas, cabos y otros elementos necesarios para que un barco navegue. ⑤ Modo en que quedan colocados los materiales en la construcción de un muro, especialmente los ladrillos y sillares. ⑥ Sistema de poleas compuesto de un grupo fijo y otro móvil. ⑦ Preparación de un lienzo o tabla para poder pintar encima.
FAM aparejar.

aparentar *v. tr./intr.* ① Dar a entender o fingir lo que no se es o no se tiene: *aparentaba indiferencia pero en realidad estaba herido; lo hace todo por aparentar.* ‖ *v. tr.* ② Tener una persona un aspecto de una edad que generalmente no se corresponde con la real: *tiene 42 años, pero aparenta unos 30 por su forma de vestir.*
FAM apariencia.

aparente *adj.* ① Que parece algo que no es, o que parece cierto a juzgar por lo que se muestra a la vista: *contestó a la policía con aparente calma.* ② Que es perceptible por la vista: *estos fenómenos se produjeron sin causa aparente.* ③ Que es bonito o tiene buen aspecto: *es un reloj muy aparente y debes cuidarte de los ladrones.* ④ Que es adecuado o apto para un fin.
FAM aparentar.

aparición *s. f.* ① Presencia de una persona o cosa en un lugar donde puede ser vista: *el malogrado actor hizo su última aparición en una serie televisiva recientemente emitida.* ② Acción de aparecer lo que estaba oculto o en un lugar desconocido. ③ Visión de un ser sobrenatural por parte de una o más personas: *la aparición de la Virgen en Fátima.* ④ Imagen de una persona muerta que se muestra visible a los ojos de una persona. **SIN** aparecido, fantasma.

apariencia *s. f.* ① Manera de aparecer o presentarse a la vista o al entendimiento una persona o cosa. ② Característica o conjunto de características que parece poseer una persona o cosa y que realmente no tiene.
guardar las apariencias Atenerse a las normas y conveniencias sociales.

apartado, -da *adj.* ① Que está lejos en el espacio con referencia a un punto determinado. **SIN** distante. ‖ *s. m.* ② Parte de un texto escrito que trata sobre un tema. ③ Parte de un documento legal u oficial que forma con otras iguales una serie numerada y ordenada.

apartado de correos (**I**) Caja o sección de una oficina de correos con un número donde se depositan las cartas y paquetes enviados a un destinatario en espera de que sean recogidos por él. (**II**) Número asignado a esta caja o sección: *envíe dos códigos de barras de este producto al apartado de correos 08080 de Barcelona.*

apartamento *s. m.* Vivienda más pequeña que un piso, generalmente con una o dos habitaciones, cocina y servicio, situada en un edificio en el que suele haber más viviendas del mismo tipo.

apartamiento *s. m.* ① Separación de una persona o cosa del lugar, estado o cargo que ocupa. ② Lugar alejado.

apartar *v. tr.* ① Separar o poner a una persona o cosa en un lugar distinto y alejado del que ocupa. **SIN** retirar. ② Quitar algo de un lugar para dejarlo libre: *aparta un poco el pan y los vasos que voy a poner la paella en la mesa.* ③ Llevar a un lugar para no ser visto u oído por otras personas: *apartó a su padre de la fiesta por un instante y le anunció su intención de casarse.* ④ Establecer separaciones en partes o grupos. ⑤ Hacer abandonar a una persona una actividad, estado o cargo: *una grave lesión de rodilla apartó al torero de las plazas.*
FAM apartadero, apartado, apartamiento.

A

aparte *adv.* ① En un lugar distinto, separado del resto: *cuando volvió del mercado, puso el pescado aparte.* ② En un lugar apropiado para no ser visto u oído por otras personas: *estuvo hablando aparte con su abogado.* ③ Exceptuando o dejando de lado lo que se menciona: *bromas aparte, hay que trabajar duro si queremos acabar el proyecto pronto.* ❙ *adj.* ④ Que es distinto de otro o de lo general: *la calidad del jugador brasileño es un caso aparte.* **SIN** diferente. ❙ *s. m.* ⑤ Fragmento de una obra de teatro que un personaje dice hablando para sí o con otro y suponiendo que no lo oyen los demás: *en los apartes, el espectador es informado de lo que el personaje piensa o siente.* ⑥ Interrupción de una reunión que se aprovecha para otra cosa.

aparte de Excepto: *aparte del susto, la tromba de agua no tuvo consecuencias en su casa.*

FAM apartar.

apartheid [se pronuncia aproximadamente 'aparjeid'] *s. m.* Doctrina de segregación o discriminación racial de la población que no sea de raza blanca, legalizada en la República de Sudáfrica entre 1948 y 1991.

apasionado, -da *adj./s. m. y f.* ① Se aplica a la persona que suele dejarse guiar por las pasiones en su manera de pensar o de actuar: *es un conversador muy apasionado.* ② Se aplica a la persona que siente una pasión especialmente intensa por algo o alguien.

apasionamiento *s. m.* ① Excitación, vehemencia y pasión con que se discute de algo o se defienden las ideas y opiniones. **SIN** acaloramiento. ② Pasión intensa por algo o alguien.

apasionante *adj.* Que provoca entusiasmo o un interés muy elevado: *un relato apasionante.*

apasionar *v. tr.* ① Provocar sentimientos de pasión: *las películas de Spielberg la apasionan.* ❙ *v. prnl.* ② **apasionarse** Sentir una gran pasión por una persona o cosa: *apasionarse por la informática.*

FAM apasionado, apasionante, apasionamiento.

apatía *s. f.* ① Manifestación de desinterés, indiferencia o falta de entusiasmo por lo que se hace: *cada mañana de verano abría con apatía los libros para comenzar a estudiar.* ② Falta de vigor o energía.

FAM apático.

apático, -ca *adj./s. m. y f.* Se aplica a la persona que actúa con apatía.

apátrida *adj./s. com.* Se aplica a la persona que carece de nacionalidad legal por habérsela retirado su país de origen o por haber renunciado a ella, generalmente por razones políticas.

apdo. Abreviatura de *apartado*, servicio de la oficina de correos.

apeadero *s. m.* ① Estación de tren o parada de autobús de poca importancia destinada únicamente a recoger y dejar viajeros. ② Lugar del camino o trayecto destinado al descanso de los viajeros. ③ Piedra que forma parte de una construcción y que se emplea para apoyarse una persona al montar en una cabalgadura o desmontar de ella.

apear *v. tr.* ① Bajar de un vehículo o del animal en el que se va montado: *los pasajeros se apearon del autobús.* ② Eliminar a una persona o equipo de una competición deportiva: *Inglaterra apeó a España de la Eurocopa de fútbol de 1996.* ③ familiar Conseguir que una persona cambie su manera de actuar, pensar o sentir: *varios amigos lo apearon de la idea de marcharse*

de casa. **SIN** disuadir. ④ Talar un árbol por su base. ⑤ Apuntalar un edificio. ❙ *v. prnl.* ⑥ **apearse** ARG., BOL., CUBA, MÉX. Comerse los alimentos con las manos, sin ayuda de los cubiertos.

FAM apeadero.

apechugar *v. intr.* familiar Cargar con una responsabilidad o con las consecuencias desagradables de una acción.

apedrear *v. tr.* ① Lanzar piedras contra alguien o algo. ② Matar a pedradas. ❙ *v. impersonal* ③ Granizar. ❙ *v. prnl.* ④ **apedrearse** Estropearse la cosecha por efecto del pedrisco.

FAM apedreamiento.

apego *s. m.* Sentimiento de afecto, cariño o estimación que se tiene hacia una persona o cosa: *sentir apego a la vida; el apego a sus raíces y la preocupación social son rasgos que marcan su obra.* **ANT** desapego.

apelación *s. f.* ① Procedimiento judicial mediante el cual se solicita a un juez o tribunal que anule o enmiende la sentencia dictada por otro de inferior rango por considerarla injusta. ② Petición o llamada que hace una persona a otra para que la ayude en su propósito: *el alcalde hizo una apelación a la solidaridad del pueblo.*

no haber (o no tener) apelación Carecer de un posible remedio o excusa: *la derrota española por 5-0 no tuvo apelación.*

sin apelación Sin excusa.

apelar *v. tr./intr.* ① Solicitar a un juez o tribunal que anule o enmiende la sentencia dictada por otro de inferior rango por considerarla injusta: *el fiscal apelará al Tribunal Supremo contra la sentencia.* ❙ *v. intr.* ② Dirigirse a una persona para conseguir ayuda y solucionar un asunto: *las autoridades apelan a la responsabilidad de los conductores para evitar accidentes.*

FAM apelación, apelativo; inapelable.

apelativo, -va *adj./s. m.* ① Se aplica al sustantivo que se aplica a personas o cosas pertenecientes a conjuntos de seres que tienen las mismas características: *la palabra "bicicleta" es un sustantivo apelativo.* **SIN** común, genérico. ② Se aplica a la palabra que sirve para llamar la atención del oyente o para dirigirse a él. **SIN** vocativo. ❙ *adj.* ③ Se aplica a la función del lenguaje que sirve para llamar la atención del oyente para provocar en él una reacción. **SIN** conativo. ❙ *s. m.* ④ Palabra que sirve para calificar a una persona o cosa: *la palabra "burro" aplicada a una persona es un apelativo despectivo.* ⑤ Nombre que se añade al nombre propio de una persona para expresar una de sus características particulares: *Alfonso X y Juana I de Castilla tienen como apelativos 'el Sabio' y 'la Loca', respectivamente.* **SIN** sobrenombre.

apella *s. f.* Asamblea de los ciudadanos de Esparta; entre sus competencias, estaba la de hacer declaraciones de paz o de guerra y ratificar las decisiones de los reyes.

apellidar *v. tr.* ① Dar un apelativo calificativo a una persona o cosa: *el rey castellano Pedro I fue apellidado "el Cruel".* ❙ *v. prnl.* ② **apellidarse** Tener un apellido determinado: *mi mejor amigo se apellida "García".*

FAM apellido.

apellido *s. m.* Nombre que sigue al nombre propio de una persona y que se transmite de padres a hijos: *en España, el primer apellido de una persona corresponde al primer apellido del padre, y el segundo, al primero de la madre.*

apelmazar *v. tr.* Poner compacta y dura una cosa que debiera ser más esponjosa y blanda: *la tierra se apelmazó por la sequía.*

FAM apelmazamiento.

apelotonar *v. tr.* ① Poner unas cosas sobre otras de manera desordenada o descuidada. **SIN** amontonar. ❙ *v. prnl.* ② **apelotonarse** Reunirse en un lugar un conjunto numeroso de personas, animales o cosas de manera desordenada: *los corredores de la maratón se apelotonaban en la salida.* **SIN** amontonarse, apiñarse.
FAM apelotonamiento.

apenar *v. tr.* ① Causar pena o tristeza: *me apena que mi hermano no encuentre trabajo.* **SIN** entristecer. ❙ *v. prnl.* ② **apenarse** AMÉR. Sentir vergüenza.

apenas *adv.* ① Con dificultad y casi sin llegar a conseguirlo: *mi viejo coche apenas pasa de sesenta por hora.* ② Escasamente: *hace apenas dos meses que robaron en la joyería.* ❙ *conj.* ③ Indica un tiempo o un momento cercano a un hecho: *apenas se dio la salida, se puso en cabeza el piloto alemán.*

apencar *v. intr.* familiar Apechugar.

apéndice *s. m.* ① Parte que se añade a un todo del que se considera una prolongación: *este diccionario lleva un apéndice.* ② Parte del cuerpo de un animal que sobresale de su tronco, a excepción de las extremidades: *la nariz y las orejas son apéndices anatómicos humanos.* ③ Prolongación delgada y hueca del intestino ciego del ser humano, los primates y algunos otros mamíferos, situada al principio del intestino grueso. **NOTA** También *apéndice cecal* o *apéndice vermiforme.*
FAM apendicitis.

apendicitis *s. f.* Inflamación del apéndice intestinal.
OBS Plural invariable.

aperar *v. tr.* ① AMÉR. Proveer de lo necesario. ② COL., ARG. Poner los aperos al caballo.

apercibimiento *s. m.* Advertencia de una próxima sanción en caso de cometer un error o una falta: *recibió un apercibimiento de desalojo en caso de no pagar el alquiler del apartamento.*

apercibir *v. tr.* ① Preparar lo necesario para alguna cosa: *los guerreros se apercibieron para la batalla.* ② Avisar a alguien de algo: *nos apercibieron de los peligros del viaje.* ③ Advertir de una próxima sanción en caso de cometer un error o una falta: *apercibió a sus empleados con el despido.* ④ En filosofía, percibir algo relacionándolo con lo ya conocido anteriormente. ❙ *v. prnl.* ⑤ **apercibirse** Percatarse una persona de algo: *varios vecinos se apercibieron del comportamiento extraño de los presuntos terroristas.*
FAM apercibimiento; desapercibido.

aperitivo, -va *adj.* ① Que abre el apetito. ❙ *s. m.* ② Bebida o alimento que se toma antes del almuerzo o la cena. ③ Preludio de una serie de hechos, generalmente desagradables.

apero *s. m.* ① Instrumento que sirve para trabajar la tierra o para desarrollar las tareas agrícolas: *la azada, el bieldo y la guadaña son aperos.* ② Conjunto de animales destinados a las tareas agrícolas. ③ Lugar donde se refugian el ganado y los pastores por la noche. **SIN** majada. ④ Conjunto de útiles para cualquier oficio. ❙ *s. m. pl.* ⑤ **aperos** ARG., CHILE, P. RICO, VENEZ. Útiles de montar a caballo, más lujosos que los de uso diario.
FAM aperar.

apertura *s. f.* ① Acción de abrir lo que está cerrado: *dispositivo de apertura.* ② Momento en que da comienzo el desarrollo de un acto o de una actividad en una corporación o lugar: *la apertura del curso académico marca el inicio de las clases.* ③ Ceremonia formal con la que se celebra este momento: *en la apertura de los Juegos Olímpicos estuvieron presentes diversos*

mandatarios internacionales. **SIN** inauguración. ④ Conjunto de los primeros movimientos predeterminados con los que un jugador de ajedrez comienza a poner en juego sus piezas. ⑤ En música, obertura.
FAM aperturismo; reapertura.

aperturismo *s. m.* Actitud tolerante y receptiva hacia ideas o actitudes económicas, sociales o políticas distintas de las propias.
FAM aperturista.

aperturista *adj.* ① Relativo al aperturismo: *un régimen aperturista.* ❙ *adj./s. com.* ② Se aplica a la persona que es partidaria del aperturismo.

apesadumbrar *v. tr.* Causar tristeza y pesimismo: *lo apesadumbraban los problemas de su hijo.*
FAM apesadumbrado.

apestado, -da *adj./s. m. y f.* Se aplica a la persona que padece la peste.

apestar *v. tr.* ① Contagiar la enfermedad de la peste: *las ratas transportan pulgas que apestan a las personas que tienen contacto con ellas.* ❙ *v. intr.* ② Despedir mal olor: *este queso apesta, pero sabe bien.* ③ familiar Dar muestras un asunto de ser ilegal o inmoral: *aquel negocio apestaba.*
FAM apestoso; desapestar.

apestoso, -sa *adj.* ① Que despide mal olor. ② familiar Que molesta o aburre.

apétalo, -la *adj.* Se aplica a la flor que no tiene pétalos: *algunos cardos tienen flores apétalas.*

apetecer [16] *v. intr.* ① Causar deseo o apetito una cosa que satisface los sentidos. *esta noche me apetece cenar comida italiana.* ❙ *v. tr.* ② culto Desear una cosa: *tenían todo cuanto apetecían.*
FAM apetecible, apetencia.

apetecible *adj.* Se aplica a la cosa que apetece: *un pastel muy apetecible.*

apetencia *s. f.* Tendencia natural a desear una cosa: *vivía aislado del mundo, a salvo de las apetencias de la sociedad moderna.*
FAM inapetencia.

apetito *s. m.* ① Ganas de comer. **SIN** hambre. **ANT** desgana, inapetencia. ② Tendencia a satisfacer una necesidad o deseo: *apetito de riquezas.*
FAM apetitoso.

apetitoso, -sa *adj.* ① Que produce ganas de comer: *contemplaba con gula el apetitoso plato de fabada que le acababan de servir.* ② Apetecible: *un negocio apetitoso; una apetitosa propuesta.*

apiadarse *v. prnl.* Sentir pena y dolor por la desgracia o sufrimiento que padece una persona: *el rey se apiadó de los condenados.* **SIN** compadecerse.

apical *adj.* ① Relativo al ápice. ② Se aplica al sonido consonántico que se pronuncia haciendo que el ápice de la lengua toque los dientes, los alveolos o el paladar: *la "t" de la palabra "tambor" es un sonido apical.* ❙ *s. f./adj.* ③ Letra que representa este sonido: *la "t" y la "s" son apicales.*

ápice *s. m.* ① Punta o extremo de una cosa, especialmente el de la lengua. ② Parte muy pequeña e insignificante de una cosa: *ni un ápice de sentido común.*
FAM apical.

apícola *adj.* Relativo a la apicultura: *granja apícola.*

apicultor, -ra *s. m. y f.* Persona que se dedica a la apicultura.

apicultura *s. f.* Técnica de criar abejas para aprovechar sus productos, como la miel y la cera. **FAM** apícola, apicultor.

apilar *v. tr.* Poner unas cosas sobre otras de manera que formen una pila. **FAM** apilamiento.

apiñado, -da *adj.* ① Que tiene forma de piña. ② Que está muy apretado, junto con otros, en un espacio que resulta excesivamente pequeño: *varias familias vivían apiñadas en una vivienda insalubre.*

apiñar *v. tr.* Juntar o reunir apretadamente a personas o cosas: *los espectadores se apiñaban a la entrada del estadio.* **FAM** apiñado, apiñamiento.

apiñonado, -da *adj.* MÉX. De color moreno como el de la cáscara del piñón.

apio *s. m.* Hortaliza de tallo grueso, hojas largas y flores muy pequeñas, de olor y sabor muy fuertes y característicos, que se come en ensalada o cocido.

apirético, -ca *adj.* ① Que está relacionado con la ausencia de fiebre: *efecto apirético.* ‖ *adj./s. m.* ② Se aplica a la sustancia o medicamento que sirve para reducir o eliminar la fiebre. **SIN** antipirético, febrífugo.

apisonadora *s. f.* Vehículo de gran tamaño que se desplaza sobre cilindros muy pesados y sirve para apretar y allanar la tierra o la superficie por donde circula.

apisonar *v. tr.* Apretar y allanar la tierra u otra superficie por medio de una apisonadora o de una máquina parecida. **FAM** apisonadora.

aplacar *v. tr.* Calmar el ánimo violento o excitado de una persona: *aplacar la ira; aplacar los nervios.* **SIN** amansar, apaciguar. **FAM** inaplacable.

aplanadora *s. f.* AMÉR. Apisonadora.

aplanar *v. tr.* ① Poner plano o llano: *aplanaron el camino.* **SIN** allanar. ② Dejar a una persona sin ánimo o energía. **FAM** aplanador, aplanadora, aplanamiento.

aplastamiento *s. m.* ① Reducción violenta del grosor de un cuerpo por medio de la fuerza, hasta provocar la pérdida de su forma original. ② Victoria completa y absoluta ante el adversario en un enfrentamiento o competición.

aplastante *adj.* ① Que aplasta. ② Que es rotundo, total o completo: *ganó con aplastante superioridad.*

aplastar *v. tr.* ① Reducir el grosor de un cuerpo por medio de la fuerza hasta provocar la pérdida de su forma original. ② Apabullar a una persona hasta dejarla sin respuesta: *el fiscal aplastó al testigo con su interrogatorio.* **SIN** arrollar. ③ Vencer, superar o dominar por completo al adversario en un enfrentamiento o competición. **FAM** aplastamiento, aplastante.

aplatanar *v. tr.* familiar Atontar a una persona o hacer que se deje llevar por la pereza o la apatía: *este calor aplatana a cualquiera.* **FAM** aplatanamiento.

aplaudir *v. tr./intr.* ① Golpear repetidamente una con otra las palmas de las manos, generalmente en señal de alegría o aprobación: *al final del concierto, todos aplaudieron; aplaudir a un actor.* ‖ *v. tr.* ② Demostrar aprobación mediante palabras o gestos: *los representantes políticos aplaudieron la decisión de la alcaldesa.* **FAM** aplauso.

aplauso *s. m.* ① Muestra de alegría o aprobación que se realiza al aplaudir: *el jugador recibió emocionado el aplauso de la afición.* ② Sonido que produce este palmoteo. ③ Demostración de aprobación mediante palabras o gestos: *las medidas de control sobre la publicidad han merecido el aplauso de las organizaciones de consumidores.*

aplazamiento *s. m.* Retraso o suspensión de la ejecución de una cosa.

aplazar *v. tr.* ① Retrasar o suspender la ejecución de una cosa. ② ARG., EL SALV., URUG. Calificar a una persona con una nota de suspenso. **FAM** aplazamiento; inaplazable.

aplicable *adj.* ① Que puede ser aplicado o puesto en práctica. ② Que sirve para una o varias personas o cosas y las afecta del mismo modo: *lo que acabo de decir de ella es aplicable a todos los demás.* **FAM** inaplicable.

aplicación *s. f.* ① Colocación de una cosa sobre otra o en contacto con otra: *la aplicación de paños fríos en la frente alivia la fiebre.* ② Empleo o uso de una cosa para conseguir el efecto deseado: *el rayo láser tiene múltiples aplicaciones en el campo de la medicina.* ③ Empleo de un concepto general en un caso particular: *a los jueces les corresponde la aplicación de la ley.* ④ Esfuerzo y atención al desarrollar una actividad o trabajo: *el chico estudiaba con aplicación.* ⑤ Adorno de un objeto hecho con un material distinto: *una mesa con aplicaciones de nácar y marfil.* **SIN** aplique. ⑥ Programa informático que realiza una función determinada: *esta aplicación permite recibir, enviar y gestionar correo electrónico.* ⑦ Operación matemática por la que se hace corresponder a todo elemento de un conjunto un solo elemento de otro conjunto.

aplicado, -da *adj.* ① Se aplica a la persona que desarrolla una actividad o trabajo con esfuerzo y atención: *es un muchacho muy aplicado en clase.* ② Se aplica a la ciencia, rama del conocimiento o disciplina que se ocupa de la aplicación práctica de ideas y planteamientos teóricos: *química aplicada.* **FAM** desaplicado.

aplicar *v. tr.* ① Poner una cosa sobre otra o en contacto con ella para conseguir un fin determinado: *aplicó una pomada sobre la picadura y notó rápidamente alivio.* ② Hacer uso de una cosa o ponerla en práctica para conseguir un fin determinado: *aplicó toda su fuerza para aflojar los tornillos del mecanismo.* ③ Emplear un concepto general en un caso particular: *aplicar una regla de tres.* ‖ *v. prnl.* ④ **aplicarse** Dedicar esfuerzo y atención en el desarrollo de una actividad o trabajo: *si no te aplicas más en matemáticas, no aprobarás el examen.* **FAM** aplicable, aplicación, aplicado.

aplique *s. m.* ① Lámpara que se fija a una pared. ② Adorno de un objeto hecho con un material distinto. **SIN** aplicación.

aplomo *s. m.* ① Actitud serena y segura ante una situación comprometida, una dificultad o un problema. ② Posición vertical o perpendicular de una cosa respecto a un plano horizontal con el que forma un ángulo de 90°. **SIN** verticalidad.

apnea *s. f.* Suspensión total o parcial de la respiración: *hacen apnea los buceadores que se sumergen sin bombonas de oxígeno.*

apocado, -da *adj./s. m. y f.* Se aplica a la persona que tiene mucha timidez.

apocalipsis *s. m.* ① Fin catastrófico o violento. ② Fin del mundo: *san Juan narra su visión del apocalipsis en el libro homónimo del Nuevo Testamento.*
FAM apocalíptico.
OBS Plural invariable.

apocalíptico, -ca *adj.* ① Relativo al Apocalipsis (libro de la Biblia en el que se describe el fin del mundo). ② Relativo al apocalipsis.

apocamiento *s. m.* ① Actitud de la persona excesivamente tímida. ② Falta de ánimo.

apocar *v. tr.* ① Hacer que una persona se sienta humillada y se valore en menos de lo debido. | *v. prnl.* ② **apocarse** Acobardarse, cohibirse o comportarse con demasiada timidez: *cuando tiene que hablar con el director, se apoca y no dice lo que realmente piensa.*
FAM apocado, apocamiento.

apocopar *v. tr.* Suprimir uno o más sonidos finales de una palabra para crear una nueva.
FAM apócope.

apócope *s. f.* ① Supresión de uno o más sonidos en posición final de palabra: *la palabra "buen" está formada por apócope de "bueno".* ② Palabra que resulta de esta supresión: *"algún", "ningún" y "primer" son apócopes.*

apócrifo, -fa *adj.* ① Se aplica al texto escrito que no pertenece a la persona o a la época a la que se atribuye: *en el Siglo de Oro son abundantes los poemas apócrifos de Góngora y Quevedo.* ② Se aplica al texto bíblico que, si bien se atribuye a un autor sagrado, no está reconocido por la Iglesia por no considerarlo de inspiración divina: *los evangelios apócrifos.*

apodar *v. tr.* Poner un apodo, sobrenombre o mote a una persona.
FAM apodo.

apoderado, -da *adj./s. m. y f.* Se aplica a la persona que ha sido autorizada por otra para representarla y actuar en su nombre.

apoderar *v. tr.* ① Dar poder una persona a otra para que la represente donde sea preciso. | *v. prnl.* ② **apoderarse** Hacerse dueño de una cosa, generalmente por la fuerza o de manera ilegal: *los ladrones se apoderaron del dinero.* ③ Hacerse alguien o algo dueño de una situación: *el pánico se apoderó del público tras la explosión.*
FAM apoderado.

apodo *s. m.* Nombre con el que se sustituye el propio de una persona, generalmente tomado de alguna característica particular o familiar. **SIN** alias, mote.

ápodo, -da *adj./s. m.* Se aplica al animal que no tiene patas.

apódosis *s. f.* En una oración condicional, proposición principal, que expresa la consecuencia o conclusión de la condición: *en la oración "si no llueve, iremos a pescar", la apódosis es "iremos a pescar".* **ANT** prótasis.
OBS Plural invariable.

apófisis *s. f.* Parte saliente de un hueso por la que se articula a otro hueso o en la que se inserta un músculo.
OBS Plural invariable.

apogeo *s. m.* ① Momento o situación de mayor intensidad, grandeza o calidad en un proceso. ② Punto de la órbita de un cuerpo celeste, de un satélite o de una nave espacial en el que es mayor su distancia con respecto al centro de la órbita, especialmente si este es la Tierra.

apolillado, -da *adj.* ① Que está comido o deteriorado por la polilla. ② despectivo Que está anticuado o pasado de moda.

apolillarse *v. prnl.* ① Deteriorarse una cosa a causa de la polilla: *las sábanas se apolillaron.* ② Quedarse anticuado y pasado de moda. ③ Perder una habilidad o una capacidad por falta de práctica y renovación.
FAM apolillado; desapolillar.

apolíneo, -nea *adj.* ① culto Relativo a Apolo (dios de la belleza en la mitología griega). ② Se aplica al hombre que tiene un cuerpo muy bello y bien formado.

apolítico, -ca *adj./s. m. y f.* Se aplica a la persona que carece de ideología política definida y no muestra ningún interés por los asuntos relacionados con la política.

apología *s. f.* Discurso o texto en el que se alaba, apoya o defiende a una persona o cosa. **SIN** panegírico.
FAM apologético, apologista, apólogo.

apólogo *s. m.* Cuento o relato breve del que se extrae una enseñanza moral.

apoltronarse *v. prnl.* ① familiar Sentarse con comodidad, extendiendo y recostando el cuerpo. **SIN** repanchigarse, repantigarse. ② Acomodarse en una situación o cargo y permanecer en él sin esforzarse.
FAM apoltronamiento.

apoplejía *s. f.* Interrupción del riego sanguíneo de una parte del cerebro producida por un derrame, embolia o trombosis.
FAM apoplético.

apoquinar *v. tr.* familiar Pagar una cantidad de dinero, generalmente a disgusto.

aporrear *v. tr.* Golpear de manera repetida y violenta, especialmente con una porra.
FAM aporreamiento, aporreo.

aporreo *s. m.* Serie de golpes continuados y violentos: *se despertó sobresaltada al oír el aporreo de la puerta.*

aportación *s. f.* ① Ayuda, colaboración o participación en el logro de un fin. ② Entrega o suministro de lo necesario para el logro de un fin. **SIN** aporte. ③ Cosa o conjunto de cosas que se entregan o suministran para contribuir al logro de un fin. **SIN** aporte.

aportar *v. tr.* Proporcionar algo que ayuda al logro de un fin: *aportó el dinero necesario para restaurar el edificio; las velas aportan un toque romántico al ambiente.*
FAM aportación, aporte.

aporte *s. m.* ① Entrega o suministro de lo necesario para el logro de un fin. **SIN** aportación. ② Cosa o conjunto de cosas que se entregan o suministran para contribuir al logro de un fin. **SIN** aportación.

aposentar *v. tr.* ① Proporcionar habitación a una persona durante un tiempo. **SIN** alojar. | *v. prnl.* ② **aposentarse** Establecerse una persona durante un tiempo en una casa que no es la suya o en lugar análogo. **SIN** alojarse.
FAM aposento.

aposento *s. m.* ① Habitación de una casa: *el marqués se retiró a descansar a sus aposentos.* ② Lugar donde se vive de forma temporal: *buscaban aposento donde pasar la noche.* **SIN** alojamiento, hospedaje. ③ Palco de los teatros antiguos.

aposición *s. f.* Construcción gramatical en la que un sustantivo o sintagma nominal va yuxtapuesto a otro sustantivo, pronombre o sintagma nominal, respecto al cual ejerce una función adjetiva, explicándolo o especificándolo: *en la oración "María, enfermera de profesión, le hizo la primera cura", el*

sintagma *"enfermera de profesión"* es una aposición respecto de *"María".*
FAM apositivo.

apositivo, -va *adj.* Relativo a la aposición.

apósito *s. m.* Venda, gasa, algodón o tela esterilizada que se aplica sobre una herida para protegerla de las infecciones: *los apósitos se pueden impregnar con pomadas o líquidos que curan la herida.*

aposta *adv.* Con intención de producir el efecto que se produce. **SIN** adrede.
OBS También *a posta.*

apostadero *s. m.* [1] Lugar adecuado para estar a la espera vigilando: *los apostaderos de los cazadores.*

apostar[1] [5] *v. tr./prnl. tr.* [1] Pactar dos o más personas que el que acierte alguna cosa o gane en algún juego se llevará el premio que se haya establecido: *me apuesto una cena a que no llegarás a tiempo.* [2] Exponer una cantidad de dinero para tomar parte en un juego que consiste en acertar el resultado de algo, de forma que si se acierta, se recibe una cantidad de dinero mucho mayor: *apostó mucho dinero a los caballos.* **SIN** jugar.
FAM apostante, apuesta.

apostar[2] *v. tr.* Poner a una persona en un lugar para un determinado fin: *apostaron unos guardias en la puerta; el cazador se apostó detrás de una mata.*
FAM apostadero.

apostilla *s. f.* Nota o conjunto de notas que sirven para comentar, aclarar o completar un texto.
FAM apostillar.

apostillar *v. tr.* Poner apostillas a un texto.

apóstol *s. m.* [1] Cada uno de los doce discípulos de Jesucristo que, según los evangelios, tenían la misión de predicar la fe cristiana. [2] Persona que se dedica a propagar una doctrina o una idea: *los apóstoles del pacifismo.*
FAM apostolado, apostólico.

apostolado *s. m.* [1] Enseñanza y propagación de la doctrina cristiana: *este sacerdote se encarga del apostolado juvenil.* [2] Campaña de propaganda a favor de un ideal o doctrina.

apostólico, -ca *adj.* [1] Relativo a los apóstoles. [2] Relativo al Papa o a su autoridad: *bendición apostólica.*

apostrofar *v. tr.* Dirigir apóstrofes a alguien.

apóstrofe *s. amb.* [1] culto Figura retórica que consiste en interrumpir el discurso para dirigir la palabra a una persona, ya sea real o imaginaria. [2] culto Palabra que se dice a alguien de manera brusca o poco cortés.
FAM apostrofar.

apóstrofo *s. m.* Signo ortográfico (') que se usa para indicar que se ha suprimido una vocal, y para otros usos; se utilizó en castellano antiguo y actualmente se emplea en muchas lenguas, como el inglés, el francés, el italiano o el catalán.
FAM apostrofado.

apostura *s. f.* Elegancia y compostura de una persona, especialmente de un hombre.
FAM apuesto.

apotegma *s. m.* Frase breve y sentenciosa que es muy conocida por haber sido pronunciada por un personaje célebre: *"lo bueno, si breve, dos veces bueno" es un apotegma de Gracián.*

apotema *s. f.* [1] Perpendicular trazada desde el centro de un polígono regular a cualquiera de sus lados: *la apotema se* puede calcular conociendo la longitud del lado y el radio de la circunferencia circunscrita. [2] Altura de cada una de las caras laterales de una pirámide.

apoteósico, -ca *adj.* [1] Que recibe la admiración y alabanza de mucha gente: *tuvo un recibimiento apoteósico.* [2] Que es brillante o deslumbrante por ser el momento culminante de algo: *un final apoteósico.*

apoteosis *s. f.* Parte final, brillante y muy impresionante, de algo, especialmente de un acto, espectáculo o competición deportiva.
FAM apoteósico.
OBS Plural invariable.

apoyar *v. tr.* [1] Colocar una persona o cosa sobre otra de modo que descanse en ella: *apoyó el codo en la mesa.* [2] Estar a favor de determinada persona y confiar en ella: *la mayoría de los socios apoyan al candidato.* [3] Tener su base una cosa sobre otra: *su teoría se apoya en la investigación.* **SIN** basar, fundar. [4] Basar una opinión en el criterio de otra persona: *apoyaba sus citas en Aristóteles.* [5] Aprobar o dar por bueno: *el profesor apoyó esa teoría.*
FAM apoyadero, apoyatura, apoyo.

apoyatura *s. f.* [1] Apoyo. [2] Nota musical que va delante de otra como adorno y que se escribe con un signo muy pequeño.

apoyo *s. m.* [1] Persona, cosa o parte de ella sobre la que se apoya otra: *utilizaba un bastón como apoyo.* **SIN** apoyatura. [2] Ayuda o confianza: *agradecemos el apoyo de esta institución.* **SIN** apoyatura.

apreciable *adj.* [1] Que puede ser notado o apreciado por los sentidos: *una diferencia apreciable a simple vista.* **ANT** inapreciable. [2] Considerable, de bastante importancia: *una cantidad apreciable.* **ANT** inapreciable. [3] Que es digno de ser apreciado: *es una persona muy apreciable por su simpatía.* **ANT** despreciable.
FAM inapreciable.

apreciación *s. f.* Valoración objetiva o subjetiva de algo: *su apreciación de los hechos fue errónea.*

apreciar *v. tr.* [1] Captar o percibir algo por los sentidos o por la inteligencia: *no puedo apreciar la diferencia.* [2] Reconocer el valor, el mérito o las cualidades de una persona o cosa: *aprecio lo que has hecho por mí.* **SIN** valorar. [3] Sentir cariño o afecto por alguien: *aprecio mucho a mi primo.* **SIN** estimar. [4] Poner precio a una cosa.
FAM apreciable, apreciación, apreciado, apreciativo, aprecio.
OBS Verbo regular, se acentúa como *cambiar.*

apreciativo, -va *adj.* Relativo a la apreciación.

aprecio *s. m.* [1] Cariño o afecto. **SIN** estima. [2] Reconocimiento del valor, del mérito o de las cualidades de una persona o cosa. **SIN** valoración.

aprehender *v. tr.* [1] Prender a una persona que ha cometido un delito: *la policía local ha aprehendido al asesino.* [2] Capturar un botín o una mercancía de contrabando. [3] culto Asimilar o comprender una idea o un conocimiento por completo.
FAM aprehensión, aprehensivo.

aprehensión *s. f.* [1] Captura y detención de una persona que ha cometido un delito. [2] Captura de un botín o de una mercancía de contrabando. [3] culto Asimilación de una idea o un conocimiento por completo.

apremiante *adj.* Que necesita una acción o solución rápida. **SIN** acuciante, urgente.

apremiar *v. tr.* ① Meter prisa a una persona para que haga algo: *el tiempo nos apremia: tenemos que terminar dentro del plazo.* ② Obligar a alguien, mediante la fuerza o la autoridad, a hacer algo con prontitud: *el estado apremia a los que no pagan los impuestos.* **SIN** instar, urgir. ❙ *v. intr.* ③ Ser urgente la realización de una cosa: *cuando el trabajo apremia, hay que ponerle horas.* **SIN** urgir.
FAM apremiante, apremio.
OBS Verbo regular, se acentúa como *cambiar.*

apremio *s. m.* ① Prisa que se ejerce sobre alguien para que haga algo con rapidez. ② Falta de tiempo, espacio o dinero para hacer algo. ③ Mandamiento judicial o administrativo por el que se obliga a alguien al cumplimiento de una cosa.

aprender *v. tr.* ① Llegar a saber una cosa por medio del estudio o la práctica: *ha aprendido muy rápido a nadar.* ② Grabar una cosa en la memoria: *tómame la lección, que ya me la he aprendido.* **SIN** memorizar.
FAM aprendiz.

aprendiz, -za *s. m. y f.* ① Persona, generalmente joven, que aprende algún oficio practicándolo con alguien que ya lo sabe. ② Persona que se halla en el primer grado de un oficio.
FAM aprendizaje.

aprendizaje *s. m.* Adquisición de los conocimientos necesarios para ejercer una función, en especial un arte o un oficio: *el aprendizaje de una segunda lengua.*

aprensión *s. f.* ① Sensación de desagrado que se siente hacia una persona o cosa, especialmente por miedo a contagiarse de una enfermedad o a recibir algún daño. ② Miedo infundado a algún peligro.

aprensivo, -va *adj.* Se aplica a la persona que tiene un miedo exagerado a contagiarse de alguna enfermedad o a sufrir algún daño, o que siente una preocupación excesiva por sus dolencias.
FAM aprensión; desaprensivo.

apresamiento *s. m.* Captura y detención de una persona.

apresar *v. tr.* ① Detener a una persona y encerrarla en prisión: *la policía ha apresado al delincuente.* ② Sujetar con fuerza, privando de la libertad de movimientos: *no hubo forma de apresar al elefante.* **SIN** aprisionar. ③ Coger fuertemente con las garras o con los dientes: *el león apresó a la gacela por el cuello.* **SIN** agarrar.
FAM apresamiento.

aprestar *v. tr.* ① Preparar o disponer lo necesario para una cosa: *aprestó los utensilios de pesca.* ❙ *v. prnl.* ② **aprestarse** Prepararse o disponerse a hacer algo: *se aprestaba a irse a la cama cuando llamaron a la puerta.*
FAM apresto.

apresto *s. m.* ① Preparación a que se someten los tejidos para que tengan mayor consistencia o rigidez. ② Sustancia que se aplica a los tejidos para que tengan mayor consistencia o rigidez: *el almidón y la cola son los aprestos más utilizados.*

apresurado, -da *adj.* Se aplica a la cosa que se hace con prisas o que muestra apresuramiento: *el ladrón, en su apresurada huida, perdió buena parte del botín.*

apresurar *v. tr.* ① Aumentar la velocidad con que se hace una cosa: *cuando notó que lo seguían, apresuró el paso.* ❙ *v. prnl.* ② **apresurarse** Darse prisa.
FAM apresurado, apresuramiento.

apretado, -da *adj.* ① Que es demasiado ajustado o apiñado: *íbamos todos apretados en el coche.* ② Que es estrecho o

con poco margen: *el resultado de la votación fue muy apretado.* ③ Que es difícil de soltar o aflojar: *un nudo muy apretado.* ④ Lleno de obligaciones, actividades o trabajos: *una jornada muy apretada.*

apretar [1] *v. tr.* ① Coger una persona o cosa con las manos o los brazos y sujetarla con fuerza: *la apretó contra sí.* ② Quedar demasiado ajustada una prenda de vestir: *he engordado un poco: este pantalón me aprieta.* ③ Hacer fuerza o presión sobre una cosa para que penetre o se ajuste a un espacio: *apretar un tornillo.* ④ Aumentar la tirantez de algo para que haga mayor presión: *aprieta más la cuerda para que sujete bien la carga.* ⑤ Reducir algo a menor volumen, generalmente por medio de una presión: *aprieta la ropa para poder cerrar la maleta.* **SIN** comprimir. ⑥ Tratar a alguien con mucho rigor: *el jefe nos aprieta mucho.* ❙ *v. intr.* ⑦ Presionar a alguien a que haga algo, con amenazas, ruegos o razones: *habrá que apretarle un poco, a ver si nos baja el precio.* ⑧ Poner mayor cuidado o interés: *tienes que apretar más si quieres aprobar.* ⑨ Aumentar la intensidad de algo: *el calor está apretado.* ❙ *v. prnl.* ⑩ **apretarse** Juntarse mucho entre sí varias personas en un lugar demasiado estrecho: *nos apretamos un poco para que él también pudiera sentarse.* **SIN** apretujarse.
FAM apretado, apretón, apretujar, apretura.

apretón *s. m.* ① Presión fuerte y rápida que se ejerce sobre una persona o cosa: *un apretón de manos.* ② Falta de espacio causada por la excesiva cantidad de gente que se halla en un lugar: *los apretones del metro.* **SIN** apretujón, apretura. ③ familiar Necesidad repentina y violenta de defecar.

apretujar *v. tr.* ① Apretar con fuerza o repetidamente. ❙ *v. prnl.* ② **apretujarse** Juntarse mucho entre sí varias personas en un lugar demasiado estrecho. **SIN** apretarse.
FAM apretujamiento, apretujón.

apretujón *s. m.* ① Presión fuerte y repetida. ② Falta de espacio causada por la excesiva cantidad de gente que se halla en un lugar. **SIN** apretón, apretura.

apretura *s. f.* ① Falta de espacio causada por la excesiva cantidad de gente que se halla en un lugar. **SIN** apretón, apretujón. ② Falta o escasez de algo, especialmente de alimentos. ③ Aprieto.

aprieto *s. m.* Asunto o problema de difícil solución: *estoy metido en un aprieto.* **SIN** apretura.

aprisa *adv.* Con rapidez. **SIN** deprisa. **ANT** despacio.

aprisco *s. m.* Lugar cercado donde los pastores recogen el ganado por la noche.

aprisionar *v. tr.* ① Sujetar con fuerza, privando de la libertad de movimientos: *muchas personas han quedado aprisionadas bajo los escombros.* **SIN** apresar. ② Meter en prisión. **SIN** encarcelar.
FAM aprisionamiento.

aprobación *s. f.* Aceptación de algo que se da por bueno o suficiente: *mis padres han dado su aprobación a que me vaya a estudiar al extranjero.*

aprobado *s. m.* Calificación o nota que indica que un alumno ha alcanzado el nivel de conocimientos exigido como mínimo. **ANT** suspenso.

aprobar [5] *v. tr.* ① Considerar que algo está bien, darlo por bueno o suficiente: *el Parlamento aprobó el proyecto de ley.* **SIN** aceptar. **ANT** desaprobar. ② Declarar apta a una persona en un examen u oposición: *los profesores están contentos de poder aprobar a sus alumnos.* **ANT** suspender. ③ Ser declarada apta una persona en un examen u oposición: *he aprobado el examen de matemáticas con un notable.* **ANT** suspender.

FAM aprobación, aprobado, aprobatorio; desaprobar.

aprobatorio, -ria *adj.* Que aprueba o implica aprobación: *respuesta aprobatoria.*

apropiación *s. f.* Acción de adueñarse de algo que pertenece a otro, especialmente si es de forma indebida: *sustrajo dinero de la empresa donde trabajaba y se le acusó de apropiación indebida.*

apropiado, -da *adj.* Adecuado para el fin al que se destina.

apropiar *v. tr.* **1** Adecuar una cosa a otra: *el profesor de arte dramático nos enseña a apropiar la voz al gesto.* **|** *v. prnl.* **2 apropiarse** Adueñarse de algo que pertenece a otra persona, especialmente si es de forma indebida: *siempre se apropia de las ideas e iniciativas que se me ocurren a mí.* **SIN** apoderarse.

OBS Verbo regular, se acentúa como *cambiar.*

aprovechable *adj.* Se aplica a la cosa que aún puede ser aprovechada.

aprovechado, -da *adj.* **1** Se aplica a la persona que es muy diligente, estudiosa o pone mucho interés en lo que hace: *los niños aprovechados estudian todos los días.* **|** *adj./s. m. y f.* **2** Se aplica a la persona que saca beneficio de las situaciones favorables, generalmente sin escrúpulos o utilizando a los demás: *eres un aprovechado: solamente vas con él al cine si te pago la entrada.*

aprovechamiento *s. m.* Obtención de un beneficio o un provecho: *cuando hay sequía, el aprovechamiento del agua es muy importante.*

aprovechar *v. tr.* **1** Hacer buen uso de una cosa, sacarle el máximo rendimiento, beneficio o utilidad: *si aprovechas la tarde para estudiar, por la noche podrás ir al cine.* **|** *v. intr.* **2** Ser útil o buena una cosa a alguien: *dormir las horas necesarias aprovecha a todo el mundo.* **3** Adelantar en el aprendizaje de una materia: *aprovecha bien en clase: aprende mucho.* **|** *v. prnl.* **4 aprovecharse** Servirse de una persona o cosa o para sacarle un beneficio, especialmente cuando se hace con astucia, engaño o abuso: *se ha aprovechado de su trabajo, copiándolo y haciéndolo pasar como suyo.* **5** Abusar de una mujer.

¡que aproveche! Se utiliza para desear a una persona que disfrute de la comida.

FAM aprovechable, aprovechado, aprovechamiento; desaprovechar.

aprovisionamiento *s. m.* Suministro o entrega de lo que se necesita, especialmente víveres o provisiones.

aprovisionar *v. tr.* Abastecer de víveres o provisiones: *los alpinistas se aprovisionaron de todo lo necesario para la expedición.*

FAM aprovisionamiento.

aproximación *s. f.* **1** Colocación en una posición más cercana: *el avión inició las maniobras de aproximación.* **SIN** acercamiento. **2** Acercamiento a un asunto o problema. **3** Cantidad o cifra cercana al número correcto, pero que no es exacta. **4** Premio de la lotería nacional que se concede a los números anterior y posterior de los premios mayores.

aproximado, -da *adj.* Que se acerca más o menos a lo exacto. **SIN** aproximativo.

FAM aproximadamente.

aproximar *v. tr.* **1** Poner a menor distancia una cosa: *aproximo la silla a la mesa para que estés más cómoda.* **SIN** acercar.

2 Poner en relación amistosa a dos o más personas. **3** En matemáticas, determinar un valor cercano al valor exacto, pero que lo excede o no lo alcanza: *aproximar a la centena de millar más próxima el número 6 274 399.* ■ **aproximar por defecto** Calcular un valor cercano al exacto, pero menor que el verdadero. ■ **aproximar por exceso** Calcular un valor cercano al exacto, pero mayor que el verdadero. **|** *v. prnl.* **4 aproximarse** Acercarse o ponerse a menor distancia: *se aproximaba una tormenta.* **5** Intentar establecer relaciones amistosas con una persona.

FAM aproximación, aproximado, aproximativo.

aproximativo, -va *adj.* Aproximado.

áptero, -ra *adj.* **1** Se aplica al animal que no tiene alas. **2** Se aplica al edificio que tiene pórtico de columnas, pero sin columnas en sus fachadas laterales.

aptitud *s. f.* Capacidad para realizar satisfactoriamente una tarea o desempeñar un cargo: *tiene aptitudes para la música.* **ANT** incapacidad, ineptitud.

apto, -ta *adj.* **1** Que tiene aptitud para hacer una cosa: *es una persona muy apta para dirigir la empresa.* **SIN** capaz. **ANT** inepto. **2** Que es adecuado o útil para un fin: *esta sala no es apta para hacer una fiesta.*

FAM aptitud.

apuesta *s. f.* **1** Pacto o acuerdo entre dos o más personas según el cual quien acierte una cosa o gane en un juego se llevará el premio que se haya establecido. **2** Cosa que alguien se apuesta.

apuesto, -ta *adj.* Que tiene aspecto o figura agradable.

apuntado, -da *adj.* Que acaba en punta.

apuntador, -ra *s. m. y f.* Persona que, oculta a los espectadores, ayuda a los actores a recordar su papel durante la representación teatral.

apuntalar *v. tr.* Sujetar alguna cosa con puntales, especialmente un edificio, para reforzarla o para que no se derrumbe.

FAM apuntalamiento.

apuntar *v. tr.* **1** Escribir en un papel un dato o información, generalmente breve: *apuntó su número de teléfono en la agenda.* **SIN** anotar. **|** *v. tr./intr.* **2** Señalar hacia algo o alguien con el dedo índice o de otra manera: *la aguja de la brújula apunta hacia el norte.* **3** Dirigir un arma hacia el objetivo: *apunta al blanco y dispara.* **|** *v. tr.* **4** Señalar la conveniencia de una cosa: *me apuntó que hablara más pausadamente.* **5** Decir a alguien en voz baja algo que no recuerda o que no sabe. **6** Escribir en una lista o registro el nombre de una persona para un fin determinado: *me ha apuntado al curso de verano; la apuntó en el censo.* **SIN** inscribir. **|** *v. intr.* **7** Empezar a mostrarse o a salir alguna cosa: *ya apunta el día.* **|** *v. prnl.* **8 apuntarse** Conseguir un éxito o un tanto en una competición deportiva. **SIN** anotarse.

FAM apuntador, apunte.

apunte *s. m.* **1** Nota que se toma por escrito. **2** Dibujo del natural que se hace rápidamente y con pocas líneas y sirve para recordar la forma y la disposición del modelo. **SIN** boceto. **3** Voz del apuntador que indica a los actores de teatro el texto de la obra. **4** Texto que usa el apuntador. **|** *s. m. pl.* **5 apuntes** Notas que se toman cuando se escucha la explicación de un profesor.

apuntillar *v. tr.* **1** Rematar al toro con la puntilla. **2** Rematar, acabar de estropear o dar el golpe definitivo a algo.

apuñalar *v. tr.* Herir a alguien con un objeto punzante, como un cuchillo o puñal. **SIN** acuchillar.
FAM apuñalamiento.

apurado, -da *adj.* ① Se aplica a la persona que tiene apuros o problemas económicos: *este mes vamos muy apurados.* ② Se aplica a la situación que es difícil, angustiosa o peligrosa. ③ Se aplica a la persona que tiene prisa: *voy un poco apurado de tiempo.*

apurar *v. tr.* ① Acabar o agotar una cosa: *apuró la copa de vino y se marchó del bar.* ② Llevar hasta el límite: *apuró al máximo sus fuerzas para llegar el primero.* ③ Cortar mucho el pelo de la barba. ④ Meter prisa a una persona: *apuró al taxista para que fuera más deprisa.* **SIN** apremiar. ⑤ Correr prisa algo a alguien. **SIN** urgir. ‖ *v. prnl.* ⑥ **apurarse** Darse prisa. **SIN** apresurarse. ⑦ Preocuparse o afligirse: *no te apures, no tiene importancia.*
FAM apurado, apuro.

apuro *s. m.* ① Asunto o problema de difícil solución. **SIN** aprieto. ② Escasez de dinero: *últimamente pasan muchos apuros económicos.* ③ Vergüenza que supone hacer algo ante alguien: *me da apuro pedirle dinero.*

aquaplaning [se pronuncia aproximadamente 'acuaplanin'] *s. m.* Deslizamiento de un automóvil que se produce cuando los neumáticos no se adhieren al asfalto a causa del agua que cubre el suelo de la carretera.

aquejar *v. tr.* Afectar una enfermedad o un mal a una persona o cosa.
FAM aquejoso.

aquel, aquella *det./pron.* ① Indica o señala algo que está más lejos, en el espacio o el tiempo, de las personas que hablan: *la oficina está en aquel edificio; este árbol es más pequeño que aquel.* **NOTA** Cuando funciona como pronombre, se debe escribir con tilde si existe riesgo de ambigüedad. ‖ *adj.* ② Pospuesto al sustantivo, comporta un matiz despectivo o indeterminado: *todos recordamos el día aquel.* ‖ *s. m.* ③ Encanto o atractivo indeterminado que tiene una persona o cosa: *no es especialmente bonito, pero tiene su aquel.*

aquelarre *s. m.* Reunión nocturna de brujas y brujos.

aquello *pron.* ① Indica o señala lo que está más lejos, en el espacio o el tiempo, de las personas que hablan: *aquello que se ve allí es la ermita.* ② Indica o señala una cosa conocida o nombrada anteriormente por los hablantes: *¿recuerdas aquello que me dijiste?*
OBS Carece de plural.

aquenio, -nia *s. m.* Fruto seco que contiene una sola semilla que no está soldada a su envoltura externa: *la castaña es un aquenio.*

aqueo, -quea *adj.* ① De Acaya (antigua región de Grecia). ‖ *s. m. y f./adj.* ② Persona que era de Acaya: *los aqueos invadieron la península helénica hacia 2200 a. C.*

aquí *adv.* ① En este lugar, al lado de la persona que habla o en dirección al lugar donde se encuentra la persona que habla: *ven aquí conmigo.* **SIN** acá. **ANT** allí. ② En este momento, en el momento en que se está hablando: *de aquí en adelante no sé lo que pasará.*
de aquí te espero familiar Impresionante.

aquiescencia *s. f.* Consentimiento o aceptación de una decisión tomada por otra persona.

aquiescente *adj.* culto Que consiente, permite o autoriza cierta cosa.
FAM aquiescencia.

aquietar *v. tr.* Calmar o tranquilizar.

aquilatar *v. tr.* ① Determinar o juzgar con cuidado el valor, importancia o trascendencia de una cosa. ② Rebajar todo lo posible el precio de algo.
FAM aquilatamiento.

¡ar! *int.* Expresión que utiliza un mando militar para indicar el momento en que se debe comenzar a cumplir la orden dada: *¡rompan filas!, ¡ar!*

ara *s. f.* culto Mesa consagrada, montículo o piedra donde se realizan rituales religiosos.
en aras de En honor o en interés de: *es preciso el sacrificio en aras de la libertad.*

árabe *adj.* ① De Arabia (península del sudoeste de Asia): *Yemen, Kuwait, Arabia Saudí y Omán son países árabes.* ‖ *s. com./ adj.* ② Persona que es de Arabia. ‖ *adj./s. com.* ③ Se aplica al pueblo que en el primer milenio se asentó en Arabia y a sus descendientes. ‖ *s. m./adj.* ④ Lengua semítica que se habla en distintos países de Asia y de África. ‖ *adj.* ⑤ Relativo a esta lengua. ⑥ Relativo a los países donde se habla esta lengua: *el petróleo árabe se distribuye por todo el mundo.* ‖ *s. com./adj.* ⑦ Persona que es de uno de los países donde se habla esta lengua.
FAM arabesco, arábigo, arabismo, arabista, arabizar.

arabesco *s. m.* Adorno pintado o labrado en frisos, cenefas o zócalos, compuesto por figuras geométricas y motivos florales que se entrelazan de forma complicada y diversa; es característico de la arquitectura islámica.

arábigo, -ga *adj.* Árabe.

arabismo *s. m.* Palabra o modo de expresión propio de la lengua árabe y que se usa en otro idioma: *la palabra "almohada" es un arabismo en español.*
FAM arabista.

arabista *s. com.* Persona que se dedica al estudio de la lengua y la cultura árabes.

arabizar *v. tr.* Comunicar formas, características o costumbres que se consideran propias de lo árabe.
FAM arabización.

arácnido *adj./s. m.* ① Se aplica al artrópodo que se caracteriza por tener cuatro pares de patas, carecer de antenas y alas y tener el cuerpo dividido en cefalotórax y abdomen, como la araña: *la mayoría de los arácnidos son terrestres.* ‖ *s. m. pl.* ② **arácnidos** Grupo taxonómico, con categoría de clase, constituido por estos artrópodos.

aracnofobia *s. f.* Miedo enfermizo a las arañas.

aracnoides *s. f.* Meninge situada entre la duramadre y la piamadre.
OBS Plural invariable.

arado *s. m.* ① Instrumento agrícola que se emplea para labrar o arar la tierra, abriendo surcos en ella. ② Labor que se hace en la tierra con este instrumento. **SIN** reja.

aragonés, -nesa *adj.* ① De Aragón (comunidad autónoma española). ‖ *s. m. y f./adj.* ② Persona que es de Aragón. ‖ *s. m./adj.* ③ Variedad del español hablada en Aragón y parte del sur de Navarra.

aragonesismo *s. m.* ① Amor o admiración por la cultura y las tradiciones de Aragón. ② Palabra o modo de expresión propio del español hablado en Aragón.

arameo, -mea *adj.* ① Relativo a un pueblo bíblico que habitó en el antiguo país de Aram (norte de la actual Siria). ‖ *s. m. y f./adj.* ② Persona perteneciente a este pue-

A

blo. ❙ *s. m.* ❸ Conjunto de lenguas semíticas, de la misma familia que el hebreo y el fenicio, que se hablaron en el cercano Oriente y que hoy perviven en ciertas regiones de Siria y Líbano.

arancel *s. m.* ❶ Impuesto que grava las mercancías que entran en un país. ❷ Tarifa oficial que determina los derechos que se han de pagar en aduanas, costas judiciales, ferrocarriles, etc.
FAM arancelario.

arancelario, -ria *adj.* Relativo al arancel: *impuestos arancelarios*.

arándano *s. m.* ❶ Planta con ramas angulosas, hojas ovaladas, flores blancas o rosadas y fruto comestible. ❷ Fruto de esta planta, redondeado y de color negro azulado: *tarta de arándanos*.
FAM arandanedo.

arandela *s. f.* Pieza delgada, circular y con un orificio en el centro, que sirve para mantener apretados una tuerca o tornillo, asegurar el cierre hermético de una junta o evitar el roce entre dos piezas: *el grifo lleva una arandela de goma para ajustar el cierre*.

araña *s. f.* ❶ Arácnido que tiene unos órganos en la parte posterior del cuerpo con los que produce una sustancia en forma de hilo que le sirve para trasladarse y para construir telarañas. ❷ Lámpara de techo con muchos brazos adornados con colgantes de cristal.
FAM arañil, arañuelo.

arañar *v. tr.* ❶ Herir superficialmente la piel de alguien con las uñas o con un objeto punzante. ❷ Rayar ligeramente una superficie lisa y dura. ❸ Recoger con mucho interés, poco a poco y de varias partes lo que se necesita para un fin.
FAM arañazo.

arañazo *s. m.* ❶ Herida superficial hecha en la piel con las uñas o con un objeto punzante. ❷ Raya poco profunda y larga hecha en una superficie dura y lisa.

arar *v. tr.* Remover la tierra haciendo surcos con el arado.
SIN labrar.
FAM arada, arado.

araucano, -na *adj.* ❶ Relativo a un pueblo indio que en la época de la conquista española habitaba la región de Arauco, en el centro de Chile, y que después se extendió por la pampa argentina. ❙ *s. m. y f./adj.* ❷ Persona perteneciente a este pueblo. ❙ *s. m./adj.* ❸ Lengua precolombina hablada en Chile y Argentina.

arbitraje *s. m.* ❶ Ejercicio de la labor de árbitro, especialmente en una competición deportiva. ❷ Operación de cambio de valores mercantiles encaminada a lograr un beneficio aprovechando la diferencia de precio entre dos mercados. ❸ Procedimiento para resolver pacíficamente conflictos internacionales mediante el cual los países afectados acuerdan someterse a la decisión de un mediador.

arbitral *adj.* Relativo al árbitro: *decisión arbitral*.

arbitrar *v. tr.* ❶ Actuar de árbitro en una competición deportiva. ❷ Obtener o reunir recursos o medios: *el Gobierno ha arbitrado medidas para detener la inflación*. ❙ *v. tr./intr.* ❸ Actuar como juez o mediador en un conflicto entre varias partes.
FAM arbitraje.

arbitrariedad *s. f.* ❶ Forma de actuar que se basa solamente en la voluntad y en el capricho y no en la razón, la lógica o la justicia. ❷ Hecho o dicho que no es lógico, justo o

legal, especialmente si lo realiza una persona que tiene autoridad.

arbitrario, -ria *adj.* ❶ Se aplica a la persona que actúa solamente basándose en su voluntad o capricho y no en la razón, la lógica o la justicia. ❷ Se aplica a la cosa que depende solamente de la voluntad o capricho de alguien y no de la razón, la lógica o la justicia.
FAM arbitrariedad.

arbitrio *s. m.* ❶ Capacidad para juzgar o decidir. ❷ Voluntad o deseo que obedece al capricho y no a la razón. ❸ Medio extraordinario que se propone para conseguir un fin determinado. ❙ *s. m. pl.* ❹ **arbitrios** Derechos o impuestos con que arbitran gastos públicos, generalmente municipales.

árbitro, -tra *s. m. y f.* ❶ Persona que en una competición de ciertos deportes se encarga de hacer cumplir el reglamento. **SIN** colegiado. ❷ Persona elegida como juez por dos partes que están en conflicto. ❸ Persona que influye sobre los demás en ciertas materias porque es considerada experta: *los árbitros de la moda*.
FAM arbitral, arbitrar.

árbol *s. m.* ❶ Planta leñosa de por lo menos 5 m de altura, cuyas ramas empiezan a crecer a cierta altura del suelo. ❷ Cuadro descriptivo que representa de forma gráfica las relaciones de dependencia que tienen los elementos de un conjunto: *un diagrama en árbol*. ■ **árbol filogenético** Árbol que describe la evolución de una especie biológica, desde la especie originaria hasta sus descendientes más recientes. ■ **árbol genealógico** Árbol que representa de forma gráfica las relaciones, orígenes y descendencia de una familia. ❸ Madero vertical, largo y redondo, que sirve para sostener las velas de una embarcación. **SIN** mástil, palo. ❹ Barra de una máquina, fija o giratoria, que sirve para soportar piezas rotativas o para transmitir fuerza motriz de unos órganos a otros. ■ **árbol de levas** Eje rotativo de una máquina que mueve una o más levas y se destina a distribuir movimientos que deben estar sincronizados.
FAM arbolado, arboladura, arbolar, arboleda, arborecer, arbóreo.

arbolado, -da *adj.* ❶ Se aplica al lugar que está poblado de árboles. ❙ *s. m.* ❷ Conjunto de árboles.

arboladura *s. f.* Conjunto de palos y vergas que sostienen las velas de una embarcación.

arboleda *s. f.* Lugar poblado de árboles.

arbóreo, -rea *adj.* ❶ Relativo al árbol. ❷ Que se parece al árbol o tiene características comunes con él: *diagrama arbóreo*.

arborescente *adj.* Que por su forma o aspecto recuerda a un árbol.
FAM arborescencia.

arborícola *adj.* Que vive en los árboles.

arboricultura *s. f.* Cultivo de los árboles.
FAM arborícola.

arbotante *s. m.* Arco exterior que descarga el empuje de las bóvedas sobre un contrafuerte separado del muro; es típico de la arquitectura gótica.

arbustivo, -va *adj.* Relativo a los arbustos.

arbusto *s. m.* Planta leñosa de menos de 5 m de altura, cuyas ramas empiezan a crecer desde la base.
FAM arbustivo.

arca *s. f.* ❶ Caja resistente de gran tamaño, generalmente de madera, con tapa plana y cerradura, que se usa para guardar ropa u otros objetos. ❷ Caja pequeña y resistente, de metal o madera, con tapa y cerradura, que sirve para guardar objetos de valor. **SIN** cofre. ■ **arca de la alianza** Arca en que, según la tradición bíblica, se guardaban las tablas de la ley: *el arca de la alianza fue transportada por el pueblo de Israel en su éxodo hacia la tierra prometida.* **NOTA** Se escribe normalmente con mayúscula inicial. ‖ *s. f. pl.* **3 arcas** Lugar donde se guarda el dinero de una colectividad.

arca de agua Depósito para recibir y distribuir agua.

arca de Noé (I) Embarcación que construyó Noé para salvar del diluvio universal a su familia y a una pareja de animales de cada especie. (II) Molusco marino comestible de conchas alargadas de color castaño y en forma de barca; vive adherido a las rocas o enterrado en el fango; es común en el Mediterráneo y el Atlántico.

FAM arcón, arqueta.

OBS Los artículos de singular son *el* y *un*, salvo que entre artículo y sustantivo haya otra palabra.

arcabucero *s. m.* **1** Soldado que iba armado con un arcabuz. **2** Fabricante de arcabuces y otras armas.

arcabuz *s. m.* Arma de fuego antigua, alargada y parecida a un fusil, que se disparaba prendiendo la pólvora mediante una mecha.

FAM arcabucear, arcabucero.

arcada *s. f.* **1** Movimiento violento del estómago que se produce antes de vomitar. **2** Serie de arcos de una construcción. **SIN** arquería. **3** Espacio vacío entre dos columnas o muros de un puente. **SIN** ojo.

arcaico, -ca *adj.* **1** Que pertenece a un pasado lejano o proviene de un periodo histórico antiguo: *andar en carro es una manera arcaica de viajar.* **2** Se aplica al periodo histórico o cultural que es anterior al pleno desarrollo.

FAM arcaísmo, arcaizar.

arcaísmo *s. m.* **1** Palabra o modo de expresión anticuado, que ya no se usa en la lengua de un determinado momento: *la palabra "agora", que significa 'ahora', es hoy un arcaísmo.* **2** Conservación o imitación de lo antiguo.

arcaizante *adj.* **1** Que tiene o usa arcaísmos. **2** Que tiende a lo arcaico o se parece a ello.

arcángel *s. m.* En el cristianismo, ser o espíritu celestial de categoría superior a la de los ángeles.

arcano, -na *adj.* **1** culto Secreto. ‖ *s. m.* **2** Secreto o misterio que es muy difícil de entender.

arce *s. m.* Árbol de madera muy dura y generalmente salpicada de manchas, ramas opuestas, hojas sencillas, lobuladas y angulosas y fruto ligero rodeado de una especie de alas.

arcén *s. m.* Margen o borde lateral situado a cada lado de la carretera, reservado para que circulen las personas a pie o en vehículos no automóviles.

archidiócesis *s. f.* Diócesis dirigida por un arzobispo.

OBS Plural invariable.

archiduque, -quesa *s. m.* **1** Noble que posee un título de categoría superior a la de duque. **2** Príncipe de la casa de Austria. ‖ *s. f.* **3** Princesa de la casa de Austria. **4** Mujer o hija de un archiduque.

FAM archiduquesa.

archifonema *s. m.* Conjunto de las características distintivas comunes a dos fonemas cuya oposición deja de existir en determinado contexto: */R/* es el archifonema de los fonemas vibrantes simple (r) y múltiple (rr), que se neutralizan en posición final de sílaba.

archimandrita *s. m.* En la Iglesia ortodoxa, superior de un monasterio o de un grupo de monasterios.

archimillonario, -ria *adj./s. m. y f.* **1** familiar Se aplica a la persona que es multimillonaria. ‖ *adj.* **2** Se aplica a la cantidad que es muy elevada o asciende a muchos millones. **SIN** multimillonario.

archipiélago *s. m.* Conjunto de islas agrupadas en una superficie más o menos extensa de mar: *las islas Canarias forman un archipiélago.*

archivador *s. m.* **1** Carpeta con varios apartados que sirven para guardar papeles de un modo ordenado y por separado. **2** Mueble o caja que sirve para guardar papeles, fichas o documentos de modo ordenado y por separado. **SIN** archivo.

archivar *v. tr.* **1** Guardar papeles o documentos en un archivo en un determinado orden. **2** Dar por terminado un asunto.

FAM archivador, archivero.

archivero, -ra *s. m. y f.* Persona que tiene a su cargo un archivo o trabaja como técnico en él.

archivística *s. f.* Técnica de conservación y catalogación de archivos.

archivístico, -ca *adj.* Relativo a los archivos o a la archivística.

archivo *s. m.* **1** Lugar en el que se guardan de forma ordenada documentos. **2** Conjunto de estos documentos. **3** Mueble o caja que sirve para guardar papeles, fichas o documentos de modo ordenado y por separado. **SIN** archivador. **4** Conjunto de información organizado y grabado como una unidad en un soporte informático de almacenamiento (disco duro del ordenador, un CD, etc.). **NOTA** También *archivo electrónico.* **SIN** fichero.

FAM archivar, archivística, archivístico.

archivolta *s. f.* Arquivolta.

arcilla *s. f.* Suelo o roca sedimentaria de grano muy fino compuesta principalmente de silicatos y que mezclada con agua se puede modelar y cocida se endurece; se usa para fabricar objetos de cerámica.

FAM arcilloso.

arcilloso, -sa *adj.* **1** Que tiene arcilla. **2** Que es parecido a la arcilla.

arcipreste *s. m.* **1** Sacerdote que, por nombramiento del obispo, tiene autoridad sobre un grupo de curas, iglesias y parroquias de un territorio determinado. **2** Sacerdote principal de una catedral.

FAM arciprestazgo.

arco *s. m.* **1** Porción de una línea curva continua comprendida entre dos puntos: *el diámetro divide la circunferencia en dos arcos iguales.* **2** Objeto o figura que tiene esta forma. ■ **arco iris** Banda de colores con forma de arco que aparece en el cielo cuando los rayos del sol atraviesan las gotas de lluvia: *los colores del arco iris son: rojo, anaranjado, amarillo, verde, azul, añil y violeta.* **3** Estructura de una construcción que tiene generalmente forma curva y que cubre un hueco entre dos columnas o pilares y distribuye entre ambos la carga que soporta. ■ **arco apuntado** o **arco ojival** Arco formado por dos porciones de curva que se unen en la parte superior formando un ángulo: *el arco ojival es típico del gótico.* ■ **arco carpanel** Arco de forma parecida al asa de un cesto, más ancho que alto. ■ **arco conopial** Arco que tiene forma de quilla

A

invertida. ■ **arco de herradura** Arco que mide más de media circunferencia: *el arco de herradura es típico de las construcciones hispanoárabes y visigodas.* ■ **arco de medio punto** Arco que tiene la forma de una semicircunferencia. ■ **arco de triunfo** o **arco triunfal** Monumento con uno o más arcos construido para celebrar una victoria o un acontecimiento: *el ejército desfiló bajo el arco de triunfo.* ■ **arco escarzano** Arco rebajado cuyo ángulo es de 60 grados. ■ **arco fajón** Arco perpiaño en la arquitectura románica. ■ **arco formero** Arco paralelo al eje longitudinal de la nave y que separa a esta de otra nave. ■ **arco lobulado** Arco formado por lóbulos o arcos más pequeños, a manera de ondas sucesivas. ■ **arco mixtilíneo** Arco formado por líneas rectas y curvas. ■ **arco perpiaño** Arco dispuesto transversalmente al eje de la nave, que ciñe la bóveda. ■ **arco toral** Cada uno de los cuatro arcos que sostienen la elevación o cúpula que hay sobre el crucero. ④ Arma formada por una vara flexible cuyos extremos se hallan unidos por una cuerda muy tirante, y que sirve para lanzar flechas. ⑤ Vara delgada ligeramente curva cuyos extremos están unidos por un conjunto de cerdas tirantes, con que se rozan las cuerdas de algunos instrumentos musicales para tocarlos. **arco eléctrico** o **arco voltaico** Descarga eléctrica que se produce a través de un gas, causando una elevada temperatura y una luz brillante: *dispositivos que producen un arco eléctrico se utilizan para soldar.* **arco insular** Conjunto de islas volcánicas dispuestas en forma de arco que se forman cuando una placa oceánica se hunde bajo otra placa oceánica. **arco reflejo** Conjunto de estructuras anatómicas que intervienen en un acto reflejo o respuesta estereotipada del organismo, como el formado por un receptor sensorial, una neurona sensorial y una neurona motora. **FAM** arcada, arquear, arquero; enarcar.

arcón *s. m.* Arca de gran tamaño.

arconte *s. m.* Magistrado que desempeñaba funciones de gobierno en diversas ciudades de la antigua Grecia, especialmente en Atenas.

ardentísimo, -ma *adj.* Superlativo de *ardiente.*

arder *v. intr.* ① Estar una cosa en combustión o quemándose. ② Estar muy caliente una cosa o desprender mucho calor: *el puré está ardiendo.* ③ Experimentar una pasión o un sentimiento intenso: *ardía de deseo por ella; ardía en deseos de abrazar a su madre.* **FAM** ardiente, ardor.

ardid *s. m.* Medio que se emplea con habilidad y astucia para conseguir algo, especialmente para engañar o evitar un engaño. **SIN** añagaza, artimaña, astucia.

ardido, -da *adj.* culto Intrépido, valiente.

ardiente *adj.* ① Que está lleno de pasión: *es un ardiente defensor de la libertad.* ② Que quema o es muy caliente: *un sol ardiente.* ③ Que causa ardor o parece que quema: *una sed ardiente.* **OBS** Superlativo irregular: *ardentísimo.*

ardilla *s. f.* ① Mamífero roedor de pequeño tamaño, color marrón, gris o rojo oscuro, con una gran cola de pelo denso y suave; vive en los bosques: *las ardillas son muy vivas, inquietas y ligeras.* ② Persona muy astuta.

ardite *s. m.* ① Cosa de poco valor: *esos adornos no valen un ardite; a ella, el deporte no le importa un ardite.* ② Antigua moneda castellana de poco valor.

ardor *s. m.* ① Calor muy intenso. ② Sensación de calor vivo en una parte del cuerpo: *ardor de estómago.* ③ Sentimiento muy fuerte, apasionado o entusiasta: *mostraba mucho ardor en la defensa de los niños pobres.* **FAM** ardoroso.

ardoroso, -sa *adj.* ① Muy caliente: *verano ardoroso.* ② Que tiene o muestra mucha fuerza, entusiasmo y pasión: *amante ardoroso; discusión ardorosa.*

arduo, -dua *adj.* Que es muy difícil y requiere mucho esfuerzo: *tarea ardua.*

área *s. f.* ① Zona o superficie acotada, que se distingue de lo que la rodea: *en Castilla hay extensas áreas de cultivo de cereales.* ■ **área de servicio** Lugar habilitado en una carretera para el estacionamiento de los vehículos y en el que generalmente hay una gasolinera, restaurantes, zonas de descanso y otros servicios. ② Medida de superficie, de símbolo *a*, que es igual a 100 metros cuadrados. ③ Superficie comprendida dentro de un perímetro: *el área de un rectángulo se obtiene multiplicando el largo por el ancho.* ④ En algunos deportes de pelota, parte delimitada del terreno de juego situada delante de la meta, con funciones variables según los deportes. ⑤ Espacio en el que se produce determinado fenómeno o que se distingue por tener ciertas características: *área cultural; área lingüística; área geográfica.* ⑥ Espacio de acción o ámbito en el que se desarrolla una actividad: *no me permitió entrar en su área de influencia.* ⑦ Conjunto de materias o conocimientos relacionados entre sí y que son propios de una actividad o disciplina: *el área de las ciencias sociales.* **FAM** centiárea, decárea, hectárea, miliárea, miriárea. **OBS** Los artículos de singular son *el* y *un*, salvo que entre artículo y sustantivo haya otra palabra.

arena *s. f.* ① Sedimento de grano medio-fino constituido por partículas minerales de composición diversa. ■ **arenas movedizas** Arena de escasa consistencia mezclada con agua que forma una masa en la que se hunde cualquier cuerpo más pesado. ② Materia formada por pequeñas partículas de un cuerpo sólido: *arena de vidrio.* ③ Zona central de la plaza de toros, cubierta de tierra, en la cual se torea. **SIN** albero, redondel, ruedo. ④ Lugar en el que se lucha, especialmente en un anfiteatro o circo romano. **FAM** arenal, arenífero, arenilla, arenisco, arenoso; enarenar.

arenal *s. m.* Extensión grande de terreno arenoso. **SIN** arenero.

arenero, -ra *adj.* ① Que se dedica al transporte o comercio de arena: *camión arenero.* ❘ *adj./s. m. y f.* ② Persona que vende arena. ❘ *s. m.* ③ Extensión grande de terreno arenoso. **SIN** arenal.

arenga *s. f.* Discurso en tono solemne y elevado que se pronuncia para levantar el ánimo de los que lo escuchan: *el general dirigió una arenga a sus soldados.* **FAM** arengar.

arengar *v. tr.* Dirigir una arenga a alguien.

arenilla *s. f.* ① Arena fina. ② Conjunto de partículas de cualquier tipo de material que son semejantes o parecidas a la arena, como las que se echaban antiguamente sobre los escritos para secar la tinta. ③ Cálculo renal o biliar que tiene el aspecto o el tamaño de la arena menuda: *mi abuelo tiene arenillas en el riñón.* ④ Salitre reducido a granos finos que se emplea para fabricar pólvora.

arenisca *s. f.* Roca sedimentaria formada a partir de arenas, cuyos granos quedan unidos por un cemento que le da dureza.

arenisco, -ca *adj.* Que tiene mezcla de arena.

arenoso, -sa *adj.* [1] Que tiene arena: *terreno arenoso*. [2] De características similares a la arena: *tejido arenoso*.

arenque *s. m.* Pez marino comestible parecido a la sardina, pero de mayor tamaño, de color azul por el dorso y plateado por el vientre: *los arenques se comen frescos, salados o ahumados*.

areola o **aréola** *s. f.* [1] Enrojecimiento de los bordes de una zona inflamada. [2] Círculo de color oscuro que rodea el pezón o protuberancia de la mama.

areómetro *s. m.* Instrumento que sirve para medir la densidad relativa o los pesos específicos de los líquidos y la concentración de las disoluciones.

areópago *s. m.* [1] Tribunal supremo de la antigua Atenas, encargado de juzgar asuntos criminales. **NOTA** Se escribe con mayúscula inicial. [2] culto Reunión o asamblea de personas con autoridad y competencia.

arepa *s. f.* Pan de maíz, huevos y manteca.

arete *s. m.* Aro pequeño de metal que se lleva en la oreja como adorno.

arévaco, -ca *adj.* [1] Relativo a un pueblo celtíbero establecido en la zona correspondiente al actual alto Duero (provincias de Soria y Segovia). ‖ *s. m. y f./adj.* [2] Persona perteneciente a este pueblo.

argamasa *s. f.* Mezcla de cal o cemento, arena y agua que se usa en la construcción. **SIN** mortero.

argelino, -na *adj.* [1] De Argelia (país de África). ‖ *s. m. y f./adj.* [2] Persona que es de Argelia.

argentar *v. tr.* culto Platear.

argénteo, -tea *adj.* culto Que es de plata.

argentífero, -ra *adj.* Que contiene plata: *yacimiento argentífero*.

argentinismo *s. m.* [1] Palabra o modo de expresión propio del español hablado en Argentina. [2] Amor o admiración por la cultura y las tradiciones de Argentina.

argentino, -na[1] *adj.* [1] De Argentina (país de América del Sur). ‖ *s. m. y f./adj.* [2] Persona que es de Argentina. ‖ *s. m./adj.* [3] Variedad del español hablada en Argentina. ‖ *s. m.* [4] Antigua moneda de oro de Argentina que equivalía a cinco pesos.

argentino, -na[2] *adj.* [1] culto De plata o que tiene características que se consideran propias de este metal: *su pelo tenía un brillo argentino*. [2] culto Se aplica al sonido que es claro y sonoro como el de la plata al ser golpeada: *voz argentina; risa argentina*.

argento *s. m.* culto Plata (metal precioso).

argolla *s. f.* [1] Aro grueso de metal que, fijo en algún sitio, sirve para asegurar algo a él. [2] Juego que consiste en tratar de hacer pasar por una argolla fija en el suelo unas bolas de madera, impulsándolas con unas palas cóncavas. [3] AMÉR. Anillo matrimonial. [4] C. RICA, PERÚ Grupo de presión que, por lo general, no actúa abiertamente. [5] MÉX. Anillo sin piedra ni adorno sobresaliente alguno.

formar argolla AMÉR. CENTRAL Establecer un monopolio.

argón *s. m.* Elemento químico de símbolo *Ar* y número atómico 18; es un gas noble que se encuentra en el aire en un 1 % y se emplea frecuentemente para llenar los tubos fluorescentes y en la soldadura de metales.

argonauta *s. m.* [1] Héroe de los que, según la mitología griega, acompañaron a Jasón en la nave *Argos* en busca del vellocino de oro. [2] Molusco marino de aspecto similar al pulpo, de cuerpo comprimido y con ocho tentáculos; la hembra es mucho mayor que el macho; habita en mares cálidos.

argot *s. m.* Jerga, variedad de lengua que utilizan para comunicarse entre sí las personas que pertenecen a un mismo oficio o grupo social.

OBS Plural: *argots*.

argucia *s. f.* Argumento falso presentado con habilidad e ingenio para hacerlo pasar por verdadero.

argüir [21] *v. tr.* [1] Alegar razones o argumentos en favor o en contra de alguna opinión. **SIN** argumentar. [2] Deducir como consecuencia natural, sacar en claro: *por sus palabras pudo argüir que ella no estaba de acuerdo con él*. **SIN** colegir.

FAM argucia, argumento.

argumentación *s. f.* Aportación de razones o argumentos en favor o en contra de una opinión.

argumental *adj.* Relativo al argumento: *trama argumental*.

argumentar *v. tr.* Dar razones o argumentos en favor o en contra de una opinión. **SIN** argüir.

FAM argumentación, argumentador.

argumentario *s. m.* Conjunto de argumentos.

argumentativo, -va *adj.* Relativo a la argumentación: *texto argumentativo*.

argumento *s. m.* [1] Razón que se da a favor o en contra de una opinión: *sus argumentos carecían de base*. [2] Sucesión de hechos o acciones relacionados entre sí que constituye el núcleo principal de una narración, obra teatral o película cinematográfica.

FAM argumental, argumentar, argumentario.

aria *s. f.* Composición musical formada por una melodía que se canta y un acompañamiento instrumental, que generalmente forma parte de una ópera, un oratorio u otro género dramático, en la que se expresan los sentimientos, preocupaciones, etc. del personaje y la trama o la acción se detienen.

OBS Los artículos de singular son *el* y *un*, salvo que entre artículo y sustantivo haya otra palabra.

aridez *s. f.* [1] Sequedad, falta de humedad: *la aridez del terreno*. [2] Falta de amenidad.

árido, -da *adj.* [1] Que no tiene o no recibe lluvia o que no tiene humedad atmosférica: *terreno árido*. **SIN** seco. [2] Que es poco ameno o entretenido. ‖ *s. m. pl.* [3] **áridos** Granos, legumbres y frutos secos a los que se aplican medidas de capacidad.

FAM aridez.

aries *adj./s. com.* Se aplica a la persona que ha nacido entre el 21 de marzo y el 19 de abril, tiempo en que el Sol, visto desde la Tierra, recorre la constelación de Aries, primer signo del Zodiaco.

OBS Se escribe normalmente con mayúscula inicial. Plural invariable.

ariete *s. m.* [1] Máquina militar que se empleaba antiguamente para derribar murallas, puertas y otros obstáculos; consistía en un tronco de madera largo y pesado, acabado en uno de sus extremos en una pieza de hierro, generalmente en forma de cabeza de carnero. [2] Delantero centro de un equipo de fútbol.

ario, aria *adj.* [1] Relativo a un pueblo indoeuropeo que desde el Neolítico habitó la India y otras regiones de Asia Menor. ‖ *s. m. y f./adj.* [2] Persona perteneciente a este pueblo. ‖ *adj.* [3] Relativo a una supuesta raza de estirpe nórdica que los nazis consideraban superior al resto de razas y etnias existentes y a la que creían que pertenecían los alemanes de piel y ojos claros. ‖ *s. m. y f./adj.* **4** Persona perteneciente a esta supuesta raza.

arisco, -ca *adj.* Que es poco amable o difícil de tratar: *es un gato muy arisco.*
FAM arisquear.

arisquear *v. intr.* ARG., URUG. Mostrarse arisco.

arista *s. f.* **1** Línea recta de intersección de dos planos o dos superficies de un poliedro que se cortan: *la arista de un poliedro es la línea recta en la que se cortan dos caras.* **2** Borde de un objeto cortado o trabajado. **3** Filamento áspero que es la prolongación de la cáscara que envuelve el grano de trigo y de otras plantas gramíneas. **SIN** raspa. ‖ *s. f. pl.* **4 aristas** Dificultades o problemas que presenta algo.

aristocracia *s. f.* **1** Clase social formada por las personas que poseen títulos nobiliarios. **ANT** plebe. **2** Grupo de personas que destaca entre los demás por alguna circunstancia. **3** Forma de gobierno en que el poder está en manos de los nobles y de las clases sociales altas.
FAM aristocrático.

aristócrata *s. com.* Persona que pertenece a la aristocracia.

aristocrático, -ca *adj.* Relativo a la aristocracia: *familia aristocrática.*
FAM aristócrata.

aristotelismo *s. m.* Sistema filosófico de Aristóteles (384-322 a. C.) y de sus seguidores, especialmente medievales y renacentistas: *santo Tomás de Aquino fue fiel a los principios del aristotelismo.*

aritmética *s. f.* Parte de las matemáticas que estudia las propiedades de los números y las operaciones que se pueden realizar con ellos.
FAM aritmético.

aritmético, -ca *adj.* Relativo a la aritmética: *operación aritmética.*

arlequín *s. m.* Personaje cómico de teatro, procedente de la antigua comedia italiana, que lleva una máscara negra y un traje de cuadros o rombos de distintos colores.

arlequinado, -da *adj.* **1** Se aplica a la tela o prenda que está formada por cuadros o rombos que recuerdan a un traje de arlequín. ‖ *adj./s. m. y f.* **2** Se aplica a algunos equipos deportivos que visten con camiseta de este tipo: *el equipo arlequinado sumó su tercera victoria.*

arma *s. f.* **1** Instrumento, máquina o medio que sirve para atacar o defenderse. ■ **arma automática** Arma de fuego que es capaz de disparar varias balas seguidas. ■ **arma bacteriológica** o **arma biológica** Sustancia elaborada en laboratorio, que se arroja al enemigo para contagiarlo de una enfermedad que provoque su muerte o su invalidez para el combate. ■ **arma blanca** Arma que tiene una hoja cortante y puede herir por el filo o por la punta. ■ **arma de fuego** Arma que utiliza una materia explosiva para lanzar proyectiles. **2** Defensa natural de un animal. **3** Medio para conseguir una cosa o un fin determinado: *sus mejores armas son la simpatía y el encanto.* **4** Sección del ejército de tierra: *el arma de infantería; el arma de artillería.* ‖ *s. f. pl.* **5 armas** Profesión o carrera militar. **6** Tropas militares. **7** Signos heráldicos de un escudo.

arma de doble filo Medio que se emplea para conseguir un fin y que puede tener el efecto contrario al que se prentende.

de armas tomar Se aplica a la persona que es muy atrevida y hace travesuras o malas acciones: *tenemos unos primos de armas tomar.*
FAM armada, armamento, armar, armero.
OBS Los artículos de singular son *el* y *un*, salvo que entre artículo y sustantivo haya otra palabra.

armada *s. f.* **1** Conjunto de las fuerzas navales de un estado. **2** Conjunto de embarcaciones de guerra que participan en una acción o se destinan a un servicio determinado.

armadía *s. f.* Conjunto de troncos unidos a modo de balsa y puestos a flote para transportarlos por un río. **SIN** almadía.

armadillo *s. m.* Mamífero de dorso y cola protegidos por placas córneas articuladas de manera que le permiten enrollarse en forma de bola cuando es atacado; vive en América Central y del Sur.

armado, -da *adj.* **1** Se aplica a la persona o el animal que está provisto de armas: *guardia armada; el sexto toro fue un ejemplar bien armado.* **2** Que se produce con intervención del uso de armas: *asalto armado al Palacio de Congreso; lucha armada.* **3** familiar Que tiene unos atributos sexuales bien desarrollados. ‖ *s. m.* **4** Hombre que, vestido como los antiguos soldados romanos, acompaña los pasos de las procesiones y cuida de los monumentos de Semana Santa.

armador, -ra *s. m. y f.* **1** Persona que se dedica a la construcción de barcos. **2** Persona o empresa que prepara y equipa un barco.

armadura *s. f.* **1** Conjunto de piezas de metal articuladas que los guerreros de la Edad Media llevaban puesto para protegerse del enemigo. **2** Conjunto de piezas o elementos que sirve como soporte y esqueleto de otra cosa. **SIN** armazón, estructura. **3** Sistema de dos conductores separados por una pequeña distancia que sirve para almacenar energía eléctrica. **SIN** condensador. **4** En música, conjunto de sostenidos o bemoles que se colocan en un pentagrama a la derecha de la clave y antes del compás e indican la tonalidad de la composición: *una armadura de un sostenido indica que la tonalidad es sol mayor.*

armamentismo *s. m.* Doctrina política que defiende el incremento progresivo del número y calidad de las armas que posee un país.
FAM armamentista.

armamentista *adj.* **1** Relativo a la producción de las armas de guerra. ‖ *adj./s. com.* **2** Se aplica a la persona que es partidaria del armamentismo. **3** AMÉR. CENTRAL Se aplica a la persona que es partidaria del militarismo.

armamento *s. m.* **1** Conjunto de armas de un ejército, de un cuerpo armado o de un soldado. **2** Proceso por el que un país aumenta el número y poder de sus armas.
FAM armamentismo.

armar *v. tr.* **1** Proporcionar armas: *armaron a la tropa con fusiles.* **2** Preparar todo lo necesario para la guerra o para cualquier otra actividad: *se armaron de lo necesario para el trabajo.* **3** Juntar y ajustar las piezas de un juego, aparato o mueble: *armar un rompecabezas.* **SIN** montar. **ANT** desarmar, desmontar. **4** Originar, provocar, especialmente una riña o un escándalo: *los vecinos armaron anoche un buen escándalo.* ‖ *v. prnl.* **5 armarse** Adoptar una determinada actitud para resistir una contrariedad: *armarse de paciencia.*
FAM armador; desarmar, rearmar.

armario *s. m.* Mueble cerrado con puertas, generalmente provisto de perchas, estantes y cajones, para guardar ropa y otros objetos.

armatoste *s. m.* despectivo Objeto, generalmente una máquina o un mueble, que es grande y pesado y resulta poco útil: *no sé cómo vamos a sacar ese armatoste de esta habitación.* **SIN** mamotreto.

armazón *s. amb.* Conjunto de piezas o elementos que sirve como soporte y esqueleto de una cosa. **SIN** armadura, estructura.

armella *s. f.* Anillo de metal con un tornillo o clavo para fijarlo en algo sólido. **SIN** cáncamo.

armenio, -nia *adj.* ① De Armenia (país de Asia y región que abarca este país y territorios de Turquía e Irán). ‖ *s. m. y f./adj.* ② Persona que es de Armenia. ‖ *s. m.* ③ Grupo de lenguas indoeuropeas que se hablan en Armenia.

armería *s. f.* ① Establecimiento en el que se venden armas. ② Lugar en el que se guardan y se exhiben armas. ③ Arte o técnica de fabricar armas.

armero, -ra *s. m. y f.* ① Persona que se dedica a fabricar, vender o cuidar armas. ‖ *s. m.* ② Mueble o dispositivo para colocar las armas. **FAM** armería.

armiño *s. m.* Mamífero carnívoro de pequeño tamaño, piel muy suave, parda en verano y blanca en invierno, y cola larga con la punta de color negro.

armisticio *s. m.* Acuerdo que firman dos o más países en guerra cuando deciden dejar de combatir durante cierto tiempo con el fin de negociar una posible paz.

armonía *s. f.* ① Proporción y correspondencia adecuada entre las cosas: *el turismo debe desarrollarse en buena armonía con el entorno.* ② Relación buena o de paz entre personas o grupos: *imagina una sociedad en que todos vivamos juntos en perfecta armonía.* ③ Unión y combinación de notas musicales emitidas simultáneamente, estructuradas y relacionadas entre sí: *muchas veces la armonía de una pieza se logra por medio del acompañamiento.* ④ Conjunto de notas combinadas de este modo en una composición musical: *la armonía de esta pieza es muy compleja.* ⑤ Técnica que permite lograr esta combinación de notas musicales, especialmente la técnica de construir y disponer los acordes. **FAM** armónico, armonioso, armonizar.

armónica *s. f.* Instrumento musical de viento compuesto por un pequeño soporte alargado de madera o metal con varias ranuras en las que hay una serie de lengüetas interiores que suenan al soplar o aspirar por las ranuras.

armónico, -ca *adj.* ① Relativo a la armonía: *composición armónica.* ‖ *s. m.* ② Sonido que se produce de forma natural por la vibración de las ondas sonoras y acompaña a uno fundamental o básico: *cada instrumento produce unos armónicos diferentes, y eso hace que el timbre sea también distinto.*

armonio *s. m.* Instrumento musical de teclado parecido al órgano, pero más pequeño y sin tubos, que suena insuflando aire mediante un fuelle que se acciona con unos pedales: *en las iglesias actuales suele haber armonios eléctricos.*

armonioso, -sa *adj.* ① Que suena bien y es agradable al oído: *la voz de esta actriz es clara y armoniosa.* ② Se aplica a la relación o convivencia que es amistosa y pacífica. ③ Que tiene armonía entre sus partes: *combinación de colores armoniosa.*

armonización *s. f.* Creación de armonía entre las partes de un todo o entre los elementos que deben concurrir a un mismo fin.

armonizar *v. intr.* ① Estar en armonía: *la cubierta de la enciclopedia armoniza con los muebles.* ‖ *v. tr.* ② Crear armonía entre las partes de un todo o entre los elementos que deben concurrir a un mismo fin: *hay que armonizar los diferentes puntos de vista para alcanzar una estrategia común.* ③ Componer la armonía de una pieza musical, generalmente partiendo de una melodía ya compuesta y creando y disponiendo los acordes: *Manuel de Falla armonizó muchas canciones populares.* **FAM** armonización, armonizador.

ARN [se pronuncia 'a-erre-ene'] *s. m.* Sigla de *ácido ribonucleico,* ácido nucleico que participa en la síntesis de las proteínas y realiza la función de mensajero de la información genética. **OBS** Puede encontrarse la abreviación internacional *RNA,* de su denominación en inglés: *ribonucleic acid.*

arnés *s. m.* ① Correa o tirante que se ajusta al cuerpo y que se utiliza como sujeción: *arnés de seguridad.* ‖ *s. m. pl.* ② **arneses** Conjunto de las correas, la silla y otros efectos que se ponen a las caballerías para montarlas o engancharlas al carro. ③ Conjunto de utensilios y enseres que se emplean en un oficio o una actividad.

árnica *s. f.* ① Planta medicinal de hojas ovaladas y flores grandes, amarillas y de olor fuerte; se utiliza para el tratamiento de afecciones cardíacas y de torceduras y contusiones. ② Tintura que se obtiene de la flor y raíz de esta planta y que se emplea en medicina para tratar golpes y dolores de huesos. **OBS** Los artículos de singular son *el* y *un,* salvo que entre artículo y sustantivo haya otra palabra.

aro *s. m.* ① Pieza de material rígido, especialmente metálico, en forma de circunferencia. ② Juguete en forma de circunferencia que los niños hacen girar por el suelo con la ayuda de un palo o un hierro largo y delgado. **pasar** (o **entrar**) **por el aro** Ser convencida u obligada una persona a hacer algo que no quería. **FAM** arete.

aroma *s. m.* Olor muy agradable. **SIN** perfume. **FAM** aromar, aromaterapia, aromático, aromatizar.

aromático, -ca *adj.* ① Que tiene olor agradable: *hierbas aromáticas.* ② Se aplica al compuesto químico que pertenece a una familia de compuestos de propiedades bien definidas cuyo miembro más representativo es el benceno.

aromatizante *s. m./adj.* Sustancia que se añade a un alimento para darle olor agradable.

aromatizar *v. tr.* Dar olor agradable a una cosa: *la salsa se aromatiza con trufa.* **FAM** aromatizante.

arpa [también **harpa**] *s. f.* Instrumento musical de cuerda de gran tamaño formado por un marco de forma más o menos triangular (que se apoya en el suelo por el vértice) dentro del cual están situadas verticalmente una serie de cuerdas que se hacen vibrar con los dedos de ambas manos. **FAM** arpista. **OBS** Los artículos de singular son *el* y *un,* salvo que entre artículo y sustantivo haya otra palabra.

arpado, -da [también **harpado,** más usado] *adj.* Que remata en dientecillos como de sierra.

arpegiar *v. tr.* Tocar las notas de un acorde en forma de arpegio, en vez de simultáneamente.
OBS Verbo regular, se acentúa como *cambiar.*

arpegio *s. m.* Serie de tres o más notas musicales tocadas no simultáneamente sino una después de la otra, desde la más grave a la más aguda, a una velocidad relativamente rápida: *el arpa es un instrumento muy adecuado para hacer arpegios.*
FAM arpegiar.

arpía [también **harpía**, menos usado] *s. f.* **1** despectivo Mujer mala y perversa. **2** Ser mitológico con cabeza de mujer y cuerpo de ave de rapiña.

arpillera [también **harpillera**, menos usado] *s. f.* Tejido fuerte y áspero, generalmente de estopa, que se usa sobre todo para hacer sacos y para embalar.

arpista *s. com.* Persona que toca el arpa.

arpón *s. m.* Instrumento de pesca formado por una barra larga en uno de cuyos extremos tiene una punta de hierro con púas vueltas hacia atrás para que hagan presa después de clavarse; se usa para pescar animales marinos de gran tamaño.
FAM arponear, arponero.

arponear *v. tr.* Pescar con arpón.

arponero, -ra *s. m. y f.* Persona que pesca con arpón.

arquea *s. f.* Ser vivo unicelular, parecido a las bacterias, que se incluye dentro de los organismos procariotas.

arquear *v. tr.* **1** Doblar una cosa de modo que tome forma de arco: *arqueó la vara de madera.* **‖** *v. prnl.* **2 arquearse** Quedar una cosa doblada en forma de arco: *la balda se ha arqueado.*
FAM arqueo.

arquegonio *s. m.* Órgano reproductor femenino de algunas algas y plantas sin semillas, como los helechos y los musgos, que está formado por una prolongación hueca en cuya base se encuentra el óvulo.

arqueolítico, -ca *adj.* Relativo a la Edad de Piedra.

arqueología *s. f.* Ciencia que investiga las civilizaciones antiguas mediante el estudio, la descripción y la interpretación de los restos que han perdurado.
FAM arqueológico, arqueólogo.

arqueológico, -ca *adj.* Relativo a la arqueología: *excavación arqueológica.*

arqueólogo, -ga *s. m. y f.* Persona que se dedica a la arqueología.

arquería *s. f.* Serie de arcos de una construcción. **SIN** arcada.

arquero, -ra *s. m.* **1** Soldado que peleaba con arco y flechas. **‖** *s. m. y f.* **2** Persona que practica el tiro con arco. **3** En algunos deportes, portero.
FAM arquería.

arquetípico, -ca *adj.* **1** Relativo al arquetipo. **2** Que sirve de arquetipo.

arquetipo *s. m.* Modelo ideal que sirve de patrón: *un arquetipo de belleza.*
FAM arquetípico.

arquitecto, -ta *s. m. y f.* Persona que se dedica a la arquitectura.
FAM arquitectónico, arquitectura.
OBS Femenino: *arquitecto* o *arquitecta.*

arquitectura *s. f.* Arte y técnica de diseñar, proyectar y construir edificios, obras urbanísticas y otras construcciones.

arquitrabado *s. m.* Sistema constructivo arquitectónico fundamentado en el pilar y el dintel como elementos sustentantes, cubiertos por un techo de madera plana o con maderos y tablas ensamblados. **SIN** adintelado.

arquitrabe *s. m.* Parte inferior del entablamento, que descansa sobre el capitel de una columna.

arquivolta *s. f.* Cada uno de los arcos concéntricos inscritos unos en otros que dan forma abocinada a muchas portadas románicas. **SIN** archivolta.

arrabal *s. m.* **1** Barrio o zona que está fuera del recinto de una población o en la periferia, especialmente el habitado por personas de bajo nivel económico. **SIN** suburbio. **2** Población aneja a otra mayor. **‖** *s. m. pl.* **3 arrabales** Alrededores de una población. **SIN** afueras.
FAM arrabalero.

arrabalero, -ra *adj./s. m. y f.* **1** Se aplica a la persona que vive en un arrabal. **2** Se aplica a la persona que es maleducada.

arrabio *s. m.* Hierro colado obtenido de la primera fusión en los altos hornos y que no ha recibido ningún tratamiento de refino: *el arrabio se rompe con mayor facilidad que el hierro forjado.*

arracimarse *v. prnl.* Unirse o juntarse varias personas o cosas en forma de racimo.
FAM arracimado.

arraigar *v. intr.* **1** Echar raíces una planta: *la planta no arraigó bien y se ha secado.* **SIN** enraizar. **2** Hacerse firme y duradero un sentimiento o una costumbre: *el deporte ha arraigado entre la juventud.* **SIN** enraizar. **‖** *v. tr.* **3** Hacer firme y duradero un sentimiento o una costumbre: *hay que arraigar la costumbre de la lectura entre la gente.* **‖** *v. prnl.* **4 arraigarse** Establecerse una persona de forma fija en un lugar, vinculándose con las personas y cosas de allí. **SIN** enraizar.
FAM arraigo; desarraigar.

arraigo *s. m.* Fijación firme y duradera: *esta costumbre tiene un fuerte arraigo en nuestro país.*
FAM desarraigo.

arramblar *v. intr.* Coger o llevarse con codicia o de forma indebida todo lo que hay en un lugar.

arrancada *s. f.* **1** Salida violenta o brusca de una persona o un animal. **2** Comienzo del movimiento de una máquina o un vehículo.

arrancar *v. tr.* **1** Separar una cosa del lugar en el que estaba fija, tirando con fuerza: *arrancar una muela.* **2** Quitar con violencia: *me arrancó el libro de las manos.* **3** Conseguir una cosa de una persona con esfuerzo o con violencia: *le arrancó la promesa de que lo haría.* **4** Sacar o apartar a una persona contra su voluntad de un lugar, un estado, una situación o una actividad: *su madre está haciendo todo lo posible para arrancarlo de las drogas.* **5** Poner en marcha un vehículo o una máquina: *el conductor arrancó el coche a la primera.* **‖** *v. intr.* **6** Comenzar a funcionar o moverse un vehículo o una máquina: *el motor no arranca.* **7** familiar Comenzar a hacer una cosa, especialmente si es de forma inesperada: *de repente, arrancó a llorar.* **8** Tener una cosa su nacimiento o punto de partida en otra: *el problema arranca de años atrás.* **9** Empezar un arco arquitectónico o bóveda a formar su curvatura.
FAM arrancada, arranque.

arranque *s. m.* **1** Comienzo, origen o principio: *el arranque del proyecto fue lo más difícil, pero después no hubo problemas.* **2** Manifestación violenta y repentina de un sentimiento o un estado de ánimo. SIN arrebato. ③ Valor o decisión para hacer algo: *mi hermano es el que más arranque tiene y por eso le ha ido bien en los negocios*. ④ Mecanismo que pone en funcionamiento un motor. ⑤ Idea original y generalmente divertida. SIN ocurrencia. ⑥ Principio de un arco o bóveda.

arranque de viruta Pulido o rebajado de la superficie de un metal o una madera con una herramienta cortante: *la fresadora labra el metal mediante el arranque de viruta*.

arrapiezo *s. m.* Persona de condición humilde o muchacho de corta edad.
OBS Frecuentemente usado de forma despectiva o cariñosa.

arras *s. f. pl.* ① Conjunto de las trece monedas que entrega el novio a la novia durante la ceremonia de la boda. ② Cantidad de dinero u objeto de valor que se da para asegurar el cumplimiento de una obligación o un pago. SIN garantía.

arrasar *v. tr.* ① Destruir totalmente un territorio o lo que hay en él: *el terremoto arrasó pueblos enteros*. SIN asolar, desolar, devastar. ‖ *v. intr.* ② familiar Imponerse, tener alguien o algo un éxito extraordinario sin obstáculos aparentes: *el grupo arrasa en las listas de ventas*. ‖ *v. intr./prnl.* ③ Quedar el cielo despejado de nubes. ‖ *v. prnl.* ④ **arrasarse** Llenarse los ojos de lágrimas.

arrastrado, -da *adj.* ① Pobre, mísero o lleno de privaciones y fatigas: *vida arrastrada*. ② Se aplica a ciertos juegos de cartas en los que es obligatorio seguir a la carta jugada: *tute arrastrado*.

arrastrar *v. tr.* ① Llevar a una persona o cosa por el suelo tirando de ella. ② Tirar para llevar tras de sí: *la locomotora arrastra cinco vagones*. ③ Impulsar a una persona a pensar o actuar de determinada manera: *fue un líder nato, capaz de arrastrar a su pueblo hasta la guerra*. ④ Soportar penosamente algo desde hace tiempo: *arrastra esa enfermedad desde hace años*. ⑤ Tener como consecuencia inevitable: *la política de las grandes potencias nos arrastró a la confrontación*. ‖ *v. intr.* ⑥ Colgar rozando el suelo: *las cortinas arrastran*. ⑦ Realizar, en algunos juegos de naipes, cierta jugada que obliga a los demás jugadores a seguir uno de los cuatro palos: *¡arrastro en oros!* ‖ *v. prnl.* ⑧ **arrastrarse** Humillarse vilmente para conseguir una cosa. ⑨ Moverse y avanzar con el cuerpo pegado al suelo.
FAM arrastrado, arrastre.

arrastre *s. m.* Acción de arrastrar.
para el arrastre En situación lamentable o en malas condiciones: *después de todo el día caminando, estoy para el arrastre; estas botas están para el arrastre*.

arrayán *s. m.* Arbusto oloroso, de ramas flexibles, con las hojas de color verde intenso, pequeñas y duras, flores blancas y bayas de color negro azulado. SIN mirto.

¡arre! *int.* Se usa para hacer que las caballerías anden o para que lo hagan más deprisa.
FAM arrear, arriero.

¡arrea! *int.* familiar Se usa para indicar sorpresa: *¡arrea, no me acuerdo dónde aparqué el coche!*

arreador *s. m.* ① Capataz de operarios del campo. ② AMÉR. Látigo que se usa para arrear.

arrear *v. tr.* ① Hacer que una caballería camine o que lo haga más deprisa. ‖ *v. intr.* ② familiar Acelerar el paso: *arreando, que llegamos tarde*. ‖ *v. tr.* ③ familiar Dar un golpe. ④ ARG., MÉX. Robar ganado.
FAM arreos.

arrebatado, -da *adj.* ① Impetuoso o impulsivo. ② Que es

de color muy vivo: *se pone en las mejillas un rojo arrebatado que no es nada natural*.

arrebatar *v. tr.* ① Quitar con violencia o con rapidez. ② Atraer o llevar consigo con fuerza irresistible: *arrebatar el ánimo*. ③ Conmover enormemente: *esa escena le arrebató por su violencia*. ④ Marchitar el calor las mieses. ‖ *v. prnl.* ⑤ **arrebatarse** Enfadarse, irritarse. ⑥ Cocerse o asarse mal un alimento por exceso de fuego.
FAM arrebatado, arrebatamiento.

arrebato *s. m.* ① Manifestación violenta y repentina de un sentimiento o un estado de ánimo: *le dio un arrebato y dejó el trabajo*. SIN arranque. ② Circunstancia atenuante de delito por considerarse enajenación mental.

arrebol *s. m.* ① Color rojo de las nubes iluminadas por los rayos del Sol. ② Color rojizo, parecido a este, que se encuentra en otros objetos y especialmente en el rostro de la mujer.
FAM arrebolar.

arrebolar *v. tr.* Poner del color del arrebol: *el sol le arreboló el rostro*.

arrebujar *v. tr.* ① Arrugar o amontonar sin orden una cosa flexible. ② Cubrir bien o envolver con la ropa de la cama o con una prenda de vestir: *se metió en la cama y se arrebujó para estar más caliente*.

arrechucho *s. m.* ① familiar Indisposición pasajera y de poca gravedad: *la abuela tuvo anoche un arrechucho y hoy no saldrá de paseo*. ② familiar Ataque de ira.

arreciar *v. intr.* Hacerse cada vez más fuerte o más intensa una cosa: *la tormenta arreció*.
OBS Verbo regular, se acentúa como *cambiar*.

arrecife *s. m.* Conjunto de rocas, extensiones de coral y otros materiales que está justo por encima o por debajo de la superficie del mar.

arrecirse *v. prnl.* Quedarse paralizado o entumecido a causa del frío. SIN aterirse.
OBS Verbo defectivo, se usa generalmente en infinitivo o en participio, o en los tiempos y personas que contienen la vocal *i*.

arredrar *v. tr.* culto Causar miedo o hacer retroceder: *el ladrón se arredró al ver la pistola*.
FAM arredramiento.

arreglado, -da *adj.* Ordenado y moderado: *siempre llevó una vida muy arreglada*.
estar (o ir) arreglado (I) Estar una persona equivocada por tener esperanzas o confianza en cierta cosa: *¡están arreglados si piensan que esto va a continuar así!* (II) Indica disgusto ante una situación que resulta problemática, incómoda o intolerable: *nos hemos quedado otra vez sin agua, ¡vamos arreglados!*

arreglar *v. tr.* ① Poner en regla o en orden: *ya han arreglado los papeles para casarse; antes de salir, arregla tu habitación*. ANT desarreglar. ② Modificar una cosa que está estropeada para que deje de estarlo y vuelva a funcionar. SIN reparar. ③ Solucionar una situación difícil o problemática con habilidad y eficacia: *si te comportas con tus amigos con desprecio, te costará luego mucho arreglarlo*. ④ Echar especias u otras sustancias a las comidas para que tengan más sabor. SIN aderezar, aliñar, condimentar. ⑤ Asear y vestir a alguien para salir a la calle, acudir a un lugar, recibir a alguien, etc. ⑥ familiar Poner un castigo o hacer escarmentar: *¡ya te arreglaré yo!* ⑦ Adaptar una composición musical para que pueda ser interpretada por voces o instrumentos para los que no fue escri-

A

ta. ‖ *v. prnl.* **8** **arreglarse** Ponerse de acuerdo dos o más personas que discuten sobre algo. **9** Encontrar la manera de solucionar un problema: *¿podrás arreglarte tú solo?* SIN apañarse.

arreglárselas Ingeniárselas para salir de un apuro o conseguir un fin: *tendréis que arreglároslas solos.* SIN componérselas. FAM arreglado, arreglista, arreglo; desarreglar.

arreglista *s. com.* Persona que se dedica al arreglo o adaptación de composiciones musicales para que sean interpretadas por voces o instrumentos para los que no fueron escritas: *buscaban un arreglista para una versión de "Yesterday".*

arreglo *s. m.* **1** Orden y colocación correcta o adecuada: *los niños se encargan de la limpieza y el arreglo de sus habitaciones.* **2** Manipulación que se hace para que una cosa que está estropeada vuelva a funcionar o aparecer nueva. SIN reparación. **3** Aseo y cuidados personales que se realizan antes de salir a la calle, acudir a un lugar, recibir a alguien, etc. **4** Acuerdo entre dos o más personas que discuten sobre algo. **5** Solución de una situación difícil o problemática: *esto ya no tiene arreglo.* **6** Adaptación de una composición musical para que pueda ser interpretada por voces o instrumentos para los que no fue escrita: *un arreglo para piano de un aria de ópera.* **7** En géneros como el jazz, el rock o el pop, versión de una pieza musical de la que solo se tienen la melodía y los acordes, pero falta el tipo de interpretación y la instrumentación: *yo compuse la balada y mi compañero hizo los arreglos.* NOTA También en plural con el mismo significado que en singular.
con arreglo a Según, conforme a: *tendremos que hacerlo con arreglo a las condiciones impuestas.*

arrejuntarse *v. prnl.* familiar Vivir juntas y mantener relaciones sexuales, como si de un matrimonio se tratara, dos personas que no están casadas entre sí.

arrellanarse *v. prnl.* Sentarse con comodidad, extendiendo y recostando el cuerpo: *se arrellanó en el sofá.*

arremangar *v. tr.* **1** Recoger hacia arriba la parte de abajo de las mangas o de una prenda de vestir: *cuando hace calor, se arremangan las mangas de la camisa.* SIN remangar. ‖ *v. prnl.* **2** **arremangarse** Decidirse de manera enérgica a hacer algo.

arremeter *v. intr.* Atacar con ímpetu y furia.
FAM arremetida.

arremetida *s. f.* Ataque impetuoso y con furia.

arremolinarse *v. prnl.* **1** Apiñarse sin orden una gran cantidad de personas. **2** Girar de forma rápida el aire, el agua, el polvo o el humo formando remolinos.

arrendajo *s. m.* **1** Pájaro de unos 35 cm de longitud, parecido al cuervo, de plumaje pardo o rosado con la cola y las alas negras; se caracteriza por su vuelo pesado y por la facilidad con que imita el canto de otras aves; vive en bosques espesos y abunda en España. **2** AMÉR. Pájaro americano parecido a este pero de plumaje negro con algunos puntos amarillos; construye su nido en forma de botella en las ramas más altas de los árboles.

arrendamiento *s. m.* **1** Acción de alquilar. SIN alquiler, arriendo. **2** Cantidad de dinero que se paga por alquilar una casa u otro bien. SIN alquiler, arriendo.

arrendar[1] [1] *v. tr.* **1** Dar una cosa para usarla por un tiempo a cambio de una cantidad de dinero y con unas condiciones determinadas. SIN alquilar. **2** Tomar una cosa para usarla por un tiempo pagando a cambio una cantidad de dinero y con unas condiciones determinadas. SIN alquilar.
FAM arrendador, arrendamiento, arrendatario; subarrendar.

arrendar[2] *v. tr.* Atar la caballería con las riendas. ANT desarrendar.
FAM desarrendar.

arrendatario, -ria *adj./s. m. y f.* Se aplica a la persona que toma en arrendamiento o alquiler una cosa.

arreos *s. m. pl.* Conjunto de correas y otros objetos que se ponen a las caballerías.

arrepentido, -da *adj./s. m. y f.* **1** Se aplica a la persona que se arrepiente de las faltas cometidas. ‖ *s. m. y f.* **2** Miembro de una organización clandestina o ilegal que facilita informaciones a la justicia a cambio de su libertad o de otros beneficios.

arrepentimiento *s. m.* Pesar que se siente por haber hecho una cosa que no se considera buena o adecuada.

arrepentirse [9] *v. prnl.* **1** Sentir pena o pesar por haber hecho algo malo o por haber dejado de hacer una cosa: *ahora se arrepiente de haber abandonado los estudios.* **2** Cambiar de opinión o incumplir un compromiso.
FAM arrepentido, arrepentimiento.

arrestar *v. tr.* Privar provisionalmente de libertad a una persona que puede haber cometido un delito: *la policía la arrestó por conducir en estado de embriaguez.*
FAM arresto.

arresto *s. m.* **1** Detención provisional de una persona. **2** Pena de privación de libertad, impuesta por un juez, de menos de seis meses de duración: *fue condenado a tres meses de arresto.* **3** Valor o determinación para hacer algo. NOTA Generalmente en plural con el mismo significado que en singular.

arrianismo *s. m.* Herejía religiosa del siglo III que negaba la divinidad de Jesucristo, al que consideraba creación o emanación de Dios, pero no igual o consustancial a Él.

arriano, -na *adj.* **1** Relativo al arrianismo. ‖ *adj./s. m. y f.* **2** Se aplica a la persona que creía en esta herejía religiosa.

arriar *v. tr.* **1** Bajar una bandera o lo largo de su mástil, o una vela de una embarcación a lo largo de su palo. ANT izar. **2** Aflojar o soltar un cabo, cadena, etc., de una embarcación. OBS Verbo regular, se acentúa como *desviar.*

arriate *s. m.* Franja de tierra, generalmente alargada y situada junto a la pared de un jardín o patio, donde se ponen plantas de adorno.

arriba *adv.* **1** Hacia un lugar o parte más altos: *ven aquí arriba; esa calle está más arriba.* ANT abajo. **2** En un lugar o parte más altos: *vivo en el piso de arriba.* ANT abajo. **3** En dirección a la parte superior de algo: *pendiente arriba.* ANT abajo. ‖ *int.* **4** **¡arriba!** Se usa para expresar que se está a favor de una cosa o para dar ánimos: *¡arriba la libertad!* ANT abajo.

arribada *s. f.* Llegada de un barco a un puerto: *la arribada de la flota se espera para mañana.* SIN arribo.

arribar *v. intr.* **1** Llegar un barco a puerto. **2** Dejarse impulsar un barco por el viento.
FAM arribada, arribismo, arribo.

arribeño, -ña *adj./s. m. y f.* AMÉR. Se aplica a la persona que procede de las tierras altas de un país. ANT abajeño.

arribismo *s. m.* Actitud de la persona arribista.
FAM arribista.

arribista *s. com.* Persona que quiere progresar rápidamente y para conseguirlo utiliza todos los medios a su alcance, sin importarle si son éticos o no.

arribo *s. m.* Arribada.

arriendo *s. m.* Arrendamiento.

arriero, -ra *s. m. y f.* Persona que se dedica al transporte de animales de carga.

arriesgado, -da *adj.* **1** Que implica riesgo y puede causar algún daño o pérdida: *un deporte arriesgado; un negocio arriesgado.* **|** *adj./s. m. y f.* **2** Se aplica a la persona que suele arriesgarse en sus acciones.

arriesgar *v. tr.* Exponer a riesgo o peligro: *algunas personas arriesgan mucho dinero en el juego; los bomberos se arriesgan cuando luchan contra un incendio.*
FAM arriesgado.

arrimar *v. tr.* **1** Poner una persona o cosa junto a otra. **|** *v. prnl.* **2 arrimarse** Buscar la protección de una persona: *se arrimará siempre al más fuerte.*
FAM arrimo.

arrimo *s. m.* **1** Acción de arrimar o arrimarse. **2** *culto* Apoyo, amparo o protección: *vivía al arrimo de un pariente rico.*

arrinconar *v. tr.* **1** Poner una cosa en un rincón o sitio apartado para retirarla del uso: *los muebles viejos los vamos a ir arrinconando en el desván.* **SIN** arrumbar. **2** Llevar a una persona o un animal hasta un lugar de estrechos límites e impedirle la salida: *arrinconó a su enemigo en el callejón.* **SIN** acorralar. **3** Apartar a alguien de un puesto o privarlo de los privilegios que tienen los que están a su alrededor.

arriñonado, -da *adj.* Que tiene forma de riñón: *las alubias son arriñonadas.*

arriscado, -da *adj* **1** *culto* Atrevido, valiente. **2** CHILE, COL., MÉX. Vuelto hacia arriba.

arritmia *s. f.* Falta de ritmo o regularidad, generalmente en las contracciones del corazón.

arroba *s. f.* **1** Signo tipográfico (@) que se utiliza en las direcciones de correo electrónico y que generalmente va entre el nombre del usuario y el del servidor. **2** Unidad de peso antigua equivalente a 11,502 kilogramos. **3** Unidad de capacidad de líquidos, variable según las regiones.

arrobamiento *s. m.* Estado de la persona que siente intenso placer o admiración por algo o alguien. **SIN** arrobo, embeleso.

arrobar *v. tr.* Producir un intenso sentimiento de placer o admiración. **SIN** embelesar.
FAM arrobamiento, arrobo.

arrobo *s. m.* Arrobamiento.

arrocero, -ra *adj.* **1** Relativo al arroz. **|** *s. m. y f.* **2** Persona que se dedica a cultivar o vender arroz.

arrodajarse *v. prnl.* AMÉR. CENTRAL Sentarse con las piernas cruzadas, como hacen los orientales.

arrodillar *v. tr.* **1** Hacer que alguien hinque una o las dos rodillas en el suelo, generalmente como muestra de humildad o de humillación. **|** *v. prnl.* **2 arrodillarse** Ponerse de rodillas.

arrogancia *s. f.* **1** Actitud de la persona orgullosa y soberbia que se cree superior a los demás. **SIN** altanería, altivez. **2** Valor y decisión en la forma de actuar. **SIN** gallardía.

arrogante *adj.* **1** Que es orgulloso y soberbio y se cree superior a los demás. **SIN** altanero, altivo. **2** Que es valiente y noble en su manera de actuar. **SIN** gallardo.

arrogarse *v. prnl. tr.* Atribuirse sin derecho una facultad, jurisdicción u otra cosa inmaterial.
FAM arrogancia, arrogante.

arrojadizo, -za *adj.* Se aplica al arma u objeto que se puede arrojar o lanzar a distancia.

arrojado, -da *adj.* Se aplica a la persona que es decidida y no se detiene ante los peligros. **SIN** intrépido.

arrojar *v. tr.* **1** Enviar un objeto a través del aire con fuerza en una dirección, especialmente mediante un rápido movimiento del brazo. **SIN** lanzar, tirar. **2** Dejar caer al suelo. **3** Despedir de sí, echar: *el volcán arroja lava.* **4** Presentar o dar como resultado: *la cuenta del banco arroja un saldo positivo.* **|** *v. tr./intr.* **5** Expulsar violentamente por la boca lo que está en el estómago. **SIN** vomitar. **|** *v. prnl.* **6 arrojarse** Precipitarse hacia una persona o cosa o hacia un lugar más bajo: *se arrojó en sus brazos; se arrojó a las llamas para salvarle.*
FAM arrojadizo.

arrojo *s. m.* Cualidad de la persona que es decidida y no se detiene ante los peligros. **SIN** intrepidez.

arrollador, -ra *adj.* **1** Que atropella o arrastra: *tenía una vitalidad arrolladora.* **2** Que vence, supera o domina por completo: *victoria arrolladora.*

arrollar *v. tr.* **1** Llevar por delante, atropellar o arrastrar. **2** Formar un rollo con una cosa. **SIN** enrollar. **ANT** desenrollar. **3** Vencer, superar o dominar por completo: *en estas olimpíadas, los atletas rusos han arrollado al resto de los participantes.*
FAM desarrollar.

arropar *v. tr.* **1** Cubrir o abrigar con ropa. **ANT** desarropar. **2** Proteger o defender: *todos sus compañeros lo arroparon.*
FAM desarropar.

arrope *s. m.* Mosto que se cuece con trozos de frutas y azúcar; es muy espeso y de color oscuro.

arrostrar *v. tr.* Hacer frente a los peligros o dificultades con valor y entereza.

arroyo *s. m.* **1** Corriente pequeña de agua que puede secarse en verano. **2** Cauce por donde corre esta agua. **3** Ambiente miserable y humilde: *nacer en el arroyo.*
FAM arroyar.

arroz *s. m.* **1** Planta gramínea del grupo de los cereales, de hojas largas y ásperas y espiga grande, que se cultiva en terrenos húmedos o inundados; sus frutos (granos de arroz), blancos y harinosos, son muy usados en alimentación. **2** Frutos de esta planta: *el arroz se come cocido.*
FAM arrocero, arrozal.

arrozal *s. m.* Terreno sembrado de arroz.

arruga *s. f.* **1** Pliegue o surco pequeño que se hace en la piel, generalmente por efecto de la edad. **2** Pliegue irregular o raya que se hace en la ropa, en el papel o en otra cosa flexible.
FAM arrugar.

arrugar *v. tr.* **1** Hacer arrugas en algo: *si te sientas encima del vestido, lo arrugarás.* **|** *v. prnl.* **2 arrugarse** *familiar* Acobardarse.
FAM desarrugar.

arruinar *v. tr.* **1** Hacer que una persona o una empresa pierdan la mayor parte de sus bienes: *la mala gestión arruinó a la empresa.* **2** Destruir o echar a perder: *su propia informalidad le arruinará el futuro.*

arrullar *v. tr.* **1** Emitir arrullos la paloma o la tórtola. **2** Cantar arrullos para dormir a un niño.
FAM arrullo.

arrullo *s. m.* ❶ Canto grave y monótono que emiten los machos de las palomas y tórtolas para atraer a las hembras. ❷ Canción suave y monótona con que se intenta dormir a un niño.

arrumaco *s. m.* ❶ Demostración de cariño hecha con gestos o ademanes: *las palomas se hacían arrumacos.* ❷ Atuendo extravagante. **OBS** Normalmente en plural.

arrumbar¹ *v. tr.* Poner una cosa en un rincón o sitio apartado para retirarla del uso. **SIN** arrinconar.

arrumbar² *v. intr.* Poner rumbo o dirección a un sitio: *arrumbaron hacia el Caribe.*

arsenal *s. m.* ❶ Depósito de armas y otro material de guerra. ❷ Lugar en el que se construyen y reparan embarcaciones. **SIN** atarazana.

arsénico *s. m.* Elemento químico de símbolo As y número atómico 33; es un semimetal sólido, de color gris metálico, muy venenoso y se usa en medicina, en proporciones adecuadas, para tratar diversas enfermedades.

art déco [se pronuncia aproximadamente 'ar decó'] *s. m.* ❶ Estilo artístico que se empezó a desarrollar en la década de 1920 como reacción al art nouveau y cuyo campo fueron las artes decorativas y el diseño industrial; los objetos creados pretendían inspirar elegancia y sofisticación, para lo cual se utilizaban líneas definidas, contornos nítidos y formas elegantes y simétricas, colores primarios brillantes, cromados, esmaltes y piedras muy pulidas, y diseños de inspiración egipcia y griega: *el art déco se utilizó principalmente en mobiliario, joyería, vestimenta, cerámica y diseño de interiores.* ❘ *adj.* ❷ Relativo a este estilo artístico: *diseño art déco.* **NOTA** Invariable en número.

arte *s. amb.* ❶ Obra o actividad con la que el ser humano muestra simbólicamente un aspecto de la realidad o un sentimiento valiéndose de la materia, la imagen y el sonido: *arte abstracto; arte figurativo.* ■ **bellas artes** Conjunto de artes que se valen del color, la forma, el lenguaje, el sonido y el movimiento para expresar algo: *las bellas artes son la pintura, la escultura, la arquitectura, la poesía, la música y la danza.* ■ **séptimo arte** La cinematografía. ❷ Conjunto de reglas y conocimientos necesarios para hacer bien algo o para desarrollar una actividad: *el arte de la zapatería; el arte de la cocina.* **SIN** técnica. ❸ Habilidad para hacer bien algo: *tiene mucho arte para bailar.* ❹ Utensilio que sirve para pescar: *llevan las artes de pesca en la proa de la barca.* **artes marciales** Conjunto de deportes de origen oriental basados en la lucha cuerpo a cuerpo. **como por arte de magia** Sin explicación lógica y de una forma que sorprende. **de arte mayor** Se aplica al verso que tiene más de ocho sílabas. **de arte menor** Se aplica al verso que tiene ocho sílabas o menos. **malas artes** Medios o procedimientos poco éticos de los que se vale alguien para conseguir algo. **no tener arte ni parte** No tener poder de decisión en un asunto. **por arte de birlibirloque** Sin que se sepa de qué forma ha sucedido una cosa, de manera mágica o inesperada. **FAM** artero, artesano, artista. **OBS** Es de género ambiguo, pero suele usarse el singular en masculino y el plural en femenino.

artefacto *s. m.* ❶ Máquina o aparato, en especial el que es grande o está hecho con poca técnica. ❷ Carga o aparato que se usa para provocar una explosión.

artejo *s. m.* Segmento articulado que, junto con otros, forma las extremidades de los animales artrópodos: *la pata del cangrejo tiene varios artejos.*

arteria *s. f.* ❶ Vaso sanguíneo que recibe la sangre del corazón y la distribuye por todo el cuerpo: *la arteria pulmonar y la aorta son las más importantes del cuerpo de los mamíferos.* ❷ Vía de comunicación importante, como una carretera, una autopista o una calle principal. **FAM** arterial.

artería *s. f.* Modo de actuar de la persona que no tiene buena intención y usa el engaño y la astucia para conseguir un beneficio.

arterial *adj.* Relativo a la arteria: *presión arterial.*

arteriosclerosis *s. f.* Enfermedad del sistema vascular que consiste en el endurecimiento y aumento del grosor de las paredes arteriales. **FAM** arteriosclerótico. **OBS** Plural invariable.

artero, -ra *adj.* Se aplica a la persona que no tiene buena intención y usa el engaño y la astucia para conseguir un beneficio. **FAM** artería.

artesa *s. f.* Recipiente rectangular, generalmente de madera, cuyos cuatro lados se van estrechando hacia el fondo; se usa para amasar el pan y para mezclar sustancias. **FAM** artesón.

artesanal *adj.* Relativo a la artesanía: *en algunas ferias se venden productos artesanales.* **SIN** artesano.

artesanía *s. f.* ❶ Técnica para fabricar objetos o productos a mano, generalmente decorativos o de uso común, con aparatos sencillos y de manera tradicional. ❷ Objeto o producto fabricado según esta técnica: *en esa tienda venden artesanía peruana.*

artesano, -na *s. m. y f.* ❶ Persona que se dedica a la artesanía. ❘ *adj.* ❷ Artesanal: *técnicas artesanas.* **FAM** artesanado, artesanal, artesanía.

artesiano *adj.* Se aplica al pozo que se practica entre dos capas subterráneas impermeables de manera que el agua allí contenida salga por su propia presión.

artesón *s. m.* ❶ Adorno de madera en forma de cuadrado u otra figura regular, cóncavo y con algún ornamento en el interior que, dispuesto junto con otros en serie, forma el artesonado que se pone en los techos o en el interior de los arcos y bóvedas. **NOTA** Normalmente en plural. **SIN** casetón. ❷ Artesonado (techo). **FAM** artesonado.

artesonado, -da *adj.* ❶ Se aplica al techo o cubierta que está adornado con artesones: *la sala central tiene una bóveda artesonada.* ❘ *s. m.* ❷ Techo, bóveda o armadura adornado con artesones de madera o piedra, especialmente el típico de las arquitecturas mudéjar y renacentista. ❸ Techo de madera con forma de artesa invertida.

ártico, -ca *adj.* Relativo al polo norte y a las regiones que lo rodean. **ANT** antártico.

articulación *s. f.* ❶ Unión entre dos piezas rígidas que permite cierto movimiento entre ellas: *la articulación de la dirección del coche está estropeada.* ❷ Unión, generalmente movible, de dos o más huesos: *tenemos articulaciones en rodillas, hombros y co-*

dos. **SIN** coyuntura. ③ Unión de distintos elementos que forman un conjunto ordenado: *debes cuidar mucho la articulación del discurso.* ④ Pronunciación clara de las palabras: *un cantante necesita tener una buena articulación.* ⑤ Posición y movimiento de los órganos del aparato fonador para pronunciar un sonido: *en la articulación de la consonante "b" intervienen los dos labios.* ⑥ Forma de atacar y cantar o tocar una nota o grupo de notas en un fragmento o una frase musical: *una articulación suave.*

articulado, -da *adj.* ① Que tiene articulaciones o piezas unidas por articulaciones: *un camión articulado.* ② Se aplica al lenguaje oral del ser humano, al estar formado por un número determinado de sonidos que se combinan de manera diferente para formar palabras con significado: *los animales no tienen lenguaje articulado.* **ANT** inarticulado. ③ Se aplica a la extremidad de un artrópodo, como el cangrejo, la araña, el escarabajo, etc. que está cubierta por el esqueleto externo y formada por piezas que se articulan entre sí: *patas articuladas.* ‖ *s. m.* ④ Conjunto de artículos de una ley, un tratado o un reglamento.
FAM inarticulado.

articular[1] *v. tr.* ① Unir dos piezas de manera que sea posible el movimiento entre ellas: *esta mesa se puede plegar porque sus patas se articulan.* ② Pronunciar un sonido colocando los órganos del aparato fonador de manera correcta. ③ Unir distintos elementos para formar un conjunto ordenado. **ANT** desarticular.
FAM articulación, articulado, articulatorio; desarticular.

articular[2] *adj.* Relativo a la articulación de los huesos.

articulatorio, -ria *adj.* Relativo a la articulación de los sonidos del lenguaje.

articulista *s. com.* Persona que escribe artículos para periódicos o publicaciones semejantes.

artículo *s. m.* ① Texto publicado en un periódico, una revista o un libro, generalmente breve, que trata sobre un tema desde un punto de vista objetivo (como la noticia) o subjetivo (como el artículo de opinión). ② Producto u objeto que se compra o se vende. ■ **artículo de primera necesidad** Producto que es indispensable para la vida: *el pan, el agua y la leche son artículos de primera necesidad.* ③ Determinante que acompaña al sustantivo e indica que nos referimos a un elemento conocido o a uno indeterminado, general; concuerda con el sustantivo en género y número. ■ **artículo determinado** o **artículo definido** Artículo que indica que el sustantivo es conocido por los hablantes y es uno en concreto: *"el", "la", "los" y "las" son artículos determinados.* ■ **artículo indeterminado** o **artículo indefinido** Artículo que indica que el sustantivo no es conocido por los hablantes o que es uno cualquiera, sin especificarlo: *"un", "una", "unos", "unas" son artículos indeterminados.* ④ Parte de un tratado, ley o documento oficial que forma, junto con otras, una serie numerada y ordenada. ⑤ Parte que en un diccionario se dedica a la definición de la palabra con que se encabeza.
artículo de fe Verdad revelada por Dios.
FAM articulista.

artífice *s. com.* ① Autor o creador de una cosa. ② Persona que hace trabajos artísticos o delicados con las manos. ③ Artista de alguna de las bellas artes.
FAM artificio.

artificial *adj.* ① Que ha sido hecho por el ser humano y no por la naturaleza: *flores artificiales.* **ANT** natural. ② Que no es sincero, que es falso o fingido.
FAM artificialmente.

artificiero *s. m.* Miembro de un cuerpo armado especializado en el manejo de explosivos.

artificio *s. m.* ① Máquina o aparato. ② Truco o habilidad para imitar una cosa, disimular sus imperfecciones o producir un efecto: *su remordimiento es solamente un artificio para conseguir la simpatía de los demás.* ③ En una obra artística, exceso de elaboración y falta de naturalidad. ④ Maestría con que está hecho algo. ⑤ Sistema pirotécnico capaz de originar efectos explosivos.
FAM artificial, artificiero, artificioso.

artificiosidad *s. f.* Cualidad de la persona o cosa falta de naturalidad.

artificioso, -sa *adj.* Que carece de naturalidad.
FAM artificiosidad.

artillería *s. f.* ① Conjunto de los cañones, morteros y otras máquinas de guerra que disparan proyectiles a gran distancia, así como la munición y los vehículos para su transporte, que pertenecen a un ejército, a un barco o a una plaza militar. ■ **artillería de campaña** o **artillería de batalla** Artillería que forma parte del ejército destinado a operaciones en el campo de batalla, especialmente la preparada para apoyar directamente a otras armas (infantería, caballería e ingenieros) en campaña o tiempo de guerra. ■ **artillería ligera** Artillería de campaña que va con la infantería cuando el terreno deja pasar carruajes. ■ **artillería pesada** Artillería formada por máquinas de guerra de grueso calibre. ② Cuerpo militar destinado a usar estas máquinas. ③ Arte de construir, conservar y usar las armas, máquinas y municiones de guerra: *los especialistas en artillería son los encargados del mantenimiento de los cañones.*

artillero, -ra *adj.* ① Relativo a la artillería: *el apoyo artillero será decisivo en el ataque.* ‖ *s. m.* ② Soldado que sirve en un cuerpo de artillería de un ejército. ③ Persona que, en las explotaciones petrolíferas, coloca las cargas explosivas y les prende fuego.
FAM artillería.

artilugio *s. m.* ① Mecanismo o aparato de manejo complicado: *se ha comprado un coche lleno de artilugios que no sabe para qué sirven.* ② Artimaña, ardid.

artimaña *s. f.* Medio que se emplea con habilidad y astucia para engañar o conseguir algo. **SIN** añagaza, ardid, artilugio.

artiodáctilo *adj./s. m.* ① Se aplica al mamífero ungulado que tiene en cada pata un número par de dedos, como el ciervo y el jabalí. ‖ *s. m. pl.* ② **artiodáctilos** Grupo taxonómico, con categoría de orden, constituido por estos mamíferos.

artista *s. com.* ① Persona que se dedica a una o varias de las bellas artes. ② Persona que trabaja profesionalmente en un espectáculo como cantante, actor o bailarín. ③ Persona que hace muy bien una cosa o destaca en una actividad.
FAM artístico.

artístico, -ca *adj.* ① Relativo al arte, especialmente a las bellas artes. ② Que está hecho con arte: *has montado un ramillete de flores muy artístico.*

art nouveau [se pronuncia aproximadamente 'ar nuvó'] *s. m.* ① Denominación que recibió en Francia el movimiento artístico de finales del siglo XIX y principios del XX que en España se denominó Modernismo. ‖ *adj.* ② Relativo a este movimiento artístico: *decoración art nouveau.* **NOTA** Invariable en número.

artrítico, -ca *adj.* 1 Relativo a la artritis. | *adj./s. m. y f.* 2 Se aplica a la persona que padece artritis.

artritis *s. f.* Inflamación de las articulaciones de los huesos. **FAM** artrítico, artritismo. **OBS** Plural invariable.

artrópodo *adj./s. m.* 1 Se aplica al animal invertebrado de cuerpo segmentado, exoesqueleto quitinoso, y patas y antenas compuestas por piezas articuladas. | *s. m. pl.* 2 **artrópodos** Grupo taxonómico, con categoría de filo, constituido por estos animales: *los insectos, las arañas y los crustáceos son artrópodos.*

artrosis *s. f.* Enfermedad crónica degenerativa que produce el desgaste de las articulaciones de los huesos. **OBS** Plural invariable.

arveja *s. f.* 1 Planta herbácea trepadora de la familia del guisante, de hojas compuestas y flores blanquecinas o violetas. **SIN** alverja. 2 Semilla de esta planta, que se da de comer a las aves de corral. **SIN** alverja. 3 ARG., BOL., CHILE Guisante.

arzobispado *s. m.* 1 Dignidad de arzobispo. 2 Territorio en el que el arzobispo ejerce jurisdicción: *esta iglesia pertenece al arzobispado de Valencia.* 3 Sede arzobispal.

arzobispal *adj.* Relativo al arzobispo: *palacio arzobispal.*

arzobispo *s. m.* Obispo que tiene jurisdicción sobre otros obispos. **FAM** arzobispado, arzobispal.

as *s. m.* 1 Carta de la baraja en la que hay dibujada una sola figura; en la baraja española lleva el número 1 y en la francesa lleva la letra A. 2 Cara del dado que tiene un solo punto. 3 Persona que sobresale mucho en una actividad o profesión. 4 Antigua moneda romana de bronce que equivalía a la décima parte del denario. **OBS** Plural: *ases.*

asa *s. f.* Pieza, generalmente curva, que sobresale de un objeto y sirve para cogerlo con la mano: *cogió la cacerola por las asas.* **OBS** Los artículos de singular son *el* y *un*, salvo que entre artículo y sustantivo haya otra palabra.

asado *s. m.* Carne asada.

asador, -ra *s. m.* 1 Varilla puntiaguda en la que se ensarta y pone al fuego lo que se quiere asar. 2 Aparato que sirve para asar. 3 Restaurante en el que sirven comidas asadas. | *s. m. y f.* 4 Persona que se dedica a asar.

asadura *s. f.* Conjunto de las entrañas de un animal. **OBS** También en plural con el mismo significado que en singular.

asaetear *v. tr.* 1 Disparar saetas o herir con ellas. 2 Molestar incesantemente.

asalariado, -da *adj./s. m. y f.* Se aplica a la persona que percibe un salario por su trabajo.

asalmonado, -da *adj.* 1 Se aplica al pescado cuya carne se parece a la del salmón: *trucha asalmonada.* 2 Que tiene un tono rosa pálido, como el del salmón.

asaltante *adj./s. com.* Se aplica a la persona que asalta un lugar o a otra persona con la intención de robar: *los asaltantes amenazaron a los empleados del banco.*

asaltar *v. tr.* 1 Entrar repentina y violentamente en un lugar con la intención de apoderarse de él o para robar: *asaltaron un banco.* 2 Atacar por sorpresa a una persona con la intención de robarle: *nos asaltaron a la salida del cine.* 3 Acometer repentinamente a alguien con peticiones o preguntas. 4 Acu-

dir de repente a la mente un pensamiento o una idea: *tras hablar con él, me asaltó la duda de si había dicho la verdad.* **FAM** asaltante, asalto.

asalto *s. m.* 1 Ataque repentino y violento que se hace con la intención de robar o de apoderarse de un lugar. 2 Cada una de las partes de que consta un combate de boxeo.

asamblea *s. f.* 1 Reunión de miembros de un colectivo u organización para decidir sobre asuntos comunes: *asamblea de estudiantes.* 2 Conjunto de representantes políticos que constituyen un cuerpo deliberante, como el Congreso, el Senado o la asamblea de la Organización de las Naciones Unidas. **FAM** asambleísta.

asambleísta *s. com.* Persona que forma parte de una asamblea.

asar *v. tr.* 1 Cocinar un alimento sometiéndolo a la acción directa del fuego. | *v. prnl.* 2 **asarse** familiar Tener mucho calor: *abre la ventana, que nos estamos asando.* **SIN** abrasar. **FAM** asadero, asado, asador, asadura; soasar.

asaz *adv.* culto Bastante, muy: *su muerte fue asaz dolorosa.*

asbesto *s. m.* Mineral compuesto de silicato de calcio y magnesio, variedad impura del amianto; se emplea en la construcción y como tejido incombustible.

asca *s. f.* Cada una de las células con forma de saco en las que se producen las esporas de los hongos ascomicetos. **OBS** Los artículos de singular son *el* y *un*, salvo que entre artículo y sustantivo haya otra palabra.

áscaris *s. m.* Nombre de un género de lombrices parásitas del filo nemátodos, entre las que se encuentra la lombriz intestinal. **OBS** Plural invariable.

ascendencia *s. f.* 1 Conjunto de los antepasados de una persona: *tu ascendencia son tus padres, tus abuelos y los padres de tus abuelos.* 2 Procedencia u origen familiar de una persona: *tengo ascendencia americana porque mis abuelos eran de Perú.* **ANT** descendencia.

ascendente *adj.* Que asciende o sube: *las notas fa y si forman un intervalo de cuarta ascendente; se observa una progresión ascendente de los precios.* **FAM** ascendencia.

ascender [2] *v. intr.* 1 Subir a un lugar más alto: *han ascendido al Himalaya; se espera que las temperaturas asciendan.* **ANT** descender. 2 Costar cierta cantidad de dinero. **SIN** importar. 3 Pasar de una categoría o puesto menos importante a otro más alto o de más importancia: *ascendió a capitán; el equipo ascendió a primera división.* | *v. tr.* 4 Hacer pasar de una categoría o puesto menos importante a otro más alto o de más importancia: *lo ascendieron a comandante.* **FAM** ascendente, ascendiente, ascensión, ascenso.

ascendiente *s. com.* 1 Individuo (persona o animal) del que descienden otro u otros. **ANT** descendiente. | *s. m.* 2 Influencia o autoridad moral: *su padre tiene mucho ascendiente sobre él.*

ascensión *s. f.* 1 Subida a un lugar más alto; por excelencia, la de Cristo a los cielos. **NOTA** Con mayúscula inicial cuando hace referencia a la subida de Cristo a los cielos. **ANT** bajada, descenso. 2 Día en que se celebra la subida de Cristo a los cielos. **NOTA** Se escribe con mayúscula inicial. 3 Terreno inclinado considerado de abajo arriba. **SIN** ascenso, subida. **ANT** bajada, descenso. **FAM** ascensional.

ascenso *s. m.* ⬚1 Subida a un lugar más alto. **ANT** bajada, descenso. ⬚2 Aumento de la cantidad o la intensidad de algo: *se prevé un ascenso de las temperaturas.* **SIN** subida. **ANT** bajada, descenso. ⬚3 Terreno inclinado considerado de abajo arriba. **SIN** ascensión, subida. **ANT** bajada, descenso. ⬚4 Paso de un puesto o categoría a otro más importante: *en algunas empresas, los ascensos son el premio a muchos años de trabajo.*

ascensor *s. m.* Aparato que sirve para subir y bajar personas o cosas de un piso a otro en un edificio.
FAM ascensorista.

ascensorista *s. com.* Persona que se dedica a manejar un ascensor.

asceta *s. com.* Persona que se dedica a la práctica del perfeccionamiento espiritual mediante un estilo de vida austero y sencillo.
FAM ascético, ascetismo.

ascética *s. f.* ⬚1 Corriente de literatura religiosa en prosa y en verso que se desarrolla especialmente en el siglo XVI; ensalza el estilo de vida austero y sencillo para conseguir la perfección espiritual y reflexiona sobre los aspectos negativos de la existencia humana: *fray Luis de Granada es el principal representante de la ascética.* ⬚2 Ascetismo.

ascético, -ca *adj.* Relativo al asceta, al ascetismo o a la ascética.

ascetismo *s. m.* ⬚1 Ejercicio y práctica de un estilo de vida austero y sencillo para conseguir la perfección espiritual. **SIN** ascética. ⬚2 Doctrina en la que se basa este estilo de vida. **SIN** ascética.

ASCII *s. m.* Sistema de codificación de siete bits que asigna un número del 0 al 127 a cada letra, número, carácter especial y carácter de control que recoge: *los ficheros de texto contienen información escrita en código ASCII, lo que les permite ser entendidos por la mayoría de los programas del mercado.*

asco *s. m.* ⬚1 Sensación de disgusto o rechazo causada por una persona o cosa. ⬚2 Alteración del estómago causada por algo desagradable que produce ganas de vomitar. **SIN** repugnancia.
hacer ascos Mostrar repugnancia, especialmente de manera injustificada.
FAM asquear, asqueroso.

ascomiceto o **ascomicete** *adj./s. m.* ⬚1 Se aplica al hongo que produce esporas sexuales agrupadas en ascas, como las levaduras, las trufas y algunos hongos parásitos de insectos. ⬚ *s. m. pl.* ⬚2 **ascomicetos** o **ascomicetes** Grupo taxonómico, con categoría de filo, constituido por estos hongos.

ascórbico V. ácido ascórbico.

ascua *s. f.* ⬚1 Trozo de materia sólida que arde sin llama: *avivar las ascuas.* **SIN** brasa.
arrimar el ascua a su sardina Tomar una persona la decisión que más favorece sus intereses.
en (o sobre) ascuas En estado de impaciencia o inquietud: *¡cuéntamelo ya, que me tienes en ascuas!*
OBS Los artículos de singular son *el* y *un*, salvo que entre artículo y sustantivo haya otra palabra.

aseado, -da *adj.* Limpio y arreglado.

asear *v. tr.* Limpiar a una persona para que tenga un aspecto agradable y cuidado: *aséate un poco y cámbiate de ropa para salir.* **SIN** adecentar.
FAM aseado, aseo; desasear.

asechanza *s. f.* Engaño oculto o disimulado para perjudicar a alguien. **SIN** insidia.
OBS Normalmente en plural.

asediar *v. tr.* ⬚1 Rodear una ciudad, una fortaleza u otro lugar para atacar a las fuerzas enemigas que están dentro o para impedir que salgan o reciban ayuda. **SIN** sitiar. ⬚2 Molestar continuamente.
OBS Verbo regular, se acentúa como *cambiar.*

asedio *s. m.* ⬚1 Cerco de una ciudad, fortaleza u otro lugar para atacar a las fuerzas enemigas que están dentro o para impedir que salgan o reciban ayuda. **SIN** sitio. ⬚2 Molestia repetida e insistente.
FAM asediar.

asegurado, -da *adj.* ⬚1 Que es objeto de un seguro: *la compañía del coche asegurado a todo riesgo corre con todos los gastos.* ⬚ *adj./s. m. y f.* ⬚2 Se aplica a la persona que ha contratado un seguro.

asegurador, -ra *adj./s. m. y f.* Se aplica a la persona o empresa que asegura bienes ajenos.

asegurar *v. tr.* ⬚1 Afirmar que una cosa es verdad, que una noticia es cierta. ⬚2 Hacer que una persona o cosa esté firme o bien sujeta. **SIN** fijar. ⬚3 Firmar un documento en el que se establece cómo alguien cubrirá ciertos riesgos a cambio de una prima: *podemos asegurar la casa contra incendios o robos, o el coche a todo riesgo.* ⬚ *v. prnl.* ⬚4 **asegurarse** Comprobar una cosa para estar completamente seguro: *asegúrate de que el gas de la cocina está bien cerrado.* **SIN** cerciorarse.
FAM asegurado, asegurador.

asemejar *v. tr.* ⬚1 Hacer semejante una cosa a otra: *lleva unas orejas enormes que lo asemejan a un burro.* ⬚ *v. prnl.* ⬚2 **asemejarse** Parecerse una persona o cosa a otra: *se asemeja a su padre incluso en los gestos.*

asentaderas *s. f. pl.* familiar Nalgas. **SIN** posaderas.

asentamiento *s. m.* ⬚1 Colocación de una cosa en un lugar de manera que permanezca firme y segura. ⬚2 Establecimiento de una población en un lugar: *las autoridades autorizaron el asentamiento de los colonos en aquellas tierras.* ⬚3 Lugar en el que se establece un pueblo: *ha sido descubierto un gran asentamiento romano a las afueras del pueblo.*

asentar [1] *v. tr.* ⬚1 Poner una cosa en un lugar para que quede firme: *los arquitectos asientan los edificios sobre buenos fundamentos.* ⬚2 Establecer los principios o las bases sobre las que se consolida algo inmaterial: *asentó los principios básicos de nuestra ciencia.* ⬚3 Anotar algo en un libro o registro, especialmente de cuentas. ⬚ *v. prnl.* ⬚4 **asentarse** Establecerse un grupo de personas en un lugar de manera permanente, quedarse a vivir allí: *muchos inmigrantes africanos se asientan en ciudades europeas.* ⬚5 Depositarse en el fondo de un líquido la materia sólida que está flotando en él: *tienes que esperar a que se asienten los posos del café para servirlo.* **SIN** posarse.
FAM asentamiento, asiento.

asentimiento *s. m.* Aprobación o permiso para que se realice una cosa: *el profesor dio su asentimiento para que salieran del aula.* **SIN** consentimiento.

asentir [9] *v. intr.* Mostrar acuerdo o conformidad con lo que alguien ha propuesto o afirmado.
FAM asentimiento.

aseo *s. m.* ⬚1 Habitación en la que están el váter y otros elementos que sirven para el aseo, a excepción de la ducha o la bañera. **2** Limpieza de una persona para que tenga un aspecto agradable y cuidado.

asépalo, -la *adj.* Se aplica a la flor que carece de sépalos.

asepsia *s. f.* **1** Ausencia de bacterias y microbios que puedan provocar una infección. **SIN** desinfección. **2** Método o procedimiento para evitar que las bacterias o cualquier otro organismo infecten un cuerpo, un objeto o un lugar. **3** Falta de emoción o sentimientos. **4** Falta de compromiso.
FAM aséptico.

aséptico, -ca *adj.* **1** Relativo a la asepsia: *el material médico es aséptico.* **2** Que carece de emoción o sentimiento. **3** Que carece de compromiso.

asequible *adj.* Que puede ser conseguido o alcanzado.
ANT inasequible.
FAM inasequible.

aserción *s. f.* Declaración de que una cosa es cierta.
SIN aserto, aseveración.

aserradero *s. m.* Lugar donde se asierra la madera u otra cosa.

aserrar [1] *v. tr.* Cortar con una sierra. **SIN** serrar.
FAM aserradero, aserradora.

aserrín *s. m.* Conjunto de partículas que se desprenden de la madera al serrarla. **SIN** serrín.

aserruchar *v. tr.* AMÉR. Cortar con serrucho.

aserto *s. m.* Aserción. **SIN** aseveración.

asesinar *v. tr.* Matar a una persona con premeditación u otras agravantes.
FAM asesinato.

asesinato *s. m.* Muerte que se da a una persona con premeditación u otras agravantes.

asesino, -na *adj./s. m. y f.* **1** Se aplica a la persona que causa la muerte de alguien con premeditación u otras agravantes. **‖** *adj.* **2** Que es capaz de producir la muerte o un daño físico o moral: *balas asesinas.*
FAM asesinar.

asesor, -ra *adj./s. m. y f.* Se aplica a la persona que asesora o da consejo técnico.
FAM asesoría.

asesoramiento *s. m.* Consejo u opinión que una persona da sobre un tema que conoce muy bien.

asesorar *v. tr.* **1** Dar consejo u opinión técnica. **SIN** aconsejar. **‖** *v. prnl.* **2** **asesorarse** Tomar consejo de un experto: *antes de comprar un coche, conviene asesorarse bien y consultar a personas expertas.*
FAM asesor, asesoramiento.

asesoría *s. f.* **1** Lugar donde trabaja el asesor: *ha montado una asesoría fiscal.* **2** Oficio del asesor.

asestar *v. tr.* Dar un golpe, clavar un arma blanca o disparar un arma de fuego contra alguien o algo.

aseveración *s. f.* Aserción. **SIN** aserto.

aseverar *v. tr.* Declarar que una cosa es cierta.
FAM aseveración, aseverativo.

aseverativo, -va *adj.* Que indica aseveración: *las oraciones aseverativas se denominan también "oraciones enunciativas afirmativas".*

asexuado, -da *adj.* Que no tiene sexo. **SIN** asexual.

asexual *adj.* **1** Asexuado. **2** Se aplica a la reproducción que se produce sin intervención de los dos sexos: *la reproducción*

mediante división celular y la reproducción por esporas son asexuales.

asfaltado *s. m.* **1** Acción de asfaltar. **2** Revestimiento de asfalto: *un asfaltado de mala calidad.*

asfaltar *v. tr.* Cubrir con asfalto una superficie, especialmente una calle o una carretera.
FAM asfaltado, asfaltadora.

asfáltico, -ca *adj.* **1** Relativo al asfalto. **2** Que contiene asfalto: *tela asfáltica.*

asfalto *s. m.* **1** Sustancia densa y pegajosa derivada del petróleo crudo, de color negro y muy impermeable que, mezclada con arena o grava, se usa para cubrir superficies, especialmente calles y carreteras. **2** Pavimento hecho con esta sustancia: *el asfalto de esta carretera está en muy mal estado.*
FAM asfaltar, asfáltico.

asfixia *s. f.* **1** Falta de oxígeno en la sangre provocada por un fallo en la respiración. **2** Sensación de agobio producida por el excesivo calor o por el enrarecimiento del aire.
FAM asfixiar.

asfixiante *adj.* Que provoca asfixia: *calor asfixiante.*

asfixiar *v. tr.* Causar asfixia: *algunas serpientes se enroscan al cuerpo de sus presas y las asfixian.*
FAM asfixiante.
OBS Verbo regular, se acentúa como *cambiar.*

así *adv.* **1** De esta manera: *mira: se hace así.* **‖** *adj.* **2** De esta clase, de este estilo: *un marido así es una joya.* **‖** *adv.* **3** Se usa para expresar deseo o maldición: *así te pudras.* **SIN** ojalá. **4** Se usa para expresar extrañeza o admiración: *¿así que te vas?* **‖** *conj.* **5** Aunque, por más que: *no dirá una palabra, así lo maten.* **6** En consecuencia, por lo tanto: *nadie quiso ayudarle y así tuvo que desistir de su empeño.*

así como o **así que** Tan pronto como, en el momento en que: *así como entró en la habitación, lo reconocí.*

así como así De cualquier manera, fácilmente: *no creas que se aprende a hablar un idioma así como así.*

así mismo culto Asimismo.

así pues o **así que** En consecuencia, por lo cual: *así pues, no he podido darle la noticia.*

así y todo A pesar de todo: *así y todo, he decidido no irme de la empresa.*
FAM asimismo.

asiático, -ca *adj.* **1** De Asia. **‖** *s. m. y f./adj.* **2** Persona que es de Asia.

asidero *s. m.* **1** Parte de un objeto que sirve para asirlo o cogerlo con la mano. **SIN** agarradera, agarradero. **2** Parte de un objeto o de un edificio que sirve para poder cogerse o sujetarse a él: *los asideros de una bañera.* **SIN** agarradera, agarradero. **3** Persona o cosa que sirve de apoyo, ayuda o pretexto: *su familia es siempre su asidero.* **SIN** agarradero.

asiduidad *s. f.* Constancia o frecuencia en la realización de algo: *asistir a las clases con asiduidad.*

asiduo, -dua *adj./s. m. y f.* **1** Se aplica a la persona que es perseverante en la realización de algo: *algunos restaurantes tienen clientes asiduos.* **‖** *adj.* **2** Se aplica a la actividad que se hace constante y frecuentemente.
FAM asiduidad.

asiento *s. m.* **1** Mueble o lugar para sentarse: *sillas, taburetes, sofás y bancos son diferentes tipos de asientos.* **2** Parte de un mueble u objeto donde alguien se sienta: *a esta silla se le ha roto el asiento.* **3** Lugar en que alguien o algo está asentado: *la ciudad* *de Antequera tiene su asiento en el valle del mismo nombre.* **4** Parte de un recipiente que sirve de base o apoyo: *el asiento de una botella.* **5** Materia sólida que después de haber estado flotando en un líquido se queda en el fondo del recipiente. **SIN** poso, sedimento. **6** Apunte o anotación que se hace en un registro o libro, especialmente de cuentas.

tomar asiento Sentarse.

asignación *s. f.* **1** Decisión por la cual se determina que una cosa le corresponde a una persona. **2** Cantidad de dinero que se da a una persona o institución de manera periódica.

asignar *v. tr.* **1** Determinar que una cosa le corresponde a una persona: *asignar una paga; le asignaron un trabajo muy difícil.* **2** Fijar un día para hacer una cosa, ponerse de acuerdo en una fecha. **FAM** asignación, asignatario.

asignatario, -ria *s. m. y f.* AMÉR. Persona a quien se asigna una herencia o legado.

asignatura *s. f.* Materia que se enseña en un curso y que forma parte de un programa de estudios.

asilar *v. tr.* **1** Dar asilo a una persona extranjera que es perseguida en su país por motivos políticos. **‖** *v. prnl.* **2 asilarse** Tomar asilo en un país extranjero una persona perseguida en el suyo por motivos políticos. **FAM** asilado.

asilo *s. m.* **1** Establecimiento benéfico en el que se acoge a personas pobres o que no tienen casa, especialmente ancianos. **2** Lugar de refugio inviolable para personas extranjeras que son perseguidas en su país por motivos políticos. **3** Ayuda o protección que se da o se recibe: *Francia ha dejado de dar asilo a los terroristas.* **■ asilo político** Protección que un estado da a una persona extranjera que es perseguida en su país por motivos políticos. **FAM** asilar.

asilvestrado, -da *adj.* Se aplica al animal doméstico o domesticado que se vuelve salvaje.

asimetría *s. f.* Falta de simetría: *llama la atención la asimetría de este cuadro.* **SIN** disimetría. **FAM** asimétrico.

asimétrico, -ca *adj.* Que no tiene simetría: *figura asimétrica.* **SIN** disimétrico. **ANT** simétrico.

asimilación *s. f.* **1** Conversión de los alimentos en materia útil para la vida: *la asimilación de los alimentos ingeridos.* **2** Comprensión de lo que se aprende e incorporación de los conocimientos nuevos a los que ya se poseían. **3** Aceptación de un hecho, idea o creencia. **4** Adaptación de una persona a una situación. **5** Proceso por el algo se hace similar o igual a otra cosa. **6** En fonética, propagación total o parcial de los rasgos articulatorios de un sonido a otro contiguo.

asimilar *v. tr.* **1** Transformar un organismo los alimentos que toma en sustancias útiles para la vida: *tiene una enfermedad en el intestino y no asimila bien lo que come.* **2** Comprender una persona lo que está aprendiendo e incorporar los conocimientos nuevos a los que ya tenía: *la información fue fácilmente asimilada por el público.* **3** Aceptar un hecho, idea o creencia: *cuesta mucho asimilar la pérdida de un ser querido.* **4** Aceptar una situación o adaptarse a ella. **5** Hacer que algo sea similar a otra cosa: *la Unión Europea deberá ser lo suficientemente flexible para asimilar más países rápidamente.* **6** En fonética, propagar un sonido a otro contiguo los rasgos articulatorios de manera

total o parcial. **7** Conceder a los miembros de una carrera o profesión iguales derechos que los de otra. **‖** *v. prnl.* **8 asimilarse** culto Parecerse una cosa a otra. **FAM** asimilación, asimilativo; desasimilar.

asimilativo, -va *adj.* Relativo a la asimilación: *proceso asimilativo.*

asimismo *adv.* culto De la misma manera, igualmente: *los alumnos deberán traer, asimismo, lo necesario para el curso.* **OBS** También *así mismo.*

asíndeton *s. m.* Figura retórica que consiste en suprimir las conjunciones entre las partes de una oración o entre varias oraciones, para agilizar la expresión: *un ejemplo de asíndeton es "el muchacho corre, salta, vuela, sueña".* **OBS** Plural: *asíndetos.*

asíntota *s. f.* Línea recta que, prolongada indefinidamente, se acerca progresivamente a una curva sin llegar a encontrarla.

asir [23] *v. tr.* **1** culto Coger con fuerza, especialmente con la mano: *lo asió de la ropa para que no se marchase.* **ANT** desasir. **‖** *v. prnl.* **2 asirse** Valerse una persona de un pretexto para hacer lo que quiere. **FAM** asidero, asimiento; desasir.

asirio, -ria *adj.* **1** De Asiria (antigua región del oeste de Asia). **‖** *s. m. y f./adj.* **2** Antiguo pueblo del norte de Mesopotamia: *los asirios se extendieron por gran parte de Asia entre el* II *y* I *milenio a. C.* **‖** *s. m./adj.* **3** Lengua semítica hablada antiguamente en esta región.

asistencia *s. f.* **1** Concurrencia a un lugar y permanencia en él durante un tiempo: *la asistencia a clase es obligatoria.* **ANT** inasistencia. **2** Conjunto de personas presentes en un local o acto: *el músico agradeció los aplausos de la asistencia.* **3** Ayuda o cuidado que se da a una persona: *los médicos están obligados a prestar asistencia en caso de accidente.* **4** En baloncesto, pase que hace un jugador a otro de su mismo equipo para que consiga fácilmente una canasta. **5** Persona o conjunto de personas que prestan ayuda o cuidados. **NOTA** Normalmente en plural.

asistencia social Ayuda médica, económica o social prestada de manera gratuita a las personas que carecen de recursos económicos, generalmente por parte de una institución oficial. **FAM** asistencial; inasistencia.

asistenta *s. f.* **1** Mujer que realiza labores domésticas en una casa a cambio de una retribución económica, generalmente por horas o algunos días a la semana. **2** V. **asistente.**

asistente *adj./s. com.* **1** Se aplica a la persona que está presente en un lugar o acto. **2** Se aplica a la persona que ayuda o auxilia a otra en algunos actos o tareas. **NOTA** Femenino: *asistente* o *asistenta.*

asistente social Persona que se dedica a asesorar a personas que carecen de recursos económicos, gestionando las ayudas que presta la asistencia social. **NOTA** Femenino: *asistente social* o *asistenta social.*

asistido, -da *adj.* Que se realiza con ayuda de medios técnicos: *respiración asistida.*

asistir *v. intr.* **1** Estar presente en un lugar o en un acto: *cientos de personas asistieron al funeral.* **2** Realizar en una casa los trabajos domésticos a cambio de dinero. **SIN** servir. **‖** *v. tr.* **3** Ayudar a una persona, atenderla o cuidarla. **ANT** desasis-

tir. ④ Estar la razón o el derecho de parte de una persona: *me asiste el derecho a ser escuchado en esta reunión.*
FAM asistencia, asistenta, asistente; desasistir.

asma *s. f.* Enfermedad del aparato respiratorio, frecuentemente de origen alérgico, caracterizada por la presencia de respiración anhelosa y difícil, tos, sensación de ahogo y expectoración escasa.
FAM asmático.
OBS Los artículos de singular son *el* y *un*, salvo que entre artículo y sustantivo haya otra palabra.

asmático, -ca *adj.* ① Relativo al asma: *ataque asmático.* ‖ *adj./s. m. y f.* ② Se aplica a la persona que padece asma.

asnal *adj.* Relativo al asno.

asno, -na *s. m. y f.* ① Mamífero cuadrúpedo doméstico más pequeño que el caballo, con grandes orejas, cola larga y pelo áspero y grisáceo; por ser muy resistente se usa para trabajos en el campo y para la carga. **SIN** borrico, burro, jumento. ‖ *adj./s. m.* ② familiar Se aplica a la persona que es torpe, poco inteligente o de escasa formación. **SIN** bestia, borrico, burro.
FAM asnal.

asociación *s. f.* ① Unión de personas, entidades o cosas para un fin: *parece que se va hacia la asociación de los grandes bancos.* ② Relación que se establece entre dos ideas cuando una sugiere la otra: *nos es fácil recordar conceptos si hacemos una asociación entre su nombre y su significado.* ③ Conjunto de personas que se han unido con un fin: *todas las escuelas tienen una asociación de padres.*
asociación intraespecífica En biología, conjunto de organismos de la misma especie que conviven en un mismo espacio, influyéndose mutuamente con el fin de reproducirse, buscar alimento o modificar su hábitat: *existen cuatro tipos de asociaciones intraespecíficas: familiar, gregaria, colonial y estatal.*
FAM asociacionismo.

asociacionismo *s. m.* Tendencia a formar asociaciones para defender intereses comunes.
FAM asociacionista.

asociado, -da *s. m. y f.* Persona que forma parte de una asociación o sociedad. **SIN** socio.

asocial *adj.* Se aplica a la persona que no se integra en la sociedad o se manifiesta contrario a la vida social.

asociar *v. tr.* ① Unir a una persona, entidad o cosa con otra u otras para un fin: *cada vez hay más fabricantes que se asocian con empresas extranjeras.* ② Relacionar dos ideas, de modo que una de ellas sugiera la otra: *siempre asocio el olor a sandía con el verano.*
FAM asociación, asociado, asociativo, asocio.
OBS Verbo regular, se acentúa como *cambiar.*

asociativo, -va *adj.* ① Que induce a la asociación de ideas o que es el resultado de ella. ② En matemáticas, se aplica a la propiedad que puede tener una operación en la que el resultado es el mismo aunque se altere la agrupación de sus elementos.

asocio *s. m.* AMÉR. Asociación, colaboración.

asolar[1] *v. tr.* Destruir totalmente un territorio o lo que hay en él: *en ocasiones, los tifones asolan las costas de Florida.* **SIN** arrasar, desolar, devastar.

asolar[2] *v. tr.* Secar el campo o echar a perder sus frutos el calor o la sequía: *la sequía ha asolado la campiña.*

asolear *v. tr.* Exponer una cosa al sol temporalmente. **SIN** solear.
FAM asoleamiento.

asomar *v. intr.* ① Empezar a mostrarse una persona o cosa: *todas las mañanas asoma el sol por el este.* ‖ *v. tr.* ② Sacar o mostrar una cosa por una abertura o por detrás de alguna parte: *asoma la cabeza por encima del muro; asómate a la ventana.*
FAM asomo.

asombrar *v. tr.* ① Causar asombro: *me asombra tu capacidad de trabajo.* **SIN** maravillar. ② Hacer sombra.
FAM asombro.

asombro *s. m.* ① Gran admiración o sorpresa. ② Persona o cosa que causa admiración o sorpresa.
FAM asombroso.

asombroso, -sa *adj.* Que causa asombro.

asomo *s. m.* ① Acción de asomar o asomarse. ② Muestra o indicio de una cosa: *no te veo ni el menor asomo de interés en los estudios.* **SIN** atisbo.
ni por asomo familiar De ninguna manera: *si sigues así, no vas a terminar el trabajo ni por asomo.*

asonancia *s. f.* Igualdad de las vocales en la terminación de dos palabras, especialmente si son finales de verso, a partir de su última vocal acentuada: *existe asonancia entre las palabras "espanto" y "árbol".*
FAM asonante.

asonantar *v. tr.* ① Hacer que tengan rima asonante unos versos o unas palabras. ‖ *v. intr.* ② Tener una palabra rima asonante con otra: *la palabra "espada" asonanta con "casa".*

asonante *adj.* ① Se aplica a la palabra que tiene asonancia con otra: *"fortuna" es asonante de "mucha".* ‖ *adj./s. f.* ② Se aplica a la rima de los versos cuyas vocales coinciden a partir del último acento.
FAM asonantar.

asorocharse *v. prnl.* AMÉR. SUR Padecer soroche (angustia que se siente en lugares muy elevados).

aspa *s. f.* ① Conjunto formado por dos o más brazos unidos en forma de X y que gira movido por la fuerza del viento o la electricidad: *las aspas de un molino de viento.* **NOTA** Normalmente en plural. ② Figura en forma de X: *el cuestionario se rellena escribiendo aspas en las casillas.* ③ ARG., URUG. Cuerno de un animal.
FAM aspar.
OBS Los artículos de singular son *el* y *un*, salvo que entre artículo y sustantivo haya otra palabra.

aspar *v. tr.* ① Clavar a una persona para ajusticiarla en un par de maderos atravesados formando un aspa: *san Andrés fue aspado.* ② Producir dolor o daño a una persona o molestarla mucho.

aspaviento *s. m.* Demostración excesiva o exagerada de un sentimiento: *hacer aspavientos de alegría.*
OBS Normalmente en plural.

aspecto *s. m.* ① Conjunto de rasgos o características que muestra una persona o cosa. **SIN** apariencia. ② Categoría gramatical que informa sobre las características de la acción verbal, independientemente del tiempo en que se produce. ■ **aspecto imperfecto** o **aspecto imperfectivo** Aspecto del verbo que expresa la acción como no acabada: *"yo estudio"* tiene *aspecto imperfectivo.* ■ **aspecto perfecto** o **aspecto perfectivo** Aspecto del verbo que expresa la acción como

acabada: *los tiempos compuestos de pasado tienen aspecto perfectivo.*
FAM aspectual.

aspectual *adj.* Relativo al aspecto verbal: *perífrasis aspectual.*

aspereza *s. f.* ① Falta de suavidad de una superficie al tacto. ② Falta de delicadeza o amabilidad en el trato.
limar asperezas Conciliar opiniones o acercar pareceres contrarios: *después de discutir quisieron limar asperezas cenando juntos.*

asperjar *v. tr.* ① Esparcir un líquido en pequeñas gotas: *asperjar agua.* ② Rociar el sacerdote con agua bendita algo o a alguien: *el cura asperjó a los fieles.*

áspero, -ra *adj.* ① Que tiene la superficie rugosa y es desagradable al tacto. ② Que es poco delicado o amable en el trato.
FAM aspereza.
OBS Superlativo: *aspérisimo* o *aspérrimo.*

aspérrimo, -ma *adj.* culto Superlativo de *áspero.*

aspersión *s. f.* Dispersión de un líquido en finas gotas mediante un mecanismo: *sistema de riego por aspersión para el césped de un jardín.*

aspersor *s. m.* Mecanismo que esparce o dispersa un líquido a presión, como el agua para el riego o los herbicidas químicos.

áspid o **áspide** *s. m.* ① Serpiente venenosa de color verde amarillento con manchas pardas, de hasta 2 m de longitud y con cuello extensible; es propia de Egipto. ② Víbora de pequeño tamaño que se encuentra en los Pirineos y otras montañas europeas.
OBS Plural: *áspides.*

aspillera *s. f.* Abertura larga y estrecha practicada en un muro y que sirve para disparar por ella.

aspiración *s. f.* ① Objetivo que una persona se propone conseguir: *sus aspiraciones profesionales se han cumplido con creces.* ② Introducción de aire u otra sustancia gaseosa en los pulmones. **SIN** inspiración. **ANT** espiración. ③ Sonido sordo que se produce con un ligero soplo: *en español, la aspiración de la "h" inicial de palabra es una característica del andaluz.* ④ Introducción de una sustancia gaseosa en un recipiente mediante succión.

aspirado, -da *adj.* ① Se aplica al sonido consonántico que se pronuncia espirando un soplo sordo velar o uvular: *la "h" de "hámster" y de "hippy" es aspirada; los sonidos aspirados son frecuentes en las lenguas germánicas.* ‖ *s. f./adj.* ② Letra que representa este sonido: *la "s" final es aspirada en muchas zonas del español.*

aspirador, -ra *adj.* ① Que aspira fluidos u otras cosas. ‖ *s. m.* ② Aparato o máquina que aspira fluidos u otras cosas. ③ Aspiradora.

aspiradora *s. f.* Electrodoméstico que sirve para aspirar el polvo y otras partículas del suelo o de los muebles. **SIN** aspirador.

aspirante *adj./s. com.* Se aplica a la persona que aspira a conseguir un empleo, distinción o título.

aspirar *v. intr.* ① Tener como objetivo hacer o conseguir determinada cosa: *todos los atletas aspiran a la medalla de oro.* ‖ *v. tr.* ② Introducir aire u otra sustancia gaseosa en los pulmones. **SIN** inspirar. **ANT** espirar. ③ Atraer una máquina

hacia su interior un líquido, un gas, el polvo o cualquier otra sustancia. ④ Pronunciar un sonido con aspiración.
FAM aspiración, aspirado, aspirador, aspirante.

aspirina *s. f.* Medicamento compuesto de ácido acetilsalicílico y que se emplea para quitar el dolor y bajar la fiebre.
OBS Es marca registrada.

asquear *v. tr./intr.* Causar asco o fastidio: *aquel trabajo me asqueaba.*
FAM asqueado.

asquerosidad *s. f.* Cosa que produce asco.

asqueroso, -sa *adj.* Que produce asco: *a ver si limpiáis el garaje, que está asqueroso.*
FAM asquerosidad.
OBS Frecuentemente usado como insulto.

asta *s. f.* ① Prolongación de hueso de forma cónica, generalmente curvada y acabada en punta, que crece en la parte superior de la frente de algunos animales. **SIN** cuerno. ② Palo o barra en que se coloca una bandera. ③ Palo de una lanza o de una alabarda.
FAM astado.
OBS Los artículos de singular son *el* y *un*, salvo que entre artículo y sustantivo haya otra palabra.

astado, -da *adj./s. m.* Se aplica al animal que tiene astas: *el toro es un animal astado.*

ástato o **astato** *s. m.* Elemento químico de símbolo At y número atómico 85; es un semimetal radiactivo, sólido, que se obtiene bombardeando bismuto con partículas alfa: *el ástato pertenece al grupo de los halógenos.*

astenia *s. f.* Debilidad o falta de energía de una persona: *el paciente presentaba astenia, falta de apetito e insomnio, según dijo el médico.*

astenosfera *s. f.* Capa del interior de la Tierra que se extiende aproximadamente entre los 50 y los 150 km de profundidad, formada principalmente por rocas plásticas parcialmente fundidas que pueden deformarse: *la astenosfera está entre la litosfera y la mesosfera.*

asterisco *s. m.* Signo ortográfico en forma de estrella (*) empleado para indicar una remisión, una nota a pie de página, una forma irregular, una forma incorrecta, o para otros fines.

asteroide *s. m.* Pequeño cuerpo rocoso del sistema solar que gira alrededor del Sol en una órbita elíptica, generalmente entre las órbitas de Marte y Júpiter.
FAM asteroideo.

astigmático, -ca *adj./s. m. y f.* Se aplica a la persona que padece astigmatismo.

astigmatismo *s. m.* Defecto de la vista debido a una curvatura irregular de la córnea que hace que se vean algo deformadas las imágenes y poco claro el contorno de las cosas.
FAM astigmático.

astil *s. m.* ① Mango, generalmente de madera, que tienen las hachas, las azadas, los picos y otras herramientas. ② Barra horizontal de cuyos extremos cuelgan los platillos de la balanza. ③ Varilla de una flecha.

astilla *s. f.* Fragmento irregular que salta de una materia, especialmente de la madera, o que queda en ella al partirla: *cogió las viejas sillas del comedor y las hizo astillas.*
FAM astillar, astillero.

astillar *v. tr.* Hacer astillas: *se dio un golpe fuerte en la pierna y se ha astillado el hueso.*

astillero *s. m.* ① Lugar donde se construyen y reparan embarcaciones. ② Percha para las lanzas o armas semejantes. ③ MÉX. Lugar donde se corta la leña.

astracán *s. m.* ① Piel fina de los corderos nonatos o recién nacidos de una raza de ovejas del Turquestán, de pelo rizado negro o muy oscuro. ② Tejido de lana o de pelo de cabra que imita esta piel. ③ Género de teatro cómico, creado por Pedro Muñoz Seca, caracterizado por la abundancia de situaciones disparatadas y elementos cómicos. **FAM** astracanada.

astracanada *s. f.* Obra teatral con situaciones disparatadas y abundantes elementos cómicos.

astrágalo *s. m.* ① Hueso corto del pie, situado en la parte superior y central del tarso, que se articula con la tibia y el peroné: *el astrágalo permite flexionar el pie.* **SIN** taba. ② Anillo que rodea el fuste de la columna.

astral *adj.* Relativo a los astros: *movimientos astrales.*

astringente *adj./s. m.* ① Se aplica a la sustancia que contrae los tejidos orgánicos y seca las heridas: *el alcohol es astringente.* ② Se aplica a la sustancia que hace difícil la expulsión de los excrementos: *la manzana es astringente.* **ANT** laxante.

astringir *v. tr.* ① Contraer una sustancia los tejidos orgánicos y secar las heridas. ② Hacer difícil una sustancia la expulsión de excrementos. **SIN** estreñir. **FAM** astringente.

astro *s. m.* ① Cuerpo celeste del firmamento, como las estrellas y los planetas. ② Persona que destaca en una profesión o que es muy popular, especialmente en un deporte o en el arte: *este actor es un verdadero astro del cine.* **SIN** estrella, figura. **FAM** astral.

astrofísica *s. f.* Parte de la astronomía que estudia los astros utilizando los métodos y las leyes de la física. **FAM** astrofísico.

astrofísico, -ca *adj.* ① Relativo a la astrofísica. ‖ *s. m. y f.* ② Persona que se dedica al estudio de la astrofísica.

astrolabio *s. m.* Instrumento que se usó para observar la altura de los astros y determinar la hora y la latitud.

astrología *s. f.* Estudio de la influencia que la posición y el movimiento de los astros pueden tener sobre las personas. **FAM** astrológico, astrólogo.

astrológico, -ca *adj.* Relativo a la astrología.

astrólogo, -ga *s. m. y f.* Persona que se dedica a la astrología.

astronauta *s. com.* Persona que pilota o forma parte de la tripulación de una nave espacial o que está entrenada y preparada para hacerlo. **SIN** cosmonauta. **FAM** astronáutica.

astronáutica *s. f.* Ciencia y tecnología de la navegación espacial. **FAM** astronáutico.

astronáutico, -ca *adj.* Relativo a la astronáutica.

astronave *s. f.* Vehículo empleado en la navegación espacial. **SIN** cosmonave.

astronomía *s. f.* Ciencia que estudia los astros y la estructura del universo. **FAM** astronómico.

astronómico, -ca *adj.* ① Relativo a la astronomía. ② Se aplica a la cantidad que es enorme o exagerada: *precios astronómicos; distancias astronómicas.*

astrónomo, -ma *s. m. y f.* Persona que se dedica a la astronomía. **FAM** astronomía.

astucia *s. f.* ① Habilidad para conseguir algo, especialmente para engañar o evitar un engaño. ② Medio que se emplea con habilidad para conseguir algo, especialmente para engañar o evitar un daño. **SIN** ardid, artimaña. **FAM** astuto.

astur *adj.* ① Relativo a un antiguo pueblo celta establecido en la zona correspondiente a la actual provincia de León y casi toda la de Asturias: *la capital del pueblo astur fue Asturica Augusta (hoy Astorga).* ‖ *s. com./adj.* ② Persona perteneciente a este pueblo.

asturianismo *s. m.* ① Amor o admiración por la cultura y las tradiciones de Asturias. ② Palabra o modo de expresión propio del español hablado en Asturias.

asturiano, -na *adj.* ① De Asturias (comunidad autónoma española). ‖ *s. m. y f./adj.* ② Persona que es de Asturias. ‖ *s. m./adj.* ③ Variedad dialectal, también llamada *bable*, hablada en Asturias. **FAM** asturianismo, asturleonés.

asturleonés, -nesa o **astur-leonés, -nesa** *adj.* ① Relativo a Asturias y León. ‖ *s. m./adj.* ② Dialecto romance nacido en el antiguo reino de León y que hoy subsiste en zonas de Asturias, oeste de Santander, norte y oeste de Zamora y parte de Cáceres.

astuto, -ta *adj.* Que es hábil para engañar o para evitar el engaño.

asueto *s. m.* Descanso de la actividad laboral u ocupación de una persona que dura unas horas o un día.

asumir *v. tr.* ① Aceptar una obligación o una responsabilidad. ② Tomar conciencia de algo: *tienes que asumir tus propias limitaciones y actuar de acuerdo con ellas.* **FAM** asunción; reasumir.

asunción *s. f.* ① Aceptación de una obligación o responsabilidad. ② En la religión católica, ascensión de la Virgen María a los cielos. **NOTA** Se escribe con mayúscula inicial. ③ Día en que se celebra la ascensión de la Virgen María a los cielos: *la Asunción se celebra el 15 de agosto.* **NOTA** Se escribe con mayúscula inicial.

asunto *s. m.* ① Tema o materia de que se trata: *todavía no he llegado a comprender el fondo del asunto.* ② Tema o argumento de una obra literaria o de una película. ③ Negocio u ocupación de una persona: *tengo que resolver un asunto muy importante.*

asustadizo, -za *adj.* Que se asusta con facilidad.

asustado, -da *adj.* Que siente miedo o preocupación por algo desconocido o inesperado.

asustar *v. tr.* ① Dar un susto: *¿te querías esconder tras la puerta para asustarme?* ② Causar miedo o temor: *los ladridos asustaron al niño.* **SIN** atemorizar. **FAM** asustadizo.

atacador *s. m.* Instrumento empleado para apretar el tabaco de la cazoleta de una pipa.

atacante *adj./s. com.* ① Que ataca. ② Se aplica al jugador o equipo deportivo que se dirige hacia la meta o campo contrarios para conseguir un gol o un tanto.

atacar *v. tr./intr.* ① Acometer con violencia contra una persona o cosa para hacerle daño o derrotarla: *Napoleón atacó Rusia en 1812.* ‖ *v. tr.* ② Criticar con dureza a una persona,

una organización o una idea. ③ Actuar una enfermedad o una sustancia química sobre algo, dañándolo, destruyéndolo o simplemente haciéndolo reaccionar: *el sida ataca el sistema inmunológico.* ④ Empezar a ejecutar un sonido o una composición musical: *la orquesta atacó el movimiento final.* ⑤ Venir repentinamente una sensación o una enfermedad: *después de comer suele atacar el sueño.*
FAM atacante, ataque; contraatacar.

atadijo *s. m.* Paquete pequeño hecho atando varias cosas descuidadamente: *un atadijo de ramas.*

atado *s. m.* Conjunto de cosas unidas o sujetas juntas con cuerdas, cordeles o materiales semejantes.
FAM atadijo.

atadura *s. f.* ① Acción de atar. ② Cosa que se usa para atar: *el preso se liberó de las ataduras y consiguió escapar.* ③ Unión o relación fuerte entre dos personas o cosas: *decidió romper con todas las ataduras del pasado y empezar de nuevo.* **NOTA** Normalmente en plural. ④ Cosa que impide o retrasa el desarrollo de una acción. **NOTA** Normalmente en plural. **SIN** traba.

ataharre *s. m.* Banda que rodea las ancas de una caballería para impedir que la silla se corra hacia delante.

atajar *v. intr.* ① Hacer el camino más corto yendo por un atajo: *si atajamos por aquí, llegaremos antes.* ‖ *v. tr.* ② Cortar el paso o interrumpir un proceso o una acción: *los médicos atajaron la enfermedad a tiempo.*
FAM atajo.

atajo *s. m.* ① Camino más corto que otro para ir a un lugar. ② Grupo pequeño de ganado. **SIN** hatajo, hato. ③ *despectivo* Conjunto o grupo de personas o cosas: *sus amigos son un atajo de vagos.* **SIN** hatajo, hato.

atalaya *s. f.* ① Torre construida sobre un lugar elevado que sirve para vigilar una gran extensión de terreno o de mar. ② Terreno elevado con vista amplia.
FAM atalayar.

atañer [13] *v. intr.* Tocar a una persona una responsabilidad u obligación, o una cosa que tiene interés para ella: *este problema no me atañe.* **SIN** concernir, incumbir.

ataque *s. m.* ① Acción violenta e impetuosa contra una persona o cosa para hacerle daño o derrotarla. ② Hecho o dicho con que se critica con dureza a una persona, una organización o una idea: *el diputado lanzó varios ataques contra el partido de la oposición.* ③ Crisis violenta y repentina causada por una enfermedad o por un sentimiento extremo: *un ataque de corazón.*

atar *v. tr.* ① Unir o sujetar con una cuerda, cordel u otra cosa parecida, haciendo una ligadura o nudo: *átale los zapatos al niño.* **ANT** desatar. ② Impedir o quitar el movimiento: *el miedo le ató las piernas y la voz.* **SIN** encadenar. ③ Relacionar o asociar cosas entre sí: *fue atando todo lo que sabía y dio con la solución.*
FAM atadijo, atado, atadura; desatar.

ataraxia *s. f.* Estado de ánimo que se caracteriza por la tranquilidad o la ausencia de cualquier deseo o temor.

atarazana *s. f.* ① Lugar en el que se construyen y reparan embarcaciones. **SIN** arsenal. ② *AMÉR.* Lugar donde se guarda el vino en toneles.

atardecer[1] [16] *v. impersonal* Caer la tarde.

atardecer[2] *s. m.* Periodo que corresponde a la última parte de la tarde: *los atardeceres en el mar son muy bellos.*

atareado, -da *adj.* Se aplica a la persona que está muy ocupada con su trabajo: *ya sabes que es difícil ver al jefe porque es una persona muy atareada.*

atarear *v. tr.* ① Ocupar a alguien con alguna tarea.

atascadero *s. m.* Lugar en que con frecuencia queda atascada alguna persona, carruaje, etc.

atascar *v. tr.* ① Obstruir o tapar un conducto con alguna cosa: *la basura ha atascado la alcantarilla; el fregadero se ha atascado.* **SIN** atrancar, taponar. **ANT** desatascar. ② Poner obstáculos al desarrollo de un proceso o de una acción: *tu actitud ha atascado la firma del convenio con la otra sociedad.* ‖ *v. prnl.* ③ **atascarse** Quedarse detenido en un lugar sin poder moverse o avanzar: *el coche se atascó en el barro.* ④ Detenerse alguien en lo que está haciendo o diciendo debido a algún obstáculo o dificultad que le impide seguir: *hablar en público le pone nervioso y se atasca.* **SIN** atorarse, atrancarse.
FAM atascadero, atasco; desatascar.

atasco *s. m.* ① Obstrucción de un conducto: *el atasco está en el codo de la tubería.* ② Acumulación excesiva de vehículos que impide la circulación normal por un lugar: *en las horas punta se suelen producir atascos.* **SIN** congestión, embotellamiento, tapón. ③ Impedimento que no permite el avance de algo o que retrasa su marcha: *la falta de acuerdo entre ambos países es un atasco para las negociaciones de paz.*

ataúd *s. m.* Caja, generalmente de madera, en la que se deposita el cadáver que se va a enterrar: *entre seis familiares trasladaron el ataúd al coche fúnebre.* **SIN** féretro.

ataurique *s. m.* Motivo decorativo en forma de flores y hojas típico del arte islámico.

ataviar *v. tr.* Arreglar, vestir o adornar a una persona o cosa de determinada manera: *las mujeres se ataviaron con los trajes regionales.*
FAM atavío; desataviar.
OBS Verbo regular, se acentúa como *desviar.*

atávico, -ca *adj.* ① Se aplica al comportamiento que imita o mantiene costumbres o formas de vida propias de otras épocas: *ideas atávicas.* ② Se aplica a la cualidad hereditaria que procede de antepasados lejanos: *un miedo atávico a la oscuridad.*

atavío *s. m.* Arreglo, vestido o adorno que se pone a una persona o cosa.

atavismo *s. m.* ① Tendencia a imitar o mantener costumbres o formas de vida propias de otras épocas. ② Semejanza con los antepasados lejanos.
FAM atávico.

ateísmo *s. m.* Doctrina que niega la existencia de Dios.

atelana *adj./s. f.* Se aplica a la pieza teatral breve de tono humorístico propia del teatro latino primitivo: *farsas atelanas; en las atelanas se usaba el latín vulgar.*

atemorizar *v. tr.* Asustar.

atemperar *v. tr.* ① Moderar, disminuir la intensidad o el exceso de algo: *la brisa nocturna atempera el calor agobiante de todo el día.* **SIN** suavizar. ② Adecuar una cosa a otra: *por fin ha conseguido atemperar los gastos a los ingresos.*

atemporal *adj.* Que no hace referencia a un tiempo específico: *una idea atemporal.*

atenazar *v. tr.* ① Sujetar con fuerza: *el policía atenazó al ladrón por el cuello.* ② Dejar parado o sin capacidad de movimiento o de acción: *el miedo me atenazaba y no podía moverme ni gritar.* ③ Causar aflicción o tortura a alguien: *los remordimientos lo atenazaban y no lo dejaban vivir.* ④ Arrancar trozos

A

de carne con unas tenazas: *atenazar a un reo era una antigua forma de tortura.*

atención *s. f.* **1** Aplicación intensa de los sentidos a un asunto: *si prestáis atención a las explicaciones de clase, las entenderéis mejor.* **SIN** interés. **2** Demostración de respeto, cortesía o afecto: *ha sido una atención por su parte venirnos a recoger a la estación.* **ANT** desatención, descortesía. ‖ *s. f. pl.* **3 atenciones** Obligaciones que hay que atender: *no puedo estar por ti: ahora tengo otras atenciones.* ‖ *int.* **4 ¡atención!** Se emplea para pedir la aplicación de los sentidos a un asunto o para avisar de algo: *¡atención, chicos!*

a la atención de Indica que un envío va dirigido al nombre que se expresa a continuación: *este paquete está dirigido a la atención de tu padre.*

en atención a Teniendo en cuenta aquello de que se habla.

llamar la atención (I) Despertar el interés o la curiosidad de los demás: *se viste así de raro para llamar la atención.* (II) Causar sorpresa: *me llaman la atención sus constantes cambios de opinión.* (III) Regañar o reprender a una persona.

FAM desatención.

atender [2] *v. tr./intr.* **1** Aplicar intensamente los sentidos a un asunto: *atiende al profesor o no entenderás el problema.* ‖ *v. tr.* **2** Tener en cuenta alguna cosa: *atender las normas de circulación.* **ANT** desatender. **3** Tener cuidado de una persona o cosa y ocuparse de ella: *atender a los enfermos; atender a los invitados.* **ANT** desatender. **4** Satisfacer un ruego o una petición: *el Ayuntamiento atendió las protestas de los vecinos y arregló la calle.* **ANT** desatender. ‖ *v. intr.* **5** Responder un animal o una persona a un nombre determinado: *su tío atendía por "el Rápido", porque siempre llegaba tarde a todas partes.* **FAM** atención, atento; desatender.

ateneo *s. m.* **1** Asociación cultural que fomenta los conocimientos científicos, literarios y artísticos de las personas que pertenecen a ella: *los ateneos organizan conferencias y cursos.* **2** Local o edificio donde se reúnen los miembros de esta asociación.

atenerse [45] *v. prnl.* Ajustarse o someterse a una cosa que se ha dicho o hecho: *atenerse a las instrucciones.*

ateniense *adj.* **1** De Atenas (capital de Grecia). ‖ *s. com./ adj.* **2** Persona que es de Atenas.

atentado *s. m.* **1** Acción violenta contra alguien para matarlo o contra una cosa para destruirla: *el presidente estadounidense J. F. Kennedy murió en un atentado.* **2** Ataque u ofensa contra algo que se considera bueno o justo. **3** Desacato al Estado o a una persona constituida en autoridad.

atentamente *adv.* Se emplea en las cartas como fórmula respetuosa de despedida.

atentar *v. intr.* Cometer un atentado: *iban a atentar contra el presidente.* **FAM** atentado, atentatorio.

atento, -ta *adj.* **1** Que pone atención: *cuando conducimos un coche debemos estar muy atentos a las señales de tráfico.* **ANT** desatento. **2** Que es muy amable y educado: *las personas atentas procuran que quien esté a su lado se sienta a gusto.* **ANT** desatento. **FAM** atentamente.

atenuación *s. f.* Disminución de la intensidad, la gravedad o la importancia de algo.

atenuante *adj./s. f.* Se aplica a la circunstancia que hace que disminuya la gravedad de un delito: *la perturbación mental es una circunstancia atenuante.*

atenuar *v. tr.* Disminuir la intensidad, la gravedad o la importancia de algo: *las palabras de consuelo atenúan el dolor de una persona.* **FAM** atenuación, atenuador, atenuante. **OBS** Verbo regular, se acentúa como *actuar.*

ateo, atea *adj./s. m. y f.* Se aplica a la persona que niega la existencia de Dios. **ANT** creyente. **FAM** ateísmo.

aterciopelado, -da *adj.* Que es parecido al terciopelo o tiene la finura y suavidad propia de esta tela: *la piel del melocotón es aterciopelada.*

aterido, -da *adj.* Que está paralizado o entumecido a causa del frío: *hace tanto frío que se me han quedado las manos ateridas.*

aterirse *v. prnl.* Quedarse paralizado o entumecido a causa del frío. **SIN** arrecirse. **FAM** aterido. **OBS** Verbo defectivo, solamente se usa en los tiempos y personas cuya terminación contiene la vocal *i: se atería, ateriéndose,* etc.

aterrado, -da *adj.* Que siente mucho miedo o terror: *la primera vez que subió en avión estaba aterrado.*

aterrador, -ra *adj.* Que causa terror o miedo muy intenso: *durante la noche se oyó un grito aterrador.* **SIN** espeluznante, terrorífico.

aterrar[1] *v. tr.* Aterrorizar: *los terroristas aterran a la población con atentados.* **FAM** aterrador.

aterrar[2] [1] *v. tr.* **1** Hacer caer al suelo un edificio o una construcción. **SIN** derribar. **2** Cubrir con tierra. **3** Echar los escombros de las minas en los lugares destinados para ello.

aterrizaje *s. m.* Descenso de un vehículo aéreo sobre la tierra, hasta detenerse en ella. **ANT** despegue.

aterrizar *v. intr.* **1** Posarse en tierra un vehículo aéreo después de efectuar la maniobra de descenso: *el avión aterrizó sin complicaciones a pesar de la espesa niebla.* **ANT** despegar. **2** Llegar a un lugar o destino: *apenas aterrizó en la nueva oficina, tuvo que tomar decisiones importantes.* **FAM** aterrizaje.

aterrorizar *v. tr.* Causar terror o miedo muy intenso. **SIN** aterrar. **FAM** aterrorización.

atesorar *v. tr.* **1** Acumular y guardar dinero o cosas de valor. **2** Tener alguna cualidad muy preciada: *la profesora atesoraba grandes conocimientos de arte.* **FAM** atesoramiento.

atestado *s. m.* **1** Documento oficial redactado por la policía en el que se explica cómo se ha producido un accidente, un delito u otro hecho. ‖ *s. m. pl.* **2 atestados** Documento auténtico, original, que garantiza lo que se dice en él.

atestar[1] [1] *v. tr.* Llenar algo por completo de personas o cosas: *el metro estaba atestado de gente.* **SIN** atiborrar.

atestar[2] *v. tr.* Afirmar con seguridad una cosa, especialmente si se ha visto o se tienen testigos de ella. **SIN** atestiguar, testificar. **FAM** atestado.

atestiguar *v. tr./intr.* **1** Afirmar con seguridad una cosa, especialmente si se ha visto o se tienen testigos de ella: *algunos testigos han atestiguado que los ladrones huyeron en un coche rojo.* **SIN** atestar, testificar. ‖ *v. tr.* **2** Ofrecer indicios ciertos de una

cosa cuya existencia se dudaba: *como médico, puedo atestiguar que su muerte fue accidental.*
FAM atestiguación.
OBS Verbo regular, se acentúa como *averiguar.*

atezar *v. tr.* [1] Poner morena la piel de una persona: *el sol le atezó la cara.* [2] Poner lisa o lustrosa una cosa: *atezar la piel de un animal.*
FAM atezado.

atiborrar *v. tr.* [1] Llenar algo en demasía: *la papelera está atiborrada de papeles.* [2] Llenar el estómago de alimento o bebida hasta no poder más: *si te atiborras de pasteles, luego no querrás cenar.* **SIN** atracar, hartar. [3] Llenar la cabeza con ideas, lecturas u otra cosa.
FAM atiborramiento.

ático, -ca *s. m.* [1] Piso o apartamento construido en la azotea de un edificio; generalmente es más pequeño que los demás del mismo edificio, pero tiene una terraza mayor. [2] Ornamentación arquitectónica construida sobre la cornisa y que oculta el tejado. ‖ *adj.* [3] Del Ática (región de Grecia) o de Atenas (capital de Grecia). ‖ *s. m. y f./adj.* [4] Persona que es del Ática o de Atenas. ‖ *s. m./adj.* [5] Variedad dialectal del griego clásico hablada antiguamente en el Ática.
FAM sobreático.

atildado, -da *adj.* Que es muy pulcro y elegante: *su abuela es una anciana recatada y atildada.*
OBS Frecuentemente usado de forma despectiva.

atildamiento *s. m.* Arreglo cuidadoso y excesivo.

atildar *v. tr.* [1] Arreglar a una persona cuidadosa y excesivamente. [2] Poner tildes a las letras.
FAM atildado, atildamiento.

atinado, -da *adj.* Que está hecho con tino o acierto: *decisión atinada.*

atinar *v. intr.* Acertar, encontrar lo que se busca o dar con lo cierto o correcto: *gracias a tu indicación, atiné con la casa fácilmente.* **ANT** desatinar.

atingir *v. tr.* AMÉR. Tener relación o conexión una cosa con otra.

atípico, -ca *adj.* Que se aparta de las características representativas del género a que pertenece: *la ballena es un mamífero atípico, ya que vive en el mar y parece un pez.* **ANT** típico.

atiplar *v. tr.* Dar a la voz un tono agudo, como de tiple.

atirantar *v. tr.* [1] Poner tirante una cosa. [2] Sujetar con tirantes una cosa.

atisbar *v. tr.* [1] Observar con atención y disimulo: *desde detrás de las cortinas atisbaba lo que ocurría en la calle.* [2] Ver con dificultad por la distancia o la falta de luz: *a lo lejos se atisbaba una figura sentada.* **SIN** vislumbrar. [3] Intuir o sospechar algo por indicios o señales, sin verlo claramente: *no atisbo ninguna salida satisfactoria para esta situación.* **SIN** vislumbrar.
FAM atisbo.

atisbo *s. m.* Muestra o indicio de una cosa: *mientras haya un atisbo de vida, el médico no abandonará al enfermo.* **SIN** asomo.

¡atiza! *int.* Expresión con que se denota admiración o sorpresa.

atizador *s. m.* Instrumento que sirve para atizar el fuego: *ya que estás ahí, mueve la lumbre de la chimenea con el atizador.*

atizar *v. tr.* [1] Remover o alimentar el fuego para que arda más: *atiza la lumbre, que se está apagando.* [2] Hacer más fuerte o intenso un sentimiento o una discordia: *aquellas palabras sirvieron para atizar el odio que sentía por él.* [3] Dar algo a alguien, generalmente negativo: *el gato me atizó un arañazo.* [4] Golpear a alguien.
FAM atizador.

atlante *s. m.* [1] Estatua con figura de hombre que sostiene sobre su cabeza o sus hombros el arquitrabe de una construcción; sustituye a una columna. [2] Habitante del mítico continente de la Atlántida. [3] Persona que ayuda moralmente o soporta firmemente algo difícil.

atlántico, -ca *adj.* Relativo al océano Atlántico o a los territorios situados en sus costas: *costa atlántica.*
FAM transatlántico.

atlas *s. m.* [1] Libro formado por un conjunto de mapas, generalmente geográficos. [2] Conjunto de mapas y láminas relacionados con un tema determinado: *un atlas histórico; un atlas lingüístico.* [3] Primera vértebra cervical, que se articula inmediatamente con el cráneo y sostiene la cabeza.
FAM atlante, atlántico.
OBS Plural invariable.

atleta *s. com.* [1] Persona que practica el atletismo: *en las Olimpíadas participan atletas de todo el mundo.* [2] Persona fuerte y musculosa. ‖ *s. m.* [3] Competidor en los antiguos juegos públicos de Grecia y Roma.
FAM atlético, atletismo.

atlético, -ca *adj.* Relativo al atletismo o a los atletas: *los saltos de longitud y altura son pruebas atléticas; tiene un cuerpo atlético.*

atletismo *s. m.* Conjunto de prácticas deportivas que incluye pruebas de velocidad, saltos y lanzamientos.

atmósfera o **atmosfera** *s. f.* [1] Capa gaseosa que envuelve a un astro; especialmente, la que rodea a la Tierra: *la atmósfera terrestre se divide en cinco partes: troposfera, estratosfera, mesosfera, ionosfera y exosfera.* [2] Ambiente o situación que rodea a una persona o cosa: *la acción de esta novela se desarrolla en una atmósfera de terror.* [3] Unidad de presión que equivale a la presión ejercida por una columna de mercurio de 760 mm de altura a 0 °C de temperatura y bajo una aceleración normal de la gravedad de 9,8 m/s^2.
FAM atmosférico.

atmosférico, -ca *adj.* Relativo a la atmósfera: *contaminación atmosférica; fenómenos atmosféricos.*

atolladero *s. m.* [1] Lugar del que resulta difícil salir o por el que es difícil avanzar: *en hora punta las calles son un auténtico atolladero.* [2] Situación incómoda y comprometida de la que es difícil salir o librarse.

atolón *s. m.* Isla de coral, en forma de anillo, con una laguna interior, rodeada por mar abierto; es muy abundante en los archipiélagos de Malasia y Polinesia.

atolondrado, -da *adj.* [1] Se aplica a la persona que hace las cosas deprisa y sin pensar. **SIN** alocado. [2] Se aplica a la persona que tiene perturbados los sentidos o el entendimiento debido a un golpe, un ruido o una fuerte impresión.

atolondrar *v. tr.* [1] Hacer que una persona se ponga nerviosa y actúe de una manera torpe, sin cuidado ni atención. [2] Aturdir.
FAM atolondramiento.

atómico, -ca *adj.* [1] Relativo al átomo: *energía atómica; teoría atómica.* [2] Que emplea la energía producida por la desintegración del átomo: *las bombas atómicas tienen un extraordinario poder de destrucción.* **SIN** nuclear.
FAM subatómico.

A

atomizador *s. m.* Aparato que se coloca en la boca de un recipiente y sirve para esparcir líquidos pulverizándolos en partículas muy pequeñas: *se humedeció el pelo con un atomizador.* **SIN** pulverizador.

atomizar *v. tr.* **1** Esparcir un líquido en gotas muy pequeñas. **SIN** pulverizar. **2** Dividir algo en partes muy pequeñas. **FAM** atomización, atomizador.

átomo *s. m.* **1** Parte más pequeña de un elemento químico que conserva las propiedades de dicho elemento: *el átomo es eléctricamente neutro y tiene un núcleo que consta de protones y neutrones, recubierto por una corteza de electrones; una molécula de agua está formada por dos átomos de hidrógeno y uno de oxígeno.* **2** Cantidad muy pequeña de una materia: *la luz mostraba los átomos de polvo flotando en el aire.*

átomo gramo Masa de un átomo de un elemento químico expresada en gramos y equivalente a la masa atómica del elemento. **FAM** atómico, atomismo, atomizar.

atonal *adj.* Se aplica a la música o composición musical que no sigue las normas tonales tradicionales, especialmente la desarrollada en el siglo XX dentro del movimiento vanguardista, por su interés en romper con las formas que les precedieron: *Arnold Schönberg y Alban Berg fueron importantes compositores contemporáneos de música atonal.* **ANT** tonal. **FAM** atonalidad.

atonalidad *s. f.* Sistema de composición musical que no sigue las reglas tonales de la música clásica tradicional, basada en la escala de tonos: *Arnold Schönberg y Béla Bartók usaron la atonalidad.*

atonía *s. f.* **1** Falta de voluntad o energía para hacer cosas. **SIN** apatía. **2** Falta de capacidad para contraerse ciertos tejidos orgánicos, especialmente los músculos.

atónito, -ta *adj.* Se aplica a la persona que queda asombrada, sin respuesta o reacción, ante una sorpresa. **SIN** estupefacto.

átono, -na *adj.* Se aplica a la vocal, sílaba o palabra que se pronuncia sin acento de intensidad: *en la palabra "libro", la sílaba "bro" es átona.* **SIN** inacentuado. **ANT** tónico. **FAM** atonal.

atontado, -da *adj./s. m. y f.* Se aplica a la persona que está aturdida o desconcertada: *cuando me dieron la noticia, me quedé como atontado.*

atontamiento *s. m.* Estado de perturbación de los sentidos o del entendimiento provocado por un golpe, un ruido o una fuerte impresión que impide coordinar ideas u obrar con aplomo y serenidad: *tanto ruido me produce atontamiento.* **SIN** aturdimiento.

atontar *v. tr.* **1** Volver tonto a alguien: *algunos programas de televisión atontan a la gente.* **SIN** entontecer. **2** Aturdir. **FAM** atontado, atontamiento, atontolinar.

atontolinar *v. tr.* familiar Atontar, aturdir. **FAM** atontolinado.

atoramiento *s. m.* Obstrucción de un conducto.

atorar *v. tr.* **1** Obstruir o tapar un conducto con alguna cosa: *un trapo viejo atoró la cañería del desagüe.* **SIN** atascar. ‖ *v. prnl.* **2 atorarse** Detenerse alguien en lo que está haciendo o diciendo debido a algún obstáculo o dificultad que le impide

seguir: *estaba tan nervioso que, cuando tuvo que hablar, se atoró.* **SIN** atascarse, atrancarse. **FAM** atoramiento; desatorar.

atormentar *v. tr.* **1** Dar tormento a alguien, hacerle daño como castigo o para obtener una información. **SIN** torturar. **2** Causar sufrimiento o dolor físicos. **SIN** torturar. **3** Causar disgusto o enfado. **SIN** torturar.

atornillador *s. m.* Herramienta que sirve para apretar o aflojar tornillos haciéndolos girar; consiste en una barra metálica sujeta a un mango y terminada en una punta que se ajusta a la cabeza del tornillo. **ANT** desatornillador, destornillador.

atornillar *v. tr.* **1** Introducir o apretar un tornillo haciéndolo girar en torno a su eje mediante un atornillador. **ANT** desatornillar, destornillar. **2** Sujetar con tornillos: *el carpintero atornilló las ventanas.* **ANT** desatornillar, destornillar. **3** Presionar u obligar a una persona a hacer algo: *los atornilla constantemente en el trabajo.* **FAM** atornillador; desatornillar.

atorrante *s. m.* ARG. Vagabundo, pordiosero.

atosigamiento *s. m.* Molestia producida por las prisas o por exigencias o preocupaciones continuas.

atosigar *v. tr.* **1** Presionar a una persona metiéndole prisa para que haga algo: *no me atosigues, que si me pongo nerviosa, tardaré más.* **SIN** acuciar. **2** Inquietar a una persona con exigencias o preocupaciones: *no me atosigues con tus preguntas.* **FAM** atosigamiento.

ATP *s. m.* Sigla de *adenosín trifosfato*, nucleótido que constituye la fuente de energía para la mayoría de reacciones químicas que tienen lugar en las células vivas: *al romperse uno de sus enlaces de fósforo, la molécula de ATP libera gran cantidad de energía.*

atrabiliario, -ria *adj./s. m. y f.* Se aplica a la persona que es violenta y se enfada con facilidad: *tiene un carácter atrabiliario.*

atracada *s. f.* CUBA, MÉX., NICAR. Atracón.

atracadero *s. m.* Lugar en el que pueden atracar embarcaciones pequeñas: *amarraron la lancha en el atracadero.*

atracador, -ra *s. m. y f.* Persona que roba en un banco, en una tienda o en otro lugar amenazando con armas a los presentes.

atracar[1] *v. tr.* **1** Asaltar para robar: *atracaron un banco.* ‖ *v. intr.* **2** Poner una embarcación junto al muelle o junto a otra, asegurándola para que no se mueva: *los buques muy grandes no pueden atracar en algunos puertos pequeños.* **ANT** desatracar. **FAM** atracadero, atracador, atraco; desatracar.

atracar[2] *v. tr.* Llenar el estómago de alimento o bebida hasta no poder más: *si te atracas a la hora de cenar, es posible que duermas mal.* **SIN** atiborrar. **FAM** atracada, atracón.

atracción *s. f.* **1** Acción de atraer (acercar). **2** Fuerza que atrae: *el Sol ejerce atracción sobre los astros del sistema solar.* ■ **atracción atómica** Atracción que ejercen entre sí los átomos de los elementos químicos para formar moléculas. ■ **atracción molecular** Atracción que ejercen entre sí las moléculas de los cuerpos. **3** Interés o inclinación hacia alguien o algo: *sintió una inmediata atracción hacia él.* **4** Persona, animal o cosa que atrae. **5** Puesto, mecanismo o actuación que forma parte de un espectáculo o lugar de diversión: *parque de atracciones; los leones son la atracción más importante del circo.*

atraco *s. m.* Asalto para robar.

atracón *s. m.* ① familiar Ingestión excesiva de comida: *ayer se dio un atracón de pasteles y hoy está enfermo.* ② familiar Exceso en una actividad cualquiera: *durante el fin de semana me he dado un buen atracón de lectura.*

atractivo, -va *adj.* ① Que atrae. ② Que llama la atención y despierta el interés de los demás. ‖ *s. m.* ③ Conjunto de características favorables de una persona o cosa que atraen la voluntad y despiertan el interés de los demás: *los atractivos de una isla.*
FAM atracción.

atraer [46] *v. tr.* ① Acercar y retener un cuerpo o partícula a otro debido a sus propiedades físicas: *el imán atrae el hierro.* ② Traer hacia sí, hacer alguien o algo que personas, animales o cosas acudan a él: *en invierno, las estaciones de esquí atraen a muchos esquiadores.* ③ Provocar, traer consigo una cosa o ser la causa de ella: *se atrajo la antipatía de todo el pueblo.* ④ Despertar interés, agradar. SIN magnetizar.
FAM atracción, atractivo, atrayente.

atragantarse *v. prnl.* ① Estar una persona sin poder tragar una cosa que se atraviesa o se queda en la garganta. ② Causar fastidio, enfado o antipatía: *se me han atragantado dos asignaturas y no creo que las apruebe.* SIN atravesarse. ③ Cortarse o turbarse la persona que estaba hablando. SIN atorarse, atascarse, atrancarse.
FAM atragantamiento.

atrancar *v. tr.* ① Asegurar una puerta o una ventana con una tranca o cerrojo: *por la noche siempre atranca la puerta de la calle.* ANT desatrancar. ② Obstruir o tapar un conducto con alguna cosa: *el desagüe del lavabo se ha atrancado.* SIN atascar, atorar. ‖ *v. prnl.* ③ **atrancarse** Detenerse alguien en lo que está haciendo o diciendo debido a algún obstáculo o dificultad que le impide seguir: *el niño está aprendiendo a leer y se atranca de vez en cuando.* SIN atascarse, atorarse.
FAM desatrancar.

atrapar *v. tr.* ① Coger, alcanzar o apresar a alguien o algo que huye, se mueve o se escapa: *atrapó la pelota.* ② Descubrir a alguien haciendo una cosa de manera secreta: *han atrapado a uno que estaba robando.* ③ Conseguir un beneficio o una cosa de provecho: *las oportunidades hay que atraparlas conforme se presentan.* ④ familiar Contraer una enfermedad: *atrapar un resfriado.*

atraque *s. m.* ① Acción de atracar una embarcación en un puerto o muelle: *técnicas de atraque.* ② Lugar en el que atracan embarcaciones: *los atraques de un puerto.*

atrás *adv.* ① Hacia la parte que está a las espaldas de uno: *dio un paso atrás.* ANT adelante. ② En la zona posterior a aquella en la que se encuentra lo que se toma como punto de referencia: *no vivo en este edificio, sino en el de atrás.* SIN detrás. ③ En las últimas filas de un grupo de personas. SIN detrás. ④ En la parte opuesta a la fachada o entrada principal de un edificio. SIN detrás. ⑤ En el fondo o parte más alejada de un lugar: *no te coloques tan atrás.* ⑥ Indica tiempo pasado: *días atrás me dijiste que vendrías.*
FAM atrasar.

atrasar *v. tr.* ① Hacer que una cosa ocurra después del tiempo previsto o normal. SIN retrasar. ANT adelantar, anticipar. ② Hacer que un reloj señale una hora anterior a la actual. SIN retrasar. ANT adelantar. ‖ *v. intr./prnl.* ③ Marcar un reloj un tiempo anterior al actual: *mi reloj atrasa; mi reloj se atrasa.* SIN retrasar. ANT adelantar. ‖ *v. prnl.* ④ **atrasarse** Quedar al-

guien rezagado en una actividad por avanzar menos que los demás. SIN retrasarse. ANT adelantar. ⑤ Llegar tarde a un lugar. SIN retrasarse.
FAM atrasado, atraso.

atraso *s. m.* ① Retraso en la realización de una cosa. ② Falta de desarrollo, o desarrollo inferior al normal. SIN retraso. ‖ *s. m. pl.* ③ **atrasos** Cantidad de dinero o beneficios que no se han recibido en el debido momento.

atravesado, -da *adj.* ① Se aplica a la persona que tiene mala intención o mal carácter. ② Que está colocado de una parte a otra de una cosa de manera perpendicular: *había un coche atravesado en el camino que impedía el paso.* SIN transversal.

atravesar [1] *v. tr.* ① Colocar una cosa en un lugar de manera que pase de una parte a otra, especialmente para impedir el paso: *han atravesado un autobús en la calle para cortar el tráfico.* SIN cruzar. ② Colocar una cosa encima de otra dispuesta en sentido oblicuo: *este uniforme lleva un cordón que atraviesa el pecho.* ③ Pasar de un lado de una cosa o lugar hasta el lado contrario: *los camiones atravesaron la frontera de madrugada.* SIN cruzar. ④ Pasar un cuerpo penetrándolo de parte a parte: *una bala le atravesó el brazo.* ⑤ Pasar temporalmente por una situación determinada: *está atravesando una mala racha.* ‖ *v. prnl.* ⑥ **atravesarse** Ponerse o quedar una cosa en medio cerrando el paso: *un árbol se atravesaba en la carretera.* ⑦ Mezclarse en los asuntos de los demás: *nuestra relación iba muy bien hasta que él se atravesó.* ⑧ Causar fastidio, enfado o antipatía: *el presentador de este programa de televisión se me ha atravesado.* SIN atragantarse.
FAM atravesado.

atrayente *adj.* Que atrae. SIN atractivo.

atreverse *v. prnl.* Hacer algo que comporta un riesgo: *no se atrevía a viajar en avión.*
FAM atrevido, atrevimiento.

atrevido, -da *adj./s. m. y f.* ① Que se atreve a hacer cosas que comportan riesgo. ② Que falta al respeto debido a una persona o situación: *es un atrevido: siempre contesta con descaro.* SIN indecoroso, insolente.

atrevimiento *s. m.* ① Hecho de atreverse a hacer una cosa: *tuvo el atrevimiento de saltar desde lo alto de la escalera y acabó con la pierna rota.* ② Falta de respeto a una persona o situación: *tu atrevimiento de hablarle así al director es imperdonable.*

atrezo *s. m.* Conjunto de utensilios, muebles y otras cosas que se emplean en una representación teatral.
OBS Pueden encontrarse las grafías italianas *atrezzo* y *attrezzo.*

atribución *s. f.* ① Adjudicación de un hecho o de una cualidad a una persona o cosa: *algunos entendidos discuten la atribución de ese cuadro a Picasso.* ② Facultad o competencia que da el cargo que se ejerce: *entre las atribuciones de un director no está la de tratar mal a sus empleados.*

atribuir [21] *v. tr.* ① Adjudicar un hecho o una cualidad a una persona o cosa, especialmente una virtud, un defecto o una culpa: *algunas obras de arte son difíciles de atribuir a un autor determinado.* ② Determinar o señalar que una actividad o un deber pertenece a alguien por razón de su cargo: *al consejo de administración le han atribuido la función de estudiar los futuros acuerdos.*
FAM atribución, atributo.

atribular *v. tr.* Causar una preocupación o tribulación.
FAM atribulación.

atributivo, -va *adj./s. m.* ① Se aplica al verbo copulativo, que funciona como atributo: *son verbos atributivos "ser", "estar", "parecer", "considerar", etc.* ② Se aplica al adjetivo que se une directamente con el sustantivo (frente al predicativo, que se une mediante un verbo copulativo): *en "un libro verde" y "un coche grande", los adjetivos son atributivos.* ‖ *adj./s. f.* ③ Se aplica a la oración que tiene como núcleo del predicado un verbo atributivo: *la oración "la persiana es verde" es atributiva.* **SIN** copulativo. ‖ *adj.* ④ Se aplica a la función desempeñada por el atributo.

atributo *s. m.* ① Cualidad o característica propia de una persona o una cosa, especialmente algo que es parte esencial de su naturaleza: *la inteligencia y el lenguaje son atributos de los seres humanos.* ② Símbolo que sirve para reconocer a una persona o cosa: *la balanza es el atributo de la Justicia.* ③ Palabra o sintagma que califica o explica el sujeto mediante verbos atributivos, como *ser* y *estar*; puede ser un sustantivo, un adjetivo, un adverbio o una oración de relativo: *en la oración "el océano es inmenso", "inmenso" es el atributo.* ④ Adjetivo que se coloca en una posición inmediata al sustantivo del que depende: *en "el libro verde", "verde" es un atributo.* **FAM** atributivo.

atril *s. m.* Soporte en forma de plano inclinado que sirve para sostener libros o partituras y leer con mayor comodidad.

atrincherar *v. tr.* ① Defender o hacer fuerte un lugar con construcciones o trincheras. ‖ *v. prnl.* ② **atrincherarse** Ponerse en trincheras o lugares semejantes a cubierto del enemigo: *se atrincheraron tras un muro y mantuvieron su posición.* ③ Obstinarse en una opinión o una actitud y no querer cambiarla: *se ha atrincherado en su idea y no hay modo de convencerla.* **FAM** atrincheramiento.

atrio *s. m.* ① Espacio exterior y limitado que hay a la entrada de algunas iglesias y de otros edificios, generalmente más elevado que el suelo de la calle. ② Espacio descubierto y generalmente rodeado de arcos o columnas en el interior de un edificio: *las casas romanas tenían las habitaciones alrededor de un atrio.*

atrocidad *s. f.* ① Acción muy cruel y violenta: *en todas las guerras se cometen atrocidades.* **SIN** barbaridad, bestialidad. ② Acción o dicho temerario y disparatado, que no responde a la razón o se sale de los límites de lo ordinario o lícito: *el abuelo nos contó muchas de sus atrocidades de juventud.* ③ Acción o dicho que ofende o molesta.

atrofia *s. f.* ① Falta de desarrollo de una parte del cuerpo por defecto o ausencia de nutrición o de actividad: *los músculos sufren atrofia si dejas de hacer ejercicio.* ② Parada o detención en el desarrollo de una actividad o de la facilidad con la que esta se llevaba a cabo. **SIN** agarrotamiento, anquilosamiento. **FAM** atrófico.

atrofiado, -da *adj.* Se aplica al órgano corporal que se ha quedado sin desarrollar por falta de nutrición o de actividad: *ciertas especies tienen algunas partes del cuerpo atrofiadas por falta de uso a lo largo de su evolución, como la cola en algunos mamíferos.*

atrofiar *v. tr.* ① Disminuir lentamente el desarrollo o el volumen de un órgano u otra parte del cuerpo por falta de alimentación o de ejercicio: *las alas de las aves que no vuelan se atrofian.* ② Disminuir el desarrollo de una capacidad o actividad o la facilidad con que esta se realizaba. **OBS** Verbo regular, se acentúa como *cambiar*.

atrojarse *v. prnl.* Méx. Aturdirse, aturullarse.

atronador, -ra *adj.* Se aplica al ruido que es muy intenso y puede dejar sorda a una persona: *el estallido de la traca fue atronador.*

atropellar *v. tr.* ① Pasar un vehículo por encima de una persona o un animal o chocar contra ellos: *cruza por el semáforo si no quieres que te atropelle un coche.* ② Empujar o derribar a alguien, especialmente para abrirse paso: *fue atropellado por una masa de gente que se disponía a entrar al concierto.* ③ Ofender o no respetar mediante el abuso de poder o la utilización de la fuerza: *no consentiré que vuelvan a atropellar los derechos del más débil.* **SIN** avasallar. ‖ *v. prnl.* ④ **atropellarse** Apresurarse demasiado al realizar una acción, especialmente al hablar. **FAM** atropellamiento, atropello.

atropello *s. m.* ① Acción de pasar un vehículo por encima de una persona o un animal o de chocar contra ellos: *la policía detuvo al autor del atropello, que se había dado a la fuga.* ② Ofensa o falta de respeto causada a alguien mediante el abuso de poder o la utilización de la fuerza: *al jefe de personal lo despidieron por sus constantes atropellos a los trabajadores.* **SIN** tropelía.

atroz *adj.* ① Que es muy cruel: *cometió un crimen atroz.* ② Que es muy grande o intenso: *de repente sintió un atroz dolor de espalda.* **FAM** atrocidad.

ATS [se pronuncia 'a-te-ese'] *s. com.* Sigla de *auxiliar técnico sanitario*, persona titulada que se dedica al cuidado de enfermos y, siguiendo las indicaciones del médico, está autorizada para realizar ciertas intervenciones de cirugía menor.

atuendo *s. m.* Vestido o conjunto de prendas que forman la vestimenta exterior de una persona: *los personajes llevan el atuendo de la época.*

atufar *v. tr.* ① Hacer que algo se llene de tufo (mal olor): *saca los zapatos porque vas a atufar la habitación.* ‖ *v. intr.* ② familiar Despedir mal olor: *deja los zapatos fuera de la habitación, que atufan.* ‖ *v. prnl.* ③ **atufarse** Avinagrarse el vino. ④ BOL. Atontarse, perder la serenidad y actuar de forma atolondrada.

atún *s. m.* Pez marino comestible de hasta 4 m de longitud, dorso azul oscuro y vientre plateado; abunda en el Mediterráneo y el Atlántico. **FAM** atunero.

atunero, -ra *adj./s. m.* ① Se aplica a la embarcación que está destinada a la pesca del atún: *los atuneros zarpan a alta mar.* ‖ *adj./s. m. y f.* ② Se aplica a la persona que se dedica a la pesca del atún. ③ Se aplica a la persona que se dedica al comercio del atún.

aturdimiento *s. m.* Perturbación de los sentidos o del entendimiento de una persona provocada por un golpe, un ruido o una fuerte impresión: *el aturdimiento que me produjo el golpe fue lo que me impidió reaccionar a tiempo.* **SIN** atontamiento.

aturdir *v. tr.* Perturbar los sentidos o el entendimiento de una persona con un golpe, un ruido o una fuerte impresión: *la noticia del accidente me aturdió mucho.* **SIN** atolondrar. **FAM** aturdimiento.

aturrullar o **aturullar** *v. tr.* Confundir o alterar a una persona dejándola sin saber qué decir o qué hacer: *si piensas en las prisas que tienes te aturrullarás y no podrás acabarlo a tiempo.* **FAM** aturullamiento.

atusar *v. tr.* ① Alisar el pelo o arreglar ligeramente el peinado pasando superficialmente la mano o el peine: *se suele atusar la barba mientras habla.* **2** Recortar e igualar el follaje de las plantas. **I** *v. prnl.* **3 atusarse** Adornarse o arreglarse, especialmente cuando se hace en exceso.

audacia *s. f.* Intrepidez o sagacidad para hacer algo arriesgado.

audaz *adj.* Que tiene audacia: *audaces guerreros.*
FAM audacia.

audible *adj.* Se aplica al sonido que es emitido con la intensidad suficiente para ser oído sin dificultad: *sus últimas palabras apenas eran audibles.* **ANT** inaudible.
FAM inaudible.

audición *s. f.* **1** Percepción de un sonido por medio del sentido auditivo: *la capacidad de audición de algunos animales es muy superior a la del hombre.* **2** Concierto, recital o lectura en público. **3** Prueba que hace un músico, actor o bailarín ante el empresario o director de un espectáculo para que estos juzguen su capacidad y nivel: *se convocan audiciones para la compañía de danza.*
FAM audible.

audiencia *s. f.* **1** Conjunto de personas que están presentes en un espectáculo público o que oyen un programa de radio o de televisión: *en poco tiempo se ha convertido en el programa de mayor audiencia.* **2** Acto en el que un soberano u otra autoridad recibe a las personas que quieren hablar con él, generalmente para reclamar o solicitar alguna cosa: *conceder audiencia.* **3** Acto judicial en el que los litigantes tienen ocasión de exponer sus argumentos ante el tribunal: *las audiencias se celebran en los juzgados.* **4** Tribunal de justicia que trata las causas de un territorio determinado: *las audiencias surgieron en la Baja Edad Media como tribunales de justicia; ha apelado a la Audiencia provincial.* **NOTA** Se escribe con mayúscula inicial. **5** Edificio o lugar en el que se reúne este tribunal: *el artefacto estalló en las puertas de la Audiencia.* **NOTA** Se escribe con mayúscula inicial.

audífono *s. m.* Aparato que sirve para mejorar la audición de las personas que padecen sordera.

audiofrecuencia *s. f.* Intervalo de frecuencias de las ondas sonoras que el oído de los seres humanos puede percibir.

audiovisual *adj.* **1** Relativo a los aparatos de grabación y reproducción de imagen y sonido. **2** Se aplica al método de enseñanza basado en la utilización del oído y la vista. **I** *s. m.* **3** Reproducción de imágenes (película, vídeo, diapositivas) combinada con sonidos, que se utiliza generalmente con fines didácticos: *nos pasaron un audiovisual sobre el arte gótico.*

auditar *v. tr.* Analizar la gestión de una empresa o entidad y revisar sus cuentas para comprobar si reflejan la realidad económica ocurrida en ella.

auditivo, -va *adj.* **1** Relativo al sentido del oído: *sensibilidad auditiva; capacidad auditiva.* **2** Que sirve para oír: *órganos auditivos.*

auditor, -ra *s. m. y f.* **1** Persona que se dedica a revisar y comprobar el estado de las cuentas de una sociedad o una institución. **I** *s. m.* **2** Asesor jurídico de un tribunal militar o eclesiástico.
FAM auditar, auditoría.

auditoría *s. f.* **1** Revisión de libros y cuentas de una empresa o de una institución realizada por especialistas ajenos a ella: *debido a su falta de claridad en la gestión, el club será sometido a una nueva auditoría.* **2** Tribunal u oficina que se encarga

de la revisión de las cuentas de una empresa o de una institución: *llevaremos a la auditoría los libros y facturas que piden.*

auditorio *s. m.* **1** Conjunto de personas que asisten a una conferencia, coloquio, concierto, espectáculo, etc.: *el pianista impresionó gratamente al auditorio.* **2** Edificio, sala o local de gran capacidad especialmente acondicionado para dar conferencias, conciertos o celebrar otros espectáculos públicos.

auge *s. m.* Momento de mayor elevación o intensidad de un proceso, un estado o una cualidad: *el auge del turismo se produce en julio y agosto.*
cobrar auge Adquirir mayor importancia o intensidad: *sus escritos cobraron auge con la llegada de los liberales.*

augur *s. m.* Sacerdote que en la antigua Roma practicaba la adivinación mediante la interpretación del vuelo de las aves y de otros signos.
FAM augurar.

augurar *v. tr.* Anunciar lo que va a ocurrir en el futuro mediante la interpretación de un indicio o señal: *las últimas lluvias auguran una buena cosecha.* **SIN** auspiciar.
FAM augurio.

augurio *s. m.* Señal, presagio o aviso de lo que va a ocurrir en el futuro: *el éxito de su primer disco es un buen augurio sobre el futuro de su carrera.* **SIN** auspicio.

augusto, -ta *adj.* **1** culto Que produce o merece respeto y admiración: *al acto asistieron augustas personalidades.* **I** *s. m.* **2** Título que llevaron los emperadores romanos y sus esposas a partir de Octavio; simboliza el carácter sagrado del Imperio. **3** Payaso, especialmente el que va vestido de forma estrafalaria, forma pareja con otro (clon) y hace el papel de tonto.

aula *s. f.* Sala de un centro docente donde se dan y reciben clases: *daremos la clase en la primera aula que quede libre.* **SIN** clase. **■ aula magna** Aula de mayor tamaño e importancia, destinada generalmente a actos o ceremonias oficiales.
FAM aulario.
OBS Los artículos de singular son *el* y *un*, salvo que entre artículo y sustantivo haya otra palabra.

áulico, -ca *adj.* culto Relativo a la corte de un rey: *consejero áulico.*

aullar *v. intr.* Dar aullidos el lobo, el perro y otros animales parecidos.
FAM aullador, aullido.

aullido *s. m.* **1** Grito quejumbroso y prolongado que emiten el lobo, el perro y otros animales parecidos. **2** Sonido parecido que emiten otros seres o cosas: *el enfermo daba aullidos de dolor; el aullido del viento.*

aumentado, -da *adj.* En música, se aplica al intervalo mayor o justo al que se añade un semitono: *los intervalos de tercera aumentada tienen dos tonos y un semitono.* **ANT** disminuido.

aumentar *v. intr.* **1** Hacerse más grande o más intensa una cosa. **ANT** disminuir. **I** *v. tr.* **2** Hacer que una cosa sea más grande o intensa. **ANT** disminuir.
FAM aumentativo.

aumentativo, -va *adj./s. m.* Se aplica al sufijo o a la palabra que aumenta la magnitud del significado de una palabra: *muchos aumentativos se forman con el sufijo "-azo", como en "perrazo" o "cochazo".* **ANT** diminutivo.

aumento *s. m.* **1** Crecimiento en tamaño, cantidad, calidad o intensidad: *aumento de peso; aumento de cantidad; este año no ha-*

brá *aumento de sueldo*. **ANT** disminución. 2 Cantidad que se aumenta: *aumento de sueldo*. ■ **aumento porcentual** Cantidad que se suma a una dada y que resulta de aplicar un tanto por ciento a la primera. 3 Poder de amplificación de la imagen que tiene una lente: *esta lupa no tiene aumento suficiente*. **FAM** aumentar.

aun *adv.* 1 Expresa encarecimiento o ponderación: *te compraré el disco y aun las botas si de verdad las necesitas*. **SIN** hasta, incluso. I *conj.* 2 Introduce una dificultad real o posible, a pesar de la cual puede ser, ocurrir o hacerse una cosa: *aun llegando tarde, lo recibieron amablemente*. **SIN** hasta, incluso.

aun así A pesar de lo que se expresa: *estudió mucho, pero aun así ha suspendido*.

aun cuando Aunque, a pesar de haber realizado lo que se indica: *no hizo nada por él, aun cuando se lo suplicaba*. **FAM** aunque.

aún *adv.* 1 Hasta ahora o hasta el momento en que se habla: *el doctor aún no ha llegado*. **SIN** todavía. 2 Indica mayor fuerza o grado en una comparación: *si no pones interés, te resultará aún más difícil*. **SIN** todavía.

aunar *v. tr.* Unir y armonizar o poner de acuerdo cosas distintas: *aunar esfuerzos*.

aunque *conj.* 1 Introduce proposiciones concesivas e indica dificultad para que se cumpla lo propuesto en la oración principal: *aunque estoy enfermo, te aseguro que no faltaré a la cita*. 2 Se emplea para unir proposiciones adversativas y expresa corrección o rectificación de lo dicho en la proposición anterior: *creo que iré a Granada, aunque aún no lo tengo claro*.

¡aúpa! *int.* Expresión con que se anima a alguien para que se levante o para que levante a otra persona o cosa.

de aúpa Muy grande, fuerte o intenso: *se ha dado un golpe de aúpa*.

au pair [se pronuncia aproximadamente 'oper'] *s. com.* Persona extranjera que, a cambio de la estancia en una casa particular, presta ciertos servicios domésticos, como cuidar de los niños o dar clases de idiomas.

aupar *v. tr.* 1 Levantar o subir, especialmente a un niño. 2 Ayudar a conseguir o alcanzar una cosa.

aura *s. f.* 1 Irradiación luminosa que algunas personas dicen percibir alrededor de los seres vivos. 2 culto Aliento o aire que se despide al respirar. 3 culto Viento suave y agradable. **FAM** áureo, áurico.

OBS Los artículos de singular son *el* y *un*, salvo que entre artículo y sustantivo haya otra palabra.

áureo, -rea *adj.* culto Que es de oro o tiene alguna de las características que se consideran propias del oro: *los santos llevan la corona áurea*. **FAM** aureola.

aureola o **auréola** *s. f.* 1 Círculo luminoso que se representa encima o detrás de las cabezas de las imágenes divinas o de santos como símbolo de la gracia de Dios. **SIN** corona. 2 Admiración o fama que alcanza una persona por sus méritos o virtudes. 3 Corona o anillo que se ve alrededor de la Luna en los eclipses de Sol. **FAM** aureolar.

aurícula *s. f.* 1 Cavidad de la parte superior o anterior del corazón de mamíferos, aves, reptiles y anfibios por donde entra la sangre que transportan las venas: *el corazón de los mamíferos tiene dos aurículas y dos ventrículos*. 2 Pabellón de la

oreja. 3 Prolongación de la parte anterior del limbo de las hojas. **FAM** auricular.

auricular *adj.* 1 Relativo al oído: *el pabellón auricular forma parte del oído externo*. 2 Relativo a las aurículas del corazón. I *s. m.* 3 Parte o pieza de un aparato destinado a recibir sonidos con la que se oye al acercarla al oído, especialmente la del teléfono. I *s. m. pl.* 4 **auriculares** Aparato que consta de dos de estas piezas que, unidas de diferentes maneras, se acoplan a los oídos para un mejor recepción del sonido. **SIN** cascos.

aurífero, -ra *adj.* Que lleva o contiene oro.

auriñaciense *adj./s. m.* 1 Se aplica a la época prehistórica que pertenece al paleolítico superior y precede al solutrense; se caracteriza por una cultura en la que destaca la fabricación de puntas de lanza hechas con hueso. I *adj.* 2 Relativo a esta época prehistórica.

aurora *s. f.* 1 Luz rosada que aparece en el cielo inmediatamente antes de la salida del Sol: *nos despertamos temprano para ver la aurora*. 2 Momento en que aparece esta luz. 3 Principio o primeros tiempos de una cosa: *aquel descubrimiento representaba la aurora de la industrialización*. 4 Fenómeno luminoso nocturno que aparece en la región polar ártica y antártica. ■ **aurora polar** Fenómeno luminoso producido por la radiación solar consistente en franjas de diversos colores, que puede verse de noche en la región polar del Sur (*aurora austral*) o en la región polar del Norte (*aurora boreal*): *las franjas de la aurora polar tienen varios colores, como el amarillo, el rojo, el blanco y el verde*. **FAM** auroral.

auscultación *s. f.* Exploración de los sonidos producidos por los órganos de las cavidades del pecho y del abdomen con la ayuda de los instrumentos adecuados.

auscultar *v. tr.* 1 Explorar los sonidos producidos por los órganos de las cavidades del pecho y del abdomen con el oído o con la ayuda de los instrumentos adecuados: *le ha auscultado el pecho y ha diagnosticado un principio de neumonía*. 2 Sondear o intentar averiguar el pensamiento de otras personas o su disposición acerca de un asunto: *las encuestas auscultaron la opinión general sobre la subida de la gasolina*. **FAM** auscultación.

ausencia *s. f.* 1 Falta de una persona del lugar donde está habitualmente: *cuando te vas de viaje los niños notan tu ausencia*. **ANT** presencia. 2 Tiempo en que una persona falta del lugar donde está habitualmente: *su ausencia dura ya varios meses*. 3 Falta o privación de una cosa: *hay que destacar la ausencia de accidentes en todo el fin de semana*. 4 Abstracción de una persona de la realidad que la rodea: *si le hablas y no te contesta, no te asustes: a veces tiene ausencias cortas*.

brillar por su ausencia No estar una persona o cosa en el lugar esperado o adecuado: *en algunos niños la buena educación brilla por su ausencia*.

ausentarse *v. prnl.* Estar una persona ausente de un lugar, especialmente de donde está habitualmente: *se ausentó del trabajo por unos días*.

ausente *adj./s. com.* 1 Se aplica a la persona que se ha ido o alejado de un lugar, especialmente del lugar en el que está habitualmente: *estaré ausente durante toda la semana*. **ANT** presente. 2 Se aplica a la persona que está abstraída de la realidad que la rodea. **FAM** ausencia, ausentarse.

auspiciar *v. tr.* ① Ayudar o proteger a una persona o promover un proyecto o idea: *el proyecto de investigación ha sido auspiciado por un centro oficial.* SIN patrocinar. ② Anunciar lo que va a ocurrir en el futuro mediante la interpretación de un indicio o señal: *la forma de volar de las aves permitía auspiciar los hechos futuros en la antigua Roma.* SIN augurar.
OBS Verbo regular, se acentúa como *cambiar.*

auspicio *s. m.* ① Ayuda o protección a una persona o promoción de un proyecto o idea: *la exposición se ha organizado bajo el auspicio de la asociación de vecinos.* ② Señal, presagio o aviso de lo que va a ocurrir en el futuro. SIN augurio.
FAM auspiciar.
OBS Normalmente en plural.

austeridad *s. f.* ① Sencillez y moderación. ② Cumplimiento riguroso de las normas morales: *vivía retirado y mantenía una austeridad completa.*

austero, -ra *adj.* ① Que no tiene lujos ni adornos excesivos e innecesarios: *me he comprado un apartamento pequeño y austero.* SIN sencillo. ② Se aplica a la persona que es severa o estricta en el cumplimiento de las normas morales: *su conducta siempre ha sido austera y se ha mantenido alejado de los placeres y el lujo.*
FAM austeridad.

austral *adj.* ① Relativo al Sur, especialmente al polo y al hemisferio: *aurora austral.* ANT boreal. I *s. m.* ② Unidad monetaria de Argentina desde 1985 hasta 1992.

australiano, -na *adj.* ① De Australia (país de Oceanía). I *s. m. y f./adj.* ② Persona que es de Australia.

australopiteco *s. m.* Mamífero homínido que vivió hace millones de años, andaba erguido y tenía una capacidad craneal reducida, cuyos primeros restos se encontraron en el sur de África.

austriaco, -ca o **austríaco, -ca** *adj.* ① De Austria (país de Europa). I *s. m. y f./adj.* ② Persona que es de Austria.

austro *s. m.* Viento que sopla del sur. SIN sur.

austrohúngaro, -ra *adj.* ① Relativo al antiguo imperio de Austria y Hungría: *el Imperio austrohúngaro se disolvió en 1919.* I *s. m. y f./adj.* ② Persona que pertenecía a este imperio.

autarquía¹ *s. f.* ① Sistema económico que permite a un estado bastarse con sus propios recursos: *la autarquía pretende evitar la importación de productos extranjeros.* ② Doctrina política y económica que propugna este sistema. ③ Estado o situación de la persona que se basta a sí misma. SIN autosuficiencia.

autarquía² *s. f.* ① Capacidad de una persona para controlarse y gobernarse a sí misma. ② Autocracia.
FAM autárquico.

autárquico, -ca *adj.* Relativo a la autarquía.

autenticidad *s. f.* Cualidad de auténtico: *la autenticidad de un sentimiento.*

auténtico, -ca *adj.* ① Que es cierto o verdadero: *esta cazadora es de cuero auténtico.* SIN genuino. ② Que está autorizado o legalizado y tiene valor oficial: *es un pasaporte auténtico.* ③ Se aplica a la persona que actúa siguiendo su forma de sentir o de pensar.
FAM autenticar, autenticidad, autentificar.

autentificar *v. tr.* ① Acreditar que un hecho o un documento es auténtico: *el notario autentificó las firmas.* ② Autorizar o dar carácter legal a una cosa.
FAM autentificación.

autismo *s. m.* Trastorno crónico del neurodesarrollo en que se manifiesta una notable dificultad para comunicarse y relacionarse, la presencia de movimientos esteotipados y la falta de interés por el entorno.
FAM autista.

autista *adj./s. com.* Se aplica a la persona que padece autismo.

auto¹ *s. m.* ① Breve composición dramática en la que aparecen personajes bíblicos y alegóricos: *durante el siglo XVI se representaban autos en las iglesias y en las calles.* ■ **auto sacramental** Auto que acaba con la exaltación y adoración del sacramento de la eucaristía. ② Decisión judicial sobre un asunto secundario o parcial que no requiere sentencia: *el juez dictó un auto de procesamiento.* ■ **auto de fe** Proclamación de las sentencias dictadas por los tribunales de la Inquisición, seguida de la abjuración o retractación de los errores, o de la ejecución de las penas: *el auto de fe iba acompañado de la abjuración o retractación de los errores cometidos por el acusado.* I *s. m. pl.* ③ **autos** Conjunto de partes y materiales de un proceso judicial: *la existencia de esos testigos no consta en autos.*

auto² *s. m.* Automóvil.

autoadhesivo, -va *adj./s. m.* Se aplica al papel y al plástico que van provistos de una sustancia adhesiva y se pueden pegar fácilmente a una superficie, por simple contacto o mediante una pequeña presión. SIN adhesivo.

autoaprendizaje *s. m.* Sistema de aprendizaje en el que el alumno tiene los medios necesarios para adquirir los conocimientos requeridos sin necesidad de un profesor.

autoayuda *s. f.* Ayuda que una persona obtiene por sí misma para superar una situación personal: *libros de autoayuda.*

autobiografía *s. f.* Relato en el que una persona narra su propia vida: *«Lazarillo de Tormes» es una autobiografía ficticia.*
FAM autobiográfico.

autobiográfico, -ca *adj.* Se aplica al libro o al escrito en que el autor relata, total o parcialmente, su propia vida o aspectos relacionados con ella.

autobombo *s. m.* Elogio desmesurado y público que hace alguien de sí mismo: *le encanta hablar de sus cosas y darse autobombo.*

autobús *s. m.* Vehículo automóvil de transporte público con capacidad para un gran número de pasajeros que realiza un trayecto fijo dentro de una población o largos recorridos por carretera.
FAM autobusero.

autocar *s. m.* Vehículo automóvil de transporte público con capacidad para un gran número de pasajeros que realiza largos recorridos por carretera: *autocar escolar; durante el viaje, el autocar fue parando en las principales ciudades.*
FAM autocarero.

autoclave *s. f.* Recipiente herméticamente cerrado que se emplea para destruir gérmenes mediante el vapor a presión y permite elevar la temperatura del agua por encima de los 100 °C: *el autoclave se utiliza en procesos industriales, esterilización y cocción a altas temperaturas.*

autocracia *s. f.* Sistema político en el que una sola persona o un grupo limitado gobierna con poder total, sin restricciones. SIN dictadura, totalitarismo.
FAM autócrata, autocrático.

autocrítica *s. f.* Crítica que una persona hace de sí misma o de su obra.

autóctono, -na *adj.* Que tiene su origen en el mismo lugar en el que vive o se encuentra: *fauna autóctona.*

autodefinido *s. m.* Pasatiempo similar a un crucigrama, pero donde la definición de cada palabra se da en la casilla anterior, indicando con una flecha si se tiene que completar vertical u horizontalmente.

autodeterminación *s. f.* Facultad y derecho que tienen los pobladores de un territorio o unidad territorial para decidir libremente sobre su estatuto y su futuro político.

autodidacto, -ta *adj./s. m. y f.* Se aplica a la persona que aprende por sí misma y con sus propios medios, sin ayuda de maestro.
FAM autodidactismo.
OBS Masculino: *autodidacto* o *autodidacta.*

autoedición *s. f.* Sistema informático que permite compaginar y diseñar las páginas de una publicación con o sin ilustraciones y dejarla dispuesta para su impresión y reproducción: *un programa de autoedición.*

autoescuela *s. f.* Centro de enseñanza en el que se enseñan las normas de circulación y a conducir vehículos automóviles: *en la autoescuela te preparan para aprobar los exámenes del carné de conducir.*

autoestima *s. f.* Valoración positiva que una persona hace de sí misma.

autoevaluación *s. f.* Evaluación o valoración de los propios conocimientos, aptitudes, etc.

autogestión *s. f.* Sistema de organización de una empresa en el que los trabajadores participan activamente en las decisiones sobre el desarrollo o funcionamiento de esta.

autogiro *s. m.* Vehículo volador provisto de una hélice delantera de eje horizontal que le permite despegar y avanzar, y una hélice de eje vertical que le sirve de sustentación y le permite aterrizar: *el autogiro fue inventado por el ingeniero español Juan de la Cierva.*

autogobierno *s. m.* Sistema de administración de un territorio que goza de autonomía: *las comunidades autónomas tienen un sistema de autogobierno.*

autógrafo, -fa *adj./s. m.* ① Se aplica al texto que está escrito de la mano de su propio autor: *han publicado una serie de cartas autógrafas de García Lorca.* ❚ *s. m.* ② Firma de una persona famosa o destacada.
FAM autografía.

autoinducción *s. f.* Inducción generada en un circuito por las variaciones que experimenta la corriente eléctrica que circula por él.

autómata *s. m.* ① Aparato provisto de un mecanismo interior que le permite ciertos movimientos. ② Máquina electrónica fabricada para realizar automáticamente movimientos y acciones propios de un ser animado. **SIN** robot. ❚ *s. com.* ③ Persona sin voluntad propia que se deja manejar por otras o que actúa de manera mecánica, como si fuera una máquina.
FAM automación.

automático, -ca *adj.* ① Se aplica al mecanismo que funciona por sí solo o que realiza, total o parcialmente, su proceso sin ayuda de una persona: *es un reloj automático y no hay que darle cuerda.* ② Que se hace sin pensar o de forma involuntaria: *siempre se sube las gafas con un gesto automático.* ③ Que se produce necesaria e inmediatamente al ocurrir determinadas circunstancias: *sus discrepancias con el entrenador*

han supuesto su automática salida del equipo. ❚ *s. m.* ④ Mecanismo que interrumpe el paso de una corriente eléctrica cuando detecta una sobrecarga en el circuito: *conectaron tantos aparatos a la red eléctrica que acabó saltando el automático.*
FAM automatizar.

automatismo *s. m.* ① Componente de una máquina o sistema que permite ejecutar una o varias acciones sin intervención manual. ② Ejecución de movimientos y actos sin intervención de la voluntad.

automatización *s. f.* ① Aplicación de las máquinas o de procedimientos automáticos en la realización de un proceso o en una industria: *la automatización de la fábrica ha doblado la producción.* ② Transformación de un movimiento corporal o de una operación intelectual en un acto automático o involuntario.

automatizar *v. tr.* ① Aplicar máquinas o procedimientos automáticos en la realización de un proceso o en una industria: *toda la maquinaria de envasado ha sido automatizada.* ② Convertir en automáticos o involuntarios determinados movimientos corporales o actos mentales.
FAM automatización.

automoción *s. f.* ① Estudio o descripción de las máquinas que se desplazan por la acción de un motor, especialmente del automóvil: *ha estudiado automoción y trabaja en un taller.* ② Sector de la industria relacionado con el automóvil: *el sector de la automoción.*

automotor, -ra *adj.* ① Se aplica a la máquina, instrumento o aparato que ejecuta determinados movimientos sin la intervención directa de una acción exterior. ❚ *s. m.* ② Vagón de ferrocarril dotado de sus propios motores, eléctricos o no, que puede llevar uno o más coches remolcados.
OBS Femenino: *automotora* o *automotriz.*

automotriz V. automotor, -ra.

automóvil *adj.* ① Que se mueve por sí mismo. ❚ *s. m.* ② Vehículo de cuatro ruedas con motor que puede ser guiado por una vía terrestre sin necesidad de carriles y que se usa para el transporte de personas; se aplica especialmente al de pequeño tamaño con capacidad para cuatro ocupantes y el conductor. **SIN** auto, coche.
FAM automovilismo, automovilístico.

automovilismo *s. m.* ① Deporte que consiste en participar en carreras de velocidad, habilidad y resistencia conduciendo un automóvil que ha sido preparado técnicamente para alcanzar grandes velocidades. ② Conjunto de conocimientos relativos a la construcción, funcionamiento y manejo de un automóvil.
FAM automovilista.

automovilista *s. com.* Persona que conduce un automóvil.

automovilístico, -ca *adj.* Relativo al automóvil o al automovilismo: *industria automovilística.*

autonomía *s. f.* ① Facultad o poder de una entidad territorial integrada en otra superior para gobernarse de acuerdo con sus propias leyes y organismos. ② Entidad política y territorial más importante en que se divide el Estado español, dotada de autonomía legislativa y competencias ejecutivas en todo aquello que no sea común con el resto del Estado. **SIN** comunidad autónoma. ③ Estado y condición de la persona o del grupo de personas que no dependen de otros en determinados aspectos: *podremos trabajar con total autonomía, sin dar cuentas a nadie.* ④ Capacidad máxima de una má-

quina, en especial un vehículo, para funcionar sin necesidad de reponer combustible: *mi coche tiene una autonomía de 600 km.*
FAM autonómico, autónomo.

autonómico, -ca *adj.* Relativo a la autonomía o que tiene relación con ella.

autónomo, -ma *adj.* ① Que goza de autonomía o independencia: *hace un año que dejó la casa de sus padres y vive de manera autónoma.* **SIN** independiente. **ANT** dependiente. ❘ *adj./s. m. y f.* ② Se aplica a la persona que trabaja por cuenta propia. **SIN** independiente. ❘ *adj.* ③ Se aplica a la parte del sistema nervioso que regula las funciones vegetativas del organismo (respiración, circulación sanguínea, sudoración, etc.), independientemente de la voluntad de la persona.

autopista *s. f.* Carretera de circulación rápida con calzadas separadas de dos o más carriles para cada sentido de la circulación, cruces a distinto nivel, curvas muy abiertas y pendientes limitadas. ■ **autopista de peaje** Autopista en la que hay que pagar una cantidad de dinero para poder utilizarla.

autopolinización *s. f.* Transmisión del polen de la antera al estigma de una misma flor, o bien al estigma de otra flor perteneciente a la misma planta.

autopropulsión *s. f.* Propulsión o traslado hacia adelante de una máquina por su propia fuerza motriz: *estos proyectiles funcionan mediante un mecanismo de autopropulsión.*

autopsia *s. f.* Apertura y examen de un cadáver para conocer las causas de su muerte.

autor, -ra *s. m. y f.* ① Persona que hace una cosa o es causa de ella. **SIN** artífice, creador. ② Persona que realiza una obra científica, literaria o artística: *el autor de una ilustración; en una narración, debe distinguirse el autor del narrador.* ③ Persona que comete un delito, induce a cometerlo o colabora en él con actos sin los cuales no se hubiera llevado a cabo: *se desconoce al autor material del robo.*
FAM autoría, autorizar; coautor.

autoría *s. f.* Condición de autor, especialmente de una obra literaria, científica o artística: *prefiero no saber la autoría del escrito.*

autoridad *s. f.* ① Facultad, derecho o poder de mandar o gobernar sobre algo que está subordinado: *abuso de autoridad.* ② Persona que tiene esa facultad o poder: *fue recibido por el alcalde y otras autoridades locales.* ③ Capacidad de influir sobre los demás por ser importante o destacar en una actividad. ④ Persona que tiene esta capacidad. ⑤ Texto que se cita en apoyo de lo que se dice.
FAM autoritario.

autoritario, -ria *adj.* ① Que se apoya exclusivamente en la autoridad: *en ese país tienen un régimen autoritario muy estricto.* ❘ *adj./s. m. y f.* ② Se aplica a la persona que abusa de su autoridad. ③ Se aplica a la persona partidaria del principio de autoridad.
FAM autoritarismo.

autoritarismo *s. m.* ① Sistema que se basa en el sometimiento absoluto a una autoridad: *el autoritarismo político es característico de las dictaduras.* ② Abuso que hace una persona de su autoridad: *el autoritarismo de un jefe.*
FAM autoritarista.

autorización *s. f.* ① Concesión de autoridad, facultad o derecho para hacer algo: *no puedes entrar sin autorización.*

ANT desautorización. ② Documento en el que se autoriza una cosa o una acción: *presenté la autorización para ocupar mi puesto en el palco de la prensa.*

autorizado, -da *adj.* Que es digno de respeto o crédito por sus cualidades o prestigio.

autorizar *v. tr.* ① Conceder autoridad, facultad o derecho para hacer una cosa. **ANT** desautorizar. ② Aprobar o dar por bueno: *el notario autorizó la documentación.*
FAM autorización, autorizado; desautorizar.

autorradio *s. m.* Receptor de radio diseñado para ser instalado en un vehículo automóvil.

autorretrato *s. m.* Retrato de una persona hecho por ella misma.

autoservicio *s. m.* Establecimiento en el que el cliente toma lo que quiere comprar y lo paga a la salida.

autosoma *s. m.* Cromosoma no sexual.

autostop o **autoestop** *s. m.* Forma de viajar por carretera que consiste en pedir transporte gratuito a los conductores, generalmente haciendo una señal con el dedo.
FAM autostopista.

autostopista *s. com.* Persona que practica el autostop.

autosuficiencia *s. f.* ① Capacidad de una persona para controlarse y gobernarse a sí misma. **SIN** autarquía. ② Presunción o muestra orgullosa de una virtud o capacidad: *no soporto más sus aires de autosuficiencia.*

autosuficiente *adj.* ① Que se basta a sí mismo: *desde que vive solo se ha hecho autosuficiente.* ② Que habla o actúa con presunción o engreimiento.
FAM autosuficiencia.

autótrofo, -fa *adj.* ① Se aplica al organismo capaz de elaborar su propia materia orgánica, de la que se nutre, a partir de sustancias inorgánicas. **ANT** heterótrofo. ② Se aplica a la forma de alimentación propia de estos organismos. **ANT** heterótrofo.

autovía *s. f.* Carretera parecida a la autopista, pero con cruces que pueden estar al mismo nivel y abundantes entradas y salidas.

auxiliar¹ *v. tr.* Ayudar a una persona, especialmente a librarse de un peligro o a satisfacer una necesidad importante. **OBS** Verbo regular, se acentúa como *desviar* o como *cambiar.*

auxiliar² *adj.* ① Que auxilia o sirve de ayuda: *mesita auxiliar.* ❘ *adj./s. m.* ② Se aplica al verbo que se usa en la conjugación activa y pasiva para formar los tiempos compuestos y las perífrasis verbales: *el verbo "haber" se utiliza como auxiliar.* ❘ *adj./s. com.* ③ Se aplica a la persona que ayuda a otra o colabora con ella en un cargo o en un trabajo. ■ **auxiliar administrativo** Persona que trabaja en una oficina con categoría inferior a la de administrativo. ■ **auxiliar de vuelo** Persona que atiende a los pasajeros y a la tripulación en los aviones. ■ **auxiliar técnico sanitario** Persona titulada que se dedica al cuidado de enfermos y, siguiendo las indicaciones del médico, está autorizada para realizar ciertas intervenciones de cirugía menor. **NOTA** Suele utilizarse la forma abreviada *ATS.* ④ Se aplica al profesor que ayuda o sustituye al catedrático titular.

auxilio *s. m.* ① Ayuda que se presta en una situación de peligro o necesidad. **SIN** socorro. ❘ *int.* ② ¡auxilio! Se usa para pedir ayuda en una situación de peligro o necesidad. **SIN** ¡socorro!
FAM auxiliar.

av. Abreviatura de *avenida* (calle ancha).
OBS También *avda*.

aval *s. m.* **1** Firma que se pone al pie de una letra u otro documento de crédito para responder de su pago en caso de no hacerlo la persona que está obligada a ello. **2** Documento en el que alguien responde de la conducta de una persona, especialmente en materia de política.
FAM avalar.

avalancha *s. f.* **1** Masa grande de nieve que cae por la ladera de una montaña con gran violencia y estrépito, arrasando todo lo que encuentra a su paso. SIN alud. **2** Cantidad grande de personas o cosas, especialmente cuando aparece repentinamente y al mismo tiempo: *una avalancha de gente salía del campo*. SIN alud, aluvión.

avalar *v. tr.* **1** Garantizar mediante un aval: *necesito que alguien me avale el pago del préstamo*. **2** Hacerse responsable de la manera de obrar de una persona.
FAM avalista.

avalista *s. com.* Persona que garantiza el pago de un crédito o que responde de la conducta de otra persona: *mis padres fueron mis avalistas en la compra del piso*.

avance *s. m.* **1** Movimiento hacia adelante: *el general no pudo detener el avance de las tropas enemigas*. ANT retroceso. **2** Progreso o mejora: *si estudias todos los días, tú mismo notarás los avances*. **3** Cosa o acción que se presenta como anticipo o adelanto de algo: *asistimos a un avance de la moda del próximo verano; necesito un avance del sueldo de este mes a cuenta del trabajo que queda por hacer*. ■ **avance informativo** Parte de una información que se anticipa y que más tarde se desarrolla. **4** Conjunto de fragmentos de una película que se proyectan antes de su estreno con fines publicitarios.

avanzada *s. f.* **1** Cosa o acción que se adelanta, anticipa o aparece en primer término: *estos días de frío son una avanzada del invierno que se aproxima*. **2** Avanzadilla: *el general ordenó que una avanzada emprendiera la marcha un día antes que el grueso del ejército*.

avanzadilla *s. f.* Grupo de soldados destacado del cuerpo principal para observar al enemigo o avisar sobre un peligro: *el teniente envió una avanzadilla para que explorara el terreno*. SIN avanzada.

avanzado, -da *adj.* **1** Se aplica a la edad que es de muchos años. **2** Que está lejos de su comienzo o próximo al final: *las obras del piso están muy avanzadas*. **3** Que es innovador o moderno, que se adelanta a su tiempo: *sus ideas son muy avanzadas para su época*.

avanzar *v. intr.* **1** Ir hacia adelante: *los ciclistas avanzan hacia la línea de salida*. **2** Acercarse a su fin o transcurrir un tiempo determinado. **3** Progresar o mejorar en algo: *las investigaciones sobre el sida avanzan lentamente*. | *v. tr.* **4** Mover hacia adelante: *no puedes avanzar esa ficha, así que mueve otra*.
FAM avance, avanzada, avanzado.

avaricia *s. f.* Afán excesivo de poseer y conseguir riquezas para atesorarlas.
FAM avaricioso.

avaricioso, -sa *adj./s. m. y f.* Se aplica a la persona que tiene avaricia. SIN avariento, avaro.

avariento, -ta *adj./s. m. y f.* Avaricioso.

avaro, -ra *adj./s. m. y f.* **1** Avaricioso. **2** Se aplica a la persona a la que no le gusta gastar dinero. SIN tacaño.
FAM avariento.

avasallar *v. tr.* **1** Someter o dominar sin tener en cuenta los derechos de los demás. **2** Ofender o faltar al respeto mediante el abuso de poder o el uso de la fuerza: *no voy a permitir que me avasalle por mucho que necesite el trabajo*. SIN atropellar.
FAM avasallador.

avatar *s. m.* Situación o vicisitud contraria a la buena marcha de algo.
OBS Normalmente en plural.

avda. Abreviatura de *avenida* (calle ancha).
OBS También *av*.

ave *s. f.* **1** Animal vertebrado, ovíparo, de sangre caliente y respiración pulmonar, con un pico córneo, dos patas, las extremidades anteriores en forma de alas y el cuerpo cubierto de plumas: *no todas las aves pueden volar*. ■ **ave de paso** (I) Ave que viaja de una región a otra en ciertas estaciones del año, como la cigüeña o la golondrina. (II) Persona que no permanece durante mucho tiempo en un mismo lugar. ■ **ave del paraíso** Pájaro de plumaje vistoso, con penachos de colores vivos y cálidos y cola muy larga, que habita en las selvas de Oceanía. ■ **ave de rapiña** o **ave rapaz** Ave dotada de pico robusto, alas fuertes y garras muy afiladas que le sirven para cazar a sus presas. | *s. f. pl.* **2** **aves** Grupo taxonómico, con categoría de clase, constituido por estos animales. OBS Los artículos de singular son *el* y *un*, salvo que entre artículo y sustantivo haya otra palabra.

avecinarse *v. prnl.* Acercarse o aproximarse una fecha o acontecimiento: *se avecinaba una tormenta; se avecinan las vacaciones*.

avefría *s. f.* Ave zancuda de plumaje verde oscuro en el dorso y blanco en el vientre, con un penacho de cinco o seis plumas encorvadas por la punta; es migratoria y vive en zonas pantanosas.

avejentar *v. tr.* Hacer que alguien parezca viejo o más viejo: *las canas lo avejentan mucho*.

avellana *s. f.* Fruto seco comestible, pequeño y redondo, de color marrón, con una corteza muy dura y carne blanca de sabor agradable en su interior: *la avellana es el fruto del avellano*.
FAM avellanar, avellano.

avellano *s. m.* **1** Árbol de 3 a 4 m de altura, muy poblado de ramas, de fruto comestible (avellana). **2** Madera de este árbol.

avemaría *s. f.* **1** Oración católica compuesta de las palabras con que el arcángel san Gabriel saludó a la Virgen María, de las que dijo santa Isabel y de otras que añadió la Iglesia católica: *el avemaría comienza con las palabras "Dios te salve, María"*. NOTA Se escribe normalmente con mayúscula inicial. | *s. m.* **2** Cuenta pequeña de un rosario.

avena *s. f.* **1** Planta gramínea del grupo de los cereales, de cañas delgadas, hojas estrechas y flores en panoja que produce una semilla que sirve de alimento a las personas y los animales. ■ **avena loca** Variedad de avena silvestre que crece en caminos y márgenes de campos de cereales y cuya semilla no es productiva. SIN ballueca. **2** Semilla de esta planta: *los copos de avena se toman con leche para desayunar*.

avenencia *s. f.* Acuerdo, entendimiento o conformidad entre dos o más personas: *con esas condiciones es imposible llegar a una avenencia*. ANT desavenencia.

avenida *s. f.* **1** Calle ancha de una población, generalmente con árboles a los lados. **2** Camino que va a un pueblo o paraje determinado: *llegará antes por la avenida de la alameda*. **3** Crecida o aumento brusco del caudal de un río o arroyo: *la avenida del río hizo que se desbordara y anegara las tierras colindantes*. **SIN** riada.

avenir [48] *v. tr.* **1** Poner de acuerdo o reconciliar a varias personas que estaban enemistadas: *el juez de paz consiguió avenir a los contendientes*. | *v. prnl.* **2** **avenirse** Llevarse bien una persona con otra: *tiene buen carácter y se aviene con cualquiera*. **3** Conformarse con algo o amoldarse a ello: *no se aviene a las condiciones que le ha impuesto su jefe*. **4** Estar en armonía o conformidad una cosa con otra: *el color de esa camisa se aviene mal con el de ese pantalón*.
FAM avenencia; desavenir.

aventajado, -da *adj.* Se aplica a la persona que sobresale o destaca entre otras de su misma clase: *es un alumno aventajado en casi todas las asignaturas*.
FAM desaventajado.

aventajar *v. tr.* Sacar o llevar ventaja una persona o cosa a otras: *el motor de ese coche aventaja en potencia a los otros*. **SIN** exceder, sobrepasar.
FAM aventajado.

aventar [1] *v. tr.* **1** Poner al aire o al viento una cosa: *sacó algunas alfombras al patio para aventarlas*. **SIN** airear. **2** Echar al aire el grano y la paja de los cereales para separarlos: *para limpiar este trigo tendremos que aventarlo en la era*. **3** Dar aire a alguien o algo: *con el abanico se aventaba ella y aventaba a los de al lado*. **4** Dar a conocer una cosa a un gran número de personas: *aventó sus intimidades a los cuatro vientos*. **SIN** airear, difundir. **5** Arrastrar el viento una cosa: *el fuerte viento aventó todas las hojas que había sobre el suelo*. **6** familiar Hacer salir a una persona o cosa de un lugar. **SIN** echar, expulsar. **7** COL. Atacar, lanzarse al ataque sobre el oponente. **8** CUBA, MÉX. Exponer al aire y al sol el azúcar partido. | *v. prnl.* **9** **aventarse** Llenarse de aire un cuerpo. **10** familiar Huir, escaparse.
FAM aventador, aventamiento.

aventura *s. f.* **1** Suceso extraño o poco frecuente que vive o presencia una persona: *fue un viaje lleno de contratiempos y aventuras, pero al final todo salió bien*. **2** Hecho o situación peligrosa o que es de resultado incierto y poco seguro: *siempre viaja a países que no conoce porque le encanta la aventura; es una aventura muy arriesgada invertir todos los ahorros en ese negocio*. **3** familiar Relación amorosa o sexual pasajera. **SIN** enredo, lío.
FAM aventurero.

aventurado, -da *adj.* Arriesgado, atrevido o inseguro.

aventurar *v. tr.* **1** Arriesgar o poner en peligro algo o a alguien: *he aventurado mi capital en un negocio prometedor*. **2** Decir o afirmar una cosa atrevida o de la que se tiene duda o cierto recelo: *aunque no dispongo de datos suficientes, aventuraré algunos resultados*. | *v. prnl.* **3** **aventurarse** Atreverse a hacer algo arriesgado o peligroso: *no nos aventuramos mar adentro*.
FAM aventurado.

aventurero, -ra *adj./s. m. y f.* **1** Se aplica a la persona a la que le gustan las aventuras o que las busca. **2** Se aplica a la persona que se gana la vida o trata de triunfar en la sociedad usando medios desconocidos, ilícitos o poco adecuados. | *adj./s. m.* **3** Se aplica al hombre que se enrolaba voluntariamente en las milicias. | *adj.* **4** CUBA, MÉX. Se aplica al trigo sembrado fuera de tiempo o sembrado en secano.

avergonzado, -da *adj.* Que siente vergüenza, general-

mente por una falta cometida: *estaba avergonzado de haber mentido a sus amigos*.

avergonzar [5] *v. tr.* **1** Causar en alguien un sentimiento de vergüenza: *sus padres lo avergonzaron ante su profesor y se puso a llorar*. | *v. prnl.* **2** **avergonzarse** Sentir vergüenza: *nadie debe avergonzarse de su origen o sus raíces*.
FAM avergonzado.

avería *s. f.* Daño, rotura o fallo en un mecanismo que impide o perjudica el funcionamiento de una máquina o un vehículo.
FAM averiar.

averiar *v. tr.* Producir una avería en una máquina, un vehículo u otra cosa: *averió el aparato de climatización a propósito; se ha averiado el coche*.
OBS Verbo regular, se acentúa como *desviar*.

averiguación *s. f.* Indagación que se lleva a cabo para saber la verdad sobre algo o alguien: *hizo algunas averiguaciones sobre su pasado porque no se fiaba de él*.

averiguar *v. tr.* Indagar en un asunto hasta saber la verdad que se busca: *la policía judicial averigua las circunstancias del crimen*.
FAM averiguación, averiguador.
OBS Verbo regular, en su conjugación no se acentúa la u de algunas formas de los presentes de indicativo y subjuntivo y del imperativo.

averno *s. m.* culto Infierno.

averroísmo *s. m.* Sistema filosófico de Averroes (filósofo hispanomusulmán del siglo XII), que se basa en el aristotelismo desde la perspectiva islámica y cree en el entendimiento, común a todos los seres humanos, y en la eternidad del mundo.
FAM averroísta.

aversión *s. f.* Sentimiento de rechazo o repugnancia exagerada hacia una persona o cosa.

avestruz *s. m.* Ave no voladora que alcanza hasta 2 m de altura (es la mayor de todas las aves conocidas), de cuello largo, cabeza pequeña y patas largas y robustas que le permiten correr a grandes velocidades; vive en África: *el plumaje del avestruz es de color blanco y negro en el macho y pardo en la hembra*.

avezado, -da *adj.* Se aplica a la persona que está acostumbrada o habituada a una cosa: *para ver el fondo del mar no hace falta ser un avezado buceador*.

aviación *s. f.* **1** Sistema de navegación aérea por medio de aparatos más pesados que el aire. **2** Fuerzas aéreas de un estado: *la aviación militar hizo una exhibición aérea en la celebración de las Fuerzas Armadas*. ■ **aviación comercial** Aviación destinada al transporte de personas y mercancías.

aviador, -ra[1] *s. m. y f.* **1** Persona que tripula o gobierna un aparato de aviación. **2** Persona que sirve en la aviación de un ejército.

aviador, -ra[2] *adj./s. m. y f.* AMÉR. Se aplica a la persona que presta dinero a un labrador, ganadero o minero.

aviar *v. tr.* **1** familiar Preparar o disponer algo con un fin: *tengo que aviar lo necesario para el viaje*. **2** familiar Arreglar u ordenar: *todas las mañanas avío mi habitación*. | *v. intr.* **3** familiar Darse prisa en la ejecución de una cosa: *que avíen o no llegamos*. **SIN** aligerar.

aviárselas familiar Buscar la manera de solucionar un problema o de hacer una cosa: *si tienes un problema, aviátelas como puedas*.

A

estar (o ir) aviado (**I**)Estar rodeado de contratiempos y dificultades: *si no pagas la multa, estás aviado: no te devolverán el coche.* (**II**)Estar equivocado: *si piensas que te van a dejar salir tan tarde, vas aviado.*
OBS Verbo regular, se acentúa como *desviar.*

avícola *adj.* Relativo a la avicultura: *granja avícola.*

avicultor, -ra *s. m. y f.* Persona que se dedica a la avicultura.

avicultura *s. f.* Técnica de criar y fomentar la reproducción de aves para aprovechar sus productos, como la carne, los huevos y las plumas.
FAM avícola, avicultor.

avidez *s. f.* Deseo fuerte e intenso de tener o conseguir una cosa: *miraba con avidez la bandeja de pasteles.*

ávido, -da *adj.* Que siente un deseo fuerte e intenso de tener, hacer o conseguir una cosa: *son jóvenes ávidos de conocer cosas nuevas.*
FAM avidez.

avieso, -sa *adj.* Se aplica a la persona que es perversa o tiene malas inclinaciones.

avifauna *s. f.* Conjunto de las aves de un país o región.

avilés, -lesa *adj.* **1** De Ávila (ciudad y provincia de Castilla y León). SIN abulense. ‖ *s. com./adj.* **2** Persona que es de Ávila. SIN abulense.

avinagrado, -da *adj.* Se aplica a la persona de carácter áspero, malhumorado y desagradable.

avinagrar *v. tr.* **1** Poner agria una cosa, especialmente el vino. ‖ *v. prnl.* **2** **avinagrarse** Hacerse áspero o desagradable el carácter de una persona: *con los años que lleva de enfermedad se le ha avinagrado el genio.*
FAM avinagrado.

avío *s. m.* **1** Preparación o disposición de algo: *me encargaré del avío del equipaje.* **2** Conveniencia o provecho: *no está bien que cada uno vaya a su avío.* **3** Provisión de comida: *hay que preparar el avío para ir al campo este sábado.* ‖ *s. m. pl.* **4** **avíos** Instrumentos, herramientas o medios necesarios para hacer algo: *se me han olvidado los avíos de afeitarme.*

¡al avío! Expresión con la que se incita a apresurarse: *¡al avío, que no acabamos hoy!*
FAM aviar.

avión[1] *s. m.* Vehículo con alas, más pesado que el aire, que vuela generalmente propulsado por uno o varios motores y se usa para el transporte aéreo. SIN aeronave, aeroplano. ■ **avión de bombardeo** Avión de gran tamaño que se emplea para lanzar bombas. SIN bombardero. ■ **avión comercial** Avión que pertenece a una empresa y se emplea para transportar personas y mercancías. ■ **avión de caza** Avión de pequeño tamaño y gran velocidad destinado principalmente a reconocimientos y combates aéreos. NOTA También simplemente *caza.* ■ **avión de reacción** Avión que se mueve impulsado por reactores. ■ **avión sin motor** Avión de pequeño tamaño que vuela movido solamente por las corrientes de aire. SIN planeador.
FAM aviación, aviador; hidroavión, portaaviones.

avión[2] *s. m.* Pájaro parecido a la golondrina, pero algo más pequeño y con la cola menos ahorquillada: *el avión anida en paredes y en pendientes rocosas abruptas.*

avioneta *s. f.* Avión pequeño que se usa generalmente para hacer vuelos cortos y a poca altura.

avisado, -da *adj.* **1** Se aplica a la persona que es hábil e inteligente y se da cuenta de lo que puede ocurrir: *el lector avisado detectará enseguida qué es lo que quiere decir el autor del libro.* SIN sagaz. **2** Se aplica a la persona que actúa o se comporta con cautela y precaución e intenta evitar o prevenir un peligro: *hay que estar avisados, no sea que se presente de improviso y nos pille con las manos en la masa.* SIN cauto, precavido, prudente.

avisar *v. tr.* **1** Dar aviso o noticia de un hecho a alguien: *quiero avisar a todo el mundo de que nos casamos el próximo mes.* **2** Advertir o prevenir a alguien de una cosa: *había un timbre en la puerta que le avisaba de la entrada de cualquier persona.* **3** Llamar a una persona para que preste un servicio: *avisar al médico.*
FAM aviso.

aviso *s. m.* **1** Noticia que se comunica a alguien: *en la panadería me han dado el aviso de que mañana, que es festivo, no habrá pan.* **2** Escrito que advierte de algo: *ya le han dado dos avisos por mal comportamiento.* **3** Indicio de algo: *esa nubes tan negras son un aviso de la tormenta que va a caer.* **4** Señal que hace el presidente de una corrida al torero por no matar al toro en el tiempo prescrito por el reglamento.

andar (o estar) sobre aviso Estar prevenido y preparado para lo que pueda pasar: *estate sobre aviso, porque te pueden llamar en cualquier momento.*

poner sobre aviso Avisar o advertir sobre un peligro u otra cosa.
FAM preaviso.

avispa *s. f.* Insecto parecido a la abeja, pero de cuerpo menos peludo, coloreado con rayas negras y amarillas y con el abdomen muy estrecho en la unión con el tórax; es carnívora, produce picaduras muy dolorosas y vive en grupo.
FAM avispero.

avispado, -da *adj.* Se aplica a la persona que es muy viva, despierta y espabilada: *es muy avispado y aprende pronto las cosas.*

avispar *v. tr.* **1** Hacer más avispada y lista a una persona: *hay que avispar a este muchacho para que pueda defenderse en la vida.* **2** CHILE Infundir miedo, espantar.
FAM avispado.

avispero *s. m.* **1** Panal o nido de avispas: *los avisperos suelen estar en el tronco de un árbol o en el hueco de una peña.* **2** Conjunto de avispas que viven en este lugar: *un avispero salió de los agujeros de la pared y se lanzó contra nosotros.* **3** Negocio o asunto complicado y enredado que puede ser peligroso y causar disgusto: *para saldar las deudas, se metió en un avispero del que no sabe si saldrá.* **4** Reunión o aglomeración de personas o cosas que se mueven y hacen ruido: *a aquellas horas la discoteca parecía un avispero.*

avistar *v. tr.* **1** Alcanzar con la vista lo que está lejos: *el halcón avista una presa.* ‖ *v. prnl.* **2** **avistarse** Reunirse una persona con otra para tratar un asunto.
FAM avistamiento.

avitaminosis *s. f.* Carencia o escasez de una o varias de las vitaminas requeridas por el organismo: *la avitaminosis se produce por una dieta desequilibrada.*
OBS Plural invariable.

avituallamiento *s. m.* Abastecimiento de vituallas o alimentos necesarios a un grupo de personas.

avituallar *v. tr.* Abastecer de vituallas o alimentos necesarios a un grupo de personas: *avituallar un ejército.*
FAM avituallamiento.

avivar *v. tr.* ① Hacer que una cosa sea más viva o más animada, generalmente aumentando su intensidad: *avivar el fuego; avivar el ingenio.* ② Hacer que una discusión sea más acalorada o intensa: *las últimas noticias avivaron la controversia.* **FAM** avivamiento, avivador; reavivar.

avoceta *s. f.* Ave zancuda de cuerpo blanco con manchas negras o marrones y pico muy largo y delgado, puntiagudo y encorvado hacia arriba.

avutarda *s. f.* Ave zancuda de unos 80 cm de longitud, cuerpo grueso de color pardo rojizo con manchas blancas y negras, cuello alargado y alas pequeñas; su vuelo es bajo y lento; es común en España.

axial *adj.* Relativo al eje. **SIN** axil.

axil *adj.* Axial.

axila *s. f.* ① Hueco que se forma en la unión de la parte interior del brazo con el cuerpo: *ponte el termómetro en la axila.* **SIN** sobaco. ② Punto de unión de una parte de una planta con la rama o tronco que lo sostiene. **FAM** axilar.

axilar *adj.* Relativo a la axila.

axioma *s. m.* ① Expresión de un juicio tan claro y evidente que se admite sin necesidad de demostración: *un axioma de la democracia es que la ley ha de aplicarse estrictamente por igual a todos.* ② Principio evidente que constituye el fundamento de una ciencia, como las matemáticas. **FAM** axiomático.

axiomático, -ca *adj.* ① Relativo al axioma. ② Que es evidente e incuestionable como un axioma.

axis *s. m.* Segunda vértebra del cuello, que permite el movimiento de rotación de la cabeza. **OBS** Plural invariable.

axón *s. m.* Prolongación alargada que parte del cuerpo de la neurona y termina en una ramificación que comunica con otras células y transmite los impulsos nerviosos. **SIN** neurita.

axonometría *s. f.* Sistema de representación gráfica de una figura de tres dimensiones en un plano por medio de las proyecciones obtenidas de rectas que forman entre sí ángulos de 120 grados; en arquitectura permite representar en un solo dibujo la planta, sección y alzado de un edificio de forma integrada.

¡ay! *int.* ① Expresión que indica pena, dolor o temor. ‖ *s. m.* ② Quejido o suspiro: *tiernos ayes; se oían unos ayes que rompían el corazón.* **NOTA** Más en plural.

¡ay de mí! o **¡ay de nosotros!** Expresión con la que una persona se lamenta de una cosa.

¡ay de + *pronombre*! Expresión con la que se amenaza a una persona que hace o dice una cosa indebida: *¡ay de aquel que osara decirme tales agravios!*

ayate *s. m.* MÉX. Tela rala.

ayatolá o **ayatola** *s. m.* Superior religioso de los chiitas islámicos.

ayer *adv.* ① En el día inmediatamente anterior al de hoy. ② En un tiempo pasado próximo al presente: *ayer era niño y hoy ya es un muchacho.* ‖ *s. m.* ③ Tiempo pasado: *guarda hermosos recuerdos del ayer.* **FAM** anteayer.

ayo, aya *s. m. y f.* Persona que en una casa acomodada se encarga del cuidado y educación de los niños. **OBS** Para la forma femenina, los artículos de singular son *el* y *un*, salvo que entre artículo y sustantivo haya otra palabra.

ayocote *s. m.* MÉX. Variedad de frijol más grueso que el común.

ayote *s. m.* MÉX. Calabaza comestible.

ayuda *s. f.* ① Colaboración desinteresada que se presta en una necesidad o un peligro: *pidieron ayuda para apagar el incendio; necesito ayuda para hacer los deberes.* ② Persona o cosa que ayuda o sirve para ayudar: *tus consejos son para mí de gran ayuda; su marido ha sido siempre su ayuda y consuelo.* ③ Cantidad de dinero que se da a una persona para un fin o porque está necesitada: *pido una ayuda para comer.*

ayuda de cámara Criado que se encarga del vestido y otras cosas personales de la persona a la que sirve.

ayuda humanitaria Conjunto de alimentos, medicinas y personal especializado que se envía a un territorio con problemas graves o en guerra para ayudar a la población civil.

ayudante *s. com./adj.* Persona que tiene un cargo subalterno en un trabajo o en una profesión y generalmente está a las órdenes de otra que es de formación o categoría superior: *profesor ayudante; ayudante de laboratorio.* **FAM** ayudantía.

ayudar *v. tr.* ① Prestar colaboración desinteresada en una necesidad o un peligro: *le ayudé a cruzar la calle; te ayudaré con la sintaxis.* ‖ *v. tr./intr.* ② Colaborar una cosa en la realización de otra: *el buen tiempo ayudó a que estuviéramos a gusto; los consejos no arreglan los problemas, pero ayudan.* ‖ *v. prnl.* ③ **ayudarse** Valerse del auxilio o la ayuda de una persona o cosa: *tiene que ayudarse de un bastón para caminar.* **FAM** ayuda, ayudanta, ayudante.

ayunar *v. intr.* Abstenerse total o parcialmente de comer y beber durante un tiempo, generalmente por motivos de salud o religiosos. **FAM** ayunas, ayuno.

ayunas Se usa en la expresión:
en ayunas (I) Indica que no se ha tomado alimento desde la noche anterior: *debes hacerte el análisis de sangre estando en ayunas.* (II) Indica que no se comprende una cosa en absoluto: *como hablan en ruso chapurreado, los españoles nos quedamos en ayunas.*

ayuno *s. m.* Privación total o parcial de comida y bebida durante un periodo de tiempo, generalmente por motivos de salud o religiosos.

ayuntamiento *s. m.* ① Corporación o grupo de personas integrado por un alcalde y varios concejales que se encarga de administrar y gobernar un municipio. **NOTA** Con mayúscula inicial cuando hace referencia al ayuntamiento de un municipio en concreto. **SIN** cabildo, concejo, consistorio. ② Edificio en el que trabaja este grupo de personas. **NOTA** Con mayúscula inicial cuando hace referencia al ayuntamiento de un municipio en concreto. **SIN** cabildo, concejo, consistorio. ③ culto Coito o acto sexual.

azabache *s. m.* ① Mineral negro y brillante, duro, compacto y poco pesado, que es una variedad del carbón y se usa en joyería o para hacer adornos. ‖ *s. m./adj.* ② Color negro brillante, como el de este mineral. ‖ *adj.* ③ Que es de este color: *ojos azabache.* **NOTA** Invariable en número. **FAM** azabachado.

azada *s. f.* Instrumento de labranza formado por una pala de metal con un filo cortante, unida a un mango largo de madera con el que forma un ángulo agudo; se usa para hacer hoyos o surcos en la tierra, remover el estiércol, etc. **FAM** azadilla, azadón.

azadilla *s. f.* Azada pequeña usada para arrancar las malas hierbas.

azadón *s. m.* Azada de pala un poco curva y más larga que ancha.

azafato, -ta *s. m. y f.* ① Persona que se dedica a atender a los pasajeros en un avión o en un tren. ② Persona que se dedica a recibir e informar a los visitantes, participantes o clientes en ciertos actos, establecimientos o reuniones: *las azafatas de un congreso; el azafato de un programa de televisión.*

azafrán *s. m.* ① Planta de hojas estrechas y tallo formado por bulbos aéreos con una flor morada en el extremo; se cultiva para extraer los estigmas de las flores, usados como condimento. ② Condimento aromatizante y colorante constituido por los estigmas de la flor de esta planta, de color rojo anaranjado: *se echa azafrán a la paella.* | *s. m./adj.* ③ Color amarillo anaranjado como el que se obtiene con este condimento. | *adj.* ④ Que es de este color. **NOTA** Invariable en número.
FAM azafranado.

azafranado, -da *adj.* Que es de color azafrán.

azahar *s. m.* Flor del naranjo, el limonero y otros árboles parecidos, de color blanco y muy fragante; se usa en perfumería y medicina.

azalea *s. f.* Planta de jardín de tallo leñoso, hojas pequeñas, ovaladas y caducas y flores blancas, rosadas o rojas: *la azalea es la especie cultivada del rododendro.*

azar *s. m.* Causa que supuestamente hace que ocurra una cosa no condicionada por la relación de causa y efecto ni por la intervención humana o divina: *el azar ha querido que nos encontremos aquí después de tantos años.* **SIN** fortuna, suerte.
al azar Sin reflexión ni orden o sin una intención determinada: *escoger una carta al azar; tomar una calle al azar.*
FAM azarar, azaroso.

azarar *v. tr.* Azorar.

azararse *v. prnl.* ① AMÉR. CENTRAL, ARG., BOL., CHILE Azorarse, avergonzarse. ② CHILE, PERÚ Irritarse.

azaroso, -sa *adj.* Que tiene abundantes percances, riesgos, contratiempos o dificultades: *una larga y azarosa travesía.*

aziliense *s. m.* Época prehistórica que sucede al magdaleniense y que se caracteriza por la fabricación de raspadores y punzones y por los guijarros decorados con ocre rojo y manchas geométricas.

ázimo [también **ácimo**] *adj.* Se aplica al pan que se elabora sin levadura.

azimut [también **acimut**] *s. m.* Ángulo que forma el plano vertical de un astro con el meridiano del punto de observación.
FAM azimutal.

ázoe *s. m.* Nitrógeno.

azogue *s. m.* Mercurio.

azor *s. m.* Ave rapaz diurna, parecida al halcón, con el dorso oscuro, el vientre blanco con manchas pardas y una franja blanca sobre cada ojo; es común en España.

azorar *v. tr.* Inquietar o poner turbada o nerviosa a una persona: *se azoró un poco cuando Nati lo cogió del brazo.* **SIN** azarar.
FAM azoramiento.

azoro *s. m.* AMÉR. Turbación.

azotaina *s. f.* Conjunto de azotes o golpes con la mano que se da o se recibe como castigo.

azotar *v. tr.* ① Dar azotes. ② Dar golpes el viento, la lluvia, las olas, etc., de forma repetida y generalmente violenta: *los constantes vientos azotan el estrecho de Gibraltar.* ③ Atacar o castigar un fenómeno natural, una población, un país o una zona amplia dura y persistentemente, causando daños y destrozos: *el hambre azota el país.*

azote *s. m.* ① Golpe no muy fuerte dado con la mano a una persona, especialmente en el trasero, como castigo. ② Instrumento para azotar a una persona como castigo, formado por un conjunto de cuerdas anudadas provistas de puntas y unidas a un mango. ③ Golpe fuerte y doloroso dado a una persona como castigo con este instrumento u otra cosa flexible y larga, levantándolo y dejándolo caer sobre el cuerpo: *se ordenó a los delincuentes que no volviesen a la ciudad bajo pena de multa de 20 000 maravedíes y 200 azotes.* ④ Golpe del viento, la lluvia, las olas, etc., repetido y generalmente violento: *sentía el azote de la lluvia en todas las ventanas.* ⑤ Ataque o castigo, generalmente de un fenómeno natural, a una población, un país o una zona amplia, de manera dura y persistente, causando daños y destrozos: *las inundaciones constituyen un azote periódico de muchos países.*
FAM azotaina, azotar.

azotea *s. f.* ① Cubierta plana de un edificio sobre la cual se puede andar. **SIN** terrado, terraza. ② familiar Cabeza de una persona: *cuéntame lo que tienes en la azotea.*

azteca *adj.* ① Relativo al pueblo indígena que dominó el centro y el sur de México hasta ser vencido por los españoles en el siglo XVI. | *s. com./adj.* ② Persona perteneciente a este pueblo. | *s. m./adj.* ③ Lengua precolombina todavía hablada actualmente en México. **SIN** nahua.

azúcar *s. amb.* ① Glúcido que se extrae sobre todo de la caña de azúcar y de la remolacha, que se encuentra normalmente en estado sólido, en granos diminutos con forma de cristales, generalmente de color blanco, que tiene sabor muy dulce y es soluble en agua. ■ **azúcar blanco** Azúcar refinado, al que se han eliminado las impurezas. ■ **azúcar blanquilla** Azúcar prensado, de menor pureza que el refinado, que se presenta en forma de terrones. ■ **azúcar cande** o **azúcar candi** Azúcar poco refinado que forma cristales grandes, incoloros o de color pardusco: *los cristales de azúcar cande son como pequeños caramelos.* ■ **azúcar glas** o **azúcar lustre** Azúcar reducido a un polvo muy fino que se usa en repostería. ■ **azúcar moreno** Azúcar no refinado de color pardusco y más dulce que el azúcar blanco. ② Hidrato de carbono soluble y de sabor dulce, como la glucosa, lactosa o sacarosa: *según los análisis, tengo demasiado azúcar en la sangre.*
FAM azucarar, azucarera, azucarero, azucarillo.

azucarar *v. tr.* ① Endulzar un alimento echándole azúcar. ② Cubrir con azúcar.
FAM azucarado.

azucarera *s. f.* ① Empresa que se dedica a la fabricación o venta de azúcar. ② Azucarero (recipiente).

azucarería *s. f.* ① Fábrica o comercio de azúcar. ② CUBA, MÉX. Tienda en que se vende azúcar al por menor.

azucarero, -ra *adj.* ① Relativo al azúcar. | *s. m. y f.* ② Persona que se dedica a la fabricación de azúcar. | *s. m.* ③ Recipiente para guardar el azúcar y servirlo en la mesa. **SIN** azucarera.

FAM azucarería.

azucarillo *s. m.* Masa pequeña y compacta de azúcar en forma de cubo: *¿quieres uno o dos azucarillos en el café?* **SIN** terrón.

azucena *s. f.* ① Planta de jardín, con raíz en forma de bulbo, de tallo alto y erecto con una flor en el extremo, hojas largas y estrechas y fruto en cápsula. **SIN** lirio blanco. ② Flor de esta planta, grande, blanca y muy olorosa.

azuela *s. f.* Herramienta de carpintero formada por una plancha de hierro con el filo cortante y un mango de madera corto formando un ángulo; se usa para pulir las partes bastas de la madera.

FAM azolar.

azufre *s. m.* Elemento químico de símbolo *S* y número atómico 16; es un no metal de color amarillo, quebradizo y de olor desagradable al inflamarse, que se encuentra en zonas volcánicas, se electriza fácilmente por frotación y, combinado con otros elementos químicos, forma minerales como la pirita, la galena o el yeso; forma parte de las proteínas y otros metabolitos, y se usa para obtener ácido sulfúrico y para fabricar pólvora, fósforos, tintes, etc.

FAM azufrar.

azul *s. m./adj.* ① Color como el del cielo sin nubes o como el del mar en un día soleado: *el azul es el quinto color del espectro solar y uno de los colores primarios.* ■ **azul celeste** Azul que es claro, como el del cielo sin nubes. ■ **azul cobalto** Azul que es más oscuro que el celeste y más claro que el marino. ■ **azul eléctrico** Azul que es un poco lila y muy brillan-

te. ■ **azul marino** Azul que es muy oscuro, como el del uniforme de la marina militar. ■ **azul turquesa** Azul que es un poco verdoso. **NOTA** También simplemente *turquesa.* | *adj.* ② Que es de este color: *ojos azules.* | *s. m.* ③ Sustancia colorante que tiñe de azul, usada especialmente en pintura y cerámica.

FAM azulado, azular, azulear, azulino.

azulado, -da *adj.* Que tiene un tono azul: *el cinc es un metal de color blanco azulado; el ozono es un gas ligeramente azulado.* **SIN** azulino.

azular *v. tr.* Dar color azul a una cosa.

azulear *v. intr.* ① Mostrar una cosa su color azul. ② Tener una cosa semejanza con el color azul.

azulejo *s. m.* Pieza de arcilla cocida, de poco grosor y generalmente cuadrada, con la cara superior vidriada y con un estampado o relieve, que se usa para revestir la pared o el suelo de un edificio.

azulino, -na *adj.* Azulado.

azulón, -lona *s. m./adj.* ① Color azul muy intenso. | *adj.* ② Que es de este color: *un jersey azulón.*

azumbre *s. amb.* Medida antigua para líquidos equivalente a 2,016 litros: *un azumbre equivalía a la octava parte de una cántara.*

azur *s. m./adj.* En heráldica, color azul oscuro: *un blasón con bordadura de azur y ocho escudetes de oro.*

azuzar *v. tr.* ① Incitar o estimular a un animal, especialmente un perro, para que ataque. ② Incitar o presionar a una persona para que haga una cosa, generalmente contra alguien: *los socios y los directivos azuzan al presidente para que destituya al entrenador.*

b *s. f.* Segunda letra del alfabeto español; su nombre es *be*.

baba *s. f.* ① Saliva abundante que sale de la boca y fluye por la comisura de los labios. ② Líquido espeso y pegajoso que producen ciertos animales y plantas. ③ Venez. Caimán.

caérsele la baba familiar Experimentar una persona gran admiración y placer por alguien o algo: *se le caía la baba viendo a su hijo cantar en la fiesta del colegio*.

mala baba familiar Mala intención o mal carácter.

FAM babear, baboso.

babear *v. intr.* ① Echar baba por la boca. ② Experimentar gran admiración y placer por alguien o algo: *babea cada vez que me habla de su padre*.

FAM babeante, babeo.

babel *s. amb.* Lugar donde hay confusión y desorden, especialmente provocados por varias personas que hablan a la vez: *al irse el profesor, la clase se convirtió en un babel*.

OBS También *torre de Babel*.

babélico, -ca *adj.* Se aplica al proyecto u obra que se caracteriza por la grandiosidad y el enorme trabajo que requiere su ejecución: *cientos de obreros intervinieron en la babélica construcción del túnel bajo el canal de la Mancha*.

babeo *s. m.* Caída continuada de baba.

babero *s. m.* ① Pieza de tela u otra materia que se coloca a los niños en el pecho sujeta al cuello para que no se manchen de babas o con los alimentos que comen. ② Babi.

babi *s. m.* Bata que se pone a los niños encima de otras prendas para protegerlas. **SIN** babero.

Babia Se usa en la expresión:

estar en Babia familiar Estar una persona despistada o sin prestar atención a lo que ocurre alrededor.

babilla *s. f.* ① Conjunto de musculatura y tendones que articulan el fémur con la tibia y la rótula en las patas traseras de los cuadrúpedos. ② Méx. Humor o líquido que, por fracturas de huesos o desgarraduras de tejidos, se derrama e impide la buena consolidación de estos.

babilónico, -ca o **babilonio, -nia** *adj.* ① De Babilonia (antigua ciudad y región del sur de Mesopotamia). ǀ *s. m. y f./adj.* ② Persona que era de Babilonia. ǀ *s. m./adj.* ③ Lengua semítica oriental hablada antiguamente en Babilonia.

bable *s. m.* Conjunto de hablas no unificadas, pertenecientes al dialecto leonés, que se extienden por Asturias, el oeste de Santander y el nordeste y oeste de León. **SIN** asturiano.

babor *s. m.* Lado izquierdo de una embarcación, mirando desde la parte trasera hacia la delantera. **ANT** estribor.

babosa *s. f.* Molusco terrestre parecido al caracol, pero carente de concha, de color negro, gris o castaño. **SIN** limaco.

babosada *s. f.* ① familiar Amér. Central, Chile, Col., Méx., Pan. Simpleza, cuestión poco importante: *ustedes se tragan cualquier babosada*. ② familiar Amér. Central, Cuba, P. Rico Dicho o hecho grosero.

babosear *v. tr.* Llenar de babas: *el perro entró en el salón y baboseó todo el sofá*.

FAM baboseo.

baboso, -sa *adj.* ① Que echa abundante baba por la boca. ② fam. desp. Se aplica a la persona que es excesivamente aduladora o zalamera. ③ familiar Se aplica a la persona que aún no tiene la edad suficiente para lo que hace o intenta hacer.

FAM babosada, babosear.

babucha *s. f.* ① Zapato ligero, sin cordones ni tacón, hecho de piel o cuero y usado especialmente por los árabes. ② Zapatilla de uso doméstico parecida a este zapato.

baca *s. f.* Estructura resistente, generalmente metálica y con forma de rejilla, que se coloca sobre el techo de un automóvil y sirve para llevar maletas y otros objetos.

bacaladero, -ra *adj.* ① Relativo al bacalao: *la pesca bacaladera en el Atlántico tiene gran importancia comercial*. ǀ *adj./s. m.* ② Se aplica a la embarcación que está destinada a la pesca del bacalao.

bacaladilla *s. f.* Pez marino comestible de color gris, cuerpo pequeño y alargado y mandíbula prominente.

bacalao *s. m.* ① Pez marino comestible de color oscuro, cuerpo alargado, cabeza grande y con un saliente carnoso alargado en la punta de la mandíbula inferior, llega a medir 1,80 m y vive en el Atlántico Norte: *el bacalao suele conservarse en salazón*. ǀ *s. m./adj.* ② Bakalao.

cortar el bacalao familiar Tener el mando o el poder de decisión último y más importante en un grupo o un asunto: *mi jefe es quien corta el bacalao*.

FAM bacalada, bacaladero.

bacanal *s. f.* ① Fiesta que en la antigua Roma se celebraba en honor de Baco (dios del vino). ② Fiesta desenfrenada en que los asistentes se entregan, de modo desinhibido, a todo tipo de placeres, especialmente sexuales. **SIN** orgía, saturnal. **FAM** bacante; báquico.

bacante *s. f.* ① Mujer que en la antigua Roma estaba consagrada al culto de Baco (dios del vino). **SIN** ménade. ② Mujer que en la antigua Roma participaba en las bacanales.

bacarrá o **bacará** *s. m.* Juego de cartas en el que el banquero juega contra los demás participantes repartiendo dos cartas a cada uno y comparando los puntos de sus cartas con los de estos.

bachata *s. f.* CUBA, P. RICO Juerga, parranda.

bache *s. m.* ① Agujero o desnivel en la superficie de un camino o carretera, generalmente producido por el uso. ② Disminución o interrupción pasajera en el progreso de una actividad: *con esta victoria, el equipo parece salir del bache en que estaba sumido.* ③ Momento difícil en la vida de una persona. ④ Diferencia brusca en la temperatura y la dirección de las corrientes de aire que provoca rápidos descensos en la altura de vuelo de un avión. **FAM** bachear.

bachicha *s. com.* ARG., CHILE, URUG. familiar Inmigrante italiano.

bachiller *s. com.* ① Persona que ha aprobado los estudios correspondientes al bachillerato. ② Persona que está cursando estos estudios. ③ Persona que tenía el título de primer grado académico que se otorgaba antiguamente en las universidades. ‖ *s. m.* ④ familiar Bachillerato. **FAM** bachillerato.

bachillerato *s. m.* ① Conjunto de estudios, posterior a la educación secundaria obligatoria, que capacita para el acceso a la universidad. ② Conjunto de estudios que, en diferentes épocas y planes de estudio, se cursaban entre los 10 y 17 años, o 14 y 18, y eran anteriores al ingreso en la universidad. ③ Conjunto de estudios que antiguamente correspondía al primer grado de los estudios universitarios. ④ Grado académico que se consigue, o se conseguía, al terminar estos estudios.

bacía *s. f.* Recipiente metálico circular, de borde muy ancho y con una escotadura semicircular, usado por los barberos para remojar las barbas.

bacilar *adj.* ① Relativo al bacilo. ② Que es producido por bacilos: *infección bacilar.*

bacilo *s. m.* Bacteria de forma cilíndrica alargada, como la de un pequeño bastón: *el bacilo de Koch es el causante de la tuberculosis.* **FAM** bacilar, baciliforme.

bacín *s. m.* Orinal alto y cilíndrico usado antiguamente.

backgammon [se pronuncia aproximadamente 'bacgamon'] *s. m.* Juego de mesa en el que participan dos jugadores con quince fichas, blancas o negras, cada uno; consiste en recorrer un tablero compuesto por veinticuatro casillas triangulares de dos colores, según los números obtenidos al tirar dos dados.

back-up [se pronuncia aproximadamente 'bacap'] *s. m.* Copia de seguridad de uno o más archivos informáticos que se hace, generalmente, para prevenir posibles pérdidas de información.

bacón [también **beicon**, más usado] *s. m.* Tocino ahumado de cerdo con vetas de carne magra. **OBS** Puede encontrarse la grafía inglesa *bacon* (pronunciada 'beicon').

bacteria *s. f.* Organismo microscópico unicelular procariota, carente de núcleo, que se multiplica por división celular sencilla o por esporas: *algunas bacterias son importantes agentes en la putrefacción o la fermentación (por ejemplo, para la elaboración de quesos), producen antibióticos (como la estreptomicina) o causan enfermedades (como el tifus, el cólera y la tuberculosis).* **FAM** bacteriano, bactericida, bacteriología, bacteriólogo.

bacteriano, -na *adj.* Relativo a las bacterias: *el cólera es una enfermedad bacteriana.*

bacteriología *s. f.* Ciencia que estudia las bacterias, sus clases, formas de reproducción y métodos para controlarlas o destruirlas: *Louis Pasteur es considerado el padre de la bacteriología.* **FAM** bacteriológico.

báculo *s. m.* ① Bastón largo con el extremo superior curvo. ▪ **báculo pastoral** Báculo que usan los obispos como símbolo de su autoridad. **SIN** cayado. ② Persona o cosa que sirve de apoyo o ayuda: *pensó en sus nietos como único báculo de su vejez.*

badajo *s. m.* Pieza que cuelga del interior de una campana y que la hace sonar al golpear en sus paredes.

badajocense *adj.* ① De Badajoz (ciudad y provincia de Extremadura). **SIN** pacense. ‖ *s. com./adj.* ② Persona que es de Badajoz. **SIN** pacense.

badana *s. f.* ① Piel curtida de carnero u oveja: *una cartera hecha de badana.* ‖ *s. com.* ② familiar Persona vaga, despreocupada y de poco juicio. **NOTA** Más en plural con el mismo significado que en singular. **zurrar la badana** (I) familiar Dar una paliza a una persona: *lo cogieron entre varios para robarle el dinero y le zurraron la badana.* (II) familiar Ganar o vencer al contrario con claridad: *el equipo italiano le zurró la badana al español y le marcó cinco goles.*

badén *s. m.* ① Depresión del terreno en un camino o carretera; suele formarse naturalmente por el paso de las aguas de lluvia, o estar construido para permitir el paso de una pequeña corriente de agua. ② Parte de la acera que está rebajada al nivel de la calzada para facilitar el acceso de vehículos a locales situados en los edificios. **SIN** vado.

bádminton *s. m.* Deporte parecido al tenis que se practica en una pista mucho menor y en el que participan dos jugadores o dos parejas; consiste en impulsar una pequeña pelota con forma de media esfera y con plumas en su lado plano mediante una raqueta ligera y de mango largo por encima de una red que está a una altura muy superior a la que es propia para el tenis. **OBS** Puede encontrarse la grafía inglesa *badminton.*

badulaque *adj./s. com.* familiar Se aplica a la persona de poco juicio. **FAM** badulaquear.

bafle *s. m.* Altavoz de un equipo de alta fidelidad, o caja que contiene uno o más altavoces y sirve para facilitar la difusión y calidad del sonido. **OBS** Puede encontrarse la grafía inglesa *baffle.*

bagaje *s. m.* ① Conjunto de conocimientos y experiencias que una persona ha reunido a lo largo de un tiempo. ② Equi-

B

paje militar que lleva un ejército en marcha. ③ culto Equipaje que una persona lleva consigo cuando viaja o se traslada de un lugar a otro. **FAM** bagajero.

bagatela *s. f.* ① Cosa poco importante. ② Composición musical escrita en género ligero.

bagaudas *s. m. pl.* Campesinos de la Galia e Hispania que se sublevaron varias veces entre los siglos II y V contra el Imperio romano y los grandes terratenientes.

bagual, -la *adj.* ① ARG., BOL., URUG. Se aplica a la persona que es grosera o carece de civismo y cultura. ❙ *s. m.* ② ARG., BOL., URUG. Potro o caballo no domado.

baguete *s. f.* Baguette.

baguette [también **baguete**; se pronuncia aproximadamente 'baguet'] *s. f.* Barra de pan blanco larga y estrecha.

¡bah! *int.* Indica desprecio o falta de interés.

bahía *s. f.* Parte de mar que entra en la tierra formando una concavidad amplia y que puede servir de refugio a las embarcaciones: *la bahía es de menor tamaño que el golfo y mayor que la ensenada y la cala.*

bailador, -ra *adj./s. m. y f.* ① Que baila o es aficionado a bailar: *soy poco bailador.* ❙ *s. m. y f.* ② Persona que baila danzas populares.

bailaor, -ra *s. m. y f.* Persona que se dedica a bailar flamenco.

bailar *v. tr./intr.* ① Mover el cuerpo siguiendo el ritmo de una pieza musical: *bailar un vals; se pasó la tarde bailando.* ❙ *v. tr.* ② Hacer que gire rápidamente un objeto alrededor de su eje manteniendo el equilibrio sobre uno de sus extremos: *los niños bailaban sus peonzas.* ③ En algunos deportes de equipo, como el fútbol o el baloncesto, dominar al contrario con gran superioridad, hacer que corra tras el balón sin alcanzarlo. ④ Confundir el orden de conceptos, palabras y números, o cambiarlos por otros muy parecidos: *bailó las direcciones de sus amigos cuando les envió las invitaciones.* ❙ *v. intr.* ⑤ Girar un objeto rápidamente alrededor de su eje manteniendo el equilibrio sobre uno de sus extremos: *¡mira cómo baila la peonza!* ⑥ Moverse una cosa que está en una posición inestable y poco segura: *le baila un diente.* ⑦ Cambiar en poco tiempo varias veces el valor de una cantidad, alterándose mínimamente sus cifras: *los candidatos obtenidos por el partido en el gobierno bailan entre 83 y 86 escaños.* **FAM** bailable, bailador, bailaor, bailarín, bailón, bailotear.

bailarín, -rina *s. m. y f.* Persona que baila piezas de música folclórica, clásica o moderna: *Rudolf Nureiev fue uno de los bailarines más famosos de todos los tiempos.* **SIN** danzarín.

bailarina *s. f.* Zapato plano de cuero fino o tela, punta redondeada y sin cierres ni apenas adornos. **SIN** manoletina.

baile *s. m.* ① Sucesión de movimientos que se ejecutan adaptados a un tipo concreto de música y con unas características distintivas: *baile clásico; baile flamenco.* ■ **baile de salón** Baile que se realiza por parejas al ritmo de formas musicales tradicionales, como el vals, la polca o el tango, y modernas, como el twist o el rock and roll. ② Fiesta o celebración pública en la que los asistentes bailan. ■ **baile de disfraces** o **baile de máscaras** Baile al que asisten personas disfrazadas. ③ Confusión en el orden de conceptos, palabras y números, o cambio por otros muy parecidos: *su examen era un baile de fechas y nombres.*

baile de san Vito Denominación popular del corea, enfermedad nerviosa que se caracteriza por los movimientos involuntarios, rápidos y violentos que sufre el enfermo. **FAM** bailete.

bailón, -lona *adj.* Se aplica a la persona que baila a menudo y disfruta haciéndolo.

bailongo, -ga *adj./s. m. y f.* ① Se aplica a la persona que suele acudir a fiestas y discotecas para bailar, y que disfruta mucho haciéndolo. ❙ *s. m.* ② familiar Fiesta popular con baile: *en la noche de san Juan se organizó un bailongo en el patio para los vecinos.*

bailotear *v. intr.* despectivo Bailar sin gracia ni arte. **FAM** bailoteo.

baipás *s. m.* By-pass.

baja *s. f.* ① Fin de la relación laboral o profesional que unía a una persona con un cuerpo, asociación o empresa, por decisión de una de las partes o por mutuo acuerdo: *se dio de baja del partido; causó baja en el ejército.* **ANT** alta. ② Documento en el que un médico certifica que una persona debe abandonar durante un tiempo su puesto de trabajo a causa de una enfermedad o un daño físico: *debo llevar cada semana la baja de mi padre a la oficina donde trabaja.* **ANT** alta. ③ Persona que ha tenido que abandonar el desarrollo de una actividad por una causa determinada: *la selección juega mañana con numerosas bajas.* ④ Situación de la persona que ha abandonado temporalmente su trabajo por enfermedad, o que ha abandonado el desarrollo de una actividad por una causa determinada: *estar de baja; durante la baja, fueron a visitarle sus amigos.* ⑤ Persona muerta, desaparecida o inutilizada en un combate o una guerra: *durante la guerra del Golfo, el ejército estadounidense tuvo pocas bajas.* ⑥ Disminución del valor o de la cuantía de una cosa: *la baja del precio del petróleo; la baja del índice de natalidad.* **ANT** alza.

a la baja Indica que el precio o valor de una cosa disminuye o tiende a ser cada vez menor: *el mercado puede reaccionar a la baja ante la subida de precios.*

dar de baja Registrar que una persona ha abandonado, temporal o definitivamente, una actividad, un puesto de trabajo, una asociación, etc. **FAM** bajista, bajón.

bajá *s. m.* Hombre de la antigua Turquía que poseía un cargo muy importante, como el gobierno de una provincia: *el bajá de Damasco.*

bajada *s. f.* ① Camino o calle inclinados que van de un lugar a otro más bajo. **ANT** subida. ② Trayecto desde una posición elevada a otra más baja. **SIN** descenso. **ANT** subida. ③ Disminución del valor, la cuantía o la intensidad de una cosa: *bajada de precios; bajada de tensión.* **SIN** descenso. **ANT** subida.

bajada de bandera Tarifa que marca un taxímetro al ponerlo en marcha; es la mínima que se abona por un trayecto.

bajamar *s. f.* ① Nivel más bajo que alcanza el agua del mar durante la marea baja. **ANT** pleamar. ② Tiempo en que el nivel del agua del mar se mantiene en estas condiciones. **ANT** pleamar.

bajante *s. amb.* Tubería de desagüe que recoge las aguas residuales y fecales de una construcción.

bajar *v. intr.* ① Trasladarse de un lugar a otro que está más bajo: *bajar de un árbol.* **SIN** descender. **ANT** subir. ② Salir de un vehículo o dejar de estar montado en él: *bajar de la moto; bajar de un caballo.* **SIN** descender. **ANT** subir. ③ Hacerse más pequeño el valor, la cuantía o la intensidad de una cosa: *ya está bajando la fiebre; los precios bajarán a final de mes.* **ANT** su-

bir. ‖ *v. tr.* ④ Hacer más pequeño el valor, la cuantía o la intensidad de una cosa: *dile que baje un poco la voz; decidieron bajar los precios.* **ANT** subir. ⑤ Poner en un lugar más bajo: *bajar un brazo; bajar la basura a la calle.* **ANT** subir. ⑥ Recorrer el trayecto inclinado que va de un lugar a otro más bajo: *bajar la escalera.* **SIN** descender. **ANT** subir. ⑦ Inclinar o dirigir hacia el suelo: *bajó la cabeza avergonzado.* **ANT** levantar. ⑧ Copiar o transferir información (datos, programas, etc.) en la memoria de un ordenador desde la de otro, especialmente a través de internet u otra red informática: *me he bajado unos juegos de Internet.* **SIN** descargar.
FAM baja, bajada, bajante, bajativo.

bajareque *s. m.* ① AMÉR. CENTRAL Pared de palos entretejidos con cañas y barro. ② CUBA Cabaña o choza.

bajativo *s. m.* ARG., COL., CHILE, PAR., URUG., VENEZ. Licor que se toma después de las comidas para facilitar la digestión.

bajel *s. m.* culto Buque, barco.
FAM bajelero.

bajero, -ra *adj.* ① Que se usa o se pone debajo de una cosa: *las sábanas bajeras.* ‖ *adj./s. f.* ② Se aplica a cada una de las hojas que forman las cuatro o cinco primeras filas, contando desde el suelo, en diversas plantas, como el tabaco, y cuya calidad es inferior a las demás. ③ ARG., URUG. Se aplica a la manta que se pone sobre el lomo del caballo para ensillarlo.

bajeza *s. f.* Acción inmoral y despreciable: *considero una bajeza aprovecharse del débil.*

bajial *s. m.* PERÚ Terreno bajo que se inunda en invierno.

bajinis o **bajini** o **bajines** Se usa en la expresión:
por lo bajinis (I) familiar En voz baja: *me dijo un secreto por lo bajinis.* (II) familiar Disimuladamente: *le entregó por lo bajinis un paquete con dinero.*

bajío *s. m.* ① Elevación del fondo de un mar, río o lago que dificulta o impide la navegación. **SIN** bajo, banco. ② AMÉR. Terreno bajo.

bajista *adj.* ① Referido al precio de un producto o al valor de una determinada cantidad, que tiende a la baja o disminución. **ANT** alcista. ‖ *s. com.* ② Persona que toca el bajo.

bajo, -ja[1] *adj.* ① Que tiene una altura menor de lo normal: *un hombre bajo; un techo bajo.* **ANT** alto. ② Que está situado en un lugar con poca altura con respecto a la superficie de la tierra o cercano al nivel del mar: *la planta baja de un edificio.* **ANT** alto. ③ Que tiene poco valor, o es de poca cuantía o intensidad: *son artículos muy apreciados por su bajo precio; hablar en voz baja.* **ANT** alto. ④ Se aplica al grupo social que no tiene recursos económicos y ocupa el lugar inferior en la escala social: *clase baja.* ⑤ Que es inmoral y despreciable: *mentir así es lo más bajo que podías hacer.* ⑥ Que está inclinado hacia el suelo o mira al suelo: *entró arrepentido, con la cabeza baja.* ⑦ Se aplica al sonido o la voz que tiene una frecuencia de vibraciones menor de la normal. **SIN** grave. **ANT** agudo, alto. ‖ *s. m.* ⑧ Piso inferior, situado a la altura de la calle, de una casa que tiene dos o más plantas: *la tienda está en los bajos de su finca.* ⑨ Borde inferior de una prenda de vestir: *el bajo de unos pantalones.* ⑩ Elevación del fondo de un mar, río o lago que dificulta o impide la navegación. **SIN** bajío, banco. ⑪ Instrumento de sonido más grave de los que pertenecen a una misma familia. ⑫ Instrumento musical de cuerda, de forma semejante a la del violín pero de tamaño mucho mayor y por tanto de tono mucho más grave; se toca de pie, apoyando su extremo inferior en el suelo y frotando sus cuatro cuerdas con un arco. **SIN** contrabajo, violón. ⑬ Instru-

mento parecido a la guitarra eléctrica pero con cuatro cuerdas gruesas de sonido grave: *Paul McCartney tocaba el bajo en los Beatles.* **NOTA** También *bajo eléctrico.* ⑭ Voz masculina más grave, sobre la cual está la de barítono. ⑮ Hombre que tiene esta voz. ⑯ Melodía o voz más grave de una composición musical que constituye la base armónica sobre la que se forman los acordes y el resto de melodías. ■ **bajo continuo** Bajo usado básicamente en la música barroca que constituye el acompañamiento de las voces principales y consiste en una línea melódica continua escrita por el compositor sobre la que se improvisan acordes en el momento de la interpretación. ‖ *s. m. pl.* ⑰ **bajos** Parte inferior externa de un vehículo. ‖ *adv.* ⑱ Con un sonido o tono de voz suave y débil: *me hablaba muy bajo.* **ANT** alto. ⑲ Con poca altura con respecto a la tierra, próximo al nivel del mar: *el avión volaba bastante bajo.* **ANT** alto.
FAM bajar, bajero, bajeza, bajial, bajío, bajinis, bajista, bajón, bajura; altibajo.

bajo[2] *prep.* ① Indica que una persona o cosa está debajo de otra: *nadar bajo el agua.* **ANT** sobre. ② Indica que una persona debe obediencia y está sometida a las órdenes de otra o a una serie de reglas, normas y leyes que debe cumplir: *bajo las órdenes del general.*

bajón *s. m.* ① Disminución brusca e intensa de una actividad. ② Deterioro brusco e intenso en el estado de ánimo o de salud de una persona: *cuando se marchó al extranjero, le dio un bajón.*

bajorrelieve *s. m.* Relieve cuyas figuras sobresalen ligeramente del plano: *el bajorrelieve de una moneda.*

bajura *s. f.* Falta de elevación: *las bajuras de una marisma.*

bakalao *s. m./adj.* Música de baile de discoteca caracterizado por su ritmo rápido, intenso y repetitivo. **SIN** bacalao.

bala *s. f.* ① Proyectil cilíndrico de metal, plano por uno de sus lados y acabado en punta por el otro, que contiene en su interior una pequeña carga de pólvora que explota cuando es golpeada por el percutor de un arma de fuego. ② Punta cónica en que termina este pequeño cilindro y que sale impulsada a gran velocidad a través del cañón del arma de fuego cuando se dispara. ■ **bala perdida** Bala que impacta en un lugar alejado del punto adonde el tirador quiso dirigirla. ③ Paquete de mercancías grande, apretado y atado: *una bala de algodón.*
bala perdida familiar Persona alocada y amante de la diversión: *antes era un bala perdida.*
como una bala familiar Muy rápido, con gran velocidad: *pasó por aquí como una bala.*
ni a bala AMÉR. De ninguna manera.
FAM balazo, balear, balín, balística; antibalas.

balacera *s. f.* AMÉR. Tiroteo.

balada *s. f.* ① Canción de rock, pop u otro género parecido, de ritmo lento y suave, tema generalmente amoroso y que se puede bailar en pareja. ② Composición poética de la lírica medieval cultivada en Francia y Occitania que consta de tres estrofas con el mismo número de versos, que son octosílabos, y una estrofa final de cuatro versos a modo de conclusión. ③ Composición musical medieval para cantar esta forma poética. ④ Composición poética del romanticismo cultivada en Alemania e Inglaterra, dividida en estrofas y que narra sucesos legendarios o épicos.

baladí *adj.* Que tiene poca importancia o poco interés: *el problema no es en absoluto baladí.*
OBS Plural: *baladíes* o *baladís.*

balalaica o **balalaika** *s. f.* Instrumento musical de cuerda formado por una caja hueca triangular y aplanada, un mástil largo y estrecho y tres cuerdas; es típico de la música popular rusa.

balance *s. m.* ① Examen periódico de las cuentas de una empresa que consiste en comparar sus ingresos y gastos para establecer el nivel de beneficios o pérdidas. ② Documento en forma de libro o informe en el que consta este examen. ③ Revisión de los aspectos positivos y negativos de una situación o del estado de una cosa para poder extraer una valoración general: *transcurrido el primer año de mandato, ha llegado el momento de hacer un balance.* ④ Resultado de un hecho, generalmente trágico, que se recoge en cifras: *los accidentes de tráfico de este fin de semana han arrojado un balance de dos muertos y doce heridos.* ⑤ Sistema que regula el equilibrio del nivel de intensidad de sonido entre los dos altavoces o bafles de un equipo de música.

balancear *v. tr.* Mover o inclinar a un lado y al otro de forma alternativa y repetida una cosa que generalmente cuelga o está unida a otra por un punto: *la barca se balancea al ritmo de las olas.*
FAM balanceante, balanceo.

balanceo *s. m.* Movimiento alternativo y repetido que hace una cosa que generalmente cuelga o está unida a otra por un punto: *el balanceo de un péndulo.*

balancín *s. m.* ① Asiento con brazos, respaldo y las patas sobre dos arcos con las puntas hacia arriba, que permite mecerse a la persona sentada. **SIN** mecedora. ② Asiento para dos o más personas colgado de un armazón para que se balancee y generalmente cubierto por un toldo, que se coloca en un jardín, una terraza u otro lugar semejante. ③ Juguete en forma de asiento con las patas sobre una base en forma de arco con las puntas hacia arriba, que sirve para que la persona se balancee: *un balancín en forma de caballito.* ④ Aparato de entretenimiento para balancearse alternativamente dos o más personas, consistente en una pieza alargada metálica o de madera con uno o dos asientos en cada extremo y un punto de apoyo en el centro. **SIN** columpio, subeibaja. ⑤ Barra muy larga que usan los equilibristas para mantener el equilibrio. ⑥ Pieza de algunas máquinas que consiste en una barra unida a un eje, cuyo movimiento es oscilatorio y sirve para transformar o regular otro movimiento. ⑦ Apéndice alargado de los dos que tienen los insectos del grupo de las moscas en la parte posterior del cuerpo y que sirve para ayudarles a mantener el equilibrio durante el vuelo.

bálano o **balano** *s. m.* Parte final y más abultada del pene. **SIN** glande.

balanza *s. f.* ① Instrumento que sirve para pesar; la balanza más conocida es la formada por dos platos que cuelgan de una barra horizontal que está sujeta por su centro a otra barra vertical y permanece nivelada en equilibrio; el objeto que se quiere pesar se coloca en uno de los platos, y en el otro se van colocando pesas hasta nivelar horizontalmente la barra. ② Mecanismo o aparato de cualquier clase que sirve para pesar.

balanza comercial o **balanza de comercio** Cálculo comparativo entre las importaciones y exportaciones de mercancías de un país durante un periodo, generalmente un año.

balanza de pagos Cálculo comparativo entre los cobros, pagos y préstamos económicos de un país con el extranjero durante un periodo, generalmente un año.

balanza de torsión Aparato para medir las atracciones y repulsiones de los imanes y de las fuerzas electrostáticas.
FAM balancear, balancín.

balar *v. intr.* Emitir una oveja o un cordero su voz.
FAM balido.

balarrasa *s. com.* familiar Persona informal, de poco juicio y malas costumbres.

balasto o **balastro** *s. m.* Capa de grava para asentar y sujetar las traviesas de las vías de tren o el pavimento de las carreteras.

balausta *s. f.* Fruto envuelto en una cubierta seca, que conserva el cáliz y en cuyo interior encierra numerosas semillas con la parte externa carnosa, como la granada.

balaustrada *s. f.* Muro de media altura formado por una serie de balaustres o pequeñas columnas que sirve de elemento decorativo o barandilla en escaleras, balcones, puentes, azoteas, etc.

balaustre o **balaústre** *s. m.* Columna pequeña, generalmente de piedra o madera, que con otras de igual figura forma una balaustrada.
FAM balaustrada.

balay *s. m.* AMÉR. Cesta de mimbre o de paja.

balazo *s. m.* Impacto, señal o herida que produce una bala disparada por un arma de fuego.

balbucear *v. tr./intr.* Balbucir.
FAM balbuciente, balbuceo.

balbuceo *s. m.* ① Acción de balbucear o balbucir palabras mal articuladas o entrecortadas que resultan poco comprensibles. ② Palabra o conjunto de palabras pronunciadas de esta manera.

balbucir *v. tr./intr.* Decir algo articulando mal las palabras o pronunciándolas de manera entrecortada y poco comprensible, por no saber hablar bien o por estar muy influido por una emoción: *el herido balbució su nombre al oído del médico.* **SIN** balbucear.
OBS Verbo defectivo, no se usa en la primera persona del singular del presente de indicativo, en las del presente de subjuntivo ni en la tercera del singular y del plural y la primera del plural del imperativo; en su lugar se emplean las formas correspondientes de *balbucear.*

balcánico, -ca *adj.* ① De los Balcanes (península del sureste de Europa que comparten Macedonia, Albania, Rumanía, Bulgaria y otros países). | *s. m. y f./adj.* ② Persona que es de los Balcanes. | *adj.* ③ Relativo a los montes Balcanes (cordillera situada aproximadamente en al frontera de Bulgaria y Macedonia).

balcón *s. m.* ① Plataforma saliente de un edificio a la que se accede por una puerta o hueco similar y que está cerrada en la cara exterior por una barandilla, una balaustrada o un muro bajo. ② Barandilla, balaustrada o muro bajo que cierra esta plataforma por la cara exterior. ③ Lugar elevado del terreno desde el que es posible divisar una gran extensión de tierra o mar.
FAM balconada, balconcillo.

balconada *s. f.* Serie de balcones de un edificio que comparten una misma barandilla o un mismo muro bajo.

balconcillo *s. m.* ① Localidad con barandilla que en las plazas de toros suele haber sobre la salida del toril o sobre una puerta. ② BOL., PERÚ Camino al borde de un precipicio.

balda *s. f.* Tabla o lámina horizontal que se coloca en una pared, dentro de un armario o en una estantería y sirve para colocar objetos sobre ella. **SIN** anaquel, estante.

baldaquín o **baldaquino** *s. m.* ① Tela de seda que se suspende a modo de dosel sobre un trono, catafalco o lecho. ② Dosel o cubierta decorativa de piedra o madera tallada, sostenida por columnas o sobresaliente de una pared, que cubre un altar, púlpito, puerta u otro lugar semejante.

baldar *v. tr.* Dejar agotado o dolorido por un gran esfuerzo realizado o un daño físico recibido: *subir una bombona de butano siete pisos balda a cualquiera.*

balde[1] *s. m.* Recipiente de forma cilíndrica parecido a un cubo, generalmente de mayor tamaño y menor altura, que se usa especialmente para contener agua.

balde[2] Se usa en las expresiones:
de balde Indica que una cosa se da o se hace gratis, sin cobrar dinero ni obtener nada a cambio: *el portero dejaba entrar de balde en los reestrenos a los niños.*
en balde Indica que una cosa se hace inútilmente, sin conseguir el propósito deseado: *los esfuerzos del médico por reanimar al herido fueron en balde.*
FAM baldío.

baldío, -día *adj./s. m.* ① Se aplica al terreno que no se cultiva ni se aprovecha para pastos. **SIN** erial. ‖ *adj.* ② Que es inútil y no da ningún resultado: *esfuerzo baldío.*

baldosa *s. f.* Pieza de cerámica, piedra u otro material que se usa para cubrir una pared o el suelo de una casa u otro pavimento: *las baldosas de la acera.*
FAM baldosín; embaldosar.

baldosín *s. m.* Baldosa pequeña.

baldragas *s. m.* Hombre de carácter débil, sin energía.
OBS Plural invariable.

balear[1] *adj.* ① De las islas Baleares (comunidad autónoma de España). ‖ *s. com./adj.* ② Persona que es de las islas Baleares. ‖ *s. m./adj.* ③ Variedad dialectal del catalán hablada en las islas Baleares.

balear[2] *v. tr.* Disparar balas a alguien o algo.
FAM baleo.

baleo *s. m.* AMÉR. Tiroteo.

balido *s. m.* Voz de algunos mamíferos rumiantes, como la oveja, la cabra, el gamo o el ciervo.

balín *s. m.* ① Bala de pequeño calibre. ② Pieza de plomo de pequeño tamaño que sirve de munición para escopetas y pistolas de aire comprimido.

balística *s. f.* Parte de la física que estudia la trayectoria, el alcance y los efectos de los proyectiles, como balas, misiles o bombas.
FAM balístico.

balístico, -ca *adj.* Relativo a la balística.

baliza *s. f.* Señal fija o móvil que se coloca en la tierra o sobre el agua para marcar una zona, especialmente para indicar que se debe pasar por un lugar o para advertir que es peligroso hacerlo.
FAM balizar.

ballena *s. f.* Mamífero marino, del orden de los cetáceos, que puede superar los 30 m de longitud, con extremidades superiores convertidas en aletas y la cola dividida en dos lóbulos; respira a través de uno o dos orificios situados en la parte superior de la cabeza; puede tener dientes y alimentarse de peces, o bien barbas (láminas duras y flexibles de

arriba abajo de la boca) y alimentarse del plancton y los pequeños crustáceos que filtra a través de ellas.
FAM ballenato, ballenero.

ballenato *s. m.* Cría de la ballena.

ballenero, -ra *adj.* ① Relativo a la caza y al aprovechamiento industrial de la ballena. ‖ *adj./s. m.* ② Se aplica al barco equipado para cazar ballenas.

ballesta *s. f.* ① Arma para disparar flechas con gran potencia, formada por un arco montado horizontalmente sobre una pieza alargada y perpendicular de madera, dotada de un canal para colocar la flecha, un mecanismo para tensar la cuerda del arco y un gatillo. ② Muelle en forma de arco formado por láminas de metal flexible superpuestas, que sirve de suspensión en vehículos como coches o camiones.
FAM ballestazo, ballestear, ballestero, ballestilla.

ballestero *s. m.* Soldado que disparaba con ballesta.

ballet [se pronuncia aproximadamente 'balé'] *s. m.* ① Danza que ejecutan uno o más bailarines siguiendo el ritmo de una composición musical; generalmente es una coreografía o conjunto de pasos y movimientos y se desenvuelve como una obra teatral en la que uno o varios personajes desarrollan una historia. ② Composición musical compuesta para ejecutar esta danza. ③ Conjunto de bailarines y personal técnico que participa en la puesta en escena de esta danza.
OBS Plural: *ballets.*

ballueca *s. f.* Avena loca (variedad que crece de manera silvestre entre otros cereales).

balneario *s. m.* Establecimiento público dotado de instalaciones para ofrecer baños medicinales, curas y atenciones médicas y generalmente complementado con un hotel o alojamiento similar.

balompié *s. m.* Deporte que se juega entre dos equipos de once jugadores y que consiste en meter un balón en la portería del contrario, utilizando los pies, la cabeza o cualquier parte del cuerpo que no sean las manos o los brazos. **SIN** fútbol.
FAM balompédico.

balón *s. m.* ① Pelota de cuero, plástico u otro material flexible, esférica u ovalada, y rellena de aire, que se utiliza para jugar al fútbol, básquet, rugby, voleibol y otros deportes.
■ **balón medicinal** Balón que pesa mucho y sirve para hacer ejercicios físicos de rehabilitación o desarrollo muscular. ② Recipiente hecho de un material sólido o flexible que sirve para contener un gas.
balón de oxígeno Ayuda que momentáneamente permite resolver una dificultad: *el crédito ha supuesto un balón de oxígeno ante la inminente quiebra.*
FAM balonazo.

balonazo *s. m.* Golpe dado con un balón (pelota).

baloncestista *s. com.* Persona que practica el baloncesto, especialmente el que se dedica a ello de manera profesional.

baloncesto *s. m.* Deporte que se practica en una cancha y se juega entre dos equipos de cinco jugadores; consiste en meter el balón en la canasta del contrario, que está a unos 3 m del suelo, lanzándola con las manos. **SIN** básket.
FAM baloncestista, baloncestístico.

balonmano *s. m.* Deporte que se practica en una cancha y se juega entre dos equipos de siete jugadores; consiste en meter el balón en la portería del contrario lanzándola con las manos.
FAM balonmanista.

B

balonvolea *s. m.* Deporte que se practica en una cancha dividida en dos mitades iguales por una red y se juega entre dos equipos de seis jugadores; consiste en hacer que el balón toque el suelo del campo contrario lanzándolo con los brazos o con las manos por encima de la red, que está a 2,43 m del suelo. **SIN** voleibol.

balsa *s. f.* **1** Embarcación consistente en una plataforma hecha con troncos o listones de madera unidos entre sí, que se usa especialmente para navegar por un río. **2** Depósito de agua estancada en el hueco de un terreno hundido o deprimido. **3** Depósito de gran tamaño construido para contener agua de regadío. **SIN** alberca.

balsa de aceite Lugar o situación tranquilos o estables, carentes de movimiento, agitación o cosas que los alteren. **FAM** embalsar.

balsámico, -ca *adj.* **1** Relativo al bálsamo (crema o líquido). **2** Que alivia o reconforta de modo parecido a la acción de un bálsamo sobre la piel: *ducha balsámica*.

bálsamo *s. m.* **1** Crema o líquido compuesto de sustancias medicinales, generalmente de aroma intenso, que se aplica sobre la piel. **2** Sustancia resinosa y aromática de algunos árboles que se extrae por exudación o por incisión y se usa en perfumería y medicina. **3** Ayuda o consuelo para aliviar un dolor, una pena o un estado anímico negativo: *la música es el único bálsamo de mi soledad*. **FAM** balsámico.

báltico, -ca *adj.* **1** Relativo al mar Báltico o a sus territorios. **2** Relativo a los países bálticos (conjunto formado por Estonia, Lituania y Letonia, situado en las costas del mar Báltico): *las repúblicas bálticas se independizaron de la URSS en 1991*. **3** Se aplica a las lenguas indoeuropeas habladas principalmente en estos países: *el letón y el lituano son lenguas bálticas*.

baluarte *s. m.* **1** Pequeña fortificación construida en la parte alta de un muro o esquina de un castillo o fortaleza para defender una entrada, montar guardia, disparar armas, etc. **2** Construcción fortificada en la que se resguarda y desde la que ataca un ejército. **SIN** bastión. **3** Persona o cosa que protege y defiende del ataque adversario o de un perjuicio que puede causar daño: *en la mente de los hombre debían erigirse los baluartes de la paz*. **SIN** bastión.

bamba *s. f.* **1** Composición musical originaria del Caribe, de ritmo muy vivo y alegre. **2** Baile que se ejecuta al ritmo de esta música.

bambalina *s. f.* Tira de lienzo o papel pintado que cuelga de uno a otro lado del escenario de un teatro y consituye la parte alta del decorado de una obra: *las bambalinas representan a menudo el cielo*.

bambi *s. m. familiar* Cervato (ciervo joven).

bambolear *v. tr.* Mover o inclinar a un lado y al otro de modo alternativo, continuado e irregular una cosa que está unida a otra por un punto o que se mantiene estable en un punto: *el viento bamboleaba serpentinas de colores; los vagones del tren se bamboleaban*. **FAM** bamboleo.

bamboleo *s. m.* Inclinación o movimiento a un lado y otro de modo alternativo, continuado e irregular de una cosa que está unida a otra por un punto o que se mantiene estable en un punto.

bambú *s. m.* Planta tropical de 1 a 50 m de altura, con el tallo en forma de caña que se ramifica cuando es muy alto y hojas alargadas de color verde claro. **OBS** Plural: *bambúes* o *bambús*.

banal *adj.* Que tiene poco valor o importancia por su naturaleza o por su falta de contenido: *un comentario banal; una tarde banal; gente banal*. **FAM** banalidad, banalizar.

banalidad *s. f.* **1** Cualidad de banal: *el autor huye de la banalidad*. **2** Cosa banal que se dice o se hace: *hablaron de banalidades*. | *s. f. pl.* **3** **banalidades** Monopolios que explotaban los señores medievales.

banalizar *v. tr.* Dar a algo carácter banal.

banana *s. f.* Fruto del bananero, comestible, de forma alargada y algo curvada, color blanco y piel lisa y amarilla que se despega con facilidad. **SIN** banano, plátano. **FAM** bananal, bananero, banano.

bananal *s. m.* Lugar poblado de bananeros. **SIN** platanal, platanar, platanera.

bananero, -ra *adj.* **1** Relativo a la banana: *plantación bananera*. **SIN** platanero. **2** Se aplica al país que tiene una organización estatal frágil dominada por un grupo oligárquico: *estado bananero; república bananera*. | *s. m.* **3** Banano. **SIN** platanera, platanero, plátano.

banano *s. m.* **1** Planta tropical de tallo alto, parecida a la palmera, con hojas grandes y partidas, cuyo fruto es la banana. **SIN** bananero, platanera, platanero. **2** Banana.

banasta *s. f.* Cesto de mimbre o listas finas de madera entretejidas, usado especialmente para guardar frutas y verduras. **FAM** banasto.

banasto *s. m.* Banasta redonda.

banca *s. f.* **1** Actividad mercantil que consiste en hacer operaciones financieras con el dinero de los clientes depositado en un banco. **2** Conjunto de empresas que se dedican a esa actividad: *la banca extranjera*. **3** Persona que, en ciertos juegos de azar, hace de depositario del dinero que los jugadores pueden ganar y dirige y organiza el juego. **4** Banco (asiento). **5** Asiento unido a una mesa, especialmente el que hay en las escuelas para que se sienten los alumnos.

bancada *s. f.* **1** Asiento alargado y sin respaldo de una embarcación sobre el que se sientan los remeros. **2** Parte del basamento de una máquina herramienta que sirve de soporte a las mesas o carros de esta; tiene que ser muy robusta, ya que debe soportar tanto el peso de los elementos propios de la máquina como el de las piezas. **SIN** bastidor.

bancal *s. m.* Zona de terreno horizontal y llana que hay en un terreno inclinado, hecha por el ser humano o natural, que se aprovecha para el cultivo.

bancario, -ria *adj.* Relativo a la banca (actividad mercantil): *créditos bancarios*.

bancarrota *s. f.* **1** Cese de la actividad de una empresa, una industria o un comercio por no poder pagar sus deudas: *la empresa está en bancarrota; la entidad se declaró en bancarrota en diciembre*. **SIN** quiebra. **2** Falta de medios de un estado o administración para pagar sus deudas o realizar operaciones financieras: *en 1597 hubo una nueva bancarrota de la hacienda de Felipe II*. **SIN** quiebra.

banco *s. m.* **1** Empresa u organismo que se dedica a hacer operaciones financieras con el dinero depositado por sus clientes o accionistas. **2** Edificio u oficina perteneciente a esta institución y destinado a la atención al público: *me abrí una libreta en el banco de mi calle.* ③ Lugar de un hospital o de un establecimiento sanitario en el que se conservan órganos y líquidos del cuerpo humano, para usarlos en trasplantes y tratamientos médicos: *un banco de ojos; un banco de sangre.* ④ Grupo numeroso de peces de la misma especie que se agrupan para desplazarse y alimentarse juntos: *un banco de atunes.* SIN cardumen. ⑤ Asiento largo y estrecho para varias personas, generalmente con respaldo y sin almohadillar, y a veces fijado al lugar donde está: *los bancos de la plaza; los bancos de la iglesia; un banco de piedra adosado al muro de la casa.* SIN banca. ⑥ Mesa fuerte y robusta, generalmente de madera, para hacer sobre ella trabajos de carpintería, artesanía o similares: *colocó la pieza sobre el banco para pulirla.*

banco de arena Elevación de arena o tierra del fondo del mar, de un río o lago, cercana a la superficie: *el yate encalló en un banco de arena.* SIN bajío, bajo.

banco de datos Conjunto de datos de una materia organizado en una base de datos de forma que pueda ser consultado por el usuario: *en el banco de datos de una empresa se recogen los nombres, direcciones y teléfonos de los clientes.*

banco de niebla Conjunto de nubes bajas y compactas que dificultan o impiden la visión.

banco de pruebas Instalación en la que se comprueba el funcionamiento de máquinas o aparatos bajo la supervisión de expertos y con la ayuda de sistemas de control: *un banco de pruebas de automóviles.*

FAM banca, bancada, bancario, bancarrota, banquero, banqueta, banquillo.

banda *s. f.* ① Grupo de músicos que tocan instrumentos principalmente de viento o que tocan música de rock, jazz u otro género similar: *la banda municipal interpretó un pasodoble.* ② Grupo de delincuentes armados que operan de manera organizada: *una banda de traficantes de droga.* ③ Bandada. ④ Superficie en forma de tira de color distinto de la superficie en que está: *la bandera de Galicia tiene una banda diagonal azul.* SIN franja. ⑤ Tira alargada de papel, tela u otro material flexible que se usa para sujetar una cosa o como adorno: *la tenista recogía su cabello con una banda blanca.* ⑥ Tira de tela que se lleva cruzada sobre el pecho para distinguir a una persona que merece respeto u honor: *el militar lucía varias condecoraciones y una banda azul honorífica.* ⑦ Línea que limita los lados más largos de un terreno de juego: *jugar por la banda; el linier levanta el banderín cuando la pelota sale fuera de banda.* ⑧ Franja de terreno que hay entre esta línea y el comienzo del graderío: *los reservas hacen ejercicios en la banda.* ⑨ Costado de una embarcación: *la banda de estribor y la de babor.* ⑩ Borde interior de una mesa de billar: *una carambola a tres bandas.* ⑪ Conjunto de magnitudes o valores comprendidos entre un límite superior y otro inferior: *esa emisora tiene una banda de frecuencia bastante pequeña.*

banda ancha Capacidad de un aparato electrónico, como un sintonizador o un amplificador, para dejar pasar un amplio margen de frecuencias.

banda sonora Conjunto de temas musicales que forman parte de la música de una película o una serie de televisión.

cerrarse en banda No cambiar de opinión ni admitir otro criterio que el propio, generalmente en una negociación o discusión.

FAM bandada, bandazo, bando; desbandarse.

bandada *s. f.* ① Grupo numeroso de animales de la misma especie que van juntos, especialmente aves o insectos: *una ban-*

dada de gaviotas. SIN bando. ② Grupo numeroso de personas que van juntas: *una bandada de chiquillos.* SIN banda, bando.

bandazo *s. m.* ① Inclinación brusca de una embarcación por efecto del viento o de las olas: *de un bandazo cayeron varios hombres al mar.* ② Cambio brusco en la dirección de un vehículo. ③ Cambio imprevisto y brusco en la manera de pensar, ser o actuar: *después del bandazo de pretender una radio local, ahora se gastan miles de euros en publicidad.*

bandearse *v. prnl.* Ingeniárselas para vivir o salvar dificultades: *aunque enfermos, por lo menos se van bandeando, se van defendiendo.*

FAM bandeo.

bandeja *s. f.* ① Recipiente con el borde muy bajo y de fondo llano que sirve para llevar, servir o presentar cosas, generalmente alimentos. ② Recipiente similar a este que forma parte de una máquina u otra cosa: *en la bandeja de la impresora se coloca el papel.* ③ Pieza alargada que cubre el espacio que hay en la parte trasera de los automóviles entre los asientos y el cristal: *la bandeja se levanta al abrir el maletero.*

bandera *s. f.* ① Pieza rectangular de tela con franjas de colores o figuras simbólicas que representa a un colectivo de personas, como un estado o ciudad; generalmente se cuelga de un mástil en alto para hacerla visible. ② Pieza de tela de forma cuadrada, rectangular o triangular, con colores o figuras, que se usa como señal o adorno: *en la playa, la bandera verde indica que el mar está quieto y puedes bañarte.* ■ **bandera blanca** Bandera que se enarbola o muestra en señal de rendición o de paz. ③ Nacionalidad a la que está adscrito un buque: *es un carguero de tripulación española, pero de bandera panameña.* ④ Unidad militar similar al batallón que existe en algunos cuerpos del ejército: *una bandera de la legión.*

de bandera Que es excelente en su clase: *una paella de bandera; es un administrador de bandera.*

hasta la bandera Referido a un recinto o local, que está completamente lleno de personas.

FAM banderazo, banderilla, banderín, banderola.

banderazo *s. m.* Señal hecha con una bandera, especialmente la que hace un árbitro o un comisario técnico a los participantes en una competición deportiva.

banderilla *s. f.* ① Palo delgado envuelto en cintas de colores y con una punta de metal en uno de sus extremos, que los toreros clavan de dos en dos en la parte delantera del lomo del toro en una de las partes de la corrida. ② Aperitivo o tapa que se elabora con trozos pequeños de alimentos pinchados en serie en un palillo: *unas banderillas de pepinillos, aceitunas y pimientos.*

FAM banderillear, banderillero.

banderillear *v. tr./intr.* Clavar las banderillas al toro: *estuvo digno con el capote y banderilleó bien.*

banderillero, -ra *s. m. y f.* Torero subalterno que pone las banderillas y ayuda al matador en la lidia del toro.

banderín *s. m.* Bandera pequeña, generalmente de forma triangular, que se usa como adorno: *en el barco que partía lucían dos ristras de banderines.*

banderín de enganche (I) Oficina donde se inscriben los voluntarios para el servicio militar o el ejército. (II) Reclamo para ganar adeptos a una causa o colaboradores para un trabajo común: *el discurso de la paz ha de ser el banderín de enganche de la coalición política.*

banderola *s. f.* Bandera pequeña de forma cuadrada que se usa como insignia, señal o adorno.

B

bandido, -da *s. m. y f.* **1** Ladrón que asalta a una persona o a un grupo cuando se hallan de viaje o en lugar despoblado. **SIN** bandolero. **2** Persona perversa o canalla: *el muy bandido le respondió que no veía razón alguna para regenerarse.* **FAM** bandidaje.

bando[1] *s. m.* Comunicado oficial publicado por una autoridad, generalmente un alcalde, en el que constan órdenes, indicaciones o consejos para que sean conocidos por la población.

bando[2] *s. m.* **1** Grupo de personas que comparten las mismas ideas o intereses y que para defenderlos se oponen a otras: *los dos bandos militares se enfrentan en una guerra.* **2** Bandada de aves o banco de peces.

bandolera *s. f.* Tira larga y estrecha de cuero que cruza el pecho y la espalda desde un hombro hasta la cadera opuesta y sirve especialmente para llevar colgada un arma de fuego. **en bandolera** Cruzando por el pecho y la espalda desde un hombro hasta la cadera opuesta: *llevar la escopeta en bandolera; llevar el bolso en bandolera.*

bandolerismo *s. m.* Actividad de los bandoleros, o circunstancia de haberlos en un lugar: *el bandolerismo fue uno de los grandes males de Aragón en el siglo XVI.*

bandolero, -ra *s. m. y f.* Bandido (ladrón). **FAM** bandolerismo.

bandolina *s. f.* Instrumento musical de cuerda formado por una caja de resonancia honda y ovalada unida a un mástil con cuatro o seis pares de cuerdas, que se toca con una púa. **SIN** mandolina. **FAM** bandolinista.

bandoneón *s. m.* Instrumento musical de viento parecido al acordeón, pero de menor tamaño y con botones a ambos lados en vez de teclado; está formado por dos cuerpos cuadrados o hexagonales unidos por un fuelle que se abren y cierran con las manos: *el bandoneón es uno de los instrumentos típicos del tango.* **FAM** bandoneonista.

bandurria *s. f.* Instrumento musical de cuerda formado por una caja en forma de pera unida a un mástil con seis pares de cuerdas, que se toca con una púa: *la bandurria es típica de la música popular española.* **FAM** bandurrista.

bangaña *s. f.* AMÉR. CENTRAL, ANT., COL. Vasija hecha con la cáscara dura de ciertos frutos, como las calabazas, los cocos, etc.

banjo [también **banyo**, menos usado; se pronuncia aproximadamente 'banyo'] *s. m.* Instrumento musical de cuerda formado por una caja redonda de metal cubierta con una piel tensa como la de un tambor, unida a un mástil largo y estrecho de cuatro a nueve cuerdas; se toca con una púa: *el banjo es un instrumento típico del folclore norteamericano.*

banner [se pronuncia aproximadamente 'báner'] *s. m.* Espacio publicitario insertado en una página web, que redirige automáticamente a otra página web cuando el usuario clica sobre él.

banquero, -ra *s. m. y f.* Propietario o dirigente de un banco (empresa u organismo).

banqueta *s. f.* Asiento bajo, individual, sin respaldo ni brazos y de tres o cuatro patas.

banquete *s. m.* **1** Comida especial a la que asisten muchas personas y con la que se celebra un acontecimiento. **SIN** ágape. **2** Comida abundante y generosa.

banquillo *s. m.* **1** Asiento en el que se coloca un acusado ante el tribunal en un juicio. **2** Banco o conjunto de asientos situado en la banda u otro lugar de un terreno de juego donde se sientan el entrenador y los jugadores de reserva de un equipo durante el partido.

banquisa *s. f.* Capa de hielo que se forma en la superficie de los mares polares, cerca de la costa.

bantú *adj.* **1** Relativo a un conjunto de pueblos de raza negra que habita en el centro y el sur de África. **|** *s. com./adj.* **2** Persona perteneciente a este conjunto de pueblos. **|** *s. m./ adj.* **3** Lengua que pertenece al grupo lingüístico hablado por estos pueblos. **OBS** Plural: *bantúes* o *bantús.*

banyo *s. m.* Banjo.

bañadera *s. f.* **1** AMÉR. Bañera. **2** ARG. Vehículo de muchas plazas, algo más pequeño que un autobús y descubierto, que se usa para brindar servicios de paseo. **3** URUG. Vehículo de muchas plazas, generalmente viejo, en el que se transportan grupos de personas que van a un mismo destino y que contrataron el servicio con antelación: *originariamente, la bañadera no tenía cubierta.*

bañadero *s. m.* Charca natural que usan los animales salvajes para bañarse.

bañador *s. m.* **1** Prenda de vestir que se usa para bañarse y tomar el sol. **SIN** traje de baño. **2** Prenda de baño femenina, elástica, de una sola pieza y que cubre todo el tronco: *prefiero el biquini al bañador.*

bañar *v. tr.* **1** Meter el cuerpo de una persona o animal o parte de él en el agua u otro líquido, especialmente para limpiarlo o nadar. **2** Rociar o mojar con abundante agua u otro líquido: *cogió una manguera y bañó a todos sus amigos; se bañó en sudor cambiando la rueda pinchada.* **3** Meter una cosa o parte de ella en un líquido: *bañó en leche las rebanadas de pan y las puso a freír.* **4** Cubrir una cosa con una capa fina de un líquido o una sustancia: *bañar un anillo en oro; bañar de chocolate un bizcocho.* **5** Estar en contacto el agua de un mar, río o lago con un territorio: *el Mediterráneo baña la costa de Valencia.* **FAM** bañadera, bañadero, bañador.

bañera *s. f.* Recipiente grande para bañarse, de un tamaño adecuado para que quepa una persona tendida o sentada. **SIN** baño.

bañista *s. com.* Persona se baña en una playa, piscina u otro lugar semejante.

baño *s. m.* **1** Introducción del cuerpo o de parte de él en agua u otro líquido, especialmente para limpiarlo o nadar: *darse un baño; tomar un baño.* **2** Acción de rociar o mojar con abundante agua u otro líquido: *el piloto dio un baño de champán al público para celebrar su triunfo.* **3** Introducción de una cosa o parte de ella en un líquido: *le dio el baño de revelado a los negativos.* **4** Acción de cubrir una cosa con una capa fina de un líquido o una sustancia: *las incrustaciones de cal se eliminan fácilmente con un baño de vinagre.* **5** Capa fina de un líquido o una sustancia que cubre una cosa: *con los años la pulsera perdió el baño de plata.* **6** Exposición de un cuerpo a la acción directa y abundante del sol, la luz o el aire: *el médico le recomendó que tomara baños de sol.* **7** Habitación en la que están el váter, la ducha o la bañera y otros elementos que sirven para el aseo. **8** Bañera. **9** Victoria clara y rotunda sobre un adversario en un enfrentamiento o una competición, especialmente deportivos: *el equipo gijonés dio un baño a su rival.* **SIN** revolcón. **|** *s. m. pl.* **10 baños** Balneario, establecimiento público dotado de las instalaciones necesarias para ofrecer baños medicinales, y en el que generalmente permanecen alojadas como en un hotel las personas que acuden a tomarlos.

baño de María o **baño María** Método para calentar sustancias o líquidos, especialmente alimentos, que consiste en colocarlos en un recipiente sumergido parcialmente en otro que contiene agua y que se somete a la acción del fuego: *si derrites el chocolate al baño María no se te pega.* NOTA También se escribe con minúscula: *baño de maría* o *baño maría.*
FAM bañista.

baobab *s. m.* Árbol de la sabana africana con el tronco de hasta 20 m de altura y muy ancho (con un diámetro de hasta 23 m), copa amplia de ramas gruesas, flores grandes y blancas y fruto comestible del tamaño de un melón.
OBS Plural: *baobabs.*

baptismo *s. m.* Doctrina religiosa protestante originada en Holanda en el siglo XVII según la cual el bautismo solamente debe ser administrado a los adultos conscientes del significado del sacramento: *el baptismo se practica sobre todo en Estados Unidos.*
FAM baptismal, baptista; anabaptismo.

baptista *adj.* ① Relativo al baptismo. ‖ *s. com./adj.* ② Persona que profesa el baptismo.

baptisterio *s. m.* ① Edificio contiguo a un templo, generalmente de pequeñas dimensiones y planta circular o poligonal, donde se encuentra la pila bautismal y tiene lugar la ceremonia del bautismo. ② Zona en el interior de un templo donde se encuentra la pila bautismal y tiene lugar la ceremonia del bautismo.

baquelita *s. f.* Resina sintética que se obtiene sometiendo fenol y formol a un determinado proceso químico y se emplea en la fabricación de plásticos, pinturas, barnices y materiales aislantes.
OBS Es marca registrada.

baqueta *s. f.* ① Palo delgado, largo y generalmente con el extremo acabado en una cabeza, con que se tocan algunos instrumentos de percusión, como el tambor, los platillos, el xilófono o algunos componentes de la batería. ② Varilla delgada de hierro o madera que se introduce por el cañón de un arma de fuego para limpiarla.
FAM baquetear.

baquía *s. f.* ① AMÉR. Destreza o habilidad para los trabajos manuales: *con su baquía colocó la rueda del carro casi sin esfuerzo.* ② AMÉR. Conocimiento práctico del campo.

baquiano, -na *adj./s. m. y f.* ① Se aplica a la persona que tiene experiencia en tareas rurales o conoce las particularidades agrícolas de un lugar. ② AMÉR. Se aplica a la persona que conoce las sendas, vados, etc., de una zona de un país.

báquico, -ca *adj.* ① Relativo a Baco (dios del vino en la mitología latina): *culto báquico.* SIN dionisíaco. ② culto Relativo a la embriaguez o el vino.

bar[1] *s. m.* Establecimiento en el que hay un mostrador alargado para servir bebidas y algunas comidas, generalmente tapas y bocadillos.

bar[2] *s. m.* Unidad de presión atmosférica del Sistema Internacional que equivale a 10^5 pascals: *el bar se utiliza en meteorología.*
OBS Se ha adaptado al español con la forma *baro.*

barahúnda [también **baraúnda**, poco usual] *s. f.* Ruido, desorden y confusión grandes, provocados por un grupo de muchas personas que hablan o se mueven al mismo tiempo. SIN barullo.

baraja *s. f.* ① Conjunto de naipes o cartas con los que se realizan diversos juegos de mesa. ② Conjunto de elementos entre los que se puede escoger: *el seleccionador cuenta con una baraja de excelentes delanteros.*

jugar con dos barajas Procurar obtener un beneficio apoyando a una persona o grupo y, al mismo tiempo, al contrario: *durante la guerra se dieron casos de gente que jugaba con dos barajas.*

romper la baraja Poner fin de manera brusca a un acuerdo o a una negociación: *la empresa está dispuesta a romper la baraja con el sindicato.*
FAM barajar.

barajar *v. tr.* ① Mezclar y cambiar de orden repetidas veces las cartas de una baraja antes de repartirlas para el juego. ② Tener en cuenta o considerar un conjunto de elementos entre los que se ha de elegir: *el fiscal baraja también procesos contra el ex secretario de estado.* ③ Manejar cifras, nombres o datos diversos referidos a un asunto: *se barajaron varios nombres como posibles candidatos.* ④ Esquivar con habilidad un obstáculo o problema. ⑤ AMÉR. SUR Coger un objeto al vuelo. ‖ *v. tr./intr.* ⑥ ARG., URUG. Entrenarse una persona de campo en el manejo del cuchillo usando uno de madera.
FAM barajadura, baraje.

baranda *s. f.* Barandilla (serie de barras).
FAM barandal, barandilla.

barandal *s. m.* ① Barra o listón horizontal que une por la parte superior los balaustres o barras verticales de una barandilla. SIN pasamano. ② Barra o listón horizontal que une por la parte inferior los balaustres de una barandilla. ③ Barandilla (serie de barras).

barandilla *s. f.* ① Serie de barras o listones verticales de media altura unidos por un pasamano, que bordea unas escaleras, un balcón, un puente u otro lugar parecido para prevenir caídas. SIN baranda, barandal. ② CHILE, PERÚ, P. RICO Tabla que se pone en ambos lados de un carro para que no se caiga lo que va en él. ③ MÉX. Madero que hace de puente para cruzar un arroyo o una acequia.

baratero, -ra *s. m. y f.* Persona que cobra barata una mercancía: *un baratero de pieles.*

baratija *s. f.* Cosa pequeña de poco valor que se compra por poco dinero: *en el rastro puedes encontrar toda clase de baratijas.*

baratillo *s. m.* Tienda o puesto en que se venden cosas a bajo precio.

barato, -ta *adj.* ① Que cuesta poco dinero: *mano de obra barata; pisos más baratos; un restaurante barato.* ANT caro. ② Que cuesta poco esfuerzo: *no te saldrá barata la fiesta, no, que tendrás que limpiar todo el piso.* ③ despectivo Se aplica al recurso, expresión u otra cosa no material que es de poca calidad: *los políticos de turno explotan hasta las heces el más barato y eficaz de los populismos.* ‖ *adv.* ④ Por poco precio: *compra barato y vende caro; se les cobra muy barato.* ANT caro.
FAM baratería, baratija, baratillo, baratura; abaratar.

baratura *s. f.* Cualidad de barato: *la baratura del papel facilitó su difusión en todo el mundo.*

baraúnda *s. f.* Barahúnda.

barba *s. f.* ① Parte de la cara debajo de la boca, que corresponde a la mandíbula inferior. ② Pelo fuerte que nace al hombre en esta parte de la cara y en las mejillas. NOTA También en plural con el mismo significado que en singular. **3** Este pelo dejado crecer y generalmente cortado de algún modo: *con barba pareces mayor.* **4** Pelo que nace debajo de la boca de algunos animales: *el macho cabrío tiene una barba larga.* **5** Lámina dura y flexible que, junto con otras muchas, cuelga en serie de la mandíbula superior de algunas especies de ballenas; con ellas filtran el agua del mar, el plancton y los crustáceos con los que se alimentan. ‖ *s. f. pl.* **6 barbas** Borde desigual de las hojas de un libro o de un conjunto de pliegos de papel. **7** Filamentos que nacen del eje de las plumas de las aves.

por barba Por persona, cada uno: *tenemos que pagar tres euros por barba.*

subirse a las barbas Perder el respeto o el temor a un superior: *si no eres más estricto con tus alumnos, se te subirán a las barbas.*

FAM barbar, barbería, barbero, barbilampiño, barboquejo, barbado, barbudo, barbuquejo.

barbacana *s. f.* **1** Obra de fortificación, avanzada y aislada, para la defensa de puertas y otros accesos. **2** Muro bajo que cierra los alrededores de algunas iglesias. **3** Galería en voladizo adosada al muro de una fortaleza que permite ver, a través de su parte inferior, el pie del muro.

barbacoa *s. f.* **1** Utensilio portátil o construcción que sirve para asar carne, pescado, etc. al aire libre, colocando el alimento en una parrilla alimentada con carbón o leña. **2** Alimento asado en este utensilio o esta construcción: *una barbacoa de sardinas.* **3** Comida en la que se toma como alimento principal el asado en este utensilio o esta construcción: *organizamos una barbacoa con los amigos en el jardín.* **4** AMÉR. Tejido hecho con cañas o juncos y sostenido con maderos hincados en tierra, que sirve de camastro. **5** AMÉR. Casa pequeña construida sobre un árbol o sobre maderos gruesos hincados en tierra. **6** AMÉR. Andamio o mirador en que se pone la persona que cuida los maizales. **7** GUAT., MÉX. Estructura artesanal compuesta por un conjunto de palos de madera verde que se colocan a manera de parrilla sobre un hoyo cavado en la tierra, en el que se enciende fuego, y que sirve para asar carne. **8** GUAT., MÉX. Carne, generalmente de cordero o de chivo, asada de este modo.

barbado, -da *adj.* Que tiene barba.

barbar *v. intr.* **1** Echar barba una persona. **2** Echar raíces una planta.

barbaridad *s. f.* **1** Acción o comentario que causa sorpresa y rechazo por ser especialmente torpe, equivocado o exagerado: *es una barbaridad que quieras vender tu casa por tan poco dinero.* **SIN** animalada, bestialidad, burrada. **2** Acción muy cruel y violenta, hecha sin compasión ni humanidad, contra la vida o la dignidad de los demás: *relató al tribunal las barbaridades que vio cometer a los soldados.* **3** Cantidad muy grande: *había una barbaridad de gente.*

barbarie *s. f.* **1** Actitud de la persona que actúa con violencia y crueldad, sin compasión ni humanidad, contra la vida o la dignidad de los demás: *la barbarie se apoderó de las tropas asaltantes, que arrasaron el pueblo y mataron a sus habitantes.* **2** Estado de la persona o el grupo que se considera inculto o no civilizado: *los pueblos han salido poco a poco de la barbarie gracias a la educación y la cultura.*

barbarismo *s. m.* **1** Palabra o modo de expresión procedente de una lengua extranjera: *"software" es un barbarismo en español; "váter" es un barbarismo totalmente adaptado al español.*

SIN extranjerismo. **2** Incorrección en el uso del lenguaje que consiste en pronunciar o escribir mal las palabras o en utilizar palabras equivocadas o inexistentes en la lengua: *es un barbarismo decir "amastes" en lugar de "amaste".* **3** Incorrección lingüística que comete un extranjero al adaptar a la nueva lengua palabras de su propio idioma.

bárbaro, -ra *adj.* **1** Relativo a un conjunto de pueblos que, procedentes de Europa y Asia, se extendieron por Europa sobre todo a partir del siglo III d. C. y ocuparon el Imperio romano en el siglo V d. C.: *fueron pueblos bárbaros los godos, suevos, vándalos, alanos y hunos.* ‖ *s. m. y f./adj.* **2** Persona perteneciente a estos pueblos. ‖ *adj./s. m. y f.* **3** Que tiene poca civilización o cultura: *el Renacimiento niega toda validez a las formas de vida de la Edad Media, tachándolas de bárbaras.* **4** Se aplica a la persona que es violenta, cruel y actúa sin compasión o humanidad: *el "Guernica" (1937) de Picasso es una denuncia del bárbaro y gratuito bombardeo alemán a esta población vasca.* ‖ *adj.* **5** familiar Que es espléndido, muy bueno o grande: *una película bárbara; una cena bárbara; la soprano estuvo bárbara.* ‖ *adv.* **6** familiar Muy bien: *nos lo pasamos bárbaro en la fiesta.*

FAM barbaridad, barbarie, barbarizar.

barbechar *v. tr.* Arar la tierra y dejarla preparada para la siembra o para que se regenere no cultivándola durante un tiempo.

barbecho *s. m.* **1** Terreno de cultivo que permanece sin sembrar durante uno o más años para que se regenere. **2** Sistema de cultivo que consiste en dejar la tierra sin sembrar durante periodos de uno o más años para que se regenere: *el barbecho es propio de la agricultura de rotación mediterránea.*

en barbecho Referido a un terreno de cultivo, sin sembrar para que se regenere: *había unos campos en barbecho que estaban cubiertos de hierba y matojos.*

FAM barbechar.

barbería *s. f.* Establecimiento público donde se corta y arregla el pelo, la barba o el bigote a los hombres.

barbero, -ra *s. m.* **1** Hombre que se dedica a cortar y arreglar el pelo, la barba o el bigote a los clientes. ‖ *adj.* **2** MÉX. Se aplica a la persona que es aduladora o muestra admiración exagerada hacia otra.

FAM barberil.

barbián, -biana *adj./s. m. y f.* familiar Se aplica a la persona que es desenvuelta y animada.

barbilampiño, -ña *adj.* Que tiene la barba poco poblada: *un joven barbilampiño.*

barbilla *s. f.* Parte de la cara que hay debajo de la boca, especialmente la punta de la mandíbula. **SIN** mentón.

barbitúrico *s. m.* Sustancia química que se usa como fármaco tranquilizante o para favorecer el sueño.

barbo *s. m.* Pez comestible de agua dulce de unos 40 cm de longitud, lomo pardo y vientre claro, cuerpo grueso cubierto de escamas y varios apéndices carnosos a modo de barba alrededor de la boca; es común en España.

barboquejo [también **barbuquejo**] *s. m.* Cinta con que se sujeta un sombrero, gorra, etc. por debajo de la barbilla.

barbotar o **barbotear** *v. tr.* Decir una cosa de forma atropellada y confusa.

barbudo, -da *adj.* Que tiene mucha barba.

barbuquejo *s. m.* Barboquejo.

barca *s. f.* Embarcación pequeña que se usa para pescar o navegar en las costas, ríos o lugares de aguas poco profundas y tranquilas. **FAM** barcarola, barcaza, barco, barquero, barquía, barquilla; embarcar.

barcarola *s. f.* Composición musical cantada o instrumental que se basa en un género de canción popular cantado por los gondoleros venecianos y recuerda por su ritmo repetitivo al movimiento de las olas.

barcaza *s. f.* Barca grande y descubierta que se usa para tareas auxiliares, como la carga y descarga de barcos, en un río o puerto.

barcelonés, -nesa *adj.* **1** De Barcelona (ciudad y provincia de Cataluña). **I** *s. m. y f./adj.* **2** Persona que es de Barcelona.

barchilón, -lona *s. m. y f.* AMÉR. Enfermero de hospital o cuidador de enfermos.

barcino, -na *adj./s. m. y f.* ARG. Se aplica a la persona que cambia con frecuencia de partido político.

barco *s. m.* Embarcación grande de madera o metal impulsada por velas o por motor que sirve para transportar personas y cosas por el mar, un lago o un río: *un barco de vapor; un barco de vela; a este lugar se puede llegar fácilmente por avión, carretera, ferrocarril o barco.* **FAM** barquillo.

barda *s. f.* Cubierta de ramaje, espinos, paja, broza, etc., que se pone sobre las tapias de huertos y corrales. **SIN** bardal.

bardal *s. m.* Barda.

bardana *s. f.* Planta de tallos gruesos y flores de color púrpura o rosa, con el cáliz lleno de espinas. **SIN** lampazo.

bardo *s. m.* **1** culto Poeta, especialmente el que recita poemas en público. **2** Antiguo poeta y compositor celta similar a un trovador.

baremo *s. m.* Escala de valores que se emplea para evaluar los elementos o características de un conjunto de personas o cosas: *las familias no llegan al mínimo en el baremo establecido para conceder viviendas.*

bareto *s. m.* familiar Bar, especialmente el de poca categoría.

bargueño *s. m.* Mueble de madera con adornos de talla y marquetería que tiene muchos cajones pequeños y es propio de los siglos XVI y XVII.

baria *s. f.* Unidad de presión del sistema cegesimal que es la presión de una dina por centímetro cuadrado.

baricentro *s. m.* Centro de gravedad de un cuerpo; en un triángulo, punto en el que se cortan las medianas. **FAM** baricéntrico.

bario *s. m.* Elemento químico de símbolo *Ba* y número atómico 56; es un metal alcalinotérreo de color blanco plateado, blando, pesado, dúctil y difícil de fundir, que se oxida rápidamente en contacto con el aire y el agua; se usa en la fabricación de pinturas. **FAM** barita.

barisfera *s. f.* Núcleo o capa central del globo terrestre; se caracteriza por su elevadísima temperatura y densidad, y consta de hierro, níquel y otros metales. **SIN** endosfera, nife.

barita *s. f.* Óxido de bario natural, que sirve para blanquear papel, preparar pinturas, etc.

baritina *s. f.* Mineral compuesto de sulfato de bario, generalmente de color blanco, que se emplea en la fabricación de pinturas. **SIN** espato pesado.

barítono *s. m.* **1** Voz masculina más grave que la de tenor y más aguda que la de bajo. **2** Hombre que tiene esta voz. **FAM** abaritonado.

barjoleta *adj.* AMÉR. Mentecato.

barlovento *s. m.* Parte de donde viene el viento con respecto a un barco, un lugar, un edificio, etc.: *la ladera de barlovento es más húmeda.* **ANT** sotavento.

a barlovento En la dirección del viento: *mirar a barlovento; a barlovento del istmo está el puerto.*

barman *s. m.* Camarero que trabaja en la barra de un bar sirviendo y preparando bebidas. **OBS** Plural: *bármanes.*

barniz *s. m.* **1** Disolución de una o más resinas en un aceite o una sustancia volátil que se utiliza para recubrir superficies y hacerlas resistentes al aire y la humedad. **2** Conocimiento superficial de una cosa: *logró adquirir un ligero barniz de distinción.* **FAM** barnizar.

barnizado *s. m.* Acción de barnizar: *para el barnizado emplearemos una brocha.*

barnizar *v. tr.* Aplicar una capa de barniz a una superficie: *barnizar una figura de barro.* **FAM** barnizado, barnizador.

baro *s. m.* Bar (unidad de presión).

barógrafo *s. m.* Instrumento que registra sobre un cilindro giratorio la presión atmosférica medida por el barómetro.

barojiano, -na *adj.* Relativo a Pío Baroja (escritor español, 1872-1956) o a su obra.

barométrico, -ca *adj.* Relativo al barómetro: *los aviones tienen un sensor barométrico.*

barómetro *s. m.* **1** Instrumento para medir la presión de la atmósfera, formado generalmente por un tubo de vidrio que contiene mercurio, el cual sube al aumentar la presión y baja cuando esta disminuye. **2** Medio, sistema o síntoma que sirve para determinar y valorar el estado de una situación o proceso: *el nivel de ventas de automóviles es un buen barómetro de la economía de un país.* **FAM** barométrico.

barón, -ronesa *s. m. y f.* **1** Miembro de la nobleza de categoría inferior a la de vizconde. **I** *s. m.* **2** Título que recibían los grandes señores de la Corona de Aragón en la Edad Media. **FAM** baronía.

baronía *s. f.* **1** Título nobiliario de barón. **2** Territorio perteneciente a un barón.

barquero, -ra *s. m. y f.* Persona que gobierna o guía una barca.

barquilla *s. f.* Cesto grande de material ligero y resistente en el que van los tripulantes de un globo aerostático. **FAM** barquillero; abarquillar.

barquillero, -ra *s. m. y f.* **1** Persona que tiene por oficio hacer o vender barquillos. **I** *s. m.* **2** Molde para hacer barquillos.

barquillo *s. m.* Hoja delgada de pasta de harina con azúcar y canela u otra esencia, a la que se da forma de canuto.

barra *s. f.* **1** Pieza larga y delgada de un material rígido, generalmente metal, que tiene forma rectangular o cilíndrica. **2** Objeto de forma alargada, más largo que ancho: *una barra de pan; una barra de hielo; una barra de oro.* ■ **barra de labios**

Pequeña barra cilíndrica de pintura que usan las mujeres para dar color a los labios, introducida en un estuche también cilíndrico que permite usarla sin mancharse. SIN lápiz de labios. **3** Mostrador alargado de un bar, restaurante o establecimiento público similar detrás del cual los camareros sirven a los clientes, que están en el lado opuesto. **4** Elevación del fondo de un mar o río por acumulación de arena, generalmente en la entrada de un puerto, que dificulta o impide la navegación. **5** Franja alargada, más larga que ancha, sobre una superficie, que se distingue del fondo y puede servir de signo: *cada barra del gráfico representa una edad.* **6** Signo de ortografía representado con una barra generalmente oblicua que sirve para separar, especialmente números: *las barras pueden separar partes de fechas o de direcciones electrónicas: 24/9/02.* **7** Línea vertical que corta un pentagrama para indicar separación de compás.

barra americana Bar o establecimiento público similar en el que hay mujeres de alterne, contratadas para acompañar a los clientes y entablar conversación con ellos para que aumenten su consumición.

barra de equilibrio Aparato de gimnasia femenina que consiste en una barra rectangular horizontal, elevada del suelo a 1,20 m, sobre la cual una gimnasta debe hacer diversos ejercicios.

barra fija Aparato de gimnasia masculina consistente en una barra cilíndrica horizontal elevada del suelo a 2,75 m, en la que un gimnasta debe realizar diversos ejercicios girando, sujeto a ella con las manos.

barra libre Posibilidad de consumir bebidas libremente en un bar o establecimiento similar durante una fiesta, pagando una cantidad fija antes de que empiece: *por 12 euros tenías barra libre toda la noche.*

barras asimétricas Aparato de gimnasia femenina que consiste en dos barras cilíndricas horizontales, paralelas y elevadas del suelo a distinta altura, sobre las cuales una gimnasta debe realizar diversos movimientos girando, sujeta a ellas, y saltando de una a otra.

barras paralelas Aparato de gimnasia masculina que consiste en dos barras cilíndricas y horizontales, muy próximas entre sí y elevadas del suelo a la misma altura, sobre las cuales un gimnasta debe realizar diversos ejercicios apoyando una mano en cada una de las dos.

FAM barrote.

barrabás *s. m.* familiar Persona que comete acciones malas o travesuras.

barrabasada *s. f.* **1** Travesura grande: *pórtate bien y no hagas barrabasadas.* **2** Acción mala y perjudicial: *me parece una barrabasada edificar sobre una zona natural protegida.*

barraca *s. f.* **1** Casa pequeña y mal construida con materiales de baja calidad. **2** Vivienda rural característica de las huertas de Valencia y Murcia, hecha de barro y con tejado de cañas a dos aguas.

barraca de feria Construcción provisional desmontable que se destina a espectáculos, diversiones, etc. en las fiestas populares. SIN caseta.

FAM barracón, barraquismo.

barracón *s. m.* Construcción de un solo piso, de planta rectangular, con un solo espacio interior y generalmente hecha con materiales ligeros, que se usa para albergar a una gran cantidad de personas: *los damnificados por el terremoto han sido alojados en barracones.*

barracuda *s. f.* Pez marino de hasta 3,5 m de longitud,

cuerpo muy alargado, hocico prominente y mandíbulas armadas de fuertes dientes; vive en los mares tropicales y templados.

barragán *s. m.* **1** Tela impermeable de lana. **2** Abrigo confeccionado con esta tela.

barragana *s. f.* despectivo Mujer que convive y mantiene relaciones sexuales con un hombre sin estar casada con él.

barranca *s. f.* Barranco.

barrancal *s. m.* Sitio donde hay muchos barrancos.

barranco *s. m.* **1** Terreno rocoso, alto y cortado en plano inclinado, desde el cual es fácil precipitarse al vacío. SIN barranca, barranquera, despeñadero. **2** Hondonada profunda hecha en la tierra, generalmente por una corriente de agua. SIN barranca, barranquera.

FAM barrancal, barranquera, barranquismo; abarrancar.

barranquera *s. f.* Barranco.

barraquismo *s. m.* Concentración de barracas, chabolas u otras viviendas de este tipo: *el barraquismo es un síntoma de miseria social.* SIN chabolismo.

barrar *v. tr.* Manchar o cubrir de barro la superficie de una cosa. SIN embarrar.

barredura *s. f.* **1** Acción de barrer (limpiar). SIN barrido. | *s. f. pl.* **2 barreduras** Residuos que se barren. **3** Residuos de ciertas cosas.

barrena *s. f.* **1** Herramienta para hacer agujeros en madera, paredes y otras superficies duras, formada por una barra fina de acero con un extremo acabado en punta tallado en forma de espiral y generalmente con una manija en el lado derecho para hacer girar la barra. **2** Barra de hierro con una o ambas puntas cortantes para agujerear peñascos, sondar terrenos, etc.

caer (o entrar) en barrena (**I**)Descender un avión, generalmente por accidente, en posición vertical y con una trayectoria helicoidal: *el avión, repentinamente, cayó en barrena contra el suelo.* (**II**)Descender bruscamente la importancia o la intensidad de una actividad: *la amenaza de sanciones comerciales ha hecho caer en barrena los negocios de este país con el extranjero.*

FAM barrenar, barrenero, barreno.

barrenar *v. tr.* Perforar una superficie con una barrena (herramienta) o con un barreno (barrena grande): *barrenar la ladera de una montaña para después volarla.*

barrendero, -ra *s. m. y f.* Persona que se dedica a barrer, generalmente las aceras, calles y lugares públicos.

barrenillo *s. m.* **1** Escarabajo diminuto que vive bajo la corteza de algunos árboles, donde las larvas abren galerías para alimentarse de los tejidos vegetales del tronco. **2** Enfermedad que producen las larvas de este insecto en los árboles al excavar galerías bajo su corteza.

barreno *s. m.* **1** Barrena grande que se usa para hacer agujeros de gran tamaño, generalmente en la roca. **2** Agujero hecho con una barrena (herramienta). **3** Agujero relleno de materia explosiva hecho en una roca o en una obra de fábrica para hacerla volar.

barreño *s. m.* Recipiente grande de forma cilíndrica y poco profundo que se usa generalmente para fregar o lavar en él.

barrer *v. tr.* **1** Limpiar el suelo arrastrando la basura o la suciedad con una escoba. **2** Dejar un lugar vacío o llevarse todo lo que había en él: *el viento barrió el cielo de nubes.* | *v. tr./ intr.* **3** Derrotar clara y fácilmente un deportista o equipo a sus adversarios: *la selección australiana barrió en las Olimpiadas.* **|** *v. tr.* **4** Hacer un barrido de exploración o revisión en determinada cosa o lugar: *barrer una imagen con un escáner.* **FAM** barredero, barrendero, barredura, barrido.

barrera[1] *s. f.* **1** Valla o cualquier otro obstáculo fijo o móvil que impide el paso por un lugar: *la policía cerró la zona del atentado con barreras.* **2** Barra móvil fijada por uno de sus extremos que puede levantarse o bajarse para permitir o impedir, respectivamente, el paso de un vehículo por un lugar: *la barrera de un paso a nivel.* **3** Cerco de madera que rodea el ruedo de una plaza de toros y lo separa de las gradas en que se hallan los espectadores: *el banderillero escapó de la acometida del toro metiéndose en el burladero de la barrera.* **4** Serie de jugadores en un partido de fútbol, balonmano y otros deportes que se colocan hombro con hombro delante de su portería para protegerla cuando el jugador del otro equipo dispare una falta. **5** Cosa, material o inmaterial, o persona que impide o dificulta la consecución o el desarrollo de algo: *el ahorro de energía es una barrera contra el despilfarro.*

barrera arquitectónica Parte de una construcción que impide o dificulta la circulación de una persona paralítica o con otras minusvalías físicas, como una escalera o el borde de una acera.

barrera del sonido Conjunto de fenómenos aerodinámicos que producen perturbaciones y dificultan el vuelo de un avión u otra aeronave cuando su velocidad se aproxima a la del sonido (unos 340 m/s). **FAM** guardabarrera.

barrera[2] *s. f.* **1** Sitio de donde se extrae barro para la alfarería. **2** Armario o vitrina para guardar objetos de barro.

barretina *s. f.* Gorro típico catalán para hombre hecho de paño negro o rojo, de forma alargada y con la punta caída a un lado.

barriada *s. f.* **1** Barrio (zona): *el mercado de la barriada.* **2** Parte de un barrio: *una barriada de casas bajas.*

barrial *s. m.* AMÉR. Barrizal.

barrica *s. f.* Barril de tamaño medio para contener vino, cerveza y otros líquidos.

barricada *s. f.* Conjunto de obstáculos amontonados formando una barrera para parapetarse tras ellos y que sirvan de protección en una lucha: *levantaron una barricada con contenedores de basura en medio de la calle.*

barrido *s. m.* **1** Acción de barrer (limpiar). **SIN** barredura. **2** Proceso por el que un dispositivo explora sistemáticamente una zona reconociéndola punto por punto para transformar las imágenes en señales eléctricas que, al llegar a un receptor, vuelven a convertirse en imágenes: *el barrido es un proceso empleado en televisión; los satélites de observación suelen tener sensores con dispositivos de barrido.* **3** Proceso por el que se revisa automáticamente un sistema: *un ejemplo de barrido es el del piloto automático de los aviones.*

servir lo mismo para un barrido que para un fregado familiar Ser una persona útil para todo.

barriga *s. f.* **1** Cavidad del cuerpo del ser humano y los animales vertebrados en la que se contienen los órganos principales del aparato digestivo, genital y urinario. **SIN** abdomen, tripa, vientre. **2** Parte exterior de esta cavidad, especialmente cuando está más abultada de lo normal. **SIN** abdomen, vientre. **3** Parte intermedia de un recipiente más abultada que el resto: *la barriga de una jarra.* **FAM** barrigón, barrigudo, barriguera.

barrigudo, -da *adj.* Que tiene la barriga grande: *un hombre barrigudo; una copa barriguda.*

barriguera *s. f.* Correa que rodea la barriga de una caballería de tiro.

barril *s. m.* **1** Recipiente de madera para contener líquidos u otros productos o sustancias, formado por una serie de tablas arqueadas unidas por aros de metal y cerrado en los extremos con tapas redondas: *un barril de cerveza; un barril de pólvora.* **2** Recipiente cilíndrico de metal para contener un producto químico o corrosivo. **3** Unidad de medida de capacidad para contabilizar su venta y equivale a 158,98 litros: *el precio del crudo pasaba de 3 dólares por barril.* **FAM** barrilería, barrilero, barrilete.

barrilete *s. m.* **1** Barril (recipiente) pequeño. **2** Instrumento de hierro en figura de siete con que los carpinteros aseguran sobre el banco los materiales que trabajan. **3** Pieza cilíndrica y móvil de un revólver en la que se ponen los cartuchos.

barrillo *s. m.* Barro (grano pequeño).

barrio *s. m.* **1** Zona en que se considera dividida una población grande. **SIN** barriada. **■ barrio histórico** Conjunto de edificios de una población que es antiguo o más antiguo que el resto. **SIN** casco antiguo. **2** Conjunto de personas que viven en una de estas zonas de una población.

el otro barrio familiar El otro mundo, el más allá, lo que hay después de la muerte. **FAM** barriada, barriobajero.

barriobajero, -ra *adj.* Que obra o habla sin educación ni formas.

barritar *v. intr.* Dar barritos un elefante.

barrito *s. m.* Voz del elefante. **FAM** barritar.

barrizal *s. m.* Terreno lleno de barro. **SIN** lodazal.

barro[1] *s. m.* **1** Masa blanda y compacta que resulta de la unión de tierra y agua: *cuando llueve se forma barro en los caminos.* **2** Material hecho de una mezcla de agua y arcilla o tierra rojiza que se moldea y, al cocerse en un horno, se vuelve duro e impermeable; se usa para hacer recipientes y otros objetos. **FAM** barrar, barrero, barrial, barrillo, barrizal, barroso; embarrar, guardabarros, salvabarros.

barro[2] *s. m.* Grano pequeño y rojizo que sale en la cara: *a los adolescentes les suelen salir barros.* **SIN** barrillo.

barroco, -ca *s. m.* **1** Movimiento cultural y artístico desarrollado en Europa desde finales del siglo XVI hasta mitad del XVIII, que se caracteriza por la complejidad formal y la exuberancia ornamental; en arte, destaca la profusión de la línea curva; en literatura, la acumulación de elementos estéticos o conceptuales y un marcado pesimismo vital. **NOTA** Se escribe normalmente con mayúscula inicial. **2** Periodo histórico que va de finales del siglo XVI a mitad del XVIII durante el cual se desarrolló este movimiento. **NOTA** Se escribe normalmente con mayúscula inicial. **|** *adj.* **3** Relativo a este movimiento o periodo. **4** Que tiene una gran complejidad que hace difícil su comprensión: *una explicación barroca; una personalidad barroca.* **FAM** barroquismo.

barroquismo *s. m.* Conjunto de características propias del Barroco o de una cosa o persona barroca, compleja y difícil de comprender.

barrote *s. m.* Barra gruesa y fuerte: *los barrotes de un balcón; los barrotes de una cárcel.*
FAM abarrotar.

barruntar *v. tr.* Conjeturar o presentir que va a ocurrir una cosa: *no acertaba a barruntar la razón que llevara a alguien a utilizar tal nombre.*
FAM barruntador, barruntamiento, barrunto.

barrunto *s. m.* ① Sospecha o presentimiento de que va a ocurrir una cosa: *no puedo cerciorarme de este barrunto con mi propia experiencia.* ② Indicio primero o débil de una cosa: *aunque la habitación parecía estar vacía, había allí algo parecido al barrunto de una presencia.*
OBS También en plural con el mismo significado que en singular.

bartola Se usa en la expresión:
a la bartola familiar Sin cuidado, despreocupadamente: *estuvo toda la tarde tumbado a la bartola.*

bartolina *s. f.* MÉX. Calabozo mal acondicionado.

bartulear *v. intr.* CHILE Cavilar.

bártulos *s. m. pl.* Conjunto de bultos y bolsas en que se guardan las pertenencias y que se llevan en un viaje.

barullo *s. m.* Ruido, desorden y confusión grandes, generalmente provocados por un grupo de muchas personas que hablan o se mueven al mismo tiempo: *el animal se escapó, balando entre la gente, y no lo podían coger con el barullo.* **SIN** barahúnda.
FAM barullero; embarullar.

basa *s. f.* ① Parte inferior de una columna situada sobre el plinto o pieza cuadrada y sobre la que reposa el fuste o parte cilíndrica y larga: *en el orden dórico las columnas no tienen basa.* ② Base de una pilastra, pedestal o estatua.
FAM basal.

basal *adj.* ① Que está en la base de una cosa, especialmente una construcción: *piso basal de un bloque; la capa basal de la epidermis.* ② Que se produce en un organismo cuando este está en reposo y en ayunas: *la temperatura basal se toma justo antes de levantarse.*

basamento *s. m.* ① Parte baja en un edificio sobre la que se levanta el resto de la obra: *el palacio tiene un basamento con arcos de piedra.* ② Pie de una columna formado por la basa o parte inferior y el plinto o pieza cuadrada o rectangular que sirve de base.

basar *v. tr.* Partir de una serie de principios iniciales para elaborar, establecer o crear una cosa: *el abogado basó su defensa en la falta de pruebas contra su cliente.* **SIN** fundamentar.
FAM basa, basamento.

basca *s. f.* ① Sensación de malestar que se tiene en el estómago antes de vomitar: *el balanceo del barco le dio bascas.* **NOTA** También en plural con el mismo significado que en singular. **SIN** ansias, náusea. ② familiar Conjunto de personas, especialmente amigos: *haremos una fiesta en la playa y vendrá toda la basca.*
FAM bascoso, bascosidad.

báscula *s. f.* Aparato para medir pesos, formado por una bandeja o plataforma donde se coloca lo que se quiere pesar y un indicador que marca el peso: *una báscula para las mercancías; me he pesado en la báscula.* **SIN** peso.
FAM bascular.

bascular *v. intr.* ① Moverse una cosa de un lado al otro haciendo vaivén de modo parecido al de la aguja de la báscula

cuando va equilibrando su peso: *basculaba el péndulo del reloj de cuco.* ② Inclinarse hacia atrás la caja de un camión u otro vehículo similar, mediante un mecanismo adecuado, de modo que la carga que lleva en ella resbale y caiga por su peso. ③ Variar una persona alternativamente la manera de pensar o sentir o la situación en que se encuentra. ④ En algunos deportes, como el balonmano, desplazarse lateralmente un jugador hacia uno y otro lado de modo alternativo y continuado para cubrir la mayor cantidad de espacio posible.

base *s. f.* ① Parte de una cosa en la que esta se apoya: *la base de una copa; la base de un polígono puede ser cualquier cara, aunque, en una figura concreta, es la cara donde este se apoya.* ② Cosa que sirve de apoyo a otra: *el pastel lleva una base de galletas; colocaron el busto del poeta sobre una base de mármol; la melodía lleva una base rítmica.* ③ Conjunto de principios iniciales a partir de los que se elabora, establece o crea una cosa: *esa posibilidad carece de base real; los pimientos son la base de muchos platos; la ganadería es la base de la economía asturiana.* **SIN** fundamento. ④ Instalación en la que se encuentran el personal y los aparatos necesarios para desarrollar una actividad, especialmente de carácter militar. ■ **base aérea** Instalación preparada para el despegue, aterrizaje, mantenimiento y conservación de aviones militares. ■ **base de lanzamiento** Instalación preparada para el lanzamiento de naves espaciales. ■ **base de operaciones** Instalación o lugar donde se concentra y prepara un ejército para la guerra. ■ **base naval** Instalación o lugar donde se prepara la armada o las fuerzas navales. ⑤ Conjunto de personas que pertenecen a una asociación, sindicato o partido político y no tienen cargo en la organización: *las bases del partido votan al secretario general.* **NOTA** También en plural con el mismo significado que en singular. ⑥ Línea recta de una figura geométrica o superficie de un cuerpo en el espacio, generalmente más largo que el resto, sobre la que parece que descansa el conjunto: *un triángulo rectángulo tiene dos catetos y una base.* ⑦ Número que se multiplica por sí mismo tantas veces como indica el exponente: *en 7^3, la base es 7.* ⑧ Número de unidades que forman una unidad de orden superior en un sistema numérico: *el sistema de numeración decimal es de base diez porque usa las cifras del 1 al 9 más el 0 para representar todos los números.* ⑨ En química, sustancia derivada de la unión de agua con un óxido metálico; combinada con un ácido forma una sal. ⑩ Sustancia química capaz de aceptar un protón. ‖ *s. com.* ⑪ Jugador de un equipo de baloncesto cuya función principal es organizar el juego de su equipo. ‖ *s. f.* ⑫ Esquina de las cuatro que tiene un campo de béisbol.

a base de Teniendo como base o componente principal: *aprobó a base de horas de estudio; un potaje a base de alubias y arroz.*

a base de bien Mucho, abundantemente: *comimos a base de bien.*

base de datos (I) Programa informático capaz de almacenar, relacionados y estructurados, gran cantidad de datos para ser consultados o gestionados eficientemente. (II) Conjunto de datos e informaciones almacenados en este programa.
FAM basal, basicidad, básico, basilar.

basicidad *s. f.* Propiedad química que caracteriza a un cuerpo básico: *este ejercicio consiste en ordenar varios compuestos según su basicidad.*

básico, -ca *adj.* ① Que forma parte de los principios iniciales a partir de los que se elabora, establece o crea una cosa:

la Biblia es el libro básico de la religión cristiana. **SIN** fundamental. **2** Que es lo más importante y necesario: *para estar sano es básica una buena alimentación.* **SIN** esencial, fundamental. **3** En química, se aplica a la sustancia que tiene la propiedad de combinarse con los ácidos para formar sales.
FAM básicamente, basicidad.

basidio *s. m.* Cada una de las células que, en los hongos basidiomicetos, forma las esporas por gemación: *cada seta tiene millones de basidios.*

basidiomiceto o **basidiomicete** *adj./s. m.* **1** Se aplica al hongo que se reproduce por basidios: *los basidiomicetos pueden ser parásitos de plantas, como el cornezuelo y el tizón, o comestibles, como el champiñón y el níscalo.* **s. m. pl.** **2 basidiomicetos** o **basidiomicetes** Grupo taxonómico, con categoría de filo, constituido por estos hongos.

basileus *s. m.* **1** Título que recibía el rey de Persia y, desde el año 630, el emperador bizantino. **2** Soberano de la Antigüedad que tenía un gran poder.

basílica *s. f.* **1** Iglesia cristiana grande y notable por su antigüedad o por los privilegios de que goza: *la basílica del Pilar en Zaragoza.* **2** Edificio público de los antiguos romanos, de planta rectangular, que servía de tribunal y de lugar de reunión y contratación; más tarde fue tomado como modelo de los templos cristianos.
FAM basilical.

basilisco *s. m.* **1** Animal mitológico con cuerpo de serpiente, patas de ave y alas espinosas que tenía el poder de matar con la vista. **2** familiar Persona furiosa que se deja llevar por la ira y grita o riñe con brusquedad: *el jefe estaba hecho un basilisco porque llegué tarde.* **3** Reptil de la familia de la iguana, de hasta 1 m de longitud, con una cresta dorsal y otra sobre la cabeza, cola larga y cuerpo verde esmeralda; es herbívoro y corre muy rápido; vive en América Central.

básket o **básquet** *s. m.* Baloncesto.

básquetbol o **basquetbol** *s. m.* AMÉR. Baloncesto.

basquiña *s. f.* Falda generalmente de color negro y larga hasta los tobillos, especialmente la que forma parte de un atuendo tradicional o rural.

¡basta! Palabra que se usa para mandar o pedir tajantemente que se ponga fin a una cosa: *¡basta ya!; basta de corrupción, por favor.*

bastante *adj.* **1** Que basta o es suficiente: *las razones son bastantes para ello; disponemos de recursos bastantes.* **det./pron.** **2** Indica una cantidad o número elevado de personas o cosas, que basta o es suficiente: *mi abuelo tenía bastantes olivos; hay bastante tranquilidad; no me pongas más, que ya tengo bastante.* **adv.** **3** Ni mucho ni poco, en cantidad o nivel que basta o es suficiente: *la película me gustó bastante; estoy cansado porque he corrido bastante.* **4** Antepuesto a un adverbio o adjetivo, aumenta la intensidad de lo que estos expresan: *estamos bastante lejos; el negocio les va bastante bien.* **5** Gran cantidad de tiempo sin llegar a mucho: *hace bastante que no veo a mis padres.*

bastar *v. intr.* Ser suficiente, no hacer falta más: *una pregunta habría bastado para romper el secreto; para enseñar no basta con saber la asignatura.*
FAM bastante, basto.

bastardía *s. f.* Cualidad de bastardo.

bastardilla *adj./s. f.* Se aplica al tipo de letra de imprenta que tiene el trazo inclinado hacia la derecha: *imprimió el texto en letra bastardilla.* **SIN** cursiva, itálica.

bastardo, -da *adj./s. m. y f.* **1** Se aplica a la persona que ha nacido de una mujer que no es la esposa de su padre: *Juan de Austria era hijo bastardo de Carlos V.* **NOTA** Frecuentemente usado como insulto. **adj.** **2** Que se aparta de sus características originales o degenera de su naturaleza: *estuvo expuesta a la venganza legal o bastarda de los justicieros de turno.*
FAM bastardía.

bastetano, -na *adj.* **1** De Bastetania (antigua región de la provincia romana de Tarraco, en el sureste de la Península Ibérica). **s. m. y f./adj.** **2** Persona que era de Bastetania.

bastidor *s. m.* **1** Estructura o armazón, generalmente de madera, que deja un hueco en el medio y sirve para sostener otros elementos: *el bastidor en el que se tensa un lienzo para pintar; el bastidor de una puerta es el marco.* **2** Armazón de metal que soporta el motor y la carrocería de un vehículo. **3** Parte del decorado de una representación teatral que hay a los lados del escenario, por donde suelen entrar y salir los actores: *el director veía nervioso la representación de la obra a través de los bastidores.* **4** Bancada de una máquina herramienta.

entre bastidores **(I)** Fuera del escenario en el que se representa una obra teatral o se desarrolla otro espectáculo: *los maquilladores, técnicos de sonido, escenógrafos, etc. trabajan entre bastidores.* **(II)** De modo reservado y particular, sin que sea conocido por el público: *las conversaciones para el fichaje del jugador se han llevado a cabo entre bastidores.*

bastión *s. m.* **1** Parte de una fortificación construida sobresaliendo de los muros de esta, generalmente en las esquinas, para albergar armas pesadas, como cañones, y disparar desde ella. **2** Construcción fortificada en la que se resguarda y desde la que ataca un ejército. **SIN** baluarte. **3** Persona o cosa que protege y defiende del ataque adversario o de un perjuicio que puede causar daño: *el jugador canario fue un firme bastión en la línea de defensa.* **SIN** baluarte.

basto¹ *s. m.* **1** Carta de la baraja española en la que aparecen representados uno o varios garrotes: *debes echar un basto más alto si quieres ganar la mano.* **s. m. pl.** **2 bastos** Palo de la baraja española que se representa con uno o varios garrotes.

pintar bastos Volverse problemática, difícil o peligrosa una situación.

basto, -ta² *adj.* **1** Que está elaborado con materiales de poca calidad y de manera poco cuidada: *un tipo de paño muy basto que llevan los campesinos.* **SIN** tosco. **2** Que tiene la superficie rugosa o áspera: *manos bastas; la madera es basta antes de pulirla.* **3** Se aplica a la persona que tiene modales rudos o groseros, porque tiene poca educación o porque es mal educada: *hombres bastos y fornidos; es basta una chica que escupe en la calle.*
FAM bastedad, basteza.

bastón *s. m.* **1** Palo con un mango generalmente curvo que sirve para apoyarse al andar. **2** Palo de forma parecida a este objeto que lleva una persona en señal de mando o autoridad: *el bastón de Moisés.* **3** Barra fina y alargada que usan los esquiadores para ayudarse en sus desplazamientos; tiene un mango con una correa para sujetarlo a la mano y la punta con un tope para evitar que se hunda completamente en la nieve. **4** Bastoncillo (estructura anatómica).
FAM bastonazo, bastoncillo, bastonear, bastonera, bastonero.

bastonazo *s. m.* Golpe dado con un bastón.

bastoncillo *s. m.* **1** Palillo de plástico con algodón en sus extremos que sirve para limpiarse los oídos. ② Estructura anatómica pequeña y alargada, especialmente la que forma parte de la retina y recibe las impresiones incoloras: *bastoncillos olfatorios; los conos y los bastoncillos son receptores visuales.* **SIN** bastón.

basura *s. f.* ① Conjunto de cosas que se tiran porque son desperdicios, como restos de comida, envases, barreduras, etc. o cosas que se desechan por inservibles o inútiles. ② Recipiente o bolsa donde se tira este conjunto de desperdicios: *tiramos los restos de la comida a la basura.* ③ familiar Cosa de muy mala calidad: *esta película es una basura.* **NOTA** Se construye en aposición a otro sustantivo: *contrato basura.* ④ familiar Persona despreciable que se comporta con maldad y carece de virtudes: *no te mezcles con esa basura.* **SIN** escoria. **FAM** basurero; telebasura.

basurero, -ra *s. m. y f.* ① Persona que se dedica a recoger la basura de las poblaciones y la lleva a los vertederos. ‖ *s. m.* ② Lugar donde se tiran las basuras y otros residuos de una población. **SIN** vertedero.

bata *s. f.* ① Prenda de vestir larga, con mangas y abierta por delante, que se pone sobre otras prendas y sirve para abrigar y estar más cómodo en casa. ② Prenda de vestir larga, con mangas y atada con botones o un cinturón, que se usa para proteger la ropa de manchas o por razones de higiene y asepsia: *la bata blanca de un médico; pusieron al paciente una bata verde antes de entrar en el quirófano.*

bata de cola Prenda de vestir femenina usada para bailar flamenco; consta de un cuerpo ajustado, una falda larga de mucho vuelo con abundantes volantes y mangas también con volantes. **FAM** batín.

batacazo *s. m.* ① Caída o golpe violento que sufre una persona o un animal: *derrapó con la bicicleta y se dio un batacazo.* ② Resultado desastroso e inesperado que se obtiene en un proceso o actividad en la que se había empleado mucha energía: *la derrota electoral ha supuesto un batacazo para el líder.*

batalla *s. f.* ① Lucha o enfrentamiento con armas entre dos ejércitos o dos grupos numerosos de personas. **SIN** combate. ■ **batalla campal** Enfrentamiento violento que se produce de manera imprevista e improvisada entre dos grandes grupos de civiles, generalmente armados con objetos contundentes o armas blancas, pero sin armas de fuego: *se organizó una batalla campal entre los hinchas de ambos equipos.* ② Esfuerzo intenso y continuado por vencer un obstáculo y conseguir un fin: *la batalla contra el cáncer.* **SIN** combate, lucha. **dar** (o **presentar**) **batalla** (I) Colocarse en fila y dispuestos para el combate los miembros de un ejército: *la tropa escocesa presentó batalla ante los ingleses con quinientos hombres a caballo.* (II) Disponerse a luchar con empeño contra una cosa o persona, sin darse por vencido ni facilitar la victoria: *el entrenador piensa presentar batalla aunque tenga bajas importantes.* **de batalla** Se aplica a la ropa, al vehículo o a otra cosa que es de uso diario, para la vida o el trabajo cotidiano: *para arreglar el piso nos ponemos ropa de batalla.* **FAM** batallar, batallita, batallón.

batallador, -ra *adj.* Se aplica a la persona que lucha y se esfuerza con decisión e intensidad: *unos ecologistas batalladores.*

batallar *v. intr.* ① Luchar con armas un ejército contra otro o un grupo numeroso de personas contra otro: *batallar con el enemigo; batallar contra una nación.* **SIN** combatir. ② Poner mu-

cho empeño y energía en solucionar un problema o vencer un obstáculo: *batalló contra su enfermedad a pesar de su debilidad.* **SIN** combatir. ③ Intentar convencer u obligar con insistencia a una persona a que haga una cosa que no le gusta o a la que se resiste: *siempre tengo que batallar contigo para que estudies.* **FAM** batallador.

batallita *s. f.* Relato breve e informal en el que una persona cuenta acontecimientos de su vida que considera especialmente importantes o por los que siente un gran cariño: *nos contaba sus batallitas de la mili.* **OBS** Más en plural.

batallón *s. m.* ① Unidad militar compuesta por varias compañías de soldados de a pie y mandada generalmente por un comandante. ② Grupo numeroso de personas: *un batallón de técnicos y artistas invadió el pueblo.*

batata *s. f.* ① Planta de tallos que crecen tendidos por el suelo, flores grandes, rojas por dentro y blancas por fuera, y varios tubérculos comestibles. ② Tubérculo comestible de esta planta, de forma alargada y de color marrón por fuera y amarillento o blanco por dentro: *el boniato es una variedad de la batata.*

bate *s. m.* Palo cilíndrico, estrecho en la empuñadura y grueso en el extremo opuesto, que sirve para golpear la pelota en el juego del béisbol. **FAM** batear.

batea *s. f.* ① Vagón descubierto de un tren, con los bordes muy bajos. ② Construcción cuadrada, generalmente de madera, que se coloca en el mar para la cría de mejillones.

bateador, -ra *s. m. y f.* Jugador de béisbol que golpea la pelota con el bate.

batear *v. tr./intr.* Golpear el bateador la pelota con el bate en el juego del béisbol. **FAM** bateador, bateo.

batel *s. m.* Embarcación pequeña y sin cubierta, generalmente de remo, con unos tablones atravesados que sirven de asiento. **SIN** bote. **FAM** batelero.

batería *s. f.* ① Aparato que sirve para acumular y suministrar energía eléctrica a automóviles y otros aparatos y máquinas que funcionan con corriente continua: *las baterías convierten la energía química, térmica, nuclear o solar en energía eléctrica.* **NOTA** También *batería eléctrica.* ② Instrumento musical de percusión formado por varios tambores y platos metálicos que se tocan con baquetas (palos) y con mazos accionados por pedales. ‖ *s. com.* ③ Baterista. ‖ *s. f.* ④ Conjunto de cañones y otras armas pesadas que se colocan en fila en un lugar dispuestos para disparar. ⑤ Serie de elementos relacionados entre sí que se expone o presenta: *una batería de preguntas.* **batería de cocina** Conjunto de recipientes, como ollas, cazos y sartenes, generalmente con un diseño común y que se utilizan para cocinar. **en batería** En paralelo; referido al modo de aparcar vehículos colocándolos uno al lado del otro.

baterista *s. com.* Persona que toca la batería. **SIN** batería.

batial *adj.* ① Se aplica a la zona del talud continental que está a una profundidad de entre 200 y 2 000 m. ② Relativo a esta zona: *fauna batial.*

batiburrillo o **batiborrillo** *s. m.* Mezcla confusa y desordenada de cosas que no tienen relación entre sí.

batida *s. f.* ⚀ Registro sistemático y organizado de un terreno o lugar en busca de una persona o cosa: *se organizó una batida para encontrar al niño extraviado.* ⚁ Recorrido sistemático y organizado de un terreno en busca de caza.

batido *s. m.* ⚀ Bebida que se hace triturando y mezclando componentes líquidos y sólidos, especialmente leche, frutas o helado. ⚁ Sustancia que se produce al batir la clara o la yema o la mezcla de ambos componentes del huevo.

batidor, -ra *adj.* ⚀ Que bate. ‖ *s. m.* ⚁ Utensilio manual de cocina que sirve para batir alimentos. ⚂ Instrumento constituido por una barra metálica en forma de U que, al golpearlo, vibra y produce un sonido, generalmente la nota la, que sirve de referencia para afinar o entonar instrumentos musicales o la voz. **SIN** diapasón.

batidora *s. f.* Aparato de cocina que sirve para triturar, mezclar o batir alimentos sólidos y líquidos mediante unas pequeñas cuchillas que giran a gran velocidad.

batiente *s. m.* ⚀ Parte del marco de una puerta o ventana sobre la que se cierra la hoja. ⚁ Hoja de una puerta o ventana. ⚂ Zona de una costa, dique o espigón en cuyo pie golpean las olas del mar.

batín *s. m.* Bata de casa que no llega a las rodillas y se cierra por delante con un cinturón.

batir *v. tr.* ⚀ Mover una sustancia líquida removiéndola y agitándola varias veces con un instrumento o aparato para que se mezclen bien sus componentes u obtener una sustancia compacta y homogénea. ⚁ Dar golpes de modo continuado a una cosa: *batir el hierro al rojo vivo para darle forma.* ⚂ Golpear de lleno el viento o el agua en una superficie de modo continuado: *las olas baten la costa; el viento bate las ventanas.* ⚃ Mover con fuerza un ave las alas. ⚄ Registrar de manera sistemática y organizada un terreno o lugar en busca de una persona o cosa, o en busca de caza. ⚅ Vencer al enemigo en una lucha. **SIN** derrotar. ⚇ Vencer al adversario en una competición deportiva: *el corredor africano batió a todos sus competidores.* **SIN** derrotar. ⚈ Superar una marca o un récord, especialmente si es deportivo: *batir el récord de salto de altura.* ⚉ Indicar con algún gesto la pulsación de una pieza musical, para marcar el ritmo y el desarrollo de una composición. ‖ *v. prnl.* ⚉ **batirse** Luchar o competir una persona con otra, especialmente por un desafío: *se batieron en duelo.* **FAM** batida, batido, batidor, batidora, batiente, batimiento; imbatido.

batiscafo *s. m.* Embarcación submarina preparada para sumergirse a grandes profundidades y dotada de sistemas especiales de exploración, generalmente con fines científicos.

batista *s. f.* Tela muy fina de lino o algodón.

batracio *adj./s. m.* ⚀ Se aplica al animal de piel desnuda y sangre fría, considerado el primer vertebrado terrestre, aunque sigue dependiendo del agua para su reproducción y desarrollo embrionario; tiene cuatro patas y respiración branquial durante la fase larvaria y respiración pulmonar después de una metamorfosis: *la rana y el tritón son batracios.* **SIN** anfibio. ‖ *s. m. pl.* ⚁ **batracios** Grupo taxonómico, con categoría de clase, constituido por estos animales. **SIN** anfibios.

baturro, -rra *adj./s. m. y f.* ⚀ Se aplica a la persona que pertenece al campesinado aragonés. ‖ *adj.* ⚁ Relativo a la cultura y el folclore típicos aragoneses.

batuta *s. f.* ⚀ Vara pequeña y fina que usa el director de una orquesta o de una banda. ⚁ Dirección, mando o control de un conjunto de personas o de una actividad: *el presidente ha decidido entregarle la batuta del equipo a un nuevo entrenador.*

baudio *s. m.* Unidad de medida de la velocidad de transmisión de señales que se expresa en símbolos por segundo.

baúl *s. m.* Caja grande rectangular con una tapa generalmente arqueada, que se usa para guardar ropa u otras cosas o para llevar equipaje.

bauprés *s. m.* Palo de la proa de un barco de vela, grueso y horizontal pero un poco inclinado hacia arriba, que sirve para asegurar los cabos del palo de trinquete.

bautismal *adj.* Relativo al bautismo.

bautismo *s. m.* ⚀ Sacramento del cristianismo que consiste generalmente en echar agua sobre la cabeza de una persona y en virtud del cual esta pasa a ser miembro de la Iglesia. ⚁ Bautizo (ceremonia cristiana). ⚂ Primera vez que una persona hace una cosa importante o significativa, que, generalmente, después continúa realizando: *Buero Vallejo recibió su bautismo como autor teatral en 1949 con el estreno de «Historia de una escalera».* ■ **bautismo de aire** Primera vez que una persona pilota un avión o viaja en él como pasajero. ■ **bautismo de fuego** Primera vez que un soldado entra en combate. **FAM** baptisterio, bautismal, bautista.

bautista *s. com.* culto Persona que bautiza.

bautizar *v. tr.* ⚀ Administrar el sacramento del bautismo en una ceremonia que consiste en echar agua sobre la cabeza de la persona. ⚁ Poner un nombre a un animal o una cosa, o un apodo a una persona. ⚂ Añadir agua al vino para que este tenga mayor volumen. **FAM** bautismo, bautizo.

bautizo *s. m.* ⚀ Ceremonia cristiana en la que se administra el sacramento del bautismo: *si hemos asistido a algún bautizo, habremos observado la presencia de varios símbolos: agua, crisma, vestidura blanca, luz.* **SIN** bautismo. ⚁ Fiesta con que se celebra la administración de este sacramento.

bauxita *s. f.* Mineral compuesto de óxido hidratado de aluminio que constituye una fuente importante del aluminio comercial: *la bauxita es la materia prima para la producción de aluminio.*

baya *s. f.* ⚀ Fruto carnoso y jugoso, de forma redondeada, que contiene semillas rodeadas de pulpa, como la uva y el tomate. ⚁ Fruto pequeño que dan algunas variedades de árboles y arbustos silvestres: *los arándanos y las grosellas son bayas comestibles; de las bayas del enebro se obtiene la ginebra.*

bayeta *s. f.* ⚀ Paño que sirve para limpiar superficies y absorber líquidos: *esta bayeta es muy absorbente.* ⚁ Tela de lana poco tupida y de textura elástica. ■ **bayeta de la tierra** ARG., BOL., PERÚ Tejido basto de lana pura, hilada a mano, en rueca, del que los quichuas y aimaras fabrican la mayor parte de su ropa de trabajo.

bayo, -ya *adj./s. m. y f.* Se aplica al caballo o yegua que tiene el pelo de color amarillento.

bayoneta *s. f.* Arma blanca, parecida a un cuchillo, que se ajusta a la boca del fusil y sobresale de ella.

bayunco, -ca *adj.* AMÉR. CENTRAL Rústico, grosero.

baza *s. f.* ⚀ En algunos juegos de cartas, conjunto de naipes que echan sobre la mesa los jugadores durante una jugada. ⚁ Número de naipes que recoge el que gana una partida de cartas. ⚂ Cada una de las jugadas de un juego de naipes. ⚃ Característica o conjunto de características que conceden cierta ventaja a una persona o cosa sobre otras: *la baza funda-mental del joven delantero es su rapidez; la baza principal de la Costa del Sol como lugar de vacaciones es su clima y sus playas.*

jugar una baza Aprovechar una oportunidad: *comprando ese piso has jugado una buena baza.*

meter baza familiar Intervenir en una conversación: *cuando yo hable con mi padre, haz el favor de no meter baza.*

bazar *s. m.* ⓵ Establecimiento en el que se venden objetos y aparatos diversos: *en un bazar pueden encontrarse desde prendas de vestir hasta televisores en color.* ⓶ Mercado público de los países árabes.

bazo *s. m.* Órgano vascular situado a la izquierda del estómago, cuya función consiste en eliminar los glóbulos rojos envejecidos y fabricar glóbulos blancos.

bazofia *s. f.* ⓵ Comida de aspecto y sabor muy desagradable: *en el campo de concentración solamente comían bazofia.* ⓶ Basura, desechos, cosa sin valor ni utilidad: *algunos críticos han calificado su última película como bazofia.*

bazooka *s. amb.* Bazuca.

bazuca [también **bazooka**] *s. amb.* Arma portátil de infantería que consiste en un tubo metálico abierto por los dos extremos que dispara proyectiles de propulsión a chorro y que se emplea contra carros de combate.

be *s. f.* Nombre de la letra *b*.

be por be Meticulosamente.

beamontés, -tesa [también **beaumontés**] *adj.* ⓵ Relativo a la facción que apoyaba los derechos del príncipe de Viana al trono de Navarra y su independencia de Aragón y Castilla en los siglos XV y XVI; estaba dirigida por los nobles Luis y Juan de Beaumont, y era rival de la de los agramonteses. ❙ *s. m. y f.* ⓶ Miembro de esta facción: *los beamonteses eran generalmente de extracción rural y montañesa, agropecuaria y vascohablante.*

beat [se pronuncia 'bit'] *s. m./adj.* ⓵ Movimiento literario que surgió en los años cincuenta en Estados Unidos como oposición a la sociedad contemporánea y los valores de la clase media; se caracterizó por sus obras no convencionales y por la improvisación, así como por el particular estilo de vida de sus componentes, que se abrieron a las religiones orientales, las drogas, el sexo y el alcohol: *el beat fue el movimiento de los escritores portavoces del beatnik.* ❙ *adj.* ⓶ Relativo a este movimiento: *cultura beat; Jack Kerouac fue el novelista más carismático de la generación beat.* ❙ *s. m.* ⓷ Estilo de música básicamente rítmica surgido en Inglaterra en los años sesenta con influencias de la música negra.

beatería *s. f.* despectivo Actitud o comportamiento de una persona que da grandes muestras de devoción y religiosidad, generalmente de manera exagerada y fingida.

beatificación *s. f.* ⓵ Procedimiento eclesiástico católico mediante el cual el Papa declara que un fiel difunto goza, por sus virtudes, del cielo y es digno de culto: *la beatificación es un paso previo a la canonización.* ⓶ Ceremonia católica en la que se beatifica solemnemente a una o más personas.

beatificar *v. tr.* Reconocer el Papa que un fiel ya difunto tuvo a lo largo de su vida un comportamiento cristiano especialmente digno de ser recordado, por lo que se le puede dar culto: *la Iglesia beatificó a Teresa de Cepeda y Ahumada en 1614 y la declaró santa en 1622.*

FAM beatificación.

beatífico, -ca *adj.* ⓵ Relativo a la beatitud. ⓶ Se aplica a la

persona o al comportamiento que demuestra gran bondad y paz espiritual: *el anciano veía jugar a sus nietos con una sonrisa beatífica.*

beatitud *s. f.* ⓵ Estado de paz espiritual, tranquilidad y felicidad: *está en un estado de sosiego y beatitud absoluta.* ⓶ En la religión católica, bienaventuranza, felicidad eterna.

Su Beatitud Tratamiento que se da al Papa.

beatnik [se pronuncia 'bítnic'] *s. m./adj.* ⓵ Movimiento juvenil que surgió entre las décadas de 1950 y 1970 en Estados Unidos y que se caracterizó por el rechazo militante de ciertos valores sociales y por una actitud vitalista. ❙ *s. com.* ⓶ Persona que era seguidora de este movimiento, especialmente la que adoptaba un aspecto peculiar (vaqueros, cabello largo) y una forma de vida marginal.

OBS Plural: *beatniks.*

beato, -ta *adj./s. m. y f.* ⓵ Se aplica a la persona que ha sido beatificada por el Papa: *el beato Marcelino Champagnat es el fundador del Instituto de los Hermanos Maristas.* ⓶ despectivo Se aplica a la persona que se muestra muy devota y religiosa, generalmente de manera exagerada y fingida. **SIN** santurrón. ❙ *s. m y f.* ⓷ Persona que viste hábito religioso, sin pertenecer a una orden religiosa. ❙ *s. m.* ⓸ Códice miniado medieval que reproduce los comentarios al Apocalipsis del monje Beato de Liébana (siglo VIII).

FAM beatería, beaterio, beatificar.

beatus ille [se pronuncia 'beatus ile'] *s. m.* Expresión latina que significa 'tópico o tema literario en el que se ensalza un tipo de vida sencilla y retirada en el campo, lejos de la ciudad': *el beatus ille más conocido de la literatura española es la «Oda a la vida retirada», de fray Luis de León.*

beaumontés, -tesa V. beamontés, -tesa.

bebé *s. m.* Niño que acaba de nacer y que aún no anda.

bebedero *s. m.* Recipiente en el que se pone agua para que beban los animales.

bebedizo *s. m.* ⓵ Bebida que tiene virtudes medicinales y curativas, elaborada con diversas hierbas. **SIN** pócima. ⓶ Bebida a la que se le atribuyen efectos mágicos, especialmente el de conseguir el amor de quien lo toma. ⓷ Bebida con veneno que se le da a una persona o animal para producirle la muerte.

bebedor, -ra *adj.* ⓵ Que bebe. ❙ *adj./s. m. y f.* ⓶ Se aplica a la persona que toma bebidas alcohólicas en exceso.

beber *v. tr.* ⓵ Tomar un líquido por la boca: *nunca bebo vino.* ❙ *v. intr.* ⓶ Aprender o conocer algo a partir de determinada fuente: *su estilo bebe de los clásicos.* ⓷ Tomar bebidas alcohólicas: *beber mucho es perjudicial para la salud.*

FAM bebedero, bebedizo, bebedor, bebible, bebida, bebido.

bebible *adj.* Que se puede beber: *el alcalde ha precisado que el agua de la red de abastecimiento es bebible a pesar de su sabor.* **SIN** potable.

bebida *s. f.* ⓵ Sustancia líquida que se bebe. ⓶ Hábito de tomar bebidas alcohólicas: *se ha dado a la bebida.*

bebido, -da *adj.* Se aplica a la persona que ha tomado una cantidad excesiva de bebida alcohólica y, por ello, tiene alteradas sus facultades físicas y mentales. **SIN** beodo, borracho, ebrio.

bebop [se pronuncia 'bibop'] *s. m.* Estilo de jazz nacido en la década de 1940 que se caracteriza por enfatizar la improvisación melódica mediante los rápidos solos interpretados al piano o con un instrumento de viento.

beca *s. f.* Ayuda económica que se concede a una persona para que pague los gastos que le supone cursar unos estudios, desarrollar un proyecto de investigación o realizar una obra artística.
FAM becar, becario.

becada *s. f.* Ave zancuda, parecida a la perdiz, con un plumaje que forma dibujos claroscuros y le permite camuflarse perfectamente entre la maleza; tiene el pico largo y recto, y las patas cortas; su carne es comestible y muy apreciada. SIN chocha, chocha perdiz.

becar *v. tr.* Conceder una beca a una persona.

becario, -ria *s. m. y f.* Persona que disfruta de una beca: *su estancia como becario en Nueva York fue una experiencia importante; es becario del departamento de lenguas románicas.*

becerrada *s. f.* Espectáculo público en el que se lidian o torean becerros.

becerro, -rra *s. m. y f.* Cría de la vaca menor de uno o dos años.
FAM becerrada.

bechamel [también **besamel** o **besamela**] *s. f.* Salsa blanca y cremosa que se hace con leche, harina, mantequilla o aceite y sal: *los canelones y la lasaña se cubren con bechamel.*

becquerel *s. m.* Unidad de medida de actividad radiactiva del Sistema Internacional, de símbolo *Bq*, que equivale a la actividad de una fuente radiactiva en la que se produce una transformación o una desintegración nuclear por segundo.
OBS Plural: *becquerels.*

becqueriano, -na *adj.* Relativo a Gustavo Adolfo Bécquer (escritor español, 1836-1870) o a su obra.

becuadro *s. m.* Signo (♮) que se coloca delante de una nota musical previamente alterada por un sostenido, bemol u otra alteración para indicar que vuelve a su entonación natural: *un becuadro colocado en un fa anula el sostenido del fa anterior en el mismo compás.*

bedel, -la *s. m. y f.* En los centros de enseñanza y otros centros oficiales, persona que tiene a su cargo las llaves, cuida del orden y avisa a la hora de salida de las aulas. SIN conserje.
OBS Femenino: *bedel* o *bedela.*

beduino, -na *adj.* ① Relativo a un pueblo árabe nómada que vive en las zonas desérticas del norte de África: *costumbres beduinas.* I *s. m. y f./adj.* ② Persona perteneciente a este pueblo: *los beduinos utilizan los dromedarios para atravesar el desierto.*

befa *s. f.* Burla grosera, ofensiva y malintencionada.
FAM befar.

befar *v. tr./prnl.* Hacer befa o burla de algo o alguien: *se befaron de nosotros.*

begonia *s. f.* Planta de jardín, de tallos carnosos, hojas grandes y verdes en forma de corazón y flores pequeñas, blancas, rosadas, rojas o amarillas.
FAM begoniáceo.

behaviorismo [se pronuncia aproximadamente 'bejaviorismo'] *s. m.* Doctrina psicológica, fundada por J. B. Watson, cuyo método se basa en la observación objetiva de la conducta del ser que se estudia. SIN conductismo.
FAM behaviorista.

behaviorista [se pronuncia aproximadamente 'bejaviorista'] *adj.* ① Relativo al behaviorismo. SIN conductista. I *adj./s. com.* ② Se aplica a la persona que es partidaria del behaviorismo. SIN conductista.

beicon [también **bacón** o **bacon**, menos usados] *s. m.* Tocino ahumado de cerdo con vetas de carne magra.

beige [también **beis**; se pronuncia aproximadamente 'beis'] *s. m./adj.* ① Color castaño muy claro, como el de la arena. I *adj.* ② Que es de este color: *una camisa beige.* NOTA Invariable en número.

beis V. beige.

béisbol *s. m.* Deporte que se practica con un bate y una pelota, entre dos equipos de nueve jugadores, en un campo cuadrado con una base en cada ángulo, que el equipo atacante debe recorrer antes de que el rival intercepte la pelota.

bejuco *s. m.* Nombre genérico con que se designa a diversas plantas tropicales de tallos largos, delgados y flexibles, con cuya madera se fabrican bastones, cestos, cuerdas, etc.

bejuquear *v. tr.* AMÉR. Apalear o varear a una persona o animal.

bel *s. m.* Unidad de sonoridad o percepción sonora que equivale a una intensidad diez veces mayor que la intensidad mínima que puede ser apreciada por el oído (se considera igual a 10^{-12} watts por metro cuadrado).
OBS Se ha adaptado al español con la forma *belio.*

bel canto *s. m.* Estilo de canto operístico que se caracteriza por resaltar la belleza sonora y el virtuosismo.

beldad *s. f.* culto Belleza, hermosura.

belén *s. m.* Representación del nacimiento de Jesucristo mediante pequeñas figuras y maquetas: *los belenes se instalan en Navidad.*
FAM belenista.

belfo, -fa *adj.* ① Que tiene el labio inferior más grueso que el superior. I *s. m.* ② Labio del caballo y otros animales.

belga *adj.* ① De Bélgica (país de Europa). I *s. com./adj.* ② Persona que es de Bélgica.

belicismo *s. m.* Ideología política y social que es partidaria del uso de la violencia y de las armas: *los intercambios culturales entre los cristianos y el Islam han pasado por momentos de fuerte belicismo.* ANT pacifismo.
FAM belicista.

belicista *adj.* ① Relativo al belicismo: *actitud belicista.* ANT pacifista. I *adj./s. com.* ② Se aplica a la persona que cree en el belicismo o es partidaria de él. ANT pacifista.
FAM antibelicista.

bélico, -ca *adj.* Relativo a la guerra: *la historia de la humanidad está tristemente repleta de conflictos bélicos.*
FAM belicismo, belicoso.

belicoso, -sa *adj.* ① Que incita al uso de la fuerza y la violencia o que amenaza con emplearlas: *el embajador estadounidense empleó un lenguaje belicoso a la hora de criticar al gobierno cubano de Fidel Castro.* ② Se aplica a la persona o grupo que tiende a actuar de modo violento o agresivo: *un grupo de hinchas belicosos apedrearon el autocar del equipo visitante.*

beligerancia *s. f.* ① Actitud de oposición y enfrentamiento entre dos personas o grupos. ② Actitud de un país que está en guerra con otro: *la beligerancia de Japón con Estados Unidos quedó de manifiesto con el ataque a Pearl Harbor en 1941.*
FAM beligerante.

beligerante *adj./s. com.* ① Se aplica al país que está en guerra con otro: *la ONU pretende que las partes beligerantes se sienten en una conferencia de paz.* ② Se aplica a la persona o grupo que se muestra opuesto y enfrentado a otra persona o gru-

po o a una cosa: *los organismos sanitarios se manifiestan cada vez más beligerantes contra el tabaquismo.*
FAM beligerancia.

belio *s. m.* Bel.

bellaco, -ca *adj./s. m. y f.* **1** Se aplica a la persona que es despreciable porque actúa con maldad y falta de honradez. SIN bribón, malvado. **2** AMÉR. Se aplica a la caballería que es difícil de gobernar. **3** ECUAD., PAN. Valeroso.
FAM bellaquería.

belladona *s. f.* **1** Planta herbácea de hojas alargadas alternas, flores acampanadas de color púrpura y fruto carnoso; todas las partes de la planta son venenosas y narcóticas. **2** Sustancia que se extrae de esta planta, usada para dilatar la pupila del ojo y calmar las convulsiones musculares.

bellaquería *s. f.* Acción o dicho propio de un bellaco.

belle époque [se pronuncia aproximadamente 'bel epoc'] *s. f.* Periodo comprendido entre los años 1890 y 1914, en Francia, caracterizado por la prosperidad económica y cultural inmediatamente anterior a la Primera Guerra Mundial.

belleza *s. f.* **1** Conjunto de cualidades de las cosas o de las personas, cuya manifestación sensible produce placer, deleite o admiración: *la belleza de una puesta de sol; el agua aporta una gran belleza a nuestros paisajes; en este poema se exalta la belleza de la mujer; admiro la belleza de esta obra de arte.* SIN beldad. **2** Persona muy bella: *se acabó casando con una belleza.*
FAM embellecer.

bello, -lla *adj.* **1** Se aplica a la persona o cosa que tiene belleza: *una cara bella; una bella poesía; un bello jardín.* SIN bonito, hermoso. ANT feo. **2** Se aplica a la persona o cosa que es moralmente buena: *es una bella persona; nos ha dado una bella lección.*
FAM belleza; embellecer.

bellota *s. f.* Fruto de la encina o el roble, pequeño y alargado, con una cáscara dura dentro de la cual está la semilla, que es comestible: *los cerdos que se crían en el campo tienen en la bellota la base de su alimentación.*
FAM bellotero.

beluga *s. f.* **1** Mamífero marino del orden de los cetáceos, de 3 a 5 m de longitud, color blanco, sin aleta dorsal y con la cabeza truncada en la parte anterior; vive en las regiones árticas. ‖ *s. m.* **2** Tipo de caviar ruso muy selecto que se obtiene de un esturión blanco de gran tamaño que habita en los mares Caspio y Negro.

bemol *s. m.* **1** Signo (♭) que se coloca a la izquierda de una nota musical para indicar que dicha nota se entona o toca un semitono más baja. ‖ *adj./s. m.* **2** Se aplica a la nota musical que está alterada por este signo: *el si bemol es un semitono más bajo que el si natural.*

tener bemoles (**I**) familiar Tener valor o atrevimiento para hacer algo: *hay que tener bemoles para entrar en ese barrio.* (**II**) familiar Ser algo muy difícil.

benceno *s. m.* Hidrocarburo aromático, líquido, incoloro e inflamable que se obtiene de la gasolina de petróleo tratada mediante un proceso químico; es el prototipo de compuesto aromático usado como disolvente.

bencina *s. f.* Líquido volátil que se obtiene de la destilación del petróleo, que se usa como disolvente y como carburante.

bendecir [37] *v. tr.* **1** Invocar o pedir la protección divina a favor de una persona o cosa, generalmente recitando un sacerdote unas palabras rituales o haciendo un gesto ritual: *bendecir la mesa; el Papa bendijo a los fieles en la plaza de San Pedro.* **2** Ofrecer o dedicar a Dios, a la Virgen o a un santo una cosa o lugar: *el obispo bendijo la nueva iglesia.* SIN consagrar. **3** Otorgar Dios, la Virgen o un santo la gracia y protección divinas a una persona: *Dios bendiga a todos los que exponen su vida por defender la vida de los demás.* **4** Alabar, exaltar a una persona o cosa para expresar una gran satisfacción y felicidad: *bendigo el nombre de Dios; bendigo el día en que encontré trabajo.* ANT maldecir. **5** Hacer un sacerdote la señal de la cruz sobre una cosa o persona con la mano extendida con diversos fines, como hacer efectivo un sacramento o solicitar la protección de Dios sobre ellas: *se bendicen el pan y el vino para que se conviertan en el cuerpo y la sangre de Jesucristo, en virtud del sacramento de la eucaristía.*
OBS Participio regular: *bendecido.*
FAM bendición, bendito.

bendición *s. f.* **1** En la religión católica, acto por el que una autoridad eclesiástica bendice a una persona, lugar o cosa: *el Papa impartió la bendición desde un balcón del Vaticano.* **2** Conjunto de palabras con las que se pide para una persona la protección de Dios, la Virgen o un santo: *el sacerdote leyó la bendición que el obispo había enviado a los novios.* ANT anatema, maldición. **3** Ofrecimiento o dedicación a Dios, a la Virgen o a un santo: *durante la misa se procedió a la bendición de las nuevas imágenes de la cofradía.* SIN consagración. **4** Protección dada por Dios, la Virgen o un santo: *encontrar un piso bien situado y barato fue una bendición de Dios.* **5** Aprobación o consentimiento de una autoridad: *el acuerdo entre patronal y sindicatos cuenta con las bendiciones de las fuerzas políticas.* SIN beneplácito. **6** Cosa muy buena o que produce una gran alegría: *la últimas lluvias han sido una bendición para el campo.* ANT maldición.

bendito, -ta *adj./s. m. y f.* **1** Se aplica al lugar o a la cosa que ha sido bendecida o consagrada a Dios, a la Virgen o a un santo: *el interior de una iglesia es un lugar bendito.* SIN santo. **2** Que merece agradecimiento y alabanza, dichoso: *¡benditas vacaciones!; benditos médicos que salvaron la vida de mi padre.* NOTA En esta acepción, va antepuesto al sustantivo. ANT maldito. ‖ *s. m. y f.* **3** Persona o cosa muy buena: *es un bendito, todo el mundo abusa de él.*

¡bendito sea Dios! Expresión que indica alegría o sorpresa: *¡bendito sea Dios!, cómo te has puesto de sucio el pantalón.*

gloria bendita Cosa muy buena o excelente: *en casa de mis amigos nos dieron de comer gloria bendita.*

benedictino, -na *adj.* **1** Relativo a la orden de san Benito de Nursia, fundada a principios del siglo VI: *los monasterios benedictinos fueron importantes centros culturales y económicos durante la Edad Media.* ‖ *adj./s. m. y f.* **2** Se aplica al religioso que pertenece a esta orden: *los primeros monjes benedictinos vivieron en el monasterio de Montecasino.*

benefactor, -ra *adj./s. m. y f.* Se aplica a la persona que hace un bien o presta una ayuda a otra u otras personas de manera desinteresada: *un oyente benefactor se ofreció, durante un programa de radio, a pagar la operación del niño enfermo.* SIN bienhechor.

beneficencia *s. f.* **1** Ayuda social o económica desinteresada que se presta a las personas que carecen de recursos económicos. **2** Conjunto de instituciones públicas o privadas que ayudan de manera desinteresada a las personas que carecen de recursos económicos: *los indigentes están a merced de la beneficencia pública.*

beneficiar *v. tr.* **1** Hacer bien, producir un beneficio o provecho: *una alimentación equilibrada beneficia la salud; el árbitro benefició al equipo de casa; la estabilidad política beneficia la inversión extranjera.* **ANT** perjudicar. **2** Mejorar la tierra para que fructifique, especialmente mediante el uso de abonos y fertilizantes: *beneficiar la tierra.* **3** Tratar el mineral que se extrae de una mina para obtener y aprovechar el metal que contiene: *beneficiar un mineral.* ‖ *v. prnl.* **4** **beneficiarse** Sacar provecho de una persona o cosa, aprovecharse: *nuestro equipo se benefició del mal estado del campo para defender el resultado.* **5** vulgar Tener relaciones sexuales con una persona ajena a la pareja: *por presumir, dice que se ha beneficiado a casi todos sus compañeros de trabajo.*
FAM beneficiado, beneficial, benéfico.
OBS Verbo regular, se acentúa como *cambiar.*

beneficiario, -ria *adj./s. m. y f.* Se aplica a la persona que obtiene un beneficio o provecho, de un contrato, una donación, etc.: *el espectador es el principal beneficiario de una televisión de calidad; la persona beneficiaria de un seguro de vida suele ser el cónyuge.*

beneficio *s. m.* **1** Bien que se hace o se recibe: *el reciclaje es un beneficio para el medio ambiente.* **2** Provecho, compensación moral o material por una obra realizada: *con la cosecha el agricultor procura obtener el beneficio de un año de esfuerzos.* **3** Cantidad de dinero que se obtiene como resultado de una inversión: *las empresas eléctricas tuvieron este año grandes beneficios.*
FAM beneficial, beneficiario, beneficioso.

beneficioso, -sa *adj.* Que produce un bien moral o material: *un pacto entre los dos partidos políticos será beneficioso para el país; las rebajas son beneficiosas para comerciantes y clientes.* **ANT** perjudicial.

benéfico, -ca *adj.* **1** Relativo a la beneficencia o ayuda gratuita y desinteresada a los necesitados: *participó en un festival taurino benéfico en favor de las hermanitas de los pobres; la donación benéfica ha permitido reconstruir el asilo.* **2** Que hace bien o es beneficioso: *un clima benéfico; la práctica regular de ejercicio físico tiene efectos benéficos en el organismo.*
OBS Superlativo irregular: *beneficentísimo.*

benemérito, -ta *adj.* Que merece premio y agradecimiento por sus servicios: *la ciudad reconoció la obra del benemérito sacerdote haciéndole un homenaje público.*
el Benemérito Instituto o **la Benemérita** La Guardia Civil (cuerpo de seguridad español).

beneplácito *s. m.* Aprobación clara y con complacencia: *contaba con el beneplácito de sus padres para ir al viaje de estudios.* **SIN** consentimiento, permiso.

benevolencia *s. f.* Buena voluntad, comprensión y simpatía de una persona o grupo hacia otra u otras: *el ganador agradeció al jurado su benevolencia al concederle el premio.*

benévolo, -la *adj.* Se aplica a la persona que muestra buena voluntad, comprensión y simpatía hacia otras personas. **ANT** malévolo.
FAM benevolencia, benevolente.

bengala *s. f.* **1** Artificio luminoso que se utiliza para hacer señales a distancia: *las bengalas sirven para hacer señales desde un barco.* **2** Varilla o palito con pólvora en uno de sus extremos que, al arder, produce una luz muy viva y desprende chispas de distintos colores y que utilizan los niños como juego: *las bengalas de una fiesta de cumpleaños.*

bengalí *adj.* **1** De Bengala (región del sur de Asia). ‖ *s. com./adj.* **2** Persona que es de Bengala. ‖ *s. m./adj.* **3** Lengua indoeuropea, derivada del sánscrito, que se habla en diferentes regiones del golfo de Bengala.
OBS Plural: *bengalíes.*

benignidad *s. f.* **1** Inclinación o tendencia a hacer el bien o a pensar bien: *sus acciones caritativas son fruto de su benignidad.* **ANT** malignidad. **2** Naturaleza agradable o beneficiosa de algo: *el médico le aconsejó que aprovechara la benignidad de nuestro clima.* **3** Ausencia de gravedad en una enfermedad, especialmente cuando se trata de un tumor: *estaban más tranquilos al conocer la benignidad del tumor.* **ANT** malignidad.

benigno, -na *adj.* **1** Que se caracteriza por la buena voluntad, comprensión y simpatía hacia una persona o grupo: *el tribunal puso notas muy benignas a los opositores; tiene un carácter benigno.* **SIN** benévolo. **2** Que es templado y agradable: *un invierno benigno; clima benigno.* **3** En medicina, que no reviste gravedad, que no es mortal: *tumor benigno.* **ANT** maligno.
FAM benignidad.

benimerín *adj.* **1** Relativo a una antigua dinastía musulmana que sustituyó a los almohades en el dominio del norte de África y de la España musulmana durante los siglos XIII y XIV. ‖ *s. com./adj.* **2** Persona perteneciente a esta dinastía.

benjamín, -mina *s. m. y f.* **1** Hijo menor de una familia que tiene varios. **2** Persona que tiene menos edad de las que forman un equipo o grupo, especialmente cuando es muy joven.

benzol *s. m.* Hidrocarburo aromático, líquido, incoloro e inflamable que se obtiene del petróleo o de la destilación de la brea de hulla y es usado como disolvente.
OBS Término en desuso que equivale al actual *benceno.*

beodo, -da *adj./s. m. y f.* **1** Se aplica a la persona que ha tomado una cantidad excesiva de bebida alcohólica y, por ello, tiene alteradas sus facultades físicas y mentales. **SIN** borracho. **2** Se aplica a la persona que se emborracha habitualmente y es incapaz de renunciar a este hábito. **SIN** alcohólico, borracho.

berberecho *s. m.* Invertebrado marino del filo moluscos, comestible, de color blanco con una concha rayada y casi circular que vive enterrado en el fondo arenoso de las costas.

berberisco, -ca V. beréber.

berbiquí *s. m.* Instrumento que sirve para hacer agujeros en la madera y en otros materiales, que consta de un manubrio de doble codo que tiene en un extremo una barra fina de acero acabada en punta con acanaladura de forma helicoidal y en el opuesto un mango para darle el movimiento de rotación necesario.
OBS Plural: *berbiquíes* o *berbiquís.*

beréber o **bereber** o **berebere** *adj.* **1** Relativo a un pueblo que habitaba la antigua región de la Berbería: *la influencia beréber abarcaba el norte de África, territorio actualmente ocupado por Marruecos, Argelia y Túnez.* **SIN** berberisco. ‖ *s. com./adj.* **2** Persona perteneciente a este pueblo. **SIN** berberisco. ‖ *s. m./adj.* **3** Lengua hablada por este pueblo. **SIN** berberisco.

berenjena *s. f.* **1** Planta de huerta, de hojas grandes, ovaladas y cubiertas de pelos, con flores grandes de color morado. **2** Fruto de esta planta, de forma alargada, de color blanco por dentro y morado por fuera, con la piel fina y lustrosa.
FAM berenjenal.

berenjenal *s. m.* **1** Plantación de berenjenas. **2** familiar Asunto o situación problemática de difícil solución: *siempre le ha gustado meterse en berenjenales.*

bergamota *s. f.* ① Variedad de lima (fruta) muy aromática cuya esencia se emplea en perfumería. ② Variedad de pera jugosa y aromática.

bergante *s. m.* Hombre pícaro, granuja y sinvergüenza.

bergantín *s. m.* Barco de vela ligero de dos palos.

beriberi *s. m.* Enfermedad motivada por la falta de vitamina B₁, cuyos síntomas son dolores musculares, parálisis e insuficiencia cardíaca.

berilio *s. m.* Elemento químico de símbolo Be y número atómico 4; es un metal del grupo de los alcalinotérreos, de color grisáceo, elástico y resistente, usado principalmente en la industria atómica.

berilo *s. m.* Mineral compuesto de silicato de aluminio y berilio que se presenta en cristales hexagonales de diferentes colores; las variedades más conocidas son la esmeralda, de color verde, y la aguamarina, de color azul.

berkelio *s. m.* Berquelio.

berlina *s. f.* ① Tipo de automóvil de cuatro a seis plazas con cuatro puertas laterales y una trasera, generalmente usado como vehículo familiar: *me gusta el modelo de coche, pero no sé si comprarme la berlina o la versión deportiva de dos puertas.* ② Antiguo coche de caballos con cuatro ruedas usado para el transporte de personas, generalmente con dos asientos.

berlinés, -nesa *adj.* ① De Berlín (capital de Alemania). I *s. m. y f./adj.* ② Persona que es de Berlín.

bermejo, -ja *s. m./adj.* ① Color rojo como el de la sangre o el de los tomates maduros. I *adj.* ② Que es de este color.
FAM bermejizo.

bermellón *s. m.* ① Polvo muy fino de cinabrio que se emplea en pintura para obtener un color rojo muy intenso. I *adj.* ② De color rojo muy intenso.

bermudas *s. amb. pl.* ① Pantalón deportivo corto que llega hasta las rodillas. ② Bañador masculino en forma de pantalón corto y ancho que llega hasta las rodillas.

bernardo, -da *adj./s. m. y f.* ① Se aplica al religioso que pertenece a la orden del Císter, fundada en el siglo XI, que conserva la austeridad de la orden benedictina: *monjas bernardas.* I *adj.* ② Relativo a esta orden religiosa.

berquelio [también **berkelio**] *s. m.* Elemento químico de símbolo Bk y número atómico 97; es un metal radiactivo del grupo de los actínidos que se obtiene artificialmente a partir del americio.

berrear *v. intr.* ① Dar berridos el becerro, el ciervo u otros animales semejantes. ② Llorar o gritar un niño con fuerza. ③ familiar Cantar mal, dando voces y desentonando.
FAM berreo, berrido.

berreo *s. m.* ① Acción de berrear. ② Llanto o grito fuerte de un niño. ③ ECUAD. Berrinche.

berrido *s. m.* ① Voz del becerro, del ciervo y de otros animales semejantes. ② familiar Grito o lloro estridente de una persona o nota alta y desentonada que hace esta al cantar.

berrinche *s. m.* Enfado o disgusto grande que se manifiesta de manera exagerada con gestos, voces o llanto.
FAM berrinchudo.

berrinchudo, -da *adj.* AMÉR. Se aplica a la persona que se enoja con facilidad y por cualquier motivo: *era un tipo necio y berrinchudo.*

berro *s. m.* Planta herbácea de tallos gruesos que crece en lugares con mucha agua y cuyas hojas, de sabor ligeramente picante, se comen en ensalada.

bertsolari o **bersolari** [también **versolari**; se pronuncia aproximadamente 'bersolari'] *s. m.* En el País Vasco, hombre que compone versos de forma improvisada.

berza *s. f.* Hortaliza de hojas verdes, muy anchas y arrugadas y tan unidas y apretadas entre sí que forman una especie de pelota. **SIN** col.
FAM berzal.

berzas *adj./s. com.* Berzotas.
OBS Plural invariable.

berzotas *adj./s. com.* familiar Se aplica a la persona que es torpe o poco inteligente. **SIN** berzas.
OBS Plural invariable.

besamanos *s. m.* ① Acto público de saludo a las autoridades. ② Saludo que se hace a una persona que consiste en tomar su mano derecha y hacer el ademán de besarla inclinando ligeramente el cuerpo. ③ Acto en el cual se besa la mano del sacerdote que acaba de decir su primera misa. ④ Acto religioso en el que pasan los fieles uno a uno ante una imagen para besarla: *el besamanos de los pies del Niño Jesús.*
OBS Plural invariable.

besamel o **besamela** [también **bechamel**] *s. f.* Salsa blanca y cremosa que se hace con leche, harina, mantequilla o aceite y sal.

besana *s. f.* ① Primer surco que se abre en la tierra cuando se empieza a arar un campo. ② Conjunto de los surcos paralelos que se hacen al arar un campo de cultivo: *cuando termine la besana plantaré los melones.*

besar *v. tr.* ① Tocar con los labios, contrayéndolos y separándolos, una parte del cuerpo de una persona o una cosa en señal de amor, afecto, o a veces como señal de respeto, generalmente en la cara: *besó a su mujer y a sus hijos antes de tomar el tren.* ② Hacer ademán de ello con los labios: *besó desde el escenario a todo el público.* ③ Tocar o rozar levemente una cosa a otra: *en el último disparo a puerta, la pelota besó el palo derecho de la portería y salió fuera.*
FAM besamanos, besucón, besuquear.

beso *s. m.* ① Hecho de tocar con los labios, contrayéndolos y separándolos, una parte del cuerpo de una persona o una cosa en señal de amor, afecto, saludo o respeto: *los novios se dieron un beso al finalizar la boda.* ■ **beso de Judas** Beso que se da con falsa intención. ■ **beso de paz** Beso que se da como muestra de amistad. ② Gesto o ademán hecho con los labios, que generalmente se lanza o tira acompañándolo con la mano: *lanzó un beso a la grada, donde estaba su familia.*
FAM besar.

bestia *s. f.* ① Animal de cuatro patas, especialmente el doméstico que se usa para carga: *el mulo, el asno o el caballo son bestias.* I *adj./s. com.* ② Se aplica a la persona que hace un uso excesivo de la fuerza física, es violento o tiene malos modos: *el portero de la discoteca es un tío bestia.* **SIN** animal, bruto, burro. ③ familiar Se aplica a la persona que es torpe, inculta o poco inteligente: *no seas bestia y quita el freno de mano antes de emprender la marcha.* **SIN** animal, borrico, burro.
a lo bestia (**I**) familiar Con violencia y sin cuidado: *intentó abrir la botella a lo bestia y acabó rompiendo el casco.* (**II**) En una cantidad excesiva o con un tamaño desmesurado: *su primo le explicó que en Estados Unidos los centros comerciales son parecidos a los de aquí, pero a lo bestia.*

bestia negra o **bestia parda** Persona o grupo que es objeto de especial antipatía o animadversión por parte de alguien: *la selección italiana de fútbol es la tradicional bestia negra del equipo español.*
FAM bestial, bestiario.

bestial *adj.* ① Que es cruel, brutal o irracional y carece de compasión o humanidad: *un crimen bestial.* ② Que es muy grande, extraordinario: *un hambre bestial; una fuerza bestial.*
FAM bestialidad.

bestialidad *s. f.* ① Acción o comentario que causa sorpresa y rechazo por ser especialmente torpe, equivocado o exagerado: *intentar aprobar un examen final estudiando la última noche es una bestialidad.* SIN animalada, barbaridad, burrada. ② Hecho muy cruel y violento.
una bestialidad familiar Cantidad grande y excesiva, muchísimo: *recorrer cien kilómetros para un ciclista no profesional es una bestialidad.*

bestiario *s. m.* Colección de fábulas, leyendas e historias sobre animales reales o imaginarios; es característica de la literatura medieval.

best-seller o **best seller** [se pronuncia aproximadamente 'bes-séler'] *s. m.* ① Libro que ha obtenido un gran éxito de ventas y que lo compra mucha gente: *la mayor parte de las novelas que ganan un premio prestigioso acaban convirtiéndose en best-sellers.* ② Libro que busca fundamentalmente captar fácilmente la atención del lector y convertirse en un gran éxito de ventas: *un escritor de best-sellers no suele preocuparse demasiado por la calidad literaria de sus obras.*

besucón, -cona *adj./s. m. y f.* Se aplica a la persona que tiene la afición de besar mucho a los demás.

besugo *s. m.* ① Pez marino comestible, que mide de 60 a 80 cm, de carne blanca muy apreciada, generalmente de color entre gris y rojo, con una mancha negra junto a las agallas y ojos grandes. ② familiar Persona torpe y poco inteligente. SIN zoquete.
FAM besuguera.

besuquear *v. tr.* Besar de manera repetida.
FAM besuqueo.

besuqueo *s. m.* Conjunto de besos que se dan de manera repetida: *cuando era niño, le molestaba mucho el besuqueo de algunos parientes.*

beta *s. f.* Nombre de la segunda letra del alfabeto griego; se escribe B/β y se transcribe como *b*.

betatrón *s. m.* Aparato electromagnético destinado a acelerar electrones.

bético, -ca *adj.* ① De la Bética (antigua región romana del sur de España que corresponde aproximadamente a la actual Andalucía): *el sistema bético; la cordillera bética.* ‖ *s. m. y f./adj.* ② Persona que era de la Bética.
FAM penibético.

betlemita *adj.* ① De Belén (ciudad de Israel donde, según la tradición, nació Jesús). ‖ *s. com./adj.* ② Persona que es de Belén. ‖ *adj./s. com.* ③ Se aplica al religioso que pertenece a la orden de Belén. ‖ *adj.* ④ Relativo a la orden de Belén.

betún *s. m.* ① Mezcla hecha con ceras y tintes que sirve para limpiar y dar brillo al calzado. ② Sustancia de origen natural que contiene hidrógeno y carbono, que arde con llama y humo espeso.

bianual *adj.* ① Que ocurre dos veces al año. ② Que dura dos años.

biatlón *s. m.* Competición deportiva que consiste en una carrera de esquí de fondo que incluye una prueba de tiro al blanco.

biáxico, -ca *adj.* Que tiene dos ejes.

biberón *s. m.* Recipiente cilíndrico que tiene una tetina y sirve para alimentar con leche u otro líquido a niños y animales recién nacidos o de poca edad.

biblia *s. f.* Conjunto de los libros sagrados del cristianismo y el judaísmo: *la biblia judía solo contiene los textos que en la biblia cristiana forman el Antiguo Testamento.*
FAM bíblico.
OBS Con mayúscula inicial excepto para referirse al objeto físico: *una biblia con ilustraciones.*

bíblico, -ca *adj.* Relativo a la Biblia: *pasaje bíblico; personaje bíblico.*

bibliobús *s. f.* Autobús acondicionado para ofrecer los servicios de una biblioteca pública y mostrar libros que pueden ser solicitados en préstamo por los usuarios: *los bibliobuses son un servicio público que suple a las bibliotecas en las localidades donde no las hay.*

bibliofilia *s. f.* Afición grande a los libros, especialmente a los que son raros o curiosos y a las ediciones valiosas.

bibliografía *s. f.* ① Catálogo ordenado de libros, artículos, reseñas y textos sobre una materia determinada o un autor en concreto: *los libros científicos, técnicos o críticos suelen tener una parte final dedicada a la bibliografía en la que se recogen los libros que se han citado a lo largo de la obra; la bibliografía de Antonio Gala es abundante y variada.* ② Ciencia o técnica que estudia la descripción y clasificación sistemática de libros, impresos y otros materiales para proporcionar información a investigadores, estudiantes y profesionales.
FAM bibliográfico, bibliógrafo.

bibliográfico, -ca *adj.* Relativo a la bibliografía.

bibliógrafo, -fa *s. m. y f.* ① Persona versada en libros, impresos y otros masteriales y que se dedica a la descripción y clasificación sistemática de estos para proporcionar información a investigadores, estudiantes y profesionales. ② Persona que se dedica al estudio manuscritos y libros, atendiendo especialmente a sus características materiales, tales como la sucesión de ediciones, impresión, encuadernación y estado de conservación.

bibliología *s. f.* Ciencia que estudia los libros en su aspecto técnico e histórico.

biblioteca *s. f.* ① Edificio o local en el que se tienen numerosos libros guardados y ordenados para facilitar su consulta y que el público pueda leerlos o llevárselos en préstamo: *en una biblioteca los libros están clasificados por secciones.* ② Colección de libros que se guardan en este edificio o local: *la Biblioteca del Congreso de Estados Unidos está compuesta por unos 18 millones de volúmenes.* ③ Colección de libros o tratados semejantes entre sí: *una biblioteca de autores clásicos; una biblioteca de derecho romano.* ④ Colección de libros que guarda una persona en su casa o en su lugar de trabajo: *he añadido un nuevo libro a mi biblioteca.* ⑤ Mueble grande con estantes en el que se colocan libros: *en el salón tiene una biblioteca de color caoba.* SIN librería.
FAM bibliotecario, bibliotecología, biblioteconomía.

bibliotecario, -ria *s. m. y f.* Persona que tiene a su cargo el cuidado y funcionamiento de una biblioteca.

biblioteconomía *s. f.* Disciplina que estudia la administración, conservación y organización de las bibliotecas.

biblista *s. com.* Persona que se dedica al estudio de la Biblia.

bicameral *adj.* Se aplica al sistema legislativo de un Estado que está formado por dos cámaras que elaboran y aprueban las leyes: *España posee un sistema bicameral formado por el Congreso de los Diputados y el Senado.* **FAM** bicameralismo.

bicarbonato *s. m.* Sal derivada del ácido carbónico en la que se ha sustituido uno de sus hidrógenos por un metal. ■ **bicarbonato de calcio** Sal blanca que produce la formación de estalactitas y estalagmitas. ■ **bicarbonato de sodio** Sal que se toma para calmar el dolor de estómago producido por una mala digestión o que se pone en el agua de las legumbres para ablandarlas unas horas antes de cocinarlas.

bicéfalo, -la *adj.* Que tiene dos cabezas.

bicentenario, -ria *adj.* **1** Que tiene doscientos años o más: *la plaza de toros de Ronda es un coso bicentenario.* **|** *s. m.* **2** Fecha en que se cumplen doscientos años desde que se produjo un acontecimiento: *en 1997 se cumplió el bicentenario de la muerte de Franz Schubert.* **3** Fiesta o celebración con que se conmemora esta fecha.

bíceps *s. m./adj.* Músculo que tiene uno de sus extremos dividido en dos inserciones: *los gimnastas suelen tener los bíceps de los brazos muy desarrollados; en la pierna hay un músculo bíceps que forma el muslo.* **OBS** Plural invariable.

bicha *s. f.* **1** familiar Culebra, reptil, generalmente entre personas supersticiosas. **2** Figura fantástica con forma de mujer, de medio cuerpo para arriba, y de animal en la parte inferior.

bichero *s. m.* Palo largo con un garfio o gancho en un extremo que sirve para alejar o acercar una embarcación a tierra o a otra nave y para recoger objetos que flotan en el agua.

bicho *s. m.* **1** familiar Animal, especialmente el que es pequeño y desagradable: *no le gustaba dormir en el campo porque le daban miedo los bichos.* **2** Toro de lidia. **3** familiar Persona mala, de carácter violento y cruel: *es un mal bicho.* **4** AMÉR. Animal extraño, feroz o dañino.

bicho raro Persona de carácter o costumbres poco comunes o extrañas para los demás: *en la nueva escuela se sentía un bicho raro.*

matar el bicho AMÉR. SUR Tomar bebidas alcohólicas.

todo bicho viviente familiar Todo el mundo, todas las personas: *cuando se enfada, le va gritando a todo bicho viviente.* **FAM** bicha, bicharraco, bichero.

bici *s. f.* familiar Bicicleta.

bicicleta *s. f.* **1** Vehículo de dos ruedas unidas a un armazón triangular, con un manillar y un sillín, movido por dos pedales que mueven la rueda trasera mediante una cadena. **2** Movimiento de piernas como el que se hace al pedalear sobre una bicicleta: *hacer bicicleta ayuda a fortalecer los músculos del abdomen.* **FAM** bici.

biciclo *s. f.* Bicicleta antigua con una rueda de mayor tamaño que la otra.

bicicrós o **bicicross** *s. m.* Modalidad de ciclismo que se practica en un circuito con obstáculos.

bicoca *s. f.* Cosa de buena calidad o valor que se consigue a bajo precio o con poco esfuerzo: *una moto de segunda mano tan barata es una bicoca.* **SIN** ganga.

bicolor *adj.* Que tiene dos colores.

bicoque *s. m.* AMÉR. Coscorrón (golpe dado con los nudillos en la cabeza de una persona).

bidé *s. m.* Recipiente de loza bajo y ovalado que sirve para el aseo íntimo.

bidón *s. m.* Recipiente grande y cilíndrico, normalmente metálico y con cierre hermético, que sirve para contener o transportar líquidos: *bidón de gasolina; bidón de cerveza.*

biela *s. f.* Pieza de una máquina que sirve para transmitir potencia de una articulación a otra o transformar un movimiento de vaivén rectilíneo en un movimiento circular, o viceversa; la biela puede moverse manual o mecánicamente, según se accione con una manivela o con un cigüeñal: *la biela transforma el movimiento ascendente y descendente del pistón del motor de un automóvil en movimiento rotatorio.*

bieldo *s. m.* Instrumento que sirve para aventar las mieses y mover el cereal cortado, formado por un palo largo en cuyo extremo hay otro más corto provisto de cuatro dientes o puntas. **FAM** beldar.

bielorruso, -sa *adj.* **1** De Bielorrusia (país de Europa). **|** *s. m. y f./adj.* **2** Persona que es de Bielorrusia. **|** *s. m./adj.* **3** Lengua hablada en Bielorrusia.

bien[1] *adv.* **1** De modo adecuado o correcto, como es debido y convenientemente: *haces bien no cogiendo el coche si estás cansado; el examen me ha salido bien.* **ANT** mal. **2** Con comodidad, de manera conveniente: *salió de casa temprano y llegó bien al aeropuerto.* **3** Con buena salud, sano, en buen estado: *tras estar varios días resfriado, ya está bien; no me encuentro bien.* **ANT** mal. **4** De manera agradable o feliz y sin inconvenientes: *los chicos lo pasaron bien en el viaje de estudios; la cena ha salido muy bien.* **ANT** mal. **5** Bastante, mucho o muy: *me apetece un batido bien frío; agárrate bien al conductor si no quieres caerte de la moto.* **6** De buena gana, con mucho gusto: *yo bien iría, pero tengo trabajo.* **7** Funciona como nexo distributivo o disyuntivo: *puedes llegar hasta mi casa bien en autobús, bien en taxi.* **|** *adj.* **8** De buena posición social: *sus padres están encantados de que salga con un chico bien.* **|** *int.* **9** ¡bien! Expresión que se usa para indicar afirmación o asentimiento: —¿Vienes al cine? —Bien, vamos. **SIN** bueno.

bien que mal De manera poco clara y llena de obstáculos o dificultades: *bien que mal acabó por sacar la carrera tras repetir algunos cursos.*

de bien Que es honrado y bueno o que goza de una buena posición social: *sus padres están contentos porque se casa con un hombre de bien.*

estar a bien Tener buena relación con alguien.

poner bien Hablar bien de una cosa o persona.

¡qué bien! Expresa satisfacción, alegría y felicidad: *¡qué bien que ya empiezan las vacaciones!*

si bien Aunque: *si bien estoy un poco cansado, iré al cine con vosotros.*

tener a bien Dignarse hacer algo: *tuvo a bien invitarnos a pasar.*

y bien Expresión con la que se introduce una pregunta o se pide una respuesta: *y bien, ¿dónde piensas pasar las vacaciones?* **FAM** requetebién.

bien[2] *s. m.* **1** Cosa que es útil y buena para una persona o un grupo y que produce felicidad: *no seas egoísta y busca con el trabajo tu bien y el de los demás.* **2** Idea abstracta de todo lo que es moralmente bueno o perfecto, aquello hacia lo que

los seres humanos tienden como preferido, útil, deseable, etc. y de cuyo estudio se ocupa la ética: *la lucha interior entre el bien y el mal es una imagen tradicional de la condición humana.* **ANT** mal. **|** *s. m. pl.* ③ **bienes** Conjunto de riquezas u otros bienes materiales que se poseen: *antes de morir legó todos sus bienes a su mujer; un abogado administraba los bienes de la familia.* ■ **bienes comunales** Bienes que pertenecen al común del pueblo. ■ **bienes de consumo** Objetos producidos en el trabajo que son consumidos o utilizados para satisfacer necesidades del ser humano directamente, como el alimento. ■ **bienes de equipo** Conjunto de maquinaria, aparatos y materiales que se destina a la actividad industrial o agrícola, como las grúas, los robots y los motores eléctricos. ■ **bienes de producción** Objetos ya producidos que sirven a su vez para producir, como las máquinas y herramientas. ■ **bienes gananciales** Bienes obtenidos por el marido o la mujer durante el tiempo que han estado casados: *en caso de divorcio, los bienes gananciales deben dividirse entre los miembros de la pareja.* ■ **bienes inmuebles** o **bienes raíces** Bienes que no se pueden mover del lugar en el que están, tales como tierras o viviendas. ■ **bienes muebles** Bienes que pueden ser trasladados sin alterar su naturaleza o calidad, tales como dinero, joyas, obras de arte, muebles, vehículos y objetos.

bienal *adj.* ① Que se repite cada dos años. ② Que dura dos años: *contrato bienal.* **|** *s. f.* ③ Exposición artística o cultural que se repite cada dos años.

bienaventurado, -da *adj.* ① Que es afortunado y feliz: *se consideraba una persona bienaventurada al haber salvado la vida gracias al trasplante de corazón.* **ANT** malaventurado. **|** *adj./s. m. y f.* ② En la religión católica, se aplica a la persona que goza de la felicidad y de la gracia eterna. **FAM** bienaventuranza.

bienaventuranza *s. f.* ① Fortuna y felicidad: *un coro les cantó varios villancicos deseándoles paz y bienaventuranza.* ② En la religión católica, estado de felicidad y gracia eterna. ③ Cada uno de los ocho motivos expresados por Jesucristo según los cuales una persona puede ser considerada bienaventurada: *en el Evangelio de san Mateo se recogen las ocho bienaventuranzas que Jesucristo pronunció en el sermón de la montaña.*

bienestar *s. m.* ① Estado de la persona que goza de buena salud física y mental, lo que le proporciona un sentimiento de satisfacción y tranquilidad: *la medicación le quitó el dolor y le proporcionó cierto bienestar.* ② Estado de una persona cuyas condiciones económicas le permiten vivir con holgura: *pasa muchas horas trabajando para procurar el bienestar de su familia.*

bienhablado, -da *adj.* Se aplica a la persona que habla sin emplear expresiones vulgares o malsonantes: *un chico bienhablado.* **ANT** malhablado.

bienhechor, -ra *adj./s. m. y f.* ① Se aplica a la persona que hace el bien o presta su ayuda a otra u otras: *reyes y emperadores fueron en el pasado bienhechores de la Iglesia y de las órdenes religiosas.* **SIN** benefactor. **|** *adj.* ② Que protege a una persona o una cosa.

bienintencionado, -da *adj./s. m. y f.* Se aplica a la persona que tiene buena intención. **ANT** malintencionado.

bienio *s. m.* ① Periodo de dos años. ② Incremento económico que se efectúa sobre un sueldo o salario por cada dos años de servicio activo en una empresa u organismo. **FAM** bienal.

bienvenida *s. f.* Recibimiento en el que se manifiesta gran alegría por la llegada de una persona o grupo.

bienvenido, -da *adj./s. m. y f.* ① Que se recibe con agrado o alegría: *la lluvia fue bienvenida por los agricultores.* **|** *int.* ② **¡bienvenido!** Expresión con la que se saluda la llegada y el encuentro con una persona o grupo: *¡bienvenidos a Burgos!* **FAM** bienvenida. **OBS** También *bien venido.*

bies *s. m.* Tira de tela cortada de manera oblicua respecto al hilo de la costura, que se emplea para adornar o reforzar el borde de una prenda de ropa. **al bies** De manera oblicua o inclinada, en diagonal: *si colocamos los hilos al bies la resistencia es mayor.*

bifásico, -ca *adj.* Se aplica al sistema eléctrico que tiene dos corrientes eléctricas alternas iguales, procedentes del mismo generador, cuyas fases respectivas se producen a la distancia de un cuarto de periodo.

bifaz *s. m.* Herramienta del paleolítico inferior y medio, que consistía en una pieza de sílex tallada por sus dos caras para obtener un borde cortante en arista.

bífido, -da *adj.* Dividido en dos partes: *lengua bífida de la serpiente.*

bífidus *s. m.* Bacilo con propiedades dietéticas que se utiliza en la fabricación de yogures y que regenera la flora intestinal. **OBS** Plural invariable.

bifloro, -ra *adj.* Que tiene o encierra dos flores: *un pedúnculo bifloro.*

bifocal *adj.* ① Que tiene dos focos. **|** *adj./s. f. pl.* ② Se aplica a la lente que tiene dos focos, uno para ver a corta distancia y otro para ver de lejos: *unas gafas bifocales; mi abuela usa bifocales.*

bifurcación *s. f.* ① División o separación de una cosa en dos ramales, brazos o puntas, especialmente de un camino o carretera: *las bifurcaciones de una autovía; la bifurcación de una chimenea.* ② Punto o lugar donde se produce esta división: *al llegar a la primera bifurcación, gira a la derecha.*

bifurcarse *v. prnl.* Dividirse o separarse en dos ramales, brazos o puntas una cosa, especialmente un camino o carretera: *la entrada al jardín se bifurca en dos caminos que se pierden entre los setos.* **FAM** bifurcación.

bigamia *s. f.* Estado de la persona que tiene dos cónyuges a la vez.

bígamo, -ma *adj./s. m. y f.* Se aplica a la persona que tiene dos cónyuges a la vez. **FAM** bigamia.

bigardo, -da *adj./s. m. y f.* ① Se aplica a la persona que es perezosa y no le gusta trabajar: *al emplearlo no sabía que era tan bigardo.* ② familiar Se aplica a la persona que es muy alta y corpulenta. **FAM** bigardía.

big band [se pronuncia aproximadamente 'big-ban'] *s. f.* Gran conjunto u orquesta de jazz. **OBS** Plural: *big bands.*

big bang *s. m.* Gran explosión que, según los actuales modelos astronómicos, dio origen al universo.

bigote *s. m.* ① Pelo fuerte que nace sobre el labio superior: *a los hombres les empieza a crecer la barba y el bigote al final de la adolescencia; son famosos los bigotes de Dalí o de Groucho Marx.* **NOTA** También en plural con el mismo significado que en singular. ② Conjunto de pelos largos y erectos que tienen algunos animales sobre el labio superior: *algunos animales tienen*

B

bigote, como el gato, el tigre o el ratón. **NOTA** También en plural con el mismo significado que en singular. **3** Mancha que queda en el labio superior después de beber un líquido: *un bigote de chocolate.* **NOTA** También en plural con el mismo significado que en singular. **4** Parte de la cara que está sobre el labio superior. **NOTA** También en plural con el mismo significado que en singular. ‖ *s. m. pl.* **5 bigotes** Constancia, firmeza y tesón en la toma de decisiones: *este chico tiene bigotes, no se deja manejar.*

de bigotes familiar Se usa para ponderar o alabar de forma exagerada las buenas cualidades de una cosa: *este guiso está de bigotes.*

jugarse el bigote familiar Arriesgar mucho: *nadie se juega el bigote a cambio de nada.*

menear (o **mover**) **el bigote** familiar Comer.

FAM bigotera, bigotudo.

bigotudo, -da *adj.* **1** Que tiene un bigote grande o con mucho pelo. ‖ *s. m.* **2** Pájaro de pequeño tamaño, de plumaje de color canela y cola larga, que vive en los cañizales: *el bigotudo macho tiene una mancha negra que recuerda un bigote.*

bigudí *s. m.* Pinza larga y plana que sirve para enrollar un mechón de cabello y dejarlo ondulado.

OBS Plural: *bigudíes* o *bigudís.*

bikini *s. m.* Biquini.

OBS Es marca registrada.

bilabial *adj.* **1** Se aplica al fonema o sonido consonántico en cuyo punto de articulación intervienen los dos labios. ‖ *adj./s. f.* **2** Se aplica a la consonante que se articula en este punto, como la "b", la "p" y la "m".

bilateral *adj.* De las dos partes, lados o aspectos que tienen relación con una cosa o que afecta a estos: *un acuerdo bilateral entre patronal y sindicatos.*

bilbaíno, -na *adj.* **1** De Bilbao (ciudad capital de Vizcaya). ‖ *s. m. y f./adj.* **2** Persona que es de Bilbao.

bilbilitano, -na *adj.* **1** De Calatayud (localidad de Zaragoza). ‖ *s. m. y f./adj.* **2** Persona que es de Calatayud.

biliar *adj.* Relativo a la bilis.

bilingüe *adj./s. com.* **1** Se aplica a la persona o grupo social que habla o utiliza dos lenguas: *una escritora bilingüe.* ‖ *adj.* **2** Se aplica al texto, libro o medio de comunicación que está o se produce en dos lenguas: *un diccionario bilingüe francés-español; la televisión autónoma vasca es bilingüe.* **3** Se aplica al territorio, región o país en el que la mayoría de sus habitantes hablan dos lenguas: *Cataluña es una autonomía bilingüe.*

FAM bilingüismo.

bilingüismo *s. m.* Condición por la que un individuo, una colectividad o un medio de comunicación emplea indistintamente dos lenguas, sin que ninguna de ellas domine sobre la otra: *el bilingüismo es un fenómeno común en Galicia, Cataluña y el país Vasco.*

bilis *s. f.* **1** Líquido viscoso, de color amarillo verdoso y de sabor amargo, segregado por el hígado, que facilita la digestión de las grasas. **SIN** hiel. **2** Sentimiento de amargura e irritabilidad: *volcó toda su bilis en sus subordinados, a los que hacía la vida imposible.* **SIN** hiel.

FAM biliar, bilioso.

OBS Plural invariable.

billar *s. m.* **1** Juego que consiste en impulsar con unos tacos bolas de marfil o de otro material similar sobre una mesa rectangular cubierta por un tapete verde, con bordes de goma

elevados para impedir que las bolas caigan al suelo. **2** Establecimiento público donde hay mesas para practicar este juego. **3** Mesa para practicar este juego: *ha instalado un billar en su habitación.*

FAM billarista.

billetaje *s. m.* Conjunto de billetes que se ponen a la venta para asistir a un espectáculo público o para hacer uso de un servicio público.

billete *s. m.* **1** Papel rectangular impreso o grabado que emite el banco central de un país, que tiene valor de dinero: *el billete de veinte euros es de color azul.* **2** Papel pequeño impreso, generalmente de forma rectangular, que se compra y da derecho a entrar en determinados lugares: *un billete para un concierto de rock.* **SIN** boleto, entrada. **3** Papel pequeño impreso, generalmente de forma rectangular, que se compra y da derecho a utilizar un servicio de transporte público determinado: *enseña el billete al revisor.* **4** Papel pequeño impreso que acredita la participación en un sorteo de lotería: *cada billete de lotería está formado por diez décimos que pueden venderse por separado.* **SIN** boleto.

FAM billetaje, billetera, billetero.

billetera *s. f.* Billetero.

billetero *s. m.* Cartera pequeña y plana para guardar billetes. **SIN** billetera.

billón *s. m.* Conjunto formado por un millón de millones.

FAM billonésimo.

billonésimo, -ma *num. ord.* **1** Que ocupa el lugar número 1 000 000 000 000 en una serie ordenada. ‖ *num. part.* **2** Se aplica a cada una de las partes que resultan de dividir un todo en un billón de partes iguales.

bimembre *adj.* Que está compuesto de dos miembros o partes: *la frase "volvió pronto y se acostó temprano" tiene una estructura bimembre.*

bimensual *adj.* Que se hace u ocurre dos veces al mes: *revista bimensual.*

bimestral *adj.* **1** Que ocurre o se repite cada dos meses: *de una publicación bimestral se editan seis números al año.* **2** Que dura dos meses: *es un cursillo de informática bimestral, abarca los meses de marzo y abril.*

bimestre *s. m.* Periodo de dos meses.

FAM bimestral.

bimotor *adj./s. m.* Se aplica al avión que tiene dos motores.

binar *v. tr.* **1** Arar una segunda vez la tierra. **2** Cavar por segunda vez las viñas.

binario, -ria *adj.* **1** Que está compuesto por dos elementos o unidades: *el sistema de numeración que utilizan los ordenadores es binario, solamente utiliza los dígitos 0 y 1.* **2** Se aplica al compás musical que está compuesto por dos tiempos, generalmente uno fuerte y uno débil, o al ritmo musical basado en este tipo de compás: *el ritmo binario es típico de las marchas militares porque está en consonancia con el ritmo de los pasos al caminar.*

bingo *s. m.* **1** Juego de azar que se juega entre varias personas, generalmente en un local preparado para ello, en el cual los jugadores tienen unos cartones con números y los van marcando a medida que coinciden con los números que se cantan de las bolas que van saliendo por azar, y gana el que consigue cubrir antes que nadie todos los números de una línea o de un cartón. **2** Premio que se obtiene cuando se marcan todos los números de un cartón: *gané un bingo de doscien-*

B

tos euros. **3** Local público en el que se practica este juego: *a un bingo solamente pueden entrar personas mayores de edad.* ▌ *int.* **4** **¡bingo!** familiar Se usa para expresar que se ha acertado algo o que se ha encontrado una solución.

binocular *adj./s. m.* **1** Se aplica al aparato óptico o sistema de visión que permite mirar con los dos ojos simultáneamente: *un microscopio binocular; un casco provisto de un sistema de visión binocular de realidad virtual.* ▌ *s. m. pl.* **2** **binoculares** Aparato óptico para ver a distancia con los dos ojos, formado por dos tubos, uno para la visión de cada ojo, que tienen en su interior una combinación de prismas y lentes. SIN anteojos, gemelos, prismáticos.

binóculo *s. m.* Gafas sin patillas que se sujetan únicamente a la nariz.

binomio *s. m.* **1** Expresión algebraica formada por dos términos (llamados monomios) unidos por las operaciones de la suma o la resta: *la expresión $2x^4 + 2x^6$ es un binomio.* **2** Conjunto de dos personas o elementos que suelen actuar juntos o en colaboración por su afinidad: *la película «Casablanca» está marcada por el famoso binomio Bogart-Bergman.*

biocombustible *s. m.* Combustible de origen biológico que no produce contaminación: *el bioetanol y el biodiésel son biocombustibles.*

biodegradable *adj.* Se aplica al producto o sustancia que puede descomponerse en elementos químicos naturales por la acción de agentes como el sol, el agua, las bacterias, las plantas o los animales: *el plástico y sus derivados no son biodegradables.*

biodegradación *s. f.* Descomposición natural y no contaminante de una sustancia o producto por la acción de agentes naturales.

biodegradar *v. tr.* Separar los componentes de una sustancia orgánica mediante la acción de determinados organismos, principalmente bacterias.

biodiversidad *s. f.* Variedad de especies de seres vivos que viven en un lugar: *España conserva, probablemente, la mayor biodiversidad del continente europeo.*

bioelemento *s. m.* Elemento químico que que forma parte de las biomoléculas o moléculas que constituyen los seres vivos: *los bioelementos más abundantes son el carbono, el hidrógeno, el oxígeno y el nitrógeno.*

bioética *s. f.* Estudio de los aspectos éticos de las ciencias de la vida (medicina y biología, principalmente), así como de las relaciones del ser humano con los restantes seres vivos.

biofísica *s. f.* Parte de la biología y de la física que estudia los fenómenos físicos ligados a los sistemas biológicos y el modo en que los seres vivos utilizan y transforman la energía que ellos mismos producen: *la biofísica estudia los impulsos eléctricos que recorren el sistema nervioso.* FAM biofísico.

biofísico, -ca *adj.* **1** Relativo a la biofísica. ▌ *s. m. y f.* **2** Persona que se dedica a la biofísica.

biogeoquímico, -ca *adj.* Se aplica al ciclo o proceso en el que median factores bióticos, geológicos y químicos, como el ciclo del carbono y el del nitrógeno.

biografía *s. f.* **1** Narración de la vida de una persona. **2** Género literario constituido por este tipo de narraciones. **3** Vida de una persona, especialmente de un personaje histórico o un autor. FAM biografiar, biográfico, biógrafo.

biográfico, -ca *adj.* Relativo a la biografía: *datos biográficos.*

biógrafo, -fa *s. m. y f.* Persona que escribe una biografía.

biología *s. f.* Ciencia que estudia los seres vivos y sus procesos vitales: *la zoología, la botánica, la genética y la citología son especialidades de la biología.* FAM biológico, biólogo; exobiología.

biológico, -ca *adj.* Relativo a la biología: *diversidad biológica; el ciclo biológico de una planta.*

biólogo, -ga *s. m. y f.* Persona especialista en biología.

bioma *s. m.* Conjunto de comunidades de seres vivos que se extiende a lo largo de una gran área geográfica, caracterizada por el clima y otros factores: *los principales biomas continentales son la tundra, la taiga, el bosque caducifolio, el bosque mediterráneo, el desierto, la pradera y el bosque tropical.*

biomasa *s. f.* **1** Materia orgánica producida por los seres vivos como consecuencia de sus actividades vitales. **2** Suma de la masa total de organismos vivos que habitan en una zona determinada.

biombo *s. m.* Mampara plegable compuesta por bastidores articulados que pueden extenderse o plegarse, que sirve para separar una parte de un lugar.

biomolécula *s. f.* Molécula constituyente de los seres vivos: *las biomoléculas pueden ser inorgánicas (agua, sales minerales, etc.) u orgánicas (glúcidos, proteínas y ácidos nucleicos).*

biónica *s. f.* Ciencia que estudia los fenómenos naturales de los seres vivos para la creación y desarrollo de aparatos y procedimientos tecnológicos: *la biónica pretende sustituir, a medida que su funcionamiento se deteriore, partes u órganos de los seres vivos por componentes electrónicos.* FAM biónico.

biopsia *s. f.* Examen de un trozo de tejido de un ser vivo para completar o confirmar un diagnóstico.

bioquímica *s. f.* Parte de la biología y la química que estudia los fenómenos químicos que forman parte de la naturaleza de los seres vivos. FAM bioquímico.

bioquímico, -ca *adj.* **1** Relativo a la bioquímica: *la fotosíntesis constituye uno de los fenómenos bioquímicos de mayor importancia para el planeta.* ▌ *s. m. y f.* **2** Persona especialista en bioquímica.

biorritmo *s. m.* Ciclo periódico de los fenómenos vitales de un ser vivo relacionado con estados físicos y psíquicos que se repiten cada cierto tiempo: *dependiendo del momento en que se halle el biorritmo, es posible obtener un mayor rendimiento físico o intelectual del trabajador.*

biosfera *s. f.* **1** Capa de la esfera terrestre en la cual hay seres vivos; comprende desde unos 10 km de altitud en la atmósfera hasta los fondos oceánicos: *la biosfera posee luz solar, agua y aire.* **2** Conjunto de seres vivos que habitan en esta zona.

biosíntesis *s. f.* Proceso celular mediante el cual los organismos vivos elaboran sustancias químicas complejas a partir de otras más sencillas, con el consecuente gasto de energía metabólica. OBS Plural invariable.

biotecnología *s. f.* Conjunto de técnicas aplicadas a la obtención de productos mediante la actividad metabólica de organismos vivos.

biotipo *s. m.* Conjunto de características morfológicas y fisiológicas de un organismo vivo, que se considera representativo de su especie: *un biotipo de vaca holandesa.*

biotopo *s. m.* Conjunto de condiciones físicas y químicas de una zona determinada, habitada por un conjunto específico de organismos llamado biocenosis.

bióxido *s. m.* Óxido cuya molécula contiene dos átomos de oxígeno. **SIN** dióxido.

bipartición *s. f.* **1** División de una cosa en dos partes: *el juez dictaminó la bipartición de la casa.* **2** En biología, división celular que da lugar a dos células hijas del mismo tamaño, aproximadamente: *la reproducción de las bacterias se realiza mediante bipartición simple.*

bipartidismo *s. m.* Sistema político en el que predominan dos grandes partidos políticos con posibilidades de gobernar.

bipartito, -ta *adj.* **1** Que está formado por dos partes o miembros: *el río da a la ciudad una estructura bipartita.* **2** Se aplica al contrato, acuerdo o reunión que está formado por dos grupos de personas: *las reuniones bipartitas entre patronal y sindicatos.*

bípedo, -da *adj./s. m. y f.* Se aplica al animal que se sostiene, anda, corre o salta sobre dos pies: *el hombre, el chimpancé y el canguro son vertebrados bípedos.*

biplano *s. m.* Avión de cuatro alas que forman planos paralelos dos a dos a cada costado.

biplaza *adj./s. m.* Se aplica al coche deportivo de dos plazas.

biquini [también **bikini**, más usado] *s. m.* Traje de baño femenino compuesto de dos piezas (sujetador y braga), que deja al descubierto la barriga y la espalda.

birlar *v. tr.* familiar Quitar algo a alguien de forma engañosa y sin que se dé cuenta: *me han birlado la cartera en el metro.* **SIN** hurtar. **FAM** birlador.

birmano, -na *adj.* **1** De Birmania (antiguo país de Asia, actualmente Myanmar). ‖ *s. m. y f./adj.* **2** Persona que es de Birmania. ‖ *s. m./adj.* **3** Lengua tibetana que se habla en la zona suroriental de Asia.

birra *s. f.* familiar Cerveza.

birrete *s. m.* Gorro de forma prismática con una borla en la parte superior, que sirve de distintivo a profesionales como catedráticos, magistrados, jueces y abogados en actos oficiales.

birria *s. f.* **1** familiar Persona o cosa fea, de poco valor o importancia: *los músicos de esta fiesta son una birria; este vestido es una birria.* **2** COL. Capricho. **FAM** birrioso.

bis *s. m.* **1** Pieza de una obra musical o canción que en un concierto o recital se ofrece como premio al público que lo solicita cuando ya ha acabado formalmente el programa: *el cantante tuvo que hacer varios bises ante la insistencia del público.* ‖ *adv.* **2** En un texto o escrito, indica que lo que precede está repetido o debe repetirse: *el juez aplicó en su sentencia los artículos 237 y 237 bis del Código Civil; vivo en el número 57 de la calle Mayor, y mi hermano, en el 57 bis.*

bisabuelo, -la *s. m. y f.* Padre o madre del abuelo o de la abuela de una persona.

bisagra *s. f.* Mecanismo de metal o plástico compuesto por dos piezas unidas por un eje común, que se fijan en dos superficies separadas, una fija y otra móvil, para juntarlas y permitir el giro de una sobre otra: *la puerta está sujeta al marco por tres bisagras.* **SIN** charnela, gozne.

bisbisar *v. tr./intr.* Bisbisear. **SIN** susurrar.

bisbisear *v. tr./intr.* Hablar sin voz, de forma que solamente se percibe el sonido de las eses: *el doctor bisbiseó algunas palabras a la enfermera y salió de la habitación.* **SIN** bisbisar, susurrar. **FAM** bisbiseo.

bisbiseo *s. m.* Sonido ininteligible, continuo y suave que se produce cuando una persona habla en voz baja.

biscote *s. m.* Rebanada cuadrada de pan tostado, seca y dura, que se puede conservar durante mucho tiempo: *un biscote con mantequilla y mermelada.*

biscuit *s. m.* **1** Bizcocho (dulce). **2** Helado muy cremoso. **3** Porcelana mate con la que se fabrican objetos muy finos: *mi madre tenía dos figuras en biscuit que eran recuerdo de la familia.*

bisección *s. f.* En geometría, división de una figura en dos partes iguales.

bisector, -triz *adj.* **1** En geometría, se aplica al plano o la recta que divide en dos partes iguales. ‖ *s. m.* **2** Plano que pasa por la arista de un ángulo diedro y lo divide en dos diedros iguales.

bisectriz *s. f.* Semirrecta que parte del vértice de un ángulo y lo divide en dos partes iguales: *la bisectriz de un ángulo es la semirrecta con origen en el vértice del ángulo que lo divide en dos partes iguales.*

bisel *s. m.* **1** Corte oblicuo en el borde de una superficie: *un cristal con un bisel alrededor.* **2** Parte de la embocadura de ciertos tipos de flautas. **FAM** biselador, biselar.

biselar *v. tr.* Hacer un bisel en una superficie: *biselar una moldura.*

bisemanal *adj.* Que se hace u ocurre dos veces por semana: *si las clases de lengua son los lunes y miércoles, lengua es una asignatura bisemanal.*

bisexual *adj.* **1** Se aplica a cualquier ser vivo que tiene órganos sexuales masculinos y femeninos: *muchas plantas son bisexuales; los caracoles son bisexuales.* **SIN** hermafrodita. ‖ *s. com./adj.* **2** Persona que siente atracción sexual por personas de ambos sexos. **FAM** bisexualidad.

bisiesto *adj./s. m.* Se aplica al año de 366 días, que resulta de añadir el día 29 al mes de febrero, cada cuatro años.

bisilábico, -ca V. bisílabo, -ba.

bisílabo, -ba *adj.* **1** Se aplica a la palabra que tiene dos sílabas: *"coche" es un término bisílabo.* **SIN** bisilábico. ‖ *adj./s. m.* **2** Se aplica al verso que tiene dos sílabas: *en métrica española, un verso puede ser bisílabo si consta de un monosílabo tónico.* **SIN** bisilábico.

bismuto *s. m.* Elemento químico de símbolo Bi y número atómico 83; es un metal de color blanco agrisado con tinte rojizo, duro y quebradizo y fácilmente fusible; se emplea en la fabricación de medicamentos.

bisnieto, -ta [también **biznieto, -ta**, menos usado] *s. m. y f.* Hijo o hija del nieto o de la nieta de una persona.

bisonte *s. m.* Mamífero rumiante, parecido al buey, de cuerpo grande, robusto y con un abultamiento en la parte alta del lomo: *los indios de América del Norte cazaban bisontes.*

bisoñé *s. m.* Peluca que cubre solamente la parte anterior de la cabeza que se lleva para disimular la calvicie de esa zona del cráneo.

bisoño, -ña *adj./s. m. y f.* Se aplica a la persona que no tiene experiencia o es nueva en una profesión o actividad: *los soldados de este escuadrón son demasiado bisoños para entrar en combate.* **SIN** novato, novel.

bisté *s. m.* Bistec.

bistec [también **bisté**] *s. m.* Filete o trozo alargado de carne de vaca para hacer a la plancha o frito. **OBS** Plural: *bistecs.*

bisturí *s. m.* Instrumento de cirugía en forma de cuchillo pequeño que se usa para hacer incisiones en los tejidos blandos: *el veterinario le hizo una pequeña incisión con el bisturí.*

bisutería *s. f.* **1** Conjunto de objetos para el adorno personal que imitan a las joyas, pero que están hechos con materiales de poco valor: *llevaba encima mucha bisutería.* **2** Establecimiento donde se venden objetos de adorno personal hechos con materiales de poco valor: *fue a la bisutería a comprar unos pendientes.* **3** Industria que se dedica a la fabricación de estos objetos: *en este taller se dedican a la bisutería.*

bit *s. m.* En informática y otras disciplinas, unidad mínima de información, que puede tener solamente dos valores (cero o uno). **OBS** Plural: *bits* o *bites.*

bitácora *s. f.* En un barco, armario fijo a la cubierta y cercano al timón, donde se guarda la brújula.

bíter *s. m.* Bebida de gusto amargo y color rojo, con o sin alcohol, que se toma generalmente como aperitivo. **OBS** Puede encontrarse la grafía inglesa *bitter.*

bitoque *s. m.* **1** AMÉR. Cánula de la jeringa. **2** AMÉR. CENTRAL Cloaca o alcantarilla. **3** ARG., MÉX., URUG. Grifo.

biunívoco, -ca *adj.* En matemáticas, se aplica a la correspondencia que se establece entre dos conjuntos cuando a cada elemento del primer conjunto corresponde un único elemento del segundo, y a cada elemento de este último corresponde un único elemento del primero.

bivalente *adj.* Se aplica al elemento químico que se puede combinar con otros elementos químicos, haciendo uso de dos valencias distintas.

bivalvo, -va *adj./s. m.* **1** Se aplica al invertebrado del filo moluscos que tiene una concha dividida en dos valvas: *la filtración es un método de alimentación utilizado por los mejillones y otros bivalvos.* **2** *s. m. pl.* **2** **bivalvos** Grupo taxonómico, con categoría de clase, formado por estos animales.

bivitelino, -na *adj.* Se aplica al mamífero que ha sido engendrado a partir de un óvulo diferente al óvulo del que se ha originado su hermano; cada uno de los dos embriones resultantes de la fecundación posee su propia placenta. **SIN** dicigótico.

bizantino, -na *adj.* **1** De Bizancio (antigua capital del Imperio romano de Oriente que se constituyó en el siglo IV d. C. y sobrevivió hasta el siglo XV d. C.): *arte bizantino; el imperio bizantino.* **|** *s. m. y f./adj.* **2** Persona que era de Bizancio. **|** *adj.* **3** Se aplica a la discusión que es demasiado sutil o insignificante, o que no conduce a nada: *pasan la tarde entreteniéndose en discusiones bizantinas.* **4** En literatura, se aplica al género de origen griego en que se cuentan las peripecias de unos amantes a quienes la desgracia separa y que, tras fantásticas aventuras por lugares y tiempos imaginarios, logran reunirse felizmente: *una novela bizantina.* **FAM** bizantinismo.

bizarría *s. f.* Cualidad de bizarro.

bizarro, -rra *adj.* **1** Se aplica a la persona que es valiente y noble en su manera de actuar: *el joven tuvo un comportamiento bizarro al sacar al niño del río.* **2** Se aplica a la persona que es muy generosa. **FAM** bizarría.

bizco, -ca *adj./s. m. y f.* **1** Se aplica a la persona que padece estrabismo y tiene uno o ambos ojos desviados de la dirección normal. **|** *adj.* **2** Se aplica a la mirada o al ojo que está desviado de la dirección normal. **3** familiar Pasmado o asombrado: *cuando vio nuestra nueva casa se quedó bizco.* **FAM** bizquear, bizquera.

bizcocho *s. m.* **1** Dulce hecho con una masa de harina, huevos y azúcar que se cocina al horno: *el bizcocho está muy esponjoso.* **■ bizcocho borracho** Bizcocho empapado en almíbar y vino. **2** Pan sin levadura y cocido dos veces para conservarlo más tiempo. **3** Objeto cocido, de loza o porcelana, sin barniz ni esmalte y con aspecto de mármol blanco. **FAM** bizcochada, bizcochera, bizcochero, bizcochar; abizcochado.

biznieto, -ta *s. m. y f.* Bisnieto.

bizquear *v. intr.* **1** Tener la mirada o los ojos desviados de la dirección normal por padecer estrabismo. **2** Poner la mirada o los ojos desviados de la dirección normal para simular estrabismo.

bizquera *s. f.* Defecto de la vista que consiste en una desviación de la dirección normal de la mirada o los ojos. **SIN** estrabismo.

blanca *s. f.* **1** Nota musical cuya duración equivale a dos negras. **2** Ficha del dominó que en alguna de sus mitades no tiene marcado ningún punto: *tiró la blanca doble.*

sin blanca Sin nada de dinero: *se quedó sin blanca.*

blanco, -ca *s. m./adj.* **1** Color como el de la nieve o el de la leche; es el color de la luz solar que se refleja sin descomponerse en los colores del espectro: *el blanco es el color más usado por las novias.* **|** *adj.* **2** Que es de este color: *un vestido blanco.* **3** De color más claro que otras cosas de la misma especie: *vino blanco; pan blanco.* **|** *adj./s. m. y f.* Se aplica a la persona cuya raza se caracteriza por el color pálido de la piel: *en algunos países conviven blancos y negros.* **|** *adj.* **5** Que no tiene antecedentes penales ni ha participado en ningún delito: *el sospechoso que ha sido detenido está blanco.* **|** *s. m.* **6** Persona o cosa sobre la que se dispara para probar la puntería: *la flecha dio en el blanco; ejercita su puntería utilizando un bote como blanco.* **7** Persona o cosa a la que se dirige una acción, un deseo o un pensamiento: *es el blanco de todas las críticas; es el blanco de todas las miradas.* **8** En un escrito, hueco que queda sin llenar: *escribe la respuesta en los blancos.* **9** Parte blanca de algo, especialmente de un ojo, un huevo o una uña: *el blanco del huevo es la clara.*

blanco de España Carbonato de calcio utilizado como pintura para blanquear.

dar en el blanco Acertar, encontrar la solución.

en blanco (**I**) Que no está escrito o impreso: *déjame un par de folios en blanco; votar en blanco.* (**II**) Sin entender, sin recordar o sin pensar nada: *en el examen me quedé en blanco; le he hecho una pregunta y no me contesta, tiene la mente en blanco.* (**III**) Sin dormir: *pasar la noche en blanco.* **FAM** blancor, blancura, blancuzco, blanquear, blanquecer, blanquecino, blanquillo.

blancor *s. m.* Blancura.

B

blancura *s. f.* Cualidad de la cosa que es blanca: *la blancura de su piel.* SIN blancor.

blancuzco, -ca *adj.* Que tiene un tono blanco o es blanco sucio: *la mancha blancuzca del alba; vete a tomar el sol, que estás muy blancuzco.*

blandengue *adj./s. com.* ① Se aplica a la persona que tiene poca fuerza o resistencia moral o física: *es un blandengue y no resistirá hasta el final de la carrera.* ❙ *adj.* ② Se aplica a la cosa que es muy blanda: *la encuadernación de este libro es muy blandengue, es mejor que le pongas un forro.* ❙ *s. m.* ③ ARG. Lancero de caballería cuya misión era cuidar las fronteras con los pueblos indios.
FAM blandenguería.

blandir *v. tr.* Mover un arma agitándola en el aire: *el guerrero entró en la sala blandiendo una espada.*
OBS Verbo defectivo, solamente se usa en los tiempos y personas cuya terminación contiene la vocal *i: blandía, blandiendo,* etc.

blando, -da *adj.* ① Se aplica a la materia que se dobla o se deforma con facilidad, especialmente al presionarla: *pan blando; un colchón blando.* ANT duro. ② Se aplica al mineral que se raya con facilidad: *el talco es un mineral muy blando.* ANT duro. ③ Se aplica a la persona que es demasiado benévola, de poco carácter o que tiene dificultad para imponerse: *no puedes ser tan blando con tus hijos; es blando de carácter.* ④ Se aplica a la persona que tiene poca fuerza o resistencia moral o física. SIN blandengue.
FAM blandengue, blanducho, blandura; ablandar, reblandecer.

blandura *s. f.* Cualidad de blando.

blanquear *v. tr.* ① Poner blanca o más blanca una cosa: *usa lejía para blanquear la ropa.* SIN blanquecer, emblanquecer. ANT ennegrecer. ② Pintar de blanco edificios y paredes o aplicar una capa de cal o yeso blanco diluidos en agua a paredes, techos o fachadas de los edificios: *algunos pueblos son de color blanco porque la gente blanquea sus casas.* SIN encalar. ③ Convertir en dinero legal el que se ha conseguido ilegalmente: *las personas que blanquean dinero procedente de la venta de droga son perseguidas por la ley.*
FAM blanqueador, blanqueamiento, blanqueado, blanqueo.

blanquecino, -na *adj.* Que tiene un tono blanco: *se mareó y se le puso la cara blanquecina.*
FAM blanquecer.

blanqueo *s. m.* ① Acción de poner blanca una cosa o de pintar de blanco las paredes, techos y fachadas, con pintura o mediante la aplicación de una capa de cal o yeso blanco diluidos en agua: *en los pueblos de Andalucía, el blanqueo de las casas se hace siempre en primavera.* ② Conversión en dinero legal del que se ha obtenido ilegalmente: *blanqueo de dinero procedente de la venta de droga.* ③ Procedimiento para dar color blanco al papel, fibras e hilos por medio de productos químicos.

blanquillo *s. m./adj.* Variedad de trigo que tiene la espiga cuadrada y recta y los granos ovales. SIN trigo candeal.

blasfemar *v. intr.* Decir blasfemias: *blasfema utilizando el nombre de Dios para engañar a la gente.*

blasfemia *s. f.* ① Palabra o expresión injuriosa contra Dios, la Virgen, los santos o los objetos sagrados: *maldecir a Dios es una blasfemia.* ② Palabra o expresión injuriosa contra una persona o cosa.

blasfemo, -ma *adj./s. m. y f.* ① Se aplica a la persona que dice blasfemia: *le acusaron de blasfemo y lo declararon reo de muerte.* ❙ *adj.* ② Que contiene blasfemia: *fue condenado por publicar un escrito blasfemo.*
FAM blasfemar, blasfemia.

blasón *s. m.* ① Escudo de armas de un linaje, ciudad o persona: *sobre la puerta del palacio se puede ver el blasón de la familia.* ② Cada figura, insignia o símbolo de un escudo de armas: *los blasones de ese escudo son una cruz y una encina.* ③ Arte de explicar y entender los escudos de armas.
FAM blasonista.

blasonar *v. intr.* Vanagloriarse o presumir de algo: *blasona de valiente.*

blastocele o **blastocelo** *s. m.* Cavidad de la blástula (fase del desarrollo de un embrión) rellena de líquido que se forma con la separación de los blastómeros o células.

blastocisto *s. m.* Fase del desarrollo del embrión de los mamíferos, equivalente a la blástula, que constituye una estructura celular compleja derivada de la mórula; está formada por una masa celular interna de la que se origina el embrión y de una capa periférica de células que formará la placenta.

blástula *s. f.* Fase del desarrollo embrionario en la que las células se presentan en forma de esfera hueca.

blazer [se pronuncia aproximadamente 'bléiser'] *s. m.* ① Chaqueta de sport, para hombre o mujer, semejante a una americana cruzada con cuello y solapa. ② Chaqueta que visten los miembros de un equipo deportivo o de una escuela, adornada normalmente con un escudo: *todavía conservo el blazer del colegio con el escudo cosido sobre el bolsillo.*

bledo *s. m.* Planta comestible, de tallo verde o rojizo, flores rojas y hojas de color verde oscuro: *los bledos se comen sobre todo hervidos.*

no importar (o **no valer**) **un bledo** No importar (o no valer) nada: *me importa un bledo que se haya enfadado.*

blenorragia *s. f.* Enfermedad infecciosa de transmisión sexual que consiste en la inflamación de las vías urinarias y el aparato genital y que produce un flujo excesivo de moco genital: *la blenorragia la producen unas bacterias denominadas gonococos.* SIN gonorrea.

blenorrea *s. f.* Blenorragia, especialmente cuando es crónica.

blindaje *s. m.* ① Protección de un carro de combate, un coche, una puerta u otra cosa semejante con planchas de hierro o acero: *esta puerta tiene un blindaje de acero.* ② Conjunto de materiales que se usan para blindar o proteger una cosa: *la bomba no dañó el blindaje del coche del presidente.*

blindar *v. tr.* Proteger una cosa con planchas de hierro o acero contra las balas, las explosiones o el fuego: *han blindado las puertas de la casa para protegerse de los ladrones.*
FAM blindado, blindaje.

bloc *s. m.* Conjunto de hojas de papel para escribir o dibujar, unidas por uno de sus lados y que se pueden separar con facilidad: *me he comprado dos blocs, uno para notas y otro para dibujar.*
OBS Plural: *blocs.*

blocar *v. tr.* ① Bloquear, impedir el movimiento de una persona o cosa. ② En el fútbol, detener el balón el portero sujetándolo con ambas manos. ③ En el rugby, detener a un jugador o impedir que avance. ④ En el boxeo, parar un golpe con los brazos o los codos.
FAM blocaje.

blog *s. m.* Página web, generalmente de carácter personal, con una estructura cronológica que se actualiza regularmente y que se suele dedicar a tratar un tema concreto.

blonda *s. f.* Encaje de seda.

bloque *s. m.* **1** Masa sólida grande, generalmente trozo grande de piedra u otro material sin labrar: *bloque de hielo; echan bloques de piedra cerca de la playa para proteger la costa del oleaje.* **2** Edificio grande de muchos pisos: *están construyendo muchos bloques de apartamentos en las afueras de la ciudad.* **3** Conjunto de cosas homogéneas, con características comunes: *cada bloque comprende tres tipos de contenidos; hemos de marcar con punto y aparte el final de cada bloque de oraciones.* **4** Agrupación de países con un fin determinado, especialmente político y económico: *el bloque comunista y el bloque capitalista tuvieron tensiones constantes durante la guerra fría.* **5** Pieza en cuyo interior se ha labrado el cuerpo de los cilindros de un motor de explosión.
en bloque En conjunto, de manera global: *vamos a tratar estos asuntos en bloque; la iglesia lanzó una serie de condenas en bloque de la cultura moderna.*
FAM bloquear.

bloquear *v. tr.* **1** Cortar el paso o impedir el movimiento por un lugar: *en invierno, la nieve bloquea muchos pueblos de montaña; un coágulo puede bloquear una arteria.* **2** Impedir o frenar el desarrollo normal de un proceso: *el Reino Unido ha bloqueado las negociaciones hasta que no se resuelva su problema con las vacas enfermas.* **3** Inmovilizar la autoridad una cantidad de dinero para que su dueño no pueda disponer de él: *el ayuntamiento ha bloqueado mi cuenta corriente porque tengo muchas multas de tráfico.* **4** Impedir o paralizar el funcionamiento de un aparato o mecanismo: *bloquea el coche con el freno de mano; las líneas telefónicas se han bloqueado.* **5** Impedir militarmente que un lugar, puerto o ejército tenga comunicación con el exterior. ‖ *v. prnl.* **6** **bloquearse** Quedarse una persona paralizada, perder la capacidad de pensar y de reaccionar: *me puse tan nervioso que me bloqueé y no supe qué contestar.*
FAM bloqueo; desbloquear.

bloqueo *s. m.* **1** Corte del paso o interrupción del movimiento a través de un lugar: *los mercados no registran actividad por el bloqueo de los camioneros.* **2** Interrupción del desarrollo normal de un proceso: *han amenazado con un bloqueo de las negociaciones.* **SIN** congelación. **3** Inmovilización del movimiento libre de dinero para que su dueño no pueda disponer de él: *el bloqueo de las cuentas de un narcotraficante.* **4** Interrupción o paralización del funcionamiento de un aparato o un mecanismo: *bloqueo telefónico; la falta de memoria provocó el bloqueo del ordenador.* **5** Paralización de la capacidad de reaccionar o de pensar. **6** Operación militar o naval consistente en impedir que un lugar, puerto o ejército tenga comunicación con el exterior: *el bloqueo militar dejó sin comida ni bebida a la zona.*

blues [se pronuncia 'blus'] *s. m.* **1** Estilo musical nacido en el sur de Estados Unidos a finales del siglo XIX como derivación de las canciones de los esclavos negros de las plantaciones y que se caracteriza por su aire melancólico y sus letras sobre los problemas personales o sociales. **2** Canción de este estilo. **OBS** Plural invariable.

blusa *s. f.* Prenda exterior femenina, de tela fina, que cubre la parte superior del cuerpo y se abrocha por delante o por detrás: *una blusa de seda blanca.*
FAM blusón; ablusado.

boa *s. f.* **1** Serpiente de gran tamaño, no venenosa, que vive en América del Sur y que ahoga a su presa enrollándose en su cuerpo. ‖ *s. m.* **2** Prenda de vestir femenina hecha de piel o plumas, en forma de serpiente, que se pone en el cuello: *la cantante llevaba un boa de visón.*

boato *s. m.* Ostentación exterior de riqueza: *organizaron una boda con mucho boato.*

bobada *s. f.* **1** Dicho o hecho tonto o poco inteligente: *fue una bobada dejar pasar esa oportunidad.* **SIN** bobería, tontería. **2** Cosa de poca importancia: *son tan delicados que se deterioran por cualquier bobada.* **SIN** bobería, tontería.

bobalicón, -cona *adj./s. m. y f.* familiar Se aplica a la persona boba, tonta o de poca inteligencia.

bobería *s. f.* Bobada.

bobina *s. f.* **1** Cilindro formado por hilo, cable, alambre o papel enrollado a un canuto de cartón, madera o metal: *una bobina de hilo azul.* **2** Arrollamiento de hilo conductor que, al ser conectado a una corriente, genera un campo magnético a su alrededor, y se emplea en la construcción de electroimanes, motores eléctricos, dinamos, transformadores, etc. **3** Soporte cilíndrico alrededor del cual se enrolla este hilo.
FAM bobinar.

bobinar *v. tr.* Enrollar un hilo, cable, alambre, papel o cinta magnética en una bobina o soporte cilíndrico: *el electricista bobinó el cable que le había sobrado; bobinó la película para volver a pasarla por el proyector.*
FAM bobinado; rebobinar.

bobo, -ba *adj./s. m. y f.* **1** Se aplica a la persona que es tonta, poco inteligente o posee escaso entendimiento: *eres un bobo: ¿no te das cuenta de que no te llamarán?* **SIN** cretino, imbécil, tonto. ‖ *s. m.* **2** En la comedia clásica, personaje que hace reír por su poca inteligencia e ingenuidad: *salió el bobo y todo el teatro estalló en carcajadas.* **3** AMÉR. CENTRAL, ANT., MÉX. Pez de agua dulce de hasta 70 cm de largo, piel sin escamas y carne blanca, agradable al paladar, cuyo nombre viene de la facilidad con que se deja atrapar.
FAM bobada, bobalicón, bobear, bobería; abobar, embobar, engañabobos.

bobtail [se pronuncia 'bobteil'] *s. com./adj.* Perro de gran tamaño, cuerpo voluminoso, cabeza grande, ojos tapados por el pelo de la cabeza, patas robustas, cola corta y pelo abundante y muy largo, generalmente de color blanco y gris; originariamente perro pastor, guardián y de tiro, hoy es principalmente animal de compañía; es de origen inglés.
OBS Plural: *bobtails.*

boca *s. f.* **1** Abertura inicial del tubo digestivo que comunica con el exterior, a través de la cual los animales ingieren los alimentos. **2** Entrada o salida: *la boca de un túnel; la boca del metro.* **3** Abertura u orificio: *la boca de una botella.* **4** Órgano de la palabra o del habla: *lo he tenido que saber por boca de otro; ¿es que no tienes tú boca para decirlo?* **5** Persona o animal a quien se mantiene o se da de comer: *tiene cuatro bocas que alimentar.* **6** Conjunto de los dos labios de la cara de una persona: *límpiate la boca, que la tienes sucia.* **7** Gusto o sabor de los vinos: *este ribeiro tiene buena boca.* **8** Tenaza en que terminan las patas delanteras de los crustáceos. **9** En ciertas herramientas, parte afilada con que se corta o aprieta. **10** Abertura que tienen la guitarra y otros instrumentos en la caja de resonancia.
a pedir de boca Muy bien, según se desea: *nuestros planes salieron a pedir de boca.*

B

abrir (o **hacer) boca** Despertar el apetito con comida o bebida antes de la comida o al inicio de esta.

boca a boca Sistema de respiración artificial que consiste en aplicar la boca a la de una persona accidentada a fin de insuflarle aire.

boca abajo (**I**) Con el cuerpo tendido en posición horizontal y con la cara hacia el suelo: *se tumbó boca abajo para que le diera el sol en la espalda.* **NOTA** También *bocabajo.* (**II**) Tratándose de un recipiente, en posición invertida: *pon las copas boca abajo para que se sequen.* **NOTA** También *bocabajo.*

boca arriba (**I**) Con el cuerpo en posición horizontal y con la cara hacia el cielo: *se tumbó boca arriba para le diera el sol en el pecho.* (**II**) Tratándose de un objeto, en posición normal: *pon las cartas boca arriba, que podamos ver qué juego tienes.*

con la boca abierta Admirado, sorprendido: *cuando le dijeron que le había tocado la lotería, se quedó con la boca abierta.*

con la boca chica familiar Con poca voluntad y sin convicción, solamente por quedar bien: *dijo que vendría a ayudarnos, pero lo hizo con la boca chica.*

con toda la boca En todo: *mentir con toda la boca.*

de boca en boca o **en boca de todos** Ser cosa de la que todos hablan, ser objeto de murmuraciones: *el accidente de Ernesto va de boca en boca y todo el mundo habla de ello.*

hablar por boca de ganso familiar Decir lo que otra persona sugiere.

hablar por boca de otro Decir una persona las palabras o la opinión de otra persona ajena.

hacerse la boca agua Sentir una persona el deseo de comer algo que ve o imagina y que le apetece mucho: *cuando pienso en el gazpacho que hacía mi madre, se me hace la boca agua.*

meterse en la boca del lobo Exponerse a un peligro voluntariamente: *no vayas por esos barrios: eso es como meterse en la boca del lobo.*

no decir esta boca es mía Callarse, no decir nada: *cuando yo pregunté si necesitabas algo, no dijiste esta boca es mía.*

partir la boca familiar Pegar en la cara a una persona: *como me insultes, te parto la boca.*

quitar de la boca Anticiparse a decir algo que iba a decir otro.

tapar la boca Sobornar a una persona para que no hable.
FAM bocazas, boquear, boquera, bucal; embocar.

bocabajo *adv.* Boca abajo.

bocacalle *s. f.* **1** Entrada de una calle: *justo en la bocacalle hay una farmacia.* **2** Calle secundaria que va a dar a otra: *la farmacia está en la primera bocacalle de la derecha.*

bocadillo *s. m.* **1** Panecillo o trozo de pan partido en dos mitades, entre las que se coloca otro alimento, generalmente frío: *con dos lonchas de jamón tengo para el bocadillo; tomó un bocadillo de chorizo en un bar.* **2** En los cómics y tebeos, espacio en forma de globo o balón que encuadra las palabras o pensamientos de los personajes. **SIN** globo.
FAM bocadillería, bocata.

bocado *s. m.* **1** Mordisco hecho a alguien o algo con los dientes: *el perro le ha dado un buen bocado en la pierna; dio un bocado a la manzana y después escupió el trozo.* **SIN** mordedura. **2** Cantidad de comida que cabe de una vez en la boca: *mastica bien cada bocado.* **3** Cantidad pequeña de comida: *descansemos un momento para tomar un bocado; con dos bocados tiene suficiente.* **4** Trozo de una cosa arrancado violentamente: *el fuerte impacto arrancó un buen bocado de la pared.* **5** Parte del freno que entra en la boca del caballo o de otro

animal de tiro: *el roce del bocado le produjo una herida en la boca.*

bocado de Adán Nuez o bulto pequeño en la parte anterior del cuello de los hombres: *hay hombres que tienen el bocado de Adán muy pronunciado.*
FAM bocadillo.

bocajarro Se usa en la expresión:

a bocajarro (**I**) Desde muy cerca, referido a la acción de disparar, chutar, etc.: *le disparó con la escopeta a bocajarro y lo mató.* (**II**) De improviso, sin preparación alguna: *me soltó la noticia a bocajarro.*

bocamanga *s. f.* Parte de la manga que está más cerca de la mano o muñeca: *la chaqueta lleva dos botones de adorno en la bocamanga.*

bocana *s. f.* Paso estrecho de mar que sirve de entrada a una bahía, puerto o fondeadero: *el barco está pasando por la bocana del puerto.*
FAM bocanada.

bocanada *s. f.* **1** Cantidad de aire, humo o líquido que se toma de una vez en la boca o se expulsa de ella: *abrió la ventana y tomó una bocanada de aire fresco; el bebé echó una bocanada de leche.* **2** Llegada repentina de una cantidad de aire o calor que se va rápidamente: *el viento sur, sofocante, echaba bocanadas de calor.*

bocata *s. m.* familiar Bocadillo (panecillo).
OBS Es marca registrada.

bocazas *s. com./adj.* familiar Persona que habla demasiado y sin discreción: *este hombre es un bocazas, no es capaz de callarse nada.* **SIN** boceras.
OBS Plural invariable.

bocel *s. m.* En arquitectura, moldura lisa, convexa y de forma semicircular. ■ **cuarto bocel** Moldura convexa, cuya sección es un cuarto de círculo. ■ **medio bocel** Moldura de medio cilindro.

bocera *s. f.* **1** Herida que se forma en las comisuras de los labios de una persona. **SIN** boquera. **2** Mancha de comida o bebida en la parte exterior de los labios. **NOTA** Normalmente en plural.

boceras [también **voceras**] *s. com./adj.* familiar Bocazas.
OBS Plural invariable.

boceto *s. m.* **1** Esbozo o proyecto con los rasgos principales de una cosa, especialmente de una obra de arte, ya sea pintura o escultura: *en los bocetos del «Guernica» puede apreciarse cómo Picasso va concibiendo su obra; presentó el boceto de lo que será el futuro auditorio de música.* **2** Obra artística que no tiene forma acabada.
FAM abocetar.

boche[1] *s. m.* Hoyo pequeño que se hace en el suelo para ciertos juegos.

boche[2] *s. m.* **1** CHILE Alboroto. **2** CHILE Fiesta con mucha gente. **3** P. RICO Discusión o riña. **4** VENEZ. Desprecio que se hace a una persona.

bochinche *s. m.* Situación confusa, alborotada y sin orden ni concierto: *menudo bochinche se armó en casa cuando mis padres se enteraron de que había suspendido.*

bochorno *s. m.* **1** Calor intenso y sofocante. **2** Aire muy caliente, propio del verano. **3** Vergüenza que produce sonrojo y sensación de calor: *menudo bochorno sentí cuando comenzó a gritar.*
FAM bochornoso; abochornar.

bochornoso, -sa *adj.* **1** Que causa bochorno o calor intenso y sofocante. ② Que causa bochorno o hace sentir vergüenza: *una actitud bochornosa.*

bocina *s. f.* ① Aparato que consta de una pieza en forma de embudo, una lengüeta vibratoria y una pera de goma, que usaban los coches antiguos para avisar: *mi bicicleta no tiene timbre, pero le he puesto una bocina.* ② Dispositivo eléctrico de los automóviles modernos cuyo fin es el de emitir señales acústicas. **SIN** claxon. ③ Instrumento con forma de cono que se usa para amplificar o reforzar un sonido emitido: *los marineros hablaban de un barco a otro con una bocina.* ④ Instrumento musical de viento, hueco, en forma de cuerno de toro, que tiene un sonido parecido al de la trompa. **SIN** cuerno.
FAM bocinazo; abocinar.

bocinazo *s. m.* ① Sonido fuerte producido por una bocina. ② Grito o voz fuerte para llamar o reprender a alguien: *cuando hables, no pegues tantos bocinazos.*

bocio *s. m.* Desarrollo excesivo del tamaño de la glándula tiroides, que produce un abultamiento de la parte anterior del cuello.

bocón *s. m.* AMÉR. Trabuco (antigua arma de fuego de boca acampanada).

boda *s. f.* ① Ceremonia civil o religiosa en que dos personas se casan. **SIN** casamiento, enlace, matrimonio. ② Fiesta con que se celebra esta unión: *me compré un vestido para ir a la boda de Jesús y Ana.*
bodas de diamante Sesenta aniversario de un acontecimiento feliz, especialmente del día en que dos personas se casaron.
bodas de oro Cincuenta aniversario de un acontecimiento feliz, especialmente del día en que dos personas se casaron.
bodas de plata Veinticinco aniversario de un acontecimiento feliz, especialmente del día en que dos personas se casaron.

bodega *s. f.* ① Lugar en el que se elabora, almacena y cría el vino: *nos llevó a su bodega y nos dio a catar varios vinos.* ② Establecimiento en el que se vende y se sirve vino, donde también se pueden encontrar todo tipo de bebidas: *tenemos que ir a la bodega a comprar bebidas para las fiestas.* ③ Establecimiento industrial para la producción de gran cantidad de vino: *heredó de su padre unas importantes bodegas.* ④ Espacio bajo la cubierta inferior de un barco donde se lleva la carga: *se escondieron dos polizones en la bodega.*
FAM bodeguero.

bodegón *s. m.* Composición pictórica en la que se representa una naturaleza muerta, con alimentos comestibles, como animales, y utensilios domésticos: *pintar un bodegón.*

bodeguero, -ra *s. m. y f.* Persona que posee una bodega o que trabaja en ella.

bodoque *s. m.* ① Bordado redondo y en relieve que sirve de adorno. ❙ *adj./s. com.* ② Se aplica a la persona de poco entendimiento. ❙ *s. m.* ③ MÉX. Chichón.

bodorrio *s. m.* ① fam. desp. Boda sin lucimiento y que no cumple las normas sociales que se esperan. ② fam. desp. Boda de la que se puede esperar un matrimonio fallido: *aquello fue un bodorrio que durará poco: los novios son demasiado diferentes.*

bodrio *s. m.* Cosa de muy mala calidad, mal hecha o de mal gusto, especialmente referido a una obra artística o literaria: *la película es un bodrio; vaya bodrio de mueble que has comprado.*

body [se pronuncia 'bodi'] *s. m.* ① Prenda interior femenina que cubre todo el cuerpo menos las extremidades, se abrocha en la entrepierna y tiene en una sola pieza el sujetador y la braga. ② Prenda exterior femenina que cubre todo el cuerpo menos las extremidades, se abrocha en la entrepierna y normalmente va ceñida al cuerpo.

body-art *s. m.* Corriente artística surgida en la década de 1960, en la que el cuerpo del artista o el de otras personas constituye la obra de arte o es su medio de expresión, y que suele mostrarse mediante espectáculos teatrales o happenings.

bóer *adj./s. com.* Se aplica al colono holandés establecido en el África austral a mediados del siglo XVII: *los bóers mantuvieron una guerra con los británicos entre 1899 y 1902, tras la cual el Reino Unido se anexionó las repúblicas de Orange y Transvaal, concediéndoles cierta autonomía dentro de la Commonwealth.*
OBS Plural: *bóers.*

bofe *s. m.* Pulmón, especialmente el de ciertos animales y que se destina para el consumo.
echar el bofe (o los bofes) Esforzarse o trabajar demasiado en hacer una cosa: *estamos echando los bofes para acabar el trabajo a tiempo.*
FAM bufar.

bofetada *s. f.* ① Golpe dado con la mano abierta sobre la cara. **SIN** bofetón, torta, tortazo. ② Desprecio u ofensa que causa humillación: *que me negara el saludo en plena calle fue una bofetada difícil de perdonar.*
FAM bofetón; abofetear.

bofetón *s. m.* Bofetada fuerte.

boga *s. f.* Acción de bogar o remar.
en boga Indica que una cosa está de moda o de actualidad y que tiene buena aceptación por parte de la gente: *el inglés está en boga; los sombreros de ala ancha estuvieron en boga hace años.*

bogar *v. intr.* Remar, mover los remos en el agua para hacer avanzar una embarcación: *los cuatro remeros bogaban a un mismo ritmo.*
FAM bogador.

bogavante[1] *s. m.* Crustáceo marino comestible, parecido a la langosta, cuya especie de carne es muy apreciada y de gran valor comercial, con el primer par de patas terminado en pinzas muy grandes y robustas.

bogavante[2] *s. m.* ① En las galeras, primer remero de cada banco. ② Lugar en que se sentaba este remero.

bohemia *s. f.* Conjunto de personas que comparten una forma de vida libre y poco organizada, sin ajustarse a las convenciones sociales, especialmente artistas y escritores: *le gustaba formar parte de la bohemia de París.*

bohemio, -mia *adj.* ① De Bohemia (región de la República Checa). ❙ *s. m. y f./adj.* ② Persona que es de Bohemia. ❙ *adj.* ③ De origen gitano. ❙ *adj./s. m. y f.* ④ Se aplica a la persona que lleva una vida errante e informal, libre y poco organizada, sin ajustarse a las convenciones sociales. ⑤ Se aplica a este tipo de vida y de costumbres: *adoptó la vida bohemia de muchos escritores de la época.* ❙ *s. m./adj.* ⑥ Lengua checa, especialmente el dialecto checo que se habla en Bohemia (región de la República Checa).
FAM bohemia.

boicot *s. m.* Acción dirigida contra alguien o algo, que consiste en la interrupción del desarrollo normal de un proceso o de un acto como medida de protesta o como medio de presión para conseguir algo: *boicot económico.* **SIN** boicoteo.
FAM boicotear.

B

boicotear *v. tr.* Hacer boicot contra alguien o algo, impidiendo o interrumpiendo el desarrollo normal de un proceso o de un acto como medida de protesta o como medio de presión para conseguir algo: *boicotearon la reunión dejándolos plantados; han boicoteado las elecciones induciendo a los votantes a la abstención.*
FAM boicoteo.

boicoteo *s. m.* Boicot.
FAM boicot, boicotear.

boina *s. f.* Prenda de vestir que cubre la cabeza, hecha de lana o paño, chata, redonda, de una sola pieza y sin visera.

boj *s. m.* ① Arbusto de unos 4 m de altura, con hojas duras y brillantes, que tiene una madera muy dura y compacta. ② Madera de este arbusto: *el boj es un material muy resistente.*
OBS Plural: *bojes.*

bojote *s. m.* AMÉR. Bulto, paquete.

bol¹ *s. m.* Recipiente semejante a una taza grande sin asa: *echó en el bol la leche y los cereales; he preparado dos boles de palomitas.*

bol² Se usa en la expresión:
bol arménico o **bol de Armenia** Arcilla rojiza usada en medicina, en pintura o en el arte de dorar.

bola *s. f.* ① Cuerpo esférico de cualquier material: *las bolas del juego del billar son de marfil; me han regalado una bola del mundo.* ② familiar Mentira: *dice que tiene mucho dinero, pero yo creo que es una bola.* ③ En algunos juegos de naipes, lance del que gana todas las bazas. ④ ARG., URUG. Piedra esférica que, atada a un cordel, lanzan como arma de caza los indios. ⑤ VENEZ. Especie de empanada de forma esférica, hecha con masa de harina de maíz. ‖ *s. f. pl.* ⑥ **bolas** vulgar Testículos. ⑦ Juego de niños en el que hay que hacer rodar bolitas de cristal, pegar a una con otra y meterlas en un agujero, según ciertas reglas: *he quedado con mis amigos para jugar a las bolas.* **SIN** canicas.
a *mi/tu/...* bola familiar Sin preocuparse de nada más que lo propio: *él va a su bola, no quiere cuentas con nadie.*
correr la bola Dar a conocer una noticia o un rumor falsos: *se ha corrido la bola de que la directora dejará su cargo.*
en bolas familiar Sin ropa, desnudo.
pasar la bola Hacer pasar a otra persona una responsabilidad o un problema: *no le gustaba ese trabajo y me ha pasado la bola.*
FAM bolazo, bolear, bolero, boliche.

bolchevique *adj.* ① Relativo al bolchevismo: *la política bolchevique fue defendida por Lenin.* ‖ *adj./s. com.* ② Se aplica a la persona que es partidaria de este sistema de gobierno: *los bolcheviques defendían la necesidad de una revolución.* ‖ *s. com./adj.* ③ Miembro del sector mayoritario y radical del Partido Obrero Socialdemócrata ruso que en su II Congreso (1903) apoyó la tesis de Lenin y se hizo con el poder en Rusia tras la revolución comunista de 1917: *desde la revolución comunista de Rusia, "bolchevique" equivale a "comunista".*
FAM bolchevismo, bolcheviquismo, bolchevizar.

bolchevismo *s. m.* Sistema de gobierno ruso dirigido por Lenin que, tras la revolución de 1917, se convirtió en el Partido Comunista de la antigua Unión Soviética.

boleadoras *s. f. pl.* Instrumento usado en América para cazar animales, formado por dos o tres bolas de piedra u otra materia pesada que van unidas por los extremos de unas cuerdas o tiras de cuero: *las boleadoras se arrojan a los pies o al pescuezo de los animales.*

bolera *s. f.* Local o lugar en el que se juega a los bolos.

bolero¹ *s. m.* ① Música, canción y danza típica española derivada de la seguidilla, de ritmo ternario y que se baila con pasos lentos y majestuosos. ② Música y canción de origen antillano, lenta y melódica y de tema sentimental, y baile de pareja que se ejecuta al compás de esta música. ③ Chaquetilla de mujer, muy corta y sin botones: *sobre el vestido llevaba un bolero de terciopelo negro.*

bolero, -ra² *adj./s. m. y f.* familiar Se aplica a la persona que dice mentiras.

boleta *s. f.* ① Billete de entrada a un lugar. ② Documento que se entrega a los militares para indicarles dónde deben alojarse. ③ AMÉR. Papel impreso que se emplea para votar, multar y otros fines administrativos: *contamos las boletas pero el resultado no dio un ganador claro de las elecciones.* ④ AMÉR. Factura o recibo de una compra. ⑤ MÉX. Documento oficial que sirve como registro o comprobante de algo: *hoy entregan las boletas de calificaciones en la escuela.*
dar la boleta familiar Despedir o expulsar a alguien, especialmente de un puesto de trabajo.
hacer boleta familiar ARG., URUG. Matar a una persona: *a Juan lo hicieron boleta apenas salió de la cárcel.*
hacer la boleta familiar ARG., URUG. Sancionar o multar a un conductor que transgrede una regla de tráfico.

boletería *s. f.* AMÉR. Taquilla donde se venden billetes.

boletín *s. m.* ① Publicación periódica de carácter científico o cultural, publicada generalmente por una institución. ② Publicación periódica de carácter oficial: *la convocatoria de oposiciones ha salido en el boletín oficial.* ③ En un programa de radio o televisión, transmisión breve y concisa de noticias: *permanezcan atentos a nuestros boletines informativos y estarán al corriente de las últimas noticias.* ④ Impreso que sirve para hacer una suscripción o un pedido: *utilice el boletín de pedido adjunto.* ⑤ Cuadernillo en el que se comunican a la familia las notas de un escolar: *Juanito ha traído el boletín de notas.*

boleto *s. m.* ① En una rifa o sorteo, impreso que rellena el apostante con sus pronósticos: *un boleto de la Lotería Primitiva o de la quiniela.* ② En un transporte o local, billete o entrada.
FAM boleta, boletería, boletín.

boli *s. m.* familiar Bolígrafo.

boliche *s. m.* ① En el juego de la petanca, la bola más pequeña: *en la petanca, los jugadores deben acercar sus bolas al boliche.* ② Adorno en forma de esfera en que rematan ciertas partes de algunos muebles: *esta silla tiene dos boliches en la parte alta del respaldo.* ③ P. RICO Tabaco malo.

bólido *s. m.* ① Automóvil para carreras deportivas: *dieron la salida y los bólidos salieron disparados por el circuito.* ② Masa mineral que atraviesa la atmósfera a gran velocidad y deja tras de sí una estela luminosa.

bolígrafo *s. m.* Instrumento para escribir que tiene en su interior un tubo de tinta y en la punta una bolita metálica.
FAM boli.

bolillo *s. m.* Palito de forma cilíndrica que se usa para hacer encajes y labores de pasamanería: *mi abuela hacía trabajos de encaje de bolillos.*

bolinero, -ra *adj.* CHILE Alborotador, bullicioso.

bolinga *adj.* familiar Borracho.

bolívar *s. m.* Unidad monetaria de Venezuela.

boliviano, -na *adj.* ① De Bolivia (país de América del Sur): *un indígena boliviano.* ‖ *s. m. y f./adj.* ② Persona que es de Bolivia: *mi primo es boliviano.*

bollería *s. f.* 1 Establecimiento donde se elaboran y venden bollos. 2 Conjunto de bollos de diversas clases: *la bollería que tenemos en este bar se trae a diario.*

bollo *s. m.* 1 Dulce esponjoso, hecho con una masa de harina, leche, huevos y azúcar. ■ **bollo maimón** Roscón de bizcocho. 2 familiar Abolladura: *me gustaría encontrarme a quien me ha hecho este bollo en el capó del coche.* 3 familiar Bulto que sale en la cabeza a causa de un golpe: *me he golpeado con la esquina de la mesa y me ha salido un bollo.* SIN chichón. 4 familiar Desorden, confusión o lío: *se ha organizado un buen bollo en la cola de la pescadería, porque alguien ha intentado colarse.* SIN jaleo.
FAM bollería, bollero; abollar, zampabollos.

bolo[1] *s. m.* 1 Trozo de palo labrado, de forma alargada y con base plana, que puede tenerse en pie: *tiró la bola y derribó cinco bolos.* ‖ *s. m. pl.* 2 **bolos** Juego que consiste en derribar con una bola cierto número de bolos: *te echo una partida a los bolos.*
FAM bolera.

bolo[2] *s. m.* Píldora más grande que la ordinaria.
bolo alimenticio Masa de alimento masticado e insalivado que se forma en la boca y que se traga de una vez.

boloñesa *s. f.* Salsa hecha con un sofrito de tomate y carne picada.
a la boloñesa Se aplica a la pasta, como los macarrones o los espaguetis, que está condimentada con salsa boloñesa.

bolsa[1] *s. f.* 1 Saco de papel, plástico u otro material flexible, con o sin asas, que se usa para llevar o guardar cosas: *bolsas de basura; bolsa de deporte.* 2 Arruga que forma un tejido cuando queda mal ajustado: *esa falda no te queda bien: te hace bolsas en las caderas.* 3 Estructura orgánica en forma de saco que contiene un líquido o protege a un órgano: *una bolsa de pus.* 4 Abultamiento a la piel debajo de los ojos: *se ha hecho la cirugía estética para quitarse las bolsas de los ojos.* 5 Acumulación espontánea de un fluido en una cavidad: *una bolsa de gas o de agua.* ■ **bolsa de aire** Espacio lleno de aire que normalmente está ocupado por un líquido: *los buscadores del tesoro podían respirar gracias a una bolsa de aire formada en el barco hundido.* 6 Dinero, riqueza o bienes materiales de una persona: *solamente se preocupa por su bolsa.* 7 Cantidad de dinero que recibe una persona por parte de una institución u organismo para pagar los gastos que le supone cursar unos estudios: *he conseguido una bolsa de estudios para hacer un curso en el extranjero.* SIN beca.
FAM bolsear, bolsín, bolsiquear, bolsista; abolsarse, embolsarse.

bolsa[2] *s. f.* 1 Lugar donde se reúnen los que compran y venden valores de comercio públicos y privados: *en España hay cuatro bolsas: Madrid, Barcelona, Bilbao y Valencia.* 2 Actividad de comprar y vender valores de comercio: *ha ganado mucho dinero invirtiendo en bolsa.* 3 Cotización de los valores negociados en bolsa: *la crisis económica ha provocado la bajada de la bolsa.*
bolsa de trabajo Sección donde se publican anuncios de demanda y oferta de trabajo.
bolsa negra Mercado clandestino de divisas.

bolsear *v. tr.* AMÉR. CENTRAL, MÉX. Robar algo del bolsillo de alguien.

bolsillo *s. m.* 1 Pieza que se cose en las prendas de vestir y que sirve para meter pequeñas cosas: *llevo un pañuelo en el bolsillo.* 2 Cantidad de dinero que tiene una persona: *¿qué tal anda tu bolsillo?*

de bolsillo Que es pequeño y manejable, adecuado para llevar en el bolsillo: *una calculadora de bolsillo; un diccionario de bolsillo.*

rascarse el bolsillo Pagar, dar dinero o gastar, especialmente si es de mala gana: *venga, tacaño, a ver si te rascas el bolsillo, que los demás ya hemos pagado.*

tener en el bolsillo Tener a una persona dominada y dispuesta para lo que uno quiera: *ella no pondrá ningún obstáculo a nuestro plan: la tengo en el bolsillo.*

bolsiquear *v. tr.* AMÉR. SUR Robar algo del bolsillo de alguien.

bolsista *s. com.* Persona que se dedica a la compra y venta de valores de comercio.

bolso *s. m.* Bolsa de mano de cuero, tela u otro material resistente, generalmente con una o dos asas y con cierre, que usan las mujeres para llevar objetos personales.

bolsón *s. m.* 1 Tablón que cubre el suelo de los molinos de aceite. 2 AMÉR. CENTRAL Bolsa con correa que los estudiantes utilizan para llevar libros y cuadernos. 3 ARG., PERÚ Cartera de mano de las mujeres. 4 BOL. Bloque de mineral puro que se encuentra en una veta, principalmente en las minas de antimonio.

bomba[1] *s. f.* 1 Artefacto explosivo provisto de un mecanismo que lo hace estallar en determinadas condiciones provocando muchos daños: *la explosión de la bomba atómica, una de las más devastadoras, se produce por la fisión de uranio o plutonio.* 2 Noticia inesperada y sorprendente: *la dimisión del ministro fue una bomba para todos los medios informativos.* NOTA También *noticia bomba.* 3 Masa de lava arrojada por un volcán que, debido al movimiento de rotación que sufre en su recorrido aéreo y gracias a su plasticidad, adopta una forma redondeada o de pera. 4 AMÉR. Borrachera. ‖ *adv.* 5 Muy bien, de forma extraordinaria: *me lo pasé bomba en el parque de atracciones.*
bomba de cobalto Instrumento utilizado en medicina para el tratamiento de las enfermedades tumorales mediante radiaciones de cobalto radiactivo.
FAM bombazo.

bomba[2] *s. f.* Aparato con un motor que se utiliza para extraer, elevar o impulsar líquidos y gases de un lugar a otro: *una bomba hace subir el agua hasta el depósito que hay en el tejado; están achicando el agua del garaje inundado con una bomba.*
FAM bombear; motobomba.

bombacho *adj./s. m.* Se aplica al pantalón que es ancho y se ajusta a la pierna por debajo de la rodilla.
OBS También en plural con el mismo significado que en singular.

bombarda *s. f.* 1 Antigua máquina militar consistente en un cañón de gran calibre que lanzaba proyectiles de piedra. 2 Antiguo instrumento de viento parecido al clarinete.

bombardear *v. tr.* 1 Arrojar bombas desde una aeronave: *algunos aviones bombardearon el frente enemigo.* 2 Hacer fuego violento y sostenido de artillería contra un objetivo enemigo: *las tropas bombardearon la ciudad.* 3 Presionar a alguien, haciéndole muchas preguntas y acusaciones de manera insistente: *cuando dejó de hablar, los niños lo bombardearon con preguntas.* 4 Someter un cuerpo a la acción de ciertas radiaciones o al impacto de neutrones u otros elementos del átomo.

bombardeo *s. m.* 1 Ataque con bombas lanzadas desde una aeronave: *lo más terrible de aquella guerra fueron los bombar-*

B

deos sobre las poblaciones civiles. ② Fuego de artillería, violento y sostenido, contra un objetivo enemigo: *las tropas cercadas fueron diezmadas a causa de los bombardeos de tanques y de morteros.* ③ Serie insistente de preguntas o acusaciones: *el nuevo presidente estaba preparado para eludir el bombardeo de la prensa.* ④ Sometimiento de un cuerpo a la acción de ciertas radiaciones o al impacto de neutrones u otros elementos del átomo.

bombardero, -ra *s. m.* ① Avión militar de gran tamaño que se emplea para lanzar bombas: *el bombardero no logró alcanzar el objetivo.* ‖ *adj.* ② Que bombardea: *fábrica de aviones bombarderos.*

FAM cazabombardero.

bombardino *s. m.* Instrumento musical de viento, de metal, con pistones y tubo encorvado, y de sonido grave.

bombardón *s. m.* Instrumento de viento parecido al bombardino, pero más grande y de sonido más grave.

bombazo *s. m.* ① Explosión que produce una bomba: *el bombazo destruyó el coche y rompió los cristales de los edificios próximos.* ② familiar Noticia inesperada y sorprendente.

bombear *v. tr.* ① Impulsar un fluido por medio de una bomba; en especial, sacar agua u otro líquido por medio de una bomba: *bombear agua de un pozo; el corazón bombea la sangre.* ② Dar forma redondeada y convexa a una cosa. ③ Lanzar una pelota o balón por alto haciendo que siga una trayectoria curva o parabólica: *en los córneres se acostumbra bombear la pelota sobre la portería contraria.*

FAM bombeo.

bombeo *s. m.* ① Convexidad o curvatura de una cosa. ② Elevación de un líquido por medio de una bomba que lo impulsa: *la bomba se encarga del bombeo del agua subterránea.*

bombero, -ra *s. m. y f.* ① Persona especializada en la extinción de incendios y en prestar ayuda en casos de siniestro: *un bombero rescató a los niños arrastrados por el agua.* ② Persona que tiene por oficio manejar una bomba hidráulica. ‖ *adj./s. m. y f.* ③ AMÉR. SUR Se aplica al juez árbitro que favorece abiertamente a uno de los dos bandos que compiten deportivamente, en detrimento del otro.

bombilla *s. f.* ① Globo de vidrio en forma de pera en el que se ha hecho el vacío y hay un filamento metálico que se pone incandescente al paso de la corriente eléctrica y sirve para dar luz: *una bombilla de cien vatios; no hay luz, se ha fundido la bombilla.* ② AMÉR. Tubo delgado para tomar refrescos, especialmente el mate.

bombillo *s. m.* ① Aparato con sifón usado en desagües, retretes, etc. ② AMÉR. Bombilla eléctrica.

bombín *s. m.* ① Sombrero de ala estrecha y copa baja, rígida y redondeada. SIN sombrero hongo. ② Bomba pequeña, para llenar de aire los neumáticos de una bicicleta. ③ Mecanismo que mueve los cierres de una cerradura cuando se introduce la llave. SIN cilindro.

bombo *s. m.* ① Tambor de gran tamaño y sonido grave, que se toca con un mazo grande: *el bombo se utiliza en las orquestas y bandas de música.* ② Persona que toca este instrumento. ③ Caja redonda y giratoria que contiene las bolas o papeletas de un sorteo: *los niños del colegio de San Ildefonso cantan los números que se extraen de los bombos en el sorteo de lotería de Navidad.* ④ familiar Alabanza o elogio exagerados: *estrenaron la película con mucho bombo.* ⑤ familiar Vientre abultado de la mujer embarazada: *está de seis meses y ya tiene un bombo enorme.*

a bombo y platillo Con mucha publicidad: *anunciaron la boda a bombo y platillo y acudió toda la ciudad a la iglesia.*

FAM autobombo.

bombón *s. m.* ① Dulce de pequeño tamaño hecho con chocolate y que puede estar relleno. ② familiar Persona muy atractiva físicamente: *sale con un chico que es un verdadero bombón.*

FAM bombonera, bombonería.

bombona *s. f.* ① Recipiente metálico de forma cilíndrica y cierre hermético que se usa para contener gases a presión y líquidos muy volátiles: *una bombona de butano.* ② Recipiente de plástico o vidrio, de gran capacidad, barrigudo y de boca estrecha, que se usa para el transporte de líquidos: *compra una bombona de agua mineral.* SIN garrafa.

bombonera *s. f.* Caja u objeto decorativo para guardar bombones.

bonachón, -chona *adj./s. m. y f.* Se aplica a la persona de carácter tranquilo y amable: *es un bonachón: no se enfada por nada.*

bonaerense *adj.* ① De Buenos Aires (capital de Argentina). SIN porteño. ‖ *s. com./adj.* ② Persona que es de Buenos Aires. SIN porteño.

bonancible *adj.* Se aplica al tiempo, al viento o al mar que es suave y tranquilo: *navegaron durante tres días con un viento bonancible.*

bonanza *s. f.* ① Serenidad y tranquilidad, especialmente del tiempo o del mar: *después de la tormenta tuvieron varios días de bonanza.* ② Tiempo sereno y tranquilo en el mar. ③ Prosperidad o buena situación: *la situación de los astilleros privados es de bonanza; atravesaba entonces el país una época de gran bonanza.*

FAM bonancible; abonanzar.

bondad *s. f.* ① Inclinación natural a hacer el bien: *la bondad de la madre Teresa de Calcuta es un ejemplo para todos.* ② Dulzura, afabilidad, suavidad de carácter: *me gusta María por su bondad; los colonos fueron atraídos por la bondad de esas tierras.* ③ Calidad de bueno: *la bondad de las acciones generosas.* ANT maldad.

tener la bondad de Fórmula oracional que se utiliza para hacer una petición cortés: *¿tendría la bondad de sentarse?*

FAM bondadoso.

bondadoso, -sa *adj.* Que tiene un carácter afable y generoso: *es una persona muy bondadosa: siempre está ayudando y pensando en los demás.*

bonete *s. m.* Gorro pequeño y bajo, de cuatro picos, que usan los eclesiásticos y seminaristas, y antiguamente también los colegiales y graduados.

FAM bonetería.

bongo o **bongó** *s. m.* ① Instrumento musical de percusión, parecido a un tambor pequeño, que se toca con los dedos y es de origen caribeño. ‖ *s. m. pl.* ② **bongos** o **bongós** o **bongoes** Instrumento musical de percusión formado por dos tambores pequeños unidos lateralmente; se toca con ambas manos, colocándolo entre las rodillas.

OBS Plural: *bongos, bongós o bongoes.*

boniato *s. m.* ① Planta de flores grandes, rojas por dentro y blancas por fuera, y tubérculos comestibles: *el boniato es una variedad de batata.* ② Tubérculo de esta planta, de forma alargada y de color marrón por fuera y amarillento por dentro, de sabor dulce y comestible.

bonificación *s. f.* ① Cantidad de dinero que se añade al sueldo o que se descuenta de un precio: *el comerciante hizo a su cliente una bonificación del 5% por pagar al contado.* **2** En algunas pruebas deportivas, descuento en el tiempo empleado por un deportista: *el ciclista holandés ha conseguido una bonificación de 20 segundos en la etapa del día.*

bonificar *v. tr.* **1** Conceder un aumento especial en el sueldo que se tiene que recibir, o un descuento especial en el precio que se tiene que pagar: *en diciembre bonificaremos a los operarios con una paga extra; a los compradores de esta oferta se les bonificará con un descuento del 25%.* **2** En algunas pruebas deportivas, conceder un descuento en el tiempo empleado por un deportista: *bonificaron al ciclista español con diez segundos de descuento en la etapa del día.* **FAM** bonificación.

bonísimo, -ma *adj.* culto Superlativo de *bueno.*

bonito, -ta *adj.* **1** Se aplica a la persona o cosa que tiene un conjunto de características que lo hacen estética o artísticamente agradable de ver u oír: *una muchacha muy bonita; una bonita película; ¡qué día tan bonito!* **SIN** bello, hermoso. **ANT** feo. **2** Que es agradable y enternecedor: *tuvieron el bonito detalle de regalarle una placa su último día de trabajo.* **SIN** bello, hermoso. **ANT** feo. ‖ *s. m.* **3** Pez marino comestible, de poco menos de 1 m de largo y color azul plateado, con rayas oblicuas de color azul oscuro. ■ **bonito del Norte** Pez parecido al bonito, pero de mayor tamaño y sin rayas en la piel. **FAM** bonitamente, bonitero.

bono *s. m.* **1** Papel que se puede canjear por dinero o por otro tipo de artículos, productos o servicios: *esta semana, por la compra de una moto nueva regalamos bonos de gasolina por valor de 100 euros.* **SIN** vale. **2** Tarjeta que da derecho a usar un servicio durante cierto tiempo o un determinado número de veces: *este bono mensual permite utilizar el autobús, el tren y el metro.* **SIN** abono. **3** Título de deuda emitido por el Estado, una empresa privada o un banco, por el cual la persona que lo compra recibe periódicamente un interés fijo; generalmente tienen un vencimiento a corto o medio plazo: *si quieres invertir tu dinero en algo seguro y rentable, compra bonos del Estado.* **FAM** bonista, bonobús, bonotrén.

bonobús *s. m.* Billete de abono que da derecho a realizar varios viajes en autobús.

bonotel *s. m.* Vale que a cambio de una cantidad de dinero da derecho a determinados servicios hoteleros, generalmente en la misma cadena de hoteles.

bonotrén *s. m.* Abono que da derecho a viajar un número determinado de veces en un tren o ferrocarril: *bonotrén mensual.*

bonsái *s. m.* Árbol enano que se cultiva en macetas pequeñas y al que se cortan brotes y raíces para que no crezca y tenga una medida más pequeña de la normal: *este bonsái es un manzano, y aquel, un pino; la técnica del bonsái es de origen japonés.* **OBS** Plural: *bonsáis.*

bonzo *s. m.* Sacerdote o monje budista.

quemarse a lo bonzo Prenderse fuego una persona viva: *un manifestante se quemó a lo bonzo en plena calle.*

boñiga *s. f.* Excremento de vacuno o de caballerías: *en el prado había boñigas porque el ganado había estado pastando hacía días.*

book [se pronuncia 'buc'] *s. m.* Álbum de fotografías que reflejan la trayectoria profesional de un artista, modelo, etc., y suele presentarse como parte de su currículum. **OBS** Plural: *books.*

boom [se pronuncia 'bum'] *s. m.* Éxito, popularidad o prosperidad inesperados y repentinos: *el boom de la literatura hispanoamericana; el boom turístico de la Costa del Sol.*

boomerang [también **bumerán**; se pronuncia aproximadamente 'bumerán'] *s. m.* Objeto de madera, de forma plana y curva, que al lanzarse con la mano produciendo un movimiento giratorio, vuelve al punto de partida. **OBS** Plural: *boomerangs.*

boquear *v. intr.* **1** Abrir la boca una persona o un animal, especialmente cuando está a punto de expirar o morir. **2** familiar Estar acabándose una cosa. **FAM** boqueada.

boquera *s. f.* Herida que se forma en las comisuras de los labios de una persona. **SIN** bocera.

boquerón *s. m.* Pez marino comestible, de pequeño tamaño y cuerpo alargado de color azul por encima y plateado por el vientre: *los bancos de boquerones abundan en el Atlántico y en el Mediterráneo; de los boquerones se obtienen las anchoas.*

boquete *s. m.* Agujero o abertura, generalmente de gran tamaño: *los ladrones hicieron un boquete en la pared del banco para robar.*

boquiabierto, -ta *adj.* Se aplica a la persona que tiene la boca abierta, especialmente a causa de algo que produce sorpresa o admiración: *cuando le dijeron que le había tocado la lotería se quedó boquiabierto.*

boquilla *s. f.* **1** Tubo pequeño, generalmente provisto de un filtro, en uno de cuyos extremos se pone el puro o cigarrillo para fumarlo, aspirando el humo por el extremo opuesto: *ahora fumo con boquilla para no tragar tanta nicotina.* **2** Parte de un cigarrillo que no se fuma y por donde se aspira el humo, formada por un tubo pequeño de papel duro con materia esponjosa en su interior que actúa a modo de filtro: *Pablo fuma una marca de cigarrillos muy fuerte y además les quita la boquilla.* **3** Pieza pequeña y hueca que se adapta al tubo de varios instrumentos musicales de viento y que sirve para producir el sonido al soplar por ella: *la boquilla de la flauta se puede desmontar para limpiarla.* **SIN** embocadura. **4** Parte de la pipa que se introduce en la boca: *se ha atascado la boquilla de la pipa.* **5** Extremo por el que se enciende el cigarro puro: *el hombre apretó bien la boquilla antes de encender el puro.* **6** Orificio de salida de un recipiente: *este pegamento se aplica con una pistola que permite repartir la cola que sale por la boquilla.*

de boquilla De palabra, sin intención real o sincera de hacer lo que se dice: *te está amenazando de boquilla: no es capaz de hacerte daño de verdad.* **FAM** boquillero; emboquillar.

boquillero, -ra *adj./s. m. y f.* CUBA, P. RICO Charlatán.

bórax *s. m.* Mineral compuesto de ácido bórico, sosa y agua, de color blanco y cristalino, que se emplea para soldar metales y también en la fabricación de espejos, jabón, antisépticos y otros productos.

borbónico, -ca *adj.* **1** Relativo a la dinastía de los Borbones: *Felipe V fue el primer rey borbónico en el trono español; la victoria borbónica supuso cambios importantes en la organización de la Corona.* ‖ *adj./s. m. y f.* **2** Que es partidario de esta dinastía.

borbotar *v. intr.* Hacer ruido el agua u otro líquido cuando hierve o brota. **SIN** borbotear.

borbotear *v. intr.* Borbotar.

borboteo *s. m.* Ruido que hace el agua u otro líquido al brotar o hervir con fuerza: *el borboteo del agua de la fuente; se oía el borboteo del caldo en la olla.*

borbotón *s. m.* Erupción de agua u otro líquido que surge de abajo hacia arriba o de dentro hacia fuera formando burbujas. ‖ **a borbotones** (**I**) Expresión que se utiliza para indicar que un líquido brota, o que hierve con fuerza haciendo burbujas: *el agua comenzó a hervir a borbotones; la sangre manaba de la herida a borbotones.* (**II**) Acelerada o precipitadamente, queriendo decirlo todo de una vez al hablar: *es tan nerviosa, que habla siempre a borbotones.*

borceguí *s. m.* Calzado antiguo que llega hasta más arriba del tobillo, abierto por delante y que se ajusta por medio de cordones. **OBS** Plural: *borceguíes* o *borceguís.*

borda *s. f.* Borde superior del costado de un barco: *un golpe de mar hizo que el marinero se cayera por la borda.*

bordado, -da *s. m.* **1** Labor de adorno hecha en relieve en una tela, con aguja e hilo: *el bordado es una labor muy difícil.* **SIN** bordadura. ■ **bordado a canutillo** Bordado que se hace con hilos de oro o plata formando canutillo. ■ **bordado de realce** Bordado que tiene un acusado relieve. **2** Figura en relieve cosida con hilos de colores: *voy a enseñarte mis bordados de flores y pájaros.* ‖ *adj.* **3** Perfecto, bien acabado: *el examen me salió bordado.*

bordador, -ra *s. m. y f.* Persona que tiene por oficio bordar.

bordadura *s. f.* Bordado (labor de costura).

bordar *v. tr.* **1** Realizar figuras en relieve con hilos de colores: *la costurera bordó las iniciales en las sábanas; mi madre me ha bordado una rosa en la blusa.* **2** Decorar una tela con bordados: *voy a bordar una sábana.* **3** Hacer una cosa muy bien, con perfección: *mi hermana siempre borda su trabajo.* **FAM** bordada, bordado, bordador, bordadura.

borde¹ *s. m.* **1** Línea que limita la parte exterior o más alejada del centro de una cosa: *no te acerques al borde del precipicio, te puedes caer; se dio un golpe con el borde de la mesa.* **2** Contorno alrededor de la boca de una vasija: *el borde de un vaso.* ‖ **al borde de** Muy cerca, a punto de suceder: *el lince ibérico está al borde de la extinción; la empresa está al borde del desastre económico.* **FAM** bordear; desbordar, reborde.

borde² *adj.* **1** Se aplica a la planta no injertada ni cultivada. ‖ *adj./s. com.* **2** familiar Se aplica a la persona que tiene mal carácter o que está de mal humor: *es un borde, no se le puede decir nada.* **NOTA** Se usa de forma despectiva.

bordear *v. tr.* **1** Andar o pasar por el borde o cerca del borde u orilla de una cosa: *bordearon el lago en bicicleta.* **2** Rodear un lugar: *hay que bordear la montaña: es demasiado alta para subirla; Galilea es una región montañosa con una fértil y rica llanura que bordea el lago de Genesaret.* **3** Hallarse un conjunto de cosas en el borde u orilla de otra: *una serie de postes bordea el jardín.* **4** Estar muy cerca de hacer o experimentar algo: *en algunos momentos su actuación bordeaba la brillantez.*

bordillo *s. m.* Línea de piedra que se coloca al borde de una acera o andén: *cuando esperes para cruzar, no debes bajar del bordillo.*

bordo *s. m.* **1** Lado o costado exterior de una embarcación: *el bordo va desde la superficie del agua hasta la borda.* **2** MÉX. Va-

llado de césped y estacas para formar un embalse temporal. ‖ **a bordo** Dentro de una embarcación o aeronave: *el capitán ya está a bordo: pronto zarparemos; comeremos a bordo del avión.* ‖ **de alto bordo** (**I**) Se aplica al barco que tiene gran tamaño: *en el puerto se veían algunos barcos de alto bordo.* (**II**) Se aplica a la persona, cosa o negocio que es de gran importancia. **FAM** abordar.

bordón *s. m.* **1** Bastón con el mango adornado y más alto que una persona. **2** Persona que guía y sostiene a otra. **3** culto Verso quebrado que se repite al final de cada copla. **4** Cuerda gruesa de ciertos instrumentos musicales, que da los sonidos bajos. **5** Tubo grueso, largo y sin orificios que, solo o junto con otros, forma parte de la gaita. **6** Nota musical larga y mantenida, generalmente grave, sobre la que se estructura la melodía o el conjunto de voces de una composición o canción: *el bordón es muy común en la música oriental.* **7** COL., PAN. Benjamín, hijo menor de una familia. **FAM** bordonear.

boreal *adj.* Relativo al Norte, especialmente al polo y al hemisferio: *atravesó las inhóspitas regiones boreales.* **ANT** austral.

bóreas *s. m.* Viento que sopla del norte. **OBS** Plural invariable.

bórico, -ca *adj.* Relativo al boro.

borla *s. f.* **1** Conjunto de hebras o pequeños cordones reunidos formando una bola u otra figura que se cose a la tela y se emplea como adorno en sombreros, cortinas o muebles: *mantel ribeteado de borlas; el cordón que sujeta la cortina termina en una borla.* **2** Bola hecha de algodón u otro material suave, que sirve para aplicar polvos cosméticos en la cara. **3** Distintivo del birrete de los graduados universitarios.

borne *s. m.* Pieza metálica en forma de botón que sirve para comunicar un aparato eléctrico o una máquina con un hilo conductor de la corriente eléctrica: *el motor de la lavadora tiene dos bornes por los que pasa la electricidad; sujetó las pinzas en los bornes de la batería para poner en marcha el otro coche.* **FAM** bornear.

bornizo, -za *adj./s. m.* Se aplica al corcho que se obtiene de la primera extracción del alcornoque.

boro *s. m.* Elemento químico de símbolo B y número atómico 5; es de color pardo oscuro, duro como el diamante, frágil y mal conductor de la electricidad, aunque puede hacerse conductor; en la naturaleza solamente se encuentra combinado con otros elementos; se usa en la industria metalúrgica y en los reactores nucleares.

borona *s. f.* **1** Pan de maíz. **2** AMÉR. Migaja de pan.

borra *s. f.* **1** Lana de poco valor, empleada para rellenar cojines, balones, etc. **2** Pelusa sucia que se forma debajo de los muebles, en los bolsillos, los pliegues de la ropa, etc., cuando no se limpian con frecuencia. **FAM** borroso.

borrachera *s. f.* Trastorno temporal de las capacidades físicas y mentales a causa del consumo excesivo de alcohol.

borracho, -cha *adj./s. m. y f.* **1** Se aplica a la persona que tiene trastornadas temporalmente las capacidades físicas y mentales a causa de un consumo excesivo de alcohol: *estoy algo borracho y no puedo conducir.* **SIN** bebido, beodo, ebrio. **2** Se aplica a la persona que se emborracha habitualmente y es incapaz de renunciar a este hábito. **SIN** alcohólico, beodo. ‖ *adj.* **3** Que está dominado por un sentimiento muy fuerte: *borracho de felicidad o de ira.* **4** Se aplica al pastel que

está mojado en vino, licor o almíbar: *un bizcocho borracho; preparó almíbar para hacer una tarta borracha.*
FAM borracha, borrachera, borrachín; emborrachar.

borrador *s. m.* **1** Utensilio que sirve para borrar lo escrito en una pizarra. **2** Primera redacción de un escrito en la se pueden hacer las adiciones, supresiones o correcciones necesarias antes de redactar la copia definitiva: *todavía no he redactado la versión final del informe, esto es solamente un borrador.* **3** En comercio, libro de cuentas o apuntes provisionales. **4** Goma de borrar.

borraja *s. f.* Planta de hojas y tallos ásperos, comestible, cuyas flores azules o blancas se emplean como sudorífero.
FAM borrajear.

borrar *v. tr./intr.* **1** Hacer desaparecer lo dibujado o escrito o la marca dejada en una superficie: *cópialo con lápiz por si te equivocas y tienes que borrar; borra la pizarra; el agua borró las huellas que había dejado en la arena; este detergente borra las manchas más difíciles.* **2** Hacer desaparecer de una lista el nombre de una persona o cosa que antes figuraba en ella: *me he borrado de la asociación.* ‖ *v. prnl.* **3** **borrarse** Desaparecer lo dibujado o escrito o la marca dejada en una superficie: *esta pintura se borra con agua.* **4** Desaparecer un recuerdo de la memoria: *sus recuerdos se borraban con el paso del tiempo.*
FAM borrador, borradura, borrajear, borroso, borrón; imborrable.

borrasca *s. f.* **1** Zona de baja presión atmosférica, que se caracteriza por vientos fuertes y lluvias abundantes, a veces acompañados de rayos y truenos: *la borrasca tiende a debilitarse.* **2** Tormenta que se caracteriza por la violencia del viento y la perturbación de las aguas del mar: *el barco encalló la noche de la borrasca.* **3** Situación de tensión que se corre en un negocio o asunto: *en estos momentos la empresa está sufriendo una fuerte borrasca, pero esperamos que pase pronto.*
FAM borrascoso; aborrascarse, emborrascarse.

borrascoso, -sa *adj.* **1** Que causa o puede causar borrascas: *un viento borrascoso; el tiempo de este fin de semana será borrascoso e inestable.* **2** Agitado, violento: *una existencia borrascosa.*

borrego, -ga *s. m. y f.* **1** Cordero de entre uno y dos años. ‖ *adj./s. m. y f.* **2** despectivo Se aplica a la persona cándida, que se somete a la voluntad de otra sin rebelarse ni protestar: *todos los chicos de la pandilla obedecen al más fuerte como borregos.* ‖ *s. m.* **3** AMÉR. CENTRAL, CUBA, MÉX. Noticia que se considera falsa y tendenciosa. ‖ *s. m. y f.* **4** C. RICA Gorrino, cerdo pequeño y bien alimentado, particularmente el de raza importada.
FAM borregada, borreguero, borreguil, borreguismo; aborregar.

borrico, -ca *s. m. y f.* **1** Mamífero cuadrúpedo doméstico más pequeño que el caballo, con grandes orejas, cola larga y pelo áspero y grisáceo; por ser muy resistente se usa para trabajos en el campo y para la carga. **SIN** asno, burro, jumento. ‖ *adj./s. m. y f.* **2** familiar Se aplica a la persona que es torpe, poco inteligente o de escasa formación: *es un borrico: nunca entiende nada; ¡mira que eres borrica!* **SIN** asno, bestia, burro. ‖ *s. m.* **3** Borriqueta.
FAM borricada, borriquero, borriqueta, borriquete.

borriqueta *s. f.* Armazón de madera semejante a un trípode, en que los carpinteros apoyan la madera que están trabajando. **SIN** borrico, borriquete.

borriquete *s. m.* Borriqueta.

borrón *s. m.* **1** Mancha de tinta en el papel: *el cuaderno del niño estaba lleno de borrones.* **2** Hecho deshonroso: *el ser sorprendido robando en unos grandes almacenes fue un borrón que acabaría por costarle su carrera política.* **3** Dibujo en el que se trazan las líneas generales y la composición que tendrá una pintura: *con un rápido borrón mostró lo que sería su próximo cuadro.* **SIN** bosquejo.

borrón y cuenta nueva Expresión que indica que se olvida o perdona un error o una falta y que se actúa como si no hubiera ocurrido nada: *os perdono todas las mentiras, así que borrón y cuenta nueva.*
FAM borronear; emborronar.

borronear *v. tr.* Llenar un papel de borrones. **SIN** emborronar.

borroso, -sa *adj.* Impreciso, que no se distingue con claridad: *estoy mareado y todo lo veo borroso; la fotografía está borrosa y no se distinguen bien las caras.*
FAM borrosidad.

boscaje *s. m.* Bosque pequeño.

boscoso, -sa *adj.* Con bosque espeso: *se perdieron en un terreno boscoso y fue difícil localizarlos; España conserva enormes masas boscosas.*

bosnio, -nia *adj.* **1** De Bosnia-Herzegovina (país de Europa). ‖ *s. m. y f./adj.* **2** Persona que es de Bosnia-Herzegovina.

bosque *s. m.* Ecosistema terrestre en el que abundan los árboles.
FAM boscaje, boscoso; guardabosque.

bosquejar *v. tr.* **1** Hacer un primer diseño de una obra de arte o proyecto de manera provisional, con los elementos esenciales y sin detalles: *antes de escribir una novela, bosqueja lo que va a ser el argumento de su obra.* **2** Exponer de manera vaga o en sus líneas generales una idea o plan: *el portavoz del Gobierno se limitó a bosquejar el nuevo plan económico.*
FAM bosquejo.

bosquejo *s. m.* **1** Primer diseño de una obra de arte o proyecto, hecho de manera provisional, con los elementos esenciales y sin detalles: *el pintor está preparando un bosquejo de su obra.* **SIN** esbozo. **2** Exposición de una idea o plan de manera vaga o en sus líneas generales: *el ministro hizo un breve bosquejo de las nuevas medidas económicas.* **SIN** esbozo.

bosquimán, -mana *adj.* **1** Relativo a un grupo étnico que habita en el sudeste de África. **SIN** bosquimano. ‖ *s. m. y f./adj.* **2** Persona que pertenece a este grupo étnico. **SIN** bosquimano.

bosquimano, -na V. bosquimán, -mana.

bossa nova *s. f.* **1** Estilo musical brasileño creado en la década de 1950 a partir de la samba, con el mismo ritmo que esta pero menos percusión, con acompañamiento de guitarra y gran complejidad armónica: *João Gilberto y Vinicius de Morães fueron grandes maestros de la bossa nova.* **2** Canción de este estilo.

bostezar *v. intr.* Abrir la boca involuntariamente, inspirando y espirando lenta y profundamente, por lo general a causa del sueño, el cansancio, el hambre o el aburrimiento.
FAM bostezo.

bostezo *s. m.* Movimiento involuntario que consiste en abrir la boca e inspirar y espirar lenta y profundamente, causado por el sueño, el cansancio, el hambre o el aburrimiento.

bota[1] *s. f.* **1** Calzado que cubre el pie y parte de la pierna:

botas de agua; se puso las botas de montar y salió a cabalgar. **2** Calzado deportivo que cubre el pie hasta el tobillo: *el jugador se ató las botas de fútbol antes de salir al terreno de juego.* **3** AMÉR. Bolsa u odre impermeable, generalmente de cuero, que se usa para sacar, con ayuda de un torno, agua o mineral de las minas. **4** COL., P. RICO, R. DOM. Vaina de cuero con que se cubren los espolones de los gallos de pelea cuando los encierran, para evitar que hieran a su oponente.
ponerse las botas (I) Sacar provecho o beneficio de algo. (II) Disfrutar de un placer, especialmente de comer.
FAM botín, botina, boto; limpiabotas, lustrabotas.
bota² *s. f.* **1** Recipiente para beber vino hecho de cuero, en forma de pera y con una boca muy estrecha por donde sale el líquido en forma de chorro muy fino. **SIN** borracha. **2** Cuba de vino.
botada *s. f.* AMÉR. Acción de botar (echar o expulsar a una persona de un lugar).
botado, -da *adj./s. m. y f.* **1** AMÉR. Se aplica al niño que ha sido abandonado y criado en un orfanato. **2** familiar AMÉR. Se aplica al objeto que se vende a bajo precio por el escaso valor que tiene. **3** familiar CHILE Se aplica a la persona que queda tirada en el suelo por el efecto de algún producto que ha consumido o por el abandono propio o ajeno: *cada vez que bebe, queda botado en la calle.*
botador, -ra *s. m.* **1** Herramienta de hierro para arrancar clavos o meter sus cabezas. ▌ *adj.* **2** AMÉR. Que malgasta el dinero.
botadura *s. f.* Acción de echar una embarcación al agua, especialmente si es la primera vez.
botafumeiro *s. m.* Incensario grande consistente en un brasero con cadenas y tapa, que sirve para dirigir el humo del incienso hacia algún lugar: *en la catedral de Santiago de Compostela hay un enorme botafumeiro que cuelga del techo.*
botánica *s. f.* Ciencia que estudia los vegetales: *en botánica hemos estudiado la clasificación de las plantas.*
FAM botánico.
botánico, -ca *adj.* **1** Relativo a la botánica: *en un jardín botánico hay muchas variedades de plantas.* ▌ *s. m. y f.* **2** Persona que se dedica al estudio de los vegetales o que es especialista en botánica.
botar *v. tr.* **1** Hacer que un cuerpo elástico dé botes o saltos al lanzarlo contra una superficie dura: *el jugador de baloncesto botaba la pelota en la cancha.* **2** Echar al agua una embarcación, especialmente si es la primera vez: *este barco fue botado en 1921.* **3** familiar Echar o expulsar a una persona de un lugar: *lo botaron del restaurante porque organizó un escándalo.* ▌ *v. intr.* **4** Cambiar de dirección un cuerpo elástico al chocar contra una superficie dura: *la pelota botó en la pared.* **SIN** rebotar. **5** Dar saltos o botes una persona, animal o cosa: *las pelotas desinfladas no botan.*
FAM botada, botado, botador, botadura; rebotar.
botarate *s. m.* **1** familiar Persona que tiene poco juicio y actúa de manera alocada o insensata. **2** AMÉR. Derrochador.
botarel *s. m.* En arquitectura, construcción vertical que se levanta pegada a un muro o pared y que refuerza y contrarresta el peso de una bóveda.
botarga *s. f.* **1** Prenda de vestir ridícula de muchos colores que se usa en el teatro y en los carnavales: *los actores iban disfrazados con botargas.* **2** Persona que lleva una de estas prendas de vestir: *la botarga sale el miércoles de ceniza asustando a la gente.*

botavara *s. f.* Palo horizontal que, junto con el mástil, sirve para sujetar una vela.
bote¹ *s. m.* **1** Movimiento hacia arriba que da una pelota o cualquier cuerpo elástico al chocar contra una superficie dura: *la pelota dio tres botes en el suelo.* **2** Salto o brinco: *cuando lo vi, di un bote.*
a bote pronto Sin tiempo para reflexionar, de improviso: *el ministro respondió a bote pronto a las preguntas de los periodistas.*
dar botes Sentir emociones muy fuertes, de alegría o de dolor: *le ha tocado la lotería y está dando botes de alegría.*
darse el bote familiar Irse rápidamente, marcharse.
bote² *s. m.* **1** Recipiente con tapa, cilíndrico, generalmente de cristal, cerámica o lata, que sirve para guardar y conservar alimentos o bebidas: *un bote de tomate; el bote del café.* **2** Recipiente en el que los empleados de un bar o cafetería guardan las propinas para repartirlas. **3** Dinero que en concepto de propinas juntan los empleados de algunos establecimientos públicos: *los camareros han hecho hoy un bote de setenta euros.* **4** Categoría de un sorteo que no ha tenido acertantes y cuyo premio se acumula para el siguiente: *como esta semana no ha habido ningún acertante, se acumula un suculento bote para el próximo jueves.*
chupar del bote familiar Sacar provecho material de un cargo o una situación ilegalmente, sin trabajar: *mientras estuvo de director no dejó de chupar del bote.*
tener en el bote familiar Expresión que se usa para indicar que se ha conquistado la confianza y la voluntad de otra persona: *a los profesores los tengo en el bote y seguro que me ponen buenas notas.*
bote³ *s. m.* Barca pequeña sin cubierta, con unos tablones atravesados que sirven de asiento y movida por remos. **SIN** batel. ▪ **bote salvavidas** Bote preparado para abandonar un barco en caso de naufragio.
bote⁴ Se usa en la expresión:
estar de bote en bote familiar Estar un lugar completamente lleno de gente: *a estas horas de la tarde el metro va de bote en bote.*
botella *s. f.* **1** Recipiente alto y cilíndrico, generalmente de cristal o plástico y de cuello estrecho, que sirve para contener líquidos. **2** AMÉR. Sinecura, empleo o cargo de poco trabajo y notable retribución.
FAM botellazo, botellero, botellín, botellón; embotellar.
botellazo *s. m.* Golpe dado con una botella.
botellín *s. m.* Botella pequeña: *un botellín de cerveza.*
botellón *s. m.* AMÉR. Damajuana.
botica *s. f.* Establecimiento donde se hacen y venden medicinas, en especial antiguamente.
haber de todo, como en botica familiar Haber gran cantidad de cosas diversas.
FAM boticario; rebotica.
boticario, -ria *s. m. y f.* Farmacéutico de una botica, en especial antiguamente.
botija *s. f.* Vasija de barro redonda y de cuello corto y estrecho, que sirve para contener agua.
FAM botijo.
botijo *s. m.* Vasija de barro poroso, panzuda y con un asa en la parte superior, con una boca para llenarla y un pitorro para beber, que sirve para mantener el agua fresca: *el agua de un botijo se mantiene fresca porque la arcilla con la que está fabricado es porosa.*

botillería *s. f.* ① Establecimiento donde se hacían y vendían bebidas heladas y refrescos. ② CHILE Tienda de vinos y licores embotellados.

botín[1] *s. m.* Calzado que cubre el pie y llega hasta el tobillo, generalmente de cuero: *el botín es más alto que el zapato y más bajo que la bota.*
FAM botinero.

botín[2] *s. m.* ① Conjunto de armas, dinero y provisiones que el ejército vencedor toma del ejército vencido: *el general arrasó la ciudad y repartió el botín entre los soldados.* ② Conjunto de bienes robados: *volvió con un botín de unos 15 millones de florines.*

botiquín *s. m.* ① Armario pequeño, caja o maleta con medicamentos y utensilios quirúrgicos para primeros auxilios. ② Conjunto de estos medicamentos y utensilios: *todo botiquín debe incluir alcohol y vendas.*

boto *s. m.* Bota alta de una sola pieza que generalmente se usa para montar a caballo.

botón *s. m.* ① Pieza pequeña, generalmente redonda, que sirve para abrochar una prenda de vestir pasándola por el ojal y a veces, simplemente como adorno de esta: *tenía mucho calor y se desabrochó el botón del cuello de la camisa.* ② Pieza pequeña que se oprime en ciertos aparatos eléctricos para hacerlos funcionar: *el botón del timbre; el botón de un ascensor.* ③ En la esgrima, chapita redonda de hierro que se pone en la punta de la espada o florete para que no haga daño. ④ Yema, brote o renuevo de una planta. ⑤ Capullo de una flor completamente cerrado. ⑥ Parte central de las flores de la familia de las compuestas. ⑦ MÉX. Yunta de animales de tiro o de labranza, que se lleva, dispuesta de antemano, para refuerzo o reemplazo de otra u otras.
al divino botón ARG., BOL., CHILE, URUG. Se usa cuando se hace algo sin tener una base cierta, sin fundamento, en vano, inútilmente.
botón de muestra Ejemplo que se saca de un conjunto de elementos o cosas iguales: *como botón de muestra de su poesía, aquí tenéis este poema.*
FAM botonadura, botones; abotonar.

botonadura *s. f.* ① Conjunto de botones de una prenda de vestir. ② Parte de una prenda de vestir donde van colocados los botones y los ojales.

botones *s. m.* Mozo uniformado que se dedica a hacer recados en algunos establecimientos como hoteles o bancos.
OBS Plural invariable.

botulismo *s. m.* Intoxicación producida por la ingestión de embutidos o conservas en mal estado, cuyos síntomas son parecidos a los del tifus y el cólera.

bourbon [se pronuncia 'burbon'] *s. m.* Variedad de whisky estadounidense, elaborado a base de maíz con algo de centeno y cebada.

boutique [se pronuncia aproximadamente 'butic'] *s. f.* ① Tienda especializada en artículos de moda, especialmente prendas de vestir: *en esta calle están las mejores boutiques de la ciudad.* ② Tienda en la que se venden un tipo específico y seleccionado de artículos: *puedes comprar pan francés en esa boutique.*
OBS Plural: *boutiques* (se pronuncia 'butics').

bóveda *s. f.* Cubierta de forma curva que cierra el espacio comprendido entre dos muros o varios pilares: *la bóveda de la catedral está decorada con escenas bíblicas; Miguel Ángel pintó la bóveda de la Capilla Sixtina.* ■ **bóveda anular** Bóveda la de cañón montada sobre muros circulares concéntricos. ■ **bóveda baída** o **bóveda vaída** Bóveda semiesférica cortada por cuatro planos verticales y paralelos entre sí dos a dos. ■ **bóveda de aristas** Bóveda que resulta del cruce de dos bóvedas de cañón. ■ **bóveda de cañón** Bóveda que tiene forma de medio cilindro y cubre el espacio comprendido entre dos muros o series de pilares paralelos. ■ **bóveda de crucería** o **bóveda nervada** Bóveda cuya estructura se compone de arcos que se cruzan diagonalmente, llamados nervios, con un centro común. ■ **bóveda esquifada** Bóveda que resulta de la intersección de dos bóvedas de cañón, de modo que queda constituida por cuatro triángulos de superficie curva con el vértice común y que se encuentran en ángulo recto sobre una planta cuadrada.
bóveda celeste Parte del espacio sobre la Tierra en el que están las nubes y donde se ven el Sol, la Luna y las estrellas. SIN cielo, firmamento.
bóveda craneal Parte superior e interna del cráneo.
FAM bovedilla; abovedar, embovedado.

bóvido, -da *adj./s. m.* ① Se aplica al animal mamífero rumiante, con cuernos óseos persistentes, no ramificados, envueltos en una vaina córnea, como el toro o la cabra. | *s. m. pl.* ② **bóvidos** Grupo taxonómico, con categoría de familia, constituido por estos animales.

bovino, -na *adj.* ① Relativo al toro o la vaca: *la piel bovina se usa en la industria del calzado.* | *adj./s. m.* ② Se aplica al animal mamífero rumiante, de una subfamilia de los bóvidos, de cuerpo grande y robusto, generalmente con cuernos, el hocico ancho y desnudo y la cola larga con un mechón en el extremo, como el toro, la vaca o el buey: *ese ganadero tiene cincuenta reses bovinas.* | *s. m. pl.* ③ **bovinos** Grupo taxonómico, con categoría de subfamilia, constituido por estos animales.

box *s. m.* En automovilismo y motociclismo, zona del circuito donde se instalan los servicios mecánicos de los participantes.
OBS Plural: *boxes.*

boxeador, -ra *s. m. y f.* Persona que se dedica al deporte del boxeo. SIN púgil.

boxear *v. intr.* Practicar el boxeo.
FAM boxeador, boxeo.

boxeo *s. m.* Deporte en el que intervienen dos boxeadores moderados por un árbitro, que consiste en atacar y defenderse golpeándose solamente con los puños, utilizando unos guantes especiales, y que se desarrolla sobre un cuadrilátero delimitado. SIN pugilato.

bóxer *s. com./adj.* ① Perro de tamaño mediano, cuerpo musculoso, patas cortas (las anteriores echadas hacia atrás), hocico chato y labios gruesos; su pelaje es corto y generalmente pardo claro con la cara negra; se emplea como perro guardián y de defensa; es de origen alemán. | *s. m.* ② Modelo de calzoncillo o bañador masculino que es parecido a los pantalones de boxeador y se caracteriza por no ir ceñido, llevar una goma o cordón en la cintura y en ocasiones tener los bajos redondeados en la costura lateral. ③ Miembro de una sociedad secreta de China que en 1900 dirigió una sublevación violenta contra la intromisión extranjera en su país: *el símbolo de los bóxers era un puño.*
OBS Plural: *bóxers.* Puede encontrarse la grafía inglesa *boxer.*

boy *s. m.* Hombre joven que se dedica al espectáculo del striptease en un local.
OBS Plural: *boys*.

boya *s. f.* **1** Cuerpo flotante que se sujeta al fondo del mar, de un lago o de un río, que sirve de señal: *en las regatas, el recorrido se señala con boyas.* **2** Corcho que se pone en una red de pescar para que no se hunda: *las boyas de la red formaban una larga fila.* **3** En la cisterna de un retrete, sensor que detecta cuándo se alcanza un cierto nivel de agua y cierra un grifo.

boyante *adj.* **1** Que se encuentra en un momento favorable y próspero, que goza de fortuna y felicidad crecientes: *un negocio o una industria boyante.* **2** Se aplica a la embarcación que no se hunde en el agua por no llevar casi carga: *ese barco está boyante.*

boyero, -ra *s. m. y f.* **1** Persona que cuida o conduce bueyes. **‖** *s. m.* **2** ARG., BOL., URUG. Ave de pequeño tamaño, con el pico cónico bastante largo, que sigue al ganado vacuno y equino cuando sale a los campos de pastoreo.

boy scout [se pronuncia aproximadamente 'boy-escaut'] *s. com.* Persona asociada al movimiento juvenil internacional del escultismo, que pretende la formación integral del individuo mediante actividades de grupo y la vida en contacto con la naturaleza.
OBS Plural: *boy scouts*.

bozal *s. m.* **1** Aparato que se pone en la boca de ciertos animales, especialmente en la de los perros, para que no muerdan. **2** Esportilla que se pone en la boca de las caballerías y otras bestias de labor para que no estropeen los sembrados o no se paren a comer.

bozo *s. m.* Vello muy fino y suave que sale a los jóvenes sobre el labio superior antes de nacer el bigote: *tengo un hijo de 14 años que ya tiene bozo.*
FAM bozal; embozo, rebozar.

bracear *v. intr.* **1** Mover repetidamente los brazos: *estaba tan enfadado que gritaba y braceaba.* **2** Mover los brazos para avanzar en el agua al nadar: *el atleta braceó un rato en la piscina para entrar en calor antes de la competición.* **3** Doblar el caballo los brazos con soltura.
FAM braceo, bracero.

braceo *s. m.* Movimiento repetido de los brazos: *este nadador tiene un potente braceo.*

bracero *s. m.* Persona que trabaja en el campo a cambio de un jornal. **SIN** jornalero.

bráctea *s. f.* Hoja que nace del pedúnculo de una flor o de la rama de una inflorescencia y que se diferencia de las hojas propiamente dichas por su tamaño, color y forma.

braga *s. f.* **1** Prenda interior femenina, de tejido suave, que cubre desde la cintura hasta la ingle, con dos aberturas por donde pasan las piernas. **NOTA** Generalmente usado en plural, con el mismo significado que en singular. **2** Cuerda que se usa para ceñir un objeto pesado y suspenderlo en el aire. **‖** *s. f. pl.* **3** **bragas** Calzones anchos para hombre.
en bragas familiar Sin dinero o sin los medios necesarios para afrontar una situación: *cuando me echaron de casa me quedé en bragas.*
hecho una braga familiar Muy mal, física y psicológicamente: *estoy hecho una braga debido a la caída y apenas puedo moverme.*
FAM bragado, bragadura, bragazas, braguero, bragueta.

bragado, -da *adj.* **1** Se aplica al animal que tiene la zona de la entrepierna de diferente color que el resto del cuerpo: *un toro bragado.* **2** Se aplica a la persona de mala intención. **3** Se aplica a la persona que es enérgica, firme y decidida.

braguero *s. m.* **1** Aparato ortopédico que sirve para contener las hernias. **2** ARG., BOL., CHILE, PERÚ Calzón elástico que usan los deportistas para proteger los genitales. **3** MÉX. Cuerda que se coloca bordeando el cuerpo de un toro, para que pueda ser montado a pelo sujetándose a ella.

bragueta *s. f.* Abertura que hay en la parte alta y delantera de un pantalón: *la bragueta se cierra con cremallera o con botones.*

brahmán *s. m.* Miembro de la primera y más elevada de las cuatro castas hindúes, encargado de las funciones sacerdotales.
FAM brahmanismo.

brahmanismo *s. m.* Sistema social y religioso que se desarrolla en la India a partir del siglo IX a. C., cuyos seguidores creen en Brahma como dios supremo, y que se caracteriza por el sistema social de castas y la creencia en la unión del ser humano con la divinidad tras un proceso de purificación de varias vidas: *el brahmanismo se considera la versión más ortodoxa del hinduismo y hace hincapié en el sistema de castas.*
FAM brahmánico.

braille *s. m.* **1** Sistema de escritura y lectura para ciegos que utiliza puntos en relieve: *un escrito en braille puede ser leído por medio del tacto de los dedos.* **2** Alfabeto de signos constituidos por distintas combinaciones de puntos grabados en relieve sobre una superficie, usado en este sistema de escritura y lectura para ciegos. **NOTA** También *alfabeto Braille.*

bramadero *s. m.* **1** Lugar al que acuden los ciervos y otros animales en celo. **2** AMÉR. Poste al cual se amarra a los animales para herrarlos, domesticarlos o matarlos: *para amansar a este potro necesitó tenerlo dos días en el bramadero.*

bramante *s. m.* Cordel de cáñamo, fino y resistente, usado sobre todo para liar paquetes.

bramar *v. intr.* **1** Emitir su voz ciertos animales salvajes, como el toro o el ciervo: *el toro bramaba y escarbaba la tierra con las patas delanteras.* **2** Gritar con fuerza, manifestando su ira una persona o animal: *comenzó a bramar y a chillarnos sin ninguna justificación.* **3** Producir un ruido fuerte el aire o el agua: *olas gigantes que os rompéis bramando / en las playas desiertas y remotas.*
FAM bramido.

bramido *s. m.* **1** Voz característica de ciertos animales salvajes, como el toro y el ciervo: *los bramidos del animal resonaban en la plaza.* **2** Grito fuerte, con el que manifiesta su ira una persona o animal: *apareció en la habitación dando bramidos de ira.* **3** Ruido fuerte que produce el aire o el agua: *un murmullo comenzó a envolver la casa y todo el pueblo: era el río, el bramido de la nieve al derretirse.*

brandada *s. f.* Plato que se prepara con bacalao desmenuzado muy fino, previamente remojado con ajos, y que se liga con aceite de oliva y crema de leche hasta conseguir una pasta suave.

brandi V. brandy.

brandy [también **brandi**] *s. m.* Bebida alcohólica de alta graduación obtenida por destilación del vino y envejecida en toneles de roble: *el coñac es un tipo de brandy francés.*
OBS Plural: *brandys* o *brandies*.

branquia *s. f.* Órgano respiratorio de los peces y otros animales acuáticos formado por finas láminas o filamentos con muchos vasos sanguíneos, que en los peces se encuentra en unas aberturas naturales a ambos lados de la cabeza: *los peces tienen branquias para tomar el oxígeno disuelto en el agua.* **FAM** branquial.

branquial *adj.* Relativo a las branquias: *los peces y otros animales que viven en el agua tienen respiración branquial.*

braña *s. f.* Prado de pastos con agua situado en la ladera de una montaña.

braquial *adj.* Relativo al brazo: *bíceps braquial.*

brasa *s. f.* Trozo de carbón o de leña que arde y se quema sin hacer llama: *el fuego se apagó y quedaron las brasas.* **SIN** ascua.

a la brasa Cocinado directamente sobre las brasas: *costillas a la brasa.* **FAM** brasear, brasero; abrasar.

brasero *s. m.* Recipiente de metal, poco profundo y generalmente redondo, en el que se depositan brasas, que se pone normalmente debajo de una mesa camilla y sirve para calentarse cuando hace frío.

brasileño, -ña *adj.* **1** De Brasil (país de América del Sur). ‖ *s. m. y f./adj.* **2** Persona que es de Brasil. ‖ *s. m./adj.* **3** Variedad del portugués hablada en Brasil.

bravata *s. f.* Amenaza pronunciada con arrogancia para atemorizar a alguien: *no me asustan tus bravatas.*

braveza *s. f.* **1** Valentía o determinación para afrontar situaciones complicadas: *atacaron a su enemigo con gran braveza.* **SIN** bravura. **2** Agresividad natural de ciertos animales: *es un toro de mucha braveza.* **SIN** bravura, ferocidad, fiereza.

bravío, -vía *adj.* **1** Se aplica al animal que es salvaje y feroz y no está domesticado: *es un caballo bravío y hay que tener cuidado al montarlo.* **2** Se aplica a la planta silvestre, que no está cultivada y se cría naturalmente en los campos: *crecían yerbas bravías en la cuneta.* **SIN** silvestre. **3** Que tiene malos modos o es poco delicado: *carácter bravío.* **4** Se aplica al mar cuando está embravecido y agitado: *no te bañes hoy, que el mar está muy bravío.* ‖ *s. m.* **5** Cualidad de la persona o animal que tiene fiereza: *este toro tiene un bravío muy especial.*

bravo, -va *adj.* **1** Se aplica al animal que es agresivo y violento: *lidió un toro muy bravo.* **SIN** fiero. **ANT** manso. **2** Que es muy valiente: *defendieron el fuerte con unos pocos hombres bravos.* **3** Se aplica a la persona que presume de lo que no es, especialmente de valiente: *es muy bravo con ciertas personas, pero con otras es un cobarde.* **SIN** fanfarrón. **4** Se aplica a la persona que está enojada y que tiene un genio poco agradable. **5** Se aplica al mar cuando está embravecido y agitado: *el mar estaba bravo y perdieron el rumbo.* **SIN** bravío. **6** Se aplica a la zona o terreno áspero, escabroso e irregular. **7** Se aplica a la patata frita que va acompañada de una salsa muy picante: *una ración de patatas bravas.* ‖ *int.* **8** ¡bravo! Expresión que indica alegría, aprobación o aplauso: *¡bravo!, lo has hecho muy bien.* **FAM** bravata, braveza, bravío, bravucón, bravura; embravecer.

bravucón, -cona *adj./s. m. y f.* despectivo Se aplica a la persona que dice bravatas y amenaza con pelea: *se comportó como un bravucón fiero y desafiante.* **FAM** bravuconada.

bravuconada *s. f.* Acción o dicho propio de un bravucón.

bravura *s. f.* **1** Valentía o determinación: *se comportó con bravura.* **SIN** braveza. **2** Agresividad natural de ciertos animales. **SIN** ferocidad, fiereza.

braza *s. f.* **1** Medida de longitud que usan los marineros para medir la profundidad y que equivale a 1,6718 m: *el fondo estaba a tan solo tres brazas de profundidad.* **2** Estilo de natación en que los hombros se mantienen al nivel del agua y los brazos se mueven simultáneamente de delante hacia atrás, al mismo tiempo que las piernas se encogen y se estiran: *sabe nadar a braza y a espalda.*

brazada *s. f.* **1** Movimiento de los brazos que se hace cuando se nada, que consiste en extenderlos y recogerlos: *al dar la brazada, debes mantener el codo más alto que el resto del brazo.* **2** Cantidad de una cosa que se puede abarcar con los brazos: *una brazada de heno; una brazada de leña.* **3** AMÉR. Braza (medida de longitud).

brazal *s. m.* Tira de tela que ciñe el brazo por encima del codo y que sirve de distintivo o, si es negra, de señal de luto: *el capitán del equipo de fútbol lleva un brazal.*

brazalete *s. m.* **1** Aro que se lleva como adorno en el brazo por encima de la muñeca: *llevaba un brazalete de oro y diamantes.* **2** Tira de tela que se lleva ceñida al brazo como distintivo. **3** Brazal de armadura.

brazo *s. m.* **1** Miembro del cuerpo humano que une el hombro con la mano, incluyendo o no a esta: *alargó el brazo y cogió el último libro de la estantería; se ha caído y se ha roto un brazo.* **2** Parte del brazo que va desde el hombro hasta el codo. **3** En cierto tipo de asientos, soporte lateral que sirve para apoyar ese miembro del cuerpo: *las sillas no tienen brazos; los sillones y butacas tienen brazos; se sentó en el brazo del sillón.* **4** Pata delantera en los cuadrúpedos. **5** Rama de árbol. **6** Parte o pieza alargada de un objeto que está unida a él por uno de sus extremos: *el brazo de una grúa; el brazo de un tocadiscos; los brazos de un compás.* **7** En las lámparas, pieza alargada que sale del cuerpo central: *una lámpara de siete brazos.* **8** En una balanza, cada una de las dos mitades de la barra horizontal. **9** En un río o una masa de agua, parte que se separa del caudal principal y forma un canal alargado que va a reunirse con él más adelante o desemboca en el mar: *hay un brazo de río que llega hasta la base del cerro.* ■ **brazo de mar** Canal ancho y largo del mar que penetra tierra adentro: *junto a ese pueblo hay un brazo de mar.* **10** Parte de una palanca a uno y otro lado del punto de apoyo. **11** Cada uno de los lados de la barra horizontal de una cruz. **12** Grupo de personas que obedecen las directrices de una organización: *el brazo armado de una organización terrorista.* **13** En la sociedad europea del Antiguo Régimen, estado o cuerpo que representaba a cada estamento en las Cortes del Reino. **NOTA** También *brazo del reino.* ■ **brazo de la nobleza** Estado o cuerpo de los nobles que representaba a su estamento en las Cortes del Reino. ■ **brazo eclesiástico** Estado o cuerpo de los eclesiásticos que representaba a su estamento en las Cortes del Reino. ‖ *s. m. pl.* **14** **brazos** Jornaleros, gente que trabaja: *hacen falta brazos.*

a brazo partido Con gran empeño, esfuerzo y energía: *lucharon a brazo partido contra la tempestad.*

brazo de gitano Pieza de repostería hecha con una capa de bizcocho que se rellena de crema, nata o dulce de frutas y se enrolla sobre sí misma en forma de tubo.

brazo derecho Persona que hace por otra trabajos de mucha importancia y que es de su plena confianza: *no podría prescindir de su secretario: es su brazo derecho.*

brazo secular o **brazo seglar** o **brazo real** Conjunto de los tribunales de justicia no eclesiásticos.

con los brazos abiertos Con afecto y cordialidad o con la

B

mejor voluntad y disposición: *su familia los recibió con los brazos abiertos.*

cruzarse de brazos Permanecer indiferente en una situación que exige acción.

dar su brazo a torcer Rendirse o ceder una persona de un empeño u opinión en que se ha mantenido firme: *siempre tenemos que hacer lo que él quiere porque nunca da su brazo a torcer.*

hecho un brazo de mar Elegante, bien vestido.

FAM bracear, brazada, brazado, brazuelo; antebrazo.

brazuelo *s. m.* Parte de la pata delantera de los animales cuadrúpedos que va desde el codo hasta la rodilla.

brea *s. f.* ❶ Compuesto viscoso y oscuro utilizado para asfaltar, calafatear o impermeabilizar superficies: *cerraron con brea las junturas de las barcas de madera para que no entrase el agua.* ❷ Sustancia viscosa de color negro que se obtiene por destilación de la madera de varios árboles de la familia de las coníferas o del petróleo, insoluble en agua y soluble en compuestos orgánicos; se emplea en medicina, y en la marina para calafatear y otros usos. ❸ ARG., CHILE Arbusto que produce una resina utilizada como brea. ❹ CUBA, GUAT., MÉX. despectivo Dinero, especialmente cuando se duda de su honrada procedencia.

FAM embrear.

brear *v. tr.* ❶ Untar con brea. SIN embrear. ❷ familiar Maltratar a alguien o darle una paliza: *me brearon a palos.* ❸ familiar Molestar a alguien de forma reiterada: *en las oposiciones me brearon a preguntas.*

brebaje *s. m.* despectivo Bebida de aspecto o sabor desagradable: *le dieron un brebaje y, cuando lo tomó, puso una cara extraña.*

FAM abrevar.

breca *s. f.* Pez marino comestible de unos 20 cm de longitud, cabeza y ojos grandes, lomo rojizo y vientre plateado; su carne es blanca y bastante apreciada. SIN pagel, pajel.

brecha *s. f.* ❶ Abertura o grieta, especialmente la hecha en una pared: *la artillería logró abrir una brecha en la muralla.* ❷ Herida, especialmente en la cabeza: *el niño se cayó y se hizo una brecha con el pico de la mesa.* ❸ Impresión fuerte o dolor que causa algo en el ánimo: *el divorcio de sus padres le ha dejado una brecha muy profunda.* ❹ Rotura de un frente de combate u otro dispositivo de defensa. ❺ Roca sedimentaria formada por la compactación de fragmentos angulosos de 2 mm.

en la brecha Preparado y dispuesto para defender un negocio o interés: *cuando alguien tiene un negocio propio, siempre tiene que estar en la brecha.*

brécol *s. m.* Variedad de col, parecida a la coliflor, pero con las flores de color verde oscuro o morado. SIN bróculi.

brega *s. f.* ❶ Briega: *la prensa destacó la capacidad de brega constante del centrocampista inglés.* ❷ Conjunto de acciones y faenas que se llevan a cabo en una plaza de toros desde que sale el toro al ruedo hasta que muere, siguiendo las artes del toreo: *el torero estuvo magnífico en la brega y en banderillas.* SIN lidia, toreo.

bregar *v. intr.* ❶ Trabajar con entrega, esfuerzo e interés: *los marineros bregan con las redes y la pesca.* ❷ Luchar contra las dificultades para superarlas: *desde que enviudó, ha bregado para sacar a sus hijos adelante.*

FAM brega.

breña *s. f.* Tierra escabrosa y poblada de maleza.

brete *s. m.* Dificultad, situación comprometida: *por lo que me*

dices, estás en un brete; su decisión de marcharse del equipo nos puso en un brete.

bretón, -tona *adj.* ❶ De Bretaña (región del noroeste de Francia). ❷ De las narraciones e historias del ciclo literario medieval del rey Arturo y los caballeros de la Tabla Redonda: *el ciclo bretón.* I *s. m. y f./adj.* ❸ Persona que es de Bretaña. I *s. m./adj.* ❹ Lengua céltica que se habla en Bretaña.

breva *s. f.* Primer fruto de la higuera, mayor que el segundo, el higo: *la breva es morada y más grande que el higo.*

no caerá esa breva Expresión que denota la dificultad de alcanzar algo muy deseado: *ojalá apruebe el examen, pero no caerá esa breva.*

breve *adj.* ❶ Que tiene poca longitud o duración: *un texto breve; después de una breve pausa, continuó hablando.* SIN corto. ANT largo. I *s. m.* ❷ Documento pontificio.

en breve Muy pronto.

FAM brevedad; abreviar.

brevedad *s. f.* Corta extensión de una cosa o duración de un periodo: *les extrañó la brevedad de su discurso; la brevedad es uno de los rasgos del cuento.*

a la mayor brevedad Lo más pronto posible: *le remitirán un informe completo a la mayor brevedad.*

breviario *s. m.* Libro que contiene las oraciones eclesiásticas de todo el año.

brezal *s. m.* Lugar poblado de brezos.

brezo *s. m.* Arbusto pequeño de tallos ramosos, hojas estrechas y flores pequeñas, moradas, blancas o rojas, cuya madera, muy dura, se emplea para hacer carbón de fragua, carboncillo de dibujo, pipas para fumar, etc.: *las raíces de brezo sirven para hacer carbón y pipas de fumar.* ■ **brezo de escobas** Variedad de brezo muy utilizada para fabricar escobas.

FAM brezal.

bribón, -bona *adj./s. m. y f.* Se aplica a la persona que es despreciable porque actúa con maldad y bajeza, normalmente por robar o estafar: *eres un bribón y un sinvergüenza.*

FAM bribonada, bribonería.

bricolaje *s. m.* Conjunto de trabajos manuales y pequeñas reparaciones que hace una persona para mejorar su casa y pasar el tiempo libre: *mucha gente hace bricolaje durante el fin de semana: pinta una ventana, repara un grifo o fabrica un pequeño mueble.*

brida *s. f.* ❶ Freno del caballo, con riendas y correaje para sujetarlo a la cabeza del animal. ❷ Reborde de un tubo, en forma de arandela plana, que sirve para ajustar o empalmar otro tubo: *pon una junta en esa brida y acopla los dos tubos.*

a la brida A caballo, con estribos largos.

FAM embridar.

bridge [se pronuncia aproximadamente 'brich'] *s. m.* Juego de cartas que se practica con la baraja francesa, se juega por parejas, entre cuatro personas, y en el que los jugadores se comprometen a ganar un número determinado de bazas antes de comenzar a echar las cartas.

brie [se pronuncia 'bri'] *s. m.* Queso de vaca de pasta blanda y cremosa de color amarillo dorado, aroma suave y que tiene una corteza enmohecida, blanquecina y vellosa debido a los microorganismos que crecen en su exterior en su elaboración; es originario de Francia.

briega *s. f.* Acción de bregar. SIN brega.

brigada *s. f.* ❶ Unidad militar homogénea que forma parte de una división y se compone de dos o más regimientos de un arma determinada y que está mandada por un general de brigada: *brigada paracaidista; brigada acorazada.* ■ **brigada mixta** Unidad militar equivalente en efectivo a las brigadas de una sola arma, pero formada por fuerzas de distintas armas. ② Conjunto organizado de personas que realizan un trabajo o llevan a cabo una actividad: *una brigada de limpieza; la brigada criminal de la policía se encarga de los casos de asesinato.* ❙ *s. com.* ③ Militar del cuerpo de suboficiales que tiene categoría inmediatamente superior a la de sargento primero e inmediatamente inferior a la de subteniente.

Brigadas Internacionales Unidades militares integradas por voluntarios extranjeros, en su mayoría comunistas, que lucharon junto al ejército republicano en la Guerra Civil Española (1936-1939).

FAM brigadier, brigadista.

brigadier *s. m.* Antiguo grado militar que corresponde al actual de general de brigada, en el ejército, y al de contraalmirante, en la marina.

brigantino, -na *adj.* ① De La Coruña (ciudad y provincia de Galicia). ❙ *s. m. y f./adj.* ② Persona que es de La Coruña.

brik *s. m.* Envase de cartón opaco impermeabilizado con aluminio y generalmente con forma de tetraedro que se usa para envasar líquidos. SIN tetrabrik.

OBS Plural: *briks.*

brillante *adj.* ① Que brilla: *el coche estaba muy brillante porque era nuevo.* SIN reluciente. ② Que destaca o sobresale por su talento o belleza: *una alumna brillante; un científico brillante; una carrera brillante.* ❙ *s. m.* ③ Diamante tallado por las dos caras: *un anillo de oro y brillantes.*

FAM brillantez, brillantina; abrillantar.

brillantez *s. f.* ① Luz que refleja o emite un cuerpo: *nunca había visto diamantes con tal brillantez.* SIN brillo. ② Lucimiento o ventaja de una persona sobre otras a causa de su talento o hermosura: *aprobó las oposiciones con brillantez.*

brillantina *s. f.* Cosmético que sirve para dar brillo al cabello.

brillar *v. intr.* ① Emitir luz propia o reflejada: *el Sol brilla de día y las estrellas brillan de noche; los diamantes brillaban en su cuello.* SIN lucir, resplandecer. ② Destacar o sobresalir una persona por su talento o hermosura: *allá donde va brilla por su belleza e inteligencia.* SIN resplandecer.

FAM brillante, brillo, brilloso.

brillo *s. m.* ① Luz que emite o refleja un cuerpo: *el brillo de los cristales le impedía ver con claridad.* ② Lucimiento o ventaja de una persona sobre otras a causa de su talento o hermosura. SIN brillantez. ③ Aspecto que ofrece la superficie de un mineral al reflejar la luz: *brillo metálico; brillo vítreo.*

brilloso, -sa *adj.* AMÉR. Brillante, reluciente.

brincar *v. intr.* ① Saltar con ligereza, avanzar rápidamente dando pequeños saltos: *la cabra brincaba de roca en roca.* ② Saltar repentinamente impulsando el cuerpo hacia arriba y separando los pies del suelo a causa de la sorpresa o para manifestar un sentimiento: *al enterarse de que había aprobado brincó de alegría.*

brinco *s. m.* ① Salto dado con ligereza: *la niña iba corriendo y dando brincos.* ② Salto repentino con el que alguien se impulsa hacia arriba separando los pies del suelo: *dio un brinco de alegría.*

FAM brincar.

brindar *v. intr.* ① Manifestar, al ir a beber, el bien que se desea a personas o cosas: *brindaron por el fin de la guerra.* ❙ *v. tr.* ② Ofrecer o mostrar una cosa a alguien: *el invento de una escritura musical nos brindó la posibilidad de poder oír aquellas músicas e interpretarlas pasados tantos siglos; los moluscos poseen una estructura, la concha, que les brinda protección y calor.* ③ Dedicar el torero a una o más personas la faena que va a realizar: *el torero brindó el primer toro a su hermano.* ❙ *v. prnl.* ④ **brindarse** Ofrecerse a hacer algo libremente y de buena voluntad: *un amigo se brindó a ayudarme.*

brindis *s. m.* ① Acción de brindar al beber: *después de los brindis se abrió el baile.* ② Frase o discurso que se dice al brindar: *suele pronunciar unos brindis muy simples y sosos.* ③ Acción que se realiza cuando un torero dedica a una o más personas la faena que va a realizar: *antes de empezar, el torero hizo el brindis.*

FAM brindar.

OBS Plural invariable.

brío *s. m.* ① Fuerza, ánimo o energía con la que se ejecuta una acción: *volvieron de las vacaciones con renovados bríos para empezar a trabajar.* ② Valentía o determinación con que se hace algo o que se adopta ante las dificultades: *tomó la decisión con brío.* ③ Gracia en la manera de moverse, especialmente al andar: *paseaba con su traje nuevo y su bastón con mucho brío.*

FAM brioso.

brioche [se pronuncia aproximadamente 'briosh'] *s. m.* Bollo esponjoso de forma redondeada.

briofito, -ta o **briófito, -ta** *adj./s. f.* ① Se aplica al organismo vegetal que, a diferencia de las plantas vasculares, carece de un verdadero sistema conductor y presenta una estructura intermedia entre el talo de las algas y los tejidos de las plantas superiores: *las briófitas son plantas generalmente terrestres que se encuentran en zonas húmedas, como el musgo.* ❙ *s. f. pl.* ② **briofitas** o **briófitas** Grupo taxonómico, con categoría de filo o división, constituido por estas plantas.

brisa *s. f.* ① Viento suave, fresco y agradable: *una brisa suave puede ir a 14 km/h.* ② Viento suave y agradable que sopla alternativamente del mar a la tierra durante el día, y de la tierra al mar durante la noche: *las brisas marinas refrescan el caluroso ambiente del verano.*

brisca *s. f.* Juego de naipes en el que se dan tres cartas a cada jugador y se descubre otra que indica el palo de triunfo.

británico, -ca *adj.* ① De Gran Bretaña (isla del Reino Unido). ❙ *s. m. y f./adj.* ② Persona que es de Gran Bretaña. ❙ *adj.* ③ Del Reino Unido (país de Europa): *la monarquía británica; el Imperio británico.* SIN inglés. ❙ *s. m. y f./adj.* ④ Persona que es del Reino Unido. SIN inglés.

britano, -na *adj.* ① De Britania (antigua denominación de Gran Bretaña). ❙ *s. m. y f./adj.* ② Persona que era de Britania. ❙ *adj.* ③ culto Británico.

brizna *s. f.* ① Filamento o parte muy delgada de una cosa, especialmente de una planta: *en el pelo llevaba briznas de hierba.* ② Cantidad pequeña de una cosa: *no se movía ni una brizna de viento.*

broca *s. f.* ① Herramienta de acero templado, con filos cortantes de forma helicoidal, que se inserta a una taladradora eléctrica para hacer agujeros en los metales, mediante el arranque de las virutas por rotación: *para taladrar se apoya la punta de la broca sobre la marca hecha en la pieza.* SIN taladro. ② Clavo usado por los zapateros para sujetar la suela a la horma. ③ Carrete de hilo dentro de la lanzadera.

B

brocado, -da *adj.* **1** Se aplica al tejido que tiene dibujos que parecen bordados: *seda brocada.* I *s. m.* **2** Tejido fuerte de seda con dibujos que parecen bordados, de distinto color que el del fondo, normalmente entretejidos con hilos de oro y plata.

brocal *s. m.* Borde de piedra o ladrillo que se coloca alrededor de la boca de un pozo: *el brocal sirve para evitar el peligro de caer dentro de un pozo.*

brocearse *v. prnl.* **1** AMÉR. SUR Agotarse una mina. **2** AMÉR. SUR Estropearse un negocio.

brocha *s. f.* Instrumento formado por un conjunto de cerdas sujetas al extremo de un mango, más ancho y fuerte que el pincel, y que sirve para pintar o para extender una sustancia líquida: *brocha de afeitar; brocha de pintar.*

de brocha gorda (**I**) familiar Se aplica al pintor de paredes, puertas y ventanas. (**II**) despectivo Se aplica al artista que es malo o poco importante. (**III**) despectivo Se aplica a la obra artística de mala calidad.

FAM brochada, brochazo.

brochazo *s. m.* Cada una de las veces en que se pasa la brocha sobre una superficie que se está pintando o sobre la cual se está extendiendo un producto.

broche *s. m.* **1** Cierre de metal formado por dos piezas, una de las cuales engancha o encaja en la otra: *el collar lleva un broche de seguridad.* **2** Aguja o alfiler con una joya, esmalte, etc., que se lleva prendido en la ropa como adorno o para sujetar una parte del vestido: *llevo un broche en la solapa del abrigo.*

broche de oro Final feliz de un acto o reunión: *el presidente puso el broche de oro al congreso con un discurso brillante.*

FAM abrochar.

brocheta *s. f.* **1** Varilla en la que se ensartan trozos de alimentos para asarlos. **2** Esta varilla con los trozos de alimentos ensartados: *comeré una brocheta de cerdo.*

bróculi *s. m.* Brécol.

broker *s. com.* Persona que actúa como intermediario en operaciones de compra y venta de valores financieros y de acciones que cotizan en bolsa.

broma *s. f.* **1** Acción o dicho cuya finalidad es divertir o hacer reír: *es una persona muy divertida, siempre está diciendo bromas; me han gastado una broma.* ■ **broma pesada** o **broma de mal gusto** Broma que es desagradable por su contenido o por la forma en que se hace. **2** Molusco marino de forma alargada que perfora las maderas sumergidas en el mar para alimentarse.

tomar a broma Reírse de algo o darle poca importancia, aunque sea serio o importante: *no te lo tomes a broma porque estoy hablando en serio.*

FAM bromazo, bromear, bromista; embromar.

bromatología *s. f.* Ciencia que estudia los alimentos.

bromazo *s. m.* familiar Broma pesada que resulta desagradable.

bromear *v. intr.* Hacer bromas, o hablar diciendo bromas: *el asunto es más serio de lo que piensas, así que no bromees, por favor.*

bromista *adj./s. com.* Se aplica a la persona que hace bromas o que siempre está de broma.

bromo *s. m.* Elemento químico de símbolo *Br* y número atómico 35; es un líquido a temperatura normal, de color rojo pardusco, volátil, de olor fuerte y repugnante, que irrita las membranas mucosas y ataca todos los metales; se encuentra siempre en forma de sales en el agua del mar y en lagos o mares cerrados; se utiliza en la fabricación de aditivos para gasolinas, drogas y colorantes: *el bromo pertenece a la familia de los halógenos.*

FAM bromuro.

bromuro *s. m.* **1** Ion formado al captar un electrón el átomo de bromo. **2** Compuesto químico binario (haluro) que contiene un ion de este tipo: *el bromuro de plata se usa en fotografía.*

bronca *s. f.* **1** Discusión muy fuerte o enfrentamiento físico: *he tenido una buena bronca con mi hermana.* **2** Represión fuerte y severa: *el jefe me ha echado una bronca tremenda por llegar otra vez tarde.* SIN reprimenda. **3** Manifestación colectiva y ruidosa de protesta y desagrado ante un espectáculo o concentración pública: *la actuación del torero terminó con broncas y pitos.* SIN abucheo. **4** AMÉR. Rabia o resentimiento que se tiene hacia alguien o algo: *le tenía bronca a todo el mundo; me da bronca no poder ir a la fiesta.*

FAM bronquear; abroncar.

bronce *s. m.* **1** Aleación metálica de cobre y estaño, dura, de color amarillo rojizo, fácil de obtener y de trabajar; se usa en la fabricación de válvulas, cojinetes, objetos de ornamentación, recipientes, etc. **2** Escultura u otra cosa hecha de este metal: *colocaron el bronce en la plaza mayor.* **3** Tercer premio en una competición: *bronce para el balonmano español, que superó a Francia.* I *s. m./adj.* **4** Color como el del bronce, amarillo rojizo.

bronce de aluminio Aleación de cobre con aluminio, de color parecido al oro.

de bronce Se emplea para expresar que una persona es fuerte e incansable en cualquier actividad: *este chico es de bronce.*

FAM broncista.

bronceado *s. m.* **1** Acción de broncear. **2** Color moreno de la piel: *lucía un bronceado de playa.*

bronceador, -ra *adj./s. m.* Se aplica al producto cosmético que contribuye a que la piel tome un color moreno: *crema bronceadora; se puso el bañador y se dio bronceador.*

broncear *v. tr./intr.* **1** Poner morena la piel la acción del sol o de un aparato eléctrico: *hay ciertas horas del día en que el sol no broncea, sino que quema.* I *v. prnl.* **2** **broncearse** Ponerse moreno: *en verano, me gusta ir a la playa a broncearme.*

FAM bronceado, bronceador.

bronco, -ca *adj.* **1** Tosco, áspero: *esta novela presenta un lenguaje bronco y desgarrado.* **2** Se aplica al sonido o a la voz que es áspera y desagradable: *el hombre tenía una voz grave y bronca.* **3** Se aplica a la persona de genio poco agradable: *tu hermana es de carácter bronco.*

FAM bronquedad.

broncodilatador, -ra *s. m./adj.* Sustancia que dilata el diámetro de los bronquios: *medicamento broncodilatador.*

bronconeumonía *s. f.* Inflamación de los bronquios y del tejido pulmonar causada por una infección.

bronquial *adj.* Relativo a los bronquios: *padece una enfermedad bronquial, por eso le han recomendado que se marche a vivir al campo.*

bronquio *s. m.* Cada uno de los dos conductos que parten de la tráquea, y sus posteriores ramificaciones después de su entrada en los pulmones: *el humo de los cigarrillos contiene más de un millar de sustancias químicas que irritan e inflaman los bronquios.*

FAM bronquial, bronquiolo, bronquitis.
OBS Más en plural.

B

bronquiolo o **bronquíolo** *s. m.* Cada uno de los conductos pequeños en que se ramifican los bronquios dentro de los pulmones: *el conjunto de bronquiolos y alveolos pulmonares forma una masa esponjosa que recibe el nombre de "pulmón".* **OBS** Más en plural.

bronquítico, -ca *adj.* ① Relativo a la bronquitis. | *adj./s. m. y f.* ② Se aplica a la persona que padece bronquitis.

bronquitis *s. f.* Inflamación aguda de los bronquios, caracterizada por tos y expectoración. **FAM** bronquítico. **OBS** Plural invariable.

brontosaurio *s. m.* Dinosaurio que existió en la era secundaria, de gran tamaño, herbívoro, de cuatro patas, cuello y cola largos y cabeza pequeña.

broquel *s. m.* ① Escudo defensivo pequeño, de madera o corcho. ② Defensa, protección.

brotar *v. intr.* ① Nacer o salir una planta de la tierra: *en primavera la hierba brota en los campos.* **SIN** germinar. ② Echar una planta nuevos tallos, hojas o flores: *las rosas brotan en su jardín.* **SIN** germinar. ③ Manar agua u otro líquido: *los manantiales brotan en las montañas; de sus ojos brotaron lágrimas de alegría.* ④ Aparecer granos o alguna erupción en la piel: *ha comido algo estropeado y le han brotado unos granos.* ⑤ Nacer o empezar a manifestarse una cosa: *un grito salvaje brotó de su garganta; el amor es una fuerza que brota de lo más profundo del ser humano.* **FAM** brote; rebrotar.

brote *s. m.* ① Tallo nuevo de una planta: *con la primavera le han nacido brotes al rosal.* ② Aparición o principio de una cosa, normalmente no prevista y considerada nociva: *un brote de racismo; un brote de violencia; la población sufre brotes epidémicos de fiebre amarilla, cólera, gripe y viruela.*

broza *s. f.* ① Conjunto de ramas, hojas secas y otros restos de plantas que hay en los bosques y jardines. ② Conjunto de desperdicios o desechos: *la broza llenaba el cauce del río e impedía la libre circulación del agua.* **FAM** desbrozar.

brucelosis *s. f.* Enfermedad infecciosa del ganado caprino, vacuno y porcino que se transmite al ser humano por la ingestión de sus productos, en especial los derivados lácteos; es de larga duración y se caracteriza por fiebres altas, cambios bruscos de temperatura y abundantes sudores. **SIN** fiebre de Malta.

bruces Se usa en las expresiones:
darse de bruces (**I**)Encontrarse de frente y de manera inesperada con alguien: *al salir del ascensor me di de bruces con mi madre.* (**II**)Dar con la cara en una parte o caerse dando con ella en el suelo: *salí corriendo y me di de bruces con la puerta, que es de cristal.*
de bruces Con la cara hacia abajo, contra el suelo: *tropezó y se cayó de bruces.*

bruja ① V. brujo, -ja. | *s. f.* ② Lechuza.

brujería *s. f.* Conjunto de conocimientos, prácticas y técnicas que se emplean para dominar de forma mágica el curso de los acontecimientos o la voluntad de las personas.

brujo, -ja *s. m. y f.* ① Persona que practica la brujería: *la imagen negativa de una bruja en la cultura popular es la de una mujer vieja y mala que practica hechizos mientras remueve un caldero, viste de negro, lleva un sombrero acabado en punta y viaja en una escoba.* | *s. m.* ② Hombre que, en algunas culturas primitivas, tiene el poder de comunicar con los dioses y curar enfermedades usando sus poderes mágicos, hierbas y productos naturales: *en América del Sur, el brujo se encarga de curar a la gente con plantas medicinales y de exorcizar los malos espíritus usando la magia.* **SIN** chamán, hechicero. | *s. f.* ③ Mujer fea o mala: *la bruja del primer piso no nos ha querido abrir la puerta.* **NOTA** Se usa de forma despectiva. | *adj.* ④ Que hechiza, que atrae irresistiblemente: *amor brujo; mirada bruja.* ⑤ CUBA, MÉX., P. RICO Empobrecido. **FAM** brujear, brujería, brujesco; embrujar.

brújula *s. f.* ① Instrumento formado por una esfera y una aguja imantada en su centro, que puede moverse libremente y sirve para orientarse espacialmente; señala siempre el norte magnético. ② Instrumento náutico usado para indicar el rumbo de una nave. **FAM** brujulear.

bruma *s. f.* Niebla, especialmente la que se produce en el mar. **FAM** brumal, brumoso.

brumoso, -sa *adj.* Que tiene bruma: *el día estaba brumoso; el brumoso paisaje del fondo refuerza la sensación de misterio.*

bruñir [14] *v. tr.* ① Pulir o frotar una superficie, especialmente de metal o piedra, para que brille. ② Realizar una operación mecánica que deja un acabado brillante o que elimina las últimas asperezas de un metal, presionando, mediante discos de acero, sobre la pieza en movimiento. ③ AMÉR. CENTRAL Molestar, fastidiar. **FAM** bruñido, bruñidor.

bruño *s. m.* Arbusto de ramas con espinas, hojas ovales o lanceoladas y flores blancas, cuyo fruto (endrina) es una baya de color negro azulado y sabor áspero y agrio que se utiliza para hacer licor de pacharán. **SIN** endrino.

brusco, -ca *adj.* ① Que es áspero y desagradable en el trato: *me contestó tu secretaria, que me dijo de manera brusca que llamara más tarde.* ② Que se produce u ocurre de manera imprevista, sin preparación o aviso: *el conductor del autobús dio un frenazo brusco; un descenso brusco de las temperaturas.* **SIN** repentino, súbito. ③ Impetuoso, precipitado: *conviene que no seas tan brusco con la gente que no te conoce.* **FAM** brusquedad.

brusquedad *s. f.* ① Aspereza y falta de amabilidad en el trato: *"¡No tengo tiempo de hacerlo hoy!", dijo con brusquedad.* ② Acción, movimiento o procedimiento bruscos: *conduces con demasiada brusquedad.*

brut *adj./s. m.* Se aplica al champán o cava que no lleva azúcar añadido.

brutal *adj.* ① Que es violento y cruel y carece de compasión o humanidad: *una brutal represión; fue acusado de presidir un gobierno brutal en el que miles de personas habían desaparecido en circunstancias misteriosas.* ② Se aplica a la persona grosera y ruda: *un comportamiento zafio y brutal.* ③ Que es muy grande, fuerte o intenso: *un empujón brutal; últimamente, tengo un apetito brutal.* **SIN** bestial, enorme. ④ familiar Se aplica a la cosa que es magnífica o maravillosa: *conocer a una estrella de cine debe de ser una experiencia brutal.* **FAM** brutalidad.

brutalidad *s. f.* ① Violencia o crueldad intensas: *hay que hacer desaparecer la brutalidad del deporte.* ② Hecho o dicho intensamente violento o cruel: *en este reportaje se pueden ver las brutalidades de la guerra.* ③ Acción o comentario que causa sorpresa y rechazo por ser especialmente torpe, equivocado o exagerado: *vaya cantidad de brutalidades que me has puesto en el examen.* **SIN** animalada, barbaridad, burrada.

bruto, -ta *adj./s. m. y f.* **1** Se aplica a la persona que es torpe, poco inteligente o de escasa formación. **SIN** animal, bestia, burro. **2** Se aplica a la persona que tiene malos modos o que es poco educada: *eres un bruto: no se le debe hablar así a nadie.* **3** Se aplica a la persona que hace un uso excesivo de la fuerza física, es violento o tiene malos modos. **SIN** animal, bestia, burro. ‖ *adj.* **4** Se aplica al peso o cantidad de una cosa sin descontar la tara, los impuestos, etc.: *con aquel trabajo ganó 600 euros brutos.* **5** Se aplica a la cosa que es tosca y no está trabajada: *el refinado del petróleo bruto.*

en bruto (I) Se aplica al producto que no ha sido trabajado ni manipulado por el ser humano: *diamante en bruto; petróleo en bruto.* (II) Que incluye el peso de un objeto y lo que este contiene: *el peso en bruto que figura en la lata de tomate es de un kilo, pero el peso neto es de novecientos gramos, una vez que se ha descontado el peso de la propia lata.* (III) Se aplica a la cantidad de dinero que no ha sufrido los descuentos que le corresponden: *mi sueldo en bruto es de 2 000 euros, pero en mano, una vez que le han aplicado los descuentos, cobro mucho menos.*

FAM brutal; embrutecer.

buba *s. f.* **1** Tumor pequeño. ‖ *s. f. pl.* **2** **bubas** Tumores de la glándulas linfáticas. **SIN** bubones.

bubón *s. m.* **1** Tumor inflamado y con pus de las glándulas linfáticas. ‖ *s. m. pl.* **2** **bubones** Bubas.

buboso, -sa *adj./s. m. y f.* Se aplica a la persona que padece bubas.

buc *s. m.* Mueble auxiliar de oficina constituido por una pieza rectangular con varios cajones que suele ponerse debajo de las mesas; puede ir aislado o sujeto a un lateral de la mesa.

OBS Plural: *bucs.*

bucal *adj.* Relativo a la boca: *higiene bucal; infección bucal; una limpieza bucal.*

bucanero *s. m.* Pirata que saqueaba las posesiones españolas en América en los siglos XVII y XVIII.

búcaro *s. m.* Recipiente para poner flores. **SIN** florero.

buceador, -ra *adj./s. m. y f.* **1** Que bucea. ‖ *s. m. y f.* **2** Persona, normalmente un profesional, que realiza diversas actividades bajo el agua, generalmente equipado con un traje de goma, gafas, aletas y bombonas de oxígeno: *un equipo de buceadores de la Guardia Civil está rastreando el río.* **SIN** buzo, hombre rana, submarinista.

bucear *v. intr.* **1** Nadar y mantenerse bajo la superficie del agua. **2** Investigar o indagar en un asunto complejo, difícil y poco claro: *procuró bucear en las causas del asesinato del político.* **FAM** buceador, buceo.

buceo *s. m.* **1** Acción de nadar y mantenerse bajo la superficie del agua: *practica buceo con botellas de aire comprimido.* **SIN** submarinismo. **2** Conjunto de conocimientos y técnicas necesarios para realizar este tipo de actividades: *durante el verano estuvo dando clases de buceo.* **SIN** submarinismo. **3** Investigación en un asunto.

buche *s. m.* **1** Parte del aparato digestivo que poseen la mayoría de las aves consistente en una bolsa donde se depositan los alimentos antes de ser triturados. **SIN** papo. **2** familiar Estómago de las personas. **3** Cantidad de líquido que cabe en la boca.

FAM embuchar.

bucle *s. m.* **1** Rizo de cabello en forma de espiral. **2** En informática, conjunto de instrucciones que se ejecutan de forma repetida hasta que se cumple una determinada condición, denominada condición de salida.

bucólica *s. f.* Composición poética del género bucólico: *son famosas las bucólicas de Virgilio.* **SIN** égloga.

bucólico, -ca *adj.* **1** Se aplica al género poético que trata de la vida plácida y feliz de unos pastores idealizados y de sus relaciones amorosas; se escribe casi siempre en forma de diálogo entre personajes: *Garcilaso de la Vega cultivó el género bucólico.* **2** Relativo a este género poético: *un paisaje bucólico; las églogas son poemas bucólicos.* ‖ *adj./s. m. y f.* **3** Se aplica al poeta que cultiva este género poético.

FAM bucólica, bucolismo.

budín *s. m.* **1** Dulce hecho con frutas y bizcocho o pan remojados en leche. **2** Comida no dulce que se confecciona con arroz, tapioca o pescado formando una masa pastosa cocida en un molde. **SIN** pudin.

FAM budinera.

budismo *s. m.* Doctrina religiosa que tuvo su origen en las ideas de Buda en el siglo VI a. C.; propugna la vida interior a través de la meditación y la renuncia a los placeres para poder liberarse de las ataduras materiales y eliminar así el sufrimiento.

FAM budista.

budista *adj.* **1** Perteneciente o relativo a una doctrina religiosa que tuvo su origen en las ideas de Buda en el siglo VI a. C.; sus seguidores creen en la reencarnación y en la meditación como forma de unión con Dios. ‖ *adj./s. com.* **2** Se aplica a la persona que cree en esta doctrina religiosa.

buen *adj.* Apócope de *bueno*: *buen hombre.* **ANT** mal.

OBS Se usa delante de sustantivos masculinos en singular.

¡buenas! *int.* familiar Expresión con que se saluda.

buenaventura *s. f.* **1** Adivinación del futuro que se hace examinando las líneas de la mano: *la gitana le cogió la mano y le dijo la buenaventura.* **2** Buena suerte.

buenazo, -za *adj./s. m. y f.* familiar Se aplica a la persona pacífica y de buen carácter.

bueno, -na *adj.* **1** Que tiene inclinación natural a hacer el bien: *un hombre bueno.* **2** Que cumple con sus deberes: *los niños buenos obedecen a sus padres sin protestar.* **3** Que es adecuado o conveniente: *un buen negocio; un buen consejo.* **4** Que tiene mucha calidad: *la piel de esta chaqueta es buena.* **5** Que tiene las cualidades propias de la función que desempeña: *un buen corrector de estilo; un buen alumno; un coche muy bueno.* **6** Que es agradable a los sentidos: *la comida de ese restaurante es muy buena.* **7** Sano, con buena salud: *cuando te pongas bueno podrás salir a la calle.* **8** Que es mayor de lo normal en tamaño, cantidad o intensidad: *se bebió un buen vaso de zumo; el equipo visitante les dio una buena tunda.* ‖ *adv.* **9** Expresión que se utiliza para indicar aprobación o conformidad: —*¿Te apetece tomar algo? —Bueno.* **SIN** bien.

de buenas a primeras De repente y sin aviso: *ahora, de buenas a primeras, nos dice que lo tengamos preparado para mañana.*

estar bueno familiar Tener un cuerpo muy atractivo: *tiene una amiga que es modelo y está muy buena.*

estar de buenas Estar de buen humor, alegre y complaciente: *pediremos hoy el aumento de sueldo porque el jefe está de buenas.*

por las buenas (I) De forma voluntaria: *lo harás por las bue-*

nas o por las malas, de ti depende. (**II**)Sin motivo o sin causa, porque sí: *se presentó por las buenas, sin ninguna invitación.* **FAM** bonísimo, buenamente, buenazo.

OBS Superlativo: *bonísimo* o *buenísimo.* Antepuesto a un sustantivo masculino singular adopta la forma *buen.*

buey *s. m.* 1 Toro castrado que se utiliza para labores del campo. 2 Crustáceo marino comestible, parecido al centollo, con un caparazón ovalado y cinco pares de patas, las dos primeras en forma de grandes pinzas negras. **FAM** bueyuno.

búfalo, -la *s. m. y f.* 1 Mamífero parecido al toro, de cuerpo robusto, cuernos largos y gruesos muy juntos en la base y el pelo de color marrón o gris: *los búfalos viven sobre todo en África y la India.* 2 Bisonte americano: *los indios de América del Norte cazaban búfalos.* **FAM** bufalino.

bufanda *s. f.* Prenda de vestir que consiste en una tira larga y amplia de tela, generalmente de lana o seda, con que se envuelven y abrigan el cuello y la boca.

bufar *v. intr.* 1 Resoplar con fuerza y furor el toro, el caballo y otros animales. 2 Mostrar enfado o ira grandes: *no se lo pidas hoy, que está que bufa.* ‖ *v. prnl.* 3 **bufarse** Salirle bolsas a una superficie: *el techo del baño se ha bufado a causa de la humedad.* **FAM** bufido.

bufé *s. m.* 1 Comida en la que los alimentos están dispuestos en mesas o mostradores de manera que los comensales se puedan servir ellos mismos: *en la boda se ofreció un bufé a los asistentes.* 2 Establecimiento donde se sirve ese tipo de comida.

bufete *s. m.* 1 Despacho en el que trabajan uno o más abogados: *va a entrar de pasante en un bufete muy prestigioso.* 2 Mesa de escribir con cajones: *acercó la silla al bufete y se puso a redactar la carta.*

buffer [se pronuncia 'búfer' o 'báfer'] *s. m.* En informática, memoria de almacenamiento temporal de información que permite transferir los datos entre unidades funcionales con características de transferencia diferentes. **OBS** Plural: *buffers.*

bufido *s. m.* 1 Resoplido del toro, el caballo y otros animales, dado con fuerza y furor. 2 Muestra de enfado y enojo grandes.

bufo, -fa *adj.* 1 Que es ridículo y grotesco; que inspira risa y desprecio. 2 Se aplica a la persona que hace reír poniéndose a sí mismo en ridículo o mostrando cosas ridículas: *actor bufo.* 3 Que es cómico y burlesco, en especial cierto género de ópera italiana humorística. ‖ *s. m. y f.* 4 Persona que hace el papel de gracioso en la ópera italiana.

bufón, -fona *s. m. y f.* 1 Personaje ridículo y grotesco, generalmente dotado de agudeza e ingenio, que en la Edad Media y principios de la Moderna divertía a la corte con historias graciosas y chistes. ‖ *adj./s. m. y f.* 2 Se aplica a la persona que hace tonterías, generalmente para hacer reír. **FAM** bufonada, bufonearse, bufonería, bufonesco.

bufonada *s. f.* Dicho o hecho propio de un bufón.

buga *s. m.* familiar Coche, vehículo automóvil.

buganvilla *s. f.* Arbusto trepador de jardín, de flores pequeñas, rojas, anaranjadas o moradas.

buhardilla *s. f.* 1 Parte más alta de una casa, justo debajo

del tejado, que tiene el techo inclinado. 2 Ventana que se abre en un tejado. **FAM** abuhardillado.

búho *s. m.* 1 Ave rapaz nocturna de ojos muy redondos y grandes, con plumas en la cabeza a modo de orejas y el pico corvo; se alimenta de pequeños animales. 2 Persona que huye del trato con la gente: *es un búho, siempre está solo.*

buhonero *s. m.* Persona que va de casa en casa vendiendo utensilios y objetos de poco valor. **FAM** buhonería.

buitre *s. m.* 1 Ave rapaz de gran tamaño, de color negro o marrón, con la cabeza y el cuello sin plumas, que vive en grupos y se alimenta generalmente de animales muertos. 2 familiar Persona egoísta que aprovecha cualquier situación en su propio beneficio: *el muy buitre se quedó con todo, a pesar de que no era solo suyo.* **FAM** buitrear, buitrero.

buitrear *v. tr.* 1 familiar Consumir o utilizar una cosa de otra persona, sin pagar nada a cambio. **SIN** gorronear. ‖ *v. intr.* 2 familiar Tratar de aprovecharse de los demás.

buitrón *s. m.* Agujero que los ladrones hacen en techos o paredes para robar. **SIN** butrón.

bujarrón *s. m./adj.* familiar Hombre homosexual.

buje *s. m.* Pieza cilíndrica que reviste por el interior el cubo de una rueda u otra pieza que gira alrededor de un eje: *los bujes disminuyen el rozamiento de los ejes.*

bujía *s. f.* Pieza de un motor de combustión interna que produce la chispa eléctrica que enciende el combustible.

bula *s. f.* 1 Documento autorizado y firmado por el papa que concedía derechos especiales o liberaba de ciertas obligaciones religiosas a quien lo poseía. 2 Sello de plomo que cuelga de este documento y certifica su autenticidad.

bulbo *s. m.* 1 Tallo subterráneo de ciertas plantas, de forma redondeada, donde se guardan sustancias de reserva: *la cebolla y el ajo son bulbos.* 2 Estructura de forma redondeada. ■ **bulbo piloso** Parte abultada de la raíz del pelo de los mamíferos. ■ **bulbo raquídeo** Abultamiento que está en la parte superior de la médula espinal y la comunica con el encéfalo. **FAM** bulbar, bulboso.

bulboso, -sa *adj.* 1 Que tiene forma de bulbo: *tenía los ojos pequeños y una nariz grande y bulbosa.* 2 Que tiene bulbos: *el tulipán es una planta bulbosa.*

buldog [también **bulldog**] *s. com./adj.* Perro de una raza que se caracteriza por tener cuerpo robusto, patas cortas, cabeza grande y cuadrada y hocico aplanado; se valora por su ferocidad y se usa como perro escolta o de presa. **OBS** Plural: *buldogs.*

buldózer *s. m.* Bulldozer.

bulé *s. f.* Senado de las ciudades de la antigua Grecia: *la bulé más famosa fue la de Atenas.*

bulería *s. f.* 1 Cante flamenco de ritmo vivo y que se acompaña con palmas. 2 Baile que se ejecuta al ritmo de este cante.

bulevar [también **boulevard**] *s. m.* Calle o avenida ancha generalmente con árboles a ambos lados o en la parte central.

búlgaro, -ra *adj.* 1 De Bulgaria (país de Europa). ‖ *s. m. y f./adj.* 2 Persona que es de Bulgaria. ‖ *s. m./adj.* 3 Lengua es-

B

lava que se habla en Bulgaria y en otras zonas del este de Europa: *el búlgaro se habla en algunas zonas de Serbia, Grecia, Rumanía, Moldavia y Ucrania.* ▌ *adj.* **4** Relativo a esta lengua.

bulimia *s. f.* Enfermedad nerviosa que se caracteriza por periodos en que se come compulsivamente, seguidos de otros de culpabilidad y malestar, con provocación del vómito; suele darse en personas jóvenes, a causa de un afán desmedido por adelgazar: *la bulimia y la anorexia afectan especialmente a las chicas.*
FAM bulímico.
OBS También *bulimia nerviosa.*

bullabesa *s. f.* Sopa de pescado y marisco a la que se añaden especias, aceite y vino y que suele servirse con rebanadas de pan.

bullanguero, -ra *adj./s. m. y f.* Se aplica a la persona a la que le gustan mucho las fiestas y los sitios animados donde hay mucha gente.

bulldog [se pronuncia aproximadamente 'buldog'] *s. com./ adj.* Buldog.
OBS Plural: *bulldogs.*

bulldozer [también **buldózer**; se pronuncia aproximadamente 'buldóser'] *s. m.* Máquina excavadora, generalmente montada sobre un vehículo oruga, provista de una pala frontal muy grande para arrancar tierra y rocas y nivelar el terreno.

bullicio *s. m.* Ambiente alegre y ruidoso producido por mucha gente reunida. **SIN** ambientación, animación.
FAM bullicioso.

bullicioso, -sa *adj.* **1** Se aplica al lugar que tiene un ambiente muy alegre y ruidoso producido por la actividad de mucha gente: *las grandes ciudades son muy bulliciosas.* **ANT** apacible, sereno, tranquilo. **2** Se aplica a la persona que se mueve o alborota mucho.

bullir [15] *v. intr.* **1** Moverse agitadamente formando burbujas un líquido que está al fuego cuando alcanza una temperatura determinada: *después de un rato, el agua comenzó a bullir en el puchero.* **SIN** hervir. **2** Moverse un líquido de la misma manera que lo haría si estuviese hirviendo: *el agua del mar bullía a causa de los fuertes vientos.* **SIN** hervir. **3** Haber una cantidad grande de personas o cosas en continuo movimiento: *en las horas punta, las calles bullen de gente.* **SIN** hervir. **4** Moverse una cosa o persona dando señales de vida: *estaba todo en silencio, allí no bullía nadie.* **5** Surgir en la mente muchas ideas o pensamientos entremezclados: *en su cabeza bullían mil ideas y proyectos.*
FAM bulla, bullicio; ebullición, rebullir.

bulo *s. m.* Noticia falsa que corre entre la gente: *el Gobierno asegura que esa noticia no es más que un bulo levantado por la oposición.*

bulto *s. m.* **1** Volumen o tamaño de una cosa: *esto hace mucho bulto.* **2** Cuerpo del que solo se distingue la forma: *no lo veo bien, solamente distingo un bulto.* **3** Abultamiento o elevación en una superficie: *si te metes las llaves en el pantalón, te harán un bulto.* **4** Paquete, bolsa, maleta o cualquier otro equipaje: *voy a dejar mis bultos en la consigna.*
a bulto De manera aproximada y sin realizar ningún cálculo ni medición: *así, a bulto, se podría decir que harán falta diez personas.*
bulto redondo Escultura aislada visible por todo su contorno.
de bulto Que tiene importancia: *es un libro muy malo: tiene errores de bulto.*

escurrir el bulto familiar Esquivar un trabajo, peligro o compromiso: *a la hora de trabajar seriamente todos intentaban escurrir el bulto.*

hacer bulto Estar en un acto o lugar simplemente para ocupar un espacio y hacer que el número de asistentes sea mayor: *nos pidieron que fuéramos a la conferencia a hacer bulto.*
FAM abultar.

búmeran o **bumerán** [también **boomerang**] *s. m.* Objeto de madera, de forma plana y curva, que al lanzarse con la mano produciendo un movimiento giratorio, vuelve al punto de partida: *los indígenas de Australia usan el bumerán como arma.*

bungaló o **bungalow** [se pronuncia 'bungaló' o 'bungalou'] *s. m.* Casa pequeña, de un solo piso y estructura sencilla, construida generalmente en zonas turísticas, que se usa como residencia de vacaciones: *algunos campings tienen también bungalós.*
OBS Plural: *bungalós* o *bungalows.*

búnker[1] *s. m.* **1** Refugio de hormigón armado, generalmente subterráneo, para defenderse de los bombardeos. **2** Grupo político que, por aferrarse a una ideología tradicional, se resiste a cualquier cambio.

búnker[2] *s. m.* En el juego del golf, fosa con arena que, como obstáculo artificial, dificulta el recorrido del jugador.

bunsen *s. m.* Mechero de laboratorio que funciona con gas y permite obtener una llama de gran poder calorífico.

buñuelo *s. m.* Masa de harina y otros ingredientes, como frutas o pescados, frita en aceite: *buñuelos de bacalao.* ▪ **buñuelo de viento** Buñuelo dulce que se hace con harina, leche, huevo, azúcar y zumo de limón; al freírse queda hueco y no lleva ningún relleno.
FAM buñolería, buñolero.

BUP [se pronuncia 'bup'] *s. m.* Sigla de *bachillerato unificado polivalente*, etapa del antiguo sistema educativo que seguía a la EGB y comprendía de los quince a los diecisiete años: *el BUP constaba de tres cursos.*

buque *s. m.* **1** Embarcación con el fondo cóncavo que navega movida generalmente por el viento o por un motor; suele ser de grandes dimensiones y tener varias cubiertas, departamentos y camarotes: *los buques se dedican a navegaciones de mucha importancia.* ▪ **buque de guerra** Embarcación blindada y dotada de cañones y armamento para entrar en combate. ▪ **buque escuela** Embarcación que sirve para que los cadetes de la marina de guerra completen su formación. ▪ **buque insignia** Embarcación en que va el jefe de una escuadra o división naval. ▪ **buque mercante** Embarcación que se dedica al transporte de mercancías. **2** Casco de una embarcación, sin las máquinas, velas ni palos.

buqué [también **bouquet**] *s. m.* Aroma o sabor característico de un vino o licor.

burbuja *s. f.* **1** Glóbulo de aire o gas que se forma dentro de un líquido y sube a la superficie o flota en el aire: *las burbujas del champán.* **2** Espacio desinfectado y aislado del exterior, que se utiliza para proteger a personas inmunodeficientes: *este niño ha nacido sin defensas y no puede salir de la burbuja.* **3** Incremento exagerado del precio de algunos bienes: *burbuja inmobiliaria; burbuja tecnológica.*
FAM burbujear.

burbujear *v. intr.* **1** Hacer burbujas: *el champán burbujea.* ▌ *v. tr.* **2** Hacer pasar una corriente de un gas a través de un líquido, lo cual provoca la aparición de burbujas en él: *el* último paso del proceso es burbujear una corriente de H_2 a través de la disolución.

FAM burbujeante, burbujeo.

burca [también **burka**, menos usado] *s. amb.* Vestimenta con que se cubren completamente, de pies a cabeza, las mujeres musulmanas, con una rejilla para los ojos: *el burca es un vestido tradicional en Afganistán, India y Pakistán.*

burdel *s. m.* Establecimiento en el que trabajan personas que mantienen relaciones sexuales a cambio de dinero. **SIN** prostíbulo.

FAM burdelesco.

burdeos *s. m./adj.* ① Color rojo oscuro, como el del vino de Burdeos. **I** *adj.* ② Que es de este color: *llevaba una túnica burdeos.* **I** *s. m.* ③ Vino de color rojo oscuro elaborado en la zona de Burdeos (Francia).

OBS Plural invariable.

burdo, -da *adj.* ① Que es poco delicado o fino: *la tela de saco es burda y áspera.* ② Se aplica a la persona que tiene malos modos o es poco delicada en el trato y en el comportamiento. **SIN** basto, rudo.

bureta *s. f.* Tubo largo de vidrio, graduado, abierto por los extremos, con un dispositivo (llave) que permite la salida controlada de un líquido gota a gota por el extremo inferior, y que se utiliza en los laboratorios para medir volúmenes de líquidos.

burgalés, -lesa *adj.* ① De Burgos (ciudad y provincia de Castilla y León). **I** *s. m. y f./adj.* ② Persona que es de Burgos.

burger [se pronuncia 'búrguer'] *s. m.* Establecimiento en el que se sirven y venden hamburguesas y otras comidas y bebidas. **SIN** hamburguesería.

OBS Plural: *burgers.*

burgo *s. m.* ① Pequeño núcleo de población que depende de otra población más importante. ② En la Edad Media, población fortificada que fue la base del posterior desarrollo urbano de la Europa occidental.

burgomaestre *s. m.* Primera autoridad municipal de algunas ciudades alemanas, holandesas, suizas, etc., con funciones análogas a las de los alcaldes de otros países.

burgués, -guesa *adj.* ① Relativo a la burguesía, clase burguesa. **I** *adj./s. m.* ② Persona que pertenece a esta clase social. **I** *adj./s. m. y f.* ③ Se aplica a la persona que tiende a la estabilidad económica y social y a la comodidad.

FAM burguesía; aburguesarse.

burguesía *s. f.* ① Clase social formada por personas acomodadas que poseen propiedades y capital: *la nueva burguesía apareció a partir de la revolución industrial.* ■ **alta burguesía** Clase social formada por personas de alto nivel económico que viven de sus negocios empresariales o profesionales, como los banqueros, industriales, altos ejecutivos, etc. ■ **pequeña burguesía** Clase social formada por personas que gozan de una buena situación económica pero no tan acomodada como la de la alta burguesía, como los propietarios de negocios familiares. ② Clase social de la Edad Media y el Antiguo Régimen que estaba formada por los habitantes de los burgos o ciudades cuya actividad no se relacionaba con la tierra y que tenían unos privilegios laborales reconocidos; generalmente eran comerciantes y artesanos.

buril *s. m.* Instrumento de acero con un extremo puntiagudo y en forma de prisma que sirve para grabar metales.

FAM burilar.

burilar *v. tr.* Grabar adornos en un metal con el buril.

burka *s. amb.* Burca.

burla *s. f.* ① Hecho o dicho con que se intenta poner en ridículo a una persona o cosa. **SIN** bufa, mofa. ② Engaño que se hace a una persona de buena fe y que resulta molesto o humillante.

FAM burladero, burlador, burlar, burlesco, burlón.

burladero *s. m.* Trozo de valla situada delante de la barrera en la plaza de toros para que el torero pueda burlar al toro: *el torero se refugió en el burladero.*

burlar *v. tr.* ① Engañar o hacer creer algo falso. ② Esquivar a una persona o cosa que supone una amenaza: *los atracadores consiguieron burlar a la policía.* **I** *v. prnl.* ③ **burlarse** Reírse de una persona o cosa con la intención de ponerla en ridículo: *se burlaba del profesor cuando este se daba la vuelta.* **SIN** mofarse.

FAM burlador.

burlesco, -ca *adj.* Que manifiesta o implica burla: *dijo en un tono burlesco que nos invitaría a todo lo que quisiésemos.* **SIN** burlón.

burlete *s. m.* Tira mullida de material aislante que se fija en el canto de puertas y ventanas o en las piezas de la jamba para que no entre el aire cuando están cerradas.

burlón, -lona *adj.* ① Que manifiesta o implica burla. **SIN** burlesco. **I** *adj./s. m. y f.* ② Se aplica a la persona a la que le gusta mucho burlarse de la gente o de las cosas: *el muy burlón siempre se está riendo de nosotros.*

buró *s. m.* Escritorio con pequeños compartimentos y cajoncitos en su parte superior, que se cierra levantando el tablero sobre el que se escribe o bajando una especie de persiana. **SIN** secreter.

OBS Plural: *burós.*

burocracia *s. f.* ① Conjunto de actividades y trámites que hay que seguir para resolver un asunto de carácter administrativo: *la burocracia hace posible el funcionamiento de la administración del Estado.* ② Colectivo formado por el conjunto de los empleados públicos. ③ Exceso de normas, trámites y papeleo que dificultan o complican las relaciones del ciudadano con la administración y retrasan la solución de los asuntos: *para poder cambiarme de curso tuve que enfrentarme a la burocracia universitaria.* ④ Influencia excesiva de los empleados públicos en los negocios del Estado.

FAM burócrata, burocrático.

burócrata *s. com.* Persona que ocupa un puesto en la administración del Estado.

burocrático, -ca *adj.* Relativo a la burocracia o a las actividades de carácter administrativo.

FAM burocratizar.

burrada *s. f.* ① Acción o comentario que causa sorpresa y rechazo por ser especialmente torpe, equivocado o exagerado. **SIN** animalada, bestialidad, brutalidad. ② Tamaño o cantidad grande de una cosa: *creo que han ganado una burrada de dinero.*

burro, -rra *s. m. y f.* ① Mamífero cuadrúpedo doméstico más pequeño que el caballo, con grandes orejas, cola larga y pelo áspero y grisáceo; por ser muy resistente se usa para trabajos en el campo y para la carga. **SIN** asno, borrico, jumento. **I** *adj./s. m. y f.* ② familiar Se aplica a la persona que es torpe, poco inteligente o de escasa formación. **SIN** animal, asno, bestia. ③ familiar Se aplica a la persona que hace un uso excesivo de la fuerza física, es violento o tiene malos modos.

B

SIN animal, bestia, bruto. ‖ *s. m.* ④ Juego de cartas que consiste en ir echando naipes sobre la mesa; gana la baza la carta de mayor valor numérico y pierde quien se queda con la última carta. ⑤ jerga Heroína (droga). SIN caballo, jaco.

apearse (o bajarse o caer) del burro Convencerse de algo después de haber defendido lo contrario durante mucho tiempo.

burro de carga Persona que tiene aguante y puede trabajar durante mucho tiempo: *Juan es un burro de carga: no ha parado desde las nueve.*

no ver tres en un burro No ver nada o ver muy mal: *si me quito las gafas no veo tres en un burro; cuando se fue la luz, no se veía tres en un burro.*

FAM burrada, burricie.

bursátil *adj.* Relativo a la bolsa: *el mercado bursátil.*

burujo *s. m.* Bulto generalmente redondeado que se forma con varias partes de una cosa que estaban o debían estar sueltas: *el hilo se ha soltado y se ha formado un burujo imposible de desenredar.*

bus[1] *s. m.* Vehículo automóvil de transporte público con capacidad para gran número de pasajeros que realiza un trayecto fijo dentro de una población o largos recorridos por carretera. SIN autobús.

FAM aerobús, microbús; bonobús.

bus[2] *s. m.* Circuito que conecta los componentes de un ordenador y permite que las señales eléctricas, con sus datos, se transfieran de uno a otro: *un bus de 16 bits transporta 16 bits de datos al mismo tiempo.*

busca *s. f.* ① Actividad que se realiza para tratar de encontrar a una persona o cosa. SIN búsqueda. ‖ *s. m.* ② Aparato electrónico de pequeñas dimensiones que sirve para recibir una señal o un mensaje de aviso.

buscador, -ra *adj.* ① Que busca: *para detectar una avería eléctrica utilizaremos un buscador de averías.* ‖ *s. m. y f.* ② Persona que se dedica a buscar alguna cosa que le haga rico, como oro, petróleo o marfil. ‖ *s. m.* ③ Herramienta informática de búsqueda, que permite encontrar información (texto, imágenes, etc.) en las páginas web de internet.

buscapié o **buscapiés** *s. m.* Cohete sin varilla que, encendido, corre por el suelo entre los pies de la gente. SIN triquitraque.

OBS Plural: *buscapiés.*

buscapleitos *s. com.* AMÉR. Picapleitos.

OBS Plural invariable.

buscar *v. tr.* ① Hacer lo necesario para encontrar a una persona o cosa.

buscársela Encontrarse con una situación difícil, un castigo, etc., por actuar pasando por alto conscientemente las posibles consecuencias negativas: *déjalos en paz, Jorge, te la estás buscando...; me da pena, pero es cierto que él se la ha buscado.*

buscárselas familiar Apañárselas para subsistir.

FAM busca, buscador, buscarruidos, búsqueda, busquillo; rebuscar.

buscavidas *s. com.* familiar Persona que tiene habilidad para salir adelante en la vida.

OBS Plural invariable.

buscón, -cona *adj./s. m. y f.* ① Que busca: *rodea con su brazo buscón la cintura de la morena.* ② Se aplica a la persona que se dedica a hacer robos o estafas de poca importancia. ‖ *s. f.* ③ Prostituta.

búsqueda *s. f.* Actividad que se realiza para tratar de encontrar a una persona o cosa. SIN busca.

busquillo *s. m.* CHILE, PERÚ familiar Buscavidas.

busto *s. m.* ① Escultura o pintura del cuerpo humano que comprende la cabeza y la parte superior del tórax, sin los brazos. ② Parte del cuerpo humano que va desde la cintura hasta la cabeza: *lo más significativo de la figura humana, cuando se trata de un busto, es el rostro.* ③ Pechos de la mujer.

bustrófedon *s. m.* Escritura de derecha a izquierda y de izquierda a derecha, alternativamente, empezando cada línea donde termina la anterior.

butaca *s. f.* ① Sillón que tiene el respaldo inclinado hacia atrás. ② Asiento con respaldo y brazos que ocupa un espectador en un local público, especialmente en un teatro o en un cine. ③ Entrada o billete que da derecho a ocupar este asiento.

butanero, -ra *s. m. y f.* ① Persona que tiene por oficio repartir y vender bombonas de butano por las casas. ‖ *adj./ s. m.* ② Se aplica al barco que transporta butano.

butano *s. m.* ① Hidrocarburo saturado de cuatro átomos de carbono; es gaseoso, inodoro, incoloro y fácil de licuar; se obtiene del petróleo y el gas natural y se emplea como combustible doméstico e industrial. ‖ *s. m./adj.* ② Color anaranjado como el de las bombonas que se usan para transportar este gas. ‖ *adj.* ③ Que es de este color: *la mujer se compró un abrigo butano.* NOTA Invariable en número.

FAM butanero.

buten Se usa en la expresión:

de buten Muy bueno o muy bien: *lo pasamos de buten en la fiesta de cumpleaños.*

butifarra *s. f.* Embutido de color rosado, de forma cilíndrica y alargada, hecho con carne de cerdo cruda y picada, que es típico de Cataluña, Valencia y Baleares.

FAM butifarrero.

butrón *s. m.* Agujero que los ladrones hacen en techos o paredes para robar. SIN buitrón.

buzo *s. m.* Persona que nada y se mantiene bajo la superficie del mar, de un río o de un lago con un equipo especial que le permite respirar bajo el agua. SIN hombre rana, submarinista.

FAM bucear.

buzón *s. m.* ① Receptáculo instalado en la vía pública o acoplado a una puerta con una ranura por donde se echan las cartas y papeles del correo. ② familiar Boca muy grande.

bypass [también **baipás**; se pronuncia aproximadamente 'baipás'] *s. m.* ① Conducto artificial o trasplantado mediante el cual se comunican dos puntos de una arteria para evitar una zona dañada o en mal estado. ② Operación quirúrgica que se practica para colocar este conducto.

OBS Plural invariable.

byte [se pronuncia aproximadamente 'bait'] *s. m.* Conjunto de 8 bits que recibe el tratamiento de una unidad y que constituye el mínimo elemento de memoria direccionable de un ordenador.

c *s. f.* ① Tercera letra del alfabeto español; su nombre es *ce*. ② En la numeración romana, tiene el valor de cien. **NOTA** Se escribe con mayúscula.

c/ ① Abreviatura de *calle*, vía pública. ② Abreviatura de *cuenta bancaria*.

¡ca! *int.* familiar Se usa para negar algo que otro afirma o mostrar incredulidad.

cabaça [se pronuncia 'cabasa'] *s. f.* Instrumento sonoro formado por una calabaza hueca cubierta de una red con cuentas anudadas, que se agita a ambos lados cogiéndola por un mango y suena al chocar las cuentas con la calabaza.

cabal *adj.* ① Se aplica a la persona que se comporta de manera recta y conveniente. ② Que es exacto o justo en su peso o medida, sin que falte ni sobre nada: *no me des más cifras aproximadas y haz las cuentas cabales*.
no estar en sus cabales Actuar imprudentemente o tener perturbadas las facultades mentales.
FAM descabalar.

cábala *s. f.* ① Interpretación mística y alegórica del Antiguo Testamento realizada por los judíos y algunos cristianos, especialmente del siglo XIII al XVI. ② Suposición o juicio que se forma a partir de datos incompletos o supuestos: *no hagas cábalas y espera a más información*. **NOTA** Normalmente en plural. **SIN** conjetura.
FAM cabalista, cabalístico.

cabalgadura *s. f.* Animal sobre el que se puede montar. **SIN** montura.

cabalgar *v. tr./intr.* ① Montar en un caballo u otra cabalgadura: *cabalgaba en un precioso alazán; cabalgaba un precioso alazán*. ▌*v. intr.* ② Estar montada una persona sobre una cosa: *cabalgaba sobre el muro*. ③ Estar una cosa sobre otra: *las gafas cabalgan sobre la nariz*.
FAM cabalgadura, cabalgata; descabalgar.

cabalgata *s. f.* Conjunto de jinetes, carrozas y otras atracciones que desfilan por las calles en alguna celebración o fiesta popular: *cabalgata de los Reyes Magos*.

cabalístico, -ca *adj.* ① Relativo a la cábala: *interpretación cabalística*. ② Se aplica a la idea u objeto que es misterioso o esotérico.

caballa *s. f.* Pez marino comestible, semejante en forma y color a la sardina, pero de mayor tamaño y con líneas negras en el lomo. **SIN** escombro.

caballada *s. f.* familiar AMÉR. Animalada, dicho o hecho necio.

caballar *adj.* Relativo al caballo: *ganado caballar*.

caballeresco, -ca *adj.* ① Relativo a la caballería medieval: *novela caballeresca*. ② Se aplica a la acción o el comportamiento que es cortés, noble y amable: *quien cede el asiento a una señora muestra un comportamiento caballeresco*. **SIN** caballeroso.

caballería *s. f.* ① Animal doméstico, como el caballo, el burro o el mulo, que sirve para montar en él o para transportar cosas. ② Cuerpo de un ejército formado por soldados montados a caballo o en vehículos motorizados, y el personal y material de guerra complementarios: *los tanques o carros blindados son el principal vehículo de la caballería moderna*. ■ **caballería ligera** Cuerpo de combate constituido por soldados de poco peso, armados con lanza, carabina o sable, y montados en caballos de poca alzada, ágiles y maniobreros. ③ Arma tradicional del ejército formada por uno de estos cuerpos. ④ Institución feudal formada por los caballeros medievales u hombres pertenecientes a la nobleza que se dedicaban al ejercicio de las armas. ■ **caballería andante** Profesión o ejercicio del caballero andante y conjunto de estos caballeros: *la literatura medieval dedicó muchas obras a la caballería andante*. ⑤ Cualquiera de las órdenes militares españolas antiguas o modernas: *caballería de Santiago*.

caballeriza *s. f.* Instalación cerrada y cubierta preparada para la estancia de caballos u otros animales de carga: *este hipódromo posee unas enormes y cuidadas caballerizas*. **SIN** cuadra.

caballerizo, -za *s. m. y f.* Persona que trabaja en una caballeriza.

caballero, -ra *s. m.* ① Hombre que se comporta con cortesía, nobleza y amabilidad. ② Hombre adulto, individuo de la especie humana de sexo masculino: *peluquería de caballeros*. ③ Tratamiento de respeto y cortesía que se da a los hombres adultos: *¡oiga, caballero!* ④ Hombre de la pequeña nobleza. ■ **caballero andante** Caballero aventurero de los libros de caballería que durante la Edad Media defendía los ideales de justicia, lealtad y honor. ■ **caballero cubierto** Miembro de la nobleza, con categoría de grande de España, que poseía el privilegio de estar ante el rey sin quitarse el sombrero. ❘ *adj.* ⑤ Se aplica a la perspectiva en que los objetos se representan en un plano a partir de un eje vertical, un eje horizontal y un eje de profundidad (este forma un ángulo de 45 grados con el eje horizontal).

armar caballero Conceder al rey u otro caballero la dignidad de caballero, en una ceremonia en la que se le viste las armas y se le ciñe la espada.

FAM caballeresco, caballería, caballeroso.

caballerosidad *s. f.* Comportamiento propio del hombre que obra como un caballero, con cortesía, nobleza y amabilidad.

caballeroso, -sa *adj.* ① Se aplica al hombre que se comporta como un caballero, con cortesía, nobleza y amabilidad: *es muy caballeroso y no permitió que regresara sola a casa.* ② Se aplica a la acción o el comportamiento que es cortés, noble y amable: *un gesto caballeroso.* **SIN** caballeresco.

FAM caballerosidad.

caballete *s. m.* ① Soporte formado por una pieza horizontal sostenida por patas; sirve para apoyar sobre él tablones o maderas. ② Armazón de madera utilizado por los pintores para colocar en posición vertical o algo inclinado hacia atrás el lienzo en el que pintan. ③ Línea horizontal y más alta de un tejado donde confluyen las dos vertientes. ④ Prominencia formada por el cartílago de la nariz aproximadamente hacia el medio de esta.

caballista *s. com.* Persona que entiende de caballos y que monta bien.

caballito *s. m.* ① Juguete con forma de caballo sobre el que se puede montar: *el pequeño se balanceaba en su caballito de madera.* ❘ *s. m. pl.* ② **caballitos** Atracción de feria que consiste en una plataforma giratoria sobre la que hay animales y vehículos de juguete en los que se puede montar. **SIN** carrusel, tiovivo.

caballito de mar Pez marino de muy pequeño tamaño, con la cola prensil y el hocico largo y tubular, cuya cabeza recuerda la de un caballo: *los caballitos de mar nadan en posición vertical.* **SIN** hipocampo.

caballito del diablo Insecto parecido a la libélula, pero de menor tamaño, con cuatro alas largas, estrechas y transparentes, de gran colorido y abdomen con forma de hilo.

caballo *s. m.* ① Mamífero équido, macho, de cuerpo fuerte, orejas pequeñas, cola cubierta de largo pelo y patas terminadas en casco; es herbívoro, se domestica con facilidad y se suele usar para montar en él. **NOTA** La hembra del *caballo* es la *yegua.* ② Carta de la baraja española que lleva el número 11 y representa a un caballo con su jinete: *caballo de bastos.* ③ Pieza del ajedrez con figura de caballo; en cada movimiento se desplaza formando una ele, dos cuadros en línea recta y uno en perpendicular a estos, aunque alguno de ellos esté ocupado por otra pieza. ④ Aparato de gimnasia formado por un cuerpo horizontal alargado y terminado en punta por uno de sus extremos, y sostenido por cuatro patas, que se usa para saltar a lo largo apoyando las manos sobre él. ⑤ *jerga* Heroína (droga). **SIN** burro, jaco.

a caballo (**I**) Sobre una caballería o sobre otra cosa en posición semejante: *montar a caballo.* (**II**) Entre dos periodos de tiempo o situaciones diferentes, participando de ambas: *sus gustos están a caballo entre lo clásico y lo moderno.*

a mata caballo Con mucha prisa, atropelladamente. **NOTA** También *a matacaballo.*

caballo de batalla Punto principal y más debatido de un asunto, discusión o problema.

caballo de vapor o **caballo de fuerza** Unidad de potencia que equivale a 750 vatios, aproximadamente.

FAM caballada, caballar, caballeriza, caballerizo, caballista, caballito, caballuno.

cabaña *s. f.* ① Casa en el campo, pequeña y tosca, hecha con ramas, troncos y materiales de poco valor. **SIN** choza. ② Conjunto de cabezas de ganado de un mismo tipo o lugar: *ha sido preciso reducir la cabaña vacuna.*

FAM cabañal, cabañero, cabañil.

cabaré *s. m.* Establecimiento que abre generalmente de noche en el que se sirven bebidas y se hacen espectáculos de música y baile.

FAM cabaretero.

OBS Puede encontrarse la grafía francesa *cabaret.*

cabe *prep. culto* Indica que una cosa o persona está junto a otra o muy cerca de ella; es arcaico o de uso literario.

cabecear *v. tr./intr.* ① En fútbol, golpear la pelota con la cabeza: *el futbolista cabeceó el balón y marcó gol.* ❘ *v. intr.* ② Mover la cabeza de un lado a otro o de arriba abajo. ③ Mover una persona la cabeza de un lado a otro en señal de negación o de arriba abajo en señal de afirmación: *el jefe cabecea cuando no está conforme.* ④ Dar cabezadas la persona que se está durmiendo. ⑤ Moverse un vehículo, especialmente una embarcación, levantando y bajando las partes delantera y trasera alternativamente: *el camión cabeceaba a causa del mal estado de la carretera.* ❘ *v. tr.* ⑥ **CHILE** Formar las puntas o cabezas de los cigarros.

FAM cabeceo.

cabeceo *s. m.* ① Movimiento de la cabeza a un lado y a otro o de arriba abajo: *el cabeceo del toro.* ② Acción de dar cabezadas la persona que se está durmiendo. ③ Movimiento que hace un vehículo de transporte al subir y bajar alternativamente la parte delantera y trasera.

cabecera *s. f.* ① Extremo de la cama donde se coloca la almohada y se pone la cabeza al dormir. ② Pieza vertical que limita la cama por este extremo. **SIN** cabecero. ③ Principio u origen de algunas cosas: *la cabecera del río.* ④ Origen de un río: *la cabecera del Ebro.* ⑤ Lugar principal, normalmente de una mesa, o destinado a una persona importante o invitada: *el presidente del tribunal examinador se sentó en la cabecera.* ⑥ Capital o población principal de un territorio o distrito. ⑦ Texto que figura al comienzo de un escrito, en especial un periódico, y generalmente indica el título, el autor, la fecha y otros datos generales relacionados con él. ⑧ Adorno que en los libros se pone a la cabeza de una página o capítulo. ⑨ Extremo más oriental de una iglesia de planta longitudinal, situado al final de las naves, donde se halla el presbiterio.

cabecero *s. m.* Cabecera (pieza de la cama).

cabecilla *s. com.* Persona que está al frente de un grupo o movimiento, especialmente si es de protesta u oposición contra algo.

cabellera *s. f.* ① Conjunto de cabellos, especialmente cuando son largos y abundantes y caen sobre los hombros. ② Cola de un cometa.

cabello *s. m.* ① Pelo que nace en la cabeza de las personas. ② Conjunto de cabellos. **SIN** pelo.

cabello de ángel Dulce en forma de hilos de color claro

que se hace de calabaza en almíbar y se suele usar como relleno de otros dulces.

FAM cabellera, cabelludo; descabellar.

cabelludo, -da adj. Que tiene mucho cabello.

caber [24] v. intr. **1** Poder ser contenida una cosa dentro de otra: *los libros caben en la estantería.* **2** Poder entrar alguien o algo por una abertura o paso: *la nevera no cabe por la puerta.* **3** Tener una cosa el tamaño necesario para poder colocarse o ajustarse alrededor de otra: *no me cabe el anillo.* SIN entrar. **4** Ser algo posible o natural: *no cabe ninguna reclamación.* **5** Corresponder o pertenecer algo a una persona o situación: *me cupo la satisfacción de darles la noticia.* **6** familiar Tocar o corresponder en un reparto o al dividir una cantidad: *seis entre tres cabe a dos.*

dentro de lo que cabe Expresa una salvedad o excepción dadas unas determinadas circunstancias: *esa es, dentro de lo que cabe, una buena solución.*

FAM cabida.

cabestrillo s. m. Banda de tela o aparato ortopédico que se cuelga del cuello o del hombro para sostener la mano o el brazo lesionados.

cabestro s. m. **1** Buey manso que se pone delante de la manada de toros para guiarla. **2** Persona torpe y que se deja influir fácilmente por los demás: *defiende tu opinión y no seas cabestro.* **3** Cuerda que se pone en el cuello o cabeza a una caballería para atarla o conducirla.

FAM encabestrar.

cabeza s. f. **1** Parte superior del cuerpo del ser humano, y superior o anterior de muchos animales, donde se encuentran algunos órganos de los sentidos y el cerebro: *el cuerpo humano está formado por cabeza, tronco y extremidades.* **2** Parte superior del cuerpo del ser humano y de algunos mamíferos donde se encuentran los órganos de los sentidos y el cerebro, pero sin considerar la cara: *vino de la peluquería con la cabeza rapada.* **3** Capacidad de pensar, imaginar o recordar: *tiene muy mala cabeza y todo se le olvida.* **4** Persona en una distribución o repartimiento de cosas: *tocamos a dos por cabeza.* **5** Animal de un rebaño, cuando se cuenta. **6** Parte o pieza, generalmente redondeada, colocada en el extremo de una cosa y opuesta a la punta: *la cabeza de un alfiler; la cabeza de una nota musical.* **7** Pieza de un aparato electrónico (de grabación o reproducción de sonido o imagen, o de lectura o grabación de datos) que sirve para leer o borrar lo grabado en determinado soporte. SIN cabezal. **8** Pueblo o ciudad principal de un estado o región. ■ **cabeza de partido** Pueblo o ciudad del que dependen otros para la administración de justicia. | s. m. **9** Persona que dirige, preside o lidera una corporación o una colectividad. ■ **cabeza de familia** Persona de mayor autoridad o responsabilidad en una familia.

a la cabeza o **en cabeza** En el primer puesto: *nuestro corredor iba en cabeza del grupo.*

agarrarse la cabeza ARG., URUG. Expresar una persona preocupación por algo que ha ocurrido o que ocurre: *se agarró la cabeza cuando vio que le habían robado la billetera.*

arrancar la cabeza ARG., URUG. Cobrar un precio desmedido por algún producto a una persona: *le arrancaron la cabeza con el auto que se compró.*

cabeza abajo Con la parte superior debajo y la inferior encima: *coloca la botella cabeza abajo.*

cabeza arriba Con la parte superior encima y la inferior debajo.

cabeza cuadrada familiar Persona que no suele cambiar de opinión porque es de ideas fijas.

cabeza de ajo o **cabeza de ajos** Conjunto de los dientes o partes que forman el bulbo de un ajo, cuando todavía están unidos.

cabeza de chorlito o **cabeza loca** familiar Persona que piensa poco las cosas o que tiene poco juicio.

cabeza de turco Persona sobre la que se hace recaer una culpa compartida por varios: *como no podía condenarlos a todos ha elegido una cabeza de turco.*

cabeza dura familiar Persona a la que le cuesta mucho comprender las cosas.

cabeza hueca familiar Persona irresponsable y de poco juicio: *es un cabeza hueca y no se le puede confiar nada serio.*

cabeza rapada Miembro de un grupo urbano y juvenil de comportamiento violento y que se caracteriza por llevar el pelo rapado. SIN skin head.

calentarse (o **romperse**) **la cabeza** Pensar una cosa intensamente o durante mucho tiempo: *no te calientes la cabeza y búscalo en el libro.*

de cabeza (I) Con la parte superior del cuerpo por delante: *ya sé tirarme de cabeza desde el trampolín.* (II) Directa y rápidamente: *vas de cabeza al desastre.* (III) Muy nervioso o agobiado por tener que hacer muchas cosas muy urgentemente: *la preparación del congreso nos trae a todos de cabeza.* (IV) Sin ayudarse de la escritura ni de ningún otro medio para dar una solución: *haced las cuentas de cabeza y no con papel y lápiz.*

echarle cabeza COL. Pensar intensamente en una cosa, generalmente en busca de una solución: *le eché cabeza a la organización del congreso.*

levantar la cabeza Recuperar la vida después de haberla perdido: *¡ay, si tu padre levantara la cabeza, no sé qué diría de todas esas modernidades...!*

no levantar cabeza No lograr salir de una situación poco favorable: *tiene muchos problemas y no levanta cabeza.*

perder la cabeza (I) Dejarse llevar por la ira y actuar sin pensar: *cuando me insultó, perdí la cabeza y no pude controlarme.* (II) Actuar sin juicio o sin razonar o volverse loco: *está en tratamiento porque, tras el accidente de sus padres, ha perdido la cabeza.*

FAM cabecear, cabecilla, cabezada, cabezazo, cabezón, cabezota, cabezudo; descabezar, reposacabezas, rompecabezas.

cabezada s. f. **1** Inclinación involuntaria de la cabeza cuando se dormita sin tenerla apoyada. **2** Golpe que se da con la cabeza o se recibe en ella. SIN cabezazo. **3** Guarnición de cuero, cáñamo o seda que se coloca a una caballería en la cabeza para sujetar el bocado. **4** Cinta con que se adornan las cabeceras de los libros.

dar (o **echar**) **una cabezada** Dormir durante un corto periodo.

cabezal s. m. **1** Dispositivo, generalmente móvil, de algunos aparatos que sirve para poner en él la pieza que realiza la función principal: *en el cabezal de la maquinilla de afeitar se ajustan las cuchillas.* **2** Cabeza (pieza de un aparato electrónico). **3** Almohada pequeña.

cabezazo s. m. **1** Cabezada, golpe en la cabeza o con la cabeza: *no vio la farola y le dio un cabezazo.* **2** Remate que hacen los jugadores de fútbol con la cabeza para despejar el balón o introducirlo en la portería.

cabezo s. m. **1** Pequeño monte en medio de un terreno llano. **2** Cerro alto o cumbre de una montaña. **3** Roca redondeada que sobresale de la superficie del mar o que está

C

apenas sumergida: *la embarcación se hundió tras chocar con un cabezo.*

cabezón, -zona *adj./s. m. y f.* **1** familiar Que tiene la cabeza grande o muy grande: *un niño cabezón.* **SIN** cabezudo. **2** familiar Cabezota.
FAM cabezonada, cabezonería; encabezonarse.

cabezonada *s. f.* Acción de la persona que se mantiene con obstinación en sus ideas o posturas y no se deja convencer, aunque haya razones claras para que cambie de opinión. **SIN** cabezonería.

cabezonería *s. f.* Cabezonada.

cabezota *adj./s. com.* familiar Se aplica a la persona que se mantiene firme en una opinión o actitud a pesar de las razones o las dificultades que pueda haber en contra. **SIN** cabezón, terco, testarudo.

cabezudo, -da *adj./s. m. y f.* **1** Que tiene la cabeza grande o muy grande. **SIN** cabezón. **|** *s. m.* **2** Persona que cubre su cabeza con una gran cabeza de cartón, pareciéndose a un enano; suele recorrer las calles en algunas fiestas populares: *ya salen los gigantes y cabezudos.*

cabezuela *s. f.* **1** Harina de trigo gruesa. **2** Conjunto de flores simples que nacen juntas y apretadas en un receptáculo común, haciendo el efecto de una sola flor, como la margarita.

cabida *s. f.* **1** Espacio o capacidad que tiene una cosa para contener otra: *el local tiene cabida para quinientas personas.* **2** Extensión de un terreno.

cabildo *s. m.* **1** Cuerpo o comunidad de eclesiásticos que tienen algún beneficio o prebenda en una iglesia catedral o en una colegiata: *este ejemplar de la Biblia fue adquirida por el cabildo.* **2** Corporación o grupo de personas formado por un alcalde y varios concejales que se encarga de administrar y gobernar un municipio. **SIN** ayuntamiento, concejo, consistorio. **3** Edificio en el que trabaja esta corporación. **SIN** ayuntamiento, concejo, consistorio. **4** Junta o reunión celebrada por los miembros de esta corporación. **SIN** concejo, consistorio. **5** Corporación que en las islas Canarias representa a los pueblos de cada isla y administra sus intereses comunes o particulares: *el cabildo insular canario.* **6** AMÉR. Municipio.
FAM cabildear.

cabina *s. f.* **1** Cuarto o recinto pequeño y cerrado donde se encuentran los mandos de un aparato o máquina y tiene un espacio reservado para el conductor, el piloto u otro personal encargado de su control. **2** Habitación o espacio pequeño en el que hay un teléfono público de uso individual. **SIN** locutorio. **3** Recinto pequeño y aislado donde se puede hacer alguna cosa con cierta intimidad: *cabinas para cambiarse de ropa; cabinas de los colegios electorales.*
FAM telecabina.

cabizbajo, -ja *adj.* Se aplica a la persona que tiene la cabeza inclinada hacia abajo por estar preocupado, triste o avergonzado.

cable *s. m.* **1** Hilo metálico, generalmente de cobre y cubierto por una funda de plástico, que se usa para conducir la energía eléctrica y para transmitir señales telefónicas o de televisión: *el cable de la plancha; el cable del teléfono.* **2** Conjunto de hilos de fibra de vidrio u otro material que sirve para transportar información en forma de sonidos o imágenes. **3** Trenzado de cuerdas o hilos metálicos que se utiliza para soportar grandes pesos o tensiones: *los ascensores están sus-*

pendidos de cables. **4** Cablegrama: *esta mañana he recibido un cable urgente de Los Ángeles.*

cruzársele los cables familiar Bloqueársele la mente a una persona y actuar de forma descontrolada e ilógica: *se le cruzaron los cables y se puso a destrozarlo todo.*

echar un cable familiar Prestar ayuda a una persona que se encuentra en una situación apurada: *estoy en un gran apuro, ¡échame un cable!*
FAM cableado, cablear, cablista, cablegrafiar, cablegrama, cablevisión.

cableado, -da *adj.* **1** Unión hecha con cables. **|** *s. m.* **2** Conjunto de cables de una instalación eléctrica o de telecomunicaciones.

cablegrafiar *v. tr.* Transmitir mensajes por cable submarino.
OBS Verbo regular, se acentúa como *desviar.*

cablegrama *s. m.* Mensaje que se envía a larga distancia mediante un cable submarino. **SIN** cable.

cablevisión *s. f.* Sistema de televisión que transmite a través del cable.

cabo *s. m.* **1** Extremo o punta de una cosa alargada: *coge esta cuerda por los cabos.* **2** Resto que queda de una cosa alargada: *cabo de vela.* **3** Lengua de tierra que entra en el mar: *cabo de Finisterre.* **4** Miembro del ejército que tiene categoría inmediatamente superior a la de soldado de primera e inmediatamente inferior a la de cabo primero; está al mando de una escuadra. ■ **cabo primero** Miembro del ejército que tiene categoría inmediatamente superior a la de cabo e inmediatamente inferior a la de sargento. **5** Cuerda, especialmente la que se utiliza en las maniobras náuticas. **6** Hebra larga, delgada y flexible que se obtiene al entrelazar fibras textiles de origen vegetal o animal.

al cabo de Indica que una cosa es posterior a otra en el espacio o en el tiempo: *al cabo de varios años ha vuelto a casa.*

atar (o juntar o unir) cabos Relacionar datos para averiguar o aclarar algo.

cabo suelto Aspecto que no se ha previsto o queda sin solucionar en algún asunto o circunstancia: *es preciso que no queden cabos sueltos.*

de cabo a rabo Desde el principio hasta el fin: *recorrimos el museo de cabo a rabo.*

echar un cabo Prestar ayuda a una persona que la necesita.

estar al cabo de la calle Estar perfectamente enterado de un asunto.

llevar a cabo Hacer una cosa: *fui elegido para llevar a cabo la entrevista.*
FAM cabal; acabar, menoscabar, recabar.

cabotaje *s. m.* Navegación o tráfico marítimo entre los puertos de un mismo país sin perder de vista la costa.

cabra *s. f.* Mamífero rumiante doméstico de pelo fuerte y áspero, cola corta y, generalmente, con cuernos curvados hacia atrás y un mechón de pelo en la barbilla; es muy ágil y trepa con facilidad por terrenos escarpados: *el hombre aprovecha la leche, la carne y la piel de la cabra.* ■ **cabra montés** Especie salvaje, con los cuernos más grandes que los de la doméstica y con las patas, la barba y la punta de la cola negras: *las cabras monteses viven en regiones escabrosas.*

estar como una cabra familiar Mostrar poco juicio y muchas rarezas o extravagancias.
FAM cabreriza, cabrerizo, cabrero, cabrío, cabrito, cabrón, cabruno.

cabracho *s. m.* Pez marino de hasta 50 cm de longitud, color rojizo, cabeza grande, mandíbula prominente y una espina venenosa en la parte dorsal; su carne es comestible.

cabrales *s. m.* Queso de pasta blanda y olor y sabor muy fuertes, que se elabora con leche de vaca, oveja o cabra en Asturias.
OBS Plural invariable.

cabrear *v. tr.* ① familiar Enfadar mucho o poner de mal humor a alguien: *se cabreó conmigo por una simple broma.* ② familiar BOL., CHILE Aburrir o cansar a una persona con una situación o una conducta: *me cabreé pronto con el rutinario trabajo que me asignaron.* ‖ *v. intr.* ③ CHILE Ir saltando y brincando.
FAM cabreo.

cabreo *s. m.* familiar Enfado o malhumor de una persona por alguna cosa que le han hecho o dicho.

cabrerizo, -za *s. m. y f.* Cabrero.

cabrero, -ra *s. m. y f.* ① Pastor de cabras. **SIN** cabrerizo. ‖ *s. m.* ② CUBA Pájaro poco más grande que el canario, de plumaje amarillo en el cuerpo y negro en la cabeza.

cabrestante *s. m.* Torno de eje vertical con una cuerda o cable que se va enrollando en él a medida que gira y que sirve para mover grandes pesos.

cabria *s. f.* Mecanismo para levantar pesos consistente en un trípode formado por tres vigas inclinadas y una polea suspendida en el punto de unión.

cabrilla *s. f.* ① Seta comestible de color anaranjado y forma de embudo con el borde del sombrero ondulado. **SIN** rebozuelo. ‖ *s. f., pl.* ② **cabrillas** Manchas rojizas que aparecen en la piel sobre la que irradia una fuente de calor durante cierto tiempo: *a veces se forman cabrillas en las piernas al tomar el sol.* ③ Pequeñas olas blancas y espumosas que se forman en la superficie del mar cuando está agitado.

cabrío *s. m.* Cabriolé (automóvil).

cabrío, -bría *adj.* Relativo a la cabra: *ganado cabrío.*

cabriola *s. f.* ① Brinco durante el cual se cruzan varias veces los pies en el aire. ② Salto que da el caballo soltando un par de coces mientras está en el aire.

cabriolé *s. m.* ① Coche de caballos, generalmente de dos ruedas, ligero y con capota plegable. ② Automóvil descapotable. **SIN** cabrio.

cabritilla *s. f.* Piel curtida de un animal pequeño, como el cordero o el cabrito; es muy blanda y suave.

cabrito *s. m.* ① Cría de la cabra desde que nace hasta que deja de mamar. **SIN** choto. ② vulgar Cabrón, hombre casado con una mujer que le es infiel, especialmente si consiente en el adulterio de esta. **NOTA** Frecuentemente usado de forma despectiva y como eufemismo de *cabrón.* ③ familiar Persona que actúa con mala intención y que molesta o perjudica a otros con sus faenas o malas pasadas.
FAM cabritilla, cabrituno.

cabrón, -brona *s. m. y f.* ① vulgar Persona que actúa con mala intención y que molesta o perjudica a otros con sus faenas o malas pasadas. **NOTA** Se usa como insulto. ‖ *s. m.* ② Macho de la cabra. **NOTA** Para evitar el carácter malsonante que ha adquirido, es más usual decir *macho cabrío.* ③ vulgar Hombre casado con una mujer que le es infiel, especialmente si consiente en el adulterio de esta. **NOTA** Se usa como insulto. **SIN** cabrito, cornudo.
FAM cabronada; encabronar.

cabronada *s. f.* vulgar Acción que molesta o causa un perjuicio, especialmente si está hecha con mala intención.

cabuya *s. f.* ① Planta de hojas grandes y carnosas que nacen directamente de la raíz y están bordeadas de pinchos, y flores amarillas en ramillete sobre un alto tallo central; es originaria de terrenos secos de América. **SIN** maguey, pita. ② Fibra que se extrae de las hojas de esta planta. ③ AMÉR. Cuerda delgada y algo burda que se elabora con esta fibra y se usa para atar o para fabricar tejidos artesanales o industriales. **SIN** cucuiza.

caca *s. f.* ① familiar Excremento, especialmente el de los niños. ② familiar Se usa con los niños y entre ellos para designar cualquier cosa sucia o que no deben tocar. ③ fam. desp. Cosa mal hecha o de mala calidad: *este programa de radio es una caca.*

cacahué *s. m.* Cacahuete.

cacahuero, -ra *s. m. y f.* AMÉR. Persona que cultiva, trabaja o comercia con el cacao: *los cacahueros recogieron la cosecha antes de que llegaran las lluvias.*

cacahuete *s. m.* ① Fruto seco de tamaño pequeño y alargado, con la cáscara poco dura y semillas comestibles. **SIN** cacahué, maní. ② Semilla de este fruto, comestible y de la cual se extrae aceite: *los cacahuetes se comen una vez secos, tostados y salados.* **SIN** cacahué, maní. ③ Planta anual de flores amarillas que da este fruto. **SIN** cacahué, maní.

cacao *s. m.* ① Árbol tropical de flores encarnadas y fruto en una vaina grande con muchas semillas en su interior, las cuales son el principal ingrediente del chocolate. ② Semilla de este árbol. ③ Polvo sacado de estas semillas una vez tostadas mezclado con azúcar; se toma disuelto en agua o leche y con él se hace chocolate. ④ Pintalabios incoloro con efectos hidratantes hecho con la grasa de estas semillas. ⑤ familiar Situación confusa, agitada o embarazosa, especialmente si va acompañada de gran alboroto y tumulto: *¡menudo cacao te has hecho con los números de teléfono!*
FAM cacaotal.

cacaraña *s. f.* GUAT., MÉX. Hoyo o señal en el rostro de una persona.
FAM cacarañar.

cacarañar *v. tr.* ① GUAT. Ocasionar cacarañas la viruela. ② MÉX. Pellizcar algo blando dejándolo lleno de hoyos.
FAM cacarañado.

cacarear *v. intr.* ① Dar cacareos el gallo o la gallina. ‖ *v. tr.* ② Alabar demasiado las cosas propias: *le gusta cacarear los títulos que ha heredado.*
FAM cacareo.

cacastle *s. m.* MÉX. Armazón que se pone sobre la espalda para transportar cosas en él.

cacatúa *s. f.* ① Ave trepadora de pico grueso y muy encorvado, plumaje de colores vistosos y un penacho de plumas en la cabeza que puede extender como un abanico; es originaria de Oceanía y puede aprender a pronunciar palabras. ② fam. desp. Mujer fea, vieja y arreglada en exceso, normalmente con mal gusto o de forma estrafalaria.

cacera *s. f.* Zanja o canal por donde se conduce el agua para regar.

cacereño, -ña *adj.* ① De Cáceres (ciudad y provincia de Extremadura). ‖ *s. m. y f./adj.* ② Persona que es de Cáceres.

cacería *s. f.* ① Partida de caza, excursión de varias personas para cazar: *el domingo fui de cacería con unos amigos.* ② Conjunto de los animales cazados.

cacerola *s. f.* Recipiente de metal, cilíndrico, más ancho que hondo y con mango o dos asas, que se usa para cocinar. FAM cacerolada.

cacerolada *s. f.* Protesta pública, de carácter político o social, que se lleva a cabo golpeando cacerolas y otros recipientes metálicos de cocina.

cacha *s. f.* ① Pieza que cubre cada lado del mango de un cuchillo, una navaja o la culata de un arma de fuego. NOTA Más en plural con el mismo significado que en singular. ② familiar Nalga. NOTA Más en plural.
FAM cachaza, cachete.

cachaco, -ca *adj./s. m.* ① COL. Se aplica al hombre joven, elegante y atento. ② COL., ECUAD., VENEZ. Lechuguino, petimetre. ‖ *s. m. y f.* ③ PERÚ Agente de policía.

cachalote *s. m.* Mamífero marino del orden cetáceos parecido a la ballena, de 15 a 20 m de largo, enorme y alargada cabeza y boca provista de dientes únicamente en la mandíbula inferior; vive en mares cálidos y se aprovecha su grasa.

cachar *v. tr.* ① AMÉR. CENTRAL Hurtar, robar. ② familiar AMÉR. CENTRAL, CHILE, COL. Dar cornadas un animal. ③ AMÉR. CENTRAL, ARG., CHILE, COL., PAR., URUG. Agarrar al vuelo cualquier objeto pequeño que es lanzado por el aire: *cachar una bola de papel.* ④ familiar AMÉR. CENTRAL, ARG., CHILE, ECUAD., PAR., URUG. Hacer una broma a una persona con el fin de provocar una situación graciosa pero sin intención de ofenderla: *no te ofendas, que solo te estoy cachando.* ⑤ familiar ARG., CHILE, MÉX. Descubrir a una persona en una actitud incorrecta: *los cacharon robando un libro de la biblioteca.* ⑥ familiar ARG., CHILE, PAR., URUG. Captar una idea o un chiste con rapidez: *cachó las intenciones ocultas en las palabras de su madre.* ⑦ familiar ARG., NICAR., PERÚ, URUG. Asir una cosa con fuerza y decisión: *cachar el brazo de alguien.* ‖ *v. prnl.* ⑧ **cacharse** familiar CHILE, PAN., PERÚ Realizar el acto sexual con alguien: *"se la están cachando", pensó.*

cacharrazo *s. m.* familiar Golpe fuerte que recibe una persona al caer o chocar contra un cuerpo duro. SIN trastazo, trompazo.

cacharrería *s. f.* Establecimiento en el que se venden cacharros.

cacharro *s. m.* ① Recipiente que se usa en la cocina: *ya he lavado la vajilla, ahora me queda limpiar los cacharros.* ② Vasija tosca, generalmente de loza. ③ familiar Máquina, aparato o mecanismo que está viejo o en mal estado o que funciona mal. SIN trasto. ④ Objeto que no sirve para nada o que no tiene valor. SIN cachivache, trasto.
FAM cacharrería, cacharrero.

cachas *adj./s. com.* Se aplica a la persona que tiene un cuerpo fuerte y los músculos desarrollados: *se ha puesto muy cachas yendo al gimnasio.*
OBS Plural invariable.

cachaza *s. f.* ① Lentitud y sosiego en la manera de actuar. SIN flema, parsimonia. ② Aguardiente de melaza.
FAM cachazudo.

caché *s. m.* ① Cotización que tiene fijada un artista por su actuación: *tras el éxito de su último disco tiene un caché millonario.* ② Toque de distinción y estilo personal: *es un artista con gran caché.*

cachear *v. tr.* Registrar a una persona palpándola por encima de la ropa que lleva puesta, para ver si lleva algo oculto bajo la ropa: *la policía cacheó al sospechoso.*
FAM cacheo.

cachelos *s. m. pl.* ① Trozos de patatas cocidas que en Galicia acompañan un guiso. ② Guiso gallego preparado con estas patatas, carne o pescado y otros ingredientes.

cachemir *s. m.* Tejido fino fabricado con pelo de cabra de Cachemira o con lana de oveja merina. SIN cachemira, casimir.

cachemira *s. f.* Cachemir.

cacheo *s. m.* Registro a que se somete a una persona palpándola por encima de la ropa, para ver si lleva algo oculto bajo la ropa.

cachete *s. m.* ① Golpe que se da con la palma de la mano, generalmente en la cara, la cabeza o las nalgas de una persona. ② Mejilla, especialmente cuando es abultada. ③ C. RICA, GUAT. Ayuda o protección que se da o se concede a una persona.
FAM cachetada, cachetudo.

cachimba *s. f.* ① Utensilio para fumar consistente en un pequeño recipiente en el que se quema tabaco picado, unido a un tubo terminado en una boquilla por el que se aspira el humo. SIN pipa. ② AMÉR. Hoyo lleno de agua.
FAM cachimbo.

cachimbo, -ba *adj.* ① Se aplica al músico mal entrenado, que desafina o desacompasa. ‖ *s. m.* ② AMÉR. Cachimba. ③ CUBA Plantación azucarera pequeña.

cachiporra *s. f.* ① Palo con un extremo muy abultado o en forma de bola que se emplea para golpear. SIN porra. ‖ *adj.* ② CHILE Que muestra orgullo por las cualidades o actos propios y tiene un deseo excesivo de ser reconocido por los demás. SIN vanidoso.
FAM cachiporrazo.

cachirulo *s. m.* Pañuelo de cuadros rojos y negros, o violetas y negros, que llevan los hombres en Aragón atado alrededor de la cabeza, como símbolo folclórico o como parte del traje regional.

cachivache *s. m.* fam. desp. Objeto, especialmente el que tiene poca utilidad o poco valor.

cacho *s. m.* ① familiar Trozo arrancado, cortado o roto de una cosa: *tomé el cacho de tarta más pequeño.* ② Se usa como refuerzo del significado de un apelativo despectivo: *¡cacho embustero, nos has engañado vilmente!* ③ AMÉR. Cuerno de un animal. ④ AMÉR. SUR Cubilete de cuerno o de cuero para jugar a los dados.
FAM cacharro, cachivache.

cachondearse *v. prnl.* familiar Burlarse de una persona o cosa: *tómate las cosas en serio y no te cachondees de todo.* SIN chotearse.
FAM cachondeo.

cachondeo *s. m.* ① familiar Burla que se hace de una persona o cosa. SIN pitorreo. ② Juerga o diversión animada.

cachondo, -da *adj.* ① familiar Que siente excitación sexual. SIN caliente. ‖ *adj./s. m. y f.* ② familiar Se aplica a la persona que es divertida y bromista: *no te aburrirás con el cachondo de tu hermano.*
FAM cachondearse.

cachorro, -rra *s. m. y f.* ① Cría de un mamífero, especialmente el perro. ② familiar Hijo o descendiente que permanece fiel a las ideas y modos de vida de sus padres o antecesores: *los cachorros de la jet set.*

cachudo, -da *adj.* AMÉR. Se aplica al animal de cuernos grandes.

cachumbo *s. m.* AMÉR. Cáscara leñosa de algunos frutos, de la que se hacen vasijas, tazas y otros utensilios. SIN gachumbo.

cacillo *s. m.* Cazo pequeño.

cacique *s. m.* ① Persona que valiéndose de su influencia o riqueza interviene abusivamente en la política y administración de una comunidad. ② Jefe de algunas tribus de indios de la América Central y del Sur.
FAM cacicato, cacicazgo, caciquil, caciquismo.

caciquismo *s. m.* ① Influencia o dominio del cacique en la vida social y política de una comunidad: *una de las prácticas del caciquismo era chantajear a la población para que votara a los políticos más próximos al cacique.* ② Intervención abusiva de una persona en un asunto determinado, sirviéndose de su poder e influencia.

caco *s. m.* familiar Ladrón que roba con habilidad y sin violencia.

cacofonía *s. f.* ① Efecto acústico desagradable que resulta de la combinación o repetición de unos mismos sonidos en una frase: *hay cacofonía del sonido erre en "el perro de san Roque no tiene rabo".* ② Combinación o repetición inarmónica de sonidos que produce un efecto acústico desagradable.
FAM cacofónico.

cacofónico, -ca *adj.* Relativo a la cacofonía. ANT eufónico.

cacto o **cactus** *s. m.* Planta con espinas y tallos grandes y carnosos, que acumula agua en su interior; es típica de las zonas desérticas.
FAM cactáceo.
OBS Plural: *cactus.*

cacumen *s. m.* familiar Capacidad para entender con facilidad y claridad las cosas, aunque sean complicadas y difíciles.
FAM cacuminal.

CAD Sigla de la expresión inglesa *Computer Aided Design*, diseño asistido por ordenador: *en ingeniería y arquitectura se suele trabajar con CAD.*
OBS Se construye normalmente en aposición a otro sustantivo: *programas CAD.*

cada *det.* ① Establece una correspondencia distributiva entre los miembros numerables de una serie y los miembros de otra: *reparte dos caramelos a cada niño.* ② Designa por uno la totalidad de los elementos de un conjunto o de una serie: *volveremos cada lunes a la misma hora.* ③ Indica un gran tamaño o cantidad respecto a la palabra que va detrás: *¡dice cada tontería!*

cadalso *s. m.* ① Tablado elevado que se instala para celebrar un acto solemne. ② Tablado que se usa para llevar a cabo la ejecución de los condenados a muerte.

cadáver *s. m.* Cuerpo sin vida de una persona o un animal.
FAM cadavérico.

cadavérico, -ca *adj.* ① Relativo al cadáver. ② Que está tan pálido y desfigurado que parece un cadáver: *aspecto cadavérico.*

cadena *s. f.* ① Conjunto de piezas, generalmente metálicas y en forma de anillo, enlazadas unas a continuación de las otras: *en su cuello lucía una bonita cadena de oro.* ② Serie de piezas metálicas iguales, enlazadas entre sí y articuladas formando un circuito cerrado, que sirve para comunicar un movimiento: *la cadena de la bicicleta.* ③ Sucesión de fenómenos, acontecimientos o hechos relacionados entre sí: *se ha produ-*

cido una cadena de explosiones. ④ Conjunto de personas que se enlazan cogiéndose de las manos, o simplemente colocadas unas al lado de las otras para realizar alguna actividad en común: *formaron una cadena para llevar cubos de agua hasta el fuego.* ⑤ Conjunto de galeotes o presidiarios que iban encadenados a cumplir la pena que se les había impuesto. ⑥ Conjunto de máquinas e instalaciones dispuestas para que un producto industrial pase sucesivamente de una a otra en su proceso de fabricación o montaje y que se reduzca al mínimo el gasto de tiempo y esfuerzo. NOTA También *cadena de montaje.* ⑦ Conjunto de establecimientos o industrias del mismo tipo que pertenecen a una persona o a una sociedad y se organizan en sistema siguiendo unas directrices comunes: *cadena de hoteles.* ⑧ Red de emisoras de radio o televisión que, unidas y coordinadas entre sí, difunden una misma programación: *es una cadena autonómica y, por tanto, no llega a toda España.* ⑨ Equipo de sonido formado por varios aparatos reproductores y grabadores independientes pero relacionados entre sí: *ahora las cadenas de música llevan incorporado un lector de discos compactos.* ⑩ Hecho que de alguna manera condiciona y obliga hacer una cosa que no se quiere: *es preciso luchar contra las cadenas del consumismo.* ⑪ Castigo impuesto al que ha cometido un delito que consiste en el ingreso en prisión. ■ **cadena perpetua** Pena de privación de libertad que dura toda la vida del condenado.

cadena alimentaria o **cadena trófica** Esquema lineal que representa el conjunto de relaciones jerárquicas mediante las cuales se transmite el alimento (materia y energía) entre los organismos de un determinado ecosistema: *las cadenas tróficas muestran cómo la energía se transfiere desde las plantas hasta los eslabones superiores ocupados por los carnívoros, pasando por los herbívoros.*

cadena de montañas o **cadena montañosa** Serie de montañas de características comunes unidas entre sí: *el Himalaya es una cadena montañosa.* NOTA También simplemente *cadena.* SIN cordillera.

en cadena Se aplica a la acción o el acontecimiento que se produce en sucesión continuada: *choque de coches en cadena; reacción en cadena.*
FAM encadenar.

cadencia *s. f.* ① Repetición regular o medida de los sonidos o los movimientos: *cadencia en el andar; cadencia al hablar.* ② Distribución proporcionada de los acentos y las pausas en un texto en prosa o en verso: *es admirable la cadencia de estos endecasílabos.* ③ Ritmo o modo regular de repetirse u ocurrir una cosa: *cadencia respiratoria.* ④ Regularidad y proporción en la combinación de las duraciones de los sonidos musicales. ⑤ Adaptación de los movimientos de la danza a esta medida del sonido. ⑥ Pasaje musical que constituye la transición gradual hacia el final de una pieza o de intermedio entre una parte y otra, crea un efecto de reposo y suele ir a parar a la tónica: *las cadencias pueden servir para que el cantante se luzca haciendo florituras con la voz.* ⑦ Cambio descendente del tono de la voz a partir de la última sílaba acentuada.
FAM cadencioso; semicadencia.

cadencioso, -sa *adj.* Se aplica al sonido o movimiento que tiene cadencia o ritmo regular y repetitivo: *tonada cadenciosa; pasos cadenciosos.*

cadeneta *s. f.* ① Labor hecha con hilo y una aguja que imita la forma de una cadena delgada. ② Adorno que se hace con tiras de papel de colores formando cadena y que se suele usar en las fiestas o verbenas.

cadera *s. f.* **1** Parte saliente a cada lado del cuerpo por debajo de la cintura formada por los huesos superiores de la pelvis. **2** Parte lateral del anca de un animal cuadrúpedo. **3** Primera pieza de la pata de un insecto, por la cual esta se une al tórax.

cadete *s. com.* **1** Persona que estudia en una academia militar. **2** Deportista que, por su edad, pertenece a la categoría posterior a la de infantil y anterior a la de juvenil.

cadi *s. m.* Persona que lleva los palos del jugador de golf.

cadí *s. m.* Magistrado musulmán de las causas civiles y religiosas.

OBS Plural: *cadíes.*

cadmio *s. m.* Elemento químico de símbolo *Cd* y número atómico 48; es un metal de transición maleable de color blanco plateado, parecido al estaño, tóxico, poco abundante y comúnmente asociado a minerales de cinc: *los compuestos de cadmio se usan como recubrimiento fosforescente de los tubos de televisión.*

caducar *v. intr.* **1** Perder su validez o efectividad un documento, ley o derecho, generalmente por el paso del tiempo: *tuve que pagar el arreglo de la lavadora, pues su garantía había caducado.* **2** Estropearse o dejar de ser apto para el consumo, especialmente un alimento envasado o una medicina: *estas pastillas no caducan hasta el próximo enero.*

caducidad *s. f.* **1** Pérdida de la validez o efectividad de un documento, ley, derecho o costumbre, generalmente por el paso del tiempo. **2** Deterioro o pérdida de la utilidad para el consumo, especialmente de un alimento envasado o una medicina.

caducifolio, -lia *adj.* Se aplica al árbol o la planta de hoja caduca.

caduco, -ca *adj.* **1** Que es muy antiguo o está fuera de uso: *ideas trasnochadas y caducas.* **SIN** anticuado, decadente. **ANT** moderno, vigente. **2** Se aplica al órgano de una planta, generalmente una hoja, que se desprende durante una época del año: *el roble es un árbol de hoja caduca.* **SIN** caedizo. **ANT** perenne. **3** De poca duración o que se estropea en un plazo de tiempo: *la mayor parte de los alimentos frescos son caducos.* **4** Se aplica a la persona que es de edad avanzada y está perdiendo capacidad física o intelectual.

FAM caducar, caducidad, caducifolio.

caedizo, -za *adj.* Se aplica al órgano vegetal, generalmente una hoja, destinado a caerse: *árbol de hoja caediza.* **SIN** caduco. **ANT** perenne.

caer [25] *v. intr.* **1** Moverse de arriba abajo por el propio peso: *la fruta se cae por madura.* ‖ *v. intr./prnl.* **2** Perder el equilibrio hasta dar contra el suelo o en una superficie firme: *cayó de espaldas; se cayó de cabeza.* ‖ *v. intr.* **3** Estar colgada, suspendida o inclinada una cosa: *de un árbol caía una rama rota.* **4** Tomar una cosa cierta forma al colgar: *el vestido cae por detrás.* ‖ *v. intr./prnl.* **5** Desprenderse o soltarse una cosa del lugar o el objeto al que estaba unida: *se le ha caído un diente.* ‖ *v. intr.* **6** Descender o bajar mucho: *caer los precios.* **7** Pasar a un estado físico, moral o económico inferior o desfavorable: *caer en la miseria.* **8** Acabarse alguna cosa o perder la posición: *cayó la monarquía; el ministro cayó tras las huelgas.* **9** Dejar de estar vivo un organismo: *muchos soldados cayeron en el frente.* **SIN** morir. **10** Venir a dar una persona o un animal en una trampa, un engaño o una situación difícil: *el lobo cayó en el cepo; los soldados cayeron en una emboscada.* **11** Llegar rápidamente o por sorpresa para causar un daño: *si publicas eso,*

los críticos caerán sobre ti. **12** Ir o dirigirse con violencia hacia una persona o cosa: *cayó en sus brazos; cayeron sobre los pasteles.* **13** Acercarse a su ocaso el sol, el día o la tarde: *se verán al caer la tarde.* **14** familiar Acordarse de una cosa o entenderla: *no caigo, así que explícamelo mejor.* **15** Coincidir o corresponder una cosa con determinada fecha: *¿en qué semana cae este año la feria?* **16** Estar situado en un lugar o cerca de él: *esas oficinas caen muy cerca de aquí.* **17** familiar Corresponder a una persona una cosa que se reparte o se sortea: *le cayó el gordo.* **18** Sentar bien o mal una cosa a una persona: *ese traje te cae muy bien; no me han caído bien los mariscos.* **19** Producir una determinada impresión el carácter de una persona: *ese tipo me cae muy mal.* **20** No aparecer el nombre de una persona en una lista: *Pérez se ha caído de la alineación del equipo de fútbol.* **21** Ir a parar a un sitio sin proponérselo o sin esperarlo: *fuimos a caer al otro lado de la montaña.*

caer bajo Realizar una persona una acción indigna o despreciable.

caer (o caerse) redondo familiar Ir a dar contra el suelo por perder el conocimiento o por otra causa.

FAM caedizo, caída, caído; recaer.

café *s. m.* **1** Arbusto tropical de hoja perenne, flores blancas y olorosas y fruto pequeño que contiene dos semillas grandes. **SIN** cafeto. **2** Semilla o conjunto de semillas de este árbol, que tienen un surco alargado en su cara plana. ■ **café torrefacto** Café que adquiere un color más oscuro por haber sido tostado con un poco de azúcar. **3** Bebida de color oscuro y sabor algo amargo que se hace por infusión de esta semilla tostada y molida; contiene cafeína, una sustancia excitante: *no puede tomar café porque le pone nervioso.* ■ **café con leche** Café que lleva más o menos la misma proporción de leche y de café. ■ **café cortado** Café que lleva solamente un poco de leche. **NOTA** También simplemente *cortado.* ■ **café descafeinado** Café que no tiene cafeína o al que se le han suprimido las sustancias excitantes. **NOTA** También simplemente *descafeinado.* ■ **café exprés** Café que se hace con vapor de forma rápida. **NOTA** También simplemente *exprés.* ■ **café instantáneo** o **café soluble** Café preparado para que se disuelva al echarle el agua o la leche. ■ **café irlandés** Café al que se le añade whisky quemado y nata. ■ **café solo** Café que no lleva leche. **NOTA** También simplemente *solo.* **4** Establecimiento público en el que se sirve esta bebida y otras consumiciones. **SIN** cafetería, cafetín. ■ **café-cantante** Establecimiento donde se sirven bebidas y se ofrecen actuaciones musicales en directo, generalmente de carácter frívolo o ligero. ■ **café-concierto** Establecimiento donde se sirven bebidas y se ofrecen actuaciones musicales en directo, generalmente de cantautores o de música clásica. ■ **café-teatro** Establecimiento donde se sirven bebidas y otras consumiciones y en el que se representa una obra teatral corta. ‖ *s. m./adj.* **5** Color marrón oscuro, como el del grano de café tostado.

FAM cafeína, cafetal, cafetera, cafetero, cafetín, caficultor.

cafeína *s. f.* Sustancia excitante, alcaloide de color blanco que cristaliza en largas agujas sedosas; es poco soluble en agua y se encuentra en el café, el té, la cola, el mate, el cacao, etc.: *la cafeína produce insomnio.*

FAM descafeinar.

cafetal *s. m.* Terreno plantado de cafés o cafetos.

FAM cafetalero.

cafetera *s. f.* **1** Máquina o aparato que sirve para preparar café. **2** Recipiente en que se sirve el café. **3** familiar Vehículo muy viejo y en mal estado que hace mucho ruido al andar.

cafetería *s. f.* Establecimiento público en el que se sirve café y otras consumiciones. **SIN** café, cafetín.

cafetero, -ra *adj.* **1** Relativo al café. **❙** *adj./s. m. y f.* **2** Se aplica a la persona que es muy aficionada a tomar café. **❙** *s. m. y f.* **3** Persona que se dedica a la recolección del café o a su comercialización.
FAM cafetería.

cafetín *s. m.* Cafetería.

cafeto *s. m.* Arbusto tropical de hoja perenne, flores blancas y olorosas y fruto pequeño que contiene dos semillas grandes. **SIN** café.
FAM cafetal.

cafre *adj./s. com.* **1** fam. desp. Se aplica a la persona que se comporta de forma brutal, violenta o grosera. **NOTA** Frecuentemente usado como insulto. **❙** *adj.* **2** De Cafrería (antigua región del sudeste de África). **❙** *s. com./adj.* **3** Persona que era de Cafrería.

cagada *s. f.* **1** vulgar Excremento que se expulsa cada vez que se vacía el vientre. **2** vulgar Acción torpe o equivocada. **3** vulgar Cosa mal hecha o de poco valor.

cagado, -da *adj./s. m. y f.* despectivo Se aplica a la persona que se asusta fácilmente ante cualquier peligro, dificultad o dolor.

cagalera *s. f.* **1** familiar Diarrea. **SIN** cagueta. **2** familiar Sentimiento de miedo muy intenso.

cagar *v. intr.* **1** vulgar Defecar, hacer de vientre. **SIN** jiñar. **❙** *v. prnl.* **2** **cagarse** vulgar Sentir un miedo muy fuerte. **SIN** jiñarse.

cagarla vulgar Cometer una equivocación grave: *¡la cagaste!, te han cogido copiando.*
FAM cagada, cagado, cagalera, cagarria, cagarruta, cagón, cague, cagueta.

cagarrina *s. f.* **1** familiar Excremento. **❙** *s. f. pl.* **2** **cagarrinas** familiar Diarrea (alteración intestinal).

cagarruta *s. f.* **1** familiar Porción de excremento del ganado menor y otros animales, especialmente el que tiene forma esférica. **2** familiar Cosa mal hecha o de mala calidad.

cagón, -gona *adj./s. m. y f.* **1** familiar Que caga muy frecuentemente. **2** familiar Se aplica a la persona que es miedosa o cobarde. **SIN** cagueta, gallina.

cague *s. m.* familiar Miedo muy intenso.

cagueta *s. f.* **1** familiar Diarrea. **SIN** cagalera. **❙** *adj./s. com.* **2** familiar Se aplica a la persona que es miedosa o cobarde. **SIN** cagón, gallina.

caíd *s. m.* Especie de juez o gobernador en algunos países musulmanes.

caída *s. f.* **1** Movimiento de un cuerpo de arriba abajo por la acción de su peso debido a la atracción que sobre él ejerce la Tierra: *el movimiento de caída libre de un cuerpo es un movimiento rectilíneo uniformemente acelerado.* **2** Pérdida del equilibrio o de la estabilidad de una persona o cosa por la acción del propio peso: *tuvo una caída, pero solamente se hizo un rasguño.* **3** Desprendimiento o separación del lugar o el objeto al que estaba unido: *caída del cabello.* **4** Cuesta o inclinación de una superficie hacia abajo. **5** Acción de hallarse en un estado físico, moral o económico inferior o desfavorable: *caída en desgracia.* **6** Pérdida de la fuerza o de la importancia de una cosa: *la caída del Imperio romano.* **SIN** decadencia, declive. **7** Disminu-

ción del valor o la importancia de una cosa: *se ha registrado una nueva caída en la bolsa de Nueva York.* **8** Manera de caer las telas, cortinas o ropajes; por ejemplo, formando pliegues: *estas cortinas tienen buena caída.*

caída de ojos Forma de bajar los ojos o los párpados y expresión que se da a la mirada.

caído, -da *adj.* **1** Se aplica a la persona o animal que tiene muy inclinada o más baja de lo normal la parte del cuerpo que se indica: *caído de hombros.* **❙** *adj./s. m. y f.* **2** Se aplica a la persona que ha muerto en la lucha por una causa: *en memoria de los caídos.* **3** Se aplica a la persona que ha perdido la energía, la fuerza o el ánimo, generalmente a causa de una desgracia u otro suceso negativo.

caima *adj.* AMÉR. Se aplica a la persona que es lerda, sosa y sin gracia alguna: *nos tocó un profesor caima que nos durmió a los cinco minutos.*

caimán *s. m.* **1** Reptil parecido al cocodrilo, pero de tamaño menor (de 2 a 6 m de longitud), cabeza más ancha y corta y hocico más chato; se alimenta de animales pequeños y habita en las zonas tropicales de América. **2** Hombre que es hábil para conseguir sus propósitos mediante engaños.

cairel *s. m.* **1** Adorno en forma de fleco que queda colgando en el borde de algunas telas o vestidos. **SIN** alamar. **2** Cerco de cabello postizo.

cairota *adj.* **1** De El Cairo (capital de Egipto). **❙** *s. m. y f./adj.* **2** Persona que es de El Cairo.

caja *s. f.* **1** Recipiente, generalmente con tapa, que sirve para guardar o llevar cosas: *caja de bombones; caja de zapatos.* **■ caja de música** Caja que contiene un mecanismo que, al abrir la tapa, hace sonar una melodía. **2** Caja o recipiente destinado a guardar dinero. **■ caja de caudales** o **caja fuerte** Caja hecha con materiales muy resistentes, y a veces empotrada en una pared, que se usa para guardar con seguridad dinero u objetos valor. **NOTA** También simplemente *caja*. **■ caja registradora** Máquina que se usa para calcular y guardar el importe de las ventas en los comercios. **NOTA** También simplemente *caja*. **3** Recipiente que contiene o protege un mecanismo. **■ caja de cambios** Caja que contiene los mecanismos de los cambios de velocidad en los vehículos automóviles. **■ caja negra** Caja que contiene un mecanismo que graba toda la información relativa al vuelo de un avión: *la caja negra es indestructible y permite, por ejemplo, averiguar las causas de un accidente.* **4** Parte hueca de un instrumento musical de cuerda en la que se produce la resonancia: *el piano, instrumento de cuerda percutida, tiene una gran caja de resonancia.* **NOTA** También *caja de resonancia.* **5** Parte del cuerpo que contiene o protege un conjunto de órganos. **■ caja del tambor** o **caja del tímpano** Pequeña cavidad ósea que alberga el oído medio. **■ caja torácica** Cavidad de los vertebrados limitada por las costillas, la columna vertebral y el esternón, en la cual están alojados el corazón, los pulmones y otros órganos. **SIN** tórax. **6** Lugar donde se hacen los pagos y los cobros en un establecimiento. **7** Recipiente, generalmente de madera y con tapa, en el que se coloca a una persona muerta para enterrarla. **NOTA** También *caja de muerto* o *caja de muertos.* **SIN** ataúd, féretro. **8** Estructura hueca o pieza en que está alojado un mecanismo o dispositivo: *la caja de un reloj; la caja de un ascensor.* **9** En un escenario, espacio comprendido entre dos bastidores. **10** Tambor metálico de poca altura y con ambas bases cerradas por un parche o membrana: *el bombo y la caja son los tam-*

bores principales de una batería. **11** Fruto en cápsula con los carpelos cerrados. **12** Armazón en que se insertan el cañón y otros mecanismos de un arma de fuego portátil. **13** Cajón con varios departamentos rectangulares donde se colocan, en una imprenta, las letras y signos tipográficos.

caja boba o **caja tonta** despectivo Aparato de televisión.

caja china Instrumento musical de percusión constituido por un bloque rectangular de madera o plástico duro que está parcialmente ahuecado; se toca con baquetas y produce un sonido hueco.

caja de ahorros (I) Institución financiera de características similares a las de un banco, pero que capta principalmente pequeños capitales privados y que destina parte de sus beneficios a obras sociales. NOTA También simplemente *caja.* (II) Edificio u oficina perteneciente a esta institución y destinado a la atención al público. NOTA También simplemente *caja.*

caja de ingletes Utensilio de carpintería en forma de recipiente alargado, abierto por los extremos, que sirve para hacer cortes de 45 grados en listones o piezas de madera, para lo cual se coloca la pieza horizontalmente y se corta haciendo pasar una sierra por las guías o ranuras fijas que el utensilio tiene en los laterales.

caja de Pandora (I) Caja que, según la mitología, fue entregada por Zeus a Pandora y, al ser abierta por ella imprudentemente, extendió los males entre la humanidad. (II) Asunto o cosa que, si no se trata cuidadosamente, puede provocar desgracias o situaciones muy negativas.

caja de reclutamiento o **caja de reclutas** Organismo militar que se encarga de alistar y dar destino a quienes se incorporan al servicio militar.

despedir (o **echar**) **con cajas destempladas** Echar a una persona de un lugar con enfado y malos modos.

hacer caja Calcular el importe de las entradas y salidas de dinero, generalmente al final de un periodo.

FAM cajero, cajetilla, cajista.

cajero, -ra *s. m. y f.* **1** Persona que se dedica a llevar el control y atender los pagos y cobros en una entidad bancaria. ■ **cajero automático** Máquina conectada con un banco que permite hacer algunas operaciones bancarias, como sacar o meter dinero, en cualquier momento mediante una tarjeta especial que tiene asignada una clave personal. **2** Persona que se dedica a cobrar a los clientes en ciertos establecimientos.

cajetilla *s. f.* Paquete de cigarrillos o de tabaco picado.

cajista *s. com.* Persona que compone la caja o parte de la página que contiene los caracteres y la deja lista para imprimirse.

cajón *s. m.* **1** Caja sin tapa de un mueble que se puede meter y sacar del hueco en que encaja. **2** Caja grande, cuadrada o rectangular, sin tapa, y generalmente de madera, que sirve para guardar o llevar cosas pesadas: *hay que descargar esos cajones de fruta.* **3** CHILE Paso entre dos alturas poco distantes por cuyo fondo corre un río.

cajón de sastre Conjunto de cosas diversas y desordenadas y sitio en el que se reúnen.

de cajón familiar Que es evidente, lógico y seguro, según lo que se hace o se dice: *es de cajón que los nueve no cabemos en el coche.*

FAM cajonera.

cajonera *s. f.* **1** Conjunto de cajones que forma parte de un mueble, especialmente de un armario. **2** Mueble formado solamente por cajones. **3** Parte del pupitre escolar donde se guardan los libros y otras cosas.

cal *s. f.* Óxido de calcio; es una sustancia blanca, ligera, cáustica y alcalina que se obtiene calcinando caliza y otros materiales que contienen carbonato cálcico, y se emplea para fabricar cementos y para neutralizar terrenos ácidos: *en Andalucía son muy típicas las casas pintadas con cal.* ■ **cal muerta** Cal hidratada. ■ **cal viva** Cal sin agua.

a cal y canto Indica que algo se cierra o está cerrado completamente, con la intención de que nadie o nada pueda entrar o salir.

una de cal y otra de arena Indica alternancia de cosas diversas o contrarias: *el futbolista dio una de cal y otra de arena: marcó dos goles pero fue expulsado.*

FAM calcáreo, calcificar, calcímetro, calcio, calcita, calera; encalar.

cala[1] *s. f.* Parte pequeña del mar que entra en la tierra y suele estar rodeada de rocas: *la cala es más pequeña que la ensenada.* FAM caleta.

cala[2] *s. f.* **1** Trozo pequeño que se corta de una fruta para probarla. **2** Agujero que se hace en un terreno o en una obra de fábrica para reconocer su profundidad, composición o estructura. **3** Parte más baja del interior de una embarcación. **4** familiar Peseta (unidad monetaria): *cada entrada al concierto costaba dos mil calas.*

cala[3] *s. f.* Planta acuática de jardín, con hojas de rabillos largos, flor blanca en forma de cucurucho, dentro de la cual hay un apéndice alargado de color amarillo.

calabacera *s. f.* Calabaza (planta).

calabacín *s. m.* **1** Calabaza pequeña de forma cilíndrica con carne blanca cubierta por una corteza verde. **2** familiar Persona que es poco inteligente.

calabaza *s. f.* **1** Fruto comestible de gran tamaño y forma redonda, de pulpa carnosa de color amarillo o naranja, con muchas semillas en su interior: *las pipas de calabaza son más grandes que las de girasol.* **2** Planta de tallos largos que crecen a ras de suelo cubiertos de pelo áspero, hojas anchas y flores amarillas, que produce este fruto. SIN calabacera. **3** familiar Cabeza de una persona, especialmente si es grande. SIN melón. **4** familiar Suspenso en una asignatura.

dar calabazas (I) Suspender un examen a un alumno. (II) Rechazar a un pretendiente amoroso.

FAM calabacera.

calabobos *s. m.* Lluvia muy fina y continua. SIN chirimiri, sirimiri.

OBS Plural invariable.

calabozo[1] *s. m.* **1** Celda incomunicada de una cárcel. **2** Lugar de un cuartel o una comisaría destinado a encerrar a un arrestado. **3** Lugar pequeño y oscuro, generalmente construido bajo tierra, donde se encerraba a los presos. SIN mazmorra.

calabozo[2] *s. m.* Herramienta cortante de acero que sirve para podar o cortar árboles y arbustos.

calada *s. f.* Chupada que se da a un cigarrillo o a otra cosa que se fuma para absorber el humo.

caladero *s. m.* Lugar a propósito para echar las redes de pesca.

calado *s. m.* **1** Labor o adorno hecho en una tela, papel o madera consistente en una serie de agujeros que forman un dibujo. **2** Profundidad que alcanza en el agua la parte sumergida de una embarcación: *buque de gran calado.* **3** Distancia que hay entre el fondo del mar y la superficie del agua: *calado de un puerto.* **4** Importancia o repercusión que puede tener una persona o cosa: *reformas de gran calado.*

calador, -ra *s. m.* Bol., Chile, Perú Punzón cónico para pinchar un saco de grano, harina o productos similares y sacar una muestra de su contenido sin abrir los bultos y sin dejar marca.

caladora *s. f.* Máquina herramienta de corte, portátil, dotada de una hoja de sierra corta a la que se le aplica un movimiento de vaivén (arriba abajo) o pendular (arriba abajo con un pequeño desplazamiento hacia adelante) que permite realizar el corte deslizando la sierra a lo largo de la superficie que se trabaja: *con una caladora pueden hacerse cortes rectos o curvos sobre cualquier superficie con mucha facilidad.*

calafatear *v. tr.* Cerrar las uniones de las maderas de una embarcación con estopa y brea para que no entre el agua.
FAM calafateado, calafateador, calafateo.

calagurritano, -na *adj.* **1** De Calahorra (localidad de La Rioja). ‖ *s. m. y f./adj.* **2** Persona que es de Calahorra.

calamar *s. m.* Molusco marino de cuerpo alargado y oval, con ocho tentáculos cortos y dos largos alrededor de la cabeza; no tiene concha externa, sino una interna transparente en forma de tubo; se mueve propulsándose mediante un chorro de agua expedido con fuerza, y, para ocultarse, segrega un líquido negro o tinta con el que enturbia el agua.

calambre *s. m.* **1** Contracción involuntaria y dolorosa de un músculo, especialmente el de la pantorrilla. SIN rampa. **2** Temblor del cuerpo producido por el paso de una descarga eléctrica de baja intensidad a través de él.
FAM acalambrarse, encalambrarse.

calambur *s. m.* Figura retórica que consiste en la unión de las sílabas de dos o más palabras contiguas, variando el lugar habitual de separación entre ellas, con el fin de obtener un significado distinto al que tienen en su posición normal: *ejemplos de calambur son "oro parece, plata no es" y "yo lo coloco, y ella lo quita".*

calamidad *s. f.* **1** Desgracia, adversidad o infortunio que afecta a muchas personas: *el hambre, la guerra, las enfermedades, la miseria y otras calamidades azotan al Tercer Mundo.* **2** familiar Persona a la que todo le sale mal por torpeza o mala suerte. SIN desastre. **3** familiar Cosa mal hecha, de mala calidad o que produce mala impresión: *el viaje fue una calamidad.* SIN desastre.

calamitoso, -sa *adj.* **1** Que constituye una calamidad, es causa de calamidades o va acompañado de ellas: *estado calamitoso; día calamitoso.* **2** Se aplica a la persona que es infeliz o desdichada o a quien todo le sale mal por torpeza o mala suerte.

cálamo *s. m.* **1** Tallo cilíndrico, liso y desprovisto de hojas y ramas, como el del junco. **2** Parte inferior de la pluma de un ave, pelada, cilíndrica y hueca, que se inserta en la piel. **3** Instrumento antiguo para escribir consistente en una caña o pluma cortada oblicuamente por un extremo para formar una punta que se mojaba en tinta.

calandria¹ *s. f.* Ave parecida a la alondra, de dorso gris amarillento y vientre blanquecino, con una mancha negra a cada lado del cuello, alas anchas y pico grande; viven en zonas áridas de pasto o monte bajo y en terrenos pedregosos, y tienen un bonito canto.

calandria² *s. f.* Máquina con un sistema de cilindros que sirve para prensar o satinar papel o tela.

calaña *s. f.* Manera de ser o condición de una persona, especialmente si es de carácter negativo: *no me trato con gente de su calaña.*

cálao *s. m.* Ave trepadora de pico muy grueso, largo y arqueado, sobre el cual tiene un voluminoso apéndice córneo; hay muchas especies diferentes, de plumaje oscuro y tamaños muy diversos.

calapé *s. m.* Amér. Tortuga asada en su concha.

calapié *s. m.* Puntera metálica adaptable a un pedal de bicicleta, que permite apoyar el pie en ella para facilitar el pedaleo.

calar *v. tr./intr.* **1** Penetrar un líquido en un cuerpo poroso o permeable: *el agua ha calado el techo; el agua ha calado en el techo.* ‖ *v. tr.* **2** Atravesar con un instrumento un cuerpo de lado a lado: *caló la tabla con la barrena.* **3** Adornar una tela, papel o madera haciéndole agujeros que forman un dibujo. **4** Cortar un trozo pequeño de una fruta, generalmente de un melón o de una sandía, para probarla. **5** familiar Conocer o adivinar las verdaderas cualidades o intenciones de una persona: *no me vengas con rodeos y dime la verdad, que ya te he calado.* **6** familiar Comprender el motivo, razón o secreto de una cosa: *cuando caló el trasfondo del negocio renunció a él.* ‖ *v. intr.* **7** Producir una impresión: *sus últimas palabras calaron en el auditorio.* ‖ *v. tr.* **8** Bajar un objeto haciéndolo resbalar sobre otro, especialmente entre marineros. **9** Sumergir algo en el agua, especialmente las redes o artes de pesca. **10** Alcanzar el casco de un barco una determinada profundidad. **11** Inclinar hacia delante un arma, como una bayoneta, una pica, etc., con intención de atacar. ‖ *v. prnl.* **12** **calarse** Mojarse una persona hasta que el agua penetra en la ropa y llega hasta el cuerpo: *calarse hasta los huesos.* **13** Ponerse un objeto o una prenda de vestir, especialmente una gorra o un sombrero, ajustándola bien en una parte del cuerpo: *calarse el sombrero.* **14** Pararse un motor por estar frío o no llegarle la cantidad suficiente de combustible: *el coche se ha calado y tendremos que empujar todos.*
FAM cala, calador; recalar.

calavera *s. f.* **1** Conjunto de huesos que forman la cabeza, cuando permanecen unidos y están despojados de la piel y la carne: *la calavera es un símbolo de la muerte.* ‖ *s. m.* **2** Hombre de poco juicio o libertino: *es un calavera y está todas las noches de parranda.* ‖ *s. f.* **3** Méx. Conjunto de luces de posición que los vehículos con motor llevan en la parte posterior.
FAM calaverada.

calcado, -da *adj.* familiar Que es muy parecido o casi igual: *estos niños son calcados a su madre.* SIN clavado, idéntico.

calcamonía *s. f.* Calcomanía.

calcáneo *s. m.* Hueso corto que forma el talón del pie.

calcañal *s. m.* Calcañar.

calcañar *s. m.* Parte posterior de la planta del pie: *el calcañar forma la parte inferior del talón.* SIN calcañal.

calcar *v. tr.* **1** Sacar copia, generalmente de un texto o un dibujo, por contacto del original con el papel o tela en el que se reproduce: *se puede calcar colocando un papel transparente encima o un papel de calco debajo.* **2** Copiar, imitar o reproducir fielmente una cosa.
FAM calcado, calco.

calcáreo, -rea *adj.* Que tiene calcio. SIN calizo.

calce *s. m.* Cuña que se pone entre el suelo y la rueda de un vehículo para inmovilizarlo o bajo la pata de un mueble para afirmarlo e impedir que cojee. **SIN** calza, calzo.

calceta *s. f.* ① Tejido de punto que se hace a mano. ② Grillete de presidiario.
FAM calcetar.

calcetín *s. m.* Prenda de vestir de punto, generalmente de lana o algodón, que cubre el pie y la pierna hasta la rodilla.
FAM calceta.

cálcico, -ca *adj.* Relativo al calcio: *el mármol está formado por carbonato cálcico.*

calcificación *s. f.* ① Asimilación de sales de calcio durante el proceso de formación de los huesos. ② Acumulación patológica de sales de calcio en un tejido orgánico que no es el óseo, como un conducto o un tumor. ③ Formación de depósitos de carbonato cálcico a partir de un agua dura.

calcificar *v. tr.* ① Producir carbonato de cal por medios artificiales. ② Dar a un tejido orgánico propiedades calcáreas mediante la adición de sales de calcio. ‖ *v. prnl.* ③ **calcificarse** Modificarse o degenerar un tejido orgánico por la acumulación de sales de calcio.
FAM calcificación; descalcificar.

calcinar *v. tr.* ① Quemar o destruir mediante el fuego. ② Someter los minerales a altas temperaturas para que desaparezcan el agua y el carbono. ③ Reducir a cal viva un mineral calcáreo mediante el calor.
FAM calcinación.

calcio *s. m.* Elemento químico de símbolo *Ca* y número atómico 20; es un metal alcalinotérreo muy blando, de color blanco brillante; se oxida con el aire y el agua y, combinado con el oxígeno, forma la cal.
FAM cálcico.

calcita *s. f.* Mineral formado por carbonato de calcio cristalizado: *el mármol es una roca metamórfica que se forma a partir de la calcita.*

calco *s. m.* ① Copia de un texto o un dibujo por contacto del original con el papel o tela en el que se reproduce. ② Copia, imitación o reproducción idéntica o muy parecida al original: *su forma de ser es un calco de la de su padre.* ③ Adaptación de una palabra extranjera traduciendo su significado completo o el de cada uno de sus elementos formantes: *la palabra "baloncesto" es un calco del inglés "basket-ball".* ■ **calco semántico** Adaptación del significado de una palabra extranjera a una palabra que ya existe en una lengua.

calcografía *s. f.* Arte y técnica de estampar imágenes por medio de planchas metálicas, generalmente de cobre, grabadas con buril o por corrosión con ácido.
FAM calcógrafo.

calcolítico, -ca *adj./s. m.* ① Se aplica al periodo prehistórico que es el primero de la Edad de los Metales, y que se caracteriza por el uso del cobre en la fabricación de armas y herramientas: *el calcolítico también es llamado "Edad del Cobre".* **SIN** eneolítico. ‖ *adj.* ② Relativo a este periodo prehistórico. **SIN** eneolítico.

calcomanía *s. f.* ① Papel con una imagen al revés preparada con una sustancia pegajosa para que se pueda traspasar por contacto a una superficie lisa: *la calcomanía sirve para decorar cerámica, madera, cristal o tela.* **SIN** calcamonía. ② Imagen de este papel impresa por contacto en una superficie lisa. **SIN** calcamonía.

calcopirita *s. f.* Mineral compuesto de sulfuro natural de cobre y hierro, no muy duro, de color amarillo claro; es la mena más importante de cobre.

calculable *adj.* Que puede ser calculado. **ANT** incalculable.

calculador, -ra *adj./s. m. y f.* Se aplica a la persona que hace las cosas después de haberlas pensado con cuidado y únicamente en función del interés material que pueden reportarle: *no debes ser frío y calculador con los amigos.*

calculadora *s. f.* Máquina que sirve para realizar operaciones aritméticas mediante un procedimiento mecánico o electrónico: *las calculadoras electrónicas efectúan las operaciones con gran rapidez.* ■ **calculadora científica** Calculadora que permite realizar, además de las operaciones básicas, cálculos más complejos, como raíces de índice superior a dos, senos, cosenos, tangentes, logaritmos, variables estadísticas, etc.

calcular *v. tr.* ① Hacer las operaciones matemáticas necesarias para averiguar un resultado: *con esos datos calcula cuánto cuesta cada uno.* ② Creer o suponer una cosa considerando otras: *¿cuántos años le calculas?* ③ Pensar con cuidado y atención un asunto intentando considerar todos los detalles: *calcular un golpe.*
FAM calculable, calculador, calculadora, cálculo.

cálculo *s. m.* ① Operación o conjunto de operaciones matemáticas que son necesarias para averiguar un resultado. **SIN** cuenta. ② Suposición o juicio que se forma a partir de unos datos incompletos o aproximados. **SIN** cábala, conjetura. ③ Acumulación anormal de pequeños trozos de materia mineral u orgánica que se forma en algunos órganos huecos del cuerpo, generalmente en las vías urinarias y biliares: *le han diagnosticado varios cálculos en el riñón.* **SIN** piedra. ④ Parte de las matemáticas que estudia las cantidades variables y sus diferencias: *el cálculo infinitesimal, diferencial e integral son ramas de la ciencia matemática.* ■ **cálculo integral** Parte de las matemáticas que estudia las cantidades variables, conocidas sus diferencias infinitamente pequeñas.
FAM calculista, calculoso.

calda *s. f.* ① Introducción de combustible en un horno de fundición. ‖ *s. f. pl.* ② **caldas** Aguas termales o agua que brota de la tierra con una temperatura superior a la normal.

caldario *s. m.* Sala de las termas romanas donde se tomaban baños de vapor.

caldear *v. tr.* ① Dar mucho calor, especialmente en un sitio cerrado: *la habitación se ha caldeado.* ② Hacer que se levanten los ánimos o que se pierda la calma: *sus acusaciones caldearon la reunión.* **SIN** calentar. ③ Poner el hierro al rojo para trabajarlo.
FAM caldeamiento, caldeo.

caldeo, -dea *adj.* ① Relativo a un pueblo semita procedente de Arabia que habitaba en la antigua región mesopotámica de Caldea, en la península de Anatolia. ‖ *s. m. y f./adj.* ② Persona perteneciente a este pueblo. ‖ *s. m./adj.* ③ Antigua lengua semítica que hablaba este pueblo en la península de Anatolia.

caldera *s. f.* ① Recipiente metálico dotado de una fuente de calor donde se calienta o hace hervir el agua, especialmente la que circula por los tubos y radiadores de la calefacción de un edificio. ■ **caldera de vapor** Recipiente cerrado de metal donde se hierve agua hasta conseguir el vapor necesario para mover una máquina con la presión de este como fuerza motriz. ② Vasija de metal con dos asas, grande y de fondo redondeado, que se usa para calentar una cosa o poner a co-

cer algo dentro de ella. **3** Depresión del terreno originada por explosiones o erupciones volcánicas muy intensas.
FAM calderero.

calderero, -ra *s. m. y f.* Persona que se dedica a hacer, arreglar o vender recipientes de metal, como calderas y calderos. FAM caldereria.

caldereta *s. f.* **1** Guiso elaborado con pescado, pimientos, cebollas, patatas y tomates. **2** Guiso elaborado con carne de cordero o cabrito.

calderilla *s. f.* Dinero que está en forma de monedas, no en billetes y generalmente de poco valor: *tiene el bolsillo roto y se le ha caído toda la calderilla.*

caldero *s. m.* Recipiente parecido a una caldera pero más pequeño, metálico, de fondo redondeado casi semicsférico y con una sola asa móvil que va de lado a lado, destinado a calentar o cocer un líquido.

calderón *s. m.* **1** Signo ortográfico (¶) con el que antiguamente se señalaba un párrafo. **2** Signo musical en forma de semicircunferencia con las puntas hacia abajo y con un punto dentro; colocado sobre una nota o un silencio, indica que estos deben tocarse o cantarse más tiempo del que marca su valor, a gusto del intérprete: *un calderón colocado sobre una negra puede significar que la negra se interpreta, en realidad, como una blanca o una redonda.* **3** Mamífero marino parecido al delfín pero más grande, con la cabeza voluminosa, aletas estrechas y largas y color negruzco. **4** MÉX. Planta cuyo jugo se utiliza en medicina como insecticida.

caldo *s. m.* **1** Alimento líquido que resulta de cocer en agua carne, pescado o verdura. ■ **caldo gallego** Potaje compuesto de verduras, judías blancas y patatas con carne de vaca o cerdo. **2** Vino u otro jugo vegetal destinado a la alimentación y extraído directamente de un fruto: *los caldos riojanos de este año han sido calificados de excelentes.*
caldo de cultivo (I) Líquido preparado para el desarrollo y estudio de las bacterias y otros microorganismos: *muchas vacunas se han conseguido a partir de caldos de cultivo.* (II) Lugar o ambiente adecuado para el desarrollo de una cosa que se considera importante: *el paro y la crisis económica fueron el caldo de cultivo en el que surgió la revolución.*
poner a caldo Expresar severamente la desaprobación sobre lo que ha hecho una persona: *lo pusieron a caldo por haber revelado el secreto.*
FAM caldoso; sopicaldo.

caldoso, -sa *adj.* Que tiene mucho caldo.

calé *adj./s. com.* **1** Se aplica a la persona perteneciente a un pueblo nómada que probablemente tuvo su origen en la India y que se extendió por todo el mundo. SIN gitano. I *adj.* **2** Relativo a este pueblo. SIN gitano.

calefacción *s. f.* **1** Calentamiento de un lugar. **2** Conjunto de aparatos que forman un sistema y sirven para calentar un lugar.
FAM calefactor.

calefactor, -ra *adj.* **1** Que hace subir la temperatura de una cosa. I *s. m. y f.* **2** Persona que se dedica a instalar y arreglar los aparatos de calefacción. I *s. m.* **3** Aparato eléctrico que calienta un lugar convirtiendo el aire del ambiente en aire caliente.

caleidoscopio [también **calidoscopio**] *s. m.* Tubo con dos o tres espejos inclinados en su interior y varias piezas sueltas de colores en uno de sus extremos que se pueden ver por el otro formando distintas figuras simétricas a medida que se va girando el tubo.

calendario *s. m.* **1** Registro impreso de los días del año ordenados por meses y por semanas, que generalmente incluye información sobre las fases de la Luna y sobre las festividades religiosas y civiles: *los domingos y días festivos se señalan en rojo en el calendario.* SIN almanaque. ■ **calendario perpetuo** Conjunto de datos que, mediante las operaciones se que indican, permite saber cómo se distribuyen los meses, semanas y días de cualquier año. **2** Sistema de división del tiempo por días, semanas, meses y años. ■ **calendario cristiano** Calendario que se calcula a partir del año de nacimiento de Jesucristo y que actualmente se organiza según el calendario gregoriano. ■ **calendario eclesiástico** o **calendario litúrgico** Calendario anual en el que se distribuyen las celebraciones religiosas de la Iglesia católica: *en el calendario litúrgico podemos encontrar Adviento, Cuaresma y Pascua.* ■ **calendario escolar** Sistema de división del tiempo que fija los días lectivos y festivos para profesores y estudiantes. ■ **calendario gregoriano** o **calendario nuevo** o **calendario renovado** Sistema de división del tiempo que divide el año en siete meses de treinta y un días, cuatro meses de treinta días y un mes con veintiocho días, excepto el año bisiesto, que añade un día más: *el calendario gregoriano es el utilizado por los países occidentales.* ■ **calendario islámico** Calendario usado en gran parte de los países musulmanes que se calcula a partir del año en que Mahoma huyó de La Meca a Medina (622 d. C.). ■ **calendario judío** Calendario oficial de Israel y usado como calendario religioso por los judíos de otras partes del mundo, que se calcula a partir del año de la creación del mundo según la tradición (3761 a. C.). ■ **calendario laboral** Sistema de división del tiempo que elabora el gobierno de una nación para fijar los días de trabajo y de fiesta durante el año. **3** Plan ordenado del conjunto de las actividades previstas durante un periodo.

calendas *s. f. pl.* Primer día de cada mes del antiguo calendario romano y del eclesiástico romano.
ad calendas graecas Expresión latina con que se hace referencia a un tiempo que nunca ha de llegar, pues los griegos no tenían calendas.

caléndula *s. f.* Planta de jardín de flores compuestas de color anaranjado y hoja lanceolada, abundante en el Mediterráneo.

calentador, -ra *adj.* **1** Que hace subir la temperatura de una cosa. I *s. m.* **2** Aparato que calienta el agua para usos domésticos: *el calentador puede ser eléctrico o de gas.* **3** Utensilio o recipiente que sirve para calentar una cosa: *calentador de cama.* I *s. m. pl.* **4** **calentadores** Predas de punto, normalmente de lana o algodón, que sirven para mantener calientes las piernas desde el tobillo hasta la rodilla y que son usados por bailarines y gimnastas para evitar tirones y calambres.

calentamiento *s. m.* **1** Aumento de la temperatura mediante la transmisión de calor. **2** Serie de ejercicios deportivos para entrar en calor antes de practicar un deporte, desentumecer los músculos y evitar lesiones.
FAM precalentamiento, sobrecalentamiento.

calentar [1] *v. tr./intr.* **1** Transferir calor a un cuerpo para hacer subir su temperatura. ANT enfriar. I *v. tr.* **2** familiar Causar incomodidad o perturbar la tranquilidad de alguien. **3** familiar Excitar o avivar el apetito sexual. I *v. tr./intr.* **4** familiar Dar golpes a una persona: *es muy travieso y sus padres le han calen-*

C

tado el culo más de una vez. ‖ *v. tr.* ⑤ Hacer que se levanten los ánimos o que se pierda la calma: *calentar una discusión.* **SIN** caldear. **ANT** enfriar. ⑥ Aumentar la velocidad de una cosa. ‖ *v. tr./intr.* ⑦ Hacer ejercicios para entrar en calor antes de practicar un deporte, desentumecer los músculos y evitar lesiones: *si no calientas puedes sufrir un tirón.* **FAM** calentador, calentamiento, calentón, calentura, calientapiés, calientaplatos, caliente; recalentar.

calentón *s. m.* Calentamiento brusco e intenso, especialmente de un motor: *me quedé sin agua y el coche casi arde del calentón que recibió el motor.*

calentura *s. f.* ① Síntoma de enfermedad que consiste en la elevación de la temperatura del cuerpo por encima de lo normal y el aumento del ritmo cardíaco y respiratorio. **SIN** fiebre. ② Herida que se forma en los labios, generalmente a causa de la fiebre. **FAM** calenturiento.

calenturiento, -ta *adj./s. m. y f.* ① Que se excita y altera en exceso. ② Que presenta síntomas de fiebre.

calera *s. f.* Cantera de donde se saca piedra caliza.

calesa *s. f.* Coche de caballos de dos o cuatro ruedas con la caja abierta por delante y con capota plegable.

calesera *s. f.* Canción popular andaluza igual que la seguidilla (estrofa de cuatro o siete versos) pero sin estribillo.

caleta *s. f.* Cala pequeña, parte pequeña del mar que entra en la tierra.

caletre *s. m.* familiar Capacidad de pensar y obrar con prudencia, inteligencia, sensatez y juicio.

calibrador *s. m.* Instrumento que sirve para calibrar.

calibrar *v. tr.* ① Medir el diámetro de un objeto cilíndrico. ② Dar a un objeto cilíndrico el diámetro que se desea. ③ Graduar exactamente un aparato o instrumento según una unidad de medida: *las probetas de laboratorio están calibradas.* ④ Estudiar con detalle la importancia o trascendencia de una cosa: *es preciso calibrar bien las ventajas e inconvenientes del asunto.* **FAM** calibración, calibrado, calibrador.

calibre *s. m.* ① Diámetro interior de un objeto cilíndrico hueco, especialmente el del cañón de un arma de fuego. ② Diámetro de un proyectil o de un alambre. ③ Importancia o trascendencia de una cosa: *mentira de gran calibre.* ④ Instrumento que sirve para medir con precisión la longitud o el diámetro de objetos pequeños: *con el calibre se puede apreciar hasta media décima de milímetro (0,05 mm).* **FAM** calibrar.

caliciforme *adj.* Que tiene forma de cáliz o copa.

calidad *s. f.* ① Propiedad o conjunto de propiedades inherentes a una cosa que permiten caracterizarla y valorarla como igual, mejor o peor que las restantes de su especie: *esta tela es de buena calidad.* ② Carácter de una persona. **en calidad de** Que realiza la acción con la función o cargo que se expresa: *declaró en calidad de testigo.*

cálido, -da *adj.* ① Que está caliente o que produce calor: *climas, vientos o aires cálidos.* **ANT** frío, glacial. ② Que muestra afecto y cordialidad: *trabaja rodeado de un cálido ambiente.* **ANT** frío. ③ Que produce sensación de temperatura más alta que lo que le rodea. **SIN** caliente. **ANT** frío. ④ Se aplica al color que pertenece a la escala del rojo y del amarillo o se basa en la mezcla de ambas. **SIN** caliente. **ANT** frío.

calidoscopio *s. m.* Caleidoscopio.

calientapiés *s. m.* Aparato de calefacción que se coloca bajo los pies de una persona sentada. **SIN** calorífero. **OBS** Plural invariable.

calientaplatos *s. m.* Aparato o utensilio que sirve para mantener calientes durante un tiempo los platos cocinados. **OBS** Plural invariable.

caliente *adj.* ① Que tiene una temperatura alta o más alta de lo normal. **ANT** frío. ② Que muestra sentimientos pasionales: *ha sido un debate caliente.* **ANT** frío. ③ familiar Que acaba de suceder. ④ Que produce sensación de temperatura alta o retiene el calor: *este salón es muy caliente en verano.* **SIN** cálido. **ANT** frío. ⑤ Se aplica al color que pertenece a la escala del rojo y del amarillo o se basa en la mezcla de ambas. **SIN** cálido. **ANT** frío. ⑥ familiar Que siente excitación sexual. **SIN** cachondo. **FAM** calentito, calenturón.

califa *s. m.* Jefe supremo musulmán que, como sucesor de Mahoma, ejercía el poder civil y religioso en todo el Imperio musulmán: *los califas ejercieron su poder en Asia, África y España.* **FAM** califal, califato.

califal *adj.* Relativo a los califas: *arte califal.*

califato *s. m.* ① Dignidad de califa. ② Territorio que gobernaba un califa: *en el siglo X los Omeyas se proclamaron califas, rivalizando con el califato de Bagdad.* ③ Tiempo durante el que gobernaba un califa o dinastía de califas: *durante el califato de Córdoba hubo importantes avances artísticos y científicos.* ④ Periodo histórico en el que hubo califas.

calificación *s. f.* ① Valoración de la suficiencia o no suficiencia de la persona que se examina. ② Puntuación o palabra con la que se expresa esta valoración. **SIN** nota. ③ Atribución de determinadas cualidades a una persona o cosa: *su mal comportamiento no merece calificación.*

calificado, -da *adj.* ① Se aplica a la persona que goza de autoridad, mérito y prestigio: *un cirujano muy calificado.* ② Se aplica a la cosa que tiene las cualidades y requisitos necesarios para una cosa.

calificador, -ra *adj.* Que califica.

calificar *v. tr.* ① Valorar el grado de suficiencia o la insuficiencia de los conocimientos mostrados por un alumno u opositor en un examen o ejercicio: *califiqué su examen con un notable.* ② Atribuir a una persona o cosa cierta cualidad: *no califiques de imposible lo que no has intentado.* ③ Expresar un adjetivo la cualidad de un sustantivo: *el adjetivo "simpático" puede calificar al sustantivo "hombre".* **FAM** calificación, calificado, calificador, calificativo; descalificar, incalificable.

calificativo, -va *adj.* ① Que determina o expresa unas cualidades. ‖ *s. m.* ② Juicio o expresión de cualidades utilizado para calificar una cosa o a una persona.

californiano, -na *adj.* ① De California (región de América del Norte): *la región californiana comprende un estado de Estados Unidos y dos de México.* ‖ *s. m. y f./adj.* ② Persona que es de California.

californio *s. m.* Elemento químico artificial de símbolo Cf y número atómico 98; es un metal radiactivo sólido que se obtiene bombardeando el curio con partículas alfa: *el californio pertenece al grupo de los actínidos.*

caligrafía *s. f.* ① Arte de escribir a mano con letra bella y correctamente formada según diferentes estilos. ② Conjunto

de rasgos característicos de la escritura de un documento, una persona, una época o un país: *caligrafía gótica; caligrafía cancelleresca.*
FAM caligrafiar, caligráfico, calígrafo.

caligrafiar *v. tr.* Escribir a mano con letra bella y correctamente formada.
OBS Verbo regular, se acentúa como *desviar.*

caligráfico, -ca *adj.* Relativo a la caligrafía.

calígrafo, -fa *s. m. y f.* ① Persona que escribe a mano con letra bella y bien hecha. ② Persona que tiene especiales conocimientos de caligrafía: *es un perito calígrafo.*

caligrama *s. m.* Poema o escrito en que las letras forman un dibujo que tiene relación con el contenido.

calima *s. f.* Niebla ligera formada por vapor de agua o partículas de polvo en suspensión que suele producirse en verano.
SIN calina.
FAM calimoso.

calimba *s. f.* CUBA Hierro para marcar los animales.

calimocho *s. m.* Bebida que se prepara mezclando vino tinto y refresco de cola.

calina *s. f.* Calima.
FAM calinoso.

cáliz *s. m.* ① Recipiente sagrado, generalmente en forma de copa, que se utiliza para consagrar el vino en la misa. ② Conjunto de amarguras, aflicciones o trabajos. ③ Cubierta exterior de la flor formada por hojas duras, generalmente de color verde (sépalos), por las que se une al tallo.
FAM caliciforme.

caliza *s. f.* Roca sedimentaria formada básicamente por calcita (carbonato de calcio); se utiliza para extraer la cal sometiéndola a altas temperaturas.

calizo, -za *adj.* Que tiene calcio. **SIN** calcáreo.

callada *s. f.* Efecto de callar o callarse.
dar la callada por respuesta No responder intencionadamente: *los gobiernos dieron la callada por respuesta ante la invasión militar del país.*

callado, -da *adj.* ① Poco hablador o reservado. **ANT** locuaz. ② Que transcurre en silencio: *noche callada; lugar callado.* **ANT** ruidoso.

callar *v. intr./prnl.* ① No hablar: *los que tienen que hablar callan.* ② Dejar de hablar o de hacer ruido o producir un sonido: *al hacer la pregunta, todos se callaron; los violines de la orquesta callaron.* **SIN** enmudecer. **ANT** sonar. | *v. tr./prnl. tr.* ③ No decir lo que se siente o se sabe: *calló un dato importante.*
FAM callado; acallar.

calle *s. f.* ① Vía pública de una población generalmente limitada por dos filas de edificios o solares: *cruza la calle por el paso de cebra.* ■ **calle mayor** Calle principal o más importante de un pueblo o ciudad. ■ **calle peatonal** Calle por la que solamente pueden circular personas. ② En una población, lugar descubierto y fuera de cualquier edificio o local: *hay muchos necesitados que viven en la calle.* ③ Camino o zona bordeada por dos líneas o hileras de cosas paralelas entre sí: *la pista de atletismo tiene ocho calles; las calles del tablero de damas o de ajedrez.* ④ Gente común o conjunto de personas que constituye la parte mayoritaria de la sociedad: *los políticos no quieren oír la opinión de la calle.*
dejar en la calle Quitarle a una persona sus bienes o el empleo con que se mantenía.
doblar la calle Girar en una esquina.

hacer la calle Buscar clientes en la vía pública una persona que se dedica a la prostitución.
llevar (o **traer**) **por la calle de la amargura** Hacer sufrir mucho a una persona.
FAM callejear, callejero, callejón, callejuela, pasacalles.

calleja *s. f.* Callejuela.

callejear *v. intr.* Andar por las calles sin dirección fija ni objetivo.
FAM callejeo.

callejero, -ra *adj.* ① Relativo a la calle: *perro callejero.* ② Se aplica a la persona a la que le gusta callejear. | *s. m.* ③ Lista o guía que contiene el nombre de las calles de una ciudad, generalmente acompañada de un plano para localizarlas.

callejón *s. m.* ① Calle o paso largo y estrecho entre paredes, casas o elevaciones del terreno. ② Espacio entre la barrera y el muro en el que comienza el tendido de una plaza de toros.
callejón sin salida Asunto o problema muy difícil o de solución imposible.
FAM callejear, callejero.

callejuela *s. f.* Calle corta y estrecha. **SIN** calleja.

callicida *s. m.* Sustancia que sirve para curar o quitar los callos.

callista *s. com.* Persona que se dedica a quitar o curar los callos y otras enfermedades de los pies. **SIN** pedicuro.

callo *s. m.* ① Dureza que por roce o presión se forma generalmente en los pies o en las manos. ② fam. desp. Persona muy fea. ③ Cicatriz que se forma al sanar la fractura de un hueso. | *s. m. pl.* ④ **callos** Guiso hecho con trozos del estómago de la vaca, la ternera o el carnero.
FAM callicida, callista, callosidad, calloso; encallecer.

callosidad *s. f.* Dureza más extensa y menos profunda que el callo.

calma *s. f.* ① Tranquilidad, ausencia de agitación y nervios en la forma de actuar: *tómate las cosas con calma.* **SIN** sosiego. ② Falta de ruido y movimiento en un lugar: *la calma reinaba en el hospital.* **SIN** quietud. ③ Estado de la atmósfera cuando no hay viento y del mar cuando no hay olas. ■ **calma chicha** Ausencia total de aire, especialmente en el mar. ④ Suspensión o reducción momentánea de una actividad, un estado o situación: *después de los días de crisis vino un corto periodo de calma.* ⑤ Falta de apresuramiento: *se vistió con calma.*
FAM calmar, calmo, calmoso; encalmar.

calmante *s. m./adj.* Sustancia o medicamento que hace que desaparezca o disminuya el dolor o la excitación nerviosa.
SIN analgésico, sedante, tranquilizante.

calmar *v. tr.* ① Disminuir o hacer desaparecer la excitación nerviosa: *trató de calmar a la multitud.* **SIN** aplacar, serenar, tranquilizar. ② Hacer que desaparezca o disminuya un dolor o una molestia: *este medicamento te calmará el dolor de cabeza.* ③ Disminuir o hacer desaparecer la fuerza, la intensidad o el ímpetu de algo: *sus palabras calmaron los ánimos de los damnificados.* | *v. prnl.* ④ **calmarse** Serenarse o apaciguarse el tiempo, el viento o el oleaje: *el viento se calmó al día siguiente.*
FAM calmante.

calmo, -ma *adj.* ① culto Que no está agitado: *mar calmo; actitud calma.* ② Se aplica al terreno que no está cultivado.
SIN estéril, yermo.

calmoso, -sa *adj.* ① Se aplica a la persona que es muy tranquila, que actúa con lentitud y sin preocupación ni nervios. ② Que está en calma: *tiempo calmoso.*

caló *s. m.* Lengua del pueblo gitano español. SIN romaní, romanó.

calor *s. m.* **1** Temperatura alta del ambiente. ANT frío. **2** Sensación de estar caliente que se experimenta al recibir los rayos del sol o al aproximarse o entrar en contacto con un cuerpo de temperatura más alta. ANT frío. **3** Sensación de estar caliente producida por una causa fisiológica o patológica: *tiene fiebre y siente mucho calor.* ANT frío. **4** Energía, producida por la vibración de las moléculas de un cuerpo, que pasa a otro cuerpo con menos temperatura cuando ambos están en contacto y hace que se equilibren sus temperaturas: *el calor puede llegar a fundir los sólidos y a evaporar los líquidos.* ■ **calor de fusión** Cantidad de energía calorífica que necesita una cantidad de una sustancia para pasar del estado sólido al líquido, a una temperatura y presión determinadas. ■ **calor de reacción** Cantidad de energía calorífica que interviene en una reacción química. ■ **calor de vaporización** Cantidad de energía calorífica que necesita una cantidad de una sustancia para pasar del estado líquido al gaseoso a una temperatura y presión determinadas. ■ **calor específico** Cantidad de energía calorífica que necesita un gramo de sustancia para que su temperatura se eleve en un grado centígrado: *el calor específico del agua es muy alto, porque es necesario mucho calor para que aumente su temperatura.* ■ **calor latente** Cantidad de energía calorífica que necesita una cantidad de una sustancia para experimentar un cambio de fase, a una temperatura y presión determinadas. **5** Afecto, especialmente en una acogida o recibimiento. **6** Viveza o energía al hacer una cosa. **al calor de** Con la ayuda o amparo de algo o de alguien. **entrar en calor** Empezar una persona que tenía frío a notar que sube la temperatura de su cuerpo. FAM caloría, caloricidad, calórico, calórifero, calorífico, calorífugo, calorimetría, caluroso; acalorar.

caloría *s. f.* **1** Unidad de energía térmica, de símbolo *cal,* que equivale a la cantidad de calor necesaria para elevar un grado centígrado la temperatura de un gramo de agua: *una caloría equivale a 4,184 joules.* **2** Unidad de medida del contenido energético de los alimentos que consiste en el número de calorías que un peso determinado de alimento puede desarrollar en los tejidos, o en el trabajo físico equivalente a ellas: *dieta baja en calorías.* FAM calórico; hipocalórico.

calórico, -ca *adj.* **1** Relativo al calor: *potencia calórica.* SIN calorífico. **2** Relativo a las calorías: *complemento calórico.* ❙ *s. m.* **3** Sustancia a la que se atribuía antiguamente el origen de la combustión y la oxidación.

calorífero, -ra *adj.* **1** Que conduce o propaga el calor. ❙ *s. m.* **2** Aparato de calefacción con un único foco que produce el calor y varios conductos por los que lo propaga. **3** Calientapiés.

calorífico, -ca *adj.* **1** Que produce calor: *energía calorífica.* **2** Relativo al calor. SIN calórico.

calorífugo, -ga *adj.* Que impide o dificulta la transmisión del calor.

calorimetría *s. f.* **1** Parte de la física que estudia y mide el calor absorbido o cedido en los procesos físicos o químicos. **2** Medida de las constantes térmicas de un proceso.

calorímetro *s. m.* Instrumento para determinar el calor específico de un cuerpo y para medir la cantidad de calor absorbido o cedido en un proceso físico o químico.

calostro *s. m.* Primera leche que da la hembra después de parir. OBS También en plural con el mismo significado que en singular.

calotipo *s. m.* Método fotográfico que consiste en utilizar un papel sensible recubierto de yoduro de plata para obtener imágenes granuladas de color sepia o violado.

calumnia *s. f.* Acusación falsa hecha contra alguien con la intención de causarle daño. FAM calumniador, calumniar.

calumniador, -ra *adj./s. m. y f.* Se aplica a la persona que calumnia.

calumniar *v. tr.* Acusar falsamente a alguien con la intención de causarle daño. OBS Verbo regular, se acentúa como *cambiar.*

caluroso, -sa *adj.* **1** Que siente calor o que lo produce: *es muy caluroso y no lleva abrigo; jersey caluroso.* **2** Que tiene o muestra afecto y sinceridad: *calurosa acogida.*

calva *s. f.* **1** Parte de la cabeza de la que se ha caído el pelo: *acarició su brillante calva.* **2** Parte de una piel, felpa u otro tejido semejante que ha perdido el pelo: *cambia las alfombrillas del coche, que están llenas de calvas.* **3** Calvero (zona o claro sin árboles). **4** Juego consistente en tirar piedras a un madero hincado en el suelo.

calvario *s. m.* Sufrimiento intenso y prolongado o sucesión de padecimientos y desgracias: *pasar un calvario; sufrir un calvario.*

calvero *s. m.* **1** Zona o claro sin árboles en el interior de un bosque. SIN calva. **2** Zona sin plantas en un sembrado o plantación.

calvicie *s. f.* Falta de pelo en la cabeza.

calvinismo *s. m.* Doctrina religiosa protestante que tuvo su origen en las ideas del teólogo francés Juan Calvino en el siglo XVI; se distingue por creer en la predestinación absoluta y negar el libre albedrío y la presencia real de Cristo en la Eucaristía. FAM calvinista.

calvinista *adj.* **1** Relativo al calvinismo. ❙ *adj./s. com.* **2** Se aplica a la persona partidaria del calvinismo.

calvo, -va *adj./s. m. y f.* Se aplica a la persona que ha perdido total o parcialmente el pelo de la cabeza. FAM calva, calvicie.

calza *s. f.* **1** Prenda de vestir que, según la época, cubre toda la pierna (como una media) o parte del muslo (como un pantalón corto bombacho). NOTA Generalmente en plural con el mismo significado que en singular. **2** Antigua prenda de vestir masculina que cubría toda la pierna o parte de ella. NOTA Generalmente en plural con el mismo significado que en singular. **3** Cuña que se pone entre el suelo y la rueda de un vehículo para inmovilizarlo, o bajo la pata de algún mueble para afirmarlo e impedir que cojee. SIN calce, calzo. FAM calzón.

calzada *s. f.* **1** Parte de la calle, situada entre dos aceras, o de la carretera destinada a la circulación de vehículos. **2** Camino ancho y empedrado, especialmente el de las grandes vías construidas por el Imperio romano: *las calzadas romanas unían Roma con todas las provincias de su imperio.*

calzado, -da *adj.* **1** Que lleva cubiertos los pies con zapatos, zapatillas o prenda semejante. ANT descalzo. ❙ *adj./s. m. y f.* **2** Se aplica al religioso que pertenece a una orden en la que, por regla, se permite llevar los pies cubiertos: *trinitarios calzados; carmelitas calzados*. **ANT** descalzo. ‖ *adj.* ③ Se aplica al animal que tiene de distinto color los extremos de las patas. ④ Se aplica al ave que tiene las patas cubiertas de plumas. ‖ *s. m.* ⑤ Prenda de vestir que sirve para cubrir y resguardar exteriormente el pie y a veces también la pierna.

calzador *s. m.* Utensilio rígido y con forma acanalada que sirve para ayudar a meter el pie en el calzado.

calzar *v. tr.* ① Cubrir el pie y a veces la pierna con el calzado: *calzó sus pies con unas sandalias*. ② Llevar puestos o usar objetos que se adaptan al pie o a la mano: *calza unas botas negras*. ③ Proporcionar calzado: *con este sueldo no gano para vestir y calzar a la familia*. ④ Poner una cuña o calzo para inmovilizar una rueda o impedir que cojee un mueble. **ANT** descalzar. ⑤ Rellenar con oro un diente o muela. ⑥ COL., ECUAD. Eliminar la acción de la caries obturando las picaduras. ⑦ GUAT. Firmar al pie de un escrito. ⑧ MÉX. Cubrir ciertas hortalizas con tierra para que se hagan blancas y tiernas. **FAM** calce, calzado, calzador, calzo; descalzar, recalzar.

calzo *s. m.* ① Cuña que se pone entre el suelo y la rueda de un vehículo para inmovilizarlo o bajo la pata de algún mueble para afirmarlo e impedir que cojee. **SIN** calce, calza. ‖ *s. m. pl.* ② **calzos** Extremidades de una caballería, especialmente cuando son de color distinto del resto del cuerpo.

calzón *s. m.* Pantalón que llega hasta la mitad del muslo o hasta la rodilla, generalmente usado por los hombres. **FAM** calzonazos, calzoncillos. **OBS** También en plural con el mismo significado que en singular.

calzonazos *s. m.* Hombre de carácter débil que se deja dominar con facilidad por otra persona, especialmente por su mujer. **OBS** Plural invariable.

calzoncillo *s. m.* Prenda de ropa interior masculina que generalmente cubre desde la cintura hasta parte de los muslos. **OBS** Generalmente en plural con el mismo significado que en singular.

CAM Sigla de la expresión inglesa *Computer Aided Manufacturing*, fabricación asistida por ordenador: *mediante CAM, el ordenador puede almacenar una representación tridimensional del objeto que se va a fabricar*. **OBS** Se construye normalmente en aposición a otro sustantivo: *equipos CAM*.

cama *s. f.* ① Mueble formado por una armazón sobre la que se pone un colchón, almohadas y ropas y que sirve para que las personas duerman o descansen sobre él. **SIN** lecho. ■ **cama de matrimonio** Cama que tiene capacidad para dos personas. ■ **cama nido** Cama compuesta por dos superficies que se guardan una bajo la otra formando un mueble. ■ **cama turca** Cama que no tiene cabecera ni pies. ② Objeto que tiene forma parecida a este mueble. ■ **cama elástica** Lámina de goma sujeta por muelles que sirve para saltar encima. ③ Lugar donde se echan los animales para descansar o dormir: *el pastor ha preparado una cama de paja para el ganado*. **SIN** lecho. ④ Plaza para un enfermo en un hospital o para un alumno en un internado: *faltan camas y no puede ingresar en el hospital*.

caer en cama Acostarse por estar enfermo.

estar en (o **guardar**) **cama** Descansar echado en la cama durante un tiempo para curar una enfermedad.

hacerle la cama Trabajar en secreto para hacerle daño a alguien.

FAM camastro, camilla; encamar.

camada *s. f.* Conjunto de las crías de ciertos mamíferos que nacen de una vez: *camada de gatos*.

camafeo *s. m.* ① Piedra preciosa de gran dureza, generalmente ónice, que tiene tallada una figura en relieve. ② Figura tallada en relieve en una piedra preciosa de gran dureza.

camal *s. m.* PERÚ Matadero principal, generalmente de propiedad municipal.

camaleón *s. m.* Reptil arborícola de cuerpo comprimido, con cuatro patas cortas, cola prensil, ojos grandes con movimiento independiente y lengua larga y pegajosa con la que caza los insectos de que se alimenta; su piel cambia de color adaptándose al del lugar en el que se encuentra. **FAM** camaleónico.

camaleónico, -ca *adj.* ① Que cambia de opinión o de actitud con facilidad y según le conviene: *conducta camaleónica*. ② Que se acomoda con facilidad a diferentes situaciones: *es una persona camaleónica*.

camalote *s. m.* AMÉR. Nombre de ciertas plantas acuáticas que crecen en las orillas de los ríos y lagunas, de tallo largo y hueco, hojas en forma de plato, flores azules o blancas y vesículas llenas de aire que les permiten flotar y desplazarse con las corrientes.

camambú *s. m.* AMÉR. Planta silvestre de flor amarilla que da un fruto pequeño, blanco y muy dulce.

cámara *s. f.* ① Aparato que sirve para registrar imágenes estáticas o en movimiento: *cámara fotográfica; cámara de vídeo*. ■ **cámara de niebla** Aparato que sirve para fotografiar las trayectorias de las partículas elementales: *la cámara de niebla fue inventada por Charles Wilson en 1911*. ■ **cámara lenta** Rodaje acelerado de una secuencia para que al reproducirla a la velocidad normal cause un efecto de lentitud en los movimientos. ■ **cámara oscura** Aparato óptico a manera de caja cerrada con un orificio en una de sus paredes a través del cual pasan los rayos luminosos, que por medio de una lente forman una imagen invertida de los objetos exteriores sobre la pared opuesta: *la cámara oscura fue utilizada por muchos pintores desde el siglo XV y constituye el mecanismo en que se basa la cámara fotográfica*. ② Recinto o espacio cerrado por paredes. ■ **cámara acorazada** Cámara con paredes de metal resistente que en los bancos se usa para guardar dinero u objetos de mucho valor. ■ **cámara de aire** Espacio que se deja en el interior de los muros y paredes de un edificio para que sirva de aislamiento. ■ **cámara de gas** Recinto cerrado herméticamente que se llena de gases tóxicos para ejecutar a una o más personas. ■ **cámara frigorífica** Recinto que produce frío artificial y se usa generalmente para conservar alimentos y productos que pueden descomponerse a la temperatura ambiente. ③ Corporación u organismo que se ocupa de los asuntos públicos de una comunidad o propios de una actividad. ④ Órgano de un sistema político encargado de legislar. ■ **cámara alta** Órgano de representación de las distintas partes de un país: *la cámara alta recibe este nombre porque solía estar formada por nobles*. ■ **cámara baja** Órgano legislativo que representa directamente a los ciudadanos de un país: *la cámara baja recibe este nombre porque solía estar controlada de manera más directa por el pueblo*. ■ **cámara de los Comunes** Asamblea parlamentaria y legislativa de Inglaterra, equivalente al Congreso de los Diputados. ■ **cámara de los Lo-**

res Asamblea de nobles que constituye la cámara alta del Parlamento inglés. ■ **cámara de representantes** Asamblea parlamentaria, especialmente la de Estados Unidos. ⑤ Espacio en el interior de un mecanismo. ■ **cámara de combustión** Pieza hueca de un motor donde se mezcla y se quema el combustible a alta presión. ⑥ Cuerpo hueco de goma que está alojado en el interior de algunos objetos y que se infla con aire a presión. ⑦ Habitación o pieza principal de una casa que puede tener diversos empleos, o habitación o sala de uso privado o restringido, especialmente la del palacio real donde solo tenían entrada los gentileshombres y ayudas de cámara, los embajadores y algunas otras personas: *cámara nupcial; cámara real.* ⑧ Espacio destinado a la carga en un arma de fuego. ❙ *s. com.* ⑨ Persona que se dedica al manejo de un aparato que permite recoger imágenes en movimiento.
chupar cámara familiar Colocarse en lugar preferente cuando se graban imágenes.
FAM camarín, cameraman; antecámara, bicameral, monocameral, recámara, unicameral, videocámara.

camarada *s. com.* ① Compañero de partido o de ideas políticas: *los camaradas del sindicato siempre me apoyaron.* ② Compañero con el que se tiene una relación de amistad y confianza, especialmente en el colegio o en el trabajo.
FAM camaradería.

camarera *s. f.* Mesa pequeña con ruedas que sirve para llevar comidas o bebidas.

camarero, -ra *s. m. y f.* ① Persona empleada en un bar, restaurante o establecimiento semejante para servir comidas o bebidas. ② Persona que limpia y arregla las habitaciones en un establecimiento hotelero o los camarotes en un barco de pasajeros. ❙ *s. m.* ③ En la etiqueta o ceremonial de la casa real, jefe de la cámara del rey. ❙ *s. m. y f.* ④ Criado distinguido en las casas de los grandes de España, encargado de lo relativo a su habitación personal.

camarilla *s. f.* Conjunto de personas que influyen de forma extraoficial en los negocios de Estado o en los actos y decisiones de una autoridad superior.

camarín *s. m.* Capilla pequeña detrás de un altar en la que se venera una imagen.

camarón *s. m.* ① Crustáceo marino comestible, muy parecido a la gamba, pero más pequeño: *los camarones tienen la cabeza grande y el abdomen extendido en forma de cola.* SIN quisquilla. ② C. Rica Propina. ③ Chile Vehículo con dos ruedas que se utiliza en los aserraderos para trasladar troncos. ④ Perú Camaleón (persona). ⑤ R. Dom. Espía.

camarote *s. m.* Habitación de un barco con una o más camas.

camastro *s. m.* despectivo Cama pobre, de mal aspecto y muy incómoda.

cambado, -da *adj./s. m. y f.* Amér. Patizambo (persona que tiene las piernas torcidas).

cambalache *s. m.* Trueque o intercambio de cosas de poco valor.
FAM cambalachear.
OBS Frecuentemente usado de forma despectiva.

cambar *v. tr.* Arg., Venez. Combar, dar forma curva a algo.

cambiador *s. m.* ① Pieza de tela o de plástico sobre la que se coloca al bebé cuando se le cambia de pañales o de ropa. ② Mueble especialmente diseñado para cambiar de pañales o de ropa a un bebé.

cambiante *adj.* ① Que cambia: *un humor cambiante.* ❙ *s. m. pl.* ② **cambiantes** Cambios de tonalidad de algunos cuerpos, como las telas, según la luz.

cambiar *v. tr.* ① Modificar una cosa para convertirla en algo distinto u opuesto: *cambiar el amor por odio.* ② Dar una cosa a cambio de otra: *te cambio estampas por chocolatinas.* SIN canjear, intercambiar. ❙ *v. tr./intr.* ③ Poner de manera distinta de como era o estaba: *todos los años cambian el horario; cambiar el tiempo.* SIN mudar. ④ Remplazar o sustituir una cosa por otra: *ha cambiado el apartamento por un ático; ha cambiado de piso.* ⑤ Hacer que una persona o cosa pase a ocupar otro sitio: *han cambiado las oficinas, ahora están en una calle céntrica.* SIN trasladar. ❙ *v. tr.* ⑥ Intercambiar algunas acciones, especialmente ideas, palabras, miradas o risas: *cambiar saludos.* ⑦ Dar o tomar valores o monedas por sus equivalentes: *en ese banco se puede cambiar dinero.* ❙ *v. intr.* ⑧ Quitar una velocidad y poner otra distinta en un vehículo automóvil: *pisa el embrague y cambia de marcha.* ❙ *v. prnl.* ⑨ **cambiarse** Quitarse una ropa y ponerse otra distinta: *antes de salir tengo que cambiarme de pantalones.* SIN mudarse. ⑩ Dejar de vivir en un lugar e irse a otro distinto: *se han cambiado de piso y no sé dónde viven ahora.* SIN mudarse.
FAM cambiante, cambiazo, cambio, cambista; descambiar, intercambiar, recambiar.
OBS Verbo regular, en su conjugación no se acentúa la *i* de algunas formas de los presentes de indicativo y subjuntivo y del imperativo.

cambiavía *s. m.* Col., Cuba, Méx. Guardagujas.

cambiazo *s. m.* ① Cambio importante y generalmente realizado de manera inesperada. ② Cambio o sustitución de una cosa por otra que se hace con engaño.

cambio *s. m.* ① Modificación de una cosa para convertirla en algo distinto u opuesto: *la fusión es el cambio de estado de un cuerpo que pasa de sólido a líquido.* ② Variación o alteración de un estado por otro: *cambio de aspecto.* ③ Sustitución o reemplazo de una cosa por otra: *cambio de ruedas.* ④ Entrega de una cosa por otra: *cambio de impresiones.* ■ **libre cambio** Sistema que hace desaparecer los obstáculos en el comercio internacional. SIN librecambio. ⑤ Dinero en monedas pequeñas, especialmente las que se dan en equivalencia de otras: *lo siento, no tengo cambio.* ⑥ Valor relativo de la moneda de un país en relación con la de otro. ⑦ Mecanismo que sirve para pasar de una velocidad a otra en un vehículo: *cambio de marchas.*
a cambio Como compensación: *te acompañaré si, a cambio, me invitas a tomar algo.*
a la primera (o a las primeras) de cambio De repente, sin avisar.
cambio químico Proceso por el cual una sustancia química de características definidas se transforma en otra u otras sustancias nuevas a través de la redisposición de los átomos que la forman. SIN reacción.
en cambio Por el contrario.
FAM librecambio.

cambista *s. com.* Persona que cambia moneda.

cámbium *s. m.* Capa de células dispuesta entre el xilema y el floema que contribuye al engrosamiento de la planta.

camboyano, -na *adj.* ① De Camboya (país de Asia). ❙ *s. m. y f./adj.* ② Persona que es de Camboya. ❙ *s. m./adj.* ③ Lengua hablada en este país.

cámbrico, -ca *adj./s. m.* ① Se aplica al periodo geológico que es el primero de la era paleozoica o primaria y precede al periodo ordovícico; se extiende desde hace unos 570 millones de años hasta hace unos 500 millones. **|** adj. **2** Relativo a este periodo geológico.

FAM precámbrico.

cambucho s. m. **1** CHILE Funda de paja que se pone a las botellas para que no se rompan. **2** CHILE Cesta o canasto. **3** CHILE Tugurio.

camelar v. tr. **1** familiar Ganar la voluntad de una persona con halagos o engaños. **2** familiar Intentar enamorar a una persona del sexo opuesto tratándola de manera delicada y agradable. **3** MÉX. Ver.

FAM camelo.

camelia s. f. **1** Arbusto procedente de Oriente, de hojas perennes de color verde brillante y hojas blancas sin olor. **2** Flor de este arbusto.

camélido adj./s. m. **1** Se aplica al mamífero rumiante carente de pezuñas y cuernos, con el cuello vertical y el estómago sin libro, que vive en los climas desérticos, como el camello, el dromedario, la llama y la vicuña. **|** s. m. pl. **2** **camélidos** Grupo taxonómico, con categoría de familia, constituido por estos mamíferos.

camello, -lla s. m. y f. **1** Mamífero rumiante de cuello largo y arqueado, cabeza pequeña y cuerpo voluminoso con dos jorobas de grasa que le permiten resistir mucho tiempo sin alimento ni agua en climas secos. **|** s. m. **2** jerga Persona que vende droga en pequeñas cantidades.

FAM camélido, camellero.

camelo s. m. **1** familiar Cosa o noticia que se hace pasar por buena o verdadera sin serlo. **2** familiar Burla o broma: *déjate de camelos, es un tema muy serio.*

camembert [se pronuncia aproximadamente 'cámember'] s. m. Queso de leche de vaca blando y recubierto por una fina capa de moho blanco.

camerino s. m. Habitación individual o colectiva de los teatros y salas de espectáculos que sirve para que los artistas vistan y maquillen para actuar.

camerunés, -nesa adj. **1** De Camerún (país de África). **|** s. m. y f./adj. **2** Persona que es de Camerún.

camicace [también **kamikaze**, más usado] s. m. **1** Avión japonés cargado de explosivos que en la Segunda Guerra Mundial se estrellaba intencionadamente contra los objetivos enemigos. **2** Piloto suicida de este avión. **|** s. com. **3** Persona muy temeraria y arriesgada. **|** adj. **4** Se aplica a la persona, acción o conducta que es muy temeraria y arriesgada: *conductor camicace.*

camilla s. f. **1** Cama estrecha y portátil que se lleva sobre varas o ruedas y que sirve para transportar enfermos o heridos. **2** Mesa redonda con una tarima para colocar un brasero y cubierta hasta el suelo con una tela para guardar el calor. **NOTA** También *mesa camilla.*

FAM camillero.

camillero, -ra s. m. y f. Persona encargada de llevar la camilla que transporta enfermos y heridos.

camilucho, -cha adj./s. m. y f. AMÉR. Se aplica al indio o gaucho que trabaja como jornalero.

caminante adj./s. com. **1** Se aplica a la persona que camina. **|** s. m. **2** CHILE Ave parecida a la alondra, de pico largo y encorvado y plumaje de color terroso.

caminar v. intr. **1** Moverse o trasladarse de un lugar a otro

dando pasos: *tuve que caminar hasta la gasolinera más próxima.* **SIN** andar. **2** Dirigirse a un lugar o a una meta o avanzar hacia ellos: *caminamos hacia la bancarrota.* **3** Seguir su curso o movimiento las cosas inanimadas: *el río camina lentamente hacia el mar.* **|** v. tr. **4** Recorrer una distancia a pie: *todos los días camina varios kilómetros.* **SIN** andar.

FAM caminante, caminata, caminero; descaminar, encaminar.

caminata s. f. Recorrido o paseo a pie largo y cansado.

camino s. m. **1** Franja de terreno más o menos ancha utilizada para ir por ella de un lugar a otro, especialmente la que es de tierra apisonada y sin asfaltar. **SIN** senda, vía. ■ **camino de cabaña** Camino por el que pasa el ganado. ■ **camino de cabras** Camino que es muy estrecho y accidentado. ■ **camino de herradura** Camino destinado a las caballerías. ■ **camino de sirga** Camino situado a orillas de un río o canal, para tirar de las embarcaciones desde tierra. ■ **camino real** Camino que depende del Estado y une poblaciones importantes. ■ **camino vecinal** Camino que depende del municipio. **2** Acción de recorrer el espacio que hay entre dos puntos: *ya estamos en camino y no podemos volver.* **SIN** viaje. **3** Recorrido que se hace para ir de un lugar a otro: *hoy iremos por otro camino para evitar el atasco.* **SIN** itinerario, ruta, trayecto. **4** Procedimiento o medio para hacer o conseguir una cosa: *trabajar duro es el mejor camino para triunfar.* **SIN** vía.

abrir (o **abrirse**) **camino** Ir allanando escollos y venciendo dificultades para conseguir lo que una persona se propone.

camino de En dirección a un lugar; hacia un lugar.

de camino De paso, al ir a otra parte o al tratar de otro asunto.

llevar camino de Actuar una persona o desarrollarse una cosa de modo que pueda predecirse lo que va a pasar.

ponerse en camino Emprender un viaje.

FAM caminar.

camión s. m. Vehículo automóvil grande y potente, de cuatro o más ruedas, que se usa generalmente para el transporte de cargas pesadas o voluminosas. ■ **camión cisterna** Camión para el transporte de fluidos.

FAM camionero, camioneta.

camionero, -ra s. m. y f. Persona que se dedica a conducir camiones.

camioneta s. f. **1** Vehículo automóvil menor que el camión que sirve para el transporte de toda clase de mercancías. **2** familiar Autobús.

camisa s. f. **1** Prenda de vestir de tejido fino que cubre el cuerpo desde el cuello hasta más abajo de la cintura y se abre de arriba abajo por delante. ■ **camisa de fuerza** Prenda de tela fuerte abierta por detrás y con mangas cerradas por sus extremos que se pone a los locos cuando es preciso inmovilizarlos. **2** Piel seca que se desprende periódicamente de la serpiente y otros reptiles cuando ya les ha salido otra nueva. **3** Revestimiento interior o envoltura externa de algunas piezas mecánicas para evitar su deterioro o para aumentar el rendimiento de un motor: *la camisa del cilindro está muy pulida para reducir el rozamiento con el pistón.*

cambiar de camisa Cambiar interesadamente de ideas o de partido.

dejar sin camisa familiar Arruinar a una persona.

meterse en camisa de once varas familiar Ocuparse una persona de cosas difíciles que no le incumben o que no será capaz de realizar.

no llegar la camisa al cuerpo familiar Estar muy preocupado o temer por algún posible peligro.

FAM camisero, camisola; descamisado.

camisero, -ra adj. 1 Relativo a la camisa (prenda de vestir): *cuello camisero.* ‖ s. m. y f. 2 Persona que se dedica a fabricar o vender camisas.

FAM camisería.

camiseta s. f. Prenda de vestir o deportiva, generalmente sin cuello y de punto, con mangas o sin ellas, que se pone directamente sobre el cuerpo cubriéndolo hasta más abajo de la cintura.

camisola s. f. 1 Camisa amplia y ligera que se lleva por fuera. 2 Camiseta deportiva.

camisón s. m. 1 Prenda de vestir de una sola pieza, generalmente femenina, que se usa para dormir y cubre desde el cuello hasta una altura variable de las piernas. 2 COL., CHILE, VENEZ. Traje de mujer.

camita adj. 1 Relativo a ciertos pueblos del noreste de África que, según la tradición, descienden de Cam, segundo hijo de Noé. ‖ s. com./adj. 2 Persona perteneciente a estos pueblos.

FAM camítico.

camomila s. f. 1 Planta herbácea con tallos débiles, hojas abundantes y flores olorosas con el centro amarillo rodeado de pétalos blancos. SIN manzanilla. 2 Flor de esta planta, empleada en infusión. SIN manzanilla.

camorra s. f. Riña o enfrentamiento ruidoso y violento entre dos o más personas: *siempre anda buscando camorra.*

FAM camorrista.

camorrista adj./s. com. familiar Se aplica a la persona que suele armar camorra fácilmente y por cualquier causa. SIN pendenciero.

camote s. m. 1 AMÉR. Batata. 2 AMÉR. Bulbo. 3 AMÉR. Enamoramiento. 4 AMÉR. Amante. 5 CHILE, PERÚ Mentira. 6 ECUAD., MÉX. Tonto, bobo. 7 EL SALV. Moratón, cardenal. 8 GUAT. Pantorrilla.

campal adj. 1 Se aplica a la batalla o lucha que ocurre en espacio abierto, fuera de una población. 2 Se aplica a la pelea o discusión que es muy violenta o salvaje.

campamento s. m. 1 Lugar o conjunto de instalaciones, generalmente al aire libre, acondicionado para acampar en él o alojarse temporalmente, previo pago del precio establecido. SIN camping. 2 Lugar en terreno abierto acondicionado para albergar provisionalmente a personas que van de camino o se reúnen por un fin especial: *han instalado un campamento de refugiados en la frontera.* 3 Lugar donde se establecen temporalmente las fuerzas de un ejército. 4 Periodo del servicio militar en que los reclutas reciben la instrucción básica.

campana s. f. 1 Instrumento metálico, generalmente de bronce, en forma de copa invertida, que suena al ser golpeado por el badajo que cuelga en su interior o por un martillo exterior. 2 Objeto de forma parecida a la de este instrumento, generalmente abierto y más ancho por la parte inferior. ▪ **campana de buzo** Aparato usado por los buzos para sumergirse y poder respirar bajo el agua artificialmente. ▪ **campana extractora** Aparato para aspirar los humos de las cocinas, hornos y otros lugares, compuesto por un tubo aspirador y un cuerpo colocado horizontalmente sobre la fuente de humos.

echar las campanas al vuelo Contar a la gente con júbilo una noticia favorable.

oír campanas y no saber dónde Tener alguien una idea poco exacta de alguna noticia o suceso.

FAM campanada, campanario, campanear, campanero, campaniforme, campanil, campanilla, campanillo, campano, campanología, campanudo; acampanado.

campanada s. f. 1 Golpe que da el badajo o el martillo en una campana y sonido que produce. 2 Noticia que provoca admiración, escándalo o sorpresa: *dar la campanada.*

campanario s. m. Torre, espadaña o armadura, generalmente de una iglesia, donde se colocan las campanas.

campanero, -ra s. m. y f. 1 Persona que se dedica a vaciar y fundir las campanas. 2 Persona encargada de tocar las campanas.

campaniforme adj. Que tiene forma de campana.

campanilla s. f. 1 Campana de pequeño tamaño que se hace sonar con una mano y suele estar provista de un mango. 2 Masa carnosa de tejido muscular que cuelga del velo del paladar a la entrada de la garganta. SIN úvula. 3 Flor que tiene la corola en forma de campana. 4 Nombre de diversas plantas herbáceas cuyas flores tienen la corola en forma de campana.

FAM campanillero.

campanillero s. m. Miembro de un grupo que en algunos pueblos andaluces canta canciones de carácter religioso con acompañamiento de guitarras, campanillas y otros instrumentos.

campano s. m. Cencerro grande.

campanólogo, -ga s. m. y f. 1 Persona que toca piezas musicales haciendo sonar con una baqueta varias campanas o vasos de cristal puestos en serie. ‖ s. m. 2 Instrumento de percusión formado por una serie de tubos metálicos de distinta longitud, dispuestos uno al lado del otro y colgados de un armazón, que se tocan con unos mazos pequeños.

campante Se usa en la expresión:

tan campante (I) Que está tranquilo y despreocupado. (II) Que está orgulloso o satisfecho de sí mismo.

campánula s. f. Planta de jardín con hojas vellosas y flores azules o blancas en forma de campanilla agrupadas en ramilletes. SIN farolillo.

campaña s. f. 1 Conjunto de actividades o de esfuerzos que se realizan durante cierto tiempo y están encaminados a conseguir un fin: *campaña contra la droga; campaña electoral.* 2 Conjunto de acciones militares ofensivas y defensivas desarrolladas con continuidad temporal en un mismo territorio: *la campaña napoleónica en Rusia.* 3 Campo llano sin montes ni relieves abruptos.

FAM precampaña.

campeador adj./s. m. Se aplica al guerrero que sobresalía en el campo de batalla con acciones señaladas.

campear v. intr. 1 Andar o pacer por el campo un animal. 2 Combatir en campo abierto.

FAM campeador.

campechano, -na adj. Se aplica a la persona que es sencilla y cordial y no gusta de formulismos y ceremonias en el trato.

campeón, -peona adj./s. m. y f. 1 Se aplica a la persona o al grupo que gana o vence en una competición. 2 Se aplica a la persona que supera a los demás en un aspecto determinado. **3** Se aplica a la persona o al grupo que se destaca por defender una causa o doctrina: *son los campeones de la libertad.* FAM campeonato; subcampeón.

campeonato *s. m.* **1** Competición en la que se disputa un premio y el título de campeón, especialmente en ciertos juegos o deportes. **2** Victoria o triunfo que se consigue en dicha competición: *lograr el campeonato.*

de campeonato familiar Extraordinario, muy grande o muy bueno.

campero, -ra *adj.* **1** Relativo al campo: *fiesta campera.* SIN campesino, campestre. **2** AMÉR. Se aplica al animal que está adiestrado para el paso de ríos, montes y sendas peligrosas: *caballo campero.*

campesinado *s. m.* **1** Conjunto de los campesinos de un lugar. **2** Clase social que forman los campesinos.

campesino, -na *adj.* **1** Campestre. SIN campero. ‖ *adj./s. m. y f.* **2** Se aplica a la persona que vive y trabaja en el campo. FAM campesinado.

campestre *adj.* Relativo al campo: *casa campestre; vida campestre.* SIN campero, campesino.

campin *s. m.* Camping.

camping [también **campin**; se pronuncia aproximadamente 'campin'] *s. m.* **1** Lugar o conjunto de instalaciones, generalmente al aire libre, acondicionado para acampar en él o alojarse temporalmente, previo pago del precio establecido. SIN campamento. **2** Actividad que consiste en instalarse en tiendas de campaña. OBS Plural. *campings.*

campiña *s. f.* Espacio grande de terreno llano dedicado al cultivo.

campista *s. com.* **1** Persona que practica el camping o está acampada. **2** AMÉR. Persona que arrienda minas. **3** AMÉR. CENTRAL, VENEZ. Campesino, ganadero. FAM centrocampista.

campo *s. m.* **1** Terreno fuera de los núcleos de población: *los domingos siempre paseamos por el campo.* **2** Terreno o conjunto de terrenos que se cultivan: *el campo ha sufrido mucho con la sequía.* **3** Conjunto de tierras, poblaciones rurales y formas de vida agrarias, en contraposición a ciudad: *el campo es más duro, pero más sano que la ciudad.* **4** Terreno generalmente llano y limitado que se dedica a un uso determinado o en el que se desarrolla una actividad: *campo de fútbol.* ■ **campo de batalla** Lugar en el que luchan dos ejércitos. ■ **campo de concentración** Lugar en el que se recluye a prisioneros de guerra y a otras personas por motivos políticos. ■ **campo santo** Cementerio, en la religión católica. NOTA También *camposanto.* **5** Espacio ocupado por una persona, equipo o ejército que lucha o compite contra otros: *el equipo visitante no podía salir de su campo.* **6** Materia de estudio o parcela del conocimiento. **7** Porción de espacio en el que se manifiesta una fuerza o un fenómeno físico; se genera por ciertas propiedades de las partículas: *campo de gravedad; el campo magnético de un imán es aquel espacio a su alrededor en el que, si hubiera un trozo de hierro, este se vería atraído hacia el imán.*

a campo través o **a campo traviesa** o **a campo travieso** Atravesando un terreno sin seguir un camino.

campo semántico Conjunto compuesto por todos los elementos léxicos que se relacionan entre sí por una asociación de significado: *"rojo", "verde", "azul" y "negro" pertenecen al campo semántico de los colores.*

dejar el campo libre Abandonar un proyecto, retirarse de un asunto en el que hay competidores. FAM campear, campero, campestre, campiña, campista, camposanto.

camposanto *s. m.* Cementerio, en la religión católica. OBS También *campo santo.*

campus *s. m.* Conjunto de terrenos y edificios de una universidad. OBS Plural invariable.

camuflaje *s. m.* **1** Ocultación o disimulo de la presencia de soldados y material de guerra dándoles una apariencia engañosa para que no puedan ser identificados por el enemigo: *es un ejército experto en el arte del camuflaje.* **2** Ocultación o disimulo de alguna cosa dándole una apariencia engañosa.

camuflar *v. tr.* **1** Disimular la presencia de tropas o material de guerra dándoles una apariencia engañosa para que no puedan ser identificados por el enemigo. **2** Ocultar o esconder algo haciendo que parezca otra cosa: *camufló los moratones con maquillaje.* FAM camuflaje.

can *s. m.* **1** Perro (animal). **2** Canecillo. FAM cancerbero, cánido, canino, canódromo.

cana *s. f.* **1** Pelo que se ha vuelto blanco. NOTA Más en plural. **2** ARG., BOL., URUG. Cárcel o lugar en que se retiene a los presos.

echar una cana al aire familiar Salirse ocasionalmente de la vida normal y permitirse una diversión, generalmente referido al sexo.

peinar canas familiar Ser viejo. FAM encanecer.

canadiense *adj.* **1** De Canadá (país de América del Norte). ‖ *s. com./adj.* **2** Persona que es de Canadá.

canal *s. amb.* **1** Conducto o cauce artificial por donde se conduce el agua u otro líquido: *los canales sirven generalmente para regar o forman parte de construcciones hidráulicas, como presas.* **2** Conducto del cuerpo, generalmente hueco y fino: *canal auditivo.* ■ **canal semicircular** Estructura que forma parte del oído interno y que está relacionada con el sentido del equilibrio. **3** Conducto o vía natural por donde se mueven los gases o los líquidos en el interior de la tierra. **4** Teja fina y muy combada que se usa para formar en los tejados los conductos por donde corre el agua de lluvia. **5** Cada conducto del tejado formado con estas tejas. ‖ *s. m.* **6** Vía o medio utilizado para comunicar un mensaje: *canal oral; canal escrito.* **7** Banda de frecuencias por la que se emiten las ondas de la radio y la televisión: *en mi televisor solamente se pueden sintonizar seis canales.* **8** Paso natural o artificial por el que se comunican dos mares.

abrir en canal Cortar o rasgar un cuerpo de arriba abajo.

en canal Se aplica al animal destinado al consumo que está abierto y sin sus órganos internos, sin cabeza y sin extremidades: *terneras y cerdos en canal.* FAM canaladura, canalera, canalizar, canalón; acanalar.

canalización *s. f.* Acción de canalizar.

canalizar *v. tr.* **1** Construir canales, generalmente para conducir gases o líquidos: *se va a canalizar todo el territorio nacional.* **2** Conducir gases o líquidos a través de canales: *han canalizado el petróleo a lo largo del país.* **3** Regularizar el cauce de un río o arroyo. **4** Orientar o encauzar actividades, iniciativas o corrientes de opinión en una dirección o hacia un fin determinado. FAM canalización.

canalla *adj./s. com.* despectivo Se aplica a la persona despreciable y de comportamiento malvado.
FAM canallada, canallesco; encanallar.

canallada *s. f.* Obra o dicho propio de un canalla.

canalón *s. m.* Conducto que recibe el agua de los tejados y la conduce a tierra.

canana *s. f.* Cinturón ancho con compartimentos para llevar cartuchos. **SIN** cartuchera.

cananeo, -nea *adj.* ① De Canaán (antigua región del sudoeste de Asia). ‖ *s. m. y f./adj.* ② Persona que era de Canaán: *los israelitas se libran de los cananeos gracias a la ayuda de la profetisa Débora.*

canapé *s. m.* ① Aperitivo formado con una rebanada pequeña de pan sobre la que se coloca un alimento. ② Asiento alargado y blando, con brazos y respaldo o sin ellos, en el que puede sentarse o tenderse una persona. **SIN** diván. ③ Soporte rígido y acolchado sobre el que se coloca el colchón en una cama.

canario, -ria *adj.* ① De las islas Canarias (comunidad autónoma española). ‖ *s. m. y f./adj.* ② Persona que es de las islas Canarias. ‖ *s. m./adj.* ③ Variedad del español hablada en las islas Canarias. ‖ *s. m. y f.* ④ Pájaro de plumaje amarillo, verdoso o casi blanco, muy apreciado por su canto y que se suele criar como ave doméstica.
FAM canaricultura.

canarismo *s. m.* ① Amor o admiración por la cultura y las tradiciones de las islas Canarias. ② Palabra o modo de expresión propio del español hablado en Canarias.

canasta *s. f.* ① Cesto de mimbre u otro material flexible de boca ancha y generalmente con dos asas. ② Aro metálico, sujeto horizontalmente a un tablero vertical, del que cuelga una red sin fondo y por el que hay que pasar la pelota en el juego del baloncesto. **SIN** cesta. ③ Tanto conseguido en el juego de baloncesto al introducir la pelota por este aro. **SIN** enceste. ④ Juego de cartas con dos o más barajas francesas en el que participan dos bandos de jugadores que tratan de formar distintas combinaciones; gana quien consigue formar más series de siete cartas del mismo valor.
FAM canastilla, canastero.

canastilla *s. f.* ① Cesta pequeña hecha de mimbre u otro material flexible en el que se tienen objetos de uso doméstico: *canastilla de la costura.* ② Conjunto de ropa que se prepara para el niño que va a nacer.
FAM canasta, canasto.

canastillo *s. m.* Pequeña canasta de mimbre ancha y con poca altura.

canasto *s. m.* Canasta alta y de boca estrecha, generalmente con dos asas.
FAM canasta, canastillo.

cáncamo *s. m.* Tornillo que tiene una anilla en uno de los extremos, especialmente el de gran tamaño fijado en la cubierta o en el costado de una embarcación para enganchar aparejos.

cancán *s. m.* ① Baile originario de Francia, ligero y atrevido, de ritmo rápido y generalmente binario, en el que se levantan las piernas hasta la altura de la cabeza; actualmente es bailado solamente por mujeres como parte de un espectáculo. ② Enagua con muchos volantes para mantener hueca la falda.

cancel *s. m.* ① Enrejado, balaustrada o muro bajo que en una iglesia separa el presbiterio o las capillas secundarias de la nave principal. ② Puerta suplementaria ajustada a la principal por el lado exterior, generalmente con tres hojas, una de frente y dos laterales, y cubierta por un techo, para proteger la casa del ruido y el viento. ③ AMÉR. División vertical hecha en una habitación mediante un marco: *los artesanos suelen utilizar el cancel para separar el taller del dormitorio.*

cancela *s. f.* Verja baja que se pone en la entrada de algunas casas, generalmente para impedir el paso directo desde la calle al portal, al porche o al patio.

cancelación *s. f.* ① Anulación de una obligación legal y del documento en el que consta: *cancelación del contrato.* ② Suspensión de lo se tenía previsto o proyectado: *cancelación de vuelos.* ③ Eliminación de una deuda mediante el pago total de su importe.

cancelar *v. tr.* ① Dejar sin efecto o valor una cosa, especialmente una obligación legal y el documento donde consta: *cancelar una hipoteca.* ② Suspender lo que se tenía previsto o programado: *cancelar un viaje.* **SIN** anular. ③ Saldar por completo una deuda o una cuenta.
FAM cancelación.

cáncer *s. m.* ① Crecimiento y división incontrolados de las células de una parte del organismo que se extiende invadiendo y destruyendo los tejidos circundantes y que puede causar la muerte: *cáncer de mama; cáncer de piel.* ② Cosa, como una idea o una situación, que destruye o daña gravemente a una parte de la sociedad y es difícil de combatir o frenar: *en la Edad Media la magia pagana era vista como un gran cáncer mundial.* ‖ *adj./s. com.* ③ Se aplica a la persona que ha nacido entre el 22 de junio y el 22 de julio, tiempo en que el Sol, visto desde la Tierra, recorre la constelación de Cáncer, cuarto signo del Zodiaco: *los Cáncer tendrán suerte durante esta semana.* **NOTA** Se escribe normalmente con mayúscula inicial. Plural invariable.
FAM cancerar, canceriforme, cancerígeno, cancerología, cancerólogo, canceroso.

cancerbero *s. m.* ① Perro mitológico de tres cabezas que, según la mitología griega, guardaba la puerta de los infiernos. ② Portero o guardián severo o que tiene modales bruscos. ③ Portero de un equipo de fútbol.

cancerígeno, -na *adj.* Se aplica a la sustancia o agente que produce cáncer o favorece su aparición: *producto cancerígeno.* **SIN** carcinógeno.

canceroso, -sa *adj.* ① Que presenta las características del cáncer: *tumor canceroso.* ② Se aplica a la persona que padece cáncer: *enfermos cancerosos.*

cancha¹ *s. f.* ① Local o terreno de juego destinado a la práctica de determinados deportes: *saltar a la cancha; abandonar la cancha.* ② Suelo construido con piedra o cemento donde se juega al frontón o trinquete. ③ AMÉR. Terreno o local llano y despejado. ④ AMÉR. Hipódromo. ⑤ AMÉR. Parte más ancha del cauce de un río. ⑥ ARG., C. RICA, CHILE Habilidad adquirida con la experiencia. ⑦ ARG., BOL., PAR., URUG. Corral o cercado espacioso donde se almacenan cosas. ⑧ CHILE En minería, terreno donde se acumula, seca y prepara el salitre antes de su embarque. ⑨ COL., PAR., VENEZ. Cantidad que cobra el dueño de una casa de juego por cada apuesta que en ella se realiza. ‖ *int.* ⑩ **¡cancha!** AMÉR. Se usa para pedir que abran paso.

dar cancha (I) Dar a alguien plena confianza para que resuelva un asunto a su manera. (**II**) ARG., C. RICA, CHILE Dejarle a una persona alguna ventaja.

estar en mi/tu/... cancha familiar CHILE, PAR. Estar una persona en su óptimo momento.

hacer cancha familiar MÉX. Conseguir una persona una situación conveniente en la vida.

tener cancha familiar ARG., C. RICA, CHILE, PAR., PERÚ, URUG. Tener una persona habilidad en algo gracias a los conocimientos adquiridos mediante la experiencia: *tiene mucha cancha en el trato con los niños.*

cancha² *s. f.* AMÉR. Maíz o habas tostados.

canchal *s. m.* Terreno en la base de una ladera en el que hay acumulación de fragmentos de roca de gran tamaño desprendidos de la montaña. SIN cancho.

canchero, -ra *adj./s. m. y f.* **1** AMÉR. Se aplica a la persona que tiene una cancha de juego o cuida de ella. **2** familiar ARG., CHILE Se aplica a la persona que es lista y astuta y sabe lo que más le conviene, especialmente cuando manifiesta suficiencia por ello: *solo un canchero como él podía conseguir que le aumentaran el sueldo.* **3** familiar ARG., CHILE, PAR., URUG. Se aplica a la persona que es experta en alguna actividad: *María es canchera en informática; Juan está canchero en la cocina francesa.* **4** familiar CHILE Se aplica a la persona que busca trabajos de poca duración y poco esfuerzo. ‖ *s. m.* **5** PERÚ Clérigo que utiliza cualquier medio para sacarle dinero a sus fieles.

cancho *s. m.* **1** Roca grande y elevada más grande que la peña. SIN peñasco. **2** Canchal.

canciller *s. com.* **1** Jefe o presidente del Gobierno en algunos países europeos: *el canciller alemán.* **2** Ministro de Asuntos Exteriores de ciertos países. **3** Empleado auxiliar de una embajada o consulado.
FAM cancilleresco, cancillería.

cancillería *s. f.* **1** Cargo u oficio de canciller. **2** Oficina o departamento especial de las embajadas, consulados y otras representaciones diplomáticas, encargada de la redacción de los documentos. **3** Ministerio o centro diplomático desde el cual se dirige la política exterior de un país: *la sede del Ministerio de Asuntos Exteriores es una cancillería.* **4** Tribunal superior de justicia del antiguo reino de Castilla, que trataba asuntos civiles, criminales y de nobleza. SIN chancillería.

cancillería apostólica Oficina romana que registra y expide las disposiciones pontificias.

canción *s. f.* **1** Composición musical, especialmente la que es cantada: *las canciones populares son anónimas y se transmiten oralmente.* ■ **canción de cuna** Canción que se canta para que los niños pequeños se duerman. SIN nana. ■ **canción española** Canción popular de origen andaluz y flamenco. SIN copla. **2** Cosa que se repite con insistencia y resulta molesta, especialmente un sonido o lo dicho por alguien: *lleva todo el día con la misma canción: "¿Falta mucho para llegar?"* SIN cantilena, cantinela. **3** Composición poética culta de origen italiano, de asunto amoroso y tono melancólico. **4** Poema lírico dividido en estancias o estrofas de versos endecasílabos y heptasílabos.
FAM cancionero.

cancionero *s. m.* **1** Colección de letras de las canciones de uno o varios autores. **2** Libro en el que se recogían las letras de canciones populares o los poemas de varios autores en los siglos XV y XVI: *los cancioneros, como el «Cancionero general», son una buena muestra de poesía popular castellana.*
FAM cancioneril.

candado *s. m.* Cerradura suelta que consiste en una caja metálica de la que sobresale un gancho móvil que se fija al cerrarlo mediante presión después de pasarlo por el hueco de dos tornillos con anillas, uno en cada parte de las que se desea mantener juntas, o de los eslabones de una cadena: *con los candados se enganchan y aseguran puertas, cajones y cosas parecidas.*

candeal *adj./s. m.* **1** Se aplica al trigo que tiene la espiga cuadrada y da una harina muy blanca y de buena calidad. **2** Se aplica al pan hecho con esta harina.

candela *s. f.* **1** Vela que se enciende y sirve para dar luz. **2** familiar Materia combustible encendida con llama o sin ella: *dame candela para encender la chimenea.* SIN lumbre. **3** Unidad de intensidad luminosa del Sistema Internacional, de símbolo cd, que equivale a la intensidad luminosa de una superficie de $1/600\,000$ m² de un cuerpo que emite radiación a la temperatura de fusión del platino ($1\,770\,°C$).
FAM candelabro, candelero.

candelabro *s. m.* Candelero con dos o más brazos que se sostiene por su pie o sujeto a una pared.

candelaria *s. f.* Planta de hojas amarillas, largas y muy apretadas, con efectos terapéuticos. SIN gordolobo.

candelero *s. m.* Utensilio consistente en un cilindro hueco unido a un pie por una pequeña columna, que sirve para sujetar y mantener derecha una candela o vela.

en el candelero Que disfruta en estos momentos de mucha fama, éxito o autoridad: *este cantante no supo mantenerse en el candelero.*

candente *adj.* **1** Se aplica al cuerpo, especialmente a un metal, que está de color rojo o blanco por efecto de una temperatura muy alta: *hierro candente.* **2** Se aplica a la cuestión, tema o asunto que es de máxima actualidad, interesa mucho y puede resultar polémico.
FAM incandescente.

candidato, -ta *s. m. y f.* **1** Persona que solicita y pretende un cargo, premio o distinción: *cinco candidatos optan al puesto.* **2** Persona propuesta para un cargo, premio o distinción, aunque no lo haya solicitado.
FAM candidatura; precandidato.

candidatura *s. f.* **1** Solicitud o aspiración a un cargo, a un premio o a una distinción. **2** Propuesta o presentación que se hace de una persona para alguna dignidad o cargo. **3** Lista de candidatos que un partido presenta en unas elecciones. **4** Papeleta para votar en la que figura el nombre de uno o más candidatos.

candidez *s. f.* **1** Falta de malicia, astucia o hipocresía al actuar: *su candidez se llevó a confiar en gente nada recomendable.* **2** Ingenuidad o inocencia: *la candidez de su mirada.* SIN candor.

cándido, -da *adj./s. m. y f.* **1** Se aplica a la persona que está falta de malicia, astucia o hipocresía al actuar. **2** Se aplica a la persona que es inocente o ingenua. ‖ *adj.* **3** culto Blanco.
FAM candidez.

candil *s. m.* Utensilio para alumbrar formado por un recipiente lleno de aceite, una mecha sumergida en él que asoma por un pico y un gancho para colgarlo.
FAM candileja.

candilejas *s. f. pl.* Línea de luces situada en la parte anterior de un escenario teatral.

candombe *s. m.* **1** Baile de América del Sur, de origen africano, con un ritmo muy vivo y ejecutado por comparsas de carnaval. **2** Casa o lugar donde se ejecuta este baile. **3** Tambor con que se acompaña este baile, de un solo parche que se golpea con las manos.

candor *s. m.* Ingenuidad o inocencia: *el candor de su mirada.* **SIN** candidez. **FAM** candoroso.

candoroso, -sa *adj.* Que tiene candor.

canear *v. tr.* familiar Golpear repetidamente a una persona.

canecillo *s. m.* Saliente arquitectónico en forma de viga o repisa que sostiene la parte voladiza de una cornisa. **SIN** can.

canela *s. f.* **1** Segunda corteza de las ramas del canelo, de color marrón claro, olorosa y de sabor agradable, que se emplea como condimento generalmente en platos dulces. **2** familiar Persona o cosa de mucha calidad o que gusta mucho: *este vino es canela.*

canela fina Expresión con que se indica que una persona o cosa es de mucha calidad o que gusta mucho: *esta cantante es canela fina.* **FAM** canelo; acanelado.

canelo, -la *adj.* De color marrón claro, como el de la canela: *perro canelo.* **FAM** canelar.

canelón *s. m.* Pasta alimenticia en forma de rollo, hecha de harina de trigo y con un relleno de carne, pescado o verdura. **OBS** Normalmente en plural.

canesú *s. m.* Pieza superior de un vestido o de una camisa a la que se unen el cuello, las mangas y el resto de la prenda. **OBS** Plural: *canesús.*

caney *s. m.* **1** CUBA Recodo o curva cerrada que forma un río. **2** CUBA, VENEZ. Especie de cabaña que tiene una sola pared circular y el techo en forma de cono.

cangilón *s. m.* **1** Recipiente de barro o de metal atado a la rueda de una noria, que sirve para sacar agua de un pozo o una corriente de agua. **2** Recipiente de formas y tamaños diferentes de diversas máquinas especializadas en el transporte, carga o elevación de materiales líquidos o sólidos: *la draga del puerto sirve para mover cangilones.*

cangreja *s. f.* Vela con forma trapezoidal de un barco, que se sujeta a una verga o palo colocado perpendicularmente en un mástil.

cangrejo *s. m.* Nombre genérico de varios invertebrados del filo artrópodos, clase crustáceos, marinos o de río, con el cuerpo cubierto por un caparazón y cinco pares de patas; las patas delanteras suelen ser más grandes y tienen forma de pinzas. ■ **cangrejo ermitaño** Cangrejo que carece de caparazón abdominal y se introduce en la concha vacía de algún molusco para protegerse. **NOTA** También simplemente *ermitaño.*

andar (o ir) para atrás como el cangrejo No avanzar, retroceder en un asunto.

canguelo *s. m.* familiar Miedo muy grande o intenso.

canguro *s. m.* **1** Mamífero herbívoro del orden de los marsupiales que se desplaza a grandes saltos, con las patas posteriores muy desarrolladas y una robusta cola que le sirve de apoyo cuando está quieto; la hembra tiene una bolsa (marsupio) en el vientre, donde lleva a sus crías. **I** *s. com.* **2** Persona, generalmente joven, que cuida niños a domicilio en ausencias cortas de los padres y cobra por ello: *hacer de canguro.*

caníbal *adj./s. com.* **1** Se aplica a la persona que come carne

humana. **SIN** antropófago. **2** Se aplica al animal que come carne de otros de su misma especie. **3** Se aplica a la persona que es cruel o salvaje. **FAM** canibalismo.

canibalismo *s. m.* **1** Costumbre humana de comer carne de seres de su misma especie. **SIN** antropofagia. **2** Costumbre de algunos animales de comer carne de otros de su misma especie.

canica *s. f.* Bola pequeña de materia dura, generalmente de vidrio, con que los niños juegan.

caniche *adj./s. m.* Se aplica al perro que pertenece a una raza de tamaño generalmente pequeño y de pelo rizado y lanoso: *el color del pelo de los caniches suele ser negro o blanco.*

canícula *s. f.* Periodo del año en que es más fuerte el calor: *en los países mediterráneos la canícula se da entre el 24 de julio y el 2 de septiembre.* **FAM** canicular.

canicular *adj.* Relativo a la canícula.

cánido *adj./s. m.* **1** Se aplica al mamífero carnívoro de cabeza generalmente pequeña, orejas grandes, hocico alargado, dedos provistos de uñas fijas, cinco dedos en las patas delanteras y cuatro en las traseras, y cuerpo esbelto con el vientre hundido: *el perro es un cánido.* **I** *s. m. pl.* **2** **cánidos** Gupo taxonómico, con categoría de familia, constituido por estos mamíferos.

canijo, -ja *adj./s. m. y f.* **1** Se aplica al ser vivo que está muy delgado o débil: *cachorro canijo.* **SIN** raquítico. **2** Se aplica a la persona que es pequeña o de baja estatura: *ese canijo no se atreve a hacerme frente.* **FAM** encanijar.

canilla *s. f.* **1** Parte más delgada de la pierna de una persona. **2** Carrete metálico en el que se enrolla el hilo en las máquinas de coser. **3** Grifo de las cubas. **4** ARG. Pierna. **5** ARG. Grifo. **6** MÉX. Fuerza. **FAM** canillera, canillero.

canillera *s. f.* Pieza de la armadura que cubre y protege la espinilla. **SIN** espinillera.

canino, -na *adj.* **1** Relativo al perro: *peluquería canina.* **I** *adj./s. m.* **2** Se aplica al diente puntiagudo y fuerte situado entre los dientes incisivos y las muelas de los animales vertebrados. **SIN** colmillo. **I** *adj./s. f.* **3** Se aplica al hambre que es muy fuerte.

canje *s. m.* Trueque o cambio de una persona o cosa por otra según ciertas condiciones: *ha conseguido realizar un canje de prisioneros.*

canjear *v. tr.* Dar una cosa a cambio de otra. **SIN** cambiar, intercambiar. **FAM** canje, canjeable.

cannabis *s. m.* **1** Variedad de cultivo del cáñamo común, más pequeño y de peor calidad textil, pero con mucha mayor concentración de alcaloide. **SIN** cáñamo índico. **2** Polvo oscuro obtenido de las flores, hojas y tallos desecados de esta planta, y que sirve para fabricar varias drogas, como el hachís, la marihuana y la grifa.

cano, -na *adj.* **1** Se aplica al pelo, a la barba o al bigote que está blanco o lleno de canas en su totalidad o en su mayor parte. **2** Se aplica a la persona que tiene el pelo, la barba o el bigote blancos en su totalidad o en su mayor parte: *hombre cano.* **FAM** cana, canicie, canoso; encanecer, entrecano.

canoa *s. f.* **1** Embarcación ligera, estrecha y alargada que navega sin timón, a remo o con motor, con las partes delantera y trasera acabadas en punta. **2** AMÉR. Canal para conducir agua. **3** CHILE Canal del tejado, generalmente de cinc: *se inundó el tejado porque las canoas estaban cubiertas de hojas.* **4** C. RICA, CHILE, COL., CUBA, NICAR., P. RICO Artesa o cajón de forma oblonga que sirve para dar de comer a los animales y para otros usos.
FAM canoero.

canódromo *s. m.* Instalación preparada para celebrar carreras de galgos.

canon *s. m.* **1** Norma, regla o precepto, especialmente los establecidos por la costumbre: *cada época posee su propio canon cultural.* **2** Modelo que reúne las características perfectas en su especie, en especial el referido a la figura humana que reúne las proporciones ideales: *el canon clásico establecido por los escultores griegos.* **3** Cantidad de dinero que se paga, especialmente al Estado, por disfrutar de una cosa: *canon de aduanas.* **4** Regla sobre la disciplina o el dogma establecida por la Iglesia católica en un concilio. **5** Composición musical formada por dos o más voces con la misma melodía que van entrando sucesivamente, una después de otra.
FAM canónico, canónigo, canonista, canonizar.

canónico, -ca *adj.* **1** Que está de acuerdo con las normas y reglas de la Iglesia. **2** Se aplica al texto o libro que está en la lista de los libros auténticos que la Iglesia católica considera inspirados por Dios: *Evangelio canónico.* **3** Que se ajusta a las características de un canon de normalidad o perfección.

canónigo *s. m.* Sacerdote de la Iglesia católica que forma parte del cabildo de una catedral.
FAM canonical.

canonista *s. com.* **1** Persona especialista en derecho canónico o sistema de normas con las cuales se regula la Iglesia católica. **2** Estudiante de derecho canónico.

canonizar *v. tr.* **1** Declarar el Papa oficialmente santa a una persona y autorizar su culto en toda la Iglesia católica: *santa Teresa de Jesús fue canonizada en el año 1662.* **2** Reconocer la validez de una persona o cosa: *canonizar una costumbre.*
FAM canonizable, canonización.

canoro, -ra *adj.* **1** Se aplica al ave o pájaro que tiene un canto agradable y melodioso: *el ruiseñor es un ave canora.* **2** culto Se aplica a la voz, al canto o al sonido que es grato y melodioso: *poesía canora.*

canoso, -sa *adj.* Que tiene canas.

canotier [se pronuncia aproximadamente 'canotié'] *s. m.* Sombrero de paja de copa plana y corta y ala recta.
OBS Plural: *canotiers.*

canovismo *s. m.* Sistema político de la Restauración española, basado en la constitución de 1876, y que consistía en una alternancia pactada en el gobierno entre el partido conservador y el progresista: *el canovismo fue ideado por el conservador Cánovas del Castillo.*

canovista *adj.* Relativo al canovismo.

cansado, -da *adj.* **1** Que produce cansancio o fatiga: *un trabajo muy cansado.* **2** Pesado, que fastidia o molesta por aburrido o por insistente: *vete ya a tu casa y no seas cansado.* **3** Que está en declive o ha perdido fuerzas o facultades: *vista cansada.*

cansancio *s. m.* **1** Debilidad o falta de fuerza provocada por un esfuerzo o trabajo. **2** Aburrimiento, desagrado o hastío: *sus historietas me provocan cansancio.*

cansar *v. tr.* **1** Causar un esfuerzo o un trabajo pérdida de las fuerzas o sensación de debilidad: *el trabajo cansa a todo el mundo.* **SIN** fatigar. **2** Causar una cosa o persona aburrimiento o desagrado, generalmente por su persistencia o por repetirse mucho: *me cansa porque siempre está haciendo preguntas.* **v. prnl.** **3** **cansarse** Experimentar pérdida de las fuerzas o sensación de debilidad, generalmente a causa de un esfuerzo o trabajo: *me canso mucho al subir escaleras.* **4** Experimentar aburrimiento o desagrado, generalmente por repetirse mucho una persona o cosa: *me canso de ver la televisión porque siempre dan los mismos programas.*
FAM cansado, cansancio, cansera, cansino.

cansera *s. f.* **1** Cansancio o molestia causada por una actitud impertinente o inoportuna. **2** COL., MÉX. Tiempo perdido en un empeño.

cansino, -na *adj.* **1** Que muestra o aparenta cansancio por la lentitud y pesadez con que se mueve: *paso cansino.* **2** Que molesta o fastidia por aburrido o insistente: *charla cansina.* **3** Que tiene las fuerzas o la capacidad de trabajo debilitadas por el cansancio.

cantable *adj.* **1** Que puede ser cantado. **s. m.** **2** Parte del libreto de una zarzuela escrita en verso para ponerle música.

cantábrico, -ca *adj.* **1** De Cantabria (comunidad autónoma española). **SIN** cántabro. **2** De la cordillera Cantábrica, del mar Cantábrico o de sus costas.

cántabro, -bra *adj.* **1** De Cantabria (comunidad autónoma española). **SIN** cantábrico. **s. m. y f./adj.** **2** Persona que es de Cantabria. **adj.** **3** Relativo a un pueblo prerromano, influido por la cultura celta, que vivía en la actual Cantabria, La Lora (Burgos) y el alto Pisuerga: *cultura cántabra.* **s. m. y f./adj.** **4** Persona perteneciente a este pueblo: *los cántabros acabaron asimilándose a la cultura romana.*

cantador, -ra *s. m. y f.* Persona que se dedica a cantar coplas o cantos populares españoles.

cantamañanas *s. com.* Persona informal, irresponsable y que no merece crédito.
OBS Plural invariable.

cantante *s. com.* Persona que se dedica a cantar por profesión o afición.

cantaor, -ra *s. m. y f.* Cantante de flamenco.

cantar[1] *v. tr.* **1** Formar una persona con su voz sonidos melodiosos y variados o que siguen una melodía musical. **v. intr.** **2** Producir sonidos armoniosos o emitir su voz un animal, especialmente los pájaros y el gallo. **3** Emitir sonidos estridentes algunos insectos: *la cigarra canta haciendo vibrar las alas.* **4** familiar Confesar o revelar lo secreto: *la policía intentará hacerle cantar.* **5** familiar Despedir un olor fuerte y desagradable, especialmente una parte del cuerpo: *le cantan los pies.* **v. tr.** **6** Anunciar o decir algo en voz alta y con una entonación especial: *el niño cantó el primer premio del sorteo extraordinario de la lotería.* **7** Anunciar en voz alta una jugada que permite añadir puntos en ciertos juegos de cartas. **8** Alabar y decir, generalmente por escrito, cosas buenas para destacar las virtudes de algo o de alguien: *en su último libro, el autor canta las excelencias de su país.*
FAM cantable, cantador, cantante, cantaor, cantarela, cantarín, cantautor, cantilena, canto, canturrear.

cantar[2] *s. m.* **1** Breve composición poética con música, hecha para ser cantada. ■ **cantar de gesta** Poema épico medieval en lengua romance: *el «Cantar de mio Cid» es un cantar de gesta.* ② Género épico constituido por este tipo de composiciones.

ser otro cantar Tratarse de un asunto distinto.

cántara *s. f.* ① Antigua medida para líquidos equivalente aproximadamente a 16,1 litros. ② Cántaro.

cantárida *s. f.* Insecto de la familia del escarabajo, de color verde metálico, que vive en las ramas de los tilos y los fresnos.

cantarín, -rina *adj.* ① Se aplica al sonido que es armonioso y agradable al oído: *risa cantarina.* ② familiar Se aplica a la persona aficionada a cantar y que lo hace frecuentemente: *es muy alegre y cantarín.*

cántaro *s. m.* Recipiente de barro o metal, generalmente con una o dos asas, de boca y pie estrechos y la parte del centro más ancha, que suele usarse para contener y transportar líquidos. SIN cántara.

llover a cántaros Llover en abundancia y con fuerza.

FAM cantarera, cantarera.

cantata *s. f.* ① Composición musical de tema profano o religioso para ser interpretada por un coro, solistas y orquesta; consta de recitados, arias, dúos, coros y otras formas musicales, y no se escenifica; es más corta y menos elaborada que el oratorio y la ópera. ② Composición poética de cierta extensión escrita para que se le ponga música, especialmente para que se cante a varias voces.

cantautor, -ra *s. m. y f.* Cantante, generalmente solista, que suele interpretar sus propias canciones, en las que destaca su contenido crítico o poético.

cante *s. m.* ① Canto o composición en verso para ser cantada, de carácter popular, especialmente el gitano-andaluz o con características semejantes: *el cante flamenco surgió en Andalucía a partir de una mezcla de la música árabe, judía, gitana y africana.* ■ **cante hondo** o **cante jondo** Cante flamenco de música y letra intensas, expresivas y trágicas, que puede ir acompañado de baile. ② familiar Olor fuerte y poco agradable despedido por una parte del cuerpo. ③ jerga Confesión de un delito. ④ Jugada que permite añadir puntos en ciertos juegos de cartas.

dar el cante (I) familiar Desentonar, ser muy llamativo: *con esa camisa das el cante.* (II) familiar Dar una información confidencial: *le pillaron con las manos en la masa porque alguien dio el cante a la policía.*

cantera *s. f.* ① Lugar de donde se extrae piedra y otros materiales usados en la construcción. ② Lugar u organismo donde se forman y de donde salen personas bien preparadas para desarrollar determinada actividad.

FAM cantero.

cantería *s. f.* ① Arte de labrar las piedras destinadas a obras de construcción: *puerta de cantería.* ② Obra arquitectónica realizada con piedra labrada.

cantero *s. m.* ① Persona que se dedica a extraer la piedra de las canteras o a labrarla para las construcciones. SIN picapedrero. ② Extremo de una cosa dura que puede partirse con facilidad: *cantero de pan.* ③ Trozo de poca extensión de una finca o huerta. ④ AMÉR. Espacio delimitado para flores y plantas en un jardín, parque o avenida. ■ **cantero central** ARG., PAR., URUG. Cantero que separa los dos sentidos de la circulación en una autopista o autovía e impide el paso de los vehículos al carril contrario.

FAM cantería.

cántico *s. m.* Composición poética que se puede adaptar a una música, generalmente de carácter religioso: *los cánticos litúrgicos suelen ser de alabanza.*

cantidad *s. f.* ① Propiedad de lo que puede ser contado o medido. ② Número de unidades, tamaño o proporción de una cosa, especialmente cuando es indeterminado: *tendrás que dedicar al examen la cantidad de horas que necesite.* SIN cuantía. ③ Suma de dinero: *no sé qué cantidad hay que pagar por adelantado.* ④ Gran número o abundancia de personas o de cosas: *cantidad de gente.* ⑤ Duración de un sonido: *cantidad silábica.* ‖ *adv.* ⑥ familiar Mucho: *me gusta cantidad.*

cantidad de materia o **cantidad de sustancia** Magnitud que mide el número de entidades (átomos, moléculas, iones, electrones, fotones, etc.) presentes en una muestra de una sustancia: *el mol es la unidad de cantidad de sustancia.*

cantidad de movimiento En física, producto de la masa de un cuerpo por su velocidad. SIN momento.

en cantidades industriales familiar En abundancia.

cantiga o **cántiga** *s. f.* Subgénero lírico medieval que floreció en la poesía galaicoportuguesa y fue cultivado por los trovadores: *las «Cantigas de santa María» de Alfonso X ensalzan a la Virgen; las cantigas de amigo son canciones que la amada dirige al amado.*

cantil *s. m.* ① Gran escalón que forma el terreno en la costa o en el fondo del mar. ② Borde de un despeñadero.

cantilena *s. f.* ① Composición poética breve sin acompañamiento musical: *cantilena litúrgica.* ② Cantinela.

cantimplora *s. f.* Recipiente con forma de botella aplanada, hecho de metal o plástico y forrado de cuero o de otro material semejante, que se usa para llevar agua u otras bebidas en viajes y excursiones.

cantina *s. f.* Establecimiento público en el que se sirven o se venden bebidas y algunas comidas y que generalmente forma parte de una instalación más grande: *la cantina de la estación.*

FAM cantinero.

cantinela *s. f.* Cosa que se repite con insistencia y resulta molesta, especialmente un sonido o lo dicho por alguien: *aquel niño siempre estaba con la misma cantinela.* SIN canción, cantilena.

cantinero, -ra *s. m. y f.* Persona que es propietaria de una cantina o que trabaja en ella.

canto[1] *s. m.* ① Formación de sonidos vocales armoniosos o rítmicos por parte de una persona: *el canto de María es delicioso.* ② Arte o técnica de cantar o emitir sonidos armoniosos con la voz humana: *recibe clases de canto desde muy pequeño.* ③ Composición musical cantada, especialmente la solemne o la de carácter popular: *el canto polifónico está compuesto por dos o más melodías de ritmo diferente, y se usa especialmente en la música religiosa del Renacimiento y el Barroco.* ■ **canto gregoriano** o **canto llano** Canto litúrgico cristiano instaurado como oficial por el papa Gregorio I en el siglo VI, de una sola melodía, sin acompañamiento de instrumentos y de ritmo libre. ④ Emisión de sonidos armoniosos o rítmicos, o simplemente de su voz, por parte de un animal, especialmente los pájaros y el gallo: *el canto del gallo anuncia el amanecer.* ⑤ Emisión de sonidos estridentes por parte de algunos insectos: *el canto de la cigarra.* ⑥ Alabanza y ensalzamiento para destacar una virtud: *la película es un canto a la libertad.* ⑦ Composición poética, especialmente si es de tono elevado o solemne: *en «Viento del pueblo» de Miguel Hernández, junto a cantos de com-*

bate, aparecen poemas de tema social. **8** Parte en que se dividen ciertos poemas épicos, especialmente los de origen grecolatino: *la «Eneida» de Virgilio se divide en cantos.*

al canto Expresión que indica un resultado esperado e inmediato: *en cuanto le mencionas el tema, discusión al canto.*

canto del cisne Última obra escrita o representada por una persona.

FAM cante.

canto² *s. m.* **1** Borde o filo que limita la forma de un objeto delgado: *el canto de una hoja de papel.* **2** Esquina o extremo de un objeto: *el canto de la ventana.* **3** Lado opuesto al filo en un arma blanca. **4** Corte del libro opuesto al lomo. **5** Trozo de piedra. ■ **canto rodado** Trozo de piedra liso y de forma redondeada debido al desgaste ocasionado al rodar impulsado por una corriente de agua.

darse con un canto en los dientes Darse uno por contento con un resultado no muy favorable porque se esperaba que fuera peor.

de canto De lado, sobre el borde o filo de un objeto delgado.

el canto de un duro familiar Muy poco: *ha faltado el canto de un duro para que te caigas.*

FAM cantil, cantonera.

cantón *s. m.* **1** División administrativa y territorial de algunos países dotada de cierta autonomía política. **2** Esquina de un edificio. **3** Cada uno de los cuatro ángulos de un escudo heráldico. **4** Conjunto de instalaciones militares en un despoblado.

FAM cantonal, cantonalismo; acantonar.

cantonal *adj.* Relativo al cantón (división administrativa y territorial).

cantonalismo *s. m.* Sistema político que defiende la partición del Estado en cantones o divisiones administrativas casi independientes.

FAM cantonalista.

cantonalista *adj.* **1** Relativo al cantonalismo. ‖ *adj./s. com.* **2** Se aplica a la persona que es partidaria del cantonalismo.

cantonera *s. f.* Pieza que se pone en las esquinas de las tapas de un libro, un mueble u otra cosa y que sirve para reforzarlo o adornarlo.

cantor, -ra *adj.* **1** Se aplica al pájaro que puede emitir sonidos melodiosos y variados. ‖ *adj./s. m. y f.* **2** Cantante, especialmente de música religiosa: *los niños cantores de Viena.*

FAM cantoral.

cantoral *s. m.* Libro grande, con las hojas generalmente de pergamino, que contenía la letra y la música de los himnos religiosos que se cantaban en las iglesias y que se tenía sobre un atril en el coro.

cantueso *s. m.* Planta aromática parecida a la lavanda, de tallos erectos, hojas alargadas y vellosas y flores violeta en espiga.

canturrear *v. intr.* Cantar a media voz y generalmente de manera descuidada.

FAM canturreo.

cánula *s. f.* **1** Tubo pequeño que se emplea en medicina para evacuar o introducir líquidos en el cuerpo. **2** Extremo de la jeringa donde se coloca la aguja.

canutas Se usa en la expresión:

pasarlas canutas familiar Encontrarse en una situación muy apurada y difícil.

canutillo *s. m.* **1** Hilo de oro o plata rizado que se usa para

bordar. **SIN** cañutillo. **2** Tubo pequeño de vidrio usado en trabajos de pasamanería. **SIN** cañutillo.

canuto *s. m.* **1** Tubo pequeño y estrecho generalmente abierto por los dos extremos. **2** jerga Cigarrillo de hachís, marihuana u otra droga mezclada con tabaco. **SIN** porro. **3** AMÉR. CENTRAL, VENEZ. Mango de la pluma de escribir.

FAM canutillo.

caña *s. f.* **1** Tallo hueco y dividido en segmentos por nudos de algunas plantas gramíneas. ■ **caña de pescar** Vara alargada y flexible que se usa para pescar mediante un hilo que sale por su extremo más delgado y del que pende un anzuelo. **2** Planta gramínea propia de lugares húmedos, con tallos huecos y nudosos que alcanzan hasta los 6 m de altura, hojas anchas y ásperas y flores que nacen de un eje común. ■ **caña de azúcar** Planta originaria de la India, parecida a la caña, con el tallo de unos 2 m de altura lleno de un tejido esponjoso y dulce del que se extrae el azúcar. **SIN** cañamiel. **3** Vaso de forma ligeramente cónica, alto y estrecho, especialmente el usado para tomar cerveza. **4** Parte más delgada de la pierna de una persona. **5** Hueso largo de las extremidades de un cuadrúpedo.

dar (o meter) caña (I) familiar Aumentar la velocidad o la intensidad de algo. (II) familiar Animar a alguien o darle prisa para que haga una cosa. (III) familiar Golpear o pegar.

FAM cañada, cañaduz, cañal, cañamiel, cañar, cañavera, cañizo; encañado, encañar.

cañada *s. f.* **1** Camino por el que pasa el ganado trashumante. **2** Paso entre dos alturas poco distantes.

FAM cañadilla.

cañaduz *s. f.* COL. Caña de azúcar.

cañamazo *s. m.* **1** Tela tosca de cáñamo. **2** Tejido con los hilos muy separados que se emplea para bordar directamente sobre él o como guía sobre otra tela.

cañamiel *s. f.* Caña de azúcar.

cáñamo *s. m.* **1** Planta de unos 2 m de altura, de tallo recto, hueco y velloso, hojas opuestas y divididas y flores verdes, que se cultiva para sacar su fibra y sus semillas. ■ **cáñamo índico** Variedad de cultivo del cáñamo común, más pequeño y de peor calidad textil, del cual se obtienen sustancias estupefacientes como el hachís o la marihuana. **SIN** cannabis. **2** Fibra vegetal que se extrae del tallo de esta planta y se usa para hacer cuerdas y otros objetos.

FAM cañamar, cañamazo, cañamón.

cañamón *s. m.* Semilla del cáñamo, redonda y de pequeño tamaño, que se emplea generalmente como alimento para pájaros.

cañavera *s. f.* Planta parecida a la caña, pero con el tallo más delgado y no tan alto, que se cría cerca de arroyos y charcas. **SIN** carrizo.

cañaveral *s. m.* Cañizal.

cañería *s. f.* Conducto formado por caños o tubos empalmados por donde se distribuye el agua o el gas.

cañero, -ra *adj.* familiar Se aplica a la música que tiene mucha potencia o fuerza: *un estribillo muy cañero.*

cañí *adj./s. com.* Que es de raza gitana.

OBS Plural: *cañís.*

cañizal *s. m.* Lugar poblado de cañas. **SIN** cañaveral.

cañizo *s. m.* Tejido hecho con cañas entretejidas que se usa generalmente para construir cobertizos y cielos rasos.

FAM cañizal.

caño *s. m.* ① Tubo por donde sale un chorro de agua o de otro líquido, especialmente el de las fuentes. ② Tubo corto, especialmente el que forma con otros las tuberías que sirven para conducir líquidos o gases.
FAM cañería; encañado, encañar.

cañón *s. m.* ① Arma de artillería que dispara proyectiles de gran calibre mediante un tubo largo dispuesto sobre una base generalmente móvil. ② Tubo alargado y estrecho de las armas de fuego por donde sale el proyectil: *escopeta de dos cañones.* ③ Pieza hueca y alargada, en forma de tubo, de algunos objetos: *el cañón de la chimenea.* ④ Parte hueca y dura de la pluma de un ave. ⑤ Foco de luz concentrada que se usa en el teatro y en otros espectáculos. ⑥ Pluma que empieza a nacer. ⑦ Parte más dura del pelo de la barba o del bigote inmediata a la raíz. ⑧ Paso estrecho o garganta profunda y vertical entre dos montañas que generalmente es el cauce de un río.
FAM cañonazo, cañonear, cañonero; encañonar.

cañonazo *s. m.* ① Disparo hecho con un cañón: *lanzó tres cañonazos como salve.* ② Ruido, marca, señal o efecto provocado por este disparo: *el edificio estaba destrozado por los cañonazos.* **SIN** tiro.

cañonero, -ra *adj./s. m.* Se aplica a la embarcación que va armada con uno o varios cañones.

cañutillo *s. m.* Canutillo.

caoba *s. f.* ① Árbol de tronco recto y grueso, hojas compuestas, flores pequeñas y blancas que nacen de un eje común, y cuya madera es muy apreciada en ebanistería. ② Madera de este árbol, de color marrón rojizo y que se usa para construir muebles por su dureza y fácil pulimento. | *s. m./adj.* ③ Color marrón rojizo, como el de esta madera. | *adj.* ④ Que es de este color: *reflejos caoba.* **NOTA** Invariable en número.

caolín *s. m.* Arcilla blanca muy pura usada principalmente para la fabricación de objetos de porcelana, en la industria del papel y en la industria cosmética.

caos *s. m.* ① Desorden o confusión muy grandes en un conjunto de cosas, una situación, un asunto, un lugar o una colectividad. ② Estado amorfo e indefinido de la materia que, según algunas creencias y teorías, precedió a la actual ordenación del universo.
FAM caótico.
OBS Plural invariable.

caótico, -ca *adj.* ① Relativo al caos. ② Que es muy desordenado y confuso: *situación caótica.*

capa *s. f.* ① Prenda de vestir larga y suelta, sin mangas y abierta por delante, que se lleva sobre los hombros y encima de la ropa. ② Pieza de tela grande con vuelo y de colores vivos que se usa para torear. **SIN** capote. ③ Porción de materia que cubre una cosa o se extiende sobre ella de manera uniforme y con un grosor variable: *capa de polvo; capa de pintura.* ④ Zona o parte extendida por encima o por debajo de otra u otras con las que constituye un todo: *las capas de la atmósfera.*
■ **capa electrónica** Cada uno de los subniveles energéticos en que puede dividirse la corteza atómica donde se encuentran localizados los electrones del átomo. ⑤ Grupo o estrato social situado por encima o por debajo de otros y constituido por personas con un nivel económico y cultural semejante: *pertenece a las capas altas de la sociedad.* ⑥ Pretexto o apariencia que se usa para encubrir algo: *bajo esa capa de humildad oculta una gran soberbia.* ⑦ Color de las caballerías y reses.

de capa caída Se aplica a los bienes, la fortuna o la salud que están en decadencia, en una situación mala o peor que otra anterior: *fueron muy ricos, pero ahora andan de capa caída.*

defender a capa y espada Afirmar, sostener o proteger a una persona o cosa de manera enérgica.

hacer de su capa un sayo Obrar una persona con total libertad en los asuntos que solo a ella le afectan.
FAM capear, capote; decapar.

capacho *s. m.* Cesta de juncos o de mimbre con dos asas que sirve para transportar fruta y otros objetos.

capacidad *s. f.* ① Posibilidad de que una cosa contenga otra u otras dentro de unos límites: *capacidad de un local.* **SIN** cabida. ② Conjunto de condiciones intelectuales para el cumplimiento de una función o el desempeño de un cargo: *tiene capacidad para las matemáticas.* **SIN** aptitud. ③ Relación entre la carga eléctrica de un conductor aislado y el potencial eléctrico del mismo. ④ Medida del volumen de un cuerpo.

capacidad calorífica Energía en forma de calor que es necesaria para elevar en un grado la temperatura del cuerpo.

capacidad de memoria En informática, número de celdas o palabras de memoria de un ordenador: *la capacidad de memoria se mide en kilobytes, megabytes y gigabytes.* **NOTA** También simplemente *memoria.*

capacitación *s. f.* Preparación de una persona para que sea apta o capaz para hacer una cosa: *escuela de capacitación agraria.*

capacitar *v. tr.* Hacer a una persona capaz o apta para algo o darle el derecho de hacer una cosa: *ese título te capacita para enseñar.*
FAM capacitación.

capador, -ra *s. m. y f.* Persona que tiene por oficio capar animales.

capar *v. tr.* Extirpar o inutilizar los órganos genitales de un hombre o de un animal macho. **SIN** castrar.
FAM capador, capadura.

caparazón *s. m.* ① Cubierta dura con que protegen las partes blandas del cuerpo algunas clases de animales. **SIN** coraza. ② Cubierta con que se tapa o protege alguna cosa. ③ Esqueleto torácico de las aves.

capataz, -za *s. m. y f.* ① Persona que manda y vigila a un grupo de trabajadores. ② Persona encargada de labrar y administrar una finca o explotación agrícola.

capaz *adj.* ① Que posee las condiciones intelectuales necesarias para el cumplimiento de una función o el desempeño de un cargo: *han contratado a un empleado muy capaz.* **SIN** apto, competente. ② Que se atreve a hacer algo o que está en disposición de hacerlo: *no creo que sea capaz de denunciarlos.* ③ Se aplica al lugar o recipiente que tiene capacidad para contener algo dentro de sus límites.
FAM capacidad, capacitar; incapaz.

capazo *s. m.* ① Cesta flexible de palma o esparto, más ancha por arriba que por abajo, con dos asas en el borde que se suelen agarrar juntas. ② Cesto alargado y con asas acondicionado en su interior como cuna y que puede encajarse en un armazón con ruedas para facilitar su desplazamiento.

capcioso, -sa *adj.* ① Se aplica a la doctrina o a la palabra que es falsa o engañosa. ② Se aplica a la pregunta o al razonamiento que se hace con habilidad para conseguir que el interlocutor dé una respuesta que pueda comprometerlo, o bien que favorezca los intereses del que la ha formulado.
FAM capciosidad.

capea *s. f.* Festejo taurino en el que se lidian becerros o novillos por aficionados.

capear *v. tr.* **1** Torear con la capa a un toro. **2** Entretener a alguien con engaños y evasivas, especialmente para no cumplir con una obligación o promesa. **3** Eludir hábilmente alguna dificultad, un compromiso o un trabajo desagradable. **4** Hacer frente una embarcación al mal tiempo mediante las adecuadas maniobras.
FAM capea.

capellán *s. m.* Sacerdote, especialmente el que cuida el servicio religioso de una capilla o de una colectividad: *capellán del ejército.*
FAM capellanía.

capelo *s. m.* **1** Sombrero rojo con ala plana de los cardenales. **2** Dignidad de cardenal.

caperuza *s. f.* **1** Gorro acabado en punta hacia atrás. **2** Pieza con que se cubre o protege el extremo de algunos objetos. **SIN** capucha, capuchón.
FAM encaperuzar.

capicúa *adj./s. m.* Se aplica al número, palabra o frase que se lee igual de izquierda a derecha que de derecha a izquierda: *el 696 es un número capicúa.*

capilar *adj.* **1** Relativo al cabello: *loción capilar.* | *adj./s. m.* **2** Se aplica al tubo que tiene un diámetro interior semejante al grosor de un pelo. **3** Se aplica al vaso sanguíneo muy fino que enlaza las venas con las arterias: *a través de las paredes del capilar se realiza el intercambio de nutrientes.*

capilaridad *s. f.* Propiedad física de un líquido en virtud de la cual este sube o baja al entrar en contacto con un cuerpo; sus efectos son especialmente visibles en el interior de un tubo capilar o entre dos láminas muy próximas.

capilla *s. f.* **1** Iglesia de pequeñas dimensiones con un solo altar, especialmente la de un establecimiento religioso o seglar o la instalada en una casa particular: *se casará en la capilla que tiene en su finca.* ■ **capilla ardiente** Lugar en que se coloca a una persona muerta para velarla y rendirle honores. **2** Parte de una iglesia que tiene altar o en la que se venera una imagen: *las naves laterales de la catedral tienen varias capillas.* **3** Edificio contiguo a una iglesia, o que, formando parte de ella, tiene altar y advocación particular. **4** Grupo de músicos que pertenecen a una iglesia, capilla u otro edificio de culto cristiano, cuya función es tocar en las celebraciones litúrgicas. **5** familiar Pequeño grupo de seguidores de una persona o idea. **NOTA** Frecuentemente usado de forma despectiva.
estar en capilla (**I**) Estar el reo en cualquier pieza de la cárcel que actúa como capilla desde que se le notifica la sentencia de muerte hasta que esta se ejecuta. (**II**) Encontrarse a la espera de hacer una prueba importante o de conocer el resultado de algo preocupante.

capirotada *s. f.* **1** AMÉR. Plato criollo a base de carne, maíz tierno tostado, queso, manteca y especias. **2** MÉX. Dulce que se prepara con trozos de pan blanco remojado en miel, queso rayado, cacahuetes, almendras, pasas y otros ingredientes. **3** familiar MÉX. Fosa común en que son enterradas las personas pobres.

capirotazo *s. m.* Golpe dado generalmente en la cabeza haciendo resbalar con violencia, sobre la yema del pulgar, la uña del índice o corazón de la misma mano.

capirote *s. m.* **1** Gorro acabado en punta y con forma cónica que forma parte del hábito que llevan algunos penitentes y cofrades en las procesiones de Semana Santa. **SIN** cucurucho. **2** Caperuza de cuero con que se cubre la cabeza de las aves de cetrería para mantenerlas quietas.
FAM capirotazo; encapirotar.

capisayo *s. m.* **1** Prenda de vestir corta y abierta que servía de capa y sayo. **2** fam. desp. Prenda de vestir que no está hecha o ajustada con cuidado y se usa a diario y para todo. **3** Vestido de los obispos.

cápita Se usa en la expresión latina:
per cápita Por cabeza, por persona: *renta per cápita.*

capital *adj.* **1** Que es muy grave o importante: *error capital.* **2** Se aplica a cada uno de los siete pecados que son origen de otros: *los pecados capitales son siete: la soberbia, la envidia, la pereza, la avaricia, la gula, la ira y la lujuria.* **3** Se aplica a la pena que es la de muerte. **4** Se aplica a la letra mayúscula. | *s. m.* **5** Conjunto de bienes que posee una persona o una sociedad, especialmente en dinero o en valores: *unos euros y su vieja moto constituían todo su capital.* **6** En un interés bancario, cantidad de dinero inicial a la que se aplica un tanto por ciento de interés (anual, trimestral, etc.) para calcular el capital final. **7** Elemento o factor de la producción constituido por aquello que se destina a la obtención de un producto: *dinero, maquinaria, instalaciones y materia prima constituyen el capital de una empresa.* | *s. f.* **8** Población principal de un país, de una comunidad autónoma, de una provincia o de un distrito: *Madrid es la capital de España.* **9** Población con una posición destacada en algún aspecto o actividad: *capital del vino.*
FAM capitalidad, capitalismo, capitalizar.

capitalidad *s. f.* Condición o circunstancia de ser una población la capital de un país, de una comunidad autónoma, de una provincia o de un distrito.

capitalismo *s. m.* **1** Sistema económico y social basado en la propiedad privada de los medios de producción, en la importancia del capital como generador de riqueza y en la asignación de los recursos a través del mecanismo del mercado: *a través de la historia, la economía agraria va cediendo terreno al capitalismo, que surje con la aparición de la moneda.* **2** Conjunto de capitales y capitalistas: *después de las elecciones, seguía el capitalismo en el poder.* **3** En la doctrina marxista, régimen económico, político y social basado en la búsqueda sistemática del beneficio mediante la explotación de los trabajadores por los propietarios de los medios de producción y de cambio: *el capitalismo fomenta la explotación del hombre por el hombre.*
FAM capitalista.

capitalista *adj.* **1** Relativo al capital o al capitalismo: *sistema capitalista; ideas capitalistas.* | *adj./s. com.* **2** Se aplica a la persona que es partidaria del capitalismo. **3** Se aplica a la persona que pone el dinero o capital en un negocio: *socio capitalista.* | *s. com.* **4** Persona que posee mucho dinero o bienes materiales.

capitalización *s. f.* **1** Fijación del capital que corresponde a determinado rendimiento o interés, que depende del tipo que se adopte para el cálculo. **2** Adición a un capital de los intereses que este ha devengado. **3** Utilización en beneficio propio de una acción o situación, aunque sea ajena.

capitalizar *v. tr.* **1** Fijar el capital que corresponde a un determinado rendimiento o interés. **2** Añadir a un capital los rendimientos o intereses que este ha producido. **3** Aprovechar una situación o una acción en beneficio propio, aunque sea ajena: *el equipo puede capitalizar los errores de los contrarios.*
FAM capitalización.

capitán, -tana *s. m. y f.* **1** Militar del cuerpo de oficiales de los ejércitos de Tierra y Aire que tiene categoría inmediatamente superior a la de teniente e inmediatamente inferior a la de comandante; está al mando de una compañía, un escuadrón, una batería o una unidad similar. ‖ *s. m.* **2** Oficial del cuerpo de jefes de la Armada. ■ **capitán de corbeta** Oficial de la Armada que tiene categoría inmediatamente superior a la de teniente de navío e inmediatamente inferior a la de capitán de fragata; su graduación equivale a la de comandante del Ejército de Tierra. ■ **capitán de fragata** Oficial de la Armada que tiene categoría inmediatamente superior a la de capitán de corbeta e inmediatamente inferior a la de capitán de navío; su categoría equivale a la de teniente coronel del Ejército de Tierra. ■ **capitán de navío** Oficial de la Armada que tiene categoría inmediatamente superior a la de capitán de fragata e inmediatamente inferior a la de contraalmirante; su graduación equivale a la de coronel del Ejército de Tierra. **3** Persona que manda un buque mercante o un barco de pasajeros: *nos presentaron al capitán y su tripulación.* ‖ *s. m. y f.* **4** Persona que dirige o representa a un grupo, especialmente un equipo deportivo: *el capitán de una banda de forajidos; en el fútbol, el capitán del equipo lleva un brazalete.* ‖ *s. m.* **5** culto Caudillo militar.
capitán general (**I**)Jefe superior de una región militar, aérea o naval. (**II**)Oficial del cuerpo de generales que tiene el grado más alto del ejército español: *en la actualidad el único español que tiene el grado de capitán general es Su Majestad el Rey.*
FAM capitana, capitanear, capitanía.

capitana *adj./s. f.* Se aplica a la embarcación que está mandada por el jefe de una escuadra.

capitanear *v. tr.* **1** Mandar un grupo de soldados como capitán. **2** Mandar un grupo de personas o una acción, aunque no sea militar.

capitanía *s. f.* Empleo de capitán. ■ **capitanía general** (**I**)Cargo de capitán general. (**II**)Territorio bajo la autoridad del capitán general. (**III**)Edificio donde reside el capitán general y donde están las oficinas militares correspondientes.

capitel *s. m.* Pieza decorada según diferentes estilos que remata una columna, una pilastra o un pilar por su parte superior.

capitolio *s. m.* **1** Edificio majestuoso y elevado, especialmente el dedicado al gobierno. **2** Lugar más alto y defendido de las ciudades de la antigua Grecia. **SIN** acrópolis.

capitoste *s. com.* fam. desp. Persona con mucha influencia y mando.

capitulación *s. f.* **1** Acuerdo político o militar en el que se establecen las condiciones de una rendición. **2** Acuerdo firmado entre dos partes sobre un negocio o asunto, generalmente importante. ‖ *s. f. pl.* **3** **capitulaciones** Conciertos que se establecen entre los futuros esposos ante notario en los que se ajusta el régimen económico del matrimonio.

capitular¹ *adj.* **1** Relativo al cabildo (corporación). **2** Relativo al capítulo de una orden religiosa: *sala capitular.* ‖ *adj./ s. f.* **3** Se aplica a la letra con que se inicia un capítulo, cuando resalta en tamaño por algún ornamento.

capitular² *v. intr.* **1** Rendirse, entregar una posición o plaza de guerra según determinadas condiciones estipuladas con el enemigo. **2** Abandonar una discusión o pugna por cansancio o por la fuerza de los argumentos contrarios. ‖ *v. tr.* **3** Pactar o acordar algo dos o más personas.
FAM capitulación.

capítulo *s. m.* **1** Cada una de las partes principales en que se divide un escrito o narración para una mejor ordenación y fácil entendimiento de su materia. **2** Cada una de las partes en que está dividida una serie radiofónica o televisiva. **3** Asunto o materia. **4** Reunión o asamblea de canónigos o religiosos de una orden para tratar distintos asuntos. **5** Inflorescencia formada por un conjunto de flores simples que nacen juntas y apretadas en un receptáculo común. **SIN** cabezuela.
llamar (o traer) a capítulo Reprender, pedir cuentas o desaprobar el comportamiento a alguien.
ser capítulo aparte Ser una cuestión distinta o merecer una atención especial.
FAM capitular.

capo *s. m.* Jefe de una mafia.

capó *s. m.* Cubierta de metal que tapa el motor de un automóvil.

capón *adj./s. m.* **1** Se aplica al animal macho que ha sido castrado. ‖ *s. m.* **2** Pollo que se castra cuando es pequeño y que se ceba para comerlo. **3** Golpe dado a alguien en la cabeza con el nudillo del dedo corazón. **4** ARG., URUG. Carnero capado.
FAM capar.

caporal *s. m.* **1** Persona que tiene a su cargo el ganado de labranza en una hacienda. **2** Persona que encabeza un grupo de gente y lo manda.

capota *s. f.* **1** Cubierta o techo plegable que tienen algunos vehículos. **2** Sombrero femenino ceñido y sujeto con cintas bajo la barbilla.
FAM descapotable.

capotazo *s. m.* Pase que da el torero con el capote para atraer o desviar al toro.

capote *s. m.* **1** Pieza de tela grande con vuelo y de colores vivos que se usa para torear. **SIN** capa. **2** Prenda de abrigo parecida a la capa, pero con mangas y con menos vuelo. **3** Prenda de abrigo muy ancha y larga que llevan los militares. **4** CUBA Cubierta encerada o de material plástico con que se protege el café que se echa a secar en los tendales.
echar un capote familiar Prestar ayuda a una persona que se encuentra en una situación apurada.
FAM capotazo, capotear.

cappa [también **kappa**, más usado] *s. f.* Nombre de la décima letra del alfabeto griego; se escribe K/κ y se transcribe como k.

capricho *s. m.* **1** Determinación que se toma arbitrariamente, por un antojo pasajero. **2** Deseo intenso, imprevisto y pasajero de una cosa: *en pleno verano y tiene el capricho de turrón y mazapán.* **SIN** antojo. **3** Persona, animal o cosa que se desea: *este reloj fue un capricho de mi mujer.* **4** Hecho que carece de fundamento razonable: *caprichos del destino.* **5** Obra de arte que rompe con los modelos acostumbrados por medio del ingenio y la fantasía: *los caprichos de Goya.*
a capricho Como se desea y sin sujeción a normas.
FAM caprichoso; encapricharse.

caprichoso, -sa *adj./s. m. y f.* **1** Se aplica a la persona que frecuentemente tiene antojos o caprichos. **SIN** antojadizo. ‖ *adj.* **2** Que no está sujeto a leyes o reglas: *elección caprichosa.*
FAM caprichosamente.

capricornio *adj./s. com.* Se aplica a la persona que ha nacido entre el 22 de diciembre y el 20 de enero, tiempo en que el Sol, visto desde la Tierra, recorre la constelación de Capricornio, décimo signo del Zodiaco.

OBS Se escribe normalmente con mayúscula inicial. Plural invariable.

caprino, -na *adj.* Relativo a la cabra.

cápsula *s. f.* ① Envoltura de material soluble con que se recubren algunos medicamentos: *el mismo medicamento se vende en cápsulas, sobres y supositorios.* ② Conjunto del medicamento y la envoltura: *estoy tomando unas cápsulas para la gripe.* ③ Cabina cerrada y desprendible de una nave o satélite espacial en la que están los mandos de control. ④ Tapa de metal flexible o plástico con que se cierran herméticamente las botellas una vez taponadas. ⑤ Cilindro hueco y metálico en cuya base se coloca el fulminante de un arma de fuego. ⑥ Fruto seco con una o varias cavidades que contienen las semillas: *el lino tiene sus semillas encerradas en cápsulas.* ⑦ Recipiente de laboratorio, habitualmente de porcelana, empleado para evaporar líquidos y otros usos. ⑧ Membrana en forma de saco que reviste o encierra un órgano o parte del organismo. ⑨ Elemento electromecánico que convierte las vibraciones de la aguja en una señal eléctrica. ⑩ Caja de vidrio o plástico, cilíndrica y aplanada, provista de tapadera, que se emplea en cultivos microbiológicos. **SIN** placa petri.

FAM capsular; encapsular.

captación *s. f.* ① Percepción de una cosa por medio de los sentidos. ② Percepción de una cosa por medio de la inteligencia. **SIN** comprensión. ③ Recepción de ondas de radio o de televisión o de lo que por ellas se transmite con los aparatos adecuados. ④ Atracción y logro de la atención, la voluntad, el afecto o el sentimiento de una persona. ⑤ Recogida del agua procedente de varios lugares: *trabaja en una empresa de captación de manantiales.*

captar *v. tr.* ① Percibir una cosa por medio de los sentidos: *tiene un olfato muy fino y capta cualquier olor.* ② Percibir una cosa por medio de la inteligencia: *no tardó en captar el problema.* **SIN** comprender, entender. ③ Darse cuenta una persona de una cosa. ④ Recibir o recoger ondas de radio o de televisión o lo que por ellas se transmite con los aparatos adecuados: *este aparato envía y capta señales de radio.* ⑤ Atraer la atención, la voluntad, el afecto o el sentimiento de una persona: *captó enseguida la simpatía de todos.* **SIN** ganar. ⑥ Recoger o reunir convenientemente las aguas que proceden de diversos lugares.

FAM captación, captor.

captura *s. f.* ① Apresamiento de una persona fugitiva a la que se considera delincuente: *orden de busca y captura.* ② Apresamiento de una persona, animal o cosa que ofrece resistencia: *la captura de ballenas está prohibida en algunas zonas.* ③ Animal o cosa que se ha apresado, o conjunto de ellos, especialmente en pesca: *a los dos barcos les fue confiscada la captura.*

FAM capturar.

capturar *v. tr.* ① Apresar a una persona a la que se persigue por ser considerada delincuente: *la policía capturó a los dos fugitivos.* ② Apresar a una persona, animal o cosa que ofrece resistencia.

FAM captor.

capucha *s. f.* ① Gorro acabado en punta que va unido a un abrigo, capa u otra prenda de vestir. ② Capuchón. **SIN** caperuza.

FAM capuchón; encapuchar.

capuchino, -na *adj.* ① Relativo a una orden religiosa fundada por Mateo de Bascio en el siglo XVI, que constituye una de las ramas de la orden franciscana. I *adj./s. m. y f.* ② Se aplica al religioso que pertenece a esta orden: *la orden de los capuchinos nació para observar con más rigidez las normas de los franciscanos.* I *s. m./adj.* ③ Café mezclado con leche hirviendo con mucha espuma, que se suele servir espolvoreando por encima canela o cacao en polvo.

capuchón *s. m.* Pieza con que se cubre y protege el extremo de algunos objetos: *el capuchón de un rotulador.* **SIN** caperuza, capucha.

capullo, -lla *s. m.* ① Flor que todavía no ha abierto los pétalos. ② Cubierta ovalada que fabrica la larva de algunos insectos para encerrarse en ella y convertirse en adulto. ③ vulgar Glande. I *adj./s. m. y f.* ④ fam. desp. Se aplica a la persona que es muy tonta, torpe o inexperta.

capuz *s. m.* ① Vestidura larga y holgada con capucha y capa que se ponía una persona que estaba de luto encima del resto de la ropa. ② Capucha.

caqui¹ [también **kaki**, menos usado] *s. m./adj.* ① Color que está entre el ocre amarillento y el verde grisáceo, como el uniforme militar de muchos ejércitos. I *adj.* ② Que es de este color: *falda caqui.* I *s. m.* ③ Tela de algodón o lana de este color, muy usada en los uniformes militares.

caqui² [también **kaki**, menos usado] *s. m.* ① Árbol de origen japonés, de hojas alternas, grandes, oscuras y brillantes, flores pequeñas y amarillentas y fruto comestible. ② Fruto de este árbol, redondo y carnoso, de color rojo o anaranjado y sabor dulce: *los caquis tienen un aspecto parecido al de los tomates.*

cara *s. f.* ① Parte anterior de la cabeza de una persona y de algunos animales en la que están la boca, la nariz y los ojos. **SIN** faz, rostro, semblante. ② Semblante o expresión del rostro que refleja un sentimiento o un estado de ánimo: *no pongas esa cara de asco, que está muy rico.* ■ **cara de circunstancias** Cara triste o seria que se considera adecuada en una situación poco favorable. ■ **cara de palo** Cara seria o totalmente inexpresiva. ■ **cara de perro** o **cara de pocos amigos** o **cara de vinagre** Cara que expresa desagrado o enfado. ■ **cara larga** Cara que expresa tristeza y contrariedad. ③ Aspecto o apariencia que presenta una cosa y por la cual produce determinada impresión: *este pastel tiene muy buena cara.* ④ Superficie de un objeto laminar: *no escribas por la otra cara del folio.* ⑤ Parte delantera o frontal: *la cara de este edificio da a una calle principal.* ⑥ Parte o lado anterior y principal de una superficie, especialmente de una moneda o una medalla: *la cara suele presentar el busto de una persona principal, y la cruz, el valor de la moneda.* **SIN** anverso, cruz, envés. ⑦ Cada una de las superficies planas que limitan un poliedro. ⑧ Falta de vergüenza o descaro al hablar u obrar: *después de sus malas pasadas tuvo la cara de ir pidiendo favores.* **SIN** caradura. I *s. com.* ⑨ Persona que habla u obra con desfachatez y descaro o con poca vergüenza. **SIN** caradura, descarado.

a (o **en**) **la cara** Delante o a la vista de alguna persona.

caerse la cara de vergüenza Avergonzarse mucho una persona.

cara a o **de cara a** Expresa que una persona o cosa está enfrente de otra, mirando hacia otra o teniéndola en cuenta.

cara a cara Delante o a la vista de otro, sin esconderse.

cara dura (I) familiar. Caradura. (II) familiar Falta de vergüenza o de respeto.

cruzar la cara Darle una bofetada a una persona.

dar la cara Hacerse responsable de los propios actos sin esconderse o echar la culpa a otros.

de cara De frente; en sentido opuesto a una cosa que se mueve.

echar (o jugar) a cara o cruz Decidir una cosa por azar, generalmente lanzando una moneda al aire.

echar en cara Recordar a una persona un servicio o favor que se le ha prestado y reprocharle su falta de correspondencia.

lavar la cara Mejorar el aspecto de una cosa mediante arreglos poco profundos.

plantar cara Hacer frente a algo o a alguien o presentarle oposición o resistencia.

verse las caras Encontrarse una persona con otra para discutir o luchar.

FAM caradura, carear, careto, cariacontecido, carilla; encarar, malcarado.

caraba Se usa en la expresión:

ser la caraba Ser algo o alguien extraordinario y fuera de lo normal, tanto en sentido positivo como negativo.

carabela s. f. Barco de vela de tres palos largos, rápido y muy ligero, de una sola cubierta y popa plana: *las carabelas se utilizaron en los siglos XV y XVI*.

carabina s. f. ① Arma de fuego parecida al fusil pero de menor longitud. ② familiar Persona que acompaña a un hombre y una mujer para evitar que se queden solos.

FAM carabinero.

carabinero s. m. ① Miembro de un cuerpo especial encargado de perseguir el contrabando. ② Soldado que usaba carabina. ③ Crustáceo marino comestible, de la forma de la gamba y el tamaño del langostino, de cuerpo alargado con diez patas y de color rojo.

caracol s. m. ① Nombre genérico de distintos invertebrados del filo moluscos, terrestres o acuáticos, provistos de una concha enrollada en forma de espiral, un pie carnoso que les sirve para arrastrarse y uno o dos pares de tentáculos en la cabeza. ② Concha de este animal. ③ Rizo del pelo. ④ Vuelta que da el caballo sobre sí mismo cuando está inquieto o se lo ordena el jinete. ⑤ Parte del oído medio de los vertebrados que tiene forma parecida a la de la concha de este animal. | int. ⑥ **¡caracoles!** Expresión que indica enfado o sorpresa.

FAM caracola, caracolada, caracolear.

caracola s. f. ① Caracol marino. ② Concha de este animal, que, abierta por el ápice y soplando por ella, produce un sonido como el de la trompa. ③ Bollo redondo, aplanado y con forma de espiral.

FAM caracolada.

caracolear v. intr. Dar vueltas un caballo sobre sí mismo.

FAM caracoleo.

caracolillo s. m. Planta trepadora de jardín, de flores blancas y azules enroscadas en forma de caracol.

carácter s. m. ① Conjunto de cualidades y circunstancias por las que una persona o cosa se distingue de las demás: *medidas de carácter social*. SIN índole, naturaleza. ② Manera de ser o de reaccionar de las personas: *tiene un carácter violento y depresivo*. SIN personalidad. ③ Firmeza de ánimo, energía o temperamento: *María tiene mucho carácter*. ④ Señal, marca

o dibujo que se imprime, pinta o graba. ⑤ Símbolo que representa una letra, un dígito numérico, un signo de puntuación o un signo especial de control con un significado específico para el ordenador: *caracteres góticos; caracteres binarios*. ⑥ En biología, rasgo de un ser vivo que permite diferenciarlo de otros; puede ser hereditario (si se hereda genéticamente) o adquirido (si no se hereda): *a veces es difícil determinar si la variación de un carácter es hereditaria o tiene un origen ambiental*.

FAM característico, caracterizar, caracterología, caracterológico.

OBS Plural: *caracteres*.

característica s. f. ① Cualidad o circunstancia particular de una persona o cosa que la distingue de las demás: *mira en el manual las características del aparato*. SIN peculiaridad. ② Parte entera de un logaritmo.

característico, -ca adj. ① Que es típico de la naturaleza o circunstancias de una persona o cosa y sirve para distinguirlas de otras de su especie: *rasgos característicos*. SIN distintivo, peculiar. ② En matemáticas, que relaciona entre sí un conjunto de variables: *ecuación característica; curva característica*. | s. m. y f. ③ Actor o actriz de teatro que representa papeles de personas viejas.

FAM característica.

caracterización s. f. ① Determinación de los rasgos característicos de una persona o cosa. ② Maquillaje o vestimenta de un actor para la representación de un personaje.

caracterizado, -da adj. Se aplica a la persona que es distinguida o digna de respeto por sus valores personales, su categoría social o su labor: *un caracterizado político*.

caracterizar v. tr. ① Distinguir o diferenciar un rasgo a una persona o cosa de las demás: *el buen humor caracteriza su novela*. ② Presentar o describir una cosa con sus rasgos característicos de manera que resulte inconfundible: *esa película caracteriza muy bien los ambientes marginados*. ③ Representar un actor su papel en el cine o en el teatro con los rasgos que corresponden al personaje representado: *este actor ha caracterizado con acierto a grandes personajes históricos*. | v. prnl. ④ **caracterizarse** Distinguirse o diferenciarse una persona o cosa de las demás por un rasgo: *se caracteriza por su buen humor*. ⑤ Pintarse la cara o vestirse un actor para un papel determinado.

FAM caracterización, caracterizado, caracterizador.

caradura adj./s. com. familiar Se aplica a la persona que habla u obra con desfachatez y descaro o con poca vergüenza.

carajillo s. m. Bebida caliente hecha con café caliente y un licor, generalmente coñac, anís o ron.

carajo s. m. ① vulgar Pene. | int. ② **¡carajo!** familiar Expresión que indica enfado o sorpresa.

irse al carajo familiar Fracasar un proyecto: *la empresa se fue al carajo*.

mandar al carajo familiar Rechazar a una persona o cosa con enfado y disgusto.

FAM carajillo.

caramanchel s. m. ① Techo pequeño que cubre una escotilla o abertura en la cubierta de un barco, para resguardar el interior del frío o la lluvia. ② ECUAD. Tienda portátil que se sitúa en los soportales para vender baratijas. ③ PERÚ Cobertizo construido en el campo para resguardarse de la intemperie.

¡caramba! int. Expresión que indica admiración, sorpresa o enfado. SIN caray.

carámbano *s. m.* Trozo de hielo largo y acabado en punta que se forma cuando se congela el agua que gotea.

carambola *s. f.* ① Jugada de billar que consiste en golpear con el palo una bola de modo que esta choque con otras dos. ② Resultado afortunado obtenido por suerte, sin que haya sido previsto. ③ Resultado múltiple de una acción.

caramelizar *v. tr.* ① Transformar el azúcar en caramelo. ② Dar un baño con caramelo u otra sustancia dulce. **SIN** acaramelar.

caramelo *s. m.* ① Pasta que se hace derritiendo azúcar en el fuego y sin que cristalice al enfriarse. ② Golosina, presentada generalmente en pequeñas porciones, hecha con azúcar fundido y aromatizada con esencia de frutas u otros ingredientes. **FAM** acaramelar.

caramillo *s. m.* Flauta pequeña hecha de caña, madera o hueso que produce un sonido muy agudo.

carantoña *s. f.* Caricia u otra demostración de cariño que se hace a una persona, generalmente para conseguir algo de ella. **SIN** zalamería.

carapacho *s. m.* ① Caparazón de una tortuga, un cangrejo y otros animales. ② AMÉR. Guiso propio de algunos pueblos costeros que se elabora en la concha de los mariscos.

carátula *s. f.* ① Cubierta o portada de un libro o de los estuches de discos, casetes o cintas de vídeo. ② Máscara para ocultar la cara.

caravana *s. f.* ① Grupo de personas que viajan juntas, a pie o con sus medios de transporte, generalmente por zonas despobladas y con un fin determinado. ② Fila de vehículos que marchan por una carretera, autovía o autopista con lentitud y a poca distancia unos de otros debido al denso tráfico. ③ Vehículo con motor propio o remolcado por un automóvil que está acondicionado para vivir en él. **SIN** roulotte. **‖** *s. f. pl.* ④ **caravanas** ARG., BOL., CHILE Pendientes grandes, generalmente alargados, hechos de oro u otro metal precioso y de fino acabado artístico.

en caravana En fila y lentamente.

FAM caravanero.

caravasar *s. m.* Recinto de grandes dimensiones en torno a un gran patio central que servía de hospedaje o posada a los viajeros en las rutas de las caravanas de Oriente.

¡caray! *int.* Expresión que indica admiración, sorpresa o enfado: *¡ya está bien, qué caray!* **SIN** caramba.

carbohidrato *s. m.* Compuesto orgánico, generalmente de sabor sulce y soluble en agua, que contiene carbono, hidrógeno y oxígeno y cumple principalmente funciones estructurales y de aporte energético: *en los seres vivos, los carbohidratos intervienen en funciones energéticas y estructurales.* **SIN** glúcido, hidrato de carbono.

carbón *s. m.* Roca sedimentaria de origen orgánico que procede de la transformación de restos vegetales que fueron sepultados por sedimentos y que se emplea como combustible: *la turba, el lignito y la hulla son tipos de carbón.* ■ **carbón activo** Carbón vegetal de gran porosidad tratado para mejorar sus propiedades como adsorbente. ■ **carbón de leña** o **carbón vegetal** Carbón poroso que se obtiene al quemar la madera y se usa como combustible. ■ **carbón de piedra** o **carbón mineral** Carbón que procede de la lenta descomposición de grandes masas vegetales acumuladas bajo tierra. **FAM** carbonar, carboncillo, carbonera, carbonero, carbonífero, carbonilla, carbonizar, carbono.

carbonada *s. f.* Guiso americano, típico de Argentina, Chile y Perú, compuesto de pedazos de carne, rebanadas de mazorcas de maíz, calabaza, patatas y arroz.

carbonado, -da *adj.* ① Se aplica a la sustancia que contiene carbono en su composición química. **‖** *s. m.* ② Diamante de color negro.

carbonara *s. f.* Salsa hecha con nata líquida, trozos de tocino o jamón, huevo y especias.

carbonario, -ria *adj.* ① Relativo a la sociedad secreta derivada de la masonería y de ideología liberal y revolucionaria que actuó en Italia, Francia y España durante la primera mitad del siglo XIX. **‖** *s. m.* ② Hombre que pertenecía a esta sociedad.

carbonatar *v. tr.* Convertir una sustancia en carbonato o mezclarla con ácido carbónico.

carbonato *s. m.* ① Sal que se forma a partir de la combinación del ácido carbónico con un radical simple o compuesto. ② Anión que se forma al perder todos sus protones el ácido carbónico; está formado por un átomo de carbono y tres de oxígeno, y cargado con dos cargas negativas. **FAM** carbonatar; bicarbonato.

carboncillo *s. m.* ① Palillo o barrita de madera carbonizada que sirve para dibujar. ② Dibujo hecho con este utensilio.

carbonera *s. f.* ① Lugar donde se guarda el carbón. ② Pila de leña cubierta de tierra y preparada a manera de horno para hacerla carbón. **SIN** horno de carbón.

carbonería *s. f.* ① Establecimiento en el que se vende carbón. ② CHILE Instalación destinada a hacer carbón de la leña mediante el empleo de altos hornos.

carbonero, -ra *adj.* ① Relativo al carbón: *mina carbonera.* **‖** *s. m. y f.* ② Persona que se dedica a hacer o vender carbón. **FAM** carbonería.

carbónico, -ca *adj.* Se aplica a la mezcla o combinación química que contiene ácido carbónico, carbonatos o dióxido de carbono: *bebida carbónica; gas carbónico.*

carbonífero, -ra *adj.* ① Se aplica al terreno que contiene carbón. **‖** *adj./s. m.* ② Se aplica al periodo geológico que es el quinto de la era paleozoica o primaria, sigue al periodo devónico y precede al periodo pérmico; se extiende desde hace unos 345 millones de años hasta hace unos 280 millones de años. **‖** *adj.* ③ Relativo a este periodo geológico.

carbonilla *s. f.* Partícula de carbón que queda como resto cuando este ha sido movido o quemado.

carbonizar *v. tr.* ① Reducir a carbón un cuerpo orgánico: *el incendio carbonizó todo el bosque.* **‖** *v. prnl.* ② **carbonizarse** Quedar reducido a carbón un cuerpo orgánico: *los libros se han carbonizado por las llamas.* **FAM** carbonización.

carbono *s. m.* Elemento químico de símbolo C y número atómico 6; es un no metal sólido, sin olor ni sabor y abunda en la naturaleza como principal componente de sustancias orgánicas.

carbono 14 Isótopo radiactivo del carbono que se usa en la investigación bioquímica y como técnica de datación que permite estimar la edad de los fósiles y otras materias orgánicas. **FAM** carbonato, carbónico.

carborundo *s. m.* Cuerpo de gran dureza constituido por

carburo de silicio obtenido artificialmente y que se usa para pulir y trabajar materiales muy duros.
OBS Es marca registrada.

carboxilo *s. m.* En química, grupo característico de los ácidos orgánicos formado por un átomo de carbono, dos de oxígeno y uno de hidrógeno.

carbunco o **carbunclo** *s. m.* Enfermedad infecciosa y contagiosa del ganado bovino y ovino, producida por una bacteria, que puede ser transmitida al ser humano. **SIN** ántrax.
FAM carbuncal.

carburación *s. f.* **1** Mezcla de gases o de aire atmosférico con carburantes gaseosos o con vapores de carburantes líquidos para hacerlos combustibles o detonantes. **2** Combinación de carbono y hierro para producir acero.

carburador *s. m.* Pieza del motor de explosión en la que se efectúa la carburación.

carburante *s. m.* Sustancia química, compuesta de hidrógeno y carbono, que, mezclada con un gas, se emplea como combustible en los motores de explosión y de combustión interna.

carburar *v. intr.* **1** Mezclarse en los motores los gases o el aire atmosférico con carburantes gaseosos o con vapores de carburantes líquidos para hacerlos combustibles o detonantes. **2** familiar Dar un buen rendimiento una persona o cosa: *este trasto no carbura.* **3** familiar Tener capacidad de pensar: *está muy nervioso y no carbura.*
FAM carburación, carburador, carburante.

carburo *s. m.* Compuesto binario de carbono y otro elemento químico, generalmente metálico.
FAM carburar; hidrocarburo.

carca *adj./s. com.* **1** fam. desp. Se aplica a la persona o cosa anticuada o de ideas extremadamente conservadoras o retrógradas: *este artículo presenta una visión política muy carca.* **2** Se aplica a la persona partidaria del carlismo durante las guerras del siglo XIX en España.

carcaj *s. m.* Bolsa en forma de tubo ancho por arriba y estrecho por abajo para guardar flechas; se colgaba del hombro izquierdo y se inclinaba hacia la cadera derecha. **SIN** aljaba.

carcajada *s. f.* Risa impetuosa y ruidosa. **SIN** risotada.
FAM carcajearse.

carcajearse *v. prnl.* **1** Reírse a carcajadas. **2** Burlarse de una persona o cosa: *carcajearse de una persona.*
FAM carcajeante, carcajeo.

carcamal *adj./s. m.* despectivo Se aplica a la persona que está vieja y achacosa.

carcasa *s. f.* Armazón exterior que sirve de soporte o protección de un mecanismo u objeto que se encuentra dentro de él: *las piezas fundamentales están bien, el golpe ha sido en la carcasa.*

cárcava *s. f.* Hoya o zanja formada en el terreno, generalmente árido, por la erosión producida por las corrientes de agua.
FAM carcavón.

carcavón *s. m.* Hoya o zanja grande que forma la crecida de un río en un terreno movedizo.

cárcel *s. f.* Edificio o local acondicionado para encerrar a los condenados a una pena de privación de libertad o a los presuntos culpables de un delito. **SIN** presidio, prisión.
FAM carcelario, carcelero; encarcelar, excarcelar.

carcelario, -ria *adj.* Relativo a la cárcel: *régimen carcelario.* **SIN** carcelero.

carcelero, -ra *adj.* **1** Carcelario. **I** *s. m. y f.* **2** Persona que trabaja en una cárcel cuidando y vigilando a los presos.

carcinógeno, -na *adj.* Se aplica a la sustancia o agente que produce cáncer o favorece su aparición. **SIN** cancerígeno.

carcinoma *s. m.* Cáncer formado a expensas del tejido epitelial de los órganos, con tendencia a difundirse y reproducirse.

carcoma *s. f.* **1** Insecto coleóptero muy pequeño y de color oscuro cuya larva roe la madera. **2** Polvo que va dejando este insecto al roer la madera. **3** Acción o cosa que causa la destrucción lenta de algo.
FAM carcomer.

carcomer *v. tr.* **1** Roer la madera la carcoma. **2** Acabar o consumir lentamente una cosa algo no material: *la tuberculosis carcome su salud.* **I** *v. prnl.* **3** **carcomerse** Consumirse o desazonarse intensamente una persona: *se carcome cuando ve a su ex novia con otro hombre.*

carda *s. f.* **1** Acción de cardar. **2** Instrumento parecido a un cepillo con puntas de alambre para cardar tejidos. **SIN** cardencha.

cardar *v. tr.* **1** Peinar con fuerza las fibras textiles antes de hilarlas, generalmente con un cepillo metálico. **2** Peinar con fuerza el pelo de las personas de la punta a la raíz para que quede hueco. **3** Sacar suavemente el pelo de un tejido con un cepillo metálico.
FAM carda, cardado, cardador.

cardenal[1] *s. m.* **1** Prelado de la Iglesia católica que, con otros, forma el Sacro Colegio y tiene como función aconsejar al Papa y elegir su sucesor cuando muere. **2** Ave americana de plumaje y pico rojos, y que posee una cresta eréctil.
FAM cardenalato, cardenalicio.

cardenal[2] *s. m.* Mancha amoratada o amarillenta que aparece bajo la piel por la acumulación de sangre u otro líquido corporal a consecuencia de un golpe o por otra causa. **SIN** hematoma.

cardenalicio, -cia *adj.* Relativo al cardenal de la Iglesia católica.

cardencha *s. f.* **1** Planta herbácea de tallo espinoso coronado por una flor de color púrpura envuelta en su base de hojas duras y espinosas en forma de garfio. **SIN** cardón. **2** Carda (instrumento).
FAM cardenchal.

cardenillo *s. m.* Capa de óxido de color verde que se forma sobre los objetos de cobre por la acción de la humedad. **SIN** verdín.

cárdeno, -na *adj.* **1** Que es de color amoratado. **2** Se aplica al toro cuyo pelo tiene mezcla de negro y blanco.
FAM cardenal, cardenillo.

cardíaco, -ca o **cardiaco, -ca** *adj.* **1** Relativo al corazón (órgano): *enfermedad cardíaca; ha sufrido una parada cardíaca.* **I** *adj./s. m. y f.* **2** Se aplica a la persona que padece del corazón.

cardias *s. m.* Orificio que comunica el esófago con el estómago en los vertebrados.
OBS Plural invariable.

cardillo *s. m.* Planta silvestre, compuesta, con hojas rizadas y espinosas y flores amarillas, que nace en sembrados y barbechos.

cardinal *adj.* ① Que es lo principal y más importante. I *adj./s. m.* ② Se aplica al adjetivo o pronombre numeral que indica únicamente cantidad o número: *"sesenta" es un numeral cardinal.* I *adj.* ③ Se aplica a cada uno de los cuatro puntos del horizonte que sirven para orientarse.

cardiocirculatorio, -ria *adj.* Relativo al corazón y los vasos sanguíneos: *problemas cardiocirculatorios.* SIN cardiovascular.

cardiógrafo *s. m.* Aparato que mide y registra gráficamente la intensidad y el ritmo de los movimientos del corazón.

cardiograma *s. m.* Gráfico que se obtiene con el cardiógrafo y representa la intensidad y el ritmo de los movimientos del corazón.

cardiología *s. f.* Parte de la medicina que se ocupa del estudio y tratamiento de las enfermedades del corazón.

cardiólogo, -ga *s. m. y f.* Médico especialista en cardiología.
FAM cardiología.

cardiopatía *s. f.* Enfermedad del corazón.

cardiopulmonar *adj.* Relativo al corazón y los pulmones: *disfunción cardiopulmonar.*

cardiovascular *adj.* Relativo al corazón y a los vasos sanguíneos: *enfermedades cardiovasculares.* SIN cardiocirculatorio.

cardo *s. m.* ① Planta anual de hojas grandes y espinosas como las de la alcachofa, pencas generalmente comestibles y flores azules en cabezuela. ■ **cardo borriquero** Cardo alto, de hojas rizadas y flores de color púrpura que no es comestible. ② familiar Persona con la que no es fácil tratar porque es muy arisca o desagradable. ③ fam. desp. Persona muy fea. SIN callo. ④ En las ciudades y campamentos romanos, vía principal orientada en dirección norte-sur.
FAM cardar, cardillo.

cardón *s. m.* Cardencha (planta).

cardumen o **cardume** *s. m.* Banco de peces.

carear *v. tr.* ① Poner a una o más personas frente a otra u otras e interrogarlas juntas para averiguar la verdad confrontando lo que dicen y observando las reacciones de cada una ante las respuestas de la otra u otras. ② Comparar o confrontar una cosa con otra. ③ Dirigir el ganado. I *v. intr.* ④ Pacer o pastar el ganado cuando va de camino. I *v. tr.* ⑤ AMÉR. Enfrentar a un gallo contra otro en las riñas. I *v. prnl.* ⑥ **carearse** Entrevistarse dos o más personas para algún negocio o asunto, especialmente si es molesto o desagradable.
FAM careo.

carecer [16] *v. intr.* No tener algo: *carecemos de medios para realizar el trabajo.*
FAM carencia, carente.

carena *s. f.* ① Parte sumergida del casco de un barco. ② Acción de carenar.
FAM carenar.

carenar *v. tr.* Hacer la reparación del casco de un barco en un dique u otro lugar parecido, tumbando la embarcación para que quede el casco hacia arriba.
FAM carenaje.

carencia *s. f.* Falta de una cosa.
FAM carencial.

carencial *adj.* Relativo a la carencia de sustancias alimenticias o de vitaminas: *estado carencial; enfermedades carenciales.*

carente *adj.* Que carece de algo.

careo *s. m.* Interrogatorio efectuado a dos o más personas puestas frente a frente para averiguar la verdad mediante la confrontación de sus versiones, especialmente con fines judiciales o policiales.

carero, -ra *adj.* Se aplica al comerciante o establecimiento que suele vender caro.

carestía *s. f.* ① Carencia o escasez de alguna cosa necesaria, especialmente de víveres. ② Circunstancia de estar alto el precio de los artículos y servicios de mayor consumo.

careta *s. f.* ① Máscara o mascarilla de cartón u otro material para cubrirse la cara. ② Máscara de alambres que usan los colmeneros o los que practican esgrima para protegerse la cara. ③ Parte delantera de la cabeza del cerdo. ④ Fingimiento o disimulo, generalmente de las intenciones o de la manera de ser de una persona. SIN máscara.

careto, -ta *adj.* ① Se aplica al animal que tiene la cara blanca y la frente y el resto de la cabeza de color oscuro: *caballo careto.* I *s. m.* ② familiar Cara de una persona.

carey *s. m.* ① Tortuga de mar de hasta 1 m de longitud, con las patas delanteras más largas que las traseras para poder nadar, el caparazón dividido en segmentos y cuyos huevos son comestibles. ② Materia córnea obtenida del caparazón de esta tortuga, dura y translúcida, con manchas amarillas, negras y rojas, usada para fabricar peines, cajas y otros objetos decorativos. ③ CUBA Bejuco de hojas anchas y tan ásperas que pueden utilizarse para lijar.

carga *s. f.* ① Colocación de un peso sobre una persona, animal o vehículo, generalmente para transportarlo: *la carga del camión se llevará a cabo mañana a las diez.* ② Cosa transportada, especialmente géneros y mercancías: *el camión ha dejado la carga en el muelle.* ③ Peso sostenido por una estructura: *las vigas del edificio aguantan demasiada carga.* ④ Recipiente intercambiable con la sustancia o materia necesaria para el funcionamiento de una máquina o un aparato: *tengo que ponerle una carga nueva a este bolígrafo.* SIN cartucho. ⑤ Cantidad de sustancia explosiva que se usa para volar algo o que se pone en un arma de fuego: *pusieron una carga suficiente para volar todo el edificio.* ⑥ Cantidad de energía eléctrica contenida en un cuerpo u objeto: *esta pila no tiene carga.* ⑦ Ataque resuelto y con fuerza de un ejército contra el enemigo: *carga de caballería.* ⑧ Acometida de las fuerzas de seguridad para dispersar o ahuyentar a grupos que alteran el orden público: *hubo varias cargas de las fuerzas antidisturbios.* ⑨ Acción de empujar con fuerza a una persona, generalmente al practicar un deporte: *el árbitro consideró que había sido una carga reglamentaria y no la sancionó.* ⑩ Molestia, situación penosa o esfuerzo que recae sobre una persona y que la cansa o la hace sufrir: *la enfermedad de su hijo fue una carga que aceptó con resignación.* ⑪ Impuesto o tributo que recae sobre lo que se posee: *cargas fiscales.* ⑫ Obligación propia de una situación, de un puesto o de una profesión: *su nuevo ascenso también supone nuevas cargas.*

volver a la carga Insistir en un tema o pretensión.
FAM carguero; montacargas.

cargado, -da *adj.* ① Se aplica al tiempo o estado atmosférico que es bochornoso o muy caluroso y molesto. ② Se aplica a la atmósfera de un local que es impura y está llena de humos y olores desagradables. ③ Se aplica a la bebida que es muy fuerte o concentrada.

cargador, -ra *adj./s. m.* ① Que carga o sirve para cargar: *el* *cargador del móvil.* ▮ *s. m. y f.* ▮2▮ Persona que se dedica a cargar mercancías en un medio de transporte, especialmente una embarcación. ▮3▮ Persona que se dedica a cargar mercancías sobre los hombros o la espalda. ▮ *s. m.* ▮4▮ Pieza del arma de fuego donde se colocan las municiones.

cargamento *s. m.* Conjunto de mercancías que transporta una embarcación o un vehículo.

cargante *adj.* Que molesta, fastidia o aburre, generalmente por pesado: *una situación cargante; el niño está muy cargante.*

cargar *v. tr.* ▮1▮ Poner un peso sobre una persona, animal o vehículo para transportarlo: *hemos cargado las maletas en el coche.* ▮2▮ Proveer a una máquina o aparato de lo que necesita para funcionar: *cargar la escopeta.* ▮3▮ Dotar o proveer a alguien o algo de una cosa en abundancia: *cargó a los niños de regalos.* ▮4▮ Atribuir la culpa de una cosa a alguien: *le cargaron el robo sin tener pruebas.* ▮5▮ Imponer sobre una persona o cosa un gravamen o impuesto: *han cargado este tipo de establecimientos con un nuevo impuesto.* ▮6▮ Anotar en una cuenta las cantidades de dinero que corresponden al debe. ▮7▮ Desplazar un jugador a otro del lugar en que está mediante un choque violento. ▮ *v. tr./intr.* ▮8▮ Molestar, hartar o aburrir: *sus chistes y bromas me cargan.* ▮ *v. intr.* ▮9▮ Tomar o aceptar un peso físico o moral: *yo cargaré con todo.* ▮10▮ Apoyarse una cosa sobre otra: *este depósito carga sobre esta estructura.* ▮11▮ Atacar o acometer con fuerza y resolución: *el ejército cargó sobre el enemigo; la policía cargó contra los manifestantes.* ▮12▮ Recaer el acento en un sonido. ▮13▮ Inclinarse algo hacia una parte. ▮ *v. prnl.* ▮14▮ **cargarse** Llenarse o llegar a tener mucho de una cosa: *el cielo se ha cargado de nubes.* ▮15▮ Romper, estropear o suprimir: *te has cargado el jarrón.* ▮16▮ Matar a un ser vivo. ▮17▮ Suspender a un estudiante en una prueba: *se lo han cargado en selectividad.* ▮18▮ Volverse un ambiente impuro o irrespirable por falta de ventilación: *la habitación se cargó mucho porque estaban todos fumando.* ▮19▮ Sentir pesadez o congestión en una parte del cuerpo: *a mi abuela se le cargan las piernas si está mucho tiempo de pie.* ▮20▮ Acumular energía eléctrica: *la batería se está cargando.* **FAM** carga, cargadero, cargado, cargador, cargamento, cargante, cargazón; descargar, recargar, sobrecargar.

cargo *s. m.* ▮1▮ Empleo, dignidad u oficio. ▪ **alto cargo** Empleo que es muy importante. ▮2▮ Persona que desempeña este empleo. ▮3▮ Persona que tiene un empleo muy importante. ▮4▮ Custodia, cuidado o dirección de una cosa. ▮5▮ Falta de la que se acusa a una persona: *retiraron los cargos y fue puesto en libertad.* ▮6▮ Cantidad que una persona debe pagar en una cuenta a su nombre. **a cargo** (**I**) Al cuidado de alguien: *el niño está a cargo de un tío suyo.* (**II**) A cuenta de alguien: *la comida corre a cargo de la empresa.* **cargo de conciencia** Sentimiento de culpa que afecta a una persona por haber hecho o dejado de hacer algo. **hacerse cargo** (**I**) Encargarse de una persona o cosa: *no te preocupes, yo me hago cargo de todo.* (**II**) Comprender o considerar todas las circunstancias que concurren en un hecho: *hágase cargo de mi situación.*

carguero, -ra *adj.* ▮1▮ Que lleva o puede llevar carga. ▮ *s. m.* ▮2▮ Vehículo de carga, especialmente un buque.

cariacontecido, -da *adj.* Se aplica a la persona que tiene una expresión preocupada o triste.

cariar *v. tr.* Producir caries en un diente: *los caramelos carian los dientes; se me ha cariado una muela.* **OBS** Verbo regular, se acentúa como *cambiar.*

cariátide *s. f.* Estatua con figura de mujer vestida hasta los pies que sirve de columna o pilastra en un edificio.

caribe *adj.* ▮1▮ Relativo a un pueblo indígena del norte de América del Sur y de las Antillas. ▮ *s. com./adj.* ▮2▮ Persona perteneciente a este pueblo. ▮ *s. m./adj.* ▮3▮ Lengua precolombina hablada por este pueblo. ▮ *s. m.* ▮4▮ VENEZ. Pez pequeño, carnívoro y muy voraz que vive en los afluentes del Amazonas.

caribeño, -ña *adj.* ▮1▮ Relativo al mar Caribe o a sus territorios. ▮ *s. m. y f./adj.* ▮2▮ Persona que es de un país bañado por el mar Caribe.

caribú *s. m.* Reno de las regiones frías de América del Norte. **OBS** Plural: *caribúes* o *caribús.*

caricato, -ta *s. m. y f.* ▮1▮ Imitador cómico de personajes públicos. ▮ *s. m.* ▮2▮ Cantante de ópera que hace el papel cómico y burlesco. ▮3▮ AMÉR. Caricatura (dibujo).

caricatura *s. f.* ▮1▮ Dibujo en el que, con intención crítica o humorística, se deforman exageradamente los rasgos característicos del modelo que se sigue. ▮2▮ Descripción o relato con que se ridiculiza a una persona o cosa exagerando sus rasgos característicos. ▮3▮ Cosa que no alcanza una forma aceptable de lo que pretende ser: *más que un festival, fue una caricatura de festival.* **FAM** caricaturesco, caricaturista, caricaturizar.

caricaturesco, -ca *adj.* Relativo a la caricatura: *personaje caricaturesco.*

caricaturista *s. com.* Persona que dibuja caricaturas.

caricaturizar *v. tr.* Representar o imitar a una persona o cosa con el dibujo o el texto deformando o ridiculizando sus rasgos característicos. **FAM** caricaturización.

caricia *s. f.* ▮1▮ Muestra de cariño que consiste en rozar suavemente con la mano el cuerpo de una persona o de un animal. ▮2▮ Sensación agradable causada por el roce suave de algo: *siente la caricia del mar sobre su piel.* ▮3▮ Halago o gesto empleado como desmostración amorosa: *su novia le decía caricias al oído.* **FAM** acariciar.

caridad *s. f.* ▮1▮ Sentimiento o actitud que impulsa a interesarse por los demás y a querer ayudar a los necesitados. ▮2▮ Ayuda o auxilio que se da a los necesitados. **SIN** limosna. ▮3▮ Virtud teologal del cristianismo que consiste en amar a Dios sobre todas las cosas y al prójimo como a nosotros mismos: *la caridad se manifiesta en actos de amor al prójimo.* ▮4▮ Tratamiento que se dan entre sí los miembros de algunas órdenes religiosas. **NOTA** Pueden anteponérsele las palabras *su* o *vuestra.* **FAM** caritativo.

caries *s. f.* Destrucción o necrosis que afecta a los tejidos duros del organismo, especialmente los dientes. **FAM** cariar. **OBS** Plural invariable.

carilla *s. f.* Cara de una hoja de papel.

carillón *s. m.* ▮1▮ Conjunto de campanas grandes convenientemente afinadas y ordenadas para producir melodías; se percuten con badajos móviles accionados generalmente mediante un teclado y un pedalero; se encuentran colgadas generalmente en las torres de las iglesias, fijadas en unas vigas. ▮2▮ Reloj provisto de uno de estos juegos de campanas, que suena cuando dan las horas. ▮3▮ Instrumento musical de percusión formado por varios tubos o placas de metal que suenan al ser golpeadas: *el carillón se puso de moda como instrumento de orquesta en el siglo XIX*.

carimbo *s. m.* ARG., BOL., P. RICO, PERÚ, URUG. Hierro para marcar los animales.

cariño *s. m.* **1** Afecto intenso que se tiene hacia una persona, animal o cosa a la que se quiere cuidar y conservar. **2** Expresión y señal de amor o afecto: *siempre están haciéndose cariños*. **3** Delicadeza o cuidado con que se hace o se trata una cosa: *cuídala el libro con mucho cariño*. **4** Se emplea para dirigirse cariñosamente a una persona: *¡hola, cariño!, ¿qué tal el colegio?*

FAM cariñoso; encariñarse.

cariñoso, -sa *adj.* Que muestra cariño: *es un perrito muy cariñoso con los niños*.

cariocinesis *s. f.* Proceso de división de una célula que se caracteriza por la duplicación de todos sus elementos dando origen a dos células hijas que tienen el mismo número de cromosomas e igual información genética que la célula madre. SIN mitosis.

FAM cariocinético.

OBS Plural invariable.

cariotipo *s. m.* Conjunto de cromosomas de una célula o un individuo, ordenados según su tamaño, forma y características.

carisma *s. m.* **1** Cualidad o don que tiene una persona para atraer a los demás por su presencia o su forma de hablar: *no tiene carisma para jefe*. **2** En la religión cristiana, gracia o don concedido por Dios a algunos seres humanos para que realicen determinadas funciones para el bien general de la comunidad.

FAM carismático.

carismático, -ca *adj.* **1** Relativo al carisma. **2** Que tiene carisma: *persona carismática*.

caritativo, -va *adj.* **1** Relativo al sentimiento de la caridad: *acto caritativo*. **2** Se aplica a la persona que se interesa por los demás y que se siente impulsada a ayudar a los necesitados: *era muy caritativo con todos*.

cariz *s. m.* Aspecto que presenta un asunto o negocio: *nuestra relación está tomando muy mal cariz*.

carlinga *s. f.* Espacio del interior de un avión donde se hallan el piloto y los ayudantes de vuelo.

carlismo *s. m.* Movimiento político español, de carácter conservador, tradicionalista y foralista, que surgió en 1833 para apoyar las pretensiones al trono de Carlos María Isidro de Borbón, hermano de Fernando VII: *el carlismo no aceptaba a Isabel II como reina de España*.

FAM carlista.

carlista *adj.* **1** Relativo al carlismo: *las guerras carlistas*. ‖ *adj./s. com.* **2** Se aplica a la persona que es partidaria del carlismo.

carmelita *adj.* **1** Relativo a la orden religiosa del Carmelo, o Carmen, fundada en el siglo XII por san Bertoldo. ‖ *adj./s. com.* **2** Se aplica al religioso que pertenece a esta orden: *los carmelitas descalzos pertenecen a una rama de la orden fundada por santa Teresa de Jesús y san Juan de la Cruz en el siglo XVI*.

carmesí *s. m./adj.* **1** Color granate intenso. ‖ *adj.* **2** Que es de este color.

OBS Plural: *carmesíes*.

carmín *s. m.* **1** Barrita hecha de una pasta compacta y grasa

que se usa como cosmético para dar color a los labios, y que generalmente va guardada en un pequeño estuche. SIN pintalabios. **2** Colorante de color rojo intenso que se saca de ciertos insectos como la cochinilla. ‖ *s. m./adj.* **3** Color rojo intenso. ‖ *adj.* **4** Que es de este color. NOTA Invariable en número.

carnada *s. f.* Trozo pequeño de carne que se usa como cebo para pescar o cazar. SIN carnaza.

carnal *adj.* **1** Relativo al cuerpo y no al espíritu: *los intereses espirituales están por encima de los intereses carnales*. **2** Relativo a los instintos del cuerpo o al deseo sexual: *no ha tenido trato carnal con nadie antes de su matrimonio*. **3** Se aplica a la persona que tiene un parentesco consanguíneo con otra: *primos carnales*.

FAM carnalidad.

carnaval *s. m.* **1** Periodo que comprende los tres días anteriores al miércoles de ceniza. SIN carnestolendas. **2** Fiesta popular que se celebra en estos días y que consiste en mascaradas, bailes y comparsas por las calles.

FAM carnavalero, carnavalesco.

carnavalesco, -ca *adj.* Relativo al carnaval: *festejos carnavalescos*.

carnaza *s. f.* **1** Carne de animal muerto que sirve de alimento a ciertos animales salvajes: *los buitres y las hienas se alimentan de carnaza*. **2** Carnada.

carne *s. f.* **1** Parte blanda del cuerpo del ser humano y de los animales formada por los músculos. **2** Alimento consistente en esta parte del cuerpo de los animales preparada para comer, especialmente la de animales terrestres y aéreos. **3** Parte blanda de las frutas y frutos que está bajo la cáscara: *quítale la piel y tómate solamente la carne del melocotón*. SIN pulpa. **4** Cuerpo humano como parte material del ser humano, en oposición al espíritu: *algunas religiones hablan de luchar contra las tentaciones de la carne*.

carne de cañón Persona o grupo de personas a las que se expone sin miramientos a sufrir cualquier clase de daño: *aquellas tropas fueron destinadas como carne de cañón a las posiciones más avanzadas*.

carne de gallina Piel de las personas cuando, por el frío o el miedo, toma un aspecto parecido al de las aves sin plumas.

de carne y hueso Que es sensible a las experiencias y vicisitudes como los demás: *ser de carne y hueso*.

echar carnes Ponerse gordo el que estaba delgado.

en carne viva Sin la piel que cubre el cuerpo, generalmente por causa de un accidente.

poner toda la carne en el asador Arriesgarlo todo de una vez o intentar una cosa con todas las fuerzas y medios.

FAM carnada, carnal, carnaza, cárnico, carnívoro, carnoso; descarnar.

carné [también **carnet**] *s. m.* **1** Documento de bolsillo, generalmente en forma de tarjeta, que acredita la identidad de una persona, la pertenencia a un cuerpo o entidad o la facultad que se tiene para ejercer una actividad. ■ **carné de identidad** Documento oficial en que constan el nombre, la fotografía, la firma y otras informaciones relacionadas con una persona y que sirve para identificarla. **2** Cuaderno de notas.

OBS Plural: *carnés*.

carnero *s. m.* Mamífero rumiante ovino, macho, con grandes cuernos estriados y enrollados en espiral y cuerpo cubierto de lana espesa: *el carnero es el macho de la oveja*.

carnestolendas *s. f. pl.* Carnaval.

carnet *s. m.* Carné.

carnicería *s. f.* ① Establecimiento en el que se vende carne destinada al consumo. ② Destrozo y gran mortandad producido por la guerra o por una catástrofe: *aquella batalla fue una carnicería.* ③ Destrozo hecho en la carne de una persona o animal, generalmente por una herida o una operación quirúrgica.

carnicero, -ra *s. m. y f.* ① Persona que se dedica a vender carne destinada al consumo. | *adj./s. m. y f.* ② Se aplica al animal que mata a otros animales para comer su carne. ③ Se aplica a la persona que es cruel, sanguinaria e inhumana. **FAM** carnicería.

cárnico, -ca *adj.* Relativo a la carne comestible: *industrias cárnicas.*

carnívoro, -ra *adj.* ① Se aplica al animal que se alimenta o puede alimentarse de carne: *el halcón es un animal carnívoro.* ② Se aplica a la planta que se nutre de insectos. | *adj./s. m. y f.* ③ Se aplica al animal mamífero terrestre que tiene los dientes fuertes y cortantes para poder alimentarse de carne. | *s. m. pl.* ④ **carnívoros** Grupo taxonómico, con categoría de orden, constituido por estos animales.

carnosidad *s. f.* ① Masa irregular de carne que sobresale en alguna parte del cuerpo: *la cresta del gallo es una carnosidad roja.* ② Carne que crece en una herida mal curada.

carnoso, -sa *adj.* ① Que tiene la textura o la consistencia de la carne: *apéndice carnoso.* ② Que es grueso o tiene mucha carne: *labios carnosos.* ③ Se aplica al vegetal o fruto que es tierno, jugoso y tiene mucha carne o pulpa. **FAM** carnosidad.

caro, -ra *adj.* ① Se aplica a la mercancía que es de precio elevado o superior al habitual o al que parece adecuado en comparación con otra mercancía semejante. **SIN** costoso. **ANT** barato. ② culto Amado, querido: *caro amigo.* | *adv.* ③ A un precio alto: *en esta tienda venden muy caro.* **ANT** barato. **FAM** carero; encarecer.

carolingio, -gia *adj.* Relativo a Carlomagno (rey de los francos, 742-814) o a su época, dinastía o imperio: *el periodo carolingio comenzó en el siglo VIII y terminó a fines del siglo IX.*

carota *adj./s. com.* Se aplica a la persona que habla u obra con desfachatez y descaro o con poca vergüenza. **SIN** caradura.

caroteno *s. m.* Pigmento de naturaleza lipídica de color amarillo anaranjado que se encuentra en ciertos vegetales, como la zanahoria o el tomate. **SIN** carotina.

carótida *adj./s. f.* Se aplica a cada una de las dos arterias que están a uno y otro lado del cuello y llevan la sangre a la cabeza.

carotina *s. f.* Caroteno.

carpa¹ *s. f.* Pez de agua dulce comestible, de color verdoso por encima y amarillo por el vientre, con grandes escamas, aleta dorsal larga y cuatro pequeñas barbas bajo la boca.

carpa² *s. f.* Toldo de gran tamaño sostenido por una estructura y que cubre un recinto amplio, especialmente un circo.

carpe díem *s. m.* Expresión latina con que se designa el tópico o tema literario en el que se anima a aprovechar el momento presente sin esperar el futuro.

carpelo *s. m.* Hoja modificada que con otras compone el gineceo u órgano sexual femenino de algunas plantas.

carpeta *s. f.* ① Pieza de cartón u otro material que, doblada por la mitad y cerrada generalmente con gomas, sirve para guardar papeles. **SIN** archivador. ② Cartera grande que consiste en dos cubiertas, generalmente de cartón, unidas por uno de los lados y que se pone en una mesa para escribir sobre ella y para guardar papeles. ③ ARG., URUG. Habilidad para tratar a la gente. **FAM** carpetazo; encarpetar.

carpetazo Se usa en la expresión: **dar carpetazo** (I) Suspender arbitrariamente la tramitación de una solicitud o expediente. (II) Dar por terminado un asunto.

carpetovetónico, -ca *adj.* despectivo Que defiende lo español a ultranza, rechazando la influencia exterior. **FAM** carpetovetonismo.

carpintería *s. f.* ① Taller o lugar de trabajo de un carpintero. ② Arte y técnica de trabajar la madera y de hacer objetos con ella. ③ Conjunto de muebles y objetos de madera fabricados según esta técnica.

carpintero, -ra *s. m. y f.* Persona que se dedica a fabricar o arreglar objetos de madera. **FAM** carpintería.

carpo *s. m.* Conjunto de ocho huesos, dispuestos en dos filas, que forman parte del esqueleto de la muñeca y articulan el cúbito con el metacarpo. **FAM** epicarpo.

carraca¹ *s. f.* ① Antigua embarcación grande de transporte. ② Aparato o máquina vieja o que funciona mal.

carraca² *s. f.* ① Instrumento musical de percusión formado por una rueda de madera con dientes, los cuales, al hacerlo girar sobre un eje que sirve de mango, tocan una lengüeta flexible y producen un sonido seco. ② Rueda con dientes de algunas herramientas que transmite el movimiento del mango en un solo sentido: *si no usas una llave de carraca, no terminarás nunca.* ③ Pájaro de cabeza, alas y pecho azules y dorso castaño, con el pico largo y curvado.

carrasca *s. f.* ① Encina, generalmente pequeña y sin haber tomado aún forma de árbol. ② Mata de la encina. **FAM** carrascal.

carrascal *s. m.* Lugar en que la especie dominante es la carrasca.

carrasco *s. m.* ① Carrasca. ② AMÉR. Terreno amplio poblado de arbustos y árboles.

carraspear *v. intr.* Hacer con la garganta una tos ligera para quitarle la carraspera o aclararla antes de hablar. **FAM** carraspeo, carraspera.

carraspeo *s. m.* Emisión de una tos ligera para aclarar la garganta o quitar la carraspera.

carraspera *s. f.* Aspereza en la garganta que pone ronca la voz.

carrera *s. f.* ① Acción de ir de un sitio a otro corriendo: *cruzamos la calle de una carrera.* ② Acción de darse mucha prisa en una actividad o trabajo. ③ Competición de velocidad entre personas, animales o vehículos. ④ Conjunto de estudios, repartidos en cursos, que capacitan para ejercer una profesión. ⑤ Ejercicio de una profesión o arte: *ganó mucho dinero a lo largo de su carrera de cantante.* ⑥ Recorrido o trayecto que hace un coche de alquiler desde que el cliente lo toma hasta que lo deja. ⑦ Curso o recorrido de un planeta o estrella en el espacio. ⑧ Calle que antes fue camino. ⑨ Línea de puntos sueltos en una media o en otro tejido: *llevas una carrera en la media.*

a la carrera Con mucha prisa o rapidez.

hacer carrera Prosperar profesional o económicamente.

hacer la carrera Dedicarse a la prostitución.

FAM carrerilla, carrerista.

carrerilla *s. f.* Movimiento de la danza española que consiste en dar dos pasos cortos acelerados hacia adelante e inclinarse a uno y otro lado.

de carrerilla De memoria y sin comprender lo que se dice: *dijo el poema de carrerilla.*

tomar (o **coger**) **carrerilla** (**I**) Retroceder unos pasos para tomar impulso, generalmente para dar un salto. (**II**) Hacer una cosa muy deprisa.

carreta *s. f.* Carro largo, angosto y más bajo que el ordinario, generalmente de dos ruedas sin herrar y con un madero que sobresale al que se ata el yugo donde se uncen los animales que tiran de él, generalmente bueyes.

FAM carretada, carretero, carretilla, carretón.

carretada *s. f.* ① Carga de una carreta o un carro: *una carretada de leña.* ② Cantidad grande de una cosa: *una carretada de gente.*

carrete *s. m.* ① Cilindro generalmente con el eje hueco, con rebordes o discos en sus bases, en el que se enrollan hilos, cables u otro material flexible: *carrete de hilo para coser.* ② Hilo, cable o alambre que se enrolla alrededor de este cilindro: *he gastado un carrete de alambre en arreglar la jaula.* ③ Pieza cilíndrica de la caña de pescar en la que se enrolla el sedal. ④ Rollo de película de una máquina fotográfica.

dar carrete familiar Dar conversación a alguien.

carretera *s. f.* Camino público ancho y pavimentado, generalmente con un carril en cada sentido, preparado para la circulación de vehículos.

carretero *s. m.* ① Persona que fabrica carros o carretas o que los conduce. ② Persona que se comporta sin educación o blasfema con frecuencia.

fumar como un carretero familiar Fumar mucho.

hablar (o **jurar**) **como un carretero** Decir palabras injuriosas u ofensivas o echar maldiciones contra alguien o algo.

carretilla *s. f.* ① Carro pequeño de mano compuesto por un cajón para la carga, una rueda delantera, dos mangos posteriores para dirigirlo la persona que lo empuja y dos pies para descansarlo. ② Cohete que al encenderse corre por el suelo. SIN buscapiés. ③ Bastidor con ruedas para aprender los niños a andar. ④ ARG., CHILE Mandíbula o quijada.

carretilla elevadora Vehículo de pequeño tamaño provisto de unas horquillas en la parte frontal que se elevan o descienden para transportar mercancías apiladas sobre palets. SIN toro.

de carretilla De memoria y sin comprender lo que se dice: *no me lo digas de carretilla y piensa lo que dices.*

carricero *s. m.* Pájaro de 13 a 19 cm de longitud y color pardusco, que come insectos y hace el nido en cañaverales cerca de estanques o pantanos.

carricoche *s. m.* ① Carro cubierto con caja parecida a la de un coche. ② despectivo Coche viejo y con mala apariencia.

carriel *s. m.* AMÉR. Maletín de mano hecho de cuero, tela u otros materiales, usado especialmente en viajes.

carril *s. m.* ① Parte de una carretera u otra vía pública destinada al tránsito de una sola fila de vehículos. ② Barra de hierro que, paralela a otra igual, sirve para construir el camino sobre el que circulan los trenes: *un tren se salió de los carriles.* SIN raíl, vía. ③ Camino estrecho y preparado solamente para el paso de carros. ④ Guía estrecha y alargada por la que se puede deslizar un objeto: *el carril de una puerta corredera.* SIN riel.

FAM descarrilar, encarrilar, monocarril.

carrillo *s. m.* Mejilla, especialmente la parte central más carnosa.

comer (o **masticar**) **a dos carrillos** Comer mucho y de forma rápida.

FAM carrillada.

carrizal *s. m.* Lugar poblado de carrizos.

carrizo *s. m.* Planta parecida a la caña, pero con el tallo más delgado y no tan alto, que se cría cerca de arroyos y charcas. SIN cañavera.

FAM carrizal.

carro *s. m.* ① Vehículo de transporte formado por un armazón montado sobre dos ruedas, con un tablero y una o dos varas para enganchar los animales de tiro: *la familia viajaba en un carro tirado por dos bueyes.* ② Armazón con ruedas y sin varas que sirve para transportar cosas: *en los aeropuertos hay carros para llevar las maletas.* ③ Pieza de algunas máquinas o aparatos que tiene un movimiento horizontal rectilíneo: *el carro de la máquina de escribir.* ④ AMÉR. Coche, automóvil. ■ **carro convertible** AMÉR. CENTRAL, COL., P. RICO, PERÚ Vehículo que tiene capota o techo que se puede plegar o retirar. NOTA También simplemente *convertible.* ⑤ CHILE, EL SALV., MÉX., P. RICO, PAN. Vagón de un tren. ■ **carro comedor** MÉX., P. RICO, PAN. Vagón de tren en el que se pueden adquirir bebidas o alimentos. ■ **carro de reja** CHILE Vagón de tren cerrado con madera o hierros colocados en forma de rejas que se usa para el transporte de animales. ■ **carro dormitorio** CHILE, EL SALV., MÉX. Vagón de tren que dispone de departamentos con camas.

carro de combate Vehículo de guerra blindado armado con un gran cañón y varias ametralladoras; se mueve sobre cadenas sin fin que le permiten desplazarse por terrenos irregulares y escabrosos. SIN tanque.

aguantar (o **pasar**) **carros y carretas** Aguantar con paciencia y sin protestar contrariedades, contratiempos, molestias o situaciones desagradables.

parar el carro familiar Moderarse o contener el enfado o una acción violenta, dejando de hablar o de comportarse de forma inconveniente: *para el carro, hombre.*

poner el carro delante de los bueyes (o **del caballo** o **de las mulas**) familiar AMÉR. Hacer las cosas en el orden contrario al lógico.

subirse al carro familiar Adoptar una actitud favorable a alguna corriente mayoritaria tan solo por conveniencia: *cuando terminó la dictadura, mucha gente subió al carro del gobierno democrático buscando un lugar donde acomodarse.*

FAM carreta, carricoche, carromato, carroza, carruaje; motocarro.

carrocería *s. f.* Parte de un vehículo asentada sobre el bastidor que recubre el motor y otros elementos y en cuyo interior se instalan los pasajeros y la carga.

carromato *s. m.* ① Carro grande cubierto por un toldo, de dos ruedas y dos varas para enganchar uno o más animales de tiro. ② despectivo Carruaje grande, viejo e incómodo.

carroña *s. f.* ① Carne descompuesta, especialmente la de

los animales muertos. **2** despectivo Persona o cosa ruin y despreciable: *esas gentes son carroña.*
FAM carroñero.

carroñero, -ra *adj.* **1** Relativo a la carroña. I *adj./s. m. y f.* **2** Se aplica al animal que se alimenta de carroña: *los buitres son aves carroñeras.* **3** despectivo Se aplica a la persona que se aprovecha de las desgracias de los demás.

carroza *s. f.* **1** Coche tirado por caballos grande, lujoso y ricamente engalanado: *la reina llegó al palacio en una elegante carroza.* **2** Vehículo muy adornado que se usa en las fiestas públicas: *los niños vieron la carroza de los Reyes Magos.* **3** Coche fúnebre. **4** Armazón de hierro o madera que se cubre con un toldo de lona y sirve para defender de la intemperie algunas partes de una embarcación. I *adj./s. com.* **5** familiar Se aplica a la persona que es mayor y tiene usos y costumbres pasados de moda: *ser un carroza.*
FAM carrocero.

carruaje *s. m.* Vehículo formado por una armazón de madera o metal montada sobre ruedas destinado generalmente al transporte de personas.

carrusel *s. m.* **1** Atracción de feria que consiste en una plataforma giratoria sobre la que hay animales y vehículos de juguete en los que se puede montar. SIN caballitos, tiovivo. **2** Espectáculo en el que un grupo de jinetes que actúa en círculo realiza con sus caballos una serie de vistosos ejercicios.

carst [también **karst**, más usado] *s. m.* Relieve geológico cuyas formas son debidas a la acción erosiva, principalmente del agua, sobre un terreno de rocas de escasa consistencia, como calizas o yesos. SIN macizo cárstico.
FAM cárstico.

cárstico, -ca [también **kárstico, -ca**, más usado] *adj.* Relativo al carst.

carta *s. f.* **1** Escrito que una persona envía a otra para comunicarle alguna cosa; generalmente, se envía por correo metido dentro de un sobre. ■ **carta abierta** Carta que se dirige a una persona, pero con el fin de que se difunda a través de los medios de comunicación social. ■ **carta pastoral** Escrito o discurso dirigido por un prelado a sus diocesanos con instrucciones o exhortaciones sobre asuntos religiosos, sociales, etc. **2** Cartulina rectangular pequeña que lleva por una de sus caras el dibujo de una figura o de un número determinado de objetos y que, junto con otras, forma una baraja y sirve para jugar. SIN naipe. **3** Lista de comidas y bebidas que se pueden elegir en un restaurante, cafetería u otro establecimiento semejante. **4** Representación gráfica, sobre un plano y siguiendo una escala, de la superficie terrestre o de una parte de ella, especialmente del mar y la costa. ■ **carta astral** Representación de la posición de los planetas y las estrellas en el momento del nacimiento de una persona. **5** Documento en el que se registra un título, derecho u obligación. ■ **carta credencial** Documento que un Estado da a sus representantes en otros países para que se les reconozca o se les admita como tales. ■ **carta de naturaleza** Documento que acredita la nacionalización de un extranjero: *la nacionalidad española se adquiere por carta de naturaleza.* ■ **carta de pago** Documento en que el acreedor confiesa haber recibido la totalidad o parte de lo que se le debía. ■ **carta puebla** Documento que contiene el repartimiento de tierras y derechos que se concedía a los nuevos pobladores del sitio o lugar en que se fundaba un pueblo.

a carta cabal Se aplica a la persona que posee íntegramente y en el más alto grado las cualidades que se expresan: *es honrado a carta cabal.*

carta blanca Poder para obrar con libertad en un asunto.

carta de ajuste Señal fija que se recibe en los aparatos de televisión y que permite ajustar la imagen.

Carta Magna Conjunto de leyes fundamentales de un Estado. NOTA También simplemente *Carta*. SIN Constitución.

carta otorgada Documento constitucional concedido por un monarca sin intervención de las cortes o parlamento.

echar las cartas Hacer combinaciones con las cartas de una baraja para tratar de adivinar el futuro u otras cosas ocultas.

jugárselo todo a una carta Hacer que la solución a un problema dependa de un solo hecho.

no saber a qué carta quedarse Estar indeciso, no saber qué decisión tomar.

poner las cartas boca arriba Mostrar una intención u opinión que se tenía oculta.

tomar cartas en el asunto Intervenir en una situación.
FAM cartearse; cartero; abrecartas, pesacartas.

cartabón *s. m.* Instrumento de dibujo lineal con forma de triángulo rectángulo escaleno con ángulos de 30 y 60 grados: *el cartabón suele tener el cateto mayor graduado.*

cartaginés, -nesa *adj.* **1** De Cartago (antigua ciudad y república del norte de África, destruida por los romanos el 146 a. C.). I *s. m. y f./adj.* **2** Persona que era de Cartago: *los cartagineses fundaron Cartago Nova (Cartagena).*

cartapacio *s. m.* **1** Cartera o carpeta para guardar libros y papeles. **2** Cuaderno para escribir o tomar notas.

cartearse *v. prnl.* Escribirse cartas dos o más personas: *me carteo con unos amigos.*
FAM carteo.

cartel *s. m.* **1** Escrito o dibujo hecho sobre una lámina grande, generalmente de papel resistente, que se coloca en lugares públicos para comunicar una noticia, dar un aviso o hacer publicidad de alguna cosa. **2** Fama o reputación: *este torero tiene cartel.* **3** Cártel.

en cartel En cartelera.
FAM cartelera.

cártel o **cartel** *s. m.* **1** Convenio y agrupación de empresas similares que, conservando su individualidad, evitan la mutua competencia y regulan la producción, venta y precios de determinados productos industriales. **2** Asociación de personas que persiguen fines ilícitos: *cártel de Medellín.*

cartela *s. f.* **1** Placa de metal u otro material al pie de un cuadro o de una estatua en el que se escribe el nombre del autor, una explicación u otra cosa. **2** Decoración a modo de orla que enmarca una inscripción en una pintura o una parte de un edificio: *una cartela adornada la fachada del edificio.* **3** Ménsula a modo de modillón, de más altura que vuelo.

cartelera *s. f.* **1** Sección de los periódicos y algunas revistas donde se anuncian los espectáculos públicos. **2** Armazón con la superficie adecuada para fijar en ella carteles o anuncios publicitarios.

en cartelera Se aplica al espectáculo que está representándose: *esta película logró mantenerse un año en cartelera.* SIN en cartel.

carteo *s. m.* Envío recíproco de cartas entre dos o más personas.

cárter *s. m.* **1** Depósito de lubricante del motor de un automóvil. ② Cubierta de metal que, en un automóvil u otra máquina, protege el depósito o un mecanismo.

cartera *s. f.* ① Utensilio pequeño de piel o material similar, de forma aplanada y rectangular y doblado por la mitad, con diversos apartados y divisiones en su interior, que se lleva en el bolsillo y que sirve para guardar billetes, tarjetas y pequeños documentos: *llevo una foto de mi hija en la cartera.* **SIN** billetera, billetero, monedero. ② Utensilio cuadrangular de piel u otro material flexible, con asa y tapa, que sirve generalmente para llevar papeles o libros: *los niños llevan los libros en la cartera.* ③ Empleo de ministro de un país: *la cartera de Defensa.* ④ Conjunto de clientes de un negocio. ⑤ Conjunto de valores de un negocio, generalmente de un banco o de un comercio: *cartera de valores.* ⑥ AMÉR. Bolso de mujer. ⑦ CHILE, CUBA, GUAT., PERÚ Bolsa para llevar cosas.

tener en cartera Tener algo en proyecto o preparado para su próxima realización.

FAM carterista.

carterista *s. com.* Ladrón de carteras y otros objetos de pequeño tamaño, generalmente por la calle o en un vehículo de transporte público y sin que la víctima se dé cuenta.

cartero, -ra *s. m. y f.* Persona que se dedica a repartir las cartas y los paquetes del correo.

FAM cartería.

cartesianismo *s. m.* Sistema filosófico de Descartes (filósofo francés del siglo XVII) y de sus seguidores: *el cartesianismo considera la razón como única fuente de conocimiento.*

FAM cartesiano.

cartesiano, -na *adj.* ① Relativo a Descartes (filósofo francés del siglo XVII) o al cartesianismo. ② Se aplica a la persona, escrito o pensamiento que es extremadamente metódico, lógico o racional. ‖ *adj./s. com.* ③ Se aplica a la persona que es partidaria del cartesianismo.

cartilaginoso, -sa *adj.* ① Relativo al cartílago o que tiene semejanza con este tejido orgánico: *tejido cartilaginoso.* ② En zoología, se aplica al pez cuyo esqueleto es cartilaginoso, como el tiburón o la raya.

cartílago *s. m.* Tejido de sostén del organismo, duro y flexible, de resistencia inferior a la del hueso, que reviste las articulaciones y facilita el movimiento. **SIN** ternilla.

FAM cartilaginoso.

cartilla *s. f.* ① Cuaderno pequeño dispuesto para anotar en él determinados datos de carácter oficial o personal: *cartilla sanitaria; cartilla militar.* ■ **cartilla de ahorros** Cartilla que registra los movimientos del dinero que una persona tiene en un banco. **SIN** cuenta, libreta. ② Cuaderno o libro pequeño con las letras del alfabeto y los primeros ejercicios para aprender a leer. ③ Tratado breve y elemental sobre un arte u oficio.

leer la cartilla Regañar a una persona por haber obrado mal.

saberse (o **tener aprendida**) **la cartilla** Haber recibido órdenes sobre el modo en que se debe obrar.

cartismo *s. m.* Movimiento obrero que pretendía una reforma social y electoral en el Reino Unido y cuya actividad política se desarrolló especialmente entre 1837 y 1848.

cartografía *s. f.* ① Técnica de trazar mapas geográficos. ② Ciencia que estudia los mapas y cómo realizarlos.

FAM cartográfico, cartógrafo.

cartográfico, -ca *adj.* Relativo a la cartografía.

cartógrafo, -fa *s. m. y f.* Persona que se dedica a la cartografía.

cartomancia o **cartomancía** *s. f.* Adivinación del futuro por medio de las cartas o naipes.

FAM cartomántico.

cartón *s. m.* ① Lámina gruesa y dura hecha con varias capas de pasta de papel fuertemente unidas o con pasta de trapo, papel viejo u otras materias: *lo guardé todo en una caja de cartón.* ■ **cartón piedra** Pasta de cartón, papel y otras sustancias, como yeso y aceite secante, con la que pueden hacerse figuras y que cuando está seca se vuelve muy dura. ② Recipiente o envase hecho de este material: *en el frigorífico tengo un cartón de leche y otro de zumo.* ③ Caja que lleva diez paquetes de cigarrillos. ④ Dibujo o pintura sobre papel o lienzo que sirve como modelo para realizar un tapiz, un mosaico o un fresco del mismo tamaño. ⑤ Adorno prominente de la piedra central del arco romano y de los modillones, con una hoja de acanto superpuesta.

FAM cartonero; acartonar.

cartoné *s. m.* Encuadernación que se hace con tapas de cartón forradas de papel.

cartuchera *s. f.* ① Caja, normalmente de cuero, donde lleva el soldado la munición que le corresponde. ② Cinto ancho con compartimientos para llevar cartuchos. **SIN** canana. ③ familiar Gordura en las caderas. **NOTA** Normalmente en plural.

cartucho *s. m.* ① Cilindro de metal, de cartón o de plástico que encierra la carga de pólvora y municiones necesaria para realizar un disparo con un arma de fuego. ② Hoja de papel o cartón enrollada en forma de cono que sirve para contener cosas: *cartucho de almendras fritas.* **SIN** cucurucho. ③ Recipiente intercambiable con la sustancia o materia necesaria para el funcionamiento de una máquina o un aparato. **SIN** carga. ④ Envoltorio cilíndrico de monedas de una misma clase.

quemar el último cartucho Usar el último medio o recurso de que se dispone para solucionar una situación.

FAM cartuchera.

cartuja *s. f.* ① Monasterio o convento en el que viven cartujos. ② Orden religiosa fundada por san Bruno en la segunda mitad del siglo XI. **NOTA** Se escribe normalmente con mayúscula inicial.

FAM cartujano, cartujo.

cartujo, -ja *adj.* ① Relativo a la orden religiosa de la Cartuja, fundada en el siglo XI por san Bruno, que sigue una regla muy estricta basada en la austeridad, la clausura y el silencio. ‖ *adj./s. m. y f.* ② Se aplica al religioso que pertenece a esta orden.

cartulina *s. f.* Cartón delgado, liso y flexible.

carúncula *s. f.* Abultamiento carnoso en la piel de ciertos animales, como la cresta del gallo.

carúncula lacrimal Abultamiento pequeño y rojizo en el ángulo interno del ojo donde están las glándulas que segregan las lágrimas.

carvallo *s. m.* Roble de tronco corto y copa grande, amplia e irregular, y hojas de rabillo corto más anchas por el extremo libre que por el sujeto a la rama.

OBS También *roble carvallo.*

casa *s. f.* ① Edificio o parte de él donde viven una o más personas: *su nueva casa está en el centro de la ciudad; me voy a casa.*

SIN vivienda. ■ **casa de citas** Casa en la que se alquilan habitaciones, normalmente por horas, para mantener relaciones sexuales. ■ **casa de putas** vulgar Prostíbulo. **2** Familia o conjunto de sus miembros que viven juntos: *en casa tenemos libertad para hacer lo que creamos conveniente*. **3** Descendencia o linaje que tiene el mismo apellido y viene del mismo origen: *el rey de España pertenece a la casa de Borbón*. **4** Establecimiento de comercio o industria. ■ **casa de empeños** Establecimiento en el que se presta dinero a cambio de la entrega, en prenda, de joyas u otros bienes. ■ **casa de huéspedes** Establecimiento en el que se alojan varias personas que pagan por su hospedaje. **SIN** pensión. **5** Terreno de juego propio: *confiamos en ganar, porque jugamos en casa*.
caérsele la casa encima Encontrarse una persona mal y a disgusto en ella.
casa consistorial Edificio en el que se reúnen los que dirigen y administran un pueblo o ciudad. **SIN** ayuntamiento, consistorio.
casa de socorro Establecimiento benéfico en el que se prestan servicios médicos de urgencia.
de (o **para**) **andar por casa** Que se usa en familia o en situaciones de mucha confianza.
echar (o **tirar**) **la casa por la ventana** Gastar mucho dinero en una ocasión determinada.
empezar la casa por el tejado Hacer las cosas en el orden contrario al lógico.
FAM casería, caserío, casero, caserón, caseta, casona.

casabe *s. m.* AMÉR. Cazabe.

casaca *s. f.* Prenda de vestir masculina que consiste en una especie de chaqueta ajustada al cuerpo con faldones largos que llegan hasta la parte posterior de la rodilla; suele usarse como prenda de uniforme.

casadero, -ra *adj.* Que está en edad de casarse: *ya tiene una hija casadera*.

casado, -da *adj./s. m. y f.* Se aplica a la persona que está unida a otra persona en matrimonio: *estoy casado y tengo dos hijos*. ■ **recién casado** Persona que acaba de casarse.

casal *s. m.* Casa de campo grande.

casamentero, -ra *adj./s. m. y f.* Se aplica a la persona que es aficionada a proponer o concertar casamientos.

casamiento *s. m.* Ceremonia civil o religiosa en que se celebra la unión de dos personas mediante determinados ritos o formalidades legales. **SIN** boda, enlace, matrimonio.
FAM casamentero.

casanova *s. m.* Hombre que es conocido por sus numerosas aventuras amorosas.

casar *v. tr.* **1** Unir a dos personas en matrimonio la autoridad religiosa o civil que tiene poder para ello: *este fue el sacerdote que casó a mis padres*. **SIN** desposar. **ANT** descasar, divorciar. **|** *v. tr./intr.* **2** Unir o ajustar una cosa con otra: *es preciso casar las dos versiones para conocer la verdad*. **|** *v. tr.* **3** Disponer o preparar la boda de una persona, especialmente el padre o tutor de esta: *casó a sus hijas muy jóvenes*. **|** *v. prnl.* **4** **casarse** Unirse en matrimonio dos personas: *nos casamos el mes que viene*. **SIN** desposarse.
no casarse con nadie Ser independiente para pensar u obrar.
FAM casadero, casado, casamiento, casorio; descasar, malcasar.

cascabel *s. m.* **1** Bola metálica hueca, con un asa para colgarla y una estrecha abertura rematada en dos orificios, que tiene dentro trozos de metal para que, al moverla, suene: *el gato lleva colgado al cuello un cascabel*. **SIN** cascabillo. **|** *s. f.* **2** Serpiente muy venenosa que tiene al final de la cola un conjunto de anillos que el animal hace vibrar al sentirse amenazado. **NOTA** También *serpiente de cascabel*. **SIN** crótalo. **|** *s. m.* **3** COL., MÉX. Nombre que se da a varias plantas por la cualidad que tienen sus semillas, cuando están secas, de sonar.
poner el cascabel al gato Tener el valor de enfrentarse a una situación difícil o peligrosa: *¿quién le pone el cascabel al gato?*
FAM cascabelear, cascabelero.

cascabeleo *s. m.* **1** Sonido que hace un cascabel al moverse. **2** Sonido de una voz, risa u otra cosa claro y brillante como el de un cascabel.

cascabelero, -ra *adj./s. m. y f.* Se aplica a la persona que tiene poco juicio y es muy alegre.

cascabillo *s. m.* **1** Cáscara fina que cubre el grano del trigo y otros cereales. **2** Cubierta externa escamosa de la bellota. **3** Cascabel (bola metálica hueca).

cascada *s. f.* **1** Caída de una corriente de agua desde cierta altura a causa de un desnivel brusco del terreno. **SIN** catarata. **2** Serie de cosas relacionadas que se producen en abundancia y sin interrupción: *cascada de noticias*.

cascado, -da *adj.* **1** Se aplica a la voz o el sonido que no tiene la sonoridad que le es propia: *mi abuelo tiene la voz cascada*. **2** Que está muy gastado o sin fuerza ni vigor por haber trabajado mucho o por el uso: *tienes que cambiar de coche: este ya está muy cascado*.

cascajo *s. m.* **1** Conjunto de fragmentos de piedra y otros materiales quebradizos. **2** Conjunto de frutos secos de cáscara dura. **3** familiar Trasto u objeto viejo, en mal estado o inservible. **4** familiar Persona vieja, achacosa o decrépita: *es un cascajo desde que pasó la bronconeumonía*.
estar hecho un cascajo familiar Estar achacoso o enfermo: *está hecha un cascajo por culpa de la gripe*.

cascanueces *s. m.* Instrumento parecido a unas tenazas que se usa para partir nueces.
OBS Plural invariable.

cascar *v. tr.* **1** Romper una cosa frágil o quebradiza o hacerle grietas o agujeros: *cascar nueces; cascar un huevo*. **2** Perder la voz o volverla ronca: *el tabaco le ha cascado la voz*. **3** familiar Pegar o golpear a alguien: *le cascaron en un bar*. **|** *v. intr.* **4** familiar Perder la vida. **5** familiar Hablar mucho: *no paran de cascar*.
FAM cascado, cascadura, cascanueces.

cáscara *s. f.* **1** Cubierta exterior, dura y quebradiza, de algunas cosas, especialmente de los huevos y de algunos frutos: *cáscara de nuez*. **2** Corteza de los árboles. **3** Piel gruesa de una fruta: *cáscara de plátano*.
FAM descascarar.

cascarilla *s. f.* **1** Cubierta fina y quebradiza de algunos cereales y frutos. **2** Cáscara de cacao tostada de la que se obtiene una infusión para tomar caliente.
FAM descascarillar.

cascarón *s. m.* Cáscara de un huevo, especialmente la que queda al salir el pollo.
salir del cascarón Dejar de estar una persona en un estado de aislamiento, ingenuidad, ignorancia, etc., o en la etapa adolescente de la vida.

cascarrabias *s. com.* familiar Persona que se enfada con facilidad o protesta por todo.
OBS Plural invariable.

cascarria *s. f.* Cazcarria.

casco *s. m.* **1** Pieza redondeada de metal o plástico que cubre y protege la cabeza. **2** Recipiente de cristal cuando está vacío: *algunos cascos de botella son retornables.* **3** Fragmento o trozo de un objeto quebradizo que se ha roto o de una bomba después de estallar: *a la víctima le han extraído varios cascos de metralla.* **4** Parte en que se dividen algunas frutas: *casco de naranja.* **SIN** gajo. **5** Parte, generalmente en forma de media esfera, que se ha separado o cortado de un alimento: *hacer cascos la cebolla.* **6** Cuerpo o armazón de una embarcación o un avión sin las máquinas ni los aparejos. **7** Uña grande y dura de una caballería donde se clava la herradura. **8** Núcleo de una población donde los edificios están agrupados, a diferencia de los de las afueras. **NOTA** También *casco urbano.* ■ **casco antiguo** o **casco viejo** Núcleo de una población formado por el conjunto de edificios y calles antiguos: *en el casco antiguo de una ciudad puede haber restos romanos, edificios medievales y el trazado de las calles es irregular.* **9** Copa del sombrero. **‖** *s. m. pl.* **10 cascos** Aparato que consta de dos auriculares que, unidos por una tira curvada ajustable a la cabeza, se acoplan a los oídos para una mejor recepción del sonido. **SIN** auriculares.
alegre (o **ligero**) **de cascos** familiar Despreocupado y falto de formalidad o sensatez. **SIN** casquivano.
calentarse (o **romperse**) **los cascos** familiar Estudiar o pensar mucho sobre una cosa.
casco azul Soldado que está bajo las órdenes de la Organización de las Naciones Unidas, formando parte de una fuerza neutral multinacional de intervención y pacificación de zonas en conflicto: *los cascos azules deben su nombre al color de sus cascos, que es el de la bandera de la ONU.* **NOTA** Normalmente en plural.
FAM cascote, casquijo.

cascote *s. m.* Trozo de material procedente de un edificio derribado o de una obra de albañilería.

caserío *s. m.* **1** Conjunto de casas en el campo que no llegan a constituir un pueblo. **2** Casa aislada en el campo con fincas cercanas y dependientes de ella.

casero, -ra *adj.* **1** Que se hace o se cría en casa: *de postre tenemos flan casero.* **2** Que se realiza en familia, con confianza y sin formalidades: *fiesta casera.* **3** Se aplica a la persona a la que le gusta mucho estar en casa. **SIN** hogareño. **4** Se aplica al árbitro o arbitraje que favorece al equipo en cuyo campo se juega. **‖** *s. m. y f.* **5** Persona dueña de una casa que la da en alquiler a otra u otras. **6** Persona que cuida de una casa de campo en ausencia de su dueño.

caserón *s. m.* Casa muy grande y destartalada.

caseta *s. f.* **1** Casa pequeña que solamente tiene el piso bajo; tiene diversos usos, pero no se habita. **SIN** casilla. **2** Construcción provisional desmontable que se destina a espectáculos, diversiones, etc. en las fiestas populares. **SIN** barraca de feria. **3** Cuarto en el que se cambian de ropa los bañistas. **4** Vestuario o lugar para cambiarse de ropa las personas que hacen deporte.

casete *s. amb.* **1** Caja pequeña de plástico que contiene una cinta magnética en la que se puede grabar y reproducir el sonido. **SIN** cinta. **‖** *s. m.* **2** Aparato que puede grabar o reproducir el sonido haciendo girar la cinta contenida en esta caja.

FAM radiocasete, videocasete.
OBS Puede encontrarse la grafía francesa *cassette.*

casetón *s. m.* Adorno de madera en forma de cuadrado u otra figura regular, cóncavo y con algún ornamento en el interior que, dispuesto junto con otros en serie, forma el artesonado que se pone en los techos o en el interior de los arcos y bóvedas. **SIN** artesón.
OBS Normalmente en plural.

casi *adv.* **1** Indica que falta muy poco para que se cumpla o complete lo significado por la palabra a la que acompaña: *casi he terminado.* **2** familiar Expresa indecisión o duda: *casi prefiero no ir.*

casilla *s. f.* **1** Cada uno de los espacios de un papel dividido por líneas verticales y horizontales destinado a anotar de forma separada y ordenada cifras y otros datos: *coge el impreso y rellena las casillas que te correspondan.* **2** Compartimiento que con otros compone el tablero de distintos juegos de mesa: *coloca cada ficha en su casilla.* **3** Cada uno de los compartimientos de un casillero o mueble: *vuelve a poner las llaves en su casilla.* **4** Caseta o casa pequeña.
casilla postal ARG. Apartado de correos.
sacar de sus casillas familiar Hacer perder la paciencia o enfadar a una persona.
salirse de sus casillas familiar Perder la paciencia o enfadarse una persona.
FAM casillero.

casillero *s. m.* **1** Mueble dividido en huecos o partes para tener clasificados documentos y objetos. **2** Marcador o tablero en el que se anotan los puntos o tantos que consigue un jugador o equipo deportivo.

casimir *s. m.* Tejido fino fabricado con pelo de cabra de Cachemira o con lana de oveja merina: *traje de casimir.* **SIN** cachemir, cachemira.

casino *s. m.* **1** Establecimiento público en el que hay juegos de azar, espectáculos, conciertos y otras diversiones. **2** Asociación de carácter recreativo y cultural; para pertenecer a ella hay que pagar una cuota. **3** Edificio o conjunto de instalaciones de esta asociación.

casiterita *s. f.* Mineral compuesto de bióxido de estaño, de color pardo y negro muy brillante, que constituye la principal mena del estaño.

caso *s. m.* **1** Ocasión, situación o conjunto de circunstancias: *en ciertos casos, lo mejor es callarse.* **2** Suceso o acontecimiento, cosa que ocurre: *nunca había oído un caso igual.* **3** Asunto de que se trata: *plantearon el caso en términos muy claros.* **4** Persona que enferma, especialmente cuando se trata de una epidemia, considerada aisladamente: *ya son varios los casos de neumonía detectados.* ■ **caso clínico** (**I**) Manifestación de una enfermedad, especialmente si no es habitual, en una persona considerada aisladamente. (**II**) Persona cuyo comportamiento se sale de lo normal. **5** Relación sintáctica que una palabra de carácter nominal mantiene con las demás de una oración según la función que desempeñe; en lenguas como el latín la palabra toma distintas formas para expresar dichas relaciones. ■ **caso ablativo** Relación sintáctica que, en las lenguas con declinación, expresa relaciones similares a la del complemento circunstancial. ■ **caso acusativo** Relación sintáctica que, en las lenguas con declinación, expresa relaciones similares a la del complemento directo. ■ **caso dativo** Relación sintáctica que, en las lenguas con declinación, expresa relaciones similares a la del complemento indirecto. ■ **caso genitivo** Relación sintáctica que, en las lenguas con declinación, expresa la relación de posesión o pertenencia y de materia de la que está hecha una cosa. ■ **caso nominativo** Relación sintáctica que, en las lenguas con declinación, expresa el sujeto. ■ **caso vocativo** Relación sintáctica que, en las lenguas con declinación, expresa la invocación o llamada a una persona o cosa.

caso perdido (**I**) Situación o hecho desfavorable que no tiene solución. (**II**) Persona que se comporta de forma inadecuada y de la que no cabe esperar una conducta diferente.

en caso de que Si ocurre la cosa que se dice.

en cualquier caso o **en todo caso** Pase lo que pase, cualquiera que sea la situación.

en todo caso Sirve para atenuar una negación anterior. **SIN** si acaso.

hacer al caso Tener relación con el asunto de que se trata.

hacer caso (**I**) Prestar atención. (**II**) Obedecer, obrar como se ha ordenado.

hacer caso omiso No tener en cuenta una orden o recomendación.

poner por caso Poner como ejemplo, dar por supuesto.

ser un caso Ser poco corriente, salirse de lo normal.

venir al caso Tener relación con el asunto de que se trata. **FAM** acaso.

casona *s. f.* Casa grande, generalmente antigua y señorial.

casorio *s. m.* **1** fam. desp. Casamiento hecho sin reflexión o con poco lucimiento. **2** familiar Conjunto de preparativos y fiesta que acompañan a una boda.

caspa *s. f.* Conjunto de escamas blancas y muy pequeñas que se forman en el cuero cabelludo. **FAM** casposo.

¡cáspita! *int.* Denota extrañeza, admiración o enfado.

casposo, -sa *adj.* Que tiene caspa.

casquería *s. f.* Establecimiento en el que se venden vísceras, pezuñas y otras partes comestibles de la res que no son carne.

casquete *s. m.* **1** Cubierta de tela o cuero que se ajusta a la cabeza. **2** Pieza de la armadura que cubría la parte superior de la cabeza. **3** vulgar Acto sexual: *echar un casquete.*

casquete esférico Parte de la superficie de una esfera que resulta al ser cortada por un plano que no pasa por su centro.

casquete polar Parte de la esfera terrestre comprendida entre el círculo polar y el polo respectivo. **FAM** encasquetar.

casquijo *s. m.* Conjunto de piedras menudas empleadas como grava para hacer hormigón.

casquillo *s. m.* **1** Cartucho de metal vacío: *han encontrado cuatro casquillos de bala en el lugar del atentado.* **2** Parte metálica de una bombilla por la que se conecta al circuito eléctrico. **3** Parte metálica de un cartucho de plástico o de cartón. **4** Pieza de metal, generalmente cilíndrica, con la que se refuerza, protege o cubre el extremo de algunas cosas. **FAM** encasquillarse.

casquivano, -na *adj.* **1** Se aplica a la persona que es despreocupada e insensata y no tiene formalidad. **2** Se aplica a la persona, especialmente a la mujer, que es frívola y poco estable en sus relaciones con el sexo opuesto.

cassette [se pronuncia aproximadamente 'caset'] V. **casete**.

casta *s. f.* **1** Familia y ascendencia de una persona: *defiende con orgullo a los de su casta.* **2** Raza, clase o condición de un animal: *este galgo viene de una casta de campeones.* **3** Grupo social, claramente diferenciado de otros por su rango, en que se divide la población de la India. **4** Grupo que en algunas sociedades forma una clase especial y tiende a permanecer separado de los demás por su raza, religión o costumbres. **5** Especie o calidad de una cosa: *fruta de buena casta.* **6** Cada una de las clases en que se dividen los insectos sociales, que cumplen una función determinada y en las que hay una diferenciación morfológica y de comportamiento. **FAM** castizo.

castaña *s. f.* **1** Fruto del castaño, comestible, del tamaño de una nuez, que tiene forma de corazón y está cubierto por una cáscara dura y flexible de color marrón. **2** Moño, con la forma de este fruto, en la parte posterior de la cabeza. **3** familiar Golpe fuerte que recibe o da una persona. **SIN** castañazo. **4** familiar Borrachera. **SIN** merluza, tajada. **5** familiar Cosa aburrida. **6** fam. desp. Cosa mal hecha o de mala calidad. **SIN** basura, caca, patata. **7** familiar Año de edad de una persona: *a sus cincuenta castañas aún piensa en tener hijos.* **SIN** taco. **FAM** castañero.

castañal *s. m.* Castañar.

castañar *s. m.* Lugar poblado de castaños. **SIN** castañal.

castañazo *s. m.* familiar Golpe fuerte. **SIN** castaña.

castañear *v. tr.* Castañetear.

castañero, -ra *s. m. y f.* Persona que asa y vende castañas en un puesto en la calle.

castañeta *s. f.* **1** Sonido que se produce al hacer que la yema del dedo medio resbale sobre la del pulgar y choque contra la mano. **2** Castañuela. **NOTA** Normalmente en plural.

castañetear *v. intr.* Sonarle a una persona los dientes dando los de una mandíbula contra los de la otra, generalmente de miedo, frío o nerviosismo. **SIN** castañear. **FAM** castañeteo.

castañeteo *s. m.* **1** Golpeteo de los dientes de una mandíbula con los de la otra y ruido que produce. **2** Sonido que producen las castañuelas.

castaño, -ña *s. m.* **1** Árbol de unos 20 m de altura, de tronco grueso y copa ancha, hojas lanceoladas, flores blancas y fruto comestible (castaña). ‖ *s. m./adj.* **2** Color marrón oscuro, como el de la cáscara de la castaña. ‖ *adj.* **3** Que es de este color: *pelo castaño.*

pasar de castaño oscuro Ser una cosa demasiado grave o intolerable. **FAM** castañal, castañar.

castañuela *s. f.* Instrumento musical de percusión formado por dos piezas cóncavas generalmente de madera que, unidas al pulgar por un cordón, se tocan haciéndolas chocar una contra otra con los demás dedos de la mano. **SIN** castañeta.

como unas castañuelas Se aplica como comparación a la persona que está muy alegre. **OBS** Más en plural.

castellanismo *s. m.* **1** Palabra o modo de expresión propio de la lengua castellana y que se usa en otro idioma. **2** Palabra o modo de expresión propio del español hablado en Castilla.

castellanizar *v. tr.* Dar a una cosa carácter castellano; especialmente, dar forma castellana a una palabra de otra lengua: *la palabra "water" se ha castellanizado en "váter".* **FAM** castellanización.

castellano, -na *adj.* ① De Castilla (actual territorio de las comunidades autónomas de Castilla y León y Castilla-La Mancha). ② Del antiguo condado y reino de Castilla. ‖ *s. m. y f./adj.* ③ Persona que es de Castilla y León o de Castilla-La Mancha. ‖ *s. m./adj.* ④ Lengua hablada en España, en Hispanoamérica y en otras zonas del mundo. SIN español. ⑤ Variedad del español hablada en la zona central de España. ‖ *adj.* ⑥ Relativo a esta lengua o a esta variedad dialectal: *gramática castellana.* ‖ *adj./s. f.* ⑦ CHILE Se aplica a la gallina de color gris oscuro, con pintas rojas, que se considera descendiente directa de las primeras, traídas desde Castilla en tiempo de la colonia. FAM castellanizar; castellanohablante.

castellanohablante *adj.* ① Se aplica al territorio de habla española. ‖ *adj./s. com.* ② Se aplica a la persona que habla español sin dificultad, bien por ser su lengua materna, bien por tener gran dominio de ella. SIN hispanohablante.

castellano-leonés, -nesa *adj.* ① De Castilla y León (comunidad autónoma española). ‖ *s. m. y f./adj.* ② Persona que es de Castilla y León.

castellano-manchego, -ga *adj.* ① De Castilla-La Mancha (comunidad autónoma española). ‖ *s. m. y f./adj.* ② Persona que es de Castilla-La Mancha.

castellonense *adj.* ① De Castellón (ciudad y provincia de la Comunidad Valenciana). ‖ *s. com./adj.* ② Persona que es de Castellón.

casticismo *s. m.* ① Afición a lo castizo en las costumbres y modales. ② Actitud de quienes al hablar o escribir evitan los extranjerismos y prefieren el empleo de voces y giros castizos o de su propia lengua. FAM casticista.

castidad *s. f.* Renuncia a todo placer sexual: *la mayoría de los religiosos han hecho voto de castidad.*

castigar *v. tr.* ① Imponer un castigo a quien ha cometido una falta o un delito. ② Hacer padecer física o moralmente a alguien: *le castigaban continuamente con sus burlas.* SIN mortificar. ③ Estropear o dañar alguna cosa, especialmente un fenómeno natural: *la sequía sigue castigando los campos.* ④ Estimular con el látigo o las espuelas a una cabalgadura para que ande más rápido. ⑤ Corregir minuciosamente un escrito. FAM castigo.

castigo *s. m.* ① Pena que se aplica por haber cometido una falta o delito: *por tu mal comportamiento te mereces un castigo.* ② Persona, animal o cosa que causa sufrimientos, trabajos y molestias: *este niño es un castigo.*

castillo *s. m.* ① Edificio o conjunto de edificios fortificados para la guerra con murallas, torres, fosos y otras fortificaciones. ② Parte alta o principal de la cubierta de una embarcación que comprende desde el palo trinquete hasta la proa. **forjar** (o **hacer** o **levantar**) **castillos en el aire** *familiar* Abrigar ilusiones o esperanzas sin fundamento. FAM encastillar.

casting [se pronuncia aproximadamente 'castin'] *s. m.* Proceso de selección de actores o modelos. OBS Plural: *castings.*

castizo, -za *adj.* ① Que es de buen linaje: *una familia castiza.* ② Típico, puro o genuino de un país o región: *un madrileño castizo.* ③ Se aplica al lenguaje que es puro y sin mezcla de elementos extraños a la propia lengua. FAM casticismo.

casto, -ta *adj.* ① Se aplica a la persona que renuncia a todo placer sexual o se atiene a lo que se considera lícito desde unos principios morales o religiosos. ② Exento de sensualidad o provocación erótica: *su comportamiento fue casto y puro.* FAM castidad.

castor *s. m.* Mamífero roedor adaptado a la vida acuática, de cuerpo grueso cubierto de pelo castaño muy fino, brillante y espeso muy apreciado en peletería, patas cortas, pies con cinco dedos palmeados y cola aplastada de forma oval y escamosa; llega a construir, como vivienda, verdaderos diques en los ríos.

castración *s. f.* Extirpación o inutilización de los órganos genitales masculinos.

castrar *v. tr.* ① Extirpar o inutilizar los órganos genitales masculinos. SIN capar. ② Quitar panales de miel a una colmena dejando los suficientes para que las abejas puedan mantenerse y fabriquen nueva miel. FAM castración, castradura.

castrato *s. m.* Cantante masculino de ópera que, castrado antes del cambio de la voz en la pubertad, conservaba la voz aguda del niño pero con una gran potencia, similar a la de una soprano o contralto: *los castrati interpretaban papeles de mujer en la ópera y gozaron de gran prestigio en los siglos XVII y XVIII.* OBS Plural: *castrati.*

castrense *adj.* Relativo al ejército o a la vida y profesión militar: *vida castrense.*

castrista *adj.* ① Relativo al político cubano Fidel Castro (nacido en 1927) o a su gobierno: *reformas castristas.* ‖ *adj./s. com.* ② Se aplica a la persona que es partidaria de las ideas de este político o de su gobierno.

castro *s. m.* Poblado prerromano fortificado situado en una elevación de terreno: *los castros son propios de los pueblos prerromanos celtas o indoeuropeos de la Península Ibérica.* FAM castrense.

casual *adj.* Que ocurre sin que se pueda prever ni evitar: *encuentro casual.* FAM casualidad.

casualidad *s. f.* ① Combinación de circunstancias que no se pueden prever ni evitar: *ha ocurrido por casualidad; ¡qué casualidad encontrarte aquí!* ② Acontecimiento fortuito: *llevar dos vestidos iguales ha sido una casualidad.*

casuario *s. m.* Ave corredora, menor que el avestruz, cuyas plumas de color negruzco tienen las barbas tan poco sueltas que ofrecen el aspecto de crines; posee una protuberancia ósea en la cabeza, y el cuello, sin plumas, tiene la piel coloreada.

casuística *s. f.* Consideración de los diversos casos particulares que se pueden prever en determinada materia. FAM casuístico.

casulla *s. f.* Vestidura que se pone el sacerdote sobre el alba para celebrar la misa, consistente en una pieza alargada con una abertura central para pasar la cabeza y que cae por delante y por detrás.

cata *s. f.* ① Prueba de un alimento o una bebida para examinar su sabor. SIN catadura, degustación. ② Porción de alguna cosa que se prueba o examina.

catabolismo *s. m.* Conjunto de procesos metabólicos (reacciones químicas) llevados a cabo por los seres vivos en los que se produce la ruptura de moléculas grandes en otras más pequeñas, con lo que se libera energía: *catabolismo y anabolismo constituyen las dos fases del metabolismo.*

cataclismo *s. m.* ◻1 Desastre de grandes proporciones que afecta a todo el planeta o a parte de él producido por un fenómeno natural: *los terremotos y huracanes son cataclismos.* ◻2 familiar Trastorno, disgusto o contratiempo grande que altera la vida cotidiana, social o política: *el cambio de ministros produjo un verdadero cataclismo.* **SIN** catástrofe, debacle.

catacumbas *s. f. pl.* Cementerio subterráneo de Roma y algunas otras ciudades del Imperio romano que los cristianos usaron para enterrar a sus muertos y mártires y en los que desarrollaron el culto a estos: *las catacumbas más famosas son las de Roma.*

catadióptrico, -ca *adj.* ◻1 Se aplica al sistema óptico que trabaja por reflexión y refracción. ◻ *s. m.* ◻2 Dispositivo de señalización con propiedades catadióptricas: *todos los vehículos llevan catadióptricos para hacerse visibles.*

catador, -ra *s. m. y f.* ◻1 Persona que se dedica a probar alimentos o bebidas para informar de su calidad y de sus propiedades: *un buen catador de vinos adivina con facilidad el año de cosecha.* ◻2 Persona que es hábil para apreciar algo: *Mario es un buen catador de arte.*

catadura *s. f.* ◻1 Prueba de un alimento o una bebida para examinar su sabor. **SIN** cata, degustación. ◻2 Aspecto físico o apariencia externa de una persona: *se cruzó con dos hombres de mala catadura.* **NOTA** Frecuentemente usado de forma despectiva.

catáfora *s. f.* Anticipación de algo que va a mencionarse después en el discurso; se realiza mediante un pronombre, un determinante o un adverbio: *en la frase "este es mi padre", "este" es una catáfora referida a "mi padre", que aparece después.* **FAM** catafórico.

catafórico, -ca *adj.* Relativo a la catáfora: *función catafórica.*

catalán, -lana *adj.* ◻1 De Cataluña (comunidad autónoma española). ◻ *s. m. y f./adj.* ◻2 Persona que es de Cataluña. ◻ *s. m./adj.* ◻3 Lengua románica hablada en Cataluña y en otras zonas de la antigua Corona de Aragón. ◻ *adj.* ◻4 Relativo a esta lengua. **FAM** catalanidad, catalanismo, catalanizar.

catalanismo *s. m.* ◻1 Amor o admiración por la cultura y las tradiciones de Cataluña. ◻2 Palabra o modo de expresión propio de la lengua catalana y que se usa en otro idioma: *las palabras "butifarra" y "peseta" son catalanismos.* ◻3 Movimiento que pretende el reconocimiento político de Cataluña y defiende sus valores históricos y culturales. **FAM** catalanista.

catalanista *adj.* ◻1 Relativo al catalanismo (movimiento político). ◻ *adj./s. com.* ◻2 Se aplica a la persona que es partidaria del catalanismo.

catalanohablante *adj./s. com.* ◻1 Que habla catalán como lengua materna o tiene gran dominio de este idioma. ◻ *adj.* ◻2 Se aplica al país o territorio que está habitado por población de habla catalana.

catalejo *s. m.* Instrumento óptico, en forma de tubo alargado y generalmente extensible, que permite ver como si estuviera cerca lo que está lejos.

catalepsia *s. f.* Trastorno nervioso repentino que se caracteriza por la inmovilidad y rigidez del cuerpo y la pérdida de la sensibilidad y de la capacidad de contraer los músculos voluntariamente. **FAM** cataléptico.

cataléptico, -ca *adj.* ◻1 Relativo a la catalepsia. ◻ *adj./s. m. y f.* ◻2 Se aplica a la persona que padece catalepsia.

catálisis *s. f.* Proceso de cambio de velocidad de las reacciones químicas mediante la acción de una sustancia que permanece inalterada al final del proceso. **OBS** Plural invariable.

catalizador *s. m.* ◻1 Sustancia que hace más rápida o más lenta la velocidad de una reacción química sin participar en ella. ◻2 Persona o cosa que aviva y da empuje a algo, o que atrae y agrupa fuerzas, ideas o sentimientos: *el nuevo fichaje se ha convertido en el catalizador de todo su equipo.*

catalizar *v. tr.* ◻1 Atraer y reunir en un solo grupo cosas de distinto origen o de diferentes características, especialmente fuerzas, ideas o sentimientos: *el candidato propuesto parece catalizar las distintas corrientes del partido.* ◻2 Causar o provocar un proceso o una reacción. ◻3 Hacer más rápida o más lenta la velocidad de una reacción química mediante la adición de una sustancia que al final queda inalterada. **FAM** catalizador.

catalogación *s. f.* ◻1 Registro o descripción ordenada de una cosa, generalmente un documento, siguiendo unas normas. ◻2 Consideración o clasificación dentro de una clase o de un grupo.

catalogar *v. tr.* ◻1 Apuntar, registrar ordenadamente libros, documentos u otros objetos formando catálogo de ellos. ◻2 Incluir una cosa en un catálogo. ◻3 Considerar o suponer que alguien o algo posee determinadas cualidades o que forma parte de un partido o clase: *no entiendo cómo ha sido catalogado de experto.* **FAM** catalogación.

catálogo *s. m.* Lista en la que se registran, describen y ordenan, siguiendo determinadas normas, personas, cosas o sucesos que tienen algún punto en común. **SIN** índice. **FAM** catalogar.

catamarán *s. m.* Embarcación deportiva de vela o motor que consta de dos cascos estrechos y alargados en forma de patines y de una plataforma que se coloca sobre ellos.

catanga *s. f.* ◻1 ARG., BOL. Carrito tirado por un caballo para transportar fruta. ◻2 ARG., CHILE Variedad de escarabajo que frecuenta los excrementos. ◻3 COL. Canasto para pescar.

cataplasma *s. f.* ◻1 Medicamento en forma de pasta blanda que se aplica sobre alguna parte del cuerpo con fines calmantes o curativos. ◻2 familiar Persona pesada y molesta.

cataplines *s. m. pl.* familiar Testículos.

catapulta *s. f.* ◻1 Máquina de guerra antigua con la que se lanzaban piedras o saetas. ◻2 Mecanismo lanzador empleado para facilitar el despegue de aviones en espacios reducidos. ◻3 Cosa que impulsa y favorece decisivamente el desarrollo de otra: *sus años como ministro fueron la catapulta hacia la presidencia.* **FAM** catapultar.

catapultar *v. tr.* ◻1 Dar un fuerte impulso a alguien o hacerlo subir a un lugar material o inmaterial de forma muy rápida: *su buena imagen lo catapultó a la fama.* ◻2 Disparar o lanzar con una catapulta.

catar *v. tr.* ◻1 Probar un alimento o una bebida para examinar su sabor. **SIN** degustar. ◻2 Experimentar por primera vez la impresión o sensación que produce alguna cosa. **3** Castrar las colmenas.

FAM cata, catador, catadura, catavinos.

catarata *s. f.* **1** Caída de una corriente de agua desde cierta altura a causa de un desnivel brusco del terreno. **SIN** cascada. **2** Enfermedad del ojo que consiste en la opacidad del cristalino producida por la formación de una especie de telilla que impide el paso de la luz: *se ha operado de cataratas porque ya no veía casi nada.*

cátaro, -ra *adj.* **1** Relativo a un movimiento religioso cristiano de los siglos XI y XII, declarado hereje por la Iglesia católica, que afirmaba la existencia de los principios universales del bien y el mal, rechazaba los sacramentos y el culto a las imágenes, atacaba a la jerarquía eclesiástica y justificaba el suicidio. **|** *adj./s. m. y f.* **2** Se aplica a la persona que era seguidora de este movimiento.

catarral *adj.* Relativo al catarro.

FAM anticatarral.

catarrino, -na *adj./s. m.* **1** Se aplica al simio de cráneo voluminoso, tabique nasal estrecho y cola muy corta y no prensil, como el papión, el mandril o el macaco. **|** *s. m. pl.* **2** **catarrinos** Grupo taxonómico, con categoría de superfamilia, constituido por estos simios.

catarro *s. m.* Malestar físico, provocado generalmente por los cambios bruscos de temperatura, que se caracteriza por la inflamación de las membranas mucosas del aparato respiratorio con aumento de la secreción nasal y suele ir acompañado de tos, fiebre y dolores musculares. **SIN** constipado, resfriado.

FAM catarral, catarroso; acatarrarse.

catarsis *s. f.* **1** Entre los antiguos griegos, purificación de las pasiones del ánimo mediante las emociones que provoca la contemplación de las obras de arte, especialmente de la tragedia. **2** Eliminación de los recuerdos que perturban la mente o el equilibrio nervioso.

FAM catártico.

OBS Plural invariable.

catártico, -ca *adj.* Relativo a la catarsis: *sus insultos tuvieron un efecto catártico.*

catastral *adj.* Relativo al catastro: *valor catastral.*

catastro *s. m.* **1** Censo estadístico donde figuran las propiedades rústicas y urbanas de una población, país o territorio y el nombre de sus propietarios. **2** Impuesto que pagaban al rey nobles y plebeyos sobre todas las rentas fijas y posesiones que produjeran frutos anuales, ya fueran fijos o eventuales.

FAM catastral.

catástrofe *s. f.* **1** Suceso desdichado en el que hay gran destrucción y muchas desgracias y que altera gravemente el desarrollo normal de las cosas. **SIN** cataclismo, debacle. **2** Persona o cosa mal hecha, de mala calidad o que produce mala impresión: *nuestra primera cita ha sido una catástrofe.* **SIN** desastre.

FAM catastrófico, catastrofismo.

catastrófico, -ca *adj.* **1** Relativo a la catástrofe: *ha sido declarada zona catastrófica.* **2** Desastroso, muy malo: *los últimos fichajes han tenido un resultado catastrófico.*

catastrofismo *s. m.* **1** Tendencia pesimista a predecir catástrofes. **2** Teoría científica del siglo XIX según la cual los

mayores cambios geológicos y biológicos se debieron a catástrofes naturales.

FAM catastrofista.

catastrofista *adj.* **1** Que tiende a predecir catástrofes: *actitud catastrofista.* **|** *adj./s. com.* **2** Se aplica a la persona que tiende a predecir catástrofes.

catatonia *s. f.* Síndrome psicomotor que se da en ciertas formas de esquizofrenia, caracterizado por el negativismo, la oposición, la catalepsia y los estereotipos gestuales.

catatónico, ca *adj.* **1** Relativo a la catatonia o que tiene relación con este síndrome. **|** *adj./s. m. y f.* **2** Se aplica a la persona que padece catatonia.

cataviento *s. m.* Objeto de tela con forma de cono que se usa para señalar la dirección y la intensidad del viento. **SIN** manga.

catavinos *s. com.* Persona que se dedica a probar o catar vinos para informar de su calidad y de sus propiedades: *un experto catavinos.*

OBS Plural invariable.

cate *s. m.* **1** Golpe ligero dado en la cabeza con la mano abierta. **2** familiar Suspenso en una prueba o examen.

FAM catear.

catear¹ *v. tr.* familiar Suspender en una prueba o examen: *he cateado la lengua.*

catear² *v. tr.* **1** AMÉR. Explorar los terrenos en busca de alguna veta minera. **2** AMÉR. Allanar la policía o una autoridad una casa ajena. **3** AMÉR. Registrar la policía a una persona para comprobar que no lleva armas.

catecismo *s. m.* **1** Libro de instrucción o enseñanza de la doctrina cristiana y que generalmente está redactado en forma de preguntas y respuestas. **2** Obra que contiene la exposición resumida de alguna ciencia o arte.

FAM catequista, catequístico, catequizar.

catecúmeno, -na *s. m. y f.* Persona que se está instruyendo en los principios de la doctrina católica para recibir el bautismo.

cátedra *s. f.* **1** Empleo y plaza de catedrático. **2** Departamento o sección dependiente de la autoridad de un catedrático. **3** Asignatura o materia que enseña un catedrático. **4** Aula en que se enseña una asignatura. **5** Asiento o lugar situado en alto desde el que un profesor da clase.

ex cátedra o **ex cáthedra** Expresión latina que se aplica al modo de hablar de la persona que lo hace con la autoridad propia de cierto cargo o posición.

sentar cátedra Hacer o decir cosas con autoridad y de forma concluyente en relación con una materia.

FAM catedrático.

catedral *s. f.* Iglesia principal, generalmente de gran tamaño, de una diócesis que es sede del obispo y su cabildo.

FAM catedralicio.

catedralicio, -cia *adj.* Relativo a la catedral: *es miembro del cabildo catedralicio.*

catedrático, -ca *s. m. y f.* Profesor que tiene la categoría más alta en centros oficiales de enseñanza secundaria o en la universidad.

categoría *s. f.* **1** Jerarquía de una persona o cosa en una clasificación según su importancia o grado: *nos alojamos en un hotel de primera categoría.* **2** Grado o nivel en una profesión, carrera o actividad: *es campeón nacional en la categoría de infantiles.* **3** Clase o grupo de una ciencia en que se distinguen los

elementos que lo componen: *las categorías lingüísticas están formadas por elementos gramaticales y funcionales.* ■ **categoría gramatical** o **categoría léxica** Clase de palabras, según la función que desempeñan en la frase: *las categorías gramaticales son: sustantivo, adjetivo, verbo, adverbio, pronombre, preposición, conjunción e interjección.* ■ ■ **categoría gramatical** Clase de morfema: *las categorías gramaticales son: género, número, caso, persona, aspecto, voz, tiempo y modo.* ④ Concepto filosófico que junto con otros permite una primera clasificación, en grupos muy amplios, de todos los seres reales o mentales: *las categorías aristotélicas son diez y las kantianas son cuatro.*
de categoría Que es importante o bueno, que destaca en su especie por su valor o prestigio.
FAM categorial.

categórico, -ca *adj.* Que afirma o niega de manera absoluta, sin condiciones ni alternativas: *sus palabras fueron categóricas y sin vacilaciones.*

catenaria *s. f.* ① Curva que forma una cadena, cuerda, etc., suspendida entre dos puntos situados en distinta vertical, bajo la acción de su propio peso. ② Cable de tendido eléctrico en ferrocarriles o metropolitanos.

catequesis *s. f.* Enseñanza o instrucción de los principios y dogmas de la doctrina cristiana, especialmente como preparación previa para recibir algún sacramento, como el del bautismo, la primera comunión o la confirmación.
OBS Plural invariable.

catequista *s. com.* Persona que se dedica a enseñar catequesis.

catequístico, -ca *adj.* Relativo al catecismo o a la catequesis.

catequizar *v. tr.* ① Instruir a alguien en una doctrina, especialmente en la doctrina católica. ② Convencer a una persona para que haga o permita hacer una cosa que es contraria a su voluntad.
FAM catequización.

catering [se pronuncia aproximadamente 'cáterin'] *s. m.* Servicio de suministro de bebidas y comidas preparadas para los pasajeros y tripulantes de un avión o para grupos de personas que trabajan en un mismo lugar.
OBS Plural: *caterings.*

caterva *s. f.* despectivo Multitud de personas o cosas sin orden ni organización, o consideradas despreciables y de poca importancia: *tengo una caterva de libros por ordenar; una caterva de gente armada.*

catéter *s. m.* Tubo largo, delgado y flexible, empleado en medicina para explorar conductos o para quitar las acumulaciones de materia que impiden la circulación de los líquidos: *introdujeron un catéter hasta la arteria obstruida.* **SIN** sonda.
FAM cateterismo.

cateto[1] *s. m.* Cada uno de los dos lados que forman el ángulo recto de un triángulo rectángulo.

cateto, -ta[2] *s. m. y f.* despectivo Persona sin formación ni cultura y de costumbres toscas.

cáthedra V. cátedra.

catilinaria *s. f.* Discurso vehemente y crítico contra una persona.

catinga *s. f.* AMÉR. Olor fuerte y desagradable.

catión *s. m.* Ion con carga positiva; se forma cuando un átomo (o grupo de átomos) ha perdido uno o más electrones: *en la electrólisis, el catión se dirige al cátodo o polo negativo.* **ANT** anión.

catiusca [también **katiuska**, más usado] *s. f.* Bota de goma, impermeable, que llega hasta media pierna o hasta la rodilla y sirve para proteger los pies del agua.
OBS Normalmente en plural.

catódico, -ca *adj.* Relativo al cátodo.

cátodo *s. m.* Electrodo o polo negativo de un generador eléctrico; es el electrodo de menor potencial y por el que sale la energía eléctrica: *en los conductores eléctricos, la corriente entra por el ánodo y sale por el cátodo.* **ANT** ánodo.
FAM catódico.

catolicismo *s. m.* ① Doctrina religiosa de la Iglesia católica romana que reconoce al Papa como su jefe supremo en la Tierra; se caracteriza por seguir una disciplina, un ritual y un canon tradicional que se desarrolló desde los primeros años del cristianismo; su unidad de organización fundamental es la diócesis: *el catolicismo tiene siete sacramentos y celebra la misa.* ② Comunidad de los pertenecientes a la Iglesia católica.

católico, -ca *adj.* ① Relativo al catolicismo: *doctrina católica.* | *adj./s. m. y f.* ② Se aplica a la persona que profesa el catolicismo: *los católicos, protestantes y ortodoxos son cristianos.*
no estar muy católico familiar No estar muy bien de salud.
FAM catolicidad, catolicismo.

catorce *num. card.* ① Diez más cuatro. | *num. ord.* ② Que ocupa el lugar número 14 en una serie ordenada. **SIN** decimocuarto. | *s. m.* ③ Número 14.
FAM catorceavo, catorceno, catorzavo.

catorceavo, -va *num. part.* Se aplica a cada una de las partes que resultan de dividir un todo en catorce partes iguales.

catre *s. m.* ① Cama estrecha, sencilla y ligera para una sola persona. ② familiar Cama.

catsup *s. f.* Salsa de tomate con vinagre, azúcar y especias. **SIN** ketchup.

caucasiano, -na *adj.* Relativo al Cáucaso (cordillera del sudeste de Europa). **SIN** caucásico.

caucásico, -ca *adj.* ① Caucasiano. ② Se aplica al grupo de lenguas hablado en la región del Cáucaso (cordillera del sudeste de Europa): *las lenguas caucásicas son lenguas no indoeuropeas.* ③ Relativo a la raza blanca: *rasgos caucásicos.* | *adj./s. m. y f.* ④ Se aplica a la raza blanca o a la persona que pertenece a ella.

cauce *s. m.* ① Concavidad del terreno, natural o artificial, por donde corre un río, arroyo, canal o acequia: *un cauce seco; un ancho cauce.* **SIN** lecho, madre. ② Modo, procedimiento o norma para realizar una cosa: *pienso agotar todos los cauces legales para que me devuelvan lo que me deben.*
FAM encauzar.

caucho *s. m.* Sustancia impermeable, elástica y resistente que se obtiene por procedimientos químicos a partir del jugo lechoso de ciertas plantas tropicales.
FAM cauchero; recauchutar.

caudal[1] *s. m.* ① Cantidad de agua que lleva una corriente o que fluye de un manantial o fuente: *el caudal del río ha aumentado.* ■ **caudal de fluido** Volumen de fluido que circula a través de una sección determinada en la unidad de tiempo: *el caudal se mide en* m^3/s. ② Cantidad de dinero y bienes de una persona. **SIN** fortuna, hacienda. ③ Gran cantidad de una cosa: *caudal de gente.*
FAM caudaloso; acaudalar.

caudal² *adj.* Relativo a la cola de los animales: *aleta caudal.*

caudaloso, -sa *adj.* ① Se aplica a la corriente que lleva mucha agua: *manantial caudaloso.* ② Que tiene mucho dinero o muchos bienes. **SIN** acaudalado.

caudillo *s. m.* Persona que guía y manda a un grupo de personas, especialmente a un ejército o gente armada. **FAM** caudillaje; acaudillar.

caula *s. f.* AMÉR. Treta, ardid.

caulículo *s. m.* Vástago que surge del interior de las hojas de acanto que ornamentan el capitel corintio, y que se enrosca en los ángulos del ábaco.

causa *s. f.* ① Origen de una cosa o suceso: *la causa del incendio fue un cigarrillo mal apagado.* ■ **causa primera** Causa que produce un efecto siendo totalmente independiente. ② Motivo o razón para obrar de una manera determinada: *no me molestes a no ser que haya una causa importante.* ③ Fin, idea o proyecto que se defiende o por el que se trabaja: *siempre ha luchado por una buena causa.* ④ Pleito judicial. **SIN** litigio.
a causa de Indica el motivo por el que se ha producido un resultado.
hacer causa común Unirse una o más personas con otra u otras para un mismo fin.
FAM causal, causar.

causal *adj.* ① Relativo a la causa: *hay que descubrir la relación causal entre estos hechos.* I *adj./s. f.* ② Se aplica a la proposición que expresa el motivo por el cual sucede lo indicado en la oración principal: *en "Juan está enfermo porque se ha dado un atracón de chocolate", la oración introducida por "porque" es causal.* ③ Se aplica a la conjunción usada para unir esta proposición a la principal.
FAM causalidad.

causalidad *s. f.* Relación entre causa y efecto.

causante *adj.* ① Que es causa de una acción o de una cosa. I *adj./s. com.* ② Se aplica a la persona que es causa de una acción o de una cosa. I *s. com.* ③ Persona de quien proviene el derecho que alguien tiene.

causar *v. tr.* Producir o ser el origen de un efecto o resultado. **SIN** ocasionar, originar.
FAM causante.

cáustico, -ca *adj.* ① Se aplica a la sustancia que quema y destruye los tejidos orgánicos: *la lejía es un producto cáustico.* ② Que es mordaz y sarcástico en sus críticas. I *adj./s. m.* ③ Se aplica al medicamento que cura una herida quemando los tejidos afectados para que cierren.
FAM causticidad.

cautela *s. f.* Cuidado y reserva que se pone al hacer algo para prevenir posibles riesgos o para no ser notado: *actuar con cautela.* **SIN** precaución.
FAM cauteloso.

cautelar *adj.* Que sirve para prevenir la consecución de determinado fin o precaver lo que pueda dificultarlo: *medidas cautelares; suspensión cautelar.*

cauteloso, -sa *adj.* ① Que obra con cuidado y reserva: *persona cautelosa.* **SIN** cauto. **ANT** incauto. ② Que encierra cautela: *mirada cautelosa.*

cautivador, -ra *adj.* Que cautiva, especialmente con su gracia o encanto.

cautivar *v. tr.* ① Atraer irresistiblemente la atención, simpatía o amor de una persona mediante algo que le resulta física o moralmente atractivo: *tu sonrisa me cautiva.* **SIN** embrujar, fascinar. ② Apresar o quitar la libertad a una persona.
FAM cautivador.

cautiverio *s. m.* ① Estado de la persona a la que se ha privado de la libertad, especialmente durante una guerra. **SIN** cautividad. ② Estado del animal salvaje al que se ha privado de la libertad. **SIN** cautividad.

cautividad *s. f.* Cautiverio.

cautivo, -va *adj./s. m. y f.* ① Que no tiene libertad: *rehenes cautivos.* **SIN** preso, prisionero. ② Se aplica a la persona que se siente atraída por una cualidad determinada, o dominada por alguna cosa.
FAM cautivar, cautiverio, cautividad.

cauto, -ta *adj.* Se aplica a la persona que actúa o se comporta con cautela y precaución e intenta evitar o prevenir un peligro. **SIN** avisado, cauteloso, precavido. **ANT** incauto.
FAM cautela; incauto.

cava¹ *s. f.* Acción de levantar o remover la tierra con una azada u otra herramienta para ahuecarla.

cava² *s. f.* ① Bodega subterránea en la que se elaboran ciertos vinos. I *s. m.* ② Vino blanco espumoso, al estilo del champán, que se elabora en España.

cava³ *adj./s. f.* Se aplica a la cada una de las dos venas que recogen la sangre de todo el cuerpo y la conduce al corazón.

cavar *v. tr.* ① Levantar y remover la tierra con una herramienta para cultivarla. ② Hacer un agujero, foso o zanja.
FAM cava; excavar, socavar.

cavatina *s. f.* Breve fragmento de ópera destinado a una sola voz.

caverna *s. f.* Cavidad ancha y profunda bajo la tierra o entre las rocas.
FAM cavernario, cavernícola, cavernoso.

cavernícola *adj./s. com.* ① Se aplica al habitante de los tiempos prehistóricos que vivía en las cavernas. ② despectivo Que tiene ideas sociales y políticas muy antiguas o que se consideran propias de tiempos pasados.

cavernoso, -sa *adj.* ① Relativo a la caverna: *oscuridad cavernosa.* ② Se aplica a la voz, tos o sonido que es grave y áspero. ③ Que tiene muchas cavernas.

caviar *s. m.* Alimento que se prepara con las huevas del esturión frescas, aderezadas con sal y prensadas.

cavidad *s. f.* Espacio hueco en el interior de un cuerpo, especialmente en el de los seres vivos: *cavidad ocular.*
FAM concavidad.

cavilación *s. f.* Reflexión profunda y minuciosa.

cavilar *v. intr.* Pensar de forma profunda y minuciosa, a veces con preocupación.
FAM cavilación, caviloso.

cayado *s. m.* ① Bastón, generalmente de madera, con el extremo superior curvo: *los pastores usan el cayado para conducir el ganado.* **SIN** garrota. ② Báculo pastoral, bastón con el extremo superior curvo que usan los obispos como símbolo de su autoridad.
cayado de la aorta Curva que forma la arteria aorta al salir del corazón.

cayo *s. m.* Isla pequeña, llana y arenosa, muy común en el mar de las Antillas y en el golfo de México.

caz *s. m.* Canal para la recepción y conducción de agua.

caza *s. f.* ① Búsqueda y persecución de animales para atraparlos o matarlos. **SIN** cacería. ② Animal o conjunto de animales que se buscan o persiguen para atraparlos o matarlos o que se han atrapado o matado: *en estos montes cada vez hay menos caza.* ■ **caza mayor** Caza de animales grandes. ■ **caza menor** Caza de animales pequeños. ③ Acción de buscar o perseguir una cosa que se desea conseguir. ■ **caza de brujas** Persecución debida a prejuicios políticos o sociales. | *s. m.* ④ Avión de pequeño tamaño y gran velocidad destinado principalmente a reconocimientos y combates aéreos. **NOTA** También *avión de caza.*

andar (o estar o ir) a la caza de Esforzarse en conseguir una cosa o en encontrar a una persona o cosa.

cazabe [también **casabe**] *s. m.* ① AMÉR. Harina de la raíz de la mandioca. ② AMÉR. Torta hecha con esta harina.

cazabombardero *s. m.* Avión de combate preparado para derribar otros aviones y para lanzar bombas sobre un objetivo.

cazador, -ra *adj./s. m. y f.* ① Se aplica a la persona que caza animales. ② Se aplica al animal que por instinto persigue y caza otros animales para comérselos. ③ Se aplica a la persona que busca o persigue una cosa que desea conseguir: *un cazador de autógrafos.* | *s. m.* ④ Soldado de infantería ligera.

cazadora *s. f.* Prenda de vestir corta y ajustada a la cintura, generalmente de línea deportiva y material resistente, que se suele cerrar por delante con una cremallera.

cazadotes *s. m.* fam. desp. Hombre que trata de casarse con una mujer rica.
OBS Plural invariable.

cazafortunas *s. com.* Persona que intenta casarse con una persona rica para gozar su fortuna.
OBS Plural invariable.

cazalla *s. f.* Aguardiente seco y fuerte fabricado en Cazalla de la Sierra (Sevilla).
FAM cazallero.

cazar *v. tr.* ① Buscar o perseguir animales para atraparlos o matarlos. ② Conseguir algo con habilidad, especialmente una cosa buena o difícil: *hemos cazado un nuevo cliente.* ③ Descubrir algo, especialmente una cosa oculta o un error: *he cazado varias erratas en este escrito.* ④ Darse cuenta o entender con rapidez mental.
FAM cacería, caza, cazabombardero, cazador, cazadotes, cazafortunas, cazatalentos, cazatorpedero.

cazatalentos *s. com.* Persona o entidad que se dedica a buscar individuos idóneos para su contratación por empresas que los necesitan.
OBS Plural invariable.

cazatorpedero *s. m.* Buque de guerra destinado a combatir torpederos.

cazcarria [también **cascarria**] *s. f.* Salpicadura de barro en los bajos de la ropa.
OBS Normalmente en plural.

cazo *s. m.* ① Recipiente cilíndrico, más ancho que alto y con mango largo, hecho de metal o de porcelana, que se usa para cocer o calentar alimentos. ② Utensilio de cocina, generalmente de metal, en forma de media esfera y con un mango largo, que se usa para pasar líquidos de un recipiente a otro. **SIN** cucharón. ③ Persona torpe. ④ jerga Proxeneta.
FAM cacillo.

cazoleta *s. f.* ① Hueco de la pipa de fumar en el que se coloca el tabaco. ② Pieza de metal de forma más o menos se-

miesférica que tienen las espadas y sables entre el puño y la hoja para proteger la mano.

cazón *s. m.* Tiburón de hasta 2 m de largo, con la boca en forma semicircular y los dientes afilados y cortantes, cuya piel seca se utiliza como lija.

cazuela *s. f.* ① Recipiente de cocina de base circular, ancho y poco profundo, generalmente de barro y con dos asas y tapa, que se usa para guisar. ② Guiso hecho en este recipiente, generalmente con carne, patatas y legumbres. ③ Parte hueca de un sujetador de mujer que cubre el seno. ④ En los teatros de los siglos XVII y XVIII, sitio al que solo podían acceder las mujeres.

cazurro, -rra *adj./s. m. y f.* ① Se aplica a la persona que es torpe, ignorante y simple: *soy un cazurro para la cocina.* ② Se aplica a la persona que es ruda, tosca o basta. ③ familiar Se aplica a la persona callada que con picardía o astucia hace lo que le conviene.
FAM cazurrería.

CD *s. m.* Sigla de *compact disc*, disco compacto: *los CD musicales.* ■ **CD-audio** Disco compacto para grabar o reproducir sonidos, generalmente música.

CD-R *s. m.* Sigla de la expresión inglesa *compact disc recordable*, disco compacto que se puede grabar una sola vez.

CD-ROM [también **cederrón**, poco usual] *s. m.* ① Disco de 12 cm de diámetro con gran capacidad para almacenar sonidos, imágenes y otras informaciones grabadas que se pueden reproducir por medio de un rayo láser y un sistema informático adecuado. ② Aparato acoplado al ordenador que permite la lectura de las informaciones contenidas en este disco.

ce *s. f.* Nombre de la letra *c.*
■ **ce cedilla** o **ce con cedilla** Nombre de la letra *ç: la ce cedilla se utiliza en lenguas como el francés o el catalán.* **NOTA** También simplemente *cedilla.*

ceba *s. f.* Alimentación abundante para engordar al ganado.
SIN cebadura.

cebada *s. f.* ① Planta cereal muy parecida al trigo, pero menos alta y de semillas más alargadas y puntiagudas; se emplea como pienso para el ganado y en la fabricación de cerveza y otras bebidas alcohólicas. ② Semilla o conjunto de semillas de esta planta.
FAM cebadal, cebadilla.

cebadal *s. m.* Terreno sembrado de cebada.

cebado, -da *adj.* AMÉR. Se aplica a la fiera que ha probado carne humana y por ello es más temible.

cebador, -ra *adj.* ① Se aplica a la persona que ceba. | *s. m.* ② Dispositivo necesario para el encendido de algunos objetos eléctricos, como los tubos fluorescentes.

cebadura *s. f.* Ceba.

cebar *v. tr.* ① Alimentar a un animal para que aumente de peso o se ponga gordo, generalmente con el fin de aprovechar su carne. **SIN** engordar. ② Atraer con un cebo a un animal: *cebar los peces.* ③ familiar Alimentar abundantemente o engordar a una persona. ④ Alimentar o avivar un sentimiento: *no debes cebar tanto odio.* ⑤ Preparar convenientemente una máquina o ponerle el combustible necesario para que funcione: *cebar un motor.* | *v. prnl.* ⑥ **cebarse** Causar un intenso dolor, de manera deliberada e innecesaria, a una persona que no puede defenderse: *las epidemias suelen cebarse con* *los ancianos y los niños.* **SIN** encarnizarse, ensañarse. ⁷ Dedicarse a una cosa con afán.

FAM cebado, cebador, cebadura, cebón.

cebiche [también **ceviche** o **seviche**] *s. m.* AMÉR. Plato de pescado o marisco crudo, troceado y condimentado con cebolla, ají y zumo de limón.

cebo *s. m.* ① Trozo de alimento, o algo que lo simula, que se pone en el anzuelo, el cepo y otras trampas para pescar o cazar. ② Alimento de un animal. ③ Cosa agradable o interesante que se ofrece, a veces de forma engañosa, para incitar a hacer algo: *las ofertas de dos por uno son un cebo para aumentar las ventas.* ④ Fomento de un sentimiento: *su conducta sirve de cebo a los rumores de la gente.* ⑤ Materia que provoca la explosión en las armas de fuego, los proyectiles o en otras cosas.

FAM cebar.

cebolla *s. f.* ① Hortaliza de tallo delgado y hueco, hojas largas y estrechas y flores blancas, con un bulbo comestible del que nace una raíz fibrosa. ② Bulbo subterráneo de esta planta, formado por capas esféricas, que tiene un olor fuerte y un sabor picante. ③ Bulbo de una planta.

FAM cebolleta, cebollino; encebollar.

cebolleta *s. f.* ① Cebolla común que se vuelve a plantar después del invierno y que se come tierna antes de florecer. ② Planta parecida a la cebolla, pero con el bulbo más pequeño, con una parte de las hojas comestible. **SIN** cebollino.

cebollino *s. m.* ① Simiente de cebolla lista para ser trasplantada. ② Cebolleta (planta). ③ fam. desp. Persona torpe y tonta.

cebón, -bona *adj./s. m. y f.* ① Se aplica al cerdo que ha sido cebado o engordado para que sirva de alimento. ② familiar Se aplica a la persona que está muy gorda.

cebra *s. f.* Mamífero équido, parecido al asno, de pelo amarillento con rayas verticales o inclinadas marrones o negras que vive en las sabanas africanas: *la cebra tiene las orejas grandes y el cuello robusto.*

cebú *s. m.* Mamífero bovino de África y la India, parecido al toro, con una o dos gibas de grasa en la espalda que se emplea como bestia de carga.

OBS Plural: *cebúes* o *cebús.*

ceca *s. f.* Establecimiento donde se fabricaba moneda.

Ceca Se usa en la expresión:

de la Ceca a la Meca De un lado para otro, moviéndose mucho, haciendo muchas gestiones para conseguir algo o resolver un asunto.

cecal *adj.* Relativo al intestino ciego.

cecear *v. intr.* Hablar pronunciando la *s* como la *z.*

FAM ceceante, ceceo.

ceceo *s. m.* Fenómeno del habla que consiste en pronunciar la *s* como la *z.*

cecina *s. f.* Carne salada y secada al sol, al aire o al humo.

FAM acecinar.

cedazo *s. m.* Utensilio que se usa para separar las partes finas y gruesas de una materia y que está formado por una tela metálica muy fina o rejilla que está sujeta a un aro de madera o metal. **SIN** criba, tamiz.

FAM cedacero.

ceder *v. tr.* ① Transferir o traspasar voluntariamente a otro el disfrute de una cosa, acción o derecho: *ceder el paso.* I *v. intr.* ② Disminuir o desaparecer la resistencia de una persona: *se lo pedimos con insistencia, pero no cedió.* ③ Disminuir o desaparecer la fuerza o intensidad de algo: *la fiebre cedió con los baños*

fríos. **SIN** remitir. ④ Romperse o soltarse una cosa que ha estado sometida a una fuerza excesiva: *las vigas han cedido por un exceso de carga.*

FAM cedido, cesión.

cederrón *s. m.* CD ROM.

cedilla *s. f.* ① Nombre de la letra ç. **NOTA** También *ce cedilla* o *ce con cedilla.* ② Signo en forma de coma que constituye la parte inferior de esta letra.

cedro *s. m.* ① Árbol de tronco alto y recto, con la copa en forma de cono, hojas perennes y el fruto en forma de piña. ② Madera de este árbol.

FAM cedrino.

cédula *s. f.* Documento, generalmente oficial, en el que se reconoce una deuda o una obligación de otro tipo. ■ **cédula hipotecaria** Cédula que emiten los bancos reconociendo un crédito cuya devolución tiene como garantía una vivienda. ■ **cédula personal** Cédula que se recibe tras el pago de un impuesto y lleva información sobre la persona que paga. ■ **cédula real** Cédula que firma un rey concediendo un favor o disponiendo sobre un asunto.

cédula de identidad Tarjeta con la fotografía, la firma y otros datos identificativos de una persona.

FAM cedulario.

cefalea *s. f.* Dolor de cabeza intenso y persistente.

cefálico, -ca *adj.* Relativo a la cabeza (parte del cuerpo).

cefalópodo *adj./s. m.* ① Se aplica al invertebrado marino del filo moluscos que tiene la cabeza grande rodeada de una corona de tentáculos que sirven para desplazarse y asir a las presas, como el calamar y el pulpo. I *s. m. pl.* ② **cefalópodos** Grupo taxonómico, con categoría de clase, constituido por estos moluscos.

cefalorraquídeo, -dea *adj.* Relativo a la cabeza y a la columna vertebral.

cefalotórax *s. m.* Parte anterior del cuerpo de los arácnidos y muchos crustáceos constituida por la fusión de la cabeza con el tórax y separada del abdomen.

OBS Plural invariable.

céfiro *s. m.* ① culto Viento suave y apacible. ② Tela de algodón casi transparente.

cegar [1] *v. intr.* ① Perder el sentido de la vista: *cegó cuando niño a causa de una enfermedad.* I *v. tr.* ② Hacer perder el sentido de la vista, generalmente de forma pasajera a causa de una luz intensa: *la cegó el resplandor.* ③ Quitar la capacidad de razonar o de darse cuenta con claridad de las cosas: *la ambición te ha cegado.* **SIN** ofuscar. ④ Tapar o cerrar un hueco o una entrada: *cegaron el pozo con cemento.* I *v. prnl.* ⑤ **cegarse** Perder la lucidez: *tras morir su marido, se cegó e intentó suicidarse.*

FAM cegador, cegamiento; enceguecer.

cegato, -ta *adj./s. m. y f.* familiar Se aplica a la persona que no ve bien.

OBS Frecuentemente usado de forma despectiva.

cegesimal *adj.* Se aplica al sistema de pesos y medidas que tiene por unidades básicas el centímetro, el gramo y el segundo.

OBS Suele utilizarse la forma abreviada *CGS.*

ceguedad *s. f.* Ceguera.

ceguera *s. f.* ① Falta completa del sentido de la vista: *fue atacado por una ceguera de origen desconocido.* **SIN** ceguedad. ② Pasión que quita la capacidad de razonar con claridad: *tiene tal ceguera con ese chico, que no ve que le engaña.* **SIN** ce-

C

guedad. ③ Enfermedad que produce la pérdida de visión en uno o los dos ojos.

ceja *s. f.* ① Parte de la cara que sobresale por encima de cada uno de los ojos, curvada y cubierta de pelo. ② Pelo que cubre esta parte de la cara: *tiene unas cejas muy negras y espesas.* ③ Parte saliente de un objeto, generalmente en un libro o un vestido: *el libro tenía una ceja rota.*

hasta las cejas Hasta el extremo o límite, en un grado máximo.

meterse entre ceja y ceja Obstinarse u obsesionarse con una cosa.

quemarse las cejas Estudiar mucho y con ahínco.

tener entre ceja y ceja No soportar a una persona, sentir antipatía o rechazo hacia ella.

FAM cejijunto; entrecejo, sobrecejo.

cejar *v. intr.* ① Aflojar o ceder en un negocio, empeño o discusión: *no cejarán hasta que no se les conceda lo que piden.* ② Andar hacia atrás, especialmente las caballerías de tiro.

cejijunto, -ta *adj.* ① Que tiene las cejas muy pobladas y juntas o muy poco separadas. ② Ceñudo.

cejilla *s. f.* ① Pieza suelta que se ajusta al mástil de un instrumento de cuerda, como la guitarra, y sirve para apretar todas las cuerdas a la vez y elevar por igual la entonación del instrumento. ② Presión que se hace colocando el dedo índice completamente recto sobre todas las cuerdas de la guitarra u otro instrumento similar para conseguir el mismo efecto que con esta pieza.

celada *s. f.* ① Medio hábil y engañoso por el que se coloca a una persona en situación difícil o se la obliga a hacer, decir o aceptar algo que no quería. ② Emboscada de gente armada en un lugar oculto para coger a la víctima por sorpresa: *tender una celada.* ③ Pieza de las antiguas armaduras que cubría y protegía la cabeza.

celador, -ra *s. m. y f.* Persona que, en un centro público, se dedica a vigilar el cumplimiento de las normas y el mantenimiento del orden o a hacer otras tareas de apoyo.

celar¹ *v. tr.* ① Procurar con cuidado el cumplimiento de las leyes y de toda clase de obligaciones. ② Observar o vigilar, especialmente a alguien de quien se desconfía.

FAM recelar.

celar² *v. tr.* culto Ocultar.

celda *s. f.* ① Habitación de una cárcel donde se encierra a los presos. ② Habitación individual de un convento o colegio. ③ Celdilla.

celda de memoria En informática, registro básico de almacenamiento de información de una memoria, que se caracteriza por la longitud de la palabra (número de bits) que puede contener: *la memoria interna de un ordenador está formada por un número de celdas de memoria idénticas.*

FAM celdilla.

celdilla *s. f.* Cada una de las casillas hexagonales que forman un panal. **SIN** celda.

celebérrimo, -ma *adj.* Superlativo de *célebre.*

celebración *s. f.* ① Encuentro o acto solemne en el que intervienen varias personas: *la celebración del congreso.* ② Fiesta o acto con que se celebra una fecha o un acontecimiento. ③ Aplauso o aclamación. ④ Realización de la ceremonia de la misa que hace un sacerdote: *celebración de la misa.*

celebrante *s. m.* Sacerdote que dice la misa. **SIN** oficiante.

celebrar *v. tr.* ① Llevar a cabo un encuentro o acto solemne o participar en él: *el congreso se celebrará el próximo mes; celebrar un debate.* ② Organizar una fiesta o participar en ella con ocasión de una fecha o de un acontecimiento: *celebrar un cumpleaños.* **SIN** festejar. ③ Alegrarse por una cosa o alabarla: *celebro que te encuentres mejor.* ④ Decir misa.

FAM celebración, celebrante; concelebrar.

célebre *adj.* Se aplica a la persona o cosa que tiene fama o es muy conocida. **SIN** famoso.

FAM celebridad.

OBS Superlativo irregular: *celebérrimo.*

celebridad *s. f.* ① Popularidad y admiración pública de que disfruta una persona, generalmente por haber hecho alguna cosa importante: *no es fácil mantenerse en la celebridad.* **SIN** fama. ② Persona que tiene fama y es muy conocida: *al congreso asistieron las grandes celebridades del momento.* **ANT** desconocido.

celemín *s. m.* ① Medida de capacidad tradicional para el grano y otros productos; en Castilla equivale a 4,625 litros y es la duodécima parte de la fanega. ② Antigua medida agraria de Castilla que equivalía aproximadamente a 537 m².

celentéreo, -rea *adj./s. m.* ① Se aplica al invertebrado acuático de estructura sencilla cuyo cuerpo está formado por dos capas, una externa y otra interna, que rodean una gran cavidad digestiva y está provisto de tentáculos: *la medusa, la anémona y el coral son celentéreos.* ∥ *s. m. pl.* ② **celentéreos** Grupo taxonómico, con categoría de filo, constituido por estos animales.

celeque *adj.* AMÉR. CENTRAL Se aplica a la fruta que es tierna.

celeridad *s. f.* Rapidez en el movimiento o la ejecución de una cosa.

FAM acelerar; deceleración.

celesta *s. f.* Instrumento musical similar a un piano de pared, de tamaño algo menor, en el que los macillos producen el sonido golpeando unas láminas o barras metálicas colgadas sobre unos resonadores: *la celesta es un metalófono.*

celeste *s. m./adj.* ① Color azul claro, como el del cielo despejado. ∥ *adj.* ② Que es de este color. ③ Relativo al cielo o firmamento.

FAM celestial.

celestial *adj.* ① Relativo al cielo (lugar en el que los ángeles, los santos y los justos gozan de la compañía de Dios para siempre): *solamente los bienaventurados gozarán de la gloria celestial.* **ANT** terrenal. ② Relativo al cielo o firmamento. ③ Que es delicioso, perfecto o encantador: *placer celestial.*

celestina *s. f.* Mujer que facilita o encubre las relaciones amorosas o sexuales de dos amantes a cambio de dinero.

FAM celestinesco.

celíaco, -ca o **celiaco, -ca** *adj.* Relativo al vientre o a los intestinos.

celibato *s. m.* Estado de la persona que no se ha casado, especialmente por motivos religiosos. **SIN** soltería.

célibe *adj./s. com.* Se aplica a la persona que no se ha casado, especialmente por motivos religiosos.

FAM celibato.

cello [también **chelo**; se pronuncia 'chelo'] *s. m.* Instrumento musical de cuerda, de forma semejante a la del violín pero mucho mayor, aunque no tan grande como el contrabajo; se toca sentado, apoyándolo en el suelo y entre las piernas para frotar sus cuatro cuerdas con un arco. **SIN** violoncelo, violonchelo.

celo[1] *s. m.* [1] Cuidado, diligencia e interés con que alguien hace las cosas que tiene a su cargo: *pone mucho celo en su trabajo.* [2] Periodo de la vida de algunos animales en el que aumenta su apetito sexual y las hembras están preparadas para la reproducción: *durante el celo las hembras admiten la unión con el macho.* [3] Estado de un animal durante este periodo: *mi gata está en celo.* I *s. m. pl.* [4] **celos** Sentimiento de inquietud y pesar que se tiene al saber o sospechar que la persona amada siente preferencia por otra: *dice que los celos de su mujer son infundados.* [5] Recelo que siente una persona al creer que un afecto u otro bien que disfruta o pretende puede ser alcanzado por otro: *tiene unos celos terribles de su nueva hermanita.* **dar celos** Provocar en una persona ese sentimiento fingiendo que se siente preferencia por otra. **FAM** celar, celoso.

celo[2] *s. m.* Cinta de papel de plástico transparente que es adhesiva por una de sus caras y se usa para unir o sujetar cosas. **OBS** Es marca registrada.

celofán *s. m.* Papel transparente de colores que está hecho de un material impermeable y se utiliza para envolver. **NOTA** También *papel de celofán.* **OBS** Es marca registrada.

celosía *s. f.* Enrejado tupido hecho con listones de madera u otro material que se pone en las ventanas o se usa para separar unos espacios de otros, especialmente para poder ver a través de él sin ser visto.

celoso, -sa *adj.* [1] Se aplica a la persona que tiene celos o es propensa a tenerlos: *su marido es muy celoso.* [2] Se aplica a la persona que pone mucho cuidado e interés al hacer una cosa. **FAM** celosamente.

celota [también **zelota**] *s. com.* Miembro de un grupo judío religioso y político que se oponía al Imperio romano y lideró revueltas importantes en el siglo I d. C.

celta *adj.* [1] Relativo a un grupo de pueblos indoeuropeos que ocuparon Europa occidental y Galacia (Asia Menor) entre los siglos IX y I a. C.: *los galos, celtíberos, britanos y gaélicos eran pueblos celtas.* **SIN** céltico. I *s. com./adj.* [2] Persona perteneciente a uno de estos pueblos. I *s. m.* [3] Grupo de lenguas indoeuropeas habladas por este conjunto de pueblos. **FAM** celtibérico, celtíbero, céltico, celtismo.

celtibérico, -ca V. celtíbero, -ra.

celtíbero, -ra o **celtibero, -ra** *adj.* [1] Relativo a un pueblo de la España primitiva asentado en la Celtiberia (región de la España prerromana correspondiente a las actuales provincias de Zaragoza, Teruel, Burgos, Cuenca, Guadalajara y Soria). I *s. m. y f.* [2] Persona perteneciente a este pueblo.

céltico, -ca *adj.* Relativo a los celtas: *la invasión céltica tuvo su auge entre los siglos VI y I a. C.* **SIN** celta.

célula *s. f.* [1] Elemento constitutivo fundamental de los seres vivos, generalmente microscópico y dotado de vida propia, que, según la teoría celular, constituye la unidad morfológica y fisiológica de los seres vivos: *las células pueden ser procariotas o eucariotas; las neuronas son células especializadas en la transmisión de impulsos nerviosos.* [2] Grupo, dentro de una organización mayor, que funciona de modo independiente. **célula fotoeléctrica** Dispositivo que registra las variaciones de energía luminosa y las transforma en corriente eléctrica. **célula fotovoltaica** o **célula solar** Dispositivo que convierte la radiación solar en energía eléctrica: *las células solares proporcionan la fuente de energía de larga duración más importante de satélites y vehículos espaciales.*

célula madre Célula del embrión o de ciertos tejidos del adulto que es capaz de dividirse indefinidamente y generar, en cada división, dos células idénticas a ella y, también, producir nuevos linajes celulares especializados: *las células madre pueden engendrar todos los tipos de células del organismo.* **FAM** celular.

celular *adj.* [1] Relativo a la célula (elemento fundamental de los seres vivos): *tejido celular.* [2] Se aplica al vehículo que está acondicionado para trasladar a personas arrestadas o presas. I *s. m.* [3] AMÉR. Teléfono móvil: *llamó a su amigo por el celular.* **FAM** extracelular, pluricelular, unicelular.

celulitis *s. f.* Inflamación del tejido celular situado debajo de la piel que da a esta un aspecto rugoso o acolchado. **OBS** Plural invariable.

celuloide *s. m.* [1] Material plástico y muy flexible que se emplea en la industria fotográfica y cinematográfica para la fabricación de películas: *el celuloide se fabrica con pólvora de algodón y alcanfor.* [2] Arte, técnica e industria de la cinematografía: *el mundo del celuloide.* **OBS** Es marca registrada.

celulosa *s. f.* Glúcido polisacárido estructural formado por la unión de moléculas de glucosa; es sólido y blanco, se encuentra en los tejidos de las células vegetales y se usa especialmente en la industria del papel. **FAM** celuloide.

cementar *v. tr.* [1] Calentar una pieza de metal junto con otra materia en polvo o en pasta para conferirle nuevas propiedades. [2] Meter barras de hierro en una solución de cobre para que precipite este metal.

cementerio *s. m.* [1] Lugar, generalmente cercado y descubierto, en el que se entierran los cuerpos muertos de las personas. **SIN** camposanto. [2] Lugar en el que se entierran animales que han muerto o al que van algunos animales a morir: *cementerio de perros; cementerio de elefantes.* [3] Lugar en el que se acumulan materiales o productos inservibles: *cementerio de residuos nucleares; cementerio de coches.* **FAM** cementerial.

cemento *s. m.* [1] Material de construcción en polvo, formado por sustancias calcáreas y arcillosas, que forma una masa sólida y dura al mezclarse con agua; se emplea para tapar huecos, unir superficies y como componente aglutinante en hormigones y argamasas. ■ **cemento armado** Mezcla compacta hecha con grava, arena y cemento que va reforzada con alguna estructura metálica en su interior. **SIN** hormigón armado. [2] Tejido óseo que envuelve la raíz de los dientes. **FAM** cementar, cementero, cementoso.

cena *s. f.* [1] Última comida del día, que se toma al atardecer o por la noche. [2] Alimentos que se toman en esta comida. [3] Acción de tomar esta comida. **FAM** cenar.

cenáculo *s. m.* [1] Sala en que Jesucristo celebró la última cena con los apóstoles. [2] Reunión habitual y poco numerosa de personas, generalmente literatos o artistas, que mantienen las mismas o parecidas ideas.

cenador *s. m.* Espacio cubierto, generalmente redondo, cercado y revestido de plantas trepadoras que hay en ciertos jardines.

cenagal *s. m.* **1** Lugar lleno de cieno. **2** Situación o problema difícil: *necesito salir de este cenagal.*
FAM cenagoso.

cenagoso, -sa *adj.* Lleno de cieno.

cenar *v. tr./intr.* Tomar la última comida del día, al atardecer o por la noche.

cencerro *s. m.* Campana pequeña de metal, generalmente tosca y con los lados rectos, que se cuelga al cuello de las reses: *el cencerro se utiliza como instrumento de percusión en la música latina y ocasionalmente en las orquestas.*
estar como un cencerro familiar Estar chiflado.
FAM cencerrada, cencerrear.

cenefa *s. f.* Banda de adorno, generalmente formada con motivos repetidos, que se hace o se pone en el borde de una tela o a lo largo de muros, doseles y lugares semejantes.

cenicero *s. m.* Recipiente, generalmente pequeño y poco hondo, en el que se dejan la ceniza y los restos de los cigarrillos.

cenicienta *s. f.* Persona o cosa que se desprecia o no se tiene en cuenta sin que lo merecezca: *no quiero estar marginado como si fuese la cenicienta del equipo.*

ceniciento, -ta *adj.* Que es de color gris claro como el de la ceniza. **SIN** cenizo.

cenit o **cénit** [también **zenit** o **zénit**, menos usados] *s. m.* **1** Punto del círculo celeste superior al horizonte que corresponde verticalmente a un lugar de la Tierra: *la Luna está ahora en el cenit, justo encima de nosotros.* **ANT** nadir. **2** Situación del Sol cuando alcanza el punto más alto de elevación sobre el horizonte. **3** Punto culminante o momento de apogeo de una persona o de una cosa: *se encuentra en el cenit de su carrera.*
FAM cenital.

cenital *adj.* **1** Relativo al cenit. **2** Se aplica a la luz natural que penetra a través de una ventana o claraboya abierta en el techo.

ceniza *s. f.* **1** Polvo gris claro que queda después de arder o quemarse completamente una cosa. **|** *s. f. pl.* **2 cenizas** Restos o residuos minerales de una persona muerta después de haber sido incinerada.
ceniza volcánica Material de tamaño inferior a 4 mm procedente de la solidificación de lavas volcánicas al entrar en contacto con el aire.
FAM cenicero, ceniciento, cenizo; encenizar.

cenizo, -za *adj.* **1** Ceniciento. **|** *adj./s. m.* **2** familiar Se aplica a la persona que trae o tiene mala suerte. **|** *s. m.* **3** familiar Mala suerte.

cenobio *s. m.* culto Monasterio.
FAM cenobita.

cenobita *s. com.* Persona que profesa la vida monástica.

cenozoico, -ca *adj./s. m.* **1** Se aplica a la era geológica que sigue a la era mesozoica o secundaria y precede a la era neozoica o cuaternaria; se extiende desde hace unos 65 millones de años hasta hace unos 2 millones de años. **SIN** terciario. **2** Se aplica a la era geológica que, según algunas escuelas actuales, sigue a la era mesozoica y es la última de las eras en que se divide la historia geológica de la Tierra; se extiende desde hace unos 65 millones de años hasta la actualidad. **|** *adj.* **3** Relativo a esta era geológica.

censal *adj.* Relativo al censo.

censar *v. tr.* **1** Incluir o registrar en el censo: *tiene que censar las nuevas viviendas antes de entregarlas.* **|** *v. intr.* **2** Hacer el censo de un territorio. **SIN** empadronar.

censo *s. m.* **1** Padrón o lista oficial de los habitantes de un país, una provincia o una ciudad, donde figuran sus datos personales, su propiedades o bienes y otras informaciones: *el censo se realiza cada diez años.* ■ **censo electoral** Lista donde figuran todas las personas que tienen derecho a votar: *en las últimas elecciones municipales, de un censo electoral de 2 500 ciudadanos, el alcalde actual recibió el voto de 1 500.* **NOTA** También simplemente *censo.* **2** Contrato por el que se obliga al propietario de un bien inmueble al pago de una pensión o renta anual, en concepto de interés por un capital recibido en dinero o en reconocimiento de un dominio más o menos pleno que no se transmite con el inmueble. **3** En la Edad Media, tributo que pagaba el vasallo a su señor.
FAM censal, censar.

censor, -ra *adj./s. m. y f.* **1** Se aplica a la persona que critica o tiene inclinación a criticar a los demás, especialmente con severidad. **|** *s. m. y f.* **2** Persona encargada por la autoridad de revisar publicaciones y otras obras destinadas al público y de someterlas a las modificaciones, supresiones y prohibiciones necesarias para que se ajuste a lo permitido por dicha autoridad. **3** Magistrado de la antigua Roma que realizaba el censo de las personas y sus bienes y velaba por la moralidad de las costumbres del pueblo.
FAM censorio.

censorio, -ria *adj.* Relativo al censor o a la censura.

censura *s. f.* **1** Crítica o juicio negativo que se hace de algo, especialmente del comportamiento ajeno. **SIN** condena. **2** Sometimiento de una obra destinada al público a las modificaciones, supresiones y prohibiciones que el censor considere convenientes para que se ajuste a lo que la autoridad permite. **3** Organismo oficial encargado de ejercer esta labor.
FAM censurable, censurar.

censurable *adj.* Que puede o merece ser censurado. **SIN** criticable.
FAM incensurable.

censurar *v. tr.* **1** Juzgar negativamente alguna cosa: *sus compañeros censuraron su comportamiento machista.* **SIN** criticar, reprobar. **2** Formar un juicio sobre una cosa después de haberla examinado, especialmente sobre una obra destinada al público, para ver si, en el aspecto político, moral o religioso, puede publicarse o exhibirse entera o parcialmente. **3** Suprimir o modificar en una obra destinada al público lo que el censor ha creído conveniente: *han puesto la película con las escenas amorosas que en su día fueron censuradas.*
FAM censurable.

cent *s. m.* Céntimo de euro.
OBS Plural: *cents.*

centauro *s. m.* Animal mitológico mitad hombre y mitad caballo.

centavo, -va *s. m.* **1** Céntimo de determinadas monedas, como el dólar o el peso. **|** *num. part.* **2** Se aplica a cada una de las partes que resultan de dividir un todo en cien partes iguales. **SIN** centésimo, céntimo.

centella *s. f.* **1** Rayo de baja intensidad: *en el cielo se vieron rayos y centellas.* **2** Chispa que salta al golpear una piedra con un objeto de metal. **3** Persona o cosa muy rápida: *soy una centella escribiendo a máquina.*
FAM centellear.

centellear *v. intr.* **1** Despedir rayos de luz de diversa inten-

sidad y color: *las estrellas centellean en la noche.* ② Brillar con mucha intensidad: *cuando se enfada le centellean los ojos.*
FAM centelleante, centelleo.

centena *s. f.* Conjunto formado por 100 unidades. SIN centenar, ciento.
FAM centenar, centenario.

centenal *s. m.* Terreno sembrado de centeno.

centenar *s. m.* Centena.

centenario, -ria *adj.* ① Relativo a la centena. ② Que tiene cien años o más: *edificio centenario.* ❙ *adj./s. m. y f.* ③ Se aplica a la persona que tiene cien o más años de edad. ❙ *s. m.* ④ Fecha en que se cumplen uno o varios centenares de años desde que se produjo un acontecimiento: *en 1992 se celebró el quinto centenario del descubrimiento de América.* ⑤ Fiesta o celebración con que se conmemora esta fecha.
FAM bicentenario, tricentenario.

centeno *s. m.* ① Planta cereal muy parecida al trigo, pero de espigas más delgadas y vellosas, hojas estrechas y ásperas, que produce una semilla oblonga y puntiaguda por uno de sus lados. ② Semilla o conjunto de semillas de esta planta: *pan de centeno.*
FAM centenal.

centesimal *adj.* Que está dividido en cien partes.

centésimo, -ma *num. ord.* ① Que ocupa el lugar número 100 en una serie ordenada: *centésimo aniversario.* ❙ *num. part.* ② Se aplica a cada una de las partes que resultan de dividir un todo en cien partes iguales: *me correspondió una centésima parte del dinero.* SIN centavo, céntimo.

centiárea *s. f.* Unidad de medida agraria equivalente a una centésima parte del área.

centígrado, -da *adj.* ① Se aplica a la escala de temperatura que se divide en cien grados, en la que el cero corresponde a la temperatura de fusión del hielo y el cien a la de ebullición del agua. ② Relativo a esta escala de temperatura: *grados centígrados.*

centigramo *s. m.* Medida de masa, de símbolo *cg*, que es igual a la centésima parte de un gramo.

centilitro *s. m.* Medida de volumen, de símbolo *cl*, que es igual a la centésima parte de un litro.

centímetro *s. m.* Medida de longitud, de símbolo *cm*, que es igual a la centésima parte de un metro. ■ **centímetro cuadrado** Medida de superficie, de símbolo *cm²*, que es igual a 0,0001 metros cuadrados. ■ **centímetro cúbico** Medida de volumen, de símbolo *cm³*, que es igual a 0,000001 metros cúbicos.

céntimo *s. m.* ① Centésima parte de ciertas unidades monetarias, como el euro o la peseta, o moneda que ese valor: *un céntimo de euro.* ❙ *num. part.* ② Se aplica a cada una de las partes que resultan de dividir un todo en cien partes iguales. SIN centavo, centésimo.

centinela *s. com.* ① Soldado que guarda, vigila y defiende una posición determinada. ② Persona que vigila o está en observación de alguna cosa.

centollo *s. m.* Crustáceo marino comestible con una concha casi redonda cubierta de pelos y espinas y con cinco pares de patas.

central *adj.* ① Que está en el centro o entre dos extremos: *los libros de arte están en el estante central.* ② Que es lo principal o más importante: *el tema central de una novela.* ③ Que ejerce su acción sobre todo el conjunto, territorio o sistema del que

forma parte: *gobierno central; calefacción central.* ❙ *s. f.* ④ Oficina o establecimiento principal del que dependen otros del mismo tipo: *la sucursal del banco ha de pedir autorización a la central para concederme el préstamo.* ⑤ Instalación en la que se produce energía eléctrica a partir de otras formas de energía: *central térmica; central hidráulica; central nuclear; central hidroeléctrica.* ❙ *s. com.* ⑥ Jugador de fútbol que juega en el centro de la defensa. ❙ *adj.* ⑦ Se aplica a la vocal que se articula entre el paladar duro y el velo del paladar: *en español, la "a" es una vocal central.*
FAM centralidad, centralismo, centralita, centralizar.

centralismo *s. m.* Doctrina que defiende la concentración del poder político o administrativo en un organismo central que absorbe funciones propias de órganos locales o regionales.
FAM centralista.

centralista *adj.* ① Relativo al centralismo: *una política centralista.* ❙ *adj./s. com.* ② Se aplica a la persona que es partidaria del centralismo.

centralita *s. f.* ① Aparato que conecta una o varias líneas telefónicas externas con los teléfonos instalados en los locales de un organismo, entidad o empresa: *mi llamada pasa desde la centralita al teléfono del despacho que haya pedido.* ② Lugar donde se encuentra instalado este aparato.

centralización *s. f.* Acción de centralizar: *centralización política.* ANT descentralización.

centralizar *v. tr.* ① Reunir cosas distintas o de diversa procedencia en un lugar común o bajo una misma dirección. ANT descentralizar. ② Asumir un poder central las atribuciones y funciones políticas y administrativas que corresponden a un poder local o regional. ANT descentralizar.
FAM centralización, centralizador; descentralizar.

centrar *v. tr.* ① Colocar una cosa haciendo coincidir su centro con el de otra: *para poder centrar el cuadro tuve que medir la pared.* ② Dirigir la atención o el interés hacia un objetivo o un asunto: *el conferenciante centró su estudio en los problemas sociales.* ③ Atraer alguien o algo la atención o el interés: *la actriz centraba todas las miradas.* ④ Hacer que alguien se sienta psicológicamente seguro y estable en un lugar, ambiente o situación: *Mario necesita encontrar una mujer que lo centre.* ❙ *v. tr./ intr.* ⑤ Pasar la pelota de la parte exterior al centro del campo, especialmente en el fútbol: *centró el balón pese a la oposición del defensa; no logró centrar ante la oposición del defensa.* ❙ *v. prnl.* ⑥ **centrarse** Concentrar la atención en un asunto o en uno de sus aspectos: *no logro centrarme en los estudios.* ⑦ Sentirse psicológicamente seguro y estable en un lugar, ambiente o situación: *no se centró hasta que se casó.*
FAM descentrar.

céntrico, -ca *adj.* Relativo al centro, especialmente de una población: *piso céntrico.*

centrifugación *s. f.* Método de separación de un sólido que se halla en suspensión en el seno de un líquido con diferente densidad; consiste en aumentar la velocidad de sedimentación mediante la acción de una centrifugadora.

centrifugado *s. m.* Acción de centrifugar.

centrifugadora *s. f.* Máquina que sirve para centrifugar.

centrifugar *v. tr.* Someter un objeto o sustancia a una rotación muy rápida para obtener por la fuerza centrífuga su secado o la separación de los componentes unidos o mezclados.
FAM centrifugado, centrifugador.

centrífugo, -ga *adj.* Se aplica a la fuerza que tiende a alejarse del centro alrededor del cual gira. **ANT** centrípeto.

centriolo *s. m.* Conjunto de nueve microtúbulos dispuestos en forma de cilindro que se encuentra junto con otro en las células animales y de muchos protoctistas, que intervienen en la división celular.

centrípeto, -ta *adj.* Se aplica a la fuerza que tiende a acercarse al centro alrededor del cual gira. **ANT** centrífugo.

centrismo *s. m.* Tendencia o ideología política de los partidos de centro, intermedia entre la derecha y la izquierda. **FAM** centrista; antropocentrismo, egocentrismo, etnocentrismo.

centrista *adj.* ① Relativo al centrismo. | *adj./s. com.* ② Se aplica a la persona que es partidaria del centrismo.

centro *s. m.* ① Punto o lugar que está en medio, equidistante de los límites o extremos: *el centro de la habitación.* ② Lugar o recinto donde se desarrolla una actividad con un fin determinado: *centro comercial; centro deportivo.* ③ Persona o cosa principal que atrae la atención o el interés: *desde que llegó se convirtió en el centro de la reunión.* ④ Parte de una población donde hay más actividad administrativa, comercial y cultural. ■ **centro urbano** Parte de una ciudad donde hay edificios importantes y más actividad. ⑤ Conjunto de ideas, tendencias y organizaciones políticas que están entre la derecha y la izquierda, y pretenden conciliar elementos de ambas. ⑥ Lugar donde se concentra una actividad o donde se desarrolla con mayor intensidad: *centro industrial.* ⑦ Jugada de ataque en un partido de fútbol y de otros deportes que consiste en pasar el balón desde un lateral del campo hacia un compañero que avanza por la parte central. ⑧ Punto interior de un círculo situado a igual distancia de todos los de la circunferencia correspondiente. ⑨ Punto interior de una esfera situado a igual distancia de todos los de la superficie. ⑩ Punto que equidista de todos los vértices de un polígono regular, que se corresponde con el centro de la circunferencia circunscrita al polígono. ⑪ Punto por el que pasan todas las rectas que unen puntos homólogos o transformados por la homotecia. ⑫ Vasija o elemento decorativo que se coloca como adorno en el centro de una mesa. ⑬ HOND., MÉX. Chaleco.

centro de coordinación Órgano que recibe la información de los receptores y la procesa para elaborar órdenes y así controlar el funcionamiento de otros órganos.

centro de gravedad Punto de un cuerpo sobre el que actúa de manera efectiva la fuerza de la gravedad.

centro de masa Punto de un cuerpo que se mueve como si en él estuvieran aplicadas todas las fuerzas externas y concentrada toda su masa; si el valor de la aceleración de la gravedad es el mismo para todos los puntos del cuerpo, coincide con el centro de gravedad. **FAM** central, centrar, céntrico, centrífugo, centrípeto, centrismo, centrocampista; baricentro, circuncentro, epicentro, ortocentro.

centroamericano, -na *adj.* ① De América Central (conjunto de países del centro del continente americano). | *s. m. y f./adj.* ② Persona que es de alguno de los países de América Central.

centrocampista *s. com.* Jugador de fútbol u otros deportes de equipo que juega en el centro del campo y tiene como misión contener los avances del equipo contrario y ayudar a su propia defensa y su delantera.

centroeuropeo, -pea *adj.* ① De Europa central: *países centroeuropeos.* | *s. m. y f./adj.* ② Persona que es de alguno de los países de Europa central.

centrómero *s. m.* Estrechamiento o constricción principal de las cromátidas, que constituye el lugar en el que el cromosoma se une al huso acromático durante la división celular.

centrosoma *s. m.* Nombre que recibe el conjunto formado por el par de centriolos con la zona amorfa que los rodea; tiene un papel importante en la división de la célula.

centuplicar *v. tr.* ① Multiplicar una cifra o cantidad por cien. ② Hacer una cosa cien veces mayor o mucho más grande: *con los negocios ha centuplicado sus riquezas.*

céntuplo, -pla *adj./s. m.* Que es cien veces el número o cantidad de cierta cosa: *mil es el céntuplo de cien.*

centuria *s. f.* ① Periodo de cien años. **SIN** siglo. ② Compañía del ejército de la antigua Roma compuesta por cien soldados: *sesenta centurias formaban una legión.* **FAM** centurión.

centurión *s. m.* Oficial del antiguo ejército romano que tenía a su mando una centuria (compañía de cien soldados).

cenutrio, -tria *s. m. y f.* familiar Persona torpe y lenta para comprender o ejecutar una cosa.

ceñido, -da *adj.* ① Que se ajusta al cuerpo. **ANT** amplio, ancho, holgado, suelto. ② Moderado en los gastos.

ceñir [11] *v. tr.* ① Apretar, ajustar o rodear la cintura u otra parte del cuerpo con una prenda de vestir u otra cosa: *ciñeron su frente con una corona de laurel.* **ANT** desceñir. ② Llevar un objeto ajustado a una parte del cuerpo: *era muy joven cuando ciñó la corona de laurel.* ③ Rodear o envolver una cosa a otra: *las murallas ciñen la ciudad.* | *v. prnl.* ④ **ceñirse** Limitarse o atenerse concretamente a lo que se trata: *haga el favor de ceñirse al tema de que estamos hablando.* ⑤ Moderarse en los gastos o amoldarse a lo que se tiene: *tenemos que ceñirnos al presupuesto.* **FAM** ceñido, ceñidor; desceñir.

ceño *s. m.* ① Espacio que separa las dos cejas. ② Gesto de enfado o preocupación que se hace arrugando la frente y juntando las cejas: *fruncir el ceño.* ③ Aspecto amenazador que toman el cielo, las nubes o el mar. **FAM** ceñudo.

ceñudo, -da *adj.* Se aplica a la persona que arruga el entrecejo mostrando una expresión severa o preocupada.

cepa *s. f.* ① Tronco de la vid del que brotan los sarmientos; por extensión, toda la planta. ② Parte del tronco de las plantas que está bajo la tierra unida a la raíz. ③ Origen de una familia.

de buena cepa De origen o calidad cuya bondad es conocida: *un vino de buena cepa.*

de pura cepa Se aplica a la persona cuyas características son propias y auténticas de la clase a la que pertenece: *es un andaluz de pura cepa.* **FAM** cepellón.

cepellón *s. m.* Tierra que se deja pegada a las raíces de los vegetales para trasplantarlos.

cepillar *v. tr.* ① Poner lisa una superficie de madera o metal con un cepillo: *tengo que cepillar la puerta para que no roce en el suelo.* ② Limpiar algo de polvo, pelusas o suciedad con un cepillo: *cepillar un traje; cepillarse los dientes.* ③ Pasar el cepillo por el pelo para peinarlo o desenredarlo: *su madre le cepilla el pelo* cada noche; suele cepillarse el cabello antes de acostarse. **4** Quitar o hacer perder los bienes o el dinero mediante el engaño o la violencia: *le cepilló todo el dinero en una partida de póquer.* ‖ *v. prnl.* **5 cepillarse** *familiar* Matar a una persona o un animal. **6** *familiar* Catear o suspender a alguien que se examina. **7** *vulgar* Poseer sexualmente a una persona. **8** *familiar* Gastar el dinero con rapidez y sin medida: *se ha cepillado toda la herencia.* **9** Terminar o resolver un asunto en poco tiempo. **FAM** cepillado.

cepillo *s. m.* **1** Instrumento de diversos tamaños y formas hecho de hilos o pelos gruesos fijos en una base y cortados al mismo nivel, que se usa generalmente para limpiar. ■ **cepillo de dientes** Cepillo pequeño y con mango que se usa para limpiarse la boca. **NOTA** También simplemente *cepillo.* ■ **cepillo del pelo** Cepillo que tiene mango y se usa para peinar. **NOTA** También simplemente *cepillo.* **2** Herramienta de carpintería para alisar y pulir la madera; consiste en una pieza de madera con una cuchilla en su base que va arrancando láminas delgadas de madera. **3** Herramienta de albañilería para limpiar paramentos, juntas y elementos metálicos como trabajo de preparación que precede a un acabado; está hecha con cerdas duras, fibra vegetal o alambre. **4** Caja cerrada provista de una pequeña ranura por la que se introducen las limosnas y que se coloca generalmente en las iglesias. **SIN** cepo.
FAM cepillar.

cepo *s. m.* **1** Trampa para cazar animales provista de un mecanismo que se cierra y aprisiona al animal cuando este lo toca. **2** Instrumento que sirve para inmovilizar la rueda de un automóvil que ha cometido una infracción de tráfico. **3** Artefacto de diferentes formas con que se aprisionaba el cuello o los pies de los condenados. **4** Cepillo (caja para recoger limosnas). **5** Madero en que se fija el yunque y otras herramientas.
FAM cepa, cepillo, ceporro.

ceporro, -rra *adj./s. m. y f.* **1** Se aplica a la persona que es torpe y poco inteligente. **SIN** zopenco, zoquete. ‖ *s. m.* **2** Cepa vieja que se usa como leña.
dormir como un ceporro Dormir mucho y profundamente.

cera *s. f.* **1** Sustancia sólida, blanda y fundible que producen las abejas y que se emplea principalmente para hacer velas. **2** Sustancia animal, vegetal o artificial de características parecidas a la que producen las abejas. **3** Sustancia amarillenta segregada por las glándulas de los oídos. **SIN** cerumen. **4** Conjunto de sustancias sólidas o semisólidas, de origen mineral o segregadas por animales y plantas: *la cera secretada por seres vivos suele tener una función protectora.* **5** Producto químico de limpieza que se usa para dar brillo.
no hay más cera que la que arde Indica que lo que se ve o se trata es todo y no hay más.
FAM céreo, cerero, ceroso, cerote, cerumen; encerar.

cerámica *s. f.* **1** Objeto o conjunto de objetos fabricados con barro, loza o porcelana. **2** Arte o técnica de fabricar estos objetos.
FAM cerámico, ceramista.

ceramista *s. com.* Persona que se dedica a fabricar objetos de cerámica. **SIN** alfarero.

cerbatana *s. f.* Tubo estrecho en el que se introducen dardos u otros proyectiles para dispararlos soplando por uno de sus extremos; se usa como arma.

cerca[1] *adv.* En un punto próximo o inmediato; a corta distancia: *vive cerca, en la otra acera.*
cerca de (**I**) Aproximadamente, más o menos: *llevamos cerca de una hora esperando.* (**II**) Junto a: *ahora tengo el trabajo cerca de casa.*
de cerca A poca distancia: *ven, quiero verte de cerca.*
FAM cercano.

cerca[2] *s. f.* Tapia o muro de madera u otro material que sirve para rodear un terreno u otro lugar y resguardarlo o marcar límites: *el animal saltó la cerca y salió huyendo.* **SIN** valla, cercado.

cercado *s. m.* **1** Cerca, valla. **2** Lugar rodeado y limitado por una cerca, especialmente cuando se trata de una tierra de cultivo: *los animales están encerrados en el cercado.*

cercamiento *s. m.* Acción de cercar: *el cercamiento de tierras de cultivo fue muy importante en Gran Bretaña en los siglos XVIII y XIX.*

cercanía *s. f.* **1** Proximidad en el espacio o en el tiempo. **SIN** vecindad. **ANT** lejanía. ‖ *s. f. pl.* **2 cercanías** Conjunto de zonas cercanas a un lugar o que lo rodean.

cercanías *s. m.* Tren que comunica una población importante con otras vecinas y generalmente es del tipo tranvía: *el cercanías procedente de Blanes hará su entrada por la vía 3.*
OBS Plural invariable. También *tren de cercanías.*

cercano, -na *adj.* Que está próximo en el espacio o en el tiempo. **SIN** inmediato. **ANT** lejano.
FAM cercanía.

cercar *v. tr.* **1** Poner límites a un lugar rodeándolo con una cerca de forma que quede cerrado, resguardado y separado de otros. **SIN** amurallar, tapiar, vallar. **2** Rodear mucha gente a una persona o cosa: *le cercaron los periodistas.* **3** Rodear una ciudad, una fortaleza u otro lugar para atacar a las fuerzas enemigas que están dentro o para impedir que salgan o reciban ayuda. **SIN** sitiar.
FAM cerca, cercado.

cercén Se usa en la expresión:
a cercén Indica que está cortado completamente y en redondo.

cercenar *v. tr.* **1** Cortar la extremidad de una persona o cosa: *se cercenó los dedos con una sierra.* **2** Reducir la cantidad, el tamaño o la importancia de una cosa: *tuvieron que cercenar los gastos.* **SIN** disminuir.
FAM cercenadura, cercenamiento.

cerceta *s. f.* Ave acuática del tamaño de un pato pequeño, de plumaje variado, que se alimenta de vegetales y animales; generalmente es migradora.

cerciorarse *v. prnl.* Asegurarse una persona de que está en lo cierto: *me cercioré de que no había nadie.*

cerco *s. m.* **1** Línea o cosa semejante que rodea a otra o que deja una marca en ella: *el cerco dorado de una tarjeta; al niño le quedó un cerco de chocolate alrededor de los labios.* **2** Cerca, valla. **3** Marco que delimita algunas cosas, especialmente una puerta o ventana: *el cerco de la puerta.* **4** Círculo luminoso alrededor de un astro, especialmente del Sol o la Luna. **SIN** halo. **5** Asedio de una ciudad o fortaleza para dominarla y conquistarla.
FAM cerca, cercar.

cerda *s. f.* **1** Pelo grueso y duro que tienen las caballerías en la cola y en la crin y otros animales, como el cerdo y el jabalí, en el cuerpo: *las cerdas se emplean para hacer cepillos y otros ob-*

jetos. **2** Pelo o filamento de un cepillo, aunque sea fabricado artificialmente.

FAM cerdoso.

cerdada *s. f.* **1** Acción que molesta o causa un perjuicio, especialmente si está hecha con mala intención: *no sé cómo le habla después de tantas cerdadas como le ha hecho.* **SIN** cochinada, guarrada, marranada. **2** Acción o cosa sucia o asquerosa: *deja de hacer cerdadas con la comida.* **SIN** cochinada, guarrada, marranada.

cerdo, -da *s. m. y f.* **1** Mamífero doméstico de cuerpo grueso, patas cortas, cabeza grande, orejas caídas, hocico chato y casi cilíndrico y cola en forma de hélice, que se cría para aprovechar su carne. **SIN** cochino. | *adj./s. m. y f.* **2** despectivo Se aplica a la persona que no cuida su aseo personal o que produce asco por su falta de limpieza: *es un cerdo: siempre eructa en las comidas.* **3** despectivo Se aplica a la persona que muestra tener poca educación o pocos principios morales: *el muy cerdo solamente quería aprovecharse de mi mala situación.*

FAM cerdada.

cereal *adj./s. m.* **1** Se aplica a la planta que produce semillas en forma de granos de las que se hacen harinas y que se utilizan para alimento de las personas o como pienso para el ganado: *el trigo, la cebada y el centeno son cereales.* | *s. m. pl.* **2 cereales** Conjunto de las semillas de estas plantas: *la cosecha de cereales.* **3** Alimento elaborado con estas semillas y, generalmente, enriquecido con vitaminas y otras sustancias nutritivas: *los cereales suelen comerse con leche.*

FAM cerealista.

cerebelo *s. m.* Parte del encéfalo constituida por una masa de tejido nervioso que se encuentra en la zona posterior de la cabeza y que se encarga de la coordinación muscular, el equilibrio y otros movimientos involuntarios aprendidos, como andar: *el encéfalo está formado por el cerebro, el cerebelo y el bulbo raquídeo.*

cerebral *adj.* **1** Relativo al cerebro (parte del encéfalo). | *adj./s. com.* **2** Se aplica a la persona que toma decisiones fríamente, sin dejarse llevar por sus impulsos o sentimientos. **ANT** pasional.

cerebro *s. m.* **1** Parte del encéfalo constituida por una masa de tejido nervioso que se encuentra en la parte anterior y superior de la cabeza; se divide en dos hemisferios y se encarga, entre otras, de las funciones cognitivas. **SIN** sesos. **2** Talento, capacidad de juicio o de entendimiento: *la próxima vez utiliza el cerebro antes de hacer una cosa así.* ■ **cerebro electrónico** Aparato electrónico capaz de desarrollar actividades propias del pensamiento humano. **3** Persona que posee capacidad para desarrollar con facilidad y perfección actividades relacionadas con la cultura, la ciencia o la técnica: *es una reunión de grandes cerebros.* **4** Persona que piensa o dirige una acción: *el cerebro de la operación.*

lavar el cerebro Aplicar a una persona técnicas de manipulación psicológica para anular o modificar su mentalidad o sus características psíquicas.

secársele el cerebro familiar Quedarse incapacitado para discurrir normalmente.

FAM cerebelo, cerebral, cerebroespinal; descerebrar.

cerebroespinal *adj.* Relativo al cerebro y a la espina dorsal.

ceremonia *s. f.* **1** Acto o serie de actos públicos y formales que se realizan de acuerdo con las reglas o ritos fijados por la ley o por la costumbre: *tras la ceremonia de la boda ofreció un gran banquete.* **2** Solemnidad o formalidad excesiva en el trato o en la manera de actuar: *fuimos recibidos con gran ceremonia.*

por ceremonia Para cumplir de manera educada: *aunque siguen peleados, lo ha invitado por ceremonia.*

sin ceremonias Con sencillez, sin mostrar lujo ni solemnidad.

FAM ceremonial, ceremonioso.

ceremonial *adj.* **1** Relativo a la ceremonia (acto): *traje ceremonial.* | *s. m.* **2** Conjunto de reglas y formalidades que ordenan la celebración de ciertas ceremonias. **3** Libro que explica este conjunto de reglas y formalidades.

ceremonioso, -sa *adj.* Se aplica a la persona que trata y gusta de ser tratada con ceremonias y ateniéndose a las reglas y formalidades de estas.

céreo, -rea *adj.* Relativo a la cera o que tiene alguna de sus características: *color céreo.*

cereza *s. f.* **1** Fruto del cerezo, comestible, pequeño y redondeado, de color rojo oscuro y con hueso, que tiene pulpa dulce y jugosa. | *s. m./adj.* **2** Color rojo oscuro, como el de este fruto. | *adj.* **3** Que es de este color. **NOTA** Invariable en número.

FAM cerezo.

cerezal *s. m.* Lugar poblado de cerezos.

cerezo *s. m.* **1** Árbol frutal de unos cinco metros de altura, de tronco liso y abundante en ramas, copa espesa, hojas lanceoladas, flores blancas y fruto comestible (cereza). **2** Madera de este árbol: *puertas de cerezo.*

FAM cerezal.

cerilla *s. f.* Varilla de papel encerado, madera u otro material combustible, con un extremo recubierto de fósforo que se prende al rozarlo con una superficie áspera y que sirve para encender fuego. **SIN** fósforo, mixto.

FAM cerillero.

cerillo *s. m.* CUBA Árbol silvestre cuya madera es muy apreciada en carpintería por sus vetas.

cerio *s. m.* Elemento químico de símbolo *C* y número atómico 58; es un metal de color gris oscuro, brillante, muy dúctil y maleable: *el cerio pertenece al grupo de los lantánidos.*

cerner [2] *v. tr.* **1** Separar lo grueso de lo fino en una materia, generalmente reducida a polvo, haciéndola pasar a través de un cedazo o criba: *cerner la harina para separarla del salvado.* **SIN** cernir, cribar. | *v. intr.* **2** Estar una planta, especialmente la vid, el olivo y el trigo, en el momento en el que se desprende el polen y se produce la fecundación. | *v. prnl.* **3 cernerse** Amenazar de cerca un mal: *la desgracia se cierne sobre nosotros.* **4** Mantenerse un ave en el aire aleteando sin avanzar: *el cernícalo se cierne para avistar presas.* **5** Andar moviendo el cuerpo a uno y otro lado.

FAM cernido, cernidura.

cernícalo *s. m.* **1** Ave rapaz de unos 40 cm de longitud, cabeza abultada, plumaje rojizo con manchas negras y pico y uñas fuertes. | *adj./s. m.* **2** familiar Se aplica a la persona que es poco hábil o que no sabe comportarse.

cernir [3] *v. tr.* Cerner (separar).

cero *num. card.* **1** Se emplea para designar el número de elementos de un conjunto vacío: *el empate a cero goles duró hasta el final del partido.* | *num. ord.* **2** Que se encuentra en el origen o es el punto de partida de una serie ordenada o antecede a lo que va numerado: *página cero; kilómetro cero.* | *s. m.* **3** Número 0: *un talón con muchos ceros.* [4] Punto a partir del cual se empieza a contar en una escala, en un contador, etc.: *diez grados bajo cero.* ■ **cero absoluto** Temperatura mínima que puede alcanzar un cuerpo, que según los principios de la termodinámica equivale a –273 °C. ■ **ceros de un polinomio** Valores de la indeterminada para los que el polinomio se anula. ■ **ceros de una función** Valores de la variable independiente para los que la función se anula, o puntos en los que la función corta al eje de abscisas.

al cero Se aplica al pelo que está rapado o afeitado: *se cortó el pelo al cero y no lo reconocíamos.*

de (o desde) cero Desde el principio, sin contar con recursos ni con lo ya existente: *este trabajo es mejor hacerlo partiendo de cero.*

estar a cero No tener dinero: *a final de mes siempre estaba a cero.*

ser un cero a la izquierda No valer para nada o no ser tenido en cuenta por los demás.

cerrado, -da *adj.* [1] Se aplica al lugar que no tiene comunicación con el exterior. [2] Se aplica a la persona que es poco inteligente o no comprende. **SIN** torpe. [3] Se aplica a la persona que no suele manifestar sus sentimientos y se relaciona poco con los demás. **SIN** introvertido. **ANT** abierto, extrovertido. [4] Que es riguroso o estricto: *actitud cerrada.* [5] Que es espeso o denso: *niebla cerrada; barba cerrada.* [6] Se aplica a la persona o al modo de hablar que conserva un fuerte acento local. [7] Se aplica al cielo que está cubierto de nubes. [8] Se aplica a la oscuridad que es muy intensa: *dejamos de buscarlo cuando se hizo noche cerrada.* [9] Se aplica a la vocal que se articula con el mínimo grado de abertura de la cavidad bucal: *en español, la "i" y la "u" son vocales cerradas.* [10] Se aplica al circuito eléctrico completo a través del cual la corriente puede fluir cuando se le aplica una tensión. [11] Se aplica al sistema termodinámico que no puede intercambiar materia con el entorno pero sí energía.

cerradura *s. f.* Mecanismo generalmente de metal que se fija en puertas, tapas, cajones u objetos parecidos y sirve para cerrarlos, especialmente por medio de una llave. **SIN** cerraja.

cerraja *s. f.* Cerradura.
   FAM cerrajero; descerrajar.

cerrajería *s. f.* [1] Establecimiento en el que se fabrican, arreglan o venden cerraduras, llaves y otros objetos de metal. [2] Oficio del cerrajero.

cerrajero, -ra *s. m. y f.* Persona que se dedica a fabricar o arreglar cerraduras, llaves y otros objetos de metal.
   FAM cerrajería.

cerramiento *s. m.* [1] Cosa que cierra o tapa cualquier abertura, conducto o paso. [2] Acción de cerrar lo que estaba abierto o descubierto.

cerrar [1] *v. tr.* [1] Hacer que el interior de un espacio o lugar no tenga comunicación directa con el exterior: *cierra bien el frigorífico o no enfriará.* [2] Encajar una persona en su marco la hoja de una puerta o ventana o la tapa de una caja, especialmente si se asegura con una cerradura o algún otro mecanismo de cierre: *cierra la puerta.* [3] Juntar partes movibles del cuerpo o de cosas articuladas: *cerrar los ojos; cerrar las alas.* [4] Encoger, doblar o plegar lo que estaba extendido: *cerrar el paraguas.* [5] Impedir el acceso o entrada a un lugar: *han cerrado la calle.* [6] Impedir el paso a un fluido por un conducto. [7] Pegar o disponer una carta o paquete de modo que no sea posible ver lo que contiene sin despegarlo o romperlo.

[8] Hacer desaparecer o tapar una abertura: *cerrar un agujero.* [9] Hacer que termine, poner fin a la actividad de una corporación o establecimiento: *cerrar una empresa.* [10] Dar por firme y concertado un acuerdo o negociación: *cerrar un trato.* [11] Ir el último en una sucesión o fila: *su nombre cerraba la lista.* [12] Apiñar, agrupar, unir estrechamente: *todo el equipo se cerró atrás y no encajó ni un solo gol.* | *v. intr./prnl.* [13] Quedar encajada en su marco la hoja de una puerta o ventana o la tapa de una caja, especialmente si está asegurada con una cerradura o algún otro mecanismo de cierre: *esta puerta no cierra; esta puerta no se cierra.* | *v. prnl.* [14] **cerrarse** Encapotarse o cubrirse de nubes el cielo. [15] Ceñirse al lado de mayor curvatura el vehículo o el conductor que toma una curva.
   FAM cerrado, cerradura, cerraja, cerramiento, cerrazón; encerrar, entrecerrar.

cerrazón *s. f.* [1] Estado del cielo cuando está cubierto de nubes oscuras y amenaza tempestad: *no me atreví a salir cuando vi la cerrazón de la tarde.* [2] Torpeza o falta de capacidad para entender una cosa. [3] Actitud del que se mantiene excesivamente firme en sus ideas, intenciones u opiniones: *es inútil intentar convencer a una persona de tal cerrazón.* **SIN** obstinación.

cerrero, -ra *adj./s. m. y f.* AMÉR. Se aplica a la persona que es inculta y grosera.

cerril *adj.* [1] Que tiene modos toscos y groseros. **SIN** tosco. [2] Que se mantiene excesivamente firme en sus ideas, intenciones u opiniones. [3] Se aplica a la persona que es poco inteligente o no comprende. [4] Se aplica al ganado no domado.
   FAM cerrilidad, cerrilismo.

cerro *s. m.* Elevación natural del terreno, de poca altura y aislada. **SIN** colina, collado, loma.

irse por los cerros de Úbeda Decir algo que nada tiene que ver con el asunto del que se habla.
   FAM cerril.

cerrojazo *s. m.* [1] Cierre que consiste en echar el cerrojo recia y bruscamente: *cerró la puerta de un cerrojazo.* [2] Clausura o final brusco de una actividad, reunión o charla: *dar el cerrojazo a la discusión.*

cerrojo *s. m.* [1] Barra de hierro que pasa a través de las anillas de un soporte y que sirve para cerrar una puerta, una ventana u otra cosa semejante. [2] Pieza de algunas armas de fuego que contiene el percutor, empuja las balas hasta la recámara y cierra esta.
   FAM cerrojazo.

certamen *s. m.* [1] Concurso abierto para estimular con premios determinadas actividades o competiciones, especialmente de carácter literario, artístico o científico. [2] Reunión literaria para discutir sobre algún aspecto concreto, generalmente poético.

certero, -ra *adj.* [1] Se aplica al tirador o disparo que da en el blanco. [2] Que es razonable y conforme a la verdad: *juicios certeros y razonables.* **ANT** erróneo. [3] Que sabe o está bien informado: *noticias certeras.*

certeza *s. f.* Conocimiento seguro y claro que se tiene de una cosa. **SIN** certidumbre. **ANT** incertidumbre.

certidumbre *s. f.* Certeza.
   FAM incertidumbre.

certificación *s. f.* [1] Documento o escrito en el que se declara cierta o verdadera una cosa: *necesito una certificación de que he asistido a este curso.* **SIN** certificado. [2] Garantía, que consta por escrito, de que una carta o paquete postal llegará a su destino.

certificado, -da *adj.* ① Se aplica al envío postal que se manda por correo con la garantía, que consta por escrito, de que llegará a su destino. | *s. m.* ② Documento o escrito en el que se declara cierta o verdadera una cosa: *certificado médico.* **SIN** certificación.

certificar *v. tr.* ① Declarar cierta o verdadera una cosa, especialmente una persona con autoridad y en un documento o impreso oficial: *el inspector médico ha certificado mi enfermedad.* ② Garantizar el servicio de correos por escrito la entrega en mano de un envío postal mediante el pago de una cantidad que consta en un resguardo. ③ Mandar por correo una carta o paquete postal con la garantía, que consta por escrito, de que llegará a su destino. **FAM** certificación, certificado, certificador, certificatorio.

certísimo, -ma *adj.* Superlativo de *cierto.*

cerúleo, -lea *adj.* culto Se aplica al color como el azul del cielo: *ojos cerúleos.*

cervantino, -na *adj.* Relativo a Miguel de Cervantes (escritor español, 1547-1616) o a su obra. **FAM** cervantesco, cervantismo, cervantista.

cervato *s. m.* Ciervo menor de seis meses. **FAM** cervatillo.

cervecería *s. f.* ① Establecimiento en el que se sirve cerveza y otras consumiciones. ② Fábrica de cerveza.

cervecero, -ra *adj.* ① Relativo a la cerveza. | *s. m. y f.* ② Persona que se dedica a fabricar o vender cerveza. **FAM** cervecería.

cerveza *s. f.* Bebida alcohólica de color amarillento y sabor amargo obtenida de la fermentación de la cebada y otros cereales y aromatizada con lúpulo. **FAM** cervecero.

cervical *adj./s. f.* ① Relativo a la cerviz: *región cervical.* ② Se aplica a cada una de las vértebras o huesos pequeños que forman la parte de la columna vertebral correspondiente al cuello: *tiene una lesión en las cervicales.* **NOTA** Normalmente en plural.

cérvido *adj./s. m.* ① Se aplica al mamífero rumiante que se caracteriza por la presencia, en los ejemplares machos, de cuernos ramificados que se renuevan cada año, como el ante y el reno. | *s. m. pl.* ② **cérvidos** Grupo taxonómico, con categoría de familia, constituido por estos animales.

cérvix *s. m.* Parte inferior del útero, situada en el fondo de la vagina, flexible, delgada y de unos 3 cm de longitud. **SIN** cuello uterino. **OBS** Plural invariable.

cerviz *s. f.* Parte posterior del cuello que en el ser humano y en la mayoría de los mamíferos consta de siete vértebras. **bajar** (o **doblar**) **la cerviz** Someterse, abandonar toda actitud altiva y orgullosa. **FAM** cervical.

cesante *adj./s. com.* ① Se aplica al empleado público que ha sido privado de su cargo o empleo. ② CHILE, CUBA, MÉX. Se aplica a la persona que está desempleada después de que se le ha rescindido el contrato laboral: *estoy cesante desde hace tres meses.* **FAM** cesantía.

cesanteado, -da *adj./s. m. y f.* AMÉR. Se aplica a la persona que ha sido despedida de su trabajo: *los trabajadores cesanteados buscaron el apoyo de sus compañeros.*

cesantear *v. tr.* AMÉR. Despedir del trabajo a una persona: *el nuevo gerente cesanteó a cuatro operarios.*

cesar *v. intr.* ① Llegar a su fin una cosa: *ha cesado el viento.* **SIN** acabar. **ANT** seguir. ② Interrumpir o dejar de hacer cierta cosa que se estaba haciendo: *no cesaba de dar golpes.* ③ Dejar de desempeñar un cargo o empleo: *desde mañana cesará de su cargo.* **FAM** cesación, cesante, cese; incesante.

césar *s. m.* ① Título de la persona que gobernaba el Imperio romano. **SIN** emperador. ② culto Emperador. **FAM** cesarismo.

cesárea *s. f.* Operación quirúrgica que consiste en abrir la pared abdominal y el útero de la madre para extraer el feto.

cese *s. m.* ① Interrupción del desarrollo de una acción o del desempeño de una actividad: *todos esperaban el cese del jefe de personal.* ② Documento en el que se hace constar la cesación en un cargo o empleo.

cesio *s. m.* Elemento químico de símbolo Cs y número atómico 55; es un metal alcalino de color blanco plateado; se inflama en contacto con el aire y se utiliza para fabricar células fotoeléctricas.

cesión *s. f.* Renuncia voluntaria que se hace de un bien en favor de otra persona: *la hija del pintor ha dispuesto la cesión de sus cuadros al nuevo museo.*

césped *s. m.* ① Hierba menuda y espesa que cubre un terreno. ② Terreno de juego de ciertos deportes: *todos esperamos ver saltar al césped a los nuevos fichajes.* **FAM** cortacésped.

cesta *s. f.* ① Recipiente de mimbre u otro material flexible, con dos asas que sirve para llevar objetos, especialmente el de boca redondeada y más ancho que alto. ■ **cesta de la compra** Precio del conjunto de alimentos y productos que consume cada día una familia. ② Aro metálico, sujeto horizontalmente a un tablero vertical, del que cuelga una red sin fondo y por el que hay que pasar la pelota en el juego del baloncesto. **SIN** canasta. ③ Tanto conseguido en el juego del baloncesto al introducir la pelota por este aro: *las cestas pueden ser de uno, dos o tres puntos.* **SIN** canasta, enceste. ④ Especie de pala alargada y cóncava que se usa para jugar a la pelota. **SIN** cesta. **FAM** cestero, cestería, cesto; encestar.

cestería *s. f.* ① Establecimiento en el que se hacen y se venden cestas y otros objetos de mimbre o de materiales semejantes. ② Arte o técnica de hacer estos objetos: *la cestería es una actividad secular.*

cesto *s. m.* Cesta grande, más alta que ancha, hecha de mimbres, tiras de caña o madera o varas de sauce que sirve para llevar objetos: *quítate esa camisa y déjala en el cesto de la ropa sucia.* ■ **cesto de los papeles** Papelera para echar los papeles inútiles que suele ponerse al lado del escritorio.

cestodo *adj./s. m.* ① Se aplica al gusano de aspecto semejante a la solitaria, de cuerpo como una cinta y segmentado, que vive parásito en cavidades del cuerpo de los animales superiores y del ser humano. | *s. m. pl.* ② **cestodos** Grupo taxonómico, con categoría de clase, constituido por estos animales.

cesura *s. f.* Corte o pausa exigida por el ritmo, que divide un verso en dos partes: *la cesura divide el verso en hemistiquios e impide la sinalefa.*

ceta [también **zeta**, más usado] *s. f.* ① Nombre de la letra z.

2 Nombre de la sexta letra del alfabeto griego; se escribe Θ/ϑ y se transcribe como *ds*.

cetáceo *adj./s. m.* 1 Se aplica al mamífero acuático con forma de pez, generalmente de gran tamaño, dotado de aleta caudal, con la piel lisa, las extremidades anteriores convertidas en aletas, las aberturas nasales en lo alto de la cabeza, y sin extremidades posteriores: *la ballena y el delfín son cetáceos*. | *s. m. pl.* 2 **cetáceos** Grupo taxonómico, con categoría de orden, constituido por estos mamíferos.

cetme *s. m.* Fusil ligero que permite hacer disparos de uno en uno o en cortas ráfagas.
OBS Es marca registrada.

cetona *s. f.* Compuesto orgánico que procede, generalmente, de la deshidratación de ciertos alcoholes; se emplea como disolvente y para la síntesis de otros compuestos orgánicos.

cetrería *s. f.* 1 Arte de criar, amaestrar y cuidar las aves para la caza. 2 Caza en que se emplean halcones y otras aves rapaces para capturar las presas.

cetrero, -ra *adj.* 1 Relativo a la cetrería. | *s. m. y f.* 2 Especialista que practica la cetrería.
FAM cetrería.

cetrino, -na *adj.* De color amarillo verdoso: *rostro cetrino*.

cetro *s. m.* 1 Vara de metal precioso usada por los reyes como símbolo de su poder y dignidad. 2 Dignidad de rey o emperador: *al morir su padre, el príncipe heredero recibió el cetro*. 3 Reinado de un rey o emperador: *bajo el cetro de los Austrias, España vivió épocas de gloria*. 4 Superioridad de una persona con respecto a las demás en el desarrollo de una actividad: *en estas Olimpiadas la gimnasta rusa ha tenido que ceder su cetro a las deportistas más jóvenes*.
empuñar el cetro *culto* Mandar con autoridad o gobernar.

ceugma [también **zeugma**, más usado] *s. m.* Figura retórica que consiste en omitir una palabra en una oración porque, al haber aparecido poco antes, ya se sobreentiende: *en la oración "su cara era hermosa y sus cabellos rubios" se da un zeugma (se omite el verbo)*.

ceutí *adj.* 1 De Ceuta (ciudad española del norte de África). | *s. com./adj.* 2 Persona que es de Ceuta.
OBS Plural: *ceutíes*.

ceviche [también **cebiche** o **seviche**] *s. m.* AMÉR. Plato de pescado o marisco crudo, troceado y condimentado con cebolla, ají y zumo de limón.

cf. o **cfr.** Abreviatura de la palabra latina *confer*, 'compárese', 'confróntese', que se utiliza en escritos para remitir a un párrafo o libro que contiene información relacionada con el tema tratado.

CFC *s. m.* Sigla de *clorofluorocarbono*, compuesto químico de flúor, cloro, carbono e hidrógeno utilizado para hacer sustancias refrigerantes en frigoríficos y aparatos de aire acondicionado, así como en aerosoles: *el CFC está prohibido en muchos países debido al efecto destructivo que ejerce sobre la capa de ozono*.

ch *s. f.* Dígrafo que en español representa el sonido consonántico africado, palatal y sordo; su nombre es *che*.

chabacanería *s. f.* 1 Falta de buen gusto, vulgaridad: *es notable la chabacanería de algunos programas televisivos*. 2 Acción o expresión que demuestra mal gusto y falta de educación. **SIN** ordinariez.

chabacano, -na *adj.* Que es grosero, vulgar o de mal gusto. **SIN** ordinario.
FAM chabacanería; achabacanar.

chabola *s. f.* 1 Vivienda pobre que suele edificarse en los suburbios con materiales de muy baja calidad: *las chabolas no reúnen unas condiciones mínimas para poder vivir en ellas*. 2 Casa en el campo, pequeña y tosca, construida con maderas y cubierta con ramas o paja. **SIN** choza, cabaña.
FAM chabolismo, chabolista.

chabolismo *s. m.* Concentración de barracas, chabolas u otras viviendas de este tipo: *el chabolismo abunda en los suburbios de las ciudades de América del Sur*. **SIN** barraquismo.

chabolista *adj.* 1 Relativo a la chabola o al chabolismo. | *s. com.* 2 Persona que vive en una chabola (vivienda pobre).

chacal *s. m.* Mamífero parecido al lobo, pero de menor tamaño, que se alimenta de carroña; es propio de Europa occidental, Asia y África: *el chacal vive en manadas y se alimenta de la carne de animales muertos*.

chácara[1] *s. f.* AMÉR. Chacra.

chácara[2] *s. f.* COL. Monedero.

chacarero, -ra *adj.* 1 AMÉR. Relativo a la chacra: *los trabajos chacareros no dan descanso a la peonada*. | *s. m. y f.* 2 AMÉR. Persona que es dueña de una chacra. 3 AMÉR. Persona que está al frente de una chacra o trabaja en ella.

chacha[1] *s. f. familiar* Mujer que se dedica a realizar trabajos domésticos en una casa distinta de la suya a cambio de dinero, generalmente por horas o algunos días a la semana.
OBS Frecuentemente usado de forma despectiva.

chacha[2] *s. f.* GUAT. Ave gallinácea de plumaje pardo y liso, que vive en América del Sur, en zonas arbóreas con matorral bajo: *la chacha emite un sonido característico que suena como "cha, cha", y de ahí su nombre*.

chachachá o **cha-cha-cha** *s. m.* 1 Composición musical originaria de Cuba, derivada de la rumba y el mambo, de ritmo moderado, compás de cuatro por cuatro y tiempos muy marcados: *el chachachá surgió en la década de 1950*. 2 Baile que se ejecuta al ritmo de esta música, en parejas o en grupos.

cháchara *s. f. familiar* Conversación sobre temas sin importancia.
FAM chacharear.

chachi *adj.* 1 *familiar* Muy bueno o estupendo: *no te pierdas la peli de esta noche que es chachi*. **SIN** chanchi, chupi, guay. | *adv.* 2 *familiar* Muy bien o estupendamente: *me lo pasé chachi*. **SIN** chanchi, chupi, guay.

chacina *s. f.* Conjunto de embutidos y fiambres hechos con carne de cerdo.
FAM chacinero, chacinería.
OBS También en plural con el mismo significado que en singular.

chacinería *s. f.* Establecimiento en el que se venden embutidos y fiambres hechos con carne de cerdo. **SIN** charcutería.

chacolí *s. m.* Vino ligero de sabor agrio que se elabora en el País Vasco y algunas zonas de Cantabria y Chile.
OBS Plural: *chacolíes*.

chacra *s. f.* AMÉR. Granja, pequeña finca rural dotada de vivienda y terreno para el cultivo y la crianza de animales domésticos.
ser (o venir) de la chacra *familiar* CHILE Se aplica a la persona, generalmente crédula e ingenua, que muestra sorpresa al enterarse de algo muy conocido por todos.

chador *s. m.* Velo con que las mujeres de religión musulmana se cubren el rostro.

chafar *v. tr.* ① Aplastar o estropear algo, especialmente una cosa que está erguida o es blanda o frágil: *el vestido es tan delicado, que se chafa cada vez que te sientas.* ② Estropear o echar a perder algo, especialmente un proyecto: *este frío me ha chafado mis planes de ir de excursión.* ③ familiar Cortar a una persona en una conversación, dejándola sin saber qué responder: *en cuanto Luisa abrió la boca, chafó por completo a Felipe.*

chaflán *s. m.* En un edificio, plano largo y estrecho que, en lugar de esquina, une dos superficies planas que forman ángulo.
FAM achaflanar.

chaira *s. f.* ① Cuchilla que sirve para cortar el cuero: *el zapatero afiló la chaira.* ② vulgar Navaja (cuchillo).

chal *s. m.* Pañuelo mucho más largo que ancho que se ponen las mujeres sobre los hombros como abrigo o adorno.

chala *s. f.* AMÉR. SUR Hoja que envuelve la mazorca del maíz, usada en algunos sitios para liar cigarrillos.

chalado, -da *adj./s. m. y f.* ① familiar Loco, que ha perdido el juicio. **SIN** chiflado, chalupa. ② familiar Se aplica a la persona que está muy enamorada de alguien o a la que le gusta mucho una cosa: *Mercedes está chalada por Jesús.* **SIN** chiflado, chalupa.
FAM chaladura, chalar.

chaladura *s. f.* ① familiar Locura, manía o acción propia de un chalado: *su última chaladura ha sido comprarse un deportivo.* **SIN** chifladura. ② familiar Enamoramiento o gran entusiamo por una cosa: *la chaladura que tiene por los coches raya en la obsesión.* **SIN** chifladura.

chalán, -lana *adj./s. m. y f.* ① Se aplica a la persona que negocia, especialmente con ganado, y es muy hábil para ello. ‖ *s. m.* ② COL., PERÚ Picador.

chalar *v. tr.* ① familiar Enloquecer. ‖ *v. prnl.* ② **chalarse** familiar Querer mucho una cosa o a una persona: *Arturo se chaló por Elisa.*

chalé [también **chalet**] *s. m.* Edificio destinado a vivienda de una familia, generalmente con más de una planta, y rodeado de un terreno ajardinado: *un chalé adosado tiene alguna de sus paredes colindante con las de otro chalé.*
OBS Plural: *chalés.*

chaleco *s. m.* Prenda de vestir sin mangas que cubre el cuerpo hasta la cintura, especialmente la que se pone encima de la camisa. ▪ **chaleco antibalas** Chaleco que sirve para protegerse contra las balas. ▪ **chaleco salvavidas** Chaleco que sirve para mantenerse flotando en el agua: *los supervivientes del naufragio tenían puestos los chalecos salvavidas.*

chalet *s. m.* Chalé.
OBS Plural: *chalets.*

chalina *s. f.* ① Corbata ancha que se ata con una lazada grande. ② ARG., BOL., URUG. Bufanda que se utiliza para proteger del frío la boca y la garganta.

chalote *s. m.* Planta angiosperma parecida a la cebolla, cuyos bulbos alargados se usan como condimento.

chalupa¹ *s. f.* Embarcación pequeña, con cubierta y dos palos para las velas.

chalupa² *adj./s. com.* familiar Chalado, chiflado.

chamaco, -ca *s. m. y f.* AMÉR. CENTRAL, MÉX. Niño, joven.

chamal *s. m.* ARG., CHILE Paño grande con el que se cubren los indios araucanos (las mujeres, todo el cuerpo, y los hombres, solamente desde la cintura).

chamán *s. m.* Hombre que, en algunas culturas, se considera que tiene el poder de comunicar con los dioses y curar enfermedades usando sus poderes mágicos, hierbas y productos naturales.
FAM chamanismo.

chamanismo *s. m.* Práctica de carácter adivinatorio, basada en la capacidad de los chamanes de comunicar con los dioses y curar enfermedades usando sus poderes mágicos, hierbas y productos naturales.

chamarra *s. f.* Prenda de vestir de abrigo, hecha de tela gruesa y tosca y paño burdo, que cubre el cuerpo hasta las rodillas.
FAM chamarreta.

chamba *s. f.* familiar Suerte: *conseguí aprobar el examen de pura chamba.* **SIN** chiripa, chorra.

chambelán *s. m.* En las antiguas cortes reales, noble que acompañaba y servía al rey.

chambergo, -ga *adj.* ① Se aplica a la prenda que es similar al uniforme de la guardia real que se creó en Madrid en la minoría de edad de Carlos II. ‖ *adj./s. m.* ② Se aplica al sombrero de ala ancha levantada por un lado y sujeta a la copa con una presilla o un adorno: *salió a la calle con un chambergo y una bufanda.*

chambonear *v. tr./intr.* familiar AMÉR. Hacer las cosas con torpeza, sin arte ni aseo.

chamiza *s. f.* Planta gramínea silvestre y medicinal de tallo alto y flexible que se emplea para techar chozas.
FAM chamizo.

chamizo *s. m.* ① Árbol o madero chamuscado o medio quemado. ② Choza o cabaña con la cubierta de chamiza. ③ despectivo Local o vivienda pobre, sucia y desordenada.

champán¹ *s. m.* Vino blanco espumoso que se elabora en la comarca francesa de la Champaña. **SIN** champaña.
FAM champaña; achampañado.

champán² *s. m.* Embarcación grande de fondo plano para navegar por los ríos.

champaña *s. m.* Champán (vino).

champiñón *s. m.* Hongo comestible con forma de sombrero redondeado sostenido por un pie y de color claro.

champú *s. m.* Jabón líquido que se usa para lavar el pelo.
OBS Plural: *champús.*

chamuchina *s. f. fam. desp.* CHILE, CUBA, ECUAD., HOND., PERÚ Populacho.

chamuscar *v. tr.* ① Quemar la parte superficial de una cosa o las puntas de algo filamentoso: *ha chamuscado el pollo por dejarlo mucho tiempo al fuego; se chamuscó el bigote con la llama del mechero.* ‖ *v. prnl.* ② **chamuscarse** COL. Enfadarse.
FAM chamuscado, chamusco, chamusquina.

chamusquina *s. f.* Acción de chamuscar.
oler a chamusquina familiar Causar una cosa sospechas de que va a acabar mal o de que encierra algún peligro: *me huele a chamusquina que el médico no me haya querido dar el resultado de los análisis.*
FAM chamuscado.

chancaca *s. f.* ① AMÉR. Pasta de maíz o trigo tostado molido con miel o azúcar moreno y preparado de diversas maneras. ② AMÉR. CENTRAL, CHILE, PERÚ Dulce sólido en forma de tabletas que se elabora con melaza de caña de azúcar y cacahuete molido.

chancar *v. tr.* ☐ AMÉR. Triturar, machacar. ☐ CHILE, PERÚ Vencer, derrotar. ☐ CHILE, ECUAD. Realizar mal una cosa. ☐ PERÚ Estudiar con ahínco, empollar.

chanchería *s. f.* AMÉR. Charcutería.

chanchi V. chachi

chancha *s. f.* familiar ARG. Vehículo especialmente acondicionado para trasladar personas detenidas por la autoridad.

ser chancha de dos caras CHILE Proceder con falsedad o con doblez adoptando, según la conveniencia, un comportamiento u otro: *Juan es chancha de dos caras, cambia de opinión según las circunstancias.*

chancho, -cha *s. m. y f.* ☐ AMÉR. Cerdo (animal). ‖ *adj./s. m. y f.* ☐ despectivo AMÉR. Se aplica a la persona que es muy sucia: *este tipo es un chancho, no se cambia de ropa ni se lava.* ☐ fam. desp. AMÉR. Se aplica a la persona que está muy gorda.

chancho eléctrico familiar AMÉR. Electrodoméstico para encerar el suelo: *después de pasar el chancho eléctrico, el parqué parecía un espejo.*

hacerse el chancho (o **el chancho rengo**) ARG., HOND., NICAR., PAR., URUG. Fingir o simular una persona que no ve o no entiende algo para no verse obligado a contestar o a actuar en consecuencia.

pillar chanchito CHILE Sorprender a una persona en el preciso instante en que está cometiendo un delito o una falta.

chanchullero, -ra *adj./s. m. y f.* familiar Persona enredada en chanchullos.

chanchullo *s. m.* familiar Acción ilícita, desde un punto de vista moral o legal, para conseguir un fin o para sacar provecho.
FAM chanchullero.

chancillería *s. f.* Tribunal superior de justicia del antiguo reino de Castilla, que trataba asuntos civiles, criminales y de la nobleza. SIN cancillería.

chancla *s. f.* Chancleta.
FAM chancleta.

chancleta *s. f.* ☐ Calzado que no cubre el pie, sin talón o con él doblado, formado por una suela y dos tiras: *las chancletas se pueden usar para ir a la playa.* SIN chancla. ☐ AMÉR. Mujer, especialmente la recién nacida.
FAM chancletear.

chanclo *s. m.* ☐ Zapato de madera que se emplea para pisar sobre el barro. ☐ Zapato grande de materia elástica en el que se introduce el pie calzado, para preservarlo del agua y del barro: *los chanclos sirven para proteger el calzado en días de lluvia.*
FAM chancla.

chándal *s. m.* Prenda de vestir deportiva formada por unos pantalones largos y una chaqueta.
OBS Plural: *chándales.*

chanfaina *s. f.* ☐ Guisado de carne con diversos ingredientes. ☐ Sofrito hecho con cebollas, berenjenas, pimientos, tomates y calabacín que se toma solo o como acompañamiento de diversos platos.

changa *s. f.* ☐ AMÉR. Chanza, broma. ☐ AMÉR. SUR Oficio del maletero (persona que transporta maletas).

chanquete *s. m.* Pez marino comestible, de cuerpo pequeño, translúcido y alargado y color blanco rosado; es semejante, por su aspecto, a la cría del boquerón: *la pesca de chanquetes está prohibida.*

chantaje *s. m.* Presión que se hace sobre una persona para sacar provecho, generalmente económico, por medio de amenazas, a cambio de no hacer pública cierta información que le puede hacer daño.

chantajear *v. tr.* Hacer chantaje a alguien.
FAM chantajear, chantajista.

chantajista *s. com.* Persona que amenaza o presiona a otra para sacar provecho de ella.

chantillí *s. m.* Crema de nata batida, utilizada en pastelería.
OBS Puede encontrarse la grafía francesa *chantilly.*

chantre *s. m.* Canónigo que se encargaba antiguamente de dirigir el coro.

chanza *s. f.* Dicho o burla que tiene gracia. SIN broma.
FAM chancear, chancero.

¡chao! *int.* familiar Expresión que se usa para despedirse.

chapa *s. f.* ☐ Superficie delgada y lisa, generalmente de madera o metal: *trajeron unas chapas de metal para cubrir las ventanas.* ☐ Carrocería del automóvil. ☐ Distintivo o insignia, generalmente de metal, que llevan los policías. ☐ Tapón metálico, generalmente dentado, que cierra herméticamente algunas botellas. ‖ *s. f. pl.* ☐ **chapas** Juego infantil en que se utilizan estos tapones metálicos.
FAM chapar, chapear, chapería, chapista.

chapado, -da *adj.* Cubierto con chapas. SIN chapeado.
chapado a la antigua Se aplica a la persona que está muy apegada a ideas y costumbres anticuadas.
FAM contrachapado.

chapar *v. tr.* ☐ Cubrir una superficie con una chapa: *chaparon una parte del tejado; el reloj está chapado en oro.* SIN chapear. ☐ familiar Estudiar mucho. ☐ jerga Cerrar.
FAM chapado.

chaparra *s. f.* Mata de encina o roble con muchas ramas y poca altura. SIN chaparro.

chaparral *s. m.* Lugar poblado de chaparros.

chaparro, -rra *adj./s. m. y f.* ☐ Se aplica a la persona que está gruesa y tiene poca altura. ‖ *s. m.* ☐ Chaparra.
FAM chaparra, chaparral, chaparrudo; achaparrado.

chaparrón *s. m.* ☐ Lluvia muy intensa y de corta duración. ☐ familiar Cantidad grande de una cosa que aparece con mucha intensidad al mismo tiempo: *tan pronto como acabó su intervención, le cayó un chaparrón de preguntas.* ☐ familiar Riña o reprimenda fuerte.

chapata *s. f.* Barra de pan ancha, aplanada y rectangular, con poca miga y corteza muy crujiente.

chapeado, -da *adj.* ☐ Chapado. ☐ COL., MÉX. Que tiene buen color de cara.

chapear *v. tr.* ☐ Chapar (cubrir con chapa). ‖ *v. prnl.* ☐ **chapearse** CHILE Enriquecerse.
FAM chapeado.

chapela *s. f.* Boina amplia típica del País Vasco.

chapeta *s. f.* Mancha rojiza que aparece en las mejillas, generalmente a causa de la vergüenza.

chapista *s. com.* Persona que se dedica a trabajar la chapa, especialmente la de los automóviles.
FAM chapistería.

chapistería *s. f.* ☐ Taller donde se trabaja la chapa metálica. ☐ Arte de trabajarla.

chapitel *s. m.* Remate en forma piramidal de una torre: *desde muy lejos se veía el chapitel de la iglesia.*

chapó *s. m.* ☐ Modalidad del juego de billar que se disputa en una mesa grande y generalmente entre cuatro jugadores. I *int.* ② **¡chapó!** familiar Expresión que se usa para indicar que algo es del agrado de la persona que habla: *señaló la comida y dijo: ¡chapó!*

chapotear *v. intr.* Agitar los pies o las manos en el agua o en el barro produciendo ruido: *los niños chapotean en la piscina.* **FAM** chapoteo.

chapoteo *s. m.* ① Acción de chapotear. ② Ruido que produce el agua al ser golpeada por las manos o los pies: *se oía el chapoteo de las mujeres que lavaban en el río.*

chapucería *s. f.* Chapuza.

chapucero, -ra *adj./s. m. y f.* ① familiar Se aplica a la persona que hace las cosas sin técnica ni cuidado o con un acabado deficiente: *este fontanero es un chapucero: ha arreglado la avería, pero me ha roto el alicatado.* **SIN** chapuzas. I *adj.* ② familiar Que se ha hecho sin técnica ni cuidado o con un acabado deficiente: *¡qué representación tan chapucera: ni siquiera han maquillado a los actores!* **FAM** chapucería.

chapurrear *v. tr./intr.* familiar Hablar con dificultad y de manera incorrecta una lengua, especialmente si es extranjera: *cuando llegó, solamente chapurreaba un poco de español y ahora habla bastante bien.* **FAM** chapurreo.

chapurreo *s. m.* ① Acción de chapurrear. ② Manera de hablar del que chapurrea: *no entiendo su chapurreo.*

chapuza *s. f.* ① familiar Trabajo hecho sin técnica ni cuidado o con un acabado deficiente: *este examen está lleno de tachones y faltas de ortografía, es una chapuza.* ② familiar Trabajo de poca importancia que se hace ocasionalmente: *los fines de semana hace algunas chapuzas como complemento a su trabajo.* **FAM** chapucear, chapucero, chapuzas.

chapuzar *v. tr.* Meter debajo del agua con fuerza o con rapidez: *se chapuzaron en la piscina.* **SIN** zambullir. **FAM** chapuzón.

chapuzas *s. com.* familiar Persona que hace las cosas sin técnica ni cuidado o con un acabado deficiente. **SIN** chapucero. **OBS** Plural invariable.

chapuzón *s. m.* ① Acción de chapuzar o chapuzarse. ② Baño breve: *me voy a dar un chapuzón en la piscina.*

chaqué *s. m.* Prenda de vestir masculina, parecida a la chaqueta, que a partir de la cintura se abre hacia atrás formando dos faldones; se usa como traje de etiqueta con pantalón a rayas.

chaqueta *s. f.* Prenda exterior de vestir, con mangas largas, abierta por delante, que se ajusta al cuerpo y llega más abajo de la cintura: *esta chaqueta azul hace juego con los pantalones vaqueros.*
cambiar de chaqueta fam. desp. Cambiar de partido o de ideología por interés. **FAM** chaquetear, chaquetero, chaquetilla, chaquetón.

chaquetero, -ra *adj./s. m. y f.* fam. desp. Se aplica a la persona que cambia de partido o ideología por interés.

chaquetilla *s. f.* ① Chaqueta más corta que la ordinaria, de forma diferente y casi siempre con adornos. ② Chaqueta de este tipo usada por los toreros.

chaquetón *s. m.* Prenda de vestir de abrigo más larga que la chaqueta.

chaquira *s. f.* ① AMÉR. Cuenta o abalorio de variado material que se utiliza para hacer collares, pulseras o distintos adornos femeninos: *está aprendiendo a bordar y a hacer trencitas*

de chaquira. ② AMÉR. Cuenta o abalorio de variado material que los españoles usaron durante la conquista de América como mercancía para intercambiar con los indígenas.

charada *s. f.* Pasatiempo en el que se tiene que adivinar una palabra a partir de las pistas que se dan sobre su significado y el de las palabras que resultan tomando una o varias de sus sílabas.

charanga *s. f.* ① Grupo de música cubana, generalmente formado por una flauta, dos o tres violines, un piano, un contrabajo e instrumentos de percusión, que toca canciones bailables como el chachachá. ② Banda de música de carácter popular y festivo que tiene solamente instrumentos de viento y especialmente de metal: *en los carnavales la calle se llena de charangas.* **SIN** fanfarria.

charango *s. m.* Instrumento musical de cuerda, parecido a la bandurria, con la caja formada por el caparazón de un armadillo; es usado por los indios de América del Sur para sus danzas.

charca *s. f.* Charco grande de agua acumulada en un terreno de forma natural o artificial. **FAM** charcal.

charco *s. m.* Pequeña cantidad de un líquido, generalmente de agua, que queda detenida en un hoyo o cavidad de la tierra o sobre el suelo.
cruzar (o pasar) el charco familiar Atravesar el mar, especialmente el océano Atlántico: *voy a cruzar el charco por primera vez, voy de vacaciones a Argentina.* **FAM** encharcar.

charcutería *s. f.* Establecimiento en el que se venden embutidos y fiambres hechos con carne de cerdo. **SIN** chacinería.

charcutero, -ra *adj.* ① Relativo a la charcutería. I *s. m. y f.* ② Persona que trabaja en una charcutería. **FAM** charcutería.

charla *s. f.* ① familiar Conversación, especialmente la que se mantiene por pasatiempo, sobre temas poco importantes: *estuvimos de charla una hora entera.* **SIN** charloteo. ② familiar Conversación en la que se desaprueba el modo de obrar de una persona: *¡vaya charla me han echado en casa por haber suspendido cuatro asignaturas!* ③ Conferencia que se da sin solemnidad ni excesivas preocupaciones formales: *ha dado una charla sobre la vida de los elefantes africanos.* **FAM** charleta.

charlar *v. intr.* familiar Conversar, especialmente si se hace por pasatiempo o sobre temas poco importantes. **FAM** charla, charlatán, charloteo.

charlatán, -tana *adj./s. m. y f.* ① Se aplica a la persona que habla mucho y sobre cosas intrascendentes. ② Se aplica a la persona que cuenta cosas que no debería contar. ③ Se aplica a la persona que engaña a alguien aprovechándose de su inexperiencia o ingenuidad: *un curandero charlatán.* I *s. m. y f.* ④ Vendedor callejero que anuncia sus productos a voces. **FAM** charlatanear, charlatanería, charlatanismo.

charles [se pronuncia aproximadamente 'chals'] *s. m.* Instrumento de percusión de la batería formado por dos platos metálicos colocados en posición horizontal y ajustados por el centro a un palo que termina en un pie; se toca accionándolo con un pedal que hace chocar los platos entre sí o bien con las baquetas. **OBS** Plural invariable.

charlestón *s. m.* ① Baile de origen estadounidense, de ritmo rápido, para pareja o grupo, que fue muy popular en la década de 1920. ② Composición musical, de compás binario, hecha para acompañar este baile.

charleta *s. f.* familiar Charla (conversación).

charlotada *s. f.* ① Espectáculo taurino de carácter cómico. ② Actuación pública colectiva que resulta grotesca o ridícula.

charnego, -ga *s. m. y f.* despectivo Persona que ha emigrado a Cataluña procedente de una región española de habla no catalana.

charnela *s. f.* ① Mecanismo de metal o plástico compuesto por dos piezas unidas por un eje común, que se fijan en dos superficies separadas, una fija y otra móvil, para juntarlas y permitir el giro de una sobre otra. **SIN** bisagra, gozne. ② Articulación que une las dos piezas de la concha de un molusco bivalvo. ③ En geología, punto de máxima curvatura de un pliegue.

charol *s. m.* ① Barniz muy lustroso y permanente, que conserva su brillo y se adhiere perfectamente a la superficie del cuerpo a que se aplica. ② Cuero cubierto con charol: *zapatos de charol.*
darse charol Hacer alabanza de uno mismo.
FAM charolado, charolar.

charolado, -da *adj.* Que tiene el brillo del charol: *la casa se levanta entre el tupido follaje charolado.*

charquear *v. tr.* AMÉR. Hacer charqui.

charqui *s. m.* AMÉR. Cecina.
FAM charquear.

charrada *s. f.* Baile popular típico de los charros de Salamanca.

charro, -rra *adj./s. m. y f.* ① Se aplica al aldeano o campesino de Salamanca. ❙ *adj.* ② Relativo a los aldeanos o campesinos de Salamanca: *traje charro.* ③ familiar Se aplica a la cosa muy recargada de adornos, de mal gusto o chillona. ❙ *adj./s. m. y f.* ④ Se aplica al jinete mexicano que viste un traje especial compuesto de chaqueta con bordados, pantalón ajustado, camisa blanca y sombrero de ala ancha y copa alta y cónica.

chárter *adj./s. m.* ① Se aplica al vuelo que ha sido contratado expresamente para un determinado viaje y al margen de los vuelos regulares: *los vuelos chárter son más baratos.* ❙ *s. m.* ② Avión que realiza estos vuelos.

¡chas! *int.* Se utiliza para expresar que una cosa o persona aparece repentinamente: *¡chas!, ¡y allí apareció!*

chasca *s. f.* ① Leña menuda obtenida de la poda de los árboles. ② AMÉR. Maraña.

chascar *v. intr.* ① Producir cierta cosa un chasquido: *la madera chasca cuando se quema.* **SIN** chasquear. ❙ *v. tr.* ② Hacer que una cosa produzca un chasquido: *chascó la lengua para animar al caballo.* **SIN** chasquear. ③ familiar Engullir.
FAM chasquido.

chascarrillo *s. m.* Cuento breve o frase de sentido equívoco y gracioso: *contó unos cuantos chascarrillos para animar la reunión.*

chasco *s. m.* ① Decepción que causa un hecho que sucede de manera contraria a la que se esperaba: *mi novia no vino a la cita y me llevé un chasco.* ② Burla o engaño que se hace a alguien.
FAM chascarrillo, chasquear.

chasconear *v. tr.* ① CHILE Enredar o enmarañar algo. ② CHILE Tirar del pelo o arrancarlo.

chasis *s. m.* Armazón que sostiene una estructura o mecanismo, especialmente el motor y la carrocería de un vehículo.
estar (o quedarse) en el chasis familiar Estar muy delgado, haber perdido mucho peso.
OBS Plural invariable.

chaski *s. m.* AMÉR. SUR Chasqui.

chasque *s. m.* AMÉR. SUR Chasqui.

chasquear *v. intr.* ① Producir cierta cosa un chasquido: *la madera del baúl chasquea porque está muy seca.* **SIN** chascar. ❙ *v. tr.* ② Hacer que una cosa produzca un chasquido: *chasqueó los dedos para llamar la atención del bebé.* **SIN** chascar. ③ Dar un chasco o burla a alguien.
FAM chasquido.

chasqui [también **chaski**] *s. m.* AMÉR. SUR Entre los incas, mensajero o correo. **SIN** chasque.

chasquido *s. m.* ① Sonido seco que se produce cuando se rompe o raja una cosa, especialmente la madera: *se oyen los chasquidos de la leña al quemarse en la chimenea.* ② Sonido seco similar al anterior, como el que se produce con la lengua al separarla con rapidez del paladar o el que hacen el látigo y la honda cuando se sacuden con violencia.

chat *s. m.* Comunicación en tiempo real que se realiza entre varios usuarios cuyos ordenadores están conectados a una red, generalmente internet; los usuarios escriben mensajes en su teclado, y el texto aparece automáticamente y al instante en el monitor de todos los participantes.
OBS Plural: *chats.*

chatarra *s. f.* ① Conjunto de trozos o de objetos de metal viejo, especialmente de hierro: *han convertido el coche en chatarra.* ② familiar Máquina o aparato viejo o inservible: *este coche es una chatarra.* **SIN** cacharro. ③ familiar Conjunto de monedas de poco valor: *llevo un montón de chatarra en el monedero.* ④ familiar Cosa, o conjunto de cosas, de poco valor: *no son joyas auténticas, solamente es chatarra.*
FAM chatarrero.

chatarrería *s. f.* Establecimiento en el que se vende o compra chatarra.

chatarrero, -ra *s. m. y f.* Persona que se dedica a recoger, almacenar o vender chatarra.
FAM chatarrería.

chatear[1] *v. intr.* familiar Tomar chatos de vino.

chatear[2] *v. intr.* Participar en un chat.

chato, -ta *adj.* ① Se aplica a la nariz que es pequeña y aplastada. ❙ *adj./s. m. y f.* ② Se aplica a la persona que tiene la nariz así. ❙ *adj.* ③ Que es más plano, más aplastado o tiene menos altura que otras cosas de la misma especie o género: *no me gusta ese modelo de coche, es demasiado chato por detrás.* ❙ *s. m. y f.* ④ familiar Se usa como apelativo afectivo dirigido a las personas: *anda, chato, alcánzame la sal.* ❙ *s. m.* ⑤ Vaso bajo y ancho que se usa en las tabernas. ⑥ Vino u otra bebida que se toma en este vaso.
FAM achatar.

chaucha *s. f.* AMÉR. SUR Judía verde.

chauvinismo [también **chovinismo**; se pronuncia 'chovinismo'] *s. m.* Preferencia excesiva por todo lo nacional con desprecio de lo extranjero: *el chauvinismo impide que se aprenda de los países del entorno.*
FAM chauvinista.

chauvinista [también **chovinista**; se pronuncia 'chovinista'] *adj./s. com.* Se aplica a la persona que prefiere y admira excesivamente lo nacional y desprecia lo extranjero.

chaval, -la *s. m. y f.* familiar Muchacho.
FAM chavea.

chavea *s. m.* familiar Chaval o niño: *unos chaveas juegan al fútbol en la calle.*

chaveta *s. f.* Clavija de acero, de forma prismática o cónica, que se coloca en el agujero de una barra para impedir que se salgan las piezas que esta sujeta.
perder la chaveta familiar Perder el juicio, volverse loco.
FAM deschavetado.

chavo *s. m.* **1** Antigua moneda de cobre, de valor variable según los países y épocas. **2** familiar Dinero, en general: *no tiene ni un chavo.* **SIN** perra.

che¹ *s. f.* Nombre del dígrafo *ch*.

¡che!² *int.* Se emplea en Valencia, Argentina, Bolivia, Paraguay y Uruguay para llamar a una persona o pedir su atención, o para expresar asombro.

chécheres *s. m. pl.* COL., C. RICA Trastos, baratijas.

checo, -ca *adj.* **1** De la República Checa (país de Europa). **‖** *s. m. y f./adj.* **2** Persona que es de la República Checa. **‖** *s. m./adj.* **3** Lengua eslava hablada en este país. **‖** *adj.* **4** Relativo a esta lengua: *alfabeto checo.*
FAM checoslovaco.

checoslovaco, -ca *adj.* **1** De Checoslovaquia (antiguo país de Europa). **‖** *s. m. y f./adj.* **2** Persona que era de Checoslovaquia.

chef *s. m.* Jefe de cocina de un restaurante.
OBS Plural: *chefs.*

cheli *s. m.* **1** familiar Jerga que utiliza palabras y expresiones castizas y marginales. **‖** *adj.* **2** Relativo a esta jerga: *diccionario cheli.*

chelín *s. m.* **1** Antigua moneda inglesa, vigésima parte de la libra esterlina: *el chelín, que se dividía a su vez en 12 peniques, está fuera de la circulación desde 1971.* **2** Unidad monetaria de Austria (hasta su sustitución por el euro en el año 2002) y de algunos países africanos.

chelo *s. m.* Instrumento musical de cuerda más grande que el violín y más pequeño que el contrabajo; se toca estando el músico sentado, apoyando el extremo inferior en el suelo y el mástil en el hombro y frotando sus cuatro cuerdas. **SIN** violoncelo.
OBS Puede encontrarse la grafía italiana *cello.*

chepa *s. f.* familiar Joroba.
FAM cheposo, chepudo.

cheque *s. m.* Documento con el que se puede retirar del banco una cantidad de dinero de la persona que lo firma: *cheque nominativo; le extendió un cheque por valor de cien euros.* **SIN** talón. ■ **cheque al portador** Cheque que cobra la persona que lo presenta en el banco. ■ **cheque de viaje** o **cheque de viajero** Cheque que extiende un banco a nombre de una persona y puede hacerse efectivo en bancos de diferentes países o utilizarse para pagar en un establecimiento comercial o un hotel: *cuando viajo, prefiero llevar cheques de viaje que dinero.* ■ **cheque en blanco** Cheque que se extiende sin indicar la cantidad de dinero. ■ **cheque sin fondos** Cheque que no puede cobrarse por no disponer quien lo ha extendido del dinero necesario.
FAM chequera.

chequear *v. tr.* **1** Revisar o examinar una cosa para comprobar su estado: *el técnico ha chequeado la máquina.* **2** Hacer un reconocimiento médico completo.
FAM chequeo.

chequeo *s. m.* **1** Reconocimiento médico completo. **2** Revisión que se hace para comprobar el estado de una cosa.
FAM chequear.

chequera *s. f.* **1** Talonario de cheques. **2** AMÉR. Cartera para guardar el talonario de cheques.

cherokee [se pronuncia 'cheroqui'] *adj.* **1** Relativo a una tribu india que vivía en los estados de Tennessee y Carolina del Norte (Estados Unidos) y que a mediados del siglo XIX fue trasladada al de Oklahoma. **‖** *s. com./adj.* **2** Persona perteneciente a esta tribu.

chévere *adj.* **1** CUBA, VENEZ. Benévolo, indulgente. **2** ECUAD., P. RICO, VENEZ. Bonito, gracioso.

chibcha *adj.* **1** Relativo a un antiguo pueblo precolombino habitante de las sierras de Colombia y Ecuador. **‖** *s. com./adj.* **2** Persona perteneciente a este pueblo. **‖** *s. m.* **3** Conjunto de lenguas de este pueblo.

chic *adj.* Elegante, distinguido y a la moda: *traje chic; una mujer muy chic.*
OBS Invariable en número.

chicano, -na *adj.* **1** Relativo a la comunidad mexicana que vive en Estados Unidos: *el movimiento chicano lucha por conservar la cultura de los mexicanos.* **‖** *s. m. y f./adj.* **2** Mexicano que vive en Estados Unidos.

chicarrón, -rrona *adj./s. m. y f.* familiar Se aplica al joven o adolescente que está muy crecido y desarrollado: *tus hijos son todos unos chicarrones.*

chicha¹ *s. f.* familiar Carne comestible.
de chicha y nabo De poca importancia o calidad.
FAM chicharrón.

chicha² *s. f.* **1** Bebida alcohólica procedente de América que se hace fermentando maíz en agua azucarada. **2** CHILE Bebida obtenida del zumo de la uva o de la manzana.
no ser ni chicha ni limonada familiar No valer para nada.

chicharra *s. f.* **1** Insecto de color verde oscuro, cabeza gruesa, ojos salientes y cuatro alas transparentes que produce un sonido estridente. **SIN** cigarra. **2** familiar Timbre eléctrico que produce un sonido seco y estridente. **3** familiar Persona muy habladora.

chicharro *s. m.* Pez marino comestible de cuerpo carnoso y espinas fuertes y agudas en los costados, con la parte superior de color azul. **SIN** jurel.
FAM chicharrón; achicharrar.

chicharrón *s. m.* **1** Residuo que queda después de derretir la manteca del cerdo y de otros animales. **‖** *s. m. pl.* **2** **chicharrones** Fiambre formado por trozos de carne de distintas partes del cerdo prensados en moldes.

chiche *s. m.* **1** AMÉR. Juguete infantil: *los niños sacaron sus chiches y se pasaron toda la tarde jugando en el jardín.* **2** AMÉR. Alhaja, joya de bisutería u objeto pequeño que se regala en bautizos, cumpleaños u otras fiestas infantiles: *para su primera comunión, los parientes colmaron a María de chiches.* **3** familiar AMÉR. SUR Objeto que es de buen gusto, delicado y bonito: *esta moto es un chiche.* **‖** *s. amb.* **4** familiar AMÉR. CENTRAL Pecho de la mujer. **‖** *adj.* **5** EL SALV. Se aplica a la persona que es muy blanca o rubia: *un niño chiche.*

chichón *s. m.* Bulto que sale en la cabeza a causa de un golpe.
FAM chichonera.

chichonera *s. f.* Gorro con tiras de goma que sirve para proteger la cabeza de los niños y de algunos deportistas contra los golpes: *muchos ciclistas usan chichonera.*

chicle *s. m.* ① Golosina de consistencia gomosa elaborada con una sustancia que se extrae del chicozapote, endulzada y aromatizada: *es de mala educación mascar chicle en clase.* **SIN** goma de mascar. ② Sustancia gomosa que se extrae de la corteza del chicozapote y se emplea en la elaboración de esta golosina, así como en materiales adhesivos, plásticos, etc.

chico, -ca *adj.* ① Pequeño, de poco tamaño: *ese jersey te queda chico, pruébate uno más grande.* | *adj./s. m. y f.* ② Se aplica a la persona que tiene poca edad: *tienes que acompañar a tu hermano porque es muy chico.* **SIN** niño, chiquillo. | *s. m. y f.* ③ Persona de edad no muy avanzada: *la novia de Juan es una chica simpática.* ④ Persona joven que hace recados y ayuda en trabajos de poca importancia en oficinas, comercios y otros establecimientos: *el chico de la pescadería nos traerá lo que hemos pedido.* | *s. f.* ⑤ Empleada que se dedica a hacer los trabajos domésticos: *la chica viene todos los martes y jueves a limpiar la casa.*
FAM chicarrón; achicar.

chicotazo *s. m.* AMÉR. Golpe dado con un chicote (látigo).

chicote *s. m.* ① Pedazo de cuerda o extremo de ella. ② AMÉR. Látigo.

chicotear *v. tr.* ① AMÉR. Dar con un chicote (látigo). ② AMÉR. Producir un ruido característico una cosa dura y flexible cuando se agita o mueve: *el hombre avanzaba, haciendo que chicotearan los cordones de los botines a cada paso.*

chicozapote *s. m.* ① Árbol originario de América, de tronco liso y oscuro, madera blanca, fruto comestible y flores rojizas en racimo, del cual se extrae la sustancia con que se elabora el chicle. **SIN** zapote. ② Fruto de este árbol, en forma de manzana, de carne amarillenta, dulce y muy jugosa. **SIN** zapote.

chifla *s. f.* ① Silbido. ② Silbato. **SIN** chiflato, chiflo.

chiflado, -da *adj./s. m. y f.* ① familiar Loco, que ha perdido el juicio. **SIN** chalado, chalupa. ② familiar Se aplica a la persona que está muy enamorada de alguien o a la que le gusta mucho una cosa: *cada día estoy más chiflado por ella.* **SIN** chalado, chalupa.

chifladura *s. f.* familiar Chaladura.

chiflar *v. intr.* ① Silbar con un silbato o imitar su sonido con la boca. ② familiar Gustar mucho una cosa o una persona: *¡me chiflan los bombones!* | *v. prnl.* ③ **chiflarse** familiar Querer mucho una cosa o a una persona: *me chiflo por ella.* ④ familiar Volverse loco.
FAM chiflado, chifladura, chiflido.

chiflato *s. m.* Silbato. **SIN** chiflo, chifla.

chiflido *s. m.* ① familiar Sonido del silbato. ② familiar Silbido que lo imita.

chiflo *s. m.* Silbato. **SIN** chiflato, chifla.

chifonier *s. m.* Mueble más alto que ancho, con cajones de arriba abajo.
OBS Puede encontrarse la grafía francesa *chiffonier.*

chihuahua *s. com./adj.* Perro de compañía perteneciente a una raza de pequeño tamaño, grandes orejas y sin pelo.

chií *adj.* ① Relativo a la rama de la religión islámica que considera que Alí, sucesor de Mahoma, y sus descendientes son los únicos imanes o jefes religiosos legítimos y no admite como libro sagrado la Sunna o libro de pensamientos y acciones de Mahoma conservados por la tradición. **SIN** chiita. | *adj./s. com.* ② Se aplica a la persona que es seguidora de esta rama de la religión islámica. **SIN** chiita.

chiita V. chií.

chilaba *s. f.* Prenda de vestir usada por los árabes, semejante a una túnica, con capucha y que cubre desde el cuello hasta los pies.

chile *s. m.* Variedad de pimiento pequeño y muy picante que se usa como condimento. **SIN** ají.
FAM enchilar.

chileno, -na *adj.* ① De Chile (país de América del Sur). | *s. m. y f./adj.* ② Persona que es de Chile.

chilindrón *s. m.* Guiso hecho con trozos de carne de ave, cerdo o cordero rehogados con tomate, pimiento, cebolla y otros ingredientes.

chillar *v. intr.* ① Dar chillidos: *cuando vio la rata, empezó a chillar.* **SIN** gritar. ② Hablar en un tono muy alto: *cuando hables con el abuelo, chíllale porque está un poco sordo.* **SIN** gritar. ③ Destacar demasiado los colores por estar mal combinados.
FAM chillería, chillido, chillón.

chillido *s. m.* Grito agudo y molesto.

chillón, -llona *adj.* ① Se aplica al sonido que es agudo y molesto. ② Se aplica al color que es muy vivo o está mal combinado con otro: *las cortinas amarillas me resultan un poco chillonas.* | *adj./s. m. y f.* ③ Se aplica a la persona que habla en un tono muy alto o suele dar gritos. **SIN** gritón.

chimenea *s. f.* ① Espacio de una casa donde se hace fuego provisto de un conducto por donde sale el humo al exterior; especialmente la que está situada en un hueco de la pared y decorada con un marco y una repisa en su parte superior. ② Conducto que sirve para dar salida a los humos. ③ Conducto por el que un volcán expulsa lava y otros materiales de erupción. ④ Grieta estrecha y profunda en el cielo de una mina o en una roca.

chimenea de hadas Pirámide de tierra formada por la acción de las aguas de arroyada en un terreno blando.

chimpancé *s. m.* Mono de brazos largos, cabeza grande, barba y cejas prominentes, nariz aplastada y cubierto de pelo de color pardo negruzco; vive en la selva y se alimenta de huevos, insectos y vegetales: *los chimpancés viven en el África central y se domestican con facilidad.*

china¹ *s. f.* ① Piedra pequeña y generalmente redondeada. ② jerga En el lenguaje de la droga, trozo de hachís prensado. | *s. f. pl.* ③ **chinas** Juego de niños que consiste en esconder una piedrecita en una mano y adivinar en qué mano está.

tocarle la china familiar Corresponder a alguien la peor parte o el trabajo más duro.
FAM chinarro, chinazo; tirachinas.

china² *s. f.* ① Lienzo o tejido de seda procedente de China o hecho a imitación de ella. ② Porcelana, especialmente la procedente de China.

chinchar *v. tr.* ① familiar Molestar: *deja de chinchar a la niña y devuélvele su pelota.* | *v. prnl.* ② **chincharse** familiar Aguantarse o sufrir con paciencia un contratiempo que no se puede evitar: *¿no es eso lo que querías?, ¡pues ahora chínchate!*

chinche *s. f.* **1** Insecto pequeño de color rojo oscuro y alas cortas, que produce irritantes picadas: *la chinche es un parásito que chupa la sangre del hombre y de algunos animales.* **|** *adj./s. com.* **2** familiar Se aplica a la persona que es molesta y pesada o que fastidia. **|** *s. f.* **3** Chincheta.

caer (o morir) como chinches familiar Producirse gran cantidad de muertes: *en las películas del oeste, los indios caen como chinches.*

FAM chinchar, chinchoso.

chincheta *s. f.* Clavo corto de cabeza grande y circular y punta afilada; generalmente se usa para sujetar papeles. **SIN** chinche.

chinchilla *s. f.* **1** Mamífero roedor parecido a la ardilla, pero de mayor tamaño y con el pelo de color gris, muy suave; hoy es muy escaso ya que fue cazado sistemáticamente para obtener su piel, muy apreciada en peletería: *las chinchillas son originarias de la América del Sur.* **2** Piel de este animal.

chinchón *s. m.* **1** Anís de alta graduación que se fabrica en la población madrileña de Chinchón. **2** Juego de naipes en el que cada jugador tiene siete cartas que debe combinar formando escaleras del mismo palo o tríos; cuando un jugador consigue ligar sus cartas, termina la partida y cada jugador puede añadir sus cartas no ligadas a las combinaciones de los demás.

chinela *s. f.* Calzado a modo de zapato sin talón y de suela ligera que se usa para estar en casa.

chinesco, -ca *adj.* **1** Que es parecido a las cosas de China. **|** *s. m.* **2** Instrumento musical formado por campanitas y cascabeles que penden de un arco metálico.

chingar *v. tr.* **1** familiar Molestar, fastidiar. **2** familiar Hacer fracasar un proyecto. **3** vulgar Realizar el acto sexual.

chino, -na¹ *adj.* **1** De China (país de Asia). **|** *s. m. y f./adj.* **2** Persona que es de China. **|** *s. m./adj.* **3** Lengua que se habla en China. **|** *adj.* **4** Relativo a esta lengua: *ideograma chino.* **|** *s. m./adj.* **5** Colador en forma de embudo, utilizado en la cocina. **|** *s. m. pl.* **6** **chinos** Juego que consiste en adivinar el número de piedras, monedas u otra cosa semejante que guardan en la mano los que participan en él.

de chinos familiar Se aplica al trabajo o tarea que resulta muy difícil o exige mucha paciencia: *hacer un cuadro a punto de cruz me parece un trabajo de chinos.*

engañar como a un chino familiar Engañar a alguien fácilmente o por completo, aprovechándose de su credulidad.

FAM chinesco; achinado.

chino, -na² *adj./s. m. y f.* **1** AMÉR. vulgar Mestizo. **|** *s. m. y f.* **2** AMÉR. Calificativo cariñoso. **3** AMÉR. SUR Criado, sirviente.

chip *s. m.* Pieza de silicio pequeña y con forma cuadrada o rectangular en cuyo interior hay un circuito integrado con millones de componentes; generalmente se combina con otros elementos para formar un sistema más complejo, como un ordenador.

OBS Plural: *chips.*

chipa *s. m.* **1** AMÉR. Cesto de paja que sirve para transportar cosas delicadas, como fruta y legumbres. **2** COL. Rodete que sirve para sostener en la cabeza una vasija redonda.

chipirón *s. m.* Calamar pequeño.

chipriota *adj.* **1** De Chipre (país de Asia). **|** *s. com./adj.* **2** Persona que es de Chipre.

chiquero *s. m.* Compartimiento del toril en que están encerrados los toros antes de empezar la corrida.

FAM enchiquerar.

chiquillada *s. f.* Hecho o dicho que se considera propio de un chiquillo. **SIN** chiquillería.

chiquillería *s. f.* **1** Gran cantidad de chiquillos. **2** Chiquillada.

chiquillo, -lla *adj./s. m. y f.* Se aplica a la persona que tiene poca edad: *unos chiquillos han roto el cristal del portal.* **SIN** chico, niño.

FAM chiquillada, chiquillería.

chiquirritín, -tina *adj./s. m. y f.* familiar Chiquitín.

chiquitín, -tina *adj./s. m. y f.* familiar Se aplica al niño que es de corta edad. **SIN** chiquirritín.

chiribita *s. f.* **1** Chispa o brillo, especialmente en los ojos. **|** *s. f. pl.* **2** **chiribitas** familiar Conjunto de puntos muy pequeños de luz que se ponen delante de los ojos e impiden ver con claridad.

echar chiribitas familiar Estar muy enfadado.

chirigota *s. f.* **1** familiar Dicho o burla que no lleva mala intención. **2** Grupo de personas que se reúnen en los carnavales para cantar coplas en las que se burlan, ridiculizan y critican diferentes aspectos de la sociedad: *las chirigotas y comparsas del carnaval de Cádiz.*

chirimbolo *s. m.* **1** familiar Objeto o utensilio de forma extraña o complicada que no se sabe cómo nombrar: *me parece que la puerta llevaba aquí un chirimbolo que servía para cerrar herméticamente.* **SIN** chisme. **2** familiar Objeto de forma redonda: *las sillas tienen unos chirimbolos como adorno.*

chirimía *s. f.* Instrumento músico de viento parecido al clarinete, con diez agujeros y boquilla con lengüeta de caña.

chirimiri [también **sirimiri**] *s. m.* Lluvia muy fina y continua. **SIN** calabobos.

chirimoya *s. f.* Fruto del chirimoyo, comestible, de color verde, pulpa blanca de sabor dulce y semillas de color negro. **FAM** chirimoyo.

chirimoyo *s. m.* Árbol tropical de hojas largas y puntiagudas, flores de color verdoso y fruto comestible (chirimoya): *el chirimoyo procede de América Central.*

chiringuito *s. m.* Quiosco o puesto sencillo de bebidas y comidas situado al aire libre: *vamos al chiringuito de la playa a comer pescado.*

chiripa *s. f.* familiar Suerte: *dicen que ha conseguido el puesto de chiripa.*

chirla *s. f.* Molusco con dos valvas parecido a la almeja, pero de menor tamaño y menos apreciado. **SIN** chocha.

chirona *s. f.* familiar Cárcel, prisión.

FAM enchironar.

chirriante *adj.* Se aplica al objeto que produce un ruido agudo y desagradable al rozarse con otro.

chirriar *v. intr.* **1** Producir un objeto un ruido agudo y desagradable al rozarse con otro, o por estar mal engrasado: *esta puerta chirría.* **2** Chillar los pájaros que no cantan de manera armónica.

FAM chirriante, chirrido.

OBS Verbo regular, se acentúa como *desviar.*

chirrido *s. m.* Sonido agudo, continuado y desagradable: *el chirrido de una puerta; el chirrido de los grillos.*

chisgarabís *s. m.* fam. desp. Persona entrometida y presuntuosa que carece del respeto y la consideración de los demás.

chisme *s. m.* ① familiar Objeto pequeño y de poco valor, especialmente si es inútil o estorba. ② familiar Objeto o utensilio de forma extraña o complicada que no se sabe cómo nombrar: *tengo en casa un chisme de esos que sirven para pelar patatas.* ③ familiar Noticia o comentario, verdadero o falso, sobre las vidas ajenas, con el cual se pretende hablar mal de alguien o enemistar a unas personas con otras: *en esa revista no cuentan más que chismes.* **SIN** cotilleo.
FAM chismear, chismorrear, chismoso.

chismear *v. intr.* Chismorrear.

chismorrear *v. intr.* familiar Contar chismes sobre vidas ajenas: *están chismorreando sobre Lucía.* **SIN** chismear, cotillear.
FAM chismorreo.

chismorreo *s. m.* Acción de chismorrear. **SIN** comadreo, cotilleo.

chismoso, -sa *adj./s. m. y f.* familiar Se aplica a la persona a la que le gusta contar chismes. **SIN** cotilla.

chispa *s. f.* ① Partícula encendida que salta de una materia que arde o del roce de dos objetos: *al afilar un cuchillo con una piedra de afilar, saltan chispas.* ② Descarga de luz entre dos cuerpos con carga eléctrica. ③ Gota de lluvia pequeña. ④ Gracia o ingenio para decir o hacer cosas ocurrentes: *este chico tiene chispa.* ⑤ familiar Cantidad muy pequeña de una cosa: *no me queda ni chispa de azúcar; son las dos de la mañana y no tengo ni chispa de sueño.* ⑥ familiar Borrachera ligera.
echar chispas familiar Estar muy enfadado: *el director echaba chispas por el robo del material.*
FAM chispazo, chispear, chisporrotear.

chispazo *s. m.* ① Salto de una chispa, especialmente de la eléctrica. ② Suceso aislado y poco importante que precede o sigue al conjunto de otros de mayor importancia: *los últimos chispazos de la guerra.*

chispeante *adj.* ① Que brilla con mucha intensidad o que echa chispas. ② Se aplica al escrito o discurso que es agudo, inteligente e ingenioso.

chispear *v. impersonal* ① Llover muy poco, solamente gotas pequeñas. ▌*v. intr.* ② Brillar con mucha intensidad: *sus ojos chispeaban al reflejarse la luz en ellos.* ③ Echar chispas.
FAM chispeante.

chisporrotear *v. intr.* familiar Despedir chispas reiteradamente el fuego o un cuerpo que arde.
FAM chisporroteo.

¡chist! *int.* Se usa para llamar la atención de alguien o imponer silencio.

chistar *v. intr.* ① Empezar a hablar o mostrar intención de hacerlo: *cuando hablan los mayores, los niños deben estarse quietos y sin chistar.* ② Llamar la atención de una persona haciendo un sonido parecido a *¡chist!: alguien me chistó y por eso volví la cabeza.*
FAM rechistar.

chiste *s. m.* ① Historia breve, narrada o dibujada, cuyo objetivo es hacer reír: *le gustan los chistes verdes.* ② Situación graciosa: *verle nadar es un chiste.* ③ familiar Burla: *no se puede hacer chiste de las desgracias.*
FAM chistoso.

chistera *s. f.* ① Sombrero de ala estrecha y copa alta, casi cilíndrica y plana por arriba. **SIN** sombrero de copa. ② Especie

de pala alargada y cóncava que se usa para jugar a la pelota. **SIN** cesta.

chistorra *s. f.* Embutido de origen navarro, parecido al chorizo, pero más delgado, que se consume generalmente frito.

chistoso, -sa *adj.* ① Se aplica a la persona que cuenta chistes o hace gracias: *¡qué chistoso es Federico, siempre me hace reír con sus ocurrencias!* ② Que tiene gracia o causa risa: *esta comedia es muy chistosa.*

chistu *s. m.* Flauta recta de madera con embocadura de pico, típica del País Vasco.

chistulari *s. com.* Persona que toca el chistu.

¡chitón! *int.* Se usa para pedir silencio: *yo te cuento esto para que lo sepas, pero, chitón, que no quiero que se entere nadie.*

chivar *v. tr.* ① familiar Contar una cosa a alguien para que obtenga un beneficio de ello o para acusar a otra persona: *le chivó las preguntas del examen.* ② AMÉR. Fastidiar o molestar a una persona: *tanto lo chivó, que terminó por irse de la reunión.* ③ AMÉR. Engañar a una persona. ▌*v. prnl.* ④ **chivarse** familiar Contar una cosa de una persona para causarle daño: *se lo chivó todo al jefe; se chivó de todo lo que había pasado.* ⑤ AMÉR. SUR, GUAT. Enfadarse, sentir irritación o ponerse de mal humor.

chivatazo *s. m.* familiar Acusación o denuncia de un hecho censurable por parte de una persona que no tiene una relación directa con él: *una vecina dio el chivatazo a la policía.* **SIN** soplo.

chivato, -ta *s. m. y f.* ① Persona que tiene por costumbre acusar o decir las faltas de los demás. **SIN** acusica. ② Persona que observa o escucha lo que otros hacen o dicen con la intención de comunicárselo en secreto al que tiene interés en saberlo. **SIN** soplón. ▌*s. m.* ③ Dispositivo que sirve para avisar cualquier anormalidad o llamar la atención sobre algo: *el chivato empezó a sonar cuando los ladrones entraron en el museo.* ▌*s. m. y f.* ④ Chivo que tiene entre seis meses y un año.
FAM chivatada, chivatazo, chivatear.

chivo, -va *s. m. y f.* Cría de la cabra desde que deja de mamar hasta que tiene edad de procrear.
chivo expiatorio Persona a la que, con cualquier motivo o excusa, se le echa la culpa cuando las cosas van mal.
estar como una chiva familiar Estar chiflado o tener muchas rarezas o extravagancias.

chocante *adj.* Que produce extrañeza o sorpresa: *fue chocante ver a Ana en la discoteca.* **SIN** raro.

chocar *v. intr.* ① Encontrarse violentamente dos o más cosas. ② Enfrentarse o indisponerse: *su carácter choca con el mío.* ③ Resultar raro o extraño: *me choca que no haya venido hoy.* ▌*v. tr.* ④ Darse la mano en señal de saludo, acuerdo o felicitación.
FAM chocante, choque; entrechocar.

chocarrero, -ra *adj.* Que es de mal gusto o impropio de personas cultas y educadas: *chistes chocarreros.*
FAM chocarrería.

chocha *s. f.* ① Ave zancuda, parecida a la perdiz, con un plumaje que forma dibujos claroscuros y le permite camuflarse perfectamente entre la maleza; tiene el pico largo y recto, y las patas cortas; su carne es comestible y muy apreciada. **NOTA** También *chocha perdiz.* **SIN** becada. ② Molusco con dos valvas, parecido a la almeja, pero de menor tamaño y menos apreciados. **SIN** chirla.

chochear *v. intr.* familiar Hacer o decir una persona cosas sin

C

sentido, por tener disminuidas las facultades mentales a causa de la edad.

FAM chochera, chochez.

chocho, -cha *adj.* ① Se aplica a la persona que tiene disminuida su capacidad mental a causa de la edad: *está ya chocho a pesar de que no es todavía un hombre mayor.* ② familiar Se aplica a la persona que parece que está atontada a causa del cariño o la afición hacia algo: *estaba chocho por su mujer.* ‖ *s. m.* ③ Semilla del altramuz, de forma redonda y plana y color anaranjado, que se conserva remojado en agua y se come a modo de golosina. **SIN** altramuz. ④ vulgar Vulva.

FAM chochear.

choclo¹ *s. m.* Chanclo.

choclo² *s. m.* AMÉR. SUR Mazorca tierna de maíz.

choco¹ *s. m.* Sepia pequeña.

choco, -ca² *adj./s. m. y f.* ① AMÉR. Se aplica a la persona o animal que tiene el cuerpo mutilado. ② CHILE Se aplica a la persona que tiene el pelo crespo. ③ COL. Se aplica a la persona que tiene la cara muy morena. ‖ *s. m.* ④ AMÉR. SUR Perro de aguas. ⑤ PERÚ Mono (animal).

chocolate *s. m.* ① Pasta comestible de color marrón hecha de cacao y azúcar molidos y mezclados, generalmente, con canela o vainilla. ② Bebida espesa de color marrón elaborada con esta pasta deshecha y cocida en agua o leche. ③ jerga Hachís. **SIN** costo, mierda, quif.

FAM chocolatada, chocolatera, chocolatero, chocolatina; achocolatado.

chocolatera *s. f.* Recipiente en que se sirve el chocolate.

chocolatería *s. f.* ① Establecimiento en el que se sirve chocolate a la taza. ② Establecimiento en el que se fabrica y vende chocolate.

chocolatero, -ra *s. m. y f.* ① Persona que elabora y vende chocolate. ‖ *adj./s. m. y f.* ② Se aplica a la persona a la que le gusta mucho tomar chocolate.

FAM chocolatería.

chocolatina *s. f.* Tableta delgada y pequeña de chocolate.

chófer o **chofer** *s. com.* Persona que conduce un automóvil por oficio.

chollo *s. m.* familiar Cosa que se considera buena y que se consigue con muy poco esfuerzo.

cholo, -la *adj./s. m. y f.* ① AMÉR. Se aplica al mestizo de sangre blanca e india. ② AMÉR. Se aplica al indio que adopta las costumbres occidentales.

FAM acholar.

chóped *s. m.* Chopped.

chopera *s. f.* Lugar donde predominan los chopos: *suele haber choperas cerca de los ríos.*

chopito *s. m.* Molusco comestible parecido a la sepia, pero de menor tamaño.

chopo¹ *s. m.* Árbol de corteza rugosa y oscura, hojas verdes por ambos lados y ramas muy separadas del eje del tronco. **SIN** álamo negro.

FAM chopera.

chopo² *s. m.* familiar Fusil.

chopped [también **chóped**; se pronuncia 'chóped'] *s. m.* Embutido en forma de tripa gruesa y parecido a la mortadela, que se hace con carne de cerdo, pollo o pavo.

choque¹ *s. m.* ① Encuentro violento de dos o más cosas: *la red metálica que había a los lados de la carretera amortiguó el*

choque. **SIN** colisión. ② Enfrentamiento, discusión o pelea. ③ Combate de corta duración o entre ejércitos con un número pequeño de tropas.

FAM parachoques.

choque² *s. m.* Impresión intensa que, debida a un golpe o a una conmoción, altera profundamente el estado mental o los sentimientos de una persona. **SIN** shock.

choquezuela *s. f.* Hueso redondo situado en la parte anterior de la rodilla, que permite la articulación de la tibia y el fémur e impide que la pierna se doble hacia delante. **SIN** rótula.

chorbo, -ba *s. m. y f.* ① vulgar Persona, individuo: *vino un chorbo preguntando por ti.* ② vulgar Novio o acompañante habitual.

choricear *v. tr.* familiar Robar. **SIN** chorizar.

FAM choriceo.

chorizar *v. tr.* familiar Choricear.

chorizo¹ *s. m.* Embutido hecho con carne de cerdo picada y pimentón, curado al humo, generalmente de color rojo oscuro y de forma cilíndrica y alargada.

FAM choricero.

chorizo, -za² *s. m. y f.* familiar Ladrón.

FAM choricear, choricero, chorizar.

chorlito *s. m.* Ave zancuda, acuática y corredora, con pico recto y corto y con patas y alas largas; vive en las costas y se alimenta de animales acuáticos.

chorra *s. f.* ① familiar Suerte. ② vulgar Pene. ‖ *adj./s. com.* ③ familiar Estúpido: *creo que estás haciendo el chorra pagándole siempre todo.*

FAM chorrada.

chorrada *s. f.* ① familiar Tontería, estupidez: *no digas chorradas.* ② familiar Adorno excesivo o innecesario: *tiene los muebles llenos de figuritas y otras chorradas.*

chorrear *v. tr./intr.* ① Dejar caer o soltar una cosa el líquido que contiene o que ha absorbido: *has mojado demasiado la brocha y ahora chorrea pintura.* ‖ *v. intr.* ② Caer un líquido formando un chorro: *la lluvia chorrea por la pared.*

FAM chorreante, chorreo.

chorreo *s. m.* ① Acción de chorrear. ② Gasto continuo: *con tantas visitas a los médicos esto es un chorreo de dinero.* ③ Concurrir algunas cosas poco a poco, con lentitud: *el recuento de votos se ha convertido en un lento chorreo.* ④ familiar Bronca o reprimenda fuertes.

chorreón *s. m.* ① Chorro de líquido que sale de forma repentina o inesperada: *se echa a la ensalada un chorreón de aceite.* ② Mancha o marca que deja este chorro: *un chorreón en la camisa.*

chorrera *s. f.* ① Adorno de tela en la parte delantera de una camisa, que baja en forma de volante desde el cuello cubriendo el cierre. ② Lugar por donde cae una pequeña cantidad de agua u otro líquido. ③ Señal que deja el agua u otro líquido al pasar por una superficie.

chorretón *s. m.* ① Chorro de líquido que sale de golpe y con fuerza por una abertura estrecha. ② Marca o señal de forma alargada que queda en una superficie por la que ha corrido un líquido: *¿qué has tomado, que llevas ese chorretón en la camisa?*

chorro *s. m.* ① Líquido o gas que, con más o menos fuerza, sale por una abertura estrecha. ② Caída continua de cosas iguales y de pequeño tamaño. ③ Salida abundante e impetuosa de algo: *un chorro de luz inundó la habitación.*

a chorros En gran abundancia: *tiene dinero a chorros.*

beber a chorro Beber un líquido sin arrimar los labios a la abertura o recipiente del que sale.

como los chorros del oro familiar Se aplica a la cosa que está muy limpia y reluciente: *la casa quedó como los chorros del oro.*

FAM chorra, chorrear, chorreón, chorrera, chorretón, chorrillo.

chota *s. com.* jerga Chivato. **SIN** soplón.

chotacabras *s. m.* Pájaro de color gris con rayas negras en la cabeza, cuello y espalda, algo rojo por el vientre y con el pico pequeño y fino: *el chotacabras se alimenta de insectos.* **OBS** Plural invariable.

chotearse *v. prnl.* familiar Burlarse de una persona o cosa. **SIN** cachondearse.

FAM choteo.

choteo *s. m.* familiar Burla o guasa. **SIN** cachondeo, pitorreo.

chotis *s. m.* ① Baile para pareja originario de Escocia, de ritmo lento, que es típico de Madrid. ② Canción o composición musical, de compás binario, para acompañar este baile.

ser más agarrado que un chotis familiar Ser muy tacaño. **OBS** Plural invariable.

choto, -ta *s. m. y f.* Cría de la cabra desde que nace hasta que deja de mamar. **SIN** cabrito.

estar como una chota familiar Estar chiflado o tener muchas rarezas o extravagancias.

FAM chotuno.

chotuno, -na *adj.* Se aplica al ganado cabrío que está en edad de mamar.

oler a chotuno Oler mal: *vámonos, ¡aquí huele a chotuno y no se puede aguantar!*

chova *s. f.* Ave, parecida al cuervo, de plumaje negro azulado y que anida en hendiduras de rocas y en acantilados.

chovinismo *s. m.* Chauvinismo.

FAM chovinista.

chovinista *adj./s. com.* Chauvinista.

choza *s. f.* Casa de campo, pequeña y tosca, construida con maderas y cubierta con ramas o paja. **SIN** cabaña.

christmas [se pronuncia aproximadamente 'crismas'] *s. m.* Tarjeta postal que se envía para felicitar la Navidad. **OBS** Plural invariable.

chubasco *s. m.* Lluvia fuerte, repentina y de corta duración, acompañada de mucho viento: *un chubasco puede provocar el desbordamiento de un río.*

FAM chubasquero.

chubasquero *s. m.* Impermeable corto y generalmente con capucha hecho de una tela ligera como el plástico.

chúcaro, -ra *adj/s. m. y f.* ① AMÉR. Se aplica al ganado, especialmente equino, mular o vacuno, que es salvaje, arisco o bravío: *un potro chúcaro; una mula chúcara.* ② AMÉR. Se aplica a la persona que es huraña, arisca, poco comunicativa o díscola: *era un hombre chúcaro y grosero; apenas le hablo, se pone chúcaro.*

chuchería *s. f.* ① Producto comestible de pequeño tamaño y generalmente dulce que se suele comer por gusto. ② Objeto de poca importancia, pero delicado.

chucho, -cha[1] *s. m. y f.* fam. desp. Perro, especialmente el que no es de raza o no tiene dueño.

chucho[2] *s. m.* ① CUBA Aguja, pincho. ② CUBA Conmutador, llave de la luz.

chuchurrío, -rría *adj.* ① familiar Se aplica a la planta o flor que está marchita. ② familiar Decaído o triste.

chueco, -ca *adj./s. m. y f.* AMÉR. Se aplica a la persona que tiene las piernas torcidas.

chueta *s. com.* despectivo Persona descendiente de judíos conversos de las islas Baleares.

chufa *s. f.* ① Planta mediterránea de cuyas raíces nacen unos tubérculos comestibles. ② Tubérculo de esta planta, de color marrón claro por fuera y blanco por dentro, de sabor dulce y agradable, que se emplea para hacer horchata o se come remojado en agua.

chufla *s. f.* familiar Burla o guasa: *no te tomes a chufla lo que te digo, que es muy serio.* **SIN** chifla, cuchufleta.

chulada *s. f.* ① familiar Cosa bonita y vistosa: *¡vaya chulada de coche!* ② familiar Chulería (dicho insolente).

chulapo, -pa *s. m. y f.* familiar Chulo (persona de ciertos barrios de Madrid).

chulear *v. intr./prnl.* ① familiar Presumir: *¡mira a Felipe cómo chulea con su coche nuevo!* ‖ *v. tr./prnl.* ② Reírse de una persona: *¡tú a mí no me chuleas más!; se chuleaba de todos.* ‖ *v. tr.* ③ Vivir un chulo de las ganancias de las prostituta que controla o protege.

chulería *s. f.* ① Presunción o insolencia, generalmente por parte de un hombre, al hablar o al actuar: *se comporta con mucha chulería.* ② Dicho o hecho jactancioso o insolente. **SIN** descaro.

chuleta[1] *s. f.* ① Costilla con carne de ternera, buey, cerdo o cordero que se destina al consumo. ② familiar Papelito con apuntes que los estudiantes ocultan para copiar de él en los exámenes. ③ familiar Bofetada.

FAM chuleteada.

chuleta[2] *adj./s. com.* familiar Chulo, presuntuoso.

chulla *adj.* ARG., BOL., ECUAD., PERÚ Se aplica a la cosa que, yendo siempre en par, queda sola: *un guante chulla.*

chulo, -la *adj/s. m. y f.* ① familiar Se aplica a la persona que es insolente y presuntuosa. **SIN** chuleta. ‖ *adj.* ② familiar Que es bonito y vistoso: *llevas una chaqueta muy chula.* ‖ *s. m.* ③ familiar Hombre que vive de las ganancias de las prostitutas que controla o protege. ‖ *s. m. y f.* ④ Persona de ciertos barrios populares de Madrid que se vestía con un traje típico y hablaba y se comportaba de manera afectada y con una mezcla de gracia e insolencia.

FAM chulada, chulapo, chulear, chulería, chulesco, chuleta, chuli; achularse, achluaparse.

chumbera *s. f.* Planta con tallos que parecen hojas en forma de paletas ovales con espinas, muy carnosos y fruto comestible (higo chumbo). **SIN** nopal.

chumbo *s. m.* Fruto de la chumbera, de corteza verde cubierta de espinas y pulpa comestible, dulce y de color anaranjado. **NOTA** También *higo chumbo.*

chuminada *s. f.* familiar Tontería: *¿te vas a enfadar por esa chuminada?*

chunga *s. f.* familiar Burla, guasa: *me dijo en chunga que se casaría este año.* **SIN** cachondeo, pitorreo.

FAM chunguearse.

chungo, -ga *adj.* ① familiar Que tiene mal aspecto o está estropeado o en mal estado. ② familiar Falso.

FAM chunguearse.

chunguearse v. prnl. familiar Burlarse: se estaban chungueando de mí, así que tuve que ponerme serio.
FAM chungueo.

chuño s. m. AMÉR. SUR Patata deshidratada por el frío, que conserva indefinidamente sus cualidades nutritivas.

chupa s. f. ① Prenda de vestir masculina que cubría el tronco del cuerpo, a veces con faldillas de la cintura para abajo y con mangas ajustadas; se ponía generalmente en traje militar, debajo de la casaca. ② familiar Cazadora de piel.
poner como chupa de dómine familiar Reprender a alguien con dureza.

chupada s. f. ① Succión con los labios y la lengua del jugo o la sustancia de una cosa: daba fuertes chupadas al puro. ② Roce de la lengua al lamer: le dio una chupada a la piruleta. **SIN** lametón.

chupado, -da adj. ① familiar Muy flaco y con aspecto enfermizo. ② familiar Muy fácil: las preguntas del examen estaban chupadas.

chupar v. tr. ① Sacar o extraer con los labios y la lengua el jugo o la sustancia de una cosa. ② Lamer o humedecer la superficie de una cosa con la boca y la lengua. ③ Absorber un líquido o humedad: esta planta chupa mucha agua. ④ familiar Obtener dinero u otros bienes de una persona, empresa o institución con astucia y engaño: le chupó hasta el último céntimo. ‖ v. tr./intr. ⑤ familiar En fútbol y otros deportes de pelota, retener el balón un jugador prescindiendo de sus compañeros. ‖ v. prnl. ⑥ **chuparse** Quedarse delgado o flaco.
¡chúpate esa! familiar Se usa para recalcar una respuesta aguda y oportuna que se acaba de pronunciar: lo que acabas de oír es la pura verdad, ¡chúpate esa!
FAM chupa-chup, chupada, chupado, chupador, chupatintas, chupetear, chupetón, chupón, chupóptero.

chupatintas s. com. fam. desp. Oficinista.
OBS Plural invariable.

chupete s. m. Objeto de goma en forma de pezón que se da a los niños para que chupen; lleva un tope y una anilla, generalmente de material plástico.
FAM chupetear; rechupete.

chupetear v. tr. Chupar algo con frecuencia: deja de chupetear la cuchara y come.
FAM chupeteo.

chupetón s. m. ① Acción de chupar con fuerza. ② Marca o señal temporal que queda en la piel de una persona después de chuparla con fuerza.

chupi adj. ① familiar Muy bueno o estupendo: fue una fiesta chupi, nos divertimos un montón. **SIN** chachi, guay. ‖ adv. ② familiar Muy bien o estupendamente: esta comida huele chupi. **SIN** chachi, guay.

chupinazo s. m. ① Disparo potente hecho con una especie de mortero en los fuegos artificiales: las fiestas comenzaron con un fuerte chupinazo desde el balcón del Ayuntamiento. ② familiar Chut potente.

chupito s. m. ① Vaso pequeño de licor o aguardiente: tomaron unos chupitos después de comer. ② Sorbo pequeño de vino u otra bebida alcohólica: un chupito de tequila.

chupón, -pona adj./s. m. y f. ① Que chupa mucho. ② familiar Se aplica al deportista que es muy individualista en un juego y retiene durante mucho tiempo la pelota o la bola. ③ familiar Se aplica a la persona que saca dinero u otro beneficio con astucia o engaño: es un chupón: solamente le interesa la gente de la que pueda sacar algún beneficio. ‖ s. m. ④ Vástago que brota en un árbol y lo perjudica chupándole la savia.

chupóptero, -ra s. m. y f. despectivo Persona que, sin trabajar ni realizar ningún esfuerzo, intenta conseguir el máximo de ganancias y beneficios.

churrasco s. m. Trozo de carne roja y grande que se asa a la brasa o a la parrilla.

churrería s. f. Establecimiento en el que se hacen y venden churros.

churrero, -ra s. m. y f. Persona que hace y vende churros.
FAM churrería.

churrete s. m. familiar Mancha de un alimento o un líquido que ensucia la cara, las manos u otra parte visible del cuerpo.
FAM churretoso.

churretoso, -sa adj. familiar Que está lleno de churretes o manchas.

churrigueresco, -ca adj. ① Que pertenece al estilo arquitectónico o escultórico iniciado por el arquitecto José Benito Churriguera en el siglo XVIII y caracterizado por una recargada ornamentación. ② despectivo Que tiene demasiados adornos: prosa churrigueresca.

churro, -rra adj./s. m. y f. ① Se aplica a la oveja que es de una raza caracterizada por tener la lana larga y basta. ‖ s. m. ② Masa de harina de forma alargada y cilíndrica que se fríe en aceite: en la feria hay puestos de churros y porras. ③ familiar Cosa mal hecha o de poca calidad: este programa de televisión es un churro.
mezclar las churras con las merinas familiar Confundir o mezclar personas o cosas diferentes.
FAM churrero.

churruscar v. tr. Tostar o asar demasiado: el arroz se ha churruscado.
FAM churrusco.

churumbel s. m. familiar Niño o bebé.

chusco, -ca adj. ① familiar Que tiene gracia y picardía. ‖ s. m. ② Panecillo o mendrugo de pan, especialmente el que está seco o el que se reparte como ración a los soldados.

chusma s. f. ① despectivo Grupo de gente vulgar y despreciable: se juntó con la chusma. ② familiar Diversión o juerga: armar chusma. ③ AMÉR. En una comunidad india, conjunto de los que no son aptos para la guerra.

chuspa s. f. AMÉR. SUR Bolsa o saco para llevar cosas.

chusquero adj./s. m. familiar Se aplica al oficial o jefe militar que ha ascendido desde soldado raso y sin pasar por una academia militar: sargento chusquero.

chut s. m. En el fútbol y otros deportes, lanzamiento fuerte del balón con el pie, generalmente para conseguir un tanto.

chutar v. intr. ① En el juego del fútbol, lanzar el balón con el pie. ‖ v. prnl. ② **chutarse** jerga Inyectarse droga. **SIN** picarse, pincharse.
ir que chuta familiar Indica que algo es suficiente o alguien obtiene más de lo que esperaba o se merecía.
FAM chut, chute.

chute s. m. jerga Inyección de una dosis de droga, generalmente heroína. **SIN** pico.

chuzar v. tr. COL. Punzar, pinchar.

chuzo s. m. Palo con un pincho de hierro en un extremo que sirve para atacar o defenderse: los serenos y vigilantes nocturnos llevaban chuzos.

caer chuzos de punta Llover con mucha fuerza o intensidad.

FAM chuzar, chuzazo.

Cía. Abreviatura de *compañía*.

ciaboga *s. f.* Maniobra que consiste en hacer girar en redondo una embarcación, especialmente de remos.

cianhídrico, -ca *adj./s. m.* Se aplica a un ácido muy venenoso, gas o líquido, volátil e incoloro, con fuerte olor a almendras amargas: *el ácido cianhídrico es un compuesto fuertemente tóxico que, unido al sodio y al potasio, produce los correspondientes cianuros.*

cianuro *s. m.* ① Compuesto químico muy tóxico que se forma a partir del carbono, el nitrógeno y un metal. ② Anión que se forma al perder sus protones el ácido cianhídrico.

ciar *v. intr.* ① Remar hacia atrás. ② culto Retroceder. OBS Verbo regular, se acentúa como *desviar*.

ciática *s. f.* Dolor muy fuerte que se extiende desde la cadera hasta el pie por la parte trasera de la pierna, causado por la inflamación del nervio ciático.

ciático, -ca *adj.* ① Relativo a la ciática. ‖ *adj./s. m.* ② Se aplica al nervio que se distribuye en los músculos posteriores del muslo y de la pierna, y en la piel de esta y del pie; es la terminación del plexo sacro y el más grueso del cuerpo.
FAM ciática.

cibernauta *s. com.* Persona que mediante un ordenador y a través de la red informática internet accede a bases de datos y se comunica con usuarios conectados a la misma red en cualquier parte del mundo.
FAM cibernética, cibernético.

cibernética *s. f.* ① Ciencia que estudia los mecanismos de comunicación, regulación y control de sistemas complejos, especialmente sistemas informáticos: *la cibernética surgió en la Segunda Guerra Mundial debido a la necesidad de controlar automáticamente ciertos dispositivos y armas.* ② Ciencia que estudia los mecanismos de comunicación y control en los seres vivos: *la cibernética investiga las conexiones de las neuronas.*
FAM cibernético.

cibernético, -ca *adj.* ① Relativo a la cibernética. ‖ *s. com./adj.* ② Persona que se dedica a la cibernética.

ciborio *s. m.* ① Baldaquino que corona un altar. ② Copa ornamentada.

cicatería *s. f.* Cualidad de cicatero. SIN tacañería.

cicatero, -ra *adj./s. m. y f.* ① Se aplica a la persona que escatima lo que da o lo que gasta. SIN tacaño. ② Se aplica a la persona que da importancia a cosas pequeñas o se ofende por ellas.
FAM cicatería.

cicatriz *s. f.* ① Señal que queda en la piel u otro tejido orgánico después de curarse una herida. ② Impresión que deja en el ánimo un hecho doloroso.
FAM cicatrizar.

cicatrizar *v. intr./prnl.* ① Cerrarse y curarse completamente una herida. ‖ *v. tr.* ② Hacer que una herida cicatrice.
FAM cicatrización.

cicerone *s. com.* Persona que explica y muestra a un visitante los lugares y obras de interés de una ciudad, un museo u otro lugar. SIN guía.

ciclamen *s. m.* Planta herbácea, perenne, de flores aisladas blancas o rosadas que tiene un rizoma grande y redondo; es muy abundante en Europa.

cíclico, -ca *adj.* ① Que ocurre o se desarrolla en forma de ciclo: *los ovarios tienen un funcionamiento cíclico.* ② Que se repite o sucede cada cierto tiempo y de la misma forma: *cambios cíclicos.* ③ Se aplica a la sustancia cuya molécula contiene una o varias cadenas cerradas (en forma de anillo). ④ Se aplica al poeta cuya obra pertenece a un ciclo épico.
FAM acíclico.

ciclismo *s. m.* Deporte que se practica en bicicleta y que consiste en hacer un recorrido determinado por carretera, montaña o pista; en las pruebas se compite en velocidad, habilidad o resistencia.
FAM ciclista.

ciclista *adj.* ① Relativo al ciclismo. ‖ *s. com.* ② Persona que monta en bicicleta por afición o como profesional.

ciclo *s. m.* ① Serie de etapas o estados por los que pasa un acontecimiento o fenómeno que se repiten en el mismo orden hasta llegar a una etapa o estado a partir de los cuales vuelven a repetirse en el mismo orden: *las reservas de agua dulce de la Tierra se reponen gracias al ciclo del agua, que se evapora, forma nubes y cae en forma de precipitación.* ■ **ciclo biológico** Ciclo constituido por una serie de fases por las que pasa un ser vivo y que incluye la fase unicelular, la de crecimiento, la de maduración y la de reproducción. ■ **ciclo celular** Ciclo constituido por una serie de estados por los que pasa una célula viva desde el principio de una mitosis hasta el inicio de la siguiente. ■ **ciclo de la materia** Ciclo constituido por una serie de procesos mediante los cuales la materia orgánica del medio transformada en materia viva durante la fotosíntesis es devuelta al medio inorgánico tras la muerte de los seres vivos. ② Serie de actos de carácter cultural relacionados entre sí, generalmente por el tema, y que se celebran en un tiempo determinado: *la facultad ha organizado un ciclo sobre la sociedad de consumo.* ③ Parte de las que constituyen un plan de estudios, formada por una serie determinada de cursos y asignaturas. ④ Conjunto de tradiciones épicas relacionada con un periodo determinado, un grupo de acontecimientos o un personaje heroico. ⑤ En física, unidad de frecuencia de fenómenos periódicos, como vibraciones u oscilaciones eléctricas, que equivale a un periodo completo en una unidad de tiempo. ⑥ En química, cadena carbónica cerrada que existe en los compuestos químicos orgánicos y cíclicos.
FAM cíclico, cicloide.

ciclocrós o **ciclocross** *s. m.* Modalidad de ciclismo que se practica a campo traviesa por terrenos muy accidentados.

cicloide *s. f.* Curva plana descrita por un punto de una circunferencia que gira sobre una recta.

ciclomotor *s. m.* Vehículo de dos ruedas, parecido a una bicicleta, con pedales y provisto de un motor de pequeña cilindrada.

ciclón *s. m.* ① Viento muy fuerte que avanza en grandes círculos girando sobre sí mismo muy rápido. SIN huracán. ② Región de la atmósfera donde la presión es mucho más baja que en las zonas circundantes; produce fuertes vientos y abundantes precipitaciones: *el ciclón se representa en el mapa meteorológico con una B.* SIN borrasca. ③ Persona impetuosa o de gran empuje: *la directora es un ciclón.* SIN huracán, torbellino.
FAM ciclónico; anticiclón.

cíclope *s. m.* Gigante de la mitología griega con un solo ojo en medio de la frente, que fabricaba rayos para el dios Júpiter.

FAM ciclópeo.

ciclópeo, -pea *adj.* �1 Que es mucho mayor que lo considerado como normal. **SIN** gigantesco. 2 Relativo a los cíclopes. 3 Se aplica a la construcción antigua que está hecha con enormes bloques de piedra superpuestos sin argamasa.

ciclostil o **ciclostilo** *s. m.* Máquina que sirve para copiar muchas veces un escrito o dibujo, a base de un cliché perforado por el que se cuela la tinta.

OBS Es marca registrada.

ciclóstomo *adj./s. m.* 1 Se aplica al pez carente de mandíbula, de cuerpo cilíndrico parecido al de la anguila y sin aletas. ‖ *s. m. pl.* 2 **ciclóstomos** Grupo taxonómico, con categoría de subclase, constituido por estos peces: *los ciclóstomos representan los vertebrados vivientes más primitivos.*

ciclotrón *s. m.* Aparato que sirve para acelerar partículas subatómicas por trayectorias circulares con el fin de bombardear átomos.

cicloturismo *s. m.* Modalidad de turismo en la que se emplea la bicicleta como medio de transporte.

FAM cicloturista.

cicuta *s. f.* 1 Planta herbácea silvestre y venenosa, de tallo hueco y ramoso, hojas triangulares y flores blancas. 2 Veneno que se obtiene de esa planta.

cidra *s. f.* Fruto del cidro, de color amarillo, muy parecido al limón, pero de mayor tamaño, que se usa en medicina y en confitería.

cidro *s. m.* Árbol de tronco liso y ramoso, hoja perenne, flores rosadas olorosas y fruto comestible (cidra).

ciego, -ga *adj./s. m. y f.* 1 Que no ve por estar privado del sentido de la vista. **SIN** invidente. ‖ *adj.* 2 Que es incapaz de darse cuenta de una cosa evidente, de percibirla o comprenderla. 3 Se aplica a la persona que está dominada o poseída por un sentimiento o pasión muy fuertes: *ciego de amor; ciego de ira.* 4 Se aplica al sentimiento o inclinación que se sienten muy intensos: *tenía una fe ciega en ella.* 5 Se aplica a la abertura u orificio cerrados o tapados: *ventana ciega; arco ciego.* 6 Se aplica al conducto que no tiene salida o que está obstruido: *un pozo ciego.* 7 familiar Se aplica a la persona que está atiborrada de algo, en especial de comida, bebida o droga: *se puso ciego de marisco.* ‖ *s. m.* 8 Parte del intestino grueso comprendida entre el final del intestino delgado y el colon, donde se absorben sales y fluidos. **NOTA** También *intestino ciego.* 9 familiar Borrachera o estado similiar debido al consumo de drogas.

a ciegas (I) Sin poder ver: *andamos a ciegas en la oscuridad.* (II) Sin reflexionar: *hablar a ciegas.*

cielo *s. m.* 1 Parte del espacio sobre la Tierra, en la que están las nubes y donde se ven el Sol, la Luna y las estrellas: *cielo azul; cielo estrellado.* 2 Parte superior de ciertas cosas o que cubre ciertas cosas. ■ **cielo de la boca** Paladar, parte superior del hueco de la boca. ■ **cielo raso** Techo de superficie plana y lisa. 3 Lugar en el que los santos, los ángeles y los bienaventurados gozan de la presencia eterna de Dios, según la tradición cristiana: *los justos irán al cielo.* **NOTA** Se escribe normalmente con mayúscula inicial. **ANT** infierno. 4 Dios o la divina providencia: *si el cielo lo quiere, lo veremos.* 5 Persona agradable o atenta: *es un cielo, siempre está dispuesto a ayudarme.* **NOTA** Se usa como apelativo cariñoso: *ven con mamá,*

cielo. ‖ *int.* 6 **¡cielos!** Se usa como exclamación: *¡oh, cielos, qué horror!*

a cielo abierto (I) Se aplica a la explotación minera en que el mineral se extrae de la superficie, sin excavar galerías. (II) Se aplica al recinto que no tiene techo: *un patio a cielo abierto.*

caído (o **llovido**) **del cielo** familiar Que es muy oportuno o providencial: *el premio nos ha llegado como llovido del cielo.*

clamar al cielo Ser una cosa digna de reprobación.

mover (o **remover**) **cielo y tierra** Hacer todas las gestiones posibles para el logro de una cosa.

FAM rascacielos.

ciempiés *s. m.* Invertebrado terrestre, del filo artrópodos, de cuerpo marrón rojizo muy alargado y aplanado, segmentado y con un par de patas por segmento, de los cuales el primero está transformado en uñas con glándulas venenosas que le sirven para matar a las presas de las que se alimenta. **OBS** Plural invariable.

cien *num. card.* 1 Noventa más diez. **SIN** ciento. ‖ *num. ord.* 2 Que ocupa el lugar número 100 en una serie ordenada. **SIN** centésimo, ciento. ‖ *s. m.* 3 Número 100. **SIN** ciento.

a cien familiar Con un alto grado de excitación: *estar a cien; su manera de bailar me ponía a cien.*

OBS Como numeral, se utiliza para la centena exacta o como múltiplo de *mil, millón,* etcétera.

ciénaga *s. f.* Terreno cenagoso, lleno de barro o cieno: *si un lago se seca, puede dar lugar a una ciénaga.*

ciencia *s. f.* 1 Conjunto organizado de conocimientos sobre una materia determinada, a los que se llega mediante la observación y análisis de sus fenómenos, causas y efectos: *ciencia médica; ciencia del lenguaje.* ■ **ciencias exactas** Ciencias que solamente admiten principios, efectos y hechos demostrables, como las matemáticas. ■ **ciencias humanas** Ciencias que estudian asuntos relacionados con manifestaciones propias del ser humano, como la historia, la filosofía o la psicología. ■ **ciencias naturales** Ciencias que estudian asuntos relacionados con la naturaleza, como la biología, la zoología o la geología. ■ **ciencias ocultas** Conocimientos y prácticas relacionados con la magia, la alquimia, la astrología y materias semejantes, que no se basan en la experimentación científica. ■ **ciencias sociales** Ciencias que estudian el comportamiento del ser humano en la sociedad y sus formas de organización, como la antropología o la sociología. 2 Conjunto de las ciencias que tienen el mundo natural o físico o la tecnología como materias de estudio: *los avances de la ciencia.* 3 Conjunto de conocimientos de una persona adquiridos mediante el estudio: *demostró ser una persona de ciencia.* 4 Conjunto de conocimientos necesarios para desarrollar alguna actividad: *la ciencia del ladrón.* ‖ *s. f. pl.* 5 **ciencias** Conjunto de conocimientos relacionados con las matemáticas, la física, la química, la biología, la geología y cualquier materia que obedece a leyes matemáticas y físicas.

a ciencia cierta Indica que algo se sabe o se conoce con absoluta certeza o seguridad.

ciencia ficción Género literario o cinematográfico cuyos contenidos se basan en hipotéticos logros científicos y técnicos del futuro o en formas de vida extraterrestre.

ciencia infusa familiar Se usa de forma irónica referido al conocimiento que se adquiere sin haberlo estudiado o aprendido: *se cree que el día del examen lo hará bien por ciencia infusa.*

gaya ciencia Arte de la poesía.

FAM científico.

cienmilésimo, -ma *num. ord.* ① Que ocupa el lugar número 100 000 en una serie ordenada. ‖ *num. part.* ② Se aplica a cada una de las partes que resultan de dividir un todo en cien mil partes iguales.

cieno *s. m.* Barro blando en el fondo del agua de un lago o un estanque, o en terrenos muy húmedos. **SIN** fango, légamo, limo.
FAM ciénaga.

científico, -ca *adj.* ① Relativo a la ciencia. ② Que se ajusta a los principios y métodos de una ciencia: *estudio científico.* ‖ *s. m. y f./adj.* ③ Persona que se dedica a la ciencia.
FAM cientificidad, cientificismo; anticientífico.

ciento *num. card.* ① Noventa más diez. **SIN** cien. ‖ *num. ord.* ② Que ocupa el lugar número 100 en una serie ordenada. **SIN** centésimo, cien. ‖ *s. m.* ③ Número 100. **SIN** cien. ④ Conjunto formado por 100 unidades: *había varios cientos de personas.* **SIN** centena, centenar.
ciento y la madre *familiar* Mucha gente.
FAM cien.
OBS Como numeral, se utiliza seguido de una indicación de decenas o unidades: *ciento veinte, ciento ocho.*

cierne Se usa en la expresión:
en cierne o **en ciernes** Que está comenzando: *un proyecto en ciernes.*

cierre *s. m.* ① Acción de cerrar: *el cierre de un negocio.* ② Cosa con que se cierra algo: *cierre magnético; se estropeó el cierre de la ventanilla.* ■ **cierre centralizado** Sistema que permite abrir o cerrar un recinto de forma simultánea desde cualquiera de sus puertas. ③ Momento a partir del cual no se admiten originales para la edición de un periódico o revista que está en prensa.

ciertamente *adv.* Indica afirmación o asentimiento como respuesta a una pregunta. **SIN** cierto.

cierto, -ta *det.* ① Que es verdadero o no puede ponerse en duda: *no es cierto, nunca estuve ahí; lo cierto es que nadie sabe lo que ocurrirá.* ② Que no está determinado de forma precisa o no se quiere determinar: *cierto día de abril llegaron a la ciudad.* **NOTA** En esta acepción, va antepuesto al sustantivo. ③ Que se da en pequeña cantidad o intensidad: *tenía cierta melancolía en el rostro.* **NOTA** En esta acepción, va antepuesto al sustantivo. **ANT** incierto. ‖ *adv.* ④ Ciertamente.
por cierto Introduce una observación o comentario sobre lo que se habla o algo que se recuerda súbitamente: *por cierto, ¿quién vino ayer?*
FAM ciertamente; incierto.
OBS Superlativo: *certísimo.*

ciervo, -va *s. m. y f.* Mamífero rumiante salvaje, de patas largas, cola muy corta y pelo áspero, corto, marrón o gris; el macho tiene cuernos ramosos que renueva cada año.
ciervo volante Insecto grande, parecido al escarabajo, de cuerpo ovalado, patas cortas y alas anteriores duras, cuyo macho tiene unas mandíbulas semejantes a dos cuernos.
FAM cerval, cervuno.

cierzo *s. m.* Viento frío que sopla del norte.

cifosis *s. f.* Desviación anormal hacia atrás de la columna vertebral, que produce una joroba o chepa.
OBS Plural invariable.

cifra *s. f.* ① Cada uno de los signos con los que se representan las cantidades numéricas: *el número 3 000 se compone de cuatro cifras.* ② Cantidad numérica: *invirtió una cifra muy ele-*

vada *de dinero.* ③ Sistema de signos para escribir algo en clave: *un mensaje en cifra.* ④ Par de letras iniciales enlazadas que representa abreviadamente un nombre: *la cifra de Jesucristo.*
FAM cifrar.

cifrar *v. tr.* ① Escribir un mensaje en cifra. **ANT** descifrar. ② Valorar cuantitativamente algo, en especial pérdidas o ganancias. ③ Reducir una cosa a otra excesivamente simple: *cifraba la felicidad en alcanzar el éxito.*
FAM cifrado, cifrador; descifrar.

cigala *s. f.* Crustáceo marino comestible, de color rojo claro, con el cuerpo alargado cubierto por un caparazón duro y con cinco pares de patas, el primero de los cuales termina en unas pinzas.

cigarra *s. f.* Insecto de color verde oscuro, con cabeza gruesa, ojos salientes y cuatro alas transparentes, que emite un sonido estridente. **SIN** chicharra.
FAM cigarral, cigarrón.

cigarrera *s. f.* Caja o estuche que sirve para guardar cigarros puros.

cigarrería *s. f.* **AMÉR.** Establecimiento en el que se venden cigarros.

cigarrillo *s. m.* Cilindro pequeño y delgado hecho con tabaco picado y envuelto en un papel muy fino, que se fuma quemándolo por un extremo. **SIN** cigarro, pitillo.

cigarro *s. m.* ① Cilindro hecho con hojas de tabaco secas y enrolladas, más grueso que un cigarrillo, que se fuma quemándolo por un extremo. **NOTA** También *cigarro puro.* **SIN** puro. ② Cigarrillo.
FAM cigarrera, cigarrería, cigarrero, cigarrillo.

cigoñino *s. m.* Cría de la cigüeña.

cigoto [también **zigoto**] *s. m.* Célula resultante de la unión de dos gametos (célula sexual masculina y célula sexual femenina) a partir de la cual se desarrolla el embrión de un ser vivo.

ciguatera *s. f.* ① **AMÉR.** Enfermedad de algunos peces y crustáceos. ② **AMÉR.** Intoxicación por la ingestión de estos animales enfermos.

cigüeña *s. f.* Ave zancuda de cuello largo y con el pico y las patas largos y rojos, que anida en lugares altos como el campanario de una iglesia; existen diversas especies: *la cigüeña común o blanca tiene el plumaje blanco y el borde de las alas negro; la cigüeña negra tiene el plumaje negro con brillos verdosos.*
FAM cigüeñal, cigüeñato.

cigüeñal *s. m.* Pieza del motor del automóvil y otras máquinas que consiste en un eje con varios codos, en cada uno de los cuales se ajusta una biela, y que sirve para transformar el movimiento rectilíneo de los pistones en rotativo, o viceversa: *el cigüeñal transmite el movimiento del motor a las ruedas.*

cilantro *s. m.* Hierba de tallo largo y flores rojas cuya semilla se usa en medicina y para cocinar. **SIN** culantro.

ciliado, -da *adj.* ① Que está provisto de cilios. ‖ *adj./s. m.* ② Se aplica al protozoo provisto de cilios por lo menos en una fase del ciclo biológico. ‖ *s. m. pl.* ③ **ciliados** Grupo taxonómico, con categoría de filo, constituido por estos protozoos: *los ciliados son heterótrofos, generalmente microscópicos y de vida libre.*

ciliar *adj.* Relativo a las pestañas.
FAM superciliar.

cilicio *s. m.* Cinturón o faja con puntas o pinchos que se ajusta al cuerpo para mortificarse.

cilindrada *s. f.* Cantidad de combustible que cabe en el cilindro o los cilindros de un motor, expresada en centímetros cúbicos: *los ciclomotores no superan los 50 cc de cilindrada.*

cilíndrico, -ca *adj.* ① Relativo al cilindro: *eje cilíndrico.* ② Que tiene forma de cilindro.

cilindro *s. m.* ① Cuerpo geométrico formado por una superficie lateral curva y cerrada y dos planos paralelos que forman sus bases. ■ **cilindro oblicuo** Cilindro en el que la superficie lateral es un paralelogramo no rectángulo; el ángulo diedro entre las bases y la superficie lateral es distinto a 90 grados. ■ **cilindro recto** Cilindro en el que la superficie lateral es un rectángulo; el ángulo diedro entre las bases y la superficie lateral es de 90 grados. ② Objeto que tiene esta forma. ■ **cilindro vascular** Cilindro que atraviesa la raíz de una planta por el centro y forma parte del floema o tejido vascular que transporta los nutrientes. ③ Pieza de un motor donde se mezcla y se quema el combustible, impulsando el pistón que pone en marcha el árbol motor. ■ **cilindro hidráulico** Cilindro que, en una instalación hidráulica, actúa mediante la presión que ejerce un fluido líquido, generalmente aceite. ■ **cilindro neumático** Cilindro que, en una instalación neumática, actúa mediante la presión que ejerce el aire comprimido. ④ Mecanismo que mueve los cierres de una cerradura cuando se introduce la llave. **SIN** bombín. **FAM** cilindrada, cilindrar, cilíndrico; semicilindro.

cilio *s. m.* Filamento vibrátil corto de los muchos que recubren la membrana de algunas células, y que les sirven para desplazarse en un medio líquido y para otras funciones: *las células de los paramecios tienen cilios.* **FAM** ciliado.

cima *s. f.* ① Parte más alta de una montaña, un árbol u otra cosa alta. **SIN** cumbre. ② Grado de mayor de perfección al que se puede llegar en un proceso, una actividad, etc.: *estaba en la cima de su carrera.* **SIN** culmen, culminación, cumbre. ③ Inflorescencia en la que cada pedúnculo sustenta una sola flor. **FAM** cimero.

cimacio *s. m.* Pieza que se coloca en ocasiones entre el capitel y el arquitrabe, a modo de zapata.

cimarrón, -rrona *adj.* ① Se aplica al animal doméstico que ha huido y se ha hecho salvaje. ② Se aplica a la planta silvestre de cuya especie hay otra cultivada. | *adj./s. m. y f.* ③ Se aplica a los antiguos esclavos americanos que huían buscando la libertad y se refugiaban en las montañas. | *adj./ s. m.* ④ ARG., BOL., PAR., URUG. Se aplica al mate amargo, sin azúcar.

cimarronada *s. f.* AMÉR. Manada de animales, especialmente equinos y vacunos, que han huido a los montes y se han hecho cimarrones.

címbalo *s. m.* Instrumento musical de percusión, semejante a los platillos, formado por dos platos o discos de metal que se hacen chocar; lo empleaban griegos y romanos en sus ceremonias religiosas. **FAM** cimbalillo, cimbalista.

cimborrio o **cimborio** *s. m.* Construcción de planta poligonal que se levanta sobre el crucero de algunas iglesias apoyado directamente sobre los arcos torales.

cimbra *s. f.* ① Armazón de madera o metal que se usa como plantilla para construir un arco u otra estructura curva. ② Curva de la superficie interior de un arco o bóveda.

cimbreante *adj.* Que cimbrea o se cimbrea.

cimbrear *v. tr.* ① Hacer que vibre una lámina u otro objeto flexible. | *v. prnl.* ② **cimbrearse** Moverse una persona, al caminar, realizando un ligero vaivén con las caderas. **SIN** contonearse. **FAM** cimbreante, cimbreño.

cimentación *s. f.* ① Colocación de los cimientos de una construcción. ② Asentamiento de una cosa inmaterial en unos principios o fundamentos determinados. ③ Cimientos de un edificio u otra construcción.

cimentar [1] *v. tr.* ① Poner los cimientos de una construcción. ② Asentar una cosa inmaterial en unos principios o fundamentos determinados. **FAM** cimentación.

cimero, -ra *adj.* ① culto Que está en la cima o parte alta. ② culto Ilustre, insigne.

cimiento *s. m.* ① Parte sobre la que se asienta un edificio u otra construcción: *ya han puesto los cimientos del bloque de pisos.* **SIN** cimentación. ② Principio o fundamento de algo. **FAM** cimentar. **OBS** También en plural con el mismo significado que en singular.

cimitarra *s. f.* Sable de hoja curva que se ensancha a medida que se aleja de la empuñadura y con un solo filo en el lado convexo: *los turcos y persas usaban cimitarras.*

cinabrio *s. m.* Mineral compuesto de mercurio y azufre, muy pesado y de color rojo oscuro, del cual se extrae el mercurio.

cinamomo *s. m.* ① Árbol ornamental de madera dura y aromática, tronco recto, flores blancas y fruto parecido a una cereza pequeña, del que se extrae un aceite usado en medicina y en la industria. ② Árbol ornamental de hojas parecidas a las del olivo y flores muy olorosas.

cinc [también **zinc**] *s. m.* Elemento químico de símbolo Zn y número atómico 30; es un metal de color blanco azulado y brillo intenso que se emplea en aleaciones con fines industriales. **OBS** Plural: *cines.*

cincel *s. m.* Herramienta para labrar piedra o metal a golpe de martillo, que consiste en una barra de acero alargada y plana con doble bisel por un extremo. **FAM** cincelar.

cincelar *v. tr.* Labrar o grabar piedra o metal con un cincel. **FAM** cincelado, cinceladura.

cincha *s. f.* Faja de cuero u otro material con que se asegura la silla o la albarda sobre la cabalgadura, ciñéndola por debajo de la barriga con una o más hebillas.

cinchar *v. tr.* ① Asegurar la silla o albarda de una caballería apretando las cinchas. | *v. prnl.* ② **cincharse** ARG., URUG. Empeñarse en que algo se haga de cierta manera.

cincho *s. m.* ① Aro de hierro con que se aseguran las tablas de los toneles, los maderos ensamblados y cosas semejantes. ② Faja ancha de cuero u otro material para ceñir algo. ③ Cinturón para sujetar o ajustar una prenda de vestir. ④ Parte del arco que sobresale en el intradós de la bóveda de cañón. **FAM** cincha, cinchar.

cinco *num. card.* ① Cuatro más uno. | *num. ord.* ② Que ocupa el lugar número 5 en una serie ordenada. **SIN** quinto. | *s. m.* ③ Número 5.

no tener ni cinco o **estar sin cinco** familiar No tener nada de dinero.
FAM cincuenta, cinquillo.

cincuenta *num. card.* 1 Cuarenta más diez. | *num. ord.* 2 Que ocupa el lugar número 50 en una serie ordenada. **SIN** quincuagésimo. | *s. m.* 3 Número 50.
los cincuenta Década comprendida entre los años 1950 y 1959.
FAM cincuentavo, cincuentena, cincuentenario, cincuentón.

cincuentavo, -va *num. part.* Se aplica a cada una de las partes que resultan de dividir un todo en cincuenta partes iguales. **SIN** quincuagésimo.

cincuentena *s. f.* 1 Conjunto formado por cincuenta unidades. 2 Edad comprendida entre los cincuenta y los cincuenta y nueve años: *cuando lo conocía ya llegaba a la cincuentena.*

cincuentenario, -ria *s. m.* Fecha en que se cumplen cincuenta años desde que se produjo un acontecimiento: *el cincuentenario de la muerte de un artista.*

cincuentón, -tona *adj./s. m. y f.* familiar Se aplica a la persona que tiene una edad comprendida entre los cincuenta y los cincuenta y nueve años.

cine *s. m.* 1 Establecimiento donde se proyectan películas: *ir al cine; comprar entradas para el cine.* 2 Conjunto de películas de una época, lugar o autor determinados: *el cine español de la posguerra; el cine de Buñuel.* **SIN** cinematografía. ■ **cine mudo** Conjunto de películas cinematográficas de los orígenes del cine que se producían sin voz ni sonido: *Charles Chaplin y Harold Lloyd fueron grandes estrellas del cine mudo.* ■ **cine sonoro** En oposición a *cine mudo*, conjunto de películas producidas con voz y sonido: *el cine sonoro comenzó con «El cantante de jazz».* 3 Arte y técnica de proyectar imágenes en movimiento en una pantalla a partir de fotogramas o imágenes fijas: *historia del cine en fascículos.* **SIN** cinematografía. 4 Industria y comercialización de películas cinematográficas: *el cine ha producido grandes beneficios.*
de cine (I) Se aplica a la cosa que resulta extraordinaria o impresionante: *una mansión de cine.* (II) De forma excelente, muy bien: *pasarlo de cine.*
FAM cineasta, cineclub, cinéfilo, cinefórum; multicine.

cineasta *s. com.* Persona que dirige, produce o realiza películas cinematográficas.

cineclub *s. m.* 1 Asociación dedicada a la difusión de la cultura cinematográfica, cuyos miembros se reúnen y proyectan, para comentarlas, películas de gran calidad y valor histórico. 2 Lugar donde se reúnen estas personas.
OBS Plural: *cineclubes* o *cineclubs.*

cinéfilo, -la *adj./s. m. y f.* Se aplica a la persona que es muy aficionada al cine.

cinefórum *s. m.* Coloquio que se desarrolla tras la proyección de una película cinematográfica acerca del tema que plantea.
OBS Plural: *cinefórums.*

cinegética *s. f.* Arte de la caza.
FAM cinegético.

cinegético, -ca *adj.* Relativo a la cinegética.

cinemascope *s. m.* Técnica cinematográfica para dar sensación de mayor perspectiva, que consiste en comprimir lateralmente las imágenes durante el rodaje y ampliar el campo visual, de modo que al ser proyectadas sobre una pantalla curva adquieren de nuevo sus proporciones pero agrandadas.
OBS Es marca registrada.

cinemateca *s. f.* 1 Lugar donde se guardan ordenados para su conservación, exhibición y estudio filmes o películas que ya no se proyectan comercialmente. **SIN** filmoteca. 2 Colección de películas o filmes. **SIN** filmoteca.

cinemática *s. f.* Parte de la mecánica que estudia el movimiento sin tener en cuenta las causas que lo producen.
FAM cine.

cinematografía *s. f.* 1 Arte y técnica de proyectar imágenes en movimiento en una pantalla a partir de fotogramas o imágenes fijas. **SIN** cine. 2 Conjunto de películas de una época, lugar o autor determinados. **SIN** cine.
FAM cinematográfico.

cinematográfico, -ca *adj.* Relativo a la cinematografía: *carrera cinematográfica.*

cinematógrafo *s. m.* Aparato que permite proyectar imágenes fijas de manera continuada sobre una pantalla para crear una sensación de movimiento.
FAM cine, cinema, cinematografía, cinematografiar.

cinerama *s. m.* Técnica cinematográfica que, mediante la proyección de tres imágenes yuxtapuestas, consigue dar en la pantalla una sensación de relieve.
OBS Es marca registrada.

cinética *s. f.* 1 Parte de la física que estudia el movimiento producido por las fuerzas. 2 Parte de la química que se ocupa de las características mecánicas (presión, temperatura, concentración de los cuerpos reaccionantes) que influyen en los procesos químicos.
FAM biocinética.

cinético, -ca *adj.* 1 Relativo al movimiento: *energía cinética.* 2 Se aplica a la teoría que supone que todos los átomos y moléculas son elásticos y están dotados de movimiento. **SIN** cineticomolecular.
FAM cinemática, cinética.

cineticomolecular o **cinético-molecular** *adj.* Cinético (teoría).

cíngaro, -ra [también **zíngaro, -ra**, más usado] *adj.* 1 Relativo al pueblo gitano, especialmente al que vive en algunos países del este de Europa, como Hungría o Rusia. | *s. m. y f./adj.* 2 Persona perteneciente a este pueblo.

cínico, -ca *adj./s. m. y f.* 1 Se aplica a la persona que miente o comete actos vergonzosos con descaro, sin ocultarse ni sentir vergüenza. | *adj.* 2 Que implica o denota cinismo (actitud). 3 Relativo al cinismo (doctrina filosófica). | *adj./s. m. y f.* 4 Se aplica a la persona partidaria o seguidora del cinismo (doctrina filosófica).

cinismo *s. m.* 1 Actitud de la persona cínica. 2 Doctrina filosófica griega, fundada por Antístenes y Diógenes, que se caracteriza por el rechazo de los convencionalismos sociales y la defensa de un ideal de vida basado en la austeridad.
FAM cínico.

cinquillo *s. m.* Juego de cartas para jugar entre dos o más jugadores, que consiste en ir completando sucesivamente los palos de la baraja a partir de la carta que tiene el 5, con la que se empieza el juego.

cinta *s. f.* 1 Tira de tela larga y estrecha que sirve para atar, ajustar o adornar una prenda de vestir: *el sombrero lleva una cinta de raso.* 2 Tira larga y estrecha de papel, plástico u otro

material flexible: *se sujetó el pelo con una cinta*. ■ **cinta aislante** Cinta con una solución adhesiva en una de sus caras que sirve para cubrir los empalmes de los conductores eléctricos. ■ **cinta magnética** Cinta recubierta de polvo magnetizable en la que se registran, en forma de señales magnéticas, sonidos o imágenes que pueden reproducirse. ■ **cinta métrica** Cinta que lleva marcada la longitud del metro y sus divisiones y sirve para medir distancias o longitudes. SIN flexómetro. ③ Caja pequeña de plástico que contiene una cinta magnética en la que se puede grabar y reproducir imagen o sonido: *una cinta de vídeo; el disco está disponible en vinilo, cinta o CD*. SIN casete, cassette. ④ Película de cine: *la cinta se estrenará después de vacaciones*. ⑤ Banda estrecha de tela impregnada de tinta, utilizada en máquinas de escribir o en impresoras. ⑥ Mecanismo formado por una banda metálica o plástica que se mueve automáticamente y sirve para transportar maletas y mercancías. NOTA También *cinta transportadora*. ⑦ Aparato de gimnasia rítmica que consiste en una tira de tela de 4 a 6 cm de ancho y 6 m de largo unida a un pequeño mango rígido. ⑧ Planta de hojas anchas y con listas blancas y verdes, tallo estriado y flores blancas y violetas, que puede llegar a medir 1 m de altura; se usa como planta de adorno. ⑨ Motivo arquitectónico decorativo formado por una faja larga y estrecha que puede adoptar diferentes formas.
FAM cintarazo, cinteado, cintiforme; encintar, videocinta.

cinto *s. m.* Cinturón, especialmente el de la vestimenta militar.

cintura *s. f.* ① Parte más estrecha del tronco del cuerpo humano, entre las costillas y la cadera. ② Parte de la prenda de vestir que cubre esta zona del cuerpo. ③ En anatomía, cada uno de los grupos de huesos que unen las extremidades de los animales vertebrados con la columna vertebral. ■ **cintura escapular** o **cintura torácica** Conjunto de huesos que une las extremidades anteriores de los vertebrados con la columna vertebral: *la clavícula forma parte de la cintura escapular*. ■ **cintura pelviana** o **cintura pélvica** Conjunto de huesos que une las extremidades posteriores de los vertebrados con la columna vertebral.
FAM cinturilla, cinturón.

cinturón *s. m.* ① Tira larga y estrecha, generalmente de cuero, que sirve para ceñir o ajustar una prenda de vestir a la cintura; generalmente se ciñe mediante una hebilla. ② Tira larga y estrecha de tela que sirve para ceñir a la cintura el traje de la persona que practica un arte marcial y que indica, según el color, la categoría a la que pertenece. ③ Categoría a la que pertenece una persona que practica un arte marcial. ④ Conjunto de cosas dispuestas alrededor de otra: *se formó un cinturón de manifestantes que impedían el acceso al interior del palacio de congresos*. ⑤ Vía de circulación que rodea una población o recorre circularmente partes concéntricas de esta.
apretarse el cinturón Disminuir los gastos: *si se reducen los ingresos, tendremos que apretarnos el cinturón*.
cinturón de seguridad Tira larga y estrecha de tejido resistente que sujeta a los viajeros al asiento del vehículo.

cipote *s. m.* ① vulgar Pene, miembro viril. ② Hombre torpe o bobo. ③ AMÉR. CENTRAL Chiquillo.

ciprés *s. m.* ① Árbol de tronco derecho, ramas cortas que forman una copa espesa y cónica y hojas perennes. ② Madera de este árbol, dura y de color rojo.
FAM cipresal.

circense *adj.* Relativo al circo.

circo *s. m.* ① Espectáculo variado, dedicado especialmente al público infantil, en el que intervienen payasos, acróbatas, malabaristas, magos y domadores con sus fieras amaestradas; generalmente se realiza en una carpa móvil que dispone de gradas alrededor de un escenario. ② Carpa u otro recinto en que se ofrece ese espectáculo. ③ Construcción rectangular alargada en que en la antigua Roma se celebraban ciertos espectáculos, especialmente carreras de carros y de caballos.
circo glaciar Depresión semicircular de fondo cóncavo y paredes escarpadas donde se acumulan la nieve y el hielo y se forma un glaciar: *en los circos glaciares puede haber nieve incluso en verano*. NOTA También simplemente *circo*.
FAM circense.

circón *s. m.* Mineral compuesto de silicato de circonio, incoloro o de color rojo, verde o gris, que se usa en joyería como piedra preciosa.

circonio [también **zirconio**] *s. m.* Elemento químico de símbolo *Zr* y número atómico 40; es un metal muy raro que se presenta en forma de polvo negro o en masas brillantes de color gris acerado, arde sin producir llama y es inodoro.

circonita *s. f.* Variedad de circón de color blanco, gris o marrón que se utiliza en joyería.

circuir [21] *v. tr.* culto Rodear.

circuito *s. m.* ① Espacio limitado que recorre una cosa, como un fluido, un vehículo, etc., y que termina en el mismo punto en el que empieza: *circuito circulatorio; circuito de carreras*. ■ **circuito eléctrico** Conjunto de conductores, resistencias y otros elementos por el que circula la corriente eléctrica: *al quitar el fusible quedó abierto el circuito eléctrico*. NOTA También simplemente *circuito*. ■ **circuito hidráulico** Circuito de una máquina o un mecanismo que funciona o es movido por la acción del agua o de otro líquido. ■ **circuito impreso** Circuito cuyas conexiones, en vez de estar formadas por cables, están formadas por pistas o líneas de cobre trazadas sobre una placa de material aislante. ■ **circuito integrado** Circuito electrónico, complejo y de tamaño muy reducido, formado por diodos, transistores, resistencias y otros componentes que están fijados a una placa de silicio: *un chip contiene un circuito integrado*. ■ **circuito lógico** Circuito que sirve para procesar señales que corresponden a decisiones del tipo verdadero-falso, representadas por un 1 y un 0, respectivamente. ■ **circuito neumático** Circuito de una máquina o mecanismo que funciona o es movido con aire comprimido. ② Instalación con edificios y graderíos en el recorrido que deben hacer vehículos en competición, como automóviles, motocicletas o bicicletas, en competición. ③ Conjunto de pruebas puntuables para un campeonato, clasificación, etc., que se celebran en lugares distintos. ④ Recorrido que sigue un producto comercial desde su producción hasta que llega al consumidor: *circuitos comerciales*. ⑤ Red o cadena de comunicaciones, hoteles, cines, etc. ⑥ Recorrido turístico, previamente fijado, que suele terminar en el mismo punto de partida.
corto circuito Cortocircuito.
FAM cortocircuito, microcircuito.

circulación *s. f.* ① Desplazamiento de algo por un lugar siguiendo una dirección determinada: *la circulación de las corrientes marinas*. ② Desplazamiento de un fluido a través de un conducto; especialmente el de la sangre por los vasos sanguíneos: *la circulación sanguínea fue descubierta en el siglo XVII* *por el fisiólogo William Harvey, que se percató de que la sangre fluía a través de las venas y arterias de todo el cuerpo, impulsada por el corazón.* ③ Tránsito o paso de vehículos por las vías públicas: *retenciones en la circulación.* **SIN** tráfico, tránsito. ④ Transmisión de información entre la gente: *la circulación de ese rumor levantó sospechas.*

en circulación En situación de ser utilizado: *pusieron en circulación billetes falsos.*

retirar de la circulación (I) Impedir que algo, en especial un producto comercial o moneda, sea utilizado por el público: *retirar de la circulación un lote de productos defectuosos.* (II) Hacer que una persona deje de intervenir en un asunto o una actividad en que intervienen varias: *después del fracaso, el realizador quiere retirarse de la circulación.*

FAM circulatorio.

circular¹ *adj.* ① Que tiene forma de círculo: *base circular; órbita circular.* ② Que describe un círculo: *el movimiento circular uniforme.* ‖ *s. f.* ③ Escrito dirigido a varias personas para comunicarles algo: *la dirección ha mandado una circular a sus empleados en la que notifica el cambio de domicilio.* **SIN** comunicación, notificación.

circular² *v. intr.* ① Moverse, andar o desplazarse por un lugar siguiendo una dirección determinada: *los peatones circulan por la acera y los vehículos, por la calzada; abrimos las ventanas para que circule el aire.* ② Moverse o desplazarse un fluido a través de un conducto: *la sangre circula por las venas; la corriente eléctrica circula por la red; el agua circula por la cañería.* ③ Pasar una información de unas personas a otras: *hizo circular noticias falsas.* ④ Ser utilizados una moneda o billete determinados por la gente: *circulaban billetes falsos.*

FAM circulación.

circulatorio, -ria *adj.* Relativo a la circulación: *aparato circulatorio; caos circulatorio.*

círculo *s. m.* ① Figura geométrica delimitada por una circunferencia. ■ **círculo máximo** Círculo de una esfera cuyo radio es igual al radio de la esfera. ② Circunferencia: *para bailar la sardana la gente se dispone en círculos y se agarra de las manos.* ③ Grupo de personas que se relacionan habitualmente entre sí por afinidad de intereses o por lazos de parentesco: *círculo familiar; círculo de amigos.* ④ Asociación de personas que comparten alguna afición y que se reúnen habitualmente para desarrollarla: *la admitieron en el círculo de amigos de la ópera.* ■ **círculo recreativo** Casino (asociación). ⑤ Lugar donde se reúnen los miembros de esta asociación. ⑥ Sector o ambiente de una determinada actividad: *círculos financieros; círculos aristocráticos.* **NOTA** Normalmente en plural.

círculo polar Cada uno de los círculos menores de la esfera terrestre, paralelos al ecuador, que pasan por los polos de la eclíptica, llamados respectivamente *círculo polar ártico* y *círculo polar antártico.*

círculo vicioso Razonamiento o situación en que dos cosas son a la vez causa y efecto de la otra, de manera que no queda clara la explicación o no existe una solución determinada.

FAM semicírculo.

circuncentro *s. m.* Punto que se obtiene al cortar las mediatrices de un triángulo y es el centro de la circunferencia circunscrita a un triángulo.

circuncidar *v. tr.* Cortar total o parcialmente el prepucio (piel móvil que cubre el glande).

FAM circuncisión, circunciso.

circuncisión *s. f.* Escisión total o parcial del prepucio: *los judíos practican la circuncisión a sus hijos varones.*

circunciso *adj./s. m.* Se aplica al hombre que ha sido circuncidado.

circundante *adj.* Que circunda: *los pueblos circundantes de la comarca.*

circundar *v. tr.* Rodear una cosa a otra.

FAM circundante.

circunferencia *s. f.* Línea curva cerrada cuyos puntos están siempre a la misma distancia de otro punto llamado centro. **SIN** círculo. ■ **circunferencia circunscrita** Circunferencia que pasa por todos los vértices de un polígono. ■ **circunferencia goniométrica** Circunferencia de radio 1 que se emplea para definir las razones trigonométricas de ángulos. ■ **circunferencia inscrita** Circunferencia tangente a todos los lados de un polígono. ■ **circunferencias concéntricas** Circunferencias con el mismo centro. ■ **circunferencias exteriores** Circunferencias que no tienen ningún punto en común y una se encuentra en el espacio exterior de la otra. ■ **circunferencias interiores** Circunferencias que no tienen ningún punto en común y una se encuentra dentro de la otra. ■ **circunferencias secantes** Circunferencias que se cortan en dos puntos. ■ **circunferencias tangentes exteriores** Circunferencias que tienen un punto en común y cada una está situada en el espacio exterior de la otra. ■ **circunferencias tangentes interiores** Circunferencias que tienen un punto en común y una está situada en el espacio interior de la otra.

FAM semicircunferencia.

circunflejo *adj.* Se aplica al acento gráfico que tiene forma de ángulo con el vértice hacia arriba (^): *el acento circunflejo se usa en francés y otras lenguas.*

circunlocución *s. f.* Circunloquio (figura retórica).

circunloquio *s. m.* ① Manera de explicar algo que podría decirse de forma breve o directa dando un rodeo de palabras. ② Figura retórica que consiste en expresar mediante un rodeo lo que puede decirse de forma más breve: *"la estación florida" es un circunloquio de Luis de Góngora para referirse a la primavera.* **SIN** circunlocución, perífrasis.

circunscribir *v. tr.* ① Reducir o ceñir algo a ciertos límites o términos: *la actividad humana en la Amazonia se circunscribió a una franja de 20 km.* ② Limitar o rodear un lugar. ③ Trazar una figura geométrica de manera que quede otra dentro de ella tocando todas las líneas o superficies que la limitan. **SIN** inscribir.

FAM circunscripción, circunscripto, circunscrito.

OBS Participio irregular: *circunscrito.*

circunscripción *s. f.* ① División de un territorio hecha con fines administrativos: *cada isla era una circunscripción electoral.* ② Acción de circunscribir.

circunscrito, -ta ① Participio irregular de *circunscribir.* ‖ *adj.* ② Se aplica a la figura geométrica que circunscribe a otra.

circunspección *s. f.* Seriedad, prudencia y reserva en el modo de hablar o comportarse.

FAM circunspecto.

circunspecto, -ta *adj.* Se aplica a la persona que habla o se comporta con circunspección, seriedad, prudencia y reserva.

circunstancia *s. f.* ① Condición que acompaña, causa o

determina a una persona, una cosa o un hecho determinados: *la oración subordinada expresa una circunstancia que rodea a la realización de la acción principal.* ② Estado de una persona o una cosa en un momento determinado: *él no se retractaría bajo ninguna circunstancia.* ③ Situación concreta: *iba vestido para la circunstancia.*

de circunstancias (I)Que muestra la seriedad o la preocupación adecuada para la situación: *puso cara de circunstancias y dijo que no le parecía bien.* (II)Que está influido por una situación ocasional: *un saludo de circunstancias.*
FAM circunstancial.

circunstancial *adj.* Que depende de alguna circunstancia, situación o condición determinadas, o es debido a ellas: *una respuesta circunstancial.*

circunvalación *s. f.* Rodeo de un lugar: *una vía de circunvalación; camino de circunvalación.*

circunvalar *v. tr.* Rodear algo o alguien una ciudad o lugar: *la carretera nueva circunvalará la ciudad.*

circunvecino, -na *adj.* Se aplica al lugar o al objeto que está cerca y alrededor de otro.

cirílico, -ca *adj./s. m.* ① Se aplica al alfabeto utilizado en ruso y otras lenguas eslavas, cuya invención se atribuye a san Cirilo en el siglo IX. I *adj.* ② Relativo a este alfabeto: *escritura cirílica; caracteres cirílicos.*

cirio *s. m.* ① Vela de cera larga y gruesa. ② familiar Alboroto o jaleo, generlamente debidos a una discusión o pelea: *armarse un buen cirio.* **SIN** cisco.
FAM cirial.

cirro *s. m.* Nube blanca en forma de filamentos o franjas muy estrechas, en las capas altas de la atmósfera.
FAM cirrocúmulo, cirroestrato.

cirrosis *s. f.* Enfermedad del hígado caracterizada por la proliferación anormal del tejido celular, atrofia y posterior degeneración: *el exceso de consumo de alcohol puede causar cirrosis.*
FAM cirrótico.
OBS Plural invariable.

ciruela *s. f.* Fruto comestible del ciruelo, redondo, de carne jugosa y dulce de color blanco o rojizo y piel fina de color verde o morado. ■ **ciruela claudia** Ciruela de color verde claro. ■ **ciruela pasa** Ciruela que se ha dejado secar.
FAM ciruelo.

ciruelo *s. m.* Árbol frutal de tronco fuerte y robusto, hojas ovales, flores blancas o rojizas y fruto (ciruela) comestible.

cirugía *s. f.* Parte de la medicina que se ocupa de curar enfermedades mediante operaciones quirúrgicas. ■ **cirugía estética** Especialidad de la cirugía cuyo fin es el embellecimiento de cualquier parte del cuerpo humano. ■ **cirugía plástica** Especialidad de la cirugía que se ocupa de corregir o reconstruir una parte del cuerpo humano.
FAM cirujano.

cirujano, -na *s. m. y f.* Médico especialista en cirugía.

ciscar *v. tr.* ① familiar Ensuciar. I *v. prnl.* ② **ciscarse** vulgar Defecar. ③ familiar Sentir un miedo muy fuerte. **SIN** cagarse.

cisco *s. m.* ① Carbón vegetal en trozos pequeños. **SIN** picón. ② familiar Cirio, alboroto: *armarse un cisco.*
FAM ciscar.

cisma *s. m.* ① Escisión en el seno de una Iglesia o de una organización semejante: *la escisión de las Iglesias ortodoxas (año 1053) se conoce como Cisma de Oriente.* ② Ruptura o escisión

que ocurre en el seno de un partido político, un movimiento artístico u otra comunidad o asociación: *Salomón abrumó al pueblo con impuestos para costear sus gastos y de esta forma sembró el cisma que tras su muerte dividió el reino.*
FAM cismático.

cismático, -ca *adj.* ① Relativo al cisma. I *adj./s. m. y f.* ② Se aplica a la persona que promueve un cisma.

cisne *s. m.* ① Ave palmípeda acuática de cuello largo y curvo, patas cortas y alas grandes; la especie más común (cisne real o vulgar) tiene el plumaje blanco y el pico anaranjado. I *adj.* ② ARG., BOL., PERÚ, URUG. Brocha para ponerse polvos cosméticos en la cara. I *adj.* ③ VENEZ. Se aplica al caballo de pelaje pardusco.

Cister o **Císter** *s. m.* Orden religiosa que observa la regla benedictina, fundada por san Roberto de Molesmes en el siglo XI y difundida por san Bernardo de Claraval.

cisterciense *adj./s. m.* ① Relativo al Cister. I *adj./s. com.* ② Se aplica al fraile o la monja que pertenecen a la orden del Cister. I *adj.* ③ Se aplica a la arquitectura propia de los monasterios del Cister en los siglos XII y XIII, que se caracteriza por su extrema sobriedad y que tuvo gran importancia en la transición del románico al gótico.

cisterna *s. f.* ① Depósito de agua de un retrete o váter. ② Tanque o depósito destinado al transporte de líquidos.
NOTA Se construye en aposición a otro sustantivo: *camión cisterna.* ③ Depósito, generalmente subterráneo, que sirve para recoger y conservar el agua de la lluvia o de una corriente natural.

cisticerco *s. m.* Larva de la tenia que vive enquistada en el hígado, el pulmón y los músculos del animal en que parasita, especialmente en el cerdo, y que al ser ingerida por el ser humano se desarrolla completamente en su intestino.

cistitis *s. f.* Inflamación de la vejiga urinaria.
OBS Plural invariable.

cisura *s. f.* ① Grieta o hendidura muy fina. ② Surco largo y profundo que divide los lóbulos pulmonares y algunos lóbulos de los hemisferios del cerebro.

cita *s. f.* ① Encuentro previamente acordado entre dos o más personas en una fecha, hora y lugar determinados: *mañana tengo cita con el dentista.* ② Reproducción de las palabras dichas o escritas por otra persona con el fin de justificar o apoyar lo que se dice o escribe.
darse cita Acudir varias personas a un lugar: *miles de personas se dan cita cada año en este concierto.*

citación *s. f.* Orden por la que un juez convoca a una persona para que comparezca ante él en una fecha y hora determinadas.

citar *v. tr.* ① Convocar a una persona a una reunión, en especial un juez mediante citación, señalando una fecha, hora y lugar determinados: *me han citado a las tres para la entrevista.* **SIN** convocar. ② Reproducir las palabras que otra persona ha dicho o escrito: *suele citar a menudo a los clásicos.* ③ Mencionar el nombre de una persona o una cosa: *durante el discurso me citó tres veces para referirse a mi trabajo.* ④ Provocar el torero al toro para que embista.
FAM cita, citación.

cítara *s. f.* ① Instrumento musical de cuerda originario de la antigua Grecia, parecido a la lira, con la caja de resonancia plana, de madera, a la que se ajustaban un número variable de cuerdas; se tocaba con una púa o con los dedos. ② Instrumento musical de cuerda similar a este instrumento griego, con la caja de resonancia plana y otras características que varían según la región y época, usado especialmente en Europa, Asia y África.

citocinesis *s. f.* División del citoplasma de una célula que, tras la división nuclear, da lugar a dos células hijas.
OBS Plural invariable.

citoesqueleto *s. m.* Conjunto de fibras del citoplasma que constituyen el soporte de la estructura celular y que contribuyen al movimiento de sus orgánulos y membranas.

citología *s. f.* ① Parte de la biología que estudia la estructura y función de la célula. ② Análisis de un conjunto de células extraídas del cuerpo de un ser vivo: *la revisión ginecológica anual incluye una citología.*
FAM citólogo.

citoplasma *s. m.* Contenido celular de aspecto gelatinoso rodeado por la membrana plasmática y compuesto por agua, sustancias disueltas y diferentes orgánulos.
FAM citoplasmático.

citrato *s. m.* Sal formada por combinación del ácido cítrico con una base.

cítrico, -ca *adj.* ① Relativo a los cítricos o al ácido cítrico. | *adj./s. m.* ② Se aplica al ácido orgánico, cristalino y de color blanco que se obtiene del zumo del limón. | *s. m. pl.* ③ **cítricos** Conjunto de frutas de sabor ácido o agridulce, como las naranjas y los limones. SIN agrios.
FAM citricultura.

ciudad *s. f.* ① Población generalmente grande cuyos habitantes se dedican principalmente a actividades no agrícolas (comerciales, industriales y de servicios): *las ciudades europeas conservan un centro histórico; las ciudades norteamericanas tienen un centro constituido básicamente por rascacielos.* ■ **ciudad dormitorio** Ciudad residencial situada dentro del área urbana de otra ciudad más grande, que carece de buena parte del comercio y otros servicios y cuya población trabaja en la ciudad próxima. ■ **ciudad estado** En la Antigüedad, comunidad política independiente formada por una ciudad y su territorio. SIN polis. ■ **ciudad santa** Ciudad venerada por los fieles de una religión: *Jerusalén es una ciudad santa para los cristianos, los judíos y los musulmanes.* ■ **ciudad satélite** Ciudad próxima a otra mayor de la cual depende administrativamente. ② Conjunto de edificios e instalaciones destinado a un fin: *ciudad universitaria; ciudad deportiva; ciudad sanitaria.* ■ **ciudad jardín** Conjunto urbano formado por casas unifamiliares, rodeada cada una de una parcela de jardín. ③ Título de algunas poblaciones que gozaban de mayor preeminencia que las villas.
FAM ciudadano, ciudadela.

ciudadanía *s. f.* ① Condición de ciudadano de un país: *conseguir la ciudadanía española; un deber de ciudadanía; en la antigua Roma, el derecho de ciudadanía suponía disfrutar de todos los derechos civiles.* ② Conjunto de ciudadanos de un país: *en los estados democráticos el poder expresa la voluntad política de la ciudadanía.*

ciudadano, -na *adj.* ① Relativo a la ciudad o a la ciudadanía: *seguridad ciudadana.* | *s. m. y f.* ② Miembro de la comunidad organizada de un estado que posee unos derechos y está obligado a cumplir ciertas normas y deberes: *todo ciudadano tiene derecho a vivir en paz.* ③ Persona que vive en una ciudad.
FAM ciudadanía; conciudadano.

ciudadela *s. f.* Recinto fortificado en el interior de una ciudad que sirve de defensa o refugio para sus habitantes.

ciudadrealeño, -ña [se pronuncia 'ciudad-realeño', con [r] vibrante múltiple] *adj.* ① De Ciudad Real (ciudad y provincia de Castilla-La Mancha). | *s. m. y f./adj.* ② Persona que es de Ciudad Real.

cívico, -ca *adj.* ① Se aplica a la persona que actúa con civismo. ② Que es propio de esa persona: *comportamiento cívico.*
FAM incívico.

civil *adj.* ① Relativo a los ciudadanos: *protección civil.* ② Relativo a los derechos y obligaciones de los ciudadanos: *código civil; derechos civiles.* | *adj./s. com.* ③ Se aplica a la persona que no es militar ni eclesiástico: *población civil.* | *adj.* ④ Que es propio o característico de estas personas: *arquitectura civil.* | *s. com.* ⑤ familiar Miembro de la Guardia Civil.
FAM civilidad, civilizar; incivil.

civilización *s. f.* ① Conjunto de costumbres, ideas, creencias, cultura y conocimientos científicos y técnicos que caracterizan a un grupo humano, como un pueblo o una raza, en un momento de su evolución. ② Acción de civilizar.

civilizado, -da *adj.* ① Se aplica a la persona que se comporta con buena educación y civismo. ② Que es propio o característico de esta persona.

civilizar *v. tr.* ① Llevar a un país o pueblo la civilización de otro más adelantado. ② Educar a una persona, dándole normas de comportamiento cívico.
FAM civilización, civilizado, civilizador.

civismo *s. m.* Comportamiento de la persona que cumple con sus deberes de ciudadano, respeta las leyes y contribuye al bienestar de los demás miembros de su comunidad.

cizalla *s. f.* ① Herramienta para cortar en frío planchas de metal. ② Herramienta, semejante a la guillotina, que sirve para cortar papel, cartón o cartulina.

cizaña *s. f.* Planta gramínea que crece espontáneamente entre los cereales y los daña.
meter (o **sembrar**) **cizaña** Crear discordia, desavenencias o enemistades.
FAM cizañar, cizañero; encizañar.

cizañero, -ra *adj./s. m. y f.* Se aplica a la persona que suele meter o sembrar cizaña (discordia).

clac *s. m.* ① Palabra con la que se representa el sonido de un golpe seco, como el de una palmada o una pieza que encaja en otra deslizándose: *hasta que no oigas el clac, no gires la llave.* | *s. f.* ② Claque.
OBS Plural: *clacs.*

clamar *v. intr.* ① Gritar o dar voces, en especial para quejarse o pedir ayuda: *la multitud clamaba enfurecida.* | *v. tr.* ② Exigir o pedir con vehemencia algo, como justicia o venganza.
FAM clamor; aclamar.

clamor *s. m.* ① Grito de una multitud que protesta o está entusiasmada: *el clamor popular.* ② Grito fuerte o lastimero.
FAM clamorear, clamoreo, clamoroso.

clamoreo *s. m.* Clamor repetido.

clamoroso, -sa *adj.* ① Que produce clamor. ② Que es extraordinario, fuera de lo común: *un triunfo clamoroso.*

clan *s. m.* ① Grupo social formado por un número de familias que descienden de un antepasado común y que reconocen la autoridad de un jefe. ② Grupo cerrado de personas unidas por algún interés o idea comunes.

clandestinidad *s. f.* Situación de clandestino: *trabajar en la clandestinidad.*

clandestino, -na *adj.* **1** Que se hace o se produce de espaldas a la ley: *reunión clandestina; comercio clandestino.* **║** *adj./ s. m. y f.* **2** Se aplica a la persona que desarrolla alguna actividad de espaldas a la ley.
FAM clandestinidad.

claque [se pronuncia 'clac' o 'claque'] *s. f.* Conjunto de personas encargadas de aplaudir en un espectáculo a cambio de una remuneración o una entrada gratuita. **SIN** clac.

claqué *s. m.* Baile originario de Estados Unidos consistente en la acentuación rítmica de una pieza musical por medio del golpeteo que se realiza con el tacón y la punta de los zapatos: *los zapatos de claqué llevan unas placas metálicas que hacen un sonido característico.*

claqueta *s. f.* Instrumento utilizado en cinematografía para indicar el título de la película y el número de plano que va a rodarse, que consiste en dos trozos de madera unidos por un gozne y montados sobre una tablilla que se hacen chocar produciendo un clac.

clara *s. f.* **1** Sustancia transparente y espesa que rodea la yema del huevo. **2** Bebida que se hace mezclando cerveza con gaseosa, o a veces con limonada.
a las claras Sin reservas ni disimulos: *vamos a hablar a las claras de una vez por todas.*

claraboya *s. f.* Ventana acristalada abierta en un techo o en la parte alta de una pared para iluminar un recto cerrado.
SIN tragaluz.

clarear *v. impersonal* **1** Aparecer la claridad del día al amanecer: *se levanta cuando clarea.* **2** Ir desapareciendo las nubes que encapotan el cielo. **║** *v. intr./prnl.* **3** Transparentarse un tejido: *la tela de seda fina puede clarear.* **║** *v. intr.* **4** Amanecer el día: *el día clareaba cuando salimos.* **5** Hacerse algo menos denso o espeso: *el bosque clareaba hacia el sur.* **║** *v. tr.* **6** Mostrar una intención o sentimiento de forma involuntaria: *su rostro clareaba la ilusión.*

clarete *s. m./adj.* Vino que es algo más claro que el vino tinto.

claridad *s. f.* **1** Cualidad de claro: *la claridad de una noche.* **2** Manera clara de expresarse alguien: *el profesor explica con claridad los conceptos.* **3** Luz tenue pero que permite ver: *entraba la claridad matutina por la ventana.* **4** Lucidez mental que permite comprender o percibir ideas, sensaciones, etc.: *tener claridad de ideas* **SIN** clarividencia.

clarificación *s. m.* **1** Aclaración que sirve para clarificar algo que es difícil de entender. **2** Método que sirve para dar nitidez a un vino haciendo que se precipiten sus proteínas y las partículas en suspensión.

clarificar *v. tr.* **1** Hacer que algo sea más fácil de entender, dando más detalles o una explicación más sencilla: *¿podría clarificar el primer punto?* **SIN** aclarar. **2** Hacer que una sustancia sea menos densa o espesa: *clarificó el chocolate añadiéndole leche.* **SIN** aclarar.
FAM clarificación, clarificador.

clarín *s. m.* Instrumento musical de viento de la familia del metal, parecido a la corneta, pero de menor tamaño y sin llaves o pistones.
FAM clarinete.

clarinete *s. m.* **1** Instrumento musical de viento formado por un tubo cilíndrico, generalmente de madera, con una serie de orificios (de los cuales unos se tapan con los dedos y otros mediante llaves), embocadura con una lengüeta de caña y un pabellón de forma abocinada. **║** *s. com.* **2** Clarinetista.
FAM clarinetista.

clarinetista *s. com.* Persona que toca el clarinete: *un prestigioso clarinetista.* **SIN** clarinete.

clarisa *adj./s. f.* Se aplica a la religiosa que pertenece a una orden fundada por santa Clara de Asís en 1212 a partir de las reglas de san Francisco de Asís: *convento de clarisas.*

clarividencia *s. f.* **1** Facultad paranormal de adivinar el futuro o ver cosas que otras personas no pueden ver: *poderes de clarividencia.* **2** Claridad (lucidez mental).
FAM clarividente.

clarividente *adj./s. com.* **1** Se aplica a la persona que posee clarividencia. **║** *adj.* **2** Que es propio o característico de la persona clarividente.

claro, -ra *adj.* **1** Que recibe o tiene mucha luz: *duerme en la habitación más clara de la casa.* **ANT** oscuro. **2** Que está despejado, sin nubes: *una tarde clara; un cielo claro.* **3** Que es transparente y no tiene impurezas que lo enturbien: *vidrio claro; las truchas viven en ríos de agua clara.* **4** Se aplica al color que se acerca más al blanco que otro de la misma tonalidad: *el cielo es de color azul claro.* **ANT** oscuro. **5** Que es de un color claro: *las prendas claras suelen llevarse en verano.* **6** Que se percibe o se distingue bien, sin interferencias: *habla con voz alta y clara; este tipo de letra es poco clara.* **7** Que es evidente o no ofrece dudas: *un penalty claro; el enfermo ha experimentado una clara mejoría.* **8** Que es comprensible o fácil de entender: *una explicación clara; utiliza un lenguaje claro y directo.* **ANT** confuso. **9** Se aplica a la persona que se expresa de manera comprensible, sencilla y directa: *mira, yo soy muy clara y no me ando con tapujos.* **10** Que es poco denso o espeso: *bosque claro; el chocolate ha quedado demasiado claro.* **║** *s. m.* **11** Espacio despejado dentro de un conjunto de cosas que ocupan una extensión: *se abrieron algunos claros al cesar la tormenta; acampamos en un claro del bosque.* **║** *adv.* **12** De manera clara, definida o precisa: *si no me pongo gafas, no veo claro.* **13** Se usa para indicar afirmación o asentimiento: *—Supongo que ya has empezado. —Claro, hace rato.* **14** Se usa como exclamación para expresar que algo se acaba de entender: *¡claro, si estabas ahí cuando lo explicó!*
a las claras Con claridad, sin disimulo ni engaño: *mostraba a las claras su deseo de hacer las paces.*
claro de luna Claridad que proporciona la Luna cuando aparece brevemente en una noche oscura.
en claro De forma que no queden dudas: *no he sacado nada en claro de su explicación; su intervención puso en claro algunos puntos.*
tenerlo (o llevarlo) claro familiar Se usa para expresar la dificultad de conseguir lo que se desea: *pues lo lleva claro si espera que le reconozcan el trabajo.*
FAM clara, clarear, clarete, claridad, clarificar, clarividencia, claroscuro; aclarar, esclarecer.

claroscuro *s. m.* Efecto resultante de la distribución adecuada de luces y sombras en pintura, fotografía, cine, etc.

clase *s. f.* **1** Conjunto de elementos con características comunes que resulta de una clasificación basada en criterios como la calidad, condición, etc.: *hay muchas clases de embutidos.* **2** Conjunto de personas que tienen la misma condición social o que ejercen la misma profesión: *clases sociales; la clase*

política. ■ **clase alta** Clase que cuenta con más medios económicos dentro de la escala social. ■ **clase baja** Clase que cuenta con menos medios económicos en la escala social. ■ **clase media** Clase social de nivel ecónomico entre la clase alta y la baja, que se considera representativa de toda la sociedad. ■ **clases pasivas** Conjunto de personas que reciben una pensión del Estado sin realizar un trabajo, como los jubilados, inválidos, etc. **3** Conjunto de características que diferencian una cosa de otras de su misma naturaleza o especie y permiten valorarla: *un vino de primera clase.* SIN calidad. **4** Refinamiento o distinción: *es un actor muy guapo y tiene mucha clase.* **5** Categoría de cada una de las partes que constituyen un medio de transporte establecida según su grado de confort: *viajar en primera clase.* **6** Categoría taxonómica de clasificación de los seres vivos inferior a la de filo y superior a la de orden: *los primates y los cetáceos pertenecen a la clase de los mamíferos.* **7** Conjunto de alumnos de una escuela que tienen el mismo nivel de estudios y asisten juntos a la misma aula: *en mi clase hay un chico francés.* **8** Sesión en la que el profesor de una materia imparte la lección: *las clases comienzan a mediados de septiembre.* **9** Sala de un centro de enseñanza donde se imparten estas sesiones. SIN aula.
FAM clasismo; desclasado, subclase, superclase.

clasicismo *s. m.* **1** Tendencia o estilo artístico y literario que se caracteriza por tomar como modelo las formas propias de la tradición grecorromana; tuvo su mayor auge en el Renacimiento y el Neoclasicismo: *el clasicismo concibe al ser humano como medida de todas las cosas.* **2** Cualidad de clásico.
FAM clasicista.

clasicista *adj.* **1** Relativo al clasicismo. *movimiento clasicista.* | *adj./s. com.* **2** Se aplica al autor que se adscribe en el clasicismo artístico.

clásico, -ca *adj./s. m.* **1** Se aplica al autor u obra que es considerado como modelo digno de imitación: *esta película es un clásico del cine negro; el «Quijote» es una obra clásica de la literatura española.* | *adj.* **2** Relativo a la historia o la cultura de la Antigüedad grecolatina: *arte clásico; filosofía clásica.* **3** Que tiene un estilo parecido al de los autores, objetos u obras de la Antigüedad grecolatina: *sus últimas obras tienen formas indiscutiblemente clásicas.* **4** Que es sobrio, poco llamativo y de corte tradicional: *un vestido clásico.* ANT moderno. **5** Se aplica a la persona que tiene gustos estéticos tradicionales: *es muy clásico en el vestir.* ANT moderno. **6** Que es típico o representativo de la persona o cosa de que se trata: *en esta ocasión los clásicos fascículos han sido sustituidos por vídeos.* NOTA En esta acepción, va antepuesto al sustantivo. **7** Se aplica a la música o la danza que pertenecen a la tradición culta, especialmente la occidental: *la música clásica se estudia en los conservatorios y escuelas de música.* **8** Se aplica a la lengua o el estilo que pertenecen a un periodo de esplendor en literatura o arte: *latín clásico.*
FAM clasicismo; neoclásico.

clasificable *adj.* Que puede ser clasificado en un grupo: *un autor difícilmente clasificable.*

clasificación *s. f.* **1** Acción de clasificar o clasificarse: *todavía tiene que hacer una clasificación de datos.* **2** Lista de elementos ordenados según algún criterio: *la clasificación de los elementos químicos; quedó en el primer puesto de la clasificación.*

clasificado, -da *adj.* Se aplica al documento o la información que son secretos o reservados.

clasificador, -ra *adj.* **1** Que clasifica o sirve para clasifi-

car. | *s. m.* **2** Mueble, carpeta o cosa con departamentos para clasificar.

clasificar *v. tr.* **1** Ordenar o poner por clases o conjuntos de elementos con características comunes. **2** Incluir un elemento en una clase determinada: *estas características nos permiten clasificarla dentro del primer grupo.* | *v. prnl.* **3** **clasificarse** Conseguir el resultado o puesto necesario para participar en una fase posterior: *clasificarse para el mundial.* **4** Obtener un puesto determinado en una competición: *el equipo se ha clasificado en cuarto puesto.*
FAM clasificación, clasificado, clasificador; inclasificable.

clasismo *s. m.* Tendencia o afán de una clase social, en especial de la clase alta, por diferenciarse de las demás.
FAM clasista.

clasista *adj./s. com.* **1** Se aplica a la persona que es partidaria de la diferencia de clases. | *adj.* **2** Relativo a la diferencia de clases.

claudia *adj./s. f.* Se aplica a una variedad de ciruela redonda, verde, muy dulce y jugosa.

claudicar *v. intr.* Ceder, rendirse o renunciar ante una presión externa: *no claudicó ante las exigencias de sus socios.*
FAM claudicación, claudicante.

claustral *adj.* **1** Relativo al claustro. | *adj./s. com.* **2** Se aplica a la persona que pertenece al claustro de un centro de enseñanza. **3** Se aplica a la persona que pertenece a ciertas órdenes religiosas de clausura: *benedictinos claustrales.*

claustro *s. m.* **1** Galería abierta y soportada por columnas o pilares alrededor de un patio o jardín interior de un monasterio o templo. **2** Reunión de los miembros de una universidad u otro centro de enseñanza: *se ha convocado un claustro de profesores.* **3** Conjunto de profesores de una universidad u otro centro de enseñanza. **4** culto Estado monástico.
claustro materno Útero o matriz donde se desarrolla el feto.
FAM claustral; enclaustrar, exclaustrar.

claustrofobia *s. f.* Miedo enfermizo a permanecer en lugares cerrados muy pequeños: *nunca sube en ascensor porque tiene claustrofobia.*
FAM claustrofóbico.

cláusula *s. f.* **1** Apartado de ciertos documentos, como un contrato o un testamento. **2** Conjunto de palabras con sentido completo que forma parte de otra unidad lingüística mayor: *las oraciones compuestas pueden tener dos o más cláusulas.*

clausura *s. f.* **1** Acto solemne con que se pone fin a un congreso, certamen o exposición. **2** Cierre temporal o definitivo de un edificio o un establecimiento, en especial por orden gubernamental. **3** Vida retirada que llevan determinadas comunidades de religiosos sin salir del convento. **4** Parte del recinto de un monasterio a la que no pueden acceder personas que no pertenecen a la comunidad religiosa. **5** Obligación del clero regular de permanecer en el convento a determinadas horas.
FAM clausurar.

clausurar *v. tr.* **1** Terminar un congreso, certamen o exposición con un acto solemne. **2** Cerrar temporal o definitivamente un edificio o un establecimiento, en especial por orden gubernamental.

clavado, -da *adj.* **1** Que está fijo o inmóvil: *tenía los ojos clavados en el suelo sin atreverse a mirarme.* **2** Que es exacto: *llegó a las ocho clavadas.* **3** familiar Que es muy parecido o casi igual: *este niño es clavado a su padre.* SIN calcado, idéntico. 4 Se aplica a la prenda de vestir que sienta muy bien y parece hecha a medida: *el sombrero de la abuela te va clavado.*

clavar *v. tr.* 1 Introducir un clavo u otra cosa aguda en otra, generalmente mediante golpes: *clavar clavos; me he clavado una astilla en el dedo.* SIN hincar. 2 Sujetar o fijar una cosa a otra con clavos: *clavar un cuadro en la pared.* 3 Fijar los ojos o la mirada en alguien o algo: *sentí como clavaba su mirada en mí.* 4 familiar Cobrar una cantidad de dinero que se considera excesiva: *me han clavado cincuenta euros por la reparación.* 5 Dejar inmóvil o sin capacidad de reacción: *nos dejó clavados con esa respuesta.*
FAM clavado; desclavar.

clave *s. f.* 1 Conjunto de signos convencionales que sirven para escribir y leer mensajes secretos: *mensajes en clave.* SIN código, combinación. 2 Conjunto de reglas y correspondencias que sirven para descifrar esos signos: *una clave puede ser un número asociado a cada letra del alfabeto.* 3 Información o dato que permite explicar o entender algo, aclarar un enigma o resolver una duda: *la clave de su éxito; descubrió la clave del jeroglífico.* 4 Persona o cosa importante, decisiva o necesaria para algo: *una fecha clave; ayer, el hombre clave del equipo fue sin duda el defensa.* NOTA Se construye normalmente en aposición a otro sustantivo. SIN básico, fundamental, indispensable. 5 Signo que se coloca al principio del pentagrama e indica qué posición ocupa una nota determinada y, por consiguiente, el resto de notas: *existen claves de do, de fa y de sol; la clave de sol indica que el sol se coloca en la segunda línea comenzando por abajo.* 6 Piedra central con que se cierra un arco o bóveda por la parte superior, o adorno que se coloca a veces en ese lugar. 7 Lugar donde se cruzan los nervios de una bóveda de arista o de crucería. | *s. m.* 8 Clavicémbalo. | *s. m. pl.* 9 **claves** Instrumento musical de percusión formado por dos cilindros de madera dura de unos 20 cm de longitud que se toca con uno de ellos colocado sobre la palma de la mano hueca y golpeando con el otro sobre él: *los claves son propios de la música latinoamericana.*
FAM clavecín, clavícula, clavija; autoclave, cónclave.

clavecín *s. m.* Clavicémbalo.
FAM clavecinista.

clavel *s. m.* 1 Planta de tallos nudosos, hojas estrechas y flores de distintos colores. 2 Flor de esta planta, muy aromática, de colores vivos y variados y con los pétalos rizados y dentados; se usa para adornar.
FAM clavellina.

clavero *s. m.* Árbol tropical de cuyas flores se extrae el clavo de especia.

clavetear *v. tr.* Adornar una cosa con clavos.

clavicémbalo *s. m.* Instrumento musical de cuerda y teclado, uno de los antecedentes del piano, del cual se diferencia porque sus cuerdas no son golpeadas por macillos sino punteadas o pellizcadas desde su parte inferior por unos plectros o púas: *el clavicémbalo tiene un sonido metálico.* SIN clave, clavecín.
FAM clavicembalista.

clavicordio *s. m.* Instrumento musical de cuerda percutida, uno de los antecedentes del piano, del cual se diferencia principalmente por constar de una caja rectangular en la que las cuerdas están situadas transversalmente y porque los macillos, tras percutir las cuerdas, se mantienen en contacto con ellas mientras se mantienen pulsadas las teclas.

clavícula *s. f.* Hueso largo que une el omóplato con el esternón; está situado entre la espalda y el cuello a cada lado del cuerpo.
FAM clavicular.

clavicular *adj.* Relativo a la clavícula: *rotura clavicular.*

clavija *s. f.* 1 Pieza pequeña y cilíndrica, cónica o piramidal, que se introduce en un agujero para ensamblar, sujetar o conectar una cosa: *los instrumentos de cuerda tienen clavijas en el extremo del mástil, que sirven para afinar las cuerdas, tensándolas o destensándolas.* 2 Pieza de un enchufe que se introduce en los orificios de la toma de corriente.
apretar las clavijas Tratar a una persona con severidad para que haga algo o se esfuerce al máximo.
FAM clavijero.

clavijero *s. m.* Pieza de madera o metal situada en el extremo del mástil de un instrumento de cuerda, en la que encajan las clavijas.

clavo *s. m.* 1 Pieza pequeña de metal, larga, delgada, con cabeza y terminada en punta, que sirve para sujetar o fijar una cosa a otra; se introduce golpeando la cabeza con un martillo. 2 Capullo seco de la flor del clavero, utilizado como especia.
agarrarse (o **aferrarse**) **a** (o **de**) **un clavo ardiendo** Aprovechar cualquier medio o circunstancia para conseguir lo que se desea.
como un clavo Exacto o puntual: *cuando me llaman, estoy ahí, como un clavo.*
dar en el clavo familiar Acertar, adivinar o descubrir una cosa.
FAM clavar, clavero, clavetear, clavillo.

claxon *s. m.* Bocina de un vehículo automóvil.

clema *s. f.* Componente eléctrico que facilita el empalme de dos cables conductores.

clemencia *s. f.* Benevolencia o falta de rigor al castigar o juzgar: *pedir clemencia.*
FAM clemente; inclemencia.

clemente *adj.* 1 Se aplica a la persona compasiva, que juzga o castiga con benevolencia y sin rigor. 2 Que es propio o característico de la persona clemente.

clementina *s. f.* Variedad de mandarina, de piel más roja, sin pepitas y sabor muy dulce.

cleptomanía *s. f.* Trastorno psíquico de la persona que roba objetos que no necesita por el placer de poseerlos y ocultarlos.
FAM cleptómano.

cleptómano, -na *adj./s. m. y f.* Se aplica a la persona que padece cleptomanía.

clerecía *s. f.* 1 Clero. 2 Estado o condición de clérigo.

clerical *adj.* 1 Relativo al clero: *vida clerical.* 2 Que es partidario del clero y de su influencia en asuntos de Estado: *partido clerical.*
FAM clericalismo; anticlerical.

clericalismo *s. m.* Influencia del clero en los asuntos de Estado, en especial si es excesiva.
FAM anticlericalismo.

clérigo *s. m.* Hombre que ha recibido alguna de las órdenes sagradas del cristianismo y que por lo tanto es miembro del clero: *los monjes, los sacerdotes y los obispos son clérigos.* SIN eclesiástico.

clero *s. m.* Conjunto de los clérigos: *los obispos, los sacerdotes y*

los monjes forman parte del clero. SIN clerecía. ■ **clero regular** Conjunto de los sacerdotes y diáconos de la Iglesia católica pertenecientes a una comunidad de religiosos. ■ **clero secular** Conjunto de sacerdotes y diáconos de la Iglesia católica que ejercen un ministerio en una diócesis o en una parroquia sin pertenecer a una comunidad de religiosos, bajo las órdenes de un obispo.
FAM clerecía, clerical, clérigo.

clic *s. m.* ① Palabra con la que se representa el sonido de un golpecito seco, como el que se produce al pulsar un interruptor o una tecla. ② Acción de clicar, pulsar un botón del ratón informático.
OBS Plural: *clics.*

clicar *v. intr.* Pulsar un botón del ratón situando el puntero en un botón o icono de la pantalla del ordenador.

cliché *s. m.* ① Fragmento de película fotográfica en negativo que sirve para reproducir la imagen que contiene en papel: *guarda los clichés para poder hacer copias de las fotos.* SIN clisé, negativo. ② Plancha con un texto o una imagen fotográfica grabados que sirve para reproducir numerosos ejemplares en papel. SIN clisé. ③ Idea o expresión muy repetidas. SIN clisé.

cliente, -ta *s. m. y f.* Persona que utiliza los servicios de un profesional o de una empresa o que compra habitualmente en un comercio.
FAM clientela.
OBS Femenino: *clienta* o *cliente.*

clientela *s. f.* Conjunto de los clientes de un profesional, una empresa o un comercio: *nuestro restaurante cuenta con una selecta clientela.*

clima *s. m.* ① Conjunto de condiciones atmosféricas propias de una región, constituido por la cantidad y frecuencia de lluvias, la humedad, la temperatura, los vientos, las presiones, etc.; el clima está condicionado por la latitud (climas ecuatorial, tropical, templado y polar) y factores geográficos (altitud, proximidad de mares y montañas, relieve, vegetación, etc.): *en la Tierra existen, principalmente, el clima cálido, templado, frío, seco y polar.* ② Conjunto de circunstancias o ambiente que rodean a una persona o situación: *clima de tensión.*
FAM climático, climatizar, climatología; aclimatar, microclima.

climaterio *s. m.* Periodo de la vida en que cesa la actividad de los órganos reproductores del hombre o de la mujer.
FAM climatérico.

climático, -ca *adj.* Relativo al clima.

climatización *s. f.* Sistema o aparato para climatizar un recinto.

climatizar *v. tr.* Dar a un recinto cerrado las condiciones de temperatura, presión y humedad adecuadas o necesarias.
FAM climatización, climatizado, climatizador.

climatología *s. f.* ① Ciencia que estudia el clima. ② Clima característico de un lugar.
FAM climatológico, climatólogo; bioclimatología.

climatológico, -ca *adj.* Relativo a la climatología: *condiciones climatológicas.*

clímax *s. m.* ① Punto culminante de un proceso: *el clímax sexual.* ② Momento culminante o de máxima tensión o importancia en una narración, obra teatral, película cinematográfica o composición musical. SIN apogeo. ③ Etapa final de una sucesión ecológica en la que dejan de apreciarse cambios en la composición de la comunidad, que se halla en equilibrio

con las condiciones del medio; constituye el estadio biológico óptimo y estable de una comunidad vegetal.
FAM anticlímax.
OBS Plural invariable.

climograma *s. m.* Gráfico en el que se representan las precipitaciones que se han producido y las temperaturas que se han alcanzado en un lugar a lo largo de un año.

clínex [también **kleenex**] *s. m.* Pañuelo de papel.
OBS Plural invariable.

clínica *s. f.* ① Establecimiento hospitalario destinado a proporcionar asistencia o tratamiento médico a determinadas enfermedades: *clínica de adelgazamiento; clínica oncológica.* ② Parte práctica de la enseñanza de la medicina que se ocupa del examen de los enfermos y del tratamiento de las enfermedades en presencia de los estudiantes. NOTA También *medicina clínica.*
FAM policlínica.

clínico, -ca *adj.* ① Relativo a la medicina clínica. ‖ *s. m. y f.* ② Médico que se dedica a la medicina práctica, estudia las enfermedades y hace los diagnósticos mediante el examen directo de los enfermos. NOTA También *médico clínico.*
FAM clínica.

clip *s. m.* ① Utensilio para sujetar varios papeles que consiste en una barrita de metal, plástico u otro material doblada sobre sí misma. ② Sistema de cierre o de sujeción a presión usado generalmente para fijar adornos en el pelo, las orejas o la ropa.

clisé *s. m.* Cliché.

clitelo *s. m.* Conjunto de anillos de la lombriz de tierra que segregan una especie de mucosidad con que el animal envuelve sus huevos.

clítoris *s. m.* Pequeño órgano eréctil situado en la vulva y por encima de la vagina, que produce placer sexual al ser estimulado.
OBS Plural invariable.

cloaca *s. f.* ① Conducto subterráneo para recoger el agua de lluvia y las aguas residuales de una población. SIN alcantarilla. ② Parte terminal del intestino de los peces, anfibios, reptiles, aves y de ciertos mamíferos en la que desembocan los aparatos digestivo, urinario y reproductor. ③ Lugar muy sucio y con mal olor.

clon[1] *s. m.* Organismo, o grupo de organismos, reproducido a partir de una célula de otro individuo, que tiene la misma constitución genética que este último, salvo que se produzca alguna mutación.

clon[2] *s. com.* Payaso, especialmente el que lleva la cara pintada de blanco y un traje muy llamativo; suele formar pareja con otro payaso (augusto) y hace el papel de inteligente.
OBS Puede encontrarse la grafía inglesa *clown.*

clonación *s. f.* Proceso de reproducción que permite obtener, en teoría, un número ilimitado de individuos prácticamente idénticos a partir del ADN de uno de ellos: *la clonación es fuente de un amplio debate ético y científico.* SIN clonaje.

clonaje *s. m.* Clonación.

clonar *v. tr.* Producir células o individuos idénticos mediante clonación.

clónico, -ca *adj.* Se aplica al ordenador que reproduce un modelo patentado con piezas de distintas marcas.

clorar *v. tr.* Tratar el agua añadiéndole cloro para mejorar sus condiciones higiénicas.
FAM cloración.

clorato *s. m.* ① Sal del ácido clórico. ② Anión procedente de esta sal.

clórico, -ca *adj.* ① Relativo al cloro. ② Se aplica al ácido compuesto por un átomo de cloro, uno de hidrógeno y tres de oxígeno.

clorita *s. f.* Mineral de color verdoso y brillo nacarado, compuesto de silicatos hidratados de aluminio, hierro y magnesio.

cloro *s. m.* Elemento químico de símbolo *Cl* y número atómico 17; es un gas tóxico de color amarillo verdoso que se utiliza como desinfectante y decolorante: *el cloro pertenece al grupo de los halógenos.* **FAM** clorar, clorato, clorhídrico, clórico, clorita, cloroformo, cloruro.

clorofila *s. f.* Pigmento de naturaleza lipídica de color verde que se halla en las plantas, en la mayoría de las algas y en numerosas bacterias; interviene en el proceso de la fotosíntesis. **FAM** clorofílico.

clorofílico, -ca *adj.* ① Relativo a la clorofila. ② Se aplica a la función propia de la clorofila, que consiste en transformar el dióxido de carbono en materia orgánica.

cloroformo *s. m.* Líquido incoloro, de olor dulce, muy fuerte, que se usa como disolvente y antiguamente se empleaba como anestésico. **FAM** cloroformizar.

cloroplasto *s. m.* Orgánulo de las células vegetales que contiene la clorofila y en el cual se realiza la fotosíntesis.

cloruro *s. m.* ① Compuesto químico binario de cloro y un metal. ② Anión de esta sal.
cloruro sódico o **cloruro de sodio** Sal común, que se encuentra en el agua de mar y se usa como condimento.

closet *s. m.* AMÉR. Armario.

clown [se pronuncia aproximadamente 'claun'] *s. m.* Clon (payaso). **OBS** Plural: *clowns.*

club o **clube** *s. m.* ① Asociación de personas con intereses comunes que realizan actividades recreativas, deportivas o culturales. ② Local donde se reúnen estas personas. ③ Bar en el que se sirven bebidas y se pone música y que a menudo está acondicionado para bailar; suele abrir por la noche y a veces dispone de chicas de alterne para entretener a los clientes. **FAM** aeroclub, cineclub, puticlub, videoclub. **OBS** Plural: *clubs* o *clubes.*

clueca *adj.* ① Se aplica al ave que está en periodo de empollar. ❙ *adj./s. f.* ② Se aplica a la gallina que está empollando los huevos o que cuida a sus pollos recién nacidos. **FAM** cloquear.

cluniacense *adj.* ① Relativo al monasterio o a la orden religiosa de Cluny, surgida en Francia en el siglo X como un intento de reformar la orden benedictina, y que desapareció en el siglo XVIII. ❙ *adj./s. m.* ② Se aplica al clérigo que pertenecía a esta orden: *san Bernón fue el primer abad cluniacense.*

cnidario *adj./s. m.* ① Se aplica al invertebrado de estructura simple y simetría radial cuyo cuerpo consta de una única cavidad comunicada con el exterior: *los cnidarios se encuentran en dos formas principales: como pólipos y como medusas.* **SIN** celentéreo. ❙ *s. m. pl.* ② **cnidarios** Grupo taxonómico, con categoría de filo, constituido por estos animales: *la mayoría de los cnidarios son marinos.* **SIN** celentéreo.

coacción *s. f.* Fuerza física o presión psicológica que se ejerce sobre una persona para obligarla a decir o hacer algo contra su voluntad. **FAM** coaccionar, coactivo.

coaccionar *v. tr.* Obligar a una persona mediante fuerza física o presión psicológica a decir o hacer algo en contra de su voluntad.

coagulación *s. f.* Proceso por el cual un líquido se condensa y se vuelve semisólido, adquiriendo un aspecto parecido al del gel: *la coagulación sanguínea permite detener las hemorragias.*

coagulante *adj.* ① Que coagula. ❙ *s. m./adj.* ② Sustancia o medicamento que tiene propiedades coagulantes. **ANT** anticoagulante.

coagular *v. tr.* Hacer que una sustancia líquida, en especial la leche o la sangre, se ponga semisólida. **FAM** coagulación, coagulante.

coágulo *s. m.* Porción de una sustancia, como leche o sangre, coagulada. **FAM** coagular.

coalición *s. f.* Unión de diferentes partidos políticos o instituciones económicas o sociales para llevar a cabo una tarea en común: *en un gobierno de coalición, los miembros proceden de distintos partidos.*

coartada *s. f.* ① Prueba que presenta un acusado para demostrar que no se encontraba en el lugar del delito a la hora en que sucedió. ② Excusa o pretexto.

coartar *v. tr.* Limitar o restringir, especialmente una libertad o un derecho. **FAM** coartada.

coatí *s. m.* Mamífero carnívoro de América Central y del Sur, de pelaje rojizo gris o pardo, hocico y cuerpo alargados y cola larga con anillos negros.

coautor, -ra *s. m. y f.* Autor de algo junto con otro u otros. **FAM** coautoría.

coaxial *adj.* Se aplica al conjunto de elementos que tienen un eje común.

coba *s. f.* Halago o adulación, especialmente para conseguir algo. **FAM** cobista.

cobalto *s. m.* Elemento químico de símbolo *Co* y número atómico 27; es un metal duro, de color blanco plateado, que se emplea en pinturas y esmaltes, aleaciones, etc.: *el cobalto combinado con el oxígeno se utiliza para formar la base azul de pinturas y esmaltes.*

cobarde *adj./s. com.* ① Se aplica a la persona que se asusta fácilmente ante cualquier peligro, dificultad o dolor. **ANT** valiente. ❙ *adj.* ② Que es propio o característico de las personas cobardes: *actitud cobarde.* **ANT** valiente. **FAM** cobardía; acobardar.

cobardía *s. f.* Falta de valor ante un peligro, dificultad o dolor. **SIN** acobardamiento. **ANT** valentía.

cobaya *s. amb.* ① Mamífero roedor de unos 30 cm de longitud, orejas cortas, cuerpo grueso y pelaje espeso; se alimenta de vegetales; es originario de América del Sur. **SIN** conejillo de Indias. ② Persona o animal sometidos a observación o experimentación para comprobar algo. **SIN** conejillo de Indias.

cobea *s. f.* AMÉR. CENTRAL Planta enredadera de hermosas flores violáceas en forma de campanilla.

cobertizo *s. m.* **1** Construcción hecha con materiales toscos que sirve para resguardar de la intemperie personas, animales o cosas. **2** Parte del tejado que sobresale de la pared y sirve para resguardarse de la lluvia o el sol.

cobertor *s. m.* Colcha o manta de la cama.

cobertura *s. f.* **1** Acción de cubrir. **2** Cosa que cubre o recubre otra: *un helado con cobertura de chocolate.* **SIN** cubierta. **3** Conjunto de prestaciones que ofrece un servicio: *la cobertura de un seguro de vida.* **4** Extensión territorial que alcanza un servicio, especialmente los de telecomunicaciones: *el móvil se quedó sin cobertura.*
FAM cobertizo, cobertor.

cobija *s. f.* AMÉR. Pieza grande y cuadrangular de tejido grueso y tupido que sirve para abrigar, especialmente en la cama.

cobijar *v. tr.* **1** Dar cobijo o protección a alguien, generalmente del frío o la lluvia. ‖ *v. prnl.* **2** **cobijarse** Hallar consuelo, amparo o protección en alguien o algo: *cobijarse en los brazos de una madre.*
FAM cobija, cobijo.

cobijo *s. m.* **1** Lugar que sirve para protegerse de las inclemencias o de cualquier peligro: *buscaremos un cobijo para pasar la noche.* **2** Protección, amparo o consuelo que se encuentra en alguien o algo.

cobista *adj./s. com.* Se aplica a la persona aduladora que da coba.

cobla *s. f.* Conjunto de músicos que interpreta sardanas (baile popular catalán); está formado principalmente por instrumentos de viento, como el tiple, la tenora, la trompeta y el flautín.

cobra *s. f.* Serpiente muy venenosa que se caracteriza por dilatar las costillas de la parte anterior del esqueleto; es originaria de África y del sudeste de Asia: *el veneno de la cobra mata de forma casi instantánea.*

cobrador, -ra *s. m. y f.* Persona que se encarga de cobrar dinero.

cobrar *v. tr.* **1** Recibir una cosa, en especial dinero, como pago de algo: *cobrar una deuda.* **2** Tomar, adquirir o empezar a tener una cosa no material: *cobrar fuerzas; cobrar fama; le cobró cariño a ese muchacho.* **3** Causar víctimas: *el atentado no se ha cobrado ninguna víctima.* **4** En caza, recoger las piezas cazadas. ‖ *v. tr./intr.* **5** Recoger una cuerda o algo similar que está tirado: *cobrar el ancla; cobrar de la cadena.* ‖ *v. intr.* **6** familiar Recibir golpes o un castigo corporal: *si siguen discutiendo, van a cobrar los dos.* ‖ *v. prnl.* **7** **cobrarse** Recibir algo en compensación de un favor o un daño recibidos: *nunca se cobró todo lo que la había hecho sufrir.*
FAM cobrador, cobranza, cobro.

cobre *s. m.* **1** Elemento químico de símbolo *Cu* y número atómico 29; es un metal de color rojo brillante, muy dúctil y maleable y buen conductor de la electricidad y el calor; forma diversas aleaciones y se usa en la fabricación de cables, alambres, objetos de adorno, etc. **2** Conjunto de objetos de cobre, en especial los utensilios de cocina. ‖ *s. m./adj.* **3** Color rojo pardo semejante al de este metal. **SIN** cobrizo. ‖ *adj.* **4** Que es de este color. **NOTA** Invariable en número. **SIN** cobrizo.

batirse el cobre Trabajar o luchar con vehemencia para conseguir un objetivo: *el resultado fue injusto porque los dos equipos de fútbol se batieron el cobre.*
FAM cobrizo.

cobrizo, -za *s. m./adj.* **1** Color rojo pardo semejante al del cobre. **SIN** cobre. ‖ *adj.* **2** Que es de este color: *manchas cobrizas.* **SIN** cobre.

cobro *s. m.* Acción de cobrar algo, en especial dinero: *mañana es día de cobro.*

a cobro revertido Se aplica a la llamada telefónica que paga la persona que la recibe.

coca[1] *s. f.* **1** Arbusto de flores blancas y fruto rojo de cuyas hojas se extrae la cocaína. **2** Hoja de este arbusto, de la que se extrae la cocaína. **3** Cocaína.
FAM cocaína.

coca[2] *s. f.* **1** familiar Cabeza. **2** familiar Golpe con los nudillos en la cabeza: *dar una coca.*

cocaína *s. f.* Sustancia alcaloide que se extrae de las hojas de la coca, que tiene propiedades anestésicas y narcóticas: *una red de tráfico de cocaína.* **SIN** coca.
FAM cocainómano.

cocainómano, -na *adj./s. m. y f.* Se aplica a la persona que es adicta a la cocaína.

cocal *s. m.* AMÉR. Lugar poblado de cocoteros.

cocción *s. f.* Acción de cocer: *este guiso requiere una cocción lenta.*

cóccix *s. m.* Coxis.
OBS Plural invariable.

cocear *v. intr.* Dar coces un animal cuadrúpedo.

cocer [6] *v. tr.* **1** Someter un alimento crudo a la acción de un líquido que hierve, generalmente agua, para cocinarlo: *cocer huevos; cuece las lentejas en un puchero de barro.* **2** Someter una masa de harina o barro a la acción del calor de un horno para que pierda humedad y adquiera dureza: *cocer pan; cocer una pizza; el alfarero tiene un horno donde cuece los cántaros.* ‖ *v. intr.* **3** Hervir un líquido: *cuando la leche cueza, retírala del fuego.* **4** Fermentar una sustancia líquida: *el mosto de la uva cuece en las cubas.* ‖ *v. prnl.* **5** **cocerse** familiar Tramarse o prepararse algo sin que se manifieste todavía al exterior: *algo se cocía en las altas esferas.* **6** familiar Sentir calor excesivo: *al lado del horno te cueces.*
FAM cocedero, cocción, cocido, cocimiento; recocer.

cochambre *s. f.* **1** Suciedad o basura. **SIN** porquería. **2** Cosa sucia, vieja y estropeada. **SIN** porquería.
FAM cochambroso.

cochambroso, -sa *adj.* **1** Que está lleno de cochambre o porquería. **2** Que está muy sucio, viejo o estropeado.

coche *s. m.* **1** Vehículo automóvil de cuatro ruedas para circular por tierra que se dirige mediante un volante y está destinado al transporte de personas. **SIN** automóvil. ■ **coche bomba** Coche al que se le ha colocado un explosivo. **NOTA** Plural: *coches bomba.* ■ **coche celular** Coche destinado al traslado de presos. ■ **coche de carreras** Coche de competición diseñado o adaptado para que alcance gran velocidad y sea fácil de maniobrar. ■ **coche de línea** Autobús que realiza un servicio regular de viajeros entre dos poblaciones. ■ **coche escoba** Coche que en una carrera de ciclistas recoge a los que se retiran. **NOTA** Plural: *coches escoba.* ■ **coche fúnebre** Automóvil o coche de caballos diseñado para trasladar cadáveres al cementerio. ■ **coche patrulla** Coche utilizado por la policía que está dotado de las señales exteriores reglamentarias, provisto de una emisora de radio para transmitir avisos y de una sirena para indicar preferencia de paso en carretera en casos de urgencia. **NOTA** Plural: *coches patrulla.*

2 Plataforma o cabina de un tren que es arrastrada por la locomotora, en donde viajan la carga o los pasajeros. **SIN** vagón. ■ **coche cama** Coche de tren que dispone de departamentos con camas o literas. **NOTA** Plural: *coches cama.* **3** Vehículo tirado por caballos que está formado por una armazón de madera o hierro montada sobre ruedas y sirve para el transporte de personas; generalmente se conduce desde la parte exterior y delantera de la armazón. **4** Cochecito.

coches de choque Atracción de feria que consiste en un recinto vallado por el que se deslizan a poca velocidad coches pequeños que están rodeados de un neumático para poder chocar entre ellos. **SIN** autos de choque.

FAM cochera, cochero; aparcacoches, carricoche, guardacoches, lavacoches.

cochecito *s. m.* Armazón con cuatro o más ruedas y asiento acolchado que sirve para llevar sentado o estirado a un niño que aún no camina o que hace poco tiempo que sabe hacerlo.

cochera *s. f.* Garaje para guardar coches, en especial los grandes de transporte público, como autobuses o autocares.

cochero, -ra *s. m. y f.* Persona que se dedica a conducir coches de caballos.

cochinada *s. f.* **1** familiar Acción sucia: *no deben hacerse cochinadas con la comida.* **SIN** cochinería, marranada. **2** familiar Acción deshonesta o injusta que perjudica a alguien: *dejarlo solo ahí fue una cochinada.* **SIN** cerdada, guarrada, marranada. **3** familiar Acción indecorosa o indecente. **SIN** marranada.

cochinilla *s. f.* **1** Insecto cuya hembra (sin alas ni patas) constituye una grave plaga para las plantas; de algunas especies se obtienen sustancias útiles, como el colorante rojo o carmín natural. **2** Carmín natural o colorante rojo, que se obtiene de una especie de cochinilla originaria de América Central. **3** Crustáceo terrestre de pequeño tamaño y color gris oscuro, propio de lugares húmedos, que tiene forma aovada y se arrolla sobre sí mismo formando una bolita para protegerse.

cochinillo *s. m.* Cría del cerdo que todavía mama. **SIN** lechón.

cochino, -na *s. m. y f.* **1** Mamífero doméstico de cuerpo grueso, patas cortas, cabeza grande, orejas caídas, hocico chato y casi cilíndrico y cola en forma de hélice, que se cría para aprovechar su carne. **SIN** cerdo. ‖ *adj./s. m. y f.* **2** Se aplica a la persona que va sucia o no cuida su aseo personal. ‖ *adj.* **3** Que está sucio: *llevaba unos calcetines muy cochinos.* ‖ *adj./s. m. y f.* **4** Se aplica a la persona que actúa de forma deshonesta o indecente. **NOTA** Frecuentemente usado como insulto. ‖ *adj.* **5** Que es propio de la persona cochina (deshonesta o indecente): *explicó chistes cochinos.*

FAM cochinada, cochinería, cochinero, cochinillo, cochiquera.

cochiquera *s. f.* Sitio de una granja donde se guardan los cerdos. **SIN** pocilga.

cocido *s. m.* Guiso de carne troceada, hortalizas, garbanzos y tocino hervidos en agua y a fuego lento.

cociente *s. m.* Resultado que se obtiene al dividir una cantidad por otra. ■ **cociente por defecto** Cociente aproximado por defecto en una división no exacta, con el valor entero más cercano al exacto, pero menor. ■ **cociente por exceso** Cociente aproximado por exceso en una división no exacta, con el valor entero más cercano al exacto, pero mayor.

cocimiento *s. m.* Líquido que se obtiene al hervir una sustancia en agua; en especial el que tiene propiedades curativas.

cocina *s. f.* **1** Lugar de una casa donde se cocina. **2** Aparato que sirve para calentar y cocinar alimentos: *cocina eléctrica; cocina de gas.* **3** Arte de elaborar o preparar los alimentos para comerlos. **4** Conjunto de platos que cocina una persona determinada o que son típicos de un lugar: *la cocina mediterránea es muy sana.*

FAM cocinilla.

cocinar *v. tr.* Preparar o combinar alimentos para que puedan ser comidos: *cocinar una paella.* **SIN** guisar.

FAM cocina, cocinero; precocinado.

cocinero, -ra *s. m. y f.* Persona que se dedica a cocinar: *trabajar de cocinero.*

cocinilla *s. f.* **1** Cocina de pequeño tamaño, generalmente portátil. ‖ *s. m.* **2** fam. desp. Hombre entremetido en tareas domésticas consideradas propias de la mujer.

coco¹ *s. m.* **1** Fruto del cocotero, que tiene una cáscara fibrosa y otra muy dura, pulpa blanca comestible y una cavidad central llena de un líquido dulce. **2** Cocotero. **3** familiar Cabeza de una persona.

FAM cocotero.

coco² *s. m.* **1** Bacteria de forma más o menos esférica. **2** Larva que se cría en frutos, semillas y otras cosas comestibles.

FAM estreptococo, gonococo.

coco³ *s. m.* **1** Personaje imaginario con que se asusta a los niños para que obedezcan. **2** familiar Persona muy fea.

cocodrilo *s. m.* Reptil acuático grande, de color marrón oscuro y cuerpo cubierto de escamas muy duras, con cuatro patas y membranas entre los dedos, cola larga y aplanada lateralmente, dientes fuertes y afilados y hocico alargado.

cocoliche *s. m.* ARG. Jerga de algunos inmigrantes italianos que mezclan su lengua con el español.

cocorota *s. f.* familiar Cabeza de una persona.

cocotero *s. m.* Árbol tropical de tronco esbelto y gran altura, cuyo fruto (coco) es comestible. **SIN** coco.

FAM cocotal.

cóctel o **coctel** *s. m.* **1** Bebida compuesta de una mezcla de licores y zumo u otras bebidas, que se sirve fría. **SIN** combinado. **2** Reunión de personas con motivo de una celebración en la que se sirven principalmente bebidas y canapés. **3** Comida fría compuesta de una mezcla de varios tipos de marisco, en especial gambas y langostinos, lechuga y salsa.

cóctel molotov Explosivo incendiario de fabricación casera consistente en una botella llena de algún combustible y provista de una mecha.

FAM coctelera, coctelería.

coctelera *s. f.* Recipiente para preparar un cóctel.

cocuyo *s. m.* **1** Insecto parecido a la luciérnaga, con dos manchas amarillentas a los lados del tórax por las que emite una luz azulada por la noche; es propio de la América tropical. **2** CUBA Insecto parecido al anterior, pero que no emite luz. **3** CUBA Árbol de madera dura que se emplea en construcciones rústicas.

coda *s. f.* **1** Parte final de una composición musical, que con frecuencia repite, con ciertas modificaciones, uno de los motivos principales de la misma. **2** En gramática, consonante o grupo de consonantes con que termina una sílaba.

codazo *s. m.* Golpe dado con el codo.

codear *v. intr.* ① Mover los codos o golpear con ellos. | *v. tr.* ② AMÉR. SUR Pedir algo con insistencia y maña. | *v. prnl.* ③ **codearse** Tratarse de igual a igual una persona con otra: *se codeaba con grandes actores.*

codeína *s. f.* Sustancia alcaloide obtenida del opio y empleada en medicina para calmar el dolor y la tos.

codera *s. f.* ① Remiendo o pieza de adorno que cubre la parte del codo en una prenda de vestir; generalmente tiene forma ovalada. ② Deformación o desgaste en las prendas de vestir por la parte del codo. ③ Protección de los codos usada en determinados deportes.

códice *s. m.* Libro manuscrito anterior a la invención de la imprenta, especialmente aquel cuyo contenido tiene importancia histórica o literaria.
FAM codicología.

codicia *s. f.* Deseo excesivo de poder o riquezas.
FAM codiciable, codiciar, codicioso.

codiciar *v. tr.* Desear en exceso poder o riquezas.
OBS Verbo regular, se acentúa como *cambiar.*

codicioso, -sa *adj./s. m. y f.* Se aplica a la persona que siente codicia.

codificación *s. f.* Acción de codificar.

codificador, -ra *adj.* ① Que codifica. ② Relativo a la codificación. | *s. m.* ③ Dispositivo que efectúa automáticamente la codificación de un mensaje literal en otro código: *un codificador transforma las señales analógicas en señales digitales.*

codificar *v. tr.* ① Reunir leyes o normas en un código. ② Enunciar un mensaje mediante un código determinado de palabras, letras, números o signos. ANT descodificar. ③ Realizar la emisión de un programa de televisión en un código determinado de modo que solo las personas que poseen un aparato descodificador de la señal puedan recibir correctamente la imagen. ④ En informática, expresar una información en el lenguaje simbólico del ordenador.
FAM codificación, codificador; descodificar.

código *s. m.* ① Conjunto ordenado de leyes. ■ **código civil** Código que recoge las leyes que afectan a las personas, bienes, modos de propiedad, obligaciones y contratos. ■ **código de la circulación** Código que recoge las normas por las que se regula el tráfico de vehículos y peatones en las vías públicas. ■ **código penal** Código que recoge la leyes que afectan a faltas y delitos. ② Sistema de signos y reglas que permite componer y comprender un mensaje: *la lengua es un código complicado.* ■ **código Morse** Sistema telegráfico de señales en el que a cada letra, número o signo de puntuación le corresponde una combinación de rayas, puntos y espacios. NOTA También *alfabeto Morse* o simplemente *Morse.* ③ Combinación de letras o de números que identifican un producto o a una persona, permiten realizar determinadas operaciones o manejar algunos aparatos: *código ASCII.* ■ **código de barras** Combinación de líneas y números imprimida en las envolturas de los productos de consumo que aporta datos de manufactura, como la fecha de envasado o la procedencia y el precio. ■ **código postal** Combinación de números que se asigna a una población y a las distintas zonas dentro de ella para facilitar la clasificación y entrega del correo. ④ Conjunto de normas y reglas sobre cualquier materia: *el honor y la valentía forman parte del código militar.*

código genético Relación de correspondencia entre los nu-

cleótidos de un ácido nucleico y los aminoácidos de una proteína: *el hecho de que el código genético sea prácticamente el mismo para todos los seres vivos respalda la idea de un origen común para todos ellos.*
FAM codificar.

codillo *s. m.* Parte superior de las patas delanteras de los cuadrúpedos que comprende la articulación del brazo junto al pecho y la parte entre esta articulación y la rodilla.
SIN codo.
FAM acodillar.

codo *s. m.* ① Parte posterior y prominente de la articulación del brazo con el antebrazo: *apoya los codos en la mesa y concéntrate en la lectura.* ② Parte de la manga de una prenda de vestir que cubre esta parte. ③ Trozo de tubo doblado en ángulo o en arco, que sirve para variar la dirección de una tubería. ④ Codillo. ⑤ Medida de longitud equivalente a unos 42 cm, tomada de la distancia que hay del codo a la punta de los dedos.

codo a codo familiar Competición muy reñida.

codo a (o con) codo (**I**) De forma conjunta: *colaboraron codo con codo para acabarlo.* (**II**) Junto a una persona o cosa: *comió codo a codo con su ídolo.*

de codos Con los codos apoyados: *de codos en la ventana contemplaba el ir y venir de la gente.*

comerse los codos Pasar mucha hambre o gran necesidad.

empinar (o alzar) el codo familiar Tomar bebidas alcohólicas en exceso.

hablar por (o hasta) los codos familiar Hablar mucho: *me entretuve en la calle porque me encontré con un conocido que habla por los codos.*

hincar (o apretar o clavar o romperse) los codos Aplicarse con ahínco al estudio: *para aprobar no queda más remedio que hincar los codos.*
FAM codal, codazo, codear, codera, codillo; acodar.

codominancia *s. f.* En biología, forma de dominancia que se da cuando la expresión de los dos alelos se manifiesta a la vez en un individuo heterocigoto.

codón *s. m.* Conjunto de tres nucleótidos de una serie un ARN mensajero que codifican un aminoácido concreto.

codorniz *s. f.* Ave de la familia de los faisanes, más pequeña que la perdiz, con el plumaje de color marrón, irregularmente manchado de negro, con bandas transversales amarillas y crema.

coeducación *s. f.* Educación de que se imparte juntamente a jóvenes de ambos sexos.
FAM coeducacional.

coeficiente *s. m.* ① Número que indica la cantidad de veces por las que debe multiplicarse una expresión matemática: *en la expresión 8x, el 8 es el coeficiente.* ② Número que expresa el valor de una propiedad o un cambio en relación con las condiciones en que se produce: *el coeficiente de dilatación de los cuerpos es la relación que existe entre la longitud o el volumen de un cuerpo y la temperatura.* ③ Factor numérico de un monomio. ④ Número que se escribe delante de cada especie en una ecuación química y que indica el número de moléculas o moles de ella que entra en juego en esa reacción química.

coeficiente de correlación Valor numérico que mide la dependencia que existe entre dos variables estadísticas.

coeficiente intelectual Número que representa la inteligencia de una persona y que se obtiene al dividir la edad mental de un individuo (obtenida mediante tests de inteligencia) por su edad cronológica, y multiplicar el resultado por cien.

coercitivo, -va *adj.* Que coerce, reprime o impide hacer algo.

coetáneo, -nea *adj.* ① Que coincide en un mismo tiempo con otra cosa: *hechos coetáneos.* **SIN** contemporáneo. | *adj./s. m. y f.* ② Se aplica a la persona que es de la misma época que otra: *Brahms y Schumann fueron músicos coetáneos.* **SIN** contemporáneo.

coexistir *v. intr.* Existir una persona o cosa al mismo tiempo que otra sin perjudicarse entre ellas.
FAM coexistencia, coexistente.

cofia *s. f.* Prenda femenina de vestir para sujetar parcialmente el cabello que forma parte de ciertos uniformes, como el de enfermera, camarera o sirvienta.

cofrade *s. com.* Persona que es miembro de una cofradía: *los cofrades organizan los pasos de la Semana Santa.*
FAM cofradía.

cofradía *s. f.* ① Congregación que forman algunos devotos, con permiso de la autoridad y bajo una advocación religiosa (la Virgen, un santo, etc.), para ejercitarse en obras de piedad: *la cofradía del Nazareno.* **SIN** hermandad. ② Asociación de personas de un mismo oficio, para su asistencia mutua o fines espirituales.
FAM archicofradía.

cofre *s. m.* Caja pequeña y resistente de metal o madera, con tapa y cerradura, que sirve para guardar objetos de valor: *los piratas enterraron el cofre del tesoro en una isla desierta.* **SIN** arca.
FAM encofrar.

cogedor *s. m.* Utensilio para recoger la suciedad que se barre, consistente en una plancha de plástico u otro material y un mango. **SIN** recogedor.

coger *v. tr.* ① Rodear con la mano o con otro órgano prensil (el pico, la boca, etc.) un objeto o un ser animado, o una parte de estos, presionando para retenerlos, sostenerlos o sujetarlos: *coger la mano de alguien; coger un vaso y levantarlo.* **SIN** agarrar. ② Recoger o recolectar algo: *coger uva; coger el correo.* ③ Pasar a tener una cosa que es de otra persona, en especial de forma indebida y sin pedirle permiso: *alguien cogió mi libro por error.* ④ Llevar una persona consigo a alguien o algo: *no te olvides de coger el teléfono; hoy no he cogido el móvil.* ⑤ Usar un medio de transporte: *coger un taxi.* ⑥ Escribir lo que otra persona dice: *coger apuntes; coger los datos.* **SIN** tomar. ⑦ Recibir y retener en el interior algo: *el cabello no ha cogido bien el tinte.* ⑧ Aceptar o admitir a alguien o algo: *creo que cogeré ese trabajo.* ⑨ familiar Contratar a alguien para que realice un trabajo o para prestar un servicio: *coger un profesor particular; coger un nuevo camarero.* ⑩ familiar Captar una emisión de radio o televisión: *no he podido coger esa cadena.* ⑪ familiar Ocupar una cosa cierto espacio: *la alfombra coge toda la habitación.* ⑫ Encontrar a alguien en una determinada situación o estado de ánimo: *perdona, ¿te cojo en mal momento?* ⑬ Sorprender a una persona cometiendo un delito o falta, o cuando está desprevenida: *lo cogieron robando; me cogió por sorpresa.* ⑭ Capturar o apresar a una persona o animal que huyen o que están en movimiento: *coger mariposas; la policía cogió al ladrón.* ⑮ Herir o enganchar el toro a una persona con los cuernos. ⑯ familiar Pedir o reservar algo: *coger hora para el dentista.* ⑰ familiar Alquilar algo, como un vehículo o una vivienda: *cogió un piso en el centro de Barcelona.* ⑱ Pasar a tener cierto estado, cualidad

o sentimiento: *coger seguridad; coger fuerzas; coger cariño.* ⑲ familiar Pasar a tener cierto estado, como una enfermedad, un enfado o una borrachera: *coger la gripe; coger una cogorza.* ⑳ familiar Entender o comprender algo: *pues yo no cojo el chiste.* | *v. tr./intr.* ㉑ familiar Tomar una determinada dirección: *coge la segunda calle a la derecha y encontrarás la farmacia; cogí por un camino equivocado.* | *v. intr.* ㉒ Hallarse un lugar en una posición determinada con respecto a alguien o algo: *tu casa coge de camino a la mía.* ㉓ familiar Caber: *en la mesa cogen bien 10 personas.*

cogerla con Pasar a tener manía a alguien o algo: *no entiendo por qué la cogió conmigo.*

coger y + *verbo* En la narración o explicación de un suceso, introduce una acción súbita, y a menudo sorprendente, del protagonista: *cuando se enfada, coge y se va sin despedirse.* **SIN** agarrar, ir.
FAM cogedor, cogida, cogido.

cogida *s. f.* Acción de coger, especialmente el toro al torero: *el diestro sufrió una grave cogida.*

cognición *s. f.* culto Conocimiento, capacidad del ser humano para comprender por medio de la razón.
FAM cognitivo, cognoscitivo.

cognitivo, -va *adj.* culto Relativo a la cognición o conocimiento: *función cognitiva o de comprensión.*

cognoscitivo, -va *adj.* En filosofía, relativo al conocimiento: *un acto cognoscitivo.*

cogollo *s. m.* ① Parte interior, tierna y más apretada de la lechuga, berza y otras hortalizas. ② Parte nuclear o más importante de algo: *llegar al cogollo del asunto.*

cogorza *s. f.* familiar Borrachera: *coger una cogorza.*

cogote *s. m.* Parte superior y posterior del cuello, donde este se une con la cabeza.

hasta el cogote Se usa para indicar que se está harto de algo: *estaba hasta el cogote de tantas preguntas; me tiene hasta el cogote con tanto ir y venir.*
FAM acogotar.

cogujada *s. f.* Pájaro parecido a la alondra, de color marrón rojizo y con un penacho en la parte superior de la cabeza: *la cogujada anida en los sembrados.*

cogulla *s. f.* Hábito o ropa exterior que utilizan ciertos religiosos monacales.

cohabitar *v. intr.* ① Vivir juntas dos o más personas. ② Vivir juntas dos personas como si estuvieran casadas.
FAM cohabitación.

cohechar *v. tr.* Levantar el barbecho o arar la tierra por última vez antes de sembrarla.

cohecho *s. m.* ① Soborno a un juez o funcionario público para que, contra la justicia o el derecho, haga lo que se le pide. ② Acción de cohechar la tierra.
FAM cohechar.

coherencia *s. f.* ① Relación lógica y adecuada de las partes que forman un todo: *la trama de la película no tenía mucha coherencia.* **ANT** incoherencia. ② Relación lógica entre la forma de pensar de una persona y su forma de actuar. **ANT** incoherencia.
FAM coherente; incoherencia.

coherente *adj.* ① Que presenta coherencia o relación lógica y adecuada entre las partes que lo forman: *un discurso coherente.* **ANT** incoherente. ② Se aplica a la persona cuya forma de pensar no se contradice con su forma de actuar. **ANT** incoherente.

cohesión *s. f.* **1** Unión íntima o estrecha entre los elementos de algo: *la cohesión de un partido político.* **2** En química, fuerza que actúa entre las moléculas de un cuerpo y que hace que estas se mantengan unidas. **FAM** cohesivo.

cohesivo, -va *adj.* Que da cohesión.

cohete *s. m.* **1** Artificio pirotécnico que consiste en un cartucho relleno de pólvora con una mecha y con una varilla para sostenerlo que al prenderlo se eleva y explota en el aire produciendo efectos luminosos y de color, y a menudo un gran estruendo; se usa generalmente en verbenas y otras celebraciones. **2** Aparato o dispositivo propulsor constituido por un motor de reacción, que se utiliza para el transporte de satélites o en los proyectiles dirigidos. **3** Proyectil que vuela por propulsión a chorro y se utiliza como arma de guerra o para investigación. **FAM** lanzacohetes.

cohibido, -da *adj.* Que siente vergüenza y no se comporta con naturalidad o libertad.

cohibir *v. tr.* Hacer que una persona sienta vergüenza y no se comporte con naturalidad o libertad. **FAM** cohibición, cohibido.

cohombro *s. m.* **1** Planta hortense, variedad de pepino, de fruto largo y torcido. **2** Fruto de esta planta.

cohombro de mar Animal invertebrado marino de pequeño tamaño, con forma alargada y cilíndrica, que vive en el fondo del mar y se alimenta principalmente de materia en descomposición: *el cohombro de mar tiene unos tentáculos retráctiles alrededor de la boca.* **SIN** holoturia.

cohorte *s. f.* **1** Conjunto de personas que acompañan o siguen a otra. **2** Unidad militar romana que era la décima parte de una legión; generalmente estaba formada por seis centurias.

coima[1] *s. f.* AMÉR. Dinero con que se soborna a un funcionario. **FAM** coimero.

coima[2] *s. f.* fam. desp. Concubina.

coimero, -ra *s. m. y f.* ARG., CHILE, PAR., PERÚ, URUG. Persona que percibe sobornos.

coincidencia *s. f.* **1** Hecho de coincidir en el tiempo o en el espacio dos o más personas, hechos o cosas: *gracias a esa coincidencia lo conocí.* **2** Aspecto en el que coinciden dos o más personas, sucesos o cosas: *¿cuántas coincidencias hay entre los dos casos?*

coincidente *adj.* Que coincide.

coincidir *v. intr.* **1** Ajustarse una cosa con otra: *la tangente coincide en un punto con la circunferencia.* **2** Encontrarse una persona con otra de forma casual en un lugar determinado: *coincidí con ella un par de veces en algún congreso.* **3** Estar una persona de acuerdo con otra: *coincido con él en que se podría hacer mejor.* **4** Ocurrir dos o más cosas en el mismo momento: *la fecha de la boda coincidía con la de su cumpleaños.* **FAM** coincidencia, coincidente.

coiné [también **koiné**] *s. f.* **1** Lengua común adoptada por los griegos tras la muerte de Alejandro Magno, que se formó a partir de varios dialectos y constituyó el griego clásico. **2** Lengua común o estándar que se establece unificando los rasgos comunes de diversas lenguas o dialectos.

coito *s. m.* Acción de introducir el pene en la vagina para eyacular.

cojear *v. intr.* **1** Andar inclinando el cuerpo a un lado más que a otro debido a una lesión o deformidad: *el perro se clavó algo y cojeaba.* **2** Moverse una mesa u otro mueble por tener una pata más larga o más corta que las otras o porque el suelo no es uniforme.

cojera *s. f.* Impedimento físico que no permite andar de modo normal.

cojín *s. m.* Saco relleno de plumas, espuma u otro tejido semejante que sirve para apoyar una parte del cuerpo cuando se está sentado, tumbado o arrodillado. **FAM** cojinete.

cojinete *s. m.* Pieza cilíndrica en que se apoya y gira el eje de un mecanismo; su función es la de disminuir el rozamiento de las superficies en contacto: *el cojinete debe estar siempre bien lubricado.*

cojo, -ja *adj.* **1** Se aplica a la persona o animal que cojean: *un perro cojo; una mujer coja.* **|** *adj./s. m. y f.* **2** Se aplica a la persona que padece cojera de forma permanente. **|** *adj.* **3** Se aplica al mueble que cojea. **4** Se aplica al razonamiento o idea que están incompletos o mal fundados. **FAM** cojear, cojera, cojitranco.

cojón *s. m.* **1** vulgar Testículo. **|** *s. m. pl.* **2** **cojones** vulgar Valor o atrevimiento: *no tener cojones.*

hasta los cojones vulgar Indica que se está harto de una situación o de una persona.

por cojones vulgar Sin existir un motivo justificado.

salir de los cojones vulgar Se usa para expresar que algo se hace por antojo, sin una razón específica.

tocar (o hinchar) los cojones vulgar Molestar o fastidiar.

un cojón vulgar Mucho: *tardar un cojón.* **FAM** cojonudo; acojonar, descojonar.

cojonudo, -da *adj.* vulgar Estupendo, muy bueno: *un tío cojonudo; un examen cojonudo.*

cok *s. m.* Coque.

col *s. f.* Hortaliza comestible de hojas verdes muy anchas y arrugadas y tan unidas y apretadas entre sí que forman una especie de pelota. **SIN** berza, repollo.

col de Bruselas Hortaliza parecida a la col, pero de pequeño tamaño. **FAM** colino.

cola[1] *s. f.* **1** Apéndice en la parte posterior del cuerpo de algunos animales, o prolongación de la columna vertebral en los vertebrados, que desempeña distintas funciones (dirección, propulsión, etc.). **2** Conjunto de plumas fuertes y más o menos largas que tienen las aves en la rabadilla (extremo posterior del cuerpo). **3** Prolongación posterior de ciertas cosas: *la cola de un cometa; la cola de un vestido.* **4** Parte posterior o última de una cosa, por oposición a la parte delantera o al comienzo: *su asiento está en la cola del tren.* **5** Fila de personas o vehículos que guardan turno para algo: *en las carreteras se forman colas a la vuelta de las vacaciones.* **6** Coleta (peinado). **7** familiar Pene.

cola de caballo Coleta que se hace con todo el cabello recogido en un mechón en la parte alta de la nuca.

traer cola Tener consecuencias graves un asunto: *esas críticas traerán cola.* **FAM** colear, coleta, colista.

cola[2] *s. f.* Sustancia pastosa que sirve para adherir cosas: *cola de carpintero.* **SIN** pegamento.

no pegar ni con cola familiar No ser adecuado o conveniente una cosa en relación con otra: *eligió dos colores que no pegaban ni con cola.*

FAM encolar.

cola³ *s. f.* ① Árbol de hojas perennes, flores sin corola en espigas, fruto de color verde y semillas en receptáculos semejantes a vainas. ② Semilla de este árbol, que tiene propiedades tónicas y reconstituyentes. ③ Sustancia extraída de estas semillas que se emplea en la elaboración de ciertas bebidas refrescantes y de otros alimentos: *caramelos de cola.* ④ Bebida refrescante elaborada con esa sustancia y agua, azúcar y gas carbónico.

colaboración *s. f.* ① Acción de colaborar: *agradezco muchísimo tu colaboración en el proyecto.* ② Parte de una obra realizada por un colaborador. ③ Artículo periodístico realizado por un colaborador.

FAM colaboracionismo.

colaboracionismo *s. m.* Actitud del colaboracionista.

FAM colaboracionista.

colaboracionista *adj.* ① Relativo al colaboracionismo. | *adj./s. com.* ② Se aplica a la persona que colabora con un régimen político que se considera opresivo o con las fuerzas enemigas que han ocupado su país; en especial, los que colaboraron con los alemanes en territorios ocupados por estos en la Segunda Guerra Mundial.

colaborador, -ra *s. m. y f.* Persona que colabora en una tarea realizada en común con varias personas.

colaborar *v. intr.* ① Trabajar con alguien en una tarea común, en especial cuando se hace como ayuda o de forma desinteresada: *colaborar con una ONG.* ② Realizar trabajos para un periódico, una revista, un programa de radio o televisión, etc., sin formar parte de la plantilla. ③ Dar una cantidad de dinero o medicinas, alimentos, ropa, etc., para financiar una empresa, campaña u obra benéfica. **SIN** contribuir. ④ Hacer que algo sea, suceda o se realice de una determinada manera: *determinadas prácticas del sistema económico colaboraban con el fraude fiscal.* **SIN** contribuir.

FAM colaboración, colaborador.

colación *s. f.* culto Comida ligera, en especial la que se toma por la noche en días de ayuno.

sacar (o traer) a colación familiar Mencionar a alguien o algo relacionado con el tema de conversación.

FAM colacionar.

colada *s. f.* ① Lavado de la ropa sucia de una casa: *hacer la colada.* ② Ropa lavada: *tender la colada.* ③ Masa de lava incandescente que discurre por la ladera de un volcán hasta que se solidifica. **NOTA** También *colada volcánica.* ④ Operación que se realiza en un alto horno al dar salida a un chorro de metal fundido. ⑤ Metal fundido que se introduce en un molde. ⑥ En fútbol y otros deportes, acción individual de un jugador que penetra en el área del equipo contrario sorteando a sus rivales.

coladero *s. m.* ① Lugar por donde es fácil colarse o introducirse. ② familiar Centro de enseñanza donde resulta fácil aprobar. ③ familiar Asignatura que resulta fácil aprobar.

colado, -da *adj.* familiar Se aplica a la persona que está muy enamorada de alguien: *estaba colada por un compañero de clase.*

colador *s. m.* Utensilio que sirve para separar las partes sólidas de un líquido o sustancia, constituido por una red metálica o plástica de agujeros muy finos o por un recipiente metálico agujereado y un mango.

coladura *s. f.* Acción de colarse o equivocarse.

colage [también **collage**; se pronuncia aproximadamente 'colash'] *s. m.* ① Técnica pictórica que consiste en pegar materiales diversos como papel, arena, tela o fotografías sobre un lienzo o una tabla. ② Obra artística realizada mediante esta técnica.

colágeno, -na *s. m.* ① Proteína que forma fibras y se encuentra en los tejidos conjuntivos, cartilaginoso y óseo de los animales; se convierte en gelatina por cocción y se emplea en la elaboración de productos de belleza. | *adj.* ② Relativo al colágeno.

colapsar *v. tr.* ① Producir colapso en algo: *las guerras colapsan la economía.* | *v. intr./prnl.* ② Sufrir una persona o cosa un colapso.

colapso *s. m.* ① Paralización repentina o disminución importante de una actividad debidas al ritmo excesivo. ② Destrucción o ruina de un sistema u organización. ③ Bajada repentina de la presión arterial acompañada de una insuficiencia circulatoria grave, que causa gran debilitamiento en el individuo.

FAM colapsar.

colar [5] *v. tr.* ① Hacer pasar un líquido por un colador o filtro para separar las partículas sólidas que contiene: *colar el caldo; colar el zumo de naranja.* ② Hacer pasar algo por un lugar estrecho: *intenta colar la mano y quitar el pestillo; el agua se colaba por los resquicios de la ventana.* ③ Introducir algo en un lugar para que circule o se transmita: *colar información; colar billetes falsos.* | *v. intr.* ④ familiar Hacer creer algo con engaño: *me parece que tus mentiras no han colado esta vez.* | *v. prnl.* ⑤ **colarse** familiar Introducirse una persona en un lugar a escondidas o sin permiso: *se coló en el metro.* ⑥ familiar Equivocarse, en especial cuando se habla. ⑦ familiar Enamorarse de alguien: *se coló por él en cuanto lo vio.*

FAM coladero, colado, colador, coladura.

colateral *adj.* ① Que está situado a uno y otro lado de un elemento principal. | *adj./s. com.* ② Se aplica al familiar que comparte con otra persona un antepasado o ascendiente común, pero no por línea directa de padres a hijos: *tíos y sobrinos son parientes colaterales.*

colcha *s. f.* Cobertura de la cama que sirve de abrigo y adorno. **SIN** cobertor, cubrecama.

FAM acolchar.

colchón *s. m.* Parte de la cama sobre la que se acuestan las personas, que consiste en una especie de saco de tela fuerte con forma rectangular y relleno de un material blando o elástico.

FAM colchonería, colchoneta.

colchonería *s. f.* Establecimiento en el que se confeccionan o se venden colchones, almohadas, cojines y otros objetos semejantes.

colchoneta *s. f.* ① Colchón delgado que se usa para dormir o para realizar ejercicios gimnásticos. ② Colchón inflable. ③ Cojín delgado y estrecho, relleno de espuma, que se coloca en un asiento para sentarse cómodamente.

colear *v. intr.* ① Mover un animal la cola, en especial cuando lo hace repetidamente. ② Moverse un vehículo de derecha a izquierda por la parte posterior. ③ Durar un asunto o sus consecuencias: *los fracasos de su gestión todavía colean en la empresa.*

colección *s. f.* ① Conjunto de cosas de la misma clase reu-

nidas y clasificadas: *una colección de sellos; una colección de obras de arte.* ② Conjunto de modelos de prendas de vestir creados por un modisto para cada temporada.
FAM coleccionar, coleccionismo, colecta.

coleccionar *v. tr.* Reunir y clasificar un conjunto de cosas de la misma clase: *coleccionaba revistas antiguas.*

coleccionismo *s. m.* Afición a coleccionar cosas.
FAM coleccionista.

coleccionista *s. com.* Persona que colecciona algo.

colecta *s. f.* Recaudación de donativos para ayudar a personas necesitadas.
FAM colectar, colector.

colectividad *s. f.* Conjunto de individuos agrupados que comparten los mismos intereses, ideales, etc.

colectivismo *s. m.* Sistema político y económico que defiende la transferencia de los medios de producción (tierra, fábricas, fuentes de energía, etc.) a la colectividad bajo el control del Estado, el cual se encarga de la distribución de la riqueza.
FAM colectivista.

colectivista *adj.* ① Relativo al colectivismo. I *adj./s. com.* ② Se aplica a la persona que es partidaria del colectivismo.

colectivización *s. f.* ① Acción de colectivizar: *los países comunistas recurrieron con frecuencia a la colectivización de la tierra y las fábricas.* ② Efecto de colectivizar.

colectivizar *v. tr.* Hacer colectivo lo que era particular o privado.
FAM colectivización.

colectivo, -va *adj.* ① Que pertenece a un grupo de personas o a una colectividad y es compartido por cada uno de sus miembros. I *s. m.* ② Grupo de personas asociadas por intereses laborales o profesionales comunes: *el colectivo de abogados.* I *adj.* ③ Se aplica al sustantivo que designa, en singular, un conjunto de seres de la misma especie: *"docena" y "escuadrón" son sustantivos colectivos.*
FAM colectividad, colectivismo, colectivizar.

colector, -ra *adj.* ① Que colecta. I *s. m. y f./adj.* ② Persona que se encarga de recoger algo: *colector de cuentos tradicionales.* I *s. m./adj.* ③ Conducto, generalmente subterráneo, que recoge los residuos de otros conductos. I *s. m.* ④ Electrodo de un transistor.

colédoco *s. m./adj.* Conducto formado por el punto de unión de los conductos cístico y hepático, y que desemboca en el duodeno.

colega *s. com.* ① Persona que tiene la misma profesión que otra: *el médico saludó a sus colegas del hospital.* ② familiar Amigo, compañero. **NOTA** Frecuentemente usado como apelativo cariñoso: *colega, ¿cómo te va?*

colegiado, -da *adj./s. m. y f.* ① Se aplica a la persona que pertenece a un colegio profesional o asociación semejante, en especial si tiene reconocimiento oficial. I *s. m. y f.* ② Persona que en una competición de ciertos deportes se encarga de hacer cumplir el reglamento: *el colegiado señaló un penalti.* **SIN** árbitro.

colegial *adj.* ① Relativo al colegio (centro de enseñanza). I *s. m. y f.* ② Alumno de un colegio. **NOTA** Femenino: *colegiala.* I *adj./s. m. y f.* ③ Se aplica a la persona que es ingenua o inexperta. **NOTA** Femenino: *colegiala.*

colegiala V. colegial.

colegiata *s. f.* Iglesia que se compone de dignidades y canónigos pero no llega a ser catedral: *la colegiata de San Isidro en León.*

colegio *s. m.* ① Centro destinado a la enseñanza primaria o secundaria: *ir al colegio.* **SIN** escuela. ② Corporación oficial constituida por personas de la misma profesión con el fin de defender los intereses de sus miembros y, a menudo, autorizar el ejercicio de su actividad: *colegio de médicos; colegio de arquitectos.* ③ Lugar donde se reúnen estas personas.

colegio electoral (I) Conjunto de personas con derecho a voto de un distrito electoral determinado. (II) Lugar donde estas personas van a votar.

colegio mayor Residencia de estudiantes universitarios.

colegio menor Residencia de estudiantes de enseñanza media y profesional que depende de un organismo oficial o privado.

colegio universitario Centro docente que depende de una universidad y absorbe parte de su alumnado.
FAM colegial, colegiarse.

colegir [10] *v. tr.* Sacar una conclusión por medio de un razonamiento a partir de una situación anterior o de un principio general. **SIN** deducir, inferir.

coleóptero *adj./s. m.* ① Se aplica al insecto que tiene un aparato bucal masticador y un par de alas duras llamadas élitros, bajo las cuales se pliegan las alas membranosas, como el escarabajo y la luciérnaga. I *s. m. pl.* ② **coleópteros** Grupo taxonómico, con categoría de orden, constituido por estos insectos: *los coleópteros constituyen el grupo de seres vivos más extenso.*

cólera *s. f.* ① Enfado muy grande y violento: *enrojeció de cólera.* I *s. m.* ② Enfermedad infecciosa y grave producida por bacterias del género *Vibrio*, que cursa con vómitos, diarrea, calambres y frío en las extremidades; se contagia a través de las aguas contaminadas.

montar en cólera Enfadarse mucho.
FAM colérico, colerina; encolerizar.

colérico, -ca *adj.* Se aplica a la persona que está muy enfadada o es propensa a montar en cólera.

colesterol *s. m.* Lípido que forma parte de las membranas de las células eucariotas, imprescindible para el crecimiento y desarrollo del organismo, pero que, producida en exceso, causa el endurecimiento de las arterias y otras enfermedades cardiovasculares.

coleta *s. f.* ① Peinado que se hace recogiendo todo el cabello o un mechón y sujetándolo con un lazo o goma. **SIN** cola. ② Trenza que llevan los matadores de toros, generalmente postiza, más arriba del cogote.

cortarse la coleta (I) Retirarse el torero. (II) familiar Abandonar una actividad.
FAM coletazo, coletilla.

coletazo *s. m.* ① Golpe dado con la cola. ② Sacudida que hacen los peces moribundos con la cola. ③ Última manifestación de una actividad u otra cosa que está a punto de desaparecer: *los coletazos de la dictadura.*

coletilla *s. f.* familiar Comentario breve que se añade a algo que se acaba de decir o escribir, en especial para corregirlo o puntualizarlo.

coleto Se usa en las expresiones:
echarse al coleto familiar Beber o comer algo.
para *mi/tu/...* **coleto** familiar Indica que algo se piensa o se dice para sí.

colgado, -da *adj./s. m. y f.* ① familiar Se aplica a la persona que está bajo los efectos de una droga o que es adicto a ella. ❙ *adj.* ② familiar Se aplica al drogadicto que se ha quedado sin droga. ③ familiar Se aplica a la persona que no tiene amigos: *tenemos que llamarle más porque me dio la impresión de que estaba un poco colgado.* ④ familiar Se aplica a la persona que se ha quedado sola esperando a otra o que algo sucediera: *me ha dejado colgado.* ⑤ familiar Chiflado, loco.

colgador *s. m.* Utensilio o pieza para colgar la ropa.

colgadura *s. f.* Tapiz o tela con que se cubren y adornan paredes, balcones y otras cosas con motivo de alguna celebración o fiesta.

colgajo *s. m.* Cosa que cuelga, en especial la de poco valor o antiestética.

colgante *adj.* ① Que cuelga: *las casas colgantes de Cuenca.* ❙ *s. m.* ② Joya o adorno que se lleva colgando de un collar.

colgar [5] *v. tr.* ① Poner una cosa suspendida de otra sin que apoye o descanse la parte inferior: *colgar el abrigo en el perchero; colgar un cartel.* **ANT** descolgar. ② Suspender a una persona o a un animal por el cuello con una cuerda hasta causarle la muerte por asfixia. **SIN** ahorcar. ③ Atribuir o achacar a alguien algo malo y generalmente falso: *le han colgado el delito sin tener pruebas.* ④ familiar Bloquear un ordenador o un programa que se está ejecutando: *se me ha vuelto a colgar la base de datos.* ⑤ familiar Abandonar una profesión o actividad: *colgar los estudios.* ❙ *v. tr./intr.* ⑥ Cortar o terminar una conversación telefónica, normalmente poniendo el auricular en la base. ❙ *v. intr.* ⑦ Estar sostenido por encima del suelo sujeto solamente por su parte superior. ❙ *v. prnl.* ⑧ **colgarse** Agarrarse a una persona o una cosa dejando caer el peso del cuerpo sobre ella: *colgarse del brazo; colgarse de una rama.* ⑨ Adquirir dependencia de una persona o una cosa, en especial de las drogas. **FAM** colgado, colgador, colgadura, colgajo, colgante; descolgar.

colibrí *s. m.* Ave pequeña con el plumaje de colores vivos y el pico largo y estrecho con el que liba el néctar de las flores; es originaria de América. **OBS** Plural: *colibrís* o *colibríes.*

cólico *s. m.* ① Dolor agudo en un órgano interno acompañado de sudores, retortijones y vómitos. ② Dolor agudo debido a la oclusión o cierre de un conducto interno. ■ **cólico miserere** Cólico intestinal. **NOTA** También simplemente *cólico.* ■ **cólico nefrítico** Cólico que se produce en el riñón.

coliflor *s. f.* Variedad de col que presenta una gran masa redonda, blanca y granulosa.

coligarse *v. prnl.* Asociarse varias personas o grupos para conseguir algo.

colilla *s. f.* Resto de un cigarro o cigarrillo que se deja sin fumar.

colín *s. m.* Pieza pequeña de pan sin miga y crujiente, muy fina y alargada.

colina *s. f.* ① Elevación natural del terreno, de poca altura y bordes suaves. **SIN** collado. ② Compuesto orgánico presente en los seres vivos que constituye otras moléculas mayores de naturaleza lipídica o bien como vitamina del complejo B.

colindante *adj.* Que colinda: *terrenos colindantes.*

colindar *v. intr.* Estar un terreno o un edificio contiguo a otro: *el terreno colinda con una granja.* **SIN** lindar. **FAM** colindante.

colirio *s. m.* Medicamento líquido que se aplica a los ojos.

coliseo *s. m.* Teatro o sala de espectáculos con capacidad para muchas personas.

colisión *s. f.* ① Choque de dos o más cuerpos en movimiento, especialmente vehículos. ② Conflicto entre ideas, intereses o sentimientos opuestos, o entre las personas que los tienen. **FAM** colisionar.

colisionar *v. intr.* ① Chocar dos o más cuerpos en movimiento, especialmente vehículos: *un turismo colisionó con un camión.* ② Entrar en colisión las ideas, intereses o sentimientos opuestos de distintas personas.

colista *adj./s. com.* Se aplica al deportista o equipo que ocupa alguno de los últimos puestos en la clasificación de una competición o campeonato.

colitis *s. f.* Inflamación del colon, que generalmente produce diarrea. **OBS** Plural invariable.

collado *s. m.* Elevación natural del terreno, de poca altura y bordes suaves: *el collado es de menor altura que el monte.* **SIN** colina.

collage [se pronuncia aproximadamente 'colash'] *s. m.* Colage. **OBS** Plural: *collages* (se pronuncia 'colash').

collar *s. m.* ① Joya o adorno que se lleva alrededor del cuello: *un collar de perlas.* ② Cadena o correa que se pone alrededor del cuello de un animal: *el perro lleva un collar antiparásitos.* ③ Parte del pelaje o plumaje que rodea el cuello de un animal y es de distinto color que el del resto del cuerpo. **FAM** collarín.

collarín *s. m.* Aparato ortopédico que se coloca alrededor del cuello para inmovilizar las vértebras cervicales.

collarino *s. m.* Moldura pequeña que rodea la parte superior del fuste de una columna.

colleja *s. f.* familiar Golpe dado en la nuca con la palma de la mano.

collera *s. f.* Collar ancho de cuero o goma y relleno de paja u otra materia blanda que se coloca alrededor del cuello de un animal de tiro para evitar que le hagan daño los correajes y demás arreos.

colmado, -da *adj.* ① Que está lleno o completo: *colmado de alegría.* ❙ *s. m.* ② Tienda donde se venden comestibles y a veces productos de limpieza.

colmar *v. tr.* ① Llenar un recipiente hasta el borde. ② Dar a alguien abundancia de algo: *la crítica me colmó de alabanzas.* ③ Satisfacer completamente a alguien o algo: *este premio colma todas mis aspiraciones.* **FAM** colmado.

colmena *s. f.* ① Receptáculo o recipiente, natural o fabricado, donde las abejas se alojan y forman los panales. ② Edificio o lugar en que viven muchas personas apiñadas. **FAM** colmenar, colmenero.

colmenar *s. m.* Lugar donde hay o se instalan colmenas.

colmenilla *s. f.* Seta comestible, consistente, carnosa y de sombrerillo aovado y con huecos que lo hacen semejante a una colmena.

colmillo *s. m.* ① Diente puntiagudo situado entre los incisivos y los molares, cuya función es desgarrar el alimento.

SIN canino. **2** Diente incisivo alargado y en forma de cuerno que tienen los elefantes a cada lado de la mandíbula superior. **enseñar los colmillos** Mostrarse amenazador para imponer respeto o miedo.

colmo *s. m.* **1** Grado máximo al que puede llegar algo que se expresa: *el premio le llegó para colmo de su felicidad*. **2** Porción del contenido de un recipiente que sobrepasa sus bordes: *añadir dos cucharadas de azúcar con colmo*.
FAM colmar.

colocación *s. f.* **1** Acción de colocar o colocarse. **2** Situación o posición en que se halla alguien o algo: *la colocación del jugador en el campo era buena*. **3** Puesto de trabajo: *oficina de colocación*.

colocado, -da *adj.* familiar Se aplica a la persona que se halla bajo los efectos alucinatorios de una droga.

colocar *v. tr.* **1** Poner a una persona o una cosa en un lugar, posición u orden determinados: *colocar los libros en la estantería; colócate aquí y verás mejor*. **2** Proporcionar un puesto de trabajo a alguien: *colocó a su hermano en la empresa*. **3** Vender un producto o mercancía a un público determinado. **4** familiar Hacer que una persona se quede o compre algo que no deseaba o no es de su gusto: *consiguió colocar aquel terreno mal situado*. ‖ *v. prnl.* **5 colocarse** familiar Pasar a sentir los efectos alucinatorios de una droga.
FAM colocación, colocado, colocón; descolocar.

colocón *s. m.* familiar Estado de la persona que se halla bajo los efectos de una droga.

colodrillo *s. m.* Parte posterior e inferior del cráneo. **SIN** occipucio.

colofón *s. m.* **1** Nota final de un libro en que se indica el nombre del impresor, la fecha y el lugar de impresión, y otros datos relacionados con esta. **2** Frase, acto u otra cosa que pone fin a algo.

coloidal *adj.* Relativo a los coloides.

coloide *s. m./adj.* Sustancia de partículas muy pequeñas dispersas en un medio continuo sin llegar a formar una auténtica disolución, aunque a simple vista presenta una cierta homogeneización; se difunde lentamente y, como cualquier otra disolución, puede atravesar los filtros ordinarios, pero no los ultrafiltros: *la leche, la espuma y la gelatina son coloides*.

colombiano, -na *adj.* **1** De Colombia (país de América del Sur). ‖ *s. m. y f./adj.* **2** Persona que es de Colombia.

colombino, -na *adj.* Relativo a Cristóbal Colón (1451?-1506), al descubrimiento de América o a la población que habitaba América en esa época.

colon *s. m.* Parte del intestino grueso comprendida entre el ciego y el recto.

colón *s. m.* Unidad monetaria de Costa Rica y El Salvador.

colonia[1] *s. f.* **1** Grupo de personas del mismo origen geográfico, de la misma etnia o religión que se establecen en un lugar alejado de su punto de origen: *Cádiz fue fundada por una colonia de fenicios*. **2** Lugar donde se establece este grupo de personas: *Cartagena fue una colonia cartaginense hasta que fue conquistada por Escipión el Africano*. **3** Territorio alejado de las fronteras de un país extranjero y dominado por este administrativa, militar y económicamente: *Gibraltar es una colonia británica*. **4** Conjunto de viviendas construido al mismo tiempo y según un plan urbanístico común, generalmente a las afueras de una ciudad y para uso de los trabajadores de la empresa que promueve su construcción. **5** Conjunto de anima-

les pertenecientes a la misma especie que vive en un lugar concreto durante un periodo de tiempo limitado. **6** Lugar destinado a albergar a un grupo numeroso de personas, en especial de niños o jóvenes, durante un periodo vacacional. **NOTA** Generalmente en plural con el mismo significado que en singular. **7** En biología, asociación de organismos que proceden de un mismo progenitor y están claramente unidos entre sí: *algunos protozoos, corales y plantas inferiores viven formando colonias*.
FAM colonial, colonialismo, colonizar.

colonia[2] *s. f.* Sustancia líquida elaborada con agua, alcohol y esencias de frutas o flores que se utiliza como perfume: *colonia de jazmín*.
OBS También *agua de colonia*.

coloniaje *s. m.* AMÉR. Sistema de gobierno aplicado por España en sus colonias de América: *las leyes de Indias dieron legitimidad jurídica al coloniaje*.

colonial *adj.* Relativo a las colonias o a la época en que un país tenía colonias: *el reparto colonial; la América colonial*.

colonialismo *s. m.* Sistema político que defiende el establecimiento y la conservación de colonias (territorios): *el colonialismo europeo moderno comenzó en el siglo XV con la conquista y colonización de territorios de África y América; el colonialismo proporcionaba fuentes de riqueza y poder a las metrópolis*.
FAM colonialista.

colonialista *adj.* **1** Relativo al colonialismo. ‖ *adj./s. com.* **2** Se aplica a la persona que es partidaria del colonialismo.
FAM anticolonialista.

colonización *s. f.* Acción de colonizar.
FAM descolonización.

colonizador, -ra *adj./s. m. y f.* **1** Que coloniza. **2** Relativo a la colonización.

colonizar *v. tr.* **1** Convertir un país o un territorio en colonia sometiéndolo administrativa, militar o económicamente. **2** En biología, formar un ser vivo u organismo una colonia en un lugar o hábitat determinado. **ANT** descolonizar.
FAM colonización, colonizador; descolonizar.

colono *s. m.* **1** Persona que se establece en una colonia: *los primeros colonos norteamericanos eran mayoritariamente europeos*. **2** Persona que tiene arrendada una finca de labor y se encarga de cultivarla.
FAM colonato, colonia.

coloquial *adj.* **1** Se aplica al lenguaje, palabra o expresión que son propios de la conversación cotidiana de los hablantes. **SIN** familiar. **2** Relativo al coloquio.
FAM coloquialismo.

coloquio *s. m.* **1** Diálogo o conversación. **2** Reunión en que dos o más participantes debaten sobre un tema determinado delante de un público: *tras la conferencia hubo un coloquio*. **3** Género literario no teatral en forma de diálogo en verso o prosa.
FAM coloquial.

color *s. m.* **1** Impresión que producen en la retina los rayos de luz reflejados y absorbidos por un objeto: *la percepción de los colores es un fenómeno subjetivo; el negro es la ausencia de color; el color es una propiedad de los minerales*. **2** Sustancia para pintar o teñir: *un tubo de color; dar color al cabello*. ■ **color primario** En bellas artes, cada uno de los tres colores (rojo, amarillo y azul) a partir de los cuales se puede obtener cualquier otro mezclándolos en las proporciones adecuadas. **3** Color dis-

C

tinto al blanco, negro o gris: *ropa de color.* **4** Lápiz con mina de color: *un estuche de doce colores.* **SIN** pintura. **5** Tono de la cara que refleja el estado físico o anímico de la persona: *hoy tienes mal color, ¿no estarás enfermo?* **NOTA** También se usa en género femenino, sobre todo en lenguaje poético: *salió de la sala con la color mudada.* **6** Carácter peculiar o nota distintiva: *el color trágico de la muerte.* **SIN** colorido. **7** Tendencia o corriente de opinión. **8** En música, cualidad de un sonido, en especial el timbre. ‖ *s. m. pl.* **9** **colores** Combinación de colores que se adoptan como símbolo o distintivo de una nación, una entidad deportiva, etc., y que aparecen en la bandera, el escudo o los uniformes: *los colores de la selección española de fútbol son el rojo y el azul.*

dar color Animar o alegrar algo: *los famosos dieron color al aburrido acto.*

de color Se aplica a la persona que no es de raza blanca, en especial a la de raza negra o piel oscura.

no haber color Indica que una cosa no se puede comparar con otras por ser mucho mejor que estas.

sacar los colores Hacer enrojecer de vergüenza a alguien: *los piropos hacen sacar los colores.*

FAM colorar, colorear, colorete, colorido, colorimetría, colorín, colorismo; bicolor, descolorar, incoloro, monocolor, multicolor, tecnicolor, tricolor.

coloración *s. f.* **1** Acción de colorear. **2** Color o tono de una cosa: *cuando tomamos el sol la piel toma una coloración más oscura.* **3** Colorido (distribución).

colorado, -da *adj.* Que es de color más o menos rojo: *tenía la cara colorada como un tomate por el calor sofocante.*

colorante *adj.* **1** Que colorea o sirve para colorear. ‖ *s. m./adj.* **2** Sustancia, generalmente en polvo, que se usa para dar color o teñir: *alimentos sin colorantes ni conservantes.*

colorear *v. tr.* **1** Dar color a una cosa: *colorear un dibujo.* **2** Animar o alegrar algo. ‖ *v. intr.* **3** Tomar ciertos frutos el color rojo propio de la madurez.

colorete *s. m.* Cosmético, generalmente de tonos rojizos o rosados, que se aplica en las mejillas para dar color.

colorido *s. m.* **1** Distribución y combinación de colores en algo. **SIN** coloración. **2** Color, carácter peculiar o nota distintiva.

colorín *s. m.* **1** Ave cantora de pequeño tamaño, color marrón por el lomo, negro, blanco y rojo en la cabeza, y negro con manchas blancas y amarillas en las alas y la cola; es muy abundante en España. **SIN** jilguero. **2** Color vivo, brillante y llamativo, especialmente si contrasta con otros. **NOTA** Más en plural. Frecuentemente usado de forma despectiva.

colorismo *s. m.* **1** Tendencia de algunos artistas a dar preferencia al color sobre el dibujo. **2** Tendencia a recargar la expresión literaria con abundantes adjetivos, a veces redundantes o impropios. **FAM** colorista.

colorista *adj.* **1** Que tiene mucho color. ‖ *adj./s. com.* **2** Se aplica al pintor que emplea con buen gusto y de forma adecuada el color. **3** Se aplica al escritor que emplea abundantes adjetivos calificativos para conseguir mayor expresividad.

colosal *adj.* **1** Que tiene proporciones extraordinarias: *la colosal obra de El Escorial; tiene una fortuna colosal.* **2** Que es muy bueno o tiene gran calidad: *una memoria colosal.*

coloso *s. m.* **1** Escultura gigantesca que representa una fi-

gura humana. **2** Persona, grupo social o país muy importantes o influyentes en un ámbito determinado. **FAM** colosal.

columbrar *v. tr.* **1** Ver desde lejos una cosa sin distinguirla claramente. **2** Deducir algo a partir de indicios.

columna *s. f.* **1** Elemento arquitectónico de soporte, rígido, más alto que ancho y normalmente cilíndrico o poligonal que sirve para soportar la estructura horizontal de un edificio, un arco u otra construcción; también puede utilizarse como elemento decorativo, como señal, etc.: *en torno a la columna se desarrollaron los tres primeros órdenes de la arquitectura griega: dórico, jónico y corintio.* **2** Montón de cosas colocadas unas sobre otras a modo de columna: *una columna de altavoces.* **3** Sección vertical de una página impresa o manuscrita separada de otra por un espacio en blanco: *un artículo a tres columnas.* **4** Artículo periodístico que ocupa esta sección: *escribe una columna diaria en la prensa.* **5** Serie de números ordenados verticalmente. **6** Forma vertical que toma un líquido o gas al elevarse: *una columna de humo; una columna de fuego.* **7** Grupo de personas o vehículos que forman una línea ordenada: *una columna de tanques; una columna de soldados.*

columna de destilación Instrumento de laboratorio en forma de torre que se emplea para la separación de los gases o líquidos de una mezcla o disolución.

columna vertebral (**I**) Cadena de vértebras articuladas entre sí que constituye el eje o soporte del esqueleto de los animales vertebrados; está situada en la espalda y envuelve y protege la médula espinal. **NOTA** También simplemente *columna.* **SIN** espina dorsal, espinazo, raquis. (**II**) Persona o cosa considerada el soporte de algo: *esas notas se convirtieron en la columna vertebral de su pensamiento.* **NOTA** También simplemente *columna.* **SIN** pilar.

quinta columna Conjunto de partidarios de una causa que en caso de guerra luchan infiltrados en las filas enemigas. **FAM** columnata, columnista.

columnata *s. f.* Serie de columnas dispuestas en una o varias filas que sirven de adorno o como elemento de soporte de una construcción o edificio.

columnista *s. com.* Periodista o colaborador que escribe regularmente una columna para un periódico o revista.

columpiar *v. tr.* **1** Impulsar a la persona que está en un columpio para que se balancee. **2** Balancear o mover una cosa acompasadamente. ‖ *v. prnl.* **3** **columpiarse** Mover el cuerpo de un lado a otro al andar. **4** familiar Equivocarse. **OBS** Verbo regular, se acentúa como *cambiar.*

columpio *s. m.* **1** Aparato de entretenimiento para balancearse que consiste en un asiento suspendido de dos cuerdas o cadenas que penden de un armazón o de la rama de un árbol: *en los parques infantiles hay columpios.* **2** Aparato de entretenimiento para balancearse alternativamente dos o más personas, consistente en una pieza alargada metálica o de madera con uno o dos asientos en cada extremo y un punto de apoyo en el centro. **SIN** balancín, subeibaja. **FAM** columpiar.

colza *s. f.* Variedad de nabo de cuyas semillas se obtiene un aceite que se emplea como lubricante o en alimentación.

coma[1] *s. f.* **1** Signo ortográfico de puntuación (,) que indica una pausa breve en la lectura y una división entre las palabras o frases que componen una oración: *los términos de una enumeración se separan con comas.* **2** Signo matemático, de la misma forma que el anterior, que se emplea para separar los decimales de un número entero: *en el número 703,12 la coma separa 703 de 12.* 3 En música, parte de las nueve en que se divide un tono.

coma² *s. m.* Estado patológico de sueño profundo en el que se pierde la conciencia, la sensibilidad y la movilidad; se produce tras un traumatismo grave o antes de morir: *entrar en coma.* FAM comatoso.

comadre *s. f.* 1 Madrina de un niño. 2 Nombre que se dan entre sí la madre y la madrina de un niño. 3 Mujer que se reúne con otras para chismorrear. FAM comadrear, comadrón.

comadreja *s. f.* Mamífero carnívoro de color marrón rojizo por el lomo y blanco por el vientre, cuerpo alargado y flexible, patas cortas y cabeza pequeña con ojos brillantes: *la comadreja común es la especie más difundida y vive en Eurasia y América del Norte.*

comadreo *s. m.* Chismorreo entre comadres.

comadrón, -drona *s. m. y f.* 1 Persona titulada que se dedica a asistir a la mujer en el parto. | *s. f.* 2 Mujer que, sin titulación, ayuda a las mujeres en el parto. SIN matrona, partera.

comanche *adj.* 1 Relativo a una tribu de indios que habitó en un territorio que comprendía zonas de lo que actualmente son Texas y Nuevo México. | *s. com./adj.* 2 Persona que era de esta tribu. | *s. m./adj.* 3 Lengua hablada por esta tribu.

comandancia *s. f.* 1 Empleo de comandante. 2 Puesto de mando, edificio u oficina de un comandante. 3 Territorio bajo la autoridad militar de un comandante.

comandante *s. m.* 1 Militar del cuerpo de jefes de los ejércitos de Tierra y Aire que tiene categoría inmediatamente superior a la de capitán e inmediatamente inferior a la de teniente coronel. 2 Militar que ejerce el mando en ocasiones determinadas, aunque no tenga el grado de comandante: *comandante de un fuerte.* ■ **comandante en jefe** Jefe de todas las fuerzas armadas de una nación, de las que participan en una operación militar o de uno de los ejércitos de que constan. 3 Persona que está al mando de un avión o de un barco: *el comandante dio la bienvenida a los pasajeros.* FAM comandancia.

comandar *v. tr.* Mandar un ejército, una plaza, un destacamento o un conjunto de unidades militares. FAM comandante.

comandita *s. f.* Sociedad mercantil con dos tipos de socios, los que aportan capital, reciben intereses y dirigen el negocio y los que solamente aportan capital y reciben intereses pero no tienen poder de decisión. **en comandita** familiar En compañía. NOTA Frecuentemente usado de forma despectiva.

comando *s. m.* 1 Grupo de soldados especiales que se introduce en terreno enemigo o realiza otras misiones peligrosas. 2 Grupo de personas que pertenecen a una organización armada, guerrillera o terrorista que lucha contra el sistema establecido y realiza atentados. 3 Miembro de una de estas organizaciones. 4 Instrucción u orden que se da a un ordenador introduciéndola mediante el teclado y pulsando la tecla *Intro* o *Return*, y que es interpretada y ejecutada por la máquina.

comarca *s. f.* Territorio pequeño que abarca varias poblaciones y tiene características físicas y culturales homogéneas. FAM comarcal.

comarcal *adj.* Relativo a la comarca.

comatoso, -sa *adj.* 1 Relativo al coma (estado patológico): *estado comatoso irreversible.* 2 Se aplica a la persona que está en coma.

comba *s. f.* 1 Juego de niños que consiste en pasar saltando a través de una cuerda que dos personas mueven describiendo círculos con el brazo. 2 Cuerda para practicar este juego. SIN saltador. 3 Forma curvada que adquiere una plancha, una lámina o un objeto delgado de metal, madera u otro material rígido de gran superficie en ciertas condiciones de presión. **no perder (o perderse) comba** familiar No dejar pasar una oportunidad. FAM combar, combo.

combar *v. tr.* Dar forma curvada a una plancha, una lámina o un objeto delgado de metal, madera u otro material rígido de gran superficie. SIN alabear.

combate *s. m.* 1 Enfrentamiento de dos o más personas o animales en que se emplea la fuerza física o las armas: *un combate de boxeo.* SIN batalla, lucha. 2 Enfrentamiento entre dos ejércitos contrarios en tiempo de guerra. SIN batalla. 3 Acción de combatir una enfermedad, un mal o un daño. 4 Acción de combatir a alguien o algo mediante razones o argumentos. **fuera de combate** En situación de no poder continuar la lucha: *de un puñetazo lo dejó fuera de combate.*

combatiente *adj.* 1 Que combate o lucha. | *s. com.* 2 Soldado que forma parte de un ejército. FAM excombatiente.

combatir *v. intr.* 1 Luchar con las armas en un combate. SIN batallar. | *v. tr.* 2 Enfrentarse físicamente una persona o animal con otros, en especial cuando se hace según ciertas reglas en ciertos deportes de lucha. 3 Oponerse a alguien o algo con argumentos o razones: *combatir una calumnia.* 4 Atacar una enfermedad, un daño, un mal, para impedir que se extienda: *combatir la inflación; combatir el cáncer.* FAM combate, combatiente.

combatividad *s. f.* 1 Cualidad de combativo. 2 Predisposición o tendencia natural a combatir. FAM combativo.

combativo, -va *adj.* 1 Se aplica a la persona que tiene tendencia natural a combatir. 2 Que sirve para el combate o lucha: *armas combativas.* FAM combatividad.

combinación *s. f.* 1 Acción de combinar: *cuando se han medido las cantidades se procede a la combinación de los ingredientes.* 2 Conjunto de cosas combinadas para un fin determinado. SIN combinado. 3 Conjunto limitado de números o elementos que pueden disponerse de distinta manera: *la combinación ganadora de la lotería es un conjunto de 7 números de entre 49.* 4 Clave o código que permite abrir o hacer funcionar un mecanismo, un proceso, etc.: *desconocemos la combinación de la caja fuerte.* 5 Unión íntima de dos o más elementos químicos que tiene propiedades distintas a las de sus constituyentes. 6 Prenda de vestir femenina de tejido delicado que se pone debajo de un vestido o una falda, encima de la ropa interior, para impedir que se transparente el cuerpo o para abrigar. 7 Subconjunto de igual número de elementos que puede formarse a partir de un conjunto finito dado sin tener en cuenta el orden de sus elementos.

combinado *s. m.* 1 Conjunto de personas o cosas combinadas o mezcladas para un fin determinado: *el combinado español entrenaba ayer a puerta cerrada; de primer plato hay combinado de verduras*. ② Bebida compuesta de una mezcla de licores y zumo u otras bebidas, que se sirve fría. **SIN** cóctel.

combinar *v. tr.* ① Unir o mezclar dos o más cosas con un fin determinado: *combinar cartas del mismo palo para formar escala de color*. ② Organizar o disponer personas, cosas o acciones de forma que se favoreza el funcionamiento o desarrollo de algo: *su obra combina la erudición con el humor*. ③ Unir un elemento con otro para formar un compuesto: *¿en qué proporción se combinan el cloro y el sodio para obtener la sal?* ‖ *v. intr.* ④ Formar dos o más cosas un conjunto bello o armónico: *esta falda no te combina bien con la camisa*.

FAM combinación, combinado, combinatorio.

combinatoria *s. f.* Parte de las matemáticas que estudia las combinaciones, variaciones y permutaciones de un número finito de objetos.

combinatorio, -ria *adj.* ① Relativo a la combinación (subconjunto). ② Se aplica al análisis matemático que estudia las combinaciones, variaciones y permutaciones de un número finito de objetos.

combustible *adj.* ① Que puede arder o que arde con facilidad. **ANT** incombustible. ‖ *s. m./adj.* ② Sustancia que al arder produce calor o energía aprovechables, como el carbón o la leña. ■ **combustible fósil** Sustancia o materia aprovechable como fuente de energía calorífica, formada de los restos de plantas y animales comprimidos mediante procesos naturales que han durado millones de años: *el petróleo, el carbón y el gas natural son combustibles fósiles*.

FAM incombustible.

combustión *s. f.* ① Acción de arder o quemarse un cuerpo o sustancia: *la combustión del carbón produce calor*. ② Proceso de oxidación de una sustancia en que se desprende calor y, a veces, da luz: *la combustión de la gasolina hace funcionar el motor de un coche*.

comecocos *s. m.* familiar Persona o cosa que anula la capacidad de pensar y decidir por uno mismo.

OBS Plural invariable.

comedero *s. m.* Recipiente o lugar donde se pone la comida para los animales.

comedia *s. f.* ① Obra de teatro o película con elementos o sucesos que divierten y hacen reír, y con un desenlace feliz. ② Obra dramática propia del teatro español del siglo XVII, generalmente de carácter costumbrista y moralizante, escrita en verso y representada en corrales, con combinación de personajes serios y cómicos. ■ **comedia burguesa** Comedia teatral que se cultivó en el siglo XIX, de estilo realista, en la que los protagonistas eran personas de la clase burguesa. ■ **comedia de capa y espada** Comedia del teatro español del siglo XVII que trata sobre los amores entre una dama y un caballero, en la que se producen situaciones de enredo y equívocos, y en las que el sentimiento del honor hace proliferar luchas y duelos: *Calderón de la Barca escribió numerosas comedias de capa y espada*. ■ **comedia de costumbres** Comedia en que se describe la vida social cotidiana de un lugar y un momento histórico concretos: *Lope de Vega escribió numerosas comedias de costumbres, como «El perro del hortelano»*. ■ **comedia de enredo** Comedia de tema generalmente amoroso cuya trama está basada en una sucesión de situaciones equívocas que confunden a los personajes. ■ **comedia de figurón** Comedia del teatro español del siglo XVIII en

la que el protagonista es una caricatura satírica y burlesca de una costumbre o vicio ridículos o extravagantes. ③ Género literario constituido por estas obras literarias o cinematográficas. ■ **comedia italiana** o **comedia dell'arte** Género surgido en Italia en el siglo XVI que era producto en su mayor parte de la inspiración de los actores profesiones que interpretaban a los mismos personajes estereotipados en las distintas obras que representaban. ④ Acción con que se finge para conseguir una cosa: *por favor, déjate de comedias y dime qué te preocupa*. **SIN** teatro. ⑤ Situación o suceso de la vida real que hace reír.

FAM comediante, comediógrafo.

comediante, -ta *s. m. y f.* ① Persona que se dedica a representar obras de teatro, en especial comedias. ② Persona que hace comedia o finge para conseguir algo.

comedido, -da *adj.* ① Se aplica a la persona que es moderada en su forma de actuar o de hablar, o que no comete excesos. ② Que es propio o característico de estas personas: *lenguaje comedido*.

comedimiento *s. m.* Moderación o prudencia en la forma de hablar o comportarse.

comedirse [10] *v. prnl.* Contenerse o tener moderación al hablar o comportarse.

FAM comedido, comedimiento; descomedirse.

comedor, -ra *adj.* ① Se aplica a la persona o animal que comen mucho. ‖ *s. m.* ② Sala o parte de una casa destinada a comer. ③ Conjunto de muebles que se usan para comer y que están en esta sala. ④ Establecimiento o local donde se sirven comidas al público, especialmente el destinado al uso de un colectivo determinado.

comendador *s. m.* ① Miembro de una orden civil que tiene dignidad superior a la de caballero. ② Miembro de una orden militar que tenía bajo su cargo una casa o convento.

comensal *s. com.* ① Persona que come con otras en la misma mesa. ② Organismo o animal que obtiene alimento a expensas de otro sin producirle daño ni beneficio.

FAM comensalismo.

comensalismo *s. m.* Asociación biológica externa entre dos especies para beneficio alimenticio de una de ellas, sin causarse perjuicio mutuo.

comentar *v. tr.* ① Expresar oralmente dos o más personas sus juicios, opiniones u observaciones acerca de algo: *estuvimos comentando el partido de ayer*. ② Describir algo oralmente o por escrito para expresar lo que se entiende, una opinión, etc.: *comentar textos; comenta lo que ves en esas imágenes*. ③ Informar a alguien de algo, normalmente de pasada o sin profundizar demasiado: *alguien me comentó que volvías*.

FAM comentario, comentarista.

comentario *s. m.* Exposición oral o escrita de algo en que se describe lo que se entiende o se emite un juicio u opinión: *un comentario de textos*.

comentarista *s. com.* Persona que se dedica a comentar noticias de actualidad en los medios de comunicación: *comentarista deportivo; comentarista político*.

comenzar [1] *v. tr.* ① Iniciar una acción determinada: *él comenzó la discusión*. **SIN** empezar. ‖ *v. intr.* ② Tener algo principio en un tiempo o lugar determinados: *el curso comienza en septiembre*. **SIN** empezar.

comenzar a + infinitivo Pasar a realizar o a suceder la acción que expresa el verbo en infinitivo: *comenzó a nevar; ha comenzado a llover.* **SIN** empezar.

FAM comienzo.

comer *v. tr./intr.* **1** Tomar alimento por la boca, en especial un alimento sólido, masticándolo y tragándolo para que pase al estómago: *comer pan; comer arroz; comer mucho.* **2** Tomar los alimentos que componen la comida principal del día: *hoy hemos comido verdura y pescado; hay paella para comer.* **SIN** almorzar. **‖** *v. tr./prnl. tr.* **3** Gastar o consumir algo completamente: *se ha comido toda la suela de los zapatos.* **4** familiar Desgastar, destruir o corroer una materia: *los ácidos se comen los metales; la lejía se come los colores.* **5** Hacer una cosa que otra destaque menos: *los pelos le comen la cara; los colores vivos se comen los menos intensos.* **‖** *v. tr.* **6** En ciertos juegos de tablero, hacer retirar una ficha a un jugador, o hacer que vuelva a empezar: *si mueves la torre, te comeré el caballo.* **7** familiar Producir un sentimiento negativo, como los celos o la envidia, gran desazón o desasosiego a alguien: *los celos me comían vivo.* **8** familiar Producir picor intenso: *cerca del lago los mosquitos te comen vivo.* **9** familiar Se usa para expresar venganza contra alguien por un perjuicio sufrido: *si encuentro al que dijo eso de ti, me lo como.* **‖** *v. prnl.* **10** **comerse** familiar Omitir una palabra o parte de ella al hablar o al escribir: *comerse una sílaba; estaba tan nervioso que se comía las palabras.* **11** familiar Hacer un calzado que los calcetines o medias se deslicen hacia adelante y queden arrugados en la punta. **12** familiar Chocar contra algo y llevárselo por delante: *un poco más y se come la valla.*

no (o ni) comer ni dejar comer familiar No aprovechar una cosa para uno mismo ni dejar que la aprovechen los demás.

sin comerlo ni beberlo familiar Sin haber hecho nada para merecer un perjuicio o un provecho.

FAM comedero, comedor, comestible, comida, comilón; malcomer.

comercial *adj.* **1** Relativo al comercio. **2** Se aplica al producto que tiene fácil aceptación en el mercado por estar poco elaborado: *película comercial.*

FAM comercialidad, comercializar.

comercializar *v. tr.* Hacer que un producto se venda al público dándole las condiciones adecuadas y organizando campañas publicitarias: *en cuanto el prototipo se perfeccione lo comercializarán.*

FAM comercialización.

comerciante *s. com.* **1** Persona que posee un comercio o establecimiento comercial: *los pequeños comerciantes abrirán sus establecimientos durante las fiestas.* **2** Persona que comercia con algo.

comerciar *v. intr.* Comprar, vender o cambiar uno o más productos para obtener un beneficio económico: *hizo una fortuna comerciando con prendas deportivas.*

FAM comerciante.

OBS Verbo regular, se acentúa como *cambiar.*

comercio *s. m.* **1** Establecimiento donde se venden productos: *un comercio de ultramarinos.* **2** Actividad de comerciar con productos: *podemos distinguir entre comercio exterior o internacional y comercio interior o nacional; el comercio al por mayor es aquel en el que se venden grandes cantidades de productos; y el comercio al por menor es aquel en el que se venden pequeñas cantidades.* **3** Conjunto de comerciantes y actividades comerciales de un país, una zona, etc.: *el comercio del centro se resiente por la proliferación de grandes supermercados.* **4** culto Trato o relación sexual ilegal.

FAM comercial, comerciar.

comestible *adj.* **1** Que puede ser comido: *conoce todas las setas comestibles.* **‖** *s. m.* **2** Producto que sirve como alimento: *tienda de comestibles.*

FAM incomestible.

cometa *s. f.* **1** Juguete que consiste en una armazón muy ligera cubierta de papel, plástico o tela que se sujeta mediante un cordel y se echa al aire para que las corrientes lo eleven. **‖** *s. m.* **2** Astro formado por un pequeño núcleo sólido y una cola brillante, que describe una órbita excéntrica alrededor del Sol.

FAM cometario.

cometer *v. tr.* Realizar un delito, una falta o un error: *cometer faltas de ortografía; cometer un robo.*

FAM cometido.

cometido *s. m.* Obligación o función propia de alguien o algo. **SIN** misión.

comezón *s. f.* **1** Picor intenso en el cuerpo o en una parte de este. **2** Desazón o desasosiego causados por la impaciencia o la preocupación.

cómic *s. m.* **1** Relato o historia explicada mediante una serie de viñetas o recuadros en los que hay una ilustración y en los que las intervenciones de los personajes se escriben dentro de un espacio en blanco o bocadillo. **2** Género constituido por estas obras: *el cómic moderno surgió en el siglo XIX.* **3** Publicación que contiene uno o varios de estos relatos.

OBS Plural: *cómics.*

comicios *s. m. pl.* **1** culto Elecciones, conjunto de actos para escoger representantes de gobierno. **2** Junta que tenían los antiguos romanos para tratar de los negocios públicos. **■ comicios centuriados** En la antigua Roma, comicios en los que solo podían votar los miembros de las centurias (unidades militares), cuyo voto tenía más o menos peso según la edad y la posición social. **■ comicios curiados** En la antigua Roma, comicios en los que votaban los distintos grupos familiares, con un voto por cada grupo, para decidir sobre cuestiones de sucesión monárquica y otros asuntos.

FAM comicial.

cómico, -ca *adj.* **1** Relativo a la comedia: *papeles cómicos.* **2** Que hace reír: *una situación cómica; tiene una cara muy cómica.* **SIN** divertido, gracioso. **‖** *s. m. y f./adj.* **3** Artista que se dedica a hacer reír o que hace papeles cómicos en teatro o cine.

FAM comicidad.

comida *s. f.* **1** Sustancia sólida que se come y sirve de alimento: *comida picante.* **■ comida rápida** Comida que se sirve en determinados establecimientos y se caracteriza por prepararse con rapidez, y servirse y consumirse también con rapidez, así como por ser económica. **SIN** fast food. **2** Acción de tomar alimentos a una hora determinada del día, en especial al mediodía: *charlamos durante la comida.* **3** Alimento que se toma a mediodía; generalmente es el principal y más completo del día. **SIN** almuerzo.

reposar la comida Descansar después de comer para facilitar la digestión.

FAM comidilla.

comidilla *s. f.* familiar Tema de murmuración.

comienzo *s. m.* Principio u origen de algo: *el comienzo del otoño; el comienzo del curso.*

comillas *s. f. pl.* Signo ortográfico que se usa delante y detrás de una palabra o un conjunto de palabras y que sirve para in-

dicar que se citan de otro texto o que deben entenderse de un modo especial; pueden ser simples (' ') o dobles (" ", « »).
FAM entrecomillar.

comilón, -lona *adj./s. m. y f.* Se aplica a la persona que come mucho o que disfruta comiendo. **SIN** tragón.
FAM comilona.

comilona *s. f.* familiar Comida abundante y variada.

comino *s. m.* 1 Planta de hojas agudas y flores pequeñas, blancas o rojas, que produce una semilla comestible. 2 Semilla de esta planta, de color marrón, olor intenso y sabor amargo, que se usa como condimento y en medicina.
un comino familiar Nada: *no valer un comino.*

comisaría *s. f.* 1 Oficina de un comisario. 2 Oficina donde trabajan varios agentes de policía bajo las órdenes de un comisario. 3 Cargo de comisario.

comisario, -ria *s. m. y f.* 1 Persona que desempeña un cargo o una función especial por encargo o delegación de una autoridad superior: *comisario de guerra; comisario de las Naciones Unidas.* 2 Oficial de policía que es la máxima autoridad de una comisaría y es responsable del orden público de un distrito o ámbito.
FAM comisaría.

comisión *s. f.* 1 Conjunto de personas elegidas para realizar una labor determinada: *el Parlamento ha designado una comisión para investigar los casos de corrupción.* 2 Porcentaje del precio de un producto vendido que percibe el vendedor: *se lleva una comisión del 15 % por cada vehículo vendido.* 3 Acción de cometer un delito, una falta o un error.
a comisión Cobrando una cantidad de dinero proporcional al trabajo realizado: *el agente de seguros no tiene un sueldo fijo, trabaja a comisión.*
FAM comisionar, comisionista.

comisionar *v. tr.* Encargar a alguien una comisión.
FAM comisionado.

comisura *s. f.* Punto de unión de los bordes de algunos órganos del cuerpo, como los labios o los párpados.

comité *s. m.* 1 Conjunto de personas elegidas para desempeñar una labor determinada en representación de un colectivo: *el comité de empresa pide el aumento del sueldo de todos los trabajadores.* 2 Conjunto de personas que dirigen un partido político: *el comité central del partido comunista.*

comitiva *s. f.* 1 Conjunto de personas que acompaña a una persona importante o principal: *la comitiva nupcial.* **SIN** séquito. 2 Grupo de personas que van juntas a algún sitio.
NOTA Frecuentemente usado de forma humorística.

como *adv.* 1 Introduce el segundo término de una comparación de igualdad: *una persona tan alta como un pino; lo hizo tan deprisa como pudo.* 2 Indica el modo de ser o suceder algo: *siempre se ha vestido como ha querido.* 3 Indica aproximación o semejanza: *entraron como seis clientes; lo vi como apagado, triste.* **I** *conj.* 4 Ante un verbo en subjuntivo, indica condición o exigencia para que se cumpla una cosa: *como llueva, no podremos ir a la playa.* **SIN** si. 5 Indica causa o motivo por el cual sucede una cosa: *como has llegado tarde, hemos empezado sin ti.* **I** *prep.* 6 Indica función o condición: *fui como padrino.* 7 Ante un sustantivo, indica que la persona solo se considera en el aspecto que designa el sustantivo: *como amigo, te recomiendo que no te lo compres.* 8 Introduce un ejemplo: *ciudades grandes, como París o Nueva York.*
como quiera Comoquiera.

cómo *adv.* 1 Introduce una pregunta sobre el modo de suceder o ser algo: *¿cómo has venido?* 2 Introduce una pregunta sobre la causa o razón de algo: *¿cómo no vas de viaje?* **I** *s. m.* 3 Introduce una oración exclamativa que expresa sorpresa o admiración por el modo de suceder o ser algo: *¡cómo te has mojado!* 4 Manera de suceder algo: *quería saber el cómo y el cuándo.*
a cómo Se usa para preguntar el precio de algo: *¿a cómo va el kilo de tomates?; ¿a cómo estaba el rape?*
cómo no (**I**) Fórmula de cortesía para responder afirmativamente a una proposición, una invitación, etc.: —*¿Vendrás?* —*¿Cómo no? No me lo perdería por nada del mundo.* (**II**) Indica que se concibe como inevitable o que se esperaba que ocurriera algo que ha ocurrido: *su actuación fue espléndida, cómo no.*

cómoda *s. f.* Mueble ancho de mediana altura y con cajones que se usa para guardar ropa.

comodidad *s. f.* 1 Cualidad de cómodo: *la comodidad de un sillón.* **SIN** confort. **ANT** incomodidad. 2 Cosa que proporciona bienestar físico y descanso: *una casa con todas las comodidades: aire acondicionado, cocina equipada...* **NOTA** Más en plural. **SIN** confort. **ANT** incomodidad. 3 Bienestar que proporciona la ausencia de problemas e inconvenientes en lo que se hace: *ganaron el partido con gran comodidad.* **ANT** incomodidad.

comodín *s. m.* 1 En algunos juegos de naipes, carta que puede tomar distintos valores según convenga al jugador que lo posee. 2 Persona o cosa que puede desempeñar diversas funciones según las necesidades de cada momento.

cómodo, -da *adj.* 1 Que proporciona bienestar físico y descanso: *un sofá cómodo.* **SIN** confortable. **ANT** incómodo. 2 Que es fácil o no exige molestias o excesivo esfuerzo: *un trabajo cómodo.* **ANT** incómodo. 3 Se aplica a la persona que se siente bien o se encuentra a gusto y descansada. **ANT** incómodo.
FAM cómodamente, comodidad, comodón; acomodar.

comodón, -dona *adj./s. m. y f.* familiar Se aplica a la persona a la que le gusta mucho la comodidad y evita cualquier molestia.

comoquiera *adv.* De cualquier manera: *llámense comoquiera, esas acciones son reprobables.*
comoquiera que (**I**) culto Puesto que: *comoquiera que la decisión estaba tomada, ninguno de nosotros protestó.* (**II**) Indica cualquier manera de hacer, suceder o ser una cosa: *hablé con la señora esa, comoquiera que se llame.*
OBS También *como quiera.*

compactación *s. f.* 1 Acción de compactar: *el proceso de compactación y formación de las rocas sedimentarias.* 2 En geología, aglomeración y aplastamiento de las moléculas del suelo que disminuye los huecos ocupados por el aire.

compactar *v. tr.* 1 Hacer compacta una cosa: *compactar el terreno.* 2 Hacer que un archivo ocupe menos espacio al almacenarlo mediante un programa adecuado para ello: *me he bajado de Internet un programa para compactar ficheros.*
FAM compactación.

compact disc [se pronuncia aproximadamente 'cómpac disc'] *s. m.* 1 Compacto (disco). **NOTA** También *disco compacto* o simplemente *compact.* 2 Compacto (aparato).

compacto, -ta *adj.* 1 Que está muy apretado: *material compacto; pan compacto.* 2 Se aplica al equipo o conjunto de personas que actúan de manera coordinada: *una defensa*

compacta; *una plantilla compacta.* ▌ *adj./s. m.* ▌3▐ Se aplica al equipo que está formado por varios aparatos: *un equipo compacto de música.* ▌ *s. m.* ▌4▐ Disco de 12 cm de diámetro en el que se graba sonido, generalmente música, y que se reproduce por medio de un rayo láser: *tengo un compacto de jazz muy bueno.* **NOTA** También *disco compacto* o *compact disc.* ▌5▐ Aparato para reproducir el sonido grabado en este disco. **SIN** compact disc.
FAM compactar.

compadecer [16] *v. tr./prnl.* Sentir compasión por alguien: *compadecer a los que sufren; se compadece de los pobres.* **SIN** apiadarse.

compadrazgo *s. m.* ▌1▐ Parentesco que se establece entre el padrino y los padres de un niño. ▌2▐ Pacto entre dos o más personas para llevar a la práctica algo, generalmente censurable.

compadre *s. m.* ▌1▐ Padrino de un niño. ▌2▐ Nombre que se dan entre sí el padre y el padrino de un niño. ▌3▐ familiar Amigo, compañero, colega.
FAM compadrazgo.

compaginar *v. tr.* ▌1▐ Hacer que una cosa sea compatible con otra: *compagina su empleo de camarero con los estudios de sociología.* ▌2▐ Disponer las páginas de un libro, un periódico u otro texto para su impresión.
FAM descompaginar.

compaña *s. f.* familiar Compañía, persona o conjunto de personas que acompaña a alguien.
FAM compañía; acompañar.

compañerismo *s. m.* Actitud leal y solidaria propia de compañero. **SIN** camaradería.

compañero, -ra *s. m. y f.* ▌1▐ Persona que comparte con otra u otras la estancia en un lugar, los estudios, un trabajo, la práctica de un deporte u otra actividad: *un compañero de viaje; un compañero de promoción.* ▌2▐ Persona con la que se mantiene una relación amorosa y se convive sin estar casada con ella. ▌3▐ Persona que forma pareja con otra en un juego. ▌4▐ Persona que comparte con otra las mismas ideas políticas o que pertenece al mismo partido o sindicato. **SIN** camarada, correligionario. ▌5▐ Objeto que forma pareja o juego con otro u otros: *no encuentro el compañero de este guante.*
FAM compañerismo.

compañía *s. f.* ▌1▐ Hecho de acompañar o estar con alguien: *añoro la compañía de mis amigos.* ▌2▐ Persona o conjunto de personas que acompañan a alguien. ▌3▐ Empresa o sociedad mercantil: *una compañía de seguros; una compañía de productos químicos.* ▌4▐ Grupo de personas que se dedican a representar un espectáculo artístico: *compañía de teatro.* ▌5▐ Unidad militar compuesta por varias secciones y mandada por un capitán.

comparación *s. f.* ▌1▐ Acción de comparar dos o más cosas. ▌2▐ Similitud o equivalencia entre dos cosas: *no nos pareció correcta esa comparación.* ▌3▐ Figura retórica que consiste en comparar un elemento con otro para dar una idea viva y clara del primero: *"sus ojos son duros cual dos escarabajos de cristal negro" es una comparación de Juan José Jiménez.* **SIN** símil.

comparar *v. tr.* ▌1▐ Examinar dos o más cosas para encontrar parecidos y apreciar diferencias entre ellas: *comparamos las dos versiones de una película.* ▌2▐ Establecer una relación de similitud o equivalencia entre dos o más cosas: *la llegada del hombre a la Luna fue comparada con el descubrimiento de América.* **SIN** equiparar.
FAM comparable, comparación, comparativo.

comparativo, -va *adj.* ▌1▐ Que compara o sirve para comparar: *un método comparativo.* ▌ *adj./s. m.* ▌2▐ Se aplica al adjetivo o al adverbio que expresan comparación: *el adjetivo "mayor" es un comparativo de superioridad.* ▌ *adj./s. m.* ▌3▐ Se aplica a la oración que expresa una comparación entre dos acciones, procesos o estados o entre dos personas o cosas, estableciendo su igualdad o desigualdad: *una oración comparativa es "en el campo se está más tranquilo que en la playa".*

comparecencia *s. f.* Acción de comparecer.
FAM incomparecencia.

comparecer [16] *v. intr.* Presentarse una persona en un lugar al que había sido convocada o en el que se había comprometido a estar: *el acusado no compareció ante el tribunal.*
FAM comparecencia.

comparsa *s. f.* ▌1▐ Conjunto de personas vestidas con los mismos disfraces o con disfraces sobre el mismo tema que participan en una celebración de carácter popular, como un carnaval. ▌2▐ Conjunto de personas que representan papeles de poca importancia en una obra de teatro o cinematográfica o en otro espectáculo y aparecen en escena sin apenas hablar. **SIN** acompañamiento. ▌ *s. com.* ▌3▐ Persona que forma parte de este conjunto.

compartimento o **compartimiento** *s. m.* División de las varias que hay en una cosa, en especial en un recinto: *el compartimiento de un vagón de tren.* **SIN** departamento. ▌ **compartimento estanco** Recinto que puede aislarse completamente del resto de un lugar, en especial dentro de un barco.
FAM compartimentar.

compartir *v. tr.* ▌1▐ Usar o tener una cosa en común con otros: *varios amigos comparten el piso.* ▌2▐ Dividir en partes una cosa para repartirla entre varios: *compartir un bocadillo.* ▌3▐ Comunicar a otra u otras personas ideas o sentimientos particulares: *compartir las alegrías y las penas.* ▌4▐ Tener la misma opinión que otra persona: *conozco sus teorías, pero no las comparto.*
FAM compartido, compartimiento.

compás *s. m.* ▌1▐ Instrumento de dibujo para trazar arcos o circunferencias, consistente en dos piezas alargadas terminadas en punta y articuladas en su extremo superior por un eje o clavillo, de modo que pueden separarse o juntarse. ▌2▐ Instrumento de navegación para determinar el rumbo que consiste en una caja redonda con dos círculos concéntricos, uno interior, con la rosa de los vientos, lleva una aguja imantada que gira sobre un eje y señala el Norte, y otro que marca la dirección de la quilla de la nave. **SIN** brújula. ▌3▐ Unidad de tiempo de una composición musical, constituida por un número determinado de valores rítmicos (negras, corcheas, etc.) y formada por tiempos fuertes o débiles, según se acentúan más o menos: *existen tres tipos básicos de compás: el binario, el ternario y el cuaternario, que es una variedad del primero.* ▌4▐ Cada uno de los periodos de tiempo regulares en que se divide una composición musical, de acuerdo con esta unidad; en el pentagrama se separan unos de otros mediante una barra vertical que lo cruza de arriba abajo: *el coro comienza a cantar en el cuarto compás.* ▌5▐ Signo de la notación musical que se coloca detrás de la armadura (si la hay) y determina el valor de estos periodos de tiempo: *te has olvidado de escribir el compás.* ▌6▐ Ritmo o cadencia de un sonido no musical o de un asunto o actividad: *se movía a un compás lento como en un sueño.*

compás de espera Espacio de tiempo, generalmente breve, durante el cual se produce la interrupción o disminu-

ción de una actividad: *la bolsa vive un compás de espera a raíz de las próximas reformas económicas.*
FAM compasillo; acompasar.

compasillo *s. m.* Compás musical que tiene la duración de cuatro negras.

compasión *s. f.* Sentimiento de tristeza que produce el ver padecer a alguien y que impulsa a aliviar, remediar o evitar su dolor o sufrimiento.

compasivo, -va *adj.* Se aplica a la persona que siente lástima por la desgracia o el sufrimiento ajenos.

compatibilidad *s. f.* ① Posibilidad que tiene una cosa de existir, ocurrir o hacerse al mismo tiempo que otra o de manera conjunta. **ANT** incompatibilidad. ② Posibilidad de hacer funcionar un programa informático en un ordenador o conjuntamente con otros programas sin necesidad de hacer ninguna modificación.

compatibilizar *v. tr.* Hacer compatible.

compatible *adj.* ① Que puede existir, ocurrir o hacerse al mismo tiempo que otra cosa o de manera conjunta: *escuchar música es compatible con estudiar.* **ANT** incompatible. ② Se aplica al programa informático que puede funcionar en un ordenador o conjuntamente con otros programas sin necesidad de hacer ninguna modificación: *este procesador de texto es compatible con cualquier software del mercado.* **│** *s. m.* ③ Ordenador capaz de ejecutar los mismos programas que otros ordenadores de un mismo equipo. **NOTA** También *ordenador compatible.*
FAM compatibilidad, compatibilizar; incompatible.

compatriota *s. com.* Persona que es de la misma patria que otra.

compeler *v. tr.* culto Obligar a una persona por la fuerza o con el poder de la autoridad a que haga una cosa.

compendiar *v. tr.* Hacer un compendio o resumen: *compendiar una narración.*
OBS Verbo regular, se acentúa como *cambiar.*

compendio *s. m.* ① Resumen de un asunto o una materia, especialmente en una obra escrita. ② Conjunto de las características más importantes y significativas de un hecho, un asunto o una materia.
FAM compendiar.

compenetración *s. f.* Buen entendimiento entre dos o más personas debido a la semejanza en su forma de pensar, actuar y sentir.

compenetrarse *v. prnl.* Entenderse muy bien dos o más personas debido a la semejanza en su forma de pensar, actuar y sentir.
FAM compenetración.

compensación *s. f.* ① Anulación o igualación de los efectos de una cosa con la acción contraria. **ANT** descompensación. ② Cosa o acción con que compensan o disminuyen un daño o perjuicio irreparables.

compensar *v. tr.* ① Anular o igualar los efectos de una cosa con una acción contraria: *un negociante ha de compensar los gastos con los beneficios; la alta mortalidad se compensa con la alta natalidad.* **SIN** contrarrestar. **ANT** descompensar. ② Dar una cosa o hacer algo para disminuir un daño o perjuicio irreparables: *el Estado compensó a los damnificados con una indemnización.* **SIN** recompensar. **│** *v. tr./intr.* ③ Merecer la pena una cosa a pesar de no ser idónea: *me compensa quedarme a comer porque ahorro tiempo.*
FAM compensación, compensador; descompensar.

competencia *s. f.* ① Rivalidad o lucha entre dos o más personas en condiciones similares para conseguir una misma cosa o superar al rival: *a veces hay demasiada competencia entre compañeros.* ② Empresa o conjunto de ellas que compite con otra por fabricar o vender el mismo producto y en condiciones similares de mercado: *trabajaba para la competencia.* ③ Capacidad de la persona que es competente, que realiza su trabajo o desempeña su función de modo adecuado. ④ Responsabilidad u obligación que compete o corresponde a una persona que ocupa un cargo o a una institución: *el nuevo equipo de gobierno asumirá sus competencias el mes próximo.* ⑤ Autorización legal para intervenir en un asunto. **SIN** atribución. ⑥ En biología, interacción entre dos especies que comparten un mismo recurso, como un recurso alimentario, y que representa una desventaja para ambas. ■ **competencia intraespecífica** Competencia entre dos individuos de la misma especie que explotan un mismo recurso vital limitado. ■ **competencia interespecífica** Competencia entre dos individuos de especies distintas que explotan un mismo recurso vital limitado.

competencia lingüística Conocimiento implícito que tiene un hablante de las reglas lingüísticas de su propia lengua y que le capacita para crear y entender mensajes en esa lengua.

hacer la competencia Rivalizar o luchar dos o más personas en condiciones similares por una misma cosa o por superar al rival.
FAM competente, incompetencia.

competente *adj.* ① Que tiene las cualidades o conocimientos adecuados para hacer un trabajo o desempeñar una función. ② Se aplica a la persona o a la institución a la que competen o corresponden unas determinadas responsabilidades y obligaciones: *las autoridades competentes.*
FAM competentemente; incompetente.

competer *v. intr.* Corresponder a una persona una obligación o responsabilidad, especialmente por su cargo o empleo: *compete al jurado decidir la inocencia o culpabilidad del acusado.*
FAM competencia.

competición *s. f.* ① Lucha o enfrentamiento entre dos o más personas que compiten para conseguir una misma cosa. ② Prueba deportiva en la que los participantes compiten unos contra otros.

competidor, -ra *adj./s. m. y f.* Que compite con otros o se opone a ellos para conseguir un mismo fin. **SIN** contrincante, rival.

competir [10] *v. intr.* ① Luchar con otros para conseguir un mismo fin. **SIN** contender, rivalizar. ② Igualar una cosa a otra en calidad o perfección: *nada podía competir con su simpatía.*
FAM competencia, competición, competidor, competitivo.

competitividad *s. f.* ① Capacidad que tiene una persona o cosa competitiva que le permite oponerse a otros en la consecución de un mismo fin: *la competitividad de nuestros productos ha mejorado.* ② Rivalidad y oposición entre dos o más personas que compiten con otras para conseguir un mismo fin: *hay mucha competitividad entre empresas.*

competitivo, -va *adj.* ① Que compite o se caracteriza por competir: *el mundo de los negocios es muy competitivo.* ② Que es capaz de competir con otros, por sus características adecuadas, para lograr un mismo fin: *unos precios competitivos.*
FAM competitividad.

compilación s. f. ① Acción de compilar o reunir en una misma obra extractos de diferentes libros o documentos sobre un mismo tema. ② Obra en la que se incluyen extractos de diferentes libros o documentos sobre un mismo tema.

compilador, -ra s. m./adj. Programa informático que traduce un programa escrito en un lenguaje de alto nivel al lenguaje del ordenador.

compilar v. tr. Reunir en una misma obra extractos de diferentes libros o documentos sobre un mismo tema.
FAM compilación, compilador.

compinche s. com. familiar Amigo o compañero con el que una persona se pone de acuerdo para hacer una cosa, especialmente una mala acción: *el ladrón y sus compinches; era mi compinche para ligar.*
FAM compincharse.

complacencia s. f. Satisfacción o agrado que siente una persona, generalmente causados por otra.

complacer [16] v. tr. ① Satisfacer una persona los deseos o gustos de otra: *complace a su nieta en todos sus caprichos.* ② Causar satisfacción o placer a una persona: *tu visita lo complacerá.* ‖ v. prnl. ③ **complacerse** Sentir alegría, agrado o satisfacción por una cosa: *los novios se complacen en anunciar su boda.*
FAM complacencia, complaciente.

complaciente adj. Que complace o acostumbra a complacer: *es bondadoso y complaciente con su abuelo.*

complejidad s. f. Característica que tiene una cosa compleja, difícil de comprender, especialmente por componerse de varios elementos o partes: *la complejidad de un mecanismo.*
SIN complicación.

complejo, -ja adj. ① Que se compone de distintos elementos o partes: *un clavo es un objeto simple, mientras que una máquina es un objeto complejo.* SIN compuesto. ANT simple. ② Que es difícil de entender o explicar, especialmente porque se compone de muchos elementos o partes: *una personalidad compleja.* ANT sencillo, simple. ③ Se aplica al número que está formado por la suma algebraica de un número real con uno imaginario. ‖ s. m. ④ Conjunto o unión de varios elementos: *un complejo vitamínico; un complejo de montañas.* ⑤ Compuesto químico formado al unirse iones o moléculas a metales de transición mediante enlaces covalentes muy específicos: *los complejos normalmente son compuestos coloreados y tienen electrones desapareados.* ⑥ Conjunto de edificios o establecimientos situados en un mismo lugar y en los que se desarrolla una misma actividad: *un complejo industrial; un complejo turístico y hotelero.* ⑦ Sentimiento inconsciente y desfavorable que una persona tiene con relación a sí misma y que afecta negativamente a su personalidad y conducta: *tener complejo de feo.*

complejo activado Conjunto de átomos procedentes de la rotura de las moléculas de los reactivos en una reacción química que se caracterizan por tener energía potencial máxima y reordenarse rápidamente (disminuyendo su energía potencial) para dar lugar a las moléculas de los productos.

complejo de Edipo Según la teoría del psicoanálisis, atracción sexual que siente un hijo varón hacia su madre, acompañado de un rechazo hacia el padre.
FAM complejidad; acomplejar, incomplejo.

complementar v. tr. ① Añadir a una cosa lo que le falta para completarla o mejorarla. ② Completar el significado de uno o varios componentes de la oración con complementos

gramaticales: *el objeto directo complementa al verbo.* ‖ v. prnl. ③ **complementarse** Combinarse dos cosas diferentes de manera que el efecto resultante sea mejor que el de cada una por separado: *se complementan perfectamente.*

complementariedad s. f. Característica de una persona o cosa complementaria de otra.

complementario, -ria adj. ① Que sirve para complementar una cosa, completándola o mejorándola. ② Se aplica al color primario o secundario que contrasta vivamente con su opuesto y que, de mezclar dos luces de ambos colores, el resultado sería una luz blanca: *el rojo es complementario del verde; el azul y el naranja son complementarios.*
FAM complementariedad.

complemento s. m. ① Cosa, cualidad o circunstancia que se añade a una cosa y la completa o mejora: *un atlas es un buen complemento de un libro de geografía.* ② En sintaxis, palabra o palabras que completan la significación de algún elemento de la oración. ■ **complemento agente** Complemento que designa la persona, animal o cosa que realiza la acción expresada por el verbo: *en "la cebra es devorada por los leones", "los leones" es el complemento agente.* ■ **complemento circunstancial** Complemento del verbo que da información sobre el lugar, tiempo, modo u otras circunstancias y generalmente puede eliminarse sin que la frase se convierta en agramatical: *en la oración "ayer recibí una carta", "ayer" es un complemento circunstancial de tiempo.* ■ **complemento de régimen** o **complemento regido** o **complemento preposicional** Complemento de un verbo que exige una preposición para determinar su significado: *el verbo "acordarse" necesita la preposición "de" para introducir un complemento de régimen que complete y delimite su significado.* SIN suplemento. ■ **complemento del adjetivo** Complemento que delimita o completa el significado del adjetivo al que acompaña: *en "color marrón verdoso", "verdoso" funciona como complemento del adjetivo.* ■ **complemento del adverbio** Complemento que delimita o completa el significado del adverbio al que acompaña: *en "detrás de mí", "de mí" funciona como complemento del adverbio.* ■ **complemento del nombre** Complemento que delimita o completa el significado del sustantivo al que acompaña: *en "una casa grande", "grande" es un complemento del nombre.* ■ **complemento directo** Complemento de un verbo transitivo que completa su significado; en ocasiones va precedido de la preposición *a* y puede ser sustituido por los pronombres *lo, la, los, las* y sus equivalentes: *en la oración "los novios han invitado a sus amigos", "sus amigos" es un complemento directo.* SIN objeto directo. ■ **complemento indirecto** Complemento de un verbo transitivo o intransitivo que completa su significado, va precedido de la preposición *a* y puede ser sustituido por los pronombres *le* o *les* y sus equivalentes: *en la oración "escribí una carta a María", "a María" es el complemento indirecto.* SIN objeto indirecto. ■ **complemento predicativo** Complemento del verbo que delimita o completa su significado y el de un sintagma nominal al mismo tiempo; este sintagma nominal, con el que concuerda en género y número el complemento predicativo, puede ser el sujeto o el complemento directo del verbo: *en "los niños se despertaron asustados", "asustados" funciona como complemento predicativo del sujeto y del verbo.* ③ Parte de un atuendo que completa el vestido o traje, sin ser parte de ellos: *los guantes, pañuelos, cinturones o sombreros son complementos.*
FAM complementar, complementario.

completar v. tr. Añadir a una cosa una o más partes que le faltan, especialmente para hacerla más perfecta: *completar un rompecabezas.*

completas *s. f. pl.* Oficio religioso del clero católico, posterior al de vísperas, que se celebra por la noche, antes de retirarse a dormir.

completo, -ta *adj.* ◻1 Que tiene todos sus elementos o partes: *las obras completas de Shakespeare.* ◻2 Que está acabado o perfeccionado: *la Tierra traza un círculo completo alrededor del Sol.* ◻3 Que se realiza totalmente o en todos sus aspectos: *necesito un cambio completo de ambiente.* ◻4 Se aplica al lugar que tiene todas sus plazas llenas u ocupadas: *el párking está completo.*

al completo Sin que falte ninguna persona: *la plantilla al completo hizo huelga.*

por completo De manera total, completa: *me convenció por completo.*

FAM completamente, completar, completivo; incompleto.

complexión *s. f.* Naturaleza de un organismo vivo en relación con el desarrollo, estructura y funcionamiento de su cuerpo: *ser de complexión fuerte.* **SIN** constitución, contextura.

complicación *s. f.* ◻1 Acción de complicar una cosa, como una situación, un proceso, un trabajo, etc., o de complicarse en un asunto difícil o perjudicial. ◻2 Cosa que complica algo, haciéndolo difícil o más difícil: *durante la operación surgieron complicaciones.*

complicado, -da *adj.* Que es difícil de entender o explicar. **ANT** sencillo, simple.

complicar *v. tr.* ◻1 Hacer difícil o más difícil una cosa. ◻2 Comprometer o implicar a una persona en un asunto difícil o perjudicial: *se complicó en un asunto de drogas.*

FAM complicación, complicado.

cómplice *adj.* ◻1 Que muestra complicidad o colaboración: *los amigos se intercambiaron una mirada cómplice.* ▌ *s. com.* ◻2 Persona que ayuda a cometer un delito sin ser el autor de este.

FAM complicidad.

complicidad *s. f.* ◻1 Condición que tiene una persona cómplice de un delito. ◻2 Colaboración o ayuda en la ejecución de una acción, generalmente preparada en secreto.

complot *s. m.* Acuerdo secreto entre varias personas para realizar una acción contra alguien, especialmente contra el Estado o una autoridad. **SIN** conjura, conjuración, conspiración.

OBS Plural: *complots.*

complutense *adj.* ◻1 De Alcalá de Henares (localidad de Madrid). ▌ *s. com./adj.* ◻2 Persona que es de Alcalá de Henares.

componenda *s. f.* Solución o arreglo incompleto o provisional de un asunto, especialmente el censurable moralmente que se acuerda entre varias personas.

componente *adj./s. m.* ◻1 Se aplica al elemento que forma parte de una cosa o a la parte de una cosa que, junto con otras, la compone: *la fruta es un componente esencial de una dieta sana.* ▌ *s. com.* ◻2 Persona que forma parte de un grupo o un equipo: *los componentes de un equipo de baloncesto.* ▌ *s. m.* ◻3 En matemáticas, vector que relaciona un vector con un eje de coordenadas: *un vector en el espacio se puede descomponer en sus tres componentes, cada uno referido a uno de los tres ejes cartesianos.* ◻4 En química, sustancia que está presente en una mezcla o en una disolución de la que forma parte.

FAM microcomponente.

componer [36] *v. tr.* ◻1 Formar una cosa colocando de manera ordenada o armoniosa sus diversas partes: *componer un ramo de flores.* ◻2 Formar diversas personas o elementos un grupo o conjunto: *el jurado se componía de una mayoría de mujeres.* ◻3 Escribir una obra musical o literaria, generalmente poética. ◻4 Formar varias sustancias una mezcla o disolución. ◻5 AMÉR. Arreglar los huesos dislocados, salidos de su lugar.

componérselas Hallar la solución a los problemas por uno mismo: *el encargado no estaba y tuvimos que componérnoslas solos.*

FAM componedor, componenda, componente, composición, compositor, compuesto; descomponer, recomponer.

comportamiento *s. m.* Manera de comportarse una persona, un animal o una cosa: *el comportamiento de un ave; el comportamiento de un nuevo aparato.*

comportar *v. tr.* ◻1 Tener como resultado o producir como consecuencia directa: *la guerra comporta hambre y pobreza.* **SIN** conllevar, implicar, suponer. ▌ *v. prnl.* ◻2 **comportarse** Actuar una persona de una manera determinada en su relación con los demás: *compórtate bien.* **SIN** conducirse. ◻3 Funcionar o desarrollarse una cosa: *veremos cómo se comporta este motor.*

FAM comportamiento.

composición *s. f.* ◻1 Acción de componer una cosa formando un conjunto con distintos elementos o partes. ◻2 Acción de componer una obra científica, musical o literaria (especialmente poética): *la escuela encargó al músico la composición de una cantata conmemorativa.* ◻3 Cosa que se compone, especialmente de modo ordenado o armonioso: *he hecho una composición con flores para la mesa.* ◻4 Obra científica, musical o literaria (especialmente poética): *Mozart escribió sus primeras composiciones cuando era niño.* ◻5 Parte de la música que estudia las reglas para la formación del canto y del acompañamiento. ◻6 Disposición de los distintos elementos que forman parte de una obra artística (las figuras de un cuadro, las partes de un edificio, etc.). ◻7 Escrito hecho como ejercicio escolar sobre un tema determinado. **SIN** redacción. ◻8 Conjunto de elementos que componen una sustancia: *la composición de un medicamento.* ◻9 Procedimiento de formación de palabras que consiste en unir dos o más lexemas: *"sacacorchos" se ha formado por composición de "sacar" y "corcho".*

composición de fuerzas Acción de componer un conjunto de fuerzas para obtener una sola: *la fuerza que se obtiene de la composición de fuerzas se llama "fuerza resultante".*

FAM fotocomposición.

compositivo, -va *adj.* ◻1 Que forma parte de una composición: *los elementos compositivos de un cuadro.* ◻2 Se aplica al afijo o palabra que forma parte de una palabra compuesta: *muchas raíces griegas son utilizadas como elementos compositivos.*

compositor, -ra *s. m. y f.* Persona que compone obras musicales, especialmente de múscia clásica.

compostaje *s. m.* Materia orgánica procedente de residuos agrícolas y de la jardinería tratados para acelerar su descomposición y ser utilizados como fertilizante.

compostelano, -na *adj.* ◻1 De Santiago de Compostela (ciudad capital de Galicia). ▌ *s. m. y f./adj.* ◻2 Persona que es de Santiago de Compostela.

compostura *s. f.* Comedimiento y moderación al hablar o actuar: *en momentos críticos es preciso no perder la compostura.*

compota *s. f.* Dulce que se hace con fruta troceada y cocida en agua y azúcar.

compra *s. f.* ◻1 Obtención de una cosa a cambio de dinero.

SIN adquisición. **ANT** venta. ② Cosa que se obtiene a cambio de dinero, especialmente el conjunto de los comestibles que se adquieren para el consumo diario. **ANT** venta.
FAM compraventa.

comprador, -ra *adj./s. m. y f.* Se aplica a la persona que compra una cosa. **ANT** vendedor.

comprar *v. tr.* ① Obtener una cosa a cambio de dinero. **ANT** vender. ② Ofrecer dinero u objetos de valor a una persona para conseguir un favor o un beneficio, especialmente si es injusto o ilegal, o para que no cumpla con una determinada obligación: *se acusó al club de querer comprar al árbitro*. **SIN** sobornar.
FAM compra, comprador.

compraventa *s. f.* Comercio en el que una persona compra un producto, generalmente usado, para venderlo después: *compraventa de libros*.

comprender *v. tr.* ① Tener una persona idea clara de lo que dice o hace otra, o de lo que sucede. **SIN** entender. ② Considerar justos o razonables unos actos o sentimientos: *ella no quiere dejar sola a su madre, y yo la comprendo*. **SIN** entender. ③ Incluir o contener una cosa dentro de sí a otra u otras: *Aragón comprende las provincias de Huesca, Zaragoza y Teruel*. **SIN** abarcar, englobar.
FAM comprensible, comprensión, comprensivo; incomprendido.

comprensible *adj.* Que puede comprenderse: *su actitud es comprensible*. **ANT** incomprensible.
FAM incomprensible.

comprensión *s. f.* ① Asimilación clara de una persona de lo que dice o hace otra, o de lo que sucede. ② Actitud tolerante y respetuosa hacia los sentimientos o actos de otra persona: *muestra una gran comprensión hacia mis problemas*. **ANT** incomprensión.
FAM incomprensión.

comprensivo, -va *adj.* Que es capaz de comprender los actos o sentimientos de los demás y de ser tolerante con ellos.

compresa *s. f.* ① Tejido de algodón u otro material que se dobla dos o más veces y se usa para cubrir heridas, contener hemorragias o aplicar frío, calor o un medicamento: *usó compresas de agua fría para bajar la fiebre al niño*. ② Tira de celulosa u otro material que sirve para absorber el flujo menstrual de la mujer.

compresión *s. f.* ① Reducción del volumen de una cosa sometiéndola a una presión. ② Aumento de la presión del carburante en el cilindro de un motor de explosión, para que alcance mayor potencia en el momento de la combustión: *la compresión es una de las fases del motor de combustión interna*.

compresor *s. m.* Aparato que sirve para comprimir un líquido o un gas aplicándole presión.
FAM descompresor, motocompresor, termocompresor, turbocompresor.

comprimido *s. m.* Porción pequeña y sólida de una sustancia medicinal, de forma generalmente redonda, que se puede tragar con facilidad o bien disolverse en agua. **SIN** pastilla.

comprimir *v. tr.* Reducir a menor volumen una cosa, especialmente aplicando presión sobre ella: *comprimir gas; comprimir un archivo informático*.
FAM compresión, compresivo, compresor, comprimido.

comprobación *s. f.* Acción de comprobar una cosa.

comprobante *s. m.* Documento o recibo que deja constancia de la realización de algo o que acredita lo que alguien dice. **SIN** justificante.

comprobar [5] *v. tr.* Confirmar mediante pruebas o demostraciones una cosa de la que se duda.
FAM comprobación, comprobante.

comprometer *v. tr.* ① Poner a una persona o cosa en una situación difícil o peligrosa: *si cuentas este secreto, me comprometerás a mí y a la persona que me lo contó*. ‖ *v. prnl.* ② **comprometerse** Aceptar una responsabilidad u obligación: *se comprometió a pagar sus deudas*. ③ Establecer una pareja relaciones amorosas formales. **SIN** prometerse.
FAM comprometido, compromiso.

comprometido, -da *adj.* Que es difícil o peligroso: *una situación comprometida*.

compromisario, -ria *adj./s. m. y f.* Se aplica a la persona que representa a otras que han delegado en ella para realizar o resolver un asunto.

compromiso *s. m.* ① Situación, suceso o cosa que comprometen a una persona por ser difíciles o embarazosos: *poner a una persona en un compromiso*. ② Responsabilidad u obligación que se contrae. ③ Acuerdo mutuo de una pareja para casarse: *la pareja anunció su compromiso*. ④ Acuerdo por el que dos partes enfrentadas reducen sus demandas o cambian sus opiniones en un intento de llegar a un entendimiento.
FAM compromisario.

compuerta *s. f.* Mecanismo formado por una hoja grande y fuerte a modo de puerta, o bien por dos hojas distanciadas unos metros una de otra, que se levantan o bajan para permitir o impedir, respectivamente, el paso de una cosa, como el agua, un vehículo o personas.

compuesto, -ta ① Participio irregular de *componer*. ‖ *adj.* ② Que se compone de distintos elementos o partes: *un prisma es compuesto porque tiene varias caras*. **SIN** complejo. **ANT** simple. ‖ *adj./s. m.* ③ Se aplica a la palabra que está formada por la unión de dos o más palabras que ya existen en la lengua: *"sacapuntas" y "lavaplatos" son compuestos*. ‖ *s. m.* ④ Mezcla o unión de personas o cosas distintas que componen un todo: *la escenografía consistió en un compuesto de luz y sonido*. ⑤ Sustancia que se forma combinando dos o más elementos químicos en una proporción fija: *la sal (cloruro de sodio) es un compuesto de cloro y sodio*. **NOTA** También *compuesto químico*. ‖ *adj./s. m.* ⑥ Se aplica a la planta que posee flores pequeñas agrupadas entre sí de manera que parecen formar una sola flor: *el girasol y la margarita son plantas compuestas*. ‖ *s. f. pl.* ⑦ **compuestas** Grupo taxonómico, con categoría de familia, constituido por estas plantas.

compuesto de coordinación Compuesto químico que contiene enlaces covalentes coordinados en su estructura.

compulsa *s. f.* Copia legalizada de un documento original: *una fotocopia sellada es una compulsa*.

compulsar *v. tr.* Certificar oficialmente que un documento es una copia legal de un original.

compulsivo, -va *adj.* Se aplica a la persona que actúa inducida por un impulso fuerte que no puede controlar, especialmente si adquiere un hábito con ello: *un comprador compulsivo no puede evitar comprar cosas*.

compungido, -da *adj.* Que está triste por una cosa que ha hecho mal o por el dolor ajeno.

compungirse *v. prnl.* Entristecerse por una cosa que se ha hecho mal o por el dolor ajeno.
FAM compungido.

computacional *adj.* Relativo a la tecnología informática o que utiliza los métodos o recursos de la informática: *lingüística computacional*.

computador *s. m.* Computadora.
FAM computadorizar, computarizar.

computadora *s. f.* Máquina capaz de tratar información automáticamente mediante operaciones matemáticas y lógicas realizadas con mucha rapidez y controladas por programas informáticos. **SIN** computador, ordenador.

computar *v. tr.* ① Contar o calcular con números una cantidad, especialmente de tiempo. ② Tener en cuenta o considerar un dato como equivalente de otro en un caso determinado: *para calcular la jubilación se computan los años de trabajo.* **FAM** computación, cómputo.

cómputo *s. m.* Cálculo de una cantidad, especialmente de tiempo.

comulgar *v. intr.* ① Tomar la hostia y el vino en la ceremonia cristiana de la comunión. ② Estar de acuerdo con una idea o un sentimiento de otra persona: *no comulgo con sus principios.*
FAM excomulgar.

común *adj.* ① Que es compartido por dos o más personas o cosas. ② Que es habitual, abundante o normal: *un vino común; el pino es una especie común en España.* ③ Se aplica al nombre que designa a personas o cosas pertenecientes a conjuntos de seres que tienen las mismas características: *"libro" es un nombre común que se aplica a todos los objetos que tienen las características que hacen que un libro se distinga de cualquier otro objeto.* **SIN** apelativo, genérico. **ANT** propio. ‖ *s. m.* ④ La mayoría de la gente, especialmente de una comunidad: *el común de los ciudadanos; la felicidad es perseguida por el común de la gente.*
en común Entre dos o más personas, conjuntamente: *trabajar en común; comprar una casa en común.*
FAM comuna, comunal, comunero, comúnmente.

comuna *s. f.* ① Comunidad de personas que vive y se organiza de manera autónoma, generalmente fuera de los núcleos urbanos, y comparte las propiedades y el poder. ② AMÉR. Municipio o ayuntamiento.

comunal *adj.* ① Que es común a todos los miembros de una comunidad, especialmente a los de un municipio: *terrenos comunales; bienes comunales.* ② AMÉR. Relativo a la comuna (municipio o ayuntamiento).

comunero, -ra *adj.* ① Relativo a las luchas del partido de las Comunidades de Castilla contra el rey Carlos I en 1520. ‖ *s. m. y f.* ② Persona que luchó a favor del partido de las Comunidades.

comunicación *s. f.* ① Acción de comunicar o comunicarse: *la tormenta dificultaba la comunicación por radio.* ② Intercambio de mensajes a través de un canal y mediante un código común al emisor y al receptor. ③ Carta o mensaje escrito en que se comunica una cosa, especialmente importante. ④ Escrito breve que se lee públicamente en un congreso u otra reunión científica.
FAM intercomunicación, radiocomunicación, telecomunicación.

comunicado, -da *adj.* ① Se aplica al lugar que está en contacto con otros lugares mediante una vía de comunica-

ción: *muchos pueblos de montaña están mal comunicados.* ‖ *s. m.* ② Escrito en el que se comunica públicamente una noticia, decisión u opinión, especialmente el que se envía a un medio periodístico.
FAM incomunicado.

comunicador, -ra *s. m. y f.* Persona que posee una gran capacidad para transmitir a los demás sus opiniones y conectar con la gente.

comunicante *adj.* ① Que comunica o se comunica: *las partes comunicantes de una negociación.* ‖ *s. com.* ② Persona que se pone en contacto con un medio de comunicación para participar en un programa, exponer su opinión, etc.

comunicar *v. tr.* ① Hacer saber una cosa una persona a otra. ② Hacer partícipe una persona a otra de sus sentimientos o emociones: *me comunica su entusiasmo; sabe comunicarme lo que me quiere con sus muestras de cariño.* ③ Transmitir y recibir información por medio de un código común a emisor y receptor: *nos comunicamos por radio.* ④ Unir o poner en relación dos lugares o espacios: *los dos pueblos se comunican por un camino forestal.* ‖ *v. intr.* ⑤ Dar el teléfono una señal, generalmente intermitente, que indica que la línea está ocupada.
FAM comunicación, comunicado, comunicador, comunicativo; incomunicar.

comunicativo, -va *adj.* ① Relativo a la comunicación. ② Se aplica a la persona que tiene facilidad para comunicarse con los demás.

comunidad *s. f.* ① Conjunto de personas que viven juntas bajo ciertas reglas o que tienen los mismos intereses o características: *una comunidad de vecinos; una comunidad religiosa.* ■ **comunidad autónoma** Entidad política y territorial más importante en que se divide el Estado español, dotada de autonomía legislativa y competencias ejecutivas en todo aquello que no sea común con el resto del Estado. **NOTA** También simplemente *comunidad.* **SIN** autonomía. ② En biología, conjunto de las distintas especies que comparten un mismo espacio físico y que interaccionan entre sí y con el medio. ■ **comunidad clímax** Comunidad que se ha desarrollado hasta su estadio más maduro de modo que su evolución se estaciona y los cambios se producen lentamente; etapa final de una sucesión ecológica.
FAM comunitario.

comunión *s. f.* ① Sacramento de la Eucaristía en la religión cristiana, que consiste en la conversión del pan y el vino en el cuerpo y la sangre de Cristo por medio de la consagración, y en el que los fieles participan tomando ambos alimentos. **SIN** eucaristía. ② Ceremonia cristiana que se celebra durante un servicio religioso y en la que se recibe este sacramento. **SIN** eucaristía. ■ **primera comunión** Ceremonia solemne en la que una persona cristiana recibe por primera vez este sacramento. ③ Unión o acuerdo en las ideas, las opiniones o los sentimientos.

comunismo *s. m.* Sistema de organización social ideado por Karl Marx durante la segunda mitad del siglo XIX, en el que se establece la abolición de la propiedad privada, la comunidad de bienes y la supresión de las clases sociales.
FAM comunista; anticomunismo, eurocomunismo.

comunista *adj.* ① Relativo al comunismo. ‖ *adj./s. com.* ② Se aplica a la persona que es partidaria del comunismo.
FAM anticomunista.

comunitario, -ria *adj.* ① Relativo a la comunidad. ② De la Unión Europea (comunidad económica que comprende a

la mayoría de países de Europa): *España es un país comunita-rio.* ‖ *s. m. y f./adj.* ③ Persona que es de la Unión Europea.
FAM extracomunitario.

comúnmente *adv.* Indica que algo se produce con frecuencia y es habitual que ocurra.

con *prep.* ① Indica el instrumento, medio o modo de hacer o producirse una cosa: *cortar el pan con un cuchillo.* ② Indica que se está junto a otra persona, animal o cosa o en su compañía: *he venido con mi prima.* ③ Indica que una cosa tiene o contiene otra: *una bolsa con dinero.* ④ Indica relación o comunicación: *yo hablo con todos; tiene poca influencia con el ministro.* ⑤ Delante de infinitivo, indica condición: *con llamar ya quedarás bien.* ⑥ Indica que una cosa se produce a pesar de otra: *con lo caro que ha costado, y no funciona bien.*

conativo, -va *adj.* Se aplica a la función del lenguaje que sirve para llamar la atención del oyente o para influir o actuar sobre él: *en el lenguaje de la publicidad predomina la función conativa.* **SIN** apelativo.

conato *s. m.* Acción o suceso que se inicia pero no continúa: *un conato de incendio; un conato de rebelión.*
FAM conativo.

concatenación *s. f.* Enlace de objetos, hechos o ideas unos con otros como en una cadena.

concatenar *v. tr.* Enlazar hechos o ideas que suceden en serie o cadena.

concavidad *s. f.* ① Característica que tienen las cosas convexas, de forma curva y hundidas en la parte central. **ANT** convexidad. ② Lugar o superficie que tiene forma cóncava.

cóncavo, -va *adj.* Que tiene forma curva y está hundido en la parte central, como un cuenco o una cuchara. **ANT** convexo.
FAM concavidad.

concebible *adj.* Que puede ser concebido o imaginado. **ANT** inconcebible.

concebir [10] *v. tr./intr.* ① Empezar a gestar una mujer o la hembra de un animal en su útero a un hijo. ② Formar en la mente una idea, una opinión o un proyecto: *concibió su idea del nuevo libro durante el verano.* ‖ *v. tr.* ③ Empezar a sentir un afecto, un deseo o una emoción: *sus promesas me hicieron concebir esperanzas.* ④ Comprender, tener idea clara de una cosa: *no concibo cómo puede comportarse tal mal.*
FAM concebible.

conceder *v. tr.* ① Dar una cosa a una persona quien tiene autoridad o poder para ello, especialmente un favor o permiso: *conceder un deseo; le concedieron el préstamo.* **SIN** otorgar. **ANT** denegar. ② Atribuir una cualidad o condición a una persona o cosa: *no concedí importancia a aquel suceso.*

concejal, -la *s. m. y f.* Persona que forma parte del gobierno de un ayuntamiento. **SIN** edil.
FAM concejalía.
OBS Femenino: *concejal* o *concejala.*

concejalía *s. f.* ① Departamento de un ayuntamiento que está bajo las órdenes de un concejal y cumple una función determinada: *la concejalía de cultura.* ② Cargo del concejal. ③ Edificio u oficina en donde trabaja un concejal.

concejo *s. m.* ① Corporación municipal integrada por un alcalde y varios concejales que se encarga de administrar y gobernar un municipio. **SIN** ayuntamiento, cabildo, consistorio. ② Edificio en el que trabaja este grupo de personas.

SIN ayuntamiento, cabildo, consistorio. ③ Reunión o junta celebrada por los miembros de este grupo de personas. **SIN** cabildo. ④ Término municipal sobre el que un concejo o ayuntamiento tiene jurisdicción: *el contenido del bando municipal afecta a todo el concejo.* ⑤ Junta o reunión de un grupo de personas. ■ **concejo de la Mesta** Asociación medieval de los pastores y ganaderos de la Corona de Castilla que se reunían cada año para tratar asuntos relativos a sus ganados y para distinguir y separar los animales sin dueño que se hubieran mezclado con los suyos; fue creado en el siglo XIII y suprimido en el XVIII.
FAM concejil.

concelebrar *v. tr./intr.* Celebrar una misa entre varios sacerdotes.

concentración *s. f.* ① Reunión o acumulación de personas, animales o cosas en un solo punto. ■ **concentración parcelaria** Agrupación de varias fincas rústicas de pequeña extensión pertenecientes a diversos dueños con objeto de repartirlas nuevamente según criterios de racionalidad con vistas a mejorar el cultivo. ② Atención fija en lo que se hace o en lo que se piensa hasta llegar a aislarse de lo demás. **SIN** abstracción, ensimismamiento. ③ Relación que existe entre la cantidad de una sustancia disuelta y la del disolvente en una disolución. ④ Aislamiento de un equipo deportivo antes de un partido o una competición. ⑤ Reunión de muchas personas en un mismo lugar para hacer una petición o una manifestación pública.

concentración horizontal Fusión de empresas que fabrican un mismo producto, aunque este tenga diferentes marcas: *el trust es un tipo de concentración horizontal.*

concentración vertical Concentración en una sola empresa de todas las fases de fabricación de un producto, desde la obtención de la materia prima hasta su distribución.

concentrado, -da *adj.* ① Se aplica a la persona que tiene la atención fija en una cosa, sin distraerse: *estaba tan concentrado en la lectura que no me oyó llegar.* ‖ *s. m./adj.* ② Sustancia, generalmente alimenticia, a la que se ha eliminado gran parte del líquido que contenía: *el concentrado de frutas tiene más pulpa.* ③ Disolución que tiene un valor de concentración elevado.

concentrar *v. tr.* ① Reunir o acumular en un solo punto, generalmente aquello que estaba disperso o separado: *concentrar el poder en una mano.* ② Hacer que una sustancia se vuelva más densa, especialmente añadiendo componentes sólidos o más densos. ③ Hacer que una disolución aumente su valor de concentración mediante la adición de soluto o la eliminación de disolvente. ‖ *v. prnl.* ④ **concentrarse** Poner toda la atención en lo que se hace o en lo que se piensa hasta llegar a aislarse de todo lo demás: *hace falta concentrarse para estudiar.* ⑤ Reunirse y aislarse un equipo deportivo antes de un partido o una competición para estar relajado y poner la atención en él.
FAM concentración, concentrado; reconcentrar.

concéntrico, -ca *adj.* Se aplica a la figura o al sólido que comparte el mismo centro que otro: *los anillos del tronco de un árbol son concéntricos.*

concepción *s. f.* ① Proceso durante el cual se concibe o empieza a gestarse un hijo en el útero de la madre o hembra de un animal. ② Opinión o juicio que una persona tiene formada en su mente acerca de una persona o cosa. **SIN** concepto, idea. ③ Formación en la mente de una idea, una opinión o un proyecto.

FAM conceptivo.

concepcionista *adj.* ① Relativo a la orden franciscana llamada de la Inmaculada Concepción. ‖ *adj./s. f.* ② Se aplica a la religiosa perteneciente a esta orden.

conceptismo *s. m.* Tendencia literaria del Barroco, que buscaba la complejidad y oscuridad expresivas mediante la agudeza ideológica, los contrastes violentos, juegos de palabras basados en el sentido y una densa concisión verbal.

FAM conceptista.

conceptista *adj.* ① Se aplica al estilo que es propio del conceptismo. ‖ *adj./s. com.* ② Se aplica al escritor que cultiva el conceptismo.

concepto *s. m.* ① Representación abstracta de una cosa real o irreal que se forma en la mente de una persona. **SIN** idea. ② Concepción (opinión o juicio): *el chico tenía un concepto equivocado de la situación.*

en concepto de Con el carácter de: *hemos incluido mil euros en concepto de gastos de transporte.*

FAM conceptismo, conceptual, conceptuar, conceptuoso.

conceptual *adj.* Relativo al concepto: *su visión es demasiado conceptual.*

FAM conceptualismo, conceptualizar.

conceptualismo *s. m.* Doctrina de la filosofía medieval entre el nominalismo y el realismo, que considera que los universales o conceptos abstractos tienen existencia real en la mente humana, pero no existen fuera de ella.

FAM conceptualista.

conceptualizar *v. tr.* Formar un concepto o representación abstracta y mental de una cosa.

FAM conceptualización.

conceptuar *v. tr.* Formar una opinión o un juicio de una cosa o persona.

FAM conceptuación; desconceptuar.

OBS Verbo regular, se acentúa como *actuar.*

concernir [3] *v. intr.* Tocar a una persona una responsabilidad u obligación, o una cosa que tiene interés para ella: *se había enterado de una cosa que le concernía.* **SIN** atañer, incumbir.

FAM concerniente.

concertación *s. f.* Acuerdo entre dos o más personas o entidades sobre un asunto. **SIN** concierto, convenio.

concertado, -da *adj.* Se aplica al colegio de propiedad privada que recibe una subvención estatal.

concertar [1] *v. tr.* ① Pactar o llegar a un acuerdo dos o más personas o entidades sobre un asunto determinado: *concertar la paz entre dos naciones; concertar una cita.* ② Hacer que coincida o concuerde, especialmente de modo ordenado o armónico, una cosa con otra: *concertar los esfuerzos de muchos.* ‖ *v. intr.* ③ Coincidir o concordar, especialmente de modo ordenado o armónico, una cosa con otra: *las declaraciones del testigo no concertaban con las del acusado.* ④ Tener una relación gramatical una palabra con otra por coincidir en algunas de sus características morfológicas: *en "la casa silenciosa", el adjetivo concuerda con el sustantivo en género y número.* **SIN** concordar.

FAM concertación, concertado, concertante, concierto; desconcertar.

concertina *s. f.* Acordeón pequeño de forma hexagonal, muy usado en las fiestas populares.

concertista *s. com.* Músico que realiza un concierto como solista: *los pianistas son concertistas o acompañan a cantantes.*

concesión *s. f.* ① Acción de conceder o dar una cosa a una persona quien tiene autoridad o poder para ello, especialmente un favor o permiso: *la concesión de un premio.* ② Permiso que un organismo oficial concede a una empresa o a un particular para que explote una actividad o propiedad del gobierno: *se ha adjudicado una concesión a una empresa para construir una autopista.* ③ Renuncia sobre un asunto concreto que hace una persona en favor de otra, siendo generalmente la primera de mayor autoridad que la segunda: *hago una concesión dejándole visitar al enfermo.*

concesionario, -ria *s. m. y f./adj.* Persona o empresa que ha recibido de un organismo oficial el permiso para que explote una actividad o propiedad del gobierno.

concesiva *adj./s. f.* ① Se aplica a la proposición subordinada que expresa una objeción o dificultad para el cumplimiento de lo que se dice en la oración principal, sin que este obstáculo impida su realización: *en la oración "aunque haga mal tiempo, saldremos", "aunque haga mal tiempo" es una concesiva.* ② Se aplica a la conjunción que introduce una oración de esta clase: *las conjunciones "aun" y "aunque" son concesivas.*

concha *s. f.* ① Cubierta dura que protege el cuerpo de algunos animales invertebrados, como el caracol o los moluscos marinos. ② Material que se obtiene del caparazón de la tortuga carey, de aspecto córneo, duro y translúcido, usado para hacer objetos lujosos. **SIN** carey. ③ Cubierta baja que se coloca en un escenario, de espaldas al público, para ocultar al apuntador.

FAM conchil.

conchabar *v. tr.* ① AMÉR. SUR Contratar a una persona como sirviente. ‖ *v. prnl.* ② **conchabarse** Ponerse de acuerdo dos o más personas para hacer una cosa, especialmente ilícita.

FAM conchabamiento, conchabanza; aconchabarse.

conciencia *s. f.* ① Conocimiento que el ser humano tiene de su propia existencia, del estado en que se encuentra y de lo que hace: *tengo plena conciencia de lo que hago; el golpe le ha hecho perder la conciencia.* **SIN** consciencia. ② Facultad del ser humano para elaborar juicios personales de carácter moral y ético sobre lo que está bien y lo que está mal, con relación a sí mismo y a los demás: *tener la conciencia tranquila.*

a conciencia Poniendo todo el empeño y atención.

tomar conciencia Pasar a darse cuenta de una cosa: *tomar conciencia de los problemas de los demás.*

FAM concienciar, concienzudo; consciencia.

concienciar *v. tr.* Hacer que una persona tome conciencia de una cosa en relación con los valores éticos y morales de esta.

FAM concienciación.

OBS Verbo regular, se acentúa como *cambiar.*

concienzudo, -da *adj.* Se aplica a la persona que hace las cosas con cuidado y pone todo su empeño y atención.

concierto *s. m.* ① Espectáculo en el que se interpretan obras musicales. ② Composición musical escrita para uno o varios instrumentos solistas y una orquesta. ③ Acuerdo entre dos o más personas o entidades sobre un asunto. **SIN** concertación, convenio.

FAM macroconcierto.

conciliábulo *s. m.* Reunión de personas que no ha sido convocada por persona autorizada o que se reúne para tratar un asunto que se quiere mantener oculto.

conciliación *s. f.* Acción de conciliar a personas enfrentadas o cosas opuestas o diferentes.

conciliar *v. tr.* ❶ Hacer que dos o más personas que estaban enfrentadas se pongan de acuerdo. ❷ Hacer que dos ideas, opiniones, circunstancias, etc. opuestas o diferentes se unan y hagan compatibles: *conciliar la rapidez con la eficacia.* **FAM** conciliación, conciliador, conciliatorio; inconciliable. **OBS** Verbo regular, se acentúa como *cambiar.*

concilio *s. m.* Reunión de autoridades de la Iglesia católica, como los obispos y el Papa, para decidir sobre temas referentes a los dogmas o la organización eclesial: *en 1545, el papa Paulo III convoca el Concilio de Trento para asegurar la unidad de la fe y la disciplina eclesiástica.* **FAM** conciliábulo, conciliar.

concisión *s. f.* Cualidad de lo que es conciso.

conciso, -sa *adj.* Que expresa las ideas con claridad y las menos palabras posibles. **FAM** concisión.

concitar *v. tr.* Promover desunión, discordia o malos sentimientos de una persona contra otra: *concitar al pueblo contra el gobierno.* **FAM** concitador.

conciudadano, -na *s. m. y f.* ❶ Persona de una ciudad con respecto a las demás de la misma ciudad. ❷ Persona de una nación con respecto a las demás de la misma nación.

cónclave *s. m.* ❶ Reunión de los cardenales para elegir papa. ❷ Reunión de varias personas para tratar un asunto.

concluir [21] *v. tr./intr.* ❶ Hacer que una cosa llegue a su fin: *María ha concluido su tesis.* **SIN** acabar, finalizar, terminar. **ANT** comenzar, empezar. ❷ Llegar a una decisión, un juicio o una solución después de haber reflexionado sobre el asunto: *después de pensarlo, concluyó que debía viajar esa noche.* **FAM** conclusión, conclusivo, concluso, concluyente.

conclusión *s. f.* ❶ Fin de una cosa, especialmente de aquello que es elaborado o llevado a cabo por una persona. ❷ Decisión, juicio o solución a los que se llega después de haber reflexionado sobre el asunto.
en conclusión Por último, finalmente, para acabar.

concluyente *adj.* Se aplica a la prueba, el hecho o el argumento que elimina toda duda o incertidumbre acerca de un asunto y sirven como conclusión final.

concomitancia *s. f.* Característica de una cosa concomitante con otra, que se produce acompañada de esta o conjuntamente con ella. **FAM** concomitante.

concordancia *s. f.* ❶ Correspondencia entre varias cosas. ❷ En gramática, relación sintagmática entre miembros de la misma frase o sintagma por la que determinados morfemas de género, número y persona se repiten.

concordar [5] *v. intr.* ❶ Coincidir, ajustarse correctamente una cosa con otra: *los resultados no concordaban con los datos que se tenían.* ❷ Tener una relación gramatical una palabra con otra por coincidir en algunas de sus características morfológicas: *el sujeto y el verbo concuerdan en número y persona.* **SIN** concertar.
FAM concordancia, concordante, concordato, concorde.

concordato *s. m.* Pacto o tratado entre la Santa Sede y el gobierno de una nación acerca de las relaciones que se establecen entre ambos.

concorde *adj.* Que está conforme o de acuerdo en opinión o parecer: *tener ideas concordes dos amigos.* **FAM** concordia.

concordia *s. f.* Relación pacífica entre personas o países. **SIN** acuerdo. **ANT** desacuerdo.

concreción *s. f.* ❶ Cualidad de una cosa dicha o escrita con exactitud y precisión, reduciendo el contenido a lo fundamental. ❷ Acumulación de partículas o granos de materia mineral sobre la superficie de una masa rocosa. **FAM** inconcreción.

concretar *v. tr.* Señalar, fijar o establecer una cosa de modo concreto, preciso o específico: *concretemos una fecha para la reunión.* **FAM** concreción.

concreto, -ta *adj.* ❶ Que es considerado en sí mismo, de modo particular: *para explicar este tema, tomaremos un caso concreto.* ❷ Que es real y se puede percibir con los sentidos: *el amor es abstracto, pero se puede expresar con gestos concretos, como un regalo o un beso.* **ANT** abstracto. ❸ Que se expresa o determina de un modo preciso o específico: *una fecha concreta.* ❹ Se aplica al sustantivo que designa cosas materiales: *"mesa", "tierra" y "coche" son sustantivos concretos.* **ANT** abstracto. ‖ *s. m.* ❺ AMÉR. Hormigón armado.
en concreto Considerado de modo concreto, en sí mismo: *este tema en concreto no me interesa.* **FAM** concretar; inconcreto.

concubina *s. f.* despectivo Mujer que convive y mantiene relaciones sexuales con un hombre sin estar casada con él. **SIN** barragana. **FAM** concubinato.

concubinato *s. m.* Relación de un hombre y una mujer que viven juntos y mantienen relaciones sexuales sin estar casados.

conculcar *v. tr.* culto Quebrantar una ley, una norma o un pacto. **FAM** conculcación.

concupiscencia *s. f.* culto Deseo de bienes y placeres materiales, especialmente deseo sexual, generalmente desordenado o exagerado. **FAM** concupiscente.

concupiscente *adj.* culto Que está dominado por el deseo de bienes y placeres materiales, especialmente por el deseo sexual, generalmente desordenado o exagerado.

concurrencia *s. f.* ❶ Acción de concurrir o juntarse en un mismo lugar o momento varias personas, sucesos o cosas: *concurrencia de fuerzas.* ❷ Conjunto de personas que concurren o acuden a un espectáculo, una reunión u otro acto similar.

concurrido, -da *adj.* Se aplica al lugar o espectáculo u otro acto similar en el que concurren o se juntan muchas personas: *una calle muy concurrida.*

concurrir *v. intr.* ❶ Juntarse en un mismo lugar muchas personas: *muchos ciudadanos concurrieron al pregón.* ❷ Coincidir cualidades o circunstancias en una misma persona o cosa: *concurrir circunstancias imprevistas que impidan una cita.* ❸ Tomar parte con otros en un concurso, una competición, unas elecciones, etc. **FAM** concurrencia, concurrente, concurrido.

concursante *s. com./adj.* Persona que participa en un concurso.

C

concursar *v. intr.* Participar en un concurso: *concursar en la televisión; concursar para un cargo.*
FAM concursante.

concurso *s. m.* ① Prueba o competición en la que una o más personas se enfrentan a las mismas dificultades para evaluar quién es el mejor y otorgarle un premio. ② Proceso de selección de un organismo oficial para otorgar un empleo o un contrato con dicho organismo, por el que pasan varias personas o entidades con las mismas condiciones.
FAM concursar.

condado *s. m.* ① Título y dignidad de conde. ② Territorio que poseía y gobernaba un conde o condesa, especialmente en época feudal: *Cataluña fue un condado muy poderoso en la Edad Media.* ③ En algunos países anglosajones, como Gran Bretaña, Irlanda y Estados Unidos, la mayor unidad territorial y administrativa de carácter local.

condal *adj.* Relativo al condado (título y territorio).

conde, -desa *s. m. y f.* ① Título nobiliario de categoría inferior al de marqués y superior al de vizconde. ■ **condeduque** Combinación de dos títulos nobiliarios pertenecientes a la misma persona, que a veces ha sido considerado como un título especial. ‖ *s. m.* ② Gobernador o señor de un territorio o comarca en el régimen feudal. ③ En la Alta Edad Media, dignidad que un monarca confería a quienes confiaban misiones civiles o militares. ④ Dignidad del Imperio romano, honorífica al principio y después concedida a menudo con cargos anejos.
FAM condado, condal; vizconde.

condecoración *s. f.* ① Cruz, medalla u otra insignia que recibe una persona como premio por sus méritos, como el valor o el servicio a los demás. ② Acción de condecorar a una persona.

condecorar *v. tr.* Conceder una condecoración a una persona como premio por sus méritos.
FAM condecoración.

condena *s. f.* ① Pena o castigo que impone una autoridad, generalmente un juez, a una persona por haber cometido un delito o una falta. ② Condenación (acción de condenar): *la condena de los malos tratos.*

condenación *s. f.* ① Acción de condenar una cosa que se considera mala o perjudicial: *la condenación de la violencia.* ② Castigo o condena de un pecador al Infierno. **NOTA** También *condenación eterna.*

condenado, -da *adj./s. m. y f.* ① Que es culpable de un delito o falta y cumple una pena por ello. ‖ *adj.* ② familiar Maldito: *no puedo andar con estos condenados zapatos; ¡qué guapo es el condenado de tu hijo!* **NOTA** Frecuentemente usado de forma irónica. En esta acepción, va antepuesto al sustantivo.

condenar *v. tr.* ① Decidir una autoridad que una persona es culpable de un delito o falta e imponerle la pena que le corresponda. ② Desaprobar y rechazar una cosa que se considera mala o perjudicial, especialmente si es un rechazo público o se declara abiertamente: *condenar el racismo; condenar un atentado terrorista.* ③ Tapiar o cerrar permanentemente una habitación, una puerta, una ventana, etc. ‖ *v. prnl.* ④ **condenarse** Causar una persona su propia perdición o condena a causa de sus pecados y cumplir pena en el Infierno.
FAM condena, condenación, condenado, condenatorio.

condensación *s. f.* ① Paso de una sustancia del estado ga-

seoso al líquido o sólido. **ANT** vaporización. ② Acción de condensar una sustancia para hacerla más densa, especialmente eliminando parte del líquido que contiene. ③ Reducción del contenido de un escrito o un discurso a poca extensión, conservando lo esencial y eliminando lo superfluo.

condensador *s. m.* ① Aparato que convierte un gas en líquido por medio de agua o aire frío. ② Dispositivo para almacenar energía eléctrica, formado por dos conductores eléctricos separados por un material aislante o dieléctrico (aire, cristal, plástico, etc.) y conectado uno de ellos a un generador: *el condensador impide el paso de corriente continua y permite el paso de corriente alterna en un grado que depende de la frecuencia y de su capacidad.* **NOTA** También *condensador eléctrico.*

condensar *v. tr.* ① Hacer que un gas pase al estado líquido o sólido. ② Hacer que una materia o sustancia pase a un estado más denso, generalmente reduciendo su temperatura o eliminando parte del líquido que contiene: *el vapor de las nubes se condensa y se convierte en lluvia.* ③ Reducir el contenido de un escrito o un discurso a poca extensión, conservando lo esencial y eliminando lo superfluo.
FAM condensación, condensador.

condescendencia *s. f.* Característica de la persona que se acomoda por bondad a la voluntad o el gusto de otra.

condescender [2] *v. intr.* ① Acomodarse una persona, por bondad, a la voluntad o el gusto de otra. ② Aceptar una cosa, como una idea o situación, o acomodarse fácilmente a ella por debilidad o interés propio: *el gobierno condescendió a pactar una paz que no dejó conforme a la población.*
FAM condescendencia, condescendiente.

condescendiente *adj.* Que se acomoda fácilmente a la voluntad o al gusto de los demás, bien por bondad, bien por debilidad o interés propio.

condestable *s. m.* Oficial que antiguamente ejercía, en nombre del rey, la primera autoridad poder del ejército.

condición *s. f.* ① Requisito, situación o circunstancia que es necesaria o se exige para que sea posible una cosa: *para ejercer como médico es condición imprescindible tener el título oficial.* ② Característica que forma parte del carácter o modo de ser de una persona: *hay personas que son de condición sensible y todo les afecta.* ③ Clase o categoría social de una persona: *un hombre de condición humilde.* ‖ *s. f. pl.* ④ **condiciones** Estado o situación de una persona o cosa: *estos alimentos están en malas condiciones; muchas familias vivían en condiciones infrahumanas.*
a condición de Expresión que indica que una cosa es necesaria para el cumplimiento de otra: *pueden ver a la enferma a condición de que no la molesten.*
condiciones normales En química, valores de presión equivalentes a 1 atmósfera y de temperatura igual a 0 °C (273 grados Kelvin, aproximadamente).
en condiciones Que está preparado o dispuesto para un fin: *este pescado no está en condiciones; no estoy en condiciones para hablar con nadie.*
FAM condicional.

condicional *adj.* ① Que depende de una o más condiciones o requisitos: *libertad condicional.* ‖ *adj./s. f.* ② Se aplica a la proposición subordinada que expresa una condición para que se efectúe la acción, el proceso o el estado expresado por la oración principal: *en la oración "si llueve, saldremos igualmente", "si llueve" es una condicional.* ③ Se aplica a la conjunción que introduce esta clase de proposición: *"si" es una conjunción condicional.* ‖ *s. m./adj.* ④ Tiempo del verbo que sirve para expresar una acción futura en relación con el pasado o una probabilidad también en el pasado, o una acción posible si se cumple una condición previa. **SIN** potencial. ■ **condicional simple** Condicional que se forma añadiendo el morfema *-ría* a la raíz del verbo: *el condicional simple también tiene un valor de cortesía, como en "¿sería tan amable de ayudarme?".* ■ **condicional compuesto** Condicional que se forma con la forma condicional simple del verbo *haber* y el participio del verbo principal: *"habría ido" es el condicional compuesto del verbo "ir".* **FAM** incondicional.

condicionar *v. tr.* Hacer depender una cosa de una o más condiciones, limitaciones o restricciones: *María condicionó su respuesta a las opiniones de su familia.* **FAM** condicionante, condicionamiento; acondicionar, incondicionado.

condimentación *s. f.* Preparación de un alimento con las especias y sustancias necesarias. **SIN** aderezo, aliño.

condimentar *v. tr.* Echar especias u otras sustancias a una comida para que tenga más sabor o el sabor deseado. **SIN** aderezar, aliñar, sazonar. **FAM** condimentación.

condimento *s. m.* Sustancia que sirve para dar más sabor a la comida: *la sal, la pimienta, el orégano y el azafrán son condimentos.* **FAM** condimentar.

condiscípulo, -la *s. m. y f.* Persona que estudia o ha estudiado junto con otras bajo la dirección de un mismo maestro.

condolencia *s. f.* Manifestación del dolor o pesar por una pena de otra persona, especialmente la muerte de alguien querido.

condolerse [6] *v. prnl.* Dolerse o sentir dolor junto con otra persona por la pena que le aflige, especialmente la muerte de una persona querida. **FAM** condolencia.

condominio *s. m.* Dominio o gobierno compartido por dos estados sobre un territorio.

condón *s. m.* Funda muy fina, de látex u otro material parecido, que se coloca en el pene antes de realizar el coito y sirve para impedir el embarazo y para prevenir enfermedades de transmisión sexual. **SIN** preservativo, profiláctico.

condonar *v. tr.* Perdonar una pena o una deuda: *condonar la deuda externa de los países pobres.* **FAM** condonación, condonante.

cóndor *s. m.* Ave rapaz diurna de la familia del buitre, de unos 3 m de ancho con las alas extendidas, cabeza y cuello desnudos y con la piel rugosa, un collar de plumas blancas en el cuello y plumaje de color negro azulado; vive en los Andes y California; se alimenta principalmente de carroña.

conducción *s. f.* ① Acción de conducir. ② Conjunto de conductos dispuestos para el paso de un líquido o gas: *la conducción del gas.*

conducente *adj.* Que conduce o dirige a un lugar, a un resultado o a una consecuencia.

conducir [18] *v. tr.* ① Dirigir o manejar un vehículo utilizando los mandos necesarios para que marche. ② Guiar o dirigir hacia un lugar: *el pastor conduce el rebaño.* ③ Guiar o dirigir a un grupo de personas en su actuación, modo de pensar o comportamiento: *conducir una reunión.* ④ Llevar una cosa a otra como consecuencia: *el miedo conduce a actuar ciegamente.*

⑤ Transmitir o propagar de un lugar a otro una corriente eléctrica, un fluido, una radiación, etc.: *la capacidad de un material para conducir el calor.* ‖ *v. prnl.* ⑥ **conducirse** Actuar una persona de una manera determinada en su relación con los demás: *se conduce como un loco.* **SIN** comportarse. **FAM** conducente; reconducir.

conducta *s. f.* Comportamiento de una persona o un animal. **FAM** conductancia, conductismo.

conductismo *s. m.* Doctrina psicológica, fundada por J. B. Watson, cuyo método se basa en la observación objetiva de la conducta del ser que se estudia. **SIN** behaviorismo. **FAM** conductista.

conductista *adj.* ① Relativo al conductismo. **SIN** behaviorista. ‖ *adj./s. com.* ② Se aplica a la persona que es partidaria del conductismo. **SIN** behaviorista.

conductividad *s. f.* Propiedad de los cuerpos o materiales que permiten el paso del calor o la electricidad a través de sí, o que son buenos conductores de estos. **FAM** superconductividad.

conductivo, -va *adj.* Relativo a la conducción de la electricidad o del calor a través de un cuerpo. **FAM** conductividad.

conducto *s. m.* ① Tubo que sirve para conducir generalmente líquidos o gases y llevarlos de un lugar a otro. ② Parte de un organismo animal o vegetal que tiene forma de tubo y sirve para conducir fluidos: *los bronquios son conductos por los que pasa el aire.* ③ Medio a través del cual se lleva a cabo un fin. **FAM** conductibilidad, conductividad.

conductor, -ra *adj./s. m. y f.* ① Se aplica a la persona que conduce un vehículo. ② Se aplica al cuerpo o material que permite el paso del calor o la electricidad a través de sí, o que es óptimo para ello: *los metales son buenos conductores.* ‖ *adj.* ③ Que conduce o sirve de conducto para que pase un líquido o gas: *las plantas tienen vasos conductores de savia.* **FAM** semiconductor, superconductor.

conectar *v. tr.* ① Hacer que un aparato, máquina u otro sistema eléctrico haga contacto con su fuente de energía y se ponga en funcionamiento: *conectar la radio; conectar el teléfono móvil.* **ANT** desconectar. ② Unir dos aparatos o sistemas, generalmente mediante un cable, para que entre ellos se establezca la relación necesaria para que funcionen conjuntamente: *conectar la impresora con el ordenador.* **ANT** desconectar. ③ Empalmar dos partes de un sistema, como una red de comunicación o de conducción: *conectar la autopista con la carretera; conectar dos cables; conectar una acequia con un canal.* ④ Unir o poner en contacto o relación una cosa con otra de modo que formen una sola cosa o queden trabadas: *conectar las partes de un discurso; conectar un hecho con otro.* ⑤ Ponerse en comunicación una persona con otra por un medio determinado: *conectaron en directo con la enviada especial.* **FAM** conectivo, conector; desconectar.

conectivo, -va *adj.* ① Se aplica al tejido del organismo animal que sirve para unir y dar estructura a las diferentes partes del cuerpo. **SIN** conjuntivo. ② Se aplica a la palabra que sirve para conectar dos partes de una oración: *las conjunciones son conectivas.*

conector, -ra *adj./s. m.* ① Que conecta, une o empalma dos elementos de un sistema. ‖ *s. m.* ② Pieza de un aparato o sistema eléctrico que sirve para conectarse con otros elementos: *en un ordenador, un conector es parecido a un enchufe que se conecta en la parte trasera del aparato.*

conejera *s. f.* Madriguera del conejo, en donde vive en comunidad para criarse y cobijarse.

conejo, -ja *s. m. y f.* Mamífero roedor de orejas largas, cola corta y pelo espeso, con las patas traseras más largas que las delanteras que le permiten desplazarse dando saltos; se alimenta de vegetales.

conejillo de Indias (**I**) Mamífero roedor de cerca de 30 cm de longitud, orejas cortas, cuerpo grueso y pelaje espeso; se alimenta de vegetales; es originario de América del Sur. **SIN** cobaya. (**II**) Persona o animal sometidos a observación o experimentación para comprobar algo: *la primera promoción de la carrera sirvió de conejillo de Indias.* **SIN** cobaya.
FAM conejera, conejero.

conexión *s. f.* ⒈ Acción de conectar un aparato, una máquina u otro sistema eléctrico a su fuente de energía o dos aparatos o partes de un sistema eléctrico entre sí. ⒉ Acción de conectar o empalmar dos partes de un sistema, como una red de comunicación o de conducción: *efectuar la conexión de dos autopistas.* ⒊ Acción de conectar o poner en contacto o relación una cosa con otra de modo que formen una sola cosa o queden trabadas: *hacer una conexión de los datos de un trabajo.* ⒋ Comunicación que establece una persona con otra por un medio determinado: *hacer una conexión en directo con un periodista.* ⒌ Cosa o parte de un sistema que conecta los diversos elementos entre sí, especialmente de un aparato eléctrico: *los nudos de las autopistas son conexiones; la conexión del vídeo con la televisión no funciona bien.* ■ **conexión en paralelo** Conexión de elementos de un circuito eléctrico de modo que por todos ellos circula la misma intensidad y en que la tensión total es la suma de las tensiones entre los bornes de cada elemento. ■ **conexión en serie** Conexión de elementos de un circuito eléctrico de modo que la tensión aplicada a todos ellos es la misma y la intensidad de la corriente total se reparte entre todos los elementos. ⒍ Persona con la que otra debe contactar para recibir instrucciones o trabajar conjuntamente, especialmente dentro de una institución, empresa u organización: *tiene una conexión en Londres.* **SIN** contacto, enlace.
FAM conexionar.

conexo, -xa *adj.* Que está conectado o guarda una relación con el resto de partes. **ANT** inconexo.
FAM inconexo.

confabulación *s. f.* Acuerdo que toman dos o más personas en secreto para actuar conjuntamente en contra de otra.

confabularse *v. prnl.* Ponerse de acuerdo dos o más personas en secreto para actuar conjuntamente en contra de otra. **SIN** conjurar, conspirar.
FAM confabulación, confabulador.

confección *s. f.* ⒈ Elaboración o fabricación de una cosa a partir de la combinación de sus componentes, especialmente si requiere cierto cuidado: *se dedicaba a la confección de maquetas de barcos.* ⒉ Acción de confeccionar una prenda de vestir, cortando la tela según la forma deseada y cosiéndola. ⒊ Prenda de vestir que se vende hecha, a diferencia de la que se encarga a medida. **NOTA** Normalmente en plural.
FAM confeccionar.

confeccionar *v. tr.* ⒈ Hacer o fabricar una cosa a partir de la combinación de sus componentes, especialmente si requiere cierto cuidado o elaboración: *confeccionar pasteles; con-* *feccionar un vestido.* ⒉ Preparar un documento o una obra reuniendo y ordenando datos diversos: *confeccionar una estadística.*

confederación *s. f.* ⒈ Unión o pacto entre personas, grupos sociales o estados para un fin común. **SIN** alianza, federación. ⒉ Organismo, entidad o estado resultante de este pacto o unión. **SIN** federación.

confederado, -da *adj.* ⒈ Se aplica al grupo social o estado que forma parte de una confederación. ⒉ Se aplica al organismo, la entidad o el estado cuyos integrantes están sujetos a normas y derechos comunes.

confederal *adj.* Que pertenece a una confederación o está organizado en confederaciones.

confederar *v. tr.* Reunir en confederación a varias personas, naciones o estados: *los estados miembros se han confederado.*

conferencia *s. f.* ⒈ Exposición que hace una persona en un acto público sobre un tema para enseñarlo o divulgarlo. ⒉ Reunión internacional de representantes políticos y de organismos o entidades sociales o económicas para tratar un tema en común, discutirlo y hacer propuestas y pactos. ⒊ Comunicación telefónica que se establece entre provincias o países distintos.
conferencia de prensa Reunión que convoca una persona para informar a los periodistas sobre un suceso determinado, y en la que estos pueden hacerle preguntas. **SIN** rueda de prensa.
FAM conferenciar.

conferenciante *s. com.* Persona que expone un tema en una conferencia para enseñarlo o divulgarlo.

conferencista *s. com.* AMÉR. Conferenciante.

conferir [9] *v. tr.* ⒈ Conceder un derecho, cargo o poder importante una autoridad con poder para ello: *la monarquía puede conferir títulos nobiliarios.* ⒉ Otorgar a una persona o cosa una cualidad no material: *el poeta confiere una gran intensidad a sus versos.*

confesar [1] *v. tr.* ⒈ Decir o revelar una persona a otra u otras sus actos, ideas o sentimientos ocultos: *me confesó sus dudas sobre su futuro en la empresa.* ⒉ Reconocer una persona ante otra u otras un error o una falta ya evidentes o conocidos: *el ladrón confesó el robo.* ⒊ Declarar una persona católica sus pecados al sacerdote en el sacramento de la penitencia para que le conceda el perdón o absolución: *la abuela fue a confesar con un padre franciscano.* ⒋ Escuchar el sacerdote católico esta declaración de los pecados del fiel: *el sacerdote confiesa cada miércoles.*
FAM confesión, confeso, confesor; inconfesable.

confesión *s. f.* ⒈ Revelación que hace una persona a otra u otras de sus actos, ideas o sentimientos ocultos. ⒉ Reconocimiento que hace una persona ante otra u otras de un error o falta ya evidentes o conocidos. ⒊ En la religión católica, parte del sacramento del perdón o de la penitencia en la que el cristiano declara a un sacerdote los pecados que ha cometido. ⒋ Declaración que hace de sus pecados una persona católica al sacerdote en la práctica de este sacramento. ⒌ Creencia religiosa o religión de una persona: *ser de confesión cristiana.*
FAM confesional, confesionario, confesonario.

confesional *adj.* Que tiene relación con una religión o pertenece a ella: *una escuela confesional es una escuela religiosa.*
FAM aconfesional.

confesionario [también **confesonario**] *s. m.* Mueble alto y ancho colocado en algún lugar de una iglesia, en cuyo interior se sienta el sacerdote para escuchar, generalmente a través de una celosía o enrejado, la confesión de los fieles en el sacramento de la penitencia.

confeso, -sa *adj.* Se aplica a la persona que reconoce ser autor del delito que se le atribuye. **ANT** inconfeso.
FAM inconfeso.

confesonario *s. m.* Confesionario.

confesor *s. m.* Sacerdote católico que confiesa a los fieles en el sacramento de la penitencia.

confeti *s. m.* Conjunto de pedacitos de papel con colores variados que se arroja haciéndolo llover sobre la gente en carnavales, verbenas y fiestas en general.

confiado, -da *adj.* ① Se aplica a la persona que tiene demasiada confianza en las personas o en determinados hechos, de modo que resulta ingenuo: *los niños suelen ser confiados.* ② Se aplica a la persona que confía plenamente en una persona o cosa, de modo que resulta tranquilo y seguro: *el ministro aseguró confiado que el paro bajaría.*
FAM desconfiado.

confianza *s. f.* ① Impresión u opinión firme que se tiene de que una persona o cosa será o se desarrollará según las expectativas que se tenían de ella, por buena fe o intuición más que por pruebas materiales de ello: *tener confianza en el porvenir; la confianza de un amigo.* ② Cercanía, facilidad y sinceridad en el trato entre amigos, parientes u otras personas: *en verano cogí confianza con los chicos del camping.* ‖ *s. f. pl.* ③ **confianzas** Conjunto de rasgos en el trato con una persona que denotan una excesiva familiaridad o libertad: *mi vecino se toma demasiadas confianzas conmigo.*
FAM autoconfianza.

confiar *v. intr.* ① Tener una persona la impresión u opinión firme de que alguien o algo será o se desarrollará según sus expectativas, por buena fe o intuición más que por pruebas materiales de ello: *confiar en la suerte; confiar en un amigo.* ‖ *v. tr.* ② Poner una cosa o persona importante, valuosa o preciada bajo el cuidado o la custodia de alguien que se considera fiable o de quien se tiene una buena opinión: *confiar la educación de un hijo a un tutor.* ‖ *v. prnl.* ③ **confiarse** Tener excesiva seguridad en una cosa: *al tomar la curva se confió y perdió el control de la moto.*
FAM confiado, confianza; desconfiar.
OBS Verbo regular, se acentúa como *desviar.*

confidencia *s. f.* Secreto particular o íntimo que se cuenta en confianza a otra persona.
FAM confidencial, confidente.

confidencial *adj.* Se aplica a la información que se confía a otra persona de modo reservado y que esta guarda y no puede divulgar: *los datos de los clientes de un banco son confidenciales.*

confidente, -ta *s. m. y f.* ① Persona a quien otra confía una información, especialmente de carácter íntimo o personal. ② Persona que se dedica a observar o escuchar lo que otros hacen o dicen con la intención de comunicárselo en secreto al que tiene interés en saberlo, especialmente en el ámbito político o policial: *la policía paga a confidentes que les proporcionan información.*
OBS Femenino: *confidente* o *confidenta.*

configuración *s. f.* ① Conjunto de rasgos que configuran o

dan a una cosa el aspecto o la estructura que la caracterizan y la hacen como es: *la configuración geográfica de una provincia.* **SIN** conformación. ② Conjunto de características que tiene un ordenador, programa, periférico, etc. con respecto al sistema en el que funciona y a los gustos y necesidades del usuario: *la configuración de mi ratón es para zurdos.* ③ Acción de configurar. **SIN** conformación.

configuración electrónica Disposición de los electrones de un átomo en sus diferentes orbitales según un orden creciente de energías; esta disposición refleja un comportamiento químico concreto y es la responsable de las propiedades químicas de los elementos (es decir, del número atómico): *la configuración electrónica del sodio (número atómico 11) es* $1s^2, 2s^2 2p^6, 3s^1.$

configurar *v. tr.* ① Dar a una cosa el aspecto, la estructura o el conjunto de rasgos que la caracterizan y la hacen ser como es: *las experiencias propias configuran nuestro modo de ser.* **SIN** conformar. ② Adaptar un ordenador, periferio, programa, etc. al sistema en el que debe funcionar y a los gustos o necesidades del usuario.
FAM configuración.

confín *s. m.* Límite o frontera de un territorio, país o accidente geográfico: *los confines de un imperio.*
OBS Más en plural con el mismo significado que en singular.

confinamiento *s. m.* ① Destierro de una persona a la que se le asigna un lugar en el que permanecerá como prisionera. ② Encierro de una cosa material o inmaterial dentro de unos límites, especialmente estrechos.

confinar *v. tr.* ① Desterrar a una persona y llevarla a un lugar donde permanecerá como prisionera: *los nazis confinaron a los judíos en campos de concentración.* ② Encerrar una cosa material o inmaterial dentro de unos límites, especialmente estrechos: *confinar átomos en un campo magnético.*
FAM confinamiento.

confirmación *s. f.* ① Acción de confirmar una creencia u opinión, un acuerdo o el poder o cualidades de una persona. ② Cosa que confirma o da por ciertas una creencia u opinión que se sostenía solo por algunos datos. ③ Sacramento de la religión católica en virtud del cual una persona renueva y confirma su unión con la Iglesia, años después de haber hecho la primera comunión.

confirmar *v. tr.* ① Hacer que una creencia u opinión se den como ciertas de modo claro y firme cuando antes solo se tenían algunos datos que las apoyaban: *confirmar una hipótesis.* ② Hacer firme y definitiva una decisión o un acuerdo que ya había sido convenido o pactado: *confirmar la reserva de un hotel.* ③ Hacer firme y definitivo el poder o las cualidades de una persona: *ganar una medalla olímpica confirma a un deportista que ya tenía una gran carrera.* ④ Administrar un obispo el sacramento de la confirmación.
FAM confirmación, confirmatorio.

confirmatorio, -ria *adj.* Se aplica a la sentencia que confirma o corrobora otra dada anteriormente.

confiscar *v. tr.* Quitar la justicia o el gobierno de un estado una propiedad u otro bien a una persona o empresa y tomarla para la hacienda pública.
FAM confiscación.

confitar *v. tr.* Cubrir con una capa de azúcar una fruta o fruto seco, o cocer una fruta en almíbar y dejarla secar.
FAM confitado.

confite s. m. Golosina hecha básicamente de azúcar y algún otro ingrediente, en forma de bolita.
FAM confitar, confitero, confitura.

confitería s. f. Establecimiento donde se elaboran y venden dulces, como pasteles, pastas y bombones. **SIN** pastelería.

confitero, -ra s. m. y f. Persona que tiene por oficio elaborar y vender dulces, como pasteles, pastas y bombones. **SIN** pastelero.
FAM confitería.

confitura s. f. Conserva dulce hecha con frutas confitadas o en mermelada.

conflictivo, -va adj. Que causa o tiene conflictos, especialmente una persona en el ámbito social.
FAM conflictividad.

conflicto s. m. ❶ Oposición o enfrentamiento entre personas o cosas: *conflicto de opinión; conflicto laboral*. ❷ Asunto o problema de difícil solución: *las personas tenemos conflictos emocionales, problemas que nos preocupan*. ❸ Guerra o enfrentamiento armado derivados de una oposición o rivalidad prolongadas.
FAM conflictivo.

confluencia s. f. ❶ Unión en un mismo lugar de varios ríos o carreteras, o de varias cosas, como ideas o circunstancias. ❷ Lugar donde confluyen o van a unirse varios ríos o caminos.
FAM confluente.

confluir [21] v. intr. ❶ Ir a juntarse en un mismo punto varios ríos o caminos: *el Jarama y el Henares confluyen en el Tajo*. ❷ Coincidir varias cosas, como ideas o circunstancias, en un mismo lugar o momento: *en su estilo literario confluye lo clásico con lo moderno*.
FAM confluencia.

conformación s. f. ❶ Conjunto de rasgos que conforman o dan a una cosa el aspecto o la estructura que la caracterizan y la hacen como es. **SIN** configuración. ❷ Acción de conformar. **SIN** configuración.

conformar v. tr. ❶ Dar a una cosa el aspecto, la estructura o el conjunto de rasgos que la caracterizan y la hacen ser como es. **SIN** configurar. ❷ Ajustar la forma, el aspecto o la estructura de una cosa con otra: *la traducción se conforma con el original*. ‖ v. prnl. ❸ **conformarse** Aceptar una cosa o situación que no es óptima o que no satisface completamente: *conformarse con un suficiente*.
FAM conformación.

conforme adj. ❶ Se aplica a la persona o cosa que está de acuerdo o en correspondencia con otra: *las dos partes del conflicto ya están conformes*. **ANT** disconforme. ‖ adv. ❷ Denota una relación de conformidad o correspondencia en el modo de hacer una cosa: *anunció su retirada conforme había anunciado*.
conforme a Ajustándose o estando de acuerdo con una cosa o persona: *actuaremos conforme a la ley*.
FAM conformidad, conformismo.

conformidad s. f. ❶ Aprobación de una situación o decisión de otra persona: *dio su conformidad para vender la casa*. ❷ Característica de la persona que se conforma con una situación no óptima o que no la satisface completamente: *no entiendo tanta conformidad*.

conformismo s. m. Actitud de la persona que se conforma fácilmente con una circunstancia que no es óptima o con la que no está de acuerdo, por comodidad o falta de interés.
FAM conformista; inconformismo.

conformista adj./s. com. Que se conforma fácilmente con una circunstancia que no es óptima o con la que no está de acuerdo, por comodidad o falta de interés: *a veces somos demasiado conformistas con el mundo en que vivimos*.

confort s. m. Comodidad o bienestar físicos.
FAM confortable.

confortabilidad s. f. Cualidad de una cosa que es confortable.

confortable adj. Que proporciona comodidad y bienestar físicos.
FAM confortabilidad; inconfortable.

confortar v. tr. ❶ Dar ánimos, apoyo y consuelo a una persona para que sea fuerte en una situación triste o adversa: *tus palabras de ánimo me confortan*. **SIN** reconfortar. ❷ Renovar las fuerzas y el vigor a una persona cansada o débil. **SIN** reconfortar.
FAM confortable, confortante.

confraternizar v. intr. ❶ Tratarse dos personas con gran afecto, amistad y confianza. ❷ Llegar a establecer trato o amistad personas separadas por diferencias sociales, de intereses, etc.
FAM confraternización.

confrontación s. f. ❶ Acción de poner una cosa frente a otra para averiguar la verdad o falsedad de ambas. ❷ Acción de poner una cosa o a una persona frente a otra por oposición o enfrentamiento.

confrontar v. tr. ❶ Poner una cosa frente a otra para averiguar la verdad o falsedad de ambas: *confrontar la copia de un cuadro con el original; confrontar la declaración del testigo con la del acusado*. ‖ v. intr. ❷ Poner una cosa o a una persona frente a otra por oposición o enfrentamiento: *confrontarse con un problema*.
FAM confrontación.

confucianismo s. m. Conjunto de doctrinas morales, políticas y religiosas defendidas por Confucio (pensador chino del siglo v a. C.).
FAM confucianista.

confundir v. tr. ❶ Mezclar cosas o personas diversas de modo que no puedan distinguirse unas de otras: *los dos ríos confunden sus aguas*. ❷ Tomar por equivocación una cosa por otra o no hacer la distinción debida: *siempre me confunden con mi hermano*. ❸ Perturbar o causar desorden para hacer caer a una persona en el error: *confundir al enemigo*.
FAM inconfundible.

confusión s. f. ❶ Falta de claridad y orden causada por la mezcla de cosas o personas diversas que no pueden distinguirse unas de otras. ❷ Equivocación que se produce cuando se toma una cosa por otra o no se hace la distinción debida: *pidieron perdón por la confusión de equipajes*. ❸ Perturbación o desorden provocados para hacer caer en el error a una persona.

confuso, -sa adj. ❶ Que está falto de claridad y orden y es difícil de entender por la mezcla de cosas o personas diversas que no pueden distinguirse unas de otras: *los hechos ocurridos son confusos*. **ANT** claro. ❷ Se aplica a la persona que no sabe claramente qué hacer o decir ante una situación: *el encuentro la dejó confusa*.

conga s. f. ❶ Baile de origen cubano, de ritmo rápido y alegre, ejecutado por personas que marchan en fila cogidos por la cintura. ❷ Música compuesta para este baile. ❸ Instrumento musical de percusión parecido al tambor pero muy alargado, de forma ligeramente cónica y con la base cerrada, que se toca de pie y con las manos.

congelación *s. f.* 1 Paso de un cuerpo del estado líquido al sólido a una temperatura determinada. **ANT** descongelación, fusión. 2 Paso de un alimento o una parte del cuerpo de su estado normal a estar duro y rígido por haber sido sometido a una temperatura igual o inferior a los 0 °C. **ANT** descongelación. 3 Bloqueo o inmovilización provisional de un proyecto: *la falta de acuerdo supone la congelación del proyecto.* 4 Bloqueo o inmovilización provisional de una cantidad de dinero sin que pueda aumentar ni disminuir. 5 Acción de mantener provisionalmente inactiva una cantidad de dinero de una persona sin que pueda hacer uso de ella.

congelado, -da *adj.* 1 Que está muy frío: *tengo los pies congelados.* ‖ *adj./s. m. pl.* 2 Se aplica al alimento que ha sido sometido a un proceso de congelación para conservarlo durante mucho tiempo en buen estado.

congelador *s. m.* 1 Compartimento de un frigorífico donde se guardan congelados los alimentos. 2 Aparato que sirve para congelar, especialmente alimentos.

congelar *v. tr.* 1 Pasar un líquido al estado sólido al bajar su temperatura por debajo de cierto valor: *para congelar el mercurio es necesario someterlo a una temperatura de −40 °C.* **ANT** descongelar, fundir. 2 Pasar un alimento o una parte del cuerpo de su estado normal a estar duro y rígido por haber sido sometido a una temperatura igual o inferior a los 0 °C: *el alpinista corría el riesgo de que se le congelaran las extremidades.* **ANT** descongelar. 3 Bloquear o inmovilizar provisionalmente un proyecto: *la falta de presupuesto ha congelado el rodaje de la película.* 4 Bloquear o inmovilizar provisionalmente una cantidad de dinero sin que pueda aumentar o disminuir: *congelar el sueldo de los funcionarios; congelar los precios.* 5 Mantener provisionalmente inactiva una cantidad de dinero de una persona sin que pueda hacerse uso de ella: *como no pagaba, el banco le congeló las cuentas.* ‖ *v. prnl.* 6 **congelarse** Pasar mucho frío: *me he olvidado el abrigo y me estoy congelando.* **SIN** helarse.
FAM congelación, congelado, congelador; anticongelante.

congénere *adj./s. com.* Se aplica a la persona o al animal que comparte con otro el mismo origen genético: *el oso polar es mayor que el resto de sus congéneres.*

congeniar *v. intr.* Llevarse bien dos personas por tener caracteres, ideas o gustos parecidos.
OBS Verbo regular, se acentúa como *cambiar.*

congénito, -ta *adj.* 1 Se aplica al rasgo de la personalidad que nace con la persona, que es natural y no aprendido. 2 Se aplica a la enfermedad o malformación que se adquiere durante el periodo de gestación o se hereda genéticamente de los padres y se padece desde el nacimiento: *fumar durante el embarazo puede ocasionar lesiones congénitas en el feto.*

congestión *s. f.* 1 Acumulación excesiva de personas o vehículos en un lugar, por lo que resulta difícil circular. **ANT** descongestión. 2 Acumulación excesiva de sangre u otro fluido en una parte del cuerpo, que dificulta el paso de dicho fluido o de otros: *congestión nasal.* **ANT** descongestión.

congestionar *v. tr.* 1 Producir una congestión o acumulación excesiva de personas o vehículos en un lugar, por lo que resulta difícil circular. **ANT** descongestionar. 2 Producir una congestión o acumulación de una cantidad excesiva de sangre u otro fluido en una parte del cuerpo de modo que se dificulta el paso de dicho fluido o de otro. **ANT** descongestionar.
FAM congestión; descongestionar.

conglomerado *s. m.* 1 Mezcla de personas o cosas de origen y naturaleza distinta: *Nueva York es un conglomerado de culturas.* **SIN** amalgama. 2 Material compacto compuesto por pequeños fragmentos o partículas de distintos materiales prensados y unidos con un aglutinante. **SIN** aglomerado. 3 Roca sedimentaria formada por trozos de diversas rocas o minerales aglutinados por un cemento.

conglomerante *s. m./adj.* Material que sirve para unir fragmentos o partículas de una o más sustancias y compactarlas, formando una sola masa: *el cemento, el yeso y la cal son conglomerantes.*

conglomerar *v. tr.* Unir fragmentos o partículas de una o más sustancias para obtener una masa compacta y cohesionada. **SIN** aglomerar.
FAM conglomerado, conglomerante.

congoja *s. f.* Sufrimiento y preocupación intensos provocados por un peligro o amenaza. **SIN** angustia, ansia.
FAM acongojar.

congoleño, -ña *adj.* 1 Del Congo (país de África). ‖ *s. m. y f./adj.* 2 Persona que es del Congo.

congosto *s. m.* Desfiladero entre montañas.

congraciar *v. tr.* Conseguir la benevolencia o el afecto de una persona: *congraciarse con las autoridades.*
OBS Verbo regular, se acentúa como *cambiar.*

congratulación *s. f.* Acción de alegrarse o complacerse por un hecho agradable o feliz.

congratular *v. tr.* 1 Causar alegría a una persona un hecho agradable o feliz: *nos congratula saber que se quedará más días.* ‖ *v. prnl.* 2 **congratularse** Alegrarse o complacerse una persona por un hecho agradable o feliz, y generalmente manifestarlo con palabras: *el gobierno se congratuló del descenso del paro.*
FAM congratulación.

congregación *s. f.* 1 Acción de congregar varias personas que generalmente tienen algún rasgo en común, como realizar una misma labor, tener las mismas creencias, etc. 2 Comunidad formada por religiosos seculares, que no viven sujetos a una regla monástica sino integrados en el mundo laico: *la congregación de hermanos de san Juan de Dios se dedica a asistir a los enfermos en hospitales.* 3 Grupo de personas devotas que se organiza y reúne para hacer prácticas religiosas y labores sociales, generalmente contando con los servicios de un sacerdote.

congregar *v. tr.* Reunir a un conjunto de personas que generalmente tienen algún rasgo en común, como realizar el mismo trabajo, tener los mismos gustos, etc.: *los parlamentarios se congregaron en la sede.*
FAM congregación.

congresista *s. com.* 1 Persona que asiste a un congreso o participa en él. 2 Miembro de un congreso (asamblea legislativa) o del Congreso de los Diputados.

congreso *s. m.* 1 Reunión de personas que se proponen estudiar un tema social, cultural o científico determinado o exponer asuntos relacionados con él. 2 Reunión de personas que pertenecen un mismo grupo, asociación o partido, para estudiar y debatir asuntos de interés común. 3 Asamblea legislativa nacional o parlamento de algunos países. **NOTA** Se escribe normalmente con mayúscula inicial cuando hace referencia al congreso de un país en concreto.

Congreso de los Diputados (**I**) Conjunto de personas elegidas directamente por el pueblo para elaborar las leyes de un Estado. **NOTA** También simplemente *Congreso*. (**II**) Edificio donde se reúnen estas personas para elaborar las leyes. **NOTA** También simplemente *Congreso*.
FAM congresista.

congrio *s. m.* Pez marino comestible de gran tamaño, con el cuerpo alargado y casi cilíndrico, de color negro o gris, similar a la anguila, que habita cerca de la desembocadura de los ríos.

congruencia *s. f.* **1** Relación lógica y coherente entre varias cosas. **ANT** incongruencia. **2** Relación existente entre dos números que, divididos por un tercero, llamado módulo, dan el mismo resto.

congruente *adj.* Que tiene una relación lógica y coherente con una cosa. **ANT** incongruente.
FAM congruencia; incongruente.

cónico, -ca *adj.* **1** Que tiene forma de cono. **2** Relativo al cono: *el círculo y la parábola son secciones cónicas*. **3** Se aplica a la superficie engendrada por una recta al girar alrededor de otra a la que corta en un ángulo fijo distinto de 90 grados. I *s. f.* **4** Curva que se obtiene al cortar una superficie cónica por un plano que no pasa por el vértice.

conífero, -ra *adj./s. f.* **1** Se aplica a la planta gimnosperma que tiene las hojas permanentes en forma de escamas o agujas, frutos en forma de piña y flores unisexuales: *el pino, el abeto y el ciprés son coníferas*. I *s. f. pl.* **2** **coníferas** Grupo taxonómico, con categoría de orden, constituido por estas plantas.

conirrostro, -tra *adj.* Se aplica al pájaro de pico corto, robusto y de forma cónica.

conjetura *s. f.* Juicio formado a partir de datos incompletos o supuestos. **SIN** cábala.
FAM conjeturar.

conjeturar *v. tr.* Formar opiniones o ideas a partir de indicios y suposiciones.

conjugación *s. f.* **1** Conjunto de las distintas formas del verbo con las que se expresan las variaciones de voz, modo, tiempo, aspecto, número y persona; en español hay tres conjugaciones regulares: la primera formada por verbos acabados en -*ar*, la segunda en -*er* y la tercera en -*ir*. **3** Unión de elementos distintos que forman un conjunto lógico, coherente o armonioso. **SIN** conjunción.

conjugar *v. tr.* **1** Enunciar las distintas formas de un verbo para expresar las variaciones de voz, modo, tiempo, aspecto, número y persona. **2** Conjuntar.
FAM conjugación.

conjunción *s. f.* **1** Unión de elementos distintos que forman un conjunto lógico, coherente o armonioso: *buena parte de la Generación del 27 iba a provocar una conjunción entre poesía, pintura, cine y música*. **SIN** conjugación. **2** Parte invariable de la oración que una gramaticalmente plabras o proposiciones y señala la relación existente entre ellas: *las conjunciones pueden ser coordinantes, como "o" o "y", o subordinantes, como "porque" o "aunque"*. **3** En astronomía, situación relativa de dos planetas u otros cuerpos celestes que se ven alineados y superpuestos desde el punto en el que se observan: *cuando el Sol y la Luna entran en conjunción, se produce un eclipse*.

conjuntar *v. tr.* Unir elementos distintos para formar un conjunto lógico, coherente o armonioso: *conjuntar los muebles de una habitación*. **SIN** conjugar.

conjuntiva *adj./s. f.* Se aplica a la membrana mucosa muy delgada que cubre la parte interior del párpado y llega hasta la parte anterior del globo del ojo de los vertebrados.
FAM conjuntivitis.

conjuntivitis *s. f.* Inflamación de la conjuntiva del ojo.
OBS Plural invariable.

conjuntivo, -va *adj.* **1** Que junta y une. **2** Relativo a la conjunción gramatical o a las funciones que esta realiza: *la expresión "ahora bien" es una locución conjuntiva con valor adversativo*. I *adj./s. m.* **3** Se aplica al tejido del un organismo animal que sirve para unir y dar estructura a las diferentes partes del cuerpo. **SIN** conectivo.

conjunto, -ta *adj.* **1** Que se hace a la vez o con un fin común: *se celebró una fiesta conjunta para los tres hermanos*. **2** Contiguo a otra cosa. I *s. m.* **3** Grupo de elementos considerados como un todo homogéneo. **4** Grupo musical integrado por varias personas: *en la fiesta tocará un conjunto de rock*. **5** Varias prendas de vestir que hacen juego: *un traje es un conjunto de chaqueta y pantalón*. **6** En matemáticas, total de elementos que tienen una característica o propiedad que los distingue de otros. ■ **conjunto ordenado** Conjunto en el que se establece una relación de orden.
en conjunto En su totalidad, sin atender a detalles.
FAM conjunción, conjuntiva, conjuntivo, conjuntar; subconjunto.

conjura *s. f.* Acuerdo secreto entre varias personas para realizar una acción contra alguien, especialmente contra el Estado o una autoridad. **SIN** complot, conjuración, conspiración.

conjuración *s. f.* Conjura.

conjurar *v. tr.* **1** Impedir o evitar un daño o peligro, especialmente al demonio, con exorcismos. **2** Pronunciar unas palabras mágicas para comunicar con los espíritus. **3** Tomar juramento. **4** Rogar con insistencia, en nombre de algo convincente. I *v. intr./prnl.* **5** Ponerse de acuerdo varias personas para hacer algo, especialmente si es ilícito o perjudicial para otro. **SIN** confabularse.
FAM conjura, conjuración, conjuro.

conjuro *s. m.* **1** Serie de palabras mágicas que se pronuncian para comunicar con los espíritus: *el mago solicitó la presencia del diablo mediante un conjuro*. **2** Serie de palabras mágicas que se pronuncian para conseguir algo que se desea. **3** Acto mediante el cual se conjura, exorciza o ahuyenta el mal.
al conjuro de Por la acción estimulante, que parece mágica, de las palabras, gestos o presencia de alguien: *al conjuro de su voz acudimos todos*.

conllevar *v. tr.* **1** Tener como resultado o producir como consecuencia directa: *la operación es muy delicada y conlleva muchos riesgos*. **SIN** comportar, implicar, suponer. **2** Compartir con otro los trabajos. **3** Soportar los defectos, mal carácter o penas de otra persona.

conmemorar *v. tr.* Recordar a una persona o hecho, especialmente si se celebra con una ceremonia o fiesta.
FAM conmemoración, conmemorativo.

conmemorativo, -va *adj.* Que conmemora un hecho o fecha importante.

conmensurable *adj.* Que se puede medir o valorar. **ANT** inconmensurable.

conmigo *pron.* Forma del pronombre personal de primera persona *mí*, que se usa cuando va acompañado por la preposición *con*.

conminar *v. tr.* Amenazar a una persona con un castigo si no hace lo que se le ordena: *un guarda les conminó a levantar el campamento del bosque.* **FAM** conminación, conminatorio.

conmiseración *s. f.* Sentimiento de pena y dolor por la desgracia o sufrimiento que padece otra persona. **SIN** compasión.

conmoción *s. f.* ① Alteración violenta del ánimo de una persona causada generalmente por la sorpresa que provoca un acontecimiento desagradable: *la noticia del atentado provocó una gran conmoción en todo el país.* ② Movimiento sísmico muy perceptible, aunque de leve intensidad.

conmoción cerebral Estado de aturdimiento o pérdida transitoria de las funciones cerebrales producido por un golpe en la cabeza, una descarga eléctrica, los efectos de una explosión, etc. **FAM** conmocionar.

conmocionar *v. tr.* Producir una conmoción.

conmovedor, -ra *adj.* Que causa emoción. **SIN** emotivo, emocionante.

conmover [6] *v. tr.* ① Producir un emoción intensa: *las imágenes del reencuentro de padre e hijo conmovieron al público.* **SIN** emocionar. ② Provocar en una persona pena y dolor la desgracia o sufrimiento que padece otra. ③ Agitar o alterar una cosa, especialmente no material. **FAM** conmovedor; inconmovible.

conmutación *s. f.* ① Cambio o sustitución de una cosa por otra, especialmente una pena o castigo por otro de menor grado o rigor. ② Figura retórica que consiste en contraponer dos frases expresadas con las mismas palabras pero con un orden invertido o distinto, para que sus sentidos o significados contrasten. **SIN** retruécano.

conmutador *s. m.* ① Interruptor que actúa sobre dos circuitos eléctricos abriendo uno de ellos y cerrando el otro, o viceversa: *las llaves de la luz son conmutadores.* ② AMÉR. Centralita telefónica.

conmutar *v. tr.* ① Cambiar o sustituir una cosa por otra, especialmente una pena o castigo por otro de menor grado o rigor. ② Cambiar el orden de las cantidades en una operación matemática. **FAM** conmutación, conmutador, conmutativo.

conmutativo, -va *adj.* Se aplica a la propiedad de una operación matemática que permite el cambio de orden de las cantidades que la integran sin alterar el resultado: *la suma y el producto son operaciones que poseen la propiedad conmutativa.*

connatural *adj.* Propio de la naturaleza de un ser viviente o conforme con ella.

connivencia *s. f.* ① culto Acuerdo a que llegan dos o más personas para realizar algo ilícito. ② culto Tolerancia de un superior en relación con las faltas que cometen sus subordinados.

connotación *s. f.* ① Relación que se establece entre varias cosas. ② Valor secundario que un hablante asocia de manera subjetiva al significado real de una palabra.

connotado, -da *adj.* AMÉR. Se aplica a la persona que es famosa por su conducta o en su profesión: *el doctor Barnard ya era un cirujado connotado cuando hizo el primer transplante de corazón.*

connotar *v. tr.* ① Establecer relaciones entre varias cosas. ② Tener una palabra, además de su significado propio o específico, otro secundario y subjetivo por su asociación con otras ideas. **FAM** connotación, connotativo.

connotativo, -va *adj.* ① Se aplica a la palabra que tiene un significado secundario y subjetivo por su asociación con otras ideas: *la palabra "blanco" tiene un valor connotativo de limpieza.* ② Se aplica al sustantivo que designa un objeto con todas sus cualidades, como los sustantivos comunes, frente a los propios.

cono *s. m.* ① Cuerpo geométrico limitado por una base circular y una superficie curva formada por los infinitos segmentos que parten de la base y se unen en un punto llamado vértice. ■ **cono oblicuo** Cono cuya base es oblicua a su eje. ■ **cono recto** Cono cuya base es perpendicular a su eje: *un cono recto está generado por un triángulo rectángulo.* ② Objeto o figura que tiene esta forma. ■ **cono de deyección** En geología, estructura cónica formada por la acumulación de sedimentos en la salida de un canal torrencial. ③ Montaña o agrupación de ceniza, lava, etc., de forma cónica, que se forma alrededor de un cráter. ④ Célula de la retina de los vertebrados que es receptora de la luz y permite la visión de los colores. **FAM** cónico.

conocedor, -ra *adj./s. m. y f.* ① Que tiene conocimiento de algo: *el detenido declaró que no era conocedor de la identidad del muerto.* ② Se aplica a la persona que sabe mucho de una materia.

conocer [16] *v. tr.* ① Comprender por medio de la razón la naturaleza, cualidades y relaciones de las cosas. **ANT** desconocer, ignorar. ② Comprender por medio de la propia experiencia: *se retiró del boxeo sin haber conocido la derrota.* ③ Tener trato o relación con una persona: *conozco a tu hermano hace años.* ④ Distinguir una cosa como distinta de otras: *conoce las aves por su canto.* ⑤ Tener informaciones y conocimientos sobre algo, especialmente sobre una materia o ciencia: *el profesor de arte conoce muy bien la pintura del Renacimiento.* ⑥ Tener relaciones sexuales con una persona: *hasta la noche de bodas no conoció mujer.* **FAM** conocedor, conocible, conocido, conocimiento; desconocer.

conocido, -da *adj.* ① Que es conocido por mucha gente: *el almuerzo se celebró en un conocido restaurante.* ❙ *s. m. y f.* ② Persona con la que se tiene trato, pero sin llegar a la amistad. **FAM** conocidamente.

conocimiento *s. m.* ① Capacidad del ser humano para comprender por medio de la razón la naturaleza, cualidades y relaciones de las cosas. ② Conjunto de datos o noticias relativos a una persona o cosa. ③ Conjunto de las facultades sensoriales de una persona en la medida en que están activas: *a consecuencia de la caída perdió el conocimiento.* ④ Facultad humana de aprender, comprender y razonar. **SIN** inteligencia. ⑤ Capacidad para razonar y ser consciente del mundo exterior. **SIN** sentido. ❙ *s. m. pl.* ⑥ **conocimientos** Conjunto de datos e ideas que se conocen acerca de algo, especialmente de una materia o ciencia: *mis conocimientos de informática son escasos.*

con (o **sin**) **conocimiento de causa** Sabiendo (o desconociendo) los motivos o razones que explican o justifican un comportamiento: *me niego a expulsarlo sin conocimiento de causa.*

conque *conj.* Introduce una oración que es resultado o consecuencia de la oración anterior; cuando inicia la oración hace referencia a algo dicho anteriormente o apoya la intensidad de lo que sigue: *mi hermana no quiere verte, conque ya te estás yendo; ¿conque no ibas a venir, eh?*

conquense *adj.* ① De Cuenca (ciudad y provincia de Castilla-La Mancha). ‖ *s. com./adj.* ② Persona que es de Cuenca.

conquista *s. f.* ① Obtención del dominio y control de una población, territorio o posición como consecuencia de una guerra. ② Población o territorio cuyo dominio y control se consigue como consecuencia de una guerra: *durante el primer año de guerra el ejército alemán logró numerosas conquistas.* ③ Obtención de un premio o un beneficio con el esfuerzo y el trabajo. ④ Obtención del amor de una persona. ⑤ Persona cuyo amor se ha conseguido: *cada verano se pavoneaba por la playa con sus nuevas conquistas.*
FAM conquistar; reconquista.

conquistador, -ra *adj./s. m. y f.* ① Se aplica a la persona o ejército que consigue el dominio y control de una población o de un territorio como consecuencia de una guerra: *Pizarro fue el conquistador del Perú.* ② Se aplica a la persona que consigue el amor de otra con facilidad.

conquistar *v. tr.* ① Conseguir el dominio y control de una población o de un territorio como consecuencia de una guerra. ② Conseguir un premio o beneficio con el esfuerzo y el trabajo: *el atleta conquistó dos medallas.* ③ Conseguir el amor de una persona. **SIN** enamorar. ④ Conseguir la confianza, la simpatía y la voluntad de una persona: *la actriz ha conquistado al público español.*
FAM conquistador.

consabido, -da *adj.* ① Que es conocido por todos. ② Que se hace a menudo o por costumbre: *cada tarde daba su consabido paseo por el parque.* **SIN** habitual.

consagración *s. f.* ① Fama o prestigio que alcanza una persona. ② Dedicación de esfuerzo y trabajo a un fin. ③ Ofrecimiento o dedicación a Dios, a la Virgen o a un santo: *el Papa asistió a la consagración de la catedral.* ④ Pronunciación que hace el sacerdote en la misa de las palabras por las que el pan y el vino se convierten en el cuerpo y la sangre de Cristo. ⑤ Momento de la misa en que el sacerdote pronuncia estas palabras.

consagrar *v. tr.* ① Dar a algo o a alguien fama o prestigio: *Dick Fosbury consagró el estilo de salto de altura que lleva su nombre.* ② Dedicar esfuerzo y trabajo a un fin. ③ Ofrecer o dedicar una cosa o lugar a Dios, a la Virgen o a un santo. ④ Pronunciar el sacerdote en la misa las palabras por las que el pan y el vino se convierten en el cuerpo y la sangre de Cristo.
FAM consagración.

consanguíneo, -nea *adj.* ① Se aplica a la persona que desciende de los mismos antepasados que otra. ‖ *adj./s. m. y f.* ② Se aplica al hermano que solo lo es por vínculo paterno.
FAM consanguinidad.

consanguinidad *s. f.* Parentesco natural entre personas que descienden de los mismos antepasados.

consciencia *s. f.* Conocimiento que el ser humano tiene de su propia existencia, del estado en que se encuentra y de lo que hace. **SIN** conciencia.
FAM consciente; inconsciencia.

consciente *adj.* ① Se aplica a la persona que siente, piensa y actúa con conocimiento de lo que hace. ② Se aplica al sentimiento, idea o acto que se lleva a cabo con conocimiento de lo que se hace: *durante años mantuvo una oposición consciente a la dictadura.* ③ Se aplica a la persona que tiene capacidad para percibir estímulos sensibles y comprender lo que sucede a su alrededor. **ANT** inconsciente.
FAM consciencia, conscientemente; inconsciente, subconsciente.

consecución *s. f.* Obtención de una cosa que se intenta o se desea. **SIN** logro.

consecuencia *s. f.* ① Hecho o acontecimiento que se sigue o resulta de otro. **SIN** derivación. ② Correspondencia lógica entre las ideas de una persona y su comportamiento. **SIN** coherencia.
a consecuencia de Por efecto o como resultado de una cosa anterior: *murió a consecuencia de las heridas sufridas.*
en consecuencia Según lo dicho o acordado anteriormente: *no eres bien recibido en esta casa, en consecuencia, debes marcharte.*
sin consecuencias Sin peligro, daño o complicaciones posteriores: *un accidente sin consecuencias.*
FAM consecuente, consecutiva, consecutivo; inconsecuencia.

consecuente *adj./s. com.* ① Se aplica a la persona que mantiene correspondencia lógica entre sus ideas y su comportamiento: *llevó a cabo una política consecuente con sus promesas electorales.* **ANT** inconsecuente. ‖ *adj.* ② Que depende o resulta de otra cosa. **SIN** consiguiente.
FAM consecuencia, consecuentemente; inconsecuente.

consecutivo, -va *adj.* ① Que sigue o sucede sin interrupción a otra cosa: *lunes y martes son días consecutivos.* ‖ *adj./s. f.* ② Se aplica a la proposición subordinada adverbial que expresa una acción, proceso o estado que sigue o resulta de otro anterior: *en la oración "Carlos ha trabajado tanto que lo hemos contratado a tiempo completo", "que lo hemos contratado a tiempo completo" es una oración consecutiva.* ③ Se aplica a la conjunción que introduce una proposición subordinada, que es resultado de una oración anterior.
FAM consecutivamente.

conseguir [10] *v. tr.* Obtener algo que se merece, solicita o pretende. **SIN** lograr.

consejería *s. f.* ① Departamento en que se divide el gobierno de una comunidad autónoma: *se reunieron los representantes de las consejerías de Turismo de varias autonomías.* ② Cargo que ocupa la persona que dirige este departamento. ③ Oficina o edificio donde trabaja el personal que depende de este departamento.

consejero, -ra *s. m. y f.* ① Persona que aconseja o a la que se pide consejo. ② Persona que forma parte del consejo que dirige y administra una empresa, entidad o asociación. ③ Persona que dirige una consejería de una comunidad autónoma. ④ Lo que sirve de enseñanza, ejemplo o advertencia para guiar la conducta de una persona: *las prisas son malas consejeras.*
FAM consejería.

consejo *s. m.* ① Opinión que se da o se recibe sobre lo que se debe hacer o el modo de hacerlo. ② Corporación consultiva encargada de informar al Gobierno sobre determinada materia, o de realizar una determinada labor legislativa, administrativa o judicial en un organismo: *Consejo de Industria*. ■ **Consejo de Estado** Órgano supremo consultivo del Gobierno. ■ **Consejo de Ministros** (**I**) Cuerpo de ministros del Estado. (**II**) Reunión de los ministros, presididos por el jefe del poder ejecutivo, para tratar cuestiones de Estado. ■ **Consejo del Poder Judicial** Órgano de gobierno formado por magistrados y jueces. ③ Departamento de una empresa, entidad o asociación que se encarga de su dirección y administración. ④ Reunión que celebran los miembros de este departamento.

consejo de guerra Tribunal de justicia integrado por miembros del ejército que aplica el código de justicia militar. FAM consejero; aconsejar.

consenso *s. m.* Consentimiento, especialmente el de todas las personas que pertenecen a una corporación: *el proyecto fue aprobado por mutuo consenso*. FAM consensuar.

consensuar *v. tr.* ① Adoptar una decisión por asentimiento o consentimiento, especialmente el de todas las personas que pertenecen a una corporación. ② Acordar algo por mayoría, incluso antes de someterlo a votación. OBS Verbo regular, se acentúa como *actuar*.

consentido, -da *adj./s. m. y f.* Que está acostumbrado a hacer siempre su voluntad sin que nadie lo corrija o castigue por sus malas acciones. SIN malacostumbrado, mimado.

consentimiento *s. m.* ① Aprobación o permiso para que se realice una cosa. SIN asentimiento. ② Aceptación de las voluntades entre los que contratan algo

consentir [10] *v. tr./intr.* ① Permitir que se haga una cosa o el modo de hacerla. SIN dejar. ‖ *v. tr.* ② Ser indulgente con una persona, especialmente si es un niño o un inferior. ③ Tolerar algo o a alguien. FAM consentido, consentimiento.

conserje *s. com.* Persona que se encarga del cuidado, vigilancia y limpieza de un establecimiento o edificio público. FAM conserjería.

conserjería *s. f.* ① Dependencia que ocupa el conserje en un establecimiento o edificio público de cuya vigilancia y limpieza se encarga. ② Cargo de conserje.

conserva *s. f.* Alimento preparado de modo conveniente y envasado herméticamente para mantenerlo comestible durante mucho tiempo.

conservación *s. f.* ① Mantenimiento y cuidado de una cosa para que no pierda sus características y propiedades con el paso del tiempo. ② Acción o hecho de continuar teniendo una cosa, especialmente cierto estado, condición, actitud, etc.: *el principio de conservación de la energía afirma que la energía total de un sistema de cuerpos que interaccionan permanece constante*. ③ Almacenamiento de documentos de archivo.

conservador, -ra *adj./s. m. y f.* ① Se aplica a la persona, organismo o gobierno que es partidario de mantener los valores políticos, sociales y morales tradicionales y que se opone a reformas o cambios radicales en la sociedad: *los partidos conservador y liberal se turnaron en el poder durante el siglo XIX*. ‖ *s. m. y f.* ② Persona encargada de la conservación de los fondos documentales de un museo o archivo o de una de sus secciones. FAM conservadurismo; ultraconservador.

conservadurismo *s. m.* ① Tendencia política que defiende el sistema de valores políticos, sociales y morales tradicionales y se opone a reformas o cambios radicales en la sociedad. ② Actitud de defensa de la tradición y rechazo de las reformas en una materia o disciplina. ③ Actitud de cautela por temor a perder lo que se tiene.

conservante *adj.* ① Que conserva. ‖ *s. m./adj.* ② Sustancia que se añade a un alimento para mantener sin alteración sus cualidades durante mucho tiempo.

conservar *v. tr.* ① Mantener y cuidar una cosa para que no pierda sus características y propiedades con el paso del tiempo: *conserva el vino en la bodega*. ② Guardar una cosa con cuidado: *todavía conserva el vestido con el que lo bautizaron*. ③ Continuar teniendo una cosa, especialmente cierto estado, condición, actitud, etc.: *conservaba un grato recuerdo de sus años en el colegio*. ④ Mantener costumbres, virtudes o defectos. ⑤ Hacer conservas: *su madre conservaba la fruta en casa*. ‖ *v. prnl.* ⑥ **conservarse** Mantener un determinado aspecto o forma física: *a pesar de los años, se conserva muy bien*. FAM conserva, conservación, conservante, conservero.

conservatorio, -ria *s. m.* ① Centro de educación, generalmente oficial, donde se imparte música, canto y otras artes relacionadas. ‖ *adj.* ② Que conserva alguna cosa.

conservero, -ra *adj.* ① Relativo a las conservas de alimentos: *industria conservera*. ‖ *s. m. y f.* ② Persona que se dedica a hacer conservas. ③ Propietario de una industria de conservas.

considerable *adj.* ① Que es lo bastante grande, numeroso o importante como para ser tenido en cuenta. ② Que es digno de consideración. FAM considerablemente.

consideración *s. f.* ① Reflexión que se hace con atención y cuidado para formar una opinión acerca de una cosa. ② Opinión que se forma tras esta reflexión: *no estoy de acuerdo con tus consideraciones sobre el paro*. ③ Respeto o atención con el que se trata a una persona o cosa. ANT desconsideración.

de consideración Importante, grave o con consecuencias: *el torero sufrió una cornada de consideración*. FAM desconsideración.

considerado, -da *adj.* ① Se aplica a la persona que se comporta con respeto y atención hacia los demás. ② Se aplica a la persona que recibe muestras de atención y respeto: *llegó a ser un pintor muy considerado por los reyes*. FAM inconsiderado.

considerar *v. tr.* ① Reflexionar con atención y cuidado sobre una cuestión para formar una opinión sobre ella. SIN contemplar. ② Formar una opinión razonada sobre un asunto o persona: *el jurado consideró culpable al acusado*. SIN juzgar. ③ Tratar a alguien con respeto. FAM considerable, consideración, considerado, considerando; desconsiderar, reconsiderar.

consigna *s. f.* ① Orden o instrucción que se da a un subordinado o a los miembros de una agrupación política o sindical. ② Lema o frase que gritan en una manifestación las personas que participan en ella. ③ Dependencias de una estación, aeropuerto, etc., donde los viajeros pueden guardar temporalmente el equipaje.

consignar *v. tr.* ① Expresar algo por escrito para dejar constancia formal o legal: *consignó sus datos personales en la solicitud*. ② Destinar o anotar una cantidad de dinero en un presupuesto para un determinado fin. FAM consigna, consignación, consignatario.

consignatario, -ria *s. m. y f.* ① Persona, entidad o empresa a la que va destinada una mercancía. ② Representante del armador de un barco, que trata asuntos administrativos y de carga y descarga.

consigo *pron.* Forma del pronombre personal reflexivo de tercera persona *sí* que se usa cuando va acompañado por la preposición *con*: *trae consigo a su sobrina.*

consiguiente *adj.* Que depende o resulta de otra cosa: *el crecimiento económico sin control ha dado lugar al consiguiente aumento de las diferencias sociales.* SIN consecuente.

por consiguiente Indica que una cosa es la consecuencia de otra hecha o dicha anteriormente: *el Sol es la causa de la formación de las lluvias y, por consiguiente, de los saltos de agua.* SIN por tanto.

consistencia *s. f.* ① Cualidad de la materia que resiste sin romperse ni deformarse fácilmente: *la consistencia del papel es menor que la del cartón.* ANT inconsistencia. ② Unión y relación adecuada de todas las partes que forman un todo: *presentó una teoría de gran consistencia.* SIN coherencia. ANT inconsistencia. ③ Cohesión entre las partículas de una masa o cuerpo.
FAM inconsistencia.

consistente *adj.* ① Que resiste un esfuerzo normal sin romperse ni deformarse. ANT inconsistente. ② Que une y relaciona las partes de un conjunto y les da unidad y coherencia: *el detenido tenía una coartada muy consistente.* ANT inconsistente.
FAM consistencia.

consistir *v. intr.* ① Estar fundada un cosa en otra. ② Estar formado o compuesto por varios elementos: *el libro consiste en una colección de artículos.* SIN constar.

consistorial *adj.* Relativo al consistorio.

consistorio *s. m.* ① Corporación o grupo de personas integrado por un alcalde y varios concejales que se encarga de administrar y gobernar un municipio. SIN ayuntamiento, cabildo, concejo. ② Edificio en el que trabaja este grupo de personas. SIN ayuntamiento, cabildo, concejo. ③ Junta o reunión celebrada por los miembros de este grupo de personas: *en el consistorio se aprobó el nuevo trazado de la carretera.* ④ Reunión que el Papa celebra con los cardenales.
FAM consistorial.

consola *s. f.* ① Tablero con mandos, teclas e indicadores desde el que se controla una máquina: *desde la consola se dirige el tráfico de la población; consola de videojuegos.* ② Mesa alargada y estrecha, por lo general sin cajones y con un segundo soporte en la parte baja, que se coloca junto a la pared y sirve de adorno.

consolación *s. f.* ① Ayuda o motivo que contribuye a disminuir la intensidad de una pena o de un dolor. SIN consuelo. ② Premio que se da en ciertos concursos o competiciones a los que quedan en un buen puesto sin haber ganado.

consolador, -ra *adj.* ① Que consuela. ‖ *s. m.* ② Pene artificial para simular el coito.

consolar [5] *v. tr.* Dar consuelo o ánimo a una persona para que resista una situación triste o adversa. SIN confortar.
FAM consolación, consolador; desconsolar, inconsolable.

consolidación *s. f.* ① Adquisición de firmeza, solidez y estabilidad. ② Reparación de un hueso fracturado.

consolidar *v. tr.* ① Dar a una cosa firmeza, solidez y estabilidad: *el Gobierno se ha propuesto consolidar la recuperación eco-* nómica. ② Volver a juntar lo que se había roto, de modo que quede firme. ③ Dar carácter perpetuo a una deuda pública.
FAM consolidación.

consomé *s. m.* Caldo de carne concentrado.

consonancia *s. f.* ① Relación de acuerdo o de correspondencia entre varias personas o cosas: *debes vestirte en consonancia con el acto que vas a presidir.* SIN sintonía. ② Relación armoniosa entre varios sonidos o notas musicales que, producidos simultáneamente, suenan de modo agradable al oído. ANT disonancia. ③ Igualdad de los sonidos vocálicos y consonánticos de la terminación de dos palabras a partir de la última vocal acentuada; en especial aplicado a las rimas: *existe consonancia entre las palabras "luna" y "fortuna".*
FAM consonante.

consonante *adj./s. f.* ① Se aplica al sonido que se produce por el choque o roce del aire con los órganos de la articulación. ② Se aplica a la letra que representa este sonido. ‖ *adj.* ③ Se aplica a la rima conseguida entre dos palabras por la igualdad de los sonidos vocálicos y consonánticos a partir de la última vocal acentuada. ④ Que tiene una relación de conformidad, correspondencia o igualdad. ANT disonante.
FAM consonancia, consonántico, consonantismo, consonantizar; aconsonantar, semiconsonante.

consonántico, -ca *adj.* ① Relativo al sonido o letra consonante. ② Relativo a la consonancia.

consonantización *s. f.* Proceso por el cual una vocal (*i* o *u*, como primer elemento de un diptongo creciente) se convierte en consonante: *en el paso del latín al castellano, la "i" del diptongo de "vinia" (procedente de "vinea") pasa a "ñ" por consonantización.*

consorcio *s. m.* ① Asociación de personas o empresas con intereses comunes para participar conjuntamente en un proyecto o negocio importante. ② Participación con otras personas en la misma suerte.

consorte *s. com.* ① culto Esposo o esposa de una persona. SIN cónyuge. ② Se usa en aposición a ciertos títulos (como *rey, reina, príncipe* o *princesa*) para indicar que comparte el título por matrimonio, pero no sus atribuciones.
FAM consorcio.

conspicuo, -cua *adj.* Se aplica a la persona que es ilustre o sobresaliente por alguna cualidad.

conspiración *s. f.* Acuerdo secreto entre varias personas para realizar una acción contra alguien, especialmente contra el Estado o una autoridad. SIN complot, conjura, conjuración.

conspirador, -ra *s. m. y f.* Persona que participa en una conspiración.

conspirar *v. intr.* Llegar a un acuerdo varias personas para hacer algo, especialmente si es ilícito o perjudicial para otro. SIN confabularse, conjurar.
FAM conspiración, conspirador.

constancia *s. f.* ① Dedicación y firmeza en las actitudes y las ideas o en la realización de las cosas. SIN perseverancia. ② Certeza de algo que se ha hecho o dicho: *tengo constancia de que no ha venido porque está enfermo.* ③ Registro, prueba o testimonio de que un hecho es verdadero y exacto: *el Rey dejó constancia de su visita al museo firmando en el libro de honor.*
FAM constante; inconstancia.

constante *adj.* ① Que consta. ② Se aplica a la persona que tiene voluntad firme y continuada en la determinación de hacer una cosa o en el modo de realizarla: *ha sido muy cons-*

tante en los estudios. **ANT** inconstante. ③ Que se prolonga durante largo tiempo con la misma intensidad y sin interrupción: *un viento constante les facilitó la travesía.* **SIN** continuo. **ANT** inconstante. ④ Que se repite con cierta frecuencia manteniendo la misma intensidad: *los constantes golpes en la puerta lo despertaron.* **SIN** continuo. **ANT** inconstante. ‖ *adj./s. f.* ⑤ Se aplica al valor o la cantidad que permanece fija en un cálculo o proceso matemático. ■ **constante de proporcionalidad** Valor numérico del cociente entre dos magnitudes directamente proporcionales.

constantes vitales Conjunto de datos relacionados con la composición y las funciones del organismo, cuyo valor debe mantenerse dentro de unos límites para que la vida se desarrolle en condiciones normales.

FAM constantemente; inconstante.

constar *v. intr.* ① Ser determinado hecho, para una persona, verdadero y exacto: *me consta que ya ha llegado.* ② Aparecer una persona o una cosa registrada en un documento o escrito: *su nombre no consta en esta lista.* ③ Estar formado o compuesto por varios elementos: *el examen consta de varias páginas.*

FAM constancia.

constatar *v. tr.* Comprobar un hecho, determinar si es cierto y dar constancia de él.

FAM constatación.

constelación *s. f.* ① Conjunto de estrellas que, mediante trazos imaginarios sobre la aparente bóveda celeste, forman un dibujo que recuerda una figura, generalmente de un animal o de un personaje mitológico. ② Región del cielo que comprende una de estas figuras. ③ Aspecto de los astros en el momento de realizar el horóscopo.

consternación *s. f.* Abatimiento que provoca el conocimiento de una desgracia.

consternar *v. tr.* Producir abatimiento el conocimiento de una desgracia.

FAM consternación.

constipado *s. m.* Malestar físico, provocado generalmente por los cambios bruscos de temperatura, que se caracteriza por la inflamación de las membranas mucosas del aparato respiratorio con aumento de la secreción nasal y suele ir acompañado de tos, fiebre y dolores musculares. **SIN** catarro, resfriado.

constiparse *v. prnl.* Contraer un constipado. **SIN** acatarrarse, resfriarse.

FAM constipado.

constitución *s. f.* ① Manera en que está compuesto algo o forma en que se estructuran sus elementos formantes: *la gomaespuma tiene una constitución esponjosa.* ② Naturaleza de un organismo vivo en relación con el desarrollo, estructura y funcionamiento de su cuerpo: *era una joven de estatura alta y constitución atlética.* **SIN** complexión, contextura. ③ Estructura de una persona o cosa y los elementos que la forman. ④ Efecto de constituir. ⑤ Conjunto de leyes fundamentales que fija la organización política de un estado y establece los derechos y obligaciones básicas de los ciudadanos y gobernantes: *los españoles aprobaron la actual constitución en diciembre de 1978.* **NOTA** Con mayúscula inicial cuando hace referencia a la constitución de un estado en concreto. ⑥ Sistema de gobierno de un estado: *España tiene una constitución parlamentaria.*

FAM constitucional.

constitucional *adj.* ① Relativo a la Constitución. ‖ *adj./s. com.* ② Se aplica a la persona que es partidaria de la Constitución de un estado. **ANT** anticonstitucional, inconstitucional. ‖ *adj.* ③ Relativo a la constitución física de un organismo vivo.

FAM constitucionalidad; anticonstitucional, inconstitucional.

constitucionalidad *s. f.* Conformidad con el contenido de la Constitución de un estado.

constituir [21] *v. tr.* ① Formar o componer. ② Ser o suponer: *el hábito del tabaco constituye un grave peligro para la salud.* ③ Establecer o fundar. ‖ *v. prnl.* ④ **constituirse** Aceptar una obligación o un cargo: *nombraron a la persona que se constituiría en representante del jurado popular.*

FAM constitución, constitutivo, constituyente; reconstituir.

constitutivo, -va *adj.* Que define una cosa y la distingue de otras: *el juez no ha encontrado en la actuación de la policía hechos constitutivos de delito.*

constituyente *adj./s. m.* ① Que forma parte de un todo: *las aleaciones toman las mejores características de sus metales constituyentes.* ② Se aplica a las Cortes, congreso o asamblea que han sido convocados para elaborar o reformar la Constitución de un estado. ‖ *s. com.* ③ Persona elegida como miembro de esta asamblea.

constreñir [11] *v. tr.* ① Disminuir o reducir a límites menores: *los derechos de los ciudadanos constriñen el poder del gobierno.* **SIN** restringir. ② Hacer presión u oprimir un conducto hasta cerrarlo parcial o totalmente: *los médicos constriñeron la arteria con un torniquete para evitar una hemorragia.* ③ Obligar a alguien a que haga algo.

FAM constreñimiento.

constricción *s. f.* ① Reducción a límites menores. ② Presión que se ejerce en un conducto para cerrarlo parcial o totalmente: *la serpiente pitón mata a sus víctimas por constricción* ③ En medicina, sensación de opresión, especialmente dolorosa, en el pecho.

FAM constrictor.

construcción *s. f.* ① Fabricación de una obra material, generalmente de gran tamaño, de acuerdo con una técnica de trabajo compleja y usando gran cantidad de elementos. ② Conjunto de personas y materiales relacionados con la fabricación de edificios, obras de arquitectura o ingeniería: *la huelga de la construcción ocasiona cuantiosas pérdidas al sector.* ③ Edificio u obra de arquitectura o ingeniería construida. ④ Juguete infantil que consta de piezas de madera u otro material que se combinan para construir puentes, edificios, etc. **NOTA** También en plural con el mismo significado que en singular. ⑤ Disposición sintáctica adecuada de las palabras o las oraciones de acuerdo con las normas de la gramática.

constructivismo *s. m.* Corriente de las artes plásticas, surgida en la Unión Soviética en la segunda década del siglo XX, caracterizada por una construcción geométrica de las formas.

constructivo, -va *adj.* ① Relativo a la construcción: *la madera o el cemento son materiales constructivos.* ② Que construye o sirve para construir; especialmente, que sirve para extraer consecuencias positivas y útiles de las cosas: *las críticas constructivas ayudan a mejorar el resultado final.* **ANT** destructivo.

FAM constructivismo.

constructor, -ra *adj./s. m. y f.* Se aplica a la persona o empresa que construye edificios, obras de arquitectura o ingeniería.

construir [21] *v. tr.* **1** Fabricar una obra material, generalmente de gran tamaño, de acuerdo con una técnica de trabajo compleja y usando gran cantidad de elementos. **ANT** destruir. **2** Elaborar una teoría o proyecto a partir de la combinación de diversos conceptos. **3** Disponer de determinada manera los elementos de una obra artística: *el autor ha construido la novela en torno a un único personaje.* **4** Unir y ordenar debidamente las palabras o las oraciones de acuerdo con las normas de la gramática. **FAM** construcción, constructivo, constructor; reconstruir.

consubstancial V. consustancial.

consuegro, -gra *s. m. y f.* Suegro o suegra del hijo o de la hija de una persona.

consuelo *s. m.* **1** Ayuda o motivo que contribuye a disminuir la intensidad de una pena o de un dolor. **SIN** alivio, consolación. **2** Sentimiento intenso de gozo y alegría.

consuetudinario, -ria *adj.* Que se basa en la costumbre.

cónsul *s. com.* **1** Diplomático que representa y protege los intereses económicos, administrativos o legales de los ciudadanos de una nación en una ciudad de un estado extranjero. **l** *s. m.* **2** Hombre que recibía por un año la máxima autoridad civil y militar en la antigua República romana. **FAM** consulado, consular.

consulado *s. m.* **1** Lugar o edificio donde trabaja el cónsul. **2** Conjunto de personas que trabajan bajo la dirección de un cónsul para representar y proteger los intereses de su nación en una ciudad de un estado extranjero. **3** Cargo o dignidad de cónsul.

consular *adj.* Relativo al cónsul.

consulta *s. f.* **1** Opinión o consejo que se pide o se da acerca de una cosa. **2** Reunión de varias personas para tratar un asunto, especialmente la que celebran profesionales como los médicos sobre el diagnóstico de un caso particular: *los dos presidentes han mantenido frecuentes consultas.* **3** Búsqueda de información: *tengo que hacer una consulta en el diccionario.* **4** Lugar donde el médico recibe, examina y atiende a sus pacientes. **SIN** consultorio. **5** Examen y atención que un médico presta a sus pacientes: *los domingos no hay consulta.*

consultar *v. tr.* **1** Pedir opinión o consejo acerca de una cosa. **2** Tratar un asunto con otras personas para conocer su punto de vista. **3** Buscar información en un libro, un fichero, etc. **FAM** consulta, consultivo, consultor, consultorio.

consultivo, -va *adj.* **1** Se aplica a la junta u organismo establecido para ser consultado por los gobernantes. **2** Se aplica a la materia que debe someterse a consulta.

consultor, -ra *adj.* **1** Que consulta. **l** *adj./s. m. y f.* **2** Se aplica a la persona o empresa a la que se consulta para que dé su parecer sobre algún asunto, especialmente sobre temas especializados.

consultoría *s. f.* **1** Oficio del consultor. **2** Lugar donde trabaja el consultor. **OBS** Puede encontrarse la grafía inglesa *consulting.*

consultorio *s. m.* **1** Establecimiento donde se presta atención médica a enfermos que no requieren ser internados en un hospital. **SIN** ambulatorio, dispensario. **2** Lugar donde el médico recibe, examina y atiende a sus pacientes. **SIN** consulta. **3** Lugar o establecimiento donde se dan opiniones o consejos técnicos a las personas que los solicitan. **4** Sección de un medio de comunicación, especialmente de la radio o la prensa, dedicada a responder a las consultas del público acerca de materias técnicas.

consumación *s. f.* Realización completa y total de una acción o proceso: *la consumación del crimen.*

consumado, -da *adj.* Se aplica a la persona que destaca por sus buenas cualidades: *es un consumado jugador de ajedrez.*

consumar *v. tr.* Acabar por completo una acción o proceso. **FAM** consumación, consumado.

consumición *s. f.* **1** Comida o bebida que se toma en un bar u otro establecimiento público. **2** Destrucción o extinción completa de una materia.

consumido, -da *adj.* **1** Se aplica a la persona o animal que está muy delgado y con mal aspecto físico. **2** Se aplica a la persona que suele afligirse y apurarse por cualquier motivo: *se encontraba consumido por la envidia ante el triunfo de su amigo.*

consumidor, -ra *adj./s. m. y f.* **1** Que consume: *algunos hongos producen sustancias tóxicas como medida defensiva contra sus consumidores animales.* **2** Se aplica a la persona que consume bienes y servicios. **l** *s. m.* **3** Organismo de un ecosistema que se alimenta de otros organismos.

consumir *v. tr.* **1** Comprar o usar un producto, especialmente alimentos y bebidas, para satisfacer necesidades o gustos: *debes consumir la leche antes de la fecha indicada en la botella.* **2** Usar, disfrutar o servirse de un producto o de una cosa no material: *consume su tiempo en el gimnasio.* **3** Destruir por completo una materia: *apaga la vela antes de que la llama la consuma.* **4** Hacer perder peso y deteriorar físicamente: *una larga enfermedad lo consume lentamente.* **5** Causar malestar o angustia de manera continuada durante mucho tiempo: *me consumen los celos.* **SIN** corroer. **FAM** consumición, consumido, consumidor, consumo.

consumismo *s. m.* Tendencia al consumo de productos de modo excesivo y sin necesidad. **FAM** consumista.

consumista *adj./s. com.* Se aplica a la persona que consume productos de modo excesivo y sin necesidad.

consumo *s. m.* **1** Compra o uso de un producto, especialmente alimentos y bebidas, para satisfacer necesidades o gustos: *en este local no permiten el consumo de bebidas alcohólicas.* **2** Uso, disfrute o servicio que se obtiene de un producto o de una cosa no material. **FAM** consumismo.

consustancial [también **consubstancial**, poco usual] *adj.* **1** Que es de la misma sustancia, naturaleza o esencia que otra cosa: *el cuerpo y el alma son elementos consustanciales.* **2** Que forma parte de las características esenciales de una cosa: *la imaginación es una cualidad consustancial al ser humano.* **FAM** consustancialidad.

contabilidad *s. f.* **1** Sistema de control y registro de los gastos e ingresos y demás operaciones económicas que realiza una empresa. **2** Conjunto de cifras y datos acerca de estas operaciones económicas: *se encargó personalmente de revisar la contabilidad del restaurante.* **SIN** cuentas.

contabilizar *v. tr.* **1** Registrar una operación económica en un libro de cuentas para llevar la contabilidad: *el administrador contabilizó los ingresos y los gastos del mes.* **2** Contar (numerando los elementos).

contable *adj.* **1** Que puede ser contado o cuantificado: *los árboles de un parque son contables, pero los granos de arena de una* *playa no.* **ANT** incontable. ② Relativo a la contabilidad económica: *inspección contable.* ③ Se aplica al sustantivo que designa una realidad que se puede contar: *el sustantivo "moneda" es contable, y "aire" no.* **ANT** incontable. ‖ *s. com.* ④ Persona que lleva la contabilidad económica de una empresa.

contactar *v. tr.* Establecer trato o relación personal.

contacto *s. m.* ① Proximidad entre varias cosas de modo que se toquen entre sí: *el contacto con el hielo le alivió el dolor del golpe.* ② Trato o relación personal: *apenas tengo contacto con mi hermano.* ③ Persona con la que otra debe contactar para recibir instrucciones o trabajar conjuntamente, especialmente dentro de una institución, empresa u organización. **SIN** contacto, enlace. ④ Unión entre las dos partes de un circuito que permite el paso de la corriente eléctrica. ⑤ Mecanismo que se usa para establecer esta unión. ‖ *s. m. pl.* ⑥ **contactos** familiar Personas con las que se mantienen relaciones sociales o económicas. **SIN** conexiones.

tomar contacto Empezar a conocer los detalles de un determinado tema o asunto.

FAM contactar.

contado, -da *adj.* Que es escaso, raro o poco frecuente: *en contadas ocasiones bajan los precios.*

al contado Se aplica a la forma de pago con dinero en efectivo, abonando la cantidad de inmediato: *pagó las joyas al contado.*

contador, -ra *adj./s. m. y f.* ① Que cuenta. ‖ *s. m.* ② Aparato para contar la cantidad de una cosa: *contador de revoluciones.* ③ Aparato para medir el volumen de agua o de gas que circula por una cañería o la cantidad de electricidad que recorre un circuito en un tiempo determinado. ④ Aparato para medir la cantidad de electricidad que circula por un circuito en un periodo de tiempo determinado. **NOTA** También *contador eléctrico.* ⑤ Circuito electrónico que cuenta pulsos eléctricos.

FAM contaduría.

contagiar *v. tr.* ① Transmitir una enfermedad un ser vivo a otro. ② Transmitir una persona una idea o sentimiento a otra: *el entrenador contagió su ilusión a todo el equipo.* ‖ *v. prnl.* ③ **contagiarse** Contraer una enfermedad por contacto con el germen o virus que la causa: *en África se contagió de malaria.* **SIN** contaminarse, infectarse. ④ Adquirir una idea o sentimiento propio de una persona gracias al contacto con ella: *me contagié de su alegría en cuanto la conocí.*

FAM contagio, contagioso.

OBS Verbo regular, se acentúa como *cambiar.*

contagio *s. m.* ① Transmisión de una enfermedad por contacto con el germen o virus que la causa. ② Transmisión de una idea o una opinión por influencia de una persona: *es preocupante el contagio de ideas violentas entre la juventud.* ③ Llegada y alojamiento de un parásito, bacteria o virus en un organismo sin provocar daño.

contagioso, -sa *adj.* ① Que se contagia con facilidad y rapidez: *una risa muy contagiosa.* ② Se aplica a la enfermedad que puede transmitirse de una persona a otra. ③ Que tiene un mal que se contagia.

contáiner *s. m.* Contenedor (recipiente metálico).

OBS Plural: *contáiners*

contaminación *s. f.* ① Acumulación de sustancias en el agua, la atmósfera o el suelo que perjudican su estado y la salud de los seres vivos: *el vertedero es un enorme foco de contaminación biológica y química.* ■ **contaminación acústica** Ex-

ceso de ruido que se produce generalmente en un núcelo urbano y que se considera perjudicial para la salud, tanto psíquica como física: *la contaminación acústica puede provocar disminución de la capacidad auditiva y estrés.* ② Conjunto de sustancias contaminantes presentes en el agua, la atmósfera u otra cosa: *la contaminación marina se acumula en las zonas costeras.* ③ Alteración o daño del estado original de pureza o limpieza de una cosa: *contaminación de un alimento.* ④ Transmisión de una enfermedad por contacto con el germen o virus que la causa. **SIN** contagio, infección.

contaminante *adj./s. m.* Que contamina.

contaminar *v. tr./intr.* ① Transmitir al agua, la atmósfera u otra cosa sustancias capaces de perjudicar su estado o la salud de los seres vivos: *los residuos de las ciudades, los restos de los fertilizantes y pesticidas y los residuos industriales contaminan el agua.* ‖ *v. tr.* ② Alterar o dañar el estado original de pureza o limpieza de una cosa. ③ Transmitir una enfermedad un ser vivo a otro. **SIN** contagiar. ‖ *v. prnl.* ④ **contaminarse** Contraer una enfermedad por contacto con el germen o virus que la causa. **SIN** contagiarse, infectarse.

FAM contaminación, contaminador, contaminante; descontaminar.

contante Se usa en la expresión:

contante y sonante Indica un pago al contado, en monedas o billetes.

contar [5] *v. tr.* ① Enumerar consecutivamente la cantidad de elementos que hay en un conjunto. ② Expresar los números ordenados consecutivamente: *mi hijo solamente sabe contar hasta tres.* ③ Tener una edad: *el joven campeón cuenta tan solo dieciséis años.* ④ Explicar una historia real o inventada. **SIN** narrar. ⑤ Considerar una cosa según la importancia, clase u opinión que le corresponde: *en el trabajo que tengo que entregar cuenta mucho la presentación.* ‖ *v. intr.* ⑥ Considerar a una persona o cosa útil, conveniente o de confianza para algo: *cuento contigo para que me ayudes a pintar el piso.* ⑦ Tener o disponer de una cualidad o de una característica: *esta moto cuenta con un potente motor.*

FAM contable, contado, contador, contante; descontar, recontar.

contemplación *s. f.* ① Acción de mirar con atención, placer o detenimiento. ② Reflexión detenida e intensa sobre Dios, sus atributos divinos y los misterios de la fe: *los cartujos dedican buena parte del día a la contemplación.* ‖ *s. f. pl.* ③ **contemplaciones** Respeto y consideración con que actúa una persona al decir o hacer una cosa, para no molestar a los demás: *lo echó de clase sin contemplaciones.* **SIN** miramientos.

contemplar *v. tr.* ① Mirar con interés, atención y detenimiento, especialmente por placer y de manera pasiva: *desde la ventana puedo contemplar toda la ciudad.* ② Reflexionar con atención y cuidado sobre una cuestión para formar una opinión sobre ella: *contempla la posibilidad de vender su casa.* **SIN** considerar. ③ Complacer a una persona o ser condescendiente con ella: *no contemples tanto a tu hermano pequeño, que lo acostumbras mal.* ④ Reflexionar detenida e intensamente sobre Dios, sus atributos divinos y los misterios de la fe.

FAM contemplación, contemplativo.

contemplativo, -va *adj.* ① Relativo a la contemplación. ② Que mira con atención, placer o detenimiento. ③ Que reflexiona con detenimiento e intensidad sobre Dios, sus atributos divinos y los misterios de la fe.

contemporáneo, -nea *adj.* ① Que existe en la época ac-

tual, que pertenece al presente. **|** *adj./s. m. y f.* **2** Se aplica a la persona que existió al mismo tiempo que otra persona o cosa o que pertenece a la misma época que ella: *Góngora fue contemporáneo de Quevedo.* **SIN** coetáneo.
FAM contemporaneidad.

contemporizar *v. intr.* Adaptarse al gusto y voluntad de los demás por algún fin en particular.
FAM contemporización, contemporizador.

contención *s. f.* **1** Detención del movimiento de un cuerpo, un líquido o un gas: *el desfiladero hizo de barrera de contención del fuego.* **2** Control sobre un sentimiento o impulso para moderar su intensidad: *respondió a los insultos con una contención envidiable.* **SIN** continencia. **3** Detención o moderación del aumento de una cantidad: *contención de la inflación.*

contencioso, -sa *adj./s. m.* Se aplica al asunto o materia que es motivo de reclamación legal cuya solución depende de una sentencia judicial: *el proceso contencioso por el cobro de una herencia.* ■ **contencioso administrativo** Recurso que se interpone contra la Administración pública y es resuelto por los tribunales de justicia.

contender [2] *v. intr.* **1** Atacar, golpear y herir al contrario y defenderse de sus ataques: *las dos fuerzas contendieron en una tremenda batalla.* **2** Luchar con otros para conseguir un mismo fin: *los equipos contendían por vez primera para ganar el título.* **SIN** competir, rivalizar. **3** Defender varias personas opiniones o intereses opuestos en una conversación. **SIN** discutir, disputar.
FAM contencioso, contendiente, contienda.

contendiente *adj./s. com.* Se aplica a la persona o grupo que contiende: *los ejércitos contendientes han acordado una tregua.*

contenedor, ra *adj.* **1** Que contiene. **|** *s. m.* **2** Recipiente metálico o de material resistente, de gran tamaño y provisto de enganches para facilitar su manejo; se usa para meter la basura y los materiales que ya no sirven: *contenedor de residuos tóxicos; algunos contenedores de vidrio tienen forma de iglú.* **SIN** contáiner. **3** Recipiente metálico de forma rectangular y gran tamaño para el transporte de mercancías a grandes distancias: *la grúa descarga los contenedores.* **SIN** contáiner.

contener [45] *v. tr.* **1** Tener o incluir una cosa dentro de otra. **2** Hacer referencia a un tema o asunto a lo largo de una exposición: *su discurso contenía las líneas principales de su programa de gobierno.* **3** Detener o suspender el movimiento de un cuerpo o líquido: *la presa contiene la corriente del río.* **4** Dominar las propias emociones, sentimientos o ideas: *contener la ira; la niña contuvo las ganas de llorar.* **SIN** controlar. **5** Detener el aumento de una cantidad.
FAM contención, contenedor, contenido, continencia; incontenible.

contenido, -da *adj.* **1** Se aplica al sentimiento o impulso que no se expresa abiertamente. **|** *s. m.* **2** Materia incluida en el interior de un espacio. **3** Tema o asunto sobre el cual se escribe o se trata: *nos explicaron los contenidos del curso.* **4** Significado de un signo lingüístico o de una oración: *el signo "gato" tiene como contenido 'animal doméstico de la familia de los felinos'.*

contentar *v. tr.* **1** Satisfacer un deseo, una ilusión o una necesidad. **ANT** descontentar. **|** *v. prnl.* **2** **contentarse** Aceptar una cosa de buen grado, especialmente cuando no es perfecta o no satisface completamente un deseo, ilusión o

necesidad: *si no me suben el sueldo, me contento con tener más vacaciones.*
FAM contentadizo; descontentar.

contento, -ta *adj.* **1** Que está alegre, feliz y satisfecho. **ANT** descontento. **2** *familiar* Se aplica a la persona que está excitada por haber bebido alcohol. **SIN** alegre. **|** *s. m.* **3** Alegría, felicidad y satisfacción: *el acuerdo de paz ha sido recibido con gran contento por la comunidad internacional.* **ANT** descontento.
FAM contentar; descontento.

contertulio, -lia *s. m. y f.* Persona que participa con otras en una tertulia.

contesta *s. f.* AMÉR. Respuesta, contestación.

contestación *s. f.* **1** Información o juicio que se da a una pregunta, petición u opinión ajena. **2** Desacuerdo y oposición que se expresa contra una cosa: *el último atentado ha tenido una amplia contestación social.*

contestador, -ra *adj.* **1** Que contesta. **|** *s. m.* **2** Aparato eléctrico conectado al teléfono que emite mensajes grabados y registra las llamadas recibidas.

contestar *v. tr.* **1** Dar una información o juicio a una pregunta, petición u opinión ajena. **2** Expresar desacuerdo y oposición contra una cosa: *cientos de obreros contestaron el cierre de los astilleros.* **|** *v. intr.* **3** Replicar de modo brusco o desagradable: *vete a tu cuarto y no contestes a los mayores.*
FAM contestación, contestador, contestatario, contestón; incontestable.

contestatario, -ria *adj./s. m. y f.* Que expresa desacuerdo y oposición contra valores u opiniones socialmente establecidos: *la juventud acostumbra mantener una actitud contestataria.*

contexto *s. m.* **1** Conjunto de circunstancias que condicionan un hecho. **2** Situación o conjunto de circunstancias en que se encuentran el emisor y el receptor durante el proceso de comunicación y que permiten, en ocasiones, entender correctamente el mensaje. **3** En gramática, conjunto de elementos lingüísticos que incluyen, preceden o siguen a una palabra u oración y que pueden determinar su significado o su correcta interpretación: *el verbo "cantar" tiene dos significados distintos en estos dos contextos: "el tenor canta" y "el detenido canta".* **4** Argumento de una obra o escrito. **5** Unión de cosas que se entrelazan o entretejen.
FAM contextualizar.

contextualizar *v. tr.* Poner en un determinado contexto.
FAM descontextualizar.

contextura *s. f.* **1** Disposición y unión de las partes que componen un todo, especialmente los hilos de una tela. **2** Contexto que rodea un hecho. **3** Naturaleza de un organismo vivo en relación con el desarrollo, estructura y funcionamiento de su cuerpo: *el ganador fue un caballo de contextura esbelta y estilizada.* **SIN** complexión, constitución. **4** Configuración del cuerpo humano.

contienda *s. f.* Lucha, enfrentamiento o discusión: *una contienda entre científicos; una contienda militar.*

contigo *pron.* Forma del pronombre personal de segunda persona del singular *ti*, que se usa cuando va acompañado por la preposición *con.*

contigüidad *s. f.* Contacto entre dos cosas que están una junto a la otra: *la contigüidad geográfica entre países puede ser causa de conflictos fronterizos.*

contiguo, -gua *adj.* Que ocupa un lugar inmediato o lindante a otra cosa: *duerme en una habitación contigua a la de su hermano.*

FAM contigüidad.

continencia *s. f.* ① Control sobre un sentimiento o impulso para moderar su intensidad. **SIN** contención. **ANT** incontinencia. ② Moderación en la satisfacción de un deseo, especialmente el sexual. **ANT** incontinencia.

FAM incontinencia.

continental *adj.* ① Relativo al continente: *geología continental.* ② Relativo al conjunto de países que forman un continente: *logró un título continental al ganar un campeonato europeo.* ③ Se aplica al clima de las regiones alejadas de la costa, que se caracteriza por grandes contrastes de temperatura y escasas lluvias.

FAM intercontinental.

continente *adj.* ① Que contiene. ② Que practica la continencia. ❙ *s. m.* ③ Gran extensión de tierra firme separada por los océanos: *hay cinco continentes en la Tierra: Eurasia, América, Oceanía, África y la Antártida.* ④ Cosa que contiene dentro de sí a otra: *el vaso es el continente del líquido que lo llena.* ⑤ Aspecto del rostro y compostura que presenta el cuerpo de una persona.

FAM continental.

contingencia *s. f.* ① Posibilidad de que una cosa suceda o no suceda. ② Cosa que puede suceder o no, especialmente un problema que se plantea de manera no prevista: *temía que cualquier contingencia le retrasase la partida.* **SIN** eventualidad.

contingente *adj.* ① Que puede suceder o no suceder: *estaba preparado para solucionar cualquier tipo de circunstancia contingente.* ② Que no existe por sí mismo, sino que depende de otro. ❙ *s. m.* ③ Suceso posible. ④ Conjunto organizado de soldados. ⑤ Parte proporcional que cada uno pone cuando son varios los que contribuyen a un mismo fin: *la Unión Europea aportó un contingente de alimentos y medicinas para el Tercer Mundo.* ⑥ Cantidad que se señala a un país o a un industrial para la compra, venta o producción de determinadas mercancías. ⑦ Cupo de hombres que ingresa anualmente en el servicio militar.

FAM contingencia.

continuación *s. f.* ① Ampliación en el tiempo del desarrollo de una acción que ya había empezado. ② Cosa con la que se continúa otra.

a continuación Inmediatamente después: *a continuación del nombre debe poner sus apellidos.*

continuador, -ra *adj.* Que sigue y continúa una cosa empezada por otro.

continuar *v. tr./intr.* ① Seguir con lo empezado: *vamos a comer algo y luego continuaremos el viaje.* ❙ *v. intr.* ② Existir algo durante un periodo de tiempo. ❙ *v. intr./prnl.* ③ Extender a lo largo de una superficie: *el hotel se continuaba a lo largo de la playa.*

FAM continuación, continuador.

OBS Verbo regular, se acentúa como *actuar.*

continuidad *s. f.* ① Circunstancia de suceder o hacerse algo sin interrupción: *la continuidad en el trabajo acaba por dar fruto.* ② Unión entre las partes que forman un todo.

continuo, -nua *adj.* ① Que no se interrumpe y se prolonga durante largo tiempo con la misma intensidad. **SIN** constante. ② Que se repite con cierta frecuencia manteniendo la misma intensidad. **SIN** constante. ③ Que está formado por partes unidas entre sí: *en la Antigüedad los libros se escribían en rollos continuos de pergamino.* ❙ *s. m.* ④ Todo formado por partes entre las que no hay separación.

de continuo Sin interrupción.

FAM continuidad, continuar; discontinuo.

contonearse *v. prnl.* Mover de manera exagerada los hombros y las caderas al andar.

FAM contoneo.

contoneo *s. m.* Movimiento exagerado de los hombros y las caderas al andar.

contornear *v. tr.* ① Hacer el perfil de una figura o composición artística. ② Dar vueltas alrededor de algo.

contorno *s. m.* ① Conjunto de líneas que limitan una figura o una composición artística. ② Forma que presenta un objeto cuando está sobre un fondo más claro que él: *pude ver el contorno del ladrón tras los visillos de la ventana.* **SIN** silueta. ③ Zona que rodea un lugar o una población: *ni en el pueblo ni en los contornos se conocía otro caballo más rápido.* **NOTA** Más en plural. **SIN** alrededores.

FAM contornar, contornearse.

contorsión *s. f.* Contracción extraña de una parte del cuerpo, los rasgos de la cara o cualquier músculo.

FAM contorsionarse.

contorsionarse *v. prnl.* Hacer movimientos irregulares y extraños contrayendo una parte del cuerpo, los rasgos de la cara o cualquier músculo.

FAM contorsionista.

contorsionista *s. com.* Artista circense o acróbata que flexiona su cuerpo y logra posiciones muy difíciles e inusitadas, sin sufrir aparentemente dolor.

contra *prep.* ① Indica oposición o acción contraria: *lo que pretendes hacer va contra la ley.* ② Indica contacto o apoyo: *el detenido quedó de espaldas contra la pared.* ③ Indica cambio de una cosa por otra: *enviar un paquete contra reembolso.* ❙ *s. m.* ④ Dificultad, circunstancia o razón que impide hacer una cosa: *esta decisión tiene sus pros y sus contras.* **NOTA** Normalmente en plural. **SIN** inconveniente. ❙ *int.* ⑤ **¡contra!** Se emplea para indicar sorpresa o disgusto: *¡contra, qué susto!*

a la contra (**I**) En continua oposición: *siempre estás a la contra.* (**II**) Al contraataque.

en contra En oposición.

contraalmirante [también **contralmirante**] *s. com.* Militar del cuerpo de generales de la Armada que tiene categoría inmediatamente superior a la de capitán de navío e inmediatamente inferior a la de vicealmirante.

contraatacar *v. tr./intr.* ① Reaccionar con un ataque ante el avance del contrario o del enemigo. ② familiar Volver a hacer lo que se había abandonado por algún tiempo: *tras años de silencio, el veterano cantante contraataca con un nuevo disco.*

FAM contraataque.

contraataque *s. m.* ① Reacción que responde al ataque anterior de un enemigo o para recuperar posiciones perdidas. **SIN** contragolpe. ② Reacción ofensiva de un equipo deportivo ante el avance del contrario; se basa en la rapidez y su fin es sorprender descolocado al rival para anular su posibilidad de reacción. **SIN** contragolpe.

contrabajo *s. m.* ① Instrumento musical de cuerda, de forma semejante a la del violín pero de tamaño mucho mayor y por tanto de tono mucho más grave; se toca de pie, apoyando su extremo inferior en el suelo y frotando sus cuatro cuerdas con un arco. **SIN** bajo, violón. ❙ *s. com.* ② Persona que toca este instrumento en una orquesta o conjunto musical.

FAM contrabajista.

contrabandista *s. com.* Persona que se dedica al contrabando.

contrabando *s. m.* 1 Producción, transporte o comercio ilegal de productos sin pagar los impuestos correspondientes. 2 Producción, transporte o comercio ilegal de productos prohibidos por las leyes a los particulares: *contrabando de droga.* 3 Mercancías o géneros prohibidos o introducidos de forma fraudulenta: *el contrabando estaba escondido en unos contenedores.* **de contrabando** Que se consigue o se compra de manera ilegal.

FAM contrabandista.

contracción *s. f.* 1 Movimiento en el que se encoge o se estrecha una parte del cuerpo o un músculo reduciendo su tamaño. 2 Disminución de la cantidad o el tamaño. 3 Aceptación de una obligación o responsabilidad. SIN asunción. 4 Formación de una palabra a partir de otras dos de las que se omite bien la vocal con que acaba la primera, bien la vocal con que empieza la segunda: *en español, "al" procede de la contracción de "a" y "el".* 5 Palabra creada mediante esta unión. 6 Unión de dos o más vocales contiguas, que no forman originariamente diptongo, en una sola.

contracepción *s. f.* Contraconcepción.

FAM contraceptivo.

contraceptivo, -va *adj./s. m.* Contraconceptivo.

contrachapado, -da *adj./s. m.* Se aplica al tablero que está formado por varias capas finas de madera encoladas, de modo que sus fibras quedan entrecruzadas.

contraconcepción *s. f.* Conjunto de métodos, sustancias o medios empleados como contraconceptivos. SIN anticoncepción, contracepción.

FAM contraconceptivo.

contraconceptivo, -va *adj./s. m.* Se aplica al método, sustancia o medio que impide el embarazo de una mujer o un animal hembra por vía mecánica, física u hormonal. SIN anticonceptivo, contraceptivo.

contracorriente *s. f.* Corriente con dirección opuesta a aquella de la que procede.

a contracorriente En contra de la opinión general.

contráctil *adj.* Que es capaz de contraerse por sí mismo: *el movimiento contráctil de las fibras musculares posibilita los movimientos de nuestro cuerpo.*

contracto, -ta *adj.* 1 Que está contraído. 2 Se aplica al artículo *el* cuando se fusiona con las preposiciones *a* o *de*.

contractual *adj.* Relativo al contrato.

contractura *s. f.* Contracción involuntaria y duradera de un músculo.

contracultura *s. f.* Movimiento social y cultural caracterizado por la oposición a los valores culturales y morales establecidos en la sociedad.

FAM contracultural.

contradecir [27] *v. tr.* 1 Decir o hacer lo contrario que otra persona: *su manera de conducir contradice todos los consejos sobre seguridad.* ‖ *v. prnl.* 2 **contradecirse** Decir una persona lo contrario de lo que antes había dicho, sin anunciar o reconocer que ha cambiado de opinión: *te pones nervioso discutiendo y te contradices continuamente.*

FAM contradicción, contradictorio.

contradicción *s. f.* 1 Afirmación que expresa lo contrario de lo dicho por uno mismo o por otros. 2 Actitud o comportamiento contrario a lo dicho por uno mismo o por otros. 3 Afirmación y negación que se oponen una a otra y no pueden ser verdaderas a la vez: *tu teoría tiene contradicciones que la desacreditan.*

contradicho, -cha Participio irregular de *contradecir.*

contradictorio, -ria *adj.* Que tiene contradicción con otra cosa.

contraer [46] *v. tr.* 1 Encoger, estrechar o reducir a menor tamaño: *durante la inspiración de aire se contraen un gran número de músculos del tronco humano.* 2 Desarrollar una enfermedad por el contacto con el germen o virus que la causa: *su marido contrajo el sida.* 3 Adquirir una costumbre o vicio por el contacto con otra persona. 4 Aceptar una obligación o compromiso: *contraer matrimonio.* 5 Reducir dos o más vocales a un diptongo o a una sola vocal: *en casos como "va a comer", las dos* aes *se contraen en el habla y pronunciamos* 'vacomer'.

FAM contráctil, contrayente.

OBS Se conjuga como *traer.*

contraespionaje *s. m.* Servicio de defensa de un país contra el espionaje de potencias extranjeras.

contrafagot *s. m.* 1 Fagot de grandes dimensiones y afinado una octava más grave que el fagot ordinario. ‖ *s. com.* 2 Persona que en una orquesta o conjunto musical toca este instrumento.

OBS Plural: *contrafagotes.*

contrafuerte *s. m.* 1 Construcción vertical que se levanta pegada al muro de un edificio, sobresaliendo del paramento, para hacerlo más resistente a la carga que debe soportar o para recoger el empuje de un arco o bóveda. SIN estribo. 2 Pieza de cuero o de material resistente con que se refuerza el calzado por la parte del talón.

contragolpe *s. m.* Reacción ofensiva de un equipo deportivo ante el avance del contrario; se basa en la rapidez y su fin es sorprender descolocado al rival para anular su posibilidad de reacción. SIN contraataque.

contrahecho, -cha *adj./s. m. y f.* Se aplica a la persona o cosa que tiene torcido o deformado el cuerpo: *el payaso llevaba una gran chistera contrahecha.*

contrahierba *s. f.* 1 AMÉR. Nombre genérico de varias plantas que la medicina herbolaria utiliza como contravenenos. 2 AMÉR. Infusión antipirética que se prepara con estas plantas. 3 AMÉR. Contraveneno, antídoto.

contraindicación *s. f.* Efecto perjudicial que puede tener el empleo de un medicamento o un tratamiento.

contraindicar *v. tr.* Disuadir de la utilización de un remedio o medicamento para una determinada afección, por la existencia de estado fisiológicos o patológicos que lo hacen perjudicial en esos momentos.

FAM contraindicación.

contralmirante *s. m.* Contraalmirante.

contralto *s. m.* 1 Voz femenina más grave, sobre la cual está la de mezzosoprano; también es la voz infantil más grave y puede darse en algunos hombres. SIN alto. ‖ *s. com.* 2 Persona que tiene esta voz. SIN alto.

contraluz *s. amb.* 1 Aspecto que presenta una cosa mirándola desde el lado opuesto a la luz. 2 Fotografía tomada de una cosa desde el lado opuesto a la luz.

a contraluz Por el lado opuesto al que recibe la luz.

contramaestre *s. m.* 1 Suboficial de la Armada que dirige a los marineros bajo las órdenes del oficial. 2 Jefe o vigilante de los obreros en algunos talleres o fábricas.

contramano Se usa en la expresión:
a contramano Indica la dirección opuesta a la que debe ir una persona o vehículo: *si caminas a contramano por la carretera, ves los coches que vienen.*

contraorden *s. f.* Orden que es contraria a otra anterior o la invalida.

contrapartida *s. f.* 1 Compensación que se hace en correspondencia a lo que se recibe de otra persona o como premio de sus actos: *los obreros esperaban recibir alguna contrapartida económica por su esfuerzo.* 2 Anotación compensatoria hecha en un libro de contabilidad para corregir un error.

contrapelo Se usa en la expresión:
a contrapelo (I) En sentido contrario a la inclinación natural del pelo. (II) Fuera de tiempo o de modo inconveniente: *vivía a contrapelo del tiempo, como si aún fuera un niño.*

contrapeso *s. m.* 1 Peso o carga que iguala a otra para conseguir un equilibrio. 2 Cosa que compensa o iguala a otra para hacer disminuir o desaparecer su efecto. 3 Balancín de los equilibristas.
FAM contrapesar.

contrapié Se usa en la expresión:
a contrapié (I) Indica que una persona o cosa están en una posición contraria a la natural: *iba a tirar a puerta a contrapié.* (II) Indica que una cosa sucede en un mal momento: *a la bolsa le ha llegado la bajada del dólar a contrapié.*

contraponer [36] *v. tr.* 1 Poner juntas varias cosas, una al lado de la otra o frente a frente, para encontrar parecidos y apreciar diferencias entre ellas. 2 Oponer una idea, persona o cosa a otra para impedir su acción: *contraponer un muro al empuje de la montaña.*
FAM contraposición, contrapuesto.

contraportada *s. f.* 1 Página que se pone frente a la portada de un libro; suele aparecer en blanco, pero a veces lleva el nombre de la colección y su número, así como los títulos publicados y otros datos semejantes. 2 Última página de un periódico o revista.

contraposición *s. f.* 1 Comparación entre varias cosas para encontrar parecidos y apreciar diferencias. 2 Relación entre cosas totalmente distintas u opuestas.

contraprestación *s. f.* Servicio o pago que una persona, institución o empresa hace a otra en correspondencia a lo que ha recibido o recibirá.

contraproducente *adj.* Se aplica a la acción o dicho que tiene un efecto contrario a la intención con que se profiere o hace: *castigar a un niño por sentir miedo de la oscuridad es contraproducente.*

contrapuesto, -ta *adj.* Que se opone a otra cosa de la misma naturaleza: *las fuerzas centrífugas y centrípetas son fuerzas contrapuestas.*

contrapunto *s. m.* 1 Técnica de composición musical que consiste en combinar varias melodías, atendiendo tanto a la superposición de notas en forma de acordes como a la sucesión de notas o desarrollo melódico: *Johan Sebastian Bach fue un maestro del contrapunto.* 2 Voz, melodía o ritmo que resulta de aplicar esta técnica. 3 Contraste que existe entre dos cosas que suceden simultáneamente o se hallan una junto a la otra.
FAM contrapuntear, contrapuntístico.

contrariado, -da *adj.* Que está disgustado, triste o malhumorado por alguna causa, en especial por no ver cumplido un deseo o un propósito.

contrariar *v. tr.* 1 Oponer una persona resistencia al deseo o propósito de otra. 2 Ocasionar un disgusto por no poder cumplir un deseo o propósito: *le contrarió no poder ir al cine esa tarde.*
FAM contrariado.
OBS Verbo regular, se acentúa como *desviar.*

contrariedad *s. f.* 1 Oposición entre dos cosas. 2 Suceso imprevisto que retrasa o impide hacer lo que se desea. **SIN** contratiempo. 3 Disgusto de escasa importancia.

contrario, -ria *adj.* 1 Que tiene un sentido o significación completamente diferente: *opinión contraria.* 2 Que es opuesto a una cosa. 3 Que es nocivo: *contrario a la salud.* ‖ *s. m. y f./adj.* 4 Persona que compite con otra: *el equipo contrario fue muy superior.* **SIN** contrincante. 5 Persona enemiga de otra. ‖ *adj./s. m.* 6 Se aplica a la palabra que tiene un significado opuesto al de otra. **SIN** antónimo.
al contrario o **por el contrario** De forma totalmente distinta.
llevar la contraria Oponerse a ideas u opiniones: *lo dice solo por llevarme la contraria.*
FAM contrariedad, contrariar.

contrarreforma *s. f.* Movimiento religioso, cultural y político con el que el catolicismo se opuso a la reforma luterana; tuvo su máxima manifestación con el Concilio de Trento, donde se formularon con nitidez los ritos y se definieron el dogma y la suprema autoridad papal: *la Contrarreforma se desarrolló en el siglo XVI.*
FAM contrarreformista.
OBS Se escribe normalmente con mayúscula inicial.

contrarreloj *s. f./adj.* Prueba ciclista en la que un corredor o un grupo de corredores del mismo equipo deben recorrer una distancia en el menor tiempo posible, habiendo tomado la salida distanciados de los demás por un intervalo de igual duración.
a contrarreloj Deprisa y en un plazo de tiempo muy breve.
FAM contrarrelojista.

contrarrelojista *s. com.* Ciclista especializado en carreras o etapas contrarreloj.

contrarrestar *v. tr.* 1 Hacer frente a un ataque u oponer resistencia a una fuerza o dominio. 2 Disminuir el efecto o la importancia de una cosa con una acción contraria: *este jarabe contrarresta la tos.* **SIN** neutralizar.
FAM contrarresto.

contrarrevolución *s. f.* Revolución política que pretende arrebatar el poder a las personas que lo consiguieron en una revolución anterior.
FAM contrarrevolucionario.

contrarrevolucionario, -ria *adj.* 1 Relativo a la contrarrevolución. ‖ *adj./s. m. y f.* 2 Se aplica a la persona que es partidaria de la contrarrevolución.

contrasentido *s. m.* 1 Interpretación contraria al sentido natural de las palabras. 2 Actuación que tiene un sentido incomprensible, contrario a la lógica o a la razón. 3 Dicho que contradice o no confirma la realidad.

contraseña *s. f.* 1 Palabra, frase o señal secreta que permite el acceso o el paso por un lugar. 2 Marca o señal que se pone en un objeto.

contrastar *v. intr.* ① Mostrar características muy distintas u opuestas dos cosas cuando se comparan entre sí: *la alegría del ganador contrastaba con la tristeza del perdedor.* ‖ *v. tr.* ② Comprobar la exactitud, autenticidad o calidad de una cosa; generalmente se aplica a pesos y medidas, o a la ley de monedas y metales preciosos.
FAM contraste.

contraste *s. m.* ① Diferencia notable u oposición que presentan dos cosas cuando se comparan entre sí: *los contrastes térmicos entre el frío y el calor ocasionan fenómenos meteorológicos como las tormentas.* ② Hecho de contrastar. ③ Señal que se imprime o graba en los objetos de metal noble como garantía de su autenticidad: *es obligatorio que los objetos de oro tengan contraste.* ④ Relación entre la iluminación máxima y mínima de una cosa: *ajustó el contraste y el color del televisor.* ⑤ Sustancia que se introduce en el cuerpo de un ser vivo para facilitar la observación y el estudio de una parte de su organismo.

contrata *s. f.* ① Contrato para la ejecución de obras o la prestación de un servicio. ② Documento que asegura este contrato.

contratación *s. f.* ① Operación de contratar a una persona o empresa. ② Comercio y trato de género vendible.

contratar *v. tr.* ① Acordar las condiciones y el precio por el que una persona o empresa se compromete a realizar un trabajo o a prestar un servicio: *contrataron una agencia de mudanzas.* ② Emplear a alguien para un trabajo.
FAM contratación, contratado, contratante; subcontratar.

contratenor *s. m.* ① Voz masculina más aguda que la de tenor. ② Hombre que tiene esta voz.

contraterrorismo *s. m.* Conjunto de actividades policiales y legales dirigidas a luchar contra el terrorismo. **SIN** antiterrorismo.
FAM contraterrorista.

contratiempo *s. m.* ① Suceso imprevisto que retrasa o impide hacer lo que se desea. **SIN** contrariedad. ② En música, valor rítmico que se ataca en el tiempo débil de un compás en vez de en el tiempo fuerte, sin que se alargue al tiempo fuerte siguiente: *el contratiempo es típico del jazz y la música latina.*

contratista *s. com.* Persona o empresa a quien se encarga por contrato la realización de una obra o servicio, quedando obligada a entregarla dentro del plazo convenido.

contrato *s. m.* ① Acuerdo, generalmente escrito, por el que dos partes se comprometen a respetar y cumplir una serie de condiciones. ② Documento en que figura este acuerdo firmado por las dos partes.
FAM contrata, contratar, contratista.

contratuerca *s. f.* Tuerca auxiliar que se superpone a otra para evitar que esta se afloje o ceda debido a las vibraciones u otras causas.

contraveneno *s. m.* Sustancia que contrarresta o anula la acción de un veneno. **SIN** antídoto.

contravenir [48] *v. tr.* Actuar en contra de una ley, norma o pacto. **SIN** infringir.

contrayente *s. com.* Persona que contrae un compromiso, especialmente el matrimonio.

contribución *s. f.* ① Cuota destinada a algún fin, principalmente la que se impone para atender las cargas del Estado. ② Ayuda, colaboración o participación en el logro de un fin: *recibió el Premio Nobel por su contribución al conocimiento del átomo.*

contribuir [21] *v. intr.* ① Dar una cantidad de dinero como pago de un impuesto: *contribuye con el 18 % de su sueldo.* ② Ayudar, colaborar o participar en el logro de un fin: *el viento ha contribuido a la propagación del incendio.* ③ Entregar una ayuda voluntaria a un determinado propósito. ④ Entregar voluntariamente una cantidad de dinero o un conjunto de medicinas, alimentos, ropa u otros objetos para que con ellos se ayude a cubrir las necesidades de otras personas. **SIN** colaborar.

contribuyente *adj.* ① Que contribuye. ‖ *s. com.* ② Persona que legalmente está obligada a pagar impuestos estatales, autonómicos o locales.

contrición *s. f.* Arrepentimiento por haber pecado y ofendido a Dios.

contrincante *s. com.* Persona que compite con otra. **SIN** contrario.

control *s. m.* ① Dirección o dominio de una organización o sistema: *obtuvo el control de la editorial después de años de trabajo.* ② Dominio que una persona tiene de sus propias emociones, ideas o actos: *tiene un absoluto control sobre sí mismo.* ③ Examen u observación cuidadosa que sirve para hacer una comprobación: *control de sanidad.* ④ Lugar o recinto donde se realiza este examen. ⑤ Examen periódico que se hace a un alumno para comprobar su nivel de aprendizaje y comprensión de la materia que se explica. ⑥ Conjunto de mandos o botones que regulan el funcionamiento de una máquina, aparato o sistema: *los controles del avión.* **NOTA** Más en plural.
control de natalidad Conjunto de técnicas destinadas a regular la natalidad.
control remoto Dispositivo que regula a distancia el funcionamiento de una máquina, aparato o sistema.
FAM controlar; autocontrol, descontrol, incontrolable, radiocontrol.

controlador, -ra *adj./s. m. y f.* ① Que ejerce la dirección o el dominio de una organización o sistema. ‖ *s. m.* ② Programa informático o rutina que enlaza un dispositivo periférico al sistema operativo: *en la instalación de nuevos periféricos se agregan nuevos controladores.*
controlador aéreo Técnico que dirige, orienta y vigila el tráfico aéreo desde tierra.

controlar *v. tr.* ① Dirigir o dominar una organización o sistema: *con un pequeño ratón se puede controlar todo un ordenador.* ② Examinar y observar con atención para hacer una comprobación. ③ Contener o dominar una emoción o un sentimiento: *apenas pudo controlar su alegría.* ‖ *v. prnl.* ④ **controlarse** Dominar y contener las propias emociones, sentimientos o ideas.
FAM controlador; incontrolado.

controversia *s. f.* Discusión larga y repetida entre varias personas que defienden opiniones contrarias, especialmente sobre cuestiones filosóficas o de religión.
FAM controvertir.

controvertido, -da *adj.* Que provoca controversia: *una película controvertida.*

contubernio *s. m.* ① Acuerdo entre varias personas para hacer algo ilícito o perjudicial para otro. ② Convivencia con otra persona, con fines oscuros o malintencionados.

contumacia *s. f.* Tenacidad y obstinación en el error.

contumaz *adj.* culto Se aplica a la persona que se mantiene

firme en su comportamiento, ideas o intenciones, a pesar de castigos, advertencias o desengaños.
FAM contumacia.

contundencia *s. f.* ① Capacidad de un razonamiento o una evidencia para convencer sin dejar lugar a discusión por la convicción o la energía con que se expone: *la contundencia de la prueba convenció al jurado.* ② Fuerza o energía con que se golpea algo.

contundente *adj.* ① Se aplica al objeto que puede producir un daño físico considerable por la fuerza o la energía con que se maneja. ② Que encierra tal convicción o se expone con tal energía que no deja lugar a la discusión. ③ familiar Que produce impresión por su exageración: *se zampó un desayuno contundente.*
FAM contundencia.

contusión *s. f.* Lesión causada al golpear o comprimir una parte del cuerpo sin producir herida exterior.
FAM contusionar.

contusionar *v. tr.* Producir una contusión al golpear o comprimir una parte del cuerpo sin producir herida exterior.

contuso, -sa *adj./s. m. y f.* Se aplica a la persona que ha recibido una contusión.

conurbación *s. f.* Unión de núcleos urbanos de tamaño similar que han crecido al mismo ritmo y forman un conjunto: *Saint Paul y Minneapolis, en Estados Unidos, forman una conurbación.*

convalecencia *s. f.* ① Recuperación de las fuerzas perdidas después de una enfermedad o de un tratamiento médico. ② Periodo de tiempo que dura esta recuperación.

convalecer [16] *v. intr.* ① Recuperar las fuerzas perdidas después de una enfermedad o de un tratamiento médico. ② Salir de una situación peligrosa o conflictiva.
FAM convalecencia, convaleciente.

convaleciente *adj./s. com.* Se aplica a la persona o animal que se halla en periodo o proceso de recuperación de las fuerzas perdidas después de una enfermedad o de un tratamiento médico.

convalidación *s. f.* ① Confirmación de la validez de una cosa. ② Reconocimiento de la validez académica de los estudios realizados y aprobados por una persona en otro país, centro docente o especialidad.

convalidar *v. tr.* ① Dar validez académica a los estudios realizados y aprobados por una persona en otro país, centro docente o especialidad. ② Confirmar, ratificar o dar valor y firmeza, especialmente a los actos jurídicos.
FAM convalidación.

convección *s. f.* Forma de transferencia del calor en un fluido mediante el movimiento interno de masas del propio fluido que tienen distinta densidad; la transferencia de calor se produce porque las masas están a distinta temperatura: *los radiadores de agua transmiten calor por convección.*

convencer *v. tr.* ① Conseguir mediante razones que una persona actúe o piense de un modo que inicialmente no era el deseado. **SIN** persuadir. ② Agradar algo o alguien a una persona: *no me acaban de convencer las antenas parabólicas.*

estar convencido Estar completamente seguro de una cosa, darla por cierta sin dudar.
FAM convencimiento.

convencimiento *s. m.* ① Seguridad que tiene una persona de la verdad o certeza de lo que piensa o siente. **SIN** convic-

ción. ② Capacidad o habilidad para convencer a una persona para que haga o crea alguna cosa, empleando argumentos o razones. **SIN** persuasión.

convención *s. f.* ① Acuerdo entre personas, empresas, instituciones o países. ② Norma o práctica aceptada socialmente por un acuerdo general o por la costumbre. ③ Reunión de muchas personas que se proponen estudiar un tema político, cultural o científico, y elegir a sus representantes: *en Estados Unidos cada partido político se reúne en una convención para elegir su candidato a presidente.* ④ Reunión de carácter informativo entre los miembros de una empresa, generalmente para presentar un nuevo producto o deliberar sobre un asunto. ⑤ Asamblea de los representantes de un país que asume todos los poderes de este.
FAM convencional.

convencional *adj.* ① Que se acepta por acuerdo entre personas, empresas, instituciones o países: *la longitud del metro es una medida convencional.* ② Que es muy común o no tiene nada de espontáneo u original.
FAM convencionalismo.

convencionalismo *s. m.* Ideas o costumbres que se aceptan o practican por comodidad, acuerdo o conveniencia social.
OBS Normalmente en plural.

conveniencia *s. f.* ① Beneficio o utilidad que se obtiene de una cosa: *le aconsejaron la conveniencia de vender sus acciones del banco.* **ANT** inconveniencia. ② Conformidad o correspondencia entre dos cosas distintas: *dudo de la conveniencia de comprar una casa si ahora está en paro.* **ANT** inconveniencia. ③ Acuerdo o convenio al que llegan varias personas. | *s. f. pl.* ④ **conveniencias** Beneficios y rentas que se obtienen de los bienes y haciendas.

conveniente *adj.* ① Que conviene. ② Que es beneficioso y útil para un fin. **ANT** inconveniente. ③ Que está conforme o de acuerdo con otra cosa: *compré un coche por un precio conveniente.* **ANT** inconveniente.
FAM conveniencia; inconveniente.

convenio *s. m.* ① Acuerdo entre dos o más grupos sociales o instituciones por el que ambas partes aceptan una serie de condiciones y derechos. ■ **convenio colectivo** Acuerdo entre una empresa y sus trabajadores para establecer la cuantía de los salarios, el calendario de trabajo y otras condiciones laborales. ② Documento legal en que figura este acuerdo, firmado por representantes de las dos partes.

convenir [48] *v. intr.* ① Ser beneficioso para un fin: *te conviene aprobar las oposiciones.* ② Ser provechoso o útil: *nos conviene salir pronto para llegar temprano.* ③ Corresponder una cosa a otra. | *v. tr.* ④ Llegar a un acuerdo sobre un asunto o un precio: *convinieron las condiciones de venta del coche.*
FAM convención, conveniencia, conveniente; disconvenir, reconvenir.

convento *s. m.* ① Edificio, situado generalmente en una población, donde vive una comunidad de religiosos. ② Comunidad que vive en este edificio.
FAM conventual.

conventual *adj.* ① Relativo al convento. | *adj./s. m.* ② Se aplica al religioso que pertenece a una comunidad, resida o no en un convento.

convergencia *s. f.* ① Reunión en un punto de varias líneas o trazados. **ANT** divergencia. ② Lugar donde ocurre esta reunión: *dibujó la figura principal del cuadro en la convergencia de las* *diagonales del lienzo.* **3** Coincidencia de ideas y tendencias sociales, políticas, culturales o económicas. **SIN** confluencia. **ANT** divergencia.

convergencia adaptativa o **convergencia evolutiva** Proceso adaptativo según el cual los organismos que se desenvuelven en un mismo medio desarrollan órganos parecidos aunque estos tengan un origen diferente: *las alas de los murciélagos y las de los insectos son un ejemplo de convergencia adaptativa, pues estos tipos se originaron por procesos evolutivos distintos.*

convergente *adj.* **1** Se aplica a la línea que converge con otra u otras en un mismo punto. **ANT** divergente. **2** Que tiende a coincidir con las ideas y tendencias sociales, culturales o económicas de otro. **ANT** divergente.

converger *v. intr.* **1** Reunirse varias líneas en un punto. **SIN** convergir. **ANT** divergir. **2** Coincidir varias ideas o acciones en un mismo objetivo: *los partidos políticos convergen en la política exterior.* **SIN** convergir. **ANT** divergir.
FAM convergencia, convergente.

convergir *v. intr.* Converger.

conversación *s. f.* Comunicación mediante la palabra entre varias personas que alternativamente exponen sus ideas y matices. **SIN** diálogo.
dar conversación Entretener a una persona hablando con ella.
FAM conversacional.

conversacional *adj.* Se aplica al lenguaje que se emplea en una conversación normal o coloquial, opuesto al lenguaje culto o literario: *texto conversacional.*

conversador, -ra *adj./s. m. y f.* Se aplica a la persona que tiene una conversación agradable y amena.

conversar *v. intr.* Hablar dos o más personas entre ellas. **SIN** dialogar.
FAM conversación, conversador.

conversión *s. f.* **1** Transformación o cambio de una cosa en otra. **2** Transformación de las obligaciones o valores mobiliarios en acciones. **3** Aceptación de una doctrina religiosa o una ideología que anteriormente no se conocía o no se admitía. **4** Cambio de una persona que lleva mala vida a una buena.

converso, -sa *adj./s. m. y f.* Se aplica a la persona que ha aceptado una doctrina religiosa o ideología que anteriormente no conocía o no admitía: *musulmán converso; durante el reinado de los Reyes Católicos había muchos judíos conversos en la Península.*

convertible *s. m.* AMÉR. CENTRAL, COL., P. RICO, PERÚ Vehículo que tiene capota o techo que se puede plegar o retirar.
OBS También *carro convertible.*

convertir [3] *v. tr.* **1** Cambiar una persona o cosa en otra distinta. **2** Hacer que alguien adquiera una doctrina religiosa o una ideología que anteriormente no conocía o no admitía: *el milagro de la resurrección de Lázaro convirtió a muchos al cristianismo.* **3** Modificar la frecuencia de una corriente eléctrica o transformarla de continua a alterna.
FAM conversión, converso, convertible, convertido, convertidor; reconvertir.

convexidad *s. f.* **1** Característica de lo que tiene forma curva más saliente en el centro que en los bordes: *la convexidad del suelo hace que discurra el agua cuando llueve.* **ANT** conca-

vidad. **2** Lugar o superficie que tiene forma curva más saliente en el centro que en los bordes. **ANT** concavidad.

convexo, -xa *adj.* Que presenta una curvatura más saliente en el centro que en los bordes: *las caras convexas de una lupa.* **ANT** cóncavo.
FAM convexidad.

convicción *s. f.* **1** Seguridad que tiene una persona de la verdad o certeza de lo que piensa o siente. **SIN** convencimiento. **2** Capacidad para convencer a los demás: *era tal su poder de convicción, que acabé por prestarle mi coche.* **l** *s. f. pl.* **3 convicciones** Ideas religiosas, éticas o políticas en las que cree una persona.

convicto, -ta *adj./s. m. y f.* Se aplica al acusado cuyo delito ha sido probado legalmente, aunque no lo haya confesado.

convidado, -da *s. m. y f.* Persona que está invitada, especialmente a un banquete o convite.
convidado de piedra Persona que asiste a un convite u otra reunión y permanece quieta, silenciosa y ajena al acto.

convidar *v. tr.* **1** Pedir a una persona que participe en un acontecimiento o celebración. **SIN** invitar. **2** Pagar lo que otra persona consume: *mi amiga me convidó a pasteles.* **SIN** invitar. **3** Animar o convencer a una persona para que haga una cosa: *la tranquilidad de la biblioteca convidaba a la lectura.* **SIN** invitar.
FAM convidado.

convincente *adj.* **1** Que consigue que una persona actúe o piense de un modo que inicialmente no era el deseado o elegido. **2** Que agrada o satisface: *resultó ser un actor bastante convincente.*

convite *s. m.* **1** Banquete, fiesta o celebración que paga una persona y en la que participan otras como invitados. **2** Acción de convidar.

convivencia *s. f.* **1** Vida en compañía de otras personas: *la convivencia en las grandes ciudades es cada vez más difícil.* **2** Reunión en la que reina el compañerismo y la fraternidad.

convivir *v. intr.* Vivir en compañía de otro u otros: *en Nueva York conviven culturas muy diferentes.*
FAM convivencia.

convocar *v. tr.* **1** Citar a una persona, señalando el día, hora y lugar para un acto o encuentro. **ANT** desconvocar. **2** Anunciar públicamente un acto en el que pueden participar muchas personas: *convocaron una huelga para el viernes.* **ANT** desconvocar.
FAM convocado, convocatoria; desconvocar.

convocatoria *s. f.* **1** Anuncio o escrito con que se convoca a varias personas. **2** Cada una de las oportunidades que una persona tiene para presentarse a un examen.

convoy *s. m.* **1** Conjunto de vehículos terrestres o marítimos que acompañan a otros para protegerlos: *un convoy de la OTAN acompañó a los autobuses de refugiados hasta la frontera.* **2** Conjunto de vehículos terrestres o marítimos protegidos de esta manera.
OBS Plural: *convoyes.*

convulsión *s. f.* **1** Contorsión involuntaria, violenta y repetida de una parte del cuerpo o de un músculo: *los epilépticos sufren ataques con violentas convulsiones.* **2** Agitación política, social o económica de carácter violento que rompe la normalidad. **3** Sacudida producida por un terremoto.

convulsionar *v. tr.* Producir una convulsión política, social o económica.
FAM convulsión, convulsivo, convulso.

convulsivo, -va *adj.* Relativo a la convulsión: *se agitaba con movimientos convulsivos.*

convulso, -sa *adj.* Que sufre convulsiones: *unas convulsas elecciones presidenciales.*

conyugal *adj.* Relativo a los cónyuges.

cónyuge *s. com.* culto Esposo o esposa de una persona. **SIN** consorte.
FAM conyugal.

coña *s. f.* ① familiar Broma: *no te andes con coñas, ¿vale?* ② familiar Cosa molesta o desagradable: *aparcar en el centro es una coña.*
FAM coñazo.

coñac *s. m.* Bebida alcohólica de alta graduación obtenida por destilación del vino y envejecida en toneles de roble.
OBS Plural: *coñacs* o *coñás.*

coñazo *s. m.* vulgar Cosa muy molesta o pesada.
dar el coñazo vulgar Fastidiar o molestar, hacerse muy pesado.

coño *s. m.* ① vulgar Parte externa del aparato genital femenino. I *int.* ② **¡coño!** vulgar Expresión que indica sorpresa, admiración o disgusto; en general añade intensidad a lo que se dice.
FAM escoñar.

cooficial *adj.* Que comparte la categoría de oficial junto con otra u otras cosas del mismo tipo: *en España, el catalán, el gallego y el vasco son lenguas cooficiales con el español en sus respectivos territorios.*
FAM cooficialidad.

cooperación *s. f.* Actuación con otra persona para lograr un fin.

cooperante *s. com.* Persona que, en virtud de acuerdos internacionales, es enviada a un país en el que sea necesaria su ayuda profesional.

cooperar *v. intr.* ① Trabajar con otras personas en una tarea común. **SIN** colaborar. ② Facilitar el trabajo de una persona ayudándola y ahorrándole problemas. ③ Ayudar un país a otro menos avanzado para que se desarrolle: *la Unión Europea coopera económicamente con los países del Este.*
FAM cooperación, cooperativa.

cooperativa *s. f.* Empresa o sociedad formada por productores, vendedores o consumidores de un producto cuyo objetivo es el beneficio común de los socios.
FAM cooperativismo.

cooperativismo *s. m.* ① Tendencia a la cooperación en el orden económico y social: *el cooperativismo permite el avance de algunas sociedades, como la agraria.* ② Teoría y sistema de las cooperativas, que promueve la cooperación entre consumidores, comerciantes o productores: *varios fabricantes de muebles de la región han optado por el cooperativismo.*
FAM cooperativista.

cooperativista *adj.* ① Relativo a la cooperativa. I *adj./s. com.* ② Que es partidario de la cooperación tanto en el orden económico como en el social. I *s. com.* ③ Persona que pertenece a una cooperativa.

cooperativo, -va *adj.* ① Relativo a la cooperación. ② Que coopera en una acción. ③ Relativo a la cooperativa.

coordenado, -da *s. f./adj.* Línea que sirve para determinar la posición de un punto, y eje o plano a que aquella línea se refiere. ■ **coordenadas cartesianas** Coordenadas de un punto en un sistema de referencia cartesiano, formado por rectas perpendiculares que se cortan en un punto: *sistema de coordenadas cartesianas.* ■ **coordenadas geográficas** Par de magnitudes, latitud y longitud, que sirven para determinar la posición de un punto en la superficie de la Tierra.

coordinación *s. f.* ① Combinación de personas o cosas para realizar una acción común. ② Disposición ordenada de una serie de cosas de acuerdo con un método o sistema determinado: *la coordinación de colores de un vestido.* ③ En gramática, relación que une dos elementos del mismo nivel o función sintáctica, unidos mediante una conjunción explícita o implícita que sirve de nexo entre ellos: *la coordinación puede ser copulativa, disyuntiva o adversativa.* ④ En biología, regulación de las actividades que sirven de respuesta a los cambios del medio, tanto externo como interno: *la coordinación puede ser hormonal o nerviosa.*

coordinado, -da *adj.* ① Que está ordenado con la misma prioridad. I *adj./s. f.* ② Se aplica a la proposición u otro elemento que se une a otro por coordinación: *en "verde y azul" o "te llamo y me lo cuentas" hay dos elementos coordinados por la conjunción "y".* I *adj.* ③ En química se aplica a un tipo específico de enlace covalente en el que los dos electrones del enlace son aportados por el mismo átomo.

coordinador, -ra *adj./s. m. y f.* Se aplica a la persona que coordina el trabajo de otras personas y los medios técnicos que se utilizan para una acción común.

coordinante *adj.* ① Que puede coordinar. **SIN** coordinativo. ② Se aplica a la conjunción que enlaza proposiciones o elementos que desarrollan una misma función sintáctica. **SIN** coordinativo.

coordinar *v. tr.* ① Combinar personas, medios técnicos y trabajos para una acción común. ② Disponer ordenadamente una serie de cosas de acuerdo con un método o sistema determinado: *algunos tipos de lesión cerebral impiden que el enfermo coordine los movimientos de su cuerpo.*
FAM coordinación, coordinado, coordinador.

coordinativo, -va *adj.* ① Que puede coordinar. **SIN** coordinante. ② Se aplica a la conjunción que enlaza proposiciones o elementos que desarrollan una misma función, pero que mantienen cierta independencia gramatical y de sentido. **SIN** coordinante.

copa *s. f.* ① Vaso con pie que sirve para tomar líquidos. ② Líquido que contiene este vaso, especialmente si es una bebida alcohólica: *si vas a conducir, no te tomes ni una copa.* ③ Trofeo de metal con forma parecida a la de este vaso, pero de tamaño mucho mayor, que se entrega como premio al ganador de una competición deportiva. ④ Competición deportiva en la que se gana este trofeo como premio. ⑤ Carta de la baraja española en la que aparecen representadas una o varias copas: *me queda una copa y dos bastos.* ⑥ Reunión de personas con motivo de una celebración en la que se sirven bebidas, canapés y otras cosas: *los novios dieron una copa en un salón del hotel.* **SIN** cóctel. ⑦ Conjunto de ramas y hojas de la parte superior de un árbol. ⑧ Parte hueca de un sombrero que se ajusta a la cabeza. ⑨ Parte de un sujetador de mujer que cubre el seno. I *s. f. pl.* ⑩ **copas** Palo de la baraja española que se representa con una o varias copas: *tiró la sota de copas.*

como la copa de un pino Muy grande, evidente o importante: *una mentira como la copa de un pino.*

FAM copear, copero, copetín, copón; acopar, eurocopa, recopa.

copar *v. tr.* ① Conseguir en un concurso, elección o clasificación la mayor parte de los premios o las primeras posiciones: *los atletas españoles han copado la carrera ocupando los tres primeros lugares.* ② Ocupar por completo la atención o el tiempo de una persona. **SIN** acaparar. ③ Cercar por sorpresa a alguien, cortando la retirada. ④ Apostar todo el dinero en el juego.

copete *s. m.* ① Mechón de pelo levantado que se lleva sobre la frente. **SIN** tupé. ② Porción de contenido que desborda un recipiente: *helado con copete.*

de alto copete (**I**) Se aplica a la persona que pertenece a una clase social noble o alta. (**II**) Se aplica al local que es muy lujoso, especialmente por ser frecuentado por personas de clase social alta.
FAM encopetado.

copetín *s. m.* AMÉR. Copa de licor que se toma de aperitivo.

copey *s. m.* Árbol tropical americano muy alto, de gran ramaje, con flores rojas y amarillas con aspecto de cera, de fruto redondo, pequeño y venenoso.

copia *s. f.* ① Reproducción por escrito y con exactitud de lo mismo que se lee o escucha. ② Papel o conjunto de papeles escritos por este medio. ③ Reproducción instantánea sobre papel mediante un sistema fotoeléctrico. ④ Reproducción exacta de una obra artística: *se dedica a la copia de cuadros del Museo del Prado.* ⑤ Obra hecha de esta manera. ⑥ Parecido o analogía entre dos cosas: *sus modales son una copia de los de su hermana mayor.* ⑦ Reproducción de una película, fotografía o cinta magnética: *se han hecho muchas copias de la película para su exhibición en todo el mundo.* ⑧ Disco de un cantante, grupo musical u orquesta.
FAM copiadora, copiar, copión, copista; fotocopia, xerocopia.

copiadora *s. f.* Máquina eléctrica que sirve para hacer copias. **SIN** fotocopiadora.

copiar *v. tr.* ① Escribir con exactitud lo mismo que se lee o escucha. ② Reproducir fielmente un modelo original: *los contrabandistas copiaron una escultura de mucho valor.* ③ Imitar algo o a alguien. **l** *v. tr./intr.* ④ Responder a una pregunta en un examen gracias a la ayuda prestada en ese momento por otra persona o por la consulta del texto donde aparece la respuesta.
FAM acopiar.
OBS Verbo regular, se acentúa como *cambiar.*

copihue *s. m.* Planta enredadera muy abundante en algunas zonas de América del Sur, de flor roja o blanca y fruto verde parecido al pimiento; es una planta muy decorativa: *la flor del copihue es la flor nacional de Chile.*

copiloto *s. com.* ① Persona que ayuda al piloto a conducir, gobernar o dirigir un barco o una aeronave. ② Persona que ayuda al piloto a conducir, gobernar o dirigir un automóvil de carreras.

copión, -piona *adj./s. m. y f.* ① familiar Que acostumbra copiar en los exámenes. ② familiar Que se comporta o viste de manera semejante a otra persona. **l** *s. m.* ③ Copia de la filmación de una película utilizada para el montaje de esta.

copioso, -sa *adj.* Que es numeroso o se da en gran cantidad: *disfrutamos de una comida copiosa.* **SIN** abundante. **ANT** escaso.

copista *s. com.* ① Persona que se dedicaba a copiar textos o a escribir al dictado. **SIN** amanuense, escriba. ② Persona que hace copias de un original ajeno. ③ Persona que recogía la literatura oral por escrito.
FAM multicopista.

copla *s. f.* ① Canción popular española derivada del cuplé e influenciada a lo largo del siglo XX por diversos géneros, especialmente la canción popular y el flamenco; es de tema sentimental o amoroso y generalmente trágico. ② Estrofa de cuatro versos octosílabos, con rima asonante en los pares (—a—a).

copla de arte mayor Estrofa formada por ocho versos de arte mayor, con tres rimas consonantes y en la que el cuarto y quinto verso tienen la misma rima; el esquema suele ser ABBAACCA.

copla de pie quebrado o **copla manriqueña** Estrofa de seis versos, el tercero y el sexto tetrasílabos y los demás octosílabos, cuya rima más generalizada es 8a 8b 4c 8a 8b 4c.
FAM coplero.

copo *s. m.* ① Pequeña formación de nieve cristalizada que cae de las nubes. ② Porción redondeada de fibras de cáñamo, lino, lana o algodón que está en disposición de hilarse. ③ Pequeña porción, en forma de escama, de ciertos productos: *copos de maíz.*

copón *s. m.* Copa grande, generalmente de oro o plata, que contiene las sagradas formas para la comunión de los fieles, según el rito católico.

del copón vulgar Muy bueno, grande o extraordinario: *tuvo una caída del copón.*

coproducción *s. f.* Producción hecha conjuntamente con varias personas o empresas, especialmente de una película de cine o un programa de televisión.

copropiedad *s. f.* Propiedad que se tiene de una cosa juntamente con otra u otras personas, especialmente de una casa u otro bien inmueble: *he comprado un chalé en régimen de copropiedad con mi hermano.*
FAM copropietario.

copropietario, -ria *adj./s. m. y f.* Se aplica a la persona que tiene una cosa en copropiedad con otra u otras personas: *los dueños de los pisos de un bloque son copropietarios del edificio.*

copto, -ta *s. m. y f./adj.* ① Cristiano de Egipto y Etiopía. **l** *s. m.* ② Antiguo idioma de los egipcios que se conserva en la liturgia de estos cristianos.

cópula *s. f.* ① Penetración del órgano genital del macho en el de la hembra. **SIN** copulación. ② Palabra que une dos términos de la oración o dos proposiciones que tiene la misma función sintáctica.
FAM copular, copulativa, copulativo.

copulación *s. f.* Cópula (penetración).

copular *v. intr.* Realizar el acto sexual dos personas o dos animales.

copulativo, -va *adj.* ① Que une dos cosas. **l** *adj./s. m.* ② Se aplica al verbo con un significado mínimo cuya función es unir el sujeto con un atributo: *los verbos "ser" y "estar" son copulativos.* **l** *adj./s. f.* ③ Se aplica a la oración que tiene como núcleo del predicado un verbo copulativo: *"Juan es alto" es una oración copulativa.* **SIN** atributivo. ④ Se aplica a la conjunción que sirve para unir dos palabras, sintagmas y proposiciones del mismo rango sintáctico y expresa la idea de adición de significados. ⑤ Se aplica a las proposiciones coordinadas que suman sus informaciones.

copyright [se pronuncia aproximadamente 'copirrait'] *s. m.* Derecho exclusivo de un autor o editor a explotar una obra literaria, científica o artística, que dura un determinado número de años. **OBS** Plural: *copyrights.*

coque *s. m.* Combustible sólido que se obtiene de la destilación destructiva de carbón mineral, especialmente la hulla, en la que se elimina la mayor parte de sus productos volátiles: *el coque se emplea como fuente de carbono en altos hornos y en la industria metalúrgica en general.* **SIN** cok.

coqueta *s. f.* Mueble, generalmente en forma de mesa y con un espejo, que se usa para el peinado y el aseo personal. **SIN** tocador. **FAM** coquetón.

coquetear *v. intr.* **1** Actuar con coquetería. **2** Mostrar interés o simpatía en un asunto sin llegar a un compromiso serio: *después de algunos coqueteos con el folk, se dedicó al rock.* **FAM** coqueteo, coquetería.

coqueteo *s. m.* Actitud o comportamiento de una persona coqueta o que coquetea.

coquetería *s. f.* **1** Comportamiento de una persona para agradar o atraer sentimentalmente a otra con medios estudiados y por mera vanidad. **2** Habilidad de una persona para arreglarse y vestirse bien. **3** Cuidado y gusto en los modales y adornos.

coqueto, -ta *adj./s. m. y f.* **1** Se aplica a la persona que suele comportarse con coquetería. **2** Se aplica a la persona que se arregla y viste bien. | *adj.* **3** Que está limpio, bien arreglado o dispuesto, a pesar de no tener una calidad o belleza excepcional: *fuimos a cenar a un restaurante muy coqueto.* **SIN** curioso. **FAM** coquetear.

coquina *s. f.* Molusco marino comestible de pequeño tamaño, con las valvas finas, ovales y aplastadas, que abunda en las costas gaditanas y malagueñas.

coraje *s. m.* **1** Valor, energía y voluntad para afrontar situaciones difíciles o adversas. **2** *familiar* Rabia e irritación que sufre una persona: *perdona mi actitud, pero me da mucho coraje suspender.* **FAM** corajina; encorajar.

corajina *s. f.* Arrebato o explosión de ira.

coral[1] *s. m.* **1** Animal marino invertebrado de pequeño tamaño que pasa toda su vida fijo a las rocas del fondo del mar; forma colonias de millones de individuos unidos entre sí por esqueletos calcáreos de forma y colores variados. **2** Materia sólida de color llamativo que constituye el esqueleto de este animal: *el coral rojo es el más apreciado en joyería.* | *s. f.* **3** Serpiente muy venenosa de cuerpo largo y estrecho con anillos de color rojo, amarillo y negro, que vive en América del Sur. **FAM** coralífero, coralino.

coral[2] *adj.* **1** Relativo al coro: *conjunto coral.* **2** Se aplica a la obra literaria o cinematográfica que refleja el comportamiento y los sentimientos de una gran cantidad de personajes: *«La colmena», de Camilo José Cela, es una novela coral.* | *s. f.* **3** Grupo numeroso de personas dispuestas por cuerdas (sopranos, contraltos, etc.), que cantan piezas musicales. | *s. m.* **4** Composición vocal armonizada a cuatro voces, de ritmo lento y solemne y tema religioso: *los corales forman parte de las cantatas religiosas.*

coralífero, -ra *adj.* Que tiene corales: *roca coralífera.*

coralino, -na *adj.* Relativo al coral (animal y materia): *un arrecife coralino.*

corán *s. m.* Libro fundamental de la religión musulmana que contiene las revelaciones que Alá hizo a Mahoma. **SIN** alcorán. **OBS** Con mayúscula inicial excepto para referirse al objeto físico: *un corán lujoso.*

coraza *s. f.* **1** Cubierta resistente de metal que sirve para proteger el pecho y la espalda: *la coraza formaba parte de la armadura.* **2** Cubierta dura con que protegen las partes blandas del cuerpo algunas clases de animales. **SIN** caparazón. **3** Protección o defensa ante un peligro u ofensa exterior: *soportaba los insultos con una coraza invulnerable de paciencia.* **4** Blindaje de acero o hierro para proteger un vehículo o un lugar de las balas, las explosiones o el fuego. **FAM** acorazar.

corazón *s. m.* **1** Órgano muscular de los animales vertebrados y de algunos invertebrados que impulsa la sangre a todo el cuerpo a través del sistema circulatorio. **2** Dibujo o figura que representa este órgano. **3** Capacidad de sentir afecto, pena o compasión: *era un hombre frío y sin corazón.* **4** Coraje para afrontar situaciones difíciles o adversas. **5** Parte íntima de una persona, donde están sus buenos sentimientos: *siempre te llevaré en mi corazón.* **6** Parte central, interior o más importante de algo: *el corazón de una manzana; el corazón de la ciudad.* **7** Carta de la baraja francesa que aparecen con uno o varios dibujos de color rojo en forma de corazón: *me falta un corazón para tener escalera de color.* | *adj./s. m.* **8** Se aplica al dedo de la mano situado entre los dedos índice y anular. | *s. m. pl.* **9** **corazones** Palo de la baraja francesa que se representa con uno o varios dibujos de color rojo en forma de corazón: *as de corazones.*

con el corazón en la mano Con la mayor sinceridad posible.

de corazón o **de todo corazón** Con toda sinceridad: *te lo digo de todo corazón: me gusta mucho tu poesía.*

el corazón en un puño Indica una gran angustia o ansiedad: *estaba con el corazón en un puño porque no sabía nada de su hija desde hacía varios días.*

romper corazones Enamorar a las personas con mucha facilidad.

romper (o **partir**) **el corazón** Causar mucha lástima o tristeza.

FAM corazonada; acorazonado, descorazonar.

corazonada *s. f.* Sensación que tiene una persona de que una cosa va a ocurrir sin tener pruebas. **SIN** pálpito, presentimiento.

corbata *s. f.* Pieza de tela estrecha y alargada que se coloca alrededor del cuello de la camisa y se ata con un nudo, dejando caer los extremos sobre el pecho. **FAM** corbatín; encorbatarse.

corbatín *s. m.* Corbata con extremos muy cortos que se abrocha por detrás.

corbeta *s. f.* **1** Embarcación de guerra que se usa para la escolta de otros barcos; generalmente está dotada para la lucha antisubmarina. **2** Velero de guerra, de tres palos y vela cuadrada.

corcel *s. m. culto* Caballo esbelto, de gran alzada y bella figura.

corchea *s. f.* Nota musical cuya duración equivale a la mitad de una negra. **FAM** semicorchea.

corchete *s. m.* ① Cierre de metal formado por dos piezas, una en forma de gancho y la otra de anilla, que se enganchan. ② Signo de ortografía que tiene forma de paréntesis rectangular y sirve para encerrar un conjunto de palabras o de números; en lingüística se emplean para señalar la trascripción fonética: *los corchetes se representan con los signos [ ].* ③ Pequeña línea curva que se dibuja en el extremo superior y hacia la derecha del palo de ciertas notas musicales y es uno de los indicativos de su valor rítmico: *una corchea tiene un corchete; una semicorchea tiene dos corchetes.*
FAM encorchetar.

corcho *s. m.* ① Tejido vegetal de gran espesor que recubre la parte exterior del tronco y las ramas de algunos árboles, en especial del alcornoque; se caracteriza por su impermeabilidad y elasticidad por lo que se emplea en la fabricación de tapones, pavimentos y material aislante. ② Tapón cilíndrico de este material que se usa para cerrar botellas. ③ Tabla o plancha de este material.
FAM acorchar, descorchar, encorchar, sacacorchos.

¡córcholis! *int.* familiar Expresión que indica sorpresa, admiración o disgusto: *¡córcholis, qué sorpresa!*
FAM recórcholis.

corcova *s. f.* Deformación de la columna vertebral o de las costillas que provoca que la espalda o el pecho, o ambos, tengan una forma abultada y curva anormal. **SIN** giba, joroba.
FAM corcovar.

cordada *s. f.* Grupo de alpinistas sujetos por una misma cuerda, por precaución.

cordado, -da *adj./s. m.* ① Se aplica al animal que tiene un cordón central en el esqueleto o columna vertebral, como los mamíferos o los reptiles: *todos los animales vertebrados son cordados.* ‖ *s. m. pl.* ② **cordados** Grupo taxonómico, con categoría de filo, constituido por estos animales.
FAM procordado.

cordaje *s. m.* Conjunto de cuerdas de un objeto: *el cordaje de una raqueta.*

cordal[1] *s. m.* Pieza pequeña y curva de madera colocada en la parte inferior de un instrumento musical de cuerda, que sirve esencialmente para sujetar las cuerdas y transmitir el sonido a la caja de resonancia. **SIN** puente.

cordal[2] *adj./s. f.* Se aplica a la muela que nace en cada uno de los extremos de las encías en la edad adulta: *la muela cordal también se llama "muela del juicio".*

cordel *s. m.* Cuerda delgada.
a cordel En línea recta.
FAM cordelería; encordar.

cordelería *s. f.* Establecimiento en el que se hacen y venden cuerdas y otros objetos de cáñamo.

cordero, -ra *s. m. y f.* Cría de la oveja que no pasa de un año. ■ **cordero pascual** (I) Cordero que con determinado ritual comían los judíos en conmemoración de la salida de su pueblo de Egipto. (II) Cordero joven que ya ha dejado de mamar.
cordero de Dios La persona de Jesucristo.

cordial *adj.* ① Que muestra amabilidad y amistad. ‖ *adj./ s. m.* ② Se aplica al medicamento que fortalece el corazón y reconforta a un enfermo.
FAM cordialidad.

cordialidad *s. f.* ① Amabilidad y amistad en el trato. ② Sinceridad y claridad al expresarse.

cordillera *s. f.* Serie de montañas de características comunes unidas entre sí: *la cordillera de los Andes.* **SIN** cadena de montañas.

córdoba *s. m.* Unidad monetaria de Nicaragua.

cordobán *s. m.* Piel curtida de macho cabrío o de cabra.

cordobés, -besa *adj.* ① De Córdoba (ciudad y provincia de Andalucía). ‖ *s. m. y f./adj.* ② Persona que es de Córdoba.

cordófono *s. m.* Instrumento musical que suena al vibrar una o varias de sus cuerdas: *la guitarra, el arpa, el piano, la cítara y el violín son cordófonos.*

cordón *s. m.* ① Cuerda generalmente cilíndrica hecha con fibra o hilo fino. ② Hilo metálico, generalmente cubierto por una funda de plástico, que se usa para conducir la energía eléctrica. ③ Órgano de forma delgada, alargada y flexible parecida a una cuerda cilíndrica. ■ **cordón umbilical** Órgano formado por la arteria y la vena umbilical, que une al vientre del feto con la placenta de la madre: *el ombligo es un resto del cordón umbilical.* ④ Conjunto de personas colocadas en fila a cierta distancia unas de otras para impedir el paso y cortar la comunicación. ⑤ Franja de arena acumulada en el agua cercana a la costa: *los tómbolos son islotes unidos a la costa por un cordón de arena.* ■ **cordón litoral** Acumulación de arenas que forma una laguna en un antiguo golfo, aislándolo del mar. ⑥ ARG., CHILE, CUBA Bordillo de la acera.
cordón sanitario Conjunto de medidas de prevención y control que se toman alrededor de un lugar donde se ha producido el brote de una enfermedad contagiosa.
FAM cordoncillo; acordonar.

cordura *s. f.* Capacidad de pensar y obrar con prudencia, sensatez y juicio.

corea *s. m.* Enfermedad nerviosa que se caracteriza por los movimientos involuntarios, rápidos y violentos que sufre el enfermo: *el corea se conoce popularmente como "baile de san Vito".*

coreano, -na *adj.* ① De Corea del Norte o de Corea del Sur (países de Asia, en la península de Corea). NOTA Suelen distinguirse como *norcoreano* y *surcoreano*, respectivamente. ‖ *s. m. y f./adj.* ② Persona que es de Corea del Norte o de Corea del Sur. NOTA Suelen distinguirse como *norcoreano* y *surcoreano*, respectivamente. ‖ *s. m./adj.* ③ Lengua hablada en la península de Corea.

corear *v. tr.* ① Cantar, recitar o hablar varias personas a la vez: *todos coreamos aquella canción de Serrat.* ② Vitorear una multitud a una persona, generalmente mediante voces y aplausos. ③ Componer música para coros. ④ Acompañar una composición musical con coros. ⑤ Asentir sumisamente a la opinión de otro.

coreografía *s. f.* ① Arte de componer y dirigir bailes o danzas. ② Conjunto de pasos y figuras de un baile o danza: *me gustan la coreografía y las canciones de la película "West side story".* ③ Técnica de representar en el papel los pasos de un baile por medio de signos.
FAM coreógrafo.

coreógrafo, -fa *s. m. y f.* Persona que se dedica a componer y dirigir coreografías.

corimbo *s. m.* Conjunto de flores o frutos que nacen en distintos puntos del tallo de una planta pero que acaban teniendo la misma altura: *las flores del manzano forman corimbos.*

corindón *s. m.* Mineral compuesto de óxido alumínico cristalizado; sigue en dureza al diamante y presenta muchas variedades coloreadas que se consideran piedras preciosas, como la azul (zafiro), la roja (rubí), la verde (esmeralda), etc.

corintio, -tia *adj.* ① Se aplica al estilo arquitectónico clásico que adorna la parte superior de las columnas con hojas de acanto: *el extremo superior de la columna corintia es más curvo y fino que el de la jónica.* ② De Corinto (ciudad de la antigua Grecia). ‖ *s. m. y f./adj.* ③ Persona que era de Corinto.

corinto *s. m./adj.* ① Color rojo oscuro, próximo al violeta. ‖ *adj.* ② Que es de este color. **NOTA** Invariable en número.

corion *s. m.* Membrana exterior del embrión de reptiles, aves y mamíferos, que sirve de envoltura protectora y nutricia.

corista *s. f.* ① Mujer que se dedica a bailar y cantar en el coro de un espectáculo musical. ‖ *s. com.* ② Persona que canta formando parte del coro en una función musical, especialmente en óperas, zarzuelas u otras semejantes. ‖ *s. m.* ③ Religioso destinado al coro.

cormo *s. m.* Estructura morfológica de las plantas en las que se distinguen raíz, tallo y hojas.

cormofito, -ta o **cormófito, -ta** *adj./s. m. y f.* Se aplica al vegetal cuyo aparato vegetativo es un cormo.

cormorán *s. m.* Ave palmípeda parecida al ganso, con plumaje de color gris oscuro, alas negras y cuello blanco; nada y vuela muy bien. **SIN** corvejón.

cornada *s. f.* ① Golpe dado por un animal con la punta del cuerno. ② Herida causada por la punta de un cuerno de un animal.

cornamenta *s. f.* ① Cuernos de un animal, especialmente cuando son de gran tamaño. ② Representación simbólica de la infidelidad en una pareja por parte de uno de los miembros. **SIN** cuernos.

cornamusa *s. f.* ① Instrumento musical de viento formado por una bolsa que se llena de aire, a la que se une una flauta y otro tubo largo y grueso que produce un sonido continuo. **SIN** gaita. ② Trompeta larga de metal de pabellón muy ancho, que en el medio del tubo hace una rosca muy grande.

córnea *s. f.* Tejido delgado, duro y transparente, situado en la parte anterior del globo del ojo, por delante del iris y la pupila, que sirve para enfocar las imágenes.

cornear *v. tr.* Dar una o más cornadas un animal.

corneja *s. f.* ① Ave con plumaje de color negro o negro con manchas blancas, muy parecida al cuervo, pero de menor tamaño. ② Ave rapaz nocturna parecida al búho, pero mucho más pequeña; se caracteriza por tener en la cabeza dos plumas en forma de cuernecillos.

córneo, -nea *adj.* Que tiene forma de cuerno o está hecho de un material de características similares.

córner *s. m.* ① En fútbol y otros deportes de equipo, jugada en la que la pelota sale del campo cruzando una de las líneas de meta, después de ser tocada por un jugador del bando defensor: *el árbitro pitó córner.* ② Lanzamiento que se concede al equipo atacante cuando se da ese lance y que se efectúa desde una de las esquinas del campo: *tras el córner, el delantero consiguió el primer gol del partido.* **SIN** saque de esquina. ③ Cada una de las esquinas del terreno de juego, desde las cuales se ejecutan estos lanzamientos: *el jugador situó el balón en el córner y cogió carrerilla.*

corneta *s. f.* ① Instrumento musical de viento de la familia del metal, parecido a la trompeta, pero de menor tamaño, con el tubo doblado una vez sobre sí mismo, con o sin pisto-

nes. ‖ *s. com.* ② Persona que toca este instrumento, especialmente un soldado como señal u orden para hacer una cosa. ‖ *s. f.* ③ Bandera pequeña con una escotadura angular en un extremo. **FAM** cornetín.

cornete *s. m.* Pequeña lámina de hueso de figura abarquillada situada en el interior de las fosas nasales.

cornetín *s. m.* ① Instrumento musical de viento de la familia del metal, parecido al clarín, formado por tres pistones. ② Instrumento musical de viento de la familia del metal, parecido a la corneta, pero de menor tamaño y sin llaves; se usa en el ejército para dar órdenes a la tropa. ‖ *s. com.* ③ Persona que toca uno de estos instrumentos.

cornezuelo *s. m.* Hongo parásito del centeno y de otras plantas gramíneas, del que se extraen sustancias que se emplean en la curación de enfermedades psiquiátricas.

cornisa *s. f.* ① Saliente o voladizo con molduras que remata el borde superior de la pared de un edificio, debajo del tejado. ② Saliente o voladizo que rodea un edificio marcando la separación entre los pisos. ③ Banda estrecha y rocosa que bordea una montaña o precipicio: *subió con cuidado por la cornisa del acantilado.* ④ Borde saliente y rocoso de una montaña. ⑤ Zona costera de altos y largos acantilados: *la cornisa cantábrica.* **FAM** cornisamento.

corno *s. m.* Instrumento musical de viento de la familia del metal formado por un tubo enroscado circularmente que es estrecho por un extremo y se va ensanchando hasta terminar en un ancho pabellón en forma de cono, se toca pulsando una serie de pistones que tiene en el tubo. **SIN** trompa.
■ **corno inglés** Instrumento musical de viento parecido al oboe pero de sonido más grave, con boquilla curva y el pabellón en forma de pera.

cornudo, -da *adj.* ① Se aplica al animal que tiene uno o más cuernos. ② Se aplica a la persona que ha sido engañada por su pareja habitual al mantener relaciones sexuales o amorosas con otra persona.

cornúpeta *adj./s. com.* ① culto Se aplica al animal que tiene cuernos, en especial al toro de lidia. ② Se aplica al animal que está en actitud de acometer con los cuernos.

coro *s. m.* ① Grupo de personas, generalmente muy numeroso, que cantan simultáneamente una pieza musical. ② Pieza o fragmento musical compuesto para ser cantado por un grupo numeroso de personas: *Verdi es famoso por sus coros; el coro es una parte de los oratorios.* ③ Grupo de actores que explican y comentan la acción en la tragedia clásica. ④ Lugar de la iglesia destinado a los religiosos que rezan y cantan durante la misa o los oficios divinos. ⑤ Canto o rezo a las horas canónicas en una iglesia o convento. ⑥ Conjunto de asientos, generalmente adornados, donde se sientan estos religiosos en la iglesia: *estuvimos viendo el coro de la catedral de Zamora.* ⑦ Conjunto de voces que se oyen al mismo tiempo con opiniones sobre un asunto: *un coro de protestas.* ⑧ Cada uno de los nueve grupos en los que se dividen los ángeles según la religión católica.
a coro Hablar o cantar varias personas lo mismo a la vez.
hacer coro Corroborar la opinión de alguien.
FAM coral, corear, corista.

coroides *s. f.* Membrana del ojo, situada entre la esclerótica y la retina, que se prolonga hacia delante en el iris.
OBS Plural invariable.

corola *s. f.* Conjunto de pétalos, generalmente coloreados, que están en el interior del cáliz de la flor y protegen los órganos de reproducción.
FAM corolario.

corolario *s. m.* Razonamiento, juicio o hecho que es consecuencia lógica de lo demostrado o sucedido anteriormente: *la gran faena del torero tuvo como corolario la salida a hombros por la puerta grande.*

corona *s. f.* 1 Cerco que se coloca sobre la cabeza en señal de premio o como símbolo de nobleza o dignidad. 2 Aro cubierto de flores o ramas que se coloca junto a los muertos o a los monumentos que los recuerdan como símbolo de admiración y respeto. 3 Estado o territorio gobernado por un rey o una reina: *el matrimonio entre Isabel I y Fernando II unió las coronas de Castilla y Aragón.* 4 Institución que representa la dignidad y el poder de un rey o una reina: *el heredero de la corona visita hoy la región.* 5 Unidad de moneda de Dinamarca, Suecia, Noruega, Islandia y otros países. 6 Círculo luminoso que parece rodear a algunos astros: *durante el eclipse pude observar claramente la corona del Sol.* 7 Círculo luminoso que se representa encima o detrás de las cabezas de las imágenes divinas o de santos como símbolo de la gracia de Dios. **SIN** aureola. 8 Objeto o pieza con forma de aro. 9 Parte de un diente que sobresale de la encía. 10 Ruedecita que sobresale por la derecha de un reloj de pulsera y que sirve para darle cuerda o mover las manecillas.
corona circular En geometría, superficie comprendida entre dos circunferencias concéntricas situadas en el mismo plano. **NOTA** También simplemente *corona.*
FAM coronar, coronilla.

coronación *s. f.* 1 Ceremonia en la que se le otorga a una persona la dignidad de rey o reina y en la que se le coloca una corona como símbolo de este honor. 2 Grado superior y final al que llega un proceso o actividad: *el Nobel de literatura fue la coronación de una vida dedicada a las letras.* **SIN** culminación.

coronar *v. tr.* 1 Colocar una corona en la cabeza de una persona, especialmente si es para otorgarle la dignidad de rey o reina. 2 Llegar al punto más alto, de mayor intensidad, grandeza o calidad. **SIN** culminar. 3 Llegar a la zona más alta de un lugar: *el corredor ciclista coronó el puerto en primera posición.*
FAM coronación, coronamiento.

coronario, -ria *adj.* 1 Se aplica a la vena o arteria que distribuye la sangre por el corazón. 2 Relativo al sistema circulatorio del corazón: *enfermedad coronaria.* 3 Que está dispuesto en forma de corona.

coronel *s. m.* Militar del cuerpo de jefes de los ejércitos de Tierra y Aire que tiene categoría inmediatamente superior a la de teniente coronel e inmediatamente inferior a la de general de brigada; manda un regimiento.

coronilla *s. f.* 1 Parte superior y posterior de la cabeza humana. 2 Corte de pelo en forma de círculo rasurado que llevaban algunos religiosos en esta zona de la cabeza. **SIN** tonsura.
hasta la coronilla *familiar* Muy harto: *tus faltas al trabajo me tienen hasta la coronilla.*

corpiño *s. m.* Prenda de vestir femenina sin mangas que se ajusta al cuerpo por debajo del pecho hasta la cintura para darle forma.

corporación *s. f.* 1 Cuerpo u organismo generalmente de interés público y a veces reconocido por la autoridad.

2 Conjunto de personas que pertenecen a un mismo cuerpo o institución y se dedican a un fin común. ■ **corporación municipal** Grupo de personas integrado por un alcalde y varios concejales que se encarga de administrar y gobernar un pueblo o ciudad. 3 Grupo de empresas y sociedades que realizan diversos trabajos y servicios de manera independiente con el fin de conseguir un enriquecimiento común.
FAM corporativismo, corporativo.

corporal *adj.* 1 Relativo al cuerpo: *expresión corporal.* | *s. m.* 2 Paño que se extiende en el altar donde se coloca el pan y el vino durante la celebración de la misa.

corporativismo *s. m.* 1 Tendencia de un grupo de personas que pertenecen a una misma profesión a defender o extender sus intereses y derechos particulares sobre los generales. 2 Forma de organización capitalista que se caracteriza por la intervención del Estado en las relaciones productivas, especialmente con la formación de organismos que integren a trabajadores y empresarios con objeto de evitar las tensiones propias de un Estado democrático.
FAM corporativista.

corporativista *adj.* Relativo al corporativismo: *algunos médicos mantienen actitudes corporativistas al no declarar en contra de compañeros.*

corporativo, -va *adj.* Relativo a la corporación.

corporeidad *s. f.* Conjunto de características de lo que tiene cuerpo o consistencia: *usando la perspectiva conseguía dar a los personajes de sus cuadros una gran apariencia de corporeidad.*

córpore insepulto Expresión latina que se aplica a la misa o funeral que se celebra de cuerpo presente, con el cuerpo del difunto sin enterrar o incinerar: *el obispo ofició un funeral córpore insepulto.*

corporeizar *v. tr.* Dar cuerpo o consistencia a una idea u otra cosa no material.

corpóreo, -rea *adj.* 1 Que tiene cuerpo, volumen o consistencia. 2 Relativo al cuerpo.
FAM corporeidad, corporeizar; incorpóreo.

corpulencia *s. f.* Grandeza, robustez y magnitud de un cuerpo.

corpulento, -ta *adj.* Se aplica a la persona o animal que tiene un cuerpo grande, robusto o fuerte: *el oso es un animal corpulento.*
FAM corpulencia.

corpus *s. m.* 1 Conjunto extenso de textos de diversas clases, ordenados y clasificados que sirven como base de una investigación. 2 Recopilación de enunciados para investigar la gramática y el significado de las palabras de una lengua. **OBS** Plural invariable.

corpuscular *adj.* Relativo al corpúsculo: *la teoría corpuscular sostenía que la luz estaba compuesta por partículas invisibles.*

corpúsculo *s. m.* Cuerpo muy pequeño, generalmente referido a la célula, molécula, partícula o elemento de un organismo.
FAM corpuscular.

corral *s. m.* 1 Lugar cerrado y descubierto que sirve para guardar el ganado; generalmente se encuentra junto a las casas de los dueños. **SIN** corraliza. 2 Lugar en una plaza de toros donde permanecen los animales en espera de ser lidiados.
corral de comedias Patio común rodeado de viviendas donde antiguamente se hacían representaciones teatrales: *al-*

gunas de las obras de Lope y Calderón se estrenaron en corrales de comedias.

FAM corraliza; encorralar.

corraliza *s. f.* Corral (lugar en que se guarda el ganado).

correa *s. f.* **1** Tira larga y estrecha de cuero u otro material flexible y resistente que se usa para sujetar o ajustar alguna cosa: *las correas de una camisa de fuerza.* **2** Tira larga y estrecha de cuero que se usa para sujetar una prenda de vestir a la cintura. **SIN** cinturón. **3** Tira circular de material resistente que sirve para transmitir movimiento rotativo de una rueda o polea a otra: *la correa del ventilador de un coche.* **4** Conjunto de tiras sujetas a un mango, para sacudir el polvo.

tener correa familiar Soportar con paciencia una situación difícil o incómoda, especialmente una broma o burla continuada.

FAM correaje, correazo, correoso.

correaje *s. m.* Conjunto de correas que forman parte de un equipo, aparato o sistema.

correazo *s. m.* Golpe dado con una correa.

correcaminos *s. m.* Ave de hasta 60 cm de longitud, con el dorso de color negro y ocre, la parte ventral de color claro, las alas negras con listas blancas, y la cola azul violáceo; tiene la cola larga y las patas fuertes y largas, por lo que su habilidad para la carrera es extraordinaria; habita en los matorrales del desierto.

OBS Plural invariable.

corrección *s. f.* **1** Indicación de una falta, error o defecto con la intención de quitarlo o enmendarlo **2** Enmienda o modificación que reemplaza a una falta, error o defecto. **3** Ausencia de faltas, errores o defectos: *realizó el aparcamiento con corrección.* **4** Comportamiento que está conforme con las normas sociales: *se comportó con mucha corrección durante la cena.* **ANT** incorrección.

FAM correccional; incorrección, ultracorrección.

correccional *s. m.* **1** Establecimiento penitenciario donde, por medio de una educación especial, se trata de recuperar socialmente a delincuentes menores de edad penal. **SIN** reformatorio. | *adj.* **2** Que lleva a la corrección.

correctivo, -va *adj./s. m. y f.* **1** Que enmienda o modifica una falta, defecto o problema: *los sindicatos han pedido medidas correctivas contra el paro.* | *s. m.* **2** Castigo que se aplica para corregir una falta o delito, generalmente poco importante. **3** Ventaja o victoria que se logra sobre el adversario en una competición deportiva: *la selección española recibió un severo correctivo del equipo suizo al perder por cuatro a cero el partido.*

correcto, -ta *adj.* **1** Que no tiene faltas, errores o defectos. **ANT** incorrecto. **2** Que es acertado o adecuado. **ANT** incorrecto. **3** Que está conforme con las normas sociales. **ANT** incorrecto. **4** Educado, de conducta irreprochable.

FAM correctivo, corrector; incorrecto.

corrector, -ra *adj./s. m. y f.* **1** Que corrige faltas, defectos o problemas: *una crema correctora de arrugas.* | *s. m. y f.* **2** Persona que se dedica a corregir las faltas de ortografía y la redacción de un texto.

corredera *adj.* **1** Se aplica a la puerta o ventana que se abre y cierra deslizándose por un canal o ranura. | *s. f.* **2** Canal o ranura por donde se desliza un mecanismo. **3** Pieza que abre y cierra alternativamente el paso del vapor en algunas máquinas. **4** Aparato para medir la velocidad de un barco. **5** Muela superior del molino.

corredizo, -za *adj.* Se aplica al nudo que se hace con una sola cuerda, formando una o varias anillas en un extremo y metiendo el otro extremo por ellas, de manera que la cuerda se deslice y apriete con facilidad.

corredor, -ra *adj./s. m. y f.* **1** Se aplica al animal que es capaz de correr a gran velocidad. **2** Se aplica al ave que no está preparada para volar por su gran tamaño, pero que tiene las patas especialmente desarrolladas y adaptadas a la carrera: *el avestruz y el correcaminos son aves corredoras.* | *s. m. y f.* **3** Deportista que participa en una carrera de competición. **4** Persona que se dedica a actuar como intermediario en operaciones financieras, especialmente en la compraventa de bienes inmuebles o acciones de bolsa y en la contratación de seguros. | *s. m.* **5** Espacio largo y estrecho dentro de una casa o un edificio que comunica unas habitaciones con otras. **SIN** pasillo. **6** Franja de territorio que discurre entre dos zonas separadas o enemigas: *las tropas de la ONU han abierto un corredor humanitario entre las dos ciudades.*

FAM correduría.

correduría *s. f.* **1** Cargo del corredor de asuntos comerciales o financieros: *se dedica a la correduría de pisos.* **2** Oficina o lugar donde trabaja este corredor.

corregidor *s. m.* **1** Antiguo alcalde de una población nombrado por el rey que también desempeñaba funciones de juez. **2** Antiguo magistrado que administraba justicia en nombre del rey en un territorio.

corregir [10] *v. tr.* **1** Señalar una falta, error o defecto con la intención de quitarlo o enmendarlo. **2** Llamar la atención a una persona y expresar severamente desaprobación por lo que ha hecho. **3** Moderar la actividad de una cosa. **4** Valorar el grado de suficiencia o insuficiencia de los conocimientos mostrados por un alumno u opositor en un examen o ejercicio: *aún me queda por corregir la evaluación de este trimestre.*

FAM corregidor; incorregible.

correlación *s. f.* **1** Correspondencia o relación que mantienen dos o más cosas entre sí: *existe una correlación entre el consumo de drogas y la delincuencia.* **2** Relación que se da entre dos o más fonemas que se oponen sistemáticamente por la presencia o ausencia de un determinado rasgo. **3** Relación que se establece entre dos términos de una oración de modo que la presencia de uno hace necesaria la del otro.

FAM correlativo.

correlativo, -va *adj.* **1** Se aplica al número que en una serie ordenada sigue inmediatamente a otro: *el número uno, el dos y el tres son correlativos.* **2** Que tiene una correspondencia o relación con otra u otras cosas: *el aumento de los precios es un fenómeno correlativo al aumento de la demanda.* **3** Se aplica a cada uno de los términos que en gramática forman parte de una correlación: *en la frase "tanto comió que al final se empachó", el "tanto" y el "que" son términos correlativos.*

correligionario, -ria *adj./s. m. y f.* Se aplica a la persona que comparte con otras personas una misma doctrina religiosa, política o ideológica: *pacifistas españoles conversan con sus correligionarios.*

correntoso, -sa *adj.* AMÉR. Se aplica al río o curso de agua que tiene corrientes muy rápidas e impetuosas.

correo *s. m.* **1** Servicio público que se encarga del transporte y la entrega de cartas y paquetes enviados por unas personas a otras. **2** Conjunto de cartas y paquetes que se transportan, envían, entregan o reciben. **SIN** correspondencia. **3** Vehículo que transporta cartas y paquetes enviados

C

por unas personas a otras. [4] Persona que transporta algún mensaje u objeto enviado por otra, especialmente si lo hace de manera secreta o encubierta. [5] Buzón donde se deposita la correspondencia. ‖ *s. m. pl.* [6] **correos** Organismo que se encarga del transporte y entrega de cartas y paquetes que envía una persona a otra. [7] Establecimiento en el que se reciben, clasifican, reparten y entregan estas cartas y paquetes.

correo electrónico Sistema que permite el intercambio de mensajes entre distintos ordenadores interconectados a través de una red, usualmente Internet: *puedes enviar tu solicitud por correo electrónico o bien por correo ordinario.* **SIN** e-mail.

correoso, -sa *adj.* [1] Que se puede doblar y estirar sin que se rompa: *el cuero es un material correoso.* [2] Se aplica al alimento que ha perdido sus características originales y ha quedado flexible y difícil de masticar: *el pan se ha puesto correoso por la humedad y parece chicle.* [3] Se aplica a la persona o equipo deportivo que tiene mucha resistencia física y se defiende con tenacidad en una competición.

correr *v. intr.* [1] Moverse de un lugar a otro de forma rápida, de manera que los pies o las patas se separen del suelo a la vez durante un momento entre un paso y el siguiente. [2] Hacer algo rápidamente o a más velocidad de la normal: *el profesor corre mucho cuando dicta los textos.* [3] Fluir un río o una corriente de agua por su cauce. **SIN** discurrir. [4] Ir algo de un lugar a otro, extendiéndose a lo largo de una porción de territorio: *la carretera de la costa corre paralela al mar.* **SIN** discurrir. [5] Soplar el viento en una dirección: *toda la noche corrió un cierzo violento.* [6] Pasar o transcurrir el tiempo. **SIN** discurrir. [7] Dar a conocer entre un gran número de personas. **SIN** circular, propagar. [8] Estar a cargo de una persona o corresponderle una obligación o cometido: *los gastos del bautizo corren por cuenta del padrino.* [9] Transcurrir el tiempo. ‖ *v. tr.* [10] Estar expuesto a un peligro o circunstancia adversa. [11] Estirar lo que está recogido o plegado, especialmente una cortina. **ANT** descorrer. [12] Mover algo de un lugar a otro: *corre el sofá para que pueda pasar.* [13] Ir detrás de una persona o cosa con el fin de darle alcance. [14] Participar en una carrera deportiva. ‖ *v. prnl.* [15] **correrse** Disolverse o extenderse tinta por una superficie. [16] Moverse hacia un lado: *por favor, córrete a la izquierda para que pueda sentarme.* [17] vulgar Tener un orgasmo.

a todo correr A gran velocidad.

correrla Divertirse sin medida.

FAM corredera, corredero, corredizo, corredor, correría, corretear, correvedile, corrida, corrido, corrimiento; descorrer.

correría *s. f.* [1] Viaje, acción o circunstancia poco común, divertida o arriesgada. [2] Incursión rápida sobre tierra enemiga, asaltando y saqueando el territorio.

OBS Más en plural.

correspondencia *s. f.* [1] Conjunto de cartas y paquetes que se transportan, envían, entregan o reciben. **SIN** correo. [2] Relación de dependencia y unión que existe o se establece entre varias cosas. [3] Significado de una palabra en un idioma distinto. [4] Conexión o enlace entre varios medios o vías de comunicación: *esta línea de metro tiene correspondencia con la 4.* [5] Actuación con una persona que es consecuencia de una acción suya anterior: *me invitó a la boda en correspondencia a los favores que le había hecho.* [6] Relación que existe o se establece entre los elementos de dos conjuntos distintos.

corresponder *v. intr.* [1] Tener relación de dependencia dos o más cosas entre sí. [2] Estar a cargo de una persona una obligación o cometido: *le corresponde al vendedor poner precio a*

la mercancía que vende. [3] Actuar con una persona en consecuencia con una acción suya anterior. [4] Sentir amor hacia una persona en la misma medida que se recibe de ella.

FAM correspondencia, correspondiente.

correspondiente *adj.* Que tiene relación de correspondencia con otra persona o cosa: *cada vecino tiene su correspondiente llave del portal.*

corresponsal *adj./s. com.* [1] Se aplica al periodista que informa a un medio de comunicación de las noticias que suceden desde otra población o un país extranjero. ■ **corresponsal de guerra** Periodista que informa desde un lugar en guerra acompañando a uno de los ejércitos. [2] Se aplica a la persona encargada de las relaciones comerciales en el extranjero.

FAM corresponsalía.

corretear *v. intr.* [1] Correr en varias direcciones, especialmente jugando. [2] Andar vagando de un lado a otro, sin rumbo fijo.

FAM correteo.

correvedile o **correveidile** *s. com.* familiar Persona que se dedica a informar de noticias y rumores que afectan a otros, generalmente para criticar a los demás o darse importancia. **SIN** cotilla.

corrida *s. f.* [1] Marcha rápida en la que los pies o las patas se separan del suelo a la vez durante un momento entre un paso y el siguiente. **SIN** carrera. [2] Espectáculo público que consiste en torear seis novillos o toros en una plaza cerrada.

de corrida Rápido y sin entorpecimientos.

corrido, -da *adj.* [1] Que ha viajado mucho o tiene mucha experiencia, especialmente en el terreno sexual: *volvió de la mili con el aplomo de hombre muy corrido.* [2] Que está avergonzado o confundido: *al verse solo en medio de la plaza quedó corrido.* [3] Se aplica a la parte de un edificio que está contigua o seguida en relación con otra: *un balcón corrido unía todos los dormitorios de la casa.* [4] Que excede de peso o de media: *compró un kilo corrido de gambas.* ‖ *s. m.* [5] Canción popular mexicana que suelen interpretar dos personas acompañadas por música de guitarras y trompetas. [6] Cobertizo a lo largo del corral.

de corrido Con seguridad y rapidez: *recitó la lista de las preposiciones de corrido.*

corriente *adj.* [1] Que es muy común o no tiene nada especial: *una persona de aspecto corriente.* [2] Que sucede a menudo: *los resfriados son corrientes en invierno.* [3] Se aplica al periodo de tiempo que es el que va transcurriendo: *me pagarán en el mes corriente.* ‖ *s. f.* [4] Desplazamiento de un fluido a lo largo de un canal, conducto o cauce. **SIN** curso. ■ **corriente de convección** Desplazamiento de una masa de fluido (líquido o gaseoso) debido a una diferencia de temperatura. ■ **corriente marina** Desplazamiento de grandes masas de agua del mar que se encuentran, generalmente, a diferente temperatura y salinidad que otras. [5] Volumen de fluido líquido que se desplaza de esta manera. [6] Circulación de cargas eléctricas a través de un conductor: *ten cuidado con la lámpara, que da corriente.* **NOTA** También *corriente eléctrica.* ■ **corriente alterna** Corriente eléctrica de intensidad variable en la que las cargas cambian el sentido de movimiento de manera periódica: *las partes eléctricas del automóvil funcionan con corriente alterna.* ■ **corriente continua** Corriente eléctrica de intensidad constante en la que el sentido de las cargas es siempre el mismo: *las pilas generan corriente continua.*

7 Tendencia de ideas o sentimientos que es común a un grupo de personas: *pertenece a la corriente renovadora del partido.*

al corriente (**I**) Sin retraso, con exactitud. (**II**) Informado con detalle y exactitud: *nos mantuvimos al corriente de la noticia; en seguida te pongo al corriente.*

contra corriente En contra de la opinión general.

seguir (o llevar) la corriente Mostrar aparentemente conformidad con todo lo que se hace o dice.

FAM corrientemente.

corrillo *s. m.* Corro de personas que se ponen a hablar o discutir entre sí separadas del resto: *los vecinos formaban corrillos comentando lo sucedido.*

corrimiento *s. m.* **1** Deslizamiento de un material o de una sustancia de un lugar a otro, especialmente las capas de un terreno y fragmentos de rocas. **2** Vergüenza que se siente ante los demás al hacer algo que se considera ridículo o humillante.

corro *s. m.* **1** Círculo formado por un grupo de personas, especialmente para hablar o rodear algo o a alguien. **2** Juego de niños que consiste en formar un círculo cogidos de las manos y cantar dando vueltas en círculo. **3** Espacio más o menos circular.

FAM corrillo.

corroborar *v. tr.* Dar como cierta una creencia u opinión de cuya certeza no se estaba seguro previamente aportando nuevos datos. **SIN** ratificar.

FAM corroboración, corroborativo.

corroer [40] *v. tr.* **1** Desgastar lentamente una cosa: *la inclemencia del tiempo había corroído el capó del coche.* **2** Desgastar progresivamente una superficie por rozamiento o por reacción química. **3** Destruir lentamente el interior de un cosa: *la carcoma corroe la madera.* **4** Causar malestar o angustia de manera continuada durante mucho tiempo: *lo corroe la envidia.* **SIN** consumir.

FAM corrosión, corrosivo.

corromper *v. tr.* **1** Descomponer químicamente o deteriorar una sustancia orgánica, animal o vegetal. **2** Dar dinero o regalos a una persona para conseguir un trato favorable o beneficioso, especialmente si es injusto o ilegal: *trató de corromper al policía ofreciéndole dinero a cambio de su libertad.* **3** Pervertir a una persona, causarle un daño moral con malos consejos o malos ejemplos: *corromper a un menor de edad.*

FAM corrosión.

corrosión *s. f.* **1** Desgaste progresivo de una superficie por rozamiento o por una reacción química. **2** Desgaste lento de una cosa. **3** Destrucción lenta del interior de una cosa.

corrosión eólica Desgaste de una superficie provocado por el viento y las partículas suspendidas en él.

FAM corrosivo.

corrosivo, -va *adj.* **1** Que causa o produce desgaste progresivo de una superficie por rozamiento o por una reacción química. **ANT** anticorrosivo. **2** Que critica de forma cruel, con ironía y mala intención: *un periodista corrosivo.* **SIN** mordaz.

FAM anticorrosivo.

corrugar *v. tr.* Dar a una superficie lisa estrías o resaltos de forma regular y conveniente para asegurar su inmovilidad, protegerla, etc.: *cartón corrugado.*

corrupción *s. f.* **1** Entrega o aceptación de dinero o regalos para conseguir un trato favorable o beneficioso, especial-mente si es injusto o ilegal. **2** Alteración de la forma o la estructura original y verdadera. **3** Degeneración de la moral y las costumbres.

corrupción de menores Delito que se comete al obligar o inducir a una persona menor de edad a realizar un acto ilegal, especialmente a prostituirse o a mantener relaciones sexuales con adultos.

corrupto, -ta *adj.* **1** Se aplica a la persona que se deja corromper con dinero o regalos. **2** Se aplica a la sustancia que está deteriorada y químicamente descompuesta. **SIN** incorrupto. **3** Que tiene alterada su forma o estructura original y verdadera: *un cuerpo corrupto.* **4** Que actúa con perversión.

FAM corruptela; incorrupto.

corrusco *s. m.* Parte del pan más dura y tostada que corresponde generalmente a los extremos y bordes de la pieza. **SIN** coscurro, currusco, cuscurro.

corsario, -ria *adj./s. m. y f.* **1** Se aplica al barco que se dedicaba a asaltar y destruir las naves piratas y enemigas con la autorización del gobierno de su nación. **2** Se aplica a la persona que formaba parte de la tripulación de este barco.

corsé *s. m.* Prenda interior femenina de material resistente y sin mangas que se ajusta al cuerpo desde el pecho hasta más abajo de la cintura.

FAM corsetería.

corsetería *s. f.* Establecimiento donde se hace o vende ropa interior femenina. **SIN** lencería.

corso, -sa[1] *adj.* **1** De Córcega (isla francesa). | *s. m. y f./ adj.* **2** Persona que es de Córcega.

corso[2] *s. m.* Expedición de guerra que hacía un buque corsario.

FAM corsario.

cortacésped *s. amb.* Máquina que sirve para cortar la hierba o el césped.

cortacircuitos *s. m.* Dispositivo que sirve para interrumpir automáticamente el paso de la corriente en un circuito eléctrico cuando esta sobrepasa un cierto valor. **OBS** Plural invariable.

cortado, -da *adj./s. m. y f.* **1** Se aplica a la persona que es tímida y se avergüenza con facilidad. **SIN** corto. **2** Se aplica a la persona que queda aturdida, sin respuesta o reacción, ante un hecho inesperado: *estando en casa de mi novia, apareció su padre y me quedé cortado.* | *adj.* **3** Se aplica al estilo literario que se caracteriza por frases cortas. | *s. m.* **4** Café que lleva solamente un poco de leche. **NOTA** También *café cortado.*

cortadura *s. f.* Grieta profunda o paso estrecho entre montañas.

cortafrío *s. m.* Herramienta alargada de metal, de punta afilada y plana, que se usa para cortar metales a golpe de martillo. **OBS** También en plural con el mismo significado que en singular.

cortafuego *s. m.* **1** Franja de terreno que se deja sin vegetación en un bosque o campo de cultivo para impedir el avance de un incendio. **2** Pared de fábrica, sin nada de madera, que se levanta con el fin de que no se propague un incendio.

cortante *adj.* **1** Se aplica al instrumento u objeto afilado que corta. **2** Se aplica a la respuesta que deja a una persona cortada y sin saber qué decir o cómo reaccionar. **3** Que es hiriente o agudo.

C

cortapisa *s. f.* Condición o problema que limita y dificulta la realización de una cosa: *cortapisas legales*.

cortaplumas *s. m.* Navaja de hoja pequeña para diversos usos.
OBS Plural invariable.

cortapuros *s. m.* Instrumento de metal, parecido a una pequeña guillotina, en el que se introduce la punta del puro para cortarla.
OBS Plural invariable.

cortar *v. tr.* **1** Dividir o separar la superficie de algo con un instrumento o cosa afilada. **2** Separar una parte de una cosa con un instrumento afilado: *para cenar corté un trozo de queso*. **3** Separar de un trozo de tela las piezas que formarán una prenda de vestir. **4** Cruzar dos o más líneas o superficies entre sí. **5** Atravesar o cruzar una superficie o un medio: *el río corta el valle*. **6** Interrumpir la continuidad de una acción o un proceso rompiendo con el orden original de sus elementos: *el público cortó el discurso del orador*. **7** Interrumpir el paso o el acceso por un camino, carretera u otra vía. **8** Dividir un montón de cartas o naipes en dos o más grupos: *antes de repartir, corta la baraja*. **9** Sentir un frío intenso y tener la sensación de que traspasa la piel: *hace un viento que corta la cara*. **10** En algunos deportes, como el tenis, golpear la pelota de manera que adquiera un efecto de giro contrario a la dirección en que se impulsa: *cortó en exceso la devolución de la pelota y esta se quedó en la red*. **|** *v. intr.* **11** Tener un objeto, especialmente un instrumento afilado, un filo bueno o malo: *estas tijeras no cortan*. **12** Hacer el camino más corto entre dos puntos escogiendo el trayecto más adecuado entre varios posibles: *si cortamos por la pista forestal, llegaremos antes*. **SIN** atajar. **|** *v. prnl.* **13 cortarse** Separarse las sustancias que integran la leche, una salsa o una crema: *se me ha cortado la mayonesa*. **14** Sentir vergüenza o excesivo respeto: *no te cortes y pregúntame lo que quieras*.
FAM corta, cortacésped, cortacircuitos, cortado, cortadura, cortafrío, cortafuego, cortante, cortaplumas, cortapuros, cortaúñas, corte; acortar, entrecortar, recortar.

cortaúñas *s. m.* Instrumento de metal parecido a unos alicates formado por dos pinzas con el extremo afilado y ligeramente curvado que sirve para cortar las uñas.
OBS Plural invariable.

corte[1] *s. m.* **1** Filo de un instrumento afilado. **2** Raja producida por un instrumento o cosa afilada: *se hizo un corte con el cuchillo*. **3** División o separación de una parte de una cosa con un instrumento afilado: *hacer un corte al pastel*. **4** Zona de una cosa de la que se ha cortado una parte: *no me pongas de esa carne, que tiene el corte muy feo*. **5** Interrupción del paso o el acceso por un camino, circuito, canal u otra vía: *se temen nuevos cortes de agua*. **6** Operación que consiste en cortar las diferentes piezas de tela u otro material que componen una prenda de vestir: *un taller de corte y confección*. **7** Cantidad de tela u otro material necesaria para confeccionar una prenda de vestir: *me han regalado un corte para hacerme un traje*. **8** Operación que consiste en cortar un objeto, especialmente un metal; el corte de un metal puede realizarse mediante cizalla, sierra, etc., o mediante la acción calorífica de un soplete. **9** Figura que resultaría si se cortara un cuerpo por un plano para mostrar su estructura interior: *en el dibujo del corte del motor se aprecian mejor sus partes*. **SIN** sección. **10** División de un montón de cartas o naipes en dos o más grupos. **11** Vergüenza o excesivo respeto producido por una situación incómoda o infrecuente: *me da corte pedirle que salga con-

migo*. **12** Respuesta rápida y brusca que zanja una cuestión: *le pedí prestado el coche a mi hermano, pero me dio un corte y siguió viendo la tele*. **13** Fragmento de una entrevista o de unas declaraciones que se emite en un programa de radio: *pusieron varios cortes de la intervención del presidente*. **14** Trozo de helado de forma cuadrada o rectangular que se pone entre dos galletas. **15** Conjunto de características o tendencias particulares y distintivas: *es un partido político de corte conservador*. **16** Separación que se produce entre los participantes en una carrera de competición: *cerca de la meta, un corte hizo que el líder perdiera el contacto con el grupo de cabeza*. **17** En el juego del golf, eliminación que se lleva a cabo en un torneo al establecerse, tras varios días de competición, el número máximo de golpes con los que un jugador puede continuar participando: *tras las dos primeras jornadas, el corte dejó fuera al golfista español*.

corte de mangas familiar Gesto que se hace golpeando un brazo con la mano del otro a la altura del codo; mientras, en el brazo que ha recibido el golpe se extiende el dedo corazón entre el índice y el anular doblados; es un ademán obsceno y ofensivo.

corte[2] *s. f.* **1** Población donde reside el rey u otro gobernante similar y tiene en ella su gobierno: *el faraón residía en una corte muy suntuosa*. **2** Conjunto de las personas que componen la familia y la comitiva del rey u otro gobernante similar: *en el Palacio de Versalles estaban el rey y la corte*. **3** Conjunto de personas que forman parte del equipo que acompaña a un personaje importante o famoso. **4** Recinto donde se crían y resguardan animales domésticos. **5** Tribunal de justicia de algunos países: *la Corte Suprema de Londres juzgará a partir de hoy a los acusados*. **NOTA** Se escribe con mayúscula inicial. **|** *s. f. pl.* **6** **Cortes** Asamblea legislativa de España, formada por una o dos cámaras, según las épocas; actualmente la forman el Congreso de los Diputados y el Senado: *las Cortes elaboran las leyes, el gobierno las aplica y el poder judicial resuelve los litigios*. ■ **Cortes constituyentes** Asamblea legislativa que tiene autoridad para elaborar o reformar una constitución. **7** **Cortes** Edificio en que tienen su sede esta asamblea legislativa. **8** Asamblea general del reino que convocaba el rey en los antiguos reinos de España para tratar asuntos de Estado, generalmente, la elaboración de leyes y la concesión de impuestos: *a las Cortes acudían los representantes del clero, de la nobleza y de las poblaciones importantes*.

corte celestial Según la religión católica, conjunto de ángeles y santos que acompañan a Dios en el cielo.

hacer la corte Tratar a una persona con amabilidad y cortesía, en especial si se tiene la intención de seducirla o de ganar su amor.
FAM cortesano.

cortedad *s. f.* **1** Pequeñez o poca extensión de una cosa: *la angustiaba la cortedad de la vida*. **2** Escasez de inteligencia, educación o valor. **3** Falta de ánimo y de confianza en sí mismo.

cortejar *v. tr.* Enamorar o tratar de enamorar a una persona, especialmente tratándola de manera muy educada y agradable. **SIN** camelar, galantear.
FAM cortejo.

cortejo *s. m.* **1** Conjunto de personas que forman parte del acompañamiento en una ceremonia. **2** Conjunto de actitudes y acciones que lleva a cabo una persona para cortejar a otra. **3** En etología, comportamiento empleado por los animales para atraer a una pareja con fines de reproducción.

cortés *adj.* Que demuestra atención y cordialidad hacia las personas. ANT descortés.
FAM cortesía; descortés.

cortesano, -na *adj.* ① Relativo a la corte de personas que acompañaba al rey. ‖ *s. m.* ② Hombre que antiguamente trabajaba en la corte al servicio del rey o de su familia.

cortesía *s. f.* ① Comportamiento atento y afable o acto en el que se demuestra atención y cordialidad hacia las personas. ANT descortesía. ② Cualidad de cortés. ③ Regalo de poca importancia que se da como muestra de afecto y consideración: *sobre la mesa había una botella de cava, cortesía del hotel.* SIN detalle. ④ Prórroga en un plazo: *esperé los diez minutos de cortesía.*

córtex *s. m.* Capa externa y diferenciada de un órgano de un ser vivo: *el córtex cerebral es la capa más reciente en la evolución del cerebro de los mamíferos.*
OBS Plural invariable.

corteza *s. f.* ① Capa o conjunto de capas de fibra vegetal dura que cubre o envuelve los tallos y las frutas de algunas plantas y árboles: *la corteza de un limón.* ② Parte exterior, resistente o dura, que cubre o envuelve ciertas cosas: *la corteza del pan; la corteza del queso.* ③ Parte exterior de una cosa no material. ④ Capa más externa de la Tierra, separada del manto por la discontinuidad de Mohorovicic. NOTA También *corteza terrestre.* ■ **corteza continental** Corteza terrestre que subyace a la tierra emergida: *el espesor de la corteza continental alcanza los 30 km bajo las grandes cordilleras montañosas.* ■ **corteza oceánica** Corteza terrestre situada bajo los océanos, de menor espesor que la continental.
corteza cerebral Capa más superficial del cerebro, formada por la sustancia gris.
FAM descortezar.

corticoide *s. m./adj.* Sustancia que tiene una actividad similar a la de las hormonas de las glándulas situadas al lado de los riñones.

cortijo *s. m.* ① Terreno de cultivo extenso en el que hay un conjunto de edificaciones para vivienda, labranza y cuidado del ganado: *los cortijos son característicos de Andalucía y Extremadura.* ② Conjunto de edificaciones para vivienda, labranza y cuidado del ganado que hay en los terrenos de cultivo extensos.
FAM cortijero.

cortina *s. f.* ① Trozo de tela o de otro material semejante que se cuelga de la parte superior de una puerta, ventana o hueco para cubrirlo. ② Masa densa de una sustancia o material que se despliega como este trozo de tela. ③ Cosa que encubre u oculta algo. ④ Parte de muralla que se encuentra entre dos baluartes.
cortina de agua Lluvia muy densa que impide la visibilidad.
cortina de humo Conjunto de hechos o circunstancias con los que se pretende ocultar las verdaderas intenciones o desviar la atención de los demás.
FAM cortinaje.

cortinaje *s. m.* Conjunto de cortinas.
OBS Normalmente en plural.

cortisona *s. f.* ① Hormona segregada por la corteza de las glándulas suprarrenales de los vertebrados, que actúa principalmente en el metabolismo de los hidratos de carbono. ② Sustancia corticoide que se emplea como medicina para el tratamiento de diversas enfermedades, como las afecciones reumáticas.

corto, -ta *adj.* ① Que tiene longitud, extensión o duración escasa o menor de la normal y necesaria: *un niño de corta edad.* ANT largo. ② Se aplica a la prenda o vestido que cubre solamente una parte de la zona del cuerpo que habitualmente suele vestir: *se compró unos pantalones cortos.* ③ Se aplica a la persona que es poco inteligente o no entiende las cosas con facilidad. ④ Se aplica a la persona que es muy tímida y siente vergüenza con facilidad. SIN cortado. ‖ *s. m.* ⑤ Cortometraje.
a la corta o a la larga Más pronto o más tarde.
atar corto Tener bajo control a una persona y mostrarse severo con ella para que cumpla con sus obligaciones.
corto de vista familiar Persona que padece miopía.
ni corto ni perezoso De manera decidida y arriesgada: *cuando vio su nota, ni corto ni perezoso se fue al despacho del director a protestar.*
FAM cortedad, cortar; manicorto.

cortocircuito *s. m.* Aumento brusco de la intensidad de una corriente que se produce en una instalación eléctrica por la unión directa de dos conductores de distinta fase.
OBS También *corto circuito.*

cortometraje *s. m.* Película de cine cuya duración no es mayor de 35 minutos. SIN corto.

coruja *s. f.* Ave rapaz nocturna más pequeña que el búho, de cara redonda, pico corto y encorvado, ojos grandes con el iris amarillo y plumaje blanco y leonado con manchas pardas; se alimenta principalmente de roedores. SIN lechuza.

coruñés, -ñesa *adj.* ① De La Coruña (ciudad y provincia de Galicia). ‖ *s. m. y f./adj.* ② Persona que es de La Coruña.

corva *s. f.* Parte de la pierna opuesta a la rodilla por donde esta se dobla.

corvejón[1] *s. m.* Corva de un animal cuadrúpedo.

corvejón[2] *s. m.* Ave palmípeda parecida al ganso, con plumaje de color gris oscuro, alas negras y cuello blanco; nada y vuela muy bien. SIN cormorán.

corzo, -za *s. m. y f.* Mamífero rumiante parecido al ciervo, de pelo rojo oscuro o gris, cuernos cortos y rabo muy pequeño.

cosa *s. f.* ① Hecho, cualidad, idea u objeto sobre el que se puede pensar o hablar. ② Objeto sin vida. ③ Asunto o tema sobre el que se trata: *en la fábrica, la cosa está muy mal.*
a cosa hecha De forma voluntaria y con intención. SIN adrede, aposta.
cosa de De manera aproximada, poco más o menos: *hoy seremos cosa de veinte a comer.*
cosa fina familiar Expresión con la que se indica que algo o alguien es excelente: *esta tele es cosa fina, tiene más de 50 canales.*
cosa rara Expresión con la que se indica sorpresa o admiración: *tu marido fregando la cocina, ¡cosa rara!*
ser poca cosa Tener poco tamaño, importancia o valor.
FAM cosificar.

cosaco, -ca *adj./s. m. y f.* ① Relativo a un antiguo pueblo pastor y guerrero que se estableció en el sur de Rusia: *el pueblo cosaco vivió de modo seminómada a partir del siglo XV.* ‖ *s. m. y f./adj.* ② Persona perteneciente a este pueblo. ‖ *s. m.* ③ Soldado ruso perteneciente a un cuerpo de caballería ligera.
beber como un cosaco Tomar bebidas alcohólicas de manera exagerada.

coscorrón *s. m.* Golpe fuerte y doloroso en la cabeza que no tiene consecuencias graves, especialmente el que se da con los nudillos de la mano cerrada.

coscurro *s. m.* Corrusco.

cosecante *s. f.* Razón trigonométrica de un ángulo equivalente a la inversa del seno del mismo ángulo.

cosecha *s. f.* ① Conjunto de frutos que se recogen de la tierra en la época del año en que están maduros. ② Trabajo que consiste en recoger estos frutos: *la cosecha durará dos semanas*. ③ Época del año en que se recogen estos frutos. ④ Conjunto de actos o ideas que son propias de una persona: *nos contó un magnífico cuento de su propia cosecha*.
FAM cosechadora, cosechar.

cosechadora *s. f.* Máquina automóvil parecida a un tractor que corta el cereal, separa la paja y envasa el grano mientras recorre el campo de cultivo.

cosechar *v. tr./intr.* ① Recoger los productos del campo o de un cultivo cuando están maduros. ‖ *v. tr.* ② Obtener el resultado de un trabajo o de un comportamiento: *ha cosechado la simpatía del público*.

coseno *s. m.* Cociente entre el cateto contiguo de un ángulo y la hipotenusa; es una razón trigonométrica.

coser *v. tr.* ① Unir con hilo dos piezas de tejido o un objeto a una pieza de tejido, generalmente sirviéndose de una aguja. **ANT** descoser. ② Realizar figuras en relieve con hilos de colores utilizando una aguja enhebrada: *mi abuela cosió unas iniciales en un pañuelo*. **SIN** bordar. ③ Unir con grapas. ④ Producir numerosas heridas con un arma blanca o con un arma de fuego: *lo cosieron a balazos en una pelea callejera*.
coser y cantar familiar Expresión que indica la facilidad y soltura con que se hace una cosa: *aprobar este examen es coser y cantar*.
FAM cosido; descoser, recoser.

cosido *s. m.* Unión con hilo de dos piezas de tejido o un objeto y una pieza de tejido, generalmente sirviéndose de una aguja. **SIN** costura.

cosificar *v. tr.* ① Considerar y tratar como cosa a una persona o animal: *el trabajo mecánico en cadena ha cosificado al hombre*. ② Convertir algo en cosa.
FAM cosificación.

cosmética *s. f.* Técnica de fabricación y empleo de sustancias o productos para cuidar y embellecer el pelo o la piel.

cosmético, -ca *adj./s. m.* ① Se aplica a la sustancia o producto que sirve para limpiar, cuidar y embellecer el pelo o la piel, especialmente la de la cara. ‖ *adj.* ② Relativo a la cosmética: *industria cosmética*.
FAM cosmética.

cósmico, -ca *adj.* Relativo al cosmos: *centro de investigaciones cósmicas*.

cosmografía *s. f.* Parte de la astronomía que se ocupa de describir los astros y los fenómenos que se observan en el universo.
FAM cosmógrafo.

cosmología *s. f.* Parte de la astronomía que estudia el origen del universo y las leyes que rigen su evolución.
FAM cosmólogo.

cosmonauta *s. com.* Persona que pilota o forma parte de la tripulación de una nave espacial o que está entrenada y preparada para hacerlo. **SIN** astronauta.

cosmonave *s. f.* Vehículo que se usa en la navegación espacial fuera de la atmósfera de la Tierra. **SIN** astronave, nave espacial.

cosmopolita *adj./s. com.* ① Se aplica a la persona a la que le gusta viajar mucho, conoce diversos países y culturas y considera que cualquier parte del mundo es su patria. ‖ *adj.* ② Se aplica al lugar o ambiente que es frecuentado por personas de países, culturas y características sociales muy diferentes: *París y Nueva York son ciudades cosmopolitas*. ③ Que es común o propio a todo el mundo.
FAM cosmopolitismo.

cosmopolitismo *s. m.* ① Forma de vivir y pensar de las personas que han viajado mucho, que conocen diversos países y culturas y consideran que cualquier parte del mundo es su patria. ② Conjunto de características de un lugar frecuentado por personas de países, culturas y características sociales muy diferentes.

cosmos *s. m.* ① Universo concebido como un todo armonioso y ordenado, opuesto al caos. ② Espacio exterior a la Tierra.
FAM cósmico; macrocosmos, microcosmos.
OBS Plural invariable.

coso *s. m.* ① Plaza o sitio cerrado donde se celebran corridas de toros. ② Calle principal en algunas poblaciones.
FAM acoso.

cosquillas *s. f. pl.* Excitación nerviosa que produce risa involuntaria provocada por el roce suave de algo en algunas partes del cuerpo.
buscar las cosquillas Hacerle perder la serenidad o la paciencia a una persona.
FAM cosquillear.

cosquilleo *s. m.* ① Sensación que producen las cosquillas. ② Sensación parecida a las cosquillas provocada por un picor suave, como el de un insecto, o una causa similar. ③ Sensación de intranquilidad: *al saber que venía, sentí un cosquilleo en el estómago*.

costa¹ *s. f.* ① Franja de tierra que está junto a una gran extensión de agua, especialmente junto al mar. ② Parte de esta gran extensión de agua más próxima a la tierra: *es necesario mantener limpia el agua de las costas*. ③ Franja amplia de territorio de un país que está próxima al mar: *la costa mediterránea*.
FAM costanero, costear, costeño, costera, costero; guardacostas.

costa² *s. f.* ① Cantidad que se paga por una cosa. ‖ *s. f. pl.* ② **costas** Gastos producidos por un proceso judicial.
a costa de (**I**) Por cuenta de otro: *vive a mi costa; viajan a costa de la empresa*. **SIN** a expensas. (**II**) Con el trabajo o el esfuerzo causado por alguna cosa.
a toda costa Sin ahorrar trabajo, dinero o interés: *querían ganar el partido a toda costa*.

costado *s. m.* ① Parte lateral del cuerpo humano que está entre el pecho y la espalda, debajo del brazo. ② Parte izquierda o derecha de un cuerpo o de un objeto: *la mesa tenía cajones en los costados*. **SIN** lado. ③ Flanco de un ejército. ④ Paredes laterales del casco de un barco: *la roca tocó un costado del barco*. ‖ *s. m. pl.* ⑤ **costados** Líneas genealógicas de los abuelos paternos y maternos.
por los cuatro costados familiar Por todas partes, completamente: *el proyecto es un fracaso por los cuatro costados*.
FAM costa, costal, costalada, costalazo, costilla.

costal *adj.* ① Relativo a las costillas: *la zona costal*. ‖ *s. m.*

2 Saco grande de tela resistente y ordinaria que sirve para transportar grano, semillas y otras cosas.
FAM costalazo, costalero; intercostal, subcostal.

costar [5] *v. intr.* **1** Tener un precio o un valor determinado: *ese libro cuesta doce euros.* SIN valer. **2** Causar el gasto o pago de una cantidad de dinero. **3** Causar un determinado desgaste, esfuerzo o sacrificio: *me cuesta conciliar el sueño.*
FAM coste, costo.

costarricense *adj.* **1** De Costa Rica (país de América Central). SIN costarriqueño. **|** *s. com./adj.* **2** Persona que es de Costa Rica. SIN costarriqueño.

costarriqueño, -ña V. costarricense.

coste *s. m.* **1** Cantidad de dinero que vale una cosa o que cuesta hacerla o producirla. SIN costo. **2** Desgaste, esfuerzo o sacrificio que causa la realización u obtención de una cosa: *la reducción de la cobertura sanitaria tendrá un alto coste social.* SIN costo.
FAM costear.

costear[1] *v. tr.* Pagar el coste total, especialmente cuando deben hacerse pagos sucesivos.

costear[2] *v. tr.* Navegar una embarcación recorriendo las aguas cercanas a la costa.

costero, -ra *adj.* Relativo a la costa.

costilla *s. f.* **1** Hueso largo y delgado que sale de la columna vertebral y se curva hacia el pecho formando el tórax: *el cuerpo humano tiene doce pares de costillas, siete de los cuales se unen con el esternón.* ■ **costilla falsa** Cada una de las cinco costillas inferiores de cada lado, unidas al esternón por un cartílago. ■ **costilla flotante** o **costilla vertebral** Cada una de las dos últimas costillas de cada lado cuyo extremo anterior queda libre. ■ **costilla verdadera** Cada una de las siete costillas superiores de cada lado unidas al esternón. **2** familiar Mujer casada, en relación con su cónyuge. **|** *s. f. pl.* **3** **costillas** Parte posterior del cuerpo humano, desde los hombros hasta la cintura: *he tenido que cargar un saco de cemento y ahora me duelen las costillas.*
medir las costillas Golpear repetidamente a una persona: *si te coge el guarda, te mide las costillas.*
FAM costillaje, costillar.

costillar *s. m.* **1** Conjunto de costillas, especialmente las de un animal. **2** Parte del cuerpo en que están las costillas, especialmente en un animal: *el toro lleva el hierro de la ganadería a la que pertenece en el costillar.*

costo[1] *s. m.* Coste.
FAM costoso.

costo[2] *s. m.* jerga Hachís. SIN chocolate, mierda, quif.

costoso, -sa *adj.* **1** Que es de precio elevado o superior al habitual o al que parece adecuado en comparación con otra mercancía semejante. SIN caro. **2** Que causa un gran desgaste, esfuerzo o sacrificio: *me es muy costoso tener que ir de mi casa al trabajo.*

costra *s. f.* **1** Capa de una sustancia que se pone dura o se seca sobre una superficie: *limpió la costra de grasa y suciedad que agarrotaba la cerradura.* **2** Capa seca de sangre que se forma en la superficie de una herida al cicatrizarse.
FAM costroso; encostrar.

costroso, -sa *adj.* **1** Se aplica a la superficie que tiene costras. **2** Que está muy sucio y desaseado.

costumbre *s. f.* **1** Manera de actuar que se repite con frecuencia o con regularidad: *tiene la costumbre de levantarse tem-*

prano. SIN hábito. **2** Práctica usual que ha adquirido categoría de precepto: *mucha gente tiene la costumbre de dar siempre propina.* **|** *s. f. pl.* **3** **costumbres** Conjunto de elementos que caracterizan la conducta de una persona o grupo social según los usos impuestos por las generaciones anteriores.
FAM costumbrismo; acostumbrar.

costumbrismo *s. m.* Tendencia artística y literaria que pretende exponer en las obras las costumbres típicas de un lugar, una época o una clase social: *el costumbrismo de Francisco de Goya; Mariano José de Larra cultivó el costumbrismo.*
FAM costumbrista.

costumbrista *adj.* **1** Relativo al costumbrismo. **|** *adj./s. com.* **2** Se aplica al artista que emplea el costumbrismo en sus obras.

costura *s. f.* **1** Unión con hilo de dos piezas de tejido o un objeto y una pieza de tejido, generalmente sirviéndose de una aguja. SIN cosido. **2** Porción de hilo con la que se lleva a cabo esta unión y zona donde se halla. **3** Conjunto de piezas de tejido u objetos que se cosen y utensilios utilizados para hacerlo, como hilo, agujas, tijeras o dedal. **4** Técnica de coser y confeccionar prendas de vestir. ■ **alta costura** Diseño y creación de prendas lujosas y exclusivas.
FAM costurera, costurero.

costurera *s. f.* Mujer que, como profesión, corta y cose ropa en una sastrería o repara las prendas.

costurero *s. m.* **1** Recipiente donde se guardan los utensilios necesarios para coser, como hilo, agujas, tijeras o dedal. **2** Cuarto de costura.

cota[1] *s. f.* **1** Número que, en un mapa o plano topográfico, señala la altura de un punto sobre el nivel del mar: *en un plano de nivel, las diversas cotas aparecen señaladas con distintos colores.* **2** Altura sobre el nivel del mar de un punto de la Tierra. **3** Punto elevado de un terreno o de una montaña. **4** Número con que se indican en un plano las dimensiones de una figura: *las cotas son necesarias en los planos de construcción de edificios, piezas y elementos mecánicos.* **5** Parte o porción fija y proporcional de un todo: *el paro alcanzó cotas históricas.* SIN cuota.
FAM acotar.

cota[2] *s. f.* Armadura con que antiguamente se cubría el cuerpo para defenderlo; se hacía con tejido cubierto de mallas o pequeñas piezas de hierro o bien con cuero guarnecido de clavos: *sobre la cota se colocaban las diversas piezas de la armadura.*

cotangente *s. f.* Razón trigonométrica de un ángulo equivalente a la inversa de la tangente del mismo ángulo.

cotarro *s. m.* **1** familiar Conjunto de personas reunidas que se hallan excitadas, inquietas o intranquilas. **2** familiar Ambiente social determinado. **3** familiar Actividad o negocio que desarrolla una persona.
alborotar el cotarro Desaparecer la tranquilidad en un grupo de personas reunidas.
dirigir el cotarro Mandar en un asunto.

cotejar *v. tr.* Comparar una cosa con otra, especialmente datos o documentos, teniéndolas a la vista para encontrar parecidos o apreciar diferencias entre ellas: *cotejaron dos manuscritos para saber cuál era el original.*
FAM cotejo.

cotejo *s. m.* Examen de varias cosas para encontrar parecidos o apreciar diferencias entre ellas.

cotexto *s. m.* Conjunto de elementos lingüísticos que incluyen, preceden o siguen a una palabra u oración y que pueden determinar su significado o su correcta interpretación. **SIN** contexto.

cotidiano, -na *adj.* **1** Que ocurre o se repite todos los días. **SIN** diario. **2** Que ocurre de manera muy frecuente. **FAM** cotidianidad.

cotiledón *s. m.* Hoja primera que, sola o junto con otras, se forma en el embrión de una planta fanerógama (con semillas u órganos sexuales visibles), y al que suministra alimento. **FAM** cotiledóneo.

cotiledóneo, -nea *adj.* Se aplica a la planta que tiene un embrión con uno o más cotiledones. **FAM** acotiledóneo, dicotiledóneo, monocotiledóneo, policotiledóneo.

cotilla *s. com.* familiar Persona que se dedica a informar de noticias y rumores que afectan a otros, generalmente para criticar a los demás o darse importancia. **SIN** correveidile. **FAM** cotillear.

cotillear *v. intr.* **1** familiar Contar chismes sobre vidas ajenas. **SIN** chismorrear. **2** familiar Curiosear o tratar de averiguar acerca de la vida privada de los demás. **FAM** cotilleo.

cotilleo *s. m.* **1** familiar Noticia o comentario, verdadero o falso, sobre las vidas ajenas con lo que se pretende hablar mal de alguien o enemistar a unas personas con otras. **SIN** chisme. **2** familiar Divulgación e intercambio de estas noticias o comentarios.

cotillón *s. m.* **1** Baile y fiesta que se celebra en una fecha señalada, especialmente la noche de fin de año. **2** Conjunto de adornos y objetos divertidos que suelen usarse en este tipo de baile y fiesta.

cotización *s. f.* **1** Pago de una cantidad de dinero fija y proporcional por pertenecer a un grupo, organización o institución: *la cotización a la Seguridad Social.* **2** Precio de una acción o de un valor que cotiza en bolsa o en un mercado económico: *la cotización de un euro.* ■ **cotización del cambio** Valor de una moneda en relación con otra moneda extranjera. **3** Valoración social o económica que una persona o cosa: *su cotización como cantante sube como la espuma.*

cotizar *v. tr./intr.* **1** Pagar una cantidad de dinero fija y proporcional por pertenecer a un grupo, organización o institución: *cotiza una parte de su sueldo cada mes para un plan de pensiones privado.* ❙ *v. tr.* **2** Valorar a una persona o cosa social o económicamente: *los cuadros de Van Gogh se cotizan cada vez más.* ❙ *v. intr.* **3** Hacer público el precio de una acción o de un valor que cotiza en bolsa o en un mercado económico: *el dólar ha cotizado a la baja.* **FAM** cotizable, cotización, cotizado.

coto *s. m.* **1** Terreno cercado o limitado de forma visible, reservado para un uso o aprovechamiento particular, especialmente para la caza o la pesca. **2** Propiedad o derecho que pertenece a unas pocas personas o empresas: *el gran mercado del cine es coto casi exclusivo de la industria norteamericana.* **3** Poste de piedra u otra señal que se clava en el suelo y señala el límite de un terreno o indica la dirección o distancias de una vía o un camino. **SIN** hito, mojón. **4** Tasa o precio oficial de un producto. ■ **poner coto** Limitar o poner fin a una actividad, un sentimiento u otra cosa, especialmente si es negativa o dañina: *poner coto a la combinación.* **FAM** cotarro; acotar.

cotón *s. m.* Tela de algodón estampada.

cotorra *s. f.* **1** Ave parecida al papagayo, pero de menor tamaño, de plumaje de varios colores entre los que domina el verde, con las alas y la cola largas y terminadas en punta. **2** familiar Persona que habla de manera excesiva y molesta. **FAM** cotorrear.

cotorrear *v. intr.* familiar Hablar de manera excesiva y molesta. **FAM** cotorreo.

coturno *s. m.* Calzado de suela de madera o corcho usado principalmente por actores de teatro trágico de la antigua Grecia y Roma, con la suela más o menos gruesa según la categoría y el papel del actor.

COU [se pronuncia 'cou'] *s. m.* Sigla de *curso de orientación universitaria*, etapa del antiguo sistema educativo que seguía al BUP y comprendía de los diecisiete a los dieciocho años.

coulomb [se pronuncia aproximadamente 'culom'] *s. m.* Unidad de carga eléctrica del Sistema Internacional, de símbolo C, que equivale a la cantidad de electricidad que transporta una corriente de intensidad de un ampere en un segundo. **OBS** Plural: *coulombs.* Se ha adaptado al español con la forma *culombio.*

country [se pronuncia aproximadamente 'cauntri'] *s. m.* **1** Estilo de música popular originado en Estados Unidos, que tiene sus raíces en la música folclórica de los inmigrantes británicos y recibe influencias de otros tipos de música popular. **2** Estilo de baile que se ejecuta con este estilo de música. ❙ *adj.* **3** Relativo a este estilo de música o baile.

cowboy [se pronuncia aproximadamente 'caubói'] *s. m.* Vaquero de los ranchos norteamericanos. **OBS** Plural: *cowboys.*

coxal *adj.* **1** Relativo a la cadera. ❙ *s. m./adj.* **2** Hueso plano, de forma irregular y con diferentes concavidades, y que junto con otro forma la pelvis: *el cuerpo humano tiene dos huesos coxales y cada uno de ellos está formado por el ilion, el isquion y el pubis.* **SIN** ilíaco. **FAM** coxalgia.

coxis *s. m.* Hueso final de la columna vertebral formado por la unión de las últimas vértebras. **OBS** Plural invariable.

coyol *s. m.* **1** AMÉR. CENTRAL, MÉX. Palmera de mediana altura de cuyo tronco se extrae una bebida agradable. **2** AMÉR. CENTRAL, MÉX. Fruto de esta planta, de cuyo hueso, negro y muy duro, se fabrican botones, cuentas de rosario, etc.

coyote *s. m.* Mamífero carnívoro de pelo marrón amarillento, parecido al lobo, pero de menor tamaño.

coyuntura *s. f.* **1** Combinación de elementos y circunstancias que caracterizan una situación. **2** Momento oportuno y adecuado para obrar. **3** Unión, generalmente movible, de un hueso con otro. **SIN** articulación. **FAM** coyuntural; descoyuntar.

coyuntural *adj.* **1** Que depende de la combinación de elementos y circunstancias que caracterizan una situación. **2** Que ocurre en alguna ocasión, pero no es habitual. **SIN** circunstancial, ocasional.

coz *s. f.* **1** Movimiento violento hacia atrás de una o ambas patas traseras de un animal cuadrúpedo. **2** Patada violenta hacia atrás que lanza una persona. **FAM** cocear.

CPU [se pronuncia 'ce-pe-u'] *s. f.* Sigla de la expresión inglesa *Central Processing Unit*, unidad central de proceso: *la CPU se encarga de realizar las operaciones lógicas, matemáticas, etc., del ordenador.*

crac o **crack** [se pronuncia 'crac'] *s. m.* **1** Deportista de calidad o habilidad extraordinaria. **2** Droga derivada sintéticamente de la cocaína. **3** Crash, quiebra financiera.
OBS Plural: *cracs* o *cracks*.

crampón *s. m.* Pieza metálica que se fija a la suela del calzado para no resbalar sobre el hielo o la nieve.

craneal *adj.* Relativo al cráneo. **SIN** craneano.

craneano, -na *adj.* Craneal.

cráneo *s. m.* Caja ósea que forma la parte superior de la cabeza y que encierra y protege el cerebro, el cerebelo y el bulbo raquídeo.
ir de cráneo Tener dificultades en lo que se está haciendo.
FAM craneal, craneano, craneoencefálico, craneofacial.

craneoencefálico, -ca *adj.* Relativo al cráneo y el encéfalo: *traumatismo craneoencefálico.*

crápula *s. m.* Hombre de vida licenciosa y libertina.

craqueo *s. m.* Proceso químico industrial de tratamiento de los productos procedentes de la destilación fraccionada del petróleo (proceso de refino); consiste en la rotura, por calentamiento a temperatura y presión elevadas, de los productos gaseosos, líquidos o sólidos obtenidos en el proceso de refino; permite obtener moléculas más pequeñas y moléculas ramificadas: *el craqueo es un proceso importante en la obtención de gasolinas.*

crash [se pronuncia 'crash'] *s. m.* Quiebra financiera del sistema económico de un grupo importante de empresas, de un país o de un grupo de países. **SIN** crack.
OBS Plural invariable.

craso, -sa *adj.* **1** Se aplica al disparate o ignorancia que es tan grande que no se puede disculpar. **2** Se aplica a la planta propia de regiones desérticas o tropicales, de hojas carnosas y tallos gruesos que son capaces de almacenar agua para poder sobrevivir largo tiempo sin que llueva, como el áloe y el cactus. **SIN** suculento.
FAM crasamente, crasitud.

cráter *s. m.* **1** Boca de volcán. **2** Agujero circular en la tierra provocado por una explosión. **3** Depresión circular en la superficie de la Luna.
FAM crátera.

crátera *s. f.* Vaso de boca ancha y con dos asas, decorado con motivos geométricos y figuras en franjas horizontales, que se usaba en la Antigüedad para mezclar el agua y el vino; es la vasija más corriente en la cerámica griega antigua.

creación *s. f.* **1** Producción de una cosa a partir de la nada: *en el "Génesis" se describe la creación de los animales.* **2** Cosa producida de esta manera: *según la mayor parte de las religiones, el hombre es una creación de Dios.* **3** Conjunto de todo lo creado de esta manera: *la grandiosidad de la creación siempre ha maravillado al hombre.* **4** Producción de una obra a partir de la capacidad artística, imaginativa o intelectual de su autor. **5** Obra producida de esta manera.
FAM creacionismo.

creacionismo *s. m.* **1** Doctrina filosófica opuesta al evolucionismo, según la cual los seres vivos fueron creados por Dios y no provienen unos de otros por evolución. **2** Tendencia literaria europea de principios del siglo XX según la cual

las palabras deben valorarse por su capacidad para crear belleza y sugerir imágenes.
FAM creacionista.

creador, -ra *adj.* **1** Que crea o es capaz de crear. **I** *s. m. y f.* **2** Persona que realiza una obra científica, literaria o artística. **SIN** autor. **I** *s. m.* **3** Según algunas religiones, Dios, ser eterno que es autor de todo lo que existe. **NOTA** Se escribe con mayúscula inicial.

crear *v. tr.* **1** Producir una cosa a partir de la nada. **2** Producir una obra a partir de la capacidad artística, imaginativa o intelectual de su autor. **3** Hacer que una cosa comience a existir por primera vez. **4** Hacer aparecer una cosa cuya existencia depende de la existencia de otra.
FAM creación, creador, creativo; procrear.

creatividad *s. f.* Capacidad y facilidad para inventar o crear. **SIN** inventiva.

creativo, -va *adj.* **1** Se aplica a la persona que tiene creatividad. **2** Que tiene relación con la creación o es resultado de ella. **I** *s. m. y f.* **3** Persona que trabaja en una agencia de publicidad ideando anuncios y campañas publicitarias.
FAM creatividad.

crecepelo *s. m.* Sustancia que supuestamente hace crecer el pelo o evita su caída.

crecer [16] *v. intr.* **1** Aumentar el tamaño del organismo de un ser vivo. **ANT** menguar. **2** Aumentar la cantidad, el tamaño o la importancia de algo. **ANT** decrecer, disminuir. **3** Aumentar el tamaño de la parte iluminada de la Luna. **ANT** menguar. **I** *v. prnl.* **4** **crecerse** Tomar mayor autoridad, importancia o valor: *el equipo visitante se creció y acabó por ganar el partido.*
FAM crecedero, crecepelo, crecida, crecido, creciente, crecimiento.

creces Se usa en la expresión:
con creces De manera abundante y generosa.

crecida *s. f.* **1** Aumento brusco del nivel de agua de un arroyo, río u otra corriente. **2** Porción de agua que se desplaza por la corriente tras este aumento.

crecido, -da *adj.* **1** Que es de gran estatura, valor o cuantía. **2** Que tiene mucho ánimo y confianza.

creciente *adj.* **1** Que aumenta de manera progresiva en calidad, cantidad o intensidad. **2** Se aplica a la fase de la Luna que está entre las fases de luna nueva y luna llena. **ANT** menguante. **3** Se aplica al diptongo que empieza por una vocal cerrada. **I** *s. f.* **4** Subida del agua del mar por efecto de la marea.

crecimiento *s. m.* **1** Aumento del tamaño del organismo de un ser vivo. **2** Aumento de la cantidad, el tamaño o la importancia de una cosa. ■ **crecimiento demográfico** Crecimiento de la población de un país durante un periodo de tiempo. ■ **crecimiento natural** Crecimiento de la población de un país teniendo en cuenta el número de nacimientos y el número de defunciones, y no los movimientos migratorios: *si nacen más personas de las que mueren, el crecimiento natural es positivo.*

credencial *adj.* **1** Que autoriza a una persona para representar a otras. **I** *s. f.* **2** Documento que un Estado da a sus representantes en otros países. **3** Documento que demuestra que un empleado está en posesión de una plaza o puesto.

credibilidad *s. f.* Cualidad de creíble.
FAM incredibilidad.

crédito *s. m.* **1** Cantidad de dinero que presta una entidad bancaria a cambio de garantizar su devolución y de pagar un precio por disfrutarlo. **SIN** préstamo. **2** Confianza que uno merece de que pagará sus deudas: *tengo crédito en la tienda de la esquina.* **3** Aceptación de una cosa como cierta o verdadera: *no daba crédito a lo que veían sus ojos.* **4** Buena fama. **5** Unidad de valoración de los conocimientos adquiridos en el estudio de una materia o asignatura, en los planes de estudio reglados.
a crédito Sin pagar al contado.
FAM crediticio; acreditar, descrédito.

credo *s. m.* **1** Oración que contiene los principios fundamentales de la fe católica. **NOTA** Se escribe normalmente con mayúscula inicial. **2** Conjunto de principios ideológicos o religiosos de un grupo. **SIN** creencias.

credulidad *s. f.* Facilidad que tiene una persona para creer lo que otros le cuentan. **ANT** incredulidad.

crédulo, -la *adj./s. m. y f.* Que cree con facilidad lo que otros le dicen. **ANT** incrédulo.
FAM credulidad; incrédulo.

creencia *s. f.* **1** Idea o pensamiento que se cree verdadero o seguro. **2** Conjunto de principios ideológicos o religiosos de un grupo. **NOTA** Más en plural con el mismo significado que en singular. **SIN** credo.

creer [20] *v. tr.* **1** Considerar posible o probable una cosa, aunque sin llegar a tener una seguridad absoluta: *creo que ganaremos.* **SIN** suponer. **ANT** descreer. **‖** *v. tr./intr.* **2** Tener fe en principios religiosos: *creer en Dios.* **3** Considerar una cosa como verdadera o segura, especialmente si para ello no se cuenta con demostración: *creo en la existencia de vida inteligente fuera de la Tierra; creo lo que dices.* **‖** *v. intr.* **4** Tener confianza en las posibilidades de éxito de una persona o cosa: *dio las gracias a todos los que habían creído en ella.* **ANT** descreer.
¡ya lo creo! Expresión con la que se indica que algo parece obvio o evidente.
FAM creencia, creíble, creído, creyente; descreer.

creíble *adj.* Que parece verdadero y cierto. **SIN** verosímil. **ANT** increíble, inverosímil.
FAM increíble.

creído, -da *adj./s. m. y f.* Que muestra orgullo excesivo por las cualidades o actos propios. **SIN** engreído.
FAM descreído.

crema *s. f.* **1** Pasta hecha con leche, huevos, azúcar y otros ingredientes que se emplea especialmente en pastelería como relleno. **2** Puré poco espeso que se toma como sopa. **3** Sustancia grasa y espesa que se forma en la superficie de la leche. **SIN** nata. **4** Preparación cosmética o terapéutica para el cuerpo. **5** Pasta hecha de ceras y otras sustancias químicas que se usa para la limpieza de superficies como el cuero o la madera: *crema para los zapatos.* **6** Licor espeso y dulce. **7** Persona o grupo de personas que representa lo más selecto de su clase. **‖** *adj.* **8** Que tiene un tono entre el blanco y el amarillo.
FAM cremoso; descremado.
OBS Plural invariable.

cremación *s. f.* Incineración de cadáveres, especialmente humanos.
FAM crematorio.

cremallera *s. f.* **1** Cierre que se cose en los bordes de una abertura o en una prenda de vestir, consistente en dos tiras de tela con pequeños dientes de metal o plástico por los que se desliza un mecanismo que los une o los separa. **2** Barra metálica con dientes en uno de sus cantos para engranar con un piñón y convertir un movimiento circular en rectilíneo o viceversa. **‖** *s. m.* **3** Tren cuya locomotora dispone de ruedas dentadas que encajan en un carril, generalmente central y paralelo a los de la vía, para circular por zonas de pronunciado desnivel en que la adherencia no es suficiente para el esfuerzo de tracción. **NOTA** También *tren cremallera.*

crematístico, -ca *adj.* Relativo al dinero.
FAM crematística.

crematorio, -ria *adj.* **1** Relativo a la cremación. **‖** *s. m.* **2** Edificio destinado a la cremación.

cremoso, -sa *adj.* **1** Con la consistencia o apariencia de la crema. **2** Que tiene mucha crema.
FAM cremosidad.

crepe [se pronuncia 'crep'] *s. m.* Torta muy fina hecha con leche, huevos y harina, que, una vez frita, se sirve enrollada y rellena de ingredientes dulces o salados.
FAM crepería.

crepería *s. f.* Establecimiento donde se hacen y venden crepes.

crepidoma *s. m.* Base escalonada sobre la que se eleva la planta rectangular de un templo griego.

crepitar *v. intr.* Dar chasquidos, especialmente la madera al arder.
FAM crepitación; decrepitar.

crepuscular *adj.* Relativo al crepúsculo.

crepúsculo *s. m.* **1** Claridad de la luz del sol al amanecer y al anochecer. **2** Tiempo que dura esta claridad. **3** Final o decadencia de lo que fue famoso o importante. **SIN** ocaso.
FAM crepuscular.

crescendo [se pronuncia aproximadamente 'creshendo'] *s. m.* **1** Aumento progresivo de la intensidad de una nota o un pasaje musical. **ANT** decrescendo. **2** Parte de una composición musical que se ejecuta de este modo: *un magnífico crescendo final.* **ANT** decrescendo.

crespo, -pa *adj.* Se aplica al pelo rizado de forma natural.
FAM crespón; encrespar.

crespón *s. m.* **1** Trozo de tela negra que se usa en señal de luto. **2** Tela o gasa fina de textura rugosa.

cresta *s. f.* **1** Carnosidad de color rojo que tienen en la cabeza algunas aves, como el gallo. **2** Conjunto de plumas levantadas que tienen algunas aves en la parte superior de la cabeza: *la cresta de la cacatúa.* **SIN** penacho. **3** Peinado que imita la carnosidad o las plumas levantadas de algunas aves. **4** Cumbre de una montaña, en especial si acaba en peñascos agudos: *la cresta del acantilado.* **5** Parte más alta de una ola coronada de espuma. **6** Intensidad máxima en el desarrollo de una actividad o un fenómeno.
cresta mitocodrial En biología, pliegue que forma la membrana interna de los mitocondrios.
estar en la cresta de la ola Estar en el momento de mayor éxito y fama.
FAM crestería.

crestería *s. f.* Adorno de calado vegetal, generalmente en forma de cresta de gallo, situado en la parte alta de edificios de estilo gótico y renacentista.

cretáceo, -cea V. cretácico, -ca.

cretácico, -ca *adj./s. m.* **1** Se aplica al periodo geológico que es el tercero y último de la era mesozoica o secundaria y sigue al periodo jurásico; se extiende desde hace unos 136 millones de años hasta hace unos 65 millones de años. **SIN** cretáceo. ❘ *adj.* ❷ Relativo a este periodo geológico. **SIN** cretáceo.

cretense *adj.* ❶ De Creta (isla griega). ❷ Relativo a una antigua civilización que floreció en esta isla en el segundo milenio a. C., cuya actividad se basaba principalmente en el comerio marítimo y que desapareció al comenzar el periodo clásico griego. ❘ *s. com./adj.* ❸ Persona que es de Creta o que pertenecía a esta civilización.

cretino, -na *adj./s. m. y f.* Que es poco inteligente y posee escaso entendimiento.
FAM cretinismo.

cretona *s. f.* Tela resistente de algodón.

creyente *adj./s. com.* Que cree, especialmente en un dogma religioso. **ANT** ateo.

cría *s. f.* ❶ Alimentación y cuidado que recibe un animal o bebé recién nacido hasta que puede valerse por sí mismo. **SIN** crianza. ❷ Niño o animal mientras se está criando: *la cría del oso es el osezno.* ❸ Conjunto de hijos que tienen los animales en un parto o en un nido.

criadero *s. m.* ❶ Lugar en el que se crían animales. ❷ Terreno en el que se plantan árboles pequeños y otras especies vegetales para que crezcan. **SIN** vivero. ❸ Lugar en el que abunda una cosa.

criadilla *s. f.* Testículo de animal que se destina al consumo humano.
criadilla de tierra Hongo subterráneo comestible, de forma redonda y color negro por fuera y blanco o marrón por dentro. **SIN** trufa.

criado, -da *s. m. y f.* Persona que sirve a otra, especialmente la que se dedica a realizar trabajos domésticos a cambio de dinero. **SIN** sirviente.

criador, -ra *s. m. y f.* Persona que se dedica a la cría de animales.

crianza *s. f.* ❶ Alimentación y cuidado que recibe un animal o bebé recién nacido hasta que puede valerse por sí mismo. **SIN** cría. ❷ Proceso de educación, enseñanza y aprendizaje de un niño o un joven. ❸ Educación, cortesía o urbanidad de una persona: *buena crianza; mala crianza.* ❹ Proceso de elaboración y cuidado del vino.

criar *v. tr.* ❶ Alimentar y cuidar a un animal o bebé recién nacido hasta que puede valerse por sí mismo. ❷ Educar, enseñar y cuidar a un niño o a un joven. ❸ Producir algo los seres vivos o la naturaleza: *el musgo se cría en los bosques húmedos.*
FAM cría, criadero, criador, crianza, criatura, crío; malcriar.
OBS Verbo regular, se acentúa como *desviar.*

criatura *s. f.* ❶ Niño recién nacido o de pocos años. ❷ Ser vivo, en especial el ser humano. ❸ Ser vivo de naturaleza desconocida, generalmente de carácter fantástico o inventado.
FAM criaturada.

criba *s. f.* ❶ Utensilio para cribar, consistente en una lámina metálica agujereada, sujeta a un cerco de madera. ❷ Selección que se efectúa entre varias cosas o personas para separar las que se consideran buenas o apropiadas para algo de las que no lo son.
criba de Eratóstenes Método que permite establecer una tabla de números primos.
FAM cribar.

cribar *v. tr.* Hacer pasar una materia por una criba para separar las partes finas; especialmente para limpiarla de impurezas. **SIN** cerner.

crimen *s. m.* ❶ Acción voluntaria de matar o herir de gravedad a una persona. ❷ Acción de gran maldad o irresponsabilidad que tiene consecuencias graves: *es un crimen la caza indiscriminada de ballenas.*
FAM criminal, criminología.

criminal *adj.* ❶ Relativo al crimen. ❘ *adj./s. com.* ❷ Que ha cometido o intentado cometer un crimen. ❘ *adj.* ❸ Se aplica a la ley, institución, etc., cuyo objetivo es perseguir y castigar el crimen.
FAM criminalidad, criminalista.

criminalista *adj./s. com.* ❶ Que se dedica al estudio de los crímenes y a la identificación de los criminales. ❷ Especialista en derecho penal.

criminología *s. f.* Parte del derecho que estudia el delito, sus causas y los medios para combatirlo.
FAM criminólogo.

crin *s. f.* Conjunto de cerdas del cuello, cerviz o cola de ciertos animales, especialmente el caballo. **NOTA** También en plural con el mismo significado que en singular.
crin vegetal Hilo flexible que se extrae del esparto. **NOTA** También simplemente *crin.*

crío, cría *s. m. y f.* Niño que se está criando.

criollo, -lla *adj./s. m. y f.* ❶ Se aplica a la persona que es descendiente de padres europeos y nacida fuera de Europa; especialmente, descendientes de españoles en la América colonial. ❘ *adj.* ❷ Que es característico de la cultura y la tradición de un país hispanoamericano. ❘ *adj./s. m.* ❸ Se aplica al idioma que es el resultado de la mezcla de elementos de lenguas diferentes hasta llegar a ser la lengua principal de un territorio.
FAM acriollado, acriollarse.

crioscopia *s. f.* Técnica con la que se determina el peso molecular y otras propiedades de una sustancia disuelta en un líquido, observando el descenso del punto de congelación de esta disolución.

cripta *s. f.* ❶ Recinto subterráneo en que se acostumbraba a enterrar a los muertos. ❷ Piso subterráneo de una iglesia, generalmente destinado al culto funerario o a la veneración de reliquias.
FAM críptico.

críptico, -ca *adj.* ❶ Relativo a la criptografía. ❷ Que no es comprensible para la mayoría de las personas porque está hecho para ser entendido por unos pocos.

criptógamo, -ma *adj./s. f.* ❶ Se aplica a la planta que no tiene visible los órganos de reproducción: *el helecho es una planta criptógama.* ❘ *s. f. pl.* ❷ **criptógamas** Grupo taxonómico, con categoría de grupo, constituido por estas plantas.

criptografía *s. f.* Arte de escribir en clave secreta o de un modo enigmático.
FAM criptográfico, criptógrafo.

criptograma *s. m.* Documento escrito mediante criptografía.

criptón [también **kriptón**, menos usado] *s. m.* Elemento químico de símbolo *Kr* y número atómico 36; es un gas noble que se encuentra en una proporción muy pequeña en la atmósfera terrestre.

críquet *s. m.* Deporte que se juega entre dos equipos de once jugadores en un campo de hierba y que consiste en golpear con un bate una pequeña pelota con el fin de derribar un armazón formado por varios palos que defiende un bateador contrario; el bateador intenta enviar la pelota que lanzan hacia su rastrillo todo lo lejos que puede y apuntarse tantas carreras como le sea posible mientras corre la pelota que ha bateado.

crisálida *s. f.* Fase larvaria intermedia del desarrollo de ciertos insectos, como la mariposa: *durante la fase de la crisálida, el insecto ni se mueve ni se alimenta, y sufre una metamorfosis completa.* **SIN** pupa.

crisantemo *s. m.* **1** Flor de colores variados e intensos, con gran cantidad de pétalos; posee un tallo fuerte y largo con hojas alternas. **2** Planta originaria de China que da esta flor.

criselefantino, -na *adj.* **1** Se aplica a la técnica de la antigüedad, especialmente griega, que empleaba oro y marfil para la realización de enormes estatuas: *las estatuas de Zeus en Olimpia y de Atenea en el Partenón, son criselefantinas.* **2** Se aplica a la estatua hecha con esta técnica.

crisis *s. f.* **1** Mutación considerable que se produce en una enfermedad, ya sea para mejoría o empeoramiento. **2** Situación grave y difícil que pone en peligro la continuidad o el desarrollo de un proceso físico, histórico o espiritual: *la crisis económica frena la expansión de un país.* **3** Escasez o falta de lo necesario.
FAM criterio, crítico.
OBS Plural invariable.

crisma *s. f.* **1** familiar Cabeza de una persona. **|** *s. amb.* **2** Óleo consagrado para unciones sacramentales.

crismón *s. m.* Monograma de Cristo, compuesto por las letras mayúsculas Π y X griegas entrelazadas, acompañadas por las letras A y Ω cruzadas por una barra horizontal; es un símbolo iconográfico del arte paleocristiano.

crisol *s. m.* **1** Recipiente de material muy resistente al calor que sirve para fundir un metal a temperaturas muy altas. **2** Parte inferior de un alto horno que sirve para contener el metal fundido.
FAM acrisolar.

crispación *s. f.* **1** familiar Irritación, enfurecimiento o enojo grande. **2** Contracción brusca y momentánea de un músculo.

crispar *v. tr.* **1** familiar Causar gran irritación, enfurecimiento o enojo. **2** Causar una contracción brusca y momentánea de un músculo.
FAM crispación.

cristal *s. m.* **1** Vidrio endurecido, frágil, generalmente incoloro y transparente, que se obtiene al fundir a elevada temperatura diversas sustancias (principalmente arena silícea) y enfriarlas con rapidez: *el cristal se elabora a partir de la mezcla de sílice, potasa y minio.* **2** Objeto de esta materia: *los cristales de unas gafas; los cristales de una ventana.* **3** Mineral formado por la solidificación en determinadas condiciones de ciertas sustancias que han sido fundidas o disueltas y que toma la forma de un sólido geométrico más o menos regular: *los cristales de cuarzo tienen forma hexagonal.*
FAM cristalera, cristalero, cristalino, cristalizar, cristalografía, cristaloide; acristalar, limpiacristales.

cristalera *s. f.* Cierre, puerta o aparador con cristales.

cristalería *s. f.* **1** Establecimiento en el que se fabrican o venden objetos de cristal. **2** Conjunto de estos objetos.

cristalero, -ra *s. m. y f.* Persona que se dedica a fabricar, vender o colocar cristales, especialmente en ventanas, puertas o escaparates.
FAM cristalería.

cristalino, -na *adj.* **1** De cristal o semejante a él. **2** Se aplica al cuerpo cuyas partículas están estructuradas en forma de cristales: *el cuarzo y la sal son sólidos cristalinos.* **ANT** amorfo. **|** *s. m.* **3** Parte del ojo en forma de cristal transparente y esférico que está situada detrás del iris del ojo.

cristalización *s. f.* Adquisición de la forma y estructura propias de un cristal.

cristalizar *v. intr.* **1** Adquirir un mineral la forma y estructura cristalina que es propia de su clase. **2** Tomar forma clara y definida un asunto, proceso o idea. **|** *v. tr.* **3** Hacer que una sustancia tome la forma y la estructura del cristal: *cristalizar caramelo.*
FAM cristalización.

cristalografía *s. f.* Parte de la geología que estudia la forma y estructura cristalinas de los minerales.
FAM cristalográfico.

cristaloide *s. m.* Sustancia que se difunde rápidamente en una disolución y que, a diferencia de los coloides, puede atravesar una membrana porosa.

cristiandad *s. f.* Conjunto de los pueblos y naciones en los que el cristianismo es la religión mayoritaria: *el Papa habló a la cristiandad.*

cristianismo *s. m.* Doctrina religiosa fundada por Jesús de Nazaret en el siglo I, basada en los textos recogidos en la Biblia; considera a Jesucristo como hijo de Dios, predica la humildad y el amor a todos los seres y cree en la vida eterna después de la muerte.

cristiano, -na *adj.* **1** Relativo al cristianismo. **|** *adj./s. m. y f.* **2** Se aplica a la persona que cree en esta doctrina religiosa. **|** *s. m. y f.* **3** familiar Persona sin determinar: *esto no hay cristiano que lo entienda.*
en cristiano En un idioma conocido, de modo claro y sencillo.
FAM cristianar, cristiandad, cristianismo, cristianizar; acristianar.

cristino, -na *adj./s. m. y f.* Se aplica a los liberales que, durante la primera guerra carlista, apoyaban a la regente María Cristina y su hija Isabel frente a don Carlos.

cristología *s. f.* Parte de la teología que estudia la figura de Jesucristo.

criterio *s. m.* **1** Regla o norma conforme a la cual se establece un juicio o se toma una determinación: *el ascenso se otorgará de acuerdo con el criterio de antigüedad en la empresa.* **■ criterio de divisibilidad** En matemáticas, regla que permite reconocer si un número es divisible por otro: *un criterio de divisibilidad es que un número es divisible por 5 si su última cifra es 0 o 5.* **2** Opinión, juicio o decisión que se adopta sobre una cosa: *según el criterio del árbitro, no hubo falta en la jugada.* **3** Capacidad para adoptar esta opinión, juicio o decisión: *carezco de criterio para juzgar el caso.*

critérium *s. m.* Conjunto de pruebas deportivas, especialmente en ciclismo, en las que compiten deportistas de alto nivel.

crítica *s. f.* **1** Conjunto de opiniones o juicios que se hacen sobre cualquier asunto. **2** Conjunto de opiniones o juicios negativos y contrarios que se hacen sobre una cosa: *no*

aguanta ni una crítica. ③ Conjunto de opiniones o juicios técnicos que se hacen sobre una obra artística o del conocimiento. ④ Conjunto de profesionales que se dedican a emitir este tipo de opiniones o juicios: *su nueva novela ha tenido una acogida favorable por parte de la crítica.*
FAM criticar, criticismo; hipercrítica.

criticar *v. tr.* ① Examinar y juzgar un asunto. ② Expresar opiniones o juicios negativos y contrarios sobre una cosa. ③ Examinar y juzgar una obra artística o del conocimiento para determinar sus valores.
FAM criticable.

criticismo *s. m.* Doctrina filosófica que considera que la base del conocimiento es una combinación entre la percepción del mundo exterior y la razón humana: *el criticismo es el sistema filosófico de Kant.*

crítico, -ca *adj.* ① Relativo a la crítica. ② Relativo a la crisis. ‖ *s. m. y f.* ③ Persona que se dedica a la crítica de obras de arte o del conocimiento.
FAM crítica, criticón.

criticón, -cona *adj.* Se aplica a la persona que suele criticar y hablar mal de las acciones de los demás.

croar *v. intr.* Emitir la rana su voz.

croata *adj.* ① De Croacia (país de Europa). ‖ *s. com./adj.* ② Persona que es de Croacia. ‖ *s. m./adj.* ③ Lengua eslava que se habla en Croacia. ‖ *adj.* ④ Relativo a esta lengua.

crocanti *s. m.* Pasta dura hecha de caramelo con trocitos de almendra dentro.

croché *s. m.* ① Labor manual que consiste en tejer con una aguja de unos veinte centímetros de largo y con un extremo más delgado y acabado en forma de gancho. ② En boxeo, golpe que se da con el brazo doblado en ángulo.
OBS Puede encontrarse la grafía francesa *crochet.*

croissant [se pronuncia aproximadamente 'cruasán'] *s. m.* Bollo de hojaldre esponjoso con forma de media luna.
SIN cruasán.
FAM croissanterie.
OBS Plural: *croissants.*

crol *s. m.* Estilo de natación que consiste en un movimiento rotatorio de los brazos al tiempo que se mueven los pies de arriba abajo.

cromar *v. tr.* Dar un baño de cromo a un objeto metálico para hacerlo inoxidable.

cromático, -ca *adj.* ① Relativo a los colores. ② Se aplica a la escala musical que está formada por los doce semitonos de una octava: *la escala cromática apenas se usa en música clásica.*
ANT diatónico.
FAM cromatismo; acromático, monocromático, policromático.

cromátida *s. f.* Filamento que, junto con otro, forma un cromosoma.

cromatina *s. f.* Conjunto de ácidos nucleicos y proteínas asociadas a él que existe en el núcleo de las células eucariotas.

cromatismo *s. m.* ① Desarrollo amplio y variado de colores. ② Aplicación del sistema cromático en la composición.

crómlech *s. m.* Monumento megalítico, probablemente de carácter ritual o ceremonial, que consiste en una serie de menhires dispuestos en círculo: *los crómlechs de Stonehenge en el sur de Inglaterra.*
OBS Plural: *crómlechs.*

cromo *s. m.* ① Estampa de pequeño tamaño con representaciones muy diversas y que suele coleccionarse. ② Elemento químico de símbolo *Cr* y número atómico 24; es un metal del grupo de los metales de transición, de color blanco plateado, resistente a la corrosión o a la naturaleza inoxidable.

hecho un cromo (I)familiar Arreglado y compuesto en exceso: *apareció en la fiesta con sus mejores galas hecho un cromo.* (II)Con heridas en la cara y el cuerpo: *después de la caída de la moto, llegó a su casa hecho un cromo.*
FAM crómico.

cromoplasto *s. m.* Plasto que contiene pigmentos, como la clorofila, el caroteno o la xantofila.

cromosfera *s. f.* Zona exterior de la envoltura gaseosa del Sol, de color rojo y constituida principalmente por hidrógeno inflamado.

cromosoma *s. m.* Corpúsculo en forma de filamento que se halla en el interior del núcleo de una célula y que contiene los genes. ■ **cromosoma sexual** Cromosoma que porta los genes que determinan el sexo.
FAM cromosómico.

cromosómico, -ca *adj.* Relativo a los cromosomas: *el síndrome de Down es consecuencia de alteraciones cromosómicas.*

crónica *s. f.* ① Texto histórico que recoge los hechos en el orden cronológico en el que sucedieron: *una crónica medieval.* ② Género periodístico que agrupa los comentarios sobre una serie de hechos de actualidad considerados panorámicamente; en el caso de ser un texto escrito, suele ir acompañado de fotografías y firmado. ③ Comentario periodístico que pertenece a este género: *el enviado especial hizo una crónica de lo ocurrido.*
FAM cronicón, cronístico, cronista.

crónico, -ca *adj.* ① Se aplica a la enfermedad que se padece a lo largo de mucho tiempo, generalmente por no tener cura, aunque sí un tratamiento que evita sus consecuencias. ② Se aplica al problema que se repite con frecuencia desde tiempo atrás.
FAM cronicidad.

cronista *s. com.* ① Historiador que se dedica a escribir crónicas. ② Periodista que elabora una crónica de actualidad.

crono *s. m.* Tiempo que tarda un deportista en completar una carrera.
FAM crónico.

cronoescalada *s. f.* Prueba ciclista contrarreloj disputada en una gran pendiente que el corredor ha de subir.

cronología *s. f.* ① Ciencia que tiene por objeto determinar el orden y la fecha de sucesos históricos. ② Conjunto de hechos históricos ordenados de acuerdo con las fechas en que sucedieron: *la cronología de la vida de Jesús difiere en los cuatro Evangelios.* ③ Sistema de medir el tiempo y determinar las fechas: *la cronología se trata de forma diferente según las sociedades y épocas.*
FAM cronológico, cronólogo.

cronológico, -ca *adj.* ① Relativo a la cronología. ② Relativo a la fecha o al momento en que sucede un hecho.

cronometraje *s. m.* Medición del tiempo de forma exacta y precisa, especialmente en una competición deportiva: *actualmente, en la alta competición, el cronometraje se realiza de manera automática y electrónica.*

cronometrar *v. tr.* Computar el tiempo con un cronómetro, especialmente en una competición deportiva.
FAM cronometrador, cronometraje.

cronómetro *s. m.* Reloj de precisión que mide fracciones de tiempo extremadamente pequeñas.
FAM cronometrar.

cróquet *s. m.* Juego que consiste en hacer pasar bajo unos aros clavados en el suelo una bola de madera golpeándola con un mazo.
OBS Puede encontrarse la grafía inglesa *croquet.*

croqueta *s. f.* Masa de forma ovalada compuesta de distintos alimentos picados y ligados con bechamel, que se reboza y fríe en abundante aceite.

croquis *s. m.* Dibujo rápido, hecho a ojo sin precisión ni detalles, en el que se representan las líneas principales o más significativas y las cotas de un espacio o un objeto.
OBS Plural invariable.

cross *s. m.* Prueba deportiva que se realiza en el campo y suele consistir en una carrera con obstáculos naturales que deben salvarse.
FAM crossista.

crótalo *s. m.* ① Serpiente muy venenosa que tiene al final de la cola un conjunto de anillos que el animal hace vibrar al sentirse amenazada. **SIN** cascabel, serpiente de cascabel. ② culto Castañuela. **NOTA** Más en plural. ‖ *s. m. pl.* ③ **crótalos** Instrumento musical de percusión formado por dos platillos muy pequeños.

crotorar *v. intr.* Emitir la cigüeña su voz.

cruasán *s. m.* Croissant.

cruce *s. m.* ① Paso por un mismo punto de dos o más líneas o vías: *el cruce de los diámetros de una circunferencia determina su centro.* ② Punto o lugar en el que se produce este paso: *el cruce de la carretera con la vía del tren no tiene barrera.* ③ Paso de peatones. ④ Interferencia en un canal de comunicación. ⑤ Fecundación de un animal hembra por un macho de una especie o raza distinta. ⑥ Especie o raza creada a partir de esta fecundación.

cruceiro *s. m.* Antigua unidad monetaria de Brasil.

crucería *s. f.* Arcos o nervios que al cruzarse forman una bóveda: *las bóvedas de crucería se utilizaron generalmente en la arquitectura gótica.*

crucero *s. m.* ① Viaje por mar en el que se hacen escalas en diversos puertos para efectuar visitas turísticas. ② Buque de guerra muy veloz, dotado de fuerte armamento y con un radio de acción muy amplio. ③ Espacio en una iglesia donde se cruzan la nave mayor o central con la transversal. ④ Cruz de piedra que solía colocarse en el cruce de los caminos y en los atrios de algunas iglesias.
FAM crucería.

crucial *adj.* Que es muy importante y decisivo para el desarrollo o solución de una cosa.

crucificar *v. tr.* ① Clavar en una cruz a una persona. ② familiar Perjudicar a un persona.
FAM crucificación, crucifijo, crucifixión.

crucifijo *s. m.* Figura o imagen que representa a Jesucristo en la cruz.

crucifixión *s. f.* ① Acción de crucificar a una persona en una cruz. ② Representación artística de Jesucristo clavado en la cruz.

crucigrama *s. m.* Pasatiempo que consiste en rellenar un casillero con palabras que se entrecruzan.
FAM crucigramista.

crudelísimo, -ma *adj.* Superlativo de *cruel.*

crudeza *s. f.* ① Forma realista, desagradable y cruel con que se muestra un hecho o situación: *la crudeza de algunas imágenes de guerra hiela la sangre.* ② Estado del tiempo atmosférico que resulta desagradable y difícil de soportar: *la crudeza del clima del desierto.* ③ Falta de delicadeza o de amabilidad en el trato. **SIN** aspereza.

crudo, -da *adj.* ① Que no está cocinado o no suficientemente. ② Que se muestra de forma realista, desagradable y cruel. ③ Se aplica al tiempo atmosférico que es frío y desapacible. ④ Se aplica al color que tiene un tono entre blanco y amarillo, como el de la lana sin blanquear. ⑤ Se aplica a la sustancia o materia que no ha sido trabajada o elaborada por el ser humano: *seda cruda.* ⑥ familiar Que es muy difícil y complicado de conseguir o sacar adelante. ‖ *adj./s. m.* ⑦ Se aplica al petróleo sin refinar; es una mezcla de hidrocarburos, compuestos de azufre, nitrógeno y oxígeno: *el crudo se obtiene de yacimientos subterráneos en forma de líquido viscoso de color negruzco.*
FAM crudeza; encrudecer, recrudecerse.

cruel *adj.* ① Que se complace en hacer o ver sufrir. ② Que causa sufrimiento y dolor intensos: *una cruel enfermedad acabó con la vida de su amigo.*
FAM crueldad, cruelmente.
OBS Superlativo: *crudelísimo* o *cruelísimo.*

crueldad *s. f.* ① Falta de humanidad y compasión ante el sufrimiento de una persona. ② Acción que causa sufrimiento y dolor intensos.

cruento, -ta *adj.* Que es cruel y violento, especialmente si causa la muerte de gran cantidad de personas. **ANT** incruento.
FAM incruento.

crujía *s. f.* ① Pasillo o corredor largo con accesos a ambos lados. ② Espacio que hay entre dos muros de carga o entre dos filas de pilares o columnas: *la crujía no debe ser demasiado ancha porque el techo puede resquebrajarse.* ③ Galería de un hospital con camas a ambos lados.

crujido *s. m.* Sonido producido al crujir.

crujiente *adj.* Se aplica al material o alimento que cruje al ser comprimido, doblado o roto.

crujir *v. intr.* Hacer cierto ruido algunas cosas al rozarse, romperse o estar sometidas a una tensión.
FAM crujido, crujiente.

crupier *s. com.* Persona que trabaja en un casino o casa de juego y se encarga de dirigir y organizar el juego, repartiendo cartas, pagando y recogiendo el dinero apostado y participando en él en representación de la banca.
OBS Puede encontrarse la grafía francesa *croupier.*

crustáceo, -cea *adj./s. m. y f.* ① Se aplica al animal invertebrado con respiración branquial que tiene dos pares de antenas y el cuerpo cubierto por un caparazón duro y flexible, como el cangrejo o el centollo: *los crustáceos pertenecen al filo artrópodos.* ‖ *s. m. pl.* ② **crustáceos** Grupo taxonómico, con categoría de clase, constituido por estos animales.

cruz *s. f.* ① Cualquier figura formada por dos líneas que se atraviesan o cortan perpendicularmente. ■ **cruz gamada** Cruz que tiene los cuatro brazos doblados en ángulo recto. **SIN** esvástica. ■ **cruz griega** Cruz que tiene los cuatro brazos iguales. ■ **cruz latina** Cruz que tiene el brazo horizontal más corto y divide al vertical en una parte superior más corta y una inferior más larga. ② Condecoración con esta forma que se concede en reconocimiento y premio del valor o la virtud. ③ Patíbulo formado por un palo levantado del suelo verticalmente y atravesado en su parte superior por otro más corto en la que antiguamente se clavaba al condenado a muerte. ④ Símbolo del cristianismo que representa este patíbulo, en que murió Jesucristo. ⑤ Sufrimiento o dolor que se soporta durante mucho tiempo. ⑥ Reverso de una moneda. ⑦ Parte alta del lomo de algunos animales cuadrúpedos donde se unen los huesos de las patas delanteras a la columna.

cruz y raya Expresión que indica la intención de no volver a tratar un asunto o a una persona.

hacerse cruces Mostrar de manera exagerada admiración, sorpresa o disgusto.

FAM crucero, crucificar.

cruzada *s. f.* ① Campaña de guerra hecha por los ejércitos cristianos contra los musulmanes entre los siglos XI y XIV, especialmente la que tenía como fin rescatar los santos lugares. NOTA También en plural con el mismo significado que en singular. ② Campaña, en especial con fines religiosos.

cruzado, -da *adj./s. m.* ① Participante en una cruzada. I *adj.* ② Se aplica al caballero que posee la cruz de una orden militar. ③ Se aplica al animal nacido de padres de distinta raza. ④ Se aplica a la prenda de vestir que se abrocha sobreponiendo un delantero sobre otro.

cruzar *v. tr.* ① Atravesar un lugar, pasar de un lado a otro. ② Colocar una cosa sobre otra formando una figura parecida a la de una cruz. SIN entrecruzar. ③ Trazar dos rayas paralelas en un cheque para que solamente pueda cobrarse por medio de una cuenta corriente y no en efectivo. ④ Intercambiar dos personas miradas, gestos o palabras. ⑤ Fecundar un animal macho a una hembra de una especie o raza distinta. ⑥ Interrumpir el paso por un camino, carretera o tren vía poniendo algo en medio. I *v. prnl.* ⑦ **cruzarse** Pasar en dirección contraria: *se cruzó con su sustituto por el pasillo.* SIN entrecruzarse. ⑧ Encontrarse o tener trato con una persona: *el que es hoy mi marido se cruzó en mi vida hace cinco años.* SIN entrecruzarse. ⑨ Coincidir en un punto dos calles, caminos, etc. FAM cruce, cruzamiento; entrecruzar.

cta. Abreviatura comercial de *cuenta.*

cta. cte. Abreviatura comercial y mercantil de *cuenta corriente.*

ctenóforo *adj./s. m.* ① Se aplica al animal marino de cuerpo gelatinoso, sin esqueleto, provisto de cilios y con simetría radial. I *s. m. pl.* ② **ctenóforos** Grupo taxonómico, con categoría de filo, constituido por estos animales.

cu *s. f.* Nombre de la letra *q.*

OBS Plural: *cúes* o *cus.*

cuaderna *s. f.* Pieza curva que, a modo de costilla, forma el armazón de un barco.

cuaderna vía Estrofa formada por cuatro versos alejandrinos (de catorce sílabas) divididos en dos hemistiquios o partes y con una misma rima consonante; es propia de los poetas del Mester de Clerecía. SIN tetrástrofo monorrimo.

cuadernillo *s. m.* Conjunto de cinco hojas o pliegos de papel unidos.

cuaderno *s. m.* Conjunto de piezas rectangulares de papel dobladas y unidas en forma parecida a un libro.

cuaderno de bitácora Registro en el que se anotan todos los sucesos o incidencias que ocurren durante la navegación. FAM cuaderna, cuadernillo; descuadernar, encuadernar.

cuadra *s. f.* ① Instalación cerrada y cubierta preparada para la estancia de caballos u otros animales de carga. SIN caballeriza. ② Conjunto de caballos que pertenecen a un propietario. ③ Lugar muy sucio y desordenado. ④ AMÉR. En un área urbana, distancia que hay entre una esquina y la siguiente: *nos habíamos mudado a una casa a tres cuadras de la anterior.* ⑤ AMÉR. Unidad de longitud que equivale a unos 100 m; en algunos países puede oscilar entre 80 y 90 m y en otros entre 100 y 150 m. ⑥ URUG. Unidad de superficie que se emplea para medir campos y que equivale a una cuadra cuadrada.

FAM cuadrilla.

cuadrada *s. f.* Nota musical que equivale a dos redondas: *las cuadradas no tienen palo.*

cuadrado, -da *s. m./adj.* ① Figura geométrica de cuatro lados iguales y cuatro ángulos rectos. I *adj.* ② De forma igual a esta figura. ③ Se utiliza con unidades de longitud para convertirlas en unidades de superficie: *kilómetro cuadrado.* ④ familiar Se aplica a la persona que posee un cuerpo con una estructura fuerte, grande y ancha. I *s. m.* ⑤ Resultado de multiplicar un número por sí mismo: *el cuadrado de siete es cuarenta y nueve; el cuadrado de un binomio es el resultado de multiplicar un binomio por sí mismo.*

cuadrado perfecto Número que tiene raíz cuadrada exacta.

elevar al cuadrado Multiplicar una expresión numérica por sí misma.

FAM cuadrícula.

cuadragésimo, -ma *num. ord.* ① Que ocupa el lugar número 40 en una serie ordenada: *cuadragésimo aniversario.* I *num. part.* ② Se aplica a cada una de las partes que resultan de dividir un todo en cuarenta partes iguales. SIN cuarentavo.

cuadrangular *adj.* ① Se aplica a la figura que tiene o forma cuatro ángulos. I *adj./s. m.* ② Se aplica a la competición deportiva que no tiene carácter oficial y se disputa entre cuatro equipos.

cuadrángulo, -la *adj./s. m.* Se aplica a la figura geométrica que tiene cuatro ángulos.

cuadrante *s. m.* ① Cuarta parte de un círculo o una circunferencia comprendida entre dos radios que forman un ángulo de 90 grados. ② Cuarta parte de una herencia. ③ Instrumento formado por una estructura graduada en forma de cuarto de círculo en la que están marcados los grados y que se usa para medir ángulos. ④ Reloj de sol. ⑤ En matemáticas, cada una de las cuatro regiones del plano que determinan los ejes de coordenadas.

cuadrar *v. tr.* ① Dar forma de cuadro o de cuadrado. I *v. tr./ intr.* ② Hacer que coincida en una cuenta o balance la cifra total resultante del debe y del haber. I *v. intr.* ③ Corresponder lógicamente dos cosas entre sí: *el abandonar los estudios no cuadra con su carácter.* I *v. tr.* ④ AMÉR. Sentar bien o mal en una persona una cosa: *la corbata le cuadraba muy bien.* ⑤ familiar CHILE, ECUAD., P. RICO, R. DOM. Aportar importantes beneficios materiales a una persona, de modo que cambie radicalmente su situación económica: *era muy generoso con su familia, cuadró a todos sus hermanos.* I *v. tr./intr.* ⑥ COL., PERÚ Estacionar un vehículo. I *v. prnl.* ⑦ **cuadrarse** Ponerse erguido y con los talones juntos: *los militares se cuadran al oír el himno nacional.* ⑧ Mantenerse firme en una actitud: *hasta que no se cuadró, no aceptaron sus convicciones.* ⑨ VENEZ. Destacarse una persona por algún rasgo físico o intelectual o por su conducta.

FAM cuadrado, cuadrante, cuadratura; encuadrar.

cuadratura *s. f.* Forma cuadrada de un objeto o figura.

la cuadratura del círculo familiar Expresión que se usa para indicar la absoluta imposibilidad de una cosa.

cuádriceps o **cuádríceps** *s. m./adj.* Músculo situado en la zona anterior del muslo, que tiene uno de sus extremos dividido en cuatro inserciones y sirve para extender la pierna. **OBS** Plural invariable.

cuadrícula *s. f.* Conjunto de cuadrados que resultan de cortarse perpendicularmente dos series de rectas paralelas.

cuadriculado, -da *adj.* ① Que tiene rayas dispuestas en forma de cuadrícula: *papel cuadriculado.* ② familiar Se aplica a la persona que tiene un modo de entender la vida o el trabajo muy estricto, rígido y ordenado: *no debes ser tan cuadriculado.*

cuadricular¹ *adj.* Que tiene forma de cuadrícula: *el trazado de calles es cuadricular.*

cuadricular² *v. tr.* Trazar líneas para formar una cuadrícula. **FAM** cuadriculado.

cuadrienal *adj.* ① Cuatrienal.

cuadrienio *s. m.* Cuatrienio.

cuadriga *s. f.* Carro tirado por cuatro caballos: *las cuadrigas se usaban en la antigua Roma para las carreras en el circo y los desfiles triunfales.*

cuadrilátero, -ra *adj.* ① Que tiene cuatro lados: *el rombo es una figura cuadrilátera.* | *s. m.* ② Figura geométrica de cuatro lados: *el rectángulo, el cuadrado y el trapecio son cuadriláteros.* **SIN** tetrágono. ③ Tarima elevada de forma cuadrada, y limitada por cuerdas, en la que se disputan los combates de boxeo. **SIN** ring.

cuadrilla *s. f.* ① Conjunto organizado de personas que realizan un trabajo o llevan a cabo una actividad determinada. **SIN** brigada. ② Conjunto de toreros que lidian los toros bajo las órdenes de un matador o un rejoneador.

cuadringentésimo, -ma *num. ord.* ① Que ocupa el lugar número 400 en una serie ordenada. | *num. part.* ② Se aplica a cada una de las partes que resultan de dividir un todo en cuatrocientas partes iguales.

cuadrivio *s. m.* Cuadrivium.

cuadrivium [también **cuadrivio**; se pronuncia 'cuadrívium'] *s. m.* Conjunto de cuatro materias relacionadas con las matemáticas (arimética, música, geometría y astrología o astronomía) que se estudiaban como un bloque en la Edad Media, además del trivium.

cuadro *s. m.* ① Figura plana que tiene cuatro lados iguales que forman cuatro ángulos rectos. **SIN** cuadrado. ② Objeto que tiene esta forma. ③ Dibujo, pintura o lámina que, generalmente encajada en un marco, se cuelga en la pared como adorno o para que pueda ser observada. ④ Situación o espectáculo que causa una impresión intensa en la persona que lo presencia: *el cuadro de un paisaje devastado por el fuego conmovió a todos los presentes.* ⑤ Parte en que se divide un acto en una obra de teatro, señalada por un cambio de decorado. ⑥ Conjunto formado por las personas que integran un grupo, asociación, empresa o sociedad: *el cuadro técnico de un club de fútbol.* ⑦ Conjunto de datos o informaciones sobre un asunto o materia que se ordenan y relacionan con líneas o signos gráficos: *un cuadro con todas las dinastías y reyes de España.* **SIN** esquema. ⑧ Conjunto de instrumentos e indicadores para el

manejo o control de un conjunto de aparatos: *el cuadro de instrumentos de la cabina de un avión.* ⑨ Armazón de una bicicleta o de una moto.

cuadro clínico Conjunto de los síntomas característicos de una enfermedad.

en cuadro Con pocos miembros o menos de los necesarios: *tras los últimos despidos, el personal de la fábrica se ha quedado en cuadro.* **FAM** cuadrar; recuadro.

cuadrumano, -na o **cuadrúmano, -na** *adj./s. m.* Se aplica al mamífero que tiene cuatro extremidades prensiles, a modo de mano, como los primates.

cuadrúpedo, -da *adj./s. m. y f.* Se aplica al animal mamífero de cuatro patas.

cuádruple *adj./s. m.* ① Cuádruplo. | *adj.* ② Que está formado por cuatro elementos o se repite cuatro veces: *parto cuádruple.*

cuadruplicar *v. tr.* Hacer cuatro veces mayor una cosa o multiplicar por cuatro una cantidad. **FAM** cuádruple, cuádruplo.

cuádruplo, -pla *adj./s. m.* Que es cuatro veces el número o cantidad de cierta cosa: *dieciséis es el cuádruplo de cuatro.* **SIN** cuádruple.

cuajada *s. f.* Sustancia grasa y sólida de color blanco que se extrae del suero de la leche y se toma como alimento.

cuajar¹ *v. tr.* ① Hacer que una sustancia líquida se vuelva más espesa y compacta: *has de cuajar la leche hasta obtener yogur.* ② Cubrir o llenar por completo: *pronto, los aledaños de la iglesia se cuajaron de curiosos.* | *v. intr./prnl.* ③ Volverse una sustancia líquida más espesa y compacta: *la leche ha cuajado; la sangre se cuajó.* | *v. intr.* ④ Formar la nieve una capa sólida sobre una superficie. ⑤ Obtener el resultado deseado: *no ha llegado a cuajar como un gran novelista.* **FAM** cuajada; descuajar.

cuajar² *s. m.* Parte final del estómago de los rumiantes, en la que se generan los jugos gástricos: *la panza, la redecilla, el libro y el cuajar son las cuatro partes del estómago de los rumiantes.*

cuajarón *s. m.* Masa de una sustancia que se ha cuajado o solidificado.

cuajo *s. m.* Fermento contenido en el estómago de las crías de los rumiantes que aún no pacen y que permite cuajar la leche: *el cuajo se le echa a la leche para hacer queso.*

de cuajo De raíz, desde el principio y completamente. **FAM** cuajar, cuajarón.

cual *pron.* ① Designa a una persona, animal o cosa de la que se ha hablado antes: *le invitaron a la boda en la cual se casaría su antigua novia.* | *adv.* ② culto Como, del modo o manera que: *se encerró en su casa cual si temiera un peligro inminente.*

cada cual Designa a una persona o animal de manera individual y diferenciada del resto.

cuál *pron.* ① Expresa pregunta por un elemento diferenciado de los que pertenecen a un conjunto: *¿cuál de estas raquetas prefieres?* ② Expresa admiración o sorpresa: *¡cuál no sería mi sorpresa cuando vi que había superado el examen!*

cualesquiera *det./pron.* Plural de *cualquiera: cualesquiera que sean sus planes, conseguiremos saberlos.*

cualidad *s. f.* Conjunto de propiedades que se consideran particulares y distintivas. **FAM** cualitativo.

cualificación *s. f.* Preparación necesaria para el desempeño de una actividad, en especial de tipo profesional.

cualificado, -da *adj.* ① Se aplica a la persona que posee autoridad o prestigio y merece respeto: *pidió la opinión de un cardiólogo muy cualificado.* ② Se aplica a la persona que posee la cualificación necesaria para realizar un trabajo: *técnicos cualificados en robótica.*

cualificar *v. tr.* ① Poseer una persona la autoridad o el prestigio necesarios para que sus juicios y acciones merezcan el respeto general: *más de veinte años de ejercicio lo cualifican como un excelente abogado.* ② Poseer la preparación necesaria para realizar un trabajo técnico que exige conocimientos y una práctica específica: *cada vez es más escasa la oferta de trabajo para los obreros sin cualificar.* ③ Atribuir o apreciar en una cosa cualidades específicas y distintivas: *la transparencia y la pureza cualifican una buena agua mineral.*
FAM cualificación, cualificado.

cualitativo, -va *adj.* Relativo a la cualidad.

cualquier *det.* Cualquiera: *cenaremos cualquier cosa.*
OBS Plural: *cualesquier.* Va antepuesto al sustantivo.

cualquiera *det./pron.* ① Designa a una persona o cosa indeterminada entre varias, sin preferencia por ninguna de ellas: *dame un periódico cualquiera; cualquiera de esos destornilladores me servirá.* **NOTA** Plural: *cualesquiera.* | *s. com.* ② despectivo Persona vulgar o poco importante. **NOTA** Plural: *cualquieras* o *cualquiera.* | *s. f.* ③ despectivo Prostituta o mujer de mala reputación en lo moral. **NOTA** Plural: *cualquieras* o *cualquiera.*
OBS Antepuesto a un sustantivo adopta la forma *cualquier*: *una silla cualquiera, cualquier silla.*

cuan *adv.* culto Indica un sentido comparativo o de equivalencia: *cayó al suelo cuan largo era.*

cuán *adv.* culto Sirve para ponderar el grado o intensidad de lo que se dice: *no puedes imaginarte cuán afortunado soy.*

cuando *conj.* ① Indica el tiempo o el momento en que ocurre una acción: *cuando empecé a trabajar, tenía un sueldo muy bajo.* ② Indica una condición: *cuando deje de llover, saldremos de paseo.* ③ Se usa con valor continuativo, de modo equivalente a *puesto que*: *será cierto, cuando lo publican todos los periódicos...* ④ Se usa con valor concesivo, de modo equivalente a *aunque*: *me dieron la mitad, cuando tenía derecho a todo.* | *adv.* ⑤ En el tiempo en que ocurre una cosa: *aún recuerdo el día cuando nos conocimos.* ⑥ Durante el momento que se especifica: *cuando la guerra, todo era dolor.*
de cuando en cuando Algunas veces, con no mucha frecuencia: *voy al teatro de cuando en cuando.*

cuándo *adv.* ① En qué tiempo o en qué momento ocurre una cosa: *nadie sabe cuándo llegará.* | *s. m.* ② Momento en que ocurre una cosa: *la policía investiga el cómo y el cuándo del accidente.*

cuantía *s. f.* Número de unidades, tamaño o proporción de una cosa, especialmente cuando es indeterminado: *vendrá un perito para evaluar la cuantía de los destrozos provocados por la inundación.* **SIN** cantidad.

cuantificar *v. tr.* Calcular el número de unidades, tamaño o proporción de una cosa, especialmente por medio de números: *cuantificar gastos; cuantificar las pérdidas económicas producidas por una inundación.*
FAM cuantificación, cuantificador.

cuantioso, -sa *adj.* Que es grande en cantidad o número.
FAM cuantiosamente.

cuantitativo, -va *adj.* Relativo a la cantidad.

cuanto, -ta[1] *det.* ① Indica el conjunto o la totalidad de elementos que se expresan o se dan a entender: *leía cuantas revistas de motos caían en sus manos.* ② Indica una cantidad que depende de otra o tiene relación con otra: *cuantos menos errores cometas, más posibilidades tienes de aprobar.* | *adv.* ③ Indica una cantidad o proporción que está en correlación con otra: *cuanto más estudies, tanto mejor.*
en cuanto (I) Tan pronto como. (II) Con la condición, función o cargo que se expresa: *olvídate de que eres mi amigo y dame tu opinión en cuanto médico.*
en cuanto a Por lo que toca o corresponde a: *no se ha discutido nada en cuanto a la fecha de las vacaciones.*
unos cuantos Algunos, pocos.
FAM cuantía, cuantificar.

cuanto[2] *s. m.* Cantidad más pequeña de energía que un sistema puede intercambiar con su entorno; constituye la base de la teoría cuántica: *el fotón es un cuanto de energía electromagnética.*

cuánto, -ta *adj./pron.* ① Expresa interrogación o admiración relacionada con cantidad, número o intensidad: *¿cuántos inocentes deben morir para que se haga justicia?* | *adv.* ② En qué grado o manera, hasta qué punto: *dime cuánto me quieres.*

cuaquerismo *s. m.* Doctrina religiosa protestante que tuvo su origen en las ideas del religioso británico George Fox en el siglo XVII.

cuáquero, -ra *adj.* ① Relativo al cuaquerismo. | *adj./s. m. y f.* ② Creyente de esta doctrina religiosa.
FAM cuaquerismo.

cuarcita *s. f.* Roca silícea muy dura formada principalmente por cuarzo.

cuarenta *num. card.* ① Treinta más diez. | *num. ord.* ② Que ocupa el lugar número 40 en una serie ordenada. **SIN** cuadragésimo. | *s. m.* ③ Número 40.
cantar las cuarenta familiar Decir claramente a una persona las quejas que se tienen contra ella.
los cuarenta Década comprendida entre los años 1940 y 1949.
FAM cuarentavo, cuarentena, cuarentón.

cuarentavo, -va *num. part.* Se aplica a cada una de las partes que resultan de dividir un todo en cuarenta partes iguales. **SIN** cuadragésimo.

cuarentena *s. f.* ① Conjunto formado por cuarenta unidades. ② Periodo de aislamiento al que son sometidas las personas que pueden portar una enfermedad contagiosa: *lo mantuvieron una semana en cuarentena.*

cuarentón, -tona *adj./s. m. y f.* familiar Se aplica a la persona que tiene entre cuarenta y cuarenta y nueve años de edad.

cuaresma *s. f.* Tiempo de la liturgia católica que dura 40 días, desde el miércoles de ceniza hasta el domingo de Ramos.
FAM cuaresmal.
OBS Se escribe normalmente con mayúscula inicial.

cuarta *s. f.* ① Medida de longitud que equivale a 21 centímetros, que es aproximadamente la distancia que hay desde el extremo del pulgar de una mano abierta y extendida hasta el dedo meñique. **SIN** palmo. ② Marcha del motor de un vehículo que tiene menos potencia y más velocidad que la tercera. ③ Intervalo de la escala musical entre una nota y la cuarta superior o inferior a esta: *entre do y fa hay una cuarta.*

cuartear *v. tr.* **1** Partir o dividir en cuartos o en partes. **2** Dividir el cuerpo de una persona o un animal en cuartos o partes. **SIN** descuartizar. **3** MÉX. Azotar con un látigo. I *v. prnl.* **4** **cuartearse** Abrirse gran número de grietas en una superficie: *cuartearse el cuero viejo.*
FAM cuarteo.

cuartel *s. m.* **1** Edificio o instalación donde viven los soldados cuando están de servicio. **SIN** acuartelamiento. **2** Lugar provisional donde viven los soldados cuando están en campaña.
cuartel general (I) Edificio o instalación desde la que el conjunto de mandos y oficiales que dirigen un ejército imparte las órdenes y recibe las noticias del frente: *el cuartel general se instaló en un viejo palacete medio derruido.* (II) Lugar o edificio en el que se encuentra o establece un grupo de personas que dirigen un equipo, una asociación o una empresa: *el cuartel general de la empresa está en Barcelona.*
sin cuartel Sin tregua ni descanso, sin darle un momento de tranquilidad al enemigo o adversario.
FAM cuartelazo, cuartelero, cuartelillo; acuartelar.

cuartelero, -ra *adj.* **1** Relativo al cuartel. **2** Se aplica al lenguaje que es vulgar, grosero y malsonante.

cuartelillo *s. m.* **1** Edificio en que se aloja una sección de soldados. **2** Edificio o local donde se halla un puesto de la policía, de la guardia civil o urbana, etc.

cuarteo *s. m.* División o fractura de una superficie que provoca la aparición de grietas.

cuarterón *s. m.* Adorno en forma de cuadro que tienen algunas puertas o ventanas: *el ladrón entró en la casa rompiendo un cuarterón de la puerta de la calle.*

cuarteta *s. f.* Estrofa de cuatro versos octosílabos de rima consonante, que riman el primero con el tercero y el segundo con el cuarto (abab).

cuarteto *s. m.* **1** Estrofa de cuatro versos endecasílabos de rima consonante, que riman el primero con el cuarto y el segundo con el tercero (ABBA). **2** Conjunto de cuatro instrumentistas o cantantes: *un cuarteto de piano, violín, flauta y contrabajo.* **3** Composición musical escrita para ser interpretada por este conjunto: *la primera pieza del concierto es un cuarteto de Mozart.*

cuartilla *s. f.* Cuarta parte de un pliego de papel.
FAM cuartillo.

cuarto, -ta *num. ord.* **1** Que ocupa el lugar número 4 en una serie ordenada: *soy el cuarto de la lista.* I *num. part.* **2** Se aplica a cada una de las partes que resultan de dividir un todo en cuatro partes iguales: *250 gramos son un cuarto de kilo.* I *s. m.* **3** Parte del espacio de una casa o edificio separada por paredes de las demás. **SIN** habitación. ■ **cuarto de aseo** o **cuarto de baño** Habitación en que se hallan los servicios de higiene, como el lavabo, el retrete y el plato de ducha. ■ **cuarto de estar** Habitación en que se hace la mayor parte de la vida privada o familiar: *en el cuarto de estar suele haber un televisor.* ■ **cuarto oscuro** Habitación en la que no entra la luz natural, destinada al revelado de fotografías. ■ **cuarto trastero** Habitación que se usa para guardar trastos o cosas que no se utilizan a menudo. **NOTA** También simplemente *trastero.* **4** Periodo de quince minutos, cada uno de los cuatro en que se divide una hora: *son las tres y cuarto.* **5** Parte de las cuatro en que se considera dividido el cuerpo de los cuadrúpedos y las aves: *cuarto delantero; cuarto trasero; ponme un cuarto de pollo.* I *s. m. pl.* **6** **cuartos** familiar Dinero o riquezas: *ganó muchos cuartos como torero.*

cuarto creciente Fase de la Luna entre la luna nueva y la luna llena, en la cual permanece iluminada su mitad derecha.

cuarto menguante Fase de la Luna entre la luna llena y la luna nueva, en la cual permanece iluminada su mitad izquierda.

cuartos de final Fase o prueba eliminatoria de una competición en que se enfrentan por parejas ocho contrincantes, de modo que los cuatro vencedores pasan a la semifinal.

de tres al cuarto De poco valor o categoría: *no quiero en mi equipo jugadores de tres al cuarto.*

tres cuartos Chaquetón o abrigo que llega a la altura del muslo o la rodilla.

tres cuartos de lo mismo Se utiliza para indicar que lo dicho para una cosa o persona es también aplicable a otra: *mi hermano es un juerguista, y sus amigos, tres cuartos de lo mismo.*
FAM cuarta, cuartear, cuarteta, cuarteto, cuartilla, cuartillo; descuartizar, sacacuartos.

cuarzo *s. m.* Mineral muy duro de aspecto cristalino que forma parte de la composición de muchas rocas; en estado puro es incoloro, pero puede adquirir gran variedad de colores en función de las sustancias con las que esté mezclado.
FAM cuarcita, cuarzoso.

cuate, -ta *adj./s. m. y f.* **1** GUAT., MÉX. Amigo, camarada. **2** MÉX. Gemelo, mellizo. **3** MÉX. Igual o muy semejante.

cuaternario, -ria *adj.* **1** Que consta de cuatro elementos. I *adj./s. m.* **2** Se aplica al periodo geológico que, según algunas escuelas actuales, sigue al periodo terciario y es el último de los periodos en que se divide la era cenozoica; se extiende desde hace unos dos millones de años hasta la actualidad. I *adj.* **3** Relativo a este periodo geológico. **4** Se aplica al compás musical que está compuesto por cuatro tiempos: *el compás cuaternario, muy usado en el rock, es un tipo especial de compás binario.*

cuatrero, -ra *adj./s. m. y f.* Se aplica a la persona que se dedica a robar animales, especialmente ganado vacuno y caballar.

cuatrienal *adj.* **1** Que se repite cada cuatro años: *plan cuatrienal.* **SIN** cuadrienal. **2** Que dura cuatro años. **SIN** cuadrienal.

cuatrienio *s. m.* Periodo de cuatro años: *cada cuatrienio se celebran las Olimpiadas.* **SIN** cuadrienio.

cuatrillizo, -za *adj./s. m. y f.* Se aplica a la persona que ha nacido de un mismo parto con otros tres.

cuatrimestral *adj.* **1** Que se repite cada cuatro meses. **2** Que dura cuatro meses.

cuatrimestre *s. m.* Periodo de cuatro meses.
FAM cuatrimestral.

cuatrimotor *s. m.* Avión que tiene cuatro motores.

cuatro *num. card.* **1** Tres más uno. **2** Se utiliza para indicar poca cantidad de cierta cosa: *cayeron cuatro gotas; dijo cuatro tonterías y se fue.* I *num. ord.* **3** Que ocupa el lugar número 4 en una serie ordenada. **SIN** cuarto. I *s. m.* **4** Número 4.

cuatro por cuatro Automóvil que tiene tracción en las cuatro ruedas y está especialmente preparado para transitar por terrenos abruptos o escarpados.
FAM cuatreño, cuatrienio, cuatripartito.

cuatrocientos, -tas *num. card.* **1** Trescientos más cien. I *num. ord.* **2** Que ocupa el lugar número 400 en una serie ordenada. **SIN** cuadringentésimo. I *s. m.* **3** Número 400.

cuba *s. f.* Recipiente hecho de tablas curvas unidas y reforzadas con aros.
FAM cubeta; encubar.

cubalibre *s. m.* Bebida alcohólica compuesta de ron, ginebra o coñac y refresco de cola.

cubano, -na *adj.* ① De Cuba (país de América Central). **|** *s. m. y f./adj.* ② Persona que es de Cuba.

cubata *s. m.* familiar Cubalibre.

cubertería *s. f.* Conjunto de cucharas, tenedores, cuchillos y otros útiles para el servicio de mesa.

cubeta *s. f.* Recipiente poco profundo y generalmente de forma rectangular, utilizado para contener líquidos o soluciones químicas.

cubicar *v. tr.* ① Determinar la capacidad o el volumen de un cuerpo: *cubicar un local.* ② Elevar un número o expresión matemática al cubo (tercera potencia): *para cubicar un polinomio, hay que multiplicarlo dos veces por sí mismo.*

cúbico, -ca *adj.* ① Que tiene forma de cubo. ② Se utiliza con unidades de longitud para convertirlas en unidades de volumen: *centímetro cúbico.* ③ Se aplica a las medidas de volumen.
FAM cubicar.

cubículo *s. m.* Habitación o recinto muy pequeño.

cubierta *s. f.* ① Cosa que se pone encima de otra para cubrirla o taparla. ② Envoltura que cubre los diferentes pliegos impresos y cosidos de un libro: *en la cubierta posterior de la novela hay una foto del autor.* ③ Parte exterior de la techumbre de un edificio. ④ Banda exterior del neumático de una rueda que está en contacto con el suelo. ⑤ Suelo de un barco, en especial el de la planta superior.
FAM sobrecubierta.

cubierto, -ta ① Participio irregular de *cubrir.* **|** *s. m.* ② Instrumento que se usa para coger o cortar los alimentos del plato: *el cubierto del pescado.* ③ Servicio de mesa que se pone a la persona que va a comer: *el cubierto está formado por plato, vaso, servilleta, cuchara, cuchillo, tenedor y pan.* ④ Comida compuesta por un menú fijo que se da en un restaurante por un precio previamente acordado.
FAM cubertería.

cubil *s. m.* Lugar cubierto que sirve de guarida a algunos animales salvajes: *el cubil de un zorro.*
FAM cubículo.

cubilete *s. m.* Vaso ensanchado hacia la boca, especialmente el de juegos de dados y prestidigitación.

cubilote *s. m.* Horno de fundición para obtener hierro dulce a partir de la fusión de hierro y arrabio; consiste en un horno de cuba con tiro natural o atmosférico e inyección de aire o toberas, en el que la acción del combustible actúa directamente sobre la carga: *en el cubilote, la carga se realiza por el tragante superior y el aire precalentado y el combustible entran por la parte inferior.*
OBS También *horno de cubilote.*

cubismo *s. m.* Movimiento artístico de vanguardia de principios del siglo XX caracterizado por la yuxtaposición en una misma escena de perspectivas diferentes de un mismo objeto o figura y por la descomposición de la superficie del cuadro en planos geométricos: *el cubismo fue iniciado por Pablo Picasso y Georges Braque.*
FAM cubista.

cubista *adj.* ① Relativo al cubismo. **|** *adj./s. com.* ② Se aplica a la persona que practica el cubismo.

cubitera *s. f.* Recipiente para hacer o servir cubitos de hielo.

cubito *s. m.* Trozo pequeño de hielo de forma generalmente cúbica que se añade a una bebida para enfriarla.
FAM cubitera.

cúbito *s. m.* Hueso más largo y grueso de los dos que unen el codo con la mano: *el cúbito y el radio forman el antebrazo.*

cubo¹ *s. m.* ① Recipiente de forma cilíndrica, un poco más ancho por la boca que por el fondo, y con un asa en el borde superior para poder cogerlo. ② Pieza central en que encajan los radios de una rueda.

cubo² *s. m.* ① Poliedro regular limitado por seis caras cuadradas: *un dado tiene forma de cubo.* ② Resultado de multiplicar un número o expresión matemática tres veces por sí mismo: *el cubo de 5 es 125; el cubo de un binomio es el resultado de multiplicar un binomio tres veces por sí mismo.*
al cubo Multiplicando un número o expresión matemática tres veces por sí mismo: *3 al cubo son 27.*
FAM cúbico, cubismo, cubito, cuboide.

cubrecama *s. m.* Pieza grande de tela que cubre la cama y sirve de adorno y de abrigo. **SIN** colcha.

cubrir *v. tr.* ① Tapar una cosa con otra: *cubrir el rostro con un pasamontañas.* ② Proteger o resguardar colocando una superficie por encima: *cubrir el patio con un toldo.* ③ Extender sobre una superficie: *cubrir el pastel con chocolate.* ④ Proteger de un daño o peligro: *el fuego de la aviación cubrió la retirada de la infantería.* ⑤ Ocultar la verdad para evitar que se conozca: *sus modales educados cubren una personalidad violenta y vengativa.* **SIN** encubrir. ⑥ Ocultar y proteger a una persona que ha cometido una falta o delito para que no sea descubierta. **SIN** encubrir. ⑦ Recorrer una distancia: *el atleta cubrió la primera parte del maratón en un tiempo récord.* ⑧ Rellenar un hueco o un recipiente hasta completar su contenido: *cubrir con yeso un agujero de la pared.* ⑨ Seguir el desarrollo de una actividad para informar sobre ella. ⑩ Ocupar un puesto de trabajo, cargo o plaza. ⑪ Pagar la cantidad de dinero que se debe por una deuda o gasto. ⑫ Poner una cantidad de dinero junto con otras personas para un fin. ⑬ Unir sexualmente el animal macho con la hembra. **SIN** aparear, montar. **|** *v. prnl.* ⑭ **cubrirse** Ponerse el sombrero u otro objeto semejante en la cabeza. ⑮ Llenarse el cielo de nubes. **SIN** encapotarse. ⑯ Extender el brazo las personas que están en una fila, para situarse a una distancia adecuada unas de otras.
FAM descubrir, encubrir, recubrir.
OBS Participio irregular: *cubierto.*

cucaña *s. f.* ① Palo resbaladizo por el que se ha de trepar o andar para coger el premio atado a un extremo. ② Diversión o juego que consiste en competir por alcanzar este premio.

cucaracha *s. f.* Insecto de cuerpo alargado y aplanado, de color negro o pardo, con las alas anteriores duras y las seis patas casi iguales que le permiten moverse a gran velocidad.

cuchara *s. f.* Instrumento cóncavo y oval con mango usado para comer.
FAM cucharada, cucharilla, cucharón.

cucharada *s. f.* Porción que cabe en una cuchara.

cucharilla *s. f.* Cuchara pequeña que suele usarse para tomar el postre, servirse azúcar o agitar un alimento líquido.

cucharón *s. m.* Cuchara grande que se usa para servir la comida.

cuchichear *v. intr.* Hablar en voz baja o muy cerca del oído de una persona, para que otros no se enteren.
FAM cuchicheo.

cuchicheo *s. m.* Sonido ininteligible, continuo y suave que se produce cuando una persona habla en voz baja. SIN bisbiseo.

cuchilla *s. f.* Hoja ancha y cortante de un solo filo con o sin mango: *la cuchilla de una guillotina de imprenta.*

cuchillada *s. f.* ① Golpe dado con un cuchillo, una navaja u otra arma blanca. ② Herida que de este golpe resulta.

cuchillería *s. f.* Establecimiento en el que se fabrican, venden o afilan cuchillos, navajas y otras armas blancas.

cuchillo *s. m.* Utensilio formado por una hoja de metal afilada por un solo lado y con mango que se usa para cortar. **pasar a cuchillo** Dar muerte, generalmente en una acción de guerra. FAM cuchilla, cuchillada, cuchillazo, cuchillería; acuchillar.

cuchitril *s. m.* Habitación pequeña, miserable y sucia.

cuchufleta *s. f.* Dicho burlesco o gracioso.

cuclillas Se usa en la expresión:
de (o **en**) **cuclillas** Con las piernas completamente flexionadas, de modo que los muslos queden apoyados en las pantorrillas. FAM acuclillarse.

cuclillo *s. m.* Cuco.

cuco, -ca *adj.* ① Que es hábil para engañar o para evitar el engaño. SIN astuto. ② familiar Que es bonito o que está bien hecho. ❙ *s. m.* ③ Pájaro de pequeño tamaño de color gris, azulado por encima, cola negra con pintas blancas y alas marrones. SIN cuclillo. FAM cuquería.

cucú *s. m.* ① Canto característico del cuclillo o cuco. ② Reloj que contiene un cuco mecánico, el cual sale por una abertura y señala con un sonido similar al canto de este pájaro las horas y las medias horas o los cuartos. OBS Plural: *cucúes* o *cucús*.

cucuiza *s. f.* AMÉR. Cuerda delgada y algo burda que se elabora con fibra de pita y se usa para atar o para fabricar tejidos artesanales o industriales. SIN cabuya.

cucurbitáceo, -cea *adj./s. f.* ① Se aplica a la planta rastrera o trepadora de tallo sarmentoso, hojas alternas, flores unisexuales de cinco sépalos, cinco pétalos y cinco estambres, generalmente de color amarillento, y fruto de cáscara dura, pulpa carnosa y semillas sin albumen. ❙ *s. f. pl.* ② **cucurbitáceas** Grupo taxonómico, con categoría de familia, constituido por estas plantas: *la calabaza, el melón, la sandía y el calabacín pertenecen a las cucurbitáceas.*

cucurucho *s. m.* ① Hoja de papel o cartón enrollada en forma de cono que sirve para contener cosas. SIN cartucho. ② Lámina de barquillo o galleta enrollada en forma de cono que sirve para contener un alimento, especialmente un helado. ③ Gorro acabado en punta y con forma cónica que forma parte del hábito que llevan algunos penitentes y cofrades en las procesiones de Semana Santa. SIN capirote.

cuelgue *s. m.* familiar Estado producido por el efecto de una droga.

cuello *s. m.* ① Parte del cuerpo que une cabeza y tronco. SIN pescuezo. ② Tira de tela unida a la parte superior de los vestidos, para cubrir más o menos la garganta. ■ **cuello de pajarita** Cuello con las puntas dobladas hacia afuera, generalmente postizo y almidonado. ③ Parte más estrecha y delgada de un recipiente o de otra cosa: *el cuello de una botella.*
cuello uterino Parte inferior del útero, situada en el fondo

de la vagina, flexible, delgada y de unos 3 cm de longitud. SIN cérvix.

cuenca *s. f.* ① Territorio cuyas aguas afluyen al mismo río, lago o mar: *en la Península Ibérica destacan cinco grandes cuencas hidrográficas: Duero, Tajo, Guadiana, Guadalquivir y Ebro.* ② Territorio situado en una depresión de terreno y rodeado de montañas. ③ Cavidad del cráneo en la que se encuentra el ojo. SIN órbita.
cuenca minera Territorio en cuyo subsuelo existe un conjunto de yacimientos de un mineral y minas abiertas que los explotan.
FAM cuenco.

cuenco *s. m.* Recipiente ancho, hondo, sin asas ni borde.

cuenta *s. f.* ① Operación o conjunto de operaciones matemáticas necesarias para averiguar un resultado. SIN cálculo. ② Papel en que consta esta operación matemática; especialmente, si es una relación de precios cuyo total representa una cifra de dinero que se debe pagar. ③ Cantidad de dinero que una persona o empresa tiene en el banco. ■ **cuenta corriente** Depósito bancario que permite hacer ingresos o efectuar pagos directamente y disponer del dinero en metálico de forma inmediata. ④ Explicación o justificación del comportamiento de una persona: *detuvieron al sospechoso y tendrá que dar cuenta de sus actos ante la ley.* ⑤ Obligación o responsabilidad que un persona tiene sobre algo o alguien: *deja la educación de tu hermano de mi cuenta.* ⑥ Bola pequeña de distintos materiales que tiene un agujero en el centro y sirve para hacer rosarios y objetos de adorno como collares o pulseras. ⑦ Conjunto de asuntos, negocios o relaciones personales que tienen en común dos o más personas. ❙ *s. f. pl.* ⑧ **cuentas** Conjunto de cifras y datos acerca de los gastos e ingresos de dinero y demás operaciones económicas que realiza una empresa. SIN contabilidad.
a cuenta Se aplica a la cantidad de dinero que se entrega como señal o anticipo del total que se pagará más adelante.
a cuenta de A cambio o como compensación: *tomó dos días libres a cuenta de sus vacaciones.*
ajustar las cuentas Castigar o vengar un comportamiento o actuación que se considera perjudicial u ofensivo.
caer en la cuenta Comprender o enterarse una persona de una cosa que no entendía o de la que no se había enterado.
cuenta atrás Enumeración inversa de las unidades de tiempo que falta para un acontecimiento: *la cuenta atrás antes del despegue de una nave espacial.*
dar cuenta de Acabar, dar fin a una cosa destruyéndola o consumiéndola: *varios lobos dieron buena cuenta del cadáver de la oveja muerta.*
darse cuenta Comprender, advertir o enterarse una persona de una cosa que no entendía o de la que no se había enterado.
en resumidas cuentas De manera breve y como conclusión de lo dicho.
estar fuera (o **salir**) **de cuentas** Haber cumplido una mujer embarazada el periodo de gestación: *ayer salí de cuentas, así que el niño está a punto de nacer.*
perder la cuenta Haberse repetido tantas veces un hecho o situación que no se sabe o no se recuerda la cantidad o el número: *he perdido la cuenta de la de veces que te he dicho que no vuelvas tan tarde.*
tener (o **tomar**) **en cuenta** Considerar importante y digno de atención o cuidado: *antes de comprar un coche usado hay que tener en cuenta el estado del vehículo.*

tener (o **traer**) **cuenta** Ser provechoso o beneficioso: *trae cuenta salir muy temprano para evitar el calor.*
FAM supercuenta.

cuentagotas *s. m.* Instrumento para verter un líquido gota a gota.
OBS Plural invariable.

cuentakilómetros *s. m.* Aparato que en los vehículos registra el número de kilómetros recorridos e indica la velocidad a la que este circula.
OBS Plural invariable.

cuentarrevoluciones *s. m.* Aparato que registra las revoluciones de un motor.
OBS Plural invariable.

cuentista *adj./s. com.* ① Que se dedica a contar o a escribir cuentos. ② Se aplica a la persona que miente o exagera mucho, generalmente para presumir o llamar la atención de los demás. **SIN** trolero.

cuentística *s. f.* Género literario constituido por los cuentos (narraciones breves): *la cuentística medieval.* **SIN** cuento.

cuento *s. m.* ① Narración breve en que predominan los elementos imaginativos o fantásticos: *el cuento popular es anónimo y se transmite oralmente, mientras que el literario está escrito por un autor y se transmite por escrito.* ② Género literario constituido por estas narraciones. ③ Relato falso o exagerado con el que se pretende engañar, generalmente para presumir o llamar la atención de los demás.
el cuento de la lechera Plan o proyecto muy ambicioso y optimista que tiene muy pocas posibilidades de obtener los resultados previstos.
venir a cuento Tener relación una cosa con el asunto de que se trata.
vivir del cuento Vivir a costa de engañar y aprovecharse de los demás.
FAM cuentista, cuentitis.

cuerazo *s. m.* AMÉR. Latigazo: *le dio un cuerazo en la grupa y la bestia salió de estampida.*

cuerda *s. f.* ① Conjunto de hilos torcidos o entrelazados que forman un objeto cilíndrico, delgado, alargado y flexible que se usa generalmente para atar o sujetar. ② Hilo más o menos fino y elástico, hecho de metal, nailon u otros materiales, que se tensa sobre la caja armónica de un instrumento musical y produce el sonido cuando se frota, como el violín, se pulsa, como la guitarra, o se golpea, como el piano. ③ Pieza de metal flexible y alargada que mueve un mecanismo mecánico. ④ Segmento que une dos puntos de una circunferencia: *una circunferencia de 5 cm de radio es cortada por una recta que determina una cuerda de 6 cm.* ⑤ Parte de un circuito o de una pista de atletismo que está más próxima al centro. ⑥ Longitud de esta parte. ⑦ Conjunto de voces de la misma tesitura que hay en un coro o una coral: *el coro se distribuye por cuerdas: la cuerda de sopranos, la de contraltos, la de tenores y la de bajos.* ‖ *s. f. pl.* ⑧ **cuerdas** Conjunto de instrumentos musicales de cuerda, o de los instrumentistas que los tocan, de una orquesta u otra agrupación musical: *las cuerdas están desafinando.*
bajo cuerda De forma secreta, oculta o disimulada.
cuerdas vocales Ligamentos formados por fibras membranosas que están situados en la cavidad laríngea, cerrando lateralmente la glotis, y vibran al pasar el aire expulsado por los pulmones, produciendo la voz.
cuerda floja Cable no muy tenso y elevado del suelo sobre

el que un acróbata anda y realiza ejercicios de equilibrio y habilidad.
dar cuerda (I) Ajustar y tensar la cuerda de un reloj u otro mecanismo para que pueda producir movimiento. (II) Hacer que una persona hable mucho y de manera despreocupada.
en la cuerda floja En situación poco segura o peligrosa.
FAM cordada, cordaje, cordal; encordar.

cuerdo, -da *adj./s. m. y f.* ① Que está en su juicio. **ANT** loco. ② Que tiene buen juicio y actúa de manera prudente, reflexiva y responsable. **ANT** loco.

cueriza *s. f.* AMÉR. Azotaina.

cuerno *s. m.* ① Protuberancia ósea o quitinosa, generalmente curvada y acabada en punta, que crece en la parte superior de la cabeza de algunos animales. **SIN** asta. ② Sustancia dura de que está constituida esta prolongación. ③ Objeto o figura que tiene forma parecida a esta prolongación. ④ Antena de ciertos animales e insectos: *los cuernos del caracol.* ⑤ Instrumento musical de viento, hueco, en forma de cuerno de toro, que tiene un sonido parecido al de la trompa. **SIN** bocina. ‖ *s. m. pl.* ⑥ **cuernos** Representación simbólica de la infidelidad de un miembro de la pareja: *poner los cuernos.*
cuerno de la abundancia Símbolo de la abundancia, representado por un gran cuerno del que salen toda clase de bienes y riquezas.
irse al cuerno Fracasar un proyecto.
mandar al cuerno Despedir o echar con enfado.
oler (o **saber**) **a cuerno quemado** Resultar sospechoso o provocar una impresión desagradable.
romperse los cuernos familiar Trabajar o esforzarse mucho.
FAM cornudo; encornado, encornadura.

cuero *s. m.* ① Piel de algunos animales mamíferos terrestres; especialmente, después de curada y preparada para su uso por el ser humano. ■ **cuero cabelludo** Piel de la cabeza humana donde nace el pelo. ② Pelota o balón con el que se juega en algunos deportes, especialmente el fútbol.
en cueros (**vivos**) Sin ropa, desnudo.
FAM cueriza.

cuerpo *s. m.* ① Conjunto de las partes que forman el organismo de los seres vivos; en los mamíferos y muchos otros animales está formado por cabeza, tronco (tórax y abdomen) y extremidades; en filosofía y religión complementa al alma, parte no material del ser humano. ② Parte principal de la estructura física de una persona o animal, diferenciado de la cabeza y las extremidades. **SIN** tronco. ③ Persona o animal sin vida. ④ Parte de una prenda de vestir que cubre el tronco. ⑤ Trozo limitado de materia; en general, cualquier objeto. ■ **cuerpo celeste** Planeta, estrella u otro objeto natural en el espacio. ■ **cuerpo del delito** Objeto que prueba un crimen o un acto que está fuera de la ley. ⑥ Figura que tiene tres dimensiones (longitud, altura y anchura): *los cuerpos con nombre propio más elementales son todos los poliedros y, además, el cilindro, el cono, y la esfera.* **NOTA** También *cuerpo geométrico.* **SIN** sólido. ■ **cuerpo de revolución** Figura que se genera haciendo girar una figura plana alrededor de un eje: *el cono es un cuerpo de revolución que se obtiene haciendo girar un triángulo rectángulo sobre un cateto.* ■ **cuerpo redondo** Cuerpo de revolución en forma de cilindro, cono o esfera. ⑦ Parte unida a otra u otras, pero que puede ser considerada independientemente: *una catedral con un cuerpo central y dos laterales; un armario de dos cuerpos.* ⑧ Parte principal de un libro u otro escrito, sin considerar el título, los índices, los preliminares,

etc. ⑨ Densidad de un material o de un producto: *la maho-nesa es demasiado líquida, le falta cuerpo.* SIN consistencia, espesor. ⑩ Conjunto de personas que ejercen una misma profesión: *cuerpo de bomberos; cuerpo diplomático.* ⑪ Conjunto de soldados con sus respectivos mandos. ■ **cuerpo de guardia** (I) Conjunto de soldados destinados a hacer la guardia. (II) Lugar donde descansan los soldados que tienen guardia cuando no están en el puesto. ⑫ Tamaño de los caracteres de imprenta. ⑬ En álgebra, conjunto de números en el que se pueden definir dos operaciones del tipo suma y producto: *el cuerpo de los números reales va de menos infinito a más infinito.*
a cuerpo Sin prenda de abrigo.
a cuerpo de rey Con todas las comodidades posibles: *pasamos el fin de semana en casa de Eva, y sus padres nos trataron a cuerpo de rey.*
cuerpo a cuerpo Se aplica a la lucha o combate realizado con contacto físico y sin armas de fuego.
dar (o **tomar**) **cuerpo** Empezar a hacerse realidad una idea o proyecto.
en cuerpo y alma Con total dedicación y atención.
FAM anticuerpo.

cuervo *s. m.* Pájaro omnívoro de color negro brillante, con alas grandes, cola redondeada y pico grueso, fuerte y más largo que la cabeza.

cuesco *s. m.* ① familiar Pedo ruidoso. ② Hueso que tiene una fruta en su interior.

cuesta *s. f.* Terreno en pendiente.
a cuestas Sobre los hombros o las espaldas.
ir cuesta abajo Disminuir la importancia o la actividad.

cuestión *s. f.* ① Pregunta que se plantea para averiguar la verdad de una cosa. ② Asunto que atrae la atención general.
en cuestión Expresión que hace referencia a la persona o cosa de que se trata.

cuestionar *v. tr.* Poner en duda o exponer razones contrarias en una discusión.
FAM cuestionable.

cuestionario *s. m.* ① Lista de preguntas. ② Formulario donde se recogen estas preguntas.

cuestor *s. m.* Funcionario superior de la antigua Roma que se ocupaba de la hacienda pública.

cueva *s. f.* Cavidad subterránea o entre las rocas abierta de manera natural o excavada por un animal o por el ser humano.

cuezo *s. m.* Recipiente de madera, de base cuadrada y más ancho que alto, que sirve para amasar el yeso y otras cosas parecidas.
meter el cuezo (I) familiar Equivocarse en una cosa. (II) familiar Introducirse en una conversación o en un asunto de otros sin tener una razón para ello.

cuidado *s. m.* ① Asistencia e interés que se le prestan a una persona o cosa. ② Acción de cuidar: *el cuidado de un enfermo.* | *int.* ③ **¡cuidado!** Expresión con la que se llama la atención a alguien para que evite un peligro.
FAM cuidadoso.

cuidador, -ra *adj./s. m. y f.* Se aplica a la persona que se encarga del cuidado de una persona, un animal o un lugar.

cuidadoso, -sa *adj.* Que hace las cosas con cuidado y atención.
FAM cuidadosamente.

cuidar *v. tr./intr.* ① Vigilar o ayudar con interés a una persona

o cosa. | *v. tr.* ② Poner interés y atención en una actividad o responsabilidad. | *v. prnl.* ③ **cuidarse** Preocuparse una persona por su propio bienestar, especialmente por su salud. ④ Mantenerse apartado o a salvo de un peligro.
FAM cuidado, cuidador; descuidar.

cuita *s. f.* culto Pena: *yendo al cine lograba olvidar sus cuitas durante unas horas.*

cuitado, -da *adj.* ① Que padece desgracias que le causan gran dolor y aflicción. SIN desventurado. ② Que es apocado y tímido o tiene poca voluntad y energía.

culantro *s. m.* Hierba de tallo largo y flores rojas cuya semilla se usa en medicina y para cocinar. SIN cilantro.

culata *s. f.* ① Parte posterior de un arma de fuego: *la culata sirve para sujetar el arma con la mano o apoyarla contra el hombro cuando se dispara.* ② Pieza de metal que se ajusta al bloque de un motor de explosión y cierra el cuerpo de los cilindros. ③ Extremo de un cilindro hidráulico o neumático.
FAM culatazo.

culatazo *s. m.* Golpe dado con la culata de un arma.

culé *adj./s. com.* familiar Relativo al F.C. Barcelona (club deportivo de Barcelona): *los aficionados culés se mostraron satisfechos por la labor arbitral.*

culebra *s. f.* Serpiente, especialmente la de tamaño pequeño o mediano.
FAM culebrear, culebrina, culebrón.

culebrina *s. f.* Relámpago con forma de línea ondulada.

culebrón *s. m.* familiar Telenovela que consta de gran cantidad de episodios a lo largo de los cuales se establecen intensas relaciones sentimentales de amor, odio y venganza entre muchos personajes.

culera *s. f.* ① Pieza con la que se refuerza o remienda la parte del trasero en un pantalón. ② Mancha o desgaste en un pantalón o una falda por la parte que cubre el trasero.

culinaria *s. f.* Técnica de guisar y aderezar los alimentos.

culinario, -ria *adj.* Relativo a la culinaria.
FAM culinaria.

culmen *s. m.* Punto más alto o grado mayor de perfección que se puede alcanzar. SIN cima, cumbre.
FAM culminar.

culminación *s. f.* Grado superior y final al que llega un proceso o actividad. SIN coronación.

culminante *adj.* Que representa el momento de mayor importancia, intensidad, grandeza o calidad.

culminar *v. intr.* ① Llegar al punto más alto, de mayor intensidad, grandeza o calidad. SIN coronar. | *v. tr.* ② Terminar una actividad o proceso.
FAM culminación, culminante.

culo *s. m.* ① Parte del cuerpo de un animal vertebrado constituida por el extremo superior y posterior de los muslos y la zona inferior de la espalda o el lomo. SIN trasero. ② Parte de una prenda de vestir que cubre esta parte del cuerpo. ③ familiar Ano. ④ Parte carnosa y redondeada que corresponde al extremo superior y posterior del muslo en su unión con la espalda. SIN nalga. ⑤ Extremo inferior o posterior de una cosa, generalmente de un recipiente. ⑥ Pequeña cantidad de líquido que queda en el fondo de un recipiente.
caerse de culo familiar Sorprenderse o admirarse mucho de algo: *una casa para caerse de culo.*

con el culo al aire familiar En una situación de difícil salida o solución.

culo de mal asiento familiar Persona muy nerviosa e inquieta.

FAM culada, culazo, culera, culón; lameculos.

culombio s. m. Coulomb.

culón, -lona adj./s. m. y f. Se aplica a la persona que tiene el trasero muy grande.

culpa s. f. ① Falta cometida conscientemente, pero sin intención de perjudicar. ② Responsabilidad que acarrea un acto realizado incorrectamente. ③ Causa o motivo de un hecho que provoca un daño o perjuicio: *el mal tiempo tuvo la culpa de que se suspendiera la regata.*

echar la culpa Acusar a una persona de una falta.

FAM culpar, culpabilidad, culpabilizar.

culpabilidad s. f. Cualidad de culpable. ANT inocencia.

culpabilizar v. tr. Echar la culpa a alguien de una cosa: *no es justo que culpabilices a los demás de tus propios errores.*

FAM culpabilización.

culpable adj./s. com. ① Se aplica a la persona a la que se echa o se puede echar la culpa. ANT inocente. ② Que es la causa o motivo de un hecho que provoca un daño o perjuicio: *los incendios forestales son los culpables de la desertización de los terrenos.*

culpar v. tr. Atribuir a una persona la responsabilidad de un hecho que va en contra de la ley o la moral o que perjudica injustamente a otra. SIN acusar.

FAM culpable; exculpar, inculpar.

culteranismo s. m. Estilo literario del Barroco que busca la afectación y cierta sonoridad del lenguaje por medio de la expresión artificiosa y la acumulación de figuras, como metáforas y latinismos. SIN gongorismo.

culterano, -na adj. ① Se aplica al estilo que es propio del culteranismo. I adj./s. m. y f. ② Se aplica al escritor que cultiva el culteranismo.

FAM culteranismo.

cultismo s. m. Palabra que ha entrado en un idioma procedente de una lengua clásica, generalmente latín o griego, y que no ha sufrido transformaciones fonéticas: *la palabra "referéndum" es un cultismo.*

FAM semicultismo.

cultivable adj. Que se puede cultivar: *la desertización provoca que cada vez existan menos superficies cultivables en España.*

cultivador, -ra adj./s. m. y f. Se aplica a la persona que se dedica al cultivo y desarrollo de algo físico o intelectual: *la comedia neoclásica (cuyo modelo era Molière) contó con cultivadores poco afortunados.*

cultivar v. tr. ① Trabajar la tierra y cuidar las plantas que crecen en ella para que den fruto y produzcan un beneficio. ② Hacer que se desarrollen organismos microscópicos sobre una sustancia preparada para favorecer su aparición: *cultivar bacterias en el laboratorio permite estudiar su comportamiento ante diversos medicamentos.* ③ Criar seres vivos con fines científicos o industriales: *cultivar trucha.* ④ Desarrollar una actividad intelectual con placer y dedicación, especialmente un arte o ciencia: *cultivar la pintura.* ⑤ Desarrollar, mantener y mejorar una relación de conocimiento, amistad o amor con otra persona: *cultivar una amistad.*

FAM cultivable, cultivador.

cultivo s. m. ① Trabajo de la tierra y cuidado de sus plantas

para que den fruto y produzcan un beneficio. ■ **cultivo intensivo** Cultivo que permite sacar mucho rendimiento a la tierra no dejándola descansar. ② Conjunto de organismos microscópicos desarrollados en un laboratorio en una sustancia preparada para favorecer su aparición. ③ Cría y explotación de seres vivos con fines científicos o industriales. ④ Desarrollo de una actividad intelectual con placer y dedicación, especialmente un arte o ciencia. ⑤ Desarrollo de relaciones de conocimiento, amistad o amor con otras personas.

FAM cultivar; monocultivo.

culto, -ta adj. ① Que posee cultura. ANT inculto. ② Se aplica a la lengua o a la variedad estándar de una lengua que se utiliza como vehículo de cultura: *la lengua culta de la India es el sánscrito.* ③ Se aplica a la palabra o expresión que no ha sufrido evolución fonética. I s. m. ④ Homenaje de veneración y respeto que se rinde a un ser divino o sagrado. ⑤ Admiración y respeto que se rinde a una persona o cosa como si se tratara de un ser divino o sagrado: *Elvis Presley y James Dean son personajes de culto en Estados Unidos.* ⑥ Conjunto de actos y ceremonias en los que se expresa veneración y respeto a un ser divino o sagrado.

FAM culterano, cultismo, cultura; inculto.

cultura s. f. ① Conjunto de conocimientos e ideas adquiridos gracias al desarrollo de las facultades intelectuales mediante la lectura, el estudio y el trabajo. ANT incultura. ② Conjunto de conocimientos, ideas, tradiciones y costumbres que caracterizan a un pueblo o a una época.

FAM cultural, culturizar; contracultura, subcultura.

cultural adj. Relativo a la cultura.

FAM sociocultural.

culturismo s. m. Conjunto de ejercicios y actividades que sirven para desarrollar los músculos del cuerpo.

FAM culturista.

culturista s. com. Persona que practica el culturismo.

culturizar v. tr. ① Dotar de conocimientos e ideas a una persona que no las posee con la intención de que desarrolle sus propias facultades intelectuales. ② Imponer a un grupo social o a un pueblo un conjunto de conocimientos, ideas y costumbres distintos de su cultura tradicional: *Estados Unidos culturiza a través de la televisión a gran parte de la juventud occidental.*

FAM culturización; transculturización.

cumbia s. f. Baile popular, originario de Panamá, Colombia y otros países latinoamericanos, que se baila por parejas.

cumbre s. f. ① Punto más alto de una montaña o de una elevación del terreno. SIN cima. ② Punto más alto o grado mayor de perfección que se puede alcanzar. SIN cima, culmen. ③ Reunión de los máximos representantes políticos o militares de varias naciones.

FAM encumbrar.

cumpleaños s. m. Aniversario del nacimiento de una persona.

OBS Plural invariable.

cumplido, -da adj. ① Se aplica a la persona que actúa de acuerdo con lo que es adecuado u obligado según las normas sociales y de cortesía. I s. m. ② Muestra de cortesía y educación que se hace para agradar o halagar a una persona.

cumplidor, -ra adj./s. m. y f. Se aplica a la persona que cumple las promesas o previsiones que ha hecho.

cumplimentar v. tr. ① Hacer a alguien los debidos cumpli-

dos: *al pie de la escalerilla del avión, el Papa fue cumplimentado por las autoridades locales.* **2** Efectuar los procedimientos legales necesarios para lograr un propósito: *antes de recoger el equipaje debió cumplimetar los engorrosos trámites aduaneros.* **3** Rellenar un impreso o cuestionario.
FAM cumplimiento.

cumplimiento *s. m.* **1** Actuación que se lleva a cabo como consecuencia de una obligación, una promesa o una orden: *la televisión cede a los partidos políticos espacios electorales gratuitos en cumplimiento de la ley.* **ANT** incumplimiento. **2** Fin de un plazo o un periodo predeterminado. **3** Oferta hecha por cortesía.

cumplir *v. tr./intr.* **1** Actuar con rigor y seriedad de acuerdo con una obligación, una promesa o una orden. ‖ *v. tr.* **2** Llegar a tener o completar un tiempo determinado: *en 1992 se cumplió el quinto centenario del descubrimiento de América.* **3** Llegar al momento en que termina una obligación o un periodo determinado: *a finales de año cumple su condena.* ‖ *v. prnl.* **4 cumplirse** Llegar a producirse lo que se anticipa: *se han cumplido las previsiones oficiales de creación de empleo.*
por cumplir Sin ganas o interés y solamente por cortesía o educación.
FAM cumplido, cumplidor, cumplimentar; incumplir.

cúmulo *s. m.* **1** Coincidencia en tiempo y lugar de gran número de cosas, especialmente de hechos, circunstancias, ideas o sentimientos. **2** Nube blanca de forma plana en su parte inferior y redondeada en su parte superior, que no produce lluvias.
FAM cirrocúmulo, estratocúmulo, cumulonimbo.

cuna *s. f.* **1** Cama pequeña con bordes elevados o barandillas en la que duermen los bebés y los niños pequeños. **2** Lugar de nacimiento de una persona o de origen de una cosa: *Málaga es la cuna de Picasso.* **3** Familia o estirpe a la que se pertenece: *a pesar de su riqueza, nunca renegó de su humilde cuna.*
FAM acunar, encunar.

cundir *v. intr.* **1** Progresar en el desarrollo de un trabajo o actividad: *estudio varias horas todos los días, pero apenas me cunde.* **2** Hacer llegar una cosa a muchas personas, generalmente una noticia, idea o sentimiento negativo: *al oír la explosión, cundió el pánico en todo el edificio.* **3** Dar mucho de sí, extenderse: *los fideos y el arroz cunden mucho al cocerse.* **4** Permitir un aprovechamiento mayor y más útil.

cuneiforme *adj.* Se aplica a la escritura que representa los caracteres y las palabras con símbolos en forma de cuñas y clavos: *la escritura cuneiforme era propia de la antigua civilización sumeria.*

cuneta *s. f.* Zanja a los lados de un camino o carretera para recoger el agua de lluvia.

cunicultura *s. f.* Técnica de criar y fomentar la reproducción de los conejos para aprovechar sus productos, como la piel y la carne.

cuña *s. f.* **1** Pieza de madera o metal acabada en ángulo agudo, que se introduce entre dos elementos o en una grieta o ranura y se emplea sobre todo para inmovilizar o afirmar cosas. **2** Recipiente de plástico con esta forma que sirve para recoger los excrementos de los enfermos que no pueden levantarse de la cama. **3** Breve espacio publicitario en radio o televisión. **4** Parte de una borrasca o de un anticiclón que irrumpe en una zona de presiones distintas y que provoca cambios en la atmósfera y en el tiempo. **5** En matemáticas,

parte de un cuerpo de revolución comprendida entre dos planos que pasan por el eje del cuerpo. ■ **cuña esférica** Parte de una esfera comprendida entre dos planos que se cortan en un diámetro.

cuñado, -da *s. m. y f.* Hermano o hermana del cónyuge, o cónyuge del hermano o la hermana, o cónyuge del hermano o hermana del cónyuge.
FAM concuñado.

cuño *s. m.* **1** Molde que se usa para grabar un objeto de metal, especialmente una moneda. **SIN** troquel. **2** Impresión o señal que deja este molde en un objeto de metal. **3** Conjunto de características de una cosa que revelan su origen o procedencia.
de nuevo cuño De reciente aparición.
FAM cuña; acuñar.

cuota *s. f.* **1** Cantidad de dinero que se paga por pertenecer a un grupo, asociación u organización. **2** Parte o porción fija y proporcional de un todo. **SIN** cupo.
cuota de mercado Índice que señala el nivel de participación de una empresa en el mercado en el que opera.

cupé *s. m.* Coche cerrado de dos asientos.

cuplé *s. m.* Canción ligera de letra satírica o pícara.
FAM cupletista.

cupletista *s. f.* Artista que canta cuplés.

cupo *s. m.* Parte o porción fija y proporcional de un todo. **SIN** cuota.

cupón *s. m.* Parte con un valor fijo y proporcional en que está dividido un documento, y que puede cortarse de él y usarse individualmente o con otras.

cúprico, -ca *adj.* Relativo al cobre.

cúpula *s. f.* **1** Cubierta con forma de media esfera o aproximadamente semiesférica que cierra un espacio de planta central poligonal o circular: *la cúpula de una iglesia o una mezquita.* **2** Conjunto de personas que dirigen un grupo, asociación u organización. ‖ *s. m.* **3** Envoltura rígida, de forma de copa, en el extremo de la bellota y otros frutos.

cuquería *s. f.* Habilidad para conseguir algo, especialmente para engañar o evitar un daño. **SIN** astucia, picardía.

cura *s. m.* **1** Sacerdote de la Iglesia católica. ‖ *s. f.* **2** Aplicación de los remedios necesarios para eliminar una enfermedad, herida o daño físico: *tras la caída, en el botiquín del colegio le hicieron las primeras curas.* **SIN** curación. **3** Conjunto de consejos y remedios que se aplica a una persona para curarle una enfermedad: *le han prescrito una cura de adelgazamiento.* **SIN** tratamiento. **4** Solución o remedio de un problema o defecto: *es un soberbio y necesita una cura de humildad.*
FAM curato.

curación *s. f.* **1** Recuperación de la salud y eliminación de la enfermedad, herida o daño físico que padece una persona. **2** Aplicación de los remedios necesarios para eliminar una enfermedad, herida o daño físico. **SIN** cura.

curanderismo *s. m.* Práctica de los curanderos.

curandero, -ra *s. m. y f.* Persona que ejerce la medicina sin tener título oficial, especialmente si usa métodos naturales o rituales: *el curandero de un pueblo indígena.*
FAM curanderismo.

curar *v. intr./prnl.* **1** Recuperar la salud: *tu hermano pronto se curará.* ‖ *v. tr.* **2** Aplicar los remedios necesarios para eliminar una enfermedad, herida o daño físico: *le curó las heridas.* **3** Secar un alimento para que adquiera un sabor particular y

se conserve durante un largo periodo sin estropearse. **4** Curtir pieles de animales u otras materias: *curar la piel de vaca para hacer carteras, chaquetas o zapatos.* **SIN** curtir. ‖ *v. prnl.* **5 curarse** CHILE Emborracharse.
FAM cura, curación, curado, curador, curalotodo, curandero, curativo; incurable.

curare *s. m.* Veneno negro y amargo de origen vegetal que contiene alcaloides, los cuales provocan efectos paralizantes sobre los músculos: *los indios del Amazonas impregnan sus flechas en curare para cazar.*

curasao *s. m.* Licor fabricado con corteza de naranja y otros ingredientes.

curativo, -va *adj.* Que sirve para curar.

curda *s. f.* familiar Borrachera, embriaguez.

curdo, -da [también **kurdo, -da**] *adj.* **1** Del Curdistán (región de Oriente Medio que abarca zonas de Turquía, Armenia, Irak e Irán). ‖ *s. m. y f./adj.* **2** Persona que es del Curdistán. ‖ *s. m./adj.* **3** Lengua indoeuropea hablada en esta región.

curia *s. f.* **1** Conjunto de funcionarios y rectores, laicos y religiosos, que forman parte de la administración y el gobierno de la Iglesia católica. **2** Conjunto de abogados, jueces y otros funcionarios de la administración de justicia. **3** Asamblea de la antigua Roma, formada por ciudadanos de alto rango social, que legislaba y dirigía el Estado.

curie [se pronuncia 'curí'] *s. m.* Antigua unidad para medir la radiactividad.

curio *s. m.* Elemento químico de símbolo *Cm* y número atómico 96, es un metal radiactivo que se obtiene bombardeando plutonio con partículas integradas por protones y neutrones.

curiosear *v. tr./intr.* **1** Procurar enterarse con disimulo de una información, especialmente de datos referentes a la vida privada de las personas. **SIN** fisgar, fisgonear. ‖ *v. intr.* **2** Mirar sin gran interés o por distracción: *curioseó en algunas tiendas del rastro.*

curiosidad *s. f.* **1** Interés en conocer una cosa. **2** Interés por enterarse de datos referentes a la vida privada de las personas. **3** Circunstancia, hecho u objeto que se considera digno de interés por ser llamativo, raro o poco conocido. **NOTA** Más en plural.

curioso, -sa *adj.* **1** Que tiene interés por conocer una cosa. **2** Que se considera digno de interés por ser llamativo, raro o poco conocido. **3** Que está limpio, bien arreglado o dispuesto, a pesar de no tener una calidad o belleza excepcional: *un pisito pequeño, pero curioso.* **SIN** coqueto.
FAM curiosear, curiosidad.

currante, -ta *s. m. y f.* familiar Trabajador, especialmente si ocupa un puesto bajo o poco cualificado. **SIN** currelante, currito.
OBS Femenino: *currante* o *curranta.*

currar *v. intr.* **1** familiar Trabajar, especialmente en un puesto bajo o poco cualificado: *curra en un supermercado.* **SIN** currelar. ‖ *v. tr.* **2** familiar Pegar o golpear a alguien. ‖ *v. prnl. tr.* **3 currarse** familiar Trabajar o esforzarse mucho para conseguir cierta cosa: *me he currado el examen.*
FAM currante, curro.

curre *s. m.* familiar Tarea o cosa que es muy trabajosa, difícil o costosa.

currelante, -ta *s. m. y f.* familiar Currante.
OBS Femenino: *currelante* o *currelanta.*

currelar *v. intr.* familiar Currar, trabajar.
FAM currelante, currelo.

currele o **currelo** *s. m.* familiar Curro, trabajo.

curri *s. m.* Curry.

curricular *adj.* Relativo al currículo.
FAM extracurricular.

currículo *s. m.* **1** Conjunto de conocimientos que un alumno debe adquirir para conseguir un título académico. **2** Currículum.
FAM curricular.

currículum [también **currículo**] *s. m.* Relación de datos personales, títulos académicos o profesionales y trabajos hechos por una persona: *la empresa pide el currículum para una primera selección, pero lo importante es la entrevista.*
OBS Plural invariable. También *currículum vítae.*

currito *s. m.* familiar Currante, trabajador.

curro *s. m.* familiar Trabajo, especialmente el que se desempeña en un puesto bajo o poco cualificado. **SIN** currele, currelo.
FAM currito.

curruca *s. f.* Ave cantora de plumaje pardo en el dorso y blanco en la parte inferior, con la cabeza negruzca y el pico recto y delgado; vive en bosques y marismas y se alimenta de insectos.

currusco *s. m.* Cuscurro.

curry [también **curri**] *s. m.* Sustancia de origen hindú que se obtiene de la mezcla de diversas especias, como clavo, azafrán o jengibre; se utiliza como condimento de alimentos y en la elaboración de salsas.

cursar *v. tr.* **1** Estudiar una asignatura o materia en un centro de enseñanza. **2** Hacer que una orden o documento administrativo sea tramitado y enviado al organismo o a la persona adecuada.

cursi *adj./s. com.* Que intenta ser elegante o distinguido sin conseguirlo.
FAM cursilada, cursilería.
OBS Superlativo irregular: *cursilísimo.*

cursilada *s. f.* Obra, dicho o cosa cursi.

cursilería *s. f.* **1** Comportamiento o actuación propia de una persona cursi. **2** Obra o dicho cursi.

cursilísimo, -ma *adj.* Superlativo de *cursi.*

cursillo *s. m.* Curso de poca duración en el que se tratan y estudian los conocimientos básicos o las técnicas fundamentales de una materia o actividad.

cursiva *adj./s. f.* Se aplica al tipo de letra de imprenta que tiene el trazo inclinado hacia la derecha: *los ejemplos del diccionario están en cursiva.* **SIN** bastardilla, itálica.

curso *s. m.* **1** Parte del año dedicada a unas actividades, especialmente de enseñanza. **2** Tratado o conjunto de lecciones para la enseñanza de una materia: *curso de inglés.* **3** Conjunto de personas de un mismo grado de estudios. **4** Tramitación o marcha de un asunto: *su decisión interrumpió el curso de los acontecimientos.* **SIN** evolución. **5** Desplazamiento de una masa líquida, especialmente de las aguas de un río, por un cauce: *las aguas se remansan en su curso medio.*
FAM cursar, cursillo.

cursor *s. m.* Señal que indica en una pantalla la posición en que se va a colocar, borrar o modificar el siguiente carácter: *el cursor puede tener forma de punta de flecha, de guion bajo o de rectángulo intermitente.*

curtido, -da *adj.* ① Se aplica al cutis o a la piel que están endurecidos por efecto del sol y del aire: *tiene la piel curtida de estar tanto tiempo al sol.* ② Se aplica a la persona que tiene experiencia en lo que se expresa: *está curtido en la pesca submarina.* ‖ *s. m.* ③ Acción de curtir la piel de un animal. ④ Piel de animal curtida: *almacén de curtidos.*

curtir *v. tr.* ① Preparar la piel de un animal para que no se pudra y pueda ser usada para confeccionar prendas de vestir y objetos. **SIN** curar. ② Quedar rígida, tostada y arrugada la piel de las personas por estar expuesta durante mucho tiempo al sol y a las inclemencias del tiempo. ③ Hacer que una persona adquiera experiencia y madurez: *lo curtieron a base de trabajo continuo.* ④ Fortalecer la personalidad mediante la experiencia, el esfuerzo y la dedicación, especialmente si para ello se han sufrido penalidades o privaciones: *el tiempo que trabajó lejos de su familia curtió su carácter.* **FAM** curtido, curtidor, curtimiento; encurtir.

curva *s. f.* ① Línea cuyos puntos sucesivos cambian continuamente de dirección sin formar ángulo. ■ **curva cerrada** Curva que vuelve al punto de partida: *la circunferencia es una curva cerrada.* ② Objeto que tiene esta forma: *las curvas de una carretera.*

curva de nivel Línea imaginaria que une puntos de la misma altura sobre el nivel del mar y se traza en un mapa con el color marrón: *las curvas de nivel están trazadas cada 20 m.* **FAM** curvímetro.

curvado, -da *adj.* Curvo.

curvar *v. tr.* Dar forma curva: *el peso de los libros ha curvado la tabla de la estantería.* **SIN** doblar. **FAM** curvado.

curvatura *s. f.* Desvío de la dirección o forma recta que sufre una línea, superficie u objeto.

curvilíneo, -nea *adj.* Que está formado en su mayoría por líneas curvas. **ANT** rectilíneo.

curvo, -va *adj.* Que no es recto y no forma ángulos. **SIN** curvado. **FAM** curvar, curvatura, curvilíneo.

cuscurro *s. m.* Parte del pan más dura y tostada que corresponde generalmente a los extremos y bordes de la pieza. **SIN** corrusco, coscorro, currusco.

cuscús *s. m.* Comida árabe que se prepara con sémola de mijo, arroz u otro cereal acompañada de un guiso de verduras y trozos de carne de ternera o pollo. **OBS** Plural invariable.

cúspide *s. f.* ① Parte más alta de una montaña o de un lugar elevado, especialmente si tiene forma puntiaguda. ② Punto más elevado, intenso o perfecto de un proceso o actividad que sobresale con claridad de los demás.

custodia *s. f.* ① Vigilancia que se hace de una persona o cosa: *la custodia del delincuente.* ② Objeto de culto en el que se expone el Santísimo Sacramento, generalmente fabricado de metales preciosos. ③ Responsabilidad que se tiene sobre la educación y el bienestar de una persona menor de edad: *tras el divorcio, el juez otorgó la custodia de los hijos a la mujer.* ④ CHILE Consigna de estación o aeropuerto.

custodiar *v. tr.* Guardar algo o a alguien con vigilancia y cuidado: *varios guardias de seguridad custodiaban el diamante.* **FAM** custodia, custodio. **OBS** Verbo regular, se acentúa como *cambiar.*

custodio *s. m.* ① Persona que custodia algo o a alguien. ‖ *adj.* ② En la religión católica, se aplica al ángel asignado por Dios a cada persona para su guarda o custodia.

cutáneo, -nea *adj.* Relativo a su piel.

cúter *s. m.* Instrumento para cortar papel, cartón, etc., en una superficie plana, provisto de una cuchilla extensible enfundada en un soporte. **OBS** Plural: *cúteres.* Puede encontrarse la grafía inglesa *cutter.*

cutícula *s. f.* ① Piel muy fina y delgada que rodea la base de la uña. ② Capa más externa de las tres que forman la concha de los moluscos y que es responsable de la coloración de muchos de ellos. ③ Película de piel fina y delicada que cubre las hojas y los tallos de los vegetales.

cutis *s. m.* Piel de una persona, especialmente la de la cara. **FAM** cutáneo, cutícula. **OBS** Plural invariable.

cutre *adj.* Que es pobre, barato, de mala calidad y aspecto descuidado. **FAM** cutrería, cutrez.

cutter [se pronuncia 'cúter'] *s. m.* Cúter. **OBS** Plural: *cutters* o *cutter.*

cuyo, -ya *pron.* Indica que lo que se expresa pertenece a la persona o cosa que se indica anteriormente: *el «Quijote» comienza así: "En un lugar de La Mancha, de cuyo nombre no quiero acordarme...".*

CV *s. m.* Sigla de *caballo de vapor*, unidad de potencia que equivale a 745 vatios aproximadamente.

d *s. f.* ① Cuarta letra del alfabeto español; su nombre es *de*. ② En la numeración romana, tiene el valor de quinientos. **NOTA** Se escribe con mayúscula.

D., D.ª Abreviaturas de *don* y *doña*, formas de tratamiento: *D. Pedro García; D.ª Carmen López.*

da capo Expresión italiana que significa 'desde la cabeza' o 'desde el comienzo', y se usa en música para indicar que, en un momento determinado de una pieza, se ha de volver al comienzo y repetirla hasta un determinado compás o entera, hasta el final.

dactilar *adj.* Relativo a los dedos. **SIN** digital.

dáctilo *s. m.* ① Pie de la métrica clásica formado por una sílaba larga y dos breves. ② Pie de la métrica española formado por una sílaba tónica y dos átonas.

dactilografía *s. f.* Técnica de escribir a máquina con todos los dedos de la mano y sin necesidad de mirar las teclas. **SIN** mecanografía.
FAM dactilógrafo.

dactilógrafo, -fa *s. m. y f.* Persona que se dedica a escribir textos a máquina. **SIN** mecanógrafo.

dadá *adj.* ① Relativo al dadaísmo. I *s. m.* ② Dadaísmo.

dadaísmo *s. m.* Movimiento artístico y literario de vanguardia iniciado por Tristan Tzara en 1916, que propugna la liberación de la fantasía y la ausencia de toda significación racional; surgió como reacción a los modos tradicionales de expresión y evolucionó hacia el surrealismo literario y artístico. **SIN** dadá.
FAM dadaísta.

dadaísta *adj.* ① Relativo al dadaísmo. I *adj./s. com.* ② Que practica el dadaísmo: *Jean Arp fue un artista dadaísta.*

dádiva *s. f.* Regalo o cosa que se da voluntariamente en señal de agradecimiento o afecto. **SIN** don, presente.
FAM dadivoso.

dadivoso, -sa *adj./s. m. y f.* Que es generoso o inclinado a hacer dádivas.
FAM dadivosidad.

dado¹ *s. m.* Pieza cúbica en cuyas caras hay dibujados puntos, de uno hasta seis, y que se usa en juegos de azar.

dado, -da² Se usa en las expresiones:

dado que Indica la causa por la que ocurre una cosa.
ser muy dado Sentir gran tendencia o inclinación a cierta cosa: *Juan es muy dado a dar consejos.*

daga *s. f.* Arma blanca de hoja corta y ancha, parecida a la espada.

daguerrotipia *s. f.* Daguerrotipo.

daguerrotipo *s. m.* Procedimiento inventado por Daguerre (1769-1851) para fijar las imágenes obtenidas por medio de una cámara oscura sobre una plancha metálica sensibilizada al vapor de yodo; es un antecedente directo de la fotografía, aunque permite obtener solo un original, sin posibilidad de reproducir copias. **SIN** daguerrotipia.
FAM daguerrotipar.

daimio o **daimyo** *s. m.* Señor feudal del Japón antiguo.

dalai-lama o **dalai lama** *s. m.* Sumo sacerdote budista que ejerce de dirigente espiritual y jefe de Estado en el Tíbet (región de Asia).

dalia *s. f.* ① Planta herbácea de hojas ovaladas que da flores sin aroma, con el botón central amarillo y corola grande. ② Flor de esta planta.

dálmata *adj.* ① De Dalmacia (región de la antigua Yugoslavia). I *s. com./adj.* ② Persona que es de Dalmacia. I *adj./s. com.* ③ Se aplica al perro que pertenece a una raza de tamaño mediano, con el pelo corto blanco y manchas negras o marrones.

daltónico, -ca *adj.* ① Relativo al daltonismo. I *adj./s. m. y f.* ② Que padece esta enfermedad.

daltonismo *s. m.* Defecto de la vista que consiste en no poder distinguir los colores rojo y verde, debido a una falta de conos (células de la retina) sensibles a ellos.
FAM daltónico.

dama *s. f.* ① Mujer noble o distinguida, especialmente la de buena educación y clase social alta. ■ **primera dama** Esposa de un jefe de Estado o de Gobierno. ② Mujer que sirve a una reina, una princesa o una infanta. ③ Mujer galanteada por un caballero: *Laura era la dama de Petrarca.* ④ Pieza del ajedrez que representa una reina; puede recorrer en un solo movimiento todos los cuadros que estén libres en cualquier dirección. **SIN** reina. ⑤ Carta de la baraja francesa que lleva la letra Q. **SIN** reina. ⑥ En el juego de las damas, pieza que alcanza la primera línea del contrario y se corona con otra

D

pieza. ❚ *s. f. pl.* ⓻ **damas** Juego de mesa en el que se enfrentan dos jugadores, cada uno de los cuales tiene 12 fichas, blancas o negras, que se mueven diagonalmente en un tablero de ajedrez; consiste en dejar sin fichas al contrario, para lo cual hay que saltarlas en diagonal si detrás tienen un cuadro libre.

dama de honor Mujer que, durante una ceremonia pública, acompaña a otra que es la persona más importante del acto. **FAM** damero, damisela.

damasco *s. m.* Tela fuerte de seda o lana, con dibujos formados con el tejido combinando hilos de distinto color y grosor. **FAM** damasquinado, damasquinar, damasquino.

damasquinado *s. m.* Artesanía que consiste en incrustar oro o plata en hierro o acero.

damasquinar *v. tr.* Adornar un objeto de hierro con metales preciosos como el oro o la plata.

damasquino, -na *adj.* ❶ De Damasco (ciudad de Siria). ❚ *s. m. y f./adj.* ❷ Persona que es de Damasco. ❚ *adj.* ❸ Se aplica al objeto de acero o hierro que lleva incrustaciones de oro o plata.

damero *s. m.* ❶ Tablero para jugar a las damas. ❷ Plano de una urbanización o ciudad que se parece al tablero del juego de damas. ❸ Pasatiempo parecido al crucigrama en el que se puede leer una frase una vez resuelto. **FAM** damerograma.

damisela *s. f.* Muchacha que presume de dama o de señorita refinada.

damnificado, -da *adj./s. m. y f.* Se aplica a la persona que ha sufrido un daño importante a consecuencia de una desgracia colectiva.

damnificar *v. tr.* Causar daño. **FAM** damnificado.

dan *s. m.* Cada uno de los diez grados superiores que se conceden en las artes marciales a partir del cinturón negro.

dandi *s. m.* Hombre que se distingue por su extremada elegancia y refinamiento en su pose y en sus modales. **OBS** Puede encontrarse la grafía inglesa *dandy.*

danés, -nesa *adj.* ❶ De Dinamarca (país de Europa): *la capital danesa es Copenhague.* **SIN** dinamarqués. ❚ *s. m. y f./adj.* ❷ Persona que es de Dinamarca. **SIN** dinamarqués. ❚ *s. m./ adj.* ❸ Lengua germánica que se habla en Dinamarca. **SIN** dinamarqués. ❚ *adj.* ❹ Relativo a esta lengua. **SIN** dinamarqués.

gran danés Perro perteneciente a una raza de gran tamaño, con la cabeza grande, las orejas pequeñas con la punta doblada, el hocico corto y cuadrado con los labios abultados y colgantes por los lados, el cuello y el cuerpo gruesos y cortos y el pelaje marrón claro. **SIN** dogo.

dantesco, -ca *adj.* ❶ Relativo a Dante Alighieri (poeta italiano, 1265-1321) o a su obra. ❷ Se aplica a la situación que causa horror o impresiona enormemente: *el reportaje de televisión sobre los niños de Etiopía mostraba imágenes dantescas.*

danza *s. f.* ❶ Movimiento rítmico del cuerpo, generalmente acompañado de música. ❷ Conjunto de bailarines y cuadro que componen. **FAM** danzar; contradanza.

danzar *v. tr./intr.* ❶ Mover rítmicamente el cuerpo, generalmente acompañándose de música. ❚ *v. intr.* ❷ Ir de un lado a

otro sin hacer nada de provecho. ❸ Meterse en un asunto: *no sé en qué danzará ahora.* **FAM** danza, danzante, danzarín.

danzarín, -rina *s. m. y f.* Persona que baila piezas de música folclórica, clásica o moderna. **SIN** bailarín.

dañar *v. tr.* ❶ Causar dolor o sufrimiento: *se cayó y se ha dañado un tobillo.* ❷ Estropear o dejar en mal estado: *la humedad ha dañado los libros de la estantería.*

dañino, -na *adj.* Que causa daño: *el tabaco es dañino para la salud.* **SIN** dañoso. **ANT** inofensivo.

daño *s. m.* ❶ Efecto de dañar: *las mentiras que dijeron de él hicieron mucho daño a su prestigio.* ❷ Dolor físico o moral: *le hizo daño con sus palabras agresivas.* ❸ AMÉR. Mal de ojo, influjo maléfico que por arte de hechicería se hace supuestamente con la mirada: *dicen que perdió la suerte cuando alguien que no le quería le hizo el daño.* **FAM** dañar, dañino, dañoso.

dañoso, -sa *adj.* Dañino. **ANT** inofensivo.

dar [26] *v. tr.* ❶ Hacer pasar a poder de otra persona algo propio: *me ha dado su abrigo porque se le ha quedado pequeño.* **SIN** donar. ❷ Poner en las manos o al alcance: *dame el pan, por favor.* ❸ Hacer saber, comunicar alguna cosa, especialmente no material: *el policía me dio las pistas para encontrar la tienda.* ❹ Conceder un derecho, cargo o poder: *te doy permiso para ir a la excursión.* ❺ Pagar a cambio de algo: *¿cuánto me das por lavarte el coche?* ❻ Producir o ser origen de beneficios o frutos: *el peral da peras.* ❼ Ofrecer o celebrar un espectáculo o un acto social: *dar una fiesta.* ❽ Impartir una enseñanza o recibirla: *dar una clase.* ❾ Abrir la llave de paso de un conducto: *no dan la luz hasta las diez.* ❿ Aplicar una sustancia: *le he dado una pomada en la rodilla para el dolor.* ⓫ Sonar la hora o las campanas de un reloj: *acaban de dar las doce.* ⓬ Considerar o declarar en cierta situación o estado: *damos por terminada la sesión.* ❚ *v. intr.* ⓭ Chocar algo que está en movimiento con un objeto estático o parado: *la lluvia daba en los cristales.* ⓮ Estar situada una cosa hacia una parte: *el porche da a la carretera.* ❚ *v. prnl.* ⓯ **darse** Entregarse con interés o por vicio: *darse a la buena vida.*

¡dale! o **¡dale que dale!** o **¡dale que te pego!** familiar Indica fastidio o enfado ante la insistencia de una cosa pesada o la terquedad de una persona.

dar a entender Hacer saber una cosa o idea sin explicarla claramente.

dar con Encontrar: *hemos dado con Juan después de varias llamadas de teléfono.*

dar de sí (I) Hacerse más ancho o extenso, generalmente un tejido: *he lavado el jersey con agua caliente y ha dado de sí.* (II) Aprovechar o rendir: *se esfuerza, pero su inteligencia no da más de sí.*

darse por vencido familiar Reconocer la propia incapacidad para hacer algo.

dársela Engañar o ser infiel una persona a otra.

dárselas de Presumir de cierta cosa. **FAM** dador.

dardo *s. m.* ❶ Arma arrojadiza pequeña y ligera acabada en punta que se arroja con una mano o con una cerbatana. ❷ Expresión que se usa para molestar o herir a una persona. **SIN** aguijonazo, pulla, puyazo.

dársena *s. f.* Parte de un puerto resguardada artificialmente de las corrientes para que las embarcaciones puedan cargar y descargar con comodidad.

darvinismo o **darwinismo** *s. m.* Teoría biológica de la evolución propuesta por Charles Darwin en el siglo XIX, según la cual la transformación de las especies se debe a la selección natural, que actúa sobre las variaciones, debidas al azar, que se encuentran en los individuos de una misma especie y que pueden constituir una ventaja o una desventaja ante las condiciones del medio.
FAM darvinista.

data *s. f.* Indicación de la fecha y lugar en que se ha escrito un texto, documento, inscripción, etc.

datación *s. f.* Determinación de la fecha de un escrito, un objeto o un acontecimiento, o de la edad de un ser vivo: *en biología, geología y arqueología, se emplea un conjunto de técnicas de datación, como el carbono 14.* ■ **datación absoluta** Datación cuyo resultado depende tan solo de las características de la propia muestra que varían en el tiempo, independientemente de factores externos: *la datación de una roca en función de la presencia de un determinado elemento radiactivo cuya proporción disminuya con el tiempo es un ejemplo de datación absoluta.* ■ **datación relativa** Datación en la que la edad de la muestra se determina a partir de la de ciertos elementos de edad conocida que la acompañan: *la datación de un yacimiento arqueológico a partir de los restos fósiles hallados es un ejemplo de datación relativa.*

datar *v. intr.* ① Existir desde un momento determinado; haber sido hecho en un momento determinado: *el manuscrito data de 1384.* ❙ *v. tr.* ② Poner la fecha a un texto o documento: *datar un examen.* **SIN** fechar. ③ Determinar la fecha de un escrito, un objeto o un acontecimiento: *han datado el cuadro.* **SIN** fechar.
FAM datación.

dátil *s. m.* ① Fruto comestible de ciertas palmeras, alargado, de color marrón y de sabor muy dulce. ② familiar Dedo de la mano. **NOTA** Normalmente en plural.
dátil de mar Invertebrado marino del filo moluscos, bivalvo, comestible y cuya concha se parece a este fruto en forma y color.
FAM datilera.

dativo *s. m.* Caso o relación sintáctica que, en algunas lenguas con declinación como el latín, indica el complemento indirecto del verbo.

dato *s. m.* ① Información concreta sobre hechos, elementos, etc., que permite estudiarlos, analizarlos o conocerlos: *los datos estadísticos se obtienen de la observación de un fenómeno en una población, y la totalidad de ellos es la muestra.* ② En informática, información que se suministra al ordenador y que este almacena de forma legible: *situar el cursor en el campo correspondiente e introducir el nuevo dato.*

d. C. o **d. de C.** Abreviatura de *después de Cristo.*

dcha. Abreviatura de *derecha.*

DDT [se pronuncia 'de-de-te'] *s. m.* Sigla de *diclorodifeniltricloroetano*, insecticida utilizado en la agricultura.

de¹ *s. f.* Nombre de la letra *d.*

de² *prep.* ① Indica posesión o pertenencia: *la moto de mi primo.* ② Indica el origen o la procedencia: *salir de casa; queso de Burgos.* ③ Indica el contenido de un recipiente: *caja de zapatos.* ④ Indica la materia de la que está hecha una cosa: *techo de escayola.* ⑤ Indica la materia o asunto que se trata: *película de misterio.* ⑥ Indica la utilidad o fin: *máquina de afeitar.* ⑦ Indica la naturaleza, condición o carácter: *hombre de ideas fijas.* ⑧ Indica que se toma una parte entre las que forman alguna cosa o cantidad: *trozo de pan.* ⑨ Indica la causa o razón por la que se produce una cosa: *partirse de risa.* ⑩ Indica el modo en que se realiza una acción: *caer de espaldas.* ⑪ Indica el tiempo en que ocurre una cosa: *siempre sale de día.* ⑫ Indica que una persona o cosa pertenece a una clase o especie dentro de un género: *el mes de noviembre.*
OBS Seguido del artículo masculino *el*, forma la contracción *del.*

deambular *v. intr.* Ir de un lugar a otro sin un fin determinado. **SIN** vagabundear, vagar.
FAM deambulatorio.

deambulatorio *s. m.* Pasillo semicircular que rodea por detrás el altar mayor de una iglesia. **SIN** girola.

deán *s. m.* Religioso de cargo inferior al de obispo.
FAM deanato.

debacle *s. f.* Desgracia grande que altera la vida normal. **SIN** cataclismo.

debajo *adv.* En un lugar inferior o más bajo que otro: *está debajo de la mesa.* **ANT** encima.

debate *s. m.* Técnica de discusión entre dos o más personas que buscan alcanzar conclusiones o decisiones en un tema controvertido, que satisfagan a la mayoría de los participantes.

debatir *v. tr.* ① Discutir dos o más personas sobre un tema. ❙ *v. prnl.* ② **debatirse** Luchar por salir de una situación: *debatirse entre la vida y la muerte.*
FAM debate.

debe *s. m.* Parte de una cuenta corriente en la que se escriben las cantidades de dinero que tiene que pagar una persona u organismo.

deber¹ *v. tr.* ① Estar obligado a algo según las leyes o según las normas de convivencia: *debemos dejar el asiento a las personas mayores en el autobús.* ② Estar obligado por necesidad física o lógica: *debes comprarte otro pantalón.* ③ Estar obligado a pagar: *te debo diez euros.* ❙ *v. auxiliar* ④ Ser posible o probable: *debe de haber aprobado, porque está muy contento.* ❙ *v. prnl.* ⑤ **deberse** Tener por causa, ser resultado de: *mi retraso se debe a un pinchazo.*
FAM debe, debido, débito.

deber² *s. m.* ① Exigencia u obligación de una persona debida a algún precepto religioso, natural o humano: *pagar los impuesto es un deber.* ❙ *s. m. pl.* ② **deberes** Conjunto de trabajos escolares para realizar en casa.

debidamente *adv.* De la manera justa, correcta o conveniente: *los niños desfilaron debidamente ordenados.*

debido, -da *adj.* Que es conveniente, obligado o necesario: *no hables más de lo debido.* **ANT** indebido.
debido a Expresión que indica la causa por la que ocurre algo.
FAM debidamente; indebido.

débil *adj.* ① Deficiente en fuerza, resistencia o intensidad: *esa cuerda es muy débil.* **ANT** fuerte. ❙ *adj./s. com.* ② Se aplica a la persona que tiene poca fuerza o resistencia moral. ❙ *adj.* ③ Se aplica al sonido vocálico cerrado: *"i" y "u" son vocales débiles.* **ANT** fuerte.
FAM debilidad, debilitar, debilucho.

debilidad *s. f.* ① Falta de fuerza o resistencia. **ANT** fortaleza. ② Falta de firmeza en el carácter. ③ Cariño o preferencia exagerada por algo o alguien: *tiene debilidad por su sobrina.*

debilitar *v. tr.* Disminuir la fuerza física o moral.
FAM debilitación, debilitamiento.

debilucho, -cha *adj./s. m. y f.* familiar Débil o enclenque.

débito *s. m.* Cantidad de dinero que se debe pagar. **SIN** deuda.

debut *s. m.* ① Primera actuación en público de una compañía teatral o de un artista. ② Primera actuación de alguien en una actividad cualquiera.
FAM debutar.
OBS Plural: *debuts*.

debutante *adj./s. com.* Que debuta.

debutar *v. intr.* ① Presentarse o actuar por primera vez en público una compañía teatral o un artista. ② Ejercer por primera vez cualquier actividad: *debutó como cirujano cuando tenía 27 años.*
FAM debutante.

década *s. f.* Periodo de diez años; generalmente referido a una decena de años de un siglo: *la década de los sesenta.*

decadencia *s. f.* ① Pérdida de la fuerza o de la importancia de una cosa. **SIN** caída, declinación, declive. ② Periodo de la historia o de las artes en que tiene lugar esta pérdida.

decadente *adj.* ① Que es muy antiguo o está fuera de uso. **SIN** caduco. ❙ *adj./s. com.* ② Que es propio de un movimiento de la literatura que se caracteriza por el excesivo cuidado en el estilo.
FAM decadentismo.

decaedro *s. m.* Cuerpo sólido geométrico de diez caras.

decaer [25] *v. intr.* Degradarse o debilitarse una persona o cosa: *ha decaído tu afán por el deporte.*
FAM decaído, decaimiento.

decágono *s. m.* Figura geométrica plana de diez lados.

decagramo *s. m.* Medida de masa, de símbolo *dag*, que es igual a 10 gramos.

decaído, -da *adj.* Que se siente triste, deprimido y sin ánimos para hacer nada.

decaimiento *s. m.* Pérdida progresiva de fuerza, ánimo o importancia.

decalitro *s. m.* Medida de volumen, de símbolo *dal*, que es igual a 10 litros.

decálogo *s. m.* ① Conjunto de los diez mandamientos que, según los cristianos y los judíos, dio Dios a Moisés en el monte Sinaí. **NOTA** Se escribe normalmente con mayúscula inicial. ② Conjunto de reglas que se consideran básicas para una actividad.

decámetro *s. m.* Medida de longitud, de símbolo *dam*, que es igual a 10 metros.

decanato *s. m.* ① Cargo de decano. ② Lugar en el que está la oficina del decano. ③ Tiempo durante el cual un decano ejerce su cargo.

decano, -na *s. m. y f.* ① Persona más antigua en una corporación. ② Persona que preside una corporación, especialmente una facultad universitaria.
FAM decanato.

decantar *v. tr.* ① Inclinar ligeramente un recipiente sobre otro para que caiga el líquido sin el poso. ❙ *v. prnl.* ② **decantarse** Inclinarse por una tendencia o posibilidad: *los alumnos se decantaron por la opción más fácil.*
FAM decantación.

decapitación *s. f.* Separación de la cabeza del resto del cuerpo: *en la Revolución Francesa se usó la guillotina para la decapitación de los presos.*

decapitar *v. tr.* Cortar la cabeza separándola del resto del cuerpo.
FAM decapitación.

decápodo, -da *adj./s. m.* ① Se aplica al crustáceo que tiene cinco pares de patas, de las cuales el primer par está modificado para formar las pinzas: *el cangrejo de mar y la langosta son decápodos.* ❙ *s. m. pl.* ② **decápodos** Grupo taxonómico, con categoría de orden, constituido por estos crustáceos.

decárea *s. f.* Medida de superficie que es igual a 10 áreas.

decasílabo, -ba *adj./s. m.* Se aplica al verso que tiene diez sílabas.

decatlón *s. m.* Competición deportiva formada por diez pruebas de atletismo.

deceleración *s. f.* Disminución gradual de la velocidad de un móvil. **ANT** aceleración.

decelerar *v. tr./intr.* Hacer menos rápido un movimiento o una acción. **ANT** acelerar.

decena *s. f.* Conjunto formado por diez unidades.
FAM decenal.

decencia *s. f.* ① Manera de obrar justa y honrada. **ANT** indecencia. ② Respeto a la moral, especialmente en el aspecto sexual. **SIN** decoro. **ANT** indecencia.

decenio *s. m.* Periodo de diez años.

decente *adj.* ① Se aplica a la persona que se comporta de manera justa y honrada. **ANT** indecente. ② Que está de acuerdo con la moral, especialmente en el aspecto sexual. **ANT** indecente. ③ Moderadamente adecuado o satisfactorio.
FAM decencia; adecentar, indecente.

decepción *s. f.* Pesar causado por un desengaño o una desilusión.

decepcionar *v. tr.* Hacer que una persona pierda la ilusión en algo al ver que no es como esperaba: *me decepcionó con su actitud egoísta.*
FAM decepción.

deceso *s. m.* AMÉR. culto Muerte natural de una persona.

dechado *s. m.* Modelo de persona o cosa que se tiene presente para imitar: *ser un dechado de virtudes.*

deciárea *s. f.* Medida de superficie que equivale a la décima parte de un área.

decibel *s. m.* Medida de sonoridad o sensación sonora que es igual a la décima parte de un bel.
OBS Plural: *decibeles*. Se ha adaptado al español con la forma *decibelio*.

decibelio *s. m.* Decibel.

decidido, -da *adj.* ① Que es firme y seguro. ❙ *adj./s. m. y f.* ② Se aplica a la persona que actúa con valor o seguridad. **ANT** indeciso.
FAM decididamente.

decidir *v. tr.* Elegir entre varias opciones tomando una determinación. **SIN** resolver.
FAM decidido, decisión.

decigramo *s. m.* Medida de masa, de símbolo *dg*, que es igual a la décima parte de un gramo.

decilitro *s. m.* Medida de volumen, de símbolo *dl*, que es igual a la décima parte de un litro.

décima *s. f.* [1] Parte que, junto con otras nueve, forma un grado del termómetro clínico: *tiene 38 grados y 4 décimas de fiebre.* [2] Estrofa formada por diez versos octosílabos con rima consonante (abbaaccddc). **SIN** espinela.

decimal *adj.* [1] Se aplica al sistema de numeración cuya base es diez. | *adj./s. m.* [2] Se aplica al número que es menor que un número entero: *1,73 es un número decimal.* | *adj.* [3] Se aplica al sistema de pesas y medidas, cuyas unidades son múltiplos o divisores de diez.

decímetro *s. m.* Medida de longitud, de símbolo *dm*, que es igual a la décima parte de un metro. ■ **decímetro cuadrado** Medida de superficie, de símbolo *dm²*, que es igual a 0,01 metros cuadrados. ■ **decímetro cúbico** Medida de volumen, de símbolo *dm³*, que es igual a 0,001 metros cúbicos: *un litro equivale a un decímetro cúbico.*
doble decímetro Regla de gran precisión, graduada por ambos lados en centímetros, milímetros y mitades de milímetro.

décimo, -ma *num. ord.* [1] Que ocupa el lugar número 10 en una serie ordenada. | *num. part.* [2] Se aplica a cada una de las partes que resultan de dividir un todo en diez partes iguales. | *s. m.* [3] Décima parte de un billete de lotería, que puede comprarse por separado: *hemos comprado dos décimos de lotería de Navidad.*
FAM decimal.

decimoctavo, -va *num. ord.* Que ocupa el lugar número 18 en una serie ordenada.

decimocuarto, -ta *num. ord.* Que ocupa el lugar número 14 en una serie ordenada.

decimonónico, -ca *adj.* [1] Relativo al siglo XIX: *Galdós es un escritor decimonónico.* [2] fam. desp. Que está pasado de moda.

decimonono, -na *num. ord.* culto Decimonoveno.
FAM decimonónico.

decimonoveno, -na *num. ord.* Que ocupa el lugar número 19 en una serie ordenada.

decimoquinto, -ta *num. ord.* Que ocupa el lugar número 15 en una serie ordenada.

decimoséptimo, -ma *num. ord.* Que ocupa el lugar número 17 en una serie ordenada.

decimosexto, -ta *num. ord.* Que ocupa el lugar número 16 en una serie ordenada.

decimotercer Apócope de *decimotercero.*
OBS Se usa delante de sustantivos masculinos en singular.

decimotercero, -ra *num. ord.* Que ocupa el lugar número 13 en una serie ordenada.
OBS Cuando va seguido de un sustantivo masculino, se usa la forma apocopada *decimotercer: decimotercer aniversario.*

decir[1] [27] *v. tr.* [1] Expresar por medio de palabras habladas o escritas: *ya sabe decir "mamá" y "papá".* [2] Asegurar o sostener una opinión: *dice que no tienes razón.* [3] Mostrar o indicar: *tus ojos dicen que has llorado.* [4] Nombrar o llamar: *a su hijo le dicen "el saltimbanqui".* [5] Quedar o sentar una cosa de determinada manera: *el color de tu vestido no dice bien con el de los zapatos.* | *v. prnl.* [6] **decirse** Hablar mentalmente una persona con sí misma.
es decir Expresión que introduce la explicación de lo que se acaba de decir.
ni que decir tiene Expresión que indica que lo que se va a decir es evidente y conocido por todos.
decir[2] *s. m.* Palabra o conjunto de palabras mediante las cuales se expresa una idea, especialmente si tiene gracia o contiene una sentencia. **SIN** dicho, refrán.

decisión *s. f.* [1] Determinación ante opciones posibles: *tomar una decisión.* [2] Valor o firmeza en la manera de actuar: *se levantó con decisión y lo sacó a bailar.* **SIN** determinación. **ANT** indecisión. [3] Mandato o sentencia de un juez o tribunal.

decisivo, -va *adj.* [1] Que lleva a tomar una determinación: *tu comportamiento ha sido decisivo.* [2] Que es muy importante para el futuro. **SIN** crucial.

decisorio, -ria *adj.* Que tiene capacidad para tomar una determinación.

declamación *s. f.* [1] Pronunciación de un texto literario con la intención de realzar su contenido poético. [2] Discurso escrito u oral con el fin de ejercitarse en las reglas de la retórica, y casi siempre sobre asunto fingido o supuesto. [3] Arte de la representación teatral.

declamar *v. tr./intr.* [1] Decir en voz alta un texto literario con la intención de realzar su contenido poético. **SIN** recitar. | *v. intr.* [2] Hablar ante un grupo de personas.
FAM declamación, declamador.

declaración *s. f.* [1] Explicación o afirmación pública. [2] Manifestación ante la administración pública de los bienes que se poseen para pagar los impuestos correspondientes. [3] Exposición ante un juez u otra autoridad de lo que se sabe sobre un asunto. **SIN** deposición, testificación. [4] Manifestación de amor a la persona amada para pedirle relaciones.

declarado, -da *adj.* Manifiesto o que se ve muy claro: *es un declarado ecologista.*

declarar *v. tr.* [1] Explicar o decir públicamente. [2] Decidir un juez u otra autoridad sobre un asunto. [3] Dar a conocer a la administración pública los bienes que se poseen para pagar los impuestos correspondientes. [4] Dar a conocer en la aduana los objetos por los que se debe pagar impuestos. | *v. intr.* [5] Exponer ante el juez u otra autoridad lo que se sabe sobre un asunto. **SIN** atestiguar. | *v. prnl.* [6] **declararse** Darse a conocer o comenzar a producirse una cosa o una acción. [7] Expresar el amor que se siente a la persona amada y pedirle relaciones. [8] Hacer constar un estado o una situación: *los trabajadores se han declarado en huelga.*
FAM declaración, declarado, declarativo, declaratorio.

declarativo, -va *adj.* Que explica de manera clara lo que está dudoso.

declinable *adj.* Referido a una parte de la oración, que puede ser declinada.

declinación *s. f.* [1] Pérdida de la fuerza o de la importancia de una cosa. **SIN** caída, decadencia, declive. [2] Conjunto de las variaciones morfológicas que pueden presentar las palabras que admiten flexión nominal según la función que realicen: *nominativo, vocativo, acusativo, genitivo, dativo y ablativo son los casos de la declinación latina.* [3] Distancia de un astro al ecuador celeste. [4] Ángulo que forma un plano vertical con el meridiano del lugar.

declinar *v. intr.* [1] Separarse o desviarse de una dirección determinada: *declinar hacia un lado.* [2] Ir perdiendo fuerza, ánimo o importancia: *la salud del enfermo declinó visiblemente.* **SIN** decaer. [3] Acercarse una cosa a su fin: *declinar el día.* [4] Ir cambiando de naturaleza o de costumbre hasta tocar en el extremo contrario: *declinar de la virtud en vicio.* | *v. tr.* [5] Rechazar un honor o responsabilidad: *declinó nuestra invitación.*

D

6 Enunciar de forma ordenada los distintos casos gramaticales de una palabra para desempeñar las funciones correspondientes a cada caso. **FAM** declinable, declinación.

declive *s. m.* **1** Cuesta o inclinación de una superficie. **2** Pérdida de la fuerza o de la importancia de una cosa. **SIN** caída, declinación.

decocción *s. f.* **1** Cocción en agua de alguna sustancia vegetal o animal. **2** Producto líquido que se obtiene de este proceso: *los griegos bebían una decocción de cáñamo con vino y mirra.*

decodificar *v. tr.* Descodificar. **FAM** decodificación.

decolorar *v. tr.* Quitar o reducir el color. **SIN** descolorar, descolorir. **ANT** colorar, colorear. **FAM** decoloración, decolorante.

decomisar *v. tr.* Retirar una mercancía por estar prohibida o por comerciar con ella de manera ilegal: *la policía ha decomisado el tabaco de contrabando.*

decomiso *s. m.* **1** Retirada de una mercancía al que comercia con ella por estar prohibida o por comerciar con ella de manera ilegal. **2** Mercancía o producto retirados del mercado por una autoridad. **FAM** decomisar.

decoración *s. f.* **1** Colocación de adornos en una cosa o lugar. **2** Técnica de disposición de los muebles y objetos de una habitación o edificio para embellecerlo y hacerlo más agradable.

decorado *s. m.* Conjunto de elementos con que se ambienta una escena en un espectáculo teatral o en el cine.

decorador, -ra *s. m. y f.* Persona que se dedica a adornar cosas, espacios interiores y edificios.

decorar *v. tr.* **1** Poner adornos en una cosa o en un lugar. **2** Disponer los muebles y objetos de un lugar de determinada manera para embellecerlo y crear ambiente. **FAM** decoración, decorado, decorador, decorativo.

decorativo, -va *adj.* Relativo a la decoración.

decoro *s. m.* **1** Comportamiento respetuoso que merece una persona o una situación. **2** Respeto a la moral, especialmente en el aspecto sexual. **SIN** decencia. **3** Dignidad en el comportamiento y el aspecto: *vivo con decoro, pero sin lujos.* **FAM** decoroso.

decoroso, -sa *adj.* Que tiene o manifiesta decoro: *un sueldo decoroso.* **ANT** indecoroso. **FAM** indecoroso.

decrecer [16] *v. intr.* Reducirse la cantidad, el tamaño o la importancia. **SIN** disminuir. **FAM** decreciente, decrecimiento.

decreciente *adj.* Que decrece.

decrépito, -ta *adj./s. m. y f.* **1** Se aplica a la persona que tiene disminuidas sus facultades físicas y mentales a causa de la edad. *| adj.* **2** Se aplica a la cosa que está en decadencia extrema. **FAM** decrepitud.

decrepitud *s. f.* **1** Debilidad de las facultades mentales a causa de la vejez. **2** Decadencia extrema de personas o cosas.

decrescendo [se pronuncia aproximadamente 'decreshendo'] *s. m.* **1** Disminución progresiva de la intensidad de una nota o un pasaje musical. **SIN** diminuendo. **ANT** crescendo. **2** Parte de una composición musical que se ejecuta de este modo: *solo las violas tocan el decrescendo final.* **SIN** diminuendo. **ANT** crescendo.

decretar *v. tr.* **1** Decidir o determinar una persona u organismo que tiene autoridad para ello: *el juez ha decretado prisión para el detenido.* **2** Anotar al margen de un escrito el curso o respuesta que se le ha de dar.

decreto *s. m.* Decisión tomada por la autoridad competente, especialmente en materia política: *un decreto para la prevención de riesgos laborales.* ■ **decreto ley** Resolución que toma el Gobierno en circunstancias especiales. ■ **real decreto** Decreto que es aprobado por el Consejo de Ministros y firmado por el rey. **FAM** decretar.

decúbito *s. m.* Posición del cuerpo tendido sobre un plano horizontal.

decumano *s. m.* En las ciudades y campamentos romanos, vía principal orientada en dirección este-oeste.

décuplo, -pla *adj./s. m.* Que es diez veces el número o cantidad de cierta cosa: *veinte es el décuplo de dos.*

decurión *s. m.* En la antigua Roma, jefe de un grupo de diez soldados.

decurso *s. m.* **1** Paso del tiempo: *el decurso de los años.* **2** Fase de descenso de una enfermedad.

dedal *s. m.* **1** Utensilio pequeño, cónico, con la superficie llena de hoyuelos, que se encaja en la extremidad del dedo para empujar la aguja sin herirse. **2** Dedil.

dédalo *s. m.* Conjunto de calles y caminos que se entrecruzan y disponen de tal manera que es muy difícil hallar la salida; suelen construirse con paredes de ladrillos o bien con un cercado de matas y arbustos vivos. **SIN** laberinto.

dedicación *s. f.* **1** Entrega intensa a una actividad determinada: *mi trabajo me exige mucha dedicación.* ■ **dedicación exclusiva** o **dedicación plena** Dedicación que ocupa todo el tiempo del trabajo de una persona e impide hacer otro por contrato o compromiso: *los funcionarios tienen dedicación exclusiva.* **2** Fin al que se destina una cosa. **3** Ofrecimiento de un libro o una obra a una persona, como muestra de afecto o agradecimiento.

dedicar *v. tr.* **1** Destinar una cosa para un fin determinado: *dedicó la habitación a la lectura y a la música.* **2** Ofrecer un libro o una obra a una persona en especial, como muestra de afecto o agradecimiento: *ha dedicado su último disco a su hija.* **3** Consagrar una persona o cosa a un dios o santo: *dedicar una iglesia a la Virgen.* *| v. prnl.* **4** **dedicarse** Entregarse a una actividad determinada: *me dedico a la jardinería.* **FAM** dedicación, dedicatoria.

dedicatoria *s. f.* Nota o palabras dirigidas a quien se dedica un obsequio.

dedil *s. m.* Funda de goma, cuero u otro material que se pone en los dedos para protegerlos o para que no se manchen en ciertos trabajos. **SIN** dedal.

dedillo Se usa en la expresión: **al dedillo** Con todo detalle: *se conoce al dedillo la historia de su ciudad.*

dedo *s. m.* **1** Parte prolongada en que terminan la mano y el pie del hombre y de otros animales: *el hombre tiene cinco dedos en cada mano y cada pie.* **2** Medida de longitud que equivale aproximadamente a 18 milímetros. **3** Porción de una cosa del ancho de un dedo: *han caído dos dedos de nieve.*

a dedo (**I**) Haciendo autostop: *como no tiene coche, siempre viaja a dedo.* (**II**) familiar Arbitrariamente, por decisión personal y sin seguir el procedimiento legal: *es una injusticia, lo han nombrado a dedo.*

cogerse (o **pillarse**) **los dedos** familiar Perjudicarse por falta de experiencia, cuidado o previsión: *me he pillado los dedos diciendo que podría entregar el pedido esta misma tarde.*

no mover un dedo No tomarse ningún trabajo o preocupación por algo o alguien: *aunque las cosas vayan mal, no moverá un dedo para ayudarnos.*

poner el dedo en la llaga Dar con el meollo de un asunto: *ha puesto el dedo en la llaga cuando le ha nombrado a su hijo.*
FAM dedocracia.

deducción *s. f.* ① Acción de deducir: *he averiguado tu edad por deducción.* **ANT** inducción. ② Método de razonamiento que consiste en ir de lo general a lo particular: *la deducción era para Descartes un modo de conocimiento.* **ANT** inducción. ③ Parte que se resta a una cantidad: *hemos conseguido una deducción del 10%.*

deducir [18] *v. tr.* ① Sacar una conclusión por medio de un razonamiento a partir de una situación anterior o de un principio general: *vi la luz encendida y deduje que estarías en casa.* **SIN** colegir, inferir. ② Restar una parte a una cantidad: *me han deducido del sueldo el 15%.* ③ Alegar las partes sus derechos en un juicio.
FAM deducción, deducible, deductivo.

deductivo, -va *adj.* Relativo a la deducción: *el método deductivo lo usaron los filósofos racionalistas.*

defecación *s. f.* Expulsión de excrementos por el ano.

defecar *v. intr.* Expulsar excrementos por el ano.
FAM defecación.

defección *s. f.* Acción de separarse con deslealtad de una causa: *cuando el partido se hizo más radical hubo varias defecciones hacia posturas más moderadas.*

defectible *adj.* culto Se aplica a la cosa o persona de la que se puede prescindir. **ANT** indefectible.

defectivo, -va *adj.* Se aplica al verbo que no se usa en todos los modos, tiempos o personas de la conjugación: *"transgredir" es un verbo defectivo.*

defecto *s. m.* ① Carencia de lo que es propio y natural de una cosa. ② Imperfección natural o moral: *Juan tiene el defecto de ser demasiado cotilla.*

por defecto De manera automática, si no se elige otra opción.
FAM defectivo, defectuoso.

defectuoso, -sa *adj.* Se aplica al objeto que tiene algún defecto.

defender [2] *v. tr.* ① Guardar o proteger de un ataque, un peligro o un daño: *los soldados defendieron a la población civil.* ② Interceder o hablar favorablemente de una persona o una cosa: *el abogado defiende al acusado en el juicio.* ③ Apoyar una idea o una teoría. **I** *v. prnl.* ④ **defenderse** Conseguir en una determinada actividad un resultado bastante bueno: *se defiende en inglés.*
FAM defendible, defendido, defensa, defensor.

defendido, -da *s. m. y f./adj.* Persona a quien defiende un abogado en un juicio.

defenestrar *v. tr.* ① Arrojar a una persona por la ventana: *el abogado alegará locura de la mujer que defenestró a su marido.*

② Separar o expulsar a una persona de su cargo, especialmente si es de forma inesperada.
FAM defenestración.

defensa *s. f.* ① Protección de un ataque, un peligro o un daño. ② Edificio, arma o cosa que sirve para protegerse de un ataque, un peligro o un daño. ③ Abogado o conjunto de abogados que defienden al acusado en un juicio. **ANT** acusación. ④ Razón o motivo con el que se intercede por el acusado en un juicio. ■ **legítima defensa** Circunstancia que exime de culpabilidad. **I** *s. com.* ⑤ Jugador que forma parte de la línea más retrasada de un equipo. **SIN** zaguero. **I** *s. f.* ⑥ Conjunto de jugadores que forman la línea más retrasada de un equipo. **SIN** zaga. **ANT** delantera. **I** *s. f. pl.* ⑦ **defensas** Medios por los que un organismo se protege de enfermedades.
FAM defensivo; autodefensa, indefenso.

defensiva Se usa en la expresión:
a la defensiva En actitud de desconfianza y recelo por temor a un ataque físico o moral: *el jugador estaba a la defensiva desde que el contrario le dio una patada.*

defensivo, -va *adj.* Que sirve para defender.
FAM defensiva.

defensor, -ra *adj./s. m. y f.* ① Que defiende. **I** *s. m. y f.* ② Abogado que se encarga de la defensa de un acusado en un juicio. ■ **defensor del pueblo** Persona designada por el Parlamento para presidir la institución pública encargada de defender y proteger los derechos de los ciudadanos frente a la Administración.

deferencia *s. f.* ① Conformidad con la opinión o el comportamiento de una persona por respeto hacia ella: *aunque su conferencia fue un disparate, lo felicitaron por deferencia.* ② Muestra de respeto y cortesía: *Luisa tuvo la deferencia de cederme el asiento.*
FAM deferente.

deferente *adj.* ① Que está conforme con la opinión o comportamiento de otro por respeto: *es muy deferente con su abuelo, acepta lo que dice aunque tienen ideas completamente opuestas.* ② Que demuestra atención y cordialidad hacia las personas.

deferir [9] *v. intr.* ① Adherirse al juicio de una persona por respeto o cortesía: *defirió al parecer de su padre.* **I** *v. tr.* ② Transferir parte del poder o jurisdicción: *deferir la causa a los tribunales.*
FAM deferencia.

deficiencia *s. f.* Defecto (imperfección o carencia).

deficiente *adj.* ① Que tiene algún defecto o imperfección: *cuando nos entregaron la casa estaba deficiente y tuvimos que pintarla.* ② Que no alcanza el nivel considerado normal: *tu examen ha sido deficiente, tendrás que repetirlo.* **I** *adj./s. com.* ③ Que tiene una capacidad mental inferior a la normal. **SIN** anormal, subnormal.
FAM deficiencia.

déficit *s. m.* ① Situación de la economía en la que los gastos superan a los ingresos: *hemos tenido un déficit de dos millones en los últimos meses.* **ANT** superávit. ② Situación en la que falta o hay escasez de una cosa necesaria: *déficit de alimentos.*
FAM deficitario.
OBS Plural invariable.

deficitario, -ria *adj.* ① Que tiene más gastos que ingresos. ② Que implica falta o escasez de lo que se considera necesario.

definición *s. f.* ① Exposición exacta y clara del significado de una palabra o un concepto: *un diccionario tiene definiciones.* ② Explicación o aclaración de algo dudoso: *la definición de tu postura es importante para mí.* ③ Capacidad de un sistema óptico para reproducir imágenes con gran nitidez: *televisión de alta definición.*
FAM indefinición.

definido, -da *adj.* Que tiene límites claros y precisos: *tomó una actitud muy definida en este conflicto.* **ANT** indefinido.
FAM indefinido.

definir *v. tr.* ① Exponer de manera exacta y clara el significado de una palabra: *en un diccionario de economía encontraremos cómo se definen "inflación" y "deflación".* ② Explicar una persona de manera definitiva su actitud u opinión: *definirse ideológicamente.* ③ Explicar de manera exacta y clara la naturaleza de una persona o una cosa: *definir las reglas del juego.*
FAM definición, definido, definitorio; indefinible.

definitivo, -va *adj.* ① Que no se puede mover o cambiar. **SIN** inamovible. **ANT** inconcluso, provisional. ② Que resuelve o decide.
en definitiva En conclusión, en resumen.
FAM definitivamente.

definitorio, -ria *adj.* Que define o delimita.

deflacción *s. f.* Movimiento de arrastre de partículas por la acción del viento. **NOTA** También *deflacción eólica.*

deflación *s. f.* Bajada generalizada de los precios acompañada de un aumento del valor del dinero: *las últimas encuestas muestran una deflación importante.*

deflagrar *v. intr.* Arder una sustancia rápidamente con llama y sin explosión: *la pólvora deflagra.*
FAM deflagración.

defoliación *s. f.* Caída de las hojas de los árboles y las plantas producida por un agente externo de naturaleza química, una enfermedad o los fenómenos atmosféricos.

deforestación *s. f.* Eliminación o destrucción de los árboles y plantas de un terreno.

deforestar *v. tr.* Eliminar o destruir los árboles y plantas de un terreno. **SIN** desforestar.
FAM deforestación.

deformación *s. f.* Alteración de la forma natural de una cosa. ■ **deformación profesional** Hábito o punto de vista desvirtuado por el ejercicio de una profesión: *mi tío tiene deformación profesional, es dentista y siempre está mirándonos los dientes.*

deformar *v. tr.* ① Alterar la forma natural de una cosa: *la tarta se ha deformado en el traslado.* ② Alterar la intención o el significado de una cosa que se dice: *has deformado mis palabras y se las ha tomado a mal.*
FAM deformable, deformación, deformante, deforme; indeformable.

deforme *adj.* Que presenta falta de proporción y regularidad en la forma. **SIN** disforme.
FAM deformidad.

deformidad *s. f.* Desproporción e irregularidad en el cuerpo humano o en un objeto.

defraudar *v. tr.* ① Perder la confianza o esperanza que se tenía en algo o en alguien: *esta película me ha defraudado.* ② Eludir el pago de impuestos: *si no declaras ese dinero, estás defraudando al Estado.* **ANT** tributar. ③ Robar mediante el abuso de confianza o incumpliendo las obligaciones propias: *el empleado defraudó miles de euros.*
FAM defraudación.

defunción *s. f.* Muerte de una persona.

degeneración *s. f.* ① Acción de degenerar. ② Efecto de degenerar. ③ Alteración grave de la estructura celular.

degenerado, -da *adj./s. m. y f.* Se aplica a la persona que tiene un comportamiento vicioso o que se aparta de la moral y las costumbres generalmente admitidas. **SIN** depravado.

degenerar *v. intr.* ① Evolucionar hacia un estado inferior o peor: *aquella primera molestia degeneró en una úlcera.* ② Perder un ser vivo progresivamente las cualidades de su especie, su raza o su linaje.
FAM degeneración, degenerado, degenerativo.

degenerativo, -va *adj.* Que causa o produce el paso de una cualidad o un estado a otro peor.

deglución *s. f.* Paso de un alimento de la boca al estómago.

deglutir *v. tr.* Tragar los alimentos: *traía tanta hambre que deglutió verozmente toda la comida.*
FAM deglución.

degollar [5] *v. tr.* ① Cortar el cuello a una persona o animal. ② Representar mal un papel en el teatro o una pieza musical.
FAM degolladero, degollina, degüello.

degollina *s. f.* ① familiar Matanza de muchas personas o animales. **SIN** escabechina. ② familiar Abundancia de suspensos en un examen. **SIN** escabechina.

degradación *s. f.* ① Acción de degradar o hacer perder una cualidad o un estado característicos: *la degradación de un entorno natural es la pérdida de calidad de este, debida generalmente a la acción del hombre.* ② Efecto de degradar. ③ Privación de los cargos u honores que tenía una persona: *la degradación del cabo se hizo en cumplimiento de las ordenanzas.* ④ Desprecio público del orgullo o del honor de una persona. ⑤ Conjunto de reacciones químicas que se suceden en una serie de etapas progresivas a través de las cuales un compuesto orgánico se transforma en otros más sencillos.

degradar *v. tr.* ① Privar a una persona de sus cargos u honores. ② Hacer perder una cualidad o un estado característicos. ③ Humillar públicamente a una persona. ④ Reducir una molécula orgánica a otras más sencillas.
FAM degradación, degradante.

degüello *s. m.* Acción de cortar el cuello a una persona o un animal.
entrar (o tirar) a degüello Tratar de hacer el mayor daño posible: *las tropas rebeldes entraron a degüello.*

degustación *s. f.* Prueba de un alimento o una bebida para examinar su sabor: *productos de degustación; degustación de chocolate.* **SIN** cata, catadura.

degustar *v. tr.* Probar un alimento o una bebida para examinar su sabor. **SIN** catar.
FAM degustación.

dehesa *s. f.* Terreno, generalmente acotado, que se dedica al pasto de ganado.
FAM adehesar.

dehiscencia *s. f.* Apertura espontánea de las anteras de una flor para dejar salir el polen, o de un fruto para liberar las semillas.

dehiscente *adj.* Se aplica a las anteras de una flor que se abren para dejar salir el polen y a los frutos que se abren para liberar las semillas.

deíctico, -ca *adj.* ① Relativo a la deixis: *en la oración "vosotros sois los culpables", "vosotros" desempeña la función deíctica.* ❚ *s. m.* ② Elemento gramatical que realiza una deixis: *"ese", "allí" y "ahora" son deícticos.*

deidad *s. f.* ① En las religiones politeístas, ser sobrenatural que tiene poder sobre una parte concreta de lo existente y sobre el destino de los seres humanos. **SIN** dios, divinidad. ② Cualidad de divino: *la deidad de Jesucristo.* **SIN** divinidad. **FAM** deificar.

deificar *v. tr.* ① Considerar a una persona o cosa como un dios y tratarla como tal: *los pueblos primitivos deificaron el fuego.* **SIN** divinizar. ② Ensalzar exageradamente las cualidades o virtudes de una persona. **SIN** divinizar. **FAM** deificación.

deísmo *s. m.* Doctrina teológica que afirma la existencia de un dios personal, creador del universo y primera causa del mundo, pero niega la providencia divina y la religión revelada. **FAM** deísta.

deísta *adj./s. com.* Que es partidario del deísmo: *los ilustrados no eran ateos, eran deístas.*

deixis *s. f.* Señalamiento que se realiza mediante ciertos elementos lingüísticos que muestran o indican una persona, un lugar o un tiempo; también puede referirse a otros elementos del discurso o presentes solo en la memoria: *en la frase "llamé a Juan y María, pero solo esta contestó", "esta" desempeña la deixis.* **OBS** Plural invariable.

dejadez *s. f.* ① Falta de disposición o de ánimo para hacer una cosa. **SIN** pereza. ② Descuido y negligencia en las obligaciones o en el aspecto físico. **SIN** abandono.

dejado, -da *adj./s. m. y f.* Se aplica a la persona que no cuida su aspecto físico ni sus obligaciones: *es muy dejado: tiene toda la ropa tirada en el sillón.* **FAM** dejadez.

dejar *v. tr.* ① Permitir que se haga una cosa o el modo de hacerla: *nos han dejado ir a la playa.* **SIN** consentir. ❚ *v. intr.* ② Interrumpir o detener una acción: *deja de comer chucherías.* ❚ *v. tr.* ③ Abandonar un lugar, a una persona o una actividad: *dejar la ciudad.* ④ Prestar una cosa durante un tiempo: *dejar dinero a un amigo.* ⑤ Hacer que alguien entre en posesión de una cosa o continúe con ella: *te dejaré el piso cuando me vaya.* ⑥ Poner o colocar una cosa en un lugar: *dejaré la compra en el frigorífico.* ⑦ Hacer que alguien o algo pase a un estado o situación determinado: *me dejó triste.* ⑧ Encargar o encomendar algo o a alguien a otra persona: *dejar al niño con una canguro.* ⑨ No molestar: *deja a tu hermano, que está estudiando.* ❚ *v. prnl.* ⑩ **dejarse** Descuidar el cuidado personal o las obligaciones: *no te dejes tanto y ve a la peluquería.* **SIN** abandonarse. ⑪ Declararse vencido o sin fuerzas para continuar en un empeño: *se ha ido dejando hasta perder las ilusiones.* **SIN** abandonarse. ⑫ Abandonar una actividad o una cosa: *déjate de bromas y escúchame.*

dejar bastante (o mucho) que desear Ser peor o inferior de lo que se esperaba.

dejarse caer Presentarse o aparecer en un lugar sin avisar: *me dejaré caer en tu casa un día de estos.* **FAM** dejado, deje, dejo.

deje *s. m.* Pronunciación particular con que se distingue el modo de hablar de una persona: *deje catalán.* **SIN** dejo.

dejo *s. m.* ① Deje: *dejo argentino.* ② Gusto o sabor que queda en la boca de alguna comida o bebida: *la tarta me ha dejado un dejo muy agradable.* **SIN** regusto. ③ Impresión o sentimiento que queda después de una acción: *le ha dejado un mal dejo la discusión.*

del Contracción de la preposición *de* y el artículo masculino *el*: *la casa del abuelo; viene del pueblo.* **NOTA** Si el artículo forma parte de un nombre propio, no se produce esa unión: *ha vuelto de El Ferrol.*

delación *s. f.* Acusación o denuncia de un hecho censurable por parte de una persona que no tiene una relación directa con él. **SIN** chivatazo, soplo.

delantal *s. m.* Prenda de vestir que, generalmente colgada al cuello, se ata a la cintura y cubre la parte delantera del cuerpo para que no se manche la ropa: *delantal de carnicero; delantal de cocina.* **SIN** mandil, mandilón.

delante *adv.* ① Indica que algo o alguien está en el lugar o la parte anterior o más visible de una cosa o persona: *voy delante, junto al conductor; la fachada de delante es la más bonita.* **ANT** detrás. ② En una serie o sucesión, indica la persona o cosa que está más cerca del principio: *está delante de todo en la clasificación.* ③ Indica que algo se hace en presencia de la persona de la que se habla, y no a escondidas: *yo le digo las cosas delante, no cuando se ha ido.*

delante de Indica que algo se hace en presencia de la persona que se expresa: *tuvo que repetir sus mentiras delante de su madre.* **SIN** ante. **FAM** delantera, delantero; adelante.

delantera *s. f.* ① Parte anterior de algo. ② familiar Pechos de la mujer. ③ Conjunto de jugadores que forman la línea más adelantada de un equipo. **ANT** defensa, zaga.

coger (o ganar o tomar) la delantera Adelantarse a una persona al obrar: *un corredor novel ha tomado la delantera en la etapa de montaña.*

llevar la delantera Llevar ventaja en una carrera, un trabajo u otra cosa.

delantero, -ra *adj.* ① Que está situado en la parte de delante de una cosa vista frontalmente: *la parte delantera del vestido.* **SIN** anterior. **ANT** posterior, trasero. ❚ *s. m. y f.* ② Jugador que forma parte de la línea más adelantada de un equipo. ■ **delantero centro** Jugador que ocupa el centro de esta línea. ❚ *s. m.* ③ Pieza que forma la parte de delante de una prenda de vestir: *la camisa lleva el delantero de distinto color que el resto.*

delatar *v. tr.* ① Dar noticia o aviso a una autoridad de un delito o de su autor: *el cómplice, asustado, delató a su compañero.* **SIN** denunciar. **ANT** encubrir. ② Poner de manifiesto algo que está oculto o que no se quiere dar a conocer: *el temblor de manos delata su nerviosismo.* **FAM** delator.

delator, -ra *s. m. y f.* Persona que denuncia o acusa a otra, especialmente cuando lo hace en secreto. **SIN** chivato, confidente, soplón.

delco *s. m.* Aparato eléctrico de los motores de explosión que sirve para hacer llegar la electricidad a las bujías. **OBS** Es marca registrada.

delección *s. f.* Pérdida de un segmento cromosómico que lleva consigo la desaparición de la información genética contenida en él.

delectación *s. f.* Placer del espíritu o los sentidos: *este cua-*

dro es una delectación para la vista. **SIN** deleitación, deleite, delicia.

delegación *s. f.* ① Cesión de un poder, una función o una responsabilidad a una persona para que los ejerza. ② Cargo de delegado: *ocupa la delegación desde las últimas elecciones.* ③ Oficina en la que trabaja un delegado: *la delegación de Educación del Gobierno.* ④ Conjunto o reunión de delegados.

delegado, -da *adj./s. m. y f.* Se aplica a la persona que recibe poder para obrar u opinar en nombre de otra u otras personas: *delegado de curso.* **FAM** subdelegado.

delegar *v. tr.* Ceder a una persona u organismo un poder, una función o una responsabilidad a otra persona para que los ejerza en su lugar. **FAM** delegación, delegado.

deleitar *v. tr.* Causar placer al espíritu o los sentidos: *nos deleitó con una lectura de poemas.* **FAM** deleitación, deleite.

deleite *s. m.* Placer del espíritu o los sentidos: *fue un auténtico deleite escuchar el concierto de Mozart.* **SIN** delectación, deleitación, delicia. **FAM** deleitoso.

deleitoso, -sa *adj.* Que causa placer al espíritu o los sentidos.

deletrear *v. tr.* Pronunciar separadamente las letras o sílabas de una palabra. **FAM** deletreo.

deletreo *s. m.* Pronunciación por separado de las letras o sílabas de una palabra.

deleznable *adj.* ① Que merece ser despreciado: *sus mentiras le convierten en un ser deleznable.* **SIN** despreciable, menospreciable. ② Que se rompe o deshace fácilmente: *es de un material muy deleznable.*

delfín[1] *s. m.* Mamífero acuático del orden cetáceos de 2 o 3 m de longitud, hocico prolongado, boca grande con multitud de pequeños dientes cónicos, y un orificio nasal encima de los ojos; posee las extremidades anteriores modificadas en aletas y las posteriores faltan; se alimenta de peces y calamares, y es veloz y fácilmente domesticable. **FAM** delfinario.

delfín, -fina[2] *s. m.* ① Título que se daba al primer hijo del rey de Francia: *el delfín era el heredero al trono francés.* ‖ *s. m. y f.* ② Persona señalada para suceder a un jefe de Estado u otra persona importante: *el delfín del presidente.* ‖ *s. f.* ③ Mujer del delfín de Francia.

delfinario *s. m.* Edificio destinado a la exhibición de delfines vivos.

delgadez *s. f.* Cualidad de delgado.

delgado, -da *adj.* ① Que tiene poca grasa o poca carne: *dedos delgados.* **SIN** flaco. **ANT** gordo, rollizo. ② Que es poco ancho o poco grueso: *un jersey delgado; una mesa de cristal delgado.* **SIN** fino. **ANT** gordo. **FAM** delgadez, delgaducho; adelgazar.

deliberación *s. f.* Reflexión que se hace antes de tomar una decisión, considerando detenidamente los pros y los contras o los motivos por los que se toma: *después de una larga deliberación decidieron operar.* **SIN** consideración, contemplación.

deliberado, -da *adj.* Se aplica al acto que se hace de forma voluntaria e intencionada: *tu traición ha sido deliberada.* **SIN** intencionado.

deliberante *adj.* Se aplica a la corporación o junta que toma acuerdos por mayoría de votos que repercuten en la colectividad.

deliberar *v. intr.* Reflexionar antes de tomar una decisión, considerando detenidamente los pros y los contras o los motivos por los que se toma: *el opositor esperaba nervioso que el tribunal deliberara.* **FAM** deliberación, deliberado, deliberante, deliberativo.

deliberativo, -va *adj.* Relativo a la deliberación: *una reunión deliberativa.*

delicadeza *s. f.* ① Suavidad, finura o debilidad de algo que puede estropearse o romperse con facilidad: *la delicadeza de su piel le impide tomar el sol.* ② Sensibilidad ante hechos que pueden causar impresión. ③ Amabilidad, atención o cortesía en el trato: *trató con gran delicadeza a todos los presentes.* ④ Habilidad para tratar un asunto o situación delicados: *le expuso el problema con delicadeza para que no se enfadara.* **SIN** política, tacto, tino. **ANT** crudeza. ⑤ Acción elegante y cortés: *tuvo la delicadeza de llevarme un ramo de flores.* ⑥ Objeto elegante o exquisito: *ese jarrón es una delicadeza.* **FAM** indelicadeza.

delicado, -da *adj.* ① Que es suave, fino o débil: *tela delicada; papel delicado.* ② Que puede estropearse o romperse con facilidad: *la porcelana es muy delicada.* ③ Que tiene facilidad para contraer enfermedades: *estómago delicado; es un chico muy frágil y delicado.* ④ Que es elegante o exquisito: *un manjar delicado.* ⑤ Que es amable, atento y cortés: *Juan es muy delicado con todo el mundo.* ⑥ Se aplica a la persona que es sensible o suspicaz: *ten cuidado con lo que le dices, que es muy delicado y se puede molestar.* ⑦ Se aplica al asunto o situación que exige mucho cuidado o habilidad. **FAM** delicadeza.

delicia *s. f.* ① Placer del espíritu o los sentidos: *la delicia de escucharlo hablar.* **SIN** delectación, deleitación, deleite. ② Persona o cosa que causa este placer. ‖ *s. f. pl.* ③ **delicias** Comida que se hace con pescado cocido y desmenuzado que se reboza en huevo y pan rallado y se fríe: *nos pusieron unas delicias de bacalao.*

hacer las delicias Producir un gran placer: *su interpretación hizo las delicias del público.* **FAM** delicioso.

delicioso, -sa *adj.* Que causa placer de los sentidos o el espíritu: *un pastel delicioso; una poesía deliciosa.*

delictivo, -va *adj.* Se aplica al acto que implica delito o acción contraria a la ley.

delicuescente *adj.* Se aplica al cuerpo que tiene la propiedad de absorber la humedad atmosférica y disolverse en ella: *muchas sales en estado de polvo son delicuescentes.* **FAM** delicuescencia.

delimitar *v. tr.* ① Determinar y marcar con claridad los límites de un terreno. **SIN** demarcar, deslindar. ② Determinar o aclarar los límites de una cosa o entre dos o más cosas: *delimitar las tareas domésticas; delimitar las funciones del presidente.* **SIN** deslindar. **FAM** delimitación, delimitador.

delincuencia *s. f.* ① Conjunto de acciones que van en contra de la ley. **SIN** criminalidad. ② Hecho de cometer acciones contra la ley.

delincuente *adj./s. com.* Se aplica a la persona que comete

acciones que van contra la ley: *la droga lo convirtió en un delincuente.* **SIN** maleante.
FAM delincuencia.

delineante *s. com.* Persona que se dedica al trazado de planos.

delinear *v. tr.* Trazar las líneas de una figura, especialmente de un plano.
FAM delineación, delineante.

delinquir *v. intr.* Cometer una acción que va contra la ley.
FAM delincuente.
OBS En su conjugación, la *q* se convierte en *c* delante de *a* y *o*.

delirante *adj.* ⓵ Que delira: *una multitud delirante; un enfermo delirante.* ⓶ Que implica delirio: *amor delirante; enfermedad delirante.*

delirar *v. intr.* ⓵ Tener visiones o sensaciones que no son reales, sino producto de un trastorno o una enfermedad: *la fiebre lo hacía delirar.* **SIN** alucinar. ⓶ Decir o hacer cosas que van en contra del sentido común: *tú deliras si crees que te va a tocar la lotería.* **SIN** desvariar.
FAM delirante, delirio.

delirio *s. m.* ⓵ Estado de alteración mental en el que se producen excitación, desorden de las ideas y alucinaciones: *la fiebre la mantenía en un estado de delirio.* **SIN** desvarío. ⓶ Dicho o hecho que va en contra del sentido común. **SIN** desvarío. ■
delirio de grandeza Actitud de la persona que sueña con una situación o un lujo que no está a su alcance.
con delirio De modo excesivo: *querer con delirio a alguien.*

delito *s. m.* ⓵ Culpa, crimen o quebrantamiento de la ley: *exigir un derecho no es un delito.* ⓶ Acción u omisión voluntaria castigada por la ley con pena grave: *conducir de forma temeraria es un delito.* ■ **delito de lesa majestad** Acción que atenta contra la vida de quien ostenta el poder de una nación o contra sus sucesores.

delta *s. f.* ⓵ Nombre de la cuarta letra del alfabeto griego; se escribe Δ/δ y se transcribe como *d.* ‖ *s. m.* ⓶ Terreno de forma más o menos triangular que queda entre los brazos de algunos ríos en su desembocadura y que está formado por los cantos rodados, arenas y barros que estos arrastran: *el delta del Ebro es una de las zonas de mayor riqueza ornitológica de España.*
FAM deltoides.

deltoides *s. m./adj.* Músculo triangular situado en el hombro y que sirve para levantar el brazo: *el deltoides va desde el omóplato a la clavícula.*
OBS Plural invariable.

demacrarse *v. prnl.* Quedarse muy delgado por una causa física o moral.

demagogia *s. f.* ⓵ Manipulación de los sentimientos de la gente, especialmente mediante halagos fáciles y promesas infundadas, para utilizarla con fines políticos: *la demagogia se emplea mucho en los regímenes dictatoriales.* ⓶ En la antigua Grecia, dictadura del partido de la plebe.
FAM demagógico, demagogo.

demagógico, -ca *adj.* Relativo a la demagogia: *discurso demagógico.*

demagogo, -ga *s. m. y f.* Persona que manipula los sentimientos de la gente, especialmente mediante halagos fáciles y promesas infundadas, para convencerla de la conveniencia de aceptar un programa político.

demanda *s. f.* ⓵ Petición o solicitud de algo, especialmente cuando se considera un derecho o se hace como súplica: *los sindicatos hacen una demanda de trabajo al Gobierno.* ⓶ Pregunta que se hace a una persona: *el cantante atendió las demandas de los periodistas.* ⓷ Cantidad de mercancías o servicios que los consumidores piden y están dispuestos a comprar: *cuando la demanda de un determinado producto o servicio es alta y la oferta es baja, el precio es elevado.* **ANT** oferta. ⓸ Documento por el que se emprende una acción judicial contra una persona o una entidad para reclamarle algo: *una demanda de divorcio.*

demandar *v. tr.* ⓵ Pedir o solicitar algo, especialmente si se hace como súplica o se considera un derecho: *le concedieron lo que demandaba.* ⓶ Emprender una acción judicial contra una persona o una entidad para reclamarle algo: *el propietario demandó al inquilino por impago del alquiler.* ⓷ culto Preguntar.
FAM demanda, demandado, demandante.

demarcación *s. f.* ⓵ Determinación y señalización de los límites de un terreno: *la demarcación del terreno de juego.* ⓶ Terreno comprendido entre estos límites. ⓷ División administrativa en la que tiene poder una autoridad: *demarcación provincial; demarcación militar.*

demarcar *v. tr.* Determinar y marcar con claridad los límites de un terreno. **SIN** delimitar, deslindar.
FAM demarcación.

demarrar *v. intr.* Acelerar un corredor repentinamente en una carrera para dejar atrás a sus contrincantes.
FAM demarraje.

demás *det./pron.* Designa a los elementos de una misma clase que no han sido mencionados o a la parte no mencionada de un todo: *los diez primeros prefirieron ir al concierto, los demás ir al teatro.*
por demás Inútilmente, en vano: *todo lo que hagas será por demás.*
por lo demás Por lo que se refiere a otras cuestiones relacionadas: *en las labores de casa es muy perezoso pero, por lo demás, es muy trabajador.*

demasía Se usa en la expresión:
en demasía Más de lo normal, de lo permitido o de lo conveniente: *trabaja en demasía.*

demasiado, -da *det./pron.* ⓵ Que supera en cantidad o intensidad lo conveniente o lo necesario: *comprar demasiada comida.* ‖ *adv.* ⓶ Más de lo conveniente o necesario: *no estudia demasiado; no paga demasiado.*

demencia *s. f.* ⓵ Trastorno o perturbación de las facultades mentales de una persona: *en los psiquiátricos se tratan casos de demencia.* **SIN** locura. ⓶ Debilitamiento mental, generalmente progresivo e irreversible, por la edad o por una enfermedad: *algunos ancianos sufren de demencia senil.*
FAM demencial.

demencial *adj.* ⓵ Relativo a la demencia. ⓶ Que es absurdo o incomprensible: *comportamiento demencial; ideas demenciales.*

demente *adj./s. com.* Se aplica a la persona que tiene trastornadas sus facultades mentales: *el anciano estaba demente y no sabía lo que decía.* **SIN** loco.
FAM demencia.

demérito *s. m.* Falta de mérito o de valor.
FAM demeritorio.

demiurgo *s. m.* ⓵ Dios creador que ordena el mundo de acuerdo con el modelo de las ideas eternas, en la doctrina filosófica de los platónicos y alejandrinos. ② Alma o principio activo del universo, en la doctrina filosófica de los gnósticos. **FAM** demiúrgico.

demo *s. f.* ① Programa informático de demostración que es una versión reducida en prestaciones de un programa para poder utilizarlo y evaluarlo antes de su compra: *me he bajado de internet varias demos de juegos de acción.* ② familiar Demostración didáctica del funcionamiento de una cosa, generalmente en el ámbito ciéntifico o técnico.

democracia *s. f.* ① Sistema político en el que el pueblo elige libremente a quienes lo gobiernan: *con la transición y la democracia, se instauraron de nuevo en España las libertades y desapareció la censura.* ② Doctrina o idea que defiende la participación del pueblo en los asuntos importantes de gobierno: *la democracia es el ideal político, porque es el pueblo el que gobierna.* ■ **democracia cristiana** Movimiento cuyo fin es poner de acuerdo los principios democráticos y las exigencias de la fe cristiana. ③ País que se gobierna de esta manera: *las democracias occidentales suelen ser, también, los países más desarrollados.* ④ Participación de los miembros de una colectividad en los asuntos importantes que la afectan. **FAM** demócrata, democrático, democratizar.

demócrata *adj./s. com.* Que es partidario de la democracia: *los demócratas se manifestaron contra el terrorismo.*

democrático, -ca *adj.* Relativo a la democracia: *en los países democráticos se somete a votación la elección de los representantes del pueblo.* **FAM** antidemocrático.

democratizar *v. tr.* Convertir a alguien o algo a la democracia: *el país se democratizó después de una larga etapa dictatorial.* **FAM** democratización.

demografía *s. f.* Ciencia que estudia estadísticamente la composición, estado y distribución de las poblaciones humanas, en un momento determinado de su evolución histórica: *la demografía ayuda a conocer la evolución del número de habitantes de una zona.* **FAM** demográfico, demógrafo.

demográfico, -ca *adj.* Relativo a la demografía: *estudio demográfico.*

demoledor, -ra *adj.* Que destruye o derriba una cosa material o inmaterial: *un golpe demoledor; una crítica demoledora.*

demoler [6] *v. tr.* ① Hacer caer al suelo un edificio o una construcción, generalmente empleando para ello explosivos o instrumentos apropiados. **SIN** derruir. ② Destruir o arruinar una cosa abstracta o figurada: *demoler los argumentos del contrario.* **FAM** demoledor, demolición.

demolición *s. f.* Destrucción o derribo de una construcción. **SIN** derribo, derrumbamiento, derrumbe.

demoníaco, -ca o **demoniaco, -ca** *adj.* ① Relativo al demonio: *rito demoníaco.* **SIN** satánico. ② Que es muy malo y dañino.

demonio *s. m.* ① Ser sobrenatural o espíritu que en diversas creencias y religiones representa las fuerzas del mal: *en el evangelio, Jesús es tentado por el demonio.* **SIN** diablo. ② Persona muy inquieta y revoltosa: *este niño es un demonio.* **SIN** diablillo, diablo.

a demonios Expresión con la que se exagera el mal olor o sabor de algo: *este brebaje sabe a demonios.*

como el (o **un**) **demonio** Mucho o excesivamente: *este coche corre como un demonio.*

del demonio o **de mil demonios** o **de todos los demonios** Expresión con la que se exagera una cualidad o un estado: *hace un calor de mil demonios.*

llevárselo el demonio (o **los demonios**) Enfadarse mucho: *se me llevaron los demonios cuando vi que me habías manchado el vestido nuevo.* **FAM** demoníaco; endemoniar.

¡demontre! o **¡demontres!** *int.* familiar Expresión que indica enfado o sorpresa; en general añade intensidad a lo que se dice: *¡demontre, qué frío hace!; ¿qué demontres buscas aquí?*

demora *s. f.* ① Retraso en un proceso o una actividad. **SIN** dilación, tardanza. ② Retraso en el cumplimiento de un pago u obligación: *la demora en el pago de un impuesto supondrá un recargo de multa.*

demorar *v. tr.* ① Retrasar un proceso o una actividad: *no te demores en entregar la solicitud.* **SIN** dilatar, retardar. ‖ *v. intr./ prnl.* ② Retrasarse por haberse detenido o entretenido durante un tiempo: *nos demoramos mirando los escaparates.* **FAM** demora.

demostrable *adj.* Que puede ser demostrado. **SIN** probable. **FAM** indemostrable.

demostración *s. f.* ① Prueba de que algo es verdadero: *que las cosas caigan al suelo es una demostración de la ley de la gravedad.* ② Muestra exterior de un sentimiento o una intención: *sus besos son una demostración de amor.* ③ Enseñanza práctica: *el jardinero nos hizo una demostración de cómo teníamos que trasplantar los geranios.* ④ Comprobación de una teoría aplicándola a casos concretos: *hizo una demostración de algunas leyes físicas en el laboratorio.* ⑤ Razonamiento que deduce la verdad de una proposición partiendo de los axiomas que se han enunciado.

demostrar [5] *v. tr.* ① Probar que algo es verdadero a partir de un razonamiento o un hecho evidente: *demostrar la inocencia de un acusado.* ② Dar a conocer abiertamente una cosa sin dejar lugar a dudas: *le demuestra continuamente su afecto.* ③ Enseñar de forma práctica: *el dependiente nos demostró cómo se manejaba la cámara de vídeo.* **FAM** demostrable, demostración, demostrativo.

demostrativo, -va *adj.* ① Que prueba que algo es verdad: *prueba demostrativa.* ‖ *adj./s. m.* ② Se aplica al pronombre, adjetivo o determinante que señala a una persona o cosa, situándola en el espacio según la distancia a la que se encuentra del hablante: *"este", "ese"* y *"aquel"* son los principales *demostrativos.*

demudar *v. tr.* ① Cambiar o transformar: *los últimos acontecimientos pueden demudar el conflicto en internacional.* ‖ *v. prnl.* ② **demudarse** Cambiarse repentinamente el color o la expresión de la cara por una impresión: *se le demudó el rostro.* **FAM** demudación, demudamiento.

denario *s. m.* ① Moneda romana de plata, que equivalía a cuatro sestercios o diez ases. ② Moneda romana de oro que equivalía a cien sestercios o veinticinco denarios de plata.

dendrita *s. f.* Cada una de las prolongaciones que posee una célula nerviosa o neurona en el campo neuronal: *las dendritas de las neuronas reciben los impulsos nerviosos de las células vecinas.*

denegación *s. f.* Respuesta negativa a una petición o solicitud: *denegación de una subvención pública.*

denegar [1] *v. tr.* Responder negativamente a una petición o solicitud: *le denegaron la beca.*
FAM denegación.

dengue[1] *s. m.* Delicadeza y escrúpulo excesivos en las acciones o en las palabras. **SIN** melindre, remilgo.

dengue[2] *s. m.* **1** AMÉR. Contoneo, movimiento afectado de hombros y caderas al andar: *la niña se prueba ropas y ensaya dengues frente al espejo.* **2** CHILE Planta herbácea ramosa, de flores inodoras blancas, amarillas o rojas. **3** CHILE Flor de esta planta. **4** MÉX. Mueca o gesto que se hace con el rostro. | *adj./s. com.* **5** familiar CHILE Se aplica a la persona que es física y psíquicamente inestable: *es tan dengue que nunca sabes cuál será su reacción.*

denigrante *adj.* Que denigra.

denigrar *v. tr.* **1** Insultar y ofender a una persona de palabra. **SIN** denostar, difamar. **2** Atacar el buen nombre y la fama de una persona.
FAM denigrante.

denodado, -da *adj.* Que muestra valor, energía o decisión: *esfuerzo denodado.*
FAM denuedo.

denominación *s. f.* Nombre con el que se denomina a las personas y cosas. ■ **denominación de origen** Nombre que da garantía oficial de la procedencia y calidad de un producto.

denominador, -ra *adj./s. m. y f.* **1** Que da un nombre concreto: *el nombre del descubridor de una enfermedad suele convertirse en su denominador.* | *s. m.* **2** Número que indica las partes iguales en que se considera dividido un todo en una fracción: *8 es el denominador en la fracción 2/8.*

denominar *v. tr.* Dar un nombre concreto a una persona o una cosa que los identifique: *el uso del pronombre "vos" por "tú" se denomina "voseo".* **SIN** llamar.
FAM denominación, denominador.

denostar [5] *v. tr.* Insultar y ofender a una persona de palabra. **SIN** denigrar, difamar.
FAM denuesto.

denotación *s. f.* **1** Indicación o significación mediante un signo o una señal: *sus palabras eran una denotación de preocupación.* **2** Significado real de una determinada palabra aislada de cualquier contexto.

denotar *v. tr.* Indicar o significar: *su gesto denotaba alegría.*
FAM denotación, denotativo.

denotativo, -va *adj.* Que denota: *el valor denotativo de una palabra es lo que significa, frente al valor connotativo, que es lo que sugiere.*

densidad *s. f.* **1** Acumulación de gran cantidad de elementos o individuos en un espacio determinado: *un texto con una enorme densidad de conceptos y emociones.* ■ **densidad de población** Número medio de habitantes por unidad de superficie, generalmente por quilómetro cuadrado: *la densidad de población en las franjas costeras aumenta en verano.* **2** Relación entre la masa de un cuerpo y su volumen: *el yeso tiene una densidad de 2,3 g/cm³, lo que quiere decir que a un centímetro cúbico de yeso le corresponde una masa de 2,3 gramos.*

densímetro *s. m.* Instrumento que sirve para medir la densidad de los líquidos, gases y sólidos.

denso, -sa *adj.* **1** Se aplica a la sustancia que tiene mucha materia en poco espacio: *niebla densa; papilla muy densa.* **2** Que está formado por muchos elementos que se encuentran muy juntos: *un bosque denso.* **3** Que tiene mucha materia o contenido y puede resultar confuso: *una conferencia densa y aburrida; un libro denso.*
FAM densidad, densificar; adensar.

dentado, -da *adj.* Que tiene dientes, o puntas parecidas a dientes: *la sierra tiene el filo dentado.*
FAM desdentado.

dentadura *s. f.* Conjunto de dientes, colmillos y muelas de una persona o animal. ■ **dentadura postiza** Estructura formada por piezas dentales artificiales que sustituyen a las naturales.

dental *adj.* **1** Relativo a los dientes: *la prevención dental puede evitar la caries.* **SIN** dentario. **2** Se aplica al sonido y el fonema consonántico en cuyo punto de articulación la lengua toca la cara interna de los incisivos superiores. | *s. f./adj.* **3** Consonante articulada en este punto: *en español, la "d" y la "t" son dentales.*
FAM interdental, labiodental.

dentario, -ria *adj.* Relativo a los dientes: *la caries es un problema dentario.* **SIN** dental.

dente Se usa en la expresión:
al dente Se aplica a la pasta italiana que está cocida de manera que no quede demasiado blanda.

dentellada *s. f.* **1** Mordedura hecha clavando los dientes: *comer el pan a dentelladas.* **SIN** bocado, mordisco. **2** Herida hecha al morder.

dentellar *v. intr.* Golpear unos dientes contra otros de forma muy seguida.
FAM dentellada.

dentera *s. f.* Sensación desagradable que se produce en los dientes al comer sustancias agrias, oír sonidos chirriantes o tocar ciertas cosas. **SIN** grima.

dentición *s. f.* **1** Proceso de formación, salida y desarrollo de los dientes. **2** Tiempo que dura este proceso. **3** Tipo y número de dientes que caracteriza a un mamífero, según la especie a la que pertenece: *la mayoría de los mamíferos tienen una dentición infantil (dientes de leche) con menos piezas que la dentición definitiva.*

dentículo *s. m.* **1** Adorno con forma de paralelepípedo que se coloca, formando una serie, en la parte superior de un friso u otro elemento arquitectónico: *los dentículos son propios del orden jónico.* **2** Órgano o parte de él que tiene forma de diente pequeño, como los de algunas hojas y los de la epidermis de algunos animales.

dentífrico, -ca *adj./s. m.* Se aplica al producto que sirve para limpiar los dientes: *pasta dentífrica.*

dentina *s. f.* Principal componente de los dientes de los vertebrados, de naturaleza calcárea semejante a la de los huesos, aunque carente de células: *el marfil está formado por dentina.*

dentirrostro *adj./s. m.* Se aplica al pájaro cuya mandíbula superior se prolonga en forma de diente que encaja en un pequeño surco de la mandíbula inferior.

dentista *s. com.* Médico especialista en el estudio y tratamiento de las enfermedades de los dientes. **SIN** odontólogo.

dentro *adv.* En la parte interior de algo: *nos tuvimos que quedar dentro porque llovía.* **ANT** fuera.
dentro de (**I**) Durante un tiempo comprendido entre dos momentos o a su fin: *dentro del plazo estipulado por la ley.*

(**II**) Indica que algo se hace o sucede teniendo en cuenta otra cosa ya estipulada: *todo se hará dentro del plan previsto*.
por dentro Interiormente: *se ríe, pero el sufrimiento lo lleva por dentro*.
FAM adentro.

dentudo, -da *adj./s. m. y f.* Que tiene dientes grandes: *la morsa es un animal dentudo*.

denuedo *s. m.* Valor, energía o decisión con que se realiza una acción: *trabajar con denuedo*.

denuesto *s. m.* Insulto y ofensa grave de palabra.

denuncia *s. f.* 1 Noticia o aviso que se da a una autoridad de un delito o una acción que va contra la ley, o de su autor: *una denuncia por malos tratos*. 2 Manifestación de algo que está oculto o que no se quiere dar a conocer. 3 Declaración pública de algo que se considera ilegal o injusto: *esta película es una denuncia de la violencia*. 4 Comunicación, hecha por una de las partes, de que un contrato o tratado queda sin efecto.

denunciar *v. tr.* 1 Dar noticia o aviso a una autoridad de un delito o una acción que va en contra de la ley. 2 Poner de manifiesto algo que está oculto o que no se quiere dar a conocer: *el temblor de manos denuncia su nerviosismo*. **SIN** delatar. 3 Declarar públicamente algo que se considera ilegal o injusto: *Dickens, en su novela «Oliver Twist», denuncia las condiciones en que viven los trabajadores*. 4 Comunicar una de las partes a la otra que un contrato o tratado queda sin efecto.
FAM denuncia, denunciante, denunciado.
OBS Verbo regular, se acentúa como *cambiar*.

deontología *s. f.* Tratado de deberes y principios éticos, en especial los que afectan a cada profesión.
FAM deontológico.

D. E. P. Abreviatura de *descanse en paz*, fórmula que se inscribe en lápidas y esquelas.

deparar *v. tr.* Proporcionar o conceder: *no sé lo que nos depara el futuro*.

departamento *s. m.* 1 Parte en que se divide o estructura un espacio: *el armario tiene un departamento para los zapatos*. **SIN** compartimento, compartimiento. 2 Parte de una administración, de un ministerio o de una institución: *departamento de contabilidad*. 3 Parte de una facultad universitaria que se dedica a la enseñanza y el estudio de materias afines: *departamento de Filología Hispánica*. 4 Cada una de las partes en que puede dividirse administrativamente un territorio: *Francia se divide en departamentos*. 5 AMÉR. Piso pequeño: *vive en un departamento de la calle Bolívar*.
FAM departamental.

departir *v. intr.* culto Conversar por pasatiempo o de cosas poco importantes: *pasa las tardes departiendo con unos y con otros*.

depauperación *s. f.* 1 Proceso en el que una cosa se empobrece: *la depauperación de un territorio*. **SIN** empobrecimiento. 2 Disminución o pérdida de fuerza y energía en el organismo.

depauperar *v. tr.* 1 Hacer pobre o más pobre. **SIN** empobrecer. 2 Hacer perder fuerza y energía al organismo: *la larga enfermedad depauperó al paciente*.
FAM depauperación.

dependencia *s. f.* 1 Subordinación de una persona o cosa respecto de otra u otras, por las que está regida o a las que está sometida. **ANT** independencia. 2 Necesidad física o psí-

quica que tiene un individuo de consumir algún producto, generalmente perjudicial para el organismo: *la dependencia de una droga es difícil de superar*. 3 Oficina, habitación o espacio dedicado a un uso determinado: *dependencias policiales*. 4 Habitación o parte de un edificio: *el patio daba a las distintas dependencias de la casa*.
FAM drogodependencia, independencia, interdependencia.

depender *v. intr.* 1 Estar bajo el mando o la autoridad de una persona o una institución: *los soldados dependen de las órdenes de un oficial*. 2 Estar condicionada una cosa a otra: *los apéndices bucales dependen del tipo de alimentación*. 3 Necesitar una persona o una cosa para vivir: *los bebés dependen de sus padres*.
FAM dependiente.

dependiente, -ta *s. m. y f.* 1 Persona que se dedica a atender a los clientes en una tienda. ‖ *adj.* 2 Que depende de alguien o algo: *es un chico muy dependiente*. **ANT** autónomo, independiente.
FAM dependencia; independiente.

depilación *s. f.* Eliminación del vello o pelo de una parte del cuerpo.

depilar *v. tr.* Eliminar el vello de una parte del cuerpo.
FAM depilación, depilatorio.

depilatorio, -ria *adj./s. m.* Se aplica a la sustancia que sirve para depilar: *crema depilatoria*.

deplorable *adj.* Que produce pena o disgusto: *situación deplorable*. **SIN** lamentable, lastimoso, penoso.

deplorar *v. tr.* Sentir pena o disgusto por algo: *deploró enormemente la separación de sus padres*. **SIN** lamentar.
FAM deplorable.

deponente *adj./s. m.* Se aplica al verbo de significado activo y conjugación pasiva en las lenguas clásicas.

deponer [36] *v. tr.* 1 Dejar de usar o hacer algo: *deponer las armas; depuso su actitud negativa*. 2 Expulsar a una persona de su cargo o empleo: *la prensa anunció que el presidente depuso al director de la empresa*. **SIN** destituir. 3 Exponer ante el juez u otra autoridad lo que se sabe sobre un asunto: *deponer como testigo*. **SIN** atestiguar, declarar, testificar. ‖ *v. intr.* 4 culto Defecar.
FAM deponente, depuesto.

deportación *s. f.* Destierro de una pesona a un lugar alejado por razones políticas o como castigo.

deportar *v. tr.* Desterrar a una persona a un lugar lejano por razones políticas o como castigo: *fue deportado por sus ideas políticas durante la dictadura*.
FAM deportación.

deporte *s. m.* 1 Ejercicio físico que se hace por pasatiempo o diversión: *es recomendable hacer deporte*. 2 Actividad o ejercicio físico sujeto a unas normas en el que se pone a prueba la habilidad o la fuerza física.
FAM deportista, deportivo.

deportista *adj./s. com.* Se aplica a la persona que practica algún deporte: *es una chica muy deportista*.

deportividad *s. f.* 1 Comportamiento adecuado a las normas de corrección en la práctica de un deporte: *la prensa resaltó la deportividad de los futbolistas visitantes*. 2 Actitud desenfadada ante situaciones inesperadas o incómodas: *se toma las críticas con deportividad*.

deportivo, -va *adj.* 1 Relativo al deporte: *revista deportiva*. 2 Que se ajusta a las normas de corrección y juego limpio

que deben guardarse en la práctica de un deporte: *juego deportivo*. ANT antideportivo. ‖ *adj./s. m.* ③ Se aplica al automóvil pequeño y muy rápido, generalmente con dos puertas y dos plazas.
FAM deportividad; antideportivo, polideportivo.

deposición *s. f.* ① Expulsión de un cargo. ② Exposición ante un juez u otra autoridad de lo que se sabe sobre un asunto. SIN declaración, testificación. ③ culto Expulsión de excrementos por el ano. ④ culto Excremento, materia de residuos de alimento que elimina el organismo por el ano tras la digestión: *análisis de las deposiciones*.

depositar *v. tr.* ① Poner bienes o cosas de valor bajo la custodia de una persona o institución que se hace responsable de ellos: *depositar el dinero en el banco*. ② Colocar una cosa en un lugar determinado: *depositen los objetos metálicos encima de la mesa*. ③ Conceder o confiar, especialmente un sentimiento: *depositar la confianza en alguien*. ‖ *v. prnl.* ④ **depositarse** Caer en el fondo de un líquido una materia sólida que estaba en suspensión en él: *los posos del café se depositan en el fondo de la taza*.
FAM depositante, depositaría, depositario.

depositaría *s. f.* ① Lugar donde se hacen depósitos de dinero. ② Oficina y cargo del depositario.

depositario, -ria *s. m. y f.* ① Persona o institución que cuida de los bienes o cosas de valor que se ponen bajo su custodia: *su tío es el depositario de la fortuna familiar*. ② Persona a quien se concede o confía un sentimiento.

depósito *s. m.* ① Recipiente grande, generalmente cerrado, que sirve para contener líquidos o gases: *depósito de gasolina*. SIN tanque. ② Lugar destinado a contener cosas para guardarlas o conservarlas: *depósito de muebles*. ▪ **depósito de cadáveres** Lugar, generalmente refrigerado, donde se conservan los cadáveres hasta su identificación, autopsia o sepultura. ③ Conjunto de bienes o cosas de valor que se ponen bajo la custodia de una persona o institución: *hacer un depósito de dinero en el banco*. ④ Colocación de una cosa en un lugar determinado. ⑤ Sedimento o materia que se deposita en el fondo después de haber estado en suspensión en un líquido.

depravación *s. f.* Degeneración o entrega a comportamientos viciosos o que se apartan de la moral y las costumbres generalmente admitidas.

depravado, -da *adj.* Se aplica a la persona que tiene un comportamiento vicioso o que se aparta de la moral y las costumbres generalmente admitidas. SIN degenerado.

depravar *v. tr.* Corromper o dañar las costumbres, los gustos o las ideas de una persona con malos consejos o malos ejemplos. SIN pervertir.
FAM depravación, depravado.

depre *adj.* ① familiar Deprimido: *está un poco depre*. ‖ *s. f.* ② familiar Depresión: *está con depre*.

deprecación *s. f.* ① Petición o súplica. ② Figura retórica que consiste en dirigir un ruego o súplica ferviente.

depreciación *s. f.* Disminución del valor o precio de una moneda o de otra cosa: *la crisis económica provocó la depreciación del dólar*.

depreciar *v. tr.* Disminuir el valor o el precio de una moneda o de otra cosa. SIN desvalorizar, devaluar.
FAM depreciación.
OBS Verbo regular, se acentúa como *cambiar*.

depredación *s. f.* En ecología, relación entre dos animales en la que uno de ellos (depredador) caza y mata al otro (presa) para alimentarse de él.

depredador, -ra *adj./s. m. y f.* Se aplica al animal que caza animales de otra especie para alimentarse: *el león, el tigre y el leopardo son depredadores*.

depredar *v. tr.* ① Cazar un animal a otro de distinta especie para alimentarse. ② Robar con violencia y causando destrozos.
FAM depredación, depredador.

depresión *s. f.* ① Estado psíquico que se caracteriza por una gran tristeza sin motivo aparente, decaimiento anímico y pérdida de interés por todo. SIN deprc. ② Hundimiento de un terreno o una superficie: *las lluvias torrenciales han producido una depresión en la carretera*. ③ Porción de la superficie terrestre baja respecto de las que la rodean; generalmente es cerrada. ④ Región de hundimiento de la corteza terrestre parcialmente rellenada de sedimentos: *las depresiones del Ebro y del Guadalquivir son de origen tectónico*. ⑤ Periodo de baja actividad económica que se caracteriza por el descenso de la producción, la caída de las inversiones y los salarios, y el aumento del desempleo.
▪ **depresión atmosférica** Fenómeno atmosférico en el que hay bajas presiones, fuertes vientos y lluvias. SIN borrasca, ciclón.

depresivo, -va *adj.* ① Que produce tristeza. ② Se aplica a la persona que tiene tendencia a deprimirse.
FAM antidepresivo.

deprimente *adj.* Que produce decaimiento del ánimo.

deprimido, -da *adj.* Se aplica a la persona que padece un decaimiento del ánimo o de la fuerza moral: *está muy deprimido desde que te fuiste*.

deprimir *v. tr.* ① Reducir el volumen de un cuerpo por medio de la presión. ② Producir decaimiento del ánimo y del interés. ANT animar.
FAM depresión, depresivo, depresor, deprimente, deprimido.

deprisa *adv.* Con rapidez y velocidad: *ve deprisa, que te están llamando*. SIN aprisa.

depuesto, -ta Participio irregular de *deponer*.

depuración *s. f.* ① Eliminación de la suciedad o de las impurezas de una sustancia. ② Proceso por el cual el organismo elimina sustancias nocivas o inútiles: *la depuración de la sangre la realizan los riñones*. ③ Perfeccionamiento del lenguaje o el estilo.

depuradora *s. f.* Aparato o instalación que sirve para eliminar la suciedad o las impurezas, especialmente las del agua.

depurar *v. tr.* ① Limpiar de suciedad o impurezas una sustancia. ② Perfeccionar el lenguaje o el estilo. ③ Expulsar de un cuerpo u organización a los miembros que no siguen la doctrina, creencia o conducta de los demás miembros.
FAM depuración, depuradora, depurativo.

dequeísmo *s. m.* Uso incorrecto de la preposición *de* ante una proposición introducida por la conjunción *que*: *"le dije de que viniera" es un dequeísmo*.
FAM dequeísta.

derbi *s. m.* ① Encuentro deportivo, generalmente de fútbol, entre equipos rivales de la misma localidad o región. ② Competición hípica importante; especialmente, la que sirve para la selección de potros.
OBS Puede encontrarse la grafía inglesa *derby*.

derecha *s. f.* ① Mano o pierna situada en el lado opuesto al que corresponde al corazón en el ser humano. SIN diestra. ANT izquierda, siniestra, zurda. ② Dirección o situación de una cosa que se halla en el lado contrario al que corresponde al corazón en el ser humano: *no se puede adelantar por la derecha.* ANT izquierda. ③ Tendencia política que defiende una ideología conservadora. ANT izquierda. ④ Conjunto de los representantes de los partidos conservadores en las asambleas parlamentarias. ANT izquierda.
de derechas Se aplica a la persona, partido o institución de ideas conservadoras. ANT de izquierdas.
FAM derechazo, derechismo.

derechazo *s. m.* Golpe que se da con la mano o con el puño derechos: *el boxeador tumbó al contrincante de un tremendo derechazo.*

derechismo *s. m.* Tendencia política que defiende una ideología conservadora. ANT izquierdismo.
FAM derechista; ultraderechismo.

derechista *adj.* ① Relativo al derechismo. ANT izquierdista. ‖ *adj./s. com.* ② Se aplica a la persona que es partidaria del derechismo. ANT izquierdista.
FAM ultraderechista.

derecho, -cha *adj.* ① Se aplica a la parte del cuerpo que está situada en el lado opuesto al que ocupa el corazón en el ser humano. ANT izquierdo. ② Que está situado, en relación con la posición de una persona, en el lado opuesto al que ocupa el corazón en el ser humano. ANT izquierdo. ③ Se aplica al lugar u objeto que, respecto de su parte delantera, está situado en el lado opuesto al que ocupa el corazón en el ser humano. ANT izquierdo. ④ Que es recto y no se tuerce a un lado ni a otro: *una línea derecha; un camino derecho.* ‖ *s. m.* ⑤ Facultad humana de poder tener o exigir lo que la ley permite o establece: *derecho a una enseñanza pública de calidad.* ⑥ Conjunto de leyes y reglas que regulan la vida en sociedad y que los seres humanos deben obedecer: *derecho marítimo; derecho mercantil.* ■ **derecho administrativo** Conjunto de normas referentes a la administración pública. ■ **derecho canónico** Conjunto de normas establecidas por la Iglesia. ■ **derecho civil** o **derecho común** Conjunto de normas que regulan las relaciones privadas de los ciudadanos, como las relativas a la propiedad, la familia o las herencias. ■ **derecho criminal** o **derecho penal** Conjunto de normas que regulan la represión o castigo de los delitos y faltas. ■ **derechos humanos** Conjunto de derechos y libertades que el ser humano tiene por naturaleza y debe respetar. ⑦ Ciencia que estudia las leyes y su aplicación. ⑧ Conjunto de consecuencias naturales derivadas de los lazos afectivos o de la relación con otras personas: *ser mi amigo no te da derecho a abusar de mí.* ⑨ Lado principal de una tela, un papel u otras cosas y que por ello está mejor trabajado: *enséñame el papel pintado por el derecho para ver bien el dibujo.* ANT revés. ‖ *s. m. pl.* ⑩ **derechos** Cantidad de dinero que se cobra por un hecho determinado: *los derechos aduaneros.* ⑪ Cantidad de dinero que cobran algunos profesionales: *hay que sumar los derechos del notario.* ■ **derechos de autor** Cantidad que un profesional cobra como participación en los beneficios que produzca su obra. ‖ *adv.* ⑫ Indica que algo se realiza de forma directa y sin desviación espacial o temporal: *se fue derecho al colegio.*
a derechas Indica que algo se hace correctamente: *no hacer nada a derechas.*
al (o **del**) **derecho** Indica que algo se hace de la manera esperada o debida: *saberse las tablas de multiplicar del derecho y del revés.*

¡no hay derecho! Expresión de protesta ante algo que se considera injusto.
FAM derecha, derechura.

deriva *s. f.* Desvío del rumbo de una nave a causa del viento, el mar o la corriente.
a la deriva (I) Se aplica al objeto flotante o embarcación que se mueve dejándose arrastrar por el viento, el mar o la corriente. (II) Sin dirección o propósito fijo.
deriva continental Desplazamiento de las placas continentales.

derivación *s. f.* ① Hecho o acontecimiento que sigue o resulta de otro: *las derivaciones de una enfermedad.* SIN consecuencia. ② Procedimiento para formar palabras nuevas a partir de otra ya existente, mediante la adición, supresión o intercambio en un afijo o morfema derivativo: *la palabra "descansar" está formada por derivación.* ③ Separación de una parte de un todo para dirigirla a otra parte: *han hecho una derivación para llevar el agua del río a la acequia.* ④ Pérdida de la intensidad de la corriente eléctrica producida especialmente por la humedad. ⑤ Conexión eléctrica que se realiza a partir de un circuito principal para obtener una nueva toma de corriente.

derivada *s. f.* En una función matemática, límite hacia el cual tiende la razón entre el incremento de la función y el correspondiente a la variable cuando este último tiende a cero.

derivado, -da *adj./s. m.* ① Se aplica a la palabra que se ha formado a partir de otra mediante la adición, supresión o cambio de un afijo: *las palabras "rojez", "rojizo" y "enrojecer" son derivados de "rojo".* ② Se aplica al producto químico que se obtiene de otro, con el que comparte una estructura general: *la gasolina, el gasóleo y el butano son hidrocarburos derivados del petróleo.*

derivar *v. intr./prnl.* ① Descender o proceder de una cosa: *su actitud deriva del resentimiento; la palabra "pequeñito" deriva de "pequeño".* ‖ *v. tr.* ② Formar una palabra a partir de otra a la que se añade, suprime o intercala un afijo o morfema derivativo: *derivar sustantivos a partir de verbos.* ③ Dirigir o conducir una cosa hacia otro lado: *derivar la conversación hacia otro tema; van a derivar esta carretera a la nacional.* ‖ *v. intr.* ④ Desviarse alguien o algo de la dirección o del camino original: *el camino deriva en uno mayor después del puente.* ⑤ Acabar una cosa en otra: *la discusión derivó en una fuerte pelea.* ⑥ Apartarse una embarcación de la dirección señalada: *la barca derivaba hacia nuevos rumbos.* ⑦ Obtener un producto químico a partir de otro con el que comparte la estructura general.
FAM deriva, derivación, derivada, derivado, derivativo.

derivativo, -va *adj.* Relativo a la derivación o a las palabras derivadas.

dermáptero *adj./s. m.* ① Se aplica al invertebrado perteneciente al filo artrópodos, clase insectos, con las alas anteriores cortas y las posteriores grandes plegadas bajo las anteriores; posee pinzas en el extremo posterior del cuerpo: *las tijeretas son insectos dermápteros.* ‖ *s. m. pl.* ② **dermápteros** Grupo taxonómico, con categoría de orden, constituido por estos insectos.

dermatitis *s. f.* Inflamación de la piel: *muchas alergias se manifiestan con dermatitis.*
OBS Plural invariable.

dermatoesqueleto *s. m.* Tejido orgánico rígido que recubre exteriormente el cuerpo de los artrópodos y los moluscos. SIN exoesqueleto.

dermatología *s. f.* Parte de la medicina que se ocupa de las enfermedades de la piel.
FAM dermatológico, dermatólogo.

dermatólogo, -ga *s. m. y f.* Médico especialista en dermatología.

dérmico, -ca *adj.* Relativo a la dermis.

dermis *s. f.* Capa más gruesa de la piel de los vertebrados que se encuentra debajo de la epidermis: *la dermis se encuentra entre la epidermis y el tejido hipodérmico.*
FAM dérmico; epidermis.
OBS Plural invariable.

dermoprotector, -ra *adj.* Que protege la piel y mantiene su equilibrio natural: *jabón dermoprotector.*

derogar *v. tr.* Anular una ley.
FAM derogación, derogatorio.

derrama *s. f.* Distribución de un gasto entre varias personas que deben pagarlo.

derramamiento *s. m.* Salida de un líquido o una cosa formada por partículas del recipiente que lo contiene. SIN derrame.

derramar *v. tr.* ① Hacer que salga un líquido o una sustancia disgregada del recipiente que lo contiene y se esparza: *derramó sin querer el agua del vaso por la mesa.* ② Distribuir un gasto entre varias personas que deben pagarlo. ③ Divulgar una noticia. ‖ *v. prnl.* ④ **derramarse** Desembocar una corriente de agua.
FAM derramamiento, derrame.

derrame *s. m.* ① Derramamiento. ② Acumulación o salida anormal de un líquido orgánico al exterior de la cavidad que debería contenerlo: *derrame cerebral; derrame ocular.* ③ Corte oblicuo de un muro para que la puerta o ventana pueda abrirse más.

derrapaje *s. m.* Derrape.

derrapar *v. intr.* Deslizarse un vehículo desviándose lateralmente de la dirección que llevaba.
FAM derrapaje, derrape.

derrape *s. m.* Deslizamiento de un vehículo desviándose lateralmente. SIN derrapaje.

derredor *s. m.* culto Espacio que rodea una cosa: *todo sucede en nuestro derredor.*
en derredor culto En torno a una cosa o una persona.

derrengado, -da *adj.* Que está muy cansado: *volvieron derrengados de la caminata.*

derretir [10] *v. tr.* ① Hacer que una sustancia sólida se convierta en líquida por la acción del calor: *derretir chocolate.* SIN fundir. ② familiar Gastar los bienes o el dinero con gran rapidez: *ha derretido en poco tiempo el premio de la lotería.* SIN fumar, fundir. ③ familiar Hacer que alguien o algo sienta mucho placer: *me derritió el alma.* ‖ *v. prnl.* ④ **derretirse** familiar Enamorarse con facilidad: *me derrito cada vez que me habla o me mira.*
FAM derretimiento.

derribar *v. tr.* ① Hacer caer al suelo un edificio o una construcción. SIN aterrar. ② Hacer caer al suelo a alguien o algo que está de pie o en alto: *el viento ha derribado las antenas; lo derribó al suelo de un empujón.* SIN tirar. ③ Hacer perder el poder, un cargo o una posición.
FAM derribo.

derribo *s. m.* ① Demolición de una construcción. SIN derrumbamiento, derrumbe. ② Caída provocada de una persona o cosa. ③ Conjunto de escombros de una demolición.

derrocamiento *s. m.* Expulsión de una persona de su cargo o caída de un sistema de gobierno por medios violentos: *el derrocamiento del rey.*

derrocar [5] *v. tr.* Hacer caer a una persona de su cargo o a un sistema de gobierno por medios violentos.
FAM derrocamiento.

derrochador, -ra *adj./s. m. y f.* Se aplica a la persona que derrocha o malgasta dinero u otra cosa.

derrochar *v. tr.* ① Gastar una cosa, generalmente dinero o bienes materiales, sin necesidad. SIN despilfarrar, dilapidar. ② familiar Emplear en gran cantidad una cosa buena o positiva: *derrochar simpatía.*
FAM derrochador, derroche.

derroche *s. m.* Gasto de una cosa, generalmente dinero o bienes materiales, sin necesidad. SIN despilfarro, dispendio.

derrota *s. f.* ① Acción de vencer o ser vencido en una contienda bélica o en una competición. ② Dirección que sigue una embarcación. SIN derrotero, rumbo.
FAM derrotero.

derrotar *v. tr.* ① Vencer al enemigo o rival. ② Vencer o destruir a alguien material o moralmente: *la noticia de su muerte lo derrotó definitivamente.* ‖ *v. intr.* ③ Dar derrotes el toro.
FAM derrota, derrote, derrotismo.

derrote *s. m.* Golpe que da el toro con los cuernos levantando la cabeza y cambiando bruscamente de dirección.

derrotero *s. m.* ① Camino o medio que se sigue para llegar o alcanzar un fin determinado. ② Línea dibujada en un mapa para señalar la dirección que debe seguir una embarcación. SIN rumbo. ③ Dirección que sigue una embarcación. SIN derrota, rumbo.

derrotismo *s. m.* Tendencia a considerar las cosas en su aspecto más negativo, alimentando ideas de desaliento y fracaso.
FAM derrotista.

derrotista *adj./s. com.* Que tiene tendencia a considerar las cosas en su aspecto más negativo, sin esperanza de conseguir nada positivo.

derrubiar *v. tr.* Erosionar lentamente una corriente de agua la tierra de las riberas o tapias: *el río derrubió sus márgenes.*
FAM derrubio.
OBS Verbo regular, se acentúa como *cambiar.*

derrubio *s. m.* Depósito de tierra o piedra que cae de lugares elevados.

derruir [21] *v. tr.* Hacer caer al suelo un edificio o una construcción, generalmente empleando para ello explosivos o instrumentos apropiados. SIN demoler.
FAM derruido.

derrumbamiento *s. m.* ① Demolición de una construcción. SIN derribo, derrumbe. ② Pérdida de la fuerza moral o el ánimo. SIN derrumbe.

derrumbar *v. tr.* ① Hacer que caiga una construcción o parte de una montaña, especialmente por una explosión: *la casa se derrumbó sin previo aviso; derrumbaron parte de la cima con dinamita.* ② Hacer que una persona pierda la fuerza o el ánimo: *la muerte de su mujer lo derrumbó; se derrumbó tras la muerte de su mujer.* SIN derrotar, desmoronar, flaquear.
FAM derrumbadero, derrumbamiento, derrumbe.

derrumbe *s. m.* Derrumbamiento: *el derrumbe de una galería minera; el derrumbe de una civilización.*

desabastecer [16] *v. tr.* Dejar sin abastecimiento a una persona o un lugar: *en verano, algunas zonas del país quedan desabastecidas de agua.* **ANT** abastecer.
FAM desabastecimiento.

desaborido, -da *adj.* ① Se aplica al alimento que no tiene sabor o gusto: *un arroz desaborido.* **SIN** desabrido. ‖ *adj./s. m. y f.* ② Que no tiene interés o gracia: *una película desaborida; ser un desaborido.*

desabotonar *v. tr.* ① Abrir o desajustar una cosa, especialmente una prenda de vestir, sacando los botones de los ojales: *nunca se desabotona la chaqueta.* **ANT** abotonar. ‖ *v. intr.* ② Abrirse los capullos de las flores.

desabrido, -da *adj.* ① Se aplica al alimento que no tiene sabor o gusto. **SIN** desaborido. ② Se aplica al alimento que tiene mal sabor o mal gusto. ③ Que es áspero y desagradable en el trato: *carácter desabrido; persona desabrida.* **SIN** desapacible.

desabrigar *v. tr.* Quitar toda o parte de la ropa de abrigo. **ANT** abrigar.

desabrochar *v. tr.* Soltar los broches o botones de una prenda de vestir. **SIN** desabotonar. **ANT** abrochar.

desacato *s. m.* ① Falta de respeto a una cosa que se considera sagrada o a una autoridad. ② Delito que se comete por mentir, jurar en falso o perder el respeto a una autoridad, especialmente a un juez o tribunal de justicia.

desacierto *s. m.* Falta de acierto en una obra o dicho: *la película fue un desacierto.*

desaconsejar *v. tr.* Recomendar una persona a otra que no haga una cosa o que la evite. **ANT** aconsejar.

desacorde *adj.* ① Se aplica a la opinión que es diferente u opuesta a la de otra persona. ② Se aplica al sonido musical que no está en armonía con otro.

desacostumbrado, -da *adj.* ① Que ha perdido una costumbre: *está desacostumbrado a andar tanto.* ② Que es poco frecuente o es diferente de lo habitual: *los terremotos y huracanes son fenómenos desacostumbrados en España.*

desacreditar *v. tr.* Disminuir o quitar el buen nombre, el valor o la consideración a una persona o a una cosa. **ANT** acreditar.

desactivar *v. tr.* ① Detener un proceso o una acción: *el Gobierno va a desactivar el plan de empleo.* **ANT** activar. ② Detener o anular el funcionamiento de una cosa: *desactivar una bomba.* **ANT** activar. ③ Disminuir total o parcialmente la reactividad de una sustancia química.
FAM desactivación.

desacuerdo *s. m.* Hecho de pensar cosas diferentes u opuestas dos personas. **ANT** acuerdo.
FAM desacorde.

desafección *s. f.* Falta de afecto; enemistad o aversión hacia alguien o algo, especialmente un régimen político.

desafiar *v. tr.* ① Provocar a una persona para enfrentarse a ella física o verbalmente: *desafiar a un duelo con pistola.* **SIN** retar. ② Oponerse o enfrentarse a lo que dice u ordena una persona: *desafiar a la autoridad.* ③ Enfrentarse con valor a una situación difícil o peligrosa: *cruzaron el mar desafiando los elementos.* ④ Contradecir aparentemente un fenómeno a una ley: *las aves desafían la ley de la gravedad.*
FAM desafiante, desafío.
OBS Verbo regular, se acentúa como *desviar.*

desafinado, -da *adj.* Se aplica al instrumento o la voz que suena mal por no tener el tono adecuado.

desafinar *v. intr.* ① Apartarse del tono adecuado al cantar o al tocar un instrumento: *las contraltos estáis desafinando.* **ANT** afinar. ‖ *v. prnl.* ② **desafinarse** Perder el tono adecuado un instrumento musical debido a los cambios de temperatura, el uso u otras causas.
FAM desafinación, desafinado.

desafío *s. m.* Acción de desafiar.

desaforado, -da *adj.* ① Que no tiene en cuenta la ley o la justicia. ② Que tiene un tamaño muy grande o es de una intensidad fuera de lo común: *esfuerzo desaforado.*

desaforar [5] *v. tr.* ① Quitar a alguien los fueros o privilegios que tiene. ‖ *v. prnl.* ② **desaforarse** Perder una persona el control sobre sí misma, generalmente insultando o gritando mucho.

desafortunado, -da *adj.* ① Que tiene consecuencias negativas: *un accidente desafortunado.* ② Que no es adecuado en una situación determinada: *respuesta desafortunada.* ‖ *adj./s. m. y f.* ③ Se aplica a la persona que tiene mala suerte o fortuna: *desafortunado en amores.* **ANT** afortunado.

desafuero *s. m.* Acto que comete una persona, especialmente una autoridad, contra la ley, la justicia o la razón y que perjudica a otras personas.

desagradable *adj.* ① Que causa mala impresión a los sentidos: *sabor desagradable; color desagradable.* **ANT** agradable. ② Que causa molestia o fastidio: *un ruido desagradable.* **ANT** agradable. ③ Se aplica a la persona que no es amable ni considerada en el trato con los demás. **ANT** agradable.

desagradar *v. tr.* Causar disgusto o molestia cierta cosa a una persona. **SIN** disgustar. **ANT** agradar, gustar.
FAM desagradable, desagrado.

desagradecido, -da *adj./s. m. y f.* Se aplica a la persona que no reconoce el valor de lo que se hace en su favor o beneficio. **ANT** agradecido.

desagrado *s. m.* Disgusto o molestia que siente una persona por algo. **ANT** agrado.

desagraviar *v. tr.* Compensar a un persona por un daño físico o moral que ha recibido. **ANT** agraviar.
FAM desagravio.
OBS Verbo regular, se acentúa como *cambiar.*

desagravio *s. m.* Compensación que recibe una persona por un daño físico o moral. **ANT** agravio.

desaguar *v. tr.* ① Sacar el agua que hay en un lugar: *desaguar un pantano por las esclusas.* ‖ *v. intr.* ② Entrar una corriente de agua en otra o en el mar. ③ Dejar un recipiente salir el agua que contiene para que no quede estancada en él: *el fregadero no desaguaba bien.*
OBS Verbo regular, se acentúa como *averiguar.*

desagüe *s. m.* Agujero o conducto por donde sale el agua de un recipiente. **SIN** albañal.

desaguisado *s. m.* ① Acción que va contra la ley, el orden o la razón. ② Destrozo que causa daño o desorden.

desahogado, -da *adj.* ① Se aplica al lugar que es amplio y espacioso: *vive en un piso muy desahogado.* ② Que es cómodo o no supone una preocupación, especialmente en cuanto al dinero: *vive en una posición desahogada.*

desahogar *v. tr./prnl.* ① Mostrar abiertamente un deseo, una opinión o una preocupación, especialmente cuando no

decirlo provoca angustia: *desahoga sus penas con sus amigos; se desahogó de sus penas.* ‖ *v. tr.* ❷ Hacer que desaparezca una preocupación o una pena: *la herencia lo desahogó económicamente; llorar desahoga.* ‖ *v. prnl.* ❸ **desahogarse** Aliviarse de una preocupación o pena contándoselas a alguien: *suele desahogarse conmigo.*
FAM desahogado, desahogo.

desahogo *s. m.* ❶ Comodidad o falta de preocupaciones, especialmente en cuanto al dinero: *vive de sus rentas con mucho desahogo.* ❷ Muestra de un deseo, una opinión o una preocupación que causa angustia: *llorar es su mejor desahogo.*

desahuciar *v. tr.* ❶ Echar legalmente de una casa o de un terreno a la persona que lo ocupa: *desahuciaron a los vecinos que no pagaban la hipoteca.* ❷ Considerar que un enfermo no tiene ninguna posibilidad de curación: *los médicos lo han desahuciado.*
FAM desahucio.
OBS Verbo regular, se acentúa como *cambiar.*

desahucio *s. m.* ❶ Expulsión legal de la persona que ocupa una casa o un terreno. ❷ Consideración por parte del médico de que un enfermo no tiene ninguna posibilidad de curación.

desairar *v. tr.* Humillar a una persona no prestando atención a lo que dice o hace.
FAM desaire.

desaire *s. m.* Humillación que se le hace a una persona al no prestar atención a lo que dice o hace: *no voy a aguantar tus desaires.*

desajuste *s. m.* ❶ Alteración del funcionamiento correcto de algo. ❷ Falta de acuerdo o de adaptación que provoca diferencias o discrepancias.

desaladora *s. f.* Aparato o instalación que sirve para eliminar la sal del agua del mar y hacerla potable.
FAM sal, desalar.

desalar[1] *v. tr.* Quitar toda o parte de la sal que tiene un alimento: *desalar el bacalao en agua.* ANT salar.
FAM desaladora.

desalar[2] *v. tr.* Quitar las alas a un ave o a un insecto.

desalentar [1] *v. tr.* Quitar el ánimo o la energía a una persona de modo que no tenga ganas de continuar haciendo algo: *los continuos fracasos lo desalentaron mucho.* SIN desanimar.
ANT alentar.
FAM desalentador, desaliento.

desaliento *s. m.* Pérdida del ánimo o de la energía para continuar haciendo algo: *la derrota produjo el desaliento del equipo.*
ANT aliento.

desalinear *v. tr.* Alterar la posición de un conjunto formado por personas o cosas que están en línea recta: *se desalinearon las ruedas del coche.*

desaliñado, -da *adj.* Que no cuida la forma de vestir ni el aseo personal.

desaliño *s. m.* Falta de cuidado en la forma de vestir y en el aseo personal.

desalmado, -da *adj./s. m. y f.* Se aplica a la persona que comete acciones crueles sin mostrar ningún tipo de compasión, especialmente contra personas o animales: *un asesino desalmado.* SIN despiadado.

desalojar *v. tr.* ❶ Hacer salir a alguien de un lugar, generalmente utilizando la fuerza: *la policía desalojó a los okupas del caserón abandonado.* ❷ Dejar vacío un lugar: *desalojar un edificio ante la amenaza de bomba.* ❸ Desplazar una cosa a otra de

un lugar: *el líquido que entra en la botella desaloja el aire contenido en ella.*
FAM desalojamiento, desalojo.

desalojo *s. m.* Acción de desalojar, especialmente utilizando la fuerza: *el desalojo de la casona fue violento.*

desamarrar *v. tr.* Quitar las amarras a una embarcación.
ANT amarrar.

desamor *s. m.* ❶ Falta de amor o afecto a una persona o cosa. ❷ Sentimiento de desagrado y rechazo hacia una persona o cosa.

desamortización *s. f.* Acción legal para liberar bienes que pertenecen a la Iglesia, la nobleza o un municipio, de manera que puedan ser vendidos: *en el siglo XIX, el ministro Mendizábal decretó la desamortización de los bienes de la Iglesia.* ANT amortización.

desamortizar *v. tr.* Hacer posible, mediante acciones legales, que determinados bienes de la Iglesia, la nobleza o una colectividad puedan ser vendidos.
FAM desamortización.

desamparar *v. tr.* Dejar sin cuidado o protección a una persona o cosa que la necesita: *desamparar la casa; desamparar a una persona indefensa.*
FAM desamparo.

desamparo *s. m.* Falta de cuidado o protección que necesita una persona o cosa.

desamueblar *v. tr.* Quitar los muebles de un lugar o de una parte de él: *han desamueblado el salón para pintarlo de nuevo.*
ANT amueblar.

desandar [22] *v. tr.* Recorrer en dirección opuesta un camino ya andado.

desangelado, -da *adj.* ❶ Se aplica a la persona que está sola y sin protección. ❷ Se aplica al lugar que es solitario, triste o poco acogedor: *un paraje desangelado.*

desangrar *v. tr.* ❶ Hacer que una persona o animal pierda mucha o toda la sangre: *las sanguijuelas desangraron al caballo.* ❷ Hacer perder bienes o dinero, gastándolos poco a poco: *el hijo mayor está desangrando a sus padres.* ‖ *v. prnl.* ❸ **desangrarse** Perder mucha o toda la sangre una persona o animal por una herida.

desanimado, -da *adj.* Se aplica a la persona que muestra desánimo o falta de ánimo o de energía.

desanimar *v. tr.* Quitar el ánimo o la energía a una persona de modo que no tenga ganas de continuar haciendo algo. SIN desalentar. ANT estimular.
FAM desanimado.

desánimo *s. m.* Falta de ánimo o de energía para hacer algo.
FAM desanimar.

desanudar *v. tr.* Deshacer un nudo. ANT anudar.

desapacible *adj.* ❶ Se aplica al tiempo atmosférico que resulta desagradable por la lluvia o por el frío. ❷ Que es áspero y desagradable en el trato: *carácter desapacible.* SIN desabrido.

desaparecer [16] *v. intr.* ❶ Dejar de percibirse una cosa por uno o varios de los sentidos: *al mover la antena, el sonido agudo desapareció.* ❷ Dejar de estar presente en un lugar: *el mago desapareció del escenario.* ANT aparecer, emerger. ❸ Dejar de producirse un fenómeno, especialmente una enfermedad: *han desaparecido los síntomas de la enfermedad.*
FAM desaparición.

desaparecido, -da *s. m. y f./adj.* Persona que se encuentra en paradero desconocido o muerta sin que se haya encontrado el cadáver, especialmente a causa de una catástrofe, un rapto, represión policial o acciones bélicas.

desaparejar *v. tr.* ① Quitar las correas y aparejos a un animal de carga o de trabajo. **ANT** aparejar. ② Quitar o romper los palos, cables o velas a un barco.

desaparición *s. f.* Hecho de dejar de estar presente una persona, animal o cosa en un lugar: *denunciaron su desaparición.* **ANT** aparición.

desapego *s. m.* Falta de afecto o de interés por una persona o cosa: *el desapego hacia todo lo material.*

desapercibido, -da *adj.* Que no se percibe, no se hace notar o no llama la atención. **SIN** inadvertido.

desaprensión *s. f.* Falta de justicia o de moral en la forma de actuar, generalmente por desprecio a los derechos de los demás.

desaprensivo, -va *adj./s. m. y f.* Se aplica a la persona que no actúa de acuerdo con la justicia o la moral, generalmente por desprecio a los derechos de los demás.

desaprobar [5] *v. tr.* Considerar que una persona actúa mal o que una cosa está mal hecha: *desaprobar la mala conducta de alguien.* **ANT** aprobar.
FAM desaprobación.

desaprovechar *v. tr.* Hacer mal uso de una cosa y no sacarle el máximo rendimiento, beneficio o utilidad: *desaprovechar la potencia de un motor.* **ANT** aprovechar.
FAM desaprovechamiento.

desarbolar *v. tr.* ① Romper la arboladura de una embarcación. ② Dejar a una persona sin que pueda defenderse física o verbalmente.

desarmado, -da *adj.* ① Que no lleva armas. ② Que no tiene razonamientos o medios para demostrar una cosa o para actuar: *lo dejó desarmado con sus razones.*

desarmar *v. tr.* ① Quitar o hacer entregar las armas: *la policía desarmó al delincuente.* **ANT** armar. ② Separar las piezas que forman un objeto. **SIN** descomponer, desmontar. **ANT** armar. ③ Confundir o sorprender a una persona hasta dejarla sin posibilidad de reacción o de respuesta: *desarmó al rival con la seguridad de sus respuestas.* **SIN** apabullar, aplastar.
FAM desarmado, desarme.

desarme *s. m.* Disminución de las armas que poseen algunos países para preservar la paz: *desarme nuclear.*

desarraigar *v. tr.* ① Arrancar de raíz un árbol o una planta. ② Eliminar completamente una pasión, un vicio o una costumbre. ③ Apartar a una persona del lugar donde vive o de su familia: *muchas personas fueron desarraigadas de su ambiente tras la guerra civil.*
FAM desarraigado, desarraigo.

desarraigo *s. m.* ① Acción de desarraigar o desarraigarse. ② Desapego de la familia, de un lugar o de una costumbre.

desarrapado, -da [también **desharrapado, -da**] *adj./s. m. y f.* Se aplica a la persona que lleva la ropa sucia y rota o se viste con harapos.

desarreglado, -da *adj.* ① Se aplica a la cosa que no tiene orden o ha dejado de tener el orden o disposición que tenía entre sus elementos. **SIN** desordenado. | *adj./s. m. y f.* ② Se aplica a la persona que no tiene sus cosas en orden ni pone cuidado en ellas, o que actúa sin reglas ni horario fijo. **SIN** desordenado.

desarreglar *v. tr.* Quitar a una cosa su orden o la disposición que tiene entre otros elementos. **SIN** desbarajustar, desordenar. **ANT** arreglar.
FAM desarreglado, desarreglo.

desarreglo *s. m.* ① Falta de orden o disposición de los elementos que forman una cosa o un conjunto. **SIN** desorden. **ANT** orden. ② Alteración en el funcionamiento de un órgano corporal: *este mes he tenido un desarreglo de la menstruación.* **SIN** desorden, trastorno. ③ Desorden o exceso en la forma de vestir o de actuar.

desarrollado, -da *adj.* Que ha experimentado un desarrollo notable: *país desarrollado.*
FAM subdesarrollado.

desarrollar *v. tr.* ① Hacer crecer, aumentar o progresar: *desarrollar la capacidad del pensamiento abstracto; esta ciudad se ha desarrollado con las nuevas industrias.* ② Realizar una idea o un proyecto: *el departamento de Botánica está desarrollando un estudio sobre las algas.* ③ Explicar con detalle y amplitud un tema. ④ Realizar todas las operaciones que hay que seguir en un cálculo matemático para llegar a la solución: *desarrollar una ecuación de segundo grado.* ⑤ Deshacer la forma de cilindro o rollo de algo que está arrollado: *desarrollar una alfombra.* **SIN** desenrollar. **ANT** arrollar, enrollar. | *v. prnl.* ⑥ **desarrollarse** Ocurrir o producirse un acontecimiento: *la acción de esta película se desarrolla en el siglo XIX.*
FAM desarrollado, desarrollismo, desarrollo.

desarrollismo *s. m.* Tendencia favorable al desarrollo y crecimiento económicos, aunque suponga desequilibrios: *el desarrollismo español tuvo lugar entre 1960 y 1975 y supuso la modernización industrial y agraria.*
FAM desarrollista.

desarrollo *s. m.* ① Crecimiento o progreso de una persona, país o cosa: *las poblaciones humanas que no basan su progreso en la destrucción de recursos naturales son un buen ejemplo de desarrollo sostenible; en una pieza musical, el desarrollo de los temas sigue a la exposición.* ■ **desarrollo animal directo** Desarrollo de una especie animal cuyos individuos jóvenes son iguales a los adultos aunque de menor tamaño: *los reptiles, las aves, los mamíferos y muchos invertebrados presentan desarrollo animal directo.* ■ **desarrollo animal indirecto** Desarrollo de una especie animal cuyas crías difieren notablemente de los individuos adultos en forma y hábitos, como los anfibios y algunos invertebrados: *los insectos que atraviesan una fase larvaria, como las mariposas, presentan desarrollo animal indirecto.* ■ **desarrollo embrionario** Proceso que sigue el cigoto desde la fecundación hasta el nacimiento del nuevo ser. ② Realización de una idea o acción: *el desarrollo de este proyecto se llevará a cabo gracias a las subvenciones del Ministerio.* ③ Explicación detallada de una teoría o un tema: *desarrollo minucioso de la lección.* ④ Conjunto de operaciones necesarias para conseguir el resultado de un cálculo matemático o para explicarlo: *desarrollo de una integral.* ■ **desarrollo de un cuerpo** Resultado que se obtiene al trasladar a un plano todas las caras de un cuerpo: *mediante el desarrollo de un cuerpo cónico se obtiene un círculo y un sector circular.*
FAM subdesarrollo.

desarropar *v. tr.* Quitar la ropa que cubre o envuelve a una persona.
FAM desarropado.

desarrugar *v. tr.* Quitar las arrugas de algo: *desarrugar la frente; desarrugar un papel.* **ANT** arrugar.

desarticulación *s. f.* ① Destrucción de un plan o de una organización ilegal: *desarticulación de un comando terrorista.* ② Separación de piezas o huesos articulados entre sí: *desarticulación de la rodilla.*

desarticular *v. tr.* ① Separar un miembro de su articulación o una pieza del lugar que le corresponde: *la caída le desarticuló el codo; el brazo mecánico se desarticuló.* ② Destruir un plan o una organización ilegal.
FAM desarticulación.

desasimiento *s. m.* ① Acción de desasir o desasirse. ② Efecto de desasir o desasirse.

desasimilación *s. f.* Transformación de las sustancias orgánicas en sustancias inorgánicas de composición química más simple.

desasir [23] *v. tr.* ① Soltar lo que está sujeto: *desasir los cordones del zapato.* ‖ *v. prnl.* ② **desasirse** Desprenderse de una cosa o renunciar a ella: *decidió desasirse de los muebles viejos.*
FAM desasimiento.

desasistir *v. tr.* Dejar sin cuidado o protección a una persona o cosa que la necesita: *la sanidad pública no debe desasistir a nadie.* **SIN** desamparar. **ANT** asistir.

desasnar *v. tr.* familiar Educar a una persona para quitarle la rudeza.

desasosegar [1] *v. tr.* Hacer perder la tranquilidad o el sosiego.
FAM desasosiego.

desasosiego *s. m.* Falta de tranquilidad o de sosiego.

desastillar *v. tr.* AMÉR. Sacar astillas de la madera.

desastrado, -da *adj./s. m. y f.* Se aplica a la persona que va sucia y mal vestida.

desastre *s. m.* ① Suceso que produce mucho daño o destrucción: *las inundaciones fueron un desastre para el campo.* ② familiar Cosa mal hecha, de mala calidad o que produce mala impresión: *la excursión fue un desastre.* **SIN** calamidad, catástrofe. ③ familiar Persona a la que todo le sale mal por torpeza o mala suerte: *es un desastre para las matemáticas.* **SIN** calamidad.
FAM desastrado, desastroso.

desastroso, -sa *adj.* Que es desgraciado o muy malo: *un viaje desastroso; un resultado desastroso.*

desatar *v. tr.* ① Soltar algo que está atado: *desatar un paquete.* **SIN** desligar. **ANT** atar. ② Provocar algo que se manifiesta con intensidad o violencia: *la actitud prepotente del Gobierno desató las críticas de la oposición.* **SIN** desencadenar. ‖ *v. prnl.* ③ **desatarse** Perder la timidez o la inseguridad y actuar abiertamente: *al principio no habla mucho, pero luego se desata.* ④ Perder la moderación: *desatarse en insultos.*

desatascador, -ra *adj./s. m.* Se aplica al instrumento o producto que sirve para desatascar: *un desatascador de desagües.*

desatascar *v. tr.* Quitar la obstrucción de algo, especialmente un paso o un conducto: *desatascar una tubería; desatascar un camino.* **SIN** desatrancar. **ANT** atascar.
FAM desatascador.

desatender [2] *v. tr.* ① No prestar atención a lo que se dice o hace: *desatender la explicación del profesor.* **ANT** atender. ② No tener en cuenta una cosa: *desatender un consejo.* **SIN** desoír. **ANT** atender. ③ Descuidar a una persona o cosa y dejar de ocuparse de ella: *desatender las obligaciones domésticas; desatender a un enfermo.* **ANT** atender. ④ No tener en cuenta las pa-

labras o consejos de alguien: *el Ayuntamiento ha desatendido las protestas del vecindario.* **SIN** desoír. **ANT** atender.
FAM desatención, desatento.

desatento, -ta *adj.* ① Que no pone atención: *está desatento la mayor parte del tiempo.* **ANT** atento. ② Que es poco amable y maleducado: *estuvo muy desatento con los invitados.* **ANT** atento.

desaterrar [1] *v. tr.* AMÉR. Limpiar un lugar de escombros o cualquier tipo de desperdicios.

desatierre *s. m.* AMÉR. Escombrera, lugar donde se vierten escombros.

desatinar *v. intr.* Decir o hacer desatinos.
FAM desatinado, desatino.

desatino *s. m.* ① Falta de acierto o de juicio: *habla con bastante desatino.* ② Cosa que implica falta de acierto o de juicio: *sus declaraciones fueron un desatino.*

desatornillador *s. m.* Herramienta que sirve para apretar o aflojar tornillos haciéndolos girar; consiste en una barra metálica sujeta a un mango y terminada en una punta que se ajusta a la cabeza del tornillo. **SIN** atornillador, destornillador.

desatornillar *v. tr.* Dar vueltas a un tornillo para sacarlo del lugar donde está o dejarlo menos apretado. **SIN** destornillar. **ANT** atornillar.
FAM desatornillador.

desatracar *v. tr.* ① Separar una embarcación del lugar en que está atracada. **ANT** atracar. ‖ *v. intr.* ② Separarse una embarcación del lugar en que está atracada: *el barco desatracó y zarpó.* **ANT** atracar.

desatrancar *v. tr.* ① Quitar la tranca con la que está asegurada una puerta o una ventana, para poderla abrir. **ANT** atrancar. ② Desatascar: *desatrancar un desagüe.*

desautorización *s. f.* Acción de desautorizar: *la desautorización de cuatro ministros del Gobierno ha provocado una crisis gubernamental.* **ANT** autorización.

desautorizar *v. tr.* ① Quitar autoridad, poder, facultad o crédito a una persona o a una cosa: *esta teoría desautoriza los presupuestos anteriores.* **SIN** descalificar. **ANT** autorizar. ② Negar el permiso para hacer algo: *desautorizar la libre circulación de personas supondría un retroceso.*
FAM desautorización.

desavenencia *s. f.* Falta de acuerdo o de entendimiento entre varias personas: *se llevan bien, pero tienen sus desavenencias.* **ANT** avenencia.

desayunar *v. tr./intr.* Tomar el desayuno: *yo desayuno café y tostadas.*
FAM desayuno.

desayuno *s. m.* Primera comida del día, que se toma por la mañana.

desazón *s. f.* ① Sentimiento de disgusto o intranquilidad causado por una alteración física o moral: *la discusión le causó gran desazón.* ② Picor intenso.
FAM desazonar.

desazonar *v. tr.* Producir disgusto o intranquilidad: *las injusticias desazonan a las personas solidarias.*

desbancar *v. tr.* ① Ocupar una persona la posición o consideración privilegiada de otra: *ha desbancado al vicepresidente de la compañía mediante engaños.* ② En algunos juegos, ganar un jugador al banquero todo el dinero que puso en juego.

desbandada *s. f.* Separación desordenada y en diferentes direcciones de un grupo de personas o animales: *la presencia de los leones provocó la desbandada de la manada de búfalos.*

a la desbandada o **en desbandada** Desordenadamente y en diferentes direcciones: *con el disparo, los patos salieron del agua en desbandada.*

desbandarse *v. prnl.* Separarse desordenadamente y en diferentes direcciones un grupo de personas o animales: *los manifestantes se desbandaron cuando llegó la policía.*
FAM desbandada.

desbarajustar *v. tr.* Hacer que una cosa pierda el orden o la disposición que tenía: *lo has desbarajustado todo buscando ese libro.* SIN desordenar.
FAM desbarajuste.

desbarajuste *s. m.* Gran falta de orden o de disposición de los elementos que forman una cosa o un grupo: *desbarajuste social.*

desbaratar *v. tr.* ① Deshacer o estropear algo: *desbaratar la costura de un vestido.* ② Frustrar la realización de algo: *desbaratar un plan.* ③ Derrochar bienes materiales: *desbarató la fortuna familiar.*
FAM desbaratamiento.

desbarrar *v. intr.* Hablar o actuar sin lógica ni razón: *no le hagas caso, está desbarrando.*

desbastar *v. tr.* Quitar las partes más bastas de una pieza que va a ser labrada: *el carpintero desbastó la madera con el cincel.* SIN desguazar.
FAM desbaste.

desbaste *s. m.* Acción de desbastar.

desbloquear *v. tr.* ① Dejar libre el paso o el movimiento: *desbloquear un camino; desbloquear una rueda.* ANT bloquear. ② Suprimir los obstáculos que impiden el desarrollo normal de una actividad: *desbloquear unas negociaciones.* ANT bloquear.
FAM desbloqueo.

desbocado, -da *adj.* ① Se aplica al cuello de una prenda de vestir que está demasiado abierto y que se ha deformado. ② Se aplica a la caballería que corre precipitada y alocadamente sin obedecer la acción del freno: *un caballo desbocado.* ③ Que no tiene contención o control: *ilusiones desbocadas.*

desbocar *v. tr.* ① Quitar o romper la boca a algo: *desbocar una botella.* ‖ *v. prnl.* ② **desbocarse** Abrirse más de lo normal la abertura de una prenda de vestir, generalmente el cuello. ③ Dejar de obedecer una caballería la acción del freno y correr precipitada y alocadamente. ④ Perder la contención o el control.
FAM desbocado.

desbordamiento *s. m.* ① Salida del contenido de un recipiente por los bordes o de una corriente de agua de su cauce: *el desbordamiento de un río.* ② Manifestación abierta y exaltada de una pasión o un sentimiento. ③ Superación de los límites o la capacidad de una persona: *desbordamiento de la paciencia.*

desbordante *adj.* ① Se aplica a la pasión o sentimiento que se muestra abiertamente y no puede contenerse: *sentimiento de alegría desbordante.* ② Que causa cansancio y agobio por ser excesivo.

desbordar *v. intr.* ① Salir el contenido de un recipiente por los bordes o una corriente de agua de su cauce: *el río se desbordó e inundó los campos.* ‖ *v. intr./prnl.* ② Manifestar abiertamente una pasión o un sentimiento: *desbordar de alegría; desbordarse de entusiasmo.* ‖ *v. tr.* ③ Exceder los límites o la

capacidad de una persona o cosa: *el exceso de responsabilidad lo desborda.*
FAM desbordamiento, desbordante.

desbravar *v. tr.* ① Amansar y hacer dócil un animal salvaje: *desbravar a un potro.* ② Hacer perder la bravura o el ímpetu a una persona o animal: *el toro, muy lanzado, consiguió desbravar al torero.* ‖ *v. prnl.* ③ **desbravarse** Perder una bebida alcohólica su fuerza.

desbroce *s. m.* Desbrozo.

desbrozar *v. tr.* Limpiar algo de hojas o ramas secas: *desbrozar el jardín.*
FAM desbrozadora, desbroce, desbrozo.

desbrozo *s. m.* Eliminación de las hojas o ramas secas de algo: *hacer el desbrozo del huerto.* SIN desbroce.

descabalado, -da *adj.* ① Se aplica a la cosa que no tiene compañero o está incompleta o inacabada: *este calcetín está descabalado, no encuentro su pareja.* ② familiar Se aplica a la persona que no tiene pareja. NOTA Frecuentemente usado de forma humorística.

descabalar *v. tr.* ① Dejar una cosa incompleta por faltar alguna de sus partes o piezas: *descabalar una colección de cromos.* ② Alterar un proyecto o un plan.

descabalgar *v. intr.* Bajar de un caballo o de otro animal. ANT montar.

descabellado, -da *adj.* Que va contra la razón o la lógica: *una idea descabellada.*

descabellar *v. tr.* En tauromaquia, matar al toro instantáneamente clavándole el estoque en la cerviz.
FAM descabello.

descabezar *v. tr.* ① Arrancar o cortar la cabeza a una persona o animal. ② Quitar la parte superior o la punta de una cosa: *descabezar un cigarro.*
FAM descabezamiento.

descachalandrado, -da *adj.* familiar AMÉR. Se aplica a la persona que está andrajosa, mal vestida y poco aseada.

descacharrar *v. tr.* familiar Romper o estropear: *se ha descacharrado la batidora.* SIN escacharrar.

descafeinado, -da *s. m./adj.* ① Café al que se le ha extraído la cafeína. NOTA También *café descafeinado.* ‖ *adj.* ② Que no es auténtico por faltarle alguna de sus cualidades esenciales: *filosofía descafeinada.*

descafeinar *v. tr.* ① Quitar la cafeína al café. ② Quitar autenticidad a una cosa privándola de alguna de sus cualidades esenciales.
FAM descafeinado.

descalabradura *s. f.* ① Herida recibida en la cabeza. ② Señal o marca que queda de esta herida.

descalabrar *v. tr.* ① Herir de un golpe a una persona, especialmente en la cabeza. SIN escalabrar. ② Causar un daño o perjuicio grandes: *la falta de ayuda descalabró el proyecto.*
FAM descalabradura, descalabro.

descalabro *s. m.* Circunstancia adversa que provoca un perjuicio o un daño grandes: *el hundimiento de la bolsa en 1929 supuso un descalabro financiero de ámbito mundial.*

descalcificar *v. tr.* Disminuir el calcio o las sustancias calcáreas que contiene algo.
FAM descalcificación.

descalificación *s. f.* ① Eliminación de un participante en un concurso o una competición. ② Negación de la autoridad o capacidad de una persona, un grupo o una cosa.

descalificar *v. tr.* ① Eliminar a un participante en un concurso o una competición. ② Quitar autoridad, poder, facultad o crédito a una persona o una cosa: *la crítica descalifica al nuevo presidente; se descalifica cada vez que hace una declaración.* **SIN** desautorizar.
FAM descalificación.

descalzar *v. tr.* ① Quitar el calzado a alguien. **ANT** calzar. ② Quitar las cuñas que inmovilizan un objeto: *descalzó el camión antes de arrancar.* **ANT** calzar.
FAM descalzo.

descalzo, -za *adj.* ① Que no lleva o no tiene calzado: *tiene los pies fríos porque está descalzo.* **ANT** calzado. ‖ *adj./s. m. y f.* ② Se aplica al religioso que pertenece a una orden en la que, por regla, sus miembros llevaban los pies descalzos: *trinitarios descalzos; san Juan de la Cruz fue un carmelita descalzo.* **ANT** calzado.

descamación *s. f.* Caída, en forma de escamas, de las células viejas de la piel.

descamar *v. tr.* ① Quitar las escamas a un pez: *el pescado se descama justo antes de cocinarlo.* **SIN** escamar. ‖ *v. prnl.* ② **descamarse** Caerse, en forma de escamas, las células viejas de la piel: *el sol le ha secado mucho la piel y se ha descamado.*
FAM descamación.

descaminado, -da *adj.* ① Se aplica a la persona que lleva equivocada la orientación en su camino: *el viajero iba descaminado, vagando sin rumbo.* ② Desacertado o equivocado: *la policía anda descaminada.*

descamisado, -da *adj.* ① Que no lleva la camisa puesta o la lleva por fuera de los pantalones. ‖ *adj./s. m. y f.* ② despectivo Que es muy pobre o harapiento.

descampado, -da *adj./s. m.* Se aplica al terreno que no tiene árboles, vegetación ni viviendas.

descampar *v. impersonal* Aclararse el cielo nublado y dejar de llover: *cuando descampe iremos a dar un paseo.* **SIN** escampar.
FAM descampado.

descansado, -da *adj.* Que no exige mucha actividad o esfuerzo: *un trabajo descansado.* **SIN** reposado.

descansar *v. intr.* ① Parar en el trabajo o en otra actividad para reponerse del cansancio. ② Dormir o reposar: *después de comer no nos llames, porque descansamos un rato.* ③ Quedarse tranquilo después de una preocupación o un dolor. ④ Estar enterrado: *los restos de sus familiares descansan en un panteón.* **SIN** reposar. ⑤ Apoyarse una cosa en otra: *la estatua descansa sobre una columna.* ⑥ Estar la tierra de labor uno o dos años sin cultivo. ‖ *v. tr.* ⑦ Disminuir o aliviar el cansancio: *un baño de agua caliente descansará tus músculos.*
FAM descansado, descanso.

descansillo *s. m.* Superficie llana en que termina cada tramo de una escalera. **SIN** descanso, rellano.

descanso *s. m.* ① Pausa en el trabajo o en otra actividad para reponerse del cansancio. **SIN** reposo. ② Cosa que proporciona tranquilidad o alivio de una preocupación o dolor: *¡qué descanso tenerte en casa!* ③ Tiempo durante el que se interrumpe un espectáculo, un programa o una competición deportiva. **SIN** intermedio. ④ Descansillo.
FAM descansillo.

descapotable *adj./s. m.* Se aplica al automóvil que tiene el techo plegable.

descarado, -da *adj./s. m. y f.* Se aplica a la persona que habla u obra con atrevimiento, sin vergüenza ni respeto. **SIN** desvergonzado, sinvergüenza.
FAM descaro.

descarga *s. f.* ① Extracción de un peso o una carga del lugar donde está: *zona de carga y descarga de mercancías.* ② Paso de la energía eléctrica acumulada en un cuerpo a otro, que anula la diferencia de potencial que hay entre ambos: *descarga eléctrica.* ③ Conjunto de disparos de armas de fuego, especialmente cuando se producen a la vez: *comenzó la ofensiva con una descarga de artillería pesada.*

descargadero *s. m.* Lugar destinado a la descarga.

descargador, -ra *s. m. y f.* Persona que se dedica a descargar las mercancías de trenes, barcos, aviones u otros vehículos.

descargar *v. tr.* ① Sacar la carga del lugar donde está. ② Hacer que un arma de fuego lance su carga. **SIN** disparar, tirar. ③ Dar un golpe con fuerza: *descargó un puñetazo en la mesa.* ④ Liberar a alguien de una preocupación o dolor: *las radionovelas consiguen descargarla de la pena y la soledad.* ⑤ Desahogar y liberar la tensión o el enfado: *descargó su frustración corriendo; se descargó en su padre.* ⑥ Hacer que una persona realice un trabajo o cumpla una obligación que es responsabilidad propia: *descarga todo el trabajo en sus hermanos pequeños.* ⑦ Copiar o transferir información (datos, programas, etc.) en la memoria de un ordenador desde la de otro, especialmente a través de internet u otra red informática: *descargar un programa.* **SIN** bajar. ‖ *v. tr./intr.* ⑧ Producir lluvia, granizo u otro fenómeno atmosférico una nube, nublado, tormenta o meteoro semejante: *la tormenta descargó con violencia.* ‖ *v. prnl.* ⑨ **descargarse** Anular o perder la carga eléctrica: *la batería del coche se ha descargado.*
FAM descarga, descargadero, descargador.

descargo *s. m.* ① Excusa o razón que da una persona para defenderse de las acusaciones que se le han hecho: *alego en mi descargo que fue un triste error.* ② Parte de una cuenta en la que figura la cantidad de dinero que tiene una persona u organismo: *el descargo es la cifra que representa el saldo positivo.*

descarnado, -da *adj.* Se aplica al relato o historia que presenta la realidad sin rodeos, de manera cruda o desagradable: *un descarnado retrato de la pobreza.*

descarnar *v. tr.* Separar la carne del hueso.
FAM descarnador.

descaro *s. m.* Falta de vergüenza o de respeto: *contestar con descaro.* **SIN** cara dura, desvergüenza.

descarriar *v. tr.* ① Apartar a una persona de lo que es justo o razonable: *su forma de vida y las malas compañías acabarán por descarriarlo.* **SIN** extraviar. ‖ *v. prnl.* ② **descarriarse** Apartarse un animal del rebaño: *se han descarriado dos ovejas.*
FAM descarriado.
OBS Verbo regular, se acentúa como *desviar.*

descarrilar *v. intr.* Salirse de los carriles un tren o cualquier vehículo que circule por ellos.
FAM descarrilamiento.

descartar *v. tr.* ① Rechazar o no tener en cuenta una posibilidad, una persona o una cosa. **SIN** excluir. ‖ *v. prnl.* ② **descartarse** Dejar las cartas de la baraja que no son buenas para el juego, sustituyéndolas por otras.
FAM descartable, descarte.

descarte *s. m.* ① Abandono de las cartas de la baraja que no son buenas para el juego, sustituyéndolas por otras. **2** Carta o conjunto de cartas que se descartan: *mezcla las cartas con el descarte y luego repartes.*

descasar *v. tr.* Separar legalmente a dos personas que estaban casadas, deshaciendo el matrimonio: *el juez los descasó; se descasaron a los tres años de matrimonio.* **SIN** divorciar. **ANT** casar.

descascarar *v. tr.* Quitar la cáscara.

descascarillar *v. tr.* Quitar la capa que cubre una superficie, en especial de una pared o un objeto de loza o porcelana: *se ha caído el plato y se ha descascarillado el esmalte.* **SIN** desconchar.

descastado, -da *adj./s. m. y f.* Se aplica a la persona que muestra poco afecto por su familia y amigos o que no corresponde al que le han demostrado.

descastar *v. tr.* Exterminar una casta de animales, generalmente dañina.

descendencia *s. f.* Conjunto de los hijos y de las generaciones posteriores que descienden de una persona. **ANT** ascendencia.

descendente *adj.* Que desciende o baja: *caminos descendentes; un intervalo de tercera mayor descendente puede ir de mi a do.* **ANT** ascendente.

descender [2] *v. intr.* **1** Pasar de un lugar a otro que está más bajo: *descender por la ladera de la montaña.* **SIN** bajar. **ANT** ascender. **2** Salir de un vehículo o dejar de estar montado en él: *descender de un avión.* **SIN** bajar. **3** Pasar de una categoría o posición a otra inferior. **4** Proceder de una persona o cosa: *el castellano, como las demás lenguas románicas, desciende del latín.* **5** Hacerse más pequeño el valor, cuantía o intensidad de una cosa: *han descendido los niveles de los pantanos; los precios descendieron en septiembre.* **SIN** bajar. **ANT** ascender. ‖ *v. tr.* **6** Poner en un lugar más bajo: *tuvieron que descender al herido en brazos.* **SIN** bajar.

FAM descendencia, descendente, descendiente, descendimiento, descenso.

OBS Se conjuga como *entender.*

descendiente *s. com.* Persona o cosa que desciende de otra: *José y María eran descendientes del rey David.* **ANT** ascendiente.

descendimiento *s. m.* Paso de una persona o cosa del lugar en el que se halla a otro más bajo: *el descendimiento de la montaña fue largo y peligroso.* **SIN** descenso.

descenso *s. m.* **1** Camino que va de un lugar a otro más bajo: *el descenso de la montaña estaba cortado.* **SIN** bajada. **ANT** ascensión, ascenso. **2** Paso de una persona o cosa del lugar en el que se halla a otro más bajo. **SIN** bajada, descendimiento. **ANT** ascensión, ascenso, subida. **3** Disminución del valor, cuantía o intensidad de una cosa: *descenso de accidentes de carretera.* **SIN** bajada. **ANT** ascenso. **4** Paso de una categoría o posición a otra inferior: *descenso de segunda a tercera regional.* **5** Salida de un vehículo: *los turistas iniciaron el descenso del autobús de forma ordenada.* **SIN** bajada.

descentralización *s. f.* Acción de descentralizar: *proceso de descentralización.* **ANT** centralización.

descentralizar *v. tr.* **1** Hacer que una cosa deje de depender de un centro único o de una dirección central. **ANT** centralizar. **2** Traspasar poderes y funciones del gobierno central a organismos menores. **ANT** centralizar.

FAM descentralización, descentralizador.

descentrar *v. tr.* **1** Sacar o hacer salir una cosa de su centro: *el cuadro se ha descentrado.* **2** Hacer que una persona pierda la concentración: *el ruido lo descentra y lo aturde; con tanto ruido se descentra con facilidad.*

FAM descentramiento.

desceñir [11] *v. tr.* **1** Desatar o aflojar una cosa que ciñe a otra. **ANT** ceñir.

descerebrar *v. tr.* **1** Producir la inactividad funcional del cerebro. **2** Extirpar experimentalmente el cerebro de un animal.

descerrajar *v. tr.* **1** Arrancar o abrir con violencia una cerradura: *los ladrones descerrajaron la puerta.* **2** Disparar un arma de fuego: *le descerrajó dos tiros y dejó al conejo tieso.*

deschavetado, -da *adj.* AMÉR. Chiflado, ido.

descifrador, -ra *adj./s. m. y f.* Que descifra: *un diccionario descifrador; un investigador penetrante, un descifrador de enigmas y misterios.* **ANT** cifrador.

descifrar *v. tr.* **1** Interpretar un mensaje escrito en un lenguaje secreto compuesto por signos especiales: *descifrar un código secreto.* **ANT** cifrar. **2** Interpretar el significado de una cosa confusa o un asunto difícil de entender: *Edipo descifró el enigma de la Esfinge.*

FAM descifrador, desciframiento, indescifrable.

desclasado, -da *adj./s. m. y f.* Se aplica a la persona que no está integrada en la clase social a la que pertenece o que ha perdido la conciencia de clase.

desclavar *v. tr.* **1** Quitar un clavo o cualquier objeto punzante que está clavado: *desclavar los alfileres de la ropa.* **2** Desprender una cosa del clavo o los clavos que la aseguran o sujetan: *desclavar una madera.*

descocado, -da *adj./s. m. y f.* familiar Se aplica a la persona que habla o actúa con desparpajo y descaro.

descocarse *v. prnl.* Hablar o actuar con desparpajo y descaro.

FAM descocado, descoco, descoque.

descoco *s. m.* familiar Descaro excesivo en la manera de comportarse.

descodificación *s. f.* En la transmisión de un mensaje, operación por la que el receptor descifra una secuencia de signos.

descodificar *v. tr.* Aplicar las reglas adecuadas a un mensaje codificado en un sistema de signos determinado para entenderlo. **SIN** decodificar. **ANT** codificar.

FAM descodificación, descodificador.

descojonarse *v. prnl.* vulgar Reírse mucho y con ganas.

FAM descojonante, descojone.

descolgar [5] *v. tr.* **1** Soltar a alguien o algo que está colgado: *descolgar las cortinas; descolgar a un ahorcado.* **ANT** colgar. **2** Dejar caer poco a poco un objeto mediante una cuerda, una cadena o un cable: *descolgaron el sofá por el balcón.* **3** Levantar el auricular del teléfono. ‖ *v. prnl.* **4** **descolgarse** Bajar deslizándose por una cuerda u otra cosa parecida: *se descolgó desde el tercer piso hasta la calle.* **5** Aparecer en un lugar inesperado: *se descolgó por casa a la hora del café.* **6** Distanciarse una persona de un grupo o de una actividad, quedándose atrás: *el corredor español se descolgó del pelotón; descolgarse del progreso.* **7** Hacer algo inesperado: *se descolgó con una contestación impropia.*

descollar [5] *v. intr.* **1** Sobresalir por encima de lo normal en altura: *los campanarios de las iglesias descuellan por encima de* *las casas.* ② Distinguirse una persona o cosa entre las demás por sus cualidades: *descollaba por su inteligencia y sensibilidad.*

descolocar *v. tr.* ① Poner un objeto en un lugar que no le corresponde. ② Dejar a un jugador o a un grupo de jugadores, generalmente del equipo contrario, mal situado respecto a la posición que debe ocupar: *el contraataque fue tan rápido que descolocó a toda la defensa.*
FAM descolocación, descolocado.

descolonización *s. f.* Reconocimiento de la independencia de una colonia o territorio por parte de la nación extranjera que lo dominaba: *el proceso de descolonización se aceleró después de la Segunda Guerra Mundial.* **ANT** colonización.

descolonizar *v. tr.* Conceder una nación extranjera la independencia a una colonia o territorio que dominaba: *muchos países africanos fueron descolonizados en el siglo XX.* **ANT** colonizar.
FAM descolonización.

descolorar *v. tr.* Quitar o reducir el color. **SIN** decolorar, descolorir. **ANT** colorar, colorear.
FAM descoloramiento.

descolorido, -da *adj.* Que tiene un color débil o que ha perdido color: *ropa descolorida; rostro descolorido.*

descolorir *v. intr.* Descolorar.
FAM descolorido.

descombrar *v. tr.* Limpiar un lugar de los materiales de desecho que quedan después de derribar una construcción. **SIN** desescombrar, escombrar.
FAM descombro.

descombro *s. m.* Limpieza de los materiales de desecho que quedan en un lugar después de derribar una construcción.

descomedido, -da *adj.* ① Que es excesivo o desproporcionado: *el precio descomedido de la vivienda; ambición descomedida.* **SIN** descompasado, desmedido. ② Que no muestra respeto y cortesía hacia los demás: *un hombre descomedido; tono de voz descomedido.*

descomedirse [10] *v. prnl.* Hablar o actuar sin respeto ni cortesía, saliéndose de los límites permitidos o convenientes: *se ha descomedido levantándole la voz e insultándola.* **SIN** desmedirse.
FAM descomedido, descomedimiento.

descompaginar *v. tr.* Cambiar o alterar el orden o la correspondencia de una cosa con otra: *nuestros horarios van descompaginados.*

descompensación *s. f.* ① Falta de igualdad, armonía y equilibrio en una cosa: *hay una gran descompensación entre los gastos y las ganancias.* **ANT** compensación. ② Estado de un órgano que no realiza adecuadamente sus funciones: *la descompensación del corazón provoca problemas de circulación sanguínea.*

descompensar *v. tr.* ① Hacer perder a una cosa la igualdad, armonía y equilibrio: *la posesión de armas químicas ha descompensado el equilibrio armamentístico entre algunos países.* **ANT** compensar. ❘ *v. prnl.* ② **descompensarse** Enfermar un órgano del cuerpo hasta el punto de no realizar adecuadamente sus funciones: *sus pulmones se han descompensado a consecuencia del tabaco.*
FAM descompensación.

descomponedor, -ra *adj./s. m. y f.* Se aplica al organismo que se alimenta de materia orgánica muerta y la descompone en compuestos minerales: *muchos hongos y bacterias son organismos descomponedores.*

descomponer [36] *v. tr.* ① Separar las diversas partes o elementos que forman un compuesto o un todo. ② Pudrir una sustancia animal o vegetal muerta: *el calor descompone los cadáveres enseguida; la carne se descompone rápido fuera del frigorífico.* ③ Separar las piezas que forman un objeto: *el fontanero tuvo que descomponer la cisterna.* **SIN** desmontar. ④ Hacer perder a algo su orden o la disposición entre sus elementos: *he descompuesto las piezas y ahora no sé qué orden tenían.* ⑤ Estropear un mecanismo o un aparato: *ha descompuesto el equipo de música.* ⑥ Poner enfermo o perjudicar la salud: *comer aquello y descomponerme fue todo uno.* ⑦ Hacer perder la tranquilidad o la paciencia: *descompone a su madre cada vez que llama de madrugada; se descompuso de la fuerte impresión.* ⑧ En matemáticas, expresar un número como producto de, al menos, dos de sus divisores: *descomponer un número en factores primos es expresarlo como el producto de todos sus divisores primos.*
FAM descomponible, descomposición, descompuesto.

descomposición *s. f.* ① Separación de una cosa en las diferentes partes o elementos que la forman . ■ **descomposición factorial de un número** Procedimiento que permite escribir un número como producto de sus factores primos. ② Putrefacción de una sustancia animal o vegetal muerta. ③ Alteración del aparato digestivo que se manifiesta con la expulsión frecuente de excrementos líquidos o semilíquidos. **SIN** diarrea. **ANT** estreñimiento. ④ Reacción química en la que un compuesto se transforma en otras moléculas más sencillas o en sus elementos constituyentes.

descompresión *s. f.* Reducción de la presión a que ha estado sometido un cuerpo, en especial un gas o líquido: *la descompresión de los gases se hace en cámaras especiales.*
FAM descompresor.

descompresor *s. m.* Aparato que sirve para descomprimir un cuerpo, en especial un gas o un líquido.

descompuesto, -ta ① Participio irregular de *descomponer.* ❘ *adj.* ② Se aplica a la persona que ha perdido la tranquilidad o la paciencia: *la noticia del accidente lo dejó descompuesto.* ③ AMÉR. CENTRAL, ARG., URUG. Se aplica al objeto que está averiado: *el televisor está descompuesto.* ④ AMÉR. CENTRAL, CHILE, P. RICO, PERÚ Ebrio, bebido: *volvió de la fiesta descompuesto.*

descomunal *adj.* Que se sale de lo común por su gran tamaño o por otra circunstancia: *un edificio descomunal.*

desconcertado, -da *adj.* Que manifiesta sorpresa y confusión: *la muerte de Jesús en la cruz dejó a sus discípulos desconcertados.*

desconcertante *adj.* Que sorprende y confunde por coger desprevenido: *noticia desconcertante.*

desconcertar [1] *v. tr.* Causar a una persona confusión o desorientación, generalmente debido a algo inesperado: *lo desconcertó de tal manera que se quedó sin saber qué hacer ni qué decir.*
FAM desconcertado, desconcertante, desconcierto.

desconchado *s. m.* Parte de la superficie de una cosa (una pared, un objeto de loza o porcelana) en la que ha saltado algún trozo de la capa de yeso, esmalte, pintura, etc., que la cubre.

desconchar *v. tr.* Quitar la capa que cubre una superficie, en especial de una pared o un objeto de loza o porcelana. **SIN** descascarillar.
FAM desconchado, desconchadura, desconchón.

desconchón *s. m.* ① Caída de una parte de la superficie

D

que cubre una pared o un objeto de loza o porcelana. ② Señal que deja esta caída.

desconcierto *s. m.* ① Confusión o desorientación que siente una persona, generalmente debido a algo inesperado: *la muerte de su padre le produjo un enorme desconcierto.* ② Confusión o desorientación en una cosa. **ANT** concierto.

desconectar *v. tr.* ① Hacer que un sistema mecánico o eléctrico deje de tener contacto con una fuente de energía e interrumpa su funcionamiento: *desconectar la televisión.* **ANT** conectar. ② Interrumpir la comunicación entre dos aparatos o sistemas: *desconectar el vídeo de la televisión.* **SIN** apagar. **ANT** conectar. ③ Separar las partes que integran un aparato o sistema: *desconectar varios tramos de una cañería.* **ANT** conectar. | *v. intr.* ④ Hacer que alguien deje de estar conectado a un aparato que lo mantiene vivo de forma artificial: *decidieron desconectarlo para ahorrarle sufrimientos.* ⑤ Dejar de tener relación o comunicación con alguien o algo: *desconectar de la realidad.* **ANT** conectar.
FAM desconexión.

desconexión *s. f.* ① Interrupción de una conexión o enlace. **SIN** conexión. ② Falta de relación o comunicación con alguien o algo.

desconfiado, -da *adj.* ① Que no confía en otra persona o cosa: *siempre cierra con llave los cajones porque es muy desconfiado.* ② Que implica falta de confianza: *una mirada desconfiada.*

desconfianza *s. f.* Falta de confianza o de esperanza en una persona o cosa: *desconfianza en el futuro; la desconfianza le hace ser una persona insegura.*

desconfiar *v. intr.* No tener confianza o esperanza en una persona o cosa.
FAM desconfiado, desconfianza.
OBS Verbo regular, se acentúa como *desviar.*

descongelación *s. f.* Vuelta de una cosa congelada a su estado primitivo mediante el aumento de la temperatura circundante. **ANT** congelación.

descongelar *v. tr.* ① Hacer que una cosa congelada vuelva a su estado primitivo mediante el aumento de la temperatura circundante: *el sol descongela la nieve y el hielo.* **SIN** deshelar. **ANT** congelar. ② Quitar el hielo y la escarcha que se forman en el interior de un congelador o de un frigorífico: *cada cierto tiempo, es necesario descongelar el frigorífico para que enfríe correctamente.* ③ Desbloquear una cuenta, un crédito, un capital, etc., que estaba inmovilizado provisionalmente, para que circule el dinero libremente: *descongelar la cuenta corriente de un banco.* **ANT** congelar.
FAM descongelación.

descongestión *s. f.* ① Disminución de una acumulación excesiva de personas o vehículos que impide la circulación normal por un lugar: *descongestión del tráfico rodado.* **ANT** congestión. ② Disminución de una acumulación excesiva de sangre u otro fluido en un órgano del cuerpo: *descongestión nasal.* **ANT** congestión.

descongestionar *v. tr.* ① Disminuir la acumulación excesiva de personas o vehículos que impide la circulación normal por un lugar. **ANT** congestionar. ② Disminuir la acumulación excesiva de sangre u otro fluido en una parte del cuerpo. **ANT** congestionar.
FAM descongestión, descongestionante, descongestivo.

desconocer [16] *v. tr.* ① No tener conocimiento de una

cosa o no comprender su naturaleza, cualidades y relaciones: *desconocer las reglas del juego.* **SIN** ignorar. **ANT** conocer, saber. ② No reconocer a alguien o algo por encontrarlo muy cambiado en cuanto a su aspecto o forma de comportamiento: *¡desconozco mi calle, con tanto ruido y tanta gente!*
FAM desconocedor, desconocido, desconocimiento.

desconocido, -da *adj.* ① Se aplica a la cosa que se desconoce o ignora o cuya naturaleza y cualidades no se comprenden: *la física cuántica es una materia absolutamente desconocida para mí.* **SIN** extraño. ② Se aplica a la persona o cosa que no se reconoce por estar muy cambiada en cuanto a su aspecto o forma de comportamiento. | *adj./s. m. y f.* ③ Se aplica a la persona que no pertenece al grupo de las personas con las que se tiene trato o comunicación: *no debes hablar con desconocidos.* **SIN** extraño.

desconocimiento *s. m.* Falta de información acerca de una cosa o de comprensión de su naturaleza, cualidades y relaciones.

desconsideración *s. f.* Falta de respeto o atención hacia una persona o cosa. **ANT** consideración.

desconsiderado, -da *adj./s. m. y f.* Que no muestra respeto y atención hacia una persona o cosa: *tratamiento desconsiderado; ser un desconsiderado con los demás.* **ANT** considerado.

desconsiderar *v. tr.* Rechazar o no tener en cuenta una posibilidad o una propuesta: *desconsiderar las ideas ajenas.*
FAM desconsideración, desconsiderado.

desconsolado, -da *adj.* Que no tiene consuelo o que siente una pena o un dolor intensos.

desconsolar [5] *v. tr.* Causar desconsuelo: *me desconsuela tanta pobreza y tanta maldad en el mundo.*
FAM desconsolado, desconsuelo.

desconsuelo *s. m.* Pena o tristeza muy intensas: *llorar con desconsuelo.*

descontado Se usa en las expresiones:
dar por descontado Dar un hecho o noticia por realizado o cierto e indiscutible: *todos dieron por descontado la victoria del equipo local.*
por descontado Se usa para añadir convencimiento y firmeza a lo que se dice: *—¿Vendrás mañana? —Sí, por descontado.*

descontaminación *s. f.* ① Eliminación total o parcial de los elementos que contribuyen a disminuir la pureza del medio ambiente. ② Eliminación total o parcial de sustancias o microorganismos no deseados en una mezcla o preparación.

descontaminar *v. tr.* ① Eliminar total o parcialmente los elementos que contribuyen a disminuir la pureza del medio ambiente. ② Eliminar total o parcialmente las sustancias o microorganismos no deseados en una mezcla o preparación.
FAM descontaminación.

descontar [5] *v. tr.* ① Restar una cantidad de otra: *descontar un 15 % del total.* **SIN** rebajar. **ANT** añadir, sumar. ② Añadir el árbitro al final de un encuentro deportivo el tiempo durante el que ha estado interrumpido: *el árbitro descontó tres minutos.* ③ Adelantar el banco el importe de una letra de cambio antes de su vencimiento, rebajando la cantidad que se estipule en concepto de intereses. | *v. prnl.* ④ **descontarse** Perder la cuenta o equivocarse en la cuenta de lo que se está contando: *si no me he descontado, hay 120 piezas.*
FAM descontado, descuento.

descontentar *v. tr.* Provocar descontento a una persona. **ANT** contentar.

descontento, -ta *adj./s. m. y f.* ❶ Que está disgustado o se siente insatisfecho. **ANT** contento. ❙ *s. m.* ❷ Disgusto, desagrado o insatisfacción: *el descontento entre el público era general.* **ANT** contento.
FAM descontentadizo, descontentar.

descontextualizar *v. tr.* Sacar de su contexto una cosa: *la revista descontextualizó las palabras del entrevistado y no se entendía nada.*
FAM descontextualización.

descontrol *s. m.* Pérdida del control, el orden o la disciplina.
FAM descontrolar.

descontrolar *v. tr.* ❶ Hacer perder el control o el dominio sobre algo: *se le descontroló el coche al reventarse una rueda.* ❙ *v. prnl.* ❷ **descontrolarse** Perder una persona el control y el dominio de sí misma: *cualquier situación imprevista lo descontrola enseguida.*

desconvocar *v. tr.* Anular una convocatoria: *desconvocar una huelga.* **ANT** convocar.
FAM desconvocatoria.

descoque *s. m.* Desparpajo y descaro al hablar u obrar.

descorazonar *v. tr.* Quitar el ánimo o la esperanza: *las dificultades no la descorazonaban.*
FAM descorazonador, descorazonamiento.

descorchador *s. m.* Utensilio consistente en un soporte con una espiral metálica que sirve para sacar el corcho que cierra una botella. **SIN** sacacorchos.

descorchar *v. tr.* ❶ Quitar el corcho que cierra una botella. ❷ Quitar el corcho al tronco y las ramas de los alcornoques.
FAM descorchador, descorche.

descornar [5] *v. tr.* ❶ Romper los cuernos a un animal. ❙ *v. prnl.* ❷ **descornarse** *familiar* Trabajar duramente.

descorrer *v. tr.* ❶ Recoger lo que está estirado, especialmente una cortina. **ANT** correr. ❷ Deslizar un pestillo, un cerrojo o algo parecido para abrir lo que cierra. ❸ Recorrer en dirección opuesta un camino ya recorrido. **SIN** desandar, deshacer.

descortés *adj.* Que no demuestra atención, respeto o afecto hacia las personas. **ANT** cortés.
FAM descortesía.

descortesía *s. f.* Comportamiento o acto en el que no se demuestra atención, respeto o afecto hacia las personas. **ANT** cortesía.

descortezar *v. tr.* Quitar la corteza o la capa dura exterior que envuelve una cosa.

descoser *v. tr.* Soltar el hilo con que están cosidas las piezas de tela, de cuero o de otro material. **ANT** coser.
FAM descosido.

descosido, -da *adj./s. m.* Se aplica a la pieza de tela, cuero u otro material a la que se le ha soltado el hilo que lo mantenía unido al resto de la pieza o a otra: *bolsillo descosido; lleva un descosido en el pantalón.*
como un descosido *familiar* Indica que la acción que se expresa se realiza en exceso o con gran afán y dedicación: *trabajar como un descosido.*

descoyuntamiento *s. m.* ❶ Acción de descoyuntar o descoyuntarse. ❷ Efecto de descoyuntar o descoyuntarse. ❸ *familiar* Cansancio intenso que se siente como si se tuvieran los huesos desencajados.

descoyuntar *v. tr.* ❶ Sacar un hueso de su articulación. ❷ Cansar mucho: *lo ha descoyuntado con tanto trabajo.*
FAM descoyuntamiento.

descrédito *s. m.* Disminución o pérdida de la consideración, la buena fama o la estima.

descreer [20] *v. tr.* ❶ Dejar de creer en una persona o cosa. **ANT** creer. ❷ Perder la confianza en alguien o algo. **ANT** creer.

descreído, -da *adj./s. m. y f.* Se aplica a la persona que no cree, especialmente en materia religiosa.
FAM descreimiento.

descreimiento *s. m.* Abandono, por parte de una persona o grupo social, de sus principios ideológicos o religiosos.

descremar *v. tr.* Quitar la crema o la nata de la leche o de los productos lácteos. **SIN** desnatar.
FAM descremado.

describir *v. tr.* ❶ Explicar, por medio del lenguaje, las características de una persona o una cosa: *el primer capítulo de «La Regenta» describe la ciudad donde se desarrollará la novela.* ❷ Dibujar una cosa de modo que se comprenda fácilmente lo que es: *el profesor dibuja en la pizarra las órbitas que describen los planetas.* ❸ Dibujar un cuerpo una línea del movimiento que realiza: *el compás describe una circunferencia.*
FAM descripción, descriptivo; indescriptible.
OBS Participio irregular: *descrito.*

descripción *s. f.* ❶ Expresión, por medio del lenguaje, de las características de una persona o cosa, para ofrecer una imagen completa de ella. ❷ Tipo de escrito que explica cómo es una persona o cosa, seleccionando los detalles más característicos y relevantes de ellas.

descriptivo, -va *adj.* Que expresa, por medio del lenguaje, las características de una persona o cosa: *un texto descriptivo.*

descrito, -ta Participio irregular de *describir.*

descuadernar *v. tr.* Soltar las hojas o las tapas que forman un libro. **SIN** desencuadernar. **ANT** encuadernar.

descuajar *v. tr.* Arrancar de raíz una cosa, especialmente plantas y árboles: *el camión descuajó el banco con el choque; el fuerte viento descuajó varios árboles.*
FAM descuaje, descuajo.

descuajaringar [también **descuajeringar**] *v. tr.* ❶ Estropear un objeto separando las partes que lo forman: *se me han caído los libros y se me han descuajaringado.* ❙ *v. prnl.* ❷ **descuajaringarse** Cansarse mucho. ❸ *familiar* Reírse mucho.

descuaje *s. m.* Descuajo.

descuajeringado, -da *adj.* ❶ *familiar* AMÉR. Se aplica al objeto que está desvencijado: *un auto viejo y descuajeringado.* ❷ *familiar* AMÉR. Se aplica a la persona que es descuidada en el aseo personal y en el vestir. ❸ *familiar* AMÉR. Se aplica al animal o personal que tiene el cuerpo o parte de él afectado por agotamiento físico o un accidente: *después de diez horas seguidas de trabajo cayó descuajeringado al sofá.*

descuajeringar V. descuajaringar.

descuajo *s. m.* Extracción de raíz de una cosa, especialmente plantas y árboles. **SIN** descuaje.

descuartizar *v. tr.* ❶ Dividir el cuerpo de una persona o un animal en cuartos o partes: *el carnicero descuartizó una ternera.* **SIN** cuartear. ❷ Hacer trozos una cosa.
FAM descuartizamiento.

descubierto, -ta ☐1 Participio irregular de *descubrir: se ha descubierto una nueva vacuna.* ▮ *adj.* ☐2 Que no está cubierto: *patio descubierto.* ☐3 Se aplica a la persona que no lleva sombrero ni ninguna otra prenda que le cubra la cabeza. ☐4 Se aplica al cielo que está sin nubes. ▮ *s. m.* ☐5 Situación de la economía en la que los gastos superan los ingresos: *había un descubierto grande en su cuenta corriente.* **SIN** déficit. **ANT** superávit.

al descubierto (**I**) Al aire libre: *dormir al descubierto.* (**II**) A la vista: *las excavaciones del túnel dejaron al descubierto unas ruinas romanas.* (**III**) Abiertamente, sin ningún obstáculo o impedimento.

descubridor, -ra *adj./s. m. y f.* ☐1 Se aplica a la persona que ha descubierto una cosa oculta o desconocida: *Ponce de León fue el descubridor de Florida.* ☐2 Se aplica a la persona que ha hallado la fórmula científica de un nuevo producto o ha creado una cosa nueva: *los descubridores del radio fueron los esposos Curie.*

descubrimiento *s. m.* ☐1 Encuentro o hallazgo de lo que no se conocía o de lo que estaba oculto: *el descubrimiento de América se produjo en 1492.* ☐2 Hallazgo de la fórmula científica de un nuevo producto o creación de una cosa nueva: *el descubrimiento de la vacuna fue un paso importante en medicina.* ☐3 Cosa descubierta: *la penicilina fue un gran descubrimiento científico.*

descubrir *v. tr.* ☐1 Quitar la tapa o lo que cubre una cosa de manera que se vea lo que hay dentro o debajo: *descubrir los muebles.* **SIN** destapar. ☐2 Encontrar lo que no se conocía o lo que estaba oculto. ☐3 Poner de manifiesto lo que estaba oculto: *descubrió sus planes a todo el mundo.* **SIN** desvelar. ☐4 Hallar la fórmula científica de un nuevo producto o crear una cosa nueva: *Fleming descubrió la penicilina.* ▮ *v. prnl.* ☐5 **descubrirse** Quitarse el sombrero u otra prenda que cubre la cabeza.
FAM descubierto, descubridor, descubrimiento.
OBS Participio irregular: *descubierto.*

descuento *s. m.* ☐1 Disminución o reducción que se hace en una cantidad o en un precio. ☐2 Adición que hace el árbitro, al final de un encuentro deportivo, del tiempo que este ha estado interrumpido.

descuidado, -da *adj./s. m. y f.* Se aplica a la persona que muestra desinterés en lo que hace, o en el cuidado de su aspecto y de sus cosas.

descuidar *v. tr.* ☐1 No atender, no vigilar o no ayudar debidamente a una persona o cosa: *descuidar los estudios.* ▮ *v. intr.* ☐2 Se usa para asegurar a alguien que no es necesario que se preocupe en un trabajo u obligación: *descuida, ya me encargo yo.* ▮ *v. prnl.* ☐3 **descuidarse** Dejar de prestar la atención debida a algo: *si te descuidas, perderás el dinero.*
FAM descuidado, descuido.

descuido *s. m.* ☐1 Falta de atención en el ejercicio de una actividad o responsabilidad: *los ladrones aprovecharon un descuido del vigilante.* ☐2 Falta de arreglo u orden en una cosa.

desde *prep.* Indica el momento o el lugar, más o menos exacto, en que comienza una acción: *desde los inicios del siglo XIX, se percibió la llegada de una sensibilidad romántica.*

desdecir [37] *v. intr.* ☐1 No corresponderse o no adecuarse una cosa con otra u otras. ☐2 Ser impropio del origen, condición o prestigio de una persona: *su borrachera desdijo de su educación esmerada.* ▮ *v. prnl.* ☐3 **desdecirse** Volverse atrás una persona, negar una opinión que anteriormente ha sostenido.

desdén *s. m.* Actitud de indiferencia y desprecio hacia alguien o algo.

desdentado, -da *adj.* ☐1 Se aplica a la persona o el animal al que le faltan algunos o todos los dientes. **SIN** mellado. ▮ *adj./s. m.* ☐2 Se aplica al mamífero que carece de dientes incisivos y tiene garras muy largas y curvadas para cavar, como el oso hormiguero o el armadillo. ▮ *s. m. pl.* ☐3 **desdentados** Grupo taxonómico, con categoría de orden, constituido por estos animales.

desdeñar *v. tr.* Mostrar una actitud indiferente y despectiva hacia una persona, un grupo o una cosa.
FAM desdeñable, desdeñoso.

desdeñoso, -sa *adj.* Se aplica a la persona que muestra una actitud indiferente y despectiva hacia una persona, un grupo o una cosa.

desdibujarse *v. prnl.* Perder nitidez los contornos de una figura o un paisaje.

desdicha *s. f.* ☐1 Hecho que causa gran dolor o infelicidad. **SIN** desgracia, desventura. ☐2 Suerte adversa y aciaga. **SIN** desgracia, desventura.
FAM desdichado.

desdichado, -da *adj./s. m. y f.* ☐1 Se aplica a la persona que padece una o más desgracias que le causan gran dolor o infelicidad. **SIN** desventurado, desgraciado. ☐2 Que tiene una suerte adversa o contraria. **SIN** desventurado, desgraciado.

desdicho, -cha Participio irregular de *desdecir.*

desdoblamiento *s. m.* ☐1 Acción de desdoblar o desdoblarse. ☐2 Efecto de desdoblar o desdoblarse.

desdoblamiento de personalidad Trastorno psicológico que se caracteriza por que en una misma persona se alteran de forma inconsciente caracteres y comportamientos distintos, como si pertenecieran a distintas personas: *«El extraño caso del Dr. Jekyll y Mr. Hyde» narra un ejemplo de desdoblamiento de personalidad.*

desdoblar *v. tr.* ☐1 Extender lo que está doblado. **ANT** doblar. ☐2 Formar dos o más cosas mediante la separación de los elementos de otra: *la formación se desdobló en dos columnas.*
FAM desdoblamiento.

desdorar *v. tr.* Manchar el buen nombre o la fama que tiene una persona, un grupo o una cosa.
FAM desdoro.

desdoro *s. m.* Mancha del buen nombre o la fama de una persona, un grupo o una cosa.

desdramatizar *v. tr.* Quitar o disminuir el carácter dramático de un hecho.

desear *v. tr.* ☐1 Querer intensamente la posesión o la realización de algo: *desear la compra de una casa; desear un buen viaje.* ☐2 Querer tener relaciones sexuales con una persona.
FAM deseable, deseoso.

desecación *s. f.* Pérdida o eliminación de la humedad o el líquido, generalmente agua, que contiene algo.

desecar *v. tr.* Eliminar la humedad o el líquido, generalmente agua, que contiene algo: *la sequía ha desecado los campos.*
FAM desecación.

desechable *adj.* ☐1 Se aplica al objeto que se tira o aparta por considerarlo inútil: *envase de plástico desechable.* ☐2 Se aplica al objeto que está destinado a ser usado una sola vez: *jeringuillas desechables.*

desechar *v. tr.* ☐ Rechazar o no admitir una cosa: *desechar una propuesta por falta de argumentos.* ☐ Tirar o apartar una cosa que se considera inútil: *desechar las prendas que tienen tara.* ☐ Apartar de la mente un mal pensamiento, una sospecha o un temor: *desechar un sentimiento de culpabilidad infundado.*
FAM desechable, desecho.

desecho *s. m.* ☐ Cosa que sobra o resto inservible que queda de algo después de haberlo consumido o trabajado: *los desechos de la comida se echan a la basura.* ☐ Persona vil y despreciable: *es un desecho humano: mentiroso, egoísta, envidioso y cruel.*

deselectrizar *v. tr.* Quitar a un cuerpo la electricidad que tiene. **ANT** electrizar.

desembalaje *s. m.* Separación de la envoltura que cubre un objeto. **ANT** embalaje.

desembalar *v. tr.* Quitar la envoltura de un objeto. **ANT** embalar.
FAM desembalaje.

desembarazar *v. tr.* ☐ Dejar sin obstáculos ni estorbos un espacio: *desembarazar el camino de ramas y hojas.* **SIN** despejar. ‖ *v. prnl.* ☐ **desembarazarse** Librarse de una persona, animal o cosa que molesta o constituye un obstáculo para un fin: *desembarazarse de la ropa vieja para dejar sitio en el armario.*
FAM desembarazado, desembarazo.

desembarazo *s. m.* Soltura y facilidad para hacer algo: *se relaciona con desembarazo en cualquier ambiente.*

desembarcadero *s. m.* Lugar apropiado para desembarcar a personas o mercancías.

desembarcar *v. tr.* ☐ Sacar de un barco y poner en tierra a los viajeros y las mercancías que transporta: *los operarios desembarcaron los contenedores.* **ANT** embarcar. ‖ *v. intr.* ☐ Bajar de un barco, un tren o un avión: *los pasajeros de ese vuelo no desembarcan todavía.* **ANT** embarcar. ☐ Llegar a un lugar para empezar a desarrollar una actividad.
FAM desembarcadero, desembarco, desembarque.

desembarco *s. m.* Bajada o salida de personas o mercancías de un barco, un tren o un avión. **SIN** desembarque. **ANT** embarco, embarque.

desembargar *v. tr.* Dejar libres unos bienes que estaban retenidos por orden de un tribunal: *desembargar una cuenta corriente.*
FAM desembargo.

desembarque *s. m.* Desembarco.

desembarrancar *v. tr./intr.* Poner a flote una embarcación que se había quedado atascada en arena o entre piedras. **SIN** desencallar. **ANT** embarrancar.

desembocadura *s. f.* ☐ Lugar por el que una corriente de agua desemboca en el mar, en un canal, en un río o en un lago: *la desembocadura del río Ebro es un delta.* ☐ Salida de una calle o un camino a un lugar determinado: *esa calle desemboca en una gran avenida.* ☐ Cosa en que acaba o termina otra: *la desembocadura de tanto conflicto será una guerra.*

desembocar *v. intr.* ☐ Entrar una corriente de agua en otra semejante, en el mar, en un canal o en un lago. **SIN** desaguar. ☐ Salir una calle o camino a un lugar determinado. ☐ Acabar o terminar una cosa en otra: *la conversación desembocó en una fuerte discusión.*
FAM desembocadura.

desembolsar *v. tr.* Pagar o entregar una cantidad de dinero. **ANT** embolsar.
FAM desembolso.

desembolso *s. m.* Pago o entrega de una cantidad de dinero. **ANT** reembolso.

desembragar *v. intr.* Desconectar el embrague del eje del motor para el cambio de velocidades.
FAM desembrague.

desembrague *s. m.* Desconexión del embrague del eje del motor para el cambio de velocidades.

desembrollar *v. tr.* ☐ Deshacer un embrollo o enredo. **ANT** embrollar. ☐ Aclarar un asunto difícil de entender. **SIN** desenmarañar, desenredar, desmarañar. **ANT** embrollar.

desembrujar *v. tr.* Deshacer un embrujo o encantamiento. **ANT** embrujar.

desembuchar *v. tr./intr.* ☐ familiar Decir todo lo que se sabe sobre un asunto y se tenía callado: *desembuchó rápido y sin utilizar la fuerza.* ☐ Expulsar un ave lo que tiene en el buche.

desemejanza *s. f.* Falta de parecido o de correspondencia entre dos o más cosas. **SIN** disimilitud. **ANT** semejanza.

desemejar *v. tr.* ☐ Hacer perder el propio aspecto alterando ciertos rasgos: *desemejó su rostro con cirugía estética.* **SIN** desfigurar. ‖ *v. intr.* ☐ Diferenciarse una cosa de otra.
FAM desemejanza.

desempacar *v. tr.* ☐ Quitar la envoltura que lleva una cosa, generalmente una mercancía. ☐ Sacar el equipaje de las maletas o bolsas que lo contienen.

desempaquetar *v. tr.* Deshacer un paquete para sacar su contenido: *desempaquetar regalos.* **ANT** empaquetar.

desempatar *v. tr./intr.* Deshacer una situación de igualdad entre varias personas o grupos que participan en una votación, competición, concurso o partido. **SIN** desigualar. **ANT** empatar.
FAM desempate.

desempate *s. m.* Resolución de una situación de igualdad entre varias personas o grupos participantes en una votación, competición, concurso o partido: *gol del desempate.* **SIN** empate.

desempedrar [1] *v. tr.* Quitar las piedras que forman, ajustadas entre sí, un suelo o pavimento. **ANT** empedrar.

desempeñar *v. tr.* ☐ Realizar una persona, un grupo o una cosa las labores que le corresponden: *desempeñar un cargo de responsabilidad.* ☐ Recuperar, mediante el pago de la cantidad acordada en su momento, una cosa que se había entregado para conseguir un préstamo de dinero: *desempeñar las joyas.*
FAM desempeño.

desempeño *s. m.* ☐ Realización, por parte de una persona, un grupo o una cosa, de las labores que le corresponden. ☐ Recuperación, mediante el pago de la cantidad acordada en su momento, de una cosa que se había entregado para conseguir un préstamo de dinero.

desempleado, -da *adj./s. m. y f.* Se aplica a la persona que no tiene trabajo. **SIN** parado.

desempleo *s. m.* Situación de falta de trabajo: *el desempleo es uno de los principales problemas que tiene la Unión Europea.* **SIN** paro.
FAM desempleado.

desempolvar *v. tr.* ☐ Quitar el polvo acumulado sobre una cosa. **ANT** empolvar. ☐ Volver a usar algo que estaba apartado o recordar algo que estaba olvidado: *desempolvar viejas películas del cine del oeste.*

desenamorar *v. tr.* Hacer perder el sentimiento amoroso o de afecto que se tenía a una persona o cosa.

desencadenar *v. tr.* ① Provocar algo que se manifiesta con intensidad o violencia: *la noticia del hundimiento de la bolsa de Nueva York desencadenó, en 1929, una ola de suicidios.* **SIN** desatar. ② Soltar algo o a alguien que está sujeto por una cadena u otra cosa: *desencadenar a un preso.*
FAM desencadenamiento, desencadenante.

desencajar *v. tr.* ① Separar una cosa de otra a la que está ajustada: *desencajar las piezas de un puzzle; desencajarse un hombro.* **ANT** encajar. ‖ *v. prnl.* ② **desencajarse** Alterarse las facciones de la cara a causa del miedo, de un gran disgusto o una enfermedad: *se le desencajó el rostro cuando conoció la noticia.*
FAM desencajamiento, desencaje.

desencajonar *v. tr.* ① Sacar algo de un cajón. ② Liberar a una persona, un animal o una cosa de una situación de gran estrechez. ③ Sacar a los toros de lidia del compartimiento donde se les coloca antes de salir a la plaza.
FAM desencajonamiento.

desencallar *v. tr./intr.* Poner a flote una embarcación que se había quedado atascada en arena o entre piedras. **SIN** desembarrancar. **ANT** encallar.

desencantar *v. tr.* ① Hacer que alguien pierda la esperanza o la ilusión: *las dificultades del proyecto lo desencantaron; se desencanta enseguida.* **SIN** desengañar, desilusionar. ② Hacer que alguien o algo deje de estar bajo los efectos de un encantamiento mágico.
FAM desencantamiento, desencanto.

desencanto *s. m.* Pérdida de la esperanza o la ilusión. **SIN** desengaño, desilusión.

desencapotar *v. tr.* ① Quitar a alguien la capa o una prenda parecida. ② Quitar la capota que cubre algo, especialmente un vehículo. ③ **desencapotarse** Desaparecer las nubes del cielo o del horizonte. **SIN** despejar. **ANT** encapotarse.

desenchufar *v. tr.* ① Sacar el enchufe de un aparato o una máquina del lugar en el que está conectado a la corriente eléctrica: *desenchufar la televisión.* **ANT** enchufar. ‖ *v. prnl.* ② **desenchufarse** familiar ARG., CUBA, URUG. Interrumpir el trabajo para descansar o distraerse durante una actividad que requiere un gran esfuerzo de concentración.

desencolar *v. tr.* Despegar algo que estaba pegado con cola: *desencolar las patas de una silla.* **ANT** encolar.

desencuadernar *v. tr.* Soltar las hojas o las tapas que forman un libro. **SIN** descuadernar. **ANT** encuadernar.

desenfadado, -da *adj.* ① Se aplica a la persona que muestra soltura y gracia en la forma de actuar. ② Se aplica a la cosa que implica soltura y falta de seriedad e inhibición: *trato desenfadado* **ANT** serio.

desenfado *s. m.* Soltura y falta de seriedad e inhibición: *desenfado en la forma de expresarse.* **ANT** seriedad.
FAM desenfadado.

desenfocar *v. tr.* ① Hacer perder la nitidez en una imagen fotografiada o grabada. **ANT** enfocar. ② Contar o explicar una cosa cambiando su sentido real: *desenfocar la realidad de un acontecimiento.* **SIN** desfigurar.
FAM desenfoque.

desenfoque *s. m.* ① Falta de nitidez en una imagen fotografiada o grabada. ② Explicación de una cosa cambiando su sentido real.

desenfrenado, -da *adj.* Que no tiene moderación, orden ni sentido de la medida.

desenfreno *s. m.* Comportamiento impulsivo, sin moderación, orden ni sentido de la medida.

desenfundar *v. tr.* ① Quitar la funda que protege una cosa. **ANT** enfundar. ② Sacar un arma de fuego de su funda: *desenfundar un revólver.* **ANT** enfundar.

desenganchar *v. tr.* ① Hacer que algo deje de estar sujeto o enganchado: *desenganchar los pósters de la pared; desenganchar los caballos del carruaje.* **ANT** enganchar. ② familiar Hacer que alguien abandone la dependencia patológica de una cosa, generalmente una droga: *desengancharse de la cocaína.* **SIN** deshabituar.

desengañar *v. tr.* ① Hacer saber a alguien que la idea que tiene sobre algo o alguien está equivocada: *creo que su idea sobre las cosas es infundada y se desengañará pronto.* ② Hacer que alguien pierda la esperanza o la ilusión. **SIN** desencantar, desilusionar.
FAM desengaño.

desengaño *s. m.* Impresión negativa que experimenta alguien al comprobar que la realidad de algo no responde a la esperanza o la ilusión puestas en ello: *sufrió un gran desengaño cuando abrió el paquete.* **SIN** desencanto, desilusión.

desengrasar *v. tr.* Quitar la grasa que cubre una superficie. **ANT** engrasar.

desenhebrar *v. tr.* Sacar un hilo del agujero del objeto que atravesaba, en especial del ojo de una aguja: *desenhebrar la aguja.* **ANT** enhebrar, ensartar.

desenjaular *v. tr.* Sacar de una jaula a un animal: *desenjaular un pájaro.* **ANT** enjaular.

desenlace *s. m.* ① Final de un acontecimiento o suceso que se ha desarrollado durante cierto tiempo: *el desenlace de la Guerra Civil.* ② Parte final de una obra narrativa, de literatura o cine, que sigue al nudo o desarrollo y en la que se resuelve la trama.

desenlazar *v. tr.* ① Soltar lo que está atado con lazos o nudos. **ANT** enlazar. ‖ *v. prnl.* ② **desenlazarse** Resolverse la trama de un suceso, o de una obra de literatura, cine o teatro: *la novela se desenlaza en París.*
FAM desenlace.

desenmarañar *v. tr.* ① Deshacer una maraña o enredo de hilos, cabellos, cuerdas, cables o cosas parecidas: *desenmarañar un ovillo de lana.* **SIN** desenredar, desmarañar. **ANT** enmarañar, enredar. ② Aclarar un asunto difícil de entender o de solucionar. **SIN** desembrollar, desenredar. **ANT** enmarañar, enredar.

desenmascarar *v. tr.* Hacer pública la realidad oculta de una persona o cosa: *la policía desenmascaró al asesino después de mucho investigar.*

desenredar *v. tr.* ① Deshacer una maraña o enredo de hilos, cabellos, cuerdas, cables o cosas parecidas: *desenredar el pelo.* **SIN** desenmarañar, desmarañar. **ANT** enmarañar, enredar. ② Aclarar un asunto difícil de entender o de solucionar. **SIN** desembrollar, desenmarañar. **ANT** enmarañar, enredar.

desenrollar *v. tr.* Deshacer la forma de cilindro o rollo de algo que está arrollado: *desenrolló el póster para enmarcarlo.* **SIN** desarrollar. **ANT** arrollar, enrollar.

desenroscar *v. tr.* ① Sacar una cosa de otra a la que se había ajustado dándole vueltas: *desenroscar un tornillo y una tuerca; desenroscar una bombilla.* **ANT** enroscar. **2** Extender lo que había sido enroscado, deshaciendo la forma de rosca: *la serpiente se desenrosca.* **SIN** desarrollar, desenrollar. **ANT** arrollar, enrollar, enroscar.

desensillar *v. tr.* Quitar la silla de montar a una caballería. **ANT** ensillar.

desentenderse [2] *v. prnl.* Mantenerse voluntariamente al margen de un asunto o cuestión: *desentenderse de las obligaciones familiares.* **SIN** despreocuparse.
FAM desentendimiento.

desenterrar [1] *v. tr.* **1** Sacar de la sepultura a una persona o de la tierra un animal o una cosa que están bajo ella. **ANT** enterrar. **2** Traer a la memoria un recuerdo o una cosa que estaba olvidada: *desenterrar los recuerdos de infancia; desenterrar viejos rencores.*
FAM desenterramiento.

desentonación *s. f.* **1** Desproporción en el tono de la voz, especialmente al cantar. **2** Descomedimiento en el tono de la voz o en lo que se dice.

desentonar *v. intr.* **1** No estar una persona o una cosa en armonía con el ambiente y el espacio que le rodea: *tu corbata desentona con el color de tu traje.* **2** Dar una nota más alta o más baja de lo que corresponde en un momento dado, al cantar o al tocar un instrumento: *el tenor desentonó al hacer el trino.*
FAM desentonación, desentono.

desentrañar *v. tr.* **1** Averiguar una cosa que es muy difícil de llegar a conocer. **2** Sacar las entrañas.
FAM desentrañamiento.

desentumecer [16] *v. tr.* Suprimir o disminuir la dificultad que impide la flexibilidad o el movimiento, especialmente de una parte del cuerpo: *al quitarle la escayola, tenía la mano dormida y tuvo que desentumecerla.* **ANT** entumecer.
FAM desentumecimiento.

desenvainar *v. tr.* Sacar de su vaina o cubierta, generalmente un arma blanca: *desenvainar una espada.* **ANT** envainar.

desenvoltura *s. f.* Facilidad para hablar, hacer una cosa o relacionarse en una situación o en un ambiente: *se relaciona con sus compañeros con gran desenvoltura.* **SIN** desparpajo.

desenvolver [6] *v. tr.* **1** Quitar a una cosa lo que la cubre por todos sus lados: *desenvolver un caramelo.* **ANT** envolver. I *v. prnl.* **2** **desenvolverse** Tener facilidad para hablar, para hacer una cosa o para relacionarse en una situación o en un ambiente: *estamos asombrados de lo bien que se desenvuelve en el mundo de las finanzas.*
FAM desenvoltura, desenvolvimiento, desenvuelto.
OBS Participio irregular: *desenvuelto.*

desenvuelto, -ta **1** Participio irregular de *desenvolver.* I *adj.* **2** Se aplica a la persona que tiene facilidad para hablar, para hacer una cosa o para relacionarse en una situación o en un ambiente.

deseo *s. m.* **1** Sentimiento intenso que tiene una persona por conseguir una cosa. **2** Cosa que origina en una persona un sentimiento intenso por conseguirla. **3** Ganas de tener relaciones sexuales con una persona.
FAM desear.

deseoso, -sa *adj.* Se aplica a la persona que tiene un sentimiento intenso por conseguir una cosa: *tiene puestas tantas esperanzas en ganar el concurso que está deseoso de que comience ya.*

desequilibrado, -da *adj.* **1** Que ha perdido la fijeza de

su posición en el espacio. **2** Se aplica a la persona que ha perdido el juicio a causa de un trastorno psíquico.

desequilibrar *v. tr.* **1** Hacer perder la fijeza de la posición en el espacio: *la fuerza del viento desequilibró al funambulista y le hizo caer.* **SIN** desestabilizar. **ANT** equilibrar, estabilizar. I *v. prnl.* **2** **desequilibrarse** Perder el juicio a causa de un trastorno psíquico.
FAM desequilibrado, desequilibrio.

desequilibrio *s. m.* **1** Falta de fijeza en la posición en el espacio. **ANT** equilibrio, estabilidad. **2** Alteración en la conducta o comportamiento psíquico de una persona.

deserción *s. f.* **1** Abandono del ejército por parte de un soldado que no tiene autorización para ello. **2** Abandono de un deber, de un grupo o de la defensa de una causa: *las continuas pérdidas económicas originaron la deserción de los accionistas de la empresa.*

desertar *v. intr.* **1** Abandonar un soldado su ejército sin autorización: *los soldados desertaban en masa; dos reclutas han desertado del ejército.* **2** Abandonar un deber, un grupo o la defensa de una causa: *tras el fracaso en las elecciones, desertó del partido.*
FAM deserción, desertor.

desértico, -ca *adj.* **1** Relativo al desierto: *clima desértico.* **2** Se aplica al lugar que está despoblado o vacío de personas: *la ciudad de noche parecía desértica.* **SIN** desierto.

desertificación *s. f.* Desertización.

desertificar *v. tr.* Desertizar.

desertización *s. f.* Transformación irreversible de un terreno habitable en árido, sin vegetación ni vida: *el negocio de la madera está ocasionando la desertización de muchos bosques.* **SIN** desertificación.

desertizar *v. tr.* **1** Hacer que un terreno habitable se transforme en árido, sin vegetación ni vida. **SIN** desertificar. I *v. prnl.* **2** **desertizarse** Convertirse un terreno habitable en árido, sin vegetación ni vida: *durante la guerra, los campos se fueron desertizando.*
FAM desertización.

desertor, -ra *adj./s. m. y f.* **1** Se aplica al soldado que ha abandonado su ejército sin autorización. **2** Se aplica a la persona que ha abandonado un deber, un grupo o la defensa de una causa.

desescombrar *v. tr.* Limpiar un lugar de los materiales de desecho que quedan después de derribar una construcción. **SIN** descombrar, escombrar.
FAM desescombro.

desesperación *s. f.* **1** Pérdida total de la esperanza: *que no te invada la desesperación.* **2** Pérdida de la tranquilidad de ánimo y la paciencia.

desesperado, -da *adj./s. m. y f.* **1** Que ha perdido totalmente la confianza de que se cumpla un deseo. **2** Que ha perdido totalmente la tranquilidad de ánimo y la paciencia: *tener que caminar con muletas lo tiene de mal humor y desesperado.*

desesperanza *s. f.* Estado de ánimo del que no tiene esperanza o la ha perdido.
FAM desesperanzar.

desesperanzador, -ra *adj.* Que hace perder totalmente la confianza en que se cumpla un deseo. **ANT** esperanzador.

desesperanzar *v. tr.* Hacer perder totalmente la confianza en que se cumpla un deseo.
FAM desesperanzador.

D

desesperar *v. intr./prnl.* ① Perder totalmente la confianza en que se cumpla un deseo: *desesperó de lograr sus objetivos; fueron tantos los fracasos que acabó por desesperarse.* **SIN** desesperanzar. **ANT** esperanzar. ‖ *v. tr.* ② Hacer perder totalmente la tranquilidad de ánimo y la paciencia.
FAM desesperación, desesperado, desesperante, desespero.

desestabilizar *v. tr.* ① Hacer perder la fijeza de la posición en el espacio: *el empujón de su compañero lo desestabilizó y lo hizo caer al suelo.* **SIN** desequilibrar. **ANT** estabilizar. ② Perturbar gravemente la existencia de un grupo de personas o una cosa: *la crisis económica desestabiliza al país.*
FAM desestabilización, desestabilizador.

desestimar *v. tr.* ① Responder negativamente a una petición o solicitud: *el juez ha desestimado nuestra petición de libertad condicional.* **SIN** denegar. ② No sentir aprecio o afecto hacia una persona o cosa: *me molestó que desestimara mi colaboración en el proyecto.*
FAM desestimable, desestimación, desestima.

desfachatez *s. f.* Falta de vergüenza o de respeto: *¡qué desfachatez! Se presentó en la boda sin estar invitado.* **SIN** cara dura, descaro, desvergüenza.
FAM desfachatado.

desfalcar *v. tr.* Robar dinero o bienes que pertenecen a otro y se tenían en custodia: *se acusa al director de haber desfalcado miles de euros.*
FAM desfalco.

desfalco *s. m.* Robo de dinero o bienes que pertenecen a otro y se tenían en custodia.

desfallecer [16] *v. intr.* Perder total o parcialmente la fuerza, la energía o el ánimo: *desfallecer de cansancio.*
FAM desfalleciente, desfallecimiento.

desfallecimiento *s. m.* Pérdida total o parcial de la fuerza, la energía o el ánimo: *el corredor de maratón llegó con signos de desfallecimiento; tuvo un leve desfallecimiento.*

desfasado, -da *adj.* ① Se aplica a las cosas que muestran falta de correspondencia o ajuste entre sí: *esta película tiene el sonido y la imagen desfasados.* ② Se aplica a la persona o cosa que no está en correspondencia con las circunstancias, el ambiente o la gente que se valoran en un momento determinado: *ideas desfasadas; moda desfasada.* ③ Se aplica a dos cuerpos o sistemas físicos que están en distinta fase.

desfasar *v. tr.* ① Producir una diferencia de correspondencia o de ajuste entre dos o más cosas: *las líneas eléctricas se desfasaron y saltó el diferencial.* ② Producir en una persona o cosa una falta de correspondencia con las circunstancias, el ambiente o la gente que se valoran en un momento determinado: *tu traje de novia se ha desfasado con el paso del tiempo; los ordenadores se desfasan en seguida.* ③ Hacer que se produzca una diferencia de fase entre dos cuerpos.
FAM desfasado, desfase.

desfase *s. m.* ① Falta de correspondencia o de ajuste entre dos o más cosas. ② Falta de correspondencia de una persona o una cosa con las circunstancias, el ambiente o la gente que se valoran en un momento determinado: *los métodos de análisis de este historiador tienen un desfase de unos cincuenta años.* ③ Diferencia de fase entre dos cuerpos.
FAM desfasar.

desfavorable *adj.* Que perjudica o hace más difícil la ejecución de una cosa: *viento desfavorable.* **ANT** favorable.

desfavorecer [16] *v. tr.* ① Perjudicar o hacer más difícil la ejecución de una cosa: *la nieve desfavoreció la misión de rescate.* ② Quitar hermosura o belleza: *ese color te desfavorece.* **ANT** favorecer.
FAM desfavorable.

desfigurar *v. tr.* ① Deformar las facciones de una persona: *el incendio le desfiguró la cara.* **SIN** desemejar. ② Contar una cosa cambiando su sentido real. **SIN** desenfocar. ‖ *v. prnl.* ③ **desfigurarse** Alterarse el semblante o la voz por una enfermedad, un disgusto u otra causa: *se le desfiguró la cara del susto.*

desfiladero *s. m.* Paso profundo y estrecho entre montañas.

desfilar *v. intr.* ① Marchar una tropa en formación, generalmente ante un personaje importante como exhibición o para rendir honores: *el ejército victorioso desfiló ante sus ciudadanos.* ② Pasar unas tras otras un conjunto de personas o cosas: *desfiló mucha gente en los carnavales.* ③ Pasear un modelo por la pasarela para mostrar ropa de moda. ④ Salir ordenadamente de un lugar un grupo de personas: *el público fue desfilando hacia el metro después del partido.*
FAM desfiladero, desfile.

desfile *s. m.* ① Marcha de una tropa en formación, generalmente ante un personaje importante como exhibición o para rendir honores. ② Paso sucesivo de personas o cosas por un lugar. ③ Salida ordenada de un grupo de personas de un lugar. ④ Paseo de un modelo por la pasarela para mostrar ropa de moda.

desflorar *v. tr.* Hacer perder la virginidad a una mujer. **SIN** desvirgar.
FAM desfloración.

desfogar *v. tr.* Manifestar violentamente una pasión contenida: *desfogar el enfado con alguien.*
FAM desfogue.

desfondar *v. tr.* ① Quitar o romper el fondo de un recipiente u otra cosa: *desfondar un asiento; desfondar un jarrón.* ② En competiciones deportivas, hacer perder las fuerzas: *el ciclista se desfondó en la subida.*
FAM desfondamiento.

desforestación *s. f.* Eliminación o destrucción de los árboles y plantas de un terreno. **SIN** deforestación.

desforestar *v. tr.* Eliminar o destruir los árboles y plantas de un terreno. **SIN** deforestar.
FAM desforestación.

desgajar *v. tr.* ① Arrancar o separar una rama del tronco. ② Separar algo de un todo del que forma parte: *desgajó una naranja para comérsela.* ‖ *v. prnl.* ③ **desgajarse** Separarse varias personas del grupo del que formaban parte para formar otro.
FAM desgajadura, desgaje.

desgalichado, -da *adj.* familiar Desgarbado.

desgana *s. f.* ① Falta de ganas de comer. **SIN** inapetencia. ② Falta de gana o de deseo de hacer una cosa: *hacer algo con desgana.*
FAM desganar.

desganar *v. tr.* ① Hacer perder las ganas o el deseo de realizar una cosa. ‖ *v. prnl.* ② **desganarse** Perder el apetito o las ganas de comer.
FAM desgana.

desgañitarse *v. prnl.* Hablar muy alto y con gran esfuerzo.

desgarbado, -da *adj.* Se aplica a la persona que no tiene

garbo o gracia en la manera de obrar y de moverse: *un chico alto y desgarbado.* **ANT** gallardo.

desgarrador, -ra *adj.* Que causa una pena o un dolor muy intensos.

desgarrar *v. tr.* **1** Romper o hacer trozos algo por estiramiento y sin ayuda de instrumento, especialmente una tela o un material de escasa resistencia: *desgarrar un papel; se desgarró el vestido con un clavo.* **SIN** rasgar. **2** Causar una pena o un dolor muy intensos.
FAM desgarrado, desgarrador, desgarramiento, desgarro.

desgarro *s. m.* **1** Rotura, especialmente de una tela o de un material de escasa resistencia, al tirar de él o al engancharse. **2** Actitud descarada y provocativa.
FAM desgarrón.

desgarrón *s. m.* Rotura grande en la ropa o en otro material de escasa resistencia, generalmente por haber tirado de ella o haberse enganchado.

desgastar *v. tr.* **1** Hacer que se pierda parte de la superficie de algo por el uso o el roce: *desgastar la tapicería del sofá.* **2** Hacer perder la fuerza o el ánimo: *el trabajo duro desgasta mucho.*
FAM desgaste.

desgaste *s. m.* **1** Pérdida de parte de la superficie o volumen de algo por el uso o el roce: *desgaste de los zapatos.* **2** Pérdida de la fuerza o el ánimo.

desglosar *v. tr.* **1** Separar un todo en partes para estudiarlas de manera aislada: *desglosar el tema por capítulos.* **2** Dividir algo en partes distintas: *desglosar el curso en una parte teórica y otra práctica.*
FAM desglose.

desglose *s. m.* **1** Separación de un todo en partes para estudiarlas de manera aislada. **2** División de algo en partes distintas.

desgobernar [1] *v. tr.* **1** Gobernar sin orden ni dirección una cosa o a un grupo. **2** Conducir mal y descuidadamente una nave.
FAM desgobierno.

desgobierno *s. m.* Falta de orden o de dirección en una cosa o en un grupo: *el desgobierno de la dirección quebró la empresa.* **SIN** desbarajuste, desmadre.

desgracia *s. f.* **1** Hecho que causa gran dolor o infelicidad. **SIN** desdicha, desventura. **2** Suerte adversa y aciaga: *la desgracia me persigue: se ha vuelto a inundar mi casa.* **SIN** desdicha, desventura.
caer en desgracia Perder el favor, la consideración, el afecto o la protección de una persona: *cayó en desgracia cuando les respondió a sus jefes de mala manera.*
desgracias personales Conjunto de personas que resultan heridas o muertas en un suceso o accidente: *el artefacto explosivo causó cuantiosos daños materiales, pero no se registraron desgracias personales.*
por desgracia Expresa que el hecho del que se habla produce dolor y sufrimiento o es producto de una suerte adversa: *por desgracia, no pudo superar la prueba para entrar en la competición.*
FAM desgraciar.

desgraciado, -da *adj./s. m. y f.* **1** Se aplica a la persona que padece una o más desgracias que le causan gran dolor o infelicidad. **SIN** desdichado, desventurado. **2** Que tiene una suerte adversa o contraria: *es un hombre desgraciado que ha fra-*

casado en todo lo que ha emprendido. **SIN** desdichado, desventurado. **ANT** afortunado. **|** *adj.* **3** Se aplica a la cosa o situación que produce gran sufrimiento o infelicidad. **SIN** infausto. **4** Que no tiene gracia ni atractivo. **ANT** agraciado. **|** *s. m. y f.* **5** despectivo Persona que merece desprecio: *es un desgraciado con el que nadie quiere relacionarse.*

desgraciar *v. tr.* **1** Echar a perder una cosa o impedir una acción: *has desgraciado el proyecto con tu falta de colaboración.* **2** familiar Causar daño o herir a una persona: *le desgració la nariz de una pedrada.* **|** *v. prnl.* **3** **desgraciarse** Echarse a perder una cosa: *se ha desgraciado el televisor, no podremos ver el partido.*
FAM desgraciado.
OBS Verbo regular, se acentúa como *cambiar.*

desgranar *v. tr.* **1** Sacar o separar los granos, generalmente de un fruto. **|** *v. prnl.* **2** **desgranarse** Separar una a una las piezas que están unidas por un hilo.

desgravación *s. f.* Resta de cierta cantidad de dinero del importe inicial de un impuesto: *la desgravación fiscal contribuye a aumentar el consumo.*

desgravar *v. tr.* Restar cierta cantidad de dinero del importe inicial de un impuesto: *la compra de medicinas desgrava un 15 % del impuesto sobre la renta.* **ANT** gravar.
FAM desgravación.

desgreñar *v. tr.* **1** Revolver y desordenar los pelos de la cabeza: *el viento desgreñaba su cabellera.* **|** *v. prnl.* **2** **desgreñarse** Pelearse dos o más personas dándose tirones de los pelos de la cabeza.

desguace *s. m.* **1** Lugar en el que se desmontan totalmente las piezas de aparatos y máquinas inservibles: *mañana llevaremos el coche viejo al desguace.* **2** Proceso de desmontar totalmente las piezas de aparatos y máquinas inservibles: *me dio mucha pena ver el desguace de mi moto.* **3** Material o conjunto de materiales que se han conseguido de desmontar totalmente las piezas de aparatos y máquinas inservibles: *las ruedas no están nuevas porque son desguaces.*

desguarnecer [16] *v. tr.* **1** Dejar sin defensa a una persona, un grupo de personas o una cosa: *la huida de las tropas desguarneció la ciudad.* **2** Quitar a una cosa la guarnición que servía de adorno. **3** Quitar a un instrumento o maquinaria lo que es necesario para su uso: *desguarnecer un coche.*

desguazar *v. tr.* **1** Desmontar totalmente las piezas de un aparato o máquina inservibles: *desguazar el televisor para vender las piezas útiles.* **2** Quitar las partes más bastas de un material destinado a labrarse: *desguazar la madera para hacer muebles.* **SIN** desbastar. **3** AMÉR. Romper una cosa rasgándola con fuerza o cortándola a trozos: *desguazó el vestido hasta tener solo un montón de trapos.*
FAM desguace.

deshabitado, -da *adj.* Se aplica al lugar que ha sido abandonado, temporal o definitivamente, por todas las personas que vivían en él: *un pueblo deshabitado.* **SIN** despoblado.

deshabitar *v. tr.* Abandonar, temporal o definitivamente, un lugar todas las personas que vivían en él. **SIN** despoblar.
FAM deshabilitación, deshabitado.

deshabituar *v. tr.* **1** Hacer perder una costumbre. **|** *v. prnl.* **2** **deshabituarse** Liberarse de la dependencia patológica de una cosa, generalmente una droga: *desde que se deshabituó del tabaco, respira mucho mejor.* **SIN** desengancharse.
FAM deshabituación.
OBS Verbo regular, se acentúa como *actuar.*

D

deshacer [31] *v. tr.* **1** Descomponer una cosa quitándole su forma: *deshacer un jersey.* **2** Hacer que una cosa en estado sólido pase al estado líquido o se disuelva en un líquido: *el calor deshace el hielo.* **3** Hacer que una persona tenga un estado de ánimo muy triste y preocupado: *la mala noticia la ha deshecho.* **SIN** hundir. **4** Recorrer en sentido contrario el camino ya recorrido. **SIN** desandar. ‖ *v. prnl.* **5** **deshacerse** Dedicarse con mucho empeño a alguien o algo: *se deshace por sus hijos.* **6** Desprenderse de una cosa dándola, vendiéndola o tirándola: *deshacerse de un trasto viejo.* **7** Evitar la relación o el contacto con determinada persona: *se deshizo del pesado de su hermano.* **8** Quedarse muy triste o preocupado: *se deshizo cuando se enteró de la mala noticia.* **9** Extremar las manifestaciones de alegría, aprecio, elogio, etc.: *se deshizo en elogios.*
FAM deshecho.

desharrapado, -da [también **desarrapado, -da**] *adj./s. m. y f.* Se aplica a la persona que lleva la ropa sucia y rota o se viste con harapos.

deshecho, -cha **1** Participio irregular de *deshacer.* ‖ *adj.* **2** Que está triste, preocupado o muy cansado: *estoy deshecho después de la carrera que me he dado.* **3** Se aplica a la cosa que ya no está hecha o compuesta. ‖ *s. m.* **4** CHILE, COL., VENEZ. Atajo, senda.

deshelar [1] *v. tr.* Hacer que una cosa congelada vuelva a su estado primitivo mediante el aumento de la temperatura circundante. **SIN** descongelar. **ANT** helar.
FAM deshielo.

desheredado, -da *adj./s. m. y f.* Se aplica a la persona que no tiene lo necesario para vivir o que lo tiene con escasez: *los desheredados del mundo.* **SIN** pobre.

desheredar *v. tr.* Excluir a un heredero forzoso de la parte a que tiene derecho en la herencia: *su padre lo amenazó con desheredarlo si se marchaba de la casa.*
FAM desheredación, desheredado.

deshidratación *s. f.* **1** Extracción del agua que contiene una sustancia, un organismo o un tejido orgánico. **2** Pérdida del agua que contiene una sustancia, un organismo o un tejido orgánico: *se trata de maquillajes que borran los efectos de la fatiga y la deshidratación.*

deshidratar *v. tr.* Hacer que una sustancia, un organismo o un tejido orgánico pierda el agua que contiene o parte de ella: *el calor deshidrató a muchos ciclistas.* **ANT** hidratar.
FAM deshidratación.

deshielo *s. m.* **1** Fusión de la nieve o el hielo sobre la superficie terrestre, por un incremento de la temperatura por encima de los 0 °C. **2** Época del año en que, en ciertos lugares, se produce habitualmente la fragmentación o fusión del hielo y la nieve. **3** Desaparición de la relación fría y tensa entre dos o más personas.

deshilachar *v. tr.* **1** Deshilar una tela o tejido, generalmente por los bordes. **2** Separar algo en partes, como si fueran hilachas: *deshilachar el pescado antes de mezclarlo con la masa.*

deshilar *v. tr.* Sacar hilos de una tela o tejido.
FAM deshiladura.

deshilvanado, -da *adj.* Se aplica al discurso o a las ideas que no tienen conexión.

deshilvanar *v. tr.* Quitar de una tela ya cosida el hilván o costura provisional que tenía. **ANT** hilvanar.
FAM deshilvanado.

deshinchar *v. tr.* **1** Hacer que disminuya el volumen de una cosa al sacar el contenido de su interior o una parte de él, generalmente aire: *deshinchar un balón.* **SIN** desinflar. **ANT** hinchar. **2** Hacer que disminuya el volumen y la temperatura de una parte del cuerpo que padece una infección o un traumatismo: *la pomada deshinchó la inflamación.* **SIN** desinflamar. **3** Hacer perder el ánimo, la energía o la autoestima: *la mala noticia lo deshinchó; se deshinchó por el calor.*

deshojar *v. tr.* Quitar los pétalos de una flor o las hojas a algo, especialmente una planta: *el enamorado deshojó una margarita; el libró se deshojó de puro viejo.*
FAM deshoje.

deshoje *s. m.* Caída de los pétalos de una flor o de las hojas de algo, especialmente una planta.

deshollinador, -ra *s. m. y f.* **1** Persona que se dedica a limpiar las manchas negras y grasientas que deja el humo en las chimeneas. ‖ *s. m.* **2** Instrumento que sirve para limpiar las manchas negras y grasientas que deja el humo en las chimeneas.

deshollinar *v. tr.* Limpiar las manchas negras y grasientas que deja el humo en las chimeneas.
FAM deshollinador.

deshonesto, -ta *adj.* **1** Se aplica a la persona o cosa que no guarda las normas éticas o no tiene una correcta moralidad: *actitud deshonesta.* **SIN** inmoral. **ANT** honesto. **2** Se aplica a la persona o cosa que atenta contra la decencia o la moralidad en el terreno sexual.
FAM deshonestidad.

deshonor *s. m.* **1** Deshonra. **ANT** honor. **2** Cosa que quita o disminuye la dignidad, la estima y la respetabilidad de alguien o algo.

deshonra *s. f.* **1** Falta o disminución de la dignidad, la estima y la respetabilidad de una persona o de una cosa: *vivir con deshonra; es una deshonra tu falta de respeto.* **SIN** deshonor. **2** Cosa que quita o disminuye la dignidad, la estima y la respetabilidad de alguien o algo: *ha sido una deshonra que no aceptaras la invitación.* **SIN** deshonor.

deshonrar *v. tr.* **1** Dañar con palabras o acciones la dignidad, la estima y la respetabilidad de una persona o cosa: *con su trabajo deshonraba a su familia.* **ANT** ennoblecer. **2** Atentar contra la decencia de una persona, especialmente hacer perder la virginidad a una mujer.
FAM deshonra, deshonroso.

deshonroso, -sa *adj.* Que quita o disminuye la dignidad, la estima y la respetabilidad de una persona o de una cosa: *palabras deshonrosas; actitud deshonrosa.*

deshora Se usa en la expresión:
a deshora Indica que lo que se expresa ocurre a destiempo o en un momento que no es oportuno: *estudió a deshora y suspendió.*

deshuesar *v. tr.* Quitar los huesos a algo, generalmente carne o un fruto.
FAM deshuesadora.

deshumanización *s. f.* Pérdida del carácter humano de una persona o una cosa: *la deshumanización del arte; la deshumanización del hombre urbano.*

deshumanizar *v. tr.* Quitar el carácter humano a una persona o cosa. **ANT** humanizar.
FAM deshumanización, deshumanizante.

desiderata *s. f.* Conjunto o lista de cosas que se desean.

desiderativo, -va *adj.* Que expresa un deseo: *"ojalá vengas pronto" es una oración desiderativa.*
FAM desiderata, desiderátum.

desiderátum *s. m.* Deseo intenso de hacer o conseguir algo. SIN aspiración.

desidia *s. f.* Falta de ánimo o de disposición para hacer algo: *ha dejado de estudiar por desidia.* SIN pereza.
FAM desidioso.

desidioso, -sa *adj./s. m. y f.* Se aplica a la persona que muestra falta de ánimo o de disposición para hacer una cosa.

desierto, -ta *adj.* ① Se aplica al lugar que está despoblado o vacío de gente: *las calles estaban desiertas; un pueblo desierto.* SIN desértico. ② Se aplica al premio u oposición que no es concedido a ninguno de los participantes. ‖ *s. m.* ③ Lugar que se caracteriza por tener una vegetación muy pobre debido a un clima extremadamente cálido o frío y a la escasez de lluvia: *existen diferentes tipos de desiertos en función de los factores climáticos: pedregosos, arenosos, etc.*
FAM desértico, desertizar.

designación *s. f.* ① Elección de una persona o cosa para un fin determinado: *la designación del nuevo director ha causado sorpresa.* ② Representación de una realidad por medio de una o varias palabras.

designar *v. tr.* ① Elegir a una persona o cosa para un fin determinado. ② Representar una realidad por medio de una palabra o conjunto de palabras: *el término "paperas" designa una enfermedad.* SIN asignar.
FAM designación.

designio *s. m.* Intención o plan para realizar una cosa: *designio divino.*

desigual *adj.* ① Que tiene diferencias o cambios respecto de otra persona o cosa con que se compara: *la calidad del sonido de estos instrumentos es desigual.* SIN dispar, disparejo, distinto. ② Se aplica al terreno cuya superficie no es lisa: *es un terreno desigual, con muchas cuestas y baches.* ③ Que muestra muchos cambios o variaciones: *tiene un carácter desigual: ahora contento y al rato triste.* ④ Que implica falta de justicia o igualdad: *reparto desigual; trato desigual.*
FAM desigualar, desigualdad.

desigualar *v. tr.* Romper la igualdad: *me ha desigualado el pelo.*

desigualdad *s. f.* ① Falta de igualdad entre personas o cosas: *las desigualdades económicas y sociales del mundo moderno.* ANT igualdad. ② Prominencia o depresión de un terreno o superficie. ③ Relación algebraica de dos expresiones diferentes separadas por el signo > (mayor que) o < (menor que).

desilusión *s. f.* ① Impresión negativa que experimenta alguien al comprobar que la realidad de algo no responde a la esperanza o la ilusión puestas en ello: *se llevó una gran desilusión cuando lo conoció.* SIN desencanto, desengaño. ② Falta de ilusión.
FAM desilusionar.

desilusionar *v. tr.* ① Hacer saber a alguien que la idea que tiene sobre algo o alguien está equivocada. SIN desencantar, desengañar. ② Hacer que alguien pierda la esperanza o la ilusión. SIN desencantar, desengañar.

desinencia *s. f.* Morfema flexivo que se añade a un lexema para indicar variaciones gramaticales de género y número, en el caso de los nombres, y tiempo, aspecto, número, persona, voz y modo, en el de los verbos.

desinfección *s. f.* ① Eliminación de los gérmenes que contaminan un cuerpo o un lugar. ② Eliminación de bacterias y microbios que pueden provocar una infección. SIN asepsia.

desinfectante *adj./s. m.* Se aplica a la sustancia que sirve para eliminar las bacterias y virus que pueden infectar el organismo de un ser vivo.

desinfectar *v. tr.* Eliminar de un cuerpo o de un lugar los gérmenes que lo contaminan.
FAM desinfección, desinfectante.

desinflamar *v. tr.* Hacer que disminuya el volumen y la temperatura de una parte del cuerpo que padece una infección. SIN deshinchar. ANT inflamar.

desinflar *v. tr.* ① Hacer que disminuya el volumen de una cosa al sacar el contenido de su interior o una parte de él, generalmente aire: *desinflar una colchoneta.* SIN deshinchar. ANT inflar. ② Hacer perder el ánimo, la energía o la autoestima. SIN deshinchar.

desinformar *v. tr.* Informar manipulando los datos para conseguir un fin.
FAM desinformación.

desinhibir *v. tr.* Hacer que alguien pierda los prejuicios personales o sociales y se comporte de forma espontánea o natural: *con los amigos se desinhibe y actúa con naturalidad.*
FAM desinhibición.

desinsectar *v. tr.* Eliminar los insectos de un lugar.
FAM desinsectación.

desintegración *s. f.* Separaración completa o pérdida de la unión de los elementos que conforman algo, de modo que deje de existir: *las diferencias ideológicas llevaron a la desintegración del partido.* ANT integración.

desintegración nuclear Transformación que experimenta un núcleo atómico en otro por la pérdida de alguna de sus partículas, en la que se produce emisión de partículas y radiación.

desintegrar *v. tr.* ① Separar completamente los elementos que conforman una cosa o un grupo de personas, de modo que deje de existir: *la explosión desintegró el cohete.* ② Transformar un núcleo atómico en otro, perdiendo el primero alguna de sus partículas y produciéndose una emisión de partículas y radiación.
FAM desintegración.

desinterés *s. m.* ① Falta de interés material al hacer una cosa: *los colaboradores trabajaban con total desinterés.* ANT interés. ② Falta de interés hacia una persona o cosa: *su desinterés por el estudio nos preocupa.*
FAM desinteresarse.

desinteresado, -da *adj.* Se aplica a la persona que actúa sin buscar el interés o el provecho propio: *ayuda desinteresada.*

desinteresarse *v. prnl.* Perder el interés o la atención hacia una persona o cosa.
FAM desinteresado.

desintoxicación *s. f.* Eliminación en una persona de los efectos de una sustancia en mal estado, un veneno o una droga: *crear centros de desintoxicación es una de las fórmulas para combatir el problema de la droga.* ANT intoxicación.

desintoxicar *v. tr.* Eliminar en una persona los efectos de una sustancia en mal estado, un veneno o una droga. ANT intoxicar.
FAM desintoxicación.

D

desistir *v. intr.* Abandonar una acción que se había empezado o un plan o proyecto que se tenía: *desistió de subir andando.*
FAM desistimiento.

deslavazado, -da *adj.* ① Que es desordenado o inconexo o que está mal compuesto: *discurso deslavazado.* ② Que es insustancial o insulso.

deslave *s. m.* AMÉR. Erosión o pérdida progresiva de tierra de la ribera de los ríos por acción de la corriente de agua.

desleal *adj./s. com.* Se aplica a la persona que ha incumplido un juramento o una promesa o ha traicionado unas ideas o sentimientos. **SIN** infiel. **ANT** leal.
FAM deslealtad.

deslealtad *s. f.* Incumplimiento de un juramento o una promesa. **SIN** infidelidad. **ANT** lealtad.

desleír [12] *v. tr.* Hacer que un cuerpo o una sustancia, al mezclarse con un líquido, se deshaga hasta que sus partículas queden incorporadas a dicho líquido. **SIN** diluir, disolver.

deslenguado, -da *adj./s. m. y f.* Se aplica a la persona que habla con descaro y sin cortesía, respeto ni consideración.

desliar *v. tr.* ① Deshacer lo que está enredado o liado: *desliar los cables enredados.* **ANT** liar. ② Deshacer el envoltorio de una cosa, generalmente un paquete. ‖ *v. prnl.* ③ **desliarse** Dejar una persona de estar muy ocupada o confusa.
OBS Verbo regular, se acentúa como *desviar.*

desligar *v. tr.* ① Separar una cosa de otra a la que está unida, para considerla independientemente de ella. ② Soltar lo que está atado. **SIN** desatar. ③ Desvincular de una obligación: *cuando acabe su contrato, se desligará de la sociedad.*

deslindar *v. tr.* ① Determinar y marcar con claridad los límites de un terreno. **SIN** delimitar. ② Determinar los límites de una cosa o entre dos o más cosas: *deslindar las funciones de cada departamento; deslindar las causas de un error.* **SIN** delimitar.
FAM deslindamiento, deslinde.

deslinde *s. m.* Determinación de los límites de una cosa, especialmente un terreno: *aquel seto marca el deslinde de mi jardín y lo separa del de mi vecino.*

desliz *s. m.* ① Error leve causado por un descuido o falta de reflexión. ② Falta moral relacionada con el sexo: *tuvo un desliz con su secretaria.*

deslizamiento *s. m.* Movimiento suave de una persona o una cosa sobre una superficie. ■ **deslizamiento de tierras** Desplazamiento o descenso lento en masa de materiales geológicos blandos en una ladera que tiene más de 15 grados de inclinación.

deslizante *adj.* Se aplica a la superficie que hace posible o propicia que una persona o una cosa pasen suavemente, se escurran o resbalen sobre ella.
FAM antideslizante.

deslizar *v. tr.* ① Mover suavemente una cosa sobre una superficie: *el niño jugaba a deslizar el plato sobre la mesa.* ② Introducir disimuladamente en un discurso, escrito o conversación palabras o argumentos intencionados: *en su carta deslizó varias críticas contra el sistema.* ③ Meter con disimulo algo en algún lugar: *su abuela le deslizó unos caramelos en el bolsillo.* ‖ *v. prnl.* ④ **deslizarse** Moverse alguien suavemente sobre una superficie: *deslizarse por la nieve.* ⑤ Moverse con disimulo, incluso a escondidas: *se deslizó por la puerta de atrás.*
FAM desliz, deslizamiento, deslizante.

deslomar *v. tr.* ① Fracturar la espalda a alguien o el lomo a un animal, generalmente a golpes: *es un salvaje: deslomó el burro a golpes porque no quería andar.* ‖ *v. prnl.* ② **deslomarse** Quedar agotado o muy cansado por haber trabajado mucho o haber realizado un gran esfuerzo: *se deslomó cargando sacos.*

deslucir [17] *v. tr.* ① Quitar el brillo o el atractivo a una persona o cosa: *el polvo ha deslucido los cuadros.* ② Manchar el buen nombre o la fama de una persona, un grupo o una cosa. **SIN** desacreditar, desprestigiar.
FAM deslucimiento.

deslumbramiento *s. m.* Turbación momentánea de la vista a causa de la excesiva claridad de la luz: *si miras fijamente al sol, te producirá deslumbramiento.*

deslumbrador, -ra *adj.* Que deslumbra: *un sol deslumbrador.*

deslumbrante *adj.* ① Se aplica a la cosa que es tan brillante o da tanta luz que daña la vista. ② Se aplica a la persona o cosa que es tan bella que produce la admiración de los demás: *con este vestido rojo estás deslumbrante.*

deslumbrar *v. tr./intr.* ① Turbar momentáneamente la vista una luz muy intensa: *los focos de las cámaras deslumbran.* ‖ *v. tr.* ② Dejar a una persona impresionada o admirada.
FAM deslumbrador, deslumbramiento, deslumbrante.

deslustrar *v. tr.* ① Quitar el brillo o tersura a una cosa, especialmente a ciertas telas y tejidos. ② Eliminar la transparencia o el brillo del cristal: *esos vasos de vidrio son muy viejos y están deslustrados.*
FAM deslustre.

deslustre *s. m.* Falta de brillo o tersura en una cosa.

desmadejado, -da *adj.* Se aplica a la persona que siente debilidad y falta de fuerzas: *lleva varios días tomando vitaminas porque se encuentra desmadejado.*

desmadrar *v. tr.* ① Destetar a una cría separándola de su madre. ‖ *v. prnl.* ② **desmadrarse** Salirse de su cauce una corriente de agua: *siempre que llueve un poco fuerte se desmadra el río.* ③ familiar Comportarse una persona sin moderación ni medida: *cada vez que sale con sus amiguetes se desmadra.*
FAM desmadre.

desmadre *s. m.* ① Diversión en la que sus participantes actúan con gran desenfreno y sin respeto a normas establecidas: *la fiesta de fin de año suele ser un desmadre.* ② Falta de orden o de dirección en una cosa o en un grupo: *esta empresa es un desmadre, cada uno hace lo que le da la gana.* **SIN** desgobierno.
FAM desmadrarse.

desmalezar *v. tr.* AMÉR. Quitar la maleza y las hierbas a un terreno o campo de cultivo: *desmalezar el jardín.*

desmán[1] *s. m.* Mamífero insectívoro de la familia del topo, de pelaje pardo y blanco, hocico largo y pies palmeados, que desprende un fuerte olor a almizcle y vive en las galerías que excava a orillas de ríos y pantanos.

desmán[2] *s. m.* Acción injusta o abusiva de una persona hacia otra u otras: *decidió no rodar más películas en España ante los desmanes de la censura.*

desmandarse *v. prnl.* ① Comportarse atropelladamente, sin moderación ni respeto a las normas establecidas. ② Dejar el ganado de obedecer a la persona que lo conduce y separarse de la manada.

desmano Se usa en la expresión:

a desmano Indica que el lugar que se expresa está lejos, apartado o justo en el sentido contrario del camino que se lleva o se piensa llevar: *ese sitio queda a desmano de la dirección que llevamos.* SIN trasmano.

desmantelamiento *s. m.* ① Liquidación o desarticulación de una actividad, un negocio o una organización. ② Derribo o desmontaje de una construcción.

desmantelar *v. tr.* ① Liquidar o desarticular una actividad, un negocio o una organización: *desmantelar una red de traficantes.* ② Derribar o desmontar una construcción. ③ Destruir algo inmaterial: *desmantelar los planes del enemigo.* FAM desmantelamiento.

desmañado, -da *adj./s. m. y f.* Se aplica a la persona que no tiene maña, destreza o habilidad.

desmarañar *v. tr.* ① Deshacer la maraña o enredo de hilos, cabellos, cuerdas, cables o cosas parecidas. SIN desenmarañar, desenredar. ANT enmarañar, enredar. ② Aclarar un asunto difícil de entender: *el detective desmarañó, por fin, la famosa estafa.* SIN desembrollar, desenmarañar. ANT enmarañar, enredar.

desmarcarse *v. prnl.* ① En ciertos deportes, moverse un jugador para escapar de la vigilancia de sus contrarios. ANT marcar. ② Apartarse alguien de la idea o la postura que mantiene otra persona o grupo afines. FAM desmarque.

desmayado, -da *adj.* Se aplica al color que es pálido y de poca intensidad.

desmayar *v. intr.* ① Perder el ánimo, el valor o las fuerzas: *no desmayes y conseguirás lo que quieras.* ‖ *v. prnl.* ② **desmayarse** Perder el sentido o el conocimiento momentáneamente. SIN desvanecerse. FAM desmayado, desmayo.

desmayo *s. m.* ① Pérdida momentánea del sentido o del conocimiento. SIN desvanecimiento. ② Decaimiento del ánimo, el valor o las fuerzas: *trabajar sin desmayo.*

desmedido, -da *adj.* Que es excesivo o desproporcionado. SIN descomedido, descompasado.

desmedirse [10] *v. prnl.* Hablar u obrar sin respeto ni cortesía, saliéndose de los límites permitidos o convenientes. SIN descomedirse. FAM desmedido.

desmedrado, -da *adj.* Que está poco desarrollado: *las plantas están desmedradas por falta de cuidados.*

desmejorado, -da *adj.* Se aplica a la persona que tiene un aspecto poco saludable en comparación con el que tenía tiempo atrás.

desmejoramiento *s. m.* Pérdida de la salud y de la vitalidad que se refleja en el aspecto: *su desmejoramiento ha sido notorio en pocos meses.*

desmejorar *v. intr.* ① Perder la salud y la vitalidad con un reflejo evidente en el aspecto: *ha desmejorado mucho desde el verano.* ‖ *v. tr.* ② Hacer que algo o alguien pierda su buen aspecto, su esplendor o su perfección: *tantas preocupaciones te han desmejorado.* FAM desmejora, desmejorado, desmejoramiento.

desmelenarse *v. prnl.* Abandonar la moderación o la modestia y actuar sin cohibición: *en las fiestas se desmelena.* FAM desmelenamiento.

desmembrar [1] *v. tr.* Dividir y separar los miembros o elementos de un cuerpo o de un organismo: *las críticas internas acabaron por desmembrar el partido.* FAM desmembración.

desmemoriado, -da *adj./s. m. y f.* Se aplica a la persona que tiene poca o mala memoria.

desmentir [9] *v. tr.* ① Decir o demostrar que lo que dice alguien es falso: *los periódicos desmienten las afirmaciones del Gobierno.* ② Demostrar alguien o algo que un dicho o hecho son falsos: *con su presencia desmintió los rumores sobre su enfermedad.* FAM desmentido.

desmenuzar *v. tr.* ① Deshacer o dividir en partes muy pequeñas: *desmenuzar pescado para croquetas.* ② Analizar o examinar de forma exhaustiva: *desmenuzó el texto para entenderlo del todo.* FAM desmenuzamiento.

desmerecer [16] *v. intr.* ① Perder alguien o algo una o más de las cualidades que la hacen digna de aprecio. ② Ser inferior a una persona o cosa: *mis artículos no desmerecen de los suyos.* FAM desmerecimiento.

desmerecimiento *s. m.* ① Pérdida de una o más de las cualidades que hacen digna de aprecio a una persona o cosa. ② Inferioridad de una persona o cosa al compararla con otra.

desmesura *s. f.* Exageración y falta de medida, generalmente en el comportamiento.

desmesurado, -da *adj.* Que es exagerado o mayor de lo normal: *nivel de contaminación desmesurado.*

desmesurar *v. tr.* ① Exagerar o aumentar la importancia o el tamaño de algo: *los periódicos desmesuraron el suceso.* ‖ *v. prnl.* ② **desmesurarse** Excederse una persona en su forma de actuar. FAM desmesura, desmesurado.

desmigajar *v. tr.* Desmenuzar una cosa en migajas o trozos muy pequeños, especialmente pan u otro alimento: *desmigajar el pan; desmigajar el algodón.*

desmigar *v. tr.* Desmenuzar el pan u otro alimento en migajas o trozos muy pequeños.

desmilitarización *s. f.* ① Pérdida de la condición militar de una persona, un grupo o una cosa. ② Supresión de las tropas o de las instalaciones militares de una zona o territorio: *desmilitarización de un territorio.*

desmilitarizar *v. tr.* ① Hacer perder la condición militar a una persona, un grupo o una cosa. ② Suprimir las tropas o las instalaciones militares de una zona o territorio. FAM desmilitarización.

desmirriado, -da *adj./s. m. y f.* Se aplica a la persona que es muy delgada, raquítica y de aspecto débil. SIN escuchimizado, esmirriado.

desmitificar *v. tr.* Hacer que alguien o algo deje de ser un mito: *el hambre y las continuas guerras han desmitificado el exotismo de África.* ANT mitificar. FAM desmitificación.

desmochar *v. tr.* Quitar, cortar o arrancar la parte superior de una cosa dejándola sin punta o sin su parte superior: *desmochar un árbol.* FAM desmoche, desmochadura.

desmontable *adj.* Se aplica al objeto que está compuesto de piezas que se pueden separar y volver a unir con facilidad: *una bicicleta desmontable.*

D

desmontar[1] *v. tr.* ① Separar las piezas que forman un objeto. SIN desarmar, descomponer. ANT montar. ② Quitar algo del conjunto del que forma parte: *desmontar las agujas de un reloj.* ③ Bajar o tirar a alguien de un animal o de un vehículo: *desmontó a su contrincante de un golpe.* ④ Derribar un edificio o una parte de él. ‖ *v. intr.* ⑤ Bajar de un animal o de un vehículo: *desmontó de su caballo.* ANT montar.
FAM desmontable.

desmontar[2] *v. tr.* ① Cortar los árboles y las matas de un monte o bosque. ② Allanar o rebajar un terreno.
FAM desmonte.

desmonte *s. m.* ① Tala de árboles y matas. ② Terreno en el que se han cortado árboles y matas. ③ AMÉR. Desecho que se saca de una mina y se deja acumulado en sus cercanías.

desmoralización *s. f.* Pérdida del ánimo o la esperanza.

desmoralizar *v. tr.* Hacer que alguien pierda el ánimo o la esperanza: *las críticas pueden desmoralizar a cualquiera.*
FAM desmoralización, desmoralizador.

desmoronar *v. tr.* ① Deshacer lentamente un material u otra cosa: *la humedad desmoronó el muro; el muro se fue desmoronando por la humedad.* ② Hacer que alguien pierda la fuerza moral o el ánimo: *se desmoronó al conocer la terrible noticia.* SIN derrotar, derrumbar, flaquear. ③ Hacer que algo pierda poco a poco la fuerza o la unidad: *la derrota desmoronó al ejército enemigo.*
FAM desmoronamiento.

desmotivar *v. tr./intr.* Hacer perder el ánimo o el interés que impulsa a hacer una cosa o a actuar de una manera determinada. ANT motivar.
FAM desmotivación.

desmovilización *s. f.* Retiro del servicio militar activo de las personas que han sido movilizadas o llamadas a filas: *los pacifistas luchaban por la desmovilización de las tropas.* ANT movilización.

desmovilizar *v. tr.* Hacer que las personas que han sido movilizadas o llamadas a filas vuelvan a la vida civil. ANT movilizar.
FAM desmovilización.

desnacionalizar *v. tr.* ① Transformar una actividad o entidad pública en privada: *el Gobierno desnacionalizó el sector minero.* SIN privatizar. ANT nacionalizar. ② Hacer perder el carácter nacional. ANT nacionalizar.
FAM desnacionalización.
OBS Se conjuga como *realizar.*

desnatado, -da *adj./s. m.* Se aplica al producto lácteo al que se ha eliminado la nata o la grasa: *yogur desnatado; leche desnatada.*
FAM semidesnatado.

desnatar *v. tr.* Quitar la crema o la nata de la leche o de los productos lácteos. SIN descremar.
FAM desnatado.

desnaturalización *s. f.* ① Alteración de una sustancia de tal forma que deje de ser apta para ciertos usos, especialmente para el consumo humano: *la desnaturalización de los productos alimenticios es perjudicial para la salud.* ② Cambio en la conformación de la estructura de una proteína sin que cambie la secuencia de aminoácidos que la componen. ③ Privación que hacía un soberano antiguamente de los derechos que tenía alguien como natural de un país: *la desnaturalización del Cid lo dejó sin tierra y sin señor.*

desnaturalizado, -da *adj./s. m. y f.* Se aplica a la persona que falta a los deberes y obligaciones que por naturaleza tiene con sus familiares.

desnaturalizar *v. tr.* ① Alterar una sustancia de tal forma que deje de ser apta para determinados usos, especialmente para el consumo humano. ② Hacer que una proteína pierda total o parcialmente su estructura. ③ Privar antiguamente un soberano a alguien de los derechos que tenía como natural de un país: *el rey desnaturalizó al Cid, con lo que este quedó sin tierra y sin señor.* ANT naturalizar.
FAM desnaturalización, desnaturalizado.

desnivel *s. m.* ① Diferencia de altura entre dos o más puntos o superficies: *en la carretera hay un desnivel muy peligroso.* ② Elevación o depresión del terreno: *una carretera llena de desniveles.* ③ Falta de nivel o de igualdad entre personas o cosas.
FAM desnivelar.

desnivelar *v. tr.* ① Hacer que algo esté fuera de nivel: *el peso desniveló el suelo de la barca.* ② Desequilibrar la igualdad entre personas o cosas: *la participación de profesionales desniveló la competición amateur.*

desnucar *v. tr.* ① Desarticular los huesos de la nuca: *se resbaló en el baño y se desnucó.* ② Matar a una persona o animal de un golpe en la nuca: *desnucar a un conejo.*

desnuclearización *s. f.* Disminución o eliminación de las armas o instalaciones nucleares de un territorio.

desnudar *v. tr.* ① Quitar la ropa que cubre a una persona o una parte del cuerpo: *desnudó solo las rodillas.* SIN desvestir. ANT vestir. ② Quitar a una cosa lo que la cubre o adorna: *desnudó la mesa para el verano.* ‖ *v. prnl.* ③ **desnudarse** Hablar abiertamente de los sentimientos más íntimos: *el autor se desnuda en su última novela.* ④ Desprenderse de algo, generalmente prescindible o superficial: *el poeta se desnuda de prejuicios sociales y aborda el tema de la pobreza con una objetividad casi científica.*
FAM desnudo.

desnudez *s. f.* ① Ausencia de ropa que cubra el cuerpo: *la desnudez de su torso.* ② Ausencia de los elementos que cubren o adornan algo.

desnudismo *s. m.* Práctica que defiende la desnudez completa para alcanzar la perfección física y moral. SIN nudismo.
FAM desnudista.

desnudista *adj.* ① Relativo al desnudismo: *playa desnudista.* SIN nudista. ‖ *s. com.* ② Persona que practica el desnudismo. SIN nudista.

desnudo, -da *adj.* ① Que no lleva ropa puesta o que lleva poca ropa. ANT vestido. ② Que no tiene cobertura o adornos: *una pared desnuda de pintura y cuadros.* ③ Se aplica al terreno que no tiene vegetación. ④ Desprovisto de algo material o inmaterial: *un futuro triste, desnudo de ilusiones.* ‖ *s. m.* ⑤ Figura humana que se representa artísticamente sin ropa: *un desnudo artístico puede ser pintado, esculpido o fotografiado.*
al desnudo (I) De forma clara y sin rodeos: *la verdad al desnudo puede ser dolorosa.* (II) Al descubierto: *un paisaje que pone al desnudo las capas del terreno resquebrajado por la sequía.*
FAM desnudez, desnudismo.

desnutrición *s. f.* Debilitamiento general del organismo debido a la falta de una alimentación suficiente y adecuada.

desnutrirse *v. prnl.* Debilitarse un organismo por recibir poca o muy mala alimentación.
FAM desnutrición.

desobedecer [16] *v. tr.* No hacer lo que se ha mandado o está establecido: *desobedecer las leyes*.
FAM desobediencia, desobediente.

desobediencia *s. f.* Incumplimiento de una ley o una orden: *el desconocimiento de las leyes no autoriza su desobediencia*.

desobediente *adj./s. com.* Que no hace lo que se le manda o lo que está establecido.

desocupación *s. f.* **1** Acción de desocupar. **2** Falta de actividad o empleo.

desocupado, -da *adj./s. m. y f.* **1** Se aplica a la persona que no desarrolla ningún trabajo o que no tiene empleo. **|** *adj.* **2** Que está dispuesto o libre para su utilización: *este asiento está desocupado*.

desocupar *v. tr.* **1** Dejar algo libre o disponible: *desocupar un asiento; desocupar una vivienda*. **2** Sacar lo que hay dentro de una cosa. **|** *v. prnl.* **3 desocuparse** Quedar libre de trabajo o responsabilidad.
FAM desocupación, desocupado.

desodorante *adj./s. m.* Se aplica a la sustancia o producto que hace desaparecer los malos olores, especialmente del cuerpo humano.

desodorizar *v. tr.* Hacer desaparecer los malos olores de un cuerpo, un lugar u otra cosa.

desoír [33] *v. tr.* No tener en cuenta las palabras o consejos de alguien: *la dirección desoyó las peticiones de sus empleados*. **SIN** desatender.

desojarse *v. prnl.* **1** Estropearse alguien la vista por forzarla o hacerla trabajar mucho. **2** Mirar con mucha insistencia para ver o encontrar una cosa.

desolación *s. f.* **1** Destrucción completa de algo: *las inundaciones originan la desolación de campos y ciudades*. **2** Sentimiento de dolor, amargura y tristeza muy intensos: *la muerte de sus padres le produjo una gran desolación*.

desolado, -da *adj.* **1** Se aplica al lugar que está destruido, arruinado, sin bienes materiales ni vida. **2** Se aplica a la persona que tiene un dolor, amargura y tristeza muy intensos: *las catástrofes naturales dejan tras de sí a una población desolada*.

desolador, -ra *adj.* Que produce un dolor, amargura y tristeza muy intensos: *un terremoto desolador*.

desolar [5] *v. tr.* **1** Destruir totalmente un territorio o lo que hay en él. **SIN** arrasar, asolar, devastar. **2** Causar un dolor, amargura y tristeza muy intensos.
FAM desolación, desolado, desolador.

desollar [5] *v. tr.* **1** Quitar la piel, o parte de ella, a una persona o animal: *desollar un conejo; desollarse el codo*. **SIN** despellejar. **2** Causar a una persona un grave perjuicio moral o material: *lo ha desollado con sus críticas*.
FAM desolladura.

desorbitado, -da *adj.* Que sobrepasa los límites de lo razonable o natural: *un precio desorbitado*. **SIN** exagerado.

desorbitar *v. tr.* **1** Sacar una cosa de su órbita o límites habituales. **2** Exagerar una cosa, dándole más importancia y valor del que realmente tiene.

desorden *s. m.* **1** Falta de orden o disposición de los elementos que forman una cosa o un conjunto. **SIN** desarreglo. **2** Alboroto callejero que forma un grupo numeroso y violento de personas. **SIN** disturbio. **3** Alteración leve en el funcionamiento de un órgano corporal: *desórdenes cardíacos*. **SIN** desarreglo, trastorno.
FAM desordenar.

desordenado, -da *adj.* **1** Se aplica a la cosa que no tiene orden o disposición entre sus elementos. **SIN** desarreglado. **|** *adj./s. m. y f.* **2** Se aplica a la persona que no tiene sus cosas en orden o que actúa sin reglas ni método. **SIN** desarreglado.

desordenar *v. tr.* Hacer que una cosa pierda el orden o la disposición entre sus elementos. **SIN** desarreglar, desbarajustar. **ANT** ordenar.
FAM desorden, desordenación, desordenado.

desorganización *s. f.* Falta de orden o disposición de los elementos que forman una cosa o un grupo. **SIN** desorden.

desorganizar *v. tr.* Hacer que algo pierda el orden o disposición de los elementos que lo forman. **ANT** organizar, estructurar.
FAM desorganización.

desorientar *v. tr.* **1** Hacer que alguien pierda la orientación respecto del lugar en que se encuentra o de la dirección que debe seguir: *el conductor se desorientó y se salió de la ruta*. **2** Confundir a alguien acerca de lo que debe de hacer o pensar.
FAM desorientación, desorientador.

desovar *v. intr.* Soltar sus huevos las hembras de los peces, anfibios e insectos.
FAM desove.

desove *s. m.* Acción de desovar.

desoxigenar *v. tr.* Quitar a una sustancia el oxígeno con el que estaba combinada.
FAM desoxigenación.

desoxirribonucleico *adj.* Se aplica al ácido nucleico que contiene la información de la transmisión genética: *el ácido desoxirribonucleico (o ADN) es el principal constituyente del material genético de los seres vivos*.

desoxirribosa *s. f.* Monosacárido con cinco átomos de carbono que forma parte del ácido desoxirribonucleico (ADN).

despabilado, -da *adj.* **1** Se aplica a la persona que no tiene sueño, especialmente cuando es la hora de dormir. **2** Se aplica a la persona que tiene agilidad mental y capacidad de relación con el mundo que la rodea. **SIN** despierto. **3** Se aplica a la persona que es muy hábil para afrontar y resolver problemas.

despabilar *v. tr.* **1** Quitar a una vela o candil la parte de mecha ya quemada para que dé más luz. **2** Hacer que aumenten en una persona la inteligencia, la agilidad mental y la capacidad de relación con los demás. **SIN** despertar, espabilar. **3** Hacer que alguien despierte del todo: *el agua fría acabó de despabilarle; despabílate, que estás dormido*. **SIN** espabilar. **4** Agilizar la realización de algo: *tienes que despabilar el trabajo o no acabarás a tiempo*. **|** *v. intr.* **5** Darse prisa o apresurarse en la realización de una cosa. **SIN** espabilar.
FAM despabilado.

despachar *v. tr.* **1** Terminar un negocio u otra cosa. **2** Solucionar un asunto: *espero despachar pronto la entrevista*. **3** Resolver un asunto. **4** Echar de un lugar o despedir de un trabajo: *despacharon a parte del personal sin motivo aparente*. **|** *v. tr./intr.* **5** Atender el dependiente de una tienda a los clientes: *ha despachado a tres clientes a la vez; ¿quién despacha?*

D

6 Vender un producto o un artículo a un comprador: *el panadero despachó todo el pan en poco tiempo.* ‖ *v. prnl.* **7 despacharse** Hablar sin miramientos y sin rodeos: *se despachó a gusto con su hermano, diciéndole de todo.*
FAM despacho.

despacho *s. m.* **1** Lugar destinado a resolver negocios o a estudiar: *un despacho de abogado.* **2** Mueble o conjunto de muebles de esta habitación. **3** Establecimiento donde se venden ciertas mercancías: *despacho de pan.* **4** Venta de un producto: *se dedicaba al despacho de antigüedades.* **5** Mensaje que se envía o recibe por una vía rápida: *un despacho telefónico.*

despachurrar *v. tr.* familiar Aplastar una cosa estrujándola o apretándola con fuerza. **SIN** despanzurrar, espachurrar.
FAM despachurramiento.

despacio *adv.* **1** Indica que la acción que se expresa se realiza poco a poco, sin prisa: *habla despacio para que te entendamos.* **ANT** aprisa. **2** Indica que la acción que se expresa se realiza con detenimiento: *habrá que analizar las pruebas despacio y sin presiones.* ‖ *int.* **3 ¡despacio!** Expresión que se usa para pedir moderación en lo que se dice o en lo que se hace.
FAM despacioso.

despacioso, -sa *adj.* Que se mueve o actúa con lentitud.

despampanante *adj.* familiar Que causa una gran impresión, especialmente referido al aspecto físico de una persona: *era una chica despampanante.*

despanzurrar *v. tr.* **1** Reventar una cosa estrujándola o apretándola con fuerza, haciendo que su contenido se esparza. **SIN** despachurrar, espachurrar. **2** Abrir el vientre a una persona o animal: *el toro despanzurró al pobre caballo de una cornada.*

desparejar *v. tr.* Hacer que dos personas o cosas dejen de formar pareja: *desparejar unos pendientes.*
FAM desparejo.

desparpajo *s. m.* **1** Facilidad para hablar, hacer una cosa o relacionarse en una situación o en un ambiente. **SIN** desenvoltura. **2** AMÉR. CENTRAL Desorden.

desparramado, -da *adj.* Que es ancho o extenso.

desparramar *v. tr.* Extender o esparcir algo que estaba amontonado o junto: *desparramó el arroz por el suelo.* **SIN** desperdigar, diseminar.
FAM desparramado, desparramamiento, desparrame.

desparramo *s. m.* ARG., CHILE, CUBA, PAR., URUG. Estado de desorden y confusión que se produce cuando se dispersan en forma sorpresiva cosas o personas que antes estaban juntas: *la biblioteca se cayó y quedó el desparramo de libros.*

despatarrar *v. tr.* **1** Abrir mucho las piernas de una persona o las patas de un animal o una cosa. **SIN** espatarrar. ‖ *v. prnl.* **2 despatarrarse** Caerse con las piernas muy abiertas. **SIN** espatarrarse.

despavorido, -da *adj.* Que tiene mucho miedo.

despecho *s. m.* Resentimiento o disgusto que siente alguien debido a un desengaño o a una ofensa, y que mueve a buscar venganza: *lo traicionó por despecho.*
FAM despechar.

despechugar *v. tr.* **1** Quitar la pechuga a un ave. ‖ *v. prnl.* **2 despechugarse** familiar Desabrochar la ropa que cubre el pecho, dejándolo al descubierto.

despectivo, -va *adj.* **1** Que muestra desprecio o indiferencia: *una mirada despectiva.* **SIN** despreciativo. ‖ *adj./s. m.*

2 Se aplica a la palabra, frase o expresión que indica falta de consideración, estima y respeto: *comentario despectivo; el sufijo "-ucho" aporta un significado despectivo, como en la palabra "perrucho".*
FAM despectivamente.

despedazar *v. tr.* Hacer pedazos una cosa o a una persona: *la terrible noticia le despedazó el alma.*
FAM despedazamiento.

despedida *s. f.* **1** Expresión o gesto que usa una persona para despedirse de otra: *un beso de despedida.* **SIN** saludo. **2** Momento en el que una o varias personas se separan y se intercambian muestras de afecto o cortesía. **SIN** adiós.

despedir [10] *v. tr.* **1** Acompañar hasta el lugar de salida a alguien que se va: *ha despedido a su madre en el aeropuerto.* **2** Lanzar o arrojar hacia fuera: *la manguera despidió un fuerte chorro de agua.* **SIN** expeler. **3** Desprender o echar fuera de sí: *tus zapatillas despiden un olor insoportable.* **SIN** emanar. **4** Echar a una persona de su empleo. ‖ *v. intr.* **5** Apartar una persona a otra de su lado o compañía por resultarle incómoda o molesta. ‖ *v. prnl.* **6 despedirse** Mostrar afecto o cortesía, mediante expresiones o gestos, al separarse de alguien o al terminar una conversación. **7** Abandonar totalmente la esperanza y la ilusión de conseguir una cosa: *me tuve que despedir de las vacaciones por falta de dinero.*
despedirse a la francesa Irse de un lugar o abandonar una ocupación sin avisar o sin decir adiós.
FAM despedida, despido.

despegar *v. tr.* **1** Separar dos cosas que están unidas entre sí o muy juntas: *despega los sellos del sobre.* **2** En una carrera o competición, separarse destacadamente uno o más de los participantes. ‖ *v. intr.* **3** Separarse un ave o un aparato de aviación del suelo o del mar para comenzar a volar. **ANT** amarar, aterrizar. **4** Comenzar a avanzar o desarrollarse notablemente una cosa, especialmente un proceso: *parece que el negocio ya despega.* ‖ *v. prnl.* **5 despegarse** Separarse afectivamente de una persona o cosa: *despegarse de los amigos.*
FAM despegamiento, despego, despegue.
OBS Se conjuga como *llegar.*

despego *s. m.* Falta de afecto o de interés por una persona o cosa. **SIN** desapego.

despegue *s. m.* **1** Separación de un ave o un aparato de aviación del suelo o del mar para comenzar a volar. **ANT** aterrizaje. **2** Inicio del avance o desarrollo notables de una cosa, especialmente un proceso: *el despegue económico del país.*

despeinar *v. tr.* Deshacer un peinado o enredar el pelo. **ANT** peinar.
sin despeinarse Sin ningún esfuerzo: *hizo todo el trabajo sin despeinarse.*

despejado, -da *adj.* **1** Se aplica al cielo que no tiene nubes. **2** Se aplica al espacio que es amplio o que no tiene obstáculos ni estorbos: *una habitación despejada.* **3** Se aplica a la persona que es despabilada o despierta: *un chico muy despejado.* **4** Se aplica a la persona que ha recuperado el descanso físico y la claridad mental: *estaba aturdido, pero la siesta me ha dejado despejado.*

despejar *v. tr.* **1** Dejar un lugar sin obstáculos ni estorbos: *despejaron la carretera de ramas y hojas.* **SIN** desembarazar. **2** En algunos deportes, lanzar la pelota lejos de la propia portería para evitar un gol del equipo contrario: *el portero despejó el balón.* **3** Explicar una duda o una confusión: *el profesor despejó las dudas de los alumnos.* **4** Hacer que alguien recupere

el descanso físico y la claridad mental. **5** Dejar la incógnita de una ecuación en uno de los miembros de la igualdad para obtener su valor: *llovió un poco y luego el cielo se despejó.* **‖** *v. prnl.* **6** **despejarse** Desaparecer las nubes del cielo, mejorándose el tiempo. **SIN** desencapotarse.
FAM despejado, despeje.

despeje *s. m.* En algunos deportes, lanzamiento de la pelota lejos de la propia portería para evitar un gol del equipo contrario.

despellejar *v. tr.* **1** Quitar la piel, o parte de ella, a una persona o un animal. **SIN** desollar. **2** Criticar duramente a una persona. **‖** *v. prnl.* **3** **despellejarse** Levantarse una parte muy superficial de la piel o formarse pequeñas escamas en ella.
FAM despellejadura.

despelotarse *v. prnl.* **1** familiar Quitarse toda la ropa o parte de ella. **SIN** desnudar, desvestir. **2** Reírse sin freno.
FAM despelote.

despelote *s. m.* **1** familiar Falta de vestido. **SIN** desnudez. **2** familiar Diversión disparatada, con risa continua, intensa y desmedida. **3** familiar ARG., CHILE, CUBA, ECUAD., PAR., URUG. Situación en la que impera el desorden o la confusión.
ser (o estar) un despelote ARG. Ser o estar muy atractiva una persona: *¡cómo no la voy a mirar, si esa chica es un despelote!*

despenalizar *v. tr.* Suprimir la consideración de delito o falta. **ANT** penalizar.
FAM despenalización.

despendolarse *v. prnl.* familiar Comportarse una persona de un modo alocado.
FAM despendole.

despensa *s. f.* **1** Lugar de una casa donde se almacenan alimentos. **2** Conjunto de alimentos almacenados.
FAM despensero.

despensero, ra *s. m. y f.* **1** Persona que tiene a su cargo el cuidado de la despensa. **2** Persona que distribuye los bienes que se destinan a obras de caridad.

despeñadero *s. m.* **1** Terreno rocoso, alto y cortado en plano inclinado, por donde es fácil caerse. **SIN** barranco. **2** Proyecto o acción con muchas probabilidades de fracasar o acabar mal.

despeñar *v. tr.* Arrojar a una persona, animal o cosa desde un lugar alto. **SIN** precipitar.
FAM despeñadero.

despepitar *v. tr.* **1** Quitar las pepitas o semillas a un fruto. **‖** *v. prnl.* **2** **despepitarse** Hablar con excitación o gritando. **3** familiar Tener muchas ganas de hacer o conseguir algo.

despercudido, -da *adj.* **1** familiar AMÉR. Se aplica a la persona que tiene la piel clara o más clara que la propia de su raza: *un negro despercudido.* **2** CHILE Se aplica a la persona que es muy espabilada, que se muestra rápida en sus razonamientos: *al verlo tan despercudido, le ofreció el trabajo.*

desperdiciar *v. tr.* Usar una cosa de forma inadecuada, incorrecta o incompleta: *desperdiciar comida; desperdiciar una oportunidad.* **SIN** malgastar.
FAM desperdicio.
OBS Verbo regular, se acentúa como *cambiar.*

desperdicio *s. m.* **1** Uso inadecuado, incorrecto o incompleto de una cosa. **2** Cosa que sobra o resto inservible que queda de algo después de haberlo consumido o trabajado. **SIN** desecho.

desperdigar *v. tr.* **1** Dispersar los elementos de un conjunto en distintas direcciones sin un orden predeterminado. **SIN** desparramar, diseminar. **2** Dividir un esfuerzo o una actividad entre varias personas o cosas.
FAM desperdigamiento.

desperezar *v. tr.* **1** Estirar los miembros para desentumecerlos: *me incorporé y desperecé todos los músculos.* **‖** *v. prnl.* **2** **desperezarse** Sacudir la pereza y agilizar los movimientos extendiendo y tensando los músculos del cuerpo. **SIN** estirarse.

desperfecto *s. m.* **1** Daño de poca importancia que sufre una cosa: *los muebles no sufrieron desperfectos durante el traslado.* **2** Falta o defecto de poca importancia que resta valor a una cosa.

despernancarse *v. prnl.* AMÉR. Despatarrarse.

despersonalizar *v. tr.* **1** Quitar a una persona los rasgos, cualidades o propiedades que la distinguen de las demás. **2** Actuar o tratar un asunto sin relacionarlo con una persona concreta. **‖** *v. prnl.* **3** **despersonalizarse** Perder una persona o un grupo los rasgos, cualidades o propiedades que los distinguen de los demás.
FAM despersonalización.

despertador *s. m.* Reloj que emite un sonido a una hora fijada con anterioridad, generalmente para interrumpir el sueño.

despertar¹ [1] *v. intr.* **1** Dejar de dormir: *todos despertaron muy descansados y listos para el viaje.* **‖** *v. tr.* **2** Interrumpir el sueño de alguien: *despiértame a las ocho.* **ANT** dormir. **3** Provocar en alguien un deseo, una sensación, un recuerdo, etc.: *este libro ha despertado en mí el ansia de leer.* **4** Hacer que aumenten en una persona la inteligencia, la agilidad mental y la capacidad de relación con los demás. **SIN** despabilar, espabilar.
FAM despertador, despierto.

despertar² *s. m.* **1** Instante en que se interrumpe el sueño. **2** Inicio de una etapa positiva en una persona, un grupo o una actividad: *el despertar comercial de la ciudad se remonta a la Edad Media.*

despiadado, -da *adj./s. m. y f.* **1** Se aplica a la persona que comete acciones crueles sin mostrar ningún tipo de compasión, especialmente contra personas o animales: *un asesino despiadado.* **SIN** desalmado. **ANT** piadoso. **‖** *adj.* **2** Que implica o denota crueldad o falta de piedad: *tortura despiadada; palabras despiadadas.*

despido *s. m.* **1** Expulsión de una persona de su empleo. **2** Cantidad de dinero que recibe una persona a causa de haber sido expulsada de su empleo.

despiece *s. m.* División de algo en piezas: *tras el sacrificio del animal, se procede al despiece.*

despierto, -ta *adj.* Se aplica a la persona que tiene agilidad mental y capacidad de relación con el mundo que la rodea. **SIN** despabilado.

despiezar *v. tr.* Dividir algo en piezas: *despiezar un ternero; despiezar un bloque de mármol.*
FAM despiece.

despilfarrador, -ra *adj./s. m. y f.* Se aplica a la persona que gasta algo de forma insensata e incontrolada.

despilfarrar *v. tr.* Gastar algo de forma insensata e incontrolada. **SIN** derrochar, dilapidar.
FAM despilfarrador, despilfarro.

D

despilfarro *s. m.* Gasto de dinero de forma insensata e incontrolada. **SIN** derroche, dilapidación, dispendio.

despintar *v. tr.* Quitar o desgastar los colores o la pintura.
no despintársele familiar Conservar el recuerdo claro del aspecto de una persona o cosa: *no se me despintará nunca su cara de sorpresa.*

despiojar *v. tr.* Quitar los piojos: *el mono despioja a su cría.*

despiporre o **despiporren** *s. m.* familiar Diversión desmedida acompañada de escándalo y desorden: *la fiesta ha sido un despiporre.*

despistado, -da *adj./s. m. y f.* Se aplica a la persona que pierde la atención con facilidad y por ello actúa y habla sin darse cuenta de lo que hace o dice o de lo que pasa a su alrededor.

despistar *v. tr.* ⚊ Poner poca atención en lo que se hace, distraerse con facilidad: *me he despistado con ese ruido y ahora no sé de qué estábamos hablando.* ⚋ Hacer perder una pista o el camino: *las explicaciones que me diste me despistaron y no encontré la tienda.*
FAM despistado, despiste.

despiste *s. m.* ⚊ Olvido o fallo que tiene una persona causado por la pérdida de la atención. ⚋ Tendencia a perder o disminuir la atención: *tiene un despiste tan grande que se deja las gafas en cualquier sitio.* ⚌ Característica de la persona despistada.

desplante *s. m.* Dicho o hecho que encierra insolencia, arrogancia o falta de consideración: *le hizo el desplante de no saludarla.* **SIN** desprecio.

desplazado, -da *adj./s. m. y f.* Se aplica a la persona que no se adapta a las condiciones en que vive o las circunstancias que la rodean.

desplazamiento *s. m.* ⚊ Movimiento para trasladarse de un lugar a otro. **SIN** andadura, marcha. ⚋ Sustitución de una persona en el cargo, puesto o lugar que ocupa. ⚌ Volumen y peso de fluido que desplaza un cuerpo flotante. ⚍ Distancia en determinada dirección y sentido, y en línea recta, que separa la posición inicial y final de un cuerpo al desplazarse: *el desplazamiento no coincide con la distancia recorrida, a no ser que el movimiento sea rectilíneo.*

desplazar *v. tr.* ⚊ Mover una cosa de un lugar a otro: *hemos tenido que desplazar el mueble para poder colocar el cuadro.* ⚋ Sacar a una persona del cargo, puesto o lugar que ocupa: *el nuevo director general ha desplazado a varios cargos.* ⚌ Mover o desalojar una cantidad de un fluido igual al volumen del cuerpo sumergido en él: *si metes una piedra en un vaso de agua, se desplazará una cantidad de agua igual al volumen de la piedra.* ⚍ *v. prnl.* ⚍ **desplazarse** Ir de un lugar a otro: *los periodistas se desplazaron hasta el lugar de los hechos.*
FAM desplazado, desplazamiento.

desplegable *adj.* ⚊ Que se puede desplegar o extender: *sillón desplegable.* ⚋ *s. m.* ⚋ Hoja de grandes dimensiones que se incluye plegada en un libro o en una publicación periódica: *con la revista regalan un desplegable con el mapa de Galicia.*

desplegar [1] *v. tr.* ⚊ Extender lo que está plegado. **SIN** desdoblar. **ANT** plegar. ⚋ Distribuir un conjunto de personas o cosas por una superficie: *la delantera del equipo se desplegó por todo el campo.* ⚌ Hacer uso o mostrar una cualidad: *desplegó todo su ingenio para animar la fiesta.*
FAM desplegable, despliegue.

despliegue *s. m.* ⚊ Extensión o desarrollo de lo que está plegado o doblado: *el despliegue de un abanico.* ⚋ Disposición abierta y extendida de un conjunto de personas: *el comisario dirigió el despliegue de los policías en la redada.* ⚌ Exhibición de cualidades o aptitudes para conseguir algo: *en la película había un gran despliegue de efectos especiales.*

desplomar *v. tr.* ⚊ Hacer perder la posición vertical de una cosa, especialmente un edificio o pared: *los arquitectos desplomaron el edificio de forma controlada.* ⚋ *v. prnl.* ⚋ **desplomarse** Perder la posición vertical, generalmente un edificio o pared: *desplomarse un muro.* **SIN** desplomarse. ⚌ Caerse una persona o animal sin conocimiento o sin vida: *se desplomó en el suelo a causa de un infarto.* ⚍ Perderse la mayor parte de unos bienes materiales: *desplomarse una fortuna.* **SIN** arruinarse.
FAM desplome.

desplome *s. m.* Pérdida de la posición vertical de una cosa, especialmente de un edificio o una pared.

desplumar *v. tr.* ⚊ Quitar las plumas a un ave. ⚋ familiar Quitar o hacer perder los bienes o el dinero.
FAM desplume.

despoblación *s. f.* Disminución o falta de habitantes en un lugar.

despoblado, -da *adj./s. m.* Se aplica al lugar que ha sido abandonado por todas las personas que lo habitaban. **SIN** deshabitado.

despoblar [5] *v. tr.* ⚊ Abandonar un lugar todas las personas que vivían en el. **SIN** deshabitar. ⚋ Disminuir el número de elementos que contiene un lugar, generalmente de vegetación: *la sequía despobló el monte de árboles.* ⚌ *v. prnl.* ⚌ **despoblarse** Reducir el número de habitantes de un lugar o quedarse sin habitantes.
FAM despoblación, despoblado.

despojar *v. tr.* ⚊ Quitar a una persona de lo que tiene, generalmente con violencia: *la despojaron del bolso de un tirón.* ⚋ Quitar lo que acompaña, adorna o cubre una cosa: *después de la fiesta, despojaron el salón de todos los adornos.* ⚌ **despojarse** Quitarse alguna prenda de vestir: *cuando entraron en el cine, todos se despojaron de sus abrigos.* ⚍ Renunciar una persona a lo que tiene: *se despojó de sus bienes y se refugió en un convento.* **SIN** desposeerse.
FAM despojo.

despojo *s. m.* ⚊ Privación de lo que se tiene, generalmente con violencia. ⚋ Conjunto de armas, bienes y provisiones que el vencedor toma del enemigo vencido. **SIN** botín. ⚌ Cosa que se pierde por el tiempo, la muerte u otros accidentes: *aún quedaban en su rostro despojos de la belleza que había tenido en su juventud.* ⚍ Parte que se separa del cuerpo de un animal y que suele ser de poco valor, especialmente los alones, molleja, patas, pescuezo y cabeza de las aves y el vientre, asadura, cabeza y manos de las reses. **NOTA** Más en plural. ⚍ *s. m. pl.* ⚎ **despojos** Restos de una cosa después de haberla usado o consumido. **SIN** sobras. ⚏ Cuerpo muerto de una persona o un animal.

despolitización *s. f.* Eliminación o pérdida del contenido político de una persona, grupo, entidad, etc.: *la despolitización de la sociedad; piden la despolitización de los sindicatos.*

despolitizar *v. tr.* Quitar o perder el contenido político una persona, grupo, asunto o reunión. **ANT** politizar.
FAM despolitización.

desportillar *v. tr.* Romper el filo o agrietar el borde de un objeto. **SIN** mellar.
FAM desportilladura.

desposar *v. tr.* ① Unir a dos personas en matrimonio la autoridad religiosa o civil que tiene poder para ello: *el alcalde desposó a la pareja en una ceremonia íntima.* **SIN** casar. ‖ *v. prnl.* ② **desposarse** Unirse una persona con otra en matrimonio mediante las ceremonias y formalidades legales establecidas para constituirlo: *se desposaron en una iglesia de su barrio.* **SIN** casarse.
FAM desposado, desposorios.

desposeer [20] *v. tr.* ① Quitar a una persona lo que tiene: *lo han desposeído del piso porque no lo podía pagar.* ‖ *v. prnl.* ② **desposeerse** Renunciar una persona a lo que tiene. **SIN** despojarse.
FAM desposeimiento.

desposorios *s. m. pl.* ① Ceremonia o acto en el que dos personas contraen matrimonio. **SIN** nupcias. ② Promesa mutua de futuro matrimonio entre dos personas.

déspota *s. m.* ① Soberano que gobierna con un poder total sin someterse a leyes ni a limitaciones. ‖ *adj./s. com.* ② Se aplica a la persona que abusa de su superioridad, de su fuerza o de su poder en su relación con los demás. **SIN** dictador, tirano.
FAM despótico, despotismo.

despótico, -ca *adj.* Relativo al déspota o al despotismo: *no me gusta tu actitud despótica.*

despotismo *s. m.* ① Gobierno absoluto, no limitado por las leyes: *el despotismo es propio de las monarquías absolutas.*
■ **despotismo ilustrado** Forma de gobierno absoluto que practicaron distintos reyes europeos en el siglo XVIII, inspirada en las ideas de la Ilustración: *el lema del despotismo ilustrado era "todo para el pueblo, pero sin el pueblo".* ② Abuso de superioridad, fuerza o poder en la relación con las demás personas. **SIN** tiranía.

despotricar *v. intr.* familiar Criticar algo o a alguien sin consideración ni respeto.
FAM despotrique.

despreciable *adj.* ① Que merece ser despreciado: *es un ser despreciable que pisotea a cualquiera para conseguir lo que quiere.* **SIN** deleznable. **ANT** apreciable. ② Que no es importante y no merece tenerse en cuenta: *la diferencia de precio es despreciable.*

despreciar *v. tr.* ① Rechazar a una persona que no merece aprecio o consideración: *no hay que despreciar a nadie por su raza, religión o ideología.* **SIN** menospreciar. ② No apreciar una cosa o a una persona por considerarla indigna de estimación. **SIN** menospreciar.
FAM despreciable, despreciativo, desprecio.
OBS Verbo regular, se acentúa como *cambiar.*

despreciativo, -va *adj.* Que muestra desprecio o indiferencia. **SIN** despectivo.

desprecio *s. m.* ① Falta de afecto o de consideración. **SIN** menosprecio. ② Dicho o hecho que encierra insolencia, arrogancia o falta de consideración: *me hizo el desprecio de no hablarme.* **SIN** desplante.

desprender *v. tr.* ① Separar o despegar una cosa de otra: *se ha desprendido la mampara del cuarto de baño.* ② Echar de sí alguna cosa: *las rosas desprenden muy buen olor.* ‖ *v. prnl.* ③ **desprenderse** Renunciar o apartarse una persona de lo que le pertenece: *tuvo que desprenderse del perro.* ④ Conocerse o deducirse una cosa o idea a partir de otra: *de tus palabras se desprende que estás muy ilusionado con el proyecto.*
FAM desprendido, desprendimiento.

desprendido, -da *adj./s. m. y f.* Se aplica a la persona que ayuda y da lo que tiene a los demás sin esperar nada a cambio. **SIN** generoso.

desprendimiento *s. m.* ① Caída o deslizamiento de una materia de un lugar a otro: *las lluvias han provocado un desprendimiento de tierras.* ② Separación de una cosa de otra a la que está unida: *el desprendimiento del muro aplastó una moto.* ③ Cualidad de la persona que ayuda o da lo que tiene a los demás sin esperar nada a cambio. **SIN** generosidad. ④ Desplazamiento de un órgano del cuerpo de su posición normal: *desprendimiento de retina.*

despreocupación *s. f.* ① Falta de motivos que causen intranquilidad, miedo o angustia: *este verano tengo la despreocupación de haber aprobado el curso.* ② Estado de ánimo de la persona que no tiene motivos que le causen intranquilidad, miedo o angustia.

despreocuparse *v. prnl.* ① Librarse de una causa que produzca intranquilidad, miedo o angustia. ② Mantenerse voluntariamente al margen de un asunto o cuestión. **SIN** desentenderse.
FAM despreocupación.

desprestigiar *v. tr.* Hacer perder el prestigio o buen nombre de una persona, un grupo o una cosa. **ANT** prestigiar.
OBS Verbo regular, se acentúa como *cambiar.*

desprestigio *s. m.* Pérdida del prestigio o buen nombre de una persona, un grupo o una cosa: *caer en el desprestigio.* **ANT** prestigio.
FAM desprestigiar.

despresurizar *v. tr.* Hacer que cese la presión atmosférica en las cabinas de los aviones o naves espaciales que vuelan a mucha altura.
FAM despresurización.

desprevenido, -da *adj.* Que no está dispuesto o preparado para una cosa: *el temporal los pilló desprevenidos; tu visita me ha cogido desprevenida, por eso todavía estoy en pijama.* **ANT** prevenido.

desproporción *s. f.* Falta de igualdad o de equilibrio entre las partes y el todo de una cosa o entre varias cosas relacionadas: *hay una gran desproporción en el nivel de conocimientos en esta clase.*
FAM desproporcionar.

desproporcionado, -da *adj.* Que no tiene la proporción debida: *hizo un esfuerzo muy desproporcionado.* **ANT** proporcionado.

desproporcionar *v. tr.* Quitar la igualdad o el equilibrio que debe existir entre las partes y el todo o entre varias cosas relacionadas entre sí.
FAM desproporcionado.

despropósito *s. m.* Dicho o hecho sin sentido o que se realiza en un momento, lugar o situación inadecuados: *cuando se enfada, solamente dice despropósitos.*

desproteger *v. tr.* Quitar o descuidar la protección de alguien o de algo.
FAM desprotección, desprotegido.

desprotegido, -da *adj.* Sin la protección que debería tener o llevar: *el ejército atacó una zona de la ciudad totalmente desprotegida.*

desproveer [20] *v. tr.* Quitar a alguien sus provisiones o una cosa necesaria: *lo han desprovisto de lo fundamental para una persona: el trabajo.* **ANT** proveer.
FAM desprovisto.
OBS Participio irregular: *desprovisto.*

desprovisto, -ta ① Participio irregular de *desproveer*. ❘ *adj.* ② Que le falta lo necesario o conveniente: *un libro de aventuras desprovisto de acción e intriga.*

después *adv.* ① En tiempo posterior: *Antonio no está, llegará después; ahora estoy muy ocupado, pero después tendré bastante tiempo libre.* **SIN** luego. **ANT** antes. ② Más lejos en el espacio, con referencia a un punto concreto: *mi casa está después de la tuya.* **ANT** antes. ❘ *adj.* ③ Que va inmediatamente detrás de otra cosa en un orden determinado: *el día después vinieron a vernos mis tíos.* **ANT** antes.

después de (I) Indica un grado de inferioridad en una jerarquía o un orden de preferencia: *es el mejor orador después de Demóstenes.* (II) Indica posterioridad respecto a un punto o hecho de referencia: *llegué a casa después de las doce.*

después de que o **después que** Indica que la acción de la subordinada es anterior a otra acción o hecho: *saldremos después que amanezca.*

despuntar *v. tr.* ① Quitar, romper o gastar la punta: *las tijeras se han despuntado al caerse.* ❘ *v. intr.* ② Mostrar habilidad, inteligencia o buena disposición para cierta actividad: *este niño despunta para el dibujo.* ③ Empezar a brotar los tallos y brotes de una planta: *ya están despuntando los tallos de las plantas podadas.* ④ Empezar a aparecer el día, la aurora o a brillar las estrella: *se levantó al despuntar el alba.*
FAM despunte.

desquiciado, -da *adj./s. m. y f.* Se aplica a la persona o animal que ha perdido la tranquilidad o la paciencia o que está alterado: *me tiene desquiciado por la lentitud con que hace las cosas y la prisa que tenemos.*

desquiciar *v. tr.* ① Alterar o quitar a una persona la tranquilidad o la paciencia: *es una persona muy tranquila, pero los ruidos la desquician.* ② Sacar una puerta o una ventana del hueco en el que está encajada. ③ Sacar una cosa de su curso normal, exagerarla o darle más importancia de la que realmente tiene.
FAM desquiciado, desquiciamiento.
OBS Verbo regular, se acentúa como *cambiar.*

desquitar *v. tr.* Compensar a alguien de una pérdida o un contratiempo sufridos.
FAM desquite.

desquite *s. m.* Compensación por una pérdida o un contratiempo sufridos.

desratizar *v. tr.* Eliminar totalmente las ratas y ratones de un lugar: *tuvieron que desratizar la casa de campo.*
FAM desratización.

desriñonar *v. tr.* ① Causar daño en la zona de los riñones a causa de un esfuerzo o un golpe: *no cojas tanto peso de golpe, que te vas a desriñonar.* ② familiar Cansar mucho: *nos desriñonamos trasladando muebles.*

destacable *adj.* Que por sus características merece ser destacado o tenido en cuenta: *lo más destacable del planeta Saturno es el sistema de anillos que lo rodea.*

destacado, -da *adj.* Que destaca o sobresale por ser importante o conocido: *es un destacado actor.*

destacamento *s. m.* Parte de una tropa del ejército que se separa del resto para realizar una misión determinada.

destacar[1] *v. intr./prnl.* ① Sobresalir de los demás por una cualidad: *el jazmín destacaba en el jardín por su olor.* ❘ *v. tr.* ② Señalar o llamar la atención sobre una cosa: *el crítico destacó la originalidad de la obra.*
FAM detacable, destacado.

destacar² *v. tr.* Separar una parte del cuerpo principal de un ejército para realizar una misión: *han destacado un regimiento para vigilar la frontera.*

destajo *s. m.* Trabajo en que se cobra por la labor realizada y no por el tiempo empleado.
a destajo (I) A cambio de una cantidad determinada. (II) Sin descanso y muy deprisa: *en el bar trabajamos a destajo; en horas punta vamos a destajo.*

destapar *v. tr.* ① Quitar la tapa, el tapón o la cubierta: *destapó la olla y probó el guiso.* **ANT** tapar. ② Descubrir lo que está oculto: *la policía destapó un negocio de contrabando que había en el bar de la esquina.* ❘ *v. prnl.* ③ **destaparse** Dar a conocer habilidades, sentimientos o intenciones propias que no se habían mostrado antes: *en la fiesta se destapó y salió cantando flamenco.* ④ familiar Quitarse la ropa para mostrar el cuerpo desnudo.
FAM destape.

destape *s. m.* Despojo de la ropa para mostrar el cuerpo desnudo.

destartalado, -da *adj.* Que está mal cuidado, viejo o roto: *una casa destartalada.*

destellar *v. intr.* Despedir rayos, ráfagas de luz o chispazos de forma generalmente intensa y breve: *a lo lejos destellaban los relámpagos.*
FAM destello.

destello *s. m.* ① Ráfaga o rayo de luz generalmente intenso y de corta duración: *le encanta tumbarse en el campo a ver los destellos de las estrellas.* ② Muestra pequeña o momentánea de una cualidad: *destellos de genialidad; en su conversación mostró algunos destellos de ingenio.*
FAM destellar.

destemplado, -da *adj.* ① Se aplica a la persona que tiene malestar físico general acompañado de frío: *ha dormido destapada y se ha levantado destemplada.* ② Se aplica al tiempo atmosférico que no es agradable: *hace un día destemplado.*

destemplanza *s. f.* ① Sensación general de malestar físico sin síntomas precisos, generalmente acompañada de frío: *sintió destemplanza y se puso el termómetro.* ② Falta de moderación: *comer con destemplanza.*

destemplar *v. tr.* ① Hacer que un instrumento musical pierda el tono adecuado: *el calor ha destemplado el piano.* ② Perder la moderación o la calma: *el penalti destempló los nervios del equipo y casi pierden.* ❘ *v. prnl.* ③ **destemplarse** Sentirse mal físicamente, especialmente cuando no hay síntomas precisos y el malestar va acompañado de frío: *se ha destemplado durante el viaje.* ④ **AMÉR.** Sentir dentera.
FAM destemplado, destemplanza.

desteñir [11] *v. tr./intr.* ① Hacer más débiles o perder los colores con los que está teñida una cosa: *las cortinas del salón se han desteñido con el sol.* ② Manchar una cosa a otra con su color: *hay que lavar la ropa de color aparte de la blanca para que no la destiña.*

desternillarse *v. prnl.* familiar Reírse mucho y con ganas.

desterrado, -da *adj./s. m. y f.* Se aplica a la persona que sufre pena de destierro.

desterrar [1] *v. tr.* ① Obligar la autoridad política o judicial a una persona a salir de su país o a abandonar el lugar donde vive. **SIN** exiliar, expatriar. ② Hacer desaparecer o apartar un sentimiento o un pensamiento: *tendrás que desterrar esa frustración si quieres conseguir algo.* ③ Abandonar un uso o una

costumbre: *destierra la costumbre de cenar tanto y tan tarde.* ❙ *v. prnl.* ④ **desterrarse** Salir voluntariamente del propio país por razones políticas. **SIN** exiliarse.
FAM desterrado, destierro.

destetar *v. tr.* ① Hacer que deje de mamar un niño o la cría de un animal dándole el biberón o un alimento diferente de la leche materna: *destetar los terneros; destetó a su hijo cuando se le acabó la baja por maternidad.* ② Hacer que una persona se aparte de la protección familiar y se valga por sí mismo.
FAM destete.

destete *s. m.* Cesación del periodo de la lactancia.

destiempo Se usa en la expresión:
a destiempo Fuera de tiempo o en un momento poco adecuado: *tu ayuda ha llegado a destiempo.*

destierro *s. m.* ① Castigo que consiste en expulsar o hacer salir a una persona de un país o de un lugar: *fue condenado al destierro por traición.* **SIN** exilio. ② Abandono voluntario del propio país obligado por razones políticas. **SIN** exilio. ③ Lugar en el que vive la persona que ha sido obligada a exiliarse o se ha exiliado voluntariamente. **SIN** exilio. ④ Tiempo durante el cual una persona desterrada vive fuera de su país. **SIN** exilio.

destilación *s. f.* Separación de una sustancia volátil de otra que no lo es en alambiques u otros vasos calentándola primero y enfriando luego su vapor para reducirla nuevamente a líquido: *para la destilación de vinos y perfumes se utilizan alambiques.* ∎ **destilación fraccionada** Destilación que se realiza en varias fases, separando los componentes de la sustancia mediante la evaporación gradual de la mezcla líquida; es una destilación más perfeccionada que la simple: *la destilación fraccionada se utiliza especialmente en las refinerías de petróleo.* ∎ **destilación simple** Destilación que se realiza en una sola etapa; se utiliza un recipiente en el que se hierve la sustancia y un refrigerante en el que se condensa el producto destilado.

destiladera *s. f.* ① Instrumento que sirve para destilar. ② AMÉR. Filtro para aclarar un líquido.

destilar *v. tr.* ① Separar una sustancia volátil de otra que no lo es, en un alambique o destiladera. **SIN** alambicar. ② Mostrar o hacer notar sutilmente una característica o un sentimiento: *sus palabras destilaban tristeza.* ③ Caer o correr un líquido gota a gota.
FAM destilación, destiladera, destilería.

destilería *s. f.* Lugar donde se realiza el proceso de la destilación, especialmente para elaborar ciertas bebidas alcohólicas: *destilería de whisky.*

destinar *v. tr.* ① Señalar o determinar una cosa para un uso, un fin o una función: *el Ayuntamiento ha destinado parte del presupuesto a arreglar algunas calles.* ② Designar la ocupación o el empleo en que ha de trabajar una persona o el lugar para ejercerlo: *lo han destinado a la central del banco.* ③ Dirigir un envío a una persona o un lugar: *este paquete está destinado a tu padre.*
FAM destinación, destinatario, destino.

destinatario, -ria *s. m. y f.* Persona a quien se dirige una cosa: *la carta la han devuelto porque los datos del destinatario estaban equivocados.*

destino *s. m.* ① Finalidad que se da a una cosa: *el destino de estas vacas es la producción lechera.* ② Lugar adonde se dirige alguien o algo: *el tren con destino a Madrid efectuará su salida dentro de diez minutos.* ③ Trabajo que realiza una persona o lu-

gar en el que se desempeña: *acaba de aprobar las oposiciones de magisterio y está esperando saber su destino.* ④ Situación a la que llega una persona de manera inevitable como consecuencia del encadenamiento de sucesos: *por la manera que ha vivido, su destino era acabar solo.* ⑤ Fuerza supuesta y desconocida que determina lo que ha de ocurrir. **SIN** hado, sino.

destitución *s. f.* Expulsión de una persona del cargo que ocupa: *la destitución del concejal ha sido muy comentada por los ciudadanos.*

destituir [21] *v. tr.* Expulsar a una persona del cargo que ocupa: *el director del colegio ha sido destituido por hacer una mala gestión del centro.* **SIN** deponer.
FAM destitución.

destornillador *s. m.* ① Herramienta que sirve para apretar o aflojar tornillos haciéndolos girar; consiste en una barra metálica sujeta a un mango y terminada en una punta que se ajusta a la cabeza del tornillo. **SIN** atornillador, desatornillador. ② familiar Bebida alcohólica hecha con vodka y naranjada.

destornillar *v. tr.* ① Dar vueltas a un tornillo para sacarlo del lugar donde está o dejarlo menos apretado. **SIN** desatornillar. **ANT** atornillar. ② Quitar los tornillos de un lugar. **SIN** desatornillar. **ANT** atornillar.
FAM destornillador.

destrabar *v. tr.* ① Soltar una cosa o a una persona quitando las trabas o ligaduras. **ANT** trabar. ② Desunir una cosa de otra. **ANT** trabar.

destreza *s. f.* Capacidad para hacer una cosa bien, con facilidad y rapidez: *sujetó con destreza las patas del ternero y las ató.* **SIN** maña, pericia. **ANT** impericia, torpeza.

destripar *v. tr.* ① Sacar o hacer salir las tripas a una persona o animal. ② Sacar lo que tiene una cosa en su interior: *el niño ha destripado la radio.* ③ Aplastar o reventar una cosa blanda: *ha destripado el cartón de huevos al sentarse encima.* ④ familiar Estropear el efecto de una historia contando su final: *fui al cine con Juan, que ya había visto la película, y me la destripó contándome quién era el asesino.*
FAM destripador.

destripaterrones *s. com.* Persona que se dedica a trabajar y cultivar la tierra.
OBS Plural invariable. Frecuentemente usado de forma despectiva.

destrísimo, -ma *adj.* Superlativo de *diestro.*

destronamiento *s. m.* Expulsión del trono de un rey.

destronar *v. tr.* ① Expulsar del trono a un rey. **ANT** entronizar. ② Quitar a alguien o algo de la situación de privilegio de que goza: *Juan ha destronado a Luis del corazón de María.* **ANT** entronizar.
FAM destronamiento.

destroncar *v. tr.* ① Cortar o tronchar un árbol por el tronco. ② CHILE, MÉX. Arrancar plantas o quebrarlas.

destrozar *v. tr.* ① Romper o hacer trozos una cosa: *los niños le han dado un balonazo a la ventana y han destrozado el cristal.* ② Estropear una cosa de manera que no se pueda usar: *no arrastres más los pies, que destrozas los zapatos.* ③ Causar un daño o una pena grande: *la muerte del hijo ha destrozado a la familia.* ④ Vencer a un contrincante por mucha diferencia: *tu equipo ha destrozado a su rival por 5 goles a 0.* ❙ *v. prnl.* ⑤ **destrozarse** Cansarse mucho como conse-

D

cuencia de haber realizado un gran esfuerzo físico: *siempre que va al gimnasio se destroza.*

FAM destrozo, destrozón.

destrozo *s. m.* ① Rotura de una cosa en trozos: *el destrozo del espejo se produjo al caerse.* ② Daño grande: *el terremoto ha causado importantes destrozos.*

destrozón, -zona *adj./s. m. y f.* Se aplica a la persona que rompe mucho las cosas o las estropea más de lo normal.

destrucción *s. f.* ① Daño muy grande en una cosa material o inmaterial: *la bomba provocó la destrucción de numerosos coches.* ② Pérdida grande o importante: *la guerra provoca destrucción física y moral.*

destructivo, -va *adj.* Que destruye o puede destruir: *el alcohol en grandes dosis es destructivo.* **ANT** constructivo.

destructor, -ra *adj./s. m. y f.* ① Que destruye: *las armas atómicas tienen gran poder destructor.* ❙ *s. m.* ② Buque de guerra rápido y ligero, armado con lanzatorpedos, que se usa para la protección de otras embarcaciones, especialmente submarinos y para el ataque.

destruir [21] *v. tr.* ① Romper en trozos pequeños o echar por tierra una cosa material. **ANT** construir. ② Hacer desaparecer o inutilizar algo inmaterial: *ha destruido la confianza que había entre nosotros.*

FAM destrucción, destructible, destructivo, destructor, destruidor.

desuncir *v. tr.* Soltar o quitar el yugo a los animales: *desunció a los bueyes.* **ANT** uncir.

desunión *s. f.* ① Separación de las partes de una o varias cosas que están unidas. **ANT** unión. ② Oposición de opiniones y falta de armonía entre personas, grupos o cosas: *el dinero es causa de desunión de muchas familias.*

desunir *v. tr.* ① Apartar o separar lo que estaba unido. **ANT** unir. ② Hacer que se lleven mal entre sí dos o más personas: *nunca permitió que sus ideas lo desunieran de sus amigos.*

FAM desunión.

desusado, -da *adj.* ① Que se hace o que ocurre pocas veces: *ha hecho algo desusado en él: ha ido a los toros.* ② Que ha dejado de usarse: *parece que vive en otro siglo, utiliza continuamente expresiones desusadas.*

desusar *v. tr.* Dejar de usar una cosa.

FAM desusado.

desuso *s. m.* ① Falta de uso o de empleo: *los diccionarios modernos no recogen palabras que han caído en desuso.* ② Falta de aplicación de una ley, aunque no haya sido anulada con la aprobación de una nueva.

FAM desusar.

desvaído, -da *adj.* ① Se aplica al color que está apagado, pálido o que ha perdido intensidad: *ha decorado la casa con colores desvaídos.* ② Que tiene sus contornos poco claros: *una figura desvaída.*

desvalido, -da *adj./s. m. y f.* ① Se aplica a la persona que no tiene la ayuda o protección que necesita. ② Se aplica a la persona que no tiene los recursos económicos necesarios para vivir.

desvalijar *v. tr.* ① Robar o quitar a una persona todo lo que lleva o todo lo que tiene: *los ladrones lo desvalijaron, llevándose el reloj y la cartera.* ② Robar todas las cosas de valor de un lugar: *han desvalijado la tienda.*

FAM desvalijamiento.

desvalimiento *s. m.* Situación de la persona que no recibe ayuda o protección y que la necesita: *no es humano aprovecharse del desvalimiento de los niños y de los mayores.* **SIN** desamparo.

desvalorización *s. f.* Disminución del valor o del precio de una moneda o de otra cosa. **SIN** depreciación, devaluación.

desvalorizar *v. tr.* Disminuir el valor o el precio de una moneda o de otra cosa. **SIN** depreciar, devaluar.

FAM desvalorización.

desván *s. m.* Último piso de una casa que queda justo debajo del tejado, con el techo inclinado, que suele usarse para guardar objetos viejos o que ya no se usan. **SIN** sobrado.

desvanecer [16] *v. tr.* ① Esparcir o hacer desaparecer de la vista poco a poco las partes que forman un cuerpo por aglomeración. **SIN** disipar. ② Hacer desaparecer, borrar de la mente u olvidar una idea, una imagen o un recuerdo: *el tiempo desvaneció los malos recuerdos de aquel verano.* **SIN** disipar. ❙ *v. prnl.* ③ **desvanecerse** Evaporarse una sustancia o parte de ella: *se ha desvanecido el perfume.* **SIN** disiparse. ④ Perder el sentido o el conocimiento momentáneamente: *a causa del calor se desvaneció.* **SIN** desmayarse.

FAM desvanecimiento.

desvanecimiento *s. m.* Pérdida momentánea del sentido o del conocimiento. **SIN** desmayo.

desvariar *v. intr.* Decir o hacer cosas que van en contra del sentido común. **SIN** delirar.

FAM desvarío.

OBS Verbo regular, se acentúa como *desviar.*

desvarío *s. m.* ① Dicho o hecho que va en contra del sentido común. **SIN** delirio. ② Estado de alteración mental en el que se producen excitación, desorden de las ideas y alucinaciones. **SIN** delirio.

desvelar¹ *v. tr.* ① Quitar o impedir el sueño. ❙ *v. prnl.* ② **desvelarse** Desvivirse por una persona o cosa.

FAM desvelamiento, desvelo.

desvelar² *v. tr.* Poner de manifiesto lo que estaba oculto. **SIN** descubrir.

desvelo *s. m.* ① Dificultad para dormir cuando se debe o se necesita hacerlo. ② Cuidado e interés que se pone en lo que se hace o en lo que se quiere conseguir.

desvencijar *v. tr.* Aflojar o separar las partes que forman una cosa: *has desvencijado el sillón al sentarte en el brazo.*

desventaja *s. f.* ① Característica que hace que una persona, cosa o situación sea peor que otra con la que se compara: *esta casa tiene la desventaja de que está muy lejos de mi trabajo.* **ANT** ventaja. ② Circunstancia que impide hacer una cosa. **ANT** ventaja.

FAM desventajoso.

desventura *s. f.* ① Hecho que causa gran dolor o infelicidad: *tuvo la desventura de perder a sus padres cuando era muy pequeño.* **SIN** desdicha, desgracia. ② Suerte adversa y aciaga: *siempre se está quejando de su desventura.* **SIN** desdicha, desgracia.

FAM desventurado.

desventurado, -da *adj./s. m. y f.* ① Se aplica a la persona que padece una o más desgracias que le causan gran dolor o infelicidad. **SIN** desdichado, desgraciado. ② Que tiene una suerte adversa o contraria: *nunca consiguió lo que se propuso en su desventurada vida.* **SIN** desdichado, desgraciado. **ANT** afortunado.

desvergonzado, -da *adj./s. m. y f.* Se aplica a la persona que habla u obra con atrevimiento, sin vergüenza ni respeto. **SIN** descarado, sinvergüenza.

desvergüenza *s. f.* Falta de vergüenza o de respeto: *le contestó a su padre con desvergüenza y este lo castigó.* **SIN** cara dura, descaro, desfachatez.
FAM desvergonzarse.

desvestir [10] *v. tr.* Quitar toda la ropa que una persona lleva puesta o parte de ella. **SIN** desnudar. **ANT** vestir.

desviación *s. f.* ⓵ Cambio o separación en la dirección o el fin de una cosa: *el periódico anuncia la desviación del tráfico del centro de la ciudad a causa de la cabalgata de los Reyes Magos.* **SIN** desvío. ⓶ Carretera que se aparta o separa de otra general. **SIN** desvío. ⓷ Camino provisional que sustituye a una parte de otro principal que está inutilizada. **SIN** desvío. ⓸ Cambio de la posición normal de una cosa: *tiene desviación de columna vertebral y duerme sobre una tabla.* ⓹ Tendencia, actitud o comportamiento que no se considera normal: *el asesino que cometió ese crimen tan cruel debe tener alguna desviación mental.* ⓺ Distancia que hay entre el mayor y el menor de los valores de una variable estadística. ■ **desviación absoluta** o **desviación aritmética** Media aritmética de las desviaciones de un conjunto de datos estadísticos tomados en valor absoluto, con respecto a su media aritmética. ■ **desviación media** Media aritmética de los valores absolutos de todas las desviaciones con respecto a la media. ■ **desviación típica** Raíz cuadrada de la media aritmética de los cuadrados de las desviaciones con respecto a la media.

desviar *v. tr.* ⓵ Separar o apartar a una persona o una cosa del camino o de la dirección que lleva: *nos desviamos de la ruta; hay un cartel que desvía el tráfico pesado por otro camino.* ⓶ Hacer que una persona cambie sus proyectos o intenciones: *su padre consiguió desviarlo del propósito de dejar de estudiar.* **FAM** desviación, desvío.
OBS Verbo regular, en su conjugación se acentúa la *i* de algunas formas de los presentes de indicativo y subjuntivo y del imperativo.

desvincular *v. tr.* Romper o acabar la relación que se tiene con una o varias personas o cosas: *desde que cambió de colegio, se desvinculó de sus antiguos compañeros.*
FAM desvinculación.

desvío *s. m.* ⓵ Cambio o separación en la dirección o el fin de una cosa. **SIN** desviación. ⓶ Carretera que se aparta o separa de otra general. **SIN** desviación. ⓷ Camino provisional que sustituye a una parte de otro principal que está inutilizada. **SIN** desviación.

desvirgar *v. tr.* Hacer perder la virginidad a una mujer. **SIN** desflorar.

desvirtuar *v. tr.* Disminuir o quitar la virtud o las características esenciales de una cosa: *los periodistas han desvirtuado las declaraciones del ministro.*
FAM desvirtuación.
OBS Verbo regular, se acentúa como *actuar.*

desvivirse *v. prnl.* Mostrar gran afecto e interés por una persona o cosa: *cuando íbamos a su casa, se desvivía por que no nos faltara nada.*

detallado, -da *adj.* Que contiene muchos detalles: *un resumen detallado.*

detallar *v. tr.* Contar una cosa explicando todos los hechos o

circunstancias que la rodean: *nos detalló su viaje a Marruecos desde la salida hasta la vuelta.*
FAM detallado, detalle.

detalle *s. m.* ⓵ Hecho o circunstancia secundaria que contribuye a formar una cosa: *contó con todo lujo de detalles lo que le había pasado.* ⓶ Serie de cosas listadas de manera minuciosa. ⓷ Muestra de educación, delicadeza o cariño: *fue todo un detalle que les mandaras flores en su aniversario de boda.* ⓸ Regalo de poca importancia que se da como muestra de afecto y consideración: *en muchos restaurantes dan, junto con la factura, un pequeño detalle.* **SIN** cortesía.
al detalle En cantidades pequeñas: *si quieres comprar para tu comercio, tendrás que ir a una tienda de mayoristas, aquí solo venden al detalle.* **SIN** al por menor.
FAM detallista.

detallista *adj.* ⓵ Que cuida mucho los detalles. ⓶ Que tiene muestras de educación, delicadeza o cariño con los demás: *es muy detallista y nunca se olvida del cumpleaños de sus amigos.* ‖ *s. com.* ⓷ Persona que se dedica a vender mercancías en pequeñas cantidades. **SIN** minorista. **ANT** mayorista.

detección *s. f.* Descubrimiento, mediante la recogida de señales o pruebas, de la existencia o la presencia de una cosa o un fenómeno que está oculto: *la detección de gases nocivos en la mina previno la catástrofe.*

detectar *v. tr.* Descubrir o recoger señales o pruebas de la existencia o la presencia de una cosa o un fenómeno que está oculto: *detectar una avería; detectar un error; le han detectado un cáncer.*
FAM detección, detector.

detective *s. com.* Persona, generalmente policía, que se dedica a investigar determinados casos y que a veces interviene en los procedimientos judiciales. ■ **detective privado** Persona que trabaja por su cuenta o para una agencia que se dedica a investigar asuntos que le encargan personas particulares.

detector *s. m.* Aparato que sirve para descubrir la presencia de un fenómeno o de una cosa oculta: *detector de metales.*

detención *s. f.* ⓵ Paro o interrupción de un movimiento o una actividad. ⓶ Privación provisional de la libertad ordenada por autoridad competente. ⓷ Atención o dedicación que se pone al realizar una actividad o al pensar o explicar un asunto: *el pediatra reconocía con detención al recién nacido.* **SIN** detenimiento.

detener [45] *v. tr.* ⓵ Parar o interrumpir un movimiento o una actividad: *el conductor detuvo el coche ante un stop.* ⓶ Privar de la libertad a una persona por orden de la autoridad competente. ‖ *v. prnl.* ⓷ **detenerse** Dedicar tiempo a realizar una actividad o a pensar o explicar un asunto: *se detuvo a considerar qué sería mejor.*
FAM detención, detenido, detenimiento.

detenido, -da *adj./s. m. y f.* ⓵ Se aplica a la persona que ha sido privada provisionalmente de la libertad por orden de la autoridad competente: *los detenidos fueron conducidos a las dependencias policiales.* ‖ *adj.* ⓶ Que se hace con gran cuidado, detalle y atención, empleando tiempo y paciencia para que salga bien. **SIN** minucioso.

detenimiento *s. m.* Atención o dedicación que se pone al realizar una actividad o al pensar o explicar un asunto. **SIN** detención.

detentar *v. tr.* ① Ocupar un cargo o un poder de manera ilegítima. ② Tener sin derecho una cosa que no pertenece.
FAM detentación.

detergente *s. m./adj.* Sustancia o producto químico que elimina la grasa y sirve para lavar o limpiar: *hemos comprado un nuevo detergente para la colada.*

deteriorar *v. tr.* Disminuir o hacer perder la calidad o la importancia de una cosa: *el motor está muy deteriorado por el uso.*
FAM deterioro.

deterioro *s. m.* Disminución o pérdida de la calidad o la importancia de una cosa: *la humedad ha provocado el deterioro de la pintura de casa.*

determinación *s. f.* ① Resolución que se toma sobre un asunto: *por fin tomó la determinación de vender la moto.* ② Establecimiento claro y exacto de los límites de una cosa: *es importante la determinación del alcance de las responsabilidades.* ③ Averiguación de una cosa a partir de las informaciones que se conocen. ④ Valor o firmeza en la manera de actuar. **SIN** decisión.
FAM autodeterminación, indeterminación.

determinado, -da *adj.* ① Que es uno en particular o con características bien definidas: *en determinados momentos, es mejor actuar.* **SIN** cierto. **‖** *adj./s. m.* ② Se aplica al artículo gramatical que hace referencia a algo conocido por los hablantes: *los artículos determinados son "el", "la", "lo", "los" y "las".* **‖** *adj./s. m. y f.* ③ Se aplica a la persona que muestra valor o firmeza en la manera de actuar: *es una mujer muy determinada, no duda ante situaciones complicadas.*
FAM indeterminado.

determinante *s. m.* ① Palabra que acompaña al sustantivo y limita o concreta su significado; suele ir delante del sustantivo y concordar en género y número con él: *"mi" es un determinante en la oración "mi casa".* ■ **determinante demostrativo** Determinante que señala a una persona o cosa, situándola en el espacio según la distancia a la que se encuentra del hablante: *"este", "ese" y "aquel" son determinantes demostrativos.* ■ **determinante exclamativo** Determinante que destaca la cantidad o intensidad del nombre al que acompaña: *en "¡qué cosas se te ocurren!", "qué" funciona como determinante exclamativo.* ■ **determinante indefinido** Determinante que añade al sustantivo una idea de imprecisión: *"algún" es un determinante indefinido.* ■ **determinante interrogativo** Determinante que pregunta por la naturaleza o cantidad del nombre al que acompaña: *en "¿qué libro lees?", "qué" funciona como determinante interrogativo.* ■ **determinante numeral** Determinante que sirve para indicar cantidad, orden, partición o multiplicación: *"décimo", "ocho" y "doceavo" son determinantes numerales.* ■ **determinante posesivo** Determinante que expresa posesión o pertenencia: *"mi" y "su" son determinantes posesivos.* ② Polinomio o número que se forma a partir de los elementos de una matriz adecuada.

determinar *v. tr.* ① Tomar una decisión: *determinó que nos acompañaría a última hora.* ② Fijar de manera clara y exacta una información o los límites de una cosa: *la Constitución determina que todos somos iguales.* ③ Averiguar una cosa a partir de las informaciones que se conocen. ④ Fijar una cosa para algún fin: *determinar día y hora para la visita.* ⑤ Ser causa o motivo de una cosa o de una acción: *los pocos rendimientos han determinado el cierre de la fábrica.* ⑥ Limitar o concretar la refe-

rencia de un sustantivo: *los adjetivos numerales determinan al sustantivo al que acompañan.*
FAM determinación, determinado, determinante, determinativo, determinismo; predeterminar.

determinativo, -va *adj.* ① Que determina o resuelve. **‖** *adj./s. m.* ② Se aplica al adjetivo que especifica al sustantivo al que acompaña.

determinismo *s. m.* Doctrina filosófica que considera que los acontecimiento no se pueden evitar por estar sujetos a una fuerza superior: *los filósofos estoicos creían en el determinismo.* **SIN** fatalismo.
FAM determinista; indeterminismo.

determinista *adj.* ① Relativo al determinismo. **‖** *adj./s. com.* ② Se aplica a la persona que sigue la doctrina filosófica del determinismo.

detestar *v. tr.* Sentir aversión hacia una persona o cosa, sin llegar al odio, de modo que cause rechazo o repugnancia. **ANT** amar.
FAM detestable.

detonación *s. f.* ① Explosión que produce mucho ruido. ② Explosión rápida capaz de iniciar la de un explosivo de mayor potencia. ③ Ruido que provoca una explosión.

detonador, -ra *adj.* ① Que provoca o es capaz de provocar una detonación. **‖** *adj./s. m.* ② Que puede provocar o desencadenar una acción o proceso: *la presentación del proyecto de ley ha sido el detonador del conflicto laboral.* **SIN** detonante. **‖** *s. m.* ③ Dispositivo que sirve para hacer estallar una carga explosiva: *la policía se ha incautado de 25 detonadores.*

detonante *adj./s. m.* ① Se aplica al producto o la sustancia que puede detonar o hacer estallar una carga explosiva: *falló el detonante de la bomba.* ② Que puede provocar o desencadenar una acción o proceso: *el detonante de la caída de la bolsa fue la subida del precio del petróleo.* **SIN** detonador.
FAM antidetonante.

detonar *v. intr.* ① Explotar haciendo ruido: *la bombona de butano detonó y produjo la confusión entre los vecinos.* **‖** *v. tr.* ② Hacer estallar una carga explosiva: *detonaron la carga que hizo volar el edificio.*
FAM detonación, detonador, detonante.

detractor, -ra *adj./s. m. y f.* Se aplica a la persona que critica a otra persona o cosa por no estar de acuerdo con ella.

detraer [46] *v. tr.* Restar o tomar parte de una cosa: *el dueño del piso detrajo parte de la fianza para arreglar algunos desperfectos en la pintura.*
FAM detracción.

detrás *adv.* En la zona posterior a aquella en la que se encuentra lo que se toma como punto de referencia: *detrás de esa caja está lo que buscas.* **SIN** atrás. **ANT** delante.
por detrás Indica que una cosa, especialmente negativa, se hace sin estar presente determinada persona: *criticar por detrás.*

detrimento *s. m.* Daño moral o material: *yo pensaba que iba a recomendarme, pero sus palabras han sido en detrimento mío.*

detrítico, -ca *adj.* ① Que está formado o compuesto por detritos. ② Se aplica a la roca sedimentaria que está formada por restos de otras rocas transportados por el viento, el agua o los glaciares: *la arcilla es una roca detrítica de grano muy fino.*

detrito *s. m.* Resultado de la descomposición de una masa sólida en partículas: *la hulla se forma a partir de detritos vegetales.* **SIN** detritus.
FAM detrítico.

detritus *s. m.* Detrito.
OBS Plural invariable.

deuda *s. f.* [1] Obligación que tiene una persona de pagar o devolver una cosa, generalmente dinero: *los países subdesarrollados tienen una elevada deuda externa con el Banco Mundial y el Fondo Monetario Internacional.* ■ **deuda pública** Deuda que el Estado tiene reconocida por medio de títulos para equilibrar ingresos y gastos. [2] Cantidad de dinero que se debe pagar: *me perdonan una deuda de cien euros.* **SIN** débito. [3] Obligación moral que una persona contrae con otra: *tengo una deuda con él por la ayuda que me prestó.* **FAM** adeudar, endeudar.

deudo, -da *s. m. y f.* culto Pariente (persona).

deudor, -ra *adj./s. m. y f.* Se aplica a la persona que debe, especialmente una cantidad de dinero que le ha sido prestada: *fue a ver a su deudor porque necesitaba el dinero que le había prestado.* **ANT** acreedor.

deuterio *s. m.* Isótopo del hidrógeno de símbolo *D*, número atómico 1 y número másico 2; es un gas inodoro, incoloro e inflamable que en combinación con el oxígeno da lugar al agua pesada.

deutón *s. m.* Núcleo del átomo del deuterio, constituido por un neutrón y un protón.

devaluación *s. f.* Disminución del valor o del precio de una moneda o de otra cosa. **SIN** depreciación, desvalorización.

devaluar *v. tr.* Disminuir el valor o el precio de una moneda o de otra cosa. **SIN** depreciar, desvalorizar.
FAM devaluación.
OBS Verbo regular, se acentúa como *actuar.*

devanar *v. tr.* [1] Enrollar un hilo alrededor de un eje formando un ovillo. | *v. prnl.* [2] **devanarse** CUBA, GUAT., MÉX. Retorcerse de risa o dolor.
FAM devanador.

devaneo *s. m.* [1] Relación amorosa superficial que dura poco tiempo. **SIN** amorío. [2] Pérdida de tiempo en cosas sin importancia: *siempre se escaquea del trabajo con devaneos.*

devastador, -ra *adj.* Que destruye por completo un territorio o lo que hay en él.

devastar *v. tr.* Destruir totalmente un territorio o lo que hay en él. **SIN** arrasar, asolar, desolar.
FAM devastación, devastador.

devengar *v. tr.* Tener derecho a una cantidad de dinero como pago por un trabajo o servicio.
FAM devengo.

devenir¹ [48] *v. intr.* [1] culto Ocurrir o producirse un hecho. [2] Transformarse una cosa o persona en otra: *su nerviosismo devino en enfermedad; su máxima ambición, según decía, era devenir santo y ser subido a los altares.*

devenir² *s. m.* [1] Proceso mediante el cual ocurre o llega a ser una cosa. [2] Proceso o cambio continuo de la realidad: *Heráclito afirmó que el universo es un continuo devenir.*

devoción *s. f.* [1] Sentimiento de profundo respeto y admiración inspirado por la dignidad, la virtud o los méritos de una persona, una institución, una causa, etc.: *siente devoción por sus abuelos.* [2] En la religión cristiana, sentimiento y deseo de veneración a Dios, que se manifiesta especialmente en actos o servicios piadosos hechos con gran cuidado y atención: *rezar con devoción.* [3] Práctica religiosa dirigida a la Virgen, los santos o a objetos sagrados, como medio de canalizar este sentimiento o deseo: *devoción a María; la devoción a la cruz.*
FAM devocionario.

devocionario *s. m.* Libro que contiene oraciones para uso de los fieles.

devolución *s. f.* [1] Entrega a una persona de lo que había prestado. [2] Entrega al vendedor de una cosa que se ha comprado a cambio de su importe: *para las devoluciones es preciso presentar el ticket de compra.*

devolver [6] *v. tr.* [1] Entregar a una persona lo que había prestado. [2] Entregar a un vendedor una cosa que se ha comprado a cambio de su importe. [3] Hacer que una persona o cosa vuelva a estar donde o como estaba antes: *lo van a devolver al mismo puesto de trabajo que ocupaba.* [4] Entregar el dinero que sobra de un pago a la persona que lo efectúa. | *v. tr./intr.* [5] familiar Vomitar, expulsar violentamente por la boca la comida que está en el estómago: *tenía jaqueca y devolvió la cena.* | *v. prnl.* [6] **devolverse** AMÉR. Volver al lugar de donde se partió.
FAM devolución, devuelto.
OBS Participio irregular: *devuelto.*

devoniano, -na V. devónico, -ca.

devónico, -ca *adj./s. m.* [1] Se aplica al periodo geológico que es el cuarto de la era paleozoica o primaria, sigue al periodo silúrico y precede al periodo carbonífero; se extiende desde hace unos 395 millones de años hasta hace unos 360 millones de años. **SIN** devoniano. | *adj.* [2] Relativo a este periodo geológico. **SIN** devoniano.

devorar *v. tr.* [1] Comer con ansia y rapidez. [2] Comer un animal a otro: *el leopardo devora gacelas para alimentarse.* [3] Destruir el fuego una cosa por completo: *el fuego devoró el edificio en horas.* [4] Realizar una acción con mucho interés y rapidez: *he devorado el libro en pocas horas porque me ha entusiasmado.*
FAM devorador.

devoto, -ta *adj./s. m. y f.* [1] Que inspira devoción. [2] Se aplica a la persona que es muy religiosa y lo demuestra con sus actos. **SIN** piadoso, pío. [3] Que siente afecto especial por una persona o una cosa: *es un devoto de la poesía.*

devuelto, -ta Participio irregular de *devolver.*

dextrosa *s. f.* Glucosa, especialmente la que contiene la fruta.

deyección *s. f.* [1] Expulsión de excrementos por el ano. **SIN** deposición. [2] Materia de residuos de alimento que elimina el organismo por el ano tras la digestión. **NOTA** Más en plural. **SIN** excremento, deposición, heces. | *s. m.* [3] Conjunto de materiales geológicos arrojados por un volcán o procedentes de la disgregación de las rocas.

día *s. m.* [1] Tiempo que emplea la Tierra en dar una vuelta sobre sí misma, normalmente desde las doce de la noche hasta veinticuatro horas después: *el mes de febrero tiene veintiocho días.* ■ **día de fiesta** Día en que no se trabaja por ser considerado fiesta por la Iglesia o el Estado. ■ **día del juicio final** Último día en que, según la religión católica, Dios juzgará a vivos y muertos. ■ **día laborable** Día en que se trabaja. ■ **día lectivo** Día en que se dan clases en los centros de enseñanza. ■ **día sideral** o **día sidéreo** Intervalo de tiempo que separa dos pasos consecutivos del punto vernal por el meridiano de un lugar y que equivale a 23 h, 56 m y 4 s. ■ **día solar medio** Intervalo de tiempo que separa dos

pasos consecutivos por el meridiano de un lugar de un sol ficticio que se supone que se desplaza a una velocidad constante por el ecuador celeste. ② Tiempo que dura la claridad del Sol sobre el horizonte. **ANT** noche. ③ Fiesta del santo o el cumpleaños de una persona. ‖ *s. m. pl.* ④ **días** Tiempo que dura la vida de una persona: *pasó la mayor parte de sus días en su pueblo natal.*
al día Sin retraso o con información actual: *lleva su diario al día.*
buenos días Saludo que se usa durante la mañana.
de día Mientras dura la luz del Sol.
de día en día A diario.
día y noche Durante todo el tiempo.
el día de mañana El futuro, el tiempo que todavía no ha llegado.
en su día A su debido tiempo: *ya hablamos de este asunto en su día.*
FAM diario, diurno; mediodía.
diabetes *s. f.* Enfermedad caracterizada por una concentración muy alta de azúcar en la sangre, debido a la ausencia total o parcial de insulina: *debe inyectarse insulina a causa de su diabetes.*
FAM diabético.
OBS Plural invariable.
diabético, -ca *adj.* ① Relativo a la diabetes: *los pacientes diabéticos deben cuidarse mucho.* ‖ *adj./s. m. y f.* ② Se aplica a la persona que padece diabetes.
diablesa V. diablo, -blesa.
diablillo *s. m.* Persona muy inquieta y revoltosa, especialmente si se trata de un niño. **SIN** demonio, diablo.
diablo, -blesa *s. m. y f.* ① Ser sobrenatural o espíritu que en diversas creencias y religiones representa las fuerzas del mal: *según la tradición hebrea, el diablo es un ángel que se rebela contra Dios.* **SIN** demonio. ‖ *s. m.* ② Persona muy inquieta y revoltosa, especialmente si se trata de un niño. **SIN** demonio, diablillo.
¡al diablo! Indica impaciencia o enfado por parte de quien lo dice.
del diablo o **de mil diablos** o **de todos los diablos** Expresión con la que se aumenta una cualidad o un estado negativos: *un enfado de mil diablos.*
llevárselo el diablo (o **los diablos**) Enfadarse mucho: *se lo llevan los diablos cada vez que le mientes.*
pobre diablo Persona infeliz o bonachona: *ese chico no te conviene, no es más que un pobre diablo.*
tener el diablo en el cuerpo Ser muy astuto o travieso.
FAM diablesco, diablillo, diablismo, diablura, diabólico; endiablar.
diablura *s. f.* Acción mala de poca importancia, cometida sin malicia, especialmente la que comete un niño para divertirse o para burlarse de una persona o cosa. **SIN** travesura.
diabólico, -ca *adj.* ① Se aplica a la cosa o persona que tiene o muestra una maldad muy grande: *una idea diabólica.* ② Que es muy difícil de entender, resolver o dominar: *algunos crucigramas son diabólicos.* **SIN** endiablado, endemoniado. ③ Relativo al diablo: *la magia negra es un rito diabólico.*
diábolo *s. m.* ① Juguete que consiste en hacer girar un carrete formado por dos conos unidos por sus vértices sobre una cuerda que está sujeta por dos palos que se mueven con las manos. ② Objeto con el que se practica este juego.
FAM diabólico.

diaclasa *s. f.* Grieta o hendidura de una roca causada por los esfuerzos tangenciales de la superficie terrestre.
diaconato *s. m.* Segunda de las órdenes mayores por la cual se otorga a un hombre católico el cargo y las atribuciones del diácono.
diácono *s. m.* Clérigo católico que ha recibido la segunda de las órdenes mayores, anterior al sacerdocio: *los diáconos pueden estar casados.*
FAM diaconal, diaconato; subdiácono.
diacrítico, -ca *adj.* ① Se aplica al signo ortográfico que da un valor especial a una letra, como la diéresis. ② Se aplica al acento ortográfico o tilde que sirve para distinguir palabras que tienen la misma forma, pero diferente función gramatical.
diacronía *s. f.* ① Evolución de una cosa a través del tiempo, especialmente de una lengua o de un fenómeno lingüístico: *el objeto de esta asignatura es el estudio de la diacronía del castellano.* ② Término propuesto por F. de Saussure para designar el estudio de la evolución de una lengua o un fenómeno lingüístico o a través del tiempo. **ANT** sincronía.
FAM diacrónico.
diacrónico, -ca *adj.* Relativo a los fenómenos que se suceden a través del tiempo, y a su estudio. **ANT** sincrónico.
diadema *s. f.* ① Adorno femenino que tiene forma de medio círculo abierto por detrás y se pone en la cabeza. ② Corona redonda y sencilla. ③ Cinta blanca que llevaban los reyes alrededor de la cabeza como insignia de su dignidad.
diafanidad *s. f.* Gran claridad o facilidad de ser entendida una cosa.
diáfano, -na *adj.* ① Que es muy claro o fácil de entender: *su actitud conmigo fue noble y diáfana.* ② Que deja pasar la luz casi en su totalidad: *adornó las ventanas con cortinas diáfanas.* ③ Que tiene una gran cantidad de luz o de claridad: *da gusto vivir en una casa tan diáfana.* ④ Se aplica a la planta de un edificio que tiene pocas columnas y no está dividida por paredes para que resulte un espacio grande y abierto.
FAM diafanidad.
diáfisis *s. f.* Parte tubular de un hueso largo, comprendida entre los dos extremos o epífisis.
OBS Plural invariable.
diafragma *s. m.* ① Músculo interior que separa el tórax del abdomen en el cuerpo de los mamíferos; es fundamental para la respiración: *la contracción del diafragma produce hipo.* ② Dispositivo situado en el objetivo de una cámara fotográfica para dejar pasar en cada momento la cantidad de luz necesaria. ③ Membrana que transmite las ondas sonoras a un amplificador. ④ Membrana de un material flexible y fino con forma de disco que se coloca en la vagina para impedir el embarazo. ⑤ Membrana de separación entre dos cavidades de una máquina.
FAM diafragmático.
diagnosis *s. f.* ① Determinación o identificación de una enfermedad mediante el examen de los síntomas que presenta. **SIN** diagnóstico. ② Examen de una cosa, un hecho o una situación para buscar solución a sus males. **SIN** diagnóstico.
FAM diagnóstico.
OBS Plural invariable.
diagnosticar *v. tr.* ① Determinar o identificar una enfermedad mediante el examen de los síntomas que presenta. ② Examinar una cosa, un hecho o una situación para buscar solución a sus males.

diagnóstico *s. m.* ① Determinación o identificación de una enfermedad mediante el examen de los síntomas que presenta. **SIN** diagnosis. ② Examen de una cosa, un hecho o una situación para buscar solución a sus males. **SIN** diagnosis.
FAM diagnosticar.

diagonal *adj./s. f.* ① Se aplica al segmento rectilíneo que une dos vértices no consecutivos en una figura geométrica: *la diagonal divide un cuadrado en dos triángulos.* ② Se aplica a la línea, calle, camino o carretera que se cruza y corta a otro u otros con los que no forma ángulo recto: *si vas por la próxima diagonal de esta calle, llegarás antes.*

diagrama *s. m.* Representación gráfica de las variaciones de un fenómeno, de una serie de datos o de las relaciones que tienen los elementos de un conjunto. ■ **diagrama cartesiano** Diagrama formado por dos ejes perpendiculares (eje X o de abscisas y eje Y o de ordenadas) en el que se representan puntos del plano. ■ **diagrama de barras** Diagrama empleado para representar sobre unos ejes las frecuencias que alcanza una variable estadística discreta; consiste en una serie de trazos verticales, situados sobre cada uno de los diferentes valores de la variable, y de altura proporcional a la frecuencia de cada valor. ■ **diagrama de dispersión** Diagrama en el que se representan mediante puntos los valores que toma una variable estadística bidimensional. ■ **diagrama de sectores** Diagrama de frecuencias que se representa con un círculo dividido en varios sectores circulares, de forma que el tamaño de cada uno de ellos sea proporcional a la frecuencia representada. ■ **diagrama de Venn** Representación gráfica de ciertas operaciones matemáticas, como la unión y la intersección, que se usa en la teoría de conjuntos.
FAM diagramar.

dial *s. m.* ① Superficie con letras o números que sirve para seleccionar, mediante un indicador, el número de un teléfono o la emisora en un aparato de radio o televisión: *mueve el dial de la radio hacia la derecha y encontrarás la emisora que buscamos.* ② Superficie graduada que, mediante un indicador, mide una magnitud determinada: *el dial del peso marcó un kilo.*

dialectal *adj.* ① Relativo al dialecto: *España es un país con una gran riqueza dialectal.* ② Se aplica a la palabra, frase o modo de expresión que es propio de un dialecto: *"guagua" es un término dialectal.*
FAM dialectalismo.

dialectalismo *s. m.* Voz o giro procedente de un dialecto, que se incorpora a la lengua general.

dialéctica *s. f.* ① Técnica de dialogar y discutir mediante el intercambio de razonamientos y argumentaciones. ② Conjunto de razonamientos y argumentaciones de un discurso o una discusión y modo de ordenarlos: *la dialéctica del orador fue sencilla, pero convincente.* ③ Parte de la filosofía que trata de las reglas y formas de los razonamientos: *Hegel fue un filósofo que estudió a fondo la dialéctica.* ④ Técnica de razonamiento que intenta descubrir la verdad mediante la exposición y confrontación de argumentos contrarios entre sí.
FAM dialéctico.

dialéctico, -ca *adj.* Relativo a la dialéctica: *durante la mesa redonda se respetó el turno dialéctico.*

dialecto *s. m.* ① Modalidad y conjunto de características adoptadas por una lengua en un determinado territorio, que no han llegado a constituir un modelo de lengua. ② Sistema lingüístico con respecto a la lengua de la que procede: *el castellano y el leonés son dialectos del latín.*
FAM dialectal, dialectología.

dialectología *s. f.* Parte de la lingüística que estudia el conjunto de dialectos que derivan de una lengua común.
FAM dialectológico, dialectólogo.

dialectológico, -ca *adj.* Relativo a la dialectología.

diálisis *s. f.* ① Técnica de purificación de la sangre que se aplica a la persona cuyos riñones no realizan correctamente esa función. **SIN** hemodiálisis. ② Proceso de separación de las partículas coloidales de una disolución mediante el uso de membranas especiales que permiten el paso de moléculas e iones.
FAM hemodiálisis.

dialogante *adj.* Se aplica a la persona que está dispuesta a dialogar y a discutir las cosas sin imponer su criterio: *tiene un carácter abierto y dialogante.*

dialogar *v. intr.* ① Hablar dos o más personas entre ellas: *en la fiesta, los amigos dialogaban amablemente.* **SIN** conversar. ② Discutir sobre un asunto o sobre un problema con la intención de llegar a un acuerdo o de encontrar una solución: *los gobernantes dialogaron durante varios días sobre el grave problema del hambre en el mundo.* **SIN** parlamentar. ‖ *v. tr.* ③ Escribir un texto en forma de diálogo.
FAM dialogante.

dialogismo *s. m.* Figura retórica que consiste en que la persona que habla reproduzca el diálogo exacto entre varios personajes de una obra o presente a una persona en diálogo consigo misma.

diálogo *s. m.* ① Conversación entre dos o más personas que exponen sus ideas alternativamente: *el diálogo forma parte de textos literarios como los cuentos, las novelas y, sobre todo, las obras de teatro.* **SIN** coloquio. **ANT** monólogo. ② Discusión sobre un asunto o sobre un problema con la intención de llegar a un acuerdo o de encontrar una solución: *no debe romperse nunca el diálogo sobre el desarme nuclear.* ③ Género y obra literarios, en prosa o en verso, que se caracterizan porque dos o más personajes conversan y discuten acerca de varios temas; generalmente de tipo didáctico o filosófico: *fray Antonio de Guevara cultivó el diálogo.*
diálogo de besugos o **diálogo de sordos** familiar Conversación en la que los participantes no siguen una lógica con respecto a los temas y argumentos de los demás.
FAM dialogal, dialogar, dialoguista.

diamante *s. m.* ① Piedra preciosa incolora, compuesta totalmente de carbono puro cristalizado en el sistema cúbico, muy apreciada por su transparencia, brillo y dureza: *tu pulsera de diamantes es admirable y muy bella.* ■ **diamante brillante** Diamante que está tallado por las dos caras. **NOTA** También simplemente *brillante.* ■ **diamante en bruto** Diamante que está sin pulir. ② Carta de la baraja francesa en la que aparecen representados uno o varios rombos de color rojo: *debes tirar un corazón o un diamante.* **SIN** rombo. ‖ *s. m. pl.* ③ **diamantes** Palo de la baraja francesa que se representa con uno o varios rombos de color rojo: *as de diamantes.* **SIN** rombos.
diamante en bruto Persona o cosa que tiene o parece tener un gran valor, pero le falta aprendizaje o educación: *han fichado un diamante en bruto.*
FAM diamantino.

diamantino, -na *adj.* ① Relativo al diamante: *aguanta los* *sufrimientos con dureza diamantina.* **2** Que es muy duro o muy brillante, como el diamante.

diametral *adj.* **1** Relativo al diámetro: *la medida diametral de esta circunferencia es de 5 cm.* **2** Se aplica a la diferencia o distancia que es totalmente opuesta a otra cosa que se menciona: *entre tu ideología y la mía hay una distancia diametral.* **FAM** diametralmente.

diámetro *s. m.* **1** Segmento rectilíneo que une dos puntos de una circunferencia o de la superficie de una esfera pasando por su centro. **2** Línea recta que pasa por el centro de otras curvas y divide por la mitad un sistema de cuerdas paralelas. **FAM** diametral.

diana *s. f.* **1** Punto central de un blanco de tiro. **2** Superficie redonda que tiene dibujados varios círculos concéntricos y que se utiliza como blanco de tiro: *te aconsejo que no pongas ninguna diana en el bar.* **3** Sonido o toque militar que se da al amanecer para que los soldados se levanten de la cama: *siempre estoy profundamente dormido cuando tocan diana.*
dar en la diana Dar con lo acertado: *al contratar al nuevo cajero dio en la diana.*

diantre *s. m.* **1** familiar Persona muy inquieta y revoltosa, especialmente si se trata de un niño: *cuando se juntan con otros, mis hijos se convierten en unos diantres.* **I** *int.* **2** **¡diantre!** Indica sorpresa, disgusto o admiración: *¡diantre! ¡Lo ha conseguido!*

diapasón *s. m.* **1** Instrumento constituido por una barra metálica en forma de U que, al golpearlo, vibra y produce un sonido, generalmente la nota la, que sirve de referencia para afinar o entonar instrumentos musicales o la voz. **SIN** batidor. **2** Pieza de madera que cubre el mástil o palo de los instrumentos musicales de cuerda: *el diapasón de esta guitarra es largo y estrecho.* **3** Intervalo de una octava.

diapausa *s. f.* Periodo de inactividad en el desarrollo larvario de algunos insectos, durante el cual se produce una disminución del metabolismo y, como consecuencia, la interrupción del proceso embrionario.

diapositiva *s. f.* Fotografía sacada directamente en positivo y en película u otro material transparente, que se proyecta mediante un aparato especial sobre una pantalla. **SIN** filmina.

diario, -ria *adj.* **1** Que ocurre o se repite todos los días. **SIN** cotidiano. **I** *s. m.* **2** Libro o cuaderno en el que una persona va escribiendo día a día, o con frecuencia, hechos de su vida personal, junto con sus pensamientos y sentimientos: *las obras literarias pueden ser escritas en forma de diario del protagonista.* ■ **diario de a bordo** Libro en el que la persona que manda una embarcación anota los hechos que suceden en un viaje. **3** Periódico que se publica todos los días. ■ **diario hablado** Emisión de noticias por radio.
a diario Todos los días: *debes cepillarte los dientes a diario.*
de diario Que se usa o sucede cotidianamente, en días laborables: *ropa de diario; vajilla de diario.* **FAM** diarismo; telediario.

diarismo *s. m.* AMÉR. Periodismo.

diarrea *s. f.* Alteración del aparato digestivo que se manifiesta con la expulsión frecuente de excrementos líquidos o semilíquidos. **SIN** descomposición. **ANT** estreñimiento.
diarrea mental familiar Confusión de ideas o ausencia de lógica en los razonamientos: *ha leído muchos libros, pero de un modo tan rápido y desordenado que tiene una gran diarrea mental.*

diartrosis *s. f.* Tratamiento aislado y particular que se da en

la escultura griega a cada miembro de la figura, para integrarlo después en el conjunto.
OBS Plural invariable.

diáspora *s. f.* **1** Dispersión de un pueblo o comunidad humana, especialmente de los judíos, por diversos lugares del mundo: *en tiempos de Jesús, muchos judíos vivían la diáspora, repartidos por Egipto, Roma y otros lugares.* **2** Dispersión de un grupo numeroso de personas: *al pie de la montaña se produjo la diáspora de los excursionistas.*

diástole *s. f.* Fase de relajación de las paredes ventriculares que produce el retroceso de la sangre de las arterias hacia el corazón: *la sístole y la diástole son dos movimientos del corazón.*

diatomea *adj./s. f.* **1** Se aplica al alga unicelular microscópica que a veces forma filamentos o colonias, que tiene concha, es de color pardo y habita en el mar y en el agua dulce. **I** *s. f. pl.* **2** **diatomeas** Grupo taxonómico, con categoría de filo, constituido por estas algas.

diatónico, -ca *adj.* Se aplica a la escala musical que está formada por cinco tonos y dos semitonos: *la escala más usada en la música occidental es la diatónica.* **ANT** cromático.

diatriba *s. f.* Discurso hablado o escrito que es ofensivo y violento contra una persona, un grupo o una cosa: *el orador lanzó una cruel diatriba contra sus oponentes.*

dibujante *s. com.* Persona que se dedica a dibujar: *me gusta esta revista por la calidad de sus dibujantes.*

dibujar *v. tr.* **1** Representar la figura de una persona, un animal o una cosa en una superficie mediante líneas trazadas con instrumentos adecuados, como un lápiz, una pluma, etc. **2** Describir o contar con gran viveza y fidelidad la realidad. **I** *v. prnl.* **3** **dibujarse** Mostrarse una cosa de forma imprecisa: *allí se dibuja un camino: ojalá sea el que buscamos.* **FAM** dibujante, dibujo; desdibujarse.

dibujo *s. m.* **1** Técnica de dibujar: *no se me da bien la asignatura de dibujo.* **2** Representación gráfica hecha fundamentalmente por medio del trazo de líneas sobre una superficie con lápiz, tinta, carboncillo y, menos frecuentemente, con pincel: *el dibujo admite también el sombrea-do y, en ocasiones, puede colorearse posteriormente.* **3** En una pintura, delineación de las figuras y su ordenación general, consideradas con independencia del colorido. **4** Forma que resulta de combinar las líneas, figuras y otros elementos que adornan una cosa: *esa corbata no tiene un dibujo muy bonito.*
dibujos animados Película en la que los personajes son figuras dibujadas que se mueven gracias a técnicas de animación.

dicción *s. f.* **1** Manera de pronunciar de una persona: *como es extranjero, su dicción se me hace extraña.* **SIN** pronunciación. **2** Conjunto de características que definen la manera de hablar y escribir de una persona: *el profesor tiene una dicción muy esmerada.* **FAM** diccionario.

diccionario *s. m.* Libro de consulta en el que se recoge, generalmente en orden alfabético, un conjunto de palabras de una o más lenguas o de una materia determinada, con su definición o traducción, y otro tipo de información léxica como sinónimos, etimología, etc. ■ **diccionario de uso** Diccionario en el que se informa sobre el uso correcto de las palabras que contiene. ■ **diccionario enciclopédico** Libro de consulta en el que se recogen y definen, por orden alfabético, además de un conjunto de palabras de la lengua, nombres propios, términos técnicos, denominaciones geográficas e in-

formación enciclopédica sobre diversos términos. ■ **diccionario ideológico** Diccionario en el que las palabras se distribuyen en campos léxicos.
FAM diccionarista.

diccionarista *s. com.* Persona que se dedica a elaborar o redactar diccionarios. **SIN** lexicógrafo.

díceres *s. m. pl.* AMÉR. Habladurías, murmuraciones.

dicha *s. f.* ① Sentimiento de gran alegría, bienestar y satisfacción. **SIN** felicidad. **ANT** infelicidad. ② Acontecimiento o situación que causa este sentimiento: *tuvo la dicha de encontrar un trabajo.* **SIN** felicidad.
FAM dichoso; desdichado.

dicharachero, -ra *adj./s. m. y f.* Se aplica a la persona que tiene una conversación amena y ocurrente.

dicho ① Participio irregular de *decir.* ❙ *s. m.* ② Palabra o conjunto de palabras mediante las cuales se dice una cosa o se expresa una idea, especialmente si tiene gracia o contiene una sentencia. **SIN** decir.
dicho y hecho Expresión que indica que una cosa se hace en el momento, de forma inmediata.
mejor dicho Expresión que aclara o concreta una palabra o una frase anterior.
FAM dicharacho.

dichoso, -sa *adj.* ① Que siente o proporciona una gran alegría, bienestar y satisfacción. ② fam. desp. Que desagrada, causa enfado o fastidio: *esos dichosos golpes en la pared no me dejan dormir.* ③ Que es poco acertado o afortunado: *¡dichoso el día que te conocí!* **NOTA** Frecuentemente usado de forma irónica. En esta acepción, va antepuesto al sustantivo.

diciembre *s. m.* Duodécimo y último mes del año: *diciembre tiene 31 días.*

dicigótico, -ca [también **dizigótico, -ca**] *adj.* Se aplica al mamífero que ha sido engendrado a partir de un óvulo diferente al óvulo del que se ha originado su hermano en el mismo momento; cada uno de los dos embriones resultantes de la fecundación poseen su propia placenta. **SIN** bivitelino.

dicotiledóneo, -nea *adj./s. f.* ① Se aplica a la planta angiosperma cuyo embrión tiene dos cotiledones opuestos, o más de dos en un mismo plano alrededor de un eje: *el girasol es una planta dicotiledónea.* ❙ *s. f. pl.* ② **dicotiledóneas** Grupo taxonómico, con categoría de clase, constituido por estas plantas.

dicotomía *s. f.* División de una cosa o una materia en dos partes o grupos, generalmente opuestos entre sí: *la dicotomía entre las carreras de ciencias y letras obliga a una elección importante.*
FAM dicotómico.

dictado *s. m.* ① Discurso hablado o lectura de un texto que hace una persona para que otra u otras lo copien por escrito: *durante el dictado del profesor me distraje y perdí el hilo.* ② Texto escrito que una persona ha copiado fielmente de lo que otra dijo o leyó: *el dictado tenía dos faltas.* ❙ *s. m. pl.* ③ **dictados** Normas, indicaciones o sugerencias de la razón o la moral: *siguiendo los dictados de la lógica, tiré por el camino corto.*
escribir al dictado Escribir lo que una persona va dictando.

dictador, -ra *s. m. y f.* ① Soberano que recibe o se otorga el derecho de gobernar con poderes absolutos y sin someterse a ninguna ley: *las leyes de la democracia impiden que llegue un dictador al poder.* ❙ *adj./s. m. y f.* ② Se aplica a la persona que abusa

de su superioridad, de su fuerza o de su poder en su relación con los demás. **SIN** déspota, tirano. ❙ *s. m.* ③ Magistrado supremo elegido por los cónsules romanos para que gobernase como soberano en tiempos peligrosos de la República.
FAM dictadura, dictatorial.

dictadura *s. f.* ① Sistema político en el que una sola persona o un grupo gobierna con poder total, sin someterse a leyes ni a límites, impidiendo la intervención de otros y controlando todos los aspectos de la vida del Estado y de sus ciudadanos: *dictadura fascista; el marxismo planteaba la dictadura del proletariado.* **SIN** autocracia, totalitarismo. ② País que se gobierna con este sistema político. ③ Tiempo que dura el gobierno de un país por este sistema: *durante la dictadura hubo muchos abusos.*

dictáfono *s. m.* Aparato que graba y reproduce las palabras que se le dictan o las conversaciones: *algunos escritores usan un dictáfono para grabar las ideas que se les ocurren.*
OBS Es marca registrada.

dictamen *s. m.* ① Opinión técnica y experta que se da sobre un hecho o una cosa: *para formarnos un juicio sobre este asunto necesitamos el dictamen de un jurista.* ② Juicio que se emite sobre una cosa.

dictaminar *v. intr.* Dar una opinión técnica y experta sobre un hecho o una cosa: *la policía dictaminará acerca de las causas del asesinato.*

dictar *v. tr.* ① Hablar o leer un texto para que otra u otras lo copien por escrito: *el jefe dictó varias cartas a su secretario.* ② Publicar una cosa de forma oficial, especialmente una ley u otra disposición que se hace de una forma oficial o formal para que entre en vigor: *el Gobierno dictó una ley de cargos públicos.* **SIN** promulgar. ③ Empujar una cosa, especialmente un sentimiento o el sentido común, a hacer otra o a actuar de una determinada manera: *contrajo matrimonio con él porque se lo dictaban sus sentimientos.*
FAM dictado.

dictatorial *adj.* ① Relativo a la dictadura o al dictador: *los regímenes dictatoriales no garantizan las libertades básicas.* ② Que es excesivamente autoritario.

didáctica *s. f.* ① Parte de la pedagogía que se ocupa de los métodos y técnicas de la enseñanza. ② Género literario, escrito generalmente en prosa, que tiene como fin dar ciertas enseñanzas, especialmente morales, mediante explicaciones teóricas o mediante narraciones: *Baltasar Gracián cultivó la didáctica.*

didáctico, -ca *adj.* ① Relativo a la didáctica. ② Que enseña las cosas con mucha claridad y es útil para aprender. **SIN** pedagógico.
FAM didáctica, didactismo; autodidacta, autodidáctico.

didactismo *s. m.* Dominio de las técnicas y métodos de enseñanza: *da sus clases con gran didactismo.*

diecinueve *num. card.* ① Diez más nueve. ❙ *num. ord.* ② Que ocupa el lugar número 19 en una serie ordenada. **SIN** decimonoveno. ❙ *s. m.* ③ Número 19.
FAM diecinueveavo.

diecinueveavo, -va *num. part.* Se aplica a cada una de las partes que resultan de dividir un todo en diecinueve partes iguales.

dieciochavo, -va *num. part.* Dieciochoavo.

dieciochesco, -ca *adj.* Relativo al siglo XVIII: *es un enamorado del arte dieciochesco francés.*

dieciocho *num. card.* ① Diez más ocho. **|** *num. ord.* ② Que ocupa el lugar número 18 en una serie ordenada. SIN decimoctavo. **|** *s. m.* ③ Número 18.

FAM dieciochavo, dieciochesco, dieciochoavo.

dieciochoavo, -va *num. part.* Se aplica a cada una de las partes que resultan de dividir un todo en dieciocho partes iguales. SIN dieciochavo.

dieciséis *num. card.* ① Diez más seis. **|** *num. ord.* ② Que ocupa el lugar número 16 en una serie ordenada. SIN decimosexto. **|** *s. m.* ③ Número 16.

FAM dieciseisavo.

dieciseisavo, -va *num. part.* Se aplica a cada una de las partes que resultan de dividir un todo en dieciséis partes iguales.

diecisiete *num. card.* ① Diez más siete. **|** *num. ord.* ② Que ocupa el lugar número 17 en una serie ordenada. SIN decimoséptimo. **|** *s. m.* ③ Número 17.

FAM diecisieteavo.

diecisieteavo, -va *num. part.* Se aplica a cada una de las partes que resultan de dividir un todo en diecisiete partes iguales.

diedro *s. m.* En geometría, cada una de las cuatro regiones que determinan dos planos al cortarse en una recta.

dieléctrico, -ca *adj.* Se aplica al cuerpo o sustancia que es aislante o mal conductor de la electricidad.

diente *s. m.* ① Pieza dura y blanca que crece con otras en la boca del ser humano y otros animales; sirve para cortar y masticar los alimentos y, en los animales, también para defenderse. ■ **diente de leche** Diente que se cae y sustituye por otro durante el crecimiento de los niños. ② Punta o saliente que tiene el borde o superficie de una cosa, especialmente de ciertos instrumentos y herramientas: *diente de sierra*.

armarse hasta los dientes Proveerse de armas en gran cantidad.

dar diente con diente familiar Temblar de miedo o de frío.

decir (o hablar) entre dientes Refunfuñar o hablar muy bajo y de modo que no se entienda lo que se dice.

diente de ajo Parte en que se divide una cabeza de ajo con su tela y cáscara.

diente de león Planta compuesta perenne, de flores amarillas y pelillos blancos en el cáliz de la corola.

enseñar los dientes Advertir una persona de su intención de causar un daño o mal.

hincar (o meter) el diente (I) familiar Apropiarse de una cosa que pertenece a otra persona. (II) Empezar a comer. (III) Abordar un asunto con decisión y empezar a resolverlo.

no llegar a un diente Haber muy poca comida.

pelar el diente (I) AMÉR. CENTRAL, COL. Sonreír con coquetería. (II) MÉX., P. RICO, VENEZ. Decir palabras de admiración o adulación a una persona para ganar su voluntad o conseguir su favor.

poner los dientes largos familiar Dar envidia: *su vestido nuevo me ha puesto los dientes largos*.

FAM dentado, dentadura, dental, dentellar, dentera, dentífrico, dentina, dentista, dentudo; mondadientes.

diéresis *s. f.* ① Signo ortográfico (¨) que se coloca sobre una vocal para indicar que esta suena de forma distinta a la habitual; en la lengua española se coloca sobre la vocal *u* de las sílabas *gue* y *gui* cuando dicha vocal debe pronunciarse. ② Licencia poética por la que se deshace un diptongo, generalmente para que el verso tenga una sílaba más.

OBS Plural invariable.

diésel *s. m./adj.* ① Motor de explosión que funciona con gasóleo inyectado con aire a muy elevada temperatura por compresión previa. ② Vehículo provisto de este motor.

OBS Puede encontrarse la grafía *diesel*.

diestra *s. f.* Mano o pierna situada en el lado opuesto al que corresponde al corazón en el ser humano. SIN derecha. ANT izquierda, siniestra, zurda.

diestro, -tra *adj.* ① Se aplica a la persona que tiene capacidad, habilidad y experiencia en hacer una cosa o desarrollar una actividad: *es muy diestro reparando electrodomésticos*. SIN ducho. ② culto Que está en el lado derecho: *un buen futbolista debe saber chutar tanto con la pierna diestra como con la zurda*. ANT siniestro. **|** *adj./s. m. y f.* ③ Se aplica a la persona que tiene mayor habilidad con la mano y la pierna derechas: *se le cayó la bandeja porque, siendo diestro, la llevaba con la mano izquierda*. ANT zurdo. **|** *s. m.* ④ Persona que torea en las plazas de toros y a cuyo cargo está la dirección de la lidia del toro y su muerte. SIN espada, maestro, matador.

FAM diestra.

OBS Superlativo irregular: *destrísimo*.

dieta[1] *s. f.* ① Conjunto de comidas y bebidas que toma o debe tomar una persona que tiene regulada su alimentación: *la dieta mediterránea es un ejemplo de dieta equilibrada*. ② Regulación, generalmente privación, de la cantidad y el tipo de alimentos que debe tomar una persona. SIN régimen.

estar a dieta Tener una persona regulado su régimen de comidas.

FAM dietética.

dieta[2] *s. f.* ① Cantidad de dinero que se da a una persona para cubrir los gastos que le supone trabajar fuera de su residencia habitual: *mi empresa me abonará la dieta correspondiente a esta comida*. NOTA Más en plural. ② Asamblea nacional de algunos países europeos y de Japón: *la dieta suiza*.

FAM dietario.

dietario *s. m.* Libro en el que se anotan las cantidades de dinero que se reciben y gastan cada día.

dietética *s. f.* Parte de la medicina que estudia los tipos y reglas de la alimentación para mantener la salud o curar una enfermedad.

FAM dietético.

dietético, -ca *adj.* ① Relativo a la dietética. ② Se aplica al alimento que se toma como parte de una dieta.

diez *num. card.* ① Nueve más uno. **|** *num. part.* ② Que ocupa el lugar número 10 en una serie ordenada. SIN décimo. **|** *s. m.* ③ Número 10.

FAM diezmo; diecinueve, dieciocho, dieciséis, diecisiete, diezmilésimo.

diezmar *v. tr.* ① Causar gran cantidad de muertos, heridos o enfermos en un conjunto de personas, especialmente en una población: *el terremoto ha diezmado la ciudad*. ② Pagar el diezmo a la Iglesia.

diezmilésimo, -ma *num. ord.* ① Que ocupa el lugar número 10 000 en una serie ordenada. **|** *num. part.* ② Se aplica a cada una de las partes que resultan de dividir un todo en diez mil partes iguales.

diezmo *s. m.* ① Impuesto que se pagaba a la Iglesia, al rey o a un señor feudal, y consistía en una parte, generalmente la

décima, de los frutos y la cosecha. ② Impuesto de aduanas que pagaba el comerciante al rey y equivalía al diez por ciento del valor de sus mercancías.
FAM diezmar.

difamación *s. f.* Ofensa a una persona o un grupo en su fama o en su honra, especialmente en público o en un medio público: *es una difamación intolerable que digas que soborno a mis empleados.*

difamar *v. tr.* Insultar a una persona de palabra, ofendiendo su fama y su honor, especialmente en público o en un medio público.
FAM difamación, difamatorio.

difamatorio, -ria *adj.* Que difama: *fue un discurso difamatorio contra sus adversarios políticos.*

diferencia *s. f.* ① Cualidad, característica o circunstancia que hace que dos personas o cosas no sean iguales entre sí. **ANT** igualdad. ② Falta de acuerdo, oposición de ideas o disputa entre personas o grupos. ③ Cantidad que resulta de restar otras dos entre sí: *si resto veinte de treinta, la diferencia es diez.* ④ Distancia que hay entre dos términos consecutivos de una progresión aritmética.
diferencia de potencial Diferencia de tensión eléctrica entre dos puntos de un circuito, que permite el desplazamiento de las cargas del punto donde la tensión es mayor al punto donde es menor.
FAM diferenciación, diferencial, diferenciar.

diferenciación *s. f.* ① Determinación de la cualidad, característica o circunstancia que hace que dos personas o cosas no sean iguales entre sí. ② Operación matemática por la cual se determina una diferencial o una derivada.
diferenciación celular proceso por el que las células procedentes de la célula huevo se multiplican, creando nuevas células que se especializan y adaptan su estructura a la función que van a desempeñar.

diferencial *adj.* ① Que hace que dos personas o cosas no sean iguales entre sí. ‖ *s. m.* ② Mecanismo de un automóvil que hace que el movimiento de las ruedas que tienen el mismo eje sea independiente, de manera que en las curvas, las ruedas exteriores vayan a mayor velocidad que las interiores: *el diferencial permitió que no todas las ruedas tomaran la curva a la misma velocidad.* ‖ *s. m./adj.* ③ Elemento de una instalación eléctrica que desconecta automáticamente el paso de la corriente cuando se produce una derivación en algún aparato electrodoméstico, o en algún punto de la instalación: *la humedad en una conexión eléctrica puede provocar una derivación y desconectar el diferencial.* **NOTA** También *interruptor diferencial.* ‖ *s. f.* ④ Diferencia infinitamente pequeña de una variable: *la diferencial de esta variable se corresponde con un incremento muy pequeño de la función.*

diferenciar *v. tr.* ① Determinar la cualidad, característica o circunstancia que hace que dos personas o cosas no sean iguales entre sí. **SIN** distinguir. ② Hacer que una persona, un grupo o una cosa no sea igual que otras. ‖ *v. prnl.* ③ **diferenciarse** Dividirse en partes o elementos diferentes un tejido u órgano que forma un todo: *durante la germinación se diferencian las principales partes de una planta.* ④ Distinguirse entre los demás por una virtud o cualidad.
OBS Verbo regular, se acentúa como *cambiar.*

diferente *adj.* ① Que no es igual: *mi mochila es diferente de la tuya hasta en el color.* **SIN** distinto. ‖ *adj. pl.* ② Que son más de uno, que son varios: *este asunto se puede analizar desde diferentes perspectivas.* **SIN** distintos, diversos. ‖ *adv.* ③ De un modo distinto: *estos canapés saben diferente.* **SIN** distinto.
FAM diferencia; indiferente.

diferido Se usa en la expresión.
en diferido Se aplica a la transmisión de radio o televisión que se emite u ofrece al público un tiempo después de que haya sucedido.

diferir [9] *v. tr.* ① Retrasar o suspender la ejecución de una cosa. **SIN** aplazar. **ANT** adelantar, anticipar. ‖ *v. intr.* ② Ser diferente o distinguirse dos o varias cosas en algún aspecto: *estos dos proyectos difieren en muchas cosas.* ③ No estar de acuerdo una persona con otra en un asunto concreto: *difiero absolutamente de la ideología de mi hermano.* **SIN** discrepar, disentir, divergir.
FAM diferencia, diferente, diferido.

difícil *adj.* ① Que no se puede hacer, entender o conseguir sin emplear mucha habilidad, inteligencia o esfuerzo: *la filosofía me resulta una asignatura difícil.* **SIN** dificultoso. **ANT** fácil. ② Se aplica a la acción o el hecho que no es probable que suceda: *es difícil que me toque la lotería.* **ANT** fácil. ③ Se aplica a la persona que es de trato desagradable porque tiene mal carácter: *está siempre preocupado porque tiene una novia difícil.*
FAM dificultad, dificultar.

dificultad *s. f.* ① Obstáculo o inconveniente que impide o entorpece la realización o consecución de una cosa. **SIN** problema. ② Conjunto de circunstancias por las que no se puede hacer, entender o conseguir una cosa sin emplear mucha habilidad, inteligencia o esfuerzo. ③ Argumento que se opone a la opinión de alguien. ④ Característica principal de la cosa que es difícil.

dificultar *v. tr.* Poner obstáculos o inconvenientes que impidan o hagan difícil la realización o consecución de una cosa: *el viento dificultó la labor de los bomberos.* **SIN** entorpecer, obstaculizar. **ANT** facilitar, favorecer.
FAM dificultoso.

dificultoso, -sa *adj.* Que no se puede hacer, entender o conseguir sin emplear mucha habilidad, inteligencia o esfuerzo: *es un libro dificultoso porque usa muchas palabras técnicas.* **SIN** difícil. **ANT** fácil.

difracción *s. f.* Fenómeno físico por el cual un rayo de luz se desvía al interferir con otro o al pasar por el borde de un cuerpo opaco o por una abertura estrecha.

difteria *s. f.* Enfermedad grave que consiste en una infección de las vías respiratorias producida por un bacilo; se caracteriza por la formación de falsas membranas en mucosas, especialmente las de la faringe, la laringe, nariz y tráquea.

difuminar *v. tr.* ① Disminuir la claridad y exactitud de una cosa, especialmente de un paisaje, una figura o un objeto: *el humo del bar difuminaba las caras de los clientes.* ② Disminuir la intensidad de un color, un olor o un sonido, generalmente de modo progresivo: *nos alejábamos de la costa y el sonido del mar iba difuminándose en nuestros oídos.* ③ Frotar ligeramente con los dedos o con un objeto las líneas y colores de un dibujo para que pierdan claridad y exactitud: *algunos pintores difuminan las figuras del fondo de sus cuadros.*
FAM difuminado.

difumino *s. m.* Utensilio de dibujo que sirve para suavizar los colores y el contorno de las figuras y así crear sensación de movimiento y perspectiva; tiene forma de lápiz con una o dos puntas y está hecho con papel poroso fuertemente enrollado. **SIN** esfumino.

difundir *v. tr.* **1** Extender por el espacio en todas las direcciones: *abre la ventana y que se difunda el aire por toda la casa.* **2** Dar a conocer una cosa a un gran número de personas: *la canción fue difundida por los cinco continentes; el rumor se difundió por todo el colegio.* **SIN** aventar, airear, divulgar. **FAM** difusión, difusivo, difuso, difusor; radiodifundir.

difunto, -ta *adj./s. m. y f.* **1** Se aplica a la persona que ha muerto: *no permito que insultes el nombre de mi difunto padre.* **I** *s. m.* **2** Persona o animal sin vida: *velaron toda la noche el cuerpo del difunto.*

difusión *s. f.* **1** Extensión de una cosa por el espacio en todas direcciones: *este nuevo altavoz permitirá la difusión del sonido por todo el local.* **2** Conocimiento de una cosa por un gran número de personas: *la noticia del atentado tuvo una gran difusión.* **3** Falta de exactitud, claridad y brevedad, especialmente en un escrito. **4** Movimiento espontáneo de las moléculas que origina una distribución uniforme de la materia. **FAM** teledifusión.

difuso, -sa *adj.* Que es poco claro, exacto o concreto: *utiliza argumentos difusos.*

difusor, -ra *adj./s. m. y f.* **1** Que da a conocer una cosa a un gran número de personas. **I** *s. m.* **2** Parte de un aparato que extiende el aire en todas direcciones: *algunos secadores tienen un difusor.* **3** Pantalla que filtra la luz de las lámparas y permite dirigir los rayos luminosos según el efecto deseado.

digerible *adj.* Digestible.

digerir [9] *v. tr.* **1** Transformar en el aparato digestivo un alimento en sustancias que el organismo asimila. **2** Aceptar un hecho desgraciado y sobreponerse a él: *le costará digerir la muerte de su madre.* **3** Considerar o pensar con cuidado y atención: *está digiriendo la oferta que le han presentado.* **FAM** digerible, digestible, digestión, digestivo.

digestible *adj.* Que puede ser digerido con facilidad: *conviene tomar comidas digestibles como la fruta.* **SIN** digerible.

digestión *s. f.* Transformación, en el aparato digestivo, de un alimento en sustancias que el organismo asimila. **■ digestión celular** Transformación de macromoléculas llevada a cabo en los lisosomas del citoplasma por acción enzimática para obtener nuevas sustancias y energía.

digestivo, -va *adj.* **1** Relativo a la digestión o a los órganos que intervienen en este proceso: *aparato digestivo.* **I** *adj./s. m.* **2** Se aplica a la cosa, generalmente una sustancia, que facilita la digestión de los alimentos. **FAM** indigesto.

digitación *s. f.* **1** Técnica del movimiento y de la utilización de los dedos al tocar un instrumento musical. **2** Conjunto de números que indican el dedo que ha de usarse para la ejecución de cada nota musical con un instrumento: *la digitación para piano se indica poniendo un número sobre algunas de las notas del pentagrama: el 1 equivale al pulgar, y el 5 al meñique.*

digitado, -da *adj.* Se aplica al animal que tiene libres los dedos de las cuatro patas.

digital *adj.* **1** Relativo a los dedos. **SIN** dactilar. **2** Se aplica al aparato o instrumento de medición que suministra la información mediante dígitos o elementos finitos y discretos: *reloj digital.* **ANT** analógico. **3** Que funciona mediante esta transformación de la variable física en un sistema de dígitos: *un disco compacto es digital.* **ANT** analógico. **I** *s. f.* **4** Planta herbácea de hojas alternas y flores purpúreas con forma de dedal dispuestas en racimo; se utiliza en medicina como tónico cardíaco. **FAM** digitalizar.

digitalización *s. f.* Proceso de conversión de una variable física expresada analógicamente en una representación digital: *la digitalización de una imagen o de un sonido.*

digitalizar *v. tr.* Convertir una magnitud física, un texto, una imagen o una señal analógica en una representación digital: *un escáner puede digitalizar una imagen y convertirla en un archivo de información.* **FAM** digitalización.

digitígrado, -da *adj./s. m. y f.* Se aplica al animal mamífero cuadrúpedo que, al caminar, apoya en el suelo solo los dedos de las manos y los pies, y no toda la planta: *el gato y el perro son digitígrados.*

dígito *s. m./adj.* **1** Número del sistema decimal que se expresa con un solo signo: *el número 1 127 está formado por cuatro dígitos.* **I** *s. m.* **2** Signo o símbolo de una señal digital. **FAM** digitado, digital.

diglosia *s. f.* Situación de coexistencia de dos lenguas en una comunidad de hablantes, en la que una de ellas goza de mayor prestigio político y social que la otra y se emplean en situaciones y circunstancias diferentes.

dignarse *v. prnl.* Tener la consideración de hacer una cosa o aceptar hacerla: *se dignó darle la mano a su contrincante.*

dignatario, -ria *s. m. y f.* Persona que ocupa un cargo o puesto de mucha autoridad, prestigio y honor. **SIN** dignidad.

dignidad *s. f.* **1** Respeto y estima que una persona tiene de sí misma y merece que se lo tengan las demás personas: *mi dignidad me impide aceptar tu chantaje.* **2** Respeto y estima que merece una cosa o una acción: *causó admiración la dignidad de su decisión.* **3** Cargo o puesto de mucha autoridad, prestigio y honor: *en 1975, Juan Carlos I recibió la dignidad de Rey de España.* **4** Persona que ocupa un cargo o puesto de mucha autoridad, prestigio y honor: *llegaron al palacio todas las dignidades invitadas a la fiesta.* **SIN** dignatario.

dignificar *v. tr.* Hacer que tenga dignidad o aumentar la que tiene una persona, un grupo o cosa.

digno, -na *adj.* **1** Se aplica a la persona que tiene respeto y buena estima de sí misma y merece que se lo tengan las demás personas: *es un señor tan digno que no admitirá nunca que lo humillen.* **2** Se aplica a la cosa o acción que merece respeto y estima: *aunque las cosas le vayan mal, no pierde su digna actitud.* **3** Que merece una cosa: *su enfermedad le hace digno de compasión.* **4** Que se corresponde con las cualidades, virtudes o modos de comportamiento de una persona o cosa: *su gesto fue digno del hombre educado que es.* **ANT** indigno. **5** Que resulta suficiente o decoroso: *salario digno; trabajo digno.* **ANT** indigno. **FAM** dignatario, dignidad, dignificar; indigno.

dígrafo *s. m.* Agrupación de dos letras que representa un solo sonido: *la "ll" es un dígrafo.*

digresión *s. f.* Parte de un discurso hablado o escrito que no tiene relación directa con el asunto principal que se está tratando: *se fue por las ramas e hizo una larguísima digresión.*

dilación *s. f.* Retraso en un proceso o una actividad: *envía esta carta sin más dilación.* **SIN** demora. **FAM** dilatorio.

dilapidar *v. tr.* Gastar sin orden, sentido ni cuidado una

cosa, generalmente dinero o bienes materiales. **SIN** derrochar, despilfarrar.
FAM dilapidación.

dilatación *s. f.* ① Aumento de volumen de un cuerpo por la separación de sus moléculas y disminución de su densidad al elevarse su temperatura o disminuir la presión a la que está sometido, sin que se produzca ningún cambio en su naturaleza. ② Aumento del diámetro o anchura de un conducto. ③ Prolongación de algo en el tiempo: *la dilatación del juicio no nos favorece.*

dilatado, -da *adj.* Que se extiende mucho en el espacio o en el tiempo: *una dilatada meseta.*

dilatar *v. tr.* ① Hacer que una cosa ocupe más espacio debido a un aumento de su longitud, área o volumen: *el calor dilata algunos cuerpos.* ② Prolongar o retrasar un proceso o una actividad: *dilatar una respuesta.* **SIN** demorar. ③ Hacer que algo dure más tiempo: *las preguntas dilataron la conferencia.* ④ Propagar o hacer más extensa una cosa: *dilatar la fama.* ⑤ Aumentar el diámetro de un conducto o cavidad: *dilatar un orificio.* ‖ *v. tr./intr.* ⑥ Experimentar una mujer ensanchamiento del cuello uterino durante el parto. ‖ *v. prnl.* ⑦ **dilatarse** Extenderse mucho en un discurso o escrito.
FAM dilatación, dilatado.

dilatorio, -ria *adj.* ① Que causa retraso. ② Que sirve para prorrogar y extender un término judicial o la tramitación de un asunto.

dilema *s. m.* ① Problema o situación de los que es difícil salir porque ofrecen dos o más soluciones: *tengo un gran dilema: no sé si irme de vacaciones este mes o el siguiente.* **SIN** encrucijada. ② Argumento que consiste en plantear dos proposiciones contrarias para llegar a la misma conclusión.

diletante *adj./s. com.* Se aplica a la persona que tiene afición por una o varias artes o disciplinas del saber, o que las practica como aficionado, no profesionalmente.
FAM diletantismo.

diligencia *s. f.* ① Rapidez o cuidado al hacer una cosa: *te agradezco la diligencia con que me has matriculado.* ② Trámite o actuación en un proceso, generalmente administrativo: *ya están en marcha las diligencias para construir mi casa.* ③ Actuación profesional de un juez o de un secretario judicial. ④ Documento oficial que recoge un trámite o actuación en un proceso: *busca la copia de la diligencia que hicimos en la Diputación.* ⑤ Vehículo tirado por caballos que se usaba para el transporte de viajeros.
FAM diligenciar, diligente.

diligente *adj.* Se aplica a la persona que es cuidadosa y rápida al hacer una cosa.

dilogía *s. f.* Figura retórica que consiste en emplear una palabra en un enunciado con dos significados simultáneos.
SIN silepsis.

dilucidar *v. tr.* Explicar o aclarar un asunto o materia. **SIN** esclarecer.
FAM dilucidación.

diluir [21] *v. tr.* ① Hacer que un cuerpo o una sustancia, al mezclarse con un líquido, se deshaga hasta que sus partículas queden incorporadas a dicho líquido: *diluir una pastilla en agua.* **SIN** desleír, disolver. ② Hacer que disminuya la concentración de un líquido, generalmente añadiéndole disolvente u otra sustancia: *diluir la pintura con aguarrás.* **SIN** disolver.

③ Repartir entre varias personas el mando, las responsabilidades o las atribuciones.
FAM diluyente.

diluvial *adj./s. m.* ① Se aplica al terreno constituido por materiales arenosos que han sido arrastrados por una corriente violenta de agua. ‖ *adj.* ② Relativo al diluvio.

diluviar *v. impersonal* Llover con mucha fuerza y abundancia.
OBS Verbo regular, se acentúa como *cambiar.*

diluvio *s. m.* ① Lluvia muy abundante y de larga duración que provoca inundaciones, especialmente la descrita en la Biblia. ② Lluvia muy fuerte y abundante. ③ Abundancia excesiva de una cosa: *diluvio de regalos.*
FAM diluvial, diluviano, diluviar.

diluyente *adj.* ① Que puede hacer líquida una sustancia o deshacer las partes de un cuerpo sólido. ‖ *adj./s. m.* ② Se aplica a la sustancia líquida que se añade a una disolución para disminuir su concentración y hacerla más fluida: *mezcló la pintura con diluyente.*

dimanar *v. intr.* ① Venir o salir el agua de su manantial o de una fuente. **SIN** manar. ② Proceder una cosa de otra, tener su origen: *este embrollo dimana de la oficina del jefe.*
FAM dimanación.

dimensión *s. f.* ① Extensión de una cosa en una dirección determinada: *mide la dimensión de esta línea.* ② Cada una de las magnitudes que sirven para definir una cosa, generalmente un objeto o un fenómeno físico. ③ Propiedad no física de una cosa: *la dimensión humana del problema.* ④ Importancia o extensión que tiene una cosa, generalmente un asunto: *una catástrofe de grandes dimensiones.*
FAM dimensional, dimensionar; bidimensional, tridimensional, unidimensional.

diminuendo *s. m.* ① Disminución progresiva de la intensidad de una nota o un pasaje musical. **SIN** decrescendo. **ANT** crescendo. ② Parte de una composición musical que se ejecuta de este modo. **SIN** decrescendo. **ANT** crescendo.

diminutivo, -va *adj./s. m.* ① Se aplica al sufijo que indica o expresa pequeñez, afecto, falta de importancia u otros aspectos. **ANT** aumentativo. ② Se aplica a la palabra formada con un sufijo que indica o expresa pequeñez, afecto, falta de importancia u otros aspectos: *"pedacito" es diminutivo de "pedazo".*

diminuto, -ta *adj.* De tamaño muy pequeño.
FAM diminutivo.

dimisión *s. f.* ① Renuncia a un cargo o puesto que se ocupa: *he presentado mi dimisión al director.* ② Documento en que consta la comunicación de la renuncia a un cargo o puesto que se ocupa: *sobre la mesa del presidente está la dimisión del secretario.*
FAM dimisionario.

dimitir *v. intr.* Renunciar a un cargo o puesto que se ocupa.
FAM dimisión.

dimorfismo *s. m.* Característica que poseen algunos seres vivos que presentan dos formas distintas. ■ **dimorfismo sexual** Presencia de dos formas distintas de individuos de una misma especie en función de su sexo (macho o hembra).

dina *s. f.* Unidad de fuerza del sistema cegesimal, de símbolo *din,* que equivale a la fuerza que aplicada a la masa de un gramo le comunica una aceleración de un cm/s: *una dina equivale a 10^5 newtons.*

dinamarqués, -quesa adj. ① De Dinamarca (país de Europa). SIN danés. ‖ s. m. y f./adj. ② Persona que es de Dinamarca. SIN danés. ‖ s. m./adj. ③ Lengua germánica que se habla en Dinamarca. SIN danés. ‖ adj. ④ Relativo a esta lengua. SIN danés.

dinámica s. f. ① Parte de la mecánica que estudia la relación del movimiento con las causas que lo producen: *la inercia es un concepto de la dinámica.* ② Conjunto de hechos o fuerzas que actúan para un fin: *estás intranquilo porque la dinámica del trabajo te pone nervioso.* ③ Elemento de una pieza musical que designa el modo en que una nota o un fragmento ha de tocarse, en cuanto a volumen, velocidad, carácter, etc.: *el forte, el piano, el crescendo y el diminuendo son dinámicas.*
FAM aerodinámica, biodinámica, electrodinámica, geodinámica, hidrodinámica, termodinámica.

dinámico, -ca adj. ① Se aplica a la persona que tiene mucha actividad, energía y diligencia para hacer cosas. ② Relativo a la dinámica (parte de la mecánica).
FAM dinámica, dinamismo, dinamizar.

dinamismo s. m. ① Actividad, energía y diligencia grandes que tiene una persona para hacer cosas. ② Doctrina filosófica y científica que resalta la importancia de la energía frente a la masa.

dinamita s. f. ① Sustancia explosiva que se obtiene empapando nitroglicerina en un material poroso que la absorbe. ② familiar Persona o cosa que origina agitación y alboroto: *esta noticia va a ser pura dinamita.*
FAM dinamitar, dinamitero.

dinamitar v. tr. ① Volar o destruir una cosa usando dinamita. ② Atacar una cosa con energía, generalmente mediante discursos agresivos: *las continuas discusiones están dinamitando la convivencia en esta casa.*

dinamizar v. tr. ① Hacer que comience a funcionar una cosa o que tenga un mayor desarrollo e importancia una actividad: *las nuevas medidas del Gobierno pretenden dinamizar la demanda de empleo.* ‖ v. prnl. ② **dinamizarse** Comenzar a funcionar una cosa o adquirir un mayor desarrollo e importancia una actividad: *la industria informática se ha dinamizado.*
FAM dinamización, dinamizador.

dinamo o **dínamo** s. f. Máquina que transforma la energía mecánica en energía eléctrica, o viceversa, por inducción electromagnética: *la dinamo de una bicicleta transforma la energía mecánica del movimiento de las ruedas en la energía eléctrica que necesita el faro.*

dinamómetro s. m. Aparato que sirve para medir fuerzas motrices.

dinar s. m. Moneda y unidad monetaria de varios países, casi todos los del mundo árabe: *la unidad monetaria de Argelia, Libia y Túnez es el dinar.*

dinastía s. f. ① Serie de soberanos de un país, como reyes y príncipes, que pertenecen a la misma familia: *la dinastía de los Borbones sucedió en el trono de España a la dinastía de los Austrias.* ② Familia que va transmitiendo entre sus integrantes un gran poder político, económico o cultural.
FAM dinástico.

dinástico, -ca adj. Relativo a la dinastía.

dineral s. m. Cantidad grande de dinero. SIN fortuna.

dinero s. m. ① Conjunto de monedas y billetes que se usan como medio legal de pago en una comunidad de personas.
■ **dinero negro** Dinero obtenido de forma ilegal y que se mantiene oculto a la hacienda pública. ② Cantidad o valor de estas monedas y billetes. ③ Conjunto de riquezas o valores y cosas que se poseen.
de dinero familiar Se aplica a la persona o grupo que posee abundantes riquezas.
FAM dineral; adinerado, sacadineros.

dinoflagelado adj./s. m. ① Se aplica al protoctista acuático que forma parte del plancton y se caracteriza por tener dos flagelos y clorofila; puede ser unicelular o pluricelular. ‖ s. m. pl. ② **dinoflagelados** Grupo taxonómico, con categoría de filo, constituido por estos organismos.

dingolondango s. m. familiar Arrumaco, carantoña.
OBS Normalmente en plural.

dinosaurio adj./s. m. Se aplica al reptil prehistórico, generalmente de gran tamaño, que tenía la cabeza pequeña, el cuello y la cola muy largos, las patas anteriores más cortas que las posteriores y que se adaptaba a cualquier medio.

dintel s. m. Elemento horizontal de piedra, madera o hierro, que cierra la parte superior de una abertura o hueco hecho en un edificio, generalmente una ventana o puerta, y sostiene el muro que hay encima, cargando el peso sobre las jambas.
FAM adintelado.

diñar v. tr. jerga Dar u ofrecer.
diñarla familiar Morir.
FAM endiñar.

diocesano, -na adj. Relativo a la diócesis.

diócesis s. f. Territorio que está bajo la jurisdicción religiosa de un obispo. SIN obispado.
FAM diocesano; archidiócesis.
OBS Plural invariable.

diodo s. m. Componente electrónico formado por dos electrodos que solamente permite el paso de la corriente en un sentido, por lo que se usa como rectificador de corriente.

dioico, -ca adj. Se aplica a la especie vegetal que posee los órganos sexuales masculino y femenino en individuos distintos. SIN unisexual. ANT monoico.

dionisíaco, -ca o **dionisiaco, -ca** adj. ① Relativo a Dionisos (dios del vino en la mitología griega): *ritual dionisíaco.* SIN báquico. ② culto Relativo a la embriaguez o al vino. SIN báquico.

dioptría s. f. ① Unidad de potencia de las lentes que equivale a la potencia de una lente cuya distancia focal es de un metro. ② Unidad de medida que expresa el grado de defecto visual de un ojo que se corrige con una lente de una dioptría: *me ha aumentado un poco la miopía: ahora tengo dos dioptrías en cada ojo.*

diorama s. m. Superficie grande y pintada con figuras diferentes por ambas caras que, mediante juegos de luz en una sala oscura, produce sensación de movimiento.

diorita s. f. Roca magmática de textura granulosa, de color gris oscuro, constituida esencialmente de feldespato, anfibolita y mica y empleada especialmente en la construcción y como piedra ornamental.

dios, -sa s. m. ① En las religiones monoteístas, ser eterno, sobrenatural y único que ha creado el universo y controla todo lo existente: *el culto católico se centra en la figura de Dios; Alá es el dios de los musulmanes; Yahvé es el dios de los hebreos.*
NOTA Se escribe normalmente con mayúscula inicial. ‖ s. m. y f. ② En las religiones politeístas, ser sobrenatural que tiene poder sobre una parte concreta de lo existente y sobre el destino de los seres humanos: *Venus era la diosa romana del amor.*

SIN deidad, divinidad. ▌ *s. m.* ③ Persona destacada en una actividad a la que se quiere o admira y que es considerada superior a las demás. ▌ *int.* ④ **¡Dios!** Expresión que indica sorpresa, admiración o enfado: *¡Dios!, ¡he perdido la cartera!*

a la buena de Dios familiar Sin preparación, cuidado o atención: *no se puede ir de excursión a la buena de Dios, sin saber qué camino has de tomar.*

¡oon Dlos! Expresión que se usa para despedirse.

costar (o necesitar) Dios y ayuda Costar un gran trabajo y esfuerzo: *vas a necesitar Dios y ayuda para convencerlo.*

Dios dirá Expresión que se usa para indicar que se desconoce lo que sucederá en el futuro.

Dios mediante Si no hay un obstáculo o un contratiempo que lo impida: *Dios mediante, llegaremos el jueves por la tarde.*

¡sabe Dios! Expresión que indica que no se sabe o no se está seguro de una cosa.

todo dios familiar Todo el mundo.

FAM endiosar, semidiós.

diostedé *s. m.* AMÉR. Ave trepadora de América del Sur, de color negro y amarillo: *el diostedé se llama así porque al cantar parece decir "Dios-te-dé".*

dióxido *s. m.* Óxido cuya molécula contiene dos átomos de oxígeno. **SIN** bióxido. ■ **dióxido de carbono** Gas inodoro e incoloro formado por carbono y oxígeno que se desprende en la respiración, en las combustiones y en algunas fermentaciones: *el dióxido de carbono se utiliza en extintores, refrigeradores y en la elaboración de bebidas refrescantes.*

diplodocus o **diplodoco** *s. m.* Dinosaurio terrestre de unos 25 metros de longitud, cabeza pequeña, cuerpo bajo, y cuello y cola muy largos; era herbívoro y vivió durante la era secundaria.

OBS Plural: *diplodocus.*

diplohaplonte *adj.* Se aplica al ser vivo o al ciclo de un organismo en el que el cigoto (diploide) origina un individuo diploide que forma esporas (haploides); estas, al germinar, generan individuos haploides sobre los que se forman gametos, los cuales, mediante fecundación, dan lugar a un cigoto: *las plantas son diplohaplontes.*

diploide *adj.* Se aplica a la célula que posee un par de juegos de cromosomas: *todas las células de los animales son diploides, salvo los gametos, que son haploides.*

diploma *s. m.* ① Documento que acredita un grado académico, un premio o un título que tiene una importancia o una acción realizada: *diploma de enfermero.* ② Documento autorizado con sello y armas de un soberano.

FAM diplomar.

diplomacia *s. f.* ① Disciplina o conocimiento de las relaciones entre los estados: *estudió diplomacia y ahora es cónsul.* **SIN** política. ② Conjunto de personas e instituciones que se ocupan en un estado de las relaciones con los demás estados: *la diplomacia europea se ha reunido en Madrid.* ③ Corrección y amabilidad interesadas o habilidad en el trato.

FAM diplomático.

diplomado, -da *adj./s. m. y f.* Se aplica a la persona que tiene una diplomatura o que ha conseguido un diploma.

diplomar *v. tr.* ① Dar a una persona un título que acredita la realización de unos estudios u otras aptitudes. ▌ *v. prnl.* ② **diplomarse** Obtener una persona un título que acredita la realización de unos estudios u otras aptitudes: *se diplomó en arquitectura técnica.*

FAM diplomado, diplomatura.

diplomático, -ca *adj.* ① Relativo a la diplomacia: *un puesto diplomático.* ② Se aplica a la persona que es correcta y amable de modo interesado, o que es hábil en el trato con los demás. ▌ *adj./s. m. y f.* ③ Se aplica a la persona o grupo que se ocupa de las relaciones entre los estados.

diplomatura *s. f.* ① Grado académico de categoría inferior a la licenciatura que se consigue cursando un conjunto de estudios universitarios, en España durante tres años o cursos. ② Conjunto de estudios que hay que cursar para conseguir este grado académico.

diplonte *adj.* Se aplica al ser vivo o al ciclo biológico de un organismo en el que, por meiosis o reproducción celular, se forman gametos haploides y, tras la fecundación, se forma el cigoto diploide, que dará lugar a un individuo también diploide: *el ciclo diplonte lo presentan todos los animales, incluidos los seres humanos.* **ANT** haplonte.

dipolo *s. m.* Molécula en la que el centro de las cargas positivas no coincide con el de las cargas negativas, debido a un desplazamiento de los electrones hacia el polo negativo de la molécula, con lo cual se genera una molécula con dos polos, uno positivo y otro negativo.

díptero, -ra *adj.* ① Que tiene dos alas. ▌ *adj./s. m.* ② Se aplica al edificio que está rodeado por una doble hilera de columnas o que tiene cuerpos salientes en ambos lados. ③ Se aplica al invertebrado del filo artrópodos, clase insectos, con aparato bucal chupador que tiene un par de alas membranosas voladoras y otro par de reducido tamaño que sirve para darle estabilidad al volar, como la mosca. ▌ *s. m. pl.* ④ **dípteros** Grupo taxonómico, con categoría de orden, constituido por estos insectos.

díptico *s. m.* ① Cuadro o bajorrelieve formado por dos tablas o dos superficies que generalmente son móviles y se cierran como las tapas de un libro. ② Folleto formado por una hoja de papel doblada por la mitad, generalmente pequeña, que se usa como propaganda o como invitación a un acto.

diptongación *s. f.* ① Proceso de transformación de una vocal en diptongo: *la gramática histórica estudia las diptongaciones que han tenido las palabras a través del tiempo.* ② Pronunciación de un conjunto de dos vocales en una sola sílaba formando diptongo.

diptongar *v. tr.* ① Pronunciar dos vocales en una sola sílaba formando diptongo. ▌ *v. intr.* ② Transformarse una vocal en diptongo.

FAM diptongación.

diptongo *s. m.* Unión de una semiconsonante o una semivocal con una vocal que se pronuncian en una sola sílaba: *la "i" y la "e" de la palabra "bien" forman un diptongo.* ■ **diptongo creciente** Diptongo que empieza por una semiconsonante (*i, u*) y acaba en una vocal abierta (*a, e, o*). ■ **diptongo decreciente** Diptongo que empieza por una vocal abierta (*a, e, i*) y acaba en una semiconsonante (*i, u*). ■ **diptongo homogéneo** Diptongo formado por dos vocales de la misma abertura (*iu, ui*).

FAM diptongar.

diputación *s. f.* ① Conjunto de diputados. ② Práctica del cargo de diputado.

diputación foral (I) Entidad pública de los territorios forales de Álava, Guipúzcoa, Navarra y Vizcaya, que se ocupa de gestionar los intereses económico-administrativos del territorio foral correspondiente. **NOTA** También simplemente *di-*

putación. (**II**) Sede de esta institución. **NOTA** También simplemente *diputación*.

diputación permanente Comisión que representa la autoridad de las Cortes (congreso y senado) para ciertos fines durante las vacaciones o en los momentos en que hayan sido disueltas o haya expirado su mandato.

diputación provincial (**I**) Corporación pública española de carácter territorial cuya función es gestionar los intereses económico-administrativos de una provincia: *la diputación provincial coordina los diversos servicios de los municipios*. **NOTA** También simplemente *diputación*. (**II**) Sede de esta institución. **NOTA** También simplemente *diputación*.

OBS Con mayúscula inicial cuando hace referencia a la diputación de un lugar en concreto.

diputado, -da *s. m. y f.* ① Persona elegida para formar parte del Congreso de los Diputados: *los diputados ejercen su labor en el Congreso*. ② Persona nombrada o elegida para representar a una institución o a un grupo social. ■ **diputado provincial** Persona que representa a un distrito en una diputación provincial.

FAM eurodiputado.

dique *s. m.* ① Muro grueso que se construye para contener las aguas, para elevar su nivel o para desviar su curso: *en los Países Bajos se han construido diques para ganar tierras al mar*. ② Parte de un puerto o construcción en un río donde se puede sacar el agua y limpiar o arreglar en seco los barcos. **NOTA** También *dique seco*. ③ En geología, filón de roca volcánica que atraviesa verticalmente varias capas de la corteza terrestre y a veces puede sobresalir por encima de la superficie, formando una especie de muro o pared. ④ Obstáculo que interrumpe o dificulta grandemente una cosa, por lo general una acción: *poner diques a la ambición*.

en (el) dique seco familiar Sin poder ejercer una actividad habitual: *el jugador sigue lesionado, así que continúa en el dique seco*.

dirección *s. f.* ① Recorrido, camino o rumbo que sigue o debe seguir en su movimiento una persona, un grupo o una cosa. ② Nombre de la calle, número, población, provincia y país donde una persona o institución tiene su domicilio o sede. **SIN** señas. ③ Señas escritas en una carta o paquete postal para indicar adónde se envía. ④ Persona o conjunto de personas que gobiernan, mandan, rigen o guían un grupo o una cosa: *la dirección de la empresa ha prohibido fumar en las reuniones*. ⑤ Cargo o puesto de director: *no ha aceptado la dirección del colegio porque no tiene tiempo*. ⑥ Oficina, despacho o lugar donde un director ejerce su cargo o puesto. ⑦ Gobierno o características que definen el mando sobre una persona, un grupo o una cosa: *esta empresa tiene pérdidas porque su dirección es errónea*. ⑧ Técnica de realizar una película, en su aspecto artístico o de producción. ⑨ Mecanismo que sirve para dirigir o guiar un vehículo: *la dirección guía al coche según el movimiento que se haga con el volante*. ■ **dirección asistida** Dirección que tiene un mecanismo adicional que facilita el movimiento del volante.

dirección general Oficinas superiores que dirigen los diferentes sectores en que se divide la administración pública: *Dirección General de Tráfico*. **NOTA** Se escribe con mayúscula inicial.

FAM direccional.

direccional *adj.* ① Que sirve para dirigir u orientar hacia una cosa o acción o en una dirección. ② Que se puede orientar hacia alguna dirección: *micrófono direccional; cohete direccio-*

nal. ③ Que emite o recibe en una sola dirección: *antena direccional*.

FAM unidireccional.

directa *s. f.* Marcha más rápida entre las del cambio de un automóvil: *meter la directa*.

directiva *s. f.* ① Conjunto de personas que gobiernan, mandan, rigen o guían un grupo o una cosa: *la directiva del club ha destituido al entrenador*. ② Directriz (norma). ③ Disposición de rango superior emanada de organismos internacionales que han de cumplir todos sus miembros: *una directiva europea regula la producción y comercio de los productos*.

directivo, -va *adj./s. m. y f.* ① Relativo a la dirección. **|** *adj.* ② Que tiene la facultad y el poder de dirigir: *junta directiva*. **|** *adj./s. m. y f.* ③ Se aplica a la persona que forma parte de un conjunto de personas que gobiernan, mandan, rigen o guían un grupo o una cosa: *un directivo de la peña asegura que tenemos más socios que nunca*. **SIN** dirigente.

FAM directiva.

directo, -ta *adj.* ① Que no se desvía de su recorrido, camino o rumbo: *el disparo fue directo al corazón*. **SIN** derecho. **ANT** indirecto. ② Que no se para en su recorrido de un lugar a otro: *este es el autobús directo desde mi ciudad a la tuya*. ③ Sin rodeos o sin intervención de nada ni de nadie, aparte de los interesados: *quiero tener una conversación directa con mi jefe, sin pasar por su secretaria*. ④ Se aplica a la acción que va dirigida a un objetivo determinado: *la subida de la gasolina afecta de manera directa a los conductores de vehículos de motor*. ⑤ Se aplica al estilo discursivo en que las palabras de otra persona se reproducen literalmente, tal cual ella las pronunció o escribió. **ANT** indirecto. **|** *s. m.* ⑥ En el boxeo, golpe que se da extendiendo un brazo hacia delante.

en directo Transmitido o grabado al mismo tiempo que se produce: *concierto en directo*. **SIN** en vivo.

FAM indirecto.

director, -ra *s. m. y f.* ① Persona que gobierna, manda, rige o guía un grupo o una cosa, generalmente un negocio o una de sus secciones: *director de cine; director espiritual*. **|** *adj.* ② Se aplica a la cosa que dirige, orienta o guía una acción u otra cosa: *órgano director; ruedas directrices*. **NOTA** Femenino: *directora* o *directriz*. ③ En matemáticas, se aplica al vector que, respecto de un sistema referente prefijado, informa sobre la dirección de una recta y la de todas las paralelas a ella.

FAM directorio, directriz; subdirector.

directorio *s. m.* ① Lista de nombres y direcciones de personas que guardan cierta relación entre sí, generalmente profesional. ② Tablero informativo de direcciones e indicaciones que hay en ciertos locales y establecimientos: *en el directorio de los grandes almacenes hallarás indicada cuál es la planta de juguetes*. ③ Conjunto de normas o instrucciones que rigen una materia. ④ Conjunto de personas que gobiernan, mandan o guían un grupo o una cosa. **SIN** directiva. ⑤ Lista o índice de los ficheros almacenados en el mismo lugar del disco de un ordenador.

directriz ① V. director, -ra. **|** *adj./s. f.* ② En matemáticas, se aplica a la línea, figura o superficie que determina las condiciones de generación de otra línea, figura o superficie: *la directriz de una parábola es la recta fija que, junto con el foco, sirve para determinarla*. **|** *s. f.* ③ Norma o conjunto de normas e instrucciones que dirigen, guían u orientan una acción, una cosa o a una persona: *has de seguir las directrices que ha marcado tu profesor*. **NOTA** Más en plural. **SIN** directiva.

dirigente *adj./s. com.* Se aplica a la persona, grupo que gobierna, manda, rige o guía a una persona, un grupo o una cosa. **SIN** directivo.

dirigible *adj.* ⓵ Se aplica a la cosa, persona o grupo que puede ser dirigido. ❙ *adj./s. m.* ⓶ Se aplica al globo aerostático ovalado, lleno de un gas más ligero que el aire (hidrógeno o helio), que lleva una o dos barquillas para transportar viajeros y carga y que dispone de diversos mecanismos, como un motor, unas hélices y un sistema de dirección, para ser conducido: *el dirigible tiene una cabina para llevar pasajeros.* **SIN** zepelín.

dirigir *v. tr.* ⓵ Hacer que una persona, un grupo o una cosa vaya hacia un punto, lugar o término: *el policía nos dirigió por un atajo.* ⓶ Gobernar, mandar, regir o guiar un grupo de personas o una cosa. ⓷ Dedicar o encaminar un pensamiento, un sentimiento o una acción a una persona o a conseguir una cosa: *me dirigió el ruego de que le atendiera pronto.* ⓸ Orientar y guiar a una persona hacia una cosa o una acción: *el cocinero me fue dirigiendo en la elección de los platos del almuerzo.* ⓹ Poner la dirección o señas a una carta o paquete postal: *dirige la carta a la sede central del banco.* ⓺ Marcar la actuación de los componentes de un coro, orquesta o espectáculo: *Antonio Gades dirigió la coreografía de «El amor brujo».* ❙ *v. tr./intr.* ⓻ Realizar sus funciones un director de cine. ❙ *v. tr.* ⓼ Dedicar una obra a una persona: *el programa está dirigido a las mujeres.* ❙ *v. prnl.* ⓽ **dirigirse** Ir en una dirección o hacia un lugar o un término: *se dirigía a su casa.* ⓾ Hablar a una persona o a un grupo de personas determinado: *el profesor se dirigió a toda la clase para anunciar la fecha del examen.*
FAM dirigente, dirigible; radiodirigir, teledirigir.

dirimir *v. tr.* ⓵ Acabar o resolver un desacuerdo o una discusión. ⓶ Deshacer un acuerdo: *han dirimido el contrato de arrendamiento.* **SIN** disolver.
FAM dirimente.

disacárido *s. m.* Glúcido (hidrato de carbono) formado por la unión de dos monosacáridos, que son los azúcares más sencillos: *los disacáridos son los azúcares propiamente dichos, como la sacarosa, la lactosa o la maltosa.*

discal *adj.* Relativo al disco intervertebral: *hernia discal.*

discapacidad *s. f.* Falta de alguna facultad física o mental en una persona.

discapacitado, -da *adj./s. m. y f.* Se aplica a la persona que no goza de todas las facultades físicas o mentales. **SIN** disminuido.
FAM discapacidad; pluridiscapacitado.

discernir [3] *v. tr.* Distinguir y diferenciar por medio de los sentidos o de la inteligencia una cosa de otra u otras, especialmente el bien del mal.
FAM discernimiento.

disciplina *s. f.* ⓵ Conjunto de reglas para mantener el orden entre los miembros de un grupo. ⓶ Obediencia a estas reglas. ⓷ Materia, ciencia o técnica, especialmente la que se enseña en un centro docente. **SIN** asignatura. ⓸ Modalidad de un deporte o de una actividad: *una disciplina de la gimnasia es la barra fija.* ⓹ Instrumento, generalmente de cáñamo, con varios ramales que acaban en nudos; se usa para azotar a una persona o como instrumento de penitencia para mortificarse.
FAM disciplinar, disciplinario; autodisciplina, indisciplina.

disciplinado, -da *adj.* Se aplica a la persona que respeta las normas de disciplina: *un chico muy disciplinado.* **ANT** indisciplinado.

disciplinar¹ *adj.* Disciplinario.
FAM pluridisciplinar.

disciplinar² *v. tr.* ⓵ Enseñar un arte o una ciencia a alguien. ⓶ Hacer guardar el orden entre los miembros de un grupo de personas. ⓷ Imponer un castigo. ⓸ Azotar con una disciplina: *solía disciplinarse cada día como penitencia.*
FAM disciplinado.

disciplinario, -ria *adj.* ⓵ Relativo a la disciplina. **SIN** disciplinar. ⓶ Que sirve para hacer guardar el orden entre los miembros de un grupo de personas o para imponer un castigo: *medida disciplinaria.*
FAM interdisciplinario.

discípulo, -la *s. m. y f.* ⓵ Persona que recibe enseñanzas de un maestro o que sigue estudios en una escuela: *Jesús de Nazaret tuvo muchos discípulos, de los cuales doce fueron los apóstoles.* ⓶ Persona que estudia, sigue y defiende las ideas y opiniones de una escuela o de un maestro, aun cuando pertenezca a una generación muy posterior.
FAM condiscípulo.

disc jockey [también **disyóquei**; se pronuncia aproximadamente 'dis yoquei'] *s. m.* Persona que se encarga del equipo de sonido y de la selección de las piezas en una emisora de radio, en una discoteca o en otro establecimiento. **SIN** pinchadiscos.
OBS Plural: *disc jockeys.*

discman *s. m.* Aparato portátil que sirve para reproducir discos compactos.

disco *s. m.* ⓵ Cuerpo cilíndrico cuya base es muy grande en relación con su altura. ⓶ Plancha gruesa con forma de círculo que se lanza en algunos juegos atléticos. ⓷ Plancha con forma de círculo, generalmente de plástico, en la que están grabados sonidos o imágenes que pueden reproducirse con un aparato. ◼ **disco compacto** Disco de 12 cm de diámetro, de gran capacidad de almacenamiento de información, en el que se puede grabar texto, imágenes o sonido: *la información del disco compacto se reproduce por medio de un rayo láser.* **NOTA** También simplemente *compacto.* Puede encontrarse la forma inglesa *compact disc.* ⓸ Pieza de metal en la que hay pintada una señal de tráfico. **SIN** señal. ⓹ Señal de luz roja, verde o amarilla para ordenar el tráfico de vehículos: *el conductor se paró ante el disco rojo del semáforo.* ⓺ Plancha en la que se guarda información de forma magnética u óptica. ◼ **disco duro** Disco rígido y magnético de gran capacidad que está situado dentro del ordenador y constituye el soporte principal de almacenamiento de datos. ◼ **disco flexible** Disquete. ⓻ Pieza redonda del teléfono que gira al marcar un número.
disco intervertebral Formación fibrosa que separa dos vértebras opuestas.
FAM discal, discobar, discografía, discopub, discoteca; pinchadiscos, videodisco.

discóbolo *s. m.* Atleta de la antigua Grecia cuya especialidad era el lanzamiento de disco.

discografía *s. f.* ⓵ Conjunto de discos de un autor, un intérprete o un tema. ⓶ Técnica e industria de grabar y reproducir discos.
FAM discográfico.

discográfico, -ca *adj.* Relativo a la discografía.

díscolo, -la *adj./s. m. y f.* Se aplica a la persona que suele desobedecer y rebelarse contra las normas y órdenes.

disconforme *adj./s. com.* Se aplica a la persona que no está

D

de acuerdo o no admite una situación, decisión u opinión. ANT conforme.

FAM disconformidad.

disconformidad *s. f.* ① Falta de acuerdo o de aceptación, por parte de una persona, de una situación, decisión u opinión. SIN discrepancia, disensión, disentimiento. ② Diferencia de unas cosas con otras en cuanto a su fin, forma o función.

discontinuidad *s. f.* ① Cualidad de discontinuo. ② Parte discontinua de una cosa. ③ En geología, capa de la estructura de la Tierra que separa los distintos sectores de la corteza terrestre cuyas propiedades físicas difieren; las modificaciones en sus propiedades físicas se traducen en modificaciones de la velocidad de las ondas sísmicas que las atraviesan. ■ **discontinuidad de Gutenberg** Discontinuidad que separa el manto y el núcleo. ■ **discontinuidad de Mohorovicic** Discontinuidad que separa la corteza y el manto. ④ En física, variación en la velocidad y dirección de avance de las ondas, que se observa al estudiar la organización del interior de la Tierra por el método sísmico.

discontinuo, -nua *adj.* Se aplica a la cosa o acción que no es continua o que se interrumpe.

FAM discontinuidad.

discordancia *s. f.* ① Falta de acuerdo entre dos o más personas o cosas. ② Falta de armonía: *discordancia de sonidos.*

discordante *adj.* ① Que no está de acuerdo o en armonía con otra u otras personas o cosas. ② Se aplica al sonido o instrumento que no está en el mismo tono que los demás: *el tenor dio una nota discordante.*

discordar [5] *v. intr.* ① No concordar o coincidir los pareceres de dos o más personas: *tus opiniones siempre discuerdan con las del resto de tus compañeros.* ② Ser opuestas o diferentes entre sí dos o más cosas. ③ No estar un sonido o instrumento en el mismo tono que los demás. SIN desentonar.

FAM discordancia, discordante, discorde.

discordia *s. f.* Situación de enfrentamiento o disputa entre personas o grupos debida a una falta de acuerdo en las opiniones o deseos.

discoteca *s. f.* ① Establecimiento donde se escucha música grabada, se sirven y consumen bebidas y, sobre todo, se baila. ② Conjunto o colección de discos musicales que posee una persona, un grupo o una empresa: *tiene una discoteca de 200 CD.*

FAM discotequero.

discotequero, -ra *adj.* ① Relativo a la discoteca. I *adj./s. m. y f.* ② familiar Se aplica a la persona que va frecuentemente a la discoteca.

discreción *s. f.* ① Reserva o cautela para no decir algo que se sabe o piensa. ANT indiscreción. ② Cualidad de una persona que se caracteriza por su moderación, prudencia y sensatez. ANT indiscreción.

a discreción Al juicio o a la voluntad de una persona; sin límites establecidos.

FAM discrecional; indiscreción.

discrecional *adj.* ① Que se hace libremente o siguiendo el propio juicio: *contratar un seguro de vida no es obligatorio, sino discrecional.* ② Se aplica al servicio de transporte cuyas condiciones concretas no están sujetas a ninguna norma, sino que son fijadas por el usuario: *contrataremos un autobús con servicio discrecional para la excursión del colegio.*

discrepancia *s. f.* Falta de acuerdo o de aceptación, por parte de una persona, de una situación, una decisión o una opinión. SIN disconformidad, disensión, disentimiento.

discrepante *adj.* Que discrepa.

discrepar *v. intr.* ① No estar de acuerdo una persona con otra en un asunto. SIN diferir, disentir, divergir. ANT subscribir. ② Ser diferente una cosa de otra: *los informes discrepan entre sí.*

FAM discrepancia, discrepante.

discreto, -ta *adj./s. m. y f.* ① Se aplica a la persona que suele adoptar una actitud de prudencia en ciertas circunstancias, guardar reserva y mantener cautela para no decir algo que se sabe o piensa. ANT indiscreto. ② Se aplica a la persona o conducta que se caracteriza por su moderación, prudencia y sensatez. ANT indiscreto. I *adj.* ③ Que no es extraordinario o no se sale de lo normal: *cuando se produjo el accidente, yo iba a una velocidad discreta, por eso no he sufrido daños.* ④ Regular, mediocre: *esperábamos algo mejor, pero tuvo una actuación discreta en el festival.*

FAM discreción; indiscreto.

discriminación *s. f.* Trato de inferioridad a una persona o colectividad por causa de raza, origen, ideas políticas, religión, posición social o situación económica.

discriminante *adj.* ① Discriminatorio: *poder discriminante.* I *s. m.* ② En matemáticas, expresión $b^2 - 4ac$ que se obtiene al resolver una ecuación de segundo grado $ax^2 + bx + c = 0$; se suele denotar con el símbolo Δ.

discriminar *v. tr.* ① Dar un trato de inferioridad a una persona o colectividad por causa de raza, origen, ideas políticas, religión, posición social o situación económica. ② Establecer diferencias entre dos o más cosas.

FAM discriminación, discriminante, discriminatorio; indiscriminado.

discriminatorio, -ria *adj.* Que da un trato de inferioridad a una persona o colectividad por causa de raza, origen, ideas políticas, religión, posición social o situación económica. SIN discriminante.

disculpa *s. f.* Razón que se da o causa que se alega para explicar o justificar un comportamiento, un fallo o un error: *pedir disculpas; presentó sus disculpas ante sus compañeros.* SIN excusa, pretexto.

FAM disculpar.

disculpar *v. tr.* ① Dar razones o pruebas de que una persona no ha cometido una falta o error. SIN excusar. ② No tomar en cuenta, perdonar o justificar a una persona o una acción: *te ha hecho una faena, pero debes disculparlo, porque estaba muy nervioso.* SIN excusar. I *v. prnl.* ③ **disculparse** Pedir perdón o justificarse una persona por un hecho o una acción, generalmente por una falta o una molestia. SIN excusarse.

discurrir *v. tr.* ① Considerar detenidamente una cosa para llegar a comprenderla: *el ajedrez ayuda a desarrollar la capacidad de discurrir.* SIN pensar. I *v. intr.* ② Ir de un lugar a otro, extenderse a lo largo de una porción de territorio: *la carretera de entrada al pueblo discurre paralela a las vías del tren.* SIN correr. ③ Fluir un río o una corriente de agua por su cauce: *el Guadalquivir discurre por las provincias de Córdoba, Sevilla y Cádiz.* SIN correr. ④ Pasar o transcurrir el tiempo. SIN correr.

discursivo, -va *adj.* Relativo al discurso (capacidad de pensar).

discurso *s. m.* ① Serie de palabras con coherencia lógica y gramatical con las que se expresa lo que se siente o se piensa. **2** Razonamiento pronunciado en público. **3** Escrito o tratado de corta extensión con el que se intenta enseñar o convencer de algo. **4** Espacio de tiempo. **5** En gramática, unidad lingüística superior a la oración, formada por un conjunto coherente de ellas. **6** familiar Represión larga e insistente.

FAM discursear, discursista, discursivo.

discusión *s. f.* **1** Conversación entre varias personas en la que se examina un asunto o tema para solucionarlo o explicarlo. **2** Conversación entre dos o más personas en la que se defienden opiniones o intereses opuestos: *tuve una desagradable discusión con mi hermano sobre el dinero que me debía.* **SIN** disputa. **3** Oposición de palabras a un hecho o a una acción: *da unas instrucciones que no admiten discusión.*

discutir *v. tr.* **1** Examinar y tratar entre varias personas un asunto o un tema para solucionarlo o para explicarlo. | *v. intr.* **2** Defender dos o más personas opiniones o intereses opuestos en una conversación. **SIN** contender, debatir, disputar. **3** Oponerse de palabra a un hecho o acción. | *v. tr.* **4** Poner en duda. **SIN** cuestionar.

FAM discusión, discutible, discutidor.

disecar *v. tr.* Preparar un animal muerto para que no se descomponga y conservarlo de manera que parezca vivo.

FAM disecación.

disección *s. f.* **1** Corte o división de un cadáver o una planta para estudiarlo o examinarlo. **2** Examen o análisis minucioso y detallado.

FAM diseccionar.

diseccionar *v. tr.* **1** Cortar o dividir un cadáver o una planta para estudiar y examinar sus partes. **2** Examinar o analizar de forma minuciosa y detallada.

diseminación *s. f.* Separación sin orden y en diferentes direcciones de los elementos de un conjunto.

diseminar *v. tr.* **1** Extender los elementos de un conjunto sin orden y en diferentes direcciones: *el viento diseminó las hojas.* | *v. prnl.* **2** **diseminarse** Extenderse sin orden y en diferentes direcciones los elementos de un conjunto: *la población se diseminó tras la catástrofe.* **SIN** desparramar, desperdigar.

FAM diseminación.

disensión *s. f.* Falta de acuerdo o de aceptación, por parte de una persona, de una situación, una decisión o una opinión. **SIN** disconformidad, discrepancia, disentimiento.

disentería *s. f.* Enfermedad infecciosa consistente en la inflamación y ulceración del intestino grueso acompañada de fiebre, dolor abdominal y diarrea con deposiciones de mucosidades y sangre.

disentimiento *s. m.* Falta de acuerdo o de aceptación, por parte de una persona, de una situación, una decisión o una opinión. **SIN** disconformidad, discrepancia, disensión.

disentir [9] *v. intr.* No estar de acuerdo una persona con otra en un asunto. **SIN** discrepar, divergir. **ANT** aprobar, asentir.

FAM disensión, disentimiento.

diseñador, -ra *s. m. y f.* Persona que se dedica a hacer los dibujos de un objeto o de un edificio antes de su realización: *quiere ser diseñadora de moda.*

diseñar *v. tr.* **1** Dibujar una cosa para que sirva de modelo en su realización. **2** Pensar o planear un proyecto o una idea.

FAM diseñador, diseño.

diseño *s. m.* **1** Actividad creativa que tiene por fin proyec-

tar objetos, tipografías, logotipos, etc. para después fabricarlos. **2** Dibujo que se hace de una cosa para que sirva de modelo en su realización: *nos han presentado varios diseños de vestidos de novia.* **3** Forma que toma en la realidad este dibujo: *el diseño de la silla es bonito, pero debe ser incómoda.* **4** Explicación breve y esquemática: *quiero que me hagas un diseño de tu plan.*

disertación *s. f.* **1** Razonamiento que se hace sobre una materia de forma detenida y siguiendo un orden o un sistema para exponerlo. **2** Escrito o discurso oral en que se expone una materia determinada de forma detenida y ordenada o sistemática.

disertar *v. intr.* Razonar, especialmente en público, sobre una materia de forma detenida y siguiendo un orden o un sistema: *siempre está disertando sobre problemas filosóficos.*

FAM disertación.

disfavor *s. m.* Desatención o enemistad de una persona poderosa.

disforme *adj.* Que presenta falta de proporción y regularidad en la forma. **SIN** deforme.

FAM disformidad.

disfraz *s. m.* **1** Conjunto de ropas y adornos con que una persona se viste para no ser reconocida, especialmente el que se lleva en ciertas fiestas. **2** Medio que se emplea para ocultar o disimular una verdad o una cosa.

disfrazar *v. tr.* **1** Vestir con un disfraz: *en carnaval disfrazó a sus hijos de mosqueteros.* **2** Cambiar la apariencia exterior para ocultar el aspecto real de una cosa o para disimular los verdaderos sentimientos: *disfrazó su enfado con una sonrisa irónica.* **SIN** enmascarar.

FAM disfraz.

disfrutar *v. intr.* **1** Sentir placer o alegría: *disfrutaban leyendo un libro.* **SIN** gozar. | *v. tr./intr.* **2** Gozar de una condición o una circunstancia favorable: *disfrutar de buena salud.* **3** Usar o poseer una cosa buena, útil o agradable: *disfruta la herencia de su abuelo.*

FAM disfrute.

disfrute *s. m.* **1** Uso o aprovechamiento de una cosa buena, útil o agradable. **2** Goce de una condición o una circunstancia favorable. **3** Placer o gozo intenso: *la excursión ha sido un disfrute.*

disfunción *s. f.* Trastorno en el funcionamiento de algo, especialmente el de una función orgánica.

disgregación *s. f.* **1** Separación de los elementos que forman un conjunto o de las partes de algo: *la erosión provoca la disgregación de las rocas.* **2** Separación de las partículas que constituyen una sustancia cuando esta se disuelve en un líquido.

disgregar *v. tr.* **1** Separar o desunir los elementos que forman un conjunto o las partes de una cosa: *disgregar un grupo de personas.* **2** Separar las partículas de una sustancia cuando esta se disuelve en un líquido.

FAM disgregación.

disgustar *v. tr.* **1** Causar tristeza o dolor: *tu comportamiento ha disgustado a la abuela.* **2** Causar disgusto o molestia cierta cosa a una persona: *me disgustan los ruidos.* **SIN** desagradar. **ANT** agradar, gustar. | *v. prnl.* **3** **disgustarse** Romperse la buena relación que existía entre dos o más personas: *voy a hablar con ella porque se ha disgustado conmigo.*

FAM disgusto.

disgusto *s. m.* **1** Sentimiento de tristeza o dolor provocado por una situación desagradable o una desgracia: *le has dado un gran disgusto al contestarle con tanto genio.* **SIN** sinsabor. **2** Pérdida de la buena relación que existía entre dos o más personas: *ha tenido un disgusto con su mejor amigo por un malentendido.*

a disgusto De mala gana.

disidencia *s. f.* Separación de una persona de una doctrina, una creencia o un grupo por no estar ya de acuerdo con sus ideas.

disidente *adj./s. com.* Se aplica a la persona que se separa de una doctrina, una creencia o un grupo por no estar ya de acuerdo con sus ideas.

disidir *v. intr.* Separarse una persona de una doctrina, una creencia o un grupo por no estar ya de acuerdo con sus ideas. **FAM** disidencia, disidente.

disimetría *s. f.* Falta de simetría. **SIN** asimetría. **ANT** simetría.

disimétrico, -ca *adj.* Que no tiene simetría. **SIN** asimétrico. **ANT** simétrico.

disimilación *s. f.* Alteración de un sonido para diferenciarlo de otro sonido de articulación similar: *la palabra latina "carcere" dio la castellana "cárcel", con disimilación de la segunda "r" en "l"* (ambas consonantes son vibrantes).

disimilitud *s. f.* Falta de parecido o de correspondencia entre dos o más cosas. **SIN** desemejanza. **ANT** similitud.

disimular *v. tr.* **1** Ocultar o disfrazar una cosa para que no se vea o no se note: *puedes disimular tu gordura poniéndote una ropa más ancha.* **2** Disculpar o permitir una acción fingiendo no conocerla o quitándole importancia: *la madre disimulaba los retrasos de sus hijos para que el padre no los castigara.* | *v. tr./ intr.* **3** Ocultar un sentimiento o una intención: *no pudo disimular su sorpresa ante aquella noticia.* **FAM** disimulo.

disimulo *s. m.* Ocultación que se hace de un sentimiento o una intención para que no se note o para que los demás no lo vean.

disipación *s. f.* Entrega en exceso a los placeres y a la diversión.

disipar *v. tr.* **1** Esparcir o hacer desaparecer de la vista poco a poco las partes que forman un cuerpo por aglomeración: *el viento disipó el humo; la niebla se disipó a mediodía.* **SIN** desvanecer. **2** Hacer desaparecer, borrar de la mente u olvidar una idea, una imagen o un recuerdo: *disipar una sospecha.* **SIN** desvanecer. **3** Gastar los bienes y el dinero sin orden ni cuidado: *disipó el poco dinero que tenía sin pensar en el futuro.* **SIN** malbaratar. **4** Perder energía una instalación, generalmente en forma de calor. | *v. prnl.* **5** **disiparse** Evaporarse una sustancia o parte de ella. **SIN** desvanecerse. **FAM** disipación.

dislalia *s. f.* Dificultad para pronunciar palabras, a causa de malformaciones o defectos en los órganos articulatorios.

dislate *s. m.* Obra o dicho que no tiene razón ni sentido. **SIN** disparate.

dislexia *s. f.* Alteración de la capacidad de leer por la que se confunden o se cambian letras, sílabas o palabras. **FAM** disléxico.

disléxico, -ca *adj./s. m. y f.* Se aplica a la persona que padece dislexia.

dislocación *s. f.* **1** Daño que se produce cuando un hueso o una articulación se sale de su sitio. **SIN** luxación. **2** Alteración de un hecho o del sentido de una palabra o expresión.

dislocar *v. tr.* **1** Sacar una cosa de su lugar, especialmente un hueso o una articulación: *le dislocó la mandíbula de un puñetazo.* **2** Cambiar o alterar un hecho o el sentido de una palabra o una expresión: *estás dislocando los hechos, así nadie te creerá.* | *v. prnl.* **3** **dislocarse** Salirse una cosa de su lugar, especialmente un hueso o una articulación. **FAM** dislocación, disloque.

disminución *s. f.* **1** Reducción de la cantidad, del tamaño, de la intensidad o de la importancia de una cosa: *este verano ha habido una disminución de las temperaturas.* **ANT** aumento, incremento. **2** Cantidad que se reduce. **ANT** aumento, incremento. ■ **disminución porcentual** Cantidad que se resta a una dada y que resulta de aplicar un tanto por ciento a la primera.

disminuido, -da *adj./s. m. y f.* **1** Se aplica a la persona que no goza de todas las facultades físicas o mentales. **SIN** discapacitado. | *adj.* **2** En música, se aplica al intervalo menor o justo al que se resta un semitono. **ANT** aumentado.

disminuir [21] *v. tr./intr.* Reducir la cantidad, el tamaño, la intensidad o la importancia de una cosa: *el mal estado de una vivienda disminuye su precio de venta; ha disminuido el paro.* **SIN** decrecer. **ANT** aumentar. **FAM** disminución, disminuido.

disociación *s. f.* **1** Separación de una cosa de otra a la que estaba unida. **2** Separación de los distintos componentes de una sustancia. **3** Ruptura de una molécula o un ion en otras moléculas o iones más pequeños.

disociar *v. tr.* **1** Separar una cosa de otra con la que estaba unida. **ANT** asociar. **2** Separar los distintos componentes de una sustancia: *para disociar una sustancia se utiliza fundamentalmente el calor y la electricidad.* **3** Romper una molécula o un ion en otras moléculas o iones más pequeños. | *v. prnl.* **4** **disociarse** Separarse una cosa de otra con la que estaba unida. **5** Separarse los distintos componentes de una sustancia. **FAM** disociación. **OBS** Verbo regular, se acentúa como *cambiar*.

disolución *s. f.* **1** Mezcla homogénea de dos o más sustancias que forman una única fase: *las disoluciones más usuales se obtienen disolviendo un sólido en un líquido.* **SIN** solución. **2** Sustancia que resulta de la separación de las partículas de un cuerpo sólido o pastoso que se mezcla en un líquido: *en el prospecto del jarabe se explica la manera de hacer la disolución.* **SIN** solución. **3** Separación o desunión de las cosas que están unidas: *la disolución de una manifestación.* **4** Anulación de los vínculos que unen a dos o más personas: *la disolución del matrimonio fue inevitable.*

disoluto, -ta *adj./s. m. y f.* Se aplica a la persona que se entrega al vicio y a la diversión.

disolvente *adj.* **1** Que disuelve o sirve para disolver. | *s. m./adj.* **2** Sustancia o producto capaz de disolver un cuerpo u otra sustancia: *el aguarrás se usa como disolvente para diluir la pintura.* **3** Componente de una disolución que se encuentra en mayor proporción, de modo que otro componente puede disolverse en él: *en el agua de mar, el agua es el disolvente y la sal el soluto.*

disolver [6] *v. tr.* **1** Hacer que un cuerpo o una sustancia, al mezclarse con un líquido, se deshaga hasta que sus partículas queden incorporadas a dicho líquido: *disolvió el antibiótico en agua antes de tomárselo.* **SIN** desleír, diluir. **2** Hacer que disminuya la concentración de un líquido, generalmente aña-

diéndole disolvente u otra sustancia. **SIN** diluir. ③ Deshacer el acuerdo o contrato que liga a dos o más personas: *han disuelto la sociedad por problemas personales.* ④ Deshacer la unidad de un grupo o reunión: *la policía disolvió a los manifestantes; el dictador disolvió el Parlamento.*
FAM disoluble, disolución, disolvente, disuelto.
OBS Participio irregular: *disuelto.*

disonancia *s. f.* ① Falta de conformidad, correspondencia o proporción entre dos o más cosas: *existe una gran disonancia entre lo que dice y lo que hace.* ② Falta de armonía entre varios sonidos o notas musicales emitidos simultáneamente, que provoca una sensación desagradable al oído: *en música, la disonancia es un recurso muy usado para crear tensión.* **ANT** consonancia.

disonante *adj.* ① Se aplica a la cosa que está en desacuerdo con otras o con lo que está alrededor. **ANT** consonante. ② Se aplica al sonido o combinación de sonidos que suena de modo extraño o poco agradable por estar producido a la vez o detrás que otro.

disonar [5] *v. intr.* ① Sonar de modo extraño o poco agradable. ② Estar en desacuerdo una cosa con otras cosas o con lo que está alrededor: *esa actitud agresiva disuena con tu personalidad tranquila y pacífica.*
FAM disonancia, disonante.

dispar *adj.* Que tiene una o más características que lo hacen diferente del resto o que no es igual: *nuestras opiniones son dispares.* **SIN** disparejo, distinto.
FAM disparidad.

disparada *s. f.* ARG., MÉX. Carrera repentina, fuga.

disparadero Se usa en la expresión.
poner en el disparadero Provocar a una persona para que haga o diga lo que no quiere.

disparador *s. m.* ① Botón de una cámara fotográfica que sirve para hacer funcionar la pieza que regula la entrada de luz por el objetivo y realizar la fotografía. ② Pieza de un arma de fuego que sirve para poner en movimiento la palanca de disparo. **SIN** gatillo.

disparar *v. tr./intr.* ① Hacer que un arma lance su carga. **SIN** descargar, tirar. ‖ *v. tr.* ② En el fútbol, lanzar con fuerza la pelota con el pie, generalmente hacia la meta contraria. **SIN** chutar. ③ Hacer funcionar un aparato que tiene disparador. ‖ *v. prnl.* ④ **dispararse** Lanzar un arma su carga. ⑤ Perder la paciencia y el control. ⑥ Crecer o aumentar una cosa sin control: *los gastos se han disparado este mes con la vuelta al colegio.* ⑦ Salir precipitadamente hacia un lugar: *se disparó hacia la salida.*
FAM disparada, disparadero, disparador, disparo.

disparatado, -da *adj.* ① Que se considera un disparate, por ser demasiado absurdo, poco razonable o poco sensato: *tiene siempre ideas disparatadas.* ② Que es excesivo o desmesurado: *precios disparatados.*

disparate *s. m.* ① Obra o dicho que no tiene razón ni sentido: *deja de decir disparates.* **SIN** dislate. ② Cosa que excede los límites de lo ordinario o de lo lícito: *estos precios son un disparate.*
FAM disparatar.

disparejo, -ja *adj.* Que tiene una o varias características que lo hacen diferente del resto o que no es igual. **SIN** dispar, distinto.

disparidad *s. f.* Diferencia o desigualdad entre dos o más cosas.

disparo *s. m.* ① Operación por la que un arma de fuego lanza su carga: *al oír los disparos todo el mundo se echó al suelo.* **SIN** tiro. ② Marca, señal o efecto provocado por esta carga. ③ En algunos deportes, lanzamiento de la pelota con la intención de marcar un tanto. **SIN** chut, tiro. ④ Operación con la que se pone en funcionamiento un disparador o mecanismo.

dispendio *s. m.* ① Gasto de una cosa, generalmente dinero o bienes materiales, sin orden, sentido ni cuidado. **SIN** derroche, despilfarro, dilapidación. ② Gasto excesivo de medios, tiempo o energía.

dispensa *s. f.* ① Permiso que autoriza a una persona el incumplimiento de una obligación o de lo ordenado por la leyes generales. ② Permiso que concede la Iglesia a una o más personas para el incumplimiento de lo ordenado por la leyes generales. ③ Documento en el que se expresa este permiso: *no podemos casarnos porque aún no hemos recibido la dispensa.*

dispensar *v. tr.* ① Dar o repartir, generalmente palabras o cosas positivas: *dispensar elogios.* ② Disculpar, perdonar o no tomar en cuenta un error o una falta pequeña: *dispensar el retraso.* ③ Autorizar o permitir a una o más personas el incumplimiento de una obligación o de lo ordenado por las leyes generales.
FAM dispensa, dispensario; indispensable.

dispensario *s. m.* Establecimiento donde se presta atención médica a enfermos que no requieren ser internados en un hospital. **SIN** ambulatorio, consultorio.

dispersar *v. tr.* ① Separar, esparcir o extender un conjunto o una cosa que está unida: *la lluvia dispersó al público; la familia se ha dispersado por el país.* ② Poner una persona su atención y esfuerzo en varias actividades o cosas: *no disperses tus energías en varios deportes y dedícate a uno solo.* ③ Hacer desaparecer algo, especialmente celos, dudas, sospechas o temores: *con la ayuda de un psiquiatra logró dispersar todos sus miedos.* ‖ *v. prnl.* ④ **dispersarse** Desaparecer o desvanecerse una cosa, especialmente celos, dudas, sospechas o temores: *tras la boda se dispersaron todos sus celos; su explicación dispersó las últimas dudas.*
FAM dispersión, disperso.

dispersión *s. f.* ① Separación, esparcimiento o extensión de un conjunto o de una cosa que está unida: *la función del fruto es proteger la semilla y ayudar a su dispersión.* ② Descomposición de una radiación compleja en diferentes radiaciones simples. ③ Esparcimiento de una sustancia en el seno de otra que es mucho más abundante que la primera.
dispersión de la luz Descomposición de un haz de luz blanca, cuando incide sobre una superficie de vidrio, en una serie de haces coloreados (arco iris).

disperso, -sa *adj.* Se aplica a la cosa o conjunto de cosas que está separado, esparcido o extendido.

displicencia *s. f.* Indiferencia o falta de interés o aprecio hacia una persona, un grupo o una cosa: *no nos hace caso: su displicencia es indignante.* **SIN** desdén.

displicente *adj./s. com.* Se aplica a la persona o actitud que muestra displicencia.
FAM displicencia.

disponer [36] *v. tr.* ① Poner o colocar según un orden o en una posición adecuada y conveniente: *dispusimos los libros en orden alfabético.* ② Preparar una cosa para un fin: *dispondré el coche para la hora de salir.* ③ Establecer un mandato u ordenar una cosa: *el Código de Circulación dispone que no se puede con-*

ducir bebido. ‖ *v. intr.* **4** Poder utilizar o hacer uso de una cosa que se posee: *puede pagarlo porque dispone de una cuenta corriente envidiable.* **5** Valerse o hacer uso de una persona con un fin: *podéis disponer de mí para ayudaros a hacer el trabajo.* ‖ *v. prnl.* **6** **disponerse** Ponerse o colocarse según un orden o en una posición adecuada y conveniente: *se dispusieron alrededor de la mesa para la comida.* **7** Tener la intención de hacer una cosa y estar a punto de hacerla: *se dispone a partir.* **FAM** disponible, disposición, dispuesto; indisponer, predisponer.

disponibilidad *s. f.* **1** Situación de la persona o cosa que está preparada para un fin. **2** Cantidad de dinero o de bienes que se tienen para gastar o usar en un momento determinado: *sus disponibilidades no le permiten darse muchos lujos.* **NOTA** Normalmente en plural.

disponible *adj.* **1** Se aplica a la cosa que se puede usar o está preparada para un fin: *este armario está vacío y, por tanto, disponible para que coloques tu ropa.* **2** Se aplica a la persona que está preparada y libre de impedimentos para un fin: *como mañana no trabajo, estoy disponible para ayudarte en la mudanza.* **FAM** disponibilidad.

disposición *s. f.* **1** Colocación de una o más cosas según un orden o en una posición adecuada y conveniente. **2** Estado anímico o actitud que se muestra, especialmente para hacer una cosa: *no estoy en disposición de estudiar.* **3** Aptitud para una actividad: *tiene una gran disposición para el deporte.* **4** Decisión u orden que establece una autoridad. ■ **última disposición** Disposición que establece una persona antes de morir, generalmente en relación con sus bienes. **SIN** testamento. **5** Capacidad de disponer de una cosa o poder hacer uso de ella: *mi coche está a tu disposición.* **6** Orden y estructura del contenido de una obra escrita.

dispositivo *s. m.* Mecanismo o parte de él dispuestos para producir una acción prevista.

disprosio *s. m.* Elemento químico de símbolo *Dy* y número atómico 66; es un metal sólido que pertenece al grupo de las tierras raras.

dispuesto, -ta **1** Participio irregular de *disponer.* ‖ *adj.* **2** Que tiene el ánimo y la intención de hacer una cosa o está preparado para ello: *Luis es muy dispuesto, siempre me ayuda en todo.*

disputa *s. f.* **1** Discusión o enfrentamiento entre dos personas o grupos: *insultó al oponente y originó una cruel disputa entre ambos.* **2** Competición o enfrentamiento entre dos o más personas o grupos para conseguir una misma cosa: *la disputa por conseguir el título fue muy reñida.*

disputar *v. tr.* **1** Competir con otros para conseguir una misma cosa: *van a disputar la plaza en la universidad cinco opositores.* **SIN** contender, rivalizar. ‖ *v. intr.* **2** Discutir o pelearse dos o más personas. **FAM** disputa.

disquete *s. m.* Disco magnético y flexible para el almacenamiento de datos informáticos, de pequeño tamaño y poca capacidad, que está protegido por una carcasa de plástico, y que se introduce en el ordenador en el momento de grabar o leer información. **SIN** disco flexible. **FAM** disquetera.

disquetera *s. f.* Parte del ordenador en la que se introduce el disquete para su grabación o lectura.

disquisición *s. f.* **1** Examen o explicación sobre una materia que se hace con rigor, detalle y orden: *el conferenciante llevó a cabo una disquisición sobre la literatura inglesa.* **2** Separación del asunto principal del que se habla o escribe. **NOTA** Más en plural. **SIN** divagación.

distancia *s. f.* **1** Espacio o tiempo que hay entre dos cosas o acontecimientos: *entre tu casa y la mía hay muy poca distancia.* **2** Diferencia grande o importante entre dos personas o cosas: *existe una gran distancia entre trabajar y estar en paro.* **3** Medida de la longitud del segmento que une dos puntos de una trayectoria: *la distancia recorrida entre los puntos A y B se mide sobre la trayectoria, y no en línea recta, como el desplazamiento.*

a distancia Lejos o con separación.

guardar (o **mantener**) **las distancias** No dar o no tomarse mucha confianza en una relación personal. **FAM** distanciar.

distanciamiento *s. m.* **1** Alejamiento o separación en el tiempo o en el espacio. **2** Alejamiento de dos o más personas en cuanto al afecto, el trato o la manera de pensar.

distanciar *v. tr.* **1** Poner espacio o tiempo entre dos o más personas o cosas. **SIN** alejar, apartar, separar. **2** Enfriar la relación amistosa o afectiva entre dos personas: *las diferentes opiniones políticas han distanciado a mis dos hijos.* ‖ *v. prnl.* **3** **distanciarse** Pasar a estar una persona o una cosa a distancia de otra: *comenzó a caminar rápidamente y se distanció de mí.* **4** Enfriarse la relación amistosa o afectiva entre dos personas. **FAM** distanciación, distanciamiento. **OBS** Verbo regular, se acentúa como *cambiar.*

distante *adj.* **1** Que está lejos en el espacio con referencia a un punto determinado: *la universidad está muy distante de mi casa.* **SIN** apartado, lejano, separado. **2** Se aplica a la persona que no ofrece confianza y familiaridad: *creo que es tan distante por su timidez.*

distar *v. tr./intr.* **1** Estar apartada una cosa de otra por un espacio o un tiempo: *esta localidad dista cinco kilómetros; tu casa dista mucho de la mía.* ‖ *v. intr.* **2** Ser diferentes dos personas o cosas entre sí: *esta propuesta dista mucho de la que me hiciste ayer.* **FAM** distante; equidistar.

distender [2] *v. tr.* **1** Hacer menos tensa o tirante una relación u otra cosa: *con tu simpatía siempre consigues distender las situaciones tensas.* ‖ *v. prnl.* **2** **distenderse** Hacerse menos tensa o tirante una relación u otra cosa. **3** Estirarse de forma violenta los tejidos o ligamentos de una articulación: *al levantar una caja muy pesada se le ha distendido el cuello.* **FAM** distendido, distensión.

distendido, -da *adj.* Que está relajado y calmado, sin tensión ni crispación: *una reunión distendida.*

distensión *s. f.* **1** Proceso que hace menos tensa o tirante una relación u otra cosa. **2** Estiramiento violento de los tejidos o ligamentos de una articulación. **3** Fase final de la articulación de un sonido en la que los órganos fonadores se relajan y pasan al estado de reposo.

dístilo *s. m.* Templo o edificio cuyo pórtico está formado por dos columnas.

distinción *s. f.* **1** Diferencia que hace que dos o más cosas sean distintas. **2** Conjunto de cualidades y virtudes que distinguen a una persona de las demás: *es una persona con distinción a la que se nota su buena educación y cultura.* **3** Honor, gracia o trato especial que se concede a una persona: *le han* concedido varias distinciones por su labor como científico. ④ Elegancia o buen gusto: *viste siempre con distinción.*

distinguido, -da *adj.* ① Que tiene un conjunto de cualidades y virtudes que lo distinguen de los demás: *es un pintor muy distinguido y conocido.* ② Se aplica a la persona que destaca por su forma de comportarse con educación y con maneras agradables y finas.

distinguir *v. tr./intr.* ① Determinar la cualidad, característica o circunstancia que hace que dos personas o cosas no sean iguales entre sí: *es incapaz de distinguir un soneto de una décima.* **SIN** diferenciar. ❙ *v. tr.* ② Conceder a una persona un honor, una gracia o un trato especial: *lo han distinguido con una condecoración.* ③ Notar, oír o ver algo que se percibe con dificultad: *distinguí tu voz en medio del ruido de la fiesta.* ④ Hacer una señal o característica especial que una persona o cosa sea diferente de las demás: *son gemelos idénticos, solamente los distingue el color del pelo.* ⑤ Tratar con preferencia o especial estimación a alguien. ❙ *v. prnl.* ⑥ **distinguirse** Destacar entre otros por una cualidad: *este piso se distingue por su amplitud.*

FAM distinción, distinguido.

OBS En su conjugación, la *gu* se convierte en *g* delante de *a* y *o.*

distintivo, -va *adj./s. m. y f.* ① Que sirve para distinguir o diferenciar a una persona o cosa de otra. ❙ *s. m.* ② Característica que distingue o diferencia a una persona o cosa de otra. ③ Insignia, señal u objeto que sirve para distinguir una persona o cosa de las demás: *los coches policiales llevan un distintivo.*

distinto, -ta *adj.* ① Que no es igual. **SIN** diferente. ❙ *adj. pl.* ② Que son más de uno, que son varios: *existen distintas maneras de ir: por carretera, aire o mar.* **SIN** diferentes, diversos. ❙ *adv.* ③ De un modo diferente: *tu flauta y la mía suenan distinto.* **SIN** diferente.

FAM distintivo; indistinto.

distorsión *s. f.* ① Deformación de un sonido o una imagen durante su propagación. ② Deformación de un hecho o de las palabras de alguien. ③ culto Esguince o torcedura.

FAM distorsionar.

distorsionar *v. tr.* ① Deformar un sonido o imagen. ② Deformar un hecho o las palabras de alguien. **SIN** tergiversar.

distracción *s. f.* ① Pérdida de la atención en lo que se hace o se debe hacer: *distracciones del estudio.* ② Cosa que hace pasar el tiempo de manera agradable: *la lectura es para mí una distracción.* **SIN** diversión, divertimiento, entretenimiento.

distraer [46] *v. tr.* ① Apartar o perder la atención en lo que se hace o se debe hacer: *aquella llamada la distrajo de su trabajo.* ② Hacer pasar el tiempo de manera agradable: *lo distrae leer y escuchar música.* **SIN** divertir, entretener. **ANT** aburrir. ❙ *v. prnl.* ③ **distraerse** Perder alguien la atención en lo que hace o debe hacer: *quita la televisión para estudiar, que te distraes.* ④ Pasar alguien el tiempo de manera agradable: *los niños se distraen mucho jugando con construcciones.*

FAM distracción, distraído.

distraído, -da *adj./s. m. y f.* ① Se aplica a la persona que se distrae con facilidad y con frecuencia no atiende a lo que debería atender. ② Que hace pasar el tiempo de manera agradable. **SIN** ameno, divertido, entretenido. **ANT** aburrido, árido, tedioso. ❙ *adj.* ③ CHILE, MÉX. Roto, mal vestido.

distribución *s. f.* ① División o reparto de una cosa entre varias personas señalando lo que le corresponde a cada una. ② División de una cosa en partes dando a cada una de ellas un destino o una posición. ■ **distribución bidimensional** En matemáticas, distribución de probabilidad que determinan dos variables distintas. ■ **distribución empírica** Distribución de probabilidad basada en los datos de una muestra. ■ **distribución estadística** Modo en el que se reparten las probabilidades teóricas asignadas a cada valor de una variable aleatoria dada. ③ Forma de estar dispuestas las diferentes partes de una casa o edificio: *la distribución de esta casa aprovecha mucho el espacio.* ④ Reparto de un producto del fabricante al comerciante: *tuvieron problemas con la distribución por la huelga; se encarga de la distribución de leche.*

distribuidor, -ra *adj./s. m. y f.* ① Se aplica a la persona o entidad que recibe un producto del fabricante y lo entrega a los comerciantes. ❙ *s. m.* ② Pasillo o pieza pequeños de una casa que da paso a varias habitaciones: *este distribuidor da a los dormitorios y al cuarto de baño.* ③ Mecanismo de encendido de un motor que lleva la corriente eléctrica del generador a las bujías.

distribuidora *s. f.* Empresa que se dedica a la comercialización de un producto, generalmente con carácter exclusivo, y actúa de mediador entre el fabricante y el comerciante: *distribuidora de cine.*

distribuir [21] *v. tr.* ① Dividir o repartir una cosa entre varias personas señalando lo que le corresponde a cada una. ② Dividir una cosa en partes dando a cada una de ellas un destino o una posición. ③ Llevar un producto del fabricante al comerciante.

FAM distribución, distribuidor, distributivo; redistribuir.

distributivo, -va *adj.* ① Relativo a la distribución. ❙ *adj./ s. m.* ② Se aplica al determinante que atribuye un mismo objeto, cualidad, etc., a distintas personas o cosas: *"sendos" es un determinante distributivo.* ❙ *adj./s. f.* ③ Se aplica a la proposición coordinada que alterna acciones que no se excluyen: *"unos saltaban, otros corrían" es una oración distributiva.* ❙ *adj.* ④ Se aplica a la conjunción que introduce una proposición de esta clase: *"ora" es una conjunción distributiva.*

distrito *s. m.* Parte en que se divide una población o un territorio para su administración.

distrofia *s. f.* Enfermedad producida por una alteración en la nutrición y que se caracteriza por una pérdida del volumen o de las capacidades funcionales de un órgano o tejido: *distrofia muscular.*

disturbio *s. m.* Conflicto provocado por un grupo de personas en el que se altera la paz social. **SIN** alboroto, desorden.

disuadir *v. tr.* Conseguir que una persona cambie su manera de actuar, pensar o sentir: *mis padres me disuadieron de que dejara de estudiar.* **SIN** apear.

FAM disuasión, disuasivo.

disuasión *s. f.* Capacidad de conseguir mediante razonamientos que alguien cambie su manera de actuar, pensar o sentir.

disuasivo, -va *adj.* Que sirve para hacer cambiar la manera de actuar, pensar o sentir.

disuelto, -ta Participio irregular de *disolver.*

disyóquei V. disc jockey.

disyunción *s. f.* ① culto Desunión o separación. ② Relación entre varios elementos, uno de los cuales excluye a los demás: *en la oración "habla claro o cállate", existe disyunción entre las dos proposiciones.*

disyuntiva *s. f.* Situación en la que hay que elegir entre dos cosas o soluciones diferentes.

disyuntivo, -va *adj.* 1 Que tiene capacidad de desunir o separar. **ANT** aglutinante. ‖ *adj./s. f.* 2 Se aplica a la proposición que expresa una acción, proceso o estado que excluye la acción, el proceso o el estado expresado por otra u otras proposiciones: *"salta o corre" y "entra o sal" son proposiciones disyuntivas.* ‖ *adj.* 3 Se aplica a la conjunción que denota diferencia, alternancia o separación e introduce una proposición disyuntiva: *"bien", "u" y "o" son conjunciones disyuntivas.*

ditirambo *s. m.* 1 Composición poética que los autores de la antigua Grecia escribían en honor de Dionisos (dios del vino) y en la cual se exaltaba el vino, la música y la sensualidad. 2 Elogio exagerado o muy entusiasta.

diurético, -ca *adj./s. m.* Se aplica al medicamento que facilita o aumenta la eliminación de orina.

diurno, -na *adj.* 1 Relativo al día. **ANT** nocturno. 2 Se aplica al animal que realiza su actividad durante el día. **ANT** nocturno. 3 Se aplica a la planta que solamente tiene sus flores abiertas durante el día. **ANT** nocturno.

divagación *s. f.* Separación del asunto principal del que se habla o escribe.

divagar *v. intr.* 1 Separarse o apartarse del asunto principal del que se habla o escribe. 2 Hablar o escribir desordenadamente o sin un fin determinado. 3 Pensar en varias cosas sucesivamente sin orden, objetivo ni motivo concreto. **SIN** errar. 4 culto Vagar, deambular. **FAM** divagación.

diván *s. m.* Asiento alargado y blando, con brazos o sin ellos y generalmente sin respaldo, en el que puede recostarse o tenderse una persona. **SIN** canapé.

divergencia *s. f.* 1 Alejamiento progresivo entre sí de dos o más líneas o superficies. **ANT** convergencia. 2 Falta de coincidencia entre las ideas y tendencias sociales, culturales o económicas de varias personas o grupos. **ANT** convergencia.

divergente *adj.* 1 Se aplica a la línea o superficie que se aparta de otra línea o superficie. **ANT** convergente. 2 Que tiende a no coincidir con las ideas y tendencias sociales, culturales o económicas de otro u otros. **ANT** convergente.

divergir *v. intr.* 1 Ir separándose progresivamente una línea o superficie de otra. **ANT** convergir. 2 Estar en desacuerdo una persona con otra en un asunto concreto. **SIN** diferir, discrepar, disentir. **ANT** convergir. **FAM** divergencia, divergente.

diversidad *s. f.* 1 Diferencia o distinción entre personas, animales o cosas. 2 Abundancia y unión de cosas o personas distintas.

diversificar *v. tr.* 1 Hacer diversa o múltiple una cosa que era única y uniforme: *hemos diversificado el trabajo para hacerlo más ameno.* ‖ *v. prnl.* 2 **diversificarse** Hacerse diversa o múltiple una cosa que era única y uniforme. **FAM** diversificación.

diversión *s. f.* 1 Actividad o espectáculo que gusta y produce placer. **SIN** divertimiento, entretenimiento. 2 Cosa que hace pasar el tiempo de manera agradable. **SIN** distracción, divertimiento, entretenimiento.

diverso, -sa *adj.* 1 Que es distinto de otro: *dos aspectos diversos.* **SIN** diferente. 2 Que está formado por partes de características diferentes. **SIN** variado. ‖ *adj. pl.* 3 Que son más de uno, que son varios: *hay diversas camisas en esta tienda.* **SIN** diferentes, distintos. **FAM** diversidad, diversificar.

divertido, -da *adj.* 1 Que divierte o hace pasar el tiempo de manera agradable: *es una persona muy divertida, da gusto salir con ella.* **SIN** ameno, distraído, entretenido. **ANT** aburrido, árido, tedioso. 2 Que produce alegría: *estuvo toda la noche muy divertido.* **SIN** alegre.

divertimento *s. m.* 1 Composición musical instrumental con varios movimientos y de carácter alegre. 2 Divertimiento.

divertimiento *s. m.* 1 Actividad o espectáculo que gusta y produce placer. **SIN** diversión, divertimiento, entretenimiento. 2 Cosa que hace pasar el tiempo de manera agradable. **SIN** distracción, diversión, divertimiento.

divertir [9] *v. tr.* 1 Hacer pasar el tiempo de manera agradable: *le divierten las historias que le cuentan sus abuelos de su juventud.* **SIN** distraer, entretener. **ANT** aburrir. ‖ *v. prnl.* 2 **divertirse** Pasar alguien el tiempo de manera agradable: *se divirtió mucho en el teatro.* **FAM** diversión, divertido, divertimento, divertimiento.

dividendo *s. m.* 1 Cantidad que debe dividirse entre otra. **ANT** divisor. 2 Parte de las ganancias de una sociedad que corresponde a sus accionistas: *este año han obtenido buenos dividendos.*

dividir *v. tr.* 1 Separar en partes o grupos; establecer separaciones: *hemos dividido el salón en dos partes.* **SIN** partir. 2 Repartir algo entre varios: *dividieron el premio entre los amigos.* **SIN** distribuir. 3 Crear enemistad y discordia entre dos o más personas: *con sus palabras consiguió dividirnos.* 4 Averiguar las veces que una cantidad está contenida en otra. **FAM** dividendo, divisible, divisor, división; subdividir.

divinidad *s. f.* 1 Naturaleza de Dios. 2 En las religiones politeístas, ser sobrenatural que tiene poder sobre una parte concreta de lo existente y sobre el destino de los seres humanos: *Neptuno o Poseidón es la divinidad marina.* **SIN** deidad, dios.

divinizar *v. tr.* 1 Considerar a una persona o cosa como un dios y tratarla como tal: *los pueblos primitivos divinizaban las fuerzas de la naturaleza.* **SIN** deificar. 2 Ensalzar exageradamente las cualidades o virtudes de una persona: *ha divinizado a su novio: no para de hablar de sus buenas cualidades y virtudes.* **SIN** deificar. **FAM** divinización.

divino, -na *adj.* 1 Relativo a Dios o o a los dioses. 2 Que destaca o sobresale entre los demás o que es excepcional: *pinta unos paisajes divinos.* **FAM** divinidad, divinizar.

divisa[1] *s. f.* Moneda extranjera manejada por un país en el comercio internacional: *el turismo es la principal fuente de divisas.* **FAM** eurodivisa.

divisa[2] *s. f.* 1 Señal exterior que sirve para distinguir personas, grados, cargos o cosas. 2 Lema de un escudo.

divisar *v. tr.* Ver o percibir de manera poco clara, generalmente desde lejos: *a lo lejos se divisaba un coche.*

divisibilidad *s. f.* 1 Posibilidad de ser dividido. 2 Propiedad de un número entero de poder dividirse por otro, y así dar como resultado un número entero.

divisible *adj.* 1 Que puede ser dividido. 2 Se aplica al número entero que al dividirlo entre otro da como resultado un número entero. **FAM** divisibilidad; indivisible.

división *s. f.* ⓵ Separación o partición de un todo en partes o en grupos. ■ **división celular** Proceso de multiplicación de las células en dos células hijas. ⓶ Reparto entre varias personas. ⓷ Desacuerdo, desunión o enfrentamiento entre personas. ⓸ Agrupación de equipos deportivos de la misma categoría: *si nuestro equipo gana hoy subirá de segunda a primera división.* ■ **división de honor** Categoría en la que se agrupan los mejores equipos de un deporte. ⓹ Categoría de clasificación de las plantas, inferior a la de reino y superior a la de clase. ⓺ Operación matemática por la cual se obtienen dos números (llamados cociente y resto) a partir de otros dos (llamados dividendo y divisor), de modo que el dividendo sea igual al producto del cociente por el divisor más el resto: *la división de 10 entre 2 da como resultado 5.* ■ **división entera** o **división inexacta** División cuyo resto es distinto de cero. ■ **división exacta** División cuyo resto es cero. ⓻ Unidad militar compuesta por dos o más regimientos de distintos cuerpos del ejército: *división motorizada.* ■ **división acorazada** División formada por carros de combate o fuerzas transportadas en vehículos blindados.

divisionismo *s. m.* Técnica de la pintura desarrollada por Georges Seurat (pintor del siglo XIX), que consiste en la yuxtaposición de pinceladas diminutas, a modo de puntitos, de colores puros en el lienzo, sin haberlos mezclados antes en la paleta. **SIN** puntillismo.

divisor, -ra *adj./s. m.* ⓵ Cantidad que divide a otra: *en la división 98:3, 3 es el divisor.* **ANT** dividendo. ‖ *s. m.* ⓶ Cada uno de los factores en los que se puede descomponer un número, y que lo dividen exactamente: *el 5 es divisor de 15 porque 15 lo contiene 3 veces.* ■ **común divisor** Cantidad por la cual se dividen exactamente dos o más cantidades. ■ **máximo común divisor** Divisor mayor que tienen en común varios números o cantidades; para hallarlo, se descomponen dichos números o cantidades en factores primos y se toman los factores comunes a todos ellos, con el menor de los exponentes. **divisor de tensión** En física, diferencia de potencial en los extremos de una de las resistencias de un circuito en serie que permite dividir una tensión en dos cuya suma es la tensión original. **FAM** divisorio.

divisorio, -ria *adj.* ⓵ Que divide o separa. ‖ *adj./s. f.* ⓶ Se aplica a la línea que separa la cuenca de dos ríos.

divo, -va *adj./s. m. y f.* ⓵ Se aplica al artista que tiene mucha fama y es muy admirado. ⓶ Se aplica a la persona que es demasiado orgullosa y se cree superior a los demás. **FAM** divismo.

divorciado, -da *adj./s. m. y f.* Se aplica a la persona que ha obtenido el divorcio.

divorciar *v. tr.* ⓵ Disolver un juez el vínculo matrimonial entre dos personas: *el juez divorció al matrimonio de mutuo acuerdo.* **SIN** descasar. **ANT** casar. ⓶ Deshacer o separar un grupo de personas que mantenían una estrecha relación, o cosas que estaban o debían estar juntas. ‖ *v. prnl.* ⓷ **divorciarse** Obtener el divorcio dos personas o una de la otra: *se divorció de su mujer tras veinte años de matrimonio.* ⓸ Deshacerse o separarse un grupo de personas que mantenían una estrecha relación o cosas que estaban o debían estar juntas: *los socios se divorciaron después de muchos años.* **OBS** Verbo regular, se acentúa como *cambiar.*

divorcio *s. m.* ⓵ Separación legal de dos personas que estaban casadas: *acaban de concederle el divorcio.* ⓶ Separación de un grupo de personas que mantenían una estrecha relación, o de cosas que estaban o debían estar juntas. **FAM** divorciar.

divulgación *s. f.* Publicación, difusión o propagación entre el público de algo, generalmente un hecho o noticia: *la divulgación de la noticia por televisión ha causado una gran sorpresa entre los telespectadores.*

divulgador, -ra *adj./s. m. y f.* Se aplica a la persona o escrito que publica, difunde o pone al alcance del público algo, generalmente un hecho o noticia: *esta revista es la divulgadora de los últimos avances informáticos.*

divulgar *v. tr.* Hacer que un hecho, una noticia, una lengua, un conjunto de conocimientos, etc., llegue a conocimiento de muchas personas. **SIN** aventar, airear, difundir. **FAM** divulgación, divulgador.

dixie [se pronuncia 'dixi'] *s. m.* Estilo de jazz nacido en Nueva Orleans a principios del siglo XX con la imitación por parte de los músicos blancos del jazz de los negros; se caracteriza por ser interpretado en grupos pequeños que improvisan a tres voces. **SIN** dixieland.

dixieland [se pronuncia aproximadamente 'díxilan'] *s. m.* Dixie.

dizigótico, -ca [también **dicigótico, -ca**] *adj.* Se aplica al mamífero que ha sido engendrado a partir de un óvulo diferente al óvulo del que se ha originado su hermano en el mismo momento; cada uno de los dos embriones resultantes de la fecundación poseen su propia placenta. **SIN** bivitelino.

DNA V. ADN.

DNI [se pronuncia 'de-ene-i'] *s. m.* Sigla de *documento nacional de identidad,* documento que acredita la identidad de una persona.

do *s. m.* Primera nota de la escala musical. **do de pecho** (**I**) Nota más aguda que alcanza la voz de tenor. (**II**) Tesón y esfuerzo que pueden permitir conseguir una cosa: *para aprobar la asignatura, tuvo que dar el do de pecho.* **OBS** Plural: *dos.*

dóberman *adj./s. com.* Se aplica al perro que pertenece a una raza de estatura media, cuerpo esbelto y musculoso, pelo corto, duro y brillante, orejas pequeñas y cabeza estrecha y larga que, por su ferocidad, suele usarse como guardián. **OBS** Pueden encontrarse las grafías *doberman* y *dobermann.*

dobladillo *s. m.* Pliegue que se hace en los bordes de una tela, doblándola dos veces hacia adentro para coserla: *hacer el dobladillo a unos pantalones.*

doblaje *s. m.* Sustitución de las voces de los actores de una película por otras voces, generalmente para traducir del idioma original al idioma del público destinatario de la película.

doblar *v. tr.* ⓵ Plegar o juntar los extremos de un objeto flexible: *dobló los folios antes de meterlos en su cartera.* **ANT** desdoblar. ⓶ Dar forma curva. **SIN** curvar, torcer. ⓷ Pasar al otro lado de un saliente: *el coche dobló la esquina de la casa a toda velocidad.* ⓸ Tener dos veces más: *es mucho mayor que yo, puesto que me dobla la edad.* ⓹ Hacer dos veces mayor una cosa o multiplicar por dos una cantidad: *el nuevo director ha doblado los beneficios anuales de la empresa.* **SIN** duplicar. ⓺ Sustituir a un actor o una actriz de cine o televisión en las escenas peligrosas o que requieren alguna habilidad especial. ⓻ Sustituir las voces de los actores de una película por otras voces, gene-

ralmente para traducir del idioma original al idioma del público destinatario de la película. **8** Alcanzar un participante
de una carrera a otro sacándole una vuelta de pista de ventaja: *los atletas con menos preparación fueron doblados en la recta
final por el campeón.* **v. intr. 9** Cambiar de dirección: *el coche
dobló a la izquierda.* **SIN** girar, torcer. **10** Sonar las campanas
por la muerte de una persona. **11** Caer o echarse al suelo
para morir, especialmente el toro de lidia en la arena de la
plaza. **v. prnl. 12 doblarse** Tomar algo forma curva: *los estantes de la biblioteca se han doblado por el peso de los libros.*
13 Hacerse dos veces mayor una cosa o una cantidad.
SIN duplicarse. **14** Renunciar a una cosa, abandonar una intención o una opinión. **SIN** doblegar.
FAM dobladillo, doblado, doblaje; desdoblar, redoblar.

doble *adj./s. m.* **1** Que es dos veces la cantidad, número o
tamaño de cierta cosa: *cien es el doble de cincuenta.* **SIN** duplo. **adj. 2** Que está formado por dos elementos o se repite
dos veces: *esta puerta tiene doble pestillo.* **3** Se aplica al tejido o
papel que es más grueso o consistente de lo normal: *franela
doble.* **adj./s. m. 4** Se aplica a la bebida cuyo contenido es
dos veces la cantidad normal o habitual: *café doble; un doble de
cerveza.* **adj./s. com. 5** Se aplica a la persona que no se comporta con naturalidad, pues es de una manera y se muestra a
los demás de otra. **s. com. 6** Persona que tiene un gran parecido con otra, de modo que es muy fácil confundirlos.
7 Persona que sustituye a un actor o una actriz de cine o televisión en las escenas peligrosas o que requieren alguna habilidad especial. **SIN** especialista. **adv. 8** Dos veces una cantidad: *con estas gafas veo doble.* **s. m. pl. 9 dobles** Partido en
el que se enfrentan dos jugadores contra otros dos, especialmente en el tenis: *el encuentro de dobles fue muy largo.* **10** Infracción que un jugador comete en el baloncesto cuando
bota el balón con las dos manos a la vez o cuando salta con el
balón y cae con él todavía en las manos.
FAM doblar, doblete; pasodoble.

doblegar *v. tr.* **1** Hacer desistir de una opinión o de un propósito y obligar a aceptar otros. **2** Doblar o torcer encorvan-
do. **v. prnl. 3 doblegarse** Desistir de una opinión o de un
propósito y aceptar otros: *tuvo que doblegarse y darnos la razón.*

doblete *s. m.* **1** Representación de dos papeles distintos por
un mismo actor en la misma obra o película. **2** Serie de dos
éxitos o victorias en un corto periodo de tiempo, especialmente en deporte. **3** Conjunto de dos palabras que tienen el
mismo origen, pero que han evolucionado de distinta manera: *las palabras "delicado" y "delgado" forman doblete, porque
las dos proceden del término latino "delicatus".*

doblez *s. m.* **1** Parte que se dobla o se pliega en una cosa.
2 Señal que deja un pliegue o una arruga. **s. amb. 3** Falsedad o hipocresía en la manera de actuar, expresando lo contrario de lo que se siente realmente: *obrar con doblez.* **SIN** duplicidad.

doblón *s. m.* Antigua moneda española de oro de diferente
valor según las épocas: *el doblón desapareció al adoptarse el sistema de la peseta en 1868.*

doce *num. card.* **1** Diez más dos. **num. part. 2** Que ocupa
el lugar número 12 en una serie ordenada. **SIN** duodécimo. **s. m. 3** Número 12.
FAM doceavo, docena, dozavo.

doceavo, -va *num. part.* Se aplica a cada una de las partes
que resultan de dividir un todo en doce partes iguales.
SIN dozavo, duodécimo.

docena *s. f.* Conjunto formado por doce unidades.
FAM adocenar.

docencia *s. f.* Actividad de la persona que se dedica a enseñar o comunicar conocimientos, habilidades, ideas o experiencias a personas que no las tienen con la intención de que
las aprendan.

docente *adj.* **1** Relativo a la enseñanza (actividad profesional). **adj./s. com. 2** Se aplica a la persona que se dedica a la
enseñanza o comunicación de conocimientos, habilidades,
ideas o experiencias a personas que no las tienen con la intención de que las aprendan: *personal docente; reunión de docen-
tes.*
FAM docencia.

dócil *adj.* **1** Que es fácil de educar o dirigir. **2** Que obedece
o cumple lo que se le manda. **SIN** obediente. **3** Se aplica a la
piedra o metal que se puede labrar con facilidad.
FAM docilidad.

docilidad *s. f.* **1** Carácter del que es fácil de educar o dirigir.
2 Carácter del que cumple lo que se le manda. **SIN** obediencia.

docto, -ta *adj./s. m. y f.* Se aplica a la persona que posee
muchos conocimientos adquiridos a fuerza de estudio: *es
una persona muy docta en física.* **SIN** sabio.
FAM indocto.

doctor, -ra *s. m. y f.* **1** Persona que se dedica a curar o prevenir las enfermedades. **SIN** médico. **2** Persona que ha conseguido el último grado académico en la universidad.
doctor de la Iglesia (I) Título que concede la Iglesia católica a los escritores eclesiásticos que han destacado por la defensa o la enseñanza de la doctrina. (II) Eclesiástico que ha
recibido este título: *santo Tomás de Aquino, santa Teresa de
Ávila y san Agustín son doctores de la Iglesia.* **NOTA** También
simplemente *doctor.*
doctor de la ley Doctor en las disciplinas religiosas y jurídicas de la religión hebrea.
FAM doctoral, doctorar.

doctorado *s. m.* **1** Grado académico más alto que se consigue en la universidad, después de acabar los estudios y realizar una tesis doctoral. **2** Conjunto de estudios necesarios
para conseguir este grado. **3** Conocimiento pleno en alguna
materia.

doctoral *adj.* Relativo al doctor o al doctorado: *una tesis doctoral.*

doctorando, -da *s. m. y f.* Persona que está realizando los
cursos de doctorado o que prepara la tesis doctoral para la
obtención del doctorado.

doctorar *v. tr.* **1** Conceder el grado de doctor a alguien. **v. prnl. 2 doctorarse** Conseguir alguien el grado de
doctor.
FAM doctorado, doctorando.

doctrina *s. f.* **1** Conjunto de ideas o normas políticas, sociales o religiosas que rigen la manera de pensar o de obrar y
que son defendidas por un grupo de personas: *la doctrina cristiana.* **2** Materia o ciencia que se enseña.
FAM doctrinal, doctrinario; adoctrinar.

doctrinal *adj.* Relativo a la doctrina. **SIN** doctrinario.

doctrinario, -ria *adj.* **1** Doctrinal. **adj./s. m. y f.** **2** Se
aplica a la persona que defiende rígidamente una doctrina o
que presta más atención a la doctrina o a las teorías que a su
aplicación en la práctica.

documentación *s. f.* ① Información o conocimiento que se consigue o proporciona sobre algo con un fin determinado: *estoy buscando documentación sobre este tema.* ② Conjunto de documentos oficiales que prueban la identidad de una persona o de una cosa: *la documentación del coche.*
FAM documentación, documentado.

documental *adj.* ① Que se basa en documentos. ‖ *adj./ s. m.* ② Se aplica a la película que trata de hechos y personajes reales con fines informativos o pedagógicos.
FAM documentalista.

documentalista *s. com.* ① Persona que se dedica profesionalmente a hacer cine documental. ② Persona que tiene como oficio la preparación y elaboración de toda clase de datos bibliográficos, informes o noticias sobre determinada materia.

documentar *v. tr.* ① Demostrar algo con documentos. ② Conseguir o proporcionar información sobre algo con un fin determinado: *antes de salir de viaje, se documentó a fondo sobre el país.*
FAM documentación, documentado.

documento *s. m.* ① Escrito con que se prueba o demuestra algo. ■ **documento nacional de identidad** Documento oficial numerado y con la fotografía y los datos personales del titular que acredita su identidad. ② Escrito u otra cosa que sirve para ilustrar o comprobar una cosa, especialmente hechos del pasado: *esta novela es un documento histórico sobre la España de posguerra.* ③ Archivo electrónico creado con procesador de textos, base de datos, hoja de cálculo u otra aplicación informática.
FAM documentar, documentología.

dodecaedro *s. m.* Cuerpo geométrico regular formado por doce caras que son pentágonos regulares.

dodecafonismo *s. m.* Sistema musical atonal, creado por Arnold Schönberg hacia 1920, que se basa en la utilización de la escala cromática o de doce semitonos.

dodecágono *s. m.* Figura geométrica plana de doce lados.

dodecasílabo, -ba *adj./s. m.* Se aplica al verso que tiene doce sílabas: *el modernismo utiliza versos poco frecuentes, como el dodecasílabo.*

dogma *s. m.* ① Punto principal de una religión, doctrina o un sistema de pensamiento que se tiene por cierto y seguro y no puede ponerse en duda. ② Conjunto de puntos principales de una religión, doctrina o un sistema de pensamiento que se tienen por ciertos y seguros y no pueden ponerse en duda. ③ Verdad absoluta.
FAM dogmático, dogmatismo, dogmatizar.

dogmático, -ca *adj.* ① Relativo al dogma: *un punto de vista dogmático.* ‖ *adj./s. m. y f.* ② Se aplica a la persona que expresa una opinión de manera concluyente y la defiende como verdad absoluta.

dogmatismo *s. m.* ① Tendencia a afirmar que una cosa es cierta y segura cuando en realidad es discutible. ② Conjunto de afirmaciones de una religión, doctrina o un sistema de pensamiento que se tienen por ciertos y seguros y se consideran verdades absolutas.

dogmatizar *v. intr.* Afirmar que una cosa es verdadera, indiscutible y segura cuando puede ponerse en duda.

dogo, -ga *adj./s. m.* Se aplica al perro que pertenece a una raza de gran tamaño, con la cabeza grande, las orejas pequeñas con la punta doblada, el hocico corto y cuadrado con los labios gruesos y colgantes por los lados, el cuello y el cuerpo gruesos y cortos y el pelaje marrón claro. **SIN** gran danés.

dólar *s. m.* Unidad monetaria de Estados Unidos, Canadá, Australia, Nueva Zelanda, Liberia y otros países.
FAM petrodólar.

dolby *s. m.* Procedimiento destinado a eliminar o reducir el ruido que acompaña a una señal acústica en el momento de registrar dicha señal y en el momento de su reproducción.
OBS Es marca registrada.

dolencia *s. f.* Enfermedad, especialmente crónica.

doler [6] *v. intr.* ① Tener dolor en una parte del cuerpo: *doler una muela.* ② Causar algo pena, tristeza o lástima: *me duele verte llorar de ese modo.* ‖ *v. prnl.* ③ **dolerse** Expresar con palabras la pena, el dolor o la contrariedad que se siente: *se duele de que no cuentes con él para ir al teatro.* ④ Sentir pena y dolor por la desgracia o el sufrimiento que padece otra persona: *se dolían mucho de la muerte de su amigo.* **SIN** compadecerse. ⑤ Arrepentirse de algo: *se dolía de haber actuado así.*
FAM dolencia, dolido, doliente.

dolido, -da *adj.* Que experimenta pena, tristeza o lástima a causa de una contrariedad: *tu padre está muy dolido porque no te has acordado de su aniversario.*

doliente *adj.* ① Que padece una sensación molesta y desagradable en una parte del cuerpo a causa de una herida o enfermedad. **SIN** dolorido. ② Que expresa pena o aflicción: *voz doliente; poema doliente.*

dolina *s. f.* En geología, depresión cónica formada por el hundimiento de un terreno calizo. **SIN** torca.

dolmen *s. m.* Monumento funerario del Neolítico cuya forma recuerda a una gran mesa y está formado por una o varias losas horizontales que se apoyan en otras verticales: *los dólmenes se usaron como sepultura.*

dolo *s. m.* En derecho, engaño o fraude: *hay dolo cuando se obliga a una persona a firmar un contrato bajo amenazas.*
FAM doloso.

dolomía *s. f.* Roca sedimentaria compuesta por dolomita y calcita, de colores claros variables y empleada en la construcción.

dolomita *s. f.* Mineral compuesto por carbonato cálcico y magnésico; es semejante a la caliza y es el principal componente de las dolomías: *la dolomita se emplea calcinada como material refractario.*

dolor *s. m.* ① Sensación molesta y desagradable que se siente en una parte del cuerpo a causa de una herida o una enfermedad: *dolor de cabeza.* ② Sentimiento intenso de pena, tristeza o lástima producido por una contrariedad: *el dolor de tener que separarse.*
FAM doler, dolorido, doloroso; indoloro.

dolora *s. f.* Composición poética breve, de espíritu dramático, que expresa un pensamiento filosófico sobre la vida, el destino, etcétera.

dolorido, -da *adj.* Que padece una sensación molesta y desagradable en una parte del cuerpo a causa de una herida o una enfermedad: *se cayó por las escaleras y tenía todo el cuerpo dolorido.*

doloroso, -sa *adj.* Que causa dolor físico o moral: *esta inyección no es dolorosa.*

la dolorosa familiar Factura o cuenta que hay que pagar: *hoy te toca a ti pagar la dolorosa.*

doloso, -sa *adj.* Que supone dolo: *el comportamiento doloso será castigado por la ley.*

doma *s. f.* ① Proceso de amansar y hacer dócil a un animal salvaje mediante la práctica de ejercicios. ② Represión de una pasión o una conducta: *para la doma de ese vicio tendrás que poner mucho de tu parte.*

domador, -ra *s. m. y f.* Persona que se dedica a amansar a animales salvajes o a la exhibición y manejo de animales domados.

domar *v. tr.* ① Amansar y hacer dócil un animal salvaje mediante la práctica de ejercicios: *domar caballos.* ② Contener o frenar una pasión o una conducta: *he conseguido domar mi pasión por los dulces.* ③ Hacer tratable a una persona o quitarle la rebeldía: *no consigo domar a este niño tan rebelde.* SIN domeñar, domesticar. ④ Dar flexibilidad: *he conseguido domar estas botas.*
FAM doma, domador; indomable.

domeñar *v. tr.* ① Tener bajo el poder o la autoridad: *los invasores domeñaron a los pueblos atacados.* SIN dominar. ② Hacer tratable a una persona o quitarle la rebeldía. SIN domar, domesticar, dominar.

domesticar *v. tr.* ① Acostumbrar a un animal a convivir con las personas. ② Hacer tratable o quitarle la rebeldía a una persona. SIN domar, domeñar.
FAM domesticable, domesticación.

doméstico, -ca *adj.* ① Relativo a la casa (vivienda): *labores domésticas.* ② Se aplica al animal que se cría en la compañía del ser humano.
FAM domesticar.

domiciliación *s. f.* Autorización de pagos o cobros con cargo a una cuenta bancaria: *la nómina se paga a través de domiciliación bancaria.*

domiciliar *v. tr.* ① Autorizar un pago o un cobro con cargo a una cuenta bancaria: *he domiciliado el pago de los recibos del teléfono en la cuenta corriente.* ② MÉX. Poner la dirección de una carta. ‖ *v. prnl.* ③ **domiciliarse** Fijar la residencia en un lugar: *se ha domiciliado en Madrid por cuestiones de trabajo.* SIN afincarse.
FAM domiciliación.
OBS Verbo regular, se acentúa como *cambiar.*

domiciliario, -ria *adj.* ① Que se ejecuta o se cumple en el domicilio del interesado. ② Relativo al domicilio.

domicilio *s. m.* ① Casa en la que vive habitualmente una persona. ② Lugar en el que legalmente está establecida una persona o sociedad para el cumplimiento de sus obligaciones y el ejercicio de sus derechos.
a domicilio (I) En el domicilio del interesado. SIN domiciliario. (II) En el campo, cancha o pista del contrario.
FAM domiciliar, domiciliario.

dominación *s. f.* Acción de tener bajo el poder o la autoridad, especialmente un rey o gobierno sobre un país o pueblo: *la dominación árabe duró en España siete siglos.*

dominancia *s. f.* En biología, predominio de un alelo o gen sobre otro que, aunque está presente, no llega a manifestarse externamente.

dominante *adj.* ① Que domina, sobresale o es superior a otros de su clase: *la televisión es el medio de comunicación dominante.* ② Se aplica al carácter hereditario que cuando se posee siempre se manifiesta en el fenotipo. ‖ *adj./s. com.* ③ Se aplica a la persona que tiene tendencia a mandar y a dirigir la vida de las personas que lo rodean: *no le lleves la contraria, que es una dominante y se enfadará mucho.* ‖ *s. f.* ④ Quinto grado de

la escala musical diatónica: *en la escala de do mayor, la dominante es el sol.*

dominar *v. tr.* ① Tener bajo el poder o la autoridad. SIN domeñar. ② Conocer una materia, una ciencia o un arte. ③ Contener o frenar una pasión o una conducta: *dominó su ira y no le contestó como hubiera querido.* SIN domar. ④ Sobresalir o ser una cosa más visible que otras entre las que está situada: *la tela que he comprado es de muchos colores pero domina el azul.* ⑤ Ser una cosa más alta que otras entre las que está situada: *la torre domina todo el pueblo.* ⑥ Divisar una extensión de tierra desde la altura: *desde lo alto de la torre Eiffel se domina todo el centro de París.* ‖ *v. prnl.* ⑦ **dominarse** Contener o frenar una pasión o una conducta: *siempre sabe dominarse y nunca pierde los estribos.*
FAM dominación, dominante, dominio.

dómine *s. m.* ① Antiguo profesor de gramática latina. ② despectivo Persona que adopta el tono de maestro sin serlo.

domingo *s. m.* Séptimo y último día de la semana. ■ **Domingo de Pascua** o **Domingo de Resurrección** Domingo en que la Iglesia católica celebra la resurrección de Jesucristo. ■ **Domingo de Piñata** Primer domingo de Cuaresma. ■ **Domingo de Ramos** Último domingo de Cuaresma, que da principio a la Semana Santa.
FAM dominguero, dominical; endomingarse.

dominguejo *s. m.* AMÉR. Persona insignificante.

dominguero, -ra *adj.* ① Que se suele usar en domingo: *traje dominguero.* ‖ *s. m. y f.* ② despectivo Persona que acostumbra a arreglarse y divertirse solamente los domingos y días festivos. ③ despectivo Persona que conduce mal su automóvil porque solamente lo usa para salir de la ciudad al campo los domingos y días de fiesta.

dominical *adj.* ① Relativo al domingo. ‖ *adj./s. m.* ② Se aplica a la publicación que recoge información general y se vende los domingos acompañando a un periódico: *suplemento dominical.*

dominicano, -na¹ *adj.* ① De la República Dominicana (país de América Central). ‖ *s. m. y f./adj.* ② Persona que es de la República Dominicana.

dominicano, -na² V. dominico, -ca.

dominico, -ca *adj.* ① Relativo a la orden religiosa fundada por santo Domingo de Guzmán (1170-1221) a partir de la regla de san Agustín para predicar y convertir a los herejes y que tuvo una alta participación en la colonización americana, dedicándose a la enseñanza. SIN dominicano. ‖ *adj./s. m. y f.* ② Se aplica al religioso que pertenece a esta orden: *fray Bartolomé de las Casas fue un monje dominico.* SIN dominicano. ‖ *adj./s. m.* ③ AMÉR. CENTRAL, CUBA Se aplica a una variedad de plátano de pequeño tamaño.

dominio *s. m.* ① Poder que se tiene sobre lo que es propio o sobre otras personas: *ejerce un fuerte dominio sobre su familia.* ② Territorio y población que están bajo un mismo mando: *España tuvo numerosos dominios americanos.* ③ Territorio donde se habla una lengua o un dialecto. ④ Buen conocimiento de una materia, una ciencia o un arte: *dominio del inglés.* ⑤ Campo de una materia o de una actividad científica o artística: *el dominio de la psicología.* ⑥ Parte de una dirección de internet que identifica un sitio web y que describe el tipo de empresa u organización a la que pertenece, o bien el país donde está registrado.
de dominio público Conocido o sabido por todos.

dominio de definición En matemáticas, conjunto de todos los valores para los que una función está definida.

FAM autodominio.

dominó *s. m.* [1] Juego de mesa en el que se usan 28 fichas rectangulares que tienen una cara dividida en dos cuadrados iguales que llevan marcados de uno a seis puntos negros o ninguno, y que consiste en colocarlas según determinadas reglas. [2] Conjunto de las fichas que se emplean en este juego de mesa.

domo *s. m.* [1] Cúpula o bóveda arquitectónica en forma de media esfera. [2] Pliegue u ondulación del terreno en forma de elevación abombada y de pendiente débil, surgida por el levantamiento de las rocas de la corteza terrestre: *los domos tienen forma de cúpula*.

don[1] *s. m.* [1] Cualidad o habilidad para hacer una cosa: *tiene un don especial para la pintura*. [2] Regalo o cosa que se da voluntariamente en señal de agradecimiento o afecto. **SIN** dádiva, presente. [3] Según el cristianismo, bien material o inmaterial que Dios otorga a una persona para que pueda ejercer más fácilmente sus virtudes espirituales: *fidelidad, valentía, nobleza de corazón, misericordia, sabiduría o prudencia son dones de Dios*.

don de gentes Habilidad para tratar con otras personas, atraer su simpatía o convencerlas.

don, doña[2] *s. m. y f.* Tratamiento de respeto y cortesía que se utiliza antepuesto al nombre propio de una persona: *don Antonio; doña Pilar*.

donación *s. f.* Entrega de algo propio que se hace de forma voluntaria y generosa.

donaire *s. m.* [1] Gracia, discreción y viveza en la forma de hablar o de moverse. **SIN** donosura. [2] Frase graciosa u ocurrente.

donante *adj./s. com.* [1] Se aplica a la persona que voluntariamente hace pasar al poder de otro algo propio. | *s. com.* [2] Persona que voluntariamente da sangre o un órgano de su cuerpo con fines médicos. **ANT** receptor. [3] Persona que costeaba una obra de arte.

donar *v. tr.* Hacer pasar al poder de otro algo propio voluntariamente: *ha donado todos sus libros a la Biblioteca Municipal*. **SIN** dar.

FAM donación, donante, donativo.

donativo *s. m.* Cantidad de dinero o conjunto de medicinas, alimentos, ropas u otros objetos que se da voluntariamente a una persona o grupo para ayudar a cubrir sus necesidades. **SIN** contribución.

doncel *s. m.* [1] culto Hombre joven, especialmente el que no ha tenido relaciones sexuales. [2] Joven noble o paje que aún no había sido armado caballero. [3] Paje real que pasaba a servir en la milicia.

FAM doncella.

doncella *s. f.* [1] culto Mujer joven, especialmente la que no ha tenido relaciones sexuales. [2] Sirvienta que se dedica a trabajos domésticos no relacionados con la cocina.

FAM doncellez.

donde *adv.* [1] Indica el lugar en el que ocurre cierta cosa o en el que se encuentra alguien o algo: *el libro está donde te dije; esta es la casa donde nací*. | *prep.* [2] Indica el lugar en el que está alguien o algo: *iremos donde el juez*. [3] familiar En casa de la persona que se indica: *estuvimos en donde Pedro*.

FAM adonde; dondequiera.

dónde *adv.* En qué sitio o en qué lugar: *¿de dónde vienes?; no sé dónde han quedado*.

dondequiera *adv.* En cualquier parte. **SIN** doquier.

dondiego *s. m.* Planta herbácea ornamental de tallos rectos y nudosos, hojas lanceoladas de color verde oscuro y flores olorosas blancas, rojas o amarillas, con forma de embudo, que se abren solamente tras la puesta de sol. **NOTA** También *dondiego de noche*. ■ **dondiego de día** Planta herbácea de tallos rastreros y flores azules manchadas de blanco y amarillo que solo están abiertas de día.

donjuán *s. m.* Hombre que tiene facilidad y tendencia a seducir a las mujeres.

FAM donjuanesco, donjuanismo.

donjuanesco, -ca *adj.* Relativo al donjuán.

donoso, -sa *adj.* Que tiene gracia, discreción y viveza: *donosa figura; donosa ocurrencia*.

FAM donosura.

OBS Frecuentemente usado de forma irónica.

donostiarra *adj.* [1] De San Sebastián (ciudad capital de Guipúzcoa). | *s. com./adj.* [2] Persona que es de San Sebastián.

donosura *s. f.* Gracia, discreción y viveza en la forma de hablar y moverse. **SIN** donaire.

doña V. don, doña.

dopaje *s. m.* Consumo de sustancias excitantes o estimulantes que sirven para lograr un mejor rendimiento en una competición deportiva. **SIN** doping.

FAM antidopaje.

dopar *v. tr.* [1] Suministrar sustancias excitantes o estimulantes que sirven para lograr un mejor rendimiento en una competición deportiva. [2] Añadir pequeñas cantidades de una sustancia, como impurezas, a otra para mejorar sus propiedades o dotarla de alguna característica específica. | *v. prnl.* [3] **doparse** Consumir sustancias excitantes o estimulantes que sirven para lograr un mejor rendimiento en una competición deportiva: *el corredor mundialmente conocido fue retirado de la competición por doparse*.

FAM dopaje.

doping [se pronuncia aproximadamente 'dopin'] *s. m.* Dopaje.

FAM dopar; antidoping.

doquier *adv.* En cualquier parte. **SIN** dondequiera.

por doquier Por todas partes.

dorada *s. f.* Pez marino comestible, de color gris por encima, amarillo por los lados y con una mancha de color de oro en la cabeza.

dorado, -da *s. m./adj.* [1] Color como el del oro. | *adj.* [2] Que es de este color. [3] Se aplica al periodo de tiempo que está lleno de esplendor, riqueza, buena suerte o felicidad: *los años dorados*. | *s. m.* [4] Acción de dorar. [5] Capa de oro o de una sustancia parecida al oro que recubre un objeto. | *s. m. pl.* [6] **dorados** Conjunto de objetos de metal cubierto de oro o de color de oro.

dorar *v. tr.* [1] Cubrir una superficie con oro o con una sustancia que tenga su mismo color y aspecto: *ha dorado varios objetos de metal que tenía en casa*. [2] Presentar una cosa como mejor o más agradable de lo que es en realidad: *cuéntale la verdad, sin dorar la noticia*. [3] Tostar o asar ligeramente un alimento: *si primero doras la carne, el estofado te quedará más sabroso*. [4] Dar a una cosa un color parecido al del oro. | *v. prnl.* [5] **dorarse** Tomar una cosa un color parecido al del oro.

FAM dorado; desdorar.

dórico, -ca *adj.* ① Se aplica al estilo arquitectónico clásico que tiene las columnas acanaladas, sin basa y sin molduras en el capitel. ② De la Dóride (región de la antigua Grecia).

dorio, -ria *adj.* ① Relativo a un pueblo que llegó a Grecia a finales del siglo XII a. C. y que ocupó gran parte del Peloponeso y algunas islas del Adriático y el Mediterráneo. ‖ *s. m. y f./adj.* ② Persona perteneciente a este pueblo.

dormida *s. f.* ① familiar Estado de reposo inconsciente en el que se pierden los movimientos voluntarios. ② Lugar en el que duermen lo animales en el campo.

dormilón, -lona *adj./s. m. y f.* ① familiar Se aplica a la persona que duerme mucho o con gran facilidad. ‖ *s. m.* ② Nombre común de ciertas aves de la costa americana del Pacífico cuya principal característica es posarse con el cuello recogido, como si estuvieran durmiendo.

dormilona *s. f.* ① AMÉR. Sensitiva (planta americana, variedad de la mimosa, cuyas hojas se repliegan un instante si se rozan). ② MÉX. Cojín pequeño que se sujeta sobre el respaldo de los sillones para apoyar la cabeza. ③ VENEZ. Camisón.

dormir [7] *v. tr./intr.* ① Estar en un estado de reposo inconsciente en el que se pierden los movimientos voluntarios: *dormir la siesta; no he dormido nada esta noche.* ‖ *v. tr.* ② Hacer que alguien pase a un estado de reposo inconsciente en el que se pierden los movimientos voluntarios: *por las tardes duermo a mi hermano pequeño contándole un cuento.* ③ Producir la pérdida temporal del conocimiento o de la sensibilidad de una parte del cuerpo mediante la administración de una sustancia química: *el anestesista durmió al paciente para proceder a la operación.* SIN anestesiar. ④ Aburrir mucho: *su conversación me duerme.* ‖ *v. intr.* ⑤ Pasar la noche en algún lugar fuera de la vivienda habitual: *este fin de semana dormiremos en el campo.* SIN pernoctar. ⑥ familiar Tener relaciones sexuales. ‖ *v. prnl.* ⑦ **dormirse** Pasar a un estado de reposo inconsciente en el que se pierden los movimientos voluntarios: *se ha dormido mientras veía la televisión.* ⑧ Perder el cuidado, la atención o el interés con que se realiza una acción: *no te duermas, que queda mucho por hacer.* ⑨ Perder sensibilidad en una parte del cuerpo: *se me ha dormido la mano.* SIN acorcharse.

dormirla Dormir para que se pase la borrachera.
FAM dormida, dormido, dormilón, dormilona, dormitar, dormitorio; durmiente; adormecer, duermevela.

dormitar *v. intr.* Estar medio dormido o dormir con sueño poco profundo.
FAM dormitorio.

dormitorio *s. m.* ① Habitación de la vivienda que se usa para dormir. SIN alcoba, cuarto. ② Conjunto de muebles de esta habitación.

dorsal *adj.* ① Relativo al dorso (espalda o lomo): *la aleta dorsal de un pez o un mamífero marino está en el lomo.* ② Se aplica al sonido que se articula con el dorso de la lengua. ‖ *adj./s. f.* ③ Se aplica a la letra que representa este sonido: *la "ch", la "k" y la "ñ" son dorsales.* ‖ *s. m.* ④ Trozo de tela con un número que un deportista lleva en la espalda para poder ser identificado: *ha ganado la carrera el corredor con el dorsal 15.* ‖ *s. com.* ⑤ Deportista que lleva este trozo de tela en la espalda: *el dorsal número 8 quedó en tercera posición.* ‖ *s. f.* ⑥ Cordillera sumergida que hay en el fondo del océano donde se crea la corteza oceánica: *la dorsal atlántica recorre el fondo del océano Atlántico de norte a sur; la altura media de las dorsales oceánicas supera los 3 000 m.* NOTA También *dorsal*

oceánica. ⑦ Parte más elevada de una cordillera: *una dorsal de unos 12 km de largo y 2 000 m de altura.*
FAM postdorsal, predorsal.

dorso *s. m.* ① Parte posterior del tronco de una persona o animal. ② Parte superior y convexa de un órgano: *dorso de la mano; dorso de la lengua.* ③ Parte posterior o contraria a la principal de una cosa laminar: *dorso de un sobre; dorso de un folio.*
FAM dorsal; predorso.

dos *num. card.* ① Uno más uno. ‖ *num. ord.* ② Que ocupa el lugar número 2 en una serie ordenada: *soy el dos de la lista.* SIN segundo. ‖ *s. m.* ③ Número 2. NOTA Plural: *doses.*

cada dos por tres familiar Con mucha frecuencia: *cada dos por tres está de viaje.*
FAM entredós.

doscientos, -tas *num. card.* ① Cien más cien. ‖ *num. ord.* ② Que ocupa el lugar número 200 en una serie ordenada. SIN ducentésimo. ‖ *s. m.* ③ Número 200.

dosel *s. m.* Pieza de madera o de tela que se coloca a modo de techo y como adorno sobre un asiento, un trono, una imagen o una cama.
FAM endoselar.

dosier o **dossier** *s. m.* Conjunto de informaciones, documentos o papeles recopilados sobre una persona o un asunto.

dosificar *v. tr.* ① Fijar la cantidad de medicina o de otra sustancia que debe ingerirse en cada toma: *este jarabe trae una jeringuilla para dosificarlo.* ② Graduar la cantidad o proporción de algo inmaterial: *dosificar las fuerzas.* ③ Graduar la cantidad de una sustancia que debe añadirse en cada etapa de un proceso.
FAM dosificación.
OBS Se conjuga como *sacar.*

dosis *s. f.* ① Cantidad de medicina o de otra sustancia que se ingiere en cada toma: *tengo que darle una dosis de 3,5 cl de jarabe.* ② Cantidad o proporción de algo inmaterial: *una buena dosis de paciencia.* ③ Cantidad específica y graduada de una sustancia que se añade en cada etapa de un proceso.
FAM dosificar; sobredosis.
OBS Plural invariable.

dossier *s. m.* Dosier.

dotación *s. f.* ① Concesión a una persona de una cualidad o una capacidad para ejercer una actividad: *la dotación de inteligencia diferencia a los hombres de los animales.* ② Equipamiento de una cosa con algo que la complete o mejore: *el barrio ha mejorado mucho con la dotación de nuevos espacios deportivos.* ③ Asignación de una cantidad de dinero como sueldo, premio o pago: *la dotación de la beca se ha aumentado este año.* ④ Asignación de las personas o los medios necesarios para el buen funcionamiento de una actividad: *el Ayuntamiento estudia la dotación de los nuevos coches para la policía municipal.* ⑤ Conjunto de personas destinadas a realizar un servicio o una actividad: *en verano se aumenta la dotación de bomberos.*

dotar *v. tr.* ① Dar o conceder una cualidad o una capacidad a una persona para ejercer una actividad: *la naturaleza lo dotó con una sensibilidad especial para la pintura.* ② Dar o equipar una cosa con algo que la complete o mejore: *han dotado la casa de un nuevo sistema de calefacción.* ③ Asignar una cantidad de dinero como sueldo, premio o pago. ④ Asignar a un lugar las personas o los medios necesarios para su funcionamiento. ⑤ Asignar dote a una mujer.
FAM dotación.

dote *s. f.* ① Cualidad o capacidad que muestra una persona

para ejercer una actividad: *esta niña tiene dotes de artista.* **NOTA** Más en plural. | *s. amb.* 2 Conjunto de bienes o dinero que una mujer aporta al matrimonio o que entrega al convento o a la orden religiosa a la que va a pertenecer.
FAM dotar; cazadotes.

dovela *s. f.* Piedra labrada en forma de cuña cuya yuxtaposición sirve para formar un arco, una bóveda u otras superficies arquitectónicas.

Dr., Dra. Abreviaturas de *doctor* y *doctora*, tratamientos que corresponden a quienes tienen este grado académico y a los médicos, aunque no lo tengan.

dracma *s. amb.* 1 Unidad monetaria de Grecia hasta su sustitución por el euro en el año 2002. 2 Moneda antigua de plata de Grecia y Roma que valía cuatro sestercios.

draconiano, -na *adj.* Se aplica a la ley o medida que es excesivamente severa.

draga *s. f.* Máquina que sirve para dragar.
FAM dragar.

dragaminas *s. m.* Buque acondicionado para limpiar de minas submarinas los mares.
OBS Plural invariable.

dragar *v. tr.* Sacar barro, piedras o arena del fondo de un puerto de mar, de un río o de una corriente navegable para limpiarlo o darle mayor profundidad.
FAM dragado, dragaminas.

drago *s. m.* Árbol originario de Canarias, de hasta 20 m de altura, de tronco grueso, ramificado y liso, copa ancha y siempre verde, flores de color blanco verdoso en forma de campana y fruto en forma de baya anaranjada, del que se extrae una resina usada en medicina.

dragón *s. m.* 1 Animal fabuloso con forma de serpiente gruesa con patas de león y alas de águila, muy fiero y que echa fuego por la boca. 2 Reptil de cuerpo alargado, parecido al lagarto, cuya piel se expande a ambos lados del cuerpo formando una especie de alas que le ayudan en sus saltos. 3 Embarcación de vela con aparejo de balandro usada en competiciones deportivas. 4 Pez marino comestible de unos 40 cm de largo, color rojizo por encima y blanco amarillento con manchas azuladas en los costados y aletas muy espinosas. 5 Planta de jardín de hojas lanceoladas y flores tubulares en espiga de colores varios, como amarillo o rosa, con el extremo semejante al hocico cerrado de un animal. 6 Soldado de caballería que combatía a pie.

drama *s. m.* 1 Obra de teatro. 2 Subgénero de la literatura dramática que comprende las obras teatrales cuyo asunto es un conflicto humano capaz de poner en tensión el ánimo del espectador; frente a la tragedia, no exige un desenlace catastrófico. 3 Obra cinematográfica con el mismo tema. 4 Acontecimiento de la vida real capaz de emocionar y causar tristeza: *aquel accidente fue un drama: murió toda la familia.*
FAM dramático, dramatismo, dramatizar, dramaturgia, dramón; melodrama, psicodrama.

dramática *s. f.* 1 Género literario formado por obras en prosa o en verso que están destinadas a la representación escénica y desarrollan una historia expuesta principalmente a través del diálogo y el monólogo. **SIN** teatro. 2 Dramaturgia.

dramático, -ca *adj.* 1 Relativo al drama. 2 Relativo al teatro. **SIN** teatral. 3 Se aplica a la persona a la que le falta naturalidad y que suele exagerar las cosas y los acontecimientos, generalmente para llamar la atención: *no te pongas*

dramático. **SIN** teatral. 4 Capaz de conmover: *una escena dramática.* | *adj./s. m. y f.* 5 Se aplica al autor que escribe obras dramáticas. 6 Se aplica al actor que representa estas obras.
FAM dramaticidad.

dramatismo *s. m.* Capacidad de emocionar, conmover o causar dolor en el ánimo: *no puedo soportar el dramatismo de las imágenes sobre la guerra.*

dramatización *s. f.* 1 Representación teatral, escenificación de un suceso, un hecho, una historia. 2 Exageración de algo, generalmente para llamar la atención.

dramatizar *v. tr.* 1 Dar forma y características de drama como género literario. | *v. tr./intr.* 2 Exagerar una cosa o un acontecimiento, generalmente para llamar la atención.
FAM dramatización; desdramatizar.

dramaturgia *s. f.* 1 Arte y técnica de la representación teatral. **SIN** dramática. 2 Conjunto de obras de teatro de un autor o de una época.
FAM dramaturgo.

dramaturgo, -ga *s. m. y f.* Autor de obras dramáticas.

drástico, -ca *adj.* Que es radical, riguroso o severo: *tomar medidas drásticas contra el terrorismo.*

drenaje *s. m.* 1 Eliminación del agua acumulada en un lugar, especialmente en un terreno, por medio de zanjas o cañerías: *la primera máquina de vapor se inventó para hacer funcionar las bombas de drenaje de las minas.* 2 Eliminación del líquido acumulado anormalmente en una herida o en una cavidad del cuerpo. 3 Material o procedimiento que se usa para eliminar el líquido acumulado en un lugar o una parte del cuerpo: *las plantas en maceta deben tener una capa de drenaje en el fondo.*

drenar *v. tr.* 1 Hacer salir el agua acumulada en una zona, especialmente en un terreno. 2 Hacer salir el líquido acumulado en una herida o en una cavidad del cuerpo.
FAM drenaje.

driblar *v. tr./intr.* Engañar al contrario mediante un movimiento brusco para esquivarlo y no dejarse arrebatar el balón, especialmente en fútbol. **SIN** regatear.

dribling *s. m.* Movimiento brusco para esquivar al contrario y no dejarse arrebatar el balón, especialmente en fútbol. **SIN** regate.
FAM driblar.

dril *s. m.* Tela fuerte de hilo o de algodón crudos o sin tratar.

driver [se pronuncia 'dráiver'] *s. m.* Programa informático, controlador o rutina que enlaza un dispositivo periférico al sistema operativo: *si no tienes el driver del teclado, no puedes conectarlo a tu ordenador.*
OBS Plural: *drivers.*

droga *s. f.* 1 Sustancia que elimina el dolor, tranquiliza, excita, o aumenta o disminuye el estado consciente, y cuyo consumo reiterado puede crear dependencia: *muchos expertos han demostrado que el alcohol es una droga tan peligrosa como la cocaína.* ■ **droga blanda** Droga que no crea dependencia o lo hace en bajo grado. ■ **droga dura** Droga que crea una fuerte dependencia: *la heroína y la cocaína son drogas duras cuya adicción es muy difícil superar.* 2 Sustancia preparada que se emplea en industria, limpieza y pintura. 3 familiar Cosa que atrae hasta el punto de ser más fuerte que la voluntad: *cantar es una droga para él, lo hace hasta comiendo.* 4 MÉX., PERÚ Deuda.
FAM drogar, drogata, drogadicción, drogodependencia; antidroga.

drogadicción *s. f.* Hábito y dependencia de alguna droga producidos por su consumo reiterado. SIN drogodependencia, toxicomanía.
FAM drogadicto.

drogadicto, -ta *s. m. y f.* Persona que tiene hábito y dependencia de alguna droga por su consumo reiterado. SIN drogodependiente, toxicómano.

drogar *v. tr.* **1** Suministrar drogas: *tras la intervención quirúrgica, lo drogaban para calmarle los dolores.* ❚ *v. prnl.* **2** **drogarse** Consumir drogas: *hay mil razones para no drogarse.*
FAM drogado.

drogodependencia *s. f.* Hábito y dependencia de alguna droga producidos por su consumo reiterado. SIN drogadicción, toxicomanía.
FAM drogodependiente.

drogodependiente *s. com.* Persona que tiene hábito y dependencia de alguna droga por su consumo reiterado. SIN drogadicto, toxicómano.
FAM drogodependencia.

droguería *s. f.* Establecimiento en el que se venden principalmente productos de limpieza y pinturas.

dromedario *s. m.* Mamífero rumiante, parecido al camello pero con una sola joroba, usado en Arabia y en el norte de África para montar o como bestia de carga.

druida *s. m.* Sacerdote de los antiguos celtas cuyos poderes no eran solamente de carácter religioso sino también judicial, político y educativo.

drupa *s. f.* Fruto carnoso de forma redondeada que tiene en su interior una única semilla envuelta en una capa leñosa dura o hueso: *el melocotón es una drupa.*

druso, -sa *adj./s. m. y f.* **1** Se aplica a la persona que pertenece a un pueblo que habita en el Próximo Oriente y profesa una religión derivada de la mahometana. ❚ *adj.* **2** Relativo a este pueblo.

dual *adj.* **1** Que tiene o reúne en sí dos caracteres o fenómenos distintos: *el signo lingüístico es dual: consta de significante y significado.* **2** Que se emite en dos lenguas: *muchos canales de televisión emiten programas duales.* **3** Se aplica al número gramatical que expresa dos personas o cosas en algunas lenguas.
FAM dualidad, dualismo.

dualidad *s. f.* **1** Existencia de dos caracteres o fenómenos distintos en una misma persona o en un mismo estado de cosas. **2** Existencia simultánea de dos cosas de la misma clase: *la dualidad de lo material y lo espiritual.* **3** Cualidad de algunos cuerpos de cristalizar en dos figuras geométricas distintas.

dubitativa *s. f./adj.* Oración que expresa o muestra duda: *"tal vez tengamos suerte" es un ejemplo de oración dubitativa.*

dubitativo, -va *adj.* **1** Se aplica a la persona que tiene o muestra duda. **2** Que implica o denota duda.

dublinés, -nesa *adj.* **1** De Dublín (capital de la República de Irlanda). ❚ *s. m. y f./adj.* **2** Persona que es de Dublín.

ducado *s. m.* **1** Título nobiliario de duque. **2** Territorio sobre el que antiguamente un duque ejercía su autoridad o dominio. **3** Estado gobernado por un duque. **4** Antigua moneda, generalmente de oro, con distinto valor en cada país.
FAM archiducado.

ducal *adj.* Relativo al duque: *palacio ducal.*
FAM ducado.

duce [se pronuncia 'duche'] *s. m.* Título tomado por Benito Mussolini (jefe de la Italia fascista desde 1922 hasta 1945).

ducentésimo, -ma *num. ord.* **1** Que ocupa el lugar número 200 en una serie ordenada. ❚ *num. part.* **2** Se aplica a cada una de las partes que resultan de dividir un todo en doscientas partes iguales.

ducha *s. f.* **1** Aplicación de agua que, en forma de chorro o lluvia, se hace caer o se dirige sobre el cuerpo para asearlo: *se dio una ducha antes de acostarse.* **2** Aparato o instalación que permite hacer caer o dirigir agua, en forma de chorro o lluvia, sobre el cuerpo para asearlo. **3** Recipiente donde cae y se recoge el agua de este aparato. **4** Habitación o lugar donde está instalado este aparato.

ducha de agua fría *familiar* Noticia desagradable e inesperada.
FAM duchar.

duchar *v. tr.* Aplicar agua, en forma de chorro o lluvia, sobre el cuerpo para asearlo: *se ducha cada mañana.*

ducho, -cha *adj.* Se aplica a la persona que es experta en una actividad: *este cocinero es muy ducho en preparar comidas caseras.* SIN diestro.

dúctil *adj.* **1** Se aplica al metal que puede someterse a grandes deformaciones y estirarse en forma de hilos o alambres sin romperse. **2** Se aplica al material que puede trabajarse con facilidad.
FAM ductilidad.

ductilidad *s. f.* **1** Propiedad que tienen algunos metales de someterse a grandes deformaciones y estirarse en forma de hilos o alambres sin romperse, por lo que se pueden modelar o trabajar con facilidad: *el estaño tiene una gran ductilidad.* SIN maleabilidad. **2** Capacidad de algunas personas para adaptarse o cambiar de opinión con facilidad. SIN maleabilidad.

duda *s. f.* **1** Vacilación o falta de determinación ante varias posibilidades de elección acerca de una creencia, una noticia o un hecho: *tengo una duda, no sé si regalarle un libro o un disco.* **2** Cuestión que se propone para resolverla: *plantear una duda.*

dudar *v. intr.* **1** Vacilar ante varias posibilidades de elección acerca de una creencia, una noticia o un hecho. ❚ *v. tr.* **2** No creer por completo en la veracidad de un hecho o una noticia. **3** Desconfiar de la honradez de alguien o sospechar que es culpable de una falta o delito.
FAM duda, dudoso; indudable.

dudoso, -sa *adj.* **1** Que origina duda o falta de certeza sobre su veracidad: *la noticia del terremoto en China sigue siendo dudosa, porque aún no ha sido confirmada.* **2** Se aplica a la persona que vacila ante varias posibilidades de elección acerca de una creencia, una noticia o un hecho: *sigue dudoso sobre si debe aceptar o no el contrato que le han ofrecido.* **3** Que es poco probable: *en época de sequía es dudoso que llueva.* **4** Que ofrece desconfianza o sospecha: *esta fruta es demasiado barata, es de dudosa calidad.*

duela *s. f.* **1** Tabla que forma con otras semejantes las paredes curvas de un tonel, barril o cuba. **2** Gusano parásito del hígado del cordero y del ganado vacuno.

duelo[1] *s. m.* Lucha o enfrentamiento entre dos personas o entre dos animales: *el duelo entre los ajedrecistas quedó en tablas.*

duelo[2] *s. m.* **1** Conjunto de demostraciones de pena y dolor que se sienten por la muerte de una persona: *no fui al duelo,*

porque me enteré de su muerte varios días después. **2** Conjunto de personas que asisten a uno o a varios de los actos funerales que se hacen por la muerte de una persona: *en el entierro del artista el duelo fue muy numeroso.*
sin duelo Con abundancia.

duende *s. m.* **1** Espíritu travieso que, según la tradición popular, habita en algunas casas, donde causa ruidos y trastornos. **2** Personaje de los cuentos infantiles, habitualmente representado con aspecto de viejo o de niño, que gasta bromas a los humanos o los ayuda en sus quehaceres. **3** Encanto o atractivo inefables de una persona o de una manifestación artística: *no es muy guapa, pero los chicos le van detrás porque tiene duende.*

dueño, -ña *s. m. y f.* Persona que tiene la propiedad de una cosa. **sin** amo.
ser (muy) dueño de hacer algo familiar Tener derecho a hacer algo por encima de la opinión de los demás.
fam adueñarse.

duermevela *s. amb.* Sueño poco profundo, inquieto e interrumpido con cierta frecuencia.

dueto *s. m.* **1** Composición musical para dos voces o dos instrumentos. **sin** dúo. **2** Conjunto musical formado por dos voces o dos instrumentos. **sin** dúo.

dugón *s. m.* Mamífero acuático de color grisáceo que vive en el litoral del océano Índico y tiene la cola dividida en dos paletas. **sin** dugongo.

dugongo *s. m.* Dugón.

dulce *adj.* **1** Se aplica al alimento que tiene un sabor suave y agradable, parecido al del azúcar o la miel: *el pastel está demasiado dulce.* **ant** amargo. **2** Se aplica a la cosa que no es salada, ni agria ni amarga en comparación con otras del mismo tipo o especie: *agua dulce.* **ant** salado. **3** Que produce una impresión o una sensación agradable y placentera: *esa película es muy dulce.* **ant** amargo. **4** Se aplica a la persona que es amable y complaciente con los demás: *tiene una personalidad tan dulce que da gusto tratarlo.* **ant** amargo. **|** *s. m.* **5** Alimento preparado con azúcar o en cuya composición entra el azúcar como elemento fundamental. **6** Fruta cocida con almíbar o azúcar: *dulce de membrillo.* **|** *adv.* **7** Con dulzura y suavidad: *me habló muy dulce.*
fam dulcemente, dulcero, dulcificar, dulzaina, dulzón, dulzor, dulzura; adulzar, agridulce, endulzar.

dulcero, -ra *adj./s. m. y f.* **1** familiar Se aplica a la persona que tiene mucha inclinación y afición a comer dulces. **sin** goloso. **|** *s. m. y f.* **2** Persona que se dedica a fabricar o vender dulces.

dulcificar *v. tr.* **1** Poner dulce o más dulce algo: *dulcifica la medicina con un terrón de azúcar y no te sabrá tan amarga.* **sin** endulzar. **2** Hacer dulce una cosa de modo que produzca una impresión agradable y placentera o alivie un mal o pesar: *con sus buenos modales, le ha dulcificado la noticia de su despido.* **sin** endulzar.
fam dulcificación.

dulcinea *s. f.* Mujer a la que se ama: *no ha tenido, en toda su larga vida, otra dulcinea que su esposa.*

dulzaina *s. f.* Instrumento musical de viento formado por un tubo ligeramente cónico de madera o metal con siete orificios y una embocadura con doble lengüeta de caña: *la dulzaina estuvo de moda en los siglos XV y XVI y es una precursora del oboe.*

dulzón, -zona *adj.* Se aplica al alimento que tiene un sabor demasiado dulce.

dulzor *s. m.* Dulzura.

dulzura *s. f.* **1** Carácter agradable que tiene una cosa: *la dulzura de esa canción nos emocionó a todos.* **2** Amabilidad y complacencia que tiene una persona: *la dulzura de su trato hace que uno se sienta muy cómodo con él.* **3** Sabor suave y agradable, parecido al del azúcar o la miel. **|** *s. f. pl.* **4** **dulzuras** Palabras o expresiones cariñosas y amables.

dumping [se pronuncia aproximadamente 'dampin'] *s. m.* Práctica comercial que consiste en vender un producto en el mercado exterior a un precio más bajo que el del interior con el fin inmediato de ir eliminando las empresas competidoras y apoderarse finalmente del mercado: *el dumping está prohibido por el Acuerdo General sobre Aranceles Aduaneros y Comercio.*

duna *s. f.* Forma de relieve producida por una acumulación de arena debido a la acción del viento en los desiertos y en las playas, ríos y lagos: *un médano es una duna móvil.*

dúo *s. m.* **1** Dueto. **2** Conjunto de dos personas.
a dúo Con intervención simultánea de dos personas.
fam dueto.

duodécimo, -ma *num. ord.* **1** Que ocupa el lugar número 12 en una serie ordenada. **|** *num. part.* **2** Se aplica a cada una de las partes que resultan de dividir un todo en doce partes iguales. **sin** doceavo, dozavo.

duodeno *s. m.* Parte inicial del intestino delgado de los mamíferos situada entre el final del estómago y el yeyuno, donde van a parar los jugos digestivos del hígado y del páncreas.
fam duodenal.

dúplex *s. m.* **1** Vivienda de un edificio que consta de dos pisos superpuestos unidos por una escalera interior. **|** *adj./s. m.* **2** Se aplica a la línea de telégrafo que permite la transmisión de mensajes en ambos sentidos.
obs Plural invariable.

duplicación *s. f.* Multiplicación por dos o aumento en dos veces de algo.

duplicado *s. m.* **1** Copia fiel de un documento o escrito original, de idénticas características que este tanto en su forma como en su contenido y con la misma validez, que se expide por si se pierde el original o cuando se necesita más de una copia: *el duplicado de un impreso.* **2** Reproducción o copia exacta de un objeto: *el duplicado de una llave.*
por duplicado En dos ejemplares: *enviar las fotocopias por duplicado.*

duplicar *v. tr.* **1** Hacer dos veces mayor una cosa o multiplicar por dos una cantidad: *mi profesor de gimnasia ha duplicado el tiempo del ejercicio.* **sin** doblar. **2** Hacer una copia o duplicado.
fam duplicación, duplicado, duplicidad; reduplicar.

duplicidad *s. f.* Falsedad o hipocresía en la manera de actuar, expresando lo contrario de lo que se siente realmente. **sin** doblez.

duplo, -pla *adj./s. m.* Que es dos veces el número o cantidad de cierta cosa: *el duplo de cinco es diez.* **sin** doble.
fam dúplex, duplicar.

duque, -quesa *s. m. y f.* **1** Miembro de la nobleza de categoría inferior a la de príncipe y superior a la de marqués. **2** Soberano o autoridad suprema de un ducado. **|** *s. m.* **3** En

el feudalismo, señor o gobernador de un territorio, de categoría superior a los demás señores.
FAM ducado, ducal; archiduque.

duración *s. f.* Periodo de tiempo que transcurre entre el principio y el fin de una cosa.

duradero, -ra *adj.* Que dura o puede existir, ocurrir o desarrollarse durante un largo periodo de tiempo.

duraluminio *s. m.* Aleación ligera de aluminio con cobre y otros metales, que es tan dura como el acero y tiene una gran resistencia mecánica.
OBS Es marca registrada.

duramadre *s. f.* Meninge que es la más externa de las tres, adherida a la pared craneal: *las meninges son: duramadre, aracnoides y piamadre.*

duramen *s. m.* Parte central, más seca, compacta y oscura, del tronco y de las ramas gruesas de un árbol.

durante *prep.* Indica el periodo de tiempo que dura algo o en el que sucede.

durar *v. intr.* ① Existir, ocurrir o desarrollarse algo durante un periodo de tiempo: *un partido de fútbol dura 90 minutos.* ② Mantenerse o conservar las propias cualidades: *el motor de tu coche durará más si lo revisas, al menos, una vez al año.*
FAM durable, duración, duradero, durativo.

durativo, -va *adj.* ① culto Que dura, duradero. ② Se aplica al aspecto del verbo que expresa la acción mientras se está realizando, sin limitación temporal o sin precisar principio o fin.

durazno *s. m.* ① Variedad de melocotonero que da un fruto más pequeño que el común. ② Fruto de esta variedad de melocotonero. ③ AMÉR. Melocotonero. ④ AMÉR. Melocotón.

dureza *s. f.* ① Cualidad de duro: *una madera de gran dureza; trataba a sus hijos con dureza.* ② Grado de resistencia que opone un mineral a ser rayado: *la dureza del talco es muy baja.* ③ Capa de piel dura que se forma en algunas partes de un cuerpo humano o animal, generalmente a causa de un roce continuado: *desde que juego al tenis, me han salido unas durezas en la mano.*

durmiente *adj./s. com.* ① Se aplica a la persona que duerme. ‖ *s. m.* ② Madero horizontal sobre el que se apoyan otros.

duro, -ra *adj.* ① Se aplica a la materia que ofrece una gran resistencia a ser doblada, deformada, penetrada o cortada: *la madera del alcornoque es dura.* **ANT** blando. ② Se aplica al mineral que opone resistencia a ser rayado: *el diamante es el mineral más duro.* **ANT** blando. ③ Que carece de la blandura o flexibilidad necesaria: *un colchón duro; esta carne está dura.* ④ Se aplica a la persona que es fuerte y resistente al trabajo, al cansancio o a las penalidades: *es un hombre duro, capaz de soportar trabajos pesados.* ⑤ Se aplica a la persona que es insensible, severa o muy rigurosa. ⑥ Que ofende, hiere la sensibilidad o es violento: *sus insultos fueron muy duros; el documental incluye imágenes duras.* ⑦ Se aplica a la actividad que exige gran esfuerzo y sufrimiento: *un trabajo duro.* ⑧ Se aplica a la cosa que carece de armonía o suavidad: *un clima duro; un rostro de rasgos duros.* ‖ *s. m.* ⑨ Moneda de cinco pesetas: *en 1869 se estableció el valor del duro.* ‖ *adv.* ⑩ Con gran esfuerzo, fuerza o violencia: *pegar duro.*
estar a las duras y a las maduras Aceptar y asumir tanto las ventajas como los inconvenientes de algo.
no tener (o **quedarse sin**) **un duro** familiar No tener nada de dinero.
FAM duraluminio, dureza.

duunviro *s. m.* Miembro de un gobierno de la antigua Roma compuesto por dos magistrados con funciones judiciales y administrativas.

dux *s. m.* Príncipe o magistrado supremo de las antiguas repúblicas de Génova y Venecia.
OBS Plural invariable.

DVD [se pronuncia 'de-uve-de'] *s. m.* ① Disco digital del mismo tamaño que un CD-ROM pero con una capacidad de almacenamiento de datos, imagen o sonido quince veces mayor. ② Aparato o dispositivo que permite acceder a la información contenida en este disco.

e¹ *s. f.* Quinta letra del alfabeto español; su nombre es *e*. **OBS** Plural: *es*.

e² *conj.* Sustituye a la conjunción *y* cuando la palabra siguiente comienza por *i* o por *hi*: *aguja e hilo*. **NOTA** No se realiza la sustitución, sin embargo, cuando la palabra siguiente comienza por *y* o *hi* seguido de vocal: *café y hielo*.

¡ea! *int.* Expresión que se usa, sola o repetida, para animar o estimular a hacer algo.

ebanista *s. com.* Carpintero que se dedica a trabajar maderas finas y a construir muebles de calidad.
FAM ebanistería.

ebanistería *s. f.* **1** Taller o lugar de trabajo del ebanista. **2** Arte y técnica de trabajar las maderas finas y de construir muebles de calidad con ellas.

ébano *s. m.* **1** Árbol exótico de tronco grueso y alto, hojas de color verde oscuro, flores verdosas y bayas redondas y amarillentas. **2** Madera de este árbol, de color negro, lisa, pesada y muy dura.
FAM ebanista.

ebonita *s. f.* Material plástico negro y muy duro obtenido del caucho endurecido y vulcanizado con azufre, que se usa en aisladores eléctricos y para revestir objetos metálicos.

ebrio, ebria *adj./s. m. y f.* **1** Se aplica a la persona que tiene alteradas sus facultades físicas y mentales por haber ingerido una cantidad excesiva de bebida alcohólica. **SIN** bebido, beodo, borracho. | *adj.* **2** Dominado por un sentimiento o una pasión fuertes.
FAM ebriedad.

ebullición *s. f.* **1** Movimiento violento del agua u otro líquido con producción de burbujas como consecuencia del aumento de su temperatura o por estar sometido a fermentación. **SIN** hervor. **2** Estado de agitación: *el país pasa por un momento de gran ebullición política*. **3** Paso de una sustancia del estado líquido al gaseoso, manteniéndose las dos fases en equilibrio.

eccehomo *s. m.* Representación de Jesucristo detenido y herido, con una corona de espinas en el momento de ser presentado por Pilatos al pueblo.

eccema [también **eczema**] *s. m.* Enfermedad de la piel que se caracteriza por la aparición de descamación, manchas rojas y picores.

ecclesia *s. f.* Eclesia.

echado *adj.* C. RICA, NICAR. Apático, indolente, perezoso.

echar¹ *v. tr.* **1** Enviar un objeto dándole un impulso: *¡échame la pelota!* **2** Dejar caer una cosa para que entre en un lugar: *eché la carta en el buzón; échame agua en el vaso*. **3** Despedir de sí o emitir algo: *la chimenea echa mucho humo*. **SIN** arrojar. **4** Despedir, expulsar o hacer salir de un lugar, especialmente de manera violenta o despreciativa: *lo han echado del colegio*. **5** Producir o empezar a tener un organismo algo propio de su naturaleza: *el niño ha echado un diente*. **6** Poner sobre un lugar: *echaremos una manta más en la cama*. **7** Tender o acostar un rato para descansar: *echó al bebé en la cuna*. **8** Inclinar o mover en cierta dirección, especialmente el cuerpo o una parte de él: *echa la cabeza a un lado, que no veo*. **9** Dar o repartir comida: *échale los huesos a los perros*. **10** Gastar o emplear una cantidad de tiempo en una acción o trabajo: *he echado dos horas en atravesar la ciudad*. **11** Decir o pronunciar un dicho o un discurso: *mi padre me ha echado un sermón por llegar tarde*. **12** Mover o correr un mecanismo de una puerta o ventana para que se cierre: *he echado la llave y el cerrojo*. **13** Proyectar o emitir una película o representar una obra de teatro: *está noche echan «Yo, Claudio»*. **14** Jugar o participar en un juego o competición: *te echo una partida de ajedrez*. **15** Seguido de una expresión que indica un lugar inferior, derribar o arruinar: *han echado abajo el antiguo mercado; han echado por tierra mi proyecto*. **16** Dejar una decisión a la suerte: *lo echamos a cara o cruz*. **17** Condenar a una pena o reclusión. **18** Suponer o calcular de manera aproximada: *le echo 37 años*. **19** Seguido de un sustantivo, realizar la acción expresada por este: *echar una mirada; echar un trago*. **20** Juntar a un animal macho con una hembra para que procreen. | *v. intr.* **21** Seguido de una expresión que indica lugar o dirección, ir o moverse hacia ellos: *todos juntos echaron calle abajo*. | *v. prnl.* **22** **echarse** Tumbarse un rato para descansar. **23** Inclinarse o moverse en cierta dirección: *échate para allá, me estás dando mucho calor*. **24** Lanzarse o tirarse con un impulso. | *v. prnl. tr.* **25** Establecer una relación con una persona: *echarse novia*.
echar (o **echarse**) **a** + *infinitivo* Comenzar a hacer cierta acción: *echó a andar; se echaron a reír*.

echar a perder Estropear una cosa o hacer que deje de funcionar.

echarse atrás Arrepentirse de una decisión o no cumplir un trato.

FAM desechar.

echar² Se usa en la expresión:

echar de menos o **echar en falta** Notar la ausencia de una persona o cosa: *en este libro, echo de menos un poco más de bibliografía.*

echarpe *s. m.* Prenda de vestir parecida a un pañuelo, pero mucho más larga que ancha, que se ponen las mujeres sobre los hombros como abrigo o adorno. SIN chal.

eclecticismo *s. m.* ❶ Forma de actuar o juzgar que adopta una postura intermedia, alejada de soluciones extremas. ❷ Escuela filosófica que escoge las tesis de los distintos sistemas que parecen mejores y trata de crear con ellas un cuerpo de doctrina armónico. ❸ Estilo artístico que consiste en utilizar formas y elementos procedentes de otros estilos diferentes: *el eclecticismo es característico de buena parte de la arquitectura del siglo XIX.*

ecléctico, -ca *adj.* ❶ Que en su forma de actuar o juzgar adopta una postura intermedia, alejada de soluciones extremas: *un gusto ecléctico en literatura.* ❷ Relativo al eclecticismo (escuela filosófica). I *adj./s. m. y f.* ❸ Se aplica a la persona partidaria del eclecticismo.

FAM eclecticismo.

eclesia [también **ecclesia**] *s. f.* En la antigua Grecia, asamblea del pueblo en una ciudad.

eclesial *adj.* Relativo a la comunidad cristiana que constituye la Iglesia.

FAM eclesiástico.

eclesiástico, -ca *adj.* ❶ Relativo a la comunidad cristiana que constituye la Iglesia, y especialmente a los clérigos: *el Papa es la máxima autoridad eclesiástica.* I *s. m.* ❷ Hombre que ha recibido alguna de las órdenes sagradas del cristianismo y que por lo tanto es miembro del clero. SIN clérigo.

eclipsar *v. tr.* ❶ Causar un cuerpo celeste el eclipse de otro: *la Tierra ha eclipsado a la Luna.* ❷ Hacer que algo sea menos importante o notorio. I *v. prnl.* ❸ **eclipsarse** Sufrir un eclipse un cuerpo celeste. ❹ Perder las cualidades o la importancia: *con el paso de los años, su belleza se ha eclipsado.*

eclipse *s. m.* ❶ Desaparición transitoria, total o parcial, de un cuerpo celeste de la vista del observador debido a la interposición de otro astro: *si la Luna se interpone entre el Sol y la Tierra, hay un eclipse solar; si la Tierra se interpone entre el Sol y la Luna, hay un eclipse lunar.* ❷ Pérdida de la importancia o la notoriedad.

FAM eclipsar.

eclíptica *s. f.* Plano imaginario que contiene la trayectoria de giro de la Tierra alrededor del Sol: *el plano de la Eclíptica, que pasa por los centros del Sol y de la Tierra, forma un ángulo de 23 grados y medio con el del ecuador terrestre.*

OBS Se escribe normalmente con mayúscula inicial.

eclosión *s. f.* ❶ Aparición o salida, especialmente de un animal o un capullo de flor. ❷ Aparición súbita o manifestación de un movimiento cultural o de un hecho histórico: *la eclosión del Romanticismo en España se produjo durante el siglo XIX.*

FAM eclosionar.

eco *s. m.* ❶ Fenómeno acústico consistente en la repetición de un sonido que se produce debido a la reflexión o cambio de dirección de las ondas sonoras cuando se les interpone un obstáculo. ❷ Sonido que se oye de manera débil y confusa: *solamente se oía un eco lejano.* ❸ Repetición de un motivo musical en un pieza, pero con menor volumen que la primera vez: *el eco es muy usado en la polifonía barroca.* ❹ Noticia o rumor vagos: *han llegado a nosotros los ecos de su boda.* ❺ Repercusión o interés que despierta un hecho o acontecimiento: *el hecho no tuvo ningún eco en la prensa.* ❻ Repetición de parte de la palabra final de un verso.

ecos de sociedad Conjunto de noticias sobre personas conocidas de la clase alta o del mundo del espectáculo.

hacerse eco Contribuir a dar a conocer una cosa: *los principales periódicos del país se hicieron eco del acontecimiento.*

ecografía *s. f.* ❶ Técnica de exploración de los órganos internos del cuerpo que consiste en registrar el eco de unas ondas electromagnéticas o acústicas enviadas hacia el lugar que se examina. ❷ Imagen o fotografía obtenida con esta técnica.

FAM ecografista.

ecoindustria *s. f.* Industria que respeta el medio ambiente en su proceso de producción.

ecolocación *s. f.* Mecanismo de orientación de algunas especies de animales, como los murciélagos, que consiste en la emisión de ultrasonidos y la detección de ecos producidos por ellos al rebotar en los objetos.

ecología *s. f.* ❶ Ciencia que estudia las relaciones de los seres vivos entre sí y con el medio en el que viven: *la ecología estudia qué seres viven en cada hábitat, cómo se adaptan a él y también qué debemos hacer los humanos para no dañar el medio ambiente.* ❷ Relación que se da entre los seres vivos de un ecosistema determinado y el medio en el que viven: *la ecología de la costa; la ecología del bosque mediterráneo.*

FAM ecológico, ecologismo, ecólogo.

ecológico, -ca *adj.* ❶ Relativo a la ecología: *desastre ecológico.* ❷ Que respeta el medio ambiente: *productos ecológicos.*

ecologismo *s. m.* Movimiento que defiende la necesidad de proteger la naturaleza y que pretende que las relaciones entre el ser humano y el medio ambiente sean más armónicas.

FAM ecologista.

ecologista *adj./s. com.* Se aplica a la persona o grupo que defiende de forma activa la conservación del medio ambiente: *organización ecologista.* SIN verde.

ecólogo, -ga *s. m. y f.* Persona especializada en ecología.

economato *s. m.* Supermercado donde pueden comprar más barato determinadas personas, como los trabajadores de una fábrica o los socios de una cooperativa.

economía *s. f.* ❶ Disciplina que estudia la manera de funcionar los recursos, la creación de riqueza y la producción de bienes y servicios. ❷ Sistema de comercio e industria mediante el cual se produce y usa la riqueza de un país o región: *la economía española.* ❸ Manera como una empresa o familia organiza y administra el dinero y otros bienes: *la subida de los precios afecta a la economía familiar.*

economía sumergida Conjunto de actividades económicas que están al margen del control del Estado.

FAM económico, economista, economizar; macroeconomía, microeconomía.

económico, -ca *adj.* ❶ Relativo a la economía. ❷ Que cuesta poco dinero o que gasta poco.

FAM economicidad; socioeconómico.

economista *s. com.* Persona especialista en economía o que se dedica a ella.

economizar *v. tr.* ① Evitar el gasto de cierta cantidad de dinero o de otro producto. **SIN** ahorrar. ② Guardar una cantidad de dinero, especialmente en un banco o en una caja de ahorros. **SIN** ahorrar. ③ Evitar un esfuerzo o un riesgo: *conviene economizar energía.*

ecónomo *adj./s. m.* ① Se aplica al sacerdote que dirige una parroquia vacante hasta el nombramiento del párroco. ‖ *s. m.* ② Administrador de los bienes eclesiásticos.

ecosistema *s. m.* Sistema biológico que se compone de un conjunto de seres vivos, el medio natural en que se desarrollan y las relaciones que establecen entre sí y con los factores abióticos que constituyen su medio.

ectodermo *s. m.* Capa externa de la gástrula que da lugar a la epidermis, los epitelios de revestimiento, las glándulas sebáceas y sudoríparas y el sistema nervioso de los vertebrados en el desarrollo embrionario.

ectoparásito, -ta *adj./s. m.* Se aplica al parásito que vive en la parte externa de su hospedante: *las garrapatas, las moscas y los piojos son ectoparásitos del ganado.* **ANT** endoparásito.

ectoplasma *s. m.* Parte externa del citoplasma de una célula.

ectotermo, -ma *adj.* Se aplica al animal cuya temperatura corporal no depende de sus propios mecanismos fisiológicos, sino del calor del ambiente en el que vive: *todos los animales, salvo las aves y los mamíferos, son ectotermos.*

ecu *s. m.* Antigua unidad monetaria europea formada por una combinación de los valores de las distintas monedas nacionales de los países que constituyen la Unión Europea; en 1995 fue sustituida por el euro.

ecuación *s. f.* Igualdad entre dos expresiones que contiene una o más incógnitas. ■ **ecuación algebraica** Ecuación de la forma P(x) = 0, donde P(x) designa un polinomio. ■ **ecuación bicuadrada** Ecuación de cuarto grado en la que no aparecen los términos de grado impar. ■ **ecuación cúbica** Ecuación de tercer grado. ■ **ecuación de primer grado** o **ecuación lineal** Ecuación en la que la incógnita aparece con grado uno. ■ **ecuación de segundo grado** o **ecuación cuadrática** Ecuación en la que la incógnita está elevada al cuadrado. ■ **ecuación de segundo grado completa** Ecuación de grado dos en la que aparecen tres términos: uno de grado dos, uno de grado uno y un término independiente. ■ **ecuación de segundo grado incompleta** Ecuación de grado dos en la que aparecen dos términos: el de grado dos y o bien uno de grado uno o bien un término independiente. ■ **ecuación de una función** Ecuación asociada a una función *f*, dada por la igualdad f(x) = 0. ■ **ecuaciones equivalentes** Ecuaciones con las mismas soluciones. ■ **ecuación exponencial** Ecuación en la que la incógnita aparece en el exponente de una potencia. ■ **ecuación logarítmica** Ecuación en la que la incógnita aparece sometida a la operación logaritmo.

ecuación química Representación simbólica de una reacción química.

ecuador *s. m.* ① Círculo máximo imaginario perpendicular al eje de la Tierra, a la que divide en dos partes iguales. ② Círculo imaginario de la esfera terrestre, perpendicular al eje, que sirve como punto de referencia para establecer las coordenadas geográficas. **NOTA** También *ecuador celeste.* **FAM** ecuatorial, ecuatoriano. **OBS** Se escribe normalmente con mayúscula inicial.

ecualizador *s. m.* Dispositivo que en los aparatos de alta fidelidad sirve para ajustar las frecuencias del sonido.

ecuánime *adj.* ① Se aplica a la persona que actúa con imparcialidad o neutralidad: *los jueces han de ser ecuánimes.* ② Se aplica a la opinión o juicio que no está influido por las ideas o sentimientos de la persona que lo adopta. **FAM** ecuanimidad.

ecuanimidad *s. f.* Manera de actuar según la cual una persona juzga u opina con imparcialidad o neutralidad: *debemos confiar en la ecuanimidad de la justicia.* **FAM** ecuánime.

ecuatoguineano, -na *adj.* ① De Guinea Ecuatorial (país de África). ‖ *s. m. y f./adj.* ② Persona que es de Guinea Ecuatorial.

ecuatorial *adj.* Relativo al ecuador: *clima ecuatorial.*

ecuatoriano, -na *adj.* ① De Ecuador (país de América del Sur). ‖ *s. m. y f./adj.* ② Persona que es de Ecuador.

ecuestre *adj.* ① Relativo al caballo (animal): *carreras ecuestres.* ② Se aplica a la figura que se representa montada a caballo: *una estatua ecuestre.*

ecuménico, -ca *adj.* ① Que se extiende a todo el orbe. ② Se aplica al concilio en el que están presentes todos los obispos del mundo. **FAM** ecumenismo.

eczema *s. m.* Eccema.

edad *s. f.* ① Cantidad de años que un ser ha vivido desde su nacimiento: *¿qué edad tienes?* ② Etapa de la vida de las personas: *las cuatro edades del hombre son: infancia, juventud, madurez y vejez.* ■ **edad adulta** Periodo de la vida de una persona en que esta ha completado su desarrollo. ■ **edad de merecer** Edad adecuada para poder casarse o tener pareja: *mi hija ya está en edad de merecer.* ■ **edad del pavo** *fam. desp.* Periodo de la vida de los jóvenes en que dejan de ser niños y entran en la adolescencia, lo cual influye en su carácter y en la manera de comportarse. ■ **edad escolar** Edad adecuada para que los niños vayan a la escuela; empieza con los primeros estudios y termina a la edad en que la ley permite trabajar. ■ **tercera edad** Vejez. ③ Cantidad de años que una cosa ha durado desde que empezó a existir: *la edad de la Tierra se calcula en unos 4 500 millones de años.* ④ Cada una de las etapas de la prehistoria o de la historia. ■ **Edad Antigua** Periodo de la historia anterior a la Edad Media, que en Europa va desde la aparición de la escritura hasta el fin del Imperio romano. ■ **Edad Contemporánea** Periodo más reciente de la historia, que en Europa va desde fines del siglo XVIII o principios del XIX hasta el presente. ■ **Edad de los Metales** Segunda y última etapa de la Prehistoria, posterior a la Edad de Piedra, y en la que el ser humano empezó a usar los metales; comprende tres grandes periodos: la Edad del Cobre, la Edad del Bronce y la Edad del Hierro. ■ **edad de oro** Periodo que comprende los años en los que las artes, las letras y la política de un país alcanzan su mayor desarrollo. ■ **Edad de Piedra** Primer periodo de la Prehistoria, que se caracterizó por el uso de la piedra para hacer armas y herramientas; comprende tres grandes fases: el Paleolítico, el Mesolítico y el Neolítico: *la Edad de Piedra se divide en los periodos paleolítico y neolítico.* ■ **Edad del Bronce** Segundo periodo de la Edad de los Metales, que se caracteriza por el uso del bronce en la fabricación de armas y herramientas. ■ **Edad del Cobre** Primer periodo de la Edad de los Metales, que se caracteriza por el uso del cobre en la fabricación de armas y herramientas.

SIN calcolítico, eneolítico. ■ **Edad del Hierro** Tercer período de la Edad de los Metales, que se caracteriza por el uso del hierro en la fabricación de armas y herramientas. ■ **Edad Media** Periodo de la historia anterior a la Edad Moderna, que en Europa va desde el fin del Imperio romano hasta mediados del siglo XV: *la Edad Media se suele dividir en dos periodos: la Alta Edad Media (hasta el siglo XI o el XI) y la Baja Edad Media (desde entonces hasta el siglo XV)*. SIN medievo, medioevo. ■ **Edad Moderna** Periodo de la historia anterior a la Edad Contemporánea, que va desde mediados del siglo XV hasta finales del XVIII.

de edad o **de edad avanzada** Se aplica a la persona madura o anciana.

mayor de edad Se aplica a la persona que, según la ley, tiene los años necesarios para poder ejercer todos sus derechos civiles: *en España se es mayor de edad a partir de los 18 años.*

menor de edad Se aplica a la persona que, según la ley, no tiene los años necesarios para poder ejercer todos sus derechos civiles.

edelweiss *s. m.* Planta herbácea de hojas vellosas y flores blancas en forma de estrella que crece en zonas altas montañosas y secas. OBS Plural invariable.

edema *s. m.* Acumulación excesiva de líquido en algún órgano o tejido del cuerpo: *un edema pulmonar.*

edén *s. m.* ① Según la Biblia, lugar donde se encontraba el paraíso terrenal. NOTA Se escribe normalmente con mayúscula inicial. ② Lugar muy agradable. FAM edénico.

edetano, -na *adj.* ① Relativo a un pueblo prerromano que habitó la Península Ibérica en la parte de las actuales provincias de Valencia, Castellón, Teruel y Zaragoza. I *s. m. y f./ adj.* ② Persona perteneciente a este pueblo.

edición *s. f.* ① Preparación de un texto, una obra musical, una película o un programa de radio o televisión para ser publicado o emitido, cuidando de su forma y su contenido: *están preparando una nueva edición de «El Quijote».* ② Conjunto de ejemplares de una obra impresos de una vez sobre el mismo molde: *la tercera edición del diccionario.* ③ Celebración de un concurso, un festival o una competición deportiva repetida con periodicidad o sin ella: *el festival de cine de San Sebastián ha celebrado ya muchas ediciones.*

edicto *s. m.* ① Cartel expuesto en un lugar público con un aviso o disposición oficial. ② Aviso de un juzgado o tribunal, que se expone en su sede y se publica en los periódicos, para hacerlo llegar a los interesados cuyo domicilio se desconoce. ③ Disposición que daba un soberano.

edificación *s. f.* ① Acción de construir un edificio: *se va a empezar la edificación de nuevas viviendas.* ② Construcción de grandes dimensiones fabricada con piedra u otros materiales resistentes y que está destinada a servir de espacio para el desarrollo de una actividad humana: *una iglesia, un castillo, una casa, una muralla y una plaza de toros son edificaciones de distinto tipo.* ③ Conjunto de edificios.

edificante *adj.* Se aplica a la acción que sirve de ejemplo para actuar bien.

edificar *v. tr.* ① Construir un edificio. SIN levantar. ② Crear un grupo o sociedad. SIN fundar. ③ Infundir en los demás sentimientos de piedad y de virtud. FAM edificación, edificante; reedificar.

edificio *s. m.* Construcción fabricada con materiales resistentes que se destina a vivienda y a otros usos: *son edificios las casas, los palacios, los bloques de pisos, las iglesias, los teatros, etc.* FAM edificar.

edil *s. com.* ① Persona que forma parte del gobierno de un ayuntamiento. SIN concejal. I *s. m.* ② Antiguo magistrado romano encargado de las obras públicas.

editar *v. tr.* Preparar un texto, una obra musical, una película o un programa de radio o televisión para ser publicado o emitido, cuidando de su forma y contenido. FAM edición, editor; reeditar.

editor, -ra *adj./s. m. y f.* ① Se aplica a la persona o empresa que se dedica a producir libros, periódicos, películas, discos u otras cosas por medio de la imprenta o de otros procedimientos de reproducción. I *s. m. y f.* ② Persona que prepara un texto ajeno para publicarlo siguiendo criterios filológicos. I *s. m.* ③ Programa informático que sirve para escribir, presentar e imprimir un texto o un conjunto de datos. FAM editorial.

editorial *adj.* ① Relativo al editor o a la edición. I *s. m.* ② Artículo de periódico sin firma que recoge la opinión de la dirección de la publicación sobre un tema. I *s. f.* ③ Empresa que se dedica a la publicación de libros, revistas, periódicos o discos.

edredón *s. m.* Cobertor de cama relleno de plumas de ave, algodón u otro material de abrigo.

educación *s. f.* ① Formación destinada a desarrollar la capacidad intelectual y moral de las personas. ② Sistema de formación destinado a conseguir el desarrollo de las capacidades intelectuales de las personas. SIN enseñanza. ■ **educación especial** Educación que está dirigida a personas que tienen ciertos problemas físicos o psíquicos. ■ **educación general básica** Etapa del antiguo sistema educativo que comprendía de los seis a los catorce años. ③ Conjunto de conocimientos intelectuales, culturales y morales que tiene una persona. ④ Comportamiento adecuado a las normas sociales: *es de mala educación no saludar cuando llegamos a un sitio.* SIN corrección. ANT incorrección.

educación física Conjunto de disciplinas que tienen como fin el desarrollo del cuerpo mediante el ejercicio y el deporte. FAM coeducación.

educado, -da *adj.* Que se comporta correctamente. ANT maleducado.

educador, -ra *adj.* ① Que sirve para dar a una persona los conocimientos que necesita y le enseña a comportarse. SIN educativo. I *s. m. y f.* ② Persona que se dedica a la enseñanza. SIN maestro, profesor.

educar *v. tr.* ① Desarrollar y perfeccionar las facultades intelectuales y morales de una persona. ② Instruir a una persona en las normas de cortesía y de comportamiento social: *no sabe comportarse en público porque no lo han educado bien.* ③ Desarrollar las fuerzas físicas por medio de los ejercicios y el deporte. ④ Afinar o perfeccionar los sentidos: *educar el oído.* ⑤ Enseñar a un animal a comportarse de una manera determinada. FAM educación, educado, educador, educando, educativo.

educativo, -va *adj.* ① Relativo a la educación. ② Que sirve para dar a una persona los conocimientos que necesita y le enseña a comportarse. SIN educador.

edulcorante *s. m.* Sustancia que se usa para dar gusto dulce a los alimentos o a los medicamentos.

edulcorar *v. tr.* ① Endulzar con sustancias naturales, como el azúcar o la miel, o sintéticas, como la sacarina: *he edulcorado el café con sacarina.* SIN dulcificar. ② Hacer más agradable una situación difícil o penosa. SIN dulcificar, endulzar. FAM edulcorante.

efe *s. f.* Nombre de la letra *f*.

efebo *s. m.* culto Muchacho joven o adolescente.

efectismo *s. m.* Conjunto de recursos empleados para impresionar o llamar la atención. FAM efectista.

efectista *adj.* Que pretende producir un fuerte efecto o impresión en el ánimo.

efectivamente *adv.* En efecto: *efectivamente, así ocurrió todo.*

efectividad *s. f.* ① Capacidad para producir el efecto deseado: *la efectividad de un medicamento.* SIN eficacia. ② Cualidad de lo que es real, verdadero o válido.

efectivo, -va *adj.* ① Que produce el efecto esperado o que va bien para una determinada cosa: *medicamento efectivo.* ② Que es real, verdadero o válido: *el nombramiento no será efectivo hasta el mes de noviembre.* ‖ *s. m.* ③ Dinero en monedas o en billetes: *pagar en efectivo.* SIN metálico. ‖ *s. m. pl.* ④ **efectivos** Conjunto de personas que pertenecen a un ejército, a la policía o a otros grupos organizados: *han participado en la extinción del incendio efectivos de la Cruz Roja.* **hacer efectivo** (I) Pagar o cobrar una cantidad de dinero. (II) Llevar a cabo algo: *espero que hagas efectivo tu proyecto.* FAM efectividad.

efecto *s. m.* ① Resultado de una causa: *tener la piel morena es un efecto de los rayos del sol.* ② Impresión producida en el ánimo: *causar buen efecto.* ③ Finalidad u objetivo con que se hace algo. ④ Documento o valor comercial: *las letras, los cheques y los pagarés son efectos que se utilizan para el pago en operaciones comerciales.* ⑤ Movimiento giratorio que se da a una bola o pelota al impulsarla y que la hace desviarse de su trayectoria normal. ‖ *s. m. pl.* ⑥ **efectos** Bienes o cosas que pertenecen a una persona: *efectos personales.*
a efectos de Con el fin de.
efecto barrera En ecología, fragmentación de un hábitat causada por construcciones, como carreteras, que dividen poblaciones de seres vivos.
efecto invernadero Proceso natural, reforzado por la acción humana, en que ciertos gases de la baja atmósfera absorben la radiación emitida por la superficie terrestre y la devuelven hacia el suelo, manteniendo la superficie del planeta a una temperatura media de 15 °C: *el vapor de agua y el dióxido de carbono son los principales gases atmosféricos con efecto invernadero.*
efectos especiales En cine y teatro, técnica o truco que hace que una cosa parezca real.
en efecto Expresión que se usa para confirmar algo que se ha dicho antes. SIN efectivamente.
surtir efecto Dar el resultado deseado.
FAM efectismo, efectivo.

efector, -ra *adj.* Se aplica al órgano de un animal que se encarga de la respuesta de este frente a un estímulo determinado: *los órganos efectores pueden ser, entre otros, músculos, si la respuesta es motora, o glándulas, si la respuesta es una secreción.*

efectuar *v. tr.* ① Hacer o realizar una acción. SIN ejecutar. ‖ *v. prnl.* ② **efectuarse** Realizarse o suceder una acción: *el despegue se efectuó sin contratiempos.*
OBS Verbo regular, se acentúa como *actuar.*

efeméride *s. f.* ① Hecho importante que se recuerda en un aniversario. ② Celebración de ese hecho. ‖ *s. f. pl.* ③ **efemérides** Hechos importantes ocurridos en un mismo día, pero en años diferentes.

eferente *adj.* Se aplica a la formación anatómica que lleva algo desde el interior del cuerpo hacia su parte exterior, como los vasos y conductos que transportan alguna sustancia originada en el interior (sangre, linfa, secreciones) o las fibras nerviosas que transmiten impulsos desde el sistema nervioso central.

efervescencia *s. f.* ① Desprendimiento de burbujas gaseosas en un líquido. ② Agitación o excitación grandes. FAM efervescente.

efervescente *adj.* ① Que produce burbujas gaseosas: *aspirina efervescente.* ② Que presenta agitación o excitación grandes.

eficacia *s. f.* Capacidad para obrar o para producir el efecto deseado: *la eficacia de un medicamento.* SIN efectividad. ANT ineficacia.

eficaz *adj.* Que produce el efecto esperado o que va bien para una determinada cosa. SIN efectivo, eficiente. ANT ineficaz. FAM eficacia; ineficaz.

eficiencia *s. f.* Capacidad para realizar o cumplir adecuadamente una función: *la eficiencia en el trabajo.*

eficiente *adj.* ① Que realiza o cumple adecuadamente su función: *funcionarios muy eficientes.* ② Eficaz. FAM eficiencia; ineficiente.

efigie *s. f.* Imagen de una persona reproducida en una moneda, una pintura o una escultura: *en una de las caras de la moneda aparece la efigie del rey.*

efímero, -ra *adj.* ① Que dura poco tiempo. ② Que dura solamente un día: *la amapola es una flor efímera.*

efluvio *s. m.* ① Emisión de vapores o de partículas muy pequeñas que se desprenden de una cosa y llegan a nuestros sentidos: *el efluvio de las flores es el olor que dan.* ② Irradiación de algo inmaterial: *efluvios de alegría.*

éforo *s. m.* Magistrado que los ciudadanos de Esparta elegían para contrarrestar el poder de los reyes y del Senado.

efusión *s. f.* ① Muestra intensa de alegría, de afecto o de otro sentimiento: *se abrazaron con efusión.* ② Derramamiento de un líquido, generalmente de sangre. FAM efusivo.

efusivo, -va *adj.* ① Que manifiesta de manera muy viva los sentimientos, especialmente de alegría o afecto. ② Se aplica a la roca formada por la solidificación del magma en contacto con el aire o con el agua. FAM efusividad.

EGB [se pronuncia 'e-ge-be'] *s. f.* Sigla de *enseñanza general básica*, etapa del antiguo sistema educativo que comprendía de los seis a los catorce años: *la EGB constaba de ocho cursos.*

egipcio, -cia *adj.* ① De Egipto (país de África): *el antiguo imperio egipcio se remonta hacia el año 3000 a. C.* ‖ *s. m. y f./adj.* ② Persona que es de Egipto.

egiptología *s. f.* Disciplina histórica que estudia la civilización del antiguo Egipto.

égloga *s. f.* Composición poética del género bucólico en que unos pastores idealizados expresan sus sentimientos y problemas amorosos en un escenario campestre; suele ser de larga extensión y en forma dialogada.

ego *s. m.* Valoración excesiva de uno mismo: *su ego le impide reconocer que se ha equivocado de nuevo.*
FAM egocéntrico, egoísmo, egolatría.

egocéntrico, -ca *adj.* Se aplica a la persona que se considera el centro de todo, que piensa que es muy importante y que todo el mundo se ha de preocupar de él.

egocentrismo *s. m.* ① Valoración excesiva de la propia personalidad que lleva a una persona a creerse el centro de todas las preocupaciones y atenciones. ② Etapa infantil, natural, en la que el niño se considera el centro del mundo.
FAM egocéntrico.

egoísmo *s. m.* Amor excesivo hacia uno mismo, que lleva a preocuparse solamente del propio interés, con olvido del de los demás. ANT altruismo, filantropía.

egoísta *adj.* ① Relativo al egoísmo: *sentimiento egoísta.* ‖ *adj./s. com.* ② Se aplica a la persona que solamente se preocupa de sí misma y no ayuda a los demás: *a los egoístas no les gusta compartir sus cosas.* ANT altruista.

ególatra *adj.* Se aplica a la persona que se estima a sí misma de manera excesiva.

egolatría *s. f.* Aprecio excesivo a la propia persona.
FAM ególatra.

egregio, -gia *adj.* Se aplica a la persona ilustre o que destaca por su categoría o fama: *egregio doctor.*

egresar *v. intr.* AMÉR. Salir de un centro académico tras haber terminado los estudios.

egreso *s. m.* ① Partida de descargo en una cuenta. ② AMÉR. Acción de egresar.

¡eh! *int.* Expresión que se utiliza para llamar la atención de alguien o para preguntar.

einstenio *s. m.* Elemento químico de símbolo *Es* y número atómico 99; es un metal radiactivo sólido que se obtiene artificialmente irradiando plutonio en un reactor nuclear.

ej. Abreviatura de *ejemplo.*

eje *s. m.* ① Barra cilíndrica que atraviesa un cuerpo giratorio y le sirve de sostén en un movimiento libre o le transmite una energía mecánica de giro: *los coches llevan dos ejes.* ② Línea que atraviesa una figura o un cuerpo por su centro. ③ Recta alrededor de la cual se supone que gira una línea para generar una superficie o una superficie para generar un cuerpo. ④ Línea que atraviesa un cuerpo por su centro geométrico y lo divide en el sentido de su máxima dimensión: *el eje de la carretera.* ■ **eje de abscisas** o **eje de las x** o **eje horizontal** Eje horizontal de un sistema de coordenadas; se determina sobre él la primera de las coordenadas que definen la posición de un punto en un plano. ■ **eje de coordenadas** Cada una de las rectas perpendiculares que, trazadas sobre un plano, se toman como referencia para determinar la posición de un punto mediante la distancia que hay entre este y cada una de aquellas. ■ **eje de ordenadas** o **eje de las y** o **eje vertical** Eje vertical de un sistema de coordenadas; se determina sobre él la segunda de las coordenadas que definen la posición de un punto en un plano. ■ **eje de simetría** Línea imaginaria que divide una figura o un cuerpo en dos partes iguales y simétricas. ■ **eje de una hipérbola** Eje de simetría que pasa por los focos de la hipérbola. ■ **ejes cartesianos** Ejes de coordenadas perpendiculares entre sí. ■ **ejes de una elipse** Rectas perpendiculares que son ejes de simetría para la elipse. ⑤ Cosa o persona que es el elemento principal de algo, generalmente un asunto o conversación: *la economía es el eje de muchas conversaciones.*

ejecución *s. f.* ① Realización de una cosa o cumplimiento de un proyecto, encargo u orden: *la ejecución de un mandato.* ② Acción de dar muerte a una persona en cumplimiento de una condena. ③ Interpretación de una pieza musical.

ejecutar *v. tr.* ① Realizar una cosa o dar cumplimiento a un proyecto, encargo u orden. ② Matar a una persona condenada a muerte. ③ Realizar una acción que requiere especial habilidad, especialmente algo artístico, como una pieza musical o un baile.
FAM ejecución, ejecutivo.

ejecutiva *s. f.* Grupo de personas que dirige una corporación o sociedad.

ejecutivo, -va *adj.* ① Que no admite espera ni que sea aplazada su ejecución: *una orden ejecutiva de pago.* ② Se aplica al organismo que tiene el poder de ejecutar o hacer cumplir una cosa. ‖ *s. m. y f.* ③ Persona que ocupa un cargo directivo o de responsabilidad en una empresa.
FAM ejecutiva.

ejemplar *adj.* ① Que sirve o puede servir de modelo a los demás: *vida ejemplar.* ② Que sirve o puede servir de escarmiento: *castigo ejemplar.* ‖ *s. m.* ③ Reproducción de un mismo original o modelo: *el libro tiene una tirada de mil ejemplares.* ④ Individuo de una especie o de un género: *han traído de China un ejemplar de oso panda.* ⑤ Objeto de una colección científica que es de distinto género que los demás que hay en ella.

ejemplificar *v. tr.* Demostrar o ilustrar con ejemplos.
FAM ejemplificación.

ejemplo *s. m.* ① Persona o cosa que sirve de modelo o muestra de lo que debe imitarse o evitarse: *las personas que engañan son un mal ejemplo.* ② Frase, acción u objeto que se usa para explicar una cosa o aclararla: *un ruiseñor es un ejemplo de pájaro.*

dar ejemplo Hacer algo digno de ser imitado.

por ejemplo Expresión que se usa para presentar un caso concreto de lo que estamos explicando.

tomar ejemplo Tomar a imitación de otro.
FAM ejemplar, ejemplificar; contraejemplo.

ejercer *v. tr.* ① Realizar las funciones propias de una profesión: *su abuelo ejercía la profesión de medicina.* SIN ejercitar, profesar. ② Hacer que una fuerza, una acción o un poder actúe sobre alguien o algo: *los padres ejercen mucha influencia sobre los hijos los primeros años de vida.* ③ Hacer uso de un derecho o de un privilegio: *cuando hay elecciones, ejercemos nuestro derecho a votar.* ‖ *v. intr.* ④ Realizar las funciones propias de un profesional: *ejercer de enfermera.*
FAM ejercicio, ejercitar.

ejercicio *s. m.* ① Práctica que sirve para adquirir unos conocimientos o desarrollar una habilidad. ② Prueba que ha de pasar una persona que se examina: *en unas oposiciones hay ejercicios escritos y orales.* ③ Actividad física que se hace para conservar o recuperar la salud o para prepararse para un deporte: *caminar es un buen ejercicio.* ④ Dedicación a una actividad, arte u oficio: *antes de llegar al ejercicio de la medicina hay que estudiar y hacer prácticas en un hospital.* ⑤ Uso que se hace de un derecho o privilegio: *se declararon en huelga haciendo ejercicio de sus derechos.*

ejercicios espirituales Retiro durante varios días para dedicarse a la meditación y otras prácticas piadosas.

ejercitación *s. f.* Práctica continuada de una actividad para adquirir destreza en ella.

ejercitar *v. tr.* ⓵ Hacer que alguien o algo practique de forma continuada una actividad para adquirir destreza en ella: *los pianistas ejercitan constantemente los dedos.* ⓶ Realizar las funciones propias de una profesión: *nunca pudo llegar a ejercitar su oficio.* **SIN** ejercer, profesar. ‖ *v. prnl.* ⓷ **ejercitarse** Practicar de forma continuada una actividad para adquirir destreza en ella.
FAM ejercitación.

ejército *s. m.* ⓵ Conjunto de las fuerzas armadas de un país. ■ **Ejército de Tierra** Conjunto de las fuerzas armadas de una nación que desarrollan su actividad en tierra. ■ **Ejército del Aire** Conjunto de las fuerzas aéreas de una nación. ⓶ Gran multitud de soldados y sus armas correspondientes bajo la dirección de un jefe militar. ⓷ Grupo numeroso de personas organizadas o agrupadas para un fin: *el famoso cantante iba rodeado de un ejército de guardaespaldas.* **SIN** batallón, tropa.

ejote *s. m.* AMÉR. Vaina de judía o frijol que todavía es tierna y comestible.

el, la *det.* Artículo determinado en género masculino (*el*) y femenino (*la*) y número singular; indica que el sustantivo al que acompaña es conocido por el hablante y el oyente: *el león; la flauta.*
OBS Plural: *los, las.* La forma masculina (*el*) se utiliza también ante sustantivos femeninos que empiecen por *a-* o *ha-* tónicas: *el arma, el hacha.*

él, ella *pron.* Pronombre personal de primera persona de singular: *él se llama Juanjo, y ella, Marta.*

elaboración *s. f.* ⓵ Preparación de un producto a partir de la combinación de sus componentes. **SIN** confección, fabricación. ⓶ Producción de una sustancia por parte de un organismo u órgano. ⓷ Formación o creación de una idea, teoría o proyecto.

elaborado, -da *adj.* ⓵ Muy pensado y trabajado para un fin: *discursos muy elaborados.* ⓶ Se aplica al producto que ha sufrido un proceso de elaboración industrial.

elaborar *v. tr.* ⓵ Preparar un producto a partir de la combinación de sus componentes: *elabora una mermelada exquisita.* **SIN** confeccionar, fabricar. ⓶ Producir un organismo u órgano una sustancia: *las abejas elaboran la miel.* ⓷ Desarrollar una idea, teoría o proyecto.
FAM elaboración, elaborado.

elasmobranquio *adj./s. m.* ⓵ Se aplica al pez de esqueleto cartilaginoso, branquias al descubierto, piel con dentículos dérmicos y cola heterocerca, como el tiburón y la raya. ‖ *s. m. pl.* ⓶ **elasmobranquios** Grupo taxonómico, con categoría de subclase, constituido por estos peces.

elasticidad *s. f.* ⓵ Propiedad de un cuerpo sólido para recuperar su forma cuando cesa la fuerza que la altera. ⓶ Capacidad de ajustarse a distintas circunstancias.

elástico, -ca *adj.* ⓵ Que puede recuperar su forma cuando cesa la fuerza que la altera. **SIN** flexible. ⓶ Que puede ajustarse a distintas circunstancias. **SIN** flexible. ⓷ Que admite muchas interpretaciones: *tu opinión sobre ese asunto es muy*

elástica. ‖ *s. m.* ⓸ Cinta de goma o de tejido con elasticidad, especialmente la que se coloca en una prenda de vestir para ajustarla al cuerpo: *se hizo una cola de caballo con un elástico.*
FAM elasticidad.

elastómero, -ra *adj./s. m.* ⓵ Se aplica al material que tiene una elasticidad parecida a la del caucho: *el poliuretano y la silicona son elastómeros.* ‖ *s. m.* ⓶ Tipo de plástico que se caracteriza por recuperar su forma inicial cuando cesa la fuerza que lo altera.

ele *s. f.* Nombre de la letra *l*.

elección *s. f.* ⓵ Selección de una cosa para un fin en función de una preferencia: *la elección de esa corbata no es acertada.* ⓶ Designación, generalmente por votación, de una o más personas para ocupar un puesto en una comisión, consejo u organismo semejante . ⓷ Capacidad o posibilidad de elegir: *debes aceptarlo, no tienes elección.* **SIN** alternativa, opción. ‖ *s. f. pl.* ⓸ **elecciones** Emisión de votos para elegir cargos políticos o sindicales. ■ **elecciones generales** Elecciones que se celebran para elegir a los representantes de los partidos políticos en el Congreso de los Diputados y en el Senado. ■ **elecciones municipales** Elecciones que se celebran para que los ciudadanos elijan a los concejales de un ayuntamiento.
FAM electivo.

eleccionario, -ria *adj.* AMÉR. Electoral.

electivo, -va *adj.* ⓵ Que se hace o se da por elección: *asignatura electiva.* ⓶ Se aplica al cargo o puesto que se ocupa por elección.

electo, -ta *adj./s. m. y f.* Se aplica a la persona que ha sido elegida por votación para un cargo, pero que todavía no ha tomado posesión: *un alcalde electo.*
FAM electivo.

elector, -ra *adj./s. m. y f.* ⓵ Se aplica a la persona que elige o tiene derecho a elegir, especialmente en unas elecciones políticas. ⓶ Se aplica al príncipe germano que participaba en la elección del emperador del Sacro Imperio romano germánico.
FAM electorado, electoral.

electorado *s. m.* Conjunto de los electores.

electoral *adj.* Relativo a los electores o a las elecciones: *la campaña electoral.*
FAM electoralismo.

electoralista *adj.* Que tiene claros fines de propaganda electoral.

electricidad *s. f.* ⓵ Forma de energía que se deriva de la existencia en la materia de cargas eléctricas positivas y negativas que normalmente se neutralizan. ■ **electricidad dinámica** Electricidad que se deriva del movimiento de los electrones. ■ **electricidad estática** Electricidad que se encuentra en la superficie de un cuerpo por la disposición de los electrones. ⓶ Parte de la física que estudia los fenómenos eléctricos. ⓷ Corriente eléctrica. ⓸ familiar Tensión emocional.
FAM electricista; fotoelectricidad, hidroelectricidad, piezoelectricidad, radioelectricidad.

electricista *s. com.* Persona que se dedica a colocar y arreglar instalaciones eléctricas.

eléctrico, -ca *adj.* ⓵ Relativo a la electricidad (energía): *central eléctrica.* ⓶ Que funciona por medio de la electricidad: *un radiador eléctrico.*
FAM electricidad, electrificar, electrizar; fotoeléctrico, hidroeléctrico, radioeléctrico.

electrificar *v. tr.* ① Hacer que una máquina, un tren o una fábrica funcione con electricidad. ② Proveer de electricidad un lugar: *hay zonas de montaña que todavía no están electrificadas.* **FAM** electrificación.

electrización *s. f.* Producción de electricidad en un cuerpo o traspaso de electricidad de un cuerpo a otro. ■ **electrización por contacto** Electrización que se produce frotando el cuerpo cargado contra el que recibe la electricidad. ■ **electrización por inducción** Electrización que se produce sin entrar en contacto el cuerpo cargado con el que recibe la electricidad, sino a causa de la variación en la inducción magnética del cuerpo conductor.

electrizante *adj.* Que produce entusiasmo o excitación: *rock electrizante.*

electrizar *v. tr.* ① Producir electricidad en un cuerpo o comunicársela: *algunos cepillos electrizan el cabello.* ② Producir entusiasmo o excitación: *la actuación del cantante electrizó al auditorio.* ‖ *v. prnl.* ③ **electrizarse** Pasar a tener electricidad un cuerpo. **SIN** ionizar. ④ Pasar a sentir entusiamo o excitación una persona: *sus palabras me electrizaron.* **FAM** electrización, electrizante; deselectrizar.

electrocardiografía *s. f.* Parte de la medicina que se ocupa de obtener e interpretar electrocardiogramas.

electrocardiograma *s. m.* Gráfico de los movimientos del corazón obtenido con un aparato que capta los fenómenos eléctricos que allí se producen.

electrochoque *s. m.* Tratamiento para curar enfermedades mentales por medio de corrientes eléctricas. **OBS** Puede encontrarse la grafía inglesa *electroshock.*

electrocución *s. f.* Muerte de un organismo al ser atravesado por una corriente eléctrica.

electrocutar *v. tr.* Matar mediante descargas eléctricas: *se electrocutó al pisar un cable de alta tensión.* **FAM** electrocución.

electrodinámica *s. f.* Parte de la física que estudia la corriente eléctrica y los campos magnéticos que esta produce.

electrodo *s. m.* Extremo de un circuito eléctrico en contacto con un medio, al que lleva o del que recibe una corriente eléctrica.

electrodoméstico *s. m.* Aparato eléctrico que se usa en el hogar con un fin determinado: *los electrodomésticos más habituales son la nevera, la lavadora, la televisión y la plancha.*

electroencefalograma *s. m.* Encefalograma.

electroimán *s. m.* Barra de hierro dulce o de acero imantada por la acción de una corriente eléctrica que pasa por un hilo conductor que lleva enrollado alrededor de ella, y que es capaz de atraer a otros materiales magnéticos debido al campo magnético que produce.

electrólisis o **electrolisis** *s. f.* Método que permite la separación de los elementos que forman un compuesto químico que está fundido o en disolución, producida por el paso de la corriente eléctrica a través de esta. **OBS** Plural invariable.

electrólito o **electrolito** *s. m.* Sustancia que, fundida o en disolución acuosa, se disocia en iones, por lo cual es conductora de la electricidad: *son electrolitos los compuestos iónicos como las sales, el cloruro de sodio y los ácidos.*

electromagnético, -ca *adj.* Que tiene elementos eléctricos y magnéticos relacionados entre sí. **FAM** electromagnetismo.

electromecánico, -ca *adj.* Se aplica al dispositivo mecánico que funciona mediante la aplicación de corriente eléctrica.

electrometría *s. f.* Parte de la física que estudia el modo de medir la intensidad eléctrica.

electromotor, -ra *adj./s. m. y f.* Se aplica a la máquina o aparato que transforma la energía eléctrica en mecánica: *la lavadora y el lavavajillas son máquinas electromotoras.*

electrón *s. m.* Partícula elemental del átomo que se mueve a gran velocidad alrededor del núcleo y que tiene carga eléctrica negativa. **FAM** electrónico.

electronegatividad *s. f.* Escala numérica que mide la capacidad que tiene un átomo de un compuesto químico para atraer los electrones de enlace: *el flúor es el elemento químico con un valor de electronegatividad más elevado.*

electrónica *s. f.* ① Parte de la física que estudia los cambios y los movimientos de los electrones en el vacío, en gases, en conductores o en semiconductores, cuando están sometidos a la acción de las fuerzas electromagnéticas. ② Técnica que aplica los conocimientos de esta parte de la física a la industria: *la electrónica ha hecho posible la televisión, la radio y los ordenadores.* **FAM** microelectrónica.

electrónico, -ca *adj.* ① Relativo a la electrónica o a los electrones: *aparato electrónico.* ② Se aplica a la música que se produce únicamente mediante aparatos electrónicos o bien manipulando mediante estos el sonido de instrumentos naturales. **FAM** electrónica.

electroscopio *s. m.* Aparato que sirve para detectar las cargas eléctricas de un cuerpo y determinar su signo.

electroshock [se pronuncia 'electroshoc'] *s. m.* Electrochoque.

electrostática *s. f.* Parte de la física que estudia los fenómenos producidos por las cargas eléctricas en reposo.

electrostático, -ca *adj.* Relativo a la electrostática. **FAM** electrostática.

elefante, -ta *s. m. y f.* Mamífero de gran tamaño, el más grande de todos los que viven en la tierra, con la piel gruesa de color gris oscuro y sin pelo, orejas grandes y colgantes, nariz en forma de trompa que le sirve de mano y dos colmillos muy largos que son sus defensas. **elefante blanco** AMÉR. SUR, MÉX. Cosa que cuesta mucho mantener y que no produce utilidad. **elefante marino** Mamífero marino similar a la foca pero de mayor tamaño, con las extremidades terminadas en aletas, cabeza pequeña, boca alargada y grandes bigotes, que se alimenta de peces y pequeños animales. **SIN** morsa. **FAM** elefantino.

elegancia *s. f.* Característica de la persona o de la cosa que es elegante.

elegante *adj.* ① Se aplica a la persona que lleva vestidos bien hechos y armónicamente combinados y que actúa y habla con naturalidad y distinción. ② Se aplica al vestido, mueble, objeto que es de calidad, está bien hecho y es de buen gusto: *llevas un traje azul muy elegante.* ③ Se aplica al establecimiento que es de categoría, está bien decorado y cuyos clientes son distinguidos. **FAM** elegancia.

elegía *s. f.* Composición en prosa o poesía en la que se expresa un sentimiento de dolor o pena por una desgracia individual o colectiva, especialmente por la muerte de una persona.
FAM elegíaco.

elegíaco, -ca *adj.* 1 Relativo a la elegía: *poema elegíaco.* 2 culto Lastimero o triste.

elegir [10] *v. tr.* 1 Escoger o preferir una cosa o una persona entre varias para un fin: *elige un vestido para la fiesta.* SIN optar. 2 Designar, generalmente por votación, una o más personas para ocupar un puesto: *en los países democráticos, el presidente es elegido por el pueblo.*
FAM elegido; reelegir.

elemental *adj.* 1 Que es lo más importante y necesario. SIN básico, fundamental, esencial. 2 Que es muy sencillo y se puede entender fácilmente.

elemento *s. m.* 1 Parte constitutiva de una cosa: *las palabras son elementos de las oraciones.* ■ **elemento compositivo** Morfema léxico, generalmente de origen griego o latino, que interviene en la formación de palabras compuestas anteponiéndose o posponiéndose a otro del mismo tipo o a una palabra ya existente. 2 Fundamento o base de algo. 3 Medio en que vive un ser: *el aire es el elemento de los pájaros.* 4 Persona, valorada positiva o negativamente: *¡buenos elementos estáis hechos!* 5 Cada uno de los cuatro principios fundamentales que consideraban los antiguos: tierra, agua, aire y fuego. 6 Sustancia constituida por átomos iguales entre sí que no se puede descomponer en otra más simple: *los átomos de un elemento tienen el mismo número atómico.* NOTA También *elemento químico.* 7 CHILE, P. RICO, PERÚ Persona de pocos alcances. | *s. m. pl.* 8 **elementos** Fuerzas de la naturaleza que pueden hacer daño o destruir. 9 Conjunto de los principios básicos o fundamentales de una ciencia o arte: *elementos de filosofía.* 10 Medios o recursos para hacer algo: *¿con qué elementos contamos para la escenificación de la obra?*
FAM bioelemento, oligoelemento.

elenco *s. m.* 1 Conjunto de personas que forman una compañía teatral o que intervienen en una obra. 2 Catálogo o relación ordenada de algo. 3 Conjunto de personas que trabajan juntas o que constituyen un grupo representativo: *elenco de profesores.*

elepé *s. m.* Disco musical de larga duración para fonógrafo o tocadiscos. SIN long play.

elevación *s. f.* 1 Aumento de la cantidad, de la intensidad o del valor de una cosa. 2 Parte de una cosa que está situada más arriba que las otras: *una montaña es una elevación del terreno.*

elevador, -ra *adj./s. m. y f.* 1 Se aplica al vehículo o aparato que sirve para subir, bajar o transportar mercancías. | *s. m.* 2 Aparato transformador de voltaje. 3 AMÉR. Ascensor.

elevalunas *s. m.* Mecanismo que sirve para subir y bajar los cristales de las ventanillas de un automóvil.
OBS Plural invariable.

elevar *v. tr.* 1 Poner en un lugar más alto, hacer que esté más arriba: *hay grúas que elevan materiales de construcción muy pesados.* SIN levantar. 2 Hacer que una cosa sea más intensa, más alta o tenga más valor: *este mando sirve para elevar el sonido.* 3 Colocar a una persona en un puesto más alto o de más categoría u honor: *le quieren elevar al puesto de gerente.* 4 En matemáticas, multiplicar un número por sí mismo cierta cantidad de veces: *si elevas 2 al cubo, el resultado es 8.* | *v. prnl.*

5 **elevarse** Ponerse en un lugar más alto o moverse hacia arriba: *las aves se elevan sobre los árboles.* 6 Hacerse una cosa más intensa, más alta o más valiosa: *el precio de la gasolina se ha elevado mucho.* 7 Alcanzar gran altura, especialmente una torre, un árbol, una montaña u otra cosa parecida: *el Everest se eleva por encima de los 8 000 metros.* SIN empinarse.
FAM elevación, elevado, elevador, elevalunas.

elfo, -fina *s. m. y f.* Espíritu o genio con figura de enano y poderes mágicos que, según la mitología escandinava, vive en los bosques, las aguas y en las proximidades de las casas y trabaja como herrero y orfebre.

elidir *v. tr.* 1 Suprimir la vocal con que acaba una palabra cuando la siguiente empieza por vocal: *en la contracción "del" por "de el" se ha elidido la vocal de la preposición.* 2 Suprimir una palabra de una oración cuando se sobrentiende: *en español es corriente elidir el sujeto de la oración.*
FAM elisión.

eliminación *s. f.* 1 Desaparición o supresión de algo: *la eliminación del dolor.* 2 Exclusión o alejamiento de una persona o cosa de un grupo o asunto: *hallamos la respuesta mediante un proceso de eliminación.* 3 Exclusión de una competición deportiva, de un campeonato o de un concurso. 4 Expulsión de una sustancia del organismo. 5 Desaparición de la incógnita de una ecuación mediante el cálculo.

eliminar *v. tr.* 1 Hacer desaparecer: *este producto elimina las manchas.* SIN quitar. 2 Excluir o apartar a una persona de un grupo o asunto: *la policía lo eliminó de la lista de sospechosos.* 3 Dejar fuera de una competición deportiva, de un campeonato o de un concurso. 4 Expulsar del organismo una sustancia: *elimino mal los líquidos, por eso estoy hinchada.* 5 Matar a una persona o a un animal: *los insecticidas eliminan a los mosquitos.* 6 Hacer desaparecer una incógnita de una ecuación mediante el cálculo.
FAM eliminación, eliminatorio.

eliminatoria *s. f.* Parte de una competición deportiva o concurso en la que una persona o equipo compite contra otro para decidir cuál de ellos pasará a la siguiente etapa.

eliminatorio, -ria *adj.* Que elimina o sirve para eliminar.
FAM eliminatoria.

elipse *s. f.* Figura geométrica curva con dos ejes diferentes que forman ángulo recto y que resulta de cortar un cono por un determinado plano oblicuo: *la elipse es el lugar geométrico de los puntos del plano, de manera que la suma de las distancias a otros dos puntos (focos) es constante.*
FAM elipsoide, elíptico.

elipsis *s. f.* Supresión de una o más palabras de una frase cuyo sentido puede sobrentenderse.
FAM elíptico.
OBS Plural invariable.

elipsoide *s. m.* Sólido limitado en todos los sentidos, cuyas secciones planas son todas elipses o círculos.

elíptico, -ca *adj.* 1 Relativo a la elipse o con forma parecida a ella. 2 Relativo a la elipsis o que contiene una elipsis.

elisión *s. f.* 1 Supresión de la vocal final de una palabra cuando la siguiente empieza por vocal: *en la contracción "al", por "a el", ha habido elisión de la vocal del determinante.* 2 Omisión.

élite o **elite** *s. f.* Grupo escogido de personas que destacan en un campo o una actividad: *tropa de élite.*
FAM elitismo.

elitismo *s. m.* Sistema que favorece a una élite o la aparición de élites en perjuicio de otros grupos sociales.
FAM elitista.

elitista *adj.* ① Relativo a la élite o al elitismo: *colegio elitista.* ‖ *adj./s. com.* ② Se aplica a la persona que pertenece a una élite o que es partidaria del elitismo.

élitro *s. m.* Cada una de las dos alas anteriores endurecidas de ciertos insectos, como los coleópteros, que protegen las posteriores (voladoras), más finas y flexibles, cuando están en reposo.

elixir o **elíxir** *s. m.* ① Líquido compuesto de sustancias medicinales, generalmente disueltas en alcohol. ② Medicamento o remedio que tiene un poder mágico para curar, mejorar o preservar de algo: *los alquimistas buscaban el elixir de la eterna juventud.*

ella V. él, ella.

elle *s. f.* Nombre del dígrafo *ll*.

ello *pron.* Forma del pronombre de tercera persona en género neutro y número singular que hace la función de sujeto, de predicado nominal o de complemento precedido de preposición.

ellos, ellas *pron.* Pronombre personal de tercera persona de plural: *ellos se fueron a casa de una de ellas.*

elocución *s. f.* Manera de hablar de una persona.
FAM elocutivo.

elocuencia *s. f.* ① Capacidad de hablar bien, de decir las cosas de manera correcta y efectiva para convencer al público: *el orador asombró a todos con su elocuencia.* ② Eficacia para convencer o conmover que tienen las palabras, gestos, ademanes, unas imágenes o cualquier cosa capaz de comunicar algo: *la elocuencia de aquellas imágenes conmovió a los espectadores.*

elocuente *adj.* ① Que explica muy bien las cosas, que convence a las personas que lo escuchan: *un político ha de ser elocuente.* ② Que significa o da a entender una cosa: *su silencio me pareció bastante elocuente.*
FAM elocuencia.

elogiar *v. tr.* Alabar o mostrar admiración por una persona o cosa: *el muchacho fue elogiado por su buena acción.* **SIN** enaltecer, encomiar, ensalzar. **ANT** criticar.
OBS Verbo regular, se acentúa como *cambiar.*

elogio *s. m.* ① Reconocimiento de los méritos o cualidades de una persona o de una cosa mediante expresiones o discursos favorables. **SIN** alabanza. **ANT** crítica. ② Expresión o discurso, oral o escrito, con que se elogia a una persona o cosa: *en «Coplas por la muerte de su padre», Jorge Manrique hace un elogio fúnebre de la figura paterna.*
FAM elogiar, elogioso.

elogioso, -sa *adj.* Que elogia o contiene elogios.

elote *s. m.* AMÉR. CENTRAL, MÉX. Mazorca de maíz tierno.

elucidar *v. tr.* culto Aclarar o explicar una cosa.

elucubración *s. f.* ① Pensamiento o reflexión sobre algo conseguido tras un intenso trabajo intelectual. ② Hipótesis o especulación no fundamentada y producto de la imaginación: *pon los pies en la tierra y déjate de elucubraciones.*

elucubrar *v. tr.* ① Pensar con intensidad sobre un determinado problema para establecer conclusiones y soluciones. ② Especular o imaginar cosas sin tener mucho fundamento.
FAM elucubración.

eludir *v. tr.* Evitar una cosa con habilidad o astucia.
FAM elusión, elusivo; ineludible.

elusión *s. f.* Acción de eludir.

e-mail [se pronuncia aproximadamente 'i-meil'] *s. m.* ① Sistema que permite el intercambio de mensajes entre distintos ordenadores interconectados a través de una red, especialmente internet: *puedes mandarnos tus datos por e-mail.* **SIN** correo electrónico. ② Mensaje transmitido a través de este sistema de correo: *tenía tres e-mails nuevos de su amigo.*
OBS Plural: *e-mails.*

emanar *v. intr.* ① Proceder una cosa de otra, tener su origen: *las leyes emanan del gobierno.* ‖ *v. tr./intr.* ② Salir o desprenderse un olor, un vapor o una radiación de un cuerpo o de un objeto.
FAM emanación.

emancipación *s. f.* Liberación de una o más personas respecto de un poder, una autoridad, una tutela o cualquier otro tipo de subordinación o dependencia.

emancipar *v. tr.* ① Liberar respecto de un poder, una autoridad, una tutela o cualquier otro tipo de subordinación o dependencia: *muchos países han emancipado a sus colonias.* **SIN** independizar. ‖ *v. prnl.* ② **emanciparse** Liberarse una o más personas respecto de un poder, una autoridad, una tutela o cualquier otro tipo de subordinación o dependencia: *los jóvenes quieren emanciparse.* **SIN** independizarse.
FAM emancipación.

embadurnar *v. tr.* Extender una sustancia espesa o pegajosa sobre una superficie, o cubrirla con ella: *unos gamberros han embadurnado las paredes con graffiti.*

embajada *s. f.* ① Lugar u oficina en la que se encuentra la representación diplomática del gobierno de un país en un estado extranjero. ② Cargo de embajador. ③ Comunicación o mensaje importante que se envía por medio de alguien. ④ Exigencia impertinente.
FAM embajador.

embajador, -ra *s. m. y f.* ① Agente diplomático de máxima categoría autorizado oficialmente para representar al gobierno de su país en un estado extranjero de modo permanente. ‖ *s. m.* ② Persona que es enviada a un lugar para llevar un mensaje o tratar un asunto. **SIN** emisario.

embalaje *s. m.* ① Caja o cualquier envoltura con que se protege un objeto que se va a transportar. ② Empaquetado o colocación de un objeto dentro de una caja para transportarlo con seguridad. **ANT** desembalaje.

embalar¹ *v. tr.* Envolver un objeto o ponerlo en una caja para transportarlo con seguridad. **ANT** desembalar.
FAM embalaje; desembalar.

embalar² *v. tr.* ① Hacer adquirir gran velocidad. **SIN** acelerar. ‖ *v. prnl.* ② **embalarse** Adquirir gran velocidad: *cuando hay una cuesta, la bicicleta se embala.* ③ Animarse una persona a hablar y decir muchas cosas sin parar.

embaldosar *v. tr.* Cubrir el suelo o las paredes de una habitación o de un recinto con baldosas.
FAM embaldosado.

embalsamar *v. tr.* Tratar un cadáver con determinadas sustancias o realizando en él diversas operaciones para evitar que se corrompa. **SIN** momificar.
FAM embalsamamiento.

embalsar *v. tr.* Recoger el agua en un embalse o en un

hueco del terreno: *las compañías eléctricas embalsan el agua de los ríos para producir electricidad.*

FAM embalse; desembalsar.

embalse *s. m.* Gran depósito artificial de agua construido generalmente cerrando la boca de un valle mediante un dique o una presa que retiene las aguas de un río o de la lluvia; sirve para el regadío, el abastecimiento de agua o la producción de energía eléctrica. **SIN** pantano.

embancarse *v. prnl.* ① CHILE, ECUAD. Cegarse un río, lago, etc., por los terrenos de aluvión. ② MÉX. En la fundición de metales, pegarse a las paredes del horno los materiales escoriados, con pérdida de toda la operación.

embarazada *adj./s. f.* Se aplica a la mujer que va a tener un hijo.

embarazar *v. tr.* ① Dejar un hombre embarazada a una mujer. ② Hacer que alguien se sienta incómodo o avergonzado: *consiguió embarazar a todo el mundo con sus comentarios.* **SIN** violentar. ③ Impedir el movimiento o la actividad. **ANT** desembarazar. ‖ *v. prnl.* ④ **embarazarse** Quedar embarazada una mujer. ⑤ Sentirse una persona incómoda o avergonzada. **SIN** violentarse. ⑥ Quedar impedido en un movimiento o actividad. **ANT** desembarazarse.

FAM embarazada, embarazo.

embarazo *s. m.* ① Periodo comprendido entre la fecundación del óvulo y el parto, durante el cual tiene lugar el desarrollo embrionario: *el embarazo de una mujer dura unos nueve meses.* ② Estado en que se encuentra la mujer embarazada. ③ Sensación de incomodidad o vergüenza que experimenta una persona en una situación determinada: *cuando tiene que hablar en público, siente un gran embarazo.*

FAM embarazoso.

embarazoso, -sa *adj.* Que hace sentir incómodo o avergonzado: *situación embarazosa.*

embarcación *s. f.* Construcción con el fondo cóncavo que navega movida generalmente por el viento o por un motor y sirve para transportar personas y cosas por el agua.

FAM embarcadero, embarcar.

embarcadero *s. m.* Lugar destinado al embarque de mercancías y personas.

embarcar *v. tr.* ① Subir o introducir personas o mercancías en un barco o avión para viajar. **ANT** desembarcar. ② Hacer que una persona participe o entre en una empresa difícil o peligrosa: *su jefe lo ha embarcado en una aventura muy peligrosa.* ‖ *v. intr./prnl.* ③ Subirse o introducirse personas en un barco o avión para viajar. **ANT** desembarcar. ‖ *v. prnl.* ④ **embarcarse** Participar una persona en una empresa difícil o peligrosa: *se ha embarcado en un negocio muy arriesgado.*

FAM embarcación, embarcadero, embarco, embarque; desembarcar.

embarco *s. m.* Subida o entrada de personas en un barco, avión o tren para su transporte.

embargar *v. tr.* ① Retener un bien por orden de una autoridad judicial o administrativa, con el fin de responder de una deuda o de la responsabilidad de un delito: *a una persona que no paga sus deudas le pueden embargar la casa.* ② Adueñarse de una persona un sentimiento o una sensación de tal manera que esta no sea capaz de actuar o pensar: *embargada de emoción, no pudo hablar durante varios minutos.*

FAM embargo; desembargar.

embargo *s. m.* ① Retención de bienes por orden de una autoridad judicial o administrativa, con el fin de responder de una deuda o de la responsabilidad de un delito. ② Prohibición de comerciar y transportar una cosa, especialmente armas, decretada por un gobierno, generalmente como sanción o medida de coacción contra un país.

sin embargo Expresa valor adversativo: *no tengo mucho apetito, y sin embargo, me comería uno de esos canapés.*

embarque *s. m.* Subida o entrada de personas o mercancías en un barco, avión o tren para su transporte. **ANT** desembarque.

embarrada *s. f.* ARG. Patochada.

embarrancar *v. intr./prnl.* Quedar detenida una embarcación al tropezar con arena o piedras. **SIN** encallar. **ANT** desembarrancar.

FAM embarrancamiento; desembarrancar.

embarrar *v. tr.* ① Manchar o cubrir de barro la superficie de una cosa: *las últimas lluvias han embarrado el camino.* ② AMÉR. Echar a perder una cosa que se estaba haciendo bien. ③ AMÉR. Cometer algún delito o un desaciento grave. ④ AMÉR. Desacreditar a una persona hablando mal de ella. ⑤ AMÉR. CENTRAL Implicar a una persona en un asunto sucio que le perjudica.

embarullar *v. tr.* ① Confundir o mezclar desordenadamente unas cosas con otras: *alguien me ha embarullado las hojas.* ② Hacer que un asunto o una situación sea o resulte más complicado de lo normal: *con lo fácil que era llegar a un acuerdo, y tú lo has embarullado todo.* **SIN** embrollar, liar. ‖ *v. prnl.* ③ **embarullarse** Confundirse o mezclarse desordenadamente unas cosas con otras. ④ Hacerse o resultar un asunto o situación más complicado de lo normal. ⑤ Hablar de manera poco clara, mezclando las palabras o dejando las cosas a medio decir.

embate *s. m.* ① Golpe fuerte dado por las olas del mar o por el viento: *los embates del mar pueden hacer volcar una embarcación.* ② Ataque violento, especialmente de las pasiones y estados de ánimo: *al segundo embate lo derribó del caballo; tuvo un embate de ira.*

embaucador, -ra *adj.* ① Que embauca. ‖ *adj./s. m. y f.* ② Se aplica a la persona que embauca.

embaucar *v. tr.* Engañar a una persona aprovechándose de su falta de experiencia o de su ingenuidad: *el estafador lo embaucó con sus buenas palabras.* ‖ *adj./s. m. y f.* ② Se aplica a la persona que embauca.

FAM embaucador, embaucamiento.

embeber *v. tr.* ① Absorber un cuerpo sólido algún líquido: *la esponja embebe el agua.* ② Impregnar un cuerpo con algún líquido: *embeber una esponja en vinagre.* **SIN** empapar. ③ Impregnar un líquido algo: *el agua ha embebido la esponja.* **SIN** empapar. ‖ *v. intr./prnl.* ④ Disminuir de tamaño: *la lana embebe al lavarse.* **SIN** encoger. ‖ *v. tr.* ⑤ Contener una cosa dentro de sí otra. ⑥ Meter una cosa dentro de otra. ‖ *v. prnl.* ⑦ **embeberse** Meterse de lleno en lo que se está haciendo: *embeberse en la lectura.* ⑧ Impregnarse de una idea o sentimiento: *embeberse de belleza.*

FAM embebido.

embelesamiento *s. m.* Embeleso (estado).

embelesar *v. tr.* ① Causar un placer, una admiración o una sorpresa tan grandes que hagan olvidar todo lo demás: *su sonrisa me embelesó.* **SIN** embobar. ‖ *v. prnl.* ② **embelesarse** Sentir un placer, una admiración o una sorpresa tan grandes

que hagan olvidar todo lo demás: *se embelesa cada vez que recuerda su boda*.
FAM embelesamiento.

embeleso *s. m.* ① Estado de la persona que siente un placer o admiración tan intenso por algo, que no puede apartar la atención de ello. **SIN** embelesamiento. ② Cosa que embelesa. ③ CUBA Belesa (planta de tallos rectos y delgados, hojas alternas, lanceoladas y ásperas y flores violetas, muy pequeñas, agrupadas en espigas y con propiedades narcóticas).
FAM embelesar.

embellecedor *s. m.* Pieza que se coloca sobre una superficie para cubrirla y adornarla.

embellecer [16] *v. tr.* ① Hacer que una persona o cosa sea bella o más bella: *si ponemos flores en la terraza, la embelleceremos*. **ANT** afear. **|** *v. prnl.* ② **embellecerse** Hacerse más bella una persona o cosa. **ANT** afearse.
FAM embellecedor, embellecimiento.

embellecimiento *s. m.* Acción que consiste en hacer que una persona o cosa sea bella o más bella: *los parques contribuyen al embellecimiento de la ciudad*.

embestida *s. f.* Ataque impetuoso y violento, especialmente de un animal: *la embestida del toro*.

embestir [10] *v. tr./intr.* Lanzarse de manera impetuosa y violenta contra una persona o cosa, especialmente un animal: *el toro era manso y por eso no embestía*.
FAM embestida.

emblanquecer [16] *v. tr.* Poner blanca o más blanca una cosa. **SIN** blanquear, blanquecer. **ANT** ennegrecer.
FAM emblanquecimiento.

emblema *s. m.* ① Figura o símbolo acompañado de un texto que explica su significado y que representa a una persona o grupo: *en el papel de la carta aparece el emblema de la familia real*. ② Objeto que se usa para representar una noción abstracta, o para representar una colectividad o una persona o personaje: *la balanza es el emblema de la justicia*.
FAM emblemático.

emblemático, -ca *adj.* ① Relativo al emblema. ② Se aplica a la cosa que es característica de un lugar o de un grupo de personas: *los concursos de talar troncos son emblemáticos del País Vasco*.

embobar *v. tr.* ① Causar un placer, una admiración o una sorpresa tan grandes que hagan olvidar todo lo demás: *su habilidad para manejar las cartas embobaba al público*. **SIN** embelesar. **|** *v. prnl.* ② **embobarse** Sentir un placer, una admiración o una sorpresa tan grandes que hagan olvidar todo lo demás.
FAM embobamiento.

embocadura *s. f.* ① Lugar por donde los buques pueden penetrar en un río, un puerto o un canal. ② Pieza pequeña y hueca que se adapta al tubo de varios instrumentos musicales de viento y que sirve para producir el sonido al soplar por ella. **SIN** boquilla. ③ Gusto o sabor de un vino. ④ En el teatro, abertura por la cual se ve la escena cuando se levanta el telón.

embolado *s. m.* ① familiar Problema o situación difícil de resolver: *en menudo embolado me he metido*. ② familiar Engaño o mentira.

embolia *s. f.* Obstrucción de una vena o una arteria producida por un cuerpo alojado en ella y que impide la circulación de la sangre: *sufrió una embolia cerebral y está en coma*.

émbolo *s. m.* ① Pieza cilíndrica de un cilindro o una bomba que se mueve de forma alternativa y rectilínea de arriba abajo impulsando un fluido o recibiendo su impulso: *las jeringuillas funcionan con un émbolo que hace entrar y salir el líquido*. **SIN** pistón. ② Burbuja de aire o cuerpo extraño que, alojado en un vaso sanguíneo, produce una embolia.
FAM embolia.

embolsar *v. tr./prnl.* ① Ganar u obtener una cantidad de dinero, especialmente en un juego, un concurso o un negocio: *el ganador se embolsará cinco mil euros*. **|** *v. tr.* ② Guardar una cosa en una bolsa.
FAM embolso.

emborrachar *v. tr.* ① Poner borracho a alguien: *este licor es muy fuerte, con solo olerlo ya me emborracho*. ② Empapar o mojar bien un bizcocho en licor. **|** *v. prnl.* ③ **emborracharse** Tomar una persona una cantidad excesiva de bebida alcohólica y alterar sus facultades físicas y mentales.

emborrascarse *v. prnl.* ① Ponerse borrascoso el tiempo. ② ARG., HOND., MÉX. Empobrecerse o perderse la veta de un mineral.

emborronar *v. tr.* ① Llenar un papel de borrones: *se le ha caído la tinta y ha emborronado todo el examen*. **SIN** borronear. ② Escribir de prisa y mal o con poca meditación: *tú no has escrito una redacción, solamente has emborronado unos folios*.

emboscada *s. f.* ① Ocultación de una persona o grupo en un lugar para atacar por sorpresa, especialmente una tropa en operación de guerra. ② Intriga o trampa para perjudicar a una persona.

emboscar *v. tr.* ① Esconder a una persona o grupo en un lugar para que ataque por sorpresa. ② Tender una emboscada. **|** *v. prnl.* ③ **emboscarse** Esconderse para atacar por sorpresa. ④ Esconderse en la maleza.
FAM emboscada.

embotar *v. tr.* ① Debilitar los sentidos o la inteligencia: *el miedo embotaba sus sentidos*. ② Quitar el filo o la punta a un instrumento cortante. **|** *v. prnl.* ③ **embotarse** Debilitarse los sentidos o la inteligencia.
FAM embotamiento; desembotar.

embotellado *s. m.* Introducción de un líquido en una botella.

embotellamiento *s. m.* Acumulación excesiva de vehículos que impide la circulación normal por un lugar: *la avería de un vehículo provocó un gran embotellamiento en la autopista*. **SIN** atasco, congestión.

embotellar *v. tr.* ① Introducir un líquido en botellas. ② Congestionar el tráfico un lugar. **|** *v. prnl.* **embotellarse** Congestionarse un lugar a causa de la acumulación excesiva de vehículos.
FAM embotellado, embotellador, embotellamiento.

embozar *v. tr.* ① Cubrir el rostro por la parte inferior hasta la nariz o hasta los ojos con una prenda de vestir: *se embozó en la capa para protegerse del frío*. ② Disimular una cosa con palabras o acciones.
FAM desembozar.

embozo *s. m.* ① Doblez que se hace en la sábana superior de la cama por la parte que toca al rostro. ② Parte de la capa y otras prendas de vestir que cubre la cara. **SIN** rebozo. ③ culto Cautela con que se hace o se dice algo.
FAM embozar.

embragar *v. intr.* Pisar el embrague de un vehículo para cambiar de marcha.

embrague *s. m.* ① Mecanismo que permite unir o separar el eje del cambio de velocidades de un vehículo al movimiento del motor: *algunos coches tienen el embrague automático.* ② Pedal que permite accionar este mecanismo: *el embrague se pisa con el pie izquierdo.*
FAM embragar; desembrague.

embrear *v. tr.* Untar con brea una cosa.

embriagador, -ra *adj.* culto Que produce una sensación de placer, especialmente cuando se percibe por el olfato o el oído: *aroma embriagador.*

embriagar *v. tr.* ① Causar embriaguez. ② Producir una sensación de placer, especialmente un aroma o una música. ③ Causar un estado de gran excitación o alegría: *el éxito embriaga.*
FAM embriagador, embriaguez.

embriaguez *s. f.* ① Estado en el que se pierde el control a causa del consumo excesivo de alcohol. SIN borrachera. ② Estado de excitación causado por una alegría o satisfacción.

embriología *s. f.* Parte de la biología que estudia la formación y desarrollo del embrión.

embrión *s. m.* ① Estadio que va desde la creación del cigoto hasta la formación de los órganos y tejidos que constituyen el feto; es la primera etapa del desarrollo de un ser vivo. ② Principio, todavía sin forma definida, de una cosa.
FAM embriología, embrionario.

embrionario, -ria *adj.* ① Relativo al embrión: *la fase embrionaria se inicia cuando el óvulo es fecundado.* ② Que está empezando a formarse o que no está decidido o acabado: *el proyecto está en estado embrionario, pero pronto tomará forma.*

embrollar *v. tr.* ① Hacer que un asunto o una situación sea o resulte más complicado de lo normal. SIN embarullar, liar. ANT desembrollar. ❙ *v. prnl.* ② **embrollarse** Hacerse o resultar un asunto o situación más complicado de lo normal. ③ Hablar de manera poco clara, mezclando las palabras o dejando las cosas a medio decir. SIN embarullarse.
FAM embrollador, embrollo; desembrollar.

embrollo *s. m.* ① Asunto o situación difícil de resolver, especialmente si va acompañado de alboroto: *en menudo embrollo nos has metido.* SIN lío. ② Mentira disfrazada con habilidad: *me ha contado un embrollo.* ③ Maraña de cosas: *un embrollo de hilos.*

embrollón, -llona *adj./s. m. y f.* Se aplica a la persona que hace que un asunto o situación sea o resulte más complicado de lo normal. SIN lioso.

embromar *v. tr.* ① Gastar una broma a alguien. ② AMÉR. Fastidiar o perjudicar. ③ familiar CHILE Hacer que una persona pierda el tiempo: *iba apurada realizando sus diligencias y la embromó en el camino.*

embrujar *v. tr.* ① Trastornar el juicio o la salud con prácticas mágicas. SIN hechizar. ANT desembrujar. ❙ *v. tr./intr.* ② Atraer irresistiblemente la atención, simpatía o amor de una persona mediante algo que le resulta física o moralmente atractivo: *Lucía tiene una mirada que embruja.* SIN hechizar, cautivar, fascinar.
FAM embrujamiento, embrujo; desembrujar.

embrujo *s. m.* ① Acción de embrujar (trastornar el juicio o la salud con prácticas mágicas). SIN hechizo. ② Condición de

estar bajo la influencia o control de tales palabras. ③ Atracción irresistible que produce o sufre una persona. SIN fascinación, hechizo.

embrutecer [16] *v. tr.* ① Rebajar o entorpecer las facultades morales o intelectuales de una persona. ❙ *v. prnl.* ② **embrutecerse** Sufrir una persona entorpecimiento de sus facultades morales o intelectuales.
FAM embrutecimiento.

embrutecimiento *s. m.* ① Acción de embrutecer o embrutecerse. ② Efecto de embrutecer o embrutecerse.

embuchado *s. m.* Embutido: *el chorizo, la longaniza y la morcilla son embuchados.*

embuchar *v. tr.* ① Meter carne picada, generalmente de cerdo y condimentada con especias, dentro de una tripa. SIN embutir. ② Alimentar a un ave metiéndole comida en el buche. ③ familiar Engullir.
FAM desembuchar.

embudo *s. m.* ① Instrumento hueco en forma de cono y acabado en un tubo, que sirve para llenar una botella u otro recipiente de boca estrecha sin que el líquido se vierta. ② Situación agobiante en la que coinciden muchas circunstancias adversas. ③ Lugar estrecho.

embuste *s. m.* Cosa que se dice y que no es verdad. SIN mentira.
FAM embustero.

embustero, -ra *adj./s. m. y f.* Se aplica a la persona que dice embustes o mentiras. SIN mentiroso.

embutición *s. f.* Proceso mecánico con el que se da a una chapa delgada la forma hueca de una pieza mediante presión; se realiza con una prensa en la que se fija un punzón con la forma interior de la pieza que se quiere reproducir, y que presiona la chapa hasta darle la misma forma que el punzón.

embutido *s. m.* ① Tripa de cerdo o funda alargada de otro material rellena de carne picada, generalmente de cerdo, condimentada con especias. SIN embuchado. ② Obra de madera, marfil, metal u otro material que se hace encajando y ajustando unas piezas en otras de distinto color o material para formar dibujos y relieves. ③ AMÉR. Tira de encaje cosida entre dos telas.

embutir *v. tr.* ① Meter carne picada, generalmente de cerdo y condimentada con especias, dentro de una tripa. SIN embuchar. ② Meter una cosa dentro de un espacio apretándola o encajándola. ③ Moldear una chapa. ④ familiar Engullir.
FAM embutidor.

eme *s. f.* Nombre de la letra *m*.

emergencia *s. f.* ① Asunto o suceso imprevisto que se debe solucionar con mucha rapidez: *si surge una emergencia, llámame por teléfono.* SIN urgencia. ② Salida de una cosa a la superficie del agua o de otro líquido.

emerger *v. intr.* Salir una cosa a la superficie del agua o de otro líquido. ANT sumergir.
FAM emergente, emersión.

emeritense *adj.* ① De Mérida (localidad de Badajoz). ❙ *s. com./adj.* ② Persona que es de Mérida.

emérito, -ta *adj.* ① Se aplica a la persona jubilada que disfruta de algún premio u honor por sus buenos servicios. ② Se aplica al profesor de universidad que sigue dando clases después de la jubilación, en reconocimiento a sus méritos.

emétrope *adj.* Se aplica al ojo cuya visión es normal.

emigración *s. f.* **1** Movimiento de población que consiste en la salida de personas de su lugar de residencia hacia un país o región diferente para establecerse en él de forma temporal o definitiva: *es habitual la emigración de las áreas pobres a las ricas.* **ANT** inmigración. **2** Viaje que las aves, los peces y otros animales realizan cada cierto tiempo por necesidades alimentarias o reproductivas, cambiando de clima o de zona geográfica. **SIN** migración.

emigrado, -da *adj./s. m. y f.* Se aplica a la persona que vive en un país o región que no es el suyo propio de origen, especialmente por causas económicas o sociales.

emigrante *adj./s. com.* Se aplica a la persona que deja su lugar de origen para establecerse en otro país o región, especialmente por causas económicas o sociales: *en los años sesenta había en Alemania muchos emigrantes de origen español.* **ANT** inmigrante.

emigrar *v. intr.* **1** Dejar el lugar de origen para establecerse en otro país o región, especialmente por causas económicas o sociales: *muchos africanos intentan emigrar a España.* **2** Dejar un lugar y dirigirse a otro determinadas especies de aves, peces y otros animales por exigencias del clima, de la alimentación o de la reproducción: *las cigüeñas emigran en verano.* **SIN** migrar.

FAM emigración, emigrado, emigrante, emigratorio.

emigratorio, -ria *adj.* Relativo a la emigración.

eminencia *s. f.* **1** Persona que es muy sabia y destaca mucho en el campo científico o artístico: *Marie Curie fue una eminencia de la física.* **2** Tratamiento que se da a los cardenales y otros miembros de la jerarquía eclesiástica. **NOTA** Puede anteponérsele la palabra *su.*

eminente *adj.* **1** Se aplica a la persona que es muy importante por sus méritos o por sus conocimientos en una ciencia o profesión: *un científico eminente.* **2** Que destaca en altura respecto a lo que le rodea. **3** Que destaca por su calidad e importancia.

FAM eminencia, eminentísimo; preeminente.

eminentísimo, -ma *adj.* Se aplica como tratamiento a los cardenales y otros miembros de la jerarquía eclesiástica. **NOTA** Se emplea seguido de *señor* y el nombre o cargo de la persona. Se escribe con mayúscula inicial.

emir *s. m.* Jefe político y militar, generalmente de una provincia, en algunos países árabes.

FAM emirato.

emirato *s. m.* **1** Territorio que gobierna un emir: *los musulmanes dieron a su territorio, convertido en emirato, el nombre de al-Andalus y establecieron la capital en Córdoba.* **2** Dignidad o cargo del emir. **3** Periodo de tiempo en que gobierna un emir.

emisario, -ria *s. m. y f.* Persona que es enviada a un lugar para llevar un mensaje o tratar un asunto. **SIN** embajador.

emisión *s. f.* **1** Salida o expulsión de algo hacia el exterior. **2** Lanzamiento de ondas hertzianas que transmiten sonidos e imágenes. **3** Programa de radio o televisión emitido sin interrupción y tiempo que dura: *dieron la noticia en la emisión de la tarde.* **4** Puesta en circulación de billetes de banco, monedas u otros valores.

FAM emisivo.

emisor, -ra *adj.* **1** Que emite o envía hacia fuera: *un foco es un aparato emisor de luz.* **|** *s. m. y f.* **2** Persona que emite el mensaje en el acto de la comunicación: *el emisor envía el men-*saje y lo recibe el receptor. **ANT** receptor. **|** *s. m.* **3** Aparato que permite enviar mensajes a distancia a través de ondas hertzianas: *el emisor de la radio del avión se estropeó durante la tormenta.*

FAM emisora.

emisora *s. f.* Conjunto de aparatos e instalaciones que permiten enviar a distancia música, palabras e imágenes mediante ondas hertzianas: *hay emisoras de radio y de televisión.*

emitir *v. tr.* **1** Producir y echar hacia fuera una cosa: *el Sol emite rayos luminosos.* **2** Lanzar ondas que transmiten sonidos e imágenes: *algunas radios emiten durante todo el día.* **3** Transmitir o difundir algo mediante ondas electromagnéticas: *ayer emitieron por televisión una película de Marlon Brando.* **4** Poner en circulación billetes de banco, monedas u otros valores: *el Banco de España ha emitido una nueva serie de billetes.* **5** Expresar o manifestar una opinión, un juicio o un voto.

FAM emisario, emisión, emisor.

emmenthal *s. m.* Queso de leche de vaca, de color amarillo pálido, pasta dura y grandes agujeros, originario de Suiza.

emoción *s. f.* **1** Sentimiento muy fuerte de alegría, placer, tristeza o dolor. **2** Reacción afectiva de gran intensidad producida por uno de estos sentimientos: *no pudo ocultar su emoción cuando se reencontró con su hija.* **3** Interés o intriga de una situación: *el gol del empate dio emoción a los últimos minutos del partido.*

FAM emocional, emocionar, emotivo.

emocional *adj.* **1** Relativo a la emoción. **SIN** emotivo. **2** Se aplica a la persona que se deja llevar por las emociones.

FAM emocionalidad.

emocionante *adj.* **1** Que causa emoción: *el encuentro entre padre e hijo fue muy emocionante.* **SIN** conmovedor, emotivo. **2** Que tiene una emoción o interés especial: *el final de la carrera ciclista fue muy emocionante.* **SIN** apasionante, excitante.

emocionar *v. tr.* **1** Producir una emoción intensa. **SIN** conmover. **|** *v. prnl.* **2** **emocionarse** Sentir una emoción intensa: *no se esperaba aquel recibimiento y se emocionó.* **SIN** conmoverse.

FAM emocionante.

emolumento *s. m.* Pago que se da a un profesional o a un operario por un servicio o un trabajo: *el abogado nos ha reclamado sus emolumentos.*

emotividad *s. f.* **1** Capacidad de experimentar emociones o sentimientos: *el enfermo tiene dañada su emotividad.* **2** Capacidad de una cosa para causar emoción: *la despedida estuvo llena de emotividad.*

emotivo, -va *adj.* **1** Relativo a la emoción. **SIN** emocional. **2** Que causa emoción. **SIN** conmovedor, emocionante. **3** Se aplica a la persona que se emociona fácilmente y lo expresa: *es una mujer muy emotiva y siempre llora en las despedidas.*

FAM emotividad.

empacar *v. intr./tr.* **1** AMÉR. Preparar el equipaje para un viaje: *las familias empacaron sus bienes.* **2** MÉX. Poner un alimento en conserva: *empacó todas las fresas de una sentada.* **|** *v. prnl.* **3** **empacarse** familiar AMÉR. Quedarse plantado un animal de carga y no querer avanzar. **4** AMÉR. Enfadarse y obstinarse una persona por un capricho o motivo sin importancia.

empachar *v. tr.* **1** Causar una alteración del aparato digestivo por comer en exceso: *los dulces empachan si se comen demasiados.* **SIN** indigestar. **2** Cansar o hartar una persona o

cosa: *esta chica me empacha con sus estúpidos comentarios.* ‖ *v. prnl.* ③ **empacharse** Sufrir una alteración del aparato digestivo por comer en exceso. **SIN** indigestarse. ④ Sentir vergüenza: *se empacha cada vez que tiene que pedir algo.*
FAM empacho.

empacho *s. m.* ① Alteración del aparato digestivo causada por una comida excesiva. **SIN** indigestión. ② Cansancio o aburrimiento producidos por algún exceso: *tengo empacho de leer tantas horas seguidas.* ③ Vergüenza o turbación que impide hacer o decir algo.

empadronamiento *s. m.* Inscripción de una persona en el padrón o registro de los habitantes de una población.

empadronar *v. tr.* Inscribir a una persona en el padrón o registro en el que constan los habitantes de una población: *si no nos empadronamos, no podremos votar en las elecciones.*
FAM empadronamiento.

empalagar *v. tr.* ① Cansar un alimento por ser demasiado dulce o pesado: *la nata me empalaga mucho.* ② Cansar o aburrir una persona por ser excesivamente amable o cariñosa.
FAM empalago, empalagoso.

empalagoso, -sa *adj.* ① Se aplica al alimento que cansa por ser demasiado dulce o pesado. ② Se aplica a la persona que cansa o aburre por ser excesivamente amable o cariñosa.

empalar¹ *v. tr.* ① Atravesar a una persona o animal con un palo, introduciéndoselo por el ano. ‖ *v. prnl.* ② **empalarse** CHILE Obstinarse, encapricharse.
FAM empalamiento.

empalar² *v. tr.* En algunos deportes, dar bien con la pala a la pelota.

empalizada *s. f.* Valla hecha con palos o estacas clavados en el suelo y que sirve como defensa o para impedir el paso.

empalmar *v. tr.* ① Unir dos cosas por sus extremos de modo que se continúen: *empalmar dos tubos.* ‖ *v. tr./intr.* ② Relacionar o unir una idea con otra: *la idea anterior empalma con la que expondré a continuación.* ③ Suceder una cosa a continuación de otra sin interrupción. ‖ *v. intr.* ④ Combinarse o unirse un medio de transporte con otro: *esta línea de metro empalma con varios autobuses.* **SIN** enlazar. ‖ *v. prnl.* ⑤ **empalmarse** vulgar Excitarse sexualmente un hombre o un animal macho, con erección del pene.
FAM empalme; desempalmar.

empalme *s. m.* ① Unión de dos cosas por sus extremos: *hacer un empalme.* ② Lugar o punto en el que se empalma: *cuando llegues al empalme, tuerce a la derecha.* ③ Cosa que empalma con otra. ④ Combinación de un medio de transporte con otro.

empanada *s. f.* ① Masa de harina cocida al horno y rellena de carne, pescado u otros alimentos. ② Ocultación fraudulenta de un negocio.
empanada mental familiar Gran confusión de ideas. **NOTA** También simplemente *empanada.*
FAM empanadilla.

empanadilla *s. f.* Pastel pequeño relleno de carne, pescado u otro alimento, que se hace doblando un trozo de masa de harina sobre sí misma y friéndolo después.

empanar *v. tr.* Rebozar un alimento con pan rallado antes de freírlo.
FAM empanada.

empantanar *v. tr.* ① Llenar de agua y barro un terreno: *las fuertes lluvias han empantanado los campos.* ② Dejar una cosa,

asunto o trabajo sin acabar: *el albañil se fue de vacaciones y me ha dejado empantanada la cocina.* ‖ *v. prnl.* ③ **empantanarse** Llenarse de agua y barro un terreno.

empañar *v. tr.* ① Cubrir un cristal de vaho: *el calor de la ducha empaña los cristales.* **ANT** desempañar. ② Quitar la belleza, la buena fama o el mérito: *semejante escándalo empañó su buen nombre.* ‖ *v. prnl.* ③ **empañarse** Cubrirse un cristal de vaho. ④ Perder la belleza, la buena fama o el mérito. ⑤ Cubrirse los ojos de lágrimas: *al oír la noticia se me empañaron los ojos.*
FAM empañamiento; desempañar.

empañetar *v. tr.* ① AMÉR. CENTRAL Embarrar (manchar o cubrir de barro). ② COL., P. RICO Enlucir o encalar una superficie.

empapar *v. tr.* ① Mojar completamente, llegando la humedad hasta el interior: *la lluvia ha empapado la tierra.* **SIN** calar, impregnar. ② Absorber y retener un líquido: *la esponja empapa el agua.* ③ Recoger un líquido con un cuerpo que lo absorba en su inretior: *empapa las gotas caídas con una bayeta.* ‖ *v. prnl.* ④ **empaparse** Mojarse completamente, llegando la humedad hasta el interior: *como no llevaba paraguas, me he empapado.* ⑤ Quedarse bien enterado de una cosa; aprenderla o comprenderla bien.
FAM empapamiento.

empapelar *v. tr.* ① Cubrir con papel pintado una pared u otra superficie. ② Envolver algo en papel. ③ familiar Someter a una persona a un proceso judicial o abrirle un expediente: *lo empapelaron por estafador.*
FAM empapelado, empapelador; desempapelar.

empaque *s. m.* ① Distinción y buena presencia. ② AMÉR. Desfachatez.

empaquetador, -ra *adj.* ① Que empaqueta: *máquina empaquetadora.* ② Persona que se dedica a empaquetar.

empaquetar *v. tr.* ① Envolver una cosa o preparar con ella un paquete para que no se estropee durante su transporte. **ANT** desempaquetar. ② Meter a mucha gente en un recinto pequeño. ③ familiar Castigar: *si no llego a tiempo al cuartel me van a empaquetar.*
FAM empaquetado, empaquetador, empaquetadura, empaquetamiento; desempaquetar.

emparedado *s. m.* Bocadillo hecho con dos rebanadas de pan de molde entre las que se pone algún alimento. **SIN** sándwich.

emparedar *v. tr.* ① Encerrar a una persona entre paredes impidiéndole la comunicación con el exterior. ② Ocultar algo entre paredes o en el espesor de una.
FAM emparedamiento.

emparejar *v. tr.* ① Unir formando pareja: *emparejó a los dos perros para que criaran.* ② Poner dos o más cosas al mismo nivel: *empareja las mesas.* ‖ *v. prnl.* ③ **emparejarse** Unirse formando pareja: *los invitados se emparejaron para el baile.*
FAM emparejado, emparejamiento.

emparentar [1] *v. intr.* ① Establecer una relación de parentesco con una o más personas a través del matrimonio. ‖ *v. tr.* ② Señalar una relación de parentesco o afinidad entre varias cosas.

emparrado *s. m.* ① Conjunto de los tallos y hojas de una o más parras que, sostenidos por una armazón, forman una cubierta. ② familiar Peinado de los hombres para encubrir, con el pelo de los lados de la cabeza, la calvicie de la parte superior.

empastar¹ *v. tr.* ⓵ Cubrir con una pasta especial el hueco que ha dejado la caries en un diente o una muela. ⓶ Cubrir o llenar una cosa con pasta.
FAM empaste.

empastar² *v. tr.* ARG., CHILE, MÉX., NICAR. Convertir en prado un terreno.

empaste *s. m.* ⓵ Relleno de los huecos producidos por la caries en dientes y muelas. ⓶ Pasta con la que se llena el hueco que deja la caries en dientes o muelas. ⓷ Relieve en un lienzo producido por la aplicación de espesas capas de pasta.

empatar *v. tr./intr.* ⓵ Tener el mismo número de puntos, de goles o de votos que otro jugador, otro equipo u otro partido político. **ANT** desempatar. ❙ *v. tr.* ⓶ AMÉR. Empalmar, unir.
FAM empate; desempatar.

empate *s. m.* Obtención del mismo número de puntos, de goles o de votos por parte de dos jugadores, dos equipos o dos partidos políticos. **ANT** desempate.

empecinado, -da *adj.* Se aplica a la persona que se mantiene firme en una opinión o actitud a pesar de las razones o las dificultades que pueda haber en contra. **SIN** obstinado, tenaz.

empecinamiento *s. m.* Mantenimiento excesivamente firme de una idea, intención u opinión, generalmente poco acertada, sin tener en cuenta otra posibilidad. **SIN** cerrazón, obstinación.

empecinarse *v. prnl.* Mantenerse excesivamente firme en una idea, intención u opinión, generalmente poco acertada, sin tener en cuenta otra posibilidad. **SIN** obstinarse.
FAM empecinamiento.

empedernido, -da *adj.* ⓵ Se aplica a la persona que no puede abandonar un mal hábito o una mala costumbre por tenerlos muy arraigados: *un fumador empedernido.* ⓶ Cruel o duro de corazón: *criminal empedernido.*

empedrado *s. m.* ⓵ Suelo cubierto de piedras. ⓶ Acción de empedrar: *hacer el empedrado de una calle.*

empedrar [1] *v. tr.* Cubrir el suelo con piedras, ajustándolas entre sí. **ANT** desempedrar.
FAM empedrado; desempedrar.

empeine¹ *s. m.* ⓵ Parte superior del pie que va desde los dedos hasta la unión con la pierna. ⓶ Parte del calzado de la media o del calcetín correspondiente a esta parte del pie. ⓷ Parte inferior del vientre, entre las ingles.

empeine² *s. m.* Enfermedad de la piel del cutis caracterizada por aspereza y picazón.

empella *s. f.* AMÉR. Porción de manteca de cerdo: *fundió empella en la sartén para el sofrito.*

empellón *s. m.* Empujón fuerte que se da con el cuerpo.
a empellones Con violencia.

empeñado, -da *adj.* ⓵ Se aplica a la persona que tiene muchas deudas o una deuda muy grande por haber pedido prestado mucho dinero. ⓶ Se aplica a la persona que tiene la intención muy firme y decidida de hacer una cosa, y no se le puede hacer cambiar de idea aunque tenga muchas razones en contra: *está empeñado en estudiar solfeo y piano.*

empeñar *v. tr.* ⓵ Entregar una joya u otra cosa de valor a cambio de una cantidad de dinero: *he empeñado las joyas de la abuela.* ⓶ Comprometer el honor o la palabra como prueba de que se cumplirá lo que se ha prometido: *en esta empresa empeño mi palabra y mi honor.* ❙ *v. prnl.* ⓷ **empeñarse** Contraer una persona abundantes deudas: *me he empeñado para*

comprar el coche. **SIN** endeudarse, entramparse. ⓸ Proponerse una cosa con obstinación: *se ha empeñado en comprarse un piso en el centro de Madrid y no parará hasta conseguirlo.* ⓹ Meterse en una lucha o discusión. ⓺ Exponerse un barco a peligros por bordear la costa.
FAM empeñado, empeño; desempeñar.

empeño *s. m.* ⓵ Entrega de algo a cambio de una cantidad de dinero. ⓶ Deseo intenso por realizar o conseguir algo: *su mayor empeño es acabar sus estudios.* ⓷ Esfuerzo, cuidado o interés en lo que se hace: *pone gran empeño en su trabajo.* ⓸ Intento o propósito de hacer una cosa: *en su empeño, perdió todo cuanto tenía.* ⓹ Compromiso del honor o de la palabra como prueba de que se cumplirá lo que se ha prometido. ⓺ MÉX. Casa de empeños.

empeñoso, -sa *adj.* AMÉR. Se aplica a la persona que muestra tesón o ahínco en conseguir un fin: *gracias a que era una mujer empeñosa crió a los hijos y acabó los estudios.*

empeoramiento *s. m.* Cambio para peor.

empeorar *v. tr.* ⓵ Hacer que una persona o cosa que estaba mal se ponga peor. ❙ *v. intr./prnl.* ⓶ Ponerse peor una persona o cosa que estaba mal: *muchas personas ancianas empeoran cuando hace frío.*
FAM empeoramiento.

empequeñecer [16] *v. tr.* ⓵ Hacer más pequeño: *hay lentes que empequeñecen las imágenes.* ⓶ Quitar importancia, valor o grandeza a una persona o cosa: *el telonero empequeñeció la actuación del cantante estrella.* **ANT** enaltecer, encumbrar. ❙ *v. prnl.* ⓷ **empequeñecerse** Hacerse más pequeño. ⓸ Perder importancia, valor o grandeza una persona o cosa.
FAM empequeñecimiento.

emperador, -ratriz *s. m. y f.* ⓵ Persona que gobierna un imperio: *Augusto y Claudio fueron emperadores romanos.* ⓶ Pez marino comestible de piel áspera y sin escamas, azul por el lomo y plateada en el vientre, con la mandíbula superior en forma de espada con dos cortes; habita en todos los mares cálidos del mundo y su carne es muy apreciada. **SIN** pez espada. ❙ *s. f.* ⓷ Mujer del emperador.

emperifollar *v. tr.* ⓵ fam. desp. Adornar o arreglar con cuidado o en exceso. ❙ *v. prnl.* ⓶ **emperifollarse** fam. desp. Adornarse o arreglarse con cuidado o en exceso: *llevas seis horas emperifollándote, ¡vámonos ya!*

empero *conj.* culto Pero, sin embargo.

emperrarse *v. prnl.* familiar Obstinarse en hacer o en tener una cosa: *mi hijo se ha emperrado en que le compre una bicicleta.*
FAM emperramiento.

empezar [1] *v. tr.* ⓵ Dar principio; hacer que una cosa exista o se haga: *el profesor empezó la explicación.* **SIN** comenzar. ⓶ Comenzar a usar o consumir: *¿podemos empezar la caja de bombones?* ❙ *v. intr.* ⓷ Tener principio; pasar a existir o a hacerse: *el curso empieza en octubre.* **SIN** comenzar.
empezar a + infinitivo Pasar a realizar o a suceder la acción que expresa el verbo en infinitivo: *empecé a interesarme por ella.* **SIN** comenzar.
para empezar En primer lugar.
¡ya empezamos! Expresión de aburrimiento o de enfado ante la insistencia de alguien o de algo.
FAM empiece.

empiece *s. m.* familiar Comienzo, origen o principio de una cosa.

empinado, -da *adj.* ⓵ Se aplica al terreno o camino que tiene una pendiente o una cuesta muy pronunciada. **2** Elevado o de gran altura: *torre empinada.* **3** De gran categoría social.

empinar *v. tr.* **1** Levantar o sostener en alto. **2** Inclinar un recipiente, sosteniéndolo en alto, para beber. **3** vulgar Poner en erección el miembro viril. **|** *v. intr.* **4** familiar Beber alcohol en exceso. **|** *v. prnl.* **5** **empinarse** Ponerse sobre las puntas de los pies y alzarse. **6** Ponerse un animal sobre las patas traseras, levantando las delanteras. **7** Adquirir mucha pendiente hacia arriba un camino o un terreno: *por esa parte, el camino se empina y cuesta mucho ascender la montaña.* **8** Alcanzar gran altura, especialmente una torre, un árbol, una montaña u otra cosa parecida. **SIN** elevarse. **9** Ponerse el miembro viril en erección.
FAM empinado.

empingorotado, -da *adj.* fam. desp. Se aplica a la persona que tiene una posición social ventajosa y presume de ello.

empiñonado *s. m.* Pasta de piñones y azúcar.

empiparse *v. prnl.* CHILE, ECUAD. Empacharse de comida y bebida.

empírico, -ca *adj.* Que está basado en la experiencia y en la observación de los hechos: *estudios empíricos.*
FAM empirismo.

empirismo *s. m.* **1** Método o procedimiento basado en la experiencia y observación de los hechos. **2** Doctrina filosófica según la cual la fuente del conocimiento humano es solamente la experiencia.
FAM empirista.

empitonar *v. tr.* Alcanzar el toro al torero con los pitones.

emplastar *v. tr.* **1** Poner emplastos: *emplastar una herida.* **2** Embadurnar con una pasta pegajosa.

emplasto *s. m.* **1** Preparado medicinal, compuesto de materias grasas y resinas, de consistencia espesa, moldeable y adhesiva que se pone en la parte exterior del cuerpo como cura: *antiguamente, los emplastos se usaban mucho.* **2** Cosa que tiene un aspecto espeso y pegajoso: *el arroz demasiado cocido y pasado queda hecho un emplasto.*
FAM emplastar.

emplazamiento[1] *s. m.* **1** Colocación o situación en un determinado lugar. **2** Lugar en que está situada una persona o cosa: *el agua, las vías de comunicación y las posibilidades defensivas han determinado el emplazamiento de los núcleos de población.*

emplazamiento[2] *s. m.* Aviso por el que se convoca a una persona para que acuda a un juzgado, en un día y hora determinados, para alguna diligencia. **SIN** citación.

emplazar[1] *v. tr.* Colocar o situar en un lugar determinado.
FAM emplazamiento.

emplazar[2] *v. tr.* Citar a una persona en un lugar y un momento determinados, especialmente para que acuda ante un juez.
FAM emplazamiento.

empleado, -da *s. m. y f.* Persona que desempeña un trabajo a cambio de un salario. ■ **empleado de hogar** Persona que realiza trabajos domésticos o ayuda en ellos a cambio de un salario. **SIN** sirviente.

emplear *v. tr.* **1** Usar para un fin determinado: *emplea los fines de semana para estudiar.* **2** Dar trabajo; ocupar en una actividad: *empleó a su hijo en la fábrica.* **3** Gastar o consumir algo material o inmaterial: *empleas demasiado tiempo en cosas*

inútiles. **|** *v. prnl.* **4** **emplearse** Poner esfuerzo o interés en una determinada acción o en un trabajo.
FAM empleado, empleo; subemplear.

empleo *s. m.* **1** Puesto de trabajo: *tiene un buen empleo.* **SIN** colocación. **2** Ocupación de una persona en una actividad: *fomentar el empleo.* **3** Uso o utilización de una cosa para un fin: *modo de empleo.*
FAM desempleo, pluriempleo.

emplomar *v. tr.* **1** Asegurar, soldar o cubrir con plomo una cosa: *emplomar un cristal.* **2** Precintar una cosa con un sello de plomo. **3** ARG., URUG. Empastar un diente o una muela.

emplumar *v. tr.* **1** Poner plumas a una cosa: *emplumar un sombrero.* **2** Cubrir el cuerpo de una persona con plumas y una materia pegajosa, como castigo o burla. **3** familiar Castigar o arrestar a una persona: *si llego tarde a la residencia, me empluman.* **4** CUBA, GUAT. Engañar. **5** ECUAD., VENEZ. Enviar a un sitio de castigo. **|** *v. intr.* **6** AMÉR. Huir, fugarse.

empobrecer [16] *v. tr.* **1** Hacer pobre o más pobre. **SIN** depauperar. **ANT** enriquecer. **|** *v. prnl.* **2** **empobrecerse** Hacerse pobre o más pobre. **SIN** depauperarse. **ANT** enriquecerse.
FAM empobrecedor, empobrecimiento.

empobrecimiento *s. m.* Proceso en el que una cosa o persona se hace pobre o más pobre: *la sequía ha provocado el empobrecimiento de muchos pueblos.* **ANT** enriquecimiento.

empollar *v. tr.* **1** Mantener el embrión contenido en un huevo a temperatura constante por medios naturales o artificiales; *la gallina empolla sus huevos.* **2** familiar Estudiar mucho.
FAM empollón.

empollón, -llona *adj./s. m. y f.* Se aplica a la persona que estudia mucho, especialmente si destaca más por su aplicación que por su talento.

empolvar *v. tr.* **1** Poner polvos, especialmente en la cara: *ha ido al baño a empolvarse la nariz.* **2** Cubrir una cosa de polvo: *con este viento se han empolvado los muebles de toda la casa.* **ANT** desempolvar.
FAM desempolvar.

emponchado, -da *adj.* **1** ARG., PERÚ Se aplica a la persona que se cubre con un poncho. **|** *adj./s. m. y f.* **2** ARG., PERÚ Sospechoso.

emponzoñar *v. tr.* **1** Poner veneno en una cosa, generalmente en la comida o en la bebida; corromper una cosa añadiéndole una materia nociva para la salud: *emponzoñó la comida para asesinar a su marido.* **SIN** envenenar. **2** Hacer que las relaciones entre las personas dejen de ser agradables y amistosas: *los cotilleos emponzoñaron la amistad que había entre ellos.* **SIN** envenenar. **|** *v. prnl.* **3** **emponzoñarse** Pasar una cosa o persona a tener veneno. **4** Dejar de ser agradables y amistosas las relaciones entre dos personas.

emporio *s. m.* **1** Lugar de gran riqueza comercial. **2** Lugar de gran riqueza artística o cultural. **3** AMÉR. Almacén de calidad.

empotrado, -da *adj.* **1** Que está metido en una pared y asegurado con trabajos de albañilería: *todos los dormitorios tienen armarios empotrados.* **2** Que está completamente metido dentro de una cosa, generalmente a causa de un choque.

empotrar *v. tr.* **1** Meter una cosa en una pared o en el suelo, asegurándola con trabajos de albañilería. **2** Encajar o meter en una superficie, generalmente al chocar contra ella. **|** *v. prnl.* **3** **empotrarse** Quedarse una cosa completamente metida dentro de otra, generalmente a causa de un choque: *el conductor perdió el control y el coche se empotró en la pared.*

FAM empotrado.

emprendedor, -ra *adj.* Se aplica a la persona que tiene decisión e iniciativa para realizar acciones que son difíciles o entrañan algún riesgo: *los descubridores de nuevas tierras eran gente emprendedora.*

emprender *v. tr.* Empezar a hacer alguna cosa, especialmente cuando exige esfuerzo y trabajo: *emprender un negocio.* **SIN** acometer.

emprenderla Mostrar una actitud hostil o poco amigable hacia una persona: *no le hemos dado motivos para que la emprenda con nosotros.*

FAM emprendedor; reemprender.

empresa *s. f.* **1** Entidad en la que intervienen el capital y el trabajo como factores de la producción y dedicada a actividades fabriles, mercantiles o de prestación de servicios: *empresa productora de electricidad.* **SIN** compañía. **2** Acción o tarea que entraña esfuerzo y trabajo: *escribir una novela es empresa difícil y larga.* **3** Iniciativa llevada a cabo colectivamente: *organizar las fiestas es empresa de todo el pueblo.*

FAM empresariado, empresarial, empresario.

empresariado *s. m.* Conjunto de las empresas o de los empresarios de una industria, región o país.

empresarial *adj.* Relativo a la empresa o a los empresarios: *ciencias empresariales.*

empresario, -ria *s. m. y f.* **1** Persona que tiene o dirige una empresa. **2** Persona que explota un espectáculo.

FAM empresariado, empresarial.

empréstito *s. m.* **1** Préstamo que se hace al estado, a un organismo oficial o a una empresa; la suma se divide en títulos u obligaciones. **2** Cantidad de dinero prestada de esa manera: *el Estado consigue los empréstitos a través de pagarés del Tesoro.*

empujar *v. tr.* **1** Hacer fuerza contra una persona o cosa para moverla, sostenerla o rechazarla: *no me empujes, que ya me aparto.* **2** Presionar o influir sobre una persona para que haga cierta cosa: *las circunstancias me empujaron a dejar mi trabajo.*

FAM empuje, empujón.

empuje *s. m.* **1** Fuerza que se hace contra una persona o cosa para moverla, sostenerla o rechazarla. **2** Fuerza producida por el peso de una cubierta o de un arco arquitectónico sobre los elementos que lo sostienen. **3** Valor o decisión para hacer algo: *necesita un poco de empuje.* **4** Fuerza vertical ascendente que experimenta un cuerpo que se encuentra en el seno de un líquido; su valor es igual al peso del fluido que desplaza.

empujón *s. m.* **1** Golpe fuerte que se da a una persona o cosa para moverla o apartarla: *pretendía abrirse paso a empujones.* **2** Avance rápido que se da a lo que se está haciendo: *le dimos un buen empujón al trabajo.*

empuntar *v. tr.* **1** COL., ECUAD. Encaminar, dirigir. ‖ *v. intr.* **2** COL., ECUAD. Irse, marcharse. ‖ *v. prnl.* **3** **empuntarse** VENEZ. Obstinarse, empeñarse en una cosa.

empuñadura *s. f.* **1** Parte por la que se sujetan las armas y otros objetos. **2** Comienzo de un cuento o un discurso con una fórmula tradicional.

empuñar *v. tr.* **1** Agarrar por el puño un arma u otro objeto:

empuñar un bastón. **2** CHILE Cerrar la mano para formar el puño.

FAM empuñadura.

emú *s. m.* Ave corredora similar al avestruz, pero de menor tamaño, con tres dedos en cada pie y con el plumaje pardusco; habita en las llanuras de Australia.

OBS Plural: *emúes.*

emular *v. tr.* Imitar algo hecho por otra persona, procurando igualarlo o superarlo.

FAM emulación, emulador, émulo.

émulo, -la *adj./s. m. y f.* Se aplica a la persona que emula o trata de emular a otra.

emulsión *s. f.* **1** Líquido que contiene, sin disolverse y en suspensión, pequeñas gotas de otro líquido: *el agua y el aceite no se mezclan, sino que forman una emulsión.* **2** Sustancia química, sensible a la luz, que recubre las películas fotográficas: *la emulsión es una suspensión de bromuro de plata en gelatina.*

FAM emulsionar, emulsivo.

emulsionar *v. tr.* Hacer que una sustancia, generalmente grasa, adquiera el estado de emulsión.

en *prep.* **1** Indica posición o lugar: *está en el trabajo.* **2** Indica el momento en que ocurre una cosa: *sucedió en 1940.* **3** Indica modo o manera, especialmente de hacer una cosa: *habló en voz baja; vamos en tren.* **4** Indica aquello a lo que se dedica o en lo que destacan una o varias personas: *doctor en física; es muy bueno en deportes.* **5** Precedido y seguido de un numeral y en combinación con la preposición *de*, indica conjunto formado por un número determinado de unidades: *siempre sube los peldaños de tres en tres.* **6** En combinación con la preposición *de*, indica sucesión de elementos: *un hombre fue de puerta en puerta intentando vender una enciclopedia.* **7** Seguido de gerundio, indica que una cosa ocurre inmediatamente antes que otra: *en llegando el maestro, todos los niños se callan.*

enagua *s. f.* Prenda interior femenina semejante a una falda y que se lleva debajo de esta.

OBS También en plural con el mismo significado que en singular.

enajenación *s. f.* **1** Transmisión a otra persona del derecho sobre un bien. **2** Falta de atención a causa de un pensamiento o de una impresión fuerte.

enajenación mental Perturbación o trastorno de las facultades mentales. **SIN** demencia, locura.

enajenado, -da *adj.* Que tiene trastornadas las facultades mentales. **SIN** demente, loco.

enajenar *v. tr.* **1** Vender o pasar a otra persona el derecho sobre un bien. **2** Sacar de sí a una persona, turbarle el uso de la razón o de los sentidos: *el terror lo enajenó.* **3** Desposeer a una persona de algo inmaterial. ‖ *v. prnl.* **4** **enajenarse** Estar fuera de sí una persona, tener turbado el uso de la razón o de los sentidos: *enajenarse por el furor.*

FAM enajenación, enajenado.

enaltecedor, -ra *adj.* Que enaltece.

enaltecer [16] *v. tr.* **1** Dar mayor valor, grandeza u honor a alguien o algo: *tu buena obra te enaltece.* **SIN** engrandecer, ennoblecer, ensalzar. **ANT** empequeñecer. **2** Alabar o mostrar admiración por una persona o cosa. **SIN** elogiar, encomiar, ensalzar.

FAM enaltecedor, enaltecimiento.

enaltecimiento *s. m.* **1** Engrandecimiento o exaltación de una persona o cosa. ② Alabanza o elogio de una persona o cosa.

enamoradizo, -za *adj.* Que se enamora con facilidad.

enamorado, -da *adj./s. m. y f.* ① Se aplica a la persona que siente mucho amor por una persona: *el 14 de febrero es el día de los enamorados.* ② Se aplica a la persona que gusta mucho de una cosa determinada o es muy aficionado a ella: *soy un enamorado de París.*

enamoramiento *s. m.* Estado en el que se encuentra la persona que siente mucho amor por otra o por una cosa.

enamorar *v. tr.* ① Conseguir el amor de una persona: *todos los días le regalaba un ramo de rosas para enamorarla.* SIN conquistar. ② Atraer, aficionar o hacer sentir entusiasmo una cosa: *esta casa me enamoró nada más verla.* ‖ *v. prnl.* ③ **enamorarse** Empezar a sentir amor hacia una persona: *no sé cómo ha ocurrido, pero me he enamorado de ella.* ④ Aficionarse mucho a una cosa: *me he enamorado de esta ciudad.*
FAM enamoradizo, enamorado, enamoramiento, enamoriscarse; desenamorar.

enamoriscarse o **enamoricarse** *v. prnl.* fam. desp. Enamorarse, especialmente de manera superficial o poco intensa.

enancarse *v. prnl.* ① AMÉR. Montarse a las ancas en una caballería. ② AMÉR. Entrometerse.

enanismo *s. m.* Trastorno del crecimiento caracterizado por una estatura inferior a la que se considera normal en los individuos de la misma edad, especie y raza.

enano, -na *adj.* ① Que es muy pequeño: *un perrito enano.* SIN diminuto. ANT gigante. ‖ *s. m. y f.* ② Persona que tiene una altura mucho menor de lo normal en los individuos de la misma edad, especie y raza debido a una alteración del crecimiento: *los enanos suelen medir menos de 1,30 m los hombres y 1,20 m las mujeres.* ③ En los cuentos e historias infantiles, criatura con figura humana, de baja estatura y que suele tener poderes mágicos. ④ familiar Niño: *me encanta contarle cuentos y chistes a los enanos.*
FAM enanismo.

enarbolar *v. tr.* ① Llevar en alto una bandera o un estandarte. ② Llevar en alto un arma u otro objeto en actitud de amenaza. ③ Defender una idea o una causa: *el diplomático enarboló la causa de la paz mundial.* ‖ *v. prnl.* ④ **enarbolarse** Encabritarse el caballo. ⑤ Alterarse o enfurecerse mucho.

enarcar *v. tr.* ① Dar forma de arco: *enarcó las cejas en señal de asombro.* SIN arquear. ‖ *v. prnl.* ② **enarcarse** Adquirir forma de arco. SIN arquearse. ③ MÉX. Encabritarse un caballo.

enardecer [16] *v. tr.* ① Excitar o avivar una pasión, pugna o disputa: *el público enardece a los futbolistas durante el partido.* SIN enfervorizar. ‖ *v. prnl.* ② **enardecerse** Excitarse o avivarse una pasión, una pugna o una disputa: *los ánimos se enardecieron y todos empezaron a gritar.*
FAM enardecedor, enardecimiento.

enardecimiento *s. m.* Excitación de un sentimiento o una pasión o de la persona que los tiene: *la marcha militar consiguió el enardecimiento de los soldados.*

enarenado *s. m.* ① Acción de enarenar. ② Terreno de cultivo al que se ha echado arena, especialmente para corregir la abundancia de arcilla.

enarenar *v. tr.* ① Echar arena o cubrir con arena: *enarenaron la plaza de toros y pintaron las líneas.* ‖ *v. prnl.* ② **enarenarse** Encallar una embarcación.
FAM enarenación.

encabalgamiento *s. m.* ① Superposición de una cosa sobre otra. ② En poesía, ruptura de la unidad sintáctica que se produce cuando una palabra o frase excede el límite de un verso o hemistiquio y continúa en el siguiente: *en los versos de Blas de Otero "ser, / no ser, eternos / fugitivos" hay un encabalgamiento ya que se rompe el sintagma "eternos fugitivos".*

encabalgar *v. tr.* ① Distribuir en versos contiguos partes de una palabra o frase que normalmente constituyen una unidad léxica o sintáctica: *para encabalgar puedes dividir una palabra en dos versos distintos.* ‖ *v. prnl.* ② **encabalgarse** Distribuirse en versos contiguos partes de una palabra o frase que normalmente constituyen una unidad léxica o sintáctica. ③ Superponerse una cosa sobre otra.
FAM encabalgamiento.

encabezamiento *s. m.* Fórmula fija con que se comienza un escrito.

encabezar *v. tr.* ① Estar al comienzo de una lista: *¿qué corredor es el que encabeza la clasificación?* ② Poner un encabezamiento al comienzo de un escrito: *ha encabezado la carta de la siguiente manera.* ③ Dirigir o ir a la cabeza de un grupo o un movimiento: *el alcalde encabezaba la procesión.* ④ Aumentar la proporción de alcohol de un vino. ⑤ AMÉR. Acaudillar o dirigir un grupo de personas, un partido, un movimiento social o una rebelión: *el mismo que ayer escribió el manifiesto hoy encabeza a los obreros en huelga.*
FAM encabezamiento.

encabezonarse *v. prnl.* familiar Empeñarse en algo, ponerse cabezón.

encabritarse *v. prnl.* ① Levantar el caballo las patas delanteras apoyándose en las traseras. ② Levantarse súbitamente la parte delantera o trasera de un vehículo. ③ familiar Enfadarse mucho. SIN cabrearse.

encabronar *v. tr.* ① vulgar Enfurecer o enojar. ‖ *v. prnl.* ② **encabronarse** vulgar Enfurecerse o enojarse.

encadenamiento *s. m.* ① Atadura o sujeción con cadenas. ② Unión de varias ideas, palabras, pensamientos, etc. de modo que queden relacionados entre sí y formen un conjunto unitario y coherente: *el encadenamiento de las partes de un discurso.* SIN engarce, engranaje, enlace.

encadenar *v. tr.* ① Atar o sujetar con cadenas. ② Impedir o quitar el movimiento o la capacidad de acción. SIN atar. ③ Unir varias ideas, palabras, pensamientos, etc., de modo que queden relacionados entre sí y formen un conjunto unitario y coherente: *has encadenado muy bien esta idea con la anterior.* SIN engarzar, enlazar. ‖ *v. prnl.* ④ **encadenarse** Relacionarse dos o más cosas entre sí para formar un conjunto o una idea homogénea y coherente. SIN engarzarse, enlazarse.
FAM encadenación, encadenamiento; desencadenar.

encajar *v. tr./intr.* ① Meter una cosa dentro de otra de manera que quede bien ajustada: *estas piezas no encajan.* ANT desencajar. ‖ *v. tr.* ② Aceptar una situación molesta o desagradable o reaccionar bien ante ella: *hay que saber encajar las críticas.* ③ Recibir un golpe: *el boxeador encajó el puñetazo de su adversario.* ④ Recibir en contra, especialmente tantos o puntos: *en el último partido el equipo encajó tres tantos.* ‖ *v. intr.* ⑤ Coincidir o estar de acuerdo: *su declaración no encaja con los hechos.* ⑥ Ser adecuado o adaptarse a un lugar o situación: *Susana no ha encajado del todo en su nuevo trabajo.* ‖ *v. prnl.* ⑦ **encajarse** Ponerse una prenda de vestir: *se encajó el sombrero antes de salir.*
FAM encaje; desencajar.

encaje *s. m.* ① Tejido transparente hecho con calados que forman dibujos: *encaje de bolillos.* ② Introducción de una pieza en otra de manera que queden ajustadas perfectamente.

encajonar *v. tr.* ① Meter una cosa en un sitio demasiado estrecho. ② Meter o guardar en un cajón: *encajonaron los toros para llevarlos a la plaza.* ‖ *v. prnl.* ③ **encajonarse** Correr un río o arroyo por un lugar muy estrecho: *el río se encajona al pasar por la sierra.*
FAM encajonado, encajonamiento; desencajonar.

encalabrinar *v. tr.* ① Excitar, irritar o causar enfado. ② Aturdir a una persona un vapor, olor, aliento, etc.: *el olor de las letrinas lo encalabrinó.* ‖ *v. prnl.* ③ **encalabrinarse** Insistir con tesón en una cosa sin atender a razones. ④ familiar Enamorarse perdidamente.

encalambrarse *v. prnl.* AMÉR. Aterirse, entumecerse.

encalar *v. tr.* ① Aplicar a una superficie una capa de cal o yeso blanco diluidos en agua. **SIN** blanquear. ② Meter en cal o espolvorear con ella una cosa.
FAM encaladura.

encallar *v. intr./prnl.* Quedar detenida una embarcación al tropezar con arena o piedras. **SIN** embarrancar. **ANT** desencallar.
FAM encalladero, encalladura; desencallar.

encallecer [16] *v. tr.* ① Poner dura una parte de la piel o hacer que críe callo. ② Hacer fuerte, duro o insensible, especialmente por efecto de la costumbre o de la reiteración: *las penalidades encallecieron su corazón.* ‖ *v. prnl.* ③ **encallecerse** Ponerse dura una parte de la piel. ④ Hacerse fuerte, duro o insensible, especialmente por efecto de la costumbre o de la reiteración.

encamar *v. tr.* ① Tender o echar en el suelo, especialmente una alfombra. ‖ *v. prnl.* ② **encamarse** Echarse o meterse en la cama por enfermedad: *se ha encamado porque tiene la gripe.* ③ Esconderse los animales de caza al oír a un cazador: *cuando nos vio, la liebre se encamó.* ④ Inclinarse hacia el suelo las plantas de cereal.
FAM encame.

encaminar *v. tr.* ① Poner en camino, dirigir hacia un lugar determinado: *el guía nos encaminó hacia el monasterio.* **SIN** guiar, orientar. **ANT** desencaminar. ② Dirigir la intención hacia un fin determinado. **SIN** orientar. ‖ *v. prnl.* ③ **encaminarse** Dirigirse hacia un lugar determinado: *se encaminaron hacia el sur de la península.* ④ Dirigirse algo o alguien hacia un fin determinado: *nuestros esfuerzos se encaminan a un buen fin.*
FAM desencaminar.

encamotarse *v. prnl.* AMÉR. Enamorarse.

encanallamiento *s. m.* Adquisición paulatina de costumbres propias de un canalla.
FAM encanallar.

encanar *v. tr.* familiar ARG., CHILE, COL., CUBA, PAR., URUG. Encarcelar a una persona.

encandilar *v. tr.* ① Deslumbrar, alucinar o cautivar los sentidos: *lo encandilaron con mentiras.* ② Despertar amor o deseo sexual en una persona: *hay una chica en la oficina que lo ha encandilado.* ③ Hacer que alguien conciba deseos o ilusiones: *no lograrás encandilarme con tus promesas.* ④ Deslumbrar a alguien una luz muy intensa. ⑤ Avivar la lumbre. ‖ *v. prnl.* ⑥ **encandilarse** Pasar a sentir amor o deseo sexual por una persona.

encanijar *v. tr.* ① Poner débil, flaco y enfermizo. ‖ *v. prnl.* ② **encanijarse** Quedarse débil, flaco y enfermizo: *si sigue sin comer, este niño se va a encanijar.*

encantado, -da *adj.* ① Que se encuentra muy contento o muy a gusto de cierta manera o con cierta cosa o persona: *estoy encantada con mi nueva casa.* ② Se aplica a la cosa o lugar que ha sufrido un encantamiento: *una casa encantada.*

encantador, -ra *adj.* ① Que resulta muy agradable: *una velada encantadora.* **ANT** antipático, desagradable. ‖ *s. m. y f.* ② Persona que se dedica a hacer encantamientos: *encantador de serpientes.*

encantamiento *s. m.* ① Acción de pronunciar un conjunto de palabras con poder mágico para cambiar la naturaleza o la forma de alguien o algo. **SIN** encanto. ② Atracción que se ejerce sobre la voluntad de alguien mediante la gracia, la simpatía o el talento. **SIN** embrujo, hechicería, hechizo.

encantar *v. tr.* ① Pronunciar un conjunto de palabras con poder mágico para cambiar la naturaleza o la forma de alguien o algo. **SIN** hechizar. **ANT** desencantar. ② Gustar mucho una persona o cosa: *a algunas personas les encantan las novelas rosa.* **SIN** enloquecer, entusiasmar. **ANT** disgustar. ③ Cautivar completamente la atención de alguien.
FAM encantado, encantador, encantamiento, encanto; desencantar.

encanto *s. m.* ① Encantamiento. ② Persona o cosa que atrae o embelesa. ③ Aspecto de una persona o una cosa que atrae: *Venecia es una ciudad con mucho encanto.* **SIN** atractivo. ④ Apelativo cariñoso, usado a veces con intención irónica: *como tú quieras, encanto.* ‖ *s. m. pl.* ⑤ **encantos** Atractivo físico de una persona.

encañonar *v. tr.* ① Apuntar con un arma de fuego. ② Hacer entrar una cosa por un cañón o un conducto estrecho, especialmente el agua de un río. ③ Planchar una cosa formando cañones o pliegues.

encapotarse *v. prnl.* Cubrirse el cielo con nubes tormentosas. **ANT** desencapotarse.
FAM desencapotarse.

encapricharse *v. prnl.* ① Empeñarse en conseguir algo de forma imprevista, arbitraria y pasajera: *se ha encaprichado con ese juguete.* **SIN** antojarse. ② Enamorarse de forma poco seria o pasajera.
FAM encaprichamiento.

encapuchado, -da *adj./s. m. y f.* Se aplica a la persona que va cubierta con una capucha: *lo secuestraron dos encapuchados.*

encapuchar *v. tr.* Cubrir con una capucha.

encarado, -da Se usa en la expresión:
bien (o mal) encarado Que tiene buen (o mal) aspecto, o bellas (o feas) facciones: *se le acercó un tipo mal encarado y se asustó.*
FAM malencarado.

encaramar *v. tr.* ① Subir a una persona o animal a un lugar alto y difícil de alcanzar o poner una cosa en él: *el niño se encaramó al tejado para recuperar la pelota.* ② familiar Colocar a una persona en una situación social o en un puesto alto: *con su atractivo ha conseguido encaramarse a un importante cargo diplomático.*

encarar *v. tr.* ① Hacer frente a un problema o a una situación difícil: *no sabía cómo encarar el problema.* **SIN** enfrentar. ② Poner dos cosas una frente a otra: *la modista encaró las pie-*

zas de tela antes de cortarlas. **3** Apuntar con un arma a alguna parte, especialmente a la cara. ▮ *v. prnl.* **4 encararse** Colocarse una persona o animal frente a otro en actitud agresiva: *el perro se encaró con el niño.* **5** Enfrentarse u oponerse a alguien: *se encaró con el jefe y le echaron del trabajo.*
FAM encarado, encaramiento.

encarcelamiento *s. m.* Reclusión de una persona en la cárcel.

encarcelar *v. tr.* Meter a alguien en la cárcel: *fue encarcelado por intento de asesinato.* **ANT** excarcelar.
FAM encarcelación, encarcelamiento; desencarcelar.

encarecer [16] *v. tr.* **1** Hacer que una cosa sea más cara. **ANT** abaratar. **2** Encomendar con empeño a una persona un encargo u otra cosa: *te encarezco que no olvides lo que te pedí.* **3** Alabar mucho las buenas cualidades de una persona o cosa: *encarecer la conducta de alguien.*
FAM encarecimiento.

encarecidamente *adv.* Con empeño e insistencia: *les ruego encarecidamente que vengan.*

encarecimiento *s. m.* **1** Aumento del precio de una cosa. **ANT** abaratamiento. **2** Alabanza grande de las cualidades de una persona o cosa. **3** Acción de encomendar con empeño a una persona un encargo u otra cosa.

encargado, -da *s. m. y f.* Persona que es el responsable de un establecimiento o negocio en representación del dueño.

encargar *v. tr.* **1** Pedir a una persona que haga una cosa, como una tarea o gestión, y dejarla bajo su cargo o responsabilidad: *hice todo según me encargaste.* **2** Pedir un producto que no está disponible en el establecimiento o una cosa que no está hecha todavía, para comprarlo cuando esté: *encargaron un armario a medida.* ▮ *v. prnl.* **3 encargarse** Tomar una persona bajo su cargo o responsabilidad la realización de una cosa: *yo me encargo de poner la mesa.*
FAM encargado, encargo.

encargo *s. m.* **1** Acción de encargar o encargarse: *el capitán recibe el encargo de dirigir la expedición.* **2** Producto u otra cosa que se encarga en un establecimiento o a una persona que debe elaborarlo o fabricarlo. **3** Cosa que se encarga o manda hacer. **SIN** encomienda.

de encargo Se aplica a la cosa que es fabricada o elaborada para una persona que la ha encargado previamente: *muebles de encargo.*

encariñarse *v. prnl.* Coger cariño, especialmente a una persona: *mi hijo se ha encariñado con la canguro.*
FAM desencariñarse.

encarnación *s. f.* **1** Acción de representar (especialmente una persona) una idea, un tema u otra cosa abstracta. **2** Acción de tomar forma material o carnal una cosa no material o un ser espiritual: *la encarnación de Dios en Jesucristo significa que Dios se hace hombre.* **3** Persona o cosa que encarna o representa una idea, un tema u otra cosa abstracta: *ella es la encarnación de todo lo que quiero y considero justo.*

encarnado, -da *adj.* Que es de color rojo o rojizo: *labios encarnados.* **SIN** colorado.

encarnadura *s. f.* Capacidad natural que tienen los tejidos de un cuerpo vivo para cicatrizar sus heridas: *tener buena encarnadura; tener mala encarnadura.*

encarnar *v. tr.* **1** Representar (especialmente una persona) una idea, un tema u otra cosa abstracta: *Sancho Panza encarna el sentido común.* **2** Representar un actor un personaje en una

obra de teatro o película: *grandes actores ingleses han encarnado a Hamlet.* ▮ *v. intr./prnl.* **3** Tomar forma material o carnal una cosa no material o un ser espiritual: *Dios se encarnó en Jesucristo, su hijo.* ▮ *v. prnl.* **4 encarnarse** Introducirse una uña, al crecer, en la carne que la rodea y producir alguna molestia.
FAM encarnación; reencarnarse.

encarnizado, -da *adj.* Se aplica a la lucha o discusión que es muy violenta e intensa.

encarnizamiento *s. m.* Crueldad con que una persona se ceba en el daño de otra.

encarnizarse *v. prnl.* **1** Hacerse más violenta e intensa una lucha o discusión. **2** Dedicarse a hacer el mayor daño posible a una persona, especialmente cuando no puede defenderse, o a atacar con saña una cosa: *encarnizarse con los vencidos.* **SIN** cebarse, ensañarse.
FAM encarnizado, encarnizamiento.

encarrilar *v. tr.* Hacer que una cosa, como un negocio, una conversación, un proyecto, etc. vaya por el buen camino para conseguir el resultado que se desea. **SIN** encauzar.

encarte *s. m.* Hoja, generalmente de propaganda, que se incluye suelta entre las hojas de un libro, revista o periódico.

encasillar *v. tr.* Clasificar una persona o cosa con criterios simplistas o poco flexibles: *esta película lo encasillaría en el papel de buen marido.*
FAM encasillado, encasillamiento.

encasquetar *v. tr.* **1** Poner bien encajado en la cabeza un gorro o sombrero. **2** familiar Dar a una persona una cosa, generalmente negativa: *le encasquetó una bofetada.*

encasquillarse *v. prnl.* **1** Atascarse un arma de fuego con el casquillo o parte metálica de la bala al disparar: *se le encasquilló el revólver.* **2** Quedarse atascado un mecanismo y no poder moverse: *encasquillarse una cerradura.* **3** CUBA Acobardarse.
FAM desencasquillar.

encastrar *v. tr.* Encajar una cosa en otra de manera que una parte de la primera entre dentro de la segunda, o bien que toda la primera entre dentro de la segunda: *encastrar una encimera en el poyo de la cocina.*

encausar *v. tr.* Proceder judicialmente contra una persona: *fueron encausados por evadir impuestos.*

encáustica *s. f.* Encausto (técnica pictórica).

encausto *s. m.* **1** Técnica pictórica especialmente desarrollada en la antigüedad, en la que los pigmentos se mezclan con agentes aglutinantes como cera derretida o resina, y se aplican en caliente, para que se fundan en la superficie, quedando una obra de larga duración. **SIN** encáustica. **2** Pintura que se hace sobre marfil con un buril o punzón candente, o el esmalte sobre vidrio, porcelana o barro.

encauzamiento *s. m.* **1** Acción de encauzar o dirigir una corriente de agua por un cauce. **2** Acción de encauzar o dirigir una cosa, como un negocio, una conversación, un proyecto, etc. para conseguir el resultado que se desea.

encauzar *v. tr.* **1** Dirigir o introducir una corriente de agua por un cauce. **2** Hacer que una cosa, como un negocio, una conversación, un proyecto, etc. vaya por el buen camino para conseguir el resultado que se desea. **SIN** encarrilar.
FAM encauzamiento.

encefálico, -ca *adj.* Relativo al encéfalo.
FAM craneoencefálico.

encéfalo *s. m.* Conjunto de órganos del sistema nervioso situados dentro del cráneo, en los animales vertebrados; está formado por el cerebro, el cerebelo y el bulbo raquídeo. **FAM** encefálico, encefalina, encefalitis, encefalografía, encefalograma.

encefalograma *s. m.* Gráfico de la actividad del cerebro obtenido con un aparato que capta los fenómenos eléctricos que allí se producen. **SIN** electroencefalograma.

encefalopatía *s. f.* Enfermedad que afecta al encéfalo. ■ **encefalopatía espongiforme** Enfermedad de carácter mortal que afecta al ganado ovino, caprino y bovino, caracterizada por un largo periodo de incubación y síntomas nerviosos sensitivos y motores y se transmite esencialmente por vía oral.

encenagar *v. tr.* Cubrir o ensuciar de cieno.

encendedor *s. m.* Aparato para encender una materia combustible, generalmente mediante llama.

encender [2] *v. tr.* ① Hacer que una cosa arda o comience a arder, por aplicarle una llama, una brasa, una chispa, etc. ② Conectar un aparato o sistema con la corriente eléctrica que lo hace funcionar, generalmente apretando un botón. ③ Hacer más intenso un sentimiento o una emoción: *encender el odio*. ④ Provocar un enfrentamiento, una lucha o un conflicto: *la envidia encendió las disputas entre ambos*. I *v. prnl.* ⑤ **encenderse** Ruborizarse o ponerse colorada una persona: *sus mejillas se encendieron de vergüenza*. **FAM** encendedor, encendido, encendimiento.

encendido, -da *adj.* ① Que es de color muy vivo, especialmente rojo: *mejillas encendidas*. I *s. m.* ② Conjunto de la instalación eléctrica y los aparatos de un motor de explosión que sirven para a producir la chispa que lo pone en marcha.

encerado *s. m.* Superficie de forma rectangular hecha de un material adecuado para poder escribir sobre ella con tiza o cierto tipo de rotuladores y que permite borrar con facilidad. **SIN** pizarra.

encerador, -ra *s. m. y f.* Persona que se dedica a encerar suelos.

enceradora *s. f.* Máquina eléctrica que sirve para encerar suelos.

encerar *v. tr.* Dar a un suelo, un mueble u otra superficie una capa de cera para abrillantarlo y conservarlo. **FAM** encerador, enceradora.

encerrar [1] *v. tr.* ① Meter una persona o cosa en un lugar de donde no puede salir o de donde no pueden sacarla: *encerrar los caballos en el cobertizo*. ② Contener o incluir una cosa dentro de otra: *la pregunta encierra un misterio; el chip se encierra en una cápsula aislante*. ③ Poner palabras dentro de ciertos signos ortográficos para separarlas de las demás en un escrito: *encerrar una cita entre comillas*. I *v. prnl.* ④ **encerrarse** Meterse una persona en un lugar cerrado para que no la molesten o interrumpan: *se encerró en su habitación para estudiar*. ⑤ Ocupar un conjunto de personas un edificio público de modo continuado como acto de protesta. **FAM** encerradero, encerrona, encierro; desencerrar.

encerrona *s. f.* Situación preparada de antemano en la que se coloca a una persona para engañarla o causarle un daño: *tender una encerrona*.

encestar *v. tr.* Meter la pelota de baloncesto en la canasta y obtener un tanto. **FAM** encestador, enceste.

enceste *s. m.* ① Acción de encestar. ② Tanto conseguido en baloncesto al meter la pelota en la canasta. **SIN** canasta.

encharcar *v. tr.* ① Cubrir de agua un terreno formando charcos: *la lluvia ha encharcado el campo de fútbol*. ② Llenar de sangre u otro líquido un órgano del cuerpo: *se le han encharcado los pulmones*. **FAM** encharcamiento.

enchilada *s. f.* Torta de maíz plana, doblada, rellena de carne, queso o verduras y condimentada con salsa de chile; es típica de México y otros países latinoamericanos.

enchilar *v. tr.* ① Aderezar con chile. ② C. RICA Dar un chasco a alguien. ③ MÉX., NICAR. Molestar, irritar.

enchinchar *v. tr.* ① GUAT., MÉX. Molestar o fastidiar a una persona. I *v. prnl.* ② **enchincharse** familiar AMÉR. Enojarse con facilidad y por motivos superficiales.

enchironar *v. tr.* familiar Encarcelar a una persona. **SIN** enchiquerar.

enchufado, -da *adj./s. m. y f.* Se aplica a la persona que ha conseguido un puesto o empleo por enchufe.

enchufar *v. tr.* ① Conectar un aparato eléctrico a la red por medio de un enchufe. **ANT** desenchufar. ② Unir dos tubos ajustando el extremo de uno en el de otro: *enchufar la manguera*. ③ Dirigir un chorro de agua o luz hacia un punto: *le enchufó con la linterna*. ④ familiar Colocar en un cargo o empleo a una persona por medio de influencias o relaciones personales. **FAM** enchufado, enchufe, enchufismo; desenchufar.

enchufe *s. m.* ① Pieza de plástico u otro material aislante con dos o tres salientes metálicos que va al extremo de un cable y sirve para conectar un aparato a la red eléctrica. **NOTA** También *enchufe macho*. **SIN** clavija. ② Pieza de plástico u otro material aislante con dos o tres agujeros que va generalmente fijada a la pared y sirve para conectar un aparato con la red eléctrica. **NOTA** También *enchufe hembra*. ③ Dispositivo formado por el enchufe macho y el enchufe hembra que sirve para conectar un aparato a la red eléctrica. ④ familiar Relación personal o influencia que sirve para obtener un empleo o cargo.

enchufismo *s. m.* Práctica de conceder empleos o cargos por influencias o relaciones personales.

enchumbar *v. tr.* AMÉR. Empapar de agua.

encía *s. f.* Carne que cubre interiormente las mandíbulas y protege la raíz de los dientes.

encíclica *s. f.* Carta escrita por el Papa o por un obispo sobre doctrina cristiana y dirigida a la comunidad de fieles y eclesiásticos: *Pío XII impulsó el movimiento de participación activa de los fieles en la Iglesia con su encíclica "Mediator Dei"*.

enciclopedia *s. f.* Obra, generalmente en varios volúmenes, en que se expone el conjunto de los conocimientos generales del ser humano o de los referentes a una materia específica; se distribuye en artículos o divisiones generalmente colocados en orden alfabético. **FAM** enciclopédico, enciclopedismo.

enciclopédico, -ca *adj.* ① Relativo a la enciclopedia. ② Se aplica al conjunto de conocimientos de una persona que abarcan una gran variedad de temas y son completos y extensos: *María posee una cultura enciclopédica*.

enciclopedismo *s. m.* Conjunto de doctrinas ilustradas defendidas por los autores de la «Enciclopedia», obra publicada en Francia en el siglo XVIII, según las cuales la razón y la

ciencia conducen al ser humano a la felicidad, frente a la autoridad, la tradición y la fe.
FAM enciclopedista.

encierro *s. m.* **1** Acción de encerrar o encerrarse. **2** Acto de protesta que consiste en ocupar un conjunto de personas un edificio público de forma continuada. **3** Fiesta popular que consiste en conducir los toros a la plaza a través de un recorrido por las calles, acompañándolos y corriendo a su lado.

encima *adv.* **1** En un lugar superior o más alto que otra cosa: *deja la taza encima de la mesa.* **ANT** debajo. **2** En una posición, cargo o nivel superior: *el presidente está por encima de los ministros; el bien común debe estar por encima de los intereses personales.* **ANT** debajo. **3** Consigo; referido a cosas que una persona guarda o lleva con ella: *ahora no llevo dinero encima.* **4** Por si fuera poco, además: *se equivocó y encima no quiso reconocerlo; encima de que no me pagan, me insultan.* **5** Cayendo sobre una persona de modo penoso o agobiante; referido a una cosa no material: *le cayó encima toda la responsabilidad; se nos echa el tiempo encima.* **6** Vigilando y cuidando con mucha atención a una persona: *siempre estamos encima para que estudien.*
por encima De modo superficial: *os habéis leído el libro solamente por encima.*
FAM encimero.

encimera *s. f.* **1** Pieza superior de un mueble, paralela a la base; especialmente, la que recubre los muebles de cocina, donde suelen prepararse los alimentos: *encimeras de mármol para cocinas.* **2** Placa o fogón con los fuegos para cocinar que va encajada en un hueco hecho a propósito en la encimera de la cocina.

encina *s. f.* **1** Árbol o arbusto de tronco fuerte y grueso, copa grande y redonda, hojas perennes y duras de color verde oscuro, y cuyo fruto es la bellota. **2** Madera de este árbol.
FAM encinar.

encinar *s. m.* Lugar poblado de encinas.

encinta *adj.* Se aplica a la mujer que va a tener un hijo. **SIN** embarazada.

encintar *v. tr.* Adornar una cosa con cintas.

encizañar *v. tr.* Poner a dos personas enemistadas entre sí.

enclaustramiento *s. m.* **1** Entrada o encierro en un convento. **2** Apartamiento de la vida social, encerrándose en casa.

enclaustrar *v. tr.* **1** Encerrar a una persona en un convento. **2** *v. prnl.* **2** **enclaustrarse** Encerrarse una persona en una habitación u otro lugar, generalmente para poder concentrarse en su trabajo: *se enclaustró en su habitación para estudiar.*
FAM enclaustramiento.

enclavado, -da *adj.* Se aplica al lugar que está situado dentro del área de otro: *se acercaron al santuario enclavado en la falda del monte.*

enclavarse *v. prnl.* Situarse un lugar dentro del área de otro.
FAM enclavado.

enclave *s. m.* **1** Territorio de un estado situado dentro de otro: *las potencias europeas habían conseguido importantes enclaves en las Indias españolas.* **2** Grupo étnico, político o ideológico que convive o se encuentra inserto dentro de otro, más extenso y de características diferentes.

enclenque *adj./s. com.* Se aplica a la persona que es muy débil, enfermizo o flaco.

enclítico, -ca *adj./s. m. y f.* Se aplica a la palabra que, por no tener acento propio, se apoya en la palabra anterior y se pronuncia unida con ella, como si fueran un solo término: *en "aconséjame", el pronombre átono "me" se une al verbo.* **ANT** proclítico.

enclosure *s. f.* Cercamiento de las tierras comunales compradas por los grandes propietarios británicos para impedir la entrada de campesinos.

encofrado *s. m.* Armazón de planchas metálicas o de madera en que se echa el cemento u hormigón para que, al endurecerse, tome determinada forma.

encofrar *v. intr.* Preparar el encofrado para una construcción.
FAM encofrado, encofrador.

encoger *v. intr./prnl.* **1** Disminuir de tamaño: *el algodón encoge al lavarlo; una estrella vieja se encoge hasta quedar muy pequeña.* **SIN** menguar. **ANT** estirar. ‖ *v. tr.* **2** Hacer que una cosa disminuya de tamaño: *hemos de encoger la pieza limándola para que entre en el hueco.* **3** Contraer o doblar el cuerpo o una parte de él: *para nadar se estiran y encogen las piernas.* **ANT** estirar. **4** Causar miedo a una persona y hacer que no sea capaz de reaccionar: *con su orgullo, ella no se encoge, sino que se alza.*
FAM encogimiento; desencoger.

encogimiento *s. m.* **1** Disminución de tamaño. **2** Contracción del cuerpo o de una parte de él. **3** Falta de ánimo y de confianza en uno mismo ante una cosa que causa miedo.

encolar *v. tr.* **1** Pegar con cola: *las chapas de madera se encolan y se prensan.* **ANT** desencolar. **2** Cubrir con una capa de cola una superficie que se va a pegar.
FAM encolado; desencolar.

encolerizar *v. tr.* Hacer que una persona monte en cólera y se deje llevar por la ira: *el capitán se encoleriza y echa mano a la espada.*

encomendar [1] *v. tr.* **1** Pedir a una autoridad o persona importante a otra que se encargue de realizar un trabajo o una labor: *el papa Paulo III le encomendó terminar la basílica de San Pedro.* ‖ *v. prnl.* **2** **encomendarse** Ponerse bajo la protección de una autoridad superior, como Dios o un santo, pidiéndole su ayuda.
FAM encomienda.

encomiable *adj.* Que merece ser encomiado: *a pesar de la derrota, el equipo mostró una actitud encomiable.*

encomiar *v. tr.* Alabar mucho, encarecidamente, las cualidades de una persona o cosa: *el gobierno encomió la labor de los bomberos.*
FAM encomiable, encomiástico, encomio.
OBS Verbo regular, se acentúa como *cambiar*.

encomiástico, -ca *adj.* Que encomia o contiene encomio o alabanza grande: *cantos encomiásticos.*

encomienda *s. f.* **1** Cosa que se encarga o manda hacer. **SIN** encargo. **2** Institución por la que, durante la colonización española de América, se concedía a una persona el beneficio de los trabajos de un grupo de indígenas a cambio de adoctrinarlos en la fe cristiana y protegerlos. **3** AMÉR. SUR Paquete postal.

encomio *s. m.* Alabanza grande que se hace de las cualida-

des de una persona o cosa: *el cariño del artista a su público es digno de encomio.*
FAM encomiasta.

enconado, -da *adj.* Referido a una pelea o una discusión, que es muy reñida o violenta.

enconar *v. tr.* **1** Hacer que un sentimiento de odio o rechazo se intensifique: *esta reforma no hizo más que enconar a la población.* ‖ *v. prnl.* **2 enconarse** Intensificarse un sentimiento de odio o rechazo o un enfrentamiento o problema.
FAM encono.

enconcharse *v. prnl.* **1** AMÉR. Ensimismarse, permanecer silencioso y pensativo ante una contrariedad o motivo que promueva la reflexión. **2** familiar ARG. Enamorarse de una persona: *se enconchó con mi hermana.*

encono *s. m.* Sentimiento de odio o enemistad muy arraigados contra una persona: *el aumento de los impuestos aumentó el encono contra la nobleza.*

encontradizo, -za Se usa en la expresión:
hacerse el encontradizo Indica que una persona procura coincidir con otra en un lugar sin que parezca que se ha hecho intencionadamente: *quería hablar con él a solas y se hizo la encontradiza.*

encontrado, -da *adj.* Que es opuesto o contrario; se aplica especialmente a cosas no materiales, como opiniones o sentimientos.

encontrar [5] *v. tr.* **1** Conseguir ver o saber dónde está una cosa o persona que se quería obtener o recuperar: *encontrar las llaves; encontrar la solución a un problema.* SIN hallar. ‖ *v. tr./ prnl.* **2** Coincidir con una persona en un lugar casualmente o toparse con una cosa sin haber hecho nada para ello: *encontrar un obstáculo en el camino; encontrarse con un amigo por la calle.* ‖ *v. tr.* **3** Tener una opinión determinada respecto de una persona o cosa: *encuentro que esto no es justo.* SIN considerar, creer, pensar. **4** Notar una cualidad o circunstancia con los sentidos o con la mente: *te encuentro muy cambiado.* ‖ *v. prnl.* **5 encontrarse** Tener conciencia una persona de que está de una determinada manera: *se encuentra muy cansado.* **6** Citarse en un lugar dos o más personas: *dentro de una hora nos encontramos en la puerta del teatro.* **7** Estar una persona o cosa en un lugar determinado: *los glóbulos rojos se encuentran en la sangre.*
FAM encontradizo, encontrado, encuentro; reencontrar.

encontronazo *s. m.* **1** Choque violento de una cosa con otra o de una persona con otra. **2** Enfrentamiento o discusión violentos: *tuvo un encontronazo desagradable con su jefe.*

encopetado, -da *adj.* **1** despectivo Que pertenece a una clase social noble o alta o que es propio de esta clase. **2** Que va muy arreglado y bien vestido.

encorajinar *v. tr.* Encolerizar o hacer enfadar.

encorbatado, -da *adj.* familiar Que lleva corbata.

encorsetar *v. tr.* Limitar la libertad o someter una cosa a unas normas demasiado rígidas: *el Neoclasicismo impone reglas a la creación literaria, encorsetándola.*
FAM encorsetamiento.

encorvar *v. tr.* **1** Dar forma curva a una cosa y especialmente a una parte del cuerpo: *la vejez le había encorvado la espalda.* ‖ *v. prnl.* **2 encorvarse** Doblarse hacia delante o inclinarse una persona: *andaban encorvados buscando caracoles.*
FAM encorvadura.

encostrar *v. intr./prnl.* Formar costra una cosa.

encrespado, -da *adj.* Se aplica al cabello que es rizado y áspero.

encrespar *v. tr.* **1** Rizar el cabello con rizos muy pequeños. **2** Erizar o levantar y poner tieso el pelo, plumaje, etc.: *el loro encrespa las plumas del cuello para inspirar miedo.* **3** Agitar los ánimos y hacer más difícil una discusión o un problema. **4** Agitar el viento la superficie del mar haciendo que se levanten olas.
FAM encrespado, encrespamiento.

encriptar *v. tr.* En informática, convertir un texto normal en un texto codificado de forma que las personas que no conozcan el código sean incapaces de leerlo: *se encriptan datos confidenciales para enviarlos por internet, o números de tarjetas de crédito.*

encrucijada *s. f.* **1** Lugar en el que se cruzan dos o más calles o caminos. **2** Lugar en el que se cruzan varias circunstancias o rasgos de orígenes distintos: *la Península Ibérica, por situarse entre Europa y Asia, es una encrucijada de influencias.* **3** Problema o situación de los que es difícil salir porque ofrecen dos o más soluciones. SIN dilema.

encuadernación *s. f.* **1** Operación de coser o pegar las hojas que forman un libro y ponerles cubierta o tapas. **2** Cubierta o tapas que se ponen para resguardar las hojas de los libros.

encuadernar *v. tr.* Coser o pegar las hojas que forman un libro y ponerles cubierta o tapas. ANT descuadernar, desencuadernar.
FAM encuadernación, encuadernador; desencuadernar.

encuadrar *v. tr.* **1** Encerrar una cosa, como un problema, un personaje histórico, una época, etc., en un cuadro, entorno o límites determinados: *la oda y el himno suelen encuadrarse dentro de las obras líricas.* SIN enmarcar. **2** Encajar dentro del campo visual del objetivo de una cámara fotográfica o de filmación los elementos que se desean.
FAM encuadre.

encuadre *s. m.* **1** Acción de encajar dentro del campo visual del objetivo de una cámara fotográfica o de filmación los elementos que se desean. **2** Parte de espacio que capta el objetivo de una cámara fotográfica o de filmación: *elige un encuadre en el que hayas observado algo especial.*

encubierto, -ta Participio irregular de *encubrir.*
FAM encubiertamente.

encubridor, -ra *adj./s. m. y f.* Se aplica a la persona que oculta o ayuda a una persona que ha cometido un delito para que no sea descubierta.

encubrimiento *s. m.* Ocultación de una persona que ha cometido un delito o de las pruebas que lo demuestran.

encubrir *v. tr.* **1** Ocultar una cosa negativa: *es una actitud evasiva que encubre un miedo reprimido.* **2** Impedir que se descubra un delito cometido por otra persona, protegiendo al autor u ocultando la falta.
FAM encubierto, encubridor, encubrimiento.
OBS Participio irregular: *encubierto.*

encuentro *s. m.* **1** Acción de encontrarse dos o más personas en un lugar o una persona con una cosa: *Melibea rechaza a Calisto en su primer encuentro.* **2** Coincidencia de dos o más cosas en un punto. **3** Competición deportiva en la que se enfrentan dos equipos o dos jugadores. SIN partido.

salir al encuentro (I) Adelantarse una persona hacia otra a quien se recibe o con la que se reúne: *le salió al encuentro en la*

puerta de su casa. (**II**) Dirigirse un ejército o grupo armado hacia su enemigo para hacerle frente: *los rebeldes salieron al encuentro del ejército.*
FAM encontronazo.

encuesta *s. f.* 1 Serie de preguntas recogidas en un cuestionario que se hace a un conjunto de personas para conocer su opinión sobre un asunto determinado. 2 Papel o impreso donde se recogen esas preguntas.
FAM encuestar.

encuestar *v. tr.* Hacer preguntas para una encuesta.
FAM encuestado, encuestador.

encumbrar *v. tr.* Colocar a una persona en una posición o puesto elevados: *la actriz ha sido encumbrada a la fama por su última película.*
FAM encumbramiento.

encurtido *s. m.* Verdura, fruto o legumbre que se conserva en vinagre: *los pepinillos para aperitivo son encurtidos.*

encurtir *v. tr.* Conservar en vinagre ciertos frutos, verduras o legumbres.
FAM encurtido.

ende Se usa en la expresión:
por ende culto Por tanto, por consiguiente.

endeble *adj.* Que es muy débil, que tiene poca fuerza o resistencia: *una salud endeble; un niño endeble; una cabaña endeble.* **ANT** fuerte.
FAM endeblez.

endecaedro *s. m.* Cuerpo geométrico de once caras.

endecágono, -na *s. m.* Figura geométrica de once lados.

endecasílabo, -ba *adj./s. m.* Se aplica al verso que tiene once sílabas: *el verso endecasílabo procede de Italia y entró en España durante el Renacimiento.*

endecha *s. f.* 1 Estrofa formada por cuatro versos de arte menor, generalmente hexasílabos o heptasílabos, que normalmente riman en asonante. 2 Romance de versos heptasílabos y rima asonante en los pares: *algunos romances son endechas.* ■ **endecha real** endecha que consta de tres versos heptasílabos y uno endecasílabo que está en asonancia con el segundo. 3 Canción o pieza musical fúnebre o de lamento, generalmente de carácter popular.

endemia *s. f.* Enfermedad que afecta a un país o una región determinados habitualmente o en fechas fijas: *la malaria es endemia en algunos países africanos.*

endémico, -ca *adj.* 1 Se aplica a la enfermedad que se desarrolla habitualmente en una región determinada: *la malaria es endémica en los trópicos.* 2 Se aplica a la cosa o el hecho negativos que se repiten frecuentemente y están muy extendidos: *el paro es un problema endémico en las sociedades actuales.* 3 Se aplica al ser vivo que solamente se encuentra en una región determinada: *de las dos mil especies vegetales que crecen en las islas Canarias, la mitad son endémicas.*

endemismo *s. m.* Especie de seres vivos exclusiva de una determinada región geográfica.

endemoniado, -da *adj./s. m. y f.* 1 Se aplica a la persona que está poseída por el demonio. | *adj.* 2 Que es muy difícil de entender, resolver o dominar: *hace un tiempo endemoniado.* **SIN** diabólico, endiablado.

endenantes *adv.* familiar Amér. 1 Hace un momento o un rato: *endenantes llegó mi madre.*

enderezar *v. tr.* 1 Poner derecho o recto lo que está incli-

nado o torcido: *enderezar un clavo; enderezar un poste.* 2 Arreglar o corregir una cosa que marchaba mal: *enderezar un barco en una tormenta; no pudieron enderezar el negocio y se arruinaron.* 3 Arreglar o corregir el comportamiento de una persona.
FAM enderezamiento.

endeudar *v. tr.* Hacer que una persona contraiga deudas.
FAM endeudamiento.

endiablado, -da *adj.* Que es muy difícil de entender, resolver o dominar: *un problema endiablado.* **SIN** diabólico, endemoniado.

endibia [también **endivia**, menos usado] *s. f.* Hortaliza parecida a la lechuga, de hojas rizadas por fuera y lisas y blanquecinas por dentro; el cogollo se come en ensalada.

endilgar *v. tr.* familiar Endosar o pasar a otra persona un trabajo o una responsabilidad que resultan pesados o molestos.

endiñar *v. tr.* familiar Dar un golpe a una persona: *le endiñó un buen puñetazo.* **SIN** atizar.

endiosamiento *s. m.* Envanecimiento o exaltación exagerados.

endiosar *v. tr.* 1 Elevar a una persona a la categoría de dios, idealizarla y creer que es perfecta: *endiosamos a las personas por su poder, belleza o riqueza.* | *v. prnl.* 2 **endiosarse** Volverse una persona soberbia, altiva y vanidosa.
FAM endiosamiento.

endivia *s. f.* Endibia.

endocardio *s. m.* Membrana que recubre las paredes internas del corazón en los vertebrados.

endocarpio o **endocarpo** *s. m.* Capa interna de las tres que forman el hueso o pericarpio de un fruto; puede tener consistencia leñosa, como el hueso del melocotón, o blanda.

endocitosis *s. f.* Proceso mediante el cual una célula incorpora a su interior partículas del medio envueltas en una membrana proveniente de su propia membrana celular: *la fagocitosis es un tipo de endocitosis en que las partículas son de gran tamaño y provocan la expansión de la membrana en forma de prolongación.* **ANT** exocitosis.
OBS Plural invariable.

endocrino, -na *adj.* 1 Se aplica a la glándula que produce hormonas que van a parar directamente a la sangre y estimulan o regulan la actividad de otros órganos: *la hipófisis y la tiroides son glándulas endocrinas.* 2 Relativo a las hormonas o a las glándulas que las producen. | *s. m. y f.* 3 Endocrinólogo.
FAM endocrinología.

endocrinología *s. f.* Parte de la medicina que se ocupa del funcionamiento y las alteraciones de las hormonas y las glándulas endocrinas.
FAM endocrinológico, endocrinólogo.

endocrinólogo, -ga *s. m. y f.* Médico especialista en endocrinología.

endodermo *s. m.* Capa interna de la gástrula, que da lugar al tubo digestivo y parte de los pulmones y de otros órganos en el desarrollo embrionario de los vertebrados.

endodoncia *s. f.* 1 Parte de la odontología que se ocupa de las enfermedades de la pulpa o tejido del interior de los dientes y de sus técnicas de curación. 2 Técnica utilizada para tratar estas enfermedades.

endoesqueleto *s. m.* Esqueleto interno de numerosos animales vertebrados, formado por las piezas óseas o cartilaginosas que permiten el movimiento, y sostienen y protegen diversos órganos internos, como el sistema nervioso central.

endogamia *s. f.* **1** Costumbre u obligación de contraer matrimonio con personas de la misma casta, aldea, tribu u otro grupo social. **ANT** exogamia. **2** Cruce entre individuos emparentados genéticamente. **ANT** exogamia.
FAM endogámico.

endógeno, -na *adj.* **1** Que se forma o nace en el interior. **ANT** exógeno. **2** Que se origina por causas internas: *enfermedad endógena.* **ANT** exógeno.

endolinfa *s. f.* Líquido que llena el laberinto membranoso del oído interno de los vertebrados.

endoparásito, -ta *adj./s. m.* Se aplica al parásito que vive en la parte interna de su hospedante: *la tenia o solitaria es un endoparásito.* **ANT** ectoparásito.

endosar *v. tr.* **1** Pasar a otra persona un trabajo o una responsabilidad que resultan pesados o molestos. **2** Ceder un documento de crédito a favor de otra persona, haciéndolo constar en el dorso: *puedes endosar un pagaré o hacerlo al portador.*

endoscopia *s. f.* Exploración visual de los conductos o cavidades internas del cuerpo humano mediante un endoscopio.

endoscopio *s. m.* Aparato óptico en forma de tubo y provisto de un sistema de iluminación que se utiliza para explorar los conductos y cavidades del organismo.
FAM endoscopia.

endosfera *s. f.* Núcleo o capa central del globo terrestre; se caracteriza por su elevadísima temperatura y densidad, y consta de hierro, níquel y otros metales. **SIN** barisfera, nife.

endósmosis *s. f.* Corriente de fuera adentro que se establece cuando dos líquidos de distinta densidad están separados por una membrana porosa.
OBS Plural invariable.

endoso *s. m.* Acción de endosar un documento de crédito.

endospermo *s. m.* Tejido del embrión de las plantas fanerógamas que le sirve de alimento.

endotelio *s. m.* Tejido, formado por una sola capa de células, que tapiza las paredes internas del corazón, los vasos sanguíneos, los vasos linfáticos y otras cavidades internas.

endotérmico, -ca *adj.* Se aplica al proceso químico o físico que necesita un aporte de energía en forma de calor para tener lugar. **ANT** exotérmico.

endotermo, -ma *adj.* Se aplica al animal cuyo cuerpo es capaz de regular su propia temperatura: *las aves y los mamíferos son los únicos animales endotermos.*

endovenoso, -sa *adj.* Que está o se pone directamente en el interior de una vena: *la enfermera le puso una inyección endovenosa.* **SIN** intravenoso.

endrina *s. f.* Fruto del endrino, en forma de baya de color negro azulado y sabor áspero y agrio; se utiliza para hacer licor de pacharán.
FAM endrino.

endrino *s. m.* Arbusto de ramas con espinas, hojas ovales o lanceoladas y flores blancas, cuyo fruto es la endrina. **SIN** bruño.

endulzar *v. tr.* **1** Poner dulce o más dulce algo. **SIN** dulcificar. **2** Hacer dulce una cosa de modo que produzca una im-

presión agradable y placentera o alivie un mal o pesar: *unas palabras de consuelo endulzan una pena.* **SIN** dulcificar.
FAM endulzadura.

endurecer [16] *v. tr.* **1** Poner duro o más duro un material u otra cosa: *una vez seco, el yeso se endurece.* **ANT** ablandar. **2** Hacer más fuerte y resistente a una persona tanto física como mentalmente: *la adversidad endurecía su carácter.* **3** Hacer más severa o inflexible una cosa o a una persona: *durante el reinado de Felipe II se endurece la censura de libros.*
FAM endurecedor, endurecimiento.

endurecimiento *s. m.* **1** Acción de endurecer o endurecerse un material u otra cosa. **2** Acción de endurecer o endurecerse una persona, haciéndose más fuerte y resistente tanto física como mentalmente. **3** Acción de endurecer o endurecerse una cosa o persona, haciéndose más severa o inflexible.

ene *s. f.* Nombre de la letra *n.*

enea *s. f.* **1** Planta de tallos altos y cilíndricos, con las hojas largas y estrechas dispuestas en dos filas a lo largo del tallo y las flores en forma de espiga. **SIN** anea, espadaña. **2** Hoja seca de esta planta, que se usa para tejer asientos y otros objetos. **SIN** anea, espadaña.

eneaedro *s. m.* Cuerpo geométrico de nueve caras.

eneágono, -na *s. m.* Figura geométrica de nueve lados.

eneasílabo, -ba *adj./s. m.* Se aplica al verso que tiene nueve sílabas.

enebrina *s. f.* Fruto del enebro, de forma esférica y color negro azulado.

enebro *s. m.* **1** Arbusto de la familia del ciprés, de numerosas ramas muy abiertas, hojas agrupadas de tres en tres, rígidas y punzantes y flores de color pardo rojizo; su fruto es la enebrina. **2** Madera de este arbusto, apreciada en ebanistería.
FAM enebrina.

enema *s. m.* Líquido que se introduce en el cuerpo a través del recto para tratamiento y diagnóstico de ciertas enfermedades.

enemigo, -ga *s. m. y f./adj.* **1** Persona o grupo de personas contra el que se lucha en una guerra o conflicto armado: *el ejército emprendió un ataque sorpresa contra el enemigo.* **2** Persona que odia a otra y le desea o le hace mal: *los enemigos del poeta Góngora le censuraban el uso de ciertos neologismos.* **ANT** amigo. ‖ *s. m. y f.* **3** Persona que está en contra de una idea, opinión, actitud u otra cosa: *apoltronarse es hacerse perezoso, enemigo del trabajo.* **ANT** amigo. ‖ *s. m. y f./adj.* **4** Cosa que se opone o es contraria a otra o a una persona, y puede hacerle daño: *el mar, amigo y enemigo de los pescadores; el sonido no siempre es enemigo del silencio.* **ANT** amigo. ‖ *adj.* **5** Relativo al enemigo, especialmente aquel contra el que se lucha en una guerra: *llegar hasta la zona enemiga.*
FAM enemistad.

enemistad *s. f.* Relación de aversión u odio entre dos o más personas: *su carácter arrogante y mordaz le acarreó muchas enemistades.* **ANT** amistad.
FAM enemistar.

enemistar *v. tr.* Hacer que dos o más personas se vuelvan enemigas o pierdan su amistad.

eneolítico, -ca *adj./s. m.* **1** Se aplica al periodo prehistórico que es el primero de la Edad de los Metales, y que se caracteriza por el uso del cobre en la fabricación de armas y herramientas: *el eneolítico es el periodo prehistórico inmediatamente posterior al neolítico.* **SIN** calcolítico, Edad del Cobre. | *adj.* ② Relativo a este periodo prehistórico. **SIN** calcolítico.

energética *s. f.* Ciencia que trata de la producción de energía, su utilización y sus cambios en las transformaciones físicas y químicas.

energético, -ca *adj.* ① Relativo a la energía (fuerza): *¿por qué han seguido esa política energética?* ② Que produce energía (fuerza): *el azúcar es energético.*

energía *s. f.* ① Capacidad que tiene un cuerpo o un sistema para realizar un trabajo o producir un cambio o una transformación. ■ **energía alternativa** Energía renovable que se utiliza en sustitución de la energía obtenida a partir de combustibles fósiles o de la energía nuclear. ■ **energía cinética** Energía mecánica asociada al movimiento de un cuerpo: *la energía cinética depende de la masa del cuerpo y de la velocidad con que se mueve.* ■ **energía eléctrica** Energía asociada a las cargas eléctricas: *la energía eléctrica se transforma fácilmente en otras formas de energía y viceversa, es fácil de transportar, por ello es tan importante.* ■ **energía geotérmica** Energía calorífica procedente del interior de la Tierra, que se origina debido a las altas presiones y las elevadas temperaturas: *la energía geotérmica se obtiene de las fumarolas, los géiseres y las fuentes termales.* ■ **energía interna** Suma de las energías correspondientes a todas las partículas que constituyen un sistema material. ■ **energía luminosa** Energía que lleva asociada un haz de luz: *la energía luminosa es el producto del valor de cierto flujo de luz por el tiempo que dura la emisión de dicho flujo.* ■ **energía magnética** Energía asociada a un campo magnético. ■ **energía maremotriz** o **energía marítima** Energía que se obtiene del movimiento de las olas y de las mareas. ■ **energía mecánica** Energía que tiene un cuerpo, bien por la velocidad que desarrolla, bien por la altura a la que se encuentra, o bien por la suma de ambas. ■ **energía no renovable** Energía natural cuya fuente se encuentra en cantidad limitada y puede llegar a agotarse: *los combustibles fósiles (carbón, petróleo, gas natural) son fuentes de energías no renovables.* ■ **energía nuclear** Energía asociada a transformaciones producidas en el núcleo de algunos átomos y que se libera mediante reacciones nucleares de fisión o de fusión. ■ **energía potencial** Energía que posee un cuerpo debido a la altura que se encuentran sobre el suelo. ■ **energía química** Energía asociada a un proceso químico en el que interviene un conjunto de sustancias: *las plantas transforman la energía solar en energía química utilizable por ellas.* ■ **energía renovable** Energía natural cuya fuente es inagotable porque se va renovando a medida que se aprovecha, como la energía solar, la eólica o la geotérmica. ② Capacidad y fuerza de una persona para actuar física y mentalmente: *necesitamos a alguien con energía y entusiasmo.* **FAM** energético, enérgico.

enérgico, -ca *adj.* Que tiene o está hecho con energía, fuerza y decisión: *carácter enérgico; dibuja utilizando trazos enérgicos y la fuerza del color.*

energúmeno, -na *s. m. y f./adj.* Persona furiosa, violenta o que tiene malos modos.

enero *s. m.* Primer mes del año: *enero tiene 31 días.*

enervar *v. tr.* ① Restar fuerza a un argumento o razonamiento, especialmente en el ámbito del derecho. ② Poner nervioso: *su lentitud en el trabajo me enerva.* **FAM** enervación, enervamiento.

enésimo, -ma *adj.* ① Que se ha repetido un número elevado pero indeterminado de veces: *es la enésima vez que te digo que te estés quieto.* ② Se aplica al término o cantidad matemática que ocupa un lugar indeterminado en una serie: *el término enésimo se representa con la letra "n".*

enfadar *v. tr.* ① Causar enfado: *la burla enfadó mucho a los jueces.* **SIN** enojar. | *v. prnl.* ② **enfadarse** Pasar a tener enfado: *cuando le llevan la contraria, se enfada y no quiere razonar.* **SIN** enojarse. ③ Romper dos o más personas la buena relación que existía entre ellas: *se enfadaron hace mucho y aún no se hablan.* **FAM** enfado.

enfado *s. m.* Sentimiento que una persona experimenta cuando se siente contrariada o perjudicada por otra o por una cosa, como ante una falta de respeto, una desobediencia o un error. **SIN** enojo. **FAM** enfadoso.

enfajar *v. tr.* Envolver a una persona o cosa con una faja. **SIN** fajar.

enfangar *v. tr.* ① Cubrir de barro. | *v. prnl.* ② **enfangarse** Mezclarse en un asunto sucio ilegal.

énfasis *s. m.* ① Fuerza en la expresión o en la entonación con la que se quiere dar mayor importancia a lo que se dice: *Bécquer expresa su intimidad delicadamente, sin énfasis ni grandilocuencia.* ② Importancia o relieve que se concede a una cosa: *la función expresiva del lenguaje se caracteriza por el énfasis y el cuidado en la elección de las imágenes.* **FAM** enfático, enfatizar. **OBS** Plural invariable.

enfático, -ca *adj.* Que tiene o implica énfasis: *un estilo enfático.*

enfatizar *v. tr.* Destacar una cosa o poner énfasis en ella.

enfebrecido, -da *adj.* Que se muestra muy excitado o exaltado por un sentimiento incontenible de alegría, furia, amor, etc: *el público enfebrecido sacó al torero en hombros de la plaza.*

enfermar *v. intr.* ① Ponerse enfermo, contraer una enfermedad. **ANT** curar, sanar. | *v. tr.* ② Poner enferma, alterada o de mal humor a una persona: *tanta lentitud me enferma.*

enfermedad *s. f.* ① Alteración más o menos grave de la salud de un ser vivo. ■ **enfermedad de Alzheimer** Enfermedad mental progresiva que se caracteriza por una degeneración de las células nerviosas del cerebro y una disminución de la masa cerebral; las manifestaciones básicas son la pérdida de memoria, la desorientación temporal y espacial y el deterioro intelectual y personal. **NOTA** También simplemente *alzheimer.* ■ **enfermedad del sueño** Enfermedad infecciosa producida por un microorganismo que se transmite a través de la picadura de una mosca africana y que provoca somnolencia y temblores. ■ **enfermedad profesional** Enfermedad que es consecuencia específica de un determinado trabajo: *la silicosis es una enfermedad profesional propia de mineros y canteros.* ② Cosa que afecta o daña gravemente a una persona o sociedad y es difícil de combatir o frenar.

enfermería *s. f.* ① Lugar, como una casa o sala de un edificio, donde se presta una atención primaria a las personas enfermas o heridas. ② Conjunto de conocimientos relacionados con el cuidado de enfermos y heridos y con la ayuda a los médicos en su trabajo.

enfermero, -ra *s. m. y f.* Persona que se dedica al cuidado de enfermos y ayuda al médico en su trabajo.
FAM enfermería.

enfermizo, -za *adj.* ① Se aplica al ser vivo que tiene poca salud y enferma con frecuencia: *era un chico delgado y enfermizo.* ② Que es propio de la persona enferma: *celos enfermizos.*

enfermo, -ma *adj./s. m. y f.* ① Se aplica al ser vivo que padece una enfermedad. I *adj.* ② familiar Que se altera o pierde la paciencia: *me pone enfermo con sus comentarios pedantes.*
FAM enfermar, enfermedad, enfermero, enfermizo, enfermoso.

enfermoso, -sa *adj.* AMÉR. CENTRAL, COL., ECUAD., VENEZ. familiar Enfermizo.

enfervorizar *v. tr.* Provocar un intenso interés, entusiasmo y admiración por una causa o persona, generalmente en un colectivo.

enfilar *v. tr./intr.* ① Comenzar a recorrer un camino o tomar una dirección: *el coche enfiló la recta final de la carrera.* I *v. tr.* ② familiar Coger manía a una persona: *el sargento te tiene enfilado.*

enfisema *s. m.* Hinchazón producida por la infiltración de aire en ciertos tejidos del cuerpo.
enfisema pulmonar Enfermedad de los pulmones que consiste en una pérdida de su elasticidad y en la atrofia de sus paredes, lo que provoca dificultad respiratoria y finalmente la muerte. **NOTA** También simplemente *enfisema.*

enfiteusis *s. f.* Cesión a largo plazo o a perpetuidad del aprovechamiento de un bien inmueble, a cambio de una cantidad de dinero: *el sistema de enfiteusis se generalizó en la Edad Media* .
OBS Plural invariable.

enflaquecer [16] *v. tr.* ① Hacer que una persona se ponga más flaca o delgada. I *v. intr./prnl.* ② Ponerse más flaca o delgada una persona: *mi hijo enflaquece; va a enflaquecerse si no se cuida.*
FAM enflaquecimiento.

enfocar *v. tr.* ① Ajustar un mecanismo óptico para hacer que una imagen se vea con nitidez. **ANT** desenfocar. ② Dirigir el objetivo de una cámara u otro instrumento óptico hacia un lugar: *enfocó con los prismáticos un coche que se veía a lo lejos.* ③ Dirigir un foco de luz hacia un lugar para iluminarlo: *le enfocó con la linterna.* ④ Descubrir y comprender los puntos esenciales de un asunto o problema para tratarlo acertadamente.
FAM enfoque; desenfocar.

enfoque *s. m.* ① Acción de enfocar o ajustar un mecanismo óptico para hacer que una imagen se vea con nitidez. ② Dirección o procedimiento que se adopta ante un proyecto, problema u otra cosa, que implica una manera particular de valorarla o considerarla: *la novela picaresca ofrece un enfoque realista.*

enfoscado *s. m.* ① Acción de enfoscar. ② Capa de mortero que reviste un muro.

enfoscar *v. tr.* Cubrir un muro con mortero.

enfrascarse *v. prnl.* Dedicarse con el mayor esfuerzo y atención al desarrollo de una actividad o un trabajo: *trazó un pentagrama y se enfrascó en la transcripción de su repentina idea musical.*
FAM enfrascado.

enfrentamiento *s. m.* ① Oposición entre dos personas

porque compiten por una misma cosa o porque sus ideas, su actitud, etc. son incompatibles. ② Lucha, combate, competición u otra cosa que se produce cuando se enfrentan dos o más personas: *enfrentamiento naval; el torneo permite un único enfrentamiento entre ambos jugadores.*

enfrentar *v. tr.* ① Poner a dos personas en una posición opuesta o contraria porque compiten por una misma cosa o porque sus ideas, su actitud, etc. son incompatibles: *la última jornada de liga enfrentará al líder con el segundo clasificado.* ② Poner frente a frente cosas o personas: *enfrentar dos edificios.* I *v. tr./prnl.* ③ Hacer frente a un problema, una dificultad o una situación adversa: *debemos enfrentar la derrota con dignidad; ha de enfrentarse con una serie de pruebas.*
FAM enfrentamiento.

enfrente *adv.* ① En la parte opuesta o delante de un lugar, una persona o una cosa: *la escuela está enfrente de mi casa.* ② En contra: *todo el pueblo se puso enfrente del proyecto.*
FAM enfrentar.

enfriamiento *s. m.* ① Disminución de la temperatura de un cuerpo. ② Disminución de la intensidad de un fenómeno, una actividad o un sentimiento: *el aumento del precio del petróleo provocó un enfriamiento de la economía.* ③ Resfriado ligero.

enfriar *v. tr.* ① Hacer que disminuya la temperatura de un cuerpo. **ANT** calentar. ② Hacer que disminuya la intensidad de un fenómeno, una actividad o un sentimiento: *el descanso hizo que se enfriaran los ánimos de los jugadores.* **ANT** calentar. I *v. prnl.* ③ **enfriarse** Contraer un resfriado ligero.
FAM enfriamiento.
OBS Verbo regular, se acentúa como *desviar.*

enfundar *v. tr.* ① Guardar una cosa, generalmente un arma, dentro de su funda. **ANT** desenfundar. ② Poner una prenda de vestir, especialmente si es ajustada al cuerpo: *el ciclista se enfundó el maillot amarillo.*
FAM desenfundar.

enfurecer [16] *v. tr.* ① Poner furioso a una persona o un animal. I *v. prnl.* ② **enfurecerse** Agitarse o alborotarse una cosa: *el mar se enfurece.*
FAM enfurecimiento.

enfurecimiento *s. m.* ① Acción de enfurecer o enfurecerse. ② Enfado muy grande de una persona que se pone furiosa.

enfurruñarse *v. prnl.* familiar Coger un pequeño enfado por un motivo poco importante.
FAM enfurruñamiento.

engalanar *v. tr.* Poner adornado y guarnecido un lugar, como una calle o casa, con colgaduras, banderillas y cosas similares, generalmente con motivo de fiesta u homenaje.
FAM engalanamiento.

enganchar *v. tr.* ① Sujetar, unir o colgar de un gancho o de otra cosa parecida. I *v. tr./intr.* ② Sujetar uno o varios animales a un vehículo o instrumento para que tiren de él: *enganchar los perros al trineo.* I *v. tr.* ③ Conseguir una cosa atraer el interés de una persona de modo que no pueda fijarse en nada más: *la novela engancha al lector desde la primera página.* ④ Inscribir a una persona en un trabajo, especialmente cuando acaba de dejar otro: *los temporeros acababan la recogida de la fruta y se enganchaban en la de la aceituna.* I *v. prnl.* ⑤ **engancharse** Quedar sujetas entre sí dos cosas por un punto, generalmente de manera accidental: *la cometa se ha enganchado en una rama.* ⑥ familiar Llegar a tener una relación de dependencia o adicción hacia una droga u otra cosa.

FAM enganche, enganchón; desenganchar, reengancharse.

enganche *s. m.* ① Sujeción o unión de dos cosas mediante un gancho u otra cosa parecida: *lo despertó el ruido del enganche de los vagones del tren.* ② Pieza o aparato que sirve para enganchar o sujetar una cosa: *el enganche de una pulsera; dos enganches metálicos para sujetar el rotor.* ③ Sujeción de uno o más animales a un vehículo o instrumento para que tiren de él. ④ Conjunto de caballerías, como burros o caballos, que tiran de un vehículo.

enganchón *s. m.* Rotura o desgarro producido por haberse enganchado la ropa o el cabello en un objeto punzante.

engañabobos *s. m.* despectivo Cosa que sirve para engañar a las personas ingenuas o con pocas luces: *algunos métodos para adelgazar son un engañabobos.*

OBS Plural invariable.

engañar *v. tr.* ① Hacer creer a una persona una cosa que en realidad es mentira. ② Mantener relaciones sexuales con una persona distinta de la pareja estable. ③ Calmar momentáneamente una necesidad o un sentimiento: *se comió un paquete de pipas para engañar el hambre; engaña el miedo cantando.* ‖ *v. intr.* ④ Causar una impresión equivocada en los sentidos: *las apariencias pueden engañarnos.* ‖ *v. prnl.* ⑤ **engañarse** Tener una idea falsa de la realidad por desconocimiento o por el deseo de creer en lo más cómodo o agradable: *te engañas pensando que puedes aprobar si estudias la última semana.*

FAM engañabobos, engañifa, engaño.

engañifa *s. f.* despectivo Cosa que parece de gran valor o muy útil, pero que en realidad es de poca calidad o inútil: *todo parecía una farsa, como si las bombas fueran engañifas de pirotecnia.*

engaño *s. m.* ① Acción de engañar o engañarse: *Pipá es un muchacho que vive del cuento y del engaño.* ② Cosa que engaña o sirve para engañar, haciendo creer algo cuando en realidad es mentira, o causando una impresión equivocada en los sentidos: *los espejismos son un engaño a tus ojos.* ③ Relación sexual que se mantiene con una persona distinta de la pareja estable: *estaba harta de los engaños de su marido.* ④ Capote o muleta que se usa para torear a un toro.

llamarse a engaño Echarse atrás en un pacto o contrato por advertir que ha habido engaño.

FAM engañoso.

engañoso, -sa *adj.* Que engaña o puede inducir al engaño: *publicidad engañosa; promesas engañosas.*

engarce *s. m.* ① Unión de una cosa con otra formando una cadena. ② Unión de varias ideas, palabras, pensamientos, etc., de modo que queden relacionados entre sí y formen un conjunto unitario y coherente. **SIN** encadenamiento, engranaje, enlace. ③ Cosa que engarza o sirve para engarzar: *no se deben usar con exceso los engarces lógicos entre las oraciones.* ④ Engaste.

engarzar *v. tr.* ① Unir una cosa con otra formando una cadena. ② Unir varias ideas, palabras, pensamientos, etc., de modo que queden relacionados entre sí y formen un conjunto unitario y coherente: *el nexo engarza las dos oraciones y permite integrarlas en una unidad superior, que es el texto.* **SIN** encadenar, engranar, enlazar. ③ Engastar. **ANT** desengarzar. ‖ *v. prnl.* ④ **engarzarse** AMÉR. Enzarzarse o enredarse.

FAM engarce; desengarzar.

engastar *v. tr.* Encajar firmemente una cosa en un soporte o sobre una superficie, especialmente una perla o una piedra preciosa en una joya: *engastar un zafiro en un anillo.* **SIN** engarzar.

FAM engaste; desengastar.

engaste *s. m.* ① Acción de encajar firmemente una cosa en un soporte o sobre una superficie, especialmente una perla o una piedra preciosa en una joya. **SIN** engarce. ② Soporte o superficie sobre la que se engarza o encaja una cosa. **SIN** engarce.

engatusar *v. tr.* Ganar la voluntad y la confianza de una persona mediante halagos o muestras de admiración y simpatía: *el vendedor consiguió engatusarlo para que se quedara con el coche.*

FAM engatusamiento.

engendrar *v. tr.* ① Dar existencia una persona o un animal a un nuevo ser por medio de la fecundación. ② Producir o ser el origen de un efecto o resultado: *la violencia engendra más violencia.* **SIN** causar, ocasionar. ③ Formar una figura geométrica por medio del movimiento: *se llama cuerpo de revolución el que se engendra haciendo girar una figura plana alrededor de un eje.*

FAM engendramiento, engendro.

engendro *s. m.* despectivo Ser vivo con un aspecto físico anormal y deforme: *Frankenstein es un engendro horrible creado por Mary Shelley.*

englobar *v. tr.* Incluir o contener una cosa dentro de sí a otra u otras: *esta ley engloba a las dos anteriores.* **SIN** abarcar, comprender.

engolado, -da *adj.* ① Se aplica a la voz, la articulación o el acento que tiene resonancia en el fondo de la cavidad bucal o en la garganta: *es un defecto cantar con voz engolada.* ② Se aplica al modo de hablar poco natural, excesivamente grave o enfático.

engomar *v. tr.* Untar de goma de pegar una superficie, generalmente de tela o papel.

engominar *v. tr.* Dar gomina o fijador al cabello.

engordar *v. intr.* ① Aumentar de peso una persona o animal. **ANT** adelgazar. ‖ *v. tr./intr.* ② Aportar un alimento el exceso de sustancias alimenticias o grasas que hacen que una persona se ponga gorda o aumente de peso: *el pan engorda.* **ANT** adelgazar. ‖ *v. tr.* ③ Alimentar a un animal para que aumente de peso o se ponga gordo con el fin de aprovechar su carne. **SIN** cebar.

FAM engorde.

engorde *s. m.* Acción de engordar o cebar un animal con el fin de aprovechar su carne.

engorro *s. m.* Cosa que resulta fastidiosa o molesta, que es un impedimento o una dificultad para moverse o hacer una tarea con soltura.

FAM engorroso.

engorroso, -sa *adj.* Que resulta un engorro.

engranaje *s. m.* ① Conjunto de ruedas dentadas y otras piezas que encajan entre sí y sirven generalmente para transmitir un movimiento giratorio: *el engranaje de un reloj.* ② Unión de varias ideas, palabras, pensamientos, etc., de modo que queden relacionados entre sí y formen un conjunto unitario y coherente: *la economía se va desarrollando gracias al engranaje de la fuerza de trabajo con la empresa y el capital.* **SIN** encadenamiento, engarce, enlace. ③ Sistema unitario y coherente que se organiza gracias a la unión de varios elementos relacionados entre sí: *el complejo engranaje de la vida de nuestro planeta.*

engranar *v. intr.* ① Ajustarse las ruedas dentadas de un mecanismo de modo que encajen entre sí: *una rueda dentada, el piñón, engrana con una barra también dentada, llamada cremallera.* ǀ *v. tr.* ② Ajustar las ruedas dentadas de un mecanismo para que encajen entre sí correctamente: *engranar el plato de una bicicleta.* ③ Unir varias ideas, palabras, pensamientos, etc. de modo que queden relacionados entre sí y formen un conjunto unitario y coherente. **SIN** encadenar, engarzar, enlazar. **FAM** engranaje.

engrandecer [16] *v. tr.* ① Dar mayor valor, grandeza u honor: *la obra de Cervantes engrandece la literatura española.* **SIN** enaltecer. **ANT** empequeñecer. ② Hacer grande o más grande una cosa: *engrandecer un salón.* **SIN** agrandar. **FAM** engrandecimiento.

engrandecimiento *s. m.* ① Aumento del valor, grandeza u honor. ② Aumento del tamaño de una cosa. **SIN** agrandamiento.

engrasar *v. tr.* Aplicar grasa a una superficie para reducir el rozamiento y facilitar su deslizamiento sobre otra: *engrasar el gozne de una puerta.* **FAM** engrase; desengrasar.

engrase *s. m.* Aplicación de grasa a una superficie para reducir el rozamiento y facilitar su deslizamiento sobre otra.

engreído, -da *adj./s. m. y f.* Se aplica a la persona que muestra orgullo excesivo por las cualidades o méritos propios, que cree superiores a los de los demás. **SIN** creído. **ANT** modesto.

engreír [12] *v. tr.* ① Hacer que una persona se vuelva engreída. ② AMÉR. Encariñar. ③ AMÉR. SUR, ANT., COL., MÉX. Mimar. ǀ *v. prnl.* ④ **engreírse** Comportarse con orgullo y superioridad frente a los demás, tratándolos de un modo despectivo y desconsiderado.

engrescar *v. tr.* Incitar a alguien al alboroto o la discusión: *cuando el árbitro pitó falta los jugadores se engrescaron y el partido acabó en pelea.*

engrosamiento *s. m.* Aumento del volumen, grosor o número de algo.

engrosar [5] *v. tr.* ① Aumentar el número o la cantidad de una cosa: *los intereses que producen pasan a engrosar el capital.* ② Hacer más gruesa o aumentar el volumen de una cosa: *engrosar la masa de un pastel con más harina.* **SIN** engruesar. **FAM** engrosamiento.

engrudo *s. m.* Masa espesa y pegajosa hecha de harina o almidón cocidos en agua y que sirve para pegar papel, tela y otros materiales ligeros.

engruesar *v. tr.* Engrosar (hacer más grueso).

enguarrar *v. tr.* familiar Ensuciar, manchar.

engullir [15] *v. tr.* ① Tragar la comida con precipitación y casi sin masticar. ② Tragar, generalmente una gran cantidad de comida: *la serpiente engulle a su presa.*

engurruñar *v. tr.* ① Arrugar o encoger. ǀ *v. prnl.* ② **engurruñarse** Ponerse triste. **SIN** entristecerse.

enharinar *v. tr.* ① Rebozar un alimento con harina: *enharinar el pescado antes de freírlo.* ② Cubrir o manchar de harina.

enhebrar *v. tr.* ① Pasar un hilo a través del ojo de una aguja. **ANT** desenhebrar. ② Pasar un hilo, cuerda o alambre a través

del agujero de un objeto: *enhebrar perlas.* **SIN** ensartar. ③ Unir palabras o frases, especialmente de manera torpe o desordenada: *enhebrar mentiras.* **SIN** ensartar. **FAM** desenhebrar.

enhiesto, -ta *adj.* culto Que está levantado en alto o derecho: *un castillo enhiesto sobre la cumbre.*

enhorabuena *s. f.* ① Acción de felicitar o expresar la alegría y satisfacción que se siente por una cosa agradable o feliz que le ha ocurrido a otra persona: *el presentador dio la enhorabuena al ganador.* **SIN** felicitación. ǀ *int.* ② **¡enhorabuena!** Se emplea para expresar alegría o satisfacción por el hecho de que le haya ocurrido una cosa agradable o feliz a otra persona. **SIN** felicidades.

estar de enhorabuena Encontrarse una persona en una situación feliz por la que merece ser felicitada: *estamos de enhorabuena porque mi esposa está embarazada.*

enigma *s. m.* ① Frase o pregunta de significado oculto para que sea difícil de entender o resolver: *los caballeros medievales grababan en su armadura enigmas que encubrían el nombre de la mujer que amaban.* ② Cosa que se conoce pero que resulta incomprensible, para la que no se halla una explicación: *el modo en que se extinguieron los dinosaurios es un enigma.* **FAM** enigmático.

enigmático, -ca *adj.* Que contiene un misterio oculto, difícil de entender o resolver: *una mirada enigmática.*

enjabonado, -da *s. m.* ① Acción de enjabonar. **SIN** jabonadura. ǀ *adj.* ② CUBA, URUG. Se aplica a la caballería con pelo oscuro sobre fondo blanco.

enjabonar *v. tr.* Dar jabón y agua a una cosa o persona. **SIN** jabonar. **FAM** enjabonado.

enjaezar *v. tr.* Poner más guarnecida y vistosa una caballería colocándole los jaeces o adornos.

enjalbegar *v. tr.* Blanquear una pared, especialmente con cal o yeso.

enjambre *s. m.* ① Conjunto numeroso de abejas, avispas y otros insectos voladores que vuelan en grupo: *un enjambre de mosquitos se posó sobre la balsa.* ② Conjunto de las abejas con la abeja reina que sale de una colmena y vuela a hacer el nido en otro lugar: *un enjambre de esta especie colonizó la isla.* ③ Conjunto numeroso de personas o cosas, especialmente si se trasladan en grupo de un lugar a otro: *un enjambre de periodistas perseguía al famoso cantante.* **FAM** enjambrar.

enjaretar *v. tr.* ① Hacer algo deprisa y generalmente con descuido. ② familiar Pasar a una persona un trabajo u otra cosa que resulta pesada o molesta: *odia las tareas del hogar y siempre se las enjareta a su hermano.* **SIN** endilgar, endosar. ③ ARG., MÉX., VENEZ. familiar Intercalar.

enjaular *v. tr.* ① Meter o encerrar a un animal en una jaula. **ANT** desenjaular. ② familiar Encarcelar a una persona. **FAM** desenjaular.

enjoyar *v. tr.* Adornar con joyas a una persona.

enjuagar *v. tr.* ① Lavar con agua una cosa manchada o enjabonada: *nos enjuagamos las manos cuando pelamos tomates u otra cosa que se quita solamente con agua.* ǀ *v. prnl.* ② **enjuagarse** Limpiarse los dientes o la boca manteniendo en ella y moviendo una porción de agua u otro líquido que luego se escupe. **FAM** enjuague.

enjuague *s. m.* ① Acción de enjuagar o enjuagarse. ② Líquido para enjuagarse la boca. ③ familiar Negocio poco limpio, oculto o fraudulento.

enjugar *v. tr.* ① Eliminar la humedad o el líquido que hay en una superficie o cosa, especialmente el sudor o las lágrimas: *se enjugó con el mandil la frente sudorosa.* ② Hacer disminuir o eliminar una deuda o un déficit: *la venta de este jugador servirá para enjugar los más de trescientos mil euros de déficit.*

enjuiciamiento *s. m.* ① Acción de enjuiciar. ② Forma legal de proceder en la tramitación de un asunto judicial.

enjuiciar *v. tr.* ① Elaborar un juicio u opinión razonada sobre una persona o cosa: *el equipo perdedor no quiso enjuiciar la labor del árbitro.* ② Someter a una persona a un proceso legal mediante el que un juez decide si es responsable de un delito: *nuestra misión es capturar a los terroristas y enjuiciarlos.* **FAM** enjuiciable, enjuiciamiento. **OBS** Verbo regular, se acentúa como *cambiar.*

enjundia *s. f.* Riqueza, importancia e interés que hay en el contenido de una cosa, como un libro, un discurso o una teoría. **FAM** enjundioso.

enjuta *s. f.* ① Cada uno de los espacios triangulares que deja un círculo inscrito en un cuadrado. ② Triángulo de lados curvos que está formado por el anillo de una cúpula y los arcos sobre los que se construye. **SIN** pechina.

enjuto, -ta *adj.* ① Que está flaco, especialmente si se le marcan los huesos: *el Quijote es alto, flaco, enjuto de rostro.* **SIN** seco. **ANT** gordo, grueso. ② Que no tiene agua o humedad: *el suelo parece quedarse enjuto y sin vida.* **SIN** seco.

enlace *s. m.* ① Unión de varias ideas, palabras, pensamientos, etc. de modo que queden relacionados entre sí y formen un conjunto unitario y coherente. **SIN** encadenamiento, engarce, engranaje. ② Cosa que sirve para enlazar: *conjunciones y preposiciones son enlaces gramaticales.* ③ Unión de dos personas mediante determinados ritos o formalidades legales por los cuales ambos se comprometen a llevar una vida en común. **NOTA** También *enlace matrimonial.* **SIN** boda, casamiento. ④ Persona con la que otra debe contactar para recibir instrucciones o trabajar conjuntamente, especialmente dentro de una institución, empresa u organización. **SIN** contacto, conexión. ⑤ Texto o imagen que vincula una página web con otra. **SIN** hipervínculo. ⑥ En química, fuerza que mantiene unidos los átomos de una molécula o los iones de un cristal, o las moléculas entre sí. ■ **enlace covalente** Enlace entre dos átomos que comparten un par de electrones, en el que cada átomo aporta un electrón: *los dos átomos de la molécula de hidrógeno se unen mediante un enlace covalente.* ■ **enlace iónico** Enlace entre iones debido a la transferencia de electrones de un átomo a otro cuando la diferencia de electronegatividad es muy elevada; es el resultado de la atracción electrostática. ■ **enlace metálico** Enlace entre elementos metálicos de electronegatividad baja: *en un enlace metálico se obtienen múltiples pares de electrones de gran movilidad que están dispuestos por toda la sustancia.* ■ **enlace polar** Enlace covalente entre átomos de distintos elementos; los elementos tienen diferente electronegatividad, lo cual facilita que el par de electrones bascule hacia el elemento más electronegativo, mientras que en el otro extremo se produce un vacío electrónico. **enlace sindical** Delegado de los trabajadores ante la empresa.

enladrillar *v. tr.* Pavimentar con ladrillos.

enlatar *v. tr.* Meter un producto en una lata para facilitar su conservación o transporte; especialmente un alimento. **FAM** enlatado.

enlazar *v. tr.* ① Unir varias ideas, palabras, pensamientos, etc. de modo que queden relacionados entre sí y formen un conjunto unitario y coherente: *el joven político enlaza con brillantez sus ideas renovadoras.* **SIN** encadenar, engarzar, engranar. ② Unir o atar con un lazo. **ANT** desenlazar. ③ Unir dos cosas cruzándolas entre sí: *los novios enlazaron sus manos.* **SIN** entrelazar. ‖ *v. intr.* ④ Unirse en un punto un medio de transporte con otro de modo que una persona pueda utilizar ambos en un mismo viaje, dejando uno y tomando el otro: *en los transbordos, una línea de metro enlaza con otra.* **SIN** empalmar. ⑤ Unirse dos iones o átomos para formar una molécula. **FAM** enlace; desenlazar.

enlodar *v. tr.* Cubrir o manchar de lodo.

enloquecer [16] *v. tr.* ① Volver loca a una persona, haciendo que pierda el juicio o la razón. ‖ *v. intr.* ② Volverse loca una persona, perder el juicio o la razón: *tras el accidente, enloqueció.* ‖ *v. tr.* ③ familiar Gustar mucho. **FAM** enloquecedor, enloquecimiento.

enloquecimiento *s. m.* Pérdida del juicio o la razón.

enlosado *s. m.* Suelo cubierto con losas o baldosas.

enlosar *v. tr.* Cubrir el suelo de una habitación o de un recinto con losas fijándolas ordenadamente. **FAM** enlosado.

enlozar *v. tr.* AMÉR Cubrir un objeto con un baño de loza.

enlucir [17] *v. tr.* ① Cubrir una pared o fachada con una capa fina de yeso, cemento u otro material, generalmente como modo de dar un acabado cuidado: *en Andalucía las casas se enlucen de blanco.* ② Limpiar y sacar brillo a la plata, las armas, etc. **FAM** enlucido.

enlutar *v. tr.* Vestir de luto a una persona o cosa en señal de dolor y pena por la muerte de una persona: *un lazo negro enlutaba la bandera.*

enmadrado, -da *adj.* Se aplica al hijo que está excesivamente apegado a su madre o encariñado con ella.

enmadrarse *v. prnl.* Encariñarse demasiado el hijo con la madre: *María está muy enmadrada, no quiere separarse nunca de su madre.*

enmarañamiento *s. m.* Acción de enmarañar.

enmarañar *v. tr.* ① Entrelazar de manera desordenada y accidental hilos, cables, cuerdas, cables o cosas parecidas. **SIN** enredar. **ANT** desenmarañar, desenredar. ② Complicar y dificultar la solución o la comprensión de un asunto: *esta modificación no ha hecho sino enmarañar aún más los procedimientos legales.* **SIN** enredar. **ANT** desenmarañar, desenredar. **FAM** enmarañamiento; desenmarañar.

enmarcar *v. tr.* ① Poner un marco o cerco a una fotografía, pintura o lámina. **SIN** encuadrar. ② Encerrar una cosa, como un problema, un personaje histórico, una época, etc., en un cuadro, entorno o límites determinados. **SIN** encuadrar. **FAM** enmarcación.

enmascarado, -da *adj./s. m. y f.* Que lleva la cara tapada con una máscara o con un antifaz.

enmascarar *v. tr.* ① Cubrir la cara con una máscara o un antifaz. **ANT** desenmascarar. ② Ocultar o encubrir una cosa con una mentira, una apariencia o un fingimiento. SIN disfrazar. ANT desenmascarar.

FAM enmascarado, enmascaramiento; desenmascarar.

enmendar [1] *v. tr.* 1 Corregir un error o defecto: *el director pretende enmendar con este estreno el fracaso de su última película.* 2 Modificar una ley u otro texto legal mediante una propuesta hecha al conjunto de representantes políticos: *enmendar la Constitución.* ‖ *v. prnl.* 3 **enmendarse** Corregir una persona sus faltas éticas o morales y rectificar su conducta.

FAM enmienda.

enmienda *s. f.* 1 Corrección de un error o defecto. 2 Propuesta que se hace a un conjunto de representantes políticos para modificar una ley u otro texto legal y que ha de ser aprobada mediante votación.

enmohecer [16] *v. tr.* 1 Cubrir una superficie con una capa de moho: *la humedad enmohece los metales.* 2 Dejar una cosa inútil o en desuso: *el tiempo enmohece la memoria.* SIN agarrotar, anquilosar, atrofiar.

FAM enmohecimiento; desenmohecer.

enmontarse *v. prnl.* AMÉR. Cubrirse de maleza y volverse monte un terreno o un campo.

enmoquetar *v. tr.* Cubrir con moqueta una superficie.

enmudecer [16] *v. intr.* 1 Dejar de hablar: *¿por qué enmudeces, qué hacías escondido en el pajar?* SIN callar. 2 Dejar de hacer ruido o de producir un sonido: *las calles del pueblo enmudecieron con la caída de la noche.* ‖ *v. tr.* 3 Hacer callar: *el miedo los enmudecía.*

FAM enmudecimiento.

ennegrecer [16] *v. tr.* Poner de un color más oscuro o negro.

FAM ennegrecimiento.

ennoblecer [16] *v. tr.* 1 Hacer noble, honrado y bueno: *el poeta cree que sufrir por amor ennoblece el espíritu.* 2 Dar mayor valor, grandeza o distinción: *Lope de Vega ennoblece la figura del villano, que hasta entonces solamente aparecía como personaje cómico.*

FAM ennoblecimiento.

ennoviarse *v. prnl.* Empezar a ser novios dos personas.

enojar *v. tr.* 1 Causar enojo: *las deficiencias en el sonido de la película enojaron al público.* SIN enfadar. ‖ *v. prnl.* 2 **enojarse** Pasar a tener enojo: *se enoja con facilidad.* SIN enfadarse.

FAM enojadizo, enojado, enojo, enojoso.

enojo *s. m.* Sentimiento que una persona experimenta cuando se siente contrariada o perjudicada por otra o por una cosa, como ante una falta de respeto, una desobediencia o un error. SIN enfado.

enojoso, -sa *adj.* Que causa enojo o enfado.

enología *s. f.* Conjunto de conocimientos relativos al vino, a sus características y su elaboración.

FAM enológico, enólogo.

enólogo, -ga *s. m. y f.* Persona que es entendida en enología.

enorgullecer [16] *v. tr.* Hacer que una persona sienta orgullo por una cosa, como una acción especialmente buena o una obra digna de mérito.

FAM enorgullecedor, enorgullecimiento.

enorgullecimiento *s. m.* 1 Sentimiento de gran satisfacción por un comportamiento bueno o por una cosa bien hecha. SIN orgullo. 2 Exceso de valoración de uno mismo y de los méritos propios, por el que uno se cree superior a los demás. SIN orgullo. 3 Acción de enorgullecer o enorgullecerse.

enorme *adj.* 1 Que es muy grande, que supera en tamaño, cantidad, calidad, etc. a lo considerado normal: *la diversidad de seres vivos que existen es enorme; en España se depura un enorme volumen de agua.* 2 *familiar* Se aplica a la persona que sobresale entre los demás por sus excepcionales características: *un atleta enorme.*

FAM enormidad.

enormidad *s. f.* Cualidad de una cosa enorme o muy grande: *la enormidad del universo nos asombra.*

una enormidad *familiar* Muchísimo, una barbaridad: *le gustaba una enormidad charlar conmigo.*

enquistarse *v. prnl.* 1 Desarrollar un quiste una cosa, generalmente un cuerpo extraño que entra en el organismo. 2 Convertirse en crónico y permanente un problema o una situación difícil y adversa.

FAM enquistamiento.

enrabietarse *v. prnl.* Tener una rabieta o disgusto grande y de poca duración, generalmente por causa de un capricho no satisfecho.

enraizar *v. intr./prnl.* 1 Echar raíces una planta: *el pino ha enraizado; el rosal se ha enraizado.* SIN arraigar. ‖ *v. tr./intr.* 2 Hacer o hacerse firme y duradero un sentimiento o una costumbre: *enraizar la fe en la convicción personal; la superstición había enraizado en el pueblo.* SIN arraigar. ‖ *v. prnl.* 3 **enraizarse** Establecerse en un lugar de manera permanente, no provisional, adquiriendo una vivienda y trabando relaciones personales o laborales estables. SIN arraigarse.

FAM enraizamiento.

enrarecer [16] *v. tr.* 1 Dilatar un gas haciéndolo menos denso. 2 Contaminar el aire o hacerlo menos respirable disminuyendo la proporción de oxígeno. 3 Hacer que una relación, personal o del ámbito público, se deteriore o que el trato sea más difícil: *se enrareció el clima social del país, hubo manifestaciones y protestas.*

FAM enrarecimiento.

enrarecimiento *s. m.* 1 Disminución de la densidad de un gas. 2 Contaminación del aire o disminución de la proporción de oxígeno. 3 Acción de deteriorar o dificultar una relación, personal o del ámbito público.

enrasar *v. tr.* 1 Llenar un recipiente justo hasta el borde: *enrasar una copa de vino.* ‖ *v. intr.* 2 Alcanzar el mismo nivel dos cosas.

enredadera *adj./s. f.* 1 Se aplica a la planta de tallo fino y flexible que crece y sube sujetándose o apoyándose en muros, troncos de los árboles o sobre otras plantas: *la hiedra, la glicinia y la judía son enredaderas.* ‖ *s. f.* 2 Planta de hojas acorazonadas y flores de color rosado en forma de campanilla; es una enredadera silvestre.

enredar *v. tr.* 1 Entrelazar de manera desordenada y accidental hilos, cabellos, cuerdas, cables o cosas parecidas. SIN enmarañar. ANT desenmarañar, desenredar. 2 Complicar y dificultar la solución o la comprensión de un asunto: *los pactos secretos no han hecho sino enredar aún más el fichaje del jugador.* SIN enmarañar. ANT desenmarañar, desenredar. 3 Hacer que una persona participe en un negocio o asunto, especialmente si es poco lícito o ilegal: *lo enredaron en un negocio oscuro.* SIN envolver. 4 Provocar la duda o el error: *el fiscal enredó con sus preguntas al acusado.* SIN confundir. 5 Entretener o hacer perder el tiempo a una persona en asuntos poco importantes o que no le interesan: *me encontré con un vecino que me enredó hasta las tantas.* ‖ *v. intr.* 6 Molestar haciendo trave-

suras o manejando lo que no se debe: *deja de enredar con la pelota.* ▌ *v. prnl.* ⑦ **enredarse** Equivocarse haciendo o diciendo una cosa, o hacerlo de manera atropellada y torpe: *se enredó en la segunda pregunta porque se puso muy nervioso.* ⑧ Mantener una relación amorosa o sexual que no implica compromiso.
FAM enredadera, enredador, enredo, enredoso; desenredar.

enredo *s. m.* ① Conjunto de hilos, cabellos, cuerdas, cables o cosas parecidas entrelazadas que no pueden separarse fácilmente. **SIN** lío, maraña. ② Engaño o mentira con que se intenta hacer caer en la duda o el error a una persona: *sus enredos no le sirvieron de nada.* ③ Asunto o negocio poco lícito o ilegal: *tuvo problemas por sus enredos con la policía.* **NOTA** Más en plural. **SIN** lío. ④ Complicación o problema difícil de resolver: *intentaba deshacer el enredo de fechas y datos.* **SIN** lío. ⑤ Nudo o conjunto de sucesos que preceden al desenlace de una obra. ⑥ Relación amorosa o sexual que no implica compromiso. **SIN** lío. ⑦ Acción de enredar o enredarse.

enrejado *s. m.* Reja, especialmente grande, o conjunto de rejas que protege o adorna una puerta o ventana o que delimita un espacio.

enrejar *v. tr.* ① Proteger con una reja una puerta o ventana o cercar un espacio con ella. ② Méx. Zurcir la ropa.
FAM enrejado.

enrevesado, -da *adj.* Que tiene un contenido o unos rasgos confusos, poco claros, de modo que resulta difícil de comprender: *un hombre enrevesado; un programa informático enrevesado.*

enriquecedor, -ra *adj.* Que enriquece o dota de mayor calidad o valor.

enriquecer [16] *v. tr.* ① Hacer rico o más rico aumentando el dinero o los bienes. **ANT** empobrecer. ② Dotar de mayor riqueza, calidad o valor a una cosa mejorando sus propiedades y características: *el léxico del modernismo se enriquece con términos cultos, exóticos y evocadores.* **ANT** empobrecer.
FAM enriquecedor, enriquecimiento.

enriquecimiento *s. m.* ① Acción de enriquecer o enriquecerse con un aumento de dinero o bienes. **ANT** empobrecimiento. ② Proceso mediante el cual se dota de mayor riqueza, calidad o valor a una cosa mejorando sus propiedades y características. **ANT** empobrecimiento.

enrocar *v. tr./intr.* En el juego del ajedrez, mover en una misma jugada el rey y una torre bajo condiciones establecidas por las reglas: *no se puede enrocar si el rey pasa por una línea de jaque.*
FAM enroque.

enrojecer *v. tr.* ① Poner una cosa de color rojo o rojizo: *el sol va enrojeciendo los tomates.* ▌ *v. intr.* ② Ponerse colorado el rostro de una persona por la vergüenza, la ira u otro sentimiento o emoción: *enrojeció de furia.*
FAM enrojecimiento.

enrojecimiento *s. m.* ① Coloración roja que paulatinamente adquiere una cosa, especialmente una parte del cuerpo de una persona: *la inflamación va acompañada del enrojecimiento de la zona afectada.* ② Proceso por el cual una cosa va poniéndose roja o rojiza.

enrolar *v. tr.* ① Inscribir a una persona entre los miembros de la tripulación de un barco. ② Inscribir a una persona en

una sociedad, empresa u organización; especialmente, alistarla en el ejército.
FAM enrolamiento.

enrollado, -da *adj.* familiar Se aplica a la persona que sintoniza y se relaciona fácilmente con los demás o que participa activamente en un grupo o ambiente social: *es un tío muy enrollado.*

enrollar *v. tr.* ① Dar a una cosa flexible forma de rollo o rosca envolviéndola y dándole vueltas sobre sí misma o alrededor de otra: *enrollaremos un alambre grueso alrededor de un clavo.* **SIN** arrollar. **ANT** desarrollar, desenrollar. ▌ *v. prnl.* ② **enrollarse** familiar Extenderse demasiado al hablar o al escribir. ③ familiar Hacer un favor o dar un trato favorable a una persona: *el portero se enrolló y me dejó pasar gratis.* ④ familiar Participar de manera amistosa en un grupo de personas o en un ambiente social: *el monitor se enrolla muy bien con nosotros, parece uno más.* ⑤ familiar Tener una relación amorosa o sexual durante un breve periodo de tiempo.
FAM enrollamiento, enrollado; desenrollar.

enronquecer [16] *v. tr.* ① Poner ronca a una persona. ▌ *v. intr.* ② Ponerse ronca una persona: *si sigues gritando, enronquecerás.*
FAM enronquecimiento.

enroque *s. m.* En el juego del ajedrez, jugada que consiste en enrocar o mover el rey y una torre del mismo bando bajo condiciones establecidas por las reglas.

enroscar *v. tr.* ① Dar a una cosa flexible y larga forma de rosca envolviéndola y dándole vueltas sobre sí misma o alrededor de otra: *el dependiente enroscó los diez metros de cable.* **ANT** desenroscar. ② Ajustar una pieza con rosca dentro de otra dándole vueltas: *enroscar una bombilla.* **ANT** desenroscar.
FAM enroscamiento; desenroscar.

ensaimada *s. f.* Bollo redondo y aplanado formado por una tira de pasta de hojaldre enroscada.

ensalada *s. f.* ① Comida fría que se hace mezclando diversas hortalizas crudas, troceadas y condimentadas, generalmente con aceite, vinagre y sal. ② Mezcla confusa de muchas cosas de características distintas: *esta ensalada de pueblos y ciudades de nuestra geografía.* ③ Composición lírica en la que se emplean a voluntad metros diferentes.

ensalada rusa Ensaladilla.
FAM ensaladera, ensaladilla.

ensaladera *s. f.* Recipiente ancho y profundo, generalmente de forma circular u ovalada, para preparar y servir ensaladas.

ensaladilla *s. f.* Comida fría que se hace con patatas y hortalizas hervidas, huevo duro y atún picados en trozos pequeños y mezclados con mayonesa.
OBS También *ensaladilla rusa* o *ensalada rusa.*

ensalmo *s. m.* Rezo o medicina a los que se atribuyen poderes mágicos para sanar a los enfermos.

como por ensalmo Con gran rapidez y sin explicación racional: *cuando la policía entró, el ladrón había desaparecido como por ensalmo.*
FAM ensalmar.

ensalzamiento *s. m.* Gran elogio que se hace de una persona o cosa, especialmente por sus virtudes o valores. **SIN** enaltecimiento.

ensalzar *v. tr.* Elogiar mucho una cosa o a una persona, especialmente por sus virtudes o valores: *nuestros contemporáneos ensalzan los valores de la libertad.* SIN enaltecer.

FAM ensalzador, ensalzamiento.

OBS Se conjuga como *realizar.*

ensamblaje *s. m.* ① Unión de dos piezas que forman parte de una estructura y han sido diseñadas para que ajusten entre sí perfectamente. SIN ensambladura. ② Parte de una estructura donde se hallan dos piezas ensambladas. SIN ensambladura. ③ Unión de varias cosas que forman parte de una cosa compleja y organizada de modo que queden bien trabadas o relacionadas entre sí. SIN ensambladura.

ensamblar *v. tr.* ① Unir dos piezas que forman parte de una estructura y han sido diseñadas para que ajusten entre sí perfectamente: *ensamblar listones para hacer un barril.* ② Unir varias cosas que forman parte de una cosa compleja y organizada de modo que queden bien trabadas o relacionadas entre sí: *la célula ensambla los componentes del virus para formar otro; ensamblar las partes de un poema.*

FAM ensamblaje, ensamble; desensamblar.

ensanchamiento *s. m.* ① Aumento de la anchura de una cosa. SIN ensanche. ② Acción de dotar a una cosa de mayores posibilidades de desarrollo y progreso. SIN ensanche.

ensanchar *v. tr.* ① Aumentar la anchura de una cosa: *ensanchar una acera.* SIN agrandar, engrandecer, extender. ANT estrechar. ② Dotar una cosa de mayores posibilidades de desarrollo y progreso: *la empresa ha ensanchado su mercado.*

FAM ensanchamiento, ensanche.

ensanche *s. m.* ① Ensanchamiento. ② Terreno situado en las afueras de una ciudad y destinado a nuevas edificaciones: *en el siglo XIX se plantearon los ensanches de Barcelona y Madrid.* ③ Conjunto de edificios que se han construido en este terreno.

ensangrentar [1] *v. tr.* Manchar de sangre.

ensañamiento *s. m.* Empleo innecesario, deliberado y cruel de la violencia para causar un intenso dolor físico a una persona que no puede defenderse.

ensañarse *v. prnl.* Dedicarse a hacer el mayor daño posible a una persona, especialmente cuando no puede defenderse, o a atacar con saña una cosa: *el autor se ensaña con la figura del viejo enamorado.* SIN cebarse, encarnizarse.

FAM ensañamiento.

ensartar *v. tr.* ① Pasar un hilo, una cuerda o un alambre a través del agujero de un objeto: *ensartar las perlas de un collar.* SIN enhebrar. ② Atravesar un cuerpo con un objeto alargado acabado en punta: *ensartar la carne en los pinchitos.* ③ Unir palabras o frases, especialmente de manera torpe o desordenada: *iba ensartando un cotilleo con otro.* SIN enhebrar. ‖ *v. prnl.* ④ **ensartarse** ARG., BOL., PERÚ Caer en un engaño, salir perjudicado por ingenuo o bien intencionado.

ensayar *v. tr.* ① Ejecutar partes o la totalidad de un espectáculo musical o teatral para prepararlo y dejarlo listo para su ejecución en público. ② Realizar varias veces un mismo acto o conjunto de actos de una actividad para perfeccionar su ejecución: *solía quedarse en la cancha ensayando tiros libres.* ③ Probar una cosa antes de darla por buena para ser usada: *el uso del alcohol como combustible se está ensayando en algunos países.* ④ Hacer pruebas para determinar la calidad de un material, especialmente un mineral, o el valor de un metal precioso.

FAM ensayo.

ensayismo *s. m.* Género literario constituido por el ensayo (obra literaria en prosa). SIN ensayo.

FAM ensayista.

ensayista *s. com.* Persona que escribe ensayos.

ensayístico, -ca *adj.* Relativo al ensayo (obra literaria en prosa).

ensayo *s. m.* ① Ejecución de las partes o la totalidad de un espectáculo musical o teatral para prepararlo y dejarlo listo para ejecutarlo en público. ■ **ensayo general** Ejecución de un espectáculo musical o teatral de principio a fin, sin interrupciones y tal como se realizará el día del estreno. ② Realización de un mismo acto o conjunto de actos de una actividad para perfeccionar su ejecución. ③ Prueba que se hace de una cosa antes de darla por buena para ser usada: *los ensayos de funcionamiento de una máquina.* ■ **ensayo de materiales** Ensayo para determinar si los elementos de una estructura o las piezas de una máquina tienen las propiedades técnicas idóneas para el trabajo al que han sido destinadas. ④ Prueba que se hace para determinar la calidad de un material, especialmente un mineral, o el valor de un metal precioso. ⑤ Obra literaria en prosa, de carácter didáctico, en la que el autor expone sus ideas acerca de un tema científico, filosófico, artístico, etc., de manera genérica, sin que el lector necesite conocimientos especializados sobre la materia. ⑥ Ensayismo. ⑦ Jugada del rugby que consiste en apoyar el balón en el suelo tras la línea de marca del equipo contrario y por la que se consigue un tanto. ⑧ En las ciencias experimentales, prueba, examen, reconocimiento o análisis que se realiza en un experimento: *no sigas con el ensayo, se ha estropeado la muestra.*

FAM ensayismo, ensayístico.

enseguida *adv.* ① Inmediatamente después, sin un espacio de tiempo en medio: *quiere que vayas enseguida.* ② Muy pronto, en un periodo breve de tiempo: *la Inquisición se interesó enseguida por las ideas de Galileo Galilei.* ③ Con gran facilidad.

OBS También *en seguida.*

ensenada *s. f.* Entrada de mar en la tierra formando un seno entre dos puntas o cabos; es menor que un golfo y puede servir de fondeadero.

enseña *s. f.* Objeto, señal o distintivo que representa a un colectivo de personas; generalmente, una bandera.

enseñanza *s. f.* ① Comunicación de conocimientos, habilidades, ideas o experiencias a una persona que no las tiene con la intención de que las comprenda y haga uso de ellas. ② Actividad que se realiza para enseñar un conjunto de conocimientos generales o específicos, desarrollar métodos de trabajo o adquirir unos valores: *la enseñanza pública está financiada por el estado.* ■ **enseñanza básica** o **enseñanza primaria** Etapa primera y generalmente obligatoria de la enseñanza, en la que se proporcionan a los niños los conocimientos que se consideran básicos en la alfabetización. NOTA También simplemente *primaria.* ■ **enseñanza media** o **enseñanza secundaria** Etapa de la enseñanza que sigue a la básica y proporciona estudios con un grado más alto de especialización. NOTA También simplemente *secundaria.* ■ **enseñanza superior** Enseñanza que sigue a la media y comprende los estudios especializados de una profesión o carrera. ③ Cosa que se enseña para que una persona la comprenda y haga uso de ella o adquiera una experiencia: *aprovechó las enseñanzas de unos profesores de lujo.* NOTA Más en plural.

enseñar *v. tr.* ① Comunicar conocimientos, habilidades, ideas o experiencias a una persona que no las tiene con la intención de que las comprenda y haga uso de ellas. ② Mostrar una cosa o a una persona a la vista de alguien: *enseña el billete al revisor.* ③ Dar una información, un dato o una señal que permita llegar al conocimiento de una cosa: *la experiencia nos enseña que es bueno saber pedir ayuda; el pastor nos enseñó el camino.* ‖ *v. intr.* ④ Dar clases como profesor o maestro: *fray Luis de León enseñaba en Salamanca.*
FAM enseñante, enseñanza.

enseñorearse *v. prnl.* Hacerse señor de un territorio, un bien u otra cosa: *trataron los ingleses de enseñorearse del fuerte de San Roque.*

enser *s. m.* Objeto, como una herramienta, un utensilio, un aparato, etc., que es de uso personal o doméstico o que se utiliza en una profesión: *enseres de cocina; los enseres de un pintor.*
OBS Más en plural.

ensillar *v. tr.* Poner la silla de montar a una caballería, especialmente a un caballo. **ANT** desensillar.
FAM ensilladura.

ensimismamiento *s. m.* Concentración en lo que se hace o se piensa hasta llegar a aislarse de lo demás: *la contemplación de las estrellas lo sumía cada noche en un largo ensimismamiento.*
SIN abstracción.

ensimismarse *v. prnl.* ① Poner toda la atención en lo que se hace o piensa hasta llegar a aislarse de lo demás. **SIN** abstraerse. ② COL., CHILE Envanecerse.
FAM ensimismamiento.

ensombrecer [1] *v. tr.* ① Cubrir de sombras. ② Causar pena o tristeza: *el atentado ensombreció la ceremonia de clausura de las Olimpíadas.*

ensoñación *s. f.* Ensueño, imagen mental irreal.

ensordecedor, -ra *adj.* Se aplica al sonido, ruido que es muy intenso y no permite oír otra cosa.

ensordecer [16] *v. tr./intr.* ① Hacer perder el sentido del oído; dejar sordo: *ensordeció a causa de una infección de oído.* ‖ *v. tr.* ② Impedir un sonido o ruido muy intenso que una persona oiga otra cosa. ③ Bajar la intensidad de un sonido: *la sordina ensordece el sonido de algunos instrumentos de viento.* ④ En fonética, convertir en sorda una consonante sonora.
FAM ensordecedor, ensordecimiento.

ensordecimiento *s. m.* ① Pérdida de la facultad del oído. ② Amortiguación de un sonido. ③ Proceso por el cual una consonante sonora se convierte en sorda.

ensortijado, -da *adj.* Se aplica al cabello que tiene rizos.

ensortijar *v. tr.* Formar rizos en el pelo. **SIN** rizar.

ensuciar *v. tr.* ① Poner sucio; hacer que una cosa deje de estar limpia: *ensuciarse de chocolate la cara.* **SIN** manchar. **ANT** limpiar. ② Dañar con palabras o acciones la dignidad, la estima y la respetabilidad de una persona o de una cosa: *la prensa ensució el nombre de su familia.* **SIN** deshonrar. **ANT** ennoblecer.
OBS Verbo regular, se acentúa como *cambiar.*

ensueño *s. m.* ① Imagen mental irreal fruto de la imaginación: *al mirar el paisaje desde lo alto de la montaña todo aquello me pareció un ensueño.* **SIN** ensoñación, fantasía. ② Cosa que se sueña. **SIN** sueño.
de ensueño Maravilloso, magnífico: *hemos pasado unos días de vacaciones en un hotel de ensueño.*
FAM ensoñar.

entablamento *s. m.* Conjunto de molduras que forman el elemento arquitectónico que descansa sobre los capiteles de las columnas y sostiene el frontón y el techo del edificio: *el entablamento está formado por el arquitrabe, el friso y la cornisa.*

entablar *v. tr.* ① Cubrir, cerrar o asegurar un lugar con tablas. ② Dar comienzo a una actividad o proceso: *el lunes entablaron las primeras conversaciones para llegar a un acuerdo.* ③ En los juegos de tablero, colocar las piezas en sus casillas. ‖ *v. intr.* ④ AMÉR. Empatar, hacer tablas. ⑤ PERÚ Fanfarronear. ‖ *v. prnl.* ⑥ **entablarse** Soplar el viento en una misma dirección. ⑦ GUAT., MÉX. Establecerse, afirmarse una cosa.
FAM entablado, entablamiento.

entablillar *v. tr.* Inmovilizar la extremidad de una persona o animal colocándola entre tablas o tablillas firmemente atadas, generalmente para impedir que sufra un hueso roto o fracturado.

entallecer [16] *v. intr./prnl.* Echar tallos las plantas o los árboles: *los arbustos empiezan a entallecerse.*

entarimado *s. m.* Suelo hecho con tablas de madera unidas entre sí. **SIN** tablado, tarima.

éntasis *s. m.* Parte más abultada en el fuste de una columna que evita el efecto visual de concavidad que se produciría si tuviera los lados rectos.
OBS Plural invariable.

ente *s. m.* ① Cosa o ser que tiene existencia real o imaginaria: *el ciudadano moderno es un ente socializado e impersonal que forma parte de una masa.* ■ **ente de razón** Ser que solamente existe en la mente. ② Organismo, institución o empresa, generalmente de carácter público: *las televisiones autonómicas son entes dependientes de los parlamentos de cada autonomía.* ③ fam. desp. Sujeto ridículo o extravagante.

enteco, -ca *adj.* culto Se aplica a la persona o al animal que es enfermizo por naturaleza y tiene un aspecto flaco y débil.

entelequia *s. f.* Cosa irreal que solamente existe en la mente de la persona que la imagina: *tu idea de las relaciones humanas es una pura entelequia.*

entendederas *s. f. pl.* familiar Entendimiento: *sus cortas entendederas le bastaron para darse cuenta de que el vendedor quería engañarlo.*
OBS Frecuentemente usado de forma despectiva.

entendedor, -ra *adj./s. m. y f.* Que comprende y tiene idea clara del sentido de las cosas.

entender [2] *v. tr.* ① Tener idea clara del sentido de las cosas: *entendimos la lección.* **SIN** comprender. ② Conocer el sentido de los actos o sentimientos de una persona. **SIN** comprender. ③ Formar juicio a partir de señales o datos: *sé que quieres ir de acampada, pero tal y como está el tiempo, entiendo que debes quedarte en casa.* ④ Conocer la personalidad y el temperamento de una persona y el modo en que hay que tratarla. ⑤ Tener conocimientos sobre un asunto o materia: *dice que entiende mucho de pesca, pero yo nunca lo he visto con una caña en la mano.* ⑥ Tener autoridad y competencia para conocer un asunto. ‖ *v. prnl.* ⑦ **entenderse** Llevarse bien con una persona por conocer su personalidad y temperamento. ⑧ Llegar a un acuerdo con una o varias personas. ⑨ Trabajar en equipo con otra persona de manera coordinada y con buenos resultados. ⑩ Mantener relaciones amorosas o sexuales ocultas.
FAM entendederas, entendedor, entendido, entendimiento, entente; malentendido, sobrentender.

entendido, -da *adj./s. m. y f.* **1** Se aplica a la persona que se dedica a una rama determinada de la ciencia, la técnica o el arte, en la que tiene conocimientos profundos: *asistimos a una mesa redonda en la que participaban entendidos internacionales en literatura medieval.* **SIN** especialista. ‖ *int.* **2** ¡**entendido!** Indica que algo se ha comprendido.
FAM malentendido.

entendimiento *s. m.* **1** Capacidad de formar ideas o representaciones de la realidad en la mente relacionándolas entre sí; capacidad de aprender, comprender, juzgar y tomar decisiones. **SIN** inteligencia, intelecto, razón. **2** Relación amistosa basada en la confianza y en el mutuo conocimiento: *siempre ha habido un buen entendimiento entre los gobiernos de Cuba y España.* **SIN** entente. **3** Acuerdo al que llegan dos o más personas mediante el cual expresan su conformidad con algo.

entente *s. f.* Entendimiento, relación amistosa: *la película «La Edad de Oro» significó el fin de la entente de Buñuel con Dalí.*

enterado, -da *adj./s. m. y f.* **1** familiar Se aplica a la persona que se cree más lista y con más conocimientos que los demás, de lo cual presume constantemente. **2** Se aplica a la persona que conoce bien una materia. **3** CHILE Orgulloso, estirado.
no darse por enterado Hacerse el sordo.

enterar *v. tr.* **1** Informar a una persona acerca de algo: *me entero de lo que pasa en el mundo viendo la tele y leyendo el periódico.* **2** AMÉR. Entregar dinero. **3** ARG., BOL., CHILE, PERÚ Completar una cantidad. ‖ *v. prnl.* **4** **enterarse** Darse cuenta de algo. **5** Entender con claridad una persona lo que otra le dice: *el camarero será muy simpático, pero no se entera: pido un zumo y me trae un batido.* **6** Informarse una persona acerca de algo.
FAM enterado.

entereza *s. f.* **1** Capacidad de una persona para afrontar problemas, dificultades o desgracias con serenidad y fortaleza. **2** Fortaleza para mantener las propias ideas, juicios o decisiones.

enterizo, -za *adj.* Que está hecho o formado por una sola pieza: *columna enteriza; vestido enterizo.*

enternecer [16] *v. tr.* Producir ternura.
FAM enternecedor, enternecimiento.

entero, -ra *adj.* **1** Que está completo; que no le falta ninguna parte o trozo. **2** Se aplica a la persona que muestra entereza en su carácter. **3** Se aplica a la persona que muestra buenas condiciones físicas. **4** Se aplica al número que está formado solo por una o varias unidades completas, a diferencia de los números decimales y quebrados: *el 5 y el −5 son números enteros.* ‖ *s. m.* **5** Centésima parte del valor nominal de una acción de bolsa. **6** AMÉR. Entrega de dinero.
por entero De manera completa y total.
FAM enterar, entereza, enterizo.

enteropatía *s. f.* Nombre genérico de las enfermedades del intestino.

enterrador, -ra *s. m. y f.* Persona que entierra a los muertos. **SIN** sepulturero.

enterramiento *s. m.* **1** Entierro (operación de depositar el cadáver). **2** Fosa o agujero en la tierra que contiene el cadáver de una persona: *en algunos yacimientos arqueológicos es frecuente el descubrimiento de enterramientos rituales.* **SIN** sepultura, tumba, entierro. **3** Construcción, generalmente de piedra o mármol, que se levanta sobre el nivel del suelo y sirve para enterrar el cadáver de una o más personas: *el mausoleo es una forma de enterramiento.* **SIN** sepultura, tumba.

enterrar [1] *v. tr.* **1** Depositar el cadáver de una persona en una fosa o en un nicho y cerrarlos con tierra o una lápida o losa. **SIN** sepultar. **2** Sobrevivir a alguien: *es el más viejo del pueblo, pero nos va a enterrar a todos.* **3** Poner bajo tierra. **ANT** desenterrar. **4** Hacer desaparecer una cosa debajo de otra u otras: *la desidia del funcionario hizo que una montaña de papeles enterrara su solicitud.* **5** Olvidar de manera definitiva una cosa para no volver a pensar en ella: *prometió a su madre enterrar todas las diferencias que los separaban de su hermano.* **6** AMÉR. Clavar.
FAM enterrador, enterramiento, entierro; desenterrar.

entidad *s. f.* **1** Valor o importancia que tiene una cosa: *le gusta jugar a la bolsa, aunque suele hacer inversiones de escasa entidad.* **2** Asociación o empresa, generalmente de carácter privado. **3** Ente o ser.

entierro *s. m.* **1** Operación de depositar el cadáver de una persona en una fosa o en un nicho y cerrarlos con tierra o una lápida o losa. **SIN** enterramiento, sepultura. **2** Conjunto de personas que acompañan el cadáver de una persona cuando lo llevan a enterrar. ■ **entierro de la sardina** Fiesta que señala el fin del carnaval, en la que se pasea y lleva a enterrar de modo burlesco la figura de una gran sardina. ■ **santo entierro** Procesión del Viernes Santo. **3** Enterramiento (fosa o agujero). **SIN** sepultura, tumba.

entintar *v. tr.* Cubrir o empapar de tinta.

entoldado *s. m.* **1** Conjunto de toldos que se colocan para dar sombra o proteger de la intemperie. **2** Lugar cubierto por este conjunto de toldos: *el banquete nupcial se celebró en un entoldado.*

entoldar *v. tr.* **1** Cubrir con un toldo o entoldado. ‖ *v. prnl.* **2** **entoldarse** Cubrirse el cielo de nubes.
FAM entoldado.

entomología *s. f.* Parte de la zoología que estudia los insectos.
FAM entomológico, entomólogo.

entomológico, -ca *adj.* Relativo a la entomología.

entomólogo, -ga *s. m. y f.* Persona que se dedica a la entomología.

entonación *s. f.* **1** Variación del tono de la voz de una persona según el sentido o la intención de lo que dice. **2** Línea melódica definida por la sucesión de tonos que, en una cadena hablada (palabra, oración, etc.), contribuye a determinar su significado. **3** Adecuación del canto al tono adecuado.

entonar *v. tr./intr.* **1** Cantar o hablar con el tono adecuado. ‖ *v. tr.* **2** Cantar una canción, cántico o himno: *el público entonó el himno de su equipo.* **3** Dar las primeras notas de una canción para que otra u otras personas la canten con la misma entonación. **4** Combinar bien los tonos o colores de varias cosas y formar un conjunto agradable: *logró entonar con gracia los colores de los muebles del dormitorio.* **5** Devolver al cuerpo de una persona o a una parte de él la buena forma y la plenitud de sus funciones: *antes de cada partido solía entrenar durante media hora para entonar los músculos.* ‖ *v. prnl.* **6** **entonarse** familiar Sentir la excitación y alegría propia del comienzo de la embriaguez.
FAM entonación.

entonces *adv.* **1** En aquel tiempo o en aquella ocasión: *en-*

tonces yo no tenía dinero y tuve que pedir un préstamo. **2** En ese momento o instante. **3** En tal caso, siendo así: *si no consigues el coche de tu padre, entonces iremos en la moto de mi hermano.*

en (o por) aquel entonces Por aquel tiempo u ocasión.

¡pues entonces! Se usa para justificar una consecuencia obvia: *¿no tenía yo razón? ¡pues entonces!*

entontecer [16] *v. tr.* **1** Volver tonto a alguien. **SIN** atontar, atontolinar. **I** *v. intr./prnl.* **2** Volverse tonto: *el abuso de televisión hace que entontezcamos.*

FAM entontecimiento.

entorchado *s. m.* **1** Cuerda o hilo de seda, cubierto con otro hilo de seda o de metal y retorcido a su alrededor, de uno a otro extremo, para darle firmeza: *el entorchado se usa para las cuerdas de los instrumentos musicales.* **2** Bordado de oro o plata que llevan en las mangas del uniforme los suboficiales, oficiales y jefes del ejército y determinadas autoridades.

entornar *v. tr.* **1** Cerrar parcialmente una puerta, una ventana o los ojos. **2** Desviar de la posición vertical u horizontal que ocupa una cosa: *se entornó la olla y se cayó todo el caldo.* **SIN** inclinar.

FAM entornado.

entorno *s. m.* **1** Conjunto de circunstancias, físicas y morales, que rodean a una persona o cosa: *el entorno de amor y confianza en que se educó propició que fuera una persona abierta y tolerante.* **SIN** ambiente. **2** En la representación lineal de los números reales, se aplica al intervalo numérico, más o menos grande, que comprende los números mayores y menores próximos a otro dado.

entorpecer [16] *v. tr.* **1** Poner los medios o proporcionar las causas que impiden el desarrollo normal de una actividad o proceso: *los coches mal aparcados entorpecen el paso.* **SIN** dificultar, obstaculizar. **ANT** facilitar, favorecer. **2** Hacer perder agilidad, destreza o facilidad para hacer una cosa.

FAM entorpecimiento; desentorpecer.

entrada *s. f.* **1** Paso de un sitio a otro, generalmente, de un lugar exterior a otro interior: *la actriz hizo una entrada triunfal en la sala de conferencias.* **ANT** salida. **2** Espacio por donde se entra a un lugar. **ANT** salida. **3** Parte de un lugar por la que es posible acceder a su interior. **4** Parte de una casa, dependencia o edificio que hay junto a la puerta principal y que se usa para recibir a los que llegan: *he dejado la compra en la entrada porque tengo que aparcar bien el coche.* **SIN** recibidor, vestíbulo. **5** Billete pequeño de papel impreso, generalmente de forma rectangular, que se compra y da derecho a entrar u ocupar asiento en un espectáculo o un lugar. **6** Conjunto de personas que asisten a un espectáculo o que están presentes en un establecimiento público: *a pesar de ser un partido internacional, el campo no pasó de la media entrada.* **7** Cantidad de dinero que se obtiene en un espectáculo: *la mitad de la entrada se destinará a causas benéficas.* **SIN** recaudación. **8** Cantidad de dinero que se entrega por adelantado o como primera parte del pago al comprar o alquilar una cosa. **9** Cantidad de dinero que entra en una caja o en un registro. **10** Parte frontal superior de la cabeza de una persona, en la que ya se ha caído el pelo. **11** Ingreso de una persona en un grupo, sociedad o empresa: *el día de mi entrada en la empresa me presentaron a todo el personal.* **12** Entrante (plato). **13** Palabra que se define en cada uno de los artículos de un diccionario o enciclopedia: *la entrada está situada al principio del artículo y diferenciada del resto por el tipo de letra.* **SIN** lema. **14** Texto breve que, en una noticia de un periódico, contiene los datos de mayor interés.

15 Primeras horas o primeros días de un periodo de tiempo amplio: *celebramos juntos la entrada del nuevo año.* **16** Operación mediante la cual se señala el momento en que ha de empezar una persona su intervención en un espectáculo o en un acto público. **17** En el fútbol y otros deportes, acción de acercarse a un jugador contrario con la intención de arrebatarle la pelota. **18** En informática, mecanismo para introducir los datos en un circuito electrónico. **19** En música, momento en que cada voz o instrumento ha de entrar a tomar parte en la ejecución de una pieza.

de entrada Para empezar, en principio, en primer lugar: *nada más ver mi coche, el mecánico me advirtió que, de entrada, tenía que cambiarle el motor.*

FAM entradilla.

entradilla *s. f.* Primer párrafo o líneas iniciales de una noticia, en que se resume lo esencial de su contenido.

entrado, -da *adj.* Se aplica al periodo de tiempo que está comenzado y sobrepasa el principio: *estaba ya bien entrado el verano.*

entramado *s. m.* **1** Armazón de madera o metal que sirve para hacer una pared, tabique o suelo, una vez rellenados los huecos. **2** Conjunto de cosas relacionadas entre sí que forman un todo: *la policía busca el modo de desarticular el entramado terrorista.* **3** Conjunto de tiras entrecruzadas de un material flexible.

entrambos, -bas *det./pron.* culto Ambos.

entrante *adj.* **1** Se aplica al periodo de tiempo que está inmediatamente próximo en el futuro: *el mes entrante es el que sigue al actual.* **I** *s. m.* **2** Plato de los que componen un almuerzo o cena que se come al inicio de la comida, antes del plato principal. **SIN** entrada. **3** Parte de una cosa que entra en otra: *el cauce del río tenía un pequeño entrante en la orilla que había sido aprovechado como embarcadero.* **ANT** saliente.

entraña *s. f.* **1** Conjunto de los órganos contenidos en el interior del tronco del ser humano o del animal. **SIN** víscera. **NOTA** Normalmente en plural. **2** Parte más importante o central de una cosa: *se reunió con sus colaboradores para intentar desvelar la entraña del problema.* **I** *s. f. pl.* **3** **entrañas** Zona más interior, oculta y de difícil acceso de un lugar: *los mineros sacan el carbón de las entrañas de la tierra.* **4** Conjunto de sentimientos que rigen la conducta de una persona: *es una mujer sin entrañas, no tiene piedad.*

FAM entrañar; desentrañar.

entrañable *adj.* Que es muy íntimo y afectuoso: *mantiene una relación entrañable con algunos compañeros del instituto.*

FAM entrañablemente.

entrañar *v. tr.* **1** Tener como resultado o producir como consecuencia directa alguna cosa problemática o negativa. **I** *v. prnl.* **2** **entrañarse** Unirse íntimamente a una persona.

FAM desentrañar.

entrar *v. intr.* **1** Ir o pasar de un sitio a otro, generalmente, de un lugar exterior a otro interior. **2** Penetrar o introducirse una cosa en un lugar. **3** Pasar a formar parte de los miembros de un grupo, sociedad o empresa: *entró en la facultad que deseaba porque tenía unas notas excelentes.* **4** Tener una cosa el tamaño necesario para poder colocarse o ajustarse alrededor de otra: *debo tener los pies hinchados porque no me entran los zapatos.* **SIN** caber. **5** Estar incluida o contenida una cosa dentro de otra: *en el precio de la entrada al parque entra el regalo de una camiseta conmemorativa.* **6** Participar o tomar parte en una cosa, especialmente en una conversación o asunto en el que

es necesario adoptar una postura definida: *parece que le guste entrar en polémicas.* **7** Comenzar una estación o un periodo amplio de tiempo. **8** Ser agradable y fácil de tomar una comida o una bebida: *el agua mineral entra divinamente cuando se tiene mucha sed.* **9** En los juegos de cartas, participar en una apuesta. **SIN** ir. **10** Empezar una persona su intervención en un espectáculo o en un acto público. I *v. tr.* **11** Empezar a tener una sensación o un sentimiento que va haciéndose más intenso: *me entró sueño nada más empezar la película.* **12** En el fútbol y otros deportes, aproximarse a un jugador contrario con la intención de arrebatarle la pelota. I *v. tr./intr.* **13** Acometer o atacar al toro. **14** Acometer o ejercer influencia en una persona: *a José no hay por dónde entrarle.*
FAM entrada, entrante.

entre *prep.* **1** Indica situación o estado intermedio de dos o más personas o cosas: *encontró las fotos que buscaba entre las páginas de un libro.* **2** Indica situación o estado en un periodo de tiempo del que se señalan el principio y el fin. **3** Indica una calidad o estado intermedio con respecto a otros: *el atracador debía de tener entre 30 y 35 años.* **4** Indica participación o colaboración de dos o más personas o cosas: *la mayoría de los empleados mantienen una relación de amistad entre sí.* **5** Indica la pertenencia de una persona o cosa a un grupo o colectividad: *entre médicos, es costumbre no cobrar las consultas privadas.* **6** Se utiliza en la operación matemática de la división para indicar que un número está dividido por otro: *seis entre tres son dos.*
entre tanto Entretanto. **SIN** mientras.

entreabierto, -ta Participio irregular de *entreabrir.*

entreabrir *v. tr.* Abrir una cosa un poco o a medias.
OBS Participio irregular: *entreabierto.*

entreacto *s. m.* Intermedio de un espectáculo público, generalmente de una representación teatral.

entrecejo *s. m.* Espacio que separa las dos cejas. **SIN** ceño.
fruncir (o **arrugar**) **el entrecejo** Hacer un gesto de enfado arrugando la frente y juntando las cejas.

entrecerrar [1] *v. tr.* Cerrar una cosa un poco o a medias: *entrecerró los ojos y comenzó a recordar.*

entrechocar *v. tr.* Chocar entre sí dos o más cosas, especialmente si es de manera repetida.

entrecomillar *v. tr.* Escribir una palabra, frase o texto entre comillas.
FAM entrecomillado.

entrecortado, -da *adj.* Se aplica al sonido, respiración que se emite con interrupciones muy breves y continuadas: *llorando y con palabras entrecortadas, la mujer le explicó que acababan de arrebatarle el bolso.*

entrecortar *v. tr.* **1** Cortar una cosa sin acabar de separar sus partes. **2** Hacer entrecortado algo, especialmente la voz, la palabra o la respiración: *los niños pequeños, cuando hablan, a menudo entrecortan las frases.*

entrecot *s. m.* Filete grueso de carne, generalmente de vacuno o cerdo, sacado de entre costilla y costilla del animal.
OBS Plural: *entrecots* o *entrecotes.* Puede encontrarse la grafía francesa *entrecôte.*

entrecruzar *v. tr.* **1** Colocar una cosa sobre otra formando una figura parecida a la de una cruz: *los bolillos se han de ir entrecruzando para que vayan formando la puntilla.* **SIN** cruzar. I *v. prnl.* **2** **entrecruzarse** Pasar por un punto o camino dos personas, animales o cosas en dirección diferente: *los bailarines se entrecruzan en el centro del escenario y desaparecen por*

los laterales. **SIN** cruzarse. **3** Encontrarse con una persona o tener trato con ella. **SIN** cruzarse.
FAM entrecruzamiento.

entredicho *s. m.* **1** Duda sobre la honradez, veracidad o posibilidades de futuro de una persona o de una cosa: *los críticos pusieron en entredicho la capacidad artística del actor.* **2** Censura eclesiástica que prohíbe ciertas prácticas religiosas.

entredós *s. m.* **1** Tira bordada o de encaje que se cose entre dos telas. **2** Armario bajo, con cajón superior, que suele colocarse entre dos balcones de una habitación.

entrega *s. f.* **1** Operación o proceso mediante el cual se da una cosa a otra persona: *la policía sorprendió a los traficantes cuando hacían la entrega de la droga.* **2** Cosa que se entrega. **3** Atención y esfuerzo que se dedica al desarrollo de una actividad o trabajo: *los años de entrega del médico a sus pacientes le han valido el reconocimiento de todos sus compañeros de profesión.* **4** Publicación de una parte de un relato o de un libro completo que tiene una estrecha relación con otras partes u otras obras ya publicadas.

entregar *v. tr.* **1** Dar o poner en poder de una persona una cosa. I *v. prnl.* **2** **entregarse** Dedicarse con gran esfuerzo y atención a una cosa. **3** Dejarse dominar por una cosa, especialmente una pasión, un vicio o una mala costumbre: *se entregó al juego y se arruinó.* **4** Rendirse o aceptar la derrota y ponerse en manos del otro.
FAM entrega.

entreguerras Se usa en la expresión:
de entreguerras Se aplica al periodo de paz comprendido entre dos guerras consecutivas, especialmente entre la Primera y la Segunda Guerra Mundial.

entrelazar *v. tr.* **1** Unir o atar una cosa con otra cruzándolas entre sí. **2** Relacionar dos o más cosas entre sí para formar un conjunto o una idea homogénea y coherente: *en la novela picaresca se entrelazan las vidas de personajes marginales y curiosos.* **SIN** entretejer.
FAM entrelazado.

entremedias *adv.* Entre dos lugares, cosas o periodos de tiempo: *se hizo un bocadillo colocando unas lonchas de jamón entremedias de dos rebanadas de pan; llegó a Madrid un lunes, se marchó un viernes, y entremedias le dio tiempo de visitar Toledo y Segovia.*

entremés *s. m.* **1** Conjunto de alimentos ligeros, generalmente fríos, que se toman en una comida antes del primer plato y suelen compartirse con los demás comensales. **NOTA** Normalmente en plural. **2** Pieza teatral breve, de tono humorístico, que originalmente se representaba entre acto y acto de una comedia.

entremeter *v. tr.* **1** Doblar o meter hacia adentro una parte saliente de una tela o un papel: *para hacer la cama hay que entremeter las sábanas y las mantas entre el colchón y el somier.* **2** Meter una cosa entre otras. I *v. prnl.* **3** **entremeterse** Entrometerse.
FAM entremetido, entremetimiento.

entremetido, -da *adj./s. m. y f.* Entrometido.

entremezclar *v. tr.* Mezclar una cosa con otra sin que formen un conjunto homogéneo o se confundan entre sí.

entrenador, -ra *s. m. y f.* **1** Persona que se dedica a entrenar a otras personas o a animales para que desarrollen una actividad física a partir de la enseñanza de principios técnicos predeterminados y del aprovechamiento de las cualidades naturales del individuo. **2** Persona que se dedica a la dirección técnica de un equipo deportivo, designando los jugadores que deben jugar en cada partido y la función determinada que cada uno debe desempeñar.

entrenador de pilotaje Cabina acondicionada para entrenar en tierra a pilotos aeronáuticos.

entrenamiento *s. m.* Conjunto de ejercicios físicos que se realizan para perfeccionar el desarrollo de una actividad, especialmente para la práctica de un deporte.

entrenar *v. tr.* Preparar o adiestrar a personas o animales para perfeccionar el desarrollo de una actividad, especialmente para la práctica de un deporte: *cualquier deportista de alta competición se entrena muchas horas al día.*
FAM entrenador, entrenamiento; desentrenarse.

entrenudo *s. m.* Parte del tallo de un vegetal comprendida entre dos nudos consecutivos.

entrepaño *s. m.* **1** Parte de pared comprendida entre dos pilares, columnas o huecos. **2** Tabla horizontal de una estantería o de un armario que sirve para poner cosas sobre ella: *están todos los entrepaños del armario abarrotados de revistas antiguas.*

entrepierna *s. f.* **1** Parte interior de los muslos próxima a las ingles. **2** Zona de una prenda de vestir que corresponde a esta parte del cuerpo: *te he cosido la entrepierna del pantalón con hilo negro.* **3** Órganos genitales de una persona. **4** CHILE Taparrabos, traje de baño.

entreplanta *s. f.* Planta de una casa o edificio construida quitando parte de altura a la planta inferior o a la superior.

entresacar *v. tr.* **1** Sacar una cosa que está colocada entre otras: *el mago le pidió que entresacara una carta de la baraja.* **2** Cortar parte del cabello para que resulte menos espeso. **3** Espaciar las plantas o árboles que han nacido demasiado juntos.

entresijo *s. m.* **1** Aspecto o característica poco conocida u oculta de una persona o cosa. **NOTA** Normalmente en plural. **2** Repliegue membranoso del peritoneo, que une el estómago y el intestino con las paredes del abdomen: *el entresijo contiene numerosos vasos sanguíneos y linfáticos.* **SIN** mesenterio, redaño.

tener muchos entresijos Presentar algo muchas dificultades.

entresuelo *s. m.* **1** Piso de un edificio situado entre el bajo y el principal. **2** Piso bajo situado sobre el sótano que se levanta más de un metro sobre el nivel de la calle. **3** Planta de un cine o teatro situada sobre el patio de butacas: *las butacas de entresuelo son algo más baratas que las del patio de butacas.*

entretanto *adv.* En el mismo periodo de tiempo durante el que se hace u ocurre una cosa. **SIN** mientras.
OBS También *entre tanto.*

entretejer *v. tr.* **1** Mezclar hilos de texturas o colores diferentes para componer adornos en un tejido. **2** Relacionar dos o más cosas entre sí para formar un conjunto o una idea homogénea y coherente. **SIN** entrelazar.

entretela *s. f.* **1** Tejido de algodón que se coloca entre la tela y el forro de las prendas de vestir para darles forma. **|** *s. f. pl.* **2 entretelas** familiar Conjunto de circunstancias o sentimientos más ocultos e íntimos: *las malas pasadas de su hermano lo llegaron a lo más profundo de las entretelas.*

entretención *s. f.* familiar AMÉR. Entretenimiento, diversión.

entretener [45] *v. tr.* **1** Hacer pasar el tiempo de manera

agradable. **SIN** distraer, divertir. **ANT** aburrir. **2** Hacer perder el tiempo impidiendo la realización o continuación de una acción: *el portero me entretuvo en el portal lo menos dos horas contándome sus problemas.* **3** Hacer menos molesta o más agradable una cosa: *entretuvo el hambre comiéndose el pan de la cena.* **4** Retardar con pretextos el despacho de un asunto. **ANT** despachar.
FAM entretenido, entretenimiento.

entretenido, -da *adj.* **1** Que hace pasar el tiempo de manera agradable. **SIN** ameno, distraído, divertido. **ANT** aburrido. **2** Que requiere la dedicación de mucho tiempo o de mucho trabajo: *hacer este rompecabezas es una tarea muy entretenida.*

entretenimiento *s. m.* **1** Acción de entretener: *el director afirmó que el cine debía ser ante todo una forma de entretenimiento.* **SIN** divertimento. **2** Actividad o espectáculo que hace pasar el tiempo de manera agradable. **SIN** diversión, divertimiento, distracción.

entretiempo *s. m.* Periodo de tiempo de la primavera o del otoño que está próximo al verano y tiene temperatura suave: *una chaqueta de entretiempo.*

entrever [49] *v. tr.* **1** Ver con poca claridad por causa de algún obstáculo o de la distancia. **2** Sospechar, intuir o tener la esperanza de que una cosa puede suceder en el futuro: *parece que se entrevé la posibilidad de que haya una recuperación económica.*

entreverar *v. tr.* Colocar una cosa entre otras de distinta clase o naturaleza: *en su libro se entreveran poemas en español y en inglés.*

entrevista *s. f.* **1** Reunión mantenida por dos o más personas para tratar de un asunto, generalmente profesional o de negocios. **■ entrevista de trabajo** Reunión mantenida con una persona aspirante a un puesto de trabajo que sirve para conocerla personalmente y determinar si posee las características más idóneas. **2** Conversación que mantiene un periodista con otra persona que contesta una serie de preguntas y da su opinión sobre diversos temas o asuntos.

entrevistado, -da *s. m. y f.* Persona a la que se hace una entrevista.

entrevistador, -ra *s. m. y f.* Persona que hace una entrevista.

entrevistar *v. tr.* **1** Mantener una conversación un periodista con una persona que contesta una serie de preguntas y da su opinión sobre diversos temas o asuntos. **|** *v. prnl.* **2 entrevistarse** Mantener una reunión dos o más personas para tratar de un asunto, generalmente profesional o de negocios: *se entrevistó con varios editores para intentar publicar su libro.*
FAM entrevista, entrevistador, entrevistado.

entrevisto, -ta Participio irregular de *entrever.*

entristecer [16] *v. tr.* **1** Causar pena o tristeza. **SIN** apenar. **ANT** alegrar. **2** Dar un aspecto triste: *el invierno parece entristecer los pueblos costeros.* **ANT** alegrar. **|** *v. prnl.* **3 entristecerse** Ponerse triste y melancólica una persona o cosa: *su hermana se entristeció al oír aquellas injustas declaraciones sobre ella.*
FAM entristecedor, entristecimiento.

entristecimiento *s. m.* **1** Acción de poner o ponerse triste: *la desaparición de la niña causó el entristecimiento de toda la población.* **2** Estado de abatimiento o aflicción: *desde la muerte de su madre sufre un gran entristecimiento.*

E

entrometerse *v. prnl.* Meterse una persona en un asunto que no le afecta y en el cual nadie le ha pedido que participe, dando opiniones, consejos o indicaciones. **SIN** entremeterse. **FAM** entrometido, entrometimiento.

entrometido, -da *adj./s. m. y f.* Se aplica a la persona que acostumbra a entrometerse en asuntos que no le afectan y en los cuales nadie le ha pedido que participe. **SIN** entremetido.

entromparse *v. prnl.* ① familiar Emborracharse. ② AMÉR. Enfadarse.

entroncar *v. intr.* ① Tener o contraer una relación de parentesco con una familia o linaje. ❙ *v. tr./intr.* ② Tener o contraer una relación de correspondencia o dependencia entre dos o más cosas, personas o ideas: *entroncan el pensamiento de este filósofo con el de los humanistas del Renacimiento.* ③ Probar que se desciende de un mismo tronco o linaje. **FAM** entronque.

entronizar *v. tr.* ① Sentar en un trono como símbolo de poder y autoridad. ② Conceder a una persona el máximo cargo o dignidad, especialmente, a un príncipe la dignidad de rey o emperador: *a la muerte del rey algunos nobles conspiraron para entronizar a su hermano en vez de a su hijo.* **ANT** destronar. ③ Dar a una persona o cosa un valor e importancia muy superior a las demás. **FAM** entronización.

entropía *s. f.* Magnitud termodinámica que indica el grado de desorden molecular de la materia.

entubar *v. tr.* Introducir tubos en el organismo de una persona o animal por razones médicas, especialmente, tubos por la boca o por la tráquea para dotarlo de respiración artificial. **SIN** intubar. **FAM** entubación, entubamiento.

entuerto *s. m.* Perjuicio o daño que se causa a una persona: *don Quijote se dedicó a la caballería andante para deshacer entuertos.*

entumecer [16] *v. tr.* Dejar sin flexibilidad o movimiento, especialmente una parte del cuerpo: *entumecerse los dedos por el frío.* **SIN** agarrotar, anquilosar. **ANT** desentumecer. **FAM** entumecimiento; desentumecer.

entumecimiento *s. m.* Rigidez, falta de flexibilidad o movimiento, especialmente en una parte del cuerpo. **SIN** agarrotamiento, anquilosamiento.

enturbiar *v. tr.* ① Quitar claridad o transparencia a un líquido poniéndolo turbio. ② Hacer perder el orden, la costumbre o la tranquilidad: *se enturbió la buena relación que mantenían los hermanos.* **SIN** turbar. **FAM** enturbiamiento. **OBS** Verbo regular, se acentúa como *cambiar*.

entusiasmar *v. tr.* ① Causar entusiasmo: *se entusiasma enseguida y luego le vienen las decepciones.* ② Gustar mucho una cosa. **SIN** apasionar, encantar. **FAM** entusiasmado.

entusiasmo *s. m.* ① Estado de ánimo del que se siente muy alegre y excitado, y lo exterioriza generalmente con risas, gestos y gran agitación. ② Atención y esfuerzo que se dedica con empeño e interés al desarrollo de una actividad o trabajo. ③ Adhesión fervorosa a algo o a alguien: *con sus palabras se ganó el entusiasmo de las masas.* **FAM** entusiasmar, entusiasta, entusiástico.

entusiasta *adj./s. com.* Se aplica a la persona que siente entusiasmo por una persona o una cosa o es propensa a entusiasmarse.

enumeración *s. f.* ① Exposición sucesiva y ordenada de las partes que forman un conjunto o un todo. ② Cómputo de cosas. ③ Figura retórica que consiste en exponer sucesivamente una serie de cosas que guardan relación entre sí, vinculándolas sintácticamente mediante polisíndeton o asíndeton.

enumerar *v. tr.* Exponer de manera sucesiva y ordenada las partes que forman un conjunto o un todo. **FAM** enumeración.

enunciación *s. f.* ① Exposición breve y sencilla en la que se comunica con palabras una idea. ② Enunciado (conjunto de datos).

enunciado *s. m.* ① Conjunto de datos o elementos que forman parte de una pregunta o problema, a partir de los cuales es necesario establecer la respuesta o la solución: *contestad solamente a lo que se os pide en el enunciado.* **SIN** enunciación. ② Para algunas escuelas lingüísticas, unidad mínima de comunicación con sentido completo.

enunciar *v. tr.* ① Expresar con palabras una idea de manera breve y sencilla: *el entrenador enunció los motivos que le habían llevado a presentar la dimisión.* ② Expresar los datos o elementos que forman parte de una pregunta o problema, a partir de los cuales es necesario establecer la respuesta o la solución. **FAM** enunciación, enunciador, enunciativo. **OBS** Verbo regular, se acentúa como *cambiar*.

enunciativo, -va *adj.* ① Que enuncia una idea. ② Se aplica a la frase u oración que afirma o niega alguna cosa acerca de una persona o cosa: *las oraciones enunciativas se oponen a las interrogativas, exhortativas, exclamativas, etc.*

envainar *v. tr.* ① Guardar una cosa dentro de su vaina o cubierta, generalmente, un arma blanca. **ANT** desenvainar. ② Enfundar, envolver una cosa en otra. **FAM** desenvainar.

envalentonar *v. tr.* ① Hacer que otra u otras personas se crean con fuerzas o ánimos suficientes para emprender una acción peligrosa o arriesgada: *las muestras de apoyo envalentonaron al alumno para quejarse ante el director de la actitud del profesor.* ❙ *v. prnl.* ② **envalentonarse** Mostrarse valiente y desafiante. **NOTA** Frecuentemente usado de forma despectiva. **FAM** envalentonamiento.

envanecer [16] *v. tr.* ① Hacer que una persona adquiera un sentimiento de orgullo o superioridad frente a los demás, y los trate de un modo despectivo y desconsiderado. ❙ *v. prnl.* ② **envanecerse** Comportarse con orgullo o superioridad frente a los demás, tratándolos de un modo despectivo y desconsiderado. **FAM** envanecimiento.

envarado, -da *adj./s. m. y f.* ① Se aplica a la persona que se comporta de un modo soberbio y poco natural, tratando a los demás de un modo despectivo y desconsiderado. **SIN** engreído, orgulloso. ❙ *s. m.* ② PERÚ Autoridad de las comunidades indígenas que ejerce funciones municipales.

envaramiento *s. m.* ① Entumecimiento de una parte del cuerpo, especialmente un miembro o músculo. ❙ *s. m.* ② Actitud de la persona orgullosa.

envasado *s. m.* ① Operación mediante la cual se envasa un producto: *el envasado a mano es una operación muy lenta y costosa.* ② Producto que se vende envasado.

envasar *v. tr.* Meter un producto en un envase para facilitar su conservación o transporte, especialmente un alimento. **FAM** envasador, envasado, envase.

envase *s. m.* Recipiente en el que se coloca un producto para facilitar su conservación o transporte, especialmente un alimento.

envejecer [16] *v. tr.* ① Hacer vieja a una persona o cosa. ② Conservar el vino o el licor en toneles, barricas u otros recipientes durante un periodo de tiempo largo para que adquiera las características deseadas. ‖ *v. intr./prnl.* ③ Hacerse vieja o antigua una persona o cosa: *el vestido envejece con el uso.* **FAM** envejecimiento.

envejecimiento *s. m.* Proceso de transformación que lleva a envejecer a una persona o cosa.

envenenamiento *s. m.* ① Alteración o daño que sufre el organismo de un ser vivo por causa de un veneno: *un vertido ilegal pudo ser la causa del envenenamiento de miles de peces del río.* ② Administración de veneno a un ser vivo con la intención de causarle la muerte. ③ Deterioro o corrupción de una cosa, especialmente de una relación.

envenenar *v. tr.* ① Intoxicar o matar a un ser vivo con un veneno: *compró un producto para envenenar a las ratas del sótano.* ② Poner veneno en una cosa, generalmente en la comida o en la bebida, para provocar la muerte de un ser vivo: *la mató con un café envenenado.* **SIN** emponzoñar. ③ Hacer que las relaciones entre dos o más personas dejen de ser agradables y amistosas: *la herencia del padre envenenó la vida de los hermanos.* **SIN** emponzoñar. **FAM** envenenamiento.

envergadura *s. f.* ① Distancia entre las dos puntas de las alas completamente extendidas de un ave o de un avión. ② Distancia entre las puntas de los dedos de las dos manos de una persona cuando tiene los brazos en cruz completamente extendidos. ③ En general, tamaño o volumen de una persona o animal: *logró cazar un jabalí de gran envergadura.* ④ Ancho de la vela de un barco en la parte por donde va unida a la verga del mástil. ⑤ Importancia, categoría o trascendencia de una cosa: *un proyecto de gran envergadura.* **SIN** calibre.

envero *s. m.* Color dorado o rojizo que toma la fruta cuando empieza a madurar.

envés *s. m.* Cara posterior de una cosa plana y delgada, especialmente de una tela o de una hoja de una planta: *en el envés de las hojas están los estomas.* **SIN** reverso. **ANT** anverso, haz.

enviado, -da *s. m. y f.* Persona que lleva un mensaje por encargo de otra. **SIN** mensajero. ■ **enviado especial** Periodista de radio, televisión o prensa, que envía información desde el mismo lugar en que se produce una noticia. ■ **enviado extraordinario** Diplomático con poderes equivalentes a los del ministro plenipotenciario.

enviar *v. tr.* ① Hacer ir a una persona a un lugar: *el padre envió a los hijos mayores a buscar al más pequeño.* **SIN** mandar. **ANT** recibir. ② Hacer llegar una cosa a un lugar. **SIN** mandar. **ANT** recibir. **FAM** enviado, envío. **OBS** Verbo regular, se acentúa como *desviar.*

enviciar *v. tr.* ① Hacer que una persona caiga en un vicio: *sus compañeros de trabajo lo enviciaron en el juego.* ‖ *v. prnl.* ② **envi-**

ciarse Dejarse llevar por un vicio o aficionarse mucho a una actividad: *se envició con los videojuegos, pues son muy adictivos.* **OBS** Verbo regular, se acentúa como *cambiar.*

envidar *v. intr.* En algunos juegos de cartas, como el mus, hacer un envite o apuesta que permite ganar una cantidad determinada de tantos extraordinarios.

envidia *s. f.* ① Sentimiento de tristeza o irritación producido en una persona por el deseo de la felicidad o alguna cosa de otra persona: *tienen envidia de Fernando porque le ha tocado la lotería.* ② Deseo de algo que no se posee. **FAM** envidiar, envidioso.

envidiar *v. tr.* ① Sentir envidia por una persona. ② Desear algo que no se posee, especialmente una facultad o capacidad. **FAM** envidiable. **OBS** Verbo regular, se acentúa como *cambiar.*

envidioso, -sa *adj./s. m. y f.* Se aplica a la persona que siente envidia por la felicidad o alguna cosa de otra persona.

envilecedor, -ra *adj.* Que hace que una persona se comporte de manera vil y malvada.

envilecer [16] *v. tr.* ① Hacer que una persona se comporte de una manera vil y malvada. ‖ *v. intr./prnl.* ② Volverse una persona vil y malvada. **FAM** envilecedor, envilecimiento.

envío *s. m.* ① Operación mediante la cual se hace llegar a un lugar una cosa. ② Cosa que se envía de un lugar a otro. ■ **envío postal** Cosa que se envía por correo.

envite *s. m.* ① En algunos juegos de cartas, como el mus, apuesta que permite ganar una cantidad determinada de tantos extraordinarios. ② Ofrecimiento que se hace de una cosa: *no aceptaron nuestro envite y no pienso invitarles nunca más.* ③ Golpe brusco que se da hacia adelante a una persona o cosa. **SIN** empujón. ④ Provocación o incitación a una persona para luchar o competir con ella. **SIN** desafío, reto. ■ **al primer envite** De buenas a primeras, sin pensarlo dos veces: *le comenté si quería acompañarnos al viaje y al primer envite ya estaba haciendo planes.* **FAM** envidar.

enviudar *v. intr.* Perder una persona a su marido o mujer por fallecimiento.

envoltorio *s. m.* ① Material que sirve para envolver un objeto o un producto. **SIN** envoltura. ② Objeto o producto envuelto en este material: *su abuela le entregó un pequeño envoltorio y le pidió que no lo abriera hasta llegar a casa.* ③ Conjunto de cosas atadas o envueltas de manera desordenada.

envoltura *s. f.* ① Envoltorio (material). ② Capa exterior que rodea o envuelve a una cosa: *el capullo es una envoltura de seda que rodea al gusano cuando se transforma en crisálida.*

envolvente *adj.* ① Que rodea una cosa de modo que cubre todas sus partes. ② Que produce una sensación agradable de atracción o de seducción: *mirada envolvente; sonido envolvente.*

envolver [6] *v. tr.* ① Cubrir una cosa rodeándola total o parcialmente: *envolver un regalo con un papel de colores; el mendigo se envolvió en una manta.* **ANT** desenvolver. ② Hacer que una persona participe en un negocio o asunto sin estar del todo enterada de él, especialmente si es peligroso o ilegal: *unos amigos lo envolvieron en un feo asunto.* **SIN** enredar. ③ Vestir a un niño con pañales y mantillas. ④ Enrollar un hilo, una cuerda o una cinta alrededor de una cosa. ⑤ Rodear a una persona o cosa un ambiente o unas circunstancias que

determinan sus características. **6** Rodear o cercar al enemigo en una acción de guerra: *efectivos del ejército envolvieron a la guerrilla en un pequeño pueblo de las montañas.*
FAM envoltorio, envoltura, envolvente, envolvimiento, envuelto; desenvolver.
OBS Participio irregular: *envuelto.*

envuelto, -ta **1** Participio irregular de *envolver.* ‖ *s. m.* **2** MÉX. Tortilla de maíz rellena.

enyerbar *v. tr.* **1** familiar ARG., URUG. Agregar yerba al mate **2** familiar MÉX. Envenenar a una persona o animal. **3** familiar MÉX. Dar un brebaje a una persona para embrujarla. ‖ *v. prnl.* **4** **enyerbarse** AMÉR. Cubrirse de hierba y malezas un terreno: *con la primavera y el abandono, el huerto empezó a enyerbarse.* **5** CUBA Arruinarse o fracasar un negocio. **6** familiar MÉX. Encolerizarse una persona por algún engaño sufrido.

enyesar *v. tr.* **1** Cubrir una superficie o tapar un agujero con yeso. **2** Inmovilizar una parte del cuerpo envolviéndola en un vendaje empapado en yeso o escayola que, al secarse, se endurece. **SIN** escayolar.
FAM enyesado.

enzarzar *v. tr.* **1** Enredar a dos o más personas en una disputa: *Antonio los enzarzó en una trifulca interminable.* **2** Poner zarzas o cubrir con ellas una cosa. ‖ *v. prnl.* **3** **enzarzarse** Enredarse en las zarzas. **4** Implicarse en un negocio o asunto sin estar del todo enterado de él, especialmente si es peligroso o ilegal. **5** Tomar parte en una disputa o en una pelea: *gobierno y oposición se enzarzaron en una polémica sobre los impuestos.*

enzima *s. amb.* Proteína compleja sintetizada por las células vivas del organismo, que cataliza una o varias reacciones químicas del metabolismo: *las enzimas pueden acelerar la descomposición o la formación de una sustancia.*
FAM enzimología.

eñe *s. f.* Nombre de la letra *ñ.*

eoceno, -na *adj./s. m.* **1** Se aplica a la época geológica que es la segunda del periodo paleógeno de la era cenozoica o terciaria, o, según las escuelas, la segunda del periodo terciario de la era cenozoica; sigue al paleoceno y precede al oligoceno, y se extiende desde hace unos 54 millones de años hasta hace unos 40 millones de años. ‖ *adj.* **2** Relativo a este periodo geológico.

eólico, -ca *adj.* **1** Relativo al viento. **2** Relativo a Eolia (antigua región de Asia menor). ‖ *s. m.* **3** Grupo de dialectos de la lengua griega.

¡epa! *int.* **1** familiar Se usa, generalmente, para expresar sorpresa, avisar sobre algo que va a ocurrir o para que alguien tenga cuidado: *¡epa!, ¿adónde vas corriendo de esa manera?* **2** AMÉR. Se usa como fórmula de saludo. **3** CHILE Se usa para animar.

epanadiplosis *s. f.* Figura retórica que consiste en repetir al final de una frase o de un verso la misma palabra con que empieza: *el verso "Verde que te quiero verde", de García Lorca, es un ejemplo de epanadiplosis.*
OBS Plural invariable.

epéntesis *s. f.* Introducción de un sonido en el interior de una palabra: *hay epéntesis en "corónica" por "crónica".*
OBS Plural invariable.

épica *s. f.* **1** Subgénero literario que narra las hazañas de héroes legendarios o históricos o de un pueblo: *«El Cantar de Mio Cid» pertenece a la épica medieval castellana.* **2** Género lite-rario que frente a la lírica y la dramática, agrupa todos los escritos en los que predomina el mundo exterior al autor y cuya base es la sucesión de acontecimientos en un ámbito espacial, social y temporal concretos; la épica puede ser en verso (epopeya, cantares de gesta, romances, etc.) o en prosa (novela, cuento, leyenda).

epicardio *s. m.* Membrana interna del pericardio que rodea el corazón.

epicarpio o **epicarpo** *s. m.* Capa más externa de las tres que forman el hueso o pericarpio de un fruto.

epiceno *adj./s. m.* Se aplica al género de un sustantivo que señala la diferencia de sexo mediante la oposición macho/hembra: *gran parte de los nombres de animales son sustantivos de género epiceno, pues hay que decir, por ejemplo, "el buitre macho" y "el buitre hembra".*

epicentro *s. m.* Punto de la superficie de la Tierra bajo el cual tiene origen un terremoto.

épico, -ca *adj.* **1** Relativo a la épica (género literario): *el «Cantar de Mio Cid» es el poema épico por excelencia de la literatura española.* ‖ *adj./s. m. y f.* **2** Se aplica al poeta que cultiva la poesía épica. ‖ *adj.* **3** Que causa admiración por su gran valentía, heroísmo y esfuerzo ante situaciones adversas y peligrosas: *el equipo español logró una victoria épica en su primer partido.*
FAM épica.

epicúreo, -rea *adj.* **1** Relativo a la doctrina filosófica de Epicuro: *la filosofía epicúrea defiende que el hombre no debe tener miedo a los dioses ni a la muerte para poder disfrutar de los placeres.* ‖ *adj./s. m. y f.* **2** Se aplica a la persona que sigue la doctrina filosófica de Epicuro. **3** Se aplica a la persona que evita el dolor y busca el placer en todo.
FAM epicureísmo.

epidemia *s. f.* **1** Enfermedad infecciosa que ataca a un gran número de personas del mismo lugar y durante un mismo periodo de tiempo. **SIN** plaga. **2** Daño o desgracia que está muy extendida y afecta a un número cada vez más grande de personas: *la epidemia de la droga.* **SIN** plaga.
FAM epidémico, epidemiología.

epidémico, -ca *adj.* **1** Relativo a la epidemia. **2** Se aplica a la enfermedad infecciosa que ataca a un gran número de personas del mismo lugar y durante un mismo periodo de tiempo: *el cólera suele ser una enfermedad epidémica.*

epidemiología *s. f.* Parte de la medicina que estudia el desarrollo epidémico de las enfermedades infecciosas.
FAM epidemiológico, epidemiólogo.

epidérmico, -ca *adj.* **1** Relativo a la epidermis: *las escamas forman el tejido epidérmico de los peces y de algunos reptiles.* **2** Se aplica a la persona, idea que no presta atención a lo importante y se queda en las apariencias. **SIN** superficial.

epidermis *s. f.* **1** Capa más exterior de la piel de los vertebrados y de los invertebrados; está situada sobre la dermis y puede llegar a tener hasta cinco capas de células. **2** Capa continua de células que recubre el cuerpo de algunos vegetales y posee una cubierta de cutina, salvo en la raíz.
FAM epidérmico.
OBS Plural invariable.

epidural *adj.* **1** Que está situado encima o por fuera de la duramadre. ‖ *adj./s. f.* **2** Se aplica al método anestésico que se aplica en el espacio epidural de la columna vertebral y que elimina la sensación de dolor en la mitad inferior del cuerpo; se suele aplicar en los partos cuando ya ha empezado la dilatación del cuello uterino.

epifanía *s. f.* ① Fiesta de la religión católica en que se celebra la adoración de los Reyes Magos al niño Jesús: *la Epifanía se celebra el 6 de enero.* **NOTA** Se escribe con mayúscula inicial. ② Manifestación o aparición divina.

epífisis *s. f.* ① Pequeña glándula, situada en el encéfalo, entre los hemisferios cerebrales y el cerebelo, cuya secreción se supone que regula el crecimiento. ② Parte final de los huesos largos, consistente en un engrosamiento de los mismos. **OBS** Plural invariable.

epifito, -ta o **epífito, -ta** *adj.* Se aplica al organismo vegetal que vive encima de otra planta, aunque sin ser parásito de ella, como los musgos y líquenes que crecen en los árboles: *los epifitos constituyen un biotipo de vegetales.*

epifonema *s. f.* Figura retórica que consiste en una exclamación o reflexión retórica de tono general y enfático con la cual se concluye un discurso de manera solemne.

epigastrio *s. m.* Parte superior del vientre o del abdomen, comprendida entre el extremo del esternón y el ombligo. **SIN** hipogastrio. **ANT** hipogastrio.

epiglotis *s. f.* Cartílago en forma de lengüeta situado sobre la laringe y unido a la parte posterior de la lengua, que cierra la glotis durante la ingestión de alimentos. **OBS** Plural invariable.

epígono *s. m.* Persona que continúa las tendencias artísticas o científicas de un maestro, escuela o generación anterior.

epígrafe *s. m.* ① Título que aparece al comienzo de un escrito, o de cada una de sus partes: *en el índice aparecen los capítulos y sus epígrafes.* ② Explicación breve que aparece al comienzo de un escrito resumiendo lo principal de su contenido: *consultó el epígrafe para ver si el artículo le interesaba para su trabajo.* ③ Texto breve grabado en piedra o metal. **FAM** epigrafía.

epigrafía *s. f.* Ciencia que estudia las inscripciones realizadas sobre materiales duros, como piedra o metal. **FAM** epigráfico.

epigrama *s. m.* ① Texto breve grabado sobre piedra, metal u otro material duro. ② Poema breve que expresa con ingenio una idea, una crítica o una opinión del autor, y en el que es frecuente el uso de la sátira. ③ Expresión breve e ingeniosa. **FAM** epigramático, epigramista.

epilepsia *s. f.* Enfermedad del sistema nervioso debida a la aparición de actividad eléctrica anormal en la corteza cerebral, que provoca ataques repentinos caracterizados por convulsiones violentas y pérdida del conocimiento. **FAM** epiléptico.

epiléptico, -ca *adj.* ① Relativo a la epilepsia. ‖ *adj./s. m. y f.* ② Se aplica a la persona que padece epilepsia.

epílogo *s. m.* ① Parte última de una obra literaria, de cine o de teatro en la que se resume o resuelve la acción. ② Parte final de un discurso u obra en la que se ofrece un resumen general de su contenido. ③ Conjunto de circunstancias o consecuencias que permanecen después de finalizada una actividad o proceso: *la inestabilidad política de África fue el epílogo de largos años de colonización europea.* **FAM** epilogal, epilogar.

episcopado *s. m.* ① Cargo de obispo. **SIN** obispado. ② Periodo de tiempo que dura el ejercicio del cargo de un obispo

en un territorio. ③ Conjunto de todos los obispos de un territorio o país. **FAM** episcopal.

episcopal *adj.* ① Relativo al obispo: *la Conferencia Episcopal Española reúne a todos los obispos del país.* **SIN** obispal. ② Libro litúrgico en el que se recogen las ceremonias y oficios propios de los obispos. **FAM** episcopaliano, episcopalismo.

episódico, -ca *adj.* ① Relativo al episodio. ② Que dura poco tiempo y no tiene consecuencias importantes: *el gobernador calificó de meramente episódicos los disturbios raciales producidos en la ciudad.* **FAM** episódicamente.

episodio *s. m.* ① Acción secundaria de la principal en un relato, una novela, o un poema épico o dramático: *ayer leí el episodio del «Quijote» de la lucha contra los molinos de viento.* ② Parte o capítulo en que se divide una serie de televisión o de radio. ③ Hecho o acontecimiento que, junto con otros con los que está relacionado, forma un todo o un conjunto: *la matanza de la Noche Triste es uno de los episodios más desgraciados de la conquista de América.* ④ Digresión en el discurso. **FAM** episódico.

epistemología *s. f.* Estudio de los métodos y fundamentos del conocimiento científico.

epístola *s. f.* ① culto Carta o misiva que se escribe a una persona. ② Composición literaria en forma de carta, en prosa o en verso, de carácter didáctico o moral: *es muy conocida la «Epístola moral a Fabio», escrita por Andrés Fernández de Andrada (1575-1648); epístola de san Pablo a los romanos.* ③ Parte de la celebración de la misa en que se lee o se canta algún pasaje de las cartas escritas por los apóstoles. **FAM** epistolar, epistolario.

epistolar *adj.* Relativo a la epístola: *no le gustan las novelas de género epistolar.*

epistolario *s. m.* ① Libro en el que se editan las cartas escritas por uno o varios autores: *el epistolario de Federico García Lorca nos permite leer las cartas que escribió desde Nueva York.* ② Libro en que se recogen las epístolas del Nuevo Testamento que se leen en la misa. ③ Conjunto de epístolas o cartas recibidas de una o varias personas: *se han encontrado más cartas que engrosan el epistolario personal del autor.*

epitafio *s. m.* Texto dedicado a un difunto, generalmente grabado en su sepultura.

epitalamio *s. m.* Composición lírica breve escrita en celebración de una boda.

epitelial *adj.* Relativo al epitelio: *células epiteliales.*

epitelio *s. m.* Tejido que recubre y protege las superficies internas y externas del cuerpo humano y de los animales. **FAM** epitelial.

epíteto *s. m.* ① Adjetivo calificativo que expresa una cualidad característica del nombre al que acompaña sin especificarlo ni seleccionarlo dentro del grupo al que pertenece, generalmente usado para producir un determinado efecto estético: *en "la fresca brisa", "fresca" es un epíteto.* ② Adjetivo calificativo usado para emitir un juicio injurioso o insultante: *la actuación del torero mereció epítetos bastantes desagradables por parte de algunos aficionados.* ③ Adjetivo que complementa al sustantivo en construcción disjunta: *en "respiramos el aire de la montaña, limpio y fresco", "limpio" y "fresco" son epítetos.*

epítome *s. m.* Resumen de una obra extensa: *epítome de gramática.* **SIN** compendio.

época *s. f.* 1 Periodo determinado en la historia de una civilización o de una sociedad al que se hace referencia aludiendo a un hecho histórico, un personaje o un movimiento cultural, económico o político que se ha desarrollado en él. **SIN** era. 2 Periodo del pasado que se caracteriza por una circunstancia determinada: *durante su época de universidad conoció a su mujer.* **SIN** tiempo. 3 Temporada de considerable duración: *estoy atravesando una mala época.*
de época Que es propio de un tiempo pasado: *acudieron vestidos con trajes de época.*
hacer época Tener tanta importancia una cosa que se da por seguro que su recuerdo perdurará a través del tiempo.
FAM epocal.

epónimo, -ma *adj.* Se aplica a la persona, animal o cosa que tiene un nombre propio que es tomado para designar algo, especialmente un lugar geográfico o una época: *Alejandro Magno es el héroe epónimo de la ciudad de Alejandría.*

epopeya *s. f.* 1 Poema del género épico, de gran extensión, en el que se narran los hechos sublimes de personajes heroicos y en los que intervienen elementos fantásticos o sobrenaturales: *la «Ilíada» y la «Odisea» son dos grandes epopeyas clásicas.* 2 Conjunto de poemas de este tipo que forman la tradición épica de un pueblo: *el «Ramayana» y el «Mahabharata» son los pilares de la epopeya hindú.* 3 Acción o hecho que causa admiración por su gran valentía, heroísmo y esfuerzo ante situaciones adversas y peligrosas: *el ascenso al Himalaya es una epopeya .*
FAM epopéyico.

épsilon *s. f.* Nombre de la quinta letra del alfabeto griego; se escribe E/ε y se transcribe como *e.*

equidad *s. f.* Igualdad o justicia en el reparto de una cosa entre varios o en el trato de las personas: *algunas comunidades autónomas se han quejado de la falta de equidad en el reparto de los fondos del Estado.*
FAM equitativo.

equidistante *adj.* Que equidista o está a igual distancia que otro: *en un triángulo equilátero, los dos vértices de la base son equidistantes del tercero.*

equidistar *v. intr.* Estar dos o más puntos o cosas a la misma distancia de otra u otras cosas o a la misma distancia entre sí: *todos los puntos del perímetro de una circunferencia equidistan del centro.*
FAM equidistancia, equidistante.

équido, -da *adj./s. m.* 1 Se aplica al mamífero herbívoro, de patas largas adaptadas a la carrera, terminadas en un solo dedo muy desarrollado, protegido por una pezuña: *el caballo es un animal équido.* | *s. m. pl.* 2 **équidos** Grupo taxonómico, con categoría de familia, constituido por estos mamíferos.

equilátero, -ra *adj.* Se aplica a la figura geométrica que tiene los tres lados de igual longitud: *triángulo equilátero.*

equilibrado, -da *adj.* 1 Se aplica a la persona que actúa de un modo razonable sin dejarse llevar alocadamente por las propias ideas o sentimientos: *no te preocupes tanto por ella, tu hermana es una chica muy prudente y equilibrada.* **SIN** sensato. | *s. m.* 2 Ajuste de una pieza o elemento mecánico para dotarlo del equilibrio adecuado que mejore su funcionamiento.

equilibrar *v. tr.* 1 Ajustar una cosa de modo que se igualen las fuerzas a las que está sometida. **SIN** estabilizar. **ANT** desequilibrar, desestabilizar. 2 Hacer que una cosa permanezca estable en un lugar o en unas condiciones particulares, procurando que ningún elemento de los que la integran exceda en cantidad o importancia al resto: *al perder la reina y el alfil se equilibraron las fuerzas en la partida de ajedrez.*
FAM equilibrado, equilibrador; desequilibrar.

equilibrio *s. m.* 1 Estado de un cuerpo sometido a una serie de fuerzas que se contrarrestan entre sí: *un sistema físico puede encontrarse en equilibrio estable, inestable o indiferente.* **ANT** desequilibrio. 2 Situación de un cuerpo que ocupa una posición en el espacio sin caerse, especialmente si tiene un base de sustentación muy reducida: *al levantarse de la silla perdió el equilibrio y cayó de espalda.* **SIN** estabilidad. **ANT** desequilibrio. 3 Proporción y armonía entre los elementos dispares que integran un conjunto. 4 Capacidad de una persona para actuar conforme a la razón sin dejarse llevar alocadamente por las propias ideas o sentimientos. | *s. m. pl.* 5 **equilibrios** Actos con los que se consigue manejar una situación difícil y problemática: *tras quedarse en paro, debía hacer continuos equilibrios para llegar a fin de mes.*
en equilibrio Situación de un cuerpo que se sostiene, sin caerse, en una base pequeña.
equilibrio ecológico Estado al que tiende todo ecosistema en condiciones naturales, y en el que la cantidad total de energía acumulada por los productores es igual a la energía consumida y disipada por el sistema.
equilibrio químico Estado de una reacción química reversible en el que la velocidad de formación de los productos es igual a su velocidad de descomposición.
FAM equilibrar, equilibrismo.

equilibrismo *s. m.* Actividad y técnica de realizar ejercicios difíciles con el cuerpo o con objetos manteniéndolos en equilibrio.
FAM equilibrista.

equilibrista *adj./s. com.* Se aplica a la persona que se dedica a practicar ejercicios de equilibrio como artista profesional.

equino, -na[1] *adj.* 1 Relativo al caballo. 2 Relativo a los équidos: *los caballos, los asnos y los mulos constituyen el ganado equino.* | *s. m.* 3 Animal doméstico, como el caballo u otro de la familia de los équidos, que sirve para montar en él o para transportar cosas.

equino[2] *s. m.* 1 Erizo de mar. 2 Moldura convexa que, con el ábaco, forma el capitel del orden dórico de la arquitectura griega.

equinoccio *s. m.* Momento del año en que el Sol, en su movimiento aparente, parece pasar sobre el ecuador y en que el día y la noche duran lo mismo: *el equinoccio de primavera se produce entre los días 20 y 21 de marzo, y el equinoccio de otoño, entre el 22 y el 23 de septiembre.*
FAM equinoccial.

equinodermo *adj./s. m.* 1 Se aplica al animal marino invertebrado con la piel gruesa dotada de placas y espinas calcáreas, que tiene en el interior del cuerpo un sistema de canales por donde circula el agua; carece de cabeza y su boca suele estar situada en la cara inferior del cuerpo: *la estrella de mar, el erizo de mar y la holoturia son equinodermos.* | *s. m. pl.* 2 **equinodermos** Grupo taxonómico, con categoría de filo, constituido por estos animales.

equinoideo, -dea *adj./s. m.* 1 Se aplica al equinodermo de cuerpo ovoidal cubierto de espinas móviles y protegido por un caparazón de placas pentagonales, como el erizo de mar. I *s. m. pl.* ② **equinoideos** Grupo taxonómico, con categoría de clase, constituido por estos equinodermos.

equipaje *s. m.* Conjunto de ropas y objetos de uso personal que una persona lleva consigo cuando viaja.
FAM portaequipajes.

equipamiento *s. m.* ① Suministro o entrega del equipo necesario para desarrollar una actividad o trabajo. ② Conjunto de medios e instalaciones necesarias para el desarrollo de una actividad. **SIN** infraestructura.

equipar *v. tr.* Proporcionar el equipo necesario para desarrollar una actividad o trabajo: *el excursionista se equipó de ropa y comida suficiente.*
FAM equipación, equipamiento, equipo.

equiparación *s. f.* Consideración de dos o más cosas o personas como equivalentes al compararlas.

equiparar *v. tr.* Considerar dos o más cosas o personas como equivalentes al compararlas.
FAM equiparable, equiparación.

equipo *s. m.* ① Conjunto de objetos y prendas necesarias para desarrollar una actividad o trabajo: *adquirió el equipo necesario para pescar.* ② Conjunto de personas organizado para realizar una actividad o trabajo. ■ **equipo docente** Conjunto de personas que se dedican a la enseñanza en un colegio, universidad, etc. ③ Conjunto organizado de personas que juega contra otro en una competición deportiva.
caerse con todo el equipo Fracasar completamente de manera inesperada: *se cayó con todo el equipo al pensar que podría copiarse en el examen.*
en equipo En colaboración coordinada con otras personas.

equipolente *adj.* Se aplica al vector que tiene el mismo valor numérico, dirección y sentido que otro.

equis *s. f.* ① Nombre de la letra *x.* ② COL., PERÚ, URUG. Serpiente venenosa.
OBS Plural invariable.

equitación *s. f.* Técnica, actividad o deporte de montar a caballo.

equitativo, -va *adj.* Que es justo e imparcial: *el padre hizo un reparto equitativo de la herencia entre los hijos.*

équite *s. m.* Ciudadano de la antigua Roma que pertenecía a una clase social intermedia entre los patricios y los plebeyos: *los équites servían en el ejército romano a caballo.*

equivalencia *s. f.* ① Igualdad en la función, el valor, la potencia o la eficacia de dos o más cosas distintas entre sí: *esta tabla muestra la equivalencia entre millas y kilómetros.* ② Igualdad de área o volumen entre cuerpos de distinta forma.

equivalente *adj./s. com.* ① Se aplica a la cosa o persona que mantiene una relación de equivalencia con otra cosa o persona. I *adj.* ② Se aplica a la figura que tiene igual área o volumen que otra, pero forma diferente: *un cuadrado y un rombo pueden ser equivalentes.* I *s. m.* ③ En química, cantidad de un elemento químico que se obtiene dividiendo su masa atómica por su valencia. **NOTA** También *equivalente químico.*

equivaler [47] *v. intr.* ① Mantener una cosa con otra una relación de igualdad de función, valor, potencia o eficacia, siendo ambas diferentes entre sí: *una hora equivale a 60 minutos y a 3600 segundos.* ② Ser iguales las áreas o volúmenes de dos figuras geométricas distintas.
FAM equivalencia, equivalente.

equivocación *s. f.* ① Idea u opinión que una persona tiene por buena, cuando, en realidad, es falsa. **SIN** error. ② Actuación de una persona que no obtiene los objetivos previstos o tiene consecuencias negativas para ella. **SIN** error. **ANT** acierto.

equivocado, -da *adj.* Que no es correcto. **SIN** erróneo.

equivocar *v. tr./prnl.* ① Cometer una equivocación: *el patrón equivocó el rumbo y no llegaron al puerto previsto; se equivocó de camino; te equivocas si piensas que soy una mala persona.* I *v. tr.* ② Hacer que una persona cometa una equivocación.
FAM equivocación, equivocado, equívoco.

equívoco, -ca *adj.* ① Que puede entenderse de varias maneras o admitir explicaciones distintas. **SIN** ambiguo. I *s. m.* ② Error que alguien comete, bien por entender mal una cosa o bien por interpretar incorrectamente una situación que puede entenderse de varias maneras. **SIN** malentendido. ③ Figura retórica que consiste en utilizar palabras ambiguas. I *adj.* ④ Que da motivos para formar una suposición o juicio sobre una mala acción o sobre quién la ha cometido. **SIN** sospechoso.
FAM equivocidad; inequívoco.

era[1] *s. f.* ① Periodo determinado en la historia de una civilización o de una sociedad al que se hace referencia aludiendo a un hecho histórico, un personaje o un movimiento cultural, económico o político que se ha desarrollado en él: *dicen que estamos en la era de las comunicaciones.* **SIN** época, tiempo. ■ **era cristiana** Cómputo del tiempo que empieza a contarse por años desde el nacimiento de Cristo. ② Periodo muy extenso de tiempo que constituye, junto con otros, la historia del planeta Tierra. ■ **era arcaica** Era más antigua del periodo precámbrico, que abarca desde la formación del planeta Tierra, hace unos 4500 millones de años, hasta hace unos 2800 millones; se caracterizó por la cantidad e intensidad de los procesos orogénicos y volcánicos que moldearon la superficie terrestre. ■ **era cuaternaria** Periodo superior del cenozoico, de una duración de unos 2 a 4 millones de años, caracterizado por una sucesión de grandes glaciaciones y la aparición del hombre. ■ **era primaria** Era geológica que se extiende desde hace unos 570 millones de años hasta hace unos 245 millones de años: *en la era primaria hubo una gran diversidad de formas de vida marinas.* **SIN** paleozoico. ■ **era secundaria** Era geológica que se extiende desde hace unos 245 millones de años hasta hace unos 65 millones de años: *los dinosaurios dominaron la superficie de los continentes en la era secundaria.* **SIN** mesozoico. ■ **era terciaria** Era geológica que se extiende desde hace unos 65 millones de años hasta hace unos 2 millones de años: *en la era terciaria, tras la extinción de los dinosaurios, hubo una gran expansión de los mamíferos terrestres.* **SIN** cenozoico.

era[2] *s. f.* ① Terreno descubierto, de superficie llana y limpia donde se trilla el cereal: *en la era del pueblo soltaron una vaquilla.* ② Cuadro pequeño de tierra donde se cultivan flores y hortalizas.
FAM erial.

eral, -la *s. m. y f.* Cría del toro y la vaca que tiene más de un año y menos de dos.

erario *s. m.* ① Conjunto de haberes, rentas e impuestos que recauda el Estado: *la subida de los impuestos hará aumentar el erario.* **NOTA** También *erario público.* ② Lugar en el que se guardan estos haberes, rentas e impuestos.

erasmismo *s. m.* Corriente de pensamiento surgida en Eu-

ropa en el siglo XVI por influencia del humanista Erasmo de Rotterdam.
FAM erasmista.

erasmista *adj./s. com.* Que es partidario del erasmismo o está influido por él.

erbio *s. m.* Elemento químico de símbolo *Er* y número atómico 68; es metálico y sólido, de color gris oscuro y poco abundante en la naturaleza.

ere *s. f.* Nombre de la letra *r* en su sonido suave o simple: *la palabra "área" tiene una ere.*

erección *s. f.* **1** Construcción de una edificación o monumento por encima del nivel del suelo. **2** Acto en el que una persona o institución recibe una función o categoría de especial importancia: *destacadas figuras políticas acudieron a la erección del nuevo partido político.* **3** Levantamiento y endurecimiento de una cosa, especialmente el del pene o del clítoris, que se produce por la afluencia de sangre al órgano.

eréctil *adj.* Que puede ponerse erecto: *las púas del puerco espín son eréctiles.*

erecto, -ta *adj.* Que está levantado, derecho o rígido.
FAM eréctil.

eremita *s. com.* **1** Persona que vive sola en una ermita, en la cual se dedica a la oración y al cuidado del lugar. SIN ermitaño. **2** Persona que vive sola en un lugar deshabitado, especialmente si se dedica a la oración. SIN ermitaño.

erg *s. m.* **1** Unidad de trabajo en el sistema cegesimal que equivale al trabajo realizado por una dina de fuerza al desplazar su punto de aplicación un centímetro en su misma dirección y sentido: *un erg equivale a 10⁻⁷ julios.* NOTA Se ha adaptado al español con la forma *ergio.* **2** Desierto arenoso formado por dunas de morfología y dimensiones variables.

ergio *s. m.* Erg (unidad de trabajo).

ergonomía *s. f.* Estudio y adecuación de las condiciones del lugar de trabajo, máquinas, vehículos o equipo, a las características físicas y psicológicas del trabajador o usuario: *la ergonomía busca un mayor rendimiento en el trabajo a partir de la humanización de los medios para producirlo.*
FAM ergonómico.

ergonómico, -ca *adj.* Relativo a la ergonomía: *un sillón ergonómico se adapta a las características anatómicas de la persona que debe sentarse en él.*

erguir [28] *v. tr.* **1** Levantar y poner derecho el cuerpo o una parte de él. SIN incorporar. **‖** *v. prnl.* **2 erguirse** Levantarse una cosa por ecima del nivel del suelo: *a un lado del camino se erguía una larga fila de chopos.* **3** Comportarse con orgullo o superioridad frente a los demás, tratándolos de un modo despectivo y desconsiderado. SIN engreírse, envanecerse.
FAM erguimiento.

erial *adj./s. m.* Se aplica al terreno que no se cultiva ni se aprovecha para pastos ni labra. SIN baldío.

ericáceo, -cea *adj./s. f.* **1** Se aplica a la planta de hojas pequeñas y de aspecto parecido al cuero, flores vistosas y fruto en cápsula o baya. **‖** *s. f. pl.* **2 ericáceas** Grupo taxonómico, con categoría de familia, constituido por estas plantas.

erigir *v. tr.* **1** Construir o levantar una edificación o monumento por encima del nivel del suelo. **2** Otorgar a una persona o institución una función o categoría de especial importacia: *el muchacho más inteligente se erigió en jefe de la pandilla.*

erisipela *s. f.* **1** Enfermedad infecciosa y contagiosa que afecta a la piel y al tejido subcutáneo, en especial de la cara, y se caracteriza por la aparición de placas rojas y brillantes y la presencia de fiebre. **2** AMÉR. Enrojecimiento de la piel por una exposición solar.

eritrocito *s. m.* Célula más abundante de la sangre de los animales vertebrados, de forma redonda u ovalada y de color rojo, que contiene hemoglobina y se encarga de transportar el oxígeno a todas las partes del cuerpo. SIN glóbulo rojo, hematíe.

erizar *v. tr.* **1** Levantar y poner rígida una cosa, especialmente el pelo de una persona o animal. **2** Llenar o rodear de obstáculos, asperezas, etc.
FAM erizado.

erizo *s. m.* **1** Animal mamífero de pequeño tamaño, con la espalda cubierta de púas, que se alimenta de insectos; tiene las patas, la cola y la cabeza muy pequeñas, y el hocico puntiagudo: *el erizo adopta una forma de bola y eriza las púas del lomo cuando advierte un peligro inminente.* **2** Envoltura dura y espinosa que recubre la castaña y otros frutos. **3** Persona difícil de tratar y de carácter áspero: *este niño es un erizo, no deja ni que le dé un beso.*

erizo de mar o **erizo marino** Animal invertebrado marino de pequeño tamaño con forma de media esfera cubierta por una concha compuesta por placas calcáreas con púas. SIN equino.
FAM erizar.

ermita *s. f.* Capilla o iglesia pequeña situada generalmente en una zona deshabitada o en las afueras de una población y dedicada a la Virgen o a un santo, en la que no suele haber culto permanente.
FAM ermitaño.

ermitaño, -ña *s. m. y f.* **1** Persona que vive sola en una ermita en donde se dedica a la oración y al cuidado del lugar. SIN eremita. **2** Persona que vive sola en un lugar deshabitado, especialmente si se dedica a la oración. SIN eremita. **‖** *adj./s. m. y f.* **3** Se aplica a la persona que vive en soledad sin mantener contacto con los demás. **‖** *s. m.* **4** Cangrejo que carece de caparazón abdominal y se introduce en la concha vacía de algún molusco para protegerse de sus enemigos. NOTA También *cangrejo ermitaño.*

erógeno, -na *adj.* Que produce excitación sexual o es sensible a ella: *el pubis y los lóbulos de las orejas son zonas erógenas del cuerpo humano.*

erosión *s. f.* **1** Alteración de la superficie de la Tierra por la acción de agentes externos, como las lluvias, el viento o las olas del mar: *la erosión eólica consiste en el lento desgaste de las rocas debido a la acción continua del viento y los materiales que transporta; la erosión fluvial es mayor cuanto mayor sea la fuerza del curso de agua.* **2** Desgaste que se produce en la superficie de un cuerpo a causa del roce o frotamiento con otro cuerpo. **3** Herida producida en la superficie de un cuerpo por el roce de otro. **4** Desgaste o disminución de la calidad, la importancia o la influencia de una persona o cosa: *el intelectual se quejó de la erosión de la democracia provocada por la corrupción política.*
FAM erosionar, erosivo.

erosionar *v. tr.* **1** Desgastar la superficie de la Tierra los fenómenos naturales o la acción del ser humano y de los seres vivos. **2** Desgastar la superficie de un cuerpo a causa del roce o frotamiento con otro cuerpo. **3** Disminuir o perder la calidad, la importancia o la influencia una persona o cosa: *su* *afición al alcohol hizo que se erosionara la buena imagen que la gente tenía de él.* **SIN** deteriorar.

erosivo, -va *adj.* Relativo a la erosión: *la acción erosiva de los fenómenos volcánicos es muy importante.*

erótica *s. f.* Atracción intensa que ejerce en una persona un fenómeno o circunstancia que no está relacionada con la sexualidad: *la erótica del poder.*

erótico, -ca *adj.* ① Relativo al erotismo. ② Se aplica a la obra que trata asuntos relacionados con las relaciones amorosas y sexuales entre las personas: *«La sonrisa vertical» es una colección literaria especializada en relatos y novelas eróticas.* ③ Que excita o provoca el deseo sexual de una persona: *la censura prohibió el videoclip por contener escenas eróticas.* **FAM** erotismo.

erotismo *s. m.* ① Conjunto de elementos que forman parte de la excitación y placer de los sentidos en las relaciones sexuales de las personas. ② Carácter de lo que excita o provoca el deseo sexual de una persona. ③ Expresión de las relaciones amorosas y sexuales entre las personas en una obra artística.

errabundo, -da *adj.* Errante.

erradicación *s. f.* Eliminación o supresión completa de una cosa que se considera mala o perjudicial y que, generalmente, afecta a muchas personas.

erradicar *v. tr.* Eliminar o suprimir de manera completa una cosa que se considera mala o perjudicial y que, generalmente, afecta a muchas personas: *el Ministerio pretende erradicar el analfabetismo.* **FAM** erradicación.

errante *adj.* Que va de un lugar a otro sin un fin determinado: *llevó una vida errante y así conoció diferentes culturas.* **SIN** errabundo, errático.

errar [19] *v. tr./intr.* ① Cometer un error. **SIN** equivocar. ❙ *v. intr.* ② Ir de un lugar a otro sin un fin o motivo determinado. **SIN** vagar. ③ Divagar la imaginación o el pensamiento, yendo de una cosa a otra sucesivamente sin orden, objetivo ni motivo concreto. **FAM** errabundo, errante, errata, errático.

errata *s. f.* Alteración de la forma ortográfica correcta de una palabra escrita o impresa por un descuido o por un fallo mecánico: *los correctores señalaron las erratas y los errores ortográficos del periódico.*

errático, -ca *adj.* Errante.

erre *s. f.* Nombre de la letra *r*: *la palabra "perro" tiene dos erres.* **erre que erre** Con mucha insistencia o constancia: *el niño seguía, erre que erre, dando pataditas a la mesa.*

erróneo, -nea *adj.* Que no es correcto. **SIN** equivocado.

error *s. m.* ① Idea u opinión que una persona tiene por buena, cuando, en realidad, es falsa. **SIN** equivocación. ❙ **error de bulto** Error que es de importancia o tiene consecuencias especialmente graves: *el árbitro cometió errores de bulto.* ② Actuación de una persona que no obtiene los objetivos previstos o tiene consecuencias negativas para ella. **SIN** equivocación. **ANT** acierto. ③ Diferencia entre el valor real o exacto de una magnitud y el que resulta del cálculo hecho por una persona o por una máquina: *en las estadísticas siempre hay que tener en cuenta un pequeño margen de error.* ❙ **error absoluto** Diferencia entre el valor exacto (que no se conoce) de una medida y el valor medido. ❙ **error relativo** Cociente entre el error absoluto y el valor asignado a la me-

dida, que sirve para determinar la calidad de esta; se suele expresar multiplicado por 100 para dar un porcentaje del error cometido. **FAM** erróneo.

ertzaina [se pronuncia aproximadamente 'erchaina'] *s. com.* Persona que pertenece a la ertzaintza. **FAM** ertzaintza.

ertzaintza [se pronuncia aproximadamente 'erchaincha'] *s. f.* Policía autónoma del País Vasco.

eructar *v. intr.* Expulsar por la boca gases del estómago de manera sonora o ruidosa. **SIN** regoldar. **FAM** eructo.

eructo *s. m.* Conjunto de gases del estómago que se expulsan de una vez por la boca de manera sonora o ruidosa. **SIN** regüeldo.

erudición *s. f.* Conocimiento extenso y profundo de una o varias materias, especialmente si están relacionadas con las humanidades. **FAM** erudito.

erudito, -ta *adj./s. m. y f.* Se aplica a la persona que tiene una gran erudición sobre una o varias materias.

erupción *s. f.* ① Aparición brusca de granos o manchas en la piel, generalmente por causa de una enfermedad o de una reacción alérgica: *uno de los síntomas de la rubeola es la erupción cutánea.* ② Conjunto de granos o de manchas en la piel que aparecen de esta manera. ③ Expulsión al exterior de materias sólidas, líquidas o gaseosas procedentes del interior de la Tierra, generalmente a través de un volcán. **FAM** eruptivo.

eruptivo, -va *adj.* Relativo a la erupción: *los terrenos cercanos a los volcanes suelen estar formados por rocas eruptivas.*

esbeltez *s. f.* Cualidad de esbelto de una cosa, una persona o un animal.

esbelto, -ta *adj.* Se aplica a la persona, animal o cosa que tiene una figura alta, delgada y bien proporcionada. **FAM** esbeltez.

esbirro *s. m.* ① Persona pagada por otra para amenazar o realizar las acciones violentas que se le ordenen. **SIN** sicario. ② Persona malvada que actúa según las ordenes o indicaciones de otra.

esbozar *v. tr.* ① Hacer un primer diseño o proyecto de una obra artística de manera provisional, con los elementos esenciales y sin dar ningún detalle. **SIN** bosquejar. ② Explicar una idea o plan de manera vaga o en sus líneas generales: *en su primer discurso el Presidente del Gobierno esbozó los elementos fundamentales de su política.* **SIN** bosquejar. ③ Hacer un gesto de modo leve y contenido, especialmente una sonrisa.

esbozo *s. m.* ① Primer diseño o proyecto de una obra artística, hecho de manera provisional, con los elementos esenciales y sin dar ningún detalle. **SIN** boceto, bosquejo. ② Explicación de una idea o plan de manera vaga y en sus líneas generales: *el director hizo un esbozo de los planes de la empresa.* **SIN** bosquejo. ③ Insinuación de un gesto, especialmente de una sonrisa. **FAM** esbozar.

escabechar *v. tr.* ① Poner un alimento en escabeche para darle un sabor especial y permitir su conservación, especialmente un ave o un pescado. ② familiar Matar violentamente, generalmente con un arma blanca. ③ familiar Suspender a una persona en un examen o prueba, especialmente cuando son muchos los suspendidos.

FAM escabechina.

escabeche *s. m.* ① Salsa hecha de aceite, ajo, vinagre, pimienta y laurel, que sirve para condimentar y conservar determinados alimentos: *una lata de mejillones en escabeche.* ② Alimento que se condimenta y se conserva en esta salsa. ③ AMÉR. Comestible conservado en vinagre.

FAM escabechar.

escabechina *s. f.* ① familiar Matanza de muchas personas o animales, generalmente de forma violenta. ② familiar Abundancia de suspensos en un examen: *el examen de historia fue una auténtica escabechina.*

escabel *s. m.* ① Tarima pequeña que se coloca delante de un asiento y que sirve para descansar los pies cuando se está sentado. ② Asiento pequeño para una persona sin apoyabrazos ni respaldo. SIN taburete.

escabrosidad *s. f.* Cualidad de escabroso: *la escabrosidad del terreno nos obligó a retroceder.*

escabroso, -sa *adj.* ① Se aplica al terreno que es difícil de atravesar por estar lleno de rocas, cortes y pendientes muy pronunciadas. SIN abrupto, escarpado. ② Que está próximo a lo inmoral y obsceno, y puede herir la sensibilidad de algunas personas: *fotos escabrosas.* ③ Se aplica al asunto, tema que es muy embarazoso y difícil de manejar o de resolver.

FAM escabrosidad.

escabullirse [15] *v. prnl.* ① Deslizarse o escaparse una cosa de entre otras que la sujetan, especialmente de las manos. SIN escurrirse. ② Salir o escaparse de un lugar sin que se note, con disimulo o con habilidad. SIN escurrirse. ③ Evitar un trabajo, una obligación o una dificultad con disimulo: *¡eh, tú!, no te escabullas, que hoy te toca fregar los platos a ti.* SIN escaquearse.

escachar *v. tr.* ① familiar Aplastar o apretar una cosa con fuerza hasta reventarla. SIN despachurrar, despanzurrar, espachurrar. ② familiar Romper en pedazos una cosa.

escacharrar *v. tr.* familiar Estropear: *le has dado un golpe a la radio y la has escacharrado.* SIN descacharrar.

escafandra *s. f.* ① Traje ancho e impermeable de largos tubos que permiten la respiración, botas muy pesadas y un casco cerrado, que sirve para realizar trabajos bajo la superficie del agua. ② Traje ancho y perfectamente aislado del exterior, con un casco cerrado, con el que los astronautas salen de la nave al espacio exterior.

FAM escafandrista.

escafandrista *s. com.* Persona que realiza diversas actividades bajo la superficie del mar, de un río o de un lago, protegido por una escafandra.

escafoides *s. m./adj.* ① Hueso de la muñeca que forma parte de la primera fila del carpo y está articulado con el radio. SIN navicular. ② Hueso del pie que forma parte del tarso y está articulado con el astrágalo: *el escafoides es uno de los siete huesos que componen el tarso.* SIN navicular.

OBS Plural invariable.

escala *s. f.* ① Serie de elementos de la misma especie, ordenados por alguna de sus características: *la escala de colores; cada persona tiene una escala de valores diferente.* ■ **escala Celsius** o **escala centígrada** Escala de medición de la temperatura en la que se asigna el valor cero a la temperatura de congelación del agua y el valor cien a su temperatura de ebu-

llición, a una presión atmosférica normal: *la unidad de medida de la escala Celsius es el grado centígrado (°C).* ■ **escala de Mercalli** Escala de clasificación de los movimientos sísmicos escalonada en doce clases: *los terremotos de clase I en la escala Mercalli son imperceptibles sin un sismógrafo, mientras que los de clase XII conllevan el derrumbe de cualquier edificación.* ■ **escala de Richter** Escala para medir la intensidad de los terremotos que abarca valores entre el 0 y el 10: *los efectos de los terremotos de más de 6 grados en la escala Richter pueden ser devastadores.* ② Serie de rayas o señales con que se marcan los diversos valores, grados o magnitudes que puede medir un instrumento. ③ Cociente entre las distancias medidas sobre un mapa o plano y las correspondientes distancias reales sobre el terreno: *la escala de un mapa puede expresarse de forma numérica o gráfica.* ④ Importancia, tamaño o extensión que tiene un plan o una situación: *el sida es un problema de escala mundial.* ⑤ Escalera portátil, generalmente de madera, de cuerda o de ambas cosas. ⑥ Parada que realiza en un puerto o aeropuerto un barco o avión durante un viaje: *tomó un vuelo de España a Cuba sin escalas.* ■ **escala técnica** Escala que se lleva a cabo para repostar combustible o solucionar un problema mecánico. ⑦ Puerto o aeropuerto en el que se detiene un barco o avión durante un viaje: *durante el crucero por el Egeo hicieron escala en numerosas islas.* ⑧ Lista de las personas que forman parte de un organismo o profesión, especialmente el ejército, clasificadas según su cargo, grado, categoría o antigüedad. ⑨ Sucesión de notas ascendente o descendente que constituye la base de un sistema musical: *la escala de do mayor tiene siete notas: do, re, mi, fa, sol, la y si.* ⑩ Sistema graduado de medición de la magnitud de un proceso, mecanismo, objeto o fenómeno.

FAM escalera, escalón.

escalabrar *v. tr.* ① Herir de un golpe a una persona, especialmente en la cabeza. SIN descalabrar. ② Causar daño o perjuicio: *ha escalabrado el proyecto con sus absurdas ideas.* SIN descalabrar.

escalada *s. f.* ① Subida hasta una gran altura por un terreno muy pendiente, especialmente por una montaña. ■ **escalada libre** Escalada que se hace por una pared escarpada sin más ayuda que los pies y las manos. ② Aumento rápido, y por lo general alarmante, de la intensidad o el valor de una cosa, a partir de una sucesión de fenómenos o hechos relacionados entre sí: *escalada de violencia.* ③ Paso sucesivo por diversos puestos o categorías cada vez más importantes: *inició su escalada en la política hace ya muchos años cuando fue elegido alcalde de su pueblo.*

escalador, -ra *adj.* ① Que escala. ❙ *s. m. y f.* ② Persona que escala montañas por afición. SIN alpinista, montañero. ③ Persona que practica el ciclismo y es especialista en subir por carreteras empinadas de montaña.

escalafón *s. m.* Lista de las personas que forman parte de un organismo o profesión, clasificadas según su cargo, grado, categoría o antigüedad: *su ilusión como torero era ocupar el primer puesto del escalafón.*

escalar¹ *v. tr.* ① Subir hasta una gran altura por un terreno muy pendiente, especialmente por una montaña: *en la etapa reina los ciclistas deben escalar cinco puertos.* ② Pasar sucesivamente por diversos puestos o categorías cada vez más importantes.

FAM escalada, escalador.

escalar² *adj./s. m.* Se aplica a la magnitud física que carece de dirección y se expresa por un solo número: *la temperatura de un cuerpo se expresa con una magnitud escalar.*

escaldado, -da *adj.* ① Se aplica a la persona que se muestra desconfiado ante cualquier circunstancia que esté relacionada con una situación que le ha producido un daño o perjuicio. ② Se aplica a la persona que está escarmentada de algún asunto: *salimos escaldados de aquel negocio tan oscuro.*

escaldar *v. tr.* ① Bañar una cosa con agua hirviendo. ② Quemar con fuego o con otra cosa, especialmente con un líquido hirviendo o muy caliente: *la sopa estaba tan caliente que me escaldé la lengua.* SIN abrasar. ‖ *v. prnl.* ③ **escaldarse** Escocerse la piel. ④ Humillarse, escarmentarse.
FAM escaldado, escaldadura.

escaleno, -na *adj.* ① Se aplica al triángulo que tiene distinta longitud en cada uno de sus tres lados. ② Se aplica al cono o pirámide cuyo eje es oblicuo a la base. ‖ *s. m./adj.* ③ Músculo situado en cada uno de los lados del cuello, de forma aproximadamente triangular.

escalera *s. f.* ① Construcción o estructura inclinada formada por una sucesión de pequeñas plataformas horizontales superpuestas que sirve para comunicar dos niveles que tienen distinta altura, permitiendo que una persona pueda subir y bajar por ella con comodidad. ■ **escalera de caracol** Escalera que tiene forma de espiral. ■ **escalera de mano** Escalera portátil, formada por dos largueros o barras largas paralelas unidas entre sí por travesaños colocados a distancias regulares: *se cayó de la escalera cuando iba a pintar el techo.* ■ **escalera mecánica** Aparato en forma de rampa con una serie de escalones que suben o bajan automáticamente movidos por un mecanismo eléctrico. ② Serie de tres o más naipes o cartas con un valor correlativo. ■ **escalera de color** Serie de tres o más naipes o cartas con un valor correlativo y del mismo palo. ③ Corte irregular o desigual en el pelo.
FAM escalerilla.

escalerilla *s. f.* ① Escalera estrecha y de pocos escalones. ② Escalera móvil que permite subir y bajar de los aviones. ③ En el juego de cartas, grupo de tres con números consecutivos.

escaléxtric *s. m.* ① Juego de coches eléctricos con un sistema de carreteras con muchas curvas a distintos niveles, unas por encima de otras. ② Conjunto de cruces de calles o carreteras a distinto nivel.
OBS Puede encontrarse la grafía inglesa *scalextric.*

escalfar *v. tr.* ① Cocer un huevo sin cáscara en agua hirviendo. ② MÉX. Descontar, quitar algo de lo justo en una cosa.

escalímetro *s. m.* ① Instrumento que consta de un circuito que produce un impulso de salida cuando recibe un número determinado de impulsos de entrada. ② Regla de sección triangular que está graduada en diferentes escalas: *para hacer un plano a escala se utiliza un escalímetro.*

escalinata *s. f.* Escalera amplia construida en un lugar público, en el exterior de un edificio o en su vestíbulo.

escalofriante *adj.* Que causa una gran emoción, una enorme sorpresa o un intenso miedo: *el salto al vacío de los paracaidistas es escalofriante.*

escalofrío *s. m.* Sensación intensa y repentina de frío acompañada de un ligero temblor del cuerpo, generalmente producida por un cambio brusco de temperatura, por la fiebre o por una fuerte emoción o miedo.
FAM escalofriante.
OBS Normalmente en plural.

escalón *s. m.* ① Pequeña plataforma horizontal de una escalera donde se apoya el pie al subir o bajar. SIN peldaño. ② Grado o rango que tiene una persona en un grupo, empresa u organización. SIN rango. ③ Momento, periodo o estado que forma parte de una serie o de un proceso. SIN estadio, etapa, fase.
FAM escalonar.

escalonar *v. tr.* Distribuir una cosa en el tiempo o en el espacio de manera ordenada y sucesiva: *los policías se escalonaron para tener toda la zona bajo control.*
FAM escalonamiento.

escalope *s. m.* Filete delgado de carne de ternera o de vaca, empanado y frito.

escalpelo *s. m.* Instrumento de cirugía que consiste en una hoja larga y estrecha de metal y un mango y que se usa para hacer incisiones en los tejidos blandos.

escama *s. f.* ① Placa pequeña, plana y dura, que, superpuesta a otras iguales, forma una capa que cubre y protege la piel de algunas clases de animales, como peces y reptiles. ② Objeto que tiene una forma similar a la de esta escama: *una escama de jabón.* ③ Placa muy pequeña, formada por células de tejido muertas, que se desprende de la piel de las personas. ④ Lámina pequeña que forma una capa sobre la superficie de una cosa: *las escamas de óxido cubrían la verja del jardín.* ⑤ Hoja pequeña y dura que protege la superficie de una planta: *en los climas fríos, las plantas se cubren de escamas.* ⑥ familiar Recelo.
FAM escamar, escamoso.

escamar *v. tr.* ① Hacer que una persona tenga sospecha o desconfianza de una cosa: *la gran rebaja que ofrecía el vendedor escamó al comprador, que dudó de la calidad del producto.* ② Quitar las escamas del cuerpo de un animal, generalmente del pescado. SIN descamar.
FAM escamado; descamar.

escamoso, -sa *adj.* Que tiene escamas.

escamotear *v. tr.* ① Hacer desaparecer un objeto a la vista de una persona con habilidad, sin que esta se dé cuenta: *el mago escamotea ante el público los objetos más inverosímiles.* ② Robar con habilidad y astucia. ③ Ocultar un dato o una información a una persona que tiene derecho a conocerla.
FAM escamoteo.

escampar *v. impersonal* ① Aclararse el cielo nublado o dejar de llover: *salgamos ahora, que parece que ha escampado.* SIN descampar. ‖ *v. intr.* ② Cesar en el intento de hacer algo. ③ AMÉR. Guarecerse de la lluvia.

escanciar *v. tr.* Echar o servir un líquido, especialmente vino o sidra, en un vaso o en una copa.
FAM escanciador.
OBS Verbo regular, se acentúa como *cambiar.*

escandalera *s. f. familiar* Escándalo, alboroto.

escandalizar *v. tr.* ① Causar escándalo o asombro. ‖ *v. intr.* ② Armar escándalo o alboroto: *bajó a la calle y les pidió a los niños que no escandalizaran a la hora de la siesta.* ‖ *v. prnl.* ③ **escandalizarse** Sentir un gran asombro e indignación ante lo que se considera una actuación contraria a la moral.

escándalo *s. m.* ① Alteración o pérdida de la tranquilidad, el silencio o el orden. **SIN** alboroto. ❷ Hecho o dicho que causa gran asombro e indignación en una o varias personas por considerarlo contrario a la moral. ❸ Gran asombro e indignación que causa en una o varias personas lo dicho o hecho por otra persona, por considerarlo contrario a la moral. **FAM** escandalera, escandalizar, escandaloso.

escandaloso, -sa *adj./s. m. y f.* ❶ Que causa escándalo: *esa chica tiene una risa escandalosa.* ❙ *adj.* ❷ Que causa asombro e indignación: *los precios de esa tienda son escandalosos.*

escandinavo, -va *adj.* ❶ De Escandinavia (región del norte de Europa): *los países escandinavos son Dinamarca, Finlandia, Noruega y Suecia.* ❙ *s. m. y f./adj.* ❷ Persona que es de Escandinavia.

escandio *s. m.* Elemento químico de símbolo *Sc* y número atómico 21; es un metal de color gris plata que pertenece al grupo de las tierras raras.

escanear *v. tr.* ❶ Pasar un objeto o un cuerpo a través de un escáner para obtener una imagen de su interior: *escanear un órgano del cuerpo para detectar lesiones internas.* ❷ Pasar un texto o una imagen a través de un escáner para convertirlo en un conjunto de datos procesables por un ordenador o un sistema informático.

escáner *s. m.* ❶ Aparato de rayos X que permite analizar el interior de un objeto o de un cuerpo mediante el procesamiento informático de las imágenes obtenidas de sucesivas divisiones horizontales del mismo. ❷ Exploración o análisis que se hace con ese aparato. ❸ Aparato o dispositivo conectado a un ordenador que permite convertir un texto o una imagen en un conjunto de datos en formato electrónico. **FAM** escanear.

escansión *s. m.* ❶ Medición de un verso examinando el número de pies, sílabas u otras unidades de que consta. ❷ División de un verso en unidades. ❸ Trastorno neurológico que consiste en hablar descomponiendo las palabras en sus sílabas y pronunciando estas separadamente.

escaño *s. m.* ❶ Asiento que ocupa un político en un parlamento o senado. ❷ Cargo político de la persona que ha sido elegida para formar parte de un parlamento o senado: *todos los partidos pretenden aumentar su número de escaños cuando se presentan a unas elecciones.* ❸ Asiento de madera con respaldo y forma de banco alargado en el que caben varias personas.

escapada *s. f.* ❶ Salida precipitada de un lugar cerrado, especialmente si se hace de manera oculta. ❷ Viaje o visita a un lugar que se hace de manera rápida y por muy poco tiempo: *este fin de semana haremos una escapada al pueblo del abuelo.* ❸ En ciclismo y otros deportes, circunstancia que se produce en una carrera cuando uno o varios corredores se adelantan al resto y obtienen una cierta distancia de ventaja.

escapar *v. intr./prnl.* ❶ Salir precipitadamente de un lugar cerrado, especialmente si es de manera oculta: *en un descuido se escapó el canario de la jaula.* **SIN** huir. ❷ Librarse de un peligro o un daño. ❸ Quedar un asunto o circunstancia fuera del alcance, la competencia o la influencia de una persona o institución: *hay cosas que se escapan al poder de la voluntad.* ❹ Quedar una idea o asunto fuera de la capacidad de comprensión de una persona. ❺ Desaprovechar una ocasión u oportunidad. ❙ *v. prnl.* ❻ **escaparse** Soltarse una persona, animal o cosa de donde estaba sujeta: *no he cogido bien la correa y se me ha escapado el perro.* ❼ Alejarse un medio de transporte sin que pueda llegar a él la persona que quería tomarlo. ❽ Salirse de modo imprevisto un líquido o un gas del lugar

en que está contenido. ❾ Pasar inadvertida una cosa por descuido o falta de atención de una persona: *se le escaparon detalles fundamentales a la hora de analizar la novela que había leído.* ❿ Decir una cosa que se quería o debía ocultar. ⓫ Notarse una cosa que se quería o se tenía que ocultar: *se le escapó una carcajada.* ⓬ En algunos deportes, como el ciclismo, distanciarse uno o varios corredores del resto, logrando una cierta distancia de ventaja. **FAM** escapada, escapatoria, escape, escapismo.

escaparate *s. m.* ❶ Espacio cerrado con cristales y situado al frente o a la entrada de un establecimiento, que sirve para exponer los productos ante el público. **SIN** aparador. ❷ Medio de promoción o propaganda en el que se muestran las características más significativas o atractivas de una cosa: *el Festival de Cannes es el principal escaparate del cine europeo.* ❸ Armario con puertas de cristal. **FAM** escaparatista.

escaparatista *s. com.* Persona que se dedica a arreglar escaparates de forma que resulten atractivos y llamativos.

escapatoria *s. f.* ❶ Lugar por el que es posible escapar de un espacio cerrado. ❷ Medio o recurso para solucionar una situación difícil y escapar de un problema o peligro: *el Gobierno ha tomado medidas para dejar sin escapatoria a los defraudadores fiscales.* **SIN** escape.

escape *s. m.* ❶ Acción de escapar. ❷ Salida imprevista de un líquido o un gas contenido en un recipiente. ❸ Escapatoria de una situación difícil. ❹ En un motor de explosión, salida al exterior de los gases residuales de la combustión: *el tubo de escape suele estar situado en la parte trasera de los automóviles.* ❺ Pieza que libera un mecanismo que regula un determinado efecto, como el péndulo de un reloj, la llave de una escopeta, etc. ❻ En neumática, salida prevista del aire a la atmósfera.

a escape A toda prisa: *todos salieron a escape del edificio incendiado.*

escapismo *s. m.* Tendencia a eludir responsabilidades y a evadirse de los problemas de la realidad. **FAM** escapista.

escápula *s. f.* Hueso ancho, triangular y aplanado que, junto con otro, está situado a cada lado de la parte superior de la espalda, en el que se articulan el húmero y la clavícula, formando la estructura del hombro. **SIN** omóplato.

escapular *adj.* Relativo a la escápula.

escapulario *s. m.* ❶ Prenda que forma parte del hábito de algunos religiosos que consiste en una pieza de tela que cuelga sobre el pecho y por la espalda, con la pertinente abertura para pasar la cabeza. ❷ Objeto formado por dos trozos de tela que llevan pintados, bordados o guardados una insignia, una imagen religiosa o un objeto de devoción que están unidos por dos cintas para poderlo llevar colgado al cuello (un trozo sobre el pecho y otro sobre la espalda) en señal de devoción.

escaque *s. m.* Casilla cuadrada de un tablero de ajedrez o damas: *un tablero de ajedrez tiene 64 escaques.* **FAM** escaquearse.

escaquearse *v. prnl.* familiar Escabullirse (evitar una obligación): *mi hermano siempre se intenta escaquear de sus obligaciones.*

escarabajo *s. m.* Insecto de cuerpo ovalado, patas cortas y diversos colores y tamaños según la especie; tiene dos pares de alas, uno para volar y el otro formado por dos alas endurecidas, llamadas élitros, que recubren el primer par: *el escarabajo es un animal invertebrado.* ■ **escarabajo de la patata** Escarabajo pequeño, de color amarillo con líneas negras, que se alimenta de las hojas, las flores y los brotes de la patata, el tomate y la berenjena. ■ **escarabajo pelotero** Escarabajo de color negro que se caracteriza por hacer rodar bolas de basura con sus patas posteriores: *el escarabajo pelotero era considerado sagrado por los antiguos egipcios.* **FAM** escarabajuelo.

escaramuza *s. f.* Enfrentamiento o riña de poca importancia que mantienen dos grupos de personas o dos ejércitos.

escarapela *s. f.* Adorno hecho con cintas de varios colores plisadas en forma redonda o de roseta: *la escarapela tricolor fue símbolo de los revolucionarios franceses.*

escarbar *v. tr./intr.* ① Remover la tierra ahondando un poco en ella: *la gallina escarbaba la tierra con el pico buscando gusanos.* ② Indagar o investigar en una cosa, especialmente si está oculta o es desconocida: *¿quién ha estado escarbando en mi escritorio?* ‖ *v. tr.* ③ Avivar la lumbre con la badila. ④ Tocar repetidamente una cosa, especialmente si se hace con los dedos: *escarbar una herida.* **SIN** hurgar. ⑤ Limpiar los dientes o los oídos.

escarceo *s. m.* ① Prueba que se realiza de una acción, actividad o trabajo antes de comenzar a desarrollarla de una manera continuada y definitiva. ② Aventura amorosa breve y de poca importancia. ③ Oleaje pequeño en la superficie del mar. ‖ *s. m. pl.* ④ **escarceos** Tornos y vueltas de los caballos. ⑤ Rodeo, divagación. ⑥ Incursión en un campo o actividad no acostumbrada. **OBS** Normalmente en plural.

escarcha *s. f.* Vapor de agua que primero se transforma en gotas muy pequeñas y luego se congela en la superficie de los cuerpos expuestos al frío. **FAM** escarchar.

escarchar *v. impersonal* ① Transformarse el rocío en escarcha: *todo el campo estaba blanco porque había escarchado durante la noche.* ‖ *v. tr.* ② Rociar una superficie con alguna sustancia semejante a la escarcha. ③ Confitar la fruta o los frutos secos de manera que el azúcar cristalice en su superficie, como si fuera una capa de escarcha.

escardar *v. tr.* ① Arrancar de un terreno de cultivo las malas hierbas. ② Separar lo bueno de lo malo: *vamos a tener que escardar estos libros.* **FAM** escardillo.

escarlata *s. m./adj.* ① Color rojo intenso, entre el carmesí y el grana: *el escarlata es su color preferido para pintarse los labios.* ‖ *adj.* ② Que es de este color. **NOTA** Invariable en número. ‖ *s. f.* ③ Tela de este color. **FAM** escarlatina.

escarlatina *s. f.* Enfermedad infecciosa caracterizada por fiebre alta, manchas de color rojo en la piel y dolor de garganta: *la escarlatina está causada por una bacteria, es contagiosa y ataca principalmente a los niños.*

escarmentar [1] *v. intr.* ① Aprender de los errores o faltas propias o de los demás para evitar reincidir en ellas: *ya le ha ocurrido varias veces pero no escarmienta.* ‖ *v. tr.* ② Castigar a una persona por haber cometido un error o una falta con la intención de que no reincida.

escarmiento *s. m.* ① Desengaño adquirido con la experiencia que se extrae de los errores o faltas propias o de los demás y que sirve para no reincidir en ellas: *el fracaso de su hermano en la universidad le sirvió de escarmiento para estudiar más.* **SIN** lección. ② Castigo que se le impone a una persona por haber cometido un error o una falta con la intención de que no reincida. **FAM** escarmentar.

escarnecer [16] *v. tr.* Burlarse de una persona de manera cruel y humillante. **FAM** escarnecedor, escarnecimiento, escarnio.

escarnio *s. m.* Burla cruel y humillante.

escarola *s. f.* Hortaliza comestible parecida a la lechuga, que tiene las hojas grandes, rizadas y amarillas, unidas por la base.

escarpa *s. f.* ① Escarpe. ② Plano inclinado de un muro o de una muralla. ③ **MÉX.** Acera.

escarpado, -da *adj.* Se aplica al terreno que es difícil de atravesar por estar lleno de rocas, cortes y pendientes muy pronunciadas. **SIN** abrupto, escabroso.

escarpe *s. m.* Declive abrupto y empinado del terreno, de altura variable. **SIN** escarpa.

escarpia *s. f.* Clavo con la cabeza doblada en ángulo recto que sirve para colgar cosas de él. **SIN** alcayata.

escarpín *s. m.* ① Zapato ligero y flexible de suela delgada con una sola costura. ② Prenda de abrigo hecha de lana gruesa y que se pone encima de la media o el calcetín para abrigar los pies.

escasear *v. intr.* ① Haber poca cantidad de una cosa, especialmente si se considera necesaria. **ANT** abundar. ‖ *v. tr.* ② Dar poco y de mala gana: *entonces, los clientes empezaron a escasear las propinas.*

escasez *s. f.* ① Falta o poca cantidad de una cosa, especialmente si se considera necesaria. **ANT** abundancia. ② Falta de las cosas más necesarias para vivir: *Europa debería tomar medidas ante la escasez en la que vive el Tercer Mundo.* **SIN** estrechez, penuria.

escaso, -sa *adj.* ① Que es muy poco o insuficiente en número o cantidad. **ANT** abundante. ② Que tiene muy poca cantidad de una cosa: *desde que lo despidieron, anda escaso de dinero.* **ANT** sobrado. ③ Que le falta muy poco para estar completo: *nos hacen falta dos cucharadas escasas de azúcar para poder hacer el pastel.* **FAM** escasamente, escasear, escasez.

escatimar *v. tr.* Dar la menor cantidad posible de lo que se especifica: *los vecinos acusan al ayuntamiento de escatimar recursos para arreglar el barrio.*

escatología[1] *s. f.* Conjunto de creencias y doctrinas relacionadas con la vida después de la muerte y el destino último del ser humano y el universo: *la escatología cristiana estudia el juicio final, la resurrección de los muertos y el retorno de Cristo.* **FAM** escatológico.

escatología[2] *s. f.* Conjunto de expresiones, imágenes o alusiones relacionadas con los excrementos. **FAM** escatológico.

escatológico, -ca[1] *adj.* Relativo a la escatología (doctrina).

escatológico, -ca[2] *adj.* Relativo a la escatología (alusión a los excrementos).

escay [también **skay**, más usado] *s. m.* Material plástico que imita el cuero y se usa principalmente para tapizar.

escayola *s. f.* **1** Masa hecha con yeso calcinado y agua, que es fácil de trabajar y se endurece cuando se seca. **2** Objeto hecho con esta masa endurecida. **3** Vendaje hecho con esta masa, con el cual se envuelve una parte del cuerpo para que, una vez endurecido al secarse, se mantenga inmovilizada.
FAM escayolar, escayolista.

escayolar *v. tr.* **1** Cubrir o decorar una superfice con escayola. **2** Inmovilizar una parte del cuerpo envolviéndola en un vendaje empapado en yeso o escayola que, al secarse, se endurece. **SIN** enyesar.

escena *s. f.* **1** Parte de un teatro o local destinada a que los actores actúen y representen un espectáculo ante el público. **SIN** escenario. **2** Fragmento de una pieza teatral que forma parte de un acto de la obra: *un acto está compuesto por varias escenas*. **3** Arte de la interpretación de obras teatrales. **4** Teatro o literatura dramática. **5** Fragmento de una película en el que se produce una acción determinada. **6** Situación de la vida real que se caracteriza por ser especialmente asombrosa, divertida o dramática: *tras la confirmación del accidente se vivieron escenas de gran dramatismo entre los familiares de los heridos*. **7** Grupo social o profesional integrado por personas especialmente destacadas o conocidas públicamente: *se retiró de la escena cultural para dedicarse por completo a escribir*. **8** Actitud exagerada y fingida con la que se pretende llamar la atención: *le montó una escena a su tendero para que todos supieran que vendía mercancía de mala calidad*.
poner en escena Preparar una obra de teatro para representarla.
FAM escenario, escénico, escenificar, escenografía.

escenario *s. m.* **1** Parte de un teatro o local destinada a que los actores actúen y representen un espectáculo ante el público. **SIN** escena. **2** Lugar en el que se desarrolla una acción o un suceso: *el director rodará la mayor parte de su película en escenarios naturales*. **3** Conjunto de circunstancias o ambiente que rodean a una persona o situación.

escénico, -ca *adj.* Relativo a la escena (parte de una obra teatral).

escenificación *s. f.* **1** Representación de una obra de teatro. **2** Representación en público de un hecho real o tomado de una obra literaria.

escenificar *v. tr.* **1** Representar una obra de teatro. **2** Representar en público un hecho real o tomado de una obra literaria.
FAM escenificación.

escenografía *s. f.* **1** Conjunto de elementos necesarios para representar y dotar del ambiente deseado a una obra de teatro, una película de cine o un programa de televisión. **2** Arte de preparar los elementos necesarios para representar y dotar del ambiente deseado a una obra de teatro, una película de cine o un programa de televisión.
FAM escenográfico, escenógrafo.

escenógrafo, -fa *s. m. y f.* Persona que se dedica a la escenografía.

escepticismo *s. m.* **1** Recelo o falta de confianza en la verdad o la eficacia de una cosa. **2** Tendencia y doctrina filosófica que considera que la verdad no existe o que el ser humano no es capaz de conocerla en caso de que exista: *el escepticismo surgió en la antigua Grecia*.
FAM escéptico.

escéptico, -ca *adj.* **1** Se aplica a la persona que duda o desconfía de la verdad o eficacia de una cosa. **|** *adj./s. m. y f.* **2** Se aplica a la persona que sigue la doctrina filosófica del escepticismo.
FAM escepticismo.

escindir *v. tr.* **1** culto Dividir un conjunto en dos o más partes, generalmente de importancia o valor semejante: *en vista de las graves diferencias entre sus miembros, el grupo se escindió*. **2** Romper un núcleo atómico, mediante el bombardeo de neutrones, para liberar energía.
FAM escisión.

escisión *s. f.* **1** culto División de un conjunto en dos o más partes, generalmente de valor o importancia semejante: *la Segunda Guerra Mundial provocó la escisión de Europa en dos zonas antagónicas*. **2** Rotura de un núcleo atómico, mediante el bombardeo de neutrones, para liberar energía.

esclarecer [16] *v. tr.* **1** Aclarar o resolver un asunto o materia: *el juez se entrevistó con el agresor y con el agredido para esclarecer los hechos*. **SIN** dilucidar. **2** culto Ennoblecer. **3** culto Iluminar, aclarar la razón.
FAM esclarecedor, esclarecido, esclarecimiento.

esclarecido, -da *adj.* culto Noble, ilustre: *antes de operarse consultó a los más esclarecidos especialistas*.

esclarecimiento *s. m.* Aclaración o resolución de un asunto o materia.

esclava *s. f.* Pulsera de una sola pieza y sin adornos que se puede llevar en la muñeca o en el tobillo.

esclavina *s. f.* Prenda de vestir en forma de capa corta, que se sujeta al cuello y cubre los hombros: *los peregrinos solían llevar una esclavina*.

esclavista *adj.* **1** Relativo a la esclavitud: *el régimen feudal de la Edad Media tenía numerosos puntos en común con la organización social esclavista*. **|** *adj./s. com.* **2** Se aplica a la persona que es partidaria de la esclavitud.

esclavitud *s. f.* **1** Situación y condición social en la que se encuentra una persona que carece de libertad y derechos por estar sometida de manera absoluta a la voluntad y el dominio de otra. **2** Régimen social y económico basado en el uso de esclavos como mano de obra: *en 1863 Abraham Lincoln abolió la esclavitud en los Estados Unidos*. **3** Falta de libertad provocada por el sometimiento a la voluntad de una persona, a una forma de vida opresiva o a un vicio: *estaba harto de la esclavitud a la que le tenía obligado su jefe*.

esclavizar *v. tr.* Someter o conducir a una persona a un estado de esclavitud: *la droga esclaviza a cuantos caen en sus redes*.
FAM esclavización.

esclavo, -va *adj./s. m. y f.* **1** Se aplica a la persona que carece de libertad y derechos propios por estar sometido de manera absoluta a la voluntad y el dominio de otra persona: *la ONU ha denunciado la existencia de niños esclavos en algunas zonas mineras de América del Sur*. **2** Se aplica a la persona que carece de libertad por estar sometido a la voluntad de otra persona, a una forma de vida opresiva o a un vicio.
FAM esclavista, esclavitud, esclavizar.

esclerosis *s. f.* **1** Enfermedad que consiste en un aumento anormal del tejido conjuntivo de un órgano que provoca su endurecimiento anormal y progresivo: *el colesterol provoca la* esclerosis de los vasos sanguíneos. ② culto Falta de evolución y adaptación a una nueva situación o planteamiento.

FAM esclerótico.

OBS Plural invariable.

esclerótica *s. f.* Membrana blanca, gruesa, resistente y opaca que constituye la capa exterior del globo del ojo: *la esclerótica se conecta por detrás con el nervio óptico, y por delante se modifica convirtiéndose en la córnea.*

esclusa *s. f.* Recinto dotado de grandes compuertas que se construye entre dos zonas de distinta altura en un canal para que los barcos puedan pasar de una a otra al subir o bajar su nivel mediante el llenado o vaciado de agua de dicho recinto.

escoba *s. f.* ① Instrumento formado por un cepillo alargado de fibras flexibles sujeto al extremo de un palo o barra larga, que sirve para barrer. ② Juego de cartas que consiste en intentar sumar 15 puntos con una carta propia y una o varias de las que hay sobre la mesa. ③ Nombre genérico que reciben varias especies de plantas de flores amarillas, cuyas ramas se usan para fabricar escobas. ④ AMÉR. CENTRAL Planta de América Central.

FAM escobajo, escobazo, escobero, escobilla, escobón.

escobazo *s. m.* ① Golpe dado con una escoba. ② ARG., CHILE Barredura ligera.

escobilla *s. f.* ① Instrumento formado por un pequeño cepillo de fibras flexibles, generalmente redondeado, sujeto al extremo de un palo o barra corta, que sirve para limpiar: *la escobilla de la taza de un retrete.* ② Baqueta rematada en uno de sus extremos por un haz de filamentos plásticos o metálicos que se usa para tocar un instrumento de percusión amortiguando su sonido: *los bateristas de jazz utilizan a menudo las escobillas.* ③ Tira fina y alargada de goma sujeta a la varilla del limpiaparabrisas. ④ Pieza de un mecanismo eléctrico formada por un haz de pequeños hilos metálicos que sirve para establecer una conexión: *la corriente sale de la dinamo a través de las escobillas.* ⑤ Planta de flores verdosas, también conocida como brezo para hacer escobas.

escobillado *s. m.* AMÉR. Escobilleo.

escobillar *v. intr.* AMÉR. En los bailes, hacer un movimiento rápido con los pies restregando el suelo: *los danzarines escobillan con donaire.*

escobilleo *s. m.* AMÉR. Zapateo suave y rápido, como si se estuviese barriendo el suelo, que se ejecuta en algunos bailes tradicionales. **SIN** escobillado.

escocedura *s. f.* Irritación en la piel debida al sudor o al roce de una prenda.

escocer [6] *v. intr.* ① Causar una sensación de picor intenso y doloroso, parecida a la que produce una quemadura: *cuando cae limón o sal en una herida escuece mucho.* ② Causar una sensación de malestar y amargura. ‖ *v. prnl.* ③ **escocerse** Producirse una irritación en la piel debida al sudor o al roce de una prenda. ④ Sentirse alguien herido en su amor propio: *me escoció su contestación.*

FAM escocedura, escozor.

escocés, -cesa *adj.* ① De Escocia (parte integrante del Reino Unido). ‖ *s. m. y f./adj.* ② Persona que es de Escocia. ‖ *s. m./adj.* ③ Lengua céltica hablada en Escocia. ‖ *adj.* ④ Relativo a esta lengua. ⑤ Se aplica a la tela o prenda de vestir que tiene rayas que forman cuadros de diversos colores: *falda escocesa.*

escocia *s. f.* Moldura de perfil cóncavo formada por la sucesión de dos arcos de círculo de diferente diámetro, que se emplea en la decoración de las basas de las columnas o las pilastras.

escofina *s. f.* Herramienta parecida a la lima, con dientes gruesos triangulares, que sirve para quitar las partes más bastas de la madera.

escoger *v. tr.* Tomar o preferir una cosa o persona entre varias posibles: *después de mucho pensar escogió pasar las vacaciones en la playa.* **SIN** elegir.

FAM escogida, escogido.

escogida *s. f.* ① CUBA Selección de distintas clases de tabaco. ② CUBA Lugar donde se hace este trabajo. ③ CUBA Reunión de operarios que realizan este trabajo.

escogido, -da *adj.* Que se considera el mejor entre los de su especie y por ello ha sido elegido. **SIN** selecto.

escolanía *s. f.* Coro formado por niños educados en un monasterio para el canto y para el servicio del culto.

escolano *s. m.* Miembro de una escolanía.

escolapio, -pia *adj.* ① Relativo a la orden religiosa de las Escuelas Pías, fundada por san José de Calasanz en 1597 para la enseñanza de niños pobres. ‖ *adj./s. m.* ② Se aplica al religioso que pertenece a esta orden.

escolar *adj.* ① Relativo a la escuela: *la LOGSE ha supuesto una reforma importante del sistema escolar y educativo.* ‖ *s. com.* ② Niño o joven que recibe enseñanza y estudia en una escuela.

FAM escolaridad, escolarizar; preescolar.

escolaridad *s. f.* Periodo de tiempo que dura la estancia de un niño o joven en una escuela para estudiar y recibir la enseñanza adecuada: *la escolaridad obligatoria dura hasta los 16 años.*

escolarización *s. f.* Dotación de una escuela a un niño o joven para estudiar y recibir la enseñanza adecuada: *el Ministerio de Educación pretende la escolarización de todos los niños de 6 a 16 años.*

escolarizar *v. tr.* Proporcionar una escuela a un niño o joven para estudiar y recibir la enseñanza adecuada.

FAM escolarización.

escolástica *s. f.* Doctrina filosófica, enseñada en las escuelas y universidades de la Edad Media, que intentaba explicar los dogmas de la religión católica mediante las ideas de algunos filósofos griegos como Aristóteles.

escolástico, -ca *adj.* ① Relativo a la escolástica. ‖ *adj./s. m. y f.* ② Se aplica a la persona que sigue la doctrina filosófica de la escolástica: *santo Tomás de Aquino fue un filósofo escolástico.*

FAM escolástica.

escoliosis *s. f.* Desviación lateral de la columna vertebral.

OBS Plural invariable.

escollar *v. intr.* ARG., CHILE Fracasar un proyecto por haber tropezado con algún inconveniente.

escollera *s. f.* Construcción hecha con grandes rocas o bloques de cemento que se arrojan al fondo del mar hasta levantar una especie de muro o rompeolas que sirve de protección contra la acción del mar.

escollo *s. m.* ① Roca poco visible en la superficie del agua y que constituye un grave peligro para la navegación. ② Problema o dificultad que supone un obstáculo para el desarrollo de un proceso o actividad.

FAM escollar, escollera.

escolopendra *s. f.* Animal invertebrado terrestre, parecido al ciempiés, de hasta 20 cm de longitud, que tiene el cuerpo de color amarillento, alargado y aplanado, formado por muchos anillos en cada uno de los cuales tiene dos patas, con el primer par en forma de uñas venenosas.

escolta *s. f.* ① Protección o custodia que se da a una persona o cosa acompañándola a los lugares donde acude o es conducida: *una empresa privada se encarga de la escolta del famoso cantante.* ② Grupo formado por las personas encargadas de esta protección o custodia. ‖ *s. com.* ③ Cada una de las personas que forman parte de este grupo. ④ Jugador de un equipo de baloncesto cuya función principal es encestar a media distancia y ayudar al base en su juego.

escoltar *v. tr.* ① Proteger o custodiar a una persona o cosa acompañándola a los lugares donde acude o es conducida. ② Acompañar a una persona en señal de honor: *familiares y amigos escoltaron el féretro del fallecido.* **FAM** escolta.

escombrar *v. tr.* Limpiar un lugar de escombros o materiales de desecho que quedan después de derribar una construcción. **SIN** descombrar, desescombrar. **FAM** descombrar, desescombrar.

escombrera *s. f.* Conjunto de escombros que resultan del derribo de un edificio y lugar donde se tiran.

escombro[1] *s. m.* ① Conjunto de desechos y materiales de construcción inservibles que resultan del derribo de un edificio o de una obra de albañilería. **SIN** cascote. ② Residuos de la explotación de una mina o cantera. **FAM** escombrar, escombrera. **OBS** Más en plural.

escombro[2] *s. m.* Pez marino comestible, semejante en forma y color a la sardina, pero de mayor tamaño y con líneas negras en el lomo. **SIN** caballa.

esconder *v. tr.* ① Poner en un lugar retirado o secreto para no ser visto o encontrado: *se fugó de la cárcel y se escondió en una cueva de las montañas.* **SIN** ocultar. ② Estar una cosa colocada de forma que impide que otra sea vista o encontrada. ③ Mostrar el comportamiento o las palabras de una persona una idea o sentimiento distinto u opuesto al que en realidad tiene: *la amabilidad del timador escondía su intención última.* **FAM** escondido, escondite, escondrijo.

escondidas *s. f. pl.* AMÉR. Escondite (juego de niños). **a escondidas** Indica que algo se hace de manera secreta para no ser visto por otras personas: *el ladrón entró a escondidas en el museo y se llevó el cuadro.*

escondido, -da *adj.* Que no se puede ver porque está oculto o en un lugar poco habitual. **FAM** escondidas.

escondite *s. m.* ① Juego de niños que consiste en esconderse todos excepto uno que intenta encontrarlos. ② Lugar retirado o secreto que es adecuado para esconder a una persona o cosa. **SIN** escondrijo.

escondrijo *s. m.* Escondite (lugar).

escoñar *v. tr.* ① vulgar Estropear una cosa. ② vulgar Romper algo de manera violenta. ‖ *v. prnl.* ③ **escoñarse** vulgar Sufrir un accidente o lesión.

escopeta *s. f.* Arma de fuego portátil compuesta por uno o dos cañones largos, con una culata de madera triangular que sirve para apoyarla contra el hombro cuando se dispara. **FAM** escopetado, escopetazo, escopetear, escopetero.

escopetado, -da [también **escopeteado, -da**] *adj.* familiar Se aplica a la persona que obra con mucha rapidez y velocidad.

escopeteado, -da *adj.* Escopetado.

escoplo *s. m.* Herramienta de hierro acerado, de hoja plana y fuerte de sección rectangular con punta afilada y mango de madera que se golpea con un mazo; se usa para trabajar la madera o la piedra y en operaciones de huesos. **FAM** escopladura.

escorar *v. tr.* ① Sujetar de pie y en tierra una embarcación colocando escoras o palos a sus lados. ② Inclinar una embarcación hacia uno de sus costados: *una gran ola escoró mucho el pesquero y a punto estuvo de hacerlo zozobrar.* ‖ *v. intr./prnl.* ③ Inclinarse una embarcación hacia uno de sus costados, por la fuerza del viento u otra causa. ‖ *v. intr.* ④ Estar la marea en su punto más bajo. ‖ *v. prnl.* ⑤ **escorarse** Situarse un jugador en un lugar próximo a las bandas laterales del campo.

escorbuto *s. m.* Enfermedad producida por la carencia o escasez de vitamina C que se caracteriza por el empobrecimiento de la sangre, manchas lívidas, ulceraciones en las encías y hemorragias.

escoria *s. f.* ① Sustancia de desecho que contiene las impurezas de los metales cuando se funden. ② Lava poco densa y porosa que lanza al exterior un volcán durante una erupción.

escoriación [también **excoriación**] *s. f.* Lesión superficial en la piel.

escoriar [también **excoriar**] *v. tr.* Causar escoriación. **FAM** escoriación. **OBS** Verbo regular, se acentúa como *cambiar.*

escorpio *adj./s. com.* Se aplica a la persona que ha nacido entre el 24 de octubre y el 22 de noviembre, tiempo en que el Sol, visto desde la Tierra, recorre la constelación de Escorpión, octavo signo del Zodiaco. **SIN** escorpión. **OBS** Se escribe normalmente con mayúscula inicial. Plural invariable.

escorpión *s. m.* ① Invertebrado de la clase arácnidos, es de respiración traqueal, con dos apéndices articulados y movibles (pedipalpos) en forma de pinza alrededor de la boca, con cuatro pares de patas machacadoras y una cola compuesta por seis segmentos y terminada en un aguijón venenoso con que captura a sus presas. **SIN** alacrán. ‖ *adj./s. com.* ② Escorpio. **NOTA** Se escribe normalmente con mayúscula inicial. Plural invariable.

escorrentía *s. f.* Corriente de agua de lluvia que circula libremente por la superficie de un terreno.

escorzo *s. m.* ① Representación de una figura, especialmente humana, que se extiende oblicua o perpendicularmente al plano del papel o lienzo sobre el que se pinta, acortando sus líneas de acuerdo con las reglas de la perspectiva. ② Figura o parte de una figura representada de este modo.

escotadura *s. f.* ① Escote (corte o abertura). ② Corte hecho en la armadura debajo del brazo para poder moverlo. ③ Abertura grande que se hace en la parte trasera del escenario de un teatro: *en la escotadura se colocan las tramoyas.* ④ Cortadura en el borde de una cosa que altera su forma.

escotar[1] *v. tr.* ① Cortar una prenda de vestir para ajustarla a la medida adecuada: *tendrá que escotarme un poco las sisas porque me oprime el traje.* ② Canalizar una corriente de agua. **FAM** escotadura.

escotar² *v. tr.* Pagar a partes iguales lo que se ha consumido o gastado entre varios.

escote¹ *s. m.* **1** Corte o abertura hecho en una prenda de vestir en la parte del cuello o de las mangas, que deja descubierta parte del pecho o de la espalda. **SIN** escotadura. **2** Parte del pecho o la espalda que queda descubierta por este corte o abertura.
FAM escotar.

escote² *s. m.* Parte que corresponde pagar a una persona del gasto hecho en común con otras.
a escote Pagando cada persona la parte que le corresponde en un gasto común: *nada de invitar tú, esto lo pagamos a escote.*
FAM escotar.

escotilla *s. f.* Abertura en el armazón de un avión, de un barco u otra nave, que comunica con un espacio interior.
FAM escotillón.

escotillón *s. m.* Trampa que consiste en una tabla que cubre un recinto o salida bajo el suelo que se puede abrir y cerrar, en especial la que hay en los escenarios.

escozor *s. m.* **1** Sensación de picor intenso y doloroso parecida a la que produce una quemadura. **2** Sentimiento de disgusto o pena: *aún siento el escozor de sus desprecios.*

escriba *s. m.* **1** Persona que se dedicaba a copiar textos o a escribir al dictado. **SIN** amanuense, copista. **2** Entre los hebreos, doctor o intérprete de la ley.
FAM escribano.

escribanía *s. f.* **1** Mueble para escribir, formado por un tablero, que generalmente se levanta para cerrarlo, y una serie de cajones y compartimentos para guardar papeles. **SIN** escritorio. **2** Juego de escritorio compuesto de un soporte sobre el que van colocadas varias piezas, generalmente una pluma, un tintero y un secante. **3** Oficio del escribano. **4** Oficina del escribano.

escribano *s. m.* **1** Funcionario público que antiguamente daba garantía de que los documentos o escrituras que le presentaban eran auténticos o verdaderos. **2** Ave de cuerpo pequeño y rechoncho, colores vivos y pico corto.
escribano de agua Insecto de color bronceado brillante, con las patas adaptadas a la natación, que suele andar en continuo movimiento sobre las aguas estancadas.
FAM escribanía.

escribiente *s. com.* Empleado de oficina que se dedica a copiar escritos o pasarlos a limpio, o bien escribir lo que le dictan.

escribir *v. tr.* **1** Representar las palabras o las ideas mediante letras u otros signos gráficos convencionales. **2** Componer o crear un texto o una música: *escribió la marcha nupcial para la boda de sus amigos.* **3** Comunicar una cosa a alguien por escrito: *mi amiga y yo nos escribimos todas las semanas.* **|** *v. intr.* **4** Funcionar o hacer sus trazos un bolígrafo, un lápiz u otro objeto que sirva para escribir. **SIN** pintar. **|** *v. prnl.* **5** **escribirse** Apuntarse en una lista para un fin determinado. **SIN** inscribirse.
FAM escriba, escribiente, escrito, escritura; sobrescribir, transcribir.
OBS Participio irregular: *escrito.*

escrito, -ta **1** Participio irregular de *escribir.* **|** *s. m.* **2** Comunicación, papel o documento que se hace mediante la escritura. **3** Obra literaria o científica: *ya en sus escritos de juventud demostró ser un gran novelista.*
FAM escritor, escritorio.

escritor, -ra *s. m. y f.* Persona que se dedica a crear y escribir obras literarias o científicas.

escritorio *s. m.* Mueble para escribir, formado por un tablero, que generalmente se levanta para cerrarlo, y una serie de cajones y compartimentos para guardar papeles. **SIN** escribanía.

escritura *s. f.* **1** Sistema de representación de palabras o ideas por medio de letras u otro conjunto de signos gráficos convencionales: *la invención de la escritura supuso uno de los mayores avances de la historia del ser humano.* ■ **escritura alfabética** Escritura que emplea uno o más signos para representar cada sonido. ■ **escritura iconográfica** Escritura que emplea como signo la imagen del objeto al que se hace referencia: *algunas lenguas orientales usaban la escritura iconográfica.* ■ **escritura ideográfica** Escritura que emplea un signo para representar cada idea o palabra. ■ **escritura simbólica** o **escritura jeroglífica** Escritura que emplea imágenes a modo de símbolos. **2** Modo o manera de escribir: *ese tipo de escritura es poco claro y no se entiende.* **3** Documento público en el que se recoge un acuerdo o una obligación y que está firmado por las partes interesadas. **4** Conjunto de obras que componen la Biblia y que, según cristianos y hebreos, han sido inspiradas por Dios. **NOTA** También *Sagradas Escrituras.* Se escribe con mayúscula inicial. Más en plural con el mismo significado que en singular.
FAM escriturar.

escriturar *v. tr.* Formalizar y dar carácter legal a un acuerdo o una obligación mediante una escritura o documento público que lo recoja: *en esta gestoría se han encargado de escriturar la compraventa del piso.*

escroto *s. m.* Bolsa de piel que cubre los testículos de los mamíferos.
FAM escrotal.

escrúpulo *s. m.* **1** Duda o recelo que se tiene sobre si una acción es buena, moral o justa, e inquietud o preocupación que provoca: *no tuvo escrúpulos para quedarse con todo el dinero.* **NOTA** Normalmente en plural. **2** Repugnancia a tomar un alimento o hacer uso de alguna cosa por temor a la suciedad o al contagio. **NOTA** Normalmente en plural. **3** Atención y cuidado que se pone al hacer una cosa.
FAM escrupuloso.

escrupuloso, -sa *adj./s. m. y f.* **1** Se aplica a la persona que siente o tiende a sentir repugnancia a tomar o hacer uso de algo por temor a la suciedad o el contagio. **|** *adj.* **2** Se aplica a la persona que es precisa y cuidadosa al hacer o examinar una cosa y en el cumplimiento de los deberes.
FAM escrupulosidad.

escrutar *v. tr.* **1** Reconocer y computar los votos dados en una elección o los boletos presentados en una apuesta. **2** Examinar o analizar con mucha atención: *parecía que me estuviera escrutando con la mirada.*
FAM escrutador, escrutinio; inescrutable.

escrutinio *s. m.* **1** Reconocimiento y recuento de los votos en una elección o de los boletos en una apuesta. **2** Examen o estudio hecho con mucha atención y exactitud.

escuadra *s. f.* **1** Instrumento de dibujo lineal con forma de triángulo rectángulo isósceles, que sirve para medir y trazar líneas. **2** En el fútbol y otros deportes, cada uno de los dos rincones superiores de la portería. **3** Pieza de material resistente, en forma de L o de triángulo rectángulo, que se usa para asegurar la unión en ángulo de dos piezas o estructuras:

cuelga la estantería y sujétala con dos escuadras. **4** Conjunto de barcos de guerra que forman una unidad. **5** Unidad militar formada por un pequeño grupo de soldados mandados por un cabo.
a escuadra En forma de escuadra o en ángulo recto: *las piedras de la iglesia están cortadas a escuadra.*
FAM escuadrilla, escuadrón.

escuadrilla *s. f.* **1** Grupo de aviones que vuelan juntos bajo el mando de un jefe. **2** Escuadra o conjunto de barcos de guerra de pequeño tamaño.

escuadrón *s. m.* **1** Unidad militar de caballería mandada generalmente por un capitán: *el escuadrón de caballería equivale a la compañía de infantería.* **2** Unidad militar compuesta de un gran número de aviones.

escuálido, -da *adj.* Se aplica a la persona o animal que está muy flaco o delgado. SIN esquelético. ANT gordo, obeso.
FAM escualo.

escualo *s. m.* Pez con una gran aleta triangular en la parte superior y con la boca en la parte inferior de la cabeza: *el tiburón y el cazón son escualos.*

escucha *s. f.* **1** Acción de escuchar: *procedieron a la escucha de la grabación una vez más.* ■ **escucha telefónica** Acción que consiste en escuchar y registrar las conversaciones telefónicas de una persona sin que esta lo note. ∣ *s. com.* **2** Persona encargada de seguir los programas de radio o televisión para tomar nota de los defectos o de la información que se emite. ∣ *s. m.* **3** Centinela que espía de noche las posiciones enemigas. **4** Aparato que percibe los sonidos que se producen en un lugar y los transmite a otro lugar determinado: *he instalado un escucha en la habitación del bebé para saber cuándo llora.*
a la escucha Atento para escuchar algo: *seguiremos a la escucha para ver si conseguimos más noticias.*
FAM radioescucha.

escuchar *v. tr.* **1** Prestar atención a lo que se oye. **2** Hacer caso de un consejo o aviso. ∣ *v. intr.* **3** Aplicar el oído para oír algo: *no está bien escuchar detrás de las puertas.*
FAM escucha.

escuchimizado, -da *adj.* familiar Se aplica a la persona o animal que está muy delgado, raquítico y con aspecto débil o enfermizo. SIN desmirriado, esmirriado.

escudar *v. tr.* **1** Proteger a alguien contra una amenaza o peligro: *es un cobarde, siempre busca a alguien que le escude.* **2** Defender con el escudo. ∣ *v. prnl.* **3** **escudarse** Valerse de alguna cosa como defensa o pretexto para hacer o dejar de hacer lo que se expresa.

escudería *s. f.* Equipo de competición de coches o motos de carreras.

escudero *s. m.* **1** Paje o sirviente que acompañaba a un caballero para llevarle el escudo y las armas y para servirle: *Sancho Panza fue el fiel escudero de don Quijote.* **2** Criado que servía a una señora acompañándola cuando salía de casa. **3** Persona que hacía escudos.
FAM escuderil.

escudilla *s. f.* Vasija ancha y de forma de media esfera en la que se suelen servir la sopa y el caldo.

escudo *s. m.* **1** Arma de defensa formada por una plancha de metal, madera u otro material, que se sujeta con el brazo contrario al que maneja el arma de ataque. **2** Superficie u objeto con la forma de esa arma, que lleva las insignias y otros símbolos que identifican una nación, ciudad o familia. NOTA También *escudo de armas.* SIN blasón. **3** Insignia de una entidad o corporación. **4** Defensa o protección. **5** Unidad monetaria de Portugal (hasta su sustitución por el euro en el año 2002) y de Cabo Verde. **6** Moneda antigua de plata o de oro que tenía grabada la imagen de un escudo (arma de defensa) en una de sus caras.
FAM escudar, escudero.

escudriñar *v. tr.* Examinar u observar una cosa con gran cuidado, tratando de averiguar las interioridades o los detalles menos manifiestos.
FAM escudriñamiento.

escuela *s. f.* **1** Establecimiento público donde se enseña, especialmente el que se dedica a la enseñanza primaria. **2** Establecimiento público donde se imparte un tipo determinado de conocimientos: *escuela de idiomas.* **3** Método o estilo peculiar de cada maestro para enseñar. **4** Conocimiento o enseñanza que se adquiere o que se imparte: *sabe lo que tiene que hacer frente a cada contratiempo, tiene mucha escuela.* **5** Conjunto de profesores, alumnos y otros miembros de una escuela. **6** Conjunto de discípulos, seguidores o imitadores de una persona o de su doctrina, su estilo o su arte.
hacer o **crear escuela** Tener seguidores.
FAM escolano, escolar.

escuerzo *s. m.* **1** Sapo. **2** fam. desp. Persona esmirriada.

escueto, -ta *adj.* Que es breve y no contiene adornos, rodeos o palabras innecesarias.

esculpir *v. tr.* **1** Hacer una obra de escultura trabajando, labrando o vaciando una materia, especialmente piedra, metal o madera. **2** Grabar sobre una superficie de piedra, metal o madera, en hueco o en relieve: *no sabían qué palabras esculpir al pie de su tumba.*
FAM escultor, escultura.

escultismo *s. m.* Movimiento juvenil internacional que pretende la formación integral del individuo mediante actividades de grupo y la vida en contacto con la naturaleza: *los miembros del escultismo se denominan "boy scouts".*

escultor, -ra *s. m. y f.* Persona que se dedica al arte de la escultura.

escultórico, -ca *adj.* Relativo a la escultura (arte).

escultura *s. f.* **1** Arte o técnica de modelar, tallar o vaciar objetos o figuras de bulto trabajando o labrando diversos materiales, como barro, piedra, madera o bronce. **2** Obra artística en la que se ha aplicado esa técnica.
FAM escultórico, escultural.

escultural *adj.* Que tiene las proporciones y los rasgos de belleza propios de una escultura: *ese chico va al gimnasio y tiene un cuerpo escultural.*

escupir *v. tr./intr.* **1** Arrojar saliva u otra cosa por la boca: *escupir sangre.* ∣ *v. tr.* **2** Echar de la boca alguna cosa: *el bebé ha escupido toda la papilla.* **3** Echar o despedir del interior de forma violenta: *los cañones escupían balas y metralla.* **4** Echar un cuerpo a la superficie lo que está mezclado con él: *esta pared escupe la pintura porque está llena de humedad.* **5** familiar Confesar algo. SIN cantar.
FAM escupidera, escupidura, escupitajo, escupitinajo.

escupitajo *s. m.* familiar Saliva que se escupe por la boca de una vez. SIN salivazo, escupitinajo.

escupitinajo *s. m.* Escupitajo.

escurreplatos *s. m.* Mueble de cocina donde se ponen en

posición vertical los platos y cacharros lavados para que se sequen. SIN escurridor.
OBS Plural invariable.

escurridizo, -za *adj.* ❶ Se aplica a la cosa que se escurre o desliza con facilidad. ❷ Se aplica a la cosa que hace escurrir o deslizarse: *el suelo está muy escurridizo.* ❸ Se aplica a la persona que se escapa o escabulle con facilidad.

escurrido, -da *adj.* ❶ Se aplica a la persona que es estrecha de caderas. ❷ Méx., P. Rico Avergonzado.

escurridor *s. m.* ❶ Colador de agujeros grandes para escurrir verdura, legumbres y otros alimentos. ❷ Escurreplatos.

escurrir *v. tr.* ❶ Hacer que una cosa mojada pierda el líquido que la empapa: *deja que se escurra bien la lechuga antes de ponerla en los platos.* ❷ Apurar las últimas gotas del líquido que queda en un recipiente. ‖ *v. intr.* ❸ Soltar una cosa el líquido que contiene: *deja la toalla colgada para que escurra.* ❹ Deslizar o resbalar sobre una superficie. ‖ *v. prnl.* ❺ **escurrirse** Salir o escaparse de un lugar sin que se note, con disimulo o con habilidad. SIN escabullirse. ❻ Deslizarse o escaparse una cosa de entre otras que la sujetan, especialmente de las manos: *se le escurrió el vaso entre los dedos y se hizo añicos.* SIN escabullirse. ❼ familiar Excederse.
FAM escurreplatos, escurridero, escurridizo, escurrido, escurridor.

escusado, -da [también **excusado, -da**] *adj.* ❶ Que está preservado del uso común. ‖ *s. m.* ❷ culto Retrete (habitación).

escúter *s. f.* Scooter.

esdrújulo, -la *adj./s. f.* Se aplica a la palabra que lleva el acento de intensidad en la antepenúltima sílaba: *las esdrújulas siempre llevan tilde.* SIN proparoxítono.
FAM sobresdrújulo.

ese¹ *s. f.* ❶ Nombre de la letra *s.* ❷ Eslabón de cadena que tiene forma de *s.*
hacer eses Moverse de un lado a otro, de forma que parece describir la letra *s*: *no podía controlar la dirección del coche e iba haciendo eses.*

ese, esa² *det./pron.* ❶ Indica o señala algo que está a una distancia media, en el espacio o el tiempo, de la persona que habla: *ese abrigo me gusta; Yo prefiero ese.* NOTA Cuando funciona como pronombre, se debe escribir con tilde si existe riesgo de ambigüedad. ‖ *adj.* ❷ Pospuesto al sustantivo, comporta un matiz despectivo o indeterminado: *¡de nuevo he visto al hombre ese!*
ni por esas familiar De ninguna manera, ni siquiera en una circunstancia adecuada: *se lo he pedido hasta de rodillas, pero ni por esas.*

esencia *s. f.* ❶ Conjunto de características permanentes e invariables que determinan la naturaleza de un ser: *uno de los grandes temas filosóficos es el de la esencia del ser humano.* ❷ Característica principal o fundamental de una cosa. ■ **quinta esencia** Sentido último o más importante de una cosa, o cualidad más pura, fina y elevada que tiene esta. NOTA También *quintaesencia.* ❸ Perfume con gran concentración de la sustancia olorosa que se saca de ciertas plantas: *un frasco de esencia de rosas.* ❹ Extracto líquido y concentrado de una sustancia, generalmente aromática: *esencia de vainilla.*
en esencia De forma resumida.
FAM esencial.

esencial *adj.* ❶ Relativo a la esencia (características permanentes): *la inteligencia es una característica esencial del ser hu-*

mano. ❷ Que es lo más importante y necesario. SIN básico, fundamental. ❸ Se aplica al compuesto orgánico que es necesario para el correcto funcionamiento de un organismo, pero que este no puede sintetizar y debe, por tanto, obtenerlo de la dieta: *para el ser humano, la mayoría de vitaminas y ciertos ácidos grasos y aminoácidos son esenciales.*
FAM esencialmente.

esenio, -nia *adj.* ❶ Relativo a una antigua secta judía caracterizada por llevar una vida muy austera en comunidad. ‖ *s. m. y f./adj.* ❷ Persona que pertenecía a esta secta.

esfenoides *adj./s. m.* Se aplica al hueso que está situado en la parte media de la base del cráneo, entre el frontal y el etmoides por delante y el occipital por detrás: *el esfenoides tiene la forma de una mariposa con las alas extendidas.*
OBS Plural invariable.

esfera *s. f.* ❶ Cuerpo geométrico limitado por una superficie curva cuyos puntos están todos a igual distancia de uno interior llamado centro. ■ **esfera celeste** Superficie ideal, curva y cerrada, concéntrica a la Tierra y sobre la cual se ven moverse los planetas y estrellas. ■ **esfera terrestre** Cuerpo geométrico que representa a la Tierra y en cuya superficie se representa la disposición de sus tierras y mares. SIN globo. ❷ Círculo en el que giran las agujas de un reloj. ❸ Clase o condición social de una persona y demás circunstancias sociales que la rodean: *es un político de altas esferas.* ❹ Espacio en que se desarrolla una acción. ❺ Conjunto de circunstancias, relaciones y conocimientos que están vinculados entre sí por tener algo en común: *este centro de investigación es el mejor en su esfera.* SIN ámbito.
FAM esférico, esferoide; semiesfera.

esférico, -ca *adj.* ❶ Relativo a la esfera (cuerpo geométrico). ‖ *s. m.* ❷ En el lenguaje del deporte, balón o pelota de material flexible y llena de aire.
FAM esfericidad; semiesférico.

esferoide *s. m.* Cuerpo de forma aproximadamente esférica: *la Tierra es un esferoide.*

esfinge *s. f.* Animal fabuloso con cabeza y pecho de mujer, y cuerpo y pies de león: *la esfinge de Gizeh reproduce la cabeza de un rey egipcio.*

esfínter *s. m.* Músculo en forma de anillo con el que se abren o cierran las aberturas de distintos conductos naturales del cuerpo: *los esfínteres regulan la apertura y el cierre de la vejiga de la orina.*

esforzado, -da *adj.* culto Se aplica a la persona que es valiente y animosa y actúa con gran energía y fuerza moral.

esforzar [5] *v. tr.* ❶ Someter un órgano o una capacidad a un esfuerzo, al usarlo con mayor intensidad de la normal: *terminarás usando gafas, si esfuerzas tanto la vista.* ‖ *v. prnl.* ❷ **esforzarse** Hacer un esfuerzo físico o mental para conseguir alguna cosa.
FAM esforzado, esfuerzo.

esfuerzo *s. m.* ❶ Empleo enérgico de la fuerza física o mental con un fin determinado: *si te duele la espalda, no debes hacer esfuerzos.* ❷ Empleo de medios superiores a los normales para conseguir un fin determinado: *a pesar de sus esfuerzos, no consiguió terminar los estudios.* ❸ Fuerza que actúa sobre un cuerpo y que tiende a estirarla (tracción), aplastarla (compresión), doblarla (flexión), cortarla (corte) o retorcerla (torsión).

esfumar *v. tr.* ❶ Difuminar o hacer más débiles y suaves los trazos o los contornos de un dibujo: *el pintor esfumaba con el* difumino las manchas de color del cuadro. ‖ v. prnl. ② **esfu-marse** Marcharse de un lugar con rapidez y disimulo. ③ Desaparecer poco a poco una cosa: *cuando bajamos un poco, la niebla se había esfumado.* SIN desvanecerse.

esfumino *s. m.* Utensilio de dibujo que sirve para suavizar los colores y el contorno de las figuras y así crear sensación de movimiento y perspectiva; tiene forma de lápiz con una o dos puntas y está hecho con papel fuertemente enrollado. SIN difumino.

esgrafiar *v. tr.* Decorar un objeto, especialmente paredes, superponiendo dos capas de pintura, esmalte o yeso de colores distintos y rascando la superficie para que se vea la capa de debajo.
OBS Verbo regular, se acentúa como *desviar.*

esgrima *s. f.* ① Deporte olímpico que consiste en el enfrentamiento de dos personas armadas con una espada, sable o florete, y protegidas con una careta y un traje especial. ② Arte de manejar la espada y otras armas blancas para combatir.

esgrimir *v. tr.* ① Manejar o sostener una espada u otra arma blanca con intención de atacar o de defenderse. ② Usar una cosa no material para atacar o defenderse o para lograr alguna cosa: *tendrás que esgrimir nuevos argumentos si quieres convencernos.*
FAM esgrima.

esguince *s. m.* ① Lesión producida por un estiramiento violento de una articulación que hace que se dañen o se rompan las fibras musculares de una zona. ② Movimiento del cuerpo, que se tuerce para evitar un golpe o una caída.

eslabón *s. m.* ① Cada una de las piezas con forma de anillo que, enlazadas unas con otras, forman una cadena. ② Elemento necesario para relacionar dos ideas o acciones: *los últimos avances suponen el eslabón que faltaba para la obtención de la vacuna.* ③ Hierro afilado del que saltan chispas al chocar con el pedernal.
FAM eslabonar.

eslalon o **eslálom** *s. m.* Competición de esquí en la que los deportistas siguen un trazado con pasos obligados.
OBS Puede encontrarse la grafía inglesa *slalom.*

eslavo, -va *adj.* ① Relativo a un antiguo grupo de la rama central de la familia indoeuropea que habitó el norte y este de Europa. ‖ s. m. y f./adj. ② Persona perteneciente a ese grupo de pueblos: *los eslavos se cristianizaron en los siglos IX y X.* ‖ adj./s. m. ③ Se aplica a las diversas lenguas que pertenecen a la familia del indoeuropeo y se hablan en el norte y este de Europa: *el ruso, el búlgaro y el polaco son lenguas eslavas.*

eslogan *s. m.* Frase corta y que se puede recordar fácilmente, que se usa para vender un producto o para aconsejar a la población sobre algo.
OBS Plural: *eslóganes.* Puede encontrarse la grafía inglesa *slogan.*

eslora *s. f.* Longitud de una embarcación desde proa a popa, medida sobre la cubierta principal.

eslovaco, -ca *adj.* ① De Eslovaquia (país de Europa): *la capital eslovaca es Bratislava.* ‖ s. m. y f./adj. ② Persona que es de Eslovaquia. ‖ s. m./adj. ③ Lengua eslava hablada en Eslovaquia. ‖ adj. ④ Relativo a esta lengua.

esloveno, -na *adj.* ① De Eslovenia (país de Europa): *la capital eslovena es Liubliana.* ‖ s. m. y f./adj. ② Persona que es de Eslovenia. ‖ s. m./adj. ③ Lengua eslava hablada en Eslovenia. ‖ adj. ④ Relativo a esta lengua.

esmaltar *v. tr.* ① Aplicar esmalte a una cosa. ② Adornar o embellecer una cosa, especialmente dándole diversos colores o matices: *un campo esmaltado de flores.*
FAM esmaltado.

esmalte *s. m.* ① Cosmético de laca, de secado rápido, que sirve para colorear las uñas y darles brillo. ② Barniz o pasta brillante y dura, que se obtiene fundiendo polvo de vidrio coloreado con óxidos metálicos, que se aplica y adhiere sobre metal o cerámica. ③ Objeto cubierto o adornado con este barniz o pasta. ④ Sustancia dura y brillante que cubre la parte de los dientes que está fuera de las encías: *el esmalte va sobre el marfil del diente y lo protege contra la caries.*
FAM esmaltar; quitaesmalte.

esmerado, -da *adj.* ① Que ha sido hecho con gran esmero o cuidado. ② Que se esmera, cuidadoso.

esmeralda *s. f.* ① Piedra preciosa, brillante y de color verde azulado, que se usa como adorno: *la esmeralda es una variedad de berilo.* ‖ s. m./adj. ② Color verde como el de esta piedra. ‖ adj. ③ Que es de este color. NOTA Invariable en número.
FAM esmeraldino.

esmerarse *v. prnl.* Poner mucho cuidado y atención en el cumplimiento de una obligación o al hacer una cosa.
FAM esmerado.

esmeril *s. m.* Roca granulada de gran dureza que se emplea para deslustrar el vidrio, labrar piedras preciosas y pulimentar los metales.
FAM esmerilar.

esmerilado *s. m.* Operación que consiste en pulir una superficie con esmeril.

esmerilar *v. tr.* Pulimentar una superficie con esmeril.

esmero *s. m.* Sumo cuidado y especial atención que se ponen en el cumplimiento de una obligación o al hacer una cosa.
FAM esmerarse.

esmirriado, -da *adj.* familiar Que está muy delgado, raquítico y tiene un aspecto débil. SIN escuchimizado, desmirriado.

esmoquin *s. m.* Traje masculino de etiqueta cuya chaqueta no tiene faldones y que se usa en fiestas u ocasiones importantes.
OBS Plural: *esmóquines.* Puede encontrarse la grafía inglesa *smoking.*

esnifar *v. tr.* Aspirar cocaína u otra droga en polvo por la nariz.
FAM esnifada.

esnob *adj./s. com.* Se aplica a la persona que tiene una admiración exagerada por todo lo que está de moda, sea por afectación o para darse importancia.
FAM esnobismo.
OBS Plural: *esnobs.* Puede encontrarse la grafía inglesa *snob.*

esnobismo [también **snobismo**] *s. m.* Exagerada admiración por todo lo que está de moda, sea por afectación o para darse importancia.
FAM esnobista.

eso *pron.* ① Indica o señala lo que está a una distancia media, en el espacio o el tiempo, de las personas que hablan: *dame eso que hay sobre la mesa.* ② Indica o señala una cosa conocida o nombrada poco antes por los hablantes: *eso que has dicho me parece muy interesante.*

a eso de Expresión que da idea de un tiempo o un momento aproximados: *nos veremos a eso de las diez.* **OBS** Carece de plural.

ESO [se pronuncia 'eso'] *s. f.* Sigla de *enseñanza secundaria obligatoria,* etapa de la enseñanza escolar que sigue a la primaria y comprende de los doce a los dieciséis años.

esófago *s. m.* Conducto del aparato digestivo que va desde la faringe al estómago: *las paredes musculares del esófago hacen unos movimientos que facilitan el transporte del bolo alimenticio al estómago.*
FAM esofágico.

esotérico, -ca *adj.* **1** Que está oculto, reservado o solamente es perceptible o asequible para unos pocos iniciados: *me dan cierto miedo el ocultismo, el espiritismo y otros temas esotéricos.* **2** Que es incomprensible o difícil de entender.
FAM esoterismo.

esoterismo *s. m.* **1** Cualidad de esotérico: *ahora se interesa por libros de ciencias ocultas y esoterismo.* **2** Conjunto de conocimientos y prácticas religiosos o filosóficos que se mantienen secretos u ocultos para conservarlos intactos, y solo se transmiten a iniciados.

espabilar *v. tr.* **1** Hacer que aumenten en una persona la inteligencia, la agilidad mental y la capacidad de relación con los demás. **SIN** despabilar, despertar. **2** Hacer que alguien despierte del todo. **SIN** despabilar. **‖** *v. intr.* **3** Darse prisa o apresurarse en la realización de una cosa. **SIN** despabilar.

espachurrar *v. tr.* familiar Aplastar o apretar una cosa con fuerza hasta reventarla. **SIN** despachurrar, despanzurrar.
FAM espachurramiento.

espaciador *s. m.* Tecla que se pulsa en el teclado de una máquina de escribir o de un ordenador para dejar espacios en blanco.

espacial *adj.* Relativo al espacio: *nave espacial; viaje espacial.*
FAM aeroespacial.

espaciar *v. tr.* **1** Separar o poner distancia entre dos o más cosas. **2** Aumentar el intervalo de tiempo que transcurre entre dos o más acciones: *debes espaciar un poco más las comidas.* **3** Separar las líneas, palabras o letras de un texto impreso con los debidos espacios.
FAM espaciador.
OBS Verbo regular, se acentúa como *cambiar.*

espacio *s. m.* **1** Extensión en la que están contenidos todos los cuerpos que existen: *la filosofía siempre se ha ocupado del espacio y del tiempo.* **2** Parte de esa extensión, generalmente la que ocupa cada cuerpo. ■ **espacio aéreo** Zona de la atmósfera bajo el control de un país y por la que circulan aviones comerciales o militares: *el avión ruso violó el espacio aéreo norteamericano.* ■ **espacio vital** Terreno o extensión necesaria para el desarrollo y la vida de una colectividad. **3** Parte de esa extensión situada más allá de la atmósfera terrestre: *ha sido lanzado un nuevo cohete al espacio.* **4** Periodo de tiempo. **5** Separación entre líneas, especialmente en un texto escrito: *los originales deberán presentarse mecanografiados a doble espacio.* **6** Extensión vacía en un texto escrito que equivale a la que ocupa una letra: *las palabras se separan unas de otras mediante un espacio.* **7** Programa o parte de la programación de radio o televisión: *presenta en televisión un espacio informativo.* **8** Distancia recorrida por un cuerpo que se mueve en un tiempo determinado: *la velocidad es igual al espacio dividido por el tiempo.*

espacio muestral En matemáticas, conjunto formado por todos los sucesos elementales de un fenómeno aleatorio.
FAM espacial, espaciar, espacioso; hiperespacio, semiespacio.

espacioso, -sa *adj.* **1** Que es grande o amplio. **ANT** estrecho, pequeño. **2** Que es lento o pausado.
FAM espaciosidad.

espada *s. f.* **1** Arma blanca larga, recta y cortante con una empuñadura en un extremo para cogerla. **2** Carta de la baraja española en la que aparecen representadas una o varias de estas armas: *debes tirar una espada más alta que el siete.* **‖** *s. m.* **3** Torero que mata al toro con esta arma. **SIN** matador. **‖** *s. f. pl.* **4 espadas** Palo de la baraja española que se representa con una o varias de estas armas: *llevo el rey de espadas.*
entre la espada y la pared En situación de tener que decidirse por una cosa u otra sin poder posponerlo ni elegir otro camino.
espada de Damocles Amenaza continua de un peligro.
FAM espadachín, espadín.

espadachín *s. m.* Persona que maneja bien la espada.

espadaña *s. f.* **1** Campanario formado por una sola pared con uno o más huecos en que van colocadas las campanas. **2** Planta de tallos altos y cilíndricos, con las hojas largas y estrechas dispuestas en dos filas a lo largo del tallo y con las flores en forma de espiga. **SIN** anea, enea. **3** Hoja seca de esta planta, que se usa para tejer asientos y otros objetos. **SIN** anea, enea.

espagueti *s. m.* Pasta de harina de trigo en forma de cilindros macizos, largos y delgados, pero más gruesos que los fideos.
OBS Normalmente en plural. Puede encontrarse la grafía italiana *spaghetti.*

espalda *s. f.* **1** Parte posterior del cuerpo humano que va desde los hombros hasta la cintura. **NOTA** También en plural con el mismo significado que en singular. **2** Lomo o parte posterior del cuerpo de algunos animales. **3** Parte de una prenda de vestir que cubre o toca esta parte posterior del cuerpo humano. **4** Parte posterior u opuesta a la frontal de cualquier cosa: *la entrada al garaje está a la espalda del edificio.* **NOTA** También en plural con el mismo significado que en singular. **5** En natación, estilo que consiste en nadar boca arriba, moviendo los brazos en círculo y las piernas de arriba abajo.
a espaldas de En ausencia de alguien y sin que se entere: *todo fue organizado a espaldas del director.*
dar (o volver) la espalda Negar una ayuda o abandonar a alguien: *nunca doy la espalda a los amigos cuando me necesitan.*
echarse sobre las espaldas Responsabilizarse de una cosa.
guardar las espaldas Proteger o defender: *se permite llegar tarde, porque tiene quien le guarde las espaldas.*
medir las espaldas Castigar o golpear.
FAM espaldar, espaldarazo, espaldera, espaldilla; guardaespaldas.

espaldarazo *s. m.* **1** Golpe dado de plano en la espalda con la espada o con la mano: *el espaldarazo formaba parte de la ceremonia de armar a un caballero.* **2** Ayuda o empuje que recibe una persona para conseguir un objetivo. **3** Reconocimiento de los méritos o habilidades de una persona en su profesión o en la actividad que realiza: *su última obra es muy buena y la prensa le ha dado el espaldarazo que merecía.*

espaldera *s. f.* **1** Enrejado de cañas o de listones que se coloca delante de una pared para que trepen por él las plantas enredaderas. **‖** *s. f. pl.* **2** **espalderas** Aparato de gimnasia formado por varias barras de madera horizontales que están fijas a la pared y dispuestas a distintas alturas para hacer ejercicios.

espaldilla *s. f.* **1** Cuarto delantero de algunas reses, como el cordero o el cerdo. **2** MÉX. Lacón de cerdo.

espantada *s. f.* Huida repentina, especialmente a causa del miedo.

espantajo *s. m.* **1** Espantapájaros. **2** Cosa o persona que pretende infundir miedo. **3** fam. desp. Persona de aspecto ridículo o estrafalario.

espantapájaros *s. m.* **1** Muñeco de figura humana que se pone en terrenos de cultivo o en los árboles para ahuyentar a los pájaros. **‖** *s. com.* **2** fam. desp. Persona que viste descuidadamente o tiene un aspecto ridículo.
OBS Plural invariable.

espantar *v. tr.* **1** Causar miedo o espanto. **2** Echar de un lugar: *espantar las moscas.* **‖** *v. prnl.* **3** **espantarse** Sentir miedo o espanto. **4** Quedarse admirado o asombrado: *se espantó al verlo tan delgado.*
FAM espantada, espantadizo, espantajo, espantapájaros, espanto.

espanto *s. m.* **1** Miedo muy intenso. **SIN** terror. **2** Impresión fuerte o turbación del ánimo que se siente ante un hecho repentino y desagradable. **3** Hecho que molesta o resulta poco agradable: *me causa espanto conducir de noche.*
de espanto familiar Muy grande: *¡hoy hace un calor de espanto!*
estar curado de espanto No sorprenderse ante un hecho o situación por estar acostumbrado a ello.
FAM espantoso.

espantoso, -sa *adj.* **1** Que produce espanto o miedo. **2** familiar Que es muy feo o desagradable y provoca rechazo: *dice que es un cuadro muy bueno, pero a mí me parece espantoso.* **SIN** horrendo, horrible, horroroso. **3** familiar Que es muy grande o intenso: *tengo un frío espantoso.* **SIN** horrendo, horrible, horroroso.

español, -la *adj.* **1** De España (país de Europa). **SIN** hispánico, hispano. **‖** *s. m. y f./adj.* **2** Persona que es de España. **‖** *s. m./adj.* **3** Lengua románica hablada en España, en Hispanoamérica y en otras zonas del mundo: *el español se forma en Castilla como resultado de la evolución del latín y se extiende poco a poco como consecuencia de la expansión y la hegemonía político-económica de Castilla.* **SIN** castellano. **‖** *adj.* **4** Relativo a esta lengua: *literatura española.*
FAM españolada, españolear, españolidad, españolismo, españolizar.

españolismo *s. m.* **1** Amor o admiración por la cultura y las tradiciones de España. **2** Palabra o modo de expresión propio de la lengua española que se usa en otro idioma: *la palabra "guerrilla" es un españolismo usado en muchas lenguas.* **SIN** hispanismo.
FAM españolista.

españolista *adj.* **1** Relativo al españolismo. **‖** *adj./s. com.* **2** Se aplica a la persona que ama o admira todo lo español. **3** Se aplica a la persona que es partidaria de la unidad política de España.

españolizar *v. tr.* **1** Comunicar o adquirir formas, características o costumbres que se consideran propias de lo español. **SIN** hispanizar. **2** Adecuar términos y expresiones de otra lengua a la forma normal en español.
FAM españolización.

esparadrapo *s. m.* Tira de tela, papel o plástico con una de sus caras adhesiva y que se usa generalmente para sujetar un vendaje.

esparaván *s. m.* Ave rapaz de unos 30 cm, con plumaje gris azulado en la parte superior y con bandas de color pardo rojizo en el resto: *la hembra del esparaván es de plumaje más claro.* **SIN** gavilán.

esparavel *s. m.* Red redonda que se arroja a brazo, para pescar en los ríos y parajes de poca profundidad.

esparcimiento *s. m.* **1** Extensión o separación de algo que estaba junto. **2** Diversión o distracción, especialmente para alejarse por un tiempo de un trabajo o preocupación: *te vendrán bien unos días de esparcimiento.*

esparcir *v. tr.* **1** Separar o extender lo que está junto. **2** Extender una cosa haciendo que ocupe más espacio: *la mancha de aceite se esparció al intentar quitarla con agua.* **3** Divulgar una noticia. **‖** *v. prnl.* **4** **esparcirse** Divertirse o distraerse, especialmente para alejarse por un tiempo de un trabajo o preocupación.
FAM esparcido, esparcimiento.

espárrago *s. m.* **1** Espiga que sobresale de una pieza y que sirve para sujetarla a otra: *la rueda del coche va sujeta con tres espárragos.* **2** Esparraguera. **3** Yema o brote comestible, de forma alargada y de color verde o blanco, que crece por primavera en las raíces de la esparraguera. **■** **espárrago triguero** Espárrago silvestre, fino y de color verde, que crece en las tierras de cultivo. **4** Tornillo sin cabeza, generalmente largo, que tiene rosca en sus dos extremos.
a freír espárragos Indica que se despide o se rechaza con desprecio a una persona o una cosa: *estaba harto de ella y la mandó a freír espárragos.*
FAM esparraguera.

esparraguera *s. f.* Planta de tallo recto y cilíndrico, con frutos rojos del tamaño de un guisante y raíces rastreras de las que crecen los brotes tiernos comestibles o espárragos: *algunos tipos de esparraguera se cultivan como plantas ornamentales.* **SIN** espárrago.

esparramar *v. tr.* familiar Extender o esparcirse sin orden y en diferentes direcciones lo que está junto. **SIN** desparramar.

esparrin *s. m.* Persona que ayuda a un boxeador a entrenarse peleando con él.
OBS Puede encontrarse la grafía inglesa *sparring.*

espartano, -na *adj.* **1** De Esparta (antigua ciudad y estado de Grecia). **‖** *s. m. y f./adj.* **2** Persona que era de Esparta. **‖** *adj.* **3** culto Se aplica a la persona, educación, ley, etc., que es muy austera, dura y exigente: *lleva una vida espartana sin comodidades de ningún tipo.*

espartaquismo *s. m.* Movimiento revolucionario alemán de tendencia socialista fundado en 1916 y liderado por Rosa Luxemburgo y Karl Liebknecht, de talante pacifista, que era contrario a la guerra de 1914 y defendía la unificación de todos los trabajadores por encima de los intereses de cada país.

esparto *s. m.* **1** Planta herbácea de tallo recto y hojas largas muy resistentes que se usan para hacer cuerdas, pasta de papel, etc. **2** Hoja de esta planta.
FAM espartal, esparteña, espartizal.

espasmo *s. m.* Contracción brusca e involuntaria de las fibras musculares.
FAM espasmódico.

espasmódico, -ca *adj.* Relativo al espasmo o acompañado de espasmos.
FAM antiespasmódico.

espatarrar *v. tr.* ① familiar Abrir excesivamente las piernas a una persona o las patas a un animal. SIN despatarrar. ‖ *v. prnl.* ② **espatarrarse** familiar Caerse al suelo con las piernas abiertas. SIN despatarrarse.

espato *s. m.* Nombre que se aplica a cualquier mineral cristalino, transparente o translúcido, no metálico, de colores claros y fácilmente exfoliable. ▪ **espato calizo** Mineral formado por carbonato de cal cristalizado. SIN calcita. ▪ **espato de Islandia** Variedad pura y transparente de calcita, utilizada en óptica. ▪ **espato flúor** Mineral cristalizado, compuesto de flúor y calcio, utilizado en óptica, decoración y metalurgia. SIN fluorita. ▪ **espato pesado** Mineral compuesto de sulfato de bario, de color blanco o amarillo, empleado en la fabricación de pinturas. SIN baritina.

espátula *s. f.* ① Utensilio a modo de paleta plana formado por una lámina de metal de forma triangular, con los bordes afilados y un mango largo, que se usa especialmente para remover, hacer mezclas y extender pastas. ② Ave zancuda de plumaje blanco de joven y rosado de adulta, de patas largas y finas y el pico largo y aplanado en el extremo: *la espátula abunda en las marismas del sur de España.*

especia *s. f.* Sustancia vegetal aromática que se usa para dar sabor a los alimentos.
FAM especiar, especiero.

especial *adj.* ① Que se diferencia de lo que es normal, común o general. SIN singular. ② Que es muy adecuado o propio para un fin determinado: *este aceite es especial para máquinas de coser.*
en especial De un modo en particular.
FAM especialidad, especializar, especialmente.

especialidad *s. f.* ① Producto en cuya preparación destaca una persona, un establecimiento o una región: *su especialidad es la paella.* ② Rama de la ciencia o del arte a la que se dedica una persona. ③ Cualidad distintiva: *tu especialidad es llegar tarde.*
FAM especialista.

especialista *adj./s. com.* ① Se aplica a la persona que se dedica a una rama determinada de la ciencia, la técnica o el arte sobre los que tiene conocimientos profundos: *el médico de cabecera me ha enviado al especialista.* ② Se aplica a la persona que hace algo con gran perfección y mejor que los demás. ‖ *s. com.* ③ Persona que sustituye a un actor o una actriz de cine o televisión en las escenas peligrosas o en las que requieren cierta destreza. SIN doble.

especialización *s. f.* ① Preparación o adiestramiento en una rama determinada de una ciencia, de un arte o de una actividad. ② Limitación a un uso o a un fin determinado.

especializar *v. tr.* ① Preparar o adquirir conocimientos especiales en una rama determinada de una ciencia, de un arte o de una actividad: *se ha especializado en medicina deportiva.* ② Limitar una cosa a un uso o un fin determinado.
FAM especialización.

especiar *v. tr.* Añadir especias a un alimento para darle más sabor o hacerlo más gustoso. SIN sazonar.
OBS Verbo regular, se acentúa como *cambiar.*

especie *s. f.* ① Conjunto de personas o de cosas semejantes entre sí por tener una o varias características comunes. ② Categoría básica de clasificación de los seres vivos, que comprende a un grupo de individuos de características semejantes que son capaces de cruzarse y producir descendencia fértil: *la destrucción de entornos naturales debida a la acción del hombre aumenta año tras año el número de especies amenazadas.* ③ Grupo de compuestos de igual composición química. ④ En la Eucaristía, apariencia del pan y el vino, después de la transustanciación. NOTA También *especie sacramental.*
en especie Con cosas o acciones pero no con dinero: *también hay que declarar las retribuciones en especie.*
una especie de Parecido a lo indicado por el sustantivo al cual precede: *el gazpacho es una especie de sopa fría.*
FAM especia; subespecie.

especiero, -ra *adj.* ① Relativo a la especia. ‖ *s. m. y f.* ② Persona que comercia en especias. ‖ *s. m.* ③ Armario pequeño con cajones o conjunto de botes en los que se guardan especias: *coge la pimienta del especiero.*
FAM especiería.

especificación *s. f.* Determinación de los datos o detalles necesarios sobre una persona o una cosa para diferenciarlas con claridad de otra.

especificar *v. tr.* Dar los datos o detalles necesarios sobre una persona o una cosa para diferenciarlas con claridad de otra: *para pedir el libro debes especificar el autor, la editorial y el año.*
FAM especificación, especificativo.

especificativo, -va *adj.* ① Que tiene virtud o eficacia para especificar o determinar de forma precisa. ② Se aplica al adjetivo o a la proposición de relativo que delimitan la cualidad o la extensión de un sustantivo: *en las oraciones "dame el libro azul" y "enséñame el disco que te regalaron", la palabra "azul" es un adjetivo especificativo y la oración "que te regalaron" es una oración especificativa.*

especificidad *s. f.* Conjunto de propiedades o características de una persona o una cosa que permiten distinguirla de otras.

específico, -ca *adj.* ① Que es propio o peculiar de una persona o una cosa y sirve para caracterizarla o distinguirla de otras: *en la reunión discutiremos las cuestiones específicas del proyecto.* ‖ *s. m.* ② Medicamento especialmente indicado para una enfermedad determinada.
FAM especificar, especificidad.

espécimen *s. m.* Muestra, modelo o ejemplar que tiene las cualidades o características de su especie muy bien definidas: *en el zoo encontramos un buen espécimen de jaguar.*
OBS Plural: *especímenes.*

espectacular *adj.* ① Que llama la atención y despierta admiración por ser exagerado o estar fuera de lo común: *temíamos que el tejado no resistiera aquella espectacular tormenta.* ② Relativo al espectáculo público.
FAM espectacularidad.

espectacularidad *s. f.* Conjunto de circunstancias o de características que hacen que un hecho o una cosa llame la atención y despierte admiración por ser exagerado o estar fuera de lo común.

espectáculo *s. m.* ① Acto que se representa ante un público con el fin de divertir. ② Acción o cosa que llama la atención y causa admiración. ③ Acción o cosa que causa ex-

trañeza o escándalo: *¡cállate ya, que vas dando el espectáculo por la calle!*
FAM espectacular.

espectador, -ra *adj./s. m. y f.* ① Se aplica a la persona que presencia un espectáculo público. ② Que mira y observa con atención alguna cosa: *mirada espectadora.* **FAM** telespectador.

espectral *adj.* Relativo al espectro.

espectro *s. m.* ① Figura irreal, generalmente horrible, que alguien ve a través de su imaginación y llega a parecer real. ② Persona muy delgada o decaída físicamente. ③ Conjunto o serie de elementos que forman un todo: *había un representante de cada uno de los partidos del espectro político nacional.* ④ Serie de frecuencias que resultan de la dispersión de un fenómeno formado por ondas: *este aparato proporciona imágenes gráficas del espectro de los sonidos.* ■ **espectro atómico** Conjunto de las radiaciones emitidas por los átomos de un elemento que ha sido excitado en estado gaseoso. ■ **espectro continuo** Espectro que se caracteriza por tener una distribución continua de radiación. ■ **espectro de absorción** Espectro que se obtiene haciendo pasar una radiación por un cuerpo que absorbe radiaciones de determinada frecuencia. ■ **espectro de emisión** Espectro electromagnético emitido por una fuente excitada. ■ **espectro electromagnético** Conjunto de todas las radiaciones electromagnéticas conocidas, ordenadas por frecuencias, desde las más bajas (ondas de radio) a las más altas (radiación gamma). ■ **espectro luminoso** Espectro que se ve y se percibe como una serie de colores que va del rojo al violeta. ■ **espectro solar** Espectro que resulta de la dispersión de las radiaciones de la luz blanca del sol al pasar a través de un prisma. ■ **espectro visible** Fracción de espectro electromagnético que comprende las radiaciones que forman la luz visible. ⑤ Imagen o representación gráfica del sonido obtenida a través de un aparato especial: *en este libro se reproduce el espectro de las vocales del español.* **FAM** espectral.

espectrógrafo *s. m.* ① Instrumento que sirve para obtener fotografías de un espectro luminoso u otra radiación. ② Aparato utilizado en fonética para registrar la representación gráfica del sonido.

espectroscopia *s. f.* Estudio de los espectros o las radiaciones que emite y absorbe una sustancia: *la estructura del átomo ha podido resolverse, en gran parte, gracias a la espectroscopia.*

espectroscopio *s. m.* Instrumento óptico para obtener y observar un espectro.

especulación *s. f.* ① Idea o pensamiento no fundamentado y carente de una base real. ② Operación comercial que consiste en comprar un bien cuyo precio se espera que suba a corto plazo, con el único fin de venderlo en el momento oportuno y obtener un beneficio. ③ Pensamiento, meditación o reflexión en profundidad sobre alguna cosa. ④ Estudio intelectual meramente teórico.

especulador, -ra *adj./s. m. y f.* Se aplica a la persona que compra bienes cuyos precios se espera que suban a corto plazo con el único fin de venderlos oportunamente y obtener beneficios.
OBS Frecuentemente usado de forma despectiva.

especular¹ *v. intr.* ① Meditar o pensar con profundidad. ② Hacer suposiciones y pensar sin tener una base real.

③ Comprar un bien cuyo precio se espera que va a subir a corto plazo con el único fin de venderlo oportunamente y obtener un beneficio. **FAM** especulación, especulador, especulativo.

especular² *adj.* Relativo al espejo.

especulativo, -va *adj.* ① Relativo a la especulación (actividad económica). ② Se aplica a la persona que piensa sobre ideas que no tienen una base real. ③ Basado en la teoría sin aplicación práctica.

espejismo *s. m.* ① Fenómeno óptico que consiste en ver ciertos objetos lejanos a través de una imagen invertida: *los espejismos son frecuentes en los desiertos y se deben a la refracción de la luz a través de capas de aire de distinta densidad.* ② Imagen o representación engañosa de la realidad provocada en la mente por la imaginación o por la interpretación errónea de los datos aportados por los sentidos. **SIN** ilusión.

espejo *s. m.* ① Superficie pulida de cristal, cubierta en su cara posterior por una capa de mercurio o por una plancha de metal, en la que se reflejan la luz y las imágenes de los objetos. ② Cosa a través de la cual se ve algo retratado: *la cara es el espejo del alma.* ③ Modelo que debe ser imitado: *es un espejo de bondad.* **FAM** espejismo.

espeleología *s. f.* ① Ciencia que estudia el origen y formación de las cavernas, así como su fauna y flora. ② Actividad que consiste en la exploración de cuevas y otras cavidades naturales subterráneas. **FAM** espeleológico, espeleólogo.

espeleólogo, -ga *s. m. y f.* Persona que se dedica a la espeleología.

espeluznante *adj.* Que causa terror o miedo muy intenso. **SIN** aterrador, terrorífico.

espeluznar *v. tr.* Producir una cosa horror o miedo. **SIN** horripilar, horrorizar.

espera *s. f.* ① Acción de esperar. ② Periodo de tiempo durante el cual se está aguardando la llegada de una persona o que ocurra una cosa. ③ Plazo que los acreedores conceden al deudor en quiebra. ④ Puesto emboscado para cazar.
a la espera Con la esperanza de que suceda una determinada cosa.

esperanto *s. m.* Idioma creado artificialmente con la idea de que sirviera de lengua universal: *el esperanto fue creado en 1887.* **FAM** esperantista.

esperanza *s. f.* ① Confianza en que ocurra o en lograr algo que se desea. ② Objeto de esa confianza: *tu ayuda era la esperanza que me quedaba.* ③ Virtud teologal por la cual los cristianos esperan la ayuda de Dios en este mundo y la gloria eterna tras la muerte: *la esperanza permite al cristiano tener paciencia en momentos adversos.*
esperanza de vida Cálculo demográfico de la duración media de la vida en un grupo humano determinado. **FAM** esperanzar; desesperanza.

esperanzador, -ra *adj.* Que hace tener esperanza. **ANT** desesperanzador.

esperanzar *v. tr.* Dar esperanza a alguien. **ANT** desesperanzar. **FAM** esperanzado, esperanzador.

esperar *v. tr./intr.* ① Quedarse en un lugar hasta que llegue una persona u ocurra una cosa: *te esperé toda la tarde en el bar*

donde habíamos quedado. ‖ *v. tr.* ❷ Creer que va a ocurrir o suceder una acción generalmente favorable. ❸ Tener la esperanza de conseguir algo que se desea. ‖ *v. intr.* ❹ Estar a punto de ocurrir una cosa que generalmente no se puede evitar: *si no estudias, ¡menudo futuro te espera!*
FAM espera; desesperar, inesperado.

esperma *s. amb.* Fluido blanquecino producido por los órganos de reproducción masculinos, que contiene los espermatozoides. SIN semen.
FAM espermatozoide, espermatozoo, espermicida.

espermaticida *adj.* ❶ Que destruye los espermatozoides: *efecto espermaticida.* ‖ SIN espermicida. ‖ *adj./s. m.* ❷ Se aplica a la sustancia que destruye los espermatozoides. SIN espermicida.

espermátida *s. f.* Célula germinal masculina que deriva del espermatocito y a partir de la cual se origina el espermatozoide.

espermatocito *s. m.* Célula germinal masculina que deriva de la espermatogonia y que da lugar a las espermátidas, a partir de las cuales se originan los espermatozoides.

espermatófito, -ta *adj./s. f.* Se aplica a la planta provista de semillas mediante las que se reproduce; posee un sistema vascular y una estructura compleja (o cormo) que consta de raíz, tallo y hojas: *las espermatófitas incluyen a la mayoría de árboles, arbustos y plantas herbáceas.*

espermatogénesis *s. f.* Proceso de formación de las células sexuales masculinas, desde la espermatogonia hasta los espermatozoides.
OBS Plural invariable.

espermatogonia *s. f.* Célula germinal masculina de la cual derivan, por divisiones sucesivas, los espermatocitos.

espermatozoide *s. m.* Célula sexual masculina de los animales, destinada a la fecundación del óvulo y a la constitución, junto con este, de un nuevo ser; está formado por una cabeza, cuello y una cola móvil que le permite desplazarse hasta el óvulo. SIN espermatozoo.

espermatozoo *s. m.* Espermatozoide.

espermicida V. espermaticida.

esperpéntico, -ca *adj.* Relativo al esperpento (género literario): *su concepción esperpéntica del mundo le hace crear imágenes y figuras deformadas y monstruosas.*

esperpento *s. m.* ❶ Persona o cosa muy fea o ridícula. ❷ Género literario creado por Ramón María del Valle-Inclán (1869-1936), en el que se distorsiona sistemáticamente la realidad de forma grotesca para hacerla más profunda y patente. ❸ Obra teatral de este género.
FAM esperpéntico.

espesar *v. tr.* ❶ Hacer más espeso un líquido. ❷ Apretar, poner más tupida una cosa: *espesar la lana.* ‖ *v. prnl.* ❸ **espesarse** Unirse o apretarse unas cosas con otras: *por esa zona de bosque los árboles se espesan.*

espeso, -sa *adj.* ❶ Se aplica al líquido, sustancia que es denso y no fluye fácilmente. ANT claro. ❷ Que está formado por elementos que están muy juntos o apretados: *espeso bosque; niebla espesa.* ❸ Que es grueso, macizo o con mucho cuerpo. ❹ Que es complicado o difícil de comprender y de resolver: *es una materia tan espesa que no llego a comprenderla.* ❺ VENEZ. Pesado.
FAM espesar, espesativo, espesor, espesura.

espesor *s. m.* ❶ Densidad o condensación de un fluido.

❷ Anchura o grosor de un cuerpo sólido: *he puesto una pared de medio metro de espesor.*

espesura *s. f.* ❶ Densidad o grado de fluidez de un líquido. ❷ Complicación o dificultad para ser comprendido o resuelto. ❸ Paraje muy poblado de árboles y matorrales.

espetar *v. tr.* ❶ familiar Decir a alguien una cosa que causa sorpresa o fastidio. ❷ Atravesar carnes o pescados con un instrumento acabado en punta para someterlos a la acción directa del fuego. ‖ *v. prnl.* ❸ **espetarse** GUAT., HOND. familiar Encajarse, afianzarse.

espetón *s. m.* Pieza de hierro larga y delgada que se usa para empujar, mover o pinchar algo con su extremo.
FAM espetar.

espía *s. com.* Persona que, con algún interés o al servicio de alguien, se dedica a conseguir información secreta, especialmente si esta proviene de un país extranjero.
FAM espiar.

espiar *v. tr.* ❶ Observar o escuchar con atención y disimulo lo que otros hacen o dicen. ❷ Tratar de conseguir información secreta, especialmente de un país extranjero.
FAM espionaje.
OBS Verbo regular, se acentúa como *desviar.*

espichar *v. intr.* familiar Morir.
espicharla familiar Morir.

espiga *s. f.* ❶ Conjunto de granos dispuestos a lo largo de un tallo común, especialmente de los cereales. ❷ Inflorescencia formada por un conjunto de flores insertadas directamente a lo largo de un tallo común: *el llantén echa espigas.* ❸ Dibujo semejante a estas flores en un tejido. ❹ Extremo de una pieza de metal o madera cuyo espesor se ha disminuido para introducirla o encajarla en otra.
FAM espigador, espigar, espiguilla.

espigado, -da *adj.* Se aplica a la persona o árbol que es alto y delgado.

espigar *v. tr.* ❶ Recoger las espigas que han quedado en el campo tras la siega. ‖ *v. intr.* ❷ Comenzar a echar espigas los cereales: *como no ha llovido, todavía no ha espigado el trigo.* ‖ *v. tr.* ❸ Recabar información consultando distintas fuentes y tomando los datos que conviene aprovechar de ellas: *espigó las citas de varias revistas de la época.* ❹ Labrar la espiga en las maderas que van a ensamblarse. ‖ *v. prnl.* ❺ **espigarse** Crecer mucho una persona. ❻ Crecer demasiado algunas hortalizas, como la lechuga, dejando así de ser comestibles.
FAM espigado.

espigón *s. m.* Muro que se construye en la orilla de un río o en la costa del mar de forma que avance en el agua y pueda proteger esa orilla o cambiar la dirección de la corriente.

espiguilla *s. f.* Dibujo que se hace en algunos tejidos parecido a una espiga y que está formado por una línea vertical que hace de eje y otras laterales oblicuas a este eje y paralelas entre sí.

espín *s. m.* En física, propiedad que tiene una partícula subatómica, como el electrón, de girar alrededor de su eje.

espina *s. f.* ❶ Pincho o púa que crece en algunas plantas o en sus frutos y que les sirve de defensa. ❷ Hueso de pez, especialmente el que es largo, duro y puntiagudo, que forma parte de su esqueleto. ❸ Trozo de un material que es pequeño, alargado y con punta y que se puede clavar. SIN astilla. ❹ culto Pesar o pensamiento que inquieta y atormenta:

tiene clavada la espina de no haber viajado nunca al extranjero. **5** culto Dificultad: *es un sendero lleno de espinas.* **NOTA** Normalmente en plural. **6** Muro central en los circos romanos, alrededor del cual corrían los caballos y cuádrigas.

dar mala espina Provocar sospecha o hacer pensar que ocurre o va a ocurrir una cosa mala: *tantos elogios me dan mala espina, seguro que va a pedirnos algo.*

espina dorsal Serie de huesos pequeños y planos unidos entre sí que recorre la espalda para sujetar el esqueleto. **SIN** columna, espinazo.

sacarse la espina Conseguir una satisfacción por un daño recibido en un momento anterior: *con la goleada del equipo de casa consiguieron sacarse la espina de la derrota anterior.*
FAM espinal, espinazo, espino, espinoso.

espinaca *s. f.* Hortaliza con el tallo ramoso y las hojas estrechas y suaves unidas por la base: *las espinacas son muy ricas en sales minerales.*

espinal *adj.* Relativo a la espina dorsal: *la médula espinal.*

espinazo *s. m.* Columna vertebral, especialmente de un animal.

espinela *s. f.* Estrofa de diez versos octosílabos con rima abbaaccddc, generalmente consonante. **SIN** décima.

espineta *s. f.* Instrumento musical de cuerda y teclado parecido a un clavicémbalo rectangular pero más pequeño y sin patas, que se apoya sobre una mesa para tocarlo: *la espineta fue muy usada en los siglos XVI y XVII.*

espinilla *s. f.* **1** Grano de pequeño tamaño que aparece en la piel por la obstrucción de los poros de las glándulas sebáceas. **2** Parte anterior del hueso de la pierna que va desde la rodilla al pie.
FAM espinillera.

espinillera *s. f.* **1** Pieza usada en deporte para cubrir y proteger la pierna por la parte de la espinilla. **2** Pieza de la armadura que cubre y protege la espinilla. **SIN** canillera.

espino *s. m.* **1** Arbusto de la familia del rosal, con las ramas llenas de espinas y las flores blancas y olorosas. **2** Alambre con pinchos para cercas.
FAM espinar.

espinoso, -sa *adj.* **1** Que tiene espinas. **2** Que es difícil o delicado: *es un tema espinoso del que preferiría no hablar.*

espionaje *s. m.* **1** Actividad secreta que consiste en tratar de conseguir información confidencial, especialmente de un país extranjero. **2** Organización y medios destinados a ese fin.
FAM contraespionaje.

espira *s. f.* Cada una de las vueltas que da el hilo conductor en una bobina.

espiración *s. f.* Salida del aire de los pulmones: *la espiración y la inspiración son las dos fases de la respiración.* **ANT** aspiración, inspiración.

espiráculo *s. m.* **1** Orificio que tienen en la cabeza los peces elasmobranquios y que comunica con la faringe y permite el paso del agua al interior de la cavidad branquial cuando tiene la boca cerrada. **2** Orificio pequeño que hay en el tegumento o tejido de los insectos, los arácnidos y otros animales con respiración traqueal para que entre por él el aire. **SIN** estigma.

espiral *s. f.* **1** Línea curva que da vueltas alrededor de un punto, alejándose cada vez más de él. **2** Línea curva en forma de muelle que describe un punto del espacio sometido

a desplazamientos simultáneos de giro y traslación: *la espiral de un bloc de dibujo.* **3** Proceso rápido y que escapa de todo control: *es preocupante la espiral de violencia desencadenada.* **4** Relativo a la espiral o que tiene la forma de esta línea: *escalera espiral.*
FAM espira.

espirar *v. intr.* **1** Expulsar el aire de los pulmones: *el aire entra y sale de los pulmones inspirando y espirando.* **ANT** aspirar, inspirar. **|** *v. tr.* **2** Despedir o exhalar una cosa un olor determinado.
FAM espiración, espiratorio.

espiratorio, -ria *adj.* Relativo a la espiración (fase de la respiración).

espirilo *s. m.* Bacteria de cuerpo fino, largo y ondulado como las serpientes.

espiritismo *s. m.* **1** Doctrina según la cual los espíritus de los muertos conservan un cuerpo material y pueden comunicarse con los seres vivos. **2** Conjunto de prácticas realizadas para comunicarse con los espíritus de los muertos.
FAM espiritista.

espiritista *adj.* **1** Relativo al espiritismo (doctrina). **|** *s. com.* **2** Persona que sigue y practica el espiritismo.

espiritoso, -sa *adj.* Se aplica a la bebida que contiene un grado bastante elevado de alcohol: *licor espiritoso.* **SIN** espirituoso.

espiritrompa *s. f.* Aparato bucal de algunos insectos que consiste en un tubo largo que se enrolla en forma de espiral y sirve para chupar el néctar de las flores: *las mariposas tienen espiritrompa.*

espíritu *s. m.* **1** Parte inmaterial del ser humano que es capaz de entender, querer y sentir y que, con el cuerpo o parte material, constituye la esencia humana. **2** Ser inmaterial dotado de voluntad y razón: *los ángeles son espíritus celestes.* **3** Alma de una persona muerta a la que se supone con capacidad para entrar en comunicación sensible con los vivos. **4** Persona considerada por una cualidad determinada: *espíritu aventurero.* **5** Conjunto de cualidades, gustos y características de una persona: *es una persona de espíritu muy noble y refinado.* **6** Valor, fuerza o ánimo para actuar o hacer frente a las dificultades. **7** Principio general, idea central o intención. **8** Tendencia o inclinación que puede apreciarse en las manifestaciones de una persona o colectividad: *la defensa de la naturaleza debe formar parte del espíritu de nuestra época.* **9** Signo ortográfico empleado en la lengua griega que indica aspiración. **10** Sustancia que se extrae de ciertos cuerpos sometidos a la destilación: *espíritu de vino.*

espíritu de contradicción Inclinación a llevar la contraria.
Espíritu Santo En la religión cristiana, tercera persona de la Santísima Trinidad, considerado mensajero de Dios para elevar a los cristianos hacia Él.
FAM espiritismo, espiritual.

espiritual *adj.* **1** Relativo al espíritu (alma). **2** Se aplica a la persona que tiene mayor interés por los sentimientos y los pensamientos que por las cosas materiales. **ANT** materialista. **|** *s. m.* **3** Canción religiosa originaria de Estados Unidos, especialmente la cultivada por los negros en los siglos XIX y XX, transmitida oralmente, anónima y generalmente para ser cantada sin acompañamiento de instrumentos.
FAM espiritualidad, espiritualismo, espiritualizar.

espiritualidad *s. f.* **1** Cualidad de espiritual. **2** Sensibilidad o inclinación de una persona hacia los pensamientos, los sentimientos y las cuestiones religiosas, y desinterés hacia lo material. **3** Conjunto de creencias y ejercicios que conforman la vida espiritual. **4** Obra o cosa espiritual.

espiritualismo *s. m.* Doctrina filosófica que defiende la existencia de otros seres además de los materiales. **ANT** materialismo.
FAM espiritualista.

espirituoso, -sa *adj.* Espiritoso.

espiroqueta *s. f.* Bacteria de cuerpo fino, alargado y en espiral, muy activa y rápida, que carece de pared celular rígida.

espita *s. f.* Tubo corto que se abre o cierra por el giro de una llave o mediante una palanca y que se pone en el agujero por donde se vacía un tonel o un recipiente cualquiera, o en un conducto o cañería para regular el paso de un fluido: *abrir la espita del gas.*

esplendidez *s. f.* **1** Generosidad abundante o buena disposición para realizar grandes gastos o prestarse a grandes empresas. **2** Cualidad o aspecto de lo que destaca o impresiona por sus buenas cualidades, su grandeza o su perfección: *todos elogiaron la esplendidez de la fiesta.*

espléndido, -da *adj.* **1** Que causa admiración por su perfección, grandeza o lujo. **SIN** magnífico. **2** Se aplica a la persona que es generosa y gasta su dinero de manera abundante, generalmente en obsequiar a otros: *es muy espléndido y nos dejará todo lo que necesitemos.*
FAM esplendidez.

esplendor *s. m.* **1** Grandeza, hermosura o riqueza. **2** Momento de mayor elevación o intensidad de un proceso o un estado. **SIN** auge.
FAM esplendoroso.

esplendoroso, -sa *adj.* Que está lleno de esplendor e impresiona por su hermosura o riqueza: *el rey iba ataviado con su esplendorosa capa.*

esplénico, -ca *adj.* Relativo al bazo: *vena esplénica.*

espliego *s. m.* **1** Planta aromática de tallos largos y delgados, hojas estrechas y de color gris y flores azules en espiga; se usa en perfumería. **2** Semilla de esta planta, usada para producir humo aromático.

espolear *v. tr.* **1** Picar con la espuela a la cabalgadura. **2** Animar o convencer a una persona para que haga una cosa: *el hombre los espoleaba para que intentaran llegar a casa cuanto antes.* **SIN** incitar, estimular.
FAM espoleadura.

espoleta *s. f.* Mecanismo de las bombas y otros artefactos con carga explosiva para provocar la explosión.

espolón *s. m.* **1** Pequeño saliente óseo que tienen algunas aves en la parte trasera de las patas. **2** Muro construido en la orilla de un río o del mar para contener las aguas; también se construye en el borde de los barrancos y precipicios para seguridad del terreno y de las personas. **3** Punta en que termina la parte delantera del casco de una embarcación. **4** Sabañón que sale en el pie. **5** Prolongación tubular en la base de un pétalo de la flor.

espolvorear *v. tr.* Esparcir una sustancia en polvo sobre alguna cosa: *antes de meter las manzanas en el horno, las espolvoreas con un poco de azúcar.*

espondeo *s. m.* Pie de la poesía grecolatina compuesto de dos sílabas largas.

esponja *s. f.* **1** Invertebrado marino que vive fijo en los fondos y tiene las paredes del cuerpo atravesadas por un elevado número de conductos que desembocan en una cavidad interna y filtran el agua, de donde toma su alimento. **|** *s. f. pl.* **2** **esponjas** Grupo taxonómico, con categoría de filo, constituido por estos animales. **SIN** poríferos. **|** *s. f.* **3** Masa porosa y elástica formada por el cuerpo de estos animales invertebrados y que absorbe con facilidad el agua; se usa como utensilio de higiene corporal. **4** Utensilio de higiene corporal fabricado a imitación de esta masa porosa y elástica. **5** familiar Persona que bebe mucho, especialmente alcohol.
FAM espongiario, esponjar, esponjoso.

esponjar *v. tr.* Ahuecar o hacer más poroso un cuerpo.

esponjoso, -sa *adj.* Se aplica al cuerpo que es de estructura elástica, porosa y suave como la de una esponja: *las toallas están muy esponjosas.*
FAM esponjosidad.

esponsales *s. m. pl.* Promesa mutua de casamiento entre el varón y la mujer, especialmente cuando se hace con cierta formalidad y ceremonia: *en sus esponsales celebró una fiesta.*

espontaneidad *s. f.* Cualidad de espontáneo.

espontáneo, -nea *adj.* **1** Que es natural y sincero en el comportamiento o en el modo de pensar. **2** Se aplica a la persona que se comporta o habla dejándose llevar por sus impulsos naturales y sin reprimirse por consideraciones dictadas por la razón. **3** Planta que surge sin cultivo ni cuidado del ser humano. **|** *s. m. y f.* **4** Persona que va a un espectáculo como espectador y que de forma repentina interviene en él por propia iniciativa y sin estar autorizado: *un espontáneo saltó al ruedo.*
FAM espontaneidad.

espora *s. f.* Unidad reproductiva, típica de la reproducción asexual que puede ser unicelular, y que no necesita fecundarse para originar un nuevo individuo: *los musgos, helechos y hongos se reproducen por esporas.*
FAM esporangio, esporífero, esporofilo, esporofito, esporulación.

esporádico, -ca *adj.* Que se da con poca frecuencia, no es regular y ocurre aisladamente sin relación alguna con otros casos anteriores o posteriores: *no hay epidemia, solamente son casos esporádicos de meningitis.* **SIN** ocasional.

esporangio *s. m.* Órgano que contiene las esporas.

esporófito o **esporofito** *s. m.* Planta que, en alguna fase de su ciclo biológico, se reproduce por esporas.

esporulación *s. f.* **1** Forma de reproducción asexual que consiste en la formación de varias células (esporas) en el interior de una célula madre, que quedan libres al romperse la membrana de esta. **2** Proceso por el que algunas bacterias forman esporas que les permiten vivir en condiciones adversas sin realizar ninguna actividad metabólica.

esposar *v. tr.* Poner las esposas a alguien.

esposas *s. f. pl.* Objeto formado por dos anillas de metal que se abren y se cierran, que están unidas entre sí por una cadena y que sirven para sujetar por las muñecas a los presos.
FAM esposar.

esposo, -sa *s. m. y f.* **1** Persona con la que está casada otra persona. **|** *s. m.* **2** AMÉR. Anillo episcopal.
FAM desposar.

esprín *s. m.* Sprint.
FAM esprintar, esprinter.

espuela *s. f.* **1** Arco de metal formado por una pieza alargada terminada en una estrella o ruedecilla con dientes, que se ajusta el jinete a los talones de sus botas para poder picar al caballo. **2** Estímulo o acicate que mueve a una persona a actuar o a realizar algo. **3** AMÉR. Espolón (saliente óseo de las aves): *los gallos saltaron frente a frente mostrándose sus amenazadoras espuelas.*

espuela de caballero Planta de jardín de hojas alargadas, cuya flor azul o violácea termina en un espolón.

FAM espolazo, espolear.

espuerta *s. f.* Recipiente hecho de esparto o de otro material flexible, con dos asas pequeñas y generalmente más ancho que alto, que se emplea para transportar todo tipo de objetos.

a espuertas familiar En gran cantidad, a montones o en abundancia: *gana el dinero a espuertas.*

espulgar *v. tr.* Limpiar de pulgas o piojos a alguien.

espuma *s. f.* **1** Conjunto de burbujas amontonadas que se forman en la superficie de un líquido y que se adhieren entre sí. **2** Parte del jugo e impurezas que sobrenadan al cocer ciertas sustancias. **3** Tejido muy ligero y esponjoso: *medias de espuma.*

como la espuma Rápidamente: *su prestigio subirá como la espuma.*

FAM espumadera, espumar, espumarajo, espumear, espumoso.

espumadera *s. f.* Utensilio de cocina formado por una pieza plana llena de agujeros unida a un mango largo y que sirve para quitar la espuma de la comida que se está cocinando o para sacar los alimentos fritos de la sartén.

espumarajo *s. m.* despectivo Cantidad de saliva espumosa que se escupe por la boca de una vez: *tosió tanto que al final escupió un espumarajo.*

espumear *v. intr.* Formar o arrojar espuma: *los perros rabiosos espumean por la boca.*

espumillón *s. m.* Tira con flecos, muy ligera, de colores vivos y brillantes, que se utiliza como adorno en las fiestas navideñas: *el árbol de Navidad se adorna con bolas y espumillones.*

espumoso, -sa *adj.* **1** Que hace o tiene mucha espuma. **2** Semejante a la espuma. ‖ *adj./s. m.* **3** Se aplica al vino que forma espuma por haber sufrido una segunda fermentación: *el champán es un vino espumoso.*

espurio, -ria *adj.* **1** Que es falso, ilegal o no auténtico. ‖ *adj./s. m. y f.* **2** Se aplica a la persona que ha nacido de una mujer que no es la esposa de su padre. **SIN** bastardo.

esputar *v. tr.* Arrancar mediante la tos o el carraspeo las flemas u otras secreciones de las vías respiratorias y arrojarlas por la boca. **SIN** expectorar.

esputo *s. m.* Flema u otras secreciones que se escupen de una vez por la boca.

FAM esputar.

esqueje *s. m.* Tallo o brote de una planta que se emplea para injertarlo en otra o para plantarlo en el suelo con el fin de que eche raíces y nazca una nueva planta.

FAM esquejar.

esquela *s. f.* **1** Papel en el que se comunica la noticia de la muerte de una persona: *en la esquela pone el lugar y la hora del entierro.* **2** Recuadro de bordes negros que aparece en los periódicos y mediante el cual se comunica la muerte de una persona. **3** Carta breve.

esquelético, -ca *adj.* **1** familiar Se aplica a la persona o animal que está muy delgado. **2** Relativo al esqueleto.

esqueleto *s. m.* **1** Conjunto de huesos unidos entre sí por articulaciones que sostiene, da consistencia y protege los órganos internos del cuerpo de los vertebrados: *el esqueleto humano consta de cabeza, tronco y extremidades.* **SIN** osamenta. **2** Piel muy dura que cubre y protege el cuerpo de los invertebrados: *en algunos animales el esqueleto está formado por escamas o por un caparazón.* **SIN** dermatoesqueleto, exoesqueleto. **3** Estructura o armazón que sostiene una cosa. **4** familiar Persona muy delgada.

mover el esqueleto familiar Bailar con música moderna.

FAM esquelético; endoesqueleto, exoesqueleto, neuroesqueleto.

esquema *s. m.* **1** Conjunto de datos o informaciones sobre un asunto o materia que se ordenan y relacionan con líneas o signos gráficos: *debes resumir cada lección en un esquema que recoja las ideas más significativas.* **SIN** cuadro. **2** Representación gráfica o simbólica de una cosa en la que aparecen solamente sus líneas o características más salientes.

FAM esquemático, esquematismo, esquematizar.

esquemático, -ca *adj.* Que está explicado o está hecho de manera muy simple, con los rasgos generales y sin entrar en detalles.

esquematizar *v. tr.* Simplificar o reducir la exposición o enunciado de una cosa a esquema.

FAM esquematización.

esquí *s. m.* **1** Especie de patín formado por una tabla larga y estrecha que sirve para deslizarse sobre la nieve o sobre el agua. **2** Deporte que se practica deslizándose con esas tablas sobre la nieve. **NOTA** Puede encontrarse la grafía inglesa *ski*. ◼ **esquí acuático** Deporte que consiste en deslizarse sobre el agua con estos patines y siendo arrastrado por una lancha motora.

FAM esquiar; telesquí.

OBS Plural: *esquís* o *esquíes*.

esquiador, -ra *s. m. y f.* Persona que practica el esquí.

esquiar *v. intr.* Deslizarse sobre la nieve o sobre el agua con unos esquís.

FAM esquiador.

OBS Verbo regular, se acentúa como *desviar*.

esquife *s. m.* **1** Bote pequeño que se lleva en el barco y se usa sobre todo para llegar a tierra. **2** Embarcación en forma de piragua para un solo tripulante usada en competiciones deportivas. **3** En arquitectura, cañón de bóveda cilíndrico.

esquijama *s. f.* Pijama ceñido y cerrado hasta el cuello, hecho de tejido de punto, que se usa en invierno.

esquila¹ *s. f.* **1** Cencerro pequeño en forma de campanilla que se cuelga del cuello de las ovejas y las cabras. **2** Campana pequeña.

esquila² *s. f.* Acción de esquilar.

esquilar *v. tr.* Cortar el pelo o la lana a un animal, especialmente a una oveja: *cada temporada esquila a sus ovejas y vende la lana.*

FAM esquilador, esquileo; trasquilar.

esquilmar *v. tr.* **1** Agotar o hacer que disminuya una fuente de riqueza por explotarla más de lo debido: *este tipo de plantas esquilmará la tierra.* **2** Recoger el fruto de cosechas y ganados.

FAM esquilmo.

esquilmo *s. m.* Fruto o provecho que se saca de la tierra o de los animales.

esquimal *adj.* ① Relativo al pueblo que habita, en pequeños grupos dispersos, las tierras próximas al Polo Norte: *el pueblo esquimal es de raza mongólica.* ‖ *s. com./adj.* ② Persona perteneciente a este pueblo: *los esquimales son de baja estatura, tienen el pelo negro y los ojos rasgados.* ‖ *s. m./adj.* ③ Lengua hablada por este pueblo.

esquina *s. f.* ① Ángulo saliente o arista formada en la calle por dos paredes de un edificio. ② Parte exterior del lugar en que se juntan dos lados de alguna cosa: *la esquina de la mesa.*
a la vuelta de la esquina Muy cerca o muy pronto: *los exámenes están a la vuelta de la esquina y tú todavía no te has puesto a estudiar.*
FAM esquinar, esquinazo, esquinero.

esquinar *v. tr.* ① Poner en esquina alguna cosa: *esquina un poco la pantalla para que no le dé el reflejo de la ventana.* ‖ *v. prnl.* ② **esquinarse** Ponerse a mal, enemistarse una persona con otra.
FAM esquinado.

esquinazo *s. m.* ① Esquina de un edificio. ② CHILE Serenata.
dar esquinazo Abandonar o evitar el encuentro con una persona.

esquirla *s. f.* Astilla o fragmento alargado y con punta desprendido de un hueso fracturado o de una piedra, un vidrio u otro material duro.

esquirol *s. com.* fam. desp. Persona que trabaja mientras los demás obreros hacen huelga o que se presta a realizar el trabajo abandonado por un huelguista.

esquisto *s. m.* Roca metamórfica de grano grueso que se parte con facilidad en láminas o placas.

esquivar *v. tr.* ① Realizar un movimiento para evitar un golpe o para salvar un obstáculo. ② Eludir un asunto o problema o rehuir un encuentro.

esquivo, -va *adj.* culto Se aplica a la persona que rehúye el trato de otras personas y rechaza las atenciones y muestras de cariño: *no seas esquivo con tus padres.*
FAM esquivez.

esquizofrenia *s. f.* Enfermedad mental grave caracterizada por alteraciones de la personalidad, alucinaciones y pérdida del contacto con la realidad: *la esquizofrenia es un tipo de psicosis.*
FAM esquizofrénico.

esquizofrénico, -ca *adj.* ① Relativo a la esquizofrenia. ‖ *adj./s. m. y f.* ② Se aplica a la persona que padece esquizofrenia.

estabilidad *s. f.* ① Firmeza o seguridad en el espacio: *unos buenos amortiguadores aseguran la estabilidad del vehículo.* ② Ausencia de cambios y constancia en un periodo determinado: *estabilidad económica; estabilidad química de una sustancia.* ANT desequilibrio. ③ Cualidad de una persona de ser constante o estable: *es una persona de gran estabilidad emocional.*
FAM estabilizar.

estabilizador, -ra *adj.* ① Que da firmeza o duración y mantiene una cosa estable: *plan estabilizador.* ‖ *s. m.* ② Mecanismo o dispositivo para atenuar el balanceo en aviones, automóviles y barcos. ③ Aparato que sirve para mantener estable la corriente eléctrica que entra en un aparato o en un lugar.

estabilizante *s. m.* Sustancia que se añade a una disolución o suspensión para mantener plenamente mezclados sus componentes: *muchos productos alimenticios, como el yogur o los helados, llevan estabilizantes.*

estabilizar *v. tr.* ① Hacer estable. ② Dar estabilidad: *viajaremos cuando se estabilice el tiempo.* SIN equilibrar. ANT desequilibrar, desestabilizar.
FAM estabilización, estabilizador, estabilizante; desestabilizar.

estable *adj.* ① Que está firme y seguro sin peligro alguno de caer o perder el equilibrio. ANT inestable. ② Que no cambia y es constante y duradero en el tiempo: *situación atmosférica estable.* ANT inestable.
FAM estabilidad; inestable.

establecer [16] *v. tr.* ① Hacer que empiece a funcionar una cosa o una actividad, generalmente con propósito de continuidad. SIN crear, fundar. ② Disponer lo que debe hacerse. SIN ordenar. ③ Dejar demostrado con firmeza un pensamiento de valor general: *su último tratado establece con claridad los principios de su teoría.* ‖ *v. prnl.* ④ **establecerse** Fijar la residencia o quedarse a vivir en un lugar. SIN asentarse. ⑤ Abrir o crear un negocio por cuenta propia: *me he establecido por mi cuenta y he abierto una tienda de juguetes.*
FAM establecimiento; preestablecido, restablecer.

establecimiento *s. m.* ① Lugar en el que se realiza una actividad comercial, industrial o de otro tipo. ② Creación o fundación de algo, generalmente con un propósito de continuidad.

establo *s. m.* ① Lugar cubierto en el que se encierra el ganado. ② familiar Lugar muy sucio y desordenado. SIN cuadra, pocilga.
FAM estabulación.

estaca *s. f.* ① Palo con punta en un extremo para que pueda ser clavado: *ha clavado unas estacas que señalan los límites de su terreno.* ② Palo grueso y fuerte, especialmente el que se puede manejar como un bastón. ③ Rama o palo verde o sin raíces ni hojas, que se planta para que llegue a árbol. ④ AMÉR. Pertenencia legal de una mina, obtenida mediante diversos trámites.
FAM estacada, estacar, estacazo.

estacada *s. f.* Serie de estacas clavadas en la tierra para cercar, defender o deslindar un lugar.
dejar en la estacada Abandonar a una persona en un peligro o en una mala situación: *cuando más apurado estaba, me dejó en la estacada.*

estacar *v. tr.* AMÉR. Extender un objeto sujetándolo o clavándolo con estacas: *antes de curtir la piel del animal, la estacan para secarla al sol.*

estacazo *s. m.* ① Golpe dado con una estaca o un palo. ② familiar Golpe fuerte que se recibe al caer o chocar contra un cuerpo duro: *iba distraído y se dio un estacazo contra la puerta.*

estación *s. f.* ① Lugar o edificio donde se detiene habitualmente un tren u otro vehículo para recoger y dejar viajeros. ② Conjunto de edificios e instalaciones de un servicio de transporte público, generalmente en el lugar de comienzo y finalización de su recorrido. ③ Conjunto de aparatos e instalaciones destinados a realizar o a cumplir una actividad determinada: *estación de esquí; estación meteorológica.* ④ Edificio con muchas oficinas y dependencias para ciertos servicios, como teléfonos, correos, etc. ⑤ Emisora de radio. ⑥ Periodo de tiempo en que se divide el año según los solsticios y los equinoccios, con características climáticas típicas y homogéneas: *las estaciones son primavera, verano, otoño e invierno.* **7** Temporada o periodo de tiempo, especialmente el señalado por una actividad o por ciertas condiciones climáticas. **8** Visita que se hace por religión a las iglesias o altares: *en Jueves Santo y Viernes Santo los fieles suelen ir a hacer las estaciones.*

estación de servicio Conjunto de instalaciones provisto de los productos y servicios necesarios para atender a los automovilistas y a sus vehículos.

estación orbital Plataforma o nave espacial utilizada como laboratorio de ciertas experiencias científicas.
FAM estacional, estacionar.

estacional *adj.* Que es propio o característico de una de las estaciones del año.
FAM estacionalidad.

estacionamiento *s. m.* **1** Detención y colocación de un vehículo en un lugar temporalmente. SIN aparcamiento. **2** Lugar de la vía pública o del interior de un recinto donde un conductor puede dejar el vehículo. SIN aparcamiento.

estacionar *v. tr.* **1** Detener y dejar un vehículo en un lugar de la vía pública o en una zona señalizada del interior de un recinto. ‖ *v. prnl.* **2** **estacionarse** Detenerse o quedarse estancado, especialmente estabilizarse o dejar de avanzar una enfermedad grave.
FAM estacionamiento.

estacionario, -ria *adj.* Que no cambia y permanece en el mismo estado o situación: *su estado es estacionario, sin avances ni retrocesos.*

estadía *s. f.* **1** culto Estancia o permanencia en un lugar. **2** Tiempo que está un modelo ante un artista: *este escultor paga por horas la estadía de sus modelos.*

estadio *s. m.* **1** Instalación pública en la que se practican distintos deportes y consta de gradas con asientos para los espectadores. **2** Momento, periodo o estado que forma parte de una serie o de un proceso. SIN etapa, fase.

estadista *s. com.* **1** Persona especializada en asuntos concernientes a la dirección de los Estados o instruida en materias de política: *todos los estadistas coinciden en criticar la intervención militar.* **2** Jefe de un Estado.
FAM estadística.

estadística *s. f.* **1** Ciencia cuyo objetivo es reunir un conjunto de datos cuantitativos concernientes a un grupo de individuos, hechos, etc. y analizarlos para hacer una interpretación de ellos o para prever sus futuros comportamientos. **2** Conjunto de los datos recogidos y clasificados: *las últimas estadísticas indican una ligera mejoría económica.*
FAM estadístico.

estadístico, -ca *adj.* **1** Relativo a la estadística. ‖ *s. m. y f.* **2** Persona que se dedica a la estadística.

estado *s. m.* **1** Situación de algo o alguien: *este televisor está ya en muy mal estado.* **2** Clase o condición de una persona. ■ **estado civil** Condición de una persona en el orden social: *el estado civil de una persona que no se ha casado es soltero.* **3** Territorio y población de un país independiente: *el Estado español está dividido en comunidades autónomas.* NOTA Con mayúscula inicial cuando hace referencia a un estado en concreto. ■ **estado federal** País formado por territorios cuyos gobiernos regionales gozan de más o menos autonomía para su organización interna. **4** Territorio que se gobierna por leyes propias, aunque depende del gobierno central del país. **5** Dominio o territorio de un rey, soberano o señor. **6** Conjunto de los órganos de gobierno de un país soberano. **7** Grado de unión de las moléculas de un cuerpo: *el agua en estado sólido se llama hielo.* **8** Estamento o clase social en que se dividía la sociedad: *estado eclesiástico.* ■ **estado llano** o **tercer estado** Estamento o grupo social formado por las personas que no pertenecían a la nobleza ni al clero.

en estado Se aplica a la mujer o hembra que está embarazada.

estado de excepción Situación que las autoridades consideran suficientemente grave como para suspender algunos derechos legales de los ciudadanos.

estado del bienestar Sistema de protección social en que el estado interviene en la economía del país para ofrecer seguridad social, servicios sanitarios, ayuda económica en caso de desempleo, etc.

estado mayor Cuerpo de oficiales que en el ejército se encarga de informar técnicamente a sus superiores, distribuir las órdenes de estos y vigilar su cumplimiento.

Estados Generales Asamblea del Antiguo Régimen francés que convocaba el rey para tratar asuntos importantes y en la que intervenían todos los estamentos del reino.
FAM estatal.

estadounidense *adj.* **1** De Estados Unidos (país de América del Norte). SIN norteamericano. ‖ *s. com./adj.* **2** Persona que es de Estados Unidos. SIN norteamericano.

estafa *s. f.* **1** Robo de dinero o de bienes que se hace con engaño. SIN timo. **2** Incumplimiento de las condiciones o promesas que se habían asegurado, especialmente en una venta o en un trato. SIN timo.

estafador, -ra *s. m. y f.* Persona que estafa o se dedica a estafar. SIN timador.

estafar *v. tr.* **1** Robar dinero o bienes con engaño. SIN timar. **2** No cumplir o satisfacer lo prometido, especialmente en una venta o en un trato. SIN timar. **3** Dar a una persona menos de lo debido de una cosa o cobrarle más de lo justo.
FAM estafa, estafador.

estafeta *s. f.* Oficina del servicio de correos, especialmente si es una sucursal de la central.

estafilococo *s. m.* Bacteria de forma redonda que se presenta asociada a otras formando racimos.

estajanovismo *s. m.* Método para aumentar el rendimiento en la producción que se aplicó en los países socialistas entre 1930 y 1950 y se basaba en las innovaciones técnicas y en la competitividad moral y material entre trabajadores.

estalactita *s. f.* Formación de piedra calcárea alargada y puntiaguda que cuelga del techo de algunas cuevas naturales y que ha sido producida por una infiltración de aguas que contienen sales calizas y otras sustancias.

estalagmita *s. f.* Formación de piedra calcárea alargada y puntiaguda que hay en el suelo de algunas cuevas naturales y que ha sido producida por las gotas de agua que caen de una estalactita: *en ocasiones las estalactitas y las estalagmitas llegan a unirse formando columnas.*

estalinismo [también **stalinismo**, menos usado] *s. m.* Conjunto de doctrinas y prácticas defendidas por Stalin y el comunismo internacional de su época, consideradas por ellos continuación del leninismo: *el estalinismo se caracterizó*

por el dogmatismo teórico, una organización rígida, el culto al líder y la eliminación de la oposición.
FAM estalinista.

estalinista [también **stalinista**, menos usado] *adj.* ① Relativo al estalinismo. ‖ *adj./s. com.* ② Se aplica a la persona que es partidaria del estalinismo.

estallar *v. intr.* ① Reventar o romperse una cosa de golpe y con gran ruido. SIN explotar. ② Abrirse o romperse una cosa por efecto de la presión. ③ Ocurrir o sobrevenir un suceso de forma repentina y violenta: *las últimas medidas del gobierno han provocado que estalle la huelga.* ④ Mostrar con fuerza un sentimiento: *tras sus palabras estallaron los aplausos.* SIN prorrumpir.
FAM estallante, estallido.

estallido *s. m.* ① Acción de estallar. ② Ruido producido al estallar algo.

estambre *s. m.* ① Órgano de reproducción masculino de algunas flores, formado por un filamento que sostiene la antera que contiene el polen: *los estambres están en el interior de la corola, rodeando al pistilo.* ② Tejido de lana hecho con hilos muy largos. ③ Hilo que se obtiene de este tejido.

estamental *adj.* Relativo al estamento.

estamento *s. m.* ① Estado o clase social que en el Antiguo Régimen formaban las personas que estaban en la misma situación jurídica: *en el Antiguo Régimen había tres estamentos: nobleza, clero y estado llano.* ② Estrato social o parte de una sociedad que tiene unas características determinadas.
FAM estamental.

estampa *s. f.* ① Imagen o figura impresa en un papel u otro material. SIN grabado, lámina. ② Trozo pequeño de papel o cartulina en el que está representada una imagen religiosa. ③ Figura o aspecto de una persona o de un animal: *paseaba en un caballo de magnífica estampa.* SIN planta, presencia. ④ Cuadro o escena, especialmente si es típico o pintoresco. ⑤ Persona que se parece mucho a otra: *es la viva estampa de su padre.* SIN retrato. ⑥ Molde para realizar un estampado.
FAM estampilla.

estampación *s. f.* ① Impresión mediante la presión con un molde de dibujos o de letras generalmente sobre tela o sobre papel. SIN estampado. ② Técnica de conformación de piezas plásticas o metálicas que consiste en presionar el material entre dos moldes o estampas para conseguir la forma deseada: *los cubiertos se fabrican por estampación.*

estampado, -da *adj./s. m.* ① Se aplica al tejido que tiene dibujos o colores impresos. ANT liso. ‖ *s. m.* ② Estampación: *en esta tienda se dedican al estampado de escudos y rótulos en camisetas.*

estampar *v. tr.* ① Imprimir dibujos o letras sobre una tela o papel mediante la presión con un molde. ② Prensar un trozo de metal con un molde de acero grabado en hueco para marcar un relieve. ③ Dejar una huella o señal: *ha estampado sus manos llenas de chocolate sobre la pared blanca.* ④ Tirar o lanzar con fuerza a una persona o una cosa haciéndola chocar contra una superficie firme: *se enfureció y estampó el jarrón contra el suelo.* SIN estrellar. ⑤ familiar Dar un beso de forma inesperada o un golpe con estallido: *le estampó una bofetada.* SIN plantar.
FAM estampa, estampación, estampado.

estampía Se usa en la expresión:
de estampía Indica que alguien se va de repente o de ma-

nera muy rápida e impetuosa: *cuando se dio cuenta de la hora que era, salió de estampía hacia su trabajo.*

estampida *s. f.* Escapada o huida rápida e impetuosa que emprende un grupo de personas o de animales.

estampido *s. m.* Ruido grande, fuerte y seco: *en todo el pueblo se oían los estampidos de los cañones.*

estampilla *s. f.* ① Sello, generalmente de caucho, con algún letrero o firma, que humedecido en tinta se puede estampar en documentos y otros papeles. ② AMÉR. Sello de correos o fiscal.

estancamiento *s. m.* Detención o suspensión del curso de alguna cosa.

estancar *v. tr.* ① Detener el curso de un líquido, especialmente el de una corriente de agua. ② Parar la marcha o evolución de un asunto o proceso: *había disparidad de criterios y el trabajo se estancó.* ③ Convertir un producto en monopolio del Estado o de una entidad y prohibir su venta libre.
FAM estancamiento, estanco, estanque.

estancia *s. f.* ① Aposento o habitación de una casa, especialmente si es grande y lujosa. ② Permanencia durante cierto tiempo en un lugar. ③ Estrofa formada por versos heptasílabos y endecasílabos con rima consonante de disposición variable . ④ AMÉR. Hacienda dedicada a la agricultura y la ganadería. ⑤ CUBA, VENEZ. Casa de campo o quinta.

estanco, -ca *adj.* ① Que está completamente cerrado y no tiene comunicación con otras cosas: *compartimento estanco.* ‖ *s. m.* ② Establecimiento en el que se venden productos que tienen prohibida la venta libre, generalmente tabaco, sellos y papel timbrado: *es el gobierno quien fija el precio de los productos que se venden en el estanco.* SIN expendeduría.
FAM estanquero.

estándar *adj.* ① Que es lo más habitual o corriente, o que reúne las características comunes a la mayoría: *medida estándar.* ② Se aplica al producto que ha sido fabricado en serie. ‖ *s. m.* ③ Tipo o modelo muy corriente de una cosa: *no ha sabido amoldarse al estándar de vida actual.* ‖ *adj./s. m.* ④ Se aplica a la variedad de una lengua que se emplea en el lenguaje escrito, en los ámbitos y circunstancias formales y en la comunicación entre hablantes de diferentes variedades; es una variedad lingüística normalizada que se estudia en la escuela.
FAM estandarizar.
OBS Puede encontrarse la grafía inglesa *standard.*

estandarizar *v. tr.* Ajustar o adaptar las cosas para que se asemejen a un tipo, modelo o norma común.
FAM estandarización.

estandarte *s. m.* Bandera o insignia que usan ciertos organismos militares y religiosos y que consiste en una pieza de tela sujeta al borde superior de una barra horizontal.

estanque *s. m.* Depósito construido para recoger agua para el riego, la cría de peces o como adorno.
FAM estanquero.

estanquero, -ra *s. m. y f.* Persona que regenta un estanco.

estante *s. m.* ① Tabla o lámina horizontal que se coloca en una pared, dentro de un armario o en una estantería y sirve para colocar objetos sobre ella: *los productos de limpieza están en el estante de arriba.* SIN anaquel, balda. ② Estantería. ‖ *adj.* ③ Que no se mueve, que está parado.
FAM estantería.

estantería *s. f.* Mueble formado por estantes y generalmente sin puertas. SIN estante.

estaño *s. m.* Elemento químico de símbolo *Sn* y número atómico 50; es un metal de color blanco o gris que se trabaja fácilmente y puede extenderse en planchas; se usa especialmente en soldaduras y para proteger el hierro y el cobre. FAM estañar.

estar [28] *v. copulativo* **1** Existir o encontrarse en un lugar, en una situación o de un modo determinado. **2** Permanecer o encontrarse con cierta estabilidad en un lugar, en una situación o de un modo determinado. **3** Sentirse o encontrarse. **4** Sentar, caer o quedar una prenda de vestir. **5** Costar o tener un precio determinado. **6** Encontrarse en un momento o en un proceso determinado: *ya veo que estás de limpieza.* **7** Hacer un trabajo durante un periodo de tiempo determinado: *hoy he estado de mecánico intentando arreglar el coche.* **8** Ser un día, mes o año determinado: *estamos a viernes.* **9** Vivir, trabajar o hacer una cosa con alguien. **10** Ser causa o razón y consistir o radicar una cosa en algo o en alguien. **11** Tener una intención o disposición; encontrarse preparado: *yo ya no estoy para esos trotes.* ‖ *v. prnl.* **12** **estarse** Permanecer o quedarse: *como tenía fiebre, se estuvo en casa con ella.*
estar + gerundio Forma frases verbales durativas: *el niño está durmiendo.*
estar + participio Forma la pasiva de resultado: *el coche está destrozado.*
estar a matar familiar Llevarse muy mal dos personas.
estar al + infinitivo Encontrarse a punto de ocurrir lo que se expresa a continuación: *mis padres están al llegar.*
estar por + infinitivo No haberse hecho todavía una cosa y estar casi decidido o sentir la tentación de hacerla: *estuve por irme y dejarlo plantado.*
estar por ver Ser dudoso que ocurra o se haga una cosa: *dice que no llegará tarde, pero eso está por ver.* FAM estancia; bienestar, malestar.

estarcido *s. m.* Dibujo en un papel, tabla o tela que se consigue mediante la estampación por medio de una brocha pasada por encima de una chapa, en la que previamente se había recortado su silueta.

estarcir *v. tr.* Pintar o dibujar mediante una plantilla en la que previamente se ha perforado la silueta del dibujo que se quiere hacer.

estatal *adj.* Relativo al Estado: *organismo estatal.* FAM estatalizar; interestatal, paraestatal.

estatalizar *v. tr.* Poner bajo la explotación y administración del Estado empresas y servicios que eran de propiedad privada. FAM estatalización.

estática *s. f.* Parte de la mecánica que estudia las leyes del equilibrio de los sistemas físicos. FAM estático; aerostática.

estático, -ca *adj.* **1** Que permanece en un mismo estado y no experimenta cambios. SIN inmóvil, quieto. ANT dinámico. **2** Se aplica a la persona que se queda parada a causa de una emoción. FAM estatismo.

estátor o **estator** *s. m.* Circuito fijo de una dinamo o un motor eléctrico, dentro del cual gira el rotor.

estatua *s. f.* Obra de escultura labrada a imitación del natural que representa una figura humana o animal y que suele tener un carácter simbólico. FAM estatuario.

estatuaria *s. f.* Arte y técnica de hacer estatuas.

estatuario, -ria *adj.* **1** Relativo a la estatua. **2** Que es propio de una estatua por su belleza o perfección. FAM estatuaria.

estatura *s. f.* Altura de una persona desde los pies a la cabeza: *un hombre de mediana estatura.* SIN talla.

estatus *s. m.* Posición social que una persona tiene dentro de un grupo o una comunidad: *siempre había gozado de un estatus privilegiado en la empresa.* OBS Plural invariable. Puede encontrarse la grafía latina *status.*

estatuto *s. m.* Reglamento, ordenanza o conjunto de normas legales por las que se regula el funcionamiento de una entidad o de una colectividad: *han vuelto a modificar el estatuto de los trabajadores.*
estatuto de autonomía Ley especial básica por la que se rige cada comunidad autónoma del Estado español. NOTA Se escribe normalmente con mayúscula inicial cuando hace referencia al estatuto de una comunidad autónoma en concreto. FAM estatutario.

este[1] *s. m.* **1** Punto cardinal situado en el lado donde nace el Sol. NOTA Se escribe normalmente con mayúscula inicial. SIN levante, oriente. **2** Parte de un lugar situada hacia este punto. SIN levante, oriente. **3** Viento que sopla desde este punto. SIN levante, oriente. FAM nordeste, noreste, sudeste, sureste.

este, -ta[2] *det./pron.* **1** Indica o señala algo que está cerca, en el espacio o en el tiempo, de la persona que habla: *durante este año ha habido grandes acontecimientos; el queso que yo prefiero es este.* NOTA Cuando funciona como pronombre, se debe escribir con tilde si existe riesgo de ambigüedad. ‖ *adj.* **2** Pospuesto al sustantivo, comporta un matiz despectivo o indeterminado: *¡qué harta estoy del hombre este!*

estela[1] *s. f.* **1** Señal que deja tras de sí en el agua o en el espacio un cuerpo en movimiento. SIN rastro. **2** Señal o huella que deja una cosa que ocurre o pasa: *la guerra fue dejando una estela de dolor y muerte.*

estela[2] *s. f.* Monumento conmemorativo colocado sobre el suelo en forma de pedestal, cipo o lápida con relieves escultóricos.

estelar *adj.* **1** Relativo a la estrella (astro). SIN sideral. **2** De mucha importancia o categoría: *figura estelar.* FAM interestelar.

estentóreo, -rea *adj.* Se aplica al sonido que es muy fuerte y ruidoso o que retumba: *todos callaron cuando pidió silencio con su voz estentórea.*

estepa *s. f.* Gran extensión de terreno seco, llano y con escasa vegetación. FAM estepario.

estepario, -ria *adj.* Relativo a la estepa: *los matorrales bajos y secos son propios de la flora estepraria.*

estequiometría *s. f.* Parte de la química que estudia las relaciones cuantitativas entre las sustancias que intervienen en una reacción química.

éster *s. m.* Compuesto químico formado por reacción entre un ácido orgánico y un alcohol con desprendimiento de agua.

estera *s. f.* Pieza de tejido grueso, de esparto u otro material parecido, que sirve para cubrir parte del suelo. FAM esterilla.

estercolar *v. tr.* Abonar un terreno con estiércol.

estercolero, -ra *s. m.* ① Lugar donde se recoge y se amontona el estiércol o la basura. ② Lugar muy sucio y maloliente. ‖ *s. m. y f.* ③ Persona que recoge estiércol.

estéreo *adj.* ① Que se graba y reproduce por medio de dos o más canales, que se reparten los tonos agudos y graves, dando de este modo una sensación de relieve acústico. **NOTA** Invariable en número. **SIN** estereofónico. ② Se aplica al equipo o sistema que usa esta técnica para grabar y reproducir el sonido. **NOTA** Invariable en número. **SIN** estereofónico. ‖ *s. m.* ③ Equipo estereofónico.

estereobato *s. m.* Pedestal situado en la base de una columnata o edificio. **SIN** estilóbato.

estereofonía *s. f.* Técnica de grabación y de reproducción del sonido por medio de dos o más canales que se reparten los tonos agudos y graves para dar una sensación de relieve acústico.
FAM estereofónico, -ca.

estereofónico, -ca *adj.* Estéreo.

estereometría *s. f.* Parte de la geometría que estudia la medida de los sólidos.

estereorradián *s. m.* Unidad de medida de ángulos sólidos del Sistema Internacional, de símbolo *sr*, que equivale a un ángulo sólido que, teniendo su vértice en el centro de una esfera, abarca sobre la superfice de esta un área equivalente a la de un cuadrado de lado igual al radio de la esfera.

estereoscopio *s. m.* Instrumento óptico en el que dos imágenes planas del mismo objeto, vistas cada una con un ojo, se observan como una sola imagen en relieve.

estereotipado, -da *adj.* Se aplica al gesto o expresión que se repite sin variación o que se usa como una fórmula y no como muestra de un sentimiento efectivo: *en los encabezamientos y despedidas de muchos escritos aparecen fórmulas estereotipadas.*

estereotipar *v. tr.* Repetir un gesto o una expresión de manera formularia y no como muestra de un sentimiento auténtico: *muchos creen que es un gran orador pero, en mi opinión, se limita a estereotipar frases.*

estereotipo *s. m.* Imagen o idea aceptada comúnmente por un grupo o por una sociedad y que tiene un carácter fijo e inmutable.

estereotomía *s. f.* Arte de cortar piedras y maderas para su empleo en la construcción.

estéril *adj.* ① Se aplica al ser vivo que no puede reproducirse: *el macho estéril no puede fecundar y la hembra estéril no puede concebir.* ② Que no da fruto o no produce nada: *tierras estériles.* **SIN** improductivo. **ANT** productivo. ③ Que no tiene bacterias ni microbios que puedan provocar una infección. **SIN** aséptico. ‖ *s. m.* ④ Roca sin mineral beneficiable.
FAM esterilidad, esterilizar.

esterilidad *s. f.* ① Propiedad de lo que no da fruto. ② Estado que impide fecundar en el caso del macho o concebir en el caso de la hembra. ③ Falta o ausencia de gérmenes que puedan provocar una infección: *la esterilidad es un requisito imprescindible en un quirófano.*

esterilización *s. f.* ① Destrucción total de los gérmenes causantes de enfermedades que hay o puede haber en alguna cosa o lugar. ② Privación de la facultad de reproducción en una persona o un animal.

esterilizar *v. tr.* Hacer estéril: *si quieres prevenir infecciones debes esterilizar el chupete varias veces al día.*
FAM esterilización, esterilizador.

esterilla *s. f.* ① Pieza pequeña de material resistente que se coloca en el suelo de un automóvil. **SIN** alfombrilla. ② Pieza pequeña de tejido suave o de goma que se pone en el cuarto de baño para pisar con los pies descalzos. **SIN** alfombrilla. ③ Pieza pequeña de material áspero y resistente que se coloca en la entrada de un lugar para limpiarse la suela de los zapatos antes de pasar. **SIN** alfombrilla. ④ Pieza alargada de tejido resistente que se pone en el suelo para echarse encima: *no olvides las esterillas cuando vayas a la playa.* ⑤ Tejido con los hilos muy separados que se usa para bordar sobre él con seda o lana de colores. **SIN** cañamazo.

esterlina *adj.* Se aplica a la libra (moneda) empleada en el Reino Unido.

esternocleidomastoideo *s. m./adj.* Músculo del cuello que permite el giro y la inclinación lateral de la cabeza.

esternón *s. m.* Hueso plano de forma alargada y acabado en punta donde se unen los siete primeros pares de costillas.

estertor *s. m.* ① Respiración jadeante o dificultosa, con ruidos ásperos y agudos, propia de las personas a punto de morir. ② Ruido anormal que se produce al paso del aire por las vías respiratorias obstruidas por mucosidades. ③ Acción última de un grupo o movimiento que está a punto de desaparecer.

esteta *s. com.* ① Persona que ama en grado sumo la belleza y da una importancia primordial a los valores estéticos. ‖ *s. m.* ② familiar Hombre afeminado.

estética *s. f.* ① Aspecto exterior de una persona o cosa desde el punto de vista de lo bello. ② Ciencia que estudia la belleza y la teoría fundamental y filosófica del arte.
FAM esteta, estético.

esteticismo *s. m.* ① Planteamiento ideológico que sitúa la estética y la búsqueda de la belleza absoluta como objetivo fundamental del hecho artístico. ② Actitud de la persona que adopta ante la vida este planteamiento.
FAM esteticista.

esteticista *s. com.* Persona que se dedica a cuidar y mejorar el aspecto del cuerpo humano, especialmente el del rostro: *la esteticista me ha dado una masaje facial y me ha puesto una crema limpiadora.*

estético, -ca *adj.* ① Relativo a la estética (doctrina filosófica). ② Relativo a la percepción y disfrute de la belleza: *placer estético.* ③ Que tiene un aspecto bello o artístico. **ANT** antiestético. ④ Se aplica a la función del lenguaje cuya finalidad es llamar la atención sobre la manera de decir las cosas: *la función estética predomina en los textos literarios.* ⑤ Se aplica a la cirugía que se utiliza para embellecer el cuerpo o el rostro.
FAM esteticismo; antiestético.

estetoscopio *s. m.* Instrumento médico que sirve para explorar los sonidos producidos por los órganos de las cavidades del pecho y del abdomen: *el estetoscopio ha sido sustituido por el fonendoscopio.*
FAM estetoscopia.

esthéticienne [se pronuncia 'estetisién' o 'esteticién'] *s. f.* Mujer que tiene por oficio cuidar y embellecer el cuerpo humano, especialmente el rostro, empleando la cosmética o aplicando tratamientos de belleza.

estiaje *s. m.* ① Nivel más bajo o caudal mínimo que en ciertas épocas del año tienen las aguas de un río u otra corriente como consecuencia de la sequía. ② Tiempo que dura esta disminución de caudal: *durante el estiaje no podemos bañarnos en el río.*

estibador, -ra *s. m. y f.* Persona que se dedica a la carga y descarga de una embarcación y a la adecuada distribución de los pesos.

estibar *v. tr.* ① Distribuir de manera adecuada la carga de una embarcación. ② Cargar y descargar mercancías en un puerto. ③ Colocar materiales u objetos sueltos de forma que ocupen el menor espacio posible.
FAM estibación, estibador.

estiércol *s. m.* ① Mezcla de excremento de animal con restos vegetales en descomposición que se usa como abono: *el estiércol es un abono natural muy rico en nitrógeno.* ② Excremento de animal.

estigma *s. m.* ① Marca o señal que se hace en el cuerpo. ② Causa de mala fama: *sus antecedentes penales fueron el estigma que le impidió prosperar.* ③ Marca o señal que aparece en el cuerpo de algunos santos y que no se debe a causas naturales. ④ Engrosamiento terminal del estilo de la flor en cuya superficie se recibe el polen. ⑤ Orificio pequeño que hay en el tegumento o tejido de los insectos, los arácnidos y otros animales con respiración traqueal para que entre por él el aire. SIN espiráculo.
FAM estigmatizar.

estigmatizar *v. tr.* ① Marcar a alguien con hierro candente. ② Dejar a una persona marcada al hacerle una imputación por la que pierde o se pone en duda su honra y buena fama.

estilarse *v. prnl.* Usarse, ser costumbre o estar de moda hacer o utilizar algo: *actualmente vuelven a estilarse los pantalones acampanados.*

estilete *s. m.* ① Puñal de hoja muy estrecha y aguda. ② Estilo pequeño o punzón para escribir: *antiguamente se utilizaba el estilete para escribir sobre tablas enceradas.* ③ Gnomon o indicador de las horas en los relojes solares más comunes. ④ Instrumento metálico que utiliza el cirujano para la exploración de ciertas heridas.

estilista *s. com.* ① Persona que se dedica a cuidar el estilo y la imagen, especialmente en decoración o en las revistas de moda. ② Autor que se distingue por su estilo elegante y cuidado.

estilística *s. f.* Estudio del estilo o de la expresión lingüística en general: *la estilística analiza los efectos bellos y expresivos del lenguaje logrados por el empleo artístico de sus recursos.*
FAM estilístico.

estilístico, -ca *adj.* Relativo al estilo o a la estilística.

estilización *s. f.* ① Adelgazamiento de la silueta corporal. ② Representación artística de algo destacando solamente sus elementos característicos o los que más responden a la idea que el artista quiere transmitir.

estilizar *v. tr.* ① Hacer que algo parezca más delgado de lo que es, especialmente la silueta corporal: *lleva vestidos largos y ceñidos porque estilizan su figura.* ② Representar artísticamente algo de manera que destaquen solamente sus elementos característicos o los que más responden a la idea que el artista quiere transmitir.
FAM estilización.

estilo *s. m.* ① Manera característica de escribir o hablar. ② Modo, manera o forma de hacer algo: *hay varios estilos de*

natación. ③ Costumbre o moda. ④ Conjunto de rasgos que caracterizan a un artista, un género, una obra, una época o un periodo artístico: *estilo gótico; el estilo de Mozart es inconfundible.* ⑤ Personalidad y elegancia: *tiene mucho estilo y nunca pasa desapercibido.* ⑥ Parte del órgano reproductor femenino de la flor, que consiste en un cilindro pequeño, hueco y blando que sale del ovario y sostiene el estigma: *el estilo termina en el estigma.* ⑦ Punzón que usaban los antiguos para escribir en tablas enceradas. ⑧ ARG., URUG. Música típica que se toca con la guitarra.
por el estilo De características o calidad parecidas: *tendrás que comprarme un bolso igual, o uno por el estilo.*
FAM estilarse, estilismo, estilizar.

estilóbato *s. m.* Plataforma corrida sobre la que se apoya una columnata.

estilográfico, -ca *adj./s. f.* Se aplica a la pluma que funciona con una carga de tinta que lleva en el mango.

estima *s. f.* Afecto o consideración. SIN aprecio.
FAM autoestima, desestima.

estimable *adj.* ① Que merece ser estimado o apreciado. ② Que admite estimación o aprecio. ③ Que tiene valor, que es considerable: *una cantidad estimable.*

estimación *s. f.* ① Determinación del valor que se da y en que se tasa o considera algo: *se está haciendo una estimación de los daños.* SIN apreciación. ② Afecto o consideración hacia alguien o algo.

estimar *v. tr.* ① Sentir cariño o afecto por una persona o cosa. SIN apreciar. ② Considerar o tener una opinión razonada sobre una cosa: *no estimé conveniente volver a intentarlo.* ③ Calcular el valor aproximado de una cosa: *se estiman pérdidas de miles de euros.* SIN valorar.
FAM estima, estimable, estimación, estimativo, estimatorio; desestimar, sobreestimar, subestimar.

estimativo, -va *adj.* Relativo a la estimación: *datos estimativos.*
FAM estimación, estimatorio.

estimulación *s. f.* Animación o incitación a hacer algo o a hacerlo más rápido o mejor.

estimulante *adj.* ① Que anima o incita a hacer algo o a hacerlo más rápido o mejor. | *adj./s. m.* ② Se aplica a la sustancia que aviva o excita la actividad de los órganos: *el atleta fue descalificado al detectar la presencia de ciertos estimulantes en su sangre.*

estimular *v. tr.* ① Animar o incitar a hacer algo o a hacerlo más rápido o mejor. ANT desanimar. ② Poner en funcionamiento o avivar la actividad de un órgano o una función orgánica: *estimular el apetito.*
FAM estimulación, estimulador, estimulante.

estímulo *s. m.* ① Cosa que mueve a actuar o realizar algo: *aquel regalo fue el estímulo que necesitaba para estudiar.* SIN acicate, aguijón, aliciente. ② Agente o causa que provoca una reacción o una respuesta en el organismo o en una parte de él: *estímulos nerviosos.*
FAM estimular.

estío *s. m.* culto Verano.
FAM estival.

estipendio *s. m.* culto Salario, sueldo o paga.
FAM estipendiario.

estípite *s. m.* Soporte en forma de pirámide truncada, con la base menor hacia abajo; se comenzó a utilizar en España a finales del siglo XVII.

estipular *v. tr.* Acordar o determinar las condiciones de un trato.
FAM estipulación.

estirado, -da *adj.* Se aplica a la persona que no se presta al trato llano con los demás y se comporta con aires de superioridad.

estiramiento *s. m.* ① Alargamiento o extensión, especialmente de los miembros del cuerpo para desentumecerlos: *los ejercicios de estiramiento forman parte del entrenamiento.* ② Eliminación de las arrugas o pliegues.

estirar *v. tr.* ① Alargar o extender, generalmente tirando de los extremos. **ANT** encoger. ② Poner liso o quitar los pliegues o arrugas. ‖ *v. intr.* ③ Crecer o hacerse más alto un niño. ‖ *v. prnl.* ④ **estirarse** Extender y poner tensos los miembros para recuperar la agilidad después de haber estado quietos mucho tiempo. **SIN** desperezarse.
FAM estirado, estiramiento, estirón.

estirón *s. m.* ① Crecimiento rápido en altura de una persona, especialmente de un joven adolescente. ② Movimiento con que se estira o arranca algo con fuerza.

estirpe *s. f.* ① Ascendencia de una persona, especialmente si es ilustre. **SIN** abolengo, alcurnia, linaje. ② Conjunto de personas que forman una familia, especialmente si es de origen noble: *todos eran miembros de la misma estirpe.*

estitiquez *s. f.* AMÉR. Estreñimiento.

estival *adj.* Relativo al estío o verano. **SIN** veraniego.

esto *pron.* ① Indica o señala lo que está más cerca de la persona que habla o algo conocido o que se va a decir. ② Indica o señala una cosa o nombrada muy poco antes por los hablantes o que se va a decir enseguida: *esto no se lo expliques a nadie.*
a todo esto Expresión que introduce en la conversación una nota al margen o que está relacionada con lo que se acaba de decir: *a todo esto, ¿me has traído lo que te pedí?*
esto es Expresión que introduce una explicación de lo que se acaba de decir. **SIN** es decir.
OBS Carece de plural.

estocada *s. f.* ① Golpe que se da de punta con la espada o el estoque: *el torero finalizó la faena con una certera estocada.* ② Herida producida por la espada o el estoque.

estofa *s. f.* ① *despectivo* Clase, naturaleza o condición de una persona o un grupo de personas: *gente de baja estofa.* ② Tela de seda con labores.
FAM estofar.

estofado¹ *s. m.* Guiso que se hace cociendo en crudo y a fuego lento un alimento, generalmente carne, y condimentándolo con aceite, sal, ajo, cebolla y otras especias.

estofado, -da² *adj.* ① Adornado, engalanado. ‖ *s. f.* ② Acción de estofar una tela, madera o talla. ③ Adorno que resulta de esta acción.

estofar¹ *v. tr.* Cocer un alimento, generalmente carne, en crudo y a fuego lento, y condimentándolo con aceite, vino, ajo, cebolla y diversas especias.
FAM estofado.

estofar² *v. tr.* ① Labrar a modo de bordado, rellenando con algodón o estopa el hueco entre dos telas, formando encima algunas labores y pespunteándolas y perfilándolas para que sobresalgan y hagan relieve. ② Raspar con un garfio el color

dado sobre el dorado de una madera. ③ Pintar al temple relieves sobre oro bruñido. ④ Dar color blanco a las tallas en madera para dorarlas y bruñirlas.
FAM estofado.

estoicismo *s. m.* ① Fortaleza y dominio sobre uno mismo, especialmente ante las desgracias y dificultades. ② Doctrina filosófica fundada por el griego Zenón que preconizaba el autodominio de las pasiones y la fraternidad universal: *el estoicismo surgió en el siglo IV a. C.*

estoico, -ca *adj.* ① Que muestra fortaleza y dominio sobre sí mismo, especialmente ante las desgracias y dificultades: *durante todo el funeral mantuvo un estoico comportamiento.* ② Relativo al estoicismo (doctrina filosófica). ‖ *adj./s. m. y f.* ③ Se aplica a la persona que sigue la doctrina filosófica del estoicismo.
FAM estoicismo.

estola *s. f.* ① Prenda femenina, generalmente de piel, con forma de banda larga que se pone alrededor del cuello o sobre los hombros para abrigar o adornar. ② Banda de tela muy larga y estrecha que se pone el sacerdote alrededor del cuello dejando caer las puntas sobre el pecho: *la estola se coloca sobre la casulla.* ③ Vestido masculino griego y romano parecido a la túnica, pero con una banda de tela ceñida a la cintura que caía por detrás hasta el suelo.

estolón *s. m.* Tallo rastrero o subterráneo que echa raíces que producen nuevas plantas, como el de la fresa.

estoma *s. f.* Abertura microscópica que hay en las hojas y partes verdes de los vegetales, por donde se produce el intercambio de gases entre la planta y el exterior y se regula la pérdida de agua.

estomacal *adj.* ① Relativo al estómago. ‖ *adj./s. m.* ② Se aplica a la medicina o bebida que tonifica el estómago y favorece la digestión: *el bicarbonato se utiliza como estomacal.*

estomagante *adj.* ① Que causa indigestión o molestia estomacal. ② *familiar* Que causa fastidio o enfado.

estomagar *v. tr.* ① Causar indigestión o molestia estomacal. ② *familiar* Causar fastidio o enfado: *sus continuas bromas me estomagan.*

estómago *s. m.* ① Órgano en forma de bolsa del aparato digestivo en el que se digieren los alimentos para ser asimilados por el organismo: *el estómago está situado entre el esófago y el intestino.* ② Parte del cuerpo comprendida entre el final del pecho y el comienzo de la cintura, especialmente cuando está más abultada de lo normal. **SIN** barriga, vientre.
tener estómago Tener capacidad para hacer o soportar cosas desagradables o humillantes.
FAM estomacal, estomagar.

estomatología *s. f.* Parte de la medicina que se ocupa del estudio y tratamiento de las enfermedades de la boca.
FAM estomatólogo.

estonio, -nia *adj.* ① De Estonia (país de Europa). ‖ *s. m. y f./adj.* ② Persona que es de Estonia. ‖ *s. m./adj.* ③ Lengua que se habla en Estonia.

estopa *s. f.* Parte basta o gruesa del lino o del cáñamo que se emplea en la fabricación de cuerdas y tejidos: *el fontanero usa estopa para tapar las juntas de las tuberías.*

estoque *s. m.* Espada estrecha afilada solamente en la punta, especialmente la que usan los toreros para matar al toro.
FAM estoquear.

estor *s. m.* Cortina de una sola pieza que cubre el hueco de una ventana, puerta o balcón y que se recoge verticalmente.

estorbar *v. tr./intr.* **1** Molestar o ser causa de que alguien se encuentre a disgusto: *quiero que te vayas a tu casa y dejes de estorbar.* ‖ *v. tr.* **2** Obstaculizar o dificultar la ejecución de una acción.
FAM estorbo.

estorbo *s. m.* Persona o cosa que molesta u obstaculiza.

estornino *s. m.* Pájaro de unos 22 cm de longitud, cabeza pequeña, pico amarillento, y plumaje negro con reflejos verdes y morados y pintas blancas: *el estornino se domestica y aprende fácilmente a reproducir los sonidos que se le enseñan.*

estornudar *v. intr.* Expulsar de forma violenta y ruidosa por la nariz y la boca el aire de los pulmones en un movimiento involuntario y brusco del diafragma.
FAM estornudo.

estornudo *s. m.* Expulsión violenta y ruidosa por la nariz y la boca del aire de los pulmones mediante un movimiento involuntario y repentino del diafragma: *el estornudo se provoca por algún estímulo que actúa sobre la membrana pituitaria.*

estrabismo *s. m.* Defecto de la vista que consiste en una desviación de la dirección normal de la mirada en uno o en ambos ojos. SIN bizquera.

estrada *s. f.* BOL. Finca de explotación del caucho.

estrado *s. m.* **1** Tarima o suelo de tablas elevado sobre un armazón que se usa para poner sobre él un trono o la mesa principal de un acto solemne. **2** Tablado donde se ponen las piezas en los hornos de pan. ‖ *s. m. pl.* **3 estrados** Salas de los tribunales donde se oyen y sentencian los pleitos.

estrafalario, -ria *adj./s. m. y f.* familiar Se aplica a la persona que llama la atención por vestir de manera original y ridícula o por pensar de manera extraña. SIN extravagante.

estrago *s. m.* Destrozo o daño muy grande: *la epidemia de cólera causó grandes estragos.*
OBS Normalmente en plural.

estragón *s. m.* Planta herbácea de tallos delgados y ramosos, de hojas estrechas y flores en cabezuelas pequeñas y amarillentas, que se usa como condimento.

estrambote *s. m.* Combinación de versos que se añade al final de un poema, especialmente un soneto, para rematarlo, en general de modo irónico.
FAM estrambótico.

estrambótico, -ca *adj.* familiar Que es raro u original a la vez que caprichoso y ridículo. SIN extravagante.

estramonio *s. m.* Planta herbácea con tallos ramosos, hojas grandes y anchas, flores blancas en forma de embudo y fruto espinoso en forma de nuez: *las hojas y semillas del estramonio se han utilizado como narcótico y antiespasmódico.*

estrangulación *s. f.* **1** Estrangulamiento. **2** Obstrucción intestinal.

estrangulador, -ra *adj./s. m. y f.* **1** Se aplica a la persona que estrangula. ‖ *s. m.* **2** Dispositivo que abre o cierra el paso de un fluido por un conducto.

estrangulamiento *s. m.* **1** Ahogamiento de una persona o de un animal apretándole el cuello hasta impedir la respiración. SIN estrangulación. **2** Estrechamiento natural o artificial que impide o dificulta el paso por una vía o conducto.

estrangular *v. tr.* **1** Ahogar a una persona o animal oprimiéndole por el cuello hasta impedirle la respiración. **2** Im-

pedir o dificultar el paso por una vía o conducto. **3** Detener la circulación sanguínea de una parte del cuerpo presionando o con una ligadura: *antes de una extracción de sangre siempre te estrangulan la vena con una cinta elástica.*
FAM estrangulación, estrangulador, estrangulamiento.

estraperlista *adj./s. com.* familiar Se aplica a la persona que se dedica al comercio ilegal de mercancías.

estraperlo *s. m.* familiar Comercio ilegal de mercancías.
FAM estraperlear, estraperlista.

estratagema *s. f.* **1** Medio que se emplea con habilidad y astucia para conseguir algo, especialmente para engañar o evitar un engaño. SIN ardid, artimaña. **2** Operación militar muy hábil.

estratega *s. com.* Persona experta o entendida en estrategia: *la operación ha sido preparada por grandes estrategas militares.*

estrategia *s. f.* **1** Arte de proyectar y dirigir las operaciones militares en la guerra. SIN táctica. **2** Modo o sistema de dirigir un asunto para lograr un fin: *la nueva estrategia seguida ha supuesto un notable aumento de las ventas.* SIN táctica.
FAM estratagema, estratega, estratégico.

estratégico, -ca *adj.* **1** Relativo a la estrategia. **2** Se aplica al lugar que es clave o tiene una importancia decisiva para el desarrollo de algo: *la guerra puede acabar pronto, porque ya han sido tomados los principales puntos estratégicos.*

estratificación *s. f.* Disposición de las capas o estratos de un terreno, por el depósito de sedimentos o materiales en capas horizontales.

estratificar *v. tr.* Disponer en estratos o en capas: *las diferencias socioeconómicas estratifican la sociedad.*
FAM estratificación.

estratigrafía *s. f.* Parte de la geología que estudia la forma, disposición, distribución geográfica, sucesión cronológica y relaciones de los estratos.

estrato *s. m.* **1** Capa paralela y superpuesta a otras que forma los terrenos sedimentarios, y en donde pueden encontrarse los yacimientos de fósiles. **2** Capa o serie de capas, como las de un tejido orgánico o las de un yacimiento arqueológico. **3** Nube baja, de constitución física líquida, color gris y forma de banda ancha paralela al horizonte que puede producir llovizna. **4** Capa o nivel de la sociedad: *los impuestos más fuertes deben recaer sobre los estratos sociales más elevados.* **5** Conjunto de elementos que, con determinados caracteres comunes, se ha integrado con otros conjuntos previos o posteriores para formar un producto histórico: *los préstamos del árabe constituyen uno de los estratos formativos de la lengua española.* **6** Nivel en que se distribuye la vegetación de un mismo tipo en un hábitat: *se distinguen los estratos herbáceo (que corresponde a las hierbas), arbustivo (arbustos) y arbóreo (árboles).*
FAM estratificar, estratocúmulo; cirroestrato, nimboestrato, superestrato.

estratocúmulo *s. m.* Nube de constitución física líquida, situada a una altitud baja en la troposfera, con apariencia de rodillos grandes de color gris y blanco, que en ocasiones provoca precipitaciones.

estratonimbo *s. m.* Nube muy baja, densa y de color gris oscuro, que se presenta en forma de capa y que suele producir precipitaciones de lluvia o nieve. SIN nimboestrato.

estratopausa *s. f.* Final de la estratosfera, situado a 50 km de altitud.

estratosfera *s. f.* Capa de la atmósfera terrestre que se ex-

tiende entre los 10 y los 50 km de altitud aproximadamente; en ella se encuentra la capa de ozono: *la estratosfera está entre la mesosfera y la troposfera.*
FAM estratosférico.

estratosférico, -ca *adj.* ⚀ Relativo a la estratosfera (capa atmosférica). ⚁ Que puede mantenerse en la estratosfera. ⚂ familiar Que resulta excesivamente elevado.

estrechamente *adv.* ⚀ De forma cercana e íntima. ⚁ De forma exacta y rigurosa: *cumpliremos estrechamente el reglamento.*

estrechamiento *s. m.* ⚀ Reducción o disminución de la anchura: *en el puente encontrarás un estrechamiento de la carretera.* **ANT** ensanchamiento, ensanche. ⚁ Profundización o intensificación de una relación. ⚂ Apretón con los brazos o las manos en señal de saludo o afecto: *se despidieron con un afectuoso estrechamiento de manos.*

estrechar *v. tr.* ⚀ Reducir o disminuir la anchura: *el camino se estrecha al final.* **ANT** ensanchar. ⚁ Hacer más cercana e íntima una relación o aumentar su intensidad. ⚂ Apretar o coger con fuerza con los brazos o las manos en señal de saludo o afecto. ‖ *v. prnl.* ⚃ **estrecharse** Apretarse o juntarse mucho para que quepa más en el mismo espacio: *tendremos que estrecharnos un poco para caber todos en el coche.* ⚄ Reducir una persona sus gastos.
FAM estrechamiento.

estrechez *s. f.* ⚀ Falta de anchura y espacio. **SIN** angostura. ⚁ Falta de las cosas más necesarias para vivir: *han despedido a su marido y están pasando algunas estrecheces.* **NOTA** Más en plural. **SIN** penuria. ⚂ Falta o escasez de tiempo. ⚃ Falta de amplitud intelectual o moral al juzgar, valorar o dar opiniones: *estrechez de miras.* ⚄ Amistad íntima.

estrecho, -cha *adj.* ⚀ Que es delgado o poco ancho. **SIN** angosto. **ANT** ancho. ⚁ Que aprieta o es demasiado ajustado. ⚂ Que es rígido o estricto: *estará sometido a una estrecha vigilancia.* ⚃ Se aplica a la relación que es muy intensa y mantiene unos vínculos muy fuertes. ‖ *adj./s. m. y f.* ⚄ despectivo Se aplica a la persona que tiene ideas muy conservadoras en relación con el sexo o que está reprimido sexualmente. ‖ *s. m.* ⚅ Paso angosto que separa dos costas próximas y comunica dos mares: *el estrecho de Gibraltar separa el continente europeo y el continente africano.*
FAM estrechamente, estrechar, estrechez, estrechura.

estrechura *s. f.* Estrechez de un terreno o un espacio.
OBS Normalmente en plural.

estregar [1] *v. tr.* Frotar o pasar con fuerza una cosa sobre otra, generalmente para dar a esta calor, limpieza o brillo: *estrega bien los zapatos con el cepillo si quieres que te queden lustrosos.* **SIN** restregar.
FAM restregar.

estrella *s. f.* ⚀ Astro o cuerpo celeste que brilla con luz propia en el firmamento. ■ **estrella amarilla** Estrella que está en su etapa media o de madurez, caracterizada por tener una temperatura superficial de aproximadamente 5 000 °C: *el Sol es una estrella amarilla típica.* ■ **estrella enana blanca** Cierto tipo de estrella en la etapa final de su proceso evolutivo. ■ **estrella fugaz** Fenómeno luminoso provocado por el desplazamiento vertiginoso de un cuerpo rocoso que se vuelve incandescente debido al rozamiento con las capas superiores de la atmósfera. ■ **estrella gigante roja** Estrella en la etapa final de su evolución, antes de su muerte física y transformación en una estrella de neutrones; su tamaño

puede llegar a ser ciento de veces mayor que el Sol. ■ **Estrella Polar** Estrella situada en el extremo de la Osa Menor y que señala el norte. ⚁ Figura constituida por varias líneas que parten de un centro común y que pueden formar picos entre sí. ⚂ Objeto con esa forma: *sopa de estrellas.* ⚃ Signo de esa forma que sirve para indicar una categoría: *hotel de cinco estrellas.* ⚄ Signo de esa forma que indica la graduación de jefes y oficiales del ejército. ⚅ Persona que destaca en una profesión o que es muy popular, especialmente en un deporte o en el arte. **SIN** astro, figura. ⚆ Suerte o destino: *siempre he tenido buena estrella.*

estrella de mar Animal marino equinodermo con forma de estrella, con cinco brazos de simetría radial, el cuerpo plano y un esqueleto exterior calizo: *la estrella de mar es un invertebrado.*

nacer con estrella Tener suerte.

ver las estrellas familiar Sentir un dolor muy fuerte y vivo.
FAM estrellar, estrellato.

estrellado, -da *adj.* ⚀ Con forma de estrella. ⚁ Lleno de estrellas: *contemplaba el cielo estrellado.* ⚂ Se aplica al caballo o yegua con una estrella en la frente.

estrellar *v. tr.* ⚀ Lanzar con violencia un objeto contra otro objeto o una superficie firme y hacerlo trozos. **SIN** estampar. ‖ *v. prnl.* ⚁ **estrellarse** Chocar con violencia contra un objeto o superficie. ⚂ Fracasar en un intento al tropezar con dificultades insuperables: *se estrellaron al invertir su dinero en ese negocio.* ⚃ Llenarse o cubrirse de estrellas el cielo.
FAM estrellado, estrellón.

estrellato *s. m.* Condición o situación de una persona cuando alcanza la fama y se convierte en una estrella: *después de esta película habrá alcanzado el estrellato.*

estrellón *s. m.* AMÉR. Choque, encontronazo.

estremecer [16] *v. tr.* ⚀ Hacer temblar. ⚁ Impresionar o causar una alteración en el ánimo. **SIN** sobresaltar.
FAM estremecedor, estremecimiento.

estremecimiento *s. m.* ⚀ Temblor o movimiento con sacudidas breves, rápidas y frecuentes: *tiene estremecimientos a causa de la fiebre.* ⚁ Alteración del ánimo.

estrenar *v. tr.* ⚀ Usar por primera vez. ⚁ Representar o presentar por primera vez ante el público un espectáculo: *hoy estrena en Madrid su nueva película.* ‖ *v. prnl.* ⚂ **estrenarse** Empezar a desempeñar un trabajo o darse a conocer por vez primera en una profesión.
FAM estreno; reestrenar.

estreno *s. m.* ⚀ Uso de algo por primera vez. ⚁ Representación o presentación de un espectáculo musical, teatral, de danza, etc. o de una película por primera vez ante el público.

estreñido, -da *adj.* Se aplica a la persona que padece estreñimiento: *toma fruta y verdura si estás estreñido.*

estreñimiento *s. m.* Alteración del intestino que provoca la retención de los excrementos y hace difícil su expulsión. **ANT** diarrea.

estreñir [11] *v. tr./intr.* Producir estreñimiento: *las chufas estriñen.*
FAM estreñido, estreñimiento.

estrépito *s. m.* Ruido muy grande: *al coger un plato, se cayeron todos al suelo con gran estrépito.* **SIN** estruendo, fragor.
FAM estrepitoso.

estrepitoso, -sa *adj.* ⚀ Que causa estrépito. ⚁ Muy ostensible o espectacular: *un fracaso estrepitoso.*

estreptococo *s. m.* Bacteria de forma redondeada que se agrupa en forma de cadena: *el estreptococo es un agente causante de enfermedades como la pulmonía y la escarlatina.*

estrés *s. m.* ① Estado de gran tensión nerviosa, generalmente causado por un exceso de trabajo, que suele provocar diversos trastornos físicos y mentales. ② Situación en la que un organismo o alguno de sus órganos sufre presiones del medio o exigencias superiores a lo habitual, por lo que puede llegar a enfermar.

estrés ambiental Situación que se produce cuando los valores de los factores ambientales quedan fuera de los límites tolerados por los organismos de un ecosistema, provocando cambios en la comunidad.

FAM estresar; antiestrés.

OBS Puede encontrarse la grafía inglesa *stress*.

estresar *v. tr.* Causar estrés: *las últimas tensiones y discusiones del trabajo me han estresado mucho.*

FAM estresante.

estría *s. f.* ① Surco o hendidura en una superficie. ② Ranura o mediacaña del hueco longitudinal que se labra en algunas columnas o pilastras. ③ Línea más clara que queda marcada en la piel cuando se ha estirado mucho y de forma rápida.

FAM estriar.

estriar *v. tr.* Formar estrías en una superficie.

FAM estriación.

OBS Verbo regular, se acentúa como *desviar*.

estribación *s. f.* Conjunto de montañas laterales que derivan de una cordillera.

OBS Más en plural.

estribar *v. intr.* ① Fundamentarse o tener su origen una cosa en otra: *el éxito que tiene en su trabajo estriba en su buena voluntad.* **SIN** residir. ② Descansar una cosa sobre otra.

FAM estribación.

estribillo *s. m.* ① Verso o conjunto de versos que se repiten al final de una o varias estrofas de un poema o una pieza musical. ② Palabra o frase que se repite, por vicio, muchas veces al hablar o escribir.

estribo *s. m.* ① Pieza de metal que cuelga a cada lado de la silla de montar y en la que el jinete apoya los pies. ② Pieza que a modo de escalón sirve para subir o bajar de ciertos vehículos: *el estribo de un carruaje.* ③ Hueso del oído medio de los vertebrados: *el estribo se articula con el yunque.* ④ Construcción vertical que se levanta pegada al muro de un edificio, sobresaliendo del paramento, para hacerlo más resistente a la carga que debe soportar o para recoger el empuje de un arco o bóveda. **SIN** contrafuerte. ⑤ Ramal corto de montañas que arranca de uno y otro lado de una cordillera.

perder los estribos Enfadarse y perder la serenidad o la paciencia.

FAM estribar, estribillo.

estribor *s. m.* Lado derecho de una embarcación, mirando desde la parte trasera hacia la delantera. **ANT** babor.

estricnina *s. f.* Sustancia muy venenosa, de sabor amargo y poco soluble, que se extrae de la nuez vómica y de otras plantas: *la estricnina se ha utilizado en medicina como estimulante cardíaco.*

estricto, -ta *adj.* Que se ajusta con exactitud a lo necesario o a lo establecido y que no admite excepciones ni permite otra interpretación. **SIN** rígido, riguroso. **ANT** laxo.

FAM estrictamente.

estridencia *s. f.* ① Sonido agudo, fuerte y desapacible. ② Violencia al actuar o al expresarse: *el pueblo manifestó su desacuerdo con estridencia.*

estridente *adj.* ① Se aplica al sonido que es agudo, fuerte y desapacible. ② Que causa una sensación molesta por su exageración o contraste violento: *lleva una corbata de colores estridentes.*

FAM estridencia.

estrofa *s. f.* Conjunto de versos de un poema o una pieza musical que se ajustan a una medida y a un ritmo determinados, y se mantienen constantes a lo largo de la composición: *la estancia, la décima y la cuarteta son estrofas de la tradición poética.*

FAM estrófico.

estrófico, -ca *adj.* ① Relativo a la estrofa. ② Se aplica al poema que está dividido en estrofas.

estrógeno *s. m.* Hormona sexual femenina que interviene en la aparición de los caracteres sexuales secundarios: *el estrógeno provoca el periodo de celo de los mamíferos.*

estromboliano, -na *adj.* Se aplica al volcán caracterizado por una lava fluida y fuertes explosiones con proyección de cenizas y bombas: *el Etna es un volcán estromboliano.*

estroncio *s. m.* Elemento químico de símbolo Sr y número atómico 38; es un metal de color amarillo, poco brillante, fácilmente deformable; descompone el agua, se oxida al aire rápidamente y arde con llama muy brillante.

estropajo *s. m.* Trozo de un tejido o de otro material generalmente ásperos que se usa para fregar.

FAM estropajoso.

estropajoso, -sa *adj.* ① Que está fibroso y áspero: *esta carne está mal cocinada y se ha puesto estropajosa.* ② Se aplica a la persona que viste de manera sucia y descuidada. ③ Se aplica a la forma de hablar que es torpe y poco clara.

estropear *v. tr.* ① Deteriorar, hacer perder la calidad o el valor. **SIN** romper. **ANT** arreglar. ② Maltratar a una persona dejándola lisiada. ③ Echar a perder una situación, asunto o proyecto: *la lluvia estropeó los actos de inauguración del estadio.* **SIN** arruinar, malograr. ④ Volver a batir el mortero o mezcla de cal.

FAM estropicio.

estropicio *s. m.* ① Destrozo o rotura con mucho ruido. ② Trastorno o daño aparatoso pero de escasa importancia: *los niños siempre hacen algún estropicio cuando juegan a fútbol en el jardín.*

estructura *s. f.* ① Conjunto de relaciones que mantienen entre sí las partes de un todo: *estructura lingüística.* ② Modo de estar organizadas u ordenadas las partes de un todo: *la estructura demográfica es la distribución de la población por edades, sexo y actividad profesional.* ③ Conjunto de piezas o elementos que sirve de soporte rígido de algo, especialmente de una construcción. **SIN** armadura, armazón. ④ En informática, conjunto de datos que tienen determinadas propiedades: *¿cuál es la estructura de la base de datos del diccionario?*

estructura atómica Disposición de las partículas subatómicas en el interior del átomo.

estructura cristalina Disposición regular de los átomos, iones o moléculas que constituyen un cristal.

estructura profunda En gramática generativa, nivel primero de generación de los mensajes lingüísticos, anterior a la emisión, en que estos están perfectamente formados, no son ambiguos y no han sufrido transformaciones.

estructura superficial En gramática generativa, estructura de un mensaje emitido, después de que la información de la estructura profunda sufra transformaciones, lo que puede tener como consecuencia errores de construcción o ambigüedad semántica.

FAM estructural, estructurar; infraestructura, superestructura.

estructuración *s. f.* Organización u ordenación de las parte de un todo.

estructural *adj.* ⓵ Relativo a la estructura. ⓶ Relativo al estructuralismo (doctrina filosófica).

FAM estructuralismo.

estructuralismo *s. m.* ⓵ Doctrina filosófica que trata de establecer relaciones sistemáticas entre los elementos que estudia. ⓶ Escuela lingüística que considera la lengua como una estructura o un sistema de relaciones y establece los principios de forma y función para delimitar y clasificar las unidades de una lengua: *el estructuralismo lingüístico nació a principios del siglo XX con Saussure, entre otros, como precursor.*

FAM estructuralista.

estructuralista *adj.* ⓵ Relativo al estructuralismo. | *adj./ s. com.* ⓶ Se aplica a la persona que sigue la doctrina del estructuralismo: *Bloomfield fue el principal estructuralista de la lingüística americana.*

estructurar *v. tr.* Organizar u ordenar las partes de un todo.

ANT desorganizar.

FAM estructuración, estructurador; reestructurar.

estruendo *s. m.* ⓵ Ruido muy grande. **SIN** estrépito, fragor. ⓶ Confusión o desorden formado por mucha gente gritando y moviéndose: *el público animaba a su equipo con gran estruendo.*

FAM estruendoso.

estruendoso, -sa *adj.* Que causa estruendo.

estrujar *v. tr.* ⓵ Retorcer o apretar con fuerza algo que tiene líquido para sacárselo. **SIN** exprimir. ⓶ Apretar hasta deformar o arrugar. ⓷ Apretar con fuerza a una persona. ⓸ Sacar todo el partido posible de alguien o de algo: *por más que te estrujes la cabeza no darás con la solución.* **SIN** exprimir.

FAM estrujón.

estrujón *s. m.* Presión fuerte y rápida que se ejerce sobre una persona o cosa. **SIN** apretón.

estuario *s. m.* Desembocadura de un río caudaloso en el mar, caracterizada por tener la forma de un embudo cuyos lados van apartándose en el sentido de la corriente y por la influencia de las mareas en la unión de las aguas fluviales con las marítimas: *la desembocadura del río Amazonas es un estuario, y la del Nilo es un amplio delta.*

estucar *v. tr.* ⓵ Cubrir una superficie con estuco. ⓶ Colocar sobre un muro o columna las piezas de estuco previamente moldeadas y desecadas.

FAM estucado.

estuchar *v. tr.* Recubrir con un estuche de papel u otra materia un producto industrial, como los terrones de azúcar.

estuche *s. m.* ⓵ Caja o envoltura adecuada para guardar o proteger un objeto determinado o un juego de ellos. ⓶ Conjunto de utensilios que se guardan en esta caja: *estuche de aseo.*

FAM estuchar.

estuco *s. m.* ⓵ Masa de yeso blanco y agua de cola que se emplea para enlucir paredes interiores, hacer molduras y reproducciones de figuras o de relieves. **SIN** escayola. ⓶ Masa de cal apagada y polvo de mármol con que se hace un enlucido al que se da lustre después con cera o aguarrás.

FAM estucar.

estudiantado *s. m.* Conjunto de estudiantes, especialmente los de un centro docente. **SIN** alumnado.

estudiante *s. com.* Persona que cursa estudios en un centro docente, especialmente de enseñanza media o superior.

FAM estudiantado, estudiantil, estudiantina.

estudiantil *adj.* Relativo al estudiante: *el nuevo sistema de enseñanza ha provocado numerosas protestas estudiantiles.*

estudiantina *s. f.* Grupo de estudiantes, generalmente universitarios, que forma un conjunto musical y salen por las calles tocando varios instrumentos y cantando. **SIN** tuna.

estudiar *v. tr.* ⓵ Aplicar la inteligencia o ejercitar el entendimiento con esfuerzo para comprender o aprender algo. ⓶ Observar, examinar, pensar o considerar algo con detenimiento para conocerlo, comprenderlo o buscar una solución: *estudiar un proyecto.* | *v. tr./intr.* ⓷ Cursar estudios en un centro de enseñanza: *estudio biología en la Universidad de Granada; ¿estudias o trabajas?*

FAM estudiado, estudiante, estudio.

OBS Verbo regular, se acentúa como *cambiar.*

estudio *s. m.* ⓵ Ejercicio o esfuerzo del entendimiento para comprender o aprender algo, especialmente una ciencia o un arte: *dedica dos horas al día al estudio.* ⓶ Obra o trabajo en el que se estudia un asunto o cuestión, o se explica y se reflexiona sobre él: *estoy leyendo un estudio sobre economía internacional.* ⓷ Vivienda o apartamento pequeño, generalmente compuesto de una única sala y un cuarto de baño y, a menudo, cocina: *se alquilan pisos y estudios.* ⓸ Habitación de una vivienda destinada a estudiar o a realizar alguna labor intelectual. ⓹ Local donde un artista o un profesional realiza su actividad: *estudio de arquitecto; estudio de pintor.* ⓺ Local o conjunto de instalaciones equipados para la grabación de películas o discos o para la emisión de programas de radio o televisión. ⓻ Composición musical escrita para practicar y aprender una técnica difícil. ⓼ Dibujo o pintura que se hace como prueba antes de realizar la obra definitiva. | *s. m. pl.* ⓽ **estudios** Conjunto de materias que se estudian para conseguir un título: *cursa estudios de medicina.* ⓾ Actividad de estudiar para conseguir un título. ⓫ Conjunto de los estudios de enseñanza superior o media y título correspondiente: *tener estudios; una persona con estudios.*

FAM estudioso.

estudioso, -sa *adj.* ⓵ Se aplica a la persona que estudia mucho: *un niño muy estudioso.* | *adj./s. m. y f.* ⓶ Se aplica a la persona que se dedica al estudio de un tema o materia y tiene un conocimiento extenso y profundo sobre ello.

estufa *s. f.* ⓵ Aparato para calentar un recinto que consiste en un recipiente cerrado donde se quema un combustible (gas butano, madera, carbón, etc.), o en una armazón metálica con una resistencia eléctrica. ⓶ Aparato para disecar o desinfectar por medio de calor, someter a la acción del gas, cultivar microorganismos, etc., que se emplea en laboratorios y hospitales. ⓷ Recinto cerrado en unos baños termales que está destinado a producir en los enfermos mucho sudor. ⓸ Recinto cerrado, cubierto y acondicionado para mantener una temperatura regular en el que se cultivan plantas fuera de su entorno natural o se las protege de las inclemencias extremas propias del tiempo invernal (frío, viento, etc.). **SIN** invernáculo, invernadero.

estulticia s. f. culto Necedad o tontería.

estupefacción s. f. Asombro o sorpresa grandes que impiden hablar o reaccionar. **SIN** estupor.

estupefaciente s. m./adj. Sustancia que calma o quita el dolor y produce, además, sueño, sensación placentera de relajación o alucinaciones; puede crear adicción.

estupefacto, -ta adj. Se aplica a la persona que queda asombrada, sin respuesta o reacción, ante una sorpresa. **SIN** atónito.
FAM estupefacción.

estupendo, -da adj. **1** Que destaca por sus cualidades muy buenas o extraordinarias: *un libro estupendo.* **SIN** excelente, magnífico. ‖ adv. **2** Muy bien: *pasarlo estupendo.* **SIN** estupendamente.

estupidez s. f. **1** Dificultad y gran lentitud para comprender las cosas. **SIN** cretinismo, imbecilidad, idiotez. **2** Dicho o acto propios de una persona estúpida.

estúpido, -da adj./s. m. y f. **1** Se aplica a la persona que muestra torpeza o falta de entendimiento para comprender las cosas. **SIN** tonto. ‖ adj. **2** Que es propio de la persona estúpida: *comportamiento estúpido.*
FAM estupidez.
OBS Frecuentemente usado como insulto.

estupor s. m. **1** Estupefacción: *mirar con estupor.* **2** Estado de la persona que está parcialmente inconsciente debido a una disminución de la actividad de las funciones mentales y físicas y de la capacidad de respuesta a los estímulos.

estupro s. m. Delito que consiste en tener relaciones sexuales con una persona menor de edad, valiéndose del engaño o de la superioridad que se tiene sobre ella.

esturión s. m. Pez comestible muy primitivo, que llega a medir hasta 9 m de largo, de color gris con pintas negras, con la cabeza pequeña, el hocico puntiagudo y el cuerpo cubierto de varias tiras de placas óseas sobre el dorso o en los costados.

esvástica s. f. Cruz que tiene los cuatro brazos doblados en ángulo recto. **SIN** cruz gamada.

eta s. f. Nombre de la séptima letra del alfabeto griego; se escribe H/η y se transcribe como *e.*

etano s. m. Hidrocarburo gaseoso inflamable, incoloro e inodoro, compuesto por dos átomos de carbono y seis de hidrógeno: *el etano se utiliza como refrigerante y como combustible.*

etanoico, -ca adj. **1** Relativo al vinagre o a sus derivados. **2** Se aplica al ácido que se produce por oxidación completa del alcohol etílico. **SIN** acético.

etanol s. m. Líquido transparente, incoloro, de olor penetrante, inflamable y soluble en agua, que se obtiene mediante la destilación del vino y otras sustancias fermentadas y se usa como componente de bebidas y en industria. **SIN** alcohol etílico.

etapa s. f. **1** Momento, periodo o estado en que se divide un proceso: *la infancia y la vejez son dos etapas de la vida.* **SIN** estadio, fase. **2** Trayecto o distancia que se recorre entre dos puntos de una sola vez, especialmente en determinadas pruebas deportivas.

etarra adj. **1** Relativo a la organización terrorista ETA (Euskadi Ta Askatasuna, que significa 'tierra vasca y liber-

tad'). ‖ adj./s. com. **2** Se aplica a la persona que pertenece a esta organización.

etc. Abreviatura de *etcétera.*

etcétera s. m. Se usa al final de una enumeración para sustituir otros elementos de la misma que pueden sobrentenderse: *algunas profesiones liberales, como abogados, arquitectos, artesanos, etcétera.*

éter s. m. **1** Compuesto químico orgánico, sólido, líquido o gaseoso, en cuya molécula existe un átomo de oxígeno unido a dos radicales de hidrocarburos: *hay una variedad del éter que se usa como anestésico.* **2** culto Cielo, bóveda celeste. **3** Fluido hipotético invisible, sin peso y elástico, que se consideraba que llenaba todo el espacio y constituía el medio transmisor de todas las manifestaciones de la energía.
FAM etano, etéreo, etilo.

etéreo, -rea adj. **1** Que es intangible o poco definido y, a la vez, sutil o sublime. **2** Relativo al éter (compuesto químico).

eternidad s. f. **1** Espacio de tiempo sin principio ni fin. **2** familiar Espacio de tiempo muy largo: *¡has tardado una eternidad!* **3** En ciertas religiones, vida del alma después de la muerte. **4** Cualidad de lo que no tiene principio ni fin: *la eternidad de Dios.*

eternizar v. tr. **1** Hacer durar demasiado tiempo: *eternizar un discurso; la conferencia se eternizaba y los asistentes empezaban a cansarse.* **2** Hacer durar para siempre: *eternizaría sus palabras en la lápida.* ‖ v. prnl. **3** **eternizarse** Tardar mucho tiempo en hacer una cosa: *se eterniza hablando por teléfono.*

eterno, -na adj. **1** Que no tiene principio ni fin: *la vida eterna; Dios es eterno.* **2** Que permanece o existe siempre: *jurar amor eterno.* **SIN** infinito, perenne. **3** Que dura demasiado tiempo: *la película se me hizo eterna.* **4** Que siempre es válido: *verdades eternas.*
FAM eternal, eternamente, eternidad, eternizar.

ética s. f. **1** Parte de la filosofía que estudia el bien y el mal relacionado con el comportamiento humano y con la moral. **2** Conjunto de normas y costumbres que regulan las relaciones humanas de un colectivo: *su ética profesional le impide contarnos más cosas.* **SIN** moral.

ético, -ca adj. **1** Relativo a la ética. **2** Que se ajusta o es conforme a la ética: *un comportamiento poco ético.* ‖ s. m. y f. **3** Persona que se dedica a la ética (parte de la filosofía).
FAM ética.

etílico, -ca adj. **1** Relativo al etanol. **2** Que se produce por la ingestión excesiva de bebidas alcohólicas: *intoxicación etílica.*

etilo s. m. Radical formado de carbono e hidrógeno que se encuentra en muchos compuestos orgánicos.

étimo s. m. Palabra o raíz de la que procede o deriva una palabra: *el vocablo latino "oculum" es el étimo de "ojo".*
FAM etimología.

etimología s. f. **1** Origen de las palabras, de su significado y de su forma. **2** Parte de la lingüística que estudia el origen de las palabras, de su significado y de su forma.
FAM etimológico, etimologista, etimólogo.

etimológico, -ca adj. Relativo a la etimología: *significado etimológico; diccionario etimológico.*

etiología s. f. **1** Estudio sobre las causas de las cosas una vez conocidos los efectos, especialmente de las enfermedades.
FAM etiológico.

etíope *adj.* ☐ De Etiopía (país de África). **SIN** abisinio. ‖ *s. com./adj.* ☐ Persona que es de Etiopía. **SIN** abisinio.

etiqueta *s. f.* ☐ Pedazo de papel, cartón u otro material semejante que sujeta o se adhiere a una cosa para indicar lo que es, su origen u otra información: *la etiqueta del precio; la etiqueta de manufactura.* ☐ Ceremonial o conjunto de reglas y formalidades que deben observarse en ciertos actos oficiales y solemnes. ☐ Calificación que se aplica a una persona y suele hacer referencia a su forma de pensar, de comportarse o de ser, o que la identifica con una determinada postura ideológica: *no le gusta la etiqueta de "escritor modernista".* ☐ En un programa informático, conjunto de caracteres que sirven para identificar instrucciones o datos.

de etiqueta (**I**) Se aplica al tipo de ropa adecuada para una ocasión solemne. (**II**) Se aplica al acto, fiesta o reunión solemne que exige llevar una ropa adecuada.

FAM etiquetar, etiquetero.

etiquetado *s. m.* Acción de etiquetar.

etiquetar *v. tr.* ☐ Colocar la etiqueta a un producto u otra cosa. ☐ Poner una etiqueta o calificativo a alguien.

FAM etiquetado.

etmoides *s. m./adj.* Hueso impar de la cabeza que forma parte de la base del cráneo, de las órbitas y de las fosas nasales.

OBS Plural invariable.

etnia *s. f.* Grupo de personas que pertenecen a la misma raza y que comparten la misma lengua y cultura.

FAM étnico.

étnico, -ca *adj.* Relativo a la etnia: *grupos étnicos.*

etnografía *s. f.* Parte de la antropología que describe las razas y los pueblos.

FAM etnográfico, etnógrafo.

etnología *s. f.* Parte de la antropología que realiza clasificaciones y estudios comparados de las distintas razas y pueblos, basándose en los datos proporcionados por la etnografía.

FAM etnológico, etnólogo.

etrusco, -ca *adj.* ☐ De Etruria (antigua región del centronorte de Italia). **SIN** tirreno. ‖ *s. m. y f./adj.* ☐ Persona que era de Etruria. **SIN** tirreno. ‖ *adj.* ☐ Relativo a un pueblo de la antigua Italia, probablemente de origen indoeuropeo, que vivía en la actual Toscana: *los etruscos, importantes a partir del siglo* VII *a. C., fueron sometidos por los romanos.* ‖ *s. m. y f./adj.* ☐ Persona perteneciente a este pueblo. ‖ *s. m./adj.* ☐ Lengua hablada por este pueblo.

eucalipto o **eucaliptus** *s. m.* ☐ Árbol con el tronco recto y la copa en forma de cono, las hojas duras y olorosas y las flores amarillas, que alcanza gran altura; se utiliza en repoblaciones forestales por su rápido crecimiento, sus hojas tienen propiedades medicinales, su corteza se utiliza en el curtido de pieles y con su madera se fabrica papel: *el eucalipto es originario de América.* ☐ Madera de este árbol. ☐ Esencia que se obtiene de las hojas de este árbol: *los caramelos de eucalipto son buenos para calmar la tos.*

OBS Plural: *eucaliptos* o *eucaliptus.*

eucarionte V. eucariota.

eucariota *adj.* ☐ Se aplica a la célula que posee un núcleo delimitado por una membrana, en cuyo interior el ADN se agrupa en cromosomas durante la división celular; contiene ciertos orgánulos, como la mitocondria o el cloroplasto, de los que carecen las células procariotas: *las células de los anima-*

les vertebrados son eucariotas. **SIN** eucarionte. **ANT** procarionte, procariota. ‖ *adj./s. m.* ☐ Se aplica al organismo que está constituido por una o varias de estas células. **SIN** eucarionte. **ANT** procarionte, procariota.

eucaristía *s. f.* ☐ Sacramento de la religión cristiana que consiste en la conversión del pan y el vino en el cuerpo y la sangre de Cristo por medio de la consagración, y en el que los fieles participan tomando ambos alimentos. **SIN** comunión. ☐ Ceremonia cristiana que se celebra durante un servicio religioso y en la que se recibe este sacramento. **SIN** comunión. ☐ Ceremonia católica en la que se celebra este sacramento en memoria de la muerte y resurrección de Jesucristo; consta de una primera parte en la que se leen las lecturas bíblicas del día y el sacerdote hace la homilía o sermón y una segunda parte en la que tiene lugar la consagración del pan y del vino y se reparte la comunión. **SIN** misa.

FAM eucarístico.

eucarístico, -ca *adj.* Relativo a la eucaristía: *sacramento eucarístico.*

eufemismo *s. m.* Palabra o expresión más suave o decorosa con que se sustituye otra considerada de mal gusto, grosera o demasiado franca: *"trasero" es un eufemismo de "culo".*

FAM eufemístico.

eufemístico, -ca *adj.* Relativo al eufemismo.

eufonía *s. f.* Efecto acústico agradable que resulta de la combinación de sonidos en una palabra o frase. **ANT** cacofonía.

FAM eufónico.

eufónico, -ca *adj.* Se aplica a la palabra o expresión que produce un efecto acústico agradable por su combinación de sonidos. **ANT** cacofónico.

euforia *s. f.* ☐ Sensación intensa de alegría o de bienestar que se exterioriza. ☐ Estado del ánimo que tiende al optimismo y que se observa como síntoma en algunas intoxicaciones y en ciertas enfermedades del sistema nervioso.

FAM eufórico.

eufórico, -ca *adj.* ☐ Relativo a la euforia: *estado eufórico; aplauso eufórico.* ☐ Se aplica a la persona que exterioriza una intensa alegría y bienestar.

eunuco *s. m.* Hombre castrado, especialmente el de ciertos pueblos orientales que se destinaba a la custodia de las mujeres de un harén.

euro[1] *s. m.* culto Viento que sopla del este.

euro[2] *s. m.* ☐ Unidad monetaria de la mayoría de los países de la Unión Europea: *el símbolo del euro es* €. ☐ Moneda con el valor de esta unidad.

eurocámara *s. f.* Parlamento de la Unión Europea. **SIN** europarlamento.

eurocomunismo *s. m.* Tendencia política de ciertos partidos comunistas europeos que adaptaron la ideología comunista a las condiciones políticas de sus países, distanciándose de posturas más radicales, especialmente de las soviéticas.

FAM eurocomunista.

eurocomunista *adj.* ☐ Relativo al eurocomunismo. ‖ *adj./s. com.* ☐ Se aplica a la persona que es partidaria del eurocomunismo.

eurodiputado, -da *s. m. y f.* Diputado del Parlamento de la Unión Europea.

europarlamento *s. m.* Parlamento de la Unión Europea. **SIN** eurocámara.

FAM europarlamentario.

europeísmo *s. m.* Movimiento que propugna la cooperación y unión política, económica y cultural entre todos los países de Europa.
FAM europeísta.

europeísta *adj.* ① Relativo al europeísmo: *política europeísta.* ‖ *adj./s. com.* ② Se aplica a la persona que es partidaria del europeísmo.

europeización *s. f.* Acción de europeizar.

europeizar *v. tr.* Imprimir rasgos, cualidades o costumbres que se consideran propios de Europa: *la creciente hegemonía europea ha contribuido a europeizar países de otros continentes.*
FAM europeización.

europeo, -pea *adj.* ① De Europa. ‖ *s. m. y f./adj.* ② Persona que es de Europa.
FAM europeidad, europeísmo, europeísta, europeizar; antieuropeo, centroeuropeo, indoeuropeo.

europio *s. m.* Elemento químico de símbolo *Eu* y número atómico 63; es un metal sólido de las tierras raras, de color plateado, blando y muy reactivo, que es escaso en la naturaleza y se emplea como activador del fósforo, en los tubos de televisores en color para producir el color rojo y para controlar la fisión nuclear en los reactores.

euscaldún o **euskaldún** *adj.* ① De lengua vasca: *escuela euscaldún.* SIN euscalduna. ‖ *adj./s. com.* ② Se aplica a la persona que habla esta lengua. SIN euscalduna. ③ Se aplica a la persona que es del País Vasco. SIN euscalduna.

euscalduna o **euskalduna** V. euscaldún.

euskera o **eusquera** *s. m./adj.* ① Lengua que se habla en las comunidades autónomas del País Vasco y Navarra y en el territorio vascofrancés: *el euskera es una lengua no indoeuropea de origen desconocido.* SIN vasco, vascuence. ‖ *adj.* ② Relativo a la lengua vasca. SIN vasco, vascuence.

eutanasia *s. f.* ① Muerte provocada sin dolor o sufrimiento físico. ② Acción de provocar la muerte a un enfermo incurable para evitar que sufra.
FAM eutanásico.

eutocia *s. f.* Parto que se desarrolla con normalidad, sin complicaciones.

evacuación *s. f.* ① Acción de evacuar: *la evacuación de los heridos se produjo ordenadamente.* ② Conjunto de excrementos expulsados de una sola vez. SIN defecación.

evacuar *v. tr.* ① Ayudar a un conjunto de personas a abandonar un lugar que amenaza ruina o en el que puede ocurrir una catástrofe: *evacuaron primero a las mujeres y a los niños.* ② Dejar vacío un lugar: *evacuar las viviendas cercanas al incendio.* SIN desalojar. ③ Abandonar alguien, especialmente fuerzas de ocupación, un lugar: *las tropas evacuaron la zona donde se producirían los combates.* ‖ *v. intr.* ④ Expulsar los excrementos del organismo. SIN defecar, deponer.
FAM evacuación, evacuante, evacuatorio.
OBS Verbo regular, se acentúa como *actuar* o como *averiguar*.

evadir *v. tr.* ① Evitar una dificultad, un compromiso o un peligro con habilidad y astucia: *evadir la respuesta.* ② Sacar ilegalmente del país dinero u otros bienes para evitar impuestos o controles fiscales: *evadir divisas.* ‖ *v. prnl.* ③ **evadirse** Fugarse o escaparse de una prisión o encierro sin ser visto. ④ Distraerse o apartar la atención de algo molesto: *se fue para evadirse de sus preocupaciones.*
FAM evasión, evasiva, evasivo, evasor.

evaluación *s. f.* ① Análisis de una cosa que determina su valor, importancia o trascendencia. ② Determinación del grado de conocimientos alcanzado por un alumno en un tiempo determinado.

evaluar *v. tr.* ① Analizar una cosa para determinar su valor, importancia o trascendencia: *evaluar la eficacia; evaluar el coste de las ayudas.* ② Determinar el grado de conocimientos que ha alcanzado un alumno en un periodo de tiempo determinado.
FAM evaluación, evaluador.
OBS Verbo regular, se acentúa como *actuar*.

evangeliario *s. m.* Libro de liturgia que contiene los evangelios de cada día del año.

evangélico, -ca *adj.* ① Relativo al evangelio. ② Se aplica a las iglesias surgidas de la Reforma protestante, como la luterana, la calvinista, etc. SIN protestante.

evangelio *s. m.* ① Cada uno de los cuatro relatos, contenidos en el Nuevo Testamento, sobre la vida, doctrina y milagros de Jesucristo: *los evangelios fueron escritos por san Mateo, san Marcos, san Lucas y san Juan.* NOTA Se escribe normalmente con mayúscula inicial. ② Fragmento de uno de estos libros que se lee en la celebración de la misa: *el sacerdote lee el evangelio y los fieles las lecturas.* NOTA Se escribe normalmente con mayúscula inicial. ③ Conjunto de enseñanzas de Jesucristo, predicadas por los cristianos: *convertirse al Evangelio.* NOTA Se escribe normalmente con mayúscula inicial. ④ *familiar* Verdad que no admite discusión.
FAM evangélico, evangelista, evangelizar.

evangelista *s. m.* Autor de un Evangelio: *los cuatro evangelistas son san Mateo, san Marcos, san Lucas y san Juan.*

evangelización *s. f.* Enseñanza y propagación de la doctrina cristiana en un lugar.

evangelizar *v. tr.* Predicar o dar a conocer la doctrina cristiana en un lugar: *los misioneros fueron a evangelizar a los indios.*
FAM evangelización.

evaporación *s. f.* Acción de evaporar o evaporarse parcialmente un líquido por debajo de la temperatura de ebullición.

evaporar *v. tr.* ① Convertir un líquido o un sólido en gas o vapor: *el calor evapora el agua; la charca se evaporaba.* SIN gasificar. ② Hacer que desaparezca una cosa material o inmaterial: *evaporó su fortuna en pocos meses.* ‖ *v. prnl.* ③ **evaporarse** Desaparecer una persona de un lugar con rapidez.
FAM evaporación.

evaporita *s. f.* Roca sedimentaria formada por los restos de sales minerales que dejan tras de sí las aguas salinas al evaporarse.

evaporizar *v. tr.* Evaporar.

evapotranspiración *s. f.* Conjunto de las pérdidas de agua en forma de vapor que pasan a la atmósfera y que son la suma de la transpiración de las plantas y de la evaporación del agua de la superficie del suelo.

evasión *s. f.* Acción de evadir o evadirse: *evasión de capital; evasión de prisioneros.*
de evasión Se aplica a la narración cuya única finalidad es la de divertir o entretener: *literatura de evasión.*

evasiva *s. f.* Razón para eludir cierta dificultad, compromiso o peligro: *no admitiré más evasivas, quiero saberlo todo.*
OBS Normalmente en plural.

evasivo, -va *adj.* Que pretende evitar una dificultad, un compromiso o un peligro.

evasor, -ra *adj./s. m. y f.* Que evade dinero o bienes: *los evasores de capital son perseguidos por la justicia.*

evento *s. m.* ① Hecho o suceso que ocurre, especialmente si es de cierta importancia: *un político de su talla no podía faltar a tal evento.* **SIN** acontecimiento. ② Suceso imprevisto: *hacer frente a cualquier evento.*
FAM eventual.

eventual *adj.* ① Que no es fijo ni regular o que está sujeto a ciertas circunstancias: *contrato eventual.* ‖ *adj./s. com.* ② Se aplica al trabajador que presta sus servicios a una empresa temporalmente sin formar parte de la plantilla.
FAM eventualidad.

eventualidad *s. f.* ① Cualidad o situación de eventual: *la eventualidad de un contrato.* ② Suceso que se considera que pueda suceder: *he tomado medidas para atender con rapidez cualquier eventualidad.* **SIN** contingencia, imprevisto.

evidencia *s. f.* ① Certeza absoluta de una cosa, tan clara y manifiesta que resulta indudable o innegable: *ante la evidencia de las pruebas, el acusado confesó su delito.* ② Cosa, especialmente prueba, que es evidente: *esta herida es la evidencia del delito.*
en evidencia (**I**) En ridículo o en una situación comprometida: *al desmentir la declaración de su colega, lo puso en evidencia.* (**II**) En situación de ser claro o evidente: *la comprobación pone en evidencia estas teorías.*
FAM evidenciar, evidente.

evidenciar *v. tr.* Hacer que algo sea evidente: *tus notas evidencian las horas que has dedicado al estudio.*
OBS Verbo regular, se acentúa como *cambiar.*

evidente *adj.* Que es completamente cierto, tan claro y manifiesto que resulta indudable o innegable.
FAM evidentemente.

evitar *v. tr.* ① Impedir que ocurra algo perjudicial o molesto: *evitar el contagio.* ② Impedir que una persona sufra o tenga que hacer algo desagradable o molesto: *así le evitas problemas; evitar la fatiga.* ③ Rehuir a alguien o algo, o procurar no encontrarse en una situación determinada: *evitar una polémica.*
FAM evitable; inevitable.

evocación *s. f.* ① Representación en la memoria de algo percibido, vivido o conocido en el pasado. ② Llamada al espíritu de una persona muerta. **SIN** invocación.

evocador, -ra *adj.* Que evoca algo: *una palabra evocadora de un sentimiento.*

evocar *v. tr.* ① Recordar o traer a la memoria algo percibido, vivido o conocido en el pasado: *evocar la infancia; evocar una imagen.* **SIN** rememorar. ② Recordar una cosa a otra por su relación o parecido: *el paisaje norteño evocaba las montañas de su pueblo natal.* ③ Llamar al espíritu de un muerto. **SIN** invocar.
FAM evocación, evocador.

evolución *s. f.* ① Cambio o transformación gradual de algo, como un estado, una circunstancia, una conducta, una idea, etc: *evolución social.* **ANT** involución. ② Proceso gradual de cambios acumulativos mediante el cual los seres vivos han variado a lo largo de sucesivas generaciones desde los primeros organismos unicelulares hasta el conjunto actual de complejos organismos vivos de nuestro planeta: *la teoría sintética de la evolución o neodarvinismo es la teoría más ampliamente aceptada hoy en día para explicar la evolución de los seres vivos.* ③ Movimiento de alguien o algo que se desplaza describiendo curvas: *todos seguían las evoluciones del bailarín en la pista.* **NOTA** Más en plural.
FAM evolucionar, evolucionismo, evolutivo.

evolucionar *v. intr.* ① Cambiar o transformarse gradualmente algo, como un estado, una circunstancia, una conducta, una idea, etc: *su música ha evolucionado mucho los últimos años.* ② Cambiar una persona gradual y progresivamente de actitud o en su forma de pensar. ③ Cambiar o transformarse gradual y progresivamente un organismo vivo. ④ Desplazarse describiendo curvas alguien o algo.

evolucionismo *s. m.* Teoría biológica que sostiene que todos los seres vivos actuales proceden, por evolución y a través de cambios más o menos lentos a lo largo de los tiempos geológicos, de antecesores comunes: *Darwin expuso sus ideas sobre el evolucionismo en «El origen de las especies».*
FAM evolucionista.

evolucionista *adj.* ① Relativo al evolucionismo. ‖ *adj./s. com.* ② Se aplica a la persona que es partidaria del evolucionismo.

evolutivo, -va *adj.* Que ocurre o se produce por evolución: *proceso evolutivo.*

ex ① Se utiliza delante de un sustantivo o un adjetivo para indicar que determinada persona tuvo anteriormente determinado cargo o condición: *ex ministro; ex marido; ex monárquico.* ‖ *s. com.* ② familiar Persona que fue anteriormente la pareja sentimental de otra: *me encontré con mi ex por la calle.*
OBS Plural invariable.

exabrupto *s. m.* Dicho o gesto brusco e inesperado que se manifiesta con enfado y viveza.

exacerbar *v. tr.* ① Exasperar. **SIN** irritar. ② Hacer más fuerte un sentimiento o dolor: *tu comportamiento exacerba mi mal genio.* ③ Agravar una enfermedad.

exactitud *s. f.* Fidelidad o precisión de una medida, dato, etc., o ajuste perfecto de una cosa con otra. **ANT** imprecisión, inexactitud.

exacto, -ta *adj.* ① Que es fiel o preciso o que se ajusta completamente a algo: *significado exacto; cálculo exacto; necesita las medidas exactas de la puerta.* **SIN** preciso. **ANT** impreciso, inexacto. ‖ *adv.* ② Se usa para responder de forma afirmativa a una pregunta o para indicar que se está completamente de acuerdo con una afirmación: *—¿Es este el botón de encendido? —Exacto.*
FAM exactamente, exactitud.

exageración *s. f.* ① Acción de exagerar: *afán de exageración.* ② Dicho o cosa que son exagerados o sobrepasan el límite de lo razonable o natural: *eso que dices es una exageración.*

exagerado, -da *adj.* ① Que sobrepasa los límites de lo razonable o natural: *una subida de precios exagerada; teníamos un sueño exagerado.* **SIN** desorbitado. ‖ *adj./s. m. y f.* ② Se aplica a la persona que exagera.

exagerar *v. tr.* ① Hacer que algo parezca más grande o importante de lo que es en realidad: *la prensa exageró la noticia.* **SIN** abultar. ② Hacer que algo sobrepase el límite de lo razonable o natural: *exagerar las medidas de seguridad; exagerar el llanto.*
FAM exageración, exagerado.

exagonal [también **hexagonal**, más usado] *adj.* Que tiene forma de exágono.

exágono [también **hexágono**, más usado] *s. m.* Figura geométrica de seis lados.
FAM exagonal.

exaltación *s. f.* ① Alabanza hacia alguien o algo admirables: *hizo una exaltación de sus cualidades como escritor.* ② Emoción o excitación intensas: *el último de los temas que interpretó provocó la exaltación del público.*

exaltar *v. tr.* **1** Alabar mucho a alguien o algo que se admira: *exaltaba a los héroes de guerra.* **2** Conceder a alguien o algo grandeza, honor o dignidad: *exaltar las virtudes humanas.* ‖ *v. prnl.* **3 exaltarse** Emocionarse o perder la moderación o la calma: *se exaltaba hablando de los viejos tiempos.* **FAM** exaltación, exaltado.

examen *s. m.* **1** Observación atenta y cuidadosa de algo que se hace para conocer sus características o cualidades, o para determinar su estado: *un examen minucioso de la escena del crimen.* **2** Prueba o ejercicio que se hace a una persona para valorar su capacidad en una actividad o sus conocimientos en una materia: *un examen de conducir.* **FAM** examinar.

examinar *v. tr.* **1** Observar atenta y cuidadosamente algo para conocer sus características o cualidades, o para determinar su estado: *el médico examina a sus pacientes; examinó una a una todas las solicitudes presentadas.* **2** Someter a alguien a un examen, prueba o ejercicio para valorar su capacidad en una actividad o sus conocimientos en una materia. **FAM** examinador, examinando.

exangüe *adj.* **1** Falto de sangre. **2** Exánime.

exánime *adj.* **1** culto Muerto: *su cuerpo exánime yacía en la cuneta.* **SIN** exangüe, inánime. **2** Que está sumamente debilitado, sin fuerzas o agotado: *los luchadores estaban exánimes tras el combate.* **SIN** exangüe.

exasperación *s. f.* Irritación o enfurecimiento grandes.

exasperar *v. tr.* Causar gran irritación o enfado. **SIN** exacerbar, irritar. **FAM** exasperación, exasperante.

excarcelar *v. tr.* Liberar a un preso por mandamiento judicial. **ANT** encarcelar. **FAM** excarcelación.

excavación *s. f.* **1** Acción de excavar. **2** Hoyo o cavidad hecho en un terreno: *en la excavación arqueológica se hallaron restos del neolítico.*

excavadora *s. f.* Máquina para excavar o extraer y trasladar tierra u otra materia, que está formada por una gran pala mecánica montada sobre un vehículo de gran potencia.

excavar *v. tr.* Hacer un hoyo en el suelo extrayendo tierra: *los topos excavan galerías bajo tierra.* **SIN** cavar. **FAM** excavación, excavadora.

excedencia *s. f.* Situación del trabajador, especialmente del funcionario público, que deja de ejercer sus funciones o su trabajo durante un periodo de tiempo: *pidió la excedencia en el instituto.*

excedente *adj.* **1** Que excede o sobra: *materia excedente.* ‖ *s. m.* **2** Cantidad de algo que excede: *los excedentes de producción.* ‖ *adj./s. com.* **3** Se aplica a la persona que está en situación de excedencia.

exceder *v. tr./intr.* **1** Sobrepasar un límite, cantidad o valor determinados, o algo que se considera normal o razonable: *la redacción no excederá las 30 páginas; su bondad excede de lo corriente.* **SIN** superar. ‖ *v. tr.* **2** Superar una persona o cosa a otra en alguna cualidad: *me excede en altura.* **FAM** excedente, exceso; sobreexceder.

excelencia *s. f.* **1** Tratamiento de cortesía que se da a determinadas personas por su cargo: *Su Excelencia el embajador.* **NOTA** Puede anteponérsele la palabra *su.* Se escribe con ma-

yúscula inicial. **2** Gran bondad de una persona o calidad superior de una cosa que las hace dignas de estima y aprecio: *alabar las excelencias de un vino.* **NOTA** Normalmente en plural.

por excelencia Expresión que indica que un sustantivo o adjetivo corresponde con más propiedad a una persona o cosa que a otras a las que también se puede aplicar: *París y Milán son las capitales de la moda por excelencia.* **SIN** por antonomasia.

excelente *adj.* **1** Que es muy bueno: *calidad excelente.* **2** Que destaca por sus buenas cualidades: *un vino excelente.* **SIN** magnífico. **ANT** pésimo. **FAM** excelencia, excelentísimo.

excelentísimo, -ma *adj.* Se aplica como tratamiento a personas e instituciones a las que según el protocolo corresponde el grado de *excelencia*: *el excelentísimo señor ministro; el Excelentísimo Ayuntamiento de Segovia.* **NOTA** Cuando se da a personas se emplea seguido de *señor* o *señora* y el nombre o cargo de las mismas. Se escribe con mayúscula inicial.

excelso, -sa *adj.* **1** culto Excelente: *excelsas virtudes.* **2** culto Elevado, muy alto: *excelsos montes.* **FAM** excelsitud.

excentricidad *s. f.* **1** Cualidad de excéntrico. ‖ *adj.* **2** Dicho o hecho propios de una persona excéntrica. ‖ *s. f.* **3** En matemáticas, cociente entre la semidistancia focal y el semieje mayor en la elipse, y entre la semidistancia focal y el semieje en la hipérbole.

excéntrico, -ca *adj./s. m. y f.* **1** Se aplica a la persona que se comporta de forma rara o poco común, por lo que llama la atención: *algunos de los artistas más famosos han tenido fama de excéntricos.* ‖ *adj.* **2** Que es propio de la persona excéntrica: *comportamiento excéntrico.* **3** Que está fuera o apartado del centro: *elipses excéntricas; barrio excéntrico.* **FAM** excentricidad.

excepción *s. f.* **1** Exclusión de algo que se aparta de la regla común o de la generalidad. **2** Persona o cosa que se aparta de la regla común o condición general.

a (o con) excepción de Indica que la persona o cosa de que se trata constituye una excepción a lo expresado previamente: *fue todo el equipo a excepción del delantero lesionado.*

de excepción Excepcional (muy bueno o extraordinario). **FAM** excepcional.

excepcional *adj.* **1** Que constituye una excepción, algo poco común o frecuente: *fue un caso excepcional porque la mayoría aprobaron la moción.* **2** Que es muy bueno o extraordinario: *ha hecho una carrera tan excepcional que sin dudar le darán la medalla.*

excepto *prep.* Indica que lo que se expresa a continuación constituye una excepción a lo expresado en la oración principal: *fuimos todos, excepto él; sale todos los fines de semana, excepto si llueve.* **SIN** menos, salvo. **FAM** exceptuar.

exceptuar *v. tr.* Excluir a alguien o algo de la generalidad o de la regla común: *todos tendrán que hacer el examen, exceptuando los que hayan hecho los deberes cada día.* **FAM** excepción.

OBS Verbo regular, se acentúa como *actuar.*

excesivamente *adv.* Mucho más de lo que se considera normal o razonable: *las dietas excesivamente energéticas ocasionan obesidad.*

excesivo, -va *adj.* Que excede o sobrepasa lo que se considera normal o razonable: *un castigo excesivo.*
FAM excesivamente.

exceso *s. m.* **1** Hecho de exceder o sobrepasar cierto límite, cantidad o valor que se considera normal o razonable: *el exceso de velocidad es la primera causa de accidentes en carretera.* **2** Acción abusiva o injusta: *cometer excesos.* **NOTA** Más en plural. **3** Cantidad en que una cosa excede a otra.
en exceso Más de lo normal, lo permitido o lo conveniente.
FAM excesivo.

excipiente *s. m.* Sustancia que se mezcla con los medicamentos para darles consistencia, forma, sabor u otras cualidades que faciliten su uso: *en la composición de un medicamento se puede leer la cantidad de excipiente que contiene.*

excitación *s. f.* **1** Acción de excitar. **2** Estado de nerviosismo o inquietud intensos: *la gran excitación que le produjo el nombramiento no le permitía hablar.*

excitante *adj.* **1** Que excita: *los últimos minutos del partido fueron excitantes.* **SIN** apasionante, emocionante. **‖** *s. m./adj.* **2** Sustancia o medicamento que produce excitación: *el médico me ha prohibido el café y el té porque son excitantes.*

excitar *v. tr.* **1** Hacer que una persona se ponga nerviosa, se inquiete o desee vivamente algo: *la discusión acabó por excitarla; se excitó demasiado viendo el partido.* **2** Hacer que un sentimiento, estado del ánimo o actividad se intensifiquen o se produzcan: *excitar los celos; excitar los sentidos.* **3** Activar la secreción de un órgano: *excitar la salivación.*
FAM excitable, excitación, excitante; sobreexcitar.

exclamación *s. f.* **1** Enunciado exclamativo que se emite para expresar una emoción o un sentimiento, como sorpresa, admiración o temor: *lanzar exclamaciones de júbilo.* **2** Signo ortográfico que se coloca al principio (¡) y al final (!) de una palabra o frase para expresar sorpresa, exclamación o emoción del ánimo. **SIN** admiración.

exclamar *v. tr.* Expresar en voz alta una emoción o un estado de ánimo intensos.
FAM exclamación, exclamativo.

exclamativo, -va *adj.* **1** Que denota exclamación: *tono exclamativo.* **‖** *adj./s. f.* **2** Se aplica a la oración o la palabra que expresan un estado de ánimo o una emoción intensos; se escribe entre signos de exclamación o admiración.

excluir [21] *v. tr.* **1** Apartar o quitar a alguien o algo de un lugar o de un grupo: *excluyeron a los que menos puntos tenían.* **ANT** incluir. **2** Rechazar o no tener en cuenta una posibilidad: *la situación actual excluye la realización de grandes inversiones.* **SIN** descartar.
FAM exclusión, exclusive, excluyente.

exclusión *s. f.* Acción de excluir a alguien o algo: *para él las diferencias no eran motivo de enfrentamiento o exclusión.* **ANT** inclusión.

exclusiva *s. f.* **1** Derecho o privilegio por el que una persona o entidad es la única autorizada para realizar algo legalmente prohibido a otras personas o entidades: *una cadena de televisión tiene la exclusiva de este torneo deportivo.* **2** Noticia publicada por un solo medio informativo, que se reserva los derechos de su difusión: *la famosa cantante vendió la exclusiva de su boda a una revista del corazón.*

exclusive *adv.* Indica que no se tiene en cuenta, en un conjunto de cosas, lo que se nombra: *en el examen entra desde la página 20 hasta la 81, ambas exclusive.*

exclusividad *s. f.* Cualidad de exclusivo: *la exclusividad de un modelo de alta costura.*

exclusivo, -va *adj.* **1** Que es único o pertenece a alguien o algo: *un modelo exclusivo de Dior; el pinsapo es un abeto exclusivo de las tierras de Málaga y Cádiz.* **2** Que está reservado para alguien o algo: *un carril para uso exclusivo de ciclistas.*
FAM exclusivamente, exclusividad, exclusivismo.

Excmo., Excma. Abreviatura de *excelentísimo* y *excelentísima*, tratamientos que se dan a personas e instituciones.

excomulgar *v. tr.* Excluir la autoridad católica a uno de sus fieles de la comunidad religiosa y negarle los sacramentos. **SIN** anatematizar.

excomunión *s. f.* Exclusión de un fiel de la iglesia católica, dictada por la autoridad eclesiástica, por la cual queda apartado de la comunidad y del derecho a recibir los sacramentos. **SIN** anatema.
FAM excomulgar.

excoriación [también **escoriación**] *s. f.* Lesión superficial en la piel.

excoriar [también **escoriar**] *v. tr.* Causar excoriación.
FAM excoriación.
OBS Verbo regular, se acentúa como *cambiar.*

excrecencia *s. f.* Abultamiento anormal que crece en la piel de un animal o en la superficie de un vegetal.

excreción *s. f.* **1** Expulsión, por parte del organismo, de sustancias de desecho o de secreciones elaboradas por las glándulas. **2** Sustancia excretada por un organismo: *el estiércol es un abono orgánico, resultante de las excreciones del ganado.*

excremento *s. m.* Materia de residuos de alimento que elimina el organismo por el ano tras la digestión. **SIN** defecación, deyección, heces.
FAM excrementicio.

excretar *v. intr.* Expulsar del organismo sustancias de desecho o secreciones elaboradas por las glándulas: *algunos animales excretan unas heces casi secas.*
FAM excretor.

excretor, -ra *adj.* Se aplica al órgano o aparato que sirven para excretar: *los riñones y la vejiga forman parte del aparato excretor.*

exculpar *v. tr.* Descargar a una persona de culpa.
FAM exculpación, exculpatorio.

excursión *s. f.* Salida o viaje de corta duración que se realiza como diversión, por deporte o para hacer algún estudio.
FAM excursionismo.

excursionismo *s. m.* Práctica regular de hacer excursiones con fines deportivos, lúdicos o educativos.
FAM excursionista.

excursionista *s. com.* Persona que hace excursiones o practica el excursionismo.

excusa *s. f.* Razón o argumento en que se justifica un determinado comportamiento, fallo o error: *el cambio de domicilio nos sirvió de excusa para dejar de visitarlos.* **SIN** disculpa, pretexto.
pedir (o **presentar**) **excusas** Pedir perdón por haber causado una molestia o un perjuicio.

excusado¹ [también **escusado**] *s. m.* culto Retrete.

excusado, -da² *adj.* **1** Que resulta innecesario o superfluo. **2** Libre de pagar impuestos. **‖** *s. m.* **3** Derecho que tenía la Hacienda real de recibir el diezmo que la primera casa de cada parroquia había de pagar a la Iglesia.

excusar *v. tr.* ❶ Justificar con excusas a alguien o algo: *una madre siempre excusa las travesuras de sus hijos; se excusó por no poder asistir al congreso.* ❷ Librar a una persona de una obligación o un compromiso, o de una carga, como el pago de tributos: *lo excusaron del servicio militar.* ❸ Se usa como fórmula de cortesía para pedir disculpas por causar alguna molestia: *excuse, ¿tiene hora?* **SIN** disculpar, perdonar.
excusar + infinitivo Indica que la acción expresada por el infinitivo puede dejar de hacerse por resultar inútil o innecesaria: *excuso decirte lo que pienso.*
FAM excusa, excusable.

execrable *adj.* Que es digno de ser condenado o rechazado: *conducta execrable.*

execrar *v. tr.* Condenar y maldecir a una persona o cosa, especialmente una persona con autoridad sacerdotal o en nombre de cosas sagradas.

exégesis o **exegesis** *s. f.* Explicación, exposición y comentario crítico de textos antiguos, especialmente de las Sagradas Escrituras.
OBS Plural invariable.

exégeta o **exegeta** *s. com.* Intérprete de textos antiguos, especialmente de las Sagradas Escrituras.

exención *s. f.* Liberación de una obligación o carga: *exención de impuestos.*

exento, -ta *adj.* ❶ Que está libre de cargas u obligaciones: *quedar exento del servicio militar.* ❷ Que está libre de algo perjudicial o dañino: *exento de responsabilidades.* ❸ Se aplica a la construcción que está aislada o separada de un muro u otra construcción.

exequias *s. f. pl.* Ceremonia religiosa que se celebra por un difunto. **SIN** honras fúnebres.

exfoliación *s. f.* ❶ División o separación en escamas o láminas: *la exfoliación es una propiedad que tienen ciertos minerales de fracturarse según determinados planos.* ❷ Formación de escamas en la epidermis debida al frío u otro agente agresivo.

exfoliador, -ra *adj.* AMÉR. Se aplica al cuaderno cuyas hojas se desprenden fácilmente.

exfoliante *adj.* ❶ Que exfolia. ‖ *s. m./adj.* ❷ Producto cosmético para limpiar el cutis de las células muertas y otras impurezas.

exfoliar *v. tr.* Dividir o separar una cosa en escamas o láminas: *el yeso se exfolia con facilidad.*
FAM exfoliación, exfoliador, exfoliante.
OBS Verbo regular, se acentúa como *cambiar.*

exhalación *s. f.* ❶ Emisión de un gas, vapor u olor. ❷ culto Expresión de una queja o suspiro. ❸ Estrella fugaz.
como una exhalación Muy rápido: *fue como una exhalación a buscar el chocolate en la despensa.*

exhalar *v. tr.* ❶ Desprender o despedir un gas, vapor u olor: *las rosas del jardín exhalan un suave perfume.* ❷ Lanzar quejas o suspiros: *exhalar suspiros de amor.*
FAM exhalación.

exhaustivo, -va *adj.* Que es muy completo y profundo: *estudio exhaustivo; análisis exhaustivo.*

exhausto, -ta *adj.* ❶ Se aplica a la persona o animal que están agotados o muy cansados, débiles o sin fuerzas: *cayó en*

el sofá exhausta. ❷ Que está agotado o tiene poco de lo que debería tener: *un manantial exhausto.*
FAM exhaustivo.

exhibición *s. f.* Acción de exhibir o exhibirse, especialmente ante un gran número de personas: *una exhibición de baile; una exhibición de vuelo acrobático.*
FAM exhibicionismo.

exhibicionismo *s. m.* ❶ Deseo persistente y excesivo de exhibirse: *hace cosas sorprendentes por puro exhibicionismo.* ❷ Tendencia patológica a mostrar los propios órganos genitales en público.
FAM exhibicionista.

exhibicionista *adj./s. com.* Se aplica a la persona que realiza exhibicionismo.

exhibir *v. tr.* ❶ Mostrar o exponer una cosa de forma que pueda ser vista por un gran número de personas con detenimiento: *exhibe sus cuadros en una galería muy importante.* ❷ Enseñar una persona algo de lo que se siente orgullosa: *exhibía sus dotes culinarias.*
FAM exhibición.

exhortación *s. f.* ❶ Incitación por medio de palabras, razones o ruegos a actuar de cierta manera: *la exhortación al diálogo entre las naciones.* ❷ Plática o sermón familiar y breve: *el profesor dirigió una exhortación a sus alumnos por el incidente del día anterior.*

exhortar *v. tr.* Incitar con palabras, razones o ruegos a actuar de cierta manera, especialmente una persona que tiene autoridad material o moral para ello: *el general exhortó a sus soldados para que lucharan con valor.*
FAM exhortación, exhortativo.

exhortativo, -va *adj.* ❶ Que exhorta o anima para hacer algo: *discurso exhortativo.* ❷ Se aplica a la oración o frase que expresa mandato o ruego, como *venid inmediatamente* o *¡cállate, por favor!*

exhumación *s. f.* Acción de desenterrar un cadáver de su sepultura: *el juez ordenó la exhumación del cuerpo.*

exhumar *v. tr.* Desenterrar un cadáver de la sepultura: *exhumaron el cadáver para practicarle la autopsia.* **ANT** enterrar, inhumar.
FAM exhumación.

exigencia *s. f.* ❶ Cosa que se requiere como imprescindible para que se produzca algo: *la entrega de las armas fue una exigencia previa a la firma del tratado de paz.* ❷ Pretensión caprichosa o excesiva: *no estoy dispuesto a acceder a tales exigencias.*
NOTA Más en plural.

exigente *adj./s. com.* ❶ Se aplica a la persona que exige mucho, especialmente si lo hace de forma abusiva o caprichosa: *un profesor muy exigente.* ‖ *adj.* ❷ Que es propio de la persona exigente: *carácter exigente.*

exigir *v. tr.* ❶ Pedir de forma imperiosa o enérgica una cosa la persona que tiene derecho o autoridad para hacerlo: *está en su derecho al exigir que se le trate igual que a todo el mundo.* ❷ Necesitar una cosa otra para desarrollarse o llevarse a cabo: *este trabajo exige un esfuerzo continuo.* **SIN** requerir.
FAM exigencia, exigente, exigible.

exiguo, -gua *adj.* culto Que es muy escaso, pequeño o insuficiente.
FAM exigüidad.

exilado, -da *adj./s. m. y f.* Exiliado.

exilar V. exiliar.

exiliado, -da *adj./s. m. y f.* Se aplica a la persona que se ha visto obligada a abandonar su país, generalmente por razones políticas: *algunos exiliados políticos volvieron a España al comenzar el régimen democrático.*

oxiliar *v. tr.* **1** Obligar la autoridad política o judicial a una persona a salir de su país o a abandonar el lugar donde vive. **SIN** desterrar, expatriar. **‖** *v. prnl.* **2** **exiliarse** Abandonar voluntariamente el propio país obligado por razones políticas: *se exilió durante la guerra civil.* **SIN** expatriarse.
FAM exilar, exiliado.
OBS Verbo regular, se acentúa como *cambiar.*

exilio *s. m.* **1** Abandono obligado o voluntario del propio país o del lugar donde se vive. **2** Abandono voluntario del propio país obligado por razones políticas: *jamás imaginó que pagaría con el exilio.* **SIN** destierro. **3** Situación o condición de la persona que ha sido exiliada. **4** Lugar en el que vive la persona que ha sido obligada a exiliarse o se ha exiliado voluntariamente: *Antonio Machado murió en el exilio.* **SIN** destierro. **5** Tiempo durante el cual una persona vive exiliada en otro país o lugar. **SIN** destierro.
FAM exiliar.

eximente *adj.* **1** Que exime de una carga, culpa u obligación: *el desconocimiento de la ley nunca es eximente.* **‖** *adj./s. f.* **2** Se aplica a la circunstancia que exime de la responsabilidad de un delito.

eximio, -mia *adj.* culto Se aplica a la persona que es muy ilustre o excelente en su ámbito: *eximio escritor.*

eximir *v. tr.* Liberar a alguien de una carga, obligación o compromiso, especialmente algo que tiene carácter legal.
FAM eximente.

existencia *s. f.* **1** Hecho o circunstancia de existir: *no conocía la existencia de esas pruebas.* **ANT** inexistencia. **2** Vida del ser humano: *en su larga existencia conoció a mucha gente.* **3** Realidad concreta de un ser, por oposición a la esencia: *Aristóteles consideraba que la existencia estaba unida a la esencia.* **‖** *s. f. pl.* **4** **existencias** Conjunto de mercancías que permanecen almacenadas para su venta o para su consumo posteriores.
complicar la existencia Buscar o causar problemas a una persona.
FAM existencial.

existencial *adj.* **1** Relativo a la existencia. **2** Relativo al existencialismo. **SIN** existencialista.
FAM existencialismo.

existencialismo *s. m.* Corriente filosófica que concede prioridad a la existencia del ser humano sobre la esencia y trata de fundar el conocimiento de toda realidad sobre la experiencia inmediata de la existencia propia: *los inspiradores del existencialismo fueron Kierkegaard y Heidegger.*
FAM existencialista.

existencialista *adj.* **1** Relativo al existencialismo. **SIN** existencial. **‖** *adj./s. com.* **2** Se aplica a la persona que es partidaria del existencialismo.

existente *adj.* Que existe en el momento de que se trata: *problemas existentes; la revolución terminó con el régimen político existente en aquel momento.*

existir *v. intr.* **1** Tener realidad física o mental: *las ideas existen en nuestra mente; antes no existían los electrodomésticos.* **2** Tener vida: *sentir respeto por las personas que ya no existen.* **3** Haber cierta cosa en un lugar o situación determinados: *en esta zona existen importantes restos arqueológicos.* **SIN** hallar.
FAM existencia, existente; coexistir, preexistir.

éxito *s. m.* **1** Resultado, a menudo feliz o muy bueno, de algo: *se presentó al concurso, pero no tuvo éxito.* **2** Cosa que supone un éxito o resultado feliz o muy bueno: *«Yesterday» y «Yellow submarine» son algunos de los éxitos más conocidos de los Beatles.* **3** Aceptación que tiene una persona o cosa entre la gente: *el nuevo modelo ha tenido mucho éxito en el mercado.* **ANT** fracaso.
FAM exitoso.

exitoso, -sa *adj.* Que tiene éxito, buena aceptación o fama: *una exitosa novela.*

exlibris o **ex-libris** o **ex libris** *s. m.* Palabra latina que significa 'marca que el poseedor de un libro pone a este para indicar la propiedad; normalmente es un sello o cartulina con un diseño único'.

exocitosis *s. f.* Proceso mediante el cual una célula viva libera al exterior sustancias que son producto de su metabolismo. **ANT** endocitosis.
OBS Plural invariable.

éxodo *s. m.* **1** Emigración en masa de un pueblo del lugar en el que estaba para establecerse en otro país o región; especialmente, la marcha del pueblo judío de Egipto a la Tierra Prometida: *muchas familias campesinas abandonaron el campo y se fueron a vivir a las ciudades industriales, un hecho fundamental en el proceso de urbanización que recibe el nombre de éxodo rural.* **2** Libro de la Biblia en el que se narra la liberación de los israelitas y su salida de Egipto. **NOTA** Se escribe con mayúscula inicial.

exoesqueleto *s. m.* Piel muy dura que cubre y protege el cuerpo de los invertebrados. **SIN** dermatoesqueleto, esqueleto.

exogamia *s. f.* **1** Costumbre u obligación de contraer matrimonio con personas no pertenecientes a la misma casta, aldea, tribu u otro grupo social. **ANT** endogamia. **2** Cruce entre individuos no emparentados genéticamente. **ANT** endogamia.

exógeno, -na *adj.* **1** Que se forma o nace en el exterior: *las esporas de ciertos hongos son exógenas.* **ANT** endógeno. **2** Que se origina por causas externas: *una enfermedad exógena.* **ANT** endógeno.

exonerar *v. tr.* **1** culto Eximir a alguien de pena, carga u obligación. **2** culto Destituir a alguien de un empleo o dignidad: *lo exoneraron del cargo.*
FAM exoneración.

exorbitante *adj.* Que es excesivo o sobrepasa mucho lo que se considera regular o razonable: *son pisos muy bonitos, pero tienen unos precios exorbitantes.*

exorcismo *s. m.* Conjunto de ritos y fórmulas destinadas a expulsar un espíritu maligno, especialmente al demonio, de una persona o cosa.
FAM exorcista, exorcizar.

exorcista *s. com.* **1** Persona que se dedica a practicar exorcismos. **‖** *s. m.* **2** Sacerdote católico que tiene la potestad para identificar a las personas poseídas por el demonio y para practicar el exorcismo. **3** Clérigo católico que ha recibido la tercera de las órdenes menores.

exorcizar *v. tr.* Ahuyentar o expulsar mediante exorcismos los espíritus malignos, especialmente el demonio, del cuerpo de una persona, de un lugar, etc.

exosfera *s. f.* Capa más exterior de la atmósfera terrestre, situada sobre la ionosfera, que se extiende desde los 500 km de altitud aproximadamente hasta alturas no determinadas: *en la exosfera, las moléculas más ligeras escapan a la fuerza de gravedad.*

exotérico, -ca *adj.* Que es común o comprensible para la mayoría de personas. **ANT** esotérico.

exotérmico, -ca *adj.* Se aplica al proceso químico o físico que se produce con desprendimiento de energía: *la combustión es una reacción exotérmica en la que se desprende luz y calor.* **ANT** endotérmico.

exótico, -ca *adj.* 1 Se aplica al lugar o país que es lejano y muy distinto al propio. 2 Que procede o es característico de ese lugar o país: *comida exótica.* **FAM** exoticidad, exotismo.

exotismo *s. m.* 1 Circunstancia de ser una persona o una cosa exóticas. 2 Cosa o acción exótica.

expandir *v. tr.* 1 Hacer que algo ocupe más espacio: *expandir gases; los romanos se expandieron por todo el Mediterráneo.* **SIN** expansionar. 2 Aumentar la producción de una cosa para que llegue a un mayor número de personas. 3 Difundir o divulgar una noticia, una doctrina, etc. **FAM** expansible, expansión, expansivo.

expansión *s. f.* 1 Ampliación o dilatación de algo para que ocupe más espacio: *la expansión de un gas.* 2 Aumento de la producción de una cosa para que llegue a un mayor número de personas. 3 Difusión o divulgación de una noticia, doctrina, etc. 4 Distracción o diversión: *necesita un rato de expansión.* 5 Manifestación efusiva de un sentimiento o estado de ánimo: *expansiones de alegría.* **FAM** expansionarse, expansionismo.

expansionar *v. tr.* 1 Expandir algo para que ocupe más espacio. ‖ *v. prnl.* 2 **expansionarse** Divertirse, distraerse o entretenerse: *fue a dar una vuelta para expansionarse un rato.* 3 Explicar detalladamente a alguien los pensamientos, sentimientos o preocupaciones: *se expansionó conmigo y me contó todas sus penas.* **SIN** desahogarse.

expansionismo *s. m.* Tendencia a extender el dominio político y económico a otros países o áreas geográficas: *el expansionismo caracterizó la política exterior de Japón antes de la Segunda Guerra Mundial.* **FAM** expansionista.

expansivo, -va *adj.* 1 Que se expande o tiende a expandirse: *onda expansiva.* 2 Que manifiesta abiertamente el estado de ánimo: *carácter expansivo.*

expatriar *v. tr.* 1 Obligar la autoridad política o judicial a una persona a salir su país o a abandonar el lugar donde vive. **SIN** desterrar, exiliar. ‖ *v. prnl.* 2 **expatriarse** Abandonar voluntariamente el propio país obligado por razones políticas. **SIN** exiliarse. **FAM** expatriación. **OBS** Verbo regular, se acentúa como *desviar* o como *cambiar.*

expectación *s. f.* Interés, inquietud o curiosidad con que se espera algo: *el posible debate entre los líderes políticos ha creado una gran expectación.*

expectante *adj.* 1 Se aplica a la persona que espera observando con interés y curiosidad lo que ocurre para actuar en consecuencia: *permanecerá expectante hasta que salgan los resultados.* 2 Que conlleva expectación. **FAM** expectación.

expectativa *s. f.* 1 Situación de la persona que espera conseguir algo. 2 Posibilidad de conseguir algo beneficioso: *te-*ner expectativas de futuro; había expectativas de cambio en la política.* **NOTA** Más en plural.

estar a la expectativa Esperar algo sin actuar hasta ver lo que sucede.

expectativa de vida Tiempo aproximado de vida que le queda a una persona según su edad o sus condiciones físicas, sociales, etc.

expectoración *s. f.* Expulsión mediante la tos o el carraspeo de las flemas u otras secreciones de las vías respiratorias.

expectorante *s. m./adj.* Medicamento o remedio que provoca la expectoración de flemas u otras secreciones de las vías respiratorias.

expectorar *v. tr.* Arrancar mediante la tos o el carraspeo las flemas u otras secreciones de las vías respiratorias y arrojarlas por la boca. **SIN** esputar. **FAM** expectoración, expectorante.

expedición *s. f.* 1 Viaje colectivo que se realiza con un fin determinado, especialmente científico, militar o deportivo: *se ha organizado una expedición para buscar a los montañeros desaparecidos.* 2 Grupo de personas que realizan ese viaje. 3 Envío de una carta, una mercancía o algo semejante a un lugar determinado: *comprueba la fecha de expedición del paquete.* **FAM** expedicionario.

expedientar *v. tr.* Abrir un expediente o procedimiento administrativo a un funcionario, una empresa, un estudiante o un empleado para juzgar su actuación.

expediente *s. m.* 1 Documentación correspondiente a un asunto o negocio: *expediente de regulación.* 2 Procedimiento administrativo por el que se juzga la actuación o comportamiento de un funcionario, una empresa, un empleado o un estudiante: *abrir expediente.* 3 Información y conjunto de incidencias sobre los servicios de un empleado o sobre la carrera de un estudiante: *en la secretaría guardan los expedientes académicos de todos los alumnos del centro.*

cubrir el expediente Hacer lo mínimo indispensable para cumplir con una obligación o aparentar que se cumple. **FAM** expedientar.

expedir [10] *v. tr.* 1 Hacer un documento, en especial con carácter oficial o legal: *expedir un certificado.* 2 Enviar una carta, una mercancía o algo semejante de un lugar a otro: *expedir un paquete por correo.* **FAM** reexpedir.

expeditivo, -va *adj.* Que actúa con eficacia y rapidez en la resolución de un asunto sin detenerse ante los obstáculos o inconvenientes o sin tener en cuenta los trámites: *medidas expeditivas.*

expedito, -ta *adj.* 1 Que está despejado o libre de obstáculos: *camino expedito.* 2 culto Se aplica a la persona expeditiva: *un expedito secretario.* **FAM** expeditivo.

expeler *v. tr.* Despedir con fuerza una cosa otra que tiene en su interior.

expendeduría *s. f.* Establecimiento en el que se venden productos que tienen prohibida su venta libre, generalmente tabaco, sellos y papel timbrado: *el estanco es una expendeduría de tabaco.*

expender *v. tr.* 1 Vender al por menor una mercancía. 2 Vender billetes o entradas. **FAM** expendedor, expendeduría.

expensas Se usa en la expresión:
a expensas de A costa o por cuenta de otra persona: *vivir sin trabajar a expensas de la familia.*

experiencia *s. f.* 1 Conocimiento de algo o habilidad para ello que se adquiere al haberlo realizado, sentido o vivido una o más veces: *se necesita mecánico con experiencia; sé por experiencia que es difícil de conseguir.* **ANT** inexperiencia. 2 Conocimiento adquirido a lo largo de la vida o en un periodo determinado de esta: *hacer caso de la experiencia de los ancianos.* 3 Suceso, situación o circunstancia en la que se adquiere ese conocimiento: *dormir en el desierto es una experiencia única; nunca había suspendido y no le ha gustado la experiencia.* 4 Experimento de carácter científico. ■ **experiencia aleatoria** Experiencia regida por el azar. **SIN** experimento aleatorio. ■ **experiencias dependientes** Experiencias aleatorias en las que los resultados obtenidos en la segunda dependen de los de la primera. ■ **experiencias independientes** Experiencias aleatorias en las que los resultados en una no influyen en los de la otra.
FAM experiencial.

experimentación *s. f.* 1 Acción de experimentar: *el medicamento está en fase de experimentación.* 2 Método científico de investigación que consiste en provocar un fenómeno con el fin de estudiarlo.

experimentado, -da *adj.* Se aplica a la persona que tiene mucha experiencia en algo: *es un profesor experimentado, lleva más de 20 años ejerciendo la docencia.*

experimental *adj.* 1 Que está basado en la experiencia o en la experimentación: *ciencias experimentales.* 2 Que sirve de experimento: *fase experimental.* 3 Se aplica al estilo de música vanguardista surgido a mediados del siglo XX que proponía una ruptura con la música tradicional a base de la experimentación con nuevos estilos y vías compositivas, especialmente la atonalidad.
FAM experimentalismo.

experimentar *v. intr.* 1 Realizar experimentos con alguien o algo: *los científicos experimentan con cobayas.* ‖ *v. tr.* 2 Someter a alguien o algo a un experimento: *están experimentando este medicamento con algunos enfermos.* 3 Percibir una sensación o un estado de ánimo: *experimenté una gran alegría al saber que ya estaba bien.* 4 Hacer que una persona o cosa sufran un cambio o transformación: *los precios experimentaron una fuerte subida a finales de año.* 5 Percibir algo al realizar una cosa, vivirla o sentirla: *experimente usted mismo las ventajas de nuestros servicios.*
FAM experimentación, experimentado, experimentador, experimento.

experimento *s. m.* 1 Prueba que consiste en provocar un fenómeno en una determinada circunstancia con el fin de analizar sus efectos o de verificar una hipótesis o un principio científico: *el científico planifica cada experimento cuidadosamente.* ■ **experimento aleatorio** Experimento regido por el azar. **SIN** experiencia aleatoria. 2 Prueba para determinar las características, calidad o eficacia de una cosa, especialmente de un producto.
FAM experimental.

experto, -ta *adj.* 1 Se aplica a la persona que tiene mucha experiencia o es muy hábil en una actividad: *un experto piloto; una experta abogada.* **SIN** experimentado. **ANT** inexperto. ‖ *adj./s. m. y f.* 2 Se aplica a la persona que tiene muchos

conocimientos en una materia: *un experto lingüista; buscan un experto en sectas.*
FAM inexperto.

expiar *v. tr.* Realizar un sacrificio o una penitencia, o sufrir un castigo, por una culpa o delito que se han cometido: *expiar los pecados.*
FAM expiación, expiatorio.
OBS Verbo regular, se acentúa como *desviar.*

expiatorio, -ria *adj.* Que sirve para expiar una falta o delito cometidos: *víctima expiatoria.*

expirar *v. intr.* 1 Finalizar un periodo de tiempo fijado para algo: *el plazo de matrículas expira en diciembre.* **SIN** vencer. 2 culto Morir. **SIN** fenecer.
FAM expiración.

explanada *s. f.* Extensión de terreno llano o que ha sido allanado.

explanar *v. tr.* Dar a un terreno la nivelación deseada. **SIN** allanar.

explayar *v. tr.* 1 Extender la vista o el pensamiento: *explayó la mirada para disfrutar del paisaje.* ‖ *v. prnl.* 2 **explayarse** Extenderse en exceso al hablar de algo: *se explayaba en cada respuesta.* 3 Distraerse o divertirse.

expletivo, -va *adj.* Se aplica a la expresión o nexo que, sin ser estrictamente necesario en una palabra o frase, la completa, matiza o enriquece: *la palabra "pues" suele emplearse con valor expletivo.*

explicación *s. f.* 1 Acción de explicar algo: *acabar la explicación; durante la explicación, algunos le interrumpieron varias veces.* 2 Conjunto de enunciados con que se explica algo: *su explicación aclaró mis dudas.* 3 Justificación de un comportamiento o un sentimiento que se da como disculpa: *dar explicaciones.*

explicar *v. tr.* 1 Expresar un concepto, un sentimiento, un fenómeno, un suceso, etc., de forma clara y detallada para que sea comprensible: *nos explicó su teoría.* 2 Exponer una materia a alguien para que la aprenda: *explicar matemáticas; explicar la lección.* 3 Hacer saber la causa de algo: *nos explicó por qué había tardado tanto.* 4 Justificar una conducta o actitud para disculparla. ‖ *v. prnl.* 5 **explicarse** Expresar una persona lo que piensa, sabe o siente: *aún es pequeño y no se explica bien.* 6 Llegar a comprender algo: *no me explico dónde lo he dejado.*
FAM explicable, explicación, explicativo; inexplicable.

explicativo, -va *adj.* 1 Que explica o sirve para explicar: *nota explicativa.* ‖ *adj./s. m.* 2 Se aplica al adjetivo que no añade ninguna cualidad al sustantivo, sino que resalta una propiedad inherente al mismo: *los adjetivos explicativos suelen ir antepuestos al sustantivo.* ‖ *adj./s. f.* 3 Se aplica a la proposición de relativo que destaca algún aspecto del significado del sustantivo o sintagma al que complementa; se escribe entre comas. ‖ *adj.* 4 Se aplica al texto cuya finalidad comunicativa es la de informar sobre un tema determinado mediante el aporte de datos, pruebas o argumentos. **SIN** expositivo.

explícito, -ta *adj.* 1 Que es exacto y claro, no solamente insinuado o dado por sabido: *quiere que esta condición aparezca explícita en el contrato.* **SIN** expreso. **ANT** implícito. 2 Se aplica a la persona que expresa algo o se expresa de forma clara, sin ambigüedades o rodeos. **ANT** implícito.
FAM explícitamente, explicitar.

exploración *s. f.* 1 Viaje o recorrido que se hace por un lugar para conocerlo o descubrir lo que hay en él: *un aparato de exploración espacial.* ② Examen de una situación o circunstancia, generalmente para actuar en consecuencia: *el científico hace una exploración sistemática de las variables que intervienen en los fenómenos.* ③ Examen o reconocimiento que realiza el médico al paciente: *los médicos no encontraron nada anormal en la primera exploración.*

explorador, -ra *s. m. y f.* Persona que se dedica a explorar lugares desconocidos o poco conocidos: *el explorador italiano Marco Polo.*

explorar *v. tr.* ① Recorrer un lugar para conocerlo o descubrir lo que hay en él: *explorar el fondo del mar; explorar una isla.* ② Examinar detenidamente una cosa o una situación o circunstancia, generalmente para obrar en consecuencia: *explorar un mercado.* ③ Examinar detenidamente el médico a una persona o sus órganos para formar un diagnóstico.
FAM exploración, explorador.

explosión *s. f.* ① Ruptura violenta de un cuerpo por la acción de un explosivo o por el exceso de presión interior, que provoca un fuerte estruendo: *afortunadamente, la explosión solamente ha causado daños materiales.* ② Ruido que produce esa ruptura: *escuchamos una explosión y nos asustamos.* ③ Manifestación efusiva de un sentimiento o estado del ánimo: *una explosión de júbilo inundó la sala.* ④ Desarrollo rápido y espectacular de algo: *explosión demográfica.* ⑤ Expulsión repentina del aire al cesar la oclusión de algunas consonantes mediante la abertura súbita del canal vocal. ⑥ Dilatación repentina del gas contenido en un dispositivo mecánico con el fin de conseguir un movimiento.
FAM explosionar, explosivo.

explosionar *v. intr.* ① Explotar o estallar un cuerpo: *la bomba explosionó en un lugar apartado.* ‖ *v. tr.* ② Causar o provocar una explosión: *tuvieron que explosionar la bomba, ya que no podían desactivarla.*

explosivo, -va *adj.* ① Que hace o es capaz de hacer explosión. ② Que es muy impactante o llama mucho la atención: *una noticia explosiva.* ‖ *adj./s. f.* ③ Se aplica a la consonante oclusiva en cuya pronunciación hay una explosión o expulsión repentina del aire: *la "p" es una consonante explosiva.* ‖ *s. m.* ④ Producto químico que se incendia con explosión y se emplea para provocar explosiones: *la pólvora y la dinamita son explosivos.*

explotación *s. f.* ① Acción de explotar una cosa para obtener beneficio o provecho: *dedicarse a la explotación de minas.* ② Conjunto de elementos o instalaciones destinados a explotar una cosa para sacar provecho o beneficio: *una explotación ganadera.* ③ Utilización de una persona en beneficio propio de forma abusiva, especialmente haciéndola trabajar mucho y pagándole poco.

explotador, -ra *adj./s. m. y f.* Se aplica a la persona que se aprovecha abusivamente del trabajo de otros.

explotar *v. tr.* ① Extraer la riqueza de una mina: *en Asturias se explotan numerosas minas de carbón.* ② Hacer que una cosa produzca riqueza o provecho poniendo los medios necesarios para ello: *explotar tierras de cultivo.* ③ Utilizar a una persona, o sus sentimientos o cualidades, en beneficio propio y de forma abusiva: *explotar a los trabajadores.* ‖ *v. intr.* ④ Romperse de forma violenta un cuerpo por la acción de un explosivo o por el exceso de presión interior, provocando un fuerte estruendo. **SIN** estallar, explosionar. ⑤ Manifestar efu-

sivamente un sentimiento o estado del ánimo: *no pudo aguantar más y explotó dando gritos.*
FAM explotación, explotador; sobreexplotar.

expoliar *v. tr.* Quitar a alguien una cosa con violencia o de forma injusta o ilegal.
FAM expoliación, expolio.
OBS Verbo regular, se acentúa como *cambiar.*

expolio *s. m.* ① Apropiación de una cosa que pertenece a otra persona de forma violenta, injusta o ilegal. ② Cosa expoliada.

exponente *adj./s. m.* ① Se aplica a la persona o cosa que reúne todas las características o cualidades de un tipo determinado de personas o cosas: *Gandhi fue el máximo exponente del pacifismo.* **SIN** prototipo. ‖ *s. m.* ② Número o expresión matemática colocado en la parte superior y a la derecha de otro número o expresión (base), que indica las veces que este último debe multiplicarse por sí mismo.

exponer [36] *v. tr.* ① Poner una cosa a la vista para que pueda ser observada por varias personas: *exponer cuadros.* ② Decir una cosa o hablar de ella para hacerlo saber a otras personas: *exponer una teoría.* ③ Poner a una persona o una cosa de forma que reciba la acción de un agente: *si expones la película a la luz, el carrete se velará.* ④ Poner a alguien o algo en situación de que sea perjudicado o dañado: *si conduces demasiado rápido, te expones a tener un accidente.*
FAM exposición, expositivo, expositor, expuesto.

exportación *s. f.* ① Venta de mercancías a un país extranjero: *esta empresa se dedica a la exportación de calzado.* **ANT** importación. ② Mercancía exportada. ③ En informática, envío de un archivo, información o datos a un programa o una aplicación distintos a los que se están usando.

exportar *v. tr.* ① Vender mercancías a un país extranjero. **ANT** importar. ② En informática, enviar un archivo, información o datos a un programa o una aplicación distintos a los que se están usando.
FAM exportación, exportador; reexportar.

exposición *s. f.* ① Acción de exponer: *la exposición a las radiaciones es muy peligrosa.* ② Conjunto de cosas expuestas; especialmente el conjunto de obras de arte u otros objetos que se exponen en una galería, museo, etc: *esta exposición reúne obras de los grandes impresionistas.* ■ **exposición universal** Exposición en la que se permite presentar productos y realizaciones de todos los países: *en 1992, Sevilla organizó una exposición universal.* ③ Explicación o presentación de algo que se quiere hacer conocer a otras personas: *he hecho una exposición detallada de mi proyecto.* ④ Tiempo que se expone una placa fotográfica a la luz. ⑤ Parte inicial de una obra literaria, épica, dramática o novelesca, en que se presentan los personajes y las circunstancias que se van a desarrollar en la trama. ⑥ Parte inicial de una obra musical en que se presenta el tema que se va a desarrollar después. ⑦ Situación de un objeto con relación a los puntos cardinales. ⑧ Riesgo o peligro que existe en una acción.
FAM exposímetro.

expositivo, -va *adj.* ① Que expone o presenta algo para que se vea, se oiga o se entienda. ② Se aplica al texto cuya finalidad comunicativa es la de informar sobre un tema determinado mediante el aporte de datos, pruebas o argumentos.

expósito, -ta *adj./s. m. y f.* Se aplica al recién nacido abandonado en un lugar público o en un centro benéfico.

expositor, -ra *adj.* ① Se aplica a la persona que expone una teoría o doctrina. ‖ *adj./s. m. y f.* ② Se aplica a la persona o empresa que concurre a una exposición pública con objetos de su propiedad o fabricación. **‖** *s. m.* **3** Mueble o estructura que sirve para exponer algo a la vista del público: *en la farmacia siempre hay ofertas en los expositores.*

exprés *adj.* **1** Se aplica al electrodoméstico que utiliza la presión del vapor para realizar su función con mayor rapidez: *olla exprés; cafetera exprés.* **2** Se aplica al servicio, en especial de correos o de transporte, que se realiza más rápido que el habitual o normal. **‖** *adj./s. m.* **3** Se aplica al café que se hace con vapor de forma rápida.

expresamente *adv.* **1** Con claridad: *estas normas aparecen expresamente expuestas en los estatutos.* **2** Con una intención determinada y clara. **SIN** adrede.

expresar *v. tr.* **1** Decir con palabras o manifestar con gestos o de otro modo lo que se siente, se piensa o se quiere: *expresar un deseo.* **2** Manifestar una cosa cierto sentimiento o estado: *su rostro expresaba extrañeza.* **‖** *v. prnl.* **3** **expresarse** Hablar o comunicarse con palabras: *expresarse con elocuencia.* **FAM** expresable, expresión, expresivo; inexpresable.

expresión *s. f.* **1** Manifestación de un pensamiento, un sentimiento o un deseo por medio de palabras, gestos, etc. **2** Forma o modo de expresarse o de hablar: *hacemos ejercicios para mejorar la expresión escrita y la oral.* **3** Palabra o conjunto de palabras: *la expresión inglesa "snob" es una forma abreviada de la expresión latina "sine nobilitate".* **4** Gesto o acto que expresa un sentimiento o estado del ánimo: *la risa es una expresión de alegría.* **5** Combinación de términos relacionados entre sí mediante uno o más signos matemáticos que representa una cantidad o una magnitud: *la expresión n < 5 significa que n es cualquier número menor que 5.* **■ expresión algebraica** Expresión cuyos términos están relacionados entre sí por los signos de las operaciones del álgebra: *2x + 3y es una expresión algebraica.* **■ expresión analítica** Fórmula de una función. **■ expresión numérica** Expresión determinada por valores numéricos.

reducir a la (o **a su**) **mínima expresión** Reducir una cosa lo máximo posible pero sin que deje de ser lo que es. **FAM** expresionismo.

expresionismo *s. m.* Tendencia artística y literaria de vanguardia surgida a principios del siglo XX, que se caracteriza por la expresión subjetiva de los sentimientos y la realidad en general, que logra mediante el desequilibrio, la distorsión y la fuerza e intensidad expresivas en detrimento del equilibrio formal. **FAM** expresionista.

expresionista *adj.* **1** Relativo al expresionismo: *Kafka es el representante del movimiento expresionista en literatura.* **‖** *adj./ s. com.* **2** Se aplica a la persona que forma parte de este movimiento artístico: *Munch fue un pintor expresionista.*

expresividad *s. f.* **1** Capacidad para expresar con viveza pensamientos o sentimientos. **2** Cualidad de la cosa que es expresiva: *la expresividad de un gesto.*

expresivo, -va *adj.* **1** Relativo a la expresión: *la fuerza expresiva de una interpretación musical.* **2** Que expresa con gran viveza y claridad los pensamientos o sentimientos: *gesto expresivo; una persona muy expresiva con la mirada.* **ANT** inexpresivo. **3** Se aplica a la obra o manifestación artística que expresa con viveza y claridad los pensamientos o sentimientos de la persona que la ha realizado. **4** Se aplica a la función del lenguaje que refleja la actitud subjetiva del hablante. **FAM** expresividad; inexpresivo.

expreso, -sa *adj.* **1** Que es claro y exacto, no solamente insinuado o dado por sabido: *son órdenes expresas del jefe.* **SIN** explícito. **ANT** implícito. **‖** *s. m./adj.* **2** Tren que transporta personas y se detiene solamente en las estaciones principales de un recorrido. **NOTA** También *tren expreso.* **FAM** expresamente.

exprimidor *s. m.* Utensilio de cocina o aparato electrodoméstico que sirve para exprimir el zumo de la fruta, en especial de los cítricos.

exprimir *v. tr.* **1** Retorcer o apretar con fuerza una cosa, especialmente un cítrico, para sacarle todo el jugo o el zumo que contiene: *exprimir dos naranjas.* **SIN** estrujar. **2** Presionar a una persona o aprovechar una cosa al máximo de su capacidad para obtener de ella todo el provecho posible: *exprimir al trabajador.* **FAM** exprimidor.

expropiación *s. f.* Desposesión legal de una cosa a su propietario por motivos de utilidad pública, generalmente a cambio de una compensación.

expropiar *v. tr.* Quitar legalmente una propiedad a su dueño por motivos de interés público y generalmente pagándole una indemnización. **FAM** expropiación. **OBS** Verbo regular, se acentúa como *cambiar.*

expuesto, -ta **1** Participio irregular de *exponer.* **‖** *adj.* **2** Que es peligroso o arriesgado: *es muy expuesto andar solo por esas calles.*

expugnar *v. tr.* Tomar por las armas una fortaleza, una ciudad, etc.

expulsar *v. tr.* Hacer que una persona o una cosa salgan de un lugar o del interior de una cosa: *lo expulsaron de clase por mal comportamiento.* **FAM** expulsión, expulsor.

expulsión *s. f.* Acción de expulsar: *la expulsión del defensa se produjo en el minuto 24 de la primera parte.*

expurgar *v. tr.* **1** Limpiar o purificar una cosa quitando lo que se considera malo o inútil. **2** Suprimir una autoridad lo que considera erróneo, molesto u ofensivo en un libro u otro escrito: *la censura se encargaba de expurgar los textos que se iban a publicar.* **FAM** expurgación, expurgatorio.

exquisitez *s. f.* **1** Cualidad de lo que es exquisito. **2** Calidad, refinamiento y buen gusto extraordinarios: *vestir con gran exquisitez.*

exquisito, -ta *adj.* **1** Que denota gran refinamiento y buen gusto: *modales exquisitos; decoración exquisita.* **2** Se aplica a la persona que destaca por sus modales refinados y su buen gusto. **ANT** ordinario, vulgar. **3** Que es muy bueno o capaz de satisfacer el gusto más refinado: *una comida exquisita; una belleza exquisita.* **FAM** exquisitez.

extasiar *v. tr.* Producir algo un sentimiento de placer o admiración tan intensos que impide apartar la atención de ello: *extasiarse contemplando un cuadro.* **SIN** embelesar. **OBS** Verbo regular, se acentúa como *desviar.*

éxtasis *s. m.* **1** Estado de la persona que siente un placer o admiración tan intensos ante algo que no puede apartar la atención de ello. **SIN** embelesamiento. **2** Estado del alma en que, por medio de la contemplación y el amor, se experimenta la unión mística con Dios y una anulación de todos

los sentidos: *Santa Teresa describe sus éxtasis en sus obras.* ③ Droga química que tiene efectos alucinógenos y afrodisíacos; generalmente se consume en forma de pastillas.
FAM extasiarse, extático.
OBS Plural invariable.

extemporáneo, -nea *adj.* ① Que se realiza u ocurre en un momento inoportuno: *un comentario extemporáneo.* ② Que es impropio del tiempo en que se produce u ocurre: *un calor extemporáneo.*
FAM extemporaneidad.

extender [2] *v. tr.* ① Hacer que una cosa ocupe más espacio, abriéndola, desplegándola, esparciéndola, etc.: *extender un mantel; extender la mantequilla sobre la tostada.* ② Hacer que un conjunto de cosas que estaban juntas o amontonadas se separen y ocupen más espacio: *el viento extendió las hojas por todo el jardín.* **SIN** esparcir. ③ Hacer que una noticia, un hecho, etc., sean conocidos por muchas personas. ④ Poner un documento por escrito según ciertas fórmulas legales o según cierta costumbre: *extender un cheque.* ⑤ Ampliar la influencia o la vigencia de algo, como una autoridad, jurisdicción, derecho, etc: *su poder se extendió de oriente a occidente.* ‖ *v. prnl.* ⑥ **extenderse** Ocupar una cantidad determinada de espacio o de tiempo: *el bosque se extiende a ambos lados del río.* ⑦ Mostrarse ampliamente a la vista algo: *desde la cima, todo el valle se extendía a nuestros pies.* ⑧ Hacer una explicación larga y detallada: *extenderse en divagaciones.*
FAM extensible, extensión, extensivo, extenso, extensor.

extensible *adj.* Que puede ser extendido: *las antenas de los aparatos de radio son extensibles.*

extensión *s. f.* ① Acción de extender o extenderse: *movimiento de extensión.* ② Superficie total que ocupa un cuerpo u otra cosa: *una finca de 10 hectáreas de extensión.* ③ Capacidad de una cosa de abarcar ciertos límites: *la obra, dada su extensión, se publicó en grupos de tres volúmenes.* ④ Difusión o propagación de una noticia, influencia o algo semejante: *la extensión de su poder llegó hasta el Mediterráneo.* ⑤ Línea de teléfono conectada a una centralita: *cada despacho tiene una extensión.* ⑥ Conjunto de elementos a los que es aplicable un concepto, un juicio o una relación. ⑦ En geometría, propiedad de los cuerpos de ocupar una parte mayor o menor de espacio.
por extensión Indica que una palabra o frase se emplea con un significado que no es el suyo, pero con el que establece una relación manifiesta.

extensivo, -va *adj.* ① Que puede extenderse o aplicarse a otras cosas: *hago mi invitación extensiva a los amigos que te acompañan.* ② Que se hace por extensión: *significado extensivo.* ③ Se aplica a la forma de producción agrícola o ganadera que está basada en la ampliación del área o de la cantidad de producción con poca inversión de capital o de trabajo. **ANT** intensivo.

extenso, -sa *adj.* ① Que tiene u ocupa mucha extensión: *una extensa llanura; escribió un extenso tratado de medicina.* ② Que comprende o contiene un gran número de elementos: *una extensa bibliografía.*
por extenso Ampliamente o con mucho detalle.

extensor, -ra *adj.* ① Que extiende o hace que se extienda algo. ‖ *s. m./adj.* ② Músculo que tiene la función de extender un miembro u órgano del cuerpo. ‖ *s. m.* ③ Aparato de gimnasia que sirve para desarrollar o fortalecer los músculos extensores. **NOTA** También en plural con el mismo significado que en singular.

extenuación *s. f.* Debilitamiento extremo de las fuerzas.

extenuado, -da *adj.* Se aplica a la persona que está muy cansada después de haber hecho un gran esfuerzo físico: *con el traslado nos hemos quedado extenuados.*

extenuar *v. tr.* Cansar mucho a alguien. **SIN** agotar.
FAM extenuación, extenuado.
OBS Verbo regular, se acentúa como *actuar.*

exterior *adj.* ① Que está por la parte de fuera: *membrana exterior; patio exterior.* **SIN** externo. **ANT** interior. ② Se aplica a la vivienda o habitación que tiene ventanas o balcones que dan a la calle y no a un patio interior. **ANT** interior. ③ Que se realiza en el extranjero o con países extranjeros: *ministerio de asuntos exteriores; comercio exterior.* **ANT** interior. ④ Se aplica al punto, recta, etc. que se encuentra en el espacio situado fuera de un cuerpo o figura geométricos. ‖ *s. m.* ⑤ Parte de fuera de un lugar: *en la casa la vida es íntima, sosegada, familiar y ajena a lo que sucede en el exterior.* **ANT** interior. ⑥ Superficie externa de una cosa: *el exterior de la casa se ha pintado de color blanco.* **ANT** interior. ⑦ Aspecto de una persona o cosa. ‖ *s. m. pl.* ⑧ **exteriores** Lugares donde se ruedan esas escenas o secuencias: *el realizador localiza exteriores para su película.* ⑨ Conjunto de escenas o secuencias rodadas fuera de un estudio cinematográfico o de televisión.
FAM exterioridad, exteriorizar, exteriormente.

exteriorización *s. f.* ① Manifestación de un sentimiento o estado del ánimo. ② Manifestación de un estado físico, como un síntoma o una enfermedad. ③ Acción de exteriorizar o sacar una cosa al exterior.

exteriorizar *v. tr.* ① Manifestar un sentimiento o estado del ánimo: *exteriorizar sentimientos; exteriorizar alegría.* **ANT** interiorizar. ② Manifestar un estado físico, como un síntoma o una enfermedad. ③ Sacar una cosa al exterior: *exteriorizar órganos; exteriorizar viviendas.*
FAM exteriorización.

exterminación *s. f.* Exterminio.

exterminar *v. tr.* ① Destruir o hacer que desaparezca totalmente algo, especialmente una especie animal o vegetal. ② Destruir o devastar un lugar habitado en una batalla.
FAM exterminación, exterminador, exterminio.

exterminio *s. m.* ① Destrucción total de algo, especialmente de una especie animal o vegetal. **SIN** exterminación. ② Destrucción o devastación de un lugar habitado en una batalla. **SIN** exterminación.

externo, -na *adj.* ① Que está por la parte de fuera de una cosa, separado o diferenciado de ella: *membrana externa; perímetro externo.* **ANT** interno. ② Que actúa, se manifiesta o se desarrolla desde el exterior: *medicamento de uso externo.* ‖ *adj./s. m. y f.* ③ Se aplica al alumno que no reside ni come en el lugar donde estudia. **ANT** interno. ④ Se aplica a la persona que trabaja para una empresa sin formar parte de su plantilla.
FAM externado.

extinción *s. f.* ① Hecho de extinguir o extinguirse un fuego, una luz u otra fuente de energía. ② Desaparición total y localizada de una especie biológica. ③ Finalización de un periodo de tiempo fijado para algo o de una cosa en un tiempo determinado.

extinguir *v. tr.* ① Apagar un fuego, una luz u otra fuente de energía: *extinguir un incendio; extinguir una radiación.* ② Hacer que desaparezca algo después de haber ido disminuyendo o

desapareciendo poco a poco: *la última discusión extinguió las posibilidades de reconciliación.* ‖ *v. prnl.* ③ **extinguirse** Finalizar un periodo de tiempo fijado para algo o de una cosa en un periodo de tiempo determinado: *extinguirse un plazo.*
FAM extinción, extinguible, extinguido, extinto, extintor; inextinguible.
OBS En su conjugación, la *gu* se convierte en *g* delante de *a* y *o*.

extinto, -ta *adj.* ① culto Apagado. ‖ *s. m. y f.* ② AMÉR. Muerto.

extintor *s. m.* Aparato portátil que sirve para apagar fuegos mediante un chorro de espuma o polvo seco; consiste en una botella llena de una sustancia líquida, como agua o hidrocarburos, cerrada por un aerosol.

extirpación *s. f.* Acción de extirpar.

extirpar *v. tr.* ① Arrancar o quitar totalmente una cosa que causa daño: *extirpar un tumor; extirpar una muela.* ② Destruir totalmente o hacer desaparecer por completo algo perjudicial o peligroso: *extirpar el mal.*
FAM extirpación.

extorsión *s. f.* ① Presión que se hace a una persona, mediante el uso de la fuerza o la intimidación, para conseguir de ella dinero u otra cosa: *delito de extorsión.* ② Trastorno o molestia ocasionados por una alteración de la marcha o el estado normal de las cosas: *prefiero que pases tú a recogerlo, si no te causa mucha extorsión.*
FAM extorsionar.

extorsionar *v. tr.* ① Presionar a una persona, mediante el uso de la fuerza o la intimidación, para conseguir de ella dinero u otra cosa: *los secuestradores extorsionan a la familia de la víctima exigiéndole dinero.* ② Causar extorsión (trastorno).
FAM extorsionista.

extorsionista *s. com.* Persona que hace o causa extorsión.

extra *adj.* ① Que es de calidad superior a la normal: *jamón cocido extra.* ② Que se añade a lo normal: *hacer horas extra.* ‖ *adj./s. m.* ③ Se aplica a la cantidad de dinero que se recibe como adicional: *con las obras de reparación hemos tenido demasiados extras este mes.* ‖ *adj./s. f.* ④ Se aplica a la paga que se da además del sueldo, normalmente en vacaciones de verano y Navidad. SIN extraordinaria. ‖ *s. com.* ⑤ Persona que interviene en una película, una obra de teatro u otro espectáculo con un papel poco importante, y generalmente, sin texto.

extracción *s. f.* ① Acción de extraer: *la extracción de las bolas de la lotería.* ② Cosa, sustancia o materia extraída. ③ Origen o condición social heredada de la familia: *una persona de extracción humilde.*

extractar *v. tr.* Resumir un escrito, libro, discurso, etc.

extracto *s. m.* ① Resumen o reducción de un escrito o documento que contiene los puntos esenciales: *he pedido al banco un extracto de los últimos movimientos de mi cuenta.* ② Sustancia muy concentrada que se obtiene de otra por distintos procedimientos: *extracto de camomila.*
FAM extractar.

extractor, -ra *adj.* ① Que extrae o sirve para extraer. ‖ *s. m./ adj.* ② Aparato que sirve para extraer algo, especialmente el humo o los olores de un lugar: *el extractor de humos se llena de grasa.*

extradición *s. f.* Entrega de una persona refugiada o detenida en un país a las autoridades de otro que la reclama para juzgarla.

extraditar *v. tr.* Entregar a una persona refugiada o detenida en un país a las autoridades de otro que la reclama para juzgarla.
FAM extradición.

extradós *s. m.* Superficie exterior convexa de un arco o bóveda. SIN trasdós.

extraer [46] *v. tr.* ① Sacar una cosa del lugar en el que está incrustada, hundida o metida, generalmente con cierta dificultad: *extraer una muela.* ② Separar una sustancia de otra en la que está disuelta o sacarla del cuerpo en el que está contenida: *extraer la savia de una planta.* ③ Averiguar el valor o resultado de una raíz matemática: *extraer una raíz cuadrada.* ④ Obtener una idea o conocimiento por deducción o por inducción: *extraer conclusiones; extraer la moraleja del cuento.*
FAM extracción, extracto, extractor.

extralimitarse *v. prnl.* ① Sobrepasar una persona el límite de sus funciones o atribuciones. ② Tratar a una persona con excesiva confianza o libertad, o faltándole el respeto que merece.
FAM extralimitación.

extralingüístico, -ca *adj.* Que interviene en el proceso de comunicación sin ser estrictamente lingüístico: *la gesticulación es un elemento extralingüístico.*

extraliterario, -ria *adj.* Que influye en un autor, en su obra o en la interpretación de la misma sin estar directamente relacionado con la literatura.

extramuros *adv.* ① Fuera del recinto de una población: *San Pablo era una basílica extramuros de Roma.* ‖ *s. m. pl.* ② Zona que está fuera del recinto de una población: *capitaneaba a los chiquillos de los caseríos de extramuros cuando entraban en la ciudad.*

extranjería *s. f.* ① Situación o condición de la persona que es extranjera en un país: *ley de extranjería.* ② Conjunto de normas que regulan la condición y los intereses de los extranjeros en un país.

extranjerismo *s. m.* ① Palabra o modo de expresión procedente de una lengua extranjera: *"barman" es un extranjerismo en español; "macarrón" es un extranjerismo totalmente adaptado al español.* SIN barbarismo. ② Afición a lo extranjero.

extranjero, -ra *adj.* ① Que es o procede de otro país, o se fabrica en él: *moneda extranjera; empresas extranjeras.* ‖ *adj./s. m. y f.* ② Se aplica a la persona que procede de otro país. ‖ *s. m.* ③ País o conjunto de países distintos del propio: *esta maquinaria solo se fabrica en el extranjero.*
FAM extranjería, extranjerismo.

extranjis Se usa en la expresión:
de extranjis familiar Indica que una determinada acción se realiza de manera oculta o en secreto.

extrañar *v. tr.* ① Causar extrañeza a alguien: *me extraña que no haya venido todavía.* ② Encontrar una cosa extraña o rara por ser diferente de lo que se usa habitualmente: *es normal que la primera noche en un sitio nuevo extrañes la cama.* ③ culto Echar de menos a alguien o algo.
FAM extrañamiento.

extrañeza *s. f.* ① Sorpresa, admiración o asombro: *me miró con extrañeza porque le parecí demasiado atrevida.* ② Cualidad de extraño o raro: *la extrañeza de un atuendo.* ③ Cosa extraña o rara.

extraño, -ña *adj.* ① Que es raro o muy distinto de lo normal, habitual o conocido: *ruidos extraños; es extraño que me*

haya hecho esa pregunta. **2** Que resulta desconocido: *se despertó en una cama extraña.* **|** *adj./s. m. y f.* **3** Se aplica a la persona que es de otra nación, familia o profesión: *se recomienda a los niños que no hablen con extraños.* **SIN** desconocido. **|** *adj.* **4** Se aplica a la persona que no participa en algo o es ajeno a ello: *permaneció extraño a la conjura.* **|** *s. m.* **5** Movimiento súbito, imprevisible y anormal: *el balón hizo un extraño en la trayectoria.*
FAM extrañar, extrañeza.

extraoficial *adj.* Que queda fuera de lo oficial: *una noticia obtenida de fuentes extraoficiales.*

extraordinario, -ria *adj.* **1** Que destaca por sus buenas cualidades: *es una persona extraordinaria, capaz de dártelo todo.* **SIN** excelente. **|** *adj./s. m.* **2** Que sucede o se hace pocas veces o en situaciones especiales: *sorteo extraordinario de Navidad; gastos extraordinarios.* **|** *s. m.* **3** Ejemplar de un periódico o revista que se publica por alguna razón especial. **|** *adj./s. f.* **4** Se aplica a la paga que se da además del sueldo, normalmente en vacaciones de verano y Navidad: *haremos un viaje con la paga extraordinaria.* **SIN** extra.
FAM extraordinariamente.

extraplano, -na *adj.* Más plano de lo normal.

extrapolar *v. tr.* **1** Aplicar una cosa conocida a otro dominio para obtener consecuencias o hipótesis. **2** En matemáticas, calcular el valor de una variable en un punto determinado en función de otros valores que tienen las mismas características que el primero.
FAM extrapolación.

extrarradio *s. m.* Zona que rodea una población y está alejada del centro de esta. **SIN** alrededores.

extrasensorial *adj.* Que se percibe o acontece sin la intervención de los órganos sensoriales o que queda fuera de su alcance: *fenómenos extrasensoriales.*

extraterrestre *adj.* **1** Relacionado con el espacio exterior a la Tierra. **|** *s. com./adj.* **2** Ser vivo que procede de otro planeta. **SIN** alienígena.

extraterritorial *adj.* Que está o se considera fuera de los límites territoriales de una jurisdicción.
FAM extraterritorialidad.

extraterritorialidad *s. f.* Privilegio de estar sujeto a las leyes o derechos del país propio cuando se está en un país extranjero.

extravagancia *s. f.* **1** Cualidad de la persona o cosa extravagantes. **2** Dicho o hecho propios de una persona extravagante.

extravagante *adj.* **1** Que es excesivamente raro o poco común. **|** *adj./s. com.* **2** Se aplica a la persona que se comporta, habla o viste de forma rara o poco común.
FAM extravagancia.

extravertido, -da *adj./s. m. y f.* Extrovertido.
FAM extraversión.

extraviar *v. tr.* **1** Perder una cosa, no encontrarla en su sitio y no saber donde está: *he extraviado las llaves y ahora no puedo entrar en casa.* **2** No fijar la mirada o los ojos en un objeto determinado. **|** *v. prnl.* **3** **extraviarse** Perderse una persona al equivocarse de camino: *no vi las indicaciones y me extravié.* **4** Abandonar el modo de vida normal y tomar otra distinta, generalmente desordenada. **SIN** descarriarse.
FAM extravío.
OBS Verbo regular, se acentúa como *desviar.*

extravío *s. m.* **1** Acción de extraviar o extraviarse. **2** Cosa extraviada. **3** Trastorno o molestia que altera algo.

extremado, -da *adj.* **1** Se aplica a la cualidad o el estado que se da en su grado máximo: *habla con extremada precisión.* **SIN** extremo. **2** Que sobrepasa cierto límite normal o adecuado: *hacía un calor extremado; viste de forma muy extremada.*

extremar *v. tr.* **1** Llevar una cosa al extremo o al grado máximo: *extremar las precauciones.* **|** *v. prnl.* **2** **extremarse** Esmerarse mucho en una tarea.
FAM extremado.

extremaunción *s. f.* Sacramento de la Iglesia católica en el que el sacerdote unge con los santos óleos (aceite bendito) al fiel que está a punto de morir: *pedir la extremaunción; administrar la extremaunción.* **SIN** unción.

extremeño, -ña *adj.* **1** De Extremadura (comunidad autónoma española): *las provincias de Cáceres y Badajoz forman la comunidad extremeña.* **|** *s. m. y f./adj.* **2** Persona que es de Extremadura. **|** *s. m./adj.* **3** Variedad del español hablada en Extremadura.

extremidad *s. f.* **1** Apéndice móvil del cuerpo de muchos animales, que desempeña generalmente funciones locomotrices. **2** Pata, brazo o pierna, en oposición al tronco: *las extremidades anteriores están adaptadas a la natación.* **3** Extremo (principio o final). **SIN** extremo.

extremis Se usa en la expresión latina:
in extremis Significa 'en lo extremo' e indica que algo sucede o se hace en el último momento: *el equipo español logró empatar el partido in extremis.*

extremismo *s. m.* Tendencia a adoptar ideas o actitudes extremadas, especialmente en política.
FAM extremista.

extremista *adj.* **1** Relativo al extremismo. **|** *adj./s. com.* **2** Se aplica a la persona que tiene ideas o posturas extremadas, especialmente en política.

extremo, -ma *adj.* **1** Que está muy distante o lejano en el espacio o el tiempo: *países del extremo Oriente.* **2** Se aplica a la cualidad o el estado que se da en su grado máximo: *admira su extrema sencillez en el vestir.* **SIN** extremado. **3** Que sobrepasa cierto límite normal o adecuado: *el extremo calor del desierto.* **SIN** extremado. **4** Que es radical o se halla en una posición límite: *extrema derecha; extrema izquierda.* **|** *s. m.* **5** Lugar o punto opuesto a otro que se toma como referencia: *estaba en el otro extremo de la calle.* **6** Principio o final de una cosa alargada: *en el extremo de los dedos están las uñas.* **SIN** extremidad. **7** Punto último o grado máximo al que puede llegar algo: *he llegado al extremo de tenerle miedo.* **8** Jugador de la línea delantera de un equipo de fútbol u otros deportes que juega por las bandas del campo. **NOTA** Femenino: *extremo (la extremo izquierda).* **9** Cada uno de los dos puntos entre los cuales está comprendido un segmento de recta. **10** Términos que ocupan el primer y el último lugar de una proporción matemática: *en a/b = c/d, los extremos son a y d.* **|** *s. m. pl.* **11** **extremos** Manifestación viva y exagerada de un sentimiento o estado del ánimo.
en extremo Demasiado, excesivamente: *se entregó en extremo a su trabajo.*
en último extremo Como último recurso: *intenta venir en tren o en autobús y, en último extremo, iré yo a buscarte.*
FAM extremar, extremidad, extremismo.

extrínseco, -ca *adj.* Que es impropio de una cosa o es exterior a ella. **SIN** externo. **ANT** intrínseco.

extrovertido, -da *adj./s. m. y f.* Se aplica la a persona que tiene facilidad para manifestar sus sentimientos y para relacionarse con los demás. **SIN** extravertido. **ANT** introvertido.

extrudir *v. tr.* Introducir un sólido dúctil o semiblando a través de la abertura de un molde con una forma adecuada para fabricar barras, tubos, varillas y distintas secciones perfiladas.

extrusión *s. f.* 1 Acción de extrudir. 2 Efecto de extrudir.

exuberancia *s. f.* Cualidad de lo que es exuberante.

exuberante *adj.* 1 Que es muy abundante o que está extraordinariamente desarrollado: *vegetación exuberante.* 2 Se aplica al lenguaje o al texto que es rico en palabras y significados: *poesía exuberante.*
FAM exuberancia.

exudación *s. f.* 1 Acción de exudar. 2 Sustancia o líquido que es exudado.

exudar *v. tr.* 1 Dejar salir un cuerpo o un recipiente el líquido que contiene a través de sus poros o grietas: *se hace una pequeña incisión en la corteza y la madera exuda látex.* ‖ *v. intr.* 2 Salir un líquido del cuerpo o recipiente en el que está contenido a través de sus poros o grietas: *el látex exuda de la madera.*
FAM exudación.

exultante *adj.* 1 Se aplica al sentimiento que es mostrado o expresado con gran excitación o entusiasmo: *orgullo exultante.* 2 Se aplica a la persona que exulta o muestra alegría u otro sentimiento con gran excitación: *hoy estás exultante, ¿te ha pasado algo muy bueno?*

exultar *v. intr.* Mostrar gran alegría o satisfacción con mucha excitación.
FAM exultación, exultante.

exvoto *s. m.* Ofrenda hecha a Dios, a la Virgen o a los santos en agradecimiento por un beneficio recibido.

eyaculación *s. f.* Acción de eyacular.

eyacular *v. tr.* Expulsar con rapidez y fuerza el contenido de un órgano, cavidad o conducto, especialmente el semen de los testículos.
FAM eyaculación.

eyección *s. f.* Lanzamiento o expulsión de una cosa hacia el exterior, especialmente el asiento de un piloto, con su ocupante, cuando el avión se va a estrellar.

eyector *s. m.* 1 Mecanismo de un arma de fuego que expulsa los cartuchos vacíos. 2 Bomba que sirve para expulsar un fluido a gran velocidad mediante la corriente de otro fluido. 3 Mecanismo propulsor de un vehículo espacial.

E

f *s. f.* Sexta letra del alfabeto español; su nombre es *efe*.

fa *s. m.* Cuarta nota de la escala musical: *el fa está entre el mi y el sol.*
OBS Plural: *fas*.

fabada *s. f.* Guiso de alubias, chorizo, tocino y morcilla, típico de la cocina asturiana.

fábrica *s. f.* ① Establecimiento que dispone de la maquinaria y las instalaciones necesarias para fabricar, confeccionar, elaborar u obtener un producto o transformar de manera industrial una fuente de energía: *fábrica de coches*. **SIN** factoría. ② Obra o construcción hecha con ladrillos o piedras unidos con argamasa.
FAM fabricar, fabril.

fabricación *s. f.* Confección o elaboración de un producto a partir de la combinación de sus componentes, especialmente cuando se realiza en serie y por medio de máquinas.

fabricante *adj./s. com.* ① Se aplica a la persona que se dedica a la fabricación de un producto. ‖ *adj./s. m.* ② Se aplica a la empresa que se dedica a la fabricación de un producto.

fabricar *v. tr.* ① Hacer un producto a partir de la combinación de sus componentes, especialmente cuando se realiza en serie y por medio de máquinas. ② Construir o hacer manualmente una cosa: *él mismo fabrica las herramientas que necesita*. ③ Elaborar o producir una sustancia: *las glándulas fabrican las hormonas*.
FAM fabricación, fabricante; prefabricar.

fabril *adj.* Relativo a la fábrica: *instalaciones fabriles; actividad fabril*.

fábula *s. f.* ① Cuento o relato alegórico, en prosa o en verso, cuyos personajes son animales o cosas personificados y que tiene una finalidad didáctica. ② Leyenda que narra las acciones de los dioses o los héroes de la Antigüedad. **SIN** mito. ③ Historia o relato inventados. ④ Rumor que cuenta la gente. **SIN** cuento.
de fábula familiar Excelente o muy bien: *comer de fábula*. ② familiar Impresionante: *una casa de fábula*.
FAM fabular.

fabular *v. tr.* Inventar fábulas (historias o rumores).
FAM fabulación, fabulista.

fabulista *s. com.* ① Persona que escribe fábulas literarias. ② Persona que escribe sobre temas mitológicos.

fabuloso, -sa *adj.* ① Que es inventado o solo existe en la imaginación: *animales fabulosos*. ② Que es extraordinario, muy bueno, grande o importante: *tiene un coche fabuloso; una fabulosa cantidad de dinero*.
FAM fabulosamente.

facción *s. f.* ① Bando o grupo de personas que, dentro de una misma tendencia ideológica, se oponen en algunas cuestiones a la mayoría, o que toman actitudes o posiciones más radicales: *una facción del ejército intentó un golpe de estado*. ② Línea o forma de las que componen el rostro de una persona: *tener facciones adustas; bellas facciones*. **NOTA** Más en plural.
FAM faccioso.

faccioso, -sa *adj./s. m. y f.* Se aplica a la persona que pertenece a una facción o bando, especialmente al rebelde que se levanta en contra del poder o la autoridad y causa disturbios o perturba el orden público.

faceta *s. f.* ① Aspecto de los que pueden ser considerados en una persona o una cosa: *las distintas facetas de la personalidad*. ② Cara de un poliedro, especialmente de una piedra preciosa: *las facetas de un diamante*.
FAM polifacético.

facha¹ *s. f.* ① familiar Aspecto o manera de mostrarse a la vista alguien o algo: *con esta facha no nos van a dejar entrar*. **SIN** apariencia, aspecto. ② familiar Adefesio, persona o cosa muy fea o ridícula: *con ese disfraz estaba hecho una facha*.
FAM fachoso.

facha² *adj./s. com.* fam. desp. Fascista.

fachada *s. f.* ① Paramento exterior de un edificio, generalmente el principal: *rehabilitación de fachadas*. ② Apariencia externa de una persona o una cosa, que generalmente no corresponde a lo que es realmente: *no son tan ricos, todo es pura fachada*.

fachoso, -sa *adj.* familiar Que tiene un aspecto feo o ridículo.

facial *adj.* Relativo a la faz o cara: *músculo facial*.
FAM craneofacial.

fácil *adj.* ① Que puede ser hecho, entendido o conseguido con poca inteligencia, poco trabajo o poca habilidad: *un exa-*

men muy fácil; un trabajo fácil. **ANT** difícil. **2** Que es muy probable: *es fácil que hoy no venga.* **ANT** difícil. **3** Se aplica a la risa o el llanto que surgen con poco esfuerzo: *tener la risa fácil.* **4** Se aplica a la persona que se deja seducir sin oponer resistencia y se presta fácilmente a tener relaciones sexuales. **FAM** facilidad, facilitar.

facilidad *s. f.* **1** Cualidad de fácil: *la facilidad de compresión es una de las propiedades de los gases.* **2** Disposición o capacidad para hacer, entender o conseguir una cosa con poco esfuerzo o trabajo: *tiene gran facilidad para las matemáticas.* ‖ *s. f. pl.* **3 facilidades** Condiciones o circunstancias que permiten conseguir o realizar algo, especialmente el pago de un producto o un servicio: *facilidades de pago.*

facilitar *v. tr.* **1** Hacer fácil o más fácil un trabajo o una acción: *la bilis facilita la digestión de las grasas.* **2** Proporcionar a alguien una cosa o intervenir para que la consiga: *me ha facilitado el nombre de un abogado.* **FAM** facilitación.

facineroso, -sa *adj./s. m. y f.* Se aplica a la persona que comete delitos habitualmente.

facsímil *s. m.* Imitación o reproducción exacta de un escrito, dibujo, libro, etc. **FAM** facsimilar.

factible *adj.* Que puede ser hecho o realizado. **FAM** factibilidad.

fáctico, -ca *adj.* **1** Relativo a los hechos. **2** Que está basado en los hechos y no en la teoría: *necesitaba pruebas fácticas que demostraran su teoría.*

factor *s. m.* **1** Elemento o circunstancia que contribuye, junto con otras cosas, a producir un resultado: *el ejercicio físico es un factor decisivo en la calidad de vida.* ■ **factor ambiental** Fenómeno biótico o abiótico del medio que puede actuar sobre los organismos provocando alteraciones: *la contaminación es un factor ambiental que puede alterar el ecosistema.* **2** Cantidad que se multiplica por otra para hallar el producto: *los factores de una multiplicación son el multiplicando y el multiplicador.* **3** Número que está contenido un número exacto de veces en otro: *el 2 es factor de todos los números pares porque todos lo contienen una cantidad exacta de veces; en 12 + 9x se puede extraer 3 como factor común: 12 + 9x = 3 (4 + 3x).* **SIN** divisor, submúltiplo. ■ **factor primo** Divisor de un número que tan solo es divisible por él mismo y por la unidad. ‖ *s. com.* **4** Empleado de ferrocarril o de una empresa de transporte que se encarga de la recepción, envío y entrega de mercancías y equipajes. **FAM** factorial.

factoría *s. f.* **1** Fábrica (establecimiento). **2** Establecimiento comercial que un país tiene en una colonia u otro país subdesarrollado. **FAM** piscifactoría.

factorial *adj.* **1** Relativo al factor matemático: *descomposición factorial.* ‖ *s. m.* **2** Cantidad que resulta de la multiplicación de determinado número natural por todos los números naturales que le anteceden excluyendo el cero: *el factorial se representa como "n!".*

factorizar *v. tr.* Expresar un número o una expresión algebraica como producto de factores primos que, al multiplicarlos, dan como resultado dicho número o expresión.

factura *s. f.* **1** Relación escrita de las mercancías compradas o los servicios recibidos por un cliente, junto con la cantidad de dinero que cuestan y los impuestos que deben aplicarse,

que se entrega a la persona encargada de pagarlo; también debe constar en ella el nombre del comerciante y del cliente: *abonar una factura; para las reclamaciones es necesario presentar la factura de compra.* **2** Manera de estar hecha una cosa: *una estatua de bella factura.* **SIN** hechura. **3** ARG., URUG. Pasteles, bizcochos y otros preparados de las panaderías.

pasar factura (I) Pedir un favor a cambio de otro que se ha hecho. (II) Hacer que alguien sufra las consecuencias de una acción o comportamiento negativos: *la falta de horas de sueño puede pasarnos factura.* **FAM** facturar.

facturación *s. f.* **1** Acción de facturar: *en esta ventanilla realizan la facturación del equipaje.* **2** Suma total de las cantidades facturadas por una empresa a sus clientes en un periodo de tiempo determinado.

facturar *v. tr.* **1** Detallar en una factura las mercancías compradas o los servicios recibidos por un cliente. **2** Entregar y registrar en una estación de transportes un equipaje o una mercancía para que sea enviada a su lugar de destino. **FAM** facturación.

facultad *s. f.* **1** Capacidad o aptitud natural, física o moral, que tiene la persona para hacer cosas: *el lenguaje es la facultad humana de comunicarse de cualquier forma.* **2** Autoridad o derecho que tiene una persona para hacer algo: *tiene la facultad de administrar todos mis bienes hasta que sea mayor de edad.* **3** Sección de una universidad que corresponde a una rama del saber, organiza los estudios de varias carreras y expide los títulos: *facultad de arquitectura.* **NOTA** Con mayúscula inicial cuando hace referencia a una facultad concreta de una universidad determinada. **4** Edificio o conjunto de edificios donde se halla esta sección. **FAM** facultar, facultativo.

facultar *v. tr.* Conceder a alguien facultado autoridad para hacer algo: *el título te faculta para ejercer como abogado.*

facultativo, -va *adj.* **1** Que puede hacerse o dejar de hacerse a voluntad: *es obligatorio, y no facultativo, llevar puesto el casco al conducir una motocicleta.* **SIN** potestativo. **2** Que puede desarrollarse pero no es sistemático: *morfemas facultativos; bacterias anaerobias facultativas.* ‖ *adj./s. m. y f.* **3** Se aplica a la persona que ha realizado estudios superiores y trabaja como funcionario del Estado: *personal facultativo.* ‖ *s. m. y f.* **4** Persona que se dedica a la medicina. **SIN** médico. ‖ *adj.* **5** Relativo al facultativo o a la medicina: *informe facultativo; prescripción facultativa.*

facundia *s. f.* Facilidad y abundancia de palabras. **SIN** locuacidad.

fado *s. m.* Canción popular portuguesa que comenzó a difundirse en el siglo XIX, compuesta por varias estrofas, acompañada generalmente por guitarra y viola y de tema amoroso triste.

faena *s. f.* **1** Actividad, tarea o trabajo, especialmente el que requiere esfuerzo físico: *las faenas domésticas; la faena del campo.* **2** Cosa en la que se trabaja o se ha trabajado: *no quiero llevarme la faena a casa.* **3** familiar Dicho o hecho, a menudo con mala intención, que perjudica a alguien: *le han hecho una buena faena yéndose sin avisar.* **SIN** jugarreta, marranada, perrería. **4** Arte y pases del torero en una corrida, especialmente la que realiza con la muleta en el último tercio. **5** GUAT., MÉX. Trabajo hecho en horas extraordinarias.

rematar la faena familiar Acabar algo de forma satisfactoria: *el equipo visitante remató la faena con un golazo de su delantero estrella.*

FAM faenar, faenero; enfaenado.

faenar *v. intr.* **1** Realizar las faenas propias de la pesca marina desde una embarcación: *los nueve barcos fueron apresados cuando faenaban en aguas internacionales.* **2** Realizar las labores propias del campo: *los jornaleros faenan durante la cosecha.*

FAM faenero; enfaenado.

fafarachero, -ra *adj.* AMÉR. Que es dado a la jactancia y al alarde: *con ser un gran fanfarrón, Julián es el menos fafarachero de los tres.*

fagocitar *v. tr.* Capturar y digerir ciertas células y organismos unicelulares partículas sólidas nocivas o de alimento.

fagocito *s. m.* Célula de la sangre y otros líquidos orgánicos que tiene la propiedad de capturar y digerir partículas sólidas nocivas o de alimento mediante fagocitosis.

FAM fagocitar, fagocitario, fagocitosis.

fagocitosis *s. f.* Proceso mediante el cual una célula captura e incorpora partículas grandes del medio a fin de tomar alimento o defenderse: *la fagocitosis tiene gran importancia en la defensa contra las enfermedades infecciosas.*

OBS Plural invariable.

fagot *s. m.* Instrumento musical de viento formado por un tubo cilíndrico de madera doblado en dos partes paralelas y juntas con orificios que se tapan mediante llaves, del que sale otro tubo de metal corto, fino y curvo, que termina en una boquilla de lengüeta doble.

FAM fagotista.

faisán *s. m.* Ave de la familia de las codornices; el macho tiene un penacho de plumas en la cabeza, el plumaje de color amarillo, verde y rojo con reflejos brillantes y la cola larga, y la hembra tiene el plumaje pardo y la cola corta: *la carne del faisán es muy apreciada.*

faja *s. f.* **1** Tira ancha de tela que se lleva alrededor de la cintura, a menudo con varias vueltas, y encima de la ropa, generalmente como adorno en trajes regionales o ciertos uniformes: *el traje de baturro incluye una faja roja.* **2** Tira de tela de color que se lleva alrededor de la cintura o en bandolera sobre el pecho como insignia distintiva de algunos cargos militares, civiles o eclesiásticos. SIN fajín. **3** Prenda de tejido fuerte y elástico que comprime el cuerpo desde la cintura hasta la parte alta de las piernas y que se lleva con fines estéticos o terapéuticos, o para prevenir un dolor o corregir una postura. **4** Zona de terreno más larga que ancha: *la faja del litoral mediterráneo.* SIN franja. **5** Tira de papel que envuelve o rodea un libro, un periódico enrollado, un paquete, etc: *la revista llega por correo con una faja que lleva mi nombre y dirección.* **6** Moldura ancha y de poco vuelo en la superficie de un elemento arquitectónico: *la pared estaba coronada con fajas florales.*

FAM fajar, fajín; enfajar.

fajar *v. tr.* **1** Rodear o envolver a una persona o una cosa con una faja. **2** AMÉR. Dar una fuerte paliza a una persona, especialmente con un palo u otro objeto contundente. **3** ARG., URUG. Cobrar un precio excesivo por un producto o servicio: *me fajaron con este pantalón, pagué casi el doble de su precio.* **4** familiar CUBA Hacer la corte o enamorar a alguien: *Juan hace tiempo que le faja a Marta.* **5** CUBA, P. RICO, R. DOM. Pedir dinero prestado: *le fajó a su padre noventa pesos; me fajó por cien*

pesos. ‖ *v. prnl.* **6** **fajarse** familiar C. RICA, CUBA, R. DOM. Enfrentarse dos o más personas en una pelea de manos: *en la esquina hay dos muchachos que se están fajando.* **7** C. RICA, CUBA, P. RICO, R. DOM. Dedicarse con ahínco a un trabajo o estudio: *se fajó con todos los libros que en la escuela tuvo que leer.* **8** familiar MÉX. Acariciar y besar con lascivia a una persona: *le encanta andarse fajando a Azucena por todos los rincones.*

fajín *s. m.* Faja que se usa como insignia.

fajo *s. m.* **1** Conjunto de cosas largas y estrechas que generalmente está atado o sujetado por el centro: *un fajo de billetes; un fajo de leña.* **2** AMÉR. Trago de licor.

FAM fajina.

falacia *s. f.* culto Engaño o falsedad.

falange *s. f.* **1** Hueso pequeño y alargado de los que forman los dedos de las manos y los pies: *cada dedo tiene tres falanges, excepto el pulgar, que tiene dos.* ■ **primera falange** Falange que se articula con el metacarpiano (en la mano) o el metatarsiano (en el pie). NOTA También simplemente *falange.* ■ **segunda falange** Falangina. ■ **tercera falange** Falangeta. **2** Cuerpo de tropas numeroso. **3** Cuerpo de infantería de la antigua Grecia que, en combate, formaba en líneas compactas y constituía la principal fuerza del ejército. **4** Se utiliza en el nombre propio de determinadas organizaciones políticas de ideología falangista: *la Falange Española fue creada en 1933 y dirigida por José Antonio Primo de Rivera.*

FAM falangeta, falangina, falangismo.

falangeta *s. f.* Falange situada en el extremo de cada dedo. SIN tercera falange.

falangina *s. f.* Falange situada entre la primera falange y la falangeta. SIN segunda falange.

falangismo *s. m.* Ideología y movimiento político de Falange Española, fundado por José Antonio Primo de Rivera en 1933 y basado en el ideario del fascismo italiano: *el falangismo propugna la desaparición de los partidos políticos y la protección oficial de la tradición religiosa.*

FAM falangista.

falangista *adj.* **1** Relativo al falangismo: *ideario falangista.* ‖ *adj./s. com.* **2** Se aplica a la persona que es partidaria del falangismo o miembro de este movimiento.

falaz *adj.* culto Engañoso o falso.

FAM falacia.

falcónido, -da *adj./s. m.* **1** Se aplica al ave rapaz diurna, de pico corto y encorvado, y patas con uñas fuertes, como el halcón. ‖ *s. m. pl.* **2** **falcónidos** Grupo taxonómico, con categoría de familia, constituido por estas aves.

falda *s. f.* **1** Prenda de vestir, generalmente femenina, que consiste en una tela que se ajusta a la cintura y cubre las piernas o parte de ellas. ■ **falda pantalón** Pantalón que tiene las perneras anchas, lo que le da aspecto de falda. **2** Parte de un vestido que cae suelta desde la cintura y cubre las piernas o parte de ellas: *el abrigo le iba largo y arrastraba las faldas.* NOTA Normalmente en plural. **3** Pieza de tela que se pone en una mesa redonda y cubre las patas, generalmente hasta el suelo. NOTA Normalmente en plural. **4** Parte de la carne de la res destinada al consumo que está situada en la región inferior de las paredes del abdomen y que cuelga de las agujas sin asirse al hueso ni a las costillas: *un bistec de falda de ternera.* **5** Parte inferior de la ladera de una montaña. **6** Parte delantera del cuerpo de una persona desde la cintura hasta las rodillas, en especial cuando la persona está sentada: *tenía a su*

hijo sentado en la falda. **SIN** regazo. ‖ *s. f. pl.* **7** **faldas** familiar Mujeres: *le gustaban demasiado las faldas.*
FAM faldero, faldón; minifalda.

faldero, -ra *adj.* Que es muy aficionado a seducir a las mujeres. **SIN** mujeriego.

faldón *s. m.* **1** Parte inferior de una prenda de vestir que cubre por debajo de la cintura: *los faldones de un frac; el faldón de la camisa.* **2** Prenda de vestir que cubre todo el cuerpo del bebé o desde la cintura cayendo como una falda, sobre otras prendas de vestir. **3** Parte inferior de ciertos objetos que tiene forma de falda o que cuelga como una falda: *el faldón del parachoques.* **4** Desagüe triangular de un tejado.

faldriquera *s. f.* Faltriquera.

falla¹ *s. f.* Defecto material de una cosa: *los vestidos con falla están rebajados.*

falla² *s. f.* Fractura de un estrato de la corteza terrestre debida a fuerzas verticales u horizontales que provocan el desplazamiento de uno de los bloques con respecto al otro: *una falla consta de plano de falla, salto de falla y labios; las fallas pueden ser normales, inversas o de desgarre.*

falla³ *s. f.* **1** Muñeco o conjunto de muñecos de cartón u otro material que representan de forma satírica y humorística personajes o escenas de actualidad y que se fabrican para ser quemadas en las calles durante las Fallas (fiesta popular de Valencia): *la falla ganadora es la única que es salvada del fuego la noche de la víspera de San José.* ‖ *s. f. pl.* **2** **fallas** Tiempo en que se celebra la fiesta popular de las Fallas.
FAM fallero.

fallar¹ *v. intr.* **1** Tener una cosa algún fallo o estar equivocada: *nuestros cálculos han fallado.* ‖ *v. tr.* **2** Hacer una cosa de forma incorrecta: *he fallado dos preguntas del examen.* ‖ *v. intr.* **3** Salir mal una cosa o no dar el resultado que se esperaba: *al fallar las negociaciones se temió el inicio de un conflicto bélico.* **4** Decepcionar una persona a otra: *nos ha fallado el hombre en quien confiábamos.* **5** Perder una cosa su resistencia o su capacidad: *me fallaron las fuerzas.* ‖ *v. tr.* **6** En ciertos juegos de naipes, tirar una carta que no es del palo que se juega, generalmente el triunfo.

no falla familiar Expresa la evidencia de que en determinadas condiciones algo siempre sucede o se comporta de la misma forma: *no falla: cuando estreno zapatos, se pone a llover.*
FAM fallo.

fallar² *v. tr./intr.* Tomar una decisión un tribunal o un jurado.
FAM fallo.

fallecer [16] *v. intr.* Morir una persona.
FAM fallecimiento.

fallecimiento *s. m.* Muerte de una persona.

fallero, -ra *adj.* **1** Relativo a las Fallas (fiesta popular de Valencia). ‖ *s. m. y f.* **2** Persona que se dedica a fabricar fallas. **3** Persona que participa en la organización de las Fallas: *la fallera mayor presidía el acto.*

fallido, -da *adj.* **1** Que no da el resultado perseguido o esperado: *después de dos intentos fallidos, el atleta logró superar su marca.* **2** Se aplica a la deuda que es imposible cobrar.

fallo¹ *s. m.* Decisión de un tribunal o un jurado: *no todos estaban de acuerdo con el fallo del tribunal.*

fallo² *s. m.* **1** Acción equivocada o cosa mal hecha: *esta suma tiene dos fallos.* **2** Avería o imperfección que impide el buen funcionamiento de una cosa, especialmente de una máquina o aparato: *fallo eléctrico; fallo del motor; el sistema tiene un fallo en*

el cableado. **3** En ciertos juegos de naipes, falta del palo que se juega.

falo *s. m.* culto Pene: *la imagen del dios egipcio Min se caracteriza por su falo erecto.*
FAM fálico.

falsabilidad *s. f.* **1** Posibilidad de establecer los procedimientos experimentales que desmientan un enunciado o teoría científica. **2** Principio epistemológico que determina criterios para establecer una demarcación entre las teorías científicas y las que no lo son basándose en la posibilidad de falsar las primeras.

falsar *v. tr.* Desmentir un enunciado o una teoría científica.

falsario, -ria *adj./s. m. y f.* Se aplica a la persona que tiende a falsear hechos o datos.

falsear *v. tr.* **1** Explicar una cosa o un hecho de manera que no se ajuste a la verdad: *los hechos deben describirse tal como se han producido, sin falsear ningún dato.* **SIN** falsificar. **2** Falsificar una cosa para hacerla pasar por verdadera o auténtica.
FAM falseador, falseamiento, falseo.

falsedad *s. f.* **1** Falta de verdad, autenticidad o sinceridad: *insiste en la falsedad de esos rumores.* **ANT** veracidad. **2** Cosa falsa que se dice o explica.

falsete *s. m.* Voz más aguda que la natural, que se produce voluntaria o involuntariamente al hablar y especialmente al cantar: *no es adecuado cantar en falsete, sino produciendo tu voz natural.*

falsificación *s. f.* **1** Acción de falsificar: *delito de falsificación.* **2** Copia o imitación de una cosa que se quiere hacer pasar por verdadera o auténtica: *el crítico de arte aseguró que aquella falsificación era realmente buena.*

falsificar *v. tr.* **1** Hacer una copia o una imitación de una cosa para hacerla pasar por verdadera o auténtica: *falsificar una firma.* **2** Falsear (explicar).
FAM falsificación, falsificador.

falsilla *s. f.* Hoja de papel con líneas que se pone debajo de otra en blanco en la que se va a escribir para no torcer la escritura.

falso, -sa *adj.* **1** Que es contrario a la verdad o no se ajusta a ella: *noticias falsas.* **ANT** verdadero. **2** Que imita o se parece a una cosa real: *un diamante falso; un billete falso.* **ANT** auténtico. **3** Que engaña o conduce a engaño: *uno de los testimonios que presentó el abogado era falso.* **4** Se aplica a la persona que muestra unos sentimientos o una disposición para algo que no siente en realidad. **SIN** hipócrita. **5** Se aplica a la pieza que se añade a otra para darle firmeza, adornar, etc.: *el falso techo se colocó para ocultar las vigas.* **6** Se aplica a la puerta que está disimulada de algún modo en la pared y permite acceder a un lugar oculto.

en falso (**I**) De forma falsa o contraria a la verdad: *jurar en falso es perjurio.* (**II**) Sin seguridad o estabilidad suficientes: *pisó en falso y cayó al suelo.*
FAM falsario, falsear, falsedad, falsificar.

falta *s. f.* **1** Error o equivocación en la expresión oral o escrita: *faltas de ortografía; falta de concordancia.* **2** Hecho de no haber cierta cosa, o de haber menos de lo necesario: *falta de cariño.* **3** Ausencia de una persona en un lugar determinado: *notamos mucho tu falta esta semana.* **4** Incumplimiento de un deber u obligación: *este mes ya tiene tres faltas de asistencia.* **5** Acción censurable o merecedora de un castigo que comete una persona: *falta de respeto.* **6** Incumplimiento de una regla

en un juego o un deporte: *el árbitro pitó falta al delantero.* **SIN** infracción. **7** Acción con que se castiga ese incumplimiento: *el delantero lanzó la falta.* **8** Defecto o imperfección de fabricación, especialmente en una prenda de vestir: *devolvió el pantalón porque encontró una falta en la tela.* **9** Ausencia de la menstruación en la mujer en un mes determinado: *cree que puede estar embarazada porque ha tenido dos faltas.*
a falta de En el caso de que falte alguien o algo.
coger (o pillar) en falta Sorprender a alguien equivocándose o haciendo algo incorrecto.
echar en falta Notar la ausencia de alguien o algo.
hacer falta Ser necesario alguien o algo: *no hace falta que vengas; me hace falta una persona que me ayude.*
sin falta Con seguridad: *esta tarde sin falta te devuelvo lo que te debo.*
faltar *v. intr.* **1** No estar una persona o una cosa en el lugar donde debería estar: *faltó al trabajo porque estaba enfermo; a este libro le faltan hojas.* **2** Tener que transcurrir cierto tiempo para llegar a cierto estado o situación: *faltan tres días para las vacaciones; me faltan dos años par acabar la carrera.* **3** Quedar todavía una cosa por hacer o suceder: *solo me faltan los ejercicios de inglés; solo falta que se acabe el proceso y podremos empezar.* **4** No tener o haber suficiente de una cosa: *me faltaba dinero para comprarlo; al guiso le falta sal.* **5** No responder o no cumplir: *faltó a su palabra.* ‖ *v. tr./intr.* **6** Tratar a una persona o una cosa sin el respeto o la consideración debidas: *perdió los nervios cuando ella comenzó a faltarle.* **SIN** ofender.
¡faltaría más! o **¡no faltaba (o faltaría) más!** (**I**) Se usa para enfatizar el rechazo de una petición o un hecho que se consideran inadmisibles: *quiere salir todos los días y tiene que estudiar, pues ¡no faltaría más!* (**II**) Fórmula de cortesía para expresar asentimiento ante un ruego o petición: —*¿Me permite mirar su periódico?* —*¡Faltaría más!*
FAM falta, falto, faltón.
falto, -ta *adj.* **1** Que carece de algo necesario o tiene poco de ello: *se sintió falto de cariño.* **2** ARG. Tonto.
FAM faltón.
faltriquera *s. f.* **1** Bolsa pequeña atada a la cintura y que se lleva colgando por debajo de la ropa. **SIN** faldriquera. **2** culto Bolsillo.
falucho *s. m.* Pequeña embarcación costera con una vela latina o triangular.
fama *s. f.* **1** Hecho o circunstancia de ser reconocidas las cualidades de una persona o una cosa por mucha gente: *la fama le llegó cuando solo tenía 12 años.* **2** Opinión que la gente tiene sobre una persona o una cosa: *se ganó fama de mentiroso.* **3** Opinión positiva que tiene la gente sobre alguien o algo: *nuestros vinos gozan de bastante fama en todo el mundo.*
FAM famoso; afamar.
famélico, -ca *adj.* **1** culto Hambriento. **2** culto Que está excesivamente delgado: *un caballo famélico.*
familia *s. f.* **1** Grupo de personas que tienen lazos de parentesco y viven juntas: *en mi casa somos familia numerosa.* **2** Conjunto de ascendientes, descendientes y demás personas relacionadas entre sí por parentesco de sangre o legal: *toda la familia vive por la misma zona; pertenecía a una humilde familia.* **3** Hijo o conjunto de hijos o descendientes de una persona: *se casaron muy mayores y no tuvieron familia.* **4** Conjunto de personas o cosas que tienen una característica o condición común: *los instrumentos de viento pueden ser de la familia del metal, como la trompeta, o de la familia de la madera,*

como el oboe. **5** Conjunto de palabras que tienen la misma raíz o proceden del mismo étimo: *"famélico" es de la misma familia léxica que "hambre".* **6** Conjunto de lenguas que proceden de una misma lengua: *el español y el italiano son de la misma familia lingüística.* **7** Categoría de clasificación de los seres vivos inferior a la de orden, en la que se agrupan géneros con caracteres comunes: *équidos, cérvidos y cánidos son familias de mamíferos.*
en familia (**I**) En situación de convivencia familiar en una casa: *vivir en familia.* (**II**) Entre gente conocida: *habla claro, que estamos en familia.*
FAM familiar; subfamilia.
familiar *adj.* **1** Relativo a la familia: *lazos familiares; una reunión familiar.* ‖ *s. m.* **2** Persona que pertenece a la misma familia que otra: *fui a visitar a un familiar que está en el hospital.* **SIN** pariente. ‖ *adj.* **3** Que es conocido por haberlo tratado, realizado o visto con anterioridad: *su cara me resulta familiar.* **4** Que es sencillo y natural o nada forzado o afectado: *trato familiar.* **5** Se aplica al lenguaje, palabra o expresión que son propios de la conversación cotidiana de los hablantes. **SIN** coloquial. **6** Se aplica al producto que tiene un tamaño o una cantidad superior a otros para que pueda ser utilizado o consumido por toda la familia: *un coche familiar de siete plazas; champú familiar.*
FAM familiaridad, familiarizar; unifamiliar.
familiaridad *s. f.* **1** Sencillez y naturalidad en el trato, propias de la amistad o del parentesco: *hablamos con mucha familiaridad, como si nos conociéramos de toda la vida.* **2** Dicho o hecho que denotan confianza excesiva: *no le permite esas familiaridades conmigo.*
familiarizar *v. tr.* **1** Hacer que algo resulte familiar o conocido por alguien. ‖ *v. prnl.* **2** **familiarizarse** Llegar a tener trato familiar o de amistad con alguien: *no tardó en familiarizarse con los compañeros.*
FAM familiarización.
famoso, -sa *adj.* **1** Que tiene fama: *un libro famoso; vimos un famoso programa de televisión.* **SIN** célebre. ‖ *adj./s. m. y f.* **2** Se aplica a la persona que tiene fama: *muchos famosos acudieron a la inauguración.*
fámulo, -la *s. m. y f.* culto Criado doméstico.
OBS Frecuentemente usado de forma humorística.
fan *s. com.* Persona que admira o apoya a una persona o una cosa con gran entusiasmo, especialmente a un músico o grupo musical: *club de fans.*
OBS Plural: *fans.*
fanal *s. m.* **1** Campana de cristal u otro material transparente que sirve para resguardar una luz, una figura, etc. **2** Farol grande empleado a bordo de los barcos como insignia de mando y para indicar su situación durante la noche.
fanático, -ca *adj./s. m. y f.* **1** Se aplica a la persona que defiende una creencia o una opinión con gran vehemencia o pasión y se muestra intolerante y violento con los que no opinan lo mismo. **2** Se aplica a la persona que admira o apoya a una persona o una cosa con entusiasmo desmesurado: *es un fanático de los coches de carreras.* **SIN** fan, furibundo.
FAM fan, fanatismo, fanatizar.
fanatismo *s. m.* Actitud propia de la persona fanática: *el fanatismo conduce a extremos peligrosos.*
fancine *s. m.* Fanzine.
fandango *s. m.* **1** Baile popular español de movimiento

vivo y apasionado, cuyas características varían según la región. **2** Composición musical, en compás de tres por cuatro o seis por ocho, con la cual se acompaña este baile: *en los fandangos siempre intervienen la guitarra y las castañuelas.* **3** familiar Ruido, alboroto.
FAM fandanguero, fandanguillo.

fanega *s. f.* Medida de capacidad para áridos (grano, legumbres, etc.), de valor variable según las regiones: *la fanega equivale en Castilla a unos 55,5 litros, y en Aragón, a 22,4 litros.*

fanega de tierra Medida agraria de superficie, de valor variable según las regiones: *la fanega de tierra equivale en Castilla a unas 64 áreas.* **NOTA** También simplemente *fanega*.

fanerógamo, -ma *adj./s. f.* **1** Se aplica a la planta vascular con semillas que tiene visibles los órganos sexuales: *el rosal es una planta fanerógama.* **|** *s. f. pl.* **2 fanerógamas** Grupo taxonómico, con categoría de división, constituido por estas plantas.

fanfarria *s. f.* **1** Banda de música de carácter popular y festivo que tiene solamente instrumentos de viento y especialmente de metal. **SIN** charanga. **2** Música que interpreta este conjunto: *la noche de fin de año se oyeron fanfarrias hasta el amanecer.* **3** familiar Fanfarronada.

fanfarrón, -rrona *adj./s. m. y f.* Se aplica a la persona que presume o alardea de cualidades que en realidad no tiene, especialmente de valentía o superioridad.
FAM fanfarronada, fanfarronear, fanfarronería.

fanfarronada *s. f.* Dicho o hecho propios de una persona fanfarrona: *nadie creía sus fanfarronadas.*

fanfarronear *v. intr.* Hablar o comportarse con arrogancia, diciendo o haciendo fanfarronadas.

fango *s. m.* **1** Lodo blando y viscoso que se forma en el fondo de un río o lago o en un lugar en que hay agua estancada. **2** Mala fama, descrédito o deshonra para una persona: *cubrir de fango; llenar de fango.*
FAM fangal, fangoso; enfangar.

fangoso, -sa *adj.* **1** Que está lleno de fango: *terreno fangoso.* **2** Que tiene la consistencia, el color u otra característica propia del fango.
FAM fangosidad.

fantasear *v. intr.* **1** Dejar libre la imaginación o la fantasía. **|** *v. tr./intr.* **2** Imaginar algo fantástico o que no existe en la realidad: *la niña fantaseaba milagros que la salvaban de sus prisiones.*
FAM fantaseador.

fantasía *s. f.* **1** Facultad de imaginar cosas que no existen en la realidad: *todos los niños tienen una gran fantasía.* **SIN** imaginación. **2** Cosa o idea que una persona se imagina: *los gigantes y encantadores eran fantasías de don Quijote.* **NOTA** Más en plural. **SIN** ensueño, ilusión. **3** Imaginación creadora o facultad mental para inventar o producir obras literarias o de arte. **4** Composición musical de forma libre que se basa en fragmentos de otras obras, especialmente óperas y zarzuelas.

de fantasía (**I**) Se aplica a la prenda de vestir que es de colores variados y lleva muchos adornos o dibujos imaginativos y poco corrientes. (**II**) Se aplica a la joya que es de bisutería.
FAM fantasear, fantasioso, fantástico.

fantasioso, -sa *adj./s. m. y f.* **1** Se aplica a la persona que demuestra tener mucha fantasía y tiende a dejarse llevar por

la imaginación. **|** *adj.* **2** Que es propio de la fantasía: *imágenes fantasiosas.*

fantasma *s. m.* **1** Imagen de una persona muerta que se aparece a los vivos: *no cree en los fantasmas.* **SIN** aparecido. **2** Imagen o idea irreal, creada por la imaginación, especialmente la que atormenta: *debía superar el fantasma de los celos.* **|** *adj./s. com.* **3** familiar Se aplica a la persona que presume de cualidades o de posesiones que en realidad no tiene. **|** *adj.* **4** Que tiene una existencia dudosa o poco segura: *blanqueaba dinero a través de empresas fantasmas.* **5** Se aplica al lugar que ha sido abandonado por sus habitantes: *ciudad fantasma.*
FAM fantasmada, fantasmagoría, fantasmal, fantasmear.

fantasmada *s. f.* familiar Dicho o hecho propios de una persona fantasma o que presume de lo que no es o no tiene.

fantasmagórico, -ca *adj.* Que es una ilusión de los sentidos: *seres fantasmagóricos.*

fantasmal *adj.* Relativo a los fantasmas o imágenes de personas muertas.

fantasmear *v. intr.* familiar Decir o hacer fantasmadas.

fantástico, -ca *adj.* **1** Que es producto de la imaginación: *el unicornio es un ser fantástico.* **2** Relativo a la fantasía: *literatura fantástica.* **3** Que destaca por sus buenas cualidades: *un coche fantástico; un pianista fantástico.* **SIN** extraordinario, fabuloso, maravilloso. **4** Fantasioso, que se deja llevar por la imaginación. **|** *adv.* **5** familiar Muy bien: *pasarlo fantástico.*

fantoche *s. m.* **1** Muñeco articulado que se mueve por medio de una cruceta de la cual cuelgan unos hilos que van atados a su cuerpo, o bien metiendo la mano en su interior, por debajo del vestido; generalmente se usa en representaciones de teatro infantil o popular. **SIN** marioneta, títere. **2** Persona de aspecto ridículo y grotesco. **3** Persona considerada insignificante en el aspecto físico o moral. **NOTA** Frecuentemente usado como insulto.
FAM fantochada.

fanzine [también **fancine**; se pronuncia aproximadamente 'fansín' o 'fancine'] *s. m.* Revista u otra publicación periódica realizada con pocos medios y de corta tirada sobre temas culturales (cine, literatura, música, etc.).

faquir [también **fakir**] *s. m.* **1** Religioso de la India y otros países orientales que lleva una vida de oración y gran austeridad, vive de la limosna y realiza actos de mortificación sorprendentes. **2** Artista de circo que realiza un espectáculo en el que se somete a pruebas que causan dolor sin que, aparentemente, sufra daño o sienta dolor: *los faquires caminan sobre brasas, se introducen espadas por la boca o mastican vidrio.*

farad *s. m.* Unidad de capacidad eléctrica del Sistema Internacional, de símbolo *F*, que equivale a la capacidad de un condensador eléctrico que tiene una carga de un coulomb cuando su potencial es un volt.
OBS Plural: *farads.* Se ha adaptado al español con la forma *faradio*.

faraday *s. m.* Cantidad de electricidad necesaria para separar un equivalente-base de una solución electrolítica; equivale aproximadamente a 96500 coulombs.

faradio *s. m.* Farad.

faralá *s. m.* **1** Volante de una prenda de vestir, especialmente el que adorna la falda de un vestido de sevillana. **2** Adorno exagerado y de mal gusto.

farallón *s. m.* **1** Roca alta y afilada que sobresale en el mar y alguna vez en tierra firme. **2** Parte superior con modelado escarpado que tienen algunas rocas.

farándula *s. f.* Profesión y ambiente de las personas que se dedican al espectáculo, especialmente al teatro: *la vida de farándula era muy dura cuando los cómicos viajaban de pueblo en pueblo.*
FAM farandulero.

farandulero, -ra *s. m. y f.* Artista que se dedicaba a representar obras de teatro cómicas, generalmente recorriendo los pueblos.

faraón *s. m.* Soberano o jefe supremo del antiguo Egipto: *los faraones se consideraban hijos del dios del Sol, Ra.*
FAM faraónico.

faraónico, -ca *adj.* **1** Relativo al faraón: *las pirámides faraónicas del antiguo Egipto.* **2** Que es muy grande e implica mucho esfuerzo o mucho dinero: *emprendió la faraónica tarea de restaurar la Capilla Sixtina.*

fardar *v. intr.* **1** familiar Presumir o alardear de algo que se posee, en especial de una cosa muy cara, nueva, original o buena: *fardaba de coche nuevo.* **2** familiar Resultar una cosa muy vistosa, en especial una prenda de vestir u otra cosa que se lleva puesta: *estos zapatos fardan, ¿verdad?* **3** familiar Resultar una persona atractiva o elegante por su apariencia o aspecto: *así vestido sí que fardas.*
FAM farde, fardón.

fardo *s. m.* Paquete de ropa u otra cosa atado de forma que queda muy apretado.
FAM fardel.

fardón, -dona *adj./s. m. y f.* **1** familiar Se aplica a la persona a la que le gusta fardar de las cosas que tiene. **|** *adj.* **2** familiar Se aplica a la persona que farda o resulta atractiva o elegante por su aspecto. **3** familiar Sa aplica a la cosa que farda o resulta muy vistosa.

farero, -ra *s. m. y f.* Persona que se dedica al mantenimiento y vigilancia de un faro.

fárfara *s. f.* Telilla o piel delgada y delicada con función protectora que recubre la parte interior de la cáscara de los huevos de aves y reptiles.

farfullar *v. tr.* Decir una cosa muy de prisa y de manera atropellada o confusa: *estaba tan sorprendido que solo farfulló unas palabras de agradecimiento.*
FAM farfullero.

farfullero, -ra *adj.* **1** familiar Que farfulla: *gritos farfulleros.* **2** familiar Que está hecho de forma descuidada. **SIN** chapucero.

faringe *s. f.* Conducto de paredes musculares que comunica la boca con el esófago o el tubo digestivo; en el ser humano y algunos animales la primera parte está comunicada con las fosas nasales, las trompas de Eustaquio y la laringe.
FAM faríngeo, faringitis; nasofaríngeo.

faríngeo, -gea *adj.* Relativo a la faringe: *las amígdalas son órganos faríngeos.*

faringitis *s. f.* Inflamación de la faringe, que suele provocar dolor de garganta, sequedad y enrojecimiento de la mucosa.
OBS Plural invariable.

fario Se usa en la expresión:
mal fario Mala suerte: *tal como había retornado el mal fario, podía volver la suerte.*

fariseo, -sea *adj.* **1** Relativo a la secta judía, surgida en el siglo II a. C., que se caracterizaba por observar con austeridad y rigor la Ley de Moisés, y que en tiempos de Jesucristo era la forma dominante de la religión hebrea: *Jesús criticó a los fariseos por hipócritas.* **|** *s. m. y f./adj.* **2** Persona que pertenecía a esta secta. **3** Persona que es hipócrita y finge una moral, sentimientos o creencias religiosas que no tiene.
FAM farisaico, fariseísmo.

farlopa *s. f.* jerga Cocaína. **SIN** perica, perico.

farmacéutico, -ca *adj.* **1** Relativo a la farmacia: *productos farmacéuticos; laboratorio farmacéutico.* **|** *s. m. y f.* **2** Persona que ha estudiado farmacia y trabaja en una farmacia elaborando fórmulas magistrales y atendiendo a los clientes. **SIN** boticario.

farmacia *s. f.* **1** Establecimiento donde se elaboran y venden medicamentos. **SIN** botica. **2** Ciencia que se ocupa de la preparación de medicamentos y del estudio de las propiedades de sus componentes como remedio o prevención contra las enfermedades.
FAM farmacéutico.

fármaco *s. m.* Sustancia que sirve para curar o prevenir enfermedades, o para calmar un dolor físico: *los fármacos se preparan con sustancias naturales o sintéticas.* **SIN** medicamento, medicina.
FAM farmacia, farmacología, farmacopea; psicofármaco.

farmacología *s. f.* Parte de la medicina que se ocupa de la composición, las propiedades y la acción terapéutica de los medicamentos.
FAM farmacológico, farmacólogo.

faro *s. m.* **1** Torre alta en las costas y puertos que emite una luz potente a intervalos para orientar de noche a los navegantes. **2** Foco de luz potente que llevan los vehículos automóviles en la parte delantera para iluminar el camino: *faros antiniebla.* **3** Persona o cosa que sirve de guía o modelo de conducta.
FAM farero, farol; radiofaro.

farol *s. m.* **1** Luz para alumbrar protegida por una caja con una o más caras de cristal o de otro material transparente. **2** Luz eléctrica o de gas para iluminar la calle, que está sostenida por un pie de hierro u otro soporte. **3** En los juegos de naipes, jugada falsa para desorientar al contrario. **4** Mentira o exageración que se dice para presumir, engañar o desconcertar a alguien. **5** Lance del toreo que consiste en levantar el capote por encima de la cabeza con las dos manos y, al mismo tiempo, dar media vuelta sobre sí mismo para hacer pasar al toro por la espalda.
FAM farola, farolear, farolero, farolillo.

farola *s. f.* Farol grande para alumbrar las calles y las carreteras que está colocado sobre un pie de hierro u otro soporte.

farolero, -ra *s. m. y f.* **1** Persona que se encargaba del encendido y apagado de las farolas que alumbraban las calles. **|** *adj./s. m. y f.* **2** familiar Se aplica a la persona que dice faroles o mentiras.

farolillo *s. m.* **1** Farol de papel, celofán o plástico de colores que se cuelga como adorno en fiestas y verbenas. **2** Planta de jardín con hojas vellosas y flores azules o blancas en forma de campanilla agrupadas en ramilletes. **SIN** campánula.

farolillo rojo (**I**) Último puesto en una clasificación o competición deportiva. (**II**) Persona o equipo que ocupa ese último puesto.

farra s. f. familiar Juerga o diversión muy animada y desenfrenada: *salieron de farra toda la noche.*

farragoso, -sa adj. Se aplica al texto o enunciado que desarrolla las ideas de forma desordenada y confusa, y generalmente con exceso de palabras.

farruco, -ca adj. familiar Se aplica a la persona que se muestra excesivamente obstinada y desafiante o insolente.

farsa s. f. ① Obra de teatro breve, de carácter cómico o satírico. ② Subgénero teatral constituido por estas obras. ③ Obra de teatro de poca calidad o de mal gusto. ④ Acción con que se pretende engañar a alguien u ocultar algo: *las votaciones fueron una farsa.*
FAM farsante.

farsante adj./s. com. ① Se aplica a la persona que miente o engaña, especialmente la que finge lo que no siente o se hace pasar por lo que no es para conseguir algo. **NOTA** Femenino: *farsante* o *farsanta.* ‖ s. com. ② Persona que se dedicaba a representar farsas.

fascículo s. m. ① Cada una de las partes de un libro o de una colección que se publican periódicamente en forma de cuadernillo. ② Haz de músculos.
FAM fasciculado.

fascinación s. f. Atracción o seducción irresistible que siente una persona hacia alguien o algo.

fascinante adj. Que fascina por sus cualidades extraordinarias: *un libro fascinante.*

fascinar v. tr. Atraer o seducir irresistiblemente una persona o una cosa a alguien: *le fascinan las culturas antiguas; me fascinó con su mirada.*
FAM fascinación, fascinante.

fascismo s. m. ① Movimiento político y social de carácter nacionalista, totalitario, militarista y antimarxista, fundado por Benito Mussolini en Italia después de la Primera Guerra Mundial: *los militantes del fascismo se denominaban "camisas negras".* ② Conjunto de ideas de carácter nacionalista y totalitario de este movimiento y otros parecidos: *Maeztu se convirtió en líder de unas derechas lindantes con el fascismo.*
FAM fascista; antifascismo.

fascista adj. ① Relativo al fascismo. ‖ adj./s. com. ② Se aplica a la persona que es partidaria del fascismo.
FAM fascistoide; antifascista.

fase s. f. ① Estado diferenciado en el proceso o desarrollo de algo: *en una fase de su ciclo biológico, los helechos y musgos producen esporas de forma asexual.* **SIN** estadio. ② Aspecto que muestra un planeta desde un punto determinado; en especial aspecto de la Luna según la ilumina el Sol: *las fases de la Luna son cuatro: luna nueva, cuarto creciente, luna llena y cuarto menguante.* ③ Corriente eléctrica alterna monofásica que, junto con otra de la misma intensidad y frecuencia, constituyen la corriente alterna polifásica. ④ Cada una de las partes que componen un sistema y que tienen las mismas propiedades físicas y químicas.
FAM anafase, bifásico, desfase, monofásico, polifásico, trifásico.

fast food [se pronuncia aproximadamente 'fas fud'] s. m. ① Comida que se sirve en determinados establecimientos y se caracteriza por prepararse con rapidez, y servirse y consumirse también con rapidez, así como por ser económica: *la hamburguesa se ha convertido en una de las banderas del fast food.* **SIN** comida rápida. ② Establecimiento en el que se prepara y se sirve este tipo de comida.

fastidiar v. tr. ① Perjudicar o disgustar algo, como un contratiempo o una situación desagradable o incómoda, a una persona: *me fastidia que venga.* ② Resultar una persona o una cosa desagradables para alguien: *me fastidia su forma de mirar, le fastidiaba aquel tipo.* ③ Hacer que una cosa se estropee o eche a perder: *el apagón nos fastidió la película.* ‖ v. prnl. ④ **fastidiarse** Resignarse ante un contratiempo o una situación desagradable: *si ha llegado tarde, que se fastidie.*
FAM fastidiado.
OBS Verbo regular, se acentúa como *cambiar.*

fastidio s. m. ① Disgusto o molestia que causa algo: *me pareció ver en su cara una mueca de fastidio.* ② Cosa que causa disgusto o perjuicio leves: *es un fastidio tener que empezar de nuevo.*
FAM fastidiar, fastidioso.

fastidioso, -sa adj. Que causa fastidio: *resultó un trabajo fastidioso, excesivamente repetitivo y agotador.*

fasto, -ta s. m. ① Fastuosidad: *vivían con gran fasto y esplendor.* **SIN** fausto. ② Celebración solemne: *los fastos del centenario.* ‖ adj. ③ culto Fausto.
FAM fastuoso.

fastuosidad s. f. Lujo extraordinario: *la gran pompa y fastuosidad del banquete deslumbró a los invitados.* **SIN** fasto, fausto.

fastuoso, -sa adj. Que está hecho con fastuosidad o lujo extraordinario.
FAM fastuosidad.

fatal adj. ① Que es muy malo o perjudicial: *un desenlace fatal; un accidente de fatales consecuencias.* ② Que resulta inevitable o determinado por el destino: *alguien tenía que pronunciar la pregunta fatal.* ③ Se aplica a la mujer que es muy bella y seductora, y generalmente despótica con los hombres: *Greta Garbo tenía fama de mujer fatal.* ‖ adv. ④ Muy mal: *está triste porque piensa que lo hizo fatal.*
FAM fatalidad, fatalismo, fatalmente.

fatalidad s. f. ① Cualidad de lo que resulta fatal. ② Destino en cuanto es la causa de desgracias. ③ Suceso o circunstancia desgraciados: *tuvo la fatalidad de caer y romperse una pierna.*

fatalismo s. m. Doctrina u opinión de la persona que considera que los acontecimientos no se pueden evitar por estar sujetos a una fuerza superior que rige el mundo.
FAM fatalista.

fático, -ca adj. Se aplica a la función del lenguaje por la cual se mantiene abierta la comunicación con el receptor: *pertenecen a la función fática expresiones como "sí, te escucho", "ajá", "por supuesto", etc.*

fatídico, -ca adj. ① Que causa gran desgracia o perjuicio: *un fatídico accidente.* **SIN** fatal. ② Que anuncia lo que sucederá en el futuro, generalmente la proximidad de un peligro o un suceso desgraciado: *tuvo un sueño fatídico.*

fatiga s. f. ① Sensación de cansancio que se experimenta después de un esfuerzo físico o mental intenso y continuado. ② Molestia o dificultad al respirar: *cuando subo escaleras siento fatiga.* ③ familiar Sufrimiento o penalidad en la vida de una persona: *pasaron muchas fatigas para sacar el negocio adelante.* **NOTA** Normalmente en plural. ④ Angustia o congoja que se siente al ver sufrir a alguien: *daba fatiga verlo tan apurado.* ⑤ Pérdida de resistencia o rotura de un material o un aparato que está sometido a un esfuerzo continuo.

fatigar v. tr. Causar fatiga a alguien: *me fatigo mucho cuando camino; este trabajo fatiga a cualquiera.*
FAM fatiga, fatigoso; infatigable.

fatigoso, -sa *adj.* ① Que causa fatiga o cansancio: *un trabajo fatigoso*. ② Que muestra fatiga o dificultad al respirar: *hablaba con voz fatigosa*.

fatuo, -tua *adj./s. m. y f.* Se aplica a la persona que es engreída, habla o se comporta convencida de su superioridad con respecto a los demás.
FAM fatuidad.

fauces *s. f. pl.* Parte posterior de la boca de los mamíferos, desde el velo del paladar hasta el principio del esófago: *el domador mete su cabeza en las fauces del león*.

fauna *s. f.* ① Conjunto de las especies animales; normalmente referido a una zona o medio o a un periodo geológico determinados: *fauna marina; fauna tropical*. ② Obra que enumera y describe este conjunto.

fauno *s. m.* Divinidad de la mitología romana encargada de velar por la fecundidad de la naturaleza; se representaba con patas y cuernos de macho cabrío y se creía que habitaba en el campo.
FAM fauna.

fausto¹ *s. m.* Fastuosidad. **SIN** fasto.

fausto, -ta² *adj.* culto Que causa alegría y felicidad. **SIN** fasto.
FAM infausto.

fauvismo [también **fovismo**; se pronuncia 'fovismo'] *s. m.* Movimiento pictórico surgido en París (Francia) a principios del siglo XX como reacción contra la pintura clásica y el impresionismo: *el fauvismo se caracteriza por la exaltación del color puro, sin modelado ni clarosocuro*.

favela *s. f.* Vivienda hecha de materiales de desecho y de mala calidad que es característica de zonas suburbiales de Brasil.

favor *s. m.* ① Acto que se realiza para ayudar a otra persona: *¿puedes hacerme el favor de llevarme a casa?* ② Ayuda, apoyo o privilegio que una autoridad u otra persona con influencia da a alguien: *siempre trata de ganarse el favor del jefe*. ③ Situación de la persona que recibe esa ayuda, apoyo o privilegio: *el artista goza del favor del público*.
a favor de o **en favor de** Para beneficiar a la persona o cosa que se expresa: *vota a favor de nuestro representante*.
a favor de Aprovechando la cosa que se expresa: *nadar a favor de la corriente*.
hacer el favor de + *infinitivo* Se usa para pedir algo, generalmente de forma enérgica: *¡haz el favor de sentarte!*
por favor Fórmula de cortesía para pedir algo: *ven, por favor; ¿me das uno, por favor?*
FAM disfavor.

favorable *adj.* ① Que favorece, ayuda o beneficia: *el resultado es favorable al equipo de casa*. **ANT** desfavorable. ② Se aplica a la persona que muestra buena disposición para hacer algo o para conceder lo que se le pide: *se mostró favorable a cambiar el destino de las vacaciones*. ③ Que implica una mejora o avance: *la evolución del enfermo es favorable*.
FAM desfavorable.

favorecer [16] *v. tr.* ① Proporcionar un beneficio o provecho a alguien o algo: *el buen tiempo favoreció la maduración*. ② Ayudar o apoyar a alguien, especialmente una autoridad o una persona con influencia: *su intervención nos favoreció ante la comisión*. ③ Tratar a una persona mejor que a otra sin valorar sus méritos o lo que es justo: *el árbitro favoreció claramente al equipo visitante*. ④ Hacer que una persona tenga buen aspecto o resulte atractiva: *esos pendientes te favorecen*.
FAM desfavorecer.

favoritismo *s. m.* Tendencia o inclinación a favorecer más a unas personas que a otras sin valorar su mérito o lo que es justo.

favorito, -ta *adj.* ① Que es considerado el mejor o resulta más atractivo que otro: *es una de mis películas favoritas*. ∥ *adj./s. m. y f.* ② Que tiene las mayores posibilidades de vencer en una competición: *el caballo favorito va en cabeza*. ∥ *s. m. y f.* ③ Persona que goza de la confianza o del apoyo de un rey o de una persona con autoridad: *dejó el gobierno en manos de su favorito*.
FAM favoritismo.

fax *s. m.* ① Sistema de comunicación que permite enviar y recibir información gráfica a través de la línea telefónica. ② Aparato conectado a una línea telefónica que sirve para enviar y recibir esa información. ③ Mensaje que se envía o recibe mediante ese sistema.
FAM telefax.

faz *s. f.* ① culto Cara de una persona. **SIN** rostro, semblante. ② culto Superficie de un lugar: *lo buscó por toda la faz de la tierra*.
FAM faceta, facial.

fe *s. f.* ① Confianza o creencia en alguien o algo cuyas cualidades no necesitan ser demostradas: *tiene mucha fe en sus hijos; tenía una fe ciega en él*. ② Virtud teologal del cristianismo que consiste en creer en la palabra de Dios y en la doctrina de la Iglesia: *las virtudes teologales son tres: fe, esperanza y caridad*. ③ Conjunto de creencias y dogmas de una religión o una doctrina política: *la fe católica*. ④ Documento legal con el que se confirma la verdad de un hecho o circunstancia: *fe de bautismo; fe de vida*. ⑤ Intención de una persona al hablar o actuar: *lo hizo de buena fe*.
dar fe Certificar o afirmar la verdad de algo: *doy fe de que cuando ocurrieron los hechos él estaba conmigo*.
fe de erratas Lista que se añade en un libro, al principio o al final, para indicar y corregir los errores de impresión o de otro tipo que se han percibido cuando ya está terminada la impresión.
fe de errores Nota de corrección sobre algún error, como un nombre mal escrito o un dato equivocado, aparecido en el número anterior de un periódico o revista.
FAM fedatario, fehaciente.

fealdad *s. f.* Cualidad de la persona o la cosa feas.

febrero *s. m.* Segundo mes del año: *febrero tiene 28 días, excepto en los años bisiestos, en que tiene 29*.

febrífugo, -ga *s. m./adj.* Sustancia o medicamento que sirve para reducir o eliminar la fiebre. **SIN** antipirético, apirético.

febril *adj.* ① Relativo a la fiebre: *estado febril*. ② Que es muy intenso, apasionado o agitado: *ritmo febril*.

fecal *adj.* Relativo a las heces o los excrementos: *aguas fecales; materia fecal*.

fecha *s. f.* ① Indicación del tiempo y a menudo el lugar en que se hace u ocurre una cosa, especialmente la que figura al principio o al final de una carta o un documento. ② Tiempo en que se hace u ocurre una cosa, que generalmente se determina por el día, mes, año y a veces la hora: *¿en qué fecha es la reunión?*
hasta la fecha Hasta el momento actual.
FAM fechar.

fechar *v. tr.* ① Poner la fecha en un escrito: *no olvides fechar las facturas.* **SIN** datar. ② Determinar la fecha de una cosa, como un objeto, un escrito, un acontecimiento, etc: *los investigadores fecharán los restos arqueológicos con la prueba del carbono 14.* **SIN** datar.
FAM fechador.

fechoría *s. f.* Acción mala de cierta importancia: *fue detenido y acusado de robo y otras fechorías.*

fécula *s. f.* Polisacárido parecido al almidón que se halla en las semillas, tubérculos y raíces de ciertas plantas; se emplea principalmente en la industria alimentaria, en la elaboración de harinas.
FAM feculento.

fecundación *s. f.* Fase de la reproducción sexual de los seres vivos en que se produce la fusión de los gametos masculino y femenino (o células sexuales) que conlleva la formación de un cigoto (huevo u óvulo fecundado) al que cada gameto aporta un número igual de cromosomas: *la fecundación externa es la que tiene lugar fuera del aparato reproductor de la hembra, especialmente en el agua, mientras que la fecundación interna tiene lugar en su aparato reproductor.*
fecundación in vitro Técnica de fecundación asistida en un laboratorio que consiste en fecundar un óvulo fuera del cuerpo de la hembra y reimplantarlo de nuevo en el útero para que continúe su desarrollo normal hasta el parto: *la fecundación in vitro se emplea en casos de esterilidad femenina o masculina.*

fecundar *v. tr.* ① Hacer que un gameto masculino se una a otro femenino para dar origen a un nuevo ser. **SIN** fertilizar. ② Hacer que una hembra quede embarazada o una planta quede en condiciones de reproducirse. **SIN** fertilizar. ③ Hacer fecunda o productiva una cosa: *fecundar la tierra.*
FAM fecundación.

fecundidad *s. f.* ① Capacidad reproductora de un ser vivo. **SIN** fertilidad. ② culto Abundancia de algo: *la fecundidad creadora de un escritor.*

fecundizar *v. tr.* Hacer fecunda o productiva una cosa, especialmente un terreno echándole abono.

fecundo, -da *adj.* ① Se aplica al ser vivo que se reproduce por medios naturales o que es capaz de fecundar: *si el macho es fecundo no será necesario inseminar a la hembra.* **SIN** fértil. ② Se aplica al terreno que produce en abundancia. **SIN** fértil. ③ Que produce o crea gran cantidad de algo: *Eurípides es un poeta fecundo en ideas.* **SIN** fértil.
FAM fecundar, fecundidad, fecundizar.

federación *s. f.* ① Unión o pacto entre personas, grupos sociales o estados para un fin común. **SIN** alianza, confederación. ② Organismo, entidad o estado resultante de este pacto o unión. **SIN** confederación. ③ Estado que está formado por territorios que se gobiernan por leyes propias, aunque se unen en determinadas funciones: *Rusia es una federación compuesta por un gran número de regiones y territorios federados.*
FAM federal, federativo.

federal *adj.* ① Relativo a la federación: *Canadá es un estado federal.* **SIN** federativo. ‖ *adj./s. com.* ② Federalista: *los federales ganaron la guerra de Secesión norteamericana.*
FAM federalismo.

federalismo *s. m.* Sistema político en el que el poder se reparte entre un estado central y sus diferentes partes federadas; intenta evitar un poder central absoluto que absorba todas las funciones.
FAM federalista, federalización.

federalista *adj.* ① Relativo al federalismo. ‖ *adj./s. com.* ② Se aplica a la persona que es partidaria del federalismo. **SIN** federal.
FAM federación.

federarse *v. prnl.* ① Asociarse varias personas, sociedades, organizaciones o estados para formar una federación. ② Inscribirse una persona en una federación.
FAM federación.

federativo, -va *adj.* ① Relativo a la federación. **SIN** federal. ‖ *s. m. y f.* ② Directivo de una federación, especialmente deportiva.

feedback [se pronuncia aproximadamente 'fídbac'] *s. m.* ① Devolución de una señal modificada a su emisor: *el fax da feedback de la recepción de mensajes.* ② Capacidad de un emisor para recoger reacciones de los receptores y modificar su mensaje, de acuerdo con lo recogido: *el feedback es fundamental para dirigir una política aceptable por los ciudadanos.* ③ Proceso de un sistema que es mantenido por uno de sus productos finales. **SIN** retroalimentación.

fehaciente *adj.* Que prueba o demuestra algo de forma clara e indudable: *su huida no es prueba fehaciente de su culpabilidad.*

feldespato *s. m.* Mineral compuesto de silicatos de aluminio, de gran dureza y brillo nacarado, que es el mineral más abundante de la corteza terrestre y se emplea en la fabricación de vidrio y cerámica.

felicidad *s. f.* ① Estado de ánimo de la persona que se encuentra plenamente satisfecha al tener lo que desea o disfrutar de una cosa buena: *hay que aprovechar los momentos de felicidad.* **SIN** dicha. **ANT** infelicidad. ② Persona, cosa, hecho o situación que causa ese sentimiento: *jamás había imaginado una felicidad tan grande para él.* **SIN** dicha.

felicitación *s. f.* ① Expresión de la alegría y satisfacción que se siente por una cosa agradable o feliz que le ha ocurrido a otra persona. ② Escrito o tarjeta con los que se felicita a esa persona: *felicitaciones de Navidad.*

felicitar *v. tr.* ① Manifestar a una persona la alegría y satisfacción que se siente por una cosa agradable o feliz que le ha ocurrido: *quiero felicitarte por el nacimiento de tu hijo.* ② Manifestar a una persona el deseo de que sea feliz, especialmente en una fecha determinada, como el cumpleaños o un aniversario: *felicitar a los novios.* ‖ *v. prnl.* ③ **felicitarse** Alegrarse o mostrar alegría y satisfacción por un acontecimiento agradable o feliz: *al terminar un trabajo tan difícil no pudo menos que felicitarse.*
FAM felicitación.

félido, -da *adj./s. m.* ① Se aplica al mamífero carnívoro de cabeza redondeada, hocico corto y ancho, lengua escamosa y uñas retráctiles, como el gato y el león. **SIN** felino. ‖ *s. m. pl.* ② **félidos** Grupo taxonómico, con categoría de familia, constituido por estos mamíferos. **SIN** felinos.

feligrés, -gresa *s. m. y f.* ① Persona que pertenece a una parroquia determinada. **SIN** parroquiano. ② familiar Persona que frecuenta un establecimiento, en especial un bar. **SIN** parroquiano.
FAM feligresía.

felino, -na *adj.* ① Relativo al gato. ② Que tiene alguna característica propia del gato o que se atribuye a este animal: *habilidad felina; ojos felinos.* ③ V. félido.

feliz *adj.* ① Que siente o tiene felicidad o satisfacción: *me* *siento muy feliz de estar entre vosotros.* **2** Que causa felicidad o satisfacción: *he recibido la feliz noticia de tu llegada.* **3** Que es acertado o adecuado: *tuvo la feliz idea de venir a verme.* **FAM** felicidad, felicitar; infeliz.

felógeno *s. m.* Tejido localizado en la periferia del tallo y la raíz que contribuye al crecimiento en espesor de la planta.

felón, -lona *adj./s. m. y f.* culto Se aplica a la persona que comete felonía. **FAM** felonía.

felonía *s. f.* culto Traición o acción desleal.

felpa *s. f.* **1** Tejido absorbente, generalmente de algodón, con el que se confeccionan toallas, albornoces y trapos de limpieza. **2** Tejido de seda, lana o fibra sintética, parecido al terciopelo pero de pelo más largo y brillante, que se usa principalmente en la confección de prendas de abrigo y de muñecos de peluche: *un abrigo forrado de felpa.* **FAM** afelpar.

felpudo *s. m.* Pequeña alfombra para limpiarse las suelas de los zapatos que es de material áspero y se coloca ante la puerta de la entrada de una casa.

femenino, -na *adj.* **1** Se aplica al ser vivo que posee órganos para ser fecundado: *las flores femeninas son fecundadas por el polen que depositan en ellas los insectos o el viento.* **2** Relativo a estos seres vivos: *la célula sexual femenina de los animales se llama óvulo.* **3** Relativo a la mujer: *institución femenina.* **4** Que es propio de la mujer: *ademanes femeninos; tiene un andar muy femenino.* **adj./s. m.** **5** Se aplica al género de los sustantivos que significan personas o animales de sexo femenino, y al de ciertos sustantivos que significan cosas, así como a adjetivos, determinantes y pronombres que concuerdan con ellos: *la "a" es la desinencia o terminación habitual del género femenino.* **FAM** femineidad, feminidad, feminizarse.

fémina *s. f.* culto Mujer. **FAM** femenino, feminismo; afeminar.

feminidad o **femineidad** *s. f.* **1** Conjunto de características que se consideran propias de la mujer o de lo que es femenino. **ANT** masculino. **2** Cualidad del ser vivo femenino.

feminismo *s. m.* **1** Doctrina y movimiento social que defiende la igualdad de derechos para el hombre y la mujer: *el feminismo surgió a finales del siglo XVIII.* **2** Actitud propia de la persona que defiende esta doctrina. **FAM** feminista.

feminista *adj.* **1** Relativo al feminismo. **adj./s. com.** **2** Se aplica a la persona que es partidaria del feminismo. **FAM** antifeminista.

femoral *adj.* Relativo al fémur: *arteria femoral.*

fémur *s. m.* Hueso del muslo, articulado con la cintura pélvica por su extremo superior y con la tibia y el peroné por su extremo inferior. **FAM** femoral.

fenecer [16] *v. intr.* culto Morir. **SIN** expirar, finar.

fenicio, -cia *adj.* **1** De Fenicia (antiguo país asiático que se extendía por parte de la costa de los actuales Siria, Líbano y Palestina). **s. m. y f./adj.** **2** Persona que era de Fenicia: *los fenicios, pueblo de origen semítico, fundaron numerosas colonias y factorías en todo el Mediterráneo.* **s. m./adj.** **3** Lengua semítica hablada por los fenicios, de cuya escritura se derivan todas las escrituras occidentales. **adj./s. m. y f.** **4** familiar Se aplica a la persona a la que le gusta hacer negocios.

fénix *s. m.* **1** Ave fabulosa, semejante a un águila, que según los antiguos, era única en su especie, moría quemándose y renacía de sus cenizas. **2** Persona o cosa exquisita o única en su especie por su genialidad. **OBS** Plural invariable.

fenol *s. m.* Compuesto orgánico fundamental que se extrae por destilación del alquitrán de hulla, utilizado como desinfectante y en la obtención de resinas, como la baquelita.

fenolftaleína *s. f.* Sustancia orgánica que actúa como indicador de la acidez en las reacciones ácido-base.

fenomenal *adj.* **1** Que es muy grande, muy fuerte o muy intenso: *un edificio fenomenal; se dio un fenomenal golpe en la cabeza.* **2** Que destaca por sus buenas cualidades: *una persona fenomenal.* **SIN** extraordinario, formidable. **adv.** **3** Muy bien. **SIN** fenómeno.

fenómeno *s. m.* **1** Manifestación de una actividad que se produce en la naturaleza: *las lluvias, la nieve y el granizo son fenómenos atmosféricos.* **2** Acontecimiento, suceso o cualidad que puede percibirse a través de los sentidos o a través del intelecto: *fenómenos paranormales; el deporte es el fenómeno social más importante de nuestro tiempo.* **adj./s. com.** **3** Se aplica a la persona que destaca por sus buenas cualidades: *es un fenómeno tocando la guitarra; estas chicas son unas fenómenos.* **s. m.** **4** Persona o animal deformes. **adv.** **5** familiar Muy bien: *pasarlo fenómeno.* **SIN** fenomenal. **FAM** fenomenal, fenomenología.

fenomenología *s. f.* **1** Escuela filosófica que por el análisis de los fenómenos observables da una explicación del ser y de la consciencia: *la fenomenología es el marco teórico en que se desarrolla la filosofía de Hegel.* **2** Conjunto de fenómenos que caracterizan un proceso u otra cosa. **FAM** fenomenológico.

fenotipo *s. m.* Conjunto de caracteres observables en un ser vivo en que se expresa un genotipo.

feo, fea *adj.* **1** Que carece de belleza y causa una impresión desagradable a los sentidos: *se ha dejado la barba y está muy feo; me han regalado una corbata muy fea.* **ANT** bello, bonito. **2** Se aplica a la acción que se considera mala o que va en contra de la moral o la justicia: *robar es muy feo.* **3** Que parece malo o poco favorable: *el asunto se está poniendo feo.* **s. m.** **4** Desaire o desprecio hacia una persona: *hacer un feo.*

bailar con la más fea familiar Tener que asumir la parte más ingrata o desagradable de un asunto. **FAM** fealdad; afear.

feraz *adj.* culto Que es muy fértil: *una feraz llanura.* **FAM** feracidad.

féretro *s. m.* Caja, generalmente de madera, en la que se deposita el cadáver que se va a enterrar. **SIN** ataúd.

feria *s. f.* **1** Mercado que se celebra en un lugar público y en determinadas fechas para comprar y vender todo tipo de productos, especialmente agrícolas y ganaderos. **2** Instalación en la que se exhiben cada cierto tiempo productos de un determinado ramo industrial o comercial para su promoción y venta. **3** Fiesta popular que se celebra en una localidad cada año en las mismas fechas. **4** Lugar donde se montan las instalaciones recreativas y los puestos de venta con ocasión de estas fiestas. **SIN** ferial. **5** MÉX. Dinero suelto, cambio. **FAM** ferial, feriar.

feriado *adj./s. m.* ARG., CUBA, URUG. Se aplica al día que es no laborable por celebrarse alguna festividad: *los feriados suelen rememorar fechas históricas importantes.*

ferial *adj.* ① Relativo a la feria. ‖ *s. m.* ② Feria (lugar).

feriar *v. tr.* Comprar algo en una feria.
FAM feriante.
OBS Verbo regular, se acentúa como *cambiar*.

fermentación *s. f.* Proceso de respiración celular propio de organismos anaerobios en el que se rompen moléculas de monosacáridos, característico de ciertas bacterias y de las levaduras: *los procesos de fermentación se vienen utilizando desde antaño para elaborar pan, queso, yogur, vino y cerveza.*

fermentar *v. intr.* Transformarse químicamente una sustancia orgánica en otra, generalmente más simple, a partir de la acción de un fermento.
FAM fermentación.

fermento *s. m.* ① Sustancia orgánica soluble en agua que provoca la fermentación de otra sustancia. ② Cosa que es el origen o estímulo de otra.
FAM fermentar.

fermi *s. m.* Unidad de longitud utilizada en física nuclear, equivalente a 10^{-15} metros.

fermio *s. m.* Elemento químico de símbolo *Fm* y número atómico 100; es un metal radiactivo sólido que se obtiene artificialmente en un reactor nuclear bombardeando plutonio con neutrones y en un ciclotrón bombardeando uranio 238 con iones nitrógeno.

ferocidad *s. f.* Crueldad o agresividad propias de ciertos animales y que también manifiestan ciertas personas o cosas en sus acciones: *el volcán estalló con ferocidad.* **SIN** fiereza.

feromona *s. m.* Sustancia química de composición variable que, al ser segregada por un animal, influye en el comportamiento de otros de la misma especie: *las feromonas sirven para atraer a los individuos de sexo opuesto o para marcar el territorio.*

feroz *adj.* ① Se aplica al animal que ataca con mucha agresividad y furia: *lobo feroz; tigre feroz.* ② Que manifiesta o denota crueldad o agresividad: *una lucha feroz.* ③ familiar Que es muy grande o intenso: *hambre feroz.*
FAM ferocidad.

férreo, -rrea *adj.* ① Que es de hierro o está compuesto de hierro: *estructura férrea; materiales férreos.* ② Que es muy duro, firme o tenaz: *voluntad férrea.* ③ Relativo al ferrocarril: *línea férrea.*
FAM ferretero, ferroso.

ferretería *s. f.* Establecimiento en el que se venden herramientas y otros objetos y utensilios de metal, como clavos, tornillos, alambre, cerraduras, etc.

ferretero, -ra *s. m. y f.* Persona que trabaja en una ferretería como dependiente, o que es propietaria de ella.
FAM ferretería.

férrico, -ca *adj.* Se aplica al compuesto de hierro en el que este elemento tiene una valencia superior a dos.

ferrita *s. f.* Modificación alotrópica del hierro puro o con elementos en disolución (carbono y otros elementos normales en aceros y fundiciones) que presenta una estructura cúbica; se emplea principalmente en electrónica por sus propiedades magnéticas y su gran resistividad eléctrica.

ferrocarril *s. m.* ① Medio de transporte que consiste en una serie de vagones arrastrados por una locomotora y que circulan por raíles. **SIN** tren. ② Conjunto de instalaciones, equipos, vehículos y empleados que hacen funcionar ese medio de transporte.
FAM ferrocarrilero.

ferrocarrilero, -ra *adj.* AMÉR. Ferroviario.

ferromagnético, -ca *adj.* Se aplica al mineral, como el hierro o el níquel, que tiene un gran poder magnético.

ferroso, -sa *adj.* ① Que es de hierro o que lo contiene. ② Se aplica al compuesto químico que está combinado con el hierro en proporción mínima.

ferroviario, -ria *adj.* ① Relativo al ferrocarril: *la red ferroviaria.* ‖ *s. m. y f.* ② Persona que trabaja en una estación de ferrocarril o que conduce un tren.

ferruginoso, -sa *adj.* Que contiene hierro o compuestos de hierro: *aguas ferruginosas.*

ferry *s. m.* Embarcación de gran tamaño destinada al transporte de pasajeros, vehículos y cargas pesadas que realiza alternativamente el mismo recorrido entre dos puntos, generalmente entre las orillas de un río o canal. **SIN** transbordador.
OBS Plural: *ferrys* o *ferries.*

fértil *adj.* ① Se aplica al ser vivo que se reproduce por medios naturales o que es capaz de fecundar: *una yegua fértil.* **SIN** fecundo. ② Se aplica al terreno que se produce en abundancia: *tierras fértiles.* **SIN** fecundo. ③ Que produce o crea gran cantidad de alguna cosa. **SIN** fecundo.
FAM fertilidad, fertilizar.

fertilidad *s. f.* ① Capacidad reproductora de un ser vivo: *las diosas de la fertilidad se caracterizaban por sus marcados atributos sexuales.* **SIN** fecundidad. ② Cualidad de lo que es fértil: *la fertilidad de un terreno.*

fertilizante *s. m.* Producto o sustancia natural o sintético que sirve para fertilizar la tierra: *los excrementos son fertilizantes naturales.*

fertilizar *v. tr.* ① Hacer fértil o más fértil la tierra incorporándole sustancias que mejoran su calidad y facilitan el crecimiento de las plantas. ② Hacer que un gameto masculino se una a otro femenino para dar origen a un nuevo ser. **SIN** fecundar. ③ Hacer que una hembra quede embarazada o una planta quede en condiciones de reproducirse. **SIN** fecundar.
FAM fertilización, fertilizante.

férula *s. f.* ① Tablilla flexible y resistente que se emplea en el tratamiento de las fracturas para mantener inmóvil el hueso roto o fisurado. ② Dominio de una persona sobre otra: *estaba bajo la férula de un desaprensivo.*

ferviente *adj.* Fervoroso: *un ferviente admirador.*

fervor *s. m.* Entusiasmo, dedicación y respeto con que se hace algo; especialmente los que se ponen en el cumplimiento de los deberes religiosos: *se entrega a su trabajo con fervor; todos rezaban con gran fervor.*
FAM ferviente, fervoroso; enfervorizar.

fervoroso, -sa *adj.* ① Se aplica a la persona que muestra fervor: *es un fervoroso defensor del movimiento ecologista.* **SIN** ferviente. ② Que denota o implica fervor: *un fervoroso grito de libertad.* **SIN** ferviente.

festejar *v. tr.* ① Celebrar o conmemorar algo con una fiesta: *festejar un aniversario; festejar la llegada del invierno.* ② Hacer una fiesta en honor o alabanza de alguien: *festejaron al gran escritor cuando volvió del exilio.* ‖ *v. intr.* ③ Tener una relación de noviazgo con otra persona: *festejaron un año antes de casarse.* ‖ *v. tr.* ④ Hacer la corte una persona a otra para enamorarla o seducirla. **SIN** cortejar. ⑤ MÉX. Azotar.

festejo *s. m.* ① Fiesta que se realiza para celebrar un acontecimiento o para honrar a alguien: *tras el festejo nupcial la novia*

se dirige a casa del novio. **2** Corrida de toros. **3** Acción de festejar: *llevaban un año de festejo cuando riñeron.* **‖** *s. m. pl.* **4** **festejos** Conjunto de actos de diversión o recreo que se celebran en unas fiestas populares: *programa de festejos.*
FAM festejar.

festín *s. m.* Comida abundante y generosa: *compraron dulces y se dieron un festín en su casa.* **SIN** banquete.

festinar *v. tr.* AMÉR. Apresurar o precipitar la realización de una cosa: *decidieron festinar el partido de fútbol antes de que empezara a llover.*

festival *s. m.* **1** Conjunto de actuaciones o representaciones dedicadas a un arte o a un artista, a veces con carácter de competición, que se realiza en un periodo determinado del año: *festival de cine de San Sebastián; festival de música de Benidorm.* **2** Fiesta en la que se realizan diversos actos para entretener a los asistentes: *festival de fin de curso.* **3** Acto que se convierte en un gran espectáculo: *el partido ha sido un festival de goles.*

festividad *s. f.* **1** Día en que se celebra una fiesta, especialmente el fijado por la Iglesia católica para conmemorar un santo o un hecho sagrado: *festividad de San Juan.* **2** Fiesta o acto solemne con que se celebra algo.

festivo, -va *adj./s. m.* **1** Se aplica al día que no es laborable por ser fiesta oficial o eclesiástica. **‖** *adj.* **2** Que es alegre y bullicioso, propio de una fiesta: *ambiente festivo.* **3** Relativo a la fiesta: *programa festivo.*
FAM festividad.

festón *s. m.* **1** Adorno bordado que consiste en hacer puntadas muy juntas en el borde de una tela de modo que formen un nudo en la parte exterior y que pueda recortarse la tela sobrante sin que se deshile. **2** Adorno bordado en forma de ondas o de puntas que se hace en el borde de una tela o una prenda de vestir: *las mangas de la blusa estaban rematadas con festones.* **3** Adorno arquitectónico que consiste en una tira o guirnalda de flores, frutas u hojas formando una curva suspendida de dos puntos.
FAM festoneado; afestonado.

fetal *adj.* Relativo al feto: *la posición fetal es la que adopta el feto en el vientre de la madre.*

fetén *adj.* **1** familiar Estupendo o excelente: *un tío fetén.* **‖** *adv.* **2** familiar Fenomenal: *pasarlo fetén.*

fetiche *s. m.* **1** Objeto o ídolo al que se atribuyen cualidades mágicas o sobrenaturales y al que se adora y rinde culto, generalmente en civilizaciones primitivas. **2** Objeto al que se atribuye la capacidad de dar buena suerte al que lo lleva.
FAM fetichismo.

fetichismo *s. m.* **1** Culto y adoración a los fetiches: *muchas culturas primitivas practican el fetichismo.* **2** Admiración excesiva hacia una persona o una cosa a la que se atribuyen virtudes extraordinarias. **3** Conducta sexual de la persona que se excita manipulando objetos (especialmente prendas de vestir) o contemplando y tocando partes no sexuales del cuerpo de la persona amada; cuando es obsesivo y excluye otras actividades se considera una desviación sexual.
FAM fetichista.

fetichista *adj.* **1** Relativo al fetichismo: *veneración fetichista.* **‖** *adj./s. com.* **2** Se aplica a la persona que rinde culto a fetiches: *civilización fetichista.* **3** Se aplica a la persona que admira excesivamente a personas o cosas a las que atribuye virtudes extraordinarias. **4** Se aplica a la persona que se excita

con objetos o partes no sexuales del cuerpo de la persona amada.

fetidez *s. f.* culto Olor intenso y muy desagradable: *la fetidez de las aguas residuales.* **SIN** hediondez, hedor.

fétido, -da *adj.* Que despide un olor intenso y muy desagradable: *aguas fétidas.* **SIN** hediondo.
FAM fetidez.

feto *s. m.* **1** Embrión de los mamíferos desde que adquiere la forma característica de su especie hasta el momento del parto. **2** Animal mamífero que ha muerto antes de nacer. **3** fam. desp. Persona muy fea.
FAM fetal.

feudal *adj.* Relativo al feudalismo o al feudo.
FAM feudalismo, feudalización.

feudalismo *s. m.* **1** Sistema de gobierno y de organización económica y social propio de la Edad Media, basado en el feudo o contrato por el que un soberano o gran señor cedía a un noble una tierra o un derecho a cambio de su fidelidad. **2** Periodo de la Edad Media (especialmente del siglo IX al siglo XV) en que estuvo vigente este sistema.

feudo *s. m.* **1** Contrato o relación que se establecía entre un soberano o gran señor y un noble, por el que el primero cedía al segundo (que se convertía en su vasallo) tierras o derechos de explotación, y prometía protegerle, a cambio de la fidelidad del noble y de algunos servicios políticos y militares. **2** Tierra, bien o derecho concedidos por el rey o gran señor a su vasallo. **3** Propiedad, zona o parcela en las que se ejerce una influencia o un poder exclusivos: *esta región se ha convertido en el feudo del partido centrista.*
FAM feudal, feudatario; enfeudar.

fez *s. m.* Gorro de fieltro rojo en forma de cubilete invertido y con una borla que cuelga en la parte superior, que se usa en países como Turquía, Egipto y Marruecos.

fi *s. f.* Nombre de la vigésima primera letra del alfabeto griego; se escribe Φ/φ y se transcribe como f o ph. **SIN** phi.

fiabilidad *s. f.* Cualidad de la persona o cosa fiables.

fiable *adj.* **1** Se aplica a la persona que inspira confianza o es digna de ella. **2** Que inspira seguridad: *los últimos datos tomados no son fiables.*
FAM fiabilidad.

fiador, -ra *s. m. y f.* **1** Persona que responde por otra en el caso de que esta no cumpla la obligación de pago que ha contraído. **2** Persona que vende sin exigir que se pague al contado. **‖** *s. m.* **3** Pieza que sirve para sujetar o asegurar una cosa, como el pasador de una puerta o el seguro del gatillo de un arma: *cuando está sola en casa siempre pasa el fiador.*

fiambre *s. m.* **1** Carne preparada para que se conserve mucho tiempo que se come fría y generalmente cortada en rodajas; puede estar picada y embuchada y ser tanto de vísceras como de músculo de cerdo, ternera, ave o jabalí: *de entrante nos sirvieron un surtido de fiambres.* **2** familiar Cadáver de una persona.

fiambrera *s. f.* Recipiente con una tapa bien ajustada o hermética que sirve para conservar o llevar comida, en especial cocinada.

fianza *s. f.* **1** Cantidad de dinero u objeto de valor que se da para asegurar el cumplimiento de un pago u otra obligación: *para alquilar un piso hay que pagar un mes de fianza.* **SIN** garantía. **2** Obligación de hacer lo que corresponde a otra persona en el caso de que esta no lo cumpla.
FAM afianzar.

fiar v. tr. **1** Vender una cosa a alguien sin exigir que pague en el momento en que hace la compra: *en el colmado del barrio nos fían las compras.* **2** Garantizar una persona que otra cumplirá la obligación que ha contraído, comprometiéndose a cumplirla si no responde. **3** Confiar un secreto o una cosa material a alguien: *fiar un secreto; le ha fiado todos sus bienes hasta que vuelva del extranjero.* ‖ v. prnl. **4** **fiarse** Tener confianza en una persona o una cosa: *fiarse de los amigos.* **SIN** confiar.

de fiar Que es digno de confianza: *ya podía imaginar que esa gentuza no era de fiar.*

FAM fiable, fiador.

OBS Verbo regular, se acentúa como *desviar.*

fiasco s. m. Desengaño o gran decepción que causa un suceso adverso o contrario a lo que se esperaba: *fiasco electoral.* **SIN** fracaso.

fibra s. f. **1** Filamento que constituye el tejido orgánico, animal o vegetal, o textura que presentan algunos productos químicos y minerales, como el amianto. ■ **fibra de vidrio** Filamento de vidrio muy fino que se emplea en la fabricación de materiales aislantes, fibra óptica y en la industria textil. ■ **fibra muscular** Célula alargada y con uno o varios núcleos que constituye el tejido muscular y permite su contracción: *la fibra muscular es el elemento básico del músculo.* ■ **fibra nerviosa** Prolongación alargada de las neuronas que está constituida por el axón y su vaina envolvente, por donde se transmite el impulso nervioso. ■ **fibra óptica** Filamento de vidrio o sílice que transmite impulsos luminosos de uno a otro de sus extremos; permite la transmisión de comunicaciones telefónicas, de televisión, etc., a gran velocidad y distancia. **2** Filamento flexible que se emplea para confeccionar los tejidos; puede ser natural (como el algodón o la lana), artificial (como el rayón) o sintético (como el poliéster). **NOTA** También *fibra textil.* **3** Parte de los alimentos vegetales que no es digerible por el organismo pero que favorece que este aumente la secreción biliar y obstaculice la absorción de colesterol y de sustancias tóxicas: *la fibra abunda en las frutas, las verduras, los frutos secos y las legumbres.* **NOTA** También *fibra vegetal.* **4** Vigor o energía para actuar.

tocar la fibra (sensible) Emocionar o conmover a alguien. **FAM** fibrilar, fibroma, fibroso.

fibrilar adj. Relativo a la fibra: *rotura fibrilar.*

fibrina s. f. Proteína insoluble que constituye la parte fibrosa de los coágulos de la sangre y que se forma a partir del fibrinógeno.

fibrinógeno s. m. Proteína fibrosa y soluble del plasma sanguíneo, que es sintetizada por ciertas células del hígado y a partir de la cual se obtiene la fibrina.

fibrocemento s. m. Compuesto de cemento y polvo de amianto.

OBS Es marca registrada.

fibroso, -sa adj. **1** Que está constituido por fibras o filamentos: *tejido muscular fibroso.* **2** Que es semejante a la textura de la fibra: *tiene un aspecto fibroso.* **3** Que contiene mucha fibra vegetal: *alimentos fibrosos.*

fíbula s. f. Hebilla o broche de hierro, bronce o algún metal precioso que se usaba a modo de imperdible para sujetar las prendas de vestir.

ficción s. f. **1** Cosa, hecho o suceso inventado o imaginado: *su dolor de cabeza era pura ficción.* **2** Conjunto de acontecimientos y seres que forman parte de la imaginación: *criaturas de ficción; era incapaz de distinguir la ficción de la realidad.* **3** Género literario que narra sucesos o historias inventados: *literatura de ficción.*

FAM ficcional.

ficha s. f. **1** Pieza de plástico, madera u otro material a la que se le asigna un valor convencional; se usa principalmente en juegos de mesa, como las damas, el dominó o el parchís, y en ciertos juegos de azar, con valor de moneda. **2** Pedazo de papel, plástico u otro material donde se consignan datos, normalmente identificativos o informativos de una persona o de una cosa, para catalogarlo, clasificarlo o archivarlo junto con otros del mismo tipo: *la ficha de un libro de biblioteca.* **3** Informe o conjunto de datos identificativos o que se poseen sobre una persona o una cosa: *ficha judicial; ficha policial; la ficha técnica de un jugador.* **4** Cartulina u hoja con ejercicios o información de tipo escolar: *fichas de repaso.* **5** Fichaje o contrato de un jugador. **6** Cantidad de dinero que se paga anualmente a un deportista además de su sueldo.

FAM fichar, fichero.

fichaje s. m. **1** Contrato que realiza una empresa o club deportivo a alguien: *están tramitando el fichaje del delantero.* **2** Persona que entra a formar parte de una empresa o de un club deportivo: *el último fichaje parece estar muy contento entre sus compañeros.*

fichar v. tr. **1** Anotar en una ficha los datos identificativos de una persona o una cosa. **2** *familiar* Poner a una persona entre las que no inspiran confianza y someterla, especialmente la policía, a vigilancia. **3** Contratar una empresa o un club deportivo a alguien: *hemos fichado a un jugador danés.* ‖ v. intr. **4** Entrar a formar parte de la plantilla de una empresa o de un club deportivo: *va a fichar por un equipo extranjero.* **5** Marcar en una ficha la hora de entrada y salida del trabajo.

FAM fichaje.

fichero s. m. **1** Conjunto de fichas ordenadas. **2** Mueble o lugar que sirve para guardar fichas de modo ordenado. **3** Conjunto de información organizado y grabado como una unidad en un soporte informático de almacenamiento (disco duro del ordenador, un CD, etc.). **NOTA** También *fichero electrónico.* **SIN** archivo.

ficticio, -cia adj. **1** Que es falso o fingido: *amabilidad ficticia.* **2** Que es inventado o solo existe en la ficción: *el unicornio es un ser ficticio; vive en un mundo ficticio.*

ficus s. m. Árbol de origen tropical, de hojas grandes, fuertes y ovaladas, característico de zonas cálidas.

OBS Plural invariable.

fidedigno, -na adj. Que es digno de fe o de confianza: *la noticia ha llegado de fuentes fidedignas.*

fideicomiso s. m. Disposición por la cual una persona deja su herencia o parte de ella encomendada a otra para que, en situación y periodo de tiempo determinados, la transmita a otra o la invierta del modo que se le indica: *ha heredado una propiedad en fideicomiso hasta que sus hijos sean mayores de edad.*

fidelidad s. f. **1** Firmeza y constancia en los afectos, ideas y obligaciones: *los enamorados prometen guardarse fidelidad.* **SIN** lealtad. **2** Exactitud o conformidad con la veracidad de los hechos: *el testigo relató el suceso con la mayor fidelidad posible.* **3** Precisión en la ejecución de una cosa: *el pintor reprodujo el paisaje con fidelidad.* ■ **alta fidelidad** Grabación y reproducción de señales acústicas con poca o nula distorsión: *un equipo de música de alta fidelidad.*

FAM infidelidad.

fidelísimo, -ma adj. Superlativo de *fiel.*

fidelización *s. f.* Acción de lograr la fidelidad de un cliente a través del buen trato, ofertas, regalos o descuentos. **FAM** fidelizar.

fideo *s. m.* **1** Pasta italiana que tiene forma de hilo corto y es de grosor variable: *sopa de fideos.* **NOTA** Normalmente en plural. **2** familiar Persona que está muy delgada. **SIN** palillo.

fideuá *s. f.* Plato cuyo ingrediente principal son los fideos, que se cocinan en una paella con otros ingredientes como pescado, marisco, etc.; es un plato típico del mediterráneo español.

fiebre *s. f.* **1** Aumento de la temperatura del cuerpo por encima de lo normal, acompañado generalmente de un aumento del ritmo cardíaco y respiratorio, que es síntoma de ciertas enfermedades: *las infecciones provocan fiebre.* **SIN** calentura. **2** Enfermedad infecciosa cuyo síntoma principal es la fiebre. **NOTA** También en plural con el mismo significado que en singular. ■ **fiebre aftosa** Enfermedad infecciosa de origen vírico que afecta al ganado y se caracteriza por la aparición de pequeñas ampollas cutáneas en la boca y entre las pezuñas. **SIN** glosopeda. ■ **fiebre amarilla** Enfermedad infecciosa de origen vírico que afecta a las personas y que se transmite por la picadura de un mosquito; la piel adquiere un tono amarillo a causa de la ictericia. ■ **fiebre de Malta** Enfermedad infecciosa del ganado caprino, vacuno y porcino que se transmite al hombre por la ingestión de sus productos, en especial los derivados lácteos; es de larga duración y se caracteriza por fiebres altas, cambios bruscos de temperatura y abundantes sudores. **SIN** brucelosis. ■ **fiebre del heno** Alergia característica de la primavera y el verano que se produce por la inhalación del polen de algunas plantas y que provoca congestión e irritación en los ojos y las mucosas nasales. ■ **fiebre tifoidea** Enfermedad infecciosa intestinal causada por un microbio que provoca la ulceración de los intestinos y fiebres altas y prolongadas: *la fiebre tifoidea se contagia con facilidad.* **3** Actividad que se lleva a cabo con gran excitación: *fiebre del oro; fiebre de las rebajas.* **FAM** enfebrecido.

fiel[1] *adj.* **1** Se aplica a la persona que es firme y constante en sus afectos, ideas y obligaciones: *los amigos fieles son los que nunca te abandonan.* ‖ *adj./s. com.* **2** Se aplica a la persona que cree firmemente en una doctrina, en especial religiosa: *los fieles de una iglesia.* ‖ *adj.* **3** Se aplica al animal doméstico que muestra apego y sumisión a su dueño. **4** Que es exacto o conforme a la verdad: *un relato fiel a los hechos.* **5** Que cumple de forma exacta su función: *memoria fiel.* **SIN** preciso. **FAM** infiel. **OBS** Superlativo irregular: *fidelísimo.*

fiel[2] *s. m.* Aguja que marca el peso en una balanza.

fieltro *s. m.* Tela hecha de borra, lana o pelo prensados y sin tejer que se usa en la confección de prendas de vestir, en especial de sombreros.

fiera *s. f.* **1** Animal salvaje, especialmente el mamífero que se alimenta de otros animales a los que ataca con ferocidad. **2** Persona de carácter violento.

hecho una fiera o **como una fiera** familiar Muy irritado o encolerizado: *estar hecho una fiera.*

ser un (o una) fiera familiar Destacar en una actividad determinada: *es una fiera en programación, sabe más que su profesor.*

fiereza *s. f.* Crueldad o agresividad propias de ciertos animales y que también manifiestan ciertas personas o cosas en sus acciones. **SIN** ferocidad.

fiero, -ra *adj.* **1** Relativo a las fieras. **2** Se aplica al animal o la persona que muestran fiereza: *el perro guardián suele ser fiero.* **SIN** feroz. **3** Que denota o implica fiereza: *una mirada fiera.* **SIN** feroz. **4** Se aplica al sentimiento que es muy intenso y generalmente molesto o negativo: *celos fieros; rabia fiera.* **FAM** fiera, fiereza.

fierro *s. m.* AMÉR. Varilla metálica con la marca de una hacienda que se utiliza candente para identificar el ganado: *encendieron el fuego para los fierros.*

fiesta *s. f.* **1** Reunión de varias personas para celebrar un acontecimiento o para divertirse, en la que se suele bailar, comer, etc: *montaremos una fiesta sorpresa para su cumpleaños.* **2** Día en que se celebra una conmemoración religiosa o civil y que es oficialmente no laborable: *el 1 de mayo es la fiesta del trabajo.* **3** Día en que la Iglesia católica celebra la memoria de un santo o de un acontecimiento religioso: *el 12 de octubre es la fiesta de la virgen del Pilar.* ■ **fiesta de guardar** o **fiesta de precepto** Día en que la Iglesia católica dispone ir a misa y que no se trabaje: *es obligatorio oír misa todos los domingos y demás fiestas de guardar.* **4** Día o conjunto de días en que se conmemora algo y se preparan actividades de entretenimiento, recreativas o festivas, para que el público se divierta: *las fiestas de mi pueblo son en agosto.* **NOTA** También en plural con el mismo significado que en singular. **5** Muestra de afecto o de alegría: *el perro le hace fiestas a su amo.* **NOTA** Más en plural con el mismo significado que en singular. ‖ *s. f. pl.* **6 fiestas** Periodo festivo en que se conmemora algo, especialmente la Navidad o la Pascua, y en que suele haber vacaciones escolares: *la resolución se ha dejado para después de las fiestas.*

aguar la fiesta familiar Estropear una diversión o un momento de alegría: *vino de mal humor y nos aguó la fiesta.*

guardar (o santificar) las fiestas Ocupar un día de fiesta en actos religiosos y no trabajar.

tener la fiesta en paz Se usa para indicar que una discusión debe terminar antes de que provoque el enfado de las personas que intervienen: *no hablemos más del tema y tengamos la fiesta en paz.*

figura *s. f.* **1** Forma o aspecto exterior de un cuerpo: *un objeto de figura cuadrada; esta chica mantiene una figura estupenda.* **2** Representación dibujada o gráfica de un cuerpo: *dibujó la figura de un perro.* **3** Espacio geométrico delimitado por líneas o planos: *la esfera es una figura del espacio, en tres dimensiones; el triángulo es una figura del plano, con dos dimensiones.* ■ **figuras homotéticas** Figuras semejantes, transformadas por una homotecia. ■ **figuras semejantes** Figuras con la misma forma, pero con distinto tamaño. ■ **figuras simétricas** Figuras que se transforman la una en la otra mediante una simetría. **4** Representación gráfica que ilustra en un texto cierto concepto que se cita en él. **5** Pieza del ajedrez y de otros juegos de mesa que tiene forma humana, animal o de cosa. **6** Naipe de una baraja que representa a una persona: *las figuras de la baraja española son el rey, el caballo y la sota.* **7** Cosa que simboliza o representa otra: *la figura de la paz es una paloma blanca con una ramita de olivo en el pico.* **8** Signo musical que representa la duración de cada sonido: *la corchea, la negra y la blanca son figuras.* **9** Alteración del sentido de una palabra, una frase o de la estructura del discurso que se realiza con una finalidad expresiva o estética: *se utilizan figuras en el lenguaje cotidiano, en los medios de comunicación, la literatura y cualquier otro medio de expresión lingüística.* **NOTA**

También *figura retórica.* ■ **figura de construcción** Figura retórica que afecta al orden de los elementos en el discurso, como la aposición, la aliteración y el hipérbaton. ■ **figura de dicción** Figura retórica que consiste en la alteración de una palabra por adición, supresión o cambio de lugar de un sonido: *la apócope, la elipsis y la aféresis son figuras de dicción.* SIN metaplasmo. ■ **figura de pensamiento** Figura retórica que no depende de la forma del discurso, sino de su contenido, y consiste principalmente en organizar dicho contenido de una manera especial, con una finalidad expresiva o estética: *la hipérbole, la ironía y la perífrasis son figuras de pensamiento.* ■ **figura estilística** Figura que tiene una finalidad estética y se usa principalmente en literatura: *los poetas son los grandes constructores de figuras estilísticas.* 10 Personaje de una obra de teatro y actor que lo representa: *la figura de don Juan Tenorio.* 11 Persona que destaca por sus cualidades o por sus logros en una profesión, actividad o ámbito: *Pelé fue una figura del fútbol mundial.* ‖ *s. com.* 12 familiar Persona que realiza muy bien algo o que destaca en una actividad: *desde que se dedica a la danza está hecho un figura.* NOTA Frecuentemente usado de forma humorística.
FAM figurar, figurativo, figurín, figurón; desfigurar, prefigurar, transfigurar.

figuración *s. f.* 1 Acción de figurar o figurarse. 2 Cosa que una persona se figura o imagina: *te parecerá real, pero son figuraciones tuyas.* 3 Representación de una figura: *ese pintor abandonó la figuración y empezó a pintar cuadros abstractos.* 4 Conjunto de figurantes de una película, una obra de teatro u otro espectáculo.

figurado, -da *adj.* Se aplica al significado de una palabra o una expresión que se aparta del originario o literal pero mantiene una relación metafórica con el mismo: *la expresión "hincar los codos" tiene el uso figurado de "estudiar".* ANT recto.
FAM figuradamente.

figurante *s. com.* Persona que interviene en una película, una obra teatral u otro espectáculo solo para crear ambiente en las escenas, con un papel poco relevante o sin hablar.

figurar *v. intr.* 1 Estar alguien o algo presente en un lugar o formando parte de algo: *su nombre no figuraba en la lista de los seleccionados.* 2 Destacar o sobresalir en una actividad o un ambiente determinado: *es uno de los actores que más figura en el panorama cinematográfico.* NOTA Frecuentemente usado de forma despectiva. ‖ *v. tr.* 3 Fingir o suponer que algo es real sin serlo: *yo figuraba que me había quedado sin dinero y entonces él me lo prestaba.* 4 Representar una persona el papel que se expresa en una narración: *en la película, figuraba una mujer de mediana edad.* ‖ *v. prnl.* 5 **figurarse** Imaginar o suponer algo que no se conoce: *me figuro que se habrá dolido su marcha.*
FAM figuración, figurado, figurante.

figurativismo *s. m.* Tendencia artística, opuesta a la abstracción, que se basa en la representación de figuras identificables.

figurativo, -va *adj.* 1 Que figura o representa algo: *la dimensión figurativa del pensamiento.* 2 Se aplica al arte o al artista que representa personas, animales y objetos reales y reconocibles. ANT abstracto.

figurín *s. m.* 1 Dibujo o diseño en papel de una prenda de vestir que sirve de modelo para confeccionarla. 2 Revista que contiene estos dibujos. 3 familiar Persona que se arregla y cuida mucho la forma de vestir: *siempre va hecho un figurín.*
FAM figurinista.

figurinista *s. com.* Persona que se dedica a hacer figurines, especialmente para el vestuario de los artistas.

fijación *s. f.* 1 Acción de fijar o fijarse. 2 Idea, palabra o imagen que se repite en la mente de una persona de forma que no se puede reprimir o evitar. SIN obsesión. 3 Estado de reposo de una sustancia después de agitada por una operación química. 4 Proceso químico por el que algunos seres vivos asimilan algún elemento químico, como el nitrógeno atmosférico, para formar compuestos orgánicos: *la fijación también puede realizarse artificialmente para obtener compuestos que se utilizan como fertilizantes.*

fijador, -ra *adj.* 1 Que fija. ‖ *adj./s. m. y f.* 2 Se aplica a la persona que se dedica a fijar carteles de publicidad. ‖ *s. m.* 3 Utensilio que sirve para fijar cosas. 4 Sustancia que sirve para fijar cosas, como el cabello, una imagen fotográfica, un dibujo, etc.

fijar *v. tr.* 1 Hacer que una cosa quede inmóvil o no pueda desplazarse o caer: *fijar las patas de la mesa; fijar carteles en los tablones de anuncios; la tenia se fija en las paredes del intestino.* 2 Hacer estable o fijo algo y mantenerlo durante un tiempo determinado: *fijar un precio; fijar tarifas; fijar normas; fijar un límite; fijé mi residencia en Londres.* 3 Determinar una fecha o un momento para algo: *fijar una cita; fijar la fecha de boda.* 4 Dirigir la atención, la mirada, etc., hacia un punto determinado: *fijó la vista en mí.* 5 Hacer que una imagen fotográfica impresionada en una placa o papel quede inalterable a la luz. 6 En química, hacer una sustancia que otra quede incorporada a ella. ‖ *v. prnl.* 7 **fijarse** Percibir o darse cuenta de algo: *¿te has fijado en la mala cara que trae?* 8 Poner atención o cuidado: *fíjate bien y luego lo haces tú.*
FAM fijación, fijado, fijador.

fijeza *s. f.* 1 Cualidad de fijo. 2 Insistencia o continuidad: *me miraba con fijeza.*

fijismo *s. m.* Antigua teoría que sostenía la invariabilidad de las especies vivas a lo largo del tiempo, negando por tanto cualquier clase de evolución.

fijo, -ja *adj.* 1 Que está quieto, sujeto o asegurado de manera que no puede desplazarse o caer. 2 Que está establecido y no puede cambiarse: *el pago solo puede hacerse un día fijo del mes.* 3 Que es permanente o no está expuesto a cambios o alteraciones: *buscar un trabajo fijo.* 4 Que está fijado en un punto determinado o tiene la mirada fija: *se quedó con la mirada fija en el suelo.* ‖ *s. m.* 5 Cantidad invariable de dinero: *cobra un fijo de 600 euros, más comisiones.*
FAM fijar, fijeza.

fila *s. f.* 1 Serie de personas o cosas colocadas una tras otra formando una línea: *formamos una fila delante de la taquilla para sacar las entradas.* SIN hilera. ■ **fila india** Fila de varias personas. 2 Conjunto de cosas dispuestas una al lado de otra y formando una línea recta: *nos sentamos en la tercera fila de butacas.* 3 Conjunto de soldados que, mirando al frente, están colocados uno al lado del otro, hombro con hombro: *romper filas.* 4 Categoría de una persona o cosa: *es un escritor de tercera fila.* ‖ *s. f. pl.* 5 **filas** Colectivo y agrupación de personas, especialmente si es de carácter político: *es uno de los políticos más activos de las filas de la oposición.* 6 Ejército o servicio militar: *llamar a filas.*

cerrar filas Ir en la última posición de una fila o grupo de personas.
FAM desfilar.

filacteria *s. f.* 1 Amuleto o talismán que usaban los antiguos. **2** Tira de piel o pergamino que los judíos llevaban atadas en el brazo izquierdo y la frente a modo de envoltura; contenía pasajes de las Escrituras. **3** Tira, banda o cinta con inscripciones o leyendas utilizada como elemento decorativo en pinturas, esculturas, escudos de armas o epitafios.

filamento *s. m.* **1** Cuerpo que tiene forma de hilo muy fino. **2** Hilo de metal conductor que se pone incandescente al paso de la corriente eléctrica y produce luz o calor. **3** Parte alargada del estambre, que sostiene la antera.

filantropía *s. f.* Amor desinteresado por el género humano. **SIN** altruismo.
FAM filantrópico.

filántropo *s. com.* Persona que ama a todas las personas y se dedica a ayudarlas y a procurar su bien de manera desinteresada.
FAM filantropía, filantropismo.

filarmonía *s. f.* Pasión o entusiasmo por la música. **SIN** melomanía.
FAM filarmónica, filarmónico.

filarmónica *s. f.* MÉX. Acordeón.

filarmónico, -ca *adj./s. m. y f.* **1** Se aplica a la persona que siente pasión y entusiasmo por la música. **SIN** melómano. | *adj./s. f.* **2** Se aplica a la orquesta o conjunto de músicos que toca bajo las órdenes de un director y que puede incluir instrumentos e interpretar obras que no son habituales en la sinfónica.

filatelia *s. f.* **1** Afición y arte de coleccionar y de estudiar sellos de correos. **2** Establecimiento donde se venden sellos de correos para coleccionar.
FAM filatélico, filatelista.

filatélico, -ca *adj.* **1** Relativo a la filatelia. | *s. m. y f.* **2** Filatelista.

filatelista *s. com.* Persona que es aficionada a coleccionar y estudiar sellos de correos. **SIN** filatélico.

filete *s. m.* **1** Loncha alargada, ancha y de poco grosor de carne, pescado o ave sin huesos o espinas: *filetes de ternera; filetes de merluza rebozados.* **2** Rodaja de solomillo de buey o ternera. **3** Línea larga y fina que sirve de adorno: *las tapas del libro están adornadas con filetes dorados.* **4** Ramificación alargada de un nervio.

filia *s. f.* Simpatía o afición por una determinada persona o cosa: *el escritor nos declaró sus filias y fobias.*

filiación *s. f.* **1** Condición de ser hijo de unos padres determinados. **2** Conjunto de datos personales de una persona: *el DNI acredita mi filiación.* **3** Relación de influencia o de dependencia de una persona o cosa con respecto a otra. **4** Hecho de estar afiliado a una organización o de ser partidario de cierta doctrina o movimiento.

filial *adj.* **1** Relativo al hijo: *amor filial.* | *adj./s. f.* **2** Se aplica a la empresa cuya actividad económica depende de otra que participa mayoritariamente en su capital. | *adj./s. m.* **3** Se aplica al equipo que pertenece al mismo club que otro equipo de categoría superior.
FAM filiar.

filibustero *s. m.* Pirata que en el siglo XVII actuaba en el mar de las Antillas y atacaba a los barcos que comerciaban con las colonias españolas de América.

filigrana *s. f.* **1** Adorno, obra o trabajo de orfebrería hecho con hilos de oro o plata que, entrelazados, forman un dibujo semejante al del encaje. **2** Marca o dibujo transparente hecho en el papel durante su fabricación y que solo es visible al trasluz. **3** Acción de gran perfección que requiere mucha habilidad, delicadeza y esfuerzo: *hace filigranas con el balón.*
FAM afiligranar.

filípica *s. f.* Crítica o represión severa y extensa contra alguien.

filipino, -na *adj.* **1** De Filipinas (país de Asia). | *s. m. y f./adj.* **2** Persona que es de Filipinas.

filisteo, -tea *adj.* **1** Relativo a un pueblo que habitó el sudoeste de Palestina hasta el siglo VII a. C. | *s. m. y f./adj.* **2** Persona perteneciente a este pueblo. | *adj./s. m. y f.* **3** Se aplica a la persona que es vulgar y carece de sensibilidad artística o literaria.

film *s. m.* **1** Filme. **2** Capa muy fina de una sustancia. **SIN** película.
FAM filme; microfilm, telefilm.
OBS Plural: films.

filmación *s. f.* Registro de imágenes en movimiento o escenas con una cámara. **SIN** rodaje.

filmar *v. tr.* Registrar con una cámara imágenes en movimiento o escenas. **SIN** rodar.
FAM filmación, filmador.

filme *s. m.* Película cinematográfica. **SIN** film.
FAM filmar, fílmico, filmina, filmografía, filmología, filmoteca; microfilme, telefilme.

filmina *s. f.* Fotografía obtenida directamente en positivo y en película u otro material transparente. **SIN** diapositiva.

filmografía *s. f.* **1** Conjunto de películas cinematográficas que tienen una característica común, como pertenecer a un mismo actor o director, tratar un mismo tema, ser de una época determinada, etc. **2** Descripción, conocimiento o estudio de filmes o microfilmes.

filmoteca *s. f.* **1** Institución que se dedica a guardar y conservar material cinematográfico, generalmente apartado de los circuitos comerciales, para su exhibición y estudio. **SIN** cinemateca. **2** Lugar donde se guarda y exhibe este material. **SIN** cinemateca. **3** Colección de películas o filmes. **SIN** cinemateca.

filo¹ *s. m.* **1** Borde agudo o afilado de la hoja de un instrumento cortante. **SIN** corte. **2** Punto o línea que divide una cosa en dos mitades.
al filo de Alrededor de la hora que se expresa: *al filo de la medianoche.*
FAM afilar.

filo² *s. m.* Fílum.

filogenia *s. f.* En biología, desarrollo y evolución general de una especie. **ANT** ontogenia.

filología *s. f.* **1** Ciencia que estudia la lengua, literatura y todos los fenómenos culturales de un pueblo o grupo de pueblos a través de los textos escritos que ha producido: *filología semítica; filología hispánica.* **2** Técnica de reconstruir, fijar o interpretar textos antiguos.
FAM filológico, filólogo.

filológico, -ca *adj.* Relativo a la filología: *comentario filológico.*

filólogo, -ga *s. m. y f.* Persona que se dedica a la filología.

filón *s. m.* **1** Masa mineral que llena una grieta de una formación mineral o rocosa más antigua y que puede ser objeto de explotación: *hallaron un filón de oro.* **SIN** mina. **2** Persona, cosa o situación de los que se puede obtener gran provecho: *el nuevo negocio puede ser un filón para todos.*

filosofar *v. intr.* ◻1 Pensar sobre una cosa con razonamientos filosóficos. ◻2 familiar Explicar lo que se piensa sobre algo fingiendo haberlo meditado mucho o creyendo que es muy profundo.

filosofía *s. f.* ◻1 Conjunto de razonamientos sobre la esencia, las propiedades, las causas y los efectos de las cosas naturales, especialmente sobre el ser humano y el universo: *la filosofía griega se considera la base del pensamiento occidental.* ◻2 Sistema filosófico o conjunto de los razonamientos expuestos por un pensador: *la filosofía de Platón.* ◻3 Forma de pensar o de entender la vida, el mundo o un asunto concreto: *su filosofía era trabajar y dejar trabajar para vivir tranquilo.* ◻4 Conjunto de los principios y las ideas básicas de una ciencia o actividad determinada: *la filosofía del derecho es fundamental para la redacción de leyes.* ◻5 Fortaleza, serenidad y ánimo para soportar situaciones o acontecimientos desagradables: *tomarse las cosas con filosofía.*
FAM filosofal, filosofar, filosófico, filósofo.

filosófico, -ca *adj.* Relativo a la filosofía: *doctrina filosófica.*

filósofo, -fa *s. m. y f.* Persona que se dedica a la filosofía, especialmente la que elabora un sistema filosófico.

filoxera *s. f.* Insecto parecido al pulgón que ataca las hojas y los filamentos de las raíces de la vid; se multiplica con rapidez y puede destruir en poco tiempo grandes zonas de viñedos.

filtración *s. f.* ◻1 Acción de filtrar o filtrarse. ◻2 Efecto de filtrar o filtrarse. ◻3 Información que se filtra para que sea conocida públicamente. ◻4 Proceso por el cual se separa un sólido del líquido (o del gas) que lo contiene, utilizando una membrana que permite el paso del líquido y retiene el sólido.

filtrar *v. tr.* ◻1 Hacer pasar un fluido por un filtro para retener alguno de sus componentes: *hay que filtrar el café para que no queden posos.* ◻2 Dejar un cuerpo sólido pasar un fluido a través de sus poros: *las paredes filtraban el agua.* ❘ *v. intr./prnl.* ◻3 Penetrar un fluido en un cuerpo sólido a través de sus poros o de sus pequeñas aberturas: *el agua filtra por la pared; la luz se filtraba por las rendijas.* ❘ *v. tr.* ◻4 Llegar una cosa a alguien a través de ciertos obstáculos o sin la voluntad expresa de que ocurra: *el jefe me pedía que le filtrara las llamadas.* ◻5 Hacer que una información reservada o secreta sea conocida por el público o por un competidor: *alguien filtró a la prensa el nombre del candidato.*
FAM filtración, filtrador, filtrante.

filtro[1] *s. m.* ◻1 Objeto o material que contiene poros de determinado tamaño a través del cual se hace pasar un fluido para separar las partículas que tiene en suspensión: *uso una cafetera que lleva filtros de papel.* ◻2 Dispositivo que sirve para eliminar determinadas frecuencias de la corriente que lo atraviesa. ◻3 Pantalla o cristal que refleja ciertos rayos de luz y deja pasar otros: *la lámpara del salón lleva filtros de colores.* ◻4 Procedimiento que sirve para seleccionar lo que se considera mejor o más importante.
FAM filtrar.

filtro[2] *s. m.* Bebida elaborada con diversos ingredientes a la que se le atribuyen efectos mágicos, especialmente el de conseguir el amor de quien lo toma: *la vieja trotaconventos preparó un filtro de amor.* **SIN** bebedizo.

fílum *s. m.* Categoría taxonómica de clasificación de los seres vivos inferior a la de reino y superior a la de clase: *el mejillón y el caracol son especies del fílum de los moluscos.* **SIN** filo.

fimosis *s. f.* Estrechez de la abertura de la piel que rodea el pene e impide descubrir de forma completa el glande.
OBS Plural invariable.

fin *s. m.* ◻1 Momento o lugar en que termina alguna cosa: *el fin del mundo; trabajo de fin de carrera.* **SIN** final. **ANT** inicio, principio. ■ **fin de año** Último día del año. ■ **fin de fiesta** Acto con que se termina un espectáculo o una celebración. ■ **fin de semana** (I) Periodo de tiempo que comprende los días de la semana en que no se trabaja, normalmente el sábado y el domingo. (II) Maletín o bolsa de viaje de pequeño tamaño que sirve para llevar las cosas indispensables cuando se viaja pocos días. ◻2 Finalidad: *el fin de la enseñanza es educar.* **a fin (o a fines) de** En la última parte del periodo de tiempo que se señala: *cobramos a fin de mes.* **a fin de** Indica la razón por la que se hace una cosa: *invirtió sus ahorros a fin de obtener mayor rentabilidad.* **a fin de cuentas** o **al fin** o **al fin y al cabo** Después de todo: *no nos preocupábamos de lo que podía pasar porque, al fin y al cabo, nadie lo sabía.* **al fin** o **por fin** Por último, después de vencer todos los obstáculos: *¡por fin has llegado!* **dar fin** Terminar o acabar algo: *la ceremonia daba fin al congreso.* **en fin** En resumen o en definitiva.
FAM final, finar, finito.

finado, -da *s. m. y f.* culto Persona muerta. **SIN** difunto.

final *adj.* ◻1 Que es el último de una serie: *fase final; toque final.* ◻2 Que es último y definitivo: *esa será mi oferta final.* ❘ *s. m.* ◻3 Fin de una cosa en el espacio o el tiempo: *una película con final feliz; espera al final del camino.* **SIN** fin. **ANT** inicio, principio. ❘ *s. f.* ◻4 Último enfrentamiento entre los participantes de una competición deportiva, del que sale el ganador. ❘ *adj./s. f.* ◻5 Se aplica a la oración o proposición que expresa un fin o finalidad cuyo cumplimiento es posterior a la acción, el proceso o el estado expresados por otra oración: *en "han venido todos para celebrar tu cumpleaños", "para celebrar tu cumpleaños" es una oración final.* **a final (o finales) de** En la última parte del periodo de tiempo que se señala: *te daré una respuesta a finales de semana.*
FAM finalidad, finalista, finalizar; semifinal.

finalidad *s. f.* Motivo, objetivo o función de algo: *la finalidad del menisco es permitir que los extremos de los huesos se adapten perfectamente.* **SIN** fin.

finalista *adj./s. com.* Se aplica a la persona o la obra que llega a la final de una competición deportiva o de un concurso.

finalizar *v. tr.* ◻1 Hacer que una cosa llegue a su fin: *finalizar una novela.* **SIN** acabar, concluir, terminar. **ANT** comenzar, empezar. ❘ *v. intr.* ◻2 Llegar una cosa a su fin: *el plazo de presentación no ha finalizado todavía.* **SIN** acabar, concluir, terminar.
FAM finalización.

financiación *s. f.* Acción de financiar.

financiar *v. tr.* ◻1 Dar dinero a alguien para que desarrolle una actividad, para poner en funcionamiento una empresa o para comprar una cosa. ◻2 Sufragar los gastos de una actividad, obra, etc.
FAM financiación, financiera, financiero.
OBS Verbo regular, se acentúa como *cambiar.*

financiera *adj./s. f.* Se aplica a la entidad que se hace cargo de los gastos de una actividad o de una obra.

financiero, -ra *adj.* **1** Relativo a las finanzas. **2** Se aplica a la entidad que financia o concede préstamos para desarrollar alguna actividad o comprar una cosa. ‖ *s. m. y f.* **3** Persona que se dedica a las finanzas o que es especialista en estas.

financista *adj./s. com.* AMÉR. Se aplica a la persona que pone el dinero a crédito o en inversión para sufragar los gastos de una empresa, actividad, obra, etc.

finanzas *s. f. pl.* **1** Conjunto de actividades que tienen relación con el dinero. **2** Conjunto de dinero o de bienes que posee una persona. **3** Conjunto de recursos económicos de la administración del Estado.
FAM financiar.

finar *v. intr.* culto Morir una persona. SIN expirar, fallecer, fenecer.
FAM finado.

finca *s. f.* Propiedad inmueble que hay en el campo o en la ciudad.
FAM afincarse.

finés, -nesa *adj.* **1** Relativo a un pueblo antiguo que invadió el norte de Europa y que dio nombre a Finlandia. ‖ *s. m. y f./adj.* **2** Persona que perteneció a este pueblo. **3** V. finlandés, -desa.

fineza *s. f.* **1** Dicho o acto con que se manifiesta afecto o cariño hacia alguien. **2** Delicadeza o buena educación. SIN finura.

fingimiento *s. m.* Representación de una cosa que no es verdad para que alguien se la crea: *aquellas lágrimas resultaron ser puro fingimiento.*

fingir *v. tr.* Representar una cosa que no es verdad para que alguien se la crea: *fingió un gran dolor de cabeza para no ir al colegio.* SIN aparentar, simular.
FAM fingido, fingimiento.

finiquitar *v. tr.* **1** Pagar completamente una deuda o una cuenta. SIN liquidar, saldar. **2** familiar Acabar una cosa. SIN liquidar, saldar.
FAM finiquito.

finiquito *s. m.* **1** Acción de finiquitar una cuenta o una deuda, especialmente cuando termina un contrato de trabajo. SIN liquidación. **2** Documento en que consta ese acto. **3** Cantidad de dinero que se paga para finiquitar una cuenta o una deuda.
FAM finiquitar.

finisecular *adj.* Relativo al fin de un siglo.

finito, -ta *adj.* **1** Que tiene fin o límite en el espacio o en el tiempo: *las hojas caducas tienen una vida finita.* ANT infinito. **2** En matemáticas, se aplica al conjunto que tiene un número de elementos que se pueden contar.
FAM finitud; infinito.

finlandés, -desa *adj.* **1** De Finlandia (país de Europa): *la capital finlandesa es Helsinki.* SIN finés. ‖ *s. m. y f./adj.* **2** Persona que es de Finlandia. SIN finés. ‖ *s. m./adj.* **3** Lengua hablada en Finlandia. SIN finés.

fino, -na *adj.* **1** Que tiene poco grosor o espesor. SIN delgado. ANT gordo, grueso. **2** Se aplica a la persona que se comporta con cortesía y delicadeza. **3** Se aplica al sentido corporal que es capaz de percibir sensaciones sutiles o poco intensas. SIN agudo. **4** Que es delicado y de buena calidad: *un tejido fino; una joya fina.* **5** Se aplica a la superficie que es suave o lisa, sin asperezas. **6** Se aplica al metal que es muy puro o no tiene mezcla: *es una pulsera de plata fina.* **7** Se

aplica a la persona que es muy lista, astuta o hábil y percibe cosas sutiles: *había que ser fino para entender su sarcasmo.* ‖ *s. m.* **8** Vino blanco de Jerez, muy seco y de color amarillo pálido, que tiene una alta graduación alcohólica.

hilar fino familiar Ser muy exigente o muy preciso.
FAM fineza, finolis, finura, finústico; afinar, refinar.

finolis *adj./s. com.* familiar Se aplica a la persona que muestra excesiva delicadeza.
OBS Plural invariable.

finta *s. f.* En algunos deportes, movimiento rápido con la espada, el balón o el propio cuerpo que se hace para despistar al contrario y poder hacer otro.
FAM fintar.

fintar *v. tr.* Despistar al contrario mediante una finta: *fintó a los dos pívots y consiguió la canasta.*

finura *s. f.* **1** Cualidad de lo que es muy fino o tiene poco grosor. **2** Delicadeza o cortesía en el trato. **3** Agudeza de un sentido corporal. **4** Astucia o habilidad para percibir cosas sutiles. **5** Delicadeza y buena calidad. **6** Suavidad y ausencia de asperezas. **7** Pureza de un metal que no tiene mezcla.

fiordo *s. m.* Valle de origen glaciar invadido por el mar, en forma de golfo, profundo y estrecho, y bordeado por laderas escarpadas: *los fiordos más importantes se encuentran en las costas nórdicas de Europa y América.*

firma *s. f.* **1** Autógrafo, formado generalmente por el nombre, el apellido y una rúbrica, que se hace en un documento para darle conformidad o validez: *debes poner tu firma en cada hoja del contrato.* **2** Acción de firmar. **3** Sociedad o empresa comercial: *es representante de una firma de coches de gran prestigio.* **4** Marca del estilo peculiar de alguien o algo: *deja su firma en todo lo que hace.*
FAM antefirma.

firmamento *s. m.* Espacio en el que se mueven los astros: *desde la Tierra, el firmamento tiene forma semiesférica.* SIN bóveda celeste, cielo.

firmante *adj./s. com.* Se aplica a la persona que firma un documento o un escrito. SIN signatario.

firmar *v. tr.* **1** Escribir a mano una persona su nombre y apellido, normalmente acompañado de una rúbrica, en un documento o en un escrito. ‖ *v. intr.* **2** Llegar a un acuerdo escrito para incorporarse a una empresa, un equipo deportivo, etc.: *ha firmado por un equipo extranjero.*
FAM firma, firmante.

firme *adj.* **1** Que es estable y seguro, no se mueve y difícilmente puede caerse: *una silla con un firme respaldo.* **2** Que es duro o consistente: *musculatura firme.* **3** Que es seguro o no manifiesta duda: *caminar con paso firme.* **4** Que es inalterable o definitivo. **5** Se aplica a la persona que está convencida de lo que piensa y actúa en consecuencia a sus ideales sin dejarse influir: *firme en sus propósitos.* **6** Se aplica a la persona, especialmente al soldado, que está de pie, erguida y con los pies juntos en señal de respeto: *ponerse firme.* ‖ *s. m.* **7** Capa superficial y sólida de terreno sobre la que se puede construir. ‖ *adv.* **8** Con valor, energía y constancia: *ha trabajado firme para tener unos ahorros.* ‖ *int.* **9** ¡firmes! se usa para ordenar a un militar que adopte la posición firme, de pie, erguido y con los pies juntos, en señal de respeto.

de firme (I) Con perseverancia, constancia y energía: *llover de firme.* (II) Con seguridad.

en firme Expresa el carácter definitivo de una cosa, especialmente de un acuerdo: *acepté su propuesta en firme.*

poner firmes Reprender o regañar a alguien para que actúe convenientemente.
FAM firmeza.

firmeza *s. f.* **1** Estabilidad y seguridad de la cosa que no se mueve y difícilmente puede caerse. **2** Dureza o consistencia de algo: *la firmeza del suelo.* **3** Seguridad o convencimiento: *la firmeza de sus propósitos.* **4** ARG. Baile popular ejecutado siguiendo el estribillo.

firulete *s. m.* ARG., BOL., CHILE, PERÚ, URUG. Adorno, generalmente ridículo y exagerado.

fiscal *adj.* **1** Relativo al fisco: *licencia fiscal; reforma fiscal.* | *s. com.* **2** Representante del estado en un tribunal de justicia que se encarga de sostener la acusación pública en los delitos. | *adj.* **3** Relativo al fiscal o la fiscalía: *ministerio fiscal.*
FAM fiscalía, fiscalidad, fiscalizar.

fiscalía *s. f.* **1** Profesión o cargo de fiscal. **2** Oficina o despacho del fiscal.

fiscalidad *s. f.* Conjunto de normas legales y procedimientos de la hacienda pública de un estado sobre tasas, impuestos y contribuciones.

fiscalizar *v. tr.* **1** Someter a inspección fiscal a alguien o algo. **2** Controlar o vigilar a alguien o algo: *le fiscalizaba el dinero que cobraba.*
FAM fiscalización, fiscalizador.

fisco *s. m.* **1** Administración de los bienes y riquezas de un estado. SIN hacienda. **2** Conjunto de los bienes de un estado.
FAM fiscal.

fiscorno *s. m.* Instrumento musical de viento parecido a la trompeta pero de sonido agudo, que interviene en las bandas populares catalanas.

fisgar *v. tr./intr.* Procurar enterarse con disimulo de un asunto ajeno: *fisgar los cajones; lo pilló fisgando en sus cosas.* SIN curiosear, fisgonear.
FAM fisga, fisgón.

fisgón, -gona *adj./s. m. y f.* Se aplica a la persona que fisga o acostumbra a fisgar.
FAM fisgonear.

fisgonear *v. tr./intr.* Fisgar. SIN curiosear.
FAM fisgoneo.

física *s. f.* Ciencia que estudia las propiedades de la materia y de la energía y establece las leyes que explican los fenómenos naturales, excluyendo los que modifican la estructura molecular de los cuerpos: *la acústica y la termodinámica son partes de la física.*
FAM físico; astrofísica, biofísica, geofísica, metafísica.

físico, -ca *adj.* **1** Relativo a la física: *la ley de la gravedad es un principio físico.* **2** Relativo al cuerpo humano o animal: *ejercicios físicos.* | *s. m. y f.* **3** Persona que se dedica a la física. | *s. m.* **4** Aspecto exterior de una persona: *es más importante el interior de las personas que su físico.*

fisicoquímica *s. f.* Ciencia que estudia los fenómenos comunes a la física y a la química.

fisicoquímico, -ca *adj.* **1** Relativo a la fisicoquímica.

fisiología *s. f.* Parte de la biología que estudia los procesos, actividades y fenómenos de las células y tejidos de los organismos vivos y que explica los factores físicos y químicos causantes de las funciones vitales.
FAM fisiológico, fisiólogo.

fisiológico, -ca *adj.* Relativo a la fisiología: *comer y dormir son necesidades fisiológicas.*

fisión *s. f.* **1** Fragmentación del núcleo de un átomo pesado de uranio, plutonio o torio, mediante el bombardeo de dicho núcleo con neutrones, lo cual libera al mismo tiempo una gran cantidad de energía y de neutrones, dando lugar a una reacción en cadena. NOTA También *fisión nuclear.* **2** Rotura del núcleo de un átomo, con la consiguiente liberación de energía.

fisioterapeuta *s. com.* Persona que se dedica a la fisioterapia.

fisioterapia *s. f.* Tratamiento de ciertas enfermedades y lesiones físicas que consiste en la aplicación de agentes naturales (como calor, frío, agua, etc.) o artificiales (como los rayos X), en hacer masajes o en hacer practicar ejercicios físicos de forma controlada.

fisonomía *s. f.* **1** Aspecto particular de la cara de una persona: *su fisonomía me recuerda a los egipcios.* **2** Aspecto exterior que muestra una cosa: *estas medidas favorecían la creación de una nueva fisonomía urbana.*
FAM fisonómico, fisonomista.

fisonomista *adj./s. com.* Se aplica a la persona que tiene facilidad para recordar y distinguir a las personas por su fisonomía o aspecto de la cara.

fístula *s. f.* Conducto anormal que comunica un órgano interno con el exterior o con otro órgano; requiere tratamiento quirúrgico: *ciertos quistes forman fístulas.*

fisura *s. f.* **1** Grieta o abertura que se hace en un cuerpo sólido, especialmente en un hueso o un mineral: *fisura de tibia.* **2** Defecto o dificultad en una cosa que puede empeorar: *la economía del país tiene graves fisuras.* SIN grieta. **3** Separación o desunión que se produce en algo que parecía unido y homogéneo.

fitófago, -ga *adj./s. m. y f.* Se aplica al animal que se alimenta de materias vegetales.

fitoplancton *s. m.* Conjunto de organismos fotosintéticos que viven flotando en el agua y que forman parte del plancton: *el plancton está formado por fitoplancton y zooplancton.*

flacidez o **flaccidez** *s. f.* Cualidad de lo que es flácido, especialmente de la musculatura flácida.

flácido, -da o **fláccido, -da** *adj.* Que está blando y tiene poca consistencia: *vientre flácido.* SIN fofo.
FAM flacidez.

flaco, -ca *adj.* **1** Se aplica a la persona o el animal que tiene poca grasa y poca carne: *quedarse flaco; estar demasiado flaco.* SIN delgado. ANT gordo, grueso. **2** Que es débil, frágil o sin fuerza: *un argumento flaco; me hizo un flaco favor al quedarse.*
FAM flaquear, flaqueza; enflaquecer.

flagelación *s. f.* Acción de flagelar.

flagelado, -da *adj.* **1** Se aplica a la célula provista de flagelos. | *adj./s.* **2** Se aplica al protozoo que posee uno o más flagelos. | *s. m. pl.* **3** **flagelados** Grupo taxonómico, con categoría de subfilo, constituido por estos protozoos.

flagelar[1] *v. tr.* **1** Azotar a alguien con un flagelo: *se flagelaba como penitencia por sus pecados.* SIN fustigar. **2** culto Criticar o reprender con dureza.
FAM flagelación, flagelado, flagelante.

flagelar[2] *adj.* Relativo al flagelo.

flagelo *s. m.* **1** Instrumento que sirve para azotar, consis-

tente en una vara rígida con varias cuerdas anudadas y atadas en un extremo. **2** Calamidad o desgracia continuadas. **3** Orgánulo en forma de filamento largo y móvil que poseen algunas células, como los protozoos, del que se sirven para desplazarse en un medio líquido.
FAM flagelar.

flagrante *adj.* **1** Que ocurre o se realiza en el momento presente . **2** Que es muy claro y evidente: *una actitud de flagrante desprecio.*

flama *s. f.* **1** culto Llama de luz y calor. **2** Calor intenso, especialmente el que produce la reverberación de la luz.
FAM flamear, flamígero.

flamante *adj.* Que llama la atención por tener buen aspecto o estar recién hecho o recién estrenado: *salió con su flamante coche nuevo.*

flambear *v. tr.* Rociar un alimento con un licor y prenderle fuego para que quede el sabor y el aroma pero desaparezca el alcohol.

flamear *v. intr.* **1** Despedir llamas: *la antorcha olímpica flameaba en el estadio.* **2** Moverse en el aire una bandera o las velas de una embarcación. | *v. tr.* **3** Someter una cosa a la acción directa de una llama: *flamear una aguja para desinfectarla.*

flamenco, -ca *s. m./adj.* **1** Estilo de cante y baile originado por la fusión de elementos musicales andaluces, gitanos y orientales, que se caracteriza especialmente por el uso de cromatismos, melismas, cambios de ritmo y por la improvisación; trata todos los temas de la vida, tristes y alegres, dependiendo generalmente de la modalidad, como la seguidilla, la alegría o la saeta. | *adj./s. m. y f.* **2** Se aplica a la persona que interpreta, canta o baila este estilo. **3** Se aplica a la persona que se comporta de un modo arrogante. | *s. m.* **4** Ave zancuda que tiene la cabeza, espalda y cola de color rosa, el resto del cuerpo blanco, las patas largas, el pico grande y el cuello alargado y muy flexible; puede alcanzar 1 m de altura y vive en zonas acuáticas. | *adj.* **5** De Flandes (región de Europa): *el territorio flamenco está situado junto a las costas del Mar del Norte.* | *s. m. y f./adj.* **6** Persona que es de Flandes. | *s. m./adj.* **7** Lengua germánica hablada en algunas zonas de Bélgica y Francia. | *adj.* **8** Relativo a esta lengua. **9** Se aplica al arte y al artista que perteneció a la escuela desarrollada en Flandes entre los siglos XV y XVII: *escuela flamenca.*
FAM flamencología.

flan *s. m.* Postre de consistencia gelatinosa, elaborado con yemas de huevo, leche y azúcar y cuajado al baño María en un molde: *flan de huevo; flan de vainilla.*
hecho un flan o **como un flan** Muy nervioso: *antes de examinarse estaba hecha un flan.*
FAM flanera, flanero.

flanco *s. m.* Parte lateral de una cosa, especialmente de una embarcación o de una formación de tropa.
FAM flanquear.

flanera *s. f.* Molde para hacer flanes.

flanquear *v. tr.* Estar colocado a los dos flancos o lados de algo: *dos guardias reales flanquean la entrada.*

flaquear *v. intr.* **1** Perder fuerza o resistencia física o moral: *se retiró cuando su salud empezó a flaquear.* **2** Mostrarse débil o sin fuerza física o moral: *admito que flaqueé y eso me hizo perder.* **3** Saber una persona menos de una materia o disciplina que de otra: *en griego estoy muy preparado, pero flaqueo en latín.*

flaqueza *s. f.* **1** Debilidad o falta de entereza ante una ad-

versidad: *flaqueza de ánimo; flaqueza de carácter.* **2** Debilidad, falta de vigor o de resistencia. **3** Estado de la persona flaca o delgada. **SIN** delgadez.

flash o **flas** [se pronuncia 'flash' o 'flas'] *s. m.* **1** Dispositivo de una cámara fotográfica que emite una luz intensa al disparar cuando la iluminación es insuficiente o cuando se quiere atenuar las sombras. **2** Destello luminoso que emite ese dispositivo: *el flash me hizo parpadear.* **3** Noticia periodística breve y de última hora. **4** En cinematografía, plano de corta duración. **5** Sensación de euforia momentánea que produce la ingestión de ciertas drogas estimulantes. **6** Pensamiento o idea que aparecen de forma súbita y muy clara: *tuve un flash y recordé su nombre.*

flato *s. m.* **1** Acumulación de gases en el aparato digestivo que produce un dolor fuerte pero pasajero: *a veces cuando corremos y no respiramos bien nos coge flato.* **2** AMÉR. Melancolía.
FAM flatulento.

flatulencia *s. f.* Molestia o indisposición debida a la acumulación excesiva de gases en el intestino.
FAM flatulento.

flatulento, -ta *adj.* **1** Que produce flatulencia: *los garbanzos son flatulentos.* | *adj./s. m. y f.* **2** Se aplica a la persona que padece flatulencia.

flauta *s. f.* **1** Instrumento musical de viento que consiste en un tubo con agujeros que se toca soplando por un extremo a la vez que se van tapando y destapando los orificios con los dedos o con llaves. ■ **flauta de Pan** o **flauta pánica** Flauta que está formada por varios tubos de desigual tamaño unidos en paralelo y generalmente ordenados de mayor a menor. ■ **flauta de pico** o **flauta dulce** Flauta que tiene la embocadura en forma de silbato y ocho orificios, uno de los cuales está colocado en la parte opuesta a los otros siete y sirve para el pulgar. ■ **flauta travesera** Flauta que tiene la embocadura en un extremo, en la parte lateral, que se toca colocándola en posición horizontal. | *s. com.* **2** Flautista. | *s. f.* **3** Barra de pan alargada y muy delgada, que tiene poca miga. **4** Bocadillo hecho con este pan: *una flauta de queso.*
sonar la flauta Salir bien algo por casualidad: *compró un décimo de lotería y sonó la flauta.*
FAM flautín, flautista; aflautar.

flautín *s. m.* **1** Flauta pequeña y de sonido más agudo y penetrante que la flauta ordinaria. **SIN** piccolo. | *s. com.* **2** Persona que toca este instrumento.

flautista *s. com.* Persona que toca la flauta. **SIN** flauta.

flebitis *s. f.* Inflamación de las venas, a menudo acompañada de coágulos de sangre.
OBS Plural invariable.

flecha *s. f.* **1** Proyectil que consiste en una vara delgada y ligera terminada en una punta afilada por un extremo; se puede lanzar con la mano o mediante un arco o ballesta. **2** Signo gráfico que tiene la forma de este proyectil y que sirve para indicar una dirección. **3** Remate apuntado de una torre o un campanario, con forma cónica, piramidal o poligonal, y que se eleva a gran altura. **SIN** aguja. **4** Altura que hay entre el arranque de un arco o bóveda y su clave. **5** En un segmento circular, segmento de mayor longitud que se puede trazar, perpendicular a la cuerda, entre esta y el arco. **6** Línea de sedimentos paralelos a la costa, depositados en el mar o por la acción conjunta del mar y un río.
como una flecha familiar Muy rápido: *salió como una flecha.*
FAM flechar, flechazo.

flechar *v. tr.* Estirar el arco para disparar una flecha.

flechazo *s. m.* ① Lanzamiento de una flecha. ② Señal, corte o herida que produce una flecha: *recibió un flechazo en el costado*. ③ familiar Enamoramiento que surge de forma repentina: *se casaron rápidamente porque lo suyo había sido un flechazo*.

fleco *s. m.* ① Hilo o cordoncillo que está unido a otros por un extremo y suelto por el otro, con que se adorna o remata una tela o una prenda de vestir, generalmente por el borde: *un mantel con flecos; un vestido de faralaes con flecos*. **NOTA** Más en plural. ② Deshilachado de una prenda de vestir que se hace por desgaste del remate o la costura. **NOTA** Más en plural. ③ Problema poco importante que está pendiente de resolución para terminar definitivamente algo: *aunque queda algún fleco suelto por resolver podemos iniciar el proyecto*. **FAM** flequillo.

fleje *s. m.* ① Tira de hierro u otro metal que sirve para reforzar o precintar un embalaje o para hacer los aros que ciñen las cubas o toneles. ② Pieza alargada y curva de acero que sirve para sujetar muelles y resortes.

flema *s. f.* ① Mucosidad de consistencia pegajosa que se forma en las vías respiratorias y se expulsa por la boca. ② Temperamento apático o calma excesiva al hacer algo: *se toma el trabajo con flema*. **FAM** flemático.

flemático, -ca *adj.* Que actúa o se comporta con mucha flema o calma excesiva.

flemón *s. m.* Inflamación del tejido conjuntivo, especialmente de las encías, que es causado por una infección.

flequillo *s. m.* Porción de cabello que cae sobre la frente.

fletán *s. m.* Pez marino de hasta 3 m de longitud, cuerpo plano, largo y ovalado, con los dos ojos en el lado derecho de la cabeza; su color es gris oscuro en el lado derecho, y blanco en el izquierdo; es muy voraz y habita en aguas profundas de mares septentrionales; su carne es comestible. **SIN** halibut.

fletar *v. tr.* ① Alquilar una embarcación, un vehículo aéreo o terrestre para transportar mercancías o personas. ② Embarcar mercancías o personas en una embarcación o un vehículo aéreo o terrestre para su transporte. ③ CHILE, PERÚ Hacer objeto a alguien de una acción o una palabra agresiva: *le fletó una bofetada*. ‖ *v. prnl.* ④ **fletarse** CUBA, MÉX. Marcharse de pronto. **FAM** fletamento, flete.

flete *s. m.* ① Precio del alquiler de una nave. ② Carga que transporta una nave. ③ AMÉR. Carga. ④ ARG. Caballo ligero.

fletero, -ra *adj.* ① AMÉR. Se aplica al vehículo que se alquila para transporte. ‖ *s. m. y f.* ② AMÉR. Persona que se encarga de cobrar el flete o precio del transporte. ③ AMÉR. Persona que se dedica al transporte de mercancías. ‖ *s. m.* ④ CHILE, PERÚ Hombre que, en los puertos, se encarga de transportar personas o mercancías entre las naves y los muelles.

flexibilidad *s. f.* ① Cualidad de lo que es flexible o puede doblarse fácilmente sin romperse: *la flexibilidad de un alambre*. **ANT** rigidez. ② Capacidad para doblar el cuerpo o una parte de él sin sentir dolor: *puedes practicar ejercicios para mejorar la flexibilidad*. ③ Facilidad para adaptarse a las circunstancias o a la opinión de otras personas. **ANT** rigidez.

flexibilizar *v. tr.* ① Hacer que algo pueda doblarse fácilmente sin romperse. ② Hacer que algo pueda ser adaptado a las circunstancias: *flexibilizar el horario*. **FAM** flexibilización.

flexible *adj.* ① Que puede doblarse fácilmente sin romperse: *el papel es flexible*. **ANT** rígido. ② Se aplica a la persona que tiene mucha flexibilidad (capacidad para doblar o doblarse). ③ Que se adapta fácilmente a los cambios o las circunstancias: *horario flexible; propuesta flexible; opinión flexible*. **ANT** inflexible. ④ Se aplica a la persona que se amolda a la opinión de los demás sin imponer la suya y que no es excesivamente rigurosa con las normas que establece: *un profesor flexible*. ‖ *s. m.* ⑤ Conductor de energía eléctrica que consiste en un cordón de hilos de cobre recubierto con aislante. **FAM** flexibilidad, flexibilizar; inflexible.

flexión *s. f.* ① Movimiento que consiste en doblar el cuerpo o uno de sus miembros. ② Cambio de forma que experimenta una palabra para expresar sus funciones y sus relaciones de dependencia mediante un afijo que indica la categoría gramatical: *flexión nominal; flexión verbal*. **SIN** inflexión. ③ Deformación o curvatura de un cuerpo que está sometido a una fuerza que actúa de forma perpendicular a su eje: *las vigas de un edificio están sometidas a esfuerzos de flexión*. **FAM** flexionar, flexivo, flexor.

flexionar *v. tr.* Doblar el cuerpo por la cintura o una parte de él: *flexionar las piernas*.

flexivo, -va *adj.* ① Se aplica al morfema que, unido a un lexema, indica el género y número en el nombre y el adjetivo, y el número, persona, tiempo y modo en el verbo. ② Se aplica a la lengua que tiene flexión gramatical: *el latín es una lengua flexiva*.

flexo *s. m.* Lámpara de mesa con brazo flexible o articulado.

flexómetro *s. m.* Cinta que lleva marcada la longitud del metro y sus divisiones hasta los milímetros y sirve para medir distancias o longitudes: *necesitas un flexómetro para medir la habitación*. **SIN** cinta métrica.

flexor, -ra *adj.* ① Que produce un movimiento de flexión. ‖ *s. m./adj.* ② Cualquiera de los músculos que producen un movimiento de flexión.

flipar *v. intr.* ① familiar Tener alucinaciones, especialmente por los efectos de una droga: *este tío flipa, no me conoce de nada y va y me saluda*. **SIN** alucinar. ② familiar Producir una droga alucinaciones. ③ familiar Entusiasmar o gustar mucho: *le flipaban las luces de colores*. ‖ *v. tr.* ④ familiar Impresionar mucho: *me has dejado flipada con esa noticia*. ‖ *v. prnl.* ⑤ **fliparse** Pasar a sentir los efectos alucinatorios de una droga. **FAM** flipe.

flirt *s. m.* ① Flirteo: *se habló mucho del flirt que había tenido con su guardaespaldas*. ‖ *s. com.* ② Persona con la que se flirtea. **FAM** flirtear.

flirtear *v. intr.* Intentar agradar a una persona, conversando con ella, tratándola con cariño y atención para establecer una relación amorosa pasajera o duradera. **SIN** coquetear. **FAM** flirteo.

flirteo *s. m.* Acción de flirtear. **SIN** flirt.

floculación *s. f.* Proceso a través del cual las partículas de un coloide se aglomeran y forman partículas más gruesas, las cuales a menudo pueden redispersarse por agitación, pues las fuerzas de unión en su interior son débiles: *la floculación puede provocarse añadiendo un coagulante al líquido*.

floema *s. m.* Tejido vegetal constituido por los vasos o conductos que transportan la savia elaborada: *el floema transporta el alimento fabricado en las hojas a todo el vegetal*.

flojear *v. intr.* ① Flaquear o perder fuerza física o resistencia:

me flojeaban las piernas después de haber caminado tantas horas. **2** Perder una persona o una cosa eficacia o rendimiento: *flojeaba en matemáticas.*

flojedad *s. f.* **1** Debilidad y falta de fuerza física o resistencia. **2** Descuido, lentitud o pereza con que se hace algo.

flojera *s. f.* familiar Flojedad (debilidad).

flojo, -ja *adj.* **1** Que está mal atado, poco apretado, ajustado o tirante: *el lazo estaba flojo y se ha desatado.* **2** Que es muy débil o tiene poca fuerza: *no temas, este vino es flojo y no te subirá.* **ANT** fuerte. **3** Que está muy suelto o es poco compacto: *un colchón muy flojo.* **4** Que tiene diarrea: *comer membrillo va bien si andas flojo.* **5** Se aplica a la actividad, la acción o el movimiento que tienen poca fuerza o intensidad: *hoy hemos tenido un día flojo de ventas.* **6** Se aplica a la risa que se produce por cualquier cosa y es imposible reprimir: *nos dio la risa floja en medio de la conferencia.* **7** Que no tiene la calidad o el interés esperados o adecuados: *hizo un examen flojo; una película floja.* **8** Se aplica al sonido que se articula con poca tensión muscular. **SIN** relajado. **ANT** tenso. **9** Se aplica a la persona que es perezosa, descuidada o lenta: *un estudiante flojo.* | *adv.* **10** De forma floja: *hablabas flojo y no te he entendido.*

traérsela floja vulgar Se usa para expresar indiferencia o desprecio hacia alguien o algo.

FAM flojear, flojedad, flojera; aflojar.

flor *s. f.* **1** Parte de una planta espermatófita, generalmente de colores vistosos, donde se encuentran sus órganos reproductores; consta del pedúnculo floral, el cáliz, la corola, los estambres y los carpelos: *las flores del almendro son blancas; la rosa es una flor de pétalos suaves y perfumados.* **2** Parte mejor o más importante de algo: *escogió la flor de sus guerreros para la batalla final.* ■ **flor de la canela** Persona o cosa que es la mejor o más hermosa. ■ **flor y nata** Conjunto de personas o cosas que son lo mejor o más selecto en su género: *la flor y nata de la sociedad.* **3** Expresión con que se alaba o se piropea a una persona: *echar flores a alguien.* **NOTA** Más en plural.

a flor de piel Indica que un sentimiento es tan intenso que se hace fácilmente perceptible a los demás: *tener los nervios a flor de piel.*

en flor (**I**) En la época en que las plantas echan flores: *en la primavera los campos están en flor.* (**II**) En el momento de mayor esplendor.

en la flor de la vida (o de la edad) En plena juventud: *aprovéchate que estás en la flor de la vida.*

ir de flor en flor Tratar con personas o intervenir en asuntos sin detenerse en ninguno de ellos: *va de flor en flor sin tomarse en serio ninguna relación.*

ni flores familiar Ni idea o nada: *no tenía ni flores de dónde vivía.*

ser flor de un día Durar poco tiempo: *la fama de este cantante ha sido flor de un día.*

FAM floral, florear, florecer, florería, florero, florescencia, floricultura, floripondio, florista.

flora *s. f.* **1** Conjunto de las plantas de un medio, una zona o una época determinados: *la flora mediterránea; la flora tropical.* **2** Tratado de botánica que describe y enumera las distintas especies florales. **3** Conjunto de bacterias que residen en un órgano y cuya presencia es indispensable para el funcionamiento del organismo: *flora vaginal; el yogur regenera la flora intestinal.* **NOTA** También *flora bacteriana.*

floración *s. f.* **1** Acción de florecer las plantas: *la floración*

de los almendros es muy vistosa. **SIN** florecimiento. **2** Época en que se produce este fenómeno. **3** Tiempo que permanecen abiertas las flores de las plantas de una misma especie.

floral *adj.* Relativo a la flor: *ofrenda floral.*

floreado, -da *adj.* Que está adornado con dibujos de flores: *camisa floreada.*

florear *v. tr.* **1** Adornar una cosa con flores: *florear una tela.* **2** En música, tocar dos o tres notas sucesiva y repetidamente, formando un sonido continuo a modo de ornamentación. | *v. tr./prnl.* **3** CHILE, EL SALV. Escoger lo mejor de una cosa. | *v. intr.* **4** AMÉR. Florecer: *los almendros empezaron a florear.*

FAM floración, florido.

florecer [16] *v. intr.* **1** Echar flores una planta: *la flor de Pascua solo florece cuando los días son cortos y las noches largas.* **2** Prosperar o aumentar la importancia o la riqueza de una cosa. **3** Existir y desarrollarse en un tiempo o lugar determinados una persona o un acontecimiento importantes: *el realismo floreció en el siglo XIX.* | *v. prnl.* **4** **florecerse** Formarse una capa de moho en la superficie de algo, en especial de un alimento: *florecerse el pan.* **SIN** enmohecerse.

FAM floreciente, florecimiento.

floreciente *adj.* **1** Que echa flores: *un rosal floreciente.* **2** Que prospera o se desarrolla: *negocio floreciente.* **SIN** próspero.

florentino, -na *adj.* **1** De Florencia (ciudad de Italia). | *s. m. y f./adj.* **2** Persona que es de Florencia.

florero *s. m.* Recipiente más ancho que alto que sirve para poner flores: *un florero de cerámica.*

floresta *s. f.* Terreno frondoso poblado de árboles.

florete *s. m.* Espada para practicar esgrima que tiene la hoja de cuatro aristas sin filo.

floricultor, -ra *s. m. y f.* Persona que se dedica a la floricultura.

floricultura *s. f.* Cultivo de las flores.

FAM floricultor.

florido, -da *adj.* **1** Que tiene flores: *rosal florido.* **2** Que es lo mejor o más selecto en su género: *lo más florido de la sociedad.* **3** Se aplica al lenguaje o el estilo que está adornado con figuras retóricas. **4** Que es lucido o tiene buena apariencia.

florilegio *s. m.* Colección de fragmentos literarios seleccionados de uno o varios autores.

florín *s. m.* Unidad monetaria de los Países Bajos (hasta su sustitución por el euro en el año 2002), Hungría y otros países.

floripondio *s. m.* despectivo Flor grande y llamativa con que se adorna una cosa.

florista *s. com.* Persona que se dedica a vender flores y plantas y a hacer adornos florales.

FAM floristería.

floristería *s. f.* Establecimiento en el que se venden flores y plantas.

floritura *s. f.* **1** Adorno complejo, generalmente innecesario o superfluo. **2** Conjunto de notas que se añade a la melodía de una composición musical a modo de adorno: *los cantantes de ópera se lucen haciendo florituras.*

flota *s. f.* **1** Conjunto de barcos que realizan la misma actividad: *una flota de guerra; la flota pesquera.* **2** Conjunto de vehículos que realizan la misma actividad y normalmente son

propiedad de una compañía: *una flota de camiones de transporte*. **3** Conjunto de barcos o aviones que realizan juntos una operación bélica determinada. **4** CHILE, ECUAD. Multitud, caterva.
FAM flotar, flotilla.

flotación *s. f.* Mantenimiento de un cuerpo sobre la superficie de un líquido.

flotador *s. m.* **1** Utensilio que está hecho de un material insumergible, como el corcho o la goma, y sirve para poder flotar una persona en el agua; generalmente tiene forma circular y se coloca alrededor del tronco. **2** Dispositivo hecho de un material insumergible que sirve para que ciertas cosas floten: *el flotador de un hidroavión*. **3** Objeto o dispositivo que sirve para indicar la altura alcanzada por un líquido en un recipiente: *el flotador del depósito de agua*. **4** Objeto que flota en un líquido y que se usa con un fin determinado.

flotante *adj.* **1** Que flota o no se sumerge. **2** Que no está sujeto o lo está parcialmente: *parqué flotante*. **3** Que es provisional o cambiante: *población flotante*.

flotar *v. intr.* **1** Mantenerse un cuerpo sobre la superficie de un líquido: *el corcho y la madera flotan en el agua*. **2** Mantenerse un cuerpo suspendido en un medio gaseoso.
FAM flotación, flotador, flotante, flote; reflotar.

flote **1** Se usa en las expresiones:
a flote Flotando sobre la superficie de un líquido: *el barco se mantiene a flote*.
sacar a flote Hacer que algo que estaba en una situación crítica o peligrosa se recupere: *sacar a flote un negocio*.
salir a flote Superar una dificultad o situación crítica: *tras esta mala racha conseguimos salir a flote*.

flotilla *s. f.* **1** Flota de barcos pequeños o ligeros destinados a un fin determinado: *para la vigilancia de las costas se utiliza una flotilla de lanchas motoras*. **2** Flota poco numerosa de embarcaciones o de otros vehículos.

fluctuación *s. f.* **1** Variación en el valor o medida de una cosa: *la fluctuación del precio del petróleo ha repercutido en las bolsas mundiales*. **2** Variación en la intensidad o cualidad de algo. **3** Movimiento de un cuerpo en el agua al compás de las olas.

fluctuar *v. intr.* **1** Experimentar algo una variación de valor o medida: *la inflación se mantiene fluctuando entre el 5 % y el 2 %*. **SIN** oscilar. **2** Experimentar algo, como un sentimiento o estado del ánimo, una variación de intensidad o cualidad: *su actitud fluctúa entre el desprecio y el reproche*. **SIN** oscilar. **3** Moverse un cuerpo en el agua siguiendo el movimiento de las olas.
FAM fluctuación, fluctuante.
OBS Verbo regular, se acentúa como *actuar*.

fluidez *s. f.* Cualidad de lo que es fluido: *hablar un idioma con fluidez; la fluidez del tráfico*.

fluido, -da *s. m./adj.* **1** Sustancia cuyas moléculas presentan gran movilidad y se desplazan libremente debido a la poca cohesión existente entre ellas: *los fluidos (es decir, los líquidos y los gases) adoptan la forma del recipiente que los contiene*. ‖ *adj.* **2** Que tiene consistencia blanda y fluye, corre o adapta su forma con facilidad: *una emulsión fluida; lava fluida*. **3** Que marcha o se desarrolla de forma ordenada y sin interrupciones: *tráfico fluido*. **4** Se aplica al lenguaje o el estilo sencillos, claros y bien estructurados. **5** Que surge con facilidad y está bien estructurado: *habla un inglés fluido*. ‖ *s. m.*

6 Corriente eléctrica: *hubo un corte en el fluido a causa de una avería*. **NOTA** También *fluido eléctrico*.
FAM fluidez, fluidificar.

fluir [21] *v. intr.* **1** Brotar un líquido o un gas de algún lugar o correr por él. *la sangre fluía por la herida; el agua fluye de la fuente*. **2** Marchar o desarrollarse algo sin dificultad: *a pesar de haber una gran circulación, el tráfico fluía sin problemas*. **3** Brotar o surgir ideas, proyectos, etc., con facilidad y en abundancia.
FAM fluido.

flujo *s. m.* **1** Movimiento de un fluido por un lugar: *el flujo continuo de lava*. **2** Movimiento de ascenso de la marea, opuesto al de reflujo o descenso. **3** Movimiento de personas o de cosas de un lugar a otro: *flujo migratorio*. **4** Secreción orgánica normal o patológica: *el flujo menstrual de la mujer*. **5** Cantidad de una sustancia, una radiación, etc., que atraviesa una superficie en una unidad de tiempo.

flúor *s. m.* Elemento químico de símbolo F y número atómico 9; es un gas venenoso, de color amarillo verdoso y olor penetrante y desagradable; es, químicamente, muy reactivo y el más electronegativo de todos los elementos del sistema periódico: *el flúor pertenece al grupo de los halógenos; el flúor previene la caries*.
FAM fluorescencia, fluorita, fluorización.

fluorescencia *s. f.* Propiedad de los cuerpos fluorescentes.

fluorescente *adj.* **1** Se aplica al cuerpo o sustancia que es capaz de emitir parte de la radiación que ha absorbido, generalmente de mayor longitud de onda. **2** Se aplica a la luz producida de esa forma. ‖ *s. m./adj.* **3** Tubo de vidrio que emite luz fluorescente por influencia de radiaciones ultravioleta: *lámpara fluorescente*.

fluorita *s. f.* Mineral cristalizado, compuesto de flúor y calcio, utilizado en óptica, decoración y metalurgia. **SIN** espato flúor.

fluvial *adj.* Relativo al río: *pesca fluvial*.

FM *s. f.* Sigla de la expresión inglesa *Frequency Modulation*, modulación de frecuencia, frecuencia modulada: *sigue nuestro programa en el 95.3 de la FM*.

fobia *s. f.* **1** Temor exagerado, irracional y obsesivo hacia una persona, una cosa o una situación determinadas: *fobia a los espacios cerrados*. **2** Antipatía u odio muy intensos hacia alguien o algo.
FAM fóbico.

foca *s. f.* **1** Mamífero adaptado a la vida acuática de cuerpo rechoncho y cubierto de pelo corto, con las extremidades muy cortas en forma de aleta y la cola poco desarrollada; bajo la piel tiene capas de grasa que constituyen su protección natural al frío; se alimenta de peces y moluscos y vive en mares fríos: *la foca monje o foca fraile puede encontrarse en el Mediterráneo*. **2** fam. desp. Persona muy gruesa.

focal *adj.* Relativo al foco.

focalizar *v. tr.* **1** Hacer que un haz de rayos luminosos, un haz de electrones, una onda sonora u otra forma de energía converjan en un punto común. **2** Centrar algo en un punto o aspecto determinados, generalmente cuando se considera más importante o relevante que otros.
FAM focalización.

focha *s. f.* Ave zancuda acuática de plumaje negro, con el pico y la placa frontal blancos. **SIN** foja.

foco *s. m.* **1** Lámpara, generalmente dirigible, que emite una

luz muy intensa y concentrada hacia un punto. ② Punto donde se reúnen los rayos de luz, calor, etc., reflejados por un espejo curvo o refractados por una lente convergente. ③ Punto o lugar donde está localizada una cosa y desde donde se extiende o propaga: *un foco de infección; el ateneo es un foco de cultura para la ciudad*. ④ En geometría, punto situado en el plano y fuera de la curva de una cónica u otra curva plana, de modo que la distancia a todos los puntos de la misma puede expresarse mediante una ecuación. ■ **foco de una parábola** Punto fijo que, junto con la directriz, sirve para definir la parábola; todos sus puntos equidistan de la directriz y el foco. ■ **focos de una elipse** Puntos fijos que sirven para determinar la elipse y que verifican que la suma de las distancias de cualquier punto de la elipse a los dos focos de esta es constante. ■ **focos de una hipérbola** Puntos fijos que sirven para determinar la hipérbola y que verifican que la diferencia de las distancias de cualquier punto de la hipérbola a los dos focos de esta es constante. ⑤ AMÉR. SUR Bombilla eléctrica.
FAM focal; enfocar.

fofo, -fa *adj.* Que está blando y tiene poca consistencia: *musculatura fofa; una persona fofa*. **SIN** fláccido.

fogata *s. f.* Fuego de llamas altas, especialmente el que se hace al aire libre. **SIN** hoguera.

fogón *s. m.* ① Sitio de la cocina donde se hace el fuego para guisar. ② Parte de una máquina de vapor o de un horno donde se quema el combustible. ③ ARG., C. RICA, CHILE Fuego, fogata.
FAM fogonero.

fogonazo *s. m.* Llamarada o luz intensa y momentánea producida por un disparo o una explosión: *me deslumbraron los fogonazos de las cámaras de los periodistas*.

fogosidad *s. f.* Ímpetu y apasionamiento con que se hace una cosa.

fogoso, -sa *adj.* ① Que es impetuoso y apasionado: *hizo una fogosa defensa de la justicia*. ② Se aplica a la persona que ama con pasión y desenfreno.
FAM fogosidad.

foguear *v. tr.* ① Acostumbrar a alguien a realizar una actividad, o prepararlo para afrontar esfuerzos o responsabilidades mayores que las que tiene. ② Acostumbrar a los soldados al fuego del combate.
FAM fogueo.

fogueo *s. m.* Costumbre que va adquiriendo una persona a realizar una actividad, o preparación para afrontar esfuerzos y responsabilidades mayores.
de fogueo (I) Se aplica a la munición que solo lleva pólvora: *bala de fogueo; cartuchos de fogueo*. (II) Se aplica al disparo que se realiza con esa munición.

foie-gras [también **fuagrás**; se pronuncia aproximadamente 'fuagrás'] *s. m.* Alimento que consiste en una pasta elaborada con hígado triturado de ciertos animales, especialmente de pato, oca o ganso.

foja¹ *s. f.* AMÉR. En derecho, sumario.

foja² *s. f.* Focha.

folclore o **folclor** [también **folklore**] *s. m.* ① Conjunto de tradiciones, leyendas, creencias, costumbres, proverbios, etc., de origen popular y mantenidos por la tradición; especialmente, cante y baile que son propios de la tradición de un pueblo: *el flamenco es un estilo de música y baile que forma parte*

del folclore andaluz. ② Estudio del folclore de un pueblo. ③ familiar Jaleo: *¡menudo folclore se ha formado en la cola!*
FAM folclórico, folclorista.

folclórico, -ca [también **folklórico, -ca**] *adj.* ① Relativo al folclore popular: *tradición folclórica*. | *s. m. y f.* ② Persona que interpreta, canta o baila flamenco.

foliación *s. f.* ① Modo de estar dispuestas las hojas en una planta: *la foliación del laurel es alterna sobre el tallo*. ② Aparición y desarrollo de las hojas de una planta. ③ Numeración ordenada de las páginas de un escrito o impreso: *al añadir páginas en la nueva edición hay que rehacer la foliación*.

foliar¹ *v. tr.* Numerar ordenadamente las páginas de un escrito o impreso.
FAM foliación.
OBS Verbo regular, se acentúa como *cambiar*.

foliar² *adj.* Relativo a las hojas de una planta.

folículo *s. m.* ① Glándula en forma de saco pequeño situada en la piel o en las mucosas que tiene función secretora o excretora: *el folículo piloso rodea la raíz del pelo; el folículo ovárico produce los óvulos*. ② Fruto sencillo y seco que se abre por una sutura o línea central y encierra varias semillas.
FAM folicular.

folio *s. m.* ① Hoja de papel, en especial la que resulta de cortar por la mitad un pliego, y cuyo tamaño equivale a dos cuartillas: *un folio mide 31,5 cm de largo y 21,5 cm de ancho*. ② Hoja numerada de un escrito o un libro.
FAM foliar.

folíolo o **foliolo** *s. m.* División primaria, en forma de hoja, de las que forman una hoja compuesta de una planta: *el trébol tiene hojas con tres folíolos*. **SIN** pinna.

folk *s. m.* ① Estilo musical nacido a finales de la década de 1950 en los Estados Unidos que se caracteriza por la combinación de la música tradicional con elementos del rock, por el contenido social de sus letras y por la sencillez de su composición: *Bob Dylan es un cantante de folk*. | *adj.* ② Relativo a este estilo musical: *grupo folk; cantantes folk*. **NOTA** Invariable en número.

folklore *s. m.* Folclore.
FAM folklórico, folklorista.

folklórico, -ca V. folclórico, -ca.

follaje *s. m.* ① Conjunto de hojas y ramas de un árbol, arbusto o planta: *el abeto es de follaje perenne*. **SIN** fronda. ② Adorno de hojas y ramas en una cosa.

follar [5] *v. intr.* ① vulgar Copular, realizar el acto sexual. | *v. prnl. tr.* ② **follarse** vulgar Poseer sexualmente a una persona, realizar el acto sexual con ella.

folletín *s. m.* ① Novela, cuento o relato publicados en un periódico o revista, generalmente por entregas; estuvo especialmente de moda en el siglo XIX. ② Obra literaria o cinematográfica que presenta una historia sentimental en la que abundan elementos para conmover al público, con una escasa elaboración psicológica de los personajes y que muestra una visión maniqueísta y estereotipada de la realidad. ③ Género literario constituido por novelas o relatos de estas características, que se desarrolló en el siglo XIX en Europa y precedió al realismo. ④ Hecho o situación de la vida real que es tan increíble que parece propio de estas obras.
FAM folletinesco.

folletinesco, -ca *adj.* ① Relativo al folletín: *Galdós consagró el género folletinesco en España*. ② Se aplica a la situación o hecho de la vida real que se considera propio de los folletines sentimentales.

folleto *s. m.* **1** Impreso de corta extensión que sirve para informar sobre algo o para hacer publicidad de un producto: *el folleto de una ópera.* **2** Impreso que explica las características y el modo de empleo de un determinado aparato o servicio: *un folleto de instrucciones.* **FAM** folletín.

follón[1] *s. m.* **1** familiar Situación confusa o desordenada: *se ha formado un gran follón en la puerta de la secretaría por culpa de las matrículas.* **2** familiar Discusión por algún asunto problemático, poco claro o incómodo: *ha tenido un follón con sus jefes.* **FAM** follonero.

follón[2] *s. m.* **1** Cohete que se dispara sin producir estruendo. **2** Ventosidad sin ruido.

fomentar *v. tr.* Hacer que una actividad u otra cosa se desarrolle o aumente su intensidad: *fomentar el turismo; fomentar el interés por la botánica.* **FAM** fomentador.

fomento *s. m.* **1** Impulso para desarrollar o aumentar la intensidad de una actividad u otra cosa: *presentaron un proyecto para el fomento de la industria textil.* **2** Actividad política destinada a favorecer el progreso y las infraestructuras públicas: *ministro de fomento.* **FAM** fomentar.

fon *s. m.* Unidad de sonoridad o percepción sonora que equivale a la sensación que produce un sonido de frecuencia 1 000 hertz e intensidad 10^{-12} watts por metro cuadrado; se utiliza para medir la diferencia entre las sensaciones sonoras producidas por dos sonidos de intensidades distintas: *el oído humano es capaz de apreciar sonidos entre 0 y 120 fon.* **OBS** Plural: *fon.* Se ha adaptado al español con las formas *fonio* y *fono.*

fonación *s. f.* Proceso mediante el cual se produce la voz humana y se articulan o pronuncian las palabras: *acude a un logopeda porque tiene problemas de fonación.*

fonador, -ra *adj.* Se aplica al órgano que interviene en la fonación: *las cuerdas vocales y la lengua son órganos fonadores.*

fonda *s. f.* Establecimiento de categoría inferior al hostal que ofrece alojamiento y servicios de aseo y comedor. **FAM** fondista.

fondeadero *s. m.* Lugar que tiene la profundidad necesaria para que pueda fondear en él una embarcación.

fondear *v. tr./intr.* **1** Hacer que una embarcación se detenga echando el ancla o un peso que descanse en el fondo: *el trasatlántico fondeó en la dársena; han fondeado la lancha en este puerto.* **2** *v. tr.* Reconocer el fondo del agua: *fondearon el río para encontrar el arma.* **3** *v. prnl.* **fondearse** AMÉR. Enriquecerse. **FAM** fondeadero.

fondillos *s. m. pl.* Parte de un pantalón, un calzón u otra prenda semejante que cubre las nalgas.

fondista *s. com.* Atleta que participa en pruebas de fondo. **FAM** mediofondista.

fondo *s. m.* **1** Parte más baja de una cosa hueca o cóncava: *el poso del café se queda en el fondo.* **2** Distancia entre esta parte y un punto tomado como referencia (parte más alta, entrada, borde, etc.): *el pozo tiene un fondo de 3 metros; un bolso de mucho fondo.* **SIN** profundidad. **3** Parte opuesta a la entrada de un lugar o el lugar desde el que se habla: *en el fondo de la habitación*

colocó la cama; al fondo vi gente reunida. **4** Superficie en la que descansa el agua del mar, un río o un lago, etc. **SIN** lecho. **5** Parte principal o elemento clave de un asunto, que subyace por debajo de las apariencias: *el fondo de la cuestión.* **6** Carácter de una persona o rasgo del mismo que existe al margen de las apariencias: *no se enfadará porque tiene buen fondo.* **7** Parte íntima de una persona, de su memoria, su corazón o su conocimiento. **8** Parte de un cuadro u otra superficie que es más o menos uniforme y sobre la cual destacan dibujos, adornos o figuras: *en el tenebrismo destacan los fondos oscuros.* **9** Plano de una imagen que queda tras las figuras o elementos que ocupan el plano principal: *el fondo de la foto queda difuminado, pero su cara es nítida.* **10** Sonido continuo que se percibe en un segundo plano: *una voz con fondo de orquesta.* **11** Conjunto de libros, documentos u obras artísticas que posee una institución o entidad: *el fondo editorial es amplio y variado.* **12** Cantidad de dinero que se reserva para un fin determinado: *fondos de inversión; tengo un fondo para los regalos de Navidad.* **13** Capacidad que tiene un deportista para resistir un prolongado esfuerzo físico: *mediante el entrenamiento diario, ha adquirido un gran fondo.* **14** Modalidad de atletismo basada en esta capacidad de resistencia, que consiste en carreras de largo recorrido, en especial las de 1 000 m, 5 000 m y maratón. ‖ *s. m. pl.* **15** **fondos** Dinero o caudales pertenecientes al tesoro público o al haber de un negociante: *pagar con un cheque sin fondos.*

a fondo Indica que una acción se hace con profundidad, de manera exhaustiva o con todo detalle: *limpiar a fondo; abordar a fondo un problema.*

bajos fondos Barrio o zona de una ciudad donde hay muchos delincuentes.

de fondo Prueba deportiva que consiste en recorrer una larga distancia y que está basada en la resistencia física del atleta.

en el fondo Indica lo que por encima de las apariencias es esencial en un asunto.

tocar fondo Llegar al límite de una situación desfavorable: *he tocado fondo: ya no me queda ni un duro.* **FAM** fondear, fondista; desfondar.

fondón, -dona *adj.* familiar Se aplica a la persona que está gruesa y ha perdido la agilidad. **OBS** Frecuentemente usado de forma humorística.

fondue [se pronuncia aproximadamente 'fondí'] *s. f.* **1** Plato que consiste en trozos de pan o carne fritos en aceite o queso fundido, o trozos de fruta en chocolate fundido, que se prepara con un hornillo especial en el mismo momento en que se va a comer. **2** Hornillo para elaborar este plato.

fonema *s. m.* Unidad fonológica mínima que se opone a otra para diferenciar significados, como en *bata* y *lata*: *cada fonema puede tener en el habla distintas realizaciones o sonidos.* **FAM** fonemático.

fonendoscopio *s. m.* Instrumento médico que sirve para auscultar y que está formado por dos tubos, con un auricular en cada extremo, que se unen en otro tubo terminado en una placa metálica que se aplica al cuerpo.

fonética *s. f.* **1** Parte de la lingüística que estudia los sonidos de las lenguas independientemente de su función lingüística. **2** Conjunto de sonidos del lenguaje humano que se articulan o pronuncian en una lengua determinada. **FAM** fonetista.

fonético, -ca *adj.* **1** Relativo a la fonética. **2** Se aplica al alfabeto cuyos signos representan los sonidos del lenguaje: *en los alfabetos fonéticos, cada signo representa un sonido y viceversa, de modo que la be y la uve se transcriben con un mismo signo, y la hache no tiene transcripción, por ser muda.* **FAM** fonética.

fónico, -ca *adj.* Relativo a la voz o los sonidos del habla: *los recursos fónicos empleados en el lenguaje poético son variadísimos.*

fonio *s. m.* Fon.

fono[1] *s. m.* Fon.

fono[2] *s. m.* AMÉR. SUR Auricular del teléfono.

fonógrafo *s. m.* Aparato para registrar y reproducir el sonido que consiste en un cilindro donde una aguja, conectada a una lámina sensible, graba las vibraciones de los sonidos; al girar el cilindro, de modo que la aguja se deslice encima de las incisiones, pone en vibración la lámina y reproduce los sonidos. **FAM** fonográfico.

fonología *s. f.* Parte de la lingüística que estudia los fonemas, dando más importancia a su valor distintivo y a la función que desempeñan dentro de una lengua. **FAM** fonológico, fonólogo.

fonológico, -ca *adj.* Relativo a la fonología o a los fonemas.

fonoteca *s. f.* ① Edificio o lugar donde se conservan documentos sonoros para que puedan ser consultados. ② Conjunto o colección de documentos sonoros.

fontana *s. f.* culto Fuente, manantial.

fontanela *s. f.* Espacio membranoso que hay en el cráneo humano y de muchos animales antes de su completa osificación.

fontanería *s. f.* ① Oficio del fontanero. ② Conjunto de conducciones de agua e instalaciones sanitarias que regulan, canalizan y distribuyen el agua en un edificio. ③ Establecimiento en el que se venden los materiales para estas instalaciones. **FAM** fontanero.

fontanero, -ra *s. m. y f.* Persona que se dedica a instalar o reparar conducciones de agua y sanitarios. **FAM** fontanería.

footing [se pronuncia aproximadamente 'futin'] *s. m.* Ejercicio físico que consiste en correr una distancia larga a un ritmo moderado y continuo.

foque *s. m.* Vela triangular de una embarcación, especialmente la principal que se apoya sobre el palo horizontal de la proa.

forajido, -da *adj./s. m. y f.* Se aplica a la persona que vive al margen de la ley y alejado de lugares poblados, huyendo continuamente de la justicia.

foral *adj.* ① Relativo al fuero o los fueros. ② Se aplica a la comunidad o territorio que tiene fueros propios: *Comunidad Foral de Navarra.*

foraminífero *adj./s. m. y f.* ① Se aplica al protozoo marino provisto de una envoltura formada por quitina y carbonato cálcico. ‖ *s. m. pl.* ② **foraminíferos** Grupo taxonómico, con categoría de tipo, constituido por estos protozoos.

foráneo, -nea *adj.* culto Que proviene de otro lugar: *adoptamos costumbres foráneas.*

forastero, -ra *adj./s. m. y f.* Se aplica a la persona que proviene de otro lugar.

forcejear *v. intr.* Hacer fuerza para vencer una resistencia y conseguir algo: *los pívots forcejeaban debajo de la canasta para llevarse la pelota.* **FAM** forcejeo.

forcejeo *s. m.* Esfuerzo físico o moral para vencer una resistencia y conseguir algo.

fórceps *s. m.* Instrumento en forma de pinza que se utiliza para ayudar a salir al bebé en un parto difícil. **OBS** Plural invariable.

forense *adj.* ① Relativo a los tribunales de justicia. ‖ *adj./s. com.* ② Se aplica al médico que está encargado por un juez de señalar el origen de las lesiones sufridas por un herido, o, especialmente, de determinar las causas que han provocado la muerte de una persona.

forestal *adj.* Relativo al bosque: *incendio forestal.*

forja *s. f.* ① Trabajo de un metal, especialmente del hierro, dándole una forma definida cuando está caliente por medio de golpes o por presión. **SIN** forjado. ② Taller donde se realiza este trabajo. **SIN** fragua. ③ Creación o formación de una cosa, generalmente de algo no material. ④ Mezcla de cal, arena y agua que se usa en la construcción. **SIN** argamasa, mortero. **FAM** forjar.

forjado *s. m.* ① Forja (trabajo). ② Armazón de madera o metal que sirve para hacer una pared, un tabique o un suelo, una vez rellenado o cubierto de cemento, hormigón u otro material.

forjar *v. tr.* ① Trabajar un metal, especialmente el hierro, y darle una forma definida cuando está caliente por medio de golpes o por presión. **SIN** fraguar. ② Crear o formar una cosa: *forjar una gran amistad; forjarse un porvenir.* **SIN** fraguar. **FAM** forjador.

forma *s. f.* ① Figura o conjunto de líneas y superficies que determinan el aspecto exterior de una cosa: *este cojín tiene forma de media luna.* ② Modo de ser, actuar o hacer una cosa: *forma de trabajar muy rápida.* **SIN** manera. ③ Modo de aparecer o manifestarse una cosa: *hay distintas formas de energía.* ④ Modo de actuar y comportarse con los demás en público, siguiendo ciertas reglas sociales: *comer haciendo ruido no es una forma educada de comportarse.* **NOTA** Más en plural. ⑤ Modo de expresar el pensamiento o las ideas, especialmente en la escritura. ⑥ Hoja redonda y fina hecha de una masa de harina y agua que el sacerdote consagra durante la misa para convertirla en símbolo del cuerpo de Cristo y da a los fieles en la comunión. **NOTA** También *forma sagrada* o *sagrada forma.* **SIN** hostia, pan bendito. ⑦ Aspecto que presenta una palabra o unidad lingüística con una determinada información gramatical: *forma del plural; forma de masculino.* ⑧ En música, esquema organizativo que regula la composición de una obra, en cuanto a la melodía y la armonía, el ritmo, las dinámicas y todos los componentes que la constituyen: *las formas musicales comenzaron a regularse y estudiarse en el siglo XVII como parte indispensable de los estudios musicales.* ‖ *s. f. pl.* ⑨ **formas** Conjunto de expresiones, gestos o actitudes que una persona utiliza para comportarse en público y con los demás: *oiga, un respeto, esas no son formas de tratar a la gente.*

de todas formas Indica que una cosa que se ha dicho antes o que se sabe, no impide lo que se dice a continuación.

en forma Indica que una persona se encuentra en buenas condiciones físicas o mentales para hacer algo: *hacer ejercicio para estar en forma.*

guardar las formas Comportarse según ciertas normas sociales.

FAM formal, formar, formato.

formación *s. f.* ❶ Manera de estar configurado o dispuesto el aspecto exterior de algo. ❷ Creación o constitución de una cosa que no existía antes. ❸ Formación intelectual o profesional de una persona: *es un mecánico con una excelente formación técnica.* ❹ Conjunto ordenado de personas o cosas, especialmente de soldados dispuestos en fila: *formación militar; formación política.* ❺ Conjunto de rocas o minerales que se han depositado en un lugar durante el mismo periodo geológico.

formación profesional Etapa de la enseñanza escolar que en el sistema educativo actual puede ser de grado medio (después de la ESO) o de grado superior (tras el bachillerato) y que está destinada a proporcionar una capacitación profesional para determinados oficios o profesiones.

formal *adj.* ❶ Se aplica a la persona que tiene un comportamiento correcto y educado. ❷ Se aplica a la persona que cumple con sus obligaciones y compromisos. ANT informal. ❸ Que cumple con las condiciones necesarias o con los requisitos establecidos para llevarse a cabo. ❹ Relativo al aspecto exterior de una cosa: *diseño formal de un objeto.* ❺ Relativo al modo de expresar el pensamiento: *análisis formal de un texto.*

FAM formalidad, formalismo, formalizar; informal.

formalidad *s. f.* ❶ Condición necesaria o requisito establecido para que se haga o se cumpla una cosa. ❷ Corrección y educación en el comportamiento de una persona. ❸ Seriedad y responsabilidad de una persona en el cumplimiento de sus obligaciones y compromisos. ANT informalidad.

formalización *s. f.* ❶ Acción de dar o aumentar la seriedad y estabilidad a una cosa, especialmente a una relación entre personas: *formalización de una relación de pareja.* ❷ Acción de dar carácter legal a una cosa que reúne las condiciones necesarias o los requisitos establecidos: *formalización del contrato ante notario.*

formalizar *v. tr.* ❶ Dar o aumentar la seriedad y estabilidad de una cosa, especialmente de una relación entre personas. ❷ Hacer que una cosa cumpla las condiciones necesarias o los requisitos legales establecidos para llevarla a cabo.

FAM formalización.

formante *s. m.* En lingüística, morfema.

formar *v. tr.* ❶ Hacer una cosa, dándole su forma o aspecto exterior. ❷ Crear una cosa que antes no existía: *formar un grupo de amigos.* ❸ Dar preparación intelectual o profesional a alguien. ❙ *v. intr.* ❹ Colocarse en filas o en determinado orden una o varias personas: *los alumnos formaron ante el profesor.*

FAM formación, formador, formativo; deformar.

formatear *v. tr.* Preparar y optimizar un disco, como el disco duro o un disquete, organizando su espacio de almacenamiento en una serie de directorios que posteriormente puedan ser reconocidos y a los que se pueda acceder.

FAM formateo.

formateo *s. m.* Operación que consiste en preparar un disquete dándole una estructura que el ordenador pueda utilizar.

formativo, -va *adj.* Que sirve para enseñar: *un ciclo formativo de matemáticas.*

formato *s. m.* ❶ Forma y tamaño de un libro, un impreso, una fotografía, etc. ❷ Dimensión, expresada en milímetros, de la anchura de una película: *la grabación está en formato 8 mm.* ❸ En informática, disposición para formalizar los datos del documento.

FAM formatear.

formica o **fórmica** *s. f.* Laminado plástico y brillante con que se forran algunas maderas, especialmente el conglomerado de madera: *la formica es una resina artificial.*

OBS Es marca registrada.

fórmico, -ca *adj.* Se aplica al ácido incoloro e irritante, procedente de la oxidación de ciertas sustancias orgánicas, y la secreción de ciertas plantas (como las ortigas) e insectos (como las hormigas o las abejas).

formidable *adj.* ❶ Que destaca entre otros de su misma clase por su calidad o capacidad: *es un jugador formidable; tiene una biblioteca formidable.* SIN extraordinario, fenomenal. ❷ Se aplica a la cosa que destaca y asombra por su gran tamaño.

formol *s. m.* Líquido incoloro y de olor fuerte, con propiedades desinfectantes, que se usa para conservar seres orgánicos muertos y evitar su descomposición.

formón *s. m.* Herramienta que sirve para cortar o trabajar la madera, y que tiene el corte más ancho y menos grueso que el escoplo.

fórmula *s. f.* ❶ Escrito en el que se describe la composición de un producto y el modo de prepararlo. ❷ Forma establecida para el modo de realizar, resolver o expresar una cosa. ❸ Expresión simbólica de la relación que existe entre dos o más variables, escrita mediante los signos de igualdad, desigualdad o los de las operaciones matemáticas. ❹ Expresión simbólica de la composición química de un cuerpo o sustancia: *la fórmula del cloruro de sodio es ClNa.* NOTA También *fórmula química.* ■ **fórmula empírica** Fórmula que indica los elementos que forman un compuesto y la proporción en que se encuentran. ■ **fórmula estructural** Fórmula que indica los enlaces y la disposición geométrica de los átomos de los elementos de un compuesto. ■ **fórmula molecular** Fórmula que representa el número real de átomos de cada uno de los elementos que forman una molécula. ❺ Categoría en que se dividen las competiciones de automovilismo según la potencia del motor y el peso del vehículo.

FAM formular, formulario, formulismo.

formulación *s. f.* ❶ Expresión de una cosa con palabras o por escrito, generalmente con claridad y exactitud. ❷ Expresión de una ley física, un principio matemático o una composición química mediante una fórmula. ❸ Conjunto de reglas preestablecidas que han de seguirse de manera ordenada para expresar un compuesto mediante su fórmula química.

formular *v. tr.* ❶ Expresar una ley física, un principio matemático o una composición química mediante una fórmula o combinación de números, letras y signos. ❷ Expresar una cosa con palabras o por escrito, generalmente con claridad y exactitud.

FAM formulación.

formulario, -ria *adj.* ❶ Relativo al modo establecido de hacer o expresar algo: *el lenguaje jurídico es muy formulario.* ❙ *s. m.* ❷ Escrito impreso con espacios en blanco para anotar los datos o responder las cuestiones que se solicitan.

formulismo *s. m.* Tendencia excesiva a usar las fórmulas o modos establecidos para hacer o expresar algo.

FAM formulista.

fornicar *v. intr.* Realizar el acto sexual fuera del matrimonio. **FAM** fornicación.

fornido, -da *adj.* Se aplica a la persona fuerte o de gran corpulencia.

foro *s. m.* **1** Plaza central, en las ciudades de la antigua Roma, situada en el cruce de las dos vías más importantes (el cardo y el decumano), que constituía el gran centro cívico, administrativo y judicial de la localidad y en torno a la cual se ubicaban los edificios más representativos. **2** Reunión de personas para tratar un asunto ante un público que también puede expresar su opinión. **3** Fondo del escenario de un teatro, que está más alejado de los espectadores. **FAM** foral; aforar.

forofo, -fa *s. m. y f.* Persona a la que le gusta mucho o practica con pasión una actividad determinada, especialmente un deporte.

forraje *s. m.* Hierba que se da al ganado para alimentarlo. **SIN** pasto. **FAM** forrajero.

forrajero, -ra *adj.* Se aplica a la planta que sirve como alimento para el ganado.

forrar *v. tr.* **1** Cubrir un objeto para protegerlo o conservarlo: *forrar los libros con papel.* **2** Poner una pieza de tela en la superficie interior de una prenda de vestir. ‖ *v. prnl.* **3** **forrarse** familiar Ganar gran cantidad de dinero.

forro *s. m.* **1** Pieza con que se cubre un objeto para protegerlo o conservarlo. **2** Pieza de tela que se cose en la superficie interior de una prenda de vestir. **FAM** forrar.

fortachón, -chona *adj.* familiar Se aplica a la persona fuerte o corpulenta.

fortalecer [16] *v. tr.* **1** Hacer fuerte o más fuerte a una persona o cosa: *fortalecer los músculos.* **2** Hacer más intensa una relación o sentimiento entre dos personas o grupos: *fortalecer nuestra amistad.* **FAM** fortalecimiento.

fortalecimiento *s. m.* **1** Aumento de la fuerza de una persona o cosa. **2** Aumento de la intensidad de una relación o sentimiento entre dos personas o grupos.

fortaleza *s. f.* **1** Fuerza física o moral de una persona para afrontar situaciones difíciles. **ANT** debilidad. **2** Virtud cardinal que confiere valor para soportar la adversidad y resistir los peligros. **3** Recinto protegido con murallas o construcciones de defensa para resguardarse de los enemigos. **FAM** fortalecer.

forte *adv.* En música, se emplea como acotación interpretativa para indicar que un fragmento o una pieza deben ejecutarse con fuerza o intensidad: *la abreviatura de forte es "f".* ■ **mezzo forte** En música, se emplea como acotación interpretativa para indicar que un fragmento o una pieza deben ejecutarse de manera moderadamente fuerte: *la abreviatura de mezzo forte es "mf".* **NOTA** Se pronuncia aproximadamente 'medso forte'.

fortificación *s. f.* **1** Acción de fortificar. **2** Construcción que sirve para proteger un lugar.

fortificar *v. tr.* **1** Hacer más fuerte, física o moralmente, a una persona. **2** Proteger un lugar con construcciones defensivas: *los romanos fortificaban las ciudades y plazas que conquistaban.* **FAM** fortificación.

fortín *s. m.* Fuerte o recinto de pequeño tamaño que sirve de defensa. **FAM** fortificar.

fortísimo, -ma *adj.* culto Superlativo de *fuerte.*

fortissimo [se pronuncia 'fortísimo'] *adv.* En música, se emplea como acotación interpretativa para indicar que un fragmento o una pieza deben ejecutarse con mucha fuerza o intensidad: *la abreviatura de fortissimo es "ff".*

fortuito, -ta *adj.* Que sucede inesperadamente y por casualidad: *un encuentro fortuito.*

fortuna *s. f.* **1** Causa que supuestamente hace que ocurra una cosa no condicionada por la relación de causa y efecto ni por la intervención humana o divina. **SIN** azar, suerte. **2** Suerte favorable para alguien. **3** Cantidad de dinero y bienes que posee una persona. **SIN** hacienda. **4** Cantidad muy grande de dinero. **SIN** dineral. **5** Éxito o aceptación de una cosa entre la gente.
por fortuna Indica que un determinado hecho es debido a la buena suerte.
probar fortuna Intentar hacer o conseguir una cosa difícil. **FAM** afortunado; cazafortunas, infortunado.

fórum *s. m.* Reunión de personas para tratar un asunto ante un público que puede también expresar su opinión. **SIN** foro. **FAM** cinefórum.

forúnculo *s. m.* Furúnculo.

forzado, -da *adj.* **1** Forzoso. **2** Falto de espontaneidad o naturalidad: *risa forzada.*

forzar [5] *v. tr.* **1** Obligar a una persona a que haga algo que no quiere hacer: *lo fuerzan a estudiar y suspenderá.* **2** Abusar sexualmente de una persona. **3** Aplicar a algo un esfuerzo mayor del habitual: *forzar el motor del coche.* **4** Abrir algo mediante la fuerza o la violencia: *forzar la cerradura; forzar un armario.* **5** Hacer que algo se produzca de un modo no natural: *forzar la situación.* **FAM** forzado, forzoso.

forzoso, -sa *adj.* Se aplica a la cosa que es obligatoria y que no se puede evitar por ningún medio: *reposo forzoso; expedición forzosa.* **SIN** forzado.

forzudo, -da *adj./s. m. y f.* Se aplica a la persona que tiene mucha fuerza.

fosa *s. f.* **1** Hoyo que se hace en la tierra, especialmente para enterrar a los muertos. ■ **fosa común** Lugar en el que se entierran juntos los cadáveres que no tienen sepultura particular: *Mozart fue enterrado en una fosa común.* **2** Cavidad o hueco del cuerpo humano y de los animales: *fosas nasales.* **3** Estructura geológica formada por una zona alargada de la corteza terrestre o del fondo de los océanos hundida respecto a los bloques laterales, por la acción de las fallas laterales. ■ **fosa abisal** o **fosa marina** o **fosa oceánica** Depresión del fondo de los océanos, de bordes abruptos, escasa anchura y profundidad superior a los 5 000 m: *la Fosa de las Marianas es una fosa oceánica que está a 11 022 m de profundidad.* ■ **fosa tectónica** Estructura geológica formada por un bloque hundido de la corteza terrestre, entre dos bloques elevados, cuyas paredes son dos fallas, dando lugar a un valle o depresión alargada: *las fosas tectónicas se encuentran entre dos fallas.* **FAM** foso.

fosfatina Se usa en la expresión:
hacer fosfatina familiar Destrozar completamente una cosa o perjudicar mucho a una persona.

fosfato *s. m.* Sal formada a partir del ácido fosfórico, que se emplea a menudo como fertilizante.
FAM fosfatar.

fosforescencia *s. f.* Propiedad que tienen ciertas sustancias de emitir luz durante un tiempo después de haber estado expuestas a una fuente luminosa.

fosforescente *adj.* Se aplica a la sustancia o cuerpo que tiene la propiedad de emitir luz durante un tiempo después de haber estado expuestas a una fuente luminosa: *ropa fosforescente*.
FAM fosforescencia.

fosfórico, -ca *adj.* Relativo al fósforo.

fosforita *s. f.* Roca sedimentaria de color blanco amarillento o pardo, formada por fosfato de sal.

fosforito *s. m./adj.* ① familiar Color fosforescente. | *adj.* ② familiar Que es de este color: *los ciclistas suelen llevar camisetas fosforito*. **NOTA** Invariable en número.

fósforo *s. m.* ① Elemento químico de símbolo *P* y número atómico 15; es un no metal sólido, muy combustible y venenoso, que puede presentarse en varios colores; es muy reactivo, emite luz en la oscuridad y sus compuestos se emplean, entre otros usos, como fertilizantes y para elaborar cerillas. ② Palito de madera, de papel encerado u otro material combustible, recubierto de fósforo y azufre en un extremo, que prende al rozarlo con una superficie rugosa. **SIN** cerilla, mixto.
FAM fosforescer, fosfórico, fosforito, fosforoso.

fósil *s. m./adj.* Vestigio, impresión o molde de una planta o animal preservados en una roca; se origina a lo largo de millones de años en los que se forman las rocas que contienen los restos mediante la acumulación de sedimentos en las cuencas de mares o lagos: *los fósiles pueden consistir en el esqueleto de un dinosaurio o en minúsculos restos de polen y bacterias*. ■ **fósil guía** Especie fósil que aparece tan solo en un periodo geológico breve, pero que logró una gran dispersión geográfica, de forma que su presencia en un yacimiento es un indicador fiable para la datación del mismo. ■ **fósil viviente** Especie animal o vegetal que en la actualidad difiere muy poco de formas ancestrales ya extinguidas: *el esturión es un fósil viviente: se han encontrado restos en rocas de hace más de 40 millones de años*.
FAM fosilizarse.

fosilizarse *v. prnl.* ① Convertirse un organismo en fósil o sustancia petrificada. ② Quedarse estancada, sin evolucionar, una persona en su pensamiento o manera de hacer las cosas.
FAM fosilización.

foso *s. m.* ① Hoyo alargado y profundo en un terreno. ② Hoyo alargado y profundo que rodea un castillo, una fortaleza u otra construcción similar. ③ Piso inferior de un escenario, situado entre este y la platea: *en el foso se coloca generalmente la orquesta*. ④ Lugar con arena sobre el que caen los atletas de las dos modalidades deportivas de salto.

foto *s. f.* familiar Fotografía (imagen).

fotocomposición *s. f.* Procedimiento de composición de textos que se hace con película o papel fotográfico en lugar de tipos o pequeñas piezas de metal con letras.

fotocopia *s. f.* Copia fotográfica instantánea sobre papel de un escrito o dibujo, que se hace con una máquina eléctrica.
FAM fotocopiadora, fotocopiar.

fotocopiadora *s. f.* Máquina eléctrica que sirve para hacer fotocopias.

fotocopiar *v. tr.* Hacer fotocopias de un escrito o dibujo original.
OBS Verbo regular, se acentúa como *cambiar*.

fotoeléctrico, -ca *adj.* ① Se aplica al fenómeno eléctrico producido por el desprendimiento de electrones bajo la acción de la luz. ② Se aplica al aparato que produce corriente eléctrica por medio de las radiaciones luminosas: *células fotoeléctricas*

fotofobia *s. f.* Intolerancia anormal a la luz, originada principalmente por una enfermedad ocular.
FAM fotofóbico.

fotogénico, -ca *adj.* ① Que favorece la acción química de la luz. ② Que es adecuado para la reproducción fotográfica: *facciones fotogénicas*.

fotografía *s. f.* ① Técnica de obtención de imágenes por la acción química de la luz sobre una superficie con unas características determinadas. ② Imagen sobre papel que se obtiene mediante esta técnica.
FAM fotografiar, fotográfico, fotógrafo; microfotografía.

fotografiar *v. tr.* Reproducir la imagen de una persona o cosa por medio de la fotografía: *fotografió el palacio*.
OBS Verbo regular, se acentúa como *desviar*.

fotográfico, -ca *adj.* Relativo a la fotografía: *cámara fotográfica; reportaje fotográfico*.

fotógrafo, -fa *s. m. y f.* Persona que se dedica a la fotografía profesionalmente o como aficionado.

fotograma *s. m.* Cada una de las imágenes sucesivas de una película cinematográfica: *cuando ves una película, pasan por delante de tus ojos 24 fotogramas por segundo*.

fotolisis o **fotólisis** *s. f.* ① Ruptura que, durante el proceso de fotosíntesis, sufre una molécula de agua debido a la acción de los rayos solares. ② Descomposición química de una sustancia por acción de la luz.
OBS Plural invariable.

fotomatón *s. m.* Cabina fotográfica en la que se hacen fotos automáticamente y se revelan en poco tiempo.
OBS Es marca registrada.

fotomecánica *s. f.* Impresión o reproducción de imágenes por medio de técnicas fotográficas: *la fotomecánica ha sustituido a las planchas de plomo*.
FAM fotomecánico.

fotómetro *s. m.* Aparato que sirve para medir la intensidad de una fuente de luz.
FAM fotometría.

fotomontaje *s. m.* Composición fotográfica obtenida mediante la combinación de varias fotografías superpuestas, generalmente con intención artística o publicitaria.

fotón *s. m.* Partícula elemental que se considera la mínima fracción posible de luz.

fotonovela *s. f.* Novela, generalmente amorosa, que se cuenta mediante una serie de viñetas fotográficas acompañadas de textos o diálogos cortos.

fotorreceptor, -ra *adj./s.* Se aplica al receptor sensorial que reconoce estímulos lumínicos.

fotorresistencia *s. f.* Dispositivo electrónico formado por un material semiconductor sensible a la luz, cuya resistencia es menor en presencia de rayos luminosos: *una fotorresistencia puede servir para fabricar un detector de luz*.

F

fotosfera *s. f.* Capa más interna de la envoltura gaseosa del Sol, que es la que produce la energía luminosa y la que podemos observar a simple vista.

fotosíntesis *s. f.* Proceso metabólico que tiene lugar en las células con clorofila y que permite, gracias a la energía de la luz, transformar un sustrato inorgánico en materia orgánica rica en energía: *la fotosíntesis es esencial para la vida humana y animal ya que, entre otras cosas, purifica y oxigena la atmósfera.* **FAM** fotosintético. **OBS** Plural invariable.

fotosintético, -ca *adj.* Relativo a la fotosíntesis.

fototaxis o **fototaxia** *s. f.* Reacción de orientación de los organismos celulares libres como respuesta a un estímulo luminoso.

fototropismo *s. m.* Reacción de ciertos seres vivos fijos al sustrato, como algunas plantas, en respuesta a la luz.

fotovoltaico, -ca *adj.* Que convierte la energía luminosa en energía eléctrica .

fovismo *s. m.* Fauvismo.

foxterrier *s. com./adj.* Perro de tamaño mediano, cráneo ancho, cara pequeña, orejas caídas, cola corta y levantada, y pelo blanco con manchas oscuras: *el foxterrier es un perro de caza de origen inglés.* **OBS** Plural: *foxterriers.*

fox-trot o **foxtrot** *s. m.* ① Baile de pareja que se ejecuta con pasos rápidos y cortos y que se puso de moda a partir de 1920. ② Música de ritmo alegre en compás de cuatro por cuatro para acompañar este baile.

foz *s. m.* Paso estrecho de un valle profundo o el que forma un río entre dos montañas.

FP *s. f.* Sigla de *formación profesional: Julián es titulado en electrónica de FP.*

frac *s. m.* Traje masculino de etiqueta y ceremonia, cuya chaqueta es corta por delante y acaba por detrás en dos faldones largos. **OBS** Plural: *fraques.*

fracasado, -da *adj./s. m. y f.* Se aplica a la persona que ha perdido la credibilidad, el buen nombre o la estima a causa de uno o varios fracasos.

fracasar *v. intr.* ① Salir mal una cosa. **SIN** frustrarse. ② No obtener alguien el resultado que pretendía en una actividad. **FAM** fracasado.

fracaso *s. m.* ① Resultado adverso en una cosa que se esperaba que saliera bien: *mi proyecto ha sido un fracaso.* **ANT** logro. ② Suceso adverso e inesperado: *la fiesta fue un rotundo fracaso.* **ANT** éxito. **FAM** fracasar.

fracción *s. f.* ① Parte dividida de un todo considerada por separado. ② Operador formado por dos números enteros; el primero (o numerador) indica el número de partes que se considera, mientras que el segundo (o denominador) representa el número de partes iguales en que se divide una cantidad: *5/9 es una fracción.* **SIN** quebrado. ■ **fracción algebraica** Fracción en la que el numerador y el denominador son polinomios. ■ **fracción decimal** Fracción cuya expresión decimal es un número decimal exacto. ■ **fracción generatriz** Fracción irreducible de la que procede un número decimal, exacto o periódico dado. ■ **fracción impropia** Fracción en la que el numerador es mayor que el denominador. ■ **fracción inversa o fracción recíproca** Fracción

que se obtiene al invertir el numerador y el denominador de una fracción a/b dada, quedando b/a, de forma que el producto de ambas es igual a la unidad. ■ **fracción irreducible** Fracción en la que el numerador y el denominador son números primos entre sí. ■ **fracción opuesta** Fracción de igual valor absoluto que otra pero de signo opuesto. ■ **fracción propia** Fracción en la que el numerador es menor que el denominador. ■ **fracciones equivalentes** Fracciones que tienen la misma fracción irreducible asociada; en ellas se verifica que el producto de los medios es igual al producto de los extremos: *para encontrar fracciones equivalentes a una dada, basta con multiplicar el numerador y el denominador de la fracción por un mismo número.* ③ Grupo de personas que pertenecen a una asociación, especialmente a un partido político, y que tienen opiniones distintas a las del resto en determinados asuntos.

fracción del petróleo Componente de la mezcla líquida que se obtiene del petróleo mediante destilación fraccionada y que está formado por un conjunto de hidrocarburos de características similares, especialmente puntos de ebullición muy próximos. **FAM** fraccionar, fraccionario.

fraccionar *v. tr.* Dividir en partes un todo.

fraccionario, -ria *adj.* Relativo a la fracción: *sistema fraccionario; moneda fraccionaria.*

fractura *s. f.* ① Rotura violenta de algo sólido, especialmente de un hueso del cuerpo. ② Lugar por donde se rompe una cosa sólida y señal que deja: *se ve bien la fractura del hueso en la radiografía.* ③ Aspecto que presenta la superficie de un mineral o roca cuando se rompe: *el cuarzo tiene una fractura irregular.* ④ Grieta o rotura que se produce en un terreno. **FAM** fracturar.

fracturar *v. tr.* Romper violentamente algo sólido, especialmente un hueso del cuerpo: *se fracturó la tibia.*

fragancia *s. f.* Olor suave y muy agradable que desprende una cosa. **FAM** fragante.

fragante *adj.* Se aplica al olor que es suave y muy agradable.

fraganti Se usa en la expresión latina:
in fraganti En el preciso instante en que se está cometiendo un delito o una falta: *el ladrón fue sorprendido in fraganti por la policía.* **NOTA** También *infraganti.*

fragata *s. f.* ① Barco de guerra más pequeño que un destructor, ligero y rápido, que se utiliza como patrulla o para la protección de otras embarcaciones. ② Barco de guerra antiguo, con tres palos y velas cuadradas.

frágil *adj.* ① Que se rompe con facilidad: *el cristal de Murano es muy fino y frágil.* ② Que es débil o puede deteriorarse con facilidad: *salud frágil; ánimo frágil.* **FAM** fragilidad.

fragilidad *s. f.* ① Facilidad de romperse que tiene una cosa. ② Debilidad y facilidad para deteriorarse.

fragmentar *v. tr.* Dividir en partes o fragmentos. **FAM** fragmentación.

fragmentario, -ria *adj.* ① Que está formado por partes o fragmentos: *esta roca presenta una estructura fragmentaria.* ② Que no está completo o acabado.

fragmento *s. m.* ① Trozo de algo roto o partido: *fragmentos del jarrón roto.* ② Parte, generalmente breve o pequeña, de una

obra literaria, artística o musical: *leyó un fragmento de la novela.*
FAM fragmentar, fragmentario.

fragor *s. m.* Ruido muy fuerte y prolongado.
FAM fragoroso.

fragosidad *s. f.* Maleza que hay en un terreno, especialmente en un camino.

fragua *s. f.* ① Horno en el que se calientan metales para forjarlos. ② Taller donde se forja. **SIN** forja.
FAM fraguar.

fraguar *v. tr.* ① Trabajar un metal, especialmente el hierro, y darle una forma definida cuando está caliente por medio de golpes o por presión. **SIN** forjar. ② Crear o formar una cosa. **SIN** forjar. ③ Planear la realización de algo. ❙ *v. intr.* ④ Llegar a endurecerse el cemento u otra sustancia parecida en una obra de construcción. ⑤ Conseguir el efecto deseado una idea o proyecto. **SIN** cuajar.
FAM fraguado.
OBS Verbo regular, se acentúa como *averiguar.*

fraile *s. m.* Hombre que pertenece a una orden religiosa, especialmente una orden mendicante.
FAM frailesco, frailuno.

frailecillo *s. m.* Ave palmípeda del ártico, de plumaje blanco y negro, cola y patas cortas, y pico corto, ancho y de vivos colores.

frailuno, -na *adj.* despectivo Que es propio de un fraile o de los frailes.

frambuesa *s. f.* ① Fruto del frambueso, comestible, de color rojo más oscuro que el de la fresa, olor suave y sabor agridulce. ❙ *s. m./adj.* ② Color rojo como el de este fruto. ❙ *adj.* ③ Que es de este color: *una blusa frambuesa.* **NOTA** Invariable en número.
FAM frambueso.

frambueso *s. m.* Árbol parecido a la zarzamora, de color rojo y buen olor, cuyo fruto es la frambuesa.

francachela *s. f.* Reunión muy divertida y amigable de personas, especialmente para comer.

francés, -cesa *adj.* ① De Francia (país de Europa): *la torre Eiffel es un monumento francés.* ❙ *s. m. y f./adj.* ② Persona que es de Francia. ❙ *s. m./adj.* ③ Lengua románica hablada en Francia. ❙ *adj.* ④ Relativo a esta lengua.
FAM franchute; afrancesar, vascofrancés.

franchute, -ta *s. m. y f.* familiar Francés.
OBS Frecuentemente usado de forma despectiva.

francio *s. m.* Elemento químico de símbolo *Fr* y número atómico 87; es un metal líquido que neutraliza los ácidos y que es muy radiactivo: *el isótopo más estable del francio tiene una vida media de 21 mn.*

franciscano, -na *adj.* ① Relativo a la orden religiosa fundada por san Francisco de Asís (1182-1226) y que se caracteriza por la austeridad y pobreza de sus miembros. ❙ *s. m. y f./adj.* ② Religioso que pertenece a esta orden.

francmasonería *s. f.* Sociedad secreta de ámbito internacional y estructura jerárquica basada en la fraternidad entre sus miembros, los cuales se agrupan en logias y hacen uso de ritos y signos emblemáticos. **SIN** masonería.
FAM francmasón, francmasónico.

franco, -ca *adj.* ① Se aplica a la persona que habla y se expresa abiertamente, sin fingimiento. **SIN** sincero. ② Que es tan claro que no ofrece duda alguna: *estar en franca minoría.*

③ Que no presenta impedimentos o está libre de obstáculos: *vía franca.* ④ Que está libre de un pago, especialmente de un impuesto. ⑤ Relativo al pueblo germánico que invadió la Galia romana en el siglo V y fundó en ella un reino que constituyó el origen de la actual Francia. ❙ *s. m. y f./adj.* ⑥ Persona perteneciente a este pueblo. ❙ *s. m./adj.* ⑦ Lengua hablada por este pueblo germánico. ❙ *adj.* ⑧ culto Francés. ❙ *s. m. y f./adj.* ⑨ culto Francés. ❙ *s. m.* ⑩ Unidad monetaria de Francia, Bélgica y Luxemburgo (hasta su sustitución por el euro en el año 2002) y de Suiza y otros países, con diferente valor en cada uno de ellos.
FAM franquear, franqueza.

francófilo, -la *adj./s. m. y f.* Se aplica a la persona que siente simpatía hacia lo francés o los franceses.

francófono, -na *adj./s. m. y f.* ① Se aplica a la persona que tiene el francés como lengua nativa. ❙ *adj.* ② Se aplica al territorio que está habitado por población de habla francesa.

francotirador, -ra *s. m. y f.* Persona que dispara con un arma desde un lugar oculto y estratégico.

franela *s. f.* Tejido fino de lana o algodón, con pelo en una de las caras de su superficie.

frangollón, -llona *adj.* fam. desp. AMÉR. Se aplica a la persona que hace lago deprisa y sin poner atención.

franja *s. f.* ① Tira alargada que recorre una superficie, de la cual se distingue por el contraste de color: *una camiseta azul con franjas blancas.* ② Porción de algo, especialmente un periodo temporal comprendido dentro de unos límites: *franja horaria, franja de terreno.*

franquear *v. tr.* ① Apartar los obstáculos o impedimentos para poder pasar alguien o algo en movimiento. ② Pasar de un lado a otro venciendo un obstáculo o una dificultad. ③ Poner sellos a un envío que se hace por correo. ❙ *v. prnl.* ④ **franquearse** Hablar sincera y abiertamente con alguien: *se franqueó con su amigo.*
FAM franqueo; infranqueable.

franqueo *s. m.* ① Colocación de los sellos necesarios a una cosa para enviarla por correo. ② Cantidad de dinero que se paga en sellos para enviar una cosa por correo.

franqueza *s. f.* Sinceridad y claridad al hablar.

franquicia *s. f.* Privilegio que se concede para no pagar impuestos por el uso de un servicio público o por determinadas actividades comerciales.
FAM franquiciado.

franquismo *s. m.* ① Régimen político de carácter totalitario que fue implantado en España por el general Francisco Franco desde 1936 hasta su muerte en 1975. ② Periodo histórico durante el cual hubo este régimen.
FAM franquista.

franquista *adj.* ① Relativo a Francisco Franco (1892-1975) o a su gobierno: *régimen franquista; dictadura franquista.* ❙ *adj./s. com.* ② Se aplica a la persona que es partidaria de las ideas de este político o de su gobierno.
FAM antifranquista.

frasco *s. m.* Recipiente pequeño, generalmente de cristal, que tiene el cuello estrecho: *frasco de colonia.*
FAM enfrascar.

frase *s. f.* ① Unidad lingüística compuesta de sujeto y predicado; puede ser simple o compuesta. **SIN** oración. ② Conjunto de palabras que tiene sentido por sí mismo sin llegar a formar una oración. ■ **frase hecha** Frase que tiene un significado convencional y que se reproduce siempre de la misma manera sin alterar el orden de las palabras ni cambiar ninguna de ellas: *"no hay dos sin tres" es una frase hecha.*

frase musical Periodo melódico bien definido y con sentido propio, generalmente limitado por una cadencia o una pausa. **NOTA** También simplemente *frase.*
FAM frasear, fraseología.

fraseo *s. m.* Ejecución del conjunto de frases musicales de una composición: *un fraseo correcto incluye la ejecución de las dinámicas tal como indica el compositor.*

fraseología *s. f.* Conjunto de expresiones y construcciones lingüísticas propias de una lengua o características del estilo de un autor.
FAM fraseológico.

fraseológico, -ca *adj.* Relativo a la frase o a la fraseología.

fraternal *adj.* Relativo al afecto y la confianza entre hermanos, o que es propio de la relación entre hermanos: *cariño fraternal.* **SIN** fraterno.

fraternidad *s. f.* Relación de afecto y confianza entre personas que se considera propia de hermanos. **SIN** hermandad.

fraterno, -na *adj.* Fraternal.
FAM fraternal, fraternidad, fraternizar.

fratricida *adj./s. com.* ① Se aplica a la persona que mata a su hermano. ‖ *adj.* ② Que es propio de un fratricida: *guerra fratricida; homicidio fratricida.*

fratricidio *s. m.* Muerte causada de manera intencionada por una persona a su hermano: *la Biblia narra el fratricidio de Caín a Abel.*
FAM fratricida.

fraude *s. m.* Engaño que se hace para sacar provecho o beneficio, especialmente si perjudica a alguien, y que está penado por la ley: *fraude electoral.* ■ **fraude fiscal** Engaño al hacer la declaración de la renta para no pagar impuestos o pagar menos de los obligados.
FAM fraudulento.

fraudulento, -ta *adj.* Que implica fraude.

fray *s. m.* Tratamiento que se utiliza antepuesto al nombre propio de los frailes: *fray Luis de León.*

freático, -ca *adj.* ① Se aplica al agua que está bajo tierra acumulada sobre una capa de tierra impermeable: *las aguas freáticas se pueden aprovechar construyendo pozos.* ② Se aplica al estrato que está bajo tierra y no permite filtrar el agua. ③ Se aplica al nivel máximo que puede alcanzar el agua que se filtra por una abertura desde una capa impermeable a una permeable.

frecuencia *s. f.* ① Repetición de un acto o suceso de manera habitual. ② Número de veces que se repite un suceso determinado en un intervalo de tiempo o en una muestra de una población. **NOTA** También *frecuencia absoluta.* ■ **frecuencia acumulada** En estadística, frecuencia que resulta de sumar los valores de las frecuencias absolutas. ■ **frecuencia relativa** Cociente entre la frecuencia absoluta de un determinado valor y el número total de datos de la muestra estadística. ③ Número de vibraciones, ondas o ciclos realizados en una unidad de tiempo determinada. ■ **frecuencia de onda** Número de oscilaciones completas por unidad de tiempo en un fenómeno periódico.
frecuencia modulada Tipo de modulación de las ondas

sonoras emitidas por radio que proporciona una alta calidad de sonido.
FAM frecuente.

frecuentar *v. tr.* ① Ir a un mismo lugar a menudo. ② Tratar a una persona habitualmente.

frecuentativo, -va *adj./s. m.* Se aplica al verbo que expresa una acción que se repite. **SIN** iterativo.

frecuente *adj.* ① Que ocurre o se repite de manera habitual. **ANT** infrecuente. ② Que es común o habitual. **ANT** infrecuente.
FAM frecuentar, frecuentativo; infrecuente.

fregadera *s. f.* AMÉR. CENTRAL, PERÚ Tontería, necedad.

fregadero *s. m.* Pila o recipiente que se usa para fregar la vajilla y los utensilios de cocina: *algunos fregaderos tienen dos pilas.*

fregado, -da *s. m.* ① Limpieza de una cosa que se hace frotando con un estropajo u otro utensilio empapados en agua y jabón o cualquier producto de limpieza. ② familiar Asunto difícil o complicado en el que se ve envuelto una persona sin quererlo. ③ AMÉR. Mala persona. ④ fam. desp. AMÉR. Se aplica a la persona que es majadera e importuna. ⑤ C. RICA, COL., ECUAD., PAN. Se aplica a la persona que es exigente y severa. ‖ *adj./s. m. y f.* ⑥ COL., PAN., PERÚ Terco. ⑦ EL SALV., MÉX. Se aplica a la persona que está física, económica o moralmente mal. ‖ *adj./s. m.* ⑧ AMÉR. SUR Loco. ‖ *adj./s. m. y f.* ⑨ C. RICA, ECUAD., MÉX. Se aplica a la persona que es perversa.

fregar [1] *v. tr.* ① Limpiar una cosa frotándola con un estropajo u otro utensilio empapados en agua y jabón o cualquier producto de limpieza. ② AMÉR. Molestar.
FAM fregadero, fregado, fregona, fregotear.

fregona *s. f.* ① Utensilio que sirve para fregar el suelo de pie, y que está formado por un palo largo y delgado y una pieza en su extremo que sujeta varias cintas de un material absorbente. **SIN** mocho. ② Mujer que se dedica a fregar suelos y a cocinar. **NOTA** Frecuentemente usado de forma despectiva.

fregotear *v. tr.* Fregar algo deprisa y sin que quede completamente limpio.
FAM fregoteo.

freidora *s. f.* Aparato eléctrico que sirve para freír alimentos.

freiduría *s. f.* Establecimiento en el que se fríen alimentos, especialmente pescado, para consumirlos en él o venderlos.

freír [12] *v. tr.* ① Cocinar un alimento teniéndolo durante un tiempo en aceite hirviendo: *freír un huevo.* ② familiar Matar a alguien disparándole muchos tiros: *en la película el policía fríe a tiros a los ladrones.* ③ familiar Molestar mucho y repetidamente a alguien: *me ha frito a preguntas.* ‖ *v. prnl.* ④ **freírse** Pasar mucho calor.
a freír espárragos (o monas) familiar Se usa para despedir con enfado y de manera despectiva a una persona a la que no se quiere hacer caso o que resulta molesta: *dile que se vaya a freír espárragos.*
FAM freidora, freidura, frito; refreír, sofreír.
OBS Tiene doble participio: uno regular (*freído*) y uno irregular (*frito*).

frejol o **fréjol** *s. m.* Fríjol.

frenar *v. tr./intr.* ① Hacer que un vehículo o una máquina se pare o vaya más despacio utilizando el freno. ② Hacer que

alguien o algo se detenga o disminuya la velocidad: *frenó bruscamente al caballo.* ③ Detener o disminuir una actividad o la intensidad de algo: *tuvo que frenar su mal genio porque se estaba pasando.*
FAM frenazo; refrenar.

frenazo *s. m.* Detención brusca de un vehículo o una máquina.

frenesí *s. m.* ① Exaltación violenta del ánimo. ② Manifestación exaltada de un sentimiento, especialmente amoroso.
FAM frenético.
OBS Plural: *frenesíes* o *frenesís.*

frenético, -ca *adj.* ① Que muestra una exaltación violenta del ánimo. ② Que tiene o muestra rabia, furia o enfado de manera exagerada.

frenillo *s. m.* ① Membrana que sujeta la lengua por la línea media inferior al suelo de la cavidad bucal. ② Ligamento que sujeta el prepucio al glande del pene. ③ AMÉR. CENTRAL, ANT., MÉX., VENEZ. Tirante que sujeta la cometa y que se une a los otros tirantes en la cuerda de sujeción.

freno *s. m.* ① Mecanismo que sirve para disminuir o detener el movimiento de un vehículo o una máquina. ② Mando o pedal que acciona ese mecanismo. ③ Cosa que modera o disminuye un proceso: *el mal tiempo ha sido un freno para el turismo.* ④ Pieza de hierro donde se atan las riendas y que se coloca en la boca de los caballos para sujetarlos y dirigirlos.
FAM frenar; servofreno.

frente *s. f.* ① Parte superior de la cara por encima de los ojos hasta el nacimiento del cuero cabelludo y entre las dos sienes. ‖ *s. m.* ② Parte delantera de una cosa. ③ Zona en la que se enfrentan los ejércitos en una batalla o guerra. ④ Organización política en la que se agrupan distintos partidos que tienen un interés común. ⑤ Frontera de separación entre dos masas de aire de propiedades diferentes en cuanto a temperatura y humedad, que provoca precipitaciones.
al frente (**I**) Indica que una persona o cosa está encabezando algo: *estar al frente de la manifestación.* (**II**) Indica que una persona o cosa está dirigiendo lo que se expresa: *Juan estaba al frente de la escuela.*
al (**o de**) **frente** Indica dirección hacia delante: *dar un paso al frente.*
de frente Indica que algo se ha de hacer con decisión y sin rodeos.
frente a (**I**) Indica situación delante de lo que se expresa. **SIN** ante. (**II**) Indica oposición.
frente a frente (**I**) Indica que dos personas están situadas de cara, una delante de la otra. (**II**) Indica que una cosa se trata sin ocultarse ninguna de las dos personas que están implicadas en ella.
hacer frente (**I**) Poner los medios o actuar de un modo determinado para que se resuelva una situación difícil. (**II**) Enfrentarse física o verbalmente a una persona.
FAM afrenta, enfrente.

fresa¹ *s. f.* ① Planta herbácea, con hojas dispuestas en grupos de tres y flores blancas o amarillentas. ② Fruto comestible de esa planta, casi redondo, carnoso y azucarado, de color rojo con pequeñas semillas negras o amarillas en la superficie. ‖ *s. m./adj.* ③ Color rojo intenso, como el de este fruto. ‖ *adj.* ④ Que es de este color. **NOTA** Invariable en número.
FAM fresal, fresón.

fresa² *s. f.* Herramienta de movimiento giratorio, de corte múltiple, que se emplea para labrar metales, por arranque de viruta, en una fresadora.

fresadora *s. f.* Máquina herramienta para fresar; está compuesta de un cabezal giratorio con una fresa, y de una mesa dotada también de movimiento en la que se fija la pieza que se va a trabajar.

fresal *s. m.* Terreno en el que se cultivan fresas.

fresar *v. tr.* Abrir agujeros o labrar metales con la fresa (herramienta).

fresca *s. f.* ① Temperatura fría, pero que no es desagradable: *tomar la fresca.* **SIN** fresco. ② familiar Expresión descarada o desvergonzada que se dice a una persona para ofenderla o molestarla: *le soltó una fresca.*

frescales *s. com.* Persona que habla o actúa sin mostrar vergüenza ni respeto.
OBS Plural invariable.

fresco, -ca *adj.* ① Que tiene una temperatura fría, pero que no es desagradable: *agua fresca; noche fresca.* ② Que es reciente y acaba de ocurrir, de hacerse o de obtenerse: *noticias frescas; trigo fresco.* ③ Se aplica al alimento que no está congelado o curado y conserva sus cualidades originales: *verdura fresca; pescado fresco.* ④ Se aplica a la persona que se mantiene joven y sana: *está muy fresco a pesar de su edad.* ⑤ Se aplica a la persona que está descansada o lo parece, aunque acabe de realizar un esfuerzo: *después de la carrera estaba tan fresco como si nada.* ⑥ Se aplica a la persona que está tranquila o no muestra preocupación: *gritó a todo el mundo y se quedó tan fresco.* ⑦ Se aplica a la tela y prenda de vestir que son ligeras y no producen calor: *el lino y el hilo son tejidos frescos para el verano.* ⑧ Se aplica a la colonia que tiene un olor agradable y produce una sensación refrescante. ‖ *adj./s. m. y f.* ⑨ fam. desp. Se aplica a la persona que habla u obra sin vergüenza ni respeto. ‖ *s. m.* ⑩ Temperatura fría, pero que no es desagradable. **SIN** fresca, frescor. ⑪ Pintura realizada mediante la aplicación de pigmentos disueltos en agua de cal sobre un muro con un revoque de cal aún húmedo. ⑫ AMÉR. Refresco, bebida.
estar fresco familiar Indica que no se cumplirán las esperanzas de una persona.
FAM frescales, frescor, frescura, fresquera; refrescar.

frescor *s. m.* Temperatura fría, pero que no es desagradable. **SIN** fresca, fresco.
FAM frescura.

frescura *s. f.* ① Cualidad de algo que es espontáneo o natural: *la frescura de su voz; la frescura de un discurso.* **SIN** fresco, frescor. ② Propiedad de los alimentos recién obtenidos o que no han sufrido ningún proceso de curación. ③ Falta completa de vergüenza o respeto.

fresneda *s. f.* Lugar poblado de fresnos.

fresno *s. m.* ① Árbol de tronco grueso, madera clara y corteza gris, con la copa espesa y las hojas caducas de forma alargada: *el fresno crece en lugares húmedos y templados.* ② Madera que se obtiene de este árbol y que se caracteriza por su elasticidad.
FAM fresneda.

fresón *s. m.* ① Variedad de fresa (planta) de tamaño mayor que la común. ② Fruto de esta planta, comestible, más grande que la fresa y de color rojo oscuro.

fresquera *s. f.* Lugar o mueble que sirve para conservar frescos los alimentos.

fresquilla *s. f.* Variedad de melocotón de tamaño más pequeño que este: *la fresquilla es muy jugosa.*

freza *s. f.* ① Desove de las hembras de los peces. ② Época en que desovan las hembras de los peces.
FAM frezar.

frezar *v. intr.* Desovar las hembras de los peces.

frialdad *s. f.* ① Sensación de frío o de falta de calor: *la frialdad del ambiente.* ② Indiferencia o falta de sentimientos hacia alguien o algo: *nos saludó con frialdad.* **SIN** impasibilidad.

fricación *s. f.* Roce o fricción que el aire expelido produce en la boca cuando se pronuncia una consonante fricativa.

fricativo, -va *adj.* ① Se aplica al sonido y el fonema consonántico en cuya articulación los órganos que intervienen no obstruyen por completo el canal vocal, sino que el aire sale rozando entre ellos: *la "f" y la "z" son consonantes fricativas.* **|** *adj./s. f.* ② Se aplica a la consonante articulada de ese modo: *en español, la "s" es una fricativa sorda.*

fricción *s. f.* ① Rozamiento de dos superficies cuando al menos una de ellas está en movimiento: *la fricción de estas dos piedras hará que salte una chispa.* **SIN** rozamiento. ② Frotación que se aplica a una parte del cuerpo, especialmente para dar calor o aliviar una dolencia: *una fricción con alcohol en la espalda.* **SIN** friega. ③ Desacuerdo entre dos o más personas: *hubo alguna fricción entre ellos por cuestiones políticas.*
FAM friccionar.

friccionar *v. tr.* Frotar una parte del cuerpo, especialmente con las manos para dar calor o aliviar una dolencia.

friega *s. f.* ① Frotación sobre una parte del cuerpo, especialmente para curar o aliviar una dolencia. **SIN** fricción. ② **AMÉR.** Fastidio o cosa importuna que causa disgusto: *es una friega tener que sacar el perro a la calle.*

friegaplatos *s. m.* Aparato eléctrico que sirve para lavar los platos, vasos, cubiertos y demás utensilios de cocina. **SIN** lavaplatos, lavavajillas.
OBS Plural invariable.

frigidez *s. f.* Falta de deseo y placer sexual.

frigidísimo, -ma *adj.* Superlativo de *frío.*

frígido, -da *adj./s. m. y f.* ① Que no siente deseo o placer sexual. **|** *adj.* ② culto Que está muy frío.
FAM frigidez.

frigoría *s. f.* Unidad de medida del frío, de símbolo *fg*, que equivale a la cantidad de calor que hay que sustraer a 1 kilo de agua a 15 grados centígrados para disminuir esta temperatura en 1 grado: *la frigoría se considera la caloría negativa.*

frigorífico, -ca *adj.* ① Que produce frío o lo mantiene de manera artificial: *cámara frigorífica.* **|** *s. m.* ② Aparato eléctrico que sirve para conservar fríos los alimentos y las bebidas. **SIN** nevera.

frijol *s. m.* **AMÉR.** Fríjol (planta, fruto y semilla).

fríjol *s. m.* ① Planta leguminosa de tallo delgado y en espiral, hojas grandes, flores blancas o amarillas y fruto en vaina. **SIN** alubia, habichuela, judía. ② Fruto comestible de esa planta, en forma de vaina o cáscara flexible y alargada que encierra las semillas en hilera. **SIN** alubia, habichuela, judía. ③ Semilla comestible contenida en esta vaina, de color blanco o rojizo y forma arriñonada. **SIN** alubia, habichuela, judía.

fringílido *adj./s. m.* ① Ave paseriforme cantora, pequeña o mediana, con el pico corto y robusto, muy ancho en la base,

y el plumaje generalmente muy vistoso, como el jilguero o el verderón. **|** *s. m. pl.* ② **fringílidos** Grupo taxonómico, con categoría de familia, constituido por estas aves.

frío, fría *adj.* ① Que tiene una temperatura baja o más baja de lo normal: *clima frío; agua fría.* ② Se aplica a la persona que muestra indiferencia o falta de sentimientos hacia alguien o algo: *una persona fría y calculadora.* ③ Que no muestra afecto ni sentimiento: *palabras y gestos fríos.* **ANT** cálido. ④ Que produce sensación de temperatura baja en el cuerpo: *una casa fría.* **ANT** cálido, caliente. ⑤ Se aplica al color que produce una sensación de sosiego: *el azul, el verde y el violeta son colores fríos.* **ANT** cálido. **|** *s. m.* ⑥ Temperatura baja del ambiente: *ha venido el frío de golpe; esta noche hace frío.* **ANT** calor. ⑦ Sensación que experimenta un cuerpo al aproximarse o entrar en contacto con un cuerpo de temperatura más baja: *me pondré ropa de abrigo para no sentir frío; tengo frío: tápame.* **ANT** calor.
coger frío Resfriarse o constiparse una persona.
en frío (**I**) Indica que algo se hace sin estar bajo la influencia de una emoción o un sentimiento. (**II**) Indica que algo se hace sin una preparación previa: *el arranque del motor en frío puede estropearlo.*
FAM frialdad, friolero; enfriar.
OBS Superlativo: *frigidísimo* o *friísimo.*

friolera *s. f.* familiar Gran cantidad de una cosa, especialmente de dinero.

friolero, -ra *adj.* Se aplica a la persona que tiende a sentir frío con facilidad.
FAM friolera.

frisa *s. f.* ① Tela basta de lana. ② **ARG., BOL., CHILE, PERÚ, URUG.** Pelo que sobresale del tejido en ciertas telas, como en el terciopelo, la felpa, etc.

frisar *v. intr.* ① Acercarse o aproximarse, especialmente referido a una edad determinada: *frisaba en los cincuenta años.* **|** *v. tr.* ② Tener aproximadamente la edad que se expresa: *frisaba los treinta.*

friso *s. m.* ① Banda horizontal con que se adorna la parte inferior de las paredes. **SIN** rodapié, zócalo. ② Franja horizontal decorativa que se encuentra en el entablamento de los edificios clásicos, concretamente entre el arquitrabe y la cornisa.

frisón, -sona *adj./s. m. y f.* Se aplica al caballo que es de una raza caracterizada por tener los pies y las patas anchos y fuertes, el pelo negro y las crines y la cola muy largas.

fritada *s. f.* Conjunto de alimentos que se cocinan en aceite hirviendo. **SIN** fritura.
FAM fritanga.

fritanga *s. f.* despectivo Conjunto de alimentos fritos, en especial si están muy grasientos.

frito, -ta ① Participio irregular de *freír.* **|** *adj.* ② familiar Profundamente dormido: *nada más empezar la película se quedó frito.* ③ familiar Muerto: *lo dejaron frito a balazos.* ④ familiar Harto y cansado de las molestias que le provoca alguien o algo: *estos mosquitos me tienen frito.* **|** *s. m.* ⑤ Alimento que se cocina teniéndolo durante un tiempo en aceite o mantequilla caliente.
FAM fritada, fritura.

fritura *s. f.* Fritada.

frivolidad *s. f.* Falta de profundidad y seriedad en lo que se dice o hace. **SIN** ligereza.

frívolo, -la *adj.* ① Se aplica a la persona que es poco seria o

profunda en lo que dice o hace. **SIN** superficial. **ANT** profundo. **2** Se aplica a la persona que se comporta de manera caprichosa e irresponsable. **3** Se aplica al espectáculo o publicación de tema ligero y sensual.
FAM frivolidad.

fronda *s. f.* **1** Conjunto espeso de hojas y ramas. **SIN** follaje. **2** culto Hoja de una planta. **3** Fronde.
FAM frondoso.

frondosidad *s. f.* Abundancia de hojas y ramas en los árboles y las plantas.

frondoso, -sa *adj.* **1** Se aplica al árbol que tiene gran cantidad de hojas y ramas. **2** Se aplica al lugar que tiene mucha vegetación: *bosque frondoso*.
FAM frondosidad.

frontal *adj.* **1** Relativo a la frente: *parte frontal de la cabeza*. **2** Relativo a la parte delantera de una cosa: *parte frontal de una caja*. | *adj./s. m.* **3** Se aplica al hueso que forma la parte anterior y superior del cráneo.
FAM frontalera.

frontenis *s. m.* Deporte parecido al frontón que se juega con pelota y raqueta de tenis.

frontera *s. f.* **1** Línea, confín o límite que separa un estado o país de otro: *los Pirineos son una frontera natural entre España y Francia*. **2** Límite imaginario que existe entre dos cosa muy próximas o parecidas: *la frontera entre el amor y el odio es muy pequeña*.
FAM fronterizo

fronterizo, -za *adj.* **1** Relativo a la frontera entre dos estados o territorios. **2** Que está en la frontera: *vive en un pueblo fronterizo con Francia*. **3** Se aplica al estado o territorio que limita o tiene frontera con otro: *dos pueblos fronterizos*.

frontis *s. m.* **1** Fachada o parte delantera de una cosa, especialmente de un edificio. **2** Frontispicio (página de un libro). **3** Frontón (remate).
FAM frontispicio.
OBS Plural invariable.

frontispicio *s. m.* **1** Fachada delantera de un edificio: *el frontispicio de esta catedral es de estilo plateresco*. **2** Página de un libro anterior a la portada, en la que suele haber algún dibujo.
SIN frontis.
FAM frontis.

frontón *s. m.* **1** Pared principal sobre la que se lanza la pelota en determinados deportes: *la pelota vasca se practica en un frontón*. **2** Deporte que consiste en golpear una pelota lanzándola contra una pared principal, de modo que rebote en ella o en otra lateral y vuelva hacia los jugadores. **3** Lugar preparado para practicar ese deporte. **4** Remate triangular o semicircular de una fachada, un pórtico, una puerta o una ventana: *la fachada estaba rematada por un frontón*.
SIN frontis.

frotamiento *s. m.* Acción de frotar: *los cuerpos metálicos se pueden electrizar por frotamiento*.

frotar *v. tr.* Pasar repetidamente una cosa sobre otra con fuerza: *las cuerdas del violín se frotan para que suenen; frotó los muebles con un abrillantador*.
FAM frotación, frotamiento.

fructífero, -ra *adj.* **1** Que produce fruto. **2** Que produce buenos resultados: *un trabajo fructífero*.
FAM infructífero.

fructificar *v. intr.* **1** Dar fruto los árboles y otras plantas.

2 Producir buenos resultados: *este negocio fructificará con el esfuerzo de todos*.
FAM fructificación.

fructosa *s. f.* Glúcido monosacárido de 6 átomos de carbono que la célula utiliza como fuente de energía y que está presente en las plantas verdes, la miel y muchas frutas.

fructuoso, -sa *adj.* Que es de utilidad o produce buenos resultados. **ANT** infructuoso.

frugal *adj.* **1** Se aplica a la comida que es sencilla y no muy abundante: *cena frugal*. **2** Se aplica a la persona que come o bebe muy poco.
FAM frugalidad.

frugalidad *s. f.* Moderación al comer o beber.

frugívoro, -ra *adj.* Se aplica al animal que se alimenta de frutos: *el lirón es un roedor frugívoro*.

fruición *s. f.* Placer o gozo intenso que siente una persona al hacer algo. **SIN** disfrute.

frunce *s. m.* Pliegue o conjunto de pliegues que se hacen en una tela o en parte de ella.

fruncido *s. m.* Conjunto de pliegues paralelos que se hacen en una tela o en parte de ella.

fruncir *v. tr.* **1** Arrugar la frente o las cejas una persona para mostrar su enfado o preocupación. **2** Coser una tela haciendo pequeños pliegues paralelos.
FAM frunce, fruncido.

fruslería *s. f.* Cosa poco importante o de poco valor. **SIN** bagatela, futilidad.

frustración *s. f.* **1** Imposibilidad de satisfacer una necesidad física o un deseo. **2** Sentimiento de tristeza o dolor que provoca esta imposibilidad.

frustrar *v. tr.* **1** Impedir que una persona logre satisfacer una necesidad o un deseo. **2** Impedir que una idea o un proyecto salga bien. **SIN** malograr.
FAM frustración.

fruta *s. f.* Fruto comestible de ciertas plantas y árboles.
fruta de la pasión Maracuyá.
fruta de sartén Dulce hecho con masa frita, de nombres y formas diferentes: *el pestiño y las rosquillas son frutas de sartén*.
FAM frutal, frutero; afrutado, lavafrutas.

frutal *adj./s. m.* Se aplica al árbol que da o produce fruta.

frutería *s. f.* Establecimiento o tienda en el que se vende fruta.

frutero, -ra *s. m. y f.* **1** Persona que se dedica a vender fruta. | *s. m.* **2** Plato o recipiente que sirve para contener o servir fruta.
FAM frutería.

frutícola *adj.* Relativo a la fruticultura.

fruticultura *s. f.* Cultivo de plantas o árboles que producen fruta.

frutilla *s. f.* **1** AMÉR. SUR Planta americana, variedad de la fresa, de fruto comestible parecido al fresón. **2** AMÉR. SUR Fruto de esta planta.

frutillar *s. m.* AMÉR. SUR Sitio donde se cultivan las frutillas.

fruto *s. m.* **1** Parte de la planta procedente del desarrollo del ovario de la flor tras la fecundación, rodeada por piel o cáscara, que protege las semillas y ayuda a su dispersión. ■ **fruto carnoso** Fruto que tiene la semilla o las semillas cubiertas por una envoltura carnosa en donde se acumulan sustancias de reserva: *la ciruela es un fruto carnoso*. ■ **fruto dehis-**

cente Fruto que se abre o se parte al madurar. ■ **fruto seco** Fruto con la cubierta endurecida para evitar la desecación de la semilla: *los frutos secos, como la almendra y la nuez pueden conservarse durante mucho tiempo.* ② Producto de la tierra o del mar, especialmente el que sirve para alimentar a las personas o los animales: *la tierra ya ha dado sus frutos.* ③ Producto de la mente o del trabajo humano: *esto es fruto de su imaginación.* ④ Hijo: *tiene dos hijos, fruto de su primer matrimonio.*

fruto prohibido Cosa o actividad que no están permitidas.

sacar fruto Conseguir el efecto que se desea.

FAM fruta, frutícola, fruticultura.

fuagrás *s. m.* Foie-gras.

fucsia *s. f.* ① Planta tropical originaria de América, de hojas ovaladas y flores de color rosa fuerte. | *s. m./adj.* ② Color rosa fuerte. | *adj.* ③ Que es de este color: *tiene tres vestidos fucsia.* **NOTA** Invariable en número.

fuego *s. m.* ① Emisión de luz y calor producida por la combustión de una materia: *fuego en el bosque.* ② Materia combustible encendida en brasa o en llama: *echa leña al fuego.* ③ Dispositivo que regula la salida de combustible en una cocina o encimera: *aparta la olla del fuego; encimera de cinco fuegos.* **SIN** fogón. ④ Materia que arde de forma fortuita o provocada, de grandes proporciones y que destruye cosas que no deberían quemarse. **SIN** incendio. ⑤ Disparo o conjunto de disparos de un arma de fuego: *los soldados respondieron al fuego enemigo.* ⑥ Pasión o sentimiento muy fuerte: *el fuego de la envidia lo corroía.* | *int.* ⑦ **¡fuego!** Voz de mando con que se ordena a los soldados que comiencen a disparar sus armas de fuego. ⑧ Expresión con la que se alerta de un incendio.

abrir fuego Comenzar a disparar con un arma.

alto el fuego (I) Expresión con la que se ordena que cesen los disparos. (II) Interrupción de una acción de guerra: *tras dos años de enfrentamientos se acordó un alto el fuego definitivo.*

atizar el fuego Hacer más vivo o intenso un enfado o una lucha.

echar fuego (por los ojos) Mostrar o manifestar gran enfado o rabia, especialmente con la mirada.

entre dos fuegos Encontrarse entre dos situaciones peligrosas o difíciles o entre dos bandos o personas enfrentados entre sí.

fuegos artificiales o **fuegos de artificio** Cohetes y otros artificios de pólvora que producen ruido, luz y colores y se usan por la noche en fiestas y espectáculos como diversión. **FAM** cortafuego.

fuel *s. m.* Producto combustible, oscuro y espeso, obtenido de la destilación del petróleo: *el fuel se utiliza para la calefacción y centrales térmicas.* **SIN** fuel-oil, fuelóleo.

fuel oil *s. m.* Fuel.

fuelle *s. m.* ① Instrumento que sirve para soplar, recogiendo aire y expulsándolo con fuerza en una dirección determinada: *aviva el fuego con el fuelle antes de que se apague.* ② Arruga o pliegue en la ropa. ③ Pliegue lateral que sirve para aumentar la capacidad o profundidad de alguna cosa, generalmente una cartera, bolso o maleta: *una cartera de fuelle.* ④ familiar Capacidad para respirar que tiene una persona: *se quedó sin fuelle.*

fuelóleo *s. m.* Fuel.

fuente *s. f.* ① Corriente de agua que brota de la tierra. **SIN** manantial, venero. ② Lugar donde brota esta corriente de agua. **SIN** manantial, venero. ③ Construcción en la que hay uno o más surtidores por donde sale agua. ④ Cosa material o inmaterial que constituye el origen o principio de un proceso o fenómeno o de la que puede extraerse algo beneficioso: *las fuentes de energía son materiales o fenómenos a partir de los cuales puede obtenerse energía útil para hacer un trabajo.* ⑤ Documento, obra o persona de donde se obtiene información: *fuentes cercanas al presidente han desmentido su enfermedad.* ⑥ Recipiente en forma de plato grande, ovalado o redondo, generalmente hondo, que se utiliza para servir alimentos. ⑦ Cantidad de comida que cabe en este recipiente: *una fuente de gambas.*

fuera *adv.* ① En la parte exterior de un espacio real o imaginario: *salió fuera de la habitación; está fuera de la caja.* **ANT** dentro. ② En un lugar distinto del lugar en el que se vive: *siempre estoy fuera, viajando.* | *s. m.* ③ En algunos deportes, lance del juego que se produce al salir la pelota de los límites del terreno de juego: *fuera de banda.* | *int.* ④ **¡fuera!** Se usa para mostrar desagrado o desaprobación hacia alguien que habla o actúa en público. ⑤ Se usa para echar a alguien de un lugar.

fuera de (I) Introduce una excepción: *fuera del ciclismo, no me gusta ningún deporte.* (II) Indica que lo expresado a continuación no está incluido en lo que se dice después o que no está en la situación que se describe: *fuera de tono; fuera de plazo.*

fuera de juego Posición que anula un gol o una jugada de ataque en fútbol o deportes semejantes, cuando el jugador que recibe el pase se encuentra más adelantado que todos los defensas del equipo contrario, en el momento justo en que el balón sale impulsado por el jugador que da el pase.

fuera de mí/ti/... Indica que una persona no tiene control sobre sus propios actos: *se enfadó tanto que estaba fuera de sí.* **FAM** afuera.

fueraborda *s. m.* ① Motor de gasolina instalado en la parte trasera y exterior de una embarcación, que la impulsa mediante una hélice: *he comprado un fueraborda para la barca de pescar.* ② Embarcación de recreo o de carreras que lleva instalado este motor.

fuero *s. m.* ① Conjunto de leyes o normas que se conceden a un territorio, una comunidad o una persona: *Navarra se gobierna por fueros.* ② Conjunto de leyes, derechos o privilegios que en la Edad Media concedía un soberano o señor a un territorio, municipio o grupo social: *el rey otorgaba fueros especiales a la ciudades que le eran fieles.* ③ Libro que contiene el conjunto de leyes o normas de un territorio: *las leyes visigodas estaban contenidas en el "Fuero Juzgo".* ④ Poder o autoridad de una persona o estamento para juzgar algo: *el fuero eclesiástico será el que conceda la nulidad del matrimonio.* ⑤ Orgullo excesivo de una persona: *no hay que tener tantos fueros.* **NOTA** Más en plural.

fuero interno Conciencia de una persona para aprobar las buenas acciones y rechazar las malas: *en su fuero interno sabe que obra mal.*

fuerte *adj.* ① Que tiene fuerza y resistencia. ② Se aplica a la persona que tiene fuerza o ánimo para soportar y afrontar desgracias o situaciones difíciles. **ANT** débil. ③ Que tiene gran intensidad: *el ajo tiene un sabor muy fuerte.* ④ Que es importante o tiene poder o solidez: *el hombre fuerte del partido; una empresa fuerte en este sector.* ⑤ Que sabe mucho de algo o tiene mucha experiencia en ello: *está fuerte en matemáticas; está fuerte en electricidad y fontanería.* ⑥ Que causa gran impacto en el ánimo: *me dijo cosas muy fuertes; las imágenes de la guerra han sido muy fuertes.* ⑦ Se aplica al carácter que es irritable. | *s. m.* ⑧ Actividad en que destaca una persona: *su fuerte es la pintura.* ⑨ Lugar protegido por construcciones de

defensa para resguardarse de los enemigos. SIN fortaleza. | adj. [10] Se aplica al sonido vocálico que se percibe más y es abierto: *"a", "e" y "o" son vocales fuertes*. [11] Se aplica a la sílaba que está acentuada: *en "camión", "-mión" es la sílaba fuerte*. | adv. [12] En abundancia o con mucha intensidad.
hacerse fuerte Resistirse una persona a ceder en algo.
FAM fuerza.
OBS Superlativo: *fortísimo* o *fuertísimo*.

fuerza *s. f.* [1] Capacidad física para hacer un trabajo o un movimiento: *fuerza muscular; la fuerza del viento*. [2] Causa capaz de modificar el estado de reposo o movimiento de un cuerpo: *la fuerza se mide en newtons*. ■ **fuerza a distancia** Fuerza ejercida por un cuerpo que no está en contacto con el cuerpo al que se la aplica: *el magnetismo, las fuerzas electrostáticas y gravitatorias son fuerzas a distancia*. ■ **fuerza contraelectromotriz** Fuerza electromotriz inversa que se desarrolla en algunos aparatos eléctricos. ■ **fuerza de acción** Fuerza que se ejerce sobre un cuerpo y a la que, según la tercera ley de Newton, se le opone una reacción. ■ **fuerza de contacto** Fuerza ejercida por un cuerpo que está en contacto directo con el cuerpo al que se la aplica: *al dar una patada al balón, se produce una fuerza de contacto*. ■ **fuerza de inercia** Resistencia que todos los cuerpos ofrecen a cambiar su estado de movimiento o de reposo, y que depende de la masa del cuerpo. ■ **fuerza de reacción** Fuerza de sentido contrario a la acción, que aparece siempre que hay una acción. ■ **fuerza electromagnética** Fuerza asociada a todos los fenómenos en los que se produce interacción entre los campos magnéticos y las corrientes eléctricas. ■ **fuerza electromotriz** Característica esencial de una fuente de energía eléctrica que permite hacer circular una corriente por un circuito y determina la intensidad de esa corriente. ■ **fuerza gravitatoria** Fuerza de atracción que ejerce un planeta sobre los cuerpos que se encuentran en sus proximidades, especialmente la ejercida por la Tierra. ■ **fuerza molecular** Fuerza de naturaleza eléctrica que se ejerce entre las moléculas y las mantiene unidas. ■ **fuerza normal** Fuerza perpendicular a una superficie que se ejerce sobre un cuerpo y que contrarresta la fuerza de la gravedad que la Tierra ejerce sobre el mismo. ■ **fuerza nuclear débil** Fuerza responsable de los fenómenos de emisión radiactiva, de intensidad y alcance menor que la fuerza nuclear fuerte. ■ **fuerza nuclear fuerte** Fuerza de atracción muy intensa que se da entre las partículas nucleares, que provoca que se mantengan unidos los protones y los neutrones. ■ **fuerza opuesta** Fuerza que tiene la misma dirección que otra, pero en sentido contrario. ■ **fuerza resultante** Fuerza que resulta de la composición de todas las fuerzas que actúan sobre un cuerpo. ■ **fuerza tangencial** Fuerza ejercida en la dirección de la tangente a la curva que describe un movimiento. [3] Capacidad moral para hacer algo o soportar un sufrimiento: *no tengo fuerzas ni para recordarlo*. [4] Violencia física contra una persona o animal: *tuvieron que emplear la fuerza para desalojar el recinto*. ■ **fuerza bruta** Capacidad física para hacer algo, en oposición a la capacidad que da el derecho o la razón. [5] Capacidad de una cosa material o inmaterial para producir un efecto. ■ **fuerza mayor** Suceso inevitable que, al no poderse prever, impide la realización de una obligación. [6] Intensidad con que se manifiesta algo, especialmente un sentimiento. [7] Capacidad de una cosa para sostener un cuerpo o resistir un empuje. | *s. f. pl.* [8] **fuerzas** Conjunto de tropas de un ejército y del material militar que emplean. ■ **fuerzas**

armadas Conjunto formado por los ejércitos de tierra, mar y aire de un país. ■ **fuerzas de choque** Unidad militar preparada especialmente para el ataque. ■ **fuerzas de orden público** o **fuerza pública** Conjunto de personas encargadas de mantener el orden en un lugar.
a fuerza de Indica la repetición de una cosa o acción de manera insistente: *a fuerza de repetírselo te hará caso*. **a la fuerza** o **por fuerza** (I) Indica que algo se hace contra la propia voluntad y, generalmente, con violencia: *lo llevó al médico a la fuerza*. (II) Indica que algo se hace por necesidad: *hay que respirar por fuerza*.
irse la fuerza por la boca Hablar mucho una persona sobre cómo se han de hacer las cosas, pero no hacer nada.
sacar fuerzas de flaqueza Hacer un esfuerzo extraordinario al realizar algo en un momento de gran debilidad: *el ciclista tuvo que sacar fuerzas de flaqueza*.

fuet *s. m.* Embutido muy parecido al salchichón, pero más estrecho: *el fuet es típico de Cataluña*.
OBS Plural: *fuets*.

fuete *s. m.* AMÉR. Látigo.

fuga *s. f.* [1] Acción de fugarse. SIN escapada, evasión, huida. [2] Salida o escape de un líquido o de un gas por una abertura provocada accidentalmente: *una fuga de agua*. [3] Composición musical originada en la música barroca, generalmente para instrumentos de teclado, que se basa en las leyes del contrapunto y en la repetición de un tema corto en diferentes voces y tonos.
darse a la fuga Fugarse.
fuga de capital Transferencia ilegal de bienes o capital al extranjero.
fuga de cerebros Emigración al extranjero de personas destacadas del mundo de la ciencia y la cultura.
FAM fugarse, fuguillas.

fugacidad *s. f.* Duración muy breve de una cosa, especialmente inmaterial: *la fugacidad del tiempo*.

fugarse *v. prnl.* Huir o escapar del lugar donde se está: *varios reclusos preparaban fugarse del penal*. SIN escapar, evadirse, huir.

fugaz *adj.* [1] Que tiene una duración muy breve. [2] Que se mueve con mucha velocidad y se aleja y desaparece rápidamente: *una estrella fugaz*. SIN huidizo.
FAM fugacidad.

fugitivo, -va *adj./s. m. y f.* Que se fuga o se escapa de un lugar sin ser visto: *los fugitivos se ocultaron en el túnel*.

führer [se pronuncia aproximadamente 'fírer'] *s. m.* Título adoptado por Adolf Hitler (dictador alemán, 1889-1945) en 1934.

fulana *s. f.* despectivo Prostituta.

fulano, -na *s. m. y f.* [1] familiar Se usa para designar a una persona cuyo nombre se desconoce o no se quiere expresar, especialmente la que va en primer lugar, antes de nombrar a otras con palabras como *mengano, zutano* y *perengano*: *podemos quedar en casa de fulano o de mengano, pero decidámoslo ya*. NOTA Se escribe normalmente con mayúscula inicial. Frecuentemente en forma diminutiva. ■ **fulano de tal** familiar Se usa para referirse a una persona sin precisar su nombre: *llegas allí y dices: "Permítame que me presente: soy Fulano de tal"*. NOTA Se escribe normalmente con mayúscula inicial. Frecuentemente en forma diminutiva. [2] despectivo Persona imaginaria o sin determinar: *ha llamado un fulano pidiendo información sobre el piso en venta*. [3] despectivo Amante: *dicen que tiene una fulana*.

fular *s. m.* Pañuelo largo y de tela fina que se pone en el cuello.

fulcro *s. m.* Punto de apoyo de la palanca: *tienes que poner el fulcro en el medio del tablón.*

fulgor *s. m.* Brillo o resplandor muy intenso de una cosa. **FAM** fulgurar.

fulgurante *adj.* ① Que brilla o resplandece con intensidad. ② Que destaca por su rapidez o su calidad: *una carrera fulgurante.*

fulgurar *v. intr.* Brillar con intensidad. **FAM** fulguración, fulgurante.

full [se pronuncia 'ful'] *s. m.* En el póquer, combinación formada por un trío y una pareja.

fullero, -ra *adj./s. m. y f.* Se aplica a la persona que hace trampas en el juego. **SIN** tramposo. **FAM** fullería.

fulminante *adj.* ① Que causa la muerte de forma rápida: *el infarto fue fulminante.* ② Que es muy rápido y de efecto inmediato: *éxito fulminante.* | *s. m.* ③ Materia que se usa para hacer estallar cargas explosivas.

fulminar *v. tr.* ① Causar la muerte de forma rápida, especialmente un rayo o un arma: *un rayo ha fulminado a una oveja.* ② Dejar admirada o impresionada a una persona, especialmente con una mirada o una voz que denota odio o amor: *lo fulminó con la mirada.* **FAM** fulminante.

fumadero *s. m.* Lugar donde van las personas a fumar, especialmente en el que se fuman drogas.

fumador, -ra *adj./s. m. y f.* Se aplica a la persona que fuma tabaco habitualmente. ■ **fumador pasivo** Persona que, sin ser fumadora, aspira el humo de las personas que fuman y en consecuencia está sometida a los efectos nocivos del tabaco.

fumar *v. tr./intr.* ① Aspirar y espirar el humo del tabaco o de otras sustancias herbáceas: *fuma puros y tabaco rubio.* | *v. prnl.* ② **fumarse** familiar Gastarse el dinero con gran rapidez: *se fuma la paga del mes en una semana.* **SIN** derretirse, fundirse. **FAM** fumadero, fumador.

fumarola *s. f.* ① Emisión de gases o vapores a través de una grieta o abertura volcánica o de un cráter. ② Grieta o abertura de un volcán por la que salen estos gases o vapores.

fumata *s. f.* Columna de humo que sale de una chimenea de la capilla Sixtina, procedente de la combustión de las papeletas de votación de un cónclave o reunión de cardenales para elegir al nuevo Papa: *si la fumata es blanca es que ya ha sido elegido el nuevo Papa.*

fumetti *s. m.* ① Globo o bocadillo en forma de nube en que se encuadran los textos de un cómic cuando hacen referencia a los pensamientos de un personaje. ② Historieta gráfica con desarrollo narrativo parecida a un cómic, escrita en lengua italiana.

fumigar [1] *v. tr.* Hacer que desaparezcan plagas de insectos u organismos que dañan utilizando productos químicos: *fumigar una plantación.* **FAM** fumigación, fumigador, fumigante.

funambulista *s. com.* Equilibrista que hace ejercicios de acrobacia sobre una cuerda o alambre suspendido a cierta altura del suelo. **SIN** alambrista, funámbulo.

funámbulo, -la *s. m. y f.* Funambulista.

función *s. f.* ① Actividad propia de un organismo, un órgano o una célula: *la función del riñón es purificar la sangre.* ■ **función de nutrición** Capacidad de un ser vivo de obtener o sintetizar las sustancias nutritivas que le proporcionan la energía necesaria para el funcionamiento de su metabolismo. ■ **función de relación** Capacidad de un ser vivo de interactuar con su entorno a través de respuestas concretas a estímulos externos: *la función de relación se aprecia en la comunicación de muchos animales, capaces de intercambiar gran variedad de información con otros de su misma especie.* ■ **función de reproducción** Capacidad de un ser vivo de procrear y dar lugar a nuevos descendientes de su misma especie. ② Destino o utilidad que se da a algo: *el jarrón tiene una función meramente ornamental.* ③ Ejercicio de un cargo o empleo: *su función en la empresa es la de contable.* ④ Representación de un espectáculo o proyección de una película: *una función de teatro.* ⑤ Relación que se establece entre los elementos de una estructura gramatical: *el verbo tiene la función de núcleo del sintagma verbal.* **NOTA** También *función gramatical.* ⑥ Finalidad comunicativa con que se emite un enunciado: *funciones del lenguaje.* ■ **función apelativa** o **función conativa** Función del lenguaje que indica el efecto que produce el acto comunicativo en el receptor: *en "¿podría abrir la puerta?" y "dame todo lo que tengas" actúa la función apelativa, ya que el emisor quiere que el receptor haga lo que expresan los enunciados.* ■ **función expresiva** Función del lenguaje que indica el énfasis que pone el emisor para transmitir en el mensaje sus sentimientos, su estado de ánimo o sus valores, etc. ■ **función fática** Función del lenguaje que indica qué canal de comunicación entre el hablante y el oyente sigue abierto. ■ **función metalingüística** Función del lenguaje que consiste en el uso de la lengua para referirse a la propia lengua. ■ **función poética** Función del lenguaje que consiste en el uso de figuras retóricas y de expresiones lingüísticas menos usuales, generalmente con una intención estética. ■ **función referencial** Función del lenguaje que consiste en el uso de la lengua para aludir a la realidad extralingüística y explicarla: *en la definición de las palabras destaca la función referencial.* ⑦ Relación entre dos variables a las que se suele designar por x (variable independiente) e y (variable dependiente) y en la que a cada valor de x le corresponde un único valor de y. ■ **función afín** Función cuya expresión es $f(x) = ax + b$, donde a y b son números reales. ■ **función constante** Función que siempre toma el mismo valor $f(x) = a$, donde a es un número real. ■ **función continua** Función que no presenta ningún salto en un punto $x = a$, es decir, que, existiendo la función y el límite de la función en dicho punto, ambos son iguales. ■ **función creciente** Función que, en un intervalo I y dados dos valores x_1 y x_2 de ese intervalo, siendo $x_1 \leqslant x_2$, se verifica que $f(x_1) \leqslant f(x_2)$. ■ **función cuadrática** Función cuya expresión es $f(x) = ax^2 + bx + c$, donde a, b y c son números reales y $a \neq 0$. ■ **función de proporcionalidad** o **función lineal** Función cuya expresión es $f(x) = ax$, donde a es un número real. ■ **función de proporcionalidad inversa** Función cuya expresión es $f(x) = a/x$, donde a es un número real y $x = 0$. ■ **función decreciente** Función que, en un intervalo I y dados dos valores x_1 y x_2 de ese intervalo, siendo $x_1 \leqslant x_2$, se verifica que $f(x_1) \neq f(x_2)$. ■ **función discontinua** Función que no es continua al menos en un punto. ■ **función explícita** Función en la que existe una expresión que permite calcular el valor de y en función de x; habitualmente se denota $y = f(x)$. ■ **función exponencial** Función de la forma $f(x) = a^x$ donde a es un número real positivo y distinto de 1.

■ **función implícita** Función en la que no se puede encontrar una expresión que permita calcular el valor de *y* en función de *x*; se denota $F(x, y) = 0$. ■ **función inversa** Función que, dada una función *f*, se denota por $f^{-1}(x)$ y cumple que al componerla con *f* se obtiene la función de identidad. ■ **función logarítmica** Función de la forma $f(x) = \log_a x$, siendo *a* un número real positivo. ■ **función periódica** Función cuya gráfica se repite cada cierto valor T, llamado *periodo*, es decir, verifica que $f(x + T) = f(x)$ para todo *x* real. ■ **función racional** Función cuya expresión es un cociente de dos polinomios. ■ **función radical** Función en la que la variable independiente aparece bajo un símbolo radical o raíz cuadrada.
en función de Indica que una cosa depende de lo que se dice a continuación: *el tamaño de la sala debe elegirse en función del número de invitados.*
en funciones Indica que una persona está haciendo un trabajo en sustitución de otra o de forma temporal: *conserje en funciones.*
FAM funcional, funcionar; disfunción.

funcional *adj.* ① Relativo a la función biológica o psíquica: *tiene un problema funcional del aparato digestivo.* ② Que responde a una función determinada. ③ Se aplica a la cosa que está pensada y creada para tener una utilidad práctica, y no estética: *diseño funcional.*
FAM funcionalidad, funcionalismo.

funcionalismo *s. m.* Tendencia arquitectónica y de las artes decorativas del siglo XX, según la cual la forma debe estar determinada por la función.

funcionamiento *s. m.* ① Realización por parte de una persona o cosa de la función que le es propia. ② Uso o empleo de algo. SIN manejo.

funcionar *v. intr.* ① Realizar alguien o algo la función que le es propia. ② familiar Marchar bien: *nuestra relación funciona porque nos respetamos.*
FAM funcionamiento.

funcionario, -ria *s. m. y f.* Persona que ocupa un cargo o empleo en la Administración Pública.
FAM funcionariado, funcionarial.

funda *s. f.* Cubierta con la que se envuelve una cosa para guardarla o protegerla.
FAM enfundar.

fundación *s. f.* ① Establecimiento o creación de una ciudad, un edificio, una empresa o una institución. ② Sociedad u organización cuyos miembros se dedican a hacer obras sociales, culturales o humanitarias sin finalidad lucrativa. SIN patronato.
FAM fundacional.

fundador, -ra *adj./s. m. y f.* Se aplica a la persona que establece o crea algo.

fundamental *adj.* ① Que sirve de base o fundamento: *la etapa escolar es fundamental para el desarrollo de una persona.* SIN básico. ② Que es lo más importante y necesario. SIN básico, esencial.
FAM fundamentalismo.

fundamentalismo *s. m.* Movimiento religioso, social y político, basado en la interpretación literal de los textos sagrados y en el estricto cumplimiento de sus leyes o normas.
FAM fundamentalista.

fundamentalista *adj.* ① Relativo al fundamentalismo. I *adj./s. com.* ② Que es partidario del fundamentalismo: *un grupo fundamentalista.*

fundamentar *v. tr.* ① Poner una base para construir algo sobre ella. SIN cimentar. ② Partir de una serie de principios iniciales para elaborar, establecer o crear una cosa: *el conferenciante fundamentó su charla en la diferencia de clases.* SIN basar.
FAM fundamentación.

fundamento *s. m.* ① Parte de una construcción que está bajo tierra y le sirve de apoyo o base. NOTA Normalmente en plural. SIN cimiento. ② Conjunto de principios iniciales a partir de los que se elabora, establece o crea una cosa: *el fundamento de tu teoría no tiene validez.* SIN base. ③ familiar Formalidad, sensatez o seriedad que tiene una persona: *una persona con fundamento.* ④ Conjunto de cualidades nutritivas de un alimento: *un plato con mucho fundamento.* I *s. m. pl.* ⑤ **fundamentos** Elementos básicos de un arte o ciencia: *los fundamentos de la economía.*
FAM fundamental, fundamentar.

fundar *v. tr.* ① Establecer o crear una ciudad, una empresa, un edificio o una institución. ② Establecer los principios o la base de algo: *la teoría se funda en su propia experiencia.* SIN basar, fundamentar.
FAM fundación, fundador, fundamento.

fundición *s. f.* ① Conversión de una sustancia sólida en una líquida por la acción del calor. ② Fusión de un metal para darle una forma determinada a partir de un molde. SIN fundido. ③ Aleación de hierro y carbono que se obtiene por solidificación del arrabio; es quebradiza y no puede ser forjada: *la fundición contiene entre el 2 y el 7 % de carbono.* ④ Fábrica donde se funden metales. ⑤ Conjunto de letras o moldes de una clase que se usan en imprenta.

fundido *s. m.* ① Aparición o desaparición lenta y gradual de una imagen (principalmente en cine y televisión) o de un sonido (principalmente en radio): *fundido de cierre.* ■ **fundido en negro** Fundido en que la imagen desaparece al irse oscureciendo la pantalla hasta el negro total: *el fundido en negro suele emplearse para señalar el final de una escena.* ② Fusión de un metal para darle una forma determinada a partir de un molde. SIN fundición. ③ Objeto o figura obtenidos de esta manera. ④ Paso de una sustancia sólida a líquida por la acción del calor. SIN fundición.

fundir *v. tr./intr.* ① Convertir una sustancia sólida en líquida por la acción del calor: *el calor funde el hielo; el hierro funde a unos 1530 °C.* I *v. tr.* ② Dar forma en un molde a un metal derretido: *fundieron las campanas de la iglesia en esta fundición.* ③ Reducir a una sola cosa dos o más cosas diferentes: *fundieron sus ideas.* ④ familiar Gastar los bienes o el dinero con gran rapidez. SIN derretir, fumar. I *v. prnl.* ⑤ **fundirse** Dejar de funcionar un aparato o una instalación eléctricos al quemarse un hilo o una resistencia por exceso de corriente: *fundirse los plomos.* ⑥ AMÉR. Arruinarse.
FAM fundible, fundición, fundido, fundidor; refundir.

fúnebre *adj.* ① Relativo a los difuntos: *cortejo fúnebre.* ② Que es muy triste o sombrío: *colores fúnebres.*

funeral *adj.* ① Fúnebre. I *s. m.* ② Ceremonia religiosa que se celebra para recordar la muerte de una persona y rezar por la salvación de su alma. SIN exequias.
FAM funerario.

funerala Se usa en la expresión:
a la funerala Indica que un ojo está amoratado, generalmente a consecuencia de un golpe.

funeraria *s. f.* Empresa que se encarga de organizar todo lo relacionado con el entierro de los muertos.

funerario, -ria *adj.* Relativo al entierro: *actos funerarios*. SIN funeral.
FAM funeraria.

funesto, -ta *adj.* ① Que causa desgracia o dolor: *un día funesto de muerte y horror*. ② Que es muy triste o desgraciado: *un recuerdo funesto*.

fungible *adj.* culto Que se consume con el uso: *un coche es un bien fungible*.

fungicida *s. m./adj.* Sustancia que sirve para destruir los hongos que causan enfermedades o daños.

fungir *v. intr.* AMÉR. CENTRAL, MÉX. Actuar, funcionar, desempeñar un cargo.

funicular *adj./s. m.* Se aplica al vehículo que funciona mediante la tracción de una cuerda o un cable.

funk [se pronuncia aproximadamente 'fank'] *s. m.* ① Estilo musical nacido en Estados Unidos en la década de 1970 como música popular negra derivada del soul y con influencias del jazz, que se caracteriza por su ritmo fuerte, pausado y muy sincopado. ‖ *adj.* ② Relativo a este estilo musical: *ambiente funk*.

furcia *s. f.* despectivo Prostituta.
OBS Frecuentemente usado como insulto.

furgón *s. m.* ① Vehículo automóvil de cuatro ruedas, con un espacio interior grande y que se usa para el transporte de mercancías: *el furgón es más grande que la furgoneta*. ② Vagón de un tren destinado al transporte de equipaje, correo o de mercancías. ■ **furgón de cola** Vagón que va al final del tren.
FAM furgoneta.

furgoneta *s. f.* Vehículo de cuatro ruedas que sirve para transportar mercancías pequeñas o medianas.

furia *s. f.* ① Ira o violencia producida por un enfado muy grande y que no se puede controlar. SIN furor. ② Persona muy enfadada. ③ Fuerza y energía con que se hace algo: *trabajar con furia; pelear con furia*. SIN furor. ④ Agitación violenta con que se produce algo, especialmente la que causan los elementos de la naturaleza: *la furia del mar*. SIN furor. ⑤ Momento de mayor intensidad de algo, especialmente una moda o costumbre: *la furia de la música clásica*.
FAM furibundo, furioso.

furibundo, -da *adj.* ① Se aplica a la persona que está enfurecida o tiende a enfadarse con facilidad. ② Que muestra rabia o furia: *una mirada furibunda*. ③ Que es apasionado o exagerado: *sentimientos furibundos*. ④ Se aplica a la persona que admira o apoya con pasión exagerada lo que se expresa: *es una furibunda seguidora de las carreras de moto*.

furioso, -sa *adj.* ① Que está enfurecido o muy enfadado. ② Que tiene o muestra violencia.

furor *s. m.* ① Ira o violencia producida por un enfado muy grande y que no se puede controlar. SIN furia. ② Momento de mayor intensidad de algo, especialmente una moda o costumbre: *la sesión está en todo su furor*. SIN furia. ③ Fuerza y energía con la que se realiza una actividad. SIN furia.

furtivo, -va *adj.* ① Que se hace a escondidas o de manera disimulada: *una mirada furtiva; caza furtiva*. ‖ *adj./s. m. y f.* ② Se aplica a la persona que caza o pesca sin tener permiso o cuando está prohibido.
FAM furtivismo.

furúnculo [también **forúnculo**] *s. m.* Inflamación localizada que se produce en la piel debida a la infección de un folículo piloso y de las glándulas sebáceas vinculadas a él: *un furúnculo suele ser muy doloroso*.

fusa *s. f.* Nota musical cuya duración equivale a la mitad de una semicorchea.
FAM semifusa.

fuselaje *s. m.* Cuerpo central del avión, donde van la tripulación, los pasajeros y las mercancías.

fusible *s. m.* Componente eléctrico de seguridad que se coloca intercalado en una instalación eléctrica para evitar que pase una intensidad superior a la que esta puede aguantar: *el fusible consiste generalmente en un material conductor con un punto de fusión muy bajo que se funde o se rompe e interrumpe el paso de la corriente eléctrica*. SIN plomos.

fusiforme *adj.* Que tiene forma de huso.

fusil *s. m.* Arma de fuego automática compuesta por un cañón largo, con un cargador de balas y una culata de forma triangular que se apoya contra el hombro cuando se dispara: *el fusil forma parte del armamento básico de la infantería*. ■ **fusil submarino** Arma que sirve para lanzar arpones a gran velocidad debajo del agua.
FAM fusilar, fusilero; subfusil.

fusilamiento *s. m.* Ejecución de una persona disparándole una descarga de fusil.

fusilar *v. tr.* ① Ejecutar a una persona disparándole una descarga de fusil. ② familiar Copiar la obra de un autor o partes de ella. SIN plagiar.
FAM fusilamiento.

fusión *s. f.* ① Paso de una sustancia sólida a líquida por la acción del calor: *la fusión del hielo en agua líquida se produce a partir de los 0 °C*. ② Reducción a una sola cosa de dos o más cosas diferentes: *fusión de empresas; fusión de intereses*.
fusión nuclear Reacción nuclear producida por la unión de dos o más núcleos atómicos sometidos a muy altas temperaturas, que provoca un gran desprendimiento de energía.
FAM fusionar.

fusionar *v. tr.* Reducir a una sola cosa de dos o más cosas diferentes.

fusta *s. f.* Vara delgada y flexible con una correa en uno de sus extremos y que se usa para dirigir y dar órdenes al caballo.
FAM fustigar.

fustán *s. m.* ① Tela gruesa de algodón con pelo por una de sus caras. ② AMÉR. Especie de refajo o de enaguas que utilizan las mujeres.

fuste *s. m.* ① Parte de la columna que tiene forma de cilindro alargado y está comprendida entre la basa y el capitel: *el fuste de la columna dórica es acanalado*. ② Madera del árbol sin considerar la corteza. ③ Pieza de madera de las que forman la silla del caballo. ④ Importancia o valor: *una marca de mucho fuste*. ⑤ Fundamento de algo no material: *el fuste del discurso*.
FAM fusta.

fustigar *v. tr.* ① Golpear a un animal con un látigo o un fuste para que se mueva: *fustigó al caballo para que corriera*. ② Criticar o reprender con dureza a alguien o hablar mal de algo. SIN flagelar, vituperar.
FAM fustigación, fustigador.

futbito *s. m.* Deporte similar al fútbol y que se juega entre dos equipos de cinco o seis jugadores en un campo pequeño y descubierto, con una pelota más pequeña y que bota menos que la de fútbol. SIN fútbol sala.

fútbol o **futbol** *s. m.* Deporte que se juega entre dos equipos de once jugadores y que consiste en meter un balón en la portería del contrario, utilizando los pies, la cabeza o cualquier parte del cuerpo que no sean las manos o los brazos. **SIN** balompié. ■ **fútbol sala** Futbito.

fútbol americano Deporte que consiste en llevar un balón ovoide más allá de una línea protegida por el contrario o en meterlo en su meta, utilizando cualquier parte del cuerpo. **FAM** futbito, futbolero, futbolín, futbolista, futbolístico.

futbolero, -ra *adj.* ① familiar Futbolístico. ‖ *s. m. y f.* ② familiar Persona muy aficionada al fútbol.

futbolín *s. m.* ① Juego que imita un partido de fútbol y consiste en mover unas figuras de madera o metal para que golpeen una bola y la metan en un hueco o una portería. ② Mesa con figuras, que imita un campo de fútbol con sus jugadores y se usa para este juego. **OBS** Es marca registrada.

futbolista *s. com.* Persona que juega al fútbol.

futbolístico, -ca *adj.* Relativo al fútbol.

fútil *adj.* Que tiene poco valor e importancia por su naturaleza o por su falta de contenido: *una excusa fútil.* **SIN** banal, vano. **FAM** futilidad.

futilidad *s. f.* Cosa poco importante o de poco valor. **SIN** fruslería, nadería.

futón *s. m.* Colchón de algodón elaborado según la técnica tradicional japonesa, que se tiende directamente sobre el suelo o sobre una superficie dura.

futurible *adj.* ① Se aplica al acontecimiento que ocurrirá en el futuro solamente si se dan unas condiciones determinadas. ‖ *adj./s. com.* ② Se aplica a la persona que tiene bastantes posibilidades de ser elegido en un determinado cargo.

futurismo *s. m.* ① Actitud favorable hacia el futuro. ② Movimiento artístico y literario de vanguardia desarrollado en Italia a principios del siglo XX e inspirado por el poeta Giuseppe Tommaso Marinetti; sus integrantes abogaron por una ruptura total con la tradición y exaltaron el progreso técnico, la velocidad, la acción y la violencia como valores de futuro. **FAM** futurista.

futurista *adj.* ① Relativo al futurismo: *«2001, una odisea en el espacio» es una película futurista.* ‖ *adj./s.* ② Se aplica a la persona que es partidaria del movimiento artístico del futurismo: *Boccioni y Carrá fueron pintores futuristas.*

futuro, -ra *adj.* ① Que todavía no ha sucedido o que está próximo en el tiempo. ‖ *adj./s. m.* ② Se aplica al tiempo verbal que expresa una acción no producida en el momento de la enunciación: *el verbo "volveré" está en futuro.* ‖ *s. m. y f.* ③ Persona que está comprometida con otra para casarse. ‖ *s. m.* ④ Tiempo que todavía no ha llegado. **FAM** futurismo, futurología.

futurología *s. f.* Conjunto de estudios para predecir el futuro. **FAM** futurólogo.

futurólogo, -ga *s. m. y f.* Persona que se dedica a predecir el futuro.

F

g *s. f.* ① Séptima letra del alfabeto español; su nombre es *ge*. ② Símbolo de la aceleración de la gravedad.

gabacho, -cha *s. m. y f./adj.* familiar Persona que es de Francia. **SIN** franchute.

OBS Frecuentemente usado de forma despectiva.

gabán *s. m.* ① Abrigo. ② P. Rico Saco, chaqueta.

gabardina *s. f.* ① Prenda de vestir larga y con mangas, de tela impermeable, que sirve para protegerse de la lluvia. ② Tela de tejido fuerte de algodón e impermeable que se usa para fabricar esa prenda u otras. ③ Masa de harina o pan rallado y huevo con que se envuelven algunos alimentos antes de freírlos.

gabarra *s. f.* ① Embarcación pequeña y chata para la carga y descarga de los barcos. ② Embarcación de gran tamaño que sirve para transportar mercancías.

gabinete *s. m.* ① Habitación que sirve para estudiar o para recibir visitas. ② Local destinado al ejercicio de una profesión o a la investigación o estudio de algunas ciencias. ③ Conjunto de ministros que componen el gobierno de un país.

gablete *s. m.* Remate triangular formado por dos líneas rectas que se unen formando un ángulo agudo que corona algunos arcos, como los de los pórticos góticos.

gacela *s. f.* Animal mamífero rumiante muy veloz y ágil, de patas largas y finas, cabeza pequeña, cuernos curvados color marrón claro y blanco en el vientre: *las gacelas viven en las estepas de África y Asia.*

gaceta *s. f.* ① Publicación periódica destinada a dar información de carácter cultural o científico. ② Persona que se entera de casi todo lo que ocurre y lo cuenta.

FAM gacetilla.

gacha *s. f.* Col., Venez. Cuenco.

gachas *s. f. pl.* ① Comida que se hace con harina cocida con agua y sal, y que puede aderezarse con leche, miel o cualquier otra sustancia. ② Masa que resulta de mezclar tierra y agua.

gachí *s. f.* familiar Mujer, generalmente joven.

gacho, -cha *adj.* ① Inclinado hacia tierra: *el perro se fue con la cabeza gacha.* ② Se aplica a la res que tiene los cuernos curvados hacia abajo.

a gachas Con las manos y las rodillas apoyadas en el suelo.

gachó *s. m.* familiar Hombre, generalmente joven.

gachumbo *s. m.* Amér. Cáscara leñosa de algunos frutos, de la que se hacen vasijas, tazas y otros utensilios. **SIN** cachumbo.

gachupín, -pina *s. m. y f.* Guat., Méx. Español establecido en México o Guatemala.

gaditano, -na *adj.* ① De Cádiz (ciudad y provincia de Andalucía). ‖ *s. m. y f./adj.* ② Persona que es de Cádiz.

gadolinio *s. m.* Elemento químico de fórmula *Gd* y número atómico 64; es un metal raro perteneciente a los lantánidos, sólido, de color plateado, con brillo, que se puede obtener como residuo en los procesos de elaboración del uranio y que se emplea como componente de las varillas de control de los reactores nucleares, en mecanismos electrónicos, etc.: *el gadolinio pertenece a las tierras raras.*

gaélico, -ca *adj./s. m.* ① Se aplica al grupo de dialectos célticos que se habla en Irlanda y Escocia. ‖ *adj.* ② Relativo a un pueblo céltico que se instaló en Irlanda y Escocia en el primer milenio a. C. ‖ *s. m. y f./adj.* ③ Persona perteneciente a este pueblo.

gafar *v. tr.* familiar Hacer que alguien tenga mala suerte.

gafas *s. f. pl.* Conjunto de dos cristales, con graduación óptica o sin ella, colocados en una montura que se apoya en la nariz y que se sujeta detrás de las orejas con unas patillas. **SIN** lentes.

FAM gafotas, gafudo.

gafe *adj./s. com.* Que da o trae mala suerte.

FAM gafar.

gafotas *adj./s. com.* Que utiliza gafas por tener algún defecto en la vista.

OBS Plural invariable. Frecuentemente usado de forma despectiva.

gag *s. m.* Situación ridícula y cómica, especialmente en una película.

OBS Plural: *gags.*

gaguear *v. intr.* Amér. Tartamudear.

gaita *s. f.* ① Instrumento musical de viento formado por una bolsa que se llena de aire, a la que se une una flauta y otro tubo largo y grueso que produce un sonido continuo: *la gaita es un instrumento típico de Galicia y de Asturias.* **SIN** cornamu-

sa. **2** familiar Actividad que resulta pesada o molesta. | *int.*
3 **¡gaita!** o **¡qué gaitas!** Expresión que denota enfado o
protesta: *pero qué orden ni qué gaitas: no pienso ir.*
templar gaitas familiar Hacer que desaparezca un enfado
FAM gaitero.

gaitero, -ra *s. m. y f.* Persona que toca la gaita.

gaje *s. m.* Dinero que se percibe por un empleo o una ocupación, especialmente el que se cobra además del sueldo. **NOTA**
Más en plural.
gajes del oficio Inconvenientes o consecuencias molestas
que trae consigo una actividad, especialmente un trabajo o
profesión.

gajo *s. m.* **1** Parte diferenciada en que se divide la carne de
algunas frutas: *gajos de naranja.* **SIN** casco. **2** Grupo de uvas
en que se divide un racimo.
FAM desgajar.

gal *s. m.* Unidad de aceleración en el sistema cegesimal.

gala *s. f.* **1** Vestido o adornos elegantes que se ostentan: *se
puso sus mejores galas para la fiesta.* **NOTA** Más en plural.
2 Fiesta o ceremonia de carácter extraordinario, elegante y
con muchos invitados que se organiza para celebrar o conseguir una cosa. **3** Actuación de un artista. **4** ANT., MÉX. Propina.
hacer gala Presumir de algo: *ha hecho gala de sus dotes de
pianista.*
llevar (o **tener**) **a gala** Presumir o estar orgulloso de una
cosa: *lleva a gala ser hijo del director del colegio.*
FAM galán.

galáctico, -ca *adj.* Relativo a la galaxia.

galaico, -ca *adj./s. m. y f.* **1** Relativo a un pueblo indoeuropeo prerromano que habitaba en Galicia y en el norte de
Portugal. | *s. m. y f./adj.* **2** Persona perteneciente a este pueblo. | *adj./s. m. y f.* **3** culto De Galicia (comunidad autónoma
española): *Rosalía de Castro recoge la esencia del alma galaica en
su poesía.*

galaicoportugués, -guesa *s. m./adj.* **1** Lengua romance que dio origen al gallego y el portugués actuales. **SIN** gallegoportugués. | *adj.* **2** Relativo a esta lengua. **SIN** gallegoportugués. | *adj./s. f.* **3** Se aplica a la lírica medieval compuesta
en el oeste peninsular (desde el Atlántico hasta Aragón) en
lengua galaicoportuguesa, entre los siglos XII y XIV. **SIN** gallegoportugués.

galán *s. m.* **1** Hombre de aspecto agradable, elegante y educado. **2** Hombre que corteja a una mujer. **3** Actor principal
de cine o de teatro que representa el papel de hombre atractivo, elegante y conquistador.
galán de noche (**I**) Mueble que sirve para colgar los trajes
y la ropa de caballero. (**II**) Arbusto tropical, con hojas de color verde blanquecino muy olorosas por la noche.
FAM galano, galante, galanura.

galano, -na *adj.* **1** culto Elegante y agradable. **2** culto Hermoso. **3** CUBA Se aplica a la res vacuna con pelaje de varios
colores.

galante *adj.* **1** Se aplica a la persona que es muy educada y
atenta en el trato, especialmente con las mujeres. **2** Que es
muy educado y atento: *trato galante.*
FAM galantear, galantería.

galantear *v. tr.* Tratar de enamorar a una persona, especialmente tratándola de manera muy educada y agradable.
FAM galanteador, galanteo.

galanteo *s. m.* Acción de galantear.

galantería *s. f.* **1** Cualidad de galante. **2** Obra o dicho educados y agradables.

galanura *s. f.* **1** culto Elegancia. **2** Hermosura.

galápago *s. m.* **1** Reptil muy parecido a la tortuga, pero
adaptado a la vida acuática, provisto de una concha, bajo la
cual es capaz de retraer completamente la cabeza y las extremidades. **2** HOND., VENEZ. Silla de montar para mujeres.

galardón *s. m.* Premio que se concede por méritos o por haber prestado determinados servicios.
FAM galardonar.

galardonar *v. tr.* Conceder un premio a una persona, especialmente por méritos o haber prestado determinados servicios.

galaxia *s. f.* Conjunto de estrellas, cuerpos celestes, gas y
polvo interestelar que gira en torno a un núcleo central: *la
Vía Láctea es una galaxia que tiene la forma de un disco hinchado
por el centro.*

galbana *s. f.* familiar Falta total de interés o de ganas de hacer
algo.

galena *s. f.* Mineral de color gris azulado y brillo metálico
intenso, compuesto de azufre y plomo, cristaliza en el sistema cúbico y es el principal mineral de plomo del que se extrae este último: *la galena ha sido el primer semiconductor utilizado para detectar señales radioeléctricas.*

galeno *s. m.* familiar Médico.

galeón *s. m.* Barco antiguo de vela de tres o cuatro palos,
más grande y elegante de lo normal y armado con cañones,
que se usó en España y parte de Europa para transporte y
guerra en los siglos XVI y XVII.

galeote *s. m.* Hombre condenado a remar en galeras.

galera *s. f.* **1** Embarcación grande de vela y remo usada en
las guerras: *las galeras fueron usadas en el mar Mediterráneo
hasta mediados del XVIII.* **2** Crustáceo carnívoro, con el cefalotórax corto, el abdomen largo y el primer par de patas muy
desarrollado: *la galera se parece a la cigala.* **3** AMÉR. SUR Sombrero de copa redonda. **4** HOND., MÉX. Cobertizo. | *s. f. pl.*
5 **galeras** Castigo consistente en realizar trabajos forzados
remando en los barcos: *fue condenado a galeras durante cinco
años.*
FAM galerada.

galería *s. f.* **1** Habitación larga y amplia, generalmente con
muchas ventanas y columnas. **2** Pasillo abierto o con cristales que sirve para llegar la luz a espacios interiores.
3 Local en el que se exponen y venden obras de arte: *galería
de arte moderno.* **4** Parte más alta de un teatro o cine. **SIN** gallinero. **5** Conjunto de personas en general: *hablar de cara a
la galería.* **6** Paso subterráneo, largo y estrecho: *la galería
de una mina.* **7** Armazón de madera o metal donde van colgadas las cortinas. | *s. f. pl.* **8** **galerías** Conjunto de establecimientos comerciales que están en un mismo lugar.

galerna *s. f.* Viento frío que sopla en la costa del norte de
España.

galés, -lesa *adj.* **1** De Gales (parte integrante del Reino
Unido). | *s. m. y f./adj.* **2** Persona que es de Gales. | *s. m./
adj.* **3** Lengua céltica hablada en Gales. | *adj.* **4** Relativo a
esta lengua.

galgo, -ga *s. m. y f./adj.* Perro de figura delgada, cabeza
larga y estrecha y orejas caídas, musculatura fuerte, muy rápido y que se usa en la caza y en las carreras.

gálibo *s. m.* ① Marca que señala las dimensiones máximas permitidas a un vehículo para el paso por un túnel o un puente. ② Conjunto de luces que debe llevar un automóvil de grandes dimensiones para indicar su altura y su anchura y que están colocadas muy próximas a los bordes superiores traseros y delanteros: *las luces de gálibo son obligatorias para los vehículos que midan más de 2,10 m de ancho.*

galicismo *s. m.* ① Palabra o modo de expresión propio de la lengua francesa y que se usa en otro idioma: *el término "au pair" es un galicismo.* ② Giro propio de la lengua francesa. **FAM** galicista.

galicista *adj.* ① Relativo al galicismo: *"en base a" es una expresión galicista.* ② Se aplica a la persona que usa muchos galicismos al hablar o escribir.

galimatías *s. m.* ① familiar Lenguaje poco claro y difícil de entender: *cada una de sus cartas era un verdadero galimatías.* ② Cosa confusa o desordenada. **OBS** Plural invariable.

galio *s. m.* Elemento químico de símbolo *Ga* y número atómico 31; es un metal raro, de color blanco brillante o gris azulado, duro y maleable, que se usa en odontología: *el galio se extrae principalmente de la bauxita.*

gallardete *s. m.* Bandera pequeña, larga y rematada en punta, que se utiliza como insignia, adorno o como señal en buques y edificios.

gallardía *s. f.* ① Valor y decisión en la forma de actuar. **SIN** bizarría. ② Elegancia y gracia: *gallardía al andar y moverse.*

gallardo, -da *adj.* ① Se aplica a la persona que es valiente y noble en su manera de actuar: *el gallardo caballero defendió el honor de su dama.* **SIN** bizarro. **ANT** cobarde, mezquino. ② Que tiene elegancia y gracia: *su cuerpo gallardo destacaba entre el resto.* **FAM** gallardear, gallardía.

gallear *v. intr.* ① familiar Pretender una persona sobresalir entre los demás, presumiendo excesivamente de sus cualidades. ‖ *v. tr.* ② Cubrir el gallo a la gallina.

gallego, -ga *adj.* ① De Galicia (comunidad autónoma española): *la comunidad gallega comprende las provincias de La Coruña, Lugo, Orense y Pontevedra.* ‖ *s. m. y f./adj.* ② Persona que es de Galicia. ‖ *s. m./adj.* ③ Lengua románica hablada en Galicia: *el gallego se habla más en el ámbito rural que en las grandes poblaciones.* ‖ *s. m. y f.* ④ AMÉR. Español emigrado a América o persona con ascendencia española. **FAM** galleguismo, galleguizar.

gallegoportugués, -guesa V. galaicoportugués, -guesa.

galleguismo *s. m.* ① Palabra o modo de expresión propio de la lengua gallega y que se usa en otro idioma: *la palabra "morriña" es un galleguismo.* ② Palabra o modo de hablar propio de los gallegos. ③ Amor o admiración por la cultura y las tradiciones de Galicia. **FAM** galleguista.

gallero, -ra *adj./s. m. y f.* ① Se aplica a la persona que es aficionada a las peleas de gallos. ‖ *s. m. y f.* ② Persona que se dedica a la cría de gallos de pelea.

galleta *s. f.* ① Dulce seco hecho con una masa de harina, azúcar, huevos, leche u otros ingredientes, cocida al horno y con formas y tamaños diferentes, generalmente de poco grosor: *galletas de chocolate.* ② familiar Golpe dado en la cara con la mano abierta. **SIN** bofetada, torta, tortazo. ③ Distintivo militar consistente en un disco con el número de regimiento.

galliforme *adj./s. f.* ① Se aplica al ave de cuerpo grueso, pico corto, alas cortas y patas fuertes, como el gallo, el faisán o la perdiz. ‖ *s. f. pl.* ② **galliformes** Grupo taxonómico, con categoría de orden, constituido por estas aves.

gallina V. gallo. **FAM** gallináceo, gallinaza, gallinero.

gallináceo, -cea *adj./s. f.* ① Relativo a la gallina. ② Se aplica al ave que pertenece a la misma familia que la gallina: *el faisán es un ave gallinácea.*

gallinaza *s. f.* Excremento o estiércol de las gallinas.

gallinero *s. m.* ① Lugar destinado a la cría de gallinas. ② familiar Lugar en el que hay mucho ruido, producido principalmente por el griterío de la gente. ③ Conjunto de asientos que se encuentran en la parte más alta de un teatro o de un cine. **SIN** galería.

gallineta *s. f.* Ave zancuda del tamaño de una paloma, con un plumaje que forma dibujos claroscuros que le permite camuflarse entre la maleza. **SIN** chocha.

gallito *s. m.* ① Hombre que presume excesivamente de sus cualidades, especialmente de su fuerza o su valentía. **SIN** gallo. ② CUBA Ave zancuda de color rojo oscuro y negro, con espolones en las alas. ③ ARG. Pájaro de plumaje anaranjado o amarillento, con un copete de plumas que caen sobre el pico: *el gallito es propio de las selvas americanas.* ④ C. RICA Caballito del diablo.

gallo, -llina *s. m.* ① Ave doméstica de corral, de tamaño mediano y vuelo corto, de pico pequeño, plumaje lustroso y abundante, y con una cresta roja sobre la cabeza: *los gallos suelen cantar al amanecer, tienen espolones en las patas y la cresta más grande que la gallina.* ② Pez marino de cuerpo aplanado, boca grande y con los dos ojos en uno de los lados: *el gallo vive en aguas atlánticas y mediterráneas y es comestible.* ③ familiar Hombre que presume excesivamente de sus cualidades, especialmente de su fuerza o su valentía. **SIN** gallito. ④ familiar Nota aguda o chillona que emite una persona al hablar o al cantar. ‖ *s. f.* ⑤ familiar Persona miedosa o cobarde. **SIN** cagón, cagueta.

acostarse con las gallinas Irse a dormir muy pronto.

en menos que canta un gallo familiar Se utiliza para indicar que algo se hace o sucede en muy poco tiempo o con mucha rapidez.

gallina (o gallinita) ciega Juego infantil en el que uno de los participantes lleva los ojos vendados y debe tratar de coger a otro y adivinar de quién se trata.

la gallina de los huevos de oro familiar Persona o cosa de la cual se obtienen grandes ganancias o beneficios: *este negocio es la gallina de los huevos de oro.*

otro gallo le cantara (o cantaría) familiar Expresión que indica que, de haberse hecho una cosa, se habría conseguido un resultado mejor que el obtenido: *si hubiera estudiado, otro gallo le cantaría.*

FAM gallear, gallero, galliforme, gallito.

galo, -la *adj.* ① De Francia (país de Europa). **SIN** francés, franco. ‖ *s. m. y f./adj.* ② Persona que es de Francia. **SIN** francés, franco. ‖ *adj.* ③ Relativo al pueblo celta que invadió los territorios correspondientes a las actuales Francia, Gran Bretaña y norte de Italia en el primer milenio a. C. ‖ *s. m. y f./adj.* ④ Persona perteneciente a este pueblo: *los galos fueron conquistados y sometidos por los romanos.* ‖ *s. m./adj.* ⑤ Lengua celta que se hablaba en la antigua Galia.

galón[1] *s. m.* ① Cinta fuerte y estrecha que se coloca en las prendas de vestir para protegerlas o para adornarlas. ② Distintivo que se pone en la bocamanga o en el brazo del uniforme de un militar o de otro cuerpo uniformado para distinguir las distintas graduaciones.

galón² *s. m.* Medida de capacidad para líquidos, equivalente a 4,54 litros en Gran Bretaña y a 3,79 en América del Norte.

galopada *s. f.* Carrera del caballo a galope.

galopante *adj.* ① Que galopa. ② Que tiene un desarrollo o un desenlace muy rápido, especialmente una enfermedad: *una infección galopante.*

galopar *v. intr.* ① Ir un caballo a galope. ② Cabalgar una persona sobre un caballo que va a galope: *los jinetes galopaban por la pradera.*
FAM galope.

galope *s. m.* Marcha del caballo, más rápida que el trote, en la cual mantiene por un momento las cuatro patas en el aire.
FAM galopada.

galvanismo *s. m.* ① Corriente eléctrica producida por el contacto de dos metales diferentes sumergidos en un líquido que se interpone entre ambos. ② Propiedad de la corriente eléctrica de provocar contracciones en los nervios y músculos de los seres vivos o de organismos muertos.
FAM galvánico, galvanizar.

galvanización *s. f.* ① Proceso que consiste en cubrir un metal con un baño de cinc para que no se oxide. **SIN** galvanizado. ② Proceso por el que un metal se cubre con otro mediante galvanismo.

galvanizado *s. m.* Galvanización.

galvanizar *v. tr.* ① Depositar una capa de un metal sobre otro mediante galvanismo. ② Cubrir un metal con un baño de cinc para que no se oxide.
FAM galvanización.

gama *s. f.* ① Escala de colores: *gama de azules.* ② Serie de cosas de la misma clase pero distintas en alguno de sus elementos constitutivos: *una amplia gama de artículos de cosmética.* ③ Ámbito o espectro total de notas de una voz, un instrumento o una parte musical.

gamba¹ *s. f.* Crustáceo marino parecido al langostino, pero de menor tamaño; es comestible y su carne es muy apreciada: *gambas al ajillo; cóctel de gambas.*

gamba² *s. f.* ① familiar Pierna de una persona. ② ARG., BOL., URUG. Billete de cien pesos.
meter la gamba familiar Hacer o decir una persona algo inconveniente o inoportuno: *ha hablado antes de tiempo y ha metido la gamba.*

gamberrada *s. f.* Acción poco cívica que comete una persona y que produce molestias o perjuicios a otras personas.

gamberrismo *s. m.* Conducta de la persona que se divierte haciendo cosas poco cívicas y molestando o causando perjuicios a otras personas.

gamberro, -rra *adj./s. m. y f.* Se aplica a la persona que se divierte haciendo cosas poco cívicas y molestando y causando perjuicios a otras personas.
FAM gamberrear, gamberrismo, gamberrada.

gambeta *s. f.* ① ARG., BOL., URUG. Regate, movimiento con que un futbolista simula llevar la pelota por un lado y luego la impulsa por otro, para burlar al oponente que pretende quitársela. ② familiar ARG., URUG. Justificación o excusa a la que se recurre para eludir un compromiso o evitar una situación difícil.

gambito *s. m.* En el juego del ajedrez, jugada que consiste en sacrificar una pieza al principio de la partida, generalmente un peón, para lograr una posición favorable.

gametangio *s. m.* En botánica, órgano en que se forman los gametos.

gameto *s. m.* Célula reproductora propia de los seres vivos con reproducción sexual: *en los seres humanos, el gameto masculino es el espermatozoide y el femenino es el óvulo.*

gametofito o **gametófito** *s. m.* Fase del ciclo vital de una planta en que las células presentan núcleos haploides y en la que tiene lugar la producción de las células sexuales o gametos.

gametogénesis *s. f.* Proceso por el que se forman los gametos.
OBS Plural invariable.

gamma *s. f.* ① Nombre de la tercera letra del alfabeto griego; se escribe Γ/γ y se transcribe como g. ② Unidad de masa internacional equivalente a la millonésima parte de un gramo.
FAM gama.

gammaglobulina *s. f.* Proteína del suero sanguíneo, que actúa como soporte de los anticuerpos.

gammagrafía *s. f.* Radiografía realizada con radiación de tipo gamma.

gamo, -ma *s. m. y f.* Mamífero rumiante de pelo rojo oscuro con pequeñas manchas blancas y los cuernos aplastados en su extremos en forma de palas.

gamonal *s. m.* AMÉR. Cacique rural.

gamopétalo, -la *adj.* Se aplica a la flor que tiene los pétalos unidos lateralmente, en mayor o menor extensión, formando una corola de una sola pieza. **SIN** monopétalo.

gamosépalo, -la *adj.* Se aplica a la flor que tiene los sépalos unidos lateralmente, en mayor o menor extensión, formando un cáliz de una sola pieza. **SIN** monosépalo.

gamuza *s. f.* ① Mamífero rumiante, parecido a la cabra, con pelo pardo, cola corta, patas fuertes y cuernos lisos y rectos, con las puntas curvadas hacia atrás en forma de ganchos: *las gamuzas habitan en zonas montañosas de Europa.* ② Piel curtida de este animal, fina y muy flexible, de aspecto aterciopelado. ③ Paño de tela que se usa para limpiar: *quita el polvo con una gamuza.*

gana *s. f.* ① Deseo o voluntad que tiene una persona de hacer una cosa: *ganas de pasear.* **NOTA** Normalmente en plural. ② Deseo de comer o apetito que tiene una persona. **NOTA** Normalmente en plural.
con ganas (**I**) familiar Se utiliza para indicar que una cosa se hace con agrado y ánimo: *corre con ganas.* (**II**) Se utiliza para intensificar un adjetivo o una expresión calificativa: *ser tonto con ganas.*
dar la real (o **realísima**) **gana** familiar Querer una persona hacer cierta cosa únicamente por el deseo de hacerla, aunque no se tenga razón o derecho para ello: *siempre hace lo que le da la real gana.*
de buena gana Se utiliza para indicar que una cosa se hace con gusto y agrado: *después de mucho insistir, se lo comió de buena gana.*
de mala gana Se utiliza para indicar que una cosa se hace sin gusto ni agrado: *todo lo hace de mala gana.*
quedarse con las ganas Frustrarse un deseo: *se ha quedado con las ganas de ir al cine.*
FAM desgana, malagana.

ganadería *s. f.* ① Cría de ganado para su explotación y comercio. ■ **ganadería extensiva** Ganadería en que el ganado se cría en superficies abiertas y pasta libremente. ■ **ganadería intensiva** Ganadería en que el ganado se cría en establo para controlar su alimentación y engorde. ② Raza de ganado, especialmente el que pertenece a un mismo propietario o a una misma región: *los toros de esta tarde son de una famosa ganadería.* ③ Ganado: *los lobos atacaron anoche la ganadería.*

ganadero, -ra *adj.* ① Relativo al ganado o a la ganadería: *industria ganadera.* ‖ *s. m. y f.* ② Persona que se dedica a la cría, explotación y comercio del ganado. **FAM** ganadería.

ganado *s. m.* ① Conjunto de animales de cuatro patas que son criados para su explotación y comercio. **SIN** ganadería. ■ **ganado mayor** Ganado formado por animales de gran tamaño: *el ganado mayor está formado por caballos, asnos, mulas y bovinos fundamentalmente.* ■ **ganado menor** Ganado formado por animales de menor tamaño que los del ganado mayor: *las ovejas, cabras, cerdos y corderos son ganado menor.* ② *familiar* Conjunto numeroso de personas. **NOTA** Frecuentemente usado de forma despectiva. **FAM** ganadero.

ganador, -ra *adj./s. m. y f.* Que gana o vence: *el equipo ganador del torneo.*

ganancia *s. f.* Acción de ganar: *durante el primer mes hay menor ganancia de peso.* **FAM** ganancial, ganancioso.

ganancioso, -sa *adj.* Que proporciona ganancias: *inversión gananciosa.*

ganapán *s. m. familiar* Hombre rudo y tosco.

ganar *v. tr.* ① Conseguir un beneficio con el trabajo, el esfuerzo o por suerte: *ha ganado un premio en el sorteo.* **ANT** perder. ② Conseguir una cosa por la que una persona mantiene un enfrentamiento, disputa o competición con otra: *ganar una medalla.* **ANT** perder. ③ Cobrar una cantidad de dinero por un trabajo: *ganaré poco con este trabajo.* ④ Llegar al lugar que se intenta alcanzar: *ganar la meta; ganar la cima de la montaña.* ⑤ Superar o ser mejor que otra persona en una cosa. ‖ *v. tr./intr.* ⑥ Conseguir la victoria en un enfrentamiento, disputa o competición que una persona mantiene con otra u otras: *ganar una batalla.* **ANT** perder. ‖ *v. tr.* ⑦ Captar la voluntad de una persona: *ganar seguidores para una causa; se ha ganado a todos.* ⑧ Conseguir la confianza o el afecto de otras personas: *ganarse el respeto del público.* ‖ *v. intr.* ⑨ Llegar una persona o una cosa a tener unas condiciones o unas cualidades mejores: *con ese corte de pelo ganas mucho, pareces más joven.* ‖ *v. prnl.* ⑩ **ganarse** Merecer una persona cierta cosa por sus propios actos: *ganarse una buena reprimenda; ganarse un aprobado.* **FAM** ganador, ganancia.

ganchillo *s. m.* ① Aguja fuerte, de unos 20 cm de largo, y con un extremo más delgado y acabado en forma de gancho, que se utiliza para hace labores de punto. ② Labor que consiste en tejer con esa aguja: *un paño de ganchillo para la mesa.* **SIN** croché.

gancho *s. m.* ① Instrumento con forma curva y con punta en un extremo o en ambos, que sirve para sostener, colgar o sujetar una cosa: *el anzuelo es un pequeño gancho donde se coloca el cebo para que los peces piquen.* ② *familiar* Persona que colabora con un estafador o timador para ayudarle a engañar a sus víctimas. ③ *familiar* Capacidad para gustar o atraer: *una canción con gancho.* ④ En boxeo, puñetazo dado de abajo arriba, arqueando el brazo: *un gancho de derecha.* ⑤ En baloncesto, tiro a canasta que se realiza arqueando el brazo por encima de la cabeza. ⑥ AMÉR. Percha (utensilio de pared para colgar prendas de vestir y otros objetos). ⑦ AMÉR. Horquilla para el cabello. ⑧ AMÉR. SUR Pinza (instrumento para sujetar cosas). ⑨ ARG., GUAT. Protección, ayuda. ⑩ ECUAD. Silla de montar para señora. ⑪ R. DOM. Persona que promueve y convoca peleas de gallos. ⑫ R. DOM., P. RICO, VENEZ. Pieza puntiaguda o cónica de la suela de ciertos calzados deportivos.

hacer gancho ARG., URUG. Hacer de intermediario en cuestiones amorosas.

tener gancho *familiar* ARG., CHILE, PAR., URUG. Tener carisma y sensualidad una persona: *estaba convencido de que tenía gancho y utilizaba sus atractivos siempre que podía.* **FAM** ganchillo, ganchudo; enganchar.

gandul, -dula *adj./s. m. y f.* Se aplica a la persona que no quiere trabajar o no cumple con su trabajo por falta de atención e interés. **SIN** haragán, holgazán, vago. **ANT** trabajador. **FAM** gandulear, gandulería.

gandulear *v. intr.* Hacer el gandul. **SIN** haraganear, holgazanear, vaguear.

ganga¹ *s. f.* ① Cosa de buena calidad o de valor que se consigue a bajo precio o con poco esfuerzo. **SIN** bicoca. ② Ave parecida a la paloma, con las alas y la cola puntiaguda y el vientre de color blanco: *la ganga macho transporta agua en las plumas para los pollos.*

ganga² *s. f.* Materia inútil que se separa de los minerales.

ganglio *s. m.* Abultamiento de un nervio o una vía linfática: *ganglio nervioso; ganglio linfático.* **FAM** ganglionar.

gangocho *s. m.* ① AMÉR. Arpillera. ② AMÉR. Bolsa hecha de arpillera y usada para embalar.

gangoso, -sa *adj.* ① Se aplica a la voz que tiene resonancia nasal a causa de un defecto en los conductos de la nariz: *está muy resfriado y tiene la voz gangosa.* ‖ *adj./s. m. y f.* ② Se aplica a la persona que tiene esa voz o habla con esta voz. **FAM** gangosidad, ganguear.

gangrena *s. f.* Muerte de un tejido de una persona o un animal debido a la falta de riego sanguíneo o por infección de una herida. **FAM** gangrenarse, gangrenoso.

gangrenarse *v. prnl.* Morirse un tejido de una persona o un animal a causa de la gangrena.

gángster [también **gánster**, menos usado] *s. com.* Persona que pertenece a una banda organizada de delincuentes que se dedica a negocios clandestinos y actividades criminales: *Al Capone fue un famoso gángster.* **FAM** gangsterismo. **OBS** Plural: *gángsteres.*

gansada *s. f.* Acción o dicho propio de la persona que hace o dice tonterías.

ganso, -sa *s. m. y f.* ① Ave palmípeda doméstica de plumaje gris y pico anaranjado, casi negro en la punta, que se cría en ambientes húmedos y grazna fuertemente al menor ruido: *el ganso es apreciado, entre otras cosas, por su carne y su hígado.* **SIN** ánsar, oca. ‖ *adj./s. m. y f.* ② Se aplica a la persona

que hace o dice tonterías. I *adj.* ③ jerga Que es muy grande o importante: *un grupo ganso de gente.*
FAM gansada.

gánster *s. m.* Gángster.
OBS Plural: *gánsteres.*

ganzúa *s. f.* Alambre fuerte y doblado en uno de sus extremos que sirve para abrir cerraduras sin usar una llave: *los ladrones utilizaron una ganzúa para abrir la puerta del coche.*

gañán *s. m.* ① Hombre que muestra poca cortesía y educación. ② Hombre que trabaja en el campo a las órdenes de otra persona.

gañir [14] *v. intr.* ① Dar gritos agudos y repetidos un animal al ser maltratado, especialmente un perro. ② Emitir graznidos ciertas aves, como el cuervo, el grajo o el ganso.
FAM gañido; desgañitarse.

gañote *s. m.* familiar Parte interior de la garganta. **SIN** gaznate.

garabatear *v. tr.* Escribir o dibujar algo haciendo garabatos: *garabateó una casa sobre el papel.*

garabato *s. m.* ① Letra o trazo mal formado e ininteligible: *esa firma es un garabato.* ② Gancho de hierro para agarrar o colgar cosas.
FAM garabatear.

garaje *s. m.* ① Lugar donde se guardan vehículos. **SIN** cochera. ② Taller de reparación y mantenimiento de vehículos.

garantía *s. f.* ① Seguridad que se ofrece de que una cosa va a realizarse o suceder: *su palabra es la mejor garantía de que lo hará.* **NOTA** También en plural con el mismo significado que en singular. ② Compromiso del fabricante de un aparato, mediante un escrito, de reparar de forma gratuita las averías que tenga dicho aparato durante un periodo determinado: *el coche tiene una garantía de un año.* ③ Escrito en el que consta este compromiso. ④ Cantidad de dinero u objeto de valor que se da para asegurar el cumplimiento de una obligación o un pago: *dejó su coche como garantía.* **SIN** fianza.
FAM garante, garantir, garantizar.

garantizar *v. tr.* ① Dar garantía de que una cosa va a suceder o realizarse. ② Comprometerse el fabricante de un aparato, mediante un escrito, a reparar de forma gratuita las averías que tenga dicho aparato durante un periodo determinado: *el taller garantiza el buen funcionamiento del coche.*

garapiña *s. f.* AMÉR. Refresco hecho de corteza de piña y agua azucarada.

garbanzo *s. m.* ① Planta herbácea de tallo duro y ramoso, que produce unas legumbres ordenadas en hilera dentro de una cáscara fina y flexible. ② Semilla comestible de esa planta, de pequeño tamaño, forma redondeada y color amarillento, que se consume generalmente hervida: *cocido de garbanzos.*

garbanzo negro familiar Persona que destaca negativamente en un grupo, especialmente una familia, por su carácter o por su comportamiento.
FAM garbancero, garbanzal.

garbeo *s. m.* familiar Paseo de corta duración: *dar un garbeo por el parque.*

garbo *s. m.* ① Gracia y desenvoltura que muestra una persona o un animal en la manera de obrar o de moverse, especialmente al andar: *las modelos desfilaban con garbo.* ② Gracia, originalidad y elegancia que muestra una cosa, especialmente una manifestación artística.
FAM garboso; desgarbado.

garboso, -sa *adj.* Que muestra garbo o gracia en la manera de obrar o de moverse, especialmente al andar: *el rejoneador llevaba un caballo muy garboso.*

gardenia *s. f.* ① Arbusto de tallos espinosos, con las hojas grandes, lisas, ovaladas y de color verde brillante, que se cultiva principalmente por sus flores: *la gardenia es originaria de Asia oriental.* ② Flor de este arbusto, grande y olorosa, generalmente blanca: *la gardenia es una flor de jardín de pétalos gruesos.*

garduña *s. f.* Mamífero carnívoro que vive en los bosques, con la cabeza pequeña, las patas cortas y el pelaje marrón grisáceo; puede alcanzar los 50 cm de longitud, sin contar la cola: *la garduña suele atacar de noche los gallineros.*

garete Se usa en las expresiones:
al garete Indica que una embarcación navega sin rumbo ni dirección, movida por el viento o la corriente.
irse al garete familiar Indica que una cosa se estropea o no llega a realizarse: *sus planes se fueron al garete.*

garfio *s. m.* Instrumento de forma curva y acabado en punta, generalmente de hierro, que sirve para coger o sujetar una cosa.

gargajo *s. m.* familiar Conjunto de saliva y moco que se expulsa con fuerza por la boca.

garganta *s. f.* ① Parte delantera del cuello de una persona o de un animal. ② Zona interna del cuello de una persona o de un animal, entre el velo del paladar y el principio del esófago: *la garganta incluye la faringe y la laringe.* ③ Valle o paso estrecho que está encajado entre montañas.
FAM gargantilla.

gargantilla *s. f.* Collar corto que se coloca ajustado al cuello.

gárgara *s. f.* Acción que consiste en mantener un líquido en la garganta, sin tragarlo, poniendo la boca abierta hacia arriba y expulsando el aire lentamente para que el líquido se mueva.
mandar a hacer gárgaras familiar Rechazar o despreciar una cosa o a una persona.
FAM gargarizar.

gargarismo *s. m.* Acción de hacer gárgaras.

gárgola *s. f.* Remate del caño o canal por donde se vierte el agua de los tejados o las fuentes, generalmente esculpido con forma humana, animal o monstruosa: *muchas catedrales góticas tienen gárgolas.*

garita *s. f.* Lugar o caseta pequeña que sirve para resguardo de un centinela o un vigilante.
FAM garito.

garito *s. m.* ① Casa de juego clandestina. ② familiar Establecimiento público, generalmente pequeño, al que la gente va para divertirse, especialmente el que tiene mala reputación.

garlopa *s. f.* Cepillo de carpintería largo y con puño, empleado para igualar y pulir superficies de madera.

garniel *s. m.* COL., ECUAD., MÉX., VENEZ. Maletín para documentos importantes.

garra *s. f.* ① Pata de animal, de uñas fuertes, curvas y afiladas: *el tigre, el león y el águila tienen garras.* ② Cada una de estas uñas. ③ fam. desp. Mano de una persona. ④ Capacidad grande que tiene una persona o cosa para convencer, atraer o gustar: *una película con mucha garra.* ⑤ Energía y entusiasmo que tiene una persona al hacer una cosa: *ese jugador no tiene garra.* I *s. f. pl.* ⑥ **garras** Dominio o poder de algo o alguien

sobre una persona, que puede causarle algún daño: *ha caído en las garras de los traficantes.* **7** AMÉR. Harapos.
FAM agarrar; desgarrar.

garrafa *s. f.* **1** Recipiente con el cuerpo ancho y el cuello largo y estrecho, que se utiliza principalmente para contener o transportar líquidos. **2** AMÉR. Bombona o recipiente de gas.
FAM garrafón.

garrafal *adj.* Se aplica al error que es muy grande o grave.

garrafón *s. m.* Recipiente que se utiliza principalmente para contener o transportar líquidos, de la misma forma que una garrafa pero de mayor tamaño.

garrapata *s. f.* Ácaro que vive como parásito de ciertos mamíferos y aves, con forma ovalada y con las patas terminadas en dos uñas con las cuales se adhiere a algunos animales para chuparles la sangre.
FAM garrapatear.

garrapatea *s. f.* Nota musical cuya duración equivale a la mitad de una semifusa: *una garrapatea dura el doble que una semigarrapatea.*

garrapiñar *v. tr.* Bañar un fruto seco o una golosina en azúcar hecha caramelo, de modo que esta se solidifique formando grumos.

garrido, -da *adj.* Se aplica a la persona que es joven, fuerte y apuesta.

garriga *s. f.* Formación vegetal formada por matorrales característica de las regiones de clima mediterráneo.

garrocha *s. f.* **1** Vara larga con una punta de hierro cortante en su extremo usada por los picadores en las corridas de toros. SIN pica, puya. **2** AMÉR. Pértiga usada por los atletas para el salto.
FAM agarrochar.

garrota *s. f.* **1** Garrote (palo grueso y fuerte). **2** Bastón, generalmente de madera, con el extremo superior curvo. SIN cayado.

garrotazo *s. m.* Golpe dado con un garrote.

garrote *s. m.* **1** Palo grueso y fuerte que se usa principalmente como bastón o para golpear con él. SIN garrota. **2** Instrumento con el que antiguamente se ajusticiaba a los condenados; consistía en un poste, al cual eran atados, y un aro de hierro con el que se les aprisionaba el cuello y que se apretaba hasta causarles la muerte. NOTA También *garrote vil.*
FAM garrota, garrotazo; agarrotar.

garrucha *s. f.* Mecanismo que consiste en una rueda suspendida por la que se hace pasar una cuerda y que sirve para mover o levantar cosas pesadas. SIN polea.

garrulo, -la *adj./s. m. y f.* familiar Se aplica a la persona que se comporta con poca delicadeza y educación.
FAM garrulería.

garúa *s. f.* AMÉR. Llovizna.

garuar *v. impersonal* AMÉR. Lloviznar

garza *s. f.* Ave acuática que vive en los pantanos y en la orilla de lagos y ríos, con las patas y el cuello muy largos y el pico con forma cónica y muy puntiagudo: *la garza tiene un mechón de plumas en la cabeza y vuela con el cuello replegado entre los hombros.*
FAM garceta.

garzo, -za *adj.* **1** culto Azulado. **2** culto Se aplica a la persona que tiene los ojos azules.

gas *s. m.* **1** Estado de la materia que se caracteriza por una gran separación y libertad de movimiento de sus moléculas. ■ **gas ideal** Gas en el que no existen interacciones entre sus partículas y cumple con exactitud las leyes de los gases; aunque en realidad no hay ningún gas que cumpla estas leyes, el helio y el hidrógeno a altas temperaturas y bajas presiones se aproximan bastante al concepto de gas ideal. ■ **gas lacrimógeno** Gas tóxico que provoca irritación en los ojos y abundantes lágrimas: *la policía usó gases lacrimógenos.* ■ **gas mostaza** Gas tóxico que ataca a los ojos y a las vías respiratorias y que se utiliza como arma química. ■ **gas nervioso** Gas tóxico que paraliza el sistema nervioso y que se usa como arma química. ■ **gas noble** o **gas raro** Gas inactivo químicamente, de muy poca densidad y consistencia: *el conjunto de los seis gases nobles (helio, neón, argón, criptón, xenón y radón) constituye el grupo 18 de la tabla periódica.* ■ **gas real** Gas cuyo comportamiento es diferente al del gas ideal por existir fuerzas de interacción entre sus partículas constituyentes. **2** Combustible en ese estado. ■ **gas ciudad** Combustible gaseoso que se canaliza y se distribuye mediante tuberías para uso doméstico o industrial: *el gas ciudad se puede obtener destilando algunos productos derivados del petróleo.* ■ **gas natural** Gas acumulado en el interior de la Tierra, generalmente un hidrocarburo llamado metano, que se encuentra encerrado entre dos capas terrestres impermeables: *el gas natural es importante como fuente de energía primaria y como materia prima en la industria petroquímica.* ‖ *s. m. pl.* **3** **gases** Aire que se acumula en el aparato digestivo: *las cosas producen gases.*
FAM gasear, gaseiforme, gaseoso, gasificar, gasístico, gasoducto, gasógeno, gasoil, gasóleo, gasometría; antigás.

gasa *s. f.* **1** Tejido de hilo o de seda, muy delgado y sutil. **2** Tejido de malla abierta, estéril y suave, que se usa para fines médicos.

gascón, -cona *adj.* **1** De Gascuña (antigua región de Francia). ‖ *s. m. y f./adj.* **2** Persona que es de Gascuña. ‖ *s. m./adj.* **3** Variedad dialectal del occitano hablada en esta zona: *el aranés es una modalidad del gascón.*

gasear *v. tr.* **1** Añadir gas a un líquido para que este lo absorba, en especial dióxido de carbono: *la gaseosa es agua gaseada a la que se añaden ciertas sustancias.* SIN gasificar. **2** Someter una persona o una cosa a la acción de gases tóxicos.
FAM gaseoso.

gaseosa *s. f.* Bebida refrescante azucarada, efervescente y sin alcohol, hecha con agua y ácido carbónico.

gaseoso, -sa *adj.* **1** Que se encuentra en estado de gas. **2** Se aplica al líquido que contiene gas.
FAM gaseosa.

gasificar *v. tr.* **1** Convertir un líquido o un sólido en gas. **2** Añadir gas a un líquido. SIN gasear.
FAM gasificación.

gasoducto *s. m.* Conducto de gran calibre y longitud para transportar gas combustible a grandes distancias.

gasógeno *s. m.* **1** Aparato que transforma en gas combustible ciertos materiales sólidos o líquidos mezclados con aire, oxígeno o vapor. **2** Aparato que produce un gas carburante (carburo de hidrógeno) con el que funciona el motor de algunos vehículos: *el gasógeno produce un gas que sustituye a la gasolina y otros carburantes.*

gasoil *s. m.* Gasóleo.

gasóleo *s. m.* Producto líquido, mezcla de hidrocarburos que contienen de 13 a 25 átomos de carbono, que se saca del

petróleo crudo por destilacion fraccionada y que sirve como combustible de motores diésel. **SIN** gasoil.
FAM gasolina.

gasolina *s. f.* Mezcla de hidrocarburos que se obtiene como fracción ligera en el proceso de refino del petróleo y que se usa como combustible de coches y otros vehículos: *la gasolina es el producto más ligero de la refinería del petróleo.*
FAM gasolinera.

gasolinera *s. f.* Establecimiento en el que se suministra gasolina y otros combustibles para vehículos.

gastado, -da *adj.* Que está viejo o deslucido por el uso: *los zapatos están muy gastados.*

gastador, -ra *adj./s. m. y f.* **1** Se aplica a la persona que gasta mucho dinero. ‖ *s. m.* **2** Soldado encargado de cavar para abrir trincheras y para abrir camino en las marchas. **SIN** zapador.

gastar *v. tr.* **1** Consumir una cosa: *algunos coches gastan mucha gasolina.* **2** Usar el dinero para comprar o para obtener alguna cosa: *gasta mucho dinero en caprichos.* **ANT** ahorrar. **3** Desgastar una cosa por el uso: *las suelas de los zapatos se gastan con el tiempo.* **4** Usar, emplear o llevar habitualmente cierta cosa: *en invierno gasta botas y abrigo.* **5** Tener una persona cierta actitud habitualmente, especialmente si es negativa. **6** Hacer una broma: *le encanta gastar bromas pesadas.*
gastarlas familiar Comportarse una persona habitualmente de una manera determinada: *tú no sabes cómo las gasta cuando se enfada.*
FAM gastado, gastador, gasto; desgastar, malgastar

gasterópodo *adj./s. m.* **1** Se aplica al molusco, acuático o terrestre, de cuerpo blando y cabeza diferenciada y provista de tentáculos sensoriales; puede estar protegido por una concha espiral de una sola pieza: *el caracol es un gasterópodo terrestre.* ‖ *s. m. pl.* **2** **gasterópodos** Grupo taxonómico, con categoría de clase, constituido por estos moluscos.

gasto *s. m.* **1** Acción de usar el dinero para comprar o para obtener alguna cosa. **2** Cantidad de dinero que se gasta: *tengo muchos gastos este mes.* **NOTA** Normalmente en plural. ■ **gasto público** Cantidad de dinero que aporta la Administración para satisfacer las necesidades de los ciudadanos. **3** En física, volumen de fluido que pasa por un orificio en un tiempo determinado: *tendremos que reducir el gasto de agua.*

gástrico, -ca *adj.* Relativo al estómago: *úlcera gástrica.*
FAM gastritis; epigastrio, hipogastrio.

gastritis *s. f.* Inflamación de la mucosa del estómago debida a la producción excesiva de ácido.
OBS Plural invariable.

gastroenteritis *s. f.* Inflamación de las mucosas del estómago y del intestino conjuntamente, debida a una infección: *la gastroenteritis provoca vómitos y diarrea.*
OBS Plural invariable.

gastrointestinal *adj.* Relativo al estómago y los intestinos conjuntamente: *problemas gastrointestinales.*

gastronomía *s. f.* **1** Arte de preparar una buena comida. **2** Afición de una persona a la buena comida.
FAM gastronómico, gastrónomo.

gastronómico, -ca *adj.* Relativo a la gastronomía.

gastrónomo, -ma *s. m. y f.* **1** Persona que es especialista en gastronomía. **2** Persona a la que le gusta la buena comida y sabe mucho de cocina y de buenos restaurantes.

gastrovascular *adj.* Se aplica a la cavidad interna de cier-tos animales donde van a parar los alimentos y se realiza la digestión: *la medusa tiene una cavidad gastrovascular.*

gástrula *s. f.* Etapa del desarrollo embrionario, que sigue a la blástula, en la que están presentes las dos o las tres hojas embrionarias (ectodermo, endodermo y mesodermo), en función del animal.

gatear *v. intr.* **1** Andar una persona apoyando las manos y las rodillas en el suelo: *los niños suelen gatear antes de andar.* **2** Trepar con la ayuda de los brazos y las piernas, como los gatos: *subió a lo alto del mástil gateando.*

gatera[1] *s. f.* Agujero hecho en la parte baja de una puerta o pared para que puedan entrar y salir los gatos.

gatera[2] *s. f.* BOL., ECUAD., PERÚ Mujer que vende en el mercado.

gatillo *s. m.* **1** Pieza de un arma de fuego que se presiona con el dedo y sirve para poner en movimiento la palanca de disparo. **SIN** disparador. **2** Pieza similar a esta en otros mecanismos y aparatos: *el gatillo de una taladradora.* **3** Tornillo apretador.

gato, -ta[1] *s. m. y f.* **1** Mamífero carnívoro doméstico, de la familia de los félidos, de patas cortas y uñas retráctiles, cabeza redonda, y pelo espeso y suave; suele tenerse como animal de compañía: *el gato es un hábil cazador de ratones.* ■ **gato de Angora** Gato de pelo muy largo que procede de Angora. ■ **gato montés** Gato salvaje, de color amarillento con rayas negras que forman anillos en la cola, y que se alimenta de pequeños animales. ■ **gato siamés** Gato de pelo muy corto y de color amarillento o gris, más oscuro en la cara, las orejas y la cola que en el resto del cuerpo, que procede de Asia. ‖ *s. m.* **2** Instrumento que sirve para levantar grandes pesos a poca altura: *para cambiar la rueda de un coche hay que usar un gato.* **3** Utensilio de carpintería que se sirve para sujetar fuertemente la pieza de madera que se trabaja a un banco u otro lugar, o para presionar una pieza contra otra; consta de una pieza de hierro en forma de C atravesada en la parte inferior por un tornillo con un tope en la punta.
a gatas Manera de andar una persona apoyando las manos y las rodillas en el suelo. **SIN** a gachas.
como gato panza (o boca) arriba Se utiliza para expresar que una persona está en actitud de defensa.
cuatro gatos familiar Muy poca cantidad de gente.
dar gato por liebre familiar Engañar una persona a otra haciéndole pasar una cosa de muy poco valor o calidad por otra parecida de más valor o calidad.
haber gato encerrado familiar Haber algo oculto o secreto en una situación o asunto.
llevarse el gato al agua familiar Conseguir un éxito o una victoria en un concurso.
FAM gatear, gatera, gatuno; pelagatos.

gato[2] *s. m.* PERÚ Mercado al aire libre.

gauchesco, -ca *adj.* Relativo a los gauchos: *literatura gauchesca.*

gaucho, -cha *adj.* **1** Relativo al gaucho: *traje gaucho.* ‖ *s. m.* **2** Jinete de las pampas de América del Sur, que se dedicaba especialmente al trabajo ganadero; era de origen mestizo entre indio y español: *a partir del siglo XIX, al cerrarse las tierras y establecerse su explotación capitalista, los gauchos pasaron a ser vaqueros contratados.* **3** AMÉR. SUR Jinete hábil y experto.
FAM gauchesco, gauchismo.

gauss *s. m.* Unidad de inducción magnética del sistema cegesimal, de símbolo *G*, que es la diezmilésima parte de la tesla.

gaveta *s. f.* ❶ Cajón corredizo que hay en algunos muebles, como los escritorios: *en la gaveta se guardan objetos y papeles que se quieren tener al alcance.* ❷ Mueble que tiene uno o varios de estos cajones.

gavetero *s. m.* BOL., CUBA, MÉX., PAR., PERÚ Mueble o caja que sirve para guardar fichas o documentos de manera ordenada.

gavia *s. f.* En los barcos de vela, vela que se coloca en el mastelero mayor o en cualquiera de los otros dos masteleros.

gavilán *s. m.* ❶ Ave rapaz de unos 30 cm de longitud, de plumaje gris azulado en la parte superior y con bandas, que se diferencia de otras rapaces por tener las alas cortas y redondeadas y la cola larga. SIN esparaván. ❷ Hierro de los que forman la cruz de la espada, y que protege la mano. ❸ Flor del cardo.

gavilla *s. f.* ❶ Conjunto de ramas o tallos unidos o atados por su centro, más grande que un manojo y más pequeño que un haz. ❷ Conjunto numeroso de personas, animales o cosas.

gaviota *s. f.* Ave palmípeda marina, de largas patas con membrana interdigital, plumaje gris en la espalda y con el resto del cuerpo blanco, y pico anaranjado y algo curvo; vive en las costas y se alimenta esencialmente de peces: *las gaviotas acuden a veces a los vertederos de basura para alimentarse de desperdicios y carroña.*

gay [se pronuncia 'guei'] *adj.* ❶ Relativo al hombre que es homosexual: *moda gay.* ❙ *adj./s. m.* ❷ Se aplica al hombre que es homosexual: *las parejas gays reivindican el derecho a ser equiparadas a las heterosexuales.*
OBS Plural: *gays.*

gayumbos *s. m. pl.* familiar Calzoncillos.

gazapo[1] *s. m.* Error o equivocación que comete una persona al escribir o al hablar. SIN errata.

gazapo[2] *s. m.* Cría del conejo.
FAM gazapera.

gazmoño, -ña *adj./s. m. y f.* Se aplica a la persona que finge ser muy virtuosa o cuidadosa en cuestiones de moral.
FAM gazmoñería.

gaznápiro, -ra *adj./s. m. y f.* Se aplica a la persona que es torpe o simple.
OBS Frecuentemente usado como insulto.

gaznate *s. m.* familiar Parte interior de la garganta. SIN gañote.

gazpacho *s. m.* Sopa fría que se hace principalmente con tomates, cebolla, pimiento, ajo, aceite, vinagre, sal y pan: *el gazpacho es una comida típica de Andalucía y Extremadura.*

gazuza *s. f.* familiar Hambre.

ge *s. f.* Nombre de la letra *g.*

geada *s. f.* Fenómeno fonético que consiste en pronunciar el fonema /g/ (fricativo sonoro) como fricativo sordo.

géiser *s. m.* Surtidor intermitente, de agua caliente y vapor, de origen volcánico: *los géiseres abundan en Islandia.*
OBS Plural: *géiseres.*

geisha [se pronuncia aproximadamente 'gueisa'] *s. f.* Joven japonesa instruida desde pequeña en el baile, canto, música, en las artes de la conversación y de servir el té, para entretener y hacer compañía a los hombres.

gel *s. m.* ❶ Jabón líquido que se usa para el aseo personal: *gel de baño.* ❷ Coloide que se obtiene de la dispersión de un sólido en un medio líquido; es un estado intermedio entre un sólido y un líquido: *el flan es un ejemplo de gel.* ❸ Producto que tiene una consistencia semejante a la de la gelatina: *gel balsámico para el dolor muscular.*

gelatina *s. f.* ❶ Sustancia sólida, transparente e incolora, que se obtiene cociendo en agua huesos y otros tejidos de animales. ❷ Alimento blando y dulce que se hace con esta sustancia, azúcar y zumo de frutas: *gelatina de fresa.* SIN jalea.
FAM gel, gelatinoso.

gelatinoso, -sa *adj.* ❶ Que tiene el aspecto denso de la gelatina: *sustancia gelatinosa.* ❷ Que tiene gelatina: *una carne muy gelatinosa.*

gélido, -da *adj.* Que es o está muy frío: *sopla un viento gélido.* SIN glacial, helado.
FAM congelar.

gelifracción *s. f.* Proceso por el cual el agua que rellena las grietas de las rocas, al transformarse en hielo, aumenta de volumen y termina fraccionando dichas rocas.

gema *s. f.* ❶ Piedra preciosa: *la esmeralda, el rubí y el zafiro son gemas.* ❷ Brote de los vegetales del que nacen las ramas, las hojas y las flores: *las primeras gemas nacen en el mes de febrero.* SIN yema.
FAM gemación, gemología.

gemación *s. f.* ❶ Forma de reproducción de una célula en que esta se divide en diversas partes desiguales, cada una con un núcleo, que se separan. ❷ Forma de reproducción asexual, propia de algunos animales como esponjas y celentéreos, y en todas las plantas cormofitas, en que el organismo emite, en alguna parte de su cuerpo, una yema o protuberancia que se convierte en un nuevo individuo una vez que crecen y se independizan; a veces, la yema sigue unida al progenitor formando colonias.

gemelo, -la *adj.* ❶ Se aplica a la cosa que es igual a otra, con la que forma un par: *las torres gemelas de una iglesia.* ❙ *adj./s. m. y f.* ❷ Se aplica a la persona o animal que ha nacido a la vez que otro u otros en un mismo parto y que se ha desarrollado a partir del mismo óvulo: *los hermanos gemelos son físicamente iguales o muy parecidos.* ❙ *s. m./adj.* ❸ Músculo situado en la parte inferior de la pierna y que, con otro igual a él, se une al talón y sirve para mover el pie: *los gemelos son los músculos de la pantorrilla.* ❙ *s. m.* ❹ Adorno formado por dos piezas unidas por una cadenita, que sirve para cerrar el puño de la camisa. ❙ *s. m. pl.* ❺ **gemelos** Aparato óptico para ver a distancia con los dos ojos, formado por dos tubos, uno para la visión de cada ojo, que tienen en su interior una combinación de prismas y lentes. SIN anteojos, binoculares, prismáticos.

gemido *s. m.* Sonido o voz con que se expresa dolor, pena o placer: *se debatía entre lloros y gemidos.*

geminado, -da *adj.* ❶ Se aplica a las cosas que aparecen divididas en dos o colocadas por parejas: *columnas geminadas.* ❙ *adj./s.* ❷ Se aplica a la consonante que se pronuncia en dos momentos sucesivos de tensión, de manera que cada parte de ella pertenece a una sílaba distinta: *la doble ene de "ennegrecer" es una consonante geminada.*

geminar *v. intr./prnl.* Pronunciarse un sonido en dos momentos distintos, pero seguidos, de modo que formen parte de dos sílabas distintas.
FAM geminación, geminado.

géminis *adj./s. com.* Se aplica a la persona que ha nacido entre el 22 de mayo y el 21 de junio, tiempo en que el Sol, visto desde la Tierra, recorre la constelación de Géminis, tercer signo del Zodiaco.

OBS Se escribe normalmente con mayúscula inicial. Plural invariable.

gemir [10] *v. intr.* **1** Emitir gemidos que expresan dolor, pena o placer. **2** Aullar un animal. **3** Emitir algo un sonido parecido al gemido de una persona: *las ventanas gemían movidas por el viento; el perro gime de dolor.*
FAM gemido.

gemología *s. f.* Ciencia que estudia las gemas o piedras preciosas.
FAM gemólogo.

gemólogo, -ga *s. m. y f.* Persona que es especialista en gemología.

gen *s. m.* Unidad del material genético hereditario que se corresponde con un segmento determinado de ADN; en los organismos eucariotas, se localiza en los cromosomas: *la información contenida en los genes de una célula se manifiesta a través de las proteínas que la codifican.*
FAM oncogén.

gena [también **jena**] *s. f.* Sustancia vegetal que se utiliza como tinte de cabello o para hacer tatuajes.

gendarme *s. m.* Agente de policía de algunos países, especialmente Francia.
FAM gendarmería.

gendarmería *s. f.* **1** Cuerpo de tropa formado por los gendarmes. **2** Cuartel de gendarmes.

genealogía *s. f.* **1** Conjunto de los antepasados de una persona. **SIN** ascendencia. **2** Escrito o gráfico en el que se recoge los antepasados de una persona.
FAM genealógico, genealogista.

genealógico, -ca *adj.* Relativo a la genealogía.

genealogista *s. com.* Persona que es especialista en genealogías y linajes.

generación *s. f.* **1** Acción de producir o crear una cosa: *máquina para la generación de calor.* **2** Acción de crear nuevos seres vivos por medio de la reproducción: *para la generación de un mamífero se necesita un macho y una hembra.* ■ **generación espontánea** Teoría antigua según la cual algunos seres vivos se generaban a partir de materia inerte sin la intervención de otros seres vivos: *Louis Pasteur (1822-1895) demostró que la teoría de la generación espontánea era falsa.* **SIN** abiogénesis. **3** Conjunto de personas que han nacido en la misma época. **4** Conjunto de personas, generalmente dedicadas al arte o a la ciencia, cuya obra tiene características comunes y que han nacido en años iguales o cercanos o han vivido las mismas circunstancias históricas: *el novecentismo nació de los escritores de la generación de 1914.* **5** Conjunto de aparatos construidos en un mismo periodo de tiempo y que tienen características comunes: *ordenadores de última generación.*
FAM generacional.

generacional *adj.* Relativo a la generación (conjunto de personas): *conflicto generacional.*

generador, -ra *adj./s. m. y f.* **1** Que genera, produce o crea una cosa. **I** *s. m.* **2** Aparato que produce energía eléctrica a partir de otro tipo de energía; puede ser de tipo mecánico (alternador y dinamo) o químico (pila): *la dinamo que llevan algunas bicicletas es un generador de electricidad.* **NOTA** También

generador de corriente o *generador de electricidad.* **I** *adj./s. f.* **3** Se aplica a la línea o superficie que engendra con su movimiento una figura o un sólido geométrico: *un triángulo generador; la generatriz de un cono es la recta que, al girar apoyándose sobre la circunferencia directriz, genera el cono.* **NOTA** Femenino: *generatriz.*
FAM turbogenerador.

general *adj.* **1** Que es común a todos o a la mayor parte de los individuos de un conjunto: *el código de circulación contiene normas generales para todos los vehículos y normas particulares para las motocicletas.* **2** Que es poco preciso y no entra en detalles: *medicina general; lo explicó de modo general, sin concretar.* **3** Que es muy frecuente o común: *es una costumbre muy general.* **I** *s. m.* **4** Militar que pertenece a la categoría más alta, por encima de jefes, oficiales, suboficiales y tropa. ■ **general de brigada** Militar del cuerpo de generales de los ejércitos de Tierra y Aire que tiene categoría inmediatamente superior a la de coronel e inmediatamente inferior a la de general de división; está al mando de una brigada o una unidad similar. ■ **general de división** Militar del cuerpo de generales de los ejércitos de Tierra y Aire que tiene categoría inmediatamente superior a la de general de brigada e inmediatamente inferior a la de teniente general; está al mando de una división o una unidad similar. ■ **general en jefe** General que tiene el mando superior de un ejército. **I** *adj./s. com.* **5** Persona que está al frente de una comunidad religiosa: *el general de los jesuitas.*

en general o **por lo general** (**I**) De forma global, sin tener en cuenta detalles o casos especiales: *las personas, en general, viven mejor ahora que hace cien años.* (**II**) Con frecuencia, comúnmente: *en febrero, por lo general, hace mucho frío.*
FAM generalato, generalidad, generalista, generalizar, generalmente.

generalidad *s. f.* **1** Conjunto que incluye a la mayoría o la casi totalidad de las personas o cosas que componen un todo: *esta enfermedad afecta a la generalidad de los ancianos.* **2** Vaguedad o poca precisión en lo que una persona dice o escribe. **3** Idea general o poco precisa. **NOTA** Normalmente en plural. **4** Gobierno de las comunidades autónomas de Cataluña y Valencia. **NOTA** Con mayúscula inicial cuando hace referencia a una generalidad en concreto; puede encontrarse con su grafía original: *Generalitat.* **I** *s. f. pl.* **5** **generalidades** Conocimientos básicos o fundamentales de una ciencia o materia: *las generalidades de la fonética.*

generalización *s. f.* Acción de generalizar o generalizarse.

generalizar *v. tr.* **1** Hacer general o común una cosa: *se ha generalizado el uso de ordenadores.* **I** *v. intr.* **2** Aplicar a un conjunto una característica observada en un número limitado de casos: *el nivel de vida es alto, pero no se puede generalizar a toda la población.* **3** Tratar un asunto o cuestión sin hacer referencia a ningún caso concreto: *tú siempre generalizas, pero no pones ningún ejemplo.*
FAM generalización.

generalmente *adv.* Indica que una acción se produce con bastante frecuencia y es habitual que ocurra así: *generalmente me levanto a las ocho.* **SIN** comúnmente, normalmente.

generar *v. tr.* Producir o crear alguna cosa: *el frotamiento de dos cuerpos genera calor.* **SIN** originar.
FAM generación, generador, generativo; generatriz; regenerar.

generativismo *s. m.* Disciplina lingüística que trata de for-

G

mular las reglas y principios por medio de los cuales un hablante es capaz de producir y comprender todas las oraciones posibles y aceptables de su lengua: *el generativismo nació en los Estados Unidos.* **SIN** gramática generativa.
FAM generativista.

generativo, -va *adj.* Que es capaz de generar, producir o crear una cosa nueva: *órganos generativos.*
FAM generativismo.

generatriz V. generador, -ra.

genérico, -ca *adj.* ① Que es común o se refiere a un conjunto de elementos del mismo género. ② Relativo al género gramatical: *los sustantivos del español llevan marcas genéricas y numéricas.* ③ Se aplica al nombre que se refiere a personas o cosas pertenecientes a conjuntos de seres que tienen las mismas características. **SIN** apelativo, común.

género *s. m.* ① Conjunto de personas o cosas que tienen unas características comunes: *el género humano.* ② Clase de tela o tejido: *la seda es un género suave y agradable.* ③ Categoría o clase en que se pueden ordenar las obras artísticas, literarias o musicales según los rasgos comunes de forma y contenido: *la dramática, la poesía y la narrativa son géneros literarios; la lírica es un género musical.* ■ **género chico** Clase de obras de teatro cortas, representadas en un solo acto, de carácter costumbrista y con alternancia de partes cantadas y habladas: *la zarzuela pertenece al género chico.* ④ Accidente gramatical que aparece en el sustantivo, el adjetivo, el pronombre y el artículo, que indica si son masculinos, femeninos o neutros: *el género gramatical en español está muy desvinculado del género natural indoeuropeo, que indicaba distinción de sexo.* ■ **género ambiguo** Género de los sustantivos que pueden llevar artículo masculino o femenino: *"mar" es una palabra de género ambiguo.* ■ **género común** Género de los sustantivos de persona que pueden llevar artículo masculino o femenino según se refieran a hombres o a mujeres: *"testigo" es una palabra de género común.* ■ **género femenino** Género de los sustantivos que se combinan con el determinante *esta* y con otros determinantes del mismo tipo. ■ **género masculino** Género de los sustantivos que se combinan con el determinante *este* y con otros determinantes del mismo tipo. ■ **género neutro** Género de los sustantivos que no son masculinos ni femeninos: *la palabra "aquello" es de género neutro.* ⑤ Característica, clase o estilo que distinguen a una persona o a una cosa: *no tengo ningún género de duda; se practican deportes de todo género.* ⑥ Mercancía o producto de cualquier tipo: *ese establecimiento vende género variado.* ⑦ Categoría de clasificación de los seres vivos inferior a la de familia y superior a la de especie.
FAM general, genérico, generoso; subgénero.

generosidad *s. f.* ① Cualidad de la persona que ayuda y da lo que tiene a los demás sin esperar nada a cambio. **ANT** cicatería, egoísmo. ② Actitud o comportamiento generoso.

generoso, -sa *adj.* ① Se aplica a la persona que ayuda y da lo que tiene a los demás sin esperar nada a cambio: *has sido muy generoso al prestarme el dinero.* **SIN** desprendido. **ANT** egoísta. ② Se aplica a la actitud o el comportamiento propios de una persona generosa: *tu ayuda ha sido muy generosa.* ③ Que es abundante: *una ración de calamares muy generosa.* **ANT** escaso.
FAM generosidad.

génesis *s. f.* ① Principio u origen de una cosa: *hay muchas*

teorías sobre la génesis del universo. **SIN** nacimiento. ② Proceso mediante el cual se ha originado o formado una cosa.
FAM genesíaco, genético.
OBS Plural invariable.

genética *s. f.* Parte de la biología que estudia los mecanismos que regulan la transmisión de los caracteres hereditarios: *Mendel es el padre de la genética.*
FAM genetista.

genético, -ca *adj.* ① Relativo a los genes: *el código genético de un ser vivo es la forma en que están dispuestos sus genes.* ② Relativo a la genética: *el color de los ojos es una característica genética que los hijos heredan de los padres.* ③ Relativo a la génesis (principio u origen de una cosa): *proceso genético de la Tierra.*
FAM genética.

genial *adj.* ① Que se considera propio de un genio o de la persona con gran inteligencia o capacidad para crear o inventar cosas nuevas y admirables: *una teoría genial.* ② familiar Que es muy bueno o extraordinario: *la actuación del cantante fue genial.* **SIN** excelente. **ANT** pésimo. ‖ *adv.* ③ familiar Muy bien: *nos lo pasamos genial.*
FAM genialidad.

genialidad *s. f.* ① Inteligencia o capacidad que tienen algunas personas para crear o inventar cosas nuevas y admirables: *la genialidad de un artista.* ② Cualidad de lo que es muy bueno o extraordinario. ③ Hecho o idea que resulta raro o extraño: *Dalí sorprendía a la gente con sus genialidades.* **SIN** excentricidad, extravagancia.

genio *s. m.* ① Carácter o manera de ser de una persona: *las personas que tienen mal genio se enfadan con facilidad.* ② Persona muy inteligente o con gran capacidad para crear o inventar cosas nuevas y admirables. ③ Inteligencia o capacidad para crear o inventar cosas nuevas y admirables: *el genio creador de Mozart.* ④ Personaje de los cuentos y leyendas que tiene poderes mágicos.
FAM genial.

genital *adj.* ① Que sirve para la reproducción o está relacionado con los órganos reproductores: *aparato genital.* ‖ *s. m. pl.* ② **genitales** Órganos sexuales externos: *los genitales del hombre están compuestos por los testículos y el pene.*

genitivo, -va *s. m/adj.* Caso de la declinación gramatical que expresa posesión o pertenencia, y materia de la que está hecha una cosa: *en español, la relación genitiva se marca con la preposición "de".*

genocidio *s. m.* Aniquilación o exterminio sistemático y deliberado de un grupo social por motivos raciales, políticos, religiosos: *los nazis llevaron a cabo el genocidio de la población judía.* **SIN** holocausto.
FAM genocida.

genoma *s. m.* Conjunto de los genes de una célula.

genotipo *s. m.* Conjunto de los genes que existen en cada núcleo celular de los individuos pertenecientes a una determinada especie animal o vegetal.
FAM genotípico.

genovés, -vesa *adj.* ① De Génova (ciudad de Italia). ‖ *s. m. y f./adj.* ② Persona que es de Génova.

gente *s. f.* ① Conjunto de personas. ② Grupo o clase social en que se divide la sociedad: *gente de dinero; gente de mal vivir.* ■ **gente de paz** Conjunto en el que se incluye a las personas que rechazan la violencia. ■ **gente menuda** familiar Conjunto formado por los niños: *este programa va dirigido a la*

gente menuda. ③ familiar Conjunto de personas del mismo grupo familiar: *tengo a mi gente de vacaciones.* **SIN** familia.
FAM gentío, gentuza.

gentil *adj.* ① Se aplica a la persona que es amable, educada y atenta con los demás: *has sido muy gentil al cederme tu asiento.* **SIN** cortés. ② culto Que tiene muy buen aspecto o buena presencia: *gentil figura.* ∥ *adj./s. com.* ③ Se aplica a la persona que no profesa la religión cristiana o judía.
FAM gentilhombre, gentileza.

gentileza *s. f.* ① Cualidad de la persona que actúa o se comporta con amabilidad, educación o atención hacia los demás: *ha tenido la gentileza de invitar también a tus padres.* **SIN** cortesía. ② Regalo de poca importancia que se da como muestra de afecto y consideración: *el champán es una gentileza del hotel.* **SIN** cortesía.

gentilhombre *s. m.* ① Tratamiento que, antiguamente, se empleaba para dirigirse a un caballero cortesano. ② Noble que servía en casa de reyes o de otras personas importantes.
OBS Plural: *gentileshombres.*

gentilicio, -cia *adj./s. m.* ① Se aplica al sustantivo o adjetivo que sirve para indicar de qué lugar es originaria o natural una persona: *"malagueño" es el gentilicio que se usa para referirse a la persona nacida en Málaga.* ∥ *adj.* ② Relativo al pueblo, el linaje o la familia: *expresiones populares o gentilicias.*

gentío *s. m.* Gran cantidad de gente: *el gentío abarrotaba la plaza.* **SIN** muchedumbre, multitud.

gentleman [se pronuncia aproximadamente 'yéntelman'] *s. m.* Hombre de gran distinción, elegancia y educación: *ahí donde lo ves es un gentleman.*

gentuza *s. f.* Gente despreciable.

genuflexión *s. f.* Movimiento que consiste en doblar una o ambas rodillas bajándolas hacia el suelo en señal de reverencia: *la genuflexión es típica del cristianismo, y se usa generalmente para orar.*

genuino, -na *adj.* Que conserva sus características propias o naturales y no es falso ni de imitación: *esta cartera está hecha de piel genuina.* **SIN** auténtico, puro. **ANT** falso.

geocéntrico, -ca *adj.* Relativo al geocentrismo.

geocentrismo *s. m.* Antigua teoría cosmológica y filosófica según la cual la Tierra era el centro del Universo y los planetas giraban alrededor de ella: *el geocentrismo estuvo vigente hasta el siglo XVI y fue desplazado por el heliocentrismo de Copérnico y Galileo.*

geoda *s. f.* ① Cavidad de una roca recubierta en su interior por minerales cristalizados. ② En arquitectura, cúpula o cubierta que se parece a esta cavidad rocosa.

geodesia *s. f.* Ciencia matemática que tiene por objeto determinar la posición concreta de puntos en la superficie de la Tierra, la figura y magnitud de esta superficie o de grandes extensiones de ella y su campo de gravedad, así como las variaciones eventuales de este campo en el tiempo.
FAM geodésico.

geodinámica *s. f.* Parte de la geología que estudia las alteraciones de la corteza terrestre como consecuencia de los movimientos de la Tierra.

geoestacionario, -ria *adj.* Que está en rotación sincrónica alrededor de la Tierra, por lo que parece que está siempre en el mismo sitio: *satélite geoestacionario.*

geofísica *s. f.* Parte de la geología que estudia la estructura y composición de la Tierra y los agentes físicos que la modifican.
FAM geofísico.

geofísico, -ca *adj.* ① Relativo a la geofísica. ∥ *s. m. y f.* ② Persona que es especialista en geofísica.

geografía *s. f.* ① Ciencia que estudia y describe la Tierra en su aspecto físico o natural, o como lugar habitado por la humanidad. ■ **geografía económica** Parte de la geografía que estudia y describe las condiciones del mercado a partir de la distribución económica de productores y consumidores. ■ **geografía física** Parte de la geografía que estudia y describe el medio físico o natural, y que se asienta en un conjunto de conocimientos y principios diferentes de las ciencias naturales. ■ **geografía humana** Parte de la geografía que estudia y describe la localización espacial de la población y su evolución demográfica. ■ **geografía política** Parte de la geografía que estudia y describe la distribución y organización política de la humanidad. ② Conjunto de características que conforman la realidad física y humana de una zona o de un territorio: *la geografía de España.* ③ Territorio: *lloverá en toda la geografía española.*
FAM geográfico, geógrafo.

geográfico, -ca *adj.* Relativo a la geografía: *accidente geográfico.*

geógrafo, -fa *s. m. y f.* Persona que es especialista en geografía o se dedica profesionalmente a su estudio.

geología *s. f.* Ciencia que estudia el origen y formación de la Tierra, los materiales que la componen y su estructura actual.
FAM geológico, geólogo; hidrogeología.

geológico, -ca *adj.* Relativo a la geología: *ciclo geológico.*

geólogo, -ga *s. m. y f.* Persona que es especialista en geología o se dedica profesionalmente a su estudio.

geómetra *s. com.* Persona que es especialista en geometría o se dedica profesionalmente a su estudio.

geometría *s. f.* Parte de las matemáticas que estudia las características del espacio, las relaciones entre puntos, líneas, ángulos, planos y figuras, y la manera como se miden: *la geometría estudia figuras como triángulos y cuadrados.*
FAM geómetra, geométrico.

geométrico, -ca *adj.* Relativo a la geometría.

geomorfología *s. f.* Parte de la geografía física que estudia la génesis, estructura, evolución y dinámica actual de las formas del relieve terrestre.

georgiano, -na *adj.* ① De Georgia (país de Europa). ② De Georgia (estado de los Estados Unidos). ∥ *s. m. y f./adj.* ③ Persona que es de este país o este estado. ∥ *s. m./adj.* ④ Lengua caucásica que se habla en Georgia (país de Europa).

geórgico, -ca *adj.* culto Relativo a la agricultura.

geosinclinal *s. m.* Depresión de la corteza terrestre que se hunde lentamente debido al cúmulo de capas de sedimentos.

geotermia *s. f.* Calor del interior de la Tierra.
FAM geotérmico.

geotérmico, -ca *adj.* Relativo a la geotermia.

geotropismo *s. m.* Movimiento de un organismo como respuesta al estímulo de la gravedad, especialmente el que experimentan en su crecimiento los órganos vegetales: *las raíces de las plantas, que se adentran en el suelo, presentan geotropismo positivo.*

G

geranio *s. m.* ① Planta de jardín, de tallos ramosos y hojas grandes que se cultiva por sus flores, de vivos colores y reunidas en pequeñas cabezas. ② Flor de esta planta, de color rojo, rosa, lila o blanco principalmente.

gerencia *s. f.* ① Cargo de gerente. ② Oficina o lugar en el que trabaja el gerente. ③ Tiempo durante el cual el gerente desempeña su cargo.

gerente *s. com.* Persona que dirige, gestiona o administra una empresa o sociedad mercantil. **FAM** gerencia.

geriatra *s. com.* Médico especialista en geriatría.

geriatría *s. f.* Parte de la medicina que se ocupa del estudio y tratamiento de las enfermedades de la vejez. **FAM** geriatra, geriátrico.

geriátrico, -ca *adj.* ① Relativo a la geriatría: *tratamiento geriátrico.* | *adj./s. m.* ② Se aplica al centro que se dedica al cuidado de las personas que tienen sesenta y cinco o más años.

gerifalte *s. m.* ① Halcón grande, que construye el nido en la alta montaña; es el halcón de mayor tamaño que se conoce: *el gerifalte fue muy apreciado como ave de cetrería.* ② Persona que destaca o sobresale en cualquier actividad: *se codeaban con los gerifaltes de la empresa.* **NOTA** Frecuentemente usado de forma despectiva.

germanía *s. f.* ① Jerga de ladrones y delincuentes, formada por palabras del español a las que se da un significado diferente del que tienen y por otras voces de distinto origen: *los pícaros del siglo XVI utilizaban la germanía como lenguaje.* ② Hermandad formada por los gremios o asociaciones de artesanos del antiguo reino de Valencia a principios del siglo XVI. | *s. f. pl.* ③ **germanías** Levantamiento popular del Reino de Valencia contra el poder de la nobleza en el siglo XVI.

germánico, -ca *adj.* ① De Alemania (país de Europa). **SIN** alemán, germano. ② Germano: *los pueblos germánicos invadieron el Imperio romano.* ③ Se aplica a la lengua que deriva del antiguo germánico: *el alemán, el neerlandés y el inglés son lenguas germánicas.* | *s. m./adj.* ④ Lengua indoeuropea hablada por los antiguos pueblos germanos.

germanio *s. m.* Elemento químico de símbolo *Ge* y número atómico 32; es un semimetal sólido de color blanco grisáceo, duro, muy resistente a los ácidos y a las bases, que se utiliza en la fabricación de transistores y otros dispositivos electrónicos por sus propiedades como semiconductor.

germanismo *s. m.* ① Palabra o modo de expresión propio de las lenguas alemana o germánica y que se usa en otro idioma: *la palabra "guerra" es un germanismo.* ② Palabra o giro propios de la lengua germana. **FAM** germanista.

germanista *s. com.* Persona que es especialista en la lengua alemana, o en las lenguas, literaturas o culturas germánicas.

germano, -na *adj.* ① Relativo a un conjunto de pueblos indoeuropeos que ocuparon el lado derecho del Rin. **SIN** germánico. | *s. m. y f./adj.* ② Persona perteneciente a este pueblo. | *adj.* ③ De Alemania (país de Europa). **SIN** alemán. | *s. m. y f./adj.* ④ Persona que es de Alemania. **SIN** alemán. **FAM** germánico, germanismo, germanizar, germanófilo.

germanófilo, -la *adj./s. m. y f.* Se aplica a la persona que siente simpatía hacia lo alemán o los alemanes; en especial a los partidarios del bando alemán en cualquiera de las guerras mundiales.

germen *s. m.* ① Organismo microscópico, formado por una sola célula, que es capaz de causar enfermedades. ② Célula o conjunto de células que cuando se desarrollan dan origen a un ser vivo. ③ Parte de una semilla que crece y se convierte en una nueva planta. ④ Origen o principio de una cosa: *los conflictos sociales fueron el germen de la revolución popular.* **FAM** germicida, germinal, germinar.

germinación *s. f.* Acción de empezar a crecer y desarrollarse una semilla.

germinal *adj.* ① Relativo al germen (célula o parte de la semilla): *brote germinal.* ② Relativo al germen (origen o principio de una cosa): *estado germinal.*

germinar *v. intr.* ① Empezar a crecer y a desarrollarse una semilla para dar una nueva planta. ② Empezar a desarrollarse una cosa: *germinar una idea.* **FAM** germinación, germinativo.

gerontocracia *s. f.* Sistema de gobierno en el que el poder está en manos de las personas de mayor edad.

gerontología *s. f.* Parte de la medicina que se ocupa de la salud, la psicología y la integración social de las personas de sesenta y cinco o más años. **FAM** gerontólogo.

gerundense *adj.* ① De Gerona (ciudad y provincia de Cataluña). | *s. com./adj.* ② Persona que es de Gerona.

gerundio *s. m.* Forma no personal del verbo que expresa duración de la acción verbal: *"cantando" es el gerundio del verbo "cantar".*

gerundivo *s. m.* Participio futuro pasivo del verbo latino cuya terminación es *-ndus, -nda, -ndum.*

gerusía o **gerusia** *s. f.* Consejo de ancianos que ejercía el gobierno supremo en la antigua Esparta (ciudad de Grecia).

gesta *s. f.* Hecho o conjunto de hechos dignos de ser recordados, especialmente los que destacan por su heroicidad o trascendencia: *el descubrimiento de la penicilina es una gesta científica.*

gestación *s. f.* ① Periodo durante el cual se desarrolla el feto de los animales vivíparos en el interior de la madre antes de su nacimiento: *la gestación de un niño dura nueve meses.* ② Proceso de elaboración o formación de una cosa: *gestación de una idea.*

gestante *adj.* ① Relativo a la gestación de un ser vivo: *estado gestante.* | *adj./s. f.* ② Se aplica a la mujer que está embarazada.

gestar *v. tr.* ① Desarrollar la madre el feto en su interior hasta el momento del parto: *la perra gestó tres crías al mismo tiempo.* | *v. prnl.* ② **gestarse** Concebirse y desarrollarse una idea, un proyecto o un sentimiento: *se está gestando el argumento de una nueva novela.* **FAM** gestación, gestante, gestatorio.

gesticulación *s. f.* Acción que consiste en hacer gestos, especialmente si son exagerados.

gesticular *v. intr.* Hacer gestos: *hay personas que cuando hablan gesticulan mucho.* **FAM** gesticulación.

gestión *s. f.* ① Acción o trámite que hay que llevar a cabo para conseguir o resolver una cosa: *para pedir una beca de estudios hay que hacer diversas gestiones.* ② Conjunto de operaciones que se realizan para dirigir y administrar un negocio o una empresa. **FAM** gestionar, gestor; autogestión.

gestionar *v. tr.* ① Hacer las acciones o los trámites necesarios para conseguir o resolver una cosa: *gestionar los papeles del paro.* ② Dirigir y administrar un negocio o asunto: *el notario gestionó el asunto de la herencia.*

gesto *s. m.* ① Movimiento de la cara, las manos u otra parte del cuerpo, con el que se expresa una cosa, especialmente un estado de ánimo: *hizo un gesto afirmativo con la cabeza.* ② Acción realizada por un impulso o sentimiento, especialmente cuando con ella se muestra educación, delicadeza o cariño: *fue un gesto muy bonito por su parte enviarle una postal.* ③ Expresión del rostro: *tiene un gesto triste y cansado.*
FAM gesticular, gestual.

gestor, -ra *adj./s. m. y f.* ① Que hace las gestiones necesarias para conseguir una cosa. ‖ *s. m. y f.* ② Persona que realiza la gestión de una empresa o negocio o que se encarga de solucionar los asuntos de otra persona.
FAM gestoría.

gestoría *s. f.* Oficina donde el gestor desarrolla su actividad.

gestual *adj.* ① Relativo al gesto (movimiento de la cara o el cuerpo). ② Que se hace por medio de gestos: *lenguaje gestual.*

ghetto [se pronuncia 'gueto'] *s. m.* Gueto.

giba *s. f.* ① Protuberancia natural de grasa que tienen en el lomo ciertos animales: *el camello y el dromedario tienen giba.* **SIN** joroba. ② Deformación de la columna vertebral o de las costillas de una persona que provoca que su espalda y su pecho tengan una forma anormalmente abultada o curvada. **SIN** chepa, corcova, joroba.
FAM giboso.

gibar *v. tr.* familiar Molestar o fastidiar: *¡no te giba: ahora se niega a dejarnos el coche!* **SIN** jorobar.

gibelino, -na *adj./s. m. y f.* Se aplica a la persona partidaria del poder imperial alemán, enfrentados a los güelfos, defensores del papado durante la Edad Media en Italia.

gibón *s. m.* Mono de pequeño tamaño, de brazos largos y desprovisto de cola, que vive en los árboles y puede mantenerse erguido: *el gibón habita principalmente en Java y Borneo.*

giboso, -sa *adj./s. m. y f.* Que tiene giba. **SIN** jorobado.

gibraltareño, -ña *adj.* ① De Gibraltar (ciudad y territorio de la Península Ibérica que depende del Reino Unido). **SIN** llanito. ‖ *s. m. y f./adj.* ② Persona que es de Gibraltar. **SIN** llanito.

gigabyte [se pronuncia aproximadamente 'yigabait'] *s. m.* Medida de la memoria de un ordenador que es igual a 1 000 millones de bytes.

gigante *adj.* ① Que es de un tamaño mucho mayor que el normal: *un helado gigante.* **SIN** gigantesco. **ANT** enano. ‖ *s. m.* ② Personaje imaginario extremadamente alto y fuerte: *don Quijote confundió los molinos con gigantes.* **NOTA** Femenino: *giganta.* ③ Persona de estatura mucho mayor que la normal. **NOTA** Femenino: *giganta.* ④ Figura de madera o de cartón que representa a una persona de gran altura y que recorre las calles en las fiestas populares: *una cabalgata de gigantes y cabezudos.* **NOTA** Femenino: *giganta.* ⑤ Persona que destaca mucho en una actividad o en algún aspecto: *la Unión Europea tiene que competir con Japón, uno de los mayores gigantes industriales del mundo.* **NOTA** Femenino: *giganta.*
FAM gigantesco, gigantismo, gigantón; agigantar.

gigantea *s. f.* Girasol. **SIN** mirasol, tornasol.

gigantesco, -ca *adj.* Que es de un tamaño mucho mayor que el normal: *una torre gigantesca.* **SIN** gigante.

gigantismo *s. m.* Trastorno del crecimiento de una persona caracterizado por un desarrollo excesivo de todo el cuerpo o de algunas partes.

gigantón, -tona *s. m. y f.* ① familiar Persona muy alta y corpulenta. ② Gigante (figura de madera o cartón).

gigavatio *s. m.* Medida de potencia eléctrica que equivale a 1 000 millones de vatios.

gigoló [se pronuncia aproximadamente 'yigoló'] *s. m.* Hombre joven que es mantenido por una mujer, generalmente mayor que él, a cambio de tener con ella relaciones sexuales.

gijonense V. gijonés, -nesa.

gijonés, -nesa *adj.* ① De Gijón (localidad de Asturias). **SIN** gijonense. ‖ *s. m. y f./adj.* ② Persona que es de Gijón. **SIN** gijonense.

gilí *adj.* familiar Se aplica a la persona que es tonta o estúpida.

gilipollas *adj./s. com.* vulgar Se aplica a la persona que es tonta, estúpida o excesivamente lela. **SIN** gilipuertas.
FAM gilipollez; agilipollar.
OBS Plural invariable.

gilipollez *s. f.* vulgar Acción o dicho propio de un gilipollas.

gilipuertas *adj./s. com.* vulgar Gilipollas.
OBS Plural invariable. Frecuentemente usado como eufemismo.

gimnasia *s. f.* ① Práctica que sirve para desarrollar el cuerpo y darle flexibilidad mediante el ejercicio físico: *hacer gimnasia favorece la salud.* ■ **gimnasia deportiva** Conjunto de ejercicios de gimnasia que se practican sobre aparatos fijos: *la gimnasia deportiva incluye diferentes modalidades, como las anillas, el potro o las paralelas.* ■ **gimnasia rítmica** Conjunto de ejercicios gimnásticos que se realizan acompañados de música y generalmente con aparatos móviles, como la cinta, la cuerda o las mazas: *la gimnasia rítmica es practicada solo por mujeres.* ■ **gimnasia sueca** Conjunto de ejercicios físicos que se practican sin aparatos: *la gimnasia sueca es buena para el mantenimiento del cuerpo.* ② Práctica con la que se ejercita una facultad o se adquiere gran desarrollo en una actividad: *gimnasia mental.*
FAM gimnasio, gimnasta.

gimnasio *s. m.* Local dotado de las instalaciones y de los aparatos adecuados para hacer gimnasia y practicar ciertos deportes.

gimnasta *s. com.* Persona que practica algún tipo de gimnasia, especialmente la que participa en competiciones gimnásticas.
FAM gimnástico.

gimnástico, -ca *adj.* Relativo a la gimnasia: *ejercicios gimnásticos.*

gimnospermo, -ma *adj./s. f.* Se aplica a la planta leñosa que tiene las semillas al descubierto porque sus carpelos no llegan a constituir una cavidad cerrada: *el pino y el ciprés son plantas gimnospermas.*

gimotear *v. intr.* Llorar o gemir de forma débil y sin una razón importante: *no hace más que gimotear por todo.*
FAM gimoteo.
OBS Frecuentemente usado de forma despectiva.

gimoteo *s. m.* Acción de gimotear.

gin [se pronuncia aproximadamente 'yin'] *s. f.* Ginebra.
gin tonic Bebida que se obtiene mezclando ginebra con tónica.

gincana [se pronuncia aproximadamente 'yincana'] *s. f.* Conjunto de pruebas de habilidad en las que los concursantes, generalmente provistos de un medio de locomoción, deben salvar una serie de obstáculos y dificultades realizando un determinado recorrido. **OBS** Puede encontrarse la grafía inglesa *gymkhana*.

ginebra *s. f.* Bebida alcohólica, transparente, que se obtiene de diferentes cereales y se aromatiza con las bayas del enebro. **SIN** gin.

gineceo *s. m.* **1** Parte de la estructura reproductora femenina de una flor, compuesta por el estigma, el estilo y el ovario. **2** Parte de la casa de los antiguos griegos que estaba destinada a las mujeres.

ginecología *s. f.* Parte de la medicina que se ocupa de las enfermedades de los órganos de reproducción femeninos. **FAM** ginecológico, ginecólogo.

ginecológico, -ca *adj.* Relativo a la ginecología: *tratamiento ginecológico.*

ginecólogo, -ga *s. m. y f.* Médico especialista en ginecología.

gineta *s. f.* Mamífero carnívoro félido de cuerpo delgado, cabeza pequeña, patas cortas y cola muy larga, con el pelo marrón con bandas negras. **SIN** jineta.

ginger ale [se pronuncia aproximadamente 'yínyer eil'] *s. m.* Bebida efervescente elaborada con jengibre, que se suele tomar como refresco y generalmente mezclada con otras bebidas.

ginseng [se pronuncia aproximadamente 'yin-sen'] *s. m.* Planta herbácea originaria de China cuya semilla, gruesa y aromática, se usa en medicina como estimulante.

gira *s. f.* **1** Serie de actuaciones sucesivas que un artista o grupo de artistas hacen por distintas poblaciones. **2** Excursión o viaje por distintos lugares: *gira turística.*

giralda *s. f.* Veleta de una torre con figura humana o animal.

girar *v. tr./intr.* **1** Mover a una persona o cosa haciendo que dé vueltas sobre sí misma o alrededor de otra cosa: *la Tierra gira sobre sí misma; se giró al oír su nombre.* **‖** *v. intr.* **2** Cambiar una persona o una cosa la dirección que llevaba: *gire a la derecha en el semáforo.* **SIN** doblar, torcer. **3** Desarrollarse una cosa tomando como punto central una materia o tema determinado: *la conferencia giraba en torno al sexismo.* **‖** *v. tr.* **4** Mandar una cantidad de dinero por giro. **FAM** giratorio, giro.

girasol *s. m.* Planta de tallo grueso, alto y derecho, con la flor grande y amarilla, parecida a la margarita, y el fruto con muchas semillas comestibles: *de las semillas del girasol se obtiene aceite.*

giratorio, -ria *adj.* Que gira o da vueltas sobre sí mismo o alrededor de otra cosa: *silla giratoria.*

giro¹ *s. m.* **1** Movimiento de rotación de un cuerpo alrededor de un eje o de una figura alrededor de un punto: *un giro de la Tierra alrededor del Sol dura 365 días.* **2** Acción de cambiar una persona o una cosa la dirección que llevaba: *un giro brusco del volante.* **3** Dirección o aspecto que toma una cosa: *la conversación tomó un giro inesperado.* **4** Envío de una cantidad de dinero por medio del servicio de correos: *le he mandado un giro de 300 euros.* **NOTA** También *giro postal.* **5** Manera especial en que están ordenadas las palabras de una frase para expresar un concepto.

giro, -ra² *adj.* AMÉR. Se aplica al ave gallinácea que tiene el plumaje oscuro con matices amarillos, rojos y negros: *gallo giro.*

girola *s. f.* Pasillo semicircular que rodea por detrás el altar mayor de una catedral o iglesia como consecuencia de la prolongación de las naves laterales más allá del transepto. **SIN** deambulatorio.

giroscopio *s. m.* Dispositivo formado por un volante que gira alrededor de un eje y que puede tomar cualquier dirección, por lo que tiene grandes aplicaciones en estabilidad de buques, piloto automático de aviones, etc.

gitanismo *s. m.* **1** Forma de vida y cultura propia de los gitanos. **2** Palabra o expresión propia de la lengua gitana usada en otra lengua: *la palabra "parné" con el significado de 'dinero' es un gitanismo en español.*

gitano, -na *adj./s. m. y f.* **1** Se aplica a la persona perteneciente a un pueblo nómada que probablemente tuvo su origen en la India y que se extendió por todo el mundo. **SIN** calé. **‖** *adj.* **2** Relativo a este pueblo. **SIN** calé. **‖** *adj./ s. m. y f.* **3** familiar Se aplica a la persona que tiene gracia para ganarse la simpatía o la voluntad de los demás. **SIN** zalamero. **que no se lo salta un gitano** familiar Expresión que se usa para indicar que algo es muy bueno o extraordinario. **FAM** gitanear, gitanería, gitanismo; agitanar.

glaciación *s. f.* **1** Formación de grandes extensiones de hielo que cubren la mayor parte de los continentes y los océanos durante ciertos periodos geológicos: *a lo largo de la historia geológica de la Tierra ha habido varios periodos de glaciaciones.* **2** Etapa climática que atraviesa la Tierra periódicamente, en la que la temperatura media del planeta desciende notablemente y los hielos polares se extienden hacia latitudes más ecuatoriales: *el urogallo habitó la región de los bosques asturianos durante la última glaciación.* **SIN** periodo glacial.

glacial *adj.* **1** Que es muy frío: *viento glacial.* **SIN** gélido, helado. **ANT** cálido. **2** Se aplica a la zona que está cubierta de hielo y donde el clima es muy frío. **FAM** glaciar.

glaciar *s. m.* **1** Masa grande de hielo que se forma en las partes más altas de las montañas y que se halla, o se halló en algún momento, en movimiento de traslación debido a la acción de la gravedad: *el retroceso de los glaciares es una de las pruebas del calentamiento de nuestro planeta.* **‖** *adj.* **2** Relativo a esa masa de hielo.

gladiador *s. m.* Luchador que batallaba a muerte contra otro luchador o contra fieras en los espectáculos públicos de la antigua Roma: *los gladiadores eran generalmente esclavos o condenados.*

gladiolo o **gladíolo** *s. m.* **1** Planta bulbosa de hojas alargadas y estrechas y flores de distintos colores que se reúnen en forma de espiga. **2** Flor de esta planta.

glamour [se pronuncia aproximadamente 'glamur'] *s. m.* Atractivo o encanto especial que posee una persona o una cosa.

glande *s. m.* Parte final y más abultada del pene: *cuando el pene no está erecto, el glande está cubierto por el prepucio.* **SIN** bálano.

glándula *s. f.* Órgano que se encarga de elaborar y segregar sustancias necesarias para el funcionamiento del organismo. **■ glándula aneja** Órgano que colabora con el tubo digestivo, vertiendo en él sustancias que facilitan la digestión: *las glándulas salivales, el páncreas y el hígado son glándulas anejas.*

■ **glándula endocrina** Órgano que produce sustancias que van directamente a la sangre: *el tiroides es una glándula endocrina.* ■ **glándula exocrina** Órgano que produce sustancias que van al exterior del organismo a través de unos conductos: *el sudor y las lágrimas son producidos por glándulas exocrinas.* **FAM** glandular.

glandular *adj.* Relativo a la glándula: *secreción glandular.*

glasear *v. tr.* ① Cubrir un pastel, un bizcocho u otro dulce con una capa de azúcar derretido o con mermelada, chocolate o almíbar, dándole un aspecto brillante. ② Dar brillo a un asado sometiéndolo a un fuego vivo y rociándolo con el jugo de la cocción. ③ Dar brillo a la superficie de ciertas cosas, como un papel, una tela, etc.

glasnost *s. f.* Política de apertura informativa y de libertad de expresión practicada en la Unión Soviética desde 1985 que, junto con las medidas impulsadas por la perestroika, tenía como objetivo regenerar el comunismo y dinamizar el país.

glauco, -ca *adj.* culto Que es de color verde claro: *ojos glaucos.* **FAM** glaucoma.

glaucoma *s. m.* Enfermedad del ojo caracterizada por un aumento de la presión dentro del globo ocular, que causa un daño progresivo en la retina y a veces pérdida de la visión.

gleba *s. f.* ① Montón de tierra que se levanta con el arado. ② Tierra de cultivo. ③ En el sistema feudal, clase social a la que pertenecían las personas que estaban ligadas a las tierras de un señor de manera hereditaria.

glía *s. f.* Tejido de sostén que rodea y protege las células nerviosas.

glicerina *s. f.* Alcohol incoloro, espeso, de sabor dulce y soluble en agua que se obtiene de grasas y aceites animales y vegetales y se usa mucho en farmacia y perfumería: *la glicerina se emplea sobre todo para fabricar nitroglicerina y otros explosivos.*

glíptica *s. f.* ① Técnica y arte de grabar en piedras duras. ② Técnica de grabar en acero los cuños para monedas, medallas, etc.

global *adj.* Que se refiere a todo un conjunto, y no a sus partes: *el precio global de un viaje.* **ANT** parcial. **FAM** globalizar.

globalización *s. f.* ① Acción de globalizar. ② Proceso por el que cierto hecho, comportamiento o característica se plantea desde una perspectiva global o universal: *la globalización de un conflicto; la globalización de la economía.* ③ Proceso de interdependencia económica entre los estados del mundo, debido al aumento de la libertad y rapidez de los intercambios y la extensión de los mercados internacionales.

globalizar *v. tr.* ① Considerar un problema en su conjunto. ② Integrar una serie de datos, hechos, etc., en un planteamiento mundial o global: *globalizar el sistema económico capitalista.*

globo *s. m.* ① Cuerpo que tiene forma esférica: *algunas lámparas llevan un globo de cristal.* ■ **globo terráqueo** o **globo terrestre** Planeta Tierra. **NOTA** También simplemente *globo.* ■ **globo terráqueo** Esfera que representa la Tierra, en cuya superficie se refleja la disposición de sus tierras y mares. **SIN** esfera terrestre. ② Objeto de goma o de otro material flexible, generalmente de forma redonda, que se llena de aire o de un gas menos pesado que el aire, y que utilizan los niños

para jugar o se coloca como adorno en algún lugar. ③ Texto, generalmente rodeado por una línea, que se coloca junto a un personaje y que representa lo que dice o piensa. **SIN** bocadillo. ④ familiar Trastorno temporal de las capacidades físicas y mentales debido al consumo de alcohol o de un narcótico: *pillar un globo.*

globo aerostático Aerostato sin motor compuesto de una bolsa redonda y de una barquilla para transportar a personas y cosas, que se rellena de un gas menos pesado que el aire para que se eleve en la atmósfera. **NOTA** También simplemente *globo.*

globo celeste Esfera en cuya superficie se representan los planetas y las principales constelaciones con una situación semejante a la que ocupan en el espacio.

globo dirigible Globo aerostático ovalado, lleno de un gas más ligero que el aire, que lleva una o dos barquillas para transportar viajeros y carga y que dispone de diversos mecanismos, como un motor, unas hélices y un sistema de dirección, para ser conducido: *el globo dirigible tiene forma ovalada y está hecho con una armadura que da rigidez a la bolsa.* **NOTA** También simplemente *dirigible.* **SIN** zepelín.

globo ocular Órgano de la vista, de color blanquecino y forma esférica: *el globo ocular está formado por el iris, la pupila, la retina y el cristalino.*

globo sonda Globo aerostático de pequeño tamaño que no lleva personas, sino aparatos para hacer mediciones: *los meteorólogos utilizan globos sonda para analizar la atmósfera en las capas más altas.* **FAM** globoso, glóbulo.

glóbulo *s. m.* ① Célula de forma redonda u ovalada que se encuentra en diversos líquidos del cuerpo de los animales, especialmente en la sangre. ■ **glóbulo blanco** Célula incolora de la sangre de los animales vertebrados que se encarga de defender el organismo de las infecciones. **SIN** leucocito. ■ **glóbulo rojo** Célula de la sangre de los animales vertebrados que contiene hemoglobina, que le aporta su color rojo vivo, y se encarga de transportar el oxígeno a todas las partes del cuerpo y recoger el dióxido de carbono. **SIN** eritrocito, hematíe. ② Cuerpo de pequeño tamaño con forma esférica. **FAM** globular.

glockenspiel *s. m.* Instrumento musical de percusión formado por dos filas de barras metálicas de diferente longitud, colocadas en un bastidor que se monta horizontalmente sobre un soporte y se toca con dos o más baquetas duras, pequeñas y redondeadas.

gloria *s. f.* ① En la religión cristiana, estado de felicidad y gracia eterna que produce estar en el Cielo cerca de Dios después de la muerte. **SIN** cielo. ② Esplendor, grandeza o hermosura de una cosa: *el jardín está en toda su gloria.* ③ Honor, admiración y prestigio que alguien consigue por haber hecho algo importante y reconocido por todos: *Cervantes ha alcanzado la gloria con sus novelas.* ④ Hecho, persona o cosa que es motivo de honor y prestigio para alguien o algo: *el descubrimiento de América es una de las glorias de España.* ❙ *s. m.* ⑤ Oración y canto de la misa católica y de los cristianos orientales con la que se alaba a Dios: *el gloria comienza con las palabras "gloria a Dios Padre Todopoderoso".* ❙ *s. f.* ⑥ Se usa para enfatizar el valor del sustantivo al que acompaña: *es una gloria de piso.*

cubrirse de gloria Conseguir fama con una acción determinada: *se ha cubierto de gloria con sus declaraciones sexistas.* **NOTA** Frecuentemente usado de forma humorística.

dar gloria Producir una cosa mucha satisfacción o placer: *da gloria verlo tan arreglado.*

estar en la gloria familiar Estar una persona muy contenta o encontrarse muy bien en un lugar o en una situación: *a la sombra se está en la gloria.*

que en gloria esté Expresión que se utiliza después del nombre de una persona que ha muerto.

saber a gloria Gustar mucho o ser muy agradable una cosa.

FAM gloriarse, glorificar, glorioso.

gloriado *v. m.* AMÉR. Bebida parecida al ponche, hecha con aguardiente.

gloriarse *v. prnl.* Hablar o presumir una persona en exceso de sus virtudes o bienes propios. **SIN** jactarse.

OBS Verbo regular, se acentúa como *desviar.*

glorieta *s. f.* ① Plaza, generalmente redonda y pequeña, en la que desembocan varias calles. ② Espacio, generalmente redondo, cerrado por un enrejado y adornado con plantas trepadoras. ③ Plaza en un jardín.

glorificar *v. tr.* ① Dar gloria a una persona o cosa o hacerla digna de honor o prestigio: *el poeta ha glorificado su ciudad natal en su libro.* ② Alabar o dar muestras de gran admiración o aprecio hacia una persona o cosa: *en los cantares de gesta se glorifica a los héroes.*

FAM glorificación.

glorioso, -sa *adj.* ① Que merece admiración, alabanza y honor: *un día glorioso.* ② Relativo a la gloria eterna.

glosa *s. f.* ① Explicación, nota o comentario que se añade a un texto difícil de entender para aclararlo. ② Composición poética elaborada a partir de unos versos que aparecen al principio y que se van desarrollando y explicando.

FAM glosar, glosario.

glosar *v. tr.* Incluir explicaciones, notas o comentarios en un texto para aclarar el significado de palabras o expresiones difíciles de entender.

FAM glosador; desglosar.

glosario *s. m.* Catálogo alfabetizado de las palabras y expresiones de un texto que son difíciles de comprender, junto con su significado o con una explicación o comentario: *glosario de términos técnicos.*

glotis *s. f.* Abertura superior de la laringe: *la glotis se abre al respirar.*

FAM epiglotis.

OBS Plural invariable.

glotón, -tona *adj./s. m. y f.* ① Se aplica a la persona que come de manera excesiva y con ansia. ❙ *s. m.* ② Mamífero carnívoro de la familia de las comadrejas, corpulento, de pelaje denso y patas y cola cortas, que vive en las regiones árticas y se alimenta de forma insaciable.

FAM glotonear, glotonería.

glotonear *v. intr.* Comer una persona de manera excesiva y con ansia.

glotonería *s. f.* Cualidad de glotón.

glucagón *s. m.* Hormona producida por el páncreas, formada por la unión de 22 aminoácidos, que se encarga de regular la cantidad de glucosa de la sangre.

glucemia *s. f.* Concentración de glucosa en la sangre.

glúcido *s. m.* Compuesto orgánico, generalmente de sabor dulce y soluble en agua, que contiene carbono, hidrógeno y oxígeno y cumple principalmente funciones estructurales

y de aporte energético: *la glucosa, el almidón y la quitina son glúcidos.* **SIN** carbohidrato, hidrato de carbono.

glucinio *s. m.* Elemento químico metálico, de color grisáceo, elástico y resistente, usado principalmente en la industria atómica.

OBS Término en desuso que equivale al actual *berilio.*

glucógeno *s. m.* Glúcido polisacárido de reserva almacenado por los animales y hongos; está formado por largas cadenas de glucosa ramificada y se descompone en glucosa y maltosa cuando es necesario: *en los animales vertebrados, el glucógeno se encuentra principalmente en el hígado y los músculos.*

glucosa *s. f.* Glúcido monosacárido de 6 átomos de carbono, blanco, cristalizable, dulce y soluble al agua; es una molécula crucial en el metabolismo de los seres vivos ya que les proporciona energía: *la glucosa se encuentra libre en las frutas y es muy abundante en la naturaleza formando multitud de compuestos; el cuerpo convierte los glúcidos en glucosa.*

FAM glucósido, glucosuria.

gluten *s. m.* Sustancia formada por proteínas que se encuentra en la semilla del trigo y de otras gramíneas y que proporciona gran cantidad de energía al organismo.

FAM aglutinar.

glúteo, -tea *s. m./adj.* ① Músculo de los tres que forman la nalga: *cada nalga está formada por un glúteo menor, un glúteo mediano y un glúteo mayor.* ❙ *s. m.* ② Parte carnosa y redondeada que corresponde al extremo superior y posterior del muslo en su unión con la espalda. **SIN** nalga. ❙ *adj.* ③ Relativo a esta parte del cuerpo: *región glútea.*

gneis *s. m.* Roca metamórfica formada esencialmente por cuarzo, feldespato y mica alineados en capas superpuestas: *el gneis tiene una estructura parecida a la pizarra y la misma composición que el granito.*

FAM gnéisico.

OBS Plural invariable.

gnomo [también **nomo**, poco usual] *s. m.* Ser fantástico que tiene el aspecto de un enano, lleva barba y un sombrero puntiagudo y tiene poderes mágicos: *la figura del gnomo procede de la mitología nórdica.*

gnomon *s. m.* ① Varilla que indica las horas en un reloj solar. ② Instrumento astronómico que servía para determinar el acimut y la altura del sol.

gnosticismo *s. m.* Doctrina religiosa esotérica de los primeros siglos de la Iglesia, que prometía a sus seguidores un conocimiento intuitivo y misterioso de las cosas divinas: *el gnosticismo era una mezcla de la doctrina cristiana con creencias judaicas y orientales.*

FAM gnóstico; agnosticismo.

gnóstico, -ca *adj.* ① Relativo al gnosticismo. ❙ *adj./s. m. y f.* ② Se aplica a la persona que seguía la doctrina del gnosticismo.

gobernación *s. f.* ① Acción que consiste en ejercer el control y la dirección de un Estado, ciudad o colectividad. **SIN** gobierno. ② Territorio que depende de un gobierno nacional: *la gobernación colonial de Río de la Plata.* ③ En las antiguas colonias españolas en América, demarcación administrativa dentro de un virreinato.

gobernador, -ra *s. m. y f.* ① Jefe superior de un territorio o provincia que ejerce una jurisdicción militar o civil: *el gobernador civil de la provincia representa al gobierno del Estado.* ② Persona que representa al gobierno de un estado en la dirección de algún organismo: *el gobernador del Banco de España.*

gobernanta *s. f.* ① Mujer que se encarga de la limpieza y del servicio de un hotel u otros establecimientos públicos. ② Mujer que se encarga de la administración de una casa o de un establecimiento público.

gobernante *adj./s. com.* Que gobierna o dirige un país o forma parte de un gobierno: *monarquía gobernante; los gobernantes de este país son elegidos democráticamente por todos los ciudadanos.*

gobernar [1] *v. tr./intr.* ① Ejercer la dirección, la administración y el control de un Estado, ciudad o colectividad. ‖ *v. tr.* ② Conducir una embarcación o vehículo: *gobernar un barco.* ③ Guiar el comportamiento de una persona o influir mucho sobre ella. ④ Guiar o dirigir algo: *gobernar el ganado con ayuda de un perro pastor.* ‖ *v. prnl.* ⑤ **gobernarse** Desenvolverse una persona por sí misma y llevar su propia administración y control. **FAM** gobernable, gobernación, gobernador, gobernanta, gobernante, gobierno; desgobernar, ingobernable.

gobierno *s. m.* ① Acción que consiste en ejercer el control y la dirección de un Estado, ciudad o colectividad. **SIN** gobernación. ② Conjunto de personas que gobiernan o dirigen un estado: *el Gobierno está formado por el presidente y sus ministros.* **NOTA** Con mayúscula inicial cuando hace referencia al gobierno de un estado en concreto. ③ Modo de gobernar o dirigir un estado, una ciudad o una colectividad: *los países del Este han adoptado un gobierno democrático.* **FAM** autogobierno.

gobio *s. m.* Pez de pequeño tamaño y cuerpo alargado, con las aletas abdominales unidas formando un embudo, que vive en las aguas cercanas a la costa o en los cursos de los ríos próximos al mar: *el gobio es un pez parecido al barbo y es comestible.*

goce *s. m.* Sentimiento muy intenso de placer, satisfacción y alegría por el disfrute de una cosa. **SIN** gozo.

godo, -da *adj.* ① Relativo a un antiguo pueblo germánico que invadió el Imperio romano a partir del siglo III: *los godos se dividían en visigodos y ostrogodos.* ‖ *s. m. y f./adj.* ② Persona perteneciente a este pueblo: *los godos fundaron reinos en España e Italia.* ‖ *adj.* ③ AMÉR. despectivo Español.

gofio *s. m.* ① Harina de cereales tostados: *el gofio es típico de Canarias.* ② AMÉR. Pasta dulce hecha con harina de maíz.

gofre *s. m.* Dulce hecho con harina y miel, y elaborado entre dos planchas cuadriculadas con relieves en forma de rejilla que le dan el aspecto de un panal.

gogó *s. f.* Mujer que se dedica a bailar en un grupo musical o en una sala de fiestas o sitio parecido, para animar al público: *las gogós de esta discoteca están subidas en una especie de púlpito.*

gol *s. m.* En el fútbol y otros deportes, acto de introducir la pelota en la portería contraria para conseguir un tanto. ■ **gol average** Diferencia de goles a favor o en contra que posee un equipo respecto de otro con el que está empatado a puntos. **FAM** golazo, golear.

gola *s. f.* ① Golilla. ② Pieza de la armadura que protegía la garganta. ③ Moldura cuyo perfil tiene forma de S. **FAM** engolado.

golazo *s. m.* Gol muy espectacular, conseguido con un potente disparo o tras una jugada de gran calidad.

goleada *s. f.* En el fútbol y otros deportes, cantidad grande de goles que un equipo mete a otro: *perder por goleada.*

goleador, -ra *s. m. y f.* Persona que en determinados deportes de equipo mete más goles en un partido o en toda una liga. **SIN** pichichi.

golear *v. tr.* En el fútbol y otros deportes, marcar muchos goles un equipo al equipo contrario. **FAM** goleada, goleador.

goleta *s. f.* Embarcación de vela ligera, con dos o tres palos y con las bordas poco elevadas.

golf *s. m.* Deporte que consiste en dar una serie de golpes con un palo a una pelota pequeña para introducirla en los 18 hoyos que se encuentran en un campo cubierto de césped. **FAM** golfista, golfístico; minigolf.

golfa *s. f.* familiar Prostituta.

golfante *adj./s. com.* Se aplica a la persona que es un poco golfa, pilla o sinvergüenza.

golfear *v. intr.* Vivir o comportarse como un golfo.

golfista *s. com.* Persona que juega al golf por afición o como deportista profesional.

golfo[1] *s. m.* Porción de mar de gran extensión que entra en la tierra y que está situada entre dos cabos: *el golfo de México es uno de los más grandes del mundo.*

golfo, -fa[2] *adj./s. m. y f.* ① Se aplica a la persona que vive de manera desordenada, tiene costumbres poco formales y solo se preocupa de divertirse y entregarse a los vicios. ‖ *adj.* ② Que es propio de un golfo: *una noche golfa.* **FAM** golfante, golfear, golfería; engolfarse.

golilla *s. f.* Adorno que se ponía alrededor del cuello, hecho de tela blanca, tul o encaje, formando pliegues: *en la corte del siglo XVII llevaban golilla.* **SIN** gola. **FAM** engolillado.

gollería *s. f.* Cosa que es innecesaria y supone un exceso de delicadeza o refinamiento.

gollete *s. m.* ① Cuello estrecho de la botella: *rompió el gollete de la botella para abrirla.* ② familiar Parte delantera del cuello de una persona o de un animal: *le amenazaron con cortarle el gollete.*

golondrina *s. f.* ① Pájaro pequeño de color negro azulado por encima y blanco por el pecho y el vientre, alas acabadas en punta, pico corto y negro y cola larga con forma de horquilla: *las golondrinas son aves migratorias que hacen el nido en los tejados de las casas.* ② Barca pequeña de motor, usada para el transporte de viajeros en trayectos cortos: *en Barcelona hay golondrinas para pasear por el puerto.* **FAM** golondrino.

golosina *s. f.* ① Producto comestible de pequeño tamaño y sabor dulce que se suele comer por gusto. ② Cosa agradable que despierta deseo o apetencia. **FAM** golosinear; engolosinar.

goloso, -sa *adj./s. m. y f.* ① Se aplica a la persona que tiene mucha inclinación y afición a comer dulces o golosinas. **SIN** dulcero. ② Se aplica a la cosa que es muy deseada o codiciada: *tiene una casa muy golosa.* **FAM** golosina.

golpazo *s. m.* Golpe fuerte. **SIN** golpetazo.

golpe *s. m.* ① Choque repentino y más o menos violento de un cuerpo contra otro. ② Señal que deja este choque. ③ Hecho o suceso, generalmente repentino, que causa mucha impresión o dolor: *la muerte de la madre ha sido un duro golpe para los hijos.* ④ Situación especialmente cómica en una obra teatral o cinematográfica. ⑤ familiar Ocurrencia divertida que una persona expresa de improviso en el curso de una conversación: *tiene cada golpe que te tronchas de risa.* ⑥ Robo o atraco: *una banda desconocida ha dado un golpe importante al Banco de España.* ⑦ Acción dañina e intencionada contra una persona o cosa: *las habladurías han sido un duro golpe para su reputación.* ⑧ Aparición repentina de una cosa, especialmente de un estado climatológico o de un estado físico o moral: *un golpe de aire; un golpe de tos.*

de golpe Se utiliza para indicar que una cosa se hace de forma rápida, sin pensarla mucho tiempo.

golpe bajo (I) Golpe que da un boxeador por debajo de la cintura de su oponente. (II) Hecho o dicho traicionero o malintencionado con el que se pretende perjudicar a alguien.

golpe de efecto Cosa que impresiona o sorprende por ser inesperada: *la iluminación repentina de la estatua en la inauguración será todo un golpe de efecto.*

golpe de Estado Toma por parte de un grupo de personas del gobierno de un país, normalmente haciendo uso de las armas o la violencia y de forma ilegal: *el 23 de febrero de 1981 hubo en España un intento de golpe de Estado.*

golpe de gracia (I) Golpe que se da para rematar a una persona o animal malheridos. (II) Hecho o suceso que remata la desgracia o el infortunio de una persona.

no dar (o **pegar**) **golpe** No hacer una persona un trabajo que tendría que hacer o no hacer nada por pereza: *lo suspenderá todo porque no da ni golpe.*

FAM golpear, golpetazo, golpetear, golpismo; contragolpe.

golpear *v. tr./intr.* Dar uno o varios golpes.
FAM golpeo.

golpetazo *s. m.* Golpazo.

golpetear *v. tr./intr.* Dar golpes poco fuertes pero continuos: *la lluvia golpeteaba en los cristales.*
FAM golpeteo.

golpeteo *s. m.* Sucesión de golpes poco fuertes pero continuos.

golpismo *s. m.* ① Actitud política que busca el cambio de la forma de gobierno de un país por medio de un golpe de Estado: *el golpismo es característico de los grupos de extrema derecha.* ② Actividad que consiste en organizar y ejecutar golpes de Estado.
FAM golpista.

golpista *adj.* ① Relativo al golpe de Estado: *intentona golpista.* ‖ *adj./s. com.* ② Se aplica a la persona que participa en un golpe de Estado o lo apoya.

golpiza *s. f.* AMÉR. Paliza o tunda de golpes que se le da a una persona: *se llevaron una buena golpiza.*

goma *s. f.* ① Sustancia viscosa producida por ciertas plantas tropicales, que se hace sólida en presencia del aire, y que se industrializa especialmente para elaborar colas y barnices: *la goma se utiliza para pegar o adherir cosas, una vez disuelta en agua.* ■ **goma arábiga** Sustancia que se obtiene de ciertos árboles de Arabia y es muy utilizada en farmacia y como cola para pegar. ■ **goma de mascar** Golosina dulce que se mastica, pero no se traga. SIN chicle. ② Material elástico y resistente que se obtiene por procedimientos químicos a partir de esta sustancia: *suela de goma.* ③ Tira elástica de caucho que suele usarse para sujetar cosas: *goma del pelo; puso una goma a la caja de zapatos.* ④ Utensilio hecho de caucho que se

usa para borrar la tinta o el lápiz de un papel. NOTA También *goma de borrar.* ⑤ familiar Preservativo (anticonceptivo masculino).
FAM gomaespuma, gomina, gomoso; engomar, tiragomas.

gomaespuma *s. f.* Caucho natural o sintético muy esponjoso y elástico.

gomero, -ra *adj.* ① De La Gomera (isla del archipiélago canario). ‖ *s. m. y f./adj.* ② Persona que es de La Gomera.

gomina *s. f.* Producto viscoso que se aplica sobre el cabello para fijarlo.
FAM engominarse.

gominola *s. f.* Golosina blanda, elaborada con una sustancia gomosa o pegajosa, a menudo recubierta de azúcar.
OBS Es marca registrada.

gónada *s. f.* Órgano reproductor que forma las células sexuales de los animales: *las gónadas son los ovarios y los testículos.*

góndola *s. f.* Embarcación ligera, larga y estrecha, movida por un solo remo situado a popa, con el fondo plano y los extremos salientes y acabados en punta: *la góndola es típica de los canales de Venecia.*
FAM gondolero.

gondolero *s. m.* Persona que se dedica a conducir una góndola.

gong *s. m.* Instrumento sonoro que consiste en un disco de metal que está colgado de un soporte y vibra al ser golpeado por una baqueta o una maza: *el gong es originario del Extremo Oriente y se usa en celebraciones religiosas como señal de algo.*
OBS Plural: *gongs.*

gongorino, -na *adj.* ① Relativo a Góngora (escritor español, 1561-1627) o a su obra. ② Que sigue o imita el estilo literario de este autor.

gongorismo *s. m.* Estilo literario del Barroco español, cultivado en prosa y poesía, que se caracteriza por la búsqueda de la perfección formal, lograda mediante el uso de formas poéticas de difícil comprensión, metáforas abundantes y complicadas, sintaxis compleja y cultismos. SIN culteranismo.

goniómetro *s. m.* Instrumento para medir ángulos.

gonococo *s. m.* Bacteria que causa enfermedades como la gonorrea o la blenorragia, y que se transmite por vía sexual: *la penicilina combate los gonococos.*

gonorrea *s. f.* Enfermedad caracterizada por un flujo mucoso en las vías genitales debido a la inflamación de la uretra: *la gonorrea es una enfermedad de transmisión sexual.* SIN blenorrea.

gordinflas *adj./s. com.* familiar Se aplica a la persona que está gorda, especialmente un niño pequeño.
OBS Plural invariable.

gordinflón, -flona *adj./s. m. y f.* familiar Se aplica a la persona que está muy gorda.

gordo, -da *adj./s. m. y f.* ① Que tiene mucha grasa o carne. SIN grueso, rollizo. ANT delgado, enjuto, flaco. ‖ *adj.* ② Que es más grueso de lo normal: *un jersey muy gordo.* ANT fino. ③ Que es más grande o más importante de lo normal: *un problema gordo; una nevada muy gorda.* ‖ *s. m.* ④ Primer premio de la lotería, especialmente la de Navidad: *el gordo de Navidad.*

armarse una gorda familiar Desencadenarse una pelea, una riña o un gran alboroto entre dos o más personas.

caer gordo familiar No resultar agradable o simpática una persona a otra.

no tener una gorda o **estar sin gorda** No tener nada de dinero.

FAM gordinflas, gordinflón, gordura; engordar, regordete.

gordolobo *s. m.* Planta de hojas amarillas, largas y muy apretadas, con efectos terapéuticos. **SIN** candelaria.

gordura *s. f.* ① Exceso de carne o grasa en el cuerpo. **SIN** obesidad. ② ARG., P. RICO Crema de la leche.

gorgojo *s. m.* Insecto coleóptero de pequeño tamaño, con la cabeza prolongada en un pico en cuyo extremo se encuentran las mandíbulas: *los gorgojos son muy perjudiciales porque atacan a ciertos frutos y semillas.*

gorgorito *s. m.* familiar Quiebro que se hace en la garganta con la voz, especialmente al cantar.

FAM gorgoritear.

OBS Normalmente en plural.

gorgoteo *s. m.* Ruido producido por el movimiento de un líquido o de un gas en el interior de alguna cavidad.

gorguera *s. f.* ① Adorno del cuello, generalmente de lienzo fino o telas transparentes, que se doblaba formando pliegues. ② Moldura de perfil cóncavo. ③ Moldura semejante a una cima recta muy acentuada; es muy frecuente en la arquitectura gótica.

gorila *s. m.* ① Mamífero del orden de los primates, de gran tamaño, corpulento, de estatura parecida a la del ser humano, que camina sobre dos patas y se alimenta de vegetales; se encuentra en África ecuatorial. *los gorilas tienen el cuerpo cubierto de pelo, generalmente de color muy oscuro o negro.* ② familiar Persona que se dedica a acompañar a otra para protegerla. **SIN** guardaespaldas.

gorjear *v. intr.* ① Cantar los pájaros emitiendo una serie de sonidos cortos y agudos. **SIN** trinar. ② Hacer una persona una serie de quiebros en la voz con la garganta. ③ AMÉR. Hacer burla articulando sonidos imperfectos.

FAM gorjeo.

gorjeo *s. m.* ① Canto de algunos pájaros que consiste en una serie de sonidos cortos y agudos. **SIN** trino. ② Quiebro de la voz hecho con la garganta.

gorra *s. f.* Prenda de vestir que se lleva sobre la cabeza para cubrirla, sin copas ni alas, y generalmente con visera.

de gorra Se utiliza para indicar que una cosa se hace sin pagar por ella y a costa de los demás: *siempre bebe de gorra.*

FAM gorro, gorrón.

gorrino, -na *s. m. y f.* ① Cerdo, especialmente el que tiene menos de cuatro meses. | *adj./s. m. y f.* ② Se aplica a la persona que no cuida su aseo personal o que produce asco por su falta de limpieza. **SIN** cerdo.

FAM gorrinear.

gorrión, -rriona *s. m. y f.* Pájaro de pequeño tamaño, de plumaje marrón o pardo con manchas negras y rojizas y el pecho gris, que suele vivir en las poblaciones: *el gorrión es muy común en España.*

gorro *s. m.* Prenda de vestir que se lleva sobre la cabeza para cubrirla y abrigarla, generalmente hecha de tela, piel o lana, y especialmente la que tiene forma redonda y carece de alas y visera.

estar hasta el gorro Estar una persona harta de una cosa: *estoy hasta el gorro de tus groserías.*

gorrón, -rrona *adj./s. m. y f.* Se aplica a la persona que consume o utiliza habitualmente una cosa sin pagar por ella y a costa de los demás.

FAM gorrear, gorronear, gorronería.

gorronear *v. tr./intr.* Consumir o utilizar una cosa sin pagar por ella y a costa de los demás.

gospel [se pronuncia 'góspel'] *s. m.* Estilo de música popular religiosa propia de la comunidad negra de Estados Unidos, en que los cantantes (uno o varios, con acompañamiento de coro) ornamentan la melodía, con gritos, tarareos, susurros, etcétera.

gota *s. f.* ① Partícula de un líquido que adopta una forma esférica al caer o desprenderse de algún lugar: *gotas de agua; gotas de sudor.* ② Cantidad pequeña de cualquier cosa: *no nos queda más que una gota de vino.* ③ Enfermedad que produce una inflamación muy dolorosa de algunas articulaciones: *la gota se debe a un exceso de ácido úrico en la sangre.*

gota a gota (I) Por gotas: *suministrar el antibiótico gota a gota hasta 100 mg.* (II) Lenta pero constantemente: *aunque no lo parece, avanza gota a gota.*

gota fría Masa de aire muy frío que desciende de las capas altas de la atmósfera causando gran inestabilidad con fuertes lluvias: *en el litoral mediterráneo son frecuentes las inundaciones a causa de la gota fría.*

ni gota Completamente nada de la cosa que se expresa: *no tengo ni gota de sueño.*

ser de (o para) mear y no echar gota vulgar Ser una cosa sorprendente o inaudita: *sus declaraciones a la prensa son para mear y no echar gota.*

FAM gotear, gotelé, gotera, gotero, goterón, gotoso.

gotear *v. intr.* ① Caer un líquido gota a gota. | *v. impersonal* ② Caer algunas gotas de manera poco intensa al empezar a llover.

FAM goteo.

gotelé *s. m.* Técnica para pintar paredes consistente en proyectar sobre ellas unas gotas de pintura, dándoles un aspecto granuloso.

goteo *s. m.* Acción de caer un líquido gota a gota.

gotera *s. f.* ① Filtración del agua a través de una grieta o agujero del techo. ② Agujero o grieta por donde caen gotas de agua. ③ Achaque de la salud: *el pobre tiene más goteras que salud.* **NOTA** Normalmente en plural. | *s. f. pl.* ④ **goteras** AMÉR. Alrededores.

FAM goterón.

gotero *s. m.* ① Aparato para administrar sueros o plasmas por vía endovenosa. ② AMÉR. Cuentagotas.

goterón *s. m.* Gota muy grande, especialmente de agua de lluvia.

gótico, -ca *adj.* ① Relativo a los godos: *las costumbres góticas se fundieron con las romanas.* | *s. m./adj.* ② Lengua germánica hablada por los godos. | *adj./s. m.* ③ Se aplica al estilo artístico de origen francés que se desarrolló en Europa occidental entre los siglos XII y XVI y que se caracteriza, en arquitectura, por la combinación del arco ojival con la bóveda de crucería y los arbotantes, lo que permite levantar edificios de gran altura: *una catedral gótica; el gótico es un arte urbano de origen francés.* ■ **gótico flamígero** o **gótico florido** Variante del estilo gótico, desarrollada a finales del siglo XV y el siglo XVI caracterizada por el empleo de una decoración exuberante en arcos y bóvedas. | *adj.* ④ Se aplica al tipo de letra que tiene formas angulosas y rectilíneas: *la letra gótica se introdujo en España en el siglo XII.*

gotoso, -sa *adj./s. m. y f.* Se aplica a la persona que padece la enfermedad de la gota.

gourmet [se pronuncia aproximadamente 'gurmé' o 'gurmet'] *s. com.* Persona que sabe mucho de cocina y aprecia la buena comida y los vinos de calidad. **OBS** Plural: *gourmets*.

gozada *s. f.* familiar Sentimiento de gozo o placer intensos.

gozar *v. intr.* ① Sentir placer, satisfacción o alegría: *los niños gozaron mucho durante la excursión.* **SIN** disfrutar. ② Tener una cosa de la que se saca algún provecho, beneficio o satisfacción: *goza de una buena posición social.* ‖ *v. tr.* ③ culto Poseer sexualmente a una mujer. **FAM** goce, gozada.

gozne *s. m.* Mecanismo de metal o plástico compuesto por dos piezas unidas por un eje común, que se fijan en dos superficies separadas, una fija y otra móvil, para juntarlas y permitir el giro de una sobre otra. **SIN** bisagra, charnela.

gozo *s. m.* Sentimiento de placer, satisfacción o alegría por el disfrute de una cosa. **SIN** goce. **FAM** gozar, gozoso.

gozoso, -sa *adj.* ① Se aplica a la persona que siente gozo por una cosa. ② Que produce gozo: *un encuentro gozoso.*

g. p. o **g/p.** Abreviatura de *giro postal*, envío de una cantidad de dinero por medio del servicio de correos.

GPS [se pronuncia 'ge-pe-ese'] *s. m.* ① Sigla de la expresión inglesa *Global Positioning System*, 'sistema de posicionamiento global', sistema de localización mediante satélites que permite determinar la posición de una persona, un vehículo, etc., con gran precisión. ② *adj.* Relativo a este sistema. **NOTA** Invariable en número.

grabación *s. f.* Acción que consiste en grabar o recoger imágenes y sonidos en un disco o en una cinta magnética para reproducirlos.

grabado *s. m.* ① Arte o técnica de grabar sobre una superficie: *el grabado sobre superficies duras se suele hacer con cinceles y otros objetos punzantes.* ■ **grabado al agua fuerte** Procedimiento para grabar sobre una lámina metálica en el que se emplea el ácido nítrico. ■ **grabado en hueco** Técnica de grabado basada en el empleo de cuños o troqueles de madera, metal o piedra para acuñar monedas o medallas. ② Estampa obtenida por cualquiera de los procedimientos para grabar. **FAM** fotograbado, huecograbado, pirograbado.

grabadora *s. f.* Aparato portátil que sirve para grabar y reproducir sonidos en una casete o cinta magnética. **SIN** magnetófono, magnetófono.

grabar *v. tr.* ① Tallar o labrar en relieve sobre metal, madera, piedra o cualquier superficie dura una figura, un dibujo o un texto. ② Tallar un dibujo en una plancha de metal o madera para poder reproducirlos después en copias en papel. ③ Recoger imágenes, sonidos o informaciones en un disco, una cinta magnética o cualquier soporte que luego permite reproducirlos. ④ Fijar fuertemente en la memoria un hecho o un sentimiento: *tengo grabadas en la mente sus últimas palabras.* **FAM** grabación, grabado, grabadora.

gracejo *s. m.* Gracia o desenvoltura que tiene una persona al hablar o escribir.

gracia *s. f.* ① Capacidad que tiene una persona o una cosa de divertir o hacer reír: *ese humorista tiene mucha gracia.* ② Hecho o dicho divertido o que hace reír: *le encanta hacer gracias.*

③ Conjunto de cualidades por las que una persona o cosa resulta atractiva o agradable: *una cara con gracia.* ④ Elegancia, garbo y desenvoltura con que se mueve una persona: *tener gracia al andar.* **SIN** sal, salero. ⑤ En la religión cristiana, ayuda sobrenatural que Dios da a una persona para que obre según el amor y la bondad y consiga su salvación. ⑥ Perdón o indulto de una pena concedido por el jefe del Estado o por quien tiene autoridad para ello a una persona condenada: *petición de gracia.* ‖ *s. f. pl.* ⑦ **gracias** Expresión que se usa para agradecer alguna cosa a alguien: *dar las gracias.*

caer en gracia Resultar agradable y producir simpatía una persona o una cosa: *el profesor ha caído en gracia a los alumnos.*

gracias a Se utiliza para indicar que una cosa se realiza o sucede mediante la persona o cosa que se expresa: *gracias a los ordenadores podemos hacer algunas tareas más rápidamente.* **FAM** gracejo, gracioso; agraciar, congraciar, desgracia.

grácil *adj.* culto Que es delgado, delicado o ligero: *la grácil figura de la bailarina.* **FAM** gracilidad.

gracioso, -sa *adj.* ① Que divierte y hace reír. **NOTA** Frecuentemente usado de forma irónica. ② Que resulta atractivo o agradable: *un gesto gracioso.* **SIN** salado. ‖ *s. m. y f.* ③ En la comedia clásica, actor que representa personajes que hacen reír. **FAM** graciosamente.

grada¹ *s. f.* ① Asiento para gran cantidad de personas, a manera de escalón largo, que suele haber en teatros, estadios o lugares a los que acude gran cantidad de público. ② Conjunto de estos asientos. **SIN** graderío. ③ Superficie elevada sobre la que está el altar: *la grada del altar era de mármol.* ‖ *s. f. pl.* ④ **gradas** Conjunto de escalones que suelen tener los grandes edificios delante de su pórtico o fachada: *las gradas de la catedral.* **FAM** graderío.

grada² *s. f.* Instrumento agrícola consistente en una especie de parrilla con púas por la parte inferior que sirve para allanar la tierra después de arada. **SIN** rastra.

gradación *s. f.* ① Serie de cosas o personas ordenadas por grados o por fases sucesivas. ② culto Figura retórica que consiste en acumular palabras o ideas que, con respecto a su significado, van aumentando o descendiendo por grados, de modo que cada una de ellas expresa algo más o algo menos que la anterior: *la frase "sintió un miedo grande, enorme, terrible, sobrecogedor" es un ejemplo de gradación.* **FAM** progradación.

gradería *s. f.* Graderío.

graderío *s. m.* ① Conjunto de gradas que suele haber en teatros, estadios o lugares a los que acude gran cantidad de público: *con la actuación de esta tarde se ha llenado la mitad del graderío.* ② Público que ocupa este conjunto de gradas: *el graderío empezó a lanzar silbidos de desaprobación.*

gradiente *s. f.* ① Variación de una magnitud en cantidad y dirección. ② Cociente de la diferencia de presión barométrica entre dos puntos por la distancia existente entre ellos. ③ AMÉR. Desnivel en pendiente.

grado¹ *s. m.* ① Unidad de medida de la temperatura en distintas escalas: *el cuerpo humano tiene normalmente una temperatura de 36 ó 37 grados centígrados.* ■ **grado centígrado** o **grado Celsius** Unidad de medida de temperatura que corresponde a una división del termómetro centesimal. ■ **grado Fahrenheit** Unidad de temperatura que toma como punto de fusión del hielo el valor 32 y como punto de ebullición del agua el valor 212; se utiliza en países anglosajones. ■ **grado Kelvin** Unidad del Sistema Internacional para medir la temperatura: *la relación del grado Kelvin con el grado centígrado viene dada por la expresión °C + 273.* ② Unidad de medida de la cantidad de alcohol que contienen las bebidas alcohólicas: *algunos licores tienen más de 40 grados.* ③ Parte que resulta de dividir la circunferencia en 360 partes iguales y que se utiliza como unidad de medida de ángulos y de longitudes y latitudes geográficas: *un ángulo recto tiene 90 grados.* NOTA También *grado sexagesimal.* ④ Estado, valor o calidad que puede tener una persona o cosa en relación con otras y que puede ordenarse con otros estados, valores o calidades de mayor a menor o de menor a mayor: *este trabajo exige un grado muy alto de preparación.* SIN cota, nivel. ⑤ Generación que marca la proximidad en el parentesco entre las personas: *pariente en segundo grado.* ⑥ Lugar o nivel que ocupa una persona dentro de una organización jerárquica, especialmente en un escalafón militar: *grado de capitán.* SIN graduación, rango. ⑦ Título que se da al estudiante que ha completado determinado nivel de estudios, especialmente los estudios universitarios: *grado de licenciado.* ⑧ Forma que tienen los adjetivos de indicar la intensidad de una cualidad: *el adjetivo tiene tres grados: positivo, comparativo y superlativo.* ⑨ Valor del mayor exponente al que se encuentra elevada la incógnita de una ecuación matemática: *si la ecuación tiene la forma P(x) = 0, su grado es el grado del polinomio P.* ⑩ Suma de los exponentes de todas las letras que aparecen en un monomio: *tanto x^3 como $(x^2\ y)$ tienen grado 3.* ⑪ El mayor de estos grados de los monomios que integran un polinomio. ⑫ Nota de la escala musical diatónica: *la tónica es el grado I de la escala.*

grado centesimal Unidad empleada para medir ángulos y arcos, que se obtiene al dividir un círculo en 400 partes iguales.

FAM gradación, gradual, graduar.

grado² *s. m.* Voluntad o disposición para hacer una cosa: *lo hizo de buen grado.*

graduación *s. f.* ① Acción que consiste en dar a una cosa un grado, una calidad o intensidad determinada. ② Acción de medir la intensidad, la calidad o el valor de una cosa en grados: *graduación de las oscilaciones.* ③ Obtención de un título universitario o un grado militar: *graduación militar.* ④ Grado o categoría militar: *militares de alta graduación.* SIN rango. ⑤ Cantidad proporcional de alcohol que contienen algunas bebidas: *este brandy tiene mucha graduación.*

graduado, -da *adj.* ① Que está dividido en grados. I *adj./s. m. y f.* ② Se aplica a la persona que ha alcanzado un grado determinado de estudios, especialmente universitarios. I *s. m.* ③ Título académico que se consigue al completar algún ciclo de estudios, especialmente universitarios: *graduado en Farmacia.*

graduado escolar Título oficial que se obtiene al completar los estudios primarios.

gradual *adj.* Que se desarrolla o cambia en etapas sucesivas y continuas: *aumento gradual.*

FAM gradualidad.

graduar *v. tr.* ① Dar a una cosa un grado, una calidad o intensidad determinada: *graduar la temperatura del agua.* ② Dividir u ordenar una cosa según diferentes grados o niveles: *gradúan los ejercicios según su dificultad.* ③ Medir o determinar la intensidad, la calidad o el valor de una cosa en grados: *graduar la vista.* ④ Marcar en un objeto o aparato los diferentes

grados o divisiones que servirán para medir algunas cosas: *graduar un termómetro.* ⑤ Conceder a una persona un título universitario o un grado militar. I *v. prnl.* ⑥ **graduarse** Obtener una persona un título universitario o un grado militar: *graduarse en Medicina.*

FAM graduable, graduación, graduado.

OBS Verbo regular, se acentúa como *actuar.*

grafema *s. m.* Unidad mínima e indivisible de la escritura de una lengua: *"s", "t" y "a" son grafemas, pero no lo son "ll" y "ch" (son dígrafos).*

graffiti *s. m.* Escrito, inscripción o dibujo espontáneo realizado en las paredes, puertas o muros de lugares públicos.

OBS Plural invariable.

grafía *s. f.* Letra o signo gráfico con que se representa un sonido en la escritura: *mediante las grafías "b" y "v" se representa el mismo sonido.*

FAM gráfico, grafismo.

gráfico, -ca *adj.* ① Relativo a la escritura o la imprenta: *acento gráfico; sistema gráfico latino.* ② Relativo a la imprenta: *artes gráficas.* ③ Que representa o describe con mucha claridad la idea que se desea expresar: *su descripción de la guerra fue muy gráfica.* ④ Que se representa por medio de signos o dibujos: *representación gráfica del cuerpo humano.* I *s. m. y f.* ⑤ Representación de datos numéricos o de cantidades que se hace por medio de dibujos, coordenadas, esquemas o líneas que reflejan la relación que existe entre dichos datos.

grafismo *s. m.* ① Actividad que tiene como objeto el cuidado de la tipografía y de los dibujos y fotografías que aparecen en libros, revistas, películas y programas de televisión. ② Modo particular de escribir a mano de una persona.

FAM grafista.

grafista *s. com.* Persona que se encarga de la tipografía, dibujos y fotografías que aparecen en libros, revistas, películas y programas de televisión.

grafito *s. m.* Mineral de color negro o gris oscuro, blando, laminar y de tacto graso, compuesto casi exclusivamente de carbono: *el grafito se utiliza especialmente para hacer minas de lápiz.*

grafología *s. f.* Técnica que estudia las características psicológicas de las personas a través de la forma de su escritura.

FAM grafológico, grafólogo.

grafólogo, -ga *s. m. y f.* Persona que es especialista en grafología.

gragea *s. f.* Medicamento con forma de píldora o tableta, que está recubierta por una capa de sabor agradable y que se traga sin deshacer.

grajo, -ja *s. m. y f.* Ave parecida al cuervo, de color negruzco, pico y pies rojos y uñas grandes y negras.

grama *s. f.* Hierba silvestre de hojas cortas, planas y agudas y flores en espiga, que salen en número de tres o cinco en el extremo de los tallos rastreros; se utiliza en medicina: *la grama se usa como césped porque es de hoja perenne.*

gramaje *s. m.* Peso en gramos de un papel por metro cuadrado.

gramática *s. f.* ① Ciencia que estudia y describe una lengua como sistema: *la gramática incluye la morfología y la sintaxis.* ■ **gramática comparada** Gramática que estudia las relaciones de semejanzas o diferencias que pueden establecerse entre dos o más lenguas: *la gramática comparada se puede aplicar a la reconstrucción de lenguas desaparecidas.* ■ **gramá-**

tica descriptiva Gramática que estudia una lengua en un momento determinado sin considerar su pasado ni su evolución: *la gramática descriptiva trabaja con materiales de la lengua actual.* ■ **gramática especulativa** Gramática que trata de establecer principios permanentes o universales de las lenguas: *la gramática especulativa se cultivó durante la Edad Media.* ■ **gramática estructural** Gramática que trata de establecer relaciones sistemáticas entre los elementos de una lengua: *la gramática estructural ha tenido un importante desarrollo en Europa.* **SIN** estructuralismo. ■ **gramática general** Gramática que trata de establecer los principios comunes a todas las lenguas. ■ **gramática generativa** Gramática que trata de formular las reglas y principios por medio de los cuales un hablante es capaz de producir y comprender todas las oraciones posibles y aceptables de su lengua: *la gramática generativa se desarrolló en la segunda mitad del siglo XX.* **SIN** generativismo. ■ **gramática histórica** Gramática que estudia el proceso de evolución de una lengua a través del tiempo: *la gramática histórica estudia los cambios lingüísticos.* ② Conjunto de normas y reglas para hablar y escribir correctamente una lengua: *la gramática del alemán.* ③ Libro que recoge y explica este conjunto de normas y reglas: *una gramática de alemán.* ■ **gramática normativa** Gramática que enseña a hablar y a escribir correctamente una lengua: *la gramática de la Real Academia Española es una gramática normativa.*
gramática parda Conjunto de conocimientos o habilidades que sirven para salir de una situación difícil o para conseguir un provecho.
FAM gramatical, gramático.

gramatical *adj.* ① Relativo a la gramática: *estudio gramatical; análisis gramatical; estructura gramatical.* ② Que se ajusta a las reglas de la gramática: *la oración "yo estás cansado" no es gramatical.*
FAM gramaticalidad, gramaticalizarse; agramatical.

gramaticalización *s. f.* Proceso mediante el cual una palabra pierde el contenido léxico original y adquiere una función gramatical: *en "anda acatarrado" el verbo "andar" ha sufrido gramaticalización, con lo cual ha perdido su significado léxico y funciona como un verbo auxiliar.*

gramático, -ca *s. m. y f.* Persona que es especialista en gramática.

gramíneo, -nea *adj./s. f.* ① Se aplica a la planta que tiene el tallo cilíndrico, nudoso y generalmente hueco, las flores en espiga y el fruto formado por un solo cotiledón. ǀ *s. f. pl.* ② **gramíneas** Grupo taxonómico, con categoría de familia, constituido por estas plantas.

gramo *s. m.* Medida de masa, de símbolo g, que es igual a la milésima parte de un kilogramo.

gramófono *s. m.* Aparato que reproduce sonidos grabados en un disco mediante una aguja de metal situada en el extremo de un brazo móvil y una caja de resonancia; tiene un altavoz en forma de trompa: *el gramófono es un aparato antiguo que funciona a cuerda.*

gramola *s. f.* ① Gramófono eléctrico colocado en un mueble cerrado en forma de armario que hace sonar el disco seleccionado introduciendo dinero en una ranura. ② Gramófono portátil que tiene la bocina en el interior y un brazo articulado que puede replegarse dentro de la caja.
OBS Es marca registrada.

gran *adj.* Apócope de *grande*: *volaba a gran altura.*
OBS Va antepuesto al sustantivo.

grana *s. m./adj.* ① Color rojo oscuro. **SIN** granate. ǀ *adj.* ② Que es de este color: *un manto grana.* **SIN** granate. ǀ *s. f.* ③ Semilla pequeña de algunos vegetales: *grana de pimienta.* ④ Colorante de color rojo oscuro que se obtiene de la cochinilla. ⑤ Cochinilla (insecto).

granada *s. f.* ① Fruto del granado, redondo, con corteza delgada de color entre amarillo y rojo, que contiene en su interior muchos granos rojos y jugosos; es comestible: *la granada suele comerse con azúcar y vino.* ② Proyectil de pequeño tamaño que contiene explosivos en su interior y está provisto de un dispositivo que al arrancarlo provoca la explosión de la carga: *la granada tiene forma redondeada.*
FAM granadero, granadina, granado; lanzagranadas.

granadina *s. f.* Bebida hecha con zumo de granada.

granadino, -na *adj.* ① De Granada (ciudad y provincia de Andalucía). ǀ *s. m. y f./adj.* ② Persona que es de Granada.

granado, -da[1] *adj.* Que se considera lo mejor o más escogido entre otras cosas de su especie.

granado[2] *s. m.* Árbol de tronco liso y nudoso, copa extendida con muchas ramas delgadas, hojas brillantes, flores grandes de color rojo y fruto comestible (granada).

granar *v. intr.* Formarse y crecer el grano de los frutos en algunas plantas: *el trigo ha empezado a granar.*
FAM granado, granazón; desgranar.

granate *s. m./adj.* ① Color rojo oscuro. **SIN** grana. ǀ *adj.* ② Que es de este color: *una camiseta granate.* **SIN** grana. ǀ *s. m.* ③ Mineral formado por un compuesto de hierro, aluminio y silicio cuyo color más frecuente es el rojo oscuro: *el granate es muy utilizado en joyería.*

grande *adj.* ① Que tiene un tamaño mayor de lo normal. **ANT** pequeño. ② Que es muy intenso o fuerte: *un dolor muy grande.* ③ Que es importante o destaca por alguna cualidad: *es un escritor de los grandes.* ǀ *adj./s. com.* ④ Se aplica a la persona adulta: *cuando sea grande quiere ser bombero.*
a lo grande Con mucho lujo.
en grande Muy bien.
grande de España Persona que tiene el grado máximo de la nobleza española: *los duques de la casa de Alba son grandes de España.*
FAM gran, grandeza, grandioso, grandullón; agrandar, engrandecer.
OBS Antepuesto a un sustantivo adopta la forma *gran*: *un gran hombre, una gran casa.*

grandeza *s. f.* ① Importancia o valor que tiene una persona o una cosa: *la grandeza del deporte es que el trabajo tiene su recompensa.* ② Nobleza o bondad que tiene una persona: *la grandeza de su carácter.* **ANT** mezquindad. ③ Dignidad nobiliaria de grande de España. ④ Conjunto de los grandes de España.

grandilocuencia *s. f.* Manera de escribir o hablar que se caracteriza por el uso de palabras y construcciones demasiado cultas y rebuscadas y por dar un énfasis excesivo a aspectos del discurso que no lo merecen. **SIN** altisonancia.

grandilocuente *adj.* ① Se aplica al estilo o la expresión que se caracteriza por emplear palabras y construcciones demasiado cultas y rebuscadas y por dar un énfasis excesivo a aspectos del discurso que no lo merecen. **SIN** altisonante, pomposo. ② Se aplica a la persona que escribe o se expresa con grandilocuencia: *es un orador muy grandilocuente.*
FAM grandilocuencia.

grandiosidad *s. f.* Capacidad que tiene una cosa para impresionar a causa de su tamaño o alguna de sus cualidades.

grandioso, -sa *adj.* Que destaca o impresiona por su tamaño o alguna de sus cualidades. **SIN** magnífico.
FAM grandiosidad.

grandullón, -llona *adj./s. m. y f.* Se aplica al niño o al joven que está muy crecido para su edad.

granel Se usa en la expresión:
a granel (**I**) Sin envasar: *aceite a granel*. (**II**) En gran cantidad o abundancia: *en la boda hubo flores a granel*.

granero *s. m.* 1 Lugar donde se guarda el grano. 2 Territorio en el que abundan los cereales y que provee a otros: *España era antes el granero de Europa*.

granete *s. m.* Herramienta consistente en una barra puntiaguda que permite marcar un punto o una línea en una plancha o superficie de metal, por ejemplo para fijar el lugar exacto donde se ha de taladrar o perforar.

granítico, -ca *adj.* Relativo al granito: *roca granítica*.

granito *s. m.* Roca plutónica compacta y muy dura que está formada por cuarzo, feldespato y mica: *el granito se emplea en construcción y en decoración*.
FAM granítico.

granívoro, -ra *adj.* Se aplica al animal que se alimenta de grano (semillas): *las aves granívoras poseen picos adaptados al consumo de granos*.

granizada *s. f.* Lluvia abundante de granizo.

granizado, -da *adj./s. m.* Se aplica a la bebida que se elabora con hielo picado y zumo de fruta, café u otra sustancia que le da sabor: *un granizado de limón*.

granizar *v. impersonal* Caer granizo.
FAM granizada, granizado.

granizo *s. m.* Agua congelada que cae de las nubes en forma de bolas pequeñas, duras y blancas.
FAM granizar.

granja *s. f.* 1 Casa de campo con un terreno para cultivar y con otros edificios donde se crían vacas, cerdos, gallinas y otros animales domésticos. 2 Conjunto de instalaciones dedicadas a la cría de aves y otros animales domésticos.
FAM granjero.

granjear *v. tr.* Atraer la atención, la voluntad o el afecto de una persona: *su simpatía le granjeó la amistad de todos*. **SIN** captar.

granjero, -ra *s. m. y f.* Persona que posee una granja o se dedica al cuidado de ella.
FAM granjería.

grano *s. m.* 1 Semilla y fruto de un cereal. 2 Semilla pequeña de una planta o fruto: *grano de café*. 3 Fruto que con otros iguales forman un racimo: *granos de uva*. 4 Parte pequeña y redonda de alguna cosa: *grano de arena*. 5 Bulto pequeño que aparece en la superficie de la piel: *un grano de pus*.
ir al grano Decir o explicar las cosas importantes sin entretenerse en contar los detalles.
FAM granar, granero, granoso, granular.

granuja *adj./s. com.* Se aplica a la persona que hace las cosas con astucia y engaña a los demás en su provecho. **SIN** pillo.
FAM granujiento; engranujarse.

granulado, -da *adj.* 1 Se aplica a la sustancia que está formada por granos: *azúcar granulado*. **SIN** granular, granuloso. 1 *s. m.* 2 Preparado farmacéutico que está presentado en forma de granos: *debo tomar el granulado disuelto en un vaso de agua*.

granular[1] *adj.* Granuloso: *textura granular*.

granular[2] *v. tr.* 1 Desmenuzar una cosa en granos muy pequeños: *granular el azúcar*. 2 Llenar de granos a una persona o cosa.
FAM granulación, granuloso.

granuloso, -sa *adj.* Se aplica a la sustancia que está formada por granos. **SIN** granulado, granular.

grapa *s. f.* Pieza de metal pequeña y delgada cuyos extremos se clavan y se doblan para unir o sujetar papeles, tejidos y otras cosas.
FAM grapar.

grapadora *s. f.* Instrumento que sirve para poner grapas.

grapar *v. tr.* Unir o sujetar con grapas.
FAM grapadora.

grasa *s. f.* 1 Sustancia animal o vegetal que se encuentra en los tejidos orgánicos y que forma las reservas de energía de los seres vivos, ya que tiene gran poder calorífico: *la grasa, a temperatura normal de los organismos, es una sustancia sólida*. **SIN** lípido. 2 Sustancia que se usa para engrasar. 3 Manteca o sebo de un animal: *la grasa del cerdo se utiliza para hacer embutido*.
FAM grasiento, graso, grasoso; engrasar.

grasiento, -ta *adj.* Que tiene grasa: *una comida grasienta; un tornillo grasiento*.

graso, -sa *adj.* Que tiene grasa o más grasa de lo normal: *cabellos grasos*.
FAM grasa.

gratificación *s. f.* Cosa o cantidad de dinero que da una persona a otra como recompensa o agradecimiento por la realización de un servicio o un favor.

gratificar *v. tr.* Recompensar una persona a otra con una cosa o una cantidad de dinero por la realización de un servicio o un favor.
FAM gratificación, gratificante.

gratinar *v. tr.* Tostar en el horno una comida cubierta con mantequilla, queso o bechamel, para que se dore por encima: *los canelones se gratinan con queso*.
FAM gratinador.

gratis *adv.* 1 Sin pagar o sin cobrar dinero: *entrar gratis al cine*. 1 *adj.* 2 Que no cuesta dinero: *entradas de cine gratis*.
SIN gratuito.

gratitud *s. f.* Sentimiento de agradecimiento y reconocimiento que se tiene hacia una persona que ha hecho un favor, un servicio o un bien. **ANT** ingratitud.

grato, -ta *adj.* Que es muy agradable y produce mucho placer: *un grato recuerdo*. **SIN** placentero. **ANT** ingrato.

gratuidad *s. f.* 1 Uso que se hace de una cosa sin tener que pagar nada por ello: *en España está reconocida la gratuidad de la enseñanza pública*. 2 Falta o carencia de base o fundamento en una cosa o en un argumento.

gratuito, -ta *adj.* 1 Que no cuesta dinero. **SIN** gratis. 2 Arbitrario o sin fundamento: *afirmación gratuita; violencia gratuita*.
FAM gratuidad, gratuitamente.

grava *s. f.* 1 Conjunto de materiales, de tamaño mayor que la arena, procedentes de minerales y rocas fragmentados por los agentes atmosféricos: *el viento ha ido formando grava a los lados del camino.* **2** Piedra triturada que se usa para construir caminos y carreteras: *la grava se usa también para hacer hormigón.* **FAM** gravilla.

gravamen *s. m.* **1** Impuesto u obligación económica. **2** Impuesto que ha de pagar una persona por tener un bien inmueble.

gravar *v. tr.* Imponer un impuesto u obligación económica: *el gobierno ha decidido gravar las importaciones de los artículos de lujo.* **ANT** desgravar.
FAM gravamen, gravoso; desgravar.

grave *adj.* **1** Que tiene mucha importancia o dificultad: *una enfermedad grave; un conflicto grave.* **ANT** baladí, leve. **2** Se aplica a la persona que está muy enferma. **3** Que tiene o demuestra una gran seriedad: *llegó con el rostro grave porque traía malas noticias.* **4** Se aplica al cuerpo que pesa. **ANT** ligero. **5** Se aplica al sonido o la voz que tiene una frecuencia de vibraciones menor de la normal. **SIN** bajo. **ANT** agudo, alto. **6** Se aplica al acento gráfico que tiene forma de raya pequeña que baja de izquierda a derecha (`). | *adj./s. f.* **7** Se aplica a la palabra que lleva el acento de intensidad en la penúltima sílaba: *"camino" y "cárcel" son palabras graves.* **SIN** llano, paroxítono.
FAM gravedad; agravar.

gravedad *s. f.* **1** Importancia o dificultad que presenta una cosa: *heridas de gravedad.* **2** Seriedad en la forma de obrar o comportarse una persona: *un gesto de gravedad.* **3** Manifestación de la fuerza de gravitación en las proximidades de un objeto; especialmente la atracción que ejerce la Tierra sobre los cuerpos que están sobre ella o próximos a ella: *la gravedad hace que las cosas tengan peso y caigan al suelo.*

gravilla *s. f.* Grava de pequeño tamaño.

gravitación *s. f.* **1** Fuerza de atracción mutua entre dos masas separadas por una determinada distancia: *Isaac Newton formuló la ley de la gravitación universal; la gravitación es directamente proporcional a las masas de los cuerpos e inversamente proporcional al cuadrado de la distancia que los separa.* **2** Movimiento de un cuerpo por efecto de la atracción gravitatoria que otro cuerpo ejerce sobre él: *la gravitación de la Tierra se realiza alrededor del Sol.*
FAM gravitacional.

gravitar *v. intr.* **1** Moverse un cuerpo celeste alrededor de otro por efecto de la atracción gravitatoria: *la Luna gravita alrededor de la Tierra.* **2** Apoyarse el peso de un cuerpo sobre otro: *los arcos gravitan sobre dos columnas o pilares.* **3** Caer o pesar sobre una persona o cosa un trabajo, una obligación o un peligro: *la amenaza de una nueva guerra mundial gravitaba sobre las cabezas de todos.*
FAM gravitación, gravitatorio.

gravitatorio, -ria *adj.* Relativo a la gravitación: *fuerzas gravitatorias.*

gravoso, -sa *adj.* **1** Que ocasiona o produce mucho gasto: *una inversión gravosa.* **2** Que es molesto o pesado: *apenas pide nada por no ser gravosa.*

gray *s. m.* Unidad del Sistema Internacional, de símbolo Gy, para medir la dosis de radiación ionizante absorbida por la materia, equivalente a un julio por kilo de materia.
OBS Plural: *grays.*

graznar *v. intr.* Emitir graznidos ciertas aves.
FAM graznido.

graznido *s. m.* Voz característica que emiten ciertas aves: *el cuervo, el grajo y el ganso emiten graznidos.*

greca *s. f.* Franja decorativa, estampada o dibujada, en que se repite la misma combinación de elementos, y especialmente la compuesta por líneas que forman ángulos rectos: *todas sus cortinas llevan una greca en el borde inferior.*

grecolatino, -na *adj.* Relativo a la Grecia y la Roma antiguas: *la cultura grecolatina se desarrolló en la época de la Roma clásica.* **SIN** grecorromano.

grecorromano, -na *adj.* Grecolatino.

greda *s. f.* Arcilla arenosa de color blanquecino que se usa para quitar manchas.
FAM gredal.

gregario, -ria *adj.* **1** Se aplica al animal que vive en rebaño o en grupo: *las ovejas son animales gregarios.* **2** Se aplica a la asociación entre individuos no necesariamente emparentados que se unen con diferentes fines. | *adj./s. m. y f.* **3** Se aplica a la persona que no tiene ideas e iniciativas propias y sigue siempre las del grupo al que pertenece. | *s. m.* **4** Corredor de ciclismo que ayuda al ciclista más destacado de su equipo.
FAM gregarismo.

gregarismo *s. m.* Condición de gregario.

gregoriano, -na *adj.* **1** Relativo a algunos de los papas llamados Gregorio: *época gregoriana.* **2** Se aplica al calendario instaurado por el papa Gregorio XIII en el siglo XIV: *en la actualidad seguimos el calendario gregoriano.* | *adj./s. m.* **3** Se aplica al canto religioso que se canta en latín a una sola voz y ha sido adoptado para la liturgia de la iglesia; es un canto colectivo y no tiene acompañamiento instrumental: *el canto gregoriano es propio de la iglesia católica.*

greguería *s. f.* Agudeza o imagen en prosa que presenta una visión personal, sorprendente y a veces humorística de algún aspecto de la realidad: *"los mejillones son las almejas de luto" es una greguería de Ramón Gómez de la Serna, creador de las greguerías.*

grelo *s. m.* Hoja comestible y tierna de la planta del nabo.

gremial *adj.* Relativo al gremio (asociación de personas que tienen el mismo oficio o profesión).
FAM gremialismo.

gremio *s. m.* **1** Asociación o agrupación de personas que tienen el mismo oficio o profesión y defienden sus intereses según unos estatutos: *los gremios eran muy importantes en la Edad Media.* **2** Conjunto de personas que tienen el mismo oficio o profesión o pertenecen al mismo estado social: *el gremio de los médicos.*
FAM gremial; agremiar.

greña *s. f.* **1** Pelo mal peinado, revuelto o enredado. **2** MÉX. Parte de mies que se pone en la era.
andar a la greña familiar Reñir o discutir: *se quieren mucho pero siempre andan a la greña.*
FAM greñudo; desgreñar.

gres *s. m.* Pasta cerámica vitrificada compuesta por arcilla plástica y arena con cuarzo que, cocida a temperaturas muy elevadas, adquiere una gran resistencia y dureza: *el gres se utiliza para hacer baldosas y azulejos.*

gresca *s. f.* Alboroto o discusión muy ruidosas.
FAM engrescar.

gresite *s. m.* Azulejo pequeño para revestimiento de paredes.

grey *s. f.* 1 culto Rebaño o manada. 2 Conjunto de fieles cristianos agrupados bajo la dirección de un sacerdote. 3 Conjunto de personas que comparten alguna característica: *la grey estudiantil.*

grial *s. m.* Copa que, según una leyenda medieval, fue usada por Jesucristo durante la última cena en la ceremonia de la eucaristía: *la búsqueda del grial fue tema central de muchas historias medievales.*

griego, -ga *adj.* 1 De Grecia (país de Europa). SIN heleno. **I** *s. m. y f./adj.* 2 Persona que es de Grecia. SIN heleno. **I** *s. m./adj.* 3 Lengua indoeuropea hablada en Grecia: *el griego utiliza un alfabeto distinto al latino.* ■ **griego demótico** Modalidad del griego que está apartada de la lengua culta y constituye la lengua oficial de Grecia: *el griego demótico es de origen popular.* **I** *adj.* 4 Relativo a esta lengua.

grieta *s. f.* 1 Abertura estrecha, larga e irregular, que se hace en la tierra o en otra superficie. 2 Fisura o fractura lineal profunda que se origina en las rocas sin desplazamiento de los dos bloques que separa. 3 Fisura que se produce en un glaciar, por su movimiento a lo largo de una pendiente. FAM agrietar.

grifa *s. f.* Marihuana, especialmente la que es de origen marroquí. FAM engrifar.

grifería *s. f.* Conjunto de grifos y llaves que sirven para regular el paso del agua.

grifo, -fa *s. m.* 1 Mecanismo provisto de una llave que sirve para abrir o cerrar el paso de un líquido. 2 Animal fabuloso que tiene la mitad superior del cuerpo en forma de águila y la mitad inferior en forma de león. **I** *adj.* 3 MÉX. Borracho. FAM grifería.

grill *s. m.* 1 Utensilio formado por un conjunto de barras metálicas en forma de rejilla y sujetas a un mango que se pone sobre el fuego y sirve para asar o tostar los alimentos. SIN parrilla. 2 Barra metálica situada en la parte superior del horno que se calienta a temperaturas muy altas y sirve para gratinar o dorar los alimentos.

grillarse *v. prnl.* familiar Volverse loco o perder el juicio una persona.

grillete *s. m.* Arco de hierro con un agujero en cada extremo por el que se pasa una pieza alargada metálica y que se utilizaba especialmente para asegurar una cadena en el tobillo de un presidiario.

grillo *s. m.* 1 Insecto del orden ortópteros de color negro, cabeza gruesa y redonda, ojos salientes, alas anteriores duras y patas posteriores adaptadas para saltar: *el grillo macho produce un sonido agudo frotando las alas.* **I** *s. m. pl.* 2 **grillos** Conjunto de dos grilletes unidos por una cadena que se coloca en los pies de los presidiarios para impedirles andar. FAM grillete.

grima *s. f.* Sensación desagradable que se produce en los dientes al comer sustancias agrias, oír sonidos chirriantes o tocar ciertos objetos: *me produce grima el sonido de las uñas al rozar con la pizarra.* SIN dentera.

gringo, -ga *s. m. y f.* 1 Persona que es de los Estados Unidos: *los sudamericanos llaman gringos a los estadounidenses de habla inglesa.* **I** 2 *adj.* fam. desp. Se aplica al idioma que es extranjero: *hablaba en lengua gringa.* **I** *adj./s. m. y f.* 3 fam. desp. AMÉR. Se aplica a la persona que es de origen extranjero, especialmente norteamericano o de rasgos anglosajones: *una*

muchacha gringa. 4 fam. desp. ARG., URUG. Se aplica a la persona que es extranjera o de ascendencia europea, excepto los españoles. 5 fam. desp. CHILE Se aplica la persona que es extranjera, generalmente de origen anglosajón o germano. 6 familiar MÉX. Se aplica a la cosa o persona que es originaria de Estados Unidos: *comida gringa; a los gringos les gusta el béisbol.*
hacerse el gringo familiar CHILE Fingir una persona que no entiende el tema del que se está hablando: *no sé para qué se hace el gringo si ya sabe de qué hablo.*

gripal *adj.* Relativo a la gripe: *los procesos gripales van acompañados de tos y fiebre.*
FAM antigripal.

griparse *v. prnl.* Quedarse atascadas dos o más piezas de un mecanismo, especialmente de un motor, que están en contacto: *el aceite evita que el coche se gripe.*

gripe *s. f.* Enfermedad vírica contagiosa que produce fiebre, dolor de cabeza y una sensación de malestar general.
FAM gripal, griposo.

griposo, -sa *adj.* 1 Que padece gripe. 2 Que tiene síntomas parecidos a los de la gripe: *catarro griposo.*

gris *s. m./adj.* 1 Color que resulta de la mezcla del blanco y el negro o azul: *el gris es el color del acero y el cemento.* ■ **gris marengo** Gris muy oscuro: *llevaba un traje gris marengo muy elegante.* NOTA También simplemente *marengo.* ■ **gris perla** Gris claro y brillante, como el de una perla. **I** *adj.* 2 Que es de este color: *tono gris.* 3 Se aplica al día o al cielo que está nublado, frío o lluvioso: *el invierno trae muchos días grises.* 4 Que no se destaca del resto: *una vida gris.*
FAM grisáceo, grisear; agrisado.

grisáceo, -cea *adj.* Que tiene un tono gris: *blanco grisáceo; el agua del río estaba grisácea.* SIN agrisado.

grisalla *s. f.* Pintura realizada exclusivamente en tonos grises, imitando el efecto del relieve escultórico.

grisú *s. m.* Gas inflamable compuesto principalmente de metano que se desprende en las minas de carbón.
OBS Plural: *grisúes.*

gritar *v. tr./intr.* 1 Hablar dando voces o levantando mucho la voz. SIN chillar, vocear. **I** *v. intr.* 2 Dar gritos una persona por alguna causa determinada: *grita para desahogarse.* SIN chillar.
FAM grito, gritón.

griterío *s. m.* Conjunto de voces altas y poco claras que producen mucho ruido y confusión: *en el estadio había un gran griterío.* SIN vocerío.

grito *s. m.* 1 Sonido que se emite en voz muy alta y de manera fuerte o violenta: *gritos de dolor.* 2 Palabra o expresión que se emite en voz muy alta y manifiesta un sentimiento o una sensación: *el chico siempre llama a sus padres a gritos.*
a grito pelado Dando voces al hablar o decir una cosa: *llamar a alguien a grito pelado.*
pedir a gritos Necesitar una cosa con mucha urgencia: *las calles piden a gritos una remodelación.*
poner el grito en el cielo Mostrar una persona gran enfado o indignación ante una cosa.
ser el último grito Estar una cosa muy a la moda o ser muy nueva: *esos zapatos son el último grito.*
FAM gritería, griterío.

gritón, -tona *adj./s. m. y f.* familiar Se aplica a la persona que habla en un tono de voz muy alto o suele dar gritos por cualquier cosa. SIN chillón.

G

grogui *adj.* ① Se aplica al boxeador que ha perdido el conocimiento o que está aturdido a causa de un golpe muy fuerte. ② Se aplica a la persona que está aturdida o atontada por alguna causa: *el alcohol lo deja grogui*.

grosella *s. f.* ① Fruto en baya de pequeño tamaño, color rojo vivo y de sabor agridulce: *las grosellas se emplean para hacer bebidas y mermeladas.* ‖ *adj.* ② Que es de color rojo muy vivo: *una camisa grosella*.
FAM grosellero.

grosería *s. f.* Hecho o dicho descortés, maleducado o poco delicado.

grosero, -ra *adj./s. m. y f.* ① Se aplica a la persona que se comporta con poca educación y delicadeza y hace o dice cosas de mal gusto. ② Que es basto u ordinario: *es un grosero; un libro demasiado grosero*.
FAM grosería.

grosísimo, -ma *adj.* Superlativo de *grueso*.

grosor *s. m.* Espesor o anchura de un cuerpo sólido: *una tabla de poco grosor.* SIN grueso.
FAM engrosar.

grosso modo Expresión latina que significa 'de un modo aproximado o general, sin entrar en detalles': *el argumento es, grosso modo, la vida del autor*.

grotesco, -ca *adj.* Que produce risa o burla por ser extraño, ridículo o absurdo: *un espectáculo grotesco*.

grúa *s. f.* ① Máquina formada por una estructura metálica con un brazo móvil horizontal del que cuelga un cable con un gancho, que sirve para elevar cosas muy pesadas y para transportarlas de un lugar a otro a distancias cortas. ② Camión provisto de una máquina de estas características que se usa para remolcar automóviles averiados o que han aparcado en un lugar prohibido. ③ Aparato provisto de un brazo móvil sobre el que se sitúa una cámara de cine o televisión para grabar o registrar imágenes desde cierta altura.

grueso, -sa *adj.* ① Se aplica a la persona que está gorda o tiene mucha grasa en el cuerpo: *es un hombre grueso y muy corpulento.* ANT delgado, enjuto. ② Que tiene un grosor más grande del normal: *un lápiz muy grueso.* ANT delgado, fino. ③ Que es muy grande o más grande de lo normal: *la empresa ha obtenido gruesos beneficios.* ‖ *s. m.* ④ Grosor o espesor de un cuerpo sólido: *el grueso de la puerta blindada mide 6 cm.* SIN anchura. ⑤ Parte mayor y más importante de una cosa: *el grueso de la población está a favor del gobierno.*
FAM grosor; engrosar.
OBS Superlativo irregular: *grosísimo*.

grulla *s. f.* Ave zancuda de 1 m de altura, de color gris, cuello largo y negro, alas grandes y redondas y cola pequeña, que tiene unas plumas largas en la parte superior de la cabeza: *la grulla vuela a gran altura durante sus migraciones*.

grumete *s. m.* Muchacho que ayuda a la tripulación en las tareas de un barco para aprender a ser marinero.

grumo *s. m.* ① Parte más espesa de una sustancia disuelta en un líquido, que suele tener forma de bola pequeña: *la papilla tiene grumos.* ② Conjunto de cosas apiñadas, especialmente de hojas, flores o frutos, como el cogollo de la coliflor o la yema de los árboles.
FAM grumoso.

grumoso, -sa *adj.* Que está lleno de grumos: *una bechamel grumosa*.

gruñido *s. m.* ① Voz que emite el cerdo. ② Voz que emite el perro y otros animales para amenazar. ③ Sonido no articulado o palabra murmurada entre dientes que emite una persona para expresar enfado o desagrado.

gruñir [14] *v. intr.* ① Emitir gruñidos el cerdo. ② Emitir gruñidos el perro y otros animales para amenazar. ③ Emitir una persona sonidos no articulados o palabras murmuradas entre dientes en señal de enfado o desagrado. SIN refunfuñar.
FAM gruñido, gruñón.

gruñón, -ñona *adj.* Se aplica a la persona que emite con mucha frecuencia gruñidos o sonidos no articulados en señal de enfado o desagrado.

grupa *s. f.* Parte posterior del lomo de una caballería. SIN anca.

grupo *s. m.* ① Conjunto de personas, animales o cosas que están juntos o reunidos o que tienen una característica común: *las Baleares son un grupo de islas.* ② Palabra o conjunto de palabras que constituyen una unidad de sentido y que cumplen una función determinada con respecto a otros elementos de la oración; está constituido por un núcleo que le da nombre (grupo nominal, grupo verbal) y unos complementos. ③ Conjunto de figuras pintadas, esculpidas o fotografiadas: *en el grupo escultórico aparecen la Virgen, Jesús y san José.* ④ Unidad del ejército formada por varios escuadrones y que se encuentra bajo las órdenes de un comandante. ⑤ Columna del sistema periódico que contiene elementos de propiedades semejantes: *el helio forma parte del grupo de los gases nobles.*

grupo electrógeno Equipo formado por un motor de explosión y un generador que sirve para producir energía eléctrica.

grupo fónico Fragmento de la cadena hablada comprendido entre dos pausas sucesivas y que supone una unidad significativa, sintáctica y melódica; está determinado por motivos fisiológicos (tomar aire) o motivos semánticos: *en "por el camino, girando a la derecha, está mi casa" hay tres grupos fónicos.*

grupo funcional Asociación de átomos que caracteriza determinados compuestos químicos y les confiere unas propiedades químicas específicas: *el grupo funcional de los alcoholes es el R–OH.*

grupo sanguíneo Tipo de los que forman la clasificación de la sangre de las personas y que está en función del antígeno presente en los glóbulos rojos del plasma sanguíneo: *mi grupo sanguíneo es 0+.*
FAM grupal, grupúsculo; agrupar.

grupúsculo *s. m.* Organización de tipo político formada por un reducido número de miembros y caracterizada por un fuerte activismo y una ideología extremista: *grupúsculos fascistas.*

gruta *s. f.* Cavidad natural profunda que está situada en un lugar subterráneo o entre rocas: *bellísimas grutas excavadas por las aguas que se filtran.*

grutesco, -ca *adj.* Elemento decorativo propio del Renacimiento que combina figuras humanas, animales y vegetales enlazadas entre sí de forma compleja.

gruyer *s. m.* Queso suave, de color amarillo pálido y con agujeros en su interior, que se elabora con leche de vaca y cuajo triturado: *el gruyer es originario de Suiza.*

guaca [también **huaca**] *s. f.* ① Sepulcro de los antiguos indios americanos. ② AMÉR. Tesoro escondido o enterrado.

③ C. RICA, CUBA Hoyo donde se depositan frutas verdes para que maduren.

guacal [también **huacal**] *s. m.* ① AMÉR. Especie de jaula hecha con varillas de madera que se usa para transportar loza, frutas, etc. ② AMÉR. CENTRAL Árbol americano cuyos frutos, partidos por la mitad y vaciados, se usan como vasijas. ③ AMÉR. CENTRAL Vasija que se hace con este fruto.

guacamayo *s. m.* Ave parecida al papagayo que tiene la cola muy larga y el plumaje de colores muy vivos y variados: *los guacamayos viven en América del Sur.*

guache [se pronuncia aproximadamente 'guash'] *s. m.* Técnica pictórica que emplea colores diluidos en agua y mezclados con goma arábiga. **SIN** aguada.
OBS Puede encontrarse la grafía francesa *gouache*.

guacho, -cha *adj.* ① ARG., CHILE, COL., ECUAD. Se aplica a la cría que se ha quedado sin madre. ② ARG., CHILE, URUG. Huérfano. ③ CHILE Desparejado.

guaco *s. m.* ① Ave gallinácea propia de América del Sur, de carne muy apreciada. ② AMÉR. Nombre genérico con que se denomina a diversas plantas que se usan para curar picaduras venenosas, el reumatismo y el cólera.

guadalajareño, -ña *adj.* ① De Guadalajara (ciudad y provincia de Castilla-La Mancha). **SIN** alcarreño. ‖ *s. m. y f./adj.* ② Persona que es de Guadalajara. **SIN** alcarreño.

guadaña *s. f.* Herramienta que se usa para segar a ras de tierra, formada por un mango largo y una cuchilla ancha, curva y puntiaguda.

guadua *s. com.* COL., ECUAD., VENEZ. Nombre genérico con que se denomina a diversas plantas de tallos altos y gruesos que se usan especialmente en la construcción de casas.

guagua¹ *s. f.* ① ANT. Autobús o camión de servicio público. ② CUBA, R. DOM. Insecto muy pequeño de color blanco o gris, que destruye los naranjos y limoneros.

guagua² *s. com.* AMÉR. SUR Niño pequeño, bebé.

guagua³ *s. m.* ① COL. Mamífero roedor de América del Sur, de unos 50 cm de largo, pelaje espeso y lacio, hocico agudo y orejas pequeñas y redondas; su carne es muy apreciada. ② CUBA Cosa sin valor.
de guagua AMÉR. Gratis.

guaira¹ *s. f.* AMÉR. CENTRAL Flauta indígena de varios tubos.

guaira² *s. f.* AMÉR. CENTRAL Vela de barco con forma triangular.

guairo *s. f.* Velero pequeño usado en América para el tráfico costero.
FAM guaira.

guajira *s. f.* Canción popular de los campesinos cubanos, cuya letra está inspirada generalmente en las cosas del campo.

guajiro, -ra *s. m. y f.* Campesino de Cuba.

guajolote *s. m.* ① MÉX. Pavo (animal). ② MÉX. Tonto, bobo.

gualda *s. f.* Planta herbácea de la que se obtiene tinte amarillo.

gualdo, -da *adj.* culto Que es de color amarillo.

guanaco, -ca *s. m.* ① Mamífero rumiante no domesticable, parecido a la llama, pero de pelaje oscuro o rojizo, que vive en los Andes. ② CHILE Camión policial que dispara agua a gran presión. ‖ *adj./s. m. y f.* ③ AMÉR. Se aplica a la persona que es muy torpe, tonta o necia: *se creía muy listo, pero era un guanaco.* ④ fam. desp. ARG., COL., CHILE Se aplica a la persona

que es muy sucia y maleducada: *mira cómo escupe, ¡qué guanaco!* ‖ *s. m. y f.* ⑤ GUAT. Apodo que los guatemaltecos dan a todos los demás centroamericanos.

guanche *adj.* ① Relativo al conjunto de pueblos que habitó las islas Canarias hasta su conquista en el siglo XV. ‖ *s. com./adj.* ② Persona perteneciente a este pueblo. ‖ *s. m./adj.* ③ Lengua hablada por este pueblo.

guanera¹ *s. f.* AMÉR. Lugar cubierto de guano, en las costas peruanas y del antiguo litoral boliviano, usado como abono de sementeras.

guanera² *s. f.* ANT. Sitio poblado de palmeras.

guano *s. m.* ① Materia formada por los excrementos de las aves marinas, que se encuentra en gran cantidad en las costas del océano Pacífico de América del Sur; se utiliza como abono para la tierra. ② Abono artificial que se fabrica a imitación de esta materia.
FAM guanera.

guantazo *s. m.* Golpe que se da con la mano abierta.

guante *s. m.* Prenda que cubre la mano adaptándose a su forma y que tiene una funda para cada uno de los dedos; se usa para abrigar o proteger esta parte del cuerpo.
arrojar el guante Desafiar o retar a una persona para que luche o compita: *el jugador de ajedrez ha decidido arrojar el guante a su rival.*
como un guante o **más suave que un guante** En actitud dócil o fácil de tratar: *después de mi queja, los vecinos de al lado están como un guante.*
de guante blanco Se aplica al ladrón que actúa con habilidad y elegancia y no usa la violencia.
echar el guante familiar Coger o atrapar a una persona, especialmente un delincuente.
FAM guantada, guantazo, guantelete, guantera; enguantar.

guantera *s. f.* Compartimento situado en el salpicadero de un automóvil que sirve para guardar objetos pequeños, generalmente los que deben tenerse a mano.

guaperas *adj./s. m.* familiar Hombre que es guapo y presume de ello.
OBS Plural invariable.

guapo, -pa *adj./s. m. y f.* ① Se aplica a la persona de rasgos físicos bellos, especialmente los rasgos del rostro. **SIN** bello, hermoso. **ANT** feo. ② Se aplica a la persona que va bien vestida o arreglada: *te has puesto muy guapa para ir la la fiesta.* ‖ *adj.* ③ familiar Que gusta, que es bonito o de calidad: *una moto muy guapa.*
FAM guapamente, guapear, guaperas, guapura.

guaraca *s. f.* ① AMÉR. SUR Honda para tirar piedras. ② AMÉR. SUR Zurriago, látigo.
FAM guaracazo.

guaracazo *s. m.* ① AMÉR. SUR Chasquido que produce la honda al soltar la punta libre para impulsar la piedra con que está cargada. ② AMÉR. SUR Puñetazo dado con el brazo extendido hacia el costado y girando todo el cuerpo para impulsarlo.

guaracha *s. f.* Baile típico de Cuba, de origen andaluz, parecido al zapateado.

guaragua *s. f.* ① CHILE, ECUAD., PERÚ Requiebro o contoneo airoso al andar o bailar. ② GUAT., HOND. Mentira. ‖ *s. f. pl.* ③ **guaraguas** BOL., CHILE, PERÚ Adornos, líneas sinuosas a modo de arabescos.

guaraní *adj.* ① Relativo a un pueblo indígena sudamerica-

no que habitó el centro y sur del continente hasta la conquista del territorio por parte de los españoles en el siglo XVI. ‖ *s. com./adj.* ② Persona perteneciente a este pueblo. ‖ *s. m./adj.* ③ Lengua hablada por este pueblo: *el guaraní es actualmente, junto con el español, el idioma oficial de Paraguay.* ‖ *s. m.* ④ Unidad monetaria de Paraguay.
OBS Plural: *guaraníes*.

guarda *s. com.* ① Persona que se encarga de la vigilancia y el cuidado de una cosa, especialmente un lugar: *el guarda de un museo; los guardas forestales.* **SIN** vigilante. ■ **guarda jurado** Guarda nombrado por la autoridad para vigilar empresas o fincas privadas. ‖ *s. f.* ② Acción de cuidar de una cosa o persona o de poner una cosa en el lugar adecuado: *comienza la guarda del pasto recogido en primavera.*
FAM guardés.

guardabarrera *s. com.* Empleado de ferrocarril que se encarga de la vigilancia de un paso a nivel.

guardabarros *s. m.* Pieza larga, convexa y curva que llevan los automóviles y bicicletas encima de las ruedas para protegerlos de las salpicaduras.
OBS Plural invariable.

guardabosques o **guardabosque** *s. com.* Persona que se dedica a vigilar y cuidar los bosques de una determinada zona.
OBS Plural: *guardabosques.*

guardacoches *s. com.* Persona que aparca y vigila los automóviles que están estacionados en un aparcamiento.
OBS Plural invariable.

guardacostas *s. m.* Barco ligero que está destinado a la vigilancia de las costas y a la persecución del contrabando.
OBS Plural invariable.

guardaespaldas *s. com.* Persona que se dedica a acompañar a otra para protegerla de posibles agresiones.
OBS Plural invariable.

guardafango *s. m.* BOL., ECUAD., GUAT., PERÚ Guardabarros.

guardagujas *s. com.* Empleado de ferrocarril que se encarga de manejar las agujas en los cruces de vías.
OBS Plural invariable.

guardameta *s. com.* Jugador que se sitúa delante de la portería y se encarga de evitar que entre la pelota. **SIN** portero.

guardamuebles *s. m.* Local que está destinado a guardar muebles.
OBS Plural invariable.

guardapolvo *s. m.* ① Prenda de vestir larga, ancha y de tela ligera, que se coloca sobre la ropa y sirve para protegerla de la suciedad. ② Funda que se pone sobre un objeto para impedir que se llene de polvo.

guardar *v. tr.* ① Poner o colocar una cosa en un sitio adecuado para que no se pierda o para que se conserve en buen estado: *guarda la llave en el cajón .* ② Vigilar a una persona o una cosa para protegerla y cuidarla: *dos perros guardan la finca.* ③ Cumplir una persona una regla o norma: *en las bibliotecas se guarda silencio.* ④ Mantenerse en una posición o situación durante un periodo determinado de tiempo: *supieron guardar bien el equilibrio.* ⑤ Conservar o retener una cosa: *de mi niñez no son precisamente buenos recuerdos los que guardo.* ‖ *v. prnl.* ⑥ **guardarse** Precaverse o prevenirse de una persona o cosa que encierra daño o peligro: *¡ya se guardará usted de darme una bofetada!*
guardarla o **guardársela** No olvidar un mal recibido y es-

tar dispuesto a vengarse cuando se presente la ocasión: *cree que me voy a olvidar, pero yo esta me la guardo.*
FAM guarda, guardabarrera, guardabarros, guardabosque, guardacoches, guardacostas, guardaespaldas, guardagujas, guardameta, guardamuebles, guardapolvo, guardarropa, guardería, guardia.

guardarropa *s. m.* ① Lugar de un establecimiento público en el que los clientes pueden dejar chaquetas, abrigos, bolsos y cosas parecidas. ② Conjunto de las prendas de vestir que tiene una persona. **SIN** vestuario.
FAM guardarropía.

guardarropía *s. f.* ① Conjunto de trajes y accesorios que se emplean en una representación escénica de teatro, cine o televisión. ② Lugar donde se guardan estos trajes y accesorios.

guardavalla *s. com.* familiar AMÉR. Guardameta.

guardería *s. f.* Establecimiento en el que se cuida a los niños que todavía no tienen edad de ir a la escuela.

guardia *s. f.* ① Conjunto de personas armadas o soldados que se encargan de vigilar y custodiar a una persona o una cosa. ■ **guardia civil** (I) Cuerpo de seguridad español que se encarga de mantener el orden fuera de las ciudades: *la guardia civil es un cuerpo armado que se creó en el siglo XIX.* (II) Persona perteneciente a este cuerpo. ■ **guardia de Corps** (I) Cuerpo de seguridad que se encarga de proteger al rey. (II) Persona que pertenece a este cuerpo. ■ **guardia roja** Grupo de jóvenes del partido comunista chino, partidarios de Mao Zedong (fundador de la República Popular de la China, 1893-1976): *la guardia roja tuvo un papel muy importante en la revolución cultural china.* ■ **guardia suiza** Cuerpo de seguridad que da escolta al papa y se ocupa del mantenimiento del orden en el Vaticano. ‖ *s. com.* ② Persona que pertenece a cualquiera de los cuerpos del estado que se encargan de vigilar y mantener el orden. ‖ *s. f.* ③ Protección o cuidado de una cosa. ④ Servicio especial y obligatorio que se realiza por turnos en algunas profesiones y que se hace fuera del horario normal de trabajo: *hoy el cirujano hace guardia.* ⑤ Servicio de vigilancia obligatorio que hacen por turnos los soldados de un ejército.
bajar la guardia Dejar de estar alerta ante un problema o peligro: *no te rindas y no bajes la guardia en el último examen.*
en guardia (I) Referido a la esgrima, en posición de defensa. (II) En actitud de defensa o de desconfianza: *el venado oyó un sonido cercano y se puso en guardia.*
FAM guardián.

guardián, -diana *s. m. y f.* ① Persona que se encarga de la vigilancia y el cuidado de una persona o cosa, especialmente un lugar. ‖ *s. m.* ② Superior de un convento franciscano.

guardilla *s. f.* ① Parte de una casa que está justo debajo del tejado y se utiliza como vivienda o habitación. **SIN** buhardilla. ② Ventana que se abre en un tejado y comunica con el desván o la guardilla. **SIN** buhardilla.
FAM guardillón.

guarecer [16] *v. tr.* Servir de refugio de un peligro o daño: *el porche nos guareció de la lluvia.*
FAM guarida.

guarida *s. f.* ① Lugar en el que se refugia un animal salvaje. ② Lugar donde se refugia y esconde un delincuente.

guarismo *s. m.* Cifra arábiga que expresa una cantidad: *el número 12 está formado por dos guarismos.*

guarnecer [16] *v. tr.* ① Poner adornos, colgaduras u otras

cosas que sirven de complemento. ② Proveer un lugar de soldados y armas que lo defiendan o protejan: *guarnecieron la fortaleza con tropas y artillería.* ③ Cubrir una pared o fachada con una capa fina de yeso, cemento u otro material, o pintarla, para mejorar su acabado.
FAM guarnición; desguarnecer.

guarnición *s. f.* ① Adorno que se pone a un lugar, vestido u otra cosa. ② Alimento o conjunto de alimentos que se sirve acompañando el plato principal: *un bistec con guarnición de ensalada.* ③ Conjunto de soldados que está en un lugar para defenderlo o protegerlo. ④ Pieza de la empuñadura de una espada u otra arma blanca similar que cubre y protege el puño. **|** *s. f. pl.* ⑤ **guarniciones** Conjunto de correas y otros objetos que se ponen a las caballerías para montarlas o engancharlas al carro.
FAM guarnicionero.

guarrada *s. f.* ① familiar Cosa sucia o asquerosa: *¡qué guarradas estáis haciendo con la comida!* **SIN** cochinada, guarrería, marranada. ② familiar Circunstancia o acto indecoroso u obsceno, contrario a la moral establecida. **SIN** cochinada, guarrería, marranada. ③ familiar Acción hecha con mala intención o que causa un perjuicio: *me haces una guarrada si no me vienes a recoger.* **SIN** cochinada, marranada.

guarrear *v. intr.* familiar Manchar o ensuciar una cosa o hacer porquerías con ella.

guarrería *s. f.* ① Guarrada. ② familiar Porquería (suciedad o basura): *después de la fiesta tendremos que recoger toda la guarrería.* ③ familiar Porquería (cosa para comer de baja calidad).

guarro, -rra *adj.* ① familiar Que está sucio o falto de limpieza: *lleva el coche muy guarro.* **|** *adj./s. m. y f.* ② familiar Se aplica a la persona que no cuida su aseo personal ni la higiene o limpieza de las cosas que lo rodean. **SIN** cerdo. **|** *s. m. y f.* ③ Animal mamífero doméstico de cuerpo grueso, patas cortas, hocico chato y redondeado y cola corta; su carne se utiliza para comer y elaborar embutidos. **SIN** cerdo.
FAM guarrada, guarrear, guarrería, guarrindongo.

guasa *s. f.* Broma o cosa que se dice para divertir o hacer reír: *no le hagas caso que está de guasa.*
FAM guasearse, guasón.

guasca *s. f.* AMÉR. SUR, ANT. Cuerda de cuero que se utiliza como rienda o látigo.

guaso, -sa *adj./s. m. y f.* ① AMÉR. SUR Se aplica al indígena chileno que vive en el campo. ② AMÉR. SUR Maleducado, malhablado, inculto. ③ CHILE Campesino.

guasón, -sona *adj./s. m. y f.* Se aplica a la persona que acostumbra a estar de guasa, diciendo cosas para divertir o hacer reír.

guata *s. f.* Lámina gruesa de algodón que se utiliza para acolchar o rellenar un tejido: *una bata de guata.*
FAM guateado; enguatar.

guate *s. m.* ① ARG., BOL. Tira delgada de cualquier material, especialmente la que se utiliza para sujetar los zapatos. ② GUAT., HOND. Gemelo o mellizo.

guatemalteco, -ca *adj.* ① De Guatemala (país de América Central y capital de dicho país). **|** *s. m. y f./adj.* ② Persona que es de Guatemala.

guateque *s. m.* Fiesta que se celebra en una casa particular, en la que se come, se bebe y se baila.

guau *s. m.* ① Palabra con la que se representa el sonido que hace un perro al ladrar. **|** *int.* ② **¡guau!** familiar Expresión que se usa para indicar admiración: *¡guau, vaya coche!*

guay *adj.* ① familiar Se aplica a la cosa que gusta, que es muy buena o estupenda: *tiene una casa guay.* ② familiar Se aplica a la persona que cae bien, gusta o es simpática. **|** *adv.* ③ familiar Muy bien, estupendamente.

guayaba *s. f.* ① Fruto del guayabo, en forma de baya ovalada, con una carne blanca o amarilla y llena de semillas pequeñas. ② AMÉR. Mentira.

guayabera *s. f.* Camisa de hombre que es suelta y de tela ligera y se lleva por fuera de los pantalones.

guayabo *s. m.* Árbol de la América tropical, de unos 5 m de altura, hojas ovaladas verde oscuro y cuyo fruto es la guayaba.

gubernamental *adj.* ① Relativo al gobierno o al estado. ② Que es partidario del gobierno de un estado o está a favor de él.
FAM gubernamentalista.

gubernativo, -va *adj.* Relativo al gobierno, especialmente a lo que es o procede del poder ejecutivo, en oposición a lo que pertenece a otros poderes del Estado: *prisión gubernativa; ley gubernativa.*

gubia *s. f.* Herramienta de carpintería formada por una barra de acero con el extremo biselado o cortado oblícuamente y unida a un mango de madera; se usa especialmente para labrar superficies curvas.

guedeja *s. f.* ① Mechón de una cabellera larga de una persona. ② Melena del león.

guepardo *s. m.* Mamífero felino carnívoro, de cuerpo esbelto y largo, cabeza pequeña y pelaje amarillento con manchas negras; es muy veloz; vive en sabanas y desiertos de África y Asia.

guerra *s. f.* ① Enfrentamiento continuado entre dos o más ejércitos de distintos países o del mismo país. **ANT** paz. ▪ **guerra biológica** o **guerra bacteriológica** Guerra que usa como arma de combate agentes biológicos nocivos, como bacterias o gérmenes. ▪ **guerra civil** Guerra que se produce entre bandos de un mismo país. ▪ **guerra santa** Guerra que se hace por motivos religiosos, para imponer la propia fe a países o pueblos considerados infieles: *las cruzadas fueron consideradas por los cristianos una guerra santa.* ② Enfrentamiento y oposición que se produce entre dos o más personas o grupos. **dar guerra** familiar Dar problemas o molestar: *a esta edad los niños dan mucha guerra.* **guerra fría** Situación de declarada hostilidad entre dos o más estados, sin llegar a un conflicto armado, especialmente la que mantuvieron el bloque soviético y el occidental al finalizar la Segunda Guerra Mundial hasta la caída del muro de Berlín.
FAM guerrear, guerrero, guerrilla; entreguerras, posguerra.

guerrear *v. intr.* Hacer la guerra, enfrentarse dos ejércitos o grupos armados.

guerrera *s. f.* Chaqueta ajustada y abrochada hasta el cuello que forma parte de algunos uniformes militares.

guerrero, -ra *adj.* ① Relativo a la guerra (conflicto armado). **SIN** bélico. **|** *s. m. y f.* ② Persona que lucha o interviene en una guerra de manera organizada, pero sin ser militar: *los guerreros de una tribu.* **|** *adj.* ③ familiar Se aplica al niño que es muy inquieto y revoltoso.
FAM guerrera.

G

guerrilla *s. f.* [1] Grupo de personas armadas que luchan contra un enemigo (el gobierno, un invasor, etc.), generalmente con el apoyo de parte de la población, mediante ataques por sorpresa, emboscadas y tácticas similares. [2] Sistema de lucha armada que practica este grupo armado, que consiste en ataques dispersos y desorganizados con el fin de debilitar al enemigo.
FAM guerrillero.

guerrillero, -ra *adj.* [1] Relativo a la guerrilla. ‖ *s. m. y f.* [2] Persona que forma parte de una guerrilla.

gueto *s. m.* [1] Barrio cerrado o aislado en que eran obligados a vivir los judíos en la Edad Media. **SIN** judería. [2] Barrio aislado o cerrado de algunas ciudades de Alemania, Italia y otros países en que fueron obligados a vivir los judíos durante los gobiernos nazi o fascista. [3] Barrio o parte de una ciudad en que viven personas de una misma cultura, etnia o procedencia.
OBS Puede encontrarse la grafía italiana *ghetto*.

guía *s. com.* [1] Persona que enseña y dirige a otra en su conducta o actitud para hacer o lograr una cosa: *Moisés es considerado libertador, guía y legislador de Israel.* [2] Persona que se dedica a acompañar a otras en un recorrido o viaje porque conoce bien el camino y la zona: *buen conocedor del desierto, se convirtió en guía de caravanas.* [3] Persona que se dedica a informar a los visitantes de un lugar, un museo o una exposición sobre las cosas que van viendo. ‖ *s. f.* [4] Cosa que ayuda a encontrar el camino que se ha de seguir para ir a un lugar o que orienta acerca de la conducta o actitud que hay que tener: *las fotografías te servirán de guía.* [5] Libro de consulta donde se puede encontrar la información necesaria para conocer un país, una ciudad o una zona geográfica a la que se va de viaje: *una guía de los Alpes suizos.* [6] Libro de consulta donde se puede encontrar una serie de datos e informaciones acerca de un servicio; generalmente se ordena por orden alfabético o por materias: *guía de restaurantes; guía telefónica.* [7] Libro de consulta en el que se da la información y consejos sobre un oficio o una actividad: *la guía del automovilista es muy útil.* [8] Libro que contiene las instrucciones de uso de un aparato o máquina: *la guía de instrucciones de la lavadora.* [9] Carril o ranura de un mecanismo por la que se desliza otra pieza del mismo mecanismo u otra cosa, impidiendo que se desvíe: *la persiana se ha salido de la guía.* [10] Tallo o rama principal de una planta o árbol que guía o dirige su crecimiento.

guiar *v. tr.* [1] Indicar el camino a seguir mediante instrucciones o señales: *unas luces lejanas nos guiaron hasta la carretera.* [2] Acompañar a una persona a un lugar al que no sabe ir o conducir una cosa por un lugar: *guiar el agua por una acequia.* [3] Dirigir u orientar a una persona en una decisión a tomar, en cuanto a su actitud o conducta: *tu padre es un hombre bueno por cuyo consejo debo guiarme.* ‖ *v. prnl.* [4] **guiarse** Dejarse llevar o dirigir por una cosa que ayuda a orientarse: *guíate por los ejemplos.*
FAM guía.
OBS Verbo regular, se acentúa como *desviar*.

guijarro *s. m.* Piedra pequeña alisada o redondeada por la corriente del agua.
FAM guijarral; enguijarrado.

guillotina *s. f.* [1] Mecanismo consistente en una hoja ancha y afilada que cae deslizándose por un armazón de madera, usada para cortar la cabeza a los condenados a muerte: *la guillotina fue el sistema de ejecución más empleado durante la Revolu-* ción Francesa. [2] Máquina provista de una cuchilla muy afilada que sirve para cortar por igual varias hojas de papel.
FAM guillotinar.

guillotinar *v. tr.* [1] Decapitar o cortar la cabeza a una persona con una guillotina. [2] Cortar papel con la guillotina o máquina provista de una cuchilla afilada.

guinda *s. f.* [1] Fruto del guindo, parecido a la cereza pero más redondo, de color rojo oscuro y sabor ácido. [2] Detalle que pone fin a una cosa o supone el punto más alto al cual podía llegar.
FAM guindal, guindilla, guindo.

guindilla *s. f.* Variedad de pimiento pequeño, alargado y rojo que pica mucho.

guindo *s. m.* Árbol parecido al cerezo, de hojas ovaladas y dentadas, flores blancas y cuyo fruto es la guinda.

guineano, -na *adj.* [1] De Guinea Ecuatorial, de Guinea Bissau o de Guinea Conakry (países de África). ‖ *s. m. y f./ adj.* [2] Persona que es de Guinea Ecuatorial, Guinea Bissau o Guinea Conakry.

guiñapo[1] *s. m.* [1] Prenda de vestir rota, sucia o estropeada. **SIN** andrajo. [2] Persona débil, enfermiza o muy decaída moralmente.

guiñapo[2] *s. m.* AMÉR. SUR Harina de maíz una vez germinado, que se utiliza para hacer una clase especial de chicha (bebida alcohólica).

guiñar *v. tr.* [1] Cerrar y abrir con rapidez un ojo dejando el otro abierto, generalmente para hacer una señal. [2] Cerrar un poco los ojos a causa de una luz deslumbrante o molesta.
FAM guiñada, guiño.

guiño *s. m.* [1] Gesto que consiste en cerrar y abrir con rapidez un ojo dejando el otro abierto, generalmente para hacer una señal. [2] Mensaje implícito que no se expresa claramente sino mediante algún tipo de señal.

guiñol *s. m.* Representación teatral que se hace con títeres o muñecos movidos con las manos por personas que están ocultas tras el escenario.

guion o **guión** *s. m.* [1] Signo gráfico de puntuación en forma de raya horizontal (-) que se usa principalmente para indicar que una palabra termina en un renglón y continúa en el siguiente y para unir las dos partes de algunas palabras compuestas. [2] Texto escrito de manera esquemática que sirve como guía o ayuda para desarrollar una exposición. [3] Texto que contiene los diálogos y las indicaciones necesarias para la realización de una película o un programa de radio o televisión.
FAM guionista.

guionista *s. com.* Persona que se dedica a escribir guiones de cine, radio o televisión.

guipur *s. m.* Encaje con muchos calados.

guipuzcoano, -na *adj.* [1] De Guipúzcoa (provincia del País Vasco). ‖ *s. m. y f./adj.* [2] Persona que es de Guipúzcoa.

guiri *s. com.* familiar Persona que es un turista extranjero.

guirigay *s. m.* Griterío y confusión que resulta cuando varias personas hablan a la vez o en voz muy alta.
OBS Plural: *guirigáis*.

guirlache *s. m.* Dulce que se elabora mezclando almendras tostadas y caramelo, dándole forma de turrón o tableta y dejando que se endurezca.

guirnalda s. f. Tira hecha con flores, hojas, papel u otro material entretejido que se cuelga de un lugar como adorno: *las guirnaldas que se utilizan para decorar un árbol de Navidad.*

güiro s. m. Instrumento musical de percusión formado por una calabaza hueca de forma alargada y con estrías horizontales que se toca rascándolo verticalmente con un palo pequeño, una varilla metálica o una baqueta: *el güiro se usa en la música popular latinoamericana.*

guisa s. f. familiar Modo o manera de hacer o arreglar una cosa, de vestirse, etc.: *pusieron una sábana a guisa de mantel.* **FAM** desaguisado.

guisado s. m. Guiso de carne o pescado troceados, mezclados con otros ingredientes y cocidos con una salsa.

guisante s. m. 1 Planta de tallo trepador, flores blancas y fruto en vaina que encierra las semillas dispuestas en hilera. 2 Semilla comestible de esta planta, de forma redonda y color verde oscuro.

guisar v. tr./intr. 1 Cocinar un alimento sometiéndolo a la acción del fuego. 2 Cocinar carne, pescado, verduras, patatas y otros ingredientes, troceándolos y cociéndolos en una salsa a fuego lento en olla o sartén tapadas. ‖ v. prnl. 3 **guisarse** familiar Prepararse u organizarse una cosa de manera secreta: *aquí se guisa algo gordo.* **SIN** cocerse. **FAM** guisado, guiso.

guiso s. m. Comida que se prepara con carne, pescado, verduras, patatas y otros ingredientes, troceados y cocidos en salsa a fuego lento en olla o sartén tapadas: *el estofado es un guiso de ternera y patatas.*

güisqui [también **whisky**, más usado] s. m. Bebida alcohólica de alta graduación, de color marrón claro o amarillento, que se obtiene de la destilación de cereales, especialmente cebada.

guita s. f. 1 Cuerda delgada hecha con fibras de la planta del cáñamo. 2 familiar Dinero: *estoy sin guita.*

guitarra s. f. 1 Instrumento musical de cuerda formado por una caja hueca de madera de formas redondeadas con un agujero redondo en medio, unida a un mástil con seis cuerdas que se divide en diferentes partes o trastes. **NOTA** También *guitarra española.* ■ **guitarra eléctrica** Instrumento musical eléctrico que es como una guitarra española pero con la caja compacta y que se conecta a un amplificador y unos altavoces para aumentar el sonido producido por la vibración de las seis cuerdas. **NOTA** También simplemente *guitarra.* ‖ s. com. 2 Persona que toca este instrumento en una orquesta o conjunto musical. **FAM** guitarreo, guitarrero, guitarrillo, guitarrista.

guitarrero, -ra s. m. y f. Persona que se dedica a fabricar o vender guitarras.

guitarrillo s. m. Guitarra pequeña de cuatro cuerdas; es de uso popular. **SIN** requinto.

guitarrista s. com. Persona que toca la guitarra.

gula s. f. Tendencia que tiene una persona a comer y beber en exceso, sin tener hambre.

gurriato s. m. Cría del gorrión.

gurrumina s. f. 1 AMÉR. Malestar, cansancio. 2 AMÉR. Cosa sin importancia.

gurrumino, -na adj./s. m. y f. 1 AMÉR. Cobarde. 2 AMÉR. Niño.

gurruño s. m. Tela, papel u otra cosa parecida que está arru-

gada, generalmente por descuido o porque se desecha: *su traje dominical está hecho un gurruño.* **FAM** engurruñar.

gurú s. m. 1 Maestro espiritual del hinduismo. 2 Persona a quien se considera maestro o guía espiritual. 3 Persona influyente en un grupo de especialistas expertos: *el gurú de la economía.*

gusanillo s. m. 1 Alambre doblado sobre sí mismo en forma similar a un gancho que sirve para colgar cortinas. 2 familiar Inquietud o curiosidad que tiene una persona por una afición o por conocer una noticia u otra cosa: *estaré con el gusanillo hasta que no me diga si están saliendo juntos o no.* **matar el gusanillo** familiar Satisfacer el hambre de manera momentánea: *tómate unas olivas para matar el gusanillo.*

gusano s. m. 1 Animal invertebrado generalmente pequeño, de cuerpo alargado, plano o cilíndrico, blando y sin extremidades, que se mueve encogiendo y estirando el cuerpo; vive bajo tierra, en el agua o como parásito de otros animales o de plantas: *la lombriz y la tenia son gusanos.* 2 Larva de algunos insectos u oruga de las mariposas. ■ **gusano de seda** Oruga de una especie de mariposa que teje el capullo con hilo de seda. 3 fam. desp. Persona insignificante o despreciable.

gusano de luz Insecto de la familia de los escarabajos, de hasta 2 cm de longitud, cuerpo blando y alargado, cuya hembra desprende una luz verdosa en el extremo posterior de su cuerpo para aparearse. **SIN** luciérnaga. **FAM** gusanera; agusanarse.

gusarapo s. m. Animal con aspecto de gusano que vive en el agua.

gustar v. intr. 1 Producir satisfacción, placer o una sensación agradable. 2 Atraer físicamente a una persona: *ese chico me gusta.* 3 culto Sentir agrado o afición por una cosa: *gustaba de salir por las noches.* ‖ v. tr. 4 culto Probar o tomar un alimento o bebida que es bueno, que gusta: *gustaron un buen vino.* **SIN** degustar. 5 culto Probar o experimentar una cosa agradable: *de viaje, gustó distintos ambientes.* **¿gusta?** Se utiliza como fórmula de cortesía con la que una persona que está comiendo o bebiendo invita a otra a sumarse a ella: *—Soy una consumidora empedernida de golosinas, ¿usted gusta? —No, gracias.* **FAM** degustar.

gustativo, -va adj. Relativo al sentido del gusto: *glándulas gustativas.*

gustazo s. m. familiar Gran satisfacción, placer o sensación agradable: *hoy vamos a darnos el gustazo de comer en un restaurante caro.*

gusto s. m. 1 Sentido corporal mediante el cual se perciben y se reconocen los sabores. 2 Sabor de una cosa que se percibe a través de este sentido: *algunos medicamentos tienen mal gusto.* 3 Satisfacción, placer o sensación agradable que produce una cosa: *es un gusto oírles hablar de matemáticas.* 4 Cosa que resulta un placer y se desea tener: *le complacía en todos sus gustos.* 5 Forma propia que tiene cada persona de valorar una cosa: *acepto a las personas que no opinan como yo o tienen otros gustos.* 6 Capacidad que tiene una persona para distinguir entre lo que es bello y lo que no lo es: *esta chica tiene un gusto horrendo; tiene mucho gusto para vestir.* 7 Inclinación o interés que muestra una persona hacia una cosa que le gusta, que valora personalmente como buena o satisfactoria. **a gusto** Cómodamente: *¡qué a gusto se está aquí!*

G

coger el gusto Aficionarse a una cosa: *le estoy cogiendo el gusto a pasear por la playa.*

con mucho gusto Expresión de cortesía que se utiliza cuando se accede a una petición para indicar que se hace con placer: *con mucho gusto os acompañaré.*

dar gusto Hacer aquello que agrada a una persona o complacerla: *quieren que me retire del ciclismo, pero no les voy a dar el gusto.*

el gusto es mío Expresión de cortesía con que se responde a expresiones como *mucho gusto* o *tanto gusto* cuando una persona presenta a otra: *—Este es mi cuñado. —Mucho gusto. —El gusto es mío.*

mucho gusto o **tanto gusto** Expresión de cortesía que se usa como respuesta cuando se presenta a una persona: *—Te presento a mi marido. —Tanto gusto.*

que da gusto o **que es un gusto** Mucho o muchísimo: *con esta lluvia, nos vamos a mojar que da gusto.*

FAM gustar, gustativo, gustazo, gustoso; regusto.

gustoso, -sa *adj.* ① Se aplica a la persona que hace una cosa con gusto, con placer y agrado: *te acompañaré gustoso al aeropuerto.* ② Se aplica al alimento o la bebida que tiene buen gusto o mucho gusto: *un vino gustoso; esta parte del lomo es muy gustosa.*

gutapercha *s. f.* Sustancia gomosa, traslúcida, sólida, flexible e insoluble en agua que se extrae de cierto árbol asiático y se emplea para impermeabilizar telas.

gutural *adj.* ① Relativo a la garganta (parte del cuerpo). ② Se aplica al sonido consonántico que se articula en la parte posterior de la boca o en la garganta: *la "g" de "geranio" y la "c" de "casa" corresponden a fonemas guturales.* ‖ *s. f./adj.* ③ Letra que representa este sonido. ‖ *adj.* ④ Se aplica a la voz, al canto o a la pronunciación que nace de la garganta o en el que abundan sonidos nacidos en la garganta.

gymkhana o **gymkana** [se pronuncia aproximadamente 'yimcana'] *s. f.* Gincana.

G

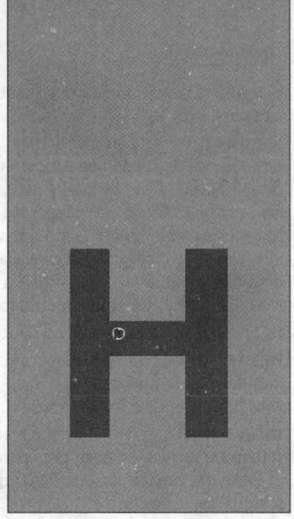

h *s. f.* Octava letra del alfabeto español; su nombre es *hache*.

haba *s. f.* ① Planta herbácea leguminosa de flores blancas o rosadas con manchas negras y fruto en vaina larga y gruesa que encierra las semillas en hilera. ② Fruto comestible de esta planta, consistente en una vaina larga y gruesa que encierra las semillas. ③ Semilla comestible de esta planta, gruesa, plana y de color verde claro. ④ Semilla de ciertos frutos, como el café o el cacao.

ser habas contadas (I) Ser o quedar un número concreto pero escaso: *los días que nos quedan para las vacaciones son habas contadas*. (II) Ser una cosa cierta o segura: *van a internarlo: son habas contadas*.

FAM habar.

OBS Los artículos de singular son *el* y *un*, salvo que entre artículo y sustantivo haya otra palabra.

habanera *s. f.* ① Canción o música originaria de Cuba, de compás binario, tiempo moderado y ritmo sincopado que imita el balanceo de un barco: *la habanera es típica de España a raíz de los contactos que hubo con Cuba en el siglo XIX*. ② Baile que se ejecuta al ritmo de esta canción o música.

habanero, -ra *adj.* ① De La Habana (capital de Cuba). ‖ *s. m. y f./adj.* ② Persona que es de La Habana.

FAM habanera.

habano *adj./s. m.* Se aplica al cigarro puro elaborado en la isla de Cuba.

haber¹ [30] *v. auxiliar* ① Se usa para formar los tiempos compuestos e indica que la acción, el proceso o el estado expresado por el verbo ha terminado: *he visto a Laura y la he saludado*. ‖ *v. impersonal* ② Existir o estar presente en un lugar: *no hay quien te aguante hoy*. ③ Tener lugar o suceder una cosa: *hubo un importante crecimiento de la población*.

de lo que no hay Se usa para ponderar una cualidad de alguien o algo, generalmente negativa: *menudo disgusto tiene vuestra pobre madre, ¡es que sois de lo que no hay!*

haber de + *infinitivo* Estar obligado a una cosa: *hemos de cumplir ciertos requisitos*. **SIN** deber.

haber que + *infinitivo* Ser necesaria una cosa: *habrá que introducir modificaciones*.

habérselas Enfrentarse con una persona o situación.

habido y por haber Se aplica a una cosa, generalmente indefinida, que puede imaginarse o concebirse: *hace negocios con todo lo habido y por haber*.

no hay de qué Fórmula de cortesía usada como respuesta de palabras como *gracias* o *perdón*.

haber² *s. m.* ① Conjunto de bienes, dinero o cosas que posee una persona o una comunidad: *tiene haberes cuantiosos*. **NOTA** También en plural con el mismo significado que en singular. ② Dinero que se cobra periódicamente por la realización de un trabajo o un servicio: *hay que pagarle sus haberes al abogado*. **NOTA** También en plural con el mismo significado que en singular. ③ Parte del balance o de la cuenta del banco en la que se ponen las sumas o ingresos de los que se dispone: *el debe no ha de ser mayor que el haber*.

habichuela *s. f.* ① Planta herbácea leguminosa de tallo delgado y en espiral, hojas grandes, flores blancas o amarillas y fruto en vaina. **SIN** alubia, fríjol, judía. ② Fruto comestible de esta planta, en forma de vaina o cáscara flexible y alargada que encierra las semillas en hilera. **SIN** alubia, fríjol, judía. ③ Semilla comestible contenida en esta vaina, de color blanco o rojizo y forma arriñonada. **SIN** alubia, fríjol, judía.

hábil *adj.* ① Se aplica a la persona que puede hacer una cosa fácilmente y bien. **ANT** torpe. ② Que es apto legalmente para realizar una acción: *lo declararon hábil para el servicio militar*. ③ Se aplica al periodo de tiempo, especialmente días u horas, en el que una oficina funciona: *los domingos no son días hábiles*.

FAM habilidad, habilitar; inhábil.

habilidad *s. f.* Capacidad de una persona para hacer una cosa bien y fácilmente. **ANT** torpeza.

FAM habilidoso.

habilidoso, -sa *adj.* Se aplica a la persona que es hábil, especialmente para hacer labores manuales.

habilitación *s. f.* ① Adaptación o adecuación de una cosa para que desempeñe una función que no es la que tiene habitualmente. ② Autorización legal que se da a una persona para hacer una cosa. ③ Concesión de una cantidad de dinero por parte de la administración pública para la realización de un proyecto.

habilitado, -da *s. m. y f.* Persona que se encarga de cobrar y organizar el dinero y otros bienes de alguien que lo capacita para ello.

habilitar *v. tr.* ① Dar a una cosa las condiciones necesarias para que desempeñe una función que no es la que tiene habitualmente: *si tenemos muchos invitados podemos habilitar el salón como comedor.* ② Dar capacidad legal a una persona para hacer una cosa: *el carné de conducir nos habilita para poder llevar un coche.* ③ Conceder la Administración pública una cantidad de dinero para la realización de un proyecto.
FAM habilitación, habilitado; inhabilitar, rehabilitar.

habitabilidad *s. f.* Cualidad de lo que es habitable.

habitable *adj.* Que tiene las condiciones necesarias para ser habitado. **ANT** inhabitable.
FAM habitabilidad; inhabitable.

habitación *s. f.* ① Parte del espacio de una casa o edificio separada de las demás por paredes. **SIN** cuarto, pieza. ② Parte del espacio de una vivienda que se usa para dormir. **SIN** cuarto, dormitorio.

habitáculo *s. m.* ① Vivienda de una persona, especialmente tosca o sencilla. ② Espacio disponible para las personas en el interior de un automóvil.

habitante *s. m.* Persona que vive en un lugar determinado y forma parte de la población.

habitar *v. intr.* ① Desarrollarse un ser vivo o un grupo de personas, como una etnia o tribu, en un hábitat, clima o lugar determinado. ‖ *v. tr.* ② Tener una casa, un edificio, etc. como residencia o lugar para vivir.
FAM habitable, habitación, habitáculo, habitante, hábitat; cohabitar, deshabitar.

hábitat *s. m.* Conjunto de biotopos en el que puede vivir una especie de seres vivos.
OBS Plural: *hábitats.*

hábito *s. m.* ① Manera de actuar adquirida por la repetición regular de un mismo tipo de acto o por el uso reiterado y regular de una cosa. **SIN** costumbre. ② Facilidad para hacer una cosa, que se adquiere con la práctica: *cogió el hábito de comer poco.* ③ Vestimenta de los miembros de una orden religiosa. ④ Dependencia física o mental de una sustancia: *el hábito de fumar.*
colgar los hábitos Abandonar la carrera eclesiástica.
FAM habitual, habituar.

habitual *adj.* ① Que se hace a menudo, reiteradas veces, o que es frecuente: *su residencia habitual.* ② Se aplica a la persona, especialmente un cliente, que va a menudo a un establecimiento u otro lugar: *cautivó al público habitual de los teatros.*
FAM habitualidad.

habituar *v. tr.* Hacer que una persona coja una costumbre o un hábito con la repetición regular de un mismo acto o de un uso reiterado y regular de una cosa. **SIN** acostumbrar.
FAM habituación; deshabituar.
OBS Verbo regular, se acentúa como *actuar.*

habla *s. f.* ① Capacidad natural de una persona para hablar o comunicarse con palabras. ② Lengua o idioma que se habla en un territorio determinado: *países de habla hispana.* ③ Variedad lingüística propia de una región o un lugar determinados que se caracteriza por ciertos rasgos distintivos: *hablas regionales y hablas locales.* ④ Acto particular e individual que cada hablante hace del sistema lingüístico: *el concepto de "habla", en la teoría estructuralista, se opone al de "lengua".*

al habla (I) Se usa como contestación telefónica e indica que la persona con la que se quiere hablar ya está a la escucha: —*¿Es usted Mario? —Al habla.* (II) En contacto o en comunicación por teléfono u otro sistema parecido: *nos pondremos al habla con usted.*
FAM hablilla.
OBS Los artículos de singular son *el* y *un,* salvo que entre artículo y sustantivo haya otra palabra.

hablador, -ra *adj.* Se aplica a la persona que habla mucho: *es un niño muy hablador.*
FAM habladuría.

habladuría *s. f.* Rumor falso o sin fundamento que corre de unas personas a otras.
OBS Más en plural.

hablante *adj./s. com.* Se aplica a la persona que habla una lengua.

hablar *v. intr.* ① Expresarse o comunicarse una persona mediante palabras. ② Pronunciar o articular palabras: *habla tartamudeando; los loros hablan.* ③ Conversar dos o más personas acerca de un asunto: *hablaré contigo más tarde.* ④ Pronunciar una persona un discurso: *el ministro hablará mañana en el parlamento.* ⑤ Comunicarse dos o más personas mediante signos distintos de la palabra: *los sordomudos se hablan por medio de un lenguaje de signos con las manos.* ⑥ Murmurar sobre un asunto o una persona o criticarlo: *su noviazgo dará que hablar.* ⑦ Decir la verdad o lo que se sabe acerca de un asunto: *el cómplice habló y pudieron coger al ladrón.* **SIN** confesar. ⑧ Tratar de un asunto o tema de palabra o por escrito: *en la unidad 13, hablaremos de Miguel Hernández.* ⑨ Dar a una persona un determinado tratamiento al dirigirse a ella: *háblame de tú.* **SIN** tratar. ‖ *v. tr.* ⑩ Conocer y poder usar un idioma para expresarse o comunicarse: *habla inglés y alemán.* ‖ *v. prnl.* ⑪ **hablarse** Tratarse de palabra o relacionarse dos o más personas: *llevamos meses sin hablarnos.*
¡ni hablar! familiar Expresión que indica negación completa.
FAM habla, hablador, hablante; bienhablado, malhablado.

habón *s. m.* Bulto pequeño o grano de forma parecida a la de un haba, que sale en la piel a causa una alergia o de la picadura de un insecto.

hacedor, -ra *s. m. y f.* Persona que hace una cosa: *Dios es el supremo hacedor.*

hacendado, -da *adj./s. m. y f.* Se aplica a la persona que tiene muchos bienes en forma de tierras y fincas.

hacendoso, -sa *adj.* Se aplica a la persona que hace con cuidado y esmero las tareas de la casa.

hacer [31] *v. tr.* ① Crear una cosa o darle existencia: *hacer un poema; Dios hizo al hombre y la mujer.* ② Construir o fabricar una cosa a partir de elementos materiales: *se hizo una casa en Lanzarote.* ③ Arreglar o preparar una cosa: *hacer la cama; hacer la comida.* ④ Causar o producir: *mi hijo hace mucho ruido cuando ensaya con la batería.* ⑤ Realizar una acción o tarea: *tengo que hacer el trabajo para mañana.* ⑥ Conseguir o ganar una cosa: *hacer amigos; ha hecho mucho dinero.* ⑦ Creer o suponer una cosa: *te hacía de vacaciones; la hacía más joven.* ⑧ Ejercitar los miembros o los músculos del cuerpo para fomentar su desarrollo o agilidad: *el pianista está haciendo dedos.* ⑨ Actuar una persona de una determinada manera: *hacer el tonto.* ⑩ Obligar a realizar una acción o a que se produzca una cosa: *nos hizo venir aunque estábamos enfermos.* ⑪ Dar dos o más cifras sumadas como resultado otra: *ocho y dos hacen diez.* ⑫ Ocupar un lugar en una serie o fila: *este chico hace el* *quinto de siete nietos.* **13** Dar una cosa un determinado aspecto a una persona: *el negro nos hace más delgados.* **14** Alcanzar un vehículo cierta velocidad: *este coche hace 250 kilómetros por hora.* **15** Recorrer una distancia o un camino: *hice el Camino de Santiago en verano.* **16** familiar Emitir o producir un sonido: *el perro hace "guau".* **17** familiar Expulsar los excrementos: *hacer pis.* **18** Adaptar a una persona a una situación o costumbre: *enseguida me hago a todo.* **19** Fingir una persona hacer una cosa: *hace que trabaja pero en realidad está chateando.* ‖ *v. intr.* **20** Representar a un personaje en una película u obra de teatro: *Olivia de Havilland hizo de protagonista en «Lo que el viento se llevó».* **21** Convenir o ser apropiada una cosa a un asunto o conversación o a una persona: *este vestido no hace para ti.* **22** Desempeñar una persona determinado cargo o empleo, especialmente cuando solo es de manera temporal: *ha jugado en todas las posiciones, solo le queda hacer de portero.* ‖ *v. auxiliar* **23** Sustituye a un verbo aparecido anteriormente e indica que se ejecuta la acción señalada por él: *necesito descansar pero no puedo hacerlo.* ‖ *v. impersonal* **24** Estar el tiempo atmosférico de una determinada forma: *hace calor; hace buen tiempo.* **25** Pasar o transcurrir un cierto periodo de tiempo: *hacía tres años que no nos veíamos.* ‖ *v. prnl.* **26** **hacerse** Convertirse una persona o una cosa en algo diferente de lo que era: *se ha hecho viejo.* **27** Conseguir o alcanzar un objeto o fin: *se hizo con el triunfo.* **28** Tener una persona una impresión sobre una cosa: *la vuelta se me hizo más corta.* **29** Apartarse o retirarse una persona de un sitio: *hazte a un lado.* **30** Fingir una persona ser una cosa que no es: *se hace el tonto para que no le pregunten.*

hacerla familiar Hacer una gamberrada o una acción perjudicial o dañina: *la han hecho buena escondiendo los exámenes al profesor.*

FAM hacedor, hecho; deshacer, quehacer, rehacer.

OBS Participio irregular: *hecho.*

hacha¹ *s. f.* Herramienta para cortar madera constituida por una hoja de metal plana, ancha y afilada unida a un mango de madera: *en la Prehistoria se usaban hachas con hojas de piedra.*

enterrar (o desenterrar) el hacha de guerra Finalizar (o comenzar) una enemistad, un enfrentamiento o un conflicto: *la patronal quiere enterrar el hacha de guerra y negociar.*

FAM hachazo.

OBS Los artículos de singular son *el* y *un*, salvo que entre artículo y sustantivo haya otra palabra.

hacha² *s. f.* Hachón.

ser un hacha familiar Ser muy sobresaliente o destacar en una cosa: *es un hacha haciendo webs.*

FAM hachón.

OBS Los artículos de singular son *el* y *un*, salvo que entre artículo y sustantivo haya otra palabra.

hachazo *s. m.* Golpe dado con un hacha.

hache *s. f.* Nombre de la letra *h.*

por hache o por be Por una causa o por otra.

hachís *s. m.* Composición que se elabora a partir de las hojas y flores secas del cáñamo y que se utiliza generalmente como droga.

hachón *s. m.* Vela de cera grande y gruesa. **SIN** hacha.

hacia *prep.* **1** Indica dirección o destino: *el tallo crece hacia el exterior.* **2** Indica el tiempo o el lugar aproximado: *la primera brújula fue construida en China hacia el año 150 a. C.*

hacienda *s. f.* **1** Finca que está dedicada a la agricultura.

2 Ministerio que se encarga de administrar los bienes y riquezas que posee un estado. ■ **hacienda pública** Conjunto de bienes, rentas e impuestos que recauda un estado y que se utiliza para financiar servicios para la población. **NOTA** También simplemente *hacienda.* **SIN** erario, fisco.

FAM hacendado, hacendista.

hacinado, -da *adj.* **1** Se aplica al conjunto de cosas del mismo tipo que se amontona o pone con estrechez en un lugar. **2** Se aplica al conjunto de personas o animales que están juntos o apretados en un espacio muy reducido: *viven hacinados en barrios marginales.*

hacinar *v. tr.* **1** Amontonar o poner juntas y con estrechez un conjunto de cosas del mismo tipo en un lugar: *las mercancías se hacinan en los muelles.* **2** Concentrar o poner a un grupo de personas o animales en un espacio muy reducido.

FAM hacinado, hacinamiento.

hacker [se pronuncia aproximadamente 'jáquer'] *s. com.* Persona con grandes conocimientos de informática que se dedica a acceder ilegalmente a sistemas informáticos ajenos y a manipularlos. **SIN** pirata informático.

OBS Plural: *hackers.*

hada *s. f.* Ser fantástico que está representado por una mujer y tiene poderes mágicos.

OBS Los artículos de singular son *el* y *un*, salvo que entre artículo y sustantivo haya otra palabra.

hado *s. m.* **1** Según la mitología clásica de Grecia y Roma, divinidad o fuerza desconocida que regía o determinaba el destino de los seres humanos y los dioses. **2** Fuerza supuesta y desconocida que determina lo que ha de ocurrir. **SIN** destino, sino.

FAM hada.

hafnio *s. m.* Elemento químico de símbolo *Hf* y número atómico 72; es un metal de transición plateado, dúctil y resistente a altas temperaturas, que en la naturaleza se encuentra muy a menudo junto con el circonio; se usa para fabricar ciertas estructuras o piezas de plantas nucleares, tubos de rayos láser, etc.

hagiografía *s. f.* **1** Obra literaria en la que se relata la vida de un santo. **2** Género literario constituido por estas obras.

FAM hagiográfico, hagiógrafo.

haitiano, -na *adj.* **1** De Haití (país de América Central). ‖ *s. m. y f./adj.* **2** Persona que es de Haití.

¡hala! *int.* **1** familiar Se utiliza para meter prisa a una persona o para indicar que una cosa sucede inmediatamente o muy rápido: *¡hala, que nos vamos!* **SIN** ¡hale! **2** familiar Se utiliza para mostrar sorpresa o para indicar que una cosa es exagerada o desmedida: *¡hala, esta página web no está mal!* **SIN** ¡hale! **3** familiar Expresión que se utiliza para dar ánimos. **SIN** ¡hale!

halagador, -ra *adj.* Que halaga.

halagar *v. tr.* **1** Hacer o decir una cosa como muestra de admiración hacia una persona para ganar la voluntad de esta. **2** Causar una cosa satisfacción u orgullo a una persona: *no le halagaba el ejercicio de esa profesión.*

FAM halagador, halago, halagüeño.

halago *s. m.* **1** Acción de halagar. **2** Hecho o dicho con que se halaga a una persona o se muestra admiración por ella para ganarse su voluntad.

halagüeño, -ña *adj.* **1** Se aplica a la cosa que es halagadora: *habló de ti en términos muy halagüeños.* **2** Se aplica a la

H

cosa que da muestras o indicios de que tendrá éxito o causará satisfacción.

halar *v. tr.* Tirar de un cabo, una lona o un remo. **SIN** jalar.

halcón *s. m.* Ave rapaz diurna de 20 a 50 cm de alto, alas largas y puntiagudas y pico fuerte y curvo; se alimenta de roedores y otros animales; es común en España.
FAM halconero.

¡hale! *int.* familiar ¡Hala!: *¡hale, hasta mañana!*

halibut *s. m.* Pez marino de hasta 3 m de longitud, cuerpo plano, largo y ovalado, con los dos ojos en el lado derecho de la cabeza; su color es castaño en el lado derecho, y blanco en el izquierdo; es muy voraz y habita en aguas profundas de mares septentrionales; su carne es comestible. **SIN** fletán.

hálito *s. m.* ① culto Aliento. ② culto Soplo suave y agradable de aire.
FAM halitosis.

halitosis *s. f.* Mal olor del aliento de una persona, provocado por la falta de higiene bucal, la ingestión de ciertos alimentos o algunas enfermedades.
OBS Plural invariable.

hall [se pronuncia aproximadamente 'jol'] *s. m.* Parte de una casa o un edificio que hay junto a la puerta principal y que da paso a otras piezas o espacios. **SIN** entrada, recibidor, vestíbulo.
OBS Plural: *halls.*

hallar *v. tr.* ① Conseguir ver o saber dónde está una cosa o persona que se quería obtener o recuperar: *hallar una raíz cuadrada.* **SIN** encontrar. ② Coincidir con una persona en un lugar casualmente o toparse con una cosa sin haber hecho nada para ello: *con Lazarillo de Tormes, por primera vez, hallamos un protagonista de condición humildísima.* **SIN** encontrar. ③ Tener una opinión determinada respecto de una persona o cosa: *los expertos hallaron satisfactorias algunas conclusiones del estudio.* **SIN** considerar, creer, encontrar. ④ Notar una cualidad o circunstancia con los sentidos o con la mente: *lo hallé muy cambiado.* **SIN** encontrar. ‖ *v. prnl.* ⑤ **hallarse** Tener conciencia una persona de que está de una determinada manera: *se halla enfermo.* **SIN** encontrarse. ⑥ Estar una persona o cosa en un lugar determinado: *nos hallamos muy lejos del bosque espeso.* **SIN** encontrarse.
FAM hallazgo.

hallazgo *s. m.* ① Acción de hallar o conseguir ver o saber dónde está una cosa o persona que se quería obtener o recuperar. ② Cosa o persona que se halla o se descubre, especialmente si es de gran valor: *nos informaron de unos hallazgos arqueológicos.*

halo *s. m.* ① Círculo luminoso que en ocasiones se ve alrededor de un astro. **SIN** cerco, corona, nimbo. ② Círculo luminoso que se representa encima o detrás de la cabeza de ciertas figuras cristianas, como un santo o la Virgen, como símbolo de la gracia de Dios. **SIN** aureola, corona, nimbo. ③ culto Conjunto de características o condiciones espirituales que surgen de una persona o cosa y la rodean o envuelven: *el origen mismo del canto gregoriano tiene un halo de misterio.*

halófito, -ta *adj./s. m. y f.* Se aplica a la planta o el alga que se desarrolla en medios altamente salinos, como los estuarios.

halógeno, -na *adj./s. m.* ① Se aplica al elemento químico no metal de electronegatividad elevada que forma sales minerales al unirse directamente con un metal: *los elementos ha-*

lógenos son el flúor, el cloro, el bromo, el yodo y el astato. ② Se aplica al faro o lámpara que, por medio de alguno de estos elementos, produce una luz clara e intensa: *faros halógenos; hemos puesto un halógeno en la terraza.*

halón *s. m.* AMÉR. Acción de halar (tirar de una cosa): *con un fuerte halón arrancó la planta de raíz.*

halterofilia *s. f.* Deporte que consiste en levantar una pesa o barra de metal con discos pesados a ambos extremos, de acuerdo con ciertas reglas; existen varias modalidades y los deportistas se clasifican en categorías según su peso corporal.
FAM halterófilo.

haluro *s. m.* Sal binaria que forman los halógenos en combinación con los metales.

hamaca *s. f.* ① Pieza alargada de red o tela resistente que se cuelga por los extremos y sirve para echarse en ella. ② Asiento para echarse o sentarse constituido por un armazón, generalmente en forma de tijera, al que se sujeta una tela fuerte que sirve de asiento y respaldo. ③ ARG., URUG. Mecedora.
FAM hamaquear.

hamaquear *v. tr.* ① Mecer en una hamaca. ② CUBA Marear a una persona, hacerle ir de una parte a otra.

hambre *s. f.* ① Apetito o necesidad de comer. ② Escasez de alimentos: *paliar el hambre y la pobreza.* ③ Deseo fuerte o intenso que se siente por una cosa: *los niños poco atendidos tienen hambre de cariño.*
más listo que el hambre Que es muy listo o más listo de lo normal.
FAM hambriento, hambruna.
OBS Los artículos de singular son *el* y *un*, salvo que entre artículo y sustantivo haya otra palabra.

hambriento, -ta *adj.* ① Que tiene mucha hambre (apetito o necesidad de comer). ② Se aplica a la persona que tiene un gran deseo o necesidad de una cosa: *un jugador hambriento de triunfos.*

hambruna *s. f.* ① Gran escasez de alimentos. ② AMÉR. Hambre.

hamburguesa *s. f.* ① Filete que se hace con carne picada y al que se da una forma redonda y plana. ② Bocadillo que se hace con un bollo redondo relleno con este filete y otros ingredientes, como queso o cebolla frita.
FAM hamburguesería.

hamburguesería *s. f.* Establecimiento donde se sirven hamburguesas y otras clases de comida rápida.

hampa *s. f.* Conjunto de personas que viven al margen de la ley o que se dedican a cometer delitos: *reiteró su compromiso de luchar contra el hampa.*
FAM hampón.
OBS Los artículos de singular son *el* y *un*, salvo que entre artículo y sustantivo haya otra palabra.

hampón, -pona *adj./s. m. y f.* Se aplica a la persona que vive de forma marginal cometiendo acciones delictivas de manera habitual.

hámster [se pronuncia aproximadamente 'jámster'] *s. m.* Mamífero roedor de unos 30 cm de largo, parecido al ratón pero de pelo más largo y suave y orejas, patas y cola más cortas; vive en Europa y Asia; es común como animal de compañía.
OBS Plural: *hámsters.*

hándicap [se pronuncia aproximadamente 'jándicap'] *s. m.*

Inconveniente o desventaja que dificulta la realización o consecución de una cosa: *no saber inglés es un hándicap para dirigir bien la empresa.*
OBS Plural: *hándicaps.* Puede encontrarse la grafía inglesa *handicap.*

hangar *s. m.* Recinto cubierto que se usa para guardar aviones.

haplodiplonte *adj.* Se aplica al ciclo biológico que posee un organismo que posee dos fases: una diploide y una haploide. **SIN** diplohaplonte.

haploide *adj.* Se aplica a la célula o al organismo cuya dotación genética consta de un solo juego de cromosomas en el núcleo celular: *los gametos o células sexuales de los animales son haploides.*

haplonte *adj.* Se aplica al ciclo biológico en el que un organismo presenta una sola dotación de cromosomas y permanece haploide, dividiéndose por mitosis: *el ciclo haplonte lo presentan algunos protoctistas autótrofos, en los que la meiosis se produce después de la fecundación, tras la formación del cigoto.* **ANT** diplonte.

happening [se pronuncia aproximadamente 'jápenin'] *s. m.* Representación que combina elementos del teatro y de las artes visuales; se basa en la improvisación de los artistas que lo realizan y en la participación directa y espontánea del público: *el happening surge a partir del arte de vanguardia contemporáneo.*
OBS Plural: *happenings.*

haragán, -gana *adj./s. m. y f.* Se aplica a la persona que no quiere trabajar o no cumple con su trabajo por pereza o falta de atención e interés. **SIN** gandul, holgazán, vago.
FAM haraganear, haraganería.

haraganear *v. intr.* Pasar una persona el tiempo sin trabajar por pereza o falta de atención e interés. **SIN** gandulear, holgazanear, vaguear.

haraganería *s. f.* Cualidad de la persona haragana, que no quiere trabajar o no cumple con su trabajo por pereza o falta de atención e interés. **SIN** gandulería, holgazanería, vaguería.

harakiri *s. m.* Suicidio ritual japonés que se realiza por razones de honor y consiste en abrirse el vientre con un arma blanca.

harapiento, -ta *adj./s. m. y f.* Se aplica a la persona que viste ropas llenas de harapos. **SIN** andrajoso.

harapo *s. m.* Pedazo de tela muy vieja, rota o sucia. **SIN** andrajo.
FAM harapiento.
OBS Más en plural.

hardware [se pronuncia aproximadamente 'járguar'] *s. m.* Conjunto de elementos físicos del sistema de un ordenador, como el teclado o el monitor. **ANT** software.

harén *s. m.* ① Conjunto de mujeres que dependen de un mismo jefe de familia en las sociedades musulmanas. **SIN** serrallo. ② Lugar de una casa musulmana donde viven solo las mujeres.

harina *s. f.* ① Polvo que se obtiene al moler granos de trigo o de otros cereales. ■ **harina en flor** Harina que está tamizada por lo que es más fina y pura. ② Polvo al que quedan reducidas ciertas materias sólidas al ser trituradas, machacadas o molidas: *harina de pescado.*
ser harina de otro costal Ser un asunto completamente

diferente a otro del que se trata: *que os quedéis a cenar está bien, pero lo de quedarse a dormir ya es harina de otro costal.*
FAM harinero, harinoso; enharinar.

harinero, -ra *adj.* Relativo a la harina.

harinoso, -sa *adj.* ① Que tiene mucha harina (polvo de cereales). ② Que tiene el aspecto, la consistencia o la textura de la harina: *color blanco harinoso.*

harmonía [también **armonía**] *s. f.* ① Proporción y correspondencia adecuada entre las cosas: *clima de harmonía.* ② Relación buena o de paz entre personas o grupos: *harmonía familiar.* ③ Unión y combinación de notas musicales emitidas simultáneamente, estructuradas y relacionadas entre sí. ④ Conjunto de notas combinadas de este modo en una composición musical. ⑤ Técnica que permite lograr esta combinación de notas musicales, especialmente la técnica de construir y disponer los acordes: *tratado de harmonía.*

harpa [también **arpa**] *s. f.* Instrumento musical de cuerda de gran tamaño formado por un marco de forma más o menos triangular (que se apoya en el suelo por el vértice) dentro del cual están situadas verticalmente una serie de cuerdas que se hacen vibrar con los dedos de ambas manos.
OBS Los artículos de singular son *el* y *un,* salvo que entre artículo y sustantivo haya otra palabra.

harpado, -da [también **arpado**, poco usual] *adj.* Que remata en dientecillos como de sierra.

harpía [también **arpía**, más usado] *s. f.* ① despectivo Mujer mala y perversa. ② Ser mitológico con cabeza de mujer y cuerpo de ave de rapiña.

harpillera [también **arpillera**, más usado] *s. f.* Tejido fuerte y áspero, generalmente de estopa, que se usa sobre todo para hacer sacos y para embalar.

hartar *v. tr.* ① Saciar el apetito de comer o beber: *dio las papillas al niño hasta hartarlo.* ② familiar Molestar o cansar mucho una cosa o persona a alguien de modo que la aborrezca o le enfade: *me estáis hartando con vuestros comentarios.* ③ familiar Dar una cosa en abundancia: *la hartó de besos.* ‖ *v. prnl.* ④ **hartarse** Hacer una persona una cosa que tiene necesidad de hacer o le gusta de modo que quede satisfecha o cansada de ella: *hartarse de reír.*
FAM hartada, hartazgo, hartazón, hartón.

hartazgo *s. m.* ① Acción de hartar o hartarse. **SIN** hartazón, hartón, hartura. ② Sensación de malestar que se produce al hartarse de comida o bebida con exceso o al hacer una misma cosa de una manera excesiva. **SIN** hartazón, hartón, hartura.

hartazón *s. f.* Hartazgo.

harto, -ta *adj.* ① Que está lleno o saciado de comida o bebida. ② Que está muy molesto o cansado por una cosa de modo que la aborrece o pierde la paciencia: *habla ya, nos tienes hartos.* ‖ *adv.* ③ culto Bastante o muy: *la validez de esta unión es harto discutible.*
FAM hartar, hartura.

hartón *s. m.* Hartazgo.

hartura *s. f.* Hartazgo.

hasta *prep.* ① Indica el término o el límite en cuanto al tiempo, el espacio o la cantidad: *el metro llega hasta mi ciudad; contaré hasta diez.* ② Introduce una dificultad real o posible, a pesar de la cual puede ser, ocurrir o hacerse una cosa: *hasta te llamé al móvil para ver si te encontraba.* **SIN** aun, incluso. ‖ *adv.*

H

3 Expresa encarecimiento o ponderación: *hasta mi madre le ha perdonado lo que nos hizo.* **SIN** aun, incluso.

hastial *s. m.* **1** Parte superior formada en el muro de una fachada por las vertientes del tejado. **2** Cara lateral de una excavación. **3** Fachada que corresponde a los pies y los laterales del crucero de una iglesia: *muchas iglesias tienen tres hastiales.*

hastiar *v. tr.* Hacer que una persona sienta hastío.
OBS Verbo regular, se acentúa como *desviar.*

hastío *s. m.* Sensación grande de aburrimiento o cansancio por una cosa que ya no llena o satisface.
FAM hastiar.

hatajo [también **atajo**, menos usado] *s. m.* **1** Grupo pequeño de ganado. **SIN** hato. **2** despectivo Conjunto o grupo de personas o cosas: *¡vaya hatajo de ineptos has contratado!* **SIN** hato.

hatillo *s. m.* Paquete o envoltorio pequeño que generalmente se hace liando prendas de ropa y que normalmente contiene ropa u objetos personales.

hato *s. m.* **1** Paquete o envoltorio que se hace liando ropa y otros objetos personales. **2** Grupo pequeño de ganado. **SIN** atajo, hatajo. **3** despectivo Conjunto o grupo de personas o cosas. **SIN** atajo, hatajo. **4** AMÉR. Hacienda rural destinada a la cría de ganado.
FAM hatajo.

hawaiano, -na [se pronuncia aproximadamente 'jaguayano'] *adj.* **1** De Hawai (archipiélago del océano Pacífico y estado de los Estados Unidos). **|** *s. m. y f./adj.* **2** Persona que es de Hawai.

haya *s. f.* **1** Árbol caducifolio de hasta 40 m de altura, tronco grueso, liso y de color grisáceo, ramas horizontales y hojas elípticas de color verde esmeralda; es común en Europa. **2** Madera ligera y resistente de este árbol.
FAM hayal, hayedo, hayuco.
OBS Los artículos de singular son *el* y *un*, salvo que entre artículo y sustantivo haya otra palabra.

hayedo *s. m.* Bosque donde predominan las hayas.

haz[1] *s. m.* **1** Conjunto de hierba, mies, leña u otras cosas alargadas que están atadas con una cuerda por el centro. **2** Conjunto de rayos de luz con una misma fuente de origen. **3** Conjunto de varias fibras musculares o nerviosas con un mismo punto de origen. **4** Corriente en una sola dirección de radiación electromagnética o de partículas.
FAM hacinar.
OBS Los artículos de singular son *el* y *un*, salvo que entre artículo y sustantivo haya otra palabra.

haz[2] *s. f.* **1** Cara superior impermeable de la hoja de una planta. **SIN** anverso. **ANT** envés, reverso. **2** Cara principal de una tela u otra cosa plana, destinada a quedar a la vista. **SIN** anverso. **ANT** envés, reverso.
OBS Los artículos de singular son *el* y *un*, salvo que entre artículo y sustantivo haya otra palabra.

hazaña *s. f.* Acción heroica o remarcable que exige un gran esfuerzo o valor, por lo que es digna de admiración: *el atleta logró la hazaña de ganar seis medallas.*

hazmerreír *s. m.* Persona que provoca la risa o la burla de los demás debido a su aspecto o a su comportamiento: *era el hazmerreír de la oficina.*
OBS Plural invariable.

he Se usa, ante los adverbios *aquí* o *ahí* o ante un pronombre personal átono, para señalar o mostrar una persona o cosa de la que se está hablando: *he aquí cómo evoca el autor el anochecer en un paisaje levantino.*

heavy [se pronuncia aproximadamente 'jevi'] *s. m.* **1** Estilo musical nacido a finales de la década de 1960 como derivación del rock duro, que se caracteriza por su ritmo fuerte y repetitivo y porque se toca enérgicamente, a un volumen muy elevado y distorsionando el sonido con frecuencia.
■ heavy metal Variedad radical del heavy, en que cobran especial importancia la potencia sonora y el sonido metálico de los instrumentos eléctricos. **NOTA** Se pronuncia aproximadamente 'jevi métal'. **|** *adj.* **2** Relativo a este estilo musical: *bar heavy; grupo heavy.* **|** *adj./s. com.* **3** Se aplica a la persona aficionada a este estilo de música y que adopta su estética y actitud: *los heavies suelen llevar el pelo largo.* **|** *adj.* **4** familiar Que produce impresión o asombro por ser algo extraordinario, desagradable o muy intenso: *en esta película hay escenas muy heavies.*
OBS Plural: *heavys* o *heavies.*

hebilla *s. f.* Pieza generalmente metálica que sirve para unir los dos extremos de un cinturón, de la correa de un zapato, etc. y ajustarlos a la medida apropiada.

hebra *s. f.* **1** Trozo de hilo que se mete por el agujero de la aguja y sirve para coser. **2** Hilo, fibra o filamento que se usa para confeccionar tejidos: *hebras de seda.* **3** Fibra o filamento de una materia que tiene forma de hilo: *este estropajo está hecho de hebras de aluminio.* **4** Estigma de la flor del azafrán: *la hebra del azafrán se utiliza como especia.*
pegar la hebra familiar Entablar una conversación: *iba discurriendo por dónde pegaría la hebra.*
FAM enhebrar.

hebraico, -ca *adj.* Relativo al pueblo hebreo.

hebraísmo *s. m.* **1** Religión de los judíos, fundada por el profeta Moisés (siglo XIII a. C.), que tiene como único dios a Yahvé y se basa en las leyes de la Torá. **SIN** judaísmo. **2** Palabra o modo de expresión propio de la lengua hebrea y que se usa en otro idioma: *"rabí" y "amén" son hebraísmos.*
FAM hebraísta.

hebraísta *s. com.* Persona que se dedica al estudio de la lengua, la literatura y la cultura hebreas.

hebreo, -brea *adj.* **1** Relativo a un antiguo pueblo semítico que habitó Mesopotamia durante el segundo milenio a. C. y en el siglo XIII a. C. emigró a las tierras de Canaán. **SIN** hebraico. **|** *s. m. y f./adj.* **2** Persona perteneciente a este pueblo. **SIN** israelita, judío. **|** *s. m./adj.* **3** Lengua semítica hablada por este pueblo: *el hebreo es la lengua oficial de Israel.* **|** *adj.* **4** Relativo al hebraísmo. **SIN** israelita, judío. **|** *adj./s. m. y f.* **5** Se aplica a la persona que practica el judaísmo. **SIN** israelita, judío.

hecatombe *s. f.* **1** Gran catástrofe o desgracia que produce muchos destrozos y un gran número de víctimas. **2** Sacrificio de cien víctimas que ofrecían antiguamente algunos pueblos a sus dioses.

hechicería *s. f.* **1** Arte de dominar por medio de técnicas maléficas la voluntad de las personas o el curso de los acontecimientos. **2** Acto con poderes mágicos y maléficos para dominar la voluntad de una persona o controlar el curso de los acontecimientos.

hechicero, -ra *s. m. y f.* **1** Persona que utiliza hechizos para controlar los acontecimientos y dominar la voluntad de las personas. | *adj.* ② Que atrae de una forma irresistible: *ojos hechiceros.*

FAM hechicería, hechiceresco, hechiceril.

hechizar *v. tr.* ① Dominar o controlar mediante un hechizo a una persona o cosa. SIN embrujar. ② Atraer una persona o cosa a alguien de una forma irresistible, por su belleza, misterio, profundidad, etc.

hechizo, -za *s. m.* ① Acto u objeto con poder mágico y maléfico para dominar la voluntad de una persona o controlar el curso de los acontecimientos. SIN embrujo. ② Atracción irresistible que produce una persona o cosa. | *adj.* ③ AMÉR. Que ha sido hecho por un particular, de modo artesanal o manual, y no en serie o industrialmente: *esa cocina no tiene marca, es hechiza.*

FAM hechicero, hechizar.

hecho, -cha ① Participio irregular de *hacer*: *una vez hecho el trabajo, se fue a jugar.* | *adj.* ② Que está acabado o terminado: *pagan por trabajo hecho y no por horas.* ③ Que está acostumbrado a una cosa o familiarizado con ella: *es un hombre hecho a los cambios.* ④ Precedido de los adverbios *bien* o *mal*, se aplica a la persona o al animal que está bien o mal proporcionado de cuerpo: *estos chicos de montaña están muy bien hechos.* ⑤ Seguido de ciertos sustantivos, se aplica a una persona o cosa para atribuirles las cualidades que estos sustantivos expresan: *estar hecho una fiera; estar hecho un desastre.* ⑥ Que es narrador cuenta los hechos en tercera persona. ⑦ Acción u obra que hace una persona: *se le acusa de un hecho delictivo.* ■ **hecho consumado** Acción que se realiza antes de que una cosa pueda impedirla: *su despido era ya un hecho consumado.* ⑧ Asunto o materia sobre la que se trata: *este es el hecho del que tenemos que ocuparnos ahora.* | *int.* ⑨ **¡hecho!** Indica que se acepta una cosa que se propone o se pacta: *—¿Vienes al cine esta tarde? —Hecho.*

de hecho Verdaderamente: *me he llevado una sorpresa aunque, de hecho, lo esperaba.*

hecho y derecho Se aplica a la persona que ya es adulta: *tu hija ya es una mujer hecha y derecha.*

FAM contrahecho.

hechura *s. f.* ① Confección de una prenda de vestir. ② Figura o forma exterior que tiene una cosa: *la hechura de tu traje es muy favorecedora.* ③ Forma y proporción que tiene el cuerpo de una persona. ④ Cosa respecto del que la ha hecho, especialmente una criatura respecto de Dios.

hectárea *s. f.* Medida de superficie, de símbolo *ha*, que es igual a 100 áreas.

hectogramo *s. m.* Medida de masa, de símbolo *hg*, que es igual a 100 gramos.

hectolitro *s. m.* Medida de volumen, de símbolo *hl*, que es igual a 100 litros.

hectómetro *s. m.* Medida de longitud, de símbolo *hm*, que es igual a 100 metros.

heder [2] *v. intr.* culto Despedir un olor muy malo, intenso y desagradable: *las pocilgas hedían.*

FAM hediondo.

hediondez *s. f.* culto Olor muy malo, intenso y desagradable. SIN hedor.

hediondo, -da *adj.* culto Que despide un olor muy malo, intenso y desagradable.

FAM hediondez.

hedonismo *s. m.* Doctrina filosófica que identifica el bien con el placer, por lo que considera el placer como fin más importante de la vida; se originó en Grecia en el siglo IV a. C. y fue retomada en la época contemporánea.

FAM hedonista.

hedonista *adj.* ① Relativo al hedonismo. | *adj./s. com.* ② Se aplica a la persona partidaria del hedonismo.

hedor *s. m.* culto Hediondez.

FAM heder.

hegemonía *s. f.* Supremacía que ejerce un estado o pueblo sobre otros por tener superioridad política o económica sobre ellos.

FAM hegemónico.

hegemónico, -ca *adj.* Relativo a la hegemonía.

hégira o **héjira** *s. f.* Huida de Mahoma de La Meca a Medina en el año 622 y que se toma como punto de partida de la cronología musulmana.

helada *s. f.* Congelación del agua, especialmente el agua de la lluvia o el rocío, que se convierte en hielo debido a un descenso de la temperatura del clima por debajo de los cero grados centígrados.

heladera *s. f.* ARG., BOL., CHILE, PERÚ, URUG. Nevera.

heladería *s. f.* Establecimiento en el que se venden helados.

helado, -da *adj.* ① Que se ha convertido en hielo: *un lago helado.* ② Que está muy frío o se ha quedado muy frío: *el agua está helada, no pienso ni meter un pie.* SIN congelado. ③ Que se queda suspenso, atónito o impresionado por el miedo o la sorpresa: *la noticia nos dejó helados.* | *s. m.* ④ Alimento dulce que se elabora con leche, azúcar y otros ingredientes y se somete a cierto grado de congelación para que adquiera una consistencia casi sólida.

FAM heladera, heladería, heladero.

helar [1] *v. tr.* ① Hacer que un líquido, especialmente el agua, pase a estado sólido al bajar la temperatura unos determinados grados centígrados: *el bajón de temperatura de esta madrugada ha helado el rocío.* ANT deshelar, fundir. ② Provocar el frío intenso que una planta se muera o se dañe: *la temperatura exterior bastaría para helar los plantones.* | *v. impersonal* ③ Hacer una temperatura igual o inferior a cero grados centígrados: *estuvo helando hasta la semana pasada.* | *v. prnl.* ④ **helarse** Pasar mucho frío: *¡me estoy helando!* SIN congelarse.

FAM helada, helado, helador; deshelar.

helechal *s. m.* Lugar poblado de helechos.

helecho *s. m.* Nombre común de un grupo de plantas de hojas compuestas que se reproduce por esporas producidas en el envés de las hojas, y no por semillas; puede medir pocos centímetros o algunos metros; crece en lugares húmedos.

FAM helechal.

helénico, -ca *adj.* Relativo a Grecia, especialmente a la Grecia clásica. SIN heleno.

helenismo *s. m.* ① Periodo de la historia y la cultura griegas que abarca desde la muerte de Alejandro Magno en el siglo IV hasta la dominación romana en el siglo I a. C. ② Influencia ejercida por la cultura y civilización de la Grecia clásica: *Roma extendió el helenismo por todo su imperio.* ③ Palabra o modo de expresión propio de la lengua griega y que se usa en otro idioma: *"biografía" y "micrófono" son helenismos.*

FAM helenista.

helenista *s. com.* Persona que se dedica al estudio de la lengua, cultura y literatura de la Grecia clásica.

helenístico, -ca *adj.* Relativo al helenismo (periodo histórico).

helenización *s. f.* Adopción de los rasgos culturales de la Grecia clásica.

helenizar *v. tr.* Hacer que una persona o cosa adopte rasgos de la cultura de la Grecia clásica.
FAM helenización.

heleno, -na *adj.* ① Helénico. ‖ *s. m. y f./adj.* ② Persona de Grecia, especialmente de la Grecia clásica.
FAM helénico, helenismo, helenístico, helenizar.

helero *s. m.* Lugar en las altas montañas donde se acumula una gran masa de hielo.

hélice *s. f.* ① Pieza de un motor compuesta por varias palas que giran alrededor de un eje, y que sirve, especialmente, para dar impulso a un vehículo o mover un fluido, como aire o agua: *las hélices de un barco; la hélice de un ventilador.* ② Línea curva de longitud indefinida en forma cónica que da vueltas sin cerrarse: *una hélice tiene forma de muelle.*
FAM helicoidal.

helicoidal *adj.* Que tiene forma de hélice (línea curva).

helicóptero *s. m.* Vehículo aéreo que vuela propulsado por una hélice horizontal de dos palas muy largas situadas en su parte superior y central que, al girar rápidamente, le permiten moverse vertical y horizontalmente, así como mantenerse quieto en el aire.

helio *s. m.* Elemento químico de símbolo *He* y número atómico 2; es un gas noble sin olor ni color y más ligero que el aire; se utiliza, entre otros usos, para llenar globos aerostáticos y como refrigerante.

heliocéntrico, -ca *adj.* Relativo al heliocentrismo.
FAM heliocentrismo.

heliocentrismo *s. m.* Antigua teoría cosmológica que consideraba que el Sol era una estrella inmóvil alrededor del cual giraba la Tierra y los demás planetas: *Copérnico fue el gran defensor del heliocentrismo frente al geocentrismo.*

heliotropismo *s. m.* Movimiento de un organismo como respuesta al estímulo de la luz solar: *el heliotropismo del girasol consiste en orientar la flor hacia el sol.*

heliotropo *s. m.* Planta herbácea que tiene las hojas de color verde oscuro y las flores pequeñas, agrupadas en ramilletes, de color blanco o violeta y de olor agradable.

helipuerto *s. m.* Lugar destinado al despegue y aterrizaje de helicópteros.

helvético, -ca *adj.* ① De Suiza (país de Europa). **SIN** suizo. ‖ *s. m. y f./adj.* ② Persona que es de Suiza. **SIN** suizo.

hematíe *s. m.* Célula de la sangre de los animales vertebrados de forma redonda u ovalada y que contiene hemoglobina que le da el color rojo y se encarga de transportar el oxígeno a todas las partes del cuerpo. **SIN** eritrocito, glóbulo rojo.

hematites *s. f.* Mineral compuesto de óxido de hierro, cuyo color varía del rojo al negro, que se emplea para fabricar pigmentos.
OBS Plural invariable.

hematocrito *s. m.* Volumen de glóbulos en relación con el total de la sangre; se expresa de manera porcentual: *el valor normal de hematocritos está entre el 40 y el 50%.*

hematoma *s. m.* Mancha amoratada o amarillenta que aparece bajo la piel por la acumulación de sangre u otro líquido corporal a consecuencia de un golpe u otra causa. **SIN** cardenal.

hembra *s. f.* ① Animal de sexo femenino: *cachalote hembra; en los animales ovíparos, la hembra pone huevos.* ② En las plantas que tienen los órganos de reproducción masculinos y femeninos en diferentes individuos, el que los tiene femeninos (dotados para dar nuevos frutos al ser fecundado por el macho): *las palmeras hembras dan los dátiles.* ③ Persona de sexo femenino: *dio a luz dos varones y una hembra.* ④ Hembrilla.
FAM hembrilla.

hembrilla *s. f.* Pieza que tiene un hueco o un agujero en el que encaja otra pieza. **SIN** hembra.

hemeroteca *s. f.* Edificio o sala en el que se tiene guardado y ordenado un conjunto de diarios, revistas y otras publicaciones periódicas para que el público pueda leerlos o consultarlos.

hemiciclo *s. m.* ① Salón central de un edificio o recinto que está provisto de asientos colocados en filas escalonadas y dispuestas en forma de medio círculo, orientadas en dirección a una tribuna. ② Mitad de un círculo que resulta de dividir este en dos partes iguales. **SIN** semicírculo.

hemiparásito, -ta *adj.* Se aplica al parásito que puede sobrevivir fuera del huésped, alimentándose de materia orgánica en descomposición o nutriéndose por sí mismo.

hemiplejia o **hemiplejía** *s. f.* Pérdida de la capacidad de movimiento del lado izquierdo o derecho del cuerpo producida por una lesión cerebral o de la médula espinal.
FAM hemipléjico.

hemipléjico, -ca *adj./s. m. y f.* ① Se aplica a la persona que padece hemiplejia. ‖ *adj.* ② Relativo a la hemiplejia.

hemíptero, -ra *adj./s. m.* ① Se aplica al insecto provisto de trompa chupadora, pico articulado y casi siempre con cuatro alas, como la chinche. ‖ *s. m. pl.* ② **hemípteros** Grupo taxonómico, con categoría de orden, constituido por estos insectos.

hemisférico, -ca *adj.* Que tiene forma de media esfera. **SIN** semiesférico.

hemisferio *s. m.* ① Mitad de una esfera que resulta de dividirla por un plano que pasa por su centro. ② Mitad del globo terrestre que resulta de dividirlo por el Ecuador o un meridiano. ③ Mitad lateral en que se dividen el cerebro o el cerebelo.
FAM hemisférico.

hemistiquio *s. m.* Cada una de las mitades en que la cesura divide un verso: *el verso de Juan de Mena "al muy prepotente don Juan el segundo" tiene dos hemistiquios, y la cesura está tras "prepotente".*

hemodiálisis *s. f.* Técnica terapéutica de depuración artificial de la sangre que se aplica a la persona cuyo riñón no realiza esta función. **SIN** diálisis.
OBS Plural invariable.

hemofilia *s. f.* Enfermedad genética ligada al sexo, producida por la presencia de un gen recesivo en el cromosoma X, que consiste en la dificultad de la sangre para coagular.
FAM hemofílico.

hemofílico, -ca *adj.* ① Relativo a la hemofilia. ‖ *adj./s. m. y f.* ② Se aplica a la persona que padece hemofilia.

hemoglobina *s. f.* Pigmento de la sangre de naturaleza proteica que sirve principalmente para transportar el oxígeno del aparato respiratorio a las células del organismo; se halla en los glóbulos rojos de los vertebrados y disuelto en el plasma de algunos invertebrados.

hemorragia *s. f.* Salida de sangre de las arterias, las venas o los capilares por donde circula, especialmente cuando se produce en gran cantidad.
FAM hemorrágico.

hemorroide *s. f.* Pequeño tumor o masa de tejido anormal que se forma en las inmediaciones del ano o en la parte final del intestino por una excesiva dilatación de las venas en esta zona. SIN almorrana.

henchir [10] *v. tr.* **1** culto Llenar o hacer que un espacio vacío quede lleno: *henchir los pulmones.* **2** culto Llenar o dar a una persona una gran cantidad de una cosa, especialmente no material: *los éxitos de su hija henchían al padre de orgullo.*
FAM henchidura.

hendedura *s. f.* Hendidura.

hender [2] *v. tr.* **1** culto Producir en un cuerpo sólido una abertura o hueco estrecho, largo y poco profundo. SIN hendir. **2** culto Atravesar un fluido, como el aire o el agua: *la barca hendía el agua.* SIN hendir.
FAM hendedura, hendimiento.

hendidura *s. f.* Abertura o hueco estrecho, largo y poco profundo que se hace en un cuerpo sólido. SIN hendedura.

hendija *s. f.* AMÉR. Hendidura larga y estrecha.

hendir [9] *v. tr.* Hender.
FAM hendidura, hendija.

hono *s. m.* **1** Hierba que se corta y se deja secar para alimentar al ganado. **2** Planta herbácea que sirve como forraje; existen muchas especies distintas.
FAM henar, henil.

henrio *s. m.* Henry.

henry [se pronuncia aproximadamente 'jenri'] *s. m.* Unidad de inductancia del Sistema Internacional, de símbolo *H*, que equivale a la inductancia que se produce en un circuito cerrado en el que se produce una fuerza de un volt cuando la corriente eléctrica que recorre el circuito varía uniformemente a razón de un ampere por segundo.
OBS Plural: *henrys.* Se ha adaptado al español con la forma *henrio.*

hepático, -ca *adj.* Relativo al hígado.

hepatitis *s. f.* Enfermedad causada por un virus que provoca la inflamación del hígado.
FAM hepático.
OBS Plural invariable.

heptaedro *s. m.* Poliedro de siete caras.

heptagonal *adj.* Que tiene forma de heptágono.

heptágono *s. m.* Polígono de siete lados y siete ángulos.
FAM heptagonal.

heptasílabo, -ba *adj.* **1** Que tiene siete sílabas. | *adj./ s. m.* **2** Se aplica al verso que tiene siete sílabas.

heptatlón *s. m.* Competición femenina de atletismo en que las deportistas compiten en siete pruebas: carreras de 200 y 800 m lisos, y de 100 m vallas; salto de altura y de longitud; y lanzamiento de peso y de jabalina.

heráldica *s. f.* Parte de la historia que describe e interpreta los escudos de armas de cada linaje, persona o ciudad, así como el código de reglas que permite representarlos correctamente.

heráldico, -ca *adj.* Relativo a la heráldica o a las imágenes y figuras de los escudos de armas.
FAM heráldica.

heraldo *s. m.* **1** Oficial que en la Edad Media tenía a su cargo transmitir mensajes importantes, organizar las fiestas de la caballería, llevar los registros de la nobleza, etc. **2** culto Mensajero: *el embajador se desplazó a la zona del conflicto como heraldo de la paz.*
FAM heráldico.

herbáceo, -cea *adj.* **1** Se aplica a la planta que tiene el aspecto o las características de la hierba: *las plantas herbáceas, como la margarita o la malva, no crecen muchos centímetros y son de tallo flexible.* **2** Se aplica al estrato de vegetación cercano al suelo.

herbario *s. m.* Colección de plantas secas que están colocadas entre papeles y ordenadas para su conservación y estudio.

herbicida *s. m./adj.* Producto químico que impide el desarrollo de las hierbas no deseadas que crecen en un terreno o las destruye.

herbívoro, -ra *adj./s. m. y f.* Se aplica al animal que se alimenta solamente de vegetales: *la vaca, la ardilla y el caracol son animales herbívoros.*

herbolario, -ria *s. m. y f.* **1** Persona que se dedica a recoger o vender hierbas o plantas medicinales que se usan para curar enfermedades o calmar dolores. | *s. m.* **2** Herboristería.

herboristería *s. f.* Establecimiento donde se venden hierbas o plantas medicinales, alimentos dietéticos y otros productos relacionados con la salud. SIN herbolario.

herciano, -na [también **hertziano, -na**] *adj.* En física, relativo a las ondas electromagnéticas: *las ondas hercianas se usan en telegrafía sin hilos, en radio y en televisión.*

hercio *s. m.* Hertz.

hercúleo, -lea *adj.* **1** Se aplica a la persona que tiene mucha fuerza física y un cuerpo muy robusto: *un hercúleo levantador de pesos.* **2** Se aplica a la actividad o el trabajo que requieren un esfuerzo muy grande.

hércules *s. m.* Hombre que tiene mucha fuerza física.
FAM hercúleo.
OBS Plural invariable.

heredad *s. f.* **1** Terreno dedicado al cultivo que tiene un solo dueño. **2** Conjunto de tierras que son propiedad de una persona.

heredar *v. tr.* **1** Recibir los bienes, el dinero o los derechos de una persona cuando esta muere, en cumplimiento de la ley o de las disposiciones señaladas en un testamento. **2** Recibir un hijo de sus padres una característica genética física o relativa a su carácter: *la niña heredó el sentido del humor de su padre.* **3** Recibir principios, ideas o problemas de personas o circunstancias anteriores: *los griegos heredaron el tratamiento egipcio de las fracciones numéricas.* **4** familiar Recibir una cosa de otra persona cuando esta ya no hace uso de ella: *he heredado este pantalón de mi hermana mayor.*
FAM heredad, heredero, hereditario; desheredar.

heredero, -ra *adj./s. m. y f.* **1** Se aplica a la persona que recibe los bienes, el dinero o los derechos de una persona cuando esta muere, en cumplimiento de la ley o de las disposiciones señaladas en un testamento. **2** Que recibe principios, ideas o problemas de personas o circunstancias anterio-

res: *somos herederos del mundo que nuestros mayores nos han legado.*
FAM coheredero.

hereditario, -ria *adj.* Relativo a la herencia o que se transmite a través de ella: *enfermedad hereditaria.*

hereje *s. com.* Persona que defiende y propaga ideas contrarias a la doctrina de una religión, siendo miembro de esta.
FAM herejía, herético.

herejía *s. f.* Idea o conjunto de ideas contrarias a la doctrina de una religión: *la herejía albigense; en la Edad Media se castigaba a los culpables de herejía.*

herencia *s. f.* ① Derecho de heredar que tiene una persona por ley o por testamento. ② Conjunto de propiedades, dinero y otros bienes, así como derechos, que se recibe legalmente de una persona cuando esta muere. ③ Proceso mediante el cual se transmiten una serie de características de los padres a los hijos a través de los genes: *el color de los ojos se transmite por herencia.* ■ **herencia intermedia** Transmisión de caracteres genéticos por la cual dos genes que codifican variaciones distintas de un mismo carácter manifiestan a la vez un carácter intermedio entre los dos: *el dondiego de noche es un caso de herencia intermedia: al cruzar plantas de flores blancas con plantas de flores rojas, se obtienen plantas de flores rosas.* ■ **herencia mendeliana** Transmisión de caracteres genéticos que cumple con los postulados de las leyes de Gregor Mendel (botánico del siglo XIX, considerado el padre de la genética). ④ Conjunto de ideas o características que se recibe de una circunstancia o persona precedente: *los recursos energéticos de la Tierra son una herencia valiosa que debemos dejar a nuestros hijos.*

heresiarca *s. m.* Jefe de una secta herética e impulsor de sus ideas.

herético, -ca *adj.* Relativo a la herejía (idea religiosa u opinión de una ciencia o arte) o al hereje: *predicaciones heréticas.*

herida *s. f.* ① Daño o lesión que se produce en los tejidos del cuerpo y es provocado por un corte o golpe. ② Daño moral que es causado por una ofensa.
hurgar en la herida Hablar sobre un asunto o tema que ha causado un daño a una persona, por lo que el dolor se reaviva o despierta: *como perdieron su primer partido, no era cuestión de hurgar en la herida.*
respirar por la herida Manifestar una persona un sentimiento, especialmente negativo, que mantenía oculto.

herido, -da *adj./s. m. y f.* ① Que ha sido dañado por una o más heridas en los tejidos del cuerpo. ‖ *adj.* ② Que está dolido por una ofensa recibida.

herir [9] *v. tr.* ① Causar una herida en los tejidos del cuerpo mediante un corte o un golpe. ② Producir a una persona un daño moral a causa de una ofensa: *la ha herido que no la hayan invitado.* ③ Producir una cosa una impresión desagradable para la vista o el oído.
FAM herida, herido, hiriente; malherir, zaherir.

hermafrodita *adj.* ① Se aplica al ser vivo que reúne en un mismo individuo los órganos sexuales masculinos y femeninos: *muchas plantas con flores y muchos invertebrados son hermafroditas.* ‖ *adj./s. com.* ② Se aplica a la persona que, a causa de una anomalía anatómica, tiene órganos sexuales masculinos y femeninos.
FAM hermafroditismo.

hermanar *v. tr.* ① Juntar o unir dos o más cosas haciéndolas

compatibles: *lo popular y lo culto se hermanan en la obra de García Lorca.* ② Establecer un vínculo de unión afectiva o espiritual entre personas que no tienen una relación de familia: *encontramos una fuerza que tiende a unir y hermanar a la gente.* ③ Establecer un vínculo entre dos localidades que simpatizan entre sí, potenciando de este modo su relación. ④ CHILE Unir de dos en dos.
FAM hermanamiento.

hermanastro, -tra *s. m. y f.* Persona que es hermana de otra por parte de uno solo de los padres.

hermandad *s. f.* ① Relación de parentesco que existe entre hermanos. SIN fraternidad. ② Relación de afecto, simpatía o amistad entre personas que no tienen vínculos familiares: *los hombres tienen que vivir juntos en hermandad.* SIN fraternidad, confraternidad. ③ Asociación de fieles de una religión que está autorizada para organizar actividades piadosas, como procesiones, romerías y rezos. SIN cofradía. ④ Asociación de personas que tienen unos mismos intereses profesionales: *la Hermandad Educativa.* ⑤ Asociación de vecinos medieval encargada de la protección de los peregrinos en sus rutas, los comerciantes y los derechos vulnerados por los poderosos.

hermano, -na *s. m. y f.* ① Persona o animal que ha nacido del mismo padre y de la misma madre que otro. ■ **hermano bastardo** Hermano nacido fuera de un matrimonio legal. ■ **hermano de leche** Persona que ha sido amamantada por una mujer, con respecto a los hijos e hijas de esta, o viceversa: *Juan es mi hermano de leche porque su madre me dio de mamar cuando yo era pequeño.* ■ **hermano de madre** o **hermano uterino** Hermano que solamente tiene en común con otro u otros la madre. ■ **hermano de padre** Hermano que solamente tiene en común con otro u otros el padre. ■ **hermano político** Hermano o hermana del cónyuge, o cónyuge del hermano o la hermana. SIN cuñado. ■ **medio hermano** Hermanastro. ② Persona que pertenece a una congregación u orden religiosa, especialmente católica: *las hermanas de la caridad hacen obras benéficas.* ③ Persona que pertenece a una hermandad o cofradía. ④ Persona que está unida a otra por una gran amistad, por una fe religiosa común o por los mismos sentimientos u opiniones. ⑤ familiar AMÉR. Fórmula que se emplea para dirigirse a una persona con la que se tiene confianza y amistad: *no te preocupes, hermano, te ayudaremos.* ‖ *adj.* ⑥ Se aplica a la cosa que tiene el mismo origen que otra o que suele ir acompañada de otra: *el catalán y el francés son lenguas hermanas porque ambas proceden del latín.*
FAM hermanar, hermanastro, hermandad.

hermenéutica *s. f.* Disciplina que estudia la interpretación de los textos con el fin de averiguar su verdadero sentido.
FAM hermenéutico.

hermenéutico, -ca *adj.* Relativo a la hermenéutica.

hermético, -ca *adj.* ① Que cierra perfectamente y no deja pasar el aire ni el líquido: *alimentos enlatados de envasado hermético.* ② Se aplica a la cosa o persona, especialmente a un autor y su obra, que es impenetrable, que no muestra ningún rasgo de su significado, su pensamiento o sus sentimientos que permita conocerlo o entenderlo: *la poesía surrealista de Lorca es más hermética y universal que la anterior.*
FAM hermetismo.

hermetismo *s. m.* ① Cualidad que tiene una cosa, especialmente un autor y su obra, que es impenetrable, muy difícil de conocer o entender porque no muestra ningún rasgo de su significado, pensamiento o sentimientos. **2** Actitud de la persona que se muestra muy reservada o impenetrable, que no deja traslucir sus pensamientos o sentimientos.

hermoso, -sa *adj.* **1** Se aplica a la persona que está dotada de unos rasgos físicos del cuerpo o la cara que la hacen atractiva y agradable a la vista. **2** Se aplica a la cosa que tiene unos rasgos que la hacen agradable a la vista o el oído: *¡qué paisajes tan hermosos!* **3** Se aplica a la cosa que denota humanidad o sensibilidad, por lo que resulta agradable o atractiva: *los libros de caballerías encerraban hermosos ideales: heroísmo, caballerosidad, defensa de los oprimidos...* **SIN** bello. **4** Se aplica al tiempo atmosférico agradable: *una hermosa mañana.* **5** Que está fuerte, sano o gordo: *tiene un niño muy hermoso.* **6** familiar Que tiene un tamaño grande: *apareció sobre las brasas una hermosa morcilla.*
FAM hermosear, hermosura.

hermosura *s. f.* **1** Cualidad que tiene una persona hermosa, con ciertos rasgos físicos del cuerpo o la cara que la hacen atractiva y agradable a la vista. **2** Cualidad que tiene una cosa hermosa, agradable a la vista o al oído. **3** Cualidad que tiene una cosa que denota humanidad o sensibilidad por lo que resulta agradable o atractiva: *la hermosura de un acto.* **4** Persona o cosa que destaca por ser hermosa: *¡qué hermosura de niño!*

hernia *s. f.* Bulto blando que aparece cuando un órgano del cuerpo sale fuera de su cavidad natural.
FAM herniarse.

herniarse *v. prnl.* Pasar a tener una hernia: *las personas pueden herniarse al realizar un esfuerzo.*
OBS Verbo regular, se acentúa como *cambiar.*

héroe, heroína *s. m.* **1** Persona admirada por haber realizado una hazaña extraordinaria, especialmente si requiere mucho valor. **2** culto Personaje principal de una obra literaria o de un guion cinematográfico. **3** En la mitología griega y romana, hijo nacido de la unión entre un dios y un ser humano: *Hércules, Aquiles y Eneas eran héroes.*
FAM heroico, heroína, heroísmo; antihéroe.

heroicidad *s. f.* **1** Cualidad de la persona que realiza una acción que requiere una gran valentía o logra una cosa muy difícil de conseguir. **2** Acción admirable que exige una gran valentía o es muy difícil de conseguir.

heroico, -ca *adj.* **1** Se aplica a la acción que requiere una gran valentía o es muy difícil de conseguir, por lo que es digna de admiración. **2** Se aplica a la persona que actúa como un héroe, realizando una acción que requiere mucha valentía o es difícil de conseguir, por lo que es digna de admiración: *el heroico rey Arturo.* **3** Que relata las hazañas y proezas de los héroes para exaltarlas o enaltecerlas: *temas heroicos.* **4** Se aplica al romance compuesto por versos endecasílabos.
FAM heroicidad.

heroína *s. f.* Droga derivada de la morfina que suele presentarse en forma de polvo blanco.
FAM heroinómano.

heroinómano, -na *adj./s. m. y f.* Se aplica a la persona que es adicta a la heroína.

heroísmo *s. m.* Conjunto de cualidades propias de un héroe, como la valentía, el esfuerzo o la ayuda desinteresada.

herpes o **herpe** *s. amb.* Enfermedad de la piel causada por un virus que produce unos granitos o ampollas agrupados y rodeados de una zona rojiza inflamada.
OBS Plural: *herpes.*

herrador, -ra *s. m. y f.* Persona que tiene por oficio poner las herraduras a los caballos, las mulas y otras caballerías.

herradura *s. f.* Pieza de hierro en forma de U que se clava a los caballos, las mulas y otras caballerías en los cascos para evitar que se hagan daño al andar.

herraje *s. m.* Conjunto de piezas de hierro con las que se decora una puerta, una mesa u otro objeto: *el herraje de la cómoda imita formas de la naturaleza.*

herramienta *s. f.* **1** Instrumento, generalmente de metal, que sirve para realizar una actividad o un trabajo manual: *el martillo, el escoplo y la sierra son herramientas.* **2** Recurso que se utiliza para realizar una actividad o un trabajo: *suelen utilizar los gráficos como herramienta para presentar sus datos.*
herramienta mecánica Máquina que realiza en un taller un trabajo mecanizado: *la cepilladora, la fresadora y el torno son herramientas mecánicas.*

herrar [1] *v. tr.* **1** Clavar las herraduras en los cascos de los caballos, las mulas y otras caballerías. **2** Marcar a un animal en la piel con un hierro candente.
FAM herradero, herrador, herradura.

herreño, -ña *adj.* **1** De Hierro (isla del archipiélago canario). ‖ *s. m. y f./adj.* **2** Persona que es de Hierro.

herrería *s. f.* **1** Taller donde se fabrican o trabajan objetos de hierro. **2** Oficio del herrero.

herrerillo *s. m.* Pájaro insectívoro de unos 10 cm de largo, con la cara blanca y el cuello, la nuca y el contorno de los ojos negro, las alas y la cola de color azul cobalto, y el vientre amarillo; es común en España.

herrero, -ra *s. m. y f.* Persona que tiene por oficio fabricar o trabajar objetos de hierro.
FAM herrería.

herrete *s. m.* Cabo metálico que se pone a un cordón o una cinta.

herrumbre *s. f.* **1** Capa de óxido de color rojizo que se forma en la superficie del hierro y otros metales a causa de la humedad o del agua. **SIN** orín. **2** Hongo parásito de cereales y otras plantas, que provoca enfermedades y problemas en su crecimiento. **SIN** roya.
FAM herrumbroso; aherrumbrar.

herrumbroso, -sa *adj.* Que tiene herrumbre (capa de óxido).

hertz *s. m.* Unidad de frecuencia del Sistema Internacional, de símbolo *Hz*, que equivale a la frecuencia de un fenómeno periódico cuyo periodo es un segundo.
OBS Plural invariable. Se ha adaptado al español con la forma *hercio.*

hertziano, -na *adj.* Herciano.

hervidero *s. m.* Lugar en que hay una gran cantidad de personas o cosas en continuo movimiento.

hervidor *s. m.* Recipiente que sirve para hervir líquidos.

hervir [9] *v. intr.* **1** Moverse agitadamente un líquido formando burbujas, generalmente por estar sometido a la acción del fuego y alcanzar una temperatura determinada: *el agua hierve a unos 100 grados centígrados.* **SIN** bullir. ‖ *v. tr.* **2** Hacer que un líquido alcance la temperatura de ebullición: *hierve un cuarto de litro de agua y añade tres cucharadas de papi-*

lla. ‖ v. intr. ③ Estar una cosa muy caliente: *tiene la frente hirviendo, debe de tener fiebre.* ④ Estar un lugar agitado continuamente por el movimiento de muchas personas o cosas: *el país hervía por doquier de alborotos y sediciones.* SIN bullir. ‖ v. tr. ⑤ Poner un alimento o un objeto en un líquido que hierve y dejarlo cierto tiempo, para cocinarlo o esterilizarlo.
FAM hervidero, hervido, hervidor, hervor.

hervor *s. m.* Acción que consiste en hervir un líquido, un alimento u otra cosa.

levantar el hervor Arrancar a hervir un líquido: *en cuanto la leche levante el hervor, retírala del fuego.*

heterocerca *adj.* Se aplica a la aleta caudal de algunos peces formada por dos lóbulos desiguales, uno de los cuales es el extremo de la columna vertebral.

heterocigoto, -ta [también **heterozigoto, -ta**] *adj./s. m.* ① Se aplica al cigoto que está formado por la unión de dos células sexuales que tienen diferentes dotaciones genéticas. ANT homocigoto. ② Se aplica al ser vivo que procede de la unión de células sexuales con diferentes dotaciones genéticas. ANT homocigoto. ③ Se aplica al ser vivo que tiene dos genes diferentes en el lugar de los cromosomas que determinan un mismo carácter o rasgo genético. ANT homocigoto.

heteróclito, -ta *adj.* ① Se aplica a la palabra o locución que no sigue las reglas ordinarias de la morfología: *conjugación heteróclita.* ② culto Heterogéneo.

heterodoxia *s. f.* Condición de la persona cuyas ideas o principios se separan de los establecidos por una religión, forma de pensamiento o doctrina política. ANT ortodoxia.

heterodoxo, -xa *adj./s. m. y f.* ① Se aplica a la persona cuyas ideas o principios se separan de los establecidos por una religión, forma de pensamiento o doctrina política. ANT ortodoxo. ‖ *adj.* ② Se aplica a la idea, obra o postura que se separa de lo establecido por una religión, forma de pensamiento o doctrina política: *opiniones heterodoxas.* ANT ortodoxo.
FAM heterodoxia.

heterogeneidad *s. f.* ① Cualidad de una cosa heterogénea o formada por elementos de distinta clase o naturaleza. ANT homogeneidad. ‖ *adj.* ② En química, se aplica a la mezcla que contiene dos o más fases.

heterogéneo, -nea *adj.* Que está formado por elementos de distinta clase o naturaleza. ANT homogéneo.
FAM heterogeneidad.

heteronimia *s. f.* Fenómeno por el cual palabras de gran proximidad semántica tienen formas y etimologías diferentes: *hay heteronimia entre "caballo" y "yegua".*
FAM heterónimo.

heterónimo *adj./s. m.* Se aplica a la palabra que tiene una gran proximidad semántica con otra pero una forma y una etimología diferentes: *"padre" es heterónimo de "madre" y "toro" de "vaca".*

heteróptero, -ra *adj./s. m.* ① Se aplica al insecto cuyas alas tienen una mitad coriácea y otra membranosa: *algunas clasificaciones incluyen heterópteros y homópteros dentro del orden hemípteros.* ‖ *s. m. pl.* ② **heterópteros** Grupo taxonómico, con categoría de grupo, formado por estos insectos.

heterosexual *adj.* ① Relativo a la heterosexualidad: *relación heterosexual.* ‖ *s. com./adj.* ② Persona que siente atracción sexual hacia personas de sexo distinto al suyo.
FAM heterosexualidad.

heterosexualidad *s. f.* ① Atracción sexual que siente una persona por otra de distinto sexo. ② Práctica de relaciones sexuales entre personas de distinto sexo.

heterótrofo, -fa *adj./s. m. y f.* ① Se aplica al organismo que es incapaz de elaborar su propia materia orgánica a partir de sustancias inorgánicas y se nutre de sustancias elaboradas por otros seres vivos: *los animales son seres heterótrofos.* ANT autótrofo. ‖ *adj.* ② Se aplica a la forma de alimentación propia de estos organismos. ANT autótrofo.

heterozigoto, -ta *adj./s. m.* Heterocigoto.

hexaedro *s. m.* Poliedro regular formado por seis caras cuadradas. SIN cubo.

hexagonal [también **exagonal**, menos usado] *adj.* Que tiene forma de hexágono.

hexágono [también **exágono**, menos usado] *s. m.* Polígono de seis lados y seis ángulos.
FAM hexagonal.

hexámetro *adj.* ① Que tiene seis sílabas. ‖ *s. m.* ② Verso de la poesía clásica griega y latina que está formado por seis pies métricos.

hexasílabo, -ba *adj./s. m.* Se aplica al verso que tiene seis sílabas.

hexástilo, -la *adj./s. m.* Se aplica al templo griego que tiene seis columnas en su pórtico.

hez *s. f.* ① Sedimento o residuo de las impurezas de una sustancia líquida: *las heces del vino.* NOTA Más en plural con el mismo significado que en singular. ② despectivo Conjunto de personas viles y despreciables: *de ese país regresan la hez, la canalla, los pandilleros.* ‖ *s. f. pl.* ③ **heces** culto Residuos de los alimentos que elimina el organismo por el ano tras haber hecho la digestión.

hiato *s. m.* ① Pronunciación de dos vocales contiguas que no forman diptongo en sílabas distintas: *en "baúl" hay un hiato.* ② En anatomía, espacio o abertura que hay entre varios componentes anatómicos.

hibernación *s. f.* ① Estado de letargo que experimentan algunos animales en invierno, acompañado de un descenso de su temperatura corporal y del ritmo de sus funciones metabólicas. ② Estado de letargo al que se somete a una persona artificialmente con fines médicos, haciendo disminuir la temperatura de su cuerpo.

hibernar *v. intr.* ① Pasar el invierno un animal en estado de letargo, recogido en su guarida o un lugar recogido, generalmente para protegerse del frío o la escasez de alimentos: *las serpientes y los osos hibernan.* ‖ *v. tr.* ② Someter a una persona a un estado de letargo con fines médicos.
FAM hibernación.

hibridación *s. f.* ① Producción de híbridos. ② Fecundación entre dos individuos de distinta constitución genética.

hibridar *v. tr.* Producir híbridos artificialmente uniendo dos o más cosas de distinta naturaleza.

híbrido, -da *adj./s. m.* ① Se aplica al animal o vegetal que procede de la unión de dos individuos de especies diferentes: *un mulo es un híbrido de caballo y burra o de yegua y burro.* SIN mestizo. ② Se aplica al individuo que tiene dos genes diferentes para un determinado carácter. ③ Que es originado a partir de elementos de distinta naturaleza: *así nació el cómic, un híbrido entre literatura e ilustración.*
FAM hibridar.

hidalgo, -ga *s. m. y f.* ① Persona que durante la Edad Media pertenecía a la pequeña nobleza, era tratada de don, poseía escudo de armas y estaba exenta de pagar tributos. ‖ *adj.* ② Relativo a esta persona. ③ *culto* Que es generoso y noble. **FAM** hidalguía.

hidalguía *s. f.* Condición social de hidalgo.

hidra *s. f.* ① Invertebrado del filo cnidarios o pólipo de agua dulce de hasta 2 cm de largo, con forma parecida a un tubo, que se agarra a la roca y utiliza el extremo libre, que tiene numerosos tentáculos, para capturar animales pequeños. ② Culebra acuática venenosa que vive en las costas de los océanos Pacífico e Índico. ③ Monstruo de la mitología griega que tenía siete cabezas y fue muerto por Hércules. **NOTA** Se escribe normalmente con mayúscula inicial.

hidrácido *s. m.* Ácido compuesto por hidrógeno y un elemento no metálico, como un halógeno.

hidratación *s. f.* ① Acción de hidratar o restablecer el grado de humedad normal de la piel. ② En química, combinación de un cuerpo o una sustancia con agua.

hidratante *adj./s. m.* Se aplica al producto cosmético que hidrata la piel, restableciéndole el grado de humedad normal.

hidratar *v. tr.* ① Restablecer el grado de humedad normal de la piel. ② En química, combinar un cuerpo o una sustancia con agua. **ANT** deshidratar. **FAM** hidratación, hidratante; deshidratar.

hidrato *s. m.* Sustancia química que contiene un número determinado de moléculas de agua en su composición.

hidrato de carbono Compuesto orgánico, generalmente de sabor sulce y soluble en agua, que contiene carbono, hidrógeno y oxígeno y cumple principalmente funciones estructurales y de aporte energético: *el almidón y la celulosa son hidratos de carbono.* **SIN** carbohidrato, glúcido. **FAM** hidratar.

hidráulica *s. f.* ① Parte de la mecánica que estudia las leyes que rigen el equilibrio y movimiento del agua. ② Técnica de conducir, contener y elevar el agua.

hidráulico, -ca *adj.* ① Que funciona o es movido por la acción del agua o de otro líquido: *motores hidráulicos.* ② Relativo al agua que se embalsa o canaliza para su uso: *riqueza hidráulica.*

hídrico, -ca *adj.* Relativo al agua: *el equilibrio hídrico de un ser vivo.*

hidroavión *s. m.* Avión o aeroplano provisto de unos flotadores en vez de tren de aterrizaje, que le permiten posarse en el agua y despegar de ella.

hidrocarburo *s. m.* Compuesto químico orgánico formado por carbono e hidrógeno: *el petróleo es una mezcla de hidrocarburos viscosos.*

hidrocefalia *s. f.* Enfermedad que consiste en una acumulación anormal de líquido cefalorraquídeo en las cavidades del cerebro, y que puede causar lesiones en este órgano. **FAM** hidrocéfalo.

hidrodinámica *s. f.* Parte de la mecánica que estudia el movimiento de los líquidos en relación con las causas que los originan.

hidrodinámico, -ca *adj.* Relativo a la hidrodinámica: *sistema hidrodinámico.*

hidroelectricidad *s. f.* Energía eléctrica que se consigue por la fuerza del movimiento del agua. **FAM** hidroeléctrico.

hidroeléctrico, -ca *adj.* ① Relativo a la hidroelectricidad. ‖ *adj./s. f.* ② Se aplica a la empresa que se dedica a generar hidroelectricidad.

hidrófilo, -la *adj.* ① Que se disuelve en el agua con facilidad: *molécula hidrófila.* **ANT** hidrófobo. ② Se aplica al ser vivo que vive en ambientes húmedos: *el musgo es hidrófilo.*

hidrofobia *s. f.* ① Miedo enfermizo al agua. ② Enfermedad infecciosa que padecen ciertos animales, especialmente los perros, y que se transmite a través de las mordeduras. **SIN** rabia. ③ Rechazo al agua. **FAM** hidrófobo.

hidrófobo, -ba *adj.* ① Que padece hidrofobia. ② Se aplica al organismo o sustancia que rechaza el agua.

hidrófugo, -ga *adj.* Que no deja pasar la humedad o las filtraciones de agua: *algunas aves marinas tienen las plumas protegidas por una sustancia hidrófuga.*

hidrógeno *s. m.* Elemento químico de símbolo H y número atómico 1; es un gas incoloro, inodoro y más ligero que el aire, que entra en la composición de muchas sustancias orgánicas y de gran número de sustancias inorgánicas; combinado con el oxígeno, forma el agua: *el hidrógeno tiene tres isótopos muy importantes: protio y deuterio (naturales y estables) y tritio (artificial y radiactivo).* **FAM** hidrogenar.

hidrografía *s. f.* ① Parte de la geografía que estudia y describe los mares, los lagos, los ríos y otras corrientes de agua. ② Conjunto de los mares, lagos, ríos y otras corrientes de agua de un país o una zona geográfica: *esta región tiene una hidrografía muy pobre.* **FAM** hidrográfico.

hidrográfico, -ca *adj.* Relativo a la hidrografía (parte de la geografía).

hidrograma *s. m.* Gráfico que representa la variación de un caudal de agua (en el eje de ordenadas) respecto al tiempo (en el eje de las abscisas).

hidrólisis *s. f.* Descomposición de un cuerpo o una sustancia por su reacción con el agua: *el agua produce la descomposición (hidrólisis) de algunos minerales.* **FAM** hidrolizar. **OBS** Plural invariable.

hidrolizado, -da *adj.* Que ha sido descompuesto por su reacción con el agua: *cereales hidrolizados.*

hidrología *s. f.* Ciencia que estudia las propiedades, la distribución y la circulación del agua en la superficie de la Tierra, en el suelo y en la atmósfera. **FAM** hidrológico.

hidromiel *s. f.* Agua mezclada con miel. **SIN** aguamiel.

hidropesía *s. f.* Acumulación anómala de líquido en un tejido, cavidad u órgano del cuerpo.

hidrosfera *s. f.* Conjunto de aguas continentales y oceánicas de la corteza terrestre en estado sólido, líquido o gaseoso, tanto superficiales como subterráneas: *la hidrosfera ocupa el 70,8 % de la superficie terrestre.*

hidrosoluble *adj.* Que puede disolverse en agua: *las vitaminas B, C y D son hidrosolubles.*

hidrostática *s. f.* Parte de la física que estudia los líquidos en equilibrio.

hidrostático, -ca *adj.* En mecánica, relativo al equilibrio de los líquidos y los gases y a los cuerpos que flotan en ellos: *Arquímedes formuló un principio hidrostático fundamental.*

H

hidroterapia *s. f.* Tratamiento de enfermedades y lesiones por medio de la aplicación de agua, en forma de baños calientes, masajes con chorros de agua, etc.

hidrotropismo *s. m.* Movimiento de un organismo como respuesta a un estímulo producido por el agua o la humedad: *las raíces de una planta siempre crecen hacia el agua como consecuencia del hidrotropismo.*

hidróxido *s. m.* Compuesto químico de propiedades básicas formado por la unión del grupo (–OH) y un metal o ion positivo: *la oxidación de minerales provocada por el agua da lugar a los hidróxidos.*

hidroxilo *s. m.* Grupo químico compuesto por un átomo de hidrógeno y otro de oxígeno (–OH).

hidruro *s. m.* Compuesto formado por la combinación binaria de hidrógeno y otro elemento.

hiedra [también **yedra**, menos usado] *s. f.* Planta trepadora de hojas brillantes y siempre verdes que crece agarrándose a paredes y árboles mediante unas pequeñas raíces adherentes que salen de su tallo.

hiel *s. f.* ① Líquido segregado por el hígado, de color amarillo verdoso y sabor amargo, que se canaliza hacia el intestino y contribuye al proceso de la digestión. **SIN** bilis. ② Sentimiento de intensa amargura que incita a hacer daño a otras personas.

hielo *s. m.* ① Agua en estado sólido cuando la temperatura es igual o inferior a 0 grados centígrados. ② Cubito o trozo pequeño de hielo.

hielo seco Dióxido de carbono en estado sólido que se utiliza como refrigerante.

romper el hielo Acabar con la timidez o frialdad iniciales cuando dos personas empiezan a hablar o a tener una relación, con unas palabras o gestos que las acerquen: *para romper el hielo, voy a opinar sobre la película que vi ayer en el cine.* **FAM** helar, helero; rompehielos.

hiena *s. f.* ① Mamífero carroñero parecido al perro, con las patas traseras más cortas que las delanteras, el cuello largo y grueso y el pelo áspero y pardo; vive en manadas en África y Asia. ② Persona que se comporta sin escrúpulos y con cobardía.

hierático, -ca *adj.* ① Se aplica a la figura pintada o esculpida que se caracteriza por la falta de expresividad en las facciones y por la posición vertical y rígida, como señal de solemnidad y majestuosidad: *Piero della Francesca inmortalizó a sus contemporáneos en figuras hieráticas colocadas de perfil.* ② Se aplica a la persona que permanece seria e inexpresiva y no exterioriza sus sentimientos: *sus modales eran casi solemnes, y su rostro, hierático e imperturbable.* ③ Se aplica a la escritura egipcia antigua que era una simplificación de la jeroglífica. **FAM** hieratismo.

hieratismo *s. m.* ① Inexpresividad en las facciones de una figura pintada o esculpida, como señal de solemnidad o majestuosidad. ② Seriedad o inexpresividad de una persona que no exterioriza sus sentimientos.

hierba [también **yerba**, menos usado] *s. f.* ① Planta de tallos finos y flexibles, de pocos centímetros: *existen gran cantidad de hierbas.* ② Conjunto de estas plantas en un terreno: *se había tendido en la recién nacida hierba.* ③ Planta que se usa con fines medicinales, en cocina o se toma como infusión: *el tomillo es una hierba para el catarro.* ■ **finas hierbas** Conjunto de hierbas aromáticas que se usan juntas como condimento: *la ternera en finas hierbas lleva laurel en polvo, tomillo, estragón y romero al gusto.* ④ jerga Marihuana.

hierba luisa Hierbaluisa.

mala hierba Hierba perjudicial que crece de forma espontánea en un campo de cultivo o en un jardín. **NOTA** Más en plural.

y otras hierbas familiar Expresión con que se acaba una enumeración, generalmente de elementos inconexos. **NOTA** Frecuentemente usado de forma humorística.

FAM herbáceo, herbaje, herbario, herbicida, herbívoro, hierbabuena.

hierbabuena [también **yerbabuena**, menos usado] *s. f.* Planta herbácea de hojas verdes, vellosas y muy aromáticas que se toma en infusión y se emplea como condimento.

hierbaluisa [también **yerbaluisa**, menos usado] *s. f.* Arbusto de jardín de hojas alargadas de color verde claro y con olor a limón, y flores pequeñas y violáceas. **SIN** luisa. **OBS** También *hierba luisa.*

hierofanía *s. f.* Conjunto de formas existentes en el mundo a través de las cuales se manifiesta lo sagrado, según diversas creencias religiosas: *para el hombre primitivo, el mundo entero era una hierofanía, una manifestación de lo sagrado.*

hierra [también **yerra**, menos usado] *s. f.* ① AMÉR. Operación de marcar el ganado en las haciendas con el hierro candente. ② AMÉR. Temporada en la que se marca el ganado. ③ AMÉR. Fiesta que se celebra con motivo de la hierra.

hierro *s. m.* ① Elemento químico de símbolo *Fe* y número atómico 26; es un metal duro y dúctil, de color gris, que abunda en la naturaleza; sirve para hacer todo tipo de herramientas, estructuras y objetos. ■ **hierro colado** Hierro fundido sin refinar y enfriado en moldes que se obtiene en los altos hornos. ■ **hierro dulce** Hierro sin impurezas que se trabaja fácilmente. ■ **hierro forjado** Hierro que contiene impurezas o está mezclado con otros metales, y se trabaja a golpes, poniéndolo al rojo y enfriándolo, sucesivamente. ② Objeto o pieza hechos con este metal: *se hizo daño con un hierro que sobresalía de la pared.* ③ Punta de hierro de un arma o un instrumento.

de hierro (I) Que es muy fuerte o resistente: *salud de hierro.* (II) Se aplica a la persona de carácter duro e inflexible y una gran fortaleza y voluntad: *una mujer de hierro, dueña de un carácter frío.*

quitar hierro Hacer menos grave, tenso o difícil un asunto, problema o hecho. **FAM** herraje, herrar, herrero, herrete, herrumbre; aherrojar.

hifa *s. f.* Cada uno de los filamentos que constituyen el aparato vegetativo de algunos hongos, que sirve para tomar los nutrientes del suelo.

higadillo *s. m.* Hígado de un animal de pequeño tamaño, especialmente de un ave.

hígado *s. m.* Órgano de los animales vertebrados, de forma más o menos oval y aplanada y color rojo oscuro, que se localiza sobre el estómago; interviene en la función digestiva segregando la bilis, almacena sustancias nutrientes y sintetiza enzimas, proteínas y glucosa: *el hígado participa en la eliminación de sustancias tóxicas de la sangre.*

echar los hígados familiar Hacer un esfuerzo físico muy grande. **FAM** higadillo.

higiene *s. f.* ① Limpieza del cuerpo y de los objetos que rodean a las personas para mejorar la salud y prevenir enfermedades o infecciones. ② Parte de la medicina que se ocupa de la conservación de la salud.

FAM higiénico, higienista, higienizar.

higiénico, -ca *adj.* Relativo a la higiene (limpieza): *medidas higiénicas.*

FAM antihigiénico.

higienizar *v. tr.* ① Disponer o preparar una cosa conforme a las normas de la higiene. ② Limpiar una cosa conforme a las normas de la higiene.

FAM higienización.

higo *s. m.* Fruto comestible de la higuera, de forma parecida a la pera, piel verde o marrón y pulpa roja o blanca, dulce y con muchas semillas.

de higos a brevas familiar En escasas ocasiones y muy distanciadas en el tiempo.

higo chumbo Fruto de la chumbera, de corteza verde cubierta de espinas y pulpa comestible, dulce y de color anaranjado. NOTA También simplemente *chumbo.*

FAM higuera.

higrometría *s. f.* Parte de la física que mide y estudia el nivel de humedad de la atmósfera.

FAM higrométrico.

higrómetro *s. m.* Instrumento para medir el grado de humedad relativa del aire.

FAM higrometría.

higuera *s. f.* Árbol frutal de hasta 8 m de altura, hojas verdes, grandes y que desprenden una leche urticante, y madera muy blanda; su fruto, comestible, es el higo.

estar en la higuera familiar No enterarse del asunto de que se trata o de la cosa que ocurre.

hijastro, -tra *s. m. y f.* Hijo o hija de un cónyuge anterior de su padre o madre, con respecto al actual cónyuge de esta persona.

hijo, -ja *s. m. y f.* ① Persona o animal considerados en relación con sus padres. ■ **hijo adoptivo** Hijo que no ha sido procreado por ninguno de sus dos padres legales pero tiene los mismos derechos y vínculos con ellos que un hijo engendrado de forma natural. ■ **hijo bastardo** Hijo nacido fuera de un matrimonio legal. ■ **hijo ilegítimo** Hijo nacido fuera de un matrimonio legal y que no ha sido reconocido legalmente por su padre biológico. ■ **hijo legítimo** Hijo que ha sido reconocido legalmente por su padre biológico. ■ **hijo natural** Hijo de unos padres que no están legalmente casados. ■ **hijo político** culto Cónyuge del hijo o la hija de una persona, es decir, yerno o nuera. ② Persona considerada en relación con el lugar en el que ha nacido: *Picasso es uno de los hijos más famosos de Málaga.* ■ **hijo predilecto** Título honorífico que un municipio concede a una persona nacida en él en señal de gratitud y reconocimiento a sus valores profesionales y humanos. ③ Yema o tallo nuevo que le sale a una planta: *al álamo le han salido dos hijos.* SIN brote. ④ Forma de tratamiento que se da normalmente a una persona más joven con la que se mantiene una relación de confianza o de superioridad de conocimientos y experiencia: *mira, hijo, hasta que aprendas a aparcar tendrás que seguir viniendo a la autoescuela.* ⑤ Religioso, respecto al fundador de su orden. | *s. m.* ⑥ En la religión cristiana, segunda persona de la Santísima Trinidad, es decir, Jesucristo. NOTA Se escribe con mayúscula inicial.

hijo de papá despectivo Persona que pertenece a una familia rica o acomodada a la que sus padres pagan todos sus caprichos.

hijo de perra o **hijo de puta** vulgar Persona mala y despreciable. NOTA Frecuentemente usado como insulto.

hijo pródigo Persona que regresa a un lugar o situación abandonado anteriormente.

FAM hijastro; ahijar, prohijar.

hijodalgo *s. m.* Hidalgo.

hilacha *s. f.* Trozo de hilo que cuelga de una tela o se desprende de ella. SIN hilacho.

FAM hilachoso; deshilachar.

hilacho *s. m.* Hilacha.

hilada *s. f.* ① Conjunto de personas o cosas colocadas unas tras otras en línea: *una pared se construye superponiendo hiladas de ladrillos.* SIN hilera, fila. ② Serie horizontal de ladrillos o sillares en un muro.

hilado *s. m.* ① Proceso mediante el cual una fibra textil de origen vegetal o animal se transforma en un hilo homogéneo y continuo: *el hilado de la seda requiere un gran cuidado.* ② Hilo o materia textil que resulta de este proceso. NOTA Más en plural. SIN hilatura.

hilandería *s. f.* Arte u oficio de hilar o hacer hilos a partir de fibras textiles vegetales o animales.

hilandero, -ra *s. m. y f.* Persona que tiene por oficio hilar o hacer hilos a partir de fibras textiles vegetales o animales.

FAM hilandería.

hilar *v. tr.* ① Transformar las fibras textiles de origen vegetal o animal en hilo homogéneo y continuo para coser o fabricar tejidos: *la rueca y el huso eran los instrumentos empleados para hilar.* ② Tejer un gusano su capullo o una araña su tela a partir de la fibra que estos mismos animales segregan. ③ Relacionar varias ideas entre sí para construir un pensamiento homogéneo o una conclusión: *hilar un discurso.*

FAM hilada, hilado, hilandero, hilatura; deshilar, sobrehilar.

hilarante *adj.* culto Que provoca ganas de reír.

hilaridad *s. f.* culto Risa.

FAM hilarante.

hilatura *s. f.* ① Industria o comercialización del hilado (hilo o materia textil). ② Hilado (hilo o materia textil).

hilemorfismo *s. m.* Doctrina aristotélica según la cual todas las cosas están constituidas por materia y forma.

hilera *s. f.* ① Conjunto de personas o cosas colocadas unas tras otras en línea. SIN fila, hilada. ② Instrumento que se usa en metalurgia y orfebrería para obtener hilos o alambres de un metal. ③ Apéndice anal de las arañas que alberga la glándula encargada de segregar el hilo. NOTA Generalmente en plural con el mismo significado que en singular.

hilo *s. m.* ① Cuerpo delgado, largo y flexible que se obtiene a partir de fibras textiles de origen vegetal o animal y se usa para coser o fabricar tejidos. ② Cuerpo delgado, largo y flexible que se obtiene a partir de fibras textiles extraídas del tallo del lino, o tejido que se hace con lino: *una mantelería de hilo.* SIN lino. ③ Cuerpo delgado, largo y flexible de cualquier material y similar al hilo textil: *una bobina de hilo de cobre.* ④ Fibra que segregan algunos gusanos o arañas para construir sus capullos o telas. ⑤ Cable, especialmente en una red eléctrica, telefónica o de otro tipo: *hilos de telégrafo.* ⑥ Chorro muy fino de líquido que cae o sale de un lugar de manera continuada: *un hilo fino de agua que sale de un grifo.* ⑦ Continuidad de una narración, argumentación, pensamiento o cosas similares, que hace que las diferentes partes se enlacen unas con otras y formen un todo homogéneo: *el hilo de una historia.*

al hilo de En referencia a una cosa con la que tiene relación lo que se dice: *reflexiona al hilo del acontecimiento.*

colgar (o pender) de un hilo Estar una cosa en una situación de gran inseguridad, riesgo o peligro: *piensan que su futuro cuelga de un hilo.*

hilo musical Sistema de transmisión de programas musicales mediante receptores conectados al cable del teléfono, que se instala en un lugar.

FAM hilacha, hilacho, hilar, hilaza, hilván; enhilar.

hilván *s. m.* ❶ Costura hecha con puntadas largas y poco apretadas con la que se sujeta la tela para coserla de manera definitiva. ❷ Hilo que se usa para hacer esta costura.

FAM hilvanar.

hilvanar *v. tr.* ❶ Unir con un hilván o costura de puntadas largas y poco apretadas dos telas que se van a coser. ANT deshilvanar. ❷ Relacionar o enlazar varias cosas entre sí, especialmente ideas, para construir un todo homogéneo: *hilvanar una jugada de fútbol; fue incapaz de hilvanar un mensaje con sentido.* ❸ Elaborar las líneas generales de un plan o proyecto: *hilvanó y presentó proyectos de entrenamiento de jugadores.*

FAM deshilvanar.

himen *s. m.* Membrana que cierra parcialmente el orificio externo de la vagina. SIN virgo.

himeneo *s. m.* culto Boda.

himenóptero *adj./s. m.* ❶ Se aplica al insecto que tiene dos pares de alas membranosas y transparentes y el aparato bucal adaptado para picar, chupar y masticar, como la abeja o la avispa. ❙ *s. m. pl.* ❷ **himenópteros** Grupo taxonómico, con categoría de orden, constituido por estos insectos.

himno *s. m.* Composición solemne, poética o musical, en alabanza de personajes, cosas o sucesos extraordinarios: *himno a la Virgen; himno nacional.*

hincapié Se usa en la expresión:

hacer hincapié Indica que se insiste en una cosa o se destaca para remarcar su importancia o para que quede clara: *el sindicato hizo hincapié en la precariedad del empleo.*

hincar *v. tr.* ❶ Clavar o meter una cosa con punta en otra ejerciendo una presión: *hincó el tenedor en el filete.* ❷ Apoyar firmemente una cosa en una superficie: *hinqué el pie sobre esta tierra nuestra.* ❙ *v. prnl.* ❸ **hincarse** Arrodillarse: *se hincó ante el altar.*

FAM hincapié.

hincha *s. f.* ❶ familiar Manía: *el maestro le tiene hincha.* ❙ *s. com.* ❷ Persona que pertenece a la afición de un equipo deportivo y lo sigue con pasión y entusiasmo.

FAM hinchada.

hinchada *s. f.* Conjunto de hinchas de un equipo deportivo.

hinchar *v. tr.* ❶ Aumentar el tamaño o volumen de un cuerpo al llenar su interior con un gas u otra sustancia. SIN inflar. ANT deshinchar, desinflar. ❷ Exagerar la importancia o el valor de una noticia, un suceso u otra cosa. SIN inflar. ❸ Hacer que una parte del cuerpo aumente su volumen, generalmente debido a una enfermedad o alteración: *el hambre les hinchaba la barriga.* ❙ *v. prnl.* ❹ **hincharse** familiar Hartarse, hacer una persona una cosa que tiene necesidad de hacer o le gusta de modo que quede satisfecha o cansada de ella: *nos hinchamos a ver películas; nos hinchamos de langostinos.* ❺ familiar Sentir y mostrar un orgullo excesivo por los méritos propios: *se hinchaba de vanidad.* SIN inflarse.

FAM hinchable, hinchador, hinchamiento, hinchazón; deshinchar.

hinchazón *s. f.* ❶ Aumento del volumen de una parte del cuerpo, generalmente debido a una enfermedad o alteración: *hinchazón de glándulas.* ❷ Actitud de la persona que habla o actúa con vanidad o presunción, exagerando el valor de sus palabras o actos.

hindi *s. m./adj.* Lengua de origen indoeuropeo, que es una de las lenguas oficiales en la India (país del sur de Asia).

hindú *adj.* ❶ De la India (país de Asia). ❙ *s. com./adj.* ❷ Persona que es de la India. ❙ *adj.* ❸ Hinduista.

FAM hinduismo.

hinduismo *s. m.* Religión de los hindúes, originada en la India aproximadamente a partir del siglo XV a. C.; es politeísta, cree en la reencarnación y se organiza socialmente en un sistema jerárquico de castas: *el hinduismo es la religión mayoritaria en la India.*

FAM hinduista.

hinduista *adj.* ❶ Relativo al hinduismo. ❙ *adj./s. com.* ❷ Se aplica a la persona que profesa el hinduismo.

hiniesta *s. f.* Planta con muchas ramas largas, delgadas y flexibles, de hojas pequeñas y escasas y flores amarillas. SIN retama.

hinojo¹ *s. m.* Planta con el tallo de hasta 1 m de largo, hojas partidas en muchas secciones y flores amarillas pequeñas agrupadas en una inflorescencia plana y redonda; hojas, tallo y semillas se emplean como condimento.

hinojo² Se usa en la expresión:

de hinojos culto De rodillas.

hioides *s. m./adj.* Hueso situado encima de la laringe y debajo de la lengua.

OBS Plural invariable.

hipar *v. intr.* ❶ Dar hipos reiterados una persona. ❷ Llorar emitiendo sollozos y gemidos entrecortados.

FAM hípido.

híper *s. m.* familiar Hipermercado.

hipérbaton *s. m.* Figura retórica que consiste en alterar el orden lógico de las palabras en una oración o de varias oraciones en un periodo.

OBS Plural: *hipérbatos.*

hipérbola *s. f.* Cónica formada por los puntos cuya diferencia de distancias a dos puntos fijos o focos es constante.

hipérbole *s. f.* Figura retórica que consiste en exagerar lo que se expresa, con términos que lo engrandecen o lo disminuyen, para conseguir una mayor fuerza expresiva: *"érase un hombre a una nariz pegado" es una hipérbole de Francisco de Quevedo.*

FAM hiperbólico, hiperbolizar.

hiperbólico, -ca¹ *adj.* Relativo a la hipérbola.

hiperbólico, -ca² *adj.* Relativo a la hipérbole o que se expresa mediante una hipérbole.

hipercrítica *s. f.* Crítica excesiva o muy rigurosa que se hace de una cosa: *la airada hipercrítica racionalista.*

FAM hipercrítico.

hiperenlace *s. m.* Enlace o vínculo creado entre dos documentos de hipertexto; consiste en una palabra, frase, imagen, etc., generalmente subrayada o destacada de otro modo, que, al pulsar sobre ella con el ratón, abre otro documento.

hiperespacio *s. m.* Supuesto espacio de más de tres dimensiones: *el hiperespacio fue incorporado a las convenciones de la ciencia ficción.*

hipermercado *s. m.* Establecimiento comercial que ocupa una gran superficie en el que se venden toda clase de productos y en el que el cliente elige o coge lo que quiere comprar y lo paga a la salida.

hipermétrope *adj./s. com.* Se aplica a la persona que padece hipermetropía.

hipermetropía *s. f.* Defecto de la visión que impide ver con claridad los objetos cercanos debido a que el cristalino del ojo no tiene suficiente convexidad.
FAM hipermétrope.

hiperónimo *s. m.* Palabra cuyo significado engloba el de otros términos: *"animal" es el hiperónimo de "insecto", e "insecto" lo es de "mosquito".*

hiperrealismo *s. m.* Tendencia pictórica y escultórica caracterizada por la representación objetiva y minuciosa de lo percibido: *el hiperrealismo nació en Estados Unidos a finales de la década de 1960.*

hipersensibilidad *s. f.* ⓵ Sensibilidad mayor de lo normal que tiene una persona, que la hace sentirse afectada en sus sentimientos por cosas que no afectan tanto a los demás. ⓶ Reacción del organismo que se produce como rechazo a una sustancia a la que es hipersensible, o que le afecta negativamente de modo anormal: *hipersensibilidad a los antibióticos.*

hipersensible *adj.* Que tiene más sensibilidad de lo normal: *piel hipersensible; persona hipersensible.*
FAM hipersensibilidad.

hipertensión *s. f.* Presión excesivamente alta de la sangre sobre la pared de las arterias. **ANT** hipotensión.
FAM hipertenso.

hipertenso, -sa *adj./s. m. y f.* Se aplica a la persona que padece hipertensión.

hipertexto *s. m.* Sistema informático de organización y presentación de datos que se basa en la vinculación de fragmentos textuales o gráficos a otros fragmentos, lo cual permite al usuario acceder a la información no necesariamente de forma secuencial sino desde cualquiera de los distintos ítems relacionados: *las enciclopedias y diccionarios en CD-ROM son un ejemplo de hipertexto.*

hipertiroidismo *s. m.* Enfermedad que se caracteriza por el aumento de la actividad funcional de la glándula tiroides y el exceso de secreción de hormonas tiroideas; provoca bocio, hiperactividad y taquicardia, entre otros síntomas.

hipertrofia *s. f.* ⓵ Crecimiento excesivo y anormal de un órgano del cuerpo. ⓶ culto Aumento o desarrollo excesivo de una cosa.
FAM hipertrofiarse, hipertrófico.

hipervínculo *s. m.* Texto o imagen que vincula una página web con otra.

hip-hop o **hip hop** [se pronuncia aproximadamente 'jip-jop'] *s. m.* ⓵ Estilo de música de baile nacido en Estados Unidos en la década de 1970 como derivación del funk y que se caracteriza por su base electrónica y por estar asociado a manifestaciones culturales alternativas, como los graffiti. ❙ *adj.* ⓶ Relativo a este estilo musical: *el movimiento hip-hop.*

hípica *s. f.* Conjunto de deportes en los que un jinete y su caballo participan junto con otros en una competición.

hípico, -ca *adj.* Relativo a la hípica.
FAM hípica.

hipido *s. m.* Sollozo o gemido entrecortado que da una persona al llorar.

hipnosis *s. f.* Estado de inconsciencia semejante al sueño que una persona produce en otra mediante una serie de técnicas, y que provocan una serie de estados y procesos mentales, como el surgimiento de pensamientos del inconsciente.
FAM hipnótico.
OBS Plural invariable.

hipnótico, -ca *adj.* ⓵ Relativo a la hipnosis. ❙ *adj./s. m.* ⓶ Se aplica a la sustancia o medicamento que produce sueño.
FAM hipnotismo, hipnotizar.

hipnotismo *s. m.* Conjunto de técnicas y teorías relacionadas con los procedimientos para provocar la hipnosis y con los procesos mentales que experimenta la persona que se somete a esta práctica.

hipnotizador, -ra *adj.* ⓵ Que hipnotiza. ❙ *s. m. y f.* ⓶ Persona que se dedica a hipnotizar o producir hipnosis.

hipnotizar *v. tr.* ⓵ Someter a una persona a un estado de hipnosis. ⓶ Atraer intensamente una cosa o persona a alguien, dejándolo bajo su influencia.
FAM hipnotización, hipnotizador.

hipo *s. m.* Serie de movimientos violentos e involuntarios del diafragma que fuerza a los pulmones a expulsar aire de manera brusca y entrecortada produciendo un sonido característico.

quitar el hipo familiar Sorprender agradablemente una cosa o persona: *la película tiene un reparto que quita el hipo.*
FAM hipar, hiposo.

hipoalergénico, -ca *adj.* Se aplica a la sustancia o producto que tiene un riesgo bajo de producir reacciones alérgicas: *he comprado un gel de baño hipoalergénico.* **SIN** hipoalérgico.

hipoalérgico, -ca *adj.* Hipoalergénico.

hipocalórico, -ca *adj.* Que contiene un número bajo de calorías: *una dieta hipocalórica.*

hipocampo *s. m.* Pez marino de hasta 20 cm de largo, cuya cabeza recuerda a la de un caballo; tiene una cola prensil que utiliza para sujetarse a la vegetación y vive en mares cálidos, cerca de la costa. **SIN** caballito de mar.

hipocentro *s. m.* Punto del interior de la Tierra donde se origina un movimiento sísmico.

hipocondría *s. f.* Alteración mental enfermiza que se caracteriza por una preocupación obsesiva y sin motivos por la propia salud y provoca depresión y ansiedad.
FAM hipocondríaco.

hipocondríaco, -ca o **hipocondriaco, -ca** *adj./s. m. y f.* Se aplica a la persona que se preocupa de manera enfermiza y obsesiva por su salud sin tener motivos para ello y puede padecer depresión y ansiedad.

hipocorístico, -ca *adj./s. m. y f.* Se aplica al nombre de persona que procede de la forma diminutiva, abreviada o infantil de otro, y que se usa de modo afectivo, familiar o eufemístico: *"Paco" es el hipocorístico de "Francisco".*

hipocresía *s. f.* Actitud de la persona que finge en público tener ciertas ideas o ciertos sentimientos pero en realidad opina o siente otros diferentes o contrarios.
FAM hipócrita.

hipócrita *adj./s. com.* Se aplica a la persona que actúa con hipocresía, fingiendo en público tener ciertas ideas o ciertos sentimientos, pero opinando o sintiendo en realidad otros distintos o contrarios.

H

hipodérmico, -ca *adj.* Que está o se pone debajo de la piel: *tejido hipodérmico; jeringuilla hipodérmica.*

hipodermis *s. f.* Capa más profunda de la piel de los animales vertebrados, situada debajo de la dermis.
FAM hipodérmico.
OBS Plural invariable.

hipódromo *s. m.* Recinto en el que se practican los distintos deportes hípicos.

hipófisis *s. f.* Glándula de secreción interna situada en el encéfalo, que se encarga de controlar la actividad de otras glándulas y de regular funciones generales del organismo: *las hormonas producidas por la hipófisis regulan el crecimiento.*
OBS Plural invariable.

hipogastrio *s. m.* Parte inferior del abdomen: *en el hipogastrio de la mujer están la vejiga y el útero.*
FAM hipogástrico.

hipogeo, -gea *adj.* ◾1 Se aplica a la planta o al órgano vegetal que se desarrolla bajo tierra de manera excepcional. ◾ *s. m.* ◾2 Sepulcro subterráneo o excavado en la roca característico de algunas civilizaciones antiguas: *espléndidas tumbas, cuyo máximo ejemplo son las pirámides y los grandes hipogeos.*

hipoglucemia *s. f.* Disminución de la cantidad normal de azúcar contenida en la sangre.

hipogrifo *s. m.* Animal imaginario con cabeza, alas y patas delanteras de águila, torso de león y cuerpo y patas traseras de caballo.

hipónimo *s. m.* Palabra cuyo significado está englobado en el de otro término: *"lenguado", "atún" y "tiburón" son hipónimos de "pez".*

hipopótamo *s. m.* ◾1 Mamífero herbívoro del orden artiodáctilos, de cuerpo muy grueso, que mide de 3 a 5 m y pesa de 1 a 4 toneladas; tiene la piel gruesa, negruzca y casi sin pelo, las patas robustas y cortas, la boca muy grande y las orejas pequeñas; vive en algunos ríos de África. ◾2 *fam. desp.* Persona muy gorda.

hipóstilo, -la *adj.* Se aplica al edificio o la sala cuyo techo está sostenido por columnas.

hipotálamo *s. m.* Parte del encéfalo situada en la base de este, que controla el funcionamiento del sistema nervioso, la actividad de la hipófisis y la homeostasis.

hipotaxis *s. f.* Relación gramatical que une dos elementos sintácticos de distinto nivel o función y en la que uno es dependiente del otro; especialmente la que se establece entre dos oraciones cuando una depende de otra. **SIN** subordinación.
OBS Plural invariable.

hipoteca *s. f.* ◾1 Derecho de propiedad sobre una casa, un terreno u otro bien inmueble que su dueño da a otra persona, a un banco o a una sociedad, para asegurar o avalar una deuda que ha contraído con ellos. ◾2 Cantidad de dinero que constituye esta deuda.
FAM hipotecar, hipotecario.

hipotecar *v. tr.* ◾1 Poner la propiedad de una casa, un terreno u otro bien inmueble bajo una hipoteca para obtener a cambio el préstamo de una cantidad de dinero o como garantía de un pago. ◾2 Arriesgar la seguridad o la existencia de una cosa haciendo depender su futuro de factores que entrañan un riesgo: *hipotecar el futuro del país.*
FAM deshipotecar.

hipotecario, -ria *adj.* Relativo a la hipoteca (derecho de propiedad): *préstamo hipotecario.*

hipotensión *s. f.* Presión excesivamente baja de la sangre sobre la pared de las arterias: *la hipotensión provoca desmayos y debilidad.* **ANT** hipertensión.
FAM hipotenso.

hipotenso, -sa *adj./s. m. y f.* Se aplica a la persona que padece hipotensión.

hipotenusa *s. f.* Lado opuesto al ángulo recto de un triángulo rectángulo.

hipótesis *s. f.* ◾1 Afirmación que se considera lo suficientemente fiable o creíble como para basar sobre ella una tesis o teoría demostrada o confirmada con datos reales: *la hipótesis de Avogadro establece que los volúmenes iguales de gases diferentes contienen el mismo número de moléculas si están sometidos a las mismas condiciones de presión y temperatura.* ◾ **hipótesis gaia** Teoría según la cual la Tierra se comporta como un organismo vivo con mecanismos para regular las condiciones ambientales a lo largo de miles de años: *la hipótesis gaia se formuló en el siglo XX.* ◾2 Proposición subordinada en un oración condicional: *en la oración "si me esperas, nos iremos juntos", "si me esperas" es la hipótesis.* ◾3 En matemáticas, enunciado o proposición que se usa como base en un razonamiento.
FAM hipotético.
OBS Plural invariable.

hipotético, -ca *adj.* ◾1 Relativo a la hipótesis (idea o juicio) o que está fundamentado en ella. ◾2 Que se considera posible sin tener pruebas que lo confirmen: *un hipotético candidato a la alcaldía.*

hippie o **hippy** [se pronuncia aproximadamente 'jipi'] *adj.* ◾1 Se aplica al movimiento juvenil originado en Estados Unidos en la década de 1960 y que se caracterizó por la rebeldía hacia el sistema capitalista y burgués, y por la defensa del pacifismo, la propiedad comunal, la libertad sexual y el consumo de ciertas drogas. ◾2 Relativo a este movimiento. ◾ *s. com./adj.* ◾3 Persona perteneciente a este movimiento.
OBS Plural: *hippies.*

hirsuto, -ta *adj.* culto Se aplica al pelo que es fuerte, áspero y duro: *un perro de pelo hirsuto.*

hirudíneo *adj./s. m.* ◾1 Se aplica al invertebrado del filo anélidos, terrestre o acuático y frecuentemente parásito de otros organismos, como la sanguijuela. ◾ *s. m. pl.* ◾2 **hirudíneos** Grupo taxonómico, con categoría de clase, constituido por estos animales.

hisopo *s. m.* ◾1 Planta aromática de tallo leñoso, hojas pequeñas en forma de punta de lanza y flores en espiga. ◾2 Utensilio formado por una bola hueca agujereada y provista de un mango que usan los sacerdotes para esparcir agua bendita sobre un objeto, una persona o un lugar.

hispalense *adj.* culto Sevillano.

hispánico, -ca *adj.* ◾1 Que es de lengua o cultura españolas: *la herencia afroamericana y la hispánica se fundieron en los ritmos latinos.* ◾2 De Hispania (territorio correspondiente a la Península Ibérica en la época prerromana, y provincia del Imperio romano): *celtas e íberos eran pueblos hispánicos.* **SIN** hispano. ◾3 culto Español. **SIN** hispano.

hispanidad *s. f.* ◾1 Conjunto de países o pueblos hispánicos, formado por España y por los pueblos de lengua o cultura españolas. ◾2 Conjunto de características culturales comunes a estos países o pueblos.

hispanismo *s. m.* ① Estudio de la lengua y la cultura hispánicas (de España y los países hispánicos). ② Palabra o modo de expresión propio de la lengua española y que se usa en otro idioma: *"sieste" es un hispanismo en francés procedente de "siesta".* **SIN** españolismo.
FAM hispanista.

hispanista *s. com.* Persona que se dedica al estudio de la lengua y la cultura hispánicas.

hispanizar *v. tr.* Dar a una persona o cosa características o costumbres que se consideran propias de la cultura española. **SIN** españolizar.
FAM hispanización.

hispano, -na *adj.* ① De España o Hispanoamérica (conjunto de países y pueblos de América Central y del Sur que fueron colonias españolas y cuya lengua oficial o más hablada es el español). **SIN** hispanoamericano. ‖ *s. m. y f./adj.* ② Persona que es de Hispanoamérica. **SIN** hispanoamericano. ③ Persona que es de origen hispanoamericano y reside en Estados Unidos: *el colectivo hispano es uno de los más numerosos.* ‖ *adj.* ④ Hispánico (de Hispania). ⑤ culto Español.
FAM hispánico, hispanidad, hispanismo, hispanizar, hispanófilo.

hispanoamericano, -na *adj.* ① De Hispanoamérica (conjunto de países y pueblos de América Central y del Sur que fueron colonias españolas y cuya lengua oficial o más hablada es el español). **SIN** hispano. ‖ *s. m. y f./adj.* ② Persona que es de Hispanoamérica. **SIN** hispano. ‖ *adj.* ③ Que es español y americano: *se ha firmado un tratado hispanoamericano de colaboración.*

hispanoárabe *adj.* ① Relativo al territorio de la Península Ibérica que estuvo bajo dominio musulmán en la Edad Media y hasta el final de la reconquista. ‖ *s. com./adj.* ② Persona que era de este territorio: *Averroes fue un filósofo hispanoárabe.* ‖ *adj.* ③ Que es español y árabe: *intereses hispanoárabes.*

hispanófilo, -la *adj./s. m. y f.* Se aplica a la persona que siente simpatía hacia lo español o los españoles.

hispanofrancés, -cesa *adj.* Relativo a España y Francia: *pacto hispanofrancés.*

hispanohablante *adj./s. com.* ① Se aplica a la persona o la comunidad lingüística que tiene el español como lengua materna: *México cuenta con muchos más hispanohablantes que España.* **SIN** castellanohablante. ‖ *adj.* ② Se aplica al país que tiene como lengua oficial el español. **SIN** castellanohablante.

hispanorromano, -na *adj.* ① De Hispania (provincia del Imperio romano que abarcaba toda la Península Ibérica). ‖ *s. m. y f./adj.* ② Persona que era de Hispania: *el hispanorromano Séneca.*

híspido, -da *adj.* culto Hirsuto.

histeria *s. f.* ① Trastorno nervioso que se produce en una persona con desequilibrios emocionales y que se caracteriza por la manifestación de estos desequilibrios en forma de síntomas físicos, como parálisis o convulsiones. **SIN** histerismo. ② Estado de intensa excitación nerviosa en el que se producen manifestaciones exageradas y descontroladas de los sentimientos o las emociones: *la histeria de los fans.* **SIN** histerismo.
FAM histérico, histerismo.

histérico, -ca *adj./s. m. y f.* ① Se aplica a la persona que padece histeria (trastorno nervioso). ② Se aplica a la persona que se encuentra en un estado de gran nerviosismo o

excitación y manifiesta sus sentimientos o emociones de forma exagerada o descontrolada. ‖ *adj.* ③ Relativo a la histeria.

histerismo *s. m.* Histeria.

histograma *s. m.* Gráfico utilizado para representar la distribución de frecuencias de datos estadísticos, agrupados en intervalos, en forma de barras sobre un eje de coordenadas.

histología *s. f.* Parte de la biología que estudia la estructura y características de los tejidos de los seres vivos.
FAM histológico, histólogo.

historia *s. f.* ① Disciplina que estudia los hechos y acontecimientos relativos al pasado de la humanidad, ya sean los públicos y políticos relativos a los pueblos, ya los que afectan a sus instituciones, ciencias, artes o a cualquiera de sus actividades. **NOTA** Se escribe normalmente con mayúscula inicial. ② Conjunto de estos hechos y acontecimientos: *el descubrimiento de América fue un suceso crucial en la Historia.* **NOTA** Se escribe normalmente con mayúscula inicial. ③ Sucesión de hechos y acontecimientos relativos al pasado de una cosa o persona: *la mayoría de las ciudades de Andalucía tienen una larga historia.* ▪ **historia sagrada** Sucesión de hechos y acontecimientos que se narra en la Biblia. ④ Obra en prosa en que se narra de forma ordenada esta sucesión de hechos y acontecimientos relativos al pasado de una cosa o persona: *Alfonso X el Sabio escribió una ambiciosa historia universal (la «General Estoria», incompleta).* ⑤ Narración de palabra o por escrito de hechos o acontecimientos reales o ficticios: *a todos nos gusta que nos cuenten historias.* ⑥ familiar Asunto o tema de poca importancia: *no me cuentes tus historias.*

hacer historia Llevar a cabo una hazaña o acción de gran importancia que merece ser recordada: *un argentino hizo historia en baloncesto.*

historia clínica Conjunto de datos e informaciones referidas a la evolución de la salud o la enfermedad de un paciente a lo largo de un periodo de tiempo.

historia natural Conjunto de las ciencias que estudian la naturaleza.

ser historia Pertenecer una persona o cosa al pasado o dejar de existir: *acababa de comenzar una nueva década y lo anterior ya era historia.*
FAM historial, historiar, histórico, historieta, historiografía; prehistoria, protohistoria.

historiado, -da *adj.* Que está lleno de ornamentos, adornos o colorido.

historiador, -ra *s. m. y f.* Persona que se dedica al estudio de la historia o sucesión de hechos y acontecimientos relativos al pasado de la humanidad.

historial *s. m.* Conjunto de datos e informaciones referidas a las actividades desarrolladas por una persona, una empresa o una institución: *historiales médicos.*

historiar *v. tr.* ① Exponer o narrar la historia relativa al pasado de la humanidad, de una persona o de una cosa. ② AMÉR. Complicar, confundir, enmarañar.
FAM historiado, historiador.
OBS Verbo regular, se acentúa como *desviar* o como *cambiar.*

historicidad *s. f.* Cualidad de un personaje, hecho o acontecimiento histórico, real y comprobado.

historicismo *s. m.* ① Corriente de pensamiento que sostiene que la naturaleza de las personas y de sus actos solo es comprensible si se los considera como parte integrante de un proceso histórico. ② Tendencia artística, especialmente ar-

quitectónica, que consiste en recuperar los rasgos formales propios de uno o varios estilos más antiguos.
FAM historicista.

histórico, -ca *adj.* **1** Relativo a la historia (disciplina, sucesión de hechos del pasado o narración de estos hechos). **2** Que ha ocurrido o existido realmente: *el Cid fue un personaje histórico.* **3** Se aplica al hecho o acontecimiento de gran importancia y trascendencia que merece pasar a la historia: *un triunfo histórico.* **4** Se aplica a la obra literaria o película que está ambientada en un tiempo pasado y que une una trama ficticia con acontecimientos y personajes reales de la historia.
FAM historicidad, historicismo.

historieta *s. f.* **1** Secuencia de viñetas que cuentan una historia, generalmente breve y cómica. **2** Relato breve e informal sobre un asunto gracioso.
FAM historietista.

historiografía *s. f.* **1** Estudio del conjunto de textos que tratan temas históricos, que consiste básicamente en analizar las fuentes utilizadas por los autores y el método que han seguido en su trabajo. **2** Conjunto de obras que tratan un tema de la historia.
FAM historiográfico, historiógrafo.

histrión, -trionisa *s. m.* **1** Actor del antiguo teatro grecolatino que salía a escena con una máscara que representaba a su personaje. ‖ *s. m. y f.* **2** culto Actor de teatro. NOTA Frecuentemente usado de forma despectiva. ‖ *s. m.* **3** Persona que habla o actúa haciendo gestos de manera exagerada y marcando su expresión.
FAM histriónico, histrionismo.

histriónico, -ca *adj.* **1** Se aplica a la persona que actúa o habla gesticulando de manera exagerada y marcando excesivamente su expresión. **2** Se aplica al gesto o actitud que es propio de estas personas.

histrionismo *s. m.* Exageración en la gesticulación y expresión de una persona al hablar o actuar.

hit [se pronuncia aproximadamente 'jit'] *s. m.* Canción o tema musical que se convierte en un gran éxito de popularidad y venta.

hit parade Lista o clasificación en la que figuran por orden de venta las canciones y temas musicales de más éxito. NOTA Se pronuncia aproximadamente 'jit pareid'.
OBS Plural: *hits*.

hitita *adj.* **1** Relativo a un pueblo indoeuropeo que en el segundo milenio a. C. constituyó un poderoso imperio en Asia Menor y Siria. ‖ *s. com./adj.* **2** Persona perteneciente a este pueblo. ‖ *s. m./adj.* **3** Lengua indoeuropea hablada por este pueblo.

hito *s. m.* **1** Poste de piedra u otra señal que se clava en el suelo y señala el límite de un terreno o indica la dirección o distancias de una vía o un camino. SIN coto, mojón. **2** Acontecimiento muy importante y significativo en el desarrollo de un proceso o en la vida de una persona: *la publicación de «Luces de bohemia» supone un hito en la trayectoria de Valle-Inclán.*

mirar de hito en hito Fijar o clavar la mirada en una persona o cosa.

hobby [se pronuncia aproximadamente 'jobi'] *s. m.* Actividad u ocupación que se realiza meramente por placer durante el tiempo libre. SIN afición, entretenimiento.
OBS Plural: *hobbies*.

hocicar *v. tr.* Escarbar un animal, especialmente el cerdo o el jabalí, con el hocico en la tierra. SIN hozar.
FAM ahocicar.

hocico *s. m.* **1** Parte saliente y prolongada de la cabeza de algunos animales en la que está situada la boca y los orificios nasales. SIN morro. **2** familiar Parte de la cara de una persona que corresponde a la nariz y la boca.

dar (o caer) de hocicos familiar Caer una persona golpeándose la cara contra el suelo o dar con la cara contra una cosa.
FAM hocicar, hociquear.

hockey [se pronuncia aproximadamente 'jóquey'] *s. m.* Deporte que se juega entre dos equipos y consiste en meter un disco o bola pequeños en la portería contraria ayudándose de un stick o bastón largo y plano en forma de L. ■ **hockey sobre hielo** Hockey que se practica sobre una pista rectangular de hielo por la que los jugadores se deslizan sobre patines de cuchillas, y en el que se utiliza un disco pequeño a modo de pelota. ■ **hockey sobre hierba** Hockey que se practica en un campo de césped rectangular y en el que se usa una bola pequeña como pelota. ■ **hockey sobre patines** Hockey que se practica en una pista rectangular por la que los jugadores se deslizan sobre patines de ruedas, y se utiliza una bola pequeña como pelota.

hogaño *adv.* culto En este año o en esta época: *cosecha de hogaño.*

hogar *s. m.* **1** Lugar de una casa donde se enciende fuego o se hace lumbre, como la chimenea o la cocina de leña. **2** Domicilio habitual de una persona: *personas sin hogar.* **3** Familia que vive junta bajo un mismo techo: *fundan un hogar y tienen hijos.* **4** Vida de familia: *tareas del hogar.* **5** Edificio o recinto para que se reúnan y relacionen personas de un mismo grupo social o con alguna característica común: *el Hogar del Jubilado.*
FAM hogareño.

hogareño, -ña *adj.* **1** Relativo a la casa o al hogar. SIN casero. **2** Se aplica a la persona que gusta de estar en casa y disfruta de la vida de hogar. SIN casero.

hogaza *s. f.* Pan redondo de tamaño grande.

hoguera *s. f.* Fuego con mucha llama que se hace en el suelo al aire libre con leña u otro material. SIN fogata.

hoja *s. f.* **1** Órgano de las plantas especializado en la fotosíntesis que crece en las ramas o el tallo, generalmente de color verde, ligera, plana y delgada, y que puede tener diversas formas dependiendo de la especie. ■ **hoja acicular** Hoja con forma de aguja, como la del pino. ■ **hoja acorazonada** Hoja cuya figura recuerda a la de un corazón, como la del girasol. ■ **hoja aserrada** Hoja cuyo borde dentado recuerda al filo de una sierra, como la del castaño. ■ **hoja asimétrica** Hoja en la que ambas mitades del limbo no son idénticas en forma o tamaño. ■ **hoja compuesta** Hoja que está formada por diferentes piezas de menor tamaño (folíolos) que a su vez tienen forma de hoja, como la de la acacia y la hiedra. ■ **hoja entera** Hoja cuyo borde es liso, como la del ficus. ■ **hoja hastada** Hoja cuyo limbo se halla ensanchado a ambos lados del pecíolo. ■ **hoja lanceolada** Hoja cuya figura es parecida a la punta de una lanza, como la de la adelfa. ■ **hoja lobulada** Hoja formada por lóbulos o partes redondeadas y salientes, como la de la calabaza. ■ **hoja orbicular** Hoja de forma circular. ■ **hoja oval** Hoja de figura parecida a la de un huevo o un óvalo, como la del naranjo. ■ **hoja palmatinervia** Hoja cuyos nervios están ramificados de manera similar a las ramas de un árbol. ■ **hoja palminervia**

Hoja en que los nervios irradian al salir del peciolo. ■ **hoja paralelinervia** Hoja cuyos nervios son paralelos al eje determinado por el peciolo, como la del lirio. ■ **hoja penninervia** Hoja en la que los nervios secundarios salen de los lados del nervio principal. ■ **hoja sagitada** Hoja cuya figura recuerda a la punta de una flecha. ■ **hoja simple** Hoja formada por una única pieza, que no está dividida en foliolos, como la del rosal. ■ **hoja uninervia** Hoja que tiene un solo nervio. ■ **hoja verticilada** Hoja agrupada junto con otras en un verticilo o grupo de órganos vegetales que nacen a igual altura en torno al tallo, como en la adelfa. ❷ Órgano que forma la corola de una flor, generalmente de colores vistosos, ligero, plano y delgado, que puede tener diversas formas según la especie. **SIN** pétalo. ❸ Lámina lisa y delgada de un material: *una hoja de cartulina*. ■ **hoja de afeitar** Cuchilla alargada y fina que se coloca en la maquinilla de afeitar. ■ **hoja de lata** Hojalata. ❹ Lámina lisa, delgada y rectangular de papel, especialmente de un libro, una revista, una libreta u otra cosa semejante. ❺ Lámina de metal, generalmente de acero, que constituye la parte cortante de un instrumento o de un arma blanca. **SIN** cuchilla. ❻ Parte de una puerta o ventana, constituida por una lámina de madera, un vidrio, etc., que se abre y se cierra.

hoja de cálculo Programa informático que simula una tabla de valores organizada en filas y columnas y sirve para hacer operaciones matemáticas, especialmente para el ámbito comercial y financiero.

hoja de servicios Documento oficial en el que se recoge toda la información profesional de un funcionario público.

hoja parroquial Publicación de una parroquia en la que se da cuenta de las actividades sociales y religiosas desarrolladas en ella y se opina sobre temas de interés para los feligreses. **FAM** hojarasca, hojear, hojoso, hojuela; deshojar, milhojas.

hojalata *s. f.* Lámina delgada y lisa de hierro o acero cubierta por las dos caras por una capa fina de estaño, que se usa para fabricar diversos objetos y piezas. **SIN** hoja de lata. **FAM** hojalatero.

hojaldra *s. f.* AMÉR. Hojaldre.

hojaldrado, -da *adj.* Que está hecho de hojaldre o tiene su aspecto o textura.

hojaldrar *v. tr.* Dar a una masa forma de hojaldre estirándola con un rodillo sobre una superficie, doblándola y volviéndola a estirar repetidas veces. **FAM** hojaldrado.

hojaldre *s. m.* ❶ Masa hecha con harina, agua y manteca o mantequilla que se hornea y forma hojas muy finas superpuestas unas sobre otras. ❷ Dulce hecho con esta masa. **FAM** hojaldrar.

hojarasca *s. f.* ❶ Conjunto de hojas secas que han caído de los árboles y cubren el suelo. ❷ Conjunto de hojas secas o inútiles que tiene una planta. ❸ Conjunto de elementos de un discurso o texto que son accesorios, no aportan significado y dificultan la comprensión.

hojear *v. tr.* Pasar las hojas de un periódico, una revista, un libro u otra cosa semejante de manera rápida, observando o leyendo su contenido de modo superficial.

hojuela *s. f.* Dulce que se elabora con una hoja fina de masa de harina frita en aceite.

¡hola! *int.* ❶ Expresión que se usa para saludar a una persona. **ANT** ¡adiós! ❷ culto Expresión que indica sorpresa o extrañeza: *¡hola, qué tenemos aquí!*

holandés, -desa *adj.* ❶ De Holanda (país de Europa). ▮ *s. m. y f./adj.* ❷ Persona que es de Holanda. ▮ *s. m./adj.* ❸ Lengua germánica hablada en Holanda. ▮ *adj.* ❹ Relativo a esta lengua. **FAM** holandesa.

holandesa *s. f.* Hoja de papel que es un poco más pequeña que el folio.

holding [se pronuncia aproximadamente 'joldin'] *s. m.* Compañía financiera que se forma cuando una empresa compra o controla la mayoría de las acciones de otras empresas, de modo que estas pasan a estar bajo dominio de la primera. **OBS** Plural: *holdings*.

holgado, -da *adj.* ❶ Se aplica a la prenda de vestir que es ancha y permite moverse con facilidad por no ajustarse al cuerpo: *ropa holgada; la cabina de este avión es más holgada y cómoda*. **SIN** amplio, ancho, suelto. **ANT** ceñido. ❷ Que tiene una ventaja superior a la necesaria: *consiguió una holgada victoria*. ❸ Que, sin ser rico, vive con bienestar. ❹ Se aplica a la situación económica que permite vivir con bienestar aunque sin riqueza.

holganza *s. f.* culto Ociosidad.

holgar [5] *v. intr.* ❶ Estar una persona ociosa, sin obligaciones ni cosas que hacer, porque no tiene trabajo o porque ya lo ha concluido. ❷ culto Ser una cosa innecesaria o estar de sobra: *huelgan los comentarios*. **FAM** holgado, holganza, holgazán, holgura.

holgazán, -zana *adj./s. m. y f.* Se aplica a la persona que no quiere trabajar o no cumple con su trabajo por pereza o falta de atención e interés. **SIN** gandul, haragán, vago. **FAM** holgazanear, holgazanería.

holgazanear *v. intr.* Pasar una persona el tiempo sin trabajar por pereza o falta de atención e interés. **SIN** gandulear, haraganear, vaguear.

holgazanería *s. f.* Cualidad de la persona holgazana, que no quiere trabajar o no cumple con su trabajo por pereza o falta de atención e interés. **SIN** gandulería, haraganería, vaguería.

holgura *s. f.* ❶ Amplitud o anchura de una cosa, que hace que algo o alguien quepa en ella con espacio de sobras. ❷ Espacio vacío que queda entre dos cosas que están encajadas una dentro de la otra. ❸ Desahogo o bienestar económico que no llega a ser riqueza.

hollar [5] *v. tr.* culto Pisar o poner los pies sobre una cosa: *el alpinista consiguió hollar la cumbre del Everest*. **FAM** huella.

hollejo *s. m.* Piel de algunas frutas, especialmente la uva, y de algunas legumbres.

hollín *s. m.* Polvo negro, fino y grasiento que deja el humo en una superficie. **FAM** deshollinar.

holmio *s. m.* Elemento químico de símbolo *Ho* y número atómico 67; es un metal de color plateado, blando, que se encuentra en otros minerales y se emplea en láseres y reactores nucleares.

holocausto *s. m.* ❶ Genocidio o exterminio sistemático y deliberado de un grupo social por motivos de raza o religión; especialmente, el llevado a cabo en Europa por los nazis contra los judíos durante la Segunda Guerra Mundial. **NOTA** Se escribe normalmente con mayúscula inicial cuando hace referencia al holocausto judío. ② Ceremonia religiosa antigua en la que se ofrecía en sacrificio una víctima que era quemada. ③ culto Sacrificio o entrega que hace una persona por el bien o el beneficio de otras.

holoceno, -na *adj./s. m.* ① Se aplica a la época geológica que es la segunda y última de la era cuaternaria o neozoica, o, según las escuelas, la última del periodo cuaternario de la era cenozoica; sigue al pleistoceno y se extiende desde hace unos 10000 años hasta la actualidad. ‖ *adj.* ② Relativo a esta época geológica.

holografía *s. f.* Técnica fotográfica que permite obtener una ilusión total de tridimensionalidad mediante el efecto óptico provocado por un rayo láser. FAM holográfico, hológrafo.

holográfico, -ca *adj.* Relativo a la holografía.

holograma *s. m.* Imagen reproducida mediante la holografía.

holoturia *s. f.* Animal invertebrado marino del filo equinodermos, de pequeño tamaño, con forma alargada y cilíndrica, que vive en el fondo del mar y se alimenta principalmente de materia en descomposición. SIN cohombro de mar.

hombrada *s. f.* Acción propia de un hombre generoso o valiente: *fue una hombrada lo que hizo este equipo.*

hombre *s. m.* ① Persona de sexo masculino, especialmente adulto. ② Individuo de la especie humana: *todos los hombres tenemos derecho a la libertad.* SIN persona, humano. ③ Persona de sexo masculino que está, junto a otras, bajo las órdenes de un jefe en ciertas actividades, especialmente las que requieren preparación física: *los hombres de un general.* ④ familiar Marido o pareja estable de una mujer: *caminaba cogiendo a su hombre del brazo.* ‖ *int.* ⑤ **¡hombre!** Expresión que indica admiración, sorpresa, extrañeza o disgusto: *¡date prisa, hombre, que nos están esperando!*

hombre de Cromañón Homínido que vivió al final del paleolítico y que se caracterizaba por tener el cráneo alargado, la frente ancha y una estatura media de 170 cm.

hombre de Neanderthal Homínido que vivió a mediados del paleolítico y que se caracterizaba por tener una complexión robusta, las mandíbulas muy desarrolladas, poca frente y estatura baja.

hombre de paja Hombre que ocupa un cargo pero en realidad está a las órdenes de otra persona que tiene realmente el poder.

hombre del saco Personaje imaginario que se utiliza para asustar a los niños diciéndoles que se lleva a los que no se portan bien dentro de su saco.

hombre fuerte Hombre que tiene el mayor poder y la mayor responsabilidad dentro de un grupo, una empresa o un partido político.

hombre orquesta Hombre que lleva varios instrumentos sujetos a diversas partes de su cuerpo y los toca todos al mismo tiempo. NOTA Plural: *hombres orquesta.*

hombre rana Hombre que va equipado con un traje de goma, gafas, aletas y bombonas de oxígeno y realiza diversas actividades debajo del agua. NOTA Plural: *hombres rana.* FAM hombrada, hombría, hombrón, hombruno; prohombre, superhombre.

hombrera *s. f.* ① Pieza de gomaespuma u otro material que se coloca bajo la tela de una prenda de vestir a la altura de los hombros para realzar su forma. ② Pieza de tela o cordón que se pone como adorno sobre los hombros de una prenda de

vestir, especialmente una chaqueta militar. ③ Pieza de un uniforme deportivo que cubre y protege los hombros.

hombría *s. f.* Conjunto de virtudes morales que se consideran propias de un hombre, como el valor o la honradez.

hombro *s. m.* ① Parte del cuerpo del ser humano que corresponde a la unión entre el brazo y el tronco. ② Parte de una prenda de vestir que cubre esta parte del cuerpo. ③ Parte del cuerpo de algunos vertebrados de la que parten las extremidades superiores o delanteras: *los hombros de un ave son el arranque de las alas.*

arrimar el hombro Colaborar unas personas con otras en un trabajo o actividad: *todos a una arrimaron el hombro para financiar el estadio.*

encogerse de hombros Mover una persona los hombros hacia arriba en señal de extrañeza o indiferencia: *la mujer se encogió de hombros despreocupadamente.*

hombro con hombro En estrecha colaboración con otra persona: *trabajó hombro con hombro con ellos.*

mirar por encima del hombro Tratar a una persona con menosprecio por creerse superior. FAM hombrera.

hombruno, -na *adj.* ① Se aplica a la mujer que tiene características físicas, actitudes o modales que se consideran propios de un hombre. ② Que es propio de un hombre o persona de sexo masculino.

homenaje *s. m.* ① Muestra de respeto, admiración y estima que se hace a una persona: *el nuevo continente se llamó "América" en homenaje a Américo Vespucio.* ② Celebración pública que se hace en señal de este respeto, admiración y estima. ③ Muestra de veneración o sumisión que realiza una persona: *un homenaje a la patria.* ④ Juramento solemne de fidelidad por el que un hombre se convertía en vasallo de su señor, en el sistema feudal medieval. FAM homenajear.

homenajear *v. tr.* Hacer un homenje a una persona en señal de respeto, admiración y estima. FAM homenajeado.

homeópata *s. com./adj.* Médico especialista en homeopatía.

homeopatía *s. f.* Técnica de tratamiento y curación de enfermedades por medio de pequeñas cantidades de sustancias que, aplicadas en grandes proporciones, producirían el mismo mal que el que padece un individuo. FAM homeópata, homeopático.

homeopático, -ca *adj.* Relativo a la homeopatía.

homeostasis u **homeóstasis** *s. f.* Proceso por el cual un organismo o un sistema mantiene constantes sus propios parámetros independientemente de las condiciones del medio externo mediante mecanismos fisiológicos: *el riñón contribuye a la homeostasis del organismo porque ayuda a mantener constante la composición del medio interno.* OBS Plural invariable.

homeotermo, -ma *adj./s. m.* Se aplica al animal capaz de regular la temperatura de su cuerpo para mantenerla constante: *las aves y los mamíferos son los únicos vertebrados homeotermos.*

homicida *adj./s. com.* ① Se aplica a la persona que ha causado la muerte a otra. ‖ *adj.* ② Se aplica a la cosa que ha causado la muerte a una persona: *el arma homicida.*

homicidio *s. m.* Muerte que una persona causa a otra. FAM homicida.

homilía *s. f.* Discurso pronunciado por el sacerdote en la misa para explicar los textos bíblicos de las lecturas que se han leído y orientar a los feligreses sobre temas morales y religiosos. **SIN** sermón.

homínido *adj./s. m.* 1 Se aplica al mamífero primate que anda sobre dos pies en posición erguida, con gran desarrollo cerebral que le permite una gran inteligencia y con capacidad racional: *el ser humano es el único homínido existente hoy en día.* ‖ *s. m. pl.* 2 **homínidos** Grupo taxonómico, con categoría de familia, constituido por estos mamíferos.

hominización *s. f.* Proceso evolutivo que condujo desde una determinada especie a la aparición del ser humano.

homo *s. m.* Género de primates homínidos que comprende la especie humana actual (*Homo sapiens*) y diversas especies fósiles. ■ **Homo antecessor** Homínido que vivió en Europa hace 0,8 millones de años; tenía una capacidad craneal superior a los 1 000 cm³, mandíbulas poco robustas y una industria lítica poco elaborada. **NOTA** Se pronuncia 'homo antecésor'. ■ **Homo erectus** Homínido que vivió en el sudoeste de Asia hace 1,5 millones de años y se extinguió hace 0,2 millones de años; tenía una gran capacidad craneal (1 000 cm³) pero su industria lítica resultaba poco elaborada, era completamente bípedo, conocía el fuego y vivía en grupos familiares dedicados a la caza y la recolección de frutos. ■ **Homo ergaster** Homínido que vivió en África hace 1,5 millones de años; tenía una capacidad craneal de 900 cm³ y una gran habilidad para fabricar instrumentos de piedra. **NOTA** Se pronuncia 'homo ergáster'. ■ **Homo habilis** Homínido que vivió en África hace 2,5 millones de años y se extinguió hace 1,5 millones de años; estaba dotado de grandes mandíbulas, tenía una capacidad craneal de 770 cm³ y una alimentación omnívora; fue la primera especie capaz de fabricar herramientas de piedra. **NOTA** Se pronuncia 'homo hábilis'. ■ **Homo sapiens** Homínido más reciente del género Homo que se desarrolló hace unos dos millones de años y se caracteriza por tener la mayor capacidad craneal de los homínidos; incluye al ser humano actual. **NOTA** Se pronuncia 'homo sápiens'. **OBS** Se escribe normalmente con mayúscula inicial.

homocerca *adj.* Se aplica a la aleta caudal de algunos peces formada por dos lóbulos iguales y que no es prolongación de la columna vertebral.

homocigoto, -ta [también **homozigoto, -ta**] *adj./s. m.* 1 Se aplica al cigoto que está formado por la unión de dos células sexuales que tienen la misma dotación genética. **ANT** heterocigoto. 2 Se aplica al ser vivo que procede de la unión de células sexuales con la misma dotación genética. **ANT** heterocigoto. 3 Se aplica al ser vivo que tiene dos genes iguales en el lugar de los cromosomas que determinan un mismo rasgo o carácter genético. **ANT** heterocigoto.

homofonía *s. f.* 1 Coincidencia en la pronunciación entre dos o más palabras que tienen significados diferentes: *hay homofonía en las palabras "vaca" y "baca".* 2 Música que combina al unísono dos o más melodías de notas diferentes pero un solo ritmo. **ANT** polifonía.

homófono, -na *adj./s. m.* Se aplica a la palabra que se pronuncia igual que otra pero tiene distinto significado: *"hola" y "ola" son homófonos.* **FAM** homofonía.

homogeneidad *s. f.* Cualidad de una cosa homogénea o formada por elementos de la misma clase o naturaleza. **ANT** heterogeneidad.

homogeneizar *v. tr.* Hacer que una cosa sea homogénea igualando o haciendo uniformes los elementos que la componen. **FAM** homogeneización.

homogéneo, -nea *adj.* 1 Que está formado por elementos con una serie de características comunes referidas a su clase o naturaleza que permiten establecer entre ellos una relación de semejanza: *la formación académica de alumnos de un mismo curso es homogénea.* **ANT** heterogéneo. 2 En química, se aplica a la mezcla en la que los distintos elementos que la componen están totalmente interrelacionados entre sí y no se distinguen unos de otros: *el azúcar con agua forma una mezcla homogénea.* **FAM** homogeneidad, homogeneizar.

homografía *s. f.* Coincidencia en la escritura y en la pronunciación de dos palabras que tienen distinto significado.

homógrafo, -fa *adj./s. m.* Se aplica a la palabra que se escribe igual que otra pero tiene distinto significado: *"haya", árbol, y "haya", del verbo "haber", son homógrafos.*

homologar *v. tr.* 1 Poner dos cosas en relación de semejanza o igualdad o considerar que se corresponden por tener una característica común o ejercer la misma función. 2 Verificar de manera oficial que las características de categoría y calidad de una cosa, como un producto comercial, se corresponden con la legislación vigente: *no está permitido conducir motos usando un casco sin homologar.* 3 Registrar o comprobar de manera oficial el resultado de una prueba deportiva de acuerdo con la normativa vigente. 4 Dar validez legal a los estudios realizados y aprobados en otro país, centro docente o especialidad académica. **SIN** convalidar. **FAM** homologable, homologación.

homólogo, -ga *adj./s. m. y f.* Se aplica a la cosa que se corresponde con otra o se considera semejante o igual a esta por tener una característica común o ejercer la misma función: *cada cromosoma tiene un homólogo, es decir, un cromosoma morfológicamente igual.* **FAM** homologar.

homonimia *s. f.* Coincidencia de dos palabras formalmente iguales pero con distinto significado y distinta etimología: *hay homonimia entre las palabras "banco" de sentarse, "banco" de peces y "banco" para guardar el dinero.*

homónimo, -ma *adj./s. m.* 1 Se aplica a la palabra que coincide con otra en la escritura o en la pronunciación, pero tiene distinto significado y origen etimológico: *"vela" de barco y "vela" de cera son homónimos.* ‖ *adj./s. m. y f.* 2 Se aplica a la persona o cosa que tiene el mismo nombre que otra: *la película está basada en la novela homónima de Almudena Grandes.* **FAM** homonimia.

homóptero, -ra *adj./s. m.* 1 Se aplica al insecto cuyas alas tienen la misma estructura, como las cigarras, cochinillas y pulgones. ‖ *s. m. pl.* 2 **homópteros** Grupo taxonómico, con categoría de orden, constituido por estos insectos.

homosexual *adj.* 1 Relativo a la homosexualidad: *relación homosexual.* ‖ *s. com./adj.* 2 Persona que siente atracción sexual hacia alguien de su mismo sexo. **NOTA** Se aplica especialmente a los hombres. **FAM** homosexualidad.

homosexualidad *s. f.* 1 Atracción sexual que siente una persona por otra del mismo sexo. 2 Práctica de relaciones sexuales entre personas del mismo sexo.

H

homotecia *s. f.* Transformación del plano que, dados un centro O y una razón *k*, transforma un punto *M* del espacio en otro *M′* de forma que $OM = k \cdot OM′$: *una homotecia transforma figuras del plano en otras semejantes, variando su tamaño.*

homozigoto, -ta *adj./s. m.* Homocigoto.

homúnculo *s. m.* Ser con forma de hombre pequeño que, según una antigua creencia, podía ser fabricado artificialmente.

honda *s. f.* Tira de cuero, esparto u otro material flexible que, doblada sobre sí misma, se hace girar para lanzar piedras a distancia aprovechando la fuerza centrífuga.

hondo, -da *adj.* **1** Que tiene mucha distancia desde la superficie o parte superior hasta el fondo: *pozos hondos; la parte honda de la piscina.* **SIN** profundo. **2** Que tiene mucha distancia desde la parte exterior hasta el fondo: *un hondo túnel.* **SIN** profundo. **3** Se aplica a la cosa que penetra mucho o va hasta muy adentro de otra: *un corte hondo.* **SIN** profundo. **4** Se aplica a la sensación o sentimiento que es muy intenso o vivo: *un hondo desengaño.* **SIN** profundo. **5** Se aplica a la cosa que es de gran importancia o gravedad y altera algo completamente: *una honda crisis.* **SIN** profundo. **ANT** superficial. **6** Que examina y analiza las cosas en su totalidad, sin quedarse en lo aparente o lo primero que surje al pensamiento, para llegar al completo conocimiento de ellas: *el altísimo poeta y el hondo moralista.* **SIN** profundo. **ANT** superficial. **|** *adv.* **7** De manera honda, hasta el fondo: *respira hondo.* **FAM** hondonada, hondura; ahondar.

hondonada *s. f.* Parte de un terreno más baja u honda que las zonas que la rodean.

hondura *s. f.* **1** Distancia que hay desde la superficie o la parte superior o de una cosa hasta el fondo, o desde la parte exterior hasta el fondo: *el pozo debe tener una hondura de 40 metros.* **SIN** profundidad. **2** Gran intensidad de una sensación o un sentimiento: *en su poesía late su hondura humana.* **SIN** profundidad.

hondureño, -ña *adj.* **1** De Honduras (país de América Central). **|** *s. m. y f./adj.* **2** Persona que es de Honduras. **FAM** hondureñismo.

honestidad *s. f.* Cualidad de la persona honesta.

honesto, -ta *adj.* Se aplica a la persona que actúa conforme a las normas morales, especialmente en lo relativo a la conducta sexual. **ANT** deshonesto. **FAM** honestidad; deshonesto.

hongo *s. m.* **1** Organismo pluricelular heterótrofo que vive fijo en la tierra o en la superficie en la que crece, generalmente en lugares húmedos; carece de clorofila, se alimenta principalmente de materia en descomposición y se reproduce de forma sexual o asexual: *el champiñón, el moho y la levadura son hongos.* **|** *s. m. pl.* **2** **hongos** Grupo taxonómico, con categoría de reino, constituido por estos organismos. **|** *s. m.* **3** Órgano reproductor de este organismo, que sobresale del suelo o la superficie donde está y se encarga de producir y soltar las esporas; tiene formas, tamaños y colores muy diversos, y algunas especies son comestibles. **SIN** seta. **4** Sombrero de fieltro de copa redondeada y chata.

honor *s. m.* **1** Cualidad moral de la persona que actúa de acuerdo con las normas establecidas, de forma justa y diciendo la verdad. **2** Respeto y buena opinión que se tiene hacia una persona por sus buenas cualidades morales: *todos tenemos derecho al honor.* **3** Cosa por la que una persona se

siente muy halagada o enaltecida: *es para mí un honor que me hayan elegido.* **SIN** honra. **|** *s. m. pl.* **4** **honores** Manifestación pública de respeto, admiración y estima que se ofrece a una persona en razón de su cargo o de su personalidad: *rendir honores.*

de honor Se aplica al cargo o lugar destacado que se otorga a una persona o cosa por sus méritos o buenas cualidades: *el lugar de honor del museo.*

en honor Se aplica a la cosa que se hace para honrar a una persona, en señal de respeto y estima: *fiestas en honor de los dioses; un poema en honor a la amada.*

hacer honor Actuar o comportarse a la altura de una cualidad destacable y conocida de la persona: *el campeón del mundo hizo honor a su título y se adjudicó el primer puesto.*

hacer los honores Atender a los invitados o huéspedes de una fiesta o celebración: *hizo los honores a los invitados sirviéndoles el vino.*

FAM honorable, honorario, honorífico; deshonor.

honorabilidad *s. f.* Cualidad de la persona honorable.

honorable *adj.* **1** Se aplica a la persona que actúa con honradez de modo que es digna de ser respetada: *un honorable funcionario.* **2** Se aplica al hecho o la acción que permite conservar a una persona la dignidad, el respeto y la buena opinión de los demás: *la dimisión era la única salida honorable.* **SIN** honroso. **3** Tratamiento que se da a determinados cargos o dignidades. **FAM** honorabilidad.

honorario, -ria *adj.* **1** Honorífico. **|** *s. m. pl.* **2** **honorarios** Sueldo o cantidad de dinero que cobra un profesional liberal, como un abogado o un médico, por hacer un trabajo.

honorífico, -ca *adj.* Se aplica al cargo o título que se otorga simbólicamente a una persona como muestra pública de respeto, admiración y estima, pero que no da derecho a ejercerlo: *presidente honorífico.* **SIN** honorario.

honoris causa *adj.* Expresión latina que significa 'por sus méritos' y se aplica al doctor o persona a la que se concede el título de máximo prestigio en una universidad, de modo honorífico, en reconocimiento a sus méritos personales y profesionales: *Santiago Ramón y Cajal fue doctor honoris causa por la universidad de Cambridge.*

honra *s. f.* **1** Buena reputación que tiene una persona que actúa conforme a las normas morales, especialmente en lo relativo a la conducta sexual: *defender la honra.* **2** Manifestación de respeto, admiración y estima hacia una persona. **3** Honor (cosa).

a mucha honra *familiar* Expresión con la que se muestra satisfacción y orgullo por una condición o situación.

honras fúnebres Funeral u otra ceremonia religiosa que se celebra para honrar a la persona fallecida.

FAM honrilla, honroso.

honradez *s. f.* Cualidad de la persona honrada, que actúa conforme a las normas morales, diciendo la verdad y siendo justa.

honrado, -da *adj.* Se aplica a la persona que se comporta conforme a las normas morales, diciendo la verdad y siendo justa. **FAM** honradez.

honrar *v. tr.* **1** Mostrar respeto, admiración y estima hacia una persona: *honrar a los muertos.* **2** Reconocer o premiar las cualidades morales y la dignidad de una persona. **|** *v. prnl.*

3 honrarse Sentirse orgulloso de una cosa y honrado por ella.
FAM honra, honrado; deshonrar.

honrilla *s. f.* familiar Pundonor (sentimiento de la dignidad personal excesivamente susceptible o sensible).

honroso, -sa *adj.* **1** Que da honra o buena reputación a una persona por ajustarse a las normas morales. **2** Se aplica al hecho o la acción que permite conservar a una persona la dignidad, el respeto y la buena opinión de los demás: *ha conseguido un honroso segundo puesto.* **SIN** honorable.

hontanar *s. m.* culto Manantial (corriente de agua que brota de la tierra o lugar donde esta nace): *beber de un hontanar.*

hooligan [se pronuncia aproximadamente 'júligan'] *s. m.* Hincha de fútbol de nacionalidad inglesa que se caracteriza por su actitud violenta.
OBS Plural: *hooligans.*

hoplita *s. m.* Soldado griego de infantería que llevaba armas pesadas.

hora *s. f.* **1** Medida de tiempo que resulta de dividir el día solar en 24 partes y equivale a 60 minutos. **2** Momento del día determinado, especialmente en el que se hace u ocurre una cosa: *¿a qué hora quedamos?* ■ **hora canónica** Momento del día que en algunas comunidades eclesiásticas se destina a hacer los rezos y ceremonias pertinentes: *las horas canónicas más importantes son: vísperas, completas, maitines y laudes.* **NOTA** Más en plural. También simplemente *hora.* ■ **hora punta** Momento del día en que hay mayor presencia y movimiento de personas o vehículos en las calles de una ciudad. **NOTA** Plural: *horas punta.* **3** Momento oportuno y determinado para hacer una cosa: *la hora de atacar; no es hora de discutir.* **4** Cita que se fija para un día y momento determinado en la que un profesional recibe a un cliente: *tenía hora en la peluquería.*
a buena hora o **a buenas horas** Expresión que indica que una cosa sucede cuando es demasiado tarde y ya no sirve para nada: *a buenas horas vienes.*
a todas horas Continuamente.
entre horas Entre las horas de las comidas principales del día; referido a comer o beber durante ese tiempo.
la hora de la verdad Momento más importante y decisivo en el que se hace una cosa u ocurre un hecho.
llegar (o **tocar**) **la hora** Llegar a una persona el momento de la muerte.
FAM horario; deshora.

horadar *v. tr.* Hacer un agujero en una cosa atravesándola de parte a parte.

horario, -ria *adj.* **1** Relativo al tiempo que marca un reloj: *diferencia horaria.* ▌ *s. m.* **2** Distribución de los días y las horas en que se presta un servicio o se debe realizar una actividad o un trabajo. **3** Hoja, cartel o publicación que recoge esta distribución, generalmente representada en forma de tabla.

horca *s. f.* **1** Armazón de madera del que cuelga una cuerda con un nudo corredizo que sirve para ejecutar a una persona colgándola por el cuello hasta que muere. **2** Pena de muerte que se ejecuta colgando a la persona por el cuello hasta que muere. **3** Instrumento de labranza formado por un palo largo terminado en dos o más puntas que se usa para mover hierba o paja cortada y para otros usos. **4** Vara alargada terminada en dos puntas en forma de V que sirve para colgar, descolgar o sujetar una cosa. **SIN** horquilla.
FAM horqueta, horquilla; ahorcar.

horcajadas Se usa en la expresión:
a horcajadas Indica que una persona se sienta sobre una cosa con una pierna a cada lado de esta, como cuando se monta a caballo.
FAM ahorcajarse.

horchata *s. f.* Bebida dulce de color blanco que se hace machacando chufas o almendras y mezclándolas con agua y azúcar.
FAM horchatero.

horchatería *s. f.* Establecimiento donde se elabora o se vende horchata.

horda *s. f.* **1** Grupo de gente armada que no pertenece a un ejército regular: *una horda de vikingos.* **NOTA** Frecuentemente usado de forma despectiva. **2** Grupo de personas que actúan de manera violenta y salvaje.

horizontal *adj.* **1** Que es paralelo a la línea imaginaria del horizonte. ▌ *adj./s. f.* **2** Se aplica a la línea, la escritura, el dibujo, etc. que está trazado de izquierda a derecha o viceversa.
FAM horizontalidad.

horizontalidad *s. f.* Cualidad de horizontal.

horizonte *s. m.* **1** Línea imaginaria que parece separar el cielo de la tierra o el mar cuando se observa desde una perspectiva alejada. **2** Espacio limitado por esa línea: *hay nubes en el horizonte.* **3** Conjunto de posibilidades o perspectivas que ofrece una cosa. **NOTA** También en plural con el mismo significado que en singular. **4** Cada una de las capas en que se divide el suelo atendiendo a sus características y composición.
FAM horizontal.

horma *s. f.* **1** Molde con que se fabrica o se da forma a una cosa, especialmente el calzado. **2** Forma del interior de un zapato: *una horma ancha.*
encontrar (o **hallar**) **la horma de su zapato** familiar Encontrar una persona lo que más le conviene: *con esta chica has encontrado la horma de tu zapato.*
FAM ahormar.

hormiga *s. f.* Insecto con el cuerpo pequeño y alargado de color oscuro o rojizo y dotado de antenas y fuertes mandíbulas; vive formando grandes colonias en galerías subterráneas o en los árboles y come todo tipo de alimentos.
FAM hormiguear, hormiguero.

hormigón *s. m.* Material de construcción formado por una mezcla de grava, arena y cal o cemento, muy resistente cuando se endurece. ■ **hormigón armado** Hormigón reforzado interiormente con barras de acero o hierro.
FAM hormigonera.

hormigonera *s. f.* Máquina que sirve para mezclar los materiales con los que se hace el hormigón.

hormiguear *v. intr.* **1** Tener una sensación parecida a las cosquillas o al picor en una parte del cuerpo, como si corrieran hormigas por ella. **2** Moverse una gran cantidad de personas con rapidez y en todas direcciones.
FAM hormigueo.

hormigueo *s. m.* **1** Sensación parecida a las cosquillas o al picor que se tiene en una parte del cuerpo, como si corrieran hormigas por ella. **2** Movimiento de una gran cantidad de personas con rapidez en todas direcciones.

hormiguero *s. m.* **1** Conjunto de galerías, generalmente subterráneas, donde se crían y viven las hormigas. **2** Conjunto de hormigas que viven en este lugar. **3** Lugar en el que hay una cantidad grande de personas que se mueven con rapidez y en todas direcciones.

hormiguillo *s. m.* AMÉR. Movimiento que producen las reacciones del mineral de plata al añadírsele los ingredientes para el beneficio por amalgamación.

hormona *s. f.* Sustancia de naturaleza química variada que segregan algunas glándulas animales y vegetales y que sirve para regular determinadas funciones de un organismo. **FAM** hormonal.

hormonal *adj.* Relativo a las hormonas o a las glándulas que las producen. **SIN** endocrino.

hornacina *s. f.* Hueco practicado en un muro, coronado por un cuarto de esfera, que sirve para albergar una estatua o un elemento decorativo.

hornada *s. f.* **1** Conjunto de cosas, como panes u objetos de cerámica, que se cuecen a la vez en un horno **2** Conjunto de personas que han estudiado o realizado otra actividad al mismo tiempo: *nueva hornada de deportistas.* **3** Conjunto de cosas que se presentan o producen al mismo tiempo.

hornear *v. tr.* Cocer una cosa, como un alimento o un objeto de cerámica, dentro de un horno.

hornero, -ra *s. m. y f.* Persona que tiene por oficio cocer pan en el horno. **FAM** hornería.

hornillo *s. m.* **1** Aparato pequeño y portátil que se alimenta de electricidad, gas u otra fuente de energía y sirve para cocinar o dar calor. **SIN** infiernillo. **2** Lugar de una cocina eléctrica, de gas o de otro tipo donde está el foco de la llama o del calor sobre el que se coloca lo que se quiere cocinar. **SIN** fogón.

horno *s. m.* **1** Construcción de obra o aparato que se calienta con leña, electricidad, gas u otra fuente de energía y sirve para cocer las cosas que se colocan en su interior, principalmente alimentos y objetos de cerámica. ■ **horno crematorio** Horno destinado a incinerar cadáveres. **2** Electrodoméstico que funciona mediante electricidad o gas y sirve para cocer, calentar o dorar alimentos. **3** familiar Lugar en el que hace mucho calor.

alto horno Construcción vertical de forma cilíndrica y gran altura que se calienta con carbón y en cuyo interior se funde el hierro. **NOTA** También en plural con el mismo significado que en singular.

horno de cubilote Horno de fundición para obtener hierro dulce a partir de la fusión de hierro y arrabio; consiste en un horno de cuba con tiro natural o atmosférico e inyección de aire o toberas, en el que la acción del combustible actúa directamente sobre la carga. **NOTA** También simplemente *cubilote.*

no estar el horno para bollos Frase con que se expresa que una determinada situación o momento no son los más apropiados para hacer una cosa. **FAM** hornada, hornazo, hornear, hornero, hornillo.

horóscopo *s. m.* **1** Predicción de los hechos que ocurrirán en el futuro, que hace una persona a partir de la situación de los planetas del sistema solar y de su relación con los signos del zodiaco. **2** Escrito que recoge esta predicción. **3** Signo del zodiaco al que pertenece una persona.

horqueta *s. f.* Parte de un árbol donde se juntan el tronco y una rama gruesa formando un ángulo agudo.

horquilla *s. f.* **1** Pieza pequeña y alargada de metal doblada por la mitad y con ambas partes muy juntas que se usa para sujetar el pelo. **2** Pieza u objeto que tiene forma de Y y sirve generalmente para sujetar o sostener. **3** Vara alargada terminada en dos puntas en forma de V que sirve para colgar, descolgar o sujetar una cosa. **SIN** horca. **FAM** ahorquillar.

horrendo, -da *adj.* Horrible.

hórreo *s. m.* Construcción de madera levantada sobre cuatro pilares que sirve para aislar de la humedad el grano y otros productos agrícolas que se guardan en ella.

horrible *adj.* **1** Que produce horror o un miedo muy intenso. **SIN** horrendo, horroroso. **2** familiar Que es muy feo: *un peinado horrible.* **SIN** espantoso, horrendo, horroroso. **3** familiar Que es muy grande o intenso: *un dolor horrible.* **SIN** espantoso, horrendo, horroroso.

horripilante *adj.* **1** Que produce horror o una sensación de miedo muy grande. **SIN** horrendo, horrible, horroroso. **2** familiar Que es muy feo. **SIN** horrendo, horrible, horroroso.

horripilar *v. tr.* Producir una cosa horror o un miedo muy intenso. **SIN** horrorizar. **FAM** horripilación, horripilante.

horrísono, -na *adj.* culto Que con su sonido causa horror o un gran miedo o rechazo.

horror *s. m.* **1** Miedo muy intenso: *el horror a la muerte.* **2** Sentimiento de repulsión causado por una cosa que repugna a los sentidos o a la moral: *horror a la mentira.* **3** Acción o hecho que produce repulsión a los sentidos o a la moral: *los horrores de la guerra.*

horrores o **un horror** familiar Muchísimo o en gran cantidad: *los ruidos me molestan horrores.* **FAM** horrendo, horrible, horripilar, horrorizar, horroroso.

horrorizar *v. tr.* **1** Producir una cosa horror o un miedo muy intenso. **SIN** horripilar. **2** Producir una cosa un sentimiento de repulsión por repugnar a los sentidos o a la moral. ‖ *v. prnl.* **3** **horrorizarse** Pasar una persona a sentir horror, miedo o rechazo hacia una cosa.

horroroso, -sa *adj.* **1** Que produce horror o un miedo muy intenso. **SIN** horrendo, horrible. **2** familiar Que es muy feo. **SIN** espantoso, horrendo, horrible. **3** familiar Que es muy grande o intenso: *un frío horroroso.* **SIN** espantoso, horrendo, horrible.

hortaliza *s. f.* Planta comestible que se cultiva en un huerto, como el melón, la cebolla y la patata.

hortelano, -na *adj.* **1** Hortense. ‖ *s. m. y f.* **2** Persona que se dedica a cultivar y cuidar una huerta.

hortense *adj.* Relativo a la huerta. **SIN** hortelano.

hortensia *s. f.* **1** Arbusto de jardín de hasta varios metros de altura, tallo leñoso, hojas abundantes y dentadas, flores grandes y vistosas y fruto en cápsula. **2** Flor de esta planta, que es en realidad una inflorescencia grande y redonda con muchas flores pequeñas, de color fucsia, azul o blanco.

hortera *adj./s. com.* **1** familiar Se aplica a la persona que pretende ser elegante pero en realidad es vulgar, ordinaria y tiene mal gusto, especialmente en el modo de vesti. ‖ *adj.* **2** familiar Que es propio de estas personas: *una camisa hortera.* **FAM** horterada.

horterada *s. f.* familiar Cosa hortera.

hortícola *adj.* Relativo a la horticultura.

H

horticultor, -ra *s. m. y f.* Persona que se dedica a la horticultura.

horticultura *s. f.* ① Cultivo de las huertas y los huertos. ② Técnicas de cultivar las huertas y los huertos. **FAM** hortícola, horticultor.

hosco, -ca *adj.* ① Se aplica a la persona que tiene malos modos o no es poco amable en el trato con los demás. ② Se aplica al lugar, ambiente o tiempo atmosférico que resulta desagradable o amenazador: *un cielo hosco.* **FAM** hosquedad.

hospedador, -ra *adj./s. m. y f.* En biología, huésped (animal o vegetal a cuya costa vive un parásito).

hospedaje *s. m.* ① Alojamiento que se da a una persona en una casa o un establecimiento público. ② Lugar donde se da este alojamiento: *todos los hospedajes estaban llenos.* ③ Cantidad de dinero que se paga por este alojamiento: *la empresa paga el hospedaje.*

hospedar *v. tr.* ① Proporcionar a una persona un lugar para que resida en él temporalmente. **SIN** albergar, alojar. **|** *v. prnl.* ② **hospedarse** Vivir una persona durante un tiempo en un establecimiento de hospedería o en una casa que no es la suya. **SIN** albergarse, alojarse. **FAM** hospedador, hospedaje, hospedero.

hospedería *s. f.* ① Establecimiento público donde se hospeda a personas que pagan por su alojamiento y los servicios complementarios. ② Lugar de un monasterio o una casa de una comunidad religiosa destinado a hospedar a visitantes y peregrinos que pagan por su alojamiento y los servicios complementarios. ③ Hospedaje (alojamiento).

hospiciano, -na *adj.* ① Relativo al hospicio. **|** *adj./s. m. y f.* ② Se aplica al niño que vive en un hospicio.

hospicio *s. m.* Establecimiento benéfico que se dedica a recoger, mantener y educar a niños huérfanos o cuyos padres son pobres y no pueden hacerse cargo de ellos. **FAM** hospiciano.

hospital *s. m.* Establecimiento público o privado dotado de habitaciones con camas para la estancia de personas enfermas o heridas, y de dependencias acondicionadas para el examen, diagnóstico y tratamiento de los pacientes. **FAM** hospitalario, hospitalidad, hospitalizar.

hospitalario, -ria *adj.* ① Relativo al hospital: *internamiento hospitalario.* ② Se aplica a la persona que recibe y acoge en su casa o en su tierra a los visitantes o extranjeros con amabilidad y toda clase de atenciones. **SIN** acogedor. ③ Se aplica al lugar que resulta agradable y acogedor para la persona que vive o está en él de una forma temporal. ④ Relativo a la Orden de los Caballeros Hospitalarios o de San Juan de Jerusalén, orden militar fundada en el siglo XII para proteger un hospital cristiano de Jerusalén. **|** *s. m./adj.* ⑤ Caballero que pertenecía a esta orden.

hospitalense *adj.* ① De Hospitalet de Llobregat (localidad de Barcelona): *equipo hospitalense.* **|** *s. com./adj.* ② Persona que es de Hospitalet de Llobregat.

hospitalidad *s. f.* Amabilidad y atención con que una persona recibe y acoge a los visitantes o extranjeros en su casa o en su tierra.

hospitalizar *v. tr.* Ingresar a una persona enferma o herida en un hospital para su examen, diagnóstico y tratamiento: *lo han hospitalizado para operarlo.* **FAM** hospitalización.

hostal *s. m.* Establecimiento público de categoría inferior al hotel en el que se hospeda a los huéspedes que pagan por su alojamiento y por la comida y otros servicios. **SIN** hostería. **FAM** hostelero.

hostelería *s. f.* ① Actividad económica que consiste en ofrecer un conjunto de servicios relacionados con el alojamiento y las comidas. ② Conjunto de establecimientos que ofrecen este tipo de servicios.

hostelero, -ra *adj.* ① Relativo a la hostelería: *el sector hostelero.* **|** *s. m. y f.* ② Persona que es dueña de un establecimiento de hostelería o lo dirige. **FAM** hostelería.

hostería *s. f.* Hostal.

hostia *s. f.* ① Hoja redonda y fina hecha de una masa de harina y agua que el sacerdote consagra durante la misa para convertirla en símbolo del cuerpo de Cristo y da a los fieles en la comunión. **SIN** forma, pan bendito. ② vulgar Golpe violento y fuerte que se da a una persona o que alguien se da contra algo. **|** *int.* ③ **¡hostia!** u **¡hostias!** vulgar Se emplea para indicar sorpresa, admiración o disgusto.

mala hostia vulgar Mal carácter o malas intenciones: *tener mala hostia; poner de mala hostia.*

ser la hostia vulgar Ser el colmo o el no va más una cosa o persona, bien en lo positivo, bien en lo negativo. **FAM** hostiar.

hostiar *v. tr.* vulgar Golpear a una persona de manera fuerte y violenta. **OBS** Verbo regular, se acentúa como *cambiar.*

hostigar *v. tr.* ① Acosar a una persona con acciones o ataques leves pero continuados, causándole inquietud y agobio, con la intención de molestarla o presionarla: *el abogado hostigó al acusado para que confesara.* ② Molestar un ejército o grupo armado al enemigo con ataques de baja intensidad pero continuados para inquietarlo y hacerlo vulnerable. ③ Azotar a un caballo u otra caballería con una vara o fusta para que comience a andar o acelere el paso. **SIN** fustigar. **FAM** hostigamiento.

hostil *adj.* ① Se aplica a la persona que muestra una actitud de enemistad o aversión hacia otra: *un público hostil.* ② Se aplica al medio natural difícil o adverso para la supervivencia: *la especie humana ha mejorado su posibilidad de supervivencia en los medios hostiles.* **FAM** hostilidad, hostilizar.

hostilidad *s. f.* ① Enemistad o aversión que muestra una persona hacia otra. ② Acción hostil, que denota enemistad o aversión. ③ Ataque o acción militar de un ejército o grupo armado contra otro: *por fin cesaron las hostilidades.* **NOTA** Más en plural.

hostilizar *v. tr.* Hostigar (acosar a una persona o molestar al enemigo). **OBS** Se conjuga como *realizar.*

hotel *s. m.* ① Establecimiento público en el que se hospeda a los huéspedes que pagan por su alojamiento y por la comida y otros servicios. ② jerga Cárcel. **FAM** hotelero.

hotelero, -ra *adj.* ① Relativo al hotel: *ocupación hotelera.* **|** *s. m. y f.* ② Persona que es dueña de un hotel o lo dirige.

hovercraft [se pronuncia aproximadamente 'jóvercraf'] *s. m.* Vehículo que se desliza sobre el agua o sobre la tierra suspendido de la superficie por una capa de aire a presión y

propulsado mediante hélices o por un motor de reacción. **SIN** aerodeslizador.
OBS Plural: *hovercrafts*.

hoy *adv.* ⓵ En el día actual: *si ayer fue martes, hoy es miércoles.* ⓶ En la actualidad: *gracias a la ciencia, hoy sabemos que el universo está en expansión.* ‖ *s. m.* ⓷ Tiempo o época actual: *el hoy y el mañana de la lucha contra el sida.*

hoy en día En la actualidad: *hoy en día sabemos cómo es la cara oculta de la Luna.*

hoy por hoy En el presente, aunque en el futuro pueda ser de otra manera: *hoy por hoy no existen pruebas sobre la existencia de extraterrestres.*

hoya *s. f.* ⓵ Hoyo grande en la tierra o en el cauce de un río. ⓶ Llano extenso rodeado de montañas. ⓷ AMÉR. Curso de un río, sus afluentes y el territorio que baña.
FAM hoyo.

hoyo *s. m.* ⓵ Agujero hecho en una superficie, especialmente la tierra, de manera natural o artificial. ⓶ Agujero pequeño y circular que hay en un campo de golf, en el que hay que introducir la pelota. ⓷ familiar Sepultura o agujero hecho en la tierra para enterrar a un cadáver.
FAM hoyuelo.

hoyuelo *s. m.* Concavidad pequeña que tienen algunas personas en mitad de la barbilla o en las mejillas.

hoz¹ *s. f.* Herramienta formada por una hoja de metal alargada y curva afilada por el lado cóncavo, unida a un mango de madera, que sirve para segar.

hoz² *s. f.* Valle muy estrecho, limitado por paredes altas de roca, especialmente si constituye el cauce de un río.

hozar *v. tr.* Escarbar un animal, especialmente el cerdo o el jabalí, con el hocico en la tierra. **SIN** hocicar.
FAM hozadura.

HTML Sigla de la expresión inglesa *Hypertext Markup Language*, 'lenguaje marcado de hipertexto', que sirve para escribir las páginas en internet, dar formato a los textos y crear hiperenlaces.

huaca [también **guaca**] *s. f.* ⓵ Sepulcro de los antiguos indios americanos. ⓶ AMÉR. Tesoro escondido o enterrado. ⓷ C. RICA, CUBA Hoyo donde se depositan frutas verdes para que maduren.

huacal [también **guacal**] *s. m.* ⓵ AMÉR. Especie de jaula hecha con varillas de madera que se usa para transportar loza, frutas, etc. ⓶ AMÉR. CENTRAL Árbol americano cuyos frutos, partidos por la mitad y vaciados, se usan como vasijas. ⓷ AMÉR. CENTRAL Vasija que se hace con este fruto.

hucha *s. f.* ⓵ Recipiente cerrado con una ranura estrecha y alargada para echar monedas y guardarlas con el fin de ahorrar. **SIN** alcancía. ⓶ familiar Dinero que se tiene ahorrado: *José tiene buena hucha.*

hueco, -ca *adj.* ⓵ Que está vacío por dentro: *las cañas de bambú están huecas.* ⓶ Que es mullido y esponjoso: *la tierra hueca, recién arada, es buena para el cultivo.* ⓷ Que está vacío de contenido, que es superficial: *una película de gran presupuesto, pero hueca, con un guion flojo.* ⓸ Se aplica al sonido que es profundo y retumba. ⓹ Se aplica a la prenda de vestir que no se ciñe al cuerpo o a la tela que no está pegada a la superficie que cubre. ‖ *s. m.* ⓺ Agujero o abertura en una superficie, que la atraviesa del todo o que la atraviesa sin traspasarla: *la cucaracha se coló por un hueco del mueble de cocina.* ⓻ Porción de espacio vacío: *el hueco de la cavidad bucal.* ⓼ Pe-

riodo de tiempo que queda libre en el horario de una persona para realizar una determinada cosa: *esta tarde buscaré un hueco para acercarme al banco.* ⓽ Posición, puesto o lugar que queda por ocupar entre otros que ya están llenos. ⓾ Falta o ausencia de una cosa inmaterial: *debido a la proliferación de virus, existe un hueco de seguridad en la red.* **SIN** vacío.
FAM huecograbado; ahuecar.

huecograbado *s. m.* ⓵ Procedimiento de impresión con grabados en hueco, generalmente en máquinas rotativas de papel continuo. ⓶ Impresión o estampa obtenidos mediante este procedimiento.

huelga *s. f.* Forma de protesta laboral que consiste en el cese del trabajo por un periodo de tiempo, llevado a cabo de común acuerdo, como medida de presión ante el empresario o el gobierno para conseguir alguna reivindicación. ■ **huelga de brazos caídos** Huelga que se hace sin abandonar el lugar de trabajo. ■ **huelga general** Huelga que llevan a cabo todos los trabajadores de una población, región o estado, generalmente como protesta contra el gobierno.

huelga de celo Forma de protesta de los trabajadores que consiste en cumplir las obligaciones y normas laborales exactamente tal como ordena la ley o el contrato, con gran minuciosidad, para que descienda el rendimiento.

huelga de hambre Forma de protesta que consiste en la abstinencia total de alimentos con el fin de presiona a una institución o un grupo de personas.
FAM huelguista, huelguístico.

huelguista *s. com.* Persona que participa en una huelga.

huelguístico, -ca *adj.* Relativo a la huelga.

huella *s. f.* ⓵ Señal que queda en una superficie por la pisada de un animal o una persona o por el paso de un vehículo. ⓶ Señal, influencia o impresión que deja una cosa o persona tras su contacto con alguien o algo: *las huellas de la presencia musulmana en la Península.*

huella dactilar o **huella digital** Señal que deja en una superficie la yema de un dedo. **NOTA** También simplemente *huella*.

seguir las huellas Seguir una persona el camino, teoría o profesión marcados por otra que la precedió.

huérfano, -na *adj./s. m. y f.* ⓵ Se aplica a la persona menor de edad que no tiene padre, madre o ninguno de los dos, porque han muerto. ‖ *adj.* ⓶ Que no tiene una cualidad o característica necesaria; especialmente, que carece de protección o ayuda.

huero, -ra *adj.* ⓵ Se aplica al huevo que no produce cría o al fruto seco que no contiene semilla. ⓶ culto Que no produce nada sustancial, que está falto de contenido: *un discurso huero.*
FAM enhuerar.

huerta *s. f.* ⓵ Terreno de regadío mayor que el huerto, destinado al cultivo de verduras, legumbres y árboles frutales. ⓶ Zona agrícola compuesta en su mayoría por terrenos de esta naturaleza: *la huerta valenciana.* ⓷ ECUAD. Terreno plantado de cacao.
FAM huertano.

huerto *s. m.* Terreno de regadío de pequeña extensión destinado al cultivo de verduras, legumbres y árboles frutales.

llevar (o **llevarse**) **al huerto** (**I**) familiar Convencer a una persona mediante trucos o engaños para que haga una cosa que no quiere o no le conviene. (**II**) vulgar Conseguir una persona que otra tenga relaciones sexuales con ella.
FAM huerta, huertano.

huesillo *s. m.* ① AMÉR. Nombre genérico de diversos árboles de madera dura y color generalmente marrón amarillento. ② AMÉR. SUR Melocotón secado al sol con la semilla dentro.

hueso *s. m.* ① Pieza dura y resistente, formada por sustancia orgánica y sales minerales y envuelta por una membrana fibrosa que, con otras muchas, constituye el esqueleto de los animales vertebrados. ② Parte dura y leñosa dentro del fruto carnoso de algunas plantas o árboles, que contiene la semilla: *el hueso del melocotón.* ③ familiar Persona exigente, poco flexible y difícil de tratar. ④ familiar Cosa que supone un gran problema o dificultad y entorpece el desarrollo de algo: *esta asignatura es un hueso.*

dar con sus huesos familiar Ir a parar a un lugar, especialmente si es inconveniente o sin haberlo pretendido: *dio con sus huesos en la cárcel.*

estar (o **quedarse**) **en los huesos** Quedarse una persona o un animal muy flaco.

hueso de santo Dulce de forma cilíndrica hecho de mazapán y relleno de yema.

FAM huesillo, huesudo; deshuesar.

huésped, -da *s. m. y f.* ① Persona que se aloja en un establecimiento de hospedería o en la casa de otra. ② Persona que aloja a otra en su casa: *el huésped los recibió amablemente.* ③ Animal o vegetal a cuya costa vive un organismo parásito: *los microbios patógenos pueden desarrollarse en diversas partes del organismo del huésped.*

OBS Femenino: *huésped* o *huéspeda.*

hueste *s. f.* ① culto Conjunto de personas armadas que forman un ejército en campaña. ② Conjunto de seguidores de una persona o de una causa.

OBS Normalmente en plural.

huesudo, -da *adj.* Se aplica a la persona o el animal que tiene poca masa muscular o poca grasa y se le marcan mucho los huesos.

hueva *s. f.* Masa compacta dentro de una bolsa ovalada que forman los huevos de algunas especies de peces.

OBS Más en plural con el mismo significado que en singular.

huevera *s. f.* ① Recipiente pequeño, parecido a una copa, en el que se coloca de pie un huevo cocido o pasado por agua para comerlo en la mesa. ② Recipiente de cartón o plástico con diversas cavidades donde se colocarn los huevos, que sirve para transportarlos o conservarlos.

huevería *s. f.* Establecimiento donde se venden huevos de ave.

huevo *s. m.* ① Cuerpo de forma similar a una esfera con una membrana o cáscara exterior, que contiene el embrión de la cría de un animal y la sustancia necesaria para que se alimente y crezca hasta salir de él: *insectos, anfibios, reptiles, peces y aves ponen huevos.* ② Sustancia contenida dentro de la cáscara de este cuerpo ovalado que pone la gallina u otra ave de corral, formada por la clara y la yema, y que constituye un alimento: *añadir dos huevos a la masa.* ■ **huevo al plato** Comida que se hace cocinando al calor suave esta sustancia con mantequilla o aceite, jamón y tomate, y se sirve en el mismo recipiente en el que ha sido preparado. ■ **huevo duro** Huevo cocido con la cáscara en agua hirviendo hasta que cuajan completamente la yema y la clara. ■ **huevo escalfado** Huevo cocido sin la cáscara en agua hirviendo, del que cuaja la clara pero no la yema. ■ **huevo estrellado** o **huevo frito** Huevo sin batir que se fríe en sartén. ■ **huevo pasado por agua** Huevo cocido con la cáscara en agua hir-

viendo durante unos minutos, sin que cuaje la yema. ■ **huevos revueltos** Comida que se hace friendo esta sustancia en una sartén, removiéndola antes de que cuaje del todo, y mezclándola, en ocasiones, con tomate u otro ingrediente. ③ Célula a partir de la cual se desarrolla el embrión de un ser vivo, que resulta de la unión de las células sexuales masculina y femenina. **SIN** cigoto. ④ vulgar Testículo. **NOTA** Más en plural. Ι *s. m. pl.* ⑤ **huevos** vulgar Coraje, valentía: *no tuvo huevos para decírselo.*

a huevo familiar En las condiciones más fáciles o favorables.

estar hasta los huevos vulgar Estar muy cansado o harto de una persona o situación.

pisando huevos familiar Muy despacio o con parsimonia: *venga, hombre, que vas pisando huevos.*

un huevo vulgar Mucho: *se ha gastado un huevo de euros.*

FAM hueva, huevera, huevero, huevón.

huevón, -vona *adj./s. m. y f.* vulg. desp. Se aplica a la persona que actúa con parsimonia y despreocupación.

hugonote *adj./s. com.* Se aplica al seguidor francés de la doctrina protestante calvinista.

huida *s. f.* ① Alejamiento de un lugar o una situación, especialmente con rapidez, para evitar un daño o peligro. ② Salida de una persona de un lugar donde estaba privada de libertad, mediante el uso de la violencia o de manera oculta o clandestina. **SIN** fuga.

huidizo, -za *adj.* ① Se aplica a la persona que evita el trato con los demás. ② Que es pasajero, que desaparece fácilmente o dura muy poco: *presta atención a los detalles, incluso a lo menudo y huidizo.* **SIN** fugaz.

huido, -da *adj./s. m. y f.* Se aplica a la persona que se ha escapado de un lugar donde estaba privada de libertad.

huir [21] *v. intr.* ① Alejarse de un lugar o una situación, especialmente con rapidez, para evitar un daño o un peligro. ② Salir una persona de un lugar donde estaba privada de libertad, mediante el uso de la violencia o de manera oculta o clandestina. **SIN** escaparse, fugarse.

FAM huida, huidizo, huido; rehuir.

hule *s. m.* ① Tela con una de sus superficies cubierta de una capa de material plástico que la hace impermeable. ② Mantel hecho con este tipo de tela.

hulera *s. f.* MÉX. Tirachinas.

hulla *s. f.* Carbón mineral fósil, rico en carbono, de color negro mate, que se usa como combustible y para la obtención de gas: *la hulla es muy usada en industria.*

FAM hullero.

humanidad *s. f.* ① Conjunto de todos los seres humanos que habitan la Tierra. **NOTA** Se escribe normalmente con mayúscula inicial. ② Cualidad de la persona humanitaria, que siente afecto, comprensión o compasión hacia los demás. **SIN** humanitarismo. ③ Condición de persona o ser humano: *la humanidad y la divinidad de Jesucristo.* ④ familiar Corpulencia, tamaño o fortaleza grande del cuerpo de una persona. Ι *s. f. pl.* ⑤ **humanidades** Conjunto de estudios y disciplinas referentes a la literatura, el arte o las ciencias humanas. **SIN** letras.

humanismo *s. m.* ① Movimiento cultural desarrollado en Europa durante los siglos XIV y XV que considera al hombre centro de la filosofía y medida de todas las cosas; rompe con la tradición escolástica medieval y propugna una vuelta a la antigüedad clásica, tomando como modelos a los clásicos griegos y latinos, cuyas obras redescubre y estudia. **NOTA** Se escribe normalmente con mayúscula inicial. ② Modo de pensamiento que tiene como objeto principal al ser humano en sí mismo: *el humanismo de Machado*. **FAM** humanista, humanístico.

humanista *adj.* ① Relativo al humanismo. **SIN** humanístico. ‖ *s. com./adj.* ② Persona partidaria del humanismo: *Erasmo de Rotterdam fue un gran humanista*. ③ Persona que tiene un gran conocimiento de las disciplinas propias de las humanidades.

humanístico, -ca *adj.* ① Relativo al humanismo. **SIN** humanista. ② Relativo a las humanidades.

humanitario, -ria *adj.* ① Se aplica a la persona que siente afecto, comprensión o compasión hacia los demás, lo que le lleva a actuar con bondad y solidaridad hacia ellos. ② Que se dedica a prestar auxilio y ayuda a personas necesitadas, como pobres o damnificados: *organizaciones humanitarias*. **FAM** humanitarismo.

humanitarismo *s. m.* Actitud humanitaria, compasiva o solidaria con los demás.

humanizar *v. tr.* ① Hacer que una cosa o persona sea más humana, más buena o respetuosa con el ser humano: *la conciencia del hombre ha ido humanizándose*. ② Dar características humanas a algo o alguien: *Dios se humanizó encarnándose en Jesús*. **FAM** humanización, humanizador; deshumanizar.

humano, -na *adj.* ① Relativo al hombre (individuo de la especie humana). ② Que es propio de los defectos o limitaciones de la persona: *equivocarse es humano*. ③ Se aplica a la persona que siente afecto, comprensión o compasión hacia los demás y se comporta de modo digno y bueno con ellos. **ANT** inhumano. ‖ *s. m.* ④ Persona, individuo de la especie humana. **NOTA** También *ser humano*. **FAM** humanidad, humanismo, humanitario, humanizar, humanoide; infrahumano, inhumano, sobrehumano.

humanoide *adj./s. m.* Se aplica al animal o la cosa que tiene un aspecto parecido al del ser humano.

humareda *s. f.* Cantidad grande de humo.

humeante *adj.* Que echa o despide humo o vapor.

humear *v. intr.* ① Echar o despedir humo o vapor: *la olla humea.* ‖ *v. tr.* ② **AMÉR.** Desinfectar una cosa por medio de humo o vapores apropiados: *humearon el maizal con una avioneta*. **FAM** humeante.

humedad *s. f.* Agua u otro líquido que impregna la superficie o el interior de un cuerpo, o presente en el aire en forma de vapor.

humedad absoluta Peso del de vapor de agua que contiene el aire de un lugar por unidad de volumen; se mide generalmente en g/m³.

humedad relativa Porcentaje de la masa de vapor de agua contenida en un volumen de aire y la que tendría si estuviera saturado.

humedal *s. m.* Ecosistema que presenta superficies cubiertas de agua, permanentes o temporales, dulces o saladas.

humedecer [16] *v. tr.* Poner una cosa húmeda impregnándola ligeramente de agua u otro líquido.

húmedo, -da *adj.* ① Se aplica al cuerpo que tiene la superficie o el interior ligeramente impregnado de agua u otro líquido. ② Se aplica al clima de lluvias frecuentes y abundante

vapor de agua en la atmósfera, o al lugar que tiene este tipo de clima. **ANT** árido. **FAM** humedad, humedecer.

húmero *s. m.* Hueso largo de la parte superior del brazo que une el codo con el hombro. **FAM** humeral.

humidificador *s. m.* Aparato que contiene agua y hace que esta se evapore para aumentar el grado de humedad relativa en el ambiente de una habitación u otro lugar cerrado.

humidificar *v. tr.* Humedecer, especialmente el aire mediante el aumento de vapor de agua. **FAM** humidificador; deshumidificar.

humildad *s. f.* ① Cualidad del carácter de una persona que le hace restar importancia a sus propios logros y virtudes y reconocer sus defectos y errores. **ANT** soberbia, vanidad. ② Condición de la persona de clase baja, con pocos recursos económicos.

humilde *adj.* ① Se aplica a la persona que tiene la capacidad de restar importancia a los propios logros y virtudes, y de reconocer sus defectos y errores. **ANT** engreído, vanidoso. ② Se aplica a la persona que pertenece a la clase baja, que tiene pocos recursos económicos. **SIN** modesto. ③ Que es de rango inferior o de baja calidad: *una choza humilde; era un humilde músico de iglesia*. **FAM** humildad.

humillación *s. f.* Desprecio que se hace a una persona, especialmente en público, atentando contra su orgullo o dignidad.

humilladero *s. m.* Lugar devoto, marcado con una imagen o una cruz, que hay en la entrada de algunos pueblos y en la vereda de algunos caminos.

humillante *adj.* Que humilla o hiere el orgullo o la dignidad de una persona: *burla humillante y ofensiva*.

humillar *v. tr.* ① Herir u ofender, especialmente en público, a una persona atentando contra su orgullo o dignidad. ② Inclinar la cabeza o el cuerpo, especialmente en señal de respeto. ‖ *v. prnl.* ③ **humillarse** Ponerse de rodillas. ④ Adoptar una actitud humilde o sumisa ante alguien o algo: *humillarse ante Dios*. **FAM** humillación, humilladero, humillante.

humo *s. m.* ① Conjunto de gases y polvo muy fino que desprende una cosa cuando se quema. ② Vapor de agua que despide un líquido al alcanzar una temperatura alta o un cuerpo al sufrir una reacción química: *cuando el agua hierve, echa humo.* ‖ *s. m. pl.* ③ **humos** familiar Arrogancia o soberbia en la actitud o el comportamiento de una persona: *¡menudos humos tienes, estás insoportable!*

echar humo o **estar que echa humo** familiar Estar muy enfadado: *echa humo cada vez que pierde*. **FAM** humareda, humear, humoso; ahumar.

humor *s. m.* ① Estado de ánimo que se manifiesta exteriormente en una determinada actitud, como la alegría o el enfado, ante los acontecimientos de la vida. ■ **buen humor** Estado de ánimo que se manifiesta con una actitud alegre. ■ **humor de perros** familiar Estado de ánimo de la persona que está de muy mal humor, muy enfadada e irritable: *cuando tenía que madrugar, se levantaba con un humor de perros*. ■ **mal humor** Estado de ánimo que se manifiesta con una actitud de enfado e irritación. **NOTA** También *malhumor*. ② Actitud o capacidad de la persona que ve el lado divertido

o irónico de la realidad. **NOTA** También *sentido del humor.*
■ **humor negro** Humor basado en situaciones que en realidad debieran provocar compasión, pena o terror: *la comicidad con que presentaban el entierro daba un tono de humor negro a la película.* ③ Humorismo. ④ Líquido del interior del organismo animal. ■ **humor acuoso** Líquido, formado casi totalmente por agua, que se halla en el globo del ojo delante del cristalino. ■ **humor vítreo** Líquido gelatinoso y transparente encerrado en una fina membrana que se halla entre la retina y el cristalino del ojo y supone la mayor parte de la masa del globo ocular.
FAM humorada, humorado, humorismo.

humorada *s. f.* Hecho o dicho divertido o extravagante.

humorado, -da Se usa en las expresiones:
bien humorado Indica que una persona tiene buen humor.
mal humorado Indica que una persona tiene mal humor. **NOTA** También *malhumorado.*

humorismo *s. m.* ① Actitud o capacidad de la persona que ve el lado divertido o irónico de la realidad, especialmente cuando lo manifiesta exteriormente con bromas o frases graciosas. ② Actividad profesional del humorista. **SIN** humor.
FAM humorista, humorístico.

humorista *s. com.* Persona que se dedica a divertir y hacer reír a los demás mediante la actuación en público, la escritura, el cómic, etc.
FAM humorístico.

humorístico, -ca *adj.* Relativo al humorismo.

humus *s. m.* Capa superior del suelo de un terreno constituida por tierra, sustancias inorgánicas y materia orgánica de origen animal y vegetal: *los componentes orgánicos que forman el humus son muy importantes para la estabilidad y la fertilidad del suelo.* **SIN** mantillo.
FAM exhumar, inhumar, trashumar.
OBS Plural invariable.

hundido, -da *adj.* Que se siente profundamente triste y desanimado, especialmente debido a un fracaso. **SIN** abatido.

hundimiento *s. m.* ① Acción de meter completamente una cosa en otra, especialmente en un líquido, o de introducir parte de un cuerpo en otro. ② Caída de un edificio u otra construcción. ③ Deformación de una superficie de modo que se le haga un hoyo o una concavidad. ④ Destrucción moral de una persona que pierde las fuerzas o la esperanza. **SIN** abatimiento. ⑤ Fracaso de un proyecto, una relación u otra cosa.

hundir *v. tr.* ① Meter completamente una cosa en otra, especialmente un líquido: *hundió la cabeza en el río para refrescarse.* ② Introducir parte de un cuerpo en el interior de otro: *hundió el cuchillo en el pollo asado.* ③ Hacer caer un edificio u otra construcción: *el terremoto hundió el bloque de pisos.* **SIN** derrumbar. ④ Deformar una superficie provocando un hoyo o una concavidad: *la riada hundió la carretera.* ⑤ Destruir moralmente a una persona, haciendo que pierda las fuerzas o la esperanza: *el corredor se hundió a falta de dos vueltas para el final.* ⑥ Hacer fracasar un proyecto, una relación u otra cosa: *hundir un matrimonio.* **SIN** arruinar.
FAM hundido, hundimiento.

húngaro, -ra *adj.* ① De Hungría (país de Europa). ❙ *s. m. y f./adj.* ② Persona que es de Hungría. ❙ *s. m./adj.* ③ Lengua hablada en Hungría.

huno, -na *adj.* ① Relativo a un pueblo bárbaro de origen

asiático que invadió el Imperio romano en el siglo IV a. C. ❙ *s. m. y f./adj.* ② Persona perteneciente a este pueblo.

huracán *s. m.* ① Viento extremadamente fuerte acompañado de lluvia torrencial que avanza girando sobre sí mismo a gran velocidad; se origina en el océano, en las zonas de clima ecuatorial, especialmente las Antillas. ② Viento muy fuerte. **SIN** vendaval. ③ Persona inquieta e impetuosa. **SIN** torbellino.
FAM huracanado, huracanarse.

huracanado, -da *adj.* Se aplica al viento que tiene las características del huracán.

huraño, -ña *adj.* Se aplica a la persona poco sociable, que rehúye el trato con los que le rodean.

hurgar *v. tr./intr.* ① Remover o menear una cosa con los dedos, con un palo u otra cosa parecida: *hurgar la tierra; el mendigo hurgaba en la basura.* ② Procurar enterarse con disimulo de una información, especialmente de datos referentes a la vida privada de otras personas. **SIN** curiosear, fisgar, fisgonear.
FAM hurgador.

hurguetear *v. tr.* AMÉR. Hurgar entre cosas que son ajenas: *entró a la cocina a hurguetear y halló una botella de vino.*

hurí *s. f.* En la religión islámica, mujer de gran belleza que habita en el paraíso que hay después de la muerte y recompensa a los hombres que han sido buenos creyentes con placeres sensuales.
OBS Plural: *huríes* o *hurís.*

hurón *s. m.* Mamífero carnívoro de la familia de la comadreja, de pequeño tamaño, cuerpo alargado, patas cortas y pelo áspero y largo; domesticado, se emplea para cazar conejos.
FAM huronear, huronera.

huronear *v. intr.* familiar Curiosear o fisgonear.
FAM huroneo.

¡hurra! *int.* Expresión que indica alegría y entusiasmo, usada especialmente para celebrar una cosa.

hurtadillas Se usa en la expresión:
a hurtadillas Indica que una cosa se hace de manera secreta para no ser visto por otras personas.

hurtar *v. tr.* Robar a escondidas sin ningún tipo de intimidación ni violencia.
FAM hurtadillas.

hurto *s. m.* Robo sin violencia o intimidación.
FAM hurtar.

húsar *s. m.* Soldado que pertenecía antiguamente a un cuerpo de caballería de diferentes países, como Francia, que vestía con el uniforme militar húngaro.

husillo *s. m.* Tornillo grande, metálico o de madera, utilizado para el movimiento de las prensas y otras máquinas similares.

husky [se pronuncia aproximadamente 'jasqui'] *s. com./adj.* Perro nórdico de tamaño mediano-grande, orejas en punta, ojos pardos o azules, y pelo suave y muy espeso de color blanco con manchas oscuras; es de origen canadiense y por su gran resistencia se emplea en el tiro de trineos; existen dos variedades: canadiense y siberiana.
OBS Plural: *huskies* (se pronuncia aproximadamente 'jasquis').

husmear *v. tr./intr.* ① Aspirar aire un animal, especialmente un perro, de manera reiterada para sentir un olor. ❙ *v. intr.*

H

2 familiar Fisgonear o indagar, especialmente sobre la vida privada de los demás.

FAM husmeo.

huso *s. m.* **1** Instrumento de madera o hierro, de forma cilíndrica y alargada, más estrecho en los extremos que en el centro, que sirve para torcer y enrollar el hilo que va hilando la rueca. **2** Pieza de hierro de ciertas máquinas de hilar en la que se coloca la bobina o carrete donde va enrollado el hilo.

huso acromático Estructura constituida por microtúbulos que se forma durante la división de las células eucariotas y que interviene en la distribución de los cromosomas entre las dos células hijas.

huso esférico Parte de una superficie esférica limitada por dos semicírculos máximos.

huso horario Cada una de las veinticuatro partes de la superficie terrestre que hay entre dos meridianos equidistantes y que sirven para determinar la hora: *en cada huso horario rige la misma hora.*

FAM husillo; ahusar.

¡huy! [también **¡uy!**, más usado] *int.* Indica sorpresa, dolor o miedo.

H

i *s. f.* **1** Novena letra del alfabeto español; su nombre es *i* o *i latina*. ■ **i griega** Nombre de la letra *y*. **SIN** ye. ■ **i latina** Nombre de la letra *i*. **2** En la numeración romana, tiene el valor de uno. **NOTA** Se escribe con mayúscula.
OBS Plural: *íes*.

ib. o **ibíd.** Abreviatura de la palabra latina *ibídem*, 'en el mismo lugar', que se utiliza en publicaciones para indicar que una cita o referencia aparece en la misma obra que se ha citado anteriormente.

ibérico, -ca *adj.* **1** De Iberia (antigua denominación griega de la Península Ibérica, referida especialmente a las zonas del este y el sur). **SIN** ibero. ❘ *s. m./adj.* **2** Lengua hablada por los habitantes ibéricos. **SIN** ibero. ❘ *adj.* **3** De la Península Ibérica (península europea constituida por España, Portugal y Andorra): *fauna ibérica*. **4** culto Español. **NOTA** Frecuentemente usado de forma humorística. **SIN** ibero.
FAM celtibérico.

ibero, -ra o **íbero, -ra** *adj.* **1** De Iberia (antigua denominación griega de la Península Ibérica, referida especialmente a las zonas del este y el sur). **SIN** ibérico. **2** Relativo a un pueblo que habitó el este y sur de Iberia; vivía en poblados fortificados y se dedicaba a la agricultura y al pastoreo. ❘ *s. m. y f./adj.* **3** Persona perteneciente a este pueblo. ❘ *s. m./adj.* **4** Lengua de origen dudoso, tal vez africano, hablada por este pueblo. **SIN** ibérico. ❘ *adj.* **5** culto Español. **NOTA** Frecuentemente usado de forma humorística. **SIN** ibérico.
FAM ibérico; celtíbero.

iberoamericano, -na *adj.* **1** De Iberoamérica (conjunto de países de América que fueron colonias de España y Portugal): *Brasil y Argentina son países iberoamericanos*. ❘ *s. m. y f./adj.* **2** Persona que es de Iberoamérica. ❘ *adj.* **3** Relativo a la colectividad cultural, social y económica formada por España, Portugal e Iberoamérica.

ibicenco, -ca *adj.* **1** De Ibiza (isla del archipiélago balear). ❘ *s. m. y f./adj.* **2** Persona que es de Ibiza.

ibíd. V. ib.

ibídem *adv.* Palabra latina que significa 'en el mismo lugar' y que se utiliza en publicaciones para indicar que una cita o referencia aparece en la misma obra que se ha citado anteriormente.

ibis *s. m.* Ave parecida a la cigüeña, de pico largo y encorvado y plumaje blanco, blanco y negro o rojo, que vive en colonias, en regiones cálidas de casi todo el mundo: *el ibis era venerado por los egipcios*.
OBS Plural invariable.

iceberg *s. m.* Bloque grande de hielo desprendido de una costa helada o de un glaciar que flota a la deriva en los mares por encima de los 45° de latitud norte y de los 23° sur: *tan solo sobresale del agua un 10 % del volumen total del iceberg*.
OBS Plural: *icebergs*.

icónico, -ca *adj.* Relativo al icono o que tiene sus características: *la parte icónica de una viñeta es la ilustración, y la parte verbal es el texto*.

icono o **ícono** *s. m.* **1** Imagen devocional de Cristo, la Virgen o un santo, generalmente pintada sobre tabla, característica del arte bizantino y eslavo. **2** Signo que mantiene una relación de semejanza formal con la idea o el objeto que representa: *los iconos que representan los diversos deportes olímpicos*. **3** Pequeña imagen que se muestra en la pantalla de un ordenador y que representa una opción que puede ser elegida por el usuario: *para abrir una ventana lo más sencillo es hacer un doble clic sobre su icono*.
FAM icónico.

iconoclasia *s. f.* Iconoclastia.

iconoclasta *adj.* **1** Relativo al movimiento cristiano desarrollado en el Imperio bizantino durante los siglos VIII y IX que rechazaba la adoración de imágenes sagradas, y proponía su destrucción. ❘ *s. com./adj.* **2** Persona partidaria de este movimiento. ❘ *adj.* **3** Que no respeta los valores, las normas o las formas tradicionales de una actividad y trata de destruirlos o ponerlos en ridículo: *las vanguardias artísticas de principios del siglo XX fueron movimientos iconoclastas*. ❘ *adj./s. com.* **4** Se aplica a la persona que es enérgicamente contraria al culto a cualquier tipo de imágenes.

iconoclastia *s. f.* Doctrina oficial en el Imperio bizantino desarrollada en los siglos VIII y IX que prohibía la representación y el culto a las imágenes de Cristo y de los santos. **SIN** iconoclasia.

iconografía *s. f.* **1** Conjunto clasificado de imágenes que configuran el tema representado en una obra de arte. **2** Estu-

dio u obra que describe y analiza las imágenes relacionadas con un tema artístico.
FAM iconográfico.

iconográfico, -ca *adj.* Relativo a la iconografía.

iconostasis *s. m.* Mampara o cancel que separa la nave del presbiterio en las iglesias de rito ortodoxo; suele estar decorado con iconos pintados.
OBS Plural invariable.

icosaedro *s. m.* Poliedro de veinte caras triangulares.

ictericia *s. f.* Color amarillento que toman la piel y los ojos de una persona como síntoma de una enfermedad, generalmente, el mal funcionamiento del hígado.
FAM ictérico.

ictiófago, -ga *adj./s. m. y f.* Se aplica al animal que se alimenta fundamentalmente de peces.

ictiología *s. f.* Parte de la zoología que estudia los peces.
FAM ictiológico.

ictiosaurio o **ictiosauro** *s. m.* Reptil marino de la era mesozoica o secundaria, de hasta 15 m de longitud, cabeza pequeña, hocico prolongado, dos aletas a cada lado del cuerpo y una cola muy larga.

ida *s. f.* Movimiento de una persona, animal o cosa que se dirige hacia un punto o término. **ANT** regreso, vuelta.

idas y venidas familiar Serie de movimientos que hace una persona que va y viene de un lugar a otro: *después de tantas idas y venidas por el centro, no encontré el libro que necesitaba.*

idea *s. f.* ① Representación abstracta de una cosa real o irreal que se forma en la mente de una persona. **SIN** concepto. ② Opinión o juicio que una persona tiene formada en su mente acerca de una persona o cosa: *usted tiene una idea equivocada de mí.* **SIN** concepción, concepto. ③ Proyecto o plan para hacer una cosa: *Urbano II tuvo la idea de organizar una cruzada.* ④ Conocimiento elemental que se tiene de una cosa. | *s. f. pl.* ⑤ **ideas** Conjunto de conceptos y opiniones que una persona tiene sobre una cosa o sobre el mundo en general: *no estoy de acuerdo con sus ideas políticas.*

hacerse a la idea Aceptar una situación desagradable o con la que no se está de acuerdo.

hacerse (una) idea Imaginarse de modo aproximado y general cómo va a ser una cosa.

idea de bombero familiar Idea o proyecto disparatado: *¡se te ocurre cada idea de bombero!*

mala idea Intención de hacer daño.

no tener ni idea No saber nada de una cosa o no recordar algo.
FAM ideal, idear, ideático, ideología.

ideal *adj.* ① Que es perfecto o excelente en su clase: *una solución ideal; el Cid como héroe ideal, modelo de caballeros.* ② Relativo a la idea o las ideas: *la existencia ideal de los personajes de una novela.* | *s. m.* ③ Ejemplo o modelo al que se aspira por considerarse perfecto en su clase: *el ideal de belleza griego.* ④ Conjunto de valores morales que se tienen acerca de una cosa o del mundo en general: *los ideales de igualdad democrática.* **NOTA** También en plural con el mismo significado que en singular.
FAM idealidad, idealismo, idealizar.

idealidad *s. f.* Cualidad de ideal, generalmente opuesta a la materialidad y a la realidad.

idealismo *s. m.* ① Tendencia a considerar el mundo y la vida de acuerdo con unos ideales o modelos de armonía y

perfección que no se corresponden con la realidad. ② En filosofía, sistema que niega la existencia de las cosas en sí mismas, sin estar ligadas a la conciencia humana.
FAM idealista.

idealista *adj.* ① Relativo al idealismo. | *adj./s. com.* ② Se aplica a la persona que considera el mundo y la vida de acuerdo con unos ideales o modelos de armonía y perfección que no se corresponden con la realidad, y que actúa conforme a ello.

idealización *s. f.* Elevación de una persona o cosa a una categoría superior de perfección que no se corresponde con lo que es en realidad.

idealizar *v. tr.* Elevar a una persona o cosa a una categoría superior de perfección que no se corresponde con lo que es en realidad: *cuando idealizas a una persona, no te das cuenta de sus defectos.*
FAM idealización, idealizador.

idear *v. tr.* Formar en la mente una idea, especialmente si es útil para resolver un problema o como punto de partida para un proyecto o plan: *idear una solución.*
FAM ideación, ideario.

ideario *s. m.* Conjunto de ideas y opiniones que un autor, movimiento intelectual, etc. tiene sobre un tema o sobre el mundo en general: *el ideario de un político.*

ideático, -ca *adj.* ① AMÉR. Se aplica a la persona incapaz de razonar sus ideas y que se empeña en sostenerlas, por absurdas que sean. ② HOND. Se aplica a la persona que es ingeniosa.

ídem *adv.* Palabra latina que significa 'lo mismo' y que se utiliza en sustitución de algo que se ha dicho o escrito antes, para evitar su repetición.
FAM idéntico, identidad.

idéntico, -ca *adj.* ① Que es exactamente igual: *una fotocopiadora permite obtener copias idénticas de documentos.* ② familiar Que es muy parecido o casi igual: *tu casa y la mía son idénticas.* **SIN** calcado, clavado.
FAM identificar.

identidad *s. f.* ① Conjunto de características, datos o informaciones que son propias de una persona o un grupo y que permiten diferenciarlos del resto: *la identidad de un pueblo.* ② Hecho de ser una persona o cosa la misma que se supone o se busca, por características que la distinguen de otras: *comprobar la identidad de una firma.* ③ Cualidad de idéntico: *estos amigos tienen identidad de caracteres.* ④ Identidad o igualdad entre dos expresiones algebraicas que se verifica para cualquier valor de las letras. ■ **identidad notable** En matemáticas, igualdad, relacionada con las potencias de un binomio o trinomio, en la que sus ambos miembros son idénticos: *una identidad es* $(a + b)^2 = a^2 + 2ab + b^2$.

identificación *s. f.* ① Acción de reconocer o probar que una persona o cosa es la misma que se busca o se supone. ② Demostración de que dos cosas son idénticas o equiparables. ③ Coincidencia en el modo de pensar o vivir de una persona con otra o con algo con lo que está de acuerdo.

identificar *v. tr.* ① Reconocer o probar que una persona o cosa es la misma que se busca o se supone: *la señora identificó al ladrón de su bolso.* ② Demostrar o reconocer que dos cosas son idénticas o equiparables: *los epicúreos identifican el bien con el placer.* | *v. prnl.* ③ **identificarse** Tener una persona la misma manera de pensar o vivir que otra, o estar de acuerdo

con una cosa: *me identifico mucho con la causa ecologista.* **4** Manifestar una persona su identidad, diciendo su nombre, su cargo, etc.
FAM identificable, identificación, identificador, identificativo.

ideografía *s. f.* Sistema de escritura en el que los signos empleados representan ideas, como el sistema chino o el sistema jeroglífico.
FAM ideográfico.

ideograma *s. m.* Signo escrito que representa una idea, usado en lenguas como el chino o el japonés.

ideología *s. f.* Conjunto de ideas y opiniones de una persona o grupo, especialmente en lo relacionado con la organización política o social.
FAM ideológico, ideologización, ideólogo.

ideológico, -ca *adj.* Relativo a la ideología o a las ideas.

ideólogo, -ga *s. m. y f.* Persona que es creadora de una ideología o tendencia ideológica determinada, política, social o religiosa.

ideoso, -sa *adj.* **1** AMÉR. Se aplica a la persona que es extravagante y maniática. **2** GUAT. Se aplica a la persona que es ingeniosa.

idílico, -ca *adj.* Que es perfecto, hermoso y produce bienestar físico o anímico: *una relación idílica.*

idilio *s. m.* Relación amorosa entre dos personas, generalmente breve e intensa.
FAM idílico.

idiófono *s. m.* Instrumento musical en que el sonido se produce por medio de la vibración de su propio material primario, sin la vibración de cuerdas, membranas o columnas de aire: *las castañuelas, los platillos, el xilófono y la carraca son idiófonos.*

idiolecto *s. m.* Manera particular que tiene cada persona de hablar su lengua.

idioma *s. m.* Sistema de signos orales y escritos que utiliza una comunidad de hablantes para comunicarse. **SIN** lengua.
FAM idiomático.

idiomático, -ca *adj.* **1** Relativo al idioma: *la unidad idiomática.* **2** Que es propio de un idioma y lo diferencia de otros: *los rasgos idiomáticos del euskera.*
FAM idiomatismo.

idiosincrasia *s. f.* Manera característica de pensar, sentir o actuar de una persona o de una comunidad que la distingue de otros.
FAM idiosincrásico.

idiota *adj./s. com.* Se aplica a la persona que está escasa o carece de inteligencia, que es torpe de entendimiento. **SIN** estúpido, imbécil, tonto.
FAM idiotez, idiotismo, idiotizar.
OBS Frecuentemente usado como insulto.

idiotez *s. f.* **1** Dificultad y gran lentitud para comprender las cosas. **SIN** cretinismo, estupidez, imbecilidad. **2** Hecho o dicho propio de una persona idiota: *deja de decir idioteces.* **SIN** estupidez, imbecilidad, tontería.

idiotizar *v. tr.* Hacer que una persona actúe como si no tuviera inteligencia o criterio propio. **SIN** atontar.

ido, -da *adj.* **1** Se aplica a la persona que no tiene completas sus facultades mentales. **SIN** loco. **2** Se aplica a la persona que ha perdido la conciencia de lo que ocurre a su alrededor.

idólatra *adj./s. com.* **1** Se aplica a la persona que adora o rinde culto a un ídolo. **2** Se aplica a la persona que ama y admira con exceso a otra.
FAM idolatrar, idolatría.

idolatrar *v. tr.* **1** Adorar o rendir culto a un ídolo. **2** Amar y admirar con exceso a una persona o una cosa.

idolatría *s. f.* **1** Adoración o culto que se rinde a un ídolo. **2** Amor y admiración exagerados hacia una persona o una cosa.
FAM idolátrico.

ídolo *s. m.* **1** Imagen a la que se adora y rinde culto como una divinidad en sí, y no como una representación de ella. **2** Persona o cosa a la que se ama y admira en exceso.
FAM idólatra.

idoneidad *s. f.* Adecuación que existe entre las características de una persona o cosa y la función, la actividad o el trabajo que debe desempeñar.

idóneo, -nea *adj.* Que es adecuado o conveniente para una cosa, especialmente para desempeñar una función, una actividad o un trabajo: *el barro es una materia idónea para ser moldeada.*
FAM idoneidad.

iglesia *s. f.* **1** Edificio público destinado al culto cristiano, donde se celebran ceremonias litúrgicas, como la misa, y se realizan otros servicios religiosos. **2** Conjunto de personas que profesan la doctrina cristiana. **NOTA** Se escribe con mayúscula inicial. **3** Conjunto de personas que creen en una doctrina cristiana determinada: *la Iglesia católica y la Iglesia protestante surgieron tras la Reforma.* **NOTA** Se escribe con mayúscula inicial. **4** Conjunto de clérigos que forman parte de la jerarquía: *la Iglesia consideró hereje a Lutero.* **NOTA** Se escribe con mayúscula inicial.

iglú *s. m.* **1** Habitáculo de los esquimales construido con nieve, en forma de media esfera, con una abertura para pasar. ‖ *s. f.* **2** Tienda de campaña de forma parecida a este habitáculo.
OBS Plural: *iglúes* o *iglús.*

ígneo, -nea *adj.* **1** culto Relativo al fuego. **2** Se aplica a la roca formada por solidificación del magma.
FAM ignición, ignífugo.

ignición *s. f.* **1** Proceso en el que una sustancia arde y se quema. **2** Mecanismo que produce la chispa en los motores de explosión. **SIN** encendido.

ignífugo, -ga *adj.* Se aplica al material u objeto que protege contra el fuego porque no puede quemarse o porque arde con mucha dificultad.

ignominia *s. f.* Ofensa pública que sufre el honor o la dignidad de una persona.
FAM ignominioso.

ignominioso, -sa *adj.* Que causa ignominia.

ignorancia *s. f.* **1** Falta general de cultura o instrucción de la persona que no ha recibido formación o enseñanza: *la ignorancia causa odio y miedo hacia la gente de otra cultura.* **2** Falta de conocimiento sobre un asunto o materia: *mi ignorancia sobre oceanografía es total.* **SIN** desconocimiento.

ignorante *adj./s. com.* **1** Se aplica a la persona que está falta de cultura o de instrucción, que no ha recibido la formación o educación necesarias. **2** Se aplica a la persona que no tiene conocimiento sobre un asunto o materia.

ignorar *v. tr.* **1** No saber una cosa o no tener idea de ella:

mucha gente ignora que está afectada por una de estas enfermedades. **SIN** desconocer. **ANT** conocer, saber. ② No hacer caso o no tener en cuenta una cosa o a una persona: *ignoré sus insultos.*

FAM ignorancia, ignorante.

ignoto, -ta *adj.* culto Que es desconocido o que no ha sido descubierto: *ignotos territorios.*

igual *adj.* ① Que tiene las mismas características en cuanto a su naturaleza, forma, cantidad o cualidad que otro. ② Que mantiene una relación de proporción o correspondencia con otro: *dos más dos es igual a cuatro.* ③ Que se mantiene constante o uniforme, que no varía: *la ley es igual para todos.* | *adj./s. com.* ④ Se aplica a la persona que tiene el mismo rango, clase social o condición que otra: *el rey entre sus iguales.* | *s. m.* ⑤ Signo matemático (=) que representa la equivalencia entre dos cantidades o funciones. | *adv.* ⑥ De la misma manera. ⑦ La misma cantidad. ⑧ familiar Quizá: *esta tarde igual paso a recogerte.*

al igual que o **igual que** De la misma manera, del mismo modo: *al igual que el tabaco, el alcohol produce adicción.*

dar (o ser) igual Ser indiferente una cosa, no importar que se haga o sea de una forma u otra: *me da igual ir en tren o en coche.*

sin igual Que no puede compararse con nada en su género por las cualidades positivas que posee.

FAM igualar, igualdad, igualmente; desigual.

igualar *v. tr.* ① Hacer iguales, con la misma forma, naturaleza, cantidad o cualidad, dos cosas o a dos personas, o hacer igual una a otra. ② Hacer que una cosa sea constante o uniforme: *con la lija se iguala una superficie de madera.* ③ Relacionar dos cantidades o funciones matemáticas con el signo igual: *igualar dos ecuaciones.* | *v. intr./prnl.* ④ Ser una cosa o persona igual a otra, o llegar a alcanzar sus características: *el chico ya iguala a su madre en altura.* | *v. tr./intr.* ⑤ En deporte, conseguir los mismos puntos que el jugador o equipo contrario, y lograr un empate: *logró igualar el marcador.*

FAM igualación, igualatorio; inigualable.

igualdad *s. f.* ① Cualidad de dos cosas o personas iguales, que tienen las mismas características en cuanto a su naturaleza, cantidad, forma o cualidad: *igualdad de derechos.* ② Proporción o correspondencia que existe entre dos cosas: *igualdad entre ingresos y gastos.* ③ Uniformidad o constancia que hay en una cosa que se mantiene invariable. ④ Expresión matemática que indica que dos cantidades o funciones tienen el mismo valor.

FAM igualitario.

igualitario, -ria *adj.* Que se fundamenta en la igualdad de derechos para todas las personas, o que pretende conseguirla: *la democracia es igualitaria.*

FAM igualitarismo.

igualmente *adv.* ① De la misma manera: *todas las normas de seguridad son igualmente importantes.* ② Se utiliza para expresar que una cosa es igual o semejante a otra dicha anteriormente. **SIN** también. ③ Se utiliza como respuesta cortés: *—¡Que pases un buen día! —¡Igualmente!*

iguana *s. f.* ① Reptil de hasta 2 m de longitud, color verde o pardo, cola larga y una hilera de espinas que recorre su cuerpo desde el cuello hasta la punta de la larga cola; es vegetariana; vive principalmente en América. ② MÉX. Instrumento musical de cuerda parecido a la guitarra pero de caja más pequeña y con solo cinco cuerdas, que forma parte de los conjuntos de mariachis.

iguanodonte *s. m.* Dinosaurio vegetariano de la era secundaria o mesozoica, de hasta 7 m de longitud, patas traseras robustas y delanteras más cortas, que caminaba erguido, utilizando una larga cola como contrapeso.

ijada *s. f.* Cavidad situada a cada lado del cuerpo del ser humano y de algunos animales vertebrados, entre las costillas falsas y los huesos de las caderas. **SIN** ijar.

ijar *s. m.* Ijada.

ikastola *s. f.* Escuela en la que las materias educativas se imparten en euskera.

ikurriña *s. f.* Bandera oficial del País Vasco.

ilación *s. f.* Ligazón o nexo con que se unen las partes de un discurso, razonamiento, etc.

ilativo, -va *adj./s. f.* Que expresa o establece ilación o consecuencia lógica: *las conjunciones causales y consecutivas son ilativas.*

ilegal *adj.* ① Que no está permitido por la ley. **ANT** legal. ② Se aplica a la persona que realiza una actividad que no está permitida por la ley: *inmigrantes ilegales.*

FAM ilegalidad.

ilegalidad *s. f.* ① Falta de legalidad o conformidad con la ley en una cosa o una acción. **ANT** legalidad. ② Acción ilegal: *cometer una ilegalidad.*

ilegible *adj.* ① Que no puede leerse o resulta incomprensible. **SIN** ininteligible. **ANT** legible. ② Se aplica al escrito o la obra que es de muy baja calidad literaria.

FAM ilegibilidad.

ilegítimo, -ma *adj.* ① Que no está permitido por la ley o por la moral. **SIN** ilícito. **ANT** legítimo, lícito. ② Se aplica al hijo que es fruto de un matrimonio no reconocido por la ley. **ANT** legítimo.

FAM ilegitimar, ilegitimidad.

íleon¹ *s. m.* Parte final del intestino delgado que está entre el yeyuno y el ciego.

íleon² *s. m.* Ilion.

ilercavón, -vona [también **ilergavón**] *adj.* ① Relativo a un pueblo prerromano que habitó la Península Ibérica en la zona de las actuales provincias de Castellón y Tarragona. | *s. com./adj.* ② Persona perteneciente a este pueblo.

ilerdense *adj.* ① De Lérida (ciudad y provincia de Cataluña). **SIN** leridano. | *s. com./adj.* ② Persona que es de Lérida. **SIN** leridano.

ilergavón, -vona V. ilercavón, -vona.

ilergete *adj.* ① Relativo a un pueblo de la España Tarraconense que comprendía parte de la provincia de Lérida, Huesca y Zaragoza. | *s. com./adj.* ② Persona perteneciente a este pueblo.

ileso, -sa *adj.* Se aplica a la persona que ha estado en peligro o ha sufrido un accidente y no ha recibido ningún daño físico.

iletrado, -da *adj./s. m. y f.* ① culto Se aplica a la persona que no sabe leer ni escribir. ② culto Se aplica a la persona que no tiene cultura o conocimientos elementales.

ilíaco, -ca o **iliaco, -ca** *adj.* ① Relativo al ilion: *arterias y venas ilíacas.* | *adj./s. m.* ② Se aplica al hueso plano, de forma irregular y con diferentes concavidades, que junto con otro forma la pelvis: *el cuerpo humano tiene dos huesos ilíacos y cada uno de ellos consta de ilion, isquion y pubis.* **SIN** coxal.

ilicitano, -na *adj.* ① De Elche (localidad de Alicante). | *s. m. y f./adj.* ② Persona que es de Elche.

ilícito, -ta *adj.* Que no está permitido por la ley o la moral. **SIN** ilegítimo. **ANT** legítimo, lícito.
FAM ilicitud.

ilicitud *s. f.* Falta de legitimidad o conformidad con la ley o la moral. **ANT** legitimidad, licitud.

ilimitado, -da *adj.* 1 Que no tiene límites. **ANT** limitado. 2 Que es muy importante, numeroso o grande: *deseos ilimitados.*
FAM ilimitación.

ilion *s. m.* Hueso saliente de forma ancha y curvada que unido al pubis y al isquion forma la pelvis. **SIN** íleon.

Ilmo., Ilma. Abreviatura de *ilustrísimo* e *ilustrísima*, tratamiento que se da a personas e instituciones.

ilógico, -ca *adj.* Que no es lógico, que no responde a la razón o al sentido común. **ANT** lógico.

Iltre. Abreviatura de *ilustre*, tratamiento que se da a personas e instituciones.

iluminación *s. f.* 1 Acción de iluminar. 2 Conjunto de luces que iluminan un lugar, como una vía pública, un edificio o una habitación. 3 En cine y teatro, técnica de iluminar la escena. 4 Saber o conocimiento que se alcanza por haber razonado y distinguido la verdad del error. 5 Miniatura pintada de un manuscrito.

iluminado, -da *adj./s. m. y f.* 1 Se aplica a la persona que cree estar en posesión de la verdad absoluta y tener conocimientos superiores a los de los demás. 2 Se aplica a la persona que pertenecía a una secta existente en España en el siglo XVI basada en la espiritualidad franciscana llevada al extremo y que era contraria a las formas externas de la religión. **SIN** alumbrado.

iluminar *v. tr./intr.* 1 Proporcionar luz o claridad de modo que pueda verse un lugar, un objeto, una persona, etc.: *el Sol ilumina la Tierra.* **SIN** alumbrar. ‖ *v. tr.* 2 Poner una o varias luces en un lugar, como una vía pública, un edificio o una habitación: *están iluminando la calle con farolas.* **SIN** alumbrar. 3 Proporcionar los conocimientos o razonamientos necesarios para que una persona alcance a entender una cosa. 4 Dar color a las figuras o letras de un libro, una estampa, etc.
FAM iluminación, iluminado, iluminador, iluminativo.

ilusión *s. f.* 1 Esperanza puesta en una cosa positiva, como un sueño o proyecto: *tengo la ilusión de viajar a América.* 2 Sentimiento de alegría que produce una cosa positiva o que se desea mucho: *sintió una gran ilusión cuando le concedieron el premio.* 3 Imagen mental engañosa provocada por la imaginación o por la interpretación errónea de lo que perciben los sentidos. ■ **ilusión óptica** Error en la estimación de las dimensiones, la forma o el color de un objeto.
FAM ilusionar, ilusionismo, ilusorio; desilusión.

ilusionar *v. tr.* 1 Hacer que una o varias personas tengan ilusión o esperanza por una cosa positiva, como un proyecto o un sueño. **ANT** desilusionar. 2 Hacer que una persona sienta ilusión o alegría por una cosa positiva o que se desea. ‖ *v. prnl.* 3 **ilusionarse** Pasar a sentir ilusión, esperanza o alegría. **ANT** desilusionarse.
FAM ilusionado.

ilusionismo *s. m.* Conjunto de técnicas, juegos y trucos con los que se hacen cosas sorprendentes que parecen imposibles o aparentemente contradicen las leyes de la naturaleza. **SIN** magia, prestidigitación.
FAM ilusionista.

ilusionista *adj.* 1 Relativo al ilusionismo. ‖ *s. com.* 2 Persona que se dedica al ilusionismo. **SIN** mago, prestidigitador.

iluso, -sa *adj./s. m. y f.* Se aplica a la persona que se deja engañar con facilidad porque cree que todo el mundo actúa con buena voluntad.

ilusorio, -ria *adj.* Que puede producir una imagen o idea falsa y engañosa.

ilustración *s. f.* 1 Acción de ilustrar. 2 Dibujo, fotografía o lámina que se coloca en una publicación o impreso para hacerlo más atractivo a la vista o explicar y ampliar su contenido. 3 Explicación de una idea o un concepto por medio de ejemplos, dibujos, gráficos u otra información complementaria. 4 Movimiento intelectual que se desarrolló en Europa y América durante el siglo XVIII y que defendía la razón, la cultura y la educación como base del progreso social. **NOTA** Se escribe normalmente con mayúscula inicial. 5 Periodo histórico durante el que se desarrolló este movimiento. **NOTA** Se escribe normalmente con mayúscula inicial.

ilustrado, -da *adj.* 1 Se aplica a la obra o publicación que tiene ilustraciones: *una edición ilustrada de «El Quijote».* 2 Relativo al movimiento de la Ilustración. ‖ *adj./s. m. y f.* 3 Se aplica a la persona que era partidaria de este movimiento. 4 Se aplica a la persona que tiene un nivel cultural muy alto.

ilustrador, -ra *adj.* 1 Ilustrativo. ‖ *s. m. y f./adj.* 2 Persona que se dedica a hacer dibujos para publicaciones o impresos, como cómics, carteles, enciclopedias, etc.

ilustrar *v. tr.* 1 Colocar fotografías, láminas o dibujos en una publicación o un impreso con la intención de hacerlo más atractivo a la vista o de explicar y ampliar su contenido. 2 Explicar y hacer comprender una idea o un concepto por medio de ejemplos, dibujos, gráficos u otra información complementaria. 3 Dar a una persona diversos conocimientos para aumentar su nivel cultural.
FAM ilustración, ilustrado, ilustrador, ilustrativo.

ilustrativo, -va *adj.* Que ilustra, explica o hace comprender una cosa. **SIN** ilustrador.

ilustre *adj.* 1 Se aplica a la persona o familia de origen noble o distinguido. 2 Que es muy conocido por su gran labor o por sus virtudes dignas de reconocimiento: *Cambridge es una ilustre universidad británica.* 3 Se aplica como tratamiento a personas e instituciones de especial importancia y significación: *el Ilustre Colegio de Abogados de Barcelona.*
FAM ilustrísimo.

ilustrísimo, -ma *adj.* Se aplica como tratamiento a personas e instituciones a las que según el protocolo corresponde el grado de *ilustre*. **NOTA** Cuando se da a personas se emplea seguido de *señor* o *señora* y el nombre o cargo de las mismas. Se escribe con mayúscula inicial.

Su ilustrísima Tratamiento que se da a los obispos.

imagen *s. f.* 1 Reproducción de la figura de una cosa o persona captada por el ojo, por un espejo o por un aparato óptico, de fotografía, de cine o de otro tipo, gracias a la luz: *captamos la imagen de un objeto por la reflexión o refracción de los rayos de luz que de él dimanan.* 2 Representación mental, idea u opinión que se tiene de una cosa o persona real o irreal: *tenía una imagen distinta de él.* 3 Representación material, en forma de estatua, pintura, fotografía, etc. de una cosa o persona. 4 Escultura o pintura de una divinidad, un santo u otra figura religiosa: *han restaurado la imagen de la Virgen.* 5 Aspecto físico de una persona: *la modelo se ha hecho un cambio de imagen.* 6 Figura retórica que consiste en emplear una pa-

labra o expresión para sugerir algo con lo que guarda una analogía o semejanza. [7] En matemáticas, conjunto de los valores de una función que puede tomar la variable dependiente *y*.
FAM imaginar, imaginero.

imaginación *s. f.* [1] Capacidad de formar en la mente imágenes o representaciones de cosas o personas reales o irreales. **SIN** imaginativa. [2] Cosa que una persona imagina: *no hagas caso de tus imaginaciones.*

imaginar *v. tr./prnl. tr.* [1] Formar en la mente imágenes o representaciones de cosas o personas reales o irreales. [2] Considerar posible o probable una cosa, sin estar completamente seguro, a partir de ciertos indicios y señales. **SIN** figurarse, suponer.
FAM imaginación, imaginario, imaginativo; inimaginable.

imaginaria *s. f.* [1] Vigilancia o guardia que hacen por turnos uno o varios soldados durante la noche en el cuartel, para todo el edificio o para cada dormitorio. ‖ *s. m.* [2] Soldado que hace esta guardia.

imaginario, -ria *adj.* Que solo existe en la imaginación o en la mente de una persona: *el unicornio es un animal imaginario.*
FAM imaginaria.

imaginativa *s. f.* Imaginación (capacidad).

imaginativo, -va *adj.* [1] Relativo a la imaginación. [2] Se aplica a la persona que tiene una gran capacidad de imaginación. [3] Que ha sido creado con una gran imaginación: *un diseño imaginativo.*
FAM imaginativa.

imaginería *s. f.* [1] Arte y técnica de tallar o pintar imágenes religiosas. [2] Conjunto de imágenes religiosas: *la imaginería de Cristo crucificado es muy abundante.* [3] Bordado de seda cuyo dibujo es de flores, aves y figuras, imitando una pintura.

imaginero, -ra *s. m. y f.* Persona que se dedica a tallar o pintar imágenes religiosas.
FAM imaginería.

imam *s. m.* [1] Hombre musulmán encargado de dirigir y presidir la oración. **SIN** imán. [2] Jefe religioso islámico encargado de la dirección espiritual de una comunidad de creyentes. **SIN** imán.

imán[1] *s. m.* [1] Cuerpo que, de manera natural o artificial, tiene la propiedad de atraer el hierro, el acero y otros cuerpos metálicos: *la magnetita es un imán natural.* [2] Capacidad que tiene una persona o cosa de atraer, por el interés que despierta, el poder sugestivo, etc. **SIN** magnetismo. [3] Persona o cosa que tiene esta capacidad.
FAM imanar, imantar; electroimán.

imán[2] *s. m.* Imam.

imanar *v. tr.* Imantar.
FAM imanación.

imantar *v. tr.* Comunicar a un cuerpo la propiedad de atraer el hierro que tiene el imán. **SIN** imanar, magnetizar.
FAM imantación.

imbatible *adj.* Que no puede ser batido o vencido: *este récord parece imbatible.*
FAM imbatibilidad.

imbatido, -da *adj.* Que no ha sido batido o vencido nunca por otro o que lleva un periodo largo sin perder: *un alcalde imbatido tras varias elecciones.*

imbécil *adj./s. com.* Se aplica a la persona que está escasa o

carece de inteligencia, que es torpe de entendimiento. **SIN** estúpido, idiota, tonto.
FAM imbecilidad.
OBS Frecuentemente usado como insulto.

imbecilidad *s. f.* [1] Dificultad y gran lentitud para comprender las cosas. **SIN** cretinismo, estupidez, idiotez. [2] Hecho o dicho propio de una persona imbécil: *no para de hacer imbecilidades.* **SIN** estupidez, idiotez, tontería.

imberbe *adj./s. m.* Se aplica al hombre al que todavía no crece la barba. **SIN** barbilampiño.

imborrable *adj.* Que no puede borrarse o eliminarse: *tinta imborrable; recuerdo imborrable.* **SIN** indeleble.

imbricar *v. tr.* [1] Colocar una serie de cosas de forma y tamaño similar de manera que se superpongan parcialmente formando capas sucesivas, como las escamas de los peces. [2] Entrelazar o trabar relación un hecho, circunstancia, idea, etc. con otro u otros de modo que queden unidos estrechamente.
FAM imbricación, imbricado.

imbuir [21] *v. tr.* Hacer que una persona tenga un determinado sentimiento, emoción o sensación: *el ambiente del monasterio lo imbuyó de una gran paz interior.* **SIN** infundir.

imitación *s. f.* [1] Actuación de una persona de modo que su comportamiento es semejante al de un modelo. [2] Acción de reproducir en una cosa creada o fabricada las características de algo que se toma como modelo. [3] Resultado de esta producción: *este modelo es una imitación del original.* [4] Adopción por parte de una cosa de ciertas características iguales a otra que se toma como modelo. [5] En música, recurso de la técnica del contrapunto que consiste en que, en una pieza musical, una voz o instrumento reproduce total o parcialmente un motivo que ya había aparecido anteriormente: *el canon y la fuga están basados en la imitación.*

imitador, -ra *s. m. y f.* Persona que se dedica a imitar los gestos y el modo particular de hablar de un personaje conocido para hacer reír al público.

imitar *v. tr.* [1] Actuar una persona de modo que su comportamiento sea semejante al de un modelo: *un niño imita el modo de hablar de los mayores.* [2] Reproducir en una cosa creada o fabricada las características de algo que se toma como modelo: *los poetas renacentistas imitaban a los clásicos.* [3] Adoptar una cosa ciertas características iguales con otra que se toma como modelo: *algunos insectos imitan la forma o el color de las plantas para camuflarse.*
FAM imitable, imitación, imitador, imitativo; inimitable.

imitativo, -va *adj.* Relativo a la imitación.

impaciencia *s. f.* Falta de paciencia o tranquilidad para esperar una cosa. **ANT** paciencia.
FAM impaciente.

impacientar *v. tr.* Causar impaciencia o intranquilidad una cosa o persona que tardan: *el retraso impacientó a los espectadores.*

impaciente *adj.* Se aplica a la persona que muestra intranquilidad o nerviosismo por esperar una cosa o a una persona.
FAM impacientar.

impactar *v. intr.* [1] Chocar violentamente una cosa con otra, especialmente si una de ellas es de menor tamaño que la otra: *un meteorito impactó en un campo cercano.* [2] Causar una intensa impresión emocional.
FAM impactante.

impacto *s. m.* [1] Choque violento de una cosa con otra, es-

pecialmente si una de ellas es de menor tamaño que la otra. **2** Marca o señal que produce este choque. **3** Impresión emocional intensa. **4** Conjunto de consecuencias provocadas por un hecho o actuación que afecta a un entorno o ambiente social o natural: *la energía eólica es renovable y de escaso impacto ambiental.*
FAM impactar.

impago *s. m.* Falta de pago de una deuda o recibo en el plazo previsto: *les cortaron el teléfono por impago.*

impala *s. m.* Mamífero rumiante salvaje de cuerpo esbelto parecido al antílope, pelaje castaño rojizo y cuernos en forma de lira.

impar *adj./s. m.* **1** Se aplica al número que no se puede dividir exactamente por dos: *1, 3, 5 y 7 son números impares.* **SIN** non. **ANT** par. **|** *adj.* **2** culto Que no tiene igual o parecido con nada, generalmente por sus excelentes cualidades: *novelista de impar ingenio.*

imparable *adj.* Que no puede ser parado o detenido.

imparcial *adj.* **1** Se aplica a la persona que no se inclina en favor o en contra de una persona o cosa al obrar o al juzgar un asunto: *un juez debe ser imparcial.* **ANT** parcial. **2** Que no denota parcialidad o pasión: *opinión imparcial.* **ANT** parcial. **|** *adj./s. com.* **3** Se aplica a la persona que no se adhiere a ningún partido.
FAM imparcialidad.

imparcialidad *s. f.* Falta de inclinación en favor o en contra de una persona o cosa al obrar o al juzgar un asunto: *la imparcialidad de una sentencia judicial.* **ANT** parcialidad.

impartir *v. tr.* Dar o comunicar conocimientos, ideas o juicios a los demás: *impartir clases; impartir la bendición.*

impasibilidad *s. f.* **1** Capacidad de una persona para impedir que una impresión o estímulo externo altere su estado de ánimo. **SIN** frialdad. **2** Incapacidad de una persona para tener sentimientos o emociones que afecten a su estado de ánimo. **SIN** frialdad.

impasible *adj.* Se aplica a la persona que no experimenta o no muestra ningún sentimiento o emoción que afecte a su estado de ánimo por lo que sucede: *el profesor se mostró impasible ante los ruegos del alumno para que le aprobara.* **SIN** imperturbable, inalterable.
FAM impasibilidad.

impasse [se pronuncia 'impás'] *s. m.* Situación en la que se encuentra un asunto o problema que no progresa o al que no se le encuentra solución: *las negociaciones se encuentran en un impasse.*

impavidez *s. f.* Capacidad de autodominio que tiene una persona para impedir que el miedo o la angustia ante un peligro altere su estado de ánimo.

impávido, -da *adj.* **1** Se aplica a la persona que no experimenta o no muestra ante un peligro o problema ningún temor o angustia. **SIN** impertérrito. **2** ARG., BOL., CHILE, PERÚ Insolente, descarado, sinvergüenza.
FAM impavidez.

impecable *adj.* **1** Se aplica a la actuación de una persona que no tiene ningún fallo o error: *hizo un examen impecable y aprobó con nota.* **2** Que no tiene ningún defecto, mancha o imperfección: *el novio iba vestido con un esmoquin impecable.* **3** Que no puede pecar.

impedancia *s. f.* Resistencia que presenta un circuito eléctrico al paso de una corriente alterna.

impedido, -da *adj.* **1** Se aplica al miembro o extremidad que no puede moverse: *tiene el brazo derecho impedido.* **SIN** imposibilitado. **|** *adj./s. m. y f.* **2** Se aplica a la persona que tiene una discapacidad o problema físico que le impide mover por sí misma una parte de su cuerpo con total libertad: *se rompió la pierna y quedó un par de meses impedido.* **SIN** imposibilitado.

impedimenta *s. f.* Carga o bagaje que dificulta la marcha de una persona, especialmente de un soldado o de un ejército.

impedimento *s. m.* **1** Obstáculo que dificulta o imposibilita hacer una cosa. **2** Circunstancia que impide o anula el matrimonio.

impedir [10] *v. tr.* Hacer que una actividad o proceso no ocurra o sea difícil o imposible de realizar: *la falta de luz impidió acabar el partido.* **SIN** imposibilitar.
FAM impedido, impedimenta, impedimento.

impeler *v. tr.* **1** culto Hacer fuerza contra una persona o cosa para moverla o desplazarla. **2** culto Presionar o influir sobre una persona para que haga cierta cosa.

impenetrable *adj.* **1** Se aplica al objeto o cuerpo que no puede ser atravesado o penetrado por otro: *el blindaje de un automóvil lo hace impenetrable a las balas.* **ANT** penetrable. **2** Se aplica a la persona que no muestra ningún sentimiento o emoción que permita conocer su estado de ánimo o su pensamiento: *rostro impenetrable.* Que es difícil de llegar a conocer o comprender: *un documento impenetrable.* **ANT** penetrable.
FAM impenetrabilidad.

impenitente *adj.* **1** Se aplica a la persona que no puede abandonar un hábito o costumbre que puede causarle incomodidades, problemas o peligros: *un fumador impenitente.* **SIN** incorregible. **2** Se aplica a la persona que se obstina en el pecado, sin arrepentimiento.
FAM impenitencia.

impensable *adj.* **1** Que no se puede pensar o considerar desde un punto de vista lógico o racional. **SIN** inconcebible. **2** Que es difícil o casi imposible que suceda. **SIN** inconcebible.

impensado, -da *adj.* Que sucede sin que se haya planeado o pensado en ello con anterioridad.

impepinable *adj.* familiar Que es seguro y no admite duda ni discusión.

imperante *adj.* Que impera o domina: *moda imperante; dinastía imperante.*

imperar *v. intr.* **1** Ejercer el mando un emperador. **SIN** reinar. **2** Tener una cosa una mayor importancia y dominio sobre las demás: *en Navidad imperan entre las personas la cordialidad y las buenas intenciones.* **SIN** reinar, dominar.
FAM imperante, imperativo.

imperativo, -va *adj.* **1** Que supone una exigencia, orden o mandato: *hablar en tono imperativo.* **|** *adj./s. m.* **2** Se aplica al modo verbal que expresa orden o ruego: *la forma verbal "salid" está en modo imperativo.*

imperceptible *adj.* Que no se puede percibir por los sentidos. **ANT** perceptible.

imperdible *adj.* **1** Que no puede perderse. **|** *s. m.* **2** Alfiler doblado sobre sí mismo que se abrocha encajando el extremo puntiagudo en un cierre colocado en el otro extremo para que no se abra de modo accidental.

imperdonable *adj.* Se aplica a la actitud, comportamiento o hecho que no se puede o no se debe perdonar: *es imperdonable que mientas a tus padres.*

imperecedero, -ra *adj.* ☐ Se aplica al producto que conserva sus propiedades durante un periodo largo de tiempo antes de estropearse: *los productos imperecederos suelen estar envasados al vacío.* **ANT** perecedero. ☐ Que está destinado a permanecer siempre presente y no desaparecer nunca. **SIN** inmortal.

imperfección *s. f.* ☐ Cualidad de imperfecto. **ANT** perfección. ☐ Error o defecto de una cosa o una persona: *esta tela tiene varias imperfecciones.*

imperfectivo, -va *adj.* ☐ Se aplica al aspecto del verbo que expresa la acción como no acabada: *"escribía" y "estudió"* tienen aspecto imperfectivo. **SIN** imperfecto. **ANT** perfectivo, perfecto. ☐ Se aplica al verbo que expresa una acción en su desarrollo, cuando aún no ha acabado: *el verbo "querer" es imperfectivo.* **SIN** imperfecto.

imperfecto, -ta *adj.* ☐ Que no es perfecto, por tener alguna imperfección o estar incompleto. ☐ Imperfectivo. **FAM** imperfección, imperfectible, imperfectivo.

imperial *adj.* Relativo al imperio. **FAM** imperialismo.

imperialismo *s. m.* Sistema político y económico por el cual un país desarrollado industrial y militarmente extiende su dominio sobre otro u otros mediante la fuerza o por influencia económica y política: *el imperialismo es una forma moderna de colonialismo.* **FAM** imperialista; antiimperialismo.

imperialista *adj.* ☐ Relativo al imperialismo: *política imperialista.* ‖ *adj./s. com.* ☐ Se aplica a la persona que es partidaria del imperialismo. **FAM** antiimperialista.

impericia *s. f.* Falta de preparación o habilidad para hacer algo. **ANT** pericia.

imperio *s. m.* ☐ Estado que impone su autoridad por la fuerza sobre otras naciones que cuentan con diversos niveles de independencia; son gobernados por una única persona que ha sido investida solemnemente para este cometido llamada emperador: *el Imperio bizantino.* **NOTA** Con mayúscula inicial cuando hace referencia a un imperio concreto. ☐ Periodo histórico durante el que un territorio o estado tiene esta forma de gobierno: *el Imperio romano fue una época fundamental para la cultura occidental.* **NOTA** Con mayúscula inicial cuando hace referencia a un imperio concreto. ☐ Periodo histórico durante el que un territorio o estado es gobernado por un emperador: *el imperio de Julio César.* ☐ Empresa o conjunto de empresas pertenecientes a un único propietario que tienen un gran poder económico y una especial influencia comercial. ☐ Dominio o influencia que ejerce una cosa sobre las demás: *el imperio del dinero.* ‖ *adj.* ☐ Se aplica al estilo arquitectónico de la época napoleónica.

valer un imperio Ser de gran valor o utilidad. **FAM** imperial, imperioso.

imperioso, -sa *adj.* ☐ Que es muy necesario y urgente: *se levantó con una imperiosa necesidad de beber.* ☐ Que supone un uso exclusivo y exagerado de la autoridad: *orden imperiosa; voz imperiosa.* **FAM** imperiosidad.

impermeabilizar *v. tr.* Cubrir una superficie con una sus-

tancia o material impermeable para impedir que penetre en ella la humedad, el agua u otro líquido. **FAM** impermeabilización, impermeabilizante.

impermeable *adj.* ☐ Se aplica a la sustancia o material que no permite el paso de la humedad, el agua u otro líquido: *el plástico es impermeable.* **ANT** permeable. ☐ Se aplica a la persona insensible a una emoción o sentimiento. ‖ *s. m.* ☐ Prenda de vestir amplia y larga que se pone sobre las otras y que está hecha de un tejido o material que no deja pasar la lluvia o el agua. **FAM** impermeabilidad, impermeabilizar.

impersonal *adj.* ☐ Que no posee ninguna característica que haga referencia a la personalidad de un individuo, sus ideas o sus sentimientos: *el estilo impersonal de los documentos oficiales o legales.* **ANT** personal. ☐ Que no hace alusión a ninguna persona en concreto: *habló de forma impersonal sin nombrar a nadie en particular.* ☐ Se aplica a la oración o al verbo que no tiene un sujeto explícito determinado, bien porque se omite, bien porque no existe: *las oraciones "se vende piso" y "llueve" son impersonales.* **FAM** impersonalidad, impersonalizar.

impertérrito, -ta *adj.* Se aplica a la persona que no experimenta o no muestra ante un peligro o problema ningún temor o angustia: *el acusado permaneció impertérrito cuando escuchó la sentencia de boca del juez.* **SIN** impávido.

impertinencia *s. f.* Acción o dicho inoportuno que afecta al respeto, dignidad u honor de una persona.

impertinente *adj.* ☐ Que resulta inoportuno porque afecta al respeto, dignidad u honor de una persona: *una pregunta impertinente.* ‖ *adj./s. com.* ☐ Se aplica a la persona que resulta molesta por las impertinencias que hace o dice. ☐ Se aplica a la persona que es excesivamente escrupulosa en sus acciones o en sus palabras. **SIN** melindroso. ‖ *s. m. pl.* ☐ **impertinentes** Anteojos que en lugar de patillas tienen una varilla lateral vertical para sostenerlos con la mano ante los ojos cuando se quiere observar algo. **FAM** impertinencia.

imperturbable *adj.* Se aplica a la persona que no experimenta o no muestra ningún sentimiento o emoción que afecte a su estado de ánimo por lo que sucede. **SIN** impasible, inalterable. **FAM** imperturbabilidad.

ímpetu *s. m.* ☐ Fuerza intensa con la que una persona o cosa se mueve. ☐ Energía o resolución con que una persona obra o actúa: *el ímpetu con que expresó sus proyectos gustó a sus jefes.* **FAM** impetuoso.

impetuoso, -sa *adj.* ☐ Que tiene ímpetu o violencia: *viento impetuoso.* ‖ *adj./s. m. y f.* ☐ Se aplica a la persona que se comporta de forma irreflexiva y precipitada. **FAM** impetuosidad.

impío, -pía *adj.* ☐ Que es irrespetuoso con la religión: *acto impío.* **SIN** pío. ☐ Que es cruel o carece de piedad. **SIN** despiadado. **ANT** piadoso. ‖ *adj./s. m. y f.* ☐ Se aplica a la persona que no muestra respeto hacia la religión. **ANT** pío.

implacable *adj.* ☐ Que no puede ser aplacado o calmado: *a menudo sentía un deseo implacable de abandonar su trabajo.* ☐ Se aplica a la persona que no se aparta de su punto de vista o de lo que considera justo o razonable: *un juez implacable.* **SIN** inflexible.

implantación *s. f.* ☐ Establecimiento de algo nuevo en un lugar, generalmente que ya existía o funcionaba con continuidad en otro sitio o en otro tiempo: *la implantación de cajeros automáticos.* **2** Colocación en el cuerpo de un órgano o un aparato que sustituye a otro órgano o a una parte de él: *la implantación de una válvula cardíaca.*

implantar *v. tr.* **1** Establecer algo nuevo en un lugar, generalmente lo que ya existía o funcionaba con continuidad en otro sitio o en otro tiempo: *la caña de azúcar fue uno de los primeros cultivos de exportación que se implantaron en Canarias.* **2** Colocar en el cuerpo un órgano o un aparato que sustituye a otro órgano o a una parte de él: *implantar un riñón.* **FAM** implantación, implante; reimplantar.

implante *s. m.* **1** Colocación de una cosa en el cuerpo de un ser vivo mediante una intervención quirúrgica, especialmente un órgano o un aparato en sustitución de otro órgano, o de una parte de él, para mejorar su funcionamiento: *un implante cardíaco.* **SIN** implantación. **2** Pieza artificial u órgano que se implanta quirúrgicamente en un ser vivo.

implicación *s. f.* **1** Hecho o acontecimiento que es consecuencia o efecto de otro: *la subida de los impuestos tiene graves implicaciones.* **2** Participación en un asunto o circunstancia, especialmente en un delito.

implicancia *s. f.* AMÉR. Implicación (hecho).

implicar *v. tr.* **1** Tener como resultado o producir como consecuencia directa: *obtener un crédito bancario implica necesariamente tener que devolverlo.* **SIN** comportar, conllevar, suponer. **2** Comprometer o involucrar a una persona en un asunto o circunstancia: *implicarse en la lucha contra la pobreza.* **3** Acusar o decir que una persona ha participado en un crimen o acción contra la ley: *uno de los detenidos lo implicó en el robo.* **FAM** implicación, implicatorio.

implícito, -ta *adj.* Que se entiende incluido en una cosa, aunque no se diga o se explique. **ANT** explícito, expreso.

implorar *v. tr.* Pedir o rogar con gran humildad y sentimiento, tratando de provocar compasión: *implorar perdón.* **FAM** imploración, implorante.

implosivo, -va *adj.* Se aplica al sonido consonántico oclusivo que carece de explosión por estar situado en la última posición de una sílaba: *la "p" de la palabra "rapto" es un sonido implosivo.* **FAM** implosión.

impluvio *s. m.* Espacio descubierto en medio del atrio de las antiguas casas romanas, con un depósito para recoger el agua de lluvia.

impoluto, -ta *adj.* culto Que no tiene ninguna mancha y está absolutamente limpio: *un mantel impoluto.*

imponderable *adj.* **1** Que tiene un valor extraordinario o incalculable: *ha prestado una ayuda imponderable.* **|** *adj./s. m.* **2** Se aplica al elemento, circunstancia o hecho que sucede de manera inesperada e inevitable y tiene consecuencias que no se pueden precisar.

imponente *adj.* Que causa una intensa impresión de admiración, sorpresa, respeto o miedo: *un precipicio imponente; un chalé imponente.*

imponer [36] *v. tr.* **1** Obligar a cumplir o a aceptar una cosa: *imponer un castigo.* **|** *v. tr./intr.* **2** Causar una intensa impresión de admiración, sorpresa, respeto o miedo: *la mera visita a un cementerio le impone.* **|** *v. tr.* **3** Poner o dar un nombre: *le impusieron el nombre de Alberto.* **4** Colocar o poner a una persona una condecoración u otro símbolo de manera solemne:

imponer una medalla a un héroe de guerra. **5** Poner dinero a rédito o en depósito. **|** *v. prnl.* **6** **imponerse** Hacerse obedecer o respetar: *sabe imponerse a los demás.* **7** Superar a las demás personas en una competición o prueba: *el tenista español se impuso en la final.* **8** Hacerse popular o general una costumbre, una moda u otra circunstancia: *en los sesenta se impuso la minifalda.* **9** Ser necesaria, obligatoria o imprescindible una acción o decisión: *ante la sequía se impone ahorrar agua.* **FAM** imponente, imponible, imposición, impositor.

imponible *adj.* **1** Que puede o debe estar sujeto a un impuesto o tributo: *cantidad imponible.* **2** Se aplica a la base evaluativa obtenida de una declaración patrimonial por la que se determina la cuantía de un impuesto y sobre la que este se aplica.

impopular *adj.* **1** Que no tiene buena fama en una comunidad. **ANT** popular. **2** Que no tiene una buena acogida por parte de la opinión pública: *el aumento del precio de los carburantes es una medida impopular.* **FAM** impopularidad.

importación *s. f.* **1** Entrada en un país de materias o productos obtenidos, elaborados o fabricados en el extranjero. **ANT** exportación. **2** Mercancía importada.

importancia *s. f.* **1** Cualidad que hace a una persona o cosa tener una influencia, valor, magnitud o interés superior a las demás: *una avería de importancia.* **2** Categoría o influencia social de una persona: *es una persona de gran importancia en el mundo del arte.*

darse importancia Hablar una persona de sí misma en términos muy elogiosos y presumiendo de ser superior a las demás.

importante *adj.* Que tiene importancia: *un libro importante; una persona importante.*

importar *v. intr.* **1** Tener una persona o cosa una gran influencia, valor o interés para alguien: *lo que más le importa es su familia y sus amigos.* **2** Ser motivo de preocupación o molestia: *¿le importa que entre?* **|** *v. tr.* **3** Introducir en un país productos extranjeros: *España importa gas de Argelia.* **ANT** exportar. **FAM** importación, importador, importancia, importante, importe; reimportar.

importe *s. m.* Cantidad de dinero que se debe pagar.

importunar *v. tr.* Molestar con insistencia a una persona requiriendo su atención y haciéndole perder el tiempo. **FAM** importunación.

importuno, -na *adj.* **1** Que se hace u ocurre en un momento, lugar o situación inadecuado: *una importuna reunión de última hora hizo que perdiera el tren.* **SIN** inoportuno. **ANT** oportuno. **2** Que importuna . **FAM** importunar.

imposibilidad *s. f.* **1** Falta de ocasión o medios para que una cosa exista, ocurra o pueda realizarse. **ANT** posibilidad. **2** Enfermedad o defecto físico que impide realizar una actividad o trabajo.

imposibilitado, -da *adj./s. m. y f.* Se aplica a la persona que tiene una discapacidad o problema físico que le impide mover por sí misma una parte de su cuerpo con total libertad. **SIN** impedido.

imposibilitar *v. tr.* **1** Impedir que algo exista, ocurra o pueda realizarse. **2** Hacer que una persona no tenga capacidad para realizar un acto o desempeñar una función. **SIN** incapacitar. ③ Producir a una persona una discapacidad o problema físico que le impida mover por sí misma una parte de su cuerpo con total libertad: *los accidentes de circulación imposibilitan a muchas personas para el resto de su vida.* **FAM** imposibilitado.

imposible *adj.* ① Que no puede existir, ocurrir o realizarse: *es imposible que un vehículo alcance la velocidad de la luz.* **ANT** posible. ② Se aplica a la persona que tiene un carácter o una manera de comportarse insoportable para los demás: *es una niña muy caprichosa que se pone imposible cuando no se hace su voluntad.* ③ familiar Que está en mal estado o en malas condiciones: *el tráfico está imposible a la hora punta.* **I** *adj./s. m.* ④ Cosa muy difícil de hacer o conseguir: *eso que quieren es un imposible.*
hacer lo imposible familiar Utilizar todos los medios para que una cosa ocurra o se realice.
FAM imposibilidad, imposibilitar.

imposición *s. f.* ① Obligación que se le exige a una persona que cumpla o acepte. ② Colocación a una persona de una condecoración o de otro símbolo de manera solemne. ③ Cantidad de dinero que se ingresa en una cuenta de un banco o de una caja de ahorros: *abrió una cuenta para su hijo con una imposición de mil euros.* ④ Obligación de pagar una cantidad de dinero al estado, comunidad autónoma o ayuntamiento para que haga frente al gasto público. **SIN** impuesto, tributo.
imposición de manos Gesto litúrgico de la Iglesia cristiana que consiste en poner las manos o la mano derecha sobre la cabeza de una persona, y se emplea en numerosas ceremonias, como la del sacramento de la orden sacerdotal.

impositivo, -va *adj.* Relativo a los impuestos.

impositor, -ra *adj./s. m. y f.* Se aplica a la persona que ingresa dinero en una cuenta de un banco o de una caja de ahorros.

imposta *s. f.* ① Hilera de sillares un poco saliente sobre la cual se inicia la curvatura de un arco o una bóveda. ② Faja horizontal un poco saliente que separa dos pisos en la fachada de un edificio.

impostar *v. tr.* Controlar el nivel y la intensidad de la voz para poder emitir un sonido uniforme, sin vacilación ni temblor.
FAM impostación.

impostor, -ra *adj./s. m. y f.* Se aplica a la persona que se hace pasar por otra persona o que dice tener unos conocimientos, capacitación o cargo que no posee en realidad: *era un impostor que se hacía pasar por médico sin tener el título.*
FAM impostura.

impostura *s. f.* Engaño que comete un impostor.

impotencia *s. f.* ① Falta de fuerza, poder o competencia para realizar una cosa o hacer que suceda: *sintió una terrible impotencia cuando vio que su casa se quemaba y no podía hacer nada.* ② Imposibilidad del hombre para consumar el acto sexual. **NOTA** También *impotencia sexual.*
FAM impotente.

impotente *adj.* ① Se aplica a la persona o grupo que carece de fuerza, poder o competencia para realizar una cosa o hacer que suceda: *la policía se mostró impotente para contener a los manifestantes.* **I** *adj./s. m.* ② Se aplica al hombre que padece impotencia sexual.

impracticable *adj.* ① Se aplica a la idea o proyecto que no puede ocurrir o realizarse: *las dificultades económicas hacen impracticable el proyecto.* **SIN** inviable. **ANT** practicable. ② Se aplica al terreno o camino que está en muy malas condiciones y no es posible andar o circular por él. **SIN** inviable. **ANT** practicable.

imprecación *s. f.* Palabra o expresión con la que se muestra deseo intenso de que reciba un mal o un daño una persona o un grupo.

imprecar *v. tr.* Pronunciar o expresar imprecaciones contra una persona o un grupo: *el público imprecó al árbitro por no señalar un claro penalti.*
FAM imprecación.

imprecisión *s. f.* Falta de exactitud o detalle: *la imprecisión de un disparo.* **ANT** precisión.

impreciso, -sa *adj.* Que no es exacto o detallado: *me han dado una dirección imprecisa y no he encontrado la casa.* **ANT** preciso.
FAM imprecisión.

impredecible *adj.* Que no puede ser predicho.
FAM impredictibilidad.

impregnar *v. tr.* ① Mojar la capa más superficial de un cuerpo con un líquido o con una sustancia espesa o pegajosa: *impregnó de pegamento las dos piezas que pretendía unir.* ② Mojar completamente, llegando la humedad hasta el interior: *impregnar un tampón de tinta.* **SIN** empapar. ③ Transmitir una forma de pensar o sentir característica y particular. ④ Introducir las moléculas de un cuerpo entre las de otro.
FAM impregnación.

imprenta *s. f.* ① Técnica de imprimir textos escritos y dibujos sobre papel: *a mediados del siglo XV, Johannes Gutenberg, un orfebre alemán, inventó la imprenta.* ② Taller o lugar donde se desarrolla esta técnica.

imprescindible *adj.* Que es muy necesario porque sin su presencia no es posible lo que se pretende: *para subir al avión es imprescindible que tengas el billete.* **SIN** indispensable.

impresentable *adj.* ① Que no es apto para ser mostrado públicamente: *entregó un informe impresentable, escrito a mano y todo lleno de tachaduras.* **ANT** presentable. ② Se aplica a la persona que no tiene educación y no sabe comportarse en público. ③ Se aplica a la persona que no cumple con su obligación o con lo que ha prometido.

impresión *s. f.* ① Efecto o alteración del ánimo causada por un estímulo externo: *la noticia del accidente causó una viva impresión en todo el pueblo.* ② Idea u opinión general y poco precisa que una persona tiene sobre un asunto o materia: *cuando habló con él, tuvo la impresión de que lo engañaba.* ③ Reproducción de un texto escrito o dibujo en un papel por medio de procedimientos mecánicos o eléctricos.
FAM impresionar, impresionismo.

impresionable *adj.* Se aplica a la persona que se altera con facilidad ante cualquier suceso.

impresionante *adj.* ① Que causa una impresión muy intensa de admiración, sorpresa o miedo: *un espectáculo impresionante.* ② familiar Muy grande: *un calor impresionante; un susto impresionante.*

impresionar *v. tr.* ① Provocar una gran alteración en el ánimo de una persona, generalmente fruto de una sensación intensa de admiración, sorpresa o miedo: *la aparición de los cadáveres impresionó a toda la opinión pública.* ② Hacer que una imagen o sonido quede recogido en una superficie preparada para ello, para poder luego reproducirlo por medios fotográficos o eléctricos: *impresionar una película fotográfica.* ❙ *v. prnl.* ❸ **impresionarse** Sentir una persona una gran alteración de ánimo, generalmente fruto de una sensación intensa de admiración, sorpresa o miedo: *se impresiona con facilidad.* ❹ Quedar recogida una imagen o sonido en una superficie preparada para ello, para poder luego reproducirlo por medios fotográficos o eléctricos.

FAM impresionable, impresionante.

impresionismo *s. m.* Movimiento artístico, especialmente pictórico y musical, surgido en Francia a finales del siglo XIX y extendido por Europa a principios del XX que pretende reflejar en las obras las sensaciones e impresiones experimentadas por el artista; pictóricamente, defiende la plasmación directa e inmediata de las impresiones visuales por medio del color y la luz: *Claude Debussy es el principal compositor que tuvo el impresionismo, y Claude Monet, el principal pintor.*

FAM impresionista; postimpresionismo.

impresionista *adj.* ❶ Relativo al impresionismo. ❙ *adj./s. com.* ❷ Se aplica a la persona que sigue la tendencia artística del impresionismo: *Joaquín Sorolla fue un pintor impresionista.*

impreso, -sa ❶ Participio irregular de *imprimir.* ❙ *s. m.* ❷ Hoja, folleto o libro que ha sido reproducido mediante la técnica de la imprenta. ❸ Documento con espacios en blanco que hay que rellenar a mano o a máquina para realizar un trámite: *un policía le ayudó a rellenar un impreso de denuncia por el robo del coche.*

FAM impresor, impresora.

impresor, -ra *adj./s. m. y f.* ❶ Se aplica a la persona que se dedica a imprimir textos o dibujos: *Gutenberg fue el primer y más conocido impresor.* ❙ *s. m. y f.* ❷ Persona que dirige o posee una imprenta.

impresora *s. f.* Periférico de un ordenador que sirve para imprimir o reproducir textos e imágenes sobre papel: *la mayoría de impresoras funcionan con chorro de tinta o por medio de un rayo láser.*

imprevisible *adj.* Que no puede ser previsto o conocido antes de que realmente suceda. ANT previsible.

FAM imprevisión, imprevisto.

imprevisto, -ta *adj./s. m.* Se aplica al acontecimiento, situación o gasto que no se ha previsto: *en un viaje siempre surge algún imprevisto.*

imprimación *s. f.* Preparación de una superficie que se ha de pintar o teñir con los ingredientes necesarios.

imprimir *v. tr.* ❶ Reproducir un texto escrito o dibujo en un papel por medio de procedimientos mecánicos o eléctricos: *en 1456, Gutenberg imprimió su primera Biblia.* ❷ Confeccionar una obra impresa. ❸ Fijar en el carácter de una persona un modo de ser, de pensar o de sentir particular: *la estancia en el internado imprimió un profundo sentido de la disciplina y el autodominio.* ❹ Transmitir una fuerza o impulso a un cuerpo: *el delantero imprimió un gran efecto a su disparo.* ❺ Transmitir a una cosa velocidad o cierto carácter u orientación: *hemos de imprimir una mayor seriedad a este asunto.*

FAM imprenta, impresión, impreso, imprimátur; reimprimir, sobreimprimir.

OBS Tiene doble participio: uno regular (*imprimido*) y uno irregular (*impreso*).

improbable *adj.* Que es difícil que exista, ocurra o se realice. ANT probable.

FAM improbabilidad.

ímprobo, -ba *adj.* Se aplica al esfuerzo o trabajo que es enorme o excesivo.

FAM improbidad.

improcedencia *s. f.* Acción o dicho inoportuno o inadecuado a las circunstancias del momento.

improcedente *adj.* ❶ Que no es adecuado u oportuno a las circunstancias del momento: *decisión improcedente.* SIN desafortunado, impropio, inadecuado. ❷ Que no se ajusta a la ley o al procedimiento judicial: *reclamación improcedente.* ANT procedente.

FAM improcedencia.

improductivo, -va *adj.* Que no produce el resultado, fruto o ganancia deseada: *esfuerzo improductivo.* ANT productivo.

FAM improductividad.

impronta *s. f.* ❶ Conjunto de características culturales o humanas que son consecuencia del contacto con una persona o grupo social: *la profesora ha dejado su impronta en los alumnos.* SIN huella. ❷ Reproducción de una imagen en hueco o en relieve sobre una materia blanda. ❸ Proceso de aprendizaje de los animales, para el que solamente están sensibilizados durante la etapa juvenil y que tiene carácter irreversible.

improperio *s. m.* ❶ Palabra o expresión con la que se insulta a una persona: *el debate acabó siendo un cruce de improperios entre los participantes.* ❙ *s. m. pl.* ❷ **improperios** Versículos proféticos que se rezan o cantan en la liturgia del Viernes Santo y que contienen los lamentos de Cristo ante el comportamiento de los judíos.

impropiedad *s. f.* ❶ Cualidad de impropio. ❷ Falta de propiedad en el uso del lenguaje.

impropio, -pia *adj.* ❶ Que no se corresponde con las características propias de una persona o cosa: *es impropio de una persona educada insultar a otra en público.* ANT propio. ❷ Que no es adecuado u oportuno a las circunstancias del momento: *un vestido impropio para la ocasión.* SIN desafortunado, improcedente, inadecuado.

FAM impropiedad.

improrrogable *adj.* Que no puede ser retrasado o prorrogado: *el pago de la deuda al banco es improrrogable.* SIN inaplazable. ANT prorrogable.

improvisación *s. f.* ❶ Realización de una cosa que no estaba prevista o preparada, llevada por la intuición del momento: *los músicos de jazz son grandes maestros de la improvisación.* ❷ Poema, canción o pieza musical que se desarrolla a medida que se va recitando, cantando o tocando.

improvisar *v. tr.* ❶ Hacer una cosa que no estaba prevista o preparada, llevado de la intuición del momento. ❷ Componer o desarrollar un poema, canción o tema musical a medida que se va recitando, cantando o tocando.

FAM improvisación, improvisador, improviso.

improviso, -sa Se usa en la expresión:
de improviso De manera repentina o inesperada.

imprudencia *s. f.* ❶ Falta de juicio, sensatez y cuidado que una persona demuestra en sus acciones: *la imprudencia es la principal causa de accidentes de tráfico.* SIN inconsciencia. ANT prudencia. ❷ Acción que se realiza con esta falta de juicio, sensatez y cuidado: *cometió la imprudencia de dejar el coche abierto y cuando volvió se lo habían robado.*

imprudencia temeraria Delito que comete una persona cuando por sus acciones pone en peligro la vida o la seguridad de otros.

imprudente *adj.* ☐ Que ha sido dicho o realizado con imprudencia: *palabras imprudentes.* ▌ *adj./s. com.* ☐ Se aplica a la persona que tiene o muestra imprudencia: *conductor imprudente.* **SIN** incauto. **ANT** cauto, prudente.
FAM imprudencia.

impúber *adj./s. com.* Se aplica a la persona que aún no ha llegado a la edad de la pubertad.

impudicia *s. f.* Deshonestidad o desvergüenza.

impúdico, -ca *adj.* Que tiene o muestra impudicia. **ANT** púdico, pudoroso.

impudor *s. m.* Falta de pudor o moralidad: *el impudor de la actriz escandalizó a toda la audiencia.*
FAM impudicia, impúdico.

impuesto *s. m.* Cantidad de dinero que se da al Estado, comunidad autónoma o ayuntamiento obligatoriamente para que haga frente al gasto público. **SIN** tributo. ■ **impuesto de lujo** Impuesto que debe pagarse al adquirir artículos o propiedades que no se consideran necesarios o imprescindibles para vivir: *el impuesto de lujo que hay que pagar al comprar algunos coches es muy alto.* ■ **impuesto directo** Impuesto que se aplica de manera periódica e individual a las personas sobre sus bienes e ingresos económicos. ■ **impuesto indirecto** Impuesto que se aplica a las cosas que se consumen o a los servicios que se usan. ■ **impuesto sobre el valor añadido** Impuesto que grava el valor añadido de un producto en las distintas fases de su producción. **NOTA** Suele utilizarse la forma abreviada *IVA*.

impuesto revolucionario Cantidad de dinero que exige un grupo de terroristas a un empresario o persona adinerada bajo la amenaza de muerte.

impugnar *v. tr.* Negar la validez o legalidad de una opinión o decisión por considerarla falsa, injusta o ilegal: *un opositor impugnó la decisión del tribunal.*
FAM impugnable, impugnación, impugnativo.

impulsar *v. tr.* ☐ Aplicar la fuerza necesaria para que una cosa se mueva: *la fuerza del motor impulsa el coche.* ☐ Dotar de la fuerza o ayuda necesaria para que una cosa, generalmente una actividad, crezca, se desarrolle y tenga éxito: *impulsar la creación de empleo.* **SIN** fomentar, promover. ☐ Proporcionar a una persona el ánimo y la fuerza necesaria para que haga una cosa: *su facilidad para la música le impulsó a componer.* **SIN** animar.
FAM impulsador, impulsivo, impulso, impulsor.

impulsivo, -va *adj./s. m. y f.* ☐ Se aplica a la persona que se deja llevar por sus emociones o impulsos sin pensar en las consecuencias de sus actos. ▌ *adj.* ☐ Se aplica a la acción o comportamiento que es propio de este tipo de personas.
FAM impulsividad.

impulso *s. m.* ☐ Fuerza que aplicada a una cosa hace que se mueva: *los veleros navegan gracias al impulso del viento en las velas.* ☐ Fuerza o ayuda que se le presta a una cosa para que crezca, se desarrolle y tenga éxito: *su última película ha supuesto un nuevo impulso a su carrera de actor.* ☐ Deseo intenso que lleva a hacer una cosa de manera inesperada y sin pensar en las consecuencias: *sintió un irrefrenable impulso de abandonar la cena cuando se burlaron de él.* ☐ Emisión de corriente o de ondas: *los impulsos nerviosos que se generan en las células sensibles a la vibración sonora llegan al cerebro a través del nervio auditivo.* ☐ En física, producto de la fuerza media aplicada sobre un cuerpo por el intervalo de tiempo durante el cual actúa.

coger (o tomar) impulso Iniciar una carrera o mover el cuerpo de modo que se facilite y se haga más intenso un movimiento, golpe o salto.

impulsor, -ra *adj./s. m. y f.* Se aplica a la persona que ha aportado la ayuda o la fuerza necesaria para hacer que una cosa crezca, se desarrolle y tenga éxito.

impune *adj.* Se aplica al delito o al autor de un delito que queda sin castigo: *en las novelas de Ágata Christie ningún crimen queda impune.*
FAM impunidad.

impunidad *s. f.* Falta de castigo merecido.

impuntual *adj.* Que carece de puntualidad.
FAM impuntualidad.

impuntualidad *s. f.* Falta de puntualidad: *la impuntualidad de un autobús.* **ANT** puntualidad.

impureza *s. f.* ☐ Sustancia o conjunto de sustancias extrañas a un cuerpo o materia que están mezcladas con él y alteran, en algunos casos, alguna de sus cualidades: *las impurezas del petróleo son eliminadas en las refinerías.* ☐ Falta de virtudes morales, especialmente las de carácter sexual. **SIN** indecencia. **ANT** pureza.

impuro, -ra *adj.* ☐ Que tiene mezcla de sustancias extrañas que alteran su pureza. ☐ Que va contra la moral establecida, especialmente en el aspecto sexual. **SIN** indecente. **ANT** puro.
FAM impureza, impurificar.

imputación *s. f.* Atribución a una persona de un delito, una culpa o una falta. **SIN** acusación, inculpación.

imputar *v. tr.* ☐ Atribuir a una persona la responsabilidad de un delito, una culpa o una falta: *el fiscal imputa la autoría del asesinato al detenido.* **SIN** acusar, culpar, inculpar. ☐ Atribuir el fracaso de algo a una cosa concreta. ☐ Dar un destino determinado a una cantidad de dinero: *los gastos se imputaron al mantenimiento del edificio.*
FAM imputable, imputación, imputado.

in *adj.* Que está de moda y actualidad: *la fiesta se celebró en una de las discotecas más in de la costa.*

inacabable *adj.* ☐ Que tiene un volumen o una extensión tan grande, que parece que no se puede acabar o terminar: *le maravillaban las llanuras inacabables del desierto.* **SIN** interminable. ☐ Que es tan pesado o molesto, que parece que no acaba o no tiene fin: *la ópera se me hizo inacabable.* **SIN** interminable.

inacabado, -da *adj.* Que no ha sido acabado o completado: *Miguel Ángel dejó a su muerte algunas esculturas inacabadas.* **SIN** incompleto, inconcluso. **ANT** acabado, completo.
FAM inacabable.

inaccesible *adj.* ☐ Se aplica al lugar que no tiene acceso o entrada, que no permite llegar hasta él con facilidad: *los buitres anidan en acantilados inaccesibles.* **ANT** accesible. ☐ Se aplica a la persona que es muy difícil de alcanzar, por ser difícil poder llegar hasta ella. ☐ Se aplica a la persona de trato difícil y poco amable. **ANT** accesible. ☐ Que es difícil o imposible de entender. **ANT** accesible.
FAM inaccesibilidad.

inacción *s. f.* Falta de actividad o movimiento. **SIN** inactividad. **ANT** acción.

inacentuado, -da *adj.* Se aplica a la vocal, sílaba o palabra que se pronuncia sin acento de intensidad. **SIN** átono. **ANT** tónico.

inaceptable *adj.* Que no puede ser aceptado como bueno o válido. **ANT** aceptable.

inactividad *s. f.* Falta de actuación, trabajo o movimiento: *no soporta la inactividad, siempre tiene que estar haciendo algo.* SIN inacción. ANT acción, actividad.

inactivo, -va *adj.* Que no desarrolla ninguna actividad, trabajo o movimiento: *tras la operación el futbolista estará dos meses inactivo.* ANT activo.
FAM inactividad.

inadaptación *s. f.* Falta de adaptación o acomodación de un ser vivo al medio en que vive y a sus cambios. ANT adaptación.

inadaptado, -da *adj./s. m. y f.* Se aplica a la persona que no se adapta o acomoda a las condiciones en que vive o a las circunstancias que le rodean.
FAM inadaptación.

inadecuado, -da *adj.* Que no es adecuado u oportuno a las circunstancias del momento. SIN desafortunado, improcedente, impropio.
FAM inadecuación.

inadmisible *adj.* Que no puede ser admitido o aceptado. ANT admisible.

inadvertido, -da *adj.* Que no ha sido percibido, notado o advertido: *su presencia en el restaurante pasó inadvertida para todos.* SIN desapercibido.

inagotable *adj.* Que no se puede acabar o agotar, que dura mucho o que da mucho de sí: *pozo inagotable.*

inaguantable *adj.* Que no puede ser aguantado o soportado: *un dolor inaguantable; Susana está inaguantable.* SIN insoportable. ANT aguantable, soportable.

inalámbrico, -ca *adj./s. m.* Se aplica al medio de comunicación eléctrica que no usa hilos o cables conductores: *un teléfono inalámbrico.*

inalienable *adj.* ① Se aplica al derecho que no puede ser negado o quitado a una persona: *la libertad es un derecho inalienable.* ② Se aplica a la propiedad que no puede ser vendida o cedida legalmente.
FAM inalienabilidad.

inalterable *adj.* ① Que no puede ser alterado o cambiado: *el horario de clases es inalterable.* ANT alterable. ② Se aplica a la persona que no experimenta o no muestra ningún sentimiento o emoción que afecte a su estado de ánimo por lo que sucede. SIN impasible, imperturbable.
FAM inalterabilidad.

inamovible *adj.* Que no puede ser movido o cambiado: *resolución inamovible.*
FAM inamovilidad.

inane *adj.* culto Inútil, vano o intrascendente.
FAM inanición, inanidad.

inanición *s. f.* Extrema debilidad física provocada por la falta de alimento: *fallecieron por inanición.*

inanimado, -da *adj.* Que no tiene vida: *los minerales son seres inanimados.* ANT animado.

inánime *adj.* Se aplica al ser vivo que está sin vida o no da señales de ella: *encontraron el cuerpo inánime en la falda de la montaña.* SIN exánime.
FAM inanimado.

inapelable *adj.* ① Se aplica a la sentencia o fallo que no puede ser apelado. ② Que no puede ser evitado o remediado: *un gol inapelable.*

inapetencia *s. f.* Falta de ganas de comer: *la depresión provoca inapetencia.* SIN desgana. ANT apetito.

inapetente *adj.* Se aplica a la persona que no tiene ganas de comer.
FAM inapetencia.

inaplazable *adj.* Que no puede ser retrasado o aplazado. SIN improrrogable. ANT prorrogable.

inapreciable *adj.* ① Que tiene un valor tan grande que es imposible calcularlo: *el Sol es una inapreciable fuente de energía.* ② Que es muy difícil o imposible de apreciar o notar, generalmente por ser muy pequeño o poco importante. ANT apreciable.

inarticulado, -da *adj.* Se aplica al sonido o voz que no forma una palabra perteneciente a la lengua: *un grito inarticulado.* ANT articulado.

inasequible *adj.* Que es imposible de conseguir o alcanzar. ANT asequible.

inasible *adj.* ① Que no puede ser asido o cogido: *dirige sus poemas al inasible objeto de su amor.* ② Imposible de comprender por ser demasiado sutil.

inaudible *adj.* Se aplica al sonido que es emitido con intensidad insuficiente para ser oído. ANT audible.

inaudito, -ta *adj.* ① Que es tan particular o poco frecuente que cuando ocurre causa sorpresa y extrañeza: *un barrio de la ciudad ha sufrido una inaudita plaga de chinches.* SIN excepcional. ② Que no puede ser admitido o tolerado y merece ser rechazado. SIN intolerable, incalificable.

inauguración *s. f.* ① Momento en que da comienzo el desarrollo de una actividad o de un acto: *las riadas han retrasado la inauguración de la autovía.* ② Ceremonia formal con la que se celebra este momento.

inaugural *adj.* Relativo a la inauguración: *ceremonia inaugural; acto inaugural.*

inaugurar *v. tr.* ① Dar principio o comienzo a una cosa, especialmente si se hace de manera solemne: *el rector inauguró el nuevo curso.* ② Celebrar la apertura de un local o edificio o el estreno de una obra o monumento: *inaugurar una cafetería; inaugurar un puente.* ③ Comenzar a introducir una nueva idea o moda: *este autor inauguró una nueva corriente artística.*
FAM inauguración, inaugural.

inca *adj.* ① Relativo a un antiguo pueblo amerindio que en la época prehispana creó un vasto imperio que abarcaba desde el actual Ecuador hasta el centro de Chile: *la capital del Imperio inca era Cuzco.* SIN incaico. ‖ *s. com./adj.* ② Persona que pertenecía a este pueblo.
FAM incaico.

incaico, -ca *adj.* Relativo al pueblo inca.
FAM preincaico.

incalculable *adj.* Que no puede ser calculado: *un valor incalculable.* ANT calculable.

incalificable *adj.* Que no puede ser admitido o tolerado y merece ser rechazado. SIN inaudito, intolerable.

incandescencia *s. f.* Luz de color rojo o blanco que emite un cuerpo, especialmente un metal, al aumentar mucho la temperatura: *la incandescencia del filamento de una bombilla.*

incandescente *adj.* Se aplica al metal que adquiere color rojo o blanco luminoso al aumentar mucho la temperatura: *el hierro incandescente con el que se marca el ganado.* SIN candente.
FAM incandescencia.

incansable *adj.* Que no se cansa o que resiste mucho sin descansar: *un trabajador incansable.* SIN infatigable.

incapacidad *s. f.* **1** Falta de conocimiento, preparación o medios para realizar una acción o una función: *la incapacidad del gerente hizo fracasar la empresa.* **ANT** capacidad. **2** Falta de espacio en un lugar para que quepa algo: *la incapacidad de los depósitos hace que nos quedemos sin agua por la tarde.* **ANT** cabida, capacidad. **3** Falta de aptitudes físicas o mentales de una persona para ejercer determinados derechos.

incapacidad laboral Pérdida de la posibilidad de trabajar a causa de un daño físico o mental permanente provocado por una enfermedad o un accidente.

incapacitado, -da *adj./s. m. y f.* **1** Se aplica a la persona que tiene una incapacidad física o psíquica. **|** *adj.* **2** Se aplica a la persona que está inhabilitada legalmente para ejercer ciertos derechos.

incapacitar *v. tr.* **1** Hacer que una persona no tenga capacidad para realizar una acción o desempeñar una función: *su mal pulso lo incapacitaba para ser cirujano.* **SIN** imposibilitar. **2** Declarar a alguien legalmente incapaz para ejercer determinados derechos: *el tribunal lo condenó por fraude y lo incapacitó para volver a desempeñar cargos públicos.*
FAM incapacitación, incapacitado.

incapaz *adj.* **1** Que no no tiene capacidad para hacer una cosa: *Juan es incapaz de amar.* **ANT** capaz. **2** Que no puede desarrollar una actividad debido a la falta de conocimiento, preparación o medios. **SIN** inepto. **ANT** capaz, apto. **3** despectivo Se aplica a la persona que es idiota o tonta. **4** Que no tiene la capacidad necesaria para un fin determinado: *esta sala es incapaz para acoger a tanta gente.* **5** Se aplica a la persona que carece de capacidad legal.
FAM incapacidad, incapacitar.

incautación *s. f.* Apropiación por parte de la autoridad competente de un objeto, mercancía o bien propiedad de una persona.

incautarse *v. prnl.* Tomar posesión legal la autoridad competente de un objeto, mercancía o bien propiedad de una persona.
FAM incautación.

incauto, -ta *adj./s. m. y f.* **1** Se aplica a la persona que tiene o muestra una gran falta de juicio, sensatez y cuidado en sus acciones: *deja el coche abierto porque es un incauto.* **SIN** imprudente. **ANT** cauto, prudente. **2** Se aplica a la persona que se deja engañar fácilmente por no pensar mal de los demás.
FAM incautarse.

incendiar *v. tr.* **1** Prender fuego a una cosa que no estaba originalmente destinada a arder: *incendiar un coche.* **|** *v. prnl.* **2 incendiarse** Pasar a arder una cosa que no estaba originalmente destinada a ello: *incendiarse un bosque.*
FAM incendiario.
OBS Verbo regular, se acentúa como *cambiar.*

incendiario, -ria *adj./s. m. y f.* **1** Se aplica a la persona que provoca un incendio de forma voluntaria. **|** *adj.* **2** Se aplica al artefacto o arma que sirve para incendiar algo: *una bomba incendiaria.* **3** Que incita a la violencia y al desorden: *pronunció unas palabras incendiarias ante la muchedumbre.*

incendio *s. m.* Fuego grande en el que resulta destruida una cosa que no estaba originalmente destinada a arder: *el incendio de un edificio.*
FAM incendiar.

incensario *s. m.* Recipiente de metal hondo, circular y con tapa que pende de cadenas y que sirve para quemar incienso y esparcir su olor en algunos actos y ceremonias religiosas.

incentivar *v. tr.* **1** Animar a una persona por medio de un premio o gratificación económica para que trabaje más o consiga un mejor resultado en una acción o en una actividad: *la empresa ha incentivado a sus empleados con una paga extraordinaria.* **2** Dar fuerza o empuje a una actividad para que crezca, se desarrolle y tenga éxito.
FAM incentivación, incentivo.

incentivo *adj./s. m.* **1** Que impulsa a hacer o desear una cosa: *las excursiones son un incentivo para conocer la naturaleza.* **|** *s. m.* **2** Premio o gratificación económica que se le ofrece o entrega a una persona para que trabaje más o consiga un mejor resultado en una acción o en una actividad.

incentro *s. m.* Punto donde se cortan las tres bisectrices de un triángulo, que es el centro de la circunferencia inscrita al triángulo.

incertidumbre *s. f.* Falta de conocimiento seguro o fiable sobre una cosa, especialmente cuando crea inquietud en alguien: *no sabía si había aprobado y esa incertidumbre lo angustiaba.* **ANT** certeza, certidumbre.

incesante *adj.* **1** Que no se detiene: *una incesante lluvia.* **2** Que se repite de manera habitual: *sufre incesantes ataques de gota.*

incesto *s. m.* Relación sexual entre familiares directos: *Edipo cometió incesto con su madre sin saberlo.*
FAM incestuoso.

incestuoso, -sa *adj.* Relativo al incesto.

incidencia *s. f.* **1** Influencia o efecto que tiene una cosa sobre otra. **2** Circunstancia o suceso secundarios que ocurre en el desarrollo de un asunto o negocio, pero que puede influir en el resultado final: *las incidencias del día están detalladas en el informe.* **3** Proporción de un número de casos en una situación o estadística: *la incidencia del tifus ha aumentado este año.*

incidental *adj.* **1** Se aplica a la circunstancia o suceso que sucede de manera inesperada y puede afectar al desarrollo de un asunto o negocio, aunque no forme parte de él: *la avería incidental de uno de los motores no impidió el aterrizaje.* **2** De poca importancia o no esencial: *es una cuestión incidental.*

incidente *s. m.* **1** Circunstancia o suceso que sucede de manera inesperada y que puede afectar al desarrollo de un asunto o negocio, aunque no forme parte de él: *la celebración se desarrolló sin incidentes.* **2** Enfrentamiento violento e inesperado que se produce entre dos o más personas.
FAM incidental.

incidir[1] *v. intr.* **1** Caer en un error, falta o delito. **2** Influir en un asunto o negocio o causar un efecto en él: *la alimentación incide en la salud de las personas.* **SIN** repercutir. **3** Resaltar el interés de una característica, circunstancia o hecho para llamar la atención sobre su importancia: *el médico incidió sobre el valor de la medicina preventiva.* **4** Caer una cosa sobre una superficie: *incidir un rayo de luz en un espejo.*
FAM incidencia, incidente.

incidir[2] *v. tr.* Realizar un corte o incisión.

incienso *s. m.* **1** Mezcla de resinas vegetales de árboles asiáticos o africanos que al arder despiden olor: *en algunas ceremonias religiosas se quema incienso.* **2** Alabanza exagerada.
FAM incensar, incensario.

incierto, -ta *adj.* **1** Que no es verdadero o cierto: *su afirmación es incierta.* **SIN** falso. **ANT** verdadero. **2** Que no es o no está seguro: *el resultado del partido de tenis es todavía incierto.* **3** Que no se conoce: *le preocupaba el futuro incierto de sus hijos.*

incineración *s. f.* Quema de una cosa material, especialmente de un cadáver, para reducirla a cenizas: *la incineración de basuras.*

incinerar *v. tr.* Quemar una cosa material, especialmente un cadáver, hasta reducirla a cenizas: *dejó escrito que cuando muriera lo incineraran.*
FAM incineración, incinerador.

incipiente *adj.* Que empieza a desarrollarse, especialmente si es con fuerza y energía: *una barba incipiente.*

incisión *s. f.* Raja o corte poco profundo hecho en un cuerpo o en una superficie con un instrumento cortante: *logró extraer la espina con una pequeña incisión.*

incisivo, -va *adj.* ① Se aplica al instrumento que sirve para cortar o abrir: *un arma incisiva.* ② Que critica con ironía de forma cruel o con mala intención. **SIN** corrosivo, mordaz. I *adj./s. m.* ③ Se aplica al diente que está situado en la parte delantera de la boca, es plano y cortante y tiene una sola raíz: *el hombre tiene ocho dientes incisivos.*

inciso, -sa *adj.* ① Se aplica al estilo del escritor que se articula con frases breves e inconexas o sueltas. I *s. m.* ② Pausa o comentario que se intercala en un discurso o conversación y que no está relacionado con el tema que se trata. **SIN** paréntesis. ③ Parte de una oración que se intercala en ella con un sentido parcial y que, generalmente, se coloca entre comas o entre paréntesis.
FAM incisión, incisivo.

incitación *s. f.* Estímulo o motivo que provoca en una persona las ganas de hacer algo: *su actitud era una incitación a la violencia.*

incitar *v. tr.* Estimular o animar a una persona para que haga una cosa: *esta película incita a la violencia.*
FAM incitación, incitante.

inclemencia *s. f.* ① Fenómeno atmosférico desagradable y difícil de soportar que provoca el mal tiempo. **NOTA** Normalmente en plural. ② Falta de compasión en la manera de obrar. **ANT** clemencia, compasión.
FAM inclemente.

inclinación *s. f.* ① Desviación de la posición vertical u horizontal que ocupa una cosa: *la inclinación de una embarcación por efecto del oleaje.* ② Situación de una cosa que no ocupa una posición vertical u horizontal: *la inclinación de un tejado.* ③ Tendencia que una persona o cosa tiene hacia algo, especialmente a lo que es de su gusto o naturaleza: *tiene una marcada inclinación hacia las letras.* **SIN** propensión. ④ Cariño especial o afición: *siente una clara inclinación por su sobrino.* ⑤ Gesto que hace una persona inclinando la cabeza o el cuerpo hacia adelante en señal de respeto o saludo: *el sacerdote hizo una inclinación ante el sagrario.* **SIN** reverencia.

inclinar *v. tr.* ① Desviar de la posición vertical u horizontal que ocupa una cosa: *inclinar una botella para verter su contenido.* ② Influir sobre una persona para que haga o diga una cosa de la que no estaba segura. ③ Poner una parte del cuerpo más baja o hacia abajo: *inclinar la cabeza.* I *v. prnl.* ④ **inclinarse** Apartarse una cosa de la posición vertical u horizontal que ocupa. ⑤ Mostrar tendencia a hacer o pensar una cosa: *me inclino a creer su versión.* **SIN** tender.
FAM inclinado, inclinación.

ínclito, -ta *adj.* culto Ilustre o famoso.
OBS Frecuentemente usado de forma humorística o irónica.

incluir [21] *v. tr.* ① Poner una cosa en el interior de otra o dentro de sus límites: *incluir a alguien en un grupo.* ② Contener una cosa a otra o llevarla consigo formando un todo: *la oferta incluye alojamiento en una residencia familiar.* **ANT** excluir.
FAM inclusión, inclusive, inclusivo, incluso, incluyente.

inclusa *s. f.* Establecimiento o institución que se dedica a recoger, criar y educar niños cuyos padres han muerto, los han abandonado o no pueden hacerse cargo de ellos. **SIN** hospicio, orfanato.
FAM inclusero.

inclusero, -ra *adj./s. m. y f.* Se aplica a la persona que se cría o se ha criado en una inclusa.

inclusión *s. f.* ① Introducción de una cosa en el interior de otra o dentro de sus límites. ② Proceso mediante el cual una persona o cosa pasan a formar parte de un conjunto. **ANT** exclusión.

inclusive *adv.* ① Indica que se incluyen los límites que se nombran en el conjunto total: *el juez aplicó en su resolución los artículos 51 al 54, ambos inclusive.* **ANT** exclusive. ② culto Incluso, incluyendo la persona o cosa que se nombra: *vinieron todos, sus padres inclusive.*

incluso *adv.* ① Expresa encarecimiento o ponderación: *vendió todas sus pertenencias, incluso sus libros más queridos.* **SIN** aun, hasta. I *conj.* ② Introduce una dificultad real o posible, a pesar de la cual puede ser, ocurrir o hacerse una cosa: *incluso lloviendo saldremos de excursión.* **SIN** aun, hasta. I *prep.* ③ Incluido lo que se expresa a continuación, aunque pueda sorprender: *incluso los críticos más severos alabaron su obra.* **SIN** hasta. ④ Indica mayor fuerza o grado en una comparación: *esta teleserie era mala antes, pero ahora es incluso peor.* **SIN** aún, todavía.

incoar *v. tr.* Comenzar un proceso judicial que puede llevar al castigo de una falta.
FAM incoación, incoativo.

incoativo, -va *adj.* Se aplica al verbo o locución que indica el principio de una cosa o de una acción que progresa: *los verbos como "florecer" o "amanecer" son incoativos; en la oración "rompió a llorar", "rompió a" es una locución incoativa.*

incógnita *s. f.* ① En una expresión o ecuación matemática, cantidad que no se conoce y se debe averiguar, que, generalmente, se representa por una de las letras iniciales o finales del alfabeto. ② Cosa que se desconoce y se desea averiguar.

incógnito, -ta *adj.* culto Desconocido: *tierra incógnita.*
de incógnito Sin darse a conocer o pretendiendo ocultar su verdadera identidad.
FAM incógnita.

incoherencia *s. f.* ① Falta total de unión o relación adecuada de todas las partes que forman un todo. **SIN** incongruencia. **ANT** coherencia. ② Cosa que contradice a otra, o no guarda con ella una relación lógica: *su conferencia estaba plagada de incoherencias.* **SIN** incongruencia.
FAM incoherente.

incoherente *adj.* ① Que no guarda una relación adecuada entre sus partes. **SIN** incongruente. **ANT** coherente. ② Que no mantiene una correspondencia lógica entre las ideas y el comportamiento: *mantenía una actitud incoherente con lo que había dicho.* **SIN** incongruente. **ANT** coherente.
FAM incoherencia.

incoloro, -ra *adj.* Se aplica al cuerpo o sustancia que no tiene color: *el agua es incolora.*

incólume *adj.* Se aplica a la persona o cosa que ha estado en peligro o ha sufrido un accidente y no ha recibido ninguna lesión o daño: *la porcelana quedó incólume después del traslado.* SIN ileso, indemne.

incombustible *adj.* ① Que no puede arder o arde con gran dificultad. ANT combustible. ② Se aplica a la persona que no se ve afectada por el paso del tiempo o por problemas y dificultades.
FAM incombustibilidad.

incomodar *v. tr.* ① Provocar enfado o disgusto: *sus constantes elogios me incomodan.* ‖ *v. prnl.* ② **incomodarse** Sentir enfado o disgusto.
FAM incomodado, incómodo.

incomodidad *s. f.* ① Estado de malestar físico y cansancio: *la incomodidad de dormir en una tienda de campaña.* ANT comodidad, confort. ② Alteración del bienestar o de la tranquilidad del ánimo causada por un enfado, un esfuerzo o una agitación excesiva: *la incomodidad de una visita inoportuna.* ANT comodidad.

incómodo, -da *adj.* ① Que provoca malestar físico y cansancio: *una silla incómoda.* ANT cómodo, confortable. ② Que causa en el ánimo de una persona malestar e intranquilidad: *una situación incómoda.* ANT cómodo. ③ Se aplica a la persona que tiene el ánimo alterado a causa de una molestia que le ha hecho perder el bienestar y la tranquilidad: *solía sentirse incómodo en las cenas de gala.* ANT cómodo.
FAM incomodidad, incomodar.

incomparable *adj.* ① Que no puede ser comparado para establecer un parecido o relación. ANT comparable. ② Que es muy bueno o tiene una cualidades muy superiores a otros de la misma especie: *desde la colina se puede ver un paisaje incomparable.*

incompatibilidad *s. f.* ① Imposibilidad que tiene una cosa de existir, ocurrir o hacerse al mismo tiempo que otra: *alegaron incompatibilidad de caracteres para divorciarse.* ANT compatibilidad. ② Imposibilidad legal para ejercer una función determinada o dos o más cargos a la vez.

incompatible *adj.* ① Que no puede existir, ocurrir o hacerse al mismo tiempo que otra cosa: *la bondad es incompatible con el egoísmo.* ANT compatible. ② Se aplica al cargo o función que no puede ser ejercido legalmente a la vez que otro. ③ Se aplica al sistema de ecuaciones que no tiene solución.
FAM incompatibilidad.

incompetencia *s. f.* Falta de aptitud o de preparación para desarrollar una actividad o desempeñar un cargo. ANT capacidad, competencia.

incompetente *adj.* Que no posee las aptitudes o la preparación necesaria para desarrollar una actividad o desempeñar un cargo. ANT competente.
FAM incompetencia.

incomplejo, -ja *adj.* Se aplica al número concreto que expresa unidades del mismo tipo: *la expresión temporal "1 h 22 min 19 s" está expresada en forma compleja, mientras que "5 299 s" expresa de forma incompleja la misma duración.*

incompleto, -ta *adj.* Que no ha sido acabado o completado: *las obras quedaron incompletas por falta de presupuesto.* SIN inacabado, inconcluso. ANT acabado, completo.

incomprendido, -da *adj./s. m. y f.* Se aplica a la persona que no recibe de los demás la aceptación o el reconocimiento que merece: *Van Gogh fue un pintor incomprendido que no vendió ni un solo cuadro en vida.*
FAM incomprensible, incomprensión.

incomprensible *adj.* ① Que no puede ser comprendido: *habían grabado en la piedra unos símbolos incomprensibles.* ANT comprensible. ② Que no puede ser justificado o razonado de ningún modo: *es incomprensible que cometiera ese fallo.* ANT comprensible.
FAM incomprensibilidad.

incomprensión *s. f.* Actitud poco tolerante de la persona que no respeta los sentimientos o actos de otras: *decidió ser artista a pesar de la incomprensión de su familia.* ANT comprensión.

incomunicación *s. f.* ① Falta total de relación, trato o comunicación con otra u otras personas. ANT comunicación. ② Aislamiento de una persona por el que se le priva del contacto y relación con otras.

incomunicar *v. tr.* Aislar a una persona para impedir que tenga contacto o relación con otras: *el juez mandó incomunicar a los detenidos.*
FAM incomunicable, incomunicación.

inconcebible *adj.* ① Que no puede ser concebido desde un punto de vista lógico o racional. SIN impensable. ② Que es muy difícil o casi imposible que suceda. SIN impensable.

inconcluso, -sa *adj.* Que no ha sido acabado o completado: *la catedral quedó inconclusa a la muerte del arquitecto.* SIN inacabado, incompleto. ANT acabado, completo.

inconcreto, -ta *adj.* Que no es concreto o preciso. SIN impreciso, vago.

incondicional *adj.* ① Que no tiene limitaciones ni condiciones: *amor incondicional; rendición incondicional.* ANT condicional. ‖ *adj./s. com.* ② Se aplica a la persona que sigue fielmente a una persona, sin limitación o condición ninguna, o que es muy aficionada a una cosa: *soy una incondicional de la ópera.*

inconexo, -xa *adj.* Que no tiene unión o no guarda una relación adecuada entre sus partes o con otra cosa: *decir frases inconexas.* ANT conexo.
FAM inconexión.

inconfesable *adj.* Que no puede darse a conocer por ser especialmente vergonzoso, inmoral o ilegal.

inconfeso, -sa *adj.* Se aplica a la persona que no reconoce ser culpable del delito del que se la acusa: *a pesar de la sentencia, el acusado se mantuvo inconfeso.* ANT confeso.

inconformismo *s. m.* Actitud de no aceptar fácilmente una circunstancia determinada, especialmente cuando es impuesta o injusta: *su inconformismo le llevó a repetir el examen para obtener mejor nota.* ANT conformismo.
FAM inconformista.

inconformista *adj./s. com.* Que no acepta fácilmente cualquier circunstancia pública o privada, especialmente cuando es impuesta o injusta. SIN conformista.

inconfundible *adj.* Se aplica a la persona o cosa de características tan especiales que no puede ser confundida con otra de la misma especie.

incongruencia *s. f.* ① Falta total de unión o relación adecuada de todas las partes que forman un todo: *la incongruencia de las palabras de un enfermo.* SIN incoherencia. ANT congruencia. ② Cosa que contradice a otra, o no guarda con ella una relación lógica. SIN incoherencia. ANT congruencia.

incongruente *adj.* ① Que no guarda una relación adecuada entre sus partes. SIN incoherente. ANT congruente. ② Que no mantiene una correspondencia lógica entre las

ideas y el comportamiento. SIN incoherente. ANT congruente.
FAM incongruencia.

inconmensurable *adj.* Que no puede ser medido o valorado. ANT conmensurable.
FAM inconmensurabilidad.

inconsciencia *s. f.* **1** Estado de la persona que ha perdido el conocimiento y generalmente también la capacidad de moverse y de sentir. ANT consciencia. **2** Falta de juicio, sensatez y cuidado que una persona demuestra en sus acciones. SIN imprudencia. ANT prudencia.
FAM inconsciente.

inconsciente *adj.* **1** Se aplica a la persona que ha perdido el conocimiento y generalmente también la capacidad de moverse y de sentir: *el enfermo sigue inconsciente por efecto de la anestesia.* ANT consciente. ‖ *adj./s. com.* **2** Se aplica a la persona que tiene o muestra una gran falta de juicio, sensatez y cuidado en sus acciones. SIN imprudente. ‖ *s. m.* **3** Conjunto de procesos mentales de los que no es consciente la persona que los tiene, pero que afectan a su manera de obrar o a su carácter.
FAM inconsciencia.

inconsecuente *adj./s. com.* Que no mantiene una correspondencia lógica entre las ideas y el comportamiento. ANT consecuente.
FAM inconsecuencia.

inconsistencia *s. f.* **1** Cualidad de la materia que no resiste sin romperse o que se deforma fácilmente. ANT consistencia. **2** Falta total de unión y relación adecuada de todas las partes que forman un todo. ANT consistencia.
FAM inconsistente.

inconsistente *adj.* **1** Que se rompe o deforma con facilidad: *una pieza de cerámica mal horneada es inconsistente.* ANT consistente. **2** Que carece de relación lógica y de contenido: *una coartada inconsistente.* ANT consistente.

inconsolable *adj.* Se aplica a la persona que no puede ser consolada o que es difícil de consolar: *la inconsolable viuda lloraba la muerte de su marido.*

inconstancia *s. f.* Actitud de la persona que no tiene una voluntad firme y continuada en la determinación de hacer una cosa o en el modo de realizarla. ANT constancia, perseverancia.

inconstante *adj.* **1** Se aplica a la persona que no tiene una voluntad firme y continuada en la determinación de hacer una cosa o en el modo de realizarla: *es un deportista inconstante al que le cuesta mucho entrenar.* ANT constante. **2** Que no es continuado, que se desarrolla con interrupciones o variaciones de intensidad: *un viento inconstante.* ANT constante.
FAM inconstancia.

inconstitucional *adj.* Que es contrario al contenido de la Constitución de un estado: *varios artículos de la ley han sido declarados inconstitucionales.* SIN anticonstitucional. ANT constitucional.
FAM inconstitucionalidad.

incontable *adj.* **1** Que no puede ser narrado, por su gravedad o inconveniencia. **2** Que es muy numeroso o existe en una cantidad enorme: *los incontables monumentos árabes de Andalucía.* SIN innumerable. **3** Se aplica al sustantivo que no es susceptible de cuantificación: *el nombre "respeto" es incontable.* ANT contable.

incontenible *adj.* Que no puede ser contenido o frenado: *unas incontenibles ganas de reír.*

incontestable *adj.* Que no puede ser rechazado, negado o contestado. SIN irrebatible, irrefutable.

incontinencia *s. f.* **1** Alteración del organismo que consiste en expulsar involuntariamente la orina o los excrementos. **2** Falta total de control sobre un sentimiento o impulso para moderar su intensidad: *su incontinencia verbal le lleva a insultar a los demás con frecuencia.* ANT contención.
FAM incontinente.

incontrolable *adj.* Que no puede ser controlado.

incontrovertible *adj.* Incuestionable, indiscutible.

inconveniencia *s. f.* **1** Falta total de comodidad o de conveniencia de algo. **2** Obra o dicho inoportuno o inadecuado en el trato social: *se pasó toda la cena diciendo inconveniencias.* **3** Perjuicio o molestia que provoca una cosa. SIN inconveniente.

inconveniente *adj.* **1** Que no resulta adecuado por sus características o por el momento en que sucede: *un chiste inconveniente.* ANT conveniente. ‖ *s. m.* **2** Situación, circunstancia o razón que dificulta o imposibilita hacer una cosa: *existe un inconveniente para hacer el viaje.* **3** Perjuicio o molestia que provoca una cosa. SIN inconveniencia.
FAM inconveniencia.

incordiar *v. tr.* familiar Molestar a una persona con algo que resulta pesado o repetitivo: *no dejaron de incordiarlos los vendedores ambulantes.* SIN fastidiar.
OBS Verbo regular, se acentúa como *cambiar.*

incordio *s. m.* familiar Persona o cosa que causa cansancio, disgusto o molestia.
FAM incordiar.

incorporación *s. f.* **1** Suma o unión de una cosa en un todo. **2** Comienzo de una actividad en un momento determinado: *su incorporación a la universidad se producirá en enero.* **3** Levantamiento de la cabeza o de la parte superior del cuerpo.

incorporar *v. tr.* **1** Sumar o unir una parte a un conjunto de elementos o a un todo: *en el próximo fascículo incorporarán el disquete.* SIN agregar, añadir. **2** Levantar y poner derecho el cuerpo o una parte de él. SIN erguir. ‖ *v. prnl.* **3** **incorporarse** Presentarse en un lugar por primera vez para comenzar a desarrollar una actividad o después de un tiempo para continuarla: *me incorporaré a la oficina tras las vacaciones.*
FAM incorporación; reincorporar.

incorpóreo, -rea *adj.* **1** Que no tiene cuerpo, volumen o consistencia: *los fantasmas son incorpóreos.* ANT corpóreo. **2** Que pertenece al espíritu o que no se puede percibir por los sentidos: *los sentimientos son incorpóreos.* SIN inmaterial. ANT material.
FAM incorporeidad.

incorrección *s. f.* **1** Falta, error o defecto, especialmente si es de poca importancia o no tiene consecuencias: *cometió algunas incorrecciones, pero aprobó el examen.* ANT corrección. **2** Comportamiento no adecuado a las normas sociales. ANT corrección, educación.
FAM incorrecto, incorregible.

incorrecto, -ta *adj.* **1** Que tiene faltas, errores o defectos: *has adelantado de un modo incorrecto.* ANT correcto. **2** Que no es acertado o adecuado: *la respuesta a la pregunta es incorrecta.* ANT correcto. **3** Que no es adecuado y respetuoso con las normas sociales: *es incorrecto que un hombre se presente sin corbata a una cena de etiqueta.* **ANT** correcto.

incorregible *adj.* Se aplica a la persona que no puede abandonar un hábito o costumbre que puede causarle incomodidades, problemas o peligros: *es un bromista incorregible.* **SIN** impenitente.

incorruptible *adj.* Que no puede ser corrompido: *los jueces deben ser incorruptibles y justos.* **ANT** corruptible.
FAM incorruptibilidad.

incorrupto, -ta *adj.* 1 Se aplica a la sustancia orgánica que no se descompone químicamente ni se deteriora. **ANT** corrupto. 2 Se aplica a la persona que no se deja corromper con dinero o regalos. **ANT** corrupto.

incredulidad *s. f.* 1 Dificultad o reserva que tiene una persona para creer lo que ve o lo que otros le cuentan. **ANT** credulidad. 2 Ausencia de fe religiosa.

incrédulo, -la *adj./s. m. y f.* 1 Se aplica a la persona que tiene dificultades para creer lo que ve o lo que otros le cuentan. **ANT** crédulo. 2 Se aplica a la persona que carece de fe religiosa.
FAM incredulidad.

increíble *adj.* 1 Que causa admiración o sorpresa: *un gol increíble.* **SIN** admirable, asombroso, sorprendente. 2 Que parece mentira o es muy difícil de creer: *una historia increíble.* **SIN** inverosímil. **ANT** creíble, verosímil.

incrementar *v. tr.* Añadir una parte a un conjunto de elementos o a un todo y aumentar su cantidad, volumen, calidad o intensidad: *el ejercicio físico incrementa el volumen de la masa muscular.*

incremento *s. m.* 1 Crecimiento en tamaño, en cantidad, en calidad o en intensidad: *preocupa a las autoridades el incremento de la delincuencia.* **SIN** aumento. **ANT** disminución. 2 Cantidad que se aumenta. **SIN** aumento. **ANT** disminución. 3 En matemáticas, variación infinitesimal del valor de una variable que se usa para definir determinados conceptos analíticos.
FAM incrementar.

increpar *v. tr.* 1 Corregir o llamar la atención con dureza a una persona por haber cometido un error o por su mal comportamiento. **SIN** recriminar. 2 Dirigir insultos a una persona. **SIN** insultar.
FAM increpación.

incriminar *v. tr.* Acusar a una persona de un delito o crimen.

incruento, -ta *adj.* Que no lleva consigo derramamiento de sangre. **ANT** cruento.

incrustación *s. f.* 1 Acción de incrustar. 2 Pequeña pieza de piedra, madera, metal u otro material de valor que se emplea para estos adornos.

incrustar *v. tr.* 1 Introducir pequeñas partes o elementos de una materia en otra hasta quedar unidas perfectamente formando un solo cuerpo. **ANT** desincrustar. 2 Introducir pequeños adornos de piedra, madera, metal u otro material de valor en una superficie de manera que queden ajustadas perfectamente, por lo general formando formas geométricas. ‖ *v. prnl.* 3 **incrustarse** Penetrar pequeñas partes o elementos de una materia en otra hasta quedar unidas perfectamente formando un solo cuerpo: *la metralla de la bomba se incrustó en la carrocería de los vehículos cercanos.* 4 Penetrar un cuerpo en otro de forma violenta: *el coche se incrustó en el muro.*
FAM incrustación; desincrustar.

incubación *s. f.* 1 Desarrollo de una enfermedad en un organismo desde el momento del contagio hasta cuando aparecen los primeros síntomas: *la incubación de la legionela dura unos diez días hasta que se presentan los síntomas de la neumonía.* 2 Desarrollo oculto o poco conocido de un movimiento político, cultural, religioso o social, antes de que comience a cobrar importancia y a manifestarse en su totalidad: *durante los últimos años de la dictadura comenzó la incubación del movimiento democrático.* 3 Desarrollo de un embrión contenido en un huevo puesto por un animal ovíparo mediante su mantenimiento a una temperatura de calor constante por medios naturales o artificiales.

incubadora *s. f.* 1 Cámara estéril donde se mantiene a los niños recién nacidos prematuros o con graves problemas de salud para mantenerlos aislados del exterior y en unas condiciones específicas de calor, nivel de oxígeno, alimentación y control médico. 2 Aparato que mantiene los huevos puestos por animales ovíparos a una temperatura de calor constante para lograr el desarrollo de los embriones.

incubar *v. tr.* 1 Desarrollar el organismo una enfermedad desde el momento del contagio hasta cuando aparecen los primeros síntomas. 2 Mantener a una temperatura de calor constante el embrión contenido en un huevo puesto por un animal ovíparo por medios naturales o artificiales: *las aves suelen colocarse sobre sus huevos para incubarlos.* **SIN** empollar. ‖ *v. prnl.* 3 **incubarse** Desarrollarse de manera oculta o poco conocida un movimiento político, cultural, religioso o social, antes de que comience a cobrar importancia y a manifestarse en su totalidad: *comenzó a incubarse la revolución de las capas más humildes de la población.* 4 Desarrollarse una enfermedad en el organismo: *la escarlatina se incuba durante tres o cinco días.*
FAM incubación, incubadora.

incuestionable *adj.* Indiscutible, indudable. **ANT** cuestionable, discutible.

inculcar *v. tr.* Hacer que una persona piense y actúe de un modo distinto al habitual por propio convencimiento o por la influencia de razones y motivos dados por otros. **SIN** imbuir, infundir.
FAM inculcación.

inculpación *s. f.* Atribución a una persona de un delito, una culpa o una falta. **SIN** acusación, imputación.

inculpar *v. tr.* Atribuir a una persona la responsabilidad de un hecho que va en contra de la ley o la moral o que perjudica injustamente a otra. **SIN** acusar, culpar, imputar.
FAM inculpabilidad, inculpación.

inculto, -ta *adj.* 1 Se aplica a la persona que no tiene cultura o conocimientos elementales. **SIN** analfabeto. **ANT** culto. 2 Se aplica al terreno que no ha sido cultivado. **ANT** culto.
FAM incultura.

incultura *s. f.* Falta de cultura o de conocimientos elementales. **SIN** analfabetismo. **ANT** cultura.

incumbencia *s. f.* Obligación que corresponde a una persona o institución, especialmente por su cargo o condición: *eso no es de mi incumbencia.*

incumbir *v. intr.* Tocar a una persona una responsabilidad u obligación, o una cosa que tiene interés para ella: *solamente al juez le incumbe la decisión de enviar a una persona a la cárcel.* **SIN** atañer, concernir.
FAM incumbencia.

incumplimiento *s. m.* Circunstancia de incumplir una obligación, una promesa o una orden. **ANT** cumplimiento.

incumplir *v. tr.* No cumplir con una obligación, una promesa o una orden: *incumplió su promesa.* **FAM** incumplimiento.

incunable *adj./s. m.* Se aplica al libro o texto que fue impreso antes del año 1500: *el primer ejemplar incunable español se imprimió en Zaragoza en 1475.*

incurable *adj.* Que no puede ser curado.

incurrir *v. intr.* **1** Caer en una acción merecedora de castigo o corrección: *la avaricia lo condujo a incurrir en numerosos delitos.* **SIN** cometer. **2** Hacer una persona una cosa que provoca o por la que merece el castigo, la ira, el odio o el desprecio de alguien: *ha incurrido en el desprecio de todo el mundo.*

incursión *s. f.* **1** Ataque rápido cuyo propósito principal es causar daño más que ocupar el territorio enemigo. **SIN** raid, razia. **2** Entrada rápida en un lugar en el que se está muy poco tiempo. **3** Dedicación de una persona durante un breve periodo de tiempo a una actividad o trabajo que no realiza habitualmente: *era un gran actor de teatro que había hecho algunas incursiones en el cine con poco éxito.* **FAM** incursionar.

indagación *s. f.* Conjunto de preguntas e investigaciones que se llevan a cabo para conocer datos o informaciones; especialmente si son referentes a un asunto oculto o secreto.

indagar *v. tr.* Preguntar e investigar para procurar enterarse de datos o informaciones; especialmente si son referentes a un asunto oculto o secreto: *la policía indagó en el entorno de la víctima del asesinato.* **FAM** indagación, indagador, indagatorio.

indebido, -da *adj.* **1** Que no se debe hacer por no ser conveniente, legal o justo: *un castigo indebido.* **ANT** debido. **2** Que no es obligatorio.

indecencia *s. f.* **1** Falta de respeto a las normas morales socialmente establecidas, especialmente a las de carácter sexual: *la indecencia de pasear desnudo por la calle.* **ANT** decencia, decoro. **2** Acción o dicho que pone de manifiesto esta falta de respeto a las normas morales. **3** Falta de respeto de una persona a la justicia, a la verdad y al honor: *la indecencia de un estafador.* **ANT** decencia.

indecente *adj.* **1** Que está en contra de las normas morales socialmente establecidas, especialmente las de carácter sexual. **ANT** decente. **2** Se aplica a la persona que se comporta de una manera contraria a la justicia, a la verdad y al honor. **ANT** decente. **3** Que está muy sucio, desarreglado o desordenado: *esta habitación está indecente.* **ANT** decente. **4** Que tiene una mínima calidad o que es excesivamente pequeño o escaso: *un sueldo indecente.* **ANT** decente. **FAM** indecencia.

indecible *adj.* **1** Que no puede ser dicho o expresado. **2** Se aplica al sentimiento, emoción o impresión que no puede ser expresado por su intensidad: *una pena indecible.*
lo indecible En gran cantidad o más de lo normal.

indecisión *s. f.* **1** Falta de determinación ante una cuestión dudosa: *por su indecisión perdió la oportunidad de comprar el piso.* **ANT** decisión. **2** Falta de valor o firmeza en el carácter y en la manera de actuar. **SIN** inseguridad. **ANT** decisión.

indeciso, -sa *adj.* **1** Se aplica a la persona que aún no ha tomado una decisión: *no sé que hacer, estoy indeciso.* **2** Se aplica a la persona que carece del valor y la firmeza para to-

mar decisiones por sí misma. **ANT** decidido. **3** Que está pendiente de resolución: *un resultado indeciso.* **FAM** indecisión.

indecoroso, -sa *adj.* Que falta al respeto debido a una persona o situación: *un gesto indecoroso.* **SIN** atrevido, insolente. **ANT** decoroso.

indefectible *adj.* Que no puede faltar o dejar de ser o que tiene que ocurrir de manera necesaria: *de modo indefectible, el Sol sale cada día.*

indefensión *s. f.* **1** Falta de defensa o protección que sufre una persona o animal que la necesita. **2** Situación de la persona a la que se le niegan los medios de defensa ante un tribunal o ante la administración.

indefenso, -sa *adj.* Se aplica a la persona o animal que carece de defensa o protección. **FAM** indefensible, indefensión.

indefinición *s. f.* Falta de definición, claridad o precisión: *criticó la indefinición de la política del gobierno.*

indefinido, -da *adj.* **1** Que no está definido o precisado: *un color indefinido.* **SIN** indeterminado. **2** Que no tiene término o límite determinado: *un plazo de tiempo indefinido.* **3** Se aplica al adjetivo o pronombre que añade al sustantivo una idea de imprecisión.

indeformable *adj.* Que no puede perder su forma original.

indehiscente *adj.* Se aplica al fruto cuya cubierta no se abre espontáneamente cuando madura para liberar las semillas.

indeleble *adj.* Que no puede ser borrado o quitado: *tinta indeleble; cicatriz indeleble.* **SIN** imborrable.

indemne *adj.* Que ha estado en peligro o ha sufrido un accidente y no ha recibido ningún daño: *ha salido indemne del accidente.* **SIN** ileso, incólume. **FAM** indemnizar.

indemnización *s. f.* **1** Compensación que recibe una persona por un daño o perjuicio que ha recibido ella misma o sus propiedades. **2** Cantidad de dinero u otra cosa con la que se compensa por un daño o perjuicio.

indemnizar *v. tr.* Compensar, generalmente con dinero, a una persona por un daño o perjuicio que ha recibido ella misma o sus propiedades. **FAM** indemnización, indemnizatorio.

independencia *s. f.* **1** Capacidad para elegir y actuar con libertad y sin depender de un mando o autoridad extraña. **ANT** dependencia. **2** Gobierno propio de un pueblo o nación en oposición al gobierno impuesto por otro pueblo o nación: *en 1947 la India obtuvo la independencia de Gran Bretaña.* **SIN** soberanía.
con independencia de Sin tomar en consideración lo que se dice para tomar una determinada decisión o hacer algo que se ha decidido: *con independencia del tiempo que haga, pensamos salir al campo.*

independentismo *s. m.* Movimiento político que propugna la independencia de un territorio del estado al que pertenece. **FAM** independentista.

independentista *adj.* **1** Relativo al independentismo. | *adj./ s. com.* **2** Se aplica a la persona que es partidaria del independentismo.

independiente *adj.* **1** Que tiene la capacidad de elegir y actuar con libertad y sin depender de un mando o autoridad

extraña. **SIN** autónomo. **2** Se aplica al territorio que tiene independencia política del estado al que pertenecía: *Bosnia es un estado independiente que formaba parte de la antigua Yugoslavia.* **ANT** dependiente. **3** Que carece de una relación que haga depender una cosa de otra. **4** Se aplica a la habitación que está separada del resto de las que componen un piso, vivienda o local por una puerta o por un tabique: *salón independiente.* ❚ *adj./s. com.* **5** Se aplica a la persona que trabaja por cuenta propia. **SIN** autónomo.
FAM independencia, independentismo, independizar.

independizar *v. tr.* **1** Dejar libre respecto de un poder, una autoridad, una tutela o cualquier otro tipo de subordinación o dependencia. **SIN** emancipar. **2** Conceder a un territorio la independencia política del estado al que pertenecía. ❚ *v. prnl.* **3 independizarse** Quedar libre respecto de un poder, una autoridad, una tutela o cualquier otro tipo de subordinación o dependencia: *decidió independizarse y montar su propio negocio.* **SIN** emanciparse. **4** Obtener un territorio la independencia política del estado al que pertenecía: *Estados Unidos se independizó de Gran Bretaña en 1783.*
FAM independización.

indescriptible *adj.* Que provoca tal admiración, asombro o conmoción que no puede ser dicho, explicado o descrito: *cuando nació su hijo sintió una alegría indescriptible.* **SIN** inenarrable.

indeseable *adj./s. com.* **1** Se aplica a la persona con la que no es recomendable tratar por sus malas cualidades morales. **2** Se aplica a la persona cuya estancia en un país se considera peligrosa. ❚ *adj.* **3** Que es rechazable o indigno de ser deseado.

indestructible *adj.* Que no puede ser destruido.
FAM indestructibilidad.

indeterminación *s. f.* Falta de determinación en las cosas o de decisión en las personas.

indeterminado, -da *adj.* **1** Que no está determinado o precisado: *un color indeterminado; a una hora indeterminada.* **SIN** indefinido. **2** Se aplica al artículo que presenta un concepto de forma general: *"un" es la forma masculina singular del artículo indeterminado.* **3** Se aplica a la ecuación o problema matemático que tiene infinitas soluciones.
FAM indeterminable, indeterminación.

indexar *v. tr.* Ordenar una serie de datos o informaciones de acuerdo a un criterio común a todas ellas para facilitar su consulta y análisis.
FAM indexación.

indiada *s. f.* **1** AMÉR. Grupo o muchedumbre de indios. **2** *fam. desp.* AMÉR. Forma de hablar de los indios.

indiano, -na *adj.* **1** Relativo a los territorios que formaron las colonias españolas en América: *Sevilla fue el principal núcleo del comercio indiano.* ❚ *adj./s. m. y f.* **2** Se aplica a la persona que emigró a América en busca de fortuna y allí se hizo rica.
FAM indianismo.

indicación *s. f.* **1** Información dada a una persona para explicarle lo que debe hacer para obtener el objetivo que desea: *por indicación de un amigo invirtió su dinero en la bolsa.* **2** Dato, consejo o señal con la que se le da esta información a una persona: *seguí las indicaciones del manual para instalar el vídeo.* **3** Orden o instrucción dada a una persona para decirle cómo debe actuar o comportarse: *fue siguiendo las indicaciones del sacerdote en la ceremonia.* **SIN** instrucción.

indicado, -da *adj.* Adecuado, conveniente.

indicador *s. m.* **1** Señal que sirve para aportar un dato o información sobre una cosa: *siguió los indicadores que había en la autovía para encontrar una gasolinera.* **SIN** indicativo. **2** Parte de un instrumento de medida que informa del estado de funcionamiento de un mecanismo en un panel de control: *el indicador de velocidad del coche se ha estropeado.* **3** Conjetura o señal que posibilita el conocimiento de algo que ha existido o va a ocurrir: *el número de desempleados de un país es un claro indicador del estado de su economía.* **SIN** índice, indicio.

indicador del pH Sustancia orgánica utilizada para determinar el pH de una solución mediante un cambio de color; cada indicador vira en una zona determinada del pH: *la fenolftaleína es un indicador que vira entre 8 y 10, decolora las soluciones ácidas y enrojece las soluciones básicas.*

indicar *v. tr.* **1** Dar una señal, dato o información a una persona para explicarle lo que debe hacer para obtener el objetivo que desea: *le indicó a unos turistas dónde estaba la catedral.* **SIN** enseñar. **2** Dar una orden o instrucción a una persona para decirle cómo debe actuar o comportarse: *el juez indicó al acusado que se pusiera en pie para oír la sentencia.*
FAM indicación, indicado, indicador, indicativo; contraindicar.

indicativo, -va *adj.* **1** Que indica o sirve para indicar algo: *un cartel indicativo.* ❚ *adj./s. m.* **2** Se aplica al modo verbal que expresa una acción, un proceso o un estado como algo real y objetivo: *la forma "canta" está en modo indicativo.* ❚ *s. m.* **3** Señal que sirve para aportar un dato o información sobre una cosa. **SIN** indicador.

índice *s. m.* **1** Lista ordenada de las materias o de las partes de un libro o de una publicación que aparece al principio o al final de estos. **2** Catálogo o lista en la que se registran, describen y ordenan, siguiendo unas determinadas normas, una serie de personas, cosas o sucesos que tienen algún punto en común: *el índice de libros publicados por una editorial.* **3** Indicio o señal que expresa la importancia de algo: *el número de delitos resueltos es un buen índice para conocer la eficacia policial.* **4** Valor numérico que expresa la relación estadística entre varias cantidades referentes a un mismo fenómeno. ■ **índice de mortalidad** Valor numérico que expresa la relación entre el número de muertes que se producen en un periodo de tiempo y el número total de individuos de una población. ■ **índice de natalidad** Valor numérico que expresa la relación entre el número de nacimientos que se producen en un periodo de tiempo y el número total de individuos de una población. ■ **índice de precios al consumo** Valor numérico que expresa las variaciones que experimentan los precios en un periodo de tiempo determinado. **5** En geometría, número que indica el grado de una raíz: *el índice de una raíz cúbica es el número 3.* ❚ *adj./s. m.* **6** Se aplica al dedo de la mano situado entre los dedos corazón y pulgar.

índice de coordinación Número de iones, átomos o moléculas que rodean a otro central en un cristal o en un complejo. **SIN** número de coordinación.

índice de refracción Relación que existe entre el ángulo de incidencia de un haz luminoso en la superficie de separación de dos medios distintos y el ángulo con que sale refractado.
FAM indicar, indicio; subíndice.

indicio *s. m.* **1** Conjetura o señal que posibilita el conocimiento de algo que ha existido o va a ocurrir. **SIN** indicador, índice. **2** Signo que mantiene con el objeto representado una relación de contigüidad o dependencia, pero no de semejanza: *el humo es indicio de fuego.* **3** Cantidad muy pequeña o primera manifestación de algo: *hallaron indicios de cianuro en su bebida.*

indiferencia *s. f.* Falta de interés, atracción o repulsión hacia una persona o cosa: *le miró con indiferencia.* **FAM** indiferenciación, indiferenciado.

indiferenciado, -da *adj.* Que carece de características o rasgos particulares que lo hagan diferente.

indiferente *adj.* **1** Se aplica a la persona que no muestra interés, atracción o repulsión hacia nada o hacia nadie: *varios viandantes contemplaron indiferentes cómo un joven era agredido por varios encapuchados.* **2** Se aplica a la cosa o persona que no es objeto de preferencia ni de repulsión: *Juan me es indiferente.* **3** Que carece de interés o importancia por no tener consecuencias ni afectar a otra cosa: *me apetece cenar fuera, pero me es indiferente el restaurante al que vayamos, elígelo tú.* **SIN** indistinto. **FAM** indiferencia.

indígena *adj.* **1** Relativo a un pueblo que es el habitante primitivo del territorio en que vive: *cultura indígena.* **SIN** aborigen. **‖** *s. com./adj.* **2** Persona que es un habitante nativo del territorio en que vive. **FAM** indigenismo.

indigencia *s. f.* Falta de los mínimos recursos económicos para poder vivir: *vivía en la indigencia, durmiendo en el metro y pidiendo limosna.*

indigenismo *s. m.* **1** Estudio de los caracteres y la cultura de los pueblos indígenas que habitaban en los territorios que fueron colonizados por las naciones europeas. **2** Doctrina política que defiende la identidad política y social y el valor de la cultura de indios y mestizos: *el indigenismo defiende el derecho de los indios a conservar su hábitat frente al progreso y a la modernidad.* **3** Palabra o modo de expresión propio de una lengua indígena y que se usa en otro idioma: *la palabra "coca" es un indigenismo aimara.* **FAM** indigenista.

indigenista *adj.* **1** Relativo al indigenismo (doctrina política): *una novela indigenista.* **‖** *adj./s. com.* **2** Se aplica a la persona que es partidaria del indigenismo (doctrina política). **‖** *s. com.* **3** Persona que se dedica al estudio de la cultura indígena de un pueblo: *un congreso de indigenistas iberoamericanos.*

indigente *adj./s. com.* Se aplica a la persona que carece de los mínimos recursos económicos para poder vivir. **FAM** indigencia.

indigestarse *v. prnl.* **1** Sufrir una indigestión. **SIN** empacharse. **2** familiar Resultar especialmente antipática y desagradable una persona o cosa que con anterioridad no era tan molesta: *la gente pedante se me indigesta.* **FAM** indigestión.

indigestión *s. f.* Alteración del aparato digestivo por comer en exceso o por no haber digerido bien un alimento. **SIN** empacho.

indigesto, -ta *adj.* **1** Se aplica al alimento que se digiere con dificultad o causa indigestión: *la comida con mucho picante me resulta indigesta.* **2** Se aplica a la persona o cosa de trato difícil o desagradable. **FAM** indigestarse.

indignación *s. f.* Sentimiento de intenso enfado que provoca un acto que se considera injusto, ofensivo o perjudicial.

indignado, -da *adj.* Que está muy enfadado o disgustado por algo que considera injusto, ofensivo o perjudicial.

indignar *v. tr.* **1** Producir indignación: *la negativa del jugador a formar parte de la selección nacional indignó a la afición.* **‖** *v. prnl.* **2** **indignarse** Sentir indignación. **FAM** indignación, indignado, indignante.

indignidad *s. f.* **1** Falta de respeto y consideración hacia el honor y la dignidad de una persona. **ANT** dignidad. **2** Acción o circunstancia que provoca esta falta de respeto y consideración.

indigno, -na *adj.* **1** No ser merecedor de algo o de alguien: *eres indigno de este premio.* **2** Que tiene unas características de inferior calidad y categoría de las que se podría esperar del honor, dignidad o fama de una persona o cosa. **ANT** digno. **3** Que es despreciable, humillante o infame: *descubrió las indignas maniobras de su socio para quedarse con todo el negocio.* **FAM** indignidad.

indio, -dia¹ *adj.* **1** De la India (país de Asia): *Gandhi fue un carismático líder indio.* **‖** *s. m. y f.* **2** Persona que es de la India. **‖** *adj.* **3** Relativo a los pueblos que originariamente habitaban el continente americano antes de la llegada de los europeos. **SIN** amerindio. **‖** *s. m. y f.* **4** Persona que pertenece a uno de estos pueblos. **SIN** amerindio.

hacer el indio (**I**) Hacer tonterías y payasadas, generalmente para hacer reír a los demás. (**II**) Comportarse de modo equivocado y con poco juicio. **FAM** indiano.

indio² *s. m.* Elemento químico de símbolo In y número atómico 49; es un metal blanco y brillante, blando y muy escaso en la naturaleza, que se utiliza en algunos compuestos semiconductores.

indirecta *s. f.* Obra o dicho que sirve para dar a entender una cosa pero sin expresarla de manera clara y precisa: *su mirada fue una indirecta para que se callara.* **SIN** insinuación.

indirecto, -ta *adj.* **1** Que se desvía de un recorrido, camino o rumbo directo. **ANT** directo. **2** Que ha sido producido por una causa que tenía otro fin: *dejar de fumar provoca un ahorro indirecto de dinero.* **3** Se aplica al estilo discursivo en que las palabras de otra persona no se reproducen tal cual ella las pronunció o escribió sino que se transforman en oraciones subordinadas: *la oración "me dijo que yo era un buen amigo" está en estilo indirecto.* **ANT** directo. **FAM** indirecta.

indisciplina *s. f.* **1** Falta de reglas para mantener el orden entre los miembros de un grupo. **ANT** disciplina. **2** Falta de obediencia y respeto a las reglas establecidas para mantener el orden entre los miembros de un grupo: *la indisciplina del soldado fue castigada con un severo arresto.* **ANT** disciplina. **FAM** indisciplinado.

indisciplinado, -da *adj./s. m. y f.* Se aplica a la persona que no obedece ni respeta las reglas establecidas para mantener el orden entre los miembros de un grupo: *el jugador indisciplinado fue apartado del equipo por el entrenador.*

indiscreción *s. f.* **1** Incapacidad para guardar un secreto o para no contar lo que sabe y no hay necesidad de que conozcan los demás: *por la indiscreción de su amiga conocía todos los secretos de su novio.* **ANT** discreción. **2** Acción o dicho con el que se da a conocer un secreto o aquello que no hay necesidad que conozcan los demás: *alguien cometió la indiscreción de revelar el embarazo de la famosa actriz.* **3** Falta de prudencia y sensatez en el modo de comportarse o hablar una persona.

ANT discreción. 4 Acción o dicho imprudente e inadecuado: *fue una indiscreción preguntarle la edad.*

indiscreto, -ta *adj./s. m. y f.* 1 Se aplica a la persona que no es capaz de guardar un secreto o suele contar lo que sabe y no hay necesidad de que conozcan los demás. **ANT** discreto. 2 Se aplica a la persona o conducta que se caracteriza por su falta de moderación, prudencia y sensatez. **ANT** discreto. ‖ *adj.* 3 Que es imprudente e inadecuado: *una pregunta indiscreta.*
FAM indiscreción.

indiscriminado, -da *adj.* Que no distingue unas personas o cosas de otras ni establece diferencias entre ellas: *el psicópata disparó de manera indiscriminada contra las personas que había en el restaurante.*
FAM indiscriminadamente.

indiscutible *adj.* Que es tan claro para los sentidos o para la inteligencia, que no se puede cuestionar o poner en duda: *es indiscutible la importancia de la cultura española en América.* **SIN** incuestionable, indudable. **ANT** cuestionable, discutible.

indisoluble *adj.* 1 Se aplica a la relación que no puede ser desunida o separada: *una amistad indisoluble.* 2 Se aplica a la sustancia que no puede ser disuelta: *un producto indisoluble.* **ANT** disoluble.
FAM indisolubilidad.

indispensable *adj.* 1 Que es muy necesario porque sin su presencia no es posible lo que se desea: *para jugar al tenis es indispensable tener una raqueta apropiada.* **SIN** imprescindible. 2 Que no se puede dispensar ni excusar: *una obligación indispensable.*

indisponer [36] *v. tr.* 1 Hacer que dos o más personas se enfaden o rompan la relación de respeto o simpatía que las unía. 2 Sufrir una persona una alteración de su salud ligera e inesperada que le impide hacer una cosa: *el mal estado de una salsa indispuso a algunos invitados al banquete.* ‖ *v. prnl.* 3 **indisponerse** Enemistarse dos o más personas o romper la relación de respeto o simpatía que las unía.
FAM indisposición.

indisposición *s. f.* Alteración ligera e inesperada de la salud de una persona que le impide hacer una cosa.

indispuesto, -ta Participio irregular de *indisponer.*

indistinto, -ta *adj.* 1 Que no se distingue de otra cosa. 2 Que no se percibe claramente. 3 Que carece de interés o importancia por no tener consecuencias ni afectar a otra cosa: *para entrar en el museo está permitido el uso indistinto de pantalón largo o corto.* **SIN** indiferente. 4 Se aplica a la cuenta corriente o depósito que abren dos o más personas conjuntamente, del cual puede disponer cualquiera de ellas: *mi marido y yo tenemos una cartilla de ahorro indistinta.*
FAM indistinción, indistintamente.

individual *adj.* 1 Relativo al individuo. 2 Que es para una sola persona: *una habitación individual.* **SIN** personal. 3 Que es característico de la personalidad de un individuo: *su característica individual más destacada es su gran fuerza de voluntad.* **SIN** personal. 4 Se aplica al sustantivo que designa objetos, cualidades, etc., únicos: *"loro", "cable" y "alegría" son sustantivos individuales.*
FAM individualidad, individualismo, individualizar.

individualidad *s. f.* 1 Característica particular de la personalidad de un individuo que lo distingue especialmente de todos los demás. 2 Individuo que se distingue especial-

mente de todos los demás: *el equipo cuenta con grandes individualidades.*

individualismo *s. m.* 1 Tendencia de una persona a obrar según su propia voluntad, sin contar con la opinión de los demás individuos que pertenecen al mismo grupo y sin atender a las normas de comportamiento que regulan sus relaciones. 2 Tendencia de una persona a obrar según su propio interés, sin tener en cuenta el de los demás. 3 Doctrina filosófica que considera los valores e intereses del individuo por encima de los de la colectividad o el estado.
FAM individualista.

individualista *adj./s. com.* 1 Se aplica a la persona que obra según su propia voluntad, sin contar con la opinión de los demás individuos que pertenecen al mismo grupo y sin atender a las normas de comportamiento que regulan sus relaciones. 2 Se aplica a la persona que obra según su propio interés, sin tener en cuenta el de los demás. 3 Se aplica a la persona que es partidaria del individualismo (doctrina filosófica).

individualizar *v. tr.* Señalar las características particulares que hace que un individuo o un grupo sea diferente de los demás de su especie o clase: *la lengua y la cultura individualizan a los pueblos.*
FAM individualización.

individuo *s. m.* 1 Persona perteneciente a una clase o grupo, considerada independientemente de las demás. 2 Persona cuya identidad se desconoce o no se expresa: *tres individuos armados perpetraron el atraco.* **SIN** tipo. 3 Ser vivo, animal o vegetal, perteneciente a una especie, considerado independientemente de los demás. 4 Elemento que forma parte de la población sobre la que se toma una muestra estadística.
FAM individual.

indivisible *adj.* Que no puede ser dividido.
FAM indivisibilidad.

indocumentado, -da *adj.* 1 Se aplica a la persona que carece de los documentos legales de identificación personal necesarios para acreditar su identidad: *la policía detuvo a varios indocumentados.* 2 Se aplica al dato o información que carece de documentos o testimonios válidos que lo demuestren: *una prueba indocumentada.* ‖ *adj./s. m. y f.* 3 Se aplica a la persona que carece de los conocimientos y de la preparación necesaria para llevar a cabo una actividad o trabajo determinado.

indoeuropeo, -pea *adj.* 1 Relativo a un antiguo pueblo procedente de Asia que se extendió desde la India hasta Europa entre los años 2000 y 1500 a. C. **SIN** indogermánico. ‖ *s. m. y f./adj.* 2 Persona perteneciente a este pueblo. **SIN** indogermánico. ‖ *s. m./adj.* 3 Lengua hablada por este pueblo y que es el tronco común del que se derivan muchas familias de lenguas europeas y asiáticas. **SIN** indogermánico. ‖ *adj.* 4 Se aplica a la lengua que procede de esta lengua: *el latín es una lengua indoeuropea.* **SIN** indogermánico.

indogermánico, -ca V. indoeuropeo.

índole *s. f.* 1 Manera natural de ser o de comportarse de una persona o animal: *todos sus amigos eran de índole abierta y tolerante.* **SIN** carácter, condición, naturaleza. 2 Naturaleza de una cosa que la distingue de las demás: *la empresa acabó desapareciendo por problemas de índole económica.*

indolencia *s. f.* Falta de voluntad, energía o ánimo para hacer algo o moverse. **SIN** abulia.

indolente *adj.* Se aplica a la persona que no tiene voluntad, energía o ánimo para hacer algo o para moverse: *pasaba los días indolente, encerrado en su casa viendo la televisión.* **SIN** abúlico.
FAM indolencia.

indoloro, -ra *adj.* Que no causa dolor.

indomable *adj.* ⓵ Que no puede ser domado o controlado por el ser humano: *el tiburón es un animal indomable.* **SIN** indómito. ⓶ Se aplica a la persona que no se deja someter o controlar por nada ni nadie: *carácter indomable.*

indómito, -ta *adj.* ⓵ Se aplica al animal que no está domado: *un león indómito.* ⓶ Que no puede ser domado o controlado por el ser humano. **SIN** indomable. ⓷ Que no puede ser contenido o reprimido: *sintió un deseo indómito de escribir.* **SIN** irreprimible.

indonesio, -sia *adj.* ⓵ De Indonesia (país de Asia). ‖ *s. m. y f./adj.* ⓶ Persona que es de Indonesia.

inducción *s. f.* ⓵ Influencia que se ejerce sobre una persona para que realice una acción o piense del modo que se desea, especialmente si es negativo: *fue acusado de inducción al delito porque convenció a su amigo para que lo cometiera.* ⓶ Razonamiento que establece una ley general desconocida a partir de la observación de hechos particulares o concretos conocidos. **ANT** deducción. ⓷ Forma de pensamiento que consiste en estudiar casos particulares para obtener una conclusión general. **SIN** deducción. ⓸ Proceso por el cual el campo magnético creado por un conductor eléctrico provoca una fuerza eléctrica en otro conductor próximo: *los transformadores eléctricos están basados en la inducción electromagnética.* **NOTA** También *inducción electromagnética.*

inducido *s. m.* Circuito de un motor eléctrico o una dinamo (rotor o estator) en el que se desarrolla corriente por inducción.

inducir [18] *v. tr.* ⓵ Influir en una persona para que realice una acción o piense del modo que se desea, especialmente si es negativo: *su amigo lo indujo al delito.* **SIN** instigar. ⓶ Establecer una ley general a partir del conocimiento de unos hechos particulares por medio de un razonamiento: *inducir una ley tras la observación de unos hechos.* **ANT** deducir. ⓷ Producir un cuerpo electrizado fenómenos eléctricos en otro situado a cierta distancia.
FAM inducción, inducido, inductancia, inductivo, inductor.

inductancia *s. f.* Capacidad de un circuito eléctrico para generar corrientes por medio de la inducción electromagnética.

inductivo, -va *adj.* ⓵ Relativo a la inducción. ⓶ Se aplica al razonamiento que a partir de una serie de hechos particulares establece una ley general. **ANT** deductivo.

inductor, -ra *adj./s. m. y f.* ⓵ Se aplica a la persona que influye en otra para que realice una acción o piense del modo que se desea, especialmente si es negativo. **SIN** instigador. ‖ *s. m.* ⓶ En un motor eléctrico o una dinamo, circuito productor del campo magnético variable que origina la corriente en el inducido.

indudable *adj.* Que es tan claro para los sentidos o para la inteligencia, que no se puede cuestionar o poner en duda. **SIN** incuestionable, indiscutible. **ANT** cuestionable, discutible.

indulgencia *s. f.* ⓵ Tendencia a juzgar con benevolencia y castigar sin demasiado rigor: *el juez lo condenó con indulgencia*

por ser su primer delito. **SIN** clemencia. ⓶ Perdón que concede una autoridad de la Iglesia a las penas por los pecados cometidos.

indulgente *adj.* Se aplica a la persona que muestra indulgencia.
FAM indulgencia.

indultar *v. tr.* Conceder un indulto a una persona.
FAM indulto.

indulto *s. m.* Perdón total o parcial por parte de la autoridad competente de la obligación de cumplir una pena que tiene una persona por imposición de un juez o un tribunal.

indumentaria *s. f.* ⓵ Conjunto de las prendas que una persona viste. **SIN** vestimenta. ⓶ Estudio histórico de las prendas de vestir.

industria *s. f.* ⓵ Actividad económica y técnica que se desarrolla para obtener, transformar o transportar uno o varios productos naturales: *la industria editorial produce libros.* ⓶ Fábrica o empresa que se dedica a esta actividad. ⓷ Conjunto de fábricas o empresas que se dedican a la realización de los mismos productos o de sus componentes: *Cádiz es un importante núcleo de la industria naval.* ⓸ Habilidad para hacer una cosa.
FAM industrial, industrioso.

industrial *adj.* ⓵ Relativo a la industria. ‖ *s. com.* ⓶ Director o propietario de una industria: *el importante industrial ha sido detenido y acusado de fraude fiscal.*
FAM industrialismo, industrializar.

industrialización *s. f.* ⓵ Desarrollo del sistema económico y técnico necesario para transformar las materias primas en productos adecuados para el consumo. ⓶ Desarrollo de la actividad industrial en una región o país implantando en él industrias o desarrollando las que ya existen.

industrializar *v. tr.* ⓵ Establecer el sistema económico y técnico necesario para transformar las materias primas en productos adecuados para el consumo: *industrializar la fabricación de muebles.* ⓶ Hacer que aumente la actividad industrial en una región o país implantando en él industrias o desarrollando las que ya existen.
FAM industrialización, industrializador.

industrioso, -sa *adj.* ⓵ Que tiene maña o habilidad para hacer una cosa. **SIN** mañoso. ⓶ Se aplica a la persona que es muy aplicada en el trabajo. **SIN** trabajador.

inecuación *s. f.* Desigualdad entre dos expresiones matemáticas, en la que figuran una o más incógnitas, y que solo se verifica para algunos valores de estas: *a diferencia de las ecuaciones, las inecuaciones suelen tener infinitas soluciones, aunque en ocasiones la solución es única o inexistente.*

inédito, -ta *adj./s. m. y f.* ⓵ Se aplica a la obra que no ha sido nunca publicada o dada a conocer al público: *en un viejo almacén se han encontrado inéditos de Velázquez.* ‖ *adj.* ⓶ Se aplica al escritor que no ha publicado nada. ⓷ Que es nuevo y desconocido: *aquí todavía es un producto inédito.*

inefable *adj.* Que no se puede decir, explicar o describir con palabras: *los inefables sentimientos que provoca el amor en las personas.*

ineficacia *s. f.* Falta del provecho, resultado o interés adecuado al que era de esperar. **ANT** eficacia.

ineficaz *adj.* Que no produce el provecho, resultado o interés esperado: *una solución ineficaz.* **ANT** eficaz.
FAM ineficacia.

ineludible *adj.* Se aplica a la obligación, dificultad o problema que no puede ser evitado o rehuido: *compromiso ineludible*. **SIN** inexcusable, insoslayable.

inenarrable *adj.* Que provoca tal admiración, asombro o conmoción que no puede ser dicho, o explicado. **SIN** indescriptible.

ineptitud *s. f.* Falta de aptitud o conocimientos para pensar y ejecutar una acción o desempeñar un cargo. **SIN** incapacidad, incompetencia. **ANT** aptitud, capacidad, competencia.

inepto, -ta *adj./s. m. y f.* Se aplica a la persona que no posee las aptitudes o la preparación necesarias para desarrollar una actividad. **SIN** incapaz, incompetente. **ANT** apto, capaz, competente.
FAM ineptitud.

inequívoco, -ca *adj.* Se aplica al mensaje, comunicación o comportamiento de una persona que es tan claro que no puede dar lugar a duda o equivocación: *un gesto inequívoco de respeto*. **ANT** equívoco.

inercia *s. f.* **1** Tendencia de los cuerpos a oponerse a cualquier cambio de su estado de reposo o movimiento. **2** Falta de energía física o moral para alterar una costumbre o un modo de actuación: *salía con sus amigos por inercia, aunque a veces no le apeteciera*.

inerme *adj.* Se aplica a la persona que no dispone de medios o de armas para defenderse: *el hombre se halla, a menudo, inerme ante la fuerza de la naturaleza*.

inerte *adj.* **1** Que no tiene vida por naturaleza: *los minerales son seres inertes*. **2** Que no tiene vida por haberla perdido: *cuerpo inerte*. **3** Se aplica a la sustancia o materia que carece de la capacidad de provocar reacciones químicas: *los gases nobles son inertes*.
FAM inercia.

inescrutable *adj.* Se aplica a la persona o cosa que no presenta ninguna característica visible que permita saber o averiguar algo sobre ella: *lo observó durante un rato con una mirada inescrutable*.

inesperado, -da *adj.* Que ocurre sin haberlo esperado o previsto: *la inesperada muerte de su amigo lo sumió en una profunda tristeza*.

inestabilidad *s. f.* **1** Incapacidad de un cuerpo para mantener o recuperar el equilibrio. **ANT** estabilidad. **2** Alteración constante o frecuente de las condiciones y características de un fenómeno: *la inestabilidad atmosférica es propia del otoño; inestabilidad química*. **ANT** estabilidad. **3** Alteración constante o frecuente del carácter, el humor y la tranquilidad de una persona.

inestable *adj.* **1** Se aplica al cuerpo que es incapaz de mantener o recuperar el equilibrio. **ANT** estable. **2** Se aplica al fenómeno que sufre continuas o frecuentes alteraciones de sus condiciones y características: *el anuncio de huelga general ha creado un clima social inestable*. **ANT** estable. **3** Se aplica a la persona que sufre constantes o frecuentes alteraciones del carácter, el humor y la tranquilidad. **4** Se aplica al elemento o sustancia que tiende a alterarse, descomponerse o sufrir una reacción química rápidamente.
FAM inestabilidad.

inestimable *adj.* Se aplica a la cosa no material que tiene un valor tan grande, que es imposible calcularlo: *una ayuda inestimable*.

inevitable *adj.* **1** Que no puede ser evitado, eludido o detenido: *su muerte fue inevitable*. **SIN** inexorable. **2** Que no puede faltar o dejar de ser. **SIN** indefectible.

inexactitud *s. f.* **1** Falta de precisión o ajuste de una cosa con otra cosa. **SIN** imprecisión. **ANT** exactitud. **2** Dicho o afirmación que no se ajusta totalmente a la verdad: *la prensa rosa está llena de inexactitudes*.

inexacto, -ta *adj.* **1** Que no es preciso o exacto o que no se ajusta a otra cosa. **SIN** impreciso. **2** Que no se ajusta totalmente a la verdad: *afirmación inexacta*.
FAM inexactitud.

inexcusable *adj.* **1** Se aplica a la actitud, comportamiento o hecho que no se puede o no se debe perdonar: *un error inexcusable*. **SIN** imperdonable. **2** Se aplica a la obligación, dificultad o problema que no puede ser evitado o rehuido. **SIN** ineludible, insoslayable.

inexistencia *s. f.* Falta o ausencia de una cosa en un lugar o en una situación: *inexistencia de pruebas*. **ANT** existencia.

inexistente *adj.* **1** Que no tiene existencia real o material: *la vida en la Luna es inexistente*. **2** Se aplica a la cosa que, aun existiendo, se considera desdeñable o nula. **SIN** nulo.
FAM inexistencia.

inexorable *adj.* **1** Que no puede ser evitado, eludido o detenido: *el inexorable paso del tiempo*. **SIN** inevitable. **2** Que no se deja convencer o ablandar por ruegos y súplicas: *la decisión inexorable de un juez*.
FAM inexorabilidad.

inexperiencia *s. f.* Falta de los conocimientos que se consiguen con el uso, la práctica o las propias vivencias. **ANT** experiencia.

inexperto, -ta *adj./s. m. y f.* Que tiene poca experiencia o habilidad. **ANT** experto.

inexplicable *adj.* Que no tiene explicación.

inexpresivo, -va *adj.* Se aplica a la persona que no revela con su rostro, con su comportamiento o con sus palabras lo que siente o lo que piensa: *el rostro inexpresivo del juez impresionó al acusado*. **ANT** expresivo.

inexpugnable *adj.* **1** Se aplica al lugar que no se puede alcanzar o conquistar por la fuerza: *una fortaleza inexpugnable*. **2** Que no se deja doblegar ni persuadir.

infalible *adj.* **1** Se aplica a la persona que no se equivoca nunca o que jamás comete un error. **2** Que nunca deja de funcionar correctamente y siempre proporciona el resultado deseado: *no existen remedios infalibles contra la caída del cabello*.
FAM infalibilidad.

infamar *v. tr.* Decir o hacer cosas que desacrediten la buena fama, el honor o la dignidad de una persona. **SIN** difamar.
FAM infamante, infamatorio, infame.

infame *adj.* **1** Que es muy malo en su especie: *hace un día infame; de primer plato me pusieron una sopa infame*. I *adj./s. com.* **2** Se aplica a la persona que tiene muy mala fama y carece de honor o dignidad.
FAM infamia.

infamia *s. f.* **1** Ofensa pública que sufre la fama, el honor o la dignidad de una persona: *sufrió la infamia de que lo acusaran de robo cuando era en realidad inocente*. **2** Acción mala y despreciable.

infancia *s. f.* **1** Periodo de la vida humana comprendido entre el nacimiento y la adolescencia. **SIN** niñez. **2** Conjunto de niños que se hallan en este periodo.

infante, -ta *s. m. y f.* **1** Niño que aún no ha llegado a los siete años de edad. **SIN** crío. **2** Hijo de un rey que no tiene la condición de príncipe o princesa heredera de la corona. **3** Título honorífico que un rey concede a un miembro de su familia. ‖ *s. m.* **4** Soldado de infantería.

infante de coro Monaguillo de algunas catedrales.

FAM infancia, infantería, infanticidio, infantil, infanzón.

infantería *s. f.* Sección del ejército de tierra integrada por tropas que se desplazan a pie. ■ **infantería de línea** Infantería que combate en masa como cuerpo principal de batalla. ■ **infantería de marina** Infantería destinada a operaciones de desembarco y a hacer guardia en los buques de guerra, arsenales y departamentos marítimos. ■ **infantería ligera** Infantería que actúa en guerrillas y avanzadas.

infanticida *adj./s. com.* Se aplica a la persona que comete infanticidio.

infanticidio *s. m.* Asesinato o intento de asesinato de un niño, especialmente de un recién nacido.

FAM infanticida.

infantil *adj.* **1** Relativo a la infancia. **2** Que es característico del comportamiento y la sensibilidad propia de un niño.

FAM infantilismo, infantilizar, infantiloide.

infantilismo *s. m.* **1** Presencia en un adolescente o adulto de características físicas y mentales propias de un niño. **2** Carácter o comportamiento propios de un niño.

infanzón, -zona *s. m. y f.* Hidalgo que tenía un poder limitado sobre sus terrenos o propiedades.

infarto *s. m.* Obstrucción de los tejidos que forman parte de un órgano, o una parte de él, a causa de la interrupción del riego sanguíneo y la falta de suministro de oxígeno a las células que lo constituyen: *infarto pulmonar.* ■ **infarto de miocardio** Lesión de los tejidos del corazón, o de una parte de él, que produce una parada o una grave alteración del ritmo de los latidos por obstrucción de una arteria y bloqueo del sistema coronario. **NOTA** También simplemente *infarto.*

FAM infartar.

infatigable *adj.* Que no se cansa o que resiste mucho sin descansar. **SIN** incansable.

infausto, -ta *adj.* Se aplica a la cosa o situación que trae desgracia y produce gran sufrimiento o infelicidad. **SIN** desgraciado.

infección *s. f.* **1** Transmisión de una enfermedad por contacto con el germen o virus que la causa. **SIN** contagio, contaminación. **2** Enfermedad causada por esta transmisión: *el niño tiene una infección de garganta.*

FAM infeccioso.

infeccioso, -sa *adj.* **1** Relativo a la infección o que la produce: *el bacilo de Koch es el agente infeccioso de la tuberculosis.* **SIN** contagioso. **2** Se aplica a la enfermedad que se produce por el contacto con el germen o virus que la causa.

infectar *v. tr.* **1** Transmitir una enfermedad un ser vivo a otro por contacto con el germen o virus que la causa: *un solo mosquito es capaz de infectar el paludismo a varias personas.* **SIN** contagiar, contaminar. ‖ *v. prnl.* **2 infectarse** Contraer una enfermedad por contacto con el germen o virus que la causa. **SIN** contagiarse, contaminarse. **3** Desarrollar gérmenes una herida.

FAM infección, infecto; desinfectar.

infecto, -ta *adj.* **1** Que está tan sucio y descuidado que puede perjudicar la salud y provocar infecciones: *el agua in-*

fecta de un charco. **2** Que está corrompido por influencias nocivas: *un alma infecta.*

infelicidad *s. f.* Estado de ánimo de la persona que se siente desgraciada y se encuentra triste por causa de un gran dolor o aflicción. **ANT** dicha, felicidad.

infeliz *adj.* **1** Se aplica a la cosa que es desafortunada o desacertada: *una infeliz adaptación cinematográfica.* ‖ *adj./s. com.* **2** Se aplica a la persona que se siente desgraciada y se encuentra triste por causa de un gran dolor o aflicción. **SIN** desventurado, malaventurado. **3** *familiar* Se aplica a la persona que se deja engañar por los demás con facilidad por tener un carácter afable, bondadoso y confiado.

FAM infelicidad.

inferior *adj.* **1** Que está debajo o más bajo: *el cajón inferior del armario.* **ANT** superior. **2** Que es menor en cantidad, calidad o importancia: *un cargo inferior.* **ANT** superior. ‖ *adj./s. com.* **3** Se aplica a la persona que trabaja a las órdenes de otra que ocupa un cargo superior. **SIN** subordinado. **ANT** superior.

FAM inferioridad.

inferioridad *s. f.* **1** Situación de una cosa que está más baja que otra o que se encuentra debajo de ella. **2** Estado o situación que ocupa una cosa que es menor en cantidad, calidad o importancia que otra: *tras la expulsión del portero, el equipo tuvo que jugar en inferioridad numérica.* **3** Situación de una persona que está subordinada a otra.

inferir [9] *v. tr.* **1** Sacar una conclusión por medio de un razonamiento, a partir de una situación anterior o de un principio general. **SIN** colegir, deducir. **2** *culto* Causar un grave daño u ofensa: *el asesino infirió a su víctima varias puñaladas en la espalda.*

FAM inferencia.

infernal *adj.* **1** Relativo al infierno. **2** Que causa gran disgusto o enfado o es muy malo o desagradable: *un ruido infernal; un tiempo infernal; un tráfico infernal.*

infestar *v. tr.* **1** Llenar un sitio con exceso de personas o cosas: *la propaganda infestaba las calles.* **2** Invadir o llenar por completo un lugar animales o plantas dañinas. **3** Invadir un lugar una epidemia o plaga: *la peste infestaba la ciudad.*

FAM infestación; desinfestar.

infidelidad *s. f.* **1** Engaño que consiste en tener relaciones sexuales con una persona distinta de la pareja habitual: *muchos divorcios tienen como origen la infidelidad conyugal.* **2** Incumplimiento de un juramento o de una promesa. **SIN** deslealtad. **3** Condición de la persona que defiende ideas religiosas contrarias a los dogmas y a la fe de una doctrina religiosa.

infiel *adj.* **1** Se aplica a la persona que ha incumplido un juramento o una promesa o que no ha sido constante en unas ideas o sentimientos. **SIN** desleal. **ANT** fiel. **2** Se aplica a la persona que engaña a su pareja habitual al tener relaciones sexuales con otra persona. ‖ *adj./s. com.* **3** Se aplica a la persona que defiende ideas religiosas contrarias a los dogmas y a la fe de una doctrina religiosa.

FAM infidelidad.

infiernillo *s. m.* Hornillo portátil. **SIN** anafe.

infierno *s. m.* **1** Lugar, generalmente subterráneo, donde iban las almas de los muertos, según algunas culturas antiguas, como la griega y la romana. **2** Lugar al que van las almas de las personas que mueren en pecado y donde sufrirán la ausencia de Dios para toda la eternidad, según algunas religiones, como el cristianismo: *el diablo habita en el infierno.* **ANT** cielo, gloria, paraíso. ③ Lugar en el que es insoportable permanecer por mucho tiempo debido al alboroto, a la discordia o al malestar.

en el quinto infierno En un lugar remoto o muy alejado. **FAM** infernal, infiernillo.

infijación *s. f.* Procedimiento para la formación de palabras nuevas mediante la adición de infijos a una palabra ya existente, entre la raíz y el sufijo: *en la palabra "caserón", hay infijación de "-er-".*

infijo, -ja *s. m./adj.* Afijo introducido en el interior de una palabra: *el elemento "-ar-" de "polvareda" es un infijo.* **SIN** interfijo.
FAM infijación.

infiltración *s. f.* ① Acción de introducir o introducirse un líquido por los poros o ranuras de un cuerpo sólido hacia su interior: *las mareas intensas producen infiltraciones de agua en las laderas.* ② Introducción secreta de una persona en una organización o un lugar con fines de espionaje.

infiltrado, -da *adj./s. m. y f.* ① Se aplica a la persona que se introduce de modo secreto en un grupo u organización con fines de espionaje. **|** *s. m.* ② Acumulación en un tejido de una sustancia extraña.

infiltrar *v. tr.* ① Introducir un líquido por los poros o ranuras de un cuerpo sólido hacia su interior: *le infiltraron un medicamento en la rodilla; en las zonas húmedas, el agua se infiltra en la arena con gran facilidad.* **|** *v. prnl.* ② **infiltrarse** Introducirse una persona secretamente en una organización o un lugar con fines de espionaje.
FAM infiltración, infiltrado.

ínfimo, -ma *adj.* Que es lo más bajo o lo último en cantidad, calidad o importancia: *la comida de esta cafetería es de una calidad ínfima.*

infinidad *s. f.* Número o cantidad muy grande, enorme o imposible de calcular o limitar: *España tiene infinidad de monumentos.* **SIN** sinfín, sinnúmero.

infinitesimal *adj.* Se aplica a la cantidad que es tan pequeña que está muy próxima al 0.

infinitivo *s. m.* Forma no personal del verbo que expresa una idea verbal de forma abstracta, sin concretar las variaciones gramaticales de voz, modo, tiempo, aspecto, número y persona: *en español, los infinitivos pueden hacer funciones de sustantivo, y acaban en "-ar", "-er" o "-ir".*

infinito, -ta *adj.* ① Que no tiene límites ni fin: *durante mucho tiempo se ha creído que el Universo era infinito.* **SIN** ilimitado. **ANT** finito. ② Que es muy numeroso o grande. **SIN** ilimitado, innumerable. **|** *s. m.* ③ Punto lejano e indeterminado del espacio. ④ Signo en forma de un ocho tendido que expresa un valor mayor que cualquier cantidad. **|** *adv.* ⑤ De modo excesivo: *me gusta infinito el cine.*
FAM infinidad, infinitesimal, infinitud.

inflación *s. f.* Proceso económico provocado por una subida continuada de los precios de la mayor parte de los productos y servicios, y una pérdida del valor del dinero para poder adquirirlos o hacer uso de ellos.
FAM inflacionario, inflacionismo.

inflacionario, -ria *adj.* Relativo a la inflación económica. **SIN** inflacionista.

inflacionista *adj.* Inflacionario.

inflamable *adj.* Que arde con facilidad.

inflamación *s. f.* Alteración anormal de una parte del cuerpo o de los tejidos de un órgano, caracterizada por el enrojecimiento de la zona, el aumento de su volumen y temperatura, y la sensación de dolor.

inflamar *v. tr.* ① Encender y hacer arder con llamas una materia o una sustancia: *el contacto con una fuente de calor inflama la gasolina.* ② Excitar los ánimos, los deseos o las pasiones. **|** *v. prnl.* ③ **inflamarse** Producirse una inflamación en una parte del cuerpo o en los tejidos de un órgano. **ANT** desinflamarse.
FAM inflamable, inflamación, inflamatorio.

inflamatorio, -ria *adj.* Relativo a la inflamación.
FAM antiinflamatorio.

inflar *v. tr.* ① Aumentar el tamaño o volumen de un cuerpo al llenar su interior con un gas: *inflar un globo.* **SIN** hinchar. **ANT** desinflar. ② Exagerar la importancia o el valor de una cosa: *el periodista infló la noticia para llamar la atención de la opinión pública.* **SIN** hinchar. **|** *v. prnl.* ③ **inflarse** familiar Realizar una actividad con gran intensidad o dedicación durante un largo periodo de tiempo, especialmente comer en exceso: *la primera vez que fue a un bufé se infló de comer.* **SIN** hartarse, hincharse. ④ Sentir un gran orgullo de los propios actos o virtudes: *se iba inflando a medida que sus compañeros lo elogiaban.* **SIN** hincharse.
FAM inflación, inflado, inflador, inflamiento; desinflar.

inflexible *adj.* ① Se aplica a la persona que no se aparta de su punto de vista o de lo que considera justo o razonable: *el profesor se mostró inflexible.* **SIN** implacable. ② Que no puede ser doblado o torcido: *una barra de hierro inflexible.*
FAM inflexibilidad.

inflexión *s. f.* ① Curvatura o cambio de dirección de una cosa. ② Cambio de tono de la voz que da un carácter particular a la entonación: *con una inflexión de súplica le pidió permiso a su padre para salir.* ③ Inclinación de la cabeza o de una parte del cuerpo. ④ Cambio de forma que experimenta una palabra para expresar sus funciones y sus relaciones de dependencia mediante un afijo que indica la categoría gramatical. **SIN** flexión. ⑤ Desviación moderada y breve del tono principal en la recitación cantada de los salmos, hecha para romper ligeramente la monotonía del recitado.
FAM inflexible.

infligir *v. tr.* ① Causar o producir un daño o una ofensa. ② Imponer o aplicar un castigo.

inflorescencia *s. f.* Conjunto de flores que nacen agrupadas de un mismo tallo: *la espiga, como la del romero, es un tipo de inflorescencia que presenta flores sin tallo dispuestas a lo largo de un eje.*

influencia *s. f.* ① Capacidad que tiene una persona de determinar o alterar la forma de pensar o de actuar de otra u otras: *el entrenador tiene una gran influencia sobre los jugadores.* **SIN** influjo. ② Efecto, consecuencia o cambio que produce una cosa en otra. **SIN** influjo. **|** *s. f. pl.* ③ **influencias** Relaciones de amistad o interés con otras personas que sirven para obtener favores.
FAM influenciar.

influenciar *v. intr.* Influir (determinar).
FAM influenciable.
OBS Verbo regular, se acentúa como *cambiar.*

influir [21] *v. intr.* ① Determinar o alterar una persona la forma de pensar o de actuar de otra u otras personas. **SIN** influenciar. ② Producir una cosa en otra un determinado

efecto, consecuencia o cambio: *el clima influye en el carácter de las personas.*
FAM influencia, influjo, influyente.

influjo *s. m.* Influencia.

influyente *adj.* ① Que influye o puede influir en una persona o cosa. ‖ *adj./s. com.* ② Se aplica a la persona que tiene la capacidad de determinar o alterar la forma de pensar o de actuar de otra u otras: *el político se entrevistó con los empresarios más influyentes del país.*

infografía *s. f.* Técnica de obtención de imágenes por medio de procedimientos informáticos: *con la infografía podemos crear imágenes en tres dimensiones.*

información *s. f.* ① Noticia o conjunto de noticias que se comunica o se conoce: *un periódico de información deportiva.* ② Proceso por el que este conjunto de noticias se da a conocer a las personas: *libertad de información.* ③ Lugar, establecimiento u oficina donde se informa al público de alguna cosa: *cuando llegaron a Sevilla, buscaron la oficina de información turística.* ④ Investigación judicial de un suceso. ⑤ En el proceso de comunicación, trasmisión de algo que ignora el receptor.
FAM informática.

informal *adj.* ① Se aplica a la persona o grupo que no acostumbra a cumplir con sus obligaciones o compromisos. **ANT** formal. ② Que no se ajusta a normas legales, sino que se fundamenta en la confianza entre las personas: *llegó con su amigo a un acuerdo informal para comprarle la casa.* ③ Que no está sujeto a reglas protocolarias, ceremoniales o solemnes, sino que es propio del trato entre amigos o familiares: *una cena informal.* ④ Se aplica a la prenda o ropa que es adecuada para la vida privada o familiar y se viste más por comodidad que por elegancia.
FAM informalidad, informalismo.

informalidad *s. f.* ① Falta de seriedad y responsabilidad de una persona o de un grupo en el cumplimiento de sus obligaciones y compromisos. **ANT** formalidad. ② Falta de ceremonia, solemnidad o protocolo en el trato con las personas.

informalismo *s. m.* Tendencia artística, especialmente pictórica, desarrollada entre las décadas de 1940 y 1960, caracterizada por la desaparición de las representaciones figurativas, la pérdida de toda referencia espacial y el énfasis en el uso de fragmentos de materiales que no suelen usarse tradicionalmente.

informar *v. tr.* Comunicar una noticia o un conjunto de noticias a quien las desconoce.
FAM información, informador, informativo, informe; desinformar.

informática *s. f.* Conjunto de conocimientos científicos y técnicos que se ocupan del tratamiento automático de la información por medio de ordenadores.
FAM informático, informatizar.

informático, -ca *adj.* ① Relativo a la informática. ‖ *s. m. y f.* ② Persona que se dedica a la informática.

informativo, -va *adj.* ① Relativo a la información. ‖ *s. m.* ② Programa de radio o televisión en el que se transmiten noticias sobre hechos de la actualidad o de interés general. **SIN** noticiario.

informatización *s. f.* Implantación de medios informáticos para el desarrollo de una actividad o trabajo.

informatizar *v. tr.* Implantar o aplicar medios informáticos para el desarrollo de una actividad o trabajo.
FAM informatización.

informe¹ *s. m.* ① Comunicación escrita u oral en la que se dan informaciones, explicaciones y opiniones sobre una persona, asunto o negocio. ② Noticia o conjunto de datos que se conocen sobre una persona, asunto o negocio: *de la niñera tenemos muy buenos informes.*

informe² *adj.* Que no tiene una forma determinada o propia: *una masa informe.* **SIN** amorfo.

infortunado, -da *adj.* ① Se aplica a la cosa o situación provocada por la mala suerte que causa un gran dolor o infelicidad: *un infortunado accidente de trabajo.* ‖ *adj./s. m. y f.* ② Se aplica a la persona que no tiene suerte o fortuna: *es muy infortunado en el amor.* **SIN** desafortunado, desgraciado. **ANT** afortunado.
FAM infortunio.

infortunio *s. m.* ① Mala suerte. ② Hecho provocado por la mala suerte que causa un gran dolor e infelicidad.

infracción *s. f.* Acción u omisión que va en contra de una ley, norma o pacto.
FAM infractor.

infractor, -ra *adj./s. m. y f.* Se aplica a la persona que comete una infracción.

infraestructura *s. f.* Conjunto de medios técnicos, servicios e instalaciones necesarios para el desarrollo de una actividad, especialmente económica, o para que un lugar pueda ser habitado: *infraestructura industrial.* **SIN** equipamiento.
FAM infraestructural.

infraganti *adv.* En el preciso instante en que se está cometiendo un delito o una falta: *sorprendió infraganti a su hijo viendo la televisión de madrugada.*
OBS También *in fraganti.*

infrahumano, -na *adj.* Que está por debajo de lo que se considera humano: *algunas personas viven en condiciones infrahumanas porque son muy pobres.*

infranqueable *adj.* ① Se aplica al obstáculo que no puede ser atravesado o salvado: *un muro infranqueable.* ② Se aplica al problema o dificultad que no puede ser solucionado o vencido.

infrarrojo, -ja *adj.* Se aplica al tipo de radiación que es emitida por una fuente de calor y no es visible por el ojo humano por tener una longitud de onda mayor que la que corresponde a la luz visible: *algunos mandos a distancia funcionan con rayos infrarrojos.*

infrasonido *s. m.* Vibración inaudible por el ser humano, de frecuencia inferior a 15 o 20 Hz.

infravalorar *v. tr.* Valorar una cosa o a una persona en menos de lo que merece o vale. **SIN** minusvalorar, subestimar.
FAM infravaloración.

infrecuente *adj.* Que no ocurre de manera habitual o que apenas se repite: *sus visitas al bar de sus amigos son cada vez más infrecuentes.* **ANT** frecuente.

infringir *v. tr.* Actuar en contra de una ley, norma o pacto. **SIN** contravenir, transgredir, vulnerar.

infructuoso, -sa *adj.* Que no produce ningún provecho, resultado o interés apreciable o estimable. **ANT** fructuoso.
FAM infructuosidad.

infrutescencia *s. f.* Conjunto de frutos procedentes de las flores de una inflorescencia o ramificación de flores: *un racimo de uvas es una infrutescencia.*

ínfulas *s. f. pl.* Muestra excesiva de orgullo que hace una persona de lo que considera que son sus virtudes o bienes propios: *tras ascender en la empresa, empezó a darse muchas ínfulas.* **SIN** jactancia.

infumable *adj.* **1** Se aplica al tabaco que es muy malo, por su baja calidad o por algún defecto en su fabricación. **2** familiar Que es de tan mala calidad que no se puede extraer nada de provecho de ello: *una película infumable.* **3** familiar Que no se puede aceptar como bueno o válido por carecer de justificación: *describía la guerra del Golfo como una farsa política infumable.*

infundado, -da *adj.* Se aplica a la idea, opinión o juicio que carece de fundamento: *cuando era niño, tenía un temor infundado a los ascensores.*
FAM infundio.

infundio *s. m.* Mentira que se difunde generalmente con la intención de perjudicar a una persona.

infundir *v. tr.* Hacer que una persona pase a tener un sentimiento, una idea o un comportamiento distinto al habitual por propio convencimiento o por la influencia de razones y motivos dados por otros: *su seriedad infundía respeto a los alumnos.* **SIN** imbuir, inculcar.
FAM infuso.

infusión *s. f.* **1** Introducción en agua hirviendo o muy caliente de algunas partes de una planta, especialmente sus hojas o semillas, para extraer sus principios activos. **2** Líquido así obtenido. **3** Acción de infundir.

ingeniar *v. tr.* Crear o idear algo con ingenio.
ingeniárselas Solucionar un problema o salvar una dificultad con inteligencia y habilidad: *el preso se las ingenió para escapar de la prisión sin ser visto.*
OBS Verbo regular, se acentúa como *cambiar.*

ingeniería *s. f.* Conjunto de conocimientos científicos y técnicos que permiten el uso de las fuentes de energía y el trabajo para modificar la materia y adaptarla a las necesidades de las personas.
ingeniería genética Parte de la bioquímica que estudia los genes de los seres vivos y el modo de modificar su estructura y composición.
FAM ingeniero.

ingeniero, -ra *s. m. y f.* Persona que se dedica a la ingeniería. ■ **ingeniero técnico** Técnico de grado medio en ingeniería. **SIN** perito.
FAM ingeniería.

ingenio *s. m.* **1** Capacidad que tiene una persona para imaginar o crear cosas útiles combinando con inteligencia y habilidad los conocimientos que posee y los medios técnicos de que dispone: *el ingenio de Leonardo da Vinci le llevó a diseñar numerosas máquinas para volar.* **2** Capacidad que tiene una persona para pensar con rapidez y claridad. **3** Capacidad que tiene una persona para crear una obra a partir de su imaginación y de su inteligencia. **4** Talento y gracia para inventar o contar cosas divertidas: *tiene mucho ingenio para contar chistes.* **5** Aparato o mecanismo que desarrolla un trabajo útil o una función práctica: *la cocina moderna está repleta de ingenios eléctricos.* **6** Fábrica de azúcar.
FAM ingeniar, ingenioso.

ingenioso, -sa *adj.* **1** Se aplica a la persona que es capaz

de pensar con rapidez y claridad. **2** Se aplica a la cosa u obra que ha sido creada con ingenio: *los ingeniosos relatos de Agatha Christie.*

ingente *adj.* Que es muy grande o numeroso.

ingenuidad *s. f.* **1** Falta de malicia, astucia o doblez al actuar: *los timadores suelen aprovecharse de la ingenuidad de las personas.* **SIN** candidez, candor, inocencia. **2** Acción o dicho que demuestra falta de malicia o de experiencia: *darle dinero ha sido una ingenuidad.*

ingenuo, -nua *adj./s. m. y f.* Se aplica a la persona que es simple, fácil de engañar y está falta de malicia, astucia o doblez al obrar. **SIN** cándido, incauto, inocente.
FAM ingenuidad.

ingerir [9] *v. tr.* Hacer pasar una cosa, generalmente un alimento o medicina, desde la boca al estómago. **SIN** tragar.
FAM ingesta, ingestión.

ingesta *s. f.* Ingestión.

ingestión *s. f.* Proceso fisiológico por el que una cosa pasa desde la boca al estómago. **SIN** ingesta.

ingle *s. f.* Parte del cuerpo en la que se une la parte superior de la pierna con el vientre.

inglés, -glesa *adj.* **1** De Inglaterra (parte integrante del Reino Unido). ❙ *s. m. y f./adj.* **2** Persona que es de Inglaterra. ❙ *adj.* **3** Del Reino Unido (país de Europa). **SIN** británico. ❙ *s. m. y f./adj.* **4** Persona que es del Reino Unido. **SIN** británico. ❙ *s. m./adj.* **5** Lengua del grupo germánico que se habla en Gran Bretaña, Estados Unidos, Australia y otros países: *el inglés es la lengua administrativa y comercial más hablada en el mundo.* ❙ *adj.* **6** Relativo a esta lengua: *gramática inglesa.* **7** Se aplica a un tipo de letra muy fina e inclinada, que se utiliza actualmente en tarjetas de visita, programas, etc.
FAM inglesismo.

inglete *s. m.* Corte de 45 grados que se hace en una pieza de carpintería: *el carpintero cortó a inglete el extremo del listón de madera.*

ingratitud *s. f.* Falta de agradecimiento hacia una persona que ha hecho un favor, un servicio o un bien. **ANT** gratitud.

ingrato, -ta *adj./s. m. y f.* **1** Se aplica a la persona que no reconoce el valor de un beneficio o favor recibido. **SIN** desagradecido. **ANT** agradecido. ❙ *adj.* **2** Que es desagradable y produce mucho disgusto: *un trabajo ingrato.* **ANT** grato.
FAM ingratitud.

ingravidez *s. f.* **1** Estado en el que se encuentra un cuerpo que no está sujeto a la fuerza de gravedad terrestre: *la ingravidez de un astronauta que viaja en una nave por el espacio.* **2** culto Ligereza o levedad.

ingrávido, -da *adj.* **1** Se aplica al cuerpo que no está sometido a la fuerza de gravedad terrestre: *los satélites giran ingrávidos alrededor de la Tierra.* **2** culto Se aplica al cuerpo que tiene muy poco peso: *la ingrávida niebla.*
FAM ingravidez.

ingrediente *s. m.* **1** Componente o sustancia que se combina con otras para formar una mezcla. **2** Elemento que forma parte de las características generales de una cosa: *es una película de terror que tiene algunos ingredientes propios de la comedia.*

ingresar *v. intr.* **1** Entrar en un hospital o en otro establecimiento sanitario para someterse a un tratamiento médico: *ingresar en una clínica.* **2** Comenzar a formar parte de un grupo, conjunto o institución: *ingresar en el ejército; ingresar en*

la facultad. ‖ *v. tr.* ③ Entregar a un banco o caja de ahorros una cantidad de dinero para que la guarde. ④ Ganar dinero.
FAM reingresar.

ingresivo, -va *adj.* Se aplica al aspecto verbal que presenta la acción a punto de iniciarse: *en español, el aspecto ingresivo está representado generalmente por perífrasis como "se echó a llorar" o "se puso a escribir".*

ingreso *s. m.* ① Entrada de una persona en un hospital o en otro establecimiento sanitario para someterse a un tratamiento médico. ② Entrada de una persona o cosa en un grupo, conjunto o institución. ③ Entrega a un banco o caja de ahorros de una cantidad de dinero para que la guarde. ④ Cantidad de dinero que se entrega con este motivo. ‖ *s. m. pl.* ⑤ **ingresos** Cantidad de dinero que gana una persona, grupo o empresa de manera periódica y regular.
FAM ingresar.

inguinal *adj.* Relativo a la ingle.

inhabilitar *v. tr.* ① Impedir que una cosa exista, ocurra o pueda realizarse: *una avería eléctrica inhabilitó los semáforos de gran parte de la ciudad.* **SIN** imposibilitar. ② Prohibir de modo legal a una persona el ejercicio de un cargo o el uso de un derecho. ③ Imposibilitar para hacer algo: *la caída le inhabilitó para jugar el partido.*
FAM inhabilitación.

inhalación *s. f.* Aspiración por parte de una persona o animal de un gas, de un vapor o de una sustancia pulverizada, especialmente si se hace por la nariz: *la inhalación de gas butano puede provocar la muerte.*

inhalador *s. m.* Aparato que sirve para que una persona pueda aspirar un gas o una sustancia medicinal de manera cómoda y efectiva: *es asmático y siempre lleva un inhalador en el bolsillo.*

inhalar *v. tr.* Aspirar una persona o animal un gas, un vapor o una sustancia pulverizada, especialmente si lo hace por la nariz.
FAM inhalación, inhalador.

inherente *adj.* Que es esencial y permanente en un ser o en una cosa o no se puede separar de él por formar parte de su naturaleza y no depender de algo externo: *el riesgo es inherente a las carreras de automóviles.* **SIN** inmanente.
FAM inherencia.

inhibición *s. f.* ① Vergüenza, miedo o freno que impide a una persona actuar de acuerdo a sus sentimientos, deseos o capacidades: *inhibición sexual.* ② Renuncia a intervenir en un asunto o en una actividad. ③ Disminución o detención de las funciones normales de una parte del organismo por medios mentales o químicos: *el faquir consigue la inhibición de los centros nerviosos del dolor.* ④ Dificultad o imposibilidad de una reacción química, especialmente un catalizador, para transcurrir a su velocidad normal.

inhibir *v. tr.* ① Impedir la vergüenza, el miedo u otro freno a una persona actuar de acuerdo a sus sentimientos, deseos o capacidades: *la férrea disciplina militar inhibe a los cadetes de cualquier muestra de debilidad.* ② Disminuir o suspender las funciones normales de una parte del organismo por medios mentales o químicos. ‖ *v. prnl.* ③ **inhibirse** Renunciar a intervenir en un asunto o en una actividad: *el árbitro se inhibió ante una clara jugada de penalti.* **SIN** desentenderse, despreocuparse. ‖ *v. tr.* ④ Impedir o ralentizar una reacción química.
FAM inhibición, inhibidor, inhibitorio; desinhibir.

inhóspito, -ta *adj.* Se aplica al lugar que carece de las condiciones necesarias para resultar agradable y acogedor: *un paisaje inhóspito.*

inhumación *s. f.* Acción de inhumar. **SIN** enterramiento, entierro, sepultura.

inhumano, -na *adj.* ① Se aplica a la persona o a la acción que es cruel y despiadada: *es inhumano que una persona permanezca secuestrada.* **ANT** humanitario, humano. ② Se aplica a la pena, sufrimiento o dolor que es imposible de soportar.
FAM inhumanidad.

inhumar *v. tr.* Depositar de manera solemne el cadáver de una persona en una fosa o en un nicho para, posteriormente, cubrir la cavidad con tierra o cerrarla con una lápida o losa. **SIN** enterrar, sepultar.
FAM inhumación.

iniciación *s. f.* ① Proceso mediante el cual una persona adquiere los primeros conocimientos de una faceta de la vida o actividad que desconoce. ② Origen y principio de una cosa. **SIN** comienzo, inicio. **ANT** fin, final, terminación. ③ Ritual al que se somete una persona que va a entrar en un grupo, secta o sociedad secreta.

iniciado, -da *adj./s. m. y f.* ① Se aplica a la persona que participa de las prácticas o de los conocimientos de algo secreto. ② Se aplica a la persona que tiene suficiente experiencia y capacidad para hacer o entender algo. **SIN** advertido.

inicial *adj.* ① Relativo al principio u origen de una cosa. **ANT** final. ‖ *adj./s. f.* ② Se aplica a la letra que es la primera de una palabra. *la letra inicial de los nombres propios se escribe con mayúscula.*

iniciar *v. tr.* ① Comenzar a hacer algo: *ha sido enviado para iniciar las negociaciones.* ② Proporcionar a alguien el conocimiento o los primeros conocimientos de una faceta de la vida o actividad que desconoce: *aquel profesor me inició en la informática.* ③ Admitir a una persona en un grupo, secta o sociedad secreta mediante una serie de pruebas: *el padre inició a su hijo en la masonería.* ‖ *v. prnl.* ④ **iniciarse** Adquirir una persona el conocimiento o los primeros conocimientos de una faceta de la vida o actividad que desconoce. ⑤ Entrar una persona en un grupo, secta o sociedad secreta mediante la superación de una serie de pruebas.
FAM iniciación, iniciado, iniciador.
OBS Verbo regular, se acentúa como *cambiar.*

iniciativa *s. f.* ① Proposición o idea que sirve para iniciar alguna cosa: *lo hicimos entre todos, pero la iniciativa fue suya.* ② Capacidad para idear, inventar o emprender cosas: *es un joven con mucha iniciativa.*

tomar la iniciativa Adelantarse a los demás en la realización de algo.

inicio *s. m.* Principio u origen de una cosa. **SIN** comienzo, iniciación. **ANT** fin, final, terminación.
FAM inicial, iniciar.

inicuo, -cua *adj.* ① culto Injusto. ② culto Malvado o cruel: *tenía una actitud inicua con los animales.*
FAM iniquidad.

inigualable *adj.* Que no puede ser igualado por extraordinario o bueno: *inigualable belleza.*

inimaginable *adj.* Que no puede ser imaginado. **SIN** insospechable.

inimitable *adj.* Que no puede ser imitado.

ininteligible *adj.* Que no puede ser entendido o comprendido: *escritura ininteligible*. **ANT** inteligible.
FAM ininteligibilidad.

iniquidad *s. f.* culto Injusticia o gran maldad en el modo de obrar: *murió arrepentido de la iniquidad de sus acciones*.

injerencia *s. f.* Intervención de una persona en asuntos ajenos o en cuestiones que no son de su incumbencia: *es inadmisible su injerencia en nuestras relaciones personales*. **SIN** intromisión.

injerir [9] *v. tr.* ① Introducir una cosa en otra. ‖ *v. prnl.* ② **injerirse** Entrometerse o intervenir en asuntos ajenos.
FAM injerencia.

injertar *v. tr.* ① Introducir en la rama o tronco de una planta un trozo de otra con alguna yema para que brote y pueda crecer en ella o unirlas por la zona de corte. ② Implantar un trozo de tejido vivo tomado de una parte del cuerpo en otra distinta de la misma persona o en el cuerpo de otro individuo: *tomaron un trozo de piel de la espalda para injertarlo en el brazo quemado*. ③ Infundir vitalidad o entusiasmo a un organismo o colectividad.
FAM injerto.

injerto *s. m.* ① Unión de un trozo de planta provisto de yemas a la rama o tronco de otra para que brote. ② Fragmento de una planta provisto de yemas que se une a otra para que brote: *he comprado estos injertos para ponérselos a los rosales*. ③ Planta o fruto que resulta al unir un trozo de planta con otra. ④ Implantación de un trozo de tejido vivo tomado de una parte del cuerpo en otra parte distinta o en otro individuo: *le hicieron un injerto de piel en la cara*. ⑤ Trozo de tejido vivo destinado a la implantación.

injuria *s. f.* ① Insulto u ofensa contra la dignidad o el honor de una persona, especialmente mediante acusaciones injustas. ② Daño o perjuicio que causa una cosa.

injuriar *v. tr.* Insultar u ofender la dignidad o el honor de una persona, especialmente mediante acusaciones injustas.
FAM injuria, injuriante, injurioso.
OBS Verbo regular, se acentúa como *cambiar*.

injurioso, -sa *adj.* Que injuria u ofende: *palabras injuriosas*.

injusticia *s. f.* ① Acción contraria a la justicia. ② Falta de justicia.

injustificable *adj.* Que no puede ser justificado o disculpado: *un retraso injustificable*.

injusto, -ta *adj.* Que no es justo o no obra con justicia.
FAM injusticia.

inmaculado, -da *adj.* Que está completamente limpio o no tiene ninguna mancha.

inmadurez *s. f.* Falta de juicio al obrar que se considera propia de una persona no adulta. **ANT** madurez.

inmaduro, -ra *adj.* ① Se aplica a la fruta que todavía no tiene la maduración que la hace adecuada para ser cogida y comida. **SIN** verde. **ANT** maduro. ② Se aplica al proyecto que no está completamente pensado. ‖ *adj./s. m. y f.* ③ Se aplica a la persona que no ha alcanzado la madurez de juicio propia de la edad adulta o de la edad que tiene. **ANT** maduro.
FAM inmadurez.

inmanencia *s. f.* Unión en un ser de cosas inseparables por naturaleza y no dependientes de algo externo.

inmanente *adj.* Que es esencial y permanente en un ser o en una cosa o que no se puede separar de él por formar parte de su naturaleza y no depender de algo externo: *no creo que la maldad sea inmanente al ser humano*. **SIN** inherente.
FAM inmanencia.

inmaterial *adj.* Que pertenece al espíritu y no al mundo físico o que no se puede percibir por los sentidos. **SIN** incorpóreo. **ANT** material.
FAM inmaterialidad, inmaterialismo.

inmediación *s. f.* ① Cualidad de inmediato. ② Proximidad en el espacio o en el tiempo de alguna cosa. **SIN** inmediatez. ‖ *s. f. pl.* ③ **inmediaciones** Territorio o terreno que rodea un lugar.

inmediatez *s. f.* Proximidad en el espacio o en el tiempo de alguna cosa: *a todos nos sorprendió la inmediatez con que fue llevada a cabo la orden*.

inmediato, -ta *adj.* ① Que está próximo a otra cosa, a su lado o muy cerca, sin nada en medio: *vive en una calle inmediata a la mía*. ② Que ocurre en seguida, justo después de otra cosa: *dio una respuesta inmediata*.
de inmediato Indica que algo sucede o se realiza enseguida o justo después de otra cosa, sin pasar tiempo entre ellas: *lo llamé y vino de inmediato*.
FAM inmediación, inmediatez.

inmejorable *adj.* Que es tan excelente y bueno que no puede ser mejorado: *el atleta se encuentra en un estado de forma inmejorable*. **SIN** insuperable.

inmemorial *adj.* Que es tan antiguo que no hay memoria de cuándo comenzó: *una costumbre inmemorial*.

inmensidad *s. f.* ① Extensión o tamaño muy grande que resulta imposible limitar: *la inmensidad del mar*. ② Cantidad muy grande de algo: *una inmensidad de gente llenaba las calles*.

inmenso, -sa *adj.* Que es tan grande en tamaño, número o intensidad que no puede medirse ni contarse: *sentí una inmensa alegría*. **SIN** enorme. **ANT** mínimo.
FAM inmensidad.

inmerecido, -da *adj.* Que no se merece: *un castigo inmerecido*.

inmersión *s. f.* ① Introducción completa de una cosa o una persona en un líquido. ② Introducción total en una situación, en un ambiente o en una actividad: *el mejor método de aprender una lengua es la inmersión en el lugar en que se habla*. ③ Entrada de un astro en el cono de sombra que otro proyecta, quedando oculto.

inmerso, -sa *adj.* ① Que está sumergido en un líquido. ② Se aplica a la persona que tiene la atención puesta intensamente en un pensamiento o en una acción, con descuido de cualquier otra cosa: *estaba inmerso en sus meditaciones*. **SIN** absorto.
FAM inmersión.

inmigración *s. f.* Movimiento de población que consiste en la llegada de personas a un país o región diferente de su lugar de origen para establecerse en él de forma temporal o definitiva. **ANT** emigración.

inmigrante *s. com.* Persona que llega a un país o región diferente de su lugar de origen para establecerse en él.
ANT emigrante.

inmigrar *v. intr.* Establecerse en un país o región diferente del lugar de origen: *cada vez son más los africanos que inmigran al continente europeo*.
FAM inmigración, inmigrante, inmigratorio.

inminencia *s. f.* Extrema proximidad de un suceso, especialmente de un peligro: *el edificio fue evacuado ante la inminencia de su derrumbamiento.*

inminente *adj.* Que está a punto de ocurrir: *el cierre de la empresa es inminente.*
FAM inminencia.

inmiscuirse [21] *v. prnl.* Dar opiniones, consejos o indicaciones sobre un asunto ajeno sin el permiso de los implicados: *no me gusta que te inmiscuyas en mis problemas.* **SIN** entremeterse, entrometerse, meterse.

inmobiliaria *s. f.* Sociedad o empresa que se dedica a construir, vender, alquilar y administrar viviendas.

inmobiliario, -ria *adj.* Relativo a los bienes inmuebles o bienes que no son transportables.
FAM inmobiliaria.

inmolación *s. f.* ① Sacrificio de una víctima como ofrenda a una divinidad: *la inmolación de un cordero.* ② Entrega de la vida o sacrificio de alguna cosa para beneficio de una persona o de una causa.

inmolar *v. tr.* ① Sacrificar una víctima a un dios como signo de reconocimiento u obediencia. I *v. prnl.* ② **inmolarse** Dar la vida o los bienes en provecho u honor de una persona o de una causa: *muchos jóvenes se inmolaron luchando por la libertad de las ideas.*
FAM inmolación.

inmoral *adj.* Se aplica a la persona o acción que se opone a la moral establecida o no guarda las normas éticas. **ANT** moral.
FAM inmoralidad.

inmoralidad *s. f.* ① Alejamiento en la opinión, el comportamiento o los hechos de las reglas de la moral establecida. **ANT** moralidad. ② Obra o dicho inmoral.

inmortal *adj.* ① Que no puede morir: *el alma es inmortal.* **ANT** mortal. ② Que dura indefinidamente en la memoria de las personas: *la creación literaria de Cervantes es inmortal.* **SIN** imperecedero.
FAM inmortalidad, inmortalizar.

inmortalidad *s. f.* ① Cualidad de inmortal. **ANT** mortalidad. ② Duración indefinida de una cosa en la memoria de los seres humanos: *cuando comenzó a pintar, nunca creyó que alcanzaría la inmortalidad.*

inmortalizar *v. tr.* Hacer que se conserve para siempre una persona o una cosa en la memoria de los seres humanos: *este escritor se inmortalizó con su obra.*

inmóvil *adj.* ① Que no se mueve. **SIN** quieto. **ANT** móvil. ② Que es firme y constante: *a pesar de todas las explicaciones, sigue inmóvil en su actitud.*
FAM inmovilidad, inmovilismo, inmovilizar.

inmovilidad *s. f.* Falta de movilidad o de capacidad para moverse.

inmovilismo *s. m.* Actitud en la que se defiende la tradición y se rechazan los cambios que afecten a lo ya establecido.
FAM inmovilista.

inmovilización *s. f.* Hecho de imposibilitar el movimiento: *el agente ordenó la inmovilización del vehículo.*

inmovilizar *v. tr.* ① Imposibilitar el movimiento de alguien o de algo: *los ladrones llevaban unas cuerdas para inmovilizar al banquero.* **ANT** movilizar. I *v. prnl.* ② **inmovilizarse** Quedarse inmóvil: *el susto fue tal que se me inmovilizaron las piernas.*
FAM inmovilización.

inmueble *adj.* ① Se aplica a la propiedad que no puede separarse del lugar en el que está: *las fincas y las viviendas son bienes inmuebles.* I *s. m.* ② Construcción fabricada con materiales resistentes que se destina a vivienda y otros usos. **SIN** edificio.

inmundicia *s. f.* ① culto Suciedad o basura: *debes limpiar tu habitación, pues la tienes llena de inmundicias.* ② culto Deshonestidad.

inmundo, -da *adj.* ① culto Que está muy sucio y asqueroso. ② culto Que es muy indecente y deshonesto.
FAM inmundicia.

inmune *adj.* ① Se aplica a la persona o al lugar que no se encuentran sometidos a los procedimientos legales normales y está libre de ciertos cargos u obligaciones. ② Que no puede ser atacado por cierta enfermedad: *lo vacunaron y es inmune al sarampión.* ③ Se aplica a la persona a la que no le afecta o altera algo que se considera negativo: *es inmune a las críticas.*
FAM inmunidad, inmunizar.

inmunidad *s. f.* ① Privilegio por el que ciertas personas y lugares no se someten a los procedimientos legales normales y quedan libres de determinadas obligaciones, penas o cargos: *inmunidad parlamentaria.* ② Protección o resistencia del organismo, congénita o adquirida mediante vacunas o sueros, contra una enfermedad. ③ Antiguo privilegio, concedido a los templos y a las iglesias, en virtud del cual los delincuentes que allí se refugiaban no eran castigados en ciertos casos.
FAM inmunitario.

inmunitario, -ria *adj.* Relativo a la inmunidad (resistencia del organismo a las enfermedades).

inmunizar *v. tr.* ① Proteger o hacer resistente a alguien frente a una enfermedad: *esta vacuna te inmuniza contra los resfriados.* ② Fortalecer o hacer resistente a alguien frente a un mal o un daño: *ha visto tantas desgracias, que se ha inmunizado contra el dolor.*
FAM inmunización.

inmunodeficiencia *s. f.* Estado del organismo que consiste en la pérdida de gran parte de sus defensas inmunitarias.
FAM inmunodeficiente.

inmunología *s. f.* Parte de la medicina que se ocupa de los fenómenos de inmunidad del organismo.
FAM inmunológico, inmunólogo.

inmutable *adj.* ① Que no cambia o no puede cambiar. ② Se aplica a la persona que no siente o no muestra alteración del ánimo: *permaneció inmutable ante sus duras palabras.* **SIN** inalterable.
FAM inmutabilidad.

inmutar *v. tr.* ① Alterar o impresionar de forma visible el ánimo de alguien. I *v. prnl.* ② **inmutarse** Mostrar en el semblante o en la voz una alteración del ánimo: *quise darle un susto, pero ni se inmutó.*
FAM inmutable, inmutación.

innato, -ta *adj.* Que no es aprendido y pertenece a la naturaleza de un ser desde su origen o nacimiento: *la bondad es innata al ser humano.*

innecesario, -ria *adj.* Que no es necesario.

innegable *adj.* Que es tan claro para los sentidos o para la inteligencia que no puede ser negado o puesto en duda: *es innegable que es una chica muy simpática.* **SIN** incuestionable, indiscutible, indudable.

innoble *adj.* Que muestra bajeza, maldad o falsedad. **ANT** noble.

innovación *s. f.* Cambio que supone una novedad.

innovador, -ra *adj./s. m. y f.* Que cambia las cosas introduciendo novedades: *ideas muy innovadoras.*

innovar *v. tr.* Cambiar las cosas introduciendo novedades.
FAM innovación, innovador.

innumerable *adj.* Que es tan numeroso que no puede ser contado o numerado: *un ejército innumerable.* **SIN** incontable.

inocencia *s. f.* **1** Ausencia de culpabilidad: *el abogado demostró su inocencia.* **2** Simplicidad o falta de malicia, astucia o doblez al actuar: *aún conserva la inocencia de cuando era niño.* **SIN** candidez, ingenuidad.

inocentada *s. f.* Broma o engaño en los que uno cae por descuido o por falta de malicia, especialmente los que se hacen el día 28 de diciembre (día de los Santos Inocentes).

inocente *adj.* **1** Que no daña o que no tiene malicia: *no hay mala intención en sus inocentes bromas.* **‖** *adj./s. com.* **2** Se aplica a la persona que está libre de culpa o de pecado: *el jurado lo declaró inocente.* **ANT** culpable. **3** Se aplica a la persona que no merece un castigo o una pena: *en las guerras mueren muchos inocentes.* **4** Se aplica a la persona que es simple, fácil de engañar y está falta de malicia: *es un inocente: se lo cree todo.* **SIN** cándido, ingenuo.
FAM inocencia, inocentada, inocentón.

inocentón, -tona *adj./s. m. y f.* Se aplica a la persona que es muy inocente o ingenua.

inocuidad *s. f.* Incapacidad para hacer daño: *los juegos infantiles deben asegurar su total inocuidad.*

inoculación *s. f.* Introducción de bacterias o virus en un organismo: *la inoculación de una vacuna.*

inocular *v. tr.* Introducir en el organismo por medios artificiales el virus o la bacteria de una enfermedad contagiosa: *vacunar es inocular los virus que producen la enfermedad, para que el organismo cree anticuerpos.*
FAM inoculación.

inocuo, -cua *adj.* Que no hace daño. **SIN** inofensivo. **ANT** nocivo.
FAM inocuidad.

inodoro, -ra *adj.* **1** Que no tiene olor. **‖** *s. m.* **2** Recipiente conectado con una tubería de desagüe y provisto de una cisterna con agua, que sirve para orinar y evacuar los excrementos en él. **SIN** retrete, váter.

inofensivo, -va *adj.* Que no puede causar daño ni molestia: *no tengas miedo, es un perro inofensivo.*

inoficioso, -sa *adj.* AMÉR. Que es ocioso o innecesario y no conduce a nada: *no tenía sentido que siguiera hablando, eran palabras inoficiosas.*

inolvidable *adj.* Que no puede ser olvidado, por haber causado mucha impresión o por ser muy querido: *una velada inolvidable.*

inoperante *adj.* Que es ineficaz o no produce el efecto deseado: *un decreto inoperante.*
FAM inoperancia.

inopia *s. f.* culto Pobreza.
estar en la inopia familiar Estar distraído o ajeno a lo que sucede alrededor.

inopinado, -da *adj.* Que se presenta o sucede sin haber pensado en ello o de forma inesperada: *se marchó de la fiesta de forma inopinada.*

inoportuno, -na *adj.* **1** Se aplica a la persona o cosa que actúa o sucede en un momento, lugar o situación inadecuados o que no convienen: *una visita inoportuna.* **ANT** oportuno. **‖** *adj./s. m. y f.* **2** Se aplica a la persona que es molesta o pesada.
FAM inoportunidad.

inorgánico, -ca *adj.* **1** Se aplica al elemento que no tiene vida ni puede tenerla: *los minerales son inorgánicos.* **ANT** orgánico. **2** Que no está organizado u ordenado: *aquel suburbio es un conjunto inorgánico de chabolas.* **ANT** orgánico. **3** En química, se aplica a la sustancia que no tiene como componente el carbono. **ANT** orgánico.

inoxidable *adj.* **1** Que es resistente a la oxidación. **2** Se aplica al acero que contiene un porcentaje bajo de carbono, además de cromo y otros elementos, es muy resistente a la oxidación y a las manchas.

input [se pronuncia 'ímput'] *s. m.* Conjunto de dispositivos y señales que permiten la introducción de información en un sistema y los datos y programas que se introducen.

inquebrantable *adj.* Que no puede ser quebrantado por su gran firmeza y solidez: *una promesa inquebrantable.*

inquietante *adj.* Que causa preocupación o altera los nervios: *una noticia inquietante.*

inquietar *v. tr.* Causar preocupación e intranquilidad o alterar los nervios: *el suspenso inquietó a mis padres.*
FAM inquietante.

inquieto, -ta *adj.* **1** Se aplica a la persona que no puede estar quieta: *es un niño muy inquieto.* **2** Que no está tranquilo por una agitación del ánimo: *estaba muy inquieto ante la proximidad del partido.* **3** Se aplica a la cosa que no se tiene con calma o tranquilidad: *un sueño inquieto.* **4** Se aplica a la persona que está siempre dispuesta a conocer o emprender cosas nuevas.
FAM inquietar, inquietud.

inquietud *s. f.* **1** Falta de quietud o de sosiego. **2** Tendencia o inclinación hacia una actividad o estudio, especialmente en el campo de las artes: *desde pequeño mostró inquietud por la pintura.*

inquilinismo *s. m.* En zoología, relación entre dos organismos de diferentes especies en la cual uno de ellos vive junto al otro o en el interior de él, para protegerse y nutrirse, sin perjudicarlo.

inquilino, -na *s. m. y f.* **1** Persona que alquila una vivienda o parte de ella para habitarla. **‖** *s. m.* **2** Organismo animal o vegetal que vive sobre otro del que no se nutre y a quien no perjudica.
FAM inquilinismo.

inquina *s. f.* Antipatía o mala voluntad hacia una persona: *le tomó verdadera inquina a su compañero.*

inquirir [4] *v. tr.* Indagar o tratar de llegar a conocer una cosa haciendo preguntas y gestiones para conseguir una información.
FAM inquisición, inquisitivo.

inquisición *s. f.* **1** Indagación o investigación para conseguir una información. **2** Tribunal eclesiástico medieval establecido para descubrir y castigar las faltas contra la fe o las doctrinas de la Iglesia. **NOTA** Se escribe con mayúscula inicial.
FAM inquisidor, inquisitorial.

inquisidor, -ra *adj./s. m. y f.* **1** Que indaga o trata de averiguar de forma apremiante y exigente: *no soporto sus preguntas inquisidoras.* **|** *s. m.* **2** Juez del tribunal de la Inquisición.

inquisitivo, -va *adj.* Que indaga o trata de averiguar de forma apremiante y exigente: *me dirigió una mirada inquisitiva, pero no le dije nada.*

inquisitorial *adj.* **1** Relativo a la Inquisición: *persecución inquisitorial.* **2** Que tiene una severidad o una agresividad propias de los procedimientos investigadores de la Inquisición: *métodos inquisitoriales.*

inri *s. m.* Nota de burla o afrenta: *le está siempre poniendo el inri a todo el mundo.*

para más (o **mayor**) **inri** Por si fuera poco.

insaciable *adj.* Que no puede ser saciado o satisfecho: *tiene un deseo insaciable de poder.* **FAM** insaciabilidad.

insalubre *adj.* Que es malo para la salud. **SIN** insano, malsano. **ANT** salubre. **FAM** insalubridad.

insalubridad *s. f.* Característica de lo que es perjudicial para la salud. **ANT** salubridad.

insalvable *adj.* Se aplica al obstáculo o barrera que no puede ser salvado o superado: *hay diferencias insalvables entre nosotros.* **SIN** insuperable.

insano, -na *adj.* **1** Que es malo para la salud: *un clima insano.* **SIN** insalubre, malsano. **ANT** sano. **2** Que es inmoral o hace daño al espíritu: *una relación tan destructiva es insana.* **SIN** malsano. **ANT** sano. **3** Que ha perdido el juicio o la razón.

insatisfacción *s. f.* **1** Sentimiento de malestar o disgusto que se tiene cuando no se colma un deseo o no se cubre una necesidad. **2** Cosa que provoca malestar o disgusto.

insatisfecho, -cha *adj.* Que no está satisfecho o saciado: *estoy muy insatisfecho con el resultado.* **FAM** insatisfacción.

inscribir *v. tr.* **1** Apuntar algo o el nombre de alguien en una lista o registro para un fin determinado: *inscribió a su amigo en la lista de socios del club.* **2** Grabar o dejar marcado en metal, en piedra o en otra materia dura: *ha inscrito sus iniciales y un corazón en el árbol del jardín.* **3** Trazar una figura geométrica dentro de otra de manera que tenga todos los vértices sobre el perímetro de la figura exterior, o que sea tangente a todos los lados de dicha figura. **FAM** inscripción, inscrito. **OBS** Participio irregular: *inscrito.*

inscripción *s. f.* **1** Inclusión de una cosa o del nombre de alguien en una lista o registro para un fin determinado. **2** Escrito grabado en una superficie dura.

inscrito, -ta Participio irregular de *inscribir.*

insecticida *s. m./adj.* Sustancia que sirve para matar insectos.

insectívoro, -ra *adj./s. m. y f.* **1** Se aplica al animal o planta que se alimenta de insectos: *muchas aves son insectívoras.* **|** *adj./s. m.* **2** Se aplica al mamífero pequeño plantígrado que tiene el hocico acabado en punta y los dientes especializados para masticar insectos: *el topo y el erizo son animales insectívoros.* **|** *s. m. pl.* **3 insectívoros** Grupo taxonómico, con categoría de orden, constituido por estos mamíferos.

insecto *adj./s. m.* **1** Se aplica al animal invertebrado cuyo cuerpo está dividido en cabeza, tórax y abdomen con exoesqueleto; tiene tres pares de patas, dos antenas y dos o cuatro alas; experimenta transformaciones en su desarrollo y respira por tráqueas comunicadas con el exterior: *las hormigas y las abejas son insectos sociales que viven en colonias altamente jerarquizadas.* **|** *s. m. pl.* **2 insectos** Grupo taxonómico, con categoría de clase, constituido por estos invertebrados. **FAM** insecticida, insectívoro; desinsectar.

inseguridad *s. f.* **1** Falta de seguridad: *la inseguridad de un andamio.* **ANT** seguridad. **2** Falta de confianza en uno mismo que da lugar a indecisión o a vacilación. **SIN** indecisión. **ANT** seguridad.

inseguro, -ra *adj.* **1** Que no está libre de peligro o daño: *el puente viejo es muy inseguro.* **ANT** seguro. **2** Se aplica a la persona que tiene dudas sobre sí misma y su propia capacidad: *es muy inseguro y siempre desconfía de sus propias posibilidades.* **3** Que no puede ser asegurado o afirmado: *la hora a la que pienso llegar es insegura.* **SIN** incierto. **ANT** seguro. **FAM** inseguridad.

inseminación *s. f.* Llegada del semen del macho al óvulo de la hembra para fecundarlo. ■ **inseminación artificial** Procedimiento que consiste en hacer llegar el semen al óvulo mediante un instrumento o artificio.

inseminar *v. tr.* Poner semen masculino en las vías genitales femeninas para que llegue hasta el óvulo y lo fecunde. **FAM** inseminación.

insensatez *s. f.* **1** Falta de buen juicio y de reflexión antes de actuar. **ANT** sensatez. **2** Hecho o dicho insensato: *salir con esta tormenta es una insensatez.*

insensato, -ta *adj./s. m. y f.* Que no muestra buen juicio o madurez en sus actos. **ANT** sensato. **FAM** insensatez.

insensibilizar *v. tr.* **1** Quitar la sensibilidad a una parte del cuerpo de una persona o animal o a todo él. **2** Hacer insensible física o afectivamente: *perder a alguien muy querido puede insensibilizarte.* **FAM** insensibilización.

insensible *adj.* **1** Que no puede sentir o que ha perdido la sensibilidad: *desde el accidente, tiene los dedos insensibles.* **2** Que no tiene sentimientos: *es insensible al sufrimiento humano.* **3** Que no se nota o es difícil de notar: *un crecimiento insensible de la economía.* **FAM** insensibilidad, insensibilizar, insensiblemente.

inseparable *adj.* **1** Que no puede ser separado o que es muy difícil hacerlo: *este mueble está formado por módulos inseparables.* **ANT** separable. **2** Se aplica a la persona que está muy unida a otra con vínculos muy estrechos de amistad o de amor: *son dos amigos inseparables.* **3** Se aplica a la partícula que no tiene valor por sí misma y va unida a una palabra: *"in" y "per" son partículas inseparables.*

inserción *s. f.* **1** Inclusión o introducción de una cosa en otra. **2** Introducción de un elemento anatómico o de un órgano entre las partes de otro, o adhesión a su superficie: *la inserción de un diente en la encía.*

insertar *v. tr.* **1** Incluir o meter una cosa en otra. **2** Intercalar un texto dentro de otro o una noticia en un periódico. **|** *v. prnl.* **3 insertarse** Introducirse un elemento anatómico o un órgano entre las partes de otro o adherirse a su superficie. **FAM** inserción, inserto; reinsertar.

inserto, -ta *adj.* culto Insertado en un lugar.

inservible *adj.* Que no sirve o no está en condiciones para ser usado: *la cámara se ha mojado y ha quedado inservible.*

insidia *s. f.* Engaño oculto o disimulado para perjudicar. **SIN** asechanza.
FAM insidioso.

insidioso. -sa *adj.* ① Que contiene un engaño oculto o disimulado para perjudicar: *un comportamiento insidioso.* ‖ *adj./s. m. y f.* ② Se aplica a la persona que engaña de modo oculto o disimulado para perjudicar. ‖ *adj.* ③ Se aplica a la enfermedad grave que aparece lentamente sin síntomas evidentes.

insigne *adj.* ① Se aplica a la persona o cosa que es muy conocida y admirada por tener características que lo distinguen de los demás. **SIN** ilustre, eminente. ② Se aplica al disparate o tontería que es muy grande.

insignia *s. f.* ① Señal o figura distintiva, especialmente cuando es pequeña y puede llevarse sujeta a la ropa. ② Bandera o enseña que toma una asociación o grupo social como distintivo. **SIN** emblema, estandarte. ③ Bandera que se iza en un buque para señalar la graduación de la persona que ejerce el mando en él.

insignificancia *s. f.* Pequeñez, falta de importancia o ausencia de valor: *se enfadó por una insignificancia.*

insignificante *adj.* Que es muy pequeño, poco importante o que carece de valor: *un gasto insignificante.*
FAM insignificancia.

insinuación *s. f.* Hecho o dicho que sirve para dar a entender una cosa de manera sutil o disimulada, sin decirla claramente.

insinuar *v. tr.* ① Dar a entender una cosa de manera sutil o disimulada, sin decirla claramente: *me insinuó que me marchara.* ‖ *v. prnl.* ② **insinuarse** Mostrarse algo de forma imperceptible: *en su rostro se insinuó una leve sonrisa.* ③ Dar a entender de manera sutil o disimulada el deseo de establecer relaciones amorosas.
FAM insinuación, insinuante.
OBS Verbo regular, se acentúa como *actuar.*

insipidez *s. f.* ① Escasez o falta de sabor. ② Falta de gracia y viveza o de interés.

insípido, -da *adj.* ① Se aplica al alimento que tiene poco o ningún sabor. **SIN** desaborido, insulso, soso. ② Que no tiene gracia o interés. **SIN** desaborido, insulso, soso.
FAM insipidez.

insistencia *s. f.* ① Repetición reiterada. ② Firmeza u obstinación acerca de una cosa: *logró saber del tema gracias a su insistencia.*

insistente *adj.* Que insiste.
FAM insistencia.

insistir *v. intr.* ① Repetir varias veces una petición o una acción: *llama a la puerta, y si no te abren, insistes.* ② Destacar la importancia de una cosa repitiéndola: *el profesor insistió en cómo debíamos prepararnos el examen.* ③ Persistir o mantenerse firme en una cosa, generalmente en una opinión o idea: *a pesar de sus críticas, yo insistí en mi postura.*
FAM insistente.

insobornable *adj.* ① Que no puede ser sobornado: *un juez debe ser insobornable.* ② Que no se deja llevar por ninguna influencia ajena: *no intentes cambiar sus ideas, que es un militante insobornable.*

insolación *s. f.* ① Trastorno o malestar producidos por una exposición prolongada a los rayos del sol. ② Tiempo en que, durante el día, luce el sol sin nubes. ③ Cantidad de radiación solar directa incidente por unidad de superficie y durante un periodo de tiempo determinado.

insolencia *s. f.* ① Atrevimiento o falta de respeto en el trato. ② Hecho o dicho ofensivos o insultantes: *no estoy dispuesto a soportar tus insolencias.*

insolente *adj./s. com.* ① Que falta al respeto debido a una persona o situación: *es un insolente, que no se corta delante de nadie.* **SIN** atrevido, indecoroso. ② Se aplica a la persona que es arrogante y tiene una actitud despectiva con otros. ‖ *adj.* ③ Se aplica a la cosa que implica atrevimiento o falta de respeto: *dio una contestación insolente a una pregunta insolente.*
FAM insolencia, insolentarse.

insolidaridad *s. f.* Actitud o característica de la persona que es insolidaria.

insolidario, -ria *adj.* Que no se preocupa por los demás y no apoya a quien lo necesita.
FAM insolidaridad.

insólito, -ta *adj.* Que es muy particular o poco frecuente. **SIN** inaudito, inusitado.

insoluble *adj.* ① Que no puede ser disuelto: *esta sustancia es insoluble en el agua.* **SIN** disoluble. **ANT** soluble. ② Que no puede ser resuelto o que no tiene solución: *un misterio insoluble.* **SIN** irresoluble. **ANT** soluble.
FAM insolubilidad.

insolvencia *s. f.* ① Incapacidad para hacer frente a un gasto o para pagar una deuda: *la empresa quebró por insolvencia.* **ANT** solvencia. ② Incapacidad para garantizar que el cargo o la misión que se asigna se desempeñará o se llevará a cabo favorablemente. **ANT** solvencia.

insolvente *adj./s. com.* ① Que no dispone de fondos para pagar una deuda: *declararse insolvente.* **ANT** solvente. ② Que no ofrece garantías para confiarle un cargo o una misión. **ANT** solvente.
FAM insolvencia.

insomne *adj.* Que no duerme o tiene dificultad para conciliar el sueño.

insomnio *s. m.* Falta anormal de sueño y dificultad para conciliarlo que se sufre en el momento en que corresponde dormir.
FAM insomne.

insondable *adj.* ① Que es tan difícil e impenetrable, que no se puede llegar a conocer o comprender. ② Que es tan profundo, que no se puede alcanzar su fondo.

insonorización *s. f.* ① Acondicionamiento de un lugar para aislarlo de sonidos y ruidos. ② Acondicionamiento de una máquina o motor para que funcione con el menor ruido posible.

insonorizar *v. tr.* ① Acondicionar un lugar para aislarlo de sonidos y ruidos. ② Atenuar el ruido de una máquina o motor.
FAM insonorización.

insoportable *adj.* ① Que no se puede soportar o sufrir por la intensidad de sus características: *calor insoportable.* **SIN** inaguantable. **ANT** aguantable, soportable. ② Que causa molestia o fastidio: *un chico insoportable.*

insoslayable *adj.* Que no puede ser evitado o rehuido. **SIN** ineludible, inexcusable.

insospechable *adj.* Que no puede ser sospechado o imaginado. **SIN** inimaginable.

insospechado, -da *adj.* Que no se sospecha o espera: *con la música, todos somos capaces de expresar emociones insospechadas.*

insostenible *adj.* **1** Que no puede ser soportado o tolerado más tiempo: *hemos llegado a una situación insostenible.* **2** Que no puede ser mantenido o defendido con razones: *su teoría es insostenible.*

inspección *s. f.* **1** Examen y observación atentos y cuidadosos para hacer una comprobación: *inspección sanitaria.* **SIN** control, supervisión. **2** Cargo de inspector. **3** Oficina o dependencias del inspector.
FAM inspeccionar.

inspeccionar *v. tr.* Examinar y observar algo con atención y cuidado para hacer una comprobación: *la policía inspeccionó el recinto.* **SIN** controlar, supervisar.
FAM inspector.

inspector, -ra *adj.* **1** Que reconoce y examina una cosa para ver si está en la forma debida: *han enviado una comisión inspectora a la zona.* **‖** *s. m. y f.* **2** Persona que se dedica a examinar, controlar y vigilar las actividades que se realizan en el campo al que pertenece: *un inspector de hacienda; un inspector de policía.*
FAM subinspector.

inspiración *s. f.* **1** Introducción de aire u otra sustancia gaseosa en los pulmones. **SIN** aspiración. **ANT** espiración. **2** Estado en el que se siente una especial facilidad para la creación: *me vino la inspiración y escribí el poema en un momento.* **3** Estímulo que favorece este estado y hace producir obras de arte de modo fácil y rápido. **SIN** musa. **4** Cualidad que da a una obra valor artístico: *está escrito correctamente, pero sin inspiración.* **5** Influencia sobre una obra de arte u otra creación: *construye edificios de inspiración neoclásica.* **6** Ilustración sobrenatural que Dios transmite al ser humano para escribir obras o realizar un trabajo.

inspirar *v. tr.* **1** Atraer el aire exterior e introducirlo en los pulmones. **SIN** aspirar. **ANT** espirar. **2** Causar un sentimiento, una sensación o una idea: *ese tipo no me inspira confianza.* **3** Sugerir ideas para la producción artística: *este paisaje inspiró al poeta.* **‖** *v. prnl.* **4** **inspirarse** Tomar ideas de una persona o cosa para la producción artística: *se inspiraba en el canto de los pájaros para componer sus melodías.*
FAM inspiración, inspiratorio.

inspiratorio, -ria *adj.* Relativo a la inspiración respiratoria o que la permite: *músculo inspiratorio.*

instalación *s. f.* **1** Colocación en el lugar y la forma adecuados de cosas necesarias para un servicio: *yo me encargo de la instalación de la lavadora.* **2** Establecimiento o acomodo de una persona, especialmente si es para fijar su residencia. **3** Conjunto de aparatos y cosas instaladas: *hay que revisar toda la instalación eléctrica del edificio.* **4** Recinto o lugar acondicionado con todas las cosas necesarias para cumplir un servicio: *hoy han inaugurado las instalaciones deportivas.*

instalar *v. tr.* **1** Colocar en el lugar y la forma adecuados las cosas necesarias para un servicio: *vienen a instalar la antena parabólica.* **2** Establecer o acomodar a una persona en un lugar, especialmente si es para fijar su residencia: *instalaron a sus familiares en el piso de arriba.* **3** Poner en el lugar destinado a un servicio todo lo necesario para que pueda ser utilizado: *han instalado un nuevo supermercado.* **‖** *v. prnl.* **4** **instalarse** Establecerse una persona en un lugar, especialmente si es para fijar su residencia: *se han instalado en el campo.*
FAM instalación, instalador; reinstalar.

instancia *s. f.* **1** Petición por escrito redactada siguiendo determinadas fórmulas, especialmente la que se hace a una autoridad. **2** Documento oficial en el que se solicita una cosa: *tiene usted que rellenar esta instancia para reclamar el dinero.* **SIN** solicitud. **3** Cada uno de los grados jurisdiccionales establecidos por la ley para solucionar asuntos legales: *en el orden civil y penal existen dos instancias.*
a instancias de A petición de una persona.
en última instancia Como último recurso.

instantánea *s. f.* Fotografía que se impresiona en un instante y se obtiene en el momento: *tengo las instantáneas de tu cumpleaños.*

instantáneo, -nea *adj.* **1** Que solamente dura un instante: *el relámpago es un fulgor instantáneo.* **2** Que se produce o se consigue en un instante: *este medicamento es de efecto instantáneo.* **3** Se aplica al alimento que se disuelve con facilidad en un líquido sin necesidad de cocerlo: *café instantáneo.*

instante *s. m.* **1** Periodo de tiempo muy breve: *espera un instante.* **SIN** momento. **2** Tiempo puntual en el que se hace u ocurre una cosa: *en ese instante aparecieron sus amigos.* **SIN** momento.
a cada instante De manera repetida y frecuente.
al instante Enseguida, de forma inmediata.

instar *v. tr.* Obligar mediante la fuerza o la autoridad a que se haga algo con rapidez: *le instaban a que resolviera cuanto antes el asunto.* **SIN** apremiar, urgir.
FAM instante.

instauración *s. f.* Establecimiento o fundación de una cosa que no existía, especialmente de costumbres, de leyes o de formas de gobierno: *la instauración borbónica en España se produjo tras la Guerra de Sucesión a principios del siglo XVIII.*

instaurar *v. tr.* Establecer o fundar una cosa que no existía, especialmente costumbres, leyes o formas de gobierno: *han dado un golpe de Estado y han instaurado un nuevo régimen.*
FAM instauración, instaurador; reinstaurar.

instigador, -ra *adj./s. m. y f.* Se aplica a la persona que influye en otra para que realice una acción o piense de un modo, especialmente si es con el objetivo de que haga algo malo o perjudicial: *sus compañeros fueron los instigadores del robo.* **SIN** inductor.

instigar *v. tr.* Influir en una persona para que realice una acción o piense de un modo, especialmente si es con el objetivo de que haga algo malo o perjudicial: *instigar a la revuelta.* **SIN** inducir.
FAM instigación, instigador.

instintivo, -va *adj.* Que es obra o resultado de un instinto y no de la reflexión o de la razón: *antes de chocar se protegió la cara de forma instintiva.*

instinto *s. m.* **1** Conducta innata y no aprendida que se transmite genéticamente entre los seres vivos de la misma especie y que les hace responder de una misma forma ante una serie de estímulos: *estos animales atacan a sus presas por instinto de conservación.* **2** Impulso natural e interior que provoca una acción o un sentimiento sin que se tenga conciencia de la razón a la que obedece: *mi instinto me decía que esto se solucionaría.* **3** Capacidad natural para percibir y valorar con rapidez y facilidad una cosa: *triunfará porque tiene instinto para los negocios.*
FAM instintivo.

institución *s. f.* **1** Establecimiento o fundación de algo que

antes no existía: *todos acordaron la institución de una comisión permanente.* **2** Organismo que ha sido fundado para un fin, especialmente el que desempeña una función de interés público: *la Universidad es una institución de enseñanza.* **3** Ley u organización fundamental de un estado, una nación o una sociedad: *las instituciones están al servicio del ciudadano.*
FAM institucional.

institucional *adj.* Relativo a la institución: *todos esperamos recibir una ayuda institucional.*
FAM institucionalizar.

institucionalización *s. f.* Acción y hecho de convertir una cosa en institucional o de darle carácter legal o de institución: *la institucionalización del divorcio.*

institucionalizar *v. tr.* Convertir una cosa en institucional o darle carácter legal o de institución.
FAM institucionalización.

instituir [21] *v. tr.* **1** Fundar o establecer una cosa que no existía, especialmente algo de interés público: *instituyó una fundación benéfica.* **2** Nombrar a alguien encargado de una función: *lo instituyeron presidente de la empresa.* **3** Establecer que una renta sea pagada periódicamente a una persona: *instituir una beca.* **4** Nombrar a la persona que ha de recibir una renta.
FAM institución, institutor.

instituto *s. m.* **1** Centro estatal de enseñanza donde se imparte educación secundaria. **2** Organización científica, social o cultural. ■ **instituto de belleza** Establecimiento comercial donde se proporcionan servicios de embellecimiento al público. **3** Nombre genérico que reciben algunos cuerpos civiles, religiosos o militares: *instituto salesiano.* **4** Regla que ordena cierta forma y método de vida o de enseñanza, especialmente el de las órdenes religiosas: *el instituto de esta orden religiosa no permite visitas.* **5** AMÉR. Centro de enseñanza superior no universitaria o de profesiones medias.

institutor *s. m.* COL. Maestro de escuela.

institutriz *s. f.* Mujer que se dedica a educar y enseñar a uno o más niños en la casa de estos.

instrucción *s. f.* **1** Enseñanza de los conocimientos necesarios para una actividad: *recibió su primera instrucción en la escuela de su pueblo.* **2** Conjunto de conocimientos adquiridos: *es una persona con una gran instrucción.* ■ **instrucción militar** Conjunto de conocimientos y prácticas necesarios para la formación del soldado. **3** Inicio y desarrollo de un proceso o expediente judicial: *he conocido al juez que llevará la instrucción de vuestro caso.* ‖ *s. f. pl.* **4 instrucciones** Conjunto de reglas o indicaciones que se dan para hacer una actividad o para manejar un objeto.

instructivo, -va *adj.* Que sirve para enseñar o instruir: *texto instructivo; juguete instructivo.*

instructor, -ra *adj.* **1** Que enseña o instruye. ‖ *s. m. y f.* **2** Persona que se dedica a enseñar o instruir, especialmente en actividades deportivas o militares.

instruido, -da *adj.* Se aplica a la persona que tiene un buen caudal de conocimientos adquiridos.

instruir [21] *v. tr.* **1** Comunicar conocimientos, habilidades, ideas o experiencias a una persona que no las tiene con la intención de que las aprenda: *el profesor instruye a sus alumnos.* **SIN** enseñar. **2** Realizar las acciones necesarias para ejecutar un proceso. ‖ *v. prnl.* **3 instruirse** Adquirir conocimientos, habilidades, ideas o experiencias de algo.
FAM instrucción, instructivo, instructor, instruido.

instrumentación *s. f.* **1** Preparación de una pieza musical para que pueda ser interpretada con varios instrumentos a la vez. **2** Estudio de los diferentes instrumentos en función de sus características. **3** Disposición u organización de los medios necesarios para llevar a cabo un plan o llegar a una solución.

instrumental *adj.* **1** Relativo al instrumento. **2** Se aplica a la música que se ha escrito para ser tocada con instrumentos y no para ser cantada. **ANT** vocal. **3** Se aplica al caso de la declinación indoeuropea y de otras lenguas que indica el medio o instrumento con que se ejecuta la acción. ‖ *s. m.* **4** Conjunto de instrumentos necesarios para realizar una actividad: *instrumental quirúrgico.*

instrumentar *v. tr.* **1** Preparar una obra musical para que pueda ser interpretada con varios instrumentos a la vez. **2** Disponer u organizar los medios necesarios para llevar a cabo un plan o llegar a una solución.
FAM instrumentación.

instrumentista *s. com.* Músico que toca un instrumento.

instrumento *s. m.* **1** Objeto simple o formado por una combinación de piezas y que es adecuado para un uso concreto, especialmente el que se usa para realizar operaciones manuales técnicas o delicadas. **2** Objeto formado por una o varias piezas que se usa para producir música. ■ **instrumento de cuerda** Instrumento que produce sonido mediante la vibración de las cuerdas: *el violín y la guitarra son instrumentos de cuerda.* ■ **instrumento de percusión** Instrumento que produce sonido al ser golpeado: *el tambor y el xilófono son instrumentos de percusión.* ■ **instrumento de viento** Instrumento que produce sonido mediante la vibración provocada por una columna de aire: *la trompeta y la flauta son instrumentos de viento.* **3** Medio que sirve para alcanzar un fin: *solamente he sido un instrumento para lograr sus ambiciones.*
FAM instrumental, instrumentar, instrumentista.

insubordinación *s. f.* Desobediencia o negativa a someterse a una autoridad. **ANT** subordinación.

insubordinar *v. tr.* **1** Hacer tomar una actitud rebelde y de desobediencia a unos superiores: *las malas condiciones de vida insubordinaron a los presos y se organizó un motín.* **SIN** sublevar. ‖ *v. prnl.* **2 insubordinarse** Negarse una persona a obedecer a sus superiores.
FAM insubordinación, insubordinado.

insubstancial V. insustancial.

insubstituible V. insustituible.

insuficiencia *s. f.* **1** Escasez o falta de la cantidad que se necesita de una cosa. **ANT** suficiencia. **2** Incapacidad o inadecuación de una persona para desempeñar un trabajo. **ANT** suficiencia. **3** Incapacidad de un órgano para realizar adecuadamente sus funciones: *padece una grave insuficiencia renal.*

insuficiente *adj.* **1** Que no es bastante para lo que se necesita: *la ayuda conseguida es insuficiente para paliar el problema.* **ANT** suficiente. ‖ *s. m.* **2** Nota o calificación académica que indica que no se ha llegado al nivel mínimo exigido para aprobar; es inmediatamente inferior al aprobado.
FAM insuficiencia.

insuflar *v. tr.* **1** Introducir, a soplos o inyectados, un gas, un vapor o una sustancia en polvo dentro de una cavidad u órgano del cuerpo: *insuflaron aire en sus pulmones para que recuperara el ritmo respiratorio.* **2** Comunicar o transmitir ideas, es-

tímulos o sentimientos: *tu amistad me ha insuflado mucho afecto y amor.*
FAM insuflación.

insufrible *adj.* **1** Que no puede ser soportado o aguantado por ser muy penoso o doloroso: *un dolor insufrible.* **2** Que no puede ser soportado o aguantado por ser muy molesto, pesado, antipático o abusivo: *tiene un carácter insufrible.*

ínsula *s. f.* **1** culto Isla. **2** País o gobierno de poca entidad. **FAM** insular.

insular *adj.* **1** Relativo a la isla. **SIN** isleño. | *adj./s. com.* **2** Se aplica a la persona que es de una isla. **SIN** isleño.

insulina *s. f.* **1** Hormona de naturaleza proteica producida por el páncreas y encargada de regular la glucemia o cantidad de glucosa en la sangre. **2** Medicamento hecho con esta hormona y que se emplea en el tratamiento contra la diabetes.

insulso, -sa *adj.* **1** Se aplica al alimento que tiene poco o ningún sabor: *una tortilla insulsa.* **SIN** desaborido, insípido, soso. **2** Que no tiene gracia o interés: *esta película me parece muy insulsa.* **SIN** desaborido, insípido, soso.
FAM insulsez.

insultada *s. f.* familiar AMÉR. Insulto o serie de varios insultos.

insultante *adj.* Que constituye un insulto o una ofensa o se interpreta como tal.

insultar *v. tr.* Ofender los sentimientos o la dignidad de alguien, especialmente con palabras agresivas.
FAM insultante, insulto.

insulto *s. m.* **1** Palabra o expresión que se emplea para insultar. **2** Acción que ofende o humilla a alguien.

insumisión *s. f.* **1** Falta de sumisión u obediencia. **2** Negativa a hacer el servicio militar o el servicio social a que obligan las leyes del estado.

insumiso, -sa *adj.* **1** Se aplica a la persona que no obedece o no se somete: *es un chico insumiso y conflictivo.* **ANT** sumiso. | *adj./s. m.* **2** Se aplica al hombre que se niega a hacer el servicio militar o el servicio social a que obligan las leyes del estado.
FAM insumisión.

insuperable *adj.* **1** Que no puede ser superado o salvado: *una dificultad insuperable.* **2** Que es tan excelente o bueno que no cabe otro superior: *la blancura de este detergente es insuperable.* **SIN** inmejorable.

insurrección *s. f.* Levantamiento o sublevación de una colectividad contra la autoridad: *los altos cargos consiguieron sofocar la insurrección.*
FAM insurrecional, insurreccionar, insurrecto.

insurrecto, -ta *adj./s. m. y f.* Se aplica a la persona que se levanta o subleva contra la autoridad.

insustancial [también **insubstancial**, poco usual] *adj.* **1** Se aplica al alimento que está insípido o falto de sabor. **SIN** insulso, soso. **2** Que no tiene importancia o interés. **ANT** sustancial.
FAM insustancialidad.

insustituible [también **insubstituible**, poco usual] *adj.* Que es muy adecuado o bueno en su función y no puede ser sustituido o es muy difícil sustituirlo.

intachable *adj.* Se aplica a la persona o conducta que es tan perfecta y sin tacha que no admite ni el más pequeño reproche. **SIN** irreprochable.

intacto, -ta *adj.* **1** Que no se ha tocado: *nadie probó la tarta y quedó intacta.* **2** Que no ha sufrido alteración o daño: *el coche quedó prácticamente intacto tras el accidente.* **3** Que no se ha tratado o estudiado: *es un campo de investigación que aún está intacto.*

intangible *adj.* **1** Que merece extraordinario respeto y no puede o no debe ser alterado o dañado: *la libertad de expresión es intangible.* **SIN** intocable. **2** Que no tiene realidad física: *el alma es intangible.* **ANT** tangible.
FAM intangibilidad.

integración *s. f.* **1** Formación o composición de un todo: *pretende la integración de todos los partidos de izquierda.* **ANT** desintegración. **2** Incorporación de una persona a un todo y adaptación a él: *integración racial.*
FAM integracionista.

integrador, -ra *adj.* Que integra o incorpora diferentes características o elementos poniéndolos al mismo nivel, de manera que forman parte de un todo.

integral *adj.* **1** Que está completo o es global: *hay que hacer un estudio integral del problema.* **2** Se aplica al alimento que conserva todos sus componentes: *la harina integral contiene todo el salvado o cáscara del grano.* | *s. f.* **3** Función que se obtiene por una operación a partir de la derivada. **4** Operación por la que se calcula el área de una función.

integrante *adj./s. com.* Que forma, junto con otros elementos, un conjunto: *los integrantes de un equipo.*

integrar *v. tr.* **1** Formar o componer un conjunto. **2** Determinar mediante cálculo una cantidad, conociendo solamente la expresión derivada. **3** Incorporar a una persona a un todo y hacer que se adapte a él: *es muy tímido y le cuesta integrarse en clase.*
FAM integración, integrador, integrante; reintegrar.

integridad *s. f.* **1** Estado de lo que está completo o tiene todas sus partes: *luchan por la integridad de sus territorios.* **2** Honradez y rectitud en la conducta: *los políticos deben ser personas de gran integridad.*

integrismo *s. m.* Tendencia al mantenimiento estricto de una tradición, especialmente religiosa, y a su defensa frente a cualquier tipo de cambio o renovación. **SIN** fundamentalismo.
FAM integrista.

integrista *adj./s. com.* **1** Se aplica a la persona que es partidaria del integrismo. | *adj.* **2** Relativo al integrismo.

íntegro, -gra *adj.* **1** Que está completo o tiene todas sus partes: *entrega el sueldo íntegro a sus padres.* **2** Se aplica a la persona que se comporta con honradez y rectitud.
FAM integral, integrar, integridad, integrismo.

intelecto *s. m.* Facultad humana de aprender, comprender y razonar. **SIN** entendimiento, inteligencia.
FAM intelectivo, intelectual.

intelectual *adj.* **1** Relativo al intelecto. | *adj./s. com.* **2** Se aplica a la persona que se dedica a un trabajo o actividad que requiere especialmente el empleo de la inteligencia: *entre los intelectuales del país se encuentran escritores y científicos de fama internacional.*
FAM intelectualidad, intelectualismo, intelectualizar.

intelectualidad *s. f.* Conjunto de los intelectuales de un país o de un lugar.

inteligencia *s. f.* **1** Facultad humana de aprender, comprender y razonar. **SIN** entendimiento, intelecto. ■ **inteli-**

gencia artificial Aplicación de los conocimientos sobre la inteligencia humana al desarrollo de sistemas informáticos que reproduzcan o aventajen su funcionamiento: *la inteligencia artificial permite que una máquina adquiera la capacidad para aprender y mejorar su rendimiento a partir de la experiencia.* **2** Habilidad o destreza para realizar cualquier cosa: *sabe jugar con inteligencia.* **3** Sustancia espiritual, en oposición a cuerpo: *algunos creen que una inteligencia superior rige el universo.* **4** Entendimiento o acuerdo entre dos o más personas: *han llegado a una inteligencia mutua.*
FAM inteligente.

inteligente *adj.* **1** Que está dotado de inteligencia: *muchas personas creen que existe vida inteligente en otros planetas.* **2** Se aplica a la cosa que manifiesta inteligencia: *su actitud fue muy inteligente y consiguió lo que quería.* **|** *adj./s. com.* **3** Se aplica a la persona que tiene mucha inteligencia.

inteligible *adj.* Que puede ser comprendido o entendido: *te ha quedado un escrito complicado, pero inteligible.* **ANT** ininteligible.
FAM inteligibilidad.

intemperie *s. f.* Ambiente atmosférico considerado como las variaciones e inclemencias del tiempo que afectan a los lugares o cosas no cubiertos o protegidos: *debes resguardar estas plantas de la intemperie.*
a la intemperie Al aire libre, sin techo ni otra protección.
FAM intemperante.

intempestivo, -va *adj.* Que se hace u ocurre fuera de tiempo o que es inconveniente o inoportuno: *palabras intempestivas; me llamó a horas intempestivas.*

intemporal *adj.* Que no depende del paso del tiempo o que está fuera de él.

intención *s. f.* Determinación o voluntad de hacer cierta cosa. **SIN** propósito. **■ segunda intención** Propósito que está oculto y no se nota a primera vista.
FAM intencionado, intencional.

intencionado, -da *adj.* **1** Que ha sido hecho o dicho con una determinada intención: *aunque no lo parezca, su acto ha sido bien intencionado.* **2** Que ha sido hecho a propósito, de forma voluntaria: *fuego intencionado.* **SIN** deliberado.
FAM bienintencionado, malintencionado.

intencionalidad *s. f.* Premeditación o carácter intencionado o deliberado con los que se realiza una cosa.

intendencia *s. f.* **1** Control y administración de algún servicio o del abastecimiento de alguna colectividad. **2** Cuerpo del ejército encargado de proporcionar y organizar todo lo que necesitan las fuerzas armadas o los campamentos para funcionar de forma adecuada: *la intendencia se ocupa de pagar a los soldados, de la ropa y del equipo, entre otras cosas.* **3** Cargo de intendente. **4** Lugar de trabajo u oficina del intendente. **5** Institución gubernamental española en América que sustituyó a gobernadores, adelantados y corregidores: *la intendencia es una institución creada en 1782.*

intendente *s. m.* **1** Jefe superior de los servicios de administración militar: *el intendente tiene una categoría similar a la de general.* **2** Jefe de algunos servicios económicos o de empresas dependientes del estado.
FAM intendencia; superintendente.

intensidad *s. f.* **1** Grado de fuerza o de energía con que se manifiesta un fenómeno o se realiza una acción: *está lloviendo con mucha intensidad.* **2** Fuerza o vehemencia con que se ma-

nifiestan los sentimientos: *la intensidad de su odio crecía cada vez más.* **3** Cualidad que distingue un sonido débil de uno fuerte y que depende de la amplitud de la frecuencia de onda: *intensidad del sonido; el trombón produce notas de gran intensidad.* **4** Grado de fuerza espiratoria con que se pronuncia un sonido: *en español, la acentuación depende de la intensidad.* **5** Cantidad de electricidad que pasa por un conductor en una unidad de tiempo: *la intensidad se mide en amperios.*

intensificación *s. f.* Aumento de la intensidad.

intensificar *v. tr.* **1** Aumentar la intensidad de algo. **|** *v. prnl.* **2 intensificarse** Hacerse algo más intenso: *la polución se ha intensificado alarmantemente.*
FAM intensificación, intensificador.

intensión *s. f.* **1** Intensidad de una acción o una cualidad. **2** Fase de la articulación de la voz en que los órganos articulatorios abandonan el estado de reposo o una posición determinada para adoptar la posición requerida para articular el sonido.

intensivista *s. com.* Médico especialista en el cuidado de enfermos graves que para mantener sus funciones vitales básicas necesitan de medios técnicos complejos.

intensivo, -va *adj.* Que se hace de forma intensa y en un espacio de tiempo inferior a lo normal: *hizo un curso intensivo de inglés durante las vacaciones.*
jornada intensiva Periodo de trabajo diario que se lleva a cabo sin interrupción ni descanso prolongado para comer.
FAM intensivista.

intenso, -sa *adj.* **1** Que se manifiesta o se realiza con mucha fuerza o energía: *luz intensa; frío intenso.* **2** Se aplica al sentimiento que es muy fuerte o vivo: *siente un intenso amor por su pareja.*
FAM intensidad, intensificar, intensivo.

intentar *v. tr.* Hacer el esfuerzo o las acciones necesarias para realizar una cosa, aunque no se tenga la certeza de conseguirlo: *alguien ha intentado abrirme el coche.* **SIN** pretender, procurar.

intento *s. m.* **1** Propósito o voluntad de hacer algo, aunque no se tenga la certeza de conseguirlo: *está acusado de intento de asesinato.* **2** Acción de intentar una cosa: *lo consiguió al segundo intento.*
FAM intentar, intentona.

intentona *s. f.* Intento temerario de hacer una cosa, especialmente si no se ha conseguido el fin deseado: *ha fracasado la última intentona golpista.*

interacción *s. f.* **1** Acción, relación o influencia recíproca entre dos o más personas o cosas: *la interacción entre algunos medicamentos es perjudicial para la salud.* **2** Intercambio de energía entre dos partículas o dos sistemas de partículas.
FAM interaccionar.

intercalar *v. tr.* Colocar una cosa entre otras, especialmente si forman una serie: *el autor intercaló nuevos episodios en la parte central de la novela.*
FAM intercalado.

intercambiar *v. tr./prnl. tr.* Cambiar una cosa entre sí dos o más personas o grupos: *durante la reunión intercambiaron opiniones.*
FAM intercambiable, intercambiador, intercambio.
OBS Verbo regular, se acentúa como *cambiar*.

intercambio *s. m.* Cambio mutuo o recíproco, especialmente el de actividades o servicios entre organismos, entidades o países: *un intercambio de ideas.*

interceder *v. intr.* Hablar o intervenir en favor de otra persona para conseguirle un bien o librarla de un mal: *intercedió por su hermano ante el juez.* **SIN** mediar.
FAM intercesión, intercesor.

interceptar *v. tr.* ① Detener o apoderarse de una cosa antes de que llegue a su destino: *interceptar un mensaje; interceptar un balón.* ② Obstruir, dificultar o interrumpir el paso en una vía de comunicación: *un camión averiado interceptó el carril derecho.* ③ Cortar una línea o superficie a otra línea o superficie.
FAM interceptación, interceptor.

intercesión *s. f.* Intervención en favor de alguien.
FAM intercesor.

intercesor, -ra *adj./s. m. y f.* Que interviene en favor de alguien.

intercolumnio *s. m.* Espacio que hay entre dos columnas.

intercostal *adj.* Que está situado entre las costillas: *músculos intercostales.*

intercultural *adj.* Que afecta o se refiere a dos o más culturas.

interdental *adj./s. f.* ① Se aplica al sonido o fonema consonántico que se articula poniendo la punta de la lengua entre los dientes incisivos superiores e inferiores: *el sonido de la "c" en "cenicero" es interdental.* **|** *adj./s. f.* ② Se aplica a la consonante que se articula en este punto: *entre la "a" y la "o" de "cazo" hay una interdental.*

interdependencia *s. f.* Relación por la que dos o más personas o cosas dependen unas de otras.
FAM Interdependiente.

interdisciplinar *adj.* Que tiene relación con varias disciplinas científicas o culturales. **SIN** interdisciplinario.

interdisciplinario, -ria *adj.* Interdisciplinar.

interés *s. m.* ① Provecho o bien buscado: *debe cambiar por su propio interés.* ② Valor o utilidad que en sí tiene una cosa: *es un monumento de gran interés.* ③ Atracción o inclinación hacia algo: *pusimos un interés especial en este trabajo, por eso salió tan bien.* ④ Cantidad que cada cierto tiempo da el banco por tener el dinero depositado en él. **NOTA** También *interés bancario.*
■ interés compuesto Interés bancario en que los beneficios obtenidos a partir del capital inicial se acumulan después de cada periodo de abono y pasan a engrosar el capital.
■ interés simple Interés bancario en que los beneficios obtenidos no pasan a engrosar el capital después de cada periodo de abono. ⑤ Cantidad que se ha de pagar, generalmente al banco, por el uso de un dinero recibido en calidad de préstamo. **|** *s. m. pl.* ⑥ **intereses** Bienes y propiedades que se poseen. ⑦ Conveniencias o necesidades de una persona o de un colectivo: *los padres miran por los intereses de sus hijos.*
FAM interesar; desinterés.

interesado, -da *adj./s. m. y f.* ① Que tiene interés en una cosa: *gracias, pero no estoy interesado en comprarlo.* ② Que se deja llevar por el interés propio o que solamente se mueve por él: *es un interesado y nunca te hará un favor sin pedirte algo a cambio.*

interesante *adj.* Que interesa o es digno de interés.

interesar *v. tr.* ① Atraer, gustar o producir interés: *este artículo me interesa.* ② Despertar en alguien el interés por una cosa: *quiero interesar a mis hijos en el mundo de los animales.* ③ Ser útil o bueno: *te interesa llevarte bien con tus compañeros.* ④ Dar o hacer tomar parte en un negocio. **|** *v. prnl.* ⑤ **intere-**

sarse Tener interés por algo o por alguien: *se interesa mucho por la política.* ⑥ Preguntar por algo o por el estado de alguien: *llamó para interesarse por el estado del paciente.*
FAM interesado, interesante.

interestelar *adj.* Que está situado entre dos o más astros: *espacio interestelar.*

interfase *s. f.* ① Intervalo entre dos fases sucesivas. ② Fase del ciclo de la célula en que esta no se divide y el ADN del núcleo se duplica.

interfaz *s. f.* ① En electricidad, dispositivo que permite conectar dos aparatos o circuitos. ② En electrónica e informática, dispositivo que transforma las señales generadas por un aparato en señales comprensibles por otro.
OBS Puede encontrarse la grafía inglesa *interface.*

interfecto, -ta *adj./s. m. y f.* ① Se aplica a la persona que ha muerto de forma violenta, especialmente si ha sido víctima de una acción delictiva. **|** *s. m. y f.* ② Persona de la que se está hablando. **NOTA** Frecuentemente usado de forma humorística.

interferencia *s. f.* ① Alteración o perturbación del desarrollo normal de una cosa mediante la interposición de un obstáculo: *no admito las interferencias de nadie en mis problemas familiares.* ② Alteración en la recepción de una señal mediante la introducción de otra extraña o perturbadora: *no pudimos ver el festival en la televisión porque había interferencias.*

interferir [9] *v. intr./prnl.* ① Entrometerse una persona en un asunto ajeno para alterarlo o para molestar: *no pretendo interferir en tus asuntos.* **|** *v. tr.* ② Alterar el desarrollo normal de un asunto interponiendo una acción: *los consejos de sus amigos han interferido sus planes iniciales.* ③ Causar interferencias o perturbaciones en la recepción de una señal.
FAM interferencia.

interfijo *s. m./adj.* Afijo introducido en el interior de una palabra. **SIN** infijo.

interfono *s. m.* Aparato empleado para hablar y oír en comunicaciones internas; especialmente, el utilizado en los edificios de viviendas, que comunica la puerta principal con cada uno de los pisos y que va provisto de un mecanismo eléctrico de apertura de dicha puerta: *pulsó el interfono para llamar a su secretaria.*

intergaláctico, -ca *adj.* Que se encuentra o realiza entre dos o más galaxias: *polvo intergaláctico.*

interglacial *adj.* Se aplica al periodo comprendido entre dos glaciaciones.

ínterin *s. m.* Intervalo de tiempo que transcurre entre dos acciones o etapas.
FAM interino.
OBS Plural: *ínterines.*

interinidad *s. f.* ① Tiempo durante el cual una persona desempeña un cargo o una función sustituyendo a otra. ② Cargo de la persona que trabaja en la Administración pública y ocupa el puesto de un funcionario de carrera sin serlo.

interino, -na *adj./s. m. y f.* Se aplica a la persona que desempeña un cargo o una función por sustitución de otra, especialmente a la que ocupa un puesto de funcionario sin tener este puesto en propiedad: *profesor interino.*
FAM interinidad.

interior *adj.* ① Que está o queda dentro: *una prenda interior.* ② Relativo al país del que se habla: *comercio interior.* ③ Que pertenece a los pensamientos o sentimientos íntimos de una

persona: *nunca cuenta nada de su vida interior.* ‖ *adj./s. m.* **4** Se aplica a la vivienda o habitación cuyas ventanas no dan a la calle, sino a un patio o a la parte trasera. ‖ *s. m.* **5** Parte de dentro de una cosa. **6** Parte de un país o región situada en el centro y que se opone a la zona costera o fronteriza: *la gente emigra al interior del país.* **7** Conjunto de pensamientos y de sentimientos íntimos de alguien: *sintió cierta envidia en su interior.* **8** Jugador de la línea delantera de un equipo de fútbol y de otros deportes que se coloca entre el delantero centro y el extremo. ‖ *s. m. pl.* **9 interiores** Parte de una película que se rueda dentro de un estudio o edificio.
FAM interioridad, interiorismo, interiorizar.

interioridad *s. f.* **1** Parte o aspecto interior de una persona o cosa: *nadie puede llegar a la interioridad de su pensamiento.* **2** Intimidad de una persona. ‖ *s. f. pl.* **3 interioridades** Asuntos privados, generalmente secretos, de las personas, familias o grupos.

interiorizar *v. tr.* Hacer propio o asentar de manera profunda e íntima en la mente, especialmente un pensamiento o un sentimiento.
FAM interiorización.

interjección *s. f.* Palabra o expresión que, pronunciada en tono exclamativo, expresa por sí sola un estado de ánimo o capta la atención del oyente: *al decir "¡viva!", "¡olé!" o "¡ay!" empleamos interjecciones.*
FAM interjectivo.

interjectivo, -va *adj.* **1** Se aplica a la expresión que tiene carácter de interjección. **2** Relativo a la interjección.

interlínea *s. f.* Espacio en blanco entre dos líneas impresas.

interlineado *s. m.* **1** Escritura que se hace entre dos líneas o renglones. **2** Conjunto de los espacios blancos que hay entre las líneas de un texto.
FAM interlineal.

interlineal *adj.* Que está entre dos líneas escritas.

interlocución *s. f.* Comunicación mediante la palabra de dos o más personas entre sí. SIN conversación.

interlocutor, -ra *s. m. y f.* Persona que toma parte en una conversación.
FAM interlocución.

interludio *s. m.* Composición musical corta que sirve de intermedio en la música instrumental.

intermediar *v. intr.* **1** Hablar ante alguien a favor de otra persona para conseguirle un bien o librarla de un mal. SIN interceder, mediar. **2** Intervenir en una discusión o en un enfrentamiento entre dos partes para encontrar una solución. SIN mediar.
OBS Verbo regular, se acentúa como *cambiar.*

intermediario, -ria *adj./s. m. y f.* **1** Se aplica a la persona que media entre dos o más partes para comerciar con unas mercancías que no ha producido. **2** Se aplica a la persona u organismo que media entre dos o más partes para que lleguen a un acuerdo en un negocio o problema. SIN mediador.

intermedio, -dia *adj.* **1** Que está entre dos o más puntos, en el espacio o en el tiempo: *quedaremos en un lugar intermedio entre tu casa y la mía.* **2** Que está entre los extremos de una escala: *el gris es un tono intermedio entre el blanco y el negro.* ‖ *s. m.* **3** Periodo de tiempo que hay entre dos acciones o dos momentos. **4** Tiempo de descanso en medio de una actividad: *a media mañana hicimos un intermedio para tomar un bocadillo.* **5** Periodo de tiempo durante el que se interrumpe un

espectáculo, un programa o una competición deportiva: *durante los intermedios de este programa ponen mucha publicidad.* SIN descanso.
FAM intermediar.

interminable *adj.* Que no se acaba nunca o que así lo parece: *la espera se hacía interminable.*

intermitencia *s. f.* Interrupción y continuación sucesivas a intervalos regulares.

intermitente *adj.* **1** Que se interrumpe y prosigue cada cierto tiempo: *llevamos toda la semana con lluvias intermitentes.* ‖ *s. m.* **2** Luz lateral del coche que se enciende y apaga con periodicidad constante y frecuente para señalar un cambio de dirección o una avería. **3** Dispositivo que enciende y apaga con periodicidad constante y frecuente una o varias luces.
FAM intermitencia.

internacional *adj.* **1** Relativo a dos o más naciones. ‖ *adj./ s. com.* **2** Se aplica al deportista que toma parte en competiciones en las que participan varias naciones. ‖ *s. f.* **3** Organización formada por personas de la clase obrera, políticos y sindicalistas de varios países del mundo, de ideología comunista, socialista o anarquista, durante los siglos XIX y XX. NOTA Se escribe normalmente con mayúscula inicial. ■ **Primera Internacional** Internacional fundada en Londres que duró de 1864 a 1876 y estaba constituida por marxistas y anarquistas. ■ **Segunda Internacional** Internacional fundada en París que duró de 1889 a 1923 y era de ideología socialdemócrata.
FAM internacionalismo, internacionalizar.

internacionalizar *v. tr.* Convertir en internacional lo que era de una sola nación.
FAM internacionalización.

internada *s. f.* Acción individual de un jugador de fútbol u otro deporte que penetra en el campo contrario rápidamente. SIN colada.

internado *s. m.* **1** Conjunto de estudiantes internos de un centro educativo: *el internado quiere organizar una fiesta para fin de curso.* **2** Estado y régimen del estudiante interno en un centro educativo o de la persona interna en un centro sanitario o benéfico: *en sus años de internado echaba de menos a su familia.* **3** Edificio en el que viven los estudiantes internos de un centro educativo u otras personas internas.

internar *v. tr.* **1** Meter o dejar a una persona en un lugar, especialmente en una institución, para que permanezca en ella o para someterla a un tratamiento: *han internado al abuelo en una residencia de ancianos.* **2** Trasladar o llevar al interior de un lugar: *se internaron en el bosque.*
FAM internada, internado, internamiento.

internauta *s. com.* Persona que navega por internet.

internet *s. f.* Red mundial de comunicación compuesta por miles de redes telefónicas e informáticas que conectadas entre sí para transmitir información.
FAM internauta.
OBS Se escribe normalmente con mayúscula inicial.

internista *s. com.* Médico especialista en el estudio y tratamiento de las enfermedades que afectan a los órganos internos del cuerpo humano.

interno, -na *adj.* **1** Que está o queda dentro: *alguna pieza de su mecanismo interno está estropeada.* ANT externo. **2** Relativo al interior: *un departamento de asuntos internos.* **3** Relativo

al país al que pertenece: *la política interna le preocupa menos que los asuntos exteriores.* **4** Se aplica a la parte de la medicina que se ocupa del estudio de las enfermedades que afectan a los órganos interiores, a excepción del aparado genital: *departamento de medicina interna.* **|** *adj./s. m. y f.* **5** Se aplica a la persona que vive en el mismo lugar en el que trabaja o estudia: *los internos del colegio solamente vuelven a casa en vacaciones.* ANT externo. **|** *s. m. y f.* **6** Persona que cumple condena en un establecimiento penitenciario. **|** *adj./s. m. y f.* **7** Se aplica al médico que realiza su especialización o sus prácticas en un hospital o en una cátedra.
FAM internar, internista.

interparlamentario, -ria *adj.* Que se establece entre los parlamentos de distintos países.

interpelación *s. f.* **1** Exigencia de explicaciones sobre un asunto, especialmente si se hace con autoridad o con derecho. **2** En un parlamento, uso de la palabra que hace un diputado o senador para plantear al gobierno o a la mesa una discusión ajena a los proyectos de ley y a las proposiciones.

interpelar *v. tr.* **1** Exigir explicaciones sobre un asunto, especialmente si se hace con autoridad o con derecho: *el fiscal interpeló al testigo.* **2** Plantear un diputado o un senador al gobierno o a la mesa una discusión ajena a los proyectos de ley y a las proposiciones.
FAM interpelación, interpelante.

interplanetario, -ria *adj.* **1** Se aplica a la zona espacial que se encuentra entre dos o más planetas. **2** Relativo a esa zona espacial: *fuerza interplanetaria.* **3** Se aplica al vehículo que está preparado para viajar por el espacio: *nave interplanetaria.*

interpolación *s. f.* Situación o colocación de una cosa entre otras, especialmente de palabras o fragmentos en un texto ajeno.

interpolar *v. tr.* Poner o colocar una cosa entre otras, especialmente palabras o fragmentos en un texto ajeno.
FAM interpolación.

interponer [36] *v. tr.* **1** Poner entre dos cosas o entre dos personas o grupos: *se interpuso en su carrera.* **2** Hacer que una persona actúe como mediadora entre otras: *se interpuso entre los contendientes.* **3** Formalizar un recurso mediante un escrito que se presenta ante el juez: *interponer una demanda de divorcio.*
FAM interposición.

interposición *s. f.* **1** Colocación de una cosa o una persona en medio de otras dos. **2** Colocación de una persona como mediadora entre otras. **3** Formalización de un recurso mediante un escrito que se presenta ante el juez.

interpretación *s. f.* **1** Explicación del significado de algo. **2** Representación de un papel o de un texto dramático. SIN actuación. **3** Ejecución de una pieza musical o de un baile: *la soprano realizó una magnífica interpretación.* SIN actuación. **4** Concepción o expresión personal de algo: *la interpretación que la modista ha hecho de mi idea es muy acertada.* **5** Traducción de un texto de una lengua a otra.

interpretar *v. tr.* **1** Explicar el significado de algo, especialmente un texto que está poco claro: *los juristas interpretan las leyes.* **2** Dar a una cosa un significado determinado: *hay personas que saben interpretar los sueños.* **3** Representar un papel o un texto dramático: *no todos los actores se atreven a interpretar a Hamlet.* **4** Ejecutar una pieza musical o un baile: *la mezzosoprano interpretó un lied de Brahms.* **5** Traducir un texto de una lengua a otra.
FAM interpretación, interpretativo; malinterpretar.

intérprete *s. com.* **1** Persona que se dedica a traducir la conversación entre personas de lenguas diferentes. **2** Persona que se dedica a interpretar papeles o textos dramáticos. **3** Persona que se dedica a interpretar piezas musicales o de baile: *Glenn Gould fue un gran intérprete de Bach.* **4** Persona que da a algo un significado.
FAM interpretar.

interpuesto, -ta Participio irregular de *interponer*.

interrelación *s. f.* Relación entre personas, animales o cosas que se influyen mutuamente.
FAM interrelacionar.

interrelacionar *v. tr.* Establecer una persona, animal o cosa una relación con otra u otras de manera que se influyan mutuamente.

interrogación *s. f.* **1** Acción de interrogar. **2** Enunciado interrogativo que se emite para conocer algo u obtener una información. SIN interrogante. **3** Signo de ortografía que se pone al principio (¿) y al final (?) de un enunciado interrogativo. SIN interrogante.

interrogación retórica Figura retórica que consiste en formular una pregunta sin pretender que se le dé respuesta, únicamente para conseguir una especial fuerza expresiva. SIN pregunta retórica.

interrogante *s. amb.* **1** Enunciado interrogativo que se emite para conocer algo u obtener una información: *le planteó una interrogante difícil.* SIN interrogación, pregunta. **2** Cuestión que se desconoce o que sigue produciendo dudas: *la energía nuclear sigue planteando numerosas interrogantes.* **|** *s. m.* **3** Signo de ortografía que se pone al principio (¿) y al final (?) de un enunciado interrogativo. SIN interrogación.

interrogar *v. tr.* Hacer preguntas para aclarar un hecho o sus circunstancias: *la policía interrogó al detenido.*
FAM interrogación, interrogante, interrogativo, interrogatorio.

interrogativo, -va *adj.* **1** Que indica o expresa una pregunta: *oración interrogativa.* **2** Se aplica a la oración que expresa una pregunta. **3** Se aplica al pronombre, determinante o adverbio que introduce una oración interrogativa.

interrogatorio *s. m.* Serie de preguntas que la policía o un juez hace a una persona para aclarar un hecho o sus circunstancias.

interrumpir *v. tr.* **1** Detener la continuidad de una cosa o acción en el espacio o en el tiempo. **2** Cortar una conversación porque se habla mientras otra persona está hablando.
FAM interrupción; ininterrumpido.

interrupción *s. f.* Detenimiento de una cosa o acción que se está realizando: *si un jugador se lesiona, se produce una interrupción del partido.*

interruptor *s. m.* Dispositivo para abrir o cerrar el paso de corriente eléctrica en un circuito. ■ **interruptor diferencial** Elemento de una instalación eléctrica que desconecta automáticamente el paso de la corriente cuando se produce una derivación en algún aparato electrodoméstico, o en algún punto de la instalación. NOTA También simplemente *diferencial.*

intersección *s. f.* **1** Encuentro de dos líneas, dos superficies o dos sólidos que se cortan. **2** En matemáticas, conjunto integrado por los elementos comunes a dos o más conjuntos. ■ **intersección de sucesos** Conjunto formado por todos los elementos que pertenecen simultáneamente a dos o más conjuntos dados.

intersticio *s. m.* Espacio pequeño entre dos cuerpos o entre dos partes de un mismo cuerpo.

intertextualidad *s. f.* Relación existente entre textos de una misma cultura: *la intertextualidad se manifiesta en «Bajarse al moro» por el ajustado engranaje del texto con los contextos socioculturales.*

intertropical *adj.* Que está situado entre los trópicos: *en los países intertropicales, la temporada de lluvias dura unos seis meses.*

interurbano, -na *adj.* Se aplica al servicio que comunica o relaciona poblaciones distintas.

intervalo *s. m.* ▣ Espacio o distancia que hay entre dos momentos o entre dos puntos: *nos vemos a intervalos regulares, generalmente, una vez al mes.* ▢ Conjunto de valores entre los límites determinados: *intervalo de temperaturas.* ■ **intervalo abierto** En matemáticas, subconjunto de la recta real, definido a partir de dos números reales *a* y *b* (llamados extremos del intervalo) y formado por todos los números reales comprendidos entre *a* y *b*; se denota como *(a, b).* ■ **intervalo cerrado** Subconjunto de la recta real, definido a partir de dos números reales *a* y *b* o extremos del intervalo, y formado por todos los números reales comprendidos entre *a* y *b*, incluyendo a los extremos; se denota como *[a, b].* ■ **intervalo semiabierto** Intervalo en el que solo se incluye uno de los extremos; se denota como *(a, b]*, si es *a* el que no está incluido, y *[a, b)* si es *b* el que no está incluido. ▢ En estadística, franja en la que se divide el recorrido de un conjunto de datos. ▣ Distancia que existe entre dos notas musicales, emitidas simultáneamente o una después de la otra: *los intervalos se clasifican en mayores, menores, justos, aumentados y disminuidos.*

intervención *s. f.* ▣ Participación en un asunto o situación: *gracias a su intervención hemos conseguido el crédito.* ▢ Operación quirúrgica. ▣ Control que una autoridad ejerce sobre la comunicación privada de alguien: *la policía ha solicitado al juez la intervención del teléfono del sospechoso.* ▣ Apropiación por parte una autoridad de una mercancía ilegal. ▣ Oficina del interventor.
FAM intervencionismo.

intervencionismo *s. m.* ▣ Tendencia política que defiende la intervención de un país en los asuntos internos de otro. ▢ Sistema económico que defiende la intervención del estado en la economía del país.
FAM intervencionista.

intervencionista *adj.* ▣ Relativo al intervencionismo. | *adj./ s. com.* ▢ Se aplica a la persona que es partidaria del intervencionismo.

intervenir [48] *v. intr.* ▣ Tomar parte en un asunto o situación: *en una película interviene mucha gente.* | *v. tr.* ▢ Operar quirúrgicamente. ▣ Controlar una autoridad la comunicación privada de alguien: *intervenir un teléfono.* ▣ Apoderarse una autoridad de una mercancía ilegal: *la policía ha intervenido un cargamento de cocaína.*
FAM intervención, interventor, interviniente.

interventor, -ra *s. m. y f.* ▣ Funcionario que supervisa determinadas operaciones. ▢ Empleado que comprueba y controla los billetes en el tren. ▣ En unas elecciones, persona designada oficialmente para vigilar la regularidad de la votación y autorizar el resultado de esta junto a los demás miembros de la mesa electoral.

interviniente *adj./s. com.* Se aplica a la persona que interviene en una discusión, debate, etc.

interviú *s. amb.* Entrevista que hace un medio de comunicación.
OBS Plural: *interviús.* Puede encontrarse la grafía inglesa *interview.*

intervocálico, -ca *adj.* Se aplica a la consonante que se halla entre vocales.

intestinal *adj.* Relativo al intestino.
FAM gastrointestinal.

intestino, -na *adj.* ▣ Se aplica a la oposición o lucha que está o se produce en el interior del país: *las luchas intestinas por el poder desmembraron el partido.* | *s. m.* ▢ Conducto membranoso que forma parte del aparato digestivo y que va del estómago hasta el ano. **NOTA** También en plural con el mismo significado que en singular. ■ **intestino ciego** Parte del intestino grueso comprendida entre el final del intestino delgado y el colon, donde se absorben sales y fluidos. **NOTA** También simplemente *ciego.* ■ **intestino delgado** Parte menos ancha y más larga de este conducto que comienza en el estómago y acaba en el intestino grueso: *el intestino delgado se divide en tres partes: duodeno, yeyuno e íleon.* ■ **intestino grueso** Parte más ancha y menos larga de este conducto que comienza en el intestino delgado y termina en el ano: *el intestino grueso se divide en tres partes: ciego, colon y recto.*
FAM intestinal.

intimar *v. intr.* Establecer una amistad íntima: *desde que trabajan juntos han intimado mucho.*

intimidación *s. f.* Provocación o inspiración de miedo.

intimidad *s. f.* ▣ Amistad muy estrecha o íntima. ▢ Parcela privada de la vida de una persona: *los periodistas no respetan la intimidad de los famosos.* ▣ Carácter privado o reservado: *celebramos la boda en la intimidad.* | *s. f. pl.* ▣ **intimidades** Asuntos o sentimientos de la vida privada de una persona: *yo solo cuento mis intimidades a mis amigos.* ▣ Órganos sexuales externos de una persona.
FAM intimidación.

intimidar *v. tr.* Causar miedo. **SIN** asustar, atemorizar.
FAM intimidación, intimidatorio.

intimismo *s. m.* Tendencia artística en la que se da mucha importancia a los temas privados y personales.
FAM intimista.

intimista *adj.* ▣ Se aplica a la obra artística o literaria que expresa sentimientos íntimos o representa temas de la vida familiar. | *adj./s. com.* ▢ Se aplica a la persona que es partidaria o cultivadora del intimismo.

íntimo, -ma *adj.* ▣ Que es privado, reservado o profundo: *una cena íntima; todos tenemos pensamientos íntimos que nadie conoce.* | *adj./s. m. y f.* ▢ Se aplica al amigo que es de mucha confianza.
FAM intimar, intimidad, intimismo.

intocable *adj.* ▣ Que no puede ser tocado: *los cuadros del museo son intocables.* ▢ Que no puede ser comentado o criticado: *sus principios morales son intocables.* | *s. com./adj.* ▣ Persona que pertenece a la casta más baja en la India, sin derechos civiles ni religiosos: *los hindúes de castas superiores evitan cualquier contacto con los intocables.* **SIN** paria.

intolerable *adj.* Que no puede o no debe ser admitido o tolerado. **ANT** tolerable.

intolerancia *s. f.* ▣ Incapacidad de aceptar las opiniones o ideas de los demás que no coinciden con las propias: *muchas comunidades han sufrido la intolerancia religiosa y racial.* **ANT** tolerancia. **2** Incapacidad del organismo para tolerar o resistir ciertas sustancias, especialmente alimentos o medicamentos, que, aunque no resulten tóxicas, producen una reacción alérgica: *tiene intolerancia a la penicilina.* **ANT** tolerancia.

intolerante *adj./s. com.* Que es incapaz de aceptar las opiniones o ideas de los demás si no coincide con las propias. **ANT** tolerante.
FAM intolerancia.

intoxicación *s. f.* Enfermedad causada por un veneno o por una sustancia tóxica o en mal estado. **ANT** desintoxicación.

intoxicar *v. tr.* **1** Causar daño en el organismo con un veneno o con una sustancia tóxica o en mal estado: *la mayonesa intoxicó a veinte personas.* **ANT** desintoxicar. **2** Dar una información manipulada o falsa para crear un estado de opinión propicio para un fin.
FAM intoxicación.

intradós *s. m.* **1** Superficie o cara interior de un arco o una bóveda. **2** Cara de una dovela que corresponde a esta superficie.

intrahistoria *s. f.* Vida tradicional del pueblo, que subyace a la historia cambiante y visible.
FAM intrahistórico.

intramuscular *adj.* Que está o se pone directamente en el interior de un músculo: *inyección intramuscular.*

intranet *s. f.* Red de ordenadores de una empresa u organización conectados entre sí para agilizar y facilitar el trabajo.

intranquilidad *s. f.* Estado de agitación, preocupación o nervios: *no tiene trabajo fijo y vive siempre con mucha intranquilidad.* **ANT** tranquilidad.

intranquilizar *v. tr.* **1** Poner intranquilo: *la falta de noticias nos intranquilizó.* **ANT** tranquilizar. **‖** *v. prnl.* **2** **intranquilizarse** Ponerse intranquilo: *me intranquilizo fácilmente cuando se retrasa.* **SIN** tranquilizarse.
FAM intranquilizador.

intranquilo, -la *adj.* Que tiene agitación, preocupación o nervios. **ANT** tranquilo.
FAM intranquilidad, intranquilizar.

intranscendencia V. intrascendencia.

intranscendente V. intrascendente.

intransferible [también **intrasferible**] *adj.* Que no puede ser dado o transferido a otra persona: *el DNI es personal e intransferible.*

intransigencia *s. f.* Incapacidad para tolerar o aceptar la opinión o deseos de otra persona en contra de los propios. **ANT** transigencia.
FAM intransigente.

intransigente *adj.* Que es incapaz de tolerar o aceptar la opinión o deseos de otra persona en contra de los propios.

intransitable *adj.* Se aplica al lugar o camino por donde no se puede transitar, generalmente por estar en malas condiciones: *la carretera ha quedado intransitable a causa de las últimas lluvias.*

intransitivo, -va *adj./s. m. y f.* Se aplica a la oración o el verbo que se construye sin complemento directo. **ANT** transitivo.
FAM intransitividad.

intrascendencia [también **intranscendencia**] *s. f.* Falta de gravedad, importancia o interés. **SIN** trivialidad. **ANT** trascendencia.

intrascendente [también **intranscendente**] *adj.* Que carece de gravedad, importancia o interés: *problemas intrascendentes.* **SIN** trivial. **ANT** trascendente.
FAM intrascendencia.

intrasferible V. intransferible.

intratable *adj.* **1** Que no puede ser tratado o que es muy difícil de tratar: *una enfermedad intratable.* **2** Se aplica a la persona con la que es muy difícil tratar porque tiene mal genio: *hoy estás intratable.*

intravenoso, -sa *adj.* Que está o se pone directamente en el interior de una vena: *inyección intravenosa.* **SIN** endovenoso.

intrepidez *s. f.* Cualidad de la persona que es decidida y no se detiene ante los peligros. **SIN** arrojo.

intrépido, -da *adj.* Se aplica a la persona que es decidida y no se detiene ante los peligros. **SIN** arrojado.
FAM intrepidez.

intriga *s. f.* **1** Acción o plan, generalmente malintencionado, preparado en secreto y con astucia para conseguir un fin. **SIN** maquinación, trama. **2** Intensa curiosidad que produce la espera o el interés por conocer una cosa: *es una película de intriga: el asesino no se descubre hasta el final.* **SIN** suspense. **3** Enredo o lío. **4** Conjunto de sucesos, circunstancias y enredos que constituyen el argumento de una narración u obra cinematográfica y que provocan curiosidad e interés en el público hasta que se resuelven en el desenlace.

intrigante *adj.* **1** Que despierta curiosidad o extrañeza: *un suceso intrigante.* **‖** *adj./s. com.* **2** Se aplica a la persona que intriga o que participa en una intriga: *si no fueras tan intrigante, confiaría más en ti.*

intrigar *v. intr.* **1** Actuar con astucia y en secreto para conseguir un fin. **‖** *v. tr.* **2** Excitar la curiosidad o el interés de alguien: *con tantos misterios has conseguido intrigarme.*
FAM intriga, intrigante.

intrincado, -da *adj.* **1** Se aplica al asunto que es complicado o confuso. **2** Se aplica a la cosa de estructura lineal que presenta rodeos, torceduras o cruzamientos: *un camino intrincado.*

intrincar *v. tr.* Enredar o enmarañar una cosa: *el asunto se está intrincando cada vez más.*
FAM intrincado.

intríngulis *s. m.* **1** familiar Razón o motivo oculto y último de algo. **2** Dificultad o complicación que tiene una cosa. **OBS** Plural invariable.

intrínseco, -ca *adj.* Que es propio o característico de una cosa por sí misma y no por causas exteriores: *la blancura es una característica intrínseca de la nieve.* **ANT** extrínseco.

introducción *s. f.* **1** Colocación en el interior de algo o entre varias cosas: *la policía vigila la introducción de droga en el país.* **2** Aparición de algo que no había o de algo nuevo: *la introducción de un nuevo producto en el mercado necesita ser planeada cuidadosamente.* **3** Aceptación de una persona en una sociedad o comunidad. **4** Todo aquello que se hace, se escribe o se dice al comienzo de un escrito, un discurso o una obra musical. **5** Preparación para un estudio: *este texto es una buena introducción a la astronomía.*

introducir [18] *v. tr.* **1** Meter o colocar en el interior de algo o entre varias cosas: *introdujo la llave en la cerradura.* **2** Hacer que una persona entre dentro de un lugar: *me introdujo en la sala.* **3** Hacer que una persona entre a formar parte de una sociedad o comunidad: *lo introdujo en la alta sociedad.* **4** Poner

en uso algo nuevo o que no se conocía: *no se sabe exactamente cuándo se introdujo la patata en Europa.* **5** Hacer figurar o hablar a un personaje en una obra.
FAM introducción, introductor.

introductorio, -ria *adj.* Que sirve de introducción: *tu trabajo debe incluir un capítulo introductorio.*

intromisión *s. f.* Intervención de una persona en asuntos ajenos o en cuestiones que no son de su incumbencia. **SIN** injerencia.

introspección *s. f.* Observación y examen que una persona hace de sus propias ideas, pensamientos y sentimientos.
FAM introspectivo.

introspectivo, -va *adj.* Relativo a la introspección.

introversión *s. f.* Actitud o forma de ser de la persona introvertida.

introvertido, -da *adj./s. m. y f.* Se aplica a la persona que no suele manifestar sus sentimientos y se relaciona poco con los demás. **ANT** extrovertido.
FAM introversión.

intrusión *s. f.* **1** Introducción en una propiedad, lugar, asunto o actividad sin tener derecho o autorización para ello. **2** Cuerpo de roca magmática que se ha introducido por sí mismo en otras rocas preexistentes.

intrusismo *s. m.* Ejercicio de una profesión sin la titulación o preparación necesaria para ello.

intruso, -sa *adj./s. m. y f.* Se aplica a la persona que se ha introducido en una propiedad, lugar, asunto o actividad sin derecho o autorización: *en una fiesta, una persona que no ha sido convidada es una intrusa.*
FAM intrusión, intrusismo.

intubar *v. tr.* Introducir un tubo en un conducto del organismo de una persona o animal por razones médicas, especialmente en la boca o en la tráquea para permitir la entrada de aire en los pulmones: *tuvieron que intubarle porque no podía respirar.* **SIN** entubar.
FAM intubación.

intuición *s. f.* **1** Habilidad para comprender algo rápidamente sin pensar sobre ello o estudiarlo: *la intuición femenina.* **2** Conocimiento inmediato de una realidad o una idea sin la intervención del pensamiento o la razón.
FAM intuicionismo.

intuir [21] *v. tr.* **1** Conocer o comprender de manera inmediata una realidad o una idea sin la intervención del pensamiento o la razón. **2** Presentir una cosa: *intuí que ese día iba a ocurrir algo malo.*
FAM intuición, intuitivo.

intuitivo, -va *adj.* **1** Relativo a la intuición. **2** Se aplica a la persona que usa más la intuición que el razonamiento.

inundación *s. f.* **1** Cubrimiento de un lugar con agua. **2** Abundancia excesiva de algo.

inundar *v. tr.* **1** Cubrir el agua u otro líquido un lugar: *durante las últimas lluvias se nos inundó el garaje.* **SIN** anegar. **2** Llenar algo completamente un lugar: *los turistas inundan en verano las costas españolas.*
FAM inundación.

inusitado, -da *adj.* Que es muy particular o poco frecuente. **SIN** inaudito, insólito, inusual.

inusual *adj.* Inusitado.

inútil *adj.* **1** Que no sirve para nada: *es inútil que llores, no vas a conseguirlo.* **ANT** útil. **|** *adj./s. com.* **2** Se aplica a la persona que no puede trabajar o moverse por impedimento físico. **3** Se aplica a la persona que hace mal una cosa que es fácil.
FAM inutilidad, inutilizar.

inutilidad *s. f.* **1** Cualidad de inútil. **ANT** utilidad. **2** Cosa inútil. **3** Persona inútil o torpe.

inutilizable *adj.* Que no puede ser utilizado para lo que estaba previsto: *el coche ha quedado inutilizable después de la avería.*

inutilizar *v. tr.* Hacer que una cosa quede inutilizable.
FAM inutilizable.

invadir *v. tr.* **1** Entrar por la fuerza en un lugar para ocuparlo: *las tropas invadieron el país vecino.* **2** Llenar un lugar una cosa que resulta perjudicial o molesta: *una plaga de langostas invadió los campos.* **3** Introducirse sin derecho en el campo o las atribuciones ajenas: *algunos periodistas invaden la intimidad de los famosos.* **4** Apoderarse un estado de ánimo de una persona dominándola por completo: *le invadió una gran tristeza.*
FAM invasión, invasor.

invalidar *v. tr.* Dejar sin validez o efecto una cosa: *han invalidado los resultados de la votación.*
FAM invalidación.

invalidez *s. f.* **1** Incapacidad de una persona para realizar determinadas actividades debido a una deficiencia física o psíquica. **2** Circunstancia de no ser válida una cosa.

inválido, -da *adj.* **1** Que no tiene solidez ni vigor. **2** Que carece de validez por no reunir las condiciones que exigen las leyes. **|** *adj./s. m. y f.* **3** Se aplica a la persona que tiene un deficiencia física o psíquica que le impide realizar ciertas actividades.
FAM invalidar, invalidez.

invar *s. m.* Aleación de hierro, níquel y carbono que, por su escaso coeficiente de dilatación, se emplea para fabricar instrumentos de medida y aparatos de precisión.
OBS Es marca registrada.

invariable *adj.* **1** Que no cambia o varía. **2** Se aplica a la palabra que no tiene diferentes formas según el género, el número, el modo, el tiempo o la persona: *las preposiciones, los adverbios, las conjunciones y las interjecciones son invariables.*
FAM invariabilidad.

invasión *s. f.* **1** Entrada en un lugar por la fuerza para ocuparlo. **2** Ocupación total de un lugar por algo que resulta perjudicial o molesto. **3** Penetración de microorganismos patógenos en un organismo, y su posterior multiplicación y difusión.

invasor, -ra *adj./s. m. y f.* Que invade.

invectiva *s. f.* Discurso o escrito crítico y violento contra una persona o cosa: *los periódicos continúan lanzando invectivas contra el gobierno.*

invencible *adj.* Que no puede ser vencido.

invención *s. f.* **1** Invento. **2** Creación de una historia o una excusa que no es verdadera para engañar a alguien. **3** Hecho o dicho falso que se cuenta como verdadero.
SIN mentira.

inventar *v. tr.* **1** Crear o diseñar una cosa nueva o no conocida: *la imprenta se inventó en el siglo XV.* **2** Crear una historia o una excusa que no es verdadera para engañar a alguien: *yo no me he inventado la historia, todo lo que te dije es cierto.*
FAM invención, inventario, inventivo, invento, inventor.

inventariar *v. tr.* Hacer inventario: *inventarió el contenido de la casa antes de alquilarla.*
OBS Verbo regular, se acentúa como *desviar.*

inventario *s. m.* ① Lista ordenada de los bienes y demás cosas que pertenecen a una persona, a una empresa o a una asociación: *la tienda está cerrada porque están haciendo el inventario.* ② Libro o documento en el que está escrita esta lista. **FAM** inventariar.

inventiva *s. f.* Capacidad y facilidad para inventar o crear: *para ser novelista hay que tener mucha inventiva.* **SIN** creatividad.

invento *s. m.* ① Creación o diseño de una cosa nueva o que no se conocía. **SIN** invención. ② Cosa inventada. **SIN** invención.

inventor, -ra *adj./s. m. y f.* Se aplica a la persona que inventa o se dedica a inventar: *Graham Bell fue el inventor del teléfono.*

invernación *s. f.* ① Estado de letargo que experimentan algunos animales en invierno, acompañado de un descenso de su temperatura corporal y del ritmo de sus funciones metabólicas. **SIN** hibernación. ② Estado de letargo al que se somete a una persona artificialmente con fines médicos, haciendo disminuir la temperatura de su cuerpo. **SIN** hibernación.

invernáculo *s. m.* Invernadero (lugar cubierto para el cultivo de plantas).

invernada *s. f.* ① AMÉR. Época de engorde del ganado que comienza generalmente con el invierno. ② AMÉR. Invernadero (lugar destinado al pasto del ganado en invierno). ③ AMÉR. Campo con buenos pastos y aguadas donde se hace pastar el ganado.

invernadero *s. m.* ① Lugar cubierto en el que se crea artificialmente un clima adecuado para el cultivo de plantas fuera de su ámbito natural. **SIN** invernáculo. ② Lugar adecuado para invernar. ③ Lugar destinado al pasto del ganado en invierno.

invernal *adj.* Relativo al invierno.

invernar [1] *v. intr.* ① Pasar el invierno en cierto lugar. ② Pasar el invierno un animal en estado de hibernación. **SIN** hibernar.
FAM invernadero.

invernazo *s. m.* P. RICO, R. DOM. Época de lluvias, que comprende de julio a septiembre.

inverosímil *adj.* Que parece mentira o es muy difícil de creer: *tu historia es bastante inverosímil.* **SIN** increíble. **ANT** creíble, verosímil.
FAM inverosimilitud.

inversión *s. f.* ① Cambio del orden, la dirección o la posición de algo por sus opuestos. ② Empleo de una cantidad de dinero en una cosa para conseguir ganancias: *las inversiones más seguras son las de las empresas públicas.* ③ Empleo de tiempo o esfuerzo en algo.
inversión térmica Incremento anormal de la temperatura con la altura en un estrato atmosférico que favorece la formación de nieblas y la acumulación de contaminantes.
FAM inversionista.

inversionista *adj./s. com.* Inversor.

inverso, -sa *adj.* Que es opuesto o contrario en el orden, la dirección o el sentido: *los coches que vienen de frente van en dirección inversa a la nuestra.*
a la inversa De forma totalmente opuesta o contraria.

inverso de un número Número que, multiplicado por este otro, da como resultado la unidad: *3 es el inverso de 1/3 porque su producto es 1.*

inversor, -ra *adj./s. m. y f.* Se aplica a la persona que invierte una cantidad de dinero para conseguir ganancias. **SIN** inversionista.

invertebrado, -da *adj./s. m. y f.* Se aplica al animal que no tiene columna vertebral: *los insectos son invertebrados.* **ANT** vertebrado.

invertido *adj./s. m.* despectivo Hombre homosexual.

invertir [9] *v. tr.* ① Cambiar el orden, la dirección o la posición de algo por sus opuestos: *si invertimos 3 + 4, obtenemos 4 + 3.* ② Emplear una cantidad de dinero para conseguir ganancias: *he invertido la mitad de mis bienes en acciones.* ③ Dedicar tiempo o esfuerzo a algo: *he invertido tres años de mi vida en ese proyecto.*
FAM inversión, invertido, inverso, inversor.

investidura *s. f.* ① Carácter adquirido por la toma de posesión de un cargo importante u honor. ② Acto por el que se concede un cargo importante o un honor: *mañana es la ceremonia de investidura del nuevo presidente del gobierno.*

investigación *s. f.* Hecho de investigar.

investigador, -ra *adj./s. m. y f.* Se aplica a la persona que investiga: *contrató a un investigador privado para descubrir al ladrón.*

investigar *v. tr.* ① Tratar de llegar a saber o conocer una cosa examinando atentamente todos los detalles o preguntando. ② Estudiar y experimentar una materia o ciencia para aumentar los conocimientos sobre ella: *los científicos investigan los fenómenos naturales.*
FAM investigación, investigador.

investir [10] *v. tr.* Conceder un cargo importante o de honor: *el rey lo invistió con el cargo de canciller.*
FAM investidura.

inveterado, -da *adj.* Muy antiguo o arraigado: *una costumbre inveterada.*

inviable *adj.* ① Que no puede ser llevado a cabo. **SIN** impracticable. **ANT** viable. ② Se aplica al terreno o camino que está en muy malas condiciones y no es posible andar, circular o practicar en él una actividad o trabajo: *la carretera que va a mi pueblo es inviable.* **SIN** impracticable. **ANT** viable.
FAM inviabilidad.

invicto, -ta *adj./s. m. y f.* Que no ha sido vencido.

invidente *adj./s. com.* Se aplica a la persona que está privada de la vista: *ayudó a un invidente a cruzar la calle.* **SIN** ciego. **ANT** vidente.
FAM invidencia.

invierno *s. m.* ① Estación del año comprendida entre el otoño y la primavera; en el hemisferio norte, transcurre entre el 22 de diciembre y el 21 de marzo, y en el hemisferio sur, entre el 22 de junio y el 23 de septiembre: *en invierno, hace frío y los días son más cortos que las noches.* ② Temporada de lluvias de los países de la zona ecuatorial, que dura aproximadamente seis meses.
FAM invernal, invernar.

inviolable *adj.* Que no debe o no puede ser violado, dañado o puesto en duda: *la correspondencia es inviolable.*
FAM inviolabilidad.

invisible *adj.* Que no puede ser visto: *no hay personas invisibles.* **ANT** visible.
FAM invisibilidad.

invitación *s. f.* ① Petición que se hace a una persona de que participe en un acontecimiento o una celebración: *aceptó encantado la invitación a la fiesta.* ② Pago de lo que otra persona consume. ③ Incitación a hacer algo: *dejar la casa abierta es una invitación a los ladrones.* ④ Tarjeta o carta con que se invita.

invitado, -da *s. m. y f.* Persona que ha sido invitada.

invitar *v. tr.* ① Pedir a una persona que participe en un acontecimiento o una celebración: *te invito a comer en mi casa.* SIN convidar. ② Pagar lo que otra persona consume: *me invitó a una copa.* SIN convidar. ③ Pedir a una persona que haga una cosa, especialmente cuando se pide con firmeza y educación: *el guía nos invitó cortésmente a guardar silencio.* ‖ *v. intr.* ④ Incitar, animar o convencer a una persona para que haga una cosa: *esta música invita a bailar.* SIN convidar. FAM invitación, invitado.

invocación *s. f.* ① Apelación que se hace a un poder superior, especialmente a una divinidad o espíritu, como ayuda o defensa en una mala situación. ② Mención que se hace de algo, especialmente una ley, costumbre o razón, para apoyar una petición o justificar una acción. ③ Palabra o conjunto de palabras con que se invoca.

invocar *v. tr.* ① Apelar a un poder superior, especialmente a una divinidad o espíritu, como ayuda o defensa en una mala situación: *las brujas invocaban al diablo.* ② Alegar algo, especialmente una ley, costumbre o razón, para apoyar una petición o justificar una acción: *pidió disculpas invocando su desconocimiento del caso.* FAM invocación.

involución *s. f.* Retroceso en la marcha o evolución de un proceso: *en un país con un incipiente gobierno democrático se produce una involución política cuando hay un golpe de estado.* ANT evolución. FAM involucionar, involucionismo.

involucrar *v. tr.* Hacer participar a alguien en un asunto comprometiéndolo en él: *los estafadores involucran a gente inocente en sus negocios sucios.* FAM involucración.

involuntario, -ria *adj.* Que no se hace de manera voluntaria. ANT voluntario. FAM involuntariedad.

involutivo, -va *adj.* Relativo a la involución.

invulnerable *adj.* ① Que no puede ser dañado o herido. ANT vulnerable. ② Que no resulta afectado por lo que se hace o dice contra él: *es invulnerable a las críticas.* ANT vulnerable. FAM invulnerabilidad.

inyección *s. f.* ① Introducción a presión de una sustancia, especialmente de un gas o un líquido, en el interior de un cuerpo. ② Sustancia que se inyecta. ③ Aportación de una cosa que puede servir de estímulo: *una inyección de optimismo.*

inyectable *adj./s. m.* Se aplica a la medicina que se introduce en un cuerpo vivo por medio de una inyección.

inyectado, -da *adj.* Que está enrojecido por la afluencia de sangre: *ojos inyectados.*

inyectar *v. tr.* ① Introducir una sustancia, especialmente un gas o un líquido, en el interior de un cuerpo: *el doctor le inyectó la anestesia antes de la intervención.* ② Aportar algo que puede servir de estímulo. FAM inyección, inyectable, inyectado, inyector.

inyector *s. m.* Dispositivo que permite introducir a presión un líquido o un gas en una cavidad: *los motores de inyección llevan un inyector.*

ion o **ión** *s. m.* ① Átomo o conjunto de átomos con carga eléctrica debida a la pérdida o ganancia de electrones. ② En la electrólisis, partícula que se dirige, cada una hacia un polo, como resultado de la descomposición del electrólito. FAM ionizar.

ionizar *v. tr.* Convertir los átomos neutros en átomos cargados eléctricamente: *el rayo se produce al ionizarse las nubes.* FAM ionización.

ionosfera *s. f.* Capa de la atmósfera terrestre, situada en la termosfera, que se extiende entre los 80 y los 500 km de altitud aproximadamente; en ella abundan los iones por efecto de las radiaciones ultravioleta del Sol: *la ionosfera se encuentra entre la exosfera y la mesosfera.* SIN termosfera.

iota *s. f.* Nombre de la novena letra del alfabeto griego; se escribe I/ι y se transcribe como *i*.

IPC [se pronuncia 'i-pe-ce'] *s. m.* Sigla de *índice de precios al consumo*, valor numérico que expresa las variaciones que experimentan los precios en un periodo de tiempo determinado: *este mes ha subido el IPC.*

ípsilon *s. f.* Nombre de la vigésima letra del alfabeto griego; se escribe Y/υ y se transcribe como la *ü* del francés.

ipso facto Expresión latina que se usa para indicar que una cosa se hace inmediatamente o enseguida: *ve ipso facto a la nevera y tráeme hielo.*

ir [32] *v. intr.* ① Dirigirse a un lugar o moverse de un sitio a otro: *fuimos a Madrid en tren; mañana iremos al zoo.* ② Asistir a un lugar: *no puedo ir a la fiesta.* ③ Andar, circular: *va despacio.* ④ Dirigirse, conducir: *ese camino va al monte.* ⑤ Funcionar o marchar: *el ascensor no va.* ⑥ Actuar o desenvolverse: *¿cómo te va en el trabajo?* ⑦ Vestir, llevar puesto: *en el colegio siempre tenía que ir con falda.* ⑧ Convenir, combinar o armonizar: *el verde te va mucho, te sienta muy bien.* ⑨ Importar, gustar o concernir: *eso va por ti también; no me van los cotilleos.* ⑩ Existir diferencia entre dos términos que se comparan: *de 2 a 6 van cuatro.* ⑪ Extenderse desde un punto a otro: *el capítulo tercero va desde la página 90 hasta la 130.* ⑫ En forma negativa, indica temor o extrañeza: *¡no irás a decirme que no vienes!* ‖ *v. prnl.* ⑬ **irse** Abandonar un lugar, marcharse: *ya no aguanto más en este trabajo, me voy.* ⑭ Desaparecer o borrarse: *al lavarlo, se ha ido la mancha que tenía en el pantalón.* ⑮ Morirse: *durante la operación, pensé que me iba, pero conseguí superar el diagnóstico.* ⑯ Gastarse o consumirse: *el dinero se me va de las manos sin darme cuenta.* ⑰ Caer, deslizarse: *se le fueron los pies.*

el no va más Lo mejor que puede existir.

ir + gerundio Indica que la acción que se expresa se está realizando.

ir a + infinitivo Indica intención de realizar la acción que se expresa o inicio de esta: *va a llover; iba a decirte que sería mejor no llamarla.*

ir a parar Dirigirse alguien o algo a un lugar o situación determinados: *los ríos van a parar al mar.*

ir y + verbo Indica que la acción que se expresa ocurre de pronto o no se espera.

qué va Expresión que se usa para negar. FAM ida, ido.

ira *s. f.* ① Enfado muy grande o violento en el que la persona pierde el dominio sobre sí misma y siente indignación y

enojo. ② culto Furia o violencia de los elementos de la naturaleza.
FAM iracundo, irascible; airar.

iracundia *s. f.* ① Propensión a la ira. ② Enfado grande y violento.

iracundo, -da *adj./s. m. y f.* Se aplica a la persona que siente ira con facilidad o que está dominada por ella: *se puso iracundo cuando le dieron la noticia.*
FAM iracundia.

iraní *adj.* ① De Irán (país de Asia): *la moneda iraní es el rial.* ‖ *s. com./adj.* ② Persona que es de Irán.
OBS Plural: *iraníes o iranís.*

iraquí *adj.* ① De Irak (país de Asia). ‖ *s. com./adj.* ② Persona que es de Irak.
OBS Plural: *iraquíes o iraquís.*

irascible *adj.* Que se enfada fácilmente: *a medida que se hace mayor se vuelve más irascible.*
FAM irascibilidad.

iridio *s. m.* Elemento químico de símbolo *Ir* y número atómico 77; es un metal de color blanco grisáceo, con brillo, que unido al platino sirve para fabricar la punta de las estilográficas y los instrumentos de cirugía.

iris *s. m.* Disco muscular situado en la parte central del ojo que puede tener distintas coloraciones y en cuyo centro está la pupila; regula la cantidad de luz que entra en el órgano ocular: *el iris se encuentra entre la córnea y el cristalino.*
FAM irisar.
OBS Plural invariable.

irisado, -da *adj.* Que brilla o destella como los colores del arco iris: *el nácar es apreciado por su aspecto irisado.*

irlandés, -desa *adj.* ① De Irlanda o la República de Irlanda (isla y país del oeste de Europa, respectivamente). ‖ *s. m. y f./adj.* ② Persona que es de Irlanda. ‖ *s. m./adj.* ③ Lengua del grupo gaélico hablada en Irlanda y que, en la República de Irlanda, es cooficial con el inglés: *el irlandés está emparentado con el escocés.* ‖ *adj.* ④ Relativo a esta lengua.

ironía *s. f.* ① Modo de expresión o figura retórica que consiste en decir lo contrario de lo que se quiere dar a entender, empleando un tono, una gesticulación o unas palabras que insinúan la interpretación que debe hacerse. ② Tono burlón que se utiliza en este modo de expresión. ③ Situación o hecho inesperado, opuesto o muy diferente al que se esperaba y que parece una broma pesada: *las ironías de la vida.*
FAM irónico, ironizar.

irónico, -ca *adj.* ① Relativo a la ironía. ② Que muestra, expresa o implica ironía.

ironizar *v. intr.* Hablar o expresarse con ironía.

IRPF *s. m.* Sigla de *impuesto sobre la renta de las personas físicas,* impuesto directo que grava el total de los rendimientos (sueldo, cuentas corrientes, bienes patrimoniales, etc.) de una persona obligada tributariamente.

irracional *adj.* ① Que no es racional o que no tiene capacidad de pensar o razonar: *las personas son animales racionales, los demás animales son irracionales.* ② Que es absurdo o que no tiene sentido: *su actuación es irracional.* ③ Se aplica al número que no puede expresarse exactamente con un número entero o fraccionario: *la raíz cuadrada de 2 es un número irracional.*
FAM irracionalidad, irracionalismo.

irradiación *s. f.* ① Emisión y propagación de una radiación,

como la luz, el calor u otro tipo de energía: *la irradiación solar.* ② Acción de los rayos o radiaciones sobre un cuerpo. ③ Transmisión o difusión de una cosa, especialmente de sentimientos o cualidades: *Roma fue el centro de irradiación de la cultura grecolatina.*

irradiar *v. tr.* ① Despedir o emitir un cuerpo rayos de luz, calor u otro tipo de energía. ② Someter un cuerpo a la acción de determinados rayos. ③ Transmitir una cosa o persona su influjo, cualidades o sentimientos: *es una chica que irradia alegría y optimismo.*
FAM irradiación, irradiador.
OBS Verbo regular, se acentúa como *cambiar.*

irreal *adj.* ① Que no es real. ② Que no refleja la realidad.
FAM irrealidad.

irrealidad *s. f.* Cualidad de lo que no es real. **ANT** realidad.

irrealizable *adj.* Que no puede ser realizado: *tu proyecto es irrealizable.*

irrebatible *adj.* Que no puede ser rebatido: *tu argumento es irrebatible.* **SIN** irrefutable.

irreconciliable *adj.* ① Que no puede ser conciliado o armonizado con otra cosa por ser opuestas: *después de las continuas tensiones, han surgido diferencias irreconciliables.* ② Que no se quiere reconciliar.

irreconocible *adj.* Que no puede ser reconocido por estar muy diferente a como se recordaba: *con la barba está irreconocible.*

irrecuperable *adj.* Que no puede ser recuperado.

irreducible *adj.* Irreductible.

irreductible *adj.* Que no puede ser reducido: *un átomo irreductible de un elemento en un compuesto químico es aquel cuyo número de oxidación no puede reducirse más.* **SIN** irreducible.
FAM irreductibilidad.

irreemplazable *adj.* Que no puede ser reemplazado o sustituido: *nadie es irreemplazable.*

irreflexivo, -va *adj.* ① Que se dice o hace sin reflexionar o sin pensar: *fue un acto irreflexivo: lo hice sin pensarlo.* ‖ *adj./s. m. y f.* ② Se aplica a la persona que no reflexiona y actúa sin juicio ni prudencia.

irrefrenable *adj.* Que no puede ser refrenado, contenido o reprimido: *sentía una pasión irrefrenable.*

irrefutable *adj.* Que no puede ser refutado: *la evidencia es tan clara y diáfana que resulta irrefutable.* **SIN** irrebatible.

irregular *adj.* ① Que no es regular en su forma: *el diseño de la casa obedece a la forma irregular del terreno.* **ANT** regular. ② Que no es uniforme o que presenta variaciones sensibles: *su pulso es irregular.* ③ Que no se ajusta a la ley, a las reglas o a lo que se espera normalmente: *está metido en negocios bastante irregulares.* ④ Se aplica a la palabra o construcción que no se ajusta a un modelo morfológico establecido: *"resuelto" es el participio irregular de "resolver".* ⑤ Se aplica al polígono o poliedro cuyos ángulos y lados no son iguales.
FAM irregularidad.

irregularidad *s. f.* ① Cambio o desviación respecto de lo que es normal, regular, natural o previsible: *el oeste de la isla es famoso por la irregularidad de su costa.* **SIN** anomalía, anormalidad. ② Falta o delito en la administración pública o privada: *el inspector ha encontrado algunas irregularidades en las cuentas.*

irrelevante *adj.* Que no es importante o que no merece ser

tenido en cuenta: *estos documentos son irrelevantes para nuestra investigación.*
FAM irrelevancia.

irreligioso, -sa *adj./s. m. y f.* **1** Se aplica a la persona falta de creencias religiosas. **|** *adj.* **2** Que no respeta o que se opone a la religión.
FAM irreligiosidad.

irremediable *adj.* Que no puede ser remediado o solucionado.

irremisible *adj.* Que no puede o no debe ser perdonado: *la pena impuesta por el juez es irremisible.* **SIN** imperdonable.

irreparable *adj.* Que no puede ser reparado o compensado: *una falta irreparable; una pérdida irreparable.*

irrepetible *adj.* Que no puede ser repetido.

irreprimible *adj.* Que no puede ser contenido o reprimido: *cuando lo veo, me entran unas ganas irreprimibles de darle un beso.*

irreprochable *adj.* Que no merece reproche porque no tiene ninguna falta ni defecto: *su conducta es irreprochable.* **SIN** intachable.

irresistible *adj.* **1** Que no puede ser rechazado o evitado porque es demasiado placentero, atractivo o fuerte: *una oferta irresistible.* **2** Que no puede ser resistido o soportado: *ruido irresistible.* **SIN** insoportable.

irresoluble *adj.* Que no puede ser resuelto: *este problema no tiene solución: es irresoluble.*

irrespetuoso, -sa *adj.* Que no muestra respeto o consideración hacia una persona o cosa: *no se debe ser irrespetuoso con las personas mayores.* **SIN** desconsiderado. **ANT** respetuoso.

irrespirable *adj.* **1** Que no puede ser respirado: *los vapores de mercurio son irrespirables.* **ANT** respirable. **2** Que difícilmente puede ser respirado, por sus impurezas: *el aire de las ciudades contaminadas es irrespirable.* **ANT** respirable. **3** Se aplica al ambiente social que hace sentirse molesto o a disgusto: *había tanta tensión que el ambiente era irrespirable.*

irresponsabilidad *s. f.* **1** Cualidad de irresponsable. **ANT** responsabilidad. **2** Hecho o dicho irresponsable.

irresponsable *adj./s. com.* **1** Se aplica a la persona a la que no se puede pedir responsabilidad: *los niños son legalmente irresponsables.* **2** Se aplica a la persona que obra o toma decisiones sin pensar en las consecuencias: *solamente un irresponsable puede conducir bebido.* **ANT** responsable. **|** *adj.* **3** Se aplica al acto que no ha sido pensado cuidadosamente y cuyas consecuencias no han sido calculadas. **ANT** responsable.
FAM irresponsabilidad.

irreverencia *s. f.* **1** Falta de respeto hacia las cosas oficiales, importantes o sagradas. **2** Hecho o dicho irreverente.

irreverente *adj./s. com.* Que no muestra el respeto debido hacia las cosas oficiales, importantes o sagradas: *no se puede mantener una actitud irreverente en la iglesia.* **ANT** reverente.
FAM irreverencia.

irreversible *adj.* Que no puede volver a un estado o situación anterior: *los efectos del envejecimiento son irreversibles.* **ANT** reversible.
FAM irreversibilidad.

irrevocable *adj.* Que no puede ser revocado: *presentó su dimisión irrevocable.*
FAM irrevocabilidad.

irrigación *s. f.* **1** Riego de un terreno: *el nuevo sistema de irrigación podría revitalizar la zona de cultivo.* **2** Aporte de sangre a

los tejidos del organismo. **3** Introducción de un líquido en una cavidad, especialmente en el intestino a través del ano. **4** Líquido introducido de esta manera.

irrigar *v. tr.* **1** Regar un terreno. **2** Llevar la sangre a todas las partes del cuerpo a través de los vasos y conductos sanguíneos: *si la sangre no irriga el cerebro, la persona puede perder el conocimiento y morir.* **3** Introducir un líquido en una cavidad, especialmente en el intestino a través del ano.
FAM irrigación, irrigador.

irrisorio, -ria *adj.* **1** Que provoca risa y burla: *tenía un aspecto irrisorio y todos se reían de él.* **2** Que es muy pequeño, insignificante o de poco valor: *cobra un sueldo irrisorio.*

irritable *adj.* **1** Que se enfada o irrita fácilmente: *ten cuidado con lo que dices, está muy irritable.* **2** Que se enrojece o irrita con facilidad: *tengo una piel muy irritable.* **3** Se aplica al organismo que es capaz de reaccionar ante un estímulo.
FAM irritabilidad.

irritación *s. f.* **1** Enfado muy grande. **2** Reacción de un órgano o de una parte del cuerpo, caracterizada por inflamación, enrojecimiento o dolor.

irritante *adj.* **1** Que molesta o enfada mucho. **2** Se aplica a la sustancia que causa o produce inflamación, enrojecimiento o dolor en una parte del cuerpo.

irritar *v. tr.* **1** Causar un enfado muy grande: *las bromas pesadas irritan a la gente.* **SIN** exacerbar, exasperar. **2** Causar una reacción en un órgano o una parte del cuerpo, caracterizada por inflamación, enrojecimiento o dolor.
FAM irritable, irritación, irritante.

irrompible *adj.* Que no se rompe.

irrumpir *v. intr.* **1** Entrar violentamente en un lugar: *la policía irrumpió en la casa para detener al delincuente.* **2** Aparecer con fuerza o de pronto.
FAM irrupción.

irrupción *s. f.* **1** Entrada violenta en un lugar. **2** Aparición de algo que se produce con fuerza o de pronto.

isa *s. f.* **1** Baile popular de las islas Canarias. **2** Canción con que se acompaña este baile, de ritmo ternario y formada por estrofas y estribillo, que se acompaña de instrumentos de cuerda y percusión.

isabelino, -na *adj.* **1** Relativo a cualquiera de las reinas españolas o inglesas que se llamaron Isabel: *época isabelina.* **2** Se aplica al estilo artístico desarrollado en Inglaterra durante el reinado de Isabel I en el siglo XVI. **3** Se aplica al estilo de arte español de fines del siglo XV, durante el reinado de los Reyes Católicos. **|** *adj./s. m. y f.* **4** Se aplica a la persona que era partidaria de la causa de la reina española Isabel II frente a la de su tío Carlos y sus seguidores.

isba *s. f.* Vivienda de madera que consta de una sola habitación con una estufa en el centro; es típica de los pueblos del norte de Europa y de Asia.

isla *s. f.* **1** Porción de tierra que está rodeada de agua por todas partes. **■ isla barrera** Acumulación de sedimentos que deja en su parte más interior una laguna o un lago litoral y que constituye un medio de transición entre el continental y el marino. **2** Zona aislada o bien diferenciada del espacio que la rodea: *en una ciudad tan bulliciosa, este parque es una isla de paz.*
FAM isleño, isleta, islote; aislar.

islam *s. m.* **1** Doctrina religiosa expuesta por el profeta Mahoma en el siglo VI d. C., que cree en Alá como único dios, en

Mahoma como el último y más grande de sus profetas, y en la resurrección de los muertos; sus leyes están basadas en las revelaciones contenidas en el Corán. **NOTA** Se escribe normalmente con mayúscula inicial. **SIN** islamismo, mahometismo. **2** Conjunto de los pueblos y naciones en los que esta doctrina es la religión mayoritaria: *el islam se extiende por el norte de África, el oeste de Asia y parte del sur de Europa.* **FAM** islámico, islamismo, islamizar, islamólogo.

islámico, -ca *adj.* Relativo al Islam. **SIN** mahometano, musulmán.

islamismo *s. m.* Movimiento político-religioso que aspira a hacer del islam una ideología política integrista. **FAM** islamista.

islamista *adj.* **1** Perteneciente o relativo al islamismo (integrismo musulmán). **|** *s. com./adj.* **2** Persona partidaria de dicho movimiento integrista.

islandés, -desa *adj.* **1** De Islandia (país de Europa). **|** *s. m. y f./adj.* **2** Persona que es de Islandia. **|** *s. m./adj.* **3** Lengua germánica que se habla en Islandia.

isleño, -ña *adj.* **1** Relativo a la isla. **SIN** insular. **|** *adj./s. m. y f.* **2** Se aplica a la persona que es de una isla. **SIN** insular.

isleta *s. f.* Espacio señalado en una carretera o calzada que sirve para determinar la dirección de los vehículos o como refugio para los peatones.

islote *s. m.* **1** Isla pequeña y desierta. **2** Roca muy grande rodeada de mar.

ismo *s. m.* Escuela o tendencia artística, literaria, política, etc. de una época o país: *el futurismo fue uno de los ismos más revolucionarios de principios del siglo XX.*

isobara o **isóbara** *s. f./adj.* Línea que en los mapas meteorológicos une puntos que presentan la misma presión atmosférica reducida al nivel del mar. **FAM** isobárico.

isobárico, -ca *adj.* **1** Se aplica al lugar que tiene una presión atmosférica media idéntica a otro u otros. **2** Se aplica al fenómeno que se efectúa a una presión constante.

isocefalia *s. f.* Disposición a una misma altura de las cabezas de un grupo de personajes en una pintura o un relieve: *la isocefalia se usó mucho en las composiciones escultóricas románicas.*

isodecágono *s. m.* Figura geométrica de veinte lados.

isódomo *s. m.* Sistema de disposición ordenada de los elementos pétreos de la arquitectura griega clásica, en la que todos los sillares iguales se disponen en su dimensión más larga, en la misma dirección del largo del paramento.

isómero, -ra *adj.* Se aplica al compuesto químico que, con igual composición pero diferente estructura molecular que otro, tiene distintas propiedades físicas y/o químicas.

isometría *s. f.* **1** Aplicación o transformación geométrica que conserva las distancias existentes entre rectas, longitudes y ángulos. **2** Igualdad del número de sílabas en varios versos. **FAM** isométrico.

isométrico, -ca *adj.* Se aplica a la perspectiva en los que objetos se representan en un plano a partir de un eje vertical y dos ejes de profundidad (estos forman un ángulo de 60 grados con el eje vertical).

isomorfismo *s. m.* Cualidad o estado de isomorfo.

isomorfo, -fa *adj.* **1** Que tiene igual forma o estructura: *construcciones isomorfas.* **2** Se aplica al mineral que tiene la misma estructura y forma cristalina, pero distinta composición química.

isóptero *adj./s. m.* **1** Se aplica al insecto social con el aparato bucal masticador, dos pares de alas membranosas iguales y metamorfosis sencilla, como las termitas. **|** *s. m. pl.* **2 isópteros** Grupo taxonómico, con categoría de orden, constituido por estos insectos.

isósceles *adj.* **1** Se aplica al triángulo que tiene iguales dos de sus tres lados. **2** Se aplica al trapecio que tiene iguales los dos lados no paralelos.

isosilábico, -ca *adj.* **1** Se aplica al verso que tiene igual número de sílabas que el resto de los que forman la composición. **2** Se aplica a la estrofa o composición que está formada por versos de igual número de sílabas.

isostasia *s. f.* Tendencia de la corteza terrestre a mantenerse en equilibrio mediante movimientos compensatorios.

isotérmico, -ca *adj.* Que mantiene una temperatura constante: *bolsa isotérmica; la evaporación del agua es un proceso isotérmico.*

isotermo, -ma *adj.* **1** Que tiene la misma temperatura. **|** *s. f.* **2** Línea que en los mapas meteorológicos une los puntos de la Tierra que tienen la misma temperatura media anual.

isótopo o **isotopo** *s. m.* Átomo que pertenece al mismo elemento químico que otro, que tiene su mismo número atómico (igual número de protones), pero distinto número de masa atómica (debido a que tiene diferente número de neutrones): *todos los isótopos de un mismo elemento comparten las mismas propiedades químicas, y pueden ser estables o no.* **FAM** radioisótopo.

isoyeta *s. f.* Línea que une puntos de un mapa que presentan el mismo índice de pluviosidad durante un periodo determinado.

isquion *s. m.* Hueso de forma plana, estrecha y curva que está unido al pubis y al ilion, y forma la parte inferior de la cadera.

israelí *adj.* **1** De Israel (país de Asia): *la capital israelí es Jerusalén.* **SIN** israelita. **|** *s. com./adj.* **2** Persona que es de Israel: *israelíes de Canaán.* **SIN** israelita. **FAM** israelita. **OBS** Plural: *israelíes* o *israelís.*

israelita *adj.* **1** Relativo a un antiguo pueblo semítico que habitó Mesopotamia durante el segundo milenio a. C. y en el siglo XIII a. C. emigró a las tierras de Canaán: *la Biblia narra el éxodo del pueblo israelita.* **SIN** hebraico, hebreo. **|** *s. com./adj.* **2** Persona perteneciente a este pueblo. **SIN** hebreo, judío. **|** *adj.* **3** Relativo al judaísmo. **SIN** hebreo, judío. **|** *adj./ s. com.* **4** Se aplica a la persona que practica el judaísmo. **SIN** hebreo, judío. **5** V. israelí.

istmo *s. m.* Franja alargada y estrecha de tierra que une dos continentes, dos partes diferenciadas de un continente o una península y un continente. **FAM** istmeño.

italianismo *s. m.* **1** Amor o admiración por la cultura y las tradiciones de Italia: *el italianismo de Garcilaso marcó su poesía.* **2** Palabra o modo de expresión propio de la lengua italiana y que se usa en otro idioma: *las palabras "aria" y "arlequín" son italianismos del español.* **FAM** italianista.

italiano, -na *adj.* **1** De Italia (país de Europa). **|** *s. m. y*

f./adj. 2 Persona que es de Italia: *los italianos comen pasta casi cada día.* ‖ *s. m./adj.* 3 Lengua románica hablada en Italia, en la República de San Marino, el Principado de Mónaco y Suiza.
FAM italianismo, italianizar, italianófilo.

itálica *adj./s. f.* Se aplica al tipo de letra de imprenta que tiene el trazo inclinado hacia la derecha: *letra itálica.* **SIN** bastardilla, cursiva.

itálico, -ca *adj.* 1 Relativo a los pueblos que habitaban Italia cuando era el centro de la cultura romana. ‖ *s. m. y f./adj.* 2 Persona perteneciente a estos pueblos. ‖ *adj.* 3 culto Italiano. 4 De Itálica (antigua ciudad a orillas del Guadalquivir). ‖ *s. m. y f./adj.* 5 Persona que es de Itálica.

ítem *s. m.* Unidad de un conjunto; especialmente, artículo de un catálogo o de una lista.
OBS Plural: *ítems.*

iteración *s. f.* culto Repetición.

iterar *v. tr.* culto Repetir.

iterativo, -va *adj.* 1 Que se repite o se ha repetido muchas veces. **SIN** reiterativo, repetitivo. ‖ *adj./s. m.* 2 Se aplica a la palabra que denota una acción que se repite: *el verbo "repicar" y el sustantivo "goteo" son iterativos.*

iterbio *s. m.* Elemento químico de símbolo *Yb* y número atómico 70; es un metal sólido, plateado, brillante, blando, maleable y bastante dúctil que pertenece al grupo de las tierras raras; se usa en la fabricación y mejora de algunos aceros y en la construcción de lámparas de rayos X.

itinerante *adj.* Que va de un lugar a otro sin permanecer fijo en ninguno: *exposición itinerante.*

itinerario, -ria *adj.* 1 Relativo a los caminos. ‖ *s. m.* 2 Camino previsto por donde debe discurrir un recorrido o viaje. **SIN** ruta. 3 Descripción de las características principales de este camino, con sus puntos de paso, paradas, etc.
FAM itinerante.

itrio *s. m.* Elemento químico de símbolo *Y* y número atómico 39; es un metal sólido, de color gris brillante, fácilmente oxidable e inflamable en virutas o en polvo a temperatura ambiente; se usa en metalurgia, electrónica e industria atómica.

iure [también **jure**] Se usa en la expresión latina:
de iure Significa 'por derecho', por oposición a *de facto* ('por hechos').

IVA *s. m.* Sigla de *impuesto sobre el valor añadido*, impuesto que grava el valor añadido de un producto en las distintas fases de su producción.

iwán *s. m.* Sala abovedada de una mezquita que se abre a un patio central mediante un pórtico con un gran arco: *el iwán es característico de la arquitectura islámica abasí a partir del siglo VIII.*

izar *v. tr.* Subir una bandera a lo largo de su mástil o la vela de una embarcación a lo largo de su palo tirando de la cuerda de la que están colgadas. **ANT** arriar.

izqda. Abreviatura de *izquierda.*

izquierda *s. f.* 1 Mano o pierna situada en el lado que corresponde al corazón en el ser humano: *los diestros llevan el reloj en la izquierda.* **SIN** siniestra, zurda. **ANT** derecha, diestra. 2 Dirección o situación de una cosa que se halla en el lado que corresponde al corazón en el ser humano: *se debe adelantar a los vehículos por la izquierda.* **ANT** derecha. 3 Conjunto de personas que profesan una ideología que propugna transformaciones sociales y económicas progresistas, contrarias a las ideas conservadoras. **ANT** derecha. 4 Conjunto de los representantes de los partidos progresistas en las asambleas parlamentarias. **ANT** derecha.
de izquierdas Se aplica a la persona, el partido o la institución que es de ideas progresistas. **ANT** de derechas.
FAM izquierdismo, izquierdoso.

izquierdismo *s. m.* Tendencia política que defiende una ideología de izquierdas, que propugna transformaciones sociales y económicas contrarias a las ideas conservadoras. **ANT** derechismo.
FAM izquierdista.

izquierdista *adj.* 1 Relativo al izquierdismo: *los partidos comunistas tienen una ideología izquierdista.* **ANT** derechista. ‖ *adj./s. com.* 2 Se aplica a la persona que es partidaria del izquierdismo. **ANT** derechista.

izquierdo, -da *adj.* 1 Se aplica a la parte del cuerpo que está situada en el lado que ocupa el corazón en el ser humano: *los zurdos escriben con la mano izquierda.* **ANT** derecho. 2 Que está situado, en relación con la posición de una persona, en el mismo lado en el que esta tiene el corazón: *el pedal izquierdo de un automóvil corresponde al embrague.* **ANT** derecho. 3 Se aplica al lugar u objeto que, respecto de su parte delantera, está situado en el mismo lado que correspondería al del corazón de una persona: *la tienda está al lado izquierdo de la catedral.* **ANT** derecho.
FAM izquierda.

j *s. f.* Décima letra del alfabeto español; su nombre es *jota*.

jaba *s. f.* ① AMÉR. Embalaje en forma de cajón de madera con rejas, usado especialmente para trasladar cosas delicadas. ② CHILE Cajón lleno de piedras que se pone en la ribera de los ríos para impedir su desborde. ③ fam. desp. CHILE Boca de una persona. ④ CUBA Canasto realizado con juncos, usado para transportar objetos. ⑤ CUBA Bolsa hecha generalmente de tela, papel grueso o fibras de yute trenzadas que tiene dos asas para poder cargarla.

jabalí, -lina *s. m. y f.* Mamífero del orden Artiodáctilos, de la misma familia que el cerdo, de cuello robusto y hocico agudo, con el pelo muy tupido y fuerte de color marrón o gris y con dos colmillos curvos que le sobresalen de la boca. **FAM** jabato.
OBS Plural: *jabalíes* o *jabalís*.

jabalina *s. f.* ① Antigua arma arrojadiza semejante a la lanza. ② Vara de fibra o metal acabada en punta, parecida a una lanza, que se emplea para competir en atletismo lanzándola por encima del hombro a la mayor distancia posible.

jabardillo *s. m.* ① Remolino de gente.

jabato, -ta *s. m. y f.* ① Cría del jabalí. ❙ *adj./s. m. y f.* ② familiar Se aplica a la persona que es valiente y atrevida: *se defendió de sus agresores como un jabato.*

jabón *s. m.* Sustancia sólida, en polvo o líquida, que se mezcla con agua para limpiar la piel o la ropa y que resulta de la combinación de un álcali con los ácidos del aceite u otro cuerpo graso.
dar jabón familiar Mostrar una admiración exagerada por una persona o decirle cosas agradables con fines interesados.
FAM jabonar, jaboncillo, jabonera, jabonero, jabonoso.

jabonar *v. tr.* Aplicar y extender agua y jabón sobre una superficie: *jabónate bien las manos.* **SIN** enjabonar.
FAM jabonadura; enjabonar.

jabonera *s. f.* ① Recipiente en el que se coloca o se guarda una pieza de jabón para el aseo corporal. ② Planta angiosperma dicotiledónea de la que se extrae un sucedáneo del jabón.

jabonoso, -sa *adj.* ① Que contiene jabón: *agua jabonosa.* ② Se aplica al cuerpo que posee el tacto suave y resbaladizo propio del jabón: *el jade es una piedra jabonosa.*

jaca *s. f.* ① Hembra del caballo. **SIN** yegua. ② Caballo o yegua de poca altura.

jácara *s. f.* Romance de tono alegre, escrito con la jerga de pícaros y rufianes, en el que se narran hechos desenfadados propios de su ajetreada vida.

jácena *s. f.* Viga maestra.

jachalí *s. m.* AMÉR. Árbol de fruto aromático y sabroso cuya dura madera es muy apreciada en ebanistería.

jacinto *s. m.* ① Planta herbácea de jardín con tallo subterráneo en forma de bulbo, hojas largas, gruesas y brillantes, flores acampanadas y olorosas: *el jacinto procede de Asia Menor.* ② Flor de esta planta, olorosa, agrupada en racimos, de forma acampanada y color blanco, amarillo, rosa o azul.

jaco *s. m.* ① Caballo pequeño, débil y de mal aspecto. ② jerga Heroína (droga). **SIN** burro, caballo.

jacobeo, -bea *adj.* Relativo al apóstol Santiago.

jacobinismo *s. m.* Tendencia política surgida durante la Revolución Francesa que defendía el radicalismo revolucionario.

jacobino, -na *adj.* ① Relativo al jacobinismo. ❙ *adj./s. m. y f.* ② Se aplica a la persona que era partidaria del jacobinismo. ③ Se aplica a la persona que es partidaria de ideas revolucionarias de tendencia radical y exaltada.
FAM jacobinismo.

jactancia *s. f.* Muestra excesiva de orgullo que hace una persona de lo que considera que son sus virtudes o bienes propios. **SIN** presunción.
FAM jactancioso.

jactancioso, -sa *adj.* Se aplica a la persona que habla o presume en exceso de sus virtudes o bienes propios. **SIN** presuntuoso.

jactarse *v. prnl.* Hablar o presumir una persona en exceso de sus virtudes o bienes propios: *se jactó ante sus amigos del dinero que estaba ganando.*
FAM jactancia.

jaculatoria *s. f.* Oración breve y fervorosa.

jacuzzi [también **yacuzzi**; se pronuncia aproximadamente 'yacudsi'] *s. m.* Piscina o bañera dotada de un sistema de corrientes de agua que masajean a la persona mientras se baña.
OBS Es marca registrada.

jade *s. m.* Piedra semipreciosa muy dura, de aspecto jabonoso, muy usada en joyería; lo más habitual es que sea de intenso color verde traslúcido, pero hay otras variedades en blanco, verde y blanco o marrón y naranja.

jadeante *adj.* Que jadea: *respiración jadeante.*

jadear *v. intr.* Respirar con dificultad y de forma entrecortada, generalmente a causa del cansancio o por una enfermedad: *jadea porque tiene un ataque de asma.* FAM jadeante, jadeo.

jadeo *s. m.* Respiración dificultosa y entrecortada, generalmente a causa del cansancio o por una enfermedad.

jaez *s. m.* 1 Adorno que se pone a las caballerías. NOTA Más en plural. 2 despectivo Clase o condición de una persona o cosa. FAM enjaezar.

jaguar *s. m.* Mamífero carnívoro de la familia de los Félidos, parecido al gato, pero más grande, generalmente de color amarillo con pequeñas manchas oscuras, vientre claro y potentes zarpas que usa para cazar animales. SIN yaguar.

jaiba *s. f.* ANT., CHILE, CUBA, MÉX. Nombre genérico con que se designan varias especies de crustáceos que se consumen como marisco.

jalar¹ *v. tr.* familiar Comer con mucho apetito: *se jaló todo lo que había en la nevera.* SIN jamar.

jalar² *v. tr.* 1 Tirar de un cabo, una lona o un remo. SIN halar. | *s. intr.* 2 familiar AMÉR. Irse de un lugar. 3 familiar AMÉR. Correr o andar muy deprisa. | *v. prnl.* **jalarse** 4 AMÉR. Emborracharse.

jalbegar *v. tr.* Blanquear una pared con cal, yeso o tierra blanca. SIN enjalbegar.

jalea *s. f.* Conserva transparente y dulce que se hace con gelatina, azúcar y zumo de frutas. ■ **jalea real** Sustancia fluida de color blanco, rica en vitaminas, glúcidos y proteínas, que las abejas elaboran en las glándulas salivares para alimentar a las larvas y a las reinas: *la jalea real se utiliza como reconstituyente.*

jalear *v. tr.* 1 Animar dando voces o palmadas: *el público jaleó con entusiasmo a los bailaores.* 2 Animar con voces a un perro para que siga a la caza. FAM jaleo.

jaleo *s. m.* 1 Alteración o pérdida de la tranquilidad, el silencio o el orden: *tiene un jaleo de nombres y fechas en la cabeza, que no se aclara.* SIN lío. 2 Ambiente alegre y ruidoso producido por mucha gente reunida: *en la fiesta había un gran jaleo de música y risas.* SIN ambientación, animación, bullicio.

jalón *s. m.* 1 Palo con punta metálica que se clava en la tierra para determinar puntos fijos cuando se hace el plano de un terreno. 2 Acontecimiento muy importante y significativo en el desarrollo de un proceso o en la vida de una persona. SIN hito. 3 familiar AMÉR. Tirón (acción de tirar de una cosa): *le bastó un jalón para quitarle la carta de sus manos.* 4 AMÉR. CENTRAL Trago largo de una bebida alcohólica: *un jalón de tequila.* 5 AMÉR. CENTRAL, COL., VÉNEZ. Trecho, distancia comprendida entre dos lugares. 6 MÉX. Calada (bocanada de humo que se absorbe de una vez al fumar).
dar jalón (I) AMÉR. CENTRAL Llevar a una persona que hace autostop. (II) MÉX. Responder afirmativamente a las propuestas amorosas de alguien.
dar un jalón MÉX. De principio a fin y sin interrupción: *leí la novela de un jalón.*

pedir jalón AMÉR. CENTRAL Viajar haciendo autostop. FAM jalonar.

jalonar *v. tr.* 1 Señalar un terreno con jalones. 2 Marcar un acontecimiento importante y significativo la vida de una persona o el desarrollo de un proceso: *las guerras jalonaron el siglo.* FAM jalonamiento.

jamaicano, -na *adj.* 1 De Jamaica (país de América Central). | *s. m. y f./adj.* 2 Persona que es de Jamaica.

jamar *v. tr.* familiar Comer con mucho apetito. SIN jalar.

jamás *adv.* 1 En ningún momento o ninguna vez: *no olvidaré jamás.* SIN nunca. 2 Se usa después de *nunca* o de *siempre* para reforzar el sentido de estas palabras: *seremos amigos para siempre jamás.*

jamba *s. f.* Pieza labrada en mampostería, ladrillo o madera que, dispuesta verticalmente, sostiene un arco o dintel de una puerta o ventana.

jamelgo *s. m.* fam. desp. Caballo flaco y de apariencia desgarbada.

jamón *s. m.* 1 Pata trasera del cerdo: *ese cerdo tiene dos buenos jamones.* 2 Carne de la pata trasera del cerdo curada con sal. ■ **jamón de pata negra** Jamón del cerdo que ha sido criado en el campo y alimentado con bellotas. ■ **jamón en dulce** o **jamón de York** o **jamón york** Jamón que ha sido cocido y se come como fiambre. ■ **jamón serrano** Jamón que ha sido curado y no cocido. 3 familiar Parte superior de la pierna o el brazo de una persona, especialmente si es gruesa.
estar jamón familiar Ser físicamente muy atractivo: *¡tu novio está jamón!*
¡y un jamón (con chorreras)! Expresión con la que se niega o rechaza una cosa. FAM jamona, jamonería.

jamona *adj./s. f.* fam. desp. Se aplica a la mujer que está un poco gruesa y es de edad madura.

jangada *s. f.* AMÉR. Almadía (conjunto de troncos unidos a modo de balsa y puestos a flote para transportarlos por un río).

jansenismo *s. m.* Doctrina religiosa propagada por el teólogo holandés Cornelio Jansen (1585-1638), según la cual el ser humano solamente puede alcanzar la salvación a través de la gracia divina. FAM jansenista.

jansenista *adj.* 1 Relativo al jansenismo: *la doctrina jansenista tuvo poca repercusión en España.* | *adj./s. com.* 2 Se aplica a la persona que era partidaria del jansenismo.

japonés, -nesa *adj.* 1 De Japón (país de Asia): *la capital japonesa es Tokio.* SIN nipón. | *s. m. y f./adj.* 2 Persona que es de Japón. SIN nipón. | *s. m./adj.* 3 Lengua que se habla en Japón. 4 Relativo a esta lengua.

japuta *s. f.* Pez marino de forma ovalada y aplastada, de color pardo grisáceo en el dorso y plateado en los flancos y vientre; habita en el Mediterráneo y es comestible. SIN palometa.

jaque *s. m.* Jugada del ajedrez en la que el rey o la reina de uno de los jugadores está amenazado por una pieza del otro jugador. ■ **jaque mate** Jugada del ajedrez que pone fin a una partida por estar amenazado el rey y no poder salvarse ni protegerse con otra pieza. SIN mate.
poner (o **tener** o **traer**) **en jaque** Molestar continuamente a una persona inquietándola o no dejándola realizar lo que quiere.

jaqueca *s. f.* Dolor de cabeza muy fuerte que solo afecta a un lado o a una parte de ella. **SIN** migraña.
FAM jaquecoso.

jara *s. f.* Arbusto de ramas de color pardo rojizo, hojas alargadas, olorosas y pegajosas, flores grandes de corola blanca y fruto en cápsula: *la jara es muy abundante en la zona mediterránea.*
FAM jaral.

jarabe *s. m.* ① Medicina líquida, generalmente espesa y dulce: *jarabe para la tos.* ② Bebida muy dulce hecha con agua hervida con azúcar y alguna esencia o zumo: *le gusta la leche con jarabe de fresa.* ③ Bebida muy dulce. ④ MÉX. Baile popular similar al zapateado.
jarabe de palo familiar Paliza que se da como castigo o disuasión.
jarabe de pico familiar Conjunto de palabras o promesas carentes de sinceridad.

jaral *s. m.* Lugar poblado de jaras.

jaramugo *s. m.* Pececillo joven de cualquier especie.

jarana *s. f.* ① familiar Diversión muy animada, con ruido y desorden: *ayer estuve de jarana y hoy estoy muy cansado.* **SIN** farra, juerga, parranda. ② familiar Enfrentamiento o pelea entre dos o más personas.
FAM jaranero.

jaranero, -ra *adj.* Se aplica a la persona que es muy aficionada a la jarana o diversión.

jarcha *s. f.* Estrofa final, de tema amoroso, que constituía el estribillo de algunos romances mozárabes: *las jarchas son la primera manifestación literaria en lengua romance.*

jarcia *s. f.* Conjunto de los aparejos, cables y cabos de una embarcación.
OBS Más en plural.

jardín *s. m.* Terreno en el que se cultivan plantas y flores ornamentales para hacerlo agradable. ■ **jardín botánico** Lugar donde se cultivan plantas de muchas clases para que el público pueda verlas o estudiarlas.
jardín de infancia Establecimiento en el que se cuida a los niños que todavía no tienen edad de ir a la escuela. **SIN** guardería.
FAM jardinera, jardinero; ajardinar, enjardinar.

jardinera *s. f.* ① Recipiente alargado en el que se siembran plantas o donde se colocan macetas como adorno: *ha puesto en su terraza dos jardineras con geranios.* ② Carruaje ligero y descubierto de cuatro ruedas.
a la jardinera Se aplica a la comida que se cocina o complementa con distintos tipos de verduras.

jardinería *s. f.* Arte y oficio de cuidar y cultivar los jardines.

jardinero, -ra *s. m. y f.* Persona que se dedica a cuidar y cultivar un jardín.
FAM jardinería.

jareta *s. f.* ① Dobladillo ancho que se hace en una prenda de vestir por donde se introduce una cinta, un cordón o una goma para poder fruncirla. ② Pliegue de una prenda de vestir, cosido con un pespunte paralelo y que sirve de adorno: *la blusa lleva jaretas en el pecho.*

jarra *s. f.* Recipiente de boca y cuello anchos, con una o dos asas, que se usa para contener líquidos o de adorno.
en jarras Con los brazos arqueados, separados del cuerpo y las manos apoyadas en la cintura.
FAM jarrear, jarro.

jarretera *s. f.* Liga con hebilla.

jarro *s. m.* Jarra de una sola asa.
a jarros familiar Con intensidad o en abundancia: *llover a jarros.*
jarro de agua fría familiar Cosa que quita la ilusión o la esperanza.
FAM jarrón.

jarrón *s. m.* ① Recipiente más alto que ancho, generalmente de cristal o porcelana, que sirve para contener flores o de adorno. ② Adorno arquitectónico en forma de jarra, con o sin asas, para decorar edificios o jardines.

jaspe *s. m.* ① Piedra de grano fino, variedad de la calcedonia (a su vez variedad del cuarzo), de colores vivos entremezclados, rojizos o marrón rojizos, y que se usa como adorno y piedra preciosa. ② Mármol veteado.
FAM jaspear.

jaspeado, -da *adj.* Que tiene varios colores entremezclados como el jaspe: *esta lana es jaspeada.*

jauja *s. f.* Lugar o situación imaginarios donde reina la prosperidad y la abundancia: *deja de pedir imposibles, que esto no es jauja.*

jaula *s. f.* ① Caja hecha con barrotes o listones separados entre sí que sirve para encerrar o transportar animales. ② familiar Cárcel.
FAM enjaular.

jauría *s. f.* Conjunto de perros que cazan juntos.

jazmín *s. m.* ① Arbusto de tallos trepadores, verdes, delgados y muy flexibles con flores muy olorosas. ② Flor de este arbusto, pequeña, en forma de embudo con cinco pétalos, blanca o amarilla y muy olorosa.

jazz [también **yaz**, menos usado; se pronuncia aproximadamente 'yas'] *s. m.* Estilo musical nacido a finales del siglo XIX en las comunidades negras de Estados Unidos, cuyas canciones, principalmente instrumentales, se caracterizan por tener una estructura base de ritmo y acordes sobre la cual los músicos van improvisando diferentes melodías con repetidas intervenciones solistas y con un frecuente uso de la sincopación.
FAM jazzístico.

jeans [se pronuncia aproximadamente 'yins'] *s. m. pl.* Pantalones hechos de una tela fuerte de algodón, generalmente azul, y que se usan de manera informal. **SIN** tejanos, vaqueros.

jeep [se pronuncia aproximadamente 'yip'] *s. m.* Vehículo muy potente y resistente que se adapta a todo tipo de terrenos, especialmente a los muy accidentados. **SIN** todoterreno.
OBS Es marca registrada.

jefatura *s. f.* ① Cargo de jefe. ② Oficina o edificio de determinados organismos oficiales.

jefe, -fa *s. m. y f.* ① Persona que tiene poder o autoridad sobre un grupo para dirigir su trabajo o sus actividades: *el jefe ha convocado una reunión.* ② Representante o líder de un grupo: *el jefe de un partido político.* ■ **jefe de Estado** Persona que tiene la mayor autoridad en un país. ■ **jefe de estudios** Profesor encargado del cumplimiento de las normas de un centro docente y que coordina las actividades de alumnos y profesores. ■ **jefe de Gobierno** Persona que preside y gobierna el Consejo de Ministros de un país. ③ Militar que pertenece a una categoría superior a la de los oficiales e inferior a la de los generales. ④ familiar Tratamiento de respeto y con-

fianza que se da a personas que, por su cargo, tienen algún tipo de autoridad, como un guardia urbano, el encargado de un restaurante o un policía: *¡jefe!, dígame cuánto le debo.*
FAM jefatura; subjefe.

jena [también **gena**] *s. f.* Sustancia vegetal que se utiliza como tinte de cabello o para hacer tatuajes.

jengibre *s. m.* **1** Planta herbácea de flores amarillas y rojas, y de tallo subterráneo horizontal, aplastado, de carne blanca, olorosa y sabor agrio y picante. **2** Sustancia de sabor picante que se saca del tallo subterráneo de esa planta: *el jengibre se usa como especia.*

jeque *s. m.* Jefe de un territorio en algunos países musulmanes: *los jeques son personas muy acaudaladas.*

jerarca *s. com.* Persona de una categoría superior y principal dentro de una organización, especialmente en el orden de la Iglesia.

jerarquía *s. f.* **1** Organización o clasificación de categorías o poderes, siguiendo un orden de importancia: *la cabeza de la jerarquía eclesiástica es el Papa.* **2** Grupo de personas que ocupan un mismo rango dentro de una organización. **3** Persona que desempeña un cargo importante dentro de una organización.
FAM jerarca, jerárquico, jerarquizar.

jerárquico, -ca *adj.* Relativo a la jerarquía.

jerarquizar *v. tr.* Organizar o clasificar en rangos de distintas categorías.
FAM jerarquización.

jeremiquear [también **jirimiquear**] *v. intr.* fam. desp. AMÉR. Rogar algo con insistencia gimoteando: *la niña estaba hambrienta y jeremiqueaba todo el tiempo.*

jerez *s. m.* Vino blanco muy seco y de alta graduación alcohólica que se elabora en la zona de Jerez de la Frontera (localidad gaditana).

jerezano, -na *adj.* **1** De Jerez de la Frontera (localidad de Cádiz) o Jerez de los Caballeros (localidad de Badajoz). **|** *s. m. y f./adj.* **2** Persona que es de Jerez de la Frontera o de Jerez de los Caballeros.

jerga¹ *s. f.* **1** Variedad de lengua que utilizan para comunicarse entre sí las personas que pertenecen a un mismo oficio o grupo social: *la jerga de los médicos.* **SIN** argot. **2** Jerigonza.
FAM jergal, jerigonza.

jerga² *s. f.* Tejido grueso y áspero: *la jerga se usaba para hacer colchones.*

jergón *s. m.* Colchón de forma plana y rectangular lleno de paja, hierba u otros materiales y que no lleva ataduras que sujeten el relleno.

jerigonza *s. f.* Lenguaje difícil de entender. **SIN** jerga.

jeringa *s. f.* Instrumento que consiste en un tubo hueco con un émbolo en su interior y con un extremo muy estrecho por el que se expulsan o aspiran líquidos o sustancias blandas: *le sacó sangre con la jeringa.*
FAM jeringar, jeringuilla.

jeringar *v. tr.* familiar Molestar o enfadar.

jeringuilla *s. f.* **1** Jeringa pequeña en la que se coloca una aguja hueca de punta aguda cortada a bisel que se usa para poner inyecciones. **2** Arbusto de flores blancas en racimo, muy olorosas y vistosas, y tallos muy ramosos.

jeroglífico, -ca *adj.* **1** Se aplica a la escritura que emplea signos que representan seres y objetos de la realidad y tienen un valor ideográfico o fonético: *en Egipto había dos clases de escritura jeroglífica: la hierática y la demótica.* **|** *s. m.* **2** Signo de este tipo de escritura. **3** Pasatiempo que consiste en adivinar una palabra o frase a partir de cifras, signos o símbolos. **4** Cosa, especialmente figura o texto, difícil de entender o interpretar.

jerónimo, -ma *adj.* **1** Relativo a una orden religiosa surgida a partir de la doctrina de san Jerónimo (siglos IV-V). **|** *adj./s. m. y f.* **2** Se aplica al religioso que pertenece a esta orden: *El Escorial fue uno de los monasterios fundados por los monjes jerónimos.*

jersey *s. m.* Prenda de vestir, generalmente de punto de lana o algodón y manga larga, que cubre el cuerpo desde el cuello hasta la cintura. **SIN** suéter.
OBS Plural: *jerséis.*

jesuita *adj.* **1** Relativo a la Compañía de Jesús, orden religiosa fundada por san Ignacio de Loyola en el siglo XVI. **|** *adj./s. m.* **2** Se aplica al religioso que pertenece a esta orden: *los jesuitas fueron expulsados de España en el año 1767 por Carlos III.* **|** *adj./s. com.* **3** familiar Hipócrita o disimulado.
FAM jesuítico.

¡Jesús! *int.* **1** Se utiliza solo, o en expresiones exclamativas como *¡Jesús, María y José!*, para indicar asombro, admiración, alegría, disgusto o enfado: *¡Jesús, qué susto me has dado!* **2** Se le dice a una persona que acaba de estornudar, como señal de buena educación.
en un decir Jesús familiar En muy poco tiempo.

jet [se pronuncia aproximadamente 'yet'] *s. m.* Avión que usa motor de reacción: *un jet privado.* **SIN** reactor.
OBS Plural: *jets.*

jeta *s. f.* **1** familiar Cara o parte anterior de la cabeza. **2** Hocico del cerdo. **3** familiar Desfachatez o descaro. **|** *adj./s. com.* **4** familiar Se aplica a la persona que es desvergonzada o descarada.

jet set [se pronuncia aproximadamente 'yet set'] *s. f.* Grupo social económicamente fuerte, que frecuenta los lugares que están de moda y que por ello es noticia.

ji *s. f.* Nombre de la vigésima segunda letra del alfabeto griego; se escribe X/χ y se transcribe como *j* o *kh*.

jíbaro, -ra *adj.* **1** Relativo al pueblo indígena que habita en la zona oriental de Ecuador. **|** *s. m. y f./adj.* **2** Persona perteneciente a este pueblo: *los jíbaros practican una técnica de momificación y reducción de cabezas que permite conservar todos los rasgos.* **|** *adj./s. m. y f.* **3** AMÉR. Campesino, rústico, silvestre.

jibia *s. f.* **1** Molusco marino de la clase Cefalópodos de cuerpo ovalado y color blanquecino, parecido al calamar pero con la cabeza más grande, de la que salen ocho brazos y dos tentáculos más largos, y provisto de una concha caliza en el dorso, cubierta por la piel; su carne es comestible. **SIN** sepia. **2** Concha caliza que tiene ese molusco en el interior del cuerpo.

jícara *s. f.* **1** Taza pequeña que se usa para tomar chocolate. **SIN** pocillo. **2** AMÉR. Vasija hecha de la corteza de cierto fruto tropical americano.

jienense o **jiennense** *adj.* **1** De Jaén (ciudad y provincia de Andalucía). **|** *s. com./adj.* **2** Persona que es de Jaén.

jiga *s. f.* **1** Baile antiguo originario de Irlanda, de ritmo binario o ternario y movimiento vivo y acelerado, muy difundido en los siglos XVII y XVIII. **2** Composición musical con que se acompañaba este baile.

jijona *s. m.* Turrón blando fabricado con almendra molida original dc Jijona, ciudad de Alicante.

jilguero *s. m.* Pájaro cantor de color marrón en la espalda, con una mancha roja en la cara, otra negra en la parte superior de la cabeza, cola y alas negras y amarillas con las puntas blancas y cuello blanco: *el jilguero es muy apreciado por su canto.* **SIN** colorín.

jineta¹ *s. f.* Mamífero carnívoro de cuerpo delgado, cabeza pequeña, patas cortas y cola muy larga, con el pelo marrón con bandas negras. **SIN** gineta.

jineta² *s. f.* AMÉR. Mujer que monta a caballo, especialmente si es diestra en equitación.

jinete *s. m.* **1** Hombre que monta a caballo, especialmente si es diestro en equitación. **2** Soldado de caballería.
FAM jinetear.

jinetear *v. tr.* **1** AMÉR. Domar un jinete a un caballo cerril. **2** MÉX. Andar a caballo un jinete alardeando de elegancia y destreza. **3** MÉX. Tardar en pagar un dinero con el fin de sacar rendimiento. **│** *v. intr.* **4** CUBA Ejercer la prostitución con extranjeros.

jiñar *v. intr.* **1** vulgar Defecar, hacer de vientre. **SIN** cagar. **│** *v. prnl.* **2 jiñarse** vulgar Sentir un miedo muy fuerte. **SIN** cagarse.

jipiar *v. intr.* familiar Ver (percibir a través del sentido de la vista): *no jipio nada sin gafas.*
OBS Verbo regular, se acentúa como *cambiar.*

jipijapa *s. f.* **1** Tira muy fina y flexible que se extrae de las hojas de una planta americana y que se usa en la fabricación de sombreros y otros objetos. **│** *s. m.* **2** Sombrero de ala ancha hecho con ese material.

jipío *s. m.* Lamento o gemido que se intercala en las coplas del cante flamenco.

jira¹ *s. f.* **1** Comida campestre. **2** Excursión, generalmente de varios días, de un grupo de personas.

jira² *s. f.* Pedazo que se corta o rasga de una tela.

jirafa *s. f.* **1** Mamífero rumiante muy alto, con la cabeza pequeña con dos cuernos, el cuello muy largo y delgado, las patas delgadas y el pelo de color amarillento con manchas marrones: *la jirafa habita en África.* **2** Brazo articulado que sostiene un micrófono, permite moverlo y ampliar su alcance y puede aproximarse desde arriba.

jirimiquear *v. intr.* AMÉR. Jeremiquear.

jirón *s. m.* **1** Trozo desgarrado de una tela o de una prenda de vestir. **2** Parte pequeña de un todo.
FAM jironado.

jiu-jitsu [se pronuncia aproximadamente 'yiu-yitsu'] *s. m.* Deporte de origen japonés que consiste en un sistema de defensa personal sin armas: *las reglas del jiu-jitsu son menos estrictas que las del judo.*

¡jo! *int.* familiar Expresión que denota sorpresa, admiración o fastidio: *¡jo, qué aburrimiento!*

¡jobar! *int.* familiar Expresión que denota sorpresa, admiración o fastidio: *¡jobar, menuda casa tienes!*

jockey [se pronuncia aproximadamente 'yóquei'] *s. m.* Persona que se dedica profesionalmente a montar caballos de carreras. **SIN** yóquey, yoqui.

jocosidad *s. f.* Capacidad para hacer reír o divertir: *la jocosidad de sus ocurrencias animó la fiesta.*

jocoso, -sa *adj.* Que es gracioso y divertido.
FAM jocosidad.

jocundo, -da *adj.* culto Alegre o risueño: *tiene un carácter jocundo y anima a cualquiera.*
FAM jocundidad.

joder *v. intr.* **1** vulgar Hacer el amor. **│** *v. tr./intr.* **2** vulgar Molestar o fastidiar: *me está jodiendo tanta risa; ¡deja de joder con tanto ruido!* **│** *v. tr.* **3** vulgar Estropear una cosa o impedir que un proyecto salga bien: *acabo de joder el mando de la tele.* **│** *int.* **4 ¡joder!** vulgar Expresión que denota sorpresa, admiración o fastidio.
FAM jodido, jodienda.

jodido, -da *adj.* **1** vulgar Que está desmoralizado o cansado. **2** vulgar Que es difícil o complicado. **3** vulgar Que es desagradable o fastidioso de hacer. **4** vulgar Que está roto o estropeado.

jodienda *s. f.* vulgar Incomodidad o molestia.

jofaina *s. f.* Recipiente circular, ancho y poco profundo, usado especialmente para lavarse. **SIN** palangana.

jogging [se pronuncia aproximadamente 'yoguin'] *s. m.* Ejercicio físico consistente en correr a poca velocidad durante un tiempo determinado, generalmente dentro de la ciudad.

jolgorio *s. m.* Diversión muy animada, con ruido y desorden. **SIN** farra, jarana, juerga.

¡jolín! o **¡jolines!** *int.* Expresión que denota sorpresa, admiración o fastidio: *¡jolín, qué tarde se nos ha hecho!*

jondo *adj.* Se aplica al cante que combina elementos andaluces, árabes y gitanos y tiene tono de queja: *la seguiriya es un cante jondo.*

jónico, -ca *adj.* **1** Se aplica al orden arquitectónico que se caracteriza por adornar la parte superior de las columnas con volutas: *la columna jónica tiene base, su fuste es acanalado y su capitel está provisto de volutas.* **2** De Jonia (región de la antigua Grecia). **SIN** jonio. **│** *s. m. y f./adj.* **3** Persona que era de Jonia. **SIN** jonio. **│** *adj./s. m.* **4** Se aplica a los filósofos griegos presocráticos de la Jonia, como Tales, Anaximandro, Anaxímenes o Heráclito. **│** *s. m.* **5** Antigua variedad dialectal del griego común que se hablaba en esta región. **SIN** jonio.

jonio, -nia *adj.* **1** Relativo a un pueblo griego asentado en la Jonia (litoral asiático del mar Egeo): *Mileto fue una ciudad jonia.* **SIN** jónico. **│** *s. m. y f./adj.* **2** Persona que era de Jonia: *los jonios se enfrentaron al Imperio persa.* **SIN** jónico. **│** *s. m.* **3** Antigua variedad dialectal del griego común que se hablaba en esta región. **SIN** jónico.
FAM jónico.

¡jopé! o **¡jope!** *int.* familiar Expresión que denota enfado o sorpresa: *¡jopé, he vuelto a perder las gafas!*

jordano, -na *adj.* **1** De Jordania (país de Asia): *la capital jordana es Amman.* **│** *s. m. y f./adj.* **2** Persona que es de Jordania: *los jordanos son vecinos de los israelíes.*

jornada *s. f.* **1** Día, periodo de tiempo de 24 horas: *las noticias de la jornada.* **2** Duración del trabajo diario de los asalariados: *su jornada laboral se reduce a cuatro horas diarias.* **3** Distancia que se recorre en un día de viaje: *en una jornada es capaz de hacer 40 kilómetros a pie.* **4** En el teatro clásico español, acto: *este drama se desarrolla en tres jornadas.* **5** Reunión a la que acude gente interesada en un tema en concreto: *jornadas sobre morfología del español.* **NOTA** Más en plural.
FAM jornal.

J

jornal *s. m.* **1** Cantidad de dinero que se paga a un trabajador por cada día de trabajo. **2** Espacio de tiempo que ocupa un día de trabajo: *para terminar la obra, harán falta veinte jornales más.*
a jornal Con una cantidad fija de dinero al día.
FAM jornalero.

jornalero, -ra *s. m. y f.* Persona que trabaja a jornal, especialmente en el campo.

joroba *s. f.* **1** Bulto dorsal en el lomo de ciertos animales, formado por acumulación de grasa: *el camello tiene dos jorobas, y el dromedario, solo una.* **SIN** giba. **2** Deformación anómala de la espalda producida por desviación de la columna vertebral. | *int.* **3** ¡**joroba**! familiar Expresión de asombro, enfado o molestia: *¡joroba, otra vez se me ha ido el autobús!*
FAM jorobar.

jorobado, -da *adj./s. m. y f.* Que tiene joroba. **SIN** giboso.

jorobar *v. tr.* **1** familiar Molestar o fastidiar: *no me jorobes y déjame en paz.* **2** familiar Estropear una cosa o impedir que un proyecto salga bien: *ha jorobado el vaquero con la lejía.*
FAM jorobado.

joropo *s. m.* **1** Baile típico de Venezuela. **2** Música y canto de este baile.

jota[1] *s. f.* Nombre de la letra *j.*
ni jota familiar Nada en absoluto: *voy a ponerme las gafas porque no veo ni jota.*

jota[2] *s. f.* **1** Baile popular de origen aragonés aunque extendido a otras regiones españolas: *jota asturiana.* **2** Canción y música que acompaña a este baile, de compás ternario, formada por varias coplas y estribillo, con acompañamiento de guitarras, bandurrias y castañuelas.
FAM jotero.

joule [se pronuncia aproximadamente 'yul'] *s. m.* Unidad de trabajo, energía y cantidad de calor del Sistema Internacional, de símbolo *J*, que equivale al trabajo producido por la fuerza de un newton al desplazar un cuerpo una distancia de un metro en la misma dirección y sentido.
OBS Plural: *joules.* Se ha adaptado al español con la forma *julio.*

joven *adj./s. com.* **1** Se aplica a la persona que está en el periodo situado entre la adolescencia y la edad adulta. | *adj.* **2** Relativo a la juventud: *una tienda de moda joven.* **3** Se aplica a la cosa que está en las primeras etapas de su existencia o de su desarrollo: *una empresa joven.* **4** Se aplica al vino que tiene poco tiempo.

jovial *adj.* Que es alegre, divertido y tiene buen humor: *siempre mantiene una actitud jovial con todos.*
FAM jovialidad.

jovialidad *s. f.* Alegría y buen humor.

joya *s. f.* **1** Pieza de metal noble, que puede llevar piedras preciosas incrustadas, usada como adorno personal. **2** Persona o cosa de gran valía: *tiene un hijo que es una joya; esa sopera es una verdadera joya.*
FAM joyel, joyero; enjoyar.

joyería *s. f.* **1** Establecimiento en el que se fabrican, arreglan o venden joyas. **2** Arte, técnica u oficio de hacer joyas: *algunos minerales son de tal belleza que, incluso, se utilizan en joyería.*

joyero, -ra *s. m. y f.* **1** Persona que fabrica, arregla o vende joyas. | *s. m.* **2** Caja o estuche para guardar joyas.
FAM joyería.

joystick [se pronuncia aproximadamente 'yóistic'] *s. m.* Palanca o mando de control que se usa especialmente en consolas o programas informáticos de videojuegos y que permite desplazar manualmente y con gran rapidez el cursor, un personaje, etc., en la pantalla.
OBS Plural: *joysticks.*

juanete *s. m.* Hueso sobresaliente en el nacimiento del dedo gordo del pie: *no se puede poner zapatos apretados porque tiene juanetes.*

jubilación *s. f.* **1** Retirada definitiva de una persona de su trabajo por haber cumplido la edad determinada por la ley, o por enfermedad: *le han ofrecido la jubilación anticipada.* **2** Pensión que cobra la persona jubilada.

jubilado, -da *adj./s. m. y f.* Se aplica a la persona que está retirada de su trabajo por haber cumplido la edad determinada por la ley o por enfermedad, y cobra la pensión correspondiente: *un jubilado sin hijos repartió sus bienes entre sus vecinos.*

jubilar *v. tr.* **1** Retirar a una persona de su trabajo por haber cumplido la edad determinada por la ley o por enfermedad: *la empresa jubiló a los que ya habían cumplido sesenta años.* **2** Eximir a alguien de cualquier actividad u obligación. **3** familiar Dejar de usar una cosa por vieja o inútil: *voy a jubilar este traje.*
FAM jubilación, jubilado.

jubileo *s. m.* **1** En la religión católica, indulgencia plenaria, solemne y universal concedida por el Papa cada 25 años, y también de manera extraordinaria en ciertas ocasiones: *los peregrinos viajaron a Santiago de Compostela para ganar el jubileo.* **2** familiar Gran movimiento y afluencia de gente en un lugar. **3** Fiesta pública que celebraban los israelitas cada cincuenta años.

júbilo *s. m.* Alegría grande que se manifiesta exteriormente, con gestos.
FAM jubiloso.

jubiloso, -sa *adj.* Que tiene una gran alegría y la manifiesta exteriormente: *nos anunció jubiloso que había aprobado las oposiciones.*

jubón *s. m.* Antigua prenda de vestir que, ajustada al cuerpo, cubría desde los hombros hasta la cintura.

judaico, -ca *adj.* Relativo a los judíos: *los ritos de la pascua judaica no coinciden con los de la cristiana.*

judaísmo *s. m.* Religión de los judíos, fundada por el profeta Moisés (siglo XIII a. C.), que tiene como único dios a Yahvé y se basa en las leyes de la Torá. **SIN** hebraísmo.

judas *s. m.* **1** Hombre traidor y malvado. **2** Muñeco de paja que se quema por Semana Santa en algunos lugares.
OBS Plural invariable.

judeocristianismo *s. m.* Conjunto de creencias y doctrinas religiosas que tenía el cristianismo en sus orígenes, en gran parte comunes con el judaísmo.

judeocristiano, -na *adj.* Se aplica a la tradición judía y a la cristiana, cuyas religiones derivan de la misma cultura y creencias.
FAM judeocristianismo.

judeoespañol, -la *adj.* **1** Relativo a la comunidad de judíos expulsada de España en 1492 o a sus descendientes, que han conservado la lengua y las tradiciones españolas del siglo XV, especialmente las prácticas religiosas: *las comunidades judeoespañolas perviven en el norte de África, en los Balcanes y en Asia menor.* **SIN** sefardí, sefardita. | *s. m. y f./adj.* **2** Persona perteneciente a esta comunidad, o descendiente de ella. **SIN** sefardí, sefardita. ‖ *s. m./adj.* **3** Variedad del español hablada por los descendientes de los judíos expulsados de España: *el judeoespañol conserva rasgos del castellano del siglo XV.* **SIN** ladino, sefardí, sefardita.

judería *s. f.* **1** En la Edad Media, barrio habitado por judíos y donde se encontraban todas las instituciones de la aljama: *la judería de Gerona es una de las más importantes de España; desde principios del siglo XV la comunidad hebraica fue obligada a vivir en juderías.* **2** Antiguo impuesto pagado por los judíos.

judía *s. f.* **1** Planta leguminosa de tallo delgado y en espiral, hojas grandes, flores blancas o amarillas y fruto en vaina. **SIN** alubia, fríjol, habichuela. **2** Fruto comestible de esa planta, en forma de vaina o cáscara flexible y alargada que encierra las semillas en hilera. **SIN** alubia, fríjol, habichuela. **3** Semilla comestible contenida en esta vaina, de color blanco o rojizo y forma arriñonada. **SIN** alubia, fríjol, habichuela. **FAM** judión.

judiada *s. f.* familiar Acción injusta o malintencionada hecha contra alguien. **OBS** Frecuentemente usado de forma despectiva.

judicatura *s. f.* **1** Cargo o profesión de juez: *se dedica a la judicatura.* **2** Tiempo durante el cual un juez ejerce su cargo: *durante su judicatura dictó miles de sentencias.* **3** Cuerpo formado por los jueces de un país.

judicial *adj.* Relativo al juicio o a la administración de justicia: *el poder judicial lo ejercen los órganos de la administración de justicia.* **FAM** judicializar; extrajudicial.

judío, -día *adj.* **1** Relativo al pueblo descendiente de los hebreos y los israelitas, desde la destrucción del pueblo de Israel en el 721 a. C. hasta hoy. ‖ *s. m. y f./adj.* **2** Persona perteneciente a este pueblo. ‖ *adj.* **3** Relativo al judaísmo. **SIN** hebreo, israelita. ‖ *adj./s. m. y f.* **4** Se aplica a la persona que practica el judaísmo. **SIN** hebreo, israelita. ‖ *adj.* **5** De Judea (antiguo país de Asia y actual región de Palestina): *hay judíos que no profesan el hebraísmo.* ‖ *s. m. y f./adj.* **6** Persona que es de Judea. **FAM** judaico, judaísmo, judeocristiano, judeoespañol, judería.

judo [también **yudo**, menos usado; se pronuncia aproximadamente 'yudo'] *s. m.* Deporte de origen japonés que consiste en luchar cuerpo a cuerpo dos personas, utilizando solamente la rapidez y agilidad de movimientos y la propia fuerza e impulso del contrario para hacerle perder el equilibrio y caer al suelo: *el judo surge del sistema de defensa personal jiu-jitsu en 1882.* **FAM** judoca.

judoca o **judoka** [también **yudoca** o **yudoka**, menos usados; se pronuncia aproximadamente 'yudoca'] *s. com.* Persona que practica el judo.

juego *s. m.* **1** Acción de jugar, que se realiza para divertirse o entretenerse: *el juego es fundamental para el desarrollo de los niños.* ■ **juego de manos** Juego que se basa en la habilidad y agilidad de las manos para hacer aparecer y desaparecer objetos: *es un gran prestidigitador que hace unos juegos de manos increíbles.* ■ **juego de palabras** Uso ingenioso del sentido equívoco de las palabras o de sus distintas acepciones: *en "escudos pintan escudos", Luis de Góngora hace un juego de palabras, indicando que los escudos (o monedas) pintan o crean escudos (o títulos nobiliarios).* ■ **juego malabar** Ejercicio de equilibrio y habilidad que se hace lanzando al aire y recogiendo diversos

objetos o manteniéndolos en equilibrio inestable. **NOTA** Más en plural. **SIN** malabarismo. **2** Entretenimiento o actividad recreativa sujeta a unas reglas preestablecidas. ■ **juego de azar** Juego que depende de la suerte: *los dados son un juego de azar.* **3** Práctica de actividades recreativas en las que se apuesta dinero. **4** Conjunto de cartas que se reparten a cada jugador: *tengo buen juego.* **5** En algunos deportes, cada una de las divisiones de una partida: *el tenista ha ganado dos juegos del primer set.* **6** Actuación de un equipo en una competición deportiva: *el juego de la selección española fue acertadísimo.* **7** Conjunto de cosas que sirven para un mismo fin: *un juego de café; un juego de llaves; un juego de sábanas.* **8** Combinación cambiante de elementos como agua, luz o color para conseguir un efecto estético: *este espectáculo tiene un montaje muy original basado en el juego de luces.* **9** Movimiento de cosas que están articuladas. **10** Intriga, plan o actividad que persigue un fin, especialmente si es malo o secreto: *descubrieron su juego y no pudo estafarlos.* **11** Manera de actuar de alguien, que suele tener una intención oculta: *juego limpio; juego sucio; son muy astutos, nunca dejan ver su juego.* ‖ *s. m. pl.* **12** **juegos** Conjunto de fiestas, normalmente competiciones deportivas, que se celebraban en la Antigüedad clásica: *los romanos asistían a los juegos en el circo.* ■ **juegos olímpicos** Conjunto de competiciones deportivas de carácter internacional que se celebran cada cuatro años en una ciudad determinada: *el origen de los Juegos Olímpicos está en la Grecia clásica.* **NOTA** Se escribe normalmente con mayúscula inicial. ■ **juegos paralímpicos** o **juegos paraolímpicos** Competición paralela a los Juegos Olímpicos cuyos participantes son disminuidos físicos. **NOTA** Se escribe normalmente con mayúscula inicial.

dar juego Expresa que una cosa ofrece rendimiento o posibilidades: *una camisa blanca da mucho juego porque combina con todos los colores.*

en juego Expresa que una cosa está en riesgo, y que se puede ganar o perder dependiendo de otra de la que se está tratando: *ahora está en juego su prestigio.*

entrar en juego Intervenir: *en la vida humana, entran en juego numerosos elementos económicos, sociales, políticos, culturales, religiosos, etc.*

hacer el juego Favorecer o apoyar a una persona en un asunto o punto de vista: *deja de hacerle el juego y si no estás de acuerdo dínoslo.*

hacer juego Combinar o armonizar bien dos cosas o una cosa con otra: *esa corbata no te hace juego con la camisa.*

juego de niños Actividad o asunto fácil de hacer o resolver: *freír un huevo es cosa de niños.*

juegos florales Concurso poético en el que se premia al vencedor con una flor: *los juegos florales se instituyeron en 1323 en Toulouse.* **FAM** jugar, juguete.

juerga *s. f.* Fiesta o diversión muy animada y ruidosa, que generalmente se acompaña de música, baile y bebidas: *es muy casero y no le gustan nada las juergas.* **FAM** juerguista.

juerguista *adj./s. com.* Se aplica a la persona que es muy aficionada a la juerga y la diversión.

jueves *s. m.* Cuarto día de la semana. ■ **Jueves Santo** Jueves de la Semana Santa en que se celebra una misa para conmemorar la institución del sacramento de la eucaristía.

no ser nada del otro jueves No ser nada especial o fuera de lo normal. **OBS** Plural invariable.

J

juez, -za *s. m. y f.* **1** Persona que tiene autoridad para juzgar y sentenciar en un tribunal: *el juez absolvió al acusado del delito que se le imputaba.* ■ **juez de instrucción** o **juez de primera instancia** Juez que se encarga de los asuntos civiles en primera instancia e instruye el sumario en los penales: *ha denunciado el caso ante la jueza de instrucción.* **2** Persona que tiene autoridad para juzgar en un concurso público y hacer que se cumplan las reglas que lo rigen. **3** Persona elegida para resolver una duda o discusión: *te ha tocado ser el juez en este dilema, tienes que decirnos quién crees que tiene razón.* **4** En una competición deportiva, persona elegida como árbitro y que se encarga de hacer cumplir el reglamento: *el juez descalificó al corredor de marcha por apoyar los dos pies en el suelo.* ■ **juez de línea** En algunos deportes, especialmente el fútbol, auxiliar del árbitro principal que vigila el juego en las bandas laterales del campo: *el juez de línea avisó al árbitro del penalti con la bandera.* **SIN** linier. ■ **juez de silla** En tenis, persona que hace de árbitro de un partido sentado en una silla alta a uno de los lados de la red. ‖ *s. m.* **5** Magistrado supremo de Israel hasta la instauración de la monarquía.
ser juez y parte Juzgar una cosa en la que no se puede ser neutral por estar de algún modo implicado.
FAM juicio; juzgar.
OBS Femenino: *juez* o *jueza.*

jugada *s. f.* **1** Intervención o participación de un jugador en un juego cuando llega su turno o tiene oportunidad: *has caído en la posada, así que tendrás que estar dos jugadas sin moverte.* **2** Acción destacada de un juego: *hoy retransmiten el resumen con las mejores jugadas de la liga.* **3** familiar Mala pasada: *¡menuda jugada nos has hecho con llegar tarde!*

jugador, -ra *adj./s. m. y f.* **1** Se aplica a la persona que se dedica profesionalmente a jugar, especialmente en el deporte: *han fichado a un jugador muy conocido en el mundo del fútbol.* **2** Se aplica a la persona que es muy aficionada a los juegos de azar: *es un jugador empedernido y se pasa noches enteras en el casino.*
FAM jugarreta.

jugar [8] *v. intr.* **1** Realizar una actividad para divertirse o entretenerse: *le gusta jugar con los puzzles.* **2** Utilizar una cosa como juguete: *vamos a jugar con el balón en la plaza.* **3** Participar en un juego que se realiza bajo unas reglas que los participantes deben respetar: *ayer jugamos al parchís y después a las cartas.* **4** Intervenir en un juego cuando llega el turno: *ahora me toca jugar a mí.* **5** Participar en un sorteo o en un juego de azar: *le gusta ir a jugar al bingo.* **6** Tomar parte en un asunto o negocio: *no juego en este negocio que me propones porque me parece muy arriesgado.* **7** Utilizar a una persona para un fin, o comportarse con ella sin prestarle la atención y consideración que se merece: *no juegues conmigo y trátame como merezco.* **8** Bromear con una cosa o no darle la importancia que se merece: *estás jugando con tu puesto de trabajo.* ‖ *v. tr.* **9** Llevar a cabo una partida o juego: *jugar un partido de baloncesto.* **10** Echar una carta, ficha, etc., en un juego: *ahora voy a jugar un triunfo.* ‖ *v. tr./prnl. tr.* **11** Apostar una cosa o una cantidad de dinero: *juego veinte euros en el próximo sorteo; seguro que mañana nos ponen un examen: ¿te juegas algo?* ‖ *v. prnl. tr.* **12** **jugarse** Arriesgar una cosa, ponerla en juego o ponerla en peligro: *no debes correr tanto con el coche porque te juegas la vida.*
jugársela (**I**) Arriesgarlo todo una persona: *¿te plantas con mil euros o te la juegas para doblar esa cantidad?* (**II**) Engañar a una persona causándole un perjuicio notable y con la intención

de hacerle una mala pasada: *se la has jugado diciéndole que habían cambiado la hora del examen.*
FAM jugada, jugador, jugarreta.

jugarreta *s. f.* Faena, mala pasada: *otra jugarreta como esta de dejarme fuera de la lista y no vuelvo a hablarte en la vida.*

juglar *s. m.* **1** Artista medieval itinerante, de clase humilde, que se dedicaba a recitar o cantar composiciones de los trovadores y que actuaba en ambientes cortesanos, a cambio de dinero. **2** Persona que en la Edad Media se dedicaba a divertir a la gente con sus canciones, bailes y acrobacias a cambio de dinero.
FAM juglaresco, juglaría.

juglaresco, -ca *adj.* Relativo al juglar: *hay pasajes al estilo de la lírica juglaresca.*

juglaría *s. f.* Actividad y oficio del juglar.

jugo *s. m.* **1** Líquido que se extrae de sustancias animales y vegetales al ser cocinadas, exprimidas o destiladas: *este limón no tiene nada de jugo; la savia es el jugo de las plantas.* **2** Líquido orgánico que segrega una célula o una glándula. ■ **jugo gástrico** Líquido ácido que segregan las glándulas del estómago en el momento de la digestión: *los jugos gástricos contienen, entre otras sustancias, ácidos.* ■ **jugo intestinal** o **jugo entérico** Líquido segregado por las glándulas de la pared del intestino delgado, compuesto por enzimas digestivas y por un mucus que protege las paredes intestinales de la acción de estos: *las enzimas del jugo intestinal completan la transformación química de los alimentos.* ■ **jugo pancreático** Líquido que segrega el páncreas, compuesto de sales y enzimas, que tiene funciones digestivas: *el jugo pancreático es vertido al intestino delgado.* **3** Utilidad o provecho que se saca de una cosa: *he vuelto a ver la película para sacarle todo su jugo.*
FAM jugoso.

jugosidad *s. f.* **1** Abundancia de jugo o de sustancia y sabor: *la jugosidad de esta carne la hace exquisita.* **2** Valor o cantidad importantes: *no puedes rechazar esta propuesta, su jugosidad la hace inestimable.*

jugoso, -sa *adj.* **1** Se aplica al alimento que tiene jugo: *el melón es una fruta jugosa.* **ANT** seco. **2** Se aplica al alimento que tiene sustancia y está sabroso: *la carne de ternera poco hecha está muy jugosa.* **ANT** seco. **3** Que tiene mucho valor, es cuantioso o se puede sacar provecho: *una jugosa cantidad de dinero.*
FAM jugosidad.

juguete *s. m.* **1** Objeto que sirve a los niños para jugar: *¡recoge siempre los juguetes después de jugar!* **2** Persona o cosa dominada por alguien o algo. **3** Pieza musical o teatral breve y desenfadada: *durante el Siglo de Oro español se compusieron muchos juguetes escénicos.*
FAM juguetear, juguetería, juguetón.

juguetear *v. intr.* Entretenerse jugando con alguien o algo, o hacerlo con algo que no es un juguete: *la niña jugueteaba con las cucharas.*
FAM jugueteo.

juguetería *s. f.* **1** Establecimiento o tienda de juguetes. **2** Actividad o comercio relacionado con los juguetes: *se dedica a la juguetería didáctica.*

juguetón, -tona *adj.* **1** Se aplica a la persona o al animal que le gusta mucho jugar y lo hace con frecuencia: *el perro es muy pequeño y por eso es tan juguetón.* **2** Se aplica a la cosa que tiene carácter fresco y juvenil.

juicio *s. m.* **1** Proceso legal por el que se resuelve un delito ante un juez o tribunal: *voy a declarar como testigo en el juicio de un accidente de tráfico.* ■ **juicio criminal** o **juicio penal** Juicio que tiene por objeto establecer la responsabilidad de una persona en un delito. ■ **juicio de Dios** Forma medieval de investigar la inocencia de un acusado en la que se consideraba que el resultado dependía de la intervención divina; se exponía al acusado a una prueba peligrosa (duelo, fuego, etc.) y si salía ileso, se le consideraba inocente, y culpable en caso contrario. ■ **juicio sumario** Juicio civil en que, para hacerlo más rápido, intervienen solamente los abogados y se eliminan algunas formalidades. ■ **juicio sumarísimo** Juicio militar que se celebra de la forma más breve posible por la gravedad de los hechos o la claridad del delito. **2** Facultad de pensar y juzgar las situaciones y circunstancias para distinguir lo positivo de lo negativo: *no te preocupes, a pesar de su edad, es una persona con mucho juicio y se tomará muy en serio tu encargo.* **SIN** cordura. **3** Opinión razonada sobre un asunto o persona: *no debes hacer juicios sobre nadie sin conocerlo.* **4** Sensatez en la manera de actuar: *si tuvieras juicio, estudiarías más.*
a juicio Según la opinión de una persona: *a su juicio, no debemos hacerlo.*
estar en su sano juicio Estar en posesión de sus facultades mentales y actuar de manera sensata: *a nadie en su sano juicio se le ocurrirá poner perros y gatos juntos.*
juicio final Juicio que, según la religión cristiana, celebrará Dios al final de los tiempos: *el día del juicio final todos los hombres serán iguales ante Dios.*
perder el juicio Volverse loco: *lo han llevado al psiquiátrico porque ha perdido el juicio.*
FAM juicioso; enjuiciar.

juicioso, -sa *adj.* **1** Realizado con juicio o sensatez: *una opinión juiciosa.* | *adj./s. m. y f.* **2** Se aplica a la persona que muestra juicio y sensatez en sus actos: *es muy juiciosa y no hará ninguna tontería.* **SIN** sensato.

julepe *s. m.* **1** Juego de cartas que consiste en hacer como mínimo dos bazas de las cinco posibles: *para jugar al julepe tienes que repartir cinco cartas a cada jugador y dejar una sobre la mesa como triunfo.* **2** En este juego, jugador que hace menos de dos bazas. **3** familiar Esfuerzo o trabajo excesivo: *hemos pintado la casa y nos hemos dado un buen julepe.* **4** familiar Reprimenda, golpe o paliza. **5** AMÉR. Susto o miedo.

julio[1] *s. m.* Séptimo mes del año: *julio tiene 31 días.*

julio[2] *s. m.* Joule.

jumbo [se pronuncia aproximadamente 'yumbo'] *s. m.* Avión de pasajeros de gran tamaño y capacidad.

jumento, -ta *s. m. y f.* Mamífero cuadrúpedo doméstico más pequeño que el caballo, con grandes orejas, cola larga y pelo áspero y grisáceo; por ser muy resistente se usa para trabajos en el campo y para la carga. **SIN** asno, borrico, burro.

jumilla *s. m.* Vino que se elabora en Jumilla (Murcia).

juncal *adj.* **1** Que es delgado, bello, elegante y airoso: *tiene una juncal figura.* | *s. m.* **2** Lugar donde crecen juncos: *los juncales suelen estar a la orilla de los ríos.*

junco[1] *s. m.* **1** Nombre común de las plantas herbáceas de tallo recto, largo, delgado, cilíndrico y flexible, que crecen en sitios húmedos y son de color verde oscuro: *tejido de junco.* **SIN** junquera. **2** Tallo de estas plantas. **3** Bastón delgado.
FAM juncal, junquera, junquillo.

junco[2] *s. m.* Embarcación ligera de vela usada en Oriente, cuyas velas estaban hechas originariamente de juncos entretejidos: *las velas del junco van cosidas a listones de bambú para mantenerlas tiesas.*

jungla *s. f.* Bosque tropical cubierto de espesa y exuberante vegetación y con una fauna muy variada, propio de zonas cálidas y húmedas. **SIN** selva.

junio *s. m.* Sexto mes del año: *junio tiene 30 días.*

júnior [se pronuncia aproximadamente 'yúnior'] *adj.* **1** Se aplica al nombre de una persona que es más joven que otra de la misma familia que tiene el mismo nombre, especialmente cuando el nombre del hijo es el mismo que el del padre: *Antonio García júnior.* | *adj./s. com.* **2** Se aplica al deportista que se incluye, por tener una edad entre los 18 y 21 años, en la categoría comprendida entre la de juvenil y la de sénior. | *s. m.* **3** Religioso joven que no ha profesado solemnemente.

junquera *s. f.* Junco, planta (planta).

junquillo *s. m.* **1** Planta herbácea de jardín de tallo liso y largo, de flores amarillas muy olorosas, parecida al narciso: *el junquillo se utiliza en perfumería.* **2** Moldura redonda y delgada que se pone como adorno en el borde de un mueble o de otros objetos de madera: *el armario está rematado con junquillos.*

junta *s. f.* **1** Reunión de personas pertenecientes a determinada entidad para tratar asuntos de la misma: *hoy ha habido una junta extraordinaria.* **2** Conjunto de personas elegidas para dirigir y gobernar los asuntos de una colectividad: *la junta de vecinos ha decidido pintar la fachada del edificio.* **3** Órgano de gobierno de las comunidades de Castilla y León, Extremadura y Galicia, en la Edad Media y en la Edad Moderna. **4** Parte por donde se unen dos o más cosas: *las juntas de las tuberías deben estar bien limpias y secas para poder soldarlas.* **SIN** juntura. **5** Pieza de goma u otro material flexible que se coloca en la unión de dos tubos o partes de un aparato para asegurar su unión: *los grifos llevan una junta de goma para que no pierdan agua.* **SIN** juntura. **6** Espacio que queda entre los elementos que forman una pared y que se rellena con un material adecuado, como el mortero o el yeso: *la junta de dilatación permite que la pared se contraiga o se dilate en función de su temperatura.*
FAM tapajuntas.

juntar *v. tr.* **1** Reunir o formar un grupo de cosas o personas: *junta toda la ropa de verano encima de la cama.* **ANT** separar. **2** Acercar una cosa a otra: *hemos juntado todos los muebles en el centro de la habitación para pintarla.* **ANT** alejar, separar. **3** Acumular una cantidad: *hay que juntar dinero para la excursión.* | *v. prnl.* **4** **juntarse** Acercarse, aproximarse personas o cosas o pasar de no estar juntas a estarlo: *júntate más para que quepáis todos en el coche.* **ANT** alejar, separar. **5** Tener amistad o relacionarse con alguien: *Luis siempre se junta con gente como él.* **6** Vivir juntas y mantener relaciones sexuales, como si de un matrimonio se tratara, dos personas que no están casadas entre sí.
FAM junta, juntura.

junto, -ta *adj.* **1** Que está una persona o cosa al lado de otra o muy unidas: *pusimos dos mesas juntas para caber todos; nos hicimos una foto juntos.* **2** Acompañado, uno con otro, formando un conjunto: *llegaron juntos a la reunión; siempre están juntos.* **NOTA** Más en plural. | *adv.* **3** Cerca o al lado del lugar que se expresa: *te esperaré junto a tu casa.* **4** Juntamente, al mismo tiempo o a la vez: *lo voy a hacer todo junto.*
junto a Además de, al lado de: *una persona necesita consumir diariamente 2 700 calorías, pero junto a esas calorías es necesario*

asimilar proteínas para mantener el equilibrio del organismo humano.

junto con En compañía de: *junto con tus compañeros, elabora un informe sobre este tema.*
FAM juntamente, juntar; cejijunto.

juntura *s. f.* 1 Lugar por donde se unen dos o más cosas. SIN junta. 2 Pieza de goma u otro material flexible que se coloca en la unión de dos piezas o partes de un aparato para asegurar su unión. SIN junta.

jura *s. f.* 1 Juramento. 2 Hecho y ceremonia por los que una persona se compromete mediante juramento a cumplir con fidelidad los deberes de un cargo o servicio: *en el servicio militar se hace la jura de bandera.*

jurado, -da *adj.* 1 Se aplica a la persona que ha prestado juramento para desempeñar su cargo o función: *intérprete jurado; guardia jurado; traductor jurado.* 2 Se aplica a la declaración que se hace bajo juramento: *he tenido que presentar una declaración jurada para la solicitud del nuevo trabajo.* ‖ *s. m.* 3 Tribunal formado por un conjunto de ciudadanos que tiene la función de determinar la inocencia o la culpabilidad del acusado en un proceso judicial: *en España hace poco tiempo que se implantó el jurado.* 4 Cada uno de los miembros de este tribunal: *él ha sido jurado en este proceso.* 5 En un concurso o competición deportiva, conjunto de personas especialistas en una materia, que constituyen el tribunal que examina y califica: *el jurado del festival de música dio el premio a una cantante desconocida.*

juramentar *v. tr.* 1 Tomar juramento a una persona: *juramentó al testigo antes de tomarle declaración.* ‖ *v. prnl.* 2 **juramentarse** Obligarse o comprometerse varias personas a través de un juramento a hacer algo: *se han juramentado para acabar a tiempo su trabajo.*
FAM juramento.

juramento *s. m.* 1 Acto y expresión con los que una persona afirma o niega una cosa de forma solemne y rotunda, poniendo por testigo a Dios o a personas o cosas muy respetadas: *si ha hecho un juramento, lo cumplirá.* 2 Palabra o expresión airada o blasfema: *es muy mal hablado: de cada tres palabras, dos son juramentos.* SIN palabrota, taco.
FAM juramentar.

jurar *v. tr.* 1 Afirmar o negar una cosa de forma solemne y rotunda, poniendo por testigo a Dios o a personas o cosas muy respetadas: *te juro por mi hijo que no volveré a hacerlo.* 2 Comprometerse mediante juramento a cumplir con fidelidad los deberes de un cargo o servicio: *el nuevo ministro juró su cargo.* ‖ *v. intr.* 3 Decir palabras o expresiones airadas o blasfemas.
jurársela (o jurárselas) a alguien familiar Asegurar una persona que se vengará de otra: *te la tiene jurada desde que le gastaste aquella mala pasada.*
FAM jura, juramento.

jurásico, -ca *adj./s. m.* 1 Se aplica al periodo geológico que es el segundo de la era mesozoica o secundaria, sigue al triásico y precede al cretácico; se extiende desde hace unos 200 millones de años hasta hace unos 136 millones de años. ‖ *adj.* 2 Relativo a este periodo geológico.

jure [también **iure**; se pronuncia 'iure'] Se usa en la expresión latina:
de jure Significa 'por derecho', por oposición a *de facto* ('por hechos').

jurel *s. m.* Pez marino comestible, de cuerpo carnoso y espi-

nas fuertes y agudas a los lados, que tiene la parte superior de color azul.

jurídico, -ca *adj.* Relativo al derecho o a sus leyes.
FAM jurisconsulto, jurisdicción, jurisperito, jurisprudencia, jurista.

jurisconsulto, -ta *s. m. y f.* Persona especializada en la ciencia y práctica del derecho. SIN jurisperito.

jurisdicción *s. f.* 1 Autoridad para gobernar y hacer ejecutar las leyes: *este asunto es de la jurisdicción del gobernador civil, no del alcalde.* 2 Autoridad sobre alguien o algo. 3 Territorio en el que se ejerce una autoridad para gobernar y hacer ejecutar las leyes.
FAM jurisdiccional.

jurisdiccional *adj.* Relativo a la jurisdicción.

jurisperito, -ta *s. m. y f.* Jurisconsulto.

jurisprudencia *s. f.* 1 Ciencia del derecho: *es un experto en jurisprudencia y todo el mundo le consulta sus dudas.* 2 Conjunto de juicios que señalan los principios que en materia de derecho siguen en cada país los tribunales, y que sirven como norma que sustituye la falta de una ley basándose en las prácticas seguidas en casos iguales o parecidos: *el profesor nos explicó la jurisprudencia sobre ciertos delitos.*
FAM jurisprudente.

jurista *s. com.* Profesional o estudioso del derecho: *los juristas del banco están estudiando si la fusión es legal.*

justa *s. f.* 1 Combate a caballo y con lanza que se realizaba en los festejos medievales como entrenamiento o como exhibición: *la justa se diferencia de los torneos en que en estos luchaban dos grupos de caballeros.* 2 Certamen, competición literaria. NOTA Más en plural.

justamente *adv.* 1 De manera justa o con justicia: *actúa justamente.* 2 Exactamente: *has hecho justamente lo que esperaba de ti; es el que está justamente detrás de mí en la foto.* SIN justo. 3 Precisamente, en el momento que se expresa: *justamente ahora iba a salir.*

justicia *s. f.* 1 Cualidad o virtud de proceder o juzgar respetando la verdad y de poner en práctica el derecho que asiste a toda persona a que se respeten sus derechos, que le sea reconocido lo que le corresponde o las consecuencias de su comportamiento: *los damnificados pedían justicia ante el tribunal.* ANT injusticia. 2 Aplicación de un castigo o una pena tras un juicio: *se hará justicia con los culpables.* 3 Organismo oficial que se encarga de juzgar y de aplicar las leyes: *los estafadores han caído en manos de la justicia; anda huyendo de la justicia.*
hacer justicia Reconocer los méritos a una persona o cosa: *finalmente, ha conseguido que le hagan justicia: le han dado el primer premio.*
justicia mayor Cargo que en ciertas cortes medievales europeas constituía la cúspide de la administración de justicia: *en Aragón, durante los siglos XIV-XVI, el justicia mayor constituyó la mayor autoridad por debajo de la real.*
FAM justiciero; ajusticiar, injusticia.

justiciero, -ra *adj.* 1 Se aplica a la persona que respeta la justicia y la hace respetar con severidad y rigor: *es un abogado justiciero y si cree que tienes razón defenderá tu caso hasta el final.* 2 Se aplica a la persona que es muy rigurosa y severa en la aplicación de un castigo o falta: *es una persona muy justiciera y no parará hasta que el criminal vaya a la cárcel.*

justificable *adj.* Que se puede justificar por tener razones a favor: *la violencia es difícilmente justificable.*
FAM injustificable.

justificación *s. f.* ① Explicación razonada de la causa o motivo que justifica una cosa: *la justificación de su durísima respuesta es obvia: lo habían insultado repetidamente.* ② Demostración o prueba con que se justifica una cosa: *el jefe me ha exigido la justificación de los gastos del último viaje mediante las facturas correspondientes.*

justificante *adj.* ① Que justifica o es la causa, la explicación o el motivo razonable de una cosa: *el vino que había tomado no es un justificante válido de su conducta grosera.* ❙ *s. m.* ② Documento o recibo que deja constancia de la realización de algo o que acredita lo que alguien dice: *el alumno trajo un justificante del médico, para demostrar que había estado enfermo.* **SIN** comprobante.

justificar *v. tr.* ① Hacer que una cosa resulte aceptable, adecuada u oportuna: *la ausencia de casi todos los titulares justifica la derrota del equipo.* ② Demostrar una cosa, especialmente con pruebas y documentos escritos: *justificó su enfermedad con un certificado médico.* ③ En tipografía, igualar la longitud de las líneas de un texto impreso: *los procesadores de texto te permiten justificar un texto por ambos lados y escoger el margen deseado.* ④ Defender la actitud de una persona exponiendo razones que la justifican: *no ha venido, pero se ha justificado diciendo que ha tenido un imprevisto.*
FAM justificable, justificación, justificante.

justipreciación *s. f.* Valoración o tasación rigurosa: *vamos a proceder a la justipreciación de la empresa para venderla.*

justipreciar *v. tr.* Valorar o tasar de forma rigurosa: *habrá que avisar a un técnico para justipreciar el valor del terreno.*
FAM justipreciación, justiprecio.
OBS Verbo regular, se acentúa como *cambiar.*

justiprecio *s. m.* Valor o tasa rigurosos: *el perito fijará el justiprecio de la finca.*

justo, -ta *adj./s. m. y f.* ① Se aplica a la persona que actúa con objetividad y justicia: *es una persona muy justa y te dará lo que te mereces.* ② Se aplica a la persona que vive según la ley de Dios. ❙ *adj.* ③ Que respeta la ley o se ajusta a ella: *un reparto justo; ha sido una sentencia justa.* ④ Exacto: *tienes que decirme las medidas justas de tu cama para hacerte la colcha; son dos kilos justos.* ⑤ Que está apretado o ajustado: *el pantalón me está justo, si engordo un poco no podré ponérmelo.* ❙ *adv.* ⑥ Exactamente: *es justo lo que yo quería oírte decir.* ⑦ Precisamente, en

el momento que se expresa: *justo cuando me iba, sonó el teléfono.*
FAM justamente, justicia, justificar, justillo, justipreciar; ajustar, injusto.

juto, -ta *adj.* ① Relativo a un antiguo pueblo germánico, probablemente originario de la península de Jutlandia, que se estableció en el sureste de la isla de Gran Bretaña durante el siglo V. ❙ *s. com./adj.* ② Persona perteneciente a este pueblo.

juvenil *adj.* ① Relativo a la juventud: *violencia juvenil; a pesar de su edad, le gusta vestirse de forma juvenil.* ❙ *adj./s. com.* ② Se aplica al deportista de entre 15 y 18 años de edad, que se incluye en la categoría comprendida entre la de cadete y la de júnior: *mañana iremos al partido de fútbol de juveniles.*

juventud *s. f.* ① Periodo de la vida que está entre la adolescencia y la edad madura. **ANT** vejez. ② Conjunto de personas jóvenes: *cada vez son más frecuentes los accidentes de tráfico entre la juventud.* ③ Energía y vitalidad propias de ese periodo de la vida: *aunque tiene sesenta años, está en plena juventud.* ④ Primera etapa en la existencia de algo: *esta galería de arte está en su juventud, solamente hace dos meses que está abierta y aún no está consolidada.* ❙ *s. f. pl.* ⑤ **juventudes** Conjunto de jóvenes que forman parte de un partido político: *las juventudes del partido se reúnen este fin de semana para decidir cuál será su participación en la organización de las elecciones.*
FAM rejuvenecer.

juzgado *s. m.* ① Lugar donde se juzga o se celebran juicios: *el detenido llegó esposado al juzgado.* ② Conjunto de jueces que forman la administración de justicia en un territorio o ámbito comarcal determinado: *el juzgado se reunirá para tomar la decisión.* ③ Territorio o ámbito comarcal que es jurisdicción de un juez: *este asunto no es competencia de este juzgado.* ④ Tribunal de un solo juez: *tu asunto lo llevará el juzgado número seis.*

juzgar *v. tr.* ① Deliberar y sentenciar una causa el que tiene autoridad para ello: *lo van a juzgar por un caso de racismo.* ② Determinar uno mismo, haciendo uso de la razón, el valor positivo o negativo de alguien o algo: *no se debe juzgar a nadie por la primera impresión.* ③ Interpretar o entender. ④ Creer, opinar o considerar: *prescindimos de lo que juzgamos menos importante.* ⑤ Examinar y calificar a alguien o algo que se presenta a un concurso o competición deportiva.

a juzgar por Expresa la interpretación de alguien sobre algo que se muestra o aparece realmente: *a juzgar por lo que acabas de leer, ¿cuál es el motivo del viaje?.*
FAM juzgado, juzgador; prejuzgar.

J

k¹ *s. f.* Undécima letra del alfabeto español; su nombre es *ka*.

k² *s. m.* Abreviatura de *kilobyte*, medida de la capacidad de memoria de un ordenador que es igual a 1024 bytes.

ka *s. f.* Nombre de la letra *k*.

kabuki *s. m.* Género teatral japonés de carácter popular en el que se alterna el diálogo con partes recitadas o cantadas y danzas.

kafkiano, -na *adj.* ① Relativo a Franz Kafka (escritor checo, 1883-1924) o a su obra. ② Que tiene el carácter trágicamente absurdo de las situaciones descritas por este escritor en sus obras: *haberme confundido de entierro me resulta kafkiano.*

káiser *s. m.* Nombre dado a los emperadores del II Reich, finales del siglo XIX y principios del XX: *Guillermo II fue el káiser más popular.*

kaki¹ [también **caqui**, más usado] *s. m./adj.* ① Color que está entre el ocre amarillento y el verde grisáceo, como el uniforme militar de muchos ejércitos. **I** *adj.* ② Que es de este color. **I** *s. m.* ③ Tela de algodón o lana de este color, muy usada en los uniformes militares.

kaki² [también **caqui**, más usado] *s. m.* ① Árbol de origen japonés, de hojas alternas, grandes, oscuras y brillantes, flores pequeñas y amarillentas y fruto comestible. ② Fruto de este árbol, redondo y carnoso, de color rojo o anaranjado y sabor dulce: *para Todos los Santos se comen castañas, boniatos y kakis.*

kamikaze [también **camicace**, poco usual] *s. m.* ① Avión japonés cargado de explosivos que en la Segunda Guerra Mundial se estrellaba intencionadamente contra los objetivos enemigos. ② Piloto suicida de este avión: *los kamikazes están considerados en Japón como héroes de guerra.* **I** *s. com.* ③ Persona muy temeraria y arriesgada. **I** *adj.* ④ Se aplica a la acción o conducta que es muy temeraria y arriesgada.

kantiano, -na *adj.* ① Relativo a Immanuel Kant (filósofo alemán, 1724-1804) o a su doctrina. **I** *adj./s. m. y f.* ② Que tiene las características propias del sistema filosófico de Kant.

kappa [también **cappa**, menos usado] *s. f.* Nombre de la décima letra del alfabeto griego; se escribe K/κ y se transcribe como *k*.

karaoke *s. m.* ① Aparato consistente en un sistema audiovisual que reproduce la música previamente grabada de una canción y, a la vez, la letra escrita de esta, para que sea interpretada por un cantante no profesional como forma de entretenimiento y diversión. ② Establecimiento público en el que se halla instalado este sistema, generalmente un bar, un pub o una discoteca, para que los clientes puedan divertirse saliendo al escenario a cantar.

kárate o **karate** *s. m.* Técnica de lucha sin armas procedente de Japón que consiste en intentar derribar al contrario mediante golpes secos realizados con el borde de la mano, el codo o el pie: *el kárate es un arte marcial y fundamentalmente un sistema de defensa personal.*
FAM karateca.

karateca o **karateka** *s. com.* Persona que practica el kárate.

karma *s. m.* En el budismo y el hinduismo, ley que rige las sucesivas reencarnaciones de una persona, condicionando los sucesos y las circunstancias que le afectan en su vida según las acciones que realizó en existencias anteriores: *debido al karma, a una persona que ha sido mala en una vida puede tocarle sufrir mucho en la siguiente.*

karst [también **carst**, menos usado] *s. m.* Relieve geológico lleno de grietas, galerías y formas modeladas debidas a la acción erosiva, principalmente del agua, sobre un terreno de rocas de escasa consistencia, como calizas o yesos. **SIN** macizo kárstico.
FAM kárstico.

kárstico, -ca [también **cárstico, -ca**, menos usado] *adj.* Relativo al paisaje que forma un karst: *el Torcal de Antequera es una bellísima formación kárstica.*

kart *s. m.* Automóvil monoplaza de carreras, de pequeño tamaño, que carece de caja de velocidades, carrocería y suspensión.
OBS Plural: *karts.*
OBS Es marca registrada.

katiuska [también **catiusca**, menos usado] *s. f.* Bota de goma, impermeable, que llega hasta media pierna o hasta la rodilla y sirve para proteger los pies del agua.
OBS Normalmente en plural.

kayak *s. m.* Embarcación pequeña muy ligera, estrecha y alargada, parecida a una canoa, y usada en competiciones deportivas.

kebab *s. m.* Brocheta en la cual se ensartan alternativamente dados grandes de carne y grasa de cordero, trozos de pimientos, cebollas y tomates, condimentados con abundantes especias y asados al grill; es un plato de la cocina turca. **OBS** Plural: *kebabs.*

kéfir *s. m.* ① Leche fermentada artificialmente, de fuerte sabor agridulce, que contiene ácido láctico, alcohol y ácido carbónico: *el kéfir es un alimento caucásico.* ② Hongo que fermenta esta leche.

kelvin *s. m.* Unidad de temperatura del Sistema Internacional, de símbolo *K*, que equivale a 1/273,16 de la temperatura termodinámica del punto triple del agua, en la cual el sólido, el líquido y el gas están en equilibrio; la escala Kelvin establece el punto de fusión del agua en el valor 273,16 y el de ebullición en 373,16 y el cero absoluto equivale a –273,16 °C, la temperatura más baja que se puede alcanzar. **OBS** Plural: *kelvins.* Se ha adaptado al español con la forma *kelvinio.*

kelvinio *s. m.* Kelvin.

kendo *s. m.* Arte de atacar y defenderse, al estilo de la esgrima, que se practica con sables de bambú.

keniano, -na *adj.* ① De Kenia (país de África). **SIN** keniata. ‖ *s. m. y f./adj.* ② Persona que es de Kenia. **SIN** keniata.

keniata V. keniano.

kepis [también **quepis**, más usado] *s. m.* Gorra militar de forma cilíndrica y visera horizontal: *el kepis forma parte del uniforme militar francés.* **OBS** Plural invariable.

kermés [también **quermés**, menos usado] *s. f.* Fiesta popular al aire libre, con baile y feria, organizada generalmente con fines benéficos.

keroseno [también **queroseno**] *s. m.* Líquido inflamable, mezcla de hidrocarburos, que se obtiene del petróleo por refino y constituye una fracción ligera que en la actualidad se emplea como combustible de aviones de reacción, en las calefacciones domésticas y para fabricar insecticidas.

ketchup [se pronuncia aproximadamente 'quédchup'] *s. m.* Salsa de tomate y otros condimentos como vinagre, sal, zumo de limón y azúcar: *los productos de las hamburgueserías suelen llevar mucho ketchup.*

kibbutz o **kibutz** [se pronuncia aproximadamente 'kibuts'] *s. m.* Explotación agraria israelí gestionada de forma colectiva y basada en el trabajo y la propiedad comunes: *los kibbutzs son tierras propiedad del Estado.* **OBS** Plural: *kibbutz.*

kif [también **quif**] *s. m.* jerga Hachís.

kiko [también **quico**, menos usado] *s. m.* Grano de maíz tostado y salado: *compra un paquete de kikos.* **OBS** Normalmente en plural.

kilim *s. m.* Alfombra o tapiz de origen turco con motivos geométricos y colores vivos.

kilo [también **quilo**, menos usado] *s. m.* ① Kilogramo. ② familiar Millón de pesetas: *le tocaron cien kilos en la lotería.* ③ familiar CUBA Moneda de un centavo cubana. ④ familiar URUG. Gran cantidad de cosas: *tengo un kilo de cosas para hacer.* **al kilo** familiar CUBA Se aplica a la mercancía que se vende a precio muy bajo. **de tres (o de a tres) por kilo** familiar CUBA Que es de muy mala calidad. **estar al kilo** familiar CUBA Estar bien de salud una persona.

kilo prieto familiar CUBA Moneda de un centavo de dólar. **no valer un kilo prieto** fam. desp. CUBA Carecer un valor una persona o una cosa. **sacar el kilo** (I) familiar CUBA Aprovechar una situación al máximo (II) familiar CUBA Hacer trabajar a una persona excesivamente o sin pagarle lo que le corresponde.

kilobyte [se pronuncia 'kilobait'] *s. m.* Medida de la capacidad de memoria de un ordenador que equivale a 1024 bytes, de símbolo *k.*

kilocaloría *s. f.* Medida de energía térmica, de símbolo *kcal*, que es igual a 1000 calorías.

kilogramo [también **quilogramo**, menos usado] *s. m.* Unidad de masa del Sistema Internacional, de símbolo *kg*, que equivale a la masa del prototipo de platino iridiado que se encuentra en la Oficina Internacional de Pesas y Medidas de París: *un kilogramo son mil gramos.* **SIN** kilo. ■ **kilogramo fuerza** Unidad de fuerza que equivale a la fuerza que actúa sobre la masa de un kilogramo sometido a la gravedad normal. **SIN** kilopondio.

kilohercio *s. m.* Kilohertz.

kilohertz *s. m.* Medida de frecuencia que es igual a 1000 hertz. **OBS** Plural: *kilohertz.* Se ha adaptado al español con la forma *kilohercio.*

kilolitro [también **quilolitro**, menos usado] *s. m.* Medida de volumen, de símbolo *kl*, que es igual a 1000 litros.

kilometraje *s. m.* Distancia medida en kilómetros.

kilometrar *v. tr.* Señalar, mediante postes y otras señales, las distancias medidas en kilómetros en una vía. **FAM** kilometraje.

kilométrico, -ca [también **quilométrico, -ca**, menos usado] *adj.* ① Relativo al kilómetro: *punto kilométrico.* ② familiar Que es muy largo: *una carta kilométrica.*

kilómetro [también **quilómetro**, menos usado] *s. m.* Medida de longitud, de símbolo *km*, que es igual a 1000 metros: *mi pueblo está a más de 300 kilómetros de distancia.* ■ **kilómetro cuadrado** Medida de superficie, de símbolo *km²*, que es igual a un millón de metros cuadrados. ■ **kilómetro cúbico** Medida de volumen, de símbolo *km³*, que es igual a 1000 millones de metros cúbicos. ■ **kilómetro por hora** Medida de velocidad, de símbolo *km/h*, que es igual a 1/3,6 metros por segundo: *en autopista está prohibido sobrepasar los 120 kilómetros por hora, excepto para adelantar a otro vehículo.* **FAM** kilometrar, kilométrico.

kilopondio *s. m.* Unidad de fuerza, de símbolo *kp*, que equivale a la fuerza que actúa sobre la masa de un kilogramo sometido a la gravedad: *un kilopondio equivale a 9,8 newtons.* **SIN** kilogramo fuerza.

kilovatio V. kilowatt.

kilovoltio *s. m.* Medida de potencial eléctrico, de símbolo *kV*, que es igual a 1000 voltios: *la unión de dos líneas de alta tensión provocó una descarga de 132 kilovoltios.*

kilowatt [se pronuncia 'kilovat'] *s. m.* Medida de potencia eléctrica, de símbolo *kW*, que es igual a 1000 vatios. ■ **kilowatt-hora** Unidad de trabajo o energía, de símbolo *kWh*, que equivale a la energía producida o consumida por una máquina de potencia de un kilowatt por hora: *el kilowatt-hora es la unidad de venta de electricidad al consumidor.* **OBS** Plural: *kilowatts.* Se ha adaptado al español con la forma *kilovatio.*

K

kilt *s. m.* Falda de tela de cuadros que forma parte del traje masculino típico escocés.

OBS Plural: *kilts*.

kimono [también **quimono**] *s. m.* **1** Prenda de vestir japonesa, amplia, con mangas largas de boca ancha y que llega hasta los pies, cruzada y ceñida a la cintura por delante con un cinturón: *en vez de un batín, usa un kimono.* **2** Prenda deportiva compuesta por una chaqueta que se ciñe a la cintura con un cinturón, y un pantalón anchos, de tejido resistente y con la que se practican diversas artes marciales.

kiosco [también **quiosco**] *s. m.* **1** Construcción de pequeño tamaño y generalmente hecha con materiales ligeros, destinada a la venta de periódicos, revistas, golosinas y otros artículos en las calles y lugares públicos. **2** Construcción de pequeño tamaño, con forma de templete, que se instala en parques y jardines: *el pasado domingo hubo teatro para niños en el quiosco de la alameda.*

kioskero, -ra o **kiosquero, -ra** [también **quiosquero, -ra**] *s. m. y f.* Persona que trabaja en un kiosco vendiendo periódicos y otros artículos.

kirie [también **quirie**, menos usado] *s. m.* Invocación que se hace después de las primeras palabras que el sacerdote pronuncia al principio de la misa.

kirsch [se pronuncia aproximadamente 'kirs'] *s. m.* Aguardiente fabricado con cerezas silvestres.

kit *s. m.* **1** Conjunto de las piezas de un objeto o aparato que se venden sueltas y, con un folleto de instrucciones para montar con facilidad: *si has comprado ya el kit completo, mañana iré a tu casa y montaré la estantería.* **2** Conjunto de objetos o productos que sirven para un mismo uso: *un kit de limpieza facial.*

kitsch [se pronuncia aproximadamente 'kich'] *adj./s. m.* Se aplica a la estética que resulta de mal gusto o pasada de moda pero pretende ser elegante, distinguida y moderna imitando objetos o estilos artísticos ya superados: *la estética kitsch se caracteriza por la mezcla de objetos desfasados y de mal gusto.*

kiwi [también **quivi**, menos usado; se pronuncia 'kiui' o 'kivi'] *s. m.* **1** Arbusto trepador de flores blancas o amarillas, cuyo fruto es comestible: *el kiwi es originario de China.* **2** Fruto de este arbusto, de forma redonda, con una piel fina de color marrón cubierta de pelillos, con el interior verde, jugoso y con muchas semillas pequeñas de color negro, y con un altísimo contenido en vitamina C: *el kiwi se empezó a cultivar con fines comerciales en Nueva Zelanda.* **3** Ave no voladora originaria de Nueva Zelanda, de plumas largas y parduscas, alas muy poco desarrolladas, provista de patas cortas y robustas y pico largo y curvado: *el kiwi es un ave nocturna y no puede volar.*

kleenex [también **clínex**, menos usado; se pronuncia 'clínex'] *s. m.* Pañuelo de papel.

OBS Plural invariable. Es marca registrada.

knock out o **knock-out** [se pronuncia aproximadamente 'nocaut'] Expresión inglesa que significa 'fuera de combate' y se aplica en boxeo a la situación que se produce cuando un boxeador cae por efecto de un golpe reglamentario y no se levanta antes de que el árbitro acabe la cuenta de diez segundos, lo que conlleva la victoria del contrario: *el campeón venció por knock out.* ■ **knock out técnico** Situación del boxeador que, a juicio del árbitro, no se encuentra en condiciones físicas de continuar el combate, y que comporta la victoria del contrario.

K. O. [se pronuncia 'kao'] Sigla de la expresión inglesa *knock out: un K. O. técnico; dejar K. O. al adversario.*

koala *s. m.* Mamífero marsupial parecido a un oso pequeño, con grandes orejas y pelo gris, corto y lanudo, que vive en Australia entre árboles de eucaliptos, de cuyas hojas se alimenta.

koiné [también **coiné**] *s. f.* **1** Lengua común adoptada por los griegos tras la muerte de Alejandro Magno, que se formó a partir de varios dialectos y constituyó el griego clásico. **2** Lengua común o estándar que se establece unificando los rasgos comunes de diversas lenguas o dialectos.

koljós o **koljoz** [se pronuncia aproximadamente 'koljós' o 'kolyós'] *s. m.* Granja colectiva del régimen soviético en que los medios de producción eran de propiedad colectiva.

koré *s. f.* Escultura griega en piedra que representa una doncella vestida, erguida, con sonrisa hierática, realizada con fines votivos y sepulcrales durante el periodo arcaico.

OBS Plural: *korai.*

krausismo *s. m.* Movimiento filosófico que toma como base el pensamiento de Friedrich Krause (1781-1832), según el cual todo está en Dios; es un intento de conciliación del teísmo con el panteísmo, y tuvo gran influencia en la España de la segunda mitad del siglo XIX: *el krausismo propugnaba una profunda renovación de los métodos de enseñanza.*

FAM krausista.

krausista *adj.* **1** Relativo al krausismo: *el espíritu krausista era anticlerical, pero no ateo.* ‖ *adj./s. com.* **2** Se aplica a la persona que sigue las ideas del krausismo: *ese gobierno estaba lleno de krausistas.*

kril o **krill** [se pronuncia 'kril'] *s. m.* Conjunto de varias especies de pequeños crustáceos marinos, de entre 3 y 6 cm de longitud, que tienen un alto poder nutritivo: *el kril forma parte del plancton y, por consiguiente, sirve de alimento a otros animales marinos.*

kriptón [también **criptón**, más usado] *s. m.* Elemento químico de símbolo *Kr* y número atómico 36; es un gas noble que se encuentra en una proporción muy pequeña en la atmósfera terrestre: *el kriptón, que puede extraerse por destilación fraccionada del aire líquido, se usa con otros gases inertes en lámparas fluorescentes.*

kung fu [se pronuncia aproximadamente 'cunfú'] *s. m.* Técnica de lucha de origen chino que se basa tanto en los golpes con las manos y los pies como en la concentración mental del luchador: *el kung fu es un sistema de defensa personal de origen budista.*

kurdo, -da [también **curdo, -da**] *adj.* **1** Del Kurdistán (región de Oriente Medio que abarca zonas de Turquía, Armenia, Irak e Irán). ‖ *s. m. y f./adj.* **2** Persona que es del Kurdistán: *los kurdos viven en pequeñas comunidades repartidas por varios países asiáticos.* ‖ *s. m./adj.* **3** Lengua indoeuropea hablada en esta región.

kurós *s. m.* Escultura griega en piedra que representa un joven desnudo erguido, con sonrisa hierática, realizada con fines votivos y sepulcrales durante el periodo arcaico.

OBS Plural: *kuroi.*

kuwaití *adj.* **1** De Kuwait (país de Asia). ‖ *s. com./adj.* **2** Persona que es de Kuwait.

OBS Plural: *kuwaitíes* o *kuwaitís.*

K

l *s. f.* ① Duodécima letra del alfabeto español; su nombre es *ele*. ② En la numeración romana, tiene el valor de cincuenta. **NOTA** Se escribe con mayúscula.

la¹ *det.* ① Forma femenina singular del artículo determinado; véase *el, la*. ‖ *pron.* ② Forma femenina singular del pronombre de tercera persona en función de complemento directo; véase *lo*.
FAM laísmo.

la² *s. m.* Sexta nota de la escala musical: *el la está entre el sol y el si*.
OBS Plural: *las*.

laberíntico, -ca *adj.* ① Relativo al laberinto. ② Se aplica al asunto o situación difíciles de resolver o entender por tener diversos aspectos complicados o que provocan confusión.

laberinto *s. m.* ① Lugar formado a base de caminos entrecruzados que confunden al que está dentro, dificultándole el encuentro de la salida. ② Cosa confusa, enredada o muy complicada. ③ Entretenimiento gráfico consistente en el dibujo de un laberinto y en el que hay que hallar la salida o llegar al objetivo: *en el siguiente laberinto intenta alcanzar las salidas A, B y C*. ④ Oído interno de los vertebrados, compuesto por un conjunto de pequeños conductos y cavidades.
FAM laberíntico.

labia *s. f.* Facilidad de palabra y gracia al hablar, empleadas con habilidad para convencer o agradar.

labiado, -da *adj.* ① Se aplica a la flor con la corola dividida en dos partes, una con dos pétalos en la parte superior y otra con tres en la inferior, unidos en forma de labios. ‖ *adj./s. f.* ② Se aplica a la planta herbácea o arbustiva, de hojas opuestas y flores con los pétalos unidos en forma de labios y que desprende aromas característicos, como la salvia o la menta: *el espliego es una planta labiada*. ‖ *s. f. pl.* ③ **labiadas** Grupo taxonómico, con categoría de familia, constituido por estas planta: *dentro de las labiadas se encuentran el tomillo, el romero y la albahaca*.

labial *adj.* ① Relativo al labio o a los labios. ② Se aplica al sonido consonántico en cuya articulación intervienen los labios: *los sonidos labiales pueden ser bilabiales o labiodentales*. ‖ *s. f./adj.* ③ Letra que representa este sonido: *las labiales son la "p", la "b" y la "f"*.
FAM labializar; bilabial.

lábil *adj.* ① Que resbala o se desliza con facilidad. ② Que es débil o que se puede romper con facilidad. **SIN** frágil. **ANT** resistente. ③ Se aplica a la persona que es cambiante y poco firme en sus decisiones. **SIN** inestable. ④ En química, se aplica al compuesto que es fácil de transformar en otro más estable.
FAM labilidad.

labio *s. m.* ① Cada una de las dos partes externas, carnosas y movibles de la boca: *labio superior; labio inferior; pintarse los labios*. ② Borde exterior de algunas cosas: *los labios de la vulva; los labios de una herida*. **NOTA** Más en plural. ③ Órgano que sirve para hablar: *juro que de mis labios no han salido tales acusaciones*. **NOTA** Normalmente en plural. ④ En geología, cada uno de los bloques fracturados que quedan a ambos lados del plano de falla.
morderse los labios Hacer esfuerzos por no hablar o por no reír, aun teniendo motivos sobrados para hacerlo: *me tuve que morder los labios para no discutir con él*.
FAM labia, labiado, labial, labiodental; pintalabios.

labiodental *adj.* ① Se aplica al sonido que se articula aproximando los dientes superiores al labio inferior: *la "f" es un sonido labiodental*. ‖ *adj./s. f.* ② Se aplica a la consonante que se articula en este punto: *en alemán, la "v" es una labiodental*.

labor *s. f.* ① Trabajo o actividad que una persona lleva a cabo: *después de su enfermedad volvió a sus labores periodísticas*. ② Trabajo agrícola, especialmente la del cultivo de la tierra: *tierras de labor*. **SIN** laboreo. ③ Trabajo que se hace cosiendo, bordando o tejiendo: *se compró una revista de labores para aprender a hacer ganchillo*. ④ Trabajo o adorno realizado en tela, cuero, madera, metal, piedra o mármol. **SIN** labrado.
estar por la labor Estar interesado o atento al realizar una actividad: *le dije que teníamos que acabar el trabajo, pero no estaba por la labor*.
sus labores Dedicación de la persona que no tiene una profesión remunerada y que se dedica a hacer los trabajos de su propia casa.
FAM laboral, laborar, laborear, laborioso, laborismo.

laborable *adj.* ① Se aplica al día que se dedica al trabajo: *en este mes hay pocos días festivos: casi todos son laborables*. **ANT** festivo. ② Se aplica al terreno que se puede trabajar o laborar: *estas montañas tienen poca tierra laborable*.

laboral *adj.* Relativo al trabajo o a los trabajadores y a sus condiciones económicas, jurídicas y sociales: *pidieron la reducción de la jornada laboral.*
FAM laboralista.

laboralista *adj./s. com.* Se aplica al abogado que está especializado en asuntos relacionados con el mundo del trabajo.

laborar *v. tr.* ➊ Trabajar la tierra o prepararla para el cultivo: *esta tierra se puede laborar, aunque ahora esté abandonada.* | *v. intr.* ➋ Esforzarse para conseguir un fin determinado o algo de mucho interés: *los representantes de ambos países laboran por llegar a un acuerdo.*
FAM laborable.

laboratorio *s. m.* Lugar equipado con los utensilios y materiales necesarios para realizar investigaciones, experimentos científicos o trabajos técnicos: *un laboratorio farmacéutico; un laboratorio fotográfico.*
laboratorio de idiomas Aula dotada de medios audiovisuales para la enseñanza de idiomas.

laboriosidad *s. f.* ➊ Dedicación y constancia en el trabajo: *de vuestra laboriosidad depende el éxito de este empeño.* ➋ Grado de dificultad o complejidad que supone la realización de algo: *la obtención de este producto exige una enorme laboriosidad.*

laborioso, -sa *adj.* ➊ Que trabaja mucho y de manera constante y aplicada: *las hormigas son muy laboriosas.* ➋ Se aplica a la actividad o al trabajo que exige mucho esfuerzo y dedicación: *el cultivo del arroz es muy laborioso.*
FAM laboriosidad.

laborismo *s. m.* En Gran Bretaña y en otros países (Australia, Israel), movimiento reformista y moderado de carácter socialista basado en el programa político, social y económico del Partido Laborista: *el laborismo está muy ligado a los sindicatos.*
FAM laborista.

laborista *adj.* ➊ Relativo al laborismo: *el partido laborista fue fundado por obreros.* | *adj./s. com.* ➋ Se aplica a la persona que es partidaria del laborismo: *los sindicatos laboristas comenzaron a funcionar a principios del siglo XX.*

labrado, -da *adj.* ➊ Que ha sido grabado, esculpido o tallado: *un estuche en madera labrada.* | *s. m.* ➋ Trabajo o adorno que se realiza en algún material, generalmente tela, cuero, madera, metal, piedra o mármol, para darle una forma determinada o grabar en él. **SIN** labra. ➌ Campo arado y preparado para sembrar en él.

labrador, -ra *adj./s. m. y f.* Se aplica a la persona que labra o cultiva la tierra, especialmente si cultiva la propia.

labrantío, -tía *adj./s. m.* Se aplica al campo o a la tierra que se puede cultivar o labrar.

labranza *s. f.* ➊ Cultivo de los campos: *antes de la aparición de las industrias, casi todo el mundo se dedicaba a la labranza.* ➋ Hacienda de campo o tierra de labor: *hay muchas labranzas en las afueras del pueblo.*

labrar *v. tr.* ➊ Cultivar la tierra: *los campesinos labraban los campos de sol a sol.* ➋ Preparar o remover la tierra para el cultivo, haciendo surcos en ella para sembrarla después. **SIN** arar. ➌ Trabajar un material, generalmente madera, piedra, metales, cuero o materias textiles, para elaborar un producto o hacer adornos en relieve: *los canteros labraban la piedra; labra la madera a martillo.* ➍ Hacer labores, cosiendo, bordando o tejiendo. ➎ Trabajar o esforzarse para conseguir una cosa: *está labrándose su fortuna; se labraron su perdición.*
FAM labra, labrado, labrador, labrantío, labranza, labriego.

labriego, -ga *s. m. y f.* Persona que cultiva los campos y vive en el medio rural: *los labriegos ofrecieron la cosecha a la santa patrona.*

laca *s. f.* ➊ Sustancia que se aplica al cabello con un spray, para fijarlo y evitar que se despeine: *le hicieron un moño y le echaron un poco de laca.* ➋ Sustancia resinosa que se forma en ciertos vegetales asiáticos por la intervención de ciertos insectos, que se utiliza en la fabricación de barnices, colorantes y en la decoración de objetos de arte: *la laca se obtiene de incisiones hechas en la corteza de los árboles y se guarda en la oscuridad hasta su uso; hoy en día la laca natural suele sustituirse por productos artificiales.* ➌ Barniz duro y brillante hecho con esta resina natural o con productos sintéticos, que se usa en la decoración de objetos y para pintar muebles: *estos muebles llevan una película de laca para que no se estropeen.* ➍ Objeto barnizado con laca o decorado con ella, como un estuche, un jarrón o una figura: *mañana se inaugura una exposición de lacas.*
laca de uñas Pintura para uñas que sirve para darles color y brillo.
FAM lacar.

lacado, -da *adj.* ➊ Que está pintado o barnizado con laca: *las puertas van en madera lacada.* | *s. m.* ➋ Acción de lacar.

lacar *v. tr.* Pintar o barnizar con laca un objeto: *ha lacado en blanco su escritorio.*
FAM lacado.

lacayo *s. m.* ➊ Criado vestido con librea que acompañaba a su señor a pie, a caballo o en el coche: *los lacayos llevaban un elegante uniforme llamado librea.* ➋ Cada uno de los soldados de a pie que acompañaban a los caballeros en la guerra armados con una ballesta. ➌ despectivo Persona aduladora y servil: *el ministro estaba rodeado de lacayos.* | *adj.* ➍ AMÉR. Se aplica a la persona servil o a la que le gusta hacerse ver en compañía de una persona importante.

lacerante *adj.* ➊ Que provoca gran ofensa, dolor u otro daño moral: *un gesto lacerante; tus lacerantes palabras la hicieron llorar.* ➋ Se aplica al dolor que es agudo, intenso o fuerte. **SIN** lancinante.

lacerar *v. tr.* ➊ culto Herir, lastimar o producir daño: *el látigo laceraba las carnes de los caballos.* ➋ Producir un perjuicio o daño moral: *sus abusos laceraron la reputación de toda la familia.*
FAM laceración, lacerante.

lacería *s. f.* ➊ Adorno o decoración mediante molduras o líneas que se enlazan o cruzan entre sí formando figuras geométricas. ➋ Conjunto ornamental de lazos.

lacértido, -da *adj./s. m.* ➊ Se aplica al reptil que tiene el cuerpo cubierto de escamas y patas bien desarrolladas que facilitan su locomoción, aunque al andar arrastren al final del abdomen y la cola, como los lagartos. | *s. m. pl.* ➋ **lacértidos** Grupo taxonómico, con categoría de familia, constituido por estos reptiles.

lacio, -cia *adj.* ➊ Se aplica al cabello liso, que cae sin formar ondas ni rizos. ➋ Se aplica a la planta o a la flor que no tiene buen aspecto porque ha perdido su frescura, su verdor o su abundancia de hojas. **SIN** marchito, mustio. ➌ Que no tiene fuerza. **SIN** débil, flojo.

lacón *s. m.* Pata delantera del cerdo, especialmente la que está cocida, o curada y salada como el jamón: *el lacón con grelos es un plato muy conocido de la gastronomía gallega.*

lacónico, -ca *adj.* ➊ Conciso, breve, especialmente al hablar o escribir: *me respondió de forma lacónica; es un novelista la-*

cónico. ② Se aplica a la persona que habla poco o se expresa de manera breve y concisa.
FAM laconismo.

laconismo *s. m.* Cualidad de lo que es breve y conciso, especialmente la expresión con palabras: *el laconismo de sus respuestas aburría a los oyentes*.
FAM lacónico.

lacra *s. f.* ① Huella que deja en una persona una enfermedad o un daño físico: *el accidente de coche le dejó numerosas lacras*. ② Defecto o vicio: *el hambre y la miseria son lacras que debemos erradicar*.
FAM lacrar.

lacrar *v. tr.* Cerrar o sellar con lacre, generalmente una carta o un documento: *el escribano cerró el sobre, lo lacró y le puso su sello*.

lacre *s. m.* ① Pasta sólida de color rojo que, derretida, se utiliza para cerrar una carta, documento o paquete, o para sellarlo y garantizar su autenticidad, volviendo a solidificarse rápidamente: *el lacre se calienta y se deja caer sobre la carta*. ‖ *adj.* ② AMÉR. Que es de color rojo oscuro, como esta pasta: *lleva unos calcetines lacre*. NOTA Invariable en número.
FAM lacrar.

lacrimal *adj.* Relativo a las lágrimas: *conducto lacrimal*.

lacrimógeno, -na *adj.* Que produce lágrimas o provoca el llanto, especialmente aplicado a ciertos gases: *novela lacrimógena; la policía utilizó gases lacrimógenos para disolver la manifestación*.

lacrimoso, -sa *adj.* ① Que tiene lágrimas: *tenía los ojos lacrimosos*. SIN lloroso. ② Que incita a llorar: *se produjo un silencio lacrimoso entre ellos*. ③ Se aplica a la persona que llora o se lamenta con frecuencia.

lactancia *s. f.* ① Alimentación a base de leche materna de los mamíferos durante la primera etapa de su vida, especialmente con la leche que maman de su madre. ② Periodo durante el cual se alimentan así.

lactante *adj./s. com.* ① Se aplica al niño que mama o que está en edad de mamar o alimentarse con leche. ② culto Se aplica a la madre que amamanta o da de mamar: *madre lactante*.
FAM lactancia.

lactar *v. tr.* Dar de mamar a las crías. SIN amamantar.
FAM lactante.

lácteo, -tea *adj.* Relativo a la leche o semejante a ella: *la mantequilla y el yogur son productos lácteos*.

láctico, -ca *adj.* ① Relativo a la leche: *Pasteur investigó la fermentación láctica*. ② Se aplica al ácido que se encuentra en la leche agria o en determinadas frutas u hortalizas fermentadas por la acción de ciertas bacterias: *el ácido láctico se emplea en la industria alimentaria y en medicina*.

lactosa *s. f.* Glúcido disacárido que está presente en la leche de los mamíferos, compuesta por la unión de una molécula de galactosa y una de glucosa: *la lactosa da un sabor dulce a la leche*.

lacustre *adj.* ① Relativo a los lagos: *vegetación lacustre*. ② Se aplica al ser vivo que tiene como hábitat los lagos y sus orillas: *las aves lacustres son grandes nadadoras*.

ladear *v. tr.* ① Torcer o inclinar hacia un lado: *ladeó la cabeza para mirar a su hermano*. ② Desviar hacia un lado: *se ha ladeado hacia el partido de la oposición*.
FAM ladeo.

ladera *s. f.* Declive lateral de un monte o una montaña, cuya pendiente es el ángulo que forma con la horizontal: *el ganado se alimenta en las laderas*.

ladilla *s. f.* Insecto de pequeño tamaño, similar al piojo, que parasita en las zonas vellosas de los órganos genitales de los seres humanos.

ladino, -na *adj.* ① Se aplica a la persona que actúa con astucia y disimulo para conseguir lo que se propone. ‖ *s. m./ adj.* ② Variedad del español hablada por los descendientes de los judíos expulsados de España. SIN judeoespañol, sefardí. ‖ *adj./s. m. y f.* ③ AMÉR. CENTRAL Mestizo que solamente habla castellano. ‖ *adj.* ④ AMÉR. CENTRAL, MÉX. Mestizo.

lado *s. m.* ① Parte izquierda o derecha de alguien o algo: *se dio un fuerte golpe en el lado izquierdo*. SIN costado. ② Parte izquierda o derecha de un cuerpo o de un objeto: *los dos lados de una mesa*. SIN costado. ③ Parte de un espacio próxima a los bordes: *se agruparon a los lados del salón para dejar más espacio*. ④ Cara o superficie de un objeto: *los dos lados de una moneda, de una hoja o de una medalla*. ⑤ Lugar o sitio inconcreto en un espacio: *va con su perro a todos lados; vámonos a otro lado*. ⑥ Aspecto o punto de vista de un asunto al que se hace referencia en aposición a otro: *trabajar por libre tiene su lado bueno*. ⑦ Segmento que limita un polígono: *los tres lados de un triángulo; los lados contiguos de un polígono tienen en común un vértice*. ⑧ Semirrecta que determina un ángulo: *los lados de un ángulo recto forman 90 grados*. ⑨ Medio, camino o dirección que se toma para lograr un fin determinado: *si no lo consigues así, prueba a hacerlo por otro lado*.

al lado Muy cerca de una persona o cosa: *mi casa está al lado de la estación*.

dar de lado Excluir de una relación o del trato a una persona, o relegar un asunto.

de lado Que no está recto sino que está inclinado sobre una de sus partes o lados: *el sombrero te quedará mejor si te lo pones de lado*.

de medio lado Torcido, especialmente por descuido o negligencia: *llevas la corbata de medio lado*.

dejar de lado (o a un lado) Arrinconar a alguien o algo o no tener en cuenta el asunto que se menciona: *dejemos a un lado los intereses económicos y consideremos por un momento la satisfacción personal*.

echarse (o hacerse) a un lado Apartarse para dejar paso: *se echó a un lado justo a tiempo y la moto no le atropelló*.

estar (o ponerse) del lado de Estar a favor de una persona, un grupo, una ideología u otra cosa, apoyarla o defenderla: *la suerte no está de nuestro lado; siempre se ha puesto de su lado*.

ir de lado Estar equivocado o no seguir el camino adecuado: *como no sigas mi consejo, irás de lado*.

ir por su lado Seguir su camino por no estar de acuerdo con otro u otros: *ya que no piensas como yo, mejor será que vayamos cada uno por nuestro lado*.

mirar de lado (o de medio lado) (I) Mirar con desprecio: *no me gusta ir a ese bar, hasta los camareros nos miran de lado*. (II) Mirar con disimulo: *me miró de lado y al final cruzó la calle para no saludarme*.
FAM ladear, ladillo.

ladrador, -ra *adj.* Que ladra.

ladrar *v. intr.* ① Dar ladridos el perro. ② familiar Hablar gritando o de manera desagradable: *ese solamente abre la boca para ladrar*. ③ familiar Amenazar sin llegar a actuar: *no te preocupes, el jefe solamente ladra*.
FAM ladrador, ladrido.

ladrido *s. m.* ① Voz del perro. ② familiar Grito o expresión desagradable: *fue a pedirle un favor y ella le respondió con ladridos.*

ladrillazo *s. m.* Golpe dado con un ladrillo.

ladrillo *s. m.* ① Pieza de arcilla cocida, generalmente en forma de prisma rectangular, que se usa en la construcción: *el albañil une los ladrillos con cemento para hacer un muro.* ② Material constituido por estas piezas: *palacios construidos de ladrillo y barro enlucido con arcilla.* ❙ *adj./s. m.* ③ familiar Cosa pesada y aburrida, especialmente aplicado a un libro: *esa asignatura era un ladrillo; la última novela que he leído es un ladrillo.* **FAM** ladrillazo; enladrillar.

ladrón, -drona *adj./s. m. y f.* ① Que roba. ② familiar Granuja, pícaro: *ven aquí, ladrón, no te escapes.* **NOTA** Frecuentemente usado como apelativo cariñoso, generalmente aplicado a niños. ❙ *s. m.* ③ Pieza que se coloca en una toma de corriente para conectar varios aparatos a la vez en un mismo enchufe: *la televisión, el vídeo y la radio estaban conectados al mismo enchufe gracias a un ladrón.* ④ Dispositivo para desviar parte del fluido de un paso abierto en un cauce o una presa. **FAM** ladronzuelo.

lady [se pronuncia 'leidi'] *s. f.* Título honorífico que se da a las señoras de la nobleza inglesa; su equivalente masculino es el de *lord.*

lagar *s. m.* ① Recipiente en que se pisa, prensa o tritura la uva, la aceituna o la manzana para obtener el mosto, el aceite o la sidra: *visitamos los grandes lagares del monasterio.* ② Edificio o lugar donde se realiza esta labor: *construyeron el lagar entre los olivares.*

lagartija *s. f.* Reptil saurio terrestre pequeño, de color verde o pardo por arriba y blanquecino por abajo, huidizo, con cuatro patas cortas, cola y cuerpo largos y cubiertos de escamas; algunas especies de este reptil frecuentan lugares habitados por el ser humano.

lagarto, -ta *s. m. y f.* ① Reptil saurio terrestre, de cuerpo fuerte y cilíndrico, generalmente de color verde, con cuatro patas cortas y robustas, cola larga, y la piel recubierta de escamas; se considera útil a la agricultura por los muchos insectos que devora: *el lagarto vive en zonas cálidas y templadas.* ❙ *adj./s. m. y f.* ② familiar Se aplica a la persona pícara, astuta y taimada: *al muy lagarto de Fermín no hay quien le engañe; es una lagarta y hasta su padre desconfía de ella.* **NOTA** Se usa de forma despectiva. ❙ *int.* ③ **¡lagarto!** Expresión que usan los supersticiosos cuando ocurre una cosa que creen que trae mala suerte, para ahuyentarla: *después de romper el espejo gritó: ¡lagarto, lagarto!* **NOTA** Frecuentemente usado de manera repetida. **FAM** lagartija, lagartón.

lago *s. m.* Masa grande y permanente de agua, generalmente dulce, depositada en una depresión del terreno de forma natural o artificial: *los lagos alpinos constituyen un ecosistema de equilibrio muy frágil.*

lágrima *s. f.* ① Cada una de las gotas vertidas por las glándulas lagrimales, que aparecen por una emoción intensa, por irritación del ojo, por risa, etc.: *una lágrima resbaló por su rostro.* ■ **lágrimas de cocodrilo** Lloro fingido de una persona para aparentar tristeza o arrepentimiento: *cuando lo castigó, empezó a lamentarse con lágrimas de cocodrilo.* ② Cantidad mínima de una bebida, especialmente de un licor: *se tomó una lágrima de anís.* ③ Adorno de vidrio o cristal en forma de lágrima: *limpió una por una las lágrimas de la lámpara; tenía un co-*

llar de lágrimas de cristal. ④ Gota de líquido que segregan algunas plantas al ser podadas: *la vid segrega lágrimas cuando cortas sus ramas.* ⑤ Caramelo muy pequeño. ❙ *s. f. pl.* ⑥ **lágrimas** Dolores, penas o sufrimientos: *en su matrimonio todo fueron lágrimas.* ■ **llorar a lágrima viva** Llorar mucho y con gran pena. **FAM** lagrimal, lagrimear, lagrimoso.

lagrimal *adj.* ① Se aplica al órgano que segrega lágrimas: *glándulas lagrimales.* ❙ *s. m.* ② Ángulo medial del ojo, próximo a la nariz: *se limpió el lagrimal con la punta del pañuelo.*

lagrimear *v. intr.* ① Echar lágrimas el ojo con facilidad y frecuencia, aun sin llanto: *me lagrimean los ojos con el humo del tabaco.* ② despectivo Llorar. **FAM** lagrimeo.

laguna *s. f.* ① Lago de agua dulce o salada, de escasa extensión y profundidad: *en el Atlántico y el Cantábrico, el recortado e irregular litoral favorece la formación de marismas y lagunas en los estuarios de las rías; cerca del pueblo hay una laguna donde la gente va a bañarse.* ② En un escrito o exposición, parte que falta o que se omite: *este manuscrito no está completo, tiene bastantes lagunas.* ③ Vacío, cosa que se desconoce o que se ha olvidado: *mi abuela cada vez tenía más lagunas en la memoria.* **FAM** lagunero.

laicado *s. m.* Conjunto de fieles que no pertenecen al clero ni a ninguna orden religiosa.

laicismo *s. m.* Doctrina que defiende la independencia individual, social o estatal de toda influencia religiosa o eclesiástica: *los gobiernos progresistas suelen ser partidarios del laicismo.* **FAM** laicista.

laicista *adj.* ① Relativo a la doctrina del laicismo. ❙ *adj./s. com.* ② Se aplica a la persona que es partidaria del laicismo.

laicizar *v. tr.* culto Hacer laico, o no religioso e independiente de la Iglesia: *laicizar la enseñanza; laicizarse un estado.* **FAM** laicización.

laico, -ca *adj./s. m. y f.* ① Se aplica al cristiano que no pertenece al clero ni a ninguna orden religiosa. **SIN** lego, seglar. ② Que no está relacionado con la religión: *en las escuelas laicas no se enseña oficialmente una religión en concreto, aunque se estudie religión.* **SIN** seglar. **FAM** laicado, laicidad, laicismo, laicizar.

laísmo *s. m.* Fenómeno gramatical que consiste en el uso incorrecto de las formas *la* y *las* del pronombre personal en función de complemento indirecto, en lugar de *le* y *les*: *"la dije que viniera"* en lugar de *"le dije que viniera"* es un ejemplo de laísmo. **FAM** laísta.

laísta *adj./s. com.* Se aplica a la persona que practica el laísmo al hablar: *muchas personas de Castilla son laístas; Madrid es una zona laísta.*

laja *s. f.* Piedra lisa, plana y no muy gruesa: *un muro hecho de lajas de pizarra.*

lama¹ *s. f.* ① Cieno blando y oscuro que se encuentra en el fondo de algunos mares, ríos, lagos y de lugares donde hay agua acumulada: *si tocas la lama del pantano toda el agua se enturbia.* ② En minería, lodo de mineral molido que se deposita en los canales por donde corren las aguas procedentes de los aparatos trituradores. ③ AMÉR. Musgo. ④ AMÉR. Moho, cardenillo.

lama² *s. f.* ① Tira lisa y delgada de una materia dura, especialmente madera, metal o cristal, que se utiliza para dejar pasar más o menos luz o aire, en ventanas, escaparates, etc.: *la ventana del baño es de lamas de cristal.* **2** Tela hecha de hilos de oro y plata. **3** Telilla que se forma en la superficie de algunos líquidos.

lama[3] *s. m.* Sacerdote budista del Tíbet: *el lama meditaba en silencio.*
FAM lamaísmo.

lamaísmo *s. m.* Rama del budismo extendida en el Tíbet, influida por las supersticiones locales y de carácter eminentemente sacerdotal.
FAM lamaísta.

lamarckismo o **lamarquismo** *s. m.* Primera teoría evolutiva enunciada por Lamarck en el siglo XVIII, según la cual los organismos, debido a la necesidad de adaptarse al medio, adquieren modificaciones que luego heredan sus descendientes.

lambda *s. f.* Nombre de la décima letra del alfabeto griego; se escribe Λ/λ y se transcribe como *l*.

lambiscón, -cona *adj./s. m. y f.* **1** familiar AMÉR. CENTRAL Adulador. **2** HOND., MÉX. Chivato.

lambón, -bona *s. m. y f.* COL., MÉX. Adulador.

lameculos *adj./s. com.* vulgar Se aplica a la persona de comportamiento servil y adulador ante otra, para ganarse su voluntad o para conseguir un favor.
OBS Plural invariable.

lamelibranquio *adj./s. m.* **1** Se aplica al molusco marino o de agua dulce cuya concha tiene dos valvas simétricas y un pie central en forma de hacha, como la almeja, el berberecho, la ostra y el mejillón. ‖ *s. m. pl.* **2** **lamelibranquios** Grupo taxonómico, con categoría de clase, constituido por estos moluscos.

lamentable *adj.* **1** Que produce pena o dolor: *su pérdida fue lamentable para todos nosotros.* **2** Que causa mala impresión por ser desacertado o por estar mal hecho: *aquella pelea en público fue un espectáculo lamentable.* **SIN** deplorable. **3** Se aplica al aspecto o al estado que produce mala impresión por estar desmejorado o maltrecho: *al día siguiente de la fiesta tenía una cara lamentable.*

lamentación *s. f.* Lamento.
OBS Más en plural.

lamentar *v. tr.* **1** Sentir pena, disgusto o arrepentimiento por una cosa: *lamento que te hayas enfadado, no era mi intención molestarte.* ‖ *v. intr./prnl.* **2** Manifestar con palabras la pena, el dolor o la contrariedad que se siente: *no hay que lamentarse por tan poca cosa.*
FAM lamentable, lamentación, lamentoso.

lamento *s. m.* Manifestación de dolor, pena o disgusto: *de su boca solamente salen lamentos y suspiros.*
FAM lamentar.

lamentoso, -sa *adj.* **1** Se aplica a la palabra o al tono que se emplea para lamentarse o quejarse: *no entiendo por qué pones esa voz lamentosa cada vez que hablas.* **2** Se aplica a la persona que se lamenta.

lamer *v. tr.* **1** Pasar la lengua por una cosa: *el perro lamió la mano de su amo; el gato lamía la leche con avidez; se lamía la herida una y otra vez.* **2** culto Tocar o rozar suavemente una cosa, especialmente un líquido, a otra: *el mar lame las costas levantinas.*
FAM lameculos, lametada, lametazo, lametear, lametón, lamido; relamer.

lametada *s. f.* Lametón.
lametazo *s. m.* Lametón.
lametón *s. m.* Roce de la lengua al lamer, especialmente si se hace con fuerza o ansia: *el caballo le dio un lametón en la cara.* **SIN** lametada, lametazo.

lamido, -da *adj.* **1** Se aplica a la persona excesivamente pulida o aseada y de modales afectados o rebuscados. **2** Se aplica a la obra artística afectadamente tersa y lisa, por poner excesivo esmero al hacerla. **4** Se aplica al pelo o al tejido que cae liso y sin volumen.

lámina *s. f.* **1** Pieza plana y delgada de cualquier materia: *lámina de madera; déjame una lámina de papel.* **2** Plancha de metal, especialmente de cobre, en la que está grabado un dibujo para estamparlo: *el dibujo del escudo ya está preparado en la lámina y solamente queda estamparlo.* **3** Imagen o figura impresa en un papel: *estas láminas reproducen algunos de los cuadros más famosos de Murillo.* **SIN** estampa, grabado. **4** familiar Aspecto o figura, normalmente referido a un animal: *este caballo es el de mejor lámina de la cuadra.* **SIN** estampa. **5** Parte ancha de un hueso o cartílago. **6** Parte ancha de las hojas de las plantas: *las láminas de las hojas del ficus son muy anchas.*
FAM laminar, laminoso.

laminación *s. f.* **1** Operación para dar forma de lámina a un material: *laminación de metales; laminación de plásticos.* **2** Técnica que consiste en la superposición de láminas o capas de un material o sustancia: *para restaurar este mueble solamente resultará bien una laminación de barnices.*

laminado *s. m.* **1** Material que ha sufrido un proceso de laminación. **2** Producto que se obtiene como resultado de un proceso de laminación: *los perfiles y las chapas son tipos de laminados.*

laminador, -ra *adj./s. m. y f.* **1** Se aplica a la persona que hace láminas. ‖ *s. m.* **2** Máquina que sirve para convertir en láminas los metales u otros materiales maleables, haciéndolos pasar en caliente y a presión entre dos cilindros que giran en sentido contrario: *para hacer alambre, traviesas, raíles o placas se ha de pasar el metal por el laminador.* **SIN** laminadora.

laminadora *s. f.* Laminador.

laminar[1] *adj.* **1** Se aplica al cuerpo que tiene forma de lámina: *cubren el metal con una capa laminar de zinc para protegerlo de la corrosión.* **2** Se aplica al cuerpo cuya estructura está formada por láminas superpuestas y paralelas: *la estructura laminar del grafito.*

laminar[2] *v. tr.* **1** En ingeniería mecánica, someter un material a deformación plástica entre dos o más cilindros, para obtener una lámina, una barra, un tubo, etc. **2** Recubrir una cosa con láminas.
FAM laminación, laminado, laminador.

lampa *s. f.* **1** ARG., BOL. Pala o azada. **2** C. RICA, CHILE, ECUAD., PERÚ Azada.

lampar *v. intr.* **1** familiar Tener ansiedad por hacer una cosa: *muchos jóvenes están lampando por que llegue el fin de semana para salir.* **2** familiar Pasar apuros económicos.

lámpara *s. f.* **1** Aparato o utensilio que sirve para producir luz: *hoy en día todas las lámparas son eléctricas; sobre la mesa había una antigua lámpara de gas.* **2** Objeto que sirve de soporte para una o varias bombillas o luces: *encendió la lámpara de la mesita para poder leer.* **3** Bombilla eléctrica: *llevo un juego de lámparas de repuesto en el coche.* **4** Dispositivo eléctrico parecido a una bombilla, que llevan los televisores y algunos aparatos de radio: *el técnico cambió la lámpara de la televisión que se había fundido.* 5 Lamparón: *se comió un helado y dejó la camiseta llena de lámparas.*

lámpara de los mineros o **lámpara de seguridad** Lámpara recubierta con una malla metálica, con un dispositivo que impide el contacto de la llama con los gases de las minas de hulla y denuncia, a la vez, la presencia de estos gases. **FAM** lamparero, lamparilla; portalámparas.

lamparilla *s. f.* 1 Lámpara pequeña que se pone en la mesilla de noche. 2 Lámpara formada por una vela pequeña que se enciende y flota atravesada en una rodaja de corcho, en un recipiente con agua y una capa de aceite, y sirve para iluminar tenuemente una zona o para mantener el calor de un alimento: *las lamparillas se encienden como símbolo de devoción ante las imágenes religiosas.* 3 Recipiente en que se pone esta mecha.

lamparón *s. m.* Mancha en la ropa, especialmente cuando es de grasa: *se cambió de blusa porque la llevaba llena de lamparones.*

lampazo *s. m.* Planta de tallos gruesos y flores de color púrpura o rosa, con el cáliz lleno de espinas. **SIN** bardana.

lampiño, -ña *adj.* 1 Se aplica al hombre o muchacho que no tiene barba o que todavía no le ha salido: *era un chico lampiño cuando se marchó de casa.* **SIN** barbilampiño, imberbe. 2 Que tiene poco pelo o vello: *brazos lampiños.* **ANT** peludo. 3 Se aplica a la planta que no tiene pelos: *tallo lampiño; hojas lampiñas.* **ANT** piloso.

lampista *s. com.* Persona que se dedica a poner o reparar las instalaciones de electricidad, de gas o de agua: *habrá que llamar al lampista porque la cisterna sigue tirando agua.*

lamprea *s. f.* Pez de cuerpo en forma de serpiente y con la boca sin mandíbulas y constituida por una ventosa circular; es comestible y vive asido a las rocas mediante su boca: *lamprea de mar o de río; la lamprea es muy apreciada en gastronomía.*

lana *s. f.* 1 Pelo de las ovejas y carneros, o de otros animales que lo tienen parecido: *la lana de las llamas y de las vicuñas es muy apreciada.* 2 Hilo elaborado con este pelo: *compró lana para hacerse un jersey; en invierno llevamos ropa de lana.* 3 Tela elaborada con hilo de lana. ■ **lana virgen** Lana empleada directamente y sin mezclas después de cortarla del animal. 4 fam. desp. Pelo de una persona, especialmente si lo lleva largo y revuelto: *recógete esas lanas que no se te ve la cara.* **NOTA** Normalmente en plural. **SIN** pelambrera.

ir por lana y volver (o **salir**) **trasquilado** (**I**) Llevar la intención de sacar provecho de un asunto y salir perdiendo. (**II**) Querer perjudicar a alguien y salir uno mismo perjudicado. **FAM** lanar, lanero, lanilla, lanoso, lanudo.

lanar *adj./s. m.* Se aplica al ganado o a la res que tiene lana: *las ovejas y los corderos forman el ganado lanar.*

lance *s. m.* 1 Suceso o episodio real o imaginario: *fue un viaje lleno de lances divertidos; lo mejor de esta obra teatral son sus lances amorosos.* 2 Momento o situación crítica, muy difícil o decisiva: *debemos ser fuertes para superar este lance.* 3 Enfrentamiento entre dos personas: *el lance entre los dos candidatos acabó amistosamente.* 4 En cualquier juego, jugada destacada o decisiva: *explicaba entusiasmado algunos lances del partido de fútbol.* 5 Pase que el torero da con la capa: *la verónica es uno de los lances más apreciados en el toreo.* 6 Acción de lanzar: *el lance de las redes.* 7 Pesca que se practica con una caña y que consiste en lanzar el sedal para recuperarlo después.

de lance Se usa para indicar que una mercancía se compra o se vende barata, normalmente por ser de segunda mano: *librería de lance.*

lance de honor Desafío provocado por una ofensa inferida por una persona a otra, y ejecutado según ciertas normas caballerescas. **SIN** duelo.

lancear *v. tr.* Herir con lanza.

lanceolado, -da *adj.* Se aplica a la hoja de una planta que tiene forma de punta de lanza: *el ciruelo y el laurel tienen las hojas lanceoladas.*

lancero *s. m.* 1 Soldado armado con una lanza. 2 Persona que fabrica lanzas. **FAM** lancería.

lanceta *s. f.* Instrumento usado en cirugía para hacer pequeñas incisiones; es de acero, con una hoja triangular con corte por ambos lados y punta muy aguda: *la lanceta sirve para abrir pequeños tumores.*

lancha[1] *s. f.* 1 Embarcación pequeña, a remo o a motor, sin mástil ni velas, que sirve para transportar personas o cosas en distancias cortas, generalmente junto a la costa, y especialmente para rescates, desembarcos y en navegación deportiva: *las lanchas son plegables e hinchables y de goma o de plástico.* ■ **lancha rápida** Barca grande de vigilancia costera o al servicio de buques de guerra, provista de armamento. 2 Embarcación auxiliar que va a bordo de un buque: *anclaron el yate y se acercaron a la playa con la lancha.* 3 Barca grande de vela y remo que se usa para servicios auxiliares en buques, puertos y lugares costeros. 4 Barca utilizada para el transporte de pasajeros o carga, o para la pesca, en un río o en una zona costera: *pasamos al otro lado de la ría en la lancha.* **FAM** lanchero.

lancha[2] *s. f.* Piedra grande, lisa, plana y no muy gruesa: *en los Pirineos hay muchas casas que tienen el tejado hecho de lanchas de pizarra.* **SIN** laja, lastra.

lancinante *adj.* Se aplica al dolor agudo, intenso o fuerte, semejante al que produciría una herida de lanza. **SIN** lacerante.

landa *s. f.* Formación vegetal formada por una capa baja y densa de arbustos, situada en latitudes medias y altas: *las landas son características de las regiones templadas de clima oceánico.*

landó *s. m.* Coche de caballos, de cuatro ruedas y doble capota plegable, por delante y por detrás, que puede unirse para que quede cubierto.

land rover [se pronuncia aproximadamente 'lan róver'] *s. m.* Vehículo capaz de circular en cualquier tipo de terreno, especialmente el campo y la montaña. **SIN** todoterreno.

lanero, -ra *adj.* 1 Relativo a la lana: *la industria textil lanera floreció en la España medieval.* ‖ *s. m. y f.* 2 Comerciante en lanas. ‖ *s. m.* 3 Almacén de lana. **FAM** lanería.

langosta *s. f.* 1 Crustáceo marino decápodo de color pardo oscuro y ojos prominentes, cuerpo cilíndrico, cola larga y gruesa y cabeza grande, con cinco pares de patas y dos pares de antenas largas y espinosas; su carne, comestible, es muy apreciada: *las langostas se vuelven de color rojo una vez cocidas.* 2 Insecto de cuerpo alargado, ojos salientes, patas posteriores fuertes y muy largas con las que da grandes saltos, que se alimenta de vegetales y se reproduce con gran rapidez, por lo que algunas especies de costumbres migratorias llegan a constituir plagas de efectos devastadores para la agricultura: *el saltamontes es una de las langostas más habituales en España.*

FAM langostino.

langostino *s. m.* Crustáceo marino semejante a la gamba, pero de tamaño mayor, de cuerpo alargado y comprimido lateralmente, cuya carne es comestible y muy apreciada: *los langostinos viven en aguas ricas en materia orgánica.*

languidecer [16] *v. intr.* **1** Debilitarse, perder la fuerza o el vigor una persona o cosa: *la salud del enfermo languidecía.* **2** Perder el ánimo o la alegría una persona o cosa: *la tertulia languideció rápidamente.*

languidez *s. f.* **1** Falta de fuerza, energía o vigor de una persona o cosa. **2** Falta de ánimo o alegría de una persona o cosa: *se dejó arrastrar por la languidez de la tarde lluviosa.*

lánguido, -da *adj.* **1** Que no tiene fuerza o energía: *su lánguido monólogo nos aburría.* **2** Que muestra poco ánimo, alegría o interés por las cosas: *su mirada lánguida y triste daba lástima.*

FAM languidecer, languidez.

lanilla *s. f.* **1** Tejido poco consistente de lana fina. **2** Pelillo que tiene el paño por su cara anterior.

lanolina *s. f.* Sustancia grasa obtenida de la lana, que se emplea en perfumería y farmacia como excipiente por ser fácilmente absorbida por la piel: *el médico me recomendó una crema suavizante con lanolina.*

lanoso, -sa *adj.* **1** Que tiene mucha lana: *su mascota era de pelaje lanoso.* **SIN** lanudo. **2** Que posee las características de la lana: *un tejido lanoso.*

FAM lanosidad.

lantánido *adj./s. m.* **1** Se aplica al elemento químico que pertenece al grupo de los lantánidos. **‖** *s. m. pl.* **2 lantánidos** Grupo de elementos químicos cuyo número atómico está comprendido entre el 57 y el 71, ambos incluidos; son metales, como el lantano, el praseodimio, el erbio o el gadolinio: *los lantánidos son llamados también tierras raras.*

lantano *s. m.* Elemento químico de símbolo *La* y número atómico 57; es un metal blanco, con brillo, maleable y muy reactivo, que pertenece al grupo de los lantánidos; se usa principalmente como catalizador en procesos de craqueo de petróleo y también para formar aleaciones.

FAM lantánido.

lanudo, -da *adj.* **1** Que tiene mucha lana: *perro lanudo.* **SIN** lanoso. **2** Peludo.

lanza *s. f.* **1** Arma compuesta por un palo largo en cuyo extremo está fijo un hierro puntiagudo y cortante: *el caballero pidió la lanza y espoleó al caballo.* **2** Vara unida por uno de sus extremos a la parte delantera de un carruaje, que sirve para darle dirección y para sujetar en ella los animales de tiro. **3** Tubo de metal que se coloca en el extremo de un manguera para dirigir el chorro de agua o de otro líquido: *la lanza del fumigador se ha embozado.*

a punta de lanza Con severidad y exigencia: *lleva la dirección de su empresa a punta de lanza.*

romper una lanza Salir en defensa de algo o de alguien: *¿es que nadie va a romper una lanza por el acusado?*

FAM lancear, lanceolado, lancero, lanceta, lanzada.

lanzacohetes *s. m.* **1** Arma ligera que tiene forma de tubo abierto por los dos extremos, se apoya sobre el hombro y permite disparar proyectiles de gran calibre. **2** Arma pesada que consiste en un conjunto de tubos lanzadores instalados sobre una plataforma móvil y que sirve para disparar cohetes de gran calibre muy rápidamente.

OBS Plural invariable.

lanzada *s. f.* **1** Golpe dado con una lanza. **2** Herida de lanza.

lanzadera *s. f.* **1** Pieza del telar, alargada y puntiaguda, que lleva un carrete de hilo en su interior y que utilizan los tejedores haciéndola correr a uno y otro lado del telar, entrecruzando los hilos de la trama con los de la urdimbre para formar el tejido: *la lanzadera sirve para insertar el hilo de la trama en la urdimbre.* **2** En las máquinas de coser, pieza semejante a la lanzadera de los tejedores que, modernamente, viene reemplazada por una bobina. **3** Vehículo capaz de transportar un misil o un satélite al espacio, y que puede utilizarse varias veces porque es recuperable.

lanzado, -da *adj.* **1** familiar Se aplica a la persona que es muy arrojada y decidida y que se atreve a todo: *es muy lanzado y no se piensa las cosas dos veces.* **2** Muy rápido o veloz: *el coche venía lanzado.*

lanzador, -ra *adj./s. m. y f.* Se aplica a la persona que lanza o arroja algo: *lanzador de jabalina; la jabalina debe salir por encima del hombro del lanzador.*

lanzagranadas *s. m.* Arma portátil para atacar carros blindados, que consiste en un tubo abierto por los dos extremos que se apoya en el hombro de la persona y que lanza granadas a corta distancia.

OBS Plural invariable.

lanzallamas *s. m.* Arma ligera que consiste en una manguera conectada a un depósito de líquido inflamable y a través del cual se arroja a presión un chorro de fuego.

OBS Plural invariable.

lanzamiento *s. m.* **1** Impulso fuerte que se da a una cosa para enviarla o proyectarla en una dirección, generalmente al aire: *retransmitieron por televisión el lanzamiento del cohete.* **2** Campaña publicitaria que da a conocer un producto que se pone a la venta: *el lanzamiento del nuevo diccionario ha sido todo un éxito editorial.* **3** En algunos deportes, acción de lanzar la pelota, especialmente para castigar una falta: *lanzamiento de un córner; lanzamiento de tiros libres.* **4** Prueba de atletismo que consiste en lanzar un determinado objeto: *las modalidades de lanzamiento de peso, jabalina, disco y martillo forman parte del programa olímpico.* **5** Procedimiento judicial que obliga al ocupante de una vivienda a abandonarla: *el lanzamiento se decidió porque el inquilino no pagaba su deuda.*

lanzar *v. tr.* **1** Impulsar con fuerza a una cosa para enviarla o proyectarla en una dirección, generalmente al aire: *los aviones lanzaron bombas sobre la ciudad.* **2** Emitir sonidos o palabras, generalmente con violencia o súbitamente: *la película de terror le hacía lanzar gritos histéricos.* **3** Dirigir palabras o expresiones contra alguien, especialmente cuando se hace con enfado: *el lanzó una mirada de odio; los candidatos no dejaban de lanzarse acusaciones.* **4** Dar a conocer un producto que se pone a la venta mediante una campaña publicitaria del mismo: *es un producto que han lanzado recientemente al mercado.* **5** Hacer pública una cosa, especialmente una noticia: *ese periódico tiene fama de lanzar falsos rumores a menudo.* **‖** *v. prnl.* **6 lanzarse** Dirigirse o precipitarse con rapidez o violencia contra alguien o algo: *el halcón se lanzó sobre su presa; los niños se lanzaron al agua.* **SIN** abalanzarse. **7** Decidirse a emprender una acción o actividad con energía, valor o violencia: *no ...ne ningún miedo a lanzarse al mundo de los negocios.*

FAM lanzacohetes, lanzadera, lanzado, lanzador, lanzagranadas, lanzallamas, lanzamiento, lanzatorpedos; relanzar.

lanzaroteño, -ña *adj.* **1** De Lanzarote (isla del archipiélago canario). **‖** *s. m. y f./adj.* **2** Persona que es de Lanzarote.

lanzatorpedos *s. m.* **1** Aparato bélico que sirve para lanzar torpedos. **‖** *adj.* **2** Se aplica a la embarcación dotada de este aparato.
OBS Plural invariable.

laña *s. f.* Pequeña pieza de alambre fino que sirve para unir o sujetar cosas, especialmente los trozos de un objeto de barro o porcelana roto: *puso unas lañas en la figurita de cerámica.*
FAM lañar.

lañar *v. tr.* **1** Trabar, unir o sujetar con lañas. **2** Abrir y limpiar el pescado para salarlo.

lapa *s. f.* **1** Molusco marino comestible, con una concha en forma de cono aplastado, lisa o con estrías, que vive adherido a las rocas de la costa: *las lapas son gasterópodos y viven en el nivel superior de las mareas.* **2** Persona demasiado insistente y pesada, de la que es difícil librarse.

lapiaz *s. m.* En geología, superficie rocosa de relieve irregular, característica del paisaje kárstico, que se produce por la erosión del agua de arroyada o de lluvia. **SIN** lenar.

lapicero *s. m.* **1** Instrumento para escribir o dibujar formado por una mina de grafito embutida en un cilindro de madera. **SIN** lápiz. **2** Instrumento para escribir o dibujar consistente en un tubo de metal o de plástico que hace de soporte de una mina. **SIN** lápiz.

lápida *s. f.* Losa sobre la que se graba una inscripción conmemorativa: *las lápidas del cementerio eran de mármol o de granito.*

lapidación *s. f.* **1** Muerte a pedradas de una persona. **2** Lanzamiento de piedras contra alguien o algo.

lapidar *v. tr.* **1** Matar a pedradas. **SIN** apedrear. **2** Lanzar piedras contra una persona o cosa. **SIN** apedrear.
FAM lapidación.

lapidario, -ria *adj.* **1** Relativo a las lápidas. **2** Se aplica a la expresión o al escrito que, por su acierto, concisión y sobriedad, es digno de ser esculpido en una lápida: *estilo lapidario; frase lapidaria.* **3** Relativo a las piedras preciosas: *joyas lapidarias.* **‖** *s. m. y f.* **4** Persona que talla piedras preciosas o comercia con ellas. **5** Persona que fabrica y graba lápidas. **‖** *s. m.* **6** Libro que trata de las características y virtudes de las piedras preciosas: *los lapidarios medievales atribuyen cualidades medicinales y mágicas a las piedras preciosas.*

lapilli [se pronuncia 'lapili'] *s. m. pl.* En geología, fragmentos sólidos de materia volcánica, de dimensiones comprendidas entre 1 y 64 mm, que son arrojados en una erupción.

lapislázuli *s. m.* Mineral de color azul intenso y duro como el acero, que se emplea en joyería y en ornamentación: *el lapislázuli está compuesto principalmente por lazurita y calcita.*

lápiz *s. m.* **1** Instrumento para escribir o dibujar, que puede ser una mina de grafito embutida en un cilindro de madera, o bien un tubo de metal o de plástico que hace de soporte de una mina: *lápices de colores; sacó punta al lápiz.* **SIN** lapicero.
■ lápiz óptico Periférico informático en forma de lápiz y equipado con un dispositivo que permite escribir o dibujar en la pantalla del ordenador: *el lápiz óptico es muy útil para el*

diseño por ordenador. **2** Barrita de diferentes colores y de distintas sustancias que se emplea para maquillar los ojos o los labios: *lápiz de ojos; lápiz de labios.*
FAM lapicero; portalápiz.

lapo *s. m.* **1** familiar Escupitajo. **2** familiar Bofetada.

lapón, -pona *adj.* **1** De Laponia (región de Europa). **‖** *s. m. y f./adj.* **2** Persona que es de Laponia. **‖** *s. m./adj.* **3** Lengua que se habla en Laponia.

lapso *s. m.* **1** Periodo de tiempo transcurrido: *transcurrió un lapso de cinco años hasta que volvieron a verse.* **2** Lapsus.
FAM colapso, prolapso, relapso.

lapsus *s. m.* Error o equivocación que se comete sin querer, por olvido o falta de atención: *lo siento, ha sido un lapsus: no volverá a suceder.* **■ lapsus cálami** Expresión latina que significa 'equivocación que se comete al escribir'. **■ lapsus línguae** Expresión latina que significa 'equivocación que se comete al hablar, especialmente al decir mal una palabra o en lugar de otra': *tuvo un lapsus línguae y dijo "cachalote" por "chocolate".*
OBS Plural invariable.

lar *s. m.* **1** En la antigua Roma, divinidad protectora de la casa o del hogar. **NOTA** Normalmente en plural. **2** Lugar de la casa donde se enciende el fuego: *la mujer atizaba el fuego del lar.* **SIN** hogar. **3** Lugar de origen de una persona o casa en la que vive con su familia: *¿qué haces tú por estos lares?* **NOTA** Generalmente en plural con el mismo significado que en singular.

lardero, -ra *adj.* Se aplica al jueves que precede al Carnaval.

largamente *adv.* Indica que una situación o acción se cumple o realiza con abundancia y generosidad o, al menos, con suficiencia y sin estrechez: *los objetivos del curso han sido largamente cumplidos.*

largar *v. tr.* **1** Soltar, dejar libre una cosa: *largar amarras.* **2** En actividades marineras o aeronáuticas, echar o soltar poco a poco una cuerda o un cable: *le largaron un cabo para que pudiese subir a bordo.* **3** Desplegar: *largar velas.* **4** Dar una cosa, generalmente con desprecio o deprisa: *le largó veinte euros para que se callara.* **5** familiar Dar o propinar un golpe: *se ha enfadado y le ha largado un sopapo; le largó una bofetada.* **6** familiar Echar a una persona de un lugar o de un empleo: *sus padres le han largado de casa.* **7** Hablar o confesar una cosa: *ya he largado lo que querías saber.* **‖** *v. intr.* **8** familiar Hablar, generalmente sin un fin determinado o sobre temas poco importantes: *se pasan el día largando.* **9** familiar Hablar alguien demasiado o inoportunamente, diciendo cosas que debería callar: *no se lo cuentes, que siempre lo larga todo.* **‖** *v. prnl.* **10 largarse** familiar Irse, marcharse o ausentarse de un lugar: *se ha largado sin ni decir adiós.*

largo, -ga[1] *adj.* **1** Que tiene más longitud o extensión en una de las direcciones del plano: *es más largo que ancho.* **ANT** breve, corto. **2** Que tiene una longitud o duración superior a la que se considera normal o superior en comparación a la de otra cosa de su misma naturaleza: *necesitamos una cuerda más larga; en verano los días son largos.* **3** Se aplica al tiempo o a la medida que pasa de lo justo o indicado: *te esperé una hora larga; su padre mide dos metros largos.* **4** Se aplica al tiempo o al periodo que es muy grande o dilatado: *pasó largo tiempo antes de que volviera a verla.* **NOTA** En esta acepción, va antepuesto al sustantivo. **5** Que tiene demasiada longitud o duración: *esa estantería es larga para esa pared.* **6** Se

lástima |

aplica a la persona que es muy alta: *es tan largo que tiene que agacharse para pasar por la puerta.* **7** Se aplica a la persona que es inteligente o tiene habilidad: *es muy largo y lo resuelve todo rápidamente.* **8** Se aplica a la persona que da con generosidad lo que tiene: *es cariñosa y larga en atenciones.* **9** Se aplica a la prenda que llega hasta los pies: *lucía un vestido largo; en verano casi no se pone los pantalones largos.* **ANT** corto. ‖ *adj./s. f.* **10** Se aplica a la vocal o a la sílaba que tiene mayor duración dentro de una palabra: *en la métrica del latín y el griego se cuentan las sílabas largas y breves.* **ANT** breve. ‖ *s. m.* **11** Longitud total de una cosa: *midió el largo del pantalón; mide siete metros y medio de largo.* **12** Longitud de una cosa que sirve como unidad de medida: *para hacerte ese vestido necesitarás tres largos de tela.* **13** En natación, distancia que hay entre los dos extremos de una piscina medida longitudinalmente: *todos los días hacía veinte largos.* **14** Longitud de un animal que corre en una carrera con otros, que sirve como unidad para medir la distancia entre los competidores: *mi caballo ganó por un largo.* ‖ *int.* **15** ¡**largo**! Expresión que se usa para expulsar violentamente a alguien: *¡largo de aquí, marchaos con el balón a otra parte!*

a la larga Después de haber pasado cierto tiempo: *trabajar así solamente te resultará rentable a la larga.*

a lo largo de Siguiendo una longitud o duración: *a lo largo del río hay embarcaderos y balsas; desarrolló esa profesión a lo largo de toda su vida.*

dar largas Retrasar un hecho o acontecimiento de manera intencionada: *cuando le digo que me devuelva el dinero, siempre me da largas.*

de largo (**I**) Con un vestido o una falda que llega hasta los pies: *Teresa dice que irá a la boda de largo.* (**II**) Desde hace mucho tiempo: *es un problema que arrastra de largo.* (**III**) Sin pararse: *pasé de largo y no te saludé porque llevaba mucha prisa.*

largo y tendido Con detenimiento y durante mucho rato: *hablaremos largo y tendido sobre este asunto.*

para largo Para mucho rato.

FAM largamente, largometraje, larguero, largueza, larguirucho, largura; alargar.

largo² *adv.* **1** Indica que una composición musical o parte de ella debe interpretarse con un tempo o ritmo muy lento. ‖ *s. m.* **2** Pieza musical o movimiento (parte) de una sonata, sinfonía, etc. que se interpreta con este tempo.

largometraje *s. m.* Película cinematográfica cuya proyección dura más de 60 minutos.

larguero *s. m.* **1** En algunos deportes, especialmente en fútbol, palo superior y horizontal de la portería: *el delantero chutó y envió la pelota por encima del larguero.* **2** Cada uno de los dos palos que se ponen a lo largo de un mueble o de otra obra de carpintería y que constituyen su armazón: *el larguero de la cama.*

largueza *s. f.* Cualidad de la persona que da las cosas propias sin esperar nada a cambio: *aquel hombre destacaba por su largueza y su sencillez.* **SIN** esplendidez, generosidad.

larguirucho, -cha *adj./s. m. y f. fam. desp.* Se aplica a la persona muy alta, delgada y desgarbada.

largura *s. f.* Longitud de una cosa: *cogió un metro para medir la largura del pasillo.*

laringe *s. f.* Órgano del aparato respiratorio, situado en la parte superior de la tráquea, en la parte delantera del cuello; tiene forma de tubo y paredes musculosas: *en la laringe se encuentran las cuerdas vocales.*

FAM laríngeo, laringitis, laringología.

laríngeo, -gea *adj.* Relativo a la laringe: *el tiroides es un órgano laríngeo; las paredes laríngeas se abultan formando la nuez.*

laringitis *s. f.* Inflamación de la laringe.

OBS Plural invariable.

laringología *s. f.* Parte de la medicina que se ocupa de las enfermedades de la laringe.

FAM laringológico, laringólogo.

laringólogo, -ga *s. m. y f.* Médico especialista en laringología.

larva *s. f.* En un proceso de metamorfosis, estado que tienen algunos vertebrados, como los anfibios, y muchos invertebrados, en la fase posterior a la salida del huevo, que es bastante diferente de la forma adulta posterior: *las larvas pasan por una metamorfosis para convertirse en animales adultos; el renacuajo es la larva de la rana; la oruga es la larva de la mariposa.*

FAM larval, larvario, larvicida.

larvado, -da *adj.* **1** Se aplica al fenómeno o emoción que no se manifiesta abierta y claramente: *su larvado sentimiento racista afloró cuando supo que era judío.* **2** Se aplica a la enfermedad cuyos síntomas no son las características, de modo que ocultan su verdadera naturaleza: *tuberculosis larvada.*

larval *adj.* Relativo a la larva.

larvario, -ria *adj.* Relativo a la larva o a sus fases de desarrollo: *la mayor parte de los insectos tienen un estadio larvario.*

las *det.* **1** Forma femenina plural del artículo determinado; véase *el, la.* ‖ *pron.* **2** Forma femenina plural del pronombre de tercera persona en función de complemento directo; véase *lo.*

lasaña *s. f.* Plato de origen italiano, formado por capas de pasta en forma cuadrada o alargada y carne picada, cocinado al horno con salsa besamel y queso; la carne picada se puede sustituir por otros alimentos, como verduras o pescado.

lasca *s. f.* Fragmento plano y delgado desprendido de una piedra.

lascivia *s. f.* Inclinación exagerada y fuerte al deseo o placer sexual. **SIN** lujuria, voluptuosidad.

lascivo, -va *adj.* **1** Se aplica al gesto o a la palabra que manifiesta una inclinación exagerada al deseo sexual: *dirigió a la mujer una mirada lasciva.* **SIN** libidinoso, lujurioso. ‖ *adj./s. m. y f.* **2** Se aplica a la persona que siente una inclinación exagerada al deseo sexual: *¿esa película quieres ver? ¡qué lasciva eres!* **SIN** libidinoso, lujurioso.

FAM lascivia.

láser *s. m.* **1** Aparato electrónico que produce haces de luz intensa de un solo color y gran energía por emisión estimulada de radiación; se emplea en cirugía y en diferentes sistemas de comunicación. ‖ *adj./s. m.* **2** Se aplica al rayo de luz generado o producido por este aparato. **NOTA** Como adjetivo, es invariable en número.

lasitud *s. f.* Estado de debilidad y cansancio próximo al desfallecimiento: *se apoderó de él tal lasitud que no pudo dar un paso más.*

laso, -sa *adj.* **1** Se aplica al hilo o al pelo liso, que no está torcido o rizado. **2** *culto* Que está cansado, débil o que no tiene fuerzas.

FAM lasitud.

lástima *s. f.* **1** Sentimiento de pena o dolor que se siente por alguien que sufre o por una cosa que ha sufrido un mal: *¿no te produce lástima ver tanta miseria?* **SIN** compasión. **2** Cosa que causa disgusto: *fue una lástima que no pudieras venir a la* *fiesta; qué lástima que tengas que irte tan pronto.* ‖ *int.* ③ **¡lástima!** Exclamación de pesar ante algo que no sucede como se esperaba: *¡lástima, hemos vuelto a perder!*

hecho una lástima Maltrecho, en malas condiciones.

lastimar *v. tr.* ① Herir o causar dolor físico: *el sol y el agua lastiman el pelo en verano; se lastimó una mano.* ② Ofender o producir daño moral a una persona: *las críticas negativas lastimaron su orgullo.*

FAM lástima, lastimadura, lastimero, lastimoso.

lastimero, -ra *adj.* Se aplica a la expresión o queja que mueve a lástima o que provoca lástima o compasión: *se oía la voz lastimera de un niño abandonado; nos estremeció aquel grito lastimero.* SIN lastimoso.

lastimoso, -sa *adj.* ① Que produce pena o dolor: *llegaron a una situación lastimosa y decidieron separarse.* ② Se aplica al aspecto o estado que produce mala impresión porque está desmejorado o maltrecho: *le llevaron a casa en un estado lastimoso.* SIN deplorable, lamentable.

lastra *s. f.* Piedra lisa, plana y delgada. SIN laja, lancha.

lastrar *v. tr.* ① Poner peso o lastre a una embarcación para darle mayor estabilidad: *las bodegas o los dobles fondos de los barcos se lastran con materiales pesados para bajar su centro de gravedad.* ② *culto* Ser obstáculo o impedimento para algo: *graves limitaciones ideológicas lastraban sus investigaciones.*

lastre¹ *s. m.* ① Peso que se pone en el fondo de una embarcación para hacer bajar su centro de gravedad y darle una mayor estabilidad: *la falta de lastre repercutió en la inestabilidad del buque.* ② Peso que llevan los globos aerostáticos, en forma de sacos de tierra, que sirve para ascender o descender: *debemos soltar lastre para evitar un mal aterrizaje.* ③ Inconveniente, impedimento físico o moral para llevar algo a buen término.

FAM lastrar.

lastre² *s. m.* Piedra de mala calidad y resquebrajada que se halla en la superficie de una cantera.

lata *s. f.* ① Lámina delgada de hierro o acero: *forró la puerta con lata para protegerla en invierno.* SIN hojalata. ② Recipiente hecho de este material, herméticamente cerrado, que se usa para guardar alimentos en conserva y líquidos: *compró una lata de aceite para el motor del coche y una lata de refresco para calmar su sed.* ③ Cosa fastidiosa, que cansa o que molesta, por ser muy pesada: *la película fue una lata.*

dar la lata Molestar o importunar: *te voy a dar la lata hasta que me hagas caso.*

FAM latazo, latón, latoso; enlatar.

latazo *s. m. familiar* Cosa pesada, fastidiosa, molesta y aburrida: *las clases de filosofía son un latazo.*

latencia *s. f.* Estado de lo que permanece oculto, sin manifestarse: *la crisis estalló tras un largo periodo de latencia.*

latente *adj.* ① Que existe pero está oculto o no se manifiesta exteriormente: *una enfermedad latente; un nerviosismo latente; se comportaba con amabilidad, pero un odio latente crecía en su pecho.* ② Se aplica al calor necesario para que una sustancia cambie de estado.

FAM latencia.

lateral *adj.* ① Que está situado al lado de una cosa y no en el centro: *retrovisor lateral de un vehículo; puerta lateral de un edificio.* ② Se aplica a la cosa que tiene una importancia menor que otra con la que guarda alguna relación: *siempre estamos discutiendo por problemas laterales y nos olvidamos de lo más im-*

portante. SIN secundario. ③ Se aplica a la genealogía o herencia que no es directa o no viene en línea recta: *la sucesión lateral de un rey sin descendencia.* ④ Se aplica al jugador que, en deportes de equipo como el balonmano o el fútbol, cubre un lado del campo de juego como defensa: *el ariete remató el centro del lateral izquierdo.* ‖ *adj.* ⑤ Se aplica al sonido y el fonema consonánticos en cuya articulación el aire sale por los canales que se forman a ambos lados de la lengua: *el sonido de la "l" y la "ll" es lateral.* ‖ *adj./s. f.* ⑥ Se aplica a la consonante que se articula en este punto, como la "ll".

FAM lateralizar; bilateral, colateral, unilateral.

latero, -ra *s. m. y f.* AMÉR. Persona que hace o vende piezas de lata.

látex *s. m.* Jugo vegetal de aspecto similar a la leche, que se obtiene de los cortes hechos en el tronco de algunos árboles y que se emplea en la fabricación de gomas y resinas: *el látex coagula al contacto con el aire.*

latido *s. m.* ① Cada uno de los movimientos rítmicos que hace el corazón al contraerse y dilatarse, haciendo correr la sangre por los vasos sanguíneos: *el enfermo sufría del corazón y sus latidos eran anormales.* ② Golpe producido por este movimiento: *le puso una mano en el pecho para notar mejor los latidos.* ③ Sensación intermitente y punzante de dolor: *notaba unos latidos en la sien muy molestos.*

latifundio *s. m.* Propiedad agraria de gran extensión que pertenece a una sola persona y que se caracteriza por la mala explotación de sus recursos: *en el sur de España abundan los latifundios.* ANT minifundio.

FAM latifundismo.

latifundismo *s. m.* Sistema de distribución de la propiedad de la tierra en fincas de gran extensión, y de la explotación agraria de estas: *el latifundismo ha provocado sublevaciones campesinas.*

FAM latifundista.

latifundista *adj.* ① Relativo al latifundio. ‖ *s. com.* ② Persona que posee uno o más latifundios: *los latifundistas contratan a jornaleros y arrendatarios.*

latigazo *s. m.* ① Golpe dado con un látigo u otro objeto parecido. ② Sonido del látigo al golpear o al restallar en el aire: *la fiera se amilanó al oír los latigazos.* ③ Dolor agudo, breve y momentáneo: *sentí un latigazo en la rodilla.* ④ *familiar* Sacudida que se siente al recibir una pequeña descarga eléctrica: *al intentar arreglar el enchufe me dio un latigazo.* ⑤ Hecho inesperado que produce un gran daño moral o que sirve de estímulo a alguien: *la noticia del accidente fue un latigazo para toda la familia.* ⑥ *familiar* Trago de una bebida alcohólica. SIN lingotazo.

látigo *s. m.* ① Instrumento que consiste en un mango del que sale una cuerda o correa larga y flexible, que sirve para castigar con azotes o para avivar y hacer que se muevan las caballerías: *el domador de fieras suele utilizar un látigo para que las fieras le obedezcan.* ② Atracción de feria que consiste en una serie de coches o vagonetas unidas entre sí, que recorren un circuito y cuyas sacudidas en las curvas se asemejan a las del látigo. ③ Cuerda o correa con que se asegura la cincha.

usar el látigo Actuar severamente o con gran dureza: *el nuevo entrenador usará el látigo en el vestuario.*

FAM latigazo, latiguillo.

latiguillo *s. m.* ① Palabra o expresión que una persona repite constantemente al hablar: *no para de utilizar el latiguillo "¿me entiendes?", como si lo que dice fuera muy difícil de comprender.*

SIN muletilla. **2** Expresión efectista utilizada en exceso, hasta tal punto que pierde su fuerza y su significado y que demuestra pobreza de vocabulario: *la expresión "españolito de a pie" se ha convertido en un latiguillo.* **3** Recurso artificioso con que un actor u orador, exagerando expresiones o utilizando frases ya hechas, trata de provocar el aplauso.

latín *s. m.* **1** Lengua de la antigua Roma, hablada y extendida por todo el Imperio romano y de la que proceden las lenguas románicas: *la evolución del latín vulgar dio lugar a las lenguas románicas, como el español, el gallego y el catalán, entre otras; el latín clásico es el que utilizaban los escritores del siglo de oro latino, en la época de Cicerón y César Augusto.* **2** Palabra o frase en lengua latina empleada en español. **NOTA** Más en plural.
  saber latín Ser muy inteligente y astuto: *ese gato sabe latín.*
  FAM latinajo, latinismo.

latinajo *s. m.* despectivo Palabra o frase latina, especialmente la que se cita con pedantería: *el joven replicó "minus quam muscae sumus" y la mujer le pidió que se dejara de latinajos y que hablara claro.*

latinidad *s. f.* **1** Cultura latina, basada en el carácter de lo latino. **2** Conjunto de pueblos de origen latino, que tienen en común aspectos étnicos, geográficos, culturales o lingüísticos.

latinismo *s. m.* Palabra, giro o expresión que conserva su forma latina y ha sido introducida en una lengua actual por vía culta: *las expresiones "ex profeso", "ad hoc" y "grosso modo" son latinismos.*
  FAM latinista.

latinista *s. com.* **1** Persona versada en la lengua, la literatura y la cultura latinas: *Antonio de Nebrija fue un experto latinista y gramático de finales del siglo XV.* ‖ *adj.* **2** Relativo a los latinismos.

latinización *s. f.* **1** Difusión de las costumbres, lengua y cultura latinas con el fin de incorporarlas a pueblos de otro origen: *la latinización del territorio español llegó con la expansión del Imperio romano.* **2** Acción que consiste en dar forma latina a voces o giros de otra lengua.

latinizante *adj.* Que imita la lengua, la cultura o las costumbres latinas o lo que se considera propio de ellas: *rasgos latinizantes; un gusto latinizante.*

latinizar *v. tr.* **1** Extender o propagar en un lugar la lengua y la cultura del Imperio romano o lo que se considera propio de él: *el pensamiento renacentista latinizó la cultura de la época.* **2** Dar forma latina a una palabra o a un texto que no lo son: *los humanistas antiguos solían latinizar su apellido.*
  FAM latinización, latinizante.

latino, -na *adj.* **1** Relativo al latín: *gramática latina; clásicos latinos.* ‖ *adj./s. m. y f.* **2** Se aplica a la persona o pueblo cuya lengua y cultura derivan del latín: *América latina; España, Francia, Italia y Portugal son naciones latinas; de los latinos se dice que somos gente sociable.* **3** Se aplica a la Iglesia romana, de lengua latina, por oposición a la griega: *los ritos latinos son diferentes de los de la Iglesia ortodoxa.* ‖ *adj.* **4** Del Lacio (región de Italia). ‖ *s. m. y f./adj.* **5** Persona que es del Lacio. ‖ *adj.* **6** Se aplica a la cruz que tiene el brazo horizontal más corto y divide al vertical en una parte superior más corta y una inferior más larga: *un crucifijo tiene forma de cruz latina.* **7** Se aplica a la vela de forma triangular de algunas embarcaciones ligeras. **8** Se aplica a la embarcación que tiene una vela rectangular y a sus aparejos.
  FAM latinidad, latinizar, latinoamericano; grecolatino, neolatino.

latinoamericano, -na *adj.* **1** De Latinoamérica (conjunto de países de América que fueron colonias de países europeos de origen latino, es decir, de España, Francia y Portugal): *historia latinoamericana.* ‖ *s. m. y f./adj.* **2** Persona que es de Latinoamérica: *los mexicanos son los latinoamericanos del norte.*

latir *v. intr.* **1** Moverse con ritmo el corazón o las arterias por los movimientos de contracción y dilatación: *subió las escaleras corriendo y su corazón latía muy deprisa.* **2** Manifestarse una cosa no material, estar muy viva y presente, pero sin mostrarse al exterior: *un fuerte deseo latía en su pecho.*
  FAM latido.

latitud *s. f.* **1** Distancia angular que hay desde un punto de la superficie de la Tierra hasta el paralelo del ecuador; se mide en grados, minutos y segundos sobre los meridianos: *Lugo está a 43 grados de latitud norte; las regiones climáticas de la Tierra se distribuyen en función de la latitud.* **2** Distancia astronómica desde el plano de la órbita hasta un punto de la esfera celeste o del círculo galáctico, hacia uno de los polos: *la latitud es positiva si la estrella se encuentra en el hemisferio norte y negativa si se encuentra en el hemisferio sur.* **3** Región o localidad, considerados respecto a su distancia con el ecuador: *la vegetación varía según la latitud.* **4** Extensión de un espacio geográfico: *la isla tenía una latitud de menos de dos kilómetros cuadrados.* **5** En un cuerpo de dos dimensiones, la menor de ellas. **SIN** anchura. **ANT** longitud. ‖ *s. f. pl.* **6** **latitudes** familiar Lugar desacostumbrado o alejado: *no esperaba verte por estas latitudes.*
  FAM latitudinal.

lato, -ta *adj.* **1** culto Que es extenso o dilatado: *era dueño de un lato territorio.* **2** Se aplica al sentido que, por extensión de su significado, no es el que estricta y literalmente le corresponde: *en la frase "hemos organizado un banquete de ochenta cubiertos", la palabra "cubiertos" se utiliza en sentido lato para referirse a los comensales.*
  FAM latitud.

latón *s. m.* Aleación de cobre y cinc, de color amarillo o dorado, dúctil y maleable, que se pule y brilla con facilidad: *los apliques de ese mueble son de latón.*

latoso, -sa *adj./s. m. y f.* Se aplica a la persona o a la cosa fastidiosa, pesada o molesta: *¡qué chico más latoso, déjame en paz!; las migrañas son muy latosas.*

latrocinio *s. m.* Hurto o robo, especialmente el que se comete contra bienes públicos: *el fraude fiscal es una forma de latrocinio.*

laúd *s. m.* **1** Instrumento musical antiguo de cuerda, formado por una caja de resonancia ovalada y abombada por la parte trasera, seis pares de cuerdas, y cuyo clavijero forma un ángulo muy pronunciado con el mango, que es corto. **2** Embarcación pequeña de velas triangulares.

laudable *adj.* culto Digno de alabanza: *en su discurso mencionó los laudables esfuerzos de sus predecesores.* **SIN** loable, encomiable.

láudano *s. m.* **1** Preparación farmacéutica compuesta de opio, azafrán, vino blanco y otras sustancias, que se emplea como calmante. **2** Extracto de opio.

laudatorio, -ria *adj.* culto Que alaba algo o a alguien o contiene alabanza: *tuvo palabras laudatorias para su maestro.*

laudes *s. f. pl.* Oficio religioso diario del clero católico, posterior a maitines y anterior a la prima, que se celebra al principio de la mañana.

laudo *s. m.* Fallo, sentencia o decisión que dicta un árbitro o juez mediador: *con el laudo finalizan muchas de las discordias entre empresarios y trabajadores.*

laurear *v. tr.* **1** Coronar con laurel: *en aquella pintura los ángeles laureaban al héroe.* **2** Premiar o galardonar: *la Academia laureó a Miguel Delibes.* **3** Condecorar a un militar con la cruz de San Fernando.
FAM laureado.

laurel *s. m.* **1** Árbol siempre verde, de tronco liso, hojas duras, permanentes y lanceoladas de color verde oscuro, brillantes y de olor agradable, y fruto pequeño y redondo de color negro: *el laurel tiene propiedades medicinales.* **2** Hoja de este árbol, usada como condimento: *mi madre echa siempre laurel a sus guisos.* **3** Premio o fama que resulta de un éxito o un triunfo: *los laureles de la victoria.* **NOTA** Generalmente en plural con el mismo significado que en singular.
dormirse en los laureles Abandonarse, descuidarse en una actividad que se había emprendido, por estar satisfecho con los resultados ya obtenidos y confiar demasiado en el éxito.
FAM lauredal.

laurencio [también **lawrencio**] *s. m.* Elemento químico de símbolo *Lr* y número atómico 103; es un metal artificial muy radiactivo.

laurisilva *s. f.* Bosque compuesto por árboles de hoja perenne, como el laurel y otras especies afines; es propio de climas subtropicales oceánicos y se caracteriza por una elevada humedad relativa, la continua presencia de niebla y una temperatura prácticamente constante a lo largo de todo el año: *en La Gomera se localizan los más espectaculares bosques de laurisilva del mundo.*

lava[1] *s. f.* Material pastoso, derretido o en fusión, de origen magmático, que emite un volcán en erupción a elevadas temperaturas y que llega a la superficie terrestre formando corrientes incandescentes: *las rocas efusivas están formadas por la lava solidificada.*

lava[2] *s. f.* Operación de lavar los metales.

lavable *adj.* **1** Que se puede lavar: *las pinturas al agua dejan una película lavable y resistente a los agentes atmosféricos.* **2** Se aplica a la prenda o al tejido que se puede lavar sin riesgo a que se encoja o se destiña.

lavabo *s. m.* **1** Pila fija, de porcelana o de cerámica, con uno o más grifos y un desagüe, que suele estar en el cuarto de baño y se usa sobre todo para lavarse las manos, la cara y los dientes. **2** Habitación destinada al aseo personal, en la que, además de esta pila, suele haber un váter, una ducha y un bidé: *el lavabo está al fondo del pasillo.* **SIN** aseo, retrete, servicio. **3** En un establecimiento público, lugar donde se encuentran el váter y la pila para lavarse las manos: *los lavabos de esa cafetería dejan mucho que desear.* **NOTA** Más en plural.

lavadero *s. m.* **1** Lugar donde se lava la ropa: *a las afueras del pueblo había un lavadero donde las mujeres se reunían; el lavadero de mi casa da a un patio interior.* **2** Pila para lavar ropa, normalmente de cemento. **3** Lugar de una mina donde se lavan los minerales, especialmente las arenas que contienen oro: *los lavaderos de oro estaban al pie de la montaña.* **4** AMÉR. Paraje de un río donde se recogen arenas auríferas y en el que se separa el mineral de los materiales de desecho.

lavado *s. m.* **1** Acción que consiste en lavar o limpiar una cosa con agua, o con agua y jabón o detergente, o en lavarse uno mismo: *el lavado de la ropa; después del lavado va el acla-*rado; *me ha salido gratis el lavado del coche.* **2** Limpieza o reparación de manchas morales como las culpas y las ofensas: *confesando sus pecados consiguió un lavado de conciencia.* **3** Pintura a la acuarela hecha con un solo color.

lavado de cerebro Acción psicológica sistemática que se ejerce sobre una persona para imponerle unas ideas y transformar su mente de una manera determinada.

lavado de estómago Operación de limpieza del estómago que consiste en hacer pasar por él agua con medicamentos para contrarrestar o eliminar las sustancias dañinas: *el niño tragó detergente y tuvieron que hacerle un lavado de estómago en el hospital.* **FAM** prelavado.

lavadora *s. f.* Máquina para lavar la ropa, generalmente automática.

lavafrutas *s. m.* Recipiente con agua que se pone en la mesa para lavar las frutas que se comen con piel. **OBS** Plural invariable.

lavamanos *s. m.* **1** Recipiente, generalmente en forma de bol, que se llena con agua y limón y se pone en la mesa para lavarse los dedos: *después de comer marisco, se lavó los dedos en el lavamanos.* **2** Pila pequeña para lavarse las manos, consistente en un depósito de agua con un caño y una llave. **OBS** Plural invariable.

lavanda *s. f.* **1** Planta arbustiva de tallo leñoso, hojas pequeñas y finas de color verde grisáceo y flores en espiga, de color azul y muy aromáticas. **SIN** espliego, lavándula. **2** Flor de esta planta, de la cual se extraen los aceites esenciales que sirven para elaborar el agua de lavanda. **3** Semilla de esta planta, usada para producir humo aromático. **4** Líquido elaborado con la esencia de las flores y las hojas de esta planta.

lavandera *s. f.* Ave insectívora de pico largo y recto, vientre blanco o amarillo y cuello, pecho, alas y cola negros o grisáceos; existen varias especies que habitan en Europa y Asia septentrional y emigran al norte de África, a Asia central y a la Península Ibérica en invierno. **SIN** aguzanieves.

lavandería *s. f.* Establecimiento en el que se lava ropa.

lavandero, -ra *s. m. y f.* Persona que se dedica a lavar ropa.
FAM lavandería.

lavándula *s. f.* Lavanda (planta).

lavaplatos *s. com.* **1** En un restaurante u otro establecimiento de hostelería, persona que se dedica a lavar platos. I *s. m.* **2** Lavavajillas (máquina). **OBS** Plural invariable.

lavar *v. tr.* **1** Limpiar una cosa con agua, o con agua y jabón o detergente: *lávate las manos con agua y jabón.* **2** Limpiar con agua los minerales. **3** Purificar, quitar un defecto, mancha o descrédito del honor o de la conciencia, como una culpa o un agravio: *el caballero quería lavar la ofensa con sangre.* **4** Dar color o sombra a un dibujo con tinta diluida en agua: *el pintor lavó el dibujo para difuminar algunos detalles.* I *v. intr.* **5** En un tejido, prestarse a ser lavado con facilidad o dificultad: *las prendas de algodón lavan muy bien.*
FAM lavable, lavabo, lavacoches, lavadero, lavado, lavadora, lavafrutas, lavamanos, lavandero, lavativa, lavatorio, lavavajillas, lavazas, lavotear.

lavativa *s. f.* **1** Líquido que se inyecta en el intestino introduciéndolo por el ano, utilizado para provocar la evacuación o con otros fines terapéuticos o analíticos. **SIN** enema. **2** Instrumento que se emplea para inyectar este líquido: *la lavativa es como una pera de goma.*

lavatorio *s. m.* **1** Acción de lavar o lavarse. **2** Ceremonia católica que consiste en lavar los pies a doce personas en la misa de Jueves Santo, que recuerda a Jesucristo lavando los pies a sus apóstoles. *en el lavatorio, el sacerdote lava los pies a doce hombres como símbolo de la humildad predicada por Jesús.* **3** Líquido preparado con sustancias medicinales que se usa para limpiar una parte del cuerpo: *el boticario preparó un lavatorio y limpió las llagas del herido.* **4** AMÉR. Palangana o jofaina donde se vierte el agua para lavarse la cara y las manos: *se inclinó sobre el lavatorio.* **5** ARG., C. RICA Bidé. **6** ARG., CHILE, EL SALV., MÉX., PAR., PERÚ, URUG. Lavabo (recipiente para lavarse, generalmente instalado en el cuarto de baño). **7** CHILE Fregadero de cocina.

lavavajillas *s. m.* **1** Máquina automática para lavar platos, vasos y otros utensilios de cocina. SIN lavaplatos. ‖ *adj./s. m.* **2** Se aplica al producto detergente que sirve para lavar platos, vasos y otros utensilios de cocina. OBS Plural invariable.

lavazas *s. f. pl.* Agua con la suciedad de lo que se ha lavado en ella.

lavotear *v. tr.* Lavar una cosa deprisa y mal, de manera que no queda completamente limpia. FAM lavoteo.

lawrencio [se pronuncia 'laurencio'] *s. m.* Laurencio.

laxante *adj./s. m.* Se aplica al medicamento o alimento que facilita la evacuación: *las verduras son laxantes; compró un laxante en la farmacia.* ANT astringente.

laxar *v. tr.* **1** Aflojar o soltar una cosa tensa o disminuir la tensión de algo: *después de lanzar la flecha, laxó el arco; un masaje será bueno para laxarte los músculos.* **2** Aflojar el vientre, de modo que se facilite la evacuación: *las ciruelas son buenas para laxar el vientre.* FAM laxante, laxo.

laxitud *s. f.* **1** Cualidad de lo que está flojo o no tiene la tensión adecuada: *después del baño me invadió una gran laxitud.* **2** Conducta libre o relajada, o falta de firmeza de una persona: *la laxitud de su conducta es fruto de la actual crisis de valores.*

laxo, -xa *adj.* **1** Que está flojo o que no tiene la tensión adecuada: *después del ejercicio, dejad los músculos laxos y relajaos; los cabos están laxos: hay que tensarlos o las velas se caerán.* ANT tenso, tirante. **2** Se aplica a la moral o a la conducta que es demasiado libre y relajada o que no es firme ni severa o estricta: *su conducta revela una disciplina laxa.* FAM laxitud.

lay *s. m.* Composición poética en provenzal o en francés medieval, que narra una leyenda o historia de amor, generalmente en versos cortos.

laya¹ *s. f.* Pala de hierro con el mango de madera que se usa para remover la tierra. FAM layar.

laya² *s. f.* despectivo Clase, calidad o condición de una persona o una cosa.

lazada *s. f.* **1** Nudo que se deshace fácilmente tirando de una de las puntas o cabos: *se ató los zapatos con doble lazada para que no se le aflojaran.* **2** Cada uno de los círculos o anillas que quedan al hacer ese nudo. **3** Lazo de adorno.

lazar *v. tr.* **1** Coger, apresar o sujetar una cosa con un lazo: *preparó la cuerda para lazar conejos.* **2** MÉX. Enlazar. FAM lazada; enlazar, entrelazar.

lazareto *s. m.* **1** Recinto sanitario donde se observa y se somete a tratamiento a personas que han contraído o pueden haber contraído una enfermedad contagiosa. **2** Hospital de leprosos. SIN leprosería. **3** En una granja o clínica veterinaria, establecimiento en el que se tienen a los animales puestos en cuarentena.

lazarillo *s. m.* **1** Persona que sirve de guía a un ciego. **2** Perro que sirve de guía a un ciego. NOTA También *perro lazarillo.* **3** Persona o animal que guía a otra necesitada de ayuda.

lazo *s. m.* **1** Nudo que se deshace fácilmente tirando de una de las puntas o cabos: *la dependienta cerró el paquete y lo ató haciendo un lazo con la cuerda.* SIN lazada. **2** Adorno de cinta que imita este nudo u otro más elaborado, especialmente el que sirve para sujetar o adornar el pelo: *el traje de novia llevaba un enorme lazo en la espalda.* **3** Cosa que imita la forma de este nudo: *lazo de hojaldre; lazo de flores.* **4** Unión o relación con una persona o cosa: *lazos de amistad; ¿qué lazo te une a él?* SIN vínculo. **5** Corbata ancha que se anuda con dos lazadas junto al cierre del cuello: *el lazo se utilizaba mucho antiguamente.* **6** Nudo corredizo de alambre que sirve como trampa para animales, sobre todo conejos: *la caza con lazos está prohibida.* **7** Cuerda gruesa con un nudo corredizo en un extremo que sirve para cazar o sujetar animales: *utilizó el lazo para coger y derribar a los caballos y toros salvajes.* **8** Ardid o trampa: *sus enemigos le tendieron un lazo.*

echar (o tender) el lazo Atrapar a alguien: *no pensabas casarte pero María te echó el lazo, ¿eh?* FAM lacería, lazar.

lazulita *s. f.* Mineral compuesto de fosfato de aluminio y magnesio, de color violeta o azul intenso.

lazurita *s. f.* Mineral compuesto de silicato de aluminio, sodio, calcio y azufre; es de color azul y es el principal constituyente del lapislázuli.

LDR *s. m.* Componente electrónico cuya resistencia varía en función de la cantidad de luz que incide sobre él.

le *pron.* **1** Forma átona del pronombre de tercera persona, en género masculino y femenino y en número singular, que realiza la función de complemento indirecto: *le entregó la carta.* **2** Forma átona del pronombre de tercera persona, en género masculino y número singular, con función de complemento directo y aplicado a una persona: *—¿Visteis ayer a mi hijo? —Sí, le vimos.* SIN lo. OBS Se escribe unido al verbo cuando se pospone a él: *escúchale.*

leal *adj.* **1** Se aplica a la persona que merece confianza porque es firme en sus afectos e ideas y no engaña ni traiciona: *siempre ha sido una amiga leal.* SIN fiel. ANT desleal. **2** Se aplica a la palabra o al acto que se dice o se hace con firmeza y sinceridad: *lo consoló con palabras leales.* ANT falso, hipócrita, desleal. **3** Se aplica al animal que muestra obediencia y docilidad a su dueño y le sigue fielmente: *el perro y el caballo son animales leales.* SIN fiel. ANT desleal. ‖ *adj./s. com.* **4** Se aplica a la persona que es partidaria fiel de otra, o de un grupo o institución: *los soldados leales al presidente defendieron el palacio; los leales a la causa se mantuvieron siempre fieles a sus convicciones.* ANT desleal, traidor. FAM lealmente, lealtad; desleal.

lealtad *s. f.* **1** Firmeza en los afectos y en las ideas que lleva a no engañar ni traicionar a los demás: *la lealtad de una conducta; la lealtad es una gran virtud.* SIN fidelidad. ANT deslealtad. **2** Comportamiento de una persona o animal que guarda la máxima fidelidad, que no engaña. SIN fidelidad. ANT deslealtad.

leasing *s. m.* Contrato de arrendamiento de bienes de equipo, como máquinas, herramientas, etc., en el que se prevé la opción de compra por parte del arrendatario al finalizar el mismo: *muchas empresas comienzan con la maquinaria y el local contratado en leasing.*

lebrato *s. m.* Liebre de corta edad.

lebrel *adj./s. m.* Se aplica al perro largo y delgado, que tiene el labio superior y las orejas caídas y las patas retiradas hacia atrás: *lebrel afgano; lebrel árabe; los lebreles son muy veloces y se usan para la caza.*

lebrillo *s. m.* Vasija, normalmente de barro vidriado, y de forma redondeada, más ancha por el borde que por el fondo, y que se usa sobre todo para lavar y fregar.

lección *s. f.* ① Conjunto de conocimientos o explicaciones que puede enseñar un maestro en una clase y sobre una materia determinada: *la lección de hoy trata de la generación del 27.* ② Cada una de las partes en que está dividido un libro de texto: *en el examen entra hasta la lección siete.* SIN tema. ③ Parte de una asignatura o materia que el alumno debe tener estudiada: *la profesora nos ha puesto mucha lección para mañana.* ④ Explicación oral sobre un tema que da una persona: *todos alabaron su lección sobre Cervantes al ingresar en la Real Academia.* ■ **lección magistral** Lectura o exposición hecha con maestría y solemnidad por una reconocida autoridad en un tema concreto, y que tiene lugar con motivo de un acontecimiento señalado. ⑤ Experiencia o ejemplo que sirve de enseñanza o de escarmiento, normalmente para aprender una cosa que se ha hecho y que estaba mal: *su obra es una lección de sinceridad; aquel suceso le sirvió de lección.* ⑥ Fragmento de texto sagrado que se lee o canta en la liturgia cristiana.

dar una lección Hacer comprender a una persona un defecto que tiene o un error que ha cometido, para que le sirva de escarmiento: *la vida se encargará de darle una lección a ese egoísta; nos dio una lección de humildad que no olvidaremos jamás.*

tomar la lección Escuchar la lección el maestro al alumno para comprobar si ha aprendido lo que debía.

leccionario *s. m.* Libro que contiene las lecturas de la misa o de los oficios religiosos.

lechada *s. f.* Masa clara de cal, yeso o argamasa empleada en trabajos de construcción o para blanquear.

lechal *adj./s. m.* Se aplica al animal que todavía mama, especialmente referido al cordero: *ternera lechal; cordero lechal; carne de lechal.* SIN recental.

lechazo *s. m.* Cordero lechal.

leche *s. f.* ① Sustancia líquida de color blanco que se crea en las mamas de las hembras de los mamíferos, y que sirve para alimentar a sus hijos; la de algunos animales, especialmente la de la vaca, se destina al consumo humano y de ella se obtiene queso, yogur, mantequilla y otros derivados: *la leche materna es un alimento muy equilibrado; la leche y sus derivados son la principal fuente de calcio alimentario.* ■ **leche condensada** Líquido blanco y espeso que se obtiene industrialmente evaporando leche y azúcar y que se reconstituye como leche al añadirle agua. ■ **leche entera** Leche que conserva todas sus sustancias nutritivas, incluidas las grasas, después de tratarla industrialmente. ■ **leche frita** Dulce que se prepara con una masa de leche, harina y azúcar, y se reboza con harina y huevo antes de freírlo en la sartén. ■ **leche merengada** Bebida refrescante que se prepara con le-

che, huevo, azúcar y canela: *la leche merengada y la horchata me gustan bien frías.* ② Líquido blanco que segregan algunos vegetales. ③ Líquido más o menos concentrado que se obtiene macerando determinadas semillas en agua y luego machacándolas: *la leche de almendras se usa en alimentación y cosmética.* ④ Crema líquida de color blanco que se utiliza como cosmético: *leche limpiadora; leche hidratante.* ⑤ familiar Golpe que recibe o da una persona: *menuda leche le arreó su padre por levantarle la voz.* ⑥ familiar Cosa muy molesta o fastidiosa: *es una leche tener que trabajar los fines de semana.* SIN rollo. ⑦ vulgar Semen. ‖ *int.* ⑧ **¡leche!** Se usa para expresar asombro o fastidio: *¡leche, ya me he olvidado otra vez las llaves!*

a toda leche familiar A toda velocidad o con mucha prisa: *tomó la curva a toda leche.*

de leche (I) Se aplica al animal hembra criado para aprovechar su leche y destinarla a la producción: *vacas de leche.* SIN lechero. (II) Se aplica al animal que todavía mama o que aún está en la primera dentición. (III) Se aplica al diente que es de la primera dentición: *hasta los ocho o nueve años la especie humana solamente posee 20 dientes (dentición de leche).*

de la leche familiar Magnífico, extraordinario: *se ha comprado un equipo de música de la leche.*

la leche familiar Cosa que causa asombro o indignación: *es la leche: ha vuelto a subir el paro.*

mala leche (I) familiar Mala intención: *le dio un sopapo con toda su mala leche.* (II) familiar Mal humor: *tu hermano siempre está de mala leche.*

tener leche familiar Ser muy afortunado: *¡qué leche tienes, te han vuelto a salir tres comodines!*

una leche vulgar Nada: *sin gafas no veo una leche.*

FAM lechada, lechal, lechazo, lechero, lechón, lechoso.

lechera *s. f.* Vasija para guardar, servir o transportar la leche.

lechería *s. f.* Establecimiento en el que se vende leche: *en las lecherías se pueden encontrar también productos lácteos como la mantequilla, el yogur o la nata.*

lechero, -ra *adj.* ① Relativo a la leche: *la industria lechera es muy importante en Asturias y Galicia.* ② Que tiene leche o alguna de sus propiedades: *cardo lechero.* ③ Se aplica al animal hembra criado para aprovechar su leche y destinarla a la producción: *vaca lechera.* ‖ *s. m. y f.* ④ Persona que se dedica a vender o repartir leche.

FAM lechera, lechería.

lecho *s. m.* ① culto Cama para dormir o descansar: *lecho conyugal; lecho de muerte; el matrimonio dormía en un magnífico lecho.* ② Capa de un material preparada sobre el suelo para que el ganado duerma o descanse: *el buey se recostó sobre un lecho de paja.* ③ Cauce de un río, o depresión del terreno por donde corre un curso de agua: *un gran barco dragador limpiará de arenas el lecho del río y lo hará más profundo.* ■ **lecho de inundación** Lecho que se forma debido a la crecida o desbordamiento de un río, que inunda los terrenos circundantes. ④ Fondo del mar o de un lago: *limpiaron el lecho del pantano.* ⑤ Porción de una cosa extendida horizontalmente, encima de la cual se puede poner otra: *he puesto la carne sobre un lecho de verdura.* ⑥ Masa mineral o estrato geológico. ⑦ Especie de banco en que los romanos y los orientales se reclinaban para comer.

lechón, -chona *s. m.* ① Cerdo que todavía mama. SIN cochinillo. ‖ *s. m. y f.* ② Cerdo de cualquier edad. SIN gorrino, marrano, puerco.

lechoso, -sa *adj.* ① Que se parece a la leche, o tiene alguna de sus propiedades, como el color: *las cremas hidratantes son lechosas.* **2** Se aplica al vegetal o a la planta que contiene un jugo blanco semejante a la leche: *los higos son frutos lechosos.*

lechuga *s. f.* Planta hortense, de hojas grandes, verdes y comestibles, que se utiliza para hacer ensaladas. **FAM** lechuguino.

lechuguino, -na *adj./s. m. y f.* **1** despectivo Se aplica a la persona joven que presume de madurez y que para hacerlo se viste con excesiva elegancia y se comporta afectadamente: *se cree que todo el mundo lo admira y no es más que un lechuguino.* | *s. m.* **2** Lechuga pequeña, antes de ser trasplantada.

lechuza *s. f.* **1** Ave rapaz nocturna más pequeña que el búho, de cara redonda, pico corto y encorvado, ojos grandes con el iris amarillo y plumaje blanco y leonado con manchas pardas; se alimenta principalmente de roedores. **SIN** coruja. **2** CHILE Tiro de dinamita que por cualquier causa no hace explosión en el taladro en que ha sido cargado.

lectivo, -va *adj.* Se aplica al día o al periodo de tiempo que se destina a la actividad docente: *esta semana tiene solamente tres días lectivos.*

lector, -ra *adj./s. m. y f.* **1** Se aplica a la persona que lee o que tiene afición por la lectura: *desde pequeño fue un lector entusiasta de novelas de terror; en las cartas al director se expresa la opinión de los lectores del diario.* | *s. m. y f.* **2** Profesor adjunto a una universidad o escuela extranjeras para la enseñanza de su lengua materna: *Luisa pasó un año como lectora de español en una universidad inglesa.* **3** Persona que se dedica a leer los textos recibidos en una editorial y a dar una opinión sobre ellos, la cual se valorará a la hora de publicarlos o no. | *s. m.* **4** Aparato electrónico que permite reproducir o transformar las señales grabadas en bandas o discos magnéticos. ■ **lector óptico** Aparato electrónico que interpreta caracteres escritos o impresos y los convierte en códigos digitales: *el lector óptico sirve para leer los códigos de barras.* **5** Aparato electrónico que proyecta en una pantalla lo que está escrito en microfilmes o microfichas: *el lector reproductor permite ver los documentos almacenados en microfilmes y obtener copias de las partes que interesan.* **6** Clérigo que ha recibido el lectorado (segunda de las órdenes menores). **FAM** lectorado.

lectorado *s. m.* **1** Cargo o función del profesor adjunto a una universidad o escuela extranjeras para la enseñanza de su lengua materna: *ocupó un lectorado durante dos años en una universidad inglesa.* **2** Segunda de las órdenes menores eclesiásticas, que antiguamente permitía a un clérigo leer la Escritura en las funciones litúrgicas y bendecir el pan y los nuevos frutos, y en el rito actual, leer las profecías del sábado de Pascua y de Quincuagésima.

lectura *s. f.* **1** Actividad que consiste en interpretar y descifrar, mediante la vista, el valor fónico de una serie de signos escritos, ya sea mentalmente o en voz alta: *los niños disfrutan con la lectura de historias fantásticas.* **2** Texto u obra que se lee o que ha de leerse: *este mes el profesor nos ha puesto muchas lecturas.* **3** Interpretación del sentido de un texto, una obra o de un hecho concreto: *hizo una lectura muy particular de la obra completa de Cervantes.* **4** Actividad que consiste en descifrar e interpretar el significado de cualquier tipo de signo: *la adivina hizo una lectura pesimista de los presagios.* **5** Exposición oral ante un tribunal de un trabajo de investigación o un ejercicio: *la lectura de la tesis es el último paso antes de obtener el título de*

doctor. **6** Operación de acceso para extraer una información almacenada en la memoria de un ordenador y transmitirla a un registro exterior, reproducirla o visualizarla: *el disco duro está estropeado y no permite la lectura de los archivos.* **7** Comprensión o reproducción de un mensaje codificado o grabado: *¿han pasado ya a hacer la lectura del contador de la luz?* **8** Erudición o cultura de una persona: *es un hombre de mucha lectura.* **NOTA** Más en plural.

LED *s. m.* Diodo de unión que se utiliza para representar de forma analógica los números en las pantallas de las calculadoras.

leer [20] *v. tr./intr.* **1** Interpretar el significado de una serie de signos escritos, ya sea mentalmente o en voz alta, pasando la vista por encima de ellos: *mi hijo está aprendiendo a leer; en clase de solfeo aprendió a leer partituras.* **2** Descifrar e interpretar cualquier tipo de signo: *dice que sabe leer las líneas de la mano; ha aprendido a leer los labios.* **3** Pronunciar en voz alta un texto escrito: *ahora te toca leer a ti; nos leyó un fragmento de la novela.* **4** Adivinar una intención o el significado de algo a partir de determinadas señales: *aunque dices que no me quieres, lo puedo leer en tu mirada.* **5** Exponer y defender en público y ante un tribunal un trabajo de investigación o un ejercicio: *mañana leerá la tesis doctoral.* **6** Reproducir o visualizar información almacenada en la memoria de un ordenador: *solamente se pueden leer los datos desde el disco duro porque la disquetera no funciona.* **7** Interpretar o entender el sentido de una cosa de una manera determinada: *leer el valor de una resistencia; leer mapas.* **FAM** leído; releer.

legación *s. f.* **1** Representación de un gobierno, ejercida en el extranjero en función y cargo diplomático: *le enviaron en legación para negociar con las autoridades militares.* **2** Edificio de la representación diplomática: *la policía aumentó la vigilancia en la legación británica.* **3** Cargo de legado, o tiempo que dura este. **4** Misión o mensaje que lleva un legado: *el presidente había enviado una legación pidiendo la paz.*

legado *s. m.* **1** Bien material que una persona deja en testamento a otra: *el hijo quiso conservar el legado de su padre.* **SIN** herencia. **2** Cosa espiritual o material, especialmente cultura, ideas o tradiciones, que se transmite a alguien: *el legado del Imperio romano ha marcado la cultura occidental.* **SIN** herencia. **3** Persona enviada por una autoridad para que actúe en su nombre en un asunto: *el príncipe acudió a la ceremonia como legado del rey.* **4** En la antigua Roma, ciudadano (generalmente senador) que era enviado a los territorios recién conquistados para asesorar a un procónsul romano.

legajo *s. m.* Conjunto de papeles, generalmente atados, por estar relacionados entre sí y tratar sobre un mismo asunto.

legal *adj.* **1** Relativo a la ley o al derecho: *el fiscal emprendió una acción legal contra los estafadores.* **2** Que se ajusta a la ley o está conforme con ella: *para hacer la declaración de la renta has de cumplir unos requisitos legales; el curso legal de una moneda.* **ANT** ilegal. **3** Se aplica a la persona responsable y puntual en el cumplimiento de un deber: *los acusados aseguran haber sido siempre legales trabajadores.* **4** familiar Se aplica a la persona que merece confianza porque es firme en sus afectos e ideas y no engaña ni traiciona: *no te preocupes, Jaime es un tío legal.* **FAM** legalidad, legalismo, legalizar; ilegal.

legalidad *s. f.* **1** Cualidad de lo que es legal o que está conforme con lo que la ley establece: *investigaron la legalidad de* *sus actos; los negocios del banquero estaban fuera de la legalidad.* **ANT** ilegalidad. **2** Sistema de leyes vigente en un país.

legalismo *s. m.* **1** Tendencia o actitud de quien antepone a todo la aplicación estricta de las leyes: *por su extremado legalismo odiaba las recomendaciones.* **2** Formalidad o detalle legal, que normalmente obstaculiza o condiciona la plena resolución de una cosa.
FAM legalista.

legalista *adj./s. com.* Que antepone a todo la aplicación literal de las leyes: *los modelos legalistas no atienden a las situaciones personales.*

legalización *s. f.* **1** Acción que consiste en hacer legal una cosa: *el parlamento debatió la legalización del aborto.* **2** Confirmación de la autenticidad de una firma o documento: *los notarios son los encargados de la legalización de los testamentos.*

legalizar *v. tr.* **1** Hacer legal una cosa: *muchos inmigrantes intentan legalizar su situación.* **2** Confirmar la autenticidad de una firma o documento: *el notario legalizó la firma de los herederos.*
FAM legalización.

légamo *s. m.* **1** Cieno, lodo o barro. **2** Parte arcillosa de las tierras de cultivo.

legaña *s. f.* Secreción sebácea de las glándulas situadas en los párpados que se cuaja en el borde de estos, generalmente durante el sueño: *hoy me he levantado con los ojos llenos de legañas.*
FAM legañoso.

legañoso, -sa *adj./s. m. y f.* Se aplica a la persona o al animal que tiene muchas legañas: *se lavó los ojos legañosos; eres un dormilón y un legañoso.*

legar *v. tr.* **1** Disponer una persona en testamento que otra reciba un bien material: *le legó todas sus propiedades a él solo.* **2** Transmitir una cosa, especialmente cultura, ideas o tradiciones, a alguien: *legó su obra a la posteridad; los romanos legaron su cultura a las naciones latinizadas.* **3** Enviar a una persona en representación de otra: *el presidente legó al ministro para que le sustituyera en la reunión.*
FAM legación, legado, legajo, legatario; relegar.

legatario, -ria *s. m. y f.* Persona a quien se deja algo en testamento: *el legatario es el beneficiario del legado otorgado por el testador.*

legato *s. m.* Ejecución de una serie de notas musicales consecutivas sin pausas ni interrupciones entre unas y otras.
SIN ligado.

legendario, -ria *adj.* **1** Relativo a las leyendas: *Ulises es un héroe legendario; Marco Polo viajó por tierras legendarias.* **2** Famoso, muy conocido: *hicieron una plaza en nombre del legendario guardameta Ricardo Zamora.* **‖** *s. m.* **3** Libro de leyendas o de vidas de santos: *mi profesora de literatura tiene un legendario auténtico del siglo XVI.*

legible *adj.* Que se puede leer: *el impreso debe rellenarse con una letra legible, en mayúsculas o de imprenta.* **ANT** ilegible.
FAM legibilidad; ilegible.

legión *s. f.* **1** Cuerpo principal del ejército de la Roma antigua, formado por la infantería y la caballería: *las legiones romanas estaban formadas por cuerpos de unos 6 000 hombres.* **2** En el ejército actual, cuerpo especial de tropa formado por soldados extranjeros o voluntarios, que normalmente actúa en una misión determinada: *la legión es propia de los ejércitos español y francés.* **3** Muchedumbre: *una legión de admiradores.*
FAM legionario.

legionario, -ria *adj.* **1** Relativo al cuerpo militar de la legión: *el general legionario dirigía la misión.* **‖** *s. m. y f.* **2** Soldado de una legión: *los legionarios participaron en las tareas de pacificación.*

legionela *s. f.* **1** Bacteria que provoca en el ser humano fiebre y procesos respiratorios graves, como neumonía y congestión, y a veces la muerte. **2** Enfermedad contagiosa causada por esta bacteria: *la legionela se conoce también como "enfermedad del legionario".*

legislación *s. f.* **1** Conjunto de leyes por las cuales se gobierna un estado o se regula una materia determinada: *legislación laboral; legislación criminal.* **2** Ciencia de las leyes: *asiste a un curso de legislación financiera.* **3** Acción que consiste en legislar: *la legislación es la tarea propia de los parlamentos.*

legislador, -ra *adj./s. m. y f.* Se aplica a la persona o al organismo que legisla o se ocupa de la legislación.

legislar *v. intr.* Hacer o establecer leyes: *los órganos encargados de legislar en España son el Congreso y el Senado.*
FAM legislación, legislador, legislativo, legislatura.

legislativo, -va *adj.* **1** Se aplica al organismo que tiene la misión o la facultad de hacer leyes: *los parlamentos de las comunidades autónomas son asambleas legislativas.* **2** Que está relacionado con los organismos que legislan y especialmente con el parlamento: *elecciones legislativas; poder legislativo.* **3** Que está relacionado con la legislación o con las personas que legislan: *cuerpo legislativo; reforma legislativa.*

legislatura *s. f.* **1** Tiempo durante el que funcionan los cuerpos legislativos de un estado: *según la Constitución española, la duración máxima de una legislatura es de cuatro años.* **2** Conjunto de órganos legislativos que actúan durante este periodo: *la anterior legislatura no abordó ninguna reforma constitucional.*

legista *s. com.* Persona experta en leyes o que se dedica a dar o recibir clases de jurisprudencia: *la legalidad del procedimiento ha sido criticada por los legistas.*

legítima *s. f.* Parte de la herencia que la ley reserva a los herederos forzosos como, por ejemplo, los hijos.

legitimación *s. f.* **1** Adquisición del carácter o condición de legítimo: *tras la dictadura vino la legitimación democrática.* **2** Confirmación o certificación de la autenticidad de un documento, o de que una cosa cumple las condiciones indicadas por la ley. **3** Capacitación legal para que una persona ejerza un cargo o desempeñe una función. **4** Reconocimiento de un hijo natural como legítimo.

legitimar *v. tr.* **1** Convertir en legítima a una persona o una cosa: *no se pueden legitimar esas acciones violentas.* **2** Confirmar o certificar la autenticidad de un documento, o que una cosa cumple las condiciones indicadas por la ley: *el notario legitimó el contrato.* **3** Autorizar o capacitar a una persona para ejercer una función o un cargo: *la licenciatura te legitima para presentarte a esas oposiciones; su victoria electoral le legitima como nuevo presidente.* **4** Reconocer como legítimo al hijo natural: *al contraer matrimonio legitimaron al hijo que habían tenido unos años antes.*
FAM legitimación.

legitimidad *s. f.* Carácter o condición de legítimo: *todas sus actuaciones rozaban los límites de la legitimidad.*

legitimista *adj./s. com.* Partidario de una persona o dinastía distinta de la que reina, por considerarla con más derecho a ocupar el trono.

legítimo, -ma *adj.* **1** Que es conforme a la ley: *legítima defensa; el heredero exigió sus legítimos derechos; ¿qué condiciones debe reunir una huelga para que sea legítima?* **SIN** legal, lícito. **ANT** ilegal, ilegítimo, ilícito. **2** Se aplica al hijo natural de un matrimonio legítimo. **3** Que es auténtico o verdadero: *están comprobando si es un Goya legítimo.* **ANT** falso, ilegal, ilegítimo. **4** Que es como tiene que ser y no se puede censurar: *todos reconocieron que sus peticiones eran legítimas.s* **SIN** justo, lícito. **FAM** legítima, legitimar, legitimario, legitimidad, legitimista.

lego, -ga *adj.* **1** Que no tiene experiencia o conocimientos de determinada materia: *lo siento, soy lego en la materia; no me lo preguntes a mí, soy lego en matemáticas.* **|** *adj./s. m. y f.* **2** Se aplica al cristiano que no pertenece al clero ni a ninguna orden religiosa. **SIN** laico, seglar. **3** En un convento, religioso o religiosa que no ha recibido las órdenes sagradas, y que se dedica, generalmente, a las faenas domésticas.

legrado *s. m.* Operación quirúrgica que consiste en raspar, con un instrumento cortante, la superficie de un órgano o de algo que está adherido a él: *debido al aborto tuvieron que practicarle un legrado del útero.* **SIN** raspado.

legrar *v. tr.* Raspar un hueso o la superficie de un órgano o de algo que está adherido a él. **FAM** legrado.

legua *s. f.* Medida de longitud que equivale a 5 572 metros. **a la legua** o **a una legua** o **a cien leguas** A gran distancia o de forma muy evidente: *se nota a la legua que pretende engañarnos.*

leguleyo, -ya *s. m. y f.* despectivo Persona que se dedica a cuestiones legales: *menos mal que me defendía un gran abogado y no un simple leguleyo.*

legumbre *s. f.* **1** Fruto o semilla que crece en el interior de una vaina formando una hilera con otras iguales: *las lentejas, las judías, los garbanzos y los guisantes son legumbres.* **SIN** leguminoso. **2** Planta que se cultiva en huerto, especialmente la de fruto en vaina, que se consume fresca, como la judía o el guisante. **SIN** hortaliza.

leguminoso, -sa *adj./s. f.* **1** Se aplica a la planta que tiene fruto en legumbre o vaina, con varias semillas en su interior, y flores en forma de mariposa, como la acacia o la retama: *la acacia y la retama son plantas leguminosas como los garbanzos y los guisantes, pero sus frutos no se comen; la judía es una leguminosa.* **|** *s. f. pl.* **2 leguminosas** Grupo taxonómico, con categoría de familia, constituido por estas plantas: *las leguminosas pertenecen a la clase de las dicotiledóneas.*

lehendakari *s. m.* Presidente del Gobierno autónomo vasco: *el candidato socialista a lehendakari inició su campaña en Bilbao.*

leído, -da *adj.* Se aplica a la persona que tiene gran cultura y erudición por haber leído mucho: *es una mujer muy leída y puedes hablar con ella de cualquier tema.* **leído y escribido** *fam. desp.* Expresa que una persona es culta y que presume de sus conocimientos.

leísmo *s. m.* Fenómeno gramatical que consiste en el uso incorrecto de las formas *le* y *les* del pronombre personal en función de complemento directo, en lugar de *lo* y *los*; no se considera incorrecto cuando *le* se refiere a personas del género masculino (*a Álex, le vi ayer*): en *"me he comprado un cuadro, míralo", "mírale" es un caso de leísmo*, en lugar de *míralo*. **FAM** leísta.

leísta *adj./s. com.* Se aplica a la persona que practica el leísmo al hablar: *muchas personas del centro de España son leístas; durante el Siglo de Oro había escritores leístas.*

leitmotiv o **leit motiv** [se pronuncia aproximadamente 'leitmotif'] *s. m.* **1** Melodía o idea fundamental de una composición musical que se va repitiendo y desarrollando de distintas formas a lo largo de toda la composición: *el leitmotiv es una invención de Liszt, y consiste en la identificación de un tema musical con un personaje concreto.* **2** Idea o motivo central de un discurso u obra literaria, que se repite a lo largo de él: *el leitmotiv del relato es la crisis de valores.*

lejanía *s. f.* **1** Estado o situación de una zona o lugar que está o se ve lejos: *el jinete se perdió en la lejanía; ¿cómo se logra crear la sensación de lejanía en un cuadro?* **2** Distancia muy grande entre dos puntos: *la lejanía entre nuestras ciudades impide que nos veamos a menudo.* **ANT** cercanía, vecindad.

lejano, -na *adj.* **1** Que está lejos o a mucha distancia en el espacio o en el tiempo: *en un futuro más o menos lejano; aquello ocurrió en tiempos lejanos; llegó de una ciudad lejana.* **SIN** distante. **ANT** cercano. **2** Se aplica al parentesco o semejanza que no tiene vínculos directos o firmes: *en un pueblo tan pequeño todos deben de ser parientes, aunque lejanos.* **FAM** lejanía.

lejía *s. f.* Sustancia líquida incolora, compuesta de agua y sales alcalinas, de olor fuerte, y que se usa para poner blanca la ropa y para desinfectar y limpiar: *la lejía se obtiene haciendo reaccionar cloro con sosa cáustica.*

lejísimos *adv.* Superlativo de *lejos.*

lejos *adv.* A gran distancia en el espacio o en el tiempo: *Australia está muy lejos de España; los días de la infancia están ya lejos.* **a lo lejos** A mucha distancia en el espacio o en el tiempo: *el cielo estaba raso y solamente una nube se veía a lo lejos.* **de** (o **desde**) **lejos** A gran distancia: *no veo bien de lejos; de lejos parecía otra cosa; yo soy de lejos de aquí.* **lejos de + infinitivo** Sirve para introducir una expresión que indica que lo que sucede o lo que se hace es todo lo contrario a lo que ese infinitivo expresa: *lejos de mejorar, el enfermo empeoró.* **sin ir más lejos** Se utiliza para indicar que precisamente algo que se ha citado o que es un referente cercano puede servir como ejemplo o prueba de lo que se está hablando, sin tener que recurrir a otros menos inmediatos: *tu hermano, sin ir más lejos, fue uno de los que me dijeron que vendrías.* **FAM** lejano; alejar. **OBS** Superlativo irregular: *lejísimos.*

lelo, -la *adj.* **1** familiar Atontado o pasmado: *el beso me dejó lelo.* **|** *adj./s. m. y f.* **2** familiar Se aplica a la persona que tiene poca capacidad de entendimiento y se comporta torpemente, sin ninguna viveza: *sus hermanos son dos lelos que no se enteran de nada.* **FAM** alelar.

lema *s. m.* **1** Frase que expresa un pensamiento que rige la conducta o el comportamiento de una persona o comunidad: *mi lema es: "no hay que desanimarse nunca"; "limpia, fija y da esplendor" es el lema de la Real Academia Española, fundada en 1713.* **SIN** regla. **2** Contraseña que identifica al autor de una obra que se presenta a concurso, y cuyo nombre no se hace público hasta después del fallo del jurado: *presentó su novela bajo el lema "Rosa del desierto" y luego resultó ser un famoso escritor.* **3** Palabra que encabeza un artículo de diccionario y que es la que se define: *el lema aparece siempre en un tipo de letra*

distinto, para que resalte. **4** Frase de un escudo o emblema: *el lema de la bandera brasileña es "ordem e progresso".* **5** Resumen o explicación del asunto que precede a la obra en la que se desarrolla: *cada capítulo de «El Quijote» empieza con unos lemas muy divertidos.* **6** Tema de un discurso: *el lema de la reunión era la ayuda al Tercer Mundo.* **7** Proposición que hay que demostrar antes de establecer un teorema matemático.
FAM dilema.

lemario *s. m.* Conjunto de lemas o entradas de un diccionario o una enciclopedia.

lemming [se pronuncia aproximadamente 'lemin'] *s. m.* Roedor de orejas y cola muy cortas y pelo espeso, parecido a una rata, que habita en las regiones del norte de Europa.

lemosín, -sina *adj.* **1** De Lemosín (región de Francia) o de Limoges (su capital). | *s. m. y f./adj.* **2** Persona que es de Lemosín o Limoges. | *s. m./adj.* **3** Variedad dialectal del provenzal hablada en la región de Lemosín. | *s. m.* **4** En la Edad Media, palabra con que se hacía referencia al conjunto de las lenguas provenzal, catalán, valenciano y mallorquín.

lémur o **lemur** *s. m.* **1** Nombre de varios mamíferos primates arborícolas que se caracterizan por su larga cola, sus cuatro extremidades terminadas en manos y su cara semejante a la de un perro; se alimentan de frutos e insectos y son exclusivos de Madagascar y las islas Comores. | *s. m. pl.* **2 lémures** o **lemures** Genios maléficos mitológicos de la antigua Roma. **3** Fantasmas o duendes.

lenar *s. m.* En geología, formación rocosa característica de zonas cársticas y solubles y que presenta una erosión superficial de la roca debida a la acción del agua. **SIN** lapiaz.

lencería *s. f.* **1** Ropa interior y ropa para dormir femenina: *lencería fina.* **2** Establecimiento en el que se hace o se vende este tipo de ropa. **3** Ropa blanca para la mesa, la cama o el baño: *para la lencería del hogar prefiero el algodón a los tejidos acrílicos.* **4** Establecimiento en el que se hace o se vende este tipo de ropa.

lendrera *s. f.* Peine de púas finas y espesas que sirve para limpiar el cabello de las liendres o huevos de los piojos.

lengua *s. f.* **1** Órgano muscular blando, carnoso y movible que se encuentra en el interior de la boca de los animales vertebrados; interviene en la masticación y la deglución de los alimentos y en la articulación de sonidos: *la posición de la lengua en la boca hace pronunciar unos sonidos u otros.* **2** Cosa estrecha y larga, de forma similar a la de este órgano: *una lengua de tierra; una lengua de fuego.* ■ **lengua de gato** Galleta o trozo de chocolate de forma alargada, similar a la de este órgano. ■ **lengua glaciar** Parte del glaciar de un valle donde la masa de hielo forma como un río que desciende lentamente hacia su parte terminal. **3** Sistema de signos orales y escritos que utiliza una comunidad de hablantes para comunicarse: *la lengua es el instrumento de comunicación de una colectividad más o menos amplia que ha desarrollado una cultura propia y una literatura que funciona como modelo lingüístico.* **SIN** idioma. ■ **lengua de oc** Lengua romance, o conjunto de sus dialectos, hablada en el sur de Francia, que los trovadores usaron como lengua poética en la Edad Media: *la lengua de oc se caracteriza por el uso del adverbio de afirmación "oc", que se corresponde con el adverbio "oui" del francés actual.* **SIN** occitano. ■ **lengua de oíl** Lengua romance, o conjunto de sus dialectos, hablada en el norte de Francia, de cuya unificación surgió la actual lengua francesa: *la lengua de oíl se considera el francés antiguo; la lengua de oíl se caracteriza por el uso del adver-*

bio de afirmación "oïl", que se corresponde con el adverbio "oui" del francés actual. ■ **lengua extranjera** Lengua que no es propia del país del hablante: *el estudio de las lenguas extranjeras es beneficioso para conocer otras culturas.* **SIN** segunda lengua. ■ **lengua madre** Lengua de cuyo tronco derivan otras: *el latín es la lengua madre de las lenguas románicas.* ■ **lengua materna** (**I**) Lengua que se habla en el país en que ha nacido el hablante: *el español es su lengua materna, pero habla otros cuatro idiomas.* (**II**) Lengua que una persona aprende en su entorno familiar y mediante la cual se comunica normalmente: *el español es la lengua materna de muchos estadounidenses.* ■ **lengua muerta** Lengua que ya no se habla y de la que se conservan textos escritos, como el latín, el griego clásico y el sánscrito. ■ **lengua viva** Lengua que se habla actualmente: *el ruso y el japonés son lenguas vivas; el latín era una lengua viva durante el Imperio romano.* ■ **lenguas hermanas** Lenguas que derivan de un mismo tronco común: *el castellano, el italiano, el francés y el portugués son lenguas hermanas, porque derivan todas ellas del latín.* ■ **segunda lengua** (**I**) Lengua que se aprende en segundo lugar y que no se usa como propia o principal: *el inglés es mi segunda lengua.* (**II**) Lengua que no es propia del país del hablante: *estudiaba los problemas de adquisición de segundas lenguas.* **SIN** lengua extranjera. **4** Capacidad de hablar o de escribir característica de un grupo de personas, de un autor, de una región o de un periodo determinados: *la lengua del Renacimiento es de una riqueza extraordinaria; la lengua de Berceo tiene rasgos riojanos.* **SIN** habla, lenguaje. **5** Badajo de una campana, que cuelga en su interior y hace que suene: *desde aquí arriba no se ve la lengua de la campana.*

darle a la lengua familiar Hablar mucho: *se pasaron toda la mañana dándole a la lengua.*

haber comido lengua familiar Se utiliza para indicar que alguien habla mucho o que tiene mucha disposición para hablar: *parece que hayas comido lengua.*

hacerse lenguas Alabar mucho a una persona o una cosa: *no para de hacerse lenguas de lo bien que le trataron allí.*

irse de la lengua familiar Hablar una persona más de lo debido o revelar algo inconscientemente: *Ana se fue de la lengua y desveló que le estábamos preparando una fiesta de cumpleaños a Pedro.*

lengua afilada o **lengua viperina** Manera de hablar de las personas aficionadas a criticar y a hablar mal de los demás: *con su lengua viperina no dejó títere con cabeza.*

lengua de estropajo o **lengua de trapo** o **media lengua** Persona que pronuncia incorrecta o deficientemente: *de pequeña le llamaban "lengua de trapo" porque no sabía hablar bien.*

malas lenguas Gente murmuradora, que critica y habla mal de los demás: *las malas lenguas dicen que mis vecinos se van a divorciar.*

morderse la lengua Contenerse una persona para no decir algo que le gustaría decir: *tuve que morderme la lengua para no recordarle que había sido él quien se había equivocado.*

tener la lengua larga familiar Tener facilidad en hablar de más, en decir inconveniencias o en ser poco discreto: *tu hermana tiene la lengua muy larga, y no le pienso contar ningún secreto más.*

tirar de la lengua familiar Hacer que una persona hable, especialmente para que cuente una cosa que debería callar: *le tiró de la lengua y él acabó explicándole el problema que tenía.*
FAM lenguaje, lenguaraz, lengüeta, lengüetazo; deslenguado, trabalenguas.

lenguado *s. m.* Pez marino de cuerpo ovalado y muy aplanado, que tiene los ojos muy juntos agrupados en uno de los lados de la cara, y cuya carne es muy apreciada.

lenguaje *s. m.* **1** Capacidad propia del ser humano para expresar pensamientos y sentimientos por medio de un sistema de signos orales y escritos: *el cerebro es responsable del aprendizaje, de la memoria, del pensamiento y del lenguaje.* **2** Sistema de signos utilizado por el ser humano para el desarrollo de esta capacidad, o por los animales para desarrollar su propia capacidad de comunicación: *las personas sordas utilizan el lenguaje de las manos para expresar sus ideas y sus sentimientos; es muy interesante estudiar el lenguaje de las abejas y de los delfines.* **3** Manera de hablar o de expresarse característica de una persona o de un grupo: *el lenguaje científico; el lenguaje estudiantil; el lenguaje periodístico.* **4** Medio que sirve para transmitir algo, especialmente una idea o un sentimiento: *el lenguaje de la música; el lenguaje de la danza; tuvieron que utilizar el lenguaje de las armas.* **5** Conjunto de caracteres, símbolos informáticos y reglas de combinación de estos, que permite crear programas informáticos que un ordenador puede interpretar: *hay dos tipos de lenguajes: los de alto nivel y los de bajo nivel.* **NOTA** También *lenguaje de programación.*
FAM metalenguaje.

lenguaraz *adj./s. com.* Se aplica a la persona que habla con descaro e insolencia: *es una chica lenguaraz y bastante grosera.*

lengüeta *s. f.* **1** Objeto, mecanismo o instrumento cuya forma, delgada y alargada, recuerda a una lengua: *la lengüeta de un cepo; este edificio tiene lengüetas de yeso en su fachada.* **2** Tira de cuero que llevan algunos zapatos, que sirve para atarlos sin dañar el pie y para reforzar el empeine: *la lengüeta protege todo el empeine.* **3** Lámina pequeña, elástica, de caña o metal, situada en la embocadura de algunos instrumentos musicales de viento que, al vibrar, produce el sonido.

lengüetazo *s. m.* Movimiento hecho con la lengua al lamer o al coger algo con ella: *el camaleón cazó a la mosca de un lengüetazo.*

lengüetear *v. intr.* familiar AMÉR. Hablar mucho, sin sustancia o sin claridad: *muchos políticos lengüetean.*

lenidad *s. f.* Blandura en exigir el cumplimiento de un deber o en castigar una falta: *la lenidad policial contribuye al aumento de los delitos callejeros.*

lenificar *v. tr.* **1** Suavizar o hacer más blando o moderado, especialmente la irritación de un tejido orgánico. **2** Aliviar o mitigar un padecimiento: *es la lectura apropiada para lenificar tus penas.*
FAM lenificación.

leninismo *s. m.* Doctrina política y económica que toma como base el pensamiento de Lenin (revolucionario y estadista ruso, 1870-1924); está basada en el marxismo y constituyó la rama ortodoxa del comunismo soviético.
FAM leninista.

leninista *adj.* **1** Relativo al leninismo. | *adj./s. com.* **2** Se aplica a la persona que es partidaria del leninismo.

lenitivo, -va *adj./s. m.* **1** Se aplica al medicamento o remedio que mitiga un dolor, físico o moral, o que alivia una irritación: *le recetaron una crema lenitiva; compró un lenitivo en la farmacia para los picores.* | *adj.* **2** culto Que sirve para aliviar un sufrimiento o una inquietud: *necesitaba la presencia lenitiva de su amada.*

lenocinio *s. m.* culto Actividad que consiste en mediar para hacer posibles relaciones amorosas o sexuales ocultas: *en la «Tragicomedia de Calixto y Melibea» la Celestina practica el lenocinio.*

lente *s. amb.* **1** Pieza de cristal o de otro material transparente, con las caras cóncavas o convexas, que se usa en determinados instrumentos ópticos: *los microscopios, los telescopios y las cámaras fotográficas funcionan con lentes; tuve que cambiar una lente de las gafas.* ■ **lente bicóncava** Lente que tiene dos caras cóncavas opuestas. ■ **lente biconvexa** Lente que tiene dos caras convexas opuestas. ■ **lente convergente** Lente que hace converger los rayos paralelos que pasan a través de ella. ■ **lente de contacto** Lente muy pequeña y delgada, de plástico o de cristal, que se aplica directamente sobre la córnea y sirve para corregir algún defecto de la vista: *llevo lentes de contacto porque son muy cómodas.* SIN lentilla, microlentilla. ■ **lente divergente** Lente que hace que diverjan los rayos paralelos que pasan a través de ella. ■ **lente planocóncava** Lente que tiene una cara plana opuesta a una cara cóncava. ■ **lente planoconvexa** Lente que presenta una cara plana opuesta a una cara convexa. | *s. m. pl.* **2 lentes** Conjunto de dos cristales colocados en una montura, que se apoya en la nariz y se sujeta con unas patillas detrás de las orejas, y que sirve para corregir algún defecto de la vista: *el anciano se puso los lentes para leer el periódico.* SIN gafas.
FAM lentilla.

lenteja *s. f.* **1** Planta leguminosa de tallos débiles y ramosos, hojas compuestas y flores blancas, cuya semilla, pequeña, de forma redondeada y aplanada, y de color marrón, es comestible: *la lenteja es una planta anual que se cultiva desde la antigüedad.* **2** Fruto de esta planta, compuesto por una vaina alargada y aplastada en cuyo interior están las semillas: *la lenteja se recoge cuando su vaina está seca.* **3** Semilla de esta planta: *en invierno solemos comer muchas lentejas.*

lenteja de agua Planta que se desarrolla sobre aguas dulces y estancadas, y cuyas ramas y hojas tienen la forma de esta semilla.
FAM lentejuela.

lentejuela *s. f.* Laminilla redonda y de material brillante, que se cose como adorno en algunos vestidos: *la cantante apareció con grandes plumas y un ceñido vestido de lentejuelas.*

lenticular *adj.* **1** Que tiene forma convexa por ambos lados, como la semilla de una lenteja: *ha cambiado los cristales lenticulares de sus gafas.* | *s. m.* **2** Huesecillo del oído medio, situado detrás del tímpano.

lentilla *s. f.* Lente de contacto. SIN microlentilla.
FAM microlentilla.

lentisco *s. m.* Arbusto de hojas perennes, flores pequeñas de color amarillento a rojo oscuro, fruto esférico primero rojo y luego negro, y madera rojiza utilizada en ebanistería.

lentitud *s. f.* Tardanza con que ocurre o se ejecuta una cosa: *pedaleaba con lentitud para disfrutar del paisaje; la lentitud exasperante de un atasco.* ANT rapidez.

lento, -ta *adj.* **1** Se aplica a la persona o la cosa que va despacio o que invierte mucho tiempo en realizar algo: *andaban con paso lento; repitieron las imágenes a cámara lenta.* ANT rápido. **2** Se aplica a la persona que no es rápida para comprender o que hace las cosas con mucha tranquilidad: *es muy lenta para tomar decisiones, dale tiempo.* **3** Se aplica a la acción o al suceso que tarda mucho o demasiado en llegar a su desenlace: *tuvo una muerte lenta; es una película demasiado lenta.*

L

ANT rápido. **4** Se aplica al fuego que actúa con poca intensidad o fuerza en la cocción de un alimento: *has de cocer el arroz a fuego lento para que no se pegue.* **||** *s. m.* **5** Tiempo musical que se ejecuta despacio. **6** Composición o parte de una composición que tiene este tiempo. **||** *adv.* **7** familiar De manera lenta: *la comitiva caminaba muy lento; come más lento o te atragantarás.* **SIN** despacio, lentamente.
FAM lentitud.

leña *s. f.* **1** Conjunto de troncos, ramas y trozos de madera seca para hacer fuego: *tengo que cortar leña para la chimenea.* **2** familiar Golpes o palos que se dan como castigo: *en la manifestación hubo mucha leña.*
echar leña al fuego Hacer que una situación conflictiva lo sea todavía más: *la discusión se iba haciendo cada vez más violenta, porque los vecinos no dejaban de echar leña al fuego.*
hacer leña del árbol caído Alegrarse una persona de la mala o difícil situación en que ha caído otra, o sacar provecho de ello.
llevar leña al monte Dar a alguien algo que tiene en abundancia y no necesita.
FAM leñador, leñera, leñoso.

leñador, -ra *s. m. y f.* Persona que se dedica a cortar o vender leña del bosque.

leñazo *s. m.* familiar Golpe o choque violento o muy fuerte: *es un inconsciente y un día se va a dar un leñazo con el coche.* **SIN** castañazo, trompazo.

¡leñe! *int.* familiar Expresión que indica enfado, fastidio o disgusto: *¡leñe, que me quemo!*

leñera *s. f.* Lugar donde se guarda la leña para el fuego.

leñero, -ra *s. m. y f.* **1** Persona que se dedica a vender leña. **||** *adj./s. m. y f.* **2** Se aplica al jugador que da patadas y hace entradas violentas a los jugadores contrarios, especialmente en el fútbol.

leño *s. m.* **1** Trozo grueso de árbol, cortado y sin ramas, para leña: *trae un par de leños, que el fuego se apaga.* **2** Parte sólida y consistente del tronco de los árboles, debajo de la corteza: *el pino tiene un leño de color marrón claro.* **3** Tejido vegetal formado por el conjunto de los vasos leñosos de una planta: *por el leño sube la savia desde las raíces hacia las hojas.* **4** familiar Persona de poco talento y torpe. **SIN** ceporro, zoquete, zote.
dormir como un leño familiar Dormir profundamente: *duerme como un leño y no se entera de nada.*

leñoso, -sa *adj.* **1** Se aplica a la parte de algunas plantas que es apretada y dura, como la madera: *el tallo de algunas plantas es leñoso; retira las partes leñosas de la piña antes de comértela.* **2** Se aplica al arbusto, planta o fruto que tiene la dureza y consistencia propias de la madera.

leo *adj./s. com.* Se aplica a la persona que ha nacido entre el 23 de julio y el 22 de agosto, tiempo en que el Sol, visto desde la Tierra, recorre la constelación de Leo, quinto signo del Zodiaco.
OBS Se escribe normalmente con mayúscula inicial. Plural invariable.

león, leona *s. m. y f.* **1** Mamífero felino, carnívoro, corpulento, de cabeza grande y pelo marrón rojizo; el macho tiene una larga melena: *los leones son propios de África; el león es más grande que la leona; el león es el rey de la selva.* **■ león de montaña** CHILE Puma. **2** Persona valiente, atrevida y decidida: *es un león para los negocios; es una leona llevando la empresa.*
león marino Mamífero carnívoro marino, semejante a una foca, pero más grande, que vive generalmente en grandes manadas en los mares fríos y se alimenta de peces: *el león marino macho tiene una larga cabellera en el cogote.*
FAM leonado, leonera, leonino.

leonado, -da *adj.* Que tiene un tono parecido al del pelo de los leones, marrón rojizo: *cabello leonado.*

leonera *s. f.* **1** familiar Habitación muy desordenada, en la que las cosas se arrinconan o amontonan: *ordena tu cuarto, que está hecho una leonera.* **2** Jaula o lugar en el que se encierran leones: *las leoneras de un circo.*

leonés, -nesa *adj.* **1** De León (ciudad y provincia de Castilla y León): *Astorga es una población leonesa; la catedral leonesa es una maravilla del gótico.* **||** *s. m. y f./adj.* **2** Persona que es de León: *mis padres son gallegos y yo soy leonés.* **||** *s. m./adj.* **3** Variedad del español hablada actualmente en las provincias de León, y en parte de Asturias, Cantabria, Zamora, Salamanca y Cáceres: *el leonés es un dialecto del castellano; sus abuelos saben hablar leonés.* **||** *adj.* **4** Relativo al antiguo reino de León: *León, Palencia, Salamanca, Valladolid y Zamora son provincias leonesas.* **||** *s. m./adj.* **5** Variedad lingüística medieval usada en Asturias y el antiguo reino de León: *hizo un estudio sobre el leonés en el siglo XIII.*
FAM asturleonés.

leonesismo *s. m.* **1** Amor o admiración por la cultura y las tradiciones de León. **2** Palabra o modo de expresión propio del español hablado en León y en parte de Asturias, Cantabria, Zamora, Salamanca y Cáceres. **3** Palabra o modo de expresión propio de la variedad lingüística medieval derivada del latín que se hablaba en León, Asturias y otras zonas.

leonino, -na *adj.* **1** Relativo al león. **2** Se aplica al contrato que es ventajoso solamente para una de las partes: *es un contrato leonino, pero no podemos elegir.*

leopardo *s. m.* Mamífero felino, carnívoro, de pelo amarillento y lleno de manchas negras, y el vientre claro; es muy rápido y ágil: *el leopardo es propio de África y Asia; el leopardo es más pequeño que un tigre.*

leotardo *s. m.* **1** Prenda de vestir femenina, parecida a unas medias pero hecha de un tejido más grueso, de punto de lana o algodón, que cubre las piernas desde los pies hasta la cintura y es muy ajustada: *en invierno llevo leotardos.* **NOTA** Más en plural con el mismo significado que en singular. **2** Prenda de vestir de tejido muy delgado y elástico, que se ajusta mucho al cuerpo: *el bailarín llevaba unos leotardos negros.*

lépero, -ra *adj./s. m. y f.* **1** AMÉR. CENTRAL, MÉX. Se aplica a la persona que es ordinaria, soez o poco decente. **||** *adj.* **2** CUBA Astuto, sagaz.

lepidóptero *adj./s. m.* **1** Se aplica al insecto que tiene dos pares de alas membranosas cubiertas de escamas, aparato bucal chupador, un par de antenas, ojos compuestos, y metamorfosis completa, como las mariposas y las polillas: *los lepidópteros, como las mariposas diurnas, presentan alas de colores brillantes.* **||** *s. m. pl.* **2 lepidópteros** Grupo taxonómico, con categoría de orden, constituido por estos insectos.

leporino, -na *adj.* **1** Relativo a la liebre. **2** Se aplica al labio hendido, a semejanza del de una liebre, por defecto de nacimiento.

lepra *s. f.* **1** Enfermedad infecciosa crónica, caracterizada por lesiones en la piel, nervios y vísceras: *la lepra provoca la aparición de manchas y heridas que no se cierran por todo el cuerpo.* **2** Mal moral que se extiende con rapidez y es difícil de controlar: *el racismo es una lepra que hay que exterminar.*
FAM leproso.

leprosería *s. f.* Hospital de leprosos. **SIN** lazareto.

leproso, -sa *adj./s. m. y f.* Se aplica a la persona que padece lepra: *antiguamente, los leprosos eran expulsados de las ciudades.* **FAM** leprosería.

lerdo, -da *adj./s. m. y f.* ① Se aplica a la persona que es lenta y torpe para hacer o comprender una cosa: *¡pero qué lerdo es!* ❙ *adj.* ② Se aplica a la caballería de paso lento y torpe: *un potrillo lerdo.*

leridano, -na *adj.* ① De Lérida (ciudad y provincia de Cataluña): *la fruta leridana es muy buena; hicieron un viaje por tierras leridanas.* **SIN** ilerdense. ❙ *s. m. y f./adj.* ② Persona que es de Lérida. **SIN** ilerdense.

les *pron.* Forma átona del pronombre de tercera persona, en género masculino y femenino y en número plural, que realiza la función de objeto indirecto: *les prestó el coche a sus vecinas.*
OBS Se escribe unido al verbo cuando se pospone a él: *enséñales ese truco.*

lesbianismo *s. m.* ① Atracción sexual que siente una mujer por otra. ② Práctica de relaciones sexuales entre mujeres.

lesbiano, -na *adj.* ① Lésbico. ❙ *s. f./adj.* ② Mujer que siente atracción sexual hacia otra mujer. **FAM** lesbianismo.

lésbico, -ca *adj.* Relativo al lesbianismo. **SIN** lesbiano.

lesión *s. f.* ① Daño físico causado por una herida, golpe o enfermedad: *tiene una lesión de espalda y no puede trabajar; el accidente le provocó lesiones múltiples.* ② Perjuicio, ofensa o daño moral: *cuando lo expulsaron de la asociación, lo consideró una lesión a su honor.* **SIN** agravio.
FAM lesionar.

lesionado, -da *adj.* Que sufre un daño físico causado por una herida, golpe o enfermedad: *los jugadores lesionados no podrán salir al terreno de juego.*

lesionar *v. tr.* ① Causar una lesión: *el golpe lesionó la rodilla izquierda del tenista; se ha lesionado un brazo, pero no es grave.* ② Perjudicar o producir un daño moral: *esa publicación lesiona el derecho a la intimidad de los famosos.*
FAM lesionado.

lesivo, -va *adj.* Que causa o puede causar daño o perjuicio: *la decisión del director es lesiva para mis intereses personales.* **SIN** perjudicial.

leso, -sa *adj.* ① culto Se aplica a la persona o institución que ha sido dañada o agraviada: *crimen de lesa patria.* **NOTA** En esta acepción, va antepuesto al sustantivo. **ANT** ileso. ② AMÉR. SUR Tonto, necio.
FAM lesivo; ileso.

letal *adj.* Que causa o puede causar la muerte: *los nazis utilizaban gases letales.* **SIN** mortífero.

letanía *s. f.* ① Serie de plegarias, cada una de las cuales es recitada o cantada por una persona y repetida, contestada o completada por las demás: *en la iglesia están rezando la letanía de la Virgen.* ② Serie, lista larga y aburrida o retahíla de palabras o frases: *empezó con la letanía de sus desgracias.* **SIN** retahíla.

letargo *s. m.* ① Estado de adormecimiento e inactividad en que se quedan algunos animales, como los reptiles, en las épocas frías del año. **SIN** aletargamiento. ② Estado de cansancio o adormecimiento en que se encuentra una persona a causa del sueño o de una enfermedad. **SIN** aletargamiento. ③ Estado de somnolencia o sopor muy profundo.
FAM letárgico; aletargar.

letón, -tona *adj.* ① De Letonia (país de Europa): *Riga es la capital letona.* ❙ *s. m. y f./adj.* ② Persona que es de Letonia. ❙ *s. m./adj.* ③ Lengua del grupo báltico hablada en Letonia. ❙ *adj.* ④ Relativo a esta lengua.

letra *s. f.* ① Signo gráfico con el que se representa en la escritura un fonema: *la palabra "mosca" tiene cinco letras.* ■ **letra de imprenta** Letra mayúscula y recta escrita a mano de la manera más clara posible: *por favor, rellene este impreso con letra de imprenta.* ■ **letra de molde** Letra que ha sido imprimida: *le gusta ver su nombre en letras de molde.* ■ **letra menuda** o **letra pequeña** Cláusula de un contrato que puede pasar desapercibida, como las escritas en un tipo menor que el texto principal: *tienes que fijarte bien en la pequeña antes de firmar.* ② Forma o estilo de escritura propio de una persona, época o lugar: *tiene una letra horrible y no se entiende nada de lo que pone.* ③ Texto de una pieza musical cantada: *¿puedes copiarme la letra de estas canciones?* ④ Documento por el que una persona se compromete a pagar una cantidad de dinero en una fecha determinada: *todavía me quedan por pagar tres letras del piso.* **NOTA** También *letra de cambio.* ⑤ Sentido exacto y literal de las palabras de un texto: *no te ciñas a la letra y busca también el sentido figurado.* ⑥ Cada pieza de imprenta que sirve para estampar una letra o figura: *tienes que limpiar tu máquina de escribir, las letras están grasientas.* ❙ *s. f. pl.* ⑦ **letras** Conjunto de conocimientos relacionados con las humanidades, como la lengua, la literatura, la filosofía y la historia, en oposición a ciencias exactas, físicas y naturales: *aún no sabe si estudiar letras o ciencias.* ⑧ Escrito de corta extensión, especialmente una carta: *te escribo unas letras para contarte como estoy.*
a la letra De la forma completa y fiel: *es un chico consecuente y cumple sus promesas a la letra.*
primeras letras Primera enseñanza: *aprendí mis primeras letras en una escuela rural.*
FAM letrado, letrero, letrilla; deletrear.

letrado, -da *adj.* ① Que es culto o instruido. **ANT** iletrado. ❙ *s. m. y f.* ② Persona legalmente autorizada para defender a sus clientes en juicio, representarlos o aconsejarlos. **SIN** abogado.
FAM iletrado.

letrero *s. m.* Breve conjunto de palabras escritas que sirven para dar una indicación, aviso o noticia de un lugar o de una cosa: *han puesto los letreros con el precio de la fruta.* **SIN** rótulo.

letrilla *s. f.* Composición poética de tono generalmente satírico, constituida por estrofas de versos octosílabos o hexasílabos que pueden rimar en asonancia o consonancia, a menudo compuesta por redondillas o quintillas, que presenta la forma de un villancico o romance acompañado de un estribillo: *la veta desenfadada de Góngora aparece en sus letrillas.*

letrina *s. f.* ① En determinados lugares, como en campamentos o cuarteles, lugar destinado a la defecación. **NOTA** Más en plural. ② Lugar sucio y repugnante: *toda la casa era una letrina.*

leucemia *s. f.* Enfermedad de la sangre caracterizada por un exceso de leucocitos o glóbulos blancos en la sangre: *la leucemia se puede curar con trasplantes de médula ósea.*
FAM leucémico.

leucémico, -ca *adj.* ① Relativo a la leucemia. ❙ *adj./s. m. y f.* ② Se aplica a la persona que padece leucemia.

leucocito *s. m.* Célula de la sangre de los vertebrados, incolora y esférica, que forma parte de los sistemas de defensa celular e inmunológico de los vertebrados: *llevamos millones de leucocitos en la sangre.* **SIN** glóbulo blanco.

leucoma *s. m.* Mancha blanca y opaca en la córnea del ojo.

leva *s. f.* **1** En mecánica, pieza que gira solidariamente con un eje, con el que está unida directamente o por medio de una rueda, y que al girar comunica su movimiento a otro mecanismo: *la leva se emplea para transformar un movimiento circular continuo en un movimiento rectilíneo alternativo; la rotación de la leva provoca el vaivén de la varilla.* **2** Reclutamiento para un servicio, especialmente el que se hace para el servicio militar o para servir en el ejército. **3** Salida de un barco del puerto. **4** familiar AMÉR. CENTRAL, CUBA Engaño o treta que se hace a una persona. **5** CUBA Americana (prenda de vestir masculina).

bajar la leva familiar BOL., CHILE Hacer daño a una persona.
cortar una leva familiar CUBA Hablar mal de una persona.
ponerse la leva familiar COL. Escaparse o huir de un sitio.
sobar la leva a alguien familiar EL SALV., HOND. Alabar o tratar de agradar a una persona para conseguir un favor o beneficio.

levadizo, -za *adj.* Se aplica al puente que se puede levantar mediante un dispositivo: *los castillos medievales tenían foso y puente levadizo.*

levadura *s. f.* **1** Nombre común por el que se conoce a distintas especies de hongos unicelulares que provocan la fermentación alcohólica de los hidratos de carbono, por lo que se utilizan en la elaboración del pan y de la cerveza. **2** Sustancia que hace fermentar los cuerpos con los que se mezcla: *levadura en polvo.*

levantamiento *s. m.* **1** Acción que consiste en mover a una persona o cosa de abajo hacia arriba: *levantamiento de pesos; los montes se formaron por el levantamiento del terreno.* **2** Construcción de una obra, especialmente de un edificio o de un monumento: *fueron necesarios cientos de años para el levantamiento de esta catedral.* **3** Rebelión de un grupo numeroso de personas contra una autoridad: *las clases obreras organizaron un levantamiento.* **SIN** alzamiento, motín, sublevación. **4** Suspensión de una pena o prohibición, llevada a cabo por una persona autorizada para ello: *el juez ha decidido que se proceda al levantamiento del castigo.* **5** Reconocimiento de un cadáver por un juez y un médico forense en el mismo lugar del hecho, que permite su traslado al lugar en el que se le vaya a realizar la autopsia: *procedieron al levantamiento del cadáver.*

levantar *v. tr.* **1** Mover de abajo hacia arriba: *levantó la mano porque quería hacer una pregunta; la persiana se levanta al tirar de la correa.* **2** Poner en un lugar más alto: *han levantado un poco la mesa; levantó al niño para darle un beso; se levantó la falda para cruzar el arroyo.* **SIN** alzar, subir. **3** Dirigir una cosa hacia arriba, especialmente la vista, la mirada o los ojos: *aunque le llamábamos, no quiso ni levantar la vista del libro que estaba leyendo.* **4** Poner en posición vertical una cosa que estaba caída, inclinada o en posición horizontal: *por favor, levanta la silla que se ha caído; el profesor de gimnasia les ordenó que se levantaran.* **SIN** incorporar. **5** Hacer un edificio, un monumento u otra obra de construcción: *han levantado esa casa en menos de dos meses.* **SIN** alzar, construir. **6** Aumentar la intensidad o el volumen de la voz: *no le levantes la voz a tu abuelo, que se merece un respeto.* **SIN** alzar. **7** Desmontar y recoger lo que estaba montado en un lugar: *levantaron el campamento y se marcharon de ahí.* **8** Hacer que un animal salga del lugar donde se esconde para cazarlo: *el perro levantó una liebre.*

9 Fortalecer o dar vigor a una cosa, especialmente el ánimo: *¡levanta ese ánimo!, no te vayas a hundir ahora.* **10** Hacer que se separe una cosa de una superficie: *el agua ha levantado el parqué del suelo; la pintura se ha levantado a causa de la humedad del apartamento.* **11** Ocasionar o producir una cosa: *se me ha levantado una ampolla en el talón; sus declaraciones han levantado mucha polémica.* **12** Crear un negocio o empresa, o hacer que vuelva a funcionar después de una crisis: *entre todos los socios levantaron la empresa.* **13** familiar Robar: *esos deben de ser los chorizos que le han levantado la cartera a tu hermano.* **14** Cortar o dividir la baraja de cartas en dos o más partes: *tú levantas la baraja y yo reparto.* **15** Superar el valor de una carta que está en juego: *no creo que puedas levantar mi rey de corazones.* **16** Poner fin a una pena, castigo o prohibición una persona autorizada para ello, antes de que transcurra el tiempo inicialmente marcado para su cumplimiento: *le levantaron la pena de muerte por intervención del rey.* **SIN** alzar. **17** Escribir un acta, para que conste sobre papel: *el notario levantó acta.* **18** Achacar maliciosamente algo falso a alguien: *no levantes falsos testimonios; levantó el rumor de que había estado en la cárcel.* **19** Dar por terminada una reunión de personas: *levantó la sesión hasta el día siguiente.* **20** Realizar o trazar un mapa o plano: *levantaron el plano del pueblo y sus alrededores.* **21** Provocar un estado de rebelión contra una autoridad: *con sus mensajes consiguieron levantar a todos los obreros contra el patrón; la muchedumbre se levantó pidiendo pan.* **SIN** amotinar, sublevar. ‖ *v. prnl.* **22** **levantarse** Dejar la cama tras el descanso habitual o después de una enfermedad: *se levantó a las seis de la mañana; todavía no se ha levantado de la siesta.* **23** Ponerse en pie: *al verla se levantó de la silla; no es necesario que se levante.* **24** Sobresalir una cosa en altura sobre una superficie: *el monte se levanta unos 2 000 metros sobre la llanura; en el horizonte se levantaban las cumbres nevadas.* **25** Sublevarse: *los estados de la Corona de Aragón se levantaron contra Felipe V, recelosos del centralismo del Borbón.* **26** Empezar a agitarse el mar o el viento: *se ha levantado viento sur.* **27** Aparecer el sol o un cuerpo celeste por el horizonte: *el sol se levanta por el este.* **28** Aclararse el día o las nubes: *las nubes se levantaron y brilló el sol.* **FAM** levantado, levantamiento, levante, levantisco.

levante *s. m.* **1** Punto cardinal situado en el lado donde nace el Sol. **NOTA** Se escribe normalmente con mayúscula inicial. **SIN** este, oriente. **2** Parte de un lugar situada hacia este punto: *Almería está en el levante andaluz.* **SIN** este, oriente. **3** Viento que sopla desde este punto: *soplaba un fuerte levante.* **SIN** este, oriente. **4** Región mediterránea española, especialmente la zona correspondiente a los antiguos reinos de Valencia y Murcia. **NOTA** Se escribe con mayúscula inicial. **FAM** levantino.

levantino, -na *adj.* **1** Del Levante español: *las costas levantinas tienen playas magníficas.* ‖ *s. m. y f./adj.* **2** Persona que es del Levante español.

levantisco, -ca *adj./s. m. y f.* Se aplica a la persona o grupo que no se somete al poder establecido y tiende a la rebelión: *tribu levantisca.* **SIN** rebelde, indómito, insumiso. **ANT** dócil, sumiso.

levar *v. tr.* Arrancar y levantar el ancla o las anclas del fondo del mar para hacerse a la mar un barco: *el capitán mandó levar anclas y zarpar rápidamente.* **FAM** leva, levadizo, levadura, levantar.

leve *adj.* **1** Que tiene poca importancia o gravedad: *una enfermedad leve; le perdonó porque había sido una falta leve.* **ANT** grave. **2** Que pesa poco: *es leve como una pluma.* **SIN** li-

gero, liviano. **ANT** pesado. **3** Se aplica al movimiento que es poco evidente, intenso o marcado: *me dirigió una sonrisa leve; su cojera es muy leve, casi nadie lo nota.* **4** Se aplica al perfume, al sabor o al viento que es suave y sutil: *a su paso dejaba una leve fragancia a rosas.* **5** Se aplica al trance que es soportable y llevadero: *la lectura hizo más leve su convalecencia.*
FAM levedad, levemente.

levedad *s. f.* **1** Cualidad de leve: *flotaba con la levedad de una pluma.* **SIN** ligereza, liviandad. **2** Poca importancia o escasa gravedad: *está en libertad por la levedad de sus delitos.* **SIN** liviandad.

leviatán *s. m.* Monstruo marino bíblico, inhumano y destructor, considerado la encarnación del demonio: *el leviatán se describe en el libro de Job.*

levita[1] *s. m./adj.* Israelita de la tribu de Leví, dedicada especialmente al culto religioso: *los levitas podían ser sacerdotes y ayudantes de la liturgia.*

levita[2] *s. f.* Prenda masculina con mangas, entallada y con faldones cruzados que llegan hasta la rodilla: *la levita fue una prenda muy en boga durante el siglo XIX.*
FAM enlevitado.

levitación *s. f.* Elevación y mantenimiento en el aire de una persona o cosa sin intervención de medios físicos conocidos: *este mago realiza un excelente número de levitación.*

levitar *v. intr.* Elevarse o mantenerse en el aire una persona o cosa sin que intervenga ningún fenómeno físico conocido: *dicen que los monjes budistas pueden levitar.*
FAM levitación.

levítico, -ca *adj.* **1** Relativo a los levitas: *ciudades levíticas.* **2** Que tiene carácter sacerdotal o está muy influido por el clero: *ambiente levítico.*

lexema *s. m.* Elemento de la palabra portador de una significación plena, que generalmente se mantiene invariable en todas las palabras de una misma familia: *el lexema de "pato" es "pat-", y el de "liberación" es "liber-".* **SIN** raíz.

lexicalización *s. f.* Procedimiento mediante el cual una interjección, una onomatopeya o un sintagma se convierte en unidad léxica, que funciona como una palabra: *en la frase "se oyó un miau en la noche" se ha dado una lexicalización.*

lexicalizar *v. tr.* Convertir una interjección, una onomatopeya o un sintagma en unidad léxica que funciona como una palabra: *muchas siglas, como "láser" y "sida", se han lexicalizado.*
FAM lexicalización.

léxico, -ca *adj.* **1** Relativo al léxico o vocabulario: *riqueza léxica de un escritor; se propuso realizar un estudio léxico del español de América.* ‖ *s. m.* **2** Conjunto de las palabras de una lengua: *el léxico del español es muy abundante; aunque sé mucha gramática, debo mejorar en el léxico para dominar el inglés.* **SIN** vocabulario. **3** Conjunto de palabras y expresiones propias de una región, de una actividad, de un periodo determinado, o de una persona, en especial un autor: *el léxico de Quevedo es muy culto; quiere estudiar el léxico de Toledo; en el léxico de la medicina hay muchos cultismos y tecnicismos.* **SIN** vocabulario. **4** culto Diccionario.
FAM lexicalizar, lexicografía, lexicología, lexicón.

lexicografía *s. f.* **1** Arte y técnica de elaborar diccionarios. **2** Parte de la lingüística que estudia los principios teóricos para la elaboración de diccionarios: *manual de lexicografía.*
FAM lexicográfico, lexicógrafo.

lexicográfico, -ca *adj.* Relativo a la lexicografía.

lexicógrafo, -fa *s. m. y f.* **1** Persona que se dedica a elaborar o redactar diccionarios: *un equipo de lexicógrafos está preparando un diccionario ideológico de la lengua española.* **SIN** diccionarista. **2** Persona experta en lexicografía: *los lexicógrafos estudian los principios teóricos para la elaboración de diccionarios.*

lexicología *s. f.* Parte de la lingüística que estudia el léxico, sus unidades y las relaciones entre ellas dentro del sistema de la lengua: *la lexicología es una ciencia que estudia el léxico de una lengua en su aspecto sincrónico, a diferencia de la semántica, que lo estudia en su aspecto diacrónico.*
FAM lexicológico, lexicólogo.

lexicológico, -ca *adj.* Relativo a la lexicología.

lexicólogo, -ga *s. m. y f.* Persona experta en lexicología o que se dedica a ella.

lexicón *s. m.* Léxico o diccionario, especialmente el de una lengua antigua.

ley[1] *s. f.* **1** Regla o norma establecida por una autoridad superior para mandar, prohibir o regular alguna cosa: *hay una ley que prohíbe utilizar productos tóxicos en algunos tipos de empresas.* ▪ **ley del talión** Ley que castiga a la persona que ha causado un daño con el mismo daño que ella provocó: *le aplicaron la ley del talión: ojo por ojo, diente por diente.* ▪ **ley marcial** Ley de orden público que rige durante el estado de guerra: *la ley marcial prohíbe reunirse en grupos por la noche.* ▪ **ley orgánica** Ley que se deriva directamente de la Constitución y que necesita la aprobación de una mayoría especial, determinada por cada Constitución: *la enseñanza pública se rige por una ley orgánica.* ▪ **ley sálica** Ley que impide reinar a las mujeres y sus descendientes: *Felipe V proclamó la ley sálica en 1713 para reglamentar la sucesión a la corona española.* ▪ **ley seca** Ley que prohíbe consumir bebidas alcohólicas y comerciar con ellas. **2** Conjunto de las leyes o normas establecidas: *todos los ciudadanos deben respetar la ley.* **3** Línea de conducta que regula cualquier actividad social y que no ha sido impuesta por ningún legislador: *en este pueblo la hospitalidad es ley.* **4** Conjunto de reglas y normas propias de una religión: *los judíos siguen la ley de Moisés.* **5** Religión, especialmente en lo referido a las reglas o normas morales y a los principios de conducta: *la ley islámica; la ley de Cristo está basada en el mandamiento de amar a Dios y al prójimo como a uno mismo.* **6** Línea de conducta basada en el interés individual, sin respetar el interés ajeno: *allá donde va intenta imponer su ley.* ▪ **ley de la ventaja** Ley que, en una competición deportiva, no impone un castigo que pueda resultar favorable al equipo que comete la falta: *el árbitro aplicó la ley de la ventaja porque el jugador al que le habían hecho falta consiguió recuperar el balón rápidamente.* ▪ **ley del embudo** familiar Ley que se emplea con desigualdad, siendo muy estricta con unas personas y muy permisiva con otras: *estoy harto de que el jefe aplique la ley del embudo, ellos no hacen nada y nosotros a apechugar.* ▪ **ley del más fuerte** Ley que no tiene en cuenta los intereses de los débiles: *entre los animales rige la ley del más fuerte.* ▪ **ley del mínimo esfuerzo** Tendencia de un individuo u organismo a emplear el mínimo de energía en una acción. **7** Regla o norma invariable, universal y necesaria, que rige las relaciones entre los diversos fenómenos de la naturaleza: *Newton descubrió la ley de la gravedad.*

con todas las de la ley Con todos los requisitos necesarios: *es una líder con todas las de la ley; actuaron con todas las de la ley y no se les puede culpar.*

de buena (o mala) ley De buena (o mala) calidad material o espiritual.

L

de ley (**I**) Conforme a las cualidades que se creen debidas: *es un amigo de ley; es de ley y puedes confiar en ella.* (**II**) Establecido por la autoridad de la ley: *un proyecto de ley enviado por el Gobierno a las Cortes es entregado a una comisión parlamentaria para que lo dictamine.* (**III**) Expresa el carácter de normalidad de un hecho: *es de ley que en el transporte público cedamos nuestro asiento a quien lo precise más que nosotros.*

ley de la oferta y la demanda Fenómeno económico por la que los precios se establecen según la cantidad disponible para vender de un producto y la cantidad de personas que lo quieren adquirir.

ley de los gases perfectos Ley química según la cual el producto de la presión de una masa de gas por el volumen que ocupa, dividido por la temperatura absoluta en grados Kelvin, da como resultado un valor constante.

ley de Newton o **ley del movimiento** Ley física que establece el principio de la inercia, la proporcionalidad de la fuerza respecto a la aceleración y la igualdad de la acción y la reacción: *la ley de Newton se formula en su libro «Principios matemáticos de filosofía natural».*

ley ponderal Ley fundamental de las transformaciones químicas que establece relaciones cuantitativas entre las sustancias constituyentes: *la ley de la conservación de la masa es una ley ponderal.*

ley² *s. f.* **1** Calidad, peso o medida que, una vez hecha la aleación, se exige a los metales, como el oro y la plata que se utilizan en monedas y joyas. **2** Cantidad de metal puro contenido en una aleación o en una mena.

de ley Que tiene la cantidad mínima de metal precioso que, según unas normas oficiales, debe tener: *le compramos una pulsera de oro de ley.*

leyenda *s. f.* **1** Relato fantástico o parcialmente histórico que la tradición ha ido elaborando: *la leyenda es un género literario que tiene su sede en la imaginación y se proyecta en la realidad, pintándola, no como es sino como nos gustaría que fuera.* ■ **leyenda negra** Opinión negativa sobre un país, una persona o una cosa, basada en una serie de hechos que se dan por ciertos, aunque basada en no serlo, especialmente la de una corriente historiográfica española que propugna el desprecio y la interpretación peyorativa de la historia de España: *la leyenda negra sobre la colonización española de América se inicia con las denuncias del dominico fray Bartolomé de las Casas.* **2** Composición literaria que recrea una narración popular de este tipo: *son famosas las leyendas de Bécquer.* **3** Inscripción hecha en monedas, lápidas, escudos, estandartes, etc.: *la leyenda de la medalla estaba muy borrosa.* **4** Texto explicativo donde aparecen los símbolos, colores y sombreados utilizados en un mapa; se coloca al pie o en el margen y facilita su interpretación y lectura: *para saber lo que significan los símbolos del mapa, consulte la leyenda.* **5** Persona convertida en ídolo, sobre todo en el mundo del espectáculo o del deporte: *es una leyenda viva del ciclismo español.* **6** Idea o concepto que se considera inalcanzable. **SIN** utopía.

lezna *s. f.* Instrumento usado en la industria del calzado, semejante a un destornillador pequeño acabado en punta, que sirve para perforar o coser la madera o el cuero: *los zapateros usan la lezna para coser.*

lía *s. f.* Soga trenzada de esparto: *aseguraron los fardos con una lía.*

liado, -da *adj.* familiar Se aplica a la persona que está muy ocupada y tiene muchas cosas que hacer.

liana *s. f.* En la selva tropical, planta enredadera de tallo largo y leñoso, que crece sujetándose a los árboles hasta que se ramifica.

liante, -ta *adj./s. m. y f.* familiar Se aplica a la persona que enreda a otra mediante engaño o que hace que una situación sea más complicada de lo normal.

liar *v. tr.* **1** Atar y asegurar un fardo o un paquete con una cuerda o algo parecido: *lió el hatillo y se fue.* **ANT** desliar. **2** Envolver una cosa y atarla: *está liando el paquete para enviarlo por correo.* **ANT** desliar. **3** Hacer un cigarrillo envolviendo la picadura en el papel de fumar: *mi abuelo sabe liar los cigarrillos muy bien.* **4** Hacer que un asunto o una situación resulte más complicado de lo normal: *no vengas aquí a liar más las cosas; las cosas se han liado últimamente.* **SIN** complicar, enredar. **5** familiar Enredar a alguien en un asunto o situación complicados: *lo liaron para que organizara la fiesta; se había liado en la compra ilegal de alcohol.* **6** Mezclar una cosa de manera desordenada: *has liado los hilos de la cometa; se ha liado el cable de los auriculares.* **7** Confundir a alguien o hacer que se equivoque: *no nos líes con explicaciones que no vienen a cuento; se ha liado con tantos números.* ∣ *v. prnl.* **8** **liarse** Entretenerse, hablar mucho: *me lié con unos amigos y perdí el tren.* **9** familiar Establecer una relación amorosa o sexual con otra persona sin estar casados: *se liaron en la fiesta de la universidad.* **SIN** enrollarse. **10** Empezar a dar golpes: *se lió a bofetadas con uno de la otra clase.*

liarla Originar una situación comprometida: *como la vuelvas a liar te van a despedir.*

liarse a + *infinitivo* familiar Ponerse a hacer una cosa con ardor, fuerza o determinación: *se lió a darle tortas; cuando me lío a comer no sé parar.*

FAM lía, liado, liante, lío; desliar.
OBS Verbo regular, se acentúa como *desviar.*

libación *s. f.* **1** Acción de libar o chupar los insectos el néctar de las flores. **2** culto Prueba o degustación de un líquido. **3** Antigua ceremonia pagana consistente en derramar el líquido contenido en el vaso ceremonial después de probarlo.

libanés, -nesa *adj.* **1** Del Líbano (país asiático). ∣ *s. m. y f./adj.* **2** Persona que es del Líbano.

libar *v. tr.* **1** Chupar un insecto el néctar de las flores: *las abejas liban el néctar de las flores.* **2** culto Probar o gustar una bebida, especialmente vino o licor: *acercó sus labios a la copa para libar el exquisito licor.*

FAM libación.

libelo *s. m.* Escrito en que se calumnia o denigra a personas, ideas o cosas, normalmente con intención de difamar.

FAM libelista.

libélula *s. f.* Insecto de abdomen alargado y ojos prominentes y esféricos, con cuatro alas largas, estrechas y transparentes, y cuyas larvas (ninfas) viven en corrientes de agua: *las libélulas son depredadoras voraces de mosquitos y otros insectos.*

líber *s. m.* Tejido encargado del transporte de las sustancias sintetizadas en la fotosíntesis y de su reparto por todos los órganos de la planta.

liberación *s. f.* **1** Acción que consiste en liberar o poner en libertad a alguien: *exigen la liberación de los presos políticos.* **2** Desaparición de una situación de dependencia, limitación o sometimiento: *la liberación de la mujer; la liberación de un país ocupado; la liberación de las costumbres.* **3** Cancelación de las hipotecas y de las cargas de un inmueble: *ha tardado quince años en conseguir la liberación de la hipoteca de la casa.*

liberado, -da *adj.* ❶ Se aplica a la persona que no se siente obligada por las trabas impuestas por la sociedad o la moral: *mujer liberada.* ❙ *adj./s. m. y f.* ❷ Se aplica a la persona afiliada a un partido, sindicato u organización terrorista, que recibe un sueldo por su dedicación exclusiva a ellos.

liberal *adj.* ❶ Relativo a la doctrina política del liberalismo: *el partido liberal ganó las elecciones.* ❙ *adj./s. com.* ❷ Se aplica a la persona que es partidaria de esta doctrina política: *no se avenía con los candidatos liberales; los liberales y los conservadores hicieron un pacto.* ❸ Se aplica a la persona que es abierta y respetuosa con otras opiniones y costumbres: *fue siempre muy liberal, nunca le oí criticar a nadie.* SIN tolerante. ANT mojigato. ❹ Se aplica a la persona que tiene costumbres e ideas libres y sin prejuicios, especialmente en lo referido a la sexualidad: *es un verdadero liberal y no le molesta que su novia salga con otros chicos.* ❙ *adj.* ❺ Se aplica a la persona que da con generosidad lo que tiene: *es más liberal en promesas que en dinero.* SIN generoso, largo. ANT tacaño. ❻ Se aplica a la profesión que es intelectual y puede ejercerse privadamente y sin subordinación: *la arquitectura, la medicina y la abogacía son profesiones liberales.* ❙ *adj./s. com.* ❼ Se aplica a la persona que ejerce una profesión intelectual y que puede ejercerse privadamente y sin subordinación: *los profesionales liberales trabajan por cuenta propia; prefirió trabajar como liberal para no tener que depender de nadie.* FAM liberalidad, liberalismo, liberalizar.

liberalidad *s. f.* ❶ Cualidad que consiste en dar lo que se tiene sin esperar recompensa: *se repartieron subvenciones con liberalidad.* SIN esplendidez, generosidad, largueza. ANT tacañería. ❷ Respeto y tolerancia con otras opiniones y costumbres. ANT mojigatería.

liberalismo *s. m.* ❶ Doctrina política, económica y social, nacida a finales del siglo XVIII, que establece la primacía de la libertad individual, y defiende una intervención mínima del Estado en la vida social y económica: *pensadores como Voltaire, Montesquieu o Rousseau pusieron las bases del liberalismo político; el liberalismo económico defiende la libertad de precios en el mercado.* ANT intervencionismo. ❷ Actitud de la persona que es tolerante y abierta: *el liberalismo de la nueva gobernadora aún está por demostrar.* FAM liberalista.

liberalización *s. f.* Transformación o cambio hacia una mayor libertad, especialmente en la economía y el comercio: *la liberalización en la importación de maquinaria ha permitido el despegue de la industria.*

liberalizar *v. tr.* ❶ Hacer que una persona o una cosa sea más liberal, especialmente la economía y el comercio. ❷ Hacer libre una cosa prohibida: *liberalizar las drogas.* FAM liberalización, liberalizador.

liberar *v. tr.* ❶ Poner en libertad. SIN libertar. ❷ Quitar una obligación, una carga o un compromiso: *su nuevo puesto en la empresa la libera de toda responsabilidad; se liberó de sus obligaciones.* ❸ Hacer superar a alguien un obstáculo moral o social: *le costó liberarse de la sensación de culpabilidad.* ❹ Hacer que un país o territorio deje de estar dominado u ocupado militarmente: *querían liberar su país de la dominación extranjera.* ❺ Dejar escapar o producir: *las basuras orgánicas liberan metano.* SIN desprender. FAM liberación, liberado, liberador.

liberiano, -na *adj.* ❶ De Liberia (país de África). ❙ *s. m. y f./adj.* ❷ Persona que es de Liberia. ❙ *adj.* ❸ Se aplica al vaso o conducto del tejido vegetal que transporta la savia elaborada: *los vasos liberianos se encuentran inmediatamente debajo de la corteza de los árboles.*

líbero *s. m.* En fútbol, jugador que, sin marcar a ningún jugador específico del equipo contrario, ayuda a la línea de defensa y colabora en el contraataque.

libérrimo, -ma *adj.* Superlativo de *libre.*

libertad *s. f.* ❶ Facultad de las personas para actuar según su propio deseo en el seno de una sociedad organizada y dentro de los límites de reglas definidas: *la libertad es un derecho que deberían tener todos los seres humanos.* ❷ Derecho que tienen las personas para hacer una cosa sin que intervenga una autoridad: *libertad de pensamiento; libertad de comercio; en España hay libertad de prensa.* ■ **libertad de asociación** Derecho que tienen las personas para formar grupos o asociaciones. ■ **libertad de conciencia** o **libertad de culto** Facultad de practicar públicamente la religión que uno tiene: *en esta ciudad hay iglesias, mezquitas y sinagogas, porque hay libertad de culto.* ■ **libertad de expresión** Derecho que tiene una persona para expresar libremente lo que piensa. ❸ Estado de quien no está preso ni sometido a la voluntad de otro: *a los presos se les priva de la libertad.* ■ **libertad condicional** Permiso que se le concede a un condenado en la última parte de la pena por haber mostrado buen comportamiento. ■ **libertad provisional** Permiso que se le da a un procesado para que no ingrese en prisión mientras no se establezca una sentencia sobre su caso. ❹ Falta de coacción u obligación para hacer una cosa: *tenéis libertad para marcharos ya.* ❺ Desenvoltura o naturalidad en los movimientos: *se mueve con gran libertad sobre el escenario.* ❻ Confianza para tratar con las personas: *estamos en familia: puedes hablar con entera libertad.* **tomarse la libertad** Atreverse a hacer algo confiando en un consentimiento que no se ha pedido: *como no estabas me he tomado la libertad de abrir tu cajón.* **tomarse libertades** Comportarse con una familiaridad excesiva: *para ser su primer día de trabajo, se toma muchas libertades con el jefe.* FAM libertario.

libertador, -ra *adj./s. m. y f.* Se aplica a la persona que pone en libertad: *en la tradición judeocristiana, Moisés es considerado como libertador, guía y legislador de Israel.*

libertar *v. tr.* Poner en libertad: *los delincuentes libertaron a los rehenes.* SIN liberar. FAM libertario.

libertario, -ria *adj.* Se aplica a la ideología o a la persona que defiende la libertad absoluta del individuo y la desaparición del Estado y las leyes: *los guerrilleros creían en el movimiento libertario.* SIN ácrata, anarquista.

libertinaje *s. m.* ❶ Abuso de libertad, desenfreno: *no debes confundir la libertad con el libertinaje.* ❷ Comportamiento inmoral y vicioso: *el libertinaje va contra la libertad y los derechos de los demás.*

libertino, -na *adj./s. m. y f.* ❶ Se aplica a la persona que actúa con libertinaje, o al comportamiento que va contra la libertad y los derechos de los demás. ❷ Se aplica a la persona que es de costumbres viciosas o que no pone freno ni orden a sus impulsos y antojos. FAM libertinaje.

liberto, -ta *s. m. y f.* En la antigua Roma, esclavo liberado: *la sociedad romana estaba formada por distintas clases sociales, con distintas categorías y derechos: los patricios, los plebeyos, los libertos* *y los esclavos; los libertos generalmente seguían con sus antiguos amos.*

FAM libertar.

libidinoso, -sa *adj.* ☐ Se aplica al gesto o a la palabra que manifiesta una inclinación exagerada al deseo sexual: *me hizo un gesto libidinoso con los labios.* **SIN** lascivo, lujurioso. | *adj./s. m. y f.* ☐ Se aplica a la persona que siente una inclinación exagerada al deseo sexual: *es un libidinoso que se excita con cualquier cosa.* **SIN** lascivo, lujurioso.

libido *s. f.* Deseo o impulso de placer sexual: *para el psicoanálisis, la libido es la fuerza creadora y el impulso fundamental.*

FAM libídine, libidinoso.

libio, -bia *adj.* ☐ De Libia (país de África). | *s. m. y f./adj.* ☐ Persona que es de Libia.

libra *s. f.* ☐ Unidad monetaria de Irlanda (hasta su sustitución por el euro en el año 2002), Reino Unido, Egipto, Líbano, Malta, Siria y otros países, con diferente valor en cada uno de ellos. ☐ Medida de peso que equivale aproximadamente a 500 gramos: *una libra de jamón dulce.* | *adj./s. com.* ☐ Se aplica a la persona que ha nacido entre el 23 de septiembre y el 23 de octubre, tiempo en que el Sol, visto desde la Tierra, recorre la constelación de Libra, séptimo signo del Zodiaco. **NOTA** Se escribe normalmente con mayúscula inicial. Plural invariable.

FAM libreta.

librador, -ra *adj./s. m. y f.* Se aplica a la persona que extiende una letra de cambio u otro documento de orden de pago.

libramiento *s. m.* ☐ Acción que consiste en extender una letra de cambio u otro documento de orden de pago. ☐ Escrito en el que se ordena el pago de una cantidad de dinero.

libranza *s. f.* Orden de pago que se da contra alguien que tiene fondos disponibles para la persona que firma esta orden o la expide.

librar *v. tr.* ☐ Dejar libre a alguien de un problema, obligación o situación desagradable: *líbranos de todo mal; de buena te has librado; se libró de la mili por tener los pies planos.* ☐ Quitar de encima a alguien o algo que incordia o molesta: *¿qué hay que hacer para librarse de ti, me lo quieres decir?* ☐ Expedir una letra de cambio, cheque u otro documento de orden de pago: *la empresa ha librado una letra de cambio en lugar de pagar en efectivo.* ☐ Dar a conocer o comunicar una sentencia o una comunicación oficial: *el juez librará sentencia mañana.* ☐ Sostener una lucha: *los dos caballeros libraron una larga batalla.* | *v. intr.* ☐ Disponer o disfrutar un trabajador del día libre que le corresponde: *su padre libra los martes.*

FAM librador, libramiento, libranza.

libre *adj.* ☐ Se aplica a la persona que tiene la capacidad de elegir una forma de actuación o de pensamiento: *eres libre para venir con nosotros o quedarte.* ☐ Se aplica a la persona que tiene la capacidad y el derecho de hacer y decir cualquier cosa: *soy libre de expresar mis ideas políticas.* ☐ Se aplica a la persona o al animal que vive en libertad: *cuando termine mi condena volveré a ser un hombre libre; dejan el ganado libre por el monte.* ☐ Se aplica al lugar vacío, o que no está ocupado: *aquí quedan dos sitios libres; ese taxi está libre.* ☐ Se aplica a la entrada gratuita, o que no tiene impedimentos o límites: *el concierto empieza a las ocho y la entrada es libre.* ☐ Se aplica a la persona exenta de daño o riesgo: *dentro de un mes estaré libre de preocupaciones; está libre del servicio militar.* ☐ Se aplica al beneficio que no está obligado o sujeto: *estas ganancias están li-*

bres de impuestos. ☐ Se aplica al espacio de tiempo que no se dedica al trabajo: *llámame por las mañanas, que las tengo libres.* ☐ Se aplica al alumno dispensado de asistir a clase y que solamente está obligado a examinarse: *los alumnos libres vinieron solamente el día del examen.* ☐ Se aplica al acceso o al camino que no tiene obstáculos que impidan el paso: *en cuanto la carretera quede libre, podremos seguir.* ☐ Se aplica al estilo que no tiene en cuenta normas o imposiciones: *bailan de manera muy libre; dibujo libre.* ☐ Se aplica a la traducción o a la versión que, reflejando fielmente el sentido o el argumento del original, no da rigurosamente el significado de cada palabra, o introduce algunos cambios: *han hecho una versión libre de una obra de Shakespeare; me he comprado una traducción libre de «La Ilíada» de Homero.* ☐ Se aplica a la prueba deportiva que no tiene una norma de ejecución definida: *en los cien metros libres todos nadan a crol porque es el estilo más rápido.* ☐ Se aplica a los versos que conservan la rima pero tienen medidas muy diferentes. ☐ Se aplica a la caída que experimenta un cuerpo por acción de la gravedad.

por libre Sin tener en cuenta la opinión o la costumbre de los demás: *este chico es muy independiente y siempre va por libre.*

FAM librar, librecambio, libremente, librepensador, librepensamiento.

OBS Superlativo irregular: *libérrimo.*

librea *s. f.* Uniforme de gala que usan algunos trabajadores, generalmente porteros, conserjes y ujieres: *los príncipes y grandes señores tenían criados de librea.*

librecambio *s. m.* Sistema económico que se basa en la libre circulación de mercancías entre estados y la desaparición de las aduanas en el comercio internacional.

FAM librecambismo.

librecambismo *s. m.* Doctrina económica, opuesta al proteccionismo, que defiende la libre circulación de mercancías entre estados y la desaparición de las aduanas y la intervención del Estado en el comercio internacional: *la doctrina del librecambismo fue formulada en el siglo XVIII.* **ANT** proteccionismo.

FAM librecambista.

librecambista *adj.* ☐ Relativo a la doctrina económica del librecambismo: *según las teorías librecambistas, cada pueblo se especializa en las producciones para las que tiene más aptitudes y capacidad.* **ANT** proteccionista. | *adj./s. com.* ☐ Se aplica a la persona partidaria del librecambismo: *los políticos librecambistas se oponían a la intervención del Estado en los asuntos económicos.* **ANT** proteccionista.

libremente *adv.* Indica que la acción del verbo al que acompaña se realiza con libertad, sin trabas de ningún tipo: *los hijos deciden libremente su futuro.*

librepensador, -ra *adj./s. m. y f.* Se aplica a la persona partidaria del librepensamiento: *los librepensadores no admiten más autoridad que la propia razón.*

FAM librepensamiento.

librepensamiento *s. m.* Doctrina que se basa en la independencia individual de la razón frente al pensamiento dogmático y religioso: *el librepensamiento comenzó a desarrollarse en los siglos XVII y XVIII.*

librería *s. f.* ☐ Establecimiento comercial en que se venden libros. ☐ Mueble o estantería para colocar libros.

librero, -ra *s. m. y f.* Persona que se dedica a vender libros.

FAM librería.

libresco, -ca *adj.* Que se basa solamente en lo que dicen los libros y no tiene en cuenta la realidad: *cultura libresca; eso que dices son teorías librescas.*

OBS Frecuentemente usado de forma despectiva.

libreta[1] *s. f.* Cuaderno pequeño que se usa para apuntes o anotaciones: *apuntaré tu dirección y número de teléfono en mi libreta.* ■ **libreta de ahorros** Documento en el que está anotado el dinero que una persona tiene en un banco o caja de ahorros, y en el que quedan registrados los movimientos de dinero cada vez que ingresa o saca dinero.

libreta[2] *s. f.* Pan de una libra de peso.

libretista *s. com.* Autor del texto escrito que acompaña una obra musical: *Martínez Sierra fue el libretista de «El amor brujo» de Manuel de Falla.*

libreto *s. m.* [1] Texto de una obra de teatro al que se le pone música: *fue autor de libretos de ópera y zarzuela.* [2] AMÉR. Este texto, utilizado por el apuntador, el traspunte, etc., durante la representación de una obra, con o sin música.

FAM libretista.

librillo *s. m.* Pequeño paquete o cajita de hojas de papel de fumar.

de librillo Se aplica a la puerta o ventana que es plegable.

libro *s. m.* [1] Conjunto de hojas impresas o escritas colocadas en el orden en que se han de leer, unidas por uno de sus lados y cubiertas con unas tapas. ■ **libro de bolsillo** Libro que es ligero, pequeño y generalmente de tapas poco rígidas: *los libros de bolsillo son baratos.* [2] Texto o conjunto de textos o de imágenes que forman un libro: *escribió su último libro hace dos años.* ■ **libro de caballerías** Libro que trata sobre las aventuras amorosas y guerreras de uno o varios caballeros: *en el «Quijote» se parodian los libros de caballerías.* ■ **libro de cabecera** Libro preferido por una persona o en el que se basa su manera de pensar. ■ **libro de texto** Libro usado en las escuelas como guía de estudio de una asignatura. [3] Conjunto de hojas en que se anotan los datos de determinadas personas. ■ **libro de cuentas** Libro que recoge operaciones económicas. ■ **libro de escolaridad** Libro que recoge las calificaciones que ha obtenido un alumno en cada curso. ■ **libro de familia** Libro que recoge los datos personales de un matrimonio y de sus hijos. ■ **libro de oro** Libro en el que se recogen los nombres de los visitantes importantes de un lugar. ■ **libro electrónico** (I) Documento en formato digital que tiene el aspecto y la estructura de un libro editado en papel, destinado a ser distribuido a través de redes informáticas y reproducido en un ordenador o un dispositivo portátil. (II) Dispositivo portátil con la forma de un libro que puede leer este tipo de documentos en formato digital. ■ **libro sagrado** Libro que recoge los textos sobre los que se basan ciertas religiones, especialmente cuando se considera que dichos textos proceden directamente de Dios: *la Biblia y el Corán son libros sagrados.* [4] Cada una de las partes de una obra de larga extensión: *en el libro tercero habla de la llegada a Asia.* [5] Tercera de las cuatro partes en que se divide el estómago de los rumiantes: *el libro tiene pliegues en su pared interna.* [6] Libreto.

FAM libraco, librero, libresco, libreta, libreto, librillo; portalibros.

licantropía *s. f.* Trastorno mental que consiste en creer el enfermo que se ha convertido en lobo.

licencia *s. f.* [1] Permiso para hacer algo: *le dieron licencia para que se retirara; me he tomado la licencia de invitarla, aunque sé que no te cae bien.* [2] Autorización legal otorgada por la Adminis-

tración para hacer o utilizar algo: *para cazar se necesita una licencia de armas.* SIN permiso. [3] Documento en que consta esta autorización: *el guarda le pidió que le enseñara la licencia de pesca.* SIN permiso. ■ **licencia fiscal** (I) Impuesto que pagan a la Administración las empresas o los trabajadores por cuenta propia para poder ejercer sus actividades. (II) Documento que certifica el pago de este impuesto. [4] Autorización que se concede a un militar para ausentarse del cuartel o a un civil para faltar a su empleo, temporalmente: *estar con licencia; ha obtenido una licencia de un mes alegando agotamiento.* ■ **licencia absoluta** Permiso que se concede a una persona al concluir el servicio militar, por el cual queda liberada de las obligaciones militares. NOTA También simplemente *licencia.* [5] Abuso de libertad, que lleva al desorden moral: *se comporta con excesiva licencia.* SIN libertinaje. I *s. f. pl.* [6] **licencias** Permiso que reciben los eclesiásticos de sus superiores para ejercer su ministerio.

licencia métrica Desviación de la norma gramatical o prosódica de la lengua que usa un poeta para poder someterse a las exigencias métricas: *la sinalefa, la diéresis y la sinéresis son licencias métricas.*

licencia poética Desviación de la norma del lenguaje que se usa en poesía por motivos estilísticos: *se permite algunas licencias poéticas que caracterizan su poesía.*

FAM licenciar, licencioso.

licenciado, -da *s. m. y f.* [1] Persona que ha obtenido el título universitario de licenciatura: *es licenciada en filología catalana.* [2] Persona que ha cumplido el servicio militar y ha obtenido la licencia absoluta.

licenciar *v. tr.* [1] Dar el título de licenciado una facultad universitaria: *aquel curso, la Facultad de Letras licenció a doscientos alumnos.* [2] Dar autorización a un soldado para abandonar definitivamente el cuartel: *licenciaron al recluta por su enfermedad.* I *v. prnl.* [3] **licenciarse** Obtener alguien el título de licenciado en una facultad universitaria, una vez terminada la carrera: *se licenciaron en el mismo año.* [4] Terminar alguien el servicio militar: *se licenció tras cumplir diez meses de servicio.*

FAM licenciado, licenciatura.

OBS Verbo regular, se acentúa como *cambiar.*

licenciatura *s. f.* [1] Grado de licenciado o título académico que se obtiene al acabar una carrera universitaria de más de tres años: *consiguió su licenciatura en Medicina en solamente cinco años.* [2] Conjunto de estudios necesarios para conseguir este grado: *en mi universidad, la licenciatura en Filología dura cuatro años.*

licencioso, -sa *adj.* Que tiene un comportamiento amoral, especialmente en lo relacionado con la moral sexual: *se casó con un hombre de vida licenciosa.* SIN disoluto, libertino.

liceo *s. m.* [1] Sociedad o institución literaria o artística con fines recreativos, en que las personas se reúnen para participar en actividades culturales y para pasar su tiempo libre. [2] Centro de enseñanza media de algunos países extranjeros, como Francia e Italia: *en mi ciudad hay un liceo francés.*

licitar *v. intr.* Ofrecer dinero o precio por un objeto en una subasta: *el conde licitó en la subasta hasta conseguir el cuadro.*

FAM licitación, licitador.

lícito, -ta *adj.* Que está permitido por la ley o por la moral: *nunca es lícito el uso de la violencia.* ANT ilícito.

FAM licitud.

licitud *s. f.* Cualidad de lo que está permitido por la ley o por la moral: *negó la licitud de la violencia empleada por la policía.* SIN legalidad. ANT ilegalidad, ilicitud.

licopodio *s. m.* Planta típica de los terrenos húmedos, que se desarrolla principalmente en zonas tropicales, de cuyas esporas se extraen los polvos de licopodio o azufre vegetal, usados en farmacia.

licor *s. m.* ① Bebida alcohólica destilada, de sabor dulce, y hecha con sustancias aromáticas como frutas o hierbas: *se tomó un chupito de licor de melocotón.* ② Bebida con mucho alcohol obtenida por destilación: *el aguardiente, el coñac y el whisky son licores.* ③ Líquido, especialmente el usado en farmacología.
FAM licorera, licorero, licoroso.

licorera *s. f.* ① Botella, generalmente decorada, para guardar y servir licor y vinos de aperitivo. ② Mueble o lugar para guardar licores y otras bebidas. ③ Utensilio de mesa en el que se coloca una botella y las copas.

licorería *s. f.* ① Fábrica de licores. **SIN** destilería. ② Establecimiento en el que se venden licores y vinos.

licra [también **lycra**] *s. f.* Fibra sintética, elástica e indeformable que se utiliza para fabricar tejidos transpirables que se adaptan perfectamente al cuerpo, como los empleados en la confección de medias y prendas de ropa interior, de gimnasia y bañadores.

licuación *s. f.* ① Cambio de estado de una sustancia sólida o gaseosa a líquida: *en la empresa construirán una planta de licuación de gas natural.* **SIN** licuefacción.

licuadora *s. f.* Aparato eléctrico de cocina que sirve para extraer el líquido de frutas y otros alimentos: *preparó un zumo de zanahoria con la licuadora.*

licuar *v. tr.* Convertir en líquido una sustancia sólida o un gas: *el gas se transporta a través de grandes gaseoductos, después de haber sido licuado.*
FAM licuación, licuadora, licuante, licuefacción.
OBS Verbo regular, se acentúa como *actuar* o como *averiguar.*

licuefacción *s. f.* Licuación.

lid *s. f.* ① culto Lucha o pelea entre dos o más personas o animales, empleando la fuerza, las armas o cualquier otro recurso con la intención de hacerse daño, matarse o imponer su voluntad: *el rey en persona presenció la lid de los caballeros.* **SIN** liza. | *s. f. pl.* ② **lides** Actividad o asunto que requiere cierta habilidad o conocimiento: *nunca me había visto en estas lides.*
en buena lid De manera legal, sin hacer trampas: *lo había ganado en buena lid; venció en buena lid.*
FAM lidiar.

líder *s. com.* ① Jefe de un partido político, religioso, o de un grupo o sociedad: *el líder del partido habló ante los afiliados.* ② Persona o grupo de personas que ocupa el primer lugar entre las de su grupo: *esta empresa es líder en el sector electrónico.* **NOTA** Se construye normalmente en aposición a otro sustantivo: *empresa líder, producto líder.* ③ Persona o equipo que se halla situado a la cabeza de una clasificación o competición deportiva: *el ciclista español fue el líder durante tres etapas.*
FAM liderar, liderato, liderazgo.

liderar *v. tr.* ① Dirigir un partido, grupo o movimiento: *fue elegido para liderar la expedición.* ② Ir en cabeza de una clasificación o competición deportiva: *su equipo lidera la clasificación por etapas.*

liderato *s. m.* Liderazgo.

liderazgo *s. m.* ① Condición de líder: *el joven político obtuvo el liderazgo de su partido.* **SIN** liderato. ② Primer lugar en una clasificación o competición deportiva: *tras la quinta jornada, el equipo catalán conserva el liderazgo de la Liga.* **SIN** liderato.

lidia *s. f.* ① Acción de lidiar. ② Conjunto de acciones y faenas que se llevan a cabo en una plaza de toros desde que sale el toro al ruedo hasta que muere, siguiendo las artes del toreo: *el rejoneador era un experto en la lidia a caballo.*

lidiar *v. tr.* ① Someter el torero o el rejoneador al toro a las diversas acciones y faenas de la lidia, como espectáculo. **SIN** torear. | *v. intr.* ② culto Combatir o pelear: *tuvieron que lidiar con hombres del Cid y fueron derrotados.*
FAM lidia.
OBS Verbo regular, se acentúa como *cambiar.*

liebre *s. f.* ① Mamífero roedor parecido al conejo pero más grande, con las orejas más largas, de color pardo, las patas traseras mucho más largas que las delanteras y la cola corta; es muy veloz y vive en las llanuras sin hacer madrigueras: *las crías de liebre ya corren a los pocos minutos de nacer.* ② Atleta que en las carreras de velocidad corre muy rápido para hacer más vivo el ritmo y favorecer así a otro corredor: *las liebres se retiran antes de acabar la carrera, pues no compiten por ganar.*
levantar la liebre familiar Sacar a la luz o atraer la atención sobre algo que ha estado oculto o no se conoce: *esos dos periodistas levantaron la liebre sobre el tema de la corrupción.*
FAM lebrato, lebrel.

lied [se pronuncia 'lid'] *s. m.* ① Canción lírica breve para voz solista y acompañamiento (generalmente de piano) propia de Alemania, Austria y otros países de lengua alemana, cuya letra es un poema al que se ha puesto música: *compositores como Beethoven, Mozart, Schubert y Wolf han compuesto lieder basados en genios de la poesía, como Goethe y Heine.* ② Poema lírico alemán.
OBS Plural: *lieder* (se pronuncia 'líder').

liendre *s. f.* Huevo de algunos parásitos, como el piojo.

lienzo *s. m.* ① Tela fuerte preparada para pintar sobre ella: *colocó el lienzo en el caballete y empezó a pintar un retrato.* ② Pintura hecha sobre esta tela: *en el museo se exponen lienzos de Murillo.* ③ Tejido fino de lino, cáñamo o algodón: *puso en la habitación unas cortinas blancas de lienzo.* ④ Parte o trozo continuo y recto de una muralla, entre dos salientes.
FAM lencería.

lifting [se pronuncia aproximadamente 'liftin'] *s. m.* Operación de cirugía estética que consiste en el estiramiento de la piel para eliminar arrugas, normalmente en la zona de la cara y el cuello.

liga *s. f.* ① Cinta elástica que sujeta la media o el calcetín e impide que se caiga: *la liga puede rodear el muslo por fuera de la media o sujetarla con unas hebillas al liguero que se pone en torno a la cintura.* ② Competición deportiva en la que participan equipos de una misma categoría y en la que cada equipo debe enfrentarse con todos los demás: *el vencedor de una liga es el equipo que consigue mayor número de puntos.* ③ Acuerdo entre dos o más países para conseguir intereses comunes: *la Liga Árabe; diez naciones formaron una liga para defenderse de su enemigo.* **SIN** alianza, coalición, confederación. ④ Asociación o conjunto de personas u organismos unidos por unos mismos intereses: *liga para la defensa del medio ambiente.* ⑤ Sustancia muy pegajosa que sirve para untar las trampas para cazar, y que se extrae de algunas semillas: *el pájaro se debatía desesperadamente para desengancharse de la liga.* ⑥ Mezcla de dos o más sustancias, especialmente dos metales que se funden para formar una aleación: *el bronce es el producto de la liga*

de cobre y estaño. **7** Cobre o metal inferior que se mezcla con el oro o la plata para hacer alhajas o monedas.
FAM liguero, liguilla.

ligado *s. m.* **1** Unión de dos notas musicales consecutivas por medio de una ligadura, para indicar que se han de ejecutar como una sola sumando el valor rítmico de ambas. **2** Ejecución de una serie de notas musicales consecutivas sin pausas ni interrupciones entre unas y otras. **SIN** legato.

ligadura *s. f.* **1** Sujeción hecha con una cuerda u otra cosa: *el secuestrado consiguió librarse de las ligaduras que lo ataban y pudo huir.* **SIN** atadura. **2** Cuerda o correa que sirve de sujeción para unir una cosa a otra: *unas gruesas ligaduras rodeaban su cuerpo y lo unían al poste.* **SIN** atadura. **3** Vínculo o impedimento moral que dificulta la realización de algo: *hasta que no rompió las ligaduras paternas no logró descubrirse a sí mismo.* **SIN** atadura. **4** Operación quirúrgica que consiste en obstruir un vaso sanguíneo u otro conducto mediante un nudo: *se sometió a una ligadura de trompas porque no quiere tener más hijos.* **5** Línea curva que se coloca sobre dos o más notas musicales en un pentagrama e indica que todas ellas deben ejecutarse ligadas unas con otras, sin pausas ni interrupciones. **6** Línea curva que se coloca bajo dos notas musicales de igual altura en un pentagrama e indica que debe prolongarse el sonido sin interrupción por la suma de valores de ambas.

ligamen *s. m.* culto Ligadura o impedimento.

ligamento *s. m.* **1** Cordón resistente de tejido conjuntivo que une los huesos de las articulaciones. **2** Pliegue membranoso que sostiene o aguanta un órgano del cuerpo de un animal en su sitio.

ligar *v. tr.* **1** Atar o sujetar con cuerda, hilo o venda: *ligó bien la carga en la parte trasera.* **2** Unir, enlazar o poner en relación dos o más cosas o personas: *las ventas están ligadas a la publicidad.* **3** Atar o comprometer un documento legal a alguien, obligándole a cumplir las condiciones del mismo: *el contrato del jugador lo liga a su nuevo club por un periodo de tres años.* **4** Unir ciertas sustancias batiéndolas hasta que presentan un aspecto homogéneo: *añadió harina para ligar la salsa.* **5** Unir la duración de dos o más notas musicales: *no puedo ligar tantas notas seguidas: me quedo sin aire.* **6** Mezclar dos o más metales fundidos para conseguir una aleación: *ligaron cobre y cinc para hacer latón.* **SIN** alear. **7** Mezclar cobre u otro metal con el oro y la plata para hacer alhajas o monedas. **8** familiar Conquistar a alguien para entablar una relación amorosa o sexual pasajera: *se ligó en unas pocas horas.* **9** En los juegos de baraja, reunir las cartas convenientes para ganar. | *v. intr.* **10** Tomar un aspecto homogéneo una sustancia, normalmente referido a una salsa: *esta mahonesa no liga bien.*
FAM liga, ligadura, ligamen, ligamento, ligazón, ligón, ligotear, ligue; coligarse, desligar.

ligazón *s. f.* Unión estrecha entre dos o más cosas: *existía una ligazón evidente entre ambos sucesos.*

ligereza *s. f.* **1** Cualidad de la cosa que pesa poco: *las plumas tienen una gran ligereza.* **SIN** levedad, liviandad. **2** Rapidez y agilidad en el movimiento: *es mayor, pero deberías ver con qué ligereza juega al frontón.* **3** Falta de responsabilidad en la manera de actuar: *su conducta denota una gran ligereza.* **SIN** frivolidad, irresponsabilidad. **ANT** sensatez. **4** Obra o dicho imprudente e irreflexivo: *ese comentario es una ligereza.*

ligero, -ra *adj.* **1** Que pesa poco: *el helio es más ligero que el aire.* **SIN** liviano. **ANT** pesado. **2** Que es poco fuerte, poco intenso, poco importante o poco consistente: *tengo el sueño muy*

ligero; ha pillado un ligero resfriado. **SIN** leve. **3** Que es rápido, veloz y ágil: *un caballo ligero como el viento.* **ANT** lento. **4** Se aplica al alimento que se puede digerir fácilmente: *una comida ligera.* **ANT** pesado. **5** Se aplica a la prenda de vestir que abriga poco: *me puse una rebeca demasiado ligera y pasé frío.* **6** Se aplica a la persona que no es seria ni formal, especialmente en el ámbito amoroso: *una chica ligera.* **SIN** liviano. **7** Se aplica a la conversación que no es seria o profunda: *una conversación ligera.*

a la ligera De manera irreflexiva o superficial: *no debes hablar tan a la ligera; no te lo tomes tan a la ligera y pon un poco más de ganas.*

ligero de + *sustantivo* Con poca cantidad de lo que se expresa: *ligero de ropa; ligero de equipaje.*
FAM ligeramente, ligereza; aligerar, ultraligero.

light [se pronuncia aproximadamente 'lait'] *adj.* **1** Se aplica al alimento o a la bebida que tiene menos calorías de las habituales. **2** Se aplica al cigarrillo ligero y suave, por tener menos cantidad de nicotina y alquitrán de lo habitual. **3** Se aplica a la cosa o a la actividad cuyas características propias están menguadas: *para ser una película de terror, yo diría que es muy light.*

lignina *s. f.* Materia amorfa de color marrón oscuro que proporciona resistencia tanto mecánica como química, que se deposita en las paredes de las células muertas de las plantas y que forma la madera.

lignito *s. m.* Carbón mineral, procedente de la madera, de color negro o parduzco, compuesto de carbono, oxígeno e hidrógeno; tiene menor poder calorífico que la hulla.

lignívoro, -ra *adj.* Se aplica al animal que se alimenta de madera: *la carcoma es un insecto lignívoro.*

ligón, -gona *adj./s. m. y f.* familiar Se aplica a la persona que establece relaciones amorosas o sexuales fácilmente o que lo intenta con frecuencia.

ligotear *v. intr.* familiar Tratar de establecer relaciones amorosas y sexuales pasajeras: *en realidad, fuimos al baile a ligotear.*
FAM ligoteo.

ligoteo *s. m.* familiar Intento de establecer relaciones amorosas y sexuales pasajeras: *han abierto nuevos locales de ligoteo.*

ligue *s. m.* **1** familiar Relación amorosa o sexual que se establece de forma pasajera: *no le gusta comprometerse, prefiere los ligues de fin de semana.* **2** familiar Persona con la que se establece esta relación: *todavía no conocemos a su nuevo ligue.*

liguero, -ra *adj.* **1** Relativo a la liga deportiva: *calendario liguero.* | *s. m.* **2** Prenda de ropa interior femenina, que consiste en una especie de faja estrecha que se coloca en la cintura y que sirve para sujetar con ligas o cintas elásticas el extremo superior de las medias.

liguilla *s. f.* Competición deportiva en la que participan un reducido número de equipos de una misma categoría y en la que cada equipo debe enfrentarse con todos los demás: *los cuatro primeros se juegan en liguilla el ascenso a la división de honor.*

lígula *s. f.* Lengüeta delgada de algunas hojas y de ciertos pétalos, situada entre el peciolo y el limbo.

ligur *adj.* **1** De Liguria (región del norte de Italia) o del antiguo pueblo europeo que se estableció en ella. | *s. com./adj.* **2** Persona que es de Liguria o del antiguo pueblo europeo que se estableció en esta región.

lija *s. f.* **1** Papel con partículas de vidrio o arena encoladas en una de sus caras y que sirve para pulir madera o metales: *el carpintero está alisando la tabla de madera con lija.* **NOTA** También *papel de lija.* **2** Pez marino comestible, similar a un tiburón, de cuerpo alargado, cabeza pequeña, con muchos dientes y la piel sin escamas pero muy áspera: *la piel de la lija se empleaba para pulir.* **FAM** lijar.

lijadora *s. f.* Máquina para lijar o poner lisa y pulida una superficie.

lijar *v. tr.* Pulir con lija una superficie: *al lijar debemos hacerlo con una presión moderada y siempre de delante hacia atrás.* **FAM** lijado, lijadora.

lila[1] *s. f.* **1** Arbusto muy ramoso, de hojas blandas en forma de corazón y flores olorosas de color morado claro: *la lila procede de Persia; las lilas se plantan en jardines.* **2** Flor de este arbusto, de color morado claro, olor intenso y agradable, y agrupada en ramillete: *el perfume primaveral de las lilas embalsama la humedad de la noche.* **‖** *s. m./adj.* **3** Color morado claro, como el de esta flor: *el lila y el blanco combinan muy bien.* **‖** *adj.* **4** Que es de este color.

lila[2] *adj./s. com.* familiar Se aplica a la persona que es tonta e ingenua: *siempre le están engañando porque es un lila.*

liliáceo, -cea *adj./s. f.* **1** Se aplica a la planta monocotiledónea con bulbo y fruto con forma de cápsula, como el ajo, la cebolla, el lirio y el tulipán. **‖** *s. f. pl.* **2** **liliáceas** Grupo taxonómico, con categoría de familia, constituido por estas plantas.

liliputiense *adj./s. com.* Se aplica a la persona enana o extremadamente pequeña: *los jugadores de baloncesto nos hacen parecer liliputienses.*

lima[1] *s. f.* **1** Herramienta alargada de acero, con la superficie rugosa, que se usa para desgastar o alisar materias duras, como el metal o la madera: *las limas se emplean en el trabajo con metales y para algunos acabados de madera.* **2** Pequeña barra de acero o esmeril, granulada o estriada, que se usa para pulir y arreglar las uñas. **3** Corrección, perfeccionamiento o pulimento de una obra artística o intelectual: *sus escritos necesitan una buena lima.*

ser una lima familiar Comer mucho una persona: *este niño es una lima, siempre tiene hambre.* **FAM** limar, limero.

lima[2] *s. f.* **1** Árbol de tronco liso y flores blancas y olorosas, y fruto comestible. **SIN** limero. **2** Fruto de este árbol, de corteza lisa y amarilla, pulpa verdosa y más pequeño que un limón.

lima[3] *s. f.* **1** Ángulo formado por las dos vertientes de una techumbre. **2** Madero colocado en este ángulo.

limaco *s. m.* Molusco terrestre parecido al caracol, pero carente de concha, de color negro, gris o castaño. **SIN** babosa.

limadura *s. f.* **1** Pulido en un material duro, como la madera o el metal, usando una lima. **‖** *s. f. pl.* **2** **limaduras** Pequeños fragmentos que se desprenden de un material duro al limarlo.

limar *v. tr.* **1** Pulir o desgastar algo con una lima para alisarlo: *después de cortarse las uñas, se las limó.* **2** Corregir, perfeccionar o pulir una cosa, generalmente una obra artística o intelectual: *el poeta limaba sus versos una y otra vez.* **3** Suavizar o hacer más agradable o adecuada una cosa, especialmente un defecto o un comportamiento: *debería usted limar sus modales.* **FAM** limadora, limadura.

limbo *s. m.* **1** Parte más ancha y aplanada de las hojas de las plantas: *la comparación de los limbos permite clasificar las plantas.* **2** Según la doctrina cristiana, lugar al que van las almas de los niños que mueren sin bautizar. **3** En astronomía, círculo brillante que se ve a veces alrededor de un astro: *las estrellas se aprecian mejor cuando se ve el limbo.*

estar en el limbo Estar distraído o no enterarse de lo que ocurre alrededor.

limeño, -ña *adj.* **1** De Lima (capital de Perú). **‖** *s. m. y f./adj.* **2** Persona que es de Lima.

limero *s. m.* Árbol de tronco liso y flores blancas y olorosas, y fruto comestible: *el limero es originario de Persia y se cultiva en España.* **SIN** lima.

limícola *adj.* **1** Se aplica al organismo que vive en el limo o lodo del fondo del mar o de los ríos y lagos: *en el cieno del río se encuentran miles de pequeños seres limícolas.* **‖** *s. f. pl.* **2** **limícolas** Grupo de aves que viven en las costas y riberas y se alimentan de los pequeños animales que encuentran entre el lodo o cieno.

limitación *s. f.* **1** Acción que consiste en establecer o fijar límites físicos o morales: *limitación de un campo.* **2** Circunstancia o condición que limita o dificulta el desarrollo de una cosa: *limitación de velocidad; en los países ricos se establecen limitaciones para la entrada de inmigrantes.* **3** Restricción de algún bien o de tiempo: *trabaja sin limitaciones horarias.*

limitado, -da *adj.* **1** Que tiene límites o es escaso: *oferta limitada; la energía es un bien limitado, no debe malgastarse.* **ANT** ilimitado. **2** Se aplica a la persona que tiene poco entendimiento: *no intentes que lo comprenda, es un chico muy limitado.* **FAM** ilimitado.

limitar *v. tr.* **1** Poner límites a una cosa, especialmente una superficie o un territorio: *limitar unos terrenos.* **2** Reducir una cosa, estableciendo unos límites: *quieren limitar el consumo de agua; esta vía tiene limitada la velocidad por obras.* **SIN** restringir. **‖** *v. intr.* **3** Tener un límite o frontera común dos o más zonas o terrenos: *Andorra limita con Francia y España.* **‖** *v. prnl.* **4** **limitarse** Hacer únicamente una cosa: *desde ahora te limitarás a tus obligaciones; se limitaba a mover la cabeza para decir sí o no.* **FAM** limitación, limitado; delimitar, extralimitarse.

límite *s. m.* **1** Línea real o imaginaria que marca un territorio y lo separa de otros: *el ganadero valló su finca para que nadie pudiera traspasar los límites.* **2** Fin o grado máximo de una cosa que no se puede o no se debe superar: *la paciencia de su padre estaba llegando a su límite; estaba al límite de sus fuerzas.* **NOTA** Se construye normalmente en aposición a otro sustantivo: *velocidad límite, situación límite.* **3** Magnitud fija a la cual se acercan cada vez más los términos de una secuencia infinita de magnitudes: *la secuencia de los números 2n / (n + 1) tiene como límite el número 2.* **FAM** limitador, limitar, limítrofe.

limítrofe *adj.* Se aplica al lugar que está al lado de otro o que limita con otro: *el autobús iba de la capital a los pueblos limítrofes.* **SIN** colindante, vecino.

limo *s. m.* Barro arcilloso fino que se deposita en el fondo de las aguas cuando llueve: *el limo que dejan las crecidas de los ríos es rico en materia orgánica; el limo enriquece la capacidad agrícola de la tierra.* **SIN** cieno. **FAM** limoso.

limón *s. m.* **1** Fruto del limonero, de forma ovoide, con cor-

teza de color amarillo claro, comestible y de sabor ácido y muy aromático. **2** Limonero (árbol). ‖ *s. m./adj.* **3** Color amarillo como el de este fruto.
FAM limonada, limonar, limonero.

limonada *s. f.* Bebida refrescante hecha con zumo de limón, agua y azúcar.

limonar *s. m.* Lugar poblado de limoneros.

limonero, -ra *s. m.* **1** Árbol de tronco liso y ramoso, copa abierta, hojas duras, permanentes y de color verde brillante y flores olorosas de color blanco y rosa, cuyo fruto, comestible, es el limón. **SIN** limón. ‖ *s. m. y f.* **2** Persona que se dedica a vender limones.

limonita *s. f.* Mineral compuesto de óxido de hierro hidratado, de color pardo amarillento: *la limonita se utiliza como pigmento.*

limosna *s. f.* Donativo o ayuda que se da al necesitado, generalmente dinero. **SIN** caridad.
FAM limosnear, limosnero.

limosnear *v. intr.* Pedir ayuda, generalmente en forma de dinero o alimentos. **SIN** mendigar.
FAM limosneo.

limosnero, -ra *adj.* Que ayuda con frecuencia al necesitado, generalmente dándole dinero: *la señora y su hija eran muy limosneras.*

limpia *s. f.* **1** Limpieza enérgica de una cosa. ‖ *s. m.* **2** familiar Limpiaparabrisas. **3** familiar Limpiabotas.

limpiabotas *s. com.* Persona que se dedica a limpiar y dar brillo al calzado de otras personas.
OBS Plural invariable.

limpiacristales *s. com.* **1** Persona que se dedica a limpiar cristales. ‖ *s. m.* **2** Líquido para limpiar cristales y espejos.
OBS Plural invariable.

limpiador, -ra *adj./s. m. y f.* **1** Se aplica al producto o al instrumento que sirve para limpiar: *necesito un producto limpiador para la moqueta.* ‖ *s. m. y f.* **2** Persona que se dedica a limpiar: *el servicio de limpiadores.*

limpiaparabrisas *s. m.* Varilla articulada y provista de una goma que se sitúa, sola o junto con otra, en los cristales delantero y trasero de algunos vehículos para limpiar la lluvia o la nieve que cae sobre ellos.
OBS Plural invariable.

limpiar *v. tr.* **1** Quitar o eliminar la suciedad o una mancha: *limpiar la cocina; se limpió la mancha de salsa con el pañuelo.* **ANT** ensuciar, manchar. **2** Quitar o eliminar lo que estorba o no sirve: *limpiamos el terreno de malas hierbas.* **3** En los alimentos, quitar todo aquello con que no se pueden servir o cocinar: *debes limpiar bien el pescado antes de rebozarlo.* **4** Quitar o eliminar las manchas morales: *se confesó para limpiar sus culpas.* **SIN** purificar. **ANT** ensuciar, manchar. **5** Excluir de un colectivo a los miembros que no cooperan o que se consideran molestos: *se ha propuesto limpiar de maleantes la ciudad.* **6** familiar Hurtar o dejar sin dinero a una persona: *me han limpiado la cartera; los ladrones sabían que estaba de viaje y le limpiaron la casa.* **7** familiar En algunos juegos, ganar todo el dinero de los demás: *decía que no sabía jugar al póquer y nos ha limpiado a todos.* **8** Podar una planta.
FAM limpia, limpiabotas, limpiacristales, limpiador, limpiaparabrisas, limpiaúñas, limpión.
OBS Verbo regular, se acentúa como *cambiar.*

limpiaúñas *s. m.* Utensilio para limpiar las uñas.
OBS Plural invariable.

límpido, -da *adj.* culto Que es limpio y puro: *el límpido aire serrano ensanchaba sus oprimidos pulmones.*
FAM limpidez.

limpieza *s. f.* **1** Cualidad de limpio: *está muy pendiente de la limpieza de su casa.* **ANT** suciedad. ■ **limpieza de sangre** Nobleza del cristiano viejo que no tenía mezcla de sangre morisca o judía, entre los siglos XV y XVII: *la limpieza de sangre era condición indispensable para acceder a diversos cargos.* **2** Acción que consiste en quitar o eliminar la suciedad o una mancha de algo: *la limpieza de la casa es agotadora; al menos una vez al año debes ir al dentista a hacerte una limpieza.* **3** Acción que consiste en excluir de un colectivo a los miembros que no cooperan o que se consideran molestos: *iniciaron la limpieza de delincuentes de la ciudad.* **4** Destreza y habilidad en la realización de un ejercicio físico: *esquivó con limpieza al contrario; saltó todas las vallas con limpieza.* **5** familiar Acción que consiste en dejar a una persona sin dinero: *le hicieron una buena limpieza en el casino.* **6** Honradez e integridad con que se comporta o actúa una persona: *los dos contrincantes jugaron con limpieza.*

limpio, -pia *adj.* **1** Que no tiene ninguna mancha o suciedad: *quítate esa camisa y ponte otra limpia.* **ANT** sucio. **2** Que está libre de impurezas o despojado de lo superfluo: *trigo limpio; esa escritora tiene un estilo muy limpio; compra un pollo limpio.* **3** Que no tiene mezclas consideradas dañinas: *aire limpio.* **ANT** impuro. **4** Se aplica a la persona o al animal que cuida de su higiene y su aspecto exterior: *los gatos son animales muy limpios.* **SIN** aseado, pulcro. **5** Se aplica al dinero que resulta una vez que se han restado los gastos o los impuestos: *su padre gana mil quinientos euros limpios al mes.* **SIN** neto. **6** Se aplica a la persona buena y honrada: *te puedo asegurar que Miguel es limpio e incapaz de engañar a nadie.* **SIN** noble. **7** Se aplica a la persona que está libre de culpa, daño o riesgo: *después de tantas acusaciones salió limpio del juicio.* **8** familiar Se aplica a la persona que se ha quedado sin dinero: *jugó con ellos a las cartas y lo dejaron limpio.* **9** familiar Se aplica a la persona que carece de conocimientos en una materia: *las preguntas sobre literatura ya las responderás tú, que yo estoy limpio.* **10** En medicina, se aplica a una fractura, corte, etc., cuando no ha habido aislamiento o desgarro adicional de los tejidos ni bordes irregulares: *un corte limpio.* **11** Se emplea en diferentes expresiones para dar énfasis a la acción expresada por el sustantivo al que acompaña: *a codazo limpio; a puñetazo limpio; a trompazo limpio.* ‖ *adv.* **12** De manera honrada y sin trampas: *el árbitro pidió a los jugadores que jugaran limpio.* **SIN** limpiamente.

en limpio Sin errores y bien presentado: *ha puesto las cuentas en limpio.*

pasar a limpio Escribir un texto en su forma definitiva y sin errores utilizando un borrador: *ya tengo hecha la redacción y solamente me falta pasarla a limpio.*

sacar en limpio Obtener una idea clara o una conclusión concreta de una conversación: *aunque discutimos mucho, no sacamos nada en limpio.*
FAM limpiamente, limpieza.

limusina *s. f.* Automóvil lujoso y de mayor longitud que los automóviles convencionales, en ocasiones con el interior dividido en dos partes por un cristal corredizo que separa al conductor de los pasajeros.

linaje *s. m.* **1** Línea de antepasados y descendientes de una persona, especialmente si es noble: *al casarse con ella se empa-*

rentó con un linaje muy antiguo. **SIN** estirpe. ② Calidad de una cosa.

FAM linajudo.

linarense *adj.* ① De Linares (localidad de Jaén). ‖ *s. com./ adj.* ② Persona que es de Linares.

linaza *s. f.* Semilla del lino, de la que se extrae un aceite de gran aplicación en la fabricación de pinturas y barnices: *el aceite de linaza tiene un olor muy fuerte.*

lince *s. m.* ① Mamífero carnívoro felino parecido al gato, pero de mayor tamaño, de color pardo, con pelos largos en las puntas de las orejas y con fuertes uñas que usa para cazar animales: *el lince ibérico, muy manchado, subsiste exclusivamente en la Península Ibérica, y está al borde de la extinción; los linces tienen muy buena vista.* ② Persona muy astuta, inteligente y perspicaz: *no hace falta ser un lince para entender esto.* ③ Persona que tiene la vista aguda.

linchamiento *s. m.* Acción que consiste en matar una muchedumbre a una persona sospechosa de algún crimen sin hacer antes un juicio, y tomándose la justicia por su mano: *el pueblo entero pedía el linchamiento del asesino.*

linchar *v. tr.* Matar una muchedumbre a una persona sospechosa de algún crimen sin hacer antes un juicio: *una multitud histérica se tomó la justicia por su mano y linchó al ladrón en la plaza del pueblo.*

FAM linchamiento.

lindar *v. intr.* ① Tener la misma frontera o límite dos superficies, países o territorios: *España linda con Portugal por el oeste.* ② Estar muy cerca de lo que se expresa: *su escrito linda con la perfección.*

FAM lindante; colindar.

linde *s. amb.* Límite de un territorio o finca contiguo a otro y que lo separa de este: *el agricultor marcó las lindes de sus tierras con piedras.* **SIN** lindero.

FAM lindar, lindero.

lindero, -ra *adj.* ① Se aplica al lugar que linda o limita con algo: *la casa lindera con la suya era una enorme mansión.* ‖ *s. m.* ② Linde: *caminó hasta los linderos de la finca.* **NOTA** Más en plural.

lindeza *s. f.* ① culto Cualidad de lindo: *la pintura barroca veneciana es de gran lindeza.* ② Dicho o detalle agudo, gracioso y halagador: *la cantante agradeció las lindezas de sus incondicionales.* ③ Dicho desagradable u ofensivo: *me llamó tonto, inútil y algunas lindezas más; de su boca salieron grandes lindezas.* **NOTA** Frecuentemente usado de forma irónica.

lindo, -da *adj.* ① Se aplica a la persona o a la cosa bella y agradable a la vista: *una linda casa se levantaba junto a la playa; ¡qué vestido tan lindo!* **SIN** bonito. ② **AMÉR.** Que resulta agradable porque es entretenido, bien hecho, interesante, etc.: *una película linda; debe de ser lindo visitar esas tierras.*

de lo lindo Mucho o en exceso: *hemos disfrutado de lo lindo; le maltrataron de lo lindo.*

FAM lindeza.

line Se usa en la expresión:

on line [se pronuncia 'on lain'] Se aplica a la información a la que se puede acceder mediante un ordenador o terminal en red y que se caracteriza por su constante actualización: *diccionario on line.*

línea *s. f.* ① Sucesión continua de puntos en el espacio: *la extensión de una línea es la longitud; el movimiento de un cuerpo es rectilíneo si se mueve a lo largo de una línea recta.* ■ **línea poli-**

gonal Conjunto finito de segmentos concatenados que pertenecen a un mismo plano; es cerrado si cada uno de ellos tiene un extremo común con el anterior y otro con el siguiente. ② Señal o marca larga y estrecha trazada en un plano o superficie: *sigue la línea que hay en el suelo; la línea discontinua de la calzada.* **SIN** raya. ■ **línea adicional** En música, línea corta y paralela al pentagrama que se coloca atravesando una nota que se sale del pentagrama por arriba o por abajo, y sirve para indicar qué nota es. ③ Serie de letras dispuestas horizontalmente en una página: *he escrito 20 líneas; en la línea 17 hay un error ortográfico.* **SIN** renglón. ④ Serie de personas o de cosas colocadas una tras de otra: *hizo una línea de cajas; he hecho tres líneas pero ningún bingo; el hotel está en primera línea de playa.* ■ **línea de batalla** o **línea de combate** Franja de terreno donde los soldados combaten: *tuvo que luchar en la primera línea de combate.* ⑤ En el fútbol y otros deportes de equipo, conjunto de jugadores que desempeñan una función igual o semejante: *la línea defensiva estuvo muy bien y evitó la derrota del equipo.* ⑥ Dirección que sigue una cosa: *todos valoraron positivamente la línea que llevaba la empresa.* ⑦ Conducta o comportamiento que sigue una determinada dirección: *tienes que cambiar de actitud, no puedes seguir en esa línea.* ⑧ Servicio regular de transporte que recorre un itinerario determinado: *la línea aérea Madrid-Valencia; existe una línea de autobuses entre la capital y el pueblo; coge el metro en la línea 3 y haz trasbordo a la 5.* ⑨ Tendencia, moda, estilo o carácter propio de una cosa: *un abrigo de línea clásica.* ⑩ Figura armoniosa de una persona o cosa: *la línea de este deportivo es muy aerodinámica.* ⑪ Serie de los miembros de una familia, y que constituye la relación de parentesco entre ellas: *es primo de mi padre por línea directa; es mi tío por línea materna.* ⑫ Esbeltez o delgadez de una persona: *si quieres guardar la línea, no comas tantos bombones.* **SIN** silueta. ⑬ Serie de productos con características iguales o parecidas: *es el diseñador de la línea de baño; la nueva línea de cosméticos.* ⑭ Conjunto de hilos y cables conductores de electricidad, necesarios para comunicarse por medio del teléfono o del telégrafo: *ya nos han conectado la línea telefónica; algunas zonas carecen de línea eléctrica.* ⑮ Comunicación por medio del teléfono o del telégrafo: *no podemos llamar por teléfono, porque han cortado la línea.* ⑯ Raya que señala los límites de un terreno de juego: *la pelota no llegó a rebasar la línea.* ■ **línea de fondo** Línea que marca el límite de un extremo del terreno: *el balón salió por la línea de fondo.* ■ **línea de meta** Línea que marca la meta, bajo la portería de un terreno de juego o al final de una carrera: *el balón cruzó la línea de meta, así que fue gol.* ⑰ Categoría o clase a la que pertenece una persona o una cosa: *fue derrotado por un tenista de tercera línea.* ⑱ jerga Dosis de cocaína o de cualquier otra droga en polvo. **SIN** raya. ‖ *s. f. pl.* ⑲ **líneas** Texto de corta extensión: *solamente pude escribirte unas líneas; nos mandó unas líneas para felicitarnos las fiestas.*

de línea Se aplica al coche o autobús que realiza un servicio regular de viajeros entre dos o más poblaciones: *autobús de línea.*

en líneas generales Desde un punto de vista general, sin entrar en particularidades: *en líneas generales, el clima de las costas es muy agradable.*

en toda la línea Totalmente.

entre líneas Deducir o adivinar algo, a pesar de no estar escrito o dicho explícitamente: *en la noticia del periódico se podía leer entre líneas que el presidente no tenía intención de asistir a la reunión.*

línea lateral Órgano sensorial de los peces y otros vertebrados acuáticos, como los anfibios, que consta de un canal que se extiende a lo largo del cuerpo y se comunica con el exterior por medio de poros sensoriales a través de las escamas: *la línea lateral cumple la función de captar diferencias de presión del medio líquido, así como vibraciones de baja frecuencia.*

línea melódica Melodía o sucesión de notas musicales que hay sobre la armonía de una composición.

FAM lineal, linear; interlineado, tiralíneas.

lineal *adj.* **1** Relativo a la línea: *su asignatura preferida es el dibujo lineal.* **2** Que tiene una forma semejante a una línea: *revisaron el trazado lineal del metro; las hojas del pino son lineales.* **3** Que sigue un desarrollo constante, sin alteraciones: *un aumento lineal y progresivo; la película tiene un argumento lineal.*

FAM linealidad; interlineal.

linealidad *s. f.* **1** Cualidad de lo que es lineal: *cuando el narrador sigue la linealidad cronológica, expone los sucesos a medida que han ido pasando.* **2** Disposición lineal de los elementos en el habla.

linfa *s. f.* Líquido claro y sin color, propio de los vertebrados (salvo algunos peces), que circula por los vasos linfáticos y cuya composición es similar a la de la sangre, pero que solo contiene glóbulos blancos: *la linfa interviene en la defensa inmunitaria gracias a la producción de linfocitos; la linfa contiene agua y proteínas.*

FAM linfático, linfocito; endolinfa.

linfático, -ca *adj.* Relativo a la linfa: *además de la linfa y los vasos, el sistema linfático comprende ganglios y órganos especializados como el timo y el bazo; las células linfáticas se producen en la médula ósea.*

linfocito *s. m.* Leucocito de pequeño tamaño, de núcleo esférico y escaso citoplasma, que se halla en la linfa y en la sangre y cuya función es reconocer a los antígenos y sintetizar anticuerpos: *los linfocitos destruyen las células que reconocen como extrañas o las que detectan infectadas; los linfocitos mantienen activas las reacciones inmunitarias.*

lingotazo *s. m.* Copa o trago de una bebida alcohólica. SIN pelotazo.

lingote *s. m.* Barra o trozo de metal en bruto, generalmente de hierro o de un metal noble, como el oro, la plata o el platino, y que mantiene la forma del molde donde se ha fundido: *lingote de oro.*

lingual *adj.* Relativo a la lengua (órgano bucal).

lingüista *s. com.* Persona que ha cursado los estudios de lingüística o que se dedica a estudiar esta ciencia del lenguaje.

lingüística *s. f.* Ciencia que estudia el lenguaje en general y las lenguas en particular: *la lingüística general hace un estudio teórico del lenguaje; la lingüística diacrónica estudia la lengua de épocas antiguas; la lingüística contrastiva permite identificar los elementos comunes a varias lenguas.*

lingüístico, -ca *adj.* Relativo a la lingüística o a las lenguas: *competencia lingüística; la oración es una unidad lingüística con significado completo.*

FAM lingüística.

linier *s. m.* En algunos deportes, especialmente el fútbol, auxiliar del árbitro principal que vigila el juego en las bandas laterales del campo: *desde su posición, el linier ve mejor si hay fuera de juego.* SIN juez de línea.

linimento *s. m.* Preparado farmacéutico hecho a base de aceite y extractos vegetales, de uso externo y que se aplica con fricciones: *el masajista aplicó un linimento al jugador lesionado.*

lino *s. m.* **1** Planta herbácea de flores azules, de cuyo tallo, recto y hueco, se saca una fibra que sirve para hacer tejidos: *el lino se cultiva para su aprovechamiento en la industria textil; de las semillas del lino se extrae el aceite de linaza.* **2** Fibra que se saca de los tallos de esta planta: *los primeros tejidos fueron de lino y de lana.* **3** Tejido hecho con esta fibra: *las prendas de lino son frescas en verano y cálidas en invierno.*

FAM linácео, linar, linaza, linóleo.

linóleo *s. m.* Tejido impermeable elaborado con yute y cubierto con una capa de corcho en polvo amasado con aceite de linaza oxidado: *el linóleo en láminas se usa para cubrir el suelo.*

linotipia *s. f.* **1** Máquina de componer textos tipográficos, que saca la línea de letras en una sola pieza: *la fotocomposición desplazó por completo a la linotipia.* **2** Arte o técnica de componer textos con esta máquina.

linterna *s. f.* **1** Aparato manual y portátil, provisto de una pequeña bombilla, que sirve para proyectar luz y que funciona con pilas eléctricas: *nos metimos en la cueva con una linterna.* **2** Farol o lámpara portátil. **3** Faro. **4** Estructura arquitectónica de forma cilíndrica o poligonal, cubierta por una pequeña cúpula, que corona una cúpula mayor, y que suele tener ventanas que permiten el paso de la luz al interior del edificio: *sobre la cúpula hay una linterna octogonal.*

linterna mágica Aparato óptico que proyecta imágenes sobre una pantalla agrandándolas y creando la ilusión de movimiento.

lío *s. m.* **1** Conjunto de cosas atadas, especialmente de ropa: *haz un lío con la ropa sucia y llévalo a la lavandería.* **2** familiar Desorden o confusión: *menudo lío tiene en su habitación; al principio todos nos hacíamos un lío con el cambio de pesetas a euros.* SIN barullo. **3** Asunto o situación difícil de resolver, especialmente si va acompañada de alboroto: *se ha metido en un buen lío.* SIN barullo, embrollo, enredo. **4** Relación amorosa o sexual entre dos personas que no forman pareja estable: *en el pueblo se decía que esa mujer tenía un lío con el vecino.* SIN aventura, enredo.

FAM lioso.

liofilización *s. f.* Método de desecación que consiste en congelar una sustancia o alimento y eliminar después el agua helada haciéndola pasar al estado de vapor mediante presiones bajas, cercanas al vacío, con el fin de conservarla más tiempo.

liofilizar *v. tr.* Desecar una sustancia o alimento congelándolos y eliminando después el agua por vaporización mediante presiones bajas cercanas al vacío: *los alimentos liofilizados son fácilmente solubles.*

FAM liofilización.

lioso, -sa *adj.* **1** Se aplica al asunto o situación que es confuso o complicado: *se lo explicó todo muy despacio, porque era un poco lioso.* ‖ *adj./s. m. y f.* **2** familiar Se aplica a la persona que lía o hace que un asunto o una situación resulten más complicados de lo normal: *es un hombre tan lioso que es preferible que no le consultes su opinión.* SIN liante.

lípido *s. m.* Sustancia orgánica insoluble en agua que contiene gran cantidad de energía química y cuyas principales funciones son: base estructural de membranas celulares, recubrimientos protectores, depósitos de reserva y formas de transporte de energía y aislantes térmicos: *el colesterol es un lí-*

pido; una característica de los lípidos o grasas es que no son solubles en agua; los lípidos pueden ser vitaminas u hormonas.

lipograma *s. m.* Escrito en el que faltan una o determinadas letras, las cuales se evitan voluntariamente: *escribió cinco lipogramas en forma de soneto, cada uno de ellos sin una de las cinco vocales.*

lipólisis o **lipolisis** *s. f.* Descomposición de los lípidos alimentarios en ácidos grasos durante la digestión que permite la obtención de energía.
OBS Plural invariable.

liposoluble *adj.* Se aplica a la sustancia orgánica que es soluble en las grasas o aceites: *las grasas llevan disueltas vitaminas liposolubles.*

liposoma *s. m.* Pequeña acumulación de determinados compuestos químicos, generalmente proteínas, enzimas y medicamentos, mantenida en emulsión en los tejidos en forma de grasa invisible: *las cremas de cosmética llevan liposomas difusores que liberan sus principios activos a lo largo del día.*

lipotimia *s. f.* Desmayo repentino y pasajero, que se produce cuando no llega sangre suficiente al cerebro: *el calor excesivo le produjo una lipotimia.*

liquen *s. m.* Organismo formado por la simbiosis de un hongo y un alga, que crece en lugares húmedos y sin contaminar, sobre las rocas o los troncos de los árboles: *en un liquen, el alga cede al hongo los productos obtenidos por fotosíntesis, mientras que el hongo proporciona el agua y las sales minerales que el alga necesita para vivir; los líquenes carecen de hojas, flores y raíces.*

liquidación *s. f.* ① Pago completo de una deuda o de una cuenta: *no puedo hacer la liquidación hasta principios del mes próximo.* ② Venta a un precio muy bajo de una mercancía por traslado, quiebra, reforma, traspaso, etc. del establecimiento: *aprovecha que están de liquidación en la tienda de ropa.* ③ Finalización definitiva de una cosa o asunto. ④ Dinero que una empresa paga a un trabajador cuando deja de prestarle sus servicios. **SIN** finiquito.

liquidar *v. tr.* ① Pagar completamente una deuda o una cuenta. **SIN** finiquitar, saldar. ② Dar fin a una cosa o asunto: *esta cuestión está liquidada, así que no quiero oír nada más al respecto.* **SIN** saldar. ③ Hacer ajuste final de cuentas un comercio por cesar el negocio. ④ Vender a un precio muy bajo la mercancía de un establecimiento: *al final de la temporada de verano, las tiendas liquidan las existencias que han sobrado.* ⑤ Gastar completamente una cantidad de dinero: *no es nada previsor, liquidó en un mes lo que su abuelo le dejó en herencia.* ⑥ familiar Matar a una persona: *pagaron a un asesino para que liquidara al presidente.* **SIN** eliminar.
FAM liquidación.

liquidez *s. f.* ① En economía, capacidad de un capital financiero para transformarse de manera simple en dinero efectivo. ② En economía, capacidad para hacer frente a las obligaciones financieras en un momento determinado y de manera inmediata: *no pudo hacer frente a las facturas por falta de liquidez.*

líquido, -da *adj.* ① Se aplica al estado de la materia que no es sólido ni gaseoso; se caracteriza porque la cohesión entre las moléculas es menor que en un sólido y mayor que en un gas y porque se adapta a la forma del recipiente que la contiene: *el agua deja de estar en estado líquido a partir de los 0 °C.* | *adj./s. m.* ② Se aplica a la sustancia que tiene este estado: *el cuerpo humano tiene un alto porcentaje de líquidos; el*

líquido amniótico permite al embrión flotar libremente en él y le proporciona protección. ③ Se aplica al saldo positivo de una cuenta, que es la cantidad de dinero que queda tras comparar lo que se tiene con lo que se debe: *su líquido disponible no le permite hacer ese pago; había un saldo líquido de quinientos euros.* ④ Se aplica al activo financiero fácilmente transformable en dinero. | *adj./s. f.* ⑤ Se aplica al sonido consonántico que, en posición inicial de palabra, va seguido de otra consonante con la que no forma sílaba: *la "s" de las palabras "stop" y "squash" es líquida.* | *adj./s. f.* ⑥ Se aplica a las consonantes *l* y *r*, por su aptitud para formar grupo con la consonante precedente en la misma sílaba.
FAM liquidar, liquidez.

lira[1] *s. f.* ① Instrumento musical antiguo de cuerda formado por una caja de resonancia de la cual salen unos brazos (generalmente curvos) unidos por un travesaño, y una serie de cuerdas tensadas verticalmente que se tocan con ambas manos o con una púa: *un grabado del dios Apolo tocando la lira.* ② Estrofa de cinco versos, heptasílabos el primero, el tercero y el cuarto, y endecasílabos el segundo y el quinto, que riman el primero con el tercero y el segundo con el cuarto y el quinto: *el esquema métrico de la lira es aBabB.*
FAM lírica, lírico.

lira[2] *s. f.* Unidad de moneda de Italia (hasta su sustitución por el euro en el año 2002), Turquía y otros países, con diferente valor en cada uno de ellos.

lírica *s. f.* ① Género poético constituido por composiciones en las que el autor expresa sus ideas y sentimientos de manera subjetiva: *en la lírica, a diferencia de la épica, no suele haber trama narrativa.* ② Género literario de las obras compuestas en verso: *tres son los principales géneros literarios: la lírica, la épica y la dramática.* **SIN** poesía, verso.

lírico, -ca *adj.* ① Relativo a la lírica: *su obra tiene una fina sensibilidad y calidad lírica; el relato es de tono lírico y se encuentra impregnado por el sentimiento de la nostalgia.* | *adj./s. m.* ② Se aplica al poeta que cultiva el género de la lírica: *Quevedo fue un gran poeta lírico.* | *adj.* ③ Se aplica a la obra de teatro cantada parcial o totalmente: *escribió óperas y otras obras líricas; la zarzuela es un género lírico.* ④ Relativo a este tipo de obra teatral: *María Callas y Renata Tebaldi fueron dos de las sopranos líricas más importantes.*

lirio *s. m.* Planta herbácea de hojas lanceoladas y duras, alrededor de un tallo central ramoso, con flores grandes, de seis pétalos azules, morados o blancos; se utiliza como planta de adorno: *el lirio es silvestre en las zonas cálidas.* ■ **lirio blanco** Planta de jardín, con raíz en forma de bulbo, de tallo alto y erecto con una flor en el extremo, hojas largas y estrechas y fruto en cápsula. **SIN** azucena.

lirismo *s. m.* Expresión profunda de emoción y exaltación de la intimidad, generalmente en literatura: *este escritor se caracteriza por el lirismo de sus poesías.*

lirón *s. m.* ① Mamífero roedor parecido al ratón, de color marrón y con grandes orejas y cola larga y peluda, que vive en los árboles; es de costumbres nocturnas, y pasa el invierno adormecido y alimentándose de los frutos que ha almacenado: *el lirón careto luce una mancha negra alrededor de los ojos, como un antifaz, y habita en los bosques.* ② Persona que duerme mucho: *duerme como un lirón.* **SIN** dormilón, marmota.

lis *s. m.* ① culto Lirio (planta y flor). ② Representación heráldica de la flor del lirio. **NOTA** También *flor de lis.*

lisa *s. f.* Pez marino de cuerpo rechoncho y labio superior muy grueso, que suele habitar en mares templados: *la lisa suele formar bancos.*

lisboeta *adj.* ① De Lisboa (capital de Portugal). ‖ *s. com./adj.* ② Persona que es de Lisboa.

lisiado, -da *adj./s. m. y f.* ① Se aplica a la persona que tiene una lesión permanente, especialmente una amputación o defecto en las extremidades. **SIN** tullido. ② familiar Que está muy cansado por haber realizado un gran esfuerzo: *vengo lisiado del trabajo.*

lisiar *v. tr.* Producir una lesión grave y permanente en alguna parte del cuerpo, especialmente en las extremidades: *una bomba le lisió los dos brazos.*
FAM lisiado.
OBS Verbo regular, se acentúa como *cambiar.*

lisina *s. f.* ① Enzima que disuelve células extrañas o bacterias. ② Aminoácido esencial de características básicas, ya que contiene un grupo ácido ($-COOH$) y dos básicos ($-NH_2$).

liso, -sa *adj.* ① Se aplica a la superficie que no tiene asperezas, salientes ni arrugas: *un terreno liso; planché la tela hasta dejarla lisa.* **SIN** llano, plano. **ANT** rugoso. ② Se aplica al objeto o a la superficie sin adorno ni decoración: *una fachada lisa; una pared lisa.* ③ Se aplica al pelo que no tiene rizos. **SIN** lacio. ④ Se aplica al tejido o al papel de un solo color, sin dibujos ni adornos, y a los objetos confeccionados con él: *una tela lisa; un sillón liso.* **ANT** estampado. ⑤ En una carrera de atletismo, se aplica a la longitud que se corre sin obstáculos: *una carrera de 100 m lisos.* ⑥ Se aplica al color que es uniforme, sin variaciones: *amarillo liso; verde liso.*
liso y llano Fácil, sin complicación.
FAM lisura; alisar.

lisonja *s. f.* Alabanza interesada e hipócrita. **SIN** adulación.
FAM lisonjear, lisonjero.

lisonjear *v. tr.* ① Alabar hipócrita e interesadamente a una persona para conseguir un favor o para ganar su voluntad: *no hacía más que lisonjearla para seducirla.* **SIN** adular. ‖ *v. prnl.* ② **lisonjearse** Llenarse alguien de orgullo o satisfacción: *era el único que podía lisonjearse de haber descubierto una nueva tierra.* **SIN** deleitarse.

lisonjero, -ra *adj./s. m. y f.* Se aplica a la persona que alaba hipócrita e interesadamente a otra para conseguir un favor o para ganar su voluntad: *no soporta a las personas lisonjeras.* **SIN** adulador.

lisosoma *s. m.* Orgánulo celular de forma irregular y membrana sencilla que contiene gran cantidad de enzimas necesarias para la digestión de los alimentos o para la destrucción de antígenos.

lista *s. f.* ① Relación o enumeración de personas o cosas, generalmente dispuestos en columna: *el secretario elaboró una lista con los datos de los alumnos.* **SIN** listado. ■ **lista de boda** Lista que elaboran los novios indicando los objetos que desean recibir como regalo de boda y que entregan a un establecimiento para que los invitados elijan los regalos: *la lista de bodas se asigna a una tienda.* ■ **lista de espera** Lista que contiene los asuntos o los nombres de las personas que deben guardar un turno: *los hospitales tienen listas de espera para los enfermos que han de operarse.* ■ **lista negra** Lista que contiene los nombres de personas o grupos que se consideran peligrosos o enemigos: *decían que su nombre figuraba en la lista negra del régimen totalitario.* ② Franja, raya o línea larga y delgada que decora una tela o un tejido, generalmente de un color: *la camiseta llevaba dos listas verticales de color morado; tengo*

una chaqueta a listas. **SIN** franja, raya. ③ Tira delgada de cualquier material: *de la pared colgaban unas cuantas listas de papel de colores.*

pasar lista Leer en voz alta una relación de nombres de personas para comprobar que están presentes. *el profesor pasa lista todas las mañanas.*
FAM listín.

listado, -da *adj.* ① Se aplica al tejido que tiene listas o franjas: *llevaba una camiseta listada.* ‖ *s. m.* ② Enumeración ordenada de ciertas cosas o personas, generalmente dispuestas en columna: *el jefe pidió un listado de todos los empleados de la empresa; en la pantalla del ordenador tienes el listado de todos los directorios.* **SIN** lista.

listar *v. tr.* Hacer una lista, un listado o una relación de cosas o personas: *lista diez alimentos que se consumen habitualmente en una ciudad y averigua dónde se producen o se fabrican.*
FAM listado.

listeza *s. f.* Capacidad para entender las cosas con facilidad y rapidez: *gracias a su listeza, le van bien los negocios.*

listillo, -lla *adj. fam. desp.* Se aplica a la persona que tiene habilidad para ver con rapidez lo que le conviene y sacar provecho de ello: *siempre hay algún listillo que se marcha sin pagar.*

listín *s. m.* ① Relación de los abonados al servicio telefónico. ② Lista abreviada de otra más extensa.

listo, -ta *adj.* ① Que entiende las cosas con facilidad y rapidez: *es el niño más listo del colegio y por eso obtiene las mejores notas.* **SIN** inteligente. ② Ingenioso, astuto, que tiene habilidad para afrontar y resolver problemas: *no se le engaña fácilmente, es muy listo; se cree muy listo, pero a mí no me engaña.* ③ Se aplica a la persona o a la cosa que está dispuesta o preparada para algo: *¿estás listo para salir?; tengo listo el equipaje.* ‖ *int.* ④ **¡listo!** Expresión para indicar que se ha acabado de hacer algo o que algo ya está preparado: *¡listo!, ¡ya podemos empezar!*
andar listo familiar Estar alguien bien atento o dispuesto para hacer algo: *ya puede andar listo para no volver a cometer un error como ese.*
estar (**o ir o andar**) **listo** familiar Estar alguien equivocado en cuanto a una opinión o deseo: *si se cree que se lo vamos a permitir, va listo.*
pasarse de listo familiar Excederse alguien en materias o cosas que no conoce, simulando un perfecto conocimiento de las mismas y cayendo, consecuentemente, en un error: *hazme caso a mí y no te pases de listo.*
FAM listeza, listillo.

listón *s. m.* ① Pieza de madera larga y estrecha: *hizo el marco del cuadro con cuatro listones.* ② En la prueba deportiva de salto de altura, barra que se coloca horizontalmente y que se debe superar: *el saltador de pértiga pasó rozando el listón, pero no lo derribó.* ③ Límite o cualidad máxima, muy difícil de superar: *poner el listón muy alto; dejar alto el listón.*

lisura *s. f.* ① Ausencia de asperezas, salientes o arrugas: *la lisura del terreno hace más fácil la construcción de carreteras.* ② Sinceridad, sencillez, veracidad o ausencia de fingimiento: *la lisura de sus palabras nos dejó convencidos.* ③ PERÚ Descaro, desvergüenza.

litera *s. f.* ① Mueble formado por dos o más camas superpuestas: *compraron una litera para ganar espacio en la habitación de los niños.* ② Cada una de las camas que forman parte de este mueble: *mi hermano duerme en la litera de arriba y yo en la de abajo.* ③ Cama fija que se usa en barcos y trenes para ganar espacio: *¿prefiere coche cama o litera?; el joven se mareaba en*

L

cubierta y se fue a su litera. ④ Vehículo antiguo formado por una caja de la que salen dos varas largas hacia adelante y otras dos hacia atrás para ser transportado por dos personas o, a veces, dos animales.

literal adj. ① Se aplica al sentido que sigue fielmente el significado exacto de las palabras, sin buscar interpretaciones o sentidos figurados: no te debes tomar esa amenaza en sentido literal. ANT figurado. ② Se aplica a la traducción que respeta exactamente la estructura gramatical del texto original: no debes hacer una traducción literal palabra por palabra. FAM literalidad; transliterar.

literario, -ria adj. Relativo a la literatura: don Quijote es un personaje literario; dejó de escribir porque no tenía vocación literaria; la poesía, la novela y el teatro son los principales géneros literarios.

literato, -ta adj./s. m. y f. Se aplica a la persona que cultiva la literatura, escribiendo o estudiándola.

literatura s. f. ① Arte cuyo medio de expresión es la palabra oral o escrita y en el que el lenguaje no tiene la función de informar, sino de proporcionar satisfacción o placer estético: la lírica, la narrativa y el teatro forman parte de la literatura. ② Estudio de las teorías que tratan de este arte, de sus obras y de sus autores: estudio literatura en la universidad. ③ Conjunto de las obras literarias de un género, de un país o de un periodo determinado: la literatura española; es un gran conocedor de la literatura del Siglo de Oro. ④ Conjunto de libros que tratan un tema o una materia: literatura jurídica; se ha escrito mucha literatura sobre este tema. FAM literario, literato.

litiasis s. f. Formación de cálculos (piedras) en la vesícula biliar o en los conductos urinarios. OBS Plural invariable.

litificación s. f. En geología, conjunto de procesos de formación de las rocas sedimentarias a partir de sus sedimentos.

litigante adj./s. com. ① Se aplica a la persona o a la institución que se enfrenta a otra persona o institución en un juicio. ② culto Se aplica a la persona que discute o se enfrenta a otra por una diferencia de opiniones o intereses: en el debate participaron tres litigantes.

litigar v. intr. ① Disputar sobre una cosa dos o más personas en un juicio: no se atrevió a litigar contra la empresa que le había despedido. SIN pleitear. ② Discutir o enfrentarse por una diferencia de opiniones o de intereses: esos dos se pasan el día litigando. SIN pleitear. ‖ v. tr. ③ Disputar una cosa a alguien: litigar una herencia. FAM litigante, litigio.

litigio s. m. ① Disputa entre dos o más personas que se desarrolla en un juicio: el litigio se resolvió a nuestro favor; el Poder Judicial resuelve los litigios. SIN pleito. ② Discusión o enfrentamiento por una diferencia de opiniones o de intereses: no quiero litigios contigo, así que no hablemos de política. **en litigio** Expresión que se aplica a aquello que se disputa en un juicio o discute: el asunto en litigio entre esos dos diarios siempre es el mismo. FAM litigioso.

litio s. m. Elemento químico de símbolo Li y número atómico 3; es un metal brillante, blanco plateado, blando y ligero, del grupo de los alcalinos; se usa en la producción de fármacos antidepresivos y, en combinación con otros metales, en la fabricación de cerámicas y vidrios especiales, etc.

litografía s. f. ① Arte de reproducir o de imprimir dibujos o escritos grabados previamente en piedra o en planchas de metal: en la litografía el artista dibuja directamente sobre la piedra e imprime las copias que desee. ② Reproducción obtenida mediante esta técnica: esta galería de arte solamente expone litografías y grabados. ③ Taller donde se obtienen estas reproducciones. FAM litografiar, litográfico.

litográfico, -ca adj. Relativo a la litografía.

litología s. f. Parte de la geología que estudia las rocas.

litológico, -ca adj. Se aplica al ciclo geológico que incluye el proceso de formación, destrucción y transformación de una roca en otra.

litoral adj. ① Relativo a la costa del mar: el clima litoral es muy húmedo; dejaron la autopista y tomaron una carretera litoral. SIN costero. ‖ s. m. ② Franja de tierra que está tocando con el mar: el litoral cantábrico es muy hermoso. SIN costa.

litosfera s. f. Capa externa y rígida de la Tierra, cuyo espesor varía de unas zonas a otras, constituida básicamente por silicatos e integrada por la corteza y la parte más superficial del manto: la capa inmediatamente inferior a la litosfera es la astenosfera.

lítotes o **litotes** o **litote** s. f. Figura retórica que consiste en atenuar una opinión o afirmación, dando a entender lo contrario de lo que se quiere afirmar, y dejando bien clara la intención del que habla: en la frase "no me parece bien que le mientas, y además él no es tonto", la construcción "él no es tonto" es una lítote; la frase "¡valiente ayuda me has prestado!" es una lítote. OBS Plural: lítotes o litotes.

litro s. m. Unidad de volumen del Sistema Internacional, de símbolo l o L, que equivale a un decímetro cúbico: una garrafa de cinco litros.

litrona s. f. familiar Botella de cerveza de un litro.

lituano, -na adj. ① De Lituania (país de Europa): la capital lituana es Vilnus. ‖ s. m. y f./adj. ② Persona que es de Lituania. ‖ s. m./adj. ③ Lengua del grupo báltico que se habla en Lituania. ‖ adj. ④ Relativo a esta lengua.

liturgia s. f. Conjunto de prácticas y reglas establecidas para la celebración de las ceremonias religiosas: la liturgia de la misa; la liturgia del bautismo. SIN rito. FAM litúrgico.

litúrgico, -ca adj. Relativo a la liturgia: música litúrgica; fiestas litúrgicas.

liviandad s. f. ① Poco peso. SIN levedad, ligereza. ② Poca importancia o escasa gravedad de una acción. SIN levedad. ③ Inconstancia, facilidad para el cambio de ideas o de conducta: la liviandad de su carácter hace que no tenga amigos.

liviano, -na adj. ① Que pesa poco: una carga liviana; esas gafas son muy livianas. SIN leve, ligero. ANT pesado. ② Que es poco importante o serio: una deuda liviana; el empleado tuvo una distracción liviana. SIN leve, ligero. ③ Que supone poco esfuerzo, dificultad o molestia: el viaje en tren se me hizo muy liviano. SIN llevadero. ANT pesado. ④ Que cambia de ideas o de comportamiento con demasiada facilidad: un carácter muy liviano. SIN inconstante, voluble. FAM liviandad.

lividecer [16] v. intr. Ponerse lívido o pálido al recibir una fuerte impresión: al saber que estaba detenido lividecció.

lividez s. f. ① Palidez extrema: la lividez de su cara nos hizo pensar lo peor. ② Color amoratado que toma la carne por el frío, un golpe, o una herida: *la lividez de la herida demuestra que hay infección.*

lívido, -da *adj.* ① Que está de color amoratado, debido al frío, a un golpe o a una herida: *tenía la cara lívida y los ojos hinchados.* ② Pálido: *se puso lívido del susto.*
FAM lividecer, lividez.

liza *s. f.* ① culto Lucha o pelea entre dos o más personas o animales, empleando la fuerza, las armas o cualquier otro recurso con la intención de hacerse daño, matarse o imponer su voluntad: *los caballeros medievales eran muy diestros en las lizas; los candidatos mantuvieron una dura liza ante las cámaras.* **SIN** lid,. ② Antiguamente, campo o terreno para el combate de los caballeros: *en los torneos medievales, los caballeros se enfrentaban en la liza.* **SIN** palestra.
entrar en liza Intervenir en una lucha o una competición: *durante la reunión entraron en liza intereses contrapuestos.*

ll *s. f.* Dígrafo que en español representa el sonido consonántico lateral, palatal y sonoro; su nombre es *elle.*

llaga *s. f.* ① Herida abierta en alguna parte interior o exterior del cuerpo de una persona o animal, que puede segregar pus. **SIN** úlcera. ② Pena o dolor moral que se siente por una desgracia. ③ Junta vertical entre dos ladrillos de una misma serie horizontal.
FAM llagar.

llagar *v. tr.* Producir llagas.

llama¹ *s. f.* ① Masa de gas en combustión que sale hacia arriba de los cuerpos que arden; tiene forma de lengua puntiaguda y emite luz y calor. ② Fuerza o intensidad de una pasión o deseo: *se encendió en su corazón la llama del amor.*
FAM llamarada, llamear; lanzallamas.

llama² *s. f.* Animal mamífero rumiante doméstico, de pelo largo y marrón y orejas largas y erguidas, que es originario de América del Sur y se usa como animal de carga.

llamada *s. f.* ① Emisión de sonidos o palabras, o gesticulación que se hace con la intención de atraer la atención de una persona o animal: *las autoridades hicieron una llamada de prudencia y disciplina a los ciudadanos.* ② Voz, sonido o gesto que sirven como señal para atraer la atención de una persona o animal: *yo daba gritos desde la montaña, pero tú no oías mi llamada.* ③ Señal de un texto escrito que sirve para enviar al lector de una parte del texto a otra con el fin de relacionar conceptos o de ampliar información: *las llamadas suelen hacerse con asteriscos o números.* ④ Comunicación a través del teléfono: *esperaba una llamada importante.* ⑤ Invitación o convocatoria que hace una persona a un grupo para que este actúe del modo más conveniente. **SIN** llamamiento. ⑥ Impulso o atracción que ejerce una cosa sobre una persona: *sintió la llamada de la naturaleza y se fue a vivir a la montaña.*

llamador *s. m.* ① Pieza de metal que se coloca en una puerta y que se golpea para llamar o que golpea la puerta. **SIN** picaporte. ② Botón del timbre que activa eléctricamente un sonido si se presiona: *utiliza este llamador cuando quieras avisar a la enfermera.*

llamamiento *s. m.* ① Invitación o convocatoria que hace una persona a un grupo para que este actúe del modo más conveniente. **SIN** llamada. ② Aviso que exige la presencia de una persona para hacer el servicio militar. **SIN** convocatoria.

llamar *v. tr.* ① Emitir sonidos o palabras, o hacer gestos para captar la atención de una persona o un animal. ② Comunicarse a través del teléfono. **SIN** telefonear. ③ Dar un nombre

a una persona, animal o cosa: *si es niño le llamarán Luis; a este tipo de construcción la llaman "fortaleza".* ④ Aplicar un sobrenombre o un adjetivo calificativo a una persona: *nos llamó estúpidos en presencia de todos.* ⑤ Gustar o atraer una cosa a una persona: *viaja mucho porque le llama la aventura.* ⑥ Dar a una persona un tratamiento determinado, según su categoría, su condición, su edad, etc.: *a mis jefes siempre les llamo de usted.* **SIN** tratar. ⑦ Citar a una persona con alguna finalidad: *me llamaron a declarar en aquel juicio.* ‖ *v. intr.* ⑧ Golpear una puerta o hacer sonar un timbre: *abre la puerta, que están llamando.* ‖ *v. prnl.* ⑨ **llamarse** Tener el nombre o título que se expresa: *mi perra se llamaba Neffer.* ⑩ Se utiliza para expresar que algo es como uno piensa que ha de ser verdaderamente: *eso es lo que se llama todo un caballero.*
FAM llamada, llamador, llamamiento, llamativo.

llamarada *s. f.* ① Llama grande que se forma de manera repentina y violenta, y que se apaga o pierde intensidad rápidamente. ② Enrojecimiento brusco y de poca duración de la cara, que suele producirse por un sentimiento de vergüenza. ③ Manifestación brusca y repentina de un sentimiento o un estado de ánimo: *en una llamarada de ira le tiró un jarrón a la cabeza.*

llamativo, -va *adj.* Que llama mucho la atención, especialmente por ser muy bello o muy exagerado y excéntrico.

llamear *v. intr.* Echar llamas un objeto que arde: *la madera ya ha prendido y llamea.*
FAM llameante.

llana *s. f.* Herramienta de albañilería compuesta por una pieza plana de metal con un asa de madera que sirve para extender y dejar lisa una masa, especialmente el yeso o la argamasa. **SIN** plana.
dar de llana Extender y dejar liso el yeso o la argamasa utilizando la llana.

llanamente *adv.* De manera clara y sin artificios: *aun siendo un importante científico, se expresó llanamente.*

llanear *v. intr.* Ir por terreno llano, evitando los desniveles e irregularidades.

llanero, -ra *s. m. y f.* Persona que vive en las llanuras.

llaneza *s. f.* ① Característica principal de la persona que tiene un comportamiento sencillo y natural con los demás. **SIN** sencillez. ② Falta de dificultad o de complicación, especialmente al hablar o al escribir. **SIN** sencillez.

llanito, -ta *adj.* ① De Gibraltar (ciudad y territorio de la Península Ibérica que depende del Reino Unido). **SIN** gibraltareño. ‖ *s. m. y f./adj.* ② Persona que es de Gibraltar. **SIN** gibraltareño.

llano, -na *adj.* ① Se aplica a la superficie que tiene el mismo nivel en todas sus partes, sin desniveles o desigualdades. **SIN** liso, plano. ② Que es sencillo, claro y comprensible: *le gusta escribir en un estilo llano.* ③ Se aplica a la persona que tiene un comportamiento sencillo y natural con los demás. ④ Se aplica a la persona o pueblo que no pertenece a las clases sociales importantes o privilegiadas. ⑤ Se aplica a la palabra que lleva el acento de intensidad en la penúltima sílaba: *las palabras "examen", "mudéjar" y "casa" son llanas.* **SIN** grave, paroxítono. ‖ *s. m.* ⑥ Terreno sin desniveles y generalmente muy extenso. **SIN** llanura, planicie.
FAM llana, llanada, llanamente, llanear, llanero, llaneza, llanura; allanar.

llanta *s. f.* ① Pieza circular de metal de una rueda que sirve para montar o sujetar el neumático. ② Aro de metal que protege la parte exterior de una rueda, especialmente en las ruedas de madera de los carros, para que no se desgasten con el roce. ③ AMÉR. Neumático. ④ COL. familiar Michelín (acumulación de grasa en la cintura): *tengo que ir al gimnasio para rebajar estas llantas que me han salido.*

llantén *s. m.* Hierba con hojas gruesas, anchas y ovaladas y con flores pequeñas y verdosas reunidas en una espiga larga y apretada; suele crecer en lugares húmedos y sus hojas se utilizan en medicina.

llantera *s. f.* Llorera.

llantina *s. f.* Llorera.

llanto *s. m.* ① Derramamiento de lágrimas, generalmente acompañado de lamentos y quejas que expresan dolor o tristeza. SIN lloro. ② Expresión de una queja por una pena o una necesidad, generalmente para despertar compasión o conseguir un fin. SIN lloro.
FAM llantera, llantina.

llanura *s. f.* Extensión grande de terreno muy plano o ligeramente ondulado, de escasa altitud. SIN planicie, llano. ■ **llanura abisal** Terreno cubierto de sedimentos y sin elevaciones que está entre el talud y la fosa oceánica.
FAM penillanura.

llave *s. f.* ① Objeto metálico que sirve para abrir o cerrar una cerradura. ■ **llave maestra** Llave que abre y cierra distintas cerraduras. ② Interruptor que abre y cierra el paso de una corriente eléctrica: *la llave general de la luz está en la escalera.* ■ **llave de cruce** Interruptor de cuatro contactos, conectados dos a dos, que permite cambiar el sentido de la corriente eléctrica de un circuito: *para cambiar el sentido de giro de un motor se usa una llave de cruce.* ③ Pieza que regula el paso de un fluido: *la llave del gas; la llave del agua.* ■ **llave de paso** Pieza que se coloca en un punto de la cañería del gas o del agua para regular la cantidad de fluido. ④ Herramienta que sirve para apretar o aflojar una tuerca. ■ **llave inglesa** Llave que dispone de un mecanismo que permite adaptarla a tuercas de diferentes medidas. ⑤ Instrumento que sirve para dar cuerda a un reloj o a un objeto con clavijas. ⑥ Signo de ortografía ([ ]) que sirve para encerrar un conjunto de números o de letras. ⑦ En algunos deportes de lucha, movimiento que sirve para sujetar al contrario y tirarlo al suelo o inmovilizarlo: *le hizo una llave de judo y lo dejó en el suelo.* ⑧ Clave que permite conseguir o descubrir una cosa. ⑨ Pieza metálica plana de ciertos instrumentos de viento, colocada sobre un agujero del tubo y que, al ser apretada o soltada con el dedo, abre o cierra el paso del aire para producir las diferentes notas.
bajo siete llaves En un lugar muy seguro, para que otros no lo puedan encontrar.
poner bajo llave Guardar una cosa importante en un sitio que cuenta con cerradura.
FAM llavero, llavín.

llavero *s. m.* Objeto que sirve para guardar y llevar juntas las llaves.

llavín *s. m.* Llave pequeña, generalmente delgada y plana.

llegada *s. f.* ① Acción de pasar a estar en un lugar al cual se va desde otro lugar. ② Lugar o punto donde termina una carrera deportiva. SIN meta. ANT salida. ③ Momento en el que una persona o cosa llega a un lugar.

llegar *v. intr.* ① Pasar a estar en un lugar al cual se va desde otro lugar: *cuando lleguemos a casa, cenaremos.* ② Alcanzar una

etapa tras haber pasado otras: *llegaremos a la primavera después del invierno.* ③ Alcanzar un objetivo determinado, especialmente un cargo o profesión: *ese chico llegará a presidente.* ④ Alcanzar el final de un recorrido: *el tren llega a las seis y media.* ⑤ Conseguir que se produzca la acción que se expresa: *llegó a reunir más de cien obras de arte.* ⑥ Durar hasta un tiempo determinado: *siempre dice que no llegará a vieja.* ⑦ Producirse un suceso o circunstancia: *llegará el momento en el que tengamos que decidir qué hacemos.* ⑧ Alcanzar una longitud o nivel determinados: *el agua nos llegaba a las rodillas.* ⑨ Alcanzar una cantidad determinada. ⑩ Producir una impresión determinada en el ánimo de una persona o un grupo de ellas: *esa obra de teatro lleva tanto tiempo en cartelera porque sabe llegar a todos los públicos.* ⑪ Ser suficiente la cantidad de una cosa para hacer algo: *el dinero que tengo no nos llega para pasar el mes.* | *v. prnl.* ⑫ **llegarse** Ir hasta un lugar que está a corta distancia: *me llegaré hasta su casa.*
llegar lejos Conseguir hacer lo que una persona se ha propuesto por tener buenas cualidades: *este chico llegará lejos en el mundo de la música.*
FAM llegada.

llenado *s. m.* Ocupación total de un espacio o de la capacidad de un recipiente: *en esta fábrica se ocupan del llenado de las botellas.*

llenar *v. tr.* ① Ocupar por completo un espacio vacío con una cosa: *la habitación se llenó de humo.* ② Poner en un lugar una gran cantidad de cosas: *llenó la mesa de libros.* ③ Dedicar un periodo de tiempo determinado a una actividad: *llena sus horas libres ayudando a los más pobres.* SIN ocupar. ④ Satisfacer un deseo, una esperanza o una aspiración: *no encuentra nada en el mundo que llene su ansia de riqueza.* SIN colmar. ⑤ Escribir en los huecos en blanco de un documento la información necesaria. SIN rellenar. | *v. intr.* ⑥ Dar a una persona gran cantidad de algo: *nos llenaban de regalos.* SIN colmar. ⑦ Dejar harto de comida o de bebida: *me he llenado con el refresco y ahora no tengo hambre.* | *v. tr./intr.* ⑧ Conseguir que el público abarrote un recinto: *el cantante llenó el estadio de fútbol.*
FAM llenado.

llenazo *s. m.* Presencia de gran número de personas en un espectáculo público. SIN lleno.

lleno, -na *adj.* ① Se aplica al recipiente que contiene todo lo que su capacidad permite. ANT vacío. ② Que está cubierto total o parcialmente por una cosa: *llevas los zapatos llenos de barro.* ③ Se aplica al lugar que está repleto de gente. ANT vacío. ④ Se aplica a la persona que está harta de comida o de bebida: *no quiero tomar postre: estoy muy lleno.* ⑤ Se aplica a la persona que está un poco gorda. | *s. m.* ⑥ Presencia de personas en un espectáculo público que ocupan todo el espacio o los asientos disponibles: *el lleno de la plaza de toros era aplastante.*
de lleno De manera completa y total: *has acertado de lleno.*
FAM llenar, llenazo; relleno.

llevadero, -ra *adj.* Se aplica a la actividad o el sentimiento que se puede soportar: *el trabajo es duro, pero llevadero.*

llevar *v. tr.* ① Trasladar una cosa de un lugar a otro. ② Conducir o guiar un medio de transporte: *llevaron la barca hasta la orilla.* ③ Vestir una prenda o transportar un objeto consigo. ④ Ser necesario invertir un tiempo o esfuerzo en la realización de algo. ⑤ Pasar un periodo de tiempo haciendo algo que todavía se hace. ⑥ Tener o disponer de una cosa. ⑦ Soportar una cosa, generalmente una actividad o una pena:

lleva muy bien su trabajo. **8** Tratar con habilidad a una persona para que actúe u opine como uno quiere: *aunque ella tiene un carácter muy fuerte, él sabe llevarla.* **9** Acompañar a una persona a un lugar, especialmente para guiarla o protegerla. **10** Seguir acompasadamente un ritmo o una acción: *los soldados desfilaban llevando el paso.* **11** Haber conseguido una cantidad determinada haciendo algo. **12** Cobrar una cantidad de dinero. **13** Encargarse de un asunto o actividad; especialmente de un negocio. **14** Haber realizado la acción que se indica: *ya llevo contados dieciséis coches rojos.* ǁ *v. tr./intr.* **15** Dirigir o conducir hacia un destino o fin. ǁ *v. tr.* **16** Superar en una cantidad determinada de tiempo o espacio: *le lleva dos minutos de ventaja.* ǁ *v. tr./prnl. tr.* **17** familiar En operaciones aritméticas, cuando se suman o multiplican cifras de dos o más dígitos, pasar las decenas de la suma o multiplicación parcial a la que sigue por orden: *ocho y cuatro suman doce, escribo el dos y me llevo una.* ǁ *v. prnl.* **18** **llevarse** Entenderse, en una relación o trato, del modo que se expresa: *todos los hermanos nos llevamos muy bien; se llevaban como gato y perro.* **19** Estar de moda una cosa. **20** Sentir una emoción o sensación: *se llevó una alegría muy grande al conocer la noticia.* **21** Obtener o conseguir una cosa, especialmente un premio: *se llevó el premio a la mejor actriz secundaria.* **22** Hurtar o robar una cosa: *los ladrones se llevaron todo lo que teníamos.*
llevar las de ganar (o perder) Prever que en una discusión, pelea o competición una persona tiene ventaja (o desventaja) sobre otra.
llevarse a matar Tener muy malas relaciones: *los gatos y los perros se llevan a matar.*
llevarse por delante Atropellar o destruir lo que se interpone en el trayecto de una persona o cosa en movimiento: *la corriente se llevó por delante el puente.*
FAM llevadero.

llorar *v. tr.* **1** Derramar lágrimas en señal de dolor, tristeza, alegría o necesidad: *lloraba lágrimas de piedad.* ǁ *v. intr.* **2** Fluir lágrimas de los ojos: *estaba congestionado y no dejaba de llorar.* ǁ *v. tr./intr.* **3** Quejarse de las penas o de las necesidades propias, generalmente para despertar compasión o conseguir un fin: *siempre iba a la iglesia a llorar sus penas; empezó a llorarle a su madre para que la dejara salir.* **4** Echar una cosa pequeñas gotas de líquido parecidas a las lágrimas: *los pinos lloraban resina.* ǁ *v. tr.* **5** Sentir profundamente una desgracia: *lloraba su mala suerte.*
FAM llorera, llorica, lloriquear, lloro, llorón, lloroso.

llorera *s. f.* Llanto fuerte y continuado. **SIN** llantera, llantina.

llorica *s. com.* Persona que llora fácilmente y por cualquier motivo, a menudo sin causa justificada. **SIN** llorón.
OBS Frecuentemente usado de forma despectiva.

lloriquear *v. intr.* Llorar o gemir de forma débil, generalmente sin una razón importante o hacer gestos de llanto sin llegar a llorar: *el niño lloriqueaba para que lo cogieran en brazos.* **SIN** gimotear.
FAM lloriqueo.

lloriqueo *s. m.* Lloro o gemido débil, generalmente sin una razón importante. **SIN** gimoteo.

lloro *s. m.* **1** Derramamiento de lágrimas, generalmente acompañado de lamentos y quejas que expresan dolor o tristeza. **SIN** llanto. **2** Expresión de una queja por una pena o una necesidad, generalmente para despertar compasión o conseguir un fin. **SIN** llanto.
FAM llorón, lloroso.

llorón, -rona *adj./s. m. y f.* **1** Llorica. **2** Se aplica a la persona que se queja con frecuencia o de manera exagerada. **SIN** quejica.
OBS Frecuentemente usado de forma despectiva.

lloroso, -sa *adj.* Que parece haber llorado o estar a punto de llorar: *su mirada llorosa nos conmovió.*

llovedizo, -za *adj.* Se aplica al techo o cubierta de una construcción que deja pasar el agua cuando llueve.

llover [6] *v. impersonal* **1** Caer agua de las nubes en forma de gotas: *el cielo se ha llenado de nubes negras y esta tarde lloverá.* ǁ *v. intr.* **2** Producirse una cosa en gran abundancia: *le llovieron tortas.*
haber llovido Haber transcurrido mucho tiempo: *ha llovido mucho desde entonces.*
llover sobre mojado Suceder alguna cosa que empeora una situación que ya era mala o desgraciada.
FAM llovedizo, lloviznar, lluvia.

llovizna *s. f.* Lluvia muy fina que cae suavemente.
FAM lloviznoso.

lloviznar *v. impersonal* Caer suavemente una lluvia muy fina. **SIN** chispear.
FAM llovizna.

llueca *adj.* **1** Se aplica al ave que está en periodo de empollar. **SIN** clueca. ǁ *adj./s. f.* **2** Se aplica a la gallina que está empollando los huevos o que cuida a sus pollos recién nacidos. **SIN** clueca.

lluvia *s. f.* **1** Caída de agua de las nubes en forma de lluvia. **2** Agua que cae al llover. ■ **lluvia ácida** Precipitación o deposición sólida o líquida que contiene ácidos disueltos procedentes de la quema de combustibles fósiles: *la lluvia ácida produce la disminución del pH de las masas de agua de la tierra, los suelos y la vegetación.* ■ **lluvia meona** familiar Llovizna. **3** Abundancia o gran cantidad de una cosa o de personas.
lluvia de estrellas Fenómeno que consiste en la aparición de gran cantidad de estrellas fugaces; suele suceder en determinadas épocas del año.
FAM lluvioso.

lluvioso, -sa *adj.* Se aplica al clima, lugar o tiempo de abundantes lluvias. **SIN** pluvioso.

lo *det.* **1** Artículo determinado en género neutro; se usa delante de adjetivos calificativos para convertirlos en sustantivos abstractos o delante de una proposición subordinada adjetiva para convertirla en sustantiva: *lo blanco; lo que te dije ayer.* **2** Se usa delante de pronombres posesivos para indicar la actividad o característica en la que destaca una persona: *cantar es lo tuyo.* ǁ *pron.* **3** Forma átona del pronombre de tercera persona en función de complemento directo: *lo cogió y se lo llevó; lavó el jersey y lo tendió.* **NOTA** Se escribe unido al verbo cuando se pospone a él: *cógelo.* El femenino es *la*, y los plurales respectivos son *los* y *las*.
FAM loísmo.

loa *s. f.* **1** Expresión o discurso con que se alaba a alguien o algo: *el padrino hizo una loa de los novios.* **SIN** alabanza, elogio. **2** Poema dramático de alabanza a una persona o un acontecimiento: *los poetas del Renacimiento escribían loas a sus mecenas.* **3** Prólogo o introducción con que solía iniciarse la representación de una obra teatral en el teatro clásico español, y que estaba destinado a alabar a la persona ilustre a quien estaba dedicada, captar la benevolencia del público, etc. **4** Composición dramática breve, provista de acción, que se representaba antiguamente antes del poema dramático, al que servía como preludio o introducción.

FAM loable.

loable *adj.* culto Se aplica a la acción o a la actitud que merece ser alabada: *es muy loable que te ofrezcas a ayudarnos.* **SIN** laudable.

loar *v. tr.* culto Alabar o elogiar con palabras a una persona o cosa: *loaron la calidad de sus obras.*

FAM loa, loable.

lobanillo *s. m.* Tumor que se forma en algunas partes del cuerpo bajo la piel y que generalmente no duele.

lobato *s. m.* Cría o cachorro de lobo. **SIN** lobezno.

lobby [se pronuncia 'lobi'] *s. m.* Grupo de personas influyentes con capacidad para presionar sobre un gobierno en lo relativo a las decisiones políticas y económicas: *un lobby norteamericano influye en las acciones estadounidenses relacionadas con Israel.*

lobera *s. f.* Guarida de lobos.

lobezno *s. m.* Cría o cachorro de lobo. **SIN** lobato.

lobo, -ba *s. m. y f.* Mamífero carnívoro, salvaje, semejante a un perro, de pelo gris oscuro, orejas derechas, cola larga y con mucho pelo, y hocico alargado y puntiagudo: *el lobo suele vivir formando grupos familiares.*

lobo de mar Marinero viejo y muy experimentado: *el capitán de este barco es un viejo lobo de mar.*

lobo marino Mamífero marino, que tiene el cuerpo voluminoso y redondeado, el pelaje corto y las extremidades en forma de aletas, y que vive generalmente en mares fríos y se alimenta de peces: *el lobo marino tiene el cuerpo adaptado para la vida acuática.* **SIN** foca.

¡menos lobos! Expresión que indica que lo que se dice es muy exagerado: *así que te defendiste tú solo de diez atracadores, ¡menos lobos!*

FAM lobato, lobera, lobero, lobezno, lobuno.

lobotomía *s. f.* Incisión practicada dentro de un lóbulo cerebral o en uno o más haces nerviosos del mismo.

lóbrego, -ga *adj.* ① Que está muy oscuro: *una noche lóbrega.* **SIN** tenebroso. ② Que está triste o melancólico: *llevó una vida lóbrega.*

FAM lobreguez; enlobreguecer.

lobulado, -da *adj.* Que tiene lóbulos.

lóbulo *s. m.* ① Parte inferior, carnosa, blanda y redondeada, de la oreja: *muchas personas se hacen agujeros en los lóbulos para adornar las orejas con pendientes.* ② Parte redondeada y saliente de un órgano de un ser vivo que está separada de las demás partes por un pliegue o hendidura: *los pulmones y el cerebro tienen lóbulos.* ③ Parte saliente del borde de una cosa: *el interior de ese arco árabe está rematado con lóbulos en forma de ondas.*

FAM lobulado.

local *adj.* ① Relativo a un territorio, municipio o región: *fiestas locales; diario local.* ② Que solamente afecta a una parte de un todo: *anestesia local.* ❘ *s. m.* ③ Lugar o espacio cubierto y cerrado, especialmente destinado para poner en él un establecimiento o negocio: *ha alquilado un local para abrir una cafetería.*

FAM localidad, localismo, localizar.

localidad *s. f.* ① Pueblo o ciudad en el que habita una colectividad de personas. ② Plaza o asiento de un cine, teatro u otro lugar en el que se celebran espectáculos: *las primeras localidades estaban reservadas; el acomodador los condujo hasta sus*

localidades. ③ Billete o entrada que da derecho a alguien a ocupar esta plaza o asiento: *compró dos localidades.*

localismo *s. m.* ① Interés y amor por lo que es propio de un determinado lugar: *era un auténtico defensor del localismo y de la identidad de la ciudad.* ② Palabra o giro que solo tiene uso en determinada localidad o comarca: *diccionario de localismos.*

FAM localista.

localista *adj.* ① Relativo al localismo: *este poeta hace un uso localista del lenguaje.* ❘ *adj./s. com.* ② Se aplica a la persona o al medio de comunicación que escribe o trata temas locales o que muestra interés y amor por lo que es propio de un determinado lugar.

localización *s. f.* Determinación del lugar en el que se encuentra una persona o una cosa: *la localización de un donante de sangre llevó varias horas.* **SIN** emplazamiento, ubicación.

localizador *s. m.* Aparato que sirve para localizar un punto o un objeto en el espacio: *localizador GPS.*

localizar *v. tr.* ① Determinar el lugar en el que se encuentra una persona o una cosa: *hemos localizado tu pueblo en el mapa.* **SIN** encontrar, situar. ② Situar una cosa dentro de unos límites: *el dolor de cabeza se me ha localizado en la frente.* ③ Detener un incendio: *los bomberos localizaron el fuego.*

FAM localización, localizador.

locatis *adj./s. com.* familiar Se aplica a la persona alocada o con poco juicio, o que no pone cuidado o atención en lo que hace: *es una locatis y cruza la calle sin mirar.*

OBS Plural invariable.

locativo, -va *adj.* ① Que expresa lugar: *en la frase "coloqué los libros donde me habías indicado", "donde me habías indicado" es una oración locativa.* ❘ *adj./s. m.* ② En algunas lenguas, como el latín, se aplica al caso de la declinación que expresa el lugar en que ocurre la acción.

loc. cit. Abreviatura de la expresión latina *loco citato*, 'en el lugar citado', que se usa en las citas de los libros para remitir a un pasaje o a una obra citados anteriormente.

locería *s. f.* AMÉR. Establecimiento donde se fabrican objetos de loza.

loción *s. f.* ① Producto medicinal o cosmético que se usa para el cuidado de la piel o del cabello: *loción para después del afeitado; una loción contra los piojos.* ② Fricción o lavado que se hace en una parte del cuerpo con un producto medicinal o cosmético: *date una loción diaria con este producto para prevenir la calvicie.*

lock-out [se pronuncia aproximadamente 'locaut'] *s. m.* Cierre de una fábrica u otro lugar de trabajo por parte de un patrón o una empresa para obligar a los trabajadores a aceptar las condiciones empresariales: *el arma negociadora de los sindicatos es la huelga, mientras que la de los empresarios es el lock-out.*

loco, -ca *adj./s. m. y f.* ① Se aplica a la persona que ha perdido la razón o tiene perturbadas las facultades mentales: *los locos son enfermos mentales.* **SIN** demente, perturbado. ② despectivo Se aplica a la persona que tiene poco juicio o se comporta de forma imprudente: *ese motorista es un loco de la carretera.* ③ Se aplica a la persona que experimenta un sentimiento de una forma muy intensa: *Otelo estaba loco de celos.* ④ Se aplica a la persona que desea intensamente hacer una cosa o que esta ocurra: *estamos locos por verte; estoy loca por salir de aquí.* ❘ *adj.* ⑤ familiar Que es muy agitado y movido: *fue una noche loca la de aquella fiesta.* ⑥ Muy grande, que sobresale mucho o es extraordinario o excesivo: *ha tenido una suerte loca con ese trabajo.*

a lo loco familiar Sin pensar o sin razonar con tranquilidad: *te ha salido mal porque lo hiciste a lo loco.*

cada loco con su tema Expresión usada para hacer notar que una persona tiende insistentemente a hablar de aquello que le gusta, que le interesa o que le preocupa.

hacer el loco familiar Divertirse haciendo cosas que no son normales o armando mucho ruido: *un grupo de jóvenes salió del bar haciendo el loco.*

hacerse el loco familiar Fingir alguien que no entiende una cosa o hacerse el distraído: *lo llamó para regañarle, pero él se hizo el loco.*

ni loco familiar De ninguna manera, en absoluto: *no pienso ir contigo ni loco.*

volver loco (**I**) Aturdir o molestar mucho una cosa a una persona: *tanto ruido me vuelve loco.* (**II**) Gustar mucho una persona o cosa a alguien: *el cava y el salmón me vuelven loco.*

FAM locamente, locatis, locuelo, locura, loquear, loquero; alocado, enloquecer.

locomoción *s. f.* Acción de trasladarse de un lugar a otro: *el barco es un medio de locomoción.*

locomotor, -ra *adj.* Que sirve para mover una cosa o para moverse de un lugar a otro: *fuerza locomotriz; los huesos y los músculos forman parte del aparato locomotor.*
FAM locomotora.
OBS Femenino: *locomotora* o *locomotriz.*

locomotora *s. f.* Máquina que mueve y arrastra los vagones de un tren: *las antiguas locomotoras se movían por vapor; las locomotoras modernas funcionan con electricidad o gasoil.*

locomotriz V. locomotor, -ra.

locuacidad *s. f.* Tendencia que tiene una persona a hablar mucho: *la locuacidad de aquel vendedor era increíble, no paraba de hablar.*

locuaz *adj.* Que habla mucho o demasiado: *has estado muy locuaz durante la cena.* **SIN** hablador.
FAM locuacidad.

locución *s. f.* **1** Expresión pluriverbal, de forma fija o con flexión en algún elemento, cuyo sentido unitario no responde siempre a la suma de significados de sus componentes: *la frase "al pie de la letra" es una locución adverbial; "en pos de" y "en torno a" son locuciones prepositivas.* **2** Acción de hablar: *la Sagrada Escritura es la locución de Dios en cuanto que, por inspiración del Espíritu divino, se consigna por escrito.*
FAM alocución; circunlocución, elocución.

locuelo, -la *adj./s. m. y f.* Se aplica a la persona que es joven, traviesa y suele comportarse de manera viva y alocada.

locura *s. f.* **1** Trastorno o perturbación de las facultades mentales de una persona: *el asesino estaba aquejado de una locura temporal.* **SIN** demencia. **2** Acción irreflexiva o desatinada, que implica imprudencia o temeridad: *conducir con niebla espesa es una locura.* **3** Entusiasmo o amor excesivos que siente una persona por alguien o algo: *siente auténtica locura por sus amigos.* **SIN** pasión.

con locura Muchísimo o en extremo: *te quiero con locura.*

de locura Que es exagerado o está fuera de lo normal: *estos precios son de locura; hacía un viento de locura.*

locutor, -ra *s. m. y f.* Persona que se dedica a presentar programas o leer noticias por radio o televisión: *es locutora de los informativos de una emisora de radio.*
FAM locutorio; interlocutor.

locutorio *s. m.* **1** En un convento o en una cárcel, sala de visitas en la que se hallan los interlocutores en dos partes separadas por una reja o un cristal. **2** Local en el que hay varios teléfonos públicos de uso individual, separados por pequeñas habitaciones o departamentos: *además del servicio de teléfono, los locutorios suelen tener servicio de fax.* **3** Departamento con teléfono público. **4** Lugar preparado para realizar la emisión de un programa en una emisora de radio: *el locutorio de este programa de radio está acondicionado para albergar al público durante su emisión.*

lodazal *s. m.* Terreno lleno de lodo o barro. **SIN** barrizal, ciénaga.

lodo *s. m.* **1** Barro blando, muy fino y fluido, que se forma en los lugares donde hay agua o cuando llueve: *se ha formado lodo en la orilla del río.* **SIN** cieno, lama, limo. **2** Se emplea en diferentes expresiones con el significado de 'deshonra o mala fama': *su comportamiento cubrió de lodo nuestro apellido.*
FAM lodazal; enlodar.

loess o **loes** *s. m.* Material sedimentario arcilloso y calcáreo transportado por el viento, que forma suelos permeables y muy fértiles.

loft *s. m.* Vivienda o estudio adaptados a partir de un almacén o espacio industrial.

logarítmico, -ca *adj.* Relativo al logaritmo: *aplicó una escala logarítmica a los gastos publicitarios; la función inversa de cada función exponencial es una función logarítmica.*

logaritmo *s. m.* Exponente de una potencia al que hay que elevar la base (*a*) para hallar el número considerado (log_a).
FAM logarítmico.

logia *s. f.* **1** Asamblea de la sociedad secreta de los masones, o conjunto de quienes la componen: *una logia clandestina fue interrumpida por la policía.* **2** Local donde se celebra esta asamblea: *en los sótanos de aquel edificio estaba la logia.* **3** AMÉR. Sociedad secreta, cualesquiera que sean sus fines o fundamentos.

lógica *s. f.* **1** Ciencia que estudia las formas y las leyes generales que rigen el pensamiento humano y científico: *Aristóteles y Bertrand Russell fueron grandes conocedores de la lógica.* ■ **lógica matemática** Lógica que emplea en sus operaciones los métodos y el simbolismo de las matemáticas. **SIN** logística. **2** Correspondencia con lo razonable: *todo lo que se dijo allí carecía de lógica.* **3** Capacidad o modo de razonar o actuar con sentido común que tiene una persona: *usa la lógica para resolver esta contradicción.*

lógico, -ca *adj.* **1** Que responde a las leyes generales que rigen el pensamiento humano y científico: *planteamiento lógico; leyes lógicas.* **ANT** ilógico. **2** Que es esperable, por ser una consecuencia natural y justificada por sus antecedentes, o por responder a la razón o al sentido común: *es lógico que el suelo esté encharcado, anoche llovió.* **ANT** ilógico. **3** Relativo a la ciencia de la lógica: *en la Edad Media los fenómenos se explican a partir de la intervención divina, dejando a un lado las explicaciones lógicas.* | *adj./s. m. y f.* **4** Se aplica a la persona que se dedica al estudio de la lógica: *Aristóteles fue un gran lógico de la antigüedad.*
FAM lógica, lógicamente, logística; ilógico.

logística *s. f.* **1** Técnica militar que se ocupa del movimiento de los ejércitos, de su transporte y de su mantenimiento: *en esa batalla, el general demostró sus grandes conocimientos de logística.* **2** Organización y conjunto de los medios necesarios para llevar a cabo un fin determinado: *el guía se encargará de toda la logística del viaje.* ③ Lógica matemática. **FAM** logístico.

logístico, -ca *adj.* Relativo a la logística: *el apoyo logístico es imprescindible en una batalla; la lógica matemática utiliza símbolos logísticos.*

logo *s. m.* Logotipo, dibujo o símbolo.

logopeda *s. com.* Persona especialista en logopedia.

logopedia *s. f.* Estudio y tratamiento de los trastornos del lenguaje, especialmente de los defectos de pronunciación: *ha necesitado varias clases de logopedia para superar su tartamudez.* **FAM** logopeda.

logotipo *s. m.* Dibujo o símbolo que distingue a una empresa, institución o sociedad y a las cosas que tienen relación con ella: *todas las grandes marcas de automóviles tienen un logotipo característico.* **SIN** logo. **FAM** logo.

logrado, -da *adj.* Que está bien hecho o tiene buena apariencia: *sus cuadros están muy logrados.*

lograr *v. tr.* Obtener algo que se merece, solicita o pretende: *logró ser presidente; logré convencerlo.* **SIN** conseguir. **FAM** logrado, logro; malograr.

logro *s. m.* ① Obtención de una cosa que se intenta o se desea: *están muy contentos por el logro de lo que siempre habían deseado.* **SIN** consecución. ② Éxito o resultado muy satisfactorio: *ha sido todo un logro que acabase la carrera; es una eminencia, su vida está llena de logros.* **ANT** fracaso. ③ Lucro, ganancia: *obtener logros económicos en un negocio.*

logroñés, -ñesa *adj.* ① De Logroño (ciudad y provincia de La Rioja). ‖ *s. m. y f./adj.* ② Persona que es de Logroño.

loísmo *s. m.* Fenómeno gramatical que consiste en el uso incorrecto de las formas *lo* y *los* del pronombre personal en función de complemento indirecto en lugar de *le* y *les*: *se produce loísmo si decimos "lo dio una bofetada" en lugar de "le dio una bofetada".* **FAM** loísta.

loísta *adj./s. com.* Se aplica a la persona que practica el loísmo al hablar.

loma *s. f.* Elevación natural del terreno, de poca altura y pendiente suave y extensa: *en aquella loma se ven las ruinas de un castillo.*

lombarda *s. f.* Variedad de col de color morado, semejante al repollo: *la lombarda puede tomarse cruda o hervida.*

lombardo, -da *adj.* ① Relativo a un pueblo germánico que conquistó el norte y el centro de Italia entre los años 568 y 572. ‖ *s. m. y f./adj.* ② Persona perteneciente a este pueblo.

lombriz *s. f.* Gusano de color blanco o rosado, cuerpo blando, cilíndrico, muy alargado y con anillos transversales, y respiración cutánea, que vive en la tierra húmeda. **NOTA** También *lombriz de tierra.* ▪ **lombriz blanca** Gusano parásito de tamaño pequeño (la hembra mide hasta 10 mm y el macho solamente de 2 a 5 mm) que se aloja en el intestino del ser humano y algunos animales. **NOTA** También simplemente *lombriz.* **SIN** oxiuro. ▪ **lombriz intestinal** Gusano parásito de hasta 25 cm de largo que se aloja en el intestino del ser humano y algunos animales: *hay varias especies de lombrices intestinales.* **NOTA** También simplemente *lombriz.* **FAM** lombricida, lombriguera. **OBS** Plural: *lombrices.*

lomo *s. m.* ① Parte superior del cuerpo de los cuadrúpedos comprendida entre el cuello y las patas traseras: *acarició el lomo de su perro; puso la silla de montar en el lomo del caballo.* ② Carne de esta parte de un animal: *el lomo es muy apreciado en alimentación.* ▪ **lomo embuchado** Embutido hecho con lomo curado y aderezado con sal y pimentón. ③ Parte superior de los peces y cetáceos: *el lomo de la merluza es más jugoso que la cola.* ④ familiar Parte inferior y central de la espalda de una persona: *cuando se agacha se le sale la camisa y se le ve el lomo.* ⑤ Parte del libro opuesta al corte de las hojas, por la que se pegan o se cosen los pliegos: *la mayoría de los libros tienen el título, el autor y el número de la colección inscritos en el lomo.* ⑥ Parte de un instrumento cortante opuesta al filo: *el lomo de un cuchillo es más grueso que el filo.* ⑦ Tierra levantada que queda entre dos surcos: *este terreno tiene unos lomos muy anchos.*

a lomos Sobre la parte superior del cuerpo de un animal de cuatro patas, en especial de una caballería: *corría por el campo a lomos de su caballo.* **FAM** loma, lomera; alomar, deslomar.

lona *s. f.* ① Tela resistente, fuerte e impermeable, de algodón o cáñamo, empleada especialmente para toldos, velas de barco, tumbonas, tiendas de campaña, etc.: *una gorra de lona.* ② Suelo de esta tela sobre el que se disputa una competición deportiva de boxeo o lucha libre: *los dos boxeadores están ya sobre la lona.*

besar la lona Caer un boxeador o un luchador fuera de combate o ser derrotado por su contrincante. **FAM** loneta.

loncha *s. f.* ① Trozo plano y delgado que se corta de un alimento sólido: *loncha de jamón; loncha de queso.* **SIN** lonja. ② Piedra plana, delgada y lisa. **SIN** laja.

londinense *adj.* ① De Londres (capital del Reino Unido): *los grandes almacenes londinenses tienen mucha fama.* ‖ *s. com./ adj.* ② Persona que es de Londres.

loneta *s. f.* Tejido grueso y resistente, más fino que la lona, empleado en tapicerías y en ropa de trabajo: *el mono que usan muchos obreros suele ser de loneta.*

longaniza *s. f.* Embutido de forma larga y delgada que se elabora con carne de cerdo cruda picada y adobada.

longevidad *s. f.* ① Cualidad de la persona que vive muchos años. ② Larga duración de la vida: *el índice de longevidad de las personas en nuestro país ha aumentado en los últimos tiempos.*

longevo, -va *adj.* ① Que tiene mucha edad o ya es muy viejo: *era un escritor longevo.* ② Que vive mucho tiempo: *la tortuga es un animal longevo.* **FAM** longevidad.

longitud *s. f.* ① Dimensión máxima de un cuerpo o figura plana: *la longitud de una mesa; esta habitación tiene diez metros de longitud y cinco de anchura.* ② Distancia angular de un punto de la superficie terrestre al meridiano de Greenwich, determinada por el arco del ecuador comprendido entre dicho meridiano y el punto terrestre considerado; se mide en grados, minutos y segundos hasta los 180°: *la longitud se mide de este a oeste o viceversa en grados, minutos y segundos; la longitud máxima es de 180° y puede ser este u oeste.* ③ Magnitud que expresa la distancia entre dos puntos o cada una de las dimensiones de un cuerpo: *el metro es la unidad de longitud; un pulpo gigante de siete metros y medio de longitud ha sido encontrado en la playa.* ▪ **longitud de onda** Distancia entre dos puntos consecutivos que se encuentran en el mismo estado de vibración en un movimiento ondulatorio: *el infrarrojo describe una luz*

cuya longitud de onda es mayor de 700 nanómetros; la radiación ultravioleta es una luz que tiene una longitud de onda de entre los 10 y los 400 nanómetros.
FAM longitudinal.

longitudinal *adj.* ① Relativo a la longitud: *el kilómetro es una medida longitudinal.* ② Que está colocado en el sentido de la longitud: *la sección longitudinal de un huevo; las rayas de los pasos de cebra son longitudinales.* **ANT** transversal.

long play [se pronuncia aproximadamente 'lon plei'] *s. m.* Disco musical de larga duración para fonógrafo o tocadiscos: *el long play (o LP) fue sustituido por el CD o disco compacto.* **SIN** elepé.
OBS Plural: *long plays.*

longuis Se usa en la expresión:
hacerse el longuis familiar Pretender una persona parecer distraída o disimular que no se da cuenta de lo que sucede a su alrededor: *no te hagas el longuis y ponte a trabajar de una vez.*

lonja¹ *s. f.* Loncha cortada de un alimento: *lonja de jamón.*

lonja² *s. f.* ① Edificio público donde se compran y venden mercancías en grandes cantidades, especialmente el que está destinado a la compraventa de pescado: *los pescaderos madrugan mucho para estar en la lonja cuando se subasta el pescado.* ② Atrio o espacio exterior que hay a la entrada de algunas iglesias y de otros edificios.

lontananza *s. f.* ① Estado o situación de una zona o lugar que está o se ve lejos: *vio que el caballo se acercaba por la lontananza.* **SIN** lejanía. ② Parte o sección de un cuadro que está más alejada del plano principal: *la lontananza de esta pintura representa un espeso bosque.* **SIN** fondo.
en lontananza A lo lejos, en la lejanía: *en lontananza se veían venir tres coches.*

look [se pronuncia 'luc'] *s. m.* Aspecto exterior, imagen o estilo propio: *no la he reconocido con su nuevo look.*

looping [se pronuncia aproximadamente 'lupin'] *s. m.* ① Acrobacia aérea en la que el avión describe un círculo completo en sentido vertical. **SIN** rizo. ② Esta acrobacia, realizada con un vehículo terrestre.

loor *s. m.* culto Alabanza y elogio públicos de los méritos y cualidades de una persona o de una cosa: *recogió su premio entre loores y vítores.*
en loor de multitudes Aclamado por la multitud.

lopesco, -ca *adj.* Relativo a Lope de Vega (escritor español, 1562-1635) o a su obra: *en la comedia lopesca se mezcla lo cómico con lo trágico.*

loquera *s. f.* familiar AMÉR. Trastorno mental de una persona: *le dio la loquera y vendió todo lo que tenía.*

loquero, -ra *s. m. y f.* ① Persona que se dedica a cuidar y vigilar a los locos o enfermos mentales. ❚ *s. m.* ② familiar Centro médico donde se interna y se cuida a los locos o enfermos mentales. **SIN** manicomio.

lora *s. f.* ① AMÉR. Loro o papagayo. ② CHILE Hembra del loro.

lord *s. m.* Título nobiliario inglés dado a algunas personas de la nobleza y a algunos altos cargos, y que se coloca delante del nombre: *los arzobispos ingleses tienen el título de lord.*
OBS Plural: *lores.*

loriga *s. f.* Coraza de laminillas metálicas, sobrepuestas a modo de escamas, que servía para proteger el pecho y la espalda de los soldados: *la lanza no pudo traspasar la loriga.*

loro *s. m.* ① Nombre común que se da a varias especies de aves de pico fuerte, grueso y curvo y plumas de vistosos y variados colores, especialmente el verde, y que vive en países tropicales: *un loro, si se domestica, es capaz de repetir sonidos propios del lenguaje humano.* **SIN** papagayo. ② familiar Persona que habla mucho, especialmente si lo hace sin decir nada interesante. **SIN** cotorra. ③ familiar Persona que es muy fea y de aspecto extraño o estrafalario. ④ familiar Aparato de radio o radiocasete: *ayer le robaron el loro del coche.*
estar al loro familiar Estar alguien al tanto o al corriente de lo que ocurre, o atento a lo que pasa o se dice: *estate al loro, que nos pueden ver.*
FAM lora.

lorquiano, -na *adj.* Relativo a Federico García Lorca (escritor español, 1898-1936) o a su obra: *visión lorquiana; temas lorquianos.*

los *det.* ① Forma masculina plural del artículo determinado; véase *el, la.* ❚ *pron.* ② Forma masculina plural del pronombre de tercera persona en función de complemento directo; véase *lo.*

losa *s. f.* ① Piedra lisa, plana y delgada que se usa para pavimentar suelos y alicatar paredes: *solaron la plaza con enormes losas de granito.* ② Piedra grande, plana y delgada que cubre una tumba o sepulcro: *sellaron el sepulcro con una losa de mármol blanco.* **SIN** lápida. ③ familiar Cosa o persona que resulta una carga dura y difícil de soportar para el ánimo o la moral de alguien: *aquel suceso fue para él una losa sobre su conciencia.*
FAM losar, loseta; enlosar.

loseta *s. f.* Losa pequeña, generalmente de cerámica, que se usa para enlosar suelos o cubrir paredes.

lote *s. m.* ① Conjunto de cosas que tienen unas características comunes y que se agrupan con un fin determinado: *lote de libros; regalan un lote de productos de belleza por la compra de un secador.* ② Cada una de las partes en que se divide o se reparte una cosa: *dividieron la tierra que heredaron en seis lotes iguales.*
darse (o pegarse) el lote (I) familiar Besarse y acariciarse una pareja: *en el parque había una pareja dándose el lote.* (II) familiar Disfrutar intensamente de una acción que produce placer: *se ha pegado el lote comiendo langostinos.*
FAM lotería.

lotería *s. f.* ① Juego público de azar que consiste en poner a la venta unos billetes o boletos con números, y si el número que se tiene coincide con el que sale en el sorteo se recibe el premio en metálico correspondiente: *he comprado un décimo de lotería para este sábado.* ■ **lotería primitiva** Juego público de azar que consiste en sacar seis números, entre el número 1 y el 49, y premiar con dinero a las personas que posean los boletos en los que se hayan marcado esos mismos números, con un mínimo de tres aciertos y un máximo de seis: *la lotería primitiva está administrada por el Estado.* **SIN** loto. ② familiar Asunto en el que interviene la suerte o el azar: *la vida es una lotería.* ③ familiar Cosa que es muy buena o beneficiosa: *este horario de trabajo es una lotería.*
tocar la lotería Tener una persona mucha suerte en una cosa: *le tocó la lotería al casarse con él.*
FAM lotero.

lotero, -ra *s. m. y f.* Persona que se dedica a vender lotería, especialmente la que tiene a su cargo un establecimiento autorizado: *el lotero de la esquina es ciego.*

loto¹ *s. m.* ① Planta acuática, de flores blancas y olorosas y hojas muy grandes y duras, y fruto comestible: *el loto es muy abundante en los ríos Nilo y Ganges.* ② Flor de esta planta, de color blanco y olor muy intenso: *el loto tiene un uso ornamental.* **3** Fruto de esta planta, en forma de globo.

FAM lotiforme.

loto² *s. f.* Lotería primitiva.

loza *s. f.* **1** Barro fino, cocido y barnizado que se usa para hacer objetos como platos, tazas y vajillas: *la vajilla de la abuela era de loza blanca.* **2** Conjunto de objetos hechos con este barro: *en esta tienda se vende loza y otros productos artesanales típicos de la región.*

FAM enlozar.

lozanía *s. f.* **1** Salud y buen aspecto que tiene una persona o un animal: *la lozanía de la joven se reflejaba en su cara.* **2** Verdor y frondosidad que tiene una planta: *las plantas han recuperado la lozanía.*

lozano, -na *adj.* **1** Se aplica a la persona o al animal que tiene salud y buen aspecto: *tus hijos son unos niños lozanos y sonrosados.* **2** Se aplica a la planta que tiene verdor y frondosidad: *tiene un jardín lleno de plantas verdes y lozanas.*

FAM lozanía.

LSD *s. m.* Droga alucinógena procedente del ácido que deriva de los alcaloides que se encuentran en el centeno. **SIN** ácido.

lubina *s. f.* Pez marino de color gris metálico, cola recta y aletas espinosas, cuya carne es comestible y muy apreciada: *la lubina habita en las costas de Europa y África.* **SIN** róbalo.

lubricación *s. f.* Acción que consiste en aplicar un producto lubricante o graso a las piezas de un mecanismo para que el rozamiento sea menor o más suave: *la lubricación de las partes móviles de un motor prolonga su vida.* **SIN** lubrificación.

lubricán *s. m.* culto Alba (primera luz del día, antes de salir el sol): *las montañas se bañan en el resplandor del lubricán matutino.*

lubricante *s. m./adj.* Sustancia grasa o aceitosa que se aplica a las piezas de un mecanismo para lubricarlo y hacer que el rozamiento sea menor o más suave: *el lubricante es imprescindible para el buen funcionamiento del motor del coche.* **SIN** lubrificante.

lubricar *v. tr.* Aplicar lubricante a un mecanismo para que el rozamiento sea menor o más suave: *las piezas de este motor mejoran notablemente su rendimiento cuando se lubrican.* **SIN** lubrificar.

FAM lubricación, lubricante, lubricativo, lúbrico, lubrificar.

lubricidad *s. f.* **1** Capacidad de deslizamiento de una superficie sobre otra a causa del estado resbaladizo de las piezas de un mecanismo: *la lubricidad de las piezas es insuficiente.* **2** Propensión a la lujuria.

lúbrico, -ca *adj.* **1** culto Que resbala o se desliza con facilidad: *también se usan sustancias lúbricas sólidas como el grafito y el talco.* **2** culto Propenso a la lujuria o que provoca este deseo sexual: *en toda la película mostraba un comportamiento lúbrico.*

FAM lubricidad.

lubrificación *s. f.* Lubricación.

lubrificante *s. m./adj.* Lubricante.

lubrificar *v. tr.* Lubricar.

FAM lubrificación, lubrificante.

lucense *adj.* **1** De Lugo (ciudad y provincia de Galicia): *las fiestas lucenses son muy vistosas.* ‖ *s. com./adj.* **2** Persona que es de Lugo.

lucerna *s. f.* Abertura en un techo o en la parte alta de una pared para que entren el aire y la luz en una habitación: *al pie* de la fachada había una lucerna que daba luz al sótano. **SIN** lumbrera.

FAM lucernario.

lucernario *s. m.* Ventana o claraboya abierta en la parte alta de una pared para iluminar y ventilar el interior de una habitación o de un edificio: *la bóveda estaba iluminada por un lucernario.*

lucero *s. m.* **1** Astro que se ve en el cielo y que brilla de noche de forma muy intensa: *aquel lucero que ves es una estrella muy lejana; el primer lucero anuncia la noche inmediata.* ■ **lucero de la mañana** o **lucero del alba** El planeta Venus, segundo del sistema solar. **2** Lunar de pelo, blanco y grande, que tienen en la frente algunos cuadrúpedos: *esa vaca tiene un lucero.* **3** Se utiliza como apelativo cariñoso, normalmente dirigido a un niño: *venga, lucero, ya solo te quedan dos cucharadas para terminar el plato.*

lucha *s. f.* **1** Enfrentamiento o combate que se realiza mediante la fuerza física o las armas: *los dos ejércitos se enzarzaron en una sangrienta lucha.* **2** Disputa o polémica verbal que se produce entre dos o más personas: *lo que empezó siendo un simple debate acabó en lucha.* **3** Debate interno, inquietud: *se debate en una dura lucha consigo mismo.* **4** Esfuerzo que se hace para conseguir una cosa: *la lucha contra el cáncer.* **5** Deporte en el que dos personas se enfrentan cuerpo a cuerpo, que consiste en derribar al contrincante: *la lucha es uno de los deportes olímpicos más antiguos.* ■ **lucha grecorromana** Modalidad de lucha en que están prohibidos los golpes y las presas por debajo de la cintura. ■ **lucha libre** Modalidad de lucha en que están permitidos ciertos golpes y las presas por debajo de la cintura.

luchador, -ra *adj./s. m. y f.* **1** Se aplica a la persona que lucha para someter o destruir aquello que considera perjudicial: *es un infatigable luchador contra la injusticia social.* **2** Se aplica a la persona que lucha o se esfuerza por vencer los obstáculos que encuentra y por conseguir el fin que se propone: *un carácter luchador; es un luchador y terminará la carrera a pesar de estar cojo.* ‖ *s. m. y f.* **3** Persona que se dedica a practicar el deporte de la lucha: *los luchadores se saludaron antes de iniciar el combate.*

luchar *v. intr.* **1** Enfrentarse o combatir usando la fuerza física o las armas: *los dos ciervos luchaban violentamente por el territorio.* **SIN** contender, pelear. **2** Trabajar o esforzarse mucho una persona para vencer los obstáculos o para conseguir una cosa o un fin determinados: *la sociedad lucha contra la droga.*

FAM lucha, luchador.

lucidez *s. f.* Claridad y rapidez mental que tiene una persona para exponer o comprender las cosas: *expuso su teoría con gran lucidez.*

lucido, -da *adj.* **1** Que ofrece una buena impresión o apariencia: *tu jefe lleva siempre unas corbatas muy lucidas; te ha quedado un trabajo muy lucido.* **2** Se aplica a la cosa que permite a quien lo realiza destacar o mostrar una habilidad o capacidad: *ese actor tiene un papel lucido en la obra de teatro.*

lúcido, -da *adj.* **1** Se aplica a la persona que piensa o se expresa con precisión y claridad: *es un estudiante lúcido.* **2** Que es inteligente: *todos se asombraron del lúcido razonamiento de la niña.* **3** Que se encuentra en un estado mental normal: *el enfermo estuvo lúcido toda la mañana.* **4** Claro y transparente: *este novelista traza un lúcido panorama de aquella realidad social.*

FAM lucidez.

luciente *adj.* Que luce o brilla: *cristal luciente; lucientes cabellos color de cobre.*

luciérnaga *s. f.* Insecto de la familia del escarabajo cuya hembra, que difiere notablemente del macho, carece de alas y tiene el abdomen formado por anillos que desprenden, principalmente los más próximos a la cola, una luz fosforescente de color verdoso: *la luciérnaga es un coleóptero.*

lucimiento *s. m.* ① Muestra de habilidad o capacidad que realiza una persona en un trabajo o actividad: *el lucimiento personal es lo único que le importa; la calidad de la obra permite el lucimiento del artista.* ② Esplendor o brillo que tiene una cosa: *su presencia dio lucimiento a nuestra fiesta.*

lucio *s. m.* Pez de agua dulce, de cuerpo alargado y algo plano, la cabeza en forma de punta, y la boca grande y con muchos dientes afilados, de color verdoso y comestible: *los lucios son peces muy voraces que se alimentan de otros peces; la carne del lucio es grasa y blanca.*

lucir [17] *v. intr.* ① Dar o producir luz: *el reóstato permite controlar la intensidad con que luce una bombilla; esa bombilla ya no luce.* ② Brillar o resplandecer una cosa, especialmente un astro: *las estrellas lucen por la noche; surgió un barco que lucía candentemente como cincelado de sol y de blancura.* ③ Aparecer o mostrarse el resultado de un trabajo o esfuerzo, especialmente en cuanto a su rendimiento y utilidad: *después de tres días, ya empieza a lucirle el trabajo; es un trabajo muy sencillo y, sin embargo, luce mucho.* ④ Dar una cosa prestigio o importancia a una persona: *tener un buen coche luce mucho en mi entorno social.* | *v. intr./prnl.* ⑤ Sobresalir o destacar una persona o una cosa entre otras: *ella era la persona que más lució en la fiesta; mi hermana se luce en todo lo que hace.* | *v. tr.* ⑥ Mostrar o exhibir una cosa presumiendo de ella, especialmente cuando se trata de un objeto de valor: *la reina lució todas sus joyas en la fiesta; lució un vestido de alta costura.* | *v. prnl.* ⑦ **lucirse** Exhibirse o presumir de algo una persona: *salió a la pista a lucirse delante de sus amigos; le gusta mucho lucirse.* ⑧ Hacer una cosa muy bien: *este chico tiene futuro, porque en su debut como cantante realmente se ha lucido.* ⑨ Hacer una cosa muy mal: *¡te luciste ayer hablando de ese modo!* **NOTA** Se usa de forma irónica.
FAM lucido, luciente, lucimiento; deslucir, enlucir, relucir, traslucir.

lucrarse *v. prnl.* Obtener lucro o beneficio de algo o de alguien: *los propietarios se han lucrado con la venta de los terrenos.* **FAM** lucrativo, lucro.

lucrativo, -va *adj.* Que produce mucha utilidad, ganancia o beneficio: *una actividad muy lucrativa.*

lucro *s. m.* Ganancia, beneficio o provecho que se consigue en un asunto o negocio: *el lucro personal; se presentó para alcalde sin ningún ánimo de lucro.*

luctuoso, -sa *adj.* Que produce tristeza y dolor o que mueve al llanto: *los noticiarios dan cuenta de muchos sucesos luctuosos.*

lúdico, -ca *adj.* culto Relativo al juego: *ocupa su tiempo libre en actividades lúdicas.* **SIN** lúdicro.
FAM ludibrio, lúdicro, ludopatía.

lúdicro, -cra *adj.* culto Lúdico.

ludir *v. tr.* Frotar o rozar una cosa contra otra.
FAM ludimiento.

ludismo *s. m.* Protesta obrera que consiste en la destrucción de las máquinas y los medios de producción a quienes se considera responsables de la creación del paro entre los trabajadores; nació a finales del siglo XVIII en Inglaterra.

ludópata *adj./s. com.* Se aplica a la persona que padece ludopatía: *el ludópata necesita ayuda psicológica para su curación.*

ludopatía *s. f.* Inclinación patológica a los juegos de azar: *muchas personas se han arruinado a causa de su ludopatía.* **FAM** ludópata.

luego *adv.* ① Después o más adelante en el tiempo o en el espacio: *primero comieron y luego se echaron la siesta; al girar la esquina encontrarás un kiosco y luego está mi casa: no tiene pérdida.* | *conj.* ② Introduce una oración que es resultado o consecuencia de otra oración anterior: *pienso, luego existo.*
desde luego (I) Expresión que indica afirmación o entendimiento: *desde luego que iré a tu fiesta; —¿Lo harás? —Desde luego.* (II) Expresión que se usa para dar énfasis a lo que se dice: *desde luego, no te entiendo.*
hasta luego familiar Expresión que se usa como despedida o adiós: *nos veremos dentro de un rato, hasta luego.*
luego que En cuanto, seguidamente o inmediatamente después: *luego que lo hube leído con asombro, fui a su casa a devolvérselo.*

luengo, -ga *adj.* culto Largo, que tiene mucha longitud: *era un anciano de luengas barbas.*

lugar *s. m.* ① Parte o punto de un espacio: *se esconde en algún lugar del bosque; los anfibios necesitan vivir en lugares húmedos, próximos al agua.* **SIN** sitio. ■ **lugar geométrico** Conjunto de puntos que poseen una propiedad determinada: *la circunferencia es el lugar geométrico de los puntos que equidistan de uno dado.* ② Posición que tiene una persona o una cosa en una serie o conjunto: *llegó en quinto lugar; todo el mundo tiene su lugar en la sociedad.* ③ Espacio que está libre o disponible: *buscaba un lugar donde sentarse.* **SIN** sitio. ④ Pueblo o población pequeña: *era el más listo del lugar.*
dar lugar a Producir o provocar una cosa: *estos avances dieron lugar a un gran cambio en la producción de manufacturas.*
dejar (o **quedar**) **en buen** (o **mal**) **lugar** Apoyar, elogiar y defender a alguien (o, al contrario, desacreditarlo).
en lugar de En sustitución de, en vez de: *he venido a trabajar en lugar de mi hermano; en lugar de cantar toca la guitarra.*
estar fuera de lugar Ser una persona o cosa inadecuada o inoportuna: *tus gritos están fuera de lugar.*
lugar común (I) Expresión o idea conocida por todos y muy empleada en casos semejantes. (II) Tema o forma de expresión que utilizaban convencionalmente como recurso retórico los oradores y poetas, y que se repite a lo largo de la historia de la literatura. **SIN** tópico.
sin lugar a dudas Sin posibilidad de error, de forma cierta o con total seguridad: *sin lugar a dudas, eres el mejor amigo que tengo.*
tener lugar Ocurrir o producirse una cosa en un determinado sitio o momento: *la conferencia tuvo lugar en el salón de actos.*
FAM lugareño.

lugareño, -ña *adj.* ① De un lugar o población pequeños: *la música lugareña le pareció muy interesante al forastero.* | *adj./s. m. y f.* ② Se aplica a la persona que es de un lugar o población pequeños: *pararon junto a la carretera y preguntaron a un lugareño.*

lugarteniente *s. com.* Persona que puede sustituir a otra en su cargo o empleo: *el general nos presentó a su lugarteniente.*

lúgubre *adj.* ① Que es triste y oscuro: *la escasa luz daba a la iglesia un aspecto lúgubre.* ② Que es fúnebre o tétrico: *tuvo la lúgubre idea de visitar el cementerio de noche.*

L

luisa *s. f.* Arbusto de jardín de hojas alargadas de color verde claro con olor a limón, y flores pequeñas y violáceas.
OBS También *hierba luisa.*

lujo *s. m.* **1** Abundancia u ostentación de riqueza y grandes comodidades que tiene una persona: *lleva una vida de lujo; la habitación estaba decorada con lujo.* **2** Gasto excesivo y superfluo en bienes de consumo que no son necesarios o imprescindibles para vivir: *tener tres coches es un lujo que no nos podemos permitir.* **3** Abundancia o gran cantidad de una cosa: *me contó la historia con todo lujo de detalles.* **4** Cosa que es muy buena o extraordinaria: *tu trabajo es un verdadero lujo; donde no hay justicia, la libertad es un lujo para unos y un sueño frustrado para otros.*
permitirse el lujo (I) Atreverse alguien a hacer una cosa sin solicitar permiso para ello, considerándose este hecho como algo fuera de lo normal: *me he permitido el lujo de adelantar tu trabajo mientras tú no estabas.* (II) Realizar algo que no ocurre habitualmente: *ya que era el día de nuestro aniversario, nos permitimos el lujo de ir a comer una buena mariscada.*
FAM lujoso.

lujoso, -sa *adj.* Que muestra u ostenta riqueza y abundancia de dinero: *llevaba un lujoso collar de diamantes.*

lujuria *s. f.* Deseo o apetito sexual desenfrenado o inmoderado: *los habitantes de Sodoma y Gomorra fueron castigados por su lujuria.* **SIN** lascivia. **ANT** castidad.
FAM lujuriante, lujurioso.

lujurioso, -sa *adj.* **1** Relativo a la lujuria: *lo miró con ojos lujuriosos; en «La Celestina», la alcahueta elabora un lujurioso plan.* **2** Que tiene un deseo o apetito sexual desenfrenado o inmoderado. **SIN** lascivo, libidinoso.

lumbago *s. m.* Dolor reumático de los huesos o de los músculos, que se localiza en la zona lumbar. **SIN** lumbalgia.
FAM lumbalgia.

lumbalgia *s. f.* Lumbago.

lumbar *adj.* **1** Se aplica a la zona del cuerpo que está situada entre la última costilla y los glúteos, a la altura de los riñones: *va a recibir unos masajes terapéuticos en la región lumbar.* **2** Relativo a esta zona del cuerpo: *dolor lumbar.*

lumbre *s. f.* **1** Fuego encendido que proporciona luz y calor, para guisar, calentarse, etc.: *acércate a la lumbre; cenamos en el campo a la luz de la lumbre.* **SIN** candela. **2** Materia combustible que está encendida: *atiza la leña para que no se apague la lumbre de la chimenea.* **SIN** candela. **3** Fuego para encender un cigarro: *necesito lumbre para encender el cigarro.* **4** Resplandor.
FAM lumbrera; alumbrar, deslumbrar, relumbrar.

lumbrera *s. f.* **1** familiar Persona que es muy inteligente y culta: *este alumno es una lumbrera.* **2** Abertura en un techo o en la parte alta de una pared para que entren el aire y la luz en una habitación: *la lumbrera hace que esta habitación sea la más luminosa de la casa.* **SIN** lucerna.

lumen *s. m.* Unidad de flujo luminoso del Sistema Internacional, de símbolo *lm*, que equivale al flujo luminoso emitido por un foco puntual de una candela de intensidad en un ángulo sólido de un estereorradián.

luminaria *s. f.* **1** Luz que se pone como adorno en los balcones, calles y monumentos: *las luminarias de las fiestas públicas adornan el pueblo.* **NOTA** Normalmente en plural. **2** Luz que alumbra de forma permanente el sagrario de una iglesia católica.

lumínico, -ca *adj.* Relativo a la luz: *los cristales de mis gafas cambian de color en función de la intensidad lumínica.*

luminiscencia *s. f.* Propiedad de un cuerpo de emitir una luz muy débil, pero visible en la oscuridad, sin que se produzca aumento apreciable de temperatura: *la luminiscencia puede observarse en las luciérnagas y en el pescado putrefacto.*
FAM luminiscente.

luminiscente *adj.* Que tiene luminiscencia: *varios sulfuros metálicos son luminiscentes.*

luminosidad *s. f.* **1** Abundancia de luz que tiene una cosa o un lugar. **2** Claridad o luz que refleja un cuerpo.

luminoso, -sa *adj.* **1** Que emite luz: *las estrellas son luminosas.* **2** Que tiene mucha luz natural o está bien iluminado: *el salón y la cocina de la casa son muy luminosos.* **3** Se aplica al color que es claro y refleja la luz: *llevaba un vestido en tonos verdes muy luminosos.* **4** Que es muy acertado o destaca por sus buenas cualidades: *tenía ideas luminosas para el proyecto.* | *adj./ s. m.* **5** Se aplica al cartel que emite luz artificial: *la ciudad se iluminaba de noche con las farolas y los luminosos de los comercios.*
FAM luminosidad.

luminotecnia *s. f.* **1** Técnica de la iluminación artificial que consiste en colocar luces eléctricas con fines industriales o artísticos. **2** Conjunto de luces artificiales que se colocan con estos fines.
FAM luminotécnico.

luminotécnico, -ca *adj.* **1** Relativo a la luminotecnia. | *s. m. y f.* **2** Persona que se dedica a la luminotecnia.

lumpen *s. m.* Grupo social urbano formado por los individuos más marginados.

luna *s. f.* **1** Satélite de la Tierra que gira alrededor de ella y que se ve porque refleja la luz del Sol: *la Luna tarda 28 días en dar la vuelta a la Tierra.* **NOTA** Se escribe normalmente con mayúscula inicial. ■ **luna creciente** Fase lunar en la que la Luna se hace visible cuando solamente refleja luz su parte derecha: *la luna creciente aparece entre la luna nueva y la luna llena.* ■ **luna llena** Fase lunar en la que la Luna se hace visible cuando se encuentra opuesta al sol, refleja luz toda entera y se percibe como un disco iluminado: *la luna llena aparece entre la luna creciente y la luna menguante.* **SIN** plenilunio. ■ **luna menguante** Fase lunar en la que la Luna se hace visible cuando solamente refleja luz su parte izquierda: *la luna menguante aparece entre la luna llena y la luna nueva.* ■ **luna nueva** Fase lunar en la que la Luna no refleja luz y no es visible desde la Tierra: *la luna nueva se da entre la luna menguante y la luna creciente.* **SIN** novilunio. **2** Cuerpo celeste opaco y sin luz propia que gira alrededor de un planeta: *Ganímedes es una luna del planeta Júpiter.* **SIN** satélite. **3** Luz del Sol que es reflejada por el satélite de la Tierra y se hace visible por la noche. **4** Lunación. **5** Cristal grande y grueso que forma un espejo, un escaparate o una vitrina.
a la luna de Valencia Sin protección, o sin conseguir lo que se deseaba: *tu hermano se quedó a la luna de Valencia.*
estar en la luna familiar Estar una persona despistada o no prestar atención a lo que ocurre o se dice alrededor.
luna de miel (I) Viaje de placer que hace una pareja de recién casados después de la boda. (II) Periodo inicial de la vida de un matrimonio.
media luna Figura semejante a la de la Luna cuando solo tiene iluminada una de sus dos mitades.
pedir la luna familiar Pedir una cosa imposible de realizar o conseguir.
FAM lunación, lunar, lunático, luneta, lúnula; alunizar, medialuna.

lunación *s. f.* Periodo de tiempo que tarda la Luna en dar una vuelta completa al planeta, que coincide con el tiempo que transcurre entre dos lunas nuevas: *la duración media de la lunación es de 29 días, 12 horas, 44 minutos y 2,9 segundos.* **SIN** luna.

lunar *adj.* ① Relativo a la Luna: *las fases lunares son cuatro.* ‖ *s. m.* ② Mancha redondeada de color marrón que sale en la piel, causada por una acumulación de pigmento y que, en número variable, se localiza en cualquier región del cuerpo humano. ③ Punto o dibujo en forma de círculo con que se adorna una tela: *el traje de sevillana llevaba lunares rojos y negros.*

lunático, -ca *adj./s. m. y f.* Se aplica a la persona que tiene cambios bruscos de carácter o humor o que sufre locura en determinados momentos: *las personas lunáticas tienen el carácter muy variable.* **FAM** lunatismo.

lunatismo *s. m.* Influencia de las fases lunares en la evolución de algunas enfermedades psíquicas: *la transformación del hombre lobo se presenta como fruto del lunatismo.*

lunch [se pronuncia aproximadamente 'lanch'] *s. m.* Comida ligera, generalmente de platos fríos, especialmente la que se ofrece a los asistentes a algún acontecimiento social.

lunes *s. m.* Primer día de la semana. **OBS** Plural invariable.

luneta *s. f.* ① Cristal trasero de un automóvil. ■ **luneta térmica** Cristal trasero de un automóvil que lleva unos hilos conductores que producen calor y hacen desaparecer el vapor. ② Cristal de las gafas. ③ Hueco abierto en una cúpula o bóveda que sirve para iluminar. **FAM** luneto.

luneto *s. m.* En arquitectura, pequeña bóveda semiesférica que se abre en otra bóveda principal o cúpula para iluminarla.

lunfardo *s. m.* Jerga que hablaban originariamente los delincuentes de Buenos Aires y sus alrededores: *algunas palabras del lunfardo pasaron al español de Buenos Aires.*

lúnula *s. f.* Parte blanquecina en forma de media luna de la raíz de las uñas.

lupa *s. f.* Instrumento óptico formado por una lente convergente generalmente sujeta a un mango, que sirve para ver aumentada la imagen de un objeto. **con lupa** Examinando detenidamente una cosa o haciéndola con mucha atención y cuidado: *este asunto hay que mirarlo con lupa.*

lupanar *s. m.* culto Prostíbulo.

lúpulo *s. m.* Planta herbácea trepadora de tallo largo y nudoso, hojas perennes y flores con sexos separados; su fruto contiene una sustancia amarillenta que se usa para dar aroma y sabor amargo a la cerveza.

lusismo *s. m.* Lusitanismo.

lusitanismo *s. m.* Palabra o modo de expresión propio de la lengua portuguesa y que se usa en otro idioma. **SIN** lusismo, portuguesismo.

lusitano, -na *adj.* ① De Portugal (país de Europa). **SIN** luso, portugués. ‖ *s. m. y f./adj.* ② Persona que es de Portugal. **SIN** luso, portugués. ‖ *adj.* ③ Relativo a un pueblo ibero que habitaba en la parte occidental de la Península Ibérica. **SIN** luso. ‖ *s. m. y f./adj.* ④ Persona perteneciente a este pueblo. **SIN** luso. **FAM** lusitanismo.

luso, -sa V. lusitano, -na. **FAM** lusismo, lusitano.

lustrabotas *s. com.* AMÉR. SUR Limpiabotas. **OBS** Plural invariable.

lustrador, -ra *s. m. y f.* ARG., NICAR. Limpiabotas.

lustrar *v. tr.* Dar brillo a una cosa frotando con fuerza. **FAM** lustrador, lustrabotas.

lustre *s. m.* ① Brillo que tiene una cosa después de limpiarla o frotarla con fuerza. ② Aspecto sano que tiene una persona o una cosa: *todos coincidían en que la niña tenía un lustre precioso.* ③ Prestigio social: *los negocios le salieron bien y en poco tiempo consiguió cierto lustre.* ④ Gran suntuosidad y lujo. **FAM** lustrar, lustroso; deslustre.

lustro *s. m.* Periodo de cinco años. **SIN** quinquenio.

lustroso, -sa *adj.* ① Que brilla o emite luz: *dejó los zapatos lustrosos después de limpiarlos.* **SIN** brillante. ② Que tiene un aspecto sano debido al color y la limpieza de la piel: *tu hijo está muy lustroso.*

lutecio *s. m.* Elemento químico de símbolo *Lu* y número atómico 71; es un metal brillante del grupo de los lantánidos y no tiene ninguna aplicación práctica, salvo como catalizador y en la fabricación de dentaduras postizas.

luteína *s. f.* ① Pigmento amarillo de algunas células vegetales. **SIN** xantofila. ② Hormona sexual producida por el ovario durante la segunda parte del ciclo menstrual y durante el embarazo. **SIN** progesterona.

luteranismo *s. m.* Doctrina religiosa protestante basada en las enseñanzas de Martín Lutero (1483-1546), que defiende la lectura individual de la Biblia, sostiene que la fe justifica al ser humano y rechaza el magisterio eclesiástico.

luterano, -na *adj.* ① Relativo al luteranismo o a Martín Lutero (1483-1546): *reforma luterana; iglesias luteranas.* ‖ *adj./s. m. y f.* ② Se aplica a la persona que profesa el luteranismo. **FAM** luteranismo.

luthier o **lutier** [se pronuncia 'lutier'] *s. com.* Persona que tiene por oficio fabricar y reparar instrumentos musicales de cuerda, como el violín o el violonchelo. **OBS** Plural: *luthiers* o *lutiers.*

luto *s. m.* ① Dolor y pena causados por la muerte de una persona: *el ayuntamiento izó la bandera a media asta en señal de luto.* ② Muestra exterior de dolor y pena causados por la muerte de una persona que se manifiesta en el uso de ropa negra y determinados objetos y adornos: *viste de negro porque lleva luto por la muerte de su marido.* ③ Periodo de tiempo que dura esta muestra exterior de dolor: *el luto duró siete años.* **FAM** lutoso; enlutar.

lux *s. m.* Unidad de intensidad de iluminación del Sistema Internacional, de símbolo *lx,* que equivale a la iluminación de una superficie que recibe normal y uniformemente un flujo luminoso de un lumen por metro cuadrado. **OBS** Plural invariable.

luxación *s. f.* Daño que se produce cuando un hueso se sale de su articulación. **SIN** dislocación.

luxemburgués, -guesa *adj.* ① De Luxemburgo (país de Europa y capital de dicho país). ‖ *s. m. y f./adj.* ② Persona que es de Luxemburgo. ‖ *s. m./adj.* ③ Variedad dialectal del alemán hablada en este país.

luz *s. f.* ① Forma de energía que ilumina las cosas y las hace visibles y que se propaga mediante partículas llamadas fotones como cualquier otra radiación electromagnética: *la luz se* propaga en el vacío a una velocidad de 300 000 km por segundo. ■ **luz artificial** Luz no producida por el Sol. ■ **luz eléctrica** Luz producida mediante energía eléctrica. ■ **luz natural** Luz producida por el Sol. 2 Luz natural o solar: *apenas había luz en la calle.* 3 Objeto o aparato que sirve para alumbrar: *apaga las luces del coche.* ■ **luz corta** o **luz de cruce** Luz de un vehículo que debe iluminar como mínimo unos 40 metros de vía. ■ **luz de posición** Luz de un vehículo que sirve para ser visto en lugares que tienen poca iluminación. ■ **luz larga** o **luz de carretera** Luz de un vehículo que debe iluminar como mínimo unos 100 metros de vía. 4 Corriente eléctrica: *el precio de la luz ha vuelto a subir este año.* 5 Claridad que desprende un cuerpo que está en combustión: *la luz de las llamas es amarillenta.* 6 Espacio abierto en una pared que deja pasar la claridad: *esta casa tiene pocas luces.* ■ **luz cenital** Luz que entra por un espacio abierto en el techo. 7 Modelo que marca una manera de pensar o un modo de actuar: *ese autor fue la luz de mi generación.* **I** *s. f. pl.* 8 **luces** Inteligencia o entendimiento de una persona: *es un profesor con muchas luces.*

a todas luces De manera clara y segura: *ha sido a todas luces una injusticia.*

arrojar luz Aclarar un asunto.

dar a luz Expulsar la mujer el feto que tiene en su vientre.

entre dos luces Al hacerse de día o al hacerse de noche.

sacar a la luz Publicar un texto u obra.

FAM lucerna, lucero, lúcido, luciérnaga, lucífugo, lucir, lux; aluzar, contraluz, parteluz, tragaluz.

lycra [se pronuncia 'licra'] *s. f.* Licra.

OBS Es marca registrada.

m *s. f.* **1** Decimotercera letra del alfabeto español; su nombre es *eme*. **2** En la numeración romana, tiene el valor de mil. **NOTA** Se escribe con mayúscula.

macabeo, -bea *s. m.* **1** Variedad de uva blanca de grano mediano y muy dulce, muy utilizada en la elaboración de vinos de La Rioja, Navarra, etc. **|** *adj.* **2** Relativo a los Macabeos (siete hermanos que, en la tradición cristiana, fueron martirizados junto a su madre).

macabro, -bra *adj.* Relativo al aspecto más repulsivo y desagradable de la muerte: *una historia macabra*.

macaco *s. m.* **1** Mamífero pequeño del orden primates, de hocico saliente y callosidades glúteas; vive en grupo en los bosques asiáticos y africanos. **2** Persona pequeña y poco importante. **NOTA** Frecuentemente usado como apelativo cariñoso aplicado a niños. **3** CHILE, CUBA Feo, pequeño o mal formado.

macana *s. f.* **1** AMÉR. Garrote grueso de madera dura y pesada. **2** AMÉR. SUR Especie de chal o manteleta, casi siempre de algodón, que usan algunas mujeres. **3** ARG. Regalo de poca importancia. **4** familiar ARG., PAR., URUG. Dicho sin fundamentos o disparatado: *todo lo que decía eran macanas, porque no entendía nada*. **5** familiar ARG., PERÚ, URUG. Dicho o hecho equivocado o que acarrea complicaciones: *hice la gran macana de levantarme a las dos, y ya era tarde para llegar a la cita*.

¡qué macana! familiar ARG., URUG. Exclamación que expresa contrariedad por algo que ocasiona un problema: *¡qué macana, me olvidé mi agenda en casa de Juan!*
FAM macanada.

macanada *s. f.* ARG. Disparate, embuste.

macanudo, -da *adj.* **1** AMÉR. familiar Que destaca por sus buenas cualidades o que es admirable. **|** *adj./s. m. y f.* **2** familiar AMÉR. Se aplica a la persona que es amable, atenta, solidaria y agradable: *Lorenzo es macanudo, siempre dispuesto a echar una mano*.

macarra *adj.* **1** fam. desp. Que pretende ser elegante y en realidad es vulgar, ordinario o mal gusto: *siempre viste con ropa macarra*. **|** *adj./s. com.* **2** Se aplica a la persona que se comporta de manera vulgar y agresiva. **|** *s. m.* **3** Hombre que vive de las ganancias de una o más prostitutas dándoles a cambio protección. **SIN** chulo.

macarrón *s. m.* **1** Pasta de harina de trigo que tiene forma de tubo hueco. **NOTA** Normalmente en plural. **2** Tubo de plástico delgado y flexible que se usa para recubrir hilos eléctricos o alambres.
FAM macarrónico.

macarrónico, -ca *adj.* Se aplica a la lengua que se usa incorrectamente cuando se mezclan palabras de la propia lengua con otras de la lengua que se pretende usar o se inventan palabras con sonidos o terminaciones de esa lengua: *latín macarrónico*.

macartismo *s. m.* Conjunto de acciones emprendidas contra un grupo de personas por sus ideas políticas y sociales, generalmente progresistas.

macedonia *s. f.* Postre que consiste en frutas cortadas en trozos, aliñadas con su zumo o el de otras frutas y al que puede añadirse azúcar o licor.

macedónico, -ca *adj.* **1** De Macedonia (antigua región de Europa). **SIN** macedonio. **|** *s. m. y f./adj.* **2** Persona que era de Macedonia. **SIN** macedonio.

macedonio, -nia *adj.* **1** De Macedonia (antigua región de Europa). **SIN** macedónico. **|** *s. m. y f./adj.* **2** Persona que era de Macedonia. **SIN** macedónico. **|** *adj.* **3** De Macedonia (país de Europa). **|** *s. m. y f./adj.* **4** Persona que es de Macedonia. **|** *s. m./adj.* **5** Lengua eslava meridional que se habla en Macedonia. **|** *adj.* **6** Relativo a esta lengua.
FAM macedónico.

macerar *v. tr.* **1** Poner blanda una cosa dándole golpes o apretándola: *macera bien el barro antes de ponerte a modelarlo*. **2** Echar un alimento en un líquido y algunas especias y dejarlo en reposo un tiempo, antes de cocinarlo, para ablandarlo y mejorar su sabor. **3** Sumergir una sustancia sólida en un líquido durante un tiempo para extraer de ella las partes solubles. **4** Castigar el cuerpo como penitencia o para dominar las pasiones.
FAM maceración, maceramiento.

macero *s. m.* Empleado de un ayuntamiento u otra corporación que en determinadas celebraciones lleva una maza delante de las personas que usan esta señal de dignidad.

maceta¹ *s. f.* Martillo con cabeza de dos bocas iguales y mango corto que usan los canteros para golpear el cincel.

maceta² *s. f.* ① Recipiente de barro cocido o material plástico y forma de vaso ancho, que se llena de tierra y se usa para cultivar plantas. **SIN** tiesto. ② Conjunto formado por este recipiente, la tierra y la planta.
FAM macetero.

macetero *s. m.* Soporte o recipiente que sirve para colocar macetas con plantas.

Mach Indicación de la velocidad de un móvil respecto de la del sonido (340 m/s): *un avión que se mueve a Mach-2 se desplaza al doble de la velocidad del sonido, 680 m/s, casi 2500 km/h.*

machaca *s. com.* Trabajador subordinado encargado de los trabajos más pesados.

machacar *v. tr.* ① Golpear una cosa hasta triturarla o reducirla a trozos muy pequeños: *machacó ajo y perejil en el mortero.* **SIN** majar. ② Trabajar algo a fondo, especialmente si se trata del estudio de alguna materia. ③ Ganar o vencer al contrario con mucha ventaja o con facilidad. ‖ *v. intr.* ④ Insistir mucho en algún asunto o tema hasta llegar a molestar y cansar: *deja ya de machacar.*
FAM machaca, machacador, machacante, machacón, machaqueo.

machacón, -cona *adj./s. m. y f.* familiar Que repite algo hasta el punto de cansar o molestar.
FAM machaconería.

machaconería *s. f.* Insistencia excesiva.

machada *s. f.* Acto que pretende demostrar valentía, pero que resulta imprudente y poco oportuno.

machamartillo Se usa en la expresión:
a machamartillo Indica que algo se hace con firmeza, solidez y seguridad: *ha adelgazado diez kilos en un mes, porque lleva el régimen a machamartillo.*

machaqueo *s. m.* ① Acción de golpear una cosa hasta triturarla o reducirla a trozos muy pequeños. ② Insistencia que se pone en un tema o en la realización de alguna cosa: *¡qué machaqueo de preguntas!*

machete *s. m.* Cuchillo grande con una hoja de un solo filo, ancha y corta.
FAM machetazo.

machihembrar *v. tr.* Encajar dos piezas de madera, una de las cuales tiene una ranura en el lateral y otra una lengüeta que encaja en la ranura de la primera.
FAM machihembrado.

machismo *s. m.* Actitud que considera que el hombre es superior a la mujer.
FAM machista.

machista *adj.* ① Relativo al machismo. ‖ *adj./s. com.* ② Se aplica a la persona que considera que el hombre es superior a la mujer.

macho¹ *s. m.* ① Animal de sexo masculino: *perdiz macho; el macho de la vaca es el toro.* ② En las plantas que tienen los órganos de reproducción masculinos y femeninos en diferentes individuos, el que los tiene masculinos (dotados para fecundar a la hembra). ③ Pieza que se introduce o encaja en otra. ④ familiar Se usa para referirse amistosamente a un amigo: *hombre, macho, ¿qué es de tu vida?* **SIN** tío. ‖ *adj.* ⑤ Se aplica al hombre que tiene o cree tener las cualidades consideradas tradicionalmente como propias del género masculino: *esto de torear le hace sentirse más macho.*
FAM machismo, machote.

macho² *adj.* Mazo grande y pesado que usa el herrero.

macho³ *s. m.* Mulo de sexo masculino.

machón *s. m.* Pilar de fábrica, por lo general de gran volumen y robustez.

machorra *s. f.* Hembra que no puede tener hijos: *mataron una machorra de oveja para el banquete.*

machote, -ta *adj./s. m. y f.* familiar Se aplica al hombre o joven que es fuerte o valiente: *¡qué machotes son estos niños bañándose en el río con el frío que hace!*

macilento, -ta *adj.* Se aplica a la persona que ha perdido el color rosado habitual de la cara y se muestra demacrada y sin vigor.

macizo, -za *adj.* ① Se aplica al cuerpo o materia que está comprimido de modo que queden los menos huecos posibles. **SIN** compacto. ② Que es fuerte, grueso o robusto: *es un bebé sano y macizo.* **SIN** recio. **ANT** fofo. ③ familiar Que tiene un cuerpo muy bien formado y carne dura: *mira que tío macizo.* ‖ *s. m.* ④ Grupo de montañas o elevación del terreno generalmente rocosa. ■ **macizo cárstico** o **macizo kárstico** Relieve geológico cuyas formas son debidas a la acción erosiva, principalmente del agua, sobre un terreno de rocas de escasa consistencia, como calizas o yesos. **SIN** karst. ⑤ Conjunto de plantas cultivadas con el que se decoran los cuadros de los jardines o parques. **SIN** parterre. ⑥ Parte de una pared que está entre dos huecos.
FAM macizar.

maco *s. m.* jerga Cárcel.

macramé *s. m.* Tejido de hilos y cuerdas entrelazadas con nudos de varios tipos.

macro *s. f.* Pequeño programa informático que origina la ejecución de una secuencia de operaciones.

macrobiótica *s. f.* Forma de alimentación basada en el consumo de productos vegetales no manipulados industrialmente que busca mejorar y alargar la vida.
FAM macrobiótico.

macrobiótico, -ca *adj.* Se aplica al alimento que no ha sido manipulado industrialmente y que forma parte de una dieta encaminada a mejorar y alargar la vida.

macrocéfalo, -la *adj./s. m. y f.* ① Se aplica al animal que tiene la cabeza muy grande con relación al cuerpo o a la especie a que pertenece. ② Se aplica a la sociedad, grupo o entidad que tiene un número de dirigentes excesivamente grande.

macroconcierto *s. m.* Concierto celebrado en un lugar que permite la asistencia de muchos espectadores, como un estadio o una plaza de toros, y en el que actúan numerosos artistas o un solo artista durante más tiempo del habitual.

macrocosmo o **macrocosmos** *s. m.* Universo o conjunto de todo lo que existe en la Tierra y fuera de ella, especialmente cuando se compara con el ser humano o microcosmo. **ANT** microcosmo.
OBS Plural: *macrocosmos.*

macroeconomía *s. f.* Estudio de la economía de una zona, país o grupo de países, considerada en su conjunto y empleando datos colectivos o globales como la renta nacional, el empleo o las importaciones y exportaciones. **ANT** microeconomía.
FAM macroeconómico.

macroevolución *s. f.* Conjunto de procesos evolutivos que dieron lugar a los distintos filos de seres vivos.

macromolécula *s. f.* Molécula de gran tamaño, generalmente formada por gran número de átomos.

macroscópico, -ca *adj.* Que se ve a simple vista sin ayuda del microscopio. **ANT** microscópico.

macruro *adj./s. m.* **1** Se aplica al crustáceo de abdomen largo y desarrollado que le sirve para nadar, como el bogavante o la langosta. ǁ *s. m. pl.* **2 macruros** Grupo taxonómico, con categoría de suborden, constituido por estos crustáceos.

macsura *s. f.* Espacio que antecede a la quibla y el mihrab en las grandes mezquitas, reservado al califa, al imán.

mácula *s. f.* **1** culto Cosa que desprestigia o afecta la fama o el honor de una persona. **SIN** mancha. **2** Mancha o zona oscura que se observa en el disco del Sol.
FAM maculatura.

macuto *s. m.* Saco o mochila de tela fuerte o piel que se cuelga a la espalda: *el soldado llevaba ropa para cambiarse dentro del macuto.*

madama *s. f.* Madame (tratamiento de cortesía).

madame *s. f.* **1** Tratamiento de cortesía que se da a las señoras. **2** Dueña o encargada de un prostíbulo.
FAM madama.

madeja *s. f.* Hilo recogido en vueltas iguales y grandes.
enredar la madeja Hacer más difícil un asunto.
FAM desmadejar.

madera *s. f.* **1** Material duro y fibroso que forma el tronco y las ramas de los árboles. **2** Material duro y fibroso que procede de los árboles. **3** Trozo de este material cuando está labrado.
tener madera Tener talento o capacidad innata para hacer algo: *este niño tiene madera de músico.*
FAM maderaje, maderamen, maderar, maderero, madero.

maderamen *s. m.* Conjunto de maderas que se emplea para la construcción de un edificio.

maderar *v. tr.* Convertir un árbol en madera.

maderero, -ra *adj.* **1** Relativo a la madera. ǁ *s. m. y f.* **2** Persona que se dedica a comerciar con maderas.
FAM maderería.

madero *s. m.* **1** Tabla larga de madera labrada por las cuatro caras: *atrancó la puerta con un madero.* **2** Árbol cortado y sin ramas. ǁ *s. com.* **3** familiar Agente de policía.

madona *s. m.* En pintura y escultura, representación de la Virgen María.

madrastra *s. f.* **1** Esposa del padre de una persona, con respecto a los hijos que este tiene de un matrimonio anterior. **2** Madre que trata mal a sus hijos.

madraza *s. f.* Madre que cuida mucho a sus hijos.

madre *s. f.* **1** Mujer o animal hembra que ha parido algún hijo. ■ **madre adoptiva** Mujer que ha adoptado un hijo y que legalmente tiene las mismas funciones y derechos que una madre biológica. ■ **madre biológica** Mujer que es pariente genética de otra persona, aunque no sea gestante. ■ **madre de alquiler** Mujer que concibe un hijo para otra que no puede gestarlo. ■ **madre de familia** Mujer que se dedica al cuidado de sus hijos y a los trabajos de la casa. ■ **madre de leche** Mujer que da el pecho a uno o a varios niños sin ser suyos. **SIN** nodriza. ■ **madre política** Madre del cónyuge de una persona. **SIN** suegra. **2** Tratamiento que se da a las religiosas de algunas órdenes o a las superioras:

madre abadesa; las madres de mi colegio eran teresianas. ■ **madre superiora** Religiosa de mayor autoridad en el convento. **3** Causa u origen más importante de una cosa: *lengua madre; la experiencia es la madre de la ciencia.* **4** Parte del terreno por donde va una corriente de agua. **SIN** cauce, lecho. **5** Heces del vino o vinagre: *la tinaja está casi vacía y por eso sale el vino con tantas madres.* **NOTA** Normalmente en plural.
la madre del cordero Razón real de un hecho o asunto: *en esa familia están todos en el paro: esa es la madre del cordero de todos sus problemas.*
¡la madre del cordero! Se usa para expresar admiración o sorpresa.
¡madre mía! Expresión que indica sorpresa o admiración.
madre patria (**I**) País donde ha nacido una persona, cuando esta se encuentra lejos de él. (**II**) País colonizador de otros países, en relación con estos: *España se considera la madre patria de los países hispanohablantes de América.*
sacar de madre Enfurecer a una persona, causarle un gran enfado.
salirse de madre (**I**) Desbordarse un río. (**II**) Pasarse una persona o una cosa de los límites considerados razonables o normales: *en la fiesta, todo el mundo se salió de madre y aquello terminó siendo un desmadre.*
FAM madrastra, madraza, madrina; comadre, enmadrarse.

madreña *s. f.* Zueco de madera con tacos en la parte inferior que lo levantan del suelo, para andar por lugares embarrados. **SIN** almadreña.

madreperla *s. f.* Molusco de concha oscura, rugosa y casi circular que vive en el fondo de los mares tropicales; se pesca para recoger las perlas que se forman en su interior y el nácar de su concha.

madrépora *s. f.* Invertebrado del filo cnidarios, con esqueleto exterior calcáreo, que vive en colonias formando barreras de coral o atolones; es propio de los mares tropicales.

madreselva *s. f.* Arbusto trepador de tallos largos y nudosos, hojas ovaladas y flores olorosas; se cultiva como planta ornamental.

madrigal *s. m.* **1** Poema lírico breve, generalmente amoroso, que expresa un cumplido elogioso dirigido a una dama, y en el que se combinan versos de once y siete sílabas. **2** Composición musical renacentista escrita para varias voces, con o sin acompañamiento de instrumentos, de tema profano, generalmente amoroso, y cuya letra solía ser un poema culto.
FAM madrigalesco.

madrigalesco, -ca *adj.* Relativo al madrigal.

madriguera *s. f.* **1** Cueva o túnel que excavan algunos animales para usarlo como refugio. **2** Escondrijo en el que se refugian una o varias personas buscadas por realizar actividades delictivas. **3** Lugar pequeño y recogido en el que alguien puede estar solo o tranquilo.

madrileñismo *s. m.* **1** Amor o admiración por la cultura y las tradiciones de Madrid. **2** Palabra o modo de expresión propio del español hablado en Madrid.

madrileño, -ña *adj.* **1** De Madrid (comunidad autónoma, provincia y capital de España). ǁ *s. m. y f./adj.* **2** Persona que es de Madrid.
FAM madrileñismo.

madrina *s. f.* **1** Mujer que presenta o acompaña a una persona cuando esta recibe un sacramento. **2** Mujer que presenta o acompaña a una persona cuando esta va a participar

M

en una competición o desafío, o a recibir un honor. ③ Mujer que protege y favorece a una persona para que esta consiga sus deseos o pretensiones. ④ Mujer que preside la inauguración de una ceremonia o que desempeña una función principal y de patronazgo en un acto público: *fue madrina de la botadura del barco.* ⑤ AMÉR. SUR Ganado manso que sirve para conducir al bravío.
FAM madrinazgo; amadrinar.

madroñal *s. m.* Lugar poblado de madroños.

madroño *s. m.* ① Arbusto de flores blancas y hojas perennes que da un fruto comestible de color rojizo: *el oso y el madroño son los símbolos de Madrid.* ② Fruto de este árbol, de forma redonda, rojo por fuera y amarillo por dentro y con la superficie áspera; es comestible, tiene un sabor dulce y se usa para fabricar bebidas y vinagre. ③ Borla pequeña que tiene la forma de este fruto.
FAM madroñal.

madrugada *s. f.* ① Parte del día que va desde las doce de la noche hasta el amanecer. ② Momento inicial del día, desde que empieza a aparecer la luz hasta que sale el sol. SIN alba, aurora, amanecer.

madrugador, -ra *adj./s. m. y f.* ① Se aplica a la persona que tiene por costumbre levantarse muy temprano. SIN tempranero. ② Que ocurre antes de tiempo o que tiene lugar muy pronto.

madrugar *v. intr.* ① Levantarse muy pronto, especialmente al amanecer. ② Ganar tiempo en un asunto o negocio. SIN adelantarse, anticiparse.
FAM madrugada, madrugador, madrugón.

madrugón, -gona *adj./s. m. y f.* ① Madrugador, persona que tiene por costumbre levantarse muy temprano. SIN tempranero. ‖ *s. m.* ② Acción de levantarse muy temprano, especialmente al amanecer.

maduración *s. f.* ① Proceso por el cual un fruto llega al momento justo y adecuado para ser cogido o comido. ② Proceso de desarrollo intelectual y físico de la persona en relación con sus condicionantes hereditarios, el contexto social en el que vive y sus circunstancias personales. SIN madurez. ③ Etapa en la elaboración del vino y algunos licores, durante la cual se mantienen en cubas especiales antes de ser embotellados.

madurar *v. tr.* ① Hacer alcanzar a un fruto el desarrollo completo. ② Meditar sobre una idea, un proyecto o un asunto antes de llevarlo a cabo. ‖ *v. intr.* ③ Alcanzar un fruto su desarrollo completo. SIN sazonar. ④ Crecer y desarrollarse una persona en relación con sus condicionantes hereditarios, el contexto social en el que vive y sus circunstancias personales.
FAM maduración, maduradero, madurativo.

madurez *s. f.* ① Estado de un fruto que ha alcanzado un desarrollo completo: *las uvas se cogen en verano, cuando llegan a su madurez.* ② Culminación del proceso de desarrollo de una persona en relación con sus condicionantes hereditarios, el contexto social en el que vive y sus circunstancias personales. ③ Edad adulta, entre la juventud y la vejez: *la madurez trajo serenidad y experiencia a su vida.* ④ Cualidad de la persona que ha alcanzado la plenitud vital sin ser vieja. ANT inmadurez.

maduro, -ra *adj.* ① Se aplica al fruto que ha alcanzado su desarrollo completo. ANT verde. ② Se aplica a la persona que obra y toma decisiones con buen juicio, prudencia y madu-

rez: *tiene treinta años, pero aún no es una persona madura.* SIN sensato. ANT inmaduro. ③ Se aplica a la persona que tiene una edad avanzada pero que todavía no ha entrado en la vejez: *se casó con un hombre maduro.* ④ Se aplica a la idea o proyecto que está meditado y preparado por completo: *cuando el plan estuvo maduro, el grupo lo llevó a cabo.*
FAM madurar, madurez; inmaduro.

maese *s. m.* culto Tratamiento de respeto que se utilizaba antepuesto al nombre propio de un maestro de artes y oficios: *maese Pedro.*

maestra *s. f.* Pieza larga de madera o fila de piedras que se coloca verticalmente y sirve de guía a los albañiles para construir una pared.

maestranza *s. f.* ① Establecimiento militar donde se almacenan, distribuyen, construyen y reparan piezas de artillería y otro material de guerra. ② Conjunto de operarios que trabajan en estos establecimientos. ③ Sociedad de caballeros que se ejercitaban en la equitación y que fue, en su origen, escuela del manejo de las armas a caballo.

maestrazgo *s. m.* ① Cargo de maestre de una orden militar. ② Territorio bajo la autoridad de un maestre o de una orden militar: *los maestrazgos surgen en España durante la Reconquista.* ③ Ingresos que los monarcas españoles obtenían de estos territorios en su condición de maestres de las órdenes militares.

maestre *s. m.* Persona que ocupaba el cargo superior de una orden militar. ■ **maestre de campo** General de la antigua milicia.
FAM maestranza, maestrazgo; contramaestre.

maestría *s. f.* ① culto Gran habilidad y perfección para hacer una cosa: *ejecutó una pieza al piano con gran maestría.* SIN destreza. ② Oficio y título de maestro, especialmente en una profesión técnica o manual: *se preparó unas oposiciones de maestría industrial.*

maestro, -tra *adj.* ① Que destaca entre los del mismo tipo o clase por su perfección: *escribió una obra maestra.* ANT corriente. ‖ *s. m. y f.* ② Persona que se dedica a la enseñanza y que tiene título para ello, especialmente la que enseña en la escuela primaria. ③ Persona de gran experiencia en una materia: *es un maestro del balón.* ④ Persona o cosa que enseña o da una lección o escarmiento: *no hay mejor maestro que la experiencia.* ⑤ Persona que dirige el personal o las actividades de un servicio: *maestro de cocina.* ■ **maestro de ceremonias** Persona que dirige los actos públicos en lugares oficiales o importantes: *el maestro de ceremonias ordenó servir la cena.* ■ **maestro de obras** Persona que tiene mucha práctica en la construcción de edificios y dirige las obras. ⑥ Tratamiento que se da a los músicos que son directores de orquesta, compositores, pianistas u otros casos. ⑦ Persona que se dedica a torear en las plazas de toros. SIN torero.
FAM maestría; amaestrar.

mafia *s. f.* ① Organización secreta e ilegal nacida en Sicilia que ejerce su poder a través de la fuerza, el crimen y el chantaje: *la Mafia nació en Italia pero está muy extendida en Estados Unidos.* NOTA Se escribe normalmente con mayúscula inicial. ② Organización secreta e ilegal que se dedica al crimen: *una mafia de contrabandistas.* ③ Organización que emplea métodos ilegales o poco claros en sus negocios.
FAM mafioso.

mafioso, -sa *adj.* ① Relativo a la mafia. ‖ *adj./s. m. y f.* ② Se aplica a la persona que pertenece a la Mafia. ③ Se aplica a la persona que emplea métodos ilegales o poco claros en sus negocios.

magacín o **magazín** [se pronuncia aproximadamente 'magacín' o 'magasín'] *s. m.* ① Programa de televisión o radio en que se mezclan reportajes, entrevistas y actuaciones artísticas. ② Revista periódica ilustrada con artículos de información general muy variados.
OBS Puede encontrarse la grafía inglesa *magazine*.

magdalena *s. f.* ① Bollo pequeño hecho con harina, leche, huevo, azúcar y aceite que se cuece al horno en un molde de papel. ② Mujer que está muy arrepentida de alguna cosa mala que ha hecho.
llorar como una Magdalena familiar Llorar mucho.

magdaleniense *adj./s. m.* ① Se aplica al periodo prehistórico, perteneciente al paleolítico superior, que se caracteriza por el pulimento de huesos y las pinturas rupestres. | *adj.* ② Relativo a este periodo prehistórico.

magenta *s. m./adj.* ① Color rosa oscuro, como el de las semillas de la granada: *el magenta se emplea en las emulsiones de fotografía.* | *adj.* ② Que es de este color. **NOTA** Invariable en número.

magia *s. f.* ① Conjunto de trucos y técnicas con los que se hacen cosas sorprendentes que parecen reales aunque no lo son: *el espectáculo cuenta con varios números de magia.* **SIN** ilusionismo, prestidigitación. ② Conjunto de conocimientos y técnicas que se propone conseguir algo extraordinario con ayuda de seres o fuerzas sobrenaturales. ■ **magia blanca** Conjunto de conocimientos y técnicas que por medios naturales consigue efectos sobrenaturales: *la hipnosis es una forma de magia blanca.* ■ **magia negra** Conjunto de conocimientos y técnicas que pretende hacer cosas sobrenaturales perjudiciales para alguien, con la ayuda del demonio: *la bruja utilizó la magia negra para dejarlo ciego.* ③ Encanto de una persona o cosa que la hace atractiva para otra persona: *los amaneceres junto al mar tienen magia; ese chico tiene magia en sus ojos.*
FAM mágico, mago.

magiar *adj.* ① Relativo a un pueblo originario de los Montes Urales (Asia) que habitó en Hungría y Transilvania a partir del siglo IX d. C. | *s. com./adj.* ② Persona perteneciente a este pueblo. | *adj.* ③ De Hungría (país de Europa). **SIN** húngaro. | *s. com./adj.* ④ Persona que es de Hungría. **SIN** húngaro. | *s. m./adj.* ⑤ Lengua que se habla en Hungría y otras zonas. **SIN** húngaro. | *adj.* ⑥ Relativo a esta lengua. **SIN** húngaro.

mágico, -ca *adj.* ① Relativo a la magia: *la bruja le aseguró que la pócima mágica la haría más bella.* ② Que se sale de lo normal y causa un efecto positivo: *aquel paisaje mágico me inspiraba tranquilidad.*

magín *s. m.* familiar Imaginación.

magisterio *s. m.* ① Carrera universitaria que debe cursarse para conseguir el título de maestro: *cursó magisterio en Guadalajara y ahora ejerce en Madrid.* ② Título universitario del maestro. ③ Actividad del maestro o del que enseña: *su magisterio dejó huella en sus alumnos.* **SIN** enseñanza. ④ Conjunto de maestros de una zona determinada.
FAM magistral.

magistrado, -da *s. m. y f.* ① Superior en el orden civil, especialmente en relación con el poder judicial: *Jovellanos, escritor del siglo XVIII, fue magistrado.* ② Juez que forma parte de un tribunal o del Tribunal Supremo: *magistrado de una audiencia provincial.* ③ En la Antigüedad, personaje investido de funciones públicas importantes: *el cónsul romano era el magistrado más importante de la república.*
FAM magistratura.

magistral *adj.* ① Que está hecho con perfección y maestría: *las magistrales pinturas de Goya pueden verse en El Prado.* **SIN** maestro, genial. ② Relativo a la actividad del maestro o a la enseñanza: *el rector de la universidad dará una clase magistral.*

magistratura *s. f.* ① Cargo o profesión de magistrado. ② Tiempo durante el cual un magistrado ejerce su cargo: *el juicio ocurrió en 1988, durante la magistratura del juez Martínez.* ③ Conjunto de los magistrados: *la magistratura dio a conocer su opinión.*

magma *s. m.* Masa de rocas fundidas que se encuentra en el interior de la Tierra y que sale al exterior a través de los volcanes o las grietas de la superficie terrestre; su enfriamiento origina diversas rocas eruptivas.
FAM magmático, magmatismo.

magmático, -ca *adj.* ① Relativo al magma: *foco magmático.* ② Se aplica a la roca que se forma por la solidificación del magma: *las rocas magmáticas pueden ser plutónicas o volcánicas.*

magnanimidad *s. f.* culto Cualidad principal de la persona que es bondadosa, comprensiva y causa respeto y admiración.

magnánimo, -ma *adj.* culto Que es bondadoso, comprensivo y causa respeto y admiración: *fue un rey magnánimo y justo.*
FAM magnanimidad.

magnato *s. com.* Persona rica y muy importante, por su cargo o su poder, en el mundo de los negocios, la industria o las finanzas.

magnesia *s. f.* Sustancia blanca y ligeramente alcalina, suave, sin sabor ni olor, que combinada con ciertos ácidos, forma sales utilizadas como purgante y para combatir el ardor de estómago: *la magnesia es terrosa y resistente al calor.*
FAM magnesio.

magnesio *s. m.* Elemento químico de símbolo Mg y número atómico 12; es un metal del grupo de los alcalinotérreos, de color plateado, maleable y ligero, que arde con una llama blanca brillante; se utiliza en las aleaciones ligeras, en baterías y para obtener aceites especiales que se utilizan en luminotecnia y fotografía y es un elemento esencial para los seres vivos.

magnético, -ca *adj.* ① Que tiene las cualidades propias del imán: *la brújula se construye con una aguja magnética.* ② Relativo al magnetismo: *quiso profundizar en el estudio del campo magnético terrestre.* ③ Se aplica a la persona o cosa que posee capacidad de atracción: *su forma de hablar es magnética.*
FAM magnetismo, magnetizar; electromagnético, ferromagnético, geomagnético.

magnetismo *s. m.* ① Propiedad que tienen los imanes para atraer el hierro. ② Conjunto de fenómenos producidos por los imanes y las corrientes eléctricas: *el físico quiso estudiar el magnetismo y su influencia en los metales.* ■ **magnetismo terrestre** Poder magnético del planeta Tierra. ③ Parte de la física que estudia este fenómeno. ④ Conjunto de características favorables de una persona o cosa que atraen la voluntad y despiertan el interés de los demás: *aquel hombre poseía un magnetismo especial para gustar a las mujeres.* **SIN** atractivo.

magnetismo animal Acción que una persona ejerce sobre

M

otra, infundiéndole un sueño especial durante el cual la hace obrar según su voluntad.

FAM magnético, magnetizar, magneto; electromagnetismo, ferromagnetismo, geomagnetismo.

magnetita *s. f.* Mineral formado por la combinación de dos óxidos de hierro, muy pesado y de color negruzco, que tiene la propiedad de atraer el hierro y el acero.

magnetización *s. f.* Transmisión de las propiedades del imán a un metal o a una sustancia. SIN imantación.

magnetizar *v. tr.* ① Transmitir a un metal o a una sustancia las propiedades que tiene el imán de atraer el hierro, el acero y otros cuerpos. SIN imanar, imantar. ② Ganar o despertar el interés o la voluntad de una persona. SIN atraer. ③ Someter a una persona a los efectos del magnetismo animal.

FAM magnetización, magnetizador.

magneto *s. f.* Mecanismo generador de corriente eléctrica usado especialmente en los motores de explosión, como el de algunos automóviles y motocicletas: *la magneto está formada por uno o más imanes que inducen la corriente en una bobina.*

magnetofón *s. m.* Magnetófono. SIN grabadora.

FAM magnetofónico.

magnetofónico, -ca *adj.* Relativo al magnetófono: *el periodista recibió unas cintas magnetofónicas.*

magnetófono *s. m.* Aparato portátil que sirve para grabar y reproducir sonidos en una casete o cinta magnética. SIN grabadora, magnetofón.

magnetoscopio *s. m.* Aparato que sirve para grabar imágenes y sonidos en una cinta magnética que después pueden ser reproducidos en una pantalla de televisión. SIN vídeo.

magnetosfera *s. f.* Parte exterior de la atmósfera terrestre donde son frecuentes los fenómenos magnéticos: *la magnetosfera comienza a partir de los 100 km.*

magnetotérmico *s. m.* Aparato que desconecta un circuito eléctrico cuando existe una sobrecarga de intensidad de la corriente, debida al funcionamiento de varios aparatos eléctricos al mismo tiempo.

magnicida *adj./s. com.* Se aplica a la persona que asesina a otra muy importante por su cargo o poder.

magnicidio *s. m.* ① Asesinato de una persona muy importante por su cargo o poder. ② Asesinato de grandes cantidades de personas.

FAM magnicida.

magnificar *v. tr.* ① culto Resaltar las cualidades de una persona o cosa: *el director del museo magnificó la figura de sus benefactores.* SIN loar. ② culto Exagerar o dar excesiva importancia a una cosa: *aunque nuestra situación económica es grave, no debes magnificar los hechos ni las cifras.*

magníficat *s. m.* Oración cristiana de alabanza a Dios que procede del cántico de acción de gracias que pronunció la Virgen María en su visita a santa Isabel: *el magníficat comienza con las palabras "mi alma magnifica al Señor".*

magnificencia *s. f.* ① culto Lujo extraordinario: *la magnificencia de las pinturas barrocas.* ② Generosidad para realizar grandes gastos o para emprender grandes empresas.

magnífico, -ca *adj.* ① Que destaca por sus buenas cualidades: *es un chico magnífico.* SIN excelente. ② Que causa admiración por su grandeza, lujo o perfección: *vive en una magnífica mansión.* SIN espléndido. ③ Se aplica como tratamiento a los rectores de las universidades españolas. NOTA Se usa an-

tepuesto o pospuesto a *rector* y antepuesto a *señor rector*. Se escribe con mayúscula inicial.

FAM magnificar, magnificencia.

magnitud *s. f.* ① Característica de un cuerpo que puede ser medida, como la longitud, la superficie, la temperatura o el peso. ■ **magnitudes directamente proporcionales** Magnitudes para las que su razón o cociente es constante para cualquier pareja de valores que se tome. ■ **magnitud escalar** Magnitud que queda definida con un número y una unidad, como la masa de un cuerpo. ■ **magnitudes inversamente proporcionales** Magnitudes para las que su producto es constante para cualquier pareja de valores que se tome. ■ **magnitud vectorial** Magnitud que para quedar definida necesita un valor numérico, una dirección, un sentido y un punto de aplicación. ② Importancia o extensión que tiene una cosa. SIN dimensión, alcance. ③ Tamaño de un cuerpo. ④ Intensidad luminosa de un astro.

magno, -na *adj.* culto Que es grande o importante: *todos alabaron el magno esfuerzo de los voluntarios.*

FAM magnicidio, magnitud.

OBS Va antepuesto al sustantivo.

magnolia *s. f.* ① Árbol de tronco liso y copa siempre verde, con las hojas brillantes alargadas, grandes y duras y grandes flores; procede de América y Asia. SIN magnolio. ② Flor de este árbol, de pétalos blancos, alargados, grandes y de olor intenso.

FAM magnoliáceo, magnolio.

magnolio *s. m.* Magnolia (árbol).

mago, -ga *s. m. y f.* ① Persona que, usando ciertas técnicas y trucos, hace cosas sorprendentes que parecen reales. SIN ilusionista, prestidigitador. ② Persona que emplea unos conocimientos y técnicas para conseguir algo extraordinario con ayuda de seres o fuerzas sobrenaturales. ③ Persona que está especialmente capacitada para una actividad determinada: *es un mago de las finanzas.*

magrear *v. tr.* familiar Sobar una persona a otra con la intención de obtener y provocarle placer sexual.

FAM magreo.

magrebí *adj.* ① Del Magreb (zona del norte de África que se extiende por Argelia, Marruecos y Túnez). ‖ *s. com./adj.* ② Persona que es del Magreb.

magro, -gra *adj.* ① Se aplica a la carne que no tiene grasa. ② Que está delgado y no tiene grasa: *el deportista tenía un cuerpo magro y musculoso.* ‖ *s. m.* ③ Carne de cerdo cercana al lomo que tiene poca grasa.

maguey *s. m.* Planta de hojas grandes y carnosas que nacen directamente de la raíz y están bordeadas de pinchos, y flores amarillas en ramillete sobre un alto tallo central; es originaria de terrenos secos de América. SIN cabuya, pita.

magulladura *s. f.* Lesión causada al golpear o comprimir una parte del cuerpo sin producir herida exterior. SIN contusión.

magullar *v. tr.* Causar a un cuerpo lesiones, comprimiéndolo o golpeándolo violentamente sin provocar herida exterior: *al saltar la tapia se magulló una rodilla.* SIN contusionar.

FAM magulladura, magullamiento.

maharajá [también **marajá**] *s. m.* Título que se aplica a casi todos los príncipes de la India.

OBS Plural: *maharajás* o *maharajaes.*

maharaní *s. f.* Mujer del maharajá.

mahometano, -na *adj.* ① Relativo a Mahoma (profeta árabe) o al mahometismo. ❙ *adj./s. m. y f.* ② Se aplica a la persona que profesa el mahometismo. **SIN** musulmán.
FAM mahometismo.

mahometismo *s. m.* Doctrina religiosa expuesta por el profeta Mahoma en el siglo VI d. C., que cree en Alá como único dios, en Mahoma como su único profeta, en la resurrección de los muertos y cuyas leyes se basan en las revelaciones contenidas en el Corán. **NOTA** Se escribe normalmente con mayúscula inicial. **SIN** islam, islamismo.
FAM mahometista.

mahonés, -nesa *adj.* ① De Mahón (isla del archipiélago balear). ❙ *s. m. y f./adj.* ② Persona que es de Mahón.

mahonesa *s. f./adj.* Salsa que se hace mezclando huevo crudo, aceite, vinagre o limón y sal. **NOTA** También *salsa mahonesa*. **SIN** mayonesa.

maicena *s. f.* Harina muy fina de maíz.

mailing [se pronuncia aproximadamente 'meilin'] *s. m.* Envío por correo de información comercial a un gran número de personas que han sido seleccionadas por su probable interés en la adquisición del producto.

maillot *s. m.* ① Prenda de vestir deportiva de tela fina y elástica que se ajusta al cuerpo. ② Camiseta ajustada que llevan los ciclistas.
OBS Plural: *maillots*.

mainel *s. m.* Columna larga y delgada que divide verticalmente en dos partes el hueco de una puerta o ventana. **SIN** montante, parteluz.

maitines *s. m. pl.* Primero de los oficios religiosos diarios del clero católico, anterior a laudes, que se celebra antes del amanecer.

maíz *s. m.* ① Semilla de color amarillo, pequeña y abultada que crece agrupada en una especie de racimo compacto que se llama mazorca; es comestible y de ella se extrae también aceite. ② Planta de tallos rectos y largos, con las hojas grandes y las flores agrupadas en racimo que da esta semilla; procede de América.
FAM maicena, maicero, maizal.

maizal *s. m.* Terreno plantado de maíz.

majada *s. f.* ① Lugar donde se refugian el ganado y los pastores por la noche. **SIN** apero. ② Excremento del ganado. **SIN** estiércol.
FAM majadal.

majaderear *v. tr./intr.* ① AMÉR. Molestar o incomodar a una persona: *fue a la fiesta a majaderear a los que se divertían.* ❙ *v. intr.* ② AMÉR. Insistir con terquedad importuna en una pretensión: *aunque sabe que no es cierto, majaderea con que el juguete es suyo.*

majadería *s. f.* Acción o comentario tonto o sin lógica. **SIN** chorrada, tontería.

majadero, -ra *adj./s. m. y f.* despectivo Se aplica a la persona que tiene poco juicio o se comporta de forma imprudente. **SIN** tonto, loco.
FAM majadería.

majar *v. tr.* Deshacer o aplastar una cosa dándole golpes. **SIN** machacar.
FAM maja.

majara *adj./s. com.* familiar Majareta.
FAM majareta.

majareta *adj./s. com.* familiar Se aplica a la persona que tiene

poco juicio o se comporta de forma imprudente. **SIN** chiflado, loco, majara.

majestad *s. f.* ① Majestuosidad. ② Tratamiento que se da a Dios, a un rey o a un emperador. **NOTA** Pueden anteponérsele las palabras *su, vuestra* o *real*. Se escribe con mayúscula inicial.

en majestad Imagen de Cristo o de la Virgen sentada en un trono que aparece en pinturas y esculturas: *el Cristo en majestad es propio del arte medieval.*
FAM majestuoso.

majestuosidad *s. f.* Solemnidad o elegancia que infunde admiración y respeto. **SIN** majestad.

majestuoso, -sa *adj.* ① Que impresiona por su solemnidad o elegancia. ② Que manifiesta majestad o actúa con mucha seriedad.
FAM majestuosidad.

majo, -ja *adj.* ① Se aplica a la persona que es simpática o agradable en el trato. ② Se aplica a la persona que tiene belleza o hermosura. **SIN** hermoso. ③ Se aplica a la cosa que es bonita pero no lujosa o excesiva. ④ Que va bien vestido. ❙ *adj./s. m. y f.* ⑤ Que posee cualidades que lo hacen agradable a los demás. ❙ *s. m. y f.* ⑥ Se usa como apelativo afectivo: *hola, maja, ¿cómo te ha ido?* ⑦ Personaje típico del Madrid de los siglos XVIII y XIX que se caracterizaba por sus trajes vistosos y sus modales un poco descarados.

majorero, -ra *adj.* ① De Fuerteventura (isla del archipiélago canario). ❙ *s. m. y f./adj.* ② Persona que es de Fuerteventura.

majorette [se pronuncia aproximadamente 'mayoret'] *s. f.* Muchacha joven vistosamente uniformada que desfila junto con otras en los festejos públicos realizando movimientos rítmicos con un bastón.

mal¹ *adv.* ① De un modo que no es adecuado o correcto: *se portó mal; oigo bastante mal.* **ANT** bien. ② De manera incompleta, insatisfactoria o imperfecta: *las patatas están mal cocidas.* **ANT** bien. ③ En un estado de enfermedad o incomodidad física: *está mal de la cabeza; estoy muy mal en esta silla.* **ANT** bien. ④ Contrariamente a lo que se espera o desea. **ANT** bien. ⑤ Difícilmente, dadas las circunstancias: *mal puedo creer en tu palabra, si siempre me engañas.*

ir de mal en peor Avanzar hacia una situación cada vez más difícil o más grave.

mal que Indica una dificultad real o posible a pesar de la cual puede ser, ocurrir o hacerse una cosa: *seguiré haciéndolo, mal que le pese.*

menos mal Indica que es una suerte y hay que alegrarse de que suceda lo que a continuación se expresa: *menos mal que el jarrón no se ha roto al caer.*

saber mal Producir enfado o disgusto cierta cosa: *me sabe mal no poder acompañarte hasta tu casa pero es que tengo prisa.*

mal² *s. m.* ① Cosa que produce un daño físico o moral. **ANT** bien. ■ **mal de ojo** Maleficio que se transmite, según la superstición, fijando la mirada de una persona con poder especial en la persona que se desea perjudicar. ② Alteración más o menos grave de la salud de un ser vivo. **SIN** enfermedad. ■ **mal de altura** o **mal de montaña** Malestar físico que se siente en alturas elevadas debido al aumento de la presión atmosférica. ③ Idea abstracta de todo lo que se aparta de lo bueno o justo. **ANT** bien.
FAM malear.

mal³ *adj.* Apócope de *malo: fue un mal año.* **ANT** buen.
OBS Se usa delante de sustantivos masculinos en singular.

M

malabar *adj.* ① Relativo a los malabarismos. ‖ *s. m.* ② Malabarismo (ejercicio de equilibrio y habilidad).
FAM malabarismo.

malabarismo *s. m.* ① Ejercicio de equilibrio y habilidad que se hace lanzando al aire y recogiendo diversos objetos o manteniéndolos en equilibrio inestable. SIN malabar. ② Solución inteligente y hábil a cuestiones de gran dificultad y complicación.
FAM malabarista.

malabarista *s. com.* ① Persona que se dedica a practicar ejercicios de equilibrio y habilidad lanzando al aire y recogiendo diversos objetos o manteniéndolos en equilibrio inestable. ② CHILE Persona que roba con astucia.

malacitano, -na V. malagueño, -ña.

malaconsejado, -da *adj./s. m. y f.* Se aplica a la persona que obra de manera equivocada siguiendo malos consejos que le ha dado alguien.

malacostumbrar *v. tr.* ① Permitir que una persona haga su voluntad sin corregirla o castigarla: *está malacostumbrando a esos niños y va a conseguir que sean unos maleducados.* SIN consentir, malcriar. ② Hacer que una persona tenga malos hábitos o costumbres: *aquellas amistades lo malacostumbraron.*

málaga *s. m.* Vino dulce que se elabora en la provincia española de Málaga (provincia y ciudad de España).

malagueña *s. f.* ① Cante flamenco de coplas de cuatro versos de ocho sílabas cada uno que se acompaña con guitarra y que es propio de la provincia de Málaga. ② Baile que se realiza cuando se cantan malagueñas.

malagueño, -ña *adj.* ① De Málaga (ciudad y provincia de Andalucía). SIN malacitano. ‖ *s. m. y f./adj.* ② Persona que es de Málaga. SIN malacitano.

malamute [se pronuncia 'malamut'] *s. com./adj.* Perro nórdico de tamaño mediano, hocico largo, orejas en punta y pelo abundante y lanoso blanco y negro; por su gran resistencia se emplea en el tiro de trineos.
OBS También *malamute de Alaska.*

malandrín, -drina *adj./s. m. y f.* ① Se aplica a la persona que es malvada. ANT bueno. ‖ *s. m. y f.* ② Se usaba antiguamente como grave insulto o apelativo para designar al enemigo: *¡ven acá, malandrín, rufián!*

malaquita *s. f.* Mineral de cobre de color verde brillante, pesado y frágil, que se emplea como piedra ornamental y en joyería.

malar *adj.* ① Relativo a la mejilla. ‖ *s. m.* ② Hueso saliente de la cara, situado bajo los ojos y a ambos lados de la nariz. SIN pómulo.

malaria *s. f.* Enfermedad caracterizada por ataques intermitentes de fiebre muy alta, causada por un protozoo y transmitida por la picadura del mosquito anofeles hembra. SIN paludismo.

malasangre *adj./s. com.* Se aplica a la persona que es de carácter irritable y suele actuar con perversidad y mala intención.

malasombra *s. com.* Persona que intenta ser graciosa y chistosa sin conseguirlo: *a ti te parecerá simpático, pero para mí es un malasombra.*

malaventurado, -da *adj.* culto Se aplica a la persona desdichada, que padece desgracias que le causan dolor o infelicidad, o que tiene una suerte adversa o contraria. ANT bienaventurado.

malayo, -ya *adj./s. m. y f.* ① Se aplica a la persona que es de una raza caracterizada por estatura baja, piel oscura, nariz aplastada y labios prominentes y habita en Oceanía occidental. ‖ *s. m./adj.* ② Lengua hablada en Malaca, Malasia y otras zonas asiáticas.

malbaratar *v. tr.* ① Vender una cosa por un precio más bajo del que le corresponde: *necesitaba dinero y tuvo que malbaratar su coche.* SIN malvender. ② Gastar los bienes o el dinero sin orden ni cuidado: *llegó a la ruina malbaratando su hacienda.* SIN disipar.
FAM malbaratador.

malcarado, -da *adj.* Que tiene o pone cara de enfadado o malhumorado.

malcasado, -da *adj./s. m. y f.* Se aplica a la persona que no es feliz en el matrimonio.

malcasar *v. tr.* Casar a una persona sin que existan las circunstancias apropiadas para que sea feliz en el matrimonio: *malcasarás a tu hija si solo te preocupas de los bienes del novio.*
FAM malcasado.

malcomer *v. intr.* Comer poca cantidad o comer alimentos de mala calidad.

malcriado, -da *adj./s. m. y f.* ① Que está acostumbrado a hacer siempre su voluntad sin que nadie lo corrija o castigue por sus malas acciones: *¡vaya hijo más malcriado que tiene!* NOTA También *mal criado.* SIN consentido. ② Que se comporta de forma molesta y no muestra respeto a los demás. SIN maleducado.

malcriar *v. tr.* Permitir que una persona, especialmente un niño, haga siempre su voluntad sin que nadie lo corrija o castigue por sus malas acciones. SIN consentir, malacostumbrar, mimar.
OBS Verbo regular, se acentúa como *desviar.*

maldad *s. f.* ① Característica principal de la persona que tiene siempre malas intenciones o propósitos: *la madrastra de Blancanieves se caracteriza por su maldad.* ANT bondad. ② Acción mala e injusta que cometen las personas que actúan con mala intención: *todo el pueblo sufría las maldades de aquellos criminales.*

maldecir [37] *v. tr.* ① Pedir y desear que le ocurra un mal a alguien, sobre todo si para hacerlo se usan supuestos poderes sobrenaturales: *la bruja le dijo: "Yo te maldigo y ojalá seas un desgraciado en esta vida".* ANT bendecir. ‖ *v. tr./intr.* ② Mostrar odio o enfado hablando mal de algo o de alguien: *maldigo la hora en que la conocí.*
FAM maldiciente, maldición, maldito, maledicencia.
OBS Participio regular: *maldecido.*

maldiciente *adj./s. com.* ① Se aplica a la persona que tiene por costumbre maldecir: *los maldicientes terminan quedándose sin amigos.* ② Se aplica a la persona que tie-ne la costumbre de hablar mal de los demás.

maldición *s. f.* ① Palabra o frase con la que una persona muestra odio o enfado contra una persona o contra una cosa: *se puso como una fiera y empezó a soltar maldiciones contra todo el mundo.* ② Deseo, expresado en voz alta, de que a una persona le ocurra algo malo: *la bruja le echó una maldición.* ③ Castigo o mal producido por una fuerza sobrenatural: *la destrucción de la torre de Babel fue una maldición del cielo.* ANT bendición. ‖ *int.* ④ **¡maldición!** Indica disgusto o enfado: *¡maldición, se me han escapado esos rufianes!*

maldito, -ta *adj./s. m. y f.* ① Se aplica a la persona o cosa que ha sido castigada o condenada por Dios o por una maldición: *los malditos sufren las penas del infierno.* **ANT** bendito. **2** Se aplica a la persona cuya intención es perjudicar o hacer daño a alguien. **SIN** malvado. **ANT** bendito. ‖ *adj.* **3** Se usa para indicar que algo causa enfado o contrariedad: *ese maldito ruido me está dejando sordo.* **NOTA** En esta acepción, va antepuesto al sustantivo. **4** Se antepone a un sustantivo para expresar una negación intensificada de sentido despectivo: *no me hace maldita la gracia que gastes esas bromas.*

¡maldita sea! Indica disgusto y enfado: *¡maldita sea! he vuelto a olvidar las llaves.*

maleabilidad *s. f.* **1** Propiedad que tienen algunos metales de poder ser sometidos a grandes deformaciones sin romperse, por lo que se pueden modelar o trabajar con facilidad. **SIN** ductilidad. **2** Propiedad de algunos metales que les permite extenderse en planchas o láminas. **3** Capacidad de algunas personas para adaptarse a diferentes situaciones, cambiar fácilmente de opinión o dejarse influir por los demás. **SIN** ductilidad.

maleable *adj.* **1** Se aplica al metal que puede descomponerse en planchas o láminas: *el estaño es un metal maleable.* **2** Se aplica al material que puede trabajarse con facilidad: *la plastilina es muy maleable.* **SIN** dúctil. **ANT** rígido. **3** Se aplica a la persona que se adapta a diferentes situaciones, que cambia fácilmente de opinión o se deja influir fácilmente por los demás: *tiene un carácter maleable.* **SIN** dúctil. **FAM** maleabilidad.

maleante *adj./s. com.* Se aplica a la persona que comete de forma habitual robos y otros delitos. **SIN** delincuente, malhechor.

malear *v. tr.* **1** Hacer perder la calidad o el valor de una cosa: *las fuertes lluvias malearon las cosechas.* **SIN** estropear. **2** Enseñar malas costumbres o un mal comportamiento a una persona mediante malos consejos o malos ejemplos. **SIN** corromper, pervertir. **ANT** formar. **FAM** maleante.

malecón *s. m.* **1** Pared que protege un puerto o una bahía de las olas del mar. **SIN** rompeolas. **2** Pared para defenderse de la crecida de las aguas.

maledicencia *s. f.* culto Hábito de maldecir, murmurar o hablar mal sobre la conducta de los demás.

maleducado, -da *adj./s. m. y f.* Que se comporta de forma molesta y no muestra respeto a los demás. **SIN** descortés, malcriado. **ANT** educado.

maleducar *v. tr.* Educar mal a una persona, generalmente a un niño, no consiguiendo que aprenda y cumpla las normas sociales de comportamiento. **FAM** maleducado.

maleficio *s. m.* **1** Daño provocado por medio de la magia o la brujería. **2** Conjunto de palabras o acciones mágicas o de brujería que se dicen o hacen para causar daño. **FAM** maléfico.

maléfico, -ca *adj.* **1** Que ocasiona o puede ocasionar daño: *consiguieron descubrir sus maléficas intenciones de matar a los niños.* **2** Que perjudica y hace daño a otro mediante maleficios: *la maléfica bruja.* **OBS** Va antepuesto al sustantivo.

malencarado, -da *adj./s. m. y f.* **1** Que tiene un aspecto que no inspira confianza: *un tipo malencarado se acercó a la cabina.* **2** Que tiene cara de enfado. **OBS** También *mal encarado.*

malentendido *s. m.* Error que alguien comete, bien por entender mal una cosa o bien por interpretar incorrectamente una situación que puede entenderse de varias maneras: *hubo un malentendido y el camarero les sirvió vino blanco en lugar de vino tinto.*

malestar *s. m.* **1** Sensación física de no encontrarse muy bien: *tengo un malestar general que no sé si terminará en gripe.* **2** Sensación de intranquilidad o disgusto causado por una situación desagradable: *con el anuncio del posible cierre de la empresa, creció el malestar entre los trabajadores.*

maleta *s. f.* **1** Caja rectangular, de tela, cuero o plástico, con un asa, que sirve para llevar la ropa y otros objetos necesarios en un viaje. ‖ *s. com.* **2** familiar Persona que practica con torpeza el trabajo a que se dedica: *es un maleta jugando al fútbol.* **FAM** maletero, maletilla, maletín.

maletero, -ra *s. m. y f.* **1** Persona que se dedica a transportar maletas y objetos de viaje de otras personas en estaciones de tren, aeropuertos y hoteles. ‖ *s. m.* **2** Espacio cerrado en la parte trasera de un vehículo destinado al equipaje. **3** Parte alta de un armario o doble techo de una habitación que sirve para guardar objetos que se usan poco.

maletilla *s. com.* Persona joven que aspira a abrirse camino en el mundo del toreo por su cuenta y que para ello, comienza a practicar toreando en las ganaderías o participando en capeas o tientas.

maletín *s. m.* Cartera de mano o maleta pequeña, generalmente para llevar dinero, documentos, instrumental, etc.: *el maletín del médico.*

malévolo, -la *adj.* Que su intención es perjudicar o hacer daño a una persona. **SIN** malvado. **FAM** malevolencia.

maleza *s. f.* **1** Conjunto de árboles, arbustos y otras plantas que crecen muy juntos y de forma salvaje. **2** Conjunto de malas hierbas que causan daño a las tierras de cultivo: *los campesinos limpiaron el campo de malezas y las quemaron.* **3** NICAR., R. DOM. Molestia pequeña pero frecuente provocada por una enfermedad o la edad. **SIN** achaque.

malformación *s. f.* Deformidad o defecto físico que se produce antes de nacer y se padece desde el nacimiento.

malgache *adj.* **1** De Madagascar (país de África). ‖ *s. com./adj.* **2** Persona que es de Madagascar. ‖ *s. m./adj.* **3** Lengua hablada en este país.

malgastar *v. tr.* Gastar una cosa, generalmente dinero o bienes materiales, sin necesidad: *malgastó el dinero en cosas inútiles.* **SIN** derrochar. **FAM** malgastador.

malgenioso, -sa *adj./s. m. y f.* AMÉR. Que tiene mal genio y se enfada a la mínima contrariedad.

malhablado, -da *adj./s. m. y f.* Se aplica a la persona que usa muchas expresiones malsonantes al hablar: *es un malhablado: se pasa el día diciendo tacos.*

malhadado, -da *adj.* Que no tiene suerte. **SIN** desafortunado, desgraciado, desventurado. **ANT** afortunado.

malhechor, -chora *adj./s. m. y f.* Se aplica a la persona que comete de forma habitual robos y otros delitos. **SIN** maleante.

malherir [9] *v. tr.* Herir gravemente: *el toro malhirió al torero.*

malhumor *s. m.* Estado de ánimo que se manifiesta con una

actitud de enfado e irritación: *siempre parece estar de malhumor, con esa cara seria y esas contestaciones tan secas.*
FAM malhumorar.
OBS También *mal humor*.

malhumorado, -da *adj.* Que está enfadado o de mal humor con o sin causa aparente.
OBS También *mal humorado*.

malicia *s. f.* ① Mala intención de una persona o una acción: *actuaba siempre con malicia.* **ANT** bondad. ② Actitud mental de la persona que atribuye mala intención a las palabras o a los hechos de los demás. **ANT** ingenuidad, inocencia. ③ Habilidad de algunas personas para sacar provecho de los otros o convencerlos.
FAM maliciar, malicioso.

maliciar *v. tr.* Pensar mal de una persona o de un hecho: *no confiaba en él y se maliciaba que no iba a hacer nada bueno.*
OBS Verbo regular, se acentúa como *cambiar.*

malicioso, -sa *adj.* ① Que tiene mala intención y actúa con maldad para conseguir sus propósitos: *era una mujer maliciosa y cruel.* **SIN** malintencionado. ② Se aplica a la persona que atribuye mala intención a lo que dicen o hacen los demás.

malignidad *s. f.* ① Tendencia a hacer el mal o a pensar mal: *la malignidad de sus comentarios es propia de una persona malvada.* **ANT** benignidad. ② Naturaleza dañina o perjudicial de alguna cosa: *es increíble la malignidad de estos insectos para las plantas.* **ANT** benignidad. ③ Gravedad de una enfermedad, especialmente cuando se trata de un tumor incurable: *los resultados de la biopsia confirmaron la malignidad del tumor.* **ANT** benignidad.

maligno, -na *adj.* ① Que hace el mal o piensa mal: *es maligno por naturaleza, siempre hace cosas horribles.* **SIN** malo. **ANT** bueno, bondadoso. ② Que tiene intención de perjudicar o hacer daño a una persona. **SIN** malicioso, malvado. **ANT** inocente, ingenuo. ③ Que causa o puede causar un daño. **SIN** perjudicial, nocivo. **ANT** beneficioso. ④ Se aplica a la enfermedad o dolencia que es grave y que tiene pocas esperanzas de curación: *le extirparon dos tumores malignos.* **ANT** benigno. ⑤ Se aplica a la fuerza o espíritu del mal entendido como representación del Diablo: *el sacerdote exorcizó a la niña y alejó a los espíritus malignos.* ‖ *s. m.* ⑥ Ser sobrenatural o espíritu que representa las fuerzas del mal: *el Maligno se apoderó de su espíritu.* **NOTA** Se escribe normalmente con mayúscula inicial. **SIN** diablo.
FAM malignidad.

malintencionado, -da *adj./s. m. y f.* Que tiene mala intención y actúa con maldad para conseguir sus propósitos. **SIN** malicioso, malévolo. **ANT** bienintencionado.

malinterpretar *v. tr.* Interpretar o entender de forma incorrecta una cosa.

malla *s. f.* ① Cuadrilátero que forma el tejido de la red. ② Tejido parecido a una red. ③ Tejido formado por anillos de metal unidos entre sí. ④ Prenda de vestir de tejido muy delgado y elástico, que se ajusta mucho al cuerpo que se usa en gimnasia o ballet. ‖ *s. f. pl.* ⑤ **mallas** Pantalón de tejido elástico que se adapta a las piernas y la cintura.

mallorquín, -quina *adj.* ① De Mallorca (isla del archipiélago balear). ‖ *s. m. y f./adj.* ② Persona que es de Mallorca. ‖ *s. m./adj.* ③ Variedad dialectal del catalán balear hablada en la isla de Mallorca.

malmeter *v. tr.* ① Poner a una persona en contra de otra u otras con la intención de enemistarlas. **SIN** encizañar, enfrentar, malquistar. ② Tentar a alguien para que cometa malas acciones.

malmirado, -da *adj.* Se aplica a la persona que está mal considerada por los demás: *desde que estuvo en la cárcel es un hombre malmirado por todos.* **SIN** malquisto.

malnacido, -da *adj./s. m. y f.* despectivo Se aplica a la persona de comportamiento malvado o miserable.

malnutrición *s. f.* Consumo insuficiente de proteínas para el buen funcionamiento del organismo.

malo, -la *adj./s. m. y f.* ① Que hace el mal o piensa mal: *tiene cara de hombre malo.* **SIN** maligno. **ANT** bueno. ② Que no está quieto o es muy revoltoso: *es un niño muy malo y no hace caso a sus padres.* **SIN** travieso. ‖ *adj.* ③ Que es molesto o desagradable a los sentidos: *el ambientador quita los malos olores.* **ANT** bueno, agradable. ④ Que causa o puede causar un daño. **SIN** perjudicial, maligno, nocivo. **ANT** beneficioso. ⑤ Se aplica a la persona que no es hábil o no realiza sus tareas tal como se exige. **ANT** bueno. ⑥ Que no tiene calidad: *es una máquina mala, pero eso siempre está estropeada.* **ANT** bueno. ⑦ Que tiene un efecto negativo: *la mala gestión llevó el banco a la quiebra.* **ANT** bueno, acertado. ⑧ Que está enfermo o que tiene mala salud: *hoy no ha podido venir porque se ha puesto malo; de pequeño siempre estaba malo.* **ANT** sano. ⑨ Se aplica a la situación que hace sufrir o que causa molestia o fastidio: *con la crisis económica muchas familias pasaron por un mal momento.* ⑩ Se aplica a la comida que está en mal estado: *todas las manzanas estaban malas y no nos las pudimos comer.* ⑪ Se aplica al tiempo atmosférico que es frío, lluvioso o desagradable: *hace un día muy malo para salir de excursión.* ‖ *int.* ⑫ **¡malo!** Indica que no se tiene una buena impresión de algo: *cuando vi que venía muy serio, me dije: "¡Malo!".*
estar de malas familiar Estar de mal humor o no tener buena disposición: *el jefe está de malas, así que no le pidas hoy el aumento.*
por las malas Obligando con violencia y fuerza a hacer una cosa en contra de la voluntad: *lo sacaron del bar por las malas.*
FAM mal, malamente, maldad, malear, malévolo, malicia, maligno, malucho, malvado.
OBS Antepuesto a un sustantivo masculino singular adopta la forma *mal.*

malogrado, -da *adj./s. m. y f.* ① Se aplica a la persona que ha muerto muy joven o antes de lo esperado: *la viuda del malogrado actor recibió ayer a la prensa.* ② Se aplica a la cosa que no llega a su desarrollo completo o esperado: *fue un malogrado intento de reconciliarse con su familia.*

malograr *v. tr.* ① Impedir que una idea o un proyecto salga bien. **SIN** frustrar. ② Echar a perder una situación, un asunto o un proyecto: *la carrera del brillante escritor se malogró con la temprana muerte de este.* **SIN** arruinar, estropear.
FAM malogrado.

maloliente *adj.* Que desprende mal olor.

malón *s. m.* AMÉR. SUR Ataque inesperado de indios.

malparado, -da *adj.* Que ha resultado perjudicado o dañado en algún asunto: *el caniche salió malparado de la pelea con el mastín.* **SIN** maltrecho.

malparido, -da *adj./s. m. y f.* vulgar Se aplica a la persona que actúa con mala intención, de mala fe, o que perjudica.

malparir *v. intr.* Interrumpir voluntaria o involuntariamente el embarazo y expulsar el feto antes de que pueda vivir fuera de la madre. **SIN** abortar.

malpensado, -da *adj./s. m. y f.* Se aplica a la persona que tiende a ver mala intención en la actitud de los demás: *es tan malpensada que no se fía de nadie.*

OBS También *mal pensado.*

malquerencia *s. f.* culto Odio, antipatía o enemistad hacia una persona.

malquistar *v. tr.* Poner a una persona en contra de otra u otras con la intención de enemistarlas. **SIN** malmeter.

malquisto, -ta *adj.* Se aplica a la persona que está mal considerada por los demás. **SIN** malmirado.

FAM malquistar.

malsano, -na *adj.* ① Que hace daño a la salud. **ANT** sano. ② Que se opone a la moral establecida: *siente una pasión casi malsana por los libros viejos.*

malsonante *adj.* ① Se aplica a la palabra o expresión que es vulgar y grosera y puede molestar a algunas personas. ② Que suena mal.

malta *s. f.* Cebada tostada que se usa para hacer cerveza, alcohol o un tipo de infusión que se puede tomar como sucedáneo del café.

FAM maltosa.

maltés, -tesa *adj.* ① De Malta (país de Europa). ❚ *s. m. y f./adj.* ② Persona que es de Malta. ❚ *s. m./adj.* ③ Lengua que se habla en Malta.

maltosa *s. f.* Glúcido disacárido formado por dos moléculas de glucosa, que se obtiene a partir de la descomposición del almidón y el glucógeno.

maltraer [46] *v. tr.* Maltratar (causar daño).

llevar (o traer) a maltraer Molestar de modo constante: *mis hijos me traen a maltraer.*

maltratar *v. tr.* ① Causar daño físico o moral a una persona o a un animal. **SIN** maltraer. **ANT** mimar. ② Cuidar poco de las cosas: *no maltrates así el abrigo nuevo.*

FAM maltrato.

maltrato *s. m.* Comportamiento violento que causa daño físico o psíquico: *hay un teléfono para denunciar cualquier maltrato que se haga a los niños.*

maltrecho, -cha *adj.* Que ha resultado perjudicado o dañado en algún asunto: *la caída lo dejó maltrecho.* **SIN** malparado.

maltusianismo *s. m.* Doctrina política y económica que defiende el control de natalidad para intentar adecuar la población, que crece en progresión geométrica, con los medios de subsistencia, que solamente crecen en progresión aritmética; está basada en las teorías de Thomas R. Malthus (economista inglés, 1766-1834).

malucho, -cha *adj.* Se aplica a la persona que está algo enferma y sufre malestar físico. **SIN** pachucho.

malva *s. f.* ① Planta de tallo ramoso, hojas lobuladas y dentadas de color verde intenso y las flores grandes de color morado claro; crece en terrenos húmedos y tierras sin cultivar y se usa como planta medicinal. ❚ *s. m./adj.* ② Color morado claro, parecido al rosa por más intenso, como el de las flores de esta planta. ❚ *adj.* ③ Que es de este color. **NOTA** Invariable en número.

criar malvas familiar Estar muerto y enterrado.

ser una malva Ser bueno, tranquilo y agradable en el trato.

FAM malváceo.

malvado, -da *adj./s. m. y f.* Que obra con mucha maldad o que hace daño con sus acciones, sentimientos o instintos de manera voluntaria: *la madrastra de Blancanieves era malvada.* **SIN** perverso.

malvasía *s. f.* ① Uva muy dulce y olor suave y agradable, producida por una variedad de vid importada de la isla griega de Quío por los catalanes durante las cruzadas, que sirve para elaborar vinos dulces. ② Vino dulce que se elabora con esta uva.

malvavisco *s. m.* Planta herbácea de hojas blanquecinas y flores de color rosa dispuestas en grupos de tres; se usa como emoliente.

malvender *v. tr.* Vender una cosa por un precio más bajo del que le corresponde.

malversación *s. f.* Utilización ilegal del dinero o bienes ajenos o del estado en cosas diferentes a las que iban destinados, generalmente en beneficio propio: *la malversación de fondos del Estado es un delito grave.*

malversar *v. tr.* Usar ilegalmente dinero o bienes ajenos o del estado en cosas diferentes a las que iban destinados, generalmente en beneficio propio.

FAM malversación, malversador.

malvivir *v. intr.* Vivir pobremente sin tener cubiertas las necesidades elementales: *encontraron a una pareja en una choza, malviviendo entre tanta pobreza y suciedad.*

mama *s. f.* ① Órgano glandular de las hembras de los mamíferos que produce la leche que sirve para alimentar a las crías. **SIN** pecho, teta. ② Mamá.

FAM mamá, mamar, mamario, mamífero, mamitis, mamografía; amamantar.

mamá o **mama** *s. f.* familiar Nombre que le dan los hijos a la madre.

FAM mamaíta, mami; premamá.

OBS Se usa como apelativo cariñoso.

mamadera *s. f.* ① Aparato que sirve para descargar los pechos de las mujeres cuando tienen exceso de leche. ② *AMÉR.* Biberón. ③ *CUBA, P. RICO* Tetilla del biberón.

mamadera de gallo *COL., VENEZ.* Burla o broma que se hace a una persona de manera repetida e insistente.

mamado, -da *adj.* familiar Se aplica a la persona que tiene trastornadas temporalmente las capacidades físicas y mentales a causa de un consumo excesivo de alcohol.

mamar *v. tr./intr.* ① Chupar con los labios y la lengua la leche de las mamas: *el cachorro mamaba la leche con ansia.* ② familiar Tomar bebidas alcohólicas en abundancia: *se pasan el día mamando en el bar.* ❚ *v. tr.* ③ Aprender algo desde niño por estar en contacto con ello: *habla bien el francés porque lo ha mamado desde niño.* ❚ *v. prnl.* ④ **mamarse** familiar Tomar una cantidad excesiva de bebida alcohólica alterando las facultades físicas y mentales. **SIN** emborracharse.

FAM mamadera, mamado, mamantón.

mamario, -ria *adj.* Relativo a las mamas de las hembras o las tetillas de los machos: *padece una importante inflamación de las glándulas mamarias.*

mamarrachada *s. f.* ① Cosa defectuosa o mal hecha que resulta fea o ridícula. ② Acción que resulta ridícula o extravagante.

mamarracho *s. m.* ① familiar Persona que viste o se comporta de forma ridícula o extravagante. ② Persona que merece desprecio: *es un mamarracho sin oficio ni beneficio.* ③ Fi-

M

gura o cosa fea o mal hecha: *este cuadro me parece un mamarracho.*

FAM mamarrachada.

mambo *s. m.* **1** Composición musical originaria de Cuba, de compás cuaternario y ritmo rápido, que se canta acompañada de trompetas y una extensa sección de percusión. **2** Baile de ritmo alegre y rápido que se ejecuta, individualmente o en pareja, al ritmo de esta música.

mameluco *s. m.* **1** Soldado de una milicia egipcia que servía de guardia personal al sultán; terminó gobernando entre los siglos XIII y XVI. **2** Hombre torpe y de poca inteligencia.

mami *s. f.* familiar Mamá.

OBS Se utiliza en el lenguaje infantil.

mamífero, -ra *adj./s. m.* **1** Se aplica al animal vertebrado, de temperatura constante, con pelo que cubre su cuerpo o parte de él y cuyo embrión se desarrolla dentro de la madre; las hembras alimentan a sus crías con la leche de las mamas: *el ser humano, el elefante y el ciervo son mamíferos terrestres; la ballena y el delfín son mamíferos marinos.* ‖ *s. m. pl.* **mamíferos** Grupo taxonómico, con categoría de clase, constituido por estos animales.

mamitis *s. f.* familiar Deseo exagerado de estar siempre con la madre.

OBS Plural invariable.

mamografía *s. f.* Radiografía de la mama de la mujer.

mamola *s. f.* Caricia o burla que se hace tocando con la mano debajo de la barbilla de otra persona.

mamón, -mona *adj./s. m. y f.* **1** Se aplica a la persona o animal que todavía mama. **2** Que mama más cantidad o más tiempo de lo normal. **3** fam. desp. Se aplica a la persona que es despreciable.

mamotreto *s. m.* **1** Libro o conjunto de papeles muy abultado: *el libro de filosofía es un mamotreto de mil páginas.* **NOTA** Frecuentemente usado de forma despectiva. **2** Objeto, generalmente una máquina o un mueble, muy grande y pesado y además mal hecho o poco útil. **NOTA** Frecuentemente usado de forma despectiva. **SIN** armatoste.

mampara *s. f.* Plancha movible de madera, cristal u otro material, que se coloca para dividir una habitación o aislar un espacio.

FAM mamparo.

mamparo *s. m.* Tabique de tablas con que se divide en compartimentos el interior de un barco.

mamporro *s. m.* familiar Golpe dado con el puño de la mano cerrado: *los dos se liaron a mamporros.*

mampostería *s. f.* Aparejo de un muro realizado con piedras de distintos tamaños sin labrar o poco labradas, colocadas sin orden establecido y unidas con argamasa, mortero, yeso, cal o cemento.

mampuesto, -ta *adj.* **1** Se aplica al material que se emplea en las obras de mampostería. ‖ *s. m.* **2** Piedra sin labrar o con labra tosca colocada a mano en una construcción. **3** AMÉR. Objeto cualquiera que sirve de apoyo para disparar mejor con un arma de fuego.

mamut *s. m.* Mamífero prehistórico, parecido al elefante, pero más grande, con dos dientes muy largos y curvados hacia arriba y de pelo áspero y largo: *los mamuts vivieron en el hemisferio norte hace un millón de años.*

mana *s. f.* AMÉR. Maná (alimento).

maná *s. m.* **1** Alimento que Yahvé hizo llover del cielo para que los hebreos pudieran comer en el desierto que atravesaban para ir de Egipto a la Tierra Prometida, según la Biblia. **2** Bienes que se reciben sin trabajo alguno y de manera inesperada. **3** Líquido azucarado que fluye de ciertos vegetales, como el fresno y el eucalipto y que se solidifica rápidamente; se extrae por incisión y tiene propiedades medicinales.

manada *s. f.* **1** Grupo de ganado, especialmente de animales de cuatro patas. **2** Conjunto de animales de la misma especie que andan reunidos. **3** Grupo grande de personas. **4** Porción de una cosa que se puede coger con la mano.

mánager [se pronuncia aproximadamente 'mánayer'] *s. com.* **1** Persona que dirige, gestiona o administra una sociedad, empresa u otra entidad. **SIN** gerente. **2** Persona que se ocupa de los intereses de un deportista o de un artista profesional. **OBS** Puede encontrarse la grafía inglesa *manager.*

manantial *s. m.* **1** Corriente de agua que brota de la tierra. **SIN** fontana, fuente, venero. **2** Lugar donde brota esta corriente de agua. **SIN** fontana, fuente, venero. **3** Origen o principio de una cosa. **SIN** fuente, venero.

manar *v. intr.* **1** Brotar o salir un líquido: *el agua manaba de una roca.* **2** Aparecer o surgir abundancia de una cosa con facilidad: *las ideas manaban rápidamente de su mente.* **SIN** brotar. **FAM** manantial; emanar.

manatí *s. m.* Mamífero acuático de gran tamaño, piel grisácea y gruesa, labio superior muy desarrollado y cola larga que habita en América Central y del Sur y en África: *el manatí es herbívoro.*

manazas *adj./s. com.* familiar Se aplica a la persona que es torpe, especialmente con las manos. **ANT** manitas. **OBS** Plural invariable.

mancebía *s. f.* Establecimiento en el que trabajan personas que mantienen relaciones sexuales a cambio de dinero. **SIN** burdel, lupanar, prostíbulo.

mancebo *s. m.* **1** culto Hombre joven. **2** Dependiente o empleado de poca categoría, especialmente de una farmacia. **FAM** mancebía; amancebarse.

mancha *s. f.* **1** Señal o marca, especialmente de suciedad. **2** Zona de una superficie que tiene un color diferente al del resto. **3** Zona oscura que se observa en el disco del Sol. **SIN** mácula. **4** Hecho o dicho que quita o disminuye la dignidad, la estima y la respetabilidad de una persona o cosa. **SIN** deshonor. **5** Terreno de mejor calidad que los contiguos. **FAM** manchar, manchón.

manchar *v. tr.* **1** Ensuciar algo dejando una señal o una marca. **2** Dañar la honra o el honor: *su vinculación con el narcotráfico manchó su reputación.* **SIN** mancillar.

manchego, -ga *adj.* **1** De La Mancha (región de España): *Albacete, Toledo, Cuenca y Ciudad Real son las provincias manchegas.* ‖ *s. m. y f./adj.* **2** Persona que es de La Mancha. ‖ *adj./s. m.* **3** Se aplica al queso de oveja y sabor salado que se produce en esta zona.

manchú *adj.* **1** De Manchuria (región de China). ‖ *s. com./ adj.* **2** Persona que es de Manchuria: *los manchúes dominaron China entre los siglos XVII y XX.* ‖ *s. m./adj.* **3** Lengua hablada en Manchuria y otras zonas.

mancillar *v. tr.* Dañar la honra o el honor: *mancilló el buen nombre de su familia.* **SIN** manchar. **FAM** mancilla.

manco, -ca *adj./s. m. y f.* **1** Se aplica a la persona o animal a quien falta un brazo o una mano o que no lo puede usar por tener un defecto físico. **|** *adj.* **2** Que está incompleto o es defectuoso: *esa obra le ha quedado manca, le falta un final.*

no ser manco Se utiliza para indicar que una persona tiene sobradamente cierta cualidad o defecto que también se atribuye a otro y es muy hábil para realizar una cosa.
FAM mancar, manquedad, manquera.

mancomunadamente *adv.* Indica que la acción verbal se realiza estando de acuerdo dos o más personas.

mancomunar *v. tr.* culto Unir fuerzas o bienes para un fin.
SIN aliar.
FAM mancomunadamente.

mancomunidad *s. f.* **1** culto Unión de personas o empresas para conseguir un fin común. **2** Asociación de varios municipios, especialmente pequeños, para defender intereses comunes y hacer frente a la organización y el coste de los servicios públicos.

mancuerna *s. f.* Barra con un peso igual en cada extremo que sirve para hacer ejercicios gimnásticos con una mano.

mandado, -da *s. m. y f.* **1** Persona a la que se encarga una labor o un trabajo especial. **|** *s. m.* **2** Compra, gestión, visita u otro quehacer que se realiza siguiendo las órdenes de otra persona.
FAM mandadero.

mandamás *s. com.* **1** familiar Persona que desempeña una función de mando. **NOTA** Frecuentemente usado de forma irónica. **|** *adj./s. com.* **2** familiar Persona a la que le gusta mandar en exceso. **SIN** mandón, marimandón.

mandamiento *s. m.* **1** Orden que da un superior a sus subordinados para que sea obedecida, observada o ejecutada. **SIN** mandato. **2** Ley o precepto religioso de los judíos y los cristianos que fue dada por Yahvé a Moisés durante el éxodo del pueblo hebreo, según la narración bíblica; rige la conducta moral básica: *los mandamientos son diez, y entre ellos están los de amar a Dios sobre todas las cosas, no matar, no mentir o no pronunciar el nombre de Dios en vano.* **3** Orden de un juez que se da por escrito mandando ejecutar una cosa.

mandanga *s. f.* **1** Pereza o falta de rapidez y de energía. **2** jerga Droga blanda, especialmente marihuana. **|** *s. f. pl.* **3 mandangas** familiar Excusas o comentarios que no interesan al que los oye: *no me vengas con mandangas y ponte a trabajar.*

mandar *v. tr.* **1** Obligar a hacer una cosa dando una orden: *nos mandó callar.* **SIN** ordenar. **2** Hacer llegar una cosa a un lugar o a una persona: *mándale el paquete por correo.* **SIN** enviar, expedir, remitir. **3** Hacer que una persona se traslade a otro lugar. **SIN** enviar. **4** Encargar una cosa a una persona: *por favor, manda a Pepe que venga con los archivos.* **5** Ejercer la dirección, la administración y el control de una cosa, una persona o un grupo de ellas: *el general mandaba los ejércitos de tres países.* **|** *v. intr.* **6** Ejercer el mando o autoridad: *ese muchacho tiene dotes para mandar.* **|** *int.* **7** ¡**mande!** familiar Se usa para contestar a una llamada o para pedir que se repita una palabra o una frase que no se ha entendido.
FAM mandado, mandamás, mandamiento, mandato, mando, mandón; comandar, bienmandado, malmandado.

mandarín *s. m.* **1** Funcionario de la antigua China y de otros países asiáticos, que tenía a su cargo la administración de justicia, el ejército o el gobierno de una ciudad. **2** Variedad dialectal del chino hablada en la mayor parte de China: *el chino mandarín es la lengua más hablada del mundo, con más de*

mil millones de hablantes. **3** Persona que tiene poder e influencia en la vida pública.
FAM mandarina.

mandarina *s. f.* Fruto del mandarino, parecido a la naranja, pero más pequeño, de carne dulce y cuya piel es fácil de quitar.
FAM mandarinero, mandarino.

mandarino *s. m.* Árbol frutal de hojas perennes y flores blancas y olorosas, cuyo fruto es la mandarina; es originario de China.

mandatario, -ria *s. m. y f.* **1** Persona que acepta de otra el encargo de representarla o de llevar sus negocios. **2** Persona que gobierna un país o desempeña un alto cargo político.

mandato *s. m.* **1** Orden que da un superior a sus subordinados para que sea obedecida, observada o ejecutada. **SIN** mandamiento. **2** Periodo de tiempo durante el cual una autoridad manda o gobierna. **3** Contrato por el que una persona confía a otra una gestión.
FAM mandatario.

mandíbula *s. f.* **1** Cada una de las piezas óseas o cartilaginosas que forman la boca de los vertebrados, de las cuales salen los dientes: *mandíbula superior; mandíbula inferior.* **2** Cada una de las dos piezas córneas que forman el pico de las aves. **3** Cada una de las dos piezas duras que forman la boca de algunos insectos y otros artrópodos.

reír a mandíbula batiente Reír con ganas y de manera ruidosa.

mandil *s. m.* Prenda que se cuelga del cuello, tapa la parte delantera del cuerpo, se ata a la cintura y sirve para no mancharse la ropa o para protegerse en un trabajo. **SIN** delantal, mandilón.
FAM mandilón.

mandilón *s. m.* Mandil. **SIN** delantal.

mandinga *adj.* **1** Relativo a un pueblo del África occidental que habita en territorios de Costa de Marfil, Guinea, Malí y Senegal. **|** *s. com./adj.* **2** Persona perteneciente a este pueblo. **|** *s. m.* **3** AMÉR. Nombre que los campesinos dan al diablo. **4** ARG. Muchacho travieso.

mandioca *s. f.* **1** Arbusto tropical originario de América con una raíz muy grande y carnosa, hojas muy divididas y flores en forma de racimo; de su raíz se extrae almidón, harina y tapioca. **2** Harina blanca que se saca de la raíz de esta planta y que se usa como alimento, especialmente para hacer sopa. **SIN** tapioca.

mando *s. m.* **1** Autoridad o poder que tiene una persona o un organismo para dirigir o gobernar. **2** Botón, llave o mecanismo que sirve para controlar el funcionamiento de un aparato o una máquina. **NOTA** También se usa en plural con el mismo significado que en singular. ■ **mando a distancia** Dispositivo que sirve para manejar el funcionamiento de un aparato electrónico que está alejado de la persona que lo usa. **3** Persona u organismo que tiene autoridad y poder para dirigir y gobernar. **NOTA** También se usa en plural con el mismo significado que en singular. ■ **alto mando** Persona o conjunto de personas que dirigen un ejército.
FAM monomando, telemando.

mandoble *s. m.* **1** Golpe dado con la mano abierta sobre la cara. **SIN** bofetada. **2** Golpe o corte que se da con un arma blanca agarrándola con las dos manos. **3** Espada grande muy usada a finales de la Edad Media.

M

mandolina *s. f.* Instrumento musical de cuerda formado por una caja de resonancia honda y ovalada unida a un mástil con cuatro o seis pares de cuerdas, que se toca con una púa. **SIN** bandolina.

mandón, -dona *adj./s. m. y f.* **1** familiar Se aplica a la persona que tiene tendencia a mandar más de lo que le corresponde y quiere dirigir todas las cosas. **SIN** mandamás, marimandón. **‖** *s. m.* **2** AMÉR. Hombre que ejerce como capataz de una mina.

FAM marimandón.

mandorla *s. f.* Óvalo o marco en forma de almendra que rodeaba algunas imágenes religiosas, como Cristo en el Románico o la Virgen en el Renacimiento.

mandrágora *s. f.* Planta sin tallo, de hojas anchas y rugosas, flores malolientes de color violeta con figura de campanilla y fruto en baya: *la mandrágora es narcótica y ha sido objeto de superstición.*

mandril[1] *s. m.* Mamífero del orden primates con pelo espeso de color marrón, hocico largo, nariz roja con aletas azules, cola corta y trasero rojo, que vive en grupos y se alimenta de vegetales y pequeños animales; vive cerca de las costas occidentales de África.

mandril[2] *s. m.* **1** Pieza cilíndrica de la máquina en la que se asegura el objeto que se ha de tornear. **2** Herramienta que sirve para agrandar los agujeros en las piezas de metal. **3** Pieza de metal o de madera, en forma de vara que se introduce en algunos instrumentos huecos y que sirve para facilitar la penetración de estos en determinadas cavidades del cuerpo; se usa en cirugía.

manducar *v. tr./intr.* familiar Comer.

manecilla *s. f.* **1** Varilla delgada y larga que señala las medidas en algunos instrumentos de medición. **SIN** aguja, saeta. **2** Broche metálico que se usa para cerrar ciertos libros: *el misal de mi abuela tenía una manecilla de oro.* **3** Signo que representa la figura de una mano con el índice extendido y que suele ponerse en un impreso para llamar la atención sobre alguna parte del texto.

manejable *adj.* **1** Que se maneja con facilidad. **2** Se aplica a la persona o el carácter que es dócil y fácil de convencer.

manejar *v. tr.* **1** Usar o mover una cosa con las manos. **2** Usar o emplear una cosa con un fin determinado. **3** Gobernar, dirigir o administrar un asunto. **4** Influir a una persona o intervenir en un asunto de forma maliciosa y poco honesta para conseguir un fin determinado. **SIN** manipular. **‖** *v. prnl.* **5** **manejarse** Moverse con agilidad después de haber padecido algún impedimento: *a pesar de su caída, el anciano se ha recuperado y ya puede manejarse por sí mismo.* **6** Tener facilidad para hablar, hacer una cosa o relacionarse en una situación o en un ambiente. **SIN** desenvolverse, valerse. **‖** *v. tr.* **7** AMÉR. Conducir un automóvil.

FAM manejable, manejo.

manejo *s. m.* **1** Utilización de una cosa, especialmente si se hace con las manos. **2** Uso o empleo de una cosa con un fin determinado. **SIN** funcionamiento. **3** Dirección y administración de un asunto o negocio: *está cansado del manejo de las finanzas familiares.* **4** Habilidad para hablar, hacer una cosa o relacionarse en una situación o en un ambiente. **‖** *s. m. pl.* **5** **manejos** Actividad engañosa o fraudulenta que se realiza de manera oculta en un asunto o negocio: *no sé qué manejos se trae.*

manera *s. f.* **1** Forma o modo de ser, realizar o suceder una cosa: *están buscando la manera de llegar a un acuerdo.* **‖** *s. m. pl.* **2** **maneras** Modo de comportarse ante los demás con que una persona da a conocer su buena o mala educación: *debería cuidar más sus maneras.* **SIN** formas, modales, modos.

a manera de Indica que una cosa se usa como si fuera otra: *se enrolló una tela en la cabeza a manera de turbante.*

de cualquier manera Con falta de atención y desinterés: *últimamente va muy desaliñado, se viste de cualquier manera.*

de manera que Indica el efecto, el resultado o la consecuencia de una cosa: *te avisaron a tiempo, de manera que ahora no te quejes.*

de ninguna manera Indica una negación absoluta y tajante: *de ninguna manera admito que me trates así.*

de todas maneras En cualquier caso o cualquiera que sea la circunstancia: *quizás no esté yo, pero, de todas maneras, puedes venir a mi casa.*

en gran manera En gran cantidad o más de lo normal: *me preocupa en gran manera quedar bien en mi trabajo.*

sobre manera Mucho más allá de lo corriente o en exceso: *la situación actual ha intranquilizado sobre manera a los países productores de petróleo.* **NOTA** También *sobremanera.*

FAM amanerar.

manes *s. m. pl.* Almas de los difuntos que los antiguos romanos consideraban como divinidades.

maneta *s. f.* Pieza estrecha y alargada que tienen algunos objetos, que sirve para accionar manualmente un mecanismo, como la maneta de los frenos en una bici o la maneta del embrague en una moto.

manga *s. f.* **1** Parte de la prenda de vestir que cubre el brazo, en parte o por completo. ■ **manga corta** Manga que cubre como máximo hasta el codo. ■ **manga larga** Manga que cubre hasta la muñeca. **2** Manguera, tubo largo y flexible. ■ **manga pastelera** Utensilio de cocina de tela o plástico y en forma de cono, que tiene una boquilla en uno de sus extremos, se llena con algún alimento cremoso y se usa para adornar alimentos. **3** Objeto de tela con forma de cono que se usa para señalar la dirección y la intensidad del viento. **SIN** catavientos. **4** Parte de una competición deportiva: *esta carrera de esquí consta de dos mangas.* **5** Anchura máxima de una embarcación. **6** Filtro de tela en forma de cono que sirve para colar líquidos. **7** AMÉR. Espacio comprendido entre dos estacas que marcan el acceso a un corral o a un embarcadero.

en mangas de camisa Sin chaqueta ni americana sobre la camisa.

manga ancha Tolerancia que se manifiesta ante los fallos de una persona.

manga de agua Lluvia fuerte y de corta duración.

manga por hombro familiar En gran desorden y abandono: *la habitación era una pena, todo estaba manga por hombro.*

sacarse de la manga Decir o hacer una cosa de manera improvisada y sin mucho fundamento: *se sacó de la manga que yo me había ido de viaje, no era cierto.*

tener (o guardar) en la manga Tener una cosa oculta para poder usarla en el momento más oportuno.

FAM manguera, manguito; remangar.

mangana *s. f.* MÉX. Engaño, burla o estafa.

manganeso *s. m.* Elemento químico, de símbolo Mn y número atómico 25; es un metal de transición, brillante, duro y quebradizo, de color gris claro, resistente al fuego y muy oxidable; es muy abundante en la naturaleza, importante por las aleaciones que forma y se usa en aceros, baterías y para teñir el vidrio.

mangante *adj.* ① Que manga. ‖ *s. com.* ② *fam. desp.* Persona que roba con engaño y pretende aprovecharse de los demás. SIN mangui.

manganzón, -zona *adj./s. m. y f.* familiar AMÉR. Holgazán.

mangar *v. tr. fam. desp.* Robar una cosa con engaño y con la intención de aprovecharse de los demás.
FAM mangante, mangui.

manglar *s. m.* Vegetación propia de zonas tropicales cubiertas de agua por las mareas, caracterizada por plantas con las raíces aéreas.

mango¹ *s. m.* Parte estrecha y alargada de un objeto por donde se coge con la mano.

mango² *s. m.* ① Árbol de grandes dimensiones de tronco recto, corteza negra y rugosa y fruto carnoso; es originario de la India. ② Fruto de este árbol, aromático, carnoso, de forma ovalada, piel gruesa y rojiza y pulpa anaranjada, amarilla o rojiza; es comestible y combate el estreñimiento.

mangonear *v. tr.* ① *fam. desp.* Intervenir una persona en un asunto de otra, tratando de dirigirlo o de imponer su voluntad. ② *fam. desp.* Influir en una persona o intervenir en un asunto de forma maliciosa y poco honesta para conseguir un fin determinado.
FAM mangoneo.

mangoneo *s. m. fam. desp.* Intervención de una persona en un asunto de otra, para tratar de dirigirlo o de imponer la voluntad propia.

mangosta *s. f.* Mamífero carnívoro de pequeño tamaño, pelaje rojizo o gris, cola larga y patas cortas; se alimenta de serpientes y ratones y con el pelo final de su cola se hacen pinceles. SIN meloncillo.

manguera *s. f.* Tubo largo y flexible que conduce un líquido, tomándolo por uno de sus extremos y expulsándolo por el opuesto. SIN manga.

mangui *s. com.* familiar Ladrón.

manguito *s. m.* ① Prenda de abrigo en forma de tubo en la que se meten las manos para mantenerlas calientes: *antes estaba de moda entre las señoras llevar manguitos de piel.* ② Prenda de tela que cubre desde la muñeca hasta el codo y que se pone encima de la manga para evitar que se ensucie: *el oficinista llevaba unos manguitos para no manchar su camisa de tinta.* ③ Pieza pequeña y hueca en forma de tubo que sirve para unir o empalmar dos objetos cilíndricos iguales, como dos tubos. ④ Pieza en forma de aro o anillo que sirve para reforzar un tubo.

maní *s. m.* ① Fruto seco de tamaño pequeño y alargado, con cáscara poco dura y semillas comestibles. SIN cacahué, cacahuete. ② Semilla de este fruto, comestible y de la cual se extrae aceite. SIN cacahué, cacahuete. ③ Planta anual de flores amarillas que da este fruto. SIN cacahué, cacahuete.
OBS Plural: *manises*.

manía *s. f.* ① Trastorno mental que se caracteriza por la presencia obsesiva de una idea fija y produce en el enfermo un estado anormal de agitación. ■ **manía persecutoria** Trastorno mental que sufre una persona que cree ser siempre objeto de persecución y mal trato de alguien. ② Costumbre o comportamiento raro o poco corriente. ③ Sentimiento de rechazo o disgusto hacia alguien o algo. SIN antipatía, ojeriza. ④ Afición exagerada hacia una cosa.
FAM maníaco, maniático; monomanía.

maníaco, -ca o **maniaco, -ca** *adj./s. m. y f.* Se aplica a la persona que padece una manía o trastorno mental. SIN maniático.

maniatar *v. tr.* Atar las manos a una persona.

maniático, -ca *adj./s. m. y f.* ① Se aplica a la persona que tiene costumbres o comportamientos raros o poco corrientes. ② Maníaco.

manicomio *s. m.* ① Hospital en el que ingresan los enfermos mentales para curarse o mejorar de su enfermedad. ② Lugar donde hay mucho ruido y confusión: *con tal alboroto y desorden la casa parecía un manicomio.*

manicura *s. f.* Cuidado y arreglo de las manos, especialmente de las uñas.
FAM manicuro.

manicuro, -ra *s. m. y f.* Persona que se dedica al cuidado y arreglo de las manos y de las uñas de otras personas.

manido, -da *adj.* ① Se aplica al asunto que es tan común y conocido que puede resultar vulgar y poco original: *el orador empleó unos argumentos tan manidos que no convenció al auditorio.* ② Que está muy gastado o estropeado por el uso. SIN sobado.

manierismo *s. m.* Estilo artístico que surgió en Italia a comienzos del siglo XVI, entre el Renacimiento y el Barroco, y que se caracteriza por su refinamiento, elegancia y excentricidad.
FAM manierista.

manierista *adj.* ① Relativo al manierismo: *la tendencia manierista procedió en el tiempo al Barroco.* ‖ *adj./s. com.* ② Se aplica a la persona que practica el manierismo: *Tiziano y Tintoretto son pintores manieristas.*

manifestación *s. f.* ① Concentración pública de gran número de personas que recorren las calles para reclamar algo o protestar por alguna cosa. ② Comunicación o exteriorización de una opinión, un estado de ánimo o un sentimiento: *las manifestaciones de la artista sobre su vida personal escandalizaron a la opinión pública.* ③ Cosa que es muestra o reflejo de otra: *la expresión de su cara es una clara manifestación de su alegría.*

manifestante *s. com.* Persona que participa en una manifestación o concentración pública.

manifestar [1] *v. tr.* ① Dar a conocer una persona una opinión o un sentimiento. SIN declarar. ② Mostrar o hacer evidente una cosa: *su gran altruismo se manifiesta en sus obras de caridad.* ‖ *v. prnl.* ③ **manifestarse** Hacer una manifestación o concentración pública o participar en ella.
FAM manifestación, manifestante.

manifiesto, -ta *adj.* ① Que se ve con claridad o que se percibe sin necesidad de razonamientos o explicaciones: *los celos por su mujer eran manifiestos.* SIN palpable, patente. ‖ *s. m.* ② Escrito que una persona o grupo de personas hacen público y en el que exponen su concepción ideológica; generalmente es de carácter político o artístico: *el manifiesto del comunismo fue creado por Marx y Engels.*
poner de manifiesto Dar a conocer una opinión o hacer evidente una cosa: *el presidente puso de manifiesto su preocupación por la paz mundial.*
FAM manifestar.

manigero *s. m.* Manijero.

manigua *s. f.* AMÉR. Terreno pantanoso cubierto de maleza. SIN manigual.

manigual *s. m.* AMÉR. Manigua.

manija *s. f.* ① Palanca pequeña que sirve para accionar la cerradura de una puerta o de una ventana. SIN manilla. ② Parte estrecha y alargada de un objeto por donde se coge con la mano. SIN mango.

manijero [también **manigero**] *s. m.* ① Persona que dirige a un grupo de trabajadores del campo. SIN mayoral. ② Persona encargada de contratar jornaleros para ciertas faenas del campo. SIN manija.

manilla *s. f.* ① Aguja del reloj que señala las horas, los minutos o los segundos. ② Palanca pequeña que sirve para accionar la cerradura de una puerta o de una ventana. SIN manija. ③ Adorno o joya en forma de aro o de cadena que se pone en la muñeca. SIN pulsera. ④ Arco de hierro, semicircular, con sus extremos sujetados que sirve para poner en las muñecas, por ejemplo, de los delincuentes, para inmovilizar sus manos. FAM manillar.

manillar *s. m.* Parte delantera de la bicicleta o de la motocicleta en la que se apoyan las manos al conducir y que sirve para controlar la dirección.

maniobra *s. f.* ① Conjunto de operaciones que se hacen con cualquier tipo de vehículo para dirigir su marcha: *tuvo que hacer muchas maniobras para aparcar el coche en un sitio tan pequeño.* ② Movimiento u operación que se hace con una máquina para dirigir su funcionamiento: *el jefe ordenó al operario de la grúa que realizase la maniobra de descarga.* ③ Operación que se hace en un asunto con habilidad y astucia para conseguir un fin determinado: *consiguió quitarle el puesto mediante sucias maniobras.* ④ Ejercicio militar que se realiza en el ejército para adiestrar a los soldados: *la tropa estuvo de maniobras durante todo el mes de julio.* NOTA Más en plural. ⑤ Conjunto de cabos y aparejos de una embarcación. FAM maniobrar.

maniobrar *v. intr.* ① Realizar maniobras, especialmente para dirigir un vehículo o una máquina. ② Realizar maniobras militares un ejército.

manipulación *s. f.* ① Manejo de una cosa con las manos: *la manipulación de los alimentos debe hacerse en condiciones de máxima higiene.* ② Influencia que ejerce una persona sobre otra o intervención en un asunto para conseguir un fin determinado.

manipulador, -ra *s. m. y f.* ① Persona que en su trabajo maneja las cosas con las manos. ② Persona que influye en otra o interviene en un asunto para conseguir un fin determinado. ‖ *s. m.* ③ Aparato telegráfico transmisor.

manipular *v. tr.* ① Manejar una cosa con las manos. ② Influir a una persona o intervenir en un asunto de forma maliciosa y poco honesta para conseguir un fin determinado. SIN manejar. ③ Controlar la conducta de una persona impidiendo que actúe con libertad: *aquel hombre manipula los actos de toda su familia.* ④ Mezclar o combinar un producto con otra sustancia para alterar su composición o para crear un nuevo producto. FAM manipulación, manipulador.

maniqueísmo *s. m.* ① Doctrina religiosa que se basa en la existencia de dos principios contrarios y eternos que luchan entre sí, el bien y el mal; fue fundada por el filósofo persa Manes en el siglo III y perseguida en todo el Imperio romano. ② Actitud que tiende a valorar las cosas como buenas o malas, sin términos medios. FAM maniqueísta.

maniqueo, -quea *adj.* ① Relativo al maniqueísmo. ‖ *adj./ s. m. y f.* ② Se aplica a la persona que tiende a valorar las cosas como buenas o malas, sin términos medios. FAM maniqueísmo.

maniquí *s. m.* ① Figura con forma humana que sirve para mostrar o exhibir prendas de vestir. ② Armazón con figura de cuerpo humano sin extremidades, que sirve para probar y arreglar prendas de vestir. ③ Persona que cuida mucho su aspecto y siempre va muy bien vestida. ‖ *s. com.* ④ Persona que se dedica profesionalmente a mostrar o exhibir prendas de vestir. SIN modelo. OBS Plural: *maniquíes.*

manirroto, -ta *adj./s. m. y f.* Se aplica a la persona que gasta el dinero en exceso y sin necesidad. SIN despilfarrador.

manitas *s. com.* familiar Persona que tiene mucha habilidad para hacer cualquier tipo de trabajo con las manos. ANT manazas.

hacer manitas familiar Cogerse y acariciarse las manos una pareja. OBS Plural invariable.

manivela *s. f.* Pieza, generalmente de hierro, con forma de ángulo recto que se usa para dar vueltas al eje de una rueda o un mecanismo. SIN manubrio.

manjar *s. m.* Alimento o comida, especialmente el que resulta exquisito: *en la cena nos obsequiaron con delicados manjares.*

mano *s. f.* ① Parte del cuerpo humano que va desde la muñeca hasta la punta de los dedos. ② Pata delantera de un animal cuadrúpedo. ③ Lado en el que está situada una cosa, respecto de la posición de una persona: *los servicios están a mano derecha.* ④ Pie cortado de una res una vez muerta. ⑤ Capa de pintura que se da a una superficie: *hay que darle otra mano de barniz a la puerta.* ⑥ Habilidad que tiene una persona para hacer una cosa o resolver un asunto: *tiene buena mano para los negocios; tiene mano para la ebanistería.* ■ **mano izquierda** Habilidad que tiene una persona para manejar o resolver un asunto con tacto. ⑦ Mazo del mortero o del almirez. ⑧ Partida de cartas: *vamos a jugar otra mano.* ⑨ Persona que empieza una partida de cartas: *en muchos juegos, es mano el jugador que se sienta a la derecha del que ha repartido las cartas.* ⑩ Conjunto de veinticinco hojas o pliegos de papel: *una mano de papel equivale a cinco cuadernillos.* ⑪ Gente para trabajar: *faltan manos para el campo.*

a mano (**I**) Sin ayuda de ninguna máquina: *lavar una prenda a mano.* (**II**) Cerca o al alcance de una persona: *¿tienes a mano un bolígrafo?*

a mano armada Usando armas.

a manos llenas Con mucha generosidad.

alzar (o **levantar**) **la mano** Pegar o amenazar con pegar a una persona.

bajo mano De manera encubierta.

caérsele de las manos Resultar una cosa aburrida para una persona.

con las manos en la masa familiar Durante el desarrollo de una acción: *pillaron a los ladrones con las manos en la masa.*

con las manos vacías Sin ninguna posesión material.

con una mano detrás y otra delante Sin dinero o sin empleo u ocupación.

darse la mano Saludarse dos personas estrechándose la mano.

de primera mano (**I**) Directamente, de la fuente original: *he conseguido la noticia de primera mano.* (**II**) Sin estrenar.

de segunda mano Que ya ha sido usado.

dejado de la mano de Dios Totalmente desprotegido.

echar mano de Servirse de una cosa para realizar algo.

echar una mano Ayudar a una persona.

en manos de Bajo la responsabilidad de una persona: *dejamos el asunto en manos del juez.*

irse de las manos Perderse el control sobre una cosa o una acción.

irse la mano Realizar con exceso una acción determinada.

lavarse las manos Desentenderse una persona de un asunto.

llegar a las manos Llegar a pegarse dos o más personas en una disputa.

llevarse las manos a la cabeza Asustarse o asombrarse una persona por algo.

mano a mano Entre dos personas solamente.

mano de obra (**I**) Trabajo que realiza un obrero. (**II**) Conjunto de obreros.

mano de santo Solución o remedio rápido y adecuado.

mano derecha Persona muy útil como ayudante de otra.

mano dura Severidad o exigencia que tiene una persona para tratar a otras o dirigir un asunto: *habría que tener más mano dura con los timadores.*

mano sobre mano Sin hacer nada.

¡manos a la obra! Indica que se quiere empezar un trabajo en el mismo momento que se dice y con muchas ganas.

manos libres Dispositivo que permite utilizar un teléfono o un reproductor de radio sin necesidad de sostenerlos en la mano.

meter mano Tocar las partes íntimas del cuerpo de una persona.

pedir la mano Pedir autorización a los padres para casarse con su hija.

poner la mano en el fuego Asegurar o dar fe de alguna cosa.

poner la mano encima Pegar o golpear a una persona.

tender la mano Ayudar a una persona: *tenderle la mano a un amigo.*

tener las manos libres Tener libertad para hacer una cosa.

traer entre manos Estar tramando un asunto.

FAM manicorto, manirroto, manitas, manosear, manotada, manotazo, manotear, manotón, manual; besamanos, contramano, lavamanos, secamanos, trasmano.

manojo *s. m.* ① Conjunto de cosas que están agrupadas en forma de haz y se pueden coger de una vez con la mano. ② Conjunto de cosas agrupadas que son de la misma clase.

ser (o **estar hecho**) **un manojo de nervios** Ser muy nervioso o ponerse nervioso ante una situación determinada: *antes de la entrevista de trabajo estaba hecho un manojo de nervios.*

manola *s. f.* Coche de caballos con cuatro asientos y dos puertas laterales.

manoletina *s. f.* Zapato plano de cuero fino o tela, punta redondeada y sin cierres ni apenas adornos. SIN bailarina.

manómetro *s. m.* Aparato que sirve para medir la presión de un líquido o gas contenido en un espacio cerrado: *el aire de las ruedas de los coches se mide con un manómetro.*

manopla *s. f.* ① Guante sin separaciones para los dedos o con solo una para el pulgar: *el niño lleva manoplas de lana en invierno; compró una manopla de baño.* ② AMÉR. Artefacto de hierro que se ajusta en la mano cubriendo las falanges de los dedos y sirve para herir al golpear.

manosear *v. tr.* Acariciar o toquetear una cosa o a una persona repetidamente con las manos. SIN sobar.

FAM manoseo.

manoseo *s. m.* Acción de acariciar o toquetear repetidamente con las manos una cosa o a una persona.

manotazo *s. m.* Golpe dado con la mano.

manotear *v. tr.* ① Dar manotazos: *el niño manoteaba el agua durante el baño.* | *v. intr.* ② Agitar o mover las manos al hablar.

FAM manoteo.

manoteo *s. m.* Movimiento continuo de las manos, especialmente cuando se hace a la vez que se habla.

manriqueño, -ña *adj.* Se aplica a la estrofa que está formada por cuatro versos octosílabos (primero, segundo, cuarto y quinto) y dos tetrasílabos (tercero y sexto); su esquema es: 8a, 8b, 4c, 8a, 8b, 4c.

mansalva Se usa en la expresión:

a mansalva En abundancia o en gran cantidad.

mansedumbre *s. f.* Docilidad y suavidad que se muestra en el carácter o se manifiesta en el trato.

mansión *s. f.* Casa o vivienda que es muy grande y lujosa.

manso, -sa *adj.* ① Se aplica al animal que se muestra dócil y no actúa con agresividad. ANT bravo, fiero. ② Que es sosegado y tranquilo y se mueve lentamente: *mirábamos el manso discurrir de las aguas del río.* | *s. m.* ③ Buey manso que se pone delante de las reses bravas para guiarlas. SIN cabestro. ④ Unidad de explotación familiar de la Edad Media, formada por una casa y tierras de cultivo, que el señor feudal cedía a un colono libre o a un siervo a cambio de ciertas prestaciones: *los mansos medievales tienen su origen en la villa romana.*

FAM mansamente, mansedumbre, mansurrón; amansar.

mansurrón, -rrona *adj.* Se aplica al animal que se muestra excesivamente manso.

manta *s. f.* ① Pieza rectangular de tejido grueso que sirve para abrigar y suele ponerse en la cama. ② Pez marino de cuerpo ancho, muy plano, forma de rombo y cola larga y delgada, que puede llegar a medir 6 m de largo y pesar una tonelada de peso. ③ Cantidad grande de golpes que se da o se recibe: *manta de palos.* SIN paliza, zurra. | *s. com.* ④ familiar Persona que es perezosa en su trabajo u otra actividad: *es muy listo, pero ha suspendido porque es un manta.*

a manta familiar De forma muy abundante: *no ha dejado de llover a manta.*

liarse la manta a la cabeza familiar Tomar una decisión o iniciar una acción y llevarla hacia adelante a pesar de las consecuencias que pueda tener.

tirar de la manta familiar Revelar una persona un asunto que se mantenía en secreto y que puede comprometer a otras personas.

FAM mantear, mantudo.

mantear *v. tr.* Lanzar repetidamente al aire a una persona impulsándola con una manta que es sostenida por las orillas entre varias personas.

FAM manteo.

manteca *s. f.* ① Grasa del cerdo o de otros animales. ② Sustancia grasa de la leche y de la semilla de algunos frutos: *el chocolate se elabora con manteca de cacao.*

FAM mantecada, mantecado, mantecoso, mantequera, mantequero, mantequilla.

mantecada *s. f.* Bollo pequeño y cuadrado, hecho con

manteca de leche de vaca, harina, huevos y azúcar, que se cuece en el horno.

mantecado *s. m.* ⓵ Bollo pequeño hecho con manteca de cerdo, harina y azúcar: *es típico comer mantecados en Navidad.* ⓶ Helado o sorbete que se prepara con leche, huevos y azúcar.

mantecoso, -sa *adj.* ⓵ Que tiene mucha manteca. ⓶ Que se parece a la manteca. ⓷ Se aplica al alimento que es graso, tierno y suave al paladar.

mantel *s. m.* Pieza de tela, papel o plástico que se coloca sobre la mesa para comer.
FAM mantelería, manteleta; salvamanteles.

mantelería *s. f.* Conjunto formado por un mantel de tela y varias servilletas que hacen juego o combinan entre sí.

manteleta *s. f.* Pañuelo o pequeña capa de tela fina o calada, que llevan las mujeres sobre los hombros cubriendo el escote; suele formar dos puntas largas que en ocasiones se cruzan por delante del cuerpo y se atan por detrás.

mantener [45] *v. tr.* ⓵ Conservar una cosa en su estado óptimo para que no se degrade. ⓶ Dar a una persona el alimento o lo necesario para vivir. **SIN** sostener, sustentar. ⓷ Sostener o sujetar una cosa para que no se caiga o no se tuerza. ⓸ Defender una idea u opinión con convicción. ⓹ Realizar una acción a lo largo de un periodo de tiempo: *mantuvieron correspondencia durante muchos años.* ⓺ Continuar una persona o una cosa en un estado o actitud determinado: *manteneos sentados.*
FAM mantenido, mantenimiento.

mantenido, -da *s. m. y f.* ⓵ Persona que vive a expensas del dinero de otra. ⓶ Persona que tiene relaciones sexuales con otra y vive del dinero de esta.

mantenimiento *s. m.* ⓵ Conservación de una cosa en buen estado o en una situación óptima para evitar su degradación. ⓶ Conjunto de alimentos, dinero y medios necesarios para vivir. **SIN** manutención.

manteo¹ *s. m.* Acción de mantear.

manteo² *s. m.* Capa larga con cuello estrecho que solían llevar los eclesiásticos sobre la sotana; antiguamente también la usaban los estudiantes.

mantequera *s. f.* ⓵ Recipiente que se usa para guardar la mantequilla o servirla en la mesa. ⓶ Vasija en la que se elabora la mantequilla.

mantequería *s. f.* Establecimiento en el que se vende principalmente mantequilla y productos derivados de la leche.

mantequilla *s. f.* ⓵ Alimento graso de consistencia blanda que se obtiene batiendo la nata de la leche de vaca. ⓶ Manteca o nata de la leche.

mantilla *s. f.* ⓵ Prenda femenina de tejido muy fino, como el de la seda o el encaje, que cubre la cabeza y cae sobre los hombros. ⓶ Prenda que se pone encima de la ropa del bebé para protegerlo del frío.
estar en mantillas (**I**) Tener una persona pocos conocimientos sobre una cosa o un asunto. (**II**) Estar una cosa en sus comienzos.

mantillo *s. m.* ⓵ Capa superior del suelo formada por tierra y restos de animales y de vegetales en descomposición. **SIN** humus. ⓶ Abono que se obtiene de la descomposición y fermentación del estiércol.

mantis *s. f.* Animal invertebrado artrópodo de cuerpo largo y estrecho, de color verde o amarillo, que tiene las patas delanteras largas, erguidas y dotadas de fuertes espinas para sujetar a sus presas; cuando está en reposo, une las patas delanteras de modo que parece estar rezando; se alimenta de otros insectos, y la hembra devora al macho tras la cópula. **SIN** santateresa.
OBS Plural invariable. También *mantis religiosa.*

manto *s. m.* ⓵ Prenda de vestir parecida a la capa, sin mangas, larga, ancha y abierta por delante, que cubre desde los hombros o la cabeza hasta los pies y se lleva sobre la ropa. ⓶ Cosa que cubre u oculta algo: *un oscuro manto de nubes cubre el cielo.* ⓷ Capa sólida de la Tierra situada entre el núcleo y la corteza. **NOTA** También *manto terrestre.* ⓸ Repliegue de la piel de los moluscos y algunos crustáceos que segrega las sustancias que forman la concha o el caparazón.
FAM manta, mantilla, mantillo, mantón.

mantón *s. m.* Prenda de vestir femenina de forma cuadrada que generalmente se dobla en diagonal y se lleva sobre los hombros y los brazos. ■ **mantón de Manila** Mantón de seda, bordado con colores muy llamativos, que se lleva como adorno sobre los hombros.

manual *adj.* ⓵ Que se hace con las manos. **ANT** mecánico. ❙ *s. m.* ⓶ Libro que recoge lo más importante de una materia: *manual de matemáticas.*
FAM manualidad.

manualidad *s. f.* Trabajo que se hace con las manos.
OBS Más en plural.

manubrio *s. m.* ⓵ Pieza, generalmente de hierro, con forma de ángulo recto que se usa para dar vueltas a una rueda o al eje de un mecanismo: *los organillos se tocaban haciendo girar un manubrio.* **SIN** manivela. ⓶ Conducto de la parte ventral de una medusa, en cuyo extremo se encuentra la boca.

manufactura *s. f.* ⓵ Proceso de fabricación de un producto que se realiza con las manos o con ayuda de máquinas. ⓶ Producto elaborado a partir de una materia prima mediante este proceso: *China exporta sus manufacturas al extranjero.* ⓷ Fábrica o industria donde se elaboran estos productos: *en esta zona hay muchas manufacturas textiles y del algodón.*
FAM manufacturar, manufacturero.

manufacturar *v. tr.* Fabricar o elaborar objetos con medios mecánicos.
FAM manufacturero.

manufacturero, -ra *adj.* Relativo a la manufactura.

manumisión *s. f.* Concesión de la libertad a un esclavo.

manumitir *v. tr.* Conceder la libertad a un esclavo.
FAM manumisión.

manuscrito, -ta *adj.* ⓵ Que está escrito a mano. ❙ *s. m.* ⓶ Texto o libro escrito a mano, especialmente el que tiene algún valor histórico o literario. ⓷ Texto escrito por un autor, a partir del cual se compone un libro. **SIN** original.

manutención *s. f.* Acción de mantener a una persona (darle el alimento o lo necesario para vivir).

manzana *s. f.* ⓵ Fruto del manzano, de forma redondeada, con la piel fina, de color verde, amarillo o rojo, carne blanca y jugosa y sabor dulce o ácido. ⓶ Espacio de terreno urbano, generalmente cuadrangular, que está limitado por calles por todos sus lados y puede estar o no estar edificado. ⓷ Grupo de casas contiguas. ⓸ AMÉR. Nuez de la garganta.
manzana de la discordia Cosa que es motivo habitual de discusiones o disputas.
FAM manzanal, manzano.

M

manzanar *s. m.* Lugar poblado de manzanos.

manzanilla *s. f.* ① Planta herbácea con tallos débiles, hojas pequeñas y abundantes y flores muy olorosas. **SIN** camomila. ② Flor de esta planta que tiene los pétalos blancos y el centro amarillo. ③ Bebida que se hace hirviendo en agua las flores secas de la manzanilla y suele tomarse caliente. ④ Vino blanco, seco y muy aromático, que se elabora en algunas zonas de Andalucía. ⑤ Variedad de aceituna, pequeña y muy fina, que se consume verde. **FAM** manzanillo.

manzano *s. m.* Árbol frutal de tronco áspero y nudoso, ramas gruesas y copa ancha, con las hojas ovaladas y olorosas flores blancas con manchas rosadas, cuyo fruto es la manzana.

maña *s. f.* ① Capacidad para hacer una cosa bien, con facilidad y rapidez. **SIN** destreza. ② Medio que se emplea con habilidad y astucia para conseguir algo, especialmente para engañar o evitar un engaño. **SIN** ardid, truco, artimaña. **darse maña** Tener una persona habilidad y destreza para manejar con facilidad una situación: *se da mucha maña en los negocios.* **FAM** mañoso; amañar, desmañado.

mañana *s. f.* ① Parte del día que va desde el amanecer hasta el mediodía. ② Parte del día que va desde las doce de la noche hasta el amanecer. **SIN** madrugada. ‖ *s. m.* ③ Tiempo futuro que no está muy lejano. ‖ *adv.* ④ En el día que sigue inmediatamente al de hoy: *mañana no tengo que trabajar porque es fiesta*. **de mañana** En las primeras horas del día. **pasado mañana** En el día que sigue inmediatamente al de mañana: *si hoy es martes, pasado mañana será jueves.* **FAM** mañanear, mañanero, mañanita.

mañanero, -ra *adj.* ① Se aplica a la persona o cosa que se levanta o se produce muy pronto, especialmente antes de la salida del Sol. ② Relativo a la mañana.

mañanita *s. f.* ① Prenda de vestir en forma de capa corta que las mujeres se ponen sobre el camisón de dormir mientras están sentadas en la cama. ‖ *s. f. pl.* ② **mañanitas** MÉX. Canción popular mexicana que se dedica a alguien con motivo de su santo o cumpleaños y que se suele cantar al amanecer.

maño, -ña *adj.* ① familiar De Aragón (comunidad autónoma española). ‖ *s. m. y f./adj.* ② familiar Persona que es de Aragón.

mañoso, -sa *adj.* Se aplica a la persona que tiene habilidad para hacer bien, con rapidez y facilidad algo que resulta difícil para los demás. **SIN** habilidoso.

maoísmo *s. m.* ① Doctrina política basada en las ideas de Mao Zedong (político chino, 1893-1976), fundador del partido comunista chino, que constituye una vía original de construcción del socialismo en China. ② Movimiento político basado o inspirado en esta doctrina. **FAM** maoísta.

maoísta *adj.* ① Relativo al maoísmo: *doctrina maoísta.* ‖ *adj./ s. com.* ② Se aplica a la persona que es partidaria del maoísmo.

maorí *adj.* ① Relativo a un pueblo polinesio que habita en Nueva Zelanda. ‖ *s. com./adj.* ② Persona perteneciente a este pueblo. ‖ *s. m./adj.* ③ Lengua hablada por este pueblo.

mapa *s. m.* Representación selectiva, esquemática y simbólica de la superficie de la Tierra o de parte de ella en un plano, de acuerdo con una escala. ■ **mapa mudo** Mapa que no lleva escritos los nombres de las poblaciones, de los ríos y de los demás accidentes del terreno. **borrar del mapa** familiar Matar una persona a otra. **FAM** mapamundi.

mapache *s. m.* Animal mamífero cuyo cuerpo está cubierto por un pelo fino de color gris oscuro, cola larga y el hocico blanco con unos círculos negros alrededor de los ojos; vive en los bosques de América del Norte, es carnívoro y de vida nocturna.

mapamundi *s. m.* Mapa que representa la superficie completa de la Tierra dividida en dos hemisferios.

mapuche *adj.* ① De Arauco (región y provincia de Chile). ‖ *s. com./adj.* ② Persona que es de Arauco. ‖ *s. m./adj.* ③ Lengua que hablan los indios de Arauco.

maqueta *s. f.* ① Proyecto o reproducción de un monumento, edificio u otra construcción hecho en tamaño reducido. ② Composición de una página en la que se distribuyen los distintos elementos que van a formar parte de ella y que sirve de modelo antes de imprimir. ③ Grabación musical de prueba que se hace antes de editar un tema musical, generalmente para promocionar un grupo: *el grupo de rock envió las maquetas de sus canciones a todas las casas discográficas del país.* **FAM** maquetar.

maqueto, -ta *adj./s. m. y f.* despectivo Se aplica a la persona que ha emigrado al País Vasco procedente de otra región española. **OBS** Frecuentemente usado de forma despectiva.

maqui *s. com.* Maquis (persona).

maquiavélico, -ca *adj.* ① Se aplica a la persona que actúa con astucia, hipocresía y engaños para conseguir sus propósitos. ② Se aplica a la acción o actitud que ha sido maquinada con astucia, hipocresía y engaños. ③ Relativo a Maquiavelo (escritor y político italiano del siglo XVI) o a su teoría moral y política.

maquiavelismo *s. m.* ① Modo de proceder que se caracteriza por la astucia, hipocresía y engaño para conseguir lo que se desea. ② Teoría moral y política de Maquiavelo (escritor y político italiano del siglo XVI) que lo subordina todo, incluidos los principios éticos o morales, al principio de eficacia política.

maquillador, -ra *s. m. y f.* Persona que se dedica a maquillar; especialmente el encargado del maquillaje de las personas que actúan en el cine, televisión o teatro.

maquillaje *s. m.* ① Acción que consiste en aplicar productos cosméticos sobre la piel, especialmente la del rostro, para darle color, embellecerla, cubrir algún defecto o caracterizar a una persona. ② Producto cosmético que se aplica sobre la piel, especialmente la del rostro, para darle color, embellecerla o cubrir algún defecto. ③ Conjunto de técnicas que sirven para maquillar el rostro u otras partes del cuerpo de una persona.

maquillar *v. tr.* ① Aplicar productos cosméticos sobre la piel, especialmente la del rostro, para darle color, embellecerla, cubrir algún defecto o caracterizar a una persona. **SIN** pintar. ② Cambiar la apariencia exterior para ocultar el aspecto real de una cosa o para disimular: *la familia intentó maquillar el suicidio para que pareciera muerte natural.* **SIN** disfrazar, enmascarar. **FAM** maquillador, maquillaje; desmaquillar.

M

máquina *s. f.* ① Conjunto de piezas acopladas entre sí que transforma una forma de energía en otra para hacer un trabajo determinado: *tengo en casa una máquina de coser.* ■ **máquina de vapor** Máquina que funciona gracias a la presión que ejerce el vapor de agua producido en una caldera, y sirve para producir energía mecánica: *James Watt patentó la máquina de vapor en 1769.* ■ **máquina herramienta** Máquina que acciona mecánicamente una o varias herramientas con las cuales pueden labrarse o mecanizarse diversos materiales: *la fresadora es una máquina herramienta.* ■ **máquina térmica** Dispositivo que transforma el calor en energía mecánica: *la máquina de vapor es una máquina térmica.* ② Parte de un tren que lleva el motor, va montada sobre ruedas y arrastra a los demás vagones. SIN locomotora. ③ Bicicleta, motocicleta o coche de carreras. ④ Conjunto de elementos ordenados entre sí que forman un todo: *la máquina del universo se mueve de forma muy precisa.* ⑤ Aparato eléctrico que funciona introduciendo dinero y que sirve para jugar o vender un producto: *los billetes de metro se compran en la máquina.* ⑥ Conjunto de mecanismos que sirven para cambiar los decorados y los efectos especiales en un teatro. SIN tramoya.

a máquina Con ayuda de una máquina en lugar de a mano: *escribir a máquina.*

a toda máquina Con mucha rapidez o intensidad: *trabajar a toda máquina.*

FAM maquinal, maquinaria, maquinilla, maquinismo, maquinista.

maquinación *s. f.* Acción o plan, generalmente malintencionado, preparado en secreto y con astucia para conseguir un fin. SIN intriga, trama.

maquinal *adj.* Se aplica al acto o movimiento que se hace sin pensar, de forma involuntaria o como una respuesta inconsciente a un estímulo externo: *el bostezo es una acto maquinal.* SIN automático, reflejo.

maquinar *v. tr.* Actuar con astucia y en secreto para conseguir un fin. SIN intrigar, tramar.
FAM maquinación.

maquinaria *s. f.* ① Conjunto de máquinas que se usan para un fin determinado. ② Conjunto de piezas que componen un mecanismo y que sirven para poner en funcionamiento un aparato: *la maquinaria del reloj.*

maquinilla *s. f.* Instrumento que sirve para afeitar o cortar el pelo, compuesto por un mango y una pieza perpendicular a este que sujeta una o varias hojas de metal afiladas y cortantes. ■ **maquinilla eléctrica** Máquina de afeitar eléctrica provista de pequeñas cuchillas que cortan la barba o el vello sin necesidad de jabón o espuma.

maquinista *s. com.* ① Persona que se dedica a conducir una máquina de tren. ② Persona que se dedica a arreglar una máquina y controlar su funcionamiento.

maquis *s. com.* ① Organización guerrillera francesa que luchó contra la ocupación nazi durante la Segunda Guerra Mundial (1939-1945). ‖ *s. m.* ② Organización guerrillera antifranquista que, acabada la Guerra Civil española (1936-1939), se mantuvo activa en grupos aislados en las zonas montañosas y rurales: *el maquis no desapareció hasta 1950, aproximadamente.* ③ Organización guerrillera y rural de cualquier país que ejerce de oposición armada contra el poder establecido. ‖ *s. com.* ④ Persona perteneciente a una de estas organizaciones. SIN guerrillero, maqui. ‖ *s. m.* ⑤ Matorral

mediterráneo formado por un estrato arbustivo alto y denso compuesto por varias especies de plantas.
OBS Plural invariable.

mar *s. amb.* ① Masa de agua salada que cubre las tres cuartas partes de la superficie de la Tierra. ■ **alta mar** Parte del mar que está muy alejada de la costa. ■ **mar de fondo** Agitación de las aguas que proviene de alta mar. ■ **mar gruesa** Agitación de las aguas con olas que pueden llegar hasta una altura de 6 metros. ■ **mar rizada** Estado de la mar con un movimiento ligero de las aguas, inferior al de la marejada. ② Parte en que se divide la masa de agua salada y tiene una dimensión menor que el océano: *el mar Mediterráneo baña el sur de Europa.* ‖ *s. m.* ③ Acumulación grande y permanente de agua, generalmente dulce, en una gran depresión de terreno: *el mar Caspio es el mar limitado por tierra más grande del mundo.* ④ Gran cantidad de una cosa: *vivo en un mar de dudas.*

a mares En gran cantidad o número.

hacerse a la mar Salir una embarcación del puerto para navegar.

la mar de (I) familiar Gran cantidad de una cosa. (II) Indica el grado más alto de lo que se expresa: *es un chico la mar de simpático.*

FAM marea, marejada, maremágnum, maremoto, marino, marisma, marítimo; amarar, amerizar, ultramar.

marabú *s. m.* Ave zancuda parecida a la cigüeña, de color blanco y gris, pico grande y cuello desnudo formando papada; habita en África y es muy voraz.
OBS Plural: *marabúes.*

marabunta *s. f.* ① Enjambre de hormigas carnívoras propias de América del Sur, que devoran a su paso toda la vegetación y todo tipo de animales. ② familiar Alteración de la tranquilidad, el silencio o el orden.

maraca *s. f.* Instrumento musical de percusión formado por una bola hueca llena de pequeñas piedras o semillas unida a un mango, que se agita para que suene; suele tocarse con una en cada mano.

maracuyá *s. m.* ① Planta trepadora de tallos ramosos, hojas verdes por el haz y verde claro por el envés y divididas en varios lóbulos, flores olorosas de color morado y fruto comestible. SIN pasionaria. ② Fruto de esta planta, comestible, de pulpa amarilla y forma de huevo.

maragato, -ta *adj.* ① De La Maragatería (comarca de la provincia de León). ‖ *s. m. y f./adj.* ② Persona que es de La Maragatería.

marajá [también **maharajá**] *s. m.* Título que se aplica a casi todos los príncipes de la India.
OBS Plural: *marajás* o *marajaes.*

maraña *s. f.* ① Conjunto de hilos, cabellos, cuerdas, cables o cosas de forma semejante que están enrollados y entrecruzados de manera que no se pueden separar: *maraña de pelo.* SIN enredo. ② Conjunto de plantas que crecen muy juntas entrecruzando y enredando sus ramas de manera que dan lugar a una gran espesura. SIN maleza. ③ Conjunto de engaños y maniobras secretas para conseguir una cosa. SIN enredo.

FAM desmarañar, enmarañar.

marañón *s. m.* Árbol de tronco irregular, hojas ovaladas y flores en racimo que tiene el fruto de semilla comestible en forma de nuez; crece en América Central.

marasmo *s. m.* ① Paralización de toda actividad, tanto en lo moral como en lo físico: *la vida política permanece en un ab-*

soluto marasmo. **2** Grado extremo de agotamiento o enflaquecimiento.

maratón *s. amb.* **1** Prueba deportiva de atletismo que consiste en correr a pie un recorrido de 42 km y 195 m; es una de las competiciones de los juegos olímpicos. **2** Competición que es dura, larga y requiere resistencia física: *maratón de baile.* **3** Actividad intensa que se desarrolla sin descansar o en menos tiempo que si se realizara a ritmo normal: *los profesores han hecho un maratón para corregir todos los exámenes a tiempo.*
FAM maratoniano.

maratoniano, -na *adj.* **1** Relativo a la carrera de maratón. **2** Se aplica a la actividad o acción que es intensa, agotadora o de duración más larga de lo normal.

maravedí *s. m.* Antigua moneda española que ha tenido diferentes valores: *los primeros maravedíes fueron acuñados por Alfonso VII de Castilla en 1172; el maravedí también se denominaba "morabetino".*
OBS Plural: *maravedís, maravedíes* o *maravedises.*

maravilla *s. f.* **1** Persona, cosa o suceso que produce admiración y asombro por reunir unas características extraordinarias. **SIN** prodigio. **2** Admiración y asombro que produce una persona, una cosa o un suceso extraordinario: *causa maravilla lo bien que toca el violín.* **3** Planta herbácea de flores amarillas o anaranjadas compuestas, formadas por un gran número de pétalos. **4** Planta de jardín con las flores azules, cuyo tallo crece y sube sujetándose a los árboles, varas u otros objetos.
a las mil maravillas o **de maravilla** De manera perfecta: *se entienden a las mil maravillas.*
contar (o decir) maravillas Hablar muy bien de una persona o de una cosa.
hacer maravillas Hacer muchas cosas o hacerlas muy bien y con medios escasos: *con lo que gano tengo que hacer maravillas para llegar a fin de mes.*
ser una maravilla Ser único o superior en uno o varios aspectos: *mi hijo es una maravilla, no llora nunca.*
FAM maravillar, maravilloso.

maravillar *v. tr.* Causar admiración o asombro una persona, una cosa o un suceso por ser extraordinarios. **SIN** asombrar.

maravilloso, -sa *adj.* **1** Que es extraordinario o muy bueno. **SIN** estupendo, fantástico. **2** Que no se puede explicar por causas naturales. **SIN** sobrenatural.

marbellí *adj.* **1** De Marbella (localidad de Málaga). **‖** *s. com./ adj.* **2** Persona que es de Marbella.

marbete *s. m.* **1** Trozo de papel, cartón u otro material parecido que se pega a un objeto y sirve para indicar la marca, el contenido, las cualidades o el precio de este. **SIN** etiqueta. **2** Orilla o borde de una cosa: *la invitación de boda tenía un marbete dorado.*

marca *s. f.* **1** Señal que se hace sobre una cosa y sirve para distinguirla o identificarla: *mi libro es inconfundible, le hice una marca con tinta en la solapa.* **2** Señal o huella que deja un golpe, una herida o una presión: *aún tiene en el brazo la marca de los arañazos del gato.* **3** Nombre comercial que un fabricante pone a un producto: *estos vaqueros son de una marca muy conocida.* ■ **marca registrada** Nombre comercial de un producto que está reconocido por la ley y que solamente puede usar su fabricante. **4** Resultado máximo que consigue un deportista en una prueba de competición. **SIN** récord. **5** Utensilio que sirve para señalar, medir o identificar una cosa. **6** Territorio o distrito fronterizo de la época medieval: *las marcas nacieron en la época carolingia (siglos VIII y IX) como territorios fronterizos que servían de protección militar al Imperio.* **‖** *s. m.* **7** Rasgo morfológico, fonético o de significado que permite distinguir una palabra de otra por oposición: *la palabra "gata" se distingue de "gato" por la marca de género femenino.*
de marca (I) Que es de un fabricante conocido e importante. (II) Que destaca o se sale de lo común: *Antonio es un estudiante de marca.*
de marca mayor Que destaca o se sale de lo común: *con el remojón del otro día has cogido un resfriado de marca mayor.*
FAM marcar; contramarca, plusmarca.

marcado, -da *adj.* **1** Que destaca y se percibe con claridad: *mantiene un acento extranjero muy marcado.* **SIN** acusado. **2** Se aplica a la palabra que posee un rasgo morfológico, fonético o de significado que permite distinguirla de otra por oposición: *en español son palabras marcadas los femeninos y los plurales.*

marcador *s. m.* **1** Tablero o cuadro en el que se anotan los puntos que consigue un jugador o un equipo deportivo. **2** Conjunción o locución que relaciona oraciones o conjuntos de ellas y guía las deducciones que pueden hacerse de los diversos enunciados: *algunos marcadores son "en primer lugar", "asimismo", "por otra parte", "así pues" y "por último".* **3** AMÉR. Rotulador.

marcaje *s. m.* Acción de seguir de cerca un jugador a otro del equipo contrario y dificultar o impedir la realización de su juego.

marcapasos *s. m.* Aparato que se coloca quirúrgicamente junto al corazón, y que, mediante señales eléctricas, sirve para estimular y mantener el ritmo cardíaco.
OBS Plural invariable.

marcar *v. tr.* **1** Hacer o poner una señal sobre algo para distinguirlo o identificarlo: *han marcado las cartas de la baraja para hacer trampa.* **2** Indicar un aparato de medición una cantidad o una medida: *el reloj marca las horas.* **3** Pulsar las teclas o señalar en el disco del teléfono los números de otro para comunicar con él. **4** Conseguir un gol o un tanto, especialmente en un partido de fútbol. **5** Vigilar estrictamente un jugador a otro contrario e impedir correctamente que haga su jugada. **6** Dejar una situación determinada un recuerdo o una huella en una persona: *los años que pasó en el extranjero marcaron su vida para siempre.* **7** Hacer que se noten los pasos o divisiones de un movimiento rítmico o una acción: *marcar el compás; marcar el paso.* **8** Poner el precio a una cosa que se va a vender: *antes de poner a la venta esos libros hay que marcarlos.* **9** Indicar una dirección o la situación de una cosa: *el capitán del barco marcó el rumbo que seguirían.* **10** Herir o golpear a una persona dejando una señal visible: *le marcó la cara con la navaja en señal de venganza.* **11** Peinar el pelo para darle la forma deseada colocando rulos o pinzas y con el secador. **12** Establecer de manera clara y exacta una información o los límites de una cosa: *tenemos que marcarnos unas metas.* **13** Destacar o resaltar una cosa: *ese vestido tan ajustado te marca mucho las caderas.*
FAM marcado, marcador, marcaje, marcapasos; demarcar, desmarcarse, enmarcar, remarcar.

marcha *s. f.* **1** Desplazamiento que se realiza para ir de un lugar a otro: *los excursionistas iniciaron la marcha.* **2** Desarrollo o manera de funcionar de una cosa: *sigo atentamente la marcha de los negocios de mi padre.* **3** Posición del cambio de velocida-

des del motor de un automóvil o una máquina, que le permite girar a mayor o menor velocidad y desarrollar una potencia directamente proporcional a la velocidad del motor: *este coche tiene cinco marchas.* **4** Grado de velocidad con que se hace una cosa: *mantuvimos la marcha durante todo el camino.* **5** Concentración numerosa de personas que caminan juntas con un fin determinado: *se ha organizado una marcha contra el racismo.* **6** Pieza musical, instrumental o cantada, de ritmo binario y rápido, que sirve especialmente para acompañar desfiles, cortejos y actos solemnes. **7** Prueba deportiva de atletismo que se realiza caminando muy deprisa. **8** familiar Energía, ánimo o alegría de una persona: *esta chica tiene mucha marcha.* **9** familiar Diversión o animación que hay en un lugar o se da en una determinada situación: *la marcha empezó después de medianoche.*
a marchas forzadas Muy deprisa y con un ritmo muy intenso: *trabajar a marchas forzadas.*
a toda marcha Con mucha prisa: *salió a toda marcha porque perdía el tren.*
coger la marcha Adquirir habilidad, dominio y práctica en alguna actividad: *cuando le cojas la marcha al trabajo podrás hacerlo con mayor rapidez.*
dar marcha atrás (**I**) Introducir una marcha a un vehículo que le permite circular hacia atrás. (**II**) No continuar con una idea o proyecto: *dio marcha atrás en sus declaraciones y retiró la denuncia.*
poner en marcha Hacer que empiece a funcionar una cosa: *aún no sabe poner en marcha el ordenador.*
sobre la marcha De manera improvisada y sin organizar nada previamente: *este trabajo no puede salir bien, se ha ido haciendo sobre la marcha.*
FAM marchoso.

marchamo *s. m.* **1** Marca o señal que se pone en un objeto o un producto después de haber sido analizado o revisado en una aduana. **2** Aspecto o estilo de una cosa por los que se reconoce su clase.

marchante *s. com.* **1** Persona que se dedica al comercio de obras de arte. **2** AMÉR. Cliente habitual de una tienda. **3** MÉX. Vendedor al que una persona suele comprar habitualmente, especialmente en un mercado: *mi marchanta del mercado siempre me reserva la mejor fruta.*

marchar *v. intr.* **1** Caminar o moverse avanzando a pie: *el corredor marcha por delante de sus rivales.* **2** Funcionar o desarrollarse una cosa o un mecanismo: *los negocios marchan bien.* **3** Caminar o moverse un ejército de forma ordenada. ‖ *v. intr./prnl.* **4** Ir de un lugar a otro o partir de un lugar: *se marchó hace una hora.*
FAM marcha.

marchitar *v. tr.* **1** Hacer que las plantas y las flores pierdan frescura y verdor o empiecen a secarse. **2** Hacer que una persona pierda la belleza, la fuerza y la vitalidad: *la edad había marchitado su belleza.*
FAM marchito.

marchito, -ta *adj.* **1** Se aplica a la flor o planta que empieza a secarse y no tiene verdor y frescura. **SIN** mustio. **2** Se aplica a la persona que ha perdido la belleza, la fuerza o la vitalidad.

marchoso, -sa *adj.* familiar Que es alegre, divertido y animado.

marcial *adj.* **1** Relativo a la guerra o al ejército. **SIN** militar. **2** Que camina muy erguido y con firmeza, como lo hacen los militares.
FAM marcialidad.

marcialidad *s. f.* Actitud y compostura que se consideran propias de los militares.

marciano, -na *adj.* **1** De Marte (planeta del sistema solar). ‖ *s. m. y f.* **2** Habitante imaginario del planeta Marte o de cualquier otro planeta.

marco *s. m.* **1** Cerco o moldura que rodea y adorna los bordes de una cosa: *el marco de un cuadro.* **2** Armadura en la que encaja una puerta o una ventana. **3** Unidad monetaria de Alemania y Finlandia hasta su sustitución por el euro en el año 2002: *el marco finlandés y el alemán tenían distinto valor.* **4** Entorno que rodea a alguna cosa: *el jardín resultó ser un marco muy adecuado para celebrar la fiesta.* **5** Límites o circunstancias que rodean un problema, un asunto o una etapa histórica: *en el marco de la Constitución.*
FAM enmarcar.

marea *s. f.* **1** Movimiento alternativo y periódico de ascenso y descenso de las aguas del mar, causado por las fuerzas de atracción del Sol y de la Luna. ■ **marea alta** Movimiento ascendente de la marea, desde que el agua está en el nivel más bajo hasta alcanzar el más alto. ■ **marea baja** Movimiento descendente de la marea, desde que el agua está en el nivel más alto hasta alcanzar el más bajo. **2** Viento suave que sopla del mar. **3** Cantidad grande de personas que se encuentran en un lugar: *fueron invadidos por una marea de clientes.*
marea negra Masa de petróleo vertida al mar, con forma de mancha, de gran extensión: *las mareas negras ponen en peligro la fauna y la flora del mar.*
marea roja Acumulación de algas unicelulares generadoras de toxinas, que produce un color rojizo en el agua del mar.
FAM mareal.

mareado, -da *adj.* Que experimenta mareo.

mareal *adj.* Relativo a las mareas: *los mariscadores trabajan siguiendo el ciclo mareal.*

mareante *adj.* **1** Que marea o causa aturdimiento. ‖ *adj./s. com.* **2** Se aplica a la persona que navega. **SIN** marinero, navegante.

marear *v. tr.* **1** Causar aturdimiento, molestia o fastidio a una persona solicitando su atención continuamente. ‖ *v. intr.* **2** Llevar a una persona de un sitio a otro obligándola a dar muchos pasos para conseguir una cosa. ‖ *v. tr.* **3** Conducir un barco. ‖ *v. prnl.* **4** **marearse** Experimentar mareo. **5** Estropearse las mercancías en el mar. **6** Emborracharse ligeramente o estar un poco bebido.
FAM mareado, mareo.

marejada *s. f.* **1** Estado de la mar cuando su superficie está perturbada por olas de entre 3 y 4 metros: *la marejada no llega a alcanzar la violencia del temporal.* **2** Situación de nerviosismo y excitación que se da en un grupo de personas y se manifiesta con un gran alboroto de voces.
FAM marejadilla.

marejadilla *s. f.* Movimiento de las olas de menor tamaño y fuerza que el de la marejada.

maremagno *s. m.* Maremágnum.

maremágnum [también **mare mágnum** o **maremagno**] *s. m.* **1** Abundancia de cosas desordenadas y confusas. **2** Multitud de personas que se comportan de manera alborotada y ruidosa.
OBS Plural invariable.

maremoto *s. m.* Movimiento sísmico que se produce en el fondo del mar a causa de un plegamiento, una erupción o una sacudida de la corteza terrestre submarina y que ocasiona una agitación violenta de las aguas.

marengo *s. m./adj.* ☐ Color gris muy oscuro. **NOTA** También *gris marengo.* ‖ *adj.* ☐ Que es de este color. **NOTA** Invariable en número.

mareo *s. m.* ☐ Sensación de malestar en la cabeza y en el estómago que generalmente se manifiesta con vómitos y pérdida del equilibrio. ☐ Estado de aturdimiento físico y mental que se produce por una situación que molesta o fastidia: *¡qué mareo estar todo el día de un lado para otro haciendo recados!*

marfil *s. m.* ☐ Material duro y blanco, de naturaleza química variada, del que están formados los dientes de los mamíferos y los colmillos de ciertos animales, como los elefantes; se usa para elaborar objetos de lujo. ‖ *s. m./adj.* ☐ Color blanco amarillento, como el de este material: *la novia llevaba un vestido de color marfil.* ‖ *adj.* ☐ Que es de este color. **NOTA** Invariable en número.
FAM marfileño.

marfileño, -ña *adj.* ☐ Relativo al marfil o que tiene un aspecto semejante. ☐ De Costa de Marfil (país de África). ‖ *s. m. y f./adj.* ☐ Persona que es de Costa de Marfil.

marga *s. f.* Roca sedimentaria compuesta de arcilla y caliza que se utiliza para abonar terrenos pobres en calcio y para la fabricación de cementos.

margarina *s. f.* Sustancia alimenticia de consistencia blanda y de color amarillento que se elabora con grasas vegetales o animales; se usa como sucedáneo de la mantequilla.

margarita *s. f.* ☐ Flor en forma de roseta con el centro amarillo y los pétalos blancos. ☐ Planta herbácea que da esta flor y posee un tallo fuerte y hojas abundantes. ☐ Pieza de una máquina de escribir o de una impresora que sirve para imprimir y en la que se encuentran todos los signos; tiene forma de disco: *las impresoras de margarita son muy lentas.* ☐ Perla de los moluscos. ‖ *s. m.* ☐ Bebida refrescante hecha con tequila, zumo de lima y licor de naranja.

margen *s. amb.* ☐ Zona límite entre la tierra y una masa de agua o entre dos zonas de tierra: *el río se desbordó y se inundaron las márgenes.* ‖ *s. m.* ☐ Espacio en blanco que queda entre los bordes de una página y el texto escrito: *no escriban en los márgenes de la hoja.* ☐ Periodo de tiempo que queda hasta que se dé un acto o suceso: *no he podido acabar el test porque he tenido muy poco margen de tiempo.* ☐ Oportunidad que se da a una persona para hacer una cosa: *con tu comportamiento les diste margen para que abusaran de tu confianza.* ☐ Ganancia o beneficio que se obtiene al vender un producto. ☐ Diferencia que se calcula entre un resultado previsto y el real.
al margen Sin participar en un asunto, quedándose en un lugar secundario: *como no quería implicarme en aquel negocio, me mantuve al margen.*
FAM marginal, marginar.

marginación *s. f.* ☐ Situación de aislamiento, rechazo o trato de inferioridad en que vive una persona o un grupo de personas a causa de la falta de integración en un grupo o en la sociedad. ☐ Acción que consiste en dejar de lado una cosa o apartar de una relación o del trato social a una persona.

marginado, -da *adj./s. m. y f.* Se aplica a la persona que vive una situación de aislamiento y rechazo a causa de la falta de integración en un grupo o en la sociedad. **SIN** marginal.

marginal *adj.* ☐ Que es secundario o poco importante. ☐ Se aplica a la persona que vive una situación de aislamiento y rechazo a causa de la falta de integración en un grupo o en la sociedad. **SIN** marginado. ☐ Que está escrito o dibujado en el espacio en blanco que hay entre los bordes de una página y el texto escrito. ☐ Se aplica a la persona o grupo de personas que vive o actúa fuera de las normas sociales establecidas.
FAM marginalidad, marginalización.

marginar *v. tr.* ☐ Dejar a una persona o grupo de personas en una situación de aislamiento y rechazo a causa de la falta de integración en un grupo o en la sociedad. ☐ Dejar de lado una cosa o apartar de una relación o del trato social a una persona.
FAM marginación, marginado.

maría *s. f.* ☐ familiar Asignatura que resulta muy fácil de aprobar. ☐ jerga Marihuana, droga que se obtiene de las flores del cáñamo índico. ☐ Marica (urraca).

mariachi *s. m.* ☐ Música popular mexicana de carácter alegre y bullicioso. ☐ Orquesta que ejecuta esta música, formada principalmente por guitarras, violines y trompetas: *el mariachi interpretó una ranchera.* ☐ Miembro componente de esta orquesta.

marianista *adj.* ☐ Relativo a la Compañía de María, congregación religiosa fundada por Guillaume-Joseph Chaminade en 1817 y que se dedica a la enseñanza de la juventud. ‖ *adj./s. m.* ☐ Se aplica al religioso o laico que pertenece a esta congregación.

mariano, -na *adj.* Relativo a la Virgen María y a su culto: *esta iglesia está consagrada al culto mariano.*
FAM marianista.

marica *s. m.* ☐ familiar Hombre que tiene movimientos y actitudes que se consideran propios de las mujeres. **NOTA** Frecuentemente usado de forma despectiva. ☐ familiar Hombre que siente atracción sexual hacia otro hombre. **NOTA** Frecuentemente usado de forma despectiva. ‖ *s. f.* ☐ Pájaro de color negro brillante, con el vientre blanco y la cola larga, que se domestica con facilidad; suele llevarse a su nido pequeños objetos brillantes. **SIN** maría, urraca.
FAM maricón, mariquita.

maricón *s. m.* ☐ vulgar Hombre que tiene movimientos y actitudes que se consideran propios de las mujeres. **NOTA** Frecuentemente usado de forma despectiva. ☐ vulgar Hombre que siente atracción sexual hacia otro hombre. **NOTA** Frecuentemente usado de forma despectiva. ☐ vulgar Hombre que hace cosas para fastidiar a los demás o tiene malas intenciones. **NOTA** Frecuentemente usado como insulto.
FAM mariconada, mariconera, mariconería; amariconado.

mariconada *s. f.* ☐ vulgar Mariconería. ☐ vulgar Acción o dicho que molesta, causa un daño o encierra mala intención. **SIN** cabronada.

mariconera *s. f.* Bolso de mano de pequeño tamaño que usan los hombres.

mariconería *s. f.* ☐ vulgar Dicho o hecho propios de un maricón. **SIN** mariconado. ☐ vulgar Conjunto de características que se consideran propias de un maricón.

maridaje *s. m.* ☐ Enlace, relación y conformidad de los casados. ☐ Unión, colaboración o adaptación de dos cosas entre sí: *esta nueva ley es fruto de un perfecto maridaje entre gobierno y oposición.*

M

maridar *v. tr.* ① Casarse dos personas. ② Hacer que dos cosas diferentes se correspondan o se adapten entre sí.
FAM maridaje; malmaridada.

marido *s. m.* Hombre con el que está casada una mujer.
SIN esposo.
FAM maridar.

marihuana *s. f.* ① Droga que se obtiene de las hojas y flores secas del cáñamo índico y que se fuma mezclada con tabaco. **SIN** hachís. ② Cáñamo índico de cuyas hojas se obtiene esta droga.

marimacho *s. amb.* fam. desp. Mujer que tiene movimientos y actitudes que se consideran propios de los hombres.

marimandón, -dona *adj./s. m. y f.* familiar Se aplica a la persona que tiene tendencia a mandar más de lo que le corresponde y quiere dirigir todas las cosas. **SIN** mandamás, mandón.

marimba *s. f.* Xilófono provisto de un resonador debajo de cada una de las tablas de madera que se tocan con baquetas duras, y tiene un sonido poco intenso y suave.

marimorena *s. f.* familiar Enfrentamiento o discusión violenta y ruidosa en la que intervienen varias personas: *menuda marimorena se armó en el bar por culpa del partido de fútbol.*

marina *s. f.* ① Conjunto de barcos de un país, una nación o una compañía de navegación y conjunto de personas que prestan servicio en ellos. **SIN** flota. ■ **marina de guerra** Conjunto de fuerzas navales de un estado. **SIN** armada. ■ **marina mercante** Conjunto de barcos que se emplean en el comercio. ② Técnica de la navegación y el manejo de las embarcaciones. **SIN** náutica. ③ Cuadro o pintura que representa un paisaje marítimo. ④ Parte del terreno que está situada en la costa o junto al mar.
FAM marinar, marine, marinero.

marinar *v. tr.* Dejar durante un tiempo un alimento, especialmente un pescado, en una especie de salsa o adobo para condimentarlo o conservarlo.
FAM marinada.

marine *s. m.* Soldado de infantería de marina de Estados Unidos o del Reino Unido.

marinería *s. f.* ① Conjunto de personas que se encargan de conducir o manejar un barco. ② Conjunto de personas que tienen un grado militar y prestan servicio en la marina de guerra de un país. ③ Oficio de la persona que se dedica a actividades relacionadas con el mar.

marinero, -ra *adj.* ① Relativo a la marina: *expedición marinera.* ② Se aplica a la embarcación que permite navegar con facilidad y seguridad: *cruzaron el estrecho en una goleta fina y marinera.* ‖ *s. m. y f.* ③ Persona que trabaja en las tareas de un barco. ④ Militar de tropa que presta servicio en la marina de un país.
FAM marinería.

marino, -na *adj.* ① Relativo al mar. **SIN** marítimo. ‖ *s. m.* ② Persona que tiene una profesión que se desarrolla principalmente en el mar.
FAM marina, marinear; submarino.

mariología *s. f.* Parte de la teología que estudia lo relativo a la Virgen María.

marioneta *s. f.* ① Muñeco articulado que puede ser movido desde arriba por medio de una cruceta y unos hilos atados a su cuerpo o bien metiendo la mano en su interior, por debajo del vestido. **SIN** títere. ② Persona que no actúa por voluntad propia porque se deja manejar por los demás. **SIN** títere.
FAM marionetista.

mariposa *s. f.* ① Invertebrado artrópodo del orden lepidópteros, que es un insecto volador de cuerpo alargado que tiene cuatro alas grandes de colores muy vistosos, aparato bucal chupador en forma de trompa y una metamorfosis compleja. ② Estilo de natación en que se mueven los dos brazos a la vez, en círculo y hacia adelante, mientras las piernas suben y bajan juntas para ayudar a impulsar el cuerpo. ③ Tuerca que tiene una aleta a cada lado para poder enroscarla manualmente. **SIN** palomilla. ④ fam. desp. Hombre que tiene movimientos o actitudes que se consideran propios de las mujeres. **SIN** mariquita. ⑤ Mecha pequeña insertada en un disco de corcho que se coloca en un vaso con aceite para que dé luz. ⑥ Luz que desprende esta mecha.
FAM mariposear, mariposón; amariposado.

mariposear *v. intr.* ① Cambiar frecuentemente de opinión, de actividad o de gustos. ② Andar alrededor de una persona para conseguir un favor o una atención especial de ella.
FAM mariposeo.

mariquita *s. f.* ① Invertebrado artrópodo del orden coleópteros, que es un insecto de la familia de los escarabajos, de forma ovalada, aparato bucal de tipo masticador, patas cortas y alas protegidas por unas placas duras denominadas élitros, generalmente de color rojo o amarillo con puntos negros; tanto los adultos como las larvas se alimentan de pulgones, por lo que resulta muy beneficiosa para la agricultura. ‖ *s. m.* ② fam. desp. Hombre que tiene movimientos y actitudes que se consideran propios de las mujeres. **SIN** mariposa.

marisabidilla *s. f.* fam. desp. Mujer que presume de que lo sabe todo o es muy lista.

mariscada *s. f.* Comida a base de mariscos.

mariscal *s. m.* En algunos países, persona que tiene la más alta graduación militar de un ejército.

mariscar *v. tr./intr.* Coger o pescar mariscos: *mariscar almejas; mariscar en la costa.*
FAM mariscador.

marisco *s. m.* Animal marino invertebrado que es comestible, especialmente los moluscos y los crustáceos, como la gamba o el mejillón.
FAM mariscada, mariscar, marisquero.

marisma *s. f.* Terreno bajo y pantanoso que ha sido invadido por el agua del mar o de un río: *el río Guadalquivir forma marisma.*
FAM marismeño.
OBS Más en plural.

marismeño, -ña *adj.* Relativo a la marisma: *la flora y la fauna marismeñas son de extraordinaria riqueza.*

marisquería *s. f.* Establecimiento en el que se vende o consume marisco y pescado.

marista *adj./s. m.* Se aplica a la persona que es miembro del Instituto de Hermanos Maristas o de alguna otra congregación devota de la Virgen María: *gran parte de su educación la recibió en un colegio de maristas.*

marital *adj.* Relativo al matrimonio: *esta pareja está casada pero no hacen vida marital.* **SIN** matrimonial.

marítimo, -ma *adj.* ① Relativo al mar. **SIN** marino. ② Que está situado junto al mar: *paseo marítimo.*
FAM aeromarítimo.

marjal *s. m.* Terreno bajo y pantanoso, formado por turba y agua alcalina, y poblado básicamente por cañas.

marketing [se pronuncia aproximadamente 'márketin'] *s. m.* Conjunto de principios y técnicas que buscan la manera de vender mejor un producto o un servicio. **SIN** mercadotecnia.

marmita *s. f.* Olla de metal con tapadera ajustada y una o dos asas.

marmita de gigante Cavidad cilíndrica y lisa de gran tamaño que se forma en la roca del lecho de un río por la acción erosiva del viento y la tierra.
FAM marmitón.

mármol *s. m.* 1 Roca metamórfica caliza, brillante y fría, con vetas de distintos colores que se emplea como material de construcción y decoración. 2 Plancha de hierro sobre la que se labran las piezas de vidrio.
FAM marmolería, marmolillo, marmolina, marmolista, marmóreo.

marmolillo *s. m.* Persona torpe y de poca inteligencia.

marmolista *s. com.* Persona que se dedica a trabajar y vender el mármol y otras piedras.

marmóreo, -rea *adj.* Relativo al mármol: *el rostro del cadáver tenía una frialdad marmórea.*

marmota *s. f.* 1 Animal mamífero roedor de vida nocturna, con cola larga, cabeza grande, orejas pequeñas, pelo espeso de color pardo rojizo por el lomo y blanco por el vientre y uñas curvas; es herbívoro y vive en las altas montañas de Europa: *las marmotas hibernan.* 2 Persona que duerme mucho. **SIN** lirón.

maroma *s. f.* 1 Cuerda gruesa hecha de fibras vegetales, como el cáñamo, o artificiales. **SIN** soga. 2 Función de circo en la que se hacen acrobacias. 3 Voltereta o pirueta de una acrobacia. 4 AMÉR. Cambio oportunista en política.
FAM maromero.

maromero, -ra *adj.* 1 AMÉR. Versátil, inconstante. ǀ *s. m. y f.* 2 AMÉR. Acróbata, volatinero. 3 AMÉR. Político oportunista que cambia de partido según las circunstancias.

maromo *s. m.* vulgar Hombre cuyo nombre no se indica o se desconoce: *no me gusta la pinta del maromo que las acompaña.*

maronita *adj.* 1 Relativo a la comunidad cristiana del Líbano que fue fundada por san Marón en el siglo XII; tiene patriarca y conserva su propia liturgia. ǀ *s. com.* 2 Miembro de esta comunidad.

marqués, -quesa *s. m. y f.* 1 Persona que tiene un título nobiliario de categoría inferior al de duque y superior al de conde. ǀ *s. m.* 2 En la edad media, jefe militar de una marca.
FAM marquesado.

marquesado *s. m.* 1 Título nobiliario de marqués: *heredó el marquesado de su padre.* 2 Territorio perteneciente a un marqués.

marquesina *s. f.* Especie de alero o cubierta que se coloca en algunos lugares públicos como la entrada a un edificio o una parada de autobús y sirve para resguardar del sol, de la lluvia y del viento.

marquetería *s. f.* 1 Técnica que consiste en recortar una lámina de madera formando dibujos y calados. 2 Trabajo artístico o decorativo que se hace incrustando en madera trozos pequeños de marfil, nácar y otras maderas.

marrajo, -ja *adj./s. m. y f.* 1 Se aplica al toro que es malicioso o que no arremete si no es a golpe seguro. 2 Que es

hábil para engañar o se comporta con astucia y disimulo para conseguir una cosa o hacer un daño. **SIN** taimado. ǀ *s. m.* 3 Pez marino de gran tamaño, de color gris, cola en forma de media luna, cabeza alargada y dientes desarrollados. **SIN** tiburón.

marranada *s. f.* 1 familiar Acción que es sucia o poco agradable y causa asco o repugnancia: *meterse el dedo en la nariz es una marranada.* **SIN** guarrada, guarrería, cochinada. 2 familiar Acción que causa un daño o está hecha con mala intención. **SIN** faena.

marrano, -na *s. m. y f.* 1 Mamífero doméstico de cuerpo bajo y grueso, patas cortas, cola pequeña y retorcida y hocico chato casi redondo. **SIN** cerdo, cochino, puerco. ǀ *adj./s. m. y f.* 2 familiar Se aplica a la persona que no cuida su aseo personal: *no seas tan marrano y lávate.* **NOTA** Frecuentemente usado de forma despectiva. 3 familiar Se aplica a la persona que hace daño a los demás o tiene malas intenciones.
FAM marranada.

marrar *v. tr./intr.* No acertar una cosa o cometer un error en alguna cosa: *el cazador marró el disparo.*
FAM marra, marronazo.

marras Se usa en la expresión:
de marras familiar Se utiliza para indicar que una cosa es muy conocida o que hace referencia a una persona de la que se habla: *allí apareció el tipo de marras.*

marrasquino *s. m.* Licor elaborado con el zumo de cerezas amargas y azúcar abundante; es propio de la región balcánica de Dalmacia.

marro *s. m.* 1 Juego que consiste en lanzar una piedra que debe caer lo más cerca posible de un bolo, u otra cosa parecida, clavado en el suelo. 2 Juego en el que los participantes se distribuyen en dos bandos, cada uno en su campo, dejando una zona intermedia en la cual cada jugador trata de atrapar a un contrario que ha salido de su campo.

marrón[1] *s. m./adj.* 1 Color como el del chocolate o la cáscara de la castaña: *el marrón se puede obtener mezclando verde y rojo.* ǀ *adj.* 2 Que es de este color. ǀ *s. m.* 3 familiar Cosa que resulta muy molesta o desagradable: *con todo este lío que has organizado nos hemos metido en un buen marrón.*

marrón[2] *s. m.* Piedra que se lanza en el juego del marro.

marroquí *adj.* 1 De Marruecos (país de África). ǀ *s. com./ adj.* 2 Persona que es de Marruecos.
OBS Plural: *marroquíes.*

marroquinería *s. f.* 1 Industria o fabricación de artículos de piel o de cuero. 2 Conjunto de artículos fabricados por esta industria.

marrullería *s. f.* Trampa o engaño que se hace aparentemente con buena intención o ingenuidad para conseguir alguna cosa: *cuando juega a las cartas hace muchas marrullerías.*

marrullero, -ra *adj./s. m. y f.* Se aplica a la persona que actúa aparentemente con buena intención o ingenuidad pero en realidad engaña o hace trampas para conseguir alguna cosa.
FAM marrullería.

marsellés, -llesa *adj.* 1 De Marsella (ciudad de Francia). ǀ *s. m. y f./adj.* 2 Persona que es de Marsella.

marsopa *s. f.* Mamífero marino del orden cetáceos, parecido al delfín, pero algo más pequeño, de dorso negro y vientre rosa pálido, con la cabeza redondeada, el hocico corto y una aleta dorsal triangular.

M

marsupial *adj./s. m.* ① Se aplica al mamífero que se caracteriza porque la hembra tiene una bolsa o marsupio en el vientre en la que mantiene y alimenta a sus crías durante varios meses después del nacimiento: *el canguro es un marsupial.* ‖ *s. m. pl.* ② **marsupiales** Grupo taxonómico, con categoría de orden, constituido por estos mamíferos.

marsupio *s. m.* Bolsa que llevan en la parte delantera las hembras de los marsupiales y que sirve para que las crías completen su desarrollo después de nacer.
FAM marsupial.

marta *s. f.* Animal mamífero con cabeza pequeña, cola larga y pelo suave y espeso de color marrón vivo y con una mancha amarilla o blanca en la garganta, que se alimenta de pájaros, huevos y roedores; vive en los bosques de Asia, Europa y América del Norte y es muy preciado por sus pieles.

martes *s. m.* Segundo día de la semana.
OBS Plural invariable.

martillazo *s. m.* Golpe fuerte dado con un martillo.

martillear *v. tr.* ① Golpear repetidamente con un martillo. **SIN** amartillar. ② Golpear repetidamente una cosa contra otra: *las gotas de lluvia martilleaban los cristales de las ventanas.* ③ Insistir mucho en algún asunto o tema hasta llegar a molestar y cansar. **SIN** machacar.
FAM martilleo.

martilleo *s. m.* Serie de golpes repetidos, especialmente los que se dan con un martillo.
FAM martillear.

martillo *s. m.* ① Herramienta que sirve para golpear, formada por una cabeza de metal y un mango de madera encajado en ella formando una T. ② Huesecillo del oído medio de los mamíferos, que transmite las vibraciones del tímpano a otro hueso. ③ Esfera de hierro de 6,8 kg unida a un cable de acero que termina en una empuñadura, con la que se realiza una de las pruebas de lanzamiento en atletismo.
FAM martillazo, martillear; machamartillo.

martinete¹ *s. m.* Ave zancuda parecida a la garza, de cuerpo robusto, pico largo y grueso y con un penacho de plumas blancas en la cabeza; vive junto a los ríos y lagos y se alimenta de peces y pequeños insectos.

martinete² *s. m.* ① Martillo o mazo que se mueve mecánicamente y sirve para clavar grandes estacas o pilotes. ② Pieza del piano que tiene forma de pequeño mazo y que golpea las cuerdas. ③ Modalidad de cante flamenco que no necesita acompañamiento de guitarra.

martingala *s. f.* ① familiar Medio que se emplea con habilidad y astucia para conseguir una cosa. ② Asunto molesto, incómodo o pesado.

martini *s. m.* Bebida alcohólica amarga compuesta de vino aromatizado con ajenjo y otras hierbas, que se toma generalmente antes de comer en el aperitivo. **SIN** vermú, vermut.

martín pescador *s. m.* Pájaro de plumaje verde o azul en el dorso y rojizo en el vientre y pico largo, recto y robusto; vive cerca de arroyos y se alimenta de peces.

mártir *s. com.* ① Persona que ha muerto, especialmente padeciendo torturas o con gran sufrimiento, por defender una religión o simplemente por pertenecer a ella: *los mártires cristianos, como santa Eulalia, san Lorenzo o santa Lucía, suelen representarse llevando una palma.* ② Persona que es criticada, marginada e incluso perseguida por sus ideas o creencias: *muchos intelectuales y artistas fueron mártires de la sociedad de su*

tiempo. ③ Persona que padece sufrimientos o injusticias y que los lleva con resignación: *es un mártir de su jefe.*
FAM martirio, martirologio; protomártir.

martirio *s. m.* ① Muerte o sufrimientos que se padecen por creer en una doctrina y defenderla, especialmente si esta es religiosa: *muchos santos sufrieron martirio por no querer renegar de la religión cristiana.* ② Sufrimiento físico o psicológico intenso: *esa enfermedad ha sido un martirio.*
FAM martirizar.

martirizar *v. tr.* ① Hacer sufrir o matar a una persona por defender sus creencias, especialmente si son religiosas. ② Maltratar, molestar o hacer sufrir a una persona o animal.
FAM martirizante.

martirologio *s. m.* ① Lista de los mártires de la religión cristiana. ② Lista de las víctimas de una causa.

maruja *s. f.* fam. desp. Mujer dedicada a las tareas domésticas y al cuidado de la familia.
FAM marujear, marujil.

marxismo *s. m.* ① Doctrina filosófica surgida de Karl Marx (filósofo alemán, 1818-1883), que rechaza el capitalismo y defiende una sociedad sin clases. ② Conjunto de movimientos políticos que se basan en esa doctrina.
FAM marxista.

marxista *adj.* ① Relativo al marxismo. ‖ *adj./s. com.* ② Se aplica a la persona que es partidaria del marxismo.

marzo *s. m.* Tercer mes del año: *marzo tiene 31 días.*
FAM marzas, marcear, marceño.

mas *conj.* culto Indica que el significado del enunciado al que precede restringe, matiza o atenúa el significado de otro anterior: *quise hacerlo, mas no pude.*

más *adv.* ① Indica mayor cantidad o intensidad en una comparación: *tengo más caramelos que tú; asistieron más de mil personas.* ② En oraciones negativas, indica otra cosa igual a la que se menciona o de la misma clase: *no te queda más remedio que comprar una lavadora nueva.* ③ Se usa para construir el superlativo relativo: *el más listo; la más alta.* ④ Indica preferencia: *me gustaría más que viniera después de la cena.* ⑤ Indica gran cantidad o intensidad: *¡qué casa más bonita!; ¡hacía más frío!* ‖ *conj.* ⑥ Indica suma o adición: *doce más dos son catorce.* ‖ *s. m.* ⑦ Signo aritmético (+) que representa la suma.
a lo más Indica una cantidad máxima: *seremos treinta personas a lo más.*
a más no poder Con gran intensidad o en gran cantidad: *vino corriendo a más no poder.*
a más y mejor Con mucha abundancia: *se puso a llover a más y mejor.*
de más De sobra: *está de más hablar de ese modo.*
es más Se usa para añadir un comentario o razón que refuerza lo que se ha dicho antes: *ya te lo presentaré, es más, prepararé una fiesta para que os conozcáis.*
ir a más Aumentar en intensidad una cosa: *su mal humor iba a más cada día.*
más bien Se usa para corregir o precisar algo que otra persona ha dicho.
ni más ni menos En su justa medida: *no quiero ni más ni menos, que lo que se me debe.*
no más AMÉR. Solamente, únicamente: *váyase no más.*
por más que Se usa para indicar que lo que se dice a continuación resultará inútil para hacer o conseguir algo: *no te oirá por más que le grites porque es sordo.*

sin más ni más Sin consideración ni cuidado o por sorpresa: *se presentaron en mi casa sin más ni más.*

sus más y sus menos Trato difícil entre dos o más personas o problemas de relación entre ellas: *los dos niños tuvieron sus más y sus menos cuando repartieron los juguetes.*

masa *s. f.* 1 Mezcla espesa y blanda, hecha de harina, manteca o aceite y otros ingredientes que se utiliza para hacer pan y repostería. SIN pasta. 2 Conjunto numeroso de personas, animales o cosas muy juntas: *una masa de nubes se acercaba por el horizonte.* 3 Cantidad grande de personas: *la televisión es un medio de comunicación de masas.* 4 Cantidad de materia que tiene un cuerpo: *el kilogramo es la unidad de masa en el Sistema Internacional de unidades.* 5 Parte o porción de una materia: *masa de lava.* ■ **masa visceral** Masa blanda constituida por el conjunto de órganos internos del molusco, que generalmente se halla protegida por una concha.

en masa Con la participación de gran cantidad de personas: *todos los estudiantes fueron en masa a la manifestación.*

masa atómica Masa de un átomo expresada en gramos; se obtiene dividiendo la masa atómica relativa por el número de Avogadro.

masa atómica relativa Relación entre la masa media de los átomos de un elemento y la doceava parte de la masa del isótopo de carbono-12: *la masa atómica relativa del oxígeno es 16.* SIN peso atómico.

masa molecular Masa de una molécula expresada en gramos; se obtiene dividiendo la masa molecular relativa por el número de Avogadro.

masa molecular relativa Relación entre la masa media de las moléculas de un compuesto y la doceava parte de la masa de un isótopo de carbono-12: *la masa molecular relativa del agua es 18.* SIN peso molecular.

FAM masificar, masilla; amasar.

masacrar *v. tr.* Matar indiscriminadamente a varias personas, normalmente indefensas.

masacre *s. f.* Matanza indiscriminada de varias personas, normalmente indefensas.

FAM masacrar.

masai [se pronuncia 'masái'] *adj.* 1 Relativo a un pueblo nómada que habita en zonas de Kenia y Tanzania y cuya actividad principal es el pastoreo. | *s. com./adj.* 2 Persona perteneciente a este pueblo. | *s. m./adj.* 3 Lengua hablada por este pueblo.

OBS Plural invariable.

masaje *s. m.* Presión, frotamiento o golpeo suave con las manos, de determinadas zonas del cuerpo para aliviar el dolor, relajar músculos, adelgazar o mejorar lesiones.

FAM masajear, masajista; quiromasaje.

masajear *v. tr.* Presionar, frotar o golpear suavemente con las manos ciertas zonas del cuerpo siguiendo un ritmo e intensidad adecuados para aliviar el dolor, relajar músculos, adelgazar o mejorar lesiones.

masajista *s. com.* Persona que se dedica a dar masajes a otras personas.

mascar *v. tr.* 1 Partir y triturar con los dientes, generalmente un alimento. SIN masticar. 2 Hacer que una cosa sea más comprensible para alguien. 3 Hablar entre dientes, sin pronunciar claramente las palabras, y en voz baja. SIN mascullar. | *v. prnl.* 4 **mascarse** Presentir o saber que va a ocurrir inminentemente un hecho.

FAM mascado.

máscara *s. f.* 1 Objeto que representa la cara de un ser humano, de un animal o de un personaje real o ficticio con la que se cubre el rostro o parte de él. SIN careta. 2 Objeto que cubre la cara o parte de ella; se usa para proteger el rostro o para no aspirar gases tóxicos. 3 Trozo de tela o papel que cubre y protege la nariz y la boca por motivos de higiene. SIN mascarilla. 4 Fingimiento o disimulo con que una persona oculta sus intenciones o su manera de ser: *su preocupación es una máscara.* SIN careta.

quitar la máscara Descubrir ante los demás las verdaderas intenciones o la manera de ser de una persona.

FAM mascarada, mascarilla, mascarón; enmascarar.

mascarada *s. f.* 1 Fiesta donde las personas llevan máscaras y disfraces. 2 Engaño o fingimiento para ocultar una cosa. SIN farsa.

mascarilla *s. f.* 1 Trozo de tela o papel que cubre y protege la nariz y la boca por motivos de higiene. SIN máscara. 2 Aparato que se coloca sobre la nariz y la boca con el que se facilita la aspiración de ciertos gases. 3 Producto cosmético o sustancia hecha con ingredientes naturales que se aplica formando una capa sobre la cara y el cuello o el pelo para embellecerlos.

mascarón *s. m.* Adorno que se utiliza en arquitectura con forma de cara grotesca o deforme. ■ **mascarón de proa** Figura de adorno colocada en la parte delantera de una embarcación.

mascletà *s. f.* Serie de petardos, típicos de las fallas valencianas, preparados para que exploten uno tras otro.

mascota *s. f.* 1 Persona, animal o cosa a los cuales se atribuyen virtudes para alejar desgracias o atraer la buena suerte. 2 Figura que se utiliza como símbolo de un acontecimiento público importante. 3 Animal de compañía.

masculinidad *s. f.* Conjunto de las características físicas o psíquicas de lo que se considera propio del sexo masculino.

masculino, -na *adj.* 1 Relativo al hombre o varón. SIN viril, varonil. 2 Se aplica al ser vivo que tiene órganos para fecundar: *plantas masculinas.* | *adj./s. m.* 3 Se aplica al género de los sustantivos que se refieren a personas o animales de sexo masculino, y a ciertos seres inanimados: *"palo" y "niño" son palabras de género masculino.*

FAM masculinidad, masculinizar.

mascullar *v. tr.* Hablar entre dientes, sin pronunciar claramente las palabras, y en voz baja. SIN mascar.

masetero *s. m.* Músculo situado en la parte posterior de cada mejilla que sirve para elevar la mandíbula inferior y poder masticar.

masía *s. f.* Casa de campo rodeada de tierras de cultivo: *las masías son características de Cataluña.*

masificación *s. f.* 1 Desaparición de las características personales o individuales de los miembros de un grupo social. 2 Utilización de un servicio por un número muy elevado de personas.

masificar *v. tr.* 1 Hacer que desaparezcan o que no se puedan diferenciar las características personales o individuales de los miembros de un grupo social. 2 Ocupar un lugar un gran número de personas. 3 Utilizar o requerir un servicio un grupo muy elevado de personas.

FAM masificación.

masilla *s. f.* Masa o pasta blanda, hecha de tiza y aceite de linaza, que al secarse se pone dura; se usa generalmente para tapar agujeros o sujetar cristales.

M

masivo, -va *adj.* ① Que se hace en gran cantidad: *los biólogos están preocupados por la migración masiva de cigüeñas.* ② Se aplica a la dosis de medicamento que se acerca al límite de lo que puede tolerar el organismo.

masoca *adj./s. com.* Masoquista.

masón, -sona *s. m. y f.* Persona que pertenece a la masonería.
FAM masonería, masónico.

masonería *s. f.* Sociedad secreta de ámbito internacional y estructura jerárquica basada en la fraternidad entre sus miembros, los cuales se agrupan en logias y hacen uso de ritos y signos emblemáticos: *la masonería surgió probablemente entre los siglos XIII y XIV en el gremio de los albañiles.* **SIN** francmasonería.
FAM francmasonería.

masónico, -ca *adj.* Relativo a la masonería.

masoquismo *s. m.* ① Práctica sexual en la que se experimenta placer cuando se sufre o se es maltratado y golpeado por otra persona. ② Disfrute que se siente con un pensamiento, situación o hecho desagradable.
FAM masoca, masoquista; sadomasoquismo.

masoquista *adj./s. com.* ① Se aplica a la persona que siente placer sexual cuando sufre al ser maltratado y golpeado por otra persona. **SIN** masoca. ② Se aplica a la persona que disfruta con un pensamiento, situación o hecho desagradable y doloroso: *deben de ser masoquistas, porque no dejan de pelearse.* **SIN** masoca.

mass-media *s. m. pl.* Conjunto de los medios de comunicación que tienen difusión masiva: *los principales mass-media son la televisión, la radio y la prensa.*

mastaba *s. f.* Tumba del antiguo Egipto en forma de pirámide truncada de planta rectangular.

máster *s. m.* ① Curso de especialización en determinada materia, generalmente dirigido a licenciados. ❙ *adj./s. m.* ② Se aplica a la cinta o la grabación que es original y que sirve de modelo para realizar copias.

masters [se pronuncia 'másters'] *s. m.* En determinados deportes, torneo deportivo en que participan las figuras más destacadas: *un masters de tenis.*
OBS Plural invariable.

masticar *v. tr.* ① Partir y triturar con los dientes, generalmente un alimento. **SIN** mascar. ② Reflexionar detenidamente sobre un asunto imprevisto o grave.
FAM masticador.

mástil *s. m.* ① Palo largo de una embarcación que, colocado verticalmente, sirve para sostener las velas. ② Palo colocado verticalmente que sostiene una cosa el mástil de una bandera. ③ Parte estrecha y larga de un instrumento de cuerda que une la cabeza con el cuerpo. ④ Tallo grueso y fuerte de una planta.
FAM mastelero.

mastín, -tina *adj./s. m. y f.* Se aplica al perro que pertenece a una raza de gran tamaño y fuerza, patas gruesas, cabeza grande, orejas largas y caídas y pelo corto.

mastodonte *s. m.* ① Animal mamífero prehistórico, parecido al elefante, con grandes colmillos en la mandíbula superior. ② *familiar* Persona o cosa enorme. **NOTA** Frecuentemente usado de forma despectiva.
FAM mastodóntico.

mastodóntico, -ca *adj.* De dimensiones muy grandes.

mastuerzo *s. m.* ① Hortaliza con tallos gruesos y carnosos y flores en racimo de color blanco; es comestible y su sabor es amargo y picante. ② *fam. desp.* Persona que tiene poca inteligencia o pocos conocimientos y se comporta con torpeza. **SIN** tarugo.

masturbación *s. f.* Manipulación de los órganos sexuales para sentir placer.

masturbar *v. tr.* Tocar los órganos sexuales a una persona o animal para darle placer.
FAM masturbación.

mata *s. f.* ① Planta o arbusto de poca altura y muy espeso. **SIN** matojo. ② Conjunto de hierbas o plantas cortadas. ③ Cantidad grande de pelo.
FAM matojo, matorral.

matacaballo Se usa en la expresión:
a matacaballo Con mucha prisa, atropelladamente: *trabajar a matacaballo.*
OBS También *a mata caballo.*

matacán *s. m.* En las antiguas fortificaciones, obra que sobresale en la parte superior de una muralla, torre o puerta, y que tiene parapeto y aberturas para defenderse del enemigo.

matachín *s. m.* Hombre al que le gusta pelear, reñir o discutir. **SIN** camorrista, pendenciero.

matadero *s. m.* Lugar donde se matan y descuartizan animales que después se destinarán al consumo público.

matado, -da *s. m. y f.* *fam. desp.* Persona hacia la que se siente desprecio, normalmente por pobre o desgraciada o porque le falta iniciativa o empuje: *sus competidores no eran más que cuatro matados.*

matador, -ra *s. m. y f.* ① Torero que mata al toro con la espada en una corrida. **SIN** espada, maestro. ❙ *adj.* ② *familiar* Que pretende ser elegante y es vulgar, ordinario y de mal gusto: *llevaba un sombrero matador.*

matadura *s. f.* Llaga que hace el roce de una correa a un animal de carga.

matalahúga *s. f.* Matalahúva.

matalahúva *s. f.* ① Planta herbácea de flores blancas y semillas pequeñas y aromáticas, originaria de las zonas mediterráneas. **SIN** anís, matalahúga. ② Semilla de esta planta. **SIN** anís, matalahúga.

matamoscas *s. m.* ① Utensilio ligero, con un mango y una pequeña pala en un extremo, que sirve para matar moscas y otros insectos. ② Producto químico, líquido o gaseoso, que sirve para matar moscas y otros insectos.
OBS Plural invariable.

matanza *s. f.* ① Acción de matar a muchas personas o animales. ② Acción de matar un cerdo y preparar su carne para que sirva de alimento. ③ Periodo del año en el que se matan los cerdos. ④ Carne de cerdo preparada de distintos modos para comerla.

matar *v. tr.* ① Quitar la vida a un ser vivo. ② Causar dolor o sufrimiento a una persona: *estos zapatos me están matando.* ③ Molestar o fastidiar una persona a otra: *ya me estás matando con tanto lloro.* ④ Calmar la sensación de hambre o sed: *comieron un bocadillo para matar el hambre.* ⑤ Destruir una cosa inmaterial: *has matado todas las ilusiones que tenía puestas en ti.* ⑥ Cortar o limar una esquina o punta. ⑦ Hacer que disminuya la intensidad o el brillo de un color: *hay que matar un poco este verde tan chillón.* ⑧ Quitar o disminuir el hambre o la sed. ⑨ Pasar el tiempo realizando una actividad como entretenimiento: *hacía pajaritas de papel para matar el tiempo.* **10** familiar Sorprender a una persona con algo que no se esperaba: *ahora sí que me has matado con lo de su boda.* **11** Echar una carta de más valor que la del contrario: *mato el caballo que has tirado con el rey de oros.* **12** Inutilizar en las oficinas de correos los sellos puestos en las cartas marcándolos con una señal que se hace con un matasellos. ▪ *v. prnl.* **13 matarse** Perder la vida involuntariamente: *se mató en un accidente automovilístico.* **14** Quitarse la vida voluntariamente. **SIN** suicidarse. **15** Esforzarse mucho en una actividad: *se mata por hacerlo lo mejor posible.* **16** familiar Desentonar colores, objetos o ideas: *el naranja y el rojo se matan.*

a matar (I) Con la intención de quitar la vida: *disparar a matar.* (II) Muy mal o de mala manera: *desde que se pelearon están a matar.*

matarlas callando Hacer malas acciones, aparentando ser incapaz de cometerlas.

FAM matadero, matador, matadura, matamoros, matamoscas, matanza, matapolvo, matarife, matarratas, matasanos, matasiete, matasuegras, matón; rematar.

matarife *s. m.* Persona que se dedica a matar y descuartizar el ganado destinado al consumo.

matarratas *s. m.* **1** Producto que se usa para matar ratas y ratones. **SIN** raticida. **2** familiar Bebida alcohólica de mal sabor y baja calidad.
OBS Plural invariable.

matasanos *s. m.* fam. desp. Médico, especialmente el que no hace bien su trabajo.
OBS Plural invariable.

matasellos *s. m.* **1** Utensilio que se usa en las oficinas de correos para marcar los sellos de las cartas y paquetes. **2** Dibujo que deja este instrumento sobre el sello.
FAM matasellar.
OBS Plural invariable.

matasuegras *s. m.* Tubo de papel enrollado que, al soplar por un extremo se extiende de golpe y, al dejar de soplar, se vuelve a enrollar rápidamente; se usa en fiestas y celebraciones: *el matasuegras lleva una boquilla que pita al soplar.*
OBS Plural invariable.

match [se pronuncia aproximadamente 'mach'] *s. m.* Competición o lucha entre dos jugadores o dos equipos de un determinado deporte.

mate¹ *s. m.* **1** Jugada de ajedrez en la que se amenaza al rey y este no puede salvarse, con lo que se pone fin a la partida. **2** En el juego del baloncesto, canasta que se consigue acompañando la pelota con la mano hasta el aro e introduciéndola con un rápido movimiento de muñeca de arriba abajo. **3** En diversos deportes de red, golpe fuerte que se da a la pelota de manera que al botar contra la superficie se eleva a gran altura.

mate² *adj.* Que no tiene brillo.

mate³ *s. m.* **1** Planta de flores blanquecinas en ramilletes y fruto de color rojo; es propia de América del Sur y sus hojas se usan para hacer infusiones. **2** Bebida que se prepara hirviendo en agua las hojas secas y tostadas de esta planta.

matemática *s. f.* Ciencia que estudia las propiedades de entes abstractos, como números, figuras geométricas, etc. así como las relaciones que se establecen entre ellos.
FAM matemático.
OBS Generalmente en plural con el mismo significado que en singular.

matemático, -ca *adj.* **1** Relativo a las matemáticas: *un complejo problema matemático.* **2** Que es exacto o preciso: *el tren pasa con puntualidad matemática.* ▪ *s. m. y f.* **3** Persona especializada en matemáticas.

materia *s. f.* **1** Elemento o conjunto de elementos que pueden transformarse por la acción de otros elementos que actúan sobre él. **2** Sustancia primaria de la que está hecha una cosa. **SIN** material. ▪ **materia gris** (I) Parte del sistema nervioso compuesta por el cuerpo de las neuronas: *en el cerebro hay materia gris.* (II) familiar Cerebro, entendido como la capacidad para pensar o razonar. ▪ **materia orgánica** Materia que forma parte de los seres vivos o procede de ellos: *en el suelo de los bosques hay mucha materia orgánica.* ▪ **materia prima** Sustancia básica natural o elaborada que se emplea en la industria para crear otros productos: *las siderurgias utilizan el mineral del hierro como materia prima.* **3** Cuerpo de la persona en oposición a su espíritu: *la materia nos ata al mundo.* **4** Asunto principal sobre el que se habla, escribe o piensa: *sus observaciones son materia científica.* **5** Parte de una carrera o plan de estudios que trata un tema específico.

en materia de En el asunto o especialidad que se indica a continuación: *se acordarán unos puntos en materia de defensa.*

entrar en materia Empezar a tratar un asunto principal, después de haber tratado otros menos importantes.
FAM material.

material *adj.* **1** Relativo a la materia (sustancia que forma los cuerpos): *no sé cuál es el peso material de ese objeto.* **2** Que pertenece al mundo físico y no al espíritu y por tanto se puede percibir por los sentidos: *el hombre es parte material, parte espiritual.* **3** Que da excesivo valor a las cosas del mundo físico. ▪ *s. m.* **4** Sustancia de la que está hecha una cosa: *el material de la bolsa es plástico.* **SIN** materia. ▪ **material ferromagnético** Sustancia que puede ser imantada en un campo magnético muy débil: *el hierro, el níquel, el cobalto y algunas aleaciones son materiales ferromagnéticos.* **5** Elemento que sirve para elaborar una cosa, especialmente el que se utiliza para construir edificaciones: *el cemento es un material de construcción.* **6** Conjunto de herramientas, materias u objetos necesarios en un trabajo: *material quirúrgico.*
FAM materialidad, materialismo, materializar; inmaterial.

materialidad *s. f.* Característica principal de la cosa que es material, pertenece al mundo físico y se puede percibir por los sentidos: *algunos niegan que haya algo más que la simple materialidad de las cosas.*

materialismo *s. m.* **1** Doctrina filosófica que considera que solo existe la materia y que reduce el espíritu a una consecuencia de ella: *el materialismo niega la existencia de Dios.* **ANT** espiritualismo. ▪ **materialismo histórico** Teoría marxista según la cual los hechos económicos son determinantes en los fenómenos políticos, sociales e históricos. **2** Actitud de la persona que da excesivo valor a las cosas materiales, como el dinero o las propiedades.
FAM materialista.

materialista *adj.* **1** Relativo al materialismo (doctrina filosófica): *el marxismo es una doctrina materialista.* **2** Se aplica a la actitud que valora en exceso las cosas materiales, como el dinero o las propiedades. ▪ *adj./s. com.* **3** Se aplica a la persona que es partidaria del materialismo: *los materialistas se oponen a los idealistas.* **4** Se aplica a la persona que da excesivo valor a las cosas materiales: *ese hombre es un materialista, solamente le interesan el dinero y la comodidad.*

M

materialización *s. f.* Realización de un proyecto, una idea o un deseo: *es preciso pasar a la materialización de alguno de estos proyectos.*

materializar *v. tr.* Hacer real y concreto un proyecto, una idea o un deseo: *después de grandes esfuerzos, sus planes se materializaron.*
FAM materialización; desmaterializar.

maternal *adj.* Se aplica al sentimiento o actitud que es o se considera como el de una madre hacia su hijo.

maternidad *s. f.* ① Estado de la mujer que ha sido madre: *la felicitaron por su recién estrenada maternidad.* ② Hospital o servicio de un hospital preparado para que las mujeres den a luz: *ingresó en la maternidad y a las pocas horas tuvo a su hijo.*

maternizar *v. tr.* Dotar a la leche de vaca de las propiedades que posee la de la mujer.

materno, -na *adj.* ① Relativo a la madre. ② Se aplica a la lengua hablada desde la infancia, aprendida en el seno de la vida familiar.
FAM maternal, maternidad, maternizar.

matinal *adj.* ① Relativo a la mañana, especialmente a las primeras horas del día. **SIN** matutino. ‖ *adj./s. f.* ② Se aplica a la sesión de cine o el espectáculo que tiene lugar por la mañana: *fuimos a la función matinal del circo.*

matiné *s. f.* Fiesta, reunión o espectáculo que se celebra a primeras horas de la tarde.

matiz *s. m.* ① Tono o grado de intensidad en que se puede presentar un mismo color o sonido: *el cielo del atardecer está lleno de matices rosas y amarillos.* ② Característica o aspecto que no se percibe fácilmente, pero que da un significado o valor determinado a una cosa o hecho. **SIN** rasgo.
FAM matizar.

matización *s. f.* ① Combinación adecuada de distintos colores y tonos. ② Aclaración de los rasgos por que se distingue una cuestión o concepto.

matizar *v. tr.* ① Combinar adecuadamente distintos colores y tonos. ② Darle a un color un tono determinado. ③ Dar un matiz o un significado determinado: *su discurso estaba matizado de sarcasmo.* ④ Añadir una nota u observación a una explicación para precisarla: *el ministro explicó que se harían grandes reformas, pero matizó que primero habría que aprobar los presupuestos.*
FAM matización.

matojo *s. m.* Planta o arbusto de poca altura y muy espeso. **SIN** mata.

matón, -tona *s. m.* ① Hombre que emplea la fuerza o amenazas para obligar a los demás a hacer una cosa. ‖ *s. m. y f.* ② Persona que presume de fuerza y valentía.

matorral *s. m.* ① Formación vegetal formada por arbustos y matas. ② Terreno donde abundan las plantas y los arbustos de poca altura.

matraca *s. f.* ① Instrumento sonoro formado por una rueda de tablas en forma de aspa que al girar son golpeadas por pequeños mazos produciendo un ruido seco e intenso: *la matraca se hace sonar en misa en Semana Santa en lugar de la campanilla.* ② familiar Persona que se hace pesada por su insistencia: *este chico es una matraca, siempre me pregunta lo mismo.* ③ familiar Insistencia que llega a molestar.
dar la matraca Insistir mucho en un asunto hasta molestar.
FAM matraquear.

matraz *s. m.* Recipiente de cristal, generalmente de forma esférica y con un cuello recto y estrecho, que se usa para contener líquidos; se usa en los laboratorios.

maître [se pronuncia aproximadamente 'metre'] *s. m.* Jefe de comedor y encargado de dirigir a los camareros en un restaurante.

matriarca *s. f.* Mujer que por su edad y sabiduría posee autoridad y es la más respetada en una gran familia o comunidad.
FAM matriarcado, matriarcal.

matriarcado *s. m.* ① Predominio o mayor autoridad de la mujer en una sociedad o grupo social. **ANT** patriarcado. ② Organización social en la que la mujer tiene el poder político y económico.

matriarcal *adj.* Relativo al matriarcado o que se organiza según el matriarcado. **ANT** patriarcal.

matricida *adj./s. com.* Se aplica al hijo que mata a su propia madre.

matricidio *s. m.* Muerte que da un hijo a su propia madre.
FAM matricida.

matrícula *s. f.* ① Inscripción de una persona en un registro o lista oficial. **SIN** matriculación. ② Conjunto de personas o cosas que están inscritas en un registro o lista oficial, especialmente las que están inscritas en un centro de enseñanza. ③ Documento oficial que demuestra que una persona está inscrita en un registro o lista oficial: *para pedir el título, debes presentar una fotocopia de la matrícula.* ④ Placa que llevan los vehículos en la parte delantera y en la trasera donde se indica el número con el que están registrados legalmente y el lugar en el que han sido matriculados.
matrícula de honor Distinción que mejora la calificación máxima de sobresaliente concedida en una prueba o examen y que, en la universidad, da derecho a registrarse sin pagar en el curso siguiente.
FAM matricular.

matriculación *s. f.* Inscripción de una persona en un registro o lista oficial. **SIN** matrícula.

matricular *v. tr.* ① Inscribir a una persona en un registro o lista oficial con un fin determinado, especialmente en un centro de enseñanza para que realice unos estudios. ② Inscribir un vehículo en un registro y colocar la placa que lo identifica legalmente: *el concesionario se encargará de matricularme el coche nuevo.*
FAM matriculación.

matrimonial *adj.* Relativo al matrimonio: *la pareja atraviesa una crisis matrimonial.*
FAM matrimonialista; prematrimonial.

matrimonialista *adj./s. com.* Se aplica a la persona que es especialista en los asuntos legales relacionados con el matrimonio: *abogado matrimonialista.*

matrimonio *s. m.* ① Unión de un hombre y una mujer reconocida por la ley como familia. **SIN** casamiento, enlace. ■ **matrimonio civil** Matrimonio que se celebra ante un juez conforme a la ley civil y sin seguir ningún rito religioso. ■ **matrimonio religioso** Matrimonio que se celebra según los ritos de una religión, especialmente de la religión cristiana. ② Sacramento de la Iglesia católica que une a un hombre y a una mujer ante Dios y ante la Iglesia. ③ Pareja formada por dos personas casadas entre sí.
consumar el matrimonio Realizar la pareja casada el primer acto sexual después de haberse casado.
FAM matrimonial, matrimoniar.

matritense *adj.* ① De Madrid (comunidad autónoma, provincia y capital de España). **SIN** madrileño. ‖ *s. com./adj.* ② Persona que es de Madrid. **SIN** madrileño.

matriz *s. f.* ① Órgano del aparato reproductor de las hembras de los mamíferos en el que se desarrolla el embrión. **SIN** útero. ② Recipiente hueco que sirve como molde para hacer objetos iguales. ③ Parte que queda en un libro de cheques una vez cortadas las hojas que lo forman: *miraré la matriz del talonario para saber la fecha del pago.* ④ Conjunto de números colocados en líneas horizontales y verticales y dispuestos en forma de rectángulo; la posición de cada número en la matriz determina las operaciones matemáticas que hay que hacer para hallar un resultado: *para saber cuántos kilómetros hay entre Toledo y Sevilla puedes consultar la matriz.*

matrona *s. f.* ① Mujer que se dedica a ayudar a las mujeres en el parto; puede ser titulada oficialmente o no tener titulación. **SIN** comadrona, partera. ② familiar Mujer madura que está un poco gruesa. ③ En la antigua Roma, madre de familia respetable, esposa de un patricio.

maturrango, -ga *adj./s. m. y f.* ① AMÉR. Se aplica a la persona que monta mal a caballo. ② AMÉR. Español o europeo. ‖ *adj.* ③ ARG., CHILE Se aplica a la persona que es brusca en sus movimientos.

matusalén *s. m.* Hombre muy viejo.

matute *s. m.* ① Introducción ilegal de productos. ② Productos que se introducen de esta manera.

de matute Que se hace de forma oculta o a escondidas: *en el concierto entramos de matute.*

matutino, -na *adj.* ① Relativo a la mañana, especialmente a las primeras horas del día. **SIN** matinal. ‖ *adj./s. m.* ② Se aplica al diario que se pone a la venta por la mañana.

maula *s. com.* ① Persona que no le gusta el trabajo ni ninguna otra actividad que necesite esfuerzo. ‖ *s. f.* ② Persona muy inútil para hacer cosas: *no le pidas que te ayude a pintar porque este chico es una maula.* ③ Persona embustera o negligente. ④ Objeto que ha perdido su valor por viejo, estropeado o gastado. ⑤ Medio que se emplea con astucia y habilidad para conseguir una cosa, y en el que hay oculto un engaño o una trampa. **FAM** maulería.

maullar *v. intr.* Emitir maullidos el gato. **SIN** mayar. **FAM** maullido.

OBS Se conjuga como *aunar.*

maullido *s. m.* Voz del gato.

mauritano, -na *adj.* ① De Mauritania (país de África). ‖ *s. m. y f./adj.* ② Persona que es de Mauritania.

máuser *s. m.* Fusil de repetición no automático.

mausoleo *s. m.* Construcción monumental, suntuosa y lujosa, que cubre una tumba, generalmente la de una persona importante.

maxilar *adj.* ① Relativo a la mandíbula: *a consecuencia de la caída tiene una fractura maxilar.* ‖ *s. m.* ② Hueso que forma parte de la mandíbula: *el maxilar inferior es móvil y tiene forma de herradura.*

máxima *s. f.* ① Sentencia o frase corta que expresa un contenido moral o resume algún conocimiento esencial: *"pienso, luego existo" es una máxima del filósofo Descartes.* **SIN** aforismo. ② Norma por la que se rige el comportamiento de una persona: *una de sus máximas es la seriedad en el trabajo.* ③ Principio o regla que admite un grupo de personas sobre lo que se

debe o no hacer en determinadas circunstancias: *su trabajo de investigación va contra las máximas de la ciencia médica.* ④ Temperatura más alta que alcanza la atmósfera en un periodo de tiempo determinado.

maximalismo *s. m.* Tendencia a mantener ideas o actitudes extremas o exageradas, especialmente en política. **SIN** extremismo. **FAM** maximalista.

maximalista *adj./s. com.* ① Se aplica a la persona que es partidaria de ideas o actitudes extremas o exageradas, especialmente en política. **SIN** extremista. ② Se aplica al partidario de llevar a cabo gran número de reformas radicales durante la Revolución rusa de 1917.

máxime *adv.* culto Se usa para reforzar una afirmación dada una determinada circunstancia: *empezar con un triunfo es importante, máxime si se consigue en el campo del contrario.*

máximo, -ma *adj.* ① Que es el mayor o superior en grado: *la temperatura máxima ha sido de 25.* **ANT** mínimo. ‖ *s. m.* ② Límite superior o extremo al que puede llegar una cosa: *su velocidad ha sobrepasado el máximo permitido por la ley para esta carretera.* **ANT** mínimo. ③ Valor mayor que toma una función matemática en un intervalo dado o en su dominio. **FAM** máxima, maximalismo, máxime, maximizar.

maxvelio *s. m.* Maxwell.

maxwell [se pronuncia aproximadamente 'másgüel'] *s. m.* Unidad de flujo magnético en el sistema cegesimal, equivalente a una cienmilésima de wéber.

OBS Se ha adaptado al español con la forma *maxvelio.*

maya¹ *adj.* ① Relativo a un pueblo indígena que desarrolló una importante civilización en el sudeste de México, Yucatán, el norte de Guatemala y Honduras: *la civilización maya es una de las civilizaciones precolombinas más ricas.* ‖ *s. com./adj.* ② Persona perteneciente a este pueblo. ‖ *s. m./adj.* ③ Lengua hablada por este pueblo.

maya² *s. f.* Planta con flores en capítulo, con el círculo central amarillo y las corolas periféricas blancas.

mayal *s. m.* ① Palo del que tira un animal que mueve un molino: *ataron el burro al mayal.* ② Instrumento formado por dos palos, uno más corto que el otro, unidos por una cuerda, que se utiliza para golpear los cereales y las legumbres y separar así el grano de la paja.

mayar *v. intr.* Emitir maullidos el gato. **SIN** maullar.

mayestático, -ca *adj.* Que tiene la solemnidad o elegancia que infunde admiración y respeto: *la figura principal de ese cuadro tiene un aspecto mayestático.*

mayo *s. m.* ① Quinto mes del año: *mayo tiene 31 días.* ② Árbol o palo alto, adornado con tiras de colores, que se coloca en las plazas de los pueblos durante el mes de mayo como señal de fiesta. ③ Canción popular que cantan los mozos a las mozas el último día de abril y el primero de mayo.

mayonesa *s. f./adj.* Salsa que se hace mezclando huevo, aceite, vinagre o limón y sal. **NOTA** También *salsa mayonesa.* **SIN** mahonesa.

mayor *adj.* ① Se aplica a la persona que tiene más edad en comparación con otra: *hermano mayor.* **ANT** menor. ② Que es más grande en tamaño o importancia: *esa inversión tiene un riesgo mayor.* **ANT** menor. ③ Se aplica a la persona que tiene mucha edad: *mi padre ya es mayor.* ④ Se aplica al intervalo que es de segunda, tercera, sexta o séptima en la escala natural. ⑤ Se aplica al modo o tono que tiene los intervalos de

tercera, sexta y séptima de esta clase: *todos los modos mayores tienen un modo menor relativo.* **I** adj./s. com. **6** Se aplica a la persona que está en la edad adulta: *cuando sea más mayor seré fraile.* **NOTA** También *mayor de edad.* **I** s. m. **7** En el ejército de algunos países, militar de categoría equivalente a la de comandante. **I** s. f. **8** Vela principal de una embarcación que va sujeta al palo mayor. **I** s. m. pl. **9** **mayores** Personas de las que se desciende: *nuestros mayores soñaron un futuro mejor.* **10** Personas de edad avanzada: *debemos respetar a los mayores.*
al por mayor Se aplica a la compra o la venta realizada en cantidades grandes y a un precio más barato que el que paga el público en general.
mayor que Signo matemático (>) que indica que el término que está a su izquierda tiene más valor que el de su derecha.
FAM mayoral, mayorazgo, mayoría, mayorista, mayormente.
OBS Es el comparativo de superioridad de *grande.* Acompañado del artículo, forma el grado superlativo: *esa inversión es la de mayor riesgo.*
mayoral s. m. **1** Persona con autoridad sobre un grupo de pastores. **2** Persona con autoridad sobre un grupo de trabajadores del campo. **3** Persona que guía un carruaje.
mayorazgo s. m. **1** Derecho que tiene el hijo mayor a heredar de sus padres a cambio del compromiso de transmitirlos en las mismas condiciones a su sucesor. **2** Conjunto de estos bienes. **3** Heredero de estos bienes. **4** Hijo primogénito de una familia.
mayordomo, -ma s. m. y f. **1** Sirviente principal de una casa, encargado de la economía y de la organización del servicio. **2** Encargado de la administración de los gastos de una cofradía religiosa y de su funcionamiento. **I** s. m. **3** Administrador de la casa y las finanzas de un rey en la Edad Media.
mayoría s. f. **1** Parte mayor de las personas o cosas que componen un grupo o un conjunto: *la mayoría de nosotros opina igual.* **ANT** minoría. **2** Número mayor de votos en una votación: *ganó las elecciones por mayoría.* ■ **mayoría absoluta** Cantidad de votos iguales que constituye más de la mitad del total. ■ **mayoría relativa** o **mayoría simple** Cantidad de votos iguales que es la mayor de todas las que constituyen el total.
mayoría de edad Edad que, según la ley, es necesaria para que una persona pueda ejercer todos los derechos civiles: *la mayoría de edad en España se alcanza con dieciocho años.*
FAM mayoritario.
mayorista adj. **1** Se aplica al comercio que compra o vende mercancías en grandes cantidades. **ANT** minorista. **I** s. com. **2** Persona que se dedica a vender mercancías en grandes cantidades. **ANT** minorista.
mayoritario, -ria adj. Se aplica a la persona o cosa que es la parte más numerosa de un conjunto o un grupo de personas. **ANT** minoritario.
mayormente adv. Se usa para indicar que una cosa debe tener mayor importancia que otras: *seguía una dieta mayormente de verduras.* **SIN** principalmente.
mayúsculo, -la adj. **1** familiar Que es muy grande o más grande de lo normal: *su sorpresa fue mayúscula cuando se enteró de que le había tocado aquel coche.* **ANT** minúsculo. **I** s. f./adj. **2** Letra de mayor tamaño que la minúscula y de forma distinta, que se emplea generalmente como inicial en los nombres propios, después de punto, o al principio de un texto.
FAM mayúscula.

maza s. f. **1** Herramienta parecida a un martillo, pero con una cabeza más pesada y con un mango más largo, que sirve para golpear y aplastar. **2** Arma antigua de hierro o de madera, con un mango largo y delgado y, en un extremo, una cabeza gruesa. **3** Insignia de los maceros, parecida a este arma. **4** Instrumento formado por una bola recubierta de cuero unida a un mango de madera, que sirve para tocar el tambor. **5** Parte más gruesa del palo o taco con que se juega a billar. **6** Utensilio de madera u otro material, de forma alargada y más grueso en uno de los extremos, que se utiliza en algunos juegos malabares o en ejercicios de gimnasia rítmica lanzándolo al aire o haciéndolo girar.
FAM macero, mazazo, mazo.
mazacote s. m. **1** Cosa que es densa y pesada cuando debería ser mullida y ligera: *el colchón de lana se ha quedado hecho un mazacote.* **2** Pasta o masa espesa y pegajosa que cuesta digerir: *aquel puré era un auténtico mazacote, así que no se lo comieron.* **3** Obra de arte arquitectónica o escultórica tosca.
FAM amazacotado.
mazamorra s. f. **1** AMÉR. Guiso parecido a las gachas, a base de maíz hervido. **2** AMÉR. Cosa desmenuzada.
mazapán s. f. Dulce hecho con almendras molidas y azúcar en polvo: *en Navidad es típico comer turrón de mazapán.*
mazazo s. m. **1** Golpe que se da con una maza o con un mazo. **2** Desgracia que ocurre de repente y causa una fuerte impresión: *la noticia de su muerte fue un duro mazazo para todos.*
mazdeísmo s. m. Religión del antiguo pueblo persa basada en la lucha entre el principio del bien, creador del mundo, y el principio del mal, su destructor.
FAM mazdeísta.
mazmorra s. f. Lugar pequeño y oscuro, generalmente construido bajo tierra, donde se encerraba a los presos. **SIN** calabozo.
mazo s. m. **1** Martillo grande y pesado. **2** Martillo pequeño de madera que sirve para golpear, aplastar y triturar. **SIN** maceta. **3** Conjunto de cosas agrupadas, especialmente de papeles y naipes: *arrancó un mazo de hojas del calendario.*
FAM macillo.
mazorca s. f. Fruto de algunas plantas, especialmente del maíz, que se presenta formando una espiga grande de granos gruesos y apretados. **SIN** panocha.
mazurca s. f. **1** Composición musical originaria de Polonia, de ritmo moderado y compás ternario. **2** Baile que se ejecuta al ritmo de esta música.
me pron. **1** Forma átona del pronombre de primera persona, en género masculino y femenino y en número singular, que realiza la función de complemento directo e indirecto: *me han regalado un monopatín; me levanto pronto.* **2** Forma átona de primera persona del singular en las construcciones pronominales: *me afeitaré luego.*
OBS Se escribe unido al verbo cuando se pospone a él: *cómprame ese libro.*
meada s. f. **1** vulgar Orina que se expulsa de una vez. **2** vulgar Mancha o señal que deja la orina.
meandro s. m. **1** Curva pronunciada que forma un río en el curso medio y bajo. **2** Línea ondulante que se usa como adorno en escultura o arquitectura.
meapilas s. com. fam. desp. Persona que se muestra exagerada y fingidamente devota y religiosa. **SIN** beato, santurrón.
OBS Plural invariable.

mear *v. intr.* ① familiar Orinar. ❙ *v. tr.* ② familiar Expulsar un líquido o una piedra por la uretra: *el enfermo meó sangre.* ❙ *v. prnl.* ③ **mearse** familiar Orinar de forma involuntaria o en un lugar que no está destinado para ello: *se meó en los pantalones.* ④ familiar Reírse mucho: *esa película es para mearse de risa.*
FAM meada, meón.

meato *s. m.* ① Orificio en el que desemboca un conducto del cuerpo: *meato auditivo.* ② Espacio intercelular del tejido vegetal, que está lleno de aire.

meca *s. f.* Lugar que se considera el centro más importante de una actividad: *Hollywood es la meca del cine.*

¡mecachis! *int.* Se usa para indicar enfado o disgusto: *¡mecachis!, ¡he vuelto a perder el autobús!*

mecánica *s. f.* ① Parte de la física que estudia el movimiento y del equilibrio de los cuerpos así como de las fuerzas que los producen: *Newton estableció las leyes de la mecánica en el siglo XVII.* ② Técnica de inventar, construir, arreglar o manejar máquinas: *han contratado un experto en mecánica para que revise las máquinas de la fábrica.* ③ Conjunto de piezas o elementos que ajustados entre sí y mediante un movimiento hacen un trabajo o cumplen una función: *la mecánica del reloj se ha estropeado.* **SIN** maquinaria, mecanismo. ④ Manera de producirse o de realizar una actividad: *el presentador explicó la mecánica del juego.* **SIN** mecanismo.
FAM mecánico; aeromecánica, biomecánica, fotomecánica.

mecanicismo *s. m.* Doctrina filosófica y biológica que explica los fenómenos naturales por medio de las leyes mecánicas y niega la existencia de toda finalidad en la naturaleza; tuvo su auge en el siglo XVIII.

mecánico, -ca *adj.* ① Relativo a la mecánica (parte de la física). ② Relativo a las máquinas. ③ Que se hace con una máquina. ④ Que se hace o practica por rutina y sin esfuerzo mental. ⑤ Se aplica al acto o movimiento que se hace de forma automática por haber sido repetido muchas veces: *andar es un movimiento mecánico.* ⑥ Se aplica al trabajo que requiere más habilidad manual que intelectual. ❙ *adj./s. m. y f.* ⑦ Se aplica a la persona que se dedica a este tipo de trabajo. ❙ *s. m. y f.* ⑧ Persona que se dedica a manejar y arreglar máquinas, especialmente vehículos.
mecánico dentista Persona que se dedica a la fabricación de piezas o aparatos artificiales que se colocan en la boca de las personas para sustituir a los dientes. **SIN** protésico.
FAM mecanicismo, mecanismo, mecanizar.

mecanismo *s. m.* ① Conjunto de piezas o elementos que unidos o acoplados entre sí y mediante un movimiento hacen un trabajo o cumplen una función. **SIN** mecánica. ② Manera de producirse o de realizar una actividad: *el mecanismo de este trabajo es muy fácil.* **SIN** mecánica.
FAM servomecanismo.

mecanización *s. f.* Equipamiento con máquinas para realizar una actividad de manera mecánica y empleando menos tiempo y esfuerzo.

mecanizado *s. m.* Proceso de elaboración mecánica.

mecanizar *v. tr.* ① Utilizar máquinas para dedicar menos tiempo y esfuerzo a una actividad, sustituyendo el trabajo humano. ② Convertir en automáticos los actos o movimientos humanos.
FAM mecanización, mecanizado.

mecano *s. m.* Juguete formado por piezas que se pueden unir con tornillos y tuercas para hacer construcciones y objetos articulados.
OBS Es marca registrada.

mecanografía *s. f.* Técnica de escribir a máquina con todos los dedos de las manos y sin necesidad de mirar las teclas. **SIN** dactilografía.
FAM mecanografiar, mecanográfico, mecanógrafo.

mecanografiar *v. tr.* Escribir un texto a máquina.
OBS Verbo regular, se acentúa como *desviar.*

mecanógrafo, -fa *s. m. y f.* Persona que se dedica a escribir textos a máquina. **SIN** dactilógrafo.

mecanorreceptor *s. m.* En biología, receptor sensorial que percibe los estímulos mecánicos, como la presión o las vibraciones.

mecate *s. m.* ① AMÉR. Cuerda de pita. ② AMÉR. Cordel o bramante.

mecedor *s. m.* Asiento sujeto a dos cuerdas o cadenas colgadas de la rama de un árbol o de una armazón de madera o metal, que se mueve hacia atrás y hacia delante. **SIN** balancín, columpio.

mecedora *s. f.* Asiento con brazos, respaldo y las patas sobre dos arcos con las puntas hacia arriba, que permite mecerse a la persona sentada. **SIN** balancín.

mecenas *s. com.* Persona o institución que promociona económicamente las actividades culturales de letras y artes, y a las personas que se dedican a ellas, generalmente dando dinero: *los mecenas fueron comunes en el Renacimiento.*
FAM mecenazgo.
OBS Plural invariable.

mecenazgo *s. m.* Protección o ayuda económica que ejerce una institución o una persona a una actividad artística o intelectual: *los Médicis ejercieron el mecenazgo de artistas como Donatello o Fra Angélico.*

mecer *v. tr.* ① Mover con suavidad de un lado a otro una cosa que cuelga de un punto fijo o que está apoyada sobre una superficie, como un balancín o una cuna. ② Agitar un líquido contenido en un recipiente para que se mezcle.
FAM mecedor, mecedora.

mecha *s. f.* ① Cuerda hecha de hilos retorcidos que se queman con facilidad. ② Tubo de papel o de algodón que está relleno de pólvora y se utiliza para dar fuego a las minas o barrenas. ③ Conjunto de pelos de la cabeza que destacan del resto del cabello por ser de distinto tono o color: *la peluquera le ha teñido unas mechas rubias.* ④ Trozo de tocino o de jamón que se introduce dentro de otras carnes.
a toda mecha Con mucha rapidez.
aguantar mecha familiar Soportar una situación desagradable o una impertinencia.
FAM mechero, mechón.

mechar *v. tr.* Rellenar la carne o las aves que se van a guisar con trozos de tocino, jamón u otros ingredientes.

mechero *s. m.* ① Aparato que funciona con gas o gasolina y que sirve para encender una materia combustible. **SIN** encendedor. ② Aparato que, mediante una mecha que se mantiene encendida, sirve para dar luz o calor: *encendimos dos velas y un mechero de alcohol.* ③ Tubito donde se mete el extremo de la mecha.

mechón *s. m.* Conjunto de pelos o hilos que se distinguen del resto con el que forman un todo: *le separó el pelo en tres mechones y le hizo una trenza.*

M.

medalla *s. f.* 1 Placa de metal plana, generalmente redonda u ovalada, que lleva grabada una imagen. 2 Placa de metal que lleva grabado algún motivo y que se recibe como premio: *el atleta ganó dos medallas de oro.*
FAM medallero, medallista, medallón.

medallero *s. m.* Conjunto de las medallas ganadas por cada país o equipo en una competición deportiva: *en los Juegos Olímpicos de 1992, España ocupó un lugar destacado en el medallero.*

medallista *s. com.* Deportista que ha ganado una medalla en una competición deportiva.

medallón *s. m.* 1 Joya en forma de caja pequeña y plana, que se cuelga al cuello con una cuerda o cadena; en su interior se colocan fotos o pequeños recuerdos. 2 Medalla grande. 3 Pieza de carne o pescado que se corta en forma redonda y gruesa. 4 Adorno en relieve que se utiliza en arquitectura, con forma circular u ovalada y en cuyo interior se pinta o esculpe algo.

médano *s. m.* 1 Pequeña colina de arena que forma y empuja el viento. **SIN** duna. 2 Acumulación de arena casi a nivel de agua, en un lugar en que el mar tiene poco fondo.

media *s. f.* 1 Prenda de vestir femenina de tejido elástico fino con la que se cubre la pierna desde el pie hasta más arriba de la rodilla. 2 Prenda de vestir de punto de lana o algodón, que cubre el pie y la pierna hasta la rodilla: *los jugadores de fútbol llevan medias.* **SIN** calcetín. 3 Cantidad que representa de manera proporcional otras cantidades y que se calcula mediante diversas operaciones. ■ **media aritmética** Suma de todos los datos dividida por el número de ellos. ■ **media proporcional** Valor de los términos que ocupan el lugar de los medios en una proporción o igualdad entre fracciones, cuando estos términos son iguales. 4 Mitad de una hora. ‖ *s. f. pl.* 5 **medias** Prenda de vestir de tejido elástico fino o tupido, que cubre cada pierna desde los pies a la cintura. **SIN** panty.

mediación *s. f.* Intervención de una persona u organismo en una discusión o en un enfrentamiento entre dos partes para encontrar una solución.

mediado, -da *adj.* Que solamente contiene la mitad de su capacidad: *cogió la botella mediada de aceite.*
a mediados Hacia la mitad de un periodo de tiempo que se indica: *vendrá a mediados del mes que viene.*

mediador, -ra *s. m. y f.* Persona u organismo encargado de intervenir en una discusión o en un enfrentamiento entre dos partes para encontrar una solución.

medialuna *s. f.* 1 Objeto que tiene forma parecida a la de una luna creciente o menguante. 2 Bollo de hojaldre esponjoso que tiene esta forma.
OBS Plural: *medialunas* o *mediaslunas.*

mediana *s. f.* 1 Pared de pequeña altura que divide los sentidos de la circulación en una carretera. 2 Línea recta que une el vértice de un triángulo con el punto medio del lado opuesto. 3 En estadística, valor central de una variable aleatoria que deja por encima y por debajo de él el mismo número de valores de la variable.

medianería *s. f.* Pared común que separa dos casas o fincas que están una al lado de la otra.

medianero, -ra *adj.* 1 Que está en medio de dos cosas. 2 Se aplica a la pared divisoria que está en medio de dos casas o fincas y que pertenece por igual a los dueños de ambas. ‖ *adj./s. m. y f.* 3 Se aplica a la persona que pide o media por otro para conseguirle un bien o evitarle un mal. ‖ *s. m. y f.* 4 Persona que trabaja una tierra a medias con otra persona y se reparte los beneficios con esta. 5 Dueño de una casa o finca que tiene medianería con otra.
FAM medianería.

medianía *s. f.* 1 Punto o lugar medio entre dos partes o extremos: *quiero construir la casa en la medianía del terreno.* 2 Falta de cualidades destacadas o sobresalientes en una persona: *el profesor se quejaba de la medianía de sus alumnos.* 3 Persona que no destaca por sus cualidades: *es una medianía, no destaca en nada.*

mediano, -na *adj.* De calidad, cantidad o tamaño intermedios: *necesito una talla mediana; es un hombre de mediana edad.*
FAM mediana, medianero, medianía.

medianoche *s. f.* 1 Hora que señala el fin de un día y el principio del siguiente. 2 Periodo de tiempo alrededor de las doce horas de la noche. 3 Bollo pequeño de forma ovalada que se puede abrir por la mitad y rellenar de algún alimento.
a medianoche Alrededor de las doce de la noche: *llegamos a casa a medianoche.*
OBS Plural: *mediasnoches.*

mediante *prep.* Indica el medio a través del cual se hace una cosa: *la forma más rápida de comunicar una noticia es mediante el teléfono.*

mediapunta *s. com.* Futbolista que juega en ataque en una posición más retrasada que la de delantero centro.

mediar *v. intr.* 1 Intervenir ante alguien o pedirle un favor para una tercera persona: *el empleado medió por su amigo ante el director.* 2 Intervenir en una discusión o en un enfrentamiento entre dos partes para encontrar una solución. 3 Existir alguna cosa entre dos personas o dos cosas: *entre ellas mediaba una gran rivalidad.* 4 Pasar el tiempo entre dos o más sucesos: *mediaron quince días entre una visita y otra.* 5 Llegar a la mitad de una cosa: *al mediar el siglo XIV, se produjeron los primeros enfrentamientos.*
FAM mediación, mediado, mediador, mediante; intermediar.
OBS Verbo regular, se acentúa como *cambiar.*

mediático, -ca *adj.* Relativo a los medios de comunicación.

mediatizar *v. tr.* Influir en una persona o grupo de personas condicionando su libertad de acción.
FAM mediatización.
OBS Se conjuga como *realizar.*

mediato, -ta *adj.* Que está próximo a una cosa, pero separado de ella por una tercera cosa: *julio y septiembre son meses mediatos.*
FAM mediativo, mediatizar.

mediatriz *s. f.* Recta perpendicular a un segmento que se traza por su punto medio.

medicación *s. f.* 1 Administración de una o más medicinas para curar o prevenir una enfermedad o aliviar un dolor físico. 2 Conjunto de medicinas y medios para curar o prevenir una enfermedad, o para aliviar un dolor físico.

medicamento *s. m.* Sustancia que sirve para curar o prevenir una enfermedad, o para aliviar un dolor físico. **SIN** fármaco, medicina.
FAM medicamentoso.

medicamentoso, -sa *adj.* Se aplica a la sustancia que se puede usar como medicamento: *algunas plantas tienen sustancias medicamentosas.*

medicar *v. tr.* Administrar medicinas a una persona. **SIN** medicinar.

FAM medicación, medicamento.

medicina *s. f.* **1** Ciencia que se ocupa de curar, calmar o prevenir las enfermedades. ■ **medicina clínica** Parte práctica de la enseñanza de la medicina que se ocupa del examen de los enfermos y del tratamiento de las enfermedades en presencia de los estudiantes. **NOTA** También simplemente *clínica*. ■ **medicina natural** Ciencia que emplea medios naturales para conservar la salud y tratar las enfermedades. ■ **medicina popular** Conjunto de creencias sobre las enfermedades y las formas de curarlas que proceden de una tradición popular y no de un estudio científico. **2** Medicamento. **FAM** medicinal, medicinar; biomedicina.

medicinal *adj.* Que tiene un efecto curativo: *las aguas de ese balneario son medicinales.*

FAM mineromedicinal.

medicinar *v. tr.* Medicar.

medición *s. f.* Determinación de una magnitud con un utensilio o aparato tomando un patrón una unidad: *los topógrafos efectuaron una medición del terreno.* **SIN** medida. ■ **medición directa** Medición que se realiza con un instrumento de medida. ■ **medición indirecta** Medición que se realiza mediante cálculos matemáticos o estimaciones.

médico, -ca *adj.* **1** Relativo a la medicina: *tratamiento médico.* I *s. m. y f.* **2** Persona que es licenciada en medicina y que se dedica a curar o prevenir las enfermedades. **SIN** doctor. ■ **médico clínico** Médico que se dedica a la medicina práctica, estudia las enfermedades y hace los diagnósticos mediante el examen directo de los enfermos. **NOTA** También simplemente *clínico*. ■ **médico de cabecera** o **médico de familia** Médico que se encarga habitualmente de curar o prevenir las enfermedades de tipo general.

FAM medicar, medicina.

OBS Femenino: *médico* o *médica*.

medida *s. f.* **1** Medición. **2** Cantidad que resulta de determinar una magnitud: *la medida de la mesa es 1 metro de largo por 60 centímetros de ancho.* ■ **medida de centralización** Medida estadística que tiende a situarse en el centro del conjunto de datos ordenados. **SIN** parámetro de centralización. ■ **medida de dispersión** Medida estadística que sirve para saber si los datos están agrupados en torno a las medidas de centralización o no; generalmente miden las desviaciones con respecto a la media del conjunto de los datos. **SIN** parámetro de dispersión. **3** Unidad, o múltiplo o divisor de esta, con que se compara una magnitud para medirla: *el kilómetro es una medida de longitud; la medida 30° 15′ (30 grados y 15 minutos) es una medida en forma compleja porque se expresa en más de una unidad.* **4** Acción para conseguir, prevenir o evitar alguna cosa: *los bomberos exigen que se adopten medidas de prevención contra incendios.* **5** Grado o intensidad: *el paro afecta en mayor medida a las mujeres y a los jóvenes.* **6** Instrumento que sirve para medir: *el lechero tiene una medida para vender la leche.* **7** Cuidado y equilibrio al hacer algo: *si tiendes a engordar, deberías comer con medida.* **8** Número y distribución de las sílabas que tiene un verso: *la medida de cada uno de los versos de un soneto es la misma.*

a la medida (I) Hecho a propósito con unas dimensiones determinadas: *necesito un armario a la medida para esta habitación.* (II) Que es muy adecuado o viene muy bien: *encontraron un restaurante a la medida para lo que ellos querían.*

a medida que Indica que las acciones van progresando simultáneamente: *el anfitrión saludaba a los invitados a medida que llegaban.*

en cierta medida De algún modo: *la opinión del gobierno coincide en cierta medida con la de la patronal.*

medidor *s. m.* **1** Utensilio o aparato que sirve para medir. **2** AMÉR. Contador del consumo de agua, gas o electricidad.

medieval *adj.* Relativo a la Edad Media.

FAM medievalismo.

medievalismo *s. m.* **1** Carácter medieval o conjunto de características propias de la Edad Media. **2** Estudio de la Edad Media en sus aspectos histórico, sociocultural o lingüístico.

FAM medievalista.

medievalista *s. com.* Persona que se dedica a estudiar la Edad Media.

medievo *s. m.* Periodo histórico que va desde el fin del Imperio romano hasta el siglo XV. **SIN** Edad Media, medioevo.

FAM medieval.

medina *s. f.* **1** Casco antiguo de las ciudades árabes del norte de África, donde están la mezquita, los palacios, alcázares y otros edificios importantes, el zoco y el mercado. **2** Ciudad árabe.

medio, -dia *adj.* **1** Que es igual a la mitad de una cosa: *media manzana; dos litros y medio; cuatro horas y media.* **2** Que está entre dos extremos más o menos equidistantes: *nos sentamos en la parte media del avión; estaba colocado en un lugar medio.* **3** Que representa las características más comunes de un grupo de personas: *el español medio no puede permitirse esos lujos.* **4** familiar Que es la gran parte de lo que se expresa: *medio país se ha ido de vacaciones.* **5** Se aplica a la vocal que se articula con un grado medio de abertura de la boca, ni abierto, ni cerrado: *en español, "e" y "o" son vocales medias.* I *s. m.* **6** Punto o lugar que está a la misma distancia de dos extremos de una cosa: *se puso a gritar en el medio de la plaza.* **7** Elemento o sistema que tiene un fin determinado: *hay que buscar el medio de salir de aquí.* ■ **medio de comunicación** Sistema que sirve para dar información y entretener a una comunidad determinada. ■ **medio de transporte** Vehículo que sirve para llevar personas o cosas de un lugar a otro. **8** Elemento o conjunto de circunstancias comunes que rodean a un grupo humano, animal o vegetal, en cualquiera de sus actividades, y que influyen en su desarrollo: *los anfibios necesitan un medio húmedo.* ■ **medio ambiente** Conjunto de condiciones físicas y químicas que rodean a los seres vivos: *la contaminación destruye el medio ambiente.* **9** Conjunto de circunstancias culturales, sociales, físicas y económicas que rodean al ser humano. I *s. m./adj.* **10** Tercer dedo de la mano. I *s. m.* **11** Jugador que en algunos deportes se coloca entre los defensas y los delanteros. **12** Fracción cuyo denominador es dos. **13** Término de una proporción matemática que ocupa el segundo o tercer lugar: *en a/b = c/d , los medios son b y c.* I *s. m. pl.* **14** **medios** Conjunto de instrumentos, dinero y bienes necesarios para un fin determinado. I *adv.* **15** No completamente, pero bastante: *estaba medio tumbado en la cama.*

a medias (I) Sin terminar una cosa o una acción: *dejó el dibujo a medias.* (II) Entre dos o más personas: *la comida la pagaremos a medias.*

a medio + *infinitivo* Sin terminar de dar fin a una acción.

de medio a medio Del todo, por completo: *te has equivocado de medio a medio.*

en medio Entre dos o más cosas o extremos.

medio de vida Forma de conseguir el dinero y los alimentos necesarios para vivir.

por medio de Indica que una cosa se hace a través de otra o con la ayuda de una persona.

FAM media, mediano, mediar, mediato, mediatriz, mediodía.

medioambiental *adj.* Relativo al medio ambiente: *contaminación medioambiental.* SIN ambiental.

mediocre *adj.* 1 Que es de calidad mediana o regular, o más bien mala: *su último disco es un tanto mediocre.* 2 Que no es interesante o no tiene valor: *el trabajo realizado fue mediocre, por eso no ganó el premio.* | *adj./s. com.* 3 Se aplica a la persona que no es inteligente o que no tiene suficiente capacidad para la actividad que realiza. FAM mediocridad.

mediocridad *s. f.* 1 Calidad baja o casi mala. 2 Falta de valor o de interés. 3 Falta de inteligencia o de capacidad para realizar algo.

mediodía *s. m.* 1 Hora en la que el Sol está en el punto más alto de su elevación sobre el horizonte. 2 Periodo de tiempo alrededor de las doce horas de la mañana. 3 Punto del horizonte opuesto al norte. SIN sur.

medioevo *s. m.* Medievo.

mediofondista *s. com.* Atleta que participa habitualmente en carreras de 800 o 1500 m.

mediofondo *s. m.* Modalidad deportiva que consiste en carreras de mediano recorrido, especialmente en atletismo: *las carreras de 800 y 1 500 metros son pruebas atléticas de mediofondo.*

mediopensionista *adj./s. com.* Se aplica al alumno que recibe enseñanza y comida en un pensionado, pero no alojamiento.

medir [10] *v. tr.* 1 Determinar el valor de una magnitud. 2 Considerar y calibrar las ventajas o inconvenientes que implica hacer algo: *debemos medir los riesgos antes de decidirnos.* 3 Comprobar una habilidad, fuerza o actividad comparándola con otra. 4 Controlar lo que se va a hacer o decir para evitar un mal: *mide tus palabras, que estás hablando con el jefe.* FAM medición, medida, medidor.

meditabundo, -da *adj.* Se aplica a la persona que está completamente entregada a sus pensamientos y en silencio. SIN pensativo.

meditación *s. f.* 1 Pensamiento o consideración detenida y cuidadosa sobre un asunto. SIN reflexión. 2 Oración o rezo que se hace en silencio y que se basa en la reflexión: *los místicos y los ascetas se dedican a la meditación.*

meditar *v. tr.* 1 Pensar y considerar un asunto con detenimiento y cuidado: *meditó la oferta de trabajo antes de aceptarla.* SIN reflexionar. | *v. intr.* 2 Orar o rezar en silencio y basándose en la reflexión. FAM meditabundo, meditación, meditativo.

mediterráneo, -nea *adj.* Relativo al mar Mediterráneo o a sus territorios: *costa mediterránea.*

médium *s. com.* Persona que supuestamente tiene poderes mentales extraordinarios que le permiten comunicarse con los espíritus del más allá. OBS Plural invariable.

medrar *v. intr.* 1 Mejorar una persona en su posición social

y económica: *medró con negocios poco limpios.* 2 Crecer un ser vivo. FAM medro.

medroso, -sa *adj.* culto Que se asusta con facilidad. FAM amedrentar.

médula o **medula** *s. f.* 1 Sustancia blanda situada en el interior de los huesos de los animales vertebrados. NOTA También *médula ósea.* ■ **médula amarilla** Médula formada por tejido adiposo que se encuentra en el interior de los huesos largos. ■ **médula roja** Médula que se encuentra en el interior de ciertos huesos de estructura esponjosa (cráneo, costillas, esternón, etc.) encargada de fabricar las células de la sangre. 2 Aspecto o parte central y más importante de una cosa o un asunto: *hay que llegar hasta la médula del problema.* 3 Zona interna del tallo de algunas plantas en la cual el tejido vascular se dispone en forma cilíndrica y sirve como reserva de alimento.

médula espinal Cordón de tejido nervioso situado en el interior de la columna vertebral, que comunica el encéfalo con los órganos sensoriales y motores. NOTA También simplemente *médula.* FAM medular.

medular *adj.* Relativo a la médula.

medusa *s. f.* Animal invertebrado marino del filo cnidarios con el cuerpo en forma de sombrilla del que cuelgan unos tentáculos o brazos; se reproduce sexualmente y si se toca irrita la piel.

mefistofélico, -ca *adj.* culto Que es extremadamente perverso: *mirada mefistofélica.*

mega *s. m.* Megabyte.

megabyte [se pronuncia aproximadamente 'megabait'] *s. m.* Medida de la capacidad de memoria de un ordenador que es igual a un millón de bytes: *el disco duro de este ordenador tiene una capacidad de 500 megabytes.*

megaciclo *s. m.* Unidad de frecuencia de la corriente eléctrica que equivale a un millón de ciclos o periodos.

megafonía *s. f.* 1 Técnica que se ocupa de los aparatos y de las instalaciones necesarias para aumentar el volumen del sonido: *un especialista en megafonía controlará el sonido en el campo de fútbol.* 2 Conjunto de aparatos que aumentan el volumen del sonido: *la megafonía se estropeó y no pudieron dar los resultados de las carreras de caballos.*

megáfono *s. m.* Aparato con un extremo más ancho que otro, que sirve para aumentar el volumen del sonido, especialmente de la voz. FAM megafonía.

megahercio *s. m.* Megahertz.

megahertz *s. m.* Medida de frecuencia que es igual a un millón de hertz. OBS Plural: *megahertz.* Se ha adaptado al español con la forma *megahercio.*

megalítico, -ca *adj.* Relativo a los megalitos.

megalitismo *s. m.* Cultura del periodo neolítico que se caracterizó por la construcción de megalitos y se desarrolló en la Península Ibérica, las islas Británicas y la Bretaña francesa.

megalito *s. m.* Monumento del periodo neolítico construido con grandes bloques de piedra sin labrar, como el menhir, el dolmen y el crómlech; generalmente tenía una función religiosa o funeraria. FAM megalítico.

megalomanía *s. f.* ① Trastorno mental por el cual una persona se cree más importante de lo que es. ② Deseo excesivo de grandeza que tiene una persona.
FAM megalómano.

megalómano, -na *adj./s. m. y f.* ① Se aplica a la persona que sufre un trastorno mental que le lleva a creerse más importante de lo que es. ② Se aplica a la persona que tiene un excesivo deseo de grandeza.

megalópolis *s. f.* culto Ciudad de grandes dimensiones que es el resultado de la unión de varias áreas metropolitanas.
OBS Plural invariable.

mégaron *s. m.* Sala rectangular, grande, alargada y con un hogar, situada en el centro de las viviendas micénicas, a la que se llegaba desde un patio a través de un pórtico con columnas; era la pieza principal de muchos edificios: *los mégaron de los palacios de Micenas, Pilos y Tirinto eran majestuosos.*

megatón *s. m.* Unidad de medida de la energía producida en una explosión nuclear que equivale a la energía liberada en la explosión de un millón de toneladas de trinitrotolueno.

megavatio *s. m.* Megawatt.

megawatt [se pronuncia 'megavat'] *s. m.* Medida de potencia que es igual a un millón de watts.
OBS Plural: *megawatts*. Se ha adaptado al español con la forma *megavatio*.

meigo, -ga *s. m. y f.* Persona que se dedica a la brujería y cuyos poderes provienen de un supuesto pacto con espíritus o con el diablo.

meiosis *s. f.* Proceso de división celular en el que se forman células con la mitad del número de cromosomas de la célula madre; es típico de la formación de células sexuales o gameto.
OBS Plural invariable.

mejicanismo [también **mexicanismo**] *s. m.* Palabra o modo de expresión propio del español hablado en México.

mejicano, -na [también **mexicano, -na**] *adj.* ① De México (país de América del Norte). ‖ *s. m. y f./adj.* ② Persona que es de México.
FAM mejicanismo.

mejilla *s. f.* Parte carnosa de la cara de las personas que se encuentra bajo los ojos y a ambos lados de la nariz.

mejillón *s. m.* Invertebrado marino del filo moluscos, cuyas conchas o valvas son casi triangulares y de color negro; su carne es comestible.
FAM mejillonero.

mejor *adj.* ① Que es superior en calidad respecto de otra cosa con la que se compara: *este libro es mejor que aquel; es la mejor película que he visto.* **NOTA** Es el adjetivo comparativo de *bueno*. Seguido de artículo, forma el grado superlativo: *de todos los equipos, ese es el mejor.* **ANT** peor. ② Que es preferible: *es mejor que no salgas porque hace mucho frío.* **ANT** peor. ‖ *adv.* ③ Se utiliza para indicar que una cosa está o se hace más bien respecto de otra cosa con la que se compara o de manera más conforme a lo bueno o conveniente. **NOTA** Es el adverbio comparativo de *bien*. **ANT** peor.
a lo mejor Indica posibilidad o duda, especialmente cuando se quiere expresar un matiz de temor o de esperanza: *a lo mejor voy a tu fiesta, aún no lo sé.*
FAM mejorar, mejoría.

mejora *s. f.* ① Cambio o progreso de una cosa hacia un estado mejor. **SIN** mejoramiento, mejoría. **ANT** empeoramiento. ② Obra que se realiza en una vivienda, en un edificio o en un lugar con el fin de mejorarlo. ③ Porción de bienes que la persona que hace testamento deja a uno o varios de sus descendientes además de la herencia que por ley les corresponde. ④ Fase final de algunos deportes en la que solamente compiten los deportistas que han alcanzado unas marcas determinadas en la fase clasificatoria: *solamente los saltadores que alcancen los ocho metros se clasificarán para la mejora.*

mejoramiento *s. m.* Mejora (cambio o progreso de una cosa hacia un estado mejor). **SIN** mejoría. **ANT** empeoramiento.

mejorana *s. f.* ① Planta herbácea muy aromática que tiene las flores pequeñas, blancas o rosadas, y que se utiliza en medicina como estomacal o sedante. ② Especia aromática que se elabora con las flores y las hojas de esta planta.

mejorar *v. tr.* ① Poner una cosa o situación mejor de lo que estaba: *el gobierno prometió mejorar la situación de los pensionistas.* **ANT** empeorar. ② Hacer que una cosa sea mejor que otra con la que se compara: *el atleta mejoró el récord actual.* **SIN** superar. ③ Hacer que una persona enferma se ponga mejor de salud sin llegar a curarse completamente: *los científicos aseguran que el nuevo fármaco mejorará a muchos enfermo.* **ANT** empeorar. ‖ *v. intr.* ④ Ponerse una cosa o una situación mejor de lo que estaba. ‖ *v. intr./prnl.* ⑤ Ponerse una persona enferma mejor de salud sin llegar a curarse: *si no se mejora, habrá que operarlo.* ⑥ Ponerse el tiempo más benigno o agradable: *espero que el tiempo mejore este fin de semana.* **ANT** empeorar.
FAM mejora, mejorable, mejoramiento; desmejorar, inmejorable.

mejoría *s. f.* ① Mejora (cambio o progreso de una cosa hacia un estado mejor). **SIN** mejoramiento. **ANT** empeoramiento. ② Disminución de una dolencia o alivio en una enfermedad: *el estado del enfermo ha experimentado una mejoría.* **ANT** empeoramiento.

mejunje *s. m.* ① Sustancia líquida o pastosa de aspecto o sabor desagradables, formada por la mezcla de diversos ingredientes y que, generalmente, se usa como medicina o como producto cosmético. ② Bebida, generalmente de aspecto extraño y desagradable, que resulta de la mezcla de diversos componentes que cuesta identificar. **NOTA** Frecuentemente usado de forma despectiva. **SIN** brebaje.

melamina *s. f.* Material plástico, duro y resistente al calor que se emplea en el revestimiento de muebles: *la mesa tiene una capa de melamina .*

melancolía *s. f.* ① Sentimiento de tristeza sin causa definida: *cuando llega el otoño le invade la melancolía.* ② Característica principal de la cosa que muestra este sentimiento: *la melancolía de la mirada.* ③ Característica principal de la cosa que inspira este sentimiento: *la melancolía de un paisaje.*
FAM melancólico.

melancólico, -ca *adj./s. m. y f.* ① Se aplica a la persona que siente o tiende a sentir melancolía. ‖ *adj.* ② Se aplica a la expresión o actitud que denota melancolía: *mirada melancólica.* ③ Se aplica a la cosa que inspira melancolía: *música melancólica.*

melanina *s. f.* Pigmento oscuro que se encuentra en algunas células del cuerpo humano y que produce la coloración de la piel, el pelo y los ojos.
FAM melanoma, melanosis.

melanoma *s. m.* Tumor formado por células que contienen melanina.

M

melaza *s. f.* Líquido espeso, dulce y de color oscuro que queda como residuo de la cristalización del azúcar de caña; al destilarlo se obtiene ron.

melé *s. f.* **1** Jugada de rugby que consiste en colocarse los delanteros de ambos equipos cara a cara y empujándose, mientras otro jugador intenta coger el balón que se ha colocado entre ellos en el suelo. **2** Fase del juego del rugby en la cual varios jugadores de ambos equipos se agrupan alrededor del balón para intentar atraparlo. **3** Ruido, desorden y confusión grandes, generalmente provocados por un grupo de muchas personas que hablan o se mueven al mismo tiempo. **SIN** follón, barullo, tumulto.

melena *s. f.* **1** Conjunto de cabellos, cuando son largos y abundantes. **SIN** cabellera. **2** Pelo grueso y duro que tiene el león alrededor de la cabeza. **|** *s. f. pl.* **3 melenas** Cabello muy largo, mal peinado o de aspecto desagradable.
FAM melenudo; desmelenar.

melenudo, -da *adj./s. m. y f.* Que tiene el cabello largo y abundante; especialmente si lo lleva suelto y desarreglado.
OBS Frecuentemente usado de forma despectiva.

melifluo, -flua *adj.* **1** Que contiene miel o tiene alguna característica que se considera propia de la miel. **SIN** meloso. **2** Se aplica a la persona o comportamiento que es muy dulce o amable, especialmente si es falso o poco natural. **SIN** meloso. **3** Se aplica a la forma de hablar o al comportamiento que es dulce, suave o amable. **SIN** meloso.
FAM melifluidad.

melillense *adj.* **1** De Melilla (ciudad española del norte de África). **|** *s. com./adj.* **2** Persona que es de Melilla.

melindre *s. m.* **1** Melindro. **2** Pasta de mazapán, generalmente en forma de rosquilla, cubierta de azúcar. **3** Delicadeza y escrúpulo excesivos en las acciones o en las palabras. **NOTA** Más en plural. **SIN** remilgo.
FAM melindrero, melindroso.

melindro [también **melindre**] *s. m.* Dulce hecho con masa de bizcocho, de forma alargada y blando al tacto; suele tomarse en desayunos y meriendas como acompañamiento de una bebida caliente.

melindroso, -sa *adj./s. m. y f.* Se aplica a la persona que es excesivamente escrupulosa en sus acciones o en sus palabras. **SIN** remilgado.

melisma *s. f.* Grupo de notas sucesivas que se cantan sobre una sola sílaba, especialmente en el canto litúrgico gregoriano y ciertas ornamentaciones propias del bel canto.

mella *s. f.* **1** Rotura o grieta pequeña causada en el borde de un objeto, especialmente en el filo de una herramienta o un arma. **SIN** portillo. **2** Hueco que queda al descubierto cuando falta algo, especialmente el que queda al caerse un diente. **3** Dolor psicológico.
hacer mella Causar impresión o dejar huella una cosa o un acontecimiento.
FAM mellar.

mellado, -da *adj.* Se aplica a la persona o el animal al que le faltan algunos o todos los dientes. **SIN** desdentado.

mellar *v. tr.* **1** Romper el filo o agrietar el borde de un objeto. **2** Causar un deterioro en una cosa material o inmaterial: *aquel hecho melló su reputación.*
FAM mellado.

mellizo, -za *adj./s. m. y f.* Se aplica a la persona o animal que ha nacido a la vez que otro u otros en un mismo parto y que se ha desarrollado a partir de un óvulo distinto al del otro o los otros: *los hermanos mellizos no son físicamente iguales y pueden ser de sexos diferentes.*

melocotón *s. m.* **1** Fruta esférica que tiene la piel amarillenta y aterciopelada, la pulpa dulce y jugosa y un hueso duro en su interior; es comestible. **2** Árbol de flores blancas o rosadas que da este fruto; procede de China y se cultiva en las regiones de clima templado. **SIN** melocotonero.
FAM melocotonar, melocotonero.

melocotonero *s. m.* Melocotón (árbol).

melodía *s. f.* **1** Sucesión ordenada de sonidos musicales de diferente altura que forman una unidad o tema. **2** Sucesión de sonidos que por su manera de combinarse resulta musical o agradable de oír: *a lo lejos se oía la melodía del canto de los pájaros.* **3** Canción o pieza musical: *por la radio sonaba una melodía de jazz.*
FAM melódico, melodioso, melodista.

melódico, -ca *adj.* Relativo a la melodía: *línea melódica.*

melodioso, -sa *adj.* Se aplica al sonido que resulta agradable: *la telefonista tenía una voz melodiosa.*

melodrama *s. m.* **1** Género y obra musical en el que un texto dialogado se canta acompañado de música. **2** Género y obra de teatro, cine o televisión en el que se cuenta una historia exagerando los sentimientos con el fin de conmover al público y mantener su atención. **SIN** folletín. **3** Acontecimiento de la vida real exageradamente triste y desgraciado.
FAM melodramático.

melodramático, -ca *adj./s. m. y f.* **1** Se aplica a la persona que tiene tendencia a dramatizar los acontecimientos. **|** *adj.* **2** Relativo al melodrama (género u obra teatral, televisivo o cinematográfico). **3** Se aplica al acontecimiento o relato que es exageradamente triste y desgraciado.

melomanía *s. f.* Pasión y entusiasmo por la música.
FAM melómano.

melómano, -na *adj./s. m. y f.* Se aplica a la persona que siente pasión y entusiasmo por la música.

melón *s. m.* **1** Fruta comestible de gran tamaño y forma alargada, con una corteza muy gruesa y rugosa, pulpa jugosa y dulce, y con muchas semillas alargadas y planas en el centro. **melón de agua** Sandía. **2** Planta herbácea rastrera, de flores aisladas de color amarillo, que se cultiva en países cálidos y que da este fruto. **3** familiar Cabeza de una persona, especialmente si es grande. **NOTA** Frecuentemente usado de forma humorística. **SIN** calabaza. **4** familiar Persona poco inteligente o poco hábil: *¡ay, melón, todo lo que tocas lo estropeas!*
FAM melonar, melonero.

melonar *s. m.* Terreno plantado de melones.

meloncillo *s. m.* Mamífero carnívoro de pequeño tamaño, pelaje rojizo o gris, cola larga y patas cortas; se alimenta de serpientes y ratones y con el pelo final de su cola se hacen pinceles. **SIN** mangosta.

melopea *s. f.* **1** familiar Trastorno temporal de las capacidades físicas y mentales de una persona a causa del consumo excesivo de alcohol. **SIN** cogorza, curda. **2** Composición poética de ritmo monótono para ser recitada con acompañamiento musical.

melosidad *s. f.* **1** Característica principal de las cosas que se parecen a la miel: *melosidad de un jarabe.* **2** Dulzura y amabilidad falsas. **3** Dulzura o suavidad en la forma de hablar o de comportarse de una persona.

meloso, -sa *adj.* ① Que contiene miel o una característica que se considera propia de la miel. SIN melifluo. ② Se aplica a la persona o comportamiento que es muy dulce o amable, especialmente si es falso o poco natural. SIN melifluo. ③ Se aplica a la forma de hablar o al comportamiento que es dulce, suave o amable. SIN melifluo.
FAM melosidad.

membrana *s. f.* ① Lámina muy delgada de tejido orgánico, generalmente flexible y resistente, de los seres animales o vegetales; entre sus funciones están la de recubrir un órgano o un conducto o la de separar o conectar dos cavidades o estructuras adyacentes. ■ **membrana biológica** Película muy fina formada principalmente por una doble capa de cierto tipo de lípidos (además de proteínas) que separa las células del medio externo y posibilita su interrelación con este; también delimitan los orgánulos celulares de las células eucariotas. ■ **membrana celular** o **membrana plasmática** Película formada por una doble capa de lípidos y una cierta cantidad de proteínas, que envuelve el contenido de las células y lo separa del medio externo. ■ **membrana interdigital** Membrana que une los dedos de las extremidades en ciertas especies de animales: *la mayoría de aves acuáticas, como los patos, poseen membranas interdigitales que les facilitan el desplazamiento en el agua.* ■ **membrana nictitante** Pliegue translúcido situado detrás de los párpados que se desliza sobre la superficie del ojo en sentido transversal y que está presente en la mayoría de aves y reptiles, así como en algunos anfibios y mamíferos. ■ **membrana nuclear** Película formada por lípidos y algunas proteínas que delimita el núcleo de las células eucariotas. ■ **membrana semipermeable** Membrana que puede ser atravesada por unos componentes de una disolución y no deja pasar otros, como las membranas biológicas. ② Lámina fina de material elástico. ③ Lámina muy tensada, generalmente de piel, que en ciertos instrumentos de percusión forma la parte que se golpea o frota para producir los sonidos: *la membrana de un tambor, un bombo o una pandereta.*
FAM membranoso.

membranófono *s. m.* Instrumento musical en que el sonido se produce por medio de la vibración de una membrana o lámina muy tensada de piel u otro material: *los bongos, el tamboril y el bombo son membranófonos.*

membranoso, -sa *adj.* Que tiene membranas o que es parecido a una membrana: *los murciélagos tienen las alas membranosas.*

membrete *s. m.* Estampación con el nombre de una persona, asociación u organismo que figura en un impreso.

membrillero *s. m.* Membrillo (arbusto).

membrillo *s. m.* ① Arbusto muy ramoso, con hojas ovaladas y flores blancas o rosadas, cuyo fruto es comestible. SIN membrillero. ② Fruto de este arbusto, muy aromático que tiene la piel amarilla y la carne áspera. ③ Dulce elaborado con este fruto.
FAM membrillero.

memez *s. f.* ① Falta de inteligencia y de juicio. ② Acción o dicho simple y tonto. SIN tontería, bobada.

memo, -ma *adj./s. m. y f.* Que es poco inteligente y que tiene poco juicio. SIN mentecato.
FAM memez.

memorable *adj.* Que merece ser recordado: *aquella final de liga fue memorable.*

memorando [también **memorándum**] *s. m.* ① Librito donde se anotan las cosas de que uno tiene que acordarse. ② Comunicación diplomática en la que se resumen hechos y razones para que se tengan presentes en un asunto grave.

memorándum *s. m.* Memorando.
OBS Plural invariable.

memorar *v. tr.* culto Recordar una cosa: *este pasaje del libro memora la juventud del escritor.*
FAM memorable, memorando.

memoria *s. f.* ① Capacidad de recordar. ② Informe del estado o desarrollo de una actividad: *durante la sesión de clausura se leerá la memoria del año.* ■ **memoria de calidades** Lista de materiales con que está hecha una construcción. ③ Exposición escrita de un tema de estudio: *para optar a la plaza de profesor hay que presentar una memoria de la asignatura.* ④ Parte de un ordenador donde se almacenan datos. ■ **memoria RAM** Memoria principal del ordenador, donde residen programas y datos, sobre la que se pueden efectuar operaciones de lectura y escritura. NOTA También simplemente *RAM.* ■ **memoria ROM** Memoria de un ordenador que contiene información que solo se puede leer pero que no se puede modificar: *los programas para iniciar el ordenador están almacenados en la memoria ROM.* NOTA También simplemente *ROM.* ‖ *s. f. pl.* ⑤ **memorias** Narración autobiográfica de acontecimientos e impresiones vividas: *tras retirarse, los actores famosos suelen escribir sus memorias.*
de memoria Usando tan solo el recuerdo y sin ayudarse de escritos: *se sabe la lección de memoria.*
en memoria Como recuerdo de un hecho o fecha importante: *guardaron un minuto de silencio en memoria del fallecido.*
refrescar la memoria Hacer que alguien recuerde algo: *me reprochó que nunca le había ayudado, pero le refresqué la memoria.*
FAM memorial, memorión, memorioso, memorismo, memorístico, memorizar.

memorial *s. m.* ① Libro o cuaderno en el que se apunta una cosa con un fin determinado. ② Acto público en memoria y honor de una persona. ③ Publicación oficial de algunas sociedades.
FAM memorialista; inmemorial.

memorístico, -ca *adj.* Que se basa únicamente en la utilización de la memoria como sistema de aprendizaje.

memorizar *v. tr.* Aprender de memoria.
FAM memorización.

mena *s. f.* Mineral sin limpiar, tal como se extrae de la mina: *en la mina se separa la mena de la ganga.*

ménade *s. f.* Mujer que en la antigua Roma estaba consagrada al culto de Baco (dios del vino). SIN bacante.

menaje *s. m.* ① Conjunto de muebles, utensilios y demás objetos necesarios en una casa. SIN ajuar. ② Conjunto de los utensilios de cocina. ③ Material pedagógico de una escuela.

menchevique *adj.* ① Relativo a la facción minoritaria del Partido Obrero Socialdemócrata ruso que surgió a partir de 1903; era de ideología moderada y desapareció tras la victoria de los bolcheviques (la facción mayoritaria) en la Revolución rusa de 1917. ‖ *s. com./adj.* ② Miembro de esta facción.

mención *s. f.* Recuerdo expreso que se hace de una persona o cosa: *la radio merece también una mención por su labor informativa.* ■ **mención honorífica** Honor concedido por un trabajo presentado a concurso y que no ha recibido premio.
FAM mencionar.

M

mencionar *v. tr.* Nombrar o hacer referencia a una persona o cosa. **SIN** mentar.

menda *s. com.* familiar Persona. **SIN** tío.

mendacidad *s. f.* Costumbre de mentir: *la mendacidad es un defecto que cuesta corregir.* **ANT** veracidad, sinceridad.

mendaz *adj./s. com.* culto Mentiroso.
FAM mendacidad.

mendelevio *s. m.* Elemento químico de símbolo *Md* y número atómico 101; es un metal radiactivo obtenido artificialmente, perteneciente al grupo de los actínidos.

mendelismo *s. m.* Teoría de la herencia biológica establecida por Mendel (1822-1844) sobre la transmisión hereditaria de caracteres.
FAM mendeliano.

mendicante *adj./s. com.* ① Que mendiga. **|** *adj.* ② Se aplica a la orden religiosa cuyos miembros y conventos no pueden poseer bienes, y que vive únicamente de la limosna de los fieles y del trabajo: *los franciscanos pertenecen a una orden mendicante.*

mendicidad *s. f.* ① Situación social de la persona que no posee otros ingresos para vivir que los que le proporcionan las limosnas. ② Acción de mendigar.

mendigar *v. tr./intr.* ① Pedir a modo de limosna ayuda o auxilio, generalmente en forma de dinero o alimentos: *sin nada para subsistir, no le quedó más remedio que mendigar.* ② Suplicar algo humillándose.
FAM mendicante.

mendigo, -ga *s. m. y f.* Persona muy pobre que vive de las limosnas. **SIN** pordiosero.
FAM mendicidad, mendigar.

mendrugo *s. m.* ① Pedazo de pan duro. **|** *adj./s. m.* ② familiar Que tiene dificultad en comprender las cosas, aunque sean sencillas. **SIN** zoquete.

menear *v. tr.* ① Mover algo de un lado al otro: *nunca está quieto, no para de menearse.* ② familiar Hacer gestiones con rapidez y decisión para resolver un asunto: *si no te meneas, tu problema tardará en resolverse.*
de no te menees familiar Que es muy grande, muy intenso o muy importante.
FAM meneo.

meneo *s. m.* ① Movimiento o agitación de una cosa: *el meneo del tren le produce mareo.* ② Movimiento excesivo de los hombros y las caderas al andar. ③ familiar Golpe o vapuleo que se propina a una persona.

menester *s. m.* ① Falta o necesidad de una cosa: *el agua es un menester básico para la humanidad.* ② culto Ocupación o trabajo: *anda muy ocupado en sus menesteres.* **NOTA** Más en plural.
ser menester Ser necesario o imprescindible: *se ofrecieron a ayudar en lo que fuera menester.*
FAM menesteroso.

menesteroso, -sa *adj./s. m. y f.* Se aplica a la persona que carece de lo necesario para vivir y necesita ayuda. **SIN** necesitado, pobre.

menestra *s. f.* ① Guiso hecho con hortalizas y verduras variadas, a las que se suele añadir trozos de carne o jamón. ② Plato de legumbres secas que se da a los soldados o a los presidiarios.

mengano, -na *s. m. y f.* familiar Se usa para designar a una persona cuyo nombre se desconoce o no se quiere expresar, especialmente la que va en segundo lugar, después de haber nombrado a otra con la palabra *fulano*, y a veces seguida de *zutano* y *perengano*: *siempre quiere saber qué es de fulano, qué es de mengano...*
OBS Se escribe normalmente con mayúscula inicial. Frecuentemente en forma diminutiva.

mengua *s. f.* Disminución en la cantidad, tamaño, calidad o valor de una cosa. **SIN** menoscabo.
FAM menguar.

menguante *adj.* ① Que disminuye. **ANT** creciente. ② Se aplica a la fase de la Luna que está entre las fases de luna llena y luna nueva. **ANT** creciente. **|** *s. f.* ③ Disminución del caudal de un río o del nivel de agua del mar: *el Nilo experimenta crecientes y menguantes drásticas.*

menguar *v. intr.* ① Disminuir el tamaño, cantidad, calidad o valor de una cosa: *esta tela no mengua al lavarse.* **ANT** crecer. ② Disminuir el tamaño de la parte iluminada de la Luna visible desde la Tierra. **ANT** crecer. ③ Disminuir el número de puntos en una labor para hacerla más estrecha: *al tejer las mangas de un jersey hay que menguar en la sisa.* **ANT** crecer.
FAM menguante.
OBS Verbo regular, se acentúa como *averiguar.*

menhir *s. m.* Monumento megalítico prehistórico, del periodo neolítico, formado por un monolito o gran piedra clavada en el suelo en posición vertical; probablemente tenía una función religiosa o funeraria.

meninge *s. f.* Membrana que envuelve el encéfalo y la médula espinal: *la meningitis es una enfermedad grave debida a una infección de las meninges.*
FAM meningitis.

meningitis *s. f.* Inflamación de las meninges debido a una infección de virus o bacterias: *la meningitis puede provocar la muerte.*
FAM meníngico.
OBS Plural invariable.

menino, -na *s. m. y f.* Miembro de la nobleza que desde pequeño servía a la familia real: *Velázquez retrató a las meninas de la infanta Margarita.*

menisco *s. m.* ① Cartílago en forma de media luna que sirve para facilitar la articulación de los huesos de la rodilla. ② Vidrio con una cara cóncava y otra convexa. ③ Superficie cóncava o convexa de un líquido contenido en una probeta.
menisco convergente Lente que tiene una cara convexa y otra cóncava.
menisco divergente Lente que tiene una cara cóncava y otra convexa.

menopausia *s. f.* Periodo en la vida de la mujer en el que se produce la desaparición natural de la menstruación de modo definitivo: *muchas mujeres sufren sofocos y cansancio durante la menopausia.*
FAM menopáusico.

menor *adj.* ① Se aplica a la persona que tiene menos edad en comparación con otra: *hermano menor.* **ANT** mayor. ② Que es más pequeño en tamaño o importancia: *he adelgazado y necesito una talla menor.* **ANT** mayor. ③ Se utiliza en oraciones negativas, precedido de artículo y seguido por un sustantivo, con el significado de 'ningún' o 'ninguno': *esto que dices no tiene la menor importancia.* ④ Se aplica al intervalo que es igual que el mayor, pero cuya nota superior ha bajado medio tono: *el intervalo menor de tercera está formado por un tono y medio.* ⑤ Se aplica al modo o tono que tiene los intervalos de tercera, sexta y séptima de esta clase. **|** *adj./s. com.* ⑥ Se aplica a la persona que no ha llegado a la edad adulta legal. **NOTA** También *menor de edad*.

al por menor Se aplica a la compra o la venta realizada en cantidades pequeñas, en oposición a la compra o venta al por mayor.

menor que Signo matemático (<) que indica que el término que está a su izquierda tiene menos valor que el de su derecha.

menorah *s. f.* Candelabro de siete brazos, usado especialmente en el culto judío.

menorquín, -quina *adj.* **1** De Menorca (isla del archipiélago balear). **❙** *s. m. y f./adj.* **2** Persona que es de Menorca. **❙** *s. m./adj.* **3** Variedad dialectal del catalán balear hablada en la isla de Menorca.

menos *adv.* **1** Indica una disminución o inferioridad cuantitativa o cualitativa: *viajar en tren cuesta menos dinero.* **2** Indica que una persona o cosa no está incluida en lo que se dice: *fueron todos al cine menos Alberto.* **SIN** excepto. **❙** *conj.* **3** Indica resta o sustracción: *diez menos dos es igual a ocho.* **❙** *s. m.* **4** Signo aritmético (–) que representa la resta o que se antepone a un número para indicar que este es negativo.

a menos que Introduce una oración subordinada en la que se hace una salvedad a propósito de lo expresado en la principal: *deberías ser puntual, a menos que tengas una buena excusa.* **SIN** a no ser que.

al menos o **por lo menos** (I) Indica el límite mínimo en el cálculo de una cantidad; especialmente cuando se considera que es una cantidad grande: *por lo menos llamaron treinta personas.* (II) Expresa una salvedad respecto de algo que se ha dicho: *sus resultados no son muy buenos, aunque por lo menos se esfuerza.*

de menos En cantidad o intensidad menor a lo que corresponde: *me ha dado usted dinero de menos.*

nada menos Expresión que sirve para enfatizar, especialmente si se trata de una cantidad: *el coche le ha costado cuatro millones nada menos.*

ni mucho menos Expresión con que se enfatiza una negación: *no es ni mucho menos el mejor alumno.*

menoscabar *v. tr.* Hacer perder calidad o valor a una cosa: *la crisis menoscabó el nivel de vida del país.* **FAM** menoscabo.

menoscabo *s. m.* Disminución en la cantidad, tamaño, calidad o valor de una cosa. **SIN** mengua.

menospreciar *v. tr.* **1** Apreciar una cosa o persona menos de lo que se merece: *es muy inteligente: no menosprecies su capacidad de trabajo.* **SIN** despreciar. **2** No apreciar una cosa o a una persona por considerarla indigna de estimación: *menosprecio la hipocresía y la calumnia.* **SIN** despreciar. **FAM** menospreciable, menospreciativo, menosprecio. **OBS** Verbo regular, se acentúa como *cambiar*.

menosprecio *s. m.* **1** Sentimiento por el cual se da menos valor o importancia a una persona o cosa de la que realmente tiene: *su menosprecio hacia el dinero lo llevará a la ruina.* **2** Sentimiento por el cual se considera a una persona o cosa como indigna de estimación. **SIN** desprecio, desdén. **ANT** aprecio. **FAM** menosprecio.

mensaje *s. m.* **1** Noticia que una persona comunica a otra u otras: *¿podría dejar un mensaje para el señor Pérez?* **2** Comunicación solemne del jefe del estado o del gobierno a la nación: *esta noche se emitirá el mensaje del rey con motivo de la Navidad.* **3** Contenido ideológico o moral que pretende transmitir

una obra literaria o artística: *me gusta que las letras de las canciones tengan mensaje.* **4** En la teoría de la comunicación, información que un emisor transmite a un receptor. **FAM** mensajero.

mensajería *s. f.* **1** Servicio de reparto de cartas y paquetes urgentes, generalmente dentro de una misma ciudad. **2** Sociedad o empresa que se dedica a ese servicio.

mensajería electrónica Servicio de envío, recepción o consulta de mensajes que se lleva a cabo mediante un ordenador conectado a una red.

mensajero, -ra *adj./s. m. y f.* **1** Que lleva un mensaje. **❙** *s. m. y f.* **2** Persona que se dedica a llevar cartas y paquetes urgentes a su destino, generalmente dentro de una misma ciudad. **FAM** mensajería.

menstruación *s. f.* **1** Proceso fisiológico por el que las mujeres y las hembras de ciertas especies animales renuevan periódicamente la mucosa uterina y expulsan el óvulo maduro no fecundado: *la menstruación tiene lugar desde la pubertad hasta la menopausia.* **SIN** periodo, regla. **2** Flujo sanguíneo procedente del útero que se evacua durante este proceso fisiológico. **SIN** regla.

menstrual *adj.* Relativo a la menstruación.

menstruar *v. intr.* Evacuar por la vagina sangre y mucosa uterina durante algunos días de cada mes. **FAM** menstruación. **OBS** Verbo regular, se acentúa como *actuar*.

menstruo *s. m.* culto Menstruación. **FAM** menstrual, menstruar.

mensual *adj.* **1** Que se repite cada mes. **2** Que dura un mes. **FAM** mensualidad; bimensual.

mensualidad *s. f.* Cantidad de dinero que se paga o se cobra cada 30 días. **SIN** mes.

ménsula *s. f.* **1** Repisa para sustentar cualquier cosa. **2** Elemento arquitectónico que sobresale del muro en voladizo y sirve para sostener algún objeto decorativo o recibir un arco o un nervio. **3** Tablero horizontal adosado a una pared.

mensurable *adj.* culto Que se puede medir.

menta *s. f.* **1** Planta herbácea con las hojas verdes y aromáticas y con flores moradas formando racimos. **SIN** hierbabuena. **2** Esencia extraída de esta planta que se emplea para aromatizar y dar sabor. **3** Licor preparado con esta planta. **4** Infusión que se prepara hirviendo las hojas secas de esta planta. **FAM** mentol.

mental *adj.* Relativo a la mente. **FAM** mentalidad, mentalizar, mentalmente.

mentalidad *s. f.* **1** Capacidad intelectual: *tiene la mentalidad de un niño de tres años.* **2** Conjunto de creencias que conforman el modo de pensar y actuar de un individuo o de una colectividad: *en su novela se refleja la mentalidad de toda una época.*

mentalización *s. f.* Preparación de una persona para aceptar o afrontar una determinada situación: *dejar de fumar requiere una gran mentalización.*

mentalizar *v. tr.* Preparar a una persona para que acepte o afronte una determinada situación: *es un trabajo muy duro para el cual me tengo que mentalizar.*

mentar [10] *v. tr.* **1** Nombrar o hacer referencia a una per-

sona o cosa. SIN mencionar. ‖ *v. intr.* 2 AMÉR. Poner un apodo a alguien.
FAM mentado.

mente *s. f.* 1 Conjunto de las facultades intelectuales de una persona. 2 Mentalidad (conjunto de creencias).
tener en mente Tener pensada, proyectada o prevista una cosa.
FAM mental.

mentecato, -ta *adj./s. m. y f.* Que es poco inteligente y que tiene poco juicio. SIN memo.
FAM mentecatería.

mentidero *s. m.* Lugar donde se reúnen las personas para conversar y tratar los asuntos del pueblo o de la ciudad: *la puerta de la iglesia es el mentidero del pueblo.*

mentir [9] *v. intr.* 1 Decir algo que no es verdad. 2 Inducir a error: *muchos filósofos creen que los sentidos mienten.*
¡miento! Expresión que se usa para indicar que lo que se acaba de decir no era cierto.
FAM mentidero, mentido, mentira, mentiroso, mentís; desmentir.

mentira *s. f.* 1 Expresión contraria a la verdad. SIN embuste. ANT verdad. ■ **mentira oficiosa** Mentira que se cuenta para agradar a una persona o para ser amable con ella. ■ **mentira piadosa** Mentira que se cuenta para evitarle un disgusto a una persona. 2 Cosa ilusoria, sin fundamento: *según un pesimista, la felicidad no es más que una mentira.* SIN engaño. 3 familiar Manchita blanca que sale en las uñas: *las mentiras aparecen por falta de minerales.*
de mentira Como broma o engaño.
FAM mentirijilla.

mentirijilla *s. f.* Mentira de poca importancia.
de mentirijillas Indica que algo no es verdad, que se ha dicho o hecho para engañar o bromear: *no te creas lo que te he dicho, iba de mentirijillas.*

mentiroso, -sa *adj./s. m. y f.* Que dice embustes o mentiras. SIN embustero.

mentís *s. m.* Declaración con que se contradice una cosa dicha por otra persona: *el presidente compareció para dar el mentís sobre los rumores de su dimisión.*
OBS Plural invariable.

mentol *s. m.* Compuesto soluble en alcohol que se extrae de la esencia de menta.
FAM mentolado.

mentolado, -da *adj.* Que contiene o sabe a mentol.

mentón *s. m.* Parte de la cara que hay debajo de la boca, especialmente la punta de la mandíbula. SIN barbilla.

mentor, -ra *s. m. y f.* Persona que aconseja o protege a otra: *antes de morir, decidió nombrar mentor de su hijo a su mejor amigo.*

menú *s. m.* 1 Conjunto de platos que componen una comida: *ya he pensado el menú para el día de Navidad.* ■ **menú del día** Comida que ofrece un restaurante por un precio fijo, con posibilidad limitada de elección. SIN cubierto. 2 Lista detallada de los platos que se sirven en una comida o que están disponibles en un restaurante, generalmente acompañados de su precio. SIN minuta. 3 Lista de funciones que aparecen en la pantalla de un ordenador y que este ejecutará a partir de la elección del usuario: *si aprietas la tecla de función, se desplegará el menú de ayuda.*
OBS Plural: *menús.*

menudear *v. tr.* 1 Hacer una cosa frecuentemente: *última-*

mente menudea las visitas a casa de su novia. ‖ *v. intr.* 2 Ocurrir una cosa frecuentemente: *este verano han menudeado las lluvias.* 3 Narrar las cosas con mucho detalle. 4 Referir cosas sin importancia.
FAM menudeo.

menudencia *s. f.* 1 Cosa sin importancia o valor. SIN nadería. ‖ *s. f. pl.* 2 **menudencias** Despojos y trozos pequeños que quedan tras descuartizar a un cerdo.

menudeo *s. m.* Venta de productos en pequeñas cantidades.

menudo *adj.* 1 Que es delgado, bajo o de pequeño tamaño. ANT enorme, grande. 2 Que tiene poca importancia. 3 En frases exclamativas, intensifica el valor del sustantivo que le sigue. ‖ *s. m. pl.* 4 **menudos** Vísceras, patas y sangre del ganado muerto y de las aves.
a menudo Con frecuencia.
FAM menudear, menudencia, menudillos.

meñique *adj./s. m.* Se aplica al dedo más pequeño y delgado de la mano.

meollo *s. m.* 1 Parte esencial de una cosa. 2 Masa de tejido nervioso que se encuentra en el interior del cráneo. SIN seso.

meón, meona *adj./s. m. y f.* familiar Que mea mucho.

mequetrefe *s. com.* despectivo Persona débil y poco importante.

mercachifle *s. com.* 1 despectivo Comerciante de poca importancia. 2 despectivo Persona excesivamente interesada en sacar provecho económico de su trabajo o profesión.

mercader *s. m.* Persona que se dedica a vender mercancías: *los mercaderes llevaban en su carromato todo tipo de artículos.*
FAM mercadería.

mercadería *s. f.* Producto con el que se comercia o se trata. SIN mercancía.

mercadillo *s. m.* Mercado formado por puestos ambulantes que se instalan cada cierto tiempo, generalmente al aire libre, y donde se venden productos baratos.

mercado *s. m.* 1 Lugar o edificio público donde se compra y vende, se comercia, especialmente alimentos y otros productos de primera necesidad. 2 Actividad de compra y venta de mercancías y servicios: *las épocas de crisis económicas repercuten de forma negativa en el mercado del trabajo.* ■ **mercado negro** Compraventa clandestina de productos. 3 Conjunto de compradores potenciales de una mercancía o servicio. 4 Zona geográfica a la que un país o industria destina su producción. 5 Conjunto de las operaciones financieras que rigen la economía.
FAM mercader, mercadillo, mercadotecnia, mercaduría; hipermercado, supermercado.

mercadotecnia *s. f.* Conjunto de técnicas comerciales para hacer más rentable un producto.

mercancía *s. f.* Producto con el que se comercia o se trata. SIN mercadería.

mercancías *s. m.* Tren que transporta solamente productos: *no puedes viajar en un mercancías.*
OBS Plural invariable.

mercante *adj.* 1 Que comercia. ‖ *adj./s. m.* 2 Se aplica a la embarcación que sirve para transportar pasajeros y mercancías.
FAM mercancía, mercantil.

mercantil *adj.* Relativo al comercio.
FAM mercantilismo, mercantilizar.

mercantilismo *s. m.* ① Sistema económico llevado a cabo por algunos estados europeos de los siglos XVI a XVIII, que otorgaba una gran importancia al comercio, especialmente la exportación, permitía la intervención del estado para controlarlo y valoraba la riqueza de un país según la cantidad de metales preciosos que poseyera: *el mercantilismo se desarrolló en los siglos XVI y XVII como consecuencia de los descubrimientos de las minas de oro y plata en América.* ② Interés excesivo en conseguir ganancias en cosas que no deberían ser objeto de comercio.
FAM mercantilista.

mercantilista *adj.* ① Relativo al mercantilismo. ‖ *adj./s. com.* ② Que es partidario del mercantilismo. ③ Especialista en derecho mercantil.

mercar *v. tr.* culto Comprar.
FAM mercachifle, mercado.

merced *s. f.* Favor o beneficio concedido por una persona: *la dama me concedió la merced de recibirme.*
a merced de Bajo la voluntad y el poder de una persona o cosa: *el barco quedó a merced de los vientos.*
merced a culto Gracias a, por causa de una persona o cosa que produce un bien o un mal: *conseguí salir adelante merced a unas fincas que tenía en el pueblo y que me proporcionaban una pequeña renta.*
vuesa merced o **vuestra merced** Tratamiento de respeto y cortesía que se usaba antiguamente.
FAM mercedario, mercenario.

mercedario, -ria *adj.* ① Relativo a la orden religiosa de Nuestra Señora de la Merced, fundada en el siglo XIII por san Pedro Nolasco, que actualmente se dedica a la educación y la reinserción social de presos. ‖ *adj./s. m. y f.* ② Se aplica al religioso que pertenece a esta orden.

mercenario, -ria *adj./s. m. y f.* ① Se aplica al soldado que lucha al servicio de un país extranjero a cambio de dinero o de un favor. ② Se aplica a la persona que solamente trabaja para ganar dinero, generalmente haciendo cosas que no son legales.

mercería *s. f.* ① Tienda donde se venden hilos, agujas y otros objetos para costura. ② Conjunto de artículos para costura.

mercromina *s. f.* Líquido compuesto por alcohol y mercurio que se usa para desinfectar heridas.

mercurio *s. m.* Elemento químico de símbolo *Hg* y número atómico 80; es un metal de transición, líquido a la temperatura ordinaria, denso y de color blanco o gris plata; se utiliza aleado con metales en baterías, en medicina, en aparatos de medida, etc.: *los vapores de mercurio son tóxicos.* **SIN** azogue.
FAM mercurial, mercúrico.

merecedor, -ra *adj.* Que merece: *ser merecedor de elogios.*

merecer [16] *v. tr.* ① Hacerse uno digno de recibir lo que le corresponde: *la señora era muy buena y merecía una vida mejor.* ② Tener una cosa el valor o la importancia suficientes: *esto no merece ni siquiera las gracias.*
FAM merecedor, merecido, merecimiento; desmerecer, inmerecido.

merecido *s. m.* Castigo que merece alguien.

merecimiento *s. m.* Derecho a recibir un premio o una alabanza. **SIN** mérito.

merendar [1] *v. tr./intr.* ① Tomar alimento por la tarde, antes de la cena. ‖ *v. prnl.* ② **merendarse** familiar Vencer en

una competición con gran superioridad: *el equipo español se merendó al italiano.*
FAM merendera, merendero, merendola.

merendero *s. m.* ① Lugar al aire libre provisto de mesas y asientos al que se va a comer, generalmente llevando la propia comida. ② Establecimiento público donde se sirven comidas y bebidas; suele estar en el campo o en la playa: *comieron paella en uno de los merenderos del paseo marítimo.*

merendola *s. f.* familiar Merienda muy buena y abundante.

merengar *v. tr.* Batir la leche mezclada con clara de huevo, azúcar y canela hasta que adquiere consistencia de merengue.

merengue *s. m.* ① Dulce hecho con clara de huevo batida a punto de nieve y mezclada con azúcar. ② Composición musical de origen dominicano, popular en otras zonas del Caribe, de ritmo rápido en compás binario, en la que tiene especial protagonismo la percusión y se alternan estrofas y estribillo con partes en que un coro responde a la voz principal. ③ Baile de ritmo rápido que se ejecuta con esta música. ④ Persona delicada y débil. ‖ *adj./s. com.* ⑤ familiar Relativo al Real Madrid C.F. (club deportivo de Madrid).
FAM merengar.

meretriz *s. f.* Mujer que mantiene relaciones sexuales a cambio de dinero. **SIN** prostituta.

meridiano, -na *adj.* ① Relativo al mediodía. ② Que es muy claro y manifiesto: *de repente lo vio todo con claridad meridiana.* ‖ *s. m.* ③ Círculo máximo imaginario trazado en la esfera de la Tierra y que pasa por los polos: *el meridiano de Greenwich tiene longitud 0º.* ④ Arco o semicírculo de 180º, trazado de norte a sur en la esfera terrestre, que va de polo a polo. ⑤ Línea de intersección de una superficie de revolución con un plano que pasa por su eje.
FAM meridional; antemeridiano, postmeridiano.

meridional *adj./s. com.* Relativo al Sur: *la España meridional es cálida y seca.* **ANT** septentrional.

merienda *s. f.* ① Alimento que se toma por la tarde, antes de la cena. ② Acción de tomar este alimento.
FAM merendar.

merindad *s. f.* ① Territorio que estaba bajo la jurisdicción de un merino. ② Cargo de merino. ③ Distrito con una villa o ciudad importante que defendía los pueblos y caseríos de su demarcación.

merino, -na *adj.* ① Se aplica a una raza de ovejas que da una lana muy fina y rizada. ② Se aplica a la lana que se obtiene de las ovejas de esta raza. *s. m.* ③ Juez que antiguamente ponía el rey en un territorio y se encargaba de la administración financiera, económica y judicial.

meristemo *s. m.* Tejido vegetal cuyas células presentan una elevada tasa de división y son responsables del crecimiento de la planta.

mérito *s. m.* ① Derecho a recibir un premio o una alabanza: *un trabajo digno de mérito.* **SIN** merecimiento. ② Valor o importancia que tiene una cosa.
hacer méritos Esforzarse para conseguir una cosa: *si quieres cobrar más tendrás que hacer méritos.*
FAM meritorio; ameritar, demérito.

meritorio, -ria *adj.* ① Que merece un premio o una alabanza. ‖ *s. m. y f.* ② Persona que trabaja sin recibir un sueldo con el fin de conseguir una plaza remunerada.

merluza *s. f.* ① Pez marino que puede superar el metro de longitud, de cuerpo alargado, con el dorso de color gris y el vientre blanco, cuya carne es muy apreciada; vive en las costas europeas: *las merluzas abundan en España.* **2** familiar Borrachera.

FAM merluzo.

merluzo, -za *adj./s. m. y f.* fam. desp. Bobo, tonto.

merma *s. f.* **1** Disminución en el número o en el tamaño de una cosa: *el mercado del libro ha sufrido una merma considerable en la producción de novelas.* **2** Parte que se consume de modo natural de una cosa.

mermar *v. intr./prnl.* **1** Disminuir el número o el tamaño de algo o consumirse de manera natural una parte de lo que antes tenía. **SIN** menguar. **ANT** aumentar. ‖ *v. tr.* **2** Quitar o reducir una parte de una cosa. **ANT** aumentar.

FAM merma.

mermelada *s. f.* Confitura elaborada con frutas y azúcar.

mero[1] *s. m.* Pez marino de carne muy fina y delicada de color rojizo, que puede llegar a medir 150 cm de longitud y 65 kg de peso.

mero, -ra[2] *adj.* Que es simplemente lo que indica el sustantivo: *va al trabajo por el mero placer de pasar el día con sus compañeros.*

OBS Va antepuesto al sustantivo.

merodear *v. intr.* Andar por los alrededores de un lugar con malas intenciones, curioseando o buscando algo.

FAM merodeador, merodeo.

merovingio, -gia *adj.* **1** Relativo a la primera dinastía de reyes francos que reinaron en la Galia (actual Francia) desde el siglo v hasta que comenzó a gobernar la dinastía carolingia en el siglo viii. ‖ *adj./s. m. y f.* **2** Se aplica a la persona que pertenecía a esta dinastía.

mes *s. m.* **1** Periodo de tiempo que, junto con otros once, forma un año. **2** Periodo de tiempo de treinta días. **3** Cantidad de dinero que se paga o se cobra cada 30 días. **SIN** mensualidad.

FAM mesada.

mesa *s. f.* **1** Mueble formado por una tabla horizontal, sostenida por uno o varios pies. ■ **mesa camilla** Mesa redonda con una tarima para colocar un brasero y cubierta hasta el suelo con una tela para guardar el calor. **NOTA** También simplemente *camilla.* ■ **mesa de operaciones** Estructura metálica, en forma de mesa articulada, en la cual se coloca al paciente sometido a una intervención quirúrgica. **2** Comida o arte de la cocina. **SIN** gastronomía. **3** Conjunto de personas que ocupan una mesa en un restaurante. **4** Conjunto de personas que dirigen una reunión o un acto: *pidió la palabra a la mesa.* ■ **mesa electoral** Conjunto de personas designadas para recoger los votos en un colegio electoral. ■ **mesa redonda** Reunión de varias personas para hablar sobre un asunto, generalmente ante un público que también puede dar su opinión. **5** Relieve resultante de la erosión de una cuenca sedimentaria, con una alternancia de materiales de diferente dureza, que tiene forma horizontal y está coronada por una capa de rocas resistentes o lava solidificada. **SIN** muela.

poner la mesa Colocar sobre la mesa los objetos necesarios para comer.

quitar (o levantar) la mesa Recoger los objetos y restos de comida que cubren la mesa después de comer.

FAM mesilla; sobremesa.

mesana *s. f.* **1** Palo que está más cercano a la popa en una embarcación de tres mástiles. **2** Vela atravesada que se coloca en este palo.

mesar *v. tr.* Arrancar o estrujar el cabello o la barba con las manos: *las mujeres lloraban y se mesaban los cabellos al conocer el trágico desenlace.*

mescolanza *s. f.* Mezcolanza.

mesenterio *s. m.* Repliegue del peritoneo que une el intestino delgado con la pared del abdomen.

mesero, -ra *s. m. y f.* COL., MÉX. Camarero, mozo que sirve en cafés, restaurantes, etc.

meseta *s. f.* Extensión de terreno llano y considerablemente elevado respecto al nivel del mar.

FAM amesetado; submeseta.

mesiánico, -ca *adj.* Relativo al mesianismo.

mesianismo *s. m.* **1** Creencia religiosa judía en la llegada de un mesías o salvador. **2** Confianza absoluta en un futuro mejor y en la solución de problemas sociales mediante la intervención de una sola persona o un líder.

mesías *s. m.* **1** Salvador enviado por Dios y anunciado por los profetas para liberar al pueblo de Israel del orden establecido: *los cristianos creyeron que Jesús era el mesías que estaban esperando, pero los judíos no lo tomaron como mesías.* **NOTA** Se escribe con mayúscula inicial. **2** Persona de la que se espera que solucione todos los problemas.

FAM mesiánico, mesianismo.

OBS Plural invariable.

mesilla *s. f.* Mueble pequeño en forma de mesa con cajones, que se coloca junto a la cabecera de la cama.

mesita *s. f.* Mesa auxiliar pequeña que se pone junto a la cabecera de la cama. **SIN** mesilla.

OBS También *mesita de noche.*

mesnada *s. f.* **1** Conjunto de hombres armados que en la Edad Media estaban a las órdenes de un rey o de un noble. **2** Conjunto de los seguidores o partidarios de una persona. **NOTA** Más en plural.

mesocarpio o **mesocarpo** *s. m.* Capa intermedia de las tres que forman el hueso o pericarpio de un fruto; constituye la parte carnosa: *el mesocarpio del melocotón es jugoso y de color anaranjado.*

mesocracia *s. f.* **1** Forma de gobierno en la cual domina la clase media o la burguesía. **2** Clase media o burguesía.

FAM mesocrático.

mesodermo *s. m.* Capa de células del embrión que aparece entre el endodermo y el ectodermo y a partir de la cual se forman el esqueleto, la musculatura y otros órganos.

mesolítico, -ca *adj./s. m.* **1** Se aplica al periodo prehistórico posterior al paleolítico y anterior al neolítico, que transcurrió entre el 10000 y el 5000 a. C. y constituye un periodo de transición y preparación para la revolución neolítica: *en el mesolítico surgen las primeras formas de agricultura y ganadería.* ‖ *adj.* **2** Relativo a este periodo prehistórico.

mesón[1] *s. m.* **1** Establecimiento donde se sirven comidas y bebidas; suele estar decorado de una forma tradicional y rústica. **2** Establecimiento, situado en un camino, que hospeda a los viajeros. **SIN** venta.

FAM mesonero.

mesón[2] *s. m.* Partícula elemental producida a partir de ciertas reacciones nucleares; su masa es intermedia entre la del electrón y el nucleón.

M

mesonero, -ra *s. m. y f.* Persona que es dueña de un mesón.

mesopotámico, -ca *adj.* ▨ De Mesopotamia (región histórica de Asia central): *la región mesopotámica está bañada por los ríos Tigris y Éufrates.* ‖ *s. m. y f./adj.* ▨ Persona que era de Mesopotamia.

mesosfera *s. f.* ▨ Capa de la atmósfera terrestre que se extiende entre los 50 y los 80 km de altitud aproximadamente; en ella las temperaturas descienden hasta los –80 grados centígrados: *la mesosfera está entre la estratosfera y la ionosfera.* ▨ Capa del interior de la Tierra situada bajo la astenosfera y sobre la endosfera.

mesoterapia *s. f.* Tratamiento local de algunas enfermedades que consiste en introducir pequeñas dosis de diversos medicamentos en la piel mediante inyecciones simultáneas con una jeringa circular provista de varias agujas.

mesotórax *s. m.* Parte media de las tres que forman el tórax de un insecto (situada entre el protórax y el mesotórax), en la cual se articula el segundo par de patas y, en los insectos alados, se inserta el primer par de alas. **OBS** Plural invariable.

mesozoico, -ca *adj./s. m.* ▨ Se aplica a la era geológica que sigue a la era paleozoica o primaria y precede a la era cenozoica; se extiende desde hace unos 245 millones de años hasta hace unos 65 millones de años. **SIN** secundario. ‖ *adj.* ▨ Relativo a esta era geológica. **SIN** secundario.

mesta *s. f.* Asociación de pastores y dueños de ganado castellanos, surgida a partir de la Reconquista debido al gran desarrollo de la ganadería lanar: *la mesta se creó en 1273 y fue abolida en 1836.* **OBS** Se escribe normalmente con mayúscula inicial.

mester *s. m.* Antiguamente, arte u oficio. ■ **mester de clerecía** Escuela poética medieval formada por clérigos y personas cultas: *Gonzalo de Berceo y el Arcipreste de Hita pertenecen al mester de clerecía.* ■ **mester de juglaría** Escuela poética medieval de carácter popular y de tradición oral cuyas poesías recitaban los juglares.

mestizaje *s. m.* ▨ Cruce de razas distintas. ▨ Conjunto de individuos que resultan de este cruce.

mestizo, -za *adj./s. m. y f.* ▨ Se aplica a la persona que ha nacido de padres de diferente raza. ▨ Se aplica a la persona que ha nacido de padre blanco y madre indígena americana, o que es descendiente de ellos: *con la conquista y colonización de América se produjo un gran número de mestizos.* ▨ Se aplica al animal o al vegetal que procede de la unión de dos individuos de especies diferentes. **SIN** híbrido. **FAM** mestizaje, mestizar.

mesura *s. f.* Moderación en el ánimo, en las pasiones y en los placeres de los sentidos. **SIN** templanza. **FAM** mesurar.

mesurar *v. tr.* Actuar con mesura: *mesúrate en la comida y no engordarás tanto.* **FAM** desmesurar.

meta *s. f.* ▨ Lugar o punto en el que termina una carrera. **ANT** salida. ▨ Fin al que se dirige una acción u operación. **SIN** objetivo. ▨ Armazón formado por dos postes y un larguero cubiertos por una red, donde debe ir a parar la pelota para conseguir marcar un gol en ciertos deportes. **SIN** portería. **FAM** guardameta.

metabólico, -ca *adj.* Relativo al metabolismo.

metabolismo *s. m.* Conjunto de reacciones que se producen continuamente en las células vivas, mediante las cuales esta obtiene y transforma materia y energía: *las reacciones del metabolismo se producen en orden al mantenimiento de la vida, al crecimiento de los individuos y a su reproducción.* ■ **metabolismo basal** Conjunto de reacciones químicas que tienen lugar en un organismo vivo en estado de reposo físico y psíquico, en un ambiente de temperatura neutra y tras la absorción de nutrientes. **FAM** metabólico.

metacarpiano, -na *adj.* ▨ Relativo al metacarpo. ‖ *s. m./adj.* ▨ Cada uno de los cinco huesos del metacarpo.

metacarpo *s. m.* Conjunto de los cinco huesos situados entre la muñeca y los dedos en el esqueleto de los miembros anteriores de los vertebrados. **FAM** metacarpiano.

metacrilato *s. m.* Material plástico transparente, muy rígido y resistente, que se utiliza como sustituto del vidrio en diversas aplicaciones.

metadona *s. f.* Producto farmacéutico con propiedades analgésicas semejante a la morfina: *la metadona se usa como producto de sustitución progresiva en el tratamiento de desintoxicación de drogadictos.*

metafase *s. f.* Segunda fase de la mitosis (división celular), en la cual la membrana nuclear desaparece y los cromosomas se sitúan en el plano ecuatorial de la célula uniéndose por sus centrómeros a las fibras del huso.

metafísica *s. f.* ▨ Disciplina filosófica que estudia la esencia del ser. ▨ Modo de pensar con excesiva sutileza sobre cualquier tema. **FAM** metafísico.

metafísico, -ca *adj.* ▨ Relativo a la metafísica. ▨ Que es abstracto y difícil de comprender. ‖ *s. m. y f.* ▨ Persona que estudia los problemas metafísicos y profesa esta disciplina: *Platón, Descartes y Kant fueron ilustres metafísicos.*

metafita *adj./s. f.* ▨ Se aplica a la planta que tiene muchas células diferenciadas agrupadas en tejidos que forman órganos, sistemas y aparatos. ‖ *s. f. pl.* ▨ **metafitas** Grupo taxonómico, con categoría de grupo, constituido por estas plantas.

metáfora *s. f.* Figura retórica que consiste en identificar un término real con uno imaginario con el que mantiene una relación de semejanza: *"la primavera de la vida" es una metáfora de la juventud.* **FAM** metafórico.

metafórico, -ca *adj.* Relativo a la metáfora.

metagoge *s. f.* Metáfora que consiste en aplicar a cosas palabras referidas a los sentidos o a las cualidades de seres animados: *"llorar el cielo" es una metagoge.*

metal *s. m.* ▨ Elemento químico, generalmente sólido a temperatura normal, que es buen conductor del calor y de la electricidad y que tiene un brillo característico: *el hierro, el aluminio, el cromo y el cobre son metales.* ■ **metal noble** Metal con alta resistencia a la oxidación: *el iridio es un metal noble.* ■ **metal pesado** Metal con una masa atómica relativa alta: *los metales pesados provocan contaminación ambiental.* ■ **metal precioso** Metal que tiene mucho valor; suele emplearse en joyería: *el oro, la plata y el platino son metales preciosos.* ▨ Conjunto de instrumentos de viento

M

de una orquesta: *la trompeta y el trombón pertenecen al metal.*
el vil metal El dinero.

FAM metálico, metalizar, metaloide, metalurgia; bimetalismo.

metalenguaje *s. m.* Lenguaje que se utiliza para hablar de aspectos propios de la lengua o para describirla: *hacemos uso del metalenguaje cuando decimos que "fertilizante" tiene cinco sílabas.*

metálico, -ca *adj.* ① Relativo al metal. ② Que tiene una característica que se considera propia del metal. ‖ *s. m.* ③ Dinero en monedas o en billetes. **SIN** efectivo.

metalingüístico, -ca *adj.* Relativo al metalenguaje.

metalizado, -da *adj.* Se aplica al color que tiene el brillo o los reflejos del metal.

metalófono *s. m.* Instrumento musical de percusión en que el sonido se produce percutiendo con baquetas o macillos una o varias hileras de barras metálicas a modo de teclas: *la celesta y el glockenspiel son metalófonos.*

metaloide *s. m.* Elemento químico que puede comportarse químicamente como un metal o como un no metal.

metalurgia *s. f.* ① Conjunto de técnicas para extraer los metales contenidos en los minerales para elaborarlos y darles forma: *la siderurgia es la metalurgia del hierro, el acero y las fundiciones.* ② Conjunto de instalaciones y empresas que se dedican a la extracción y transformación de los metales.
FAM metalúrgico.

metalúrgico, -ca *adj.* ① Relativo a la metalurgia. ‖ *s. m. y f./adj.* ② Persona que trabaja en la industria de la metalurgia o se dedica a su estudio.

metámero *s. m.* Cada uno de los segmentos o anillos de los gusanos o artrópodos.

metamórfico, -ca *adj.* ① Relativo al metamorfismo. ② Se aplica a la roca que ha sufrido metamorfismo.

metamorfismo *s. m.* Conjunto de transformaciones que sufre una roca después de su consolidación primitiva por efecto de las altas presiones y temperaturas de la corteza terrestre. ■ **metamorfismo de contacto** Metamorfismo que se produce por el efecto de la alta temperatura que conlleva la ascensión de magma hacia la superficie terrestre. ■ **metamorfismo regional** Metamorfismo causado por la fuerte presión y las altas temperaturas que experimentan las rocas en determinadas zonas de la corteza terrestre.
FAM metamórfico.

metamorfosear *v. tr.* Cambiar una cosa de forma. **SIN** transformar.

metamorfosis *s. f.* ① Transformación de una cosa en otra. ② Estadio del ciclo vital de muchos invertebrados, la mayoría de anfibios y ciertos peces, durante el cual estos experimentan una serie de cambios que implican una variación sustancial de su morfología y hábitos, junto a una reconstitución de sus tejidos. ■ **metamorfosis completa** o **metamorfosis complicada** Metamorfosis que conlleva la formación de una larva, que se convierte en ninfa y finalmente adquiere su forma adulta, notablemente distinta de la larva: *las mariposas presentan metamorfosis completa.* ■ **metamorfosis simple** Metamorfosis en la que la forma intermedia del desarrollo, llamada ninfa, apenas difiere de la forma adulta.
FAM metamorfismo, metamorfosear.
OBS Plural invariable.

metano *s. m.* Gas incoloro, inodoro y muy inflamable, que

constituye el principal componente del gas natural; procede de la descomposición de sustancias orgánicas.

metanol *s. m.* Alcohol metílico, incoloro y muy tóxico, que se obtiene por oxidación del metano en presencia de aire y de un catalizador.

metaplasmo *s. m.* Figura retórica que consiste en la alteración de una palabra por adición, supresión o cambio de lugar de un sonido: *la apócope y la aféresis son metaplasmos.* **SIN** figura de dicción.

metástasis *s. f.* Reproducción y extensión de una enfermedad o de un tumor en otras partes del organismo.
OBS Plural invariable.

metatarso *s. m.* Conjunto de los cinco huesos largos que están situados entre el tarso y los dedos del pie o de las extremidades posteriores de los vertebrados.

metátesis *s. f.* Cambio de lugar de uno o más sonidos dentro de una palabra: *cuando decimos "dentrífico" en lugar de "dentífrico", hay metátesis de la "r".*
OBS Plural invariable.

metatórax *s. m.* Última de las tres partes que forman el tórax de los insectos.
OBS Plural invariable.

metazoo *adj./s. m.* ① Se aplica al animal que tiene muchas células diferenciadas agrupadas en tejidos que forman órganos, sistemas y aparatos. ‖ *s. m. pl.* ② **metazoos** Grupo taxonómico, con categoría de subreino, constituido por estos animales.

meteco, -ca *adj./s. m. y f.* Se aplica al extranjero que se establecía en alguna ciudad de la antigua Grecia, y era considerado inferior al ciudadano: *los metecos fueron importantes para el desarrollo de la industria y el comercio.*

metedura Se usa en la expresión:
metedura de pata familiar Acción o dicho inconveniente e inoportuno.

metempsícosis o **metempsicosis** *s. f.* Creencia religiosa según la cual las almas pueden pasar después de la muerte a otro cuerpo humano o animal: *los antiguos egipcios creían en la metempsícosis.* **SIN** transmigración.
OBS Plural invariable.

meteórico, -ca *adj.* ① Relativo a los fenómenos de la naturaleza. ② Que es muy rápido.

meteorismo *s. m.* Acumulación de gases en el tubo digestivo que produce un abultamiento del abdomen.

meteorito *s. m.* Cuerpo del espacio exterior que puede entrar en la atmósfera y, debido a la fricción con esta, descomponerse en fragmentos sobre la superficie de la Tierra.

meteorización *s. f.* Proceso de alteración o fragmentación de las rocas de la superficie terrestre por la acción de la atmósfera, el agua y los seres vivos.

meteoro o **metéoro** *s. m.* Fenómeno natural no permanente que se produce en la atmósfera: *el viento, la nieve y los rayos son meteoros.*
FAM meteórico, meteorito, meteorizar.

meteorología *s. f.* Disciplina que estudia los fenómenos de la atmósfera.
FAM meteorológico, meteorólogo.

meteorológico, -ca *adj.* Relativo a la meteorología.

meteorólogo, -ga *s. m. y f.* Persona que se dedica a estudiar los fenómenos de la atmósfera.

metepatas *adj./s. com.* familiar Que dice o hace una cosa inconveniente e inoportuna.
OBS Plural invariable.

meter *v. tr.* ⓵ Introducir a alguien o algo en un sitio. **ANT** sacar. ⓶ Proporcionar un empleo a una persona: *se metió en el ministerio.* **SIN** colocar. ⓷ Depositar dinero en el banco o invertirlo en un negocio. ⓸ Hacer que una pieza de tela resulte más corta o más estrecha doblándola y cosiéndola por las costuras. ⓹ Provocar verbalmente o mediante una acción un efecto determinado: *meter prisa.* ⓺ familiar Propinar: *meter un guantazo.* ⓻ Vender con engaño o a la fuerza: *me metió unos filetes de mala calidad.* ‖ *v. prnl.* ⓼ **meterse** Participar en una cosa sin tener derecho a ello o sin haber sido llamado. **SIN** colarse, entrometerse, inmiscuirse. ⓽ Seguir o desempeñar un oficio: *se metió a torero.* ⓾ Ir a parar a un lugar o a una situación determinada: *¿dónde se habrá metido mi perro?*
a todo meter familiar Con gran intensidad o con gran ímpetu.
meterse con Provocar, enfadar o insultar a una persona.
FAM metedura, metemuertos, metepatas, meticón, metido, metomentodo; entremeter, entrometer, remeter.

meticón, -cona *adj./s. m. y f.* fam. desp. Entrometido.

meticulosidad *s. f.* Cuidado, paciencia y atención que se pone al realizar una cosa difícil o complicada.

meticuloso, -sa *adj.* ⓵ Que se hace con gran cuidado, detalle y atención, empleando tiempo y paciencia para que salga bien. **SIN** minucioso. ⓶ Se aplica a la persona que hace las cosas con gran cuidado, detalle y atención, empleando tiempo y paciencia para que salgan bien. **SIN** minucioso.
FAM meticulosidad.

metido, -da *adj.* ⓵ Que abunda en una cosa: *una joven metida en carnes se dirigió al policía; es un señor algo metido en años.* ‖ *s. m.* ⓶ Trozo de tela que se dobla en una prenda de vestir para hacerla más corta o más estrecha: *el metido que has hecho en el pantalón queda muy feo.* ‖ *adj.* ⓷ AMÉR. Entrometido.

metileno *s. m.* Radical químico derivado del metano, formado por un átomo de carbono y dos de hidrógeno.

metilo *s. m.* Radical químico formado por tres átomos de hidrógeno y uno de carbono, que entra en la composición del alcohol metílico y de otros cuerpos orgánicos.

metódico, -ca *adj.* ⓵ Que se hace con método y orden. ⓶ Se aplica a la persona que hace las cosas con método y orden.

metodismo *s. m.* Doctrina religiosa anglicana que tuvo su origen en las ideas del religioso británico John Wesley en el siglo XVIII; valora la lectura común de la Biblia y la oración personal frente a las formas de culto públicas.
FAM metodista.

metodista *adj.* ⓵ Relativo al metodismo. ‖ *adj./s. com.* ⓶ Se aplica a la persona que cree en esta doctrina religiosa.

método *s. m.* ⓵ Modo ordenado y sistemático de proceder para llegar a un resultado o fin determinado. ⓶ Modo de obrar que una persona tiene habitualmente. ⓷ Conjunto de reglas y ejercicios destinados a enseñar una actividad, un arte o una ciencia: *el método de inglés que utilizamos es muy bueno.*
FAM metódico, metodismo, metodizar, metodología.

metodología *s. f.* Conjunto de métodos que se siguen en una disciplina científica, en un estudio o en una exposición doctrinal.
FAM metodológico.

metomentodo *adj./s. com.* fam. desp. Entrometido.

metonimia *s. f.* Figura retórica que consiste en designar una cosa con el nombre de otra con la que mantiene una relación de proximidad o contexto: *si decimos "hay que respetar las canas" por "hay que respetar la vejez", utilizamos una metonimia.*
FAM metonímico.

metonímico, -ca *adj.* Relativo a la metonimia.

metopa o **métopa** *s. f.* Espacio situado entre dos tríglifos en el friso dórico: *las metopas pueden estar decoradas con relieves.*

metraje *s. m.* Longitud de una película cinematográfica por la que puede conocerse su duración.
FAM cortometraje, largometraje.

metralla *s. f.* Conjunto de pequeños pedazos de metal con que se cargan ciertos proyectiles, bombas o artefactos explosivos.
FAM metralleta; ametrallar.

metralleta *s. f.* Ametralladora portátil.

métrica *s. f.* Ciencia que trata de la naturaleza, medida y propiedades de los versos, y de su combinación en estrofas.

métrico, -ca *adj.* ⓵ Que está basado en el metro como unidad de medida: *el sistema métrico es un sistema decimal de medidas y pesos basado en el metro.* ⓶ Relativo a la medida de los versos.
FAM métrica.

metro[1] *s. m.* ⓵ Unidad de longitud del Sistema Internacional, de símbolo *m*, equivalente a la longitud del trayecto recorrido por la luz en el vacío durante $1/299\,792\,458$ de segundo; es la base del sistema métrico decimal: *un metro es aproximadamente la diezmillonésima parte del meridiano terrestre.* ■ **metro cuadrado** Unidad de superficie del Sistema Internacional, de símbolo *m²*, que equivale al área de un cuadrado de un metro de lado: *se ha comprado un piso de 90 metros cuadrados.* ■ **metro cúbico** Unidad de volumen del Sistema Internacional, de símbolo *m³*, que equivale al volumen de un cubo de un metro de lado. ■ **metro por segundo** Unidad de velocidad del Sistema Internacional, de símbolo *m/s*, que equivale a la velocidad de un cuerpo que recorre una longitud de un metro en un segundo: *el sonido se propaga en el aire a unos 333 metros por segundo.* ⓶ Instrumento para medir que consiste en una regla o cinta graduada, generalmente de un metro de largo. ⓷ Estructura rítmica de un verso o de una composición poética que se basa en un orden fijo de acentos, pausas y rimas: *los poetas españoles del Renacimiento adaptaron el metro italiano.*

metro[2] *s. m.* ⓵ Tren eléctrico total o parcialmente subterráneo destinado al transporte público en grandes ciudades. **SIN** metropolitano. ⓶ Conjunto de instalaciones y estaciones donde para ese tren para recoger o dejar viajeros: *buscaron la boca de metro más cercana.*

metrología *s. f.* Ciencia que estudia los sistemas de pesas y medidas.

metrónomo *s. m.* Instrumento para medir o marcar el tiempo de una composición musical; está formado por una varilla metálica plana fijada a una caja triangular por su extremo inferior, que un mecanismo de cuerda hace oscilar y

M

que hace un ruido seco en cada movimiento a un lado y al otro; la barra tiene un pequeño peso que se sube o baja para hacer más lento o más rápido, respectivamente, el ritmo marcado: *un metrónomo graduado a la velocidad de 60 hace 60 pulsaciones por minuto.*

metrópoli o **metrópolis** *s. f.* ① Ciudad principal, cabeza de la provincia o del estado, de gran extensión y con muchos habitantes: *Nueva York es el prototipo de metrópoli.* ② Ciudad o nación, con respecto de sus colonias: *España fue la metrópoli de gran parte de América del Sur durante los siglos XVI y XIX.* ③ Iglesia arzobispal de la cual dependen varias diócesis. **FAM** metropolitano.
OBS Plural: *metrópolis.*

metropolitano, -na *adj.* ① Relativo a la metrópoli: *transporte metropolitano.* ② Relativo al arzobispo. **SIN** arzobispal. **‖** *s. m.* ③ Arzobispo que preside a los obispos de su provincia eclesiástica. ④ Ferrocarril eléctrico, total o parcialmente subterráneo, destinado al transporte público en grandes ciudades. **SIN** metro.

meublé [se pronuncia 'mueblé' o 'meblé'] *s. m.* Lugar donde se alquilan habitaciones para que las parejas tengan relaciones sexuales.

mexicanismo [también **mejicanismo**; se pronuncia 'mejicanismo'] *s. m.* Palabra o modo de expresión propio del español hablado en México.

mexicano, -na [también **mejicano, -na**; se pronuncia 'mejicano'] *adj.* ① De México (país de América del Norte): *la comida mexicana es muy sabrosa.* **‖** *s. m. y f./adj.* ② Persona que es de México.

mezcla *s. f.* ① Operación de unir o combinar elementos o personas distintas: *obtenemos el color verde a partir de la mezcla de azul y amarillo.* ② Sustancia que resulta de la unión de dos o más componentes distintos. ③ Tejido elaborado con hilos de varias clases y colores. ④ Operación de combinar y ajustar las imágenes con los sonidos y la música en una película. ⑤ Argamasa para la construcción que resulta de mezclar cal, arena y agua. ⑥ Asociación de varias sustancias o cuerpos sin que se produzca reacción química entre ellos.

mezclar *v. tr.* ① Juntar o unir varias cosas distintas: *bate los huevos y mézclalos con la harina.* ② Alterar el orden de algo revolviéndolo: *no mezcles los apuntes de biología con los de literatura.* ③ Meter a alguien en un asunto que no le incumbe o que puede traerle problemas. **‖** *v. prnl.* ④ **mezclarse** Introducirse o meterse alguien entre otras personas: *el cantante se mezcló entre el público para pasar desapercibido.*
FAM mezcla; entremezclar.

mezcolanza *s. f.* Mezcla que resulta extraña, confusa e incluso ridícula. **SIN** mescolanza.

mezquindad *s. f.* ① Falta de sentimientos nobles: *su mezquindad lo llevó a quitarle el trabajo a su mejor amigo.* ② Obra o dicho despreciable resultado de estos sentimientos.

mezquino, -na *adj./s. m. y f.* ① Que es despreciable por carecer de sentimientos nobles. ② Que intenta gastar menos de lo que podría permitirse. **SIN** miserable. **ANT** generoso. **‖** *adj.* ③ Que es excesivamente pequeño, escaso o poco importante.
FAM mezquindad.

mezquita *s. f.* Edificio donde una comunidad musulmana se reúne para rezar o realizar ceremonias religiosas; consta de una sala de oración en la que se halla el mihrab (nicho u hornacina orientado hacia La Meca), de un minarete (torreón desde el cual se llama a los fieles a la oración) y de una fuente para realizar las abluciones o purificaciones. **SIN** aljama.

mezzosoprano o **mezzo-soprano** [se pronuncia aproximadamente 'medsosoprano'] *s. m.* ① Voz femenina más grave que la de la soprano y más aguda que la de contralto. **‖** *s. f.* ② Mujer que tiene esta voz.

mi[1] *det.* Forma del determinante posesivo en primera persona del singular: *mi amigo; mis padres.*
OBS Plural: *mis.* Va antepuesto al sustantivo.

mi[2] *s. m.* Tercera nota de la escala musical: *el mi está entre el re y el fa.*
OBS Plural: *mis.*

mi[3] [también **my**] *s. f.* Nombre de la duodécima letra del alfabeto griego; se escribe M/μ y se transcribe como *m.*

mí *pron.* Forma del pronombre personal de la primera persona del singular que se emplea en los complementos con preposición: *trajo un regalo para mí.*
¡a mí qué! familiar Indica que una cosa o una acción no importa o no preocupa a la persona que habla: —*¿Sabes que Ana se casa?* —*¡A mí qué!*
para mí que familiar Según cree la persona que habla: *para mí que Luis no va a venir.*
OBS Con la preposición *con* forma el pronombre *conmigo.*

miasma *s. m.* Olor muy desagradable o sustancia maloliente que se desprende de los cuerpos enfermos, de la materia en descomposición o de las aguas estancadas. **SIN** efluvio, tufo.
OBS Más en plural.

miau *s. m.* Voz del gato.

mica *s. f.* Mineral de aluminio compuesto de varias láminas delgadas, brillantes, blandas y flexibles, que se utiliza como aislador eléctrico.

micción *s. f.* culto Acción de orinar.

micelio *s. m.* Aparato vegetativo de los hongos que está constituido por células en forma de filamentos (hifas).

micénico, -ca *adj.* ① Relativo a la civilización que se desarrolló en el siglo XIV a. C. en la que la ciudad de Micenas (antigua ciudad de Grecia) era el centro cultural. **‖** *adj./s. m. y f.* ② Se aplica a la persona que era de Micenas o de una de las ciudades donde se desarrolló esta civilización: *los micénicos vivían en ciudades fortificadas.* **‖** *adj./s. m.* ③ Se aplica a la lengua que constituye la forma más antigua que se conoce de la lengua griega.

michelín *s. m.* familiar Acumulación de grasa en forma de pliegue que se forma alrededor de la cintura de las personas.

mico, -ca *s. m. y f.* ① Mono de pequeño tamaño y de cola larga. ② familiar Nombre que se le da a los niños pequeños como apelativo cariñoso: *esta mica no para de hacer travesuras.*

micología *s. f.* Parte de la botánica que estudia los hongos.
FAM micológico, micólogo.

micólogo, -ga *s. m. y f.* Persona que está especializada en el estudio de los hongos.

micosis *s. f.* Enfermedad infecciosa y muy contagiosa producida por hongos microscópicos.
OBS Plural invariable.

micra *s. f.* Medida de longitud, de símbolo μ, que es la millonésima parte de un metro: *la micra se utiliza para medir objetos microscópicos.* **SIN** micrómetro.

micro *s. m.* familiar Micrófono.

microbiano, -na *adj.* Relativo al microbio.

microbio *s. m.* Organismo vivo unicelular microscópico, especialmente el que puede producir enfermedades: *las bacterias son microbios carentes de núcleo.* **SIN** microorganismo. **FAM** microbiano, microbiología.

microbiología *s. f.* Parte de la biología que estudia los organismos microscópicos. **FAM** microbiólogo.

microbús *s. m.* Vehículo más pequeño que un autobús con un número reducido de viajeros.

microcirugía *s. f.* Cirugía que se realiza mediante microscopio sobre estructuras vivas muy pequeñas. **FAM** microcirujano.

microclima *s. m.* Conjunto de las condiciones climáticas particulares de un espacio de dimensiones reducidas, producido por su localización o las modificaciones introducidas por la acción humana.

microcosmo o **microcosmos** *s. m.* El ser humano considerado como reflejo y resumen del universo o macrocosmo. **OBS** Plural: *microcosmos.*

microcrédito *s. m.* Préstamo de pequeña cuantía que se concede a personas con pocos recursos, con el fin de desarrollar proyectos personales que generen ingresos para atender a sus familias con su propio esfuerzo.

microeconomía *s. f.* Estudio de la economía de una zona, país o grupo de países considerada individualmente y empleando datos de las actividades de producción o consumo y sus relaciones.

microelectrónica *s. f.* Técnica que consiste en diseñar y producir material electrónico de dimensiones muy pequeñas.

microevolución *s. f.* Conjunto de procesos evolutivos que causan la diferenciación de géneros y especies.

microfibra *s. f.* Tela sintética formada por filamentos de poco grosor pero gran capacidad para guardar el calor; se usa para fabricar prendas de abrigo, como los anoraks.

microfilm *s. m.* Microfilme.

microfilmar *v. tr.* Reproducir en un microfilme imágenes o textos. **FAM** microfilmadora.

microfilme [también **microfilm**] *s. m.* Película fotográfica que se usa para fijar en ella imágenes y textos en tamaño muy reducido y ampliarlos después en fotografía o proyectados sobre una pantalla. **FAM** microfilmar.

micrófono *s. m.* Aparato para transformar las ondas sonoras en energía eléctrica y viceversa en procesos de grabación y reproducción de sonido; está formado por un diafragma atraído intermitentemente por un electroimán, que, al vibrar, modifica la corriente transmitida por las diferentes presiones a un circuito.

microfotografía *s. f.* Fotografía de objetos de tamaño microscópico.

microlentilla *s. f.* Lente de contacto (lente muy pequeña y delgada, de plástico o de cristal, que se aplica directamente sobre la córnea y sirve para corregir algún defecto de la vista). **SIN** lentilla.

microlito *s. f.* Instrumento de piedra de los periodos paleolítico y mesolítico, de pequeño tamaño, labrado y destinado a diversos usos, como raspar, cortar, hendir, perforar y grabar, o que se usaba como punta de flecha.

micrómetro *s. m.* ① Instrumento para medir con gran precisión cantidades lineales o angulares muy pequeñas. ② Micra.

micrón *s. m.* ① Antigua denominación del micrómetro. ② Unidad de presión que equivale a 10^{-6} metros o 10^{-3} milímetros de mercurio.

microonda *s. f.* Onda electromagnética que tiene una longitud comprendida entre el milímetro y el metro y cuya propagación se realiza por tubos metálicos.

microondas *adj./s.* Se aplica al horno que funciona con radiaciones electromagnéticas, que permiten que los alimentos se calienten o se cocinen con gran rapidez. **OBS** Plural invariable.

microordenador *s. m.* Ordenador electrónico diseñado para aplicaciones concretas, de tamaño y capacidad reducidos, generalmente personal y de uso doméstico.

microorganismo *s. m.* Organismo vivo unicelular, animal o vegetal, especialmente el que puede producir enfermedades; no se puede ver sin la ayuda del microscopio. **SIN** microbio.

microprocesador *s. m.* Circuito integrado implantado en una pequeña placa de silicio, donde se realizan todas las operaciones aritméticas y lógicas de un ordenador.

microscópico, -ca *adj.* ① Que tiene un tamaño tan pequeño que solamente puede verse a través de un microscopio. **ANT** macroscópico. ② Que es de tamaño muy pequeño. **SIN** diminuto.

microscopio *s. m.* Instrumento óptico que, por medio de un sistema de lentes de gran aumento, amplía la imagen de seres y objetos tan extremadamente pequeños que no se pueden ver a simple vista. ■ **microscopio electrónico** Microscopio que usa ondas electrónicas para iluminar el objeto que se desea observar. **FAM** microscópico.

microsegundo *s. m.* Medida de tiempo, de símbolo μs, que es igual a la millonésima parte de un segundo.

microsurco *s. m.* ① Disco de gramófono cuyas estrías son muy finas y están mucho más cerca unas de otras, que las de los discos antiguos: *con un microsurco se pueden hacer grabaciones de obras más extensas en una sola cara.* ② Surco o ranura de este disco.

microtúbulo *s. m.* Filamento formado por la proteína tubulina; es el componente principal del citoesqueleto de las células eucariotas.

MIDI o **midi** *s. m.* ① Sigla de la expresión inglesa *Musical Instrument Digital Interface,* 'interfaz digital para intrumentos musicales'; sistema estándar para comunicar información musical de un dispositivo electrónico a otro. ǀ *adj.* ② Relativo a este sistema. **NOTA** Invariable en número.

miedica *adj./s. com.* fam. desp. Cobarde, miedoso. **ANT** valiente.

miedo *s. m.* ① Sensación de angustia provocado por la presencia de un peligro real o imaginario. ② Sentimiento de desconfianza que impulsa a creer que ocurrirá un hecho contrario a lo que se desea: *tenía miedo de que la fiesta saliera mal.* ■ **de miedo** (I) Que es muy grande o muy acentuado: *cogió un*

enfado de miedo. (**II**) Que es muy bueno o que tiene gran calidad: *la comida está de miedo; si sobra, repito*. (**III**) Que tiene una cara y un cuerpo bellos y bien formados: *el protagonista está de miedo*. (**IV**) De manera muy positiva: *fuimos al parque de atracciones y lo pasamos de miedo*.
FAM miedica, mieditis, miedoso; quitamiedos.

miedoso, -sa *adj.* Que tiene miedo por cualquier cosa.

miel *s. f.* Sustancia espesa, pegajosa y muy dulce que elaboran las abejas con el néctar de las flores.
dejar con la miel en los labios Privar a una persona de alguna cosa que le empezaba a gustar o de la que empezaba a disfrutar.
hacerse de miel Portarse de manera más suave y agradable de lo necesario.
miel sobre hojuelas Indica que una cosa o situación buena se une a otra y la mejora.
FAM aguamiel, hidromiel.

miembro *s. m.* ① Extremidad del cuerpo humano o animal: *los brazos son los miembros superiores y las piernas son los miembros inferiores del cuerpo humano*. ② Ór-gano sexual masculino. SIN pene. I *s. com.* ③ Persona que forma parte de un grupo o de una comunidad: *ser miembro del comité directivo de un club*. I *s. m.* ④ Parte o apartado que, junto con otros, forman un conjunto o sistema: *los miembros de una oración son el sujeto, el verbo y los complementos*. ⑤ En una ecuación o en una desigualdad, cada una de las expresiones que aparecen a la izquierda y a la derecha del símbolo de igualdad o desigualdad.

mientras *adv.* ① Indica que dos o más acciones ocurren al mismo tiempo: *Juan estaba estudiando, y mientras, Carlos estaba cocinando*. I *conj.* ② Indica que dos o más acciones ocurren al mismo tiempo: *siempre canta mientras se ducha*.
mientras que Indica oposición o contraste con lo expresado anteriormente: *yo soy muy ordenada, mientras que tú eres un desastre*.

miércoles *s. m.* Tercer día de la semana. ■ **miércoles de ceniza** Primer día de la Cuaresma, en el que se celebra una misa durante la cual el sacerdote impone sobre la cabeza de los fieles un poco de ceniza, como símbolo de penitencia.
OBS Plural invariable.

mierda *s. f.* ① familiar Excremento: *dicen que pisar mierda trae suerte*. ② familiar Porquería, suciedad. ③ familiar Borrachera. ④ familiar Birria, chapuza: *vaya mierda de disco me han regalado*. I *s. com.* ⑤ familiar Persona cobarde o que no tiene buenas cualidades. NOTA Frecuentemente usado como insulto. I *s. f.* ⑥ jerga Hachís. SIN chocolate, costo, quif. I *int.* ⑦ **¡mierda!** vulgar Expresión que indica enfado, disgusto o asco: *¡mierda, me he olvidado la agenda en casa!*
a la mierda vulgar Expresión que se emplea para rechazar a una persona o una cosa, especialmente con enfado o desprecio y malos modos: *él venía a pedirles perdón pero lo mandaron a la mierda*.
¡una mierda! vulgar Expresión que indica que no se acepta o no se quiere hacer una cosa.
FAM mierdoso.

mies *s. f.* ① Cereal que ya está maduro. ② Tiempo en el que se cosecha y se recoge el grano. I *s. f. pl.* ③ **mieses** Terrenos en los que se cultivan cereales.

miga *s. f.* ① Parte blanda del pan, que está rodeada por la corteza. SIN molla. ② Trozo muy pequeño de pan o de otro alimento. SIN migaja. ③ Contenido importante o interesante

que tiene una cosa que se dice o que se escribe. SIN jugo, sustancia. I *s. f. pl.* ④ **migas** Comida que consiste en trozos de pan duro humedecidos que se fríen en aceite o grasa con ajo y pimentón.
hacer buenas (o malas) migas familiar Tener una relación buena o mala con una persona.
FAM migaja, migar.

migaja *s. f.* ① Trozo muy pequeño de pan o de otro alimento. SIN miga. ② Cantidad muy pequeña de una cosa. SIN pizca. I *s. f. pl.* ③ **migajas** Restos que quedan de una cosa después de haberla usado o consumido.

migración *s. f.* ① Movimiento de población que consiste en dejar temporal o definitivamente el lugar de residencia para establecerse o trabajar en otro país o región, especialmente por causas económicas, políticas o sociales: *existen dos tipos de migración: la emigración y la inmigración*. ② Desplazamiento masivo que algunas aves, peces y otros animales realizan cada cierto tiempo por necesidades alimentarias o reproductivas, cambiando de clima o de zona geográfica. SIN emigración.

migraña *s. f.* Dolor de cabeza muy fuerte e intenso que afecta a una parte de ella: *la migraña suele ir acompañada de náuseas y vómitos*. SIN jaqueca.

migrar *v. intr.* ① Dejar el lugar de residencia para establecerse en otro país o región, especialmente por causas económicas o sociales. ② Dejar un lugar y dirigirse a otro determinadas especies de aves, peces y otros animales por exigencias de la alimentación o la reproducción. SIN emigrar.
FAM migración, migrador, migratorio.

migratorio, -ria *adj.* Relativo a la migración.

mihrab *s. m.* En una mezquita, nicho abierto en el muro de la quibla, que simboliza el lugar en el que predicaba Mahoma en su casa de Medina: *el mihrab suele tener una decoración muy cuidada*.
OBS Plural: *mihrabs*.

mijo *s. m.* ① Planta de la familia de los cereales con el tallo fuerte y las hojas planas, largas y terminadas en punta. ② Semilla de esa planta, pequeña, redonda y brillante.

mikado *s. m.* Emperador de Japón: *antes del siglo XVI, el emperador o Mikado vivía aislado en su corte de Kyoto y solamente tenía un poder simbólico*.
OBS Se escribe normalmente con mayúscula inicial.

mil *num. card.* ① Diez veces cien. ② familiar Se utiliza para expresar una cantidad muy grande o sin determinar: *hacía mil años que no comía unos macarrones tan buenos*. I *num. ord.* ③ Que ocupa el lugar número 1 000 en una serie ordenada. SIN milésimo. I *s. m.* ④ Número 1 000. I *s. m. pl.* ⑤ **miles** Millares de lo que se expresa: *miles de personas; miles de euros*.
FAM milhojas, milpiés.

milady [se pronuncia 'mileidy'] *s. f.* Tratamiento que se da a las señoras de la nobleza inglesa.

milagrería *s. f.* ① Tendencia a considerar como un milagro un fenómeno natural. ② Narración que se hace de un suceso fantástico como si fuese un milagro.

milagrero, -ra *adj./s. m. y f.* ① Se aplica a la persona que interpreta como milagros determinados fenómenos naturales. ② Se aplica a la persona que inventa milagros. I *adj.* ③ familiar Milagroso.
FAM milagrería.

milagro *s. m.* ① Hecho que no se puede explicar por las leyes naturales y que se considera producido por la intervención de Dios o de un ser sobrenatural: *Dios hizo un milagro separando las aguas del mar Rojo.* ② Hecho extraordinario que provoca admiración o sorpresa.

de milagro Escapando casualmente o por muy poco de un peligro o adversidad: *estar vivo de milagro.*

FAM milagrear, milagrero, milagroso.

milagroso, -sa *adj.* ① Que no se puede explicar por las leyes naturales. SIN prodigioso. ANT natural. ② Que provoca admiración por tener una determinadas cualidades o ser extraordinario. SIN prodigioso. ③ Que hace milagros.

milanesa Se usa en la expresión:

a la milanesa Expresión que hace alusión a la manera de cocinar o preparar un alimento y que consiste en rebozarlo en huevo y pan rallado y luego freírlo: *filetes a la milanesa.*

milano *s. m.* Ave rapaz diurna de color rojizo, de cola y alas muy largas, que se alimenta de pequeños animales, como roedores o insectos.

mildiu o **mildéu** *s. m.* ① Enfermedad de la vid y otras plantas cultivadas producida por un hongo microscópico que forma en los tallos, hojas y frutos una especie de velo blanquecino. ② Hongo microscópico que produce esta enfermedad.

milenario, -ria *adj.* ① Que tiene mil años o más: *las pirámides de Egipto son milenarias.* ② Que es muy antiguo. | *s. m.* ③ Fecha en que se cumplen uno o varios millares de años desde que se produjo un acontecimiento. ④ Fiesta o celebración con que se conmemora esta fecha.

FAM milenarismo.

milenio *s. m.* Periodo de mil años.

FAM milenario.

milésimo, -ma *num. ord.* ① Que ocupa el lugar número 1 000 en una serie ordenada. | *num. part.* ② Se aplica a cada una de las partes que resultan de dividir un todo en mil partes iguales.

milhojas *s. m.* ① Pastel con varias láminas finas de hojaldre entre las que se pone merengue, crema o nata. | *s. f.* ② Planta compuesta, cuyas flores se usan como tónico y astringente.

OBS Plural invariable.

mili *s. f.* familiar Servicio militar (servicio que se presta al estado siendo soldado durante un periodo de tiempo determinado).

miliamperio *s. m.* Medida de intensidad que es igual a la milésima parte de un amperio.

milibar *s. m.* Medida de presión de la atmósfera, de símbolo *mb*, que es igual a la milésima parte de un bar.

OBS Se ha adaptado al español con la forma *milibaro.*

milibaro *s. m.* Milibar.

milicia *s. f.* ① Técnica de hacer la guerra y de preparar a los soldados para ella: *los romanos extendieron su lengua, sus costumbres y su milicia.* ② Organización profesional de los militares: *estuvo en la milicia 40 años y llegó a ser coronel.* ③ Tropa de gente armada: *capturaron a uno de los jefes de la milicia serbia.* ■ **milicias populares** Conjunto de personas que no pertenecen al ejército y luchan en una guerra por su propia voluntad. ■ **milicias universitarias** Servicio militar de quienes están cursando estudios universitarios. NOTA También simplemente *milicias.*

FAM mili, miliciano.

miliciano, -na *s. m. y f.* ① Persona que forma parte de una milicia, especialmente de una milicia urbana. ② AMÉR. Integrante de un ejército revolucionario, a diferencia de los soldados del ejército regular de un país.

milico *s. m.* ① despectivo Militar, soldado. | *adj./s. m.* ② AMÉR. SUR Se aplica a la persona que viste de uniforme, especialmente a la que lleva el uniforme del ejército.

miligramo *s. m.* Medida de masa, de símbolo *mg*, que es igual a la milésima parte de un gramo.

mililitro *s. m.* Medida de volumen, de símbolo *ml*, que es igual a la milésima parte de un litro: *un mililitro equivale a un centímetro cúbico.*

milimetrado, -da *adj.* ① Que está dividido o graduado en milímetros. ② familiar Que está calculado u organizado con gran exactitud y precisión.

milimétrico, -ca *adj.* ① Relativo al milímetro. ② Que está graduado en milímetros. ③ Que es muy exacto o preciso: *un cálculo de presupuestos milimétrico.*

milímetro *s. m.* Medida de longitud, de símbolo *mm*, que es igual a la milésima parte de un metro. ■ **milímetro cuadrado** Medida de superficie, de símbolo mm^2, que es igual a 0,000001 metros cuadrados. ■ **milímetro cúbico** Medida de volumen, de símbolo mm^3, que es igual a 0,000000001 metros cúbicos. ■ **milímetro de mercurio** Unidad de presión, llamada también *torr*: *una atmósfera equivale a 760 mmHg.*

FAM milimetrado.

militancia *s. f.* ① Pertenencia de una persona a un partido político u organización política, sindical o social: *fue condenado por su militancia en un partido contrario al régimen.* ② Actitud y actividad de la persona que defiende activamente una idea u opinión: *en sus obras se refleja la militancia feminista de esta escritora.*

militante *adj./s. com.* Que forma parte de un grupo o una organización, especialmente de un partido político.

militar[1] *adj.* ① Relativo a la milicia o la guerra. | *s. com.* ② Persona que forma parte de un ejército. ANT civil.

FAM militarismo, militarizar; paramilitar.

militar[2] *v. intr.* ① Servir en la milicia: *militó en el bando republicano.* ② Formar parte de un partido político o de otro grupo u organización.

FAM militancia, militante.

militarismo *s. m.* ① Poder excesivo de los militares en el gobierno de un país. ② Actitud o modo de pensar que defiende una influencia excesiva de los militares en el gobierno de un país.

FAM militarista; antimilitarismo.

militarista *adj./s. com.* Que es partidario del militarismo.

FAM antimilitarista.

militarizar *v. tr.* ① Imbuir el espíritu militar. ② Someter a alguien al régimen militar. ③ Tomar en sus manos el ejército y la policía las decisiones políticas del país. ④ Preparar a un país para un enfrentamiento militar.

FAM militarización.

milla *s. f.* ① Medida de longitud, utilizada especialmente en marina, que equivale a 1 852 metros. NOTA También *milla marina.* ② Medida de longitud terrestre del sistema anglosajón que equivale a 1 609,3 metros o a 1760 yardas.

millar *s. m.* ① Conjunto formado por 1 000 unidades. ② Guarismo que indica esta cantidad. ③ Cantidad que es muy grande e indeterminada: *he leído el poema un millar de veces y ya me lo sé de memoria.*

millardo *s. m.* Cantidad equivalente a mil millones.

millón *s. m.* ① Conjunto formado por 1 000 000 de unidades. ② familiar Cantidad que es muy grande e indeterminada: *se lo he dicho un millón de veces.* **FAM** millonada, millonario.

millonada *s. f.* familiar Cantidad muy grande, especialmente de dinero: *ese coche vale una millonada.*

millonario, -ria *adj./s. m. y f.* ① Se aplica a la persona que tiene mucho dinero; especialmente, que tiene millones de determinada unidad monetaria. ❙ *adj.* ② Se aplica a la cantidad que supera el millón: *ganó una suma millonaria con las quinielas.* **FAM** archimillonario, multimillonario.

millonésimo, -ma *num. ord.* ① Que ocupa el lugar número 1 000 000 en una serie ordenada. ❙ *num. part.* ② Se aplica a cada una de las partes que resultan de dividir un todo en un millón de partes iguales.

milonga *s. f.* ① Composición musical popular originaria de Argentina en versos octosílabos, de ritmo lento y monótono, en compás de dos por cuatro, que se canta con acompañamiento de guitarra. ② Baile que se ejecuta al ritmo de esta música. ③ familiar Mentira o engaño.

milord *s. m.* Tratamiento que se da a los lores o señores de la nobleza inglesa. **OBS** Plural: *milores.*

milpa *s. f.* AMÉR. CENTRAL, MÉX. Tierra destinada al cultivo de maíz.

milpiés *s. m.* Invertebrado terrestre de cuerpo negro cilíndrico muy alargado, con numerosos pares de patas, que cuando se ve sorprendido se enrosca en espiral. **OBS** Plural invariable.

mimado, -da *adj./s. m. y f.* Que está acostumbrado a hacer siempre su voluntad sin que nadie lo corrija o castigue por sus malas acciones. **SIN** consentido, malcriado.

mimar *v. tr.* ① Tratar con mucho cariño dando muestras de amor o afecto, como abrazos, besos o caricias. ② Tratar a alguien, en especial a los niños, permitiendo en exceso que hagan lo que quieran, sin corregirlos ni castigarlos. **SIN** malcriar. **FAM** mimado.

mimbar *s. m.* Púlpito de una mezquita. **SIN** almimbar.

mimbre *s. amb.* ① Arbusto de cuyo tronco nacen muchas ramas largas, delgadas y flexibles, de corteza gris y madera blanca. **SIN** mimbrera. ② Rama larga, delgada y flexible que sale de ese arbusto y que se utiliza para hacer cestos, muebles y otros objetos. **FAM** mimbrera.

mimbrera *s. f.* ① Mimbre (arbusto). ② Lugar donde crecen muchos mimbres.

mímesis o **mimesis** *s. f.* ① culto Imitación que hace una persona de los gestos, movimientos, manera de hablar o de actuar de otra: *los niños actúan por mímesis.* ② culto Imitación de la naturaleza como objeto del arte que se hace en la estética y la poética clásicas. **FAM** mimético. **OBS** Plural invariable.

mimético, -ca *adj.* Relativo al mimetismo. **FAM** mimetismo, mimetizar.

mimetismo *s. m.* Propiedad que tienen algunos organismos para imitar la forma o el color de los seres o cosas que tienen cerca, con el fin de esconderse o defenderse de algún peligro.

mimetizar *v. intr./prnl.* Adoptar un animal o una planta el color o la apariencia de las cosas o seres del entorno a fin de pasar inadvertido.

mímica *s. f.* Arte de representar o interpretar por medio de gestos y movimientos corporales. **SIN** mimo.

mímico, -ca *adj.* ① Relativo al mimo (actor que se expresa mediante gestos). ② Relativo a la mímica. **FAM** mímica.

mimo *s. m.* ① Expresión y señal de amor o afecto. **NOTA** Más en plural. **SIN** cariño. ② Forma de tratar a alguien, en especial a los niños, permitiendo en exceso que hagan lo que quieran, sin corregirlos ni castigarlos: *con tanto mimo ha malcriado a sus hijos.* ③ Delicadeza o cuidado con que se hace o se trata una cosa: *trata este libro con mimo, que es muy valioso.* ④ Arte de representar o interpretar por medio de gestos y movimientos corporales. **SIN** mímica. ❙ *s. com.* ⑤ Actor que se expresa y representa acciones por medio de gestos. **FAM** mimar, mimoso.

mimosa *s. f.* Árbol que tiene unas hojas muy pequeñas y flores redondas, también pequeñas, de color amarillo.

mimoso, -sa *adj.* Que disfruta dando y recibiendo muestras de cariño.

mina *s. f.* ① Yacimiento de minerales o rocas útiles. **SIN** yacimiento. ② Instalación subterránea a base de galerías para extraer esos minerales o rocas. ③ Barra fina de grafito o de otra sustancia mineral, que va en el interior de los lápices y de otros utensilios de escritura, y que sirve para dibujar o escribir. ④ Aparato que explota cuando se toca o se roza, y que se coloca estratégicamente camuflado o enterrado bajo tierra o bajo el agua. ⑤ Cosa, asunto o persona que puede proporcionar mucha utilidad. ⑥ Oficio o negocio en el que con poco trabajo se consigue mucho beneficio. ⑦ Paso subterráneo que se utiliza para establecer una comunicación o para conducir el agua o el gas de un sitio a otro. **FAM** minar, minero; portaminas.

minar *v. tr.* ① Colocar explosivos para volar o derribar muros y edificios, o para impedir el paso del enemigo: *unos artificieros expertos minaron el edificio para derruirlo.* ② Consumir poco a poco o debilitar una cosa, especialmente las fuerzas, la salud o la alegría de una persona: *minar la salud.* ③ Abrir galerías subterráneas: *minar el terreno para instalar baterías.*

minarete *s. m.* Torre de una mezquita, elevada y poco gruesa, desde la que el almuédano convoca a los musulmanes a la oración. **SIN** alminar.

mineral *adj.* ① Se aplica al compuesto natural inorgánico. **ANT** orgánico. ② Relativo a este cuerpo inorgánico. ❙ *s. m.* ③ Compuesto natural inorgánico no producido por los seres vivos, que se encuentra en la corteza de la tierra y que está formado por uno o más elementos químicos. ④ Parte útil de una explotación minera. **FAM** mineralizar, mineralogía; desmineralización.

mineralogía *s. f.* Ciencia que estudia los minerales, su origen y su formación. **FAM** mineralógico, mineralogista.

minería *s. f.* ① Actividad de extracción de minerales de las minas. ② Conjunto de personas que se dedican a esta actividad. ③ Conjunto de las minas de un país o de una región.

minero, -ra *adj.* ① Relativo a la minería. ❙ *s. m. y f.* ② Persona que trabaja en una mina.
FAM minería.

mineromedicinal *adj.* Se aplica al agua que contiene sustancias minerales que le proporcionan alguna propiedad curativa.

minestrone *s. f.* Sopa que se elabora con legumbres, tocino y pasta o arroz.

minga *s. f.* ① vulgar Pene. ② ARG., CHILE, COL., PAR. Ayuda que prestan los vecinos al que debe emprender una obra importante, y que este debe luego devolver.

mingaco *s. m.* CHILE Reunión de amigos para un trabajo ocasional cuya única remuneración consiste en la comilona que paga la persona que los ha convocado.

mini *adj.* ① Que tiene un tamaño muy pequeño en comparación con otros de su misma clase: *tiene una habitación mini en la que no le cabe nada.* NOTA Invariable en número. ❙ *s. f.* ② familiar Minifalda.

miniatura *s.* ① Objeto artístico de pequeño tamaño, delicado y valioso. ② Persona o cosa de tamaño muy reducido. ③ Representación pictórica de pequeño tamaño que ilustra ciertos rollos y códices manuscritos de la Edad Media y el Renacimiento: *las biblias medievales contienen preciosas miniaturas.*
FAM miniaturista.

miniaturista *adj./s. com.* Que se dedica a pintar miniaturas.

minibásket *s. m.* Baloncesto que practican los niños y que se juega en un campo más pequeño y con las canastas menos elevadas.
OBS Puede encontrarse la grafía inglesa *minibasket.*

minidisco *s. m.* Disco magnético y óptico de reducidas dimensiones y larga duración, que permite grabar y reproducir sonidos por medio del láser.

minifalda *s. f.* Falda muy corta que llega hasta medio muslo.
FAM minifaldero.

minifundio *s. m.* Propiedad agraria de poca extensión, generalmente dedicada al cultivo de varios productos de primera necesidad, para ser consumidos por una sola familia. ANT latifundio.
FAM minifundismo.

minifundismo *s. m.* Sistema de explotación agraria basado en la distribución de la propiedad de la tierra en minifundios: *en Galicia predomina el minifundismo.* ANT latifundismo.
FAM minfundista.

minifundista *adj.* ① Relativo al minifundismo. ANT latifundista. ❙ *adj./s. com.* ② Propietario de un minifundio. ANT latifundista.

minigolf *s. m.* Juego parecido al golf que se juega en un campo o pista pequeños con obstáculos artificiales.

mínima *s. f.* Temperatura más baja que alcanza la atmósfera en un periodo de tiempo determinado. ANT máxima.

minimalismo *s. m.* Tendencia artística surgida en Estados Unidos a inicios de la década de 1960; se caracteriza por la elaboración de estructuras tridimensionales muy simples, generalmente geométricas y organizadas en series repetitivas, y por el uso de colores elementales y materiales rudimentarios: *el minimalismo se aplica, en sentido amplio, a cualquier actitud artística contemporánea que tiende a la sobriedad y la reducción de elementos.*

minimizar *v. tr.* ① Dar a una cosa menos valor o importancia de los que tiene. ② Reducir el tamaño de una cosa. ③ Buscar el mínimo de una función matemática.
FAM minimización.

mínimo, -ma *adj.* ① Que es el menor o inferior en grado: *el mínimo esfuerzo.* ANT máximo. ② Que es muy pequeño. SIN diminuto, minúsculo. ❙ *s. m.* ③ Límite inferior al que puede llegar una cosa: *reducir los gastos al mínimo.* ANT máximo. ④ Valor menor que toma una función matemática en un intervalo dado o en su dominio de definición.
lo más mínimo Nada: *no me importa lo más mínimo.*
FAM mínima, minimizar.

minino, -na *s. m. y f.* familiar Gato.

minio *s. m.* Mineral rojo claro que se obtiene por oxidación del plomo y que se emplea en pintura disuelto en aceite o en un ácido para proteger el hierro de la oxidación.

ministerial *adj.* Relativo al ministerio.

ministerio *s. m.* ① Departamento que, junto con otros, es el responsable de la administración de un aspecto determinado de la vida política, social o económica de un país: *ministerio de Asuntos Exteriores.* ② Cargo de ministro de un gobierno que ocupa una persona. ③ Edificio en el que trabajan los ministros. ④ Conjunto de ministros que gobiernan un país. ⑤ Cargo u oficio propio de una persona, especialmente de quienes tienen que realizar trabajos importantes y elevados, como por ejemplo los sacerdotes, los médicos o los abogados.
FAM ministerial.

ministrable *adj./s. com.* Se aplica a la persona que puede ser nombrada ministro.

ministro, -tra *s. m. y f.* ① Persona que forma parte del gobierno de un país como responsable de la administración de un determinado aspecto de su vida política, social o económica. ■ **primer ministro** Jefe del gobierno de un país. ② Persona que ha sido enviada por el Estado o por otra persona para realizar una función determinada, especialmente para tratar un asunto político.
ministro de Dios Sacerdote, hombre que dedica su vida a Dios y a la Iglesia y que puede celebrar y ofrecer el sacrificio de la misa.
FAM ministrable.
OBS Femenino: *ministro* o *ministra.*

minoico, -ca *adj.* ① Relativo a la cultura antigua de Creta (isla de Grecia): *arte minoico.* ❙ *s. m. y f./adj.* ② Persona que era de la antigua Creta.

minoría *s. f.* ① Parte menor de una cantidad o conjunto. ANT mayoría. ② En una votación o una asamblea, conjunto de votos contrarios a lo que opina la mayoría de los votantes. ANT mayoría. ③ Parte pequeña de una colectividad, que se diferencia del resto por su raza, lengua, religión u otra característica social.
minoría de edad Edad y situación de quien no ha alcanzado la madurez judicial o social.

minorista *adj.* ① Se aplica al comercio en que se vende y compra al por menor. SIN detallista. ANT mayorista. ❙ *s. com.* ② Persona que se dedica a vender mercancías en pequeñas cantidades. SIN detallista. ANT mayorista.

minoritario, -ria *adj.* Que forma la menor parte de un conjunto o sociedad. ANT mayoritario.

M

minucia *s. f.* Cosa que no tiene demasiada importancia ni valor.
FAM minucioso.

minuciosidad *s. f.* Cuidado, paciencia y atención que se pone al realizar una cosa difícil o complicada. SIN meticulosidad.

minucioso, -sa *adj.* ① Que se hace con gran cuidado, detalle y atención, empleando tiempo y paciencia para que salga bien: *hizo una revisión minuciosa del aparato antes de comprarlo.* SIN meticuloso. ② Se aplica a la persona que hace las cosas con gran cuidado, detalle y atención, empleando tiempo y paciencia para que salgan bien. SIN meticuloso.
FAM minuciosidad.

minué *s. m.* ① Antiguo baile de pareja originario de Francia, con movimientos y pasos moderados, saludos y posturas galantes, muy difundido en los siglos XVII y XVIII. ② Composición musical de ritmo ternario con que se acompañaba este baile.

minuendo *s. m.* Cantidad a la que se le resta otra cantidad para obtener la diferencia: *en la resta 5 – 3 = 2, el minuendo es 5 y el sustraendo es 3.*

minueto *s. m.* ① Baile antiguo francés del siglo XVIII, de ritmo lento y movimientos elegantes. ② Música con que se acompaña este baile.

minúsculo, -la *adj.* ① De tamaño muy pequeño: *la diferencia de precio era minúscula.* SIN diminuto. ANT mayúsculo. **|** *s. f./adj.* ② Letra de tamaño pequeño empleada generalmente para escribir: *los nombres de los meses empiezan con letra minúscula.*
FAM minúscula.

minusvalía *s. f.* ① Disminución del valor que tiene una cosa por causas externas a ella. ANT plusvalía. ② Falta o limitación de alguna facultad física o mental que imposibilita o dificulta el desarrollo normal de la actividad de una persona.
FAM minusválido.

minusválido, -da *adj./s. m. y f.* Se aplica a la persona que tiene un defecto o un daño físico o mental que le impide hacer ciertas actividades.
FAM minusvalidez.

minusvalorar *v. tr.* Valorar una cosa o a una persona en menos de lo que merece o vale. SIN infravalorar, subestimar.
FAM minusvaloración.

minuta *s. f.* ① Anotación que se hace de algo para recordarlo. ② Borrador que se hace de un escrito, especialmente de un contrato, antes de redactarlo definitivamente. ③ Nota escrita en la que se expresa la cantidad de dinero que hay que pagar a un profesional por su trabajo, especialmente a un abogado. ④ Lista detallada de los platos que se sirven en una comida o que están disponibles en un restaurante, generalmente acompañados de su precio. SIN menú.

minutero *s. m.* Aguja del reloj que marca los minutos.

minuto *s. m.* ① Unidad de tiempo que equivale a 60 segundos. ② Unidad de medida de ángulos, cada una de las 60 partes iguales que forman un grado.
FAM minutero.

mío, mía *det.* Forma del determinante y pronombre posesivo de primera persona del singular: *un amigo mío me lo dijo; esas gafas son las mías.*

la mía Ocasión más favorable para hacer algo la persona que está hablando: *"esta es la mía", pensó el ladrón al ver que el guarda no estaba en su puesto.*

lo mío Actividad que hace muy bien o en la que destaca la persona que está hablando: *lo mío son las matemáticas.*

los míos Las personas que pertenecen al mismo grupo, familia o partido que la persona que está hablando: *espero que votéis a los míos.*

miocardio *s. m.* Tejido muscular del corazón de los animales vertebrados.
FAM miocarditis.

miocénico, -ca *adj.* Mioceno.

mioceno, -na *adj./s. m.* ① Se aplica a la época geológica que es la primera del periodo neógeno de la era cenozoica o terciaria, o, según las escuelas, la cuarta del periodo terciario de la era cenozoica, y precede al plioceno; se extiende desde hace unos 25 millones de años hasta hace unos 5 millones de años. **|** *adj.* ② Relativo a esta época geológica. SIN miocénico.
FAM miocénico.

miope *adj./s. com.* ① Que padece miopía. ② Que no ve o no se da cuenta de cosas que son muy claras y fáciles de entender.
FAM miopía.

miopía *s. f.* ① Defecto del ojo que produce una visión poco clara o nítida de las cosas que están alejadas. ② Incapacidad de darse cuenta de cosas que son muy claras y fáciles de entender.

mira *s. f.* ① Pieza que tienen las armas de fuego y algunos instrumentos de medida, que permite dirigir y fijar la vista en un punto determinado para apuntar bien o medir con precisión. ② Lugar destacado en una fortaleza desde donde se alcanza una amplitud visual. ③ Objetivo o intención que tiene una persona al hacer una cosa: *todo lo hace con miras egoístas.* ④ Regla graduada con que se hacen medidas tipográficas. ⑤ Reglón que se coloca verticalmente como ayuda para la construcción de un muro.

mirada *s. f.* ① Acción que consiste en mirar. ② Modo de mirar que tiene una persona o un animal.

mirado, -da *adj.* Que es muy prudente, considerado y reflexivo y que procura no causar molestias a los demás.

mirador *s. m.* ① Lugar alto y bien situado desde el que se puede contemplar con facilidad un paisaje agradable. ② Balcón cubierto y cerrado, generalmente con cristales.

miraguano *s. m.* ① Planta de América y Oceanía parecida a la palmera, de unos 40 m de altura, flores acampanadas y fruto en cápsula. ② Fibra que se extrae del fruto de este árbol, usada para rellenar almohadas, edredones, etc.

miramiento *s. m.* ① Respeto y consideración con que actúa una persona al decir o hacer una cosa, para no molestar a los demás. ② Respeto, cuidado y atención que se tiene hacia una persona.

mirar *v. tr.* ① Dirigir y fijar la vista en algo prestándole atención para verlo bien. ② Pensar y considerar con cuidado una cosa antes de hacerla. ③ Tener un objetivo determinado al realizar una acción: *solamente mira su provecho; aceptó aquel trabajo mirando por el bien de su familia.* ④ Apreciar a una persona o tratarla con muchas atenciones: *en casa de mi novia miran mucho por mí.* **|** *v. intr.* ⑤ Estar orientado hacia una dirección determinada. SIN dar. **|** *v. tr./intr./prnl.* ⑥ Buscar una cosa o registrar un sitio para encontrar algo. **|** *v. intr./prnl.* ⑦ No realizar una acción o no decir una cosa que pueda traer problemas: *se mirará mucho de no pronunciar ese nombre en mi presencia.*

de mírame y no me toques Muy delicado o frágil.

¡mira! Expresión que sirve para avisar o llamar la atención de alguien.

¡mira quién habla! Expresión con la que se le reprocha a una persona el mismo defecto que ella censura a otra persona.

mirar por encima del hombro Tratar a alguien con desprecio o considerarlo inferior.

se mire como se mire De cualquier modo.

FAM mirada, mirado, mirador, miramiento, mirilla, mirón.

mirasol *s. m.* Planta de tallo grueso, alto y derecho, con las flores grandes y amarillas y el fruto con muchas semillas negruzcas comestibles. **SIN** girasol.

miríada *s. f.* culto Infinidad, sinfín, sinnúmero.

miriagramo *s. m.* Medida de masa que equivale a 10 000 gramos.

mirialitro *s. m.* Medida de volumen que equivale a 10 000 litros.

miriámetro *s. m.* Medida de longitud que equivale a 10 000 metros.

miriápodo [también **miriópodo**] *s. m.* Artrópodo terrestre de respiración traqueal, cuerpo alargado dividido en segmentos, con uno o dos pares de patas cada uno, y con la cabeza provista de un par de antenas: *los ciempiés son miriápodos.*

mirilla *s. f.* Agujero pequeño que hay en algunas puertas y que sirve para ver qué o quién hay al otro lado.

miriñaque *s. m.* Armazón de tela rígida, a veces reforzado con aros de metal, que se ponían las mujeres debajo de las faldas para abombarlas a la altura de las caderas.

miriópodo V. miriápodo.

mirlo *s. m.* Pájaro de color oscuro que tiene las patas y el pico de color rojo o amarillo; el mirlo macho es negro, y el mirlo hembra es marrón y tiene la pechuga rojiza.

mirlo blanco Persona o cosa que destaca entre las demás por una o varias cualidades excepcionales.

mirón, -rona *adj./s. m. y f.* 1 familiar Que mira demasiado o con mucha curiosidad las cosas. **SIN** fisgón. | *s. m. y f.* 2 Persona a la que le gusta mirar cómo trabajan los demás o presenciar una partida de un juego, sin participar.

mirra *s. f.* Sustancia pegajosa, compuesta por aceites, resina y goma, de color rojo y de olor intenso, que se saca de un árbol procedente de Arabia y Etiopía.

mirto *s. m.* Arbusto oloroso, de ramas flexibles, con las hojas de color verde intenso, pequeñas y duras, flores blancas y frutos en bayas de color negro azulado. **SIN** arrayán.

misa *s. f.* 1 Ceremonia religiosa católica en la que se celebra el sacramento de la eucaristía; consta de dos partes fundamentales, una primera en la que se leen las lecturas bíblicas del día y una segunda destinada a la comunión. ■ **misa del gallo** Misa que se celebra alrededor de medianoche en Nochebuena. ■ **misa negra** Rito que se celebra en homenaje al diablo: *celebraron una misa negra para invocar a los espíritus malignos.* 2 Composición musical escrita sobre las partes de la ceremonia religiosa cristiana.

cantar misa Celebrar su primera misa un sacerdote.

decir misa Celebrar la misa un sacerdote.

ir a misa Ser una cosa que se dice segura e indiscutible: *sus palabras van a misa.*

no saber de la misa la media (o mitad) familiar Saber muy poco o nada sobre un asunto determinado.

FAM misal.

misal *s. m.* Libro de la liturgia católica, usado por el sacerdote, en el que están las lecturas y oraciones de la misa y que indica el orden y la manera de hacer la celebración.

misantropía *s. f.* culto Rechazo al trato con los demás.

FAM misántropo.

misántropo, -pa *s. m. y f.* culto Persona que huye del trato con otras personas o siente gran aversión hacia ellas. **ANT** sociable.

miscelánea *s. f.* 1 Conjunto de cosas diferentes entremezcladas. 2 Obra o escrito en que se tratan diversas materias.

misceláneo, -nea *adj.* Que está compuesto por varias cosas distintas o de géneros diferentes: *un programa misceláneo de cine y música.*

FAM miscelánea.

miserable *adj./s. com.* 1 Que es desgraciado e infeliz. **SIN** mísero. 2 Que intenta gastar menos de lo que podría permitirse. **SIN** mezquino, mísero. 3 Que es despreciable por carecer de sentimientos nobles. **SIN** mezquino. 4 Que es muy pobre y está necesitado de la ayuda económica de los demás. **SIN** mísero. | *adj.* 5 Se aplica a la cantidad que es demasiado pequeña o escasa. **SIN** mísero.

miserere *s. m.* 1 Salmo de la Biblia que fue compuesto por el rey David para pedir perdón por sus pecados y que comienza con esta palabra: *el miserere es el salmo cincuenta de la Biblia.* 2 Canto solemne que se hace de este salmo durante la cuaresma. 3 Ceremonia religiosa en que se canta este salmo.

miseria *s. f.* 1 Falta o escasez de dinero y de los medios necesarios para poder vivir. 2 Desgracia, problema o pena que sufre una persona en su vida. **NOTA** Más en plural. **SIN** penalidad. 3 Cantidad demasiado pequeña o insignificante de una cosa. 4 Característica que tienen las personas que gastan menos de lo que podrían permitirse. **SIN** mezquindad.

misericordia *s. f.* 1 Virtud que inclina a compadecerse, perdonar o solucionar las miserias ajenas. **SIN** piedad. 2 Cualidad de Dios, por la cual perdona las faltas y remedia las penas de las personas.

FAM misercordioso.

misericordioso, -sa *adj.* Que siente pena o compasión hacia quienes sufren y trata de ayudarlos. **SIN** compasivo, piadoso.

mísero, -ra *adj./s. m. y f.* 1 Que intenta gastar menos de lo que podría permitirse. **SIN** mezquino, miserable. | *adj.* 2 Que es muy pobre y está necesitado de la ayuda económica de los demás. **SIN** miserable. 3 Que es desgraciado e infeliz. **SIN** miserable. 4 Se aplica a la cantidad que es demasiado pequeña o escasa. **SIN** miserable.

FAM miserable, miseria.

OBS Superlativo irregular: *misérrimo.*

misérrimo, -ma *adj.* Superlativo de *mísero.*

misil o mísil *s. m.* 1 Proyectil movido por el empuje de los gases que salen a gran velocidad de su parte posterior, que suele llevar una carga explosiva y que puede dirigirse hacia un objetivo. 2 Cabeza o cápsula de los cohetes militares o espaciales.

misión *s. f.* 1 Trabajo o encargo que una persona o un grupo tiene la obligación de hacer. **SIN** cometido. 2 Encargo o poder que un gobierno le da a una persona, especialmente a un diplomático, para ir a desempeñar un trabajo en algún lugar. ③ Obra o función moral que se tiene que realizar por el bien de alguien. ④ Tarea de evangelización y promoción del desarrollo que se lleva a cabo en pueblos que no conocen mayoritariamente la religión cristiana o que están subdesarrollados. **NOTA** Más en plural. ⑤ Territorio o circunscripción designado a un grupo de personas, especialmente religiosos, para llevar a cabo esta tarea. **NOTA** Más en plural. ⑥ Lugar donde viven y trabajan las personas dedicadas a esta tarea: *en la misión hay una escuela y un pequeño hospital.*

misionero, -ra *adj.* ① Relativo a la misión. I *s. m. y f.* ② Persona dedicada a enseñar la religión cristiana a los pueblos que no la conocen.

misiva *s. f.* culto Carta que una persona envía a otra para informarle de algo.

mismo, -ma *adj.* ① Indica que la persona o la cosa que se presenta es una sola en distintas circunstancias: *estos tres libros son del mismo autor.* ② Que es muy parecido o casi igual: *ser de la misma opinión.* **NOTA** En esta acepción, va antepuesto al sustantivo. ③ Resalta la fuerza de lo que se dice: *es real como la vida misma.* ④ Indica que es la persona o cosa citada y no otra la que realiza la acción: *tú mismo me dijiste que me recogerías.* I *pron.* ⑤ Indica que la persona o cosa a la que sustituye no ha cambiado: *él ya no es el mismo.* I *adv.* ⑥ Exactamente; en concreto: *hoy mismo te llamo para quedar.*

dar lo mismo No importar: *si no puedes venir hoy, da lo mismo, ya lo haremos mañana.*

misná *s. f.* Colección de leyes y de reglas promulgadas por los rabinos para aplicar y adaptar la legislación de la Biblia: *la misná es la primera parte del Talmud.*

misoginia *s. f.* Sentimiento de odio o de rechazo hacia las mujeres.

FAM misógino.

misógino, -na *adj./s. m. y f.* Que siente o demuestra odio o rechazo hacia las mujeres.

miss *s. f.* ① Mujer que es la ganadora de un concurso de belleza. ② Título que se da a esta mujer.

OBS Plural: *misses.*

míster *s. m.* ① En algunos deportes, entrenador: *el míster cambió la alineación cinco minutos antes del partido.* ② Hombre que es el ganador de un concurso de belleza masculino: *míster España.*

misterio *s. m.* ① Hecho que no tiene una explicación racional conocida: *los misterios de la naturaleza.* **SIN** enigma. ② Asunto secreto. ③ Dogma cristiano inaccesible a la razón y que es objeto de fe: *el misterio de la Santísima Trinidad.* ④ Representación escultórica de algún momento de la vida, la pasión o la muerte de Jesucristo. ⑤ Representación teatral de tema religioso que se celebra en las iglesias o junto a ellas en algunas fiestas populares: *los misterios suelen representar escenas de la Biblia.* ⑥ Momento de la vida, pasión y muerte de Jesucristo: *el misterio de la pasión de Cristo.* ⑦ Ceremonia secreta en la que se da culto a algunos dioses paganos: *los misterios de Eleusis eran ritos antiguos.*

FAM misterioso.

misterioso, -sa *adj.* ① Que implica un misterio o sentido oculto. **SIN** enigmático. ② Que da a entender cosas recónditas donde no las hay.

mística *s. f.* ① Parte de la teología que trata de la unión del ser humano con Dios, de los grados de esta unión y de la

vida contemplativa. ② Género literario, en prosa o en verso, formado por obras en las que los autores describen sus experiencias místicas o de unión con Dios: *la mística de san Juan de la Cruz.*

misticismo *s. m.* ① Estado de perfección religiosa que consiste en la unión del alma con Dios por medio del amor. ② Doctrina que defiende que es posible la unión del alma con Dios por medio del amor.

místico, -ca *adj.* ① Relativo a la mística. I *s. m. y f.* ② Persona que se dedica a la vida espiritual y a la contemplación de Dios, o a escribir sobre ello.

FAM mística, misticismo.

mistificar *v. tr.* Cambiar o alterar una cosa para que deje de ser verdadera o auténtica. **SIN** falsear, mixtificar.

FAM mistificación.

mistral *s. m./adj.* Viento frío del noroeste que sopla en el mar Mediterráneo.

mita *s. f.* Sistema de trabajo de explotación de plantaciones y especialmente de minas que se estableció en la América colonial española; consistía en la utilización de los indígenas como fuerza de trabajo, reclutándolos forzadamente y trasladándolos a vivir, junto con sus familias, al lugar de trabajo.

mitad *s. f.* ① Parte que, junto con otra igual, forma un todo. ② Punto equidistante de ambos extremos: *estamos todavía a la mitad del camino.*

mítico, -ca *adj.* Relativo al mito.

mitificación *s. f.* ① Hacer un mito de una persona, una cosa o un suceso determinados. ② Sentimiento de gran estimación y admiración que se profesa a una persona, una cosa o un suceso determinados.

mitificar *v. tr.* ① Convertir en mito. **ANT** desmitificar. ② Valorar o admirar excesivamente a una persona o cosa. **ANT** desmitificar.

FAM mitificación.

mitigación *s. f.* Moderación o disminución de una cosa que es rigurosa o grave y se hace más suave o más soportable.

mitigar *v. tr.* Disminuir la intensidad, la gravedad o la importancia de algo, especialmente de un dolor físico o moral: *hay que mitigar el hambre del Tercer Mundo.* **SIN** atenuar.

FAM mitigación, mitigante.

mitin *s. m.* Reunión de personas en donde uno o varios oradores pronuncian discursos de tema político o social.

mito *s. m.* ① Historia fantástica que narra las acciones de los dioses y héroes de la Antigüedad. ② Historia o relato que altera las verdaderas cualidades de una persona o de una cosa y les da más valor del que tienen en realidad. ③ Persona, cosa o hecho muy importante que entra a formar parte de la historia o se convierte en modelo a imitar.

FAM mítico, mitificar, mitología, mitomanía.

mitocondria *s. f.* Orgánulo de una célula eucariota, membranoso y de forma variada, cuya principal función es la respiración celular.

mitocondrial *adj.* Relativo a la mitocondria.

mitología *s. f.* Conjunto de mitos o historias que narran las acciones de los dioses y los héroes de la Antigüedad, y que pertenecen a la historia, la cultura y la religión de un pueblo: *la mitología griega.*

FAM mitológico, mitologista.

mitológico, -ca *adj.* Relativo a la mitología.

mitomanía s. f. 1 Tendencia o inclinación patológica que hace que la persona mienta o transforme la realidad al explicar o narrar un hecho. 2 Tendencia a mitificar a una persona, una cosa o un suceso determinados.
FAM mitómano.

mitón s. m. Guante de punto que cubre la mano y deja los dedos al descubierto.

mitosis s. f. División de una célula en dos que tienen exactamente la misma información genética que la célula madre. **OBS** Plural invariable.

mitra s. f. Gorro muy alto con el que se cubren la cabeza los religiosos importantes en las ceremonias oficiales; está formado por dos partes, una delante y otra detrás, terminadas en punta.
FAM mitrado.

mitral adj. Se aplica a la válvula que está entre la aurícula y el ventrículo izquierdo del corazón.

mixomiceto o **mixomicete** adj./s. m. 1 Se aplica al hongo parásito que se presenta formando una masa protoplasmática con varios núcleos. ‖ s. m. pl. 2 **mixomicetos** o **mixomicetes** Grupo taxonómico, con categoría de filo, constituido por estos hongos.

mixtificar v. tr. Cambiar o alterar una cosa para que deje de ser verdadera o auténtica. **SIN** falsear, mistificar.
FAM mixtificación.

mixtilíneo, -nea adj. Se aplica a la figura geométrica que está formada por líneas rectas y por líneas curvas.

mixto, -ta adj. 1 Que está compuesto por dos o más cosas distintas mezcladas. ‖ s. m. 2 Pieza pequeña de madera u otro material, con una cabeza hecha de una sustancia que arde al ser rozada sobre una superficie áspera. **SIN** cerilla, fósforo.

mixtura s. f. Mezcla formada por dos o más elementos distintos.
FAM mixturar.

mnemotecnia [también **nemotecnia**] s. f. Método para aumentar la capacidad de la memoria.
FAM mnemotécnico.

mnemotécnico, -ca [también **nemotécnico, -ca**] adj. Relativo a la mnemotecnia.

moabita adj. 1 De Moab (antiguo país del oeste de Asia). ‖ s. com./adj. 2 Persona que era de Moab. ‖ s. m./adj. 3 Lengua semítica que se hablaba en Moab.

moaré [también **muaré**] s. m. Tela fuerte de seda que forma aguas.

moaxaja s. f. Composición poética medieval de tradición culta, compuesta en árabe o en hebreo, que termina con una jarcha o estrofa breve escrita en mozárabe.

mobiliario s. m. Conjunto de muebles de una casa o de una habitación. **SIN** moblaje.

moblaje s. m. Mobiliario.

moca [también **moka**] s. amb. 1 Café de buena calidad que procede de Arabia. 2 Crema hecha con café, mantequilla, azúcar y vainilla que se utiliza para preparar tartas y dulces.

mocárabe s. m. Elemento decorativo geométrico del arte islámico que adorna bóvedas, arcos o cornisas, elaborado con capas de yeso o ladrillos, basado en la yuxtaposición de pequeños prismas colgantes, con su parte inferior cóncava, que cuelgan como estalactitas.

mocasín s. m. 1 Zapato hecho de piel que no lleva cordones ni hebillas. 2 Zapato característico de los indios de América, hecho de piel sin curtir.

mocedad s. f. Periodo de la vida de una persona que está entre la niñez y el comienzo de la edad madura. **SIN** juventud.

mocetón, -tona s. m. y f. Persona joven, alta y fuerte.

mochales adj. vulgar Loco, chiflado.
OBS Invariable en número.

mochila s. f. Bolsa de tela fuerte que se lleva a la espalda sujeta a los hombros por medio de dos correas, generalmente empleada para llevar los enseres necesarios en excursiones.

mocho, -cha adj. 1 Se aplica a la cosa que no tiene punta o le falta la terminación adecuada. 2 Que tiene el pelo muy rapado. ‖ s. m. 3 Extremo grueso y sin punta de un instrumento o utensilio largo. 4 Utensilio que sirve para fregar el suelo de pie, y que está formado por un palo largo y delgado y una pieza en su extremo que sujeta varias cintas de un material absorbente. **SIN** fregona.

mochuelo s. m. 1 Ave nocturna, de menor tamaño que el búho, que se alimenta de pequeños animales, como por ejemplo roedores y reptiles. 2 familiar Asunto o encargo fastidioso: al final le hicieron cargar con el mochuelo del robo.
cada mochuelo a su olivo Indica que ya es hora de que un grupo de personas se separe y se vaya cada una a su casa.

moción s. f. Propuesta o petición que se hace en una junta o reunión de personas. ■ **moción de censura** Propuesta que el conjunto de los partidos políticos de la oposición presenta contra el equipo de gobierno: si se aprueba la moción de censura, el Gobierno dimitirá.

moco s. m. 1 Humor o líquido que sale por la nariz. 2 Sustancia densa y pegajosa que forma grumos dentro de un líquido. 3 Cera derretida que cae de las velas y se va quedando sólida a lo largo de ellas.
llorar a moco tendido familiar Llorar mucho y con gran pena o de manera aparatosa.
no ser moco de pavo familiar Ser una cosa importante o tener valor.
tirarse el moco familiar Presumir de lo que no se es o de lo que no se ha hecho.
FAM mocoso, moquear, moquero, moquete, moquillo.

mocoso, -sa adj. 1 Que tiene la nariz llena de mocos. ‖ s. m. y f. 2 familiar Persona que tiene pocos años o no tiene experiencia en una actividad determinada.

moda s. f. 1 Conjunto de gustos, costumbres y modos de comportarse propios de un periodo de tiempo, de un conjunto de personas o de un país determinado. 2 En estadística, dato que se presenta con mayor frecuencia.
FAM modisto.

modal adj. 1 Relativo al modo. ‖ s. m. pl. 2 **modales** Manera de comportarse en sociedad. **SIN** modos.
FAM modalidad.

modalidad s. f. Variante específica de algo: el producto es el mismo, pero se presenta en varias modalidades: en botella, en tarro o en caja de cartón.

modelado s. m. 1 Arte o técnica que consiste en dar la forma deseada a una materia blanda. 2 Morfología de un terreno en función de la acción erosiva.

modelar v. tr. 1 Dar la forma deseada o hacer una figura con un material blando, como por ejemplo cera, barro o plas-

M

tilina. ② Formar a una persona para que desarrolle unas cualidades o un carácter determinado, acorde con un modelo. **SIN** moldear.
FAM modelado.

modélico, -ca *adj.* Que sirve o puede servir de modelo por tener unas cualidades muy buenas o extraordinarias.

modelismo *s. m.* Construcción de reproducciones a escala reducida de barcos, trenes, aviones, edificios, etc.
FAM modelista; aeromodelismo.

modelista *s. com.* ① Persona que se dedica a hacer modelos y maquetas. ② Persona que se encarga de hacer los moldes para el vaciado de piezas de metal, cemento u otros materiales.

modelo *s. m.* ① Representación que se sigue como pauta en la realización de algo: *toma a su padre como modelo y le copia en todo lo que puede.* ② Persona que merece ser imitada por sus buenas cualidades: *modelo de bondad; modelo de simpatía.* **NOTA** Se construye normalmente en aposición a otro sustantivo: *hijo modelo.* ③ Objeto que se fabrica en serie y que tiene las mismas características que los que pertenecen a su mismo tipo. ④ Prenda de vestir que pertenece a una colección de ropa diseñada por alguien. ‖ *s. com.* ⑤ Persona que se dedica profesionalmente a exhibir prendas de vestir. **SIN** maniquí. ⑥ Persona que posa para ser representada en una obra de arte, especialmente en un cuadro, una escultura o una fotografía. ‖ *s. m.* ⑦ Representación de un objeto a pequeña escala. ⑧ Esquema teórico que representa una realidad compleja o un proceso complicado y que sirve para facilitar su comprensión.
modelo atómico Representación esquemática de la distribución de las partículas que constituyen los átomos, protones, neutrones y electrones.
FAM modelable, modelar, modélico, modelismo.

módem *s. m.* Dispositivo de un ordenador que convierte una señal digital en analógica o viceversa y que permite la comunicación con otro ordenador por vía telefónica.
OBS Plural: *módemes.*

moderación *s. f.* Cualidad que consiste en contener o frenar los sentimientos, las palabras o los impulsos exagerados.

moderado, -da *adj.* ① Que está en un punto medio entre dos extremos y no es exagerado: *precios moderados.* ② Que es partidario de ideas o actitudes poco radicales o extremas, especialmente en política.

moderador, -ra *s. m. y f.* ① Persona que dirige una reunión en la que varias personas discuten sobre un tema y da la palabra a los que quieren intervenir. ‖ *s. m.* ② Sustancia compuesta por átomos ligeros, destinados a frenar, mediante choques, la energía cinética de los neutrones rápidos sin absorberlos. **NOTA** También *moderador nuclear.*

moderar *v. tr.* ① Disminuir la intensidad o evitar el exceso de una cosa. ② Dirigir una reunión en la que varias personas discuten sobre un tema, dando la palabra a los que quieren intervenir.
FAM moderación, moderado, moderador.

moderato *adv.* Indica que una composición musical o parte de ella debe interpretarse con un tempo o ritmo moderado, entre andante y alegro.

modernidad *s. f.* Cualidad que tienen las cosas o las personas modernas.

modernismo *s. m.* ① Movimiento literario surgido en Es-

paña e Hispanoamérica a finales del siglo XIX y principios del XX, que se caracteriza por el cuidado de la lengua y su sonoridad y el refinamiento de la expresión: *Rubén Darío es el máximo exponente del modernismo.* ② Movimiento de renovación de la arquitectura y las artes decorativas europeas de finales del siglo XIX y principios del XX, caracterizado por el empleo de un lenguaje decorativo de origen orgánico inspirado en ritmos y formas de la naturaleza: *Antonio Gaudí es el mayor representante del modernismo arquitectónico.* ③ Gusto por las cosas modernas y actuales, especialmente en arte y en literatura.
FAM modernista.

modernista *adj.* ① Relativo al modernismo. ② Que practica el modernismo en literatura o en arte.

modernización *s. f.* ① Proceso mediante el cual una cosa antigua toma forma o aspecto modernos. ② Adaptación del modo de vida a los usos y costumbres más avanzados y modernos.

modernizar *v. tr.* ① Hacer que una cosa antigua tome forma o aspecto modernos. ② Adaptar una cosa a los usos y costumbres más avanzados y modernos: *la empresa se modernizó cuando compraron ordenadores.*
FAM modernización, modernizador.

moderno, -na *adj.* ① Que pertenece al presente, al periodo de tiempo actual. **ANT** antiguo. ② Que existe, se conoce o se usa desde hace poco tiempo. **SIN** novedoso, reciente. ③ Que está de acuerdo con la moda del momento actual. **ANT** anticuado, clásico.
FAM modernidad, modernismo, modernizar.

modestia *s. f.* ① Cualidad del carácter de una persona que le hace restar importancia a sus propias virtudes y logros y reconocer sus defectos y errores: *la modestia es una gran virtud.* **SIN** humildad. **ANT** orgullo, soberbia, vanidad. ② Falta de importancia social o de medios económicos: *el matrimonio vivía con modestia, pero por lo menos no pasaba hambre.* **SIN** humildad. **ANT** lujo.

modesto, -ta *adj.* ① Que resta importancia a las propias virtudes y logros y reconoce sus defectos y errores. **SIN** humilde. **ANT** orgulloso, soberbio, vanidoso. ② Que tiene poca importancia social o poco dinero. **SIN** humilde. **ANT** lujoso.
FAM modestia.

módico, -ca *adj.* Se aplica a la cantidad que no es demasiado alta. **ANT** elevado.

modificación *s. f.* Alteración de una cosa que no afecta a sus características principales.

modificador *s. m.* Elemento de un sintagma que restringe la aplicación de uso del núcleo o de un complemento del mismo sintagma. **SIN** adjunto, adyacente.

modificar *v. tr.* ① Alterar una cosa sin transformar sus características principales. **SIN** variar. ② Limitar el sentido de una palabra.
FAM modificable, modificación, modificador.

modismo *s. m.* Expresión característica de una lengua que está formada por un grupo de palabras con una estructura fija y que tiene un significado que no se puede deducir del significado de las palabras que lo forman y que puede apartarse de las reglas generales de la gramática: *"en un abrir y cerrar de ojos"* es un modismo.

modisto, -ta *s. m. y f.* Persona que se dedica a diseñar y a confeccionar prendas de vestir, especialmente de moda.
OBS Masculino: *modisto* o *modista.*

modo *s. m.* **1** Forma de ser o de hacer una cosa: *me gusta su modo de comportarse.* **SIN** manera. **2** Categoría gramatical que indica cómo concibe la acción verbal el que habla, bien enunciándola objetivamente (modo indicativo), de forma subjetiva (modo subjuntivo), o bien imponiéndola (modo imperativo). **3** En gramática, se aplica a los adverbios que indican cómo se realiza la acción: *en la frase "se aproximó despacio", "despacio" es un adverbio de modo.* **4** En gramática, se aplica a la proposición circunstancial que indica la manera en que se realiza la acción de la proposición principal: *en la frase "lo haremos como tú dices", "como tú dices" es una proposición de modo.* **5** Forma de ordenarse los sonidos en la escala musical: *modo mayor; modo menor.* ǀ *s. m. pl.* **6** **modos** Manera de comportarse en sociedad. **SIN** modales.
a modo de Como si fuera: *usó la mano a modo de visera.* **SIN** como.
de modo que (**I**) Por tanto: *tenemos que acabar el trabajo pronto, de modo que ponte a escribir ya.* (**II**) De forma que: *tienes que doblar el papel varias veces de modo que quede muy pequeño.*
de ningún modo Indica negación de manera tajante: *de ningún modo voy a llamarle si no me pide perdón.*
de todos modos Indica que una cosa que se ha dicho antes o que se sabe no impide lo que se dice a continuación: *ya sé que lo acordamos por teléfono, pero de todos modos me gustaría tenerlo por escrito.*
FAM modal.

modorra *s. f.* Sensación de sueño que provoca pesadez y torpeza en los sentidos. **SIN** somnolencia, sopor.
FAM amodorrar.

modoso, -sa *adj.* Que se comporta ante los demás con respeto, cuidado y buena educación. **SIN** recatado.
FAM modosidad.

modulación *s. f.* **1** Acción que consiste en variar el tono de una voz o de un instrumento hasta conseguir el adecuado. **2** Modificación de las características de las ondas, especialmente de las ondas sonoras, para conseguir que se transmitan mejor. ■ **modulación de amplitud** Cambio de la amplitud de la onda portadora para hacerla corresponder con las señales enviadas. ■ **modulación de frecuencia** Cambio de la frecuencia de la onda portadora para hacerla corresponder con las señales enviadas.

modular[1] *v. tr.* **1** Variar el tono de una voz o de un instrumento hasta conseguir el adecuado: *la soprano modula su voz magníficamente.* **2** Modificar las características de las ondas, especialmente de las ondas sonoras, para conseguir que se transmitan mejor.
FAM modulación, modulador.

modular[2] *adj.* Se aplica al objeto que está formado por varias partes que se pueden separar.

módulo *s. m.* **1** Unidad de medida que se toma como modelo de las demás partes de un objeto considerado artístico o perfecto: *el templo dórico se construía usando como módulo la medida del capitel.* **2** Pieza que forma parte de un conjunto pero que también puede considerarse por separado. **3** Diámetro de una medalla o moneda. **4** En física, magnitud o longitud de un vector.
FAM modular.

modus Se usa en las expresiones latinas:
modus operandi Significa 'modo de obrar' y se usa para referirse a la manera especial de actuar o trabajar para alcanzar el fin propuesto.

modus vivendi Significa 'modo de vivir' y se usa para referirse a la manera de ganarse la vida.

mofa *s. f.* Hecho o dicho con que se intenta poner en ridículo a una persona o cosa. **SIN** burla.
FAM mofarse.

mofarse *v. prnl.* Reírse de una persona o cosa con la intención de ponerla en ridículo: *todos se mofaron de la ingenuidad del recién llegado.* **SIN** burlarse.

mofeta *s. f.* Animal mamífero nocturno de color negro con bandas blancas, que lanza un líquido de olor muy desagradable cuando se siente amenazado.

moflete *s. m.* Mejilla gruesa y carnosa.
FAM mofletudo.

mofletudo, -da *adj.* Que tiene mofletes.

mogol, -la V. mongol, -la.

mogólico, -ca V. mongol, -la.

mogollón *s. m.* **1** familiar Cantidad grande de una cosa. **2** familiar Confusión o desorden de un conjunto de cosas o personas: *no entiendo nada de todo este mogollón.* ǀ *adv.* **3** familiar Indica que la acción señalada por el verbo es o se hace en gran cantidad o más de lo normal: *esa película me gustó mogollón.*

mohair [se pronuncia 'moer'] *s. m.* Tejido elaborado con pelo de cabra de Angora.

mohicano, -na *adj.* **1** Relativo a un pueblo amerindio que habitaba en el valle central del río Hudson y en el estado actual norteamericano de Vermont. ǀ *adj./s. m. y f.* **2** Que pertenecía a este pueblo amerindio. ǀ *s. m./adj.* **3** Lengua que hablaba este pueblo.

mohín *s. m.* Gesto que se hace con los músculos de la cara, especialmente con los labios, para expresar desagrado o enfado.

mohíno, -na *adj.* Que está triste o poco animado. **ANT** alegre.
FAM amohinar.

moho *s. m.* **1** Hongo de pequeño tamaño que crece en la superficie de los alimentos y otros materiales orgánicos, y que provoca su descomposición; forma una capa de color negruzco, verdoso o blanco. **2** Capa de óxido de color verde que se forma sobre los objetos de metal a causa de la humedad.
FAM mohoso; enmohecer.

mohoso, -sa *adj.* Que está cubierto de moho.

moisés *s. m.* Cuna sin pies y con asas, parecida a un cesto grande.
OBS Plural invariable.

mojama *s. f.* Carne de atún seca, curada y salada.
FAM amojamar.

mojar *v. tr.* **1** Humedecer algo con un líquido o embeberlo en él. **ANT** secar. **2** familiar Celebrar una cosa tomando unas bebidas. **SIN** remojar. **3** familiar Orinar encima de uno mismo: *el niño moja la cama todas las noches.* **4** P. RICO, R. DOM. Sobornar. ǀ *v. prnl.* **5** **mojarse** familiar Comprometerse en un asunto conflictivo o con una manera de pensar y actuar asumiendo las responsabilidades o consecuencias que conlleva el compromiso: *no quiso decirnos su opinión, ni participar en la votación porque no le gusta mojarse.*
FAM mojada, mojadura, mojado, mojador, moje, mojo; remojar.

M

moje *s. m.* Mojo.

mojicón *s. m.* **1** Bollo pequeño que se toma mojado en café, leche o chocolate. **2** familiar Golpe que se da en la cara con la mano.

mojiganga *s. f.* **1** Fiesta que se hacía antiguamente en la que las personas se disfrazaban con disfraces grotescos y ridículos. **2** Obra de teatro antigua y muy breve que se hacía con personajes ridículos o extravagantes para provocar la risa del espectador. **3** Cosa o hecho ridículo que sirve para burlarse de una persona o para hacerla reír.

mojigatería *s. f.* **1** Demostración exagerada de moralidad. **2** Humildad o timidez simuladas para conseguir algún fin.

mojigato, -ta *adj./s. m. y f.* **1** Que muestra una moralidad exagerada. **2** Que se comporta con falsa humildad o con una timidez simulada para conseguir algún fin. **FAM** mojigatería.

mojo *s. m.* Salsa o caldo de un guiso en el que se puede mojar pan. **SIN** moje. ■ **mojo picón** Salsa elaborada con aceite, pimentón, ajo, azafrán y orégano: *el mojo picón es una salsa típica de las islas Canarias.*

mojón *s. m.* **1** Poste de piedra u otra señal que se clava en el suelo y señala el límite de un terreno o indica la dirección o distancias de una vía o un camino: *caminaron hasta el primer mojón de la carretera comarcal.* **SIN** coto, hito. **2** Montón (conjunto). **3** Porción de excremento humano. **FAM** amojonar.

moka *s. amb.* Moca.

M

mol *s. m.* Unidad de cantidad de sustancia del Sistema Internacional, de símbolo *mol,* que equivale a la masa de tantas unidades elementales (átomos, moléculas, iones, electrones, etc.) como átomos hay en 0,012 kilogramos de carbono -12.

molar[1] *adj.* **1** Relativo a la muela. **2** Que sirve para moler o triturar. ❙ *adj./s. m.* **3** Se aplica al diente que está situado en la parte más posterior de la boca y sirve para triturar los alimentos. **SIN** muela. **FAM** premolar.

molar[2] *adj.* Relativo a la molaridad.

molar[3] *v. tr./intr.* familiar Gustar, ser del agrado de alguien: *me mola tu reloj, es chulísimo.* **FAM** molón.

molaridad *s. f.* Concentración de una solución expresada en el número de moles disueltos por litro de disolución.

moldavo, -va *adj.* **1** De Moldavia (país de Europa). ❙ *s. m. y f./adj.* **2** Persona que es de Moldavia. ❙ *s. m./adj.* **3** Lengua que se habla en Moldavia.

molde *s. m.* **1** Recipiente o pieza hueca donde se echa una masa líquida o blanda que toma la forma del recipiente al volverse sólida. **2** Conjunto de letras ya dispuestas para imprimir. **romper moldes** Actuar saliendo de las normas establecidas. **FAM** moldear, moldura; amoldar.

moldeado *s. m.* **1** Acción que consiste en moldear, especialmente el pelo. **2** Operación mediante la cual se realizan objetos o figuras por medio de un molde.

moldear *v. tr.* **1** Dar forma a algo con un molde o con las manos: *el escultor moldea el barro con sus manos.* **SIN** modelar. **2** Formar a una persona para que desarrolle unas cualidades o un carácter determinado, acorde con un modelo. **SIN** mo-

delar. **3** Poner en un molde una masa líquida o blanda que al volverse sólida toma su forma. **4** Ondular o rizar el pelo. **FAM** moldeable, moldeado, moldeador, moldeo.

moldeo *s. m.* Proceso mediante el cual se obtienen piezas echando materiales fundidos en un molde.

moldura *s. f.* **1** Banda saliente, estrecha y continua, que se usa de adorno o de refuerzo en una obra de arquitectura, ebanistería, etc. **2** Marco de cuadro o fotografía.

mole[1] *s. f.* **1** Cosa de gran tamaño y pesada. **2** Persona o animal grande y corpulento. **FAM** molécula; demoler.

mole[2] *s. m.* MÉX. Guiso de carne cuya salsa se prepara con chiles colorados. ■ **mole verde** MÉX. Mole cuya salsa se prepara con chiles verdes.

molécula *s. f.* **1** Parte más pequeña que puede separarse de una sustancia pura sin que la sustancia pierda sus propiedades. ■ **molécula-gramo** Masa de una molécula expresada en gramos; equivale a la masa molecular relativa de una sustancia. **2** Unidad fundamental que constituye un compuesto químico y la parte más pequeña del mismo que interviene en una reacción química. **FAM** molecular; macromolécula.

molecular *adj.* Relativo a la molécula.

moler [6] *v. tr.* **1** Triturar algo, especialmente granos o frutos, golpeándolo o frotándolo entre dos piezas duras hasta reducirlo a trozos muy pequeños o a polvo. ❙ *v. tr./intr.* **2** Cansar mucho físicamente: *cualquier esfuerzo me deja molido.* **moler a palos** familiar Pegar a alguien. **FAM** molienda, molimiento.

molestar *v. tr.* **1** Causar incomodidad o perturbar la tranquilidad de alguien: *¿le molesta que fume?* **2** Producir un dolor ligero o poco importante. **3** Disgustar o enfadar ligeramente a alguien: *me molesté por sus insinuaciones.* **SIN** ofender. ❙ *v. prnl.* **4** **molestarse** Esforzarse en hacer una cosa.

molestia *s. f.* **1** Perturbación del bienestar: *el humo es una molestia.* **SIN** engorro, fastidio. **2** Dolor ligero o poco importante. **SIN** trastorno.

molesto, -ta *adj.* **1** Que causa molestia: *la ropa ajustada me resulta molesta.* **2** Que siente molestia o enfado. **FAM** molestar, molestia, molestoso.

molestoso, -sa *adj.* AMÉR. Que causa molestia.

molibdeno *s. m.* Elemento químico de símbolo *Mo* y número atómico 42; es un metal de transición, brillante y duro, que se caracteriza por tener un punto de fusión muy elevado y una gran resistencia a la corrosión; se emplea en la fabricación de aceros.

molicie *s. f.* **1** Cualidad que tienen las cosas tiernas o blandas. **2** Comodidad excesiva en la manera de vivir.

molienda *s. f.* **1** Proceso que consiste en triturar una materia hasta reducirla a trozos muy pequeños o a polvo. **2** Cantidad de materia que se tritura de una vez. **3** Temporada en que se muele. **4** Molino, edificio. **5** familiar Cansancio. **6** familiar Cosa molesta.

molinero, -ra *s. m. y f.* Persona que trabaja en un molino o lo tiene a su cargo.

molinete *s. m.* **1** Rueda con aspas que gira y que se pone en un cristal de una habitación para renovar el aire. **2** Molinillo (juguete). **3** Mecanismo compuesto por una serie de aspas giratorias que colocado en una puerta o acceso permite el paso de las personas de una en una.

molinillo *s. m.* ① Instrumento pequeño de cocina que sirve para moler: *cambió el antiguo molinillo de café por uno eléctrico.* ② Juguete de niños que consiste en una vara o palo en cuyo extremo va sujeta una rueda o estrella de papel que gira impulsada por el viento. **SIN** molinete.

molino *s. m.* ① Máquina o mecanismo que sirve para triturar una materia hasta reducirla a trozos muy pequeños o a polvo: *en La Mancha hay muchos molinos de viento.* ② Edificio donde está instalada esta máquina.
FAM molinero, molinete, molinillo.

molla *s. f.* ① Carne que no tiene grasa. **SIN** magro. ② Parte blanda del pan, que está rodeada por la corteza. **SIN** miga. ③ familiar Acumulación de carne o de grasa en una parte del cuerpo de una persona: *tiene unas mollas horribles en la barriga.* **NOTA** Más en plural.
FAM molleja.

molleja *s. f.* ① Estómago muscular de las aves, especialmente las granívoras, de paredes gruesas donde trituran los alimentos. ② Parte carnosa de las glándulas de algunos animales: *compró mollejas de cordero en la carnicería.* **NOTA** Más en plural.

mollera *s. f.* ① Parte más alta de la cabeza, concretamente la parte superior de la frente. ② familiar Seso, inteligencia.
cerrado de mollera Poco inteligente.
duro de mollera (**I**) Tonto. (**II**) Terco.

molote *s. m.* ① AMÉR. CENTRAL Empanada o tortilla de maíz frita y enrollada, con un relleno de carne, cebolla, chile, papas, queso, etc. ② AMÉR. CENTRAL, COL., CUBA, R. DOM. Situación en la que predominan el alboroto, el tumulto y el bullicio. ③ CUBA Grupo de personas concentradas en un lugar. ④ MÉX. Moño que se hacen las mujeres en el cabello. ⑤ MÉX. Lío o envoltura alargada a modo de maletín.

molusco *adj./s. m.* ① Se aplica al animal invertebrado con simetría bilateral (no siempre perfecta), de cuerpo blando y dividido en tres partes (cabeza, pie y masa visceral), y generalmente protegido por una concha calcárea, como el caracol, la sepia o el mejillón; puede ser terrestre o acuático. **|** *s. m. pl.* ② **moluscos** Grupo taxonómico, con categoría de filo, constituido por estos invertebrados.

momentáneo, -nea *adj.* ① Que dura solamente un momento. **ANT** eterno. ② Que es provisional. **SIN** temporal.

momento *s. m.* ① Periodo de tiempo muy breve: *estaré listo en un momento.* **SIN** instante. ② Periodo sin duración específica que se singulariza por algún motivo, especialmente al hacer referencia a tiempos pasados: *los momentos que pasé con él son inolvidables.* ③ Tiempo presente: *el resultado de las elecciones es la noticia del momento.* ④ Tiempo oportuno para hacer una cosa o para que ocurra una cosa: *ahora que han subido los intereses es el momento de invertir.* ⑤ En física, producto de la masa de un cuerpo por su velocidad. **SIN** cantidad de movimiento. ■ **momento de una fuerza** Vector igual al momento del vector fuerza.
a cada momento Con mucha frecuencia.
al momento Inmediatamente.
de (o por el) momento Por ahora.
de un momento a otro Muy pronto, pero sin saber exactamente cuándo.
FAM momentáneo.

momia *s. f.* ① Cadáver desecado que con el transcurso del tiempo no se descompone: *en las tumbas egipcias se han encontrado momias de los faraones.* ② familiar Persona que se encuentra físicamente desmejorada o envejecida.
FAM momificar, momio.

momificar *v. tr.* Preparar un cadáver para que se conserve sin descomponerse: *el mamut encontrado en el hielo se había momificado.* **SIN** embalsamar.
FAM momificación.

mona[1] *s. f.* ① Mono arborícola de unos 60 cm de longitud, con el pelaje gris amarillento, las nalgas callosas y desnudas, y sin cola; vive en el norte de África y en Gibraltar. ② familiar Borrachera.
dormir la mona familiar Dormir después de haberse emborrachado.
FAM monada, monería; pintamonas.

mona[2] *s. f.* Tipo de bollo adornado con huevos cocidos o de chocolate que en algunas zonas de España se come tradicionalmente el día de Pascua de Resurrección: *sigue siendo tradicional en Cataluña que la madrina regale la mona a su ahijado.*

monacal *adj.* Relativo al monasterio o a los monjes. **SIN** monástico.
FAM monacato.

monacato *s. m.* ① Estado o profesión del monje. ② Conjunto de las órdenes o instituciones monásticas.

monada *s. f.* ① Gesto o acción propia de los monos. **SIN** monería. ② Gesto o acción graciosa, especialmente la que hace un niño o un animal pequeño. **SIN** monería. ③ Persona, animal o cosa delicada, bonita o graciosa. **SIN** preciosidad, monería.

monaguillo *s. m.* Niño que ayuda al sacerdote en la misa. **SIN** acólito.

monarca *s. com.* Soberano de una monarquía o un reino.
FAM monarquía.

monarquía *s. f.* ① Forma de gobierno en la que la jefatura del estado reside en una sola persona, generalmente un rey o una reina, de forma hereditaria y vitalicia. ■ **monarquía absoluta** Monarquía en la que el rey no tiene limitado su poder por ninguna ley. ■ **monarquía constitucional** Monarquía en la que el poder del rey queda limitado por la Constitución. ■ **monarquía parlamentaria** Monarquía constitucional en la que el gobierno es responsable ante el Parlamento. ② Estado regido por un monarca. ③ Periodo de tiempo en el que un monarca dirige un estado.
FAM monárquico.

monárquico, -ca *adj.* ① Relativo a la monarquía. **|** *adj./s. m. y f.* ② Se aplica a la persona que es partidaria de la monarquía.
FAM antimonárquico.

monasterio *s. m.* Edificio en el que vive una comunidad de religiosos o religiosas.
FAM monástico.

monástico, -ca *adj.* Monacal.

monda *s. f.* Piel o cáscara que se quita de las hortalizas y las frutas. **SIN** mondadura.
ser la monda familiar Ser algo o alguien muy gracioso y divertido.

mondadientes *s. m.* Palo de madera pequeño, delgado y afilado que sirve para pinchar los alimentos o para limpiarse los dientes. **SIN** palillo.
OBS Plural invariable.

mondadura *s. f.* Monda.

M

mondar *v. tr.* ① Quitar la piel o la cáscara a las hortalizas y las frutas. **SIN** pelar. ② Quitar las ramas viejas o secas de los árboles. **SIN** podar. ‖ *v. prnl.* ③ **mondarse** Reírse mucho y con ganas. **SIN** desternillarse.
FAM monda, mondadientes, mondadura, mondo; escamondar.

mondo, -da *adj.* ① Que está limpio y libre de cosas extrañas, añadidas o innecesarias: *los restauradores han hecho un buen trabajo dejando las paredes mondas de yeso y pintura.* ② Que no tiene pelo.
mondo y lirondo familiar Que no tiene o lleva cosas añadidas: *viven del sueldo de ella mondo y lirondo.*
FAM mondar.

mondongo *s. f.* ① El estómago y las tripas de un animal, especialmente del cerdo. ② Embutidos producto de la matanza del cerdo.

moneda *s. f.* ① Unidad aceptada en uno o más países como medida común para el intercambio comercial: *el euro es la moneda de la Unión Europea.* ② Pieza de metal, acuñada, a la que se da un valor económico determinado y que sirve como sistema de pago en las transacciones comerciales.
pagar con la misma moneda Comportarse una persona con otra de la misma manera en que fue tratada por ella.
ser moneda corriente Ser algo común o frecuente: *los insultos son moneda corriente en esas reuniones.*
FAM monedero, monetario, monetizar.

monedero *s. m.* Bolsa o cartera de pequeño tamaño que sirve para guardar el dinero, especialmente monedas.

monegasco, -ca *adj.* ① De Mónaco (país de Europa). ‖ *s. m. y f./adj.* ② Persona que es de Mónaco.

monema *s. f.* ① En gramática, cada uno de los términos que integran un sintagma. ② En gramática, mínima unidad lingüística (lexemas y morfemas) portadora de significado.

mónera *adj./s. f.* ① Se aplica al organismo que está constituido por una única célula procariota o cuyo núcleo no está separado del resto de componentes por una membrana: *las bacterias son las únicas móneras que existen.* ‖ *s. f. pl.* ② **móneras** Grupo taxonómico, con categoría de reino, constituido por estos organismos.

monería *s. f.* ① Gesto o acción propios de los monos. **SIN** monada. ② Gesto o acción graciosos, especialmente los que hace un niño o un animal pequeño. **SIN** monada. ③ Persona, animal o cosa delicado y bello. **SIN** monada, preciosidad.

monetario, -ria *adj.* Relativo a la moneda.
FAM monetarismo.

monetarismo *s. m.* Doctrina económica aplicada a las sociedades capitalistas que sostiene que los fenómenos monetarios regulan y determinan la economía de un país.
FAM monetarista.

mongol, -la *adj.* ① De Mongolia (país de Asia). **SIN** mogol, mogólico, mongólico. ‖ *s. m. y f./adj.* ② Persona que es de Mongolia. **SIN** mogol, mogólico, mongólico. ‖ *adj./s. m. y f.* ③ Se aplica a un pueblo de la alta Asia diseminado por diferentes países, principalmente Mongolia, China y Rusia. ‖ *s. m./adj.* ④ Lengua que se habla en Mongolia. **SIN** mogol, mogólico, mongólico.
FAM mongólico.

mongólico, -ca ① V. mongol, -la. ‖ *adj./s. m. y f.* ② Se aplica a la persona que padece mongolismo.
FAM mongolismo.

mongolismo *s. m.* Malformación de tipo genético que provoca retraso mental y físico y trastornos del crecimiento.

monicaco, -ca *s. m. y f.* ① fam. desp. Persona que tiene poco carácter o es considerada de poca importancia. ② familiar Niño pequeño.

monición *s. f.* ① Texto breve que se lee y sirve de introducción o explicación en algunos momentos de la misa o de una celebración litúrgica. ② Aviso o llamada de atención sobre un error o una falta con la que se advierte a una persona de una próxima sanción en caso de reincidencia. **SIN** admonición.

monigote *s. m.* ① Muñeco o figura ridícula. ② Dibujo mal hecho. ③ familiar Persona poco importante o que se deja manejar.

monismo *s. m.* Doctrina o concepción filosófica que trata de reducir todos los seres y fenómenos del universo a una única idea o sustancia de la que todo procede o se deriva.
FAM monista.

monista *adj.* ① Relativo al monismo. ‖ *adj./s. com.* ② Que es seguidor del monismo.

monitor, -ra *s. m. y f.* ① Persona que enseña a realizar una actividad concreta en la que es experta, especialmente actividades deportivas o culturales. ‖ *s. m.* ② Dispositivo que proporciona datos visuales o sonoros para que resulte más fácil controlar el funcionamiento de un aparato o sistema. ③ Pantalla de un ordenador, un televisor y otros aparatos electrónicos.
FAM monitorizar.

monja *s. f.* Mujer que pertenece a una orden religiosa.
FAM monjil.

monje *s. m.* Hombre que pertenece a una orden religiosa y que vive en comunidad o en aislamiento.
FAM monja, monjil.

monjil *adj.* ① Relativo a la monja. ‖ *s. m.* ② Prenda de vestir femenina que llega hasta los pies y que usan las monjas.

mono, -na[1] *adj.* ① familiar Que es bonito, gracioso o agradable a la vista: *este vestido es muy mono.* **SIN** cuco, majo. ‖ *s. m. y f.* ② Nombre genérico con que se designa a cualquiera de los primates del suborden de los antropoides (hocico reducido y ojos en posición frontal). **SIN** simio. ‖ *s. m.* ③ Prenda de vestir de una pieza, con pantalones y cuerpo, hecho generalmente de tejido grueso y usado en algunas profesiones para no mancharse la ropa: *el mecánico llevaba un mono azul.* ④ familiar Síndrome de abstinencia (estado físico y mental de malestar producido por interrumpir el consumo de una droga u otra sustancia que crea dependencia). ⑤ familiar Dibujo mal hecho o incompleto, generalmente con función humorística.
ser el último mono familiar Ser la persona menos importante o con menos poder de decisión de un lugar.

mono[2] V. monofónico, -ca.

monociclo *s. m.* Especie de bicicleta de una sola rueda que usan los equilibristas en el circo.

monocigótico, -ca [también **monozigótico, -ca**] *adj.* Se aplica al mamífero que ha sido originado a partir del mismo óvulo fecundado del que se ha originado su hermano. **SIN** univitelino.

monoclinal *adj.* Se aplica a la formación de rocas que presenta una disposición inclinada en una sola dirección.

monocolor *adj.* ① Que tiene un solo color. ② Se aplica al

M

gobierno que está formado o compuesto por un solo partido político o con predominio de un grupo.

monocorde *adj.* ① Se aplica al instrumento musical que tiene una sola cuerda. ② Se aplica a la sucesión de sonidos que repiten una misma nota musical: *canto monocorde.* ③ Que es monótono y sin variaciones.

monocotiledóneo, -nea *adj./s. f.* ① Se aplica a la planta que tiene un solo cotiledón en la semilla: *la cebada es una planta monocotiledónea.* ‖ *s. f. pl.* ② **monocotiledóneas** Grupo taxonómico, con categoría de clase, constituido por estas plantas: *la palmera pertenece a la clase de las monocotiledóneas.*

monocromía *s. f.* ① Característica principal de la cosa que es de un solo color. ② Arte de pintar utilizando únicamente un color. ③ Obra pictórica obtenida de este modo.

monocromo, -ma *adj.* culto Que es de un solo color.

monocular *adj.* ① Se aplica a la visión que se realiza con un solo ojo. ‖ *adj./s. m.* ② Se aplica al aparato que permite la visión con un solo ojo.

monóculo *s. m.* ① Lente que se coloca en un solo ojo. ② Vendaje o parche para un solo ojo.
FAM monocular.

monocultivo *s. m.* Sistema de cultivo que consiste en dedicar toda la tierra disponible a un solo producto.

monodia o **monodía** *s. f.* Composición vocal que es cantada a una sola voz por un solista o un coro al unísono, con o sin acompañamiento instrumental: *la monodia del canto gregoriano.*

monofásico, -ca *adj.* Se aplica a la corriente eléctrica alterna que solamente tiene una fase.

monofónico, -ca *adj.* ① Se aplica al sistema de grabación y reproducción de sonidos que se lleva a cabo por medio de un solo canal. **SIN** mono. ‖ *adj./s. m.* ② Se aplica al equipo o sistema que usa este sistema de grabación y reproducción de sonidos. **SIN** mono.

monogamia *s. f.* ① culto Estado o situación de quien está casado solamente con una persona. **ANT** poligamia. ‖ *adj.* ② Se aplica al animal que se aparea con un solo individuo de su misma especie.
FAM monógamo.

monógamo, -ma *adj./s. m. y f.* culto Se aplica a la persona que tiene solamente una esposa o un marido. **ANT** polígamo.
FAM monogamia.

monografía *s. f.* Estudio detallado y profundo sobre un tema particular: *lleva dos años preparando una monografía sobre Cervantes.* **SIN** monográfico.
FAM monográfico.

monográfico, -ca *adj.* ① Que estudia o trata con detalle un solo tema o un aspecto de una materia. ‖ *s. m.* ② Monografía.

monolingüe *adj./s. com.* ① Se aplica a la persona que habla una sola lengua. ‖ *adj.* ② Que está escrito en una sola lengua.
FAM monolingüismo.

monolítico, -ca *adj.* ① Relativo al monolito. ② Que está hecho de una sola pieza de piedra: *fuimos a visitar los monumentos monolíticos de la isla de Pascua.* ③ Muy compacto, con una unión tan fuerte entre sus distintas partes como si fuera de una sola pieza.

monolito *s. m.* Monumento de piedra de una sola pieza.
FAM monolítico.

monologar *v. intr.* Pronunciar o decir un monólogo.

monólogo *s. m.* ① Discurso en voz alta que mantiene una persona consigo misma, especialmente si forma parte de una obra teatral. **SIN** soliloquio. ② Parte de una obra o composición aislada en que habla un solo personaje.
FAM monologar.

monomando *adj./s. m.* Se aplica al aparato que integra en un solo mando las funciones que suelen realizarse con más de uno: *grifo monomando.*

monomanía *s. f.* Obsesión por una idea fija.
FAM monomaníaco.

monómero *s. m.* Molécula simple que, mediante la unión con otras moléculas iguales, forma cadenas de varias o muchas unidades, llamadas polímeros.

monomio *s. m.* Expresión algebraica que consta de un solo término: *$10x$ es un monomio.*

monopatín *s. m.* Patín compuesto de una tabla y cuatro ruedas, que se usa en juegos y deportes.

monopétalo, -la *adj.* Se aplica a la flor cuya corola tiene un solo pétalo: *la campanilla es monopétala.*

monoplano *s. m.* Avión o avioneta que está provista de una única ala transversal.

monoplaza *adj./s. m.* Se aplica al vehículo que tiene capacidad para llevar a una sola persona: *avioneta monoplaza.*

monopolio *s. m.* ① Derecho legal concedido a un individuo o a una empresa para explotar en exclusiva un negocio o para vender un determinado producto. ② Dominio o influencia total sobre una cosa, excluyendo a otros: *los ancianos tenían el monopolio de la plaza y no dejaban que los niños jugaran allí.*
FAM monopolizar.

monopolización *s. f.* Adquisición o explotación del comercio de un producto que realiza exclusivamente una determinada empresa.

monopolizar *v. tr.* ① Tener o conseguir el permiso exclusivo para explotar un negocio o para vender un determinado producto: *en algunos países una sola empresa monopoliza la distribución del petróleo.* ② Realizar una actividad o negocio prácticamente de forma exclusiva o con mayor éxito que los demás: *las empresas japonesas monopolizan el mercado de la electrónica.*
FAM monopolización.

monorraíl *adj./s. m.* Se aplica al tren o vehículo que circula por un solo raíl.

monorrimo, -ma *adj.* Se aplica al conjunto de versos que tiene una sola forma de rima.

monosabio *s. m.* Persona que ayuda al picador en la plaza de toros.

monosacárido *s. m.* Glúcido que no puede descomponerse en unidades menores o más sencillas: *la glucosa es un monosacárido.*

monosemia *s. f.* Fenómeno del lenguaje que consiste en que una palabra tiene un solo significado.
FAM monosémico.

monosémico, -ca *adj.* Se aplica a la palabra que tiene un solo significado.

monosépalo, -la *adj.* Se aplica a la flor que tiene un solo sépalo en el cáliz.

monosilábico, -ca *adj.* ① Monosílabo. ② Se aplica a la

M

lengua en la que predominan las palabras de una sola sílaba, como el chino.

monosílabo, -ba *adj./s. m.* Se aplica a la palabra que tiene una sola sílaba. **ANT** polisílabo.

FAM monosilábico.

monoteísmo *s. m.* Doctrina religiosa que defiende la existencia de un solo dios. **ANT** politeísmo.

FAM monoteísta.

monoteísta *adj.* ① Relativo al monoteísmo. **ANT** politeísta. ❚ *s. com.* ② Persona que cree en la existencia de un solo dios. **ANT** politeísta.

monotipo *s. m.* ① Máquina de imprenta de componer que funde una a uno los caracteres sueltos. ② Arte de componer con esta máquina. ③ Estampación de una imagen pintada al óleo o con tintas especiales sobre una plancha, sin incisiones ni la intervención de ácidos, trasladándose al papel por presión.

monotonía *s. f.* ① Uniformidad de tono o entonación: *la monotonía de la voz del orador acabó durmiendo a la audiencia.* ② Falta de variación que produce aburrimiento o cansancio: *quería acabar con la monotonía de su vida: cambiar de trabajo, de casa, dejarlo todo.*

monótono, -na *adj.* ① Que tiene siempre el mismo tono o entonación. ② Que no varía y por esta razón produce aburrimiento o cansancio.

FAM monotonía.

monotrema *adj./s. m.* ① Se aplica al mamífero primitivo que pone huevos, carece de dientes, tiene las mandíbulas envueltas en una especie de pico y presenta una homeotermia relativa y otras características afines a los reptiles: *el ornitorrinco es un monotrema de Australia.* ❚ *s. m. pl.* ② **monotremas** Grupo taxonómico, con categoría de orden, constituido por estos mamíferos.

monovalente *adj.* Se aplica al elemento o radical químico que tiene una sola valencia.

monovolumen *s. m.* Automóvil en cuya línea exterior no se distinguen los espacios destinados a albergar el motor y el equipaje, sino que parecen una continuación del habitáculo de pasajeros: *los monovolúmenes suelen ser más altos que los otros automóviles.*

monóxido *s. m.* Compuesto químico cuyas moléculas están formadas por un átomo de oxígeno y uno o más átomos de otro elemento.

monóxido de carbono Gas tóxico, incoloro e inodoro, que se obtiene de la combustión incompleta del carbono o de sus compuestos; se emplea como agente reductor en la metalurgia de muchos metales.

monozigótico, -ca *adj.* Monocigótico.

monseñor *s. m.* Tratamiento que se da a los altos cargos de la Iglesia católica.

monserga *s. f.* ① Petición o explicación confusa y fastidiosa: *explícame sin monsergas por qué has llegado tan tarde.* **NOTA** Más en plural. ② familiar Asunto que cansa o molesta por ser muy pesado.

monstruo *s. m.* ① Ser fantástico, generalmente feo o desagradable, que resulta espantoso: *el monstruo de Frankenstein.* ② Ser vivo o cosa que no es normal en su especie, que tiene malformaciones u otro tipo de alteraciones. ③ Persona o cosa muy fea o desproporcionada. ④ Persona muy cruel y perversa: *solamente un monstruo podía cometer aquellos crímenes*

horrendos. ⑤ Cosa excesivamente grande o extraordinaria. ⑥ Persona dotada de cualidades extraordinarias para realizar una actividad en concreto: *Lope de Vega fue un monstruo de la literatura.* **SIN** fenómeno, genio.

FAM monstruoso.

monstruosidad *s. f.* ① Falta de proporción y de regularidad, especialmente en el cuerpo humano. **SIN** deformidad. ② Hecho cruel o malvado. **SIN** barbaridad. ③ Cosa o cantidad excesivamente grande o extraordinaria.

monstruoso, -sa *adj.* ① Que presenta una falta de proporción y de regularidad en su forma y que resulta muy feo o desagradable. **SIN** deforme. ② Que es muy cruel y malvado. ③ Que es excesivamente grande o extraordinario.

FAM monstruosidad.

monta *s. f.* ① Arte de montar a caballo: *es un experto en la monta de caballos.* ② Unión sexual de un animal macho con la hembra, especialmente caballos y toros: *vamos a llevar al toro a aquella finca para la monta.* ③ Valor o importancia de una cosa.

de poca monta Que tiene poco valor o importancia.

montacargas *s. m.* Ascensor que sirve para subir y bajar mercancías.

OBS Plural invariable.

montado, -da *adj.* ① Que va subido en un caballo o en otro animal. ② Se aplica a la nata o clara de huevo que se ha batido hasta ponerla esponjosa: *el merengue se hace con claras montadas y azúcar.*

montador, -ra *s. m. y f.* ① Persona que se dedica a montar máquinas o aparatos. ② Persona que se dedica a montar películas de cine o programas de radio y televisión.

montaje *s. m.* ① Acción de montar o armar un objeto: *montaje de motores de automóvil.* ② Objeto ya construido y terminado, resultado de haber unido todas las piezas que encajan entre sí. ③ Organización y preparación de una representación teatral u otro tipo de espectáculo, y especialmente el conjunto de decisiones que toma un director para ajustar un guion a su plan artístico: *los montajes de este director siempre consiguen acercar al público actual las obras clásicas.* ④ En cine, radio y televisión, selección y unión de una serie de escenas o de sonidos previamente grabados para elaborar la versión definitiva de una película o de un programa: *premiaron esa película por su estupendo montaje.* ⑤ familiar Situación preparada para hacer parecer verdadero lo que es falso: *el asesino intentó demostrar que todas las pruebas eran un montaje de la policía.*

FAM fotomontaje.

montante *s. m.* ① Importe o cantidad total. ② Poste o pieza vertical que sostiene o refuerza una estructura. ③ Listón o columna que divide el hueco de una ventana en dos. ④ Ventana sobre la puerta de una habitación, que es una prolongación de la puerta.

montaña *s. f.* ① Elevación natural del terreno de gran altura, que destaca del entorno; tiene mayor altitud que una colina y un volumen superior al del monte. ② Terreno en el que abundan estas elevaciones naturales: *se fue a vivir a la montaña huyendo de la contaminación de la ciudad.* ③ Gran cantidad, número o acumulación de una cosa, especialmente si forma un montón: *le pusieron en el plato una montaña de patatas fritas.* ④ Asunto que resulta difícil de solucionar, dificultad: *has convertido en una montaña algo que no tiene ninguna importancia.* ■ **montaña rusa** Atracción que consiste en pequeños vehículos que circulan muy rápido por una vía con muchas curvas, desniveles y pendientes pronunciadas.

FAM montañero, montañés, montañismo, montañoso.

montañero, -ra *adj.* **1** Relativo a la montaña. **SIN** montañés. **I** *s. m. y f.* **2** Persona que practica el montañismo.

montañés, -ñesa *adj.* **1** Relativo al montañismo. **I** *adj./ s. m. y f.* **2** Se aplica a la persona que vive en la montaña.

montañismo *s. m.* Deporte que consiste en ascender o escalar altas montañas. **SIN** alpinismo.

montañoso, -sa *adj.* Se aplica al terreno que tiene muchas montañas.

montar *v. intr./prnl.* **1** Subir encima de una cosa que está en un lugar más alto: *se montaron en la noria.* **I** *v. tr./intr.* **2** Cabalgar sobre un animal o conducir un vehículo: *montó en bicicleta.* **I** *v. tr.* **3** Juntar las piezas de un aparato o mueble y ajustarlas entre sí. **SIN** armar. **ANT** desarmar, desmontar. **4** Organizar y preparar lo necesario para una representación teatral, una fiesta u otro espectáculo: *el Ayuntamiento ha montado un festival taurino.* **5** Disponer o preparar lo necesario para una actividad: *con el dinero de la lotería le ha montado un piso precioso a su hija.* **6** Poner una piedra preciosa sobre un soporte. **SIN** engarzar. **7** Batir la nata de la leche o la clara de huevo hasta que quede esponjosa. **8** Unir sexualmente un animal macho a la hembra: *ha comprado un semental para que monte las vacas.* **9** Seleccionar y unir escenas y sonidos para elaborar una película de cine o un programa de radio o televisión.

montárselo familiar Organizarse para sacar ventajas de una situación.

FAM monta, montacargas, montado, montador, montaje, montante, montura; desmontar.

montaraz *adj.* **1** culto Silvestre. **2** culto Rudo.

monte *s. m.* **1** Elevación natural del terreno de gran altura, que destaca del entorno; tiene una altitud mayor a la de una colina y un volumen inferior al de una montaña. **2** Terreno sin cultivar en el que hay vegetación. ■ **monte alto** Monte poblado con árboles grandes. ■ **monte bajo** Monte poblado con hierbas y arbustos.

monte de piedad Establecimiento en el que se pueden empeñar algunos objetos para conseguir a cambio dinero prestado a un bajo interés.

monte de Venus Pubis de la mujer.

FAM montano, montaña, montaraz, montear, montero, montés, montículo, montuno.

montea¹ *s. f.* Acción de montear.

montea² *s. f.* Dibujo a tamaño natural de un elemento arquitectónico realizado cerca de su lugar de emplazamiento para que sirva como guía a la hora de construirlo.

montenegrino, -na *adj.* **1** De Montenegro (país de Europa): *Titogrado es la capital montenegrina.* **I** *s. m. y f./adj.* **2** Persona que es de Montenegro.

montepío *s. m.* Establecimiento donde existe un fondo de dinero destinado a pensiones y ayudas: *por su profesión colabora con el montepío de actores.*

montera *s. f.* **1** Gorra de terciopelo negro y pasamanería de seda que lleva el torero. **2** Techumbre de cristales que cierra un patio, una galería, etc.

montería *s. f.* Caza de animales de gran tamaño, generalmente con perros.

montero, -ra *s. m. y f.* Persona que busca y localiza la caza por el monte.

FAM montera, montería.

montés, -tesa *adj.* Se aplica al animal o planta que anda o se cría en el monte.

montículo *s. m.* Elevación del terreno pequeña y aislada, natural o hecha por el ser humano o los animales.

montilla *s. m.* Vino blanco elaborado en la zona de Montilla, de la provincia de Córdoba.

monto *s. m.* Suma final de varias cantidades.

montón *s. m.* **1** Conjunto de cosas puestas sin orden unas sobre otras. **2** Número o cantidad considerable de cosas: *barrió bajo la cama y sacó un montón de polvo.*

a montón o **a montones** familiar De manera abundante.

ser del montón familiar Ser normal y corriente.

FAM montonera, montonero; amontonar.

montonera *s. f.* familiar Montón, cantidad de cosas.

montonero, -ra *s. m. y f.* **AMÉR.** Guerrillero.

montuno, -na *adj.* **AMÉR.** Se aplica a la persona que es montaraz y rústica, hecha a la vida del monte.

montura *s. f.* **1** Armazón sobre el que se monta algo, que sostiene las piezas de un objeto: *lleva gafas con montura metálica.* **2** Animal sobre el que se puede montar. **SIN** cabalgadura. **3** Conjunto formado por la silla y los objetos necesarios para montar sobre un caballo u otro animal.

monumental *adj.* **1** Relativo al monumento. **2** Que tiene un tamaño mucho mayor de lo normal o que por alguna razón destaca mucho: *el jugador cometió un error monumental al fallar el penalti.* **SIN** gigantesco. **3** Que es excelente en su línea.

FAM monumentalidad, monumentalizar.

monumento *s. m.* **1** Obra de arquitectura, escultura o grabado hecha para recordar a una persona, un acto o una fecha importante: *delante de la casa en la que nació el escritor hay una plaza con un monumento dedicado a él.* **2** Edificio u obra pública de gran valor histórico o artístico: *la Puerta de Alcalá es uno de los monumentos de Madrid.* ■ **monumento nacional** Monumento que por su interés es protegido por el estado. **3** Objeto o documento de gran valor para la historia o para la ciencia. **4** Obra científica, artística o literaria de gran valor. **5** Lugar donde el día de Jueves Santo se pone la hostia consagrada para el Viernes Santo.

FAM monumental.

monzón *s. m.* Viento del océano Índico que sopla seis meses de la tierra al mar, y otros seis meses en sentido contrario, dando lugar a un invierno seco y a un verano lluvioso, respectivamente: *el monzón de verano es cálido y húmedo, el de invierno es seco y frío.*

FAM monzónico.

monzónico, -ca *adj.* **1** Relativo al monzón: *las lluvias monzónicas han causado el desbordamiento de varios ríos.* **2** Se aplica al clima que tiene lluvias fuertes y abundantes en verano.

moño *s. m.* **1** Peinado que se hace recogiendo el pelo, enrollándolo y sujetándolo a la cabeza, generalmente con horquillas. **2** Lazo de adorno hecho con cintas. **3** Conjunto de plumas o de pelo que sobresale en la parte superior de la cabeza de ciertos animales: *la garza tiene moño.*

estar hasta el moño Estar harto de una situación o de una persona.

FAM moña.

M

mopa *s. f.* Utensilio de limpieza consistente en una pieza plana de tela o tiras de tela sujetas a un palo que se utiliza para barrer y abrillantar suelos.

moquear *v. intr.* Echar mocos de forma continuada.
FAM moqueo.

moqueo *s. m.* Secreción abundante y continua de mocos que produce la nariz.

moquero *s. m.* familiar Pañuelo para limpiarse los mocos.

moqueta *s. f.* Tela gruesa que se usa para cubrir suelos o para tapizar paredes.
FAM enmoquetar.

moquillo *s. m.* Enfermedad catarral contagiosa que padecen algunos animales, especialmente los perros, producida por un virus; provoca fiebre, tos y alteraciones en el sistema nervioso.

mor Se usa en la expresión:
por mor de Indica que una cosa se hace o no se hace a causa de otra o en consideración a alguien: *no me obligues a mentir por mor de librarte de la culpa.*

mora¹ *s. f.* ① Fruto de la morera, formado por granos ovalados de color blanco o rosado, y sabor dulce. ② Fruto del moral, de forma redondeada, formado por pequeños granos de color morado y de sabor agridulce. ③ Fruto de la zarzamora, de forma redondeada, de color verde al nacer y morado o negro cuando está maduro.
FAM morado, moral, morera; zarzamora.

mora² *s. f.* En derecho, retraso en el cumplimiento de una obligación.

morada *s. f.* culto Casa o lugar donde vive una persona o un animal durante un tiempo: *en aquellas peñas hacían su morada las águilas.*

morado, -da *s. m./adj.* ① Color violeta oscuro, como el de las moras. ❙ *adj.* ② Que es de este color.
pasarlas moradas familiar Encontrarse en una situación difícil: *las he pasado moradas para aparcar.*
ponerse morado familiar Satisfacer en exceso el deseo de una cosa, especialmente de comida o bebida.
FAM moradura, moratón, moretón; amoratarse.

morador, -ra *adj./s. m. y f.* culto Que vive en un lugar: *le interesan los animales moradores de la campiña.*

moral¹ *adj.* ① Relativo a los valores o costumbres que se consideran buenos, según la concepción del bien y el mal de una comunidad. ② Que es conforme a las costumbres que se consideran buenas en una comunidad: *su comportamiento no es moral, es escandaloso.* **ANT** inmoral. ③ Que atañe al fuero interno, en oposición al cuerpo. ④ Conforme a la conciencia individual. ❙ *s. f.* ⑤ Conjunto de reglas que se consideran buenas para dirigir o juzgar el comportamiento de las personas en una comunidad: *la moral de cada pueblo está relacionada con sus costumbres y su forma de vida.* ⑥ Parte de la filosofía que estudia la conducta humana en relación con su bondad o malicia. ⑦ Estado de ánimo o de confianza.
FAM moraleja, moralidad, moralina, moralismo, moralizar; amoral, desmoralizar, inmoral.

moral² *s. m.* Árbol de tronco grueso y recto, hojas acorazonadas ásperas y dentadas y fruto comestible (mora).

moraleja *s. f.* Enseñanza que se extrae de un cuento, una fábula o un suceso de la vida.

moralidad *s. f.* ① Cualidad que hace que las acciones humanas se ajusten a ciertas normas de conducta socialmente aceptadas: *su pensamiento siempre se ha distinguido por su moralidad.* **ANT** inmoralidad. ② Grado de adecuación de los actos de una persona con sus creencias, su conciencia o sus principios: *fue un filósofo preocupado por la poca moralidad de su tiempo.* ③ Moraleja de un cuento o libro. ❙ *s. f. pl.* ④ **moralidades** Dramas alegóricos de la Edad Media en forma de diálogo o debate.

moralina *s. f.* Moralidad simplista, superficial o falsa: *él actúa sin escrúpulos y luego nos aconseja con inoportunas moralinas.*

moralismo *s. m.* Actitud que atribuye a la moral una importancia predominante.

moralista *adj.* ① Que tiene una intención moralizadora: *ha escrito numerosos tratados moralistas.* ❙ *s. com.* ② Persona que se dedica a hacer reflexiones morales y a escribir sobre moral. ③ Persona que se dedica a estudiar o enseñar moral.

moralizar *v. tr.* ① Reformar los hábitos y las costumbres de las personas para que se ajusten a los valores que se consideran buenos: *muchos religiosos intentaron moralizar a la gente de su época.* **ANT** pervertir. ❙ *v. intr.* ② Hacer reflexiones morales.
FAM moralización, moralizador, moralizante.

morar *v. intr.* culto Vivir habitualmente en un lugar.
FAM morada, morador.

moratón *s. m.* familiar Mancha en la piel de color morado y amarillento que sale después de un golpe: *me ha salido un moratón.* **SIN** moretón.

moratoria *s. f.* Ampliación del tiempo que se concede para hacer una cosa, especialmente para cumplir una obligación o pagar una deuda.

morbidez *s. f.* Blandura o suavidad que tiene una cosa: *la escultura del torso humano era tan real que daba sensación de morbidez.*

mórbido, -da *adj.* ① Que es blando o suave: *pintó un desnudo masculino de carnes mórbidas.* ② Que produce o padece una enfermedad.
FAM morbidez.

morbilidad *s. f.* Cantidad de personas que enferma en un lugar y un periodo de tiempo determinados en relación con el total de la población.

morbo *s. m.* ① familiar Morbosidad, atracción por lo desagradable o prohibido. ② culto Enfermedad o alteración de la salud.
FAM morboso.

morbosidad *s. f.* ① Atracción por las cosas desagradables, crueles, prohibidas o que van contra la moral. **SIN** morbo. ② culto Conjunto de los enfermos y tipos de enfermedades de una zona determinada.

morboso, -sa *adj.* ① Que muestra atracción por las cosas desagradables, crueles, prohibidas o que van contra la moral. ② culto Relativo a la enfermedad.
FAM morbosidad.

morcilla *s. f.* ① Embutido de color negro, de forma cilíndrica alargada y gruesa, hecho con sangre de cerdo cocida, especias y cebolla, que generalmente se fríe o se asa antes de comerla: *las morcillas pueden ser de cebolla o de arroz.* ② familiar Conjunto de palabras o frases improvisadas que un actor introduce en su papel.
que te/le/... den morcilla familiar Expresión con la que se indica desprecio o desinterés por alguna persona: *seguro que espera que le ayude pero, por mí, que le den morcilla.*
FAM morcillero.

morcillo *s. m.* ① Parte carnosa de la parte superior de las patas de la vaca, el toro y otros animales bovinos: *en mi casa utilizamos el morcillo para hacer cocido.* **2** Parte carnosa del brazo, desde el hombro hasta cerca del codo.

morcón *s. m.* Morcilla grande hecha con la tripa gruesa de algunos animales.

mordacidad *s. f.* Comentario hiriente y agudo dicho con mala intención: *habló de él con mordacidad.*

mordaz *adj.* Que critica de forma irónica, cruel y con mala intención. **SIN** corrosivo.

FAM mordacidad.

mordaza *s. f.* **1** Trozo de tela o de otro material con el que se tapa la boca a alguien para impedir que hable o grite. **2** Cualquier cosa que impide que una persona hable o se exprese con libertad: *las amenazas que había recibido fueron una mordaza que le impidió confesar lo que sabía.* **3** Instrumento formado por dos piezas que hacen de tenazas y que pueden cerrarse para sujetar algo entre ellas.

FAM amordazar.

mordedura *s. f.* **1** Acción de clavar los dientes en algo. **SIN** mordisco. **2** Herida o señal que se deja al morder.

morder [6] *v. tr.* **1** Sujetar algo clavándole los dientes o apretar algo entre los dientes. **2** Gastar poco a poco una cosa arrancando partes pequeñas: *el mar muerde las rocas de la playa.* **3** Corroer un ácido un material, sobre todo en artes gráficas cuando se desgasta una plancha para grabarla. **4** Mordisquear.

estar que muerde familiar Demostrar el enfado o el mal humor que se siente: *Álvaro está que muerde porque no pudo salir anoche.*

morder el polvo Perder en un combate.

FAM mordedor, mordedura, mordente, mordida, mordiente, mordisco.

mordida *s. f.* familiar Mordisco.

mordiente *s. m.* **1** Sustancia química que sirve para fijar los colores a las telas: *las sales de cromo se usan como mordiente.* **2** Ácido con el que se desgasta una plancha para grabarla. **3** Barniz empleado para fijar los panes de oro. ‖ *adj.* **4** Que muerde. **5** Que es hiriente o agresivo.

mordisco *s. m.* **1** Acción de clavar los dientes en algo. **SIN** mordedura. **2** Herida o señal que se deja al morder: *aún se me ve el mordisco que me dio tu perro la semana pasada.* **3** Trozo que se arranca de una cosa al morderla: *a la manzana le faltaba un mordisco.* **4** familiar Parte o ganancia que se saca de un negocio, de un sorteo o cosa parecida: *los acreedores se llevaron un buen mordisco de la herencia.*

FAM mordisquear.

mordisquear *v. tr.* Morder de manera repetida pero con poca fuerza algo arrancando pequeños trozos: *un ratón mordisqueaba un trozo de queso.*

moreno, -na *adj./s. m. y f.* **1** Se aplica a la persona que tiene el pelo de color oscuro o negro. **2** Se aplica a la persona que tiene la piel oscura: *ella tiene la piel muy blanca y, en cambio, su hijo es muy moreno.* ‖ *adj.* **3** Que ha tomado el sol y tiene la piel más oscura que de costumbre. **4** Se aplica al azúcar o al pan que tiene un color más oscuro de lo normal en su especie. ‖ *adj./s. m. y f.* **5** Se aplica a la persona que es mulata o de raza negra. ‖ *s. m.* **6** Color oscuro que adquiere la piel al tomar el sol: *un moreno cuidado con cremas adecuadas dura mucho más.*

FAM morenez.

morera *s. f.* Árbol con el tronco ancho, la copa abierta, hojas ovaladas, flores verdes y fruto comestible (mora): *las hojas de la morera sirven de alimento al gusano de seda.*

morería *s. f.* **1** Barrio que habitaron los moros: *fueron a visitar la antigua morería, donde vivieron los mudéjares y más tarde los moriscos.* **2** Territorio o país habitado por moros.

moretón *s. m.* familiar Moratón.

morfema *s. m.* Elemento lingüístico cuyo significado gramatical sirve para modificar o completar el significado de los lexemas, para definir su función y relacionarlos entre sí.
■ **morfema dependiente** Morfema que va unido a un lexema para formar una palabra, como el diminutivo "-ito". ■ **morfema derivativo** Morfema que se añade a una palabra para formar palabras nuevas: *los prefijos, los infijos y los sufijos son morfemas derivativos.* ■ **morfema gramatical** Morfema que expresa la información gramatical de un palabra: género, número, persona, tiempo, aspecto y modo verbal: *en la palabra "guapa", "-a" es un morfema gramatical que indica género femenino.* ■ **morfema independiente** Morfema que va aislado y solo tiene valor gramatical, como "y", "de" o "mi". ■ **morfema relacional** Morfema que sirve para establecer relaciones entre los distintos elementos de la oración: *las preposiciones y las conjunciones son morfemas relacionales.*

FAM morfemático.

morfina *s. f.* Sustancia que se extrae del opio, se emplea como calmante y también como droga: *la morfina se comercializa en forma de sales.*

FAM morfinómano.

morfinómano, -na *adj./s. m. y f.* Se aplica a la persona que toma o se inyecta morfina por adicción o dependencia.

morfología *s. f.* **1** Estudio de la forma o estructura de alguna cosa. **2** Parte de la biología que trata de la forma de los seres vivos y de sus cambios y transformaciones: *estamos estudiando la morfología de la rana.* **3** Parte de la lingüística que estudia la flexión, composición y derivación de las palabras determinando sus categorías gramaticales.

FAM morfológico.

morfológico, -ca *adj.* Relativo a la morfología: *se ha publicado un estudio morfológico del sistema nervioso.*

morfosintaxis *s. f.* Parte de la lingüística que estudia la relación entre la morfología y la sintaxis: *en morfosintaxis se relaciona la forma de las palabras, su morfología, con la función que realizan, su sintaxis.*

FAM morfosintáctico.

OBS Plural invariable.

morganático, -ca *adj.* **1** Se aplica al matrimonio que se celebra entre una persona que es miembro de una familia real y otra que no lo es y en el que ambos siguen manteniendo su linaje. **2** Se aplica a la persona que contrae este matrimonio: *príncipe morganático.*

moribundo, -da *adj./s. m. y f.* Que se está muriendo: *el sacerdote acudió al lecho del moribundo.*

morigerar *v. tr.* Moderar la intensidad de un sentimiento, de una pasión o de una actitud que tenía demasiada fuerza.

FAM morigeración, morigerado.

morir [7] *v. intr./prnl.* **1** Dejar de estar vivo un organismo: *la planta se murió porque no la regaban.* **2** Terminar alguna cosa del todo: *mi amistad con él murió hace muchos años.* **3** Extinguirse o apagarse una luz, una llama, etc. ‖ *v. intr.* **4** Terminar en un punto o ir a parar a un lugar un camino, un río, y, en general, algo que sigue una línea: *el río muere en el mar.*

morirse de Sentir intensamente una sensación o un sentimiento.

morirse por Sentir un deseo o pasión muy fuerte.

FAM moribundo.

OBS Participio irregular: *muerto.*

morisco, -ca *adj./s. m. y f.* **1** Se aplica al descendiente de musulmanes obligado, bajo amenaza de expulsión, a convertirse al cristianismo tras la Reconquista y a renunciar a sus costumbres y su lengua. **‖** *adj.* **2** Relativo a estos descendientes: *Felipe II tuvo que hacer frente a una sublevación morisca en Granada.* **‖** *adj./s. m. y f.* **3** Méx. Se aplica al descendiente de mulato y europea, o de mulata y europeo.

mormón, -mona *adj.* **1** Relativo al mormonismo. **‖** *adj./ s. m. y f.* **2** Se aplica a la persona que cree en esta doctrina religiosa.

FAM mormónico, mormonismo.

mormonismo *s. m.* Doctrina religiosa fundada por Joseph Smith en Estados Unidos en el siglo XIX; se basa en las enseñanzas de la Biblia, mantiene una gran actividad misionera y durante sus primeros tiempos fomentaba la poligamia.

moro, -ra *adj./s. m. y f.* **1** Se aplica a la persona que sigue la religión de Mahoma: *los moros rezan cinco veces al día mirando hacia La Meca.* NOTA Frecuentemente usado de forma despectiva. SIN mahometano, musulmán. **2** Se aplica a la persona perteneciente al pueblo árabe que vivió en España: *los moros dejaron en España una rica cultura y tradición.* **3** Se aplica a la persona que es del norte de África. **‖** *adj.* **4** Relativo al islamismo. NOTA Frecuentemente usado de forma despectiva. SIN islámico, mahometano, musulmán. **5** Relativo al pueblo árabe que vivió en España: *muchos de los dulces y postres españoles son de tradición mora.* **6** Relativo a los pueblos del norte de África: *costumbres moras.* **7** Se aplica al caballo negro con una mancha blanca en la frente y en la parte inferior de alguna de las extremidades.

bajar (o bajarse) al moro jerga Viajar al norte de África para adquirir droga.

haber moros en la costa Estar cerca una o varias personas que no deben enterarse de un asunto determinado: *dejaron de cotillear porque había moros en la costa.*

FAM moreno, morería, morisco, moruno; matamoros.

morocho, -cha *adj.* **1** Amér. Se aplica a la persona de tez muy morena. **‖** *adj./s. m. y f.* **2** Amér. Se usa como apelativo cariñoso y familiar para llamar a una persona. **3** familiar Amér. Se aplica a la persona que se conserva sana y robusta. **4** Arg., Perú, Urug. Se aplica a la persona que es de raza blanca con la piel y el cabello oscuros. **5** Venez. Se aplica a la persona que es gemela de otra. **‖** *adj.* **6** Venez. Se aplica a la sensación física o psíquica que es muy intensa: *hace un frío morocho.*

morosidad *s. f.* **1** Retraso en el pago de una cantidad debida. **2** Falta de puntualidad. **3** Lentitud en hacer las cosas o en el desarrollo de algún proceso.

moroso, -sa *adj./s. m. y f.* **1** Se aplica a la persona que se retrasa en el pago de una cantidad debida. **2** Se aplica a la persona que hace las cosas con lentitud. **‖** *adj.* **3** Que implica o produce retraso.

FAM morosidad.

morrada *s. f.* Golpe que se da una persona en la cabeza o la cara.

morral *s. m.* **1** Bolsa o mochila que usan sobre todo los pastores y los cazadores para llevar la comida, la ropa u otros objetos. **2** Saco con hierba o pienso que se cuelga de la cabeza de algunos animales como caballos o burros para que coman.

morralla *s. f.* **1** Conjunto de cosas diferentes de escaso valor: *entre la morralla descubrió una joya de gran valor.* **2** Grupo de personas de baja condición social. **3** familiar Calderilla, dinero suelto. **4** Pescado pequeño de diferentes clases.

morrear *v. tr./intr.* familiar Besar a una persona en la boca con insistencia.

FAM morreo.

morrena *s. f.* Acumulación de partículas y bloques rocosos que un glaciar en movimiento ha arrastrado, transportado y depositado lejos de su lugar de origen.

morrillo *s. m.* **1** Parte carnosa que tienen las reses en la parte superior del cuello. **2** Trozo de piedra redondeada por el desgaste.

morriña *s. f.* Tristeza o pena, especialmente la que se siente al estar lejos de las personas o de los lugares queridos: *la morriña invadió su corazón en cuanto cruzó la frontera.*

FAM morriñoso.

morro *s. m.* **1** Parte saliente y prolongada de la cabeza de algunos animales donde se encuentra la nariz y la boca: *la vaca tiene el morro seco porque tiene fiebre.* SIN hocico. **2** familiar Labios de una persona. **3** Extremo delantero que sobresale de algunos objetos, similar a la forma de un hocico: *el morro de un avión.* **4** Montaña o roca pequeña y redonda: *el navegante se guió por un morro para llegar a la orilla.* **5** familiar Desfachatez o descaro: *¡menudo morro que tienes!* SIN jeta.

beber a morro Beber sin vaso, directamente del recipiente que contiene un líquido.

estar de morro (o morros) familiar Estar enfadado.

por el morro familiar Sin pagar o sin hacer ningún esfuerzo para conseguir algo: *se presentó en una fiesta por el morro.*

torcer el morro familiar Demostrar disgusto y enfado.

FAM morral, morrear, morrón; amorrar.

morrocotudo, -da *adj.* **1** familiar Que es muy importante, intenso, o grave, o muy difícil. **2** familiar Que es grande o enorme: *un susto morrocotudo.*

morrón *adj.* **1** Se aplica al pimiento que es rojo, más grueso que los de otras variedades y carnoso. **‖** *s. m.* **2** familiar Golpe fuerte e inesperado: *vaya morrón que se dio contra el suelo.*

morsa *s. f.* Animal mamífero similar a la foca pero de mayor tamaño, que vive generalmente en mares fríos, tiene las extremidades terminadas en aletas, cabeza pequeña y grandes bigotes; el macho tiene un par de colmillos superiores que llegan a medir más 50 cm de largo: *la morsa se alimenta de peces.*

morse *s. m.* Sistema telegráfico de señales en el que a cada letra, número o signo de puntuación le corresponde una combinación de rayas, puntos y espacios: *el morse se usa para transmitir mensajes telegráficos.*

OBS También *alfabeto Morse* o *código Morse.*

mortadela *s. f.* Embutido de color rosa, de forma cilíndrica, alargada y gruesa, hecho con carne picada de cerdo o de vaca, que se come frío sin necesidad de freírlo o asarlo.

mortaja[1] *s. f.* **1** Sábana o pieza de tela en la que se envuelve un cadáver para enterrarlo. **‖** *s. m.* **2** Amér. Papel de fumar.

FAM amortajar.

mortaja² *s. f.* Hueco en un objeto para encajar algo en él.

mortal *adj.* ❶ Se aplica al ser vivo que ha de morir. **ANT** inmortal. ❷ Que causa o puede causar la muerte: *el soldado tiene una herida mortal en el pecho.* ❸ Se aplica a la característica que se considera propia de un muerto o parecido a un muerto: *todos se extrañaron de su palidez mortal.* ❹ Se aplica al sentimiento que hace desear de forma real o figurada la muerte de una persona: *le tienen un odio mortal.* ❺ Que produce cansancio, fatiga o angustia: *fue una espera mortal.* ❻ Que es muy fuerte o intenso. ❼ Se aplica al pecado que se opone gravemente a la ley o la norma y no es fácil de perdonar: *matar a una persona es un pecado mortal.* ‖ *s. m.* ❽ Ser humano: *cometer errores es propio de mortales.*
FAM mortalidad, mortandad; inmortal.

mortalidad *s. f.* ❶ Cualidad de mortal. **ANT** inmortalidad. ❷ Cantidad de personas que mueren en un lugar y en un periodo de tiempo determinado en relación con el total de la población: *la mortalidad infantil es cada día menor en los países europeos.*

mortandad *s. f.* Gran cantidad de muertes causadas por una desgracia, ya sea una guerra, una epidemia o una catástrofe natural: *la mortandad provocada por la epidemia de cólera todavía es un recuerdo doloroso.*

mortecino, -na *adj.* Que no tiene vida o fuerza, especialmente referido a la iluminación o el fuego: *una luz mortecina iluminaba apenas la habitación.*

mortero *s. m.* ❶ Utensilio de cocina o laboratorio compuesto de un recipiente con forma de vaso ancho y un pequeño mazo que sirve para moler o machacar especias, semillas o sustancias químicas. ❷ Mezcla de cal o cemento, arena y agua que se usa en la construcción. **SIN** argamasa. ❸ Arma de artillería que lanza proyectiles muy pesados a distancias cortas y describe trayectorias de curva muy pronunciada.

mortífero, -ra *adj.* Que causa o puede causar la muerte. **SIN** letal.

mortificación *s. f.* ❶ Dolor o sufrimiento físico buscado como castigo con el que conseguir dominar los deseos y las pasiones: *los ascetas se imponen voluntariamente la mortificación y la entrega de su cuerpo y alma a Cristo.* ❷ Dolor, pena, remordimiento o daño en general. ❸ Cosa que produce sufrimiento o dolor: *la drogadicción de su hijo es su mortificación.*

mortificar *v. tr.* ❶ Castigar el cuerpo como penitencia o para dominar las pasiones. ❷ Producir dolor, remordimiento o daño en general: *la idea del fracaso lo mortifica continuamente.* ❸ Molestar a una persona.
FAM mortificación, mortificante.

mortuorio, -ria *adj.* Relativo a los muertos o las honras fúnebres.

mórula *s. f.* Primera fase del desarrollo del embrión animal, que precede a la fase de blástula; es una masa esférica de forma similar a una mora, que resulta de la primera segmentación del óvulo fecundado.

moruno, -na *adj.* Relativo a los pueblos del norte de África y sus habitantes. **SIN** moro.

mosaico, -ca¹ *adj.* Relativo a Moisés (profeta hebreo) o a la ley que este personaje bíblico dio al pueblo de Israel.

mosaico² *s. m.* ❶ Técnica artística que consiste en la yuxtaposición sobre un fondo de cemento de pequeñas piezas (guijarros, teselas) de diversos colores. ❷ Obra de arte hecha con esta técnica. ❸ Conjunto o muestra de personas o cosas de distinto origen y naturaleza: *durante una importante etapa de su historia, la Península Ibérica fue un mosaico de culturas y religiones.*

mosca *s. f.* ❶ Invertebrado artrópodo que es un insecto del orden dípteros, de cuerpo negro con dos alas transparentes, tres pares de patas con uñas y ventosas y un aparato bucal para chupar las sustancias de que se alimenta. ❷ Barba pequeña que crece entre el labio inferior y la barbilla. ❸ familiar Persona pesada, molesta o inoportuna. **SIN** moscón.
aflojar la mosca familiar Pagar o invitar a una consumición: *te toca a ti aflojar la mosca.*
cazar moscas familiar Ocuparse en cosas que no son útiles o importantes: *en lugar de buscar trabajo, se pasa el día cazando moscas.*
con la mosca detrás de la oreja familiar Que sospecha o no tiene confianza en una persona o en un asunto.
estar mosca (I) Estar inquieto por algo: *está mosca porque le han ingresado en el banco menos dinero del que esperaba.* (II) Estar enfadado o molesto.
mosca muerta Persona aparentemente débil o tímida, pero que siempre se aprovecha de la situación actuando con hipocresía y malicia.
papar moscas Estar extasiado.
por si las moscas familiar Por lo que pueda ocurrir.
¿qué mosca te ha picado? familiar Se usa para preguntar a una persona cuál es la causa de su enfado o de su mal humor.
FAM moscarda, moscón, mosquito; matamoscas.

moscarda *s. f.* Insecto parecido a la mosca, pero de mayor tamaño, de ojos rojos y salientes, alas transparentes, color verdoso y con una mancha de color de oro en la parte anterior de la cabeza. **SIN** moscardón.
FAM moscardón.

moscardón *s. m.* ❶ Insecto similar a la mosca pero de mayor tamaño; es de color marrón oscuro y muy velloso. **SIN** moscón. ❷ Moscarda. ❸ familiar Persona pesada, molesta o inoportuna.

moscatel *adj.* ❶ Se aplica a la uva que es muy dulce y olorosa. ‖ *adj./s. m.* ❷ Se aplica al vino que se elabora con la uva moscatel y es dulce: *el moscatel suele tomarse como vino de postre o aperitivo.*

mosco, -ca *adj.* CHILE Se aplica al caballo o yegua de color negro con algún pelo blanco.

moscón *s. m.* ❶ Moscardón (insecto). ❷ familiar Hombre que intenta insistentemente entablar relación con una mujer.

moscovita *adj.* ❶ De Moscú (capital de Rusia): *los inviernos moscovitas son muy crudos.* ‖ *s. com./adj.* ❷ Persona que es de Moscú.

mosquear *v. tr.* ❶ familiar Hacer que una persona tenga sospechas o recelos: *las continuas salidas de su hijo empezaron a mosquearle.* ❷ familiar Hacer enfadar a una persona: *ya me mosquea tanta bromita...; no sabe aguantar una broma, se mosquea enseguida.*
FAM mosqueo.

mosqueo *s. m.* ❶ familiar Sospecha o suposición sin pruebas. ❷ familiar Sentimiento de enfado y disgusto contra una persona.

mosquero *s. m.* AMÉR. Hervidero o gran abundancia de moscas en un determinado lugar.

mosquete *s. m.* Antigua arma de fuego, semejante al fusil, que se disparaba apoyándola sobre una horquilla hincada en tierra.

mosquetero *s. m.* Antiguo soldado armado con un mosquete.

mosquetón *s. m.* ① Arma larga de fuego que es más corta y ligera que el fusil. ② Anilla que se abre o se cierra mediante un muelle o un resorte: *el mosquetón se usa en el deporte del alpinismo para sujetar las cuerdas.*

mosquitero *s. m.* ① Tela metálica u otro material que se coloca en las puertas o en las ventanas para impedir que entren los mosquitos, y proteger los alimentos entre otras cosas. ② Especie de cortina de gasa que se pone alrededor de la cama para impedir el acceso a los mosquitos.

mosquito *s. m.* Invertebrado artrópodo que es un insecto del orden dípteros, más pequeño que la mosca, de cuerpo más fino, con dos alas estrechas y transparentes y patas alargadas; la hembra tiene una boca en forma de trompa con un aguijón en la punta que utiliza para alimentarse de la sangre de los mamíferos.
FAM mosquitera, mosquitero.

mostacho *s. m.* Bigote, especialmente si es muy espeso.

mostaza *s. f.* ① Planta de hojas grandes, flores amarillas y semillas negras por fuera y amarillas por dentro. ② Semilla de esta planta: *la mostaza se utiliza para hacer condimentos.* ③ Salsa de color amarillo y sabor fuerte y picante hecha con las semillas de esta planta.

mosto *s. m.* Zumo de la uva antes de que fermente para elaborar el vino: *el mosto no tiene alcohol.*
FAM mostear.

mostrador *s. m.* Mesa o tablero que hay en las tiendas, los bares y otros establecimientos y que se usa para mostrar las mercancías y servir los productos que piden los clientes.

mostrar [5] *v. tr.* ① Exponer o enseñar una cosa para que pueda ser vista. **ANT** ocultar, tapar. ② Expresar o manifestar una cualidad, un sentimiento o estado: *el perro muestra su alegría moviendo la cola.* ③ Dar a conocer una cosa mediante una explicación o una indicación: *el técnico les mostró el funcionamiento del aparato.* ‖ *v. prnl.* ④ **mostrarse** Darse a conocer una persona o comportarse de una determinada manera: *se mostró muy amable con sus invitados.*
FAM mostrador.

mostrenco, -ca *adj./s. m. y f.* ① fam. desp. Se aplica a la persona que es ignorante o que tarda mucho en entender cualquier cosa. ② fam. desp. Se aplica a la persona que es muy gorda y pesada. ‖ *adj.* ③ Que no tiene dueño conocido.

mota *s. f.* ① Partícula de cualquier cosa, de un tamaño muy pequeño, que se pega a los tejidos o a otros sitios. ② Granillo que se forma en el paño. ③ Manchita o dibujo pequeño más bien redondeados: *el caballo era gris con motas blancas.* ④ Defecto pequeño. ⑤ Montículo que se eleva en el llano.
FAM motear.

mote *s. m.* ① Nombre que se da a una persona en lugar del suyo propio, que suele hacer referencia a alguna característica de su forma de ser o a su manera de comportarse. **SIN** apodo. ② AMÉR. Maíz desgranado, deshollejado y cocido, con o sin sal (según la región). **SIN** mute.
FAM motejar.

motear *v. tr.* Salpicar con motas una tela u otra superficie: *al pintar la pared pidió que la motearan de azul.*

motejar *v. tr.* Aplicar un apelativo despectivo o reprobatorio

a una persona como crítica o censura de su comportamiento o de sus acciones: *te motejó de ignorante e inculto.*

motel *s. m.* Establecimiento hotelero situado cerca de una carretera, con apartamentos con entradas independientes y garaje en el que se alojan los viajeros que van de paso.

motero, -ra *s. m. y f./adj.* Persona que es muy aficionada a viajar en moto.

motete *s. m.* Composición musical breve de carácter religioso, cantada a una o varias voces y con o sin acompañamiento instrumental: *el "Ave verum" es un célebre motete de Mozart.*

motilón, -lona *adj.* ① Que no tiene pelo o muy poco. ‖ *adj./s. m. y f.* ② Se aplica a la persona que pertenece a un pueblo indígena que habita en la frontera entre Colombia y Venezuela: *los indios motilones llevan el pelo cortado en forma de casquete.* ③ Se aplica a la persona que es lego de un convento.

motín *s. m.* Acto de rebelión o levantamiento popular contra una autoridad, por lo general de poca envergadura y en una sola localidad o lugar.
FAM amotinar.

motivación *s. f.* ① Estímulo que anima a una persona a mostrar interés por una cosa determinada. ② Causa o razón que hace que una persona actúe de una manera determinada. **SIN** motivo.

motivar *v. tr.* ① Ser una cosa la causa o la razón de que otra suceda. ② Hacer que una persona muestre interés por una cosa. **ANT** desmotivar.
FAM motivación, motivador; inmotivado, desmotivar.

motivo *s. m.* ① Causa o razón que justifica la existencia de una cosa o la manera de actuar de una persona. ② Forma o figura que se repite en un dibujo o adorno. ③ Figura breve de una composición musical que forma una unidad melódica, rítmica y armónica y que se va repitiendo y desarrollando de distintas formas a lo largo de la pieza: *es célebre el motivo con que Beethoven inicia su quinta sinfonía.*
con motivo de Con ocasión de: *le regalé un diamante con motivo de nuestro aniversario.*
FAM motivar.

moto *s. f.* Motocicleta.
como una moto (I) familiar Se aplica a la persona que está muy nerviosa o inquieta: *tengo tantas cosas que hacer que estoy como una moto.* (II) familiar Se aplica a la persona que está muy loca.
FAM motocross.

motocarro *s. m.* Vehículo provisto de tres ruedas y un motor que se utiliza para transportar mercancía ligera.

motocicleta *s. f.* Vehículo automóvil de dos ruedas con capacidad para una o dos personas: *el casco es obligatorio para montar en motocicleta.* **SIN** moto.
FAM moto, motociclismo.

motociclismo *s. m.* Deporte que se practica con una motocicleta e incluye diversas modalidades y competiciones.
FAM motociclista.

motociclista *s. com.* ① Persona que conduce una motocicleta. ② Persona que practica el deporte del motociclismo.

motocross *s. m.* Modalidad de motociclismo que consiste en circular por terrenos muy accidentados.

motonáutica *s. f.* Deporte de navegación que se realiza con embarcaciones de pequeño tamaño provistas de un motor.

motonave *s. f.* Embarcación que está provista de un motor.

motoneta *s. f.* AMÉR. Motocicleta de pequeña cilindrada con un espacio libre entre el manillar y el asiento y con una plataforma inferior en la que el conductor apoya los pies.

motor, -ra *adj.* ① Que produce movimiento: *el mecanismo motor de esta máquina es muy potente; la fuerza motriz del agua se usa para producir energía.* **NOTA** Femenino: *motora* o *motriz.* ‖ *s. m.* ② Máquina que transforma en trabajo mecánico otras formas de energía. ■ **motor a reacción** o **motor de reacción** Motor que funciona mediante la expulsión a gran velocidad y gran presión de un chorro de gases producidos por combustión: *muchos aviones llevan motor de reacción.* ■ **motor de arranque** Motor eléctrico de un automóvil que engrana con el motor principal para el arranque. ■ **motor de combustión interna** o **motor de explosión** Motor que funciona mediante la liberación de energía que se produce al explotar el combustible en el interior del cilindro. ■ **motor diésel** Motor de explosión que funciona con gasóleo inyectado con aire a muy elevada temperatura por compresión previa. ■ **motor eléctrico** Motor que transforma en movimiento la energía eléctrica: *el secador de pelo tiene un motor eléctrico.*
FAM motora, motorismo, motorizar; automotor, bimotor, cuatrimotor, electromotor, servomotor.

motora *s. f.* Embarcación pequeña movida por un motor.

motorismo *s. m.* Deporte que practican las personas aficionadas a correr en motocicletas u otros vehículos a motor: *el motorismo se practica en campo y en pista.*
FAM motorista.

motorista *s. com.* ① Persona que conduce una motocicleta. ② Persona que practica el deporte del motorismo. ③ Agente de la guardia civil de tráfico que va en motocicleta. ④ Persona que guía un vehículo automóvil y cuida del motor.

motorizar *v. tr.* ① Dotar de maquinaria a una industria o equipar con vehículos de motor a un ejército: *el ejército motorizó a los soldados de infantería.* ‖ *v. prnl.* ② **motorizarse** Proveerse una persona o una entidad de un vehículo automóvil: *la mayor parte de la población española se ha motorizado en los últimos años.*
FAM motorización.

motosierra *s. com.* Máquina movida por un motor que sirve para cortar árboles y madera; está provista de una cadena con dientes.

motriz V. motor, -ra.
FAM motricidad.

motu proprio *adv.* Expresión latina que significa 'voluntariamente, por propia y libre voluntad': *he venido motu propio, nadie me ha obligado.*

mountain bike [se pronuncia aproximadamente 'montan baic'] *s. f.* Bicicleta para circular por la montaña, de ruedas anchas y fuertes.
OBS Plural: *mountain bikes* (se pronuncia aproximadamente 'montan baics').

mousse [se pronuncia 'mus'] *s. amb.* Crema dulce de textura muy esponjosa que se toma como postre.

mouton [se pronuncia 'mutón'] *s. m.* Piel de cordero tratada industrialmente que se utiliza para fabricar prendas de abrigo.

movedizo, -za *adj.* ① Que es poco firme e inseguro: *suelo movedizo.* ② Que se mueve o se puede mover con facilidad.

③ Que es inconstante o cambia fácilmente de opinión: *tenía un espíritu inquieto y movedizo.*

mover [6] *v. tr.* ① Hacer que un cuerpo deje el lugar o espacio que ocupa y pase a ocupar otro: *las plantas no pueden moverse por sí solas.* **SIN** trasladar. ② Agitar o llevar de un lado para otro una cosa o parte de algún cuerpo: *el viento mueve las hojas de los árboles.* ③ Incitar a alguien a que realice una cosa o a un comportamiento determinado: *su interés por el mundo de la moda lo movió a emprender un nuevo negocio.* ④ Hacer lo necesario para que un asunto se resuelva bien y rápidamente. ‖ *v. intr.* ⑤ Cambiar de sitio las fichas en un juego: *ahora te toca mover a ti.* ⑥ Provocar un sentimiento: *su desgracia mueve a la piedad.* ‖ *v. prnl.* ⑦ **moverse** familiar Darse prisa: *¡muévete, o no llegaremos a tiempo!*
FAM movedizo, movible, movida, movido, móvil, movimiento.

movible *adj.* Móvil. **ANT** inamovible.

movida *s. f.* ① familiar Situación de alboroto y confusión en la que hay mucha agitación o ajetreo: *se organizó una gran movida al llegar la policía.* ② familiar Animación y diversión en la que participa un gran número de personas: *algunas ciudades tienen una famosa movida nocturna.*

movido, -da *adj.* ① Que es muy activo, agitado y ajetreado: *el día de la mudanza fue muy movido.* ② Se aplica a la persona que es muy activa e inquieta en su comportamiento. ③ Se aplica a la fotografía o imagen que tiene los perfiles borrosos o poco claros. ④ Se aplica a la música de ritmo rápido y alegre.

móvil *adj.* ① Que puede moverse por su propia fuerza o por impulso exterior. **SIN** movible. **ANT** fijo. ② Que es inestable. ‖ *s. m.* ③ Causa o razón que lleva a una persona para realizar una cosa: *el detective descubrió el móvil del crimen.* ④ Objeto de decoración formado por figuras que cuelgan de hilos y se mueven con facilidad; suele colgarse del techo. ⑤ Cuerpo que está en movimiento. ‖ *s. m./adj.* ⑥ Teléfono portátil que se utiliza como medio de transmisión incorporado a una red de alta frecuencia.
FAM movilidad, movilizar; inmóvil.

movilidad *s. f.* Capacidad que tiene una persona o una cosa para poder moverse. **ANT** inmovilidad.

movilización *s. f.* ① Puesta en marcha de una actividad o un movimiento para conseguir un fin determinado. ② Preparación de las tropas que se realiza ante una situación de guerra agrupando a las personas y reuniendo el material necesario. **ANT** desmovilización.

movilizar *v. tr.* ① Poner en marcha una actividad o un movimiento para conseguir un fin determinado: *la empresa ha movilizado todos sus recursos para salir de la crisis.* ② Poner en actividad o movimiento a las tropas de un ejército: *todo el ejército se movilizó ante el ataque inesperado.* ③ Convocar a los soldados, incorporar a filas a otras personas y reunir el material necesario ante una situación de guerra. **ANT** desmovilizar.
FAM movilización; desmovilizar.

movimiento *s. m.* ① Cambio de posición de un cuerpo respecto a un sistema de referencia. ② Estado de un cuerpo mientras cambia de lugar o de posición: *la Tierra siempre está en movimiento.* ③ Circulación, agitación o tráfico de muchas personas, animales o cosas en un lugar. ④ Levantamiento civil o militar contra el poder o una autoridad establecida: *durante el siglo XIX y a raíz de la teoría marxista crecieron las reivindicaciones de la clase trabajadora y se formó un importante*

M

movimiento obrero que luchó contra la burguesía. **5** Conjunto de manifestaciones artísticas o ideológicas de una época que tienen características en común. **6** Marcha real o aparente de un cuerpo celeste. **7** Conjunto de alteraciones o novedades que ocurren durante un periodo de tiempo determinado en algunos campos de la actividad humana: *movimiento bursátil.* **8** Alteración de la cantidad de dinero que se tiene en la cuenta de un banco: *este extracto del banco explica con detalle los movimientos de tu cuenta.* **9** Efecto que se produce en una pintura por la combinación de las líneas, las luces y las sombras: *los maestros renacentistas se preocuparon mucho por crear el efecto de movimiento en sus cuadros.* **10** Parte autónoma de ciertas composiciones musicales (como una sinfonía, una sonata o una suite), generalmente con un compás y una velocidad de ejecución propios: *el concierto suele tener tres movimientos, el primero con tempo rápido, el segundo lento y el tercero otra vez rápido.* SIN tiempo. **11** Dirección ascendente o descendente que toman una o más voces en una composición musical. **12** Entradas y salidas de barcos, aviones, trenes o mercancías: *hoy hay poco movimiento en el aeropuerto.*

movimiento acelerado Movimiento en que la velocidad no es constante y aumenta, porque cambia su módulo (valor) y/o su dirección.

movimiento browniano Movimiento rápido, caótico y en todas las direcciones de las partículas dispersas de un coloide; este movimiento se debe a los choques desordenados de las partículas coloidales con las moléculas del medio dispersante; es más rápido cuanto menor es el tamaño de las partículas y mayor su dispersión.

movimiento circular Movimiento de un cuerpo que describe una trayectoria en forma de circunferencia.

movimiento curvilíneo Movimiento de un cuerpo que describe una trayectoria que va cambiando de dirección.

movimiento de rotación Movimiento de giro de un cuerpo alrededor de un eje fijo: *la tierra hace un movimiento de rotación sobre su propio eje cada 24 horas.*

movimiento de traslación Movimiento que se produce cuando dos partículas cualesquiera del cuerpo que se mueve mantienen paralela la dirección de la recta que las une.

movimiento elíptico Movimiento de un cuerpo que describe una trayectoria en forma de elipse.

movimiento parabólico Movimiento de un cuerpo que describe una trayectoria en forma de parábola.

movimiento rectilíneo Movimiento de un cuerpo que describe una trayectoria en línea recta.

movimiento retardado Movimiento cuya velocidad no es constante y va disminuyendo paulatinamente.

movimiento uniforme Movimiento cuya velocidad se mantiene constante.

moviola *s. f.* **1** Máquina que se usa en los estudios de cine y televisión para controlar y regular el movimiento de las imágenes de un programa de acuerdo con las exigencias del locutor o del montador. **2** Imagen que se controla y se regula con esta máquina.

OBS Es marca registrada.

mozalbete *s. m.* Chico joven o adolescente.

mozárabe *adj./s. com.* **1** Se aplica al cristiano que vivía en el territorio musulmán de la Península Ibérica durante la dominación islámica. **|** *adj.* **2** Relativo a estas personas: *comunidad mozárabe.* **|** *adj./s. m.* **3** Se aplica al estilo artístico, y especialmente arquitectónico, desarrollado en la Península Ibérica en el siglo X y principios del XI; se caracteriza por la

fusión de influencias visigóticas, islámicas y cristianas orientales: *el mozárabe fue practicado por comunidades mozárabes que habían vuelto a territorio cristiano recientemente conquistado por lo que también se conoce como "arte de repoblación".* **|** *s. m.* **4** Complejo grupo de dialectos románicos que se hablaban en la parte de la Península Ibérica controlada por los musulmanes: *muchas jarchas están escritas en mozárabe.*

FAM mozarabismo.

mozo, -za *adj./s. m. y f.* **1** familiar Se aplica a la persona que tiene poca edad: *los mozos del pueblo corrían delante del toro.* ■ **buen mozo** Persona alta que tiene el cuerpo esbelto y bien formado. **|** *s. m. y f.* **2** Persona que trabaja en un oficio para el que no se necesitan conocimientos especializados: *mozo de almacén.* ■ **mozo de espadas** o **mozo de estoques** Ayudante que cuida de las espadas y materiales de un torero. **3** familiar Persona que sirve comidas y bebidas a los clientes en un bar y en otros establecimientos. **|** *s. m.* **4** Chico joven que ha sido llamado para hacer el servicio militar. SIN quinto. **|** *s. m. y f./adj.* **5** Persona soltera.

mozo de escuadra Miembro de la policía autonómica de la comunidad autónoma de Cataluña.

FAM mocear, mocedad, mocerío, mocetón, mocito, mozalbete, mozuelo.

mozzarella [se pronuncia aproximadamente 'modsarela'] *s. f.* Queso de color amarillo muy claro y sabor muy suave que se elabora con leche de búfala o de vaca.

MP3 *s. m.* **1** Formato de compresión digital para la transmisión rápida de archivos de audio y vídeo a través de internet. **2** Aparato electrónico que sirve para reproducir archivos digitales con este formato de compresión.

mu *s. m.* Onomatopeya de la voz del toro o de la vaca.

no decir ni mu familiar No hablar o no decir una sola palabra: *le echó una buena bronca y él no dijo ni mu.*

muaré [también **moaré**] *s. m.* Tela fuerte de seda que forma aguas.

muchachada *s. f.* **1** Grupo numeroso de muchachos: *una muchachada entró en la discoteca.* **2** Hecho o dicho que se considera propio de muchachos.

muchacho, -cha *s. m. y f.* **1** Persona joven que está en la etapa de la adolescencia. **|** *s. f.* **2** Nombre que se daba antes a la mujer joven que trabajaba en las tareas domésticas de una casa.

FAM muchachada.

muchedumbre *s. f.* **1** Gran cantidad de gente reunida en un mismo lugar. SIN gentío, multitud. **2** Cantidad grande de animales o cosas. SIN multitud.

mucho, -cha *det.* **1** Indica que el sustantivo al que acompaña está en gran cantidad o número: *mucha gente; muchos libros.* SIN poco. **|** *pron.* **2** Indica que el sustantivo al cual sustituye está en gran cantidad o número: *muchos de los presentes no lo saben.* ANT poco. **|** *adv.* **3** En gran cantidad o más de lo normal: *en esta empresa trabajamos mucho.* ANT poco. **4** Añade intensidad al valor de ciertos adverbios: *se fue mucho antes de las doce.* **5** Gran cantidad de tiempo: *hace mucho que no te veo.* ANT poco.

como mucho Indica que una cantidad se da como máxima: *asistieron cincuenta personas como mucho.*

ni con mucho Resalta la diferencia entre dos cosas que se comparan: *el partido de ayer no fue ni con mucho lo que esperábamos.*

ni mucho menos Expresión que se utiliza para negar rotundamente: *¿Creérmelo yo? Ni mucho menos.*

por mucho que Expresión con valor concesivo que indica que a pesar de haber realizado cierta acción sucede otra sin poder evitarlo: *no vi nada, por mucho que abrí los ojos.* FAM muchedumbre.

mucílago o **mucilago** *s. m.* Sustancia viscosa derivada de algunas plantas u obtenida disolviendo goma en agua.

mucosa *adj./s. f.* Membrana del organismo que elabora una sustancia densa y pegajosa para proteger un órgano o cavidades corporales que tienen una abertura al exterior: *las mucosas están en el aparato digestivo, en el respiratorio y en el genital.*

mucosidad *s. f.* Sustancia densa y pegajosa producida por las mucosas de los organismos: *los caracoles dejan mucosidad tras de sí cuando caminan.*

mucoso, -sa *adj.* ① Que tiene la textura o el aspecto del moco. ② Que tiene o segrega mucosidad: *glándula mucosa; membrana mucosa.* FAM mucosa, mucosidad.

muda *s. f.* ① Conjunto de ropa interior que se cambia de una vez: *aquí tienes una muda limpia.* ② Cambio o renovación de la pluma, el pelo, la piel o el exoesqueleto que experimentan algunos animales: *la muda de las aves se produce en primavera o en otoño.* ③ Periodo de tiempo que dura este proceso.

mudada *s. f.* AMÉR. Mudanza de casa.

mudanza *s. f.* ① Cambio que se hace de una vivienda o de una habitación a otra y que consiste en trasladar los muebles y los enseres al nuevo lugar de residencia. ② Cambio o transformación de unas ideas o unas actitudes: *hubo una gran mudanza en las costumbres.*

mudar *v. tr./intr.* ① Cambiar el aspecto, la naturaleza o el estado de una cosa: *el acusado no mudó el semblante durante el juicio; la cara de Julio mudó de color.* ‖ *v. tr.* ② Cambiar un animal la pluma, el pelo o la piel: *las aves mudan las plumas cada año.* ‖ *v. tr./intr.* ③ Cambiar una persona sus ideas o su actitud: *los políticos a veces mudan de parecer.* ‖ *v. prnl.* ④ **mudarse** Cambiar una persona de vivienda o trasladarse del lugar en que se estaba a otro. ⑤ Quitarse una persona la ropa que lleva puesta y ponerse otra limpia: *siempre se muda después de bañarse.* FAM mudable, muda, mudada, mudanza; demudar.

mudéjar *adj.* ① Relativo a la población que vivía en el territorio cristiano de la Península Ibérica durante la Edad Media y que profesaba la religión musulmana. ‖ *s. com./adj.* ② Persona perteneciente a este pueblo: *los mudéjares eran un grupo de población muy numeroso en tiempos de la Reconquista.* ‖ *adj./s. m.* ③ Se aplica al estilo arquitectónico desarrollado en la España cristiana medieval que funde caracteres románicos o góticos con elementos decorativos propios del arte islámico: *el arte mudéjar floreció en la Península Ibérica desde el siglo XIII al XVI.*

mudez *s. f.* Imposibilidad o discapacidad física que tiene la persona que no puede hablar: *la mudez puede ser de nacimiento o adquirirse tras sufrir una lesión.*

mudo, -da *adj./s. m. y f.* ① Se aplica a la persona que no puede hablar a causa de una incapacidad o una lesión. ‖ *adj.* ② Que no tiene voz o sonido: *me gusta el cine mudo.* ③ Que está callado o muy silencioso: *un paseante fue el testigo mudo de la pelea.* ④ Se aplica a la letra que no se pronuncia: *en español, la "h" es muda.* ⑤ Que no lleva nada escrito: *necesito un mapa mudo para la clase de geografía.* FAM mudez; enmudecer, sordomudo.

mueble *s. m.* Objeto fabricado en un material resistente que sirve para un uso concreto y con el que se equipa o se decora una casa, una oficina u otros locales. ■ **mueble bar** Armario o parte de un armario en el que se guardan botellas de licor. FAM mueblaje, mueblería, mueblista; amueblar, guardamuebles.

mueblería *s. f.* Establecimiento en el que se hacen y se venden muebles.

mueblista *s. com.* Persona que tiene por oficio hacer o vender muebles.

mueca *s. f.* Gesto o movimiento hecho con los músculos de la cara que expresa un estado de ánimo determinado: *su cara tenía una mueca de burla.*

muecín [también **muezín**] *s. m.* Musulmán que desde la torre de la mezquita llama en voz alta a los fieles para que acudan a rezar. SIN almuecín, almuédano.

muela *s. f.* ① Diente situado en la parte posterior de las mandíbulas y que sirve para triturar los alimentos: *las muelas son más anchas que los incisivos.* ■ **muela del juicio** Muela que está al final de las mandíbulas y aparece en edad adulta en los seres humanos. ② Piedra redonda de un molino que gira sobre otra fija para triturar grano u otras cosas: *la harina se hacía machacando el trigo con la muela.* ③ Piedra en forma de disco que se hace girar y se usa para afilar herramientas. ④ Cerro escarpado de cima plana. ⑤ Planta leguminosa de tallo ramoso y flores blancas o azules cuya semilla es redondeada y con depresiones. SIN almorta. ⑥ Relieve resultante de la erosión de una cuenca sedimentaria, con una alternancia de materiales de diferente dureza, que tiene forma horizontal y está coronada por una capa de rocas resistentes o lava solidificada. SIN mesa. FAM sacamuelas.

muelle¹ *s. m.* Pieza elástica, generalmente de metal, sobre la que se aplica una presión y que es capaz de ejercer una fuerza y de recuperar su forma inicial cuando esta presión desaparece. SIN resorte.

muelle² *s. m.* ① Obra construida en un puerto de mar o en la orilla de un río navegable para facilitar las tareas de carga y descarga o para atracar los barcos. ② Plataforma de una estación de tren que está situada a la misma altura que los vagones y sirve para la carga y descarga de mercancías.

muérdago *s. m.* Planta parásita de tallos divididos en ramos, hojas perennes y fruto traslúcido y pequeño de color blanco; vive sobre los troncos y las ramas de los árboles: *el muérdago se emplea como adorno en Navidad y es símbolo de buena suerte.*

muermo *s. m.* ① familiar Estado de aburrimiento, tedio o fastidio que tiene una persona: *vaya muermo tengo hoy, no me apetece hacer nada.* ② familiar Persona, cosa o situación que es pesada y aburrida. ③ familiar Estado mental de atontamiento en el que se encuentra la persona que ha tomado muchas drogas. FAM amuermar.

muerte *s. f.* ① Fin de la vida: *muchas religiones sostienen que existe una vida después de la muerte.* ② Figura imaginaria que personifica la muerte y que suele representarse con un esqueleto humano que lleva una guadaña. NOTA Se escribe normalmente con mayúscula inicial. ③ Situación de destrucción y ruina que supone el fin o la desaparición de una cosa material o inmaterial: *la absoluta derrota de la nobleza en la Revolución Francesa supuso la muerte del Antiguo Régimen.* ④ Acción de asesinar o matar a una persona.

M

a muerte (**I**) Se aplica al enfrentamiento que solamente acabará cuando muera uno de los dos contrincantes. (**II**) Expresa gran intensidad.

de mala muerte Que tiene muy poco valor o importancia: *tiene un cargo de mala muerte en su empresa.*

de muerte familiar Que es muy grande: *se llevó un disgusto de muerte cuando le dijeron que había suspendido el examen.*

muerte súbita En algunos deportes, jugada que deshace una situación de empate entre los jugadores: *el partido de tenis finalizó con muerte súbita.*

muerto, -ta ① Participio irregular de *morir*. | *adj./s. m. y f.* ② Se aplica al ser que ha perdido la vida. **ANT** vivo. | *adj.* ③ Que está apagado o poco activo: *los pueblos de la sierra están muertos en invierno.* ④ Que está muy cansado: *llevo todo el día de pie y vengo muerto.* | *s. m.* ⑤ Cosa molesta. **estar muerto por** familiar Desear mucho algo o a alguien. **hacer el muerto** Flotar sobre el agua tendido de espaldas. **más muerto que vivo** (**I**) Muy asustado: *esa película de terror me ha dejado más muerto que vivo.* (**II**) Muy cansado. **FAM** metemuertos.

muesca *s. f.* ① Hueco estrecho y alargado que se hace en una cosa para introducir o encajar otra: *estos listones de madera tienen unas muescas para poder encajarlos y formar un cuadro.* ② Corte de forma semicircular que se hace al ganado en la oreja para señalarlo.

muestra *s. f.* ① Parte que se considera representativa de una cosa que se saca o se separa de ella para analizarla, probarla o estudiarla: *necesitan unas muestras de sangre para unos análisis.* ② Cantidad pequeña de un producto o de una mercancía que se ofrece o se enseña para dar a conocer sus características: *en la farmacia me han regalado una muestra para que pruebe una crema hidratante.* ③ Cosa que se toma como modelo para ser imitado o copiado: *bordé mi mantelería siguiendo la muestra que había en la revista.* ④ Prueba o manifestación que da a conocer una actitud, un sentimiento o una situación determinada: *es difícil presenciar sus muestras de afecto.* ⑤ Parte de una población sobre la que se efectúa un estudio estadístico: *para hacer este estudio se ha utilizado una muestra de trescientos estudiantes.* ⑥ Presentación en un recinto público de un conjunto de productos o de obras de arte. **SIN** exposición. **FAM** muestrario, muestreo.

muestrario *s. m.* Conjunto de muestras de un producto o de una mercancía.

muestreo *s. m.* Estudio de la distribución de un conjunto de características en una población, por medio de una muestra representativa de la misma. ■ **muestreo aleatorio estratificado** Muestreo aleatorio en el que se divide la realidad que se va a estudiar en diferentes categorías o estratos, de los que se toma una muestra. ■ **muestreo aleatorio simple** Muestreo aleatorio en el que todos los individuos tienen la misma probabilidad.

muezín *s. m.* Muecín.

muflón *s. m.* Mamífero rumiante parecido al carnero que tiene el pelo largo y de color castaño; el macho tiene unos largos cuernos curvados hacia atrás marcados con estrías: *el muflón habita en los montes de los países mediterráneos.*

mugido *s. m.* Voz del toro o de la vaca.

mugir *v. intr.* ① Emitir mugidos el toro o la vaca. ② Bramar el viento o el mar. **FAM** mugido.

mugre *s. f.* Suciedad grasienta que se acumula en una superficie: *las paredes de la cocina estaban llenas de mugre.* **SIN** roña. **FAM** mugriento, mugroso.

mugriento, -ta *adj.* Que está cubierto de mugre.

mujer *s. f.* ① Persona adulta de sexo femenino. ■ **mujer de la calle** o **mujer de la vida** Mujer que mantiene relaciones sexuales a cambio de dinero. ■ **mujer fatal** Mujer que atrae sexualmente a los hombres y domina por completo su voluntad. ② Persona de sexo femenino con la que está casado un hombre. **ser mujer** Tener la primera menstruación: *fue mujer a los doce años.* **FAM** mujeriego, mujeril, mujerío, mujerzuela.

mujerero *adj.* familiar **AMÉR.** Mujeriego (hombre aficionado a relacionarse con mujeres).

mujeriego *adj./s. m.* ① Se aplica al hombre que es muy aficionado a relacionarse con las mujeres. | *adj.* ② Relativo a la mujer.

mujeril *adj.* ① Propio de la mujer: *asuntos mujeriles.* ② Se aplica al hombre que tiene un comportamiento o unos modales que se consideran propios de una mujer.

mujerío *s. m.* despectivo Grupo grande de mujeres.

mújol *s. m.* Pez marino que tiene la cabeza aplastada, el cuerpo alargado y los labios muy gruesos; son peces gregarios, abundantes en el Mediterráneo y muy apreciados por su carne y sus huevas.

muladar *s. m.* ① Lugar donde se echa el estiércol y la basura de las casas: *las moscas merodeaban por el muladar.* **SIN** estercolero. ② Lugar que está muy sucio.

muladí *s. com./adj.* Cristiano que se convertía al Islam durante la dominación musulmana de la Península Ibérica. **OBS** Plural: *muladíes.*

mular *adj.* Relativo al mulo o la mula: *ganado mular.*

mulato, -ta *adj./s. m. y f.* ① Se aplica a la persona que ha nacido de padre blanco y madre negra o de padre negro y madre blanca: *en los países de América Central hay mucha población mulata.* | *adj.* ② Que es de color oscuro, moreno. | *s. m.* ③ **AMÉR.** Mineral de plata de color oscuro o verde cobrizo.

mulero, -ra *s. m. y f.* Persona que se dedica a cuidar mulas o a alquilarlas.

muleta *s. f.* ① Bastón de metal, madera u otra materia con el extremo superior adaptado para colocar la axila o el antebrazo y la mano, y que se utiliza para apoyarse al andar las personas que tienen alguna dificultad al hacerlo: *tiene la pierna rota y debe llevar muletas para caminar.* ② Paño de color rojo sujeto a un palo que usa el torero para torear en la última parte de la corrida. **FAM** muletilla.

muletilla *s. f.* ① Palabra o frase que se repite constantemente al hablar: *"o sea" es una muletilla común en nuestra lengua.* **SIN** latiguillo. ② Muleta antigua del torero de tamaño menor que la actual. ③ Bastón de puño atravesado.

muletón *s. m.* Tela de algodón o lana gruesa y afelpada que se coloca debajo de las sábanas como protección del colchón o debajo del mantel para proteger la mesa.

mullido, -da *adj.* ① Que es blando y esponjoso. | *s. m.* ② Material blando y esponjoso que se utiliza para rellenar una cosa. | *adj./s. m.* ③ Se aplica al montón de paja o juncos que suele haber en los corrales para cama del ganado.

mullir *v. tr.* **1** Ahuecar una cosa con las manos para que esté blanda y esponjosa: *la enfermera mulló las almohadas del enfermo.* **2** Cavar alrededor de una planta, especialmente de la vid.
FAM mullido.

mulo, -la *s. m. y f.* **1** Animal mamífero doméstico, de cuatro patas, nacido del cruce de un caballo y una burra o de una yegua y un burro: *las mulas suelen ser estériles.* **2** familiar Persona que tiene mucha fuerza y energía y resiste bien el trabajo duro.
FAM mular, mulero, muleto.

multa *s. f.* **1** Sanción económica o castigo que impone una autoridad por haber cometido una falta o delito: *la autoridad puso una multa a la fábrica por verter residuos tóxicos en el río.* **2** Papel oficial donde figura esta sanción y la cantidad de dinero que hay que pagar.
FAM multar.

multar *v. tr.* Poner una multa una autoridad por haber cometido una falta o delito.

multicolor *adj.* Que tiene muchos colores.

multicopista *s. f.* Máquina que reproduce un texto impreso, un dibujo o un grabado en varias copias sobre papel.

multiculturalismo *s. m.* Corriente de pensamiento que defiende la integración, convivencia y conservación de las diversas culturas existentes.
FAM multicultural.

multiforme *adj.* Que tiene muchas o varias formas o figuras. **ANT** uniforme.

multigrado *adj.* Se aplica al aceite lubricante para motores que no altera su composición ni su textura cuando se somete a cambios extremos de temperatura.

multimedia *adj.* **1** Se aplica a la tecnología o aparato que utiliza distintos medios de comunicación combinados, como texto, fotografías, imágenes de vídeo o sonido, con el propósito de educar o de entretener: *servicios multimedia; cursos multimedia.* **|** *adj./s. m.* **2** Se aplica al equipo informático que reúne distintos medios integrados, como audio, vídeo y televisión.
OBS Invariable en número.

multimillonario, -ria *adj./s. m. y f.* **1** Se aplica a la persona que tiene mucho dinero; especialmente, que tiene muchos millones de determinada unidad monetaria. **|** *adj.* **2** Se aplica a la cantidad que es muy elevada o asciende a muchos millones. **SIN** archimillonario.

multinacional *adj.* **1** De muchas naciones. **|** *adj./s. f.* **2** Se aplica a la empresa o sociedad mercantil que tiene negocios y actividades en varios países.

múltiple *adj.* **1** Que está formado por más de un elemento o por varias partes. **2** De muchas maneras: *ha sido una fractura múltiple.* **|** *det.* **3** Muchos o varios: *hay múltiples opiniones sobre cómo resolver el problema.* **|** *s. m.* **4** Obra de serigrafía, relieve o escultura concebida para ser reproducida en diversos ejemplares.
FAM multiplicar, multiplicidad, múltiplo.

multiplicación *s. f.* **1** Operación matemática que consiste en sumar un número tantas veces como indica otro número: *el resultado de una multiplicación se denomina "producto".* **2** Aumento o crecimiento de la cantidad o el número de una cosa: *la Biblia cuenta el milagro de la multiplicación de los panes y los peces.*

multiplicador, -ra *adj./s. m. y f.* **1** Que aumenta o hace crecer la cantidad o el número de una cosa. **|** *adj./s. m.* **2** Se aplica al número de una multiplicación que indica cuántas veces ha de sumarse otro número, el multiplicando, para obtener el producto: *en 4 × 2 = 8, el multiplicador es el 2.*

multiplicando *adj./s. m.* Se aplica al número de una multiplicación que debe ser sumado tantas veces como indica el multiplicador: *en 4 × 2 = 8, el multiplicando es el 4.*

multiplicar *v. tr.* **1** Realizar una operación matemática que consiste en sumar un número tantas veces como indica otro número. **2** Aumentar o hacer crecer la cantidad o el número de una cosa: *este año debemos multiplicar los beneficios de la empresa.* **|** *v. prnl.* **3** Reproducirse los seres vivos. **4** Hacer el esfuerzo una persona de atender a muchas cosas a la vez: *la anfitriona se multiplica para complacer a todos sus invitados.*
FAM multiplicación, multiplicador, multiplicando, multiplicativo.

multiplicativo, -va *adj.* **1** Que multiplica o aumenta. **|** *adj./s. m.* **2** Se aplica al adjetivo o sustantivo que expresa multiplicación: *"doble" es un adjetivo multiplicativo.*

multiplicidad *s. f.* Variedad o abundancia excesiva de algunos hechos, especies o personas: *existe una gran multiplicidad de tipos de insectos.*

múltiplo *adj./s. m.* Se aplica al número que contiene a otro número varias veces exactamente: *el número quince es múltiplo de cinco; un múltiplo común es un múltiplo de dos o más cantidades a la vez.* **■ mínimo común múltiplo** Múltiplo menor de todos los que tienen en común varios números o cantidades; para hallarlo, se descomponen dichos números o cantidades en factores primos y se toman los factores comunes a todos ellos y los no comunes, con el mayor de los exponentes.
FAM submúltiplo.

multipropiedad *s. f.* **1** Sistema de propiedad de un inmueble que se realiza entre varias personas y que consiste en pagar una cantidad de dinero cada una a cambio de poder disfrutar de su uso durante un tiempo limitado: *voy de vacaciones a un apartamento que tengo en multipropiedad.* **2** Inmueble que se tiene mediante las condiciones de este sistema de propiedad.

multitarea *adj.* Se aplica al sistema operativo que permite trabajar en un mismo ordenador con más de un programa a la vez: *Windows es un sistema operativo multitarea.*
OBS Plural invariable.

multitud *s. f.* **1** Cantidad abundante de personas. **SIN** gentío, muchedumbre. **2** Cantidad grande de animales o cosas. **SIN** muchedumbre. **3** Grupo de gente corriente.
FAM multitudinario.

multitudinario, -ria *adj.* **1** Que reúne o forma una multitud: *se celebró un concierto multitudinario en el auditorio.* **2** Relativo a la multitud.

multiusuario *adj.* Se aplica al sistema operativo informático que puede ser compartido por varios usuarios al mismo tiempo: *UNIX y Windows-NT son sistemas multiusuario.*
OBS Invariable en número.

mundanal *adj.* Mundano: *huyó al campo lejos del mundanal ruido.*

mundano, -na *adj.* **1** Propio del mundo humano: *adoraba los placeres mundanos.* **SIN** mundanal. **ANT** divino. **2** Propio del ambiente de la alta sociedad. **3** Se aplica a la persona que

M

participa frecuentemente en las fiestas y reuniones de la alta sociedad.

FAM mundanal.

mundial *adj.* **1** Que abarca o se refiere al mundo entero. **‖** *s. m.* **2** Competición deportiva en la que participan deportistas de todos los países por el título de campeón del mundo.

FAM mundialista.

mundialista *adj./s. com.* **1** Se aplica al deportista que ha participado en algún campeonato del mundo. **‖** *adj.* **2** Relativo al campeonato mundial.

mundillo *s. m.* Conjunto limitado de personas que tienen la misma posición social, profesión o trabajo: *mundillo del teatro.* **SIN** mundo.

mundo *s. m.* **1** Planeta en el que viven los seres humanos. ■ **Mundo antiguo** Parte del planeta que incluye Europa, Asia y el norte de África. ■ **Nuevo Mundo** Parte del planeta que incluye América y Oceanía. ■ **Tercer Mundo** Conjunto de los países subdesarrollados. **2** Conjunto de todas las cosas que existen, incluyendo lo que está fuera del planeta Tierra: *se desconoce con certeza el verdadero origen del mundo.* **SIN** universo. **3** Parte material o inmaterial en que se divide el conjunto de todas las cosas que existen: *mundo espiritual.* ■ **otro mundo** Lugar al que se cree que van las almas de las personas después de la muerte. **4** Conjunto de personas que forman la humanidad o forman parte de una sociedad determinada: *el mundo moderno introdujo enormes cambios sociales.* **5** Experiencia o conocimiento que tiene una persona acerca de cualquier situación y del trato con los demás que se adquiere a través de las vivencias: *se nota que es una persona de mundo, sabe comportarse en cualquier ambiente.* **6** Vida seglar que escoge una persona por oposición a la vida monástica o religiosa: *dejó el mundo y se enclaustró en la abadía.* **7** Conjunto limitado de personas que tienen la misma posición social, profesión o trabajo. **SIN** mundillo.

desde que el mundo es mundo Frase que indica que un hecho ocurre o sucede desde siempre.

echar al mundo Parir o dar a luz.

hacer un mundo Dar una importancia demasiado grande a un asunto que no la tiene: *hizo un mundo de una tontería.*

no ser nada del otro mundo familiar Ser una cosa común o normal.

ponerse el mundo por montera familiar Actuar una persona según sus convicciones dejando a un lado la opinión y los comentarios de los demás.

por nada del mundo Expresión que indica que una persona no quiere hacer una cosa por mucho que le ofrezcan a cambio.

todo el mundo Todas las personas, o la mayoría de ellas, en general: *todo el mundo tiene derecho a un salario digno.*

valer un mundo Ser una persona o una cosa muy apreciada por su valor material o moral.

venir al mundo Nacer.

venirse el mundo encima Perder el ánimo por falta de fuerzas para resistir las cosas adversas: *cuando su padre murió se le vino el mundo encima.*

ver mundo Viajar por muchas tierras y diferentes países.

FAM mundano, mundial, mundillo, mundología; trasmundo, trotamundos.

mundología *s. f.* familiar Experiencia de la vida y facilidad en el trato con la gente.

OBS Frecuentemente usado de forma humorística.

munición *s. f.* **1** Conjunto de materiales de guerra y de provisiones que son necesarios para abastecer a un ejército. **2** Carga que se pone en un arma de fuego, como pólvora, cartuchos, perdigones, etc. **NOTA** También en plural con el mismo significado que en singular.

FAM municionar.

municipal *adj.* **1** Relativo al municipio o que depende de esta división administrativa: *nos fuimos a bañar a la piscina municipal.* **‖** *adj./s. com.* **2** Se aplica a la persona que pertenece a la policía de un municipio y se encarga de mantener el orden en una población.

FAM municipalidad, municipalizar.

municipio *s. m.* **1** División territorial administrativa en la que se organizan algunos estados, como España, y está gobernada por el ayuntamiento. **2** Territorio que comprende esta división administrativa. **SIN** término municipal. **3** Conjunto de personas que viven en este territorio. **4** Organismo, formado por un alcalde y varios concejales, que gobierna y administra un pueblo o ciudad.

FAM municipal.

muñeca *s. f.* **1** Parte del brazo humano donde la mano se articula y se une con el antebrazo. **2** Conjunto de trapos para frotar, barnizar y otros usos. **3** AMÉR. Influencia de que se dispone para obtener preferencias al margen de lo correcto o justo.

FAM muñequera.

muñeco, -ca *s. m. y f.* **1** Juguete que tiene forma o figura humana: *la niña lava y peina a su muñeca.* **2** Figura que tiene forma humana que sirve para mostrar o exhibir prendas de vestir: *la muñeca del escaparate lucía un vestido de novia.* **SIN** maniquí. **‖** *s. m.* **3** Persona que tiene poco carácter o voluntad y se deja manejar por los demás muy fácilmente. **SIN** pelele.

muñeira *s. f.* **1** Baile popular de Galicia, de movimientos rápidos, que se ejecuta en parejas o en grupos. **2** Composición musical con que se acompaña este baile, de compás ternario, que se interpreta cantada y con acompañamiento de gaitas, panderetas y tamboriles.

muñequera *s. f.* **1** Tira o cinta de tela elástica o de otro material que se ajusta alrededor de la muñeca para sujetarla si está dañada o para protegerla si se ha de hacer un esfuerzo. **2** Correa del reloj de pulsera.

muñón *s. m.* **1** Parte de un miembro que permanece unida al cuerpo después de haber sido cortado o amputado. **2** Músculo deltoides y parte del hombro que limita con él. **3** Pieza cilíndrica que tiene el cañón a ambos lados y que permite darle la elevación necesaria para la puntería.

mural *adj.* **1** Que se coloca o se hace sobre un muro o una pared: *en su casa predomina la decoración mural.* **‖** *adj./s. m.* **2** Se aplica a la pintura, generalmente de gran tamaño, realizada sobre un muro o una pared.

FAM muralista.

muralista *s. com.* Persona que se dedica profesionalmente a realizar pinturas murales.

muralla *s. f.* Muro alto y grueso que rodea una plaza, fortaleza o territorio y que en algunas épocas sirvió de defensa o protección: *Ávila es famosa por su muralla.*

FAM amurallar.

murcianismo *s. m.* Palabra o modo de expresión propio del español hablado en Murcia y en su huerta.

murciano, -na *adj.* **1** De Murcia (comunidad autónoma, provincia y ciudad de España): *la vega murciana es muy fértil.* ‖ *s. m. y f./adj.* ② Persona que es de Murcia. ‖ *s. m./adj.* ③ Variedad del español hablada en Murcia y en su huerta.

murciélago *s. m.* Animal mamífero volador y nocturno cuyas alas están formadas por una membrana que va desde las extremidades anteriores hasta la cola; emite vibraciones para orientarse en la oscuridad y su alimentación varía según la especie: *los murciélagos se cuelgan boca abajo para descansar.*

murga *s. f.* ① Conjunto de músicos que tocan por las calles. ② Cosa que molesta.
dar la murga familiar Molestar mucho una persona.

múrido, -da *adj./s. m.* ① Se aplica al mamífero roedor de hocico largo y puntiagudo, cola larga y escamosa, que vive oculto y es de costumbres muy variables, como la rata, el ratón y el hámster. ‖ *s. m. pl.* ② **múridos** Grupo taxonómico, con categoría de familia, constituido por estos mamíferos.

murmullo *s. m.* ① Sonido confuso y poco perceptible que se produce cuando varias personas hablan en voz baja. ② Ruido continuo y confuso que produce una cosa que está en movimiento: *el murmullo del agua.*

murmuración *s. f.* Conversación en la que se habla mal de una persona que no está presente.

murmurador, -ra *adj./s. m. y f.* Se aplica a la persona que habla mal de otra que no está presente: *no hay que hacer caso de los murmuradores.*

murmurar *v. tr./intr.* ① Hablar una o más personas en voz baja o entre dientes, especialmente manifestando queja o disgusto por alguna cosa: *murmuraba una oración.* ‖ *v. intr.* ② Hablar mal de una persona que no está presente: *no hace más que murmurar acerca de todos los vecinos.* ③ Hacer un ruido suave y confuso una cosa que está en movimiento, como el agua o el viento.
FAM murmuración, murmurador, murmureo.

muro *s. m.* ① Construcción vertical hecha de piedra, ladrillo u otro material que cierra un espacio o separa un lugar de otro. ② Muralla que rodea un lugar y en algunas épocas sirvió de defensa o protección.
FAM mural, muralla; extramuros.

mus *s. m.* ① Juego de cartas de envite que se juega con baraja española, formado por cuatro jugadas. ② Palabra que se pronuncia cuando uno quiere descartarse en este juego.

musa *s. f.* ① Deidad de la mitología griega que protegía las ciencias o las artes: *las musas habitaban en el Parnaso junto al dios Apolo.* ② Estado en que el artista siente el estímulo que lo lleva a la creación o la composición de obras de arte: *el poeta dejó la pluma porque le había abandonado la musa.* **SIN** inspiración. ‖ *s. f. pl.* ③ **musas** Ciencias y artes liberales, especialmente humanidades y poesía.

musaka *s. f.* Pastel de carne picada de cordero o ternera, berenjenas y salsa bechamel, que se gratina al horno: *la musaka es típica de Grecia.*

musaraña *s. f.* Animal mamífero nocturno insectívoro de pequeño tamaño, parecido a un ratón, con pelo corto y rojo oscuro y patas delanteras más pequeñas que las traseras.
mirar a las musarañas familiar Estar una persona distraída o con la mirada perdida.
pensar en las musarañas familiar Estar una persona distraída y sin poner atención en lo que se hace o se dice a su alrededor.

musculación *s. f.* Musculatura: *voy a un gimnasio a fortalecer la musculación.*

musculado, -da *adj.* Que tiene los músculos prominentes.

muscular *adj.* Relativo al músculo.
FAM intramuscular.

musculatura *s. f.* Conjunto y disposición de los músculos del cuerpo: *tiene una buena musculatura.*

músculo *s. m.* Órgano formado por tejido compuesto por fibras que se estiran y se contraen y que permite el movimiento de las diversas partes del cuerpo: *los músculos realizan movimientos voluntarios o involuntarios.*
hacer músculos Desarrollar la musculatura haciendo ejercicios específicos.
FAM muscular, musculatura, musculoso.

musculoso, -sa *adj.* ① Que tiene músculos o está formado por tejido muscular: *el corazón es un órgano musculoso.* ② Se aplica a la persona que tiene los músculos muy desarrollados.

museo *s. m.* ① Institución dedicada a la adquisición, conservación, estudio y exposición de objetos de valor para la ciencia, para el arte, para la cultura o para el desarrollo de los conocimientos humanos: *museo de arte; museo arqueológico.* ② Edificio o dependencias destinados a la exposición, convenientemente ordenada, de estos objetos. ③ Edificio utilizado para el estudio de las letras, las ciencias y las artes liberales.
FAM museología.

musgo *s. m.* ① Planta briofita sin flores, con tallo y hojas falsos y con pequeñas raíces que crece sobre las piedras o cortezas de los árboles, formando una capa verde, gruesa y suave. ② Conjunto de estas plantas que cubren una superficie. ‖ *s. m. pl.* ③ **musgos** Grupo taxonómico, con categoría de clase, constituido por estas plantas: *los musgos son plantas criptógamas.*
FAM musgoso.

música *s. f.* ① Arte de combinar los sonidos en una secuencia temporal atendiendo a las leyes de la armonía, la melodía y el ritmo. ② Conjunto de sonidos sucesivos combinados según este arte, que producen un efecto estético o expresivo y resultan agradables al oído: *Leonard Bernstein compuso la música de la película «West Side Story».* ③ Conjunto de las obras o composiciones musicales de un autor, de un estilo, de un país o de un periodo determinados: *es un gran aficionado a la música clásica.* ■ **música de cámara** Música escrita para ser interpretada por un grupo reducido de músicos (aproximadamente hasta diez), generalmente instrumentistas, en que cada uno de ellos tiene igual responsabilidad. ■ **música ligera** Música de carácter comercial, en la que el compositor se abstiene de emplear formas serias, complicadas o rebuscadas: *la música de cabaret es música ligera.* ④ Conjunto de músicos que actúan juntos. ⑤ Conjunto de sonidos agradables producidos por una cosa: *la música del viento.*
irse con la música a otra parte familiar Expresión con la que se despide una persona que cree que está molestando o cree no ser escuchada por los demás.
música celestial familiar Se usa para indicar que las palabras que se están escuchando son muy elegantes pero vanas y sin ningún fundamento.
FAM musical, musicar, músico, musicología, musiquilla.

musical *adj.* ① Relativo a la música. **SIN** músico. ② Que tiene música o la produce: *me han regalado un joyero musical.*

M

3 Se aplica al sonido que es agradable o armonioso: *la presentadora tiene una voz muy musical.* | *adj./s. m.* 4 Se aplica a la película u obra de teatro que incluye piezas de música, canciones y baile como parte de la acción: *fuimos a ver un musical al teatro.*

FAM musicalidad, musicalizar.

musicalidad *s. f.* Conjunto de características armónicas, melódicas y rítmicas que son propias de la música: *es autor de poemas de gran musicalidad.*

musicar *v. tr.* Poner música a un texto o a un escrito: *ha musicado los poemas de varios poetas españoles.*

music-hall [se pronuncia aproximadamente 'miúsic-jol'] *s. m.* 1 Espectáculo de variedades que está formado por números musicales, cómicos y otras atracciones de carácter diverso. 2 Teatro o lugar en que se representa este espectáculo.

músico, -ca *s. m. y f.* 1 Persona que se dedica profesionalmente a tocar un instrumento musical o a componer música. | *adj.* 2 Musical.

FAM musicología.

musicograma *s. m.* Representación gráfica de la melodía, el ritmo, el compás y demás elementos de una composición musical, por medio de dibujos, colores, formas y otros códigos, que se utiliza para escribir música como alternativa a la partitura, especialmente como recurso didáctico para niños pequeños.

musicología *s. f.* Estudio de la teoría y de la historia de la música.

FAM musicólogo.

musicólogo, -ga *s. m. y f.* Persona que se dedica a estudiar la teoría y la historia de la música.

musicoterapia *s. f.* Tratamiento de ciertas enfermedades o problemas psicológicos mediante la audición y la interpretación de música.

musiquilla *s. f.* Tono especial que se da a la voz cuando se habla y que suele tener una intención determinada.

musitar *v. tr./intr.* culto Hablar una persona en voz muy baja. SIN susurrar.

muslera *s. f.* Tira hecha de un material elástico que se coloca alrededor del muslo para protegerlo o sujetarlo.

muslo *s. m.* 1 Parte de la pierna que va desde la cadera hasta la rodilla. 2 Parte superior y carnosa de la pata de un animal: *pidió un muslo de pollo asado para comer.*

FAM muslera.

mustio, -tia *adj.* 1 Se aplica a la flor o planta que ha perdido el frescor, el verdor y la tersura. SIN marchito. 2 Que está triste y siente melancolía: *estos días la encuentro mustia, no sé qué le preocupará.*

FAM amustiar.

musulmán, -mana *adj.* 1 Relativo al islamismo. SIN islámico, mahometano. | *adj./s. m. y f.* 2 Se aplica a la persona que profesa esta religión. SIN mahometano.

mutabilidad *s. f.* Capacidad que tiene un ser o una cosa de cambiar su aspecto, su forma o sus características.

mutable *adj.* culto Que puede sufrir mutaciones o cambios: *carácter mutable.* SIN cambiante, mudable.

mutación *s. f.* 1 Cambio o transformación. 2 En biología, alteración de la estructura genética o cromosómica de la célula de un ser vivo que se produce de forma espontánea o in-

ducida y que se transmite a sus descendientes. 3 Resultado visible producido por esta alteración: *el síndrome de Down se produce a causa de la mutación del cromosoma veintiuno.* 4 Cada una de las diferentes decoraciones que se realizan en el teatro al representar una obra.

mutante *adj./s. m.* 1 Se aplica al gen o cromosoma que ha experimentado una mutación o una alteración: *un gen mutante ha hecho que esta bacteria sea más resistente a los antibióticos.* | *adj./s. com.* 2 Se aplica a la célula o ser vivo que ha experimentado un cambio hereditario de material genético: *esos peces con un color diferente son mutantes.*

mutar *v. tr.* 1 culto Alterar o transformar el aspecto, la naturaleza o el estado de una cosa. 2 Experimentar una célula una transformación genética o cromosómica.

FAM mutable, mutación, mutante; transmutar.

mute *s. m.* AMÉR. Maíz desgranado, deshollejado y cocido, con o sin sal (según la región). SIN mote.

mutilación *s. f.* 1 Separación o corte de un miembro o una parte del cuerpo que se produce en circunstancias violentas. 2 Supresión o eliminación de una parte de una cosa: *antiguamente los libros pasaban por la mutilación de la censura.*

mutilado, -da *adj./s. m. y f.* Se aplica a la persona que ha perdido o tiene inutilizado algún miembro o extremidad del cuerpo: *es un mutilado de guerra.*

mutilar *v. tr.* 1 Cortar un miembro o una parte del cuerpo de una manera violenta: *una bomba le mutiló la mano.* 2 Quitar o suprimir una parte de una cosa.

FAM mutilación, mutilado.

mutis *s. m.* 1 En teatro, salida de la escena de un actor. 2 Voz para indicar al actor que se retire de escena.

hacer mutis por el foro Marcharse una persona de un lugar con discreción o sin llamar la atención: *tu hermano hizo mutis por el foro sin despedirse de nadie.*

¡mutis! familiar Exclamación que se utiliza para hacer callar a una persona.

OBS Plural invariable.

mutismo *s. m.* culto Silencio voluntario u obligado que tiene una persona en un momento determinado: *el gobierno guarda un absoluto mutismo sobre ese tema.*

mutualidad *s. f.* Asociación de personas, que pagan una cantidad periódica de dinero, destinada a ayudarse mutuamente: *la mutualidad de funcionarios, a la que pertenezco, ha pagado los gastos de mi operación.*

mutualismo *s. m.* Relación de simbiosis llevada a cabo por dos organismos de distinta especie en la que los dos seres salen beneficiados de esa relación.

FAM mutualista.

mutuo, -tua *adj.* Que se hace de manera recíproca entre dos personas, animales o cosas: *quedaron de mutuo acuerdo en ir al cine.*

FAM mutual.

muy *adv.* Indica el grado más alto de lo que se expresa, ante adjetivos, participios, adverbios y locuciones adverbiales: *muy alto; muy tarde.* ANT poco.

muy de familiar Indica que lo que se expresa a continuación es propio y característico de una persona o de una cosa: *es muy de María eso de llegar tarde.*

my [también **mi**; se pronuncia 'mi'] *s. f.* Nombre de la duodécima letra del alfabeto griego; se escribe M/μ y se transcribe como *m.*

n *s. f.* ① Decimocuarta letra del alfabeto español; su nombre es *ene*. ② Signo matemático que sirve para representar un número no determinado: *un conjunto formado por n elementos*.

n.º Abreviatura de *número*.
OBS También *núm*.

nabal *s. m.* Lugar poblado de nabos.

nabo, -ba *s. m.* ① Raíz carnosa de color blanco o amarillento y forma alargada; es comestible: *los nabos se suelen comer hervidos*. ② Planta de hojas grandes y dentadas, flores amarillas que dan semillas negras y raíz carnosa y comestible. ③ vulgar Pene del hombre. | *adj./s. m. y f.* ④ familiar ARG., URUG. Tonto, necio.
FAM naba, nabal, nabina, nabiza.

nácar *s. m.* Sustancia dura y blanca que se forma en el interior de las conchas de algunos moluscos y que produce brillos y tonos de distintos colores cuando se refleja la luz; está compuesta por carbonato cálcico, materia orgánica y agua: *el nácar se utiliza para hacer joyas y objetos de adorno*.
FAM nacarado, nacarino.

nacarado, -da *adj.* ① Que tiene alguna característica propia del nácar: *color nacarado; brillo nacarado*. ② Que está adornado con nácar.
FAM anacarado.

nacer [16] *v. intr.* ① Salir una persona o un animal vivíparo del vientre de la madre. ② Salir un animal ovíparo del huevo: *las aves no pueden volar cuando nacen*. ③ Salir una planta de su semilla o brotar del suelo: *han nacido malas hierbas en el jardín*. ④ Salir las hojas, las flores o los frutos a una planta. ⑤ Salir el pelo a una persona o la pluma a un animal. ⑥ Comenzar a tener existencia una cosa: *su amistad nació poco después de trabajar juntos*. ⑦ Surgir el agua u otro líquido de un lugar: *este río nace en la Sierra de Cazorla*. **SIN** brotar. ⑧ Aparecer por el horizonte un cuerpo celeste: *el sol nace por el este*. ⑨ Derivar o proceder una cosa de otra: *todo un movimiento filosófico nació de su forma de entender el mundo*. ⑩ Empezar una cosa desde otra, saliendo de ella: *la calle Águeda nace en la plaza Ferrero*.

nacer para + *nombre* (o + *infinitivo*) Tener una persona una gran capacidad para hacer una cosa determinada: *nació para poeta*.

volver a nacer Escapar una persona de un peligro grande sin haber sufrido un daño importante: *volvimos a nacer después de aquel accidente*.
FAM nacido, naciente, nacimiento; renacer.

nacido, -da *adj./s. m. y f.* ① Se aplica a la persona que ha salido del vientre de la madre: *los nacidos en 1976 tienen mi misma edad*. ■ **bien nacido** Persona de comportamiento noble y generoso: *dice el refrán que es de bien nacidos ser agradecidos*. ■ **mal nacido** despectivo Persona de comportamiento malvado o miserable. **NOTA** También *malnacido*. ■ **recién nacido** Niño que acaba de nacer o que tiene poco tiempo de vida. | *adj.* ② Apto para desarrollar una actividad: *nacido para la música*.

naciente *adj.* ① Que es nuevo o empieza a desarrollarse. | *s. m.* ② culto Punto cardinal que está en la dirección en la que nace el sol.

nacimiento *s. m.* ① Momento en que una persona o un animal vivíparo salen del vientre de la madre, un animal ovíparo sale del huevo y una planta sale de la semilla o brota del suelo: *el nacimiento de los cereales suele ser en primavera*. ② Momento en que una cosa comienza a tener existencia. ③ Lugar del que comienza a salir el vello o el pelo: *tenía un lunar justo en el nacimiento del pelo*. ④ Lugar del que brota una corriente de agua. ⑤ Conjunto de figuras y objetos que representan personajes, momentos y lugares relacionados con el momento en que nació Jesucristo. **SIN** belén, pesebre.

nación *s. f.* ① Conjunto de habitantes de un país regidos por un mismo gobierno: *el presidente se dirigió a toda la nación en su discurso de investidura*. ② Territorio que abarca este país. ③ Conjunto de personas de un mismo origen étnico que tienen unos vínculos históricos, tradicionales y culturales comunes, tienen conciencia de pertenecer a un mismo grupo diferenciado, generalmente hablan el mismo idioma y, en ocasiones, comparten territorio: *la nación judía*.
FAM nacional.

nacional *adj.* ① Propio de una nación o un territorio. ② Que pertenece a la propia nación, en oposición a lo que es extranjero: *prefiere consumir productos nacionales que de importación*. | *adj./s. m.* ③ Se aplica al grupo de personas que durante la Guerra Civil española eran partidarios y seguidores del

bando liderado por el general Franco: *los nacionales tomaron el pueblo.*
FAM nacionalidad, nacionalismo, nacionalizar, nacionalsocialismo; internacional, multinacional, supranacional, transnacional.

nacionalcatolicismo *s. m.* Doctrina y práctica de la Iglesia católica española durante el franquismo, caracterizada por su estrecha relación con el Estado y por su control de la educación, la cultura y otras parcelas de la vida social.

nacionalidad *s. f.* ① Estado o situación propios de las personas que pertenecen a una nación y poseen el derecho de ciudadanía: *un hombre de nacionalidad francesa.* ② Caracteres distintivos de una nación.

nacionalismo *s. m.* ① Doctrina política que exalta en todos los aspectos la personalidad nacional de un pueblo: *muchos nacionalismos surgieron en Europa en el siglo XIX.* ② Movimiento político que defiende la creación de un estado independiente y autónomo para un pueblo. ③ Apego a la propia nación.
FAM nacionalista.

nacionalista *adj.* ① Relativo al nacionalismo: *partido nacionalista.* ‖ *adj./s. com.* ② Se aplica a la persona que es partidaria del nacionalismo: *Macià fue un político nacionalista catalán.*

nacionalización *s. f.* ① Concesión que se hace a una persona de la nacionalidad o los derechos de ciudadanía de un país que no es aquel en el que ha nacido: *obtuvo la nacionalización francesa después de vivir en Francia muchos años.* ② Nacionalidad (derecho de ciudadanía). ③ Conversión llevada a cabo por el Estado de una actividad o entidad privada en pública.

nacionalizar *v. tr.* ① Conceder a un extranjero la nacionalidad de un país, con lo que obtiene los mismos derechos que tienen quienes han nacido en él. SIN naturalizar. ② Hacer que una actividad o entidad privada se transforme en pública: *el gobierno ha nacionalizado unos terrenos para construir un embalse.* ③ Dar un carácter propio y nacional a una cosa.
FAM nacionalización; desnacionalizar.

nacionalsocialismo *s. m.* Doctrina política e ideología de carácter totalitario, nacionalista y expansionista; fue impulsada en Alemania por Adolf Hitler después de la Primera Guerra Mundial. SIN nazismo.
FAM nacionalsocialista, nazi.

nacionalsocialista *adj.* ① Se aplica al partido político que fue fundado por Adolf Hitler y que propugnaba las doctrinas y las teorías del nacionalsocialismo: *el partido nacionalsocialista fue fundado en Alemania en 1920.* ‖ *adj./s. com.* ② Se aplica a la persona que es partidaria o seguidora del nacionalsocialismo. SIN nazi.

naco, -ca *s. m.* ① AMÉR. Pedazo de tabaco negro en trenza para mascar. ② COL. Puré de patatas. ‖ *s. m. y f.* ③ fam. desp. MÉX. Indígena mexicano. ④ fam. desp. MÉX. Persona maleducada, ignorante y burda.
parar los nacos HOND. Morirse una persona.

nada *pron.* ① Ninguna cosa: *no hay nada mejor que el agua para la sed.* ② Poco o muy poco: *se enfada por nada.* ‖ *adv.* ③ Indica negación total: *nada, que no quiere venir.* ④ De ninguna manera, de ningún modo: *no era nada feliz.* ‖ *s. f.* ⑤ Falta total de cualquier ser o de cualquier cosa: *cree que tras la muerte está la nada.* ⑥ Cosa de muy pequeña cantidad.
¡ahí es nada! familiar Expresión que indica sorpresa o admiración: *pedía por ello cuatro mil euros, ¡ahí es nada!*

como si nada Sin hacer ningún esfuerzo o sin dar la menor importancia.
de nada (I) Expresión con la que se responde a un agradecimiento. (II) En poca cantidad o de poco valor: *cayeron cuatro gotas de nada.*
nada más Solamente: *quiero el azul nada más.*
nada menos Expresión con la que se destaca la importancia o el valor de una persona o de una cosa: *lo ha dicho nada menos que el presidente.*
por nada Por cualquier cosa.
FAM nadería.

nadador, -ra *adj.* ① Que nada o puede nadar. ‖ *s. m. y f.* ② Persona que practica de manera profesional el deporte de la natación.

nadar *v. intr.* ① Trasladarse dentro del agua una persona o un animal haciendo los movimientos necesarios y sin tocar el suelo. ② Flotar una cosa en un líquido: *no bebas de esa copa porque hay migas nadando en el vino.* ③ Tener una cosa en gran cantidad o abundancia: *el empresario nadaba en dinero hasta que se arruinó.*
FAM nadador; sobrenadar.

nadería *s. f.* Cosa que tiene poco valor o escasa importancia: *siempre se enfada por naderías.* SIN nimiedad.

nadie *pron.* Ninguna persona: *nadie nos ha visto.*
ser un don nadie Carecer de importancia o personalidad.

nadir *s. m.* Punto de la esfera celeste opuesto diametralmente al cenit.

nado Se usa en la expresión:
a nado Indica que un movimiento se efectúa nadando: *cruzó el río a nado sin descansar ni una sola vez.*

nafta *s. f.* Líquido incoloro, volátil y muy inflamable que se obtiene de la destilación del petróleo crudo: *la nafta se utiliza como disolvente industrial.*

naftaleno *s. m.* Naftalina.

naftalina *s. f.* Hidrocarburo sólido, volátil, aromático y de color blanco que se obtiene de la destilación del alquitrán de la hulla: *la naftalina protege la ropa de las polillas.* SIN naftaleno.

nagua *adj./s. com.* AMÉR. Se aplica a la persona que es cobarde.

nahua o **náhuatl** *adj.* ① Relativo al pueblo indígena que habitó en la altiplanicie de México y de América Central antes de la conquista de esta zona por los españoles. ‖ *s. com./adj.* ② Persona perteneciente a estos pueblos: *los nahuas alcanzaron un alto grado de civilización.* ‖ *s. m./adj.* ③ Lengua precolombina todavía hablada actualmente en México. SIN azteca.

naíf o **naif** *s. m./adj.* ① Estilo de pintura desarrollado durante el siglo XX que se caracteriza por el rechazo de las convenciones académicas y la búsqueda de la espontaneidad e ingenuidad formales. ‖ *adj.* ② Relativo a este estilo pictórico. ‖ *adj./s. com.* ③ Se aplica a la persona que practica este estilo de pintura.

nailon *s. m.* Fibra artificial, elástica y resistente que sirve para fabricar principalmente tejidos, hilos de pescar y piezas para máquinas. SIN nilón.

naipe *s. m.* ① Cartulina pequeña de forma rectangular que lleva impreso un número determinado de objetos por una cara y por la otra un dibujo uniforme, y que junto a otras forma parte de una baraja y sirve para jugar: *el as es el naipe que más valor tiene en el póquer.* SIN carta. ‖ *s. m. pl.* ② **naipes**

Conjunto de estas cartulinas con las que se realizan diversos juegos de mesa: *al mus se juega con naipes españoles*. SIN baraja.

nalga *s. f.* Parte carnosa y redondeada que corresponde al extremo superior y posterior del muslo en su unión con la espalda. SIN glúteo.

nana¹ *s. f.* ① Canción que se canta a los niños pequeños para arrullarlos o para que se queden dormidos. ② Mujer que amamanta a un niño que no es su hijo. SIN nodriza. ③ familiar Tratamiento que se le da cariñosamente a la abuela. ④ AMÉR. CENTRAL Niñera. ⑤ AMÉR. CENTRAL Madre.

nana² *s. f.* ① Prenda de abrigo con forma de saco, con una abertura anterior que se cierra con una cremallera y sirve para proteger del frío a los bebés. ② ARG., CHILE Daño leve que se hacen los niños. ‖ *s. f. pl.* ③ **nanas** familiar AMÉR. SUR Alteraciones de la salud poco graves, en especial las de la vejez.

nanay *adv.* familiar Expresión que indica negación rotunda o absoluta de una cosa: *le pedí que dejase venir a su hijo y me contestó que nanay*. SIN nones.

nanómetro *s. m.* Medida de longitud que equivale a la milmillonésima parte de un metro.

nanosegundo *s. m.* Medida de tiempo que equivale a la milmillonésima parte de un segundo.

nanoya *s. f.* familiar GUAT. Abuela.

nao *s. f.* ① Barco de vela de gran capacidad de almacenaje que se usó de los siglos XII a XVII para fines comerciales. ② culto Embarcación o nave.

napa *s. f.* ① Piel de algunos animales tratada industrialmente que se utiliza para fabricar prendas de vestir. ② Conjunto de fibras textiles cardadas que tienen un espesor constante y una anchura uniforme.

napalm *s. m.* Sustancia derivada de la gasolina, muy inflamable, que se utiliza para cargar bombas y proyectiles incendiarios.

napia *s. f.* familiar Nariz de una persona.
OBS También en plural con el mismo significado que en singular.

napoleónico, -ca *adj.* Relativo al emperador francés Napoleón (1769-1821), a su imperio o a su política.

napolitana *s. f.* Pastel o dulce de forma rectangular y aplastada que está relleno de crema.

napolitano, -na *adj.* ① De Nápoles (ciudad de Italia). ‖ *s. m. y f./adj.* ② Persona que es de Nápoles.

naranja *s. f.* ① Fruto comestible del naranjo que tiene forma redonda, cáscara gruesa y rugosa y pulpa agridulce, muy jugosa, dividida en gajos. ‖ *s. m./adj.* ② Color como el de este fruto. ‖ *adj.* ③ Que es de este color.
media naranja familiar Persona que se adapta perfectamente a otra o se complementa con ella.
¡naranjas de la China! familiar Expresión que se usa para negar rotundamente.
FAM naranjada, naranjado, naranjal, naranjero, naranjo; anaranjado.

naranjada *s. f.* Bebida hecha con zumo de naranja, agua y azúcar.

naranjal *s. m.* Lugar poblado de naranjos.

naranjo *s. m.* ① Árbol frutal de tronco liso, copa abierta, hojas verdes, ovaladas y flores blancas y olorosas, y fruto co-

mestible (naranja): *la flor del naranjo es el azahar*. ② Madera de este árbol.

narcisismo *s. m.* Admiración excesiva y exagerada que siente una persona por sí misma, por su aspecto físico o por sus dotes o cualidades.
FAM narcisista.

narcisista *adj.* ① Relativo al narcisismo. ‖ *s. com./adj.* ② Persona que siente una admiración excesiva por sí misma, por su aspecto físico y por sus dotes o cualidades. SIN narciso.

narciso *s. m.* ① Planta herbácea con raíz en forma de bulbo, hojas estrechas y apuntadas que nacen en la base del tallo y flores blancas o amarillas. ② Flor de esta planta, muy olorosa y de color blanco o amarillo. ③ Narcisista.

narco *s. com.* Narcotraficante.

narcótico, -ca *adj./s. m.* Se aplica a la sustancia que produce sueño, relajación muscular y pérdida de la sensibilidad y la conciencia: *el opio es un narcótico*.
FAM narcotismo, narcotizar.

narcotismo *s. m.* ① Estado de adormecimiento que se produce por la ingestión de un narcótico. ② Conjunto de efectos o síntomas que produce la ingestión de un narcótico.

narcotizar *v. tr.* ① Administrar a una persona una sustancia narcótica. ② Producir adormecimiento por medio de narcóticos.
FAM narcotización, narcotizante.

narcotraficante *s. com.* Persona que trafica con drogas tóxicas a gran escala: *la policía ha detenido hoy a varios narcotraficantes*. SIN narco.

narcotráfico *s. m.* Comercio o negocio en el que se compran y se venden drogas tóxicas a gran escala.
FAM narcotraficante.

nardo *s. m.* ① Flor blanca y muy olorosa, especialmente de noche, dispuesta en espiga. ② Planta de jardín con el tallo sencillo y derecho y hojas largas que se prolongan como si fueran escamas, y que da esa flor.

narigón, -gona *adj./s. m. y f.* ① familiar Narigudo: *es guapo pero un poco narigón*. ‖ *s. m.* ② Argolla que se pone en el hocico de los animales para sujetarlos mejor.

narigudo, -da *adj./s. m. y f.* Se aplica a la persona que tiene la nariz muy grande. SIN narigón.

nariz *s. f.* ① Parte saliente en el rostro humano situada entre los ojos y la boca que tiene dos orificios en la parte inferior y que comunica con el aparato respiratorio y con el órgano del olfato. ② Cada uno de los dos orificios que se encuentra en esta parte del cuerpo. ③ Parte situada en la cabeza de los animales vertebrados que sirve para oler y para tomar el aire al respirar: *la nariz del elefante forma una trompa*. ④ Sentido del cuerpo que permite percibir y distinguir los olores: *los perros tienen una nariz excelente*. SIN olfato. ⑤ Parte saliente de una cosa que recuerda la nariz humana.
asomar las narices Aparecer una persona en un lugar para averiguar qué está ocurriendo.
dar en la nariz Sospechar una cosa: *me da en la nariz que van a venir sin avisarnos*.
darse de narices familiar Tropezar con una persona o con una cosa.
delante de las narices o **en las propias narices** familiar Indica que una cosa se realiza ante la presencia de una persona, sin que esta se entere o sin importar que se entere: *me insultó en mis propias narices*.

estar hasta las narices Estar una persona muy harta de una cosa.

hincharse las narices familiar Enfadarse mucho una persona.

meter las narices familiar Intentar averiguar y enterarse de lo que hacen otras personas: *me molesta que los demás metan las narices en mis asuntos.*

no ver más allá de las narices No darse cuenta una persona de las cosas que pasan a su alrededor.

pasar (o restregar) por las narices familiar Mostrar una cosa insistiendo mucho para molestar a una persona: *ha conseguido un puesto importante y se lo pasa por las narices a todo el mundo.*

por narices familiar Indica que una cosa tiene que hacerse de manera forzosa o por obligación.

tener narices familiar Ser muy valiente.

tocarse las narices familiar Holgazanear.
FAM narigón, narigudo, narizotas; desnarigado.

narizotas *s. com.* despectivo Persona que tiene la nariz muy grande.
OBS Plural invariable.

narración *s. f.* 1 Acción de narrar. 2 Exposición de unos hechos y acontecimientos reales o imaginarios, ocurridos a lo largo de un periodo de tiempo: *la narración de los hechos expuesta por el testigo parecía verosímil.* 3 Obra literaria en prosa que relata una historia real o ficticia: *las novelas, los relatos y los cuentos son narraciones.* 4 Manera de contar una historia.

narrador, -ra *adj.* 1 Que narra. I *s. m. y f.* 2 Persona que escribe relatos en prosa. 3 Voz de una novela, relato u otra narración que explica la historia: *Watson, amigo de Sherlock Holmes, es el narrador de los relatos de Arthur Conan Doyle.*

narrar *v. tr.* Contar o relatar una historia real o inventada: *este cuento narra la historia de un príncipe encantado.* SIN contar.
FAM narrador, narración, narrativo, narratología; inenarrable.

narrativa *s. f.* 1 Género literario en prosa compuesto por las obras que narran una historia. 2 Conjunto de las obras literarias en prosa, como novelas o cuentos, de un determinado autor, época o lugar: *la narrativa de Galdós.*
FAM narratología.

narrativo, -va *adj.* 1 Relativo a la narración: *la técnica narrativa de este autor es admirable.* 2 Relativo a la narrativa (género literario). 3 Se aplica al texto en el que se cuenta algo que ha sucedido realmente o una historia ficticios: *los elementos estructurales del texto narrativo son, principalmente: argumento, tiempo, espacio, personajes, punto de vista y tema.*
FAM narrativa, narratividad.

nártex *s. m.* Pórtico o nave transversal de una basílica paleocristiana, reservada a los catecúmenos: *en el nártex se recibía a los peregrinos.*
OBS Plural invariable.

narval *s. m.* Mamífero marino semejante al delfín, de cuerpo robusto de color blanco con manchas pardas, sin aleta dorsal y con solo dos dientes, uno corto y otro que se prolonga horizontalmente hasta casi 3 m en los machos: *los narvales viven en el Ártico.*

nasa *s. f.* 1 Instrumento usado para pescar que consiste en un cesto de forma cilíndrica hecho de red o juncos entretejidos en el que los peces quedan atrapados: *la nasa tiene en su base una especie de embudo dirigido hacia dentro.* 2 Instrumento usado para pescar que consiste en una red sostenida por aros

de madera o de alambre. 3 Cesta de boca estrecha en la que los pescadores echan los peces que van pescando. 4 Cesto para guardar pan u otros comestibles.

nasal *adj.* 1 Relativo a la nariz: *fosas nasales.* 2 Se aplica al sonido y el fonema que se pronuncian haciendo salir el aire, total o parcialmente, por la nariz: *el sonido de la letra "m" es nasal.* I *s. f./adj.* 3 Consonante que se articula de este modo: *la nasales de la palabra "manómetro" son la "m" y la "n".*
FAM nasalidad, nasalizar.

nasalizar *v. tr.* Pronunciar como nasales sonidos que generalmente se producen expulsando el aire solamente por la boca: *los sonidos nasales nasalizan los sonidos que entran en contacto con ellos.*
FAM nasalización.

nata *s. f.* 1 Sustancia espesa y cremosa que se forma en la superficie de la leche que se deja en reposo: *separamos la nata de la leche con un colador.* 2 Crema blanca y dulce que se hace mezclando y batiendo esta sustancia de la leche con azúcar. 3 Sustancia espesa que se forma en la superficie de algunos líquidos. 4 Lo mejor y más selecto en su especie.
FAM desnatar.

natación *s. f.* Deporte o ejercicio que consiste en nadar: *el crol es una modalidad de la natación.*
FAM natatorio.

natal *adj.* 1 Se aplica al lugar donde ha nacido una persona: *pueblo natal.* 2 Relativo al nacimiento.
FAM natalicio, natalidad; perinatal, prenatal.

natalicio, -cia *adj.* 1 Relativo al día del nacimiento de una persona. I *s. m.* 2 Día del nacimiento de una persona. 3 Fiesta que celebra o festeja este día: *la familia celebró el natalicio del primer hijo.*

natalidad *s. f.* Número de personas que nacen en un lugar y en un periodo de tiempo determinado en relación con la totalidad de la población: *el índice de natalidad es alto en el Tercer Mundo.* ANT mortalidad.

natatorio, -ria *adj.* 1 Relativo a la natación: *en la escuela le enseñaron técnicas natatorias.* 2 Que sirve para nadar o flotar en el agua: *aleta natatoria.*

natillas *s. f. pl.* Dulce cremoso hecho con yema de huevo, azúcar y leche.

natividad *s. f.* Nacimiento de Jesucristo, de la Virgen María y de san Juan Bautista, celebrados con una fiesta litúrgica por la Iglesia católica: *la Natividad de Jesucristo se celebra el 25 de diciembre.*
OBS Se escribe normalmente con mayúscula inicial.

nativo, -va *adj.* 1 Relativo al lugar donde se ha nacido: *lengua nativa.* SIN natal. I *adj./s. m. y f.* 2 Se aplica a la persona que ha nacido en un pueblo o nación determinado: *los nativos de España se llaman "españoles".* SIN natural. ANT extranjero. I *adj.* 3 Que nace naturalmente. 4 Se aplica al metal en estado puro. 5 Innato, según las características de cada cosa: *cualidades nativas.*
FAM natividad.

nato, -ta *adj.* 1 Se aplica a la cualidad o defecto que se tiene desde que se nace: *esta chica tiene una curiosidad nata por todo lo que le rodea.* 2 Se aplica a la persona que tiene una capacidad especial, una cualidad o un defecto desde que nace: *es un organizador nato.*
FAM natal, nativo; innato, neonato, nonato.

natura *s. f.* Naturaleza, conjunto de las cosas y de las fuerzas que componen el universo.

contra natura Que es contrario a las leyes de la naturaleza o a lo que la persona considera que son leyes de la naturaleza, especialmente cuando de trata de leyes morales: *maltratar a los niños va contra natura.*

FAM natural, naturismo.

natural *adj.* **1** Que es de la naturaleza o que ha sido producido por la naturaleza sin la participación del ser humano: *el agua forma cuevas naturales en la roca caliza.* **ANT** artificial. **2** Que está elaborado sin mezclar elementos artificiales y sin que el ser humano altere lo que había producido la naturaleza: *esta mermelada es natural: no tiene conservantes ni colorantes.* **3** Se aplica a la cualidad que es propia y característica de una cosa. **4** Se aplica al hecho que es predecible, lógico o razonable porque ocurre normalmente: *me parece natural que venga a visitarte si estás enfermo.* **5** Se aplica a la persona o acción que es sencilla, que se realiza sin fingimiento y sin forzar las cosas: *ha sido un gesto muy natural.* **6** Que se produce por las fuerzas de la naturaleza y no por una intervención sobrenatural o milagrosa. **ANT** sobrenatural. **7** Se aplica a la cosa que imita muy bien la realidad. ‖ *adj./s. com.* **8** Se aplica a la persona que ha nacido en un pueblo o nación determinados. **SIN** nativo. ‖ *adj.* **9** Se aplica al número entero positivo. ‖ *s. m.* **10** Manera de ser o de comportarse una persona: *tiene un natural bondadoso y bien tranquilo.* ‖ *s. m. pl.* **11** **naturales** Ciencia que estudia lo relativo a la naturaleza.

al natural (**I**) Sin elaboración ni adornos, tal y como es en realidad. (**II**) Se aplica al fruto que está en su jugo, y no tiene condimentos ni componentes artificiales: *hay conservas de tomate al natural, pelado y triturado.*

copiar del natural Realizar una obra de arte a partir de un modelo real y presente: *es más difícil copiar del natural una persona que pintarla a partir de una foto.*

FAM naturaleza, naturalidad, naturalismo, naturalizar, naturalmente; connatural.

naturaleza *s. f.* **1** Conjunto de las cosas y de las fuerzas que componen el universo y que no han sido hechas por el ser humano. **2** Principio universal que se considera que gobierna y dispone todas las cosas. **3** Manera de ser o de comportarse una persona: *su naturaleza violenta le hizo ganar enemigos.* **4** Complexión o constitución física de una persona. **5** Propiedad o conjunto de propiedades características de un ser o de una cosa: *la muerte forma parte de la naturaleza humana.* **6** Especie, género, clase o tipo al que pertenece una cosa: *los ciclones y los huracanes son fenómenos de la misma naturaleza.* **7** Documento o mecanismo legal que da derecho a una persona a ser considerada como natural de un país: *varios marroquíes pidieron la naturaleza española.* **8** Origen de una persona según el país de nacimiento.

naturaleza muerta Cuadro que representa animales muertos, frutas, flores u objetos sin vida. **SIN** bodegón.

por naturaleza Por inclinación y manera natural de ser.

naturalidad *s. f.* **1** Calidad de natural. **2** Modo de actuar o de comportarse una persona sin orgullo ni fingimiento, mostrándose tal y como es en realidad: *hablaba con naturalidad, sin afectación.*

naturalismo *s. m.* **1** Movimiento literario surgido en Francia a finales del siglo XIX que, influido por el positivismo de la época, enfocaba la creación novelística como un experimento científico, intentando describir la realidad de modo totalmente objetivo y analizando a los personajes determinados por la herencia genética y las condiciones sociales: *Émile Zola es el principal representante del naturalismo.* **2** Tendencia artística que propugna la representación de los objetos tal como los percibimos a través de los sentidos. **3** Sistema de pensamiento que considera la naturaleza como principio de todas las cosas.

FAM naturalista.

naturalista *adj.* **1** Relativo al naturalismo (movimiento literario, tendencia artística o sistema de pensamiento). ‖ *adj./ s. com.* **2** Se aplica a la persona que practica o defiende los principios del naturalismo como movimiento literario, tendencia artística o sistema de pensamiento. **3** Se aplica a la persona que se dedica al estudio de las ciencias naturales.

naturalizar *v. tr.* **1** Conceder a un extranjero la nacionalidad de un país, con lo que obtiene los mismos derechos que tienen los que han nacido en él. **SIN** nacionalizar. **2** Introducir en un país cosas que son características de otro y adoptarlas como propias o naturales. **3** Aclimatar especies vegetales o animales.

FAM naturalización; desnaturalizar.

naturalmente *adv.* **1** De una manera natural o con naturalidad: *en la fiesta debes comportarte y hablar naturalmente.* **2** Por supuesto o sin ninguna duda: *naturalmente que puedes contar conmigo para ayudarte.* **3** Consecuentemente o de manera lógica. **4** De acuerdo con las leyes de la naturaleza. **5** Por naturaleza.

naturismo *s. m.* Doctrina que defiende el empleo de medios naturales en todos los aspectos de la vida, especialmente para conservar la salud y tratar las enfermedades.

FAM naturista.

naturista *adj.* **1** Relativo al naturismo: *medicina naturista.* ‖ *adj./s. com.* **2** Se aplica a la persona que defiende o practica el naturismo.

naufragar *v. intr.* **1** Hundirse o quedar destruida una embarcación que estaba navegando. **2** Estar una persona en una embarcación que se hunde o queda destruida: *naufragamos ante las costas de la isla y un barco nos rescató.* **3** Fracasar un asunto o un negocio: *los proyectos mal planificados suelen naufragar.*

FAM naufragio, náufrago.

naufragio *s. m.* **1** Hundimiento, destrucción o pérdida de una embarcación que se encontraba navegando. **2** Fracaso de un asunto o un negocio.

náufrago, -ga *adj./s. m. y f.* Se aplica a la persona que ha sufrido un naufragio.

FAM naufragar.

náusea *s. f.* **1** Sensación de malestar que se siente en el estómago cuando se tienen ganas de vomitar: *algunos olores desagradables provocan náusea.* **SIN** ansias, angustia. **2** Repugnancia o asco muy intenso que provoca una cosa: *daba náuseas entrar allí.*

FAM nauseabundo.

OBS Más en plural.

nauseabundo, -da *adj.* **1** Que produce asco o repugnancia intensos y ganas de vomitar. **2** Que produce una fuerte repugnancia por malo, indigno o inmoral: *su conducta fue nauseabunda.*

nauta *s. m.* culto Marinero o navegante: *un grupo de adiestrados nautas gobernaban la embarcación.*

FAM náutico; aeronauta, cibernauta.

N

náutica *s. f.* Técnica de la navegación.
FAM aeronáutica, motonáutica.

náutico, -ca *adj.* culto Relativo a la técnica de navegar o a la navegación: *escuela náutica.*
FAM náutica.

nava *s. f.* Terreno llano y sin árboles, a veces pantanoso, situado generalmente entre montañas.

navaja *s. f.* ① Instrumento parecido al cuchillo, cuya hoja está articulada de manera que el filo puede guardarse dentro del mango. ② Animal invertebrado del filo moluscos; tiene el cuerpo alargado y encerrado entre dos conchas casi rectangulares y vive en el mar; es comestible y muy apreciado.
amarrar navajas familiar MÉX. Producir intencionadamente una situación que pueda crear conflicto entre otras personas.
FAM navajada, navajazo, navajero.

navajazo *s. m.* ① Golpe fuerte dado con el filo o con la punta de una navaja. ② Herida o corte hecho violentamente con una navaja.

navajero, -ra *s. m. y f.* ① Persona que va armada con una navaja. ② Persona que se dedica a fabricar, vender o reparar navajas. I *s. m.* ③ Estuche para navajas de afeitar. ④ Paño o taza donde estas se limpian.

navajo, -ja *adj.* ① Relativo a un pueblo amerindio norteamericano establecido en la zona sur de las montañas Rocosas: *la tribu navaja pertenecía al grupo de los apaches.* I *s. m. y f./adj.* ② Persona perteneciente a este pueblo amerindio: *los navajos se dedicaban al pastoreo y la caza.*

naval *adj.* ① Relativo a la navegación o a la técnica de navegar. ② Relativo a las embarcaciones o barcos: *industria naval.*

navarro, -rra *adj.* ① De Navarra (comunidad autónoma y provincia de España): *el Pirineo navarro.* I *s. m. y f./adj.* ② Persona que es de Navarra. I *s. m./adj.* ③ Variedad del dialecto romance navarro-aragonés hablada en Navarra.

nave *s. f.* ① Embarcación de cubierta y con velas, carente de remos: *las naves de Colón cruzaron el Atlántico.* ② Vehículo para viajar por el aire impulsado por uno o más motores. ③ Edificio grande, de una sola planta, con el techo alto y sin divisiones, que se usa como fábrica, como granja o como almacén: *nave industrial.* ④ Espacio alargado que queda entre los muros o entre columnas en fila en el interior de una iglesia o de otro edificio de gran tamaño: *las iglesias suelen tener tres naves.*
■ **nave principal** Nave de una iglesia o de un templo que está situada en el centro y es más ancha y más alta que las laterales paralelas a ella.
quemar las naves Tomar una decisión de modo que no se puede volver atrás: *cuando decidí cerrar mi negocio, quemé las naves y cambié de profesión.*
FAM naval, navegar, naveta, navicular, navío; aeronave, astronave, cosmonave, motonave.

navegabilidad *s. f.* Estado o condición que ofrece el agua navegable para poder navegar por ella.

navegable *adj.* Se aplica al río o lago que es lo bastante profundo o amplio como para que puedan navegar en él las embarcaciones: *el río Guadalquivir es navegable desde Sevilla hasta su desembocadura.*
FAM navegabilidad; innavegable.

navegación *s. f.* ① Desplazamiento de un barco por el agua o una nave por el aire. ② Viaje que se hace en un barco o en una nave. ■ **navegación de altura** Navegación que se realiza lejos de las costas. ③ Ciencia o técnica de navegar. ④ Tiempo que dura el viaje en una embarcación.

navegador *s. m.* ① Programa informático que permite navegar por internet u otra red informática de comunicaciones. ② Dispositivo que, mediante su localización desde varios satélites, muestra en una pantalla una posición exacta sobre un mapa y la ruta para llegar a un destino predeterminado.

navegante *s. com.* Persona que navega: *los portugueses y los españoles fueron grandes navegantes.*

navegar *v. intr.* ① Desplazarse un barco por el agua o una nave por el aire: *los aviones supersónicos navegan a la velocidad del sonido.* ② Viajar por el agua en un barco o por el aire en una nave: *es un gran aficionado a navegar en globo.* ③ Desplazarse de una página o documento a otro en una red informática, como Internet, a través de ciertos vínculos preestablecidos.
FAM navegable, navegación, navegador, navegante; circunnavegar.

naveta *s. f.* ① Monumento funerario megalítico de las islas Baleares, en forma de nave o barco invertido, de planta rectangular, característico de la Edad del Bronce: *en Menorca hay varias navetas de gran fama.* ② Pequeño recipiente litúrgico, generalmente en forma de nave, para el incienso.

navidad *s. f.* ① Fiesta cristiana celebrada el 25 de diciembre para conmemorar el nacimiento de Jesucristo. SIN natividad. ② Día en el cual se celebra esta fiesta: *en Navidad no sale el periódico porque se hace fiesta.* NOTA Se escribe normalmente con mayúscula inicial. ③ Periodo de tiempo que comienza con este día y que se prolonga hasta Reyes (6 de enero); en el calendario litúrgico, es el periodo que comienza este día y se prolonga hasta el primer domingo después de Reyes: *pasaremos la Navidad con los abuelos.* NOTA Se escribe normalmente con mayúscula inicial. Generalmente en plural con el mismo significado que en singular.
FAM navideño.

navideño, -ña *adj.* Relativo a la fiesta de la Navidad o al periodo de tiempo durante el cual se celebra: *salió a comprar los regalos navideños.*

naviero, -ra *adj.* ① Relativo a la navegación o a los barcos: *compañía naviera.* I *adj./s. m. y f.* ② Se aplica a la persona o empresa que posee uno o más navíos o embarcaciones de gran tamaño. ③ Se aplica a la persona o empresa que prepara un buque para su navegación, aunque no sea la propietaria.

navío *s. m.* Barco o embarcación de gran tamaño, especialmente el que se utiliza con fines comerciales o como buque de guerra.
FAM naviero.

náyade *s. f.* Ninfa de la mitología clásica que vivía en los ríos, en los lagos y en las fuentes: *según Homero las náyades eran hijas de Zeus.*

nazareno, -na *adj.* ① De Nazaret (ciudad de Israel). I *s. m. y f./adj.* ② Persona que es de Nazaret. I *adj./s. m. y f.* ③ Se aplica al judío que se convirtió al cristianismo en los primeros tiempos. I *s. m. y f.* ④ Persona que desfila como penitente en las procesiones de Semana Santa, vestido con una túnica: *los nazarenos suelen ir de color morado.* I *s. m.* ⑤ Árbol cuya madera se emplea en ebanistería y tintorería.

nazarí *adj.* ① Relativo a una dinastía que gobernó el reino musulmán de Granada entre 1232 y 1492. ‖ *s. com./adj.* ② Persona perteneciente a esta dinastía.

OBS Plural: *nazaríes*.

nazi *adj.* ① Relativo al nazismo (doctrina política o ideología): *el cuerpo de la policía nazi se denominaba SS.* ‖ *adj./s. com.* ② Se aplica a la persona que es partidaria del nazismo: *la actitud de los nazis suele ser intolerante y racista.* **SIN** nacionalsocialista.

FAM nazismo.

nazismo *s. m.* Nacionalsocialismo.

FAM nazi.

neblina *s. f.* Niebla baja y poco espesa.

FAM neblinear, neblinoso.

neblinear *v. intr.* CHILE Lloviznar.

nebulosa *s. f.* Acumulación brillante de polvo y gas interestelar cuyo aspecto recuerda al de una gran nube; está situada dentro de una galaxia: *una nebulosa puede ser el origen de una estrella.*

nebuloso, -sa *adj.* ① Que tiene niebla o está cubierto de niebla: *hoy el día está muy húmedo y nebuloso.* ② Que está borroso o poco claro o que es difícil de comprender: *solamente recuerdo unas imágenes nebulosas del accidente.*

FAM nebulosa.

necedad *s. f.* ① Cualidad de necio. ② Hecho o dicho torpe o poco adecuado. **SIN** sandez.

necesario, -ria *adj.* Que hace falta para un fin o que es obligatorio, inevitable o indispensable para algo: *es necesario ahorrar agua en tiempo de sequía.* **ANT** innecesario.

FAM necesariedad.

neceser *s. m.* Caja o bolsa pequeña que sirve para guardar los objetos necesarios para el aseo personal.

necesidad *s. f.* ① Hecho de que sea necesaria una cosa o haga falta de manera obligatoria para un fin: *se dieron cuenta de la necesidad de una nueva carretera.* ② Cosa que es necesaria o hace falta de manera obligatoria para un fin: *respirar oxígeno es una necesidad para el organismo.* ③ Deseo o impulso que una persona siente de hacer una cosa: *sintió la necesidad de salir corriendo.* ④ Carencia, privación de algo muy necesario para vivir, como alimentos o dinero para conseguirlos: *la necesidad le ha obligado a robar.* ⑤ Situación difícil en la que se encuentra una persona que tiene un grave problema personal o económico.

de necesidad Por fuerza.

hacer sus necesidades Expulsar una persona o un animal los excrementos o la orina.

FAM necesario, necesitar.

necesitado, -da *adj./s. m. y f.* Se aplica a la persona que no tiene lo necesario para vivir. **SIN** pobre.

necesitar *v. tr.* ① Tener necesidad de algo o de alguien que hace falta de manera obligatoria para un fin: *necesitarás varios días para acabar el dibujo.* ‖ *v. tr./intr.* ② Tener necesidad de una persona o cosa: *necesito de tu ayuda.*

FAM necesitado.

necio, -cia *adj./s. m. y f.* ① Se aplica a la persona que es tonta o torpe o hace cosas que carecen de lógica o de razón. ‖ *adj.* ② Se aplica a la acción o expresión que se hace o se dice de forma torpe o imprudente: *no hay que hacer caso de los comentarios necios.*

FAM necedad.

nécora *s. f.* Animal invertebrado artrópodo crustáceo marino similar al cangrejo, con el cuerpo cubierto por una concha elíptica y lisa y diez patas, las delanteras terminadas en pinzas y las traseras en forma de pala para nadar: *la carne de las nécoras es muy apreciada.*

necrófago, -ga *adj./s. m.* Se aplica al organismo que se alimenta de animales muertos.

necrofilia *s. f.* ① Atracción que siente una persona hacia la muerte y hacia todos los aspectos relacionados con ella. ② Conducta sexual de la persona que tiene relaciones sexuales con cadáveres humanos o siente atracción hacia ellos; se considera una perversión o una desviación sexual.

FAM necrófilo.

necrófilo, -la *adj.* ① Relativo a la necrofilia: *atracción necrófila.* ‖ *adj./s. m. y f.* ② Se aplica a la persona que tiene necrofilia.

necrología *s. f.* ① Biografía o nota biográfica breve que se hace de una persona que ha muerto recientemente. ② Notificación de la muerte de una persona que se hace a través de una sección de un periódico: *han publicado en el periódico la necrología del empresario catalán que murió ayer.*

FAM necrológico.

necrológico, -ca *adj.* ① Relativo a la necrología. ‖ *adj./s. f.* ② Se aplica a la noticia o lista que informa de la muerte de una persona: *los periódicos suelen tener una sección de necrológicas.*

necrópolis *s. f.* Cementerio extenso en el que hay gran cantidad de monumentos fúnebres, especialmente si es muy antiguo, anterior a la era cristiana: *los arqueólogos descubrieron una necrópolis ibérica.*

OBS Plural invariable.

necrosis *s. f.* Muerte de las células y los tejidos de una zona determinada del organismo.

OBS Plural invariable.

néctar *s. m.* ① Jugo azucarado que se encuentra en el interior de las flores: *las abejas chupan el néctar de las flores para fabricar la miel.* ② Bebida suave de sabor dulce y agradable. ③ Licor excelente que bebían los dioses, según la mitología clásica y que los hacía inmortales. ④ Vino o licor exquisito.

FAM nectarina, nectario.

nectarina *s. f.* Fruta que es una variedad del melocotón y que tiene la piel lisa y sin pelusa y la carne no adherida al hueso: *la nectarina es producto del injerto del ciruelo y el melocotonero.*

necton *s. m.* Conjunto de organismos acuáticos que, a diferencia del plancton, se desplazan activamente en el medio líquido: *los peces pertenecen al necton.*

neerlandés, -desa *adj.* ① De Holanda (país de Europa). **SIN** holandés. ‖ *s. m. y f./adj.* ② Persona que es de Holanda. **SIN** holandés. ‖ *s. m./adj.* ③ Lengua germánica hablada en Holanda y el norte de Bélgica. ‖ *adj.* ④ Relativo a esta lengua.

nefando, -da *adj.* Se aplica a la persona o acción que resulta repugnante u horrorosa por ir contra la moral y la ética: *crímenes nefandos.*

nefasto, -ta *adj.* ① Que causa desgracia o va acompañado de ella: *fue un año nefasto para la agricultura.* ② Que es de muy mala calidad o muy poca: *una nefasta organización.*

nefrítico, -ca *adj.* culto Relativo al riñón. **SIN** renal.

nefrona *s. f.* Unidad anatómica y fisiológica del riñón de los vertebrados en la que se forma la orina: *en el riñón hay casi un millón de nefronas.*

negación *s. f.* **1** Acción de prohibir, oponerse o decir que no a una petición: *la negación de un problema no permite solucionarlo.* **2** Acción de ir en contra de la existencia o la veracidad de alguna cosa. **3** Negativa: *le pedí que me ayudara y obtuve una negación por respuesta.* **4** Carencia total de una cosa. **5** Expresión o elemento gramatical (determinante, pronombre, adverbio, etc.) que sirve para negar: *los adverbios "no", "jamás" y "nunca" son negaciones.*

negado, -da *adj./s. m. y f.* Se aplica a la persona que es muy torpe o muy inepta para hacer una cosa determinada: *soy una negada para los trabajos manuales.*

negar [1] *v. tr.* **1** Decir que no es verdad una cosa, o bien porque no existe, o bien porque es incorrecta: *el acusado negó los hechos.* **2** Decir que no a lo que alguien pide o pretende. **3** Prohibir una cosa: *el tirano negó la libertad a su pueblo.* **4** No reconocer una persona el parentesco, la amistad o la relación que la une con otra: *negó a sus padres después de lo sucedido.* **5** Esquivar una cosa, no reconociéndola como propia. | *v. prnl.* **6 negarse** No querer hacer una cosa: *me niego a seguir escuchándote.*

FAM negación, negado, negativo; innegable.

negativa *s. f.* Rechazo, oposición o respuesta negativa que se da a lo que alguien pide o pretende. **SIN** negación.

negativo, -va *adj.* **1** Que indica o expresa negación: *respuesta negativa.* **ANT** afirmativo. **2** Que produce algún daño o perjuicio o no está a favor de una cosa: *los efectos de la helada sobre la cosecha han sido muy negativos.* **ANT** positivo. **3** Se aplica al análisis o experimento que no presenta lo que se busca o se espera encontrar: *las pruebas han resultado negativas: no hay rastros de infección.* **ANT** positivo. **4** Se aplica a la persona que tiende a ver y a juzgar las cosas en su peor aspecto, del modo más desfavorable. **ANT** positivo. **5** Se aplica al polo o carga eléctrica que tiene el potencial eléctrico más bajo: *los electrones tienen carga negativa y los protones positiva.* **6** Se aplica al número o expresión matemática que es menor que cero; se señala colocando el signo - precediéndolo: *el 5 es un número positivo, y el -5 es negativo.* **ANT** positivo. | *adj./s. m.* **7** Se aplica a la imagen o película fotográfica que reproduce invertidos los colores y los tonos de la realidad: *en el negativo aparece en blanco lo que es negro y en negro lo que es blanco.* **ANT** positivo.

FAM negativa.

negligé [se pronuncia aproximadamente 'negliyé'] *s. m.* Bata femenina que está confeccionada con tela muy fina y tiene un diseño que se considera sexy y atrevido.

negligencia *s. f.* Falta de cuidado o interés al desempeñar una obligación: *fue despedido por su negligencia.*

negligente *adj./s. com.* Que no pone el interés y el cuidado que tendría que poner al desempeñar una obligación.

FAM negligencia.

negociación *s. f.* **1** Acción que consiste en tratar un asunto para llegar a un acuerdo o solución: *el acuerdo está en vías de negociación.* **2** Acción de realizar operaciones comerciales, comprando y vendiendo mercancías o servicios para conseguir ganancias.

negociado *s. m.* **1** Dependencia o sección de una organización administrativa o gubernamental que se ocupa de un determinado asunto: *trabaja en el negociado de certificados de la administración de correos.* **2** AMÉR. SUR Negocio ilícito.

negociador, -ra *adj./s. m. y f.* Se aplica a la persona que negocia o trata un asunto para llegar a un acuerdo o solución.

negociante *s. com.* Persona que se dedica a negociar o comprar y vender mercancías o servicios. **SIN** comerciante.

negociar *v. intr.* **1** Realizar operaciones comerciales, comprando y vendiendo mercancías o servicios para conseguir ganancias. **SIN** comerciar. | *v. tr.* **2** Hacer alguna operación con valor bancario o con bolsa. | *v. tr./intr.* **3** Tratar o gestionar un asunto para llegar a un acuerdo o solución: *sindicatos y patronal negociaron para determinar el futuro de la fábrica.*

FAM negociable, negociación, negociado, negociador, negociante; innegociable, renegociar.

OBS Verbo regular, se acentúa como *cambiar.*

negocio *s. m.* **1** Ocupación, actividad o trabajo que se realiza para obtener un beneficio, especialmente el que consiste en realizar operaciones comerciales, comprando y vendiendo mercancías o servicios. **2** Ganancia o beneficio conseguido en una actividad comercial o de otro tipo. **3** Establecimiento en el que se venden mercancías o se realizan actividades comerciales. **4** Asunto o tema en que se ocupa una persona.

FAM negociar.

negra *s. f.* Nota musical cuya duración equivale a la mitad de una blanca: *una negra dura el doble que una corchea.*

negrero, -ra *s. m. y f.* **1** Persona que se dedicaba al comercio ilegal de personas negras y las vendía como esclavos. **2** Persona que explota a sus subordinados o los trata de forma cruel e inhumana: *el capataz era un negrero y los albañiles estaban hartos de él.*

negrilla *adj./s. f.* Negrita.

negrita *adj./s. f.* Se aplica al tipo de letra de imprenta que tiene el trazo más grueso y que resalta en el texto: *puso el título en mayúsculas y negrita.* **SIN** negrilla.

negro, -gra *s. m./adj.* **1** Color como el del carbón o el de la oscuridad total: *el color negro, en realidad, es la ausencia total de color porque absorbe toda la luz sin reflejarla.* | *adj.* **2** Que es de este color, o que es de un color muy oscuro o más oscuro que el de otras cosas de su especie: *las uvas pueden ser blancas o negras.* **3** *familiar* Que está muy sucio u oscurecido por la suciedad. **4** *familiar* Que está muy bronceado o tostado por el sol. **5** Que es triste, desafortunado o poco favorable: *hoy es un día negro que conviene olvidar.* **6** Se aplica al cine o la novela que pertenece al género policiaco, donde la acción se desarrolla en ambientes sórdidos y violentos. **7** Se aplica al rito o celebración que está relacionado con el diablo o con las fuerzas de mal: *magia negra.* | *adj./s. m. y f.* **8** Se aplica a la persona de la raza de piel oscura que comprende los principales pueblos de África y Oceanía, entre otros: *Martin Luther King era negro.* | *adj.* **9** Relativo a esta raza humana: *música negra.* | *adj./s. m.* **10** Se aplica al tabaco que es de olor y sabor fuerte: *antes fumaba rubio, después fumó negro y ahora ha dejado el tabaco.* | *s. m. y f.* **11** Persona que trabaja para que otra destaque y se atribuya los méritos, especialmente escribiendo obras literarias. **12** AMÉR. Se usa como expresión cariñosa entre familias o amigos.

estar (o ponerse) negro (**I**) *familiar* Estar muy enfadado, muy preocupado o muy harto de algo. (**II**) *familiar* Complicarse mucho un asunto, de manera que se haga peligroso o difícil de realizar: *se está poniendo negro encontrar trabajo.*

poner negro *familiar* Molestar o enfadar mucho a una persona, o hacerle perder la paciencia: *los culebrones me ponen negro.*

tener la negra familiar Tener una racha de mala suerte: *tiene la negra, va de desgracia en desgracia.*

verse negro familiar Tener muchos problemas o mucha dificultad para hacer una cosa: *con mi sueldo, me veo negro para llegar a fin de mes.*

FAM negra, negral, negrear, negrecer, negrero, negrilla, negrita, negroafricano, negroide, negrura, negruzco; renegrido.

negroide *adj.* Que presenta algún rasgo físico o alguna característica propios de las personas de raza negra o de su cultura.

negrura *s. f.* Cualidad de ser negro o parecer negro: *quedó fascinado por la negrura de sus ojos.*

negruzco, -ca *adj.* Que tiene un tono oscuro, casi negro: *algunas cosas se ponen negruzcas cuando están sucias.*

nematelminto *adj./s. m.* ① Se aplica al gusano de cuerpo cilíndrico y alargado, no segmentado, desprovisto de apéndices locomotores, y generalmente parásito. ‖ *s. m. pl.* ② **nematelmintos** Grupo taxonómico, con categoría de grupo, constituido por estos gusanos.

nematodo *adj./s. m.* ① Se aplica al gusano de cuerpo cilíndrico con aparato digestivo, boca y ano; es unisexual y vive en forma libre o como parásito de animales vertebrados. ‖ *s. m. pl.* ② **nematodos** Grupo taxonómico, con categoría de filo, constituido por estos gusanos.

nemoroso, -sa *adj.* ① culto Relativo al bosque. ② culto Que está cubierto de bosques: *tierras nemorosas.*

nemotecnia [también **mnemotecnia**] *s. f.* Método para aumentar la capacidad de la memoria. FAM nemotécnico.

nemotécnico, -ca [también **mnemotécnico, -ca**] *adj.* Relativo a la nemotecnia.

nene, -na *s. m. y f.* Niño pequeño.

nenúfar *s. m.* Planta acuática de hojas redondas u ovaladas que flotan en la superficie del agua; tiene flores olorosas, blancas o amarillas.

neocatastrofismo *s. m.* Teoría geológica según la cual el ritmo de los procesos geológicos no es constante a lo largo de la evolución.

neocelandés, -desa V. neozelandés, -desa.

neoclasicismo *s. m.* Corriente literaria y artística desarrollada en Europa y Estados Unidos durante la segunda mitad del siglo XVIII hasta principios del siglo XIX, que se caracteriza por recuperar los modelos y reglas de la antigüedad clásica griega y latina, considerada reflejo de racionalidad, sobriedad y claridad: *el Neoclasicismo surgió como reacción contra el Barroco.* FAM neoclasicista. OBS Se escribe normalmente con mayúscula inicial.

neoclásico, -ca *adj.* ① Relativo al Neoclasicismo. ‖ *adj./ s. m. y f.* ② Se aplica a la persona que sigue las tendencias del Neoclasicismo. FAM neoclasicismo.

neocolonialismo *s. m.* Nueva forma de colonialismo en que las antiguas potencias coloniales y las naciones más desarrolladas en general intentan dominar a los países descolonizados o subdesarrollados, sobre todo a través del control de su economía.

neodarvinismo o **neodarwinismo** *s. m.* Teoría evolutiva renovadora que integra los principios de la selección natural del darvinismo con los conocimientos genéticos más modernos.

neodimio *s. m.* Elemento químico de símbolo *Nd* y número atómico 60; es un metal perteneciente a los lantánidos, de color plateado, brillante, blando y pesado que forma sales coloreadas que se usan como colorante de esmaltes; se usa también en láseres, amplificadores de luz y como filtro de rayos infrarrojos.

neófito, -ta *s. m. y f.* ① Persona que acaba de convertirse a una religión. ② Persona que acaba de unirse a una opinión o una causa, o que se acaba de incorporar a un grupo o colectividad: *la directora de la sección formará a los neófitos en la empresa.*

neógeno, -na *adj./s. m.* ① Se aplica al periodo geológico que es el segundo y último de la era cenozoica y sigue al periodo paleógeno; se extiende desde hace unos 25 millones de años hasta hace unos dos millones de años. ‖ *adj.* ② Relativo a este periodo geológico.

neolatino, -na *adj.* Se aplica a la lengua que deriva del latín. SIN romance.

neoliberalismo *s. m.* Movimiento de actualización del liberalismo, aparecido después de la Primera Guerra Mundial, que limita la intervención del Estado a asuntos jurídicos y económicos y promueve la libre competencia.

neolítico, -ca *adj./s. m.* ① Se aplica al periodo de la prehistoria que sigue al mesolítico y es anterior a la Edad de los Metales; se caracteriza por el pulido de los instrumentos de piedra, la formación de poblados sedentarios y el inicio de la agricultura y la ganadería. ‖ *adj.* ② Relativo a este periodo prehistórico: *herramientas neolíticas.*

neologismo *s. m.* Palabra o modo de expresión recién introducido en una lengua, inventado o prestado de otra lengua: *el lenguaje científico y técnico utiliza gran cantidad de neologismos.*

neón *s. m.* ① Elemento químico de símbolo *Ne* y número atómico 10; es un gas noble, incoloro, que se encuentra en la atmósfera en pequeñas cantidades, de donde se obtiene para emplearse en iluminación, tubos de televisión, indicadores de alto voltaje y refrigeración, entre otros usos. ② Tubo delgado que está lleno de este gas y que produce una luz blanca, brillante y fría cuando se le aplica una corriente eléctrica.

neonato, -ta *s. m. y f./adj.* Bebé recién nacido: *el pediatra visitó la sección de neonatos del hospital.*

neoyorquino, -na *adj.* ① De Nueva York (ciudad y estado de los Estados Unidos). ‖ *s. m. y f./adj.* ② Persona que es de Nueva York.

neozelandés, -desa [también **neocelandés, -desa**] *adj.* ① De Nueva Zelanda (país de Oceanía). ‖ *s. m. y f./adj.* ② Persona que es de Nueva Zelanda.

neozoico, -ca *adj./s. m.* ① Se aplica a la era geológica que sigue a la era terciaria y es la última de las eras en que se divide la historia geológica de la Tierra; se extiende desde hace unos dos millones de años hasta la actualidad. SIN antropozoico, cuaternario. ‖ *adj.* ② Relativo a esta era geológica. SIN antropozoico, cuaternario.

nepalés, -lesa V. nepalí.

nepalí *adj.* ① De Nepal (país de Asia). SIN nepalés. ‖ *s. com./ adj.* ② Persona que es de Nepal. SIN nepalés.

nepe *s. m.* ① familiar CHILE Pene. ② VENEZ. Salvado de maíz derivado de la cáscara y los desechos del grano, que generalmente se usa como alimento para cerdos.

sacar el nepe Venez. Sacar el máximo provecho de una persona, generalmente en el ámbito profesional: *le están sacando el nepe en esa empresa.*

neperiano, -na *adj.* ① Se aplica al método de logaritmos que fue desarrollado por el matemático escocés John Neper. ② Se aplica al logaritmo que tiene como base el número *e*.

nepotismo *s. m.* Trato de favor hacia familiares o amigos, a los que se otorgan puestos de trabajo, cargos o premios por el mero hecho de serlo, sin tener en cuenta otros méritos: *el nepotismo es una forma de corrupción.*

neptunio *s. m.* Elemento químico de símbolo *Np* y número atómico 93; es un metal radiactivo de la serie de los actínidos, de color plateado, que se obtiene artificialmente a partir del uranio; uno de sus isótopos se utiliza para los detectores de neutrones.

nereida *s. f.* Ninfa marina de la mitología grecolatina que tenía cola de pez y cuerpo de mujer.

nervado, -da *adj.* ① Que tiene nervios: *hojas nervadas.* ② Se aplica a la bóveda que proyecta exteriormente los arcos que la forman: *en las catedrales góticas las bóvedas suelen ser nervadas.*

nervadura *s. f.* ① Conjunto de los nervios de una hoja o del ala de un insecto: *según la disposición de la nervadura, las hojas se clasifican en diferentes grupos.* ② Arco que se cruza con otro o con otros para formar una bóveda; también es el conjunto de los nervios de una bóveda o de una estructura arquitectónica. ③ Moldura saliente de un ángulo o arista.

nervio *s. m.* ① Filamento compuesto por muchas fibras nerviosas, que parte del cerebro, de la médula y de otros centros nerviosos y que es la vía de transmisión de los impulsos motores y sensitivos que conecta el sistema nervioso central con todos los órganos y tejidos del organismo. ② Fibra blanca y dura, parecida a un cordón, que tiene la carne comestible: *no le gusta la carne de vaca porque tiene muchos nervios.* ③ Fibra con forma de hilo que tienen las hojas de las plantas y que se puede ver claramente en su parte posterior: *por los nervios de las hojas circula la savia.* ④ Fibra con forma de hilo que forma el esqueleto de las alas membranosas de algunos insectos. ⑤ Cordón que sirve para unir los diversos cuadernillos de un libro: *los nervios de un libro forman un tejido en el lomo.* ⑥ familiar Fuerza, energía o vigor que tiene una persona para hacer las cosas. ⑦ Elemento arquitectónico en forma de moldura o banda saliente que recorre un arco o una bóveda. ⑧ Elemento saliente y extendido del intradós de una bóveda. ‖ *s. m. pl.* ⑨ **nervios** Estado pasajero de excitación nerviosa, inquietud o falta de tranquilidad: *cuando voy al médico me entran los nervios.* sin nerviosismo.
alterar (o **crispar**) **los nervios** familiar Intranquilizar, alterar emocionalmente a una persona.
poner los nervios de punta familiar Hacer perder la tranquilidad y la paciencia a una persona, poniéndola muy nerviosa, irritada o exasperada.
ser puro nervio familiar Ser muy activa e inquieta una persona y tener mucha energía al hacer las cosas.
tener nervios de acero familiar Tener una persona un gran control sobre sus emociones y no perder la calma en los momentos difíciles o peligrosos.
fam nervado, nervadura, nérveo, nerviación, nervioso, nervudo.

nerviosismo *s. m.* Estado pasajero de excitación nerviosa, inquietud o falta de tranquilidad. sin nervios.

nervioso, -sa *adj.* ① Relativo al nervio o que tiene nervios: *las neuronas forman parte del sistema nervioso.* ② Se aplica a la persona o animal que se encuentra en un estado temporal de excitación nerviosa o inquietud. ant tranquilo. ③ Se aplica a la persona que se excita y pierde la tranquilidad fácilmente. ant tranquilo.
fam nerviosidad, nerviosismo, nervosidad.

neto, -ta *adj.* ① Que es muy claro, porque no presenta confusión o está muy bien definido o delimitado. ② Que es limpio o puro. ③ Se aplica a la cantidad de dinero que resulta después de haber descontado gastos, tasas u otras cantidades que tenía añadidas: *su sueldo neto es el 15 % menos que el bruto.* ④ Se aplica al peso que resulta después de haber descontado el peso del envase o recipiente en el que está contenida una cosa.

neuma *s. m.* Cada uno de los signos de la antigua notación musical para el canto llano, usados a partir del siglo ix; tenían diversas formas según el ritmo y la altura de los sonidos y a partir de ellos se formaron la notas musicales tal como las conocemos hoy día.

neumático, -ca *adj.* ① Se aplica al aparato o instrumento que funciona mediante la acción del aire: *martillo neumático.* ② Que contiene aire o se tiene que hinchar con aire: *una balsa neumática.* ‖ *s. m.* ③ Cubierta dura de caucho que se monta sobre la llanta de la rueda de algunos vehículos, como coches, motocicletas o bicicletas, y se llena de aire a presión. ‖ *adj.* ④ Relativo al neuma: *notación neumática.*

neumología *s. f.* Parte de la medicina que se ocupa de las enfermedades de los pulmones y las vías respiratorias.
fam neumológico, neumólogo.

neumonía *s. f.* Enfermedad que consiste en una inflamación de los pulmones, y que suele estar causada por la infección de un microorganismo. sin pulmonía.

neumotórax *s. m.* ① Enfermedad producida por la entrada de aire exterior o pulmonar en la cavidad de la pleura. ② Inyección de aire u otro gas que se introduce con fines curativos en la cavidad de la pleura para inmovilizar el pulmón.
nota También *neumotórax artificial.*
obs Plural invariable.

neura *s. f.* ① familiar Manía u obsesión que tiene una persona por alguna cosa: *le ha entrado una neura por adelgazar y se pasa el día en el gimnasio.* ② familiar Estado de alteración o excitación nerviosa que tiene una persona. ‖ *adj./s. com.* ③ familiar Se aplica a la persona que está muy alterada o nerviosa.

neuralgia *s. f.* Dolor intenso a lo largo de un nervio y sus ramificaciones, o en la zona a la que afecta este nervio: *el paciente presenta una neuralgia del nervio facial.*
fam neurálgico.

neurálgico, -ca *adj.* ① Relativo a la neuralgia. ② Se aplica al lugar o momento que es sumamente importante y decisivo en un asunto: *el Ministerio era el centro neurálgico del que partían todas las órdenes.*

neurastenia *s. f.* ① Enfermedad del sistema nervioso que se caracteriza por una falta de rendimiento o de vigor mental y físico. ② familiar Estado mental que se caracteriza por fuertes síntomas depresivos, fobias, fatiga, tendencia a la tristeza y gran inestabilidad emotiva.
fam neurasténico.

neurasténico, -ca *adj.* ① Relativo a la neurastenia. ‖ *adj./ s. m. y f.* ② Se aplica a la persona que padece neurastenia.

neurita *s. f.* Prolongación alargada que parte del cuerpo de la neurona y termina en una ramificación que comunica con otras células y transmite los impulsos nerviosos. SIN axón.

neuritis *s. f.* Enfermedad que consiste en la inflamación y destrucción progresiva de un nervio y de sus ramificaciones: *el consumo abusivo de drogas es una de las causas de neuritis.* OBS Plural invariable.

neurociencia *s. f.* Ciencia que se ocupa del sistema nervioso o de cada uno de sus diversos aspectos y funciones especializadas.

neurocirugía *s. f.* Parte de la medicina que se ocupa de las enfermedades del sistema nervioso mediante operaciones quirúrgicas. FAM neurocirujano.

neurología *s. f.* Parte de la medicina que se ocupa del sistema nervioso y sus enfermedades. FAM neurológico, neurólogo.

neurológico, -ca *adj.* Relativo a la neurología.

neurólogo, -ga *s. m. y f.* Médico especialista en neurología.

neurona *s. f.* Célula del sistema nervioso formada por un núcleo del que parten una serie de ramificaciones llamadas dendritas, que son receptoras de los estímulos, y una prolongación única y más larga llamada axón, que se encarga de enviar los estímulos nerviosos.

neuróptero *adj./s. m.* ① Se aplica al insecto de metamorfosis completa, cuerpo alargado, boca masticadora y dos pares de alas membranosas y muy nervadas. ‖ *s. m. pl.* ② **neurópteros** Grupo taxonómico, con categoría de orden, constituido por estos insectos.

neurosis *s. f.* Enfermedad mental que consiste en un trastorno nervioso y que produce alteraciones emocionales; aparentemente, no hay ninguna lesión física que la explique: *la histeria es un tipo de neurosis.* FAM neurótico. OBS Plural invariable.

neurótico, -ca *adj.* ① Relativo a la neurosis. ‖ *adj./s. m. y f.* ② Se aplica a la persona que padece neurosis. ③ Se aplica a la persona que siente una obsesión o una manía exagerada: *es un neurótico: no puede ver ni una mota de polvo.* ④ Se aplica a la persona que se muestra excesivamente excitada en ciertas circunstancias. FAM neura.

neurovegetativo, -va *adj.* Se aplica a la parte del sistema nervioso que regula el funcionamiento del sistema vegetativo constituido entre otras por las glándulas y las vísceras: *el sistema neurovegetativo regula el desarrollo, la reproducción y la nutrición.*

neutral *adj./s. com.* ① Que no se inclina a favor de ninguna de las partes enfrentadas en una lucha o en una competición: *el árbitro debe ser neutral durante el partido.* SIN neutro. ② Se aplica al país o territorio que no interviene en un conflicto armado ni beneficia a ninguna de las partes enfrentadas: *durante las guerras mundiales, Suiza se mantuvo como país neutral.* FAM neutralidad, neutralismo, neutralizar.

neutralidad *s. f.* Actitud o situación de la persona o el país que no se inclina a favor de ninguna de las partes enfrentadas en una lucha o competición o no interviene en un conflicto armado.

neutralismo *s. m.* Tendencia política del gobierno de un país a permanecer neutral y no intervenir en la política y conflictos internacionales. FAM neutralista.

neutralista *adj.* ① Relativo al neutralismo: *estados neutralistas.* ‖ *adj./s. com.* ② Se aplica a la persona que es partidaria del neutralismo.

neutralización *s. f.* ① Disminución o anulación del efecto de cierta acción porque aparece otra contraria que la contrarresta: *si bebes alcohol se puede producir una neutralización de los efectos del antibiótico que has tomado.* ② Anulación de un periodo de tiempo o una parte de una competición deportiva, de manera que no tenga valor para el resultado final. ③ Proceso químico mediante el cual una sustancia o un compuesto químico pierde sus propiedades ácidas o básicas. ④ Reacción química que se produce entre un ácido y una base para formar una sal y agua.

neutralizar *v. tr.* ① Hacer que disminuya o quede anulado el efecto de una acción mediante otra contraria que la contrarresta. ② Anular un periodo de tiempo o una parte de una competición deportiva, de manera que no tenga valor para el resultado final. ③ Hacer que una sustancia o un compuesto químico sea neutro, que pierda el carácter ácido o básico: *los ácidos se neutralizan con las bases, formando sales y agua.* FAM neutralización, neutralizador.

neutrino *s. m.* Partícula elemental sin carga eléctrica y masa nula.

neutro, -tra *adj.* ① Que no presenta ninguna característica de las dos opuestas que podría presentar. ② Que no está determinado o definido. ③ Que no comunica o muestra ninguna emoción o intención. ④ Neutral: *las Naciones Unidas tomaron una postura neutra en el conflicto.* ⑤ Se aplica al cuerpo que tiene la misma cantidad de electricidad positiva y negativa. ⑥ Se aplica a la sustancia o compuesto químico que no es ácido ni básico: *champú neutro.* ⑦ Que pertenece a un género gramatical que no es masculino ni femenino: *el artículo "lo", el pronombre "ello" y los demostrativos "esto", "eso" y "aquello" son formas neutras.* ⑧ Se aplica al elemento que en las operaciones matemáticas al operar con cualquier otro elemento se obtiene este último: *en las sumas, el 0 es el elemento neutro, y en las multiplicaciones es el 1.* FAM neutral.

neutrón *s. m.* Partícula elemental del núcleo del átomo que no tiene carga eléctrica: *en el núcleo del átomo hay neutrones y protones.*

nevada *s. f.* ① Acción y efecto de nevar: *los puertos de montaña están cerrados al tráfico de vehículos a causa de las intensas nevadas.* ② Cantidad de nieve que cae de una vez y sin interrupción.

nevado, -da *adj.* ① Que está cubierto de nieve. ② Que tiene un color blanco como la nieve. FAM nevada.

nevar [1] *v. impersonal* Caer nieve. FAM nevado.

nevasca *s. f.* Nevada.

nevera *s. f.* ① Electrodoméstico que se utiliza para conservar fríos los alimentos y las bebidas; tiene forma de armario con una o más puertas y suele estar en la cocina. SIN frigorífico. ② Caja portátil o bolsa de material aislante, que sirve para conservar fríos los alimentos y bebidas. ③ Habitación o lugar demasiado frío.

N

nevisca *s. f.* Nevada breve y con copos de pequeño tamaño. **FAM** neviscar.

new age [se pronuncia aproximadamente 'niu eish'] *s. m.* Estilo musical nacido en los años setenta que agrupa diferentes tendencias que se caracterizan por la suavidad melódica y armónica, el uso de sintetizadores y los temas trascendentes, espirituales o filosóficos, especialmente de influencia oriental.

newton [se pronuncia aproximadamente 'niuton'] *s. m.* Unidad de fuerza del Sistema Internacional, de símbolo *N*, que equivale a la fuerza que hay que aplicar a un cuerpo que tiene una masa de un kilogramo para comunicarle una aceleración de un metro por segundo cuadrado. **OBS** Plural: *newtons.*

nexo *s. m.* ① Relación que se establece entre dos o más elementos o cosas. **SIN** enlace. ② Elemento lingüístico que sirve para unir dos o más términos, como las conjunciones y preposiciones . **SIN** enlace.

ni[1] *conj.* ① Se utiliza para enlazar oraciones negativas o partes de una oración negativa con la misma función sintáctica: *no vendrá ni hoy ni mañana.* ② Se utiliza para añadir fuerza e intensidad a algo que se niega: *no tiene tiempo ni para dormir; no quiero ni pensarlo.*

ni que Se usa para expresar de manera exclamativa que se duda de que una cosa sea cierta o tal como se dice: *¡ni que fuese tonto!*

ni[2] [también **ny**] *s. f.* Nombre de la decimotercera letra del alfabeto griego; se escribe N/*v* y se transcribe como *n.*

nicaragüense *adj.* ① De Nicaragua (país de América Central): *Managua es la capital nicaragüense.* ‖ *s. com./adj.* ② Persona que es de Nicaragua.

nicho *s. m.* ① Hueco o concavidad hecha en un muro o una pared para colocar una figura de adorno; generalmente es semicircular. ② Hueco o cavidad alargada para colocar el ataúd o las cenizas de una persona.

nicho ecológico Función concreta que desempeña un organismo dentro del ecosistema al que pertenece: *el nicho ecológico de la ardilla será el de consumidor arborícola de frutos y semillas en los bosques.*

nicotina *s. f.* Sustancia excitante que se extrae de las hojas del tabaco; es incolora pero se oscurece al contacto con el aire.

nidada *s. f.* Conjunto de los huevos puestos en un nido o de las crías de la misma puesta que están en un nido.

nidal *s. m.* ① Lugar dispuesto para que la gallina y otras aves domésticas pongan los huevos: *apartó a la gallina y cogió tres huevos del nidal.* **SIN** nido, ponedero. ② Huevo artificial que se deja en un lugar para que la gallina ponga allí los huevos.

nidificar *v. intr.* Hacer el nido las aves: *algunas aves nidifican en el suelo y otras en los árboles.*

nido *s. m.* ① Refugio construido por las aves para poner sus huevos y alimentar a sus crías. ② Refugio donde se reproducen y alimentan a sus crías los animales de diversas especies: *la serpiente salió de su nido para buscar comida.* ③ Nidal. ④ Parte o zona de un hospital donde se encuentran los niños que acaban de nacer: *las incubadoras están en el nido.* ⑤ Hogar de una persona o de una familia. ⑥ Lugar donde viven o se reúne un grupo de personas, generalmente delincuentes o personas de mala reputación: *la casa resultó ser un nido de ladrones.* ⑦ Lugar en el que se acumula un grupo de objetos o materiales, especialmente si están escondidos o se consideran negativos: *nido de polvo.* ⑧ Lugar o situación donde se originan o se crean cosas no materiales, especialmente si son conflictivas, problemáticas o negativas en general: *ese programa de televisión es un nido de polémica.*

caerse del nido Ser inocente o cándido. **FAM** nidada, nidal, nidificar; anidar.

niebla *s. f.* ① Suspensión espesa de gotas de agua diminutas de la atmósfera que limitan la visibilidad horizontal a menos de 1 km. ② Confusión u oscuridad. **FAM** antiniebla.

nieto, -ta *s. m. y f.* Hijo o hija del hijo o de la hija de una persona. **FAM** nietastro; bisnieto, biznieto, tataranieto.

nieve *s. f.* ① Agua helada que se desprende de las nubes en cristales muy pequeños, los cuales se agrupan al caer y llegan al suelo formando copos de color blanco. ② *jerga* Cocaína (droga). **FAM** nevar, nevero, nevasca, nevisca, nevoso; quitanieves.

NIF [se pronuncia 'nif'] *s. m.* Sigla de *número de identificación fiscal,* que se compone del número del documento nacional de identidad más una letra.

nife *s. m.* Núcleo o capa central del globo terrestre; se caracteriza por su elevadísima temperatura y densidad, y consta de hierro, níquel y otros metales. **SIN** barisfera, endosfera.

nigeriano, -na *adj.* ① De Nigeria (país de África). ‖ *s. m. y f./adj.* ② Persona que es de Nigeria.

night club [se pronuncia aproximadamente 'nait club'] *s. m.* Sala de fiestas o club nocturno en el que se celebran espectáculos.

nigromancia o **nigromancía** *s. f.* Adivinación del futuro por medio de la invocación a los espíritus de los muertos. **FAM** nigromante.

nigromante *s. com.* Persona que practica la nigromancia. **SIN** nigromántico. **FAM** nigromántico.

nigromántico, -ca *adj.* ① Relativo a la nigromancia. ‖ *s. m. y f.* ② Nigromante.

nigua *s. f.* Insecto parecido a la pulga pero de menor tamaño, cuya hembra pone los huevos debajo de la piel de los animales o del ser humano, produciendo picazón y úlceras; es originario de América y muy difundido en África.

nihilismo *s. m.* ① Negación de toda creencia o todo principio religioso, político y social: *algunas personas rechazan cualquier valor moral movidas por un profundo nihilismo.* ② Doctrina filosófica que niega que sea posible el conocimiento y el valor de todas las cosas. ③ Doctrina política que considera necesaria la destrucción del orden social existente para construir después una nueva sociedad: *el nihilismo está en la base política y social del anarquismo.* **FAM** nihilista.

nihilista *adj.* ① Relativo al nihilismo. ‖ *adj./s. com.* ② Se aplica a la persona que sigue las ideas del nihilismo.

niki *s. m.* Niqui.

nilón *s. m.* Nailon.

nimbo *s. m.* ① Círculo luminoso que se representa encima o detrás de la cabeza de una imagen divina o de santos como símbolo de la gracia de Dios. **SIN** aureola, halo. ② Círculo luminoso que rodea a algunos astros: *los días de luna llena puede* contemplarse el nimbo que rodea a la luna. **SIN** halo. **3** Nimboestrato.

FAM nimboestrato; cumulonimbo.

nimboestrato *s. m.* Capa de nubes espesa, de color gris oscuro, que presenta un aspecto bastante uniforme. **SIN** nimbo.

nimiedad *s. f.* Cosa que tiene poco valor o escasa importancia; generalmente se trata de cosas inmateriales. **SIN** nadería.

nimio, -mia *adj.* Se aplica a la cosa inmaterial que tiene muy poca o ninguna importancia: *la diferencia era nimia.*
FAM nimiedad.

ninfa *s. f.* **1** Diosa menor de la mitología clásica, que habitaba en las fuentes, los bosques, las montañas o los ríos: *las ninfas aparecen bajo la forma de jóvenes muchachas, como las náyades o las nereidas.* **2** Mujer joven y de gran belleza. **3** Estado intermedio en la metamorfosis de algunos insectos situado entre la fase larvaria y la adulta: *cuando el gusano está dentro de su capullo es una ninfa.*

ninfómana *s. f.* Mujer que siente un deseo sexual exagerado.

ninfomanía *s. f.* Deseo sexual exagerado en la mujer o en las hembras de algunos animales.
FAM ninfómana, ninfomaníaco.

ningún *adj.* Apócope de *ninguno: no tiene ningún traje.*
OBS Se usa delante de sustantivos masculinos en singular, y también delante de sustantivos femeninos que empiecen por a- o ha- tónicas (*ningún águila, ningún haya*).

ninguno, -na *det./pron.* **1** Ni una sola persona o ni una sola cosa de las que se mencionan: *no tenía ninguna idea buena, no ha venido ninguno de los invitados.* **|** *det.* **2** Pospuesto al sustantivo, sirve para reforzar una frase negativa: *no tiene valor ninguno.*
OBS Antepuesto a un sustantivo masculino singular, adopta la forma ningún: *ningún libro, ningún coche.*

ninot *s. m.* Figura o muñeco de una falla valenciana.
OBS Plural: *ninots.*

niña *s. f.* Círculo pequeño y de color negro que hay en el ojo, a través del cual pasa la luz: *la niña está situada en el centro del iris y se contrae o se dilata según la cantidad de luz que llega al ojo.* **SIN** pupila.
ser la niña de los ojos Persona o cosa a la que se quiere mucho o por la que se siente mucho cariño o aprecio: *sus amigos son las niñas de sus ojos.*

niñato, -ta *s. m. y f./adj.* **1** fam. desp. Persona muy joven que tiene poca experiencia acerca de las cosas y se comporta como si lo supiera todo. **2** fam. desp. Persona muy joven que presume en exceso de lo que es o de lo que tiene.

niñería *s. f.* **1** Acción o expresión que parece propia de los niños porque es poco madura o infantil. **2** Hecho o dicho de poca importancia, que no influye sobre lo demás: *anda, déjate de niñerías y vamos a trabajar.*

niñero, -ra *adj.* **1** Que le gustan los niños y disfruta en su compañía: *es una suerte que sea tan niñero, porque se pasa el día con su hermano pequeño.* **|** *s. m. y f.* **2** Persona que se dedica profesionalmente a cuidar niños.

niñez *s. f.* **1** Primer periodo de la vida humana, desde el nacimiento de una persona hasta la adolescencia. **SIN** infancia. **2** Principio de cualquier cosa.

niño, -ña *s. m. y f.* **1** Persona que tiene pocos años de vida, que está en la niñez. **■** niño de pecho o niño de teta Bebé que aún está mamando. **2** Hijo, especialmente si es de corta

edad: *tuvieron niños en cuanto se casaron.* **|** *adj./s. m. y f.* **3** Se aplica a la persona que tiene todavía poca experiencia en la vida. **4** Se aplica a la persona que obra de manera irreflexiva y se comporta de forma infantil.
como niño con zapatos nuevos Indica que una persona está muy alegre y feliz porque ha conseguido una cosa importante: *le ha tocado la lotería y está como niño con zapatos nuevos.*
la niña bonita El número quince.
¡ni qué niño muerto! familiar Se utiliza para indicar que no se comparte o que se desprecia una opinión: *¡qué descapotable ni qué niño muerto, tienes que comprarte un coche grande!*
niño bien o **niño bonito** familiar Joven que pertenece a una familia con dinero y que se comporta de manera superficial y presumida.
Niño Jesús Imagen que representa a Jesucristo cuando era pequeño.
niño mimado familiar Persona que es la preferida de otra, especialmente de su padre o su madre.
FAM niñato, niñera, niñería, niñero, niñez; aniñarse.

niobio *s. m.* Elemento químico de símbolo *Nb* y número atómico 41; es un metal de transición de color blanco grisáceo, claro, brillante, blando y dúctil, que tiene aspecto de polvo y se utiliza en el acero inoxidable y otras aleaciones.

nipón, -pona *adj.* **1** culto De Japón (país de Asia). **SIN** japonés. **|** *s. m. y f./adj.* **2** culto Persona que es de Japón. **SIN** japonés.

níquel *s. m.* **1** Elemento químico de símbolo *Ni* y número atómico 28; es un metal de transición de gran dureza, de color y brillo semejantes a los de la plata, maleable, dúctil, resistente a la acción del óxido y buen conductor de la electricidad; se utiliza principalmente en aleaciones con usos diversos, como la fabricación de moneda, blindajes y cámaras acorazadas. **2** AMÉR. Moneda fraccionaria, sea o no de este metal. **3** URUG. Dinero.
FAM niquelar.

niquelado *s. m.* Baño de níquel que se da a un objeto metálico: *el niquelado se realiza para que el metal no se oxide.*

niquelar *v. tr.* Cubrir con un baño de níquel una pieza de metal.
FAM niquelado.

niqui [también **niki**] *s. m.* Prenda de vestir de algodón u otro tejido ligero, similar a una camiseta que lleva el cuello como el de una camisa y botones en la parte delantera hasta la mitad del pecho. **SIN** polo.

nirvana *s. m.* En la religión hinduista y especialmente la budista, estado de total ausencia de sufrimiento y desaparición de todos los apegos materiales, que alcanza una persona a través de su evolución y de sus sucesivas reencarnaciones.

níscalo *s. m.* Hongo basidiomiceto comestible, con el sombrero de color rojizo o anaranjado y el pie corto y grueso: *los níscalos se encuentran en zonas frías.*

níspero *s. m.* **1** Árbol de tronco delgado, con las ramas abiertas y un poco espinosas, las hojas ovaladas, grandes y duras, y las flores blancas, que produce el fruto comestible del mismo nombre. **■** níspero del Japón Arbusto de hojas ovaladas y flores pequeñas en grupos, que produce un fruto amarillo, casi esférico, de sabor agradable: *el níspero del Japón se cultiva en la zona del Mediterráneo.* **2** Fruto comestible de este árbol, de color amarillo o naranja, ovalado, blando y dulce cuando está maduro, que tiene unas semillas grandes en su interior: *el níspero se come en verano.* ③ AMÉR. Zapote (árbol y fruto).

nitidez *s. f.* Calidad de nítido.

nítido, -da *adj.* ① Que está limpio, claro y transparente: *observaba el vino a través del nítido cristal de la copa.* ② Que no presenta confusión: *dio unas nítidas instrucciones de lo que había que hacer.*
FAM nitidez.

nitrato *s. m.* Sal que se forma a partir del ácido nítrico o del anión procedente de esta sal o este ácido: *algunos nitratos se usan para abonar las tierras de cultivo.* ■ **nitrato de Chile** Sustancia blanca formada por nitrato de sodio que procede de los excrementos de ciertas aves y que se usa para abonar las tierras de cultivo.

nítrico, -ca *adj.* ① Relativo al nitrógeno. ② Se aplica al óxido de nitrógeno donde este elemento actúa con valencia 5. ③ Se aplica al ácido que se obtiene por la acción del ácido sulfúrico sobre el nitrato de un metal alcalino; es un líquido incoloro, corrosivo y venenoso: *el ácido nítrico es uno de los ácidos más oxidantes.*

nitro *s. m.* Nitrato potásico en forma de agujas o polvo blanquecino en superficies de terrenos húmedos.

nitrogenado, -da *adj.* Que contiene nitrógeno.

nitrógeno *s. m.* Elemento químico de símbolo N y número atómico 7; es un gas sin color, olor ni sabor, que forma la mayor parte del aire de la atmósfera y se encuentra en muchos compuestos orgánicos, como las proteínas; en estado líquido, se usa como refrigerante; en estado gaseoso, se usa como propelente y en la industria del acero, la electrónica y la petrolífera.
FAM nitrogenado.

nitroglicerina *s. f.* Líquido graso de color amarillo pálido, inodoro y más denso que el agua que arde y explota con facilidad; es un derivado de la glicerina: *la dinamita se fabrica con nitroglicerina.*

nitroso, -sa *adj.* Se aplica al óxido de nitrógeno (o al ácido correspondiente) que es algo menos nitrogenado que el óxido (o el ácido) nítrico: *en los compuestos oxigenados nitrosos el nitrógeno actúa con valencia 3.*

nivel *s. m.* ① Altura a la que llega la superficie de un líquido o la parte de arriba de un conjunto de cosas amontonadas, o altura a la que está situada una cosa: *el nivel de la nieve era de un metro.* ■ **nivel del mar** Altura de las aguas del mar cuando está en calma, que sirve de referencia para medir la altura o la profundidad de un lugar. ■ **nivel trófico** Nivel en que se sitúa un organismo en la cadena trófica o alimentaria: *las plantas y algas ocupan el primer nivel trófico de las cadenas alimentarias: de ellos depende el resto de organismos consumidores.* ② Piso o planta de una construcción: *aparque su coche en el primer nivel del aparcamiento.* ③ Grado de calidad al que puede llegar una persona o cosa después de un proceso: *es un atleta de muy alto nivel.* ■ **nivel de vida** Grado de bienestar o de riqueza, principalmente material, alcanzado por una persona, por un grupo social o por el conjunto de los habitantes de un país o región. ④ Instrumento que sirve para medir la diferencia de altura entre dos puntos y para comprobar si una línea o un plano están completamente horizontales o verticales: *los albañiles y los carpinteros utilizan un nivel en su trabajo.*
a nivel Se usa para indicar que una cosa está completamente horizontal o se hace siguiendo un plano completamente horizontal: *los ladrillos no estaban colocados a nivel.*

estar al mismo nivel Ser varias personas o cosas comparables.
FAM nivelar; desnivel.

nivelación *s. f.* ① Allanamiento de un terreno o una superficie para conseguir que sea completamente horizontal. ② Igualación de las diferencias que hay entre dos cosas: *se aprobó un plan de nivelación de impuestos.*

nivelar *v. tr.* ① Hacer que una superficie esté en posición completamente horizontal. ② Comprobar con la ayuda del nivel si una línea o una superficie están completamente horizontales. ③ Allanar un terreno o una superficie, de manera que no tenga inclinaciones. ④ Poner a igual altura varias cosas: *hay que nivelar esas estanterías, una está más alta que la otra.* ⑤ Igualar o poner al mismo nivel varias cosas o varios aspectos de una cosa.
FAM nivelación, nivelador.

níveo, -vea *adj.* culto Que es semejante a la nieve o tiene alguna característica suya, como la blancura: *el poeta describió el níveo rostro de su amada.*

no *adv.* ① Expresa negación, especialmente como respuesta a una pregunta: *¿Has traído el libro? No.* ② Indica que lo que se dice es incorrecto o falso: *no vendrá hoy, sino mañana.* ③ Indica prohibición, oposición o rechazo: *no fumar.* ④ Antepuesto a sustantivos y adjetivos, expresa el significado opuesto de lo que expresa normalmente la palabra a la que acompaña: *se comportó de una manera no convencional.* ⑤ Indica extrañeza o duda en preguntas, a las que se espera una respuesta afirmativa o la confirmación de algo que ya se sabía: *¿pero hoy no es lunes?* ⑥ Se usa repetido para dar más fuerza a la negación: *no, no quiero verlo más.* ‖ *s. m.* ⑦ Respuesta negativa que se da a lo que algo o alguien pide o pretende: *me dio un no por respuesta.* NOTA Plural: *noes.*

no más AMÉR. Solamente: *me costó cien pesos no más.* NOTA también *nomás.*

no sin Se utiliza para afirmar algo negando una presuposición implícita: *me despido no sin desearos antes que tengáis suerte.*

si no En otro caso o circunstancia: *esfuérzate más, o si no, olvídate de las vacaciones.*

nobelio *s. m.* Elemento químico de símbolo No y número atómico 102; es un metal radiactivo que pertenece a los actínidos, obtenido artificialmente bombardeando isótopos del curio con iones del carbono; se desconocen sus aplicaciones.

nobiliario, -ria *adj.* Relativo a la nobleza: *título nobiliario.*

nobilísimo, -ma *adj.* Superlativo de *noble.*

noble *adj.* ① Que es de origen o linaje ilustre o está relacionado con la nobleza como grupo social. ② Que es generoso, digno de estimación y carece completamente de maldad: *los médicos desempeñan una profesión muy noble.* ③ Se aplica al animal que es muy fiel a las personas y poco traicionero: *el perro es un animal noble.* ④ Que tiene gran calidad o valor o es muy estimado y se considera de gran categoría: *la caoba y el nogal son maderas nobles.* ⑤ Que es ilustre, excelente o principal. ⑥ Se aplica al cuerpo o sustancia que es químicamente inactivo: *el argón y el neón son gases nobles.* ‖ *adj./s. com.* ⑦ Se aplica a la persona que posee un título concedido por el rey o heredado de sus antepasados, el cual lo sitúa en una clase o estado social privilegiado: *los hidalgos y los caballeros eran nobles, pero no tan importantes como condes y marqueses.*
FAM nobleza; ennoblecer, innoble.
OBS Superlativo irregular: *nobilísimo.*

nobleza *s. f.* ① Clase o grupo social formado por los nobles de un país o un territorio. ② Generosidad, honradez y total ausencia de maldad en una persona, en su comportamiento, su actitud o sus acciones. ③ Cualidad de los animales que son fieles a las personas: *la nobleza es una cualidad del caballo.* ④ Característica de las cosas que tienen gran calidad, categoría o valor: *la nobleza de la madera y del mármol hacen de este mueble un ejemplar único.*

nobuc o **nobuk** [también **nubuc** o **nubuk**] *s. m.* Piel de vaca u oveja, adobada y curtida, de tacto aterciopelado, parecida al ante pero menos delicada; se utiliza para la confección de calzado y prendas de abrigo.

noche *s. f.* ① Periodo de tiempo desde que se pone el Sol hasta que vuelve a salir. ANT día. ② Parte de este tiempo que se dedica a dormir: *he pasado una mala noche, no he pegado ojo.*
■ **buenas noches** Se usa para saludar o para despedirse cuando se ha puesto el Sol. ③ Periodo de tiempo o situación triste o desafortunada: *nuestra empresa ya está saliendo de la noche.*
ayer noche En la noche de ayer. SIN anoche.
de la noche a la mañana Se utiliza para indicar que una cosa se hace u ocurre de forma repentina e inesperada, o en muy poco tiempo.
de noche Indica que algo se realiza u ocurre después de ponerse el Sol: *cuando llegamos, ya era de noche.*
hacer noche Detenerse en alguna parte para dormir durante un viaje largo: *de camino a Málaga, hicimos noche en un hotel de Jaén.*
hacerse de noche Ponerse el Sol y empezara a oscurecer.
Noche Vieja Nochevieja.
noche y día Se utiliza para indicar que una cosa se realiza u ocurre de manera constante, durante todo el tiempo y sin cesar.
pasar la noche en blanco No dormir después de haberse puesto el Sol.
perderse en la noche de los tiempos Haber nacido, existido u ocurrido una cosa hace mucho tiempo: *el origen de esta ciudad se pierde en la noche de los tiempos.*
FAM nochebuena, nochevieja; anoche, anochecer, medianoche, trasnochar.

nochebuena *s. f.* Noche del día 24 de diciembre, en la cual la tradición cristiana celebra el nacimiento de Jesucristo.
OBS Se escribe normalmente con mayúscula inicial.

nochecita *s. f. familiar* AMÉR. Hora del crepúsculo cuando la noche de avecina.

nochevieja *s. f.* Noche del día 31 de diciembre, que es la última del año.
OBS Se escribe normalmente con mayúscula inicial. También *Noche Vieja.*

noción *s. f.* ① Conocimiento, idea o conciencia que se tiene sobre una cosa. ② Conocimiento básico, elemental o abstracto acerca de una materia: *tengo nociones de alemán pero no lo domino.* NOTA Más en plural.
FAM nocional.

nocivo, -va *adj.* Que hace daño o es perjudicial: *el pulgón es muy nocivo para las plantas.* SIN dañino.
FAM nocividad.

noctambulismo *s. m.* ① Modo de vida en el que se desarrollan por la noche las actividades principales. ② Inclinación que tiene una persona a salir y divertirse de noche o a realizar actividades de noche.

noctámbulo, -la *adj.* ① Que desarrolla su actividad principal durante la noche: *el mochuelo y la lechuza son aves noctámbulas.* ❙ *adj./s. m. y f.* ② Se aplica a la persona que tiene tendencia a realizar actividades durante la noche, especialmente si son diversiones.
FAM noctambulismo.

nocturnidad *s. f.* ① Circunstancia de ser de noche o de ocurrir una cosa durante la noche. ② Circunstancia que hace que un delito se considere más grave, por haberse cometido de noche: *el juez lo condenó a seis años más de prisión por alevosía y nocturnidad.*

nocturno, -na *adj.* ① Relativo a la noche. ② Se aplica al animal que busca su alimento y desarrolla su actividad vital durante la noche, mientras que durante el día está oculto. ③ Se aplica a la planta que solamente tiene sus flores abiertas durante la noche: *el dondiego es una planta nocturna que abre sus flores al atardecer.* ④ Que es melancólico y triste. ❙ *s. m.* ⑤ Composición musical de melodía melancólica y dulce, de corta duración y acelerada generalmente en la parte central.
FAM nocturnidad.

nodo *s. m.* En física, cada uno de los puntos de un cuerpo vibrante que permanecen fijos: *en una cuerda vibrante son siempre nodos los extremos.*

nodriza *s. f.* ① Mujer que amamanta a un niño que no es su hijo. ② Barco, avión o nave que se emplea para abastecer de combustible a otros vehículos. NOTA Se construye en aposición a otro sustantivo: *nave nodriza.*

nódulo *s. m.* ① Masa mineral redondeada que se encuentra en el interior de algunas rocas y que es de distinta materia que estas. ② Acumulación de células o fibras orgánicas que forma una masa más o menos redonda, abultada y dura: *un nódulo de grasa en la sangre puede provocar una trombosis.*

nogal *s. m.* ① Árbol de tronco alto y fuerte, de madera dura, con la corteza lisa y la copa grande y redonda, formada por ramas gruesas con hojas verdes y brillantes; sus flores se diferencian en masculinas y femeninas y su fruto es la nuez: *el nogal es un árbol de hoja caduca.* ② Madera de este árbol. ❙ *s. m./adj.* ③ Color como el de la madera de este árbol: *el nogal es de un color pardo rojizo, más oscuro que el castaño.*
FAM nogalina, noguera.

nogalina *s. f.* Sustancia colorante que se obtiene de la cáscara de la nuez y se utiliza para teñir la madera.

nómada *adj./s. com.* ① Se aplica a la persona o animal que va de un lugar a otro y nunca se establece en un sitio de forma permanente: *aquel hombre era un nómada beduino.* ❙ *adj.* ② Relativo al nomadismo.
FAM nomadismo.

nomadismo *s. m.* ① Forma de vida propia de ciertos pueblos que se caracteriza por ir de un lugar a otro sin establecerse en un sitio de forma permanente, y cuyo objetivo es asegurar la subsistencia. ANT sedentarismo. ② Comportamiento animal consistente en el desplazamiento de un grupo o población en función de los recursos alimentarios.

nomarca *s. m.* Gobernador de un nomo o antigua provincia de Egipto.

nomás *adv.* ① ARG., MÉX., URUG., VENEZ. Solamente: *nomás vine a saludarte.* NOTA También *no más.* ② ARG., URUG. Se usa después de un imperativo e indica que la acción de la que se trata puede ser ejecutada con confianza: *dale nomás.* ③ MÉX.

N

Apenas (indica un tiempo cercano a un hecho): *nomás llegó y se fue a dormir.*

nombrado, -da *adj.* Que es famoso o muy conocido: *ayer estuvimos en un restaurante muy nombrado.*

nombramiento *s. m.* ① Elección o designación de una persona para desempeñar un cargo o una función. **SIN** nominación. ② Documento que atestigua la elección de una persona para desempeñar un cargo: *ayer recibió su nombramiento como rector.*

nombrar *v. tr.* ① Decir el nombre de una persona o de una cosa: *el profesor pasa lista de los alumnos, nombrándolos en voz alta.* ② Elegir o designar a una persona para desempeñar un cargo o una función: *lo han nombrado delegado de clase.* ③ Dar un tratamiento honorífico a una persona o cosa: *lo nombraron hijo predilecto de la ciudad.*

FAM nombrado, nombramiento.

nombre *s. m.* ① Palabra o conjunto de palabras con las que se designan personas, objetos y cualidades para distinguirlos de otros. ■ **nombre científico** Denominación estándar que recibe cualquier especie conocida por la ciencia, formada por dos palabras latinas: *el nombre científico del lince ibérico es "Lynx pardina".* ② Palabra o conjunto de palabras con las que se distingue a las personas. ■ **nombre de guerra** Nombre que adopta una persona para realizar una actividad, especialmente si es una actividad clandestina. ■ **nombre de pila** Nombre que se da a una persona cuando es bautizada y que precede a los apellidos: *Tomás es mi nombre de pila, no mi apellido.* ③ Título de una publicación, un libro o denominación de una obra en general. ■ **nombre comercial** Marca distintiva de un producto que está reconocido por la ley y que solo puede usar su fabricante. ④ Buena fama que tiene una persona o una cosa: *se ha labrado un nombre dentro de la profesión.* **SIN** reputación. ⑤ Palabra que tiene género y lleva morfemas de número, que funciona como núcleo de un sintagma nominal y que puede realizar, entre otras, la función de sujeto. **SIN** sustantivo. ■ **nombre no contable** Nombre que se refiere a un objeto que se ve como una magnitud o una realidad continua; se opone al nombre contable: *"frío" y "vino" son nombres no contables.*

a nombre de Se utiliza para indicar que una cosa es para la persona o entidad que se llame así: *el paquete vino a nombre de Manuel Martínez.*

en nombre de Se utiliza para indicar que una persona actúa o hace una cosa en lugar de otra y con su representación y autoridad: *el secretario firmó en nombre del presidente.*

no tener nombre Ser una acción tan horrenda y vituperable, que no se puede calificar: *su comportamiento no tiene nombre.*

FAM nombrar; sobrenombre.

nomenclátor *s. m.* Lista o catálogo de nombres de personas, lugares o cosas relacionadas entre sí o que tienen algo en común: *el médico buscó en el nomenclátor el nombre del medicamento.*

nomenclatura *s. f.* ① Conjunto de los términos técnicos propios de una ciencia: *nomenclatura química.* ■ **nomenclatura binomial** Nomenclatura creada por Linneo en el siglo XVIII y usada de forma estándar para la denominación y clasificación de los seres vivos, que otorga a cada especie un nombre científico. ② Lista de nombres de personas o cosas.

nomeolvides *s. f.* ① Planta herbácea que tiene los tallos tendidos, las hojas ásperas y las flores azules: *la nomeolvides*

es una planta que simboliza amistad y confianza. ② Flor de esta planta que es de color azul después de la polinización. ❙ *s. m.* ③ Pulsera que lleva una placa con un nombre grabado. **OBS** Plural invariable.

nómina *s. f.* ① Lista de nombres de personas o cosas: *la nómina de escritores españoles del siglo XX es muy extensa.* ② Conjunto de personas que trabajan en una empresa, oficina o entidad pública y cobran un sueldo de ella. **SIN** plantilla. ③ Cantidad de dinero que recibe regularmente una persona de la empresa en la que trabaja. ④ Documento en el que consta el sueldo que una persona recibe regularmente de una empresa y todas las operaciones relacionadas con él: *en la nómina aparecen el sueldo bruto y las retenciones.*

nominación *s. f.* ① Elección o designación de una persona para desempeñar un cargo o una función. **SIN** nombramiento. ② Acción que consiste en proponer a una persona o a una obra como candidata para que le sea concedido un premio: *la película obtuvo tres nominaciones a los premios Goya.*

nominal *adj.* ① Relativo al nombre: *la secretaria ha escrito una lista nominal de los empleados de la empresa.* ② Se aplica al valor o cargo que solo existe de nombre, y que es independiente de su valor real o efectivo. ③ Se aplica al sintagma que tiene como núcleo un sustantivo.

FAM nominalismo, nominalizar.

nominalismo *s. m.* Doctrina filosófica que niega la existencia real de los conceptos universales en la realidad o en la mente y los considera como meros nombres o términos: *el nominalismo surgió en el siglo XIII.*

FAM nominalista.

nominalista *adj.* ① Relativo al nominalismo. ❙ *adj./s. com.* ② Se aplica a la persona que es partidaria del nominalismo: *filósofo nominalista.*

nominalización *s. f.* Atribución de la función de sustantivo o nombre a una parte de la oración: *en "el pequeño", el artículo produce la nominalización del adjetivo.* **SIN** sustantivación.

nominalizar *v. tr.* Hacer que una palabra o una expresión pase a funcionar como un sustantivo. **SIN** sustantivar.

FAM nominalización.

nominar *v. tr.* ① Proponer o señalar a una persona como candidata para un posible cargo o a una persona o una obra para que le sea concedido un premio: *la actriz fue nominada para el premio a la mejor interpretación femenina.* ② Nombrar a una persona o cosa.

FAM nominación, nominativo; denominar, innominado.

nominativo, -va *adj.* ① Se aplica al documento que debe llevar el nombre de la persona que lo posee: *un cheque nominativo debe firmarse para poder ser cobrado.* ❙ *s. m.* ② Caso de la declinación de algunas lenguas, como el latín, en que se pone la palabra que designa el sujeto de la oración.

nomo[1] *s. m.* ① Composición griega poética o musical, amplia y sometida a una construcción precisa. ② División administrativa del antiguo Egipto.

nomo[2] [también **gnomo**, más usado] *s. m.* Ser fantástico que tiene el aspecto de un enano, lleva barba y un sombrero puntiagudo y tiene poderes mágicos.

non *adj./s. m.* Se aplica al número que no se puede dividir exactamente por dos. **SIN** impar. **ANT** par.

de non Se utiliza para indicar que una persona está desparejada o no tiene pareja: *se reunieron siete amigos, tres matrimonios y uno de non.*

nona *s. f.* ① Última de las cuatro partes en que los romanos dividían el día, posterior a la sexta y comprendida desde media tarde hasta la puesta del sol. ② Oficio religioso del clero católico, posterior a la sexta y anterior a las vísperas, que se celebra hacia las tres de la tarde.

nonagenario, -ria *adj.* ① culto Que tiene entre noventa y noventa y nueve años. ‖ *adj./s. m. y f.* ② culto Se aplica a la persona que tiene entre noventa y noventa y nueve años de edad: *anciano nonagenario.*

nonagésimo, -ma *num. ord.* ① Que ocupa el lugar número 90 en una serie ordenada: *nonagésimo aniversario.* ‖ *num. part.* ② Se aplica a cada una de las partes que resultan de dividir un todo en noventa partes iguales: *a cada uno de los noventa invitados le correspondió un nonagésimo.* **SIN** noventavo.

nonato, -ta *adj.* Que no ha nacido de forma natural, sino que ha sido sacado del vientre de la madre.

nones *adv.* familiar Expresión que indica una negación rotunda: *me insistió y yo le dije que nones.*

noningentésimo, -ma *num. ord.* ① Que ocupa el lugar número 900 en una serie ordenada. ‖ *num. part.* ② Se aplica a cada una de las partes que resultan de dividir un todo en novecientas partes iguales.

nono, -na *num. ord.* culto Noveno.
FAM nona.

nopal *s. m.* Planta con tallos que parecen palas aplanadas de color verde y con forma elíptica, que presentan abundantes espinas y muy carnosas; su fruto es comestible (higo chumbo): *el nopal es originario de las zonas semidesérticas de México.* **SIN** chumbera.

noquear *v. tr.* Dejar fuera de combate a un contrincante en el boxeo, con lo cual se obtiene la victoria sobre él: *el aspirante al título mundial noqueó al campeón en pocos asaltos.*

norcoreano, -na *adj.* ① De Corea del Norte (país de Asia). ‖ *s. m. y f./adj.* ② Persona que es de Corea del Norte.

nordeste [también **noreste**] *s. m.* ① Punto cardinal situado entre el norte y el este, a la misma distancia de ambos. ② Parte de un lugar situada hacia este punto. ③ Viento que sopla desde este punto.

nórdico, -ca *adj.* ① Del norte de Europa: *las zonas nórdicas tienen climas fríos.* ‖ *s. m. y f./adj.* ② Persona que es del norte de Europa. ‖ *s. m.* ③ Grupo de lenguas del grupo germano septentrional.

noreste *s. m.* Nordeste.

noria *s. f.* ① Máquina que se utiliza para sacar agua de un pozo o de otro lugar, que consiste en dos grandes ruedas engranadas, una horizontal movida por un animal y otra que gira verticalmente y que está provista de unos recipientes que recogen y suben el agua. ② Atracción de feria que consiste en una gran rueda que gira verticalmente y que tiene una serie de cabinas con asientos para las personas.

norirlandés, -desa *adj.* ① De Irlanda del Norte (parte del Reino Unido situada en la isla de Irlanda). ‖ *s. m. y f./adj.* ② Persona que es de Irlanda del Norte.

norma *s. f.* ① Regla o conjunto de reglas que hay que seguir para llevar a cabo una acción, porque está establecido o ha sido ordenado de ese modo. ② Regla que determina el tamaño, la composición y otras características que debe tener un objeto o un producto industrial: *algunos productos fueron retirados del mercado porque no cumplían la norma de la Unión Europea.* ③ Conjunto de reglas que determinan el uso correcto

de una lengua. ④ Instrumento en forma de escuadra para ajustar maderas, piedras y otras cosas.
FAM normativo.

normal *adj.* ① Que es corriente, habitual y no llama la atención ni se sale de lo ordinario. ② Que por su naturaleza, tamaño o forma se considera que presenta un estado natural: *el médico examinó el corazón y vio que estaba normal.* ③ Que está de acuerdo con una norma fijada de antemano, o con lo que se considera razonable o de sentido común. ④ Que sirve de norma o regla. ⑤ Relativo a la normalidad (concentración de una disolución). ‖ *s. f.* ⑥ En matemáticas, recta perpendicular: *una normal a una curva en un punto es la perpendicular a la tangente en ese punto.*
FAM normalidad, normalizar; anormal, subnormal, paranormal.

normalidad *s. f.* ① Característica de lo que es normal. ② Situación que es normal, habitual o no se sale de lo ordinario: *después de las vacaciones hay que volver a la normalidad.* ③ Concentración de una disolución expresada en el número de equivalentes de soluto disueltos en un litro de disolución.

normalización *s. f.* ① Adaptación o sometimiento de una cosa a una serie de normas o reglas: *en la industria, todos los productos tienen que estar sujetos a la normalización establecida.* ② Restablecimiento de la normalidad o el orden en una cosa. ③ Proceso lingüístico por el cual se dota a una lengua con una gramática normativa, un diccionario y una ortografía para que se utilice en todos los ámbitos y campos de las relaciones sociales públicas y privadas.

normalizar *v. tr.* ① Poner en orden una cosa: *los servicios de tren se normalizaron después de la huelga.* ② Hacer que una cosa se ajuste a una norma, una regla o un modelo común.
FAM normalización.

normalmente *adv.* Indica que una acción se produce con bastante frecuencia y es habitual que ocurra así: *normalmente, la clase de gimnasia dura una hora.* **SIN** comúnmente, generalmente.

normando, -da *adj.* ① De Normandía (región del noroeste de Francia). ‖ *s. m. y f./adj.* ② Persona que es de Normandía. ‖ *adj.* ③ Relativo a los pueblos germánicos procedentes de Escandinavia que a partir del siglo VIII conquistaron y colonizaron algunas zonas de Europa: *los pueblos normandos también fueron llamados "vikingos".* ‖ *s. m. y f./adj.* ④ Persona perteneciente a alguno de estos pueblos germánicos: *los normandos invadieron las costas de Francia, Inglaterra, Irlanda y España.*

normativa *s. f.* Conjunto de normas por las que se regula o se rige determinada materia o actividad.

normativo, -va *adj.* ① Que sirve de norma o se encarga de fijar las normas. ② Se aplica a la gramática que define los usos correctos de la lengua mediante la fijación de normas.
FAM normativa.

noroccidental *adj.* Relativo al noroeste: *Galicia se encuentra en la parte noroccidental de España.*

noroeste *s. m.* ① Punto cardinal situado entre el norte y el oeste, a la misma distancia de ambos. ② Parte de un lugar situada hacia este punto: *Galicia está en el noroeste de España.* ③ Viento que sopla desde este punto.

nororiental *adj.* Relativo al noreste: *Cataluña se encuentra en la parte nororiental de España.*

norte *s. m.* ① Punto cardinal situado frente a una persona a

N

cuya derecha está el lado por el que sale el Sol. **NOTA** Se escribe normalmente con mayúscula inicial. **2** Parte de un lugar situada hacia este punto: *Asturias está en el norte de España.* **3** Viento que sopla desde este punto. **4** Persona o cosa que sirve de guía u orientación.
FAM norteño.

norteafricano, -na *adj.* **1** Del norte de África: *país norteafricano.* ‖ *s. m. y f./adj.* **2** Persona que es del norte de África.

norteamericano, -na *adj.* **1** De América del Norte: *los países norteamericanos son Canadá, Estados Unidos y México.* ‖ *s. m. y f./adj.* **2** Persona que es de América del Norte. ‖ *adj.* **3** De Estados Unidos (país de América del Norte). **SIN** estadounidense. ‖ *s. m. y f./adj.* **4** Persona que es de Estados Unidos. **SIN** estadounidense.

norteño, -ña *adj.* **1** Se aplica al lugar que está situado en la parte norte de un país, un territorio u otro lugar. **2** Relativo al Norte: *las costumbres norteñas suelen ser distintas de las sureñas.*

noruego, -ga *adj.* **1** De Noruega (país de Europa). ‖ *s. m. y f./adj.* **2** Persona que es de Noruega. ‖ *s. m./adj.* **3** Lengua que se habla en este país. ‖ *adj.* **4** Relativo a esta lengua.

nos *pron.* **1** Forma átona del pronombre de primera persona, en género masculino y femenino y en número plural, que realiza la función de complemento directo e indirecto: *nos vamos pronto; ella nos quiere mucho.* **NOTA** Se escribe unido al verbo cuando se pospone a él: *míranos.* **2** Forma átona de primera persona del plural en las construcciones pronominales: *nos queremos mucho.* **NOTA** Se escribe unido al verbo cuando se pospone a él: *queremos casarnos en noviembre.* **3** Se utilizaba antiguamente como pronombre de primera persona del singular (en lugar de *nosotros*) y en la actualidad lo usan así algunas personas de elevada jerarquía, especialmente reyes o papas: *nos decretamos el estado de excepción.* **NOTA** Como sujeto, exige el verbo en plural, pero concuerda en singular con los adjetivos. Con mayúscula inicial cuando es usado por una persona de elevada jerarquía.

nosotros, -tras *pron.* Pronombre personal de primera persona de plural: *crees que es difícil, pero nosotras no opinamos igual; vendrá con nosotros.*

nostalgia *s. f.* **1** Sentimiento de tristeza o pena que causa el estar lejos de la patria o de las personas y lugares queridos: *llevaba siete años fuera de su país y sentía nostalgia.* **2** Sentimiento de pena que causa recordar personas o cosas del pasado: *la música de su juventud le hacía sentir nostalgia.*
FAM nostálgico.

nostálgico, -ca *adj./s. m. y f.* **1** Se aplica a la persona que siente nostalgia: *es un nostálgico que solamente escucha música de los años sesenta.* ‖ *adj.* **2** Que denota o manifiesta nostalgia: *voz nostálgica.*

nota *s. f.* **1** Escrito breve que se coloca a pie de página o al final de un texto para comentar, aclarar o completar el contenido del mismo: *en este texto hay notas aclaratorias del autor y notas del traductor.* **2** Señal que se hace en un texto para indicar que a pie de página o al final del mismo hay una aclaración, referencia bibliográfica, etc. **3** Apunte que se toma sobre una materia para después ampliarla o recordarla: *en clase tomamos notas de lo que dice el profesor.* **4** Papel en el que se anota algo que ha de recordarse o que se quiere decir a otra persona: *te dejaré una nota con mi número de teléfono.* **5** Papel en el que se detallan los productos consumidos en un establecimiento de hostelería, junto con el precio de los mismos y el

total, y que se entrega a la persona que debe pagar. **SIN** factura. **6** Noticia breve en un periódico o revista: *nota informativa; este periódico tiene las notas y los breves en las últimas páginas.* **7** Documento escrito de carácter oficial en el que se explica algo o se da noticia de ello, redactado de forma más sencilla y esquemática que una carta: *el ministro de industria ha hecho pública una nota explicando las razones de la reforma.* **8** Calificación o número de puntos conseguidos en un examen o evaluación: *el alumno obtuvo un siete como nota final.* **9** Calificación alta en un examen o evaluación: *los alumnos que quieran sacar nota deben hacer un trabajo de curso.* **10** Detalle, aspecto o característica que destaca en algo uniforme: *nota de color; la actuación del cómico puso la nota de humor a la velada.* **11** Sonido de la escala musical: *las siete notas musicales son do, re, mi, fa, sol, la y si.* **12** Signo gráfico que se utiliza de manera convencional para representar este sonido: *las notas se escriben en el pentagrama.*

dar la nota Llamar la atención diciendo o haciendo algo inadecuado o indebido: *le gustaba dar la nota contando chistes verdes.*

de mala nota Que tiene mala fama: *casa de mala nota; mujer de mala nota.*

tomar buena nota Prestar atención a algo para tenerlo en cuenta en el futuro: *he tomado buena nota de tus indicaciones.*
FAM notar; anotar.

notabilidad *s. f.* Persona o cosa que destaca por alguna cualidad.

notabilísimo, -ma *adj.* Superlativo de *notable*: *el gobierno ha hecho un esfuerzo notabilísimo.*

notable *adj.* **1** Se aplica a la persona que destaca en su profesión o actividad: *investigador notable.* **2** Se aplica a la cosa que destaca por su interés, por su rareza o por su importancia: *había una notable falta de modestia en sus palabras.* ‖ *s. m.* **3** Calificación inmediatamente inferior a la de sobresaliente, que indica que se ha superado el nivel exigido de forma destacada: *sacó un notable en el examen de física.* ‖ *s. m. pl.* **4** **notables** Personas más importantes de un lugar o de una colectividad.
FAM notabilidad.
OBS Superlativo irregular: *notabilísimo.*

notación *s. f.* **1** Sistema de signos convencionales que se utiliza en una disciplina determinada, especialmente en música y en matemáticas: *si no conoces la notación musical, no puedes interpretar una partitura.* ■ **notación científica** Notación empleada universalmente para expresar números que representan cantidades o intensidades de magnitudes físicas; consiste en poner el número en forma decimal con una sola cifra entera, ayudándose de una potencia de base diez: *el número 12 080 000, en notación científica, se representa $1,208 \cdot 10^7$.* **2** Representación por medio de signos o símbolos de una cosa: *la notación vocálica.*

notar *v. tr.* **1** Percibir una sensación a través de los sentidos: *notar el calor; notó un pinchazo en el dedo.* **2** Observar o advertir algo, como un sentimiento, una actitud, un pensamiento, etc: *noté que se había ofendido.* **3** Representar por medio de signos o símbolos una cosa.

hacerse notar Llamar la atención una persona por su comportamiento: *era un hombre presumido y disfrutaba haciéndose notar.* **NOTA** Frecuentemente usado de forma despectiva.
FAM notable, notación.

notaría *s. f.* **1** Oficina donde trabaja el notario. **2** Cargo o profesión del notario.

notarial *adj.* **1** Relativo al notario: *poderes notariales.* **2** Que está autorizado por un notario: *acta notarial.*

notario, -ria *s. m. y f.* Funcionario público que tiene autoridad para asegurar que un documento (testamento, contrato, etc.) es verdadero y conforme a lo que establece la ley, y para dar fe de ciertos actos públicos: *sorteo ante notario.* **FAM** notaría, notariado, notarial. **OBS** Femenino: *notario* o *notaria.*

noticia *s. f.* **1** Comunicación de un suceso reciente, en especial la que se hace a través de un medio de comunicación: *la noticia de su embarazo nos alegró a todos.* **2** Suceso que se divulga a través de un medio de comunicación: *los periodistas siempre están en el lugar de la noticia.* ■ **noticia bomba** Noticia inesperada y sorprendente. **NOTA** También simplemente *bomba.* **3** Información, conocimiento o idea de una cosa: *recibí noticias de tu hermano.* **4** **noticias** Noticiario (programa): *cada día escucho las noticias de las nueve en la radio.* **SIN** informativo, noticiario. **FAM** noticiario, noticiero, notición.

noticiario *s. m.* **1** Programa de radio o televisión en el que se transmiten noticias. **SIN** informativo, noticias. **2** Conjunto de noticias divulgadas en los cines con formato de película cinematográfica. **SIN** noticiero.

noticiero, -ra *adj.* **1** Que da noticias: *los cantares de gesta cumplían una doble función: noticiera y ejemplar.* **2** Noticiario en los cines.

notición *s. m.* Noticia extraordinaria o que causa gran impresión por ser importante o inesperada: *el notición del verano fue la boda de los príncipes.*

notificación *s. f.* **1** Comunicación oficial que hace una autoridad sobre una conclusión o determinación a la que ha llegado con relación a cierto tema. **2** Documento en el que consta esa comunicación: *recibió una notificación del juzgado.*

notificar *v. tr.* **1** Comunicar una autoridad de forma oficial una conclusión o determinación a la que ha llegado con relación a cierto tema: *el juzgado notificó al acusado que había sido absuelto del delito.* **2** Hacer saber una cosa a alguien siguiendo ciertas formalidades. **FAM** notificación.

notocordio *s. m.* Cuerda cartilaginosa que tienen en el dorso los animales del tipo de los cordados, y que en los vertebrados corresponde a la columna vertebral.

notoriedad *s. f.* Cualidad o circunstancia de la persona o la cosa notorias: *es un artista muy modesto y no le gusta la notoriedad.*

notorio, -ria *adj.* **1** Se aplica a la persona que es muy conocida por todo el mundo: *un artista notorio.* **2** Que es evidente, muy claro o patente: *la belleza de sus composiciones es notoria.* **FAM** notoriedad.

nova *s. f.* Estrella que adquiere de manera brusca un brillo muy intenso y superior al que tiene habitualmente.

novatada *s. f.* **1** Broma, generalmente pesada, que se gasta a una persona novata en un lugar: *en la mili eran frecuentes las novatadas.* **2** Error debido a la falta de experiencia en un asunto o negocio: *pagó la novatada y dejó que otros presentaran su proyecto.*

novato, -ta *adj./s. m. y f.* familiar Se aplica a la persona que lleva poco tiempo en un lugar y tiene poca experiencia: *un camarero novato.* **FAM** novatada.

novecentismo *s. m.* Movimiento cultural y artístico que surgió en España a principios del siglo XX como reacción al modernismo y que se caracteriza por una voluntad de rigor y racionalidad: *los principales representantes del novecentismo en España fueron Eugeni d'Ors y José Ortega y Gasset.* **FAM** novecentista.

novecentista *adj.* **1** Relativo al novecentismo. **|** *adj./s. com.* **2** Se aplica a la persona que pertenece al novecentismo: *los novecentistas propugnaban un nuevo orden de las afirmaciones clásicas.*

novecientos, -tas *num. card.* **1** Ochocientos más cien. **|** *num. ord.* **2** Que ocupa el lugar número 900 en una serie ordenada. **SIN** noningentésimo. **|** *s. m.* **3** Número 900. **FAM** novecentista.

novedad *s. f.* **1** Cualidad de lo que es nuevo: *los comerciantes destacan la novedad de este modelo.* **2** Cosa que es nueva, existe, se conoce o se usa desde hace poco tiempo: *este producto es una novedad en el mercado español.* **3** Noticia o información sobre un hecho reciente que se desconoce: *tengo que contarte algunas novedades, llámame.* **SIN** nueva. **4** Hecho que cambia o altera algo: *si hay alguna novedad en su estado, me llamas.* **5** Extrañeza o admiración que causan las cosas no vistas o no oídas antes: *¡qué novedad eso de que llegues pronto!* **|** *s. f. pl.* **6** **novedades** Artículos de venta, como ropa, libros, etc., que acaban de salir al mercado: *sección de novedades.* **FAM** novedoso.

novedoso, -sa *adj.* Que existe, se conoce o se usa desde hace poco tiempo: *la empresa ha empleado una técnica novedosa en el campo de la ingeniería.*

novel *adj./s. com.* Se aplica a la persona que lleva poco tiempo realizando una actividad y le falta experiencia: *conductor novel; el concurso literario será una oportunidad para los noveles.*

novela *s. f.* **1** Obra literaria en prosa de contenido real o ficticio: *una de las novelas más famosas de Galdós es «Fortunata y Jacinta».* ■ **novela bizantina** Novela en la que se narran las aventuras, guiadas por el azar, por las que pasan sus protagonistas, generalmente dos enamorados, antes de poder reunirse. ■ **novela de aventuras** Novela en la que se narran aventuras y sucesos emocionantes que experimentan un héroe o una heroína. ■ **novela de caballerías** Novela en la que se cuentan las hazañas fabulosas y heroicas protagonizadas por un caballero andante: *el «Amadís de Gaula» es una novela de caballerías.* ■ **novela de costumbres** Novela en la que el tema principal son las costumbres típicas o la vida cotidiana de un lugar o de un grupo social. ■ **novela de intriga** Novela en la que se narra una historia misteriosa que generalmente no se logra comprender hasta el final del relato. ■ **novela de terror** Novela en la que se narra una historia que provoca miedo al lector o que se desarrolla en un ambiente y con unos personajes que lo provocan. ■ **novela histórica** Novela que se basa en hechos que ocurrieron en épocas pasadas, en la que intervienen personajes reales o ficticios: *«Yo, Claudio», de Robert Graves, es una novela histórica.* ■ **novela negra** Novela protagonizada generalmente por un detective, en la que se refleja el ambiente de la delincuencia y de la criminalidad organizada; surgió en Estados Unidos en el periodo de entreguerras. ■ **novela pastoril** Novela que se desarrolla en un ambiente bucólico. ■ **novela picaresca** Novela que relata, en primera persona, las peripecias de un pícaro: *el «Lazarillo de Tormes» fue la primera novela picaresca de la literatura española*. ■ **novela policíaca** Novela cuyo núcleo de interés se basa en la explicación de una intriga, y en el descubrimiento y captura de los autores de un delito. ■ **novela psicológica** Novela que narra, generalmente en primera persona, una historia a partir de las experiencias, sentimientos y pensamientos de su protagonista. ■ **novela radiofónica** Novela que se narra en sucesivas emisiones de la radio. ■ **novela realista** Novela que narra una historia que intenta representar fielmente todos los detalles de la realidad. ■ **novela rosa** Novela que cuenta una historia de amor y que generalmente tiene un final feliz: *la novela rosa es el antecedente del culebrón televisivo*. ■ Género literario al que pertenecen estas obras: *la evolución de la novela en el último siglo; solo lee novela contemporánea*. **SIN** novelística. **FAM** novelar, novelero, novelesco, novelista, novelón; fotonovela, radionovela, telenovela.

novelar *v. tr.* ① Narrar un suceso en forma de novela: *el escritor ha novelado aquel famoso robo*. I *v. intr.* ② Escribir novelas: *Galdós noveló durante toda su vida*. **FAM** novelador.

novelero, -ra *adj./s. m. y f.* ① Se aplica a la persona que tiende a imaginar e inventar historias ficticias. I *adj.* ② Se aplica a la persona aficionada a leer novelas. **FAM** novelería.

novelesco, -ca *adj.* ① Relativo a la novela: *género novelesco; don Quijote y Sancho Panza son personajes novelescos*. ② Que es extraordinario o propio de una novela: *llevó una vida novelesca*.

novelista *s. com.* Persona que se dedica a escribir novelas. **FAM** novelístico.

novelística *s. f.* ① Novela (género). ② Tratado histórico o normativo sobre la novela.

novelístico, -ca *adj.* Relativo a la novela como género literario: *técnica novelística*. **FAM** novelística.

novelón *s. m.* Novela extensa y de mala calidad, generalmente dramática.

novena *s. f.* Serie de oraciones o actos devotos que se repiten durante nueve días seguidos como obra de devoción a un santo o a la Virgen o para conseguir que Dios les conceda una gracia.

noveno, -na *num. ord.* ① Que ocupa el lugar número 9 en una serie ordenada. I *num. part.* ② Se aplica a cada una de las partes que resultan de dividir un todo en nueve partes iguales. **FAM** novena, novenario.

noventa *num. card.* ① Ochenta más diez. I *num. ord.* ② Que ocupa el lugar número 90 en una serie ordenada. **SIN** nonagésimo. I *s. m.* ③ Número 90.

los noventa Década comprendida entre los años 1990 y 1999. **FAM** noventavo, noventón.

noventavo *num. part.* Se aplica a cada una de las partes que resultan de dividir un todo en noventa partes iguales. **SIN** nonagésimo.

noventayochista *adj.* ① Relativo a la Generación del 98 (grupo literario español de finales del siglo XIX). I *adj./s. com.* ② Se aplica a la persona que perteneció a la Generación del 98: *los noventayochistas plasmaron la crisis de finales del siglo XIX que se vivió en España*.

noviazgo *s. m.* ① Relación que existe entre dos personas que tienen la intención de casarse. ② Tiempo que dura esa relación.

noviciado *s. m.* ① Periodo de preparación y reflexión que tiene un novicio antes de hacer los votos. ② Residencia o casa donde viven los novicios. ③ Conjunto de novicios.

novicio, -cia *s. m. y f.* ① Persona que se prepara para entrar en una orden religiosa pero todavía no ha hecho los votos. I *adj./s. m.* ② Se aplica a la persona que se inicia en un arte u oficio. **SIN** principiante. **FAM** noviciado.

noviembre *s. m.* Undécimo mes del año: *noviembre tiene 30 días*.

novillada *s. f.* ① Corrida en la que se lidian novillos. ② Conjunto de novillos.

novillero, -ra *s. m. y f.* ① Persona que lidia novillos por no haber tomado todavía la alternativa. ② familiar Persona que hace novillos.

novillo, -lla *s. m. y f.* Cría de la vaca que tiene de dos a tres años.

hacer novillos Faltar a clase o a un lugar donde se debe cumplir una obligación: *castigarán a los alumnos que hagan novillos*. **FAM** novillada, novillero.

novilunio *s. m.* Fase lunar en la que la Luna no refleja luz y no es visible desde la Tierra. **SIN** luna nueva.

novio, -via *s. m. y f.* ① Persona que mantiene una relación de amor con otra con la que tiene intención de casarse o de vivir en pareja. ② Persona que se acaba de casar: *viaje de novios; los novios cortaron el pastel*.

quedarse compuesto y sin novio familiar No conseguir una cosa que se esperaba, después de haber hecho lo necesario para tenerla. **FAM** noviazgo; ennoviarse.

novísimo, -ma *adj.* Superlativo de *nuevo*.

ntro., ntra. Abreviaturas de *nuestro* y *nuestra*: *santuario de Ntra. Sra. de la Merced*.

nubarrón *s. m.* Nube grande, oscura y espesa.

nube *s. f.* ① Masa visible de vapor de agua que está suspendida en la atmósfera y que se forma por disminución de la temperatura atmosférica: *el color de las nubes depende de su densidad y de la luz*. ② Acumulación de partículas de polvo, humo u otras sustancias que adquiere el aspecto de una nube: *por encima de la chimenea flotaba una nube de humo*. ③ Conjunto grande de personas, animales o cosas acumuladas en un lugar o que se desplazan en una misma dirección: *una nube de insectos*. ④ Mancha pequeña y blanca que se forma en la capa exterior de la córnea ocular y que no deja ver con claridad. ⑤ Cosa que temporalmente oscurece, encubre o no deja ver otra: *una nube de confusión le impedía ver la solución del problema*.

en las nubes familiar Se usa para expresar que una persona está distraída o no se percata de lo que ocurre a su alrededor, en especial cuando esto es notorio: *estar en las nubes; vive en las nubes y tanto le da*.

nube de puntos En estadística, diagrama de puntos con que se representa una distribución bidimensional.

nube de verano (**I**) Tormenta con lluvia fuerte pero que dura poco tiempo. SIN chaparrón. (**II**) Enfado o disgusto muy fuerte que dura poco tiempo.

nube electrónica Región de la corteza atómica por donde se mueven los electrones.

poner por las nubes Alabar mucho a alguien o algo: *todas las madres ponen a sus hijos por las nubes.*

por las nubes Que tiene un precio excesivamente elevado: *los pisos están por las nubes.*

FAM nubarrón, nuboso; anubarrado.

núbil *adj.* culto Se aplica a la persona, en especial a la mujer, que ha alcanzado la edad y la preparación para poder tener hijos.

nublado *adj.* **1** Que está cubierto de nubes. SIN nublo, nubloso, nuboso. **I** *s. m.* **2** Nube muy densa y oscura que amenaza tormenta. SIN nublo. **3** Fenómeno de la atmósfera en el que hay un cambio de presión y se producen fuertes vientos generalmente acompañados de lluvia o nieve, relámpagos y truenos. SIN tormenta, tempestad, temporal.

nublar *v. tr.* **1** Ocultar las nubes el azul del cielo o la luz del Sol o la Luna: *el cielo se está nublando: parece que va a llover.* **2** Dificultar el sentido de la visión. **3** Alterar y confundir la razón. SIN trastornar. **4** Quitar la importancia o el interés a una cosa inmaterial: *su fama se nubló demasiado pronto.* SIN empañar.

FAM nublado, nublo.

nublo, -bla *adj.* **1** Que está cubierto de nubes: *la mañana amaneció nubla.* SIN nublado, nubloso, nuboso. **I** *s. m.* **2** Nube muy densa y oscura que amenaza tormenta. SIN nublado.

FAM nubloso.

nubloso, -sa *adj.* Que está cubierto de nubes. SIN nublado, nublo, nuboso.

nubosidad *s. f.* **1** Presencia de nubes en el cielo. **2** Cantidad de nubes, expresada en octavos, que cubren el cielo en un momento determinado.

nuboso, -sa *adj.* Que está cubierto de nubes. SIN nublado, nublo, nubloso.

FAM nubosidad.

nubuc o **nubuk** [también **nobuc** o **nobuk**] *s. m.* Piel de vaca u oveja, adobada y curtida, de tacto aterciopelado, parecida al ante pero menos delicada; se utiliza para la confección de calzado y prendas de abrigo.

nuca *s. f.* Parte superior y posterior del cuello, donde este se une con la cabeza; especialmente, su zona más alta.

FAM desnucar.

nuclear *adj.* **1** Relativo al núcleo de una célula o átomo: *membrana nuclear.* **2** Que emplea la energía producida por la desintegración del átomo: *central nuclear.* SIN atómico. **3** Que es lo principal y lo más importante de alguna cosa.

FAM nuclearizar; antinuclear, termonuclear.

nuclearizar *v. tr.* Instalar en un lugar centrales nucleares para la producción de energía eléctrica.

FAM nuclearización.

nucleico, -ca *adj.* Se aplica al ácido que, asociado a proteínas, constituye el núcleo fundamental de una célula y lleva la información de sus caracteres hereditarios.

núcleo *s. m.* **1** Parte o punto que está en el centro de algo. **2** Parte principal o más importante de algo. **3** Parte de una célula eucariota que contiene el material genético o ADN y está delimitada por una membrana; controla las funciones celulares a través de la regulación de la síntesis de proteínas: *la célula está compuesta por citoplasma, núcleo y membrana.* **4** Parte central de un átomo que contiene la mayor parte de la masa y está cargado positivamente: *los protones y los neutrones están en el núcleo del átomo.* NOTA También *núcleo atómico.* **5** Elemento principal en un sintagma o grupo de palabras: *el núcleo del sintagma nominal es el nombre o sustantivo.* **6** Lugar en el que hay un conjunto de casas habitadas y cierta actividad comercial: *núcleo urbano; núcleo rural.* **7** Parte más densa y brillante de un cuerpo celeste. **8** Parte más profunda de la Tierra, compuesta principalmente por hierro y níquel, situada entre los 2900 y los 6371 km de profundidad.

núcleo de condensación Partícula microscópica de la atmósfera, sobre la que se produce la condensación de agua.

FAM nuclear, nucleico, nucléolo, nucleón.

nucléolo o **nucleolo** *s. m.* Orgánulo de una célula eucariota, de forma esferoidal, que aparece en número variable en el interior del núcleo celular y se compone de ARN ribosómico y cromatina .

nucleón *s. m.* Partícula (neutrón o protón) que constituye el núcleo atómico.

nucleótido *s. m.* Molécula formada por un glúcido de cinco átomos de carbono, un ácido fosfórico y una base nitrogenada, que es el componente básico de los ácidos nucleicos: *algunos nucleótidos libres realizan funciones celulares importantes como el ATP.*

nudillo *s. m.* Parte exterior de la articulación de cada uno de los dedos de la mano, que sobresale más cuando se doblan.

nudismo *s. m.* Actividad o práctica de las personas que piensan que la desnudez completa es conveniente para conseguir un equilibrio físico y moral: *en muchas playas de España se puede practicar el nudismo.*

FAM nudista.

nudista *adj.* **1** Relativo al nudismo: *estuvieron en una playa nudista exponiéndose desnudos al sol.* **I** *s. com.* **2** Persona que practica el nudismo.

nudo *s. m.* **1** Lazo que se hace en un hilo, una cuerda u otra cosa parecida o que sirve para unir dos de esas cosas, y que cuanto más se estira por uno o los dos extremos, queda más apretado. ■ **nudo corredizo** Nudo que se hace con una sola cuerda, formando una anilla en un extremo y metiendo el otro extremo por ella de modo que se puede correr y hacer más grande o más pequeña dicha anilla. ■ **nudo marinero** Nudo que es muy seguro para atar cosas, pero fácil de deshacer. **2** Sentimiento muy fuerte que une a dos personas. SIN lazo, vínculo. **3** Dificultad básica o más importante en una materia o asunto. **4** Punto donde se cruzan dos o más vías de comunicación. **5** Parte de una obra literaria o cinematográfica que sigue al planteamiento o introducción y en que tienen lugar los acontecimientos que complican el desarrollo de la acción antes del desenlace. **6** Bulto que se forma en el tallo de las plantas. **7** Bulto pequeño y duro que destaca en una superficie lisa, especialmente el que sobresale entre los hilos de una tela: *llevaba una falda de lino con nudos.* **8** Unidad para medir la velocidad que alcanza cualquier tipo de embarcación que equivale a una milla por hora: *el barco navegaba a 50 nudos.*

nudo gordiano Problema que tiene una solución difícil, pero que hay que resolver inmediatamente: *la falta de alimentos se convirtió en el nudo gordiano para la expedición.*

FAM nudillo, nudoso; anudar.

N

nudoso, -sa *adj.* Se aplica a la cosa que tiene muchos nudos o abultamientos: *el árbol tenía el tronco nudoso.*
FAM nudosidad.

nuera *s. f.* Esposa de un hijo, con respecto a los padres de este.

nuestro, -tra *det./pron.* Forma del determinante y pronombre posesivo de primera persona del plural: *nuestro padre; nuestras joyas; esos libros son nuestros.*

la nuestra Ocasión más favorable para hacer algo la persona que habla y otro u otros individuos más: *¡esta es la nuestra, vámonos antes de que nos riñan!*

lo nuestro Actividad que hacen muy bien o en la que destacan la persona que habla y otro u otros individuos más: *hacer crucigramas es lo nuestro, ¿verdad?*

los nuestros Las personas que pertenecen al mismo grupo, familia o partido que la persona que habla: *era uno de los nuestros, no podíamos abandonarlo.*

nueva *s. f.* Noticia o información sobre algo que se desconoce. **SIN** novedad.

coger de nuevas Encontrar a una persona sin estar preparada para algo o sin saber nada de un asunto: *el cambio de planes nos ha cogido de nuevas.*

hacerse de nuevas Dar a entender una persona que desconoce cierta noticia, cuando en realidad la sabe: *no te hagas de nuevas.*

nuevamente *adv.* Otra vez o de nuevo.

nueve *num. card.* ① Ocho más uno. | *num. ord.* ② Que ocupa el lugar número 9 en una serie ordenada. **SIN** noveno. | *s. m.* ③ Número 9.

nuevo, -va *adj.* ① Que acaba de aparecer, de formarse o de ser hecho. **ANT** antiguo. ② Que se ve o se oye por primera vez. ③ Que se añade a un conjunto o a una clase: *acaba de aparecer una nueva edición del «Quijote».* ④ Que es diferente y distinto respecto a lo que existía o se conocía antes. ⑤ Que sustituye a una cosa de su misma clase: *ayer nos mudamos a la nueva casa.* ⑥ Que no está estropeado, gastado o viejo por el uso: *no tires esos pantalones: están nuevos todavía.* ⑦ Se aplica a la persona que se siente descansada y recuperada: *después de las vacaciones te sentirás nuevo.* | *adj./s. m. y f.* ⑧ Se aplica a la persona que lleva poco tiempo en un lugar, en una profesión o en un trabajo: *la nueva directora nos aumentará el sueldo.*

de nuevo Otra vez o una vez más.
FAM nueva, nuevamente.
OBS Superlativo irregular: *novísimo.*

nuez *s. f.* ① Fruto del nogal de forma ovalada, cáscara de color marrón claro, dura, rugosa y formada por dos mitades que encierran la semilla. ② Bulto pequeño de la laringe, en la parte anterior del cuello de los hombres adultos.

nuez moscada Fruto que tiene forma ovalada, con una almendra color marrón por fuera y blancuzco por dentro y sabor fuerte.
FAM cascanueces.

nulidad *s. f.* ① Falta de validez de determinada cosa. ② Falta de aptitud o conocimientos para pensar o ejecutar una acción o desempeñar un cargo con acierto. **SIN** incapacidad, ineptitud, incompetencia. ③ Persona falta de inteligencia o de habilidad en algo: *ese hombre es una nulidad en los negocios.*

nulo, -la *adj.* ① Se aplica a la cosa o hecho que no tiene valor. **ANT** válido. ② Se aplica a la cosa o hecho que no tiene efecto: *los resultados de la investigación fueron nulos.* **ANT** válido.

③ Se aplica a la persona que no tiene capacidad para una cosa determinada. **SIN** incapaz, inepto.
FAM nulidad; anular.

núm. Abreviatura de *número.*
OBS También *n.º*

numantino, -na *adj.* ① De Numancia (antigua ciudad de la España prerromana y romana). | *s. m. y f./adj.* ② Persona que era de Numancia. | *adj.* ③ Que es muy fuerte y resistente: *resistencia numantina.*

numen *s. m.* ① culto Inspiración del escritor o del artista. ② Espíritu que guiaba al ser humano y a los fenómenos naturales entre los antiguos romanos. ③ Dios que adoraban los paganos.
FAM numinoso.

numeración *s. f.* ① Conjunto de números en orden que identifican una serie de cosas. ② Proceso que consiste en poner números a una serie de cosas. ③ Sistema para expresar todos los números con una cantidad limitada de palabras y de signos. ■ **numeración arábiga** o **numeración decimal** Sistema de numeración, el más usado actualmente, que con el valor y la posición de diez signos de origen árabe puede expresar cualquier cantidad: *los números 1, 8 y 9 pertenecen a la numeración arábiga.* ■ **numeración romana** Sistema de numeración que expresa los números por medio de siete letras del alfabeto latino (I, V, X, L, C, D, M): *los siglos se escriben con la numeración romana.*

numerador *s. m.* Número que, situado en la parte superior de una fracción o ante la barra (/), indica las partes iguales del todo o de la unidad que se toman en una división: *el numerador de la fracción 3/2 es 3.*

numeral *adj.* ① Relativo al número. | *adj./s. m.* ② Se aplica al determinante o pronombre que sirve para indicar cantidad, orden, partición o multiplicación: *"dos", "segundo", "octavo" y "triple" son numerales.*

numerar *v. tr.* ① Contar los elementos que componen una serie siguiendo el orden establecido de los números. ② Marcar los elementos que componen una serie con números ordenados: *numere las páginas del documento antes de entregarlo.* ③ Expresar con números. **FAM** numerable, numeración, numerador; enumerar, innumerable.

numerario, -ria *adj./s. m. y f.* Se aplica a la persona que ocupa una plaza fija dentro de un cuerpo profesional: *fue profesor numerario en el Conservatorio.*
FAM supernumerario.

numérico, -ca *adj.* Relativo al número: *la superioridad numérica del ejército contrario los hizo retroceder.*

número *s. m.* ① Signo con que se representa una cantidad o un valor. **SIN** cifra. ■ **número arábigo** Signo que se usa de manera universal para representar una cantidad: *los números arábigos son 1, 2, 3, 4, 5, 6, 7, 8, 9, 0.* ■ **número romano** Letra del alfabeto latino que se usa para representar una cantidad: *los siglos se expresan en números romanos: siglo XXI.* ② Valor o expresión de la cantidad, con relación a la unidad. ■ **número atómico** Número que indica la cantidad de protones que hay en el núcleo del átomo de un elemento. ■ **número áureo** o **número de oro** Número irracional cuyo valor aproximado es 1,618. ■ **número cardinal** Número que expresa únicamente cantidad: *1,95 y 123 son números cardinales.* ■ **número complejo** Número formado por una parte real y otra imaginaria. ■ **número compuesto** Número que se puede descomponer en factores primos distintos de la uni-

dad y de él mismo. ■ **número de Avogadro** Número de partículas que hay en un mol de sustancia. ■ **número decimal** Número racional que se expresa mediante fracciones de denominador un múltiplo de diez. ■ **número e** Número irracional cuyo valor aproximado es 2,71828182; es la base de los logaritmos neperianos y de algunas funciones exponenciales. ■ **número entero** Número positivo o negativo no fraccionario: *2 y -5 son números enteros.* ■ **número fraccionario** Número que se expresa mediante una fracción. ■ **número imaginario** Número que es el resultado de la raíz cuadrada de un número negativo. ■ **número impar** o **número non** Número que no se puede dividir por dos una cantidad exacta de veces. ■ **número irracional** Número que no puede expresarse como el cociente de dos enteros. ■ **número másico** Número total de partículas, protones y neutrones que hay en el núcleo de un átomo. ■ **número mixto** Número equivalente a una fracción impropia y que está formado por un número entero más una fracción propia. ■ **número natural** Número entero positivo. ■ **número negativo** Número menor que 0. ■ **número ordinal** Número que expresa idea de orden: *"primero" y "segundo" son números ordinales.* ■ **número par** Número que se puede dividir por dos una cantidad exacta de veces. ■ **número periódico** Número decimal cuyas cifras decimales se repiten periódicamente: *4,333... y 2,9686868... son números periódicos.* ■ **número pi** Número irracional cuyo valor aproximado es 3,14159265, que se obtiene al dividir la longitud de una circunferencia entre su diámetro; se expresa com el símbolo Π/π. ■ **número positivo** Número que es mayor que 0. ■ **número primo** Número que solamente se puede dividir por él mismo y por la unidad: *los números que no tienen ningún factor común, es decir, cuyo máximo común divisor es 1, son primos entre sí.* ■ **número racional** Número que puede expresarse como el cociente de dos enteros. ■ **número real** Número racional o irracional. ③ Cantidad no determinada de personas, animales o cosas: *un gran número de jóvenes.* ■ **número de coordinación** Número de iones, átomos o moléculas que rodean a otro central en un cristal o en un complejo. **SIN** índice de coordinación. ■ **números pitagóricos** Terna de números positivos, *a, b* y *c* , que verifican $a^2 = b^2 + c^2$. ④ Puesto que se ocupa en una fila u otra serie ordenada. ⑤ Fascículo o cuaderno que aparece periódicamente y que forma parte de una serie. ⑥ Billete en el que aparece una cifra con la cual se puede participar en un sorteo. ⑦ Medida por la que se ordenan los zapatos y las prendas de vestir, según su tamaño: *¿qué número de pie calza?* ⑧ Parte o acto de un espectáculo o de una función destinada al público: *todos disfrutan con el número de los payasos.* ■ **número musical** Parte de una película o de una obra de teatro en la que se canta o se baila. ⑨ Categoría gramatical que expresa si la palabra se refiere a un elemento o a un conjunto (singular y plural): *en español, el número puede ser singular o plural.* ⑩ familiar Acción extraña o con que se llama la atención o se hace el ridículo: *había bebido demasiado en la fiesta y montó un número impresionante.* **NOTA** Frecuentemente en forma diminutiva. ⑪ Persona sin graduación en los cuerpos militares de la Guardia Civil y de la Policía.
de número Que forma parte de un conjunto compuesto por una cantidad fija y limitada de personas: *hoy se reúnen los miembros de número de la Real Academia Española.*
en números redondos Acercando el valor total a la unidad inmediatamente superior o inferior. **SIN** aproximadamente.

en números rojos En saldo negativo en la cuenta de un banco o caja.
hacer números Calcular las posibilidades de hacer o conseguir una cosa con dinero: *debemos hacer números antes de comprar esa casa.*
número adimensional Razón entre dos cantidades de la misma magnitud física. **SIN** razón adimensional.
número uno Persona que destaca en una actividad por encima de los demás. **SIN** as.
FAM numeral, numerar, numerario, numérico, numeroso.

numeroso, -sa *adj.* ① Que incluye gran número de personas, animales o cosas: *un grupo numeroso de estudiantes.* **SIN** abundante. ② Que existe en mucha cantidad: *en el parque había numerosos pinos, pero pocos abetos.* **SIN** mucho.

numismática *s. f.* Ciencia que estudia el conocimiento de las monedas y medallas, especialmente las antiguas: *la numismática es una de las fuentes auxiliares de la historia.*

numismático, -ca *s. m. y f.* Persona que se dedica a la numismática.
FAM numismática.

nunca *adv.* En ningún tiempo o ninguna vez: *el niño no ha visto nunca el mar.* **SIN** jamás.
nunca más o **nunca jamás** Indica de manera muy intensa en ningún tiempo o ninguna vez: *prometió que nunca jamás haría tonterías.*

nuncio *s. m.* ① Hombre que es el representante diplomático del Papa en un país o estado. ② Hombre que lleva encargos, noticias o avisos de una persona a otra. **SIN** mensajero. ③ culto Cosa que anuncia y precede algo: *las golondrinas son el nuncio de la llegada de la primavera.*
FAM nunciatura.

nupcial *adj.* Relativo a la boda: *marcha nupcial.*
FAM nupcialidad; prenupcial.

nupcias *s. f. pl.* culto Boda (ceremonia).
FAM nupcial.

nutación *s. f.* ① Movimiento periódico de oscilación del eje de rotación de la Tierra: *la nutación es causada por la atracción lunar.* ② Cambio de posición o dirección que experimentan algunos órganos de una planta causado por su crecimiento.

nutria *s. f.* Animal mamífero de cuerpo largo y delgado, abundante pelo rojo oscuro o marrón, patas cortas, que nada muy bien y se alimenta principalmente de peces; habita en América, Europa, Asia y África: *las nutrias viven en madrigueras que construyen en las riberas de los ríos y a las que se entra por debajo del agua.*

nutrición *s. f.* ① Acción de nutrir o proporcionar las sustancias que necesita el organismo de un ser vivo para mantener sus funciones, completar lo que pierde y crecer: *la hembra se ocupa de la nutrición de sus polluelos.* ② Conjunto de procesos que realizan determinados órganos de un ser vivo y que tiene como finalidad suministrar el alimento necesario para que las células construyan sus propios componentes y obtener la energía necesaria para realizar los procesos vitales. **SIN** alimentación. ■ **nutrición autótrofa** Nutrición propia de los organismos capaces de sintetizar o elaborar su propia materia orgánica a partir de sustancias inorgánicas, como las plantas. ■ **nutrición heterótrofa** Nutrición propia de los organismos que obtienen la energía necesaria para su metabolismo, así como los elementos necesarios para sintetizar su propia materia, a partir de la materia

N

orgánica de los alimentos que debe consumir necesariamente.

nutrido, -da *adj.* Que incluye gran cantidad de personas, animales o cosas: *tenía una nutrida biblioteca.*

nutriente *adj.* 1 Que nutre o alimenta: *sales nutrientes.* ‖ *s. m.* 2 Sustancia que asegura la conservación y crecimiento de un organismo: *una dieta correcta aporta los nutrientes necesarios para el desarrollo corporal.*

nutrir *v. tr.* 1 Proporcionar las sustancias que necesita el organismo de un ser vivo para completar lo que pierde y para crecer. SIN alimentar. 2 Abastecer o llenar una cosa de lo que necesita para funcionar: *las centrales térmicas nutren de energía a las ciudades y pueblos.* 3 Aumentar o dar fuerzas, especialmente de tipo moral, a una persona.

FAM nutricio, nutrición, nutrido, nutriente, nutrimento, nutritivo; desnutrirse.

nutritivo, -va *adj.* Que sirve para alimentar: *las carnes y los pescados son nutritivos.*

ny [también **ni**; se pronuncia 'ni'] *s. f.* Nombre de la decimotercera letra del alfabeto griego; se escribe N/ν y se transcribe como *n.*

nylon [se pronuncia 'nailon'] *s. m.* Nailon. SIN nilón.

OBS Es marca registrada.

N

ñ *s. f.* Decimoquinta letra del alfabeto español; su nombre es *eñe.*

ñajo, -ja *adj.* ① familiar Pequeño: *los recién nacidos tienen unos deditos así de ñajos.* ❘ *s. m. y f.* ② familiar Niño pequeño.

ñame *s. m.* ① Planta trepadora de hojas grandes y flores pequeñas y verdosas agrupadas en espigas. ② Raíz de esta planta que tiene la corteza casi negra y la carne parecida a la batata; es un tubérculo comestible: *el ñame se come asado o cocido en los países tropicales.*

ñandú *s. m.* Ave de América del Sur, de color gris, con patas y cuello largos y fuertes, con solamente tres dedos en cada pie, que corre y no puede volar.
OBS Plural: *ñandúes.*

ñandutí *s. m.* AMÉR. Encaje muy fino que hacen las mujeres paraguayas.

ñango, -ga *adj./s. m. y f.* ① ARG., URUG. Se aplica a la persona que se arregla mal o tiene un aspecto desagradable. ② COL., VENEZ. Se aplica a la persona que tiene baja estatura. ③ P. RICO Tonto, necio.

ñaño, -ña *s. m. y f.* ① ARG., ECUAD. Hermano mayor de una persona ② ARG., ECUAD. Amigo entrañable de una persona.

ñapango, -ga *adj.* COL. Mestizo o mulato.

ñata *s. f.* AMÉR. Nariz de una persona.

ñatear *v. intr.* COL. Hablar gangosamente una persona.

ñato, -ta *adj.* AMÉR. Chato, romo.

ñeque *s. m.* ① AMÉR. Fuerza, valentía: *tener ñeque.* ❘ *adj.* ② AMÉR. Fuerte, valiente: *ser ñeque.*

ñoñería *s. f.* Obra o dicho de una persona que es simple, tímida y falta de ingenio. **SIN** ñoñez.

ñoñez *s. f.* ① Inseguridad y simplicidad en la manera de actuar y pensar una persona: *el hermano pequeño no tiene la ñoñez del mayor, es más espabilado.* ② Ñoñería. ③ Cosa que es sosa, no tiene gracia ni interés.

ñoño, -ña *adj./s. m. y f.* ① despectivo Se aplica a la persona que es muy simple, tímida y apocada: *aquella chica tan ñoña no dijo nada en todo el rato, parecía que tenía miedo.* ② ARG., MÉX., PAR., URUG. Se aplica a la persona que es cursi, pasada de moda y anticuada. ③ familiar CUBA Se aplica a la persona que es mimosa. ❘ *adj.* ④ Se aplica a la cosa o persona que no tiene gracia ni interés. **SIN** soso.

FAM ñoñería, ñoñez.

ñoqui *s. m.* Pasta alimenticia elaborada con patatas, harina de trigo, mantequilla, leche, huevo y queso rallado, que se corta en trozos pequeños y se hierve en abundante agua con sal: *el ñoqui es un alimento de origen italiano.*

ñórdiga *s. f.* familiar Excremento.

ñu *s. m.* Animal mamífero con el cuerpo parecido al de los caballos, la cabeza grande y cuernos curvos como los de los toros, el pelo de color pardo o gris y abundante crin, que se alimenta de vegetales: *el ñu habita en la sabana africana.*

o¹ *s. f.* Decimosexta letra del alfabeto español; su nombre es *o*.
no saber hacer la o con un canuto *familiar* Ser muy tonto o no saber nada.
OBS Plural: *oes*.

o² *conj.* 1 Se usa para unir dos elementos de un mismo nivel o función gramatical y expresa alternativa o exclusión de uno de ellos: *¿quieres zumo o café?* 2 Se usa para explicar, de una manera equivalente, lo dicho anteriormente: *la sal, o cloruro sódico, es perjudicial en grandes cantidades.* 3 Se usa entre dos números para delimitar de manera aproximada una cantidad: *había quince o veinte personas.* **NOTA** Se recomienda escribirla acentuada cuando se puede confundir con el número 0. 4 Se usa para indicar que lo que se expresa afecta a los elementos que une, sin necesidad de excluir a ninguno de ellos: *pintura para suelos o paredes.*
o sea Se usa como inciso para explicar, de una manera equivalente, lo dicho anteriormente: *le regaló este anillo a la madre de su padre, o sea, a su abuela materna.*
OBS Se sustituye por la conjunción *u* cuando la palabra siguiente comienza por *o-* o por *ho-*: *ayer u hoy.*

oasis *s. m.* 1 Lugar con manantiales de agua en el que crece la vegetación y que se encuentra en medio de una zona árida. 2 Lugar o momento de descanso en las dificultades o contratiempos de la vida.
OBS Plural invariable.

obcecación *s. f.* Confusión mental grande que sufre una persona y que le impide razonar o ver las cosas con claridad. **SIN** ofuscación, ofuscamiento.

obcecar *v. tr.* 1 Confundir la mente de una persona e impedir que pueda razonar con claridad: *su presencia me obceca.* ‖ *v. prnl.* 2 **obcecarse** Insistir mucho en una actividad o idea sin atender a ninguna otra. **SIN** empecinarse, obstinarse. **FAM** obcecación.

obedecer [16] *v. tr.* 1 Cumplir una persona la voluntad de quien manda o lo que establece una ley o norma. 2 Hacer un animal los movimientos que se le ordenan. 3 Ceder una cosa ante el esfuerzo que se hace para cambiar su forma o estado: *por fin sus piernas han obedecido al tratamiento.* ‖ *v. intr.* 4 Tener origen una cosa.
FAM obediencia, obediente; desobedecer.

obediencia *s. f.* 1 Cumplimiento de la voluntad de la persona que manda, de lo que establece una norma o de lo que ordena la ley. 2 Tendencia de una persona a cumplir lo que se le manda: *le enseño a mi hijo el sentido de la obediencia a los mayores.* 3 Aceptación de la ley y la voluntad establecida por Dios: *la obediencia se considera una virtud moral.*

obediente *adj.* Que hace o acostumbra a hacer lo que se le manda.

obelisco *s. m.* Monumento religioso o conmemorativo en forma de pilar con remate piramidal y situado sobre un pedestal o base cuadrada.

obertura *s. f.* Composición instrumental que da inicio o introduce ciertas obras musicales, como una ópera, un oratorio o un ballet.

obesidad *s. f.* Exceso de grasa en el cuerpo. **SIN** gordura.

obeso, -sa *adj.* Se aplica a la persona que tiene exceso de grasa en el cuerpo: *las personas obesas pueden tener problemas de salud.*
FAM obesidad.

óbice *s. m.* Dificultad u obstáculo para hacer algo: *su ausencia no es óbice para que se pueda celebrar la reunión.* **SIN** impedimento.

obispado *s. m.* 1 Cargo y dignidad de obispo: *era muy anciano cuando alcanzó el obispado.* **SIN** episcopado. 2 Territorio o zona donde un obispo ejerce sus funciones: *mi parroquia pertenece al obispado de Alcalá.* **SIN** diócesis, episcopado. 3 Edificio u oficina donde funciona la administración que depende del obispo. **SIN** episcopado.

obispal *adj.* Relativo al obispo. **SIN** episcopal.

obispo *s. m.* Sacerdote cristiano de grado más elevado que es nombrado por el Papa y cuyas funciones principales son gobernar una diócesis, ordenar sacerdotes, confirmar a los fieles y consagrar iglesias.
FAM obispado, obispal; arzobispo.

óbito *s. m. culto* Fallecimiento.

objeción *s. f.* Razón que se propone o dificultad que se presenta para rechazar o negar una idea o una propuesta.
objeción de conciencia Razón o razones de carácter ético o religioso que un hombre propone para rechazar u oponerse a cumplir el servicio militar.

objetar *v. tr.* ① Proponer una razón contraria a lo que se ha dicho. ‖ *v. intr.* ② Negarse un hombre a cumplir el servicio militar por razones de carácter ético o religioso.
FAM objeción, objetor.

objetivar *v. tr.* Dar a un asunto o a una idea un carácter objetivo o imparcial prescindiendo de las consideraciones personales o subjetivas: *siempre es difícil objetivar los asuntos que se refieren a los sentimientos.*
FAM objetivación.

objetividad *s. f.* Imparcialidad con que se trata o se considera un asunto prescindiendo de las consideraciones y los criterios personales o subjetivos. **ANT** subjetividad.

objetivismo *s. m.* ① culto Objetividad. ② Creencia de que existe una realidad de tipo objetivo.

objetivo, -va *adj.* ① Que no está determinado por sentimientos o intereses personales. **SIN** imparcial. **ANT** subjetivo. ② Relativo al objeto: *el hombre analiza la realidad objetiva.* ③ En medicina, se aplica al síntoma perceptible por los médicos. ‖ *s. m.* ④ Fin al que se dirige una acción u operación: *su objetivo era conseguir la beca.* **SIN** objeto. ⑤ Lente o sistema de lentes que aumenta la visión en los instrumentos ópticos y que está colocado en la parte que se dirige hacia el objeto. ⑥ Punto o zona que se ha de atacar u ocupar militarmente.
FAM objetivamente, objetivar, objetividad, objetivismo; teleobjetivo.

objeto *s. m.* ① Cosa material e inanimada, generalmente de tamaño pequeño o mediano. ② Materia o asunto que el individuo percibe y sobre el cual piensa. ③ Materia o asunto de que se ocupa una ciencia. ④ Objetivo (fin): *el objeto de mi viaje es descansar.* ⑤ Palabra o sintagma que complementa al verbo en una oración. **SIN** complemento. ■ **objeto directo** Complemento de un verbo transitivo que expresa la cosa o persona que recibe la acción verbal; puede ser sustituido por los pronombres *lo, la, los, las* y sus equivalentes: *en la oración " hablo castellano e inglés", el objeto directo es "castellano e inglés".* **SIN** complemento directo. ■ **objeto indirecto** Complemento verbal de un verbo transitivo o intransitivo que expresa el destinatario o beneficiario de la acción; va precedido de la preposición *a* y puede ser sustituido por los pronombres *le* o *les* y sus equivalentes: *en la oración "todos los meses escribo a mis amigos de Alemania", el objeto indirecto es "a mis amigos de Alemania".* **SIN** complemento indirecto.
al (o con) objeto de Con la finalidad de: *adoptaron fuertes restricciones con objeto de frenar la crisis.* **SIN** para.
FAM portaobjetos.

objetor, -ra *adj./s. m.* ① Se aplica al hombre que se niega a cumplir el servicio militar por considerarlo contrario a su conciencia, pero realiza en su lugar un servicio a la comunidad. **NOTA** También *objetor de conciencia.* ‖ *adj./s. m. y f.* ② Se aplica a la persona que objeta.

oblación *s. f.* culto Ofrecimiento o sacrificio que se hace, especialmente a una divinidad. **SIN** ofrenda.

oblea *s. f.* ① Hoja muy delgada de una masa hecha con harina y agua y sin levadura: *de las obleas se cortan las hostias que después se consagran.* ② Hoja muy delgada de una masa de harina, agua y azúcar. ③ Hoja muy delgada de goma arábiga para pegar sobres, pliegos, etc.

oblicuángulo, -la *adj./s. m.* Se aplica a la figura geométrica que no tiene ningún ángulo recto: *el triángulo escaleno es oblicuángulo.*

oblicuidad *s. f.* ① Inclinación respecto a la posición vertical

y horizontal. ② Inclinación que aparta del ángulo recto una línea o un plano en relación con otra línea o con otro plano.

oblicuo, -cua *adj.* ① Que está en una posición media entre la vertical y la horizontal: *la lluvia caía de manera oblicua.* ② Se aplica a la línea o el plano que no forma ángulo recto con relación a otro. ‖ *adj./s. m.* ③ Se aplica a ciertos músculos, como los situados en el abdomen, que intervienen en distintas funciones.
FAM oblicuidad.

obligación *s. f.* ① Exigencia establecida por la moral, la ley o la autoridad. **SIN** deber. ② Cosa que se debe hacer. **SIN** deber. ③ Título, generalmente amortizable, al portador y con interés fijo, que representa una cantidad de dinero que ha sido prestada por una persona u organismo a alguien con la exigencia de ser devuelto en un plazo determinado: *las obligaciones de las empresas tienen un interés fijo.*
FAM obligacionista.

obligar *v. tr.* ① Mover o impulsar con autoridad a hacer una cosa a una persona sin dejarle elegir. ② Tener suficiente autoridad determinada cosa para hacer cumplir lo que ordena: *el contrato le obliga a vender la casa.* ③ Hacer fuerza en una cosa para conseguir un efecto de ella: *tendrá que obligar la llave para que entre en la cerradura.* **SIN** forzar. ‖ *v. prnl.* ④ **obligarse** Comprometerse a cumplir una cosa.
FAM obligación, obligatorio.

obligatoriedad *s. f.* Obligación de cumplir o hacer una cosa: *dada la obligatoriedad de la ley fiscal, el que no la cumpla será sancionado.*

obligatorio, -ria *adj.* Que debe hacerse o cumplirse.
FAM obligatoriedad.

oblongo, -ga *adj.* culto Que es más largo que ancho.

obnubilación *s. f.* ① culto Estado de ofuscación o confusión mental que tiene una persona y que se caracteriza por la lentitud y no coordinación de los movimientos. ② culto Fascinación o admiración grande que se siente ante la contemplación de una cosa. **SIN** deslumbramiento.

obnubilar *v. tr.* ① culto Ofuscar. ② culto Dejar admirada a una persona: *la belleza de las pinturas renacentistas me ha obnubilado.*
FAM obnubilación.

oboe *s. m.* ① Instrumento musical de viento formado por un tubo de madera cónico, largo y estrecho con orificios y llaves y una embocadura con lengüeta doble. ‖ *s. com.* ② Persona que en una orquesta o grupo musical toca este instrumento.
FAM oboísta.

óbolo *s. m.* ① culto Cantidad pequeña de dinero que se da como limosna o donativo para contribuir en algún fin. ② Unidad de peso y moneda de plata que se usaron en la antigua Grecia.

obra *s. f.* ① Cosa hecha o producida por un agente. ② Producción del pensamiento humano en la ciencia, la cultura o el arte hecha en un momento determinado y que perdura en el tiempo por su interés o valor artístico. **SIN** trabajo. ■ **obra completa** Conjunto de todos los trabajos de un autor. ■ **obra literaria** Producción escrita que se considera propia de la literatura, especialmente la que es de buena calidad y tiene cierta extensión. ③ Construcción o arreglo de un edificio o de parte de él, de un camino, de un canal o de otra cosa. ■ **obra pública** Construcción que se destina a uso de todos los ciudadanos o es de interés general: *las carreteras y*

O

autopistas son obras públicas. ④ Actividad o trabajo hecho por una o varias personas: *ha sido obra de todo un equipo.* ⑤ Acción buena o ejemplar.

de obra De manera material y no de palabra: *se puede pecar de pensamiento, de palabra, de obra y de omisión.*

en obras En proceso de construcción o de arreglo.

obra de arte Objeto o trabajo de gran valor artístico.

obra de caridad Cualquier acción que se realiza para ayudar al prójimo, especialmente si se trata de personas necesitadas.

obra de romanos Cosa que cuesta mucho trabajo y tiempo, o que es grande y perfectamente acabada.

obra de taller Objeto o trabajo en el que han participado los ayudantes de un artista.

obra de teatro (**I**) Texto escrito para ser representado por unos actores. (**II**) Representación de un texto previamente escrito.

obra social Organismo o centro dedicado a la cultura o a la ayuda de personas necesitadas.

por obra de Por medio de o mediante el poder de.

obrador *s. m.* Taller artesanal, especialmente el de repostería o el dedicado a trabajos de plancha y costura.

obrar *v. intr.* ① Comportarse o proceder de una manera determinada. ② Estar una cosa en un lugar determinado: *el testamento obra en poder del notario.* ③ culto Defecar. **l** *v. tr.* ④ Someter una materia a una acción continua y ordenada para darle forma: *obra la madera con arte.* **SIN** trabajar. ⑤ Construir o levantar un edificio. ⑥ Causar un efecto determinado en algo o alguien: *el remedio no ha obrado una mejoría en el enfermo.* **FAM** obra, obrada, obrador, obrero.

obrero, -ra *s. m. y f.* ① Persona que tiene por oficio hacer un trabajo manual o que requiere esfuerzo físico y que es empleada por otra persona, especialmente en una industria o en el sector de la construcción y recibe remuneración por ello. **l** *adj.* ② Relativo a los trabajadores: *la clase obrera.* **l** *adj./s. f.* ③ Se aplica a la hembra estéril que desempeña tareas de alimentación, construcción y cuidado de las larvas en las sociedades formadas por ciertos insectos: *hormigas obreras.* **FAM** obrerismo.

obscenidad *s. f.* ① Grosería que ofende o escandaliza el pudor de una persona por hacer referencias sexuales: *hay quien piensa que las imágenes impúdicas son una obscenidad.* ② Dicho o acción que se consideran groseros por atentar contra el pudor de una persona.

obsceno, -na *adj.* Que va contra lo que establece la moral, especialmente en el terreno sexual: *tenía un calendario con fotografías obscenas de mujeres desnudas.* **SIN** impúdico. **FAM** obscenidad.

obscurantismo V. oscurantismo.

obscurantista V. oscurantista.

obscurecer V. oscurecer.

obscurecimiento V. oscurecimiento.

obscuridad V. oscuridad.

obscuro, -ra V. oscuro, -ra.

obsequiar *v. tr.* ① Dar u ofrecer una cosa a una persona como muestra de afecto o de consideración. **SIN** agasajar, regalar. ② Tratar con afecto y consideración a alguien. **SIN** agasajar.

OBS Verbo regular, se acentúa como *cambiar.*

obsequio *s. m.* ① Objeto o cosa que se da u ofrece a una persona como muestra de afecto o de consideración. **SIN** dádiva, regalo. ② Muestra o señal de afecto o de cortesía hacia alguien. **FAM** obsequiar, obsequioso.

obsequioso, -sa *adj.* Se aplica a la persona que se comporta de manera agradable o complaciente con las demás personas haciéndoles atenciones o regalos. **FAM** obsequiosidad.

observación *s. f.* ① Examen detenido de una cosa o de un fenómeno, generalmente para sacar determinadas conclusiones. ② Nota escrita que explica o aclara un dato o información que puede confundir o hacer dudar. ③ Razón que se propone o problema que se presenta para rechazar, cambiar o mejorar una idea o una propuesta. **SIN** advertencia, objeción. ④ Cumplimiento de una ley o mandato: *la observación de unas normas de convivencia es necesaria para la vida en sociedad.* **FAM** observacional.

observador, -ra *adj./s. m. y f.* ① Se aplica a la persona o el animal que examina detenidamente algo. **l** *s. m. y f.* ② Persona que asiste a un acontecimiento para seguirlo con atención pero sin poder intervenir en él.

observancia *s. f.* ① Cumplimiento riguroso de lo que se manda hacer. ② Acatamiento a la dignidad o autoridad establecidas. **FAM** inobservancia.

observar *v. tr.* ① Mirar o examinar con atención. ② Darse cuenta de un hecho: *he observado que la calidad del trabajo es cada vez mejor.* **SIN** advertir, reparar. ③ Cumplir exactamente lo que se manda. **FAM** observación, observador, observancia, observatorio.

observatorio *s. m.* ① Edificio que tiene el personal y los instrumentos adecuados para observar el cielo o el espacio. ② Lugar apropiado para observar.

obsesión *s. f.* Idea fija o preocupación excesiva que ocupa la mente. **SIN** fijación. **FAM** obsesionar.

obsesionante *adj.* Que produce obsesión.

obsesionar *v. tr.* Ocupar la mente con una idea fija o una preocupación de modo que apenas se hace o se piensa nada más: *el aspecto físico obsesiona a algunas personas.* **FAM** obsesionante.

obsesivo, -va *adj.* ① Que obsesiona: *la obra de este escritor se centra en dos ideas obsesivas: la enfermedad y la muerte.* **l** *adj./s. m. y f.* ② Que tiene inclinación a obsesionarse.

obseso, -sa *adj./s. m. y f.* Se aplica a la persona que sufre una obsesión, especialmente sexual. **FAM** obsesión, obsesivo.

obsidiana *s. f.* Roca volcánica vítrea y compacta de color verde muy oscuro o negro, que antiguamente utilizaban los amerindios en la fabricación de armas cortantes y flechas.

obsoleto, -ta *adj.* culto Anticuado: *las máquinas de escribir se han quedado obsoletas con la llegada de los ordenadores.*

obstaculizar *v. tr.* Impedir o hacer difícil el paso o el desarrollo de una acción. **FAM** obstaulización.

obstáculo *s. m.* ① Cosa que impide pasar o avanzar. ② Situación o hecho que impide el desarrollo de una acción: *la lluvia no fue obstáculo para que se celebrase la competición.*

SIN impedimento. ③ Cada una de las barreras que se ponen en el recorrido de una carrera o prueba hípica y que los atletas o caballos deben saltar para llegar a la meta.
FAM obstaculizar.

obstante Se usa en la expresión:
no obstante Indica que aquello de que se ha hablado no es obstáculo para lo que sigue: *no había dormido en toda la noche, no obstante, aprobó el examen.*

obstar *v. intr.* Ser una cosa impedimento o dificultad para que se desarrolle determinada acción: *su buen comportamiento de los últimos meses no obsta para que dentro de un año cometa un delito.* **FAM** obstáculo, obstante.

obstetra *s. com.* Médico especialista en obstetricia. **SIN** tocólogo.

obstetricia *s. f.* Parte de la medicina que se ocupa del estudio y cuidado de la salud de las mujeres durante el embarazo, el parto y el periodo posterior a este. **SIN** tocología.
FAM obstetra, obstétrico.

obstinación *s. f.* Mantenimiento excesivamente firme de una idea, intención u opinión, generalmente poco acertada, sin tener en cuenta otra posibilidad: *no puedo entender tu obstinación en oponerte a la boda de tu hija.* **SIN** terquedad, empecinamiento.

obstinado, -da *adj.* ① Se aplica a la persona que se mantiene firme en una opinión o actitud a pesar de las razones o las dificultades que pueda haber en contra. **SIN** empecinado. ② Se aplica a la actitud que es muy firme y tenaz: *lucha obstinada.* **SIN** pertinaz.

obstinarse *v. prnl.* Mantenerse excesivamente firme en una idea, intención u opinión, generalmente poco acertada, sin tener en cuenta otra posibilidad: *se obstinó en arreglar él mismo la avería y estropeó completamente el coche.* **SIN** empecinarse, obcecarse.
FAM obstinación, obstinado.

obstrucción *s. f.* ① Acción de obstruir: *obstrucción a la justicia.* **SIN** atasco, oclusión. ② Efecto de obstruir: *una obstrucción en una vena puede provocar una trombosis.* ③ Táctica utilizada en asambleas u otro tipo de reuniones deliberantes para impedir o dificultar los acuerdos.
FAM obstruccionismo.

obstruir [21] *v. tr.* ① Cerrar o estrechar el paso de una cosa en movimiento por una vía, un conducto o un camino. ② Cerrar o impedir el acceso a un lugar: *la entrada de la mina se ha obstruido tras el derrumbamiento.* **SIN** atascar, atorar, atrancar. ③ Impedir o hacer difícil el desarrollo de un proceso o de una actividad.
FAM obstrucción, obstructor.

obtención *s. f.* ① Logro de determinada cosa que se merece o se solicita a través de una persona o institución. ② Producción de una cosa a partir de otra o extracción de un material que se encuentra en un lugar: *obtención de minerales en las minas o canteras.*

obtener [45] *v. tr.* ① Lograr, conseguir o llegar a tener algo que se quiere o se solicita. ② Producir o sacar determinada cosa, generalmente a partir de otra: *la familia obtiene la miel de las colmenas que ella misma cuida.*
FAM obtención.

obturar *v. tr.* Cerrar o tapar una abertura o un orificio aplicando o introduciendo alguna cosa.
FAM obturación, obturador.

obtusángulo *adj.* Se aplica al triángulo que tiene un ángulo obtuso.

obtuso, -sa *adj.* ① Se aplica al objeto que no tiene punta. **SIN** romo. ② Se aplica a la persona que es lenta en comprender las cosas más simples. ③ Se aplica al ángulo que tiene más de 90 grados y menos de 180: *el ángulo obtuso es mayor que el recto.*

obús *s. m.* ① Arma pesada de fuego formada por un tubo hueco y largo de menor tamaño y diámetro que el de un cañón, que sirve para disparar granadas. ② Proyectil de esta arma.

obviar *v. tr.* ① Evitar o hacer desaparecer obstáculos o problemas. ② Dejar de nombrar o decir algo, especialmente cuando se considera sabido.
OBS Verbo regular, se acentúa como *cambiar.*

obvio, -via *adj.* ① Se aplica al suceso o hecho que está a la vista. **SIN** evidente. ② Que es muy claro o que no es difícil de entender. **SIN** evidente.
FAM obviamente, obviar, obviedad.

oca¹ *s. f.* ① Ave palmípeda con el pico de color naranja, casi negro en la punta, con el pecho y el vientre amarillos, la cabeza y el cuello de color gris oscuro y el resto del cuerpo gris con rayas marrones; las ocas viven en lugares pantanosos pero también se crían en corrales como animales de granja: *con el hígado de las ocas se hace el foie gras.* **SIN** ánsar, ganso. ② Juego de mesa que consiste en un tablero con 63 casillas, numeradas y colocadas en espiral, por las que cada jugador tiene que hacer avanzar una ficha según el número que sale en un dado; en las casillas aparecen distintos dibujos que van marcando lo que tienen que hacer los jugadores.

oca² *s. f.* ① Planta anual de tallo herbáceo, erguido y ramoso, hojas compuestas de tres hojuelas ovales, flores amarillas con estrías rojas y raíz comestible. ② Raíz de esta planta, de sabor parecido al de la castaña.

ocarina *s. f.* Instrumento musical de viento hecho de barro o metal, de forma ovalada y ligeramente alargada, con ocho agujeros por los que sale el aire y que hay que ir tapando con los dedos para conseguir los distintos sonidos.

ocasión *s. f.* ① Lugar o momento más oportuno en el tiempo para hacer o conseguir una cosa. ② Momento y lugar en los que se sitúa un hecho o una circunstancia: *en aquella ocasión tú llevabas un traje gris.* ③ Causa o motivo de una cosa.
con ocasión de En el momento o circunstancia que se dice a continuación: *con ocasión del décimo aniversario celebraremos una fiesta.*
de ocasión Que se vende a un precio más bajo del habitual o es de segunda mano.
FAM ocasional, ocasionar.

ocasional *adj.* ① Que ocurre por azar o accidente: *un encuentro ocasional fue el principio de nuestra relación.* ② Que ocurre en alguna ocasión, pero que no es habitual. **SIN** circunstancial, coyuntural.
FAM ocasionalmente.

ocasionar *v. tr.* Ser causa u origen de un suceso. **SIN** causar, originar.

ocaso *s. m.* ① culto Puesta del Sol o de otro cuerpo celeste por el horizonte. ② Punto cardinal situado hacia donde se oculta el Sol. **SIN** occidente, oeste, poniente. ③ Final o decadencia de lo que fue famoso o importante: *en el ocaso de su vida el actor recordaba los momentos de gloria y fama.* **SIN** crepúsculo.

O

occidental *adj.* ① Relativo al occidente (punto cardinal): *costa occidental.* ② Relativo a los países de Occidente: *economía occidental.* ‖ *s. com./adj.* ③ Persona que es de uno de los países de Occidente.
FAM noroccidental.

occidente *s. m.* ① Punto cardinal situado en el lado por donde se oculta el Sol. **SIN** oeste, poniente. ② Parte de un lugar situada hacia este punto. **SIN** oeste, poniente. ③ Conjunto de países de varios continentes (principalmente los del oeste de Europa y Estados Unidos), cuyas lenguas y culturas son de origen europeo, en oposición a los países orientales, especialmente los asiáticos. **NOTA** Se escribe normalmente con mayúscula inicial.
FAM occidental.

occipital *s. m./adj.* Hueso situado en la parte posterior de la cabeza, donde esta se une con las vértebras del cuello: *el hueso occipital cubre el encéfalo.*

occitano, -na *adj.* ① De Occitania (antigua región del sur de Francia). ‖ *s. m. y f./adj.* ② Persona que era de Occitania. ‖ *s. m./adj.* ③ Lengua románica hablada en el sur de Francia: *los trovadores medievales usaban el occitano como lengua poética.* **SIN** lengua de oc.

oceánico, -ca[1] *adj.* ① Relativo al océano. ② Se aplica al clima de pocos contrastes térmicos y abundantes lluvias: *Galicia, Asturias, Cantabria y el País Vasco tienen un clima oceánico.*

oceánico, -ca[2] *adj.* De Oceanía.

océano *s. m.* ① Masa de agua salada que cubre aproximadamente las tres cuartas partes de la Tierra. **SIN** mar. ② Parte en que se considera dividida esta masa: *los océanos son cinco: Atlántico, Pacífico, Índico, Glacial Ártico y Glacial Antártico.* ③ Cantidad o extensión grande de una cosa, generalmente inmaterial: *un océano de dificultades nos impidió llevar a cabo nuestro proyecto.*
FAM oceánico, oceanicultura, oceanografía.

oceanografía *s. f.* Ciencia que estudia los mares, sus fenómenos, y su flora y fauna.
FAM oceanográfico, oceanógrafo.

ocelo *s. m.* ① Ojo simple y pequeño de los animales invertebrados, especialmente de los arácnidos y los insectos: *los ocelos pueden captar la luz, pero no las imágenes de los objetos.* ② Mancha de forma redonda y bicolor en las alas de algunos insectos o en las plumas de ciertas aves.

ocelote *s. m.* Mamífero carnívoro felino, algo mayor que un gato, que tiene el pelo suave de color ocre con manchas oscuras y que vive en los bosques y caza durante la noche; es muy apreciado en peletería: *el ocelote habita en América.*

ochavo *s. m.* ① Antigua moneda de cobre (siglos XVII-XIX) equivalente a dos maravedís. ② Cosa insignificante y de poco valor: *las antigüedades que compró no valían ni un ochavo.*
no tener un ochavo No tener dinero.

ochenta *num. card.* ① Setenta más diez. ‖ *num. ord.* ② Que ocupa el lugar número 80 en una serie ordenada. **SIN** octogésimo. ‖ *s. m.* ③ Número 80.
los ochenta Década comprendida entre los años 1980 y 1989.
FAM ochentavo, ochentón.

ochentavo, -va *num. part.* Se aplica a cada una de las partes que resultan de dividir un todo en ochenta partes iguales. **SIN** octogésimo.

ocho *num. card.* ① Siete más uno. ‖ *num. ord.* ② Que ocupa el lugar número 8 en una serie ordenada. **SIN** octavo. ‖ *s. m.* ③ Número 8.
dar igual ocho que ochenta familiar No importar nada cierta cosa.
FAM ochenta.

ochocientos, -tas *num. card.* ① Setecientos más cien. ‖ *num. ord.* ② Que ocupa el lugar número 800 en una serie ordenada. **SIN** octingentésimo. ‖ *s. m.* ③ Número 800.

ocio *s. m.* ① Tiempo libre o descanso de las ocupaciones habituales. ② Diversión u ocupación que se elige para los momentos de tiempo libre: *nosotros preferimos actividades de ocio cultural, como ir al cine o leer.*
FAM ocioso.

ociosidad *s. f.* Estado de la persona que se encuentra en una etapa de inactividad o tiene ocio y tiempo libre. **SIN** gandulería, holgazanería.

ocioso, -sa *adj./s. m. y f.* ① Se aplica a la persona que no tiene obligaciones ni cosas que hacer porque no tiene trabajo o porque ha terminado de él. ② Se aplica a la persona que está descansando o haciendo una pausa en el trabajo o en una actividad. ‖ *adj.* ③ Que no sirve para lo que es aplicado: *no digas palabras ociosas.* ④ Se aplica a la cosa inmaterial u objeto que no tiene utilidad, provecho ni sentido.
FAM ociosidad.

oclusión *s. f.* Cierre o estrechamiento que impide o dificulta el paso de un fluido por una vía o conducto del organismo: *en la pronunciación de la letra "p" se produce una oclusión rápida de los labios.* **SIN** obstrucción.

oclusivo, -va *adj.* ① Que cierra un conducto del organismo. ② Se aplica al sonido consonántico que se pronuncia poniendo los órganos articulatorios en contacto en un punto, impidiendo por un instante la salida del aire y expulsando después de golpe el aire acumulado: *en español las consonantes oclusivas son: "p", "t", "k", "b", "d" y "g".* ‖ *adj./s.* ③ Se aplica a la consonante que se articula en este punto: *en español, la "p" es una oclusiva sorda.*

ocote *s. m.* EL SALV., GUAT., MÉX. Pino (árbol).

OCR *s. m.* Sigla de la expresión inglesa *Optical Character Recognition* ('reconocimiento óptico de caracteres'), programa informático que transforma la escritura a mano o a máquina de un papel en texto de un documento informático que puede ser modificado en el ordenador: *los OCR son muy útiles para no tener que mecanografiar textos ya escritos.*

ocre *s. m./adj.* ① Color amarillo oscuro. ‖ *adj.* ② Que es de este color. ‖ *s. m.* ③ Mineral con aspecto de tierra y de color amarillo, que es un óxido de hierro frecuentemente mezclado con arcilla.
FAM ocráceo.

octaedro *s. m.* Poliedro regular formado por ocho caras que son triángulos equiláteros: *el octaedro está formado por dos pirámides unidas por la base.*

octagonal *adj.* Octogonal.

octágono *s. m.* Octógono.
FAM octagonal.

octanaje *s. m.* Cantidad o porcentaje de octanos que está presente en la gasolina o en cualquier otro carburante.

octano *s. m.* ① Líquido combustible que es un hidrocarburo saturado que se obtiene del petróleo y que se utiliza en la preparación de gasolina para conseguir que aumente el tiempo de explosión de un motor: *una molécula de octano tiene*

8 átomos de carbono y 18 de hidrógeno. **2** Porcentaje de este líquido combustible que contiene la gasolina.
FAM octanaje.

octástilo *adj./s. m.* Se aplica al templo o pórtico que tiene ocho columnas en su frente: *el Partenón es un templo octástilo.*

octava *s. f.* **1** Estrofa de ocho versos de arte mayor. ■ **octava aguda** u **octava italiana** Octava cuyos versos tienen rima aguda consonante o asonante, y cuyos versos primero y quinto suelen quedar libres; su esquema es ABBCDEED. ■ **octava real** u **octava rima** Estrofa de ocho versos con rima consonante y cuyo esquema es ABABABCC. **2** Intervalo de la escala musical entre una nota y la octava superior o inferior a esta: *entre un do y el siguiente hay una octava.* **3** Serie de notas comprendidas en este intervalo: *el niño practicó las octavas con el piano.* **4** Nota que está separada de otra por este intervalo: *la octava de un do es el siguiente do.* **5** Último de los ocho días en que la Iglesia católica celebra una fiesta. **6** Periodo de ocho días durante los que la Iglesia católica celebra una fiesta determinada.
FAM octavario.

octavilla *s. f.* **1** Hoja pequeña de papel impresa con publicidad, generalmente de carácter político. **2** Octava parte de un pliego de papel. **3** Estrofa que es una variedad de la octava italiana con versos de arte menor.

octavo, -va *num. ord.* **1** Que ocupa el lugar número 8 en una serie ordenada. **|** *num. part.* **2** Se aplica a cada una de las partes que resultan de dividir un todo en ocho partes iguales. **octavos de final** Fase o prueba eliminatoria de una competición en que se enfrentan por parejas dieciséis contrincantes, de modo que los ocho vencedores pasan a los cuartos de final.
FAM octava.

octeto *s. m.* **1** Conjunto musical formado por ocho voces o instrumentos. **|** *s. f.* **2** Composición musical escrita para ser interpretada por ocho voces o instrumentos.

octingentésimo, -ma *num. ord.* **1** Que ocupa el lugar número 800 en una serie ordenada. **|** *num. part.* **2** Se aplica a cada una de las partes que resultan de dividir un todo en ochocientas partes iguales.

octogenario, -ria *adj.* **1** culto Que tiene entre ochenta y ochenta y nueve años: *árbol octogenario.* **|** *adj./s. m. y f.* **2** culto Se aplica a la persona que tiene entre ochenta y ochenta y nueve años de edad.

octogésimo, -ma *num. ord.* **1** Que ocupa el lugar número 80 en una serie ordenada: *octogésimo aniversario.* **|** *num. part.* **2** Se aplica a cada una de las partes que resultan de dividir un todo en ochenta partes iguales.

octogonal *adj.* Que tiene forma de octógono. **SIN** octagonal.

octógono *s. m.* Figura geométrica de ocho lados. **SIN** octágono.
FAM octogonal.

octópodo *adj./s. m.* **1** Se aplica al molusco cefalópodo que tiene ocho brazos o tentáculos: *el pulpo es un octópodo.* **|** *s. m. pl.* **2** **octópodos** Grupo taxonómico, con categoría de orden, constituido por estos moluscos.

octosilábico, -ca *adj.* Octosílabo.

octosílabo, -ba *adj.* **1** Que tiene ocho sílabas. **SIN** octosilábico. **|** *adj./s. m.* **2** Se aplica al verso que tiene ocho sílabas.
FAM octosilábico.

octubre *s. m.* Décimo mes del año: *octubre tiene 31 días.*

óctuple *adj./s. m.* Óctuplo.

óctuplo, -pla *adj./s. m.* Que es ocho veces el numero o cantidad de cierta cosa: *cuarenta es el óctuplo de cinco.* **SIN** óctuple.

ocular *adj.* **1** Relativo al ojo (órgano de la vista). **|** *s. m.* **2** Cristal o sistema de lentes que aumenta el tamaño de la imagen y se coloca en el extremo de un instrumento, por donde mira el observador: *hay que limpiar con mucho cuidado el ocular del telescopio.*
FAM monocular.

oculista *s. com.* Médico especialista en el estudio y tratamiento de las enfermedades de los ojos. **SIN** oftalmólogo.

óculo *s. m.* Ventana pequeña de forma circular.

ocultación *s. f.* Encubrimiento de una cosa que se hace para que no se sepa o no se note: *la ocultación de pruebas es un delito.*

ocultar *v. tr.* **1** Impedir que una persona, animal o cosa sea encontrada. **SIN** esconder. **2** Hacer que una cosa material o inmaterial no sea advertida por los demás: *no ocultes las ganas de venir con nosotros.* **SIN** disimular. **3** Callar lo que se debe decir. **|** *v. prnl.* **4** **ocultarse** Ponerse el Sol o la Luna.
FAM ocultación.

ocultismo *s. m.* Conjunto de teorías y creencias que defienden la existencia de ciertos fenómenos que carecen de explicación racional o científica y prácticas que pretenden dominar este tipo de fenómenos: *el ocultismo defiende la existencia de fenómenos paranormales.*
FAM ocultista.

ocultista *adj.* **1** Relativo al ocultismo: *la adivinación es una práctica ocultista.* **|** *s. com.* **2** Persona que estudia o practica el ocultismo.

oculto, -ta *adj.* Que no se deja ver, encontrar o conocer.
FAM ocultar, ocultismo.

ocupa *s. com.* jerga Okupa.

ocupación *s. f.* **1** Toma de posesión de un lugar. ■ **ocupación militar** Estancia en un territorio del ejército de otro estado, el cual interviene en la vida pública de aquel pero sin anexionarse a él. **2** Trabajo que una persona realiza a cambio de dinero y de manera más o menos continuada. **SIN** empleo. **3** Actividad a la que una persona se dedica en un determinado tiempo: *te buscaremos una ocupación para que no te aburras.*
FAM ocupacional.

ocupacional *adj.* Relativo a la ocupación (trabajo).

ocupante *adj./s. com.* Se aplica a la persona que ocupa un lugar, generalmente una casa, un vehículo o un asiento: *los tres ocupantes del automóvil salieron ilesos del accidente.*

ocupar *v. tr.* **1** Llenar un espacio o un lugar. **2** Entrar en un lugar, invadirlo o instalarse en él. **3** Habitar una casa o estar instalado en un lugar. **4** Obtener o desempeñar un empleo, un trabajo o un cargo determinados. **5** Dar trabajo o empleo a alguien. **6** Necesitar un periodo de tiempo determinado para hacer algo: *la limpieza de la casa nos ocupará varias horas.* **SIN** llevar. **7** Dedicar un periodo de tiempo determinado a una actividad determinada: *tras la jubilación, ocupaba sus ratos libres en pintar o pasear por el campo.* **SIN** llenar. **|** *v. prnl.* **8** **ocuparse** Hacerse responsable de un asunto o negocio o encargarse de ellos. **9** Preocuparse por una persona, prestándole cuidado y atención. **10** Tratar, hablar o escribir sobre un asunto determinado: *en el capítulo anterior nos ocupamos del adjetivo.*

FAM ocupa, ocupación, ocupante; desocupar.

ocurrencia *s. f.* ⒈ Idea inesperada o pensamiento original que tiene una persona: *tuvo la ocurrencia de venir a buscarnos en helicóptero.* ⒉ Dicho o hecho gracioso e ingenioso de una persona. ⒊ Aparición de un elemento lingüístico en un texto.

ocurrente *adj.* ⒈ Se aplica a la persona que tiene ideas originales o inesperadas: *siempre tiene una contestación adecuada porque es muy ocurrente.* ⒉ Se aplica al dicho que es gracioso e ingenioso.

ocurrir *v. intr.* ⒈ Producirse un hecho. **SIN** acaecer, acontecer, suceder. **|** *v. prnl.* ⒉ **ocurrirse** Venir de pronto a la imaginación determinada idea o manera de hacer algo.

FAM ocurrencia, ocurrente.

oda *s. f.* Composición poética de género lírico, de tono elevado, generalmente extensa, que se compone en alabanza de una persona o cosa.

odalisca *s. f.* ⒈ Mujer que es esclava en un harén turco: *la odalisca estaba al servicio de las mujeres del harén.* ⒉ Mujer que forma parte de un harén turco: *el sultán poseía un harén de varias odaliscas.*

odeón *s. m.* ⒈ En la antigua Grecia, edificio, generalmente cubierto y con planta semicircular o cuadrangular, en el que se representaban espectáculos musicales. ⒉ Teatro moderno en el que se representan óperas y otros espectáculos de canto.

odiar *v. tr.* Sentir odio. **SIN** abominar, detestar. **ANT** amar. **OBS** Verbo regular, se acentúa como *cambiar.*

odio *s. m.* Sentimiento fuerte de rechazo o antipatía hacia una persona o cosa cuyo mal se desea. **SIN** aversión. **ANT** amor.

FAM odiar, odioso.

odioso, -sa *adj.* ⒈ Que provoca un sentimiento de odio. **SIN** detestable. ⒉ familiar Que es molesto y desagradable. **SIN** fastidioso. **ANT** agradable.

odisea *s. f.* ⒈ Viaje largo lleno de aventuras y dificultades. ⒉ Conjunto de dificultades que pasa una persona para conseguir un fin determinado: *para muchos extranjeros es una odisea conseguir un trabajo.*

odontología *s. f.* Parte de la medicina que se ocupa de los dientes, de sus enfermedades y de los tratamientos para repararlos, extraerlos o sustituirlos.

FAM odontológico, odontólogo.

odontólogo, -ga *s. m. y f.* Médico especialista en odontología. **SIN** dentista.

odre *s. m.* Especie de saco hecho de cuero o piel de algún animal que se utiliza para guardar o contener líquidos: *en un odre suele guardarse vino o aceite.* **SIN** cuero, pellejo.

oersted [se pronuncia 'oérsted'] *s. m.* Unidad de intensidad de campo magnético del sistema cegesimal, de símbolo *Oe.* **OBS** Plural: *oersteds.*

oeste *s. m.* ⒈ Punto cardinal situado en el lado por donde se oculta el Sol. **NOTA** Se escribe normalmente con mayúscula inicial. **SIN** occidente, poniente. ⒉ Parte de un lugar situada hacia este punto: *Portugal está en el oeste de la Península Ibérica.* **SIN** occidente, poniente. ⒊ Viento que sopla desde este punto. **SIN** poniente. ⒋ Territorio de los Estados Unidos de América situado entre los Apalaches y el Pacífico: *una película del Oeste.* **NOTA** Se escribe normalmente con mayúscula inicial.

FAM noroeste, sudoeste, suroeste.

ofender *v. tr.* ⒈ Hacer o decir algo que significa para una persona humillación o desprecio. **SIN** injuriar, herir. ⒉ Causar algo o alguien una sensación desagradable a los sentidos. **SIN** herir. **|** *v. prnl.* ⒊ **ofenderse** Sentirse molesto por considerarse humillado o despreciado. **SIN** molestarse.

FAM ofendido, ofensa.

ofensa *s. f.* Acción o dicho que hace que alguien se sienta humillado o despreciado: *no lo invitaron y le pareció una ofensa.* **SIN** agravio, injuria.

FAM ofensivo, ofensor.

ofensiva *s. f.* Ataque, especialmente militar.

tomar la ofensiva Prepararse para atacar al enemigo.

FAM contraofensiva.

ofensivo, -va *adj.* ⒈ Que se hace para ofender: *gesto ofensivo.* **SIN** injurioso, insultante. ⒉ Que sirve para atacar. **ANT** defensivo.

FAM ofensiva; inofensivo.

ofensor, -ra *adj./s. m. y f.* Se aplica a la persona que ofende: *el ofensor y el ofendido se reconciliaron.*

oferta *s. f.* ⒈ Ofrecimiento para hacer o cumplir una cosa. ⒉ Acción de ofrecer mercancías, especialmente a un precio bajo o más bajo: *las tiendas deben hacer ofertas para competir.* **SIN** rebaja. ⒊ Mercancía que se ofrece a un precio más bajo de lo normal: *he comprado tres ofertas en el supermercado.* ⒋ Conjunto de bienes, mercancías o servicios que compiten en el mercado con un precio dado y en un momento determinado. ⒌ Cantidad de dinero que se ofrece para conseguir una mercancía o un servicio que se vende o se subasta. ⒍ Don, regalo que se presenta a alguien para que lo acepte.

FAM ofertar.

ofertar *v. tr.* ⒈ Ofrecer mercancías a un precio rebajado. ⒉ AMÉR. Prometer u ofrecer algo a una persona: *si me ofertaras una mejora del sueldo, trabajaría con más entusiasmo.* ⒊ AMÉR. Dar u ofrecer voluntariamente una cosa a alguien: *le ofertó la bicicleta para que pudiera ir al pueblo.*

FAM ofertante.

ofertorio *s. m.* ⒈ Parte de la misa católica en la cual el sacerdote ofrece a Dios el pan y el vino antes de consagrarlos. ⒉ Oración breve que reza el sacerdote antes de esta parte de la misa.

off [se pronuncia 'of'] *adj.* ⒈ Desconectado, fuera de funcionamiento. **ANT** on. **|** *s. m.* ⒉ Tecla que, en un aparato, sirve para desconectarlo. **ANT** on.

en off Se aplica a la voz que se oye de fondo en cine, teatro o televisión y no pertenece a ninguno de los personajes que aparecen en pantalla o en escena: *la voz en off suele ser la del narrador.*

off the record Información confidencial o extraoficial que no puede ser divulgada o publicada: *los periodistas reciben mucha información off the record.* **NOTA** Se pronuncia aproximadamente 'of the récor'.

office [se pronuncia 'ofís' u 'ofis'] *s. m.* Habitación que está situada junto a la cocina y que se comunica con ella; suele ser utilizada como comedor. **OBS** Plural: *offices.*

offset *s. m.* ⒈ Procedimiento de impresión que consiste en usar un molde o plancha con un ligerísimo relieve que imprime con tinta sobre un rodillo de caucho que a su vez imprime sobre el papel. ⒉ Máquina de imprimir que emplea este sistema para sacar copias o fotografías.

oficial *adj.* ① Que depende o procede de una autoridad estatal o local: *boletín oficial; impreso oficial.* ② Que es reconocido y aceptado por la autoridad estatal o local pertinente: *centro de enseñanza oficial.* ③ Se aplica a la lengua reconocida por las instituciones de un estado como lengua propia y utilizada de forma habitual en el desarrollo de sus funciones y en la interrelación entre el estado y los ciudadanos: *las comunidades autónomas con lengua autóctona tienen dos lengua oficiales: la propia y la del estado.* ❙ *adj./s. com.* ④ Se aplica a la persona que asiste a un centro que depende del Estado: *alumnos oficiales.* ⑤ Se aplica a la persona que estudia y prepara la parte administrativa de los negocios en una oficina bajo las órdenes de un jefe. ❙ *s. com.* ⑥ Militar que pertenece a una categoría superior a la de los suboficiales e inferior a la de los jefes: *el alférez es un oficial del ejército de tierra.* ⑦ Persona que se ocupa o trabaja en un oficio, especialmente si es físico y está bajo las órdenes de un maestro o jefe. ❙ *s. m. y f.* ⑧ Persona que ha terminado de aprender un oficio pero todavía no tiene el cargo de maestro. **NOTA** Femenino: *oficiala.*
FAM oficialía, oficialidad, oficialismo, oficializar; extraoficial, suboficial.

oficiala V. oficial.

oficialía *s. f.* Cargo, categoría o grado de oficial que tiene una persona que pertenece al ejército o trabaja en la Administración pública.

oficialidad *s. f.* ① Autenticidad o veracidad de una cosa que es oficial. ② Conjunto de oficiales que forman un ejército.

oficialismo *s. m.* ① Presencia excesiva de la autoridad oficial. ② AMÉR. Conjunto de personas que forman un gobierno. ③ AMÉR. Conjunto de fuerzas políticas que apoyan a un gobierno.

oficiante *adj./s. m.* Se aplica al sacerdote que celebra la misa.

oficiar *v. tr.* ① Decir la misa y demás oficios de la Iglesia. ② Comunicar oficialmente y por escrito. ❙ *v. intr.* ③ Actuar en calidad de algo: *oficiar de mediador.*
FAM oficiante.
OBS Verbo regular, se acentúa como *cambiar.*

oficina *s. f.* Local donde se llevan a cabo trabajos administrativos o de gestión. **SIN** despacho.
FAM oficinal, oficinesco, oficinista.

oficinista *s. com.* Persona empleada en una oficina y que se dedica a hacer los trabajos administrativos, burocráticos o de gestión.

oficio *s. m.* ① Ocupación que requiere esfuerzo físico o habilidad manual: *su oficio ha sido siempre el del albañil.* ② Ocupación habitual. ③ Función propia de alguna cosa: *la bicicleta está muy vieja, pero todavía hace su oficio.* ④ Comunicación escrita que trata de los asuntos del servicio público en las dependencias del estado. ⑤ Ceremonia de la Iglesia, especialmente cada una de las de Semana Santa: *ha ido a los oficios del Jueves Santo.* **NOTA** Generalmente en plural con el mismo significado que en singular. ■ **oficio de difuntos** Oficio que tiene destinado la Iglesia para rogar por los muertos.
de oficio (**I**) Que depende del estado y no debe ser pedido ni pagado por parte alguna: *un abogado de oficio.* (**II**) Que se realiza por orden de una autoridad.
no tener oficio ni beneficio familiar No tener trabajo ni dinero ni medios seguros para conseguirlo.
ser del oficio familiar Dedicarse a la prostitución.
FAM oficial, oficiar, oficioso.

oficioso, -sa *adj.* ① Que no tiene carácter oficial a pesar de haber sido hecho o dicho por una autoridad: *el nombramiento del nuevo director general es oficioso, todavía no es oficial.* ❙ *adj./s. m. y f.* ② Se aplica a la persona exageradamente solícita y amable. **NOTA** Frecuentemente usado de forma despectiva.
FAM oficiosidad.

ofidio *adj./s. m.* ① Se aplica al reptil que tiene un cuerpo largo y estrecho recubierto de escamas y que carece de extremidades: *algunos ofidios son venenosos.* ❙ *s. m. pl.* ② **ofidios** Grupo taxonómico, con categoría de suborden, constituido por estos reptiles.

ofimática *s. f.* ① Aplicación de la informática a todas las técnicas y trabajos de oficina. ② Conjunto de materiales y programas informáticos que se aplican al trabajo de oficina: *estoy aprendiendo ofimática en una academia.*

ofiura *s. f.* Invertebrado marino del filo equinodermos, similar a la estrella de mar, con el cuerpo constituido por un disco central del que salen cinco brazos largos y delgados muy móviles.

ofrecer [16] *v. tr.* ① Dar o dejar voluntariamente alguna cosa a alguien para que la use o la tome si lo desea. ② Proponer a alguien para ocupar un puesto determinado o participar en una actividad concreta: *le han ofrecido ser director de un hotel.* ③ Prometer, dar o entregar algo, generalmente a cambio de otra cosa. ④ Poner delante de alguien o acercarle algo: *le ofreció la mejilla para que la besara.* ⑤ Decir la cantidad que se está dispuesto a pagar por una cosa. ⑥ Dar una comida o una celebración en honor de alguien. **SIN** obsequiar. ⑦ Dedicar una obra, una oración, etc., a Dios o a los santos. ⑧ Mostrar o presentar algo o alguien un aspecto determinado o unas ciertas características: *una maravillosa vista se ofrecía ante sus ojos.* ❙ *v. prnl.* ⑨ **ofrecerse** Estar o mostrarse dispuesto voluntariamente para hacer una cosa: *se ofreció a llevarla en el coche.*
¿qué se le ofrece? Expresión educada para preguntar a alguien qué necesita o qué desea.
FAM ofrecimiento, ofrenda.

ofrecimiento *s. m.* ① Acción de ofrecer u ofrecerse: *te agradezco tu ofrecimiento, pero no puedo ir con vosotros.* ② Efecto de ofrecer u ofrecerse.

ofrenda *s. f.* ① Ofrecimiento que se hace a un causa noble, a la divinidad, a un santo, etc.: *los niños llevaban flores como ofrenda a la Virgen.* ② Cosa o servicio que se ofrece como muestra de respeto y amor.
FAM ofrendar.

ofrendar *v. tr.* ① Ofrecer algo a Dios o algún ser sobrenatural, como medio para implorar su ayuda o para agradecer algún beneficio. ② Aportar bienes o dinero para un fin, generalmente debido a un impulso generoso o afectuoso.

oftalmología *s. f.* Parte de la medicina que se ocupa de las enfermedades de los ojos, los defectos de la vista y la ceguera.
FAM oftalmológico, oftalmólogo.

oftalmólogo, -ga *s. m. y f.* Médico especialista en oftalmología. **SIN** oculista.

ofuscación *s. f.* ① Confusión mental grande que sufre una persona y que le impide razonar o ver las cosas con claridad. **SIN** obcecación, ofuscamiento. ② Turbación de la vista que se produce por un reflejo grande de luz que da directamente en los ojos. **SIN** deslumbramiento.

O

ofuscamiento *s. m.* Ofuscación.

ofuscar *v. tr.* **1** Perder momentáneamente la capacidad de razonar y no poder pensar con claridad. **SIN** trastornar. **2** culto No poder ver con claridad debido a un exceso de luz. **SIN** cegar. **3** Disminuir la luz y la claridad. **SIN** oscurecer. | *v. prnl.* **4** **ofuscarse** Obsesionarse con algo y no poder pensar con claridad.
FAM ofuscación, ofuscador, ofuscamiento.

ogro, ogresa *s. m.* **1** Ser imaginario de aspecto humano y de gran tamaño que se alimenta de carne humana. **2** familiar Persona de mal carácter.

¡oh! *int.* Expresa un sentimiento fuerte, generalmente sorpresa, admiración o pena: *¡oh, qué bonito!*

ohm *s. m.* Unidad de resistencia eléctrica del Sistema Internacional, de símbolo Ω, que equivale a la resistencia eléctrica que hay entre dos puntos de un conductor cuando, al aplicar entre ellos una diferencia de potencial de un voltio, se produce una intensidad de corriente de un amperio. **OBS** Plural: *ohms*. Se ha adaptado al español con la forma *ohmio*.

ohmio *s. m.* Ohm.

oídas Se usa en la expresión:
de oídas Indica que una cosa se sabe o se conoce solamente por haberla oído o escuchado pero no por propia experiencia: *ese lugar lo conozco de oídas.*

oído *s. m.* **1** Órgano del cuerpo con el que se perciben los sonidos. **2** Sentido del cuerpo con el que se perciben los sonidos: *los sentidos son cinco: vista, oído, olfato, gusto y tacto.* **3** Capacidad de una persona para recoger, distinguir y reproducir de manera exacta sonidos musicales.
al oído Cerca de la oreja de una persona para que nadie más pueda oír.
cerrar los oídos Negarse a escuchar razones.
dar (o prestar) oídos Escuchar y creer lo que se dice: *si diera oídos a Luisa, posiblemente me enemistaría con todo el mundo.*
de oído Referido a la música, de haberlo aprendido por uno mismo sin enseñanza académica o de otro tipo.
duro de oído Referido a una persona, que no puede oír bien.
entrar por un oído y salir por el otro familiar No ser tenida en cuenta por una persona lo que otra le dice, le pide o le ordena.
llegar a oídos Llegar algo a conocimiento de una persona.
regalar el oído Decir cosas agradables a una persona.
ser todo oídos familiar Escuchar con mucha atención: *cuéntame tus problemas, soy toda oídos.*

oír [33] *v. tr.* **1** Percibir los sonidos por medio del oído. **2** Prestar atención a lo que se dice. **SIN** escuchar. **3** Hacer caso de lo que se dice: *oye los consejos de los mayores.* **SIN** escuchar. **4** En un juicio, atender el juez a todos los datos aportados por las partes implicadas antes de resolver. **5** Responder a los ruegos o peticiones de alguien: *nadie oyó sus súplicas.*
como lo oyes familiar Indica que lo que se cuenta es verdad, aunque parezca extraño: *—¿Seguro que Milagros se casa? —Como lo oyes.*
como quien oye llover familiar Sin hacer ningún caso ni prestar atención.
FAM oídas, oído, oidor, oyente; desoír.

ojal *s. m.* **1** Corte alargado y bien rematado con hilo que se hace en una tela para que pueda pasar por ella un botón con el que abrochar. **2** Orificio que atraviesa una cosa de parte a parte: *he hecho un ojal en la cortina para pasar una cinta.*

¡ojalá! *int.* Indica deseo de que suceda una cosa: *ojalá llueva para que refresque un poco.*

ojeada *s. f.* Mirada rápida y sin prestar mucha atención: *echa una ojeada al periódico.* **SIN** vistazo.

ojeador, -ra *s. m. y f.* Persona que ojea la caza.

ojear[1] *v. tr.* **1** Dirigir los ojos y mirar superficialmente. **2** Buscar personas o cosas necesarias para un fin determinado.
FAM ojeada, ojeador.

ojear[2] *v. tr.* Asustar y perseguir la caza para que se dirija a un lugar determinado.

ojera *s. f.* Mancha oscura que se forma bajo el párpado inferior; generalmente como consecuencia del cansancio o de una enfermedad.
FAM ojeroso.
OBS Normalmente en plural.

ojeriza *s. f.* familiar Sentimiento de rechazo o disgusto hacia alguien o algo. **SIN** antipatía, manía, tirria. **ANT** predilección.

ojeroso, -sa *adj.* Que tiene ojeras.

ojete *s. m.* **1** Abertura redonda y rematada con hilo que se hace en una tela para pasar por ella un cordón u otra cosa. **2** Agujero con el que se adornan algunas labores de costura. **3** familiar Ano.

ojiva *s. f.* **1** Figura formada por dos arcos de círculos iguales que se cortan en uno de los extremos, con la concavidad encarada del uno hacia el otro: *los arcos con forma de ojiva son frecuentes en la arquitectura gótica.* **2** Arco que forma esta figura.
FAM ojival.

ojival *adj.* Que tiene forma de ojiva.

ojo *s. m.* **1** Órgano de la vista del ser humano y de los animales situado en la cabeza, que capta estímulos luminosos. ■ **ojo compuesto** Ojo de los insectos y los crustáceos, que está formado por varios ojos más pequeños (omatidios) unidos entre sí. **2** Parte de este órgano que es visible en la cara, a ambos lados de la nariz. ■ **ojos tiernos** Ojos que tienen exceso de agua y lloran involuntariamente. **3** Atención y cuidado que se pone al hacer una cosa: *ten mucho ojo y no estropees la tela.* **4** Capacidad para percibir rápidamente las características de un asunto o de una persona y formar un juicio sobre él. **SIN** perspicacia, tino. **5** Agujero que tiene la aguja de coser para meter el hilo. **6** Anillo que tienen las tijeras y otras herramientas para introducir los dedos o parte del mango con el que se manejan. **7** Agujero de una cerradura por donde se introduce la llave. **8** Gota de aceite o grasa que flota en un líquido: *si echas aceite en el agua, salen ojos.* **9** Espacio vacío entre dos columnas o muros de un puente. **SIN** arcada. **10** Centro de algo: *el ojo del huracán.* **11** Hueco o agujero que presentan ciertos alimentos: *un queso con grandes ojos.* **12** Dibujo circular de colores que aparece en las plumas de la cola de algunas aves, especialmente del pavo real. **13** Fuente que surge en un llano. | *int.* **14** **¡ojo!** Expresión con la que se llama la atención a alguien para que evite un peligro: *¡ojo con ese perro!* **SIN** cuidado.
a ojo (de buen cubero) De manera aproximada y sin realizar ningún cálculo ni medición. **SIN** a bulto.
abrir los ojos familiar Mostrar a una persona un aspecto de algo o de alguien que desconocía, generalmente un aspecto negativo.

andar con ojo familiar Estar prevenido.

bailar los ojos familiar Tener alegría, ánimo y energía.

clavar los ojos Mirar fijamente y con mucha atención.

comer con los ojos (I) familiar Desear fuertemente la comida por su buen aspecto y no por el apetito que se tiene. (II) Mirar con deseo y pasión.

costar un ojo (de la cara) familiar Valer mucho dinero.

cuatro ojos familiar Persona que lleva gafas.

¡dichosos los ojos! Expresión que indica gran alegría al encontrar a una persona a la que hacía tiempo que no se veía: *¡dichosos los ojos que te ven!*

echar el ojo familiar Desear tener una cosa o a una persona que se ha visto.

en un abrir y cerrar de ojos familiar En muy poco tiempo.

entrar por los ojos familiar Gustar mucho por el aspecto exterior.

meter por los ojos familiar Hablar muy bien de una cosa o de una persona para que otra la acepte.

no pegar ojo familiar No dormir.

no quitar ojo No dejar de mirar.

ojo a la funerala familiar Ojo que tiene un color amoratado a causa de un golpe.

ojo avizor En actitud de vigilancia: *le pareció oír ruidos en la casa y estaba con ojo avizor.*

ojo de buey (I) Ventana redonda. (II) Foco, generalmente halógeno, que se empotra en el techo.

ojo de gallo Dureza redonda que se forma en los dedos de los pies.

ojos de besugo fam. desp. Ojos muy redondos y salientes.

ojos de carnero degollado familiar Ojos que tienen una expresión triste.

ojos de sapo fam. desp. Ojos grandes e hinchados.

poner los ojos en blanco Mostrar admiración: *todos los presentes pusieron los ojos en blanco al oír las historias del aventurero.*

sacar los ojos familiar Abusar de una persona, especialmente haciéndole gastar dinero.

saltar un ojo Hacer que alguien pierda un ojo o se quede ciego de un ojo.

ser el ojo derecho Ser el preferido de una persona.

tener entre ojos familiar No tener simpatía.

FAM ojal, ojear, ojera, ojoso; anteojeras, anteojos, aojar, reojo.

ojota s. f. AMÉR. SUR Sandalia, generalmente de cuero, usada antiguamente por los indios y actualmente por los campesinos.

okapi s. m. Mamífero rumiante parecido a la jirafa, que tiene el pelaje corto de color marrón con rayas negras y blancas en las patas y la cabeza blanquecina: *el okapi habita en las zonas forestales de África central.*

okupa [también **ocupa**, menos usado] s. com. jerga Persona que vive de forma ilegal en una vivienda o en un local que no es de su propiedad.

ola s. f. ① Ondulación que se forma en la superficie de las aguas, manifestada como un movimiento vertical, cuyo origen está en la acción del viento. SIN onda. ② Variación térmica pronunciada y súbita en una región: *en el mes de julio sufrimos una fuerte ola de calor.* ③ Afluencia de gran cantidad de gente que forma un grupo. SIN avalancha, oleada. ④ Aparición no esperada de una gran cantidad de cosas, acontecimientos o personas: *ola de sarampión.* SIN oleada. ■ **nueva ola** Tendencia nueva en los gustos de la gente: *Isabel va vestida a la nueva ola.*

FAM oleada, oleaje; rompeolas.

olán s. m. MÉX. Volante o tira de tela plegada que llevan como adorno algunas prendas femeninas: *una falda con olanes.*

¡olé! u **¡ole!** int. Expresión que se usa para alabar, aprobar o dar ánimo.

oleáceo, -cea adj./s. f. ① Se aplica a la planta leñosa que tiene las hojas opuestas y las flores hermafroditas agrupadas en racimo; es propia de climas cálidos o templados: *el olivo es una planta oleácea.* ■ s. f. pl. ② **oleáceas** Grupo taxonómico, con categoría de familia, constituido por estas plantas.

oleada s. f. ① Aparición no esperada de una gran cantidad de cosas, personas o acontecimientos: *una oleada de protestas.* SIN ola. ② Afluencia de gran cantidad de gente que forma un grupo. SIN avalancha, ola.

oleaginoso, -sa adj. culto Oleoso.

FAM oleaginosidad.

oleaje s. m. Movimiento continuo de las olas.

oleicultura s. f. Técnica de cultivar los olivos y demás plantas que producen aceite, y de mejorar en la obtención o extracción de este producto.

FAM oleícola.

oleífero, -ra adj. Se aplica a la planta que contiene o produce aceite.

óleo s. m. ① Técnica pictórica que consiste en la disolución de los colores en un aglutinante graso, como el aceite de linaza o el de nuez. ② Cuadro pintado con este tipo de colores. ③ Aceite que se usa en ciertas ceremonias de la Iglesia: *el sacerdote ungió al enfermo con el santo óleo.* NOTA Generalmente en plural con el mismo significado que en singular.

al óleo Que ha sido pintado con colores disueltos en aceite: *tiene cuadros al óleo en el salón.*

FAM oleico, oleicultura, oleífero, oleoducto, oleoso.

oleoducto s. m. Tubería que sirve para llevar petróleo de un lugar a otro.

oleoso, -sa adj. Que tiene mucho aceite, es graso o está grasiento: *alimento oleoso.* SIN aceitoso.

FAM oleosidad.

oler [6] v. tr. ① Percibir los olores al aspirar el aire por la nariz. SIN olfatear. ② familiar Procurar enterarse con disimulo de una información, especialmente de datos referentes a la vida privada de las personas. SIN curiosear, fisgar, fisgonear. ③ Adivinar o sospechar una cosa oculta: *ya me olía yo que aquí había algo extraño.* SIN presentir. ■ v. intr. ④ Despedir olor. ⑤ familiar Parecer o tener un aspecto determinado, generalmente malo: *huele a negocio sucio.*

FAM oledor, oliscar, olismear, olor; maloliente.

OBS La *o-* se convierte en *hue-* en las sílabas tónicas.

olfatear v. tr. ① Aspirar el aire por la nariz repetidas veces para percibir los olores. SIN oler. ② familiar Preguntar o tratar de averiguar con excesiva insistencia.

FAM olfateo.

olfativo, -va adj. Relativo al olfato (sentido).

olfato s. m. ① Sentido que permite percibir y distinguir los olores: *los perros tienen un olfato muy fino.* ② Capacidad que tiene una persona para descubrir lo que está oculto o percibir lo que no es muy evidente: *¡menudo olfato tiene para los negocios!*

FAM olfatear, olfativo.

oligarca s. com. Persona que forma parte del gobierno de una oligarquía.

oligarquía s. f. ① Forma de gobierno en la que el poder está en manos de unas pocas personas pertenecientes a una clase social privilegiada: *la oligarquía surgió en la antigua Grecia.* ② Estado que se gobierna de esta manera. ③ Grupo reducido de personas pertenecientes a una misma clase social que gobierna de esta manera. ④ Grupo reducido de personas poderosas que dirige una organización o actividad: *una influyente oligarquía controla el negocio del petróleo.* **SIN** minoría. ⑤ Organización o actividad dirigida por este grupo de personas: *el negocio del tabaco es una oligarquía en manos de un pequeño grupo.* **SIN** monopolio.
FAM oligarca, oligárquico.

oligárquico, -ca adj. Relativo a la oligarquía: *en la Grecia clásica hubo sistemas de gobierno oligárquicos.*

oligisto s. m. Mineral opaco muy duro y pesado que es de color negruzco o pardo rojizo: *el oligisto está formado por óxido de hierro y se usa en siderurgia.*

oligoceno, -na adj./s. m. ① Se aplica a la época geológica que es la tercera y última del periodo paleógeno de la era cenozoica o terciaria, o, según las escuelas, la tercera del periodo terciario de la era cenozoica; sigue al eoceno, y se extiende desde hace unos 40 millones de años hasta hace unos 25 millones de años. ‖ adj. ② Relativo a esta época geológica.

oligoelemento s. m. Elemento químico que aparece en muy pequeñas cantidades en los seres vivos: *los oligoelementos son imprescindibles para el desarrollo y la vida de los organismos.*

oligofrenia s. f. Discapacidad mental grave de carácter congénito, que padece una persona y que se caracteriza por una deficiencia en el desarrollo intelectual y alteraciones del sistema nervioso.
FAM oligofrénico.

oligofrénico, -ca adj. ① Relativo a la oligofrenia. ‖ adj./s. m. y f. ② Se aplica a la persona que padece oligofrenia.

olimpiada u **olimpíada** s. f. ① En la Grecia antigua, fiesta deportiva y literaria que se celebraba cada cuatro años en la ciudad de Olimpia. ② Competición deportiva de carácter internacional que tiene lugar cada cuatro años en una ciudad determinada: *en Barcelona se celebraron las Olimpiadas de 1992.* **NOTA** Se escribe normalmente con mayúscula inicial. También en plural con el mismo significado que en singular. **SIN** Juegos Olímpicos. ③ Periodo de cuatro años comprendido entre dos celebraciones de esta competición deportiva **FAM** olímpico, olimpismo; paralimpiada, paraolimpiada.

olímpicamente adv. De manera desconsiderada, despreciativa o altanera: *tu jefe puede pensar que pasas olímpicamente de él si no lo llamas.*

olímpico, -ca adj. ① Relativo a las olimpiadas. ‖ adj./s. m. y f. ② Se aplica a la persona que ha participado en una o más Olimpiadas. ‖ adj. ③ Relativo al Olimpo (monte donde vivían los dioses, según la mitología griega): *Zeus es un dios olímpico.* ④ Se aplica a la actitud que es soberbia y altanera: *desprecio olímpico.*

olimpismo s. m. Conjunto de todas las normas y valores que afectan o conciernen a las Olimpiadas de la era moderna.

olisquear v. tr. ① Aspirar el aire por la nariz repetidas veces para percibir los olores. **SIN** olfatear. ② Curiosear o fisgar una persona entre las cosas de otra: *le pillé olisqueando los cajones de mi despacho.* **SIN** husmear.
FAM olisqueo.

oliva s. f. ① Fruto del olivo, de tamaño pequeño, forma ovalada, color verde o negro y con hueso duro en su interior; es comestible una vez adobada y de ella se obtiene aceite. **SIN** aceituna. ② Olivo (árbol).
FAM oliváceo, olivino, olivo.

oliváceo, -cea adj. De color verde oscuro parecido al de las olivas. **SIN** aceitunado.

olivar s. m. Lugar poblado de olivos.
FAM olivarero.

olivarero, -ra adj. ① Relativo al cultivo o comercio del olivo y el aceite de oliva: *industria olivarera; región olivarera.* ‖ s. m. y f. ② Persona que se dedica al cultivo o comercio del olivo y el aceite de oliva.

olivicultura s. f. Cultivo de los olivos.
FAM olivícola.

olivino s. m. Mineral compuesto de silicato de hierro y magnesio, de color verde amarillento, que suele encontrarse en las rocas volcánicas y se utiliza como piedra preciosa. **SIN** peridoto.

olivo s. m. ① Árbol de tronco corto, grueso y torcido, copa ancha y ramosa, hojas duras, perennes y de color verde oscuro por el derecho y blanquecinas por el revés, y flores pequeñas, blancas y en racimos; su fruto es la oliva o aceituna. **SIN** aceituno, oliva. ② Madera de este árbol. **SIN** aceituno.
FAM olivar, olivicultura.

olla s. f. ① Recipiente redondo y hondo, de barro o metal, con una o dos asas y con tapa que se usa para cocinar. ■ **olla a presión** u **olla exprés** Olla de metal que se puede cerrar herméticamente de manera que aumenta la presión en su interior permitiendo que se cocinen los alimentos con rapidez: *en la olla exprés la presión se regula mediante una válvula.* ② Guiso hecho con carne, legumbres y hortalizas que se cuecen juntas. ■ **olla podrida** Guiso con distintos tipos de carnes, embutidos, hortalizas y legumbres.
olla de grillos familiar Lugar donde hay mucho ruido y alboroto.

ollar s. m. Orificio de la nariz de las caballerías.

olmeda s. f. Olmedo.

olmedo s. m. Lugar poblado de olmos. **SIN** olmeda.

olmo s. m. Árbol de tronco fuerte y derecho, copa ancha, hojas caducas ovaladas con el borde dentado y flores de color blanco rosado: *la corteza del olmo tiene propiedades astringentes.*
FAM olmeda, olmedo.

olor s. m. ① Emanación de ciertos cuerpos o sustancias que percibe el olfato y que produce algún tipo de sensación. ■ **olor a tigre** familiar Olor desagradable de un lugar cerrado en el que han permanecido una o varias personas un cierto tiempo y no se ha ventilado. ② Aspecto extraño que mueve a sospechar algo malo: *su negocio tenía cierto olor a delito.* **SIN** tufo.
en olor de Con fama de: *murió en olor de santidad.*
FAM oloroso.

oloroso, -sa adj. ① Que despide olor, especialmente si es agradable. **SIN** aromático. ‖ s. m./adj. ② Vino de Jerez de color dorado oscuro y muy aromático.

olvidadizo, -za adj. Se aplica a la persona que se olvida de las cosas con facilidad y con frecuencia.

olvidar v. tr./prnl. ① Perder la memoria o el recuerdo de una cosa: *olvidó los nombres de sus viejos compañeros; me he olvidado de tu número de teléfono.* **ANT** recordar. ② Perder el trato o el afecto con una persona: *¡qué pronto olvidas a tus amigos!* ③ No tener en cuenta algo: *olvida los agravios que te hicieron.* ❙ *v. tr./ prnl. tr.* ④ No coger una cosa de un sitio por descuido: *ha olvidado los libros.* ⑤ Dejar de hacer una cosa que debía hacerse: *olvidó el grifo abierto.*

FAM olvidadizo, olvido; inolvidable.

olvido *s. m.* ① Hecho de perder la memoria o no recordar una cosa: *todo lo que le dije cayó en el olvido.* **ANT** recuerdo. ② Hecho de dejar de hacer una cosa que debe hacerse. ③ Hecho de perder el trato o el afecto.

omatidio *s. m.* Cada una de las unidades que forman los ojos compuestos de los insectos y crustáceos: *los ojos de las moscas están formados por cerca de 10 000 omatidios.*

ombligo *s. m.* ① Cicatriz pequeña, redonda y permanente que queda en medio del vientre de los mamíferos al cortar el cordón umbilical que unía el feto con su madre. ② Cordón umbilical.

mirarse el ombligo familiar Complacerse una persona contemplándose a sí misma.

ser el ombligo del mundo Ser el centro o la parte más importante de una cosa: *se cree que es el ombligo del mundo y no tiene dónde caerse muerto.* **NOTA** Frecuentemente usado de forma despectiva.

FAM ombliguero.

ombudsman [se pronuncia aproximadamente 'ómbudsman'] *s. m.* Persona que tiene el cargo de defensor del pueblo.

omega *s. f.* Nombre de la vigésima cuarta y última letra del alfabeto griego; se escribe Ω/ω y se transcribe como *o*.

omeya *adj.* ① Relativo a una dinastía islámica de califas y emires fundada en el siglo VII por los descendientes del jefe árabe Muhawiyya. ❙ *s. com./adj.* ② Persona perteneciente a esta dinastía: *los omeyas fundaron el emirato de Córdoba en el siglo VIII.*

ómicron u **omicrón** *s. f.* Nombre de la decimoquinta letra del alfabeto griego; se escribe O/o y se transcribe como la *o* breve del alfabeto latino.

ominoso, -sa *adj.* culto Detestable.

omisión *s. f.* ① Abstención de decir o hacer algo voluntaria o involuntariamente: *la omisión de su nombre fue totalmente intencionada.* ② Falta que se comete por haber dejado de decir o de hacer una cosa.

omitir *v. tr.* ① Dejar de decir o consignar una cosa voluntaria o involuntariamente: *omitió el nombre de varios de los miembros de la asociación.* ② Dejar de hacer algo voluntaria o involuntariamente.

FAM omisión, omiso.

ómnibus *s. m.* Vehículo automóvil de gran capacidad, que sirve para transportar personas. **SIN** autobús.

OBS Plural invariable.

omnímodo, -da *adj.* culto Absoluto, total: *poder omnímodo.*

omnipotencia *s. f.* Poder que lo abarca todo: *la omnipotencia de Dios.*

FAM omnipotente.

omnipotente *adj.* ① Que tiene un poder que lo abarca todo: *Dios es omnipotente.* **SIN** todopoderoso. ② Que tiene un poder muy grande.

omnipresencia *s. f.* Capacidad de estar presente en varios lugares al mismo tiempo: *como todavía no tengo el don de la omnipresencia, si voy al trabajo no podré estar en esa reunión.* **SIN** ubicuidad.

FAM omnipresente.

omnipresente *adj.* ① Que está presente en varios lugares al mismo tiempo. **SIN** ubicuo. ❙ *adj./s. com.* ② Se aplica a la persona que parece que está en todas partes o interviene en todos los asuntos. **NOTA** Frecuentemente usado de forma humorística.

omnisciencia *s. f.* culto Conocimiento de todas las cosas: *la omnisciencia es atributo exclusivo de Dios.*

omnisciente *adj.* ① culto Que conoce todas las cosas. **SIN** omnisapiente. ② En literatura, se aplica al narrador que no es un personaje de la narración, sino que es externo a ella, y da a conocer al lector los pensamientos y sentimientos de los personajes.

FAM omnisciencia.

omnívoro, -ra *adj./s. m.* Se aplica al animal que se alimenta de toda clase de sustancias orgánicas: *el ser humano es un animal omnívoro.*

omóplato u **omoplato** *s. m.* Hueso ancho, triangular y casi plano, situado en la parte posterior del hombro y donde se articulan los huesos del hombro y el brazo. **SIN** escápula, paletilla.

on *adj.* ① Conectado, en funcionamiento. **ANT** off. ❙ *s. m.* ② Tecla que, en un aparato, sirve para conectarlo o ponerlo en funcionamiento. **ANT** off.

on the record Información que puede ser divulgada o publicada: *recibió la información on the record y la publicó al día siguiente.* **NOTA** Se pronuncia aproximadamente 'on the récor'.

onanismo *s. m.* culto Masturbación.

FAM onanista.

onanista *adj.* culto Relativo al onanismo: *los periodos onanistas son normales dentro del desarrollo sexual de una persona.*

once *num. card.* ① Diez más uno. ❙ *num. ord.* ② Que ocupa el lugar número 11 en una serie ordenada. **SIN** undécimo. ❙ *s. m.* ③ Número 11. ④ Equipo de fútbol: *aún no se sabe cuál será hoy el once inicial.*

FAM onceavo, onceno, onzavo.

onceavo, -va *num. part.* Se aplica a cada una de las partes que resultan de dividir un todo en once partes iguales. **SIN** undécimo.

onceno, -na *num. ord.* ① culto Undécimo. ❙ *num. part.* ② culto Onceavo.

oncogén *s. m.* Gen que por su gran capacidad de mutación o transformación induce a la formación de cáncer en una célula.

oncología *s. f.* Parte de la medicina que se ocupa de los tumores y de su tratamiento: *la oncología se ocupa del cáncer.*

FAM oncológico, oncólogo.

onda *s. f.* ① Elevación o círculo concéntrico que se forman en la superficie de una masa líquida a causa de una agitación o de un movimiento. **SIN** ondulación. ② Curva con forma de ola en un cuerpo no líquido: *las ondas del pelo le caen a los lados de la cara.* **NOTA** Más en plural. ③ Vibración periódica a través de un medio o del vacío: *la televisión se transmite mediante ondas.* ■ **onda corta** Onda que tiene una longitud de entre 10 y 50 m. ■ **onda de Mach** Onda de choque que se produce cuando un cuerpo se mueve a mayor velocidad que aquella con que se propagan las ondas en ese medio. ■ **onda electromagnética** Onda producida por cargas eléctricas en movimiento: *las ondas electromagnéticas destruyeron la información que había en el disquete.* ■ **onda hertziana** Onda que se propaga en el vacío a la misma velocidad que la luz: *la televi-*

sión se transmite por medio de ondas hertzianas. ■ **onda larga** Onda que tiene una longitud de 1 000 m o más. ■ **onda media** u **onda normal** Onda que tiene una longitud de entre 200 y 1 000 m. ■ **onda sísmica** Onda esférica que, al producirse un terremoto, se propaga desde el hipocentro y puede ser detectada mediante un sismógrafo. ④ Adorno con forma de arco o de medio círculo con el que se rematan los bordes de vestidos y de otras prendas. ⑤ familiar Estilo o moda: *parece que vuelve la onda de los años sesenta*. ⑥ familiar MÉX. Asunto o tema: *no sé nada de esa onda*.

captar la onda familiar Entender una cosa que se dice de modo indirecto.

estar en la onda familiar Estar al corriente de lo que ocurre o de las últimas tendencias.

irse la onda familiar AMÉR. Olvidarse repentinamente una persona de lo que iba a decir o hacer.

¿qué onda? familiar MÉX. Se usa para preguntarle a una persona sobre su estado general, tanto físico como anímico: *¿qué onda, cómo estás?*

tener onda (I) familiar AMÉR. CENTRAL, ARG., CHILE, PAR., URUG. Acompañado de los adverbios *buena* o *mala*, se usa para referirse a la integridad moral de una persona. (II) familiar ARG., MÉX. Tener una persona o una situación buenas cualidades: *esta película tiene onda, trata muy bien el tema de la inmigración.* **FAM** ondear, ondular; microondas.

ondear *v. intr.* ① Moverse formando ondas a causa del aire o viento. **SIN** ondular. ▌ *v. tr.* ② Agitar algo en el aire de manera que haga ondas. **FAM** ondeado, ondeante.

ondulación *s. f.* ① Onda en una superficie: *las ondulaciones del terreno.* ② Movimiento de onda que se produce en un cuerpo flexible. ③ Acción de ondular.

ondulado, -da *adj.* Que tiene o forma ondas.

ondular *v. tr.* ① Hacer ondas: *el peluquero le onduló el pelo.* ▌ *v. intr.* ② Moverse formando ondas: *las banderas ondulan al viento.* **SIN** ondear. **FAM** ondulación, ondulado, ondulante, ondulatorio.

ondulatorio, -ria *adj.* Que se extiende o se propaga mediante ondas o en forma de ondas.

oneroso, -sa *adj.* ① culto Pesado. ② culto Costoso, caro: *gastos onerosos.* ③ Que se hace mediante una prestación recíproca.

ONG [se pronuncia 'o-ene-ge'] *s. f.* Sigla de *organización no gubernamental,* institución que no depende de la administración del estado y realiza actividades de interés social.

ónice *s. m.* Mineral que constituye una variedad de ágata y que está formado por cuarzo listado formando franjas de tonos claros y oscuros que van alternando: *el ónice se utiliza para hacer esculturas.* **SIN** ónix.

onírico, -ca *adj.* culto Relativo a los sueños.

ónix *s. m.* Ónice. **OBS** Plural invariable.

onomástica *s. f.* ① culto Día del santo de una persona. ② Parte de la lingüística que estudia el origen y la transformación de los nombres propios: *onomástica hispanorromana.*

onomatopeya *s. f.* ① Imitación de un sonido por medio del lenguaje. ② Palabra formada mediante esta imitación: *"guau" y "tic tac" son onomatopeyas.* ③ Figura retórica que consiste en una aliteración o repetición de sonidos lingüísticos que tiene como finalidad imitar sonidos que tienen una co-

rrespondencia con un elemento de la realidad: *en la onomatopeya de san Juan de la Cruz "el silbo de los aires amorosos", se imita, mediante la abundancia de eses, el silbido del viento.* **FAM** onomatopéyico.

onomatopéyico, -ca *adj.* ① Relativo a la onomatopeya. ② Que está formado por onomatopeya: *"ronronear" es un término onomatopéyico.*

ontogénesis *s. f.* Ontogenia. **OBS** Plural invariable.

ontogenia *s. f.* En biología, formación y desarrollo de un organismo individual durante el periodo embrionario. **SIN** ontogénesis. **ANT** filogenia.

ontología *s. f.* Parte de la metafísica que estudia el concepto del ser y sus propiedades. **FAM** ontológico.

ontológico, -ca *adj.* Relativo a la ontología: *argumentos ontológicos.*

onubense *adj.* ① De Huelva (ciudad y provincia de Andalucía). ▌ *s. com./adj.* ② Persona que es de Huelva.

onza *s. f.* ① Medida de masa que equivale a 28,70 gramos. ② Antigua medida de masa que equivalía a la duodécima parte de ciertas medidas. ③ Antigua moneda española de oro que pesaba aproximadamente 28,70 gramos y que tuvo curso entre los siglos XVI y XIX con el valor de 320 reales. **NOTA** También *onza de oro.* ④ Cada una de las partes o cuadros iguales en que viene dividida una tableta de chocolate.

oocito [también **ovocito**] *s. m.* Célula germinal femenina derivada de la oogonia y que da lugar al óvulo.

oogamia *s. f.* Fecundación en la que un gameto femenino inmóvil es fecundado por un gameto masculino móvil de menor tamaño.

oogénesis [también **ovogénesis**] *s. f.* Proceso de formación de las células sexuales femeninas, desde la oogonia hasta el óvulo. **OBS** Plural invariable.

oogonia [también **ovogonia**] *s. f.* Célula germinal femenina que representa el primer estadio evolutivo de las células sexuales femeninas y que da lugar al oocito, que a su vez da lugar al óvulo.

oosfera *s. f.* Célula sexual femenina de las plantas angiospermas: *la oosfera se encuentra en el saco embrionario.*

opa¹ u **OPA** *s. f.* Oferta para adquirir más del 25 % de una sociedad, que se hace pública por la aceptación de una serie de condiciones de compra de acciones, normalmente a un precio superior al del mercado.

opa² *adj./s. com.* familiar ARG., BOL., CHILE, PAR., PERÚ, URUG. Tonto, idiota: *¡no te hagas el opa!*

opacar *v. tr.* CUBA, MÉX., PERÚ Hacer que las virtudes de alguien no destaquen, por exponer cualidades propias superiores: *su belleza opacaba por completo la de las otras damas.*

opacidad *s. f.* ① Falta de transparencia para dejar pasar la luz que tiene un cuerpo. ② Falta de brillo o luminosidad que tiene la superficie de una cosa.

opaco, -ca *adj.* ① Que no deja pasar la luz. **ANT** transparente. ② Que no tiene brillo ni luz. ③ Que no destaca: *es una persona opaca y mediocre; aquella luz era opaca.* **SIN** insignificante. **FAM** opacidad.

ópalo *s. m.* Mineraloide compuesto por sílice hidratada amorfa, de distintos colores y que se puede usar en joyería como piedra preciosa.

FAM opalino.

opción *s. f.* **1** Posibilidad que se presenta de elegir entre varias cosas: *no nos queda opción: tenemos que hacer lo que nos mandan.* **SIN** alternativa, elección. **2** Posibilidad, de entre varias, que se elige en un caso determinado: *la opción de cenar en casa me parece la más adecuada.* **SIN** alternativa, elección. **3** Derecho que se tiene a un oficio, honor, cargo o título.

FAM opcional.

opcional *adj.* Que se puede elegir según una preferencia y por tanto no es obligatorio. **SIN** optativo.

op. cit. Abreviatura de la expresión latina *ópere citato,* 'en la obra citada', que se emplea en las citas internas de un escrito para referirse a la obra de un autor citada anteriormente.

open *s. m.* Prueba o torneo deportivo en el que pueden participar jugadores profesionales y aficionados: *open de golf.* **SIN** abierto.

OBS Plural invariable.

openfield [se pronuncia aproximadamente 'ópenfil'] *s. m.* Modelo de paisaje agrario surgido en Europa en la Edad Media, caracterizado por parcelas alargadas y abiertas, sin cercados, la propiedad colectiva de la tierra y el hábitat rural agrupado en poblaciones.

ópera¹ *s. f.* **1** Obra dramática y musical en la que los actores se expresan mediante el canto, acompañados por una orquesta; se desarrolla como una obra de teatro, en la que la acción transcurre en los recitativos y en las arias los personajes expresan sus sentimientos y pensamientos: *fuimos a ver la ópera «Don Giovanni» de Mozart.* **2** Género dramático y musical constituido por este tipo de obras. **3** Teatro o sala donde se representa este tipo de obras: *la Ópera de París.*

FAM opereta, operístico.

ópera² Se usa en la expresión latina:

ópera prima Primera de las obras de un artista o un autor.

operación *s. f.* **1** Intervención médica que se hace a una persona abriendo y cortando el tejido u órgano dañado con los instrumentos quirúrgicos adecuados: *se está recuperando muy bien de la operación de rodilla.* **2** Ejecución de una acción: *los terroristas fueron detenidos gracias a una operación de la policía.* **3** Combinación de números y operadores o de expresiones matemáticas a las que se aplican unas reglas para obtener un resultado: *en una operación combinada, hay que establecer una prioridad para operar: primero los paréntesis, después las multiplicaciones o divisiones y por último las sumas o restas.*

operador, -ra *adj./s. m. y f.* **1** Que opera. **‖** *s. m. y f.* **2** Técnico encargado de manejar y hacer que funcionen ciertos aparatos. **3** Persona que en un servicio telefónico establece las comunicaciones que no son automáticas. **‖** *s. m.* **4** Símbolo utilizado en matemáticas para indicar la operación que se realiza: *el signo + es un operador.*

operar *v. tr.* **1** Intervenir a un enfermo abriendo y cortando el tejido o el órgano dañado con los instrumentos médicos adecuados. **‖** *v. intr.* **2** Combinar números o expresiones matemáticas aplicando unas reglas para obtener un resultado. **SIN** calcular. **3** Ejecutar acciones, especialmente comerciales, militares o ilegales. **SIN** actuar. **4** culto Producir un efecto, especialmente un medicamento: *el calmante operó rápidamente sobre el paciente.* **5** Realizar maniobras militares un ejército.

FAM operable, operación, operador, operante, operativo, operatorio.

operario, -ria *s. m. y f.* Persona que se dedica a hacer un trabajo de tipo manual: *los operarios de una fábrica.*

operatividad *s. f.* Cualidad de operativo: *la operatividad de las personas que mandan en esta empresa es muy poco efectiva.*

operativo, -va *adj.* **1** Que produce el resultado esperado: *si este remedio no da resultado, habrá que buscar uno que resulte más operativo.* **2** Que funciona o es válido para algo.

FAM operatividad.

opereta *s. f.* Obra musical cantada, hablada y escenificada como la ópera en la que se cuenta una historia festiva y divertida: *la opereta es un espectáculo de origen francés.*

operista *s. com.* Persona que compone óperas.

opiáceo, -cea *adj.* **1** Relativo al opio. **2** Que está compuesto con opio. **3** Que tiene alguna propiedad del opio, como la de actuar de calmante: *medicamento opiáceo.*

opinar *v. tr./intr.* **1** Expresar una opinión de palabra o por escrito. **2** Tener una opinión: *es necesario conocer los hechos antes de opinar.*

FAM opinable, opinión.

opinión *s. f.* **1** Forma propia de pensar sobre algún asunto cuestionable. **SIN** parecer. **■ opinión pública** Manera de pensar que es común a la mayoría de las personas acerca de un asunto: *los medios de comunicación de masas tratan de ganar la opinión pública para sus causas.* **2** Fama o concepto en que se tiene a una persona o cosa.

opio *s. m.* **1** Sustancia que se obtiene de la adormidera y que por sus efectos narcóticos se considera una droga. **2** familiar ARG., URUG. Persona o cosa que resulta muy aburrida: *esta novela es un opio.*

FAM opiáceo.

opíparo, -ra *adj.* culto Se aplica a la comida que es muy abundante y muy buena.

oponente *adj./s. com.* **1** Se aplica a la persona que tiene una opinión contraria a la de otra u otras personas. **SIN** contrario. **2** Se aplica a la persona o el grupo que se enfrenta a otro en una competición deportiva. **SIN** adversario, contrincante, rival.

oponer [36] *v. tr.* **1** Exponer razones contrarias a una idea o un proyecto. **2** Poner un obstáculo para impedir una acción: *el detenido opuso resistencia a la policía.* **‖** *v. prnl.* **3** **oponerse** Ser contrario a cierta cosa. **4** Manifestar desacuerdo con una acción o con una persona. **5** Estar una cosa colocada frente a otra: *el banco se opone a la iglesia.*

FAM oponente, oponible, oposición, opuesto.

oporto *s. m.* Vino dulce que se elabora en el municipio portugués de Oporto.

oportunidad *s. f.* **1** Circunstancia favorable o que se da en un momento adecuado u oportuno para hacer algo. **2** Cualidad de oportuno: *no pongo en duda la oportunidad de su visita.* **3** Producto que se vende a bajo precio. **NOTA** Normalmente en plural. **SIN** saldo.

oportunismo *s. m.* despectivo Habilidad para aprovechar cualquier oportunidad anteponiendo el beneficio personal a cualquier otro principio o actitud: *oportunismo político.*

FAM oportunista.

oportunista *adj.* **1** despectivo Relativo al oportunismo. **‖** *adj./s. com.* **2** despectivo Se aplica a la persona que quiere aprovechar al máximo las oportunidades y que para ello no duda en anteponer su beneficio a cualquier otro principio o actitud.

oportuno, -na *adj.* ① Que se hace u ocurre en un momento adecuado o conveniente. **ANT** inoportuno. ② Se aplica a la persona que es ingeniosa en la conversación e interviene con gracia. **ANT** inoportuno.
FAM oportunidad, oportunismo; importuno, inoportuno.

oposición *s. f.* ① Acción de oponer u oponerse. ② Efecto de oponer u oponerse. ③ Situación de las cosas o personas enfrentadas: *la familia no puso oposición a que los jóvenes se casaran.* **SIN** resistencia. ④ Grupo político o social que no está en el poder y que representa las opiniones contrarias a las de los dirigentes. ⑤ Procedimiento de selección de personas que aspiran a ocupar un puesto de trabajo que consiste en una serie de exámenes. **NOTA** Normalmente en plural. **SIN** concurso.
FAM opositar.

opositar *v. intr.* Prepararse para unas oposiciones o presentarse a ellas: *hizo la carrera de derecho y después opositó a notarías.*
FAM opositor.

opositor, -ra *s. m. y f.* ① Persona que aspira a un puesto que se concede por oposición. ② Persona que se opone a otra. **SIN** oponente.

opresión *s. f.* ① Acción de oprimir. ② Sensación de presión sobre el pecho que dificulta la respiración.

opresivo, -va *adj.* Que oprime: *gobierno opresivo.*

opresor, -ra *adj./s. m. y f.* Se aplica a la persona o cosa que domina o manda con autoridad excesiva o injusta: *se rebelaron contra el régimen opresor.*

oprimir *v. tr.* ① Ejercer presión sobre algo: *debes oprimir el botón para que funcione.* **SIN** presionar. ② Apretarle a una persona algo. ③ Dominar o mandar con autoridad excesiva o injusta. **SIN** tiranizar. ④ Producir algo angustia: *este ambiente tan sofisticado me oprime.*
FAM opresión, opresivo, opresor.

oprobio *s. m.* culto Deshonor.

optar *v. intr.* ① Escoger o preferir una posibilidad de un conjunto: *opté por comprar el más económico.* ② Aspirar a un empleo u otra cosa a la que se tenga derecho.
FAM optativo.

optativo, -va *adj.* ① Que se puede elegir según una preferencia y por tanto no es obligatorio: *el curso incluía clases obligatorias y actividades optativas, como excursiones y visitas culturales.* **SIN** opcional. ❘ *adj./s. m.* ② Se aplica al modo verbal indoeuropeo y griego que expresaba deseo, y que en latín se confundió con el subjuntivo. ❘ *adj./s. f.* ③ Se aplica a la oración desiderativa.

óptica *s. f.* ① Establecimiento en el que se venden instrumentos para corregir o mejorar la visión. ② Parte de la física que estudia la luz y los fenómenos que tienen relación con ella. ③ Punto de vista: *desde mi óptica es totalmente imposible.* ④ Arte de construir espejos, lentes e instrumentos para corregir o mejorar la visión.

óptico, -ca *adj.* ① Relativo a la vista. ② Relativo a la óptica (parte de la física). ❘ *s. m. y f.* ③ Persona que se dedica a fabricar o vender instrumentos de óptica.
FAM óptica.

optimismo *s. m.* ① Tendencia a ver y a juzgar las cosas o a las personas en su aspecto más positivo o más agradable. **ANT** pesimismo. ② Doctrina filosófica expuesta por Leibniz

(1646-1716), filósofo alemán, que afirma que este mundo es el mejor de los mundos posibles.
FAM optimista.

optimista *adj./s. com.* ① Se aplica a la persona que tiende a ver y juzgar las cosas o a las otras personas en su aspecto más positivo o más agradable. **ANT** pesimista. ❘ *adj.* ② Relativo al optimismo (doctrina filosófica). ❘ *adj./s. com.* ③ Se aplica a la persona que defiende las ideas del optimismo (doctrina filosófica).

optimización *s. f.* Acción de optimizar.
FAM optimizar.

optimizar *v. tr.* ① Planificar una actividad para obtener los mejores resultados: *han hecho cambios de personal con el fin de optimizar los rendimientos.* ② En matemáticas e informática, determinar los valores de las variables que intervienen en un proceso o sistema para que el resultado que se obtiene sea el mejor posible.
FAM optimización.

óptimo, -ma *adj.* Que es extraordinariamente bueno o el mejor, por lo cual resulta inmejorable. **ANT** pésimo.
FAM optimar, optimizar.

opuesto, -ta ① Participio irregular de *oponer.* ❘ *adj.* ② Se aplica a la persona o cosa que es totalmente diferente a otra. ③ Se aplica a la persona que es contraria a algo: *era opuesto a las celebraciones.* ④ Que está enfrente o al otro extremo de algo. ⑤ Se aplica al número que tiene igual valor absoluto que otro pero es de signo contrario: *el opuesto de 3 es –3.* ⑥ Se aplica al polinomio que se obtiene al cambiar de signo todos los monomios que lo forman. ⑦ Se aplica al órgano de una planta que crece a un lado del tallo enfrente de otro y al mismo nivel que él: *las hojas del olivo son opuestas.*

opulencia *s. f.* Riqueza grande o abundancia de una cosa.

opulento, -ta *adj.* ① Que es muy rico. **SIN** acaudalado. **ANT** pobre. ② Que es muy abundante. **SIN** generoso. **ANT** pobre. ③ Se aplica a la persona o cosa que está muy desarrollada o que tiene gran cantidad de alguna cosa: *era una mujer de caderas opulentas.*
FAM opulencia.

opus *s. m.* Palabra latina que significa 'obra' y precede al número que corresponde a una obra musical en la producción total de un compositor, según el orden cronológico de composición o de publicación: *la novena sinfonía de Beethoven, opus 125.*

opúsculo *s. m.* Publicación de pocas páginas dedicada generalmente a un único tema de carácter científico o literario.

oquedad *s. f.* Espacio hueco en el interior de un cuerpo u objeto: *el bandolero se escondía en una oquedad del tronco del árbol.*

ora *conj.* culto Indica que dos o más acciones alternan o se oponen: *ora llora, ora ríe.*

oración *s. f.* ① Conjunto de enunciados con que el creyente se dirige a Dios, a una divinidad, a un santo, etc., especialmente la que tiene una forma fija y establecida: *el padrenuestro, el ave maría y la salve son oraciones cristianas.* ② Máxima unidad lingüística con sentido completo. ■ **oración compleja** u **oración compuesta** Oración formada por más de un sujeto y más de un predicado o por una serie de proposiciones: *las siguientes son oraciones compuestas: "Juan lee y Pedro pasea", "el libro que me has comprado tiene bellas ilustraciones".* ■ **oración simple** Oración formada por un solo sujeto y un solo predicado: *"Pedro pasea por el parque" es una oración simple.*
FAM oracional.

O

oracional *adj.* ⒈ Relativo a la oración gramatical: *la función de sujeto es una función oracional.* ∎ *s. m.* ⒉ Libro con oraciones dirigidas a Dios.

oráculo *s. m.* ⒈ Respuesta de un dios a una consulta, especialmente en la antigua Grecia y en algunas religiones antiguas. ⒉ Lugar donde se acude para consultar a un dios: *el oráculo de Delfos.* ⒊ Representación de la deidad a la que se ruega o pregunta. ⒋ Persona sabia y autorizada cuya opinión se considera verdadera.

orador, -ra *s. m. y f.* ⒈ Persona que habla en público. ⒉ Persona que tiene facilidad para hablar en público y que lo hace bien.
FAM oratorio.

oral *adj.* ⒈ Relativo a la lengua hablada, en oposición a la escrita: *tradición oral; de inglés, haremos un examen oral y otro escrito.* **SIN** verbal. ⒉ Relativo a la boca. ⒊ Se aplica a la medicina que se toma por la boca. ⒋ Se aplica a la articulación cuya resonancia se produce en la cavidad bucal, por cerrar el velo del paladar la entrada del aire en las fosas nasales.

orangután *s. m.* Mamífero primate de tamaño similar al gorila y pelo marrón o rojizo, que tiene las extremidades anteriores muy largas y la cabeza alargada, se alimenta de vegetales y vive en los árboles.

orante *adj.* ⒈ Que ora. ⒉ Relativo a la actitud de orar que toman algunas representaciones pictóricas o esculturas.

orar *v. intr.* ⒈ Rogar a Dios o a los santos. **SIN** rezar. ⒉ Hablar en público.
FAM oración, orador, orante.

orate *s. com.* culto Loco.

oratoria *s. f.* ⒈ Arte de saber hablar bien en público para agradar, convencer o provocar un sentimiento determinado. ⒉ Género literario que comprende las obras escritas para ser proclamadas oralmente.

oratorio, -ria *adj.* ⒈ Relativo a la oratoria. ∎ *s. m.* ⒉ Lugar en una casa o un edificio público en el que hay un altar para celebrar misa y donde se acude para rezar. ⒊ Palco o tribuna reservado en una iglesia para los dignatarios. ⒋ Coro de los clérigos en las iglesias de los conventos. ⒌ Composición musical religiosa para coro, solistas y orquesta, que tiene una acción dramática pero generalmente no se escenifica; cada solista interpreta el papel de un personaje, y el coro suele interpretar grupos numerosos, como el pueblo: *la «Pasión según san Mateo» es un oratorio de Bach sobre la pasión de Cristo.* ⒍ Congregación religiosa fundada por san Felipe Neri.
FAM oratoria.

orbe *s. m.* ⒈ culto Mundo o universo. ⒉ culto Esfera terrestre o celeste.
FAM orbicular, órbita.

órbita *s. f.* ⒈ Trayectoria que describe un cuerpo alrededor de otro en el espacio, especialmente un planeta, cometa, satélite, etc., como consecuencia de la acción de la fuerza de gravedad: *la trayectoria elíptica de la órbita de los planetas alrededor del Sol es consecuencia de la acción de la gravedad.* ⒉ Trayectoria que recorre un electrón alrededor del núcleo del átomo. ⒊ Cavidad del cráneo en la que se encuentra el ojo. **SIN** cuenca. ⒋ Ámbito de acción o de influencia de una persona o cosa: *el mercado hispanoamericano está en la órbita de esta empresa.*
estar en órbita Conocer un ambiente o asunto.
estar fuera de órbita No conocer un ambiente o asunto.

poner en órbita Lanzar al espacio una nave o un satélite.
FAM orbital, orbitar.

orbital *adj.* ⒈ Relativo a la órbita: *un movimiento orbital.* ∎ *s. m.* ⒉ Región del espacio atómico que está ocupada por una nube electrónica; es la zona donde la probabilidad de encontrar el electrón es máxima: *los orbitales tienen una forma determinada; en cada orbital caben dos electrones como máximo.*

orca *s. f.* Mamífero cetáceo marino de la familia de los delfines que puede medir hasta 9 m de longitud y tiene el lomo negro y el vientre blanco: *la orca es un gran depredador.*

órdago *s. m.* Jugada del mus en la que se apuesta todo lo que falta para ganar.
de órdago familiar Que es muy bueno, grande o intenso: *te ha salido un guiso de órdago.*

ordalía *s. f.* Prueba a la que eran sometidos los acusados en la Edad Media para averiguar su culpabilidad o inocencia; como la del fuego, la del hierro candente, etc.

orden *s. m.* ⒈ Forma de estar colocadas adecuadamente las cosas, personas o hechos en un lugar o de sucederse en el tiempo según un determinado criterio: *orden alfabético; se clasifican por orden de llegada.* **ANT** desorden. ⒉ Estado de normalidad y sin alteraciones: *el vigilante declaró que cuando hizo la ronda encontró todo en orden.* ∎ **orden público** Situación de normalidad o comunidad: *los disturbios de ayer tarde pretendían alterar el orden público.* ⒊ Clase, tipo o categoría: *Picasso fue un artista de primer orden.* ⒋ En arquitectura, conjunto formado por una columna y la porción de elementos horizontales que se encuentran sobre ella; en la Grecia clásica se establecieron tres tipos (dórico, jónico y corintio), a los que los romanos añadieron dos (toscano y compuesto), utilizados posteriormente por otros estilos arquitectónicos; el empleo de uno u otro determina las proporciones generales del edificio. ∎ **orden compuesto** Orden romano que combina en el capitel los motivos vegetales del orden corintio y las volutas del jónico. ∎ **orden corintio** Orden griego similar al jónico pero que utiliza motivos vegetales (hojas de acanto) en la decoración de los capiteles; fue muy utilizado por los romanos. ∎ **orden dórico** Orden griego que presenta columnas acanaladas y sin basa con un capitel de dos piezas sin decoración y entablamento dividido en tres partes: arquitrabe generalmente liso, friso (que alterna triglifos y metopas) y cornisa. ∎ **orden jónico** Orden griego con columnas esbeltas y acanaladas, basa circular y capitel adornado con volutas; en el entablamento, el arquitrabe se divide en tres bandas, el friso no tiene divisiones y puede decorarse con figuras en relieve y la cornisa se remata con una sección curva, a veces con dentículos debajo. ∎ **orden toscano** Orden romano variante del dórico griego, pero con base en la columna y fuste liso. ⒌ Categoría de clasificación de los seres vivos inferior a la de clase y superior a la de familia: *dentro de la clase mamíferos está el orden carnívoros, que contiene, entre otras familias, a cánidos y félidos.* ⒍ Formación de tropas para desempeñar una misión, como el orden de batalla (disposición más favorable para la lucha), el orden de parada (con mucho frente y poco fondo para pasar revista) o el orden abierto (con la tropa dispersada para cubrir más terreno y ser menos vulnerable). ∎ *s. f.* ⒎ Aquello que un superior manda obedecer y realizar: *el soldado cumplió la orden.* **SIN** mandato. ∎ *s. m.* ⒏ Sacramento de la Iglesia en virtud del cual un cristiano es nombrado sacerdote, diácono u obispo. ∎ *s. f.* ⒐ Cada uno de los grados de este sacramento: *el sacerdocio y el diaconado son órdenes mayores.* ⒑ Comunidad de religiosos aprobada por la Iglesia que vive bajo unas reglas establecidas por su fundador: *a comienzos del siglo XIII surgieron las órdenes mendicantes.* **11** Antigua organización civil o militar, especialmente en la Edad Media, creada para proteger o defender ciertas personas o cosas con un fin moral o virtuoso: *orden de caballería; orden militar.*

a la orden Expresión que indica que se va a obedecer en lo que se ha mandado.

¡a sus órdenes! Expresión militar que se usa para saludar y para responder a un mando superior.

del orden de Se usa para indicar una cantidad aproximada: *en una olla a presión, la temperatura es del orden de los 120 °C.*

en orden Indica que una cosa está en la debida manera o se realiza de la manera adecuada: *aún no tiene los papeles en orden para matricularse.*

estar a la orden del día Ser muy frecuente, ocurrir de manera habitual: *por desgracia, los atracos están a la orden del día.*

orden del día (I) Serie de puntos que han de tratarse en una reunión: *pasemos al siguiente punto del orden del día: acondicionamiento del gimnasio.* **NOTA** En esta locución, *orden* es de género masculino. (II) Serie de órdenes o mandatos que se da diariamente a los cuerpos del ejército indicando los servicios que ha de prestar la tropa: *en el patio se leyó, como cada noche, la orden del día siguiente.* **NOTA** En esta locución, *orden* es de género femenino.

sin orden ni concierto familiar De forma desorganizada, sin seguir un criterio: *todos hablaban sin orden ni concierto, por lo que al final no quedó nada claro.*

FAM ordenanza, ordenar; contraorden, desorden, suborden.

ordenación *s. f.* **1** Acción de ordenar u ordenarse. **2** Efecto de ordenar u ordenarse.

ordenada *s. f.* **1** Distancia que hay, en un plano, entre un punto y un eje horizontal, medida en la dirección de un eje vertical. **ANT** abscisa. **2** Segunda coordenada de un punto.

ordenada en el origen Altura a la que corta la gráfica de una función al eje de las ordenadas.

ordenado, -da *adj.* Se aplica a la persona que guarda orden y método en sus acciones y en sus cosas.
FAM ordenada.

ordenador *s. m.* Máquina capaz de tratar información automáticamente mediante operaciones matemáticas y lógicas realizadas con mucha rapidez y controladas por programas informáticos. **SIN** computador, computadora. ■ **ordenador compatible** Ordenador capaz de ejecutar los mismos programas que otros ordenadores del mismo tipo. ■ **ordenador personal** Ordenador de tamaño reducido que incluye unidad central, teclado, pantalla y una o más unidades de disco y que puede funcionar sin estar conectado a ninguna red informática. **SIN** microordenador. ■ **ordenador portátil** Ordenador personal de peso y tamaño tan reducido que se puede llevar de un lado a otro cómodamente como si fuera un maletín; una batería incorporada le permite cierta autonomía de funcionamiento.
FAM microordenador, miniordenador.

ordenamiento *s. m.* **1** Acción de ordenar. **SIN** orden, ordenación. **2** Efecto de ordenar. **3** Conjunto breve de disposiciones legales o normas relacionadas con una materia. **SIN** reglamento.

ordenanza *s. f.* **1** Conjunto de normas u órdenes que se dan para el buen gobierno y funcionamiento de algo, especialmente de una ciudad o comunidad: *las ordenanzas munici-*

pales prohíben verter basuras en ese lugar. **NOTA** Normalmente en plural. **I** *s. com.* **2** Empleado de ciertas oficinas que realiza funciones diversas, como hacer recados o recoger el correo. **3** Soldado que está bajo las órdenes de un oficial o de un jefe para los asuntos del servicio.
FAM ordenancista.

ordenar *v. tr.* **1** Poner una cosa o a una persona en el lugar que le corresponde según un criterio determinado: *ordenar la habitación; los números -1, 4, 6, 0 y -3 se pueden ordenar de mayor a menor de este modo: 6, 4, 0, -1, -3.* **ANT** desordenar. **2** Dar un mandato: *le ordené que volviera.* **SIN** mandar. **3** Orientar o encaminar una cosa a un fin. **4** Conferir órdenes sagradas: *el Papa ordenó a veinte nuevos sacerdotes.* **I** *v. prnl.* **5** **ordenarse** Recibir órdenes sagradas.
FAM ordenación, ordenado, ordenador, ordenamiento, ordenanza.

ordeñar *v. tr.* **1** Sacar la leche de los animales hembra exprimiendo las ubres. **2** familiar Sacar todo el provecho posible de una situación o de una persona.
FAM ordeñadero, ordeñadora.

ordinal *adj.* **1** Relativo al orden. **I** *adj./s. m.* **2** Se aplica al adjetivo o pronombre numeral que indica orden de sucesión o colocación: *los numerales "primero", "segundo" y "tercero" son ordinales.*

ordinariez *s. f.* Acción o expresión que demuestra mal gusto y falta de educación: *meterse el dedo en la nariz es una ordinariez.* **SIN** chabacanería.

ordinario, -ria *adj.* **1** Que es habitual. **SIN** corriente. **ANT** extraordinario. **2** Que no se distingue por ser el mejor ni el peor: *es un estudiante ordinario, aprueba sin sacar buenas notas.* **3** Se aplica a la actitud o el lenguaje que es vulgar. **SIN** chabacano. **ANT** exquisito. **4** Se aplica a la cosa que está hecha sin refinamiento: *el tejido del vestido es ordinario.* **5** Se aplica al juez o tribunal que pertenece a la justicia civil, que no es militar ni religioso. **6** Se aplica al correo que se envía por tierra o por mar siguiendo el proceso más habitual. **I** *adj./s. m. y f.* **7** Se aplica a la persona que es poco educada o tiene escasa formación cultural: *es un ordinario, siempre está soltando tacos.*

de ordinario Por lo común, frecuentemente.
FAM ordinariez.

ordovícico, -ca *adj./s. m.* **1** Se aplica al periodo geológico que es el segundo de la era paleozoica o primaria, sigue al periodo cámbrico y precede al periodo silúrico; se extiende desde hace unos 500 millones de años hasta hace unos 430 millones de años. **I** *adj.* **2** Relativo a este periodo geológico.

orear *v. tr.* **1** Dejar que el aire dé en una cosa para enfriarla, secarla o quitarle el olor. **SIN** ventilar. **I** *v. prnl.* **2** **orearse** familiar Salir a tomar el aire. **SIN** ventilarse, oxigenarse.
FAM oreo.

orégano *s. m.* Hierba aromática de tallos vellosos con las hojas pequeñas y ovaladas y las flores rosadas o malvas en espiga: *el orégano se usa para dar sabor a la pizza y otras comidas.*

oreja *s. f.* **1** Formación cutánea situada en cada parte lateral de la cabeza y que forma la parte exterior del oído. **2** Capacidad para oír o para enterarse de las cosas. **3** Parte de un objeto que se parece a ese órgano: *tengo un sillón con orejas.*

agachar (o bajar) las orejas familiar Ceder de modo humilde o aceptar sin protestar.

O

aguzar las orejas Poner mucha atención o cuidado.
aplastar (o planchar) la oreja familiar Dormir.
asomar (o descubrir o enseñar) la oreja familiar Descubrir las intenciones verdaderas de alguien.
con las orejas caídas (o gachas) Con tristeza por no haber conseguido lo que se deseaba o avergonzado.
mojar la oreja familiar Insultar o molestar a una persona tratando de discutir con ella.
poner las orejas coloradas familiar Regañar con dureza.
ver las orejas al lobo Encontrarse en una situación de mucho peligro: *cuando tuvo el accidente le vio las orejas al lobo y ahora es muy prudente con la moto.*
FAM orejera, orejón, orejudo.

orejera *s. f.* ￼1￼ Pieza en los laterales de una gorra que cubre la oreja: *con la gorra con orejeras no se me enfrían las orejas.* ￼2￼ Oreja del respaldo de un sillón. ￼3￼ Pieza del arreo para proteger los ojos de las caballerías. NOTA Normalmente en plural.

orejero, -ra *adj./s. m.* Se aplica al sillón o butaca que tiene dos orejas, una a cada lado de la parte alta del respaldo, que permiten recostar la cabeza lateralmente.

orejón, -jona *adj.* ￼1￼ Orejudo. I *s. m.* ￼2￼ Trozo de melocotón o albaricoque desecado al aire o al sol que se toma como dulce. ￼3￼ Saliente de un baluarte. I *adj./s. m. y f.* ￼4￼ Se aplica a ciertas tribus indias de América. I *s. m.* ￼5￼ Entre los antiguos peruanos, persona noble que llevaba horadadas las orejas y podía aspirar a los primeros cargos del imperio.

orejudo, -da *adj.* Que tiene orejas grandes o más grandes de lo que se considera normal. SIN orejón.

orensano, -na *adj.* ￼1￼ De Orense (ciudad y provincia de Galicia). I *s. m. y f./adj.* ￼2￼ Persona que es de Orense.

oreo *s. m.* Acción de orear u orearse. SIN ventilación.

orfanato *s. m.* Establecimiento dedicado a recoger, criar y educar niños cuyos padres han muerto, los han abandonado o no pueden hacerse cargo de ellos. SIN orfelinato.

orfanatorio *s. m.* MÉX. Orfanato.

orfandad *s. f.* ￼1￼ Condición de huérfano: *debido a su orfandad vive con unos parientes.* ￼2￼ Pensión, retribución económica, asignada a algunos huérfanos.

orfebre *s. com.* Persona que se dedica a trabajar o vender objetos de oro, plata u otros metales preciosos.
FAM orfebrería.

orfebrería *s. f.* Arte de trabajar objetos de oro, plata u otros metales preciosos.

orfelinato *s. m.* Orfanato.

orfeón *s. m.* Agrupación de personas que cantan en coro sin acompañamiento de instrumentos: *el Orfeón Donostiarra interpretó varias canciones.*
FAM orfeonista.

orfismo *s. m.* Tendencia pictórica desarrollada en Francia en la década de 1910 y caracterizada por el empleo de vivos colores en composiciones no figurativas: *artistas representantes del orfismo son Robert Delaunay y F. Kupka.*

organicismo *s. m.* Tendencia artística, especialmente arquitectónica que toma como modelo las formas y procesos de los organismos vivos: *el organicismo es una característica de la arquitectura de Frank Lloyd Wright.*

orgánico, -ca *adj.* ￼1￼ Se aplica al cuerpo o ser que tiene vida: *las plantas y los animales son seres orgánicos.* ANT inorgánico. ￼2￼ Se aplica a la sustancia o materia que es o ha sido parte de un ser vivo o que está formada por restos de seres vivos: *la basura orgánica puede recuperarse como abono.* ANT inorgánico. ￼3￼ Relativo al organismo o a los órganos de los seres vivos. ￼4￼ Relativo a la constitución y las funciones de una entidad pública. ￼5￼ Que está organizado en partes separadas que cumplen una función determinada y que están relacionadas entre sí: *los códigos de leyes deben ser conjuntos orgánicos.* ￼6￼ Se aplica a la sustancia que se compone principalmente de compuestos de carbono. I *adj./s. f.* ￼7￼ Se aplica a la parte de la química que estudia estas sustancias.
FAM inorgánico.

organigrama *s. m.* ￼1￼ Representación gráfica de la estructura de una empresa o una institución en la que se muestran las relaciones entre sus diferentes partes y la función de cada una de ellas, así como de las personas que trabajan en las mismas: *según el organigrama del banco, los diferentes departamentos son autónomos.* ￼2￼ En informática, esquema lógico de la secuencia de operaciones necesarias para realizar un cálculo, resolver una operación, etc. ￼3￼ En informática, representación gráfica de un algoritmo en forma de símbolos o grafismos adaptados a un lenguaje de programación determinado.

organillero, -ra *s. m. y f.* Persona que toca el organillo.

organillo *s. m.* Instrumento musical en forma de pequeño piano u órgano, generalmente portátil, con un mecanismo interior formado por un cilindro con una serie de púas o salientes que, al girar mediante una manivela, van levantando unas piezas de metal y haciéndolas sonar.
FAM organillero.

organismo *s. m.* ￼1￼ Conjunto de los órganos que forman un ser vivo: *el organismo de los recién nacidos es muy delicado.* ￼2￼ Ser vivo capacitado para intercambiar materia y energía con el medio y para reproducirse: *animales y plantas son organismos constituidos por un conjunto de órganos especializados.* ￼3￼ Conjunto de oficinas, dependencias o empleos que forman un cuerpo o una institución dedicados a un fin determinado: *trabaja en un organismo del Ministerio de Agricultura.*
FAM microorganismo.

organista *s. com.* Persona que toca el órgano.

organización *s. f.* ￼1￼ Acción de organizar u organizarse. ￼2￼ Efecto de organizar u organizarse. ￼3￼ Forma en que está organizado el cuerpo animal o vegetal. ￼4￼ Grupo de personas y medios organizados con un fin determinado. ■ **organización no gubernamental** Institución que no depende de la administración del Estado y realiza actividades de interés social. NOTA Suele utilizarse la forma abreviada *ONG.*
FAM organizacional.

organizador, -ra *adj./s. m. y f.* Se aplica a la persona que organiza o que tiene especial capacidad para organizar.

organizar *v. tr.* ￼1￼ Preparar una cosa pensando y cuidando todos sus detalles. SIN planear. ANT desorganizar. ￼2￼ Disponer y preparar un conjunto de personas y medios para un fin determinado: *la Cruz Roja organizará un grupo de salvamento.* ￼3￼ familiar Poner en orden. ￼4￼ Formar una cosa: *se organizó una pelea en plena calle.* SIN armar. I *v. prnl.* ￼5￼ **organizarse** familiar Imponerse uno mismo un orden: *no sabe organizarse solo.*
FAM organigrama, organización, organizador, organizativo; desorganizar, reorganizar.

órgano *s. m.* ￼1￼ Conjunto de tejidos que forman una estructura y tienen una función determinada: *los órganos de los sentidos son estructuras especializadas en la captación de estímulos del medio.* ￼2￼ Parte de un conjunto organizado que puede considerarse separadamente porque cumple una función determinada: *el Parlamento es un órgano de gobierno.* ③ Instrumento musical de viento formado por una serie de grandes tubos de diferente tamaño, uno o más teclados, varios pedales y diversos registros que permiten modificar el timbre de los sonidos; el sonido se produce cuando el aire, impelido por un mecanismo, vibra en su paso por los tubos. ■ **órgano eléctrico** Órgano que produce el sonido por medios eléctricos sin intervención del aire.

FAM orgánico, organismo, organista, orgánulo.

organografía *s. f.* ① Parte de la zoología y de la botánica que estudia los órganos de los animales o de los vegetales. ② Estudio de los instrumentos musicales.

orgánulo *s. m.* Estructura celular que cumple una función determinada.

orgasmo *s. m.* Momento de mayor satisfacción en la excitación sexual.

orgía *s. f.* Fiesta desenfrenada en que los asistentes se entregan, de manera desinhibida, a todo tipo de placeres, especialmente sexuales. SIN bacanal, saturnal.

FAM orgiástico.

orgiástico, -ca *adj.* Relativo a la orgía.

orgullo *s. m.* ① Exceso de valoración propia por el que uno se cree superior a los demás. SIN soberbia. ② Sentimiento de satisfacción por un comportamiento bueno o por una obra bien hecha: *puede decir con orgullo que no ha suspendido ni un solo examen.*

FAM orgulloso; enorgullecer.

orgulloso, -sa *adj./s. m. y f.* ① Se aplica a la persona que se valora excesivamente y se cree superior a los demás. SIN soberbio. ② Se aplica a la persona que siente satisfacción por un comportamiento bueno o por una obra bien hecha.

orientación *s. f.* ① Acción de orientar. ② Efecto de orientar. ③ Información o pauta que se da sobre alguna cuestión para que se lleve a cabo correctamente: *le dio ciertas orientaciones para que comenzase a trabajar.*

oriental *adj.* ① Relativo al oriente (punto cardinal): *costa oriental.* ② Relativo a los países de Oriente: *gastronomía oriental.* I *s. com./adj.* ③ Persona que es de uno de los países de Oriente.

FAM orientalista; nororiental.

orientar *v. tr.* ① Colocar en una posición determinada respecto a los puntos cardinales: *esta casa está orientada hacia poniente.* ② Ocupar una posición respecto a los puntos cardinales. ③ Determinar una posición para situar todos los puntos cardinales: *orientaron el mapa para mirar dónde se encontraban.* ④ Informar sobre un asunto o negocio: *nos orientó sobre lo que teníamos que hacer nada más llegar.* ⑤ Dirigir hacia un fin determinado. SIN encaminar, guiar. ⑥ Dirigir hacia un lugar determinado. SIN encaminar, guiar.

FAM orientación, orientador, orientativo; desorientar, reorientar.

oriente *s. m.* ① Punto cardinal situado en el lado donde nace el Sol. SIN este, levante. ② Parte de un lugar situada hacia este punto. SIN este, levante. ③ Viento que sopla desde este punto. SIN este, levante. ④ Conjunto de países de Asia, o parte de este conjunto, cuyas lenguas y culturas son tradicionalmente diferentes de las occidentales: *importaban seda de Oriente.* NOTA Se escribe normalmente con mayúscula inicial.

orificio *s. m.* ① Abertura o agujero, especialmente el que

está hecho intencionadamente o tiene una finalidad. ② Abertura de algunos conductos del organismo que los comunica con el exterior: *orificio nasal.*

origen *s. m.* ① Principio o causa de una cosa. ② Lugar de donde procede originariamente una persona o una cosa. ③ Clase social de la familia a la que se pertenece: *se casó con una joven de origen noble.* ④ Punto a partir del cual se miden las coordenadas de un punto o la longitud de un segmento: *el origen de coordenadas es el punto donde se cortan los dos ejes.*

FAM original, originar, originario.

original *adj.* ① Que no ha sido copiado ni imitado de otro, sino fruto de la creación: *poemas originales.* I *adj./s. com.* ② Se aplica a la persona o cosa singular o poco corriente: *el disfraz que lucía en la fiesta era muy original.* I *adj.* ③ Se aplica a la persona que produce obras o ideas nuevas y diferentes, que no son copia ni imitación de otras. I *adj./s. m.* ④ Se aplica a la obra o el documento que ha sido producido directamente por su autor sin ser copia de otro: *hay que presentar el documento original acompañado de dos fotocopias.* I *s. m.* ⑤ Texto que se da a la imprenta para que con arreglo a él se haga la impresión de una obra: *el original del autor venía manuscrito y fue preciso pasarlo a ordenador.* ⑥ Cosa que se copia o sirve de modelo para una copia: *tengo que hacer doce fotocopias de este original.*

FAM originalidad.

originalidad *s. f.* ① Cualidad de original. ② Obra, dicho o hecho original.

originalmente *adv.* ① Con originalidad: *su novia viste muy originalmente.* ② Originariamente.

originar *v. tr.* ① Ser causa u origen de una cosa. SIN causar, ocasionar. I *v. prnl.* ② **originarse** Tener origen o principio una cosa: *la guerra se originó en 1914.*

FAM originario.

originariamente *adv.* En el momento de origen o procedencia. SIN originalmente.

originario, -ria *adj.* ① Que da origen o principio a una cosa. ② Se aplica a la persona o cosa que procede de un lugar determinado. SIN oriundo. ③ Se aplica al lugar que es el de origen o procedencia de una persona o cosa: *su país originario es Brasil.*

FAM originariamente.

orilla *s. f.* ① Parte de la tierra que está tocando a una masa de agua: *hay mucha corriente, así que báñate en la orilla.* ② Parte extrema o borde de una superficie: *la orilla de la tela está muy gastada.* ③ En las calles sin acera, camino junto a las casas destinado a los peatones. I *s. f. pl.* ④ **orillas** ARG., MÉX. Arrabales, suburbios.

FAM orillar, orillo.

orillero, -ra *adj./s. m. y f.* fam. desp. AMÉR. CENTRAL, ARG., CUBA, URUG., VENEZ. Arrabalero (persona que habita en un arrabal).

orín[1] *s. m.* Capa de color rojizo que se forma en la superficie del hierro y otros metales a causa de la humedad o del aire. SIN herrumbre, óxido.

orín[2] *s. m.* Orina.

OBS Generalmente en plural con el mismo significado que en singular.

orina *s. f.* Líquido de color amarillo que se forma en el riñón como resultado de la depuración y el filtrado de la sangre, se acumula en la vejiga y se expulsa por la uretra; está com-

puesto por agua, sales minerales y productos de desecho del metabolismo. **SIN** orín.
FAM orinal, orinar.

orinal *s. m.* Recipiente portátil que se usa para recoger la orina o los excrementos. **SIN** bacín.

orinar *v. intr.* ① Expulsar la orina por la uretra. | *v. tr.* ② Expulsar por la uretra: *orinar sangre.* | *v. prnl.* ③ **orinarse** Expulsar la orina sobre uno mismo de forma involuntaria.

oriundo, -da *adj.* ① Originario: *esta planta es oriunda del Amazonas.* ② Se aplica al futbolista que es de nacionalidad extranjera pero al tener padre o madre españoles se le considera jugador español.
FAM oriundez.

orla *s. f.* ① Adorno grabado, dibujado, impreso o bordado que figura alrededor de un papel o una tela. ② Franja o banda de tejido o piel que se coloca a lo largo del borde de una tela, vestido, cortina u otra cosa para embellecerla. ③ Cuadro en el que se reúnen las fotografías de los estudiantes de una misma promoción, cuando terminan sus estudios y consiguen el título.
FAM orlar.

orlar *v. tr.* Poner una orla (adorno).

ornamentación *s. f.* ① culto Colocación de adornos para embellecer una cosa. ② culto Conjunto de cosas que sirven de adorno en un lugar: *la ornamentación de la capilla resulta demasiado recargada.*

ornamental *adj.* culto Relativo a la ornamentación o que sirve para ornamentar: *en esta iglesia destacan los elementos ornamentales de la fachada.* **SIN** decorativo.

ornamentar *v. tr.* culto Poner adornos a una cosa para embellecerla. **SIN** ornar.
FAM ornamentación.

ornamento *s. m.* ① culto Ornato: *los ornamentos de la sala eran de oro y marfil.* | *s. m. pl.* ② **ornamentos** Vestiduras y adornos que usan los sacerdotes en las funciones litúrgicas.
FAM ornamental, ornamentar.

ornar *v. tr.* culto Poner adornos para embellecer una cosa. **SIN** ornamentar.
FAM ornamento, ornato.

ornato *s. m.* culto Adorno o conjunto de adornos para embellecer algo. **SIN** ornamento.

ornitología *s. f.* Parte de la zoología que estudia las aves.
FAM ornitológico, ornitólogo.

ornitólogo, -ga *s. m. y f.* Persona que se dedica a la ornitología.

ornitorrinco *s. m.* Mamífero ovíparo de unos 50 cm de longitud (cola incluida), pelo pardo oscuro muy fino, cuerpo aplastado, hocico carnoso grande, ancho y con cubierta córnea, similar al pico del pato, pies palmeados y cola muy ancha y aplanada; es buen nadador y vive en ríos y lagos de Australia: *el ornitorrinco se alimenta de moluscos, crustáceos y larvas de insectos.*

oro *s. m.* ① Elemento químico de símbolo *Au* y número atómico 79; es un metal precioso de color amarillo rojizo brillante que es muy maleable y dúctil y muy resistente a la corrosión y a la oxidación; tiene gran valor comercial. ② Sustancia que resulta de la mezcla o aleación de este metal con otros metales y que se usa en joyería, odontología, orfebrería, etc.: *tengo una pulsera bañada en oro.* ■ **oro batido** Hojas de oro muy finas que sirven para dorar. ■ **oro molido** Oro

en polvo preparado para iluminaciones de libros y miniaturas. ③ Moneda de este metal. ④ Caudal, dinero y riquezas. ⑤ Cosa muy importante, que tiene mucho valor o mérito. ⑥ Primer premio en una competición que consiste en una medalla de este metal: *la tenista española consiguió el oro.* ⑦ Carta de la baraja española en la que aparecen representadas una o varias monedas de oro: *yo he tirado un oro y tú una espada.* | *s. m./adj.* ⑧ Color amarillo como el del oro. | *s. m. pl.* ⑨ **oros** Palo de la baraja española que se representa con una o varias monedas de oro: *as de oros.*
como oro en paño Con mucha atención y cuidado.
de oro Que es muy bueno o que tiene mucho valor.
hacerse de oro Ganar mucho dinero.
oro de ley Oro que tiene las proporciones de metal puro que señala la ley.
oro negro Petróleo.
prometer el oro y el moro familiar Ofrecer cosas imposibles o exageradas.
FAM dorar.

orogénesis *s. f.* Proceso geológico de formación de las montañas. **SIN** orogenia.
OBS Plural invariable.

orogenia *s. f.* ① Orogénesis. ② Parte de la geología que estudia la formación de las montañas.
FAM orogénico.

orogénico, -ca *adj.* Relativo a la orogenia.

orógeno *s. m.* En geología, cordillera o serie de montañas de características comunes unidas entre sí. ■ **orógeno de colisión** Orógeno que se ha formado a causa del choque de dos placas geológicas continentales. ■ **orógeno de subducción** Orógeno que se ha formado a causa del choque de una placa oceánica con una continental, o dos oceánicas, una de las cuales subyace a la otra o está por debajo de ella, y la otra se eleva por encima.

orografía *s. f.* ① Parte de la geografía física que describe y clasifica las formas de la superficie terrestre y las sistematiza según sus rasgos externos, con independencia de su origen. ② Conjunto de montañas de una región o de un país: *se conoce la orografía de su comarca.*
FAM orográfico.

orográfico, -ca *adj.* Relativo a la orografía.

orondo, -da *adj.* ① Que es muy gordo o redondo: *barriga oronda.* ② familiar Se aplica a la persona que se muestra muy satisfecha de sí misma.

oropel *s. m.* ① Lámina fina de latón que imita al oro. ② Cosa de poco valor pero que aparenta valer mucho: *venía toda cargada de baratijas y oropeles.*

oropéndola *s. f.* Ave de unos 25 cm de longitud, pico curvado hacia abajo y plumaje amarillo o verde con las alas y la cola negras; hace el nido colgándolo de las ramas horizontales de los árboles.

orquesta *s. f.* ① Conjunto de músicos instrumentistas que tocan conjuntamente una pieza musical siguiendo las indicaciones de un director. ■ **orquesta de cámara** Orquesta formada por un número reducido de músicos (entre 12 y 18) que tocan instrumentos de cuerda y de viento. ■ **orquesta filarmónica** Orquesta que toca bajo las órdenes de un director y que puede incluir instrumentos e interpretar obras que no son habituales en la sinfónica. ■ **orquesta sinfónica** Orquesta formada aproximadamente por 100 músicos en la que figuran las tres clases de instrumentos: cuerda, viento y percusión. **2** Lugar de un teatro en el que se coloca este conjunto de músicos y que está situado entre el escenario y las butacas.

FAM orquestal, orquestar, orquestina.

orquestación *s. f.* **1** Acción de orquestar. **2** Efecto de orquestar.

orquestal *adj.* Relativo a la orquesta: *el famoso músico abandonó la dirección orquestal a los 72 años.*

orquestar *v. tr.* **1** Preparar y adaptar una obra musical para que pueda ser interpretada por una orquesta. **2** Organizar o dirigir una cosa: *el partido le encargó orquestar la publicidad electoral.*

FAM orquestación.

orquestina *s. f.* Grupo musical no muy numeroso que toca música para bailar.

OBS Frecuentemente usado de forma despectiva.

orquidáceo, -cea *adj./s. f.* **1** Se aplica a la planta herbácea con hojas radicales, flores de formas y colores raros y raíces tuberosas, que crece en zonas tropicales y templadas, como la orquídea. **SIN** orquídeo. ‖ *s. f. pl.* **2 orquidáceas** Grupo taxonómico, con categoría de familia, constituido por estas plantas. **SIN** orquídeo.

orquídea *s. f.* **1** Flor de jardín, grande y de colores vistosos, que tiene un pétalo más desarrollado que los otros. **2** Planta que crece en el suelo o sobre las ramas y troncos de los árboles y que da esa flor.

FAM orquidáceo.

orquídeo, -dea V. orquidáceo, -cea.

ortiga *s. f.* Planta herbácea silvestre cuyas hojas, de forma ovalada, están cubiertas por unos pelos que segregan un líquido que pica e irrita la piel.

orto *s. m.* culto Salida del Sol o de otro astro por el horizonte. **ANT** ocaso.

ortocentro *s. m.* Punto donde se cortan las alturas de un triángulo.

ortodoncia *s. f.* **1** Parte de la odontología que se ocupa de tratar y corregir la posición o malformación de los dientes. **2** Tratamiento que consiste en corregir la posición de los dientes de las personas: *el dentista le ha dicho que necesita una ortodoncia.*

ortodoxia *s. f.* **1** Conformidad con una doctrina, una tendencia o unas reglas tradicionales y generalizadas: *ortodoxia política; ortodoxia literaria.* **ANT** heterodoxia. **2** Conformidad con el dogma o la doctrina de la Iglesia católica. **ANT** herejía, heterodoxia. **3** Conjunto de las Iglesias cristianas orientales separadas de la Iglesia de Roma en el siglo XI: *los representantes de la ortodoxia se han reunido con el Papa.*

FAM ortodoxo.

ortodoxo, -xa *adj./s. m. y f.* **1** Que sigue fielmente los principios de una doctrina o una tendencia o que cumple unas normas tradicionales y generalizadas. **ANT** heterodoxo. **2** Que sigue los principios de la doctrina de la Iglesia católica. **ANT** herético, heterodoxo. ‖ *adj.* **3** Relativo a la doctrina religiosa cristiana oriental fundada en el siglo IX y separada de la Iglesia de Roma en el siglo XI y que hoy comprende a las Iglesias de Rusia, Grecia y otros países balcánicos. ‖ *adj./s. m. y f.* **4** Se aplica a la persona que sigue esta doctrina religiosa: *los ortodoxos no aceptan la autoridad del Papa.*

ortoedro *s. m.* Cuerpo geométrico de seis caras rectangulares que tiene todos los ángulos rectos.

ortogénesis *s. f.* Teoría evolutiva según la cual la evolución sigue procesos definidos, como si estuviesen programados.

OBS Plural invariable.

ortogonal *adj.* **1** Que forma ángulo recto. **2** Se aplica a la proyección que resulta de trazar en un plano todas las líneas perpendiculares a este.

ortografía *s. f.* **1** Parte de la gramática que estudia las reglas de uso de las letras y los signos auxiliares de la escritura para escribir correctamente: *según las reglas de ortografía, delante de "p" se escribe "m" y no "n".* **2** Forma correcta de escribir las palabras y de utilizar los signos auxiliares de una lengua: *este texto está lleno de faltas de ortografía.*

FAM ortográfico.

ortográfico, -ca *adj.* Relativo a la ortografía: *corrección ortográfica.*

ortología *s. f.* Parte de la gramática que establece las normas de pronunciación correcta de los sonidos de una lengua.

FAM ortológico.

ortológico, -ca *adj.* Relativo a la ortología.

ortopedia *s. f.* **1** Parte de la medicina que se ocupa de prevenir o corregir de forma mecánica o quirúrgica las deformaciones del cuerpo, especialmente de los huesos y los músculos. **2** Establecimiento donde se pueden adquirir aparatos y accesorios ortopédicos.

FAM ortopédico.

ortopédico, -ca *adj.* **1** Relativo a la ortopedia: *cirugía ortopédica.* ‖ *s. m. y f.* **2** Médico especialista en ortopedia.

ortóptero, -ra *adj./s. m.* **1** Se aplica al invertebrado artrópodo que es un insecto dotado de aparato bucal masticador, patas posteriores adaptadas al salto y un par de alas duras que protegen otro par de alas membranosas plegadas longitudinalmente, como el grillo o el saltamontes. ‖ *s. m. pl.* **2 ortópteros** Grupo taxonómico, con categoría de orden, constituido por estos insectos.

oruga *s. f.* **1** Larva de los lepidópteros (mariposas), con forma de gusano y que se alimenta de hojas: *las orugas son nocivas para los árboles y las plantas.* **2** Cadena o cinta articulada situada en el lateral de un vehículo y rodeando sus ruedas que permite que este pueda franquear obstáculos y desplazarse por terrenos blandos o irregulares. **3** Vehículo que tiene las ruedas de cada lado unidas entre sí por esta cinta articulada. **4** Planta herbácea de flores amarillas con venas moradas y hojas picantes, que se cultiva como hortaliza y de cuyas semillas se extrae un aceite con propiedades medicinales.

orujo *s. m.* **1** Piel de la uva después de prensada. **2** Licor transparente y de alta graduación que se obtiene por destilación de la piel de la uva prensada: *los gallegos queman el orujo y lo beben caliente.* **3** Residuo de la aceituna molida y prensada.

orza¹ *s. f.* Recipiente de barro, alto y sin asas, que suele usarse para guardar alimentos en conserva.

orza² *s. f.* Pieza con forma de escuadra que se coloca o va aplicada en la quilla de balandros o tablas de windsurf para aumentar su estabilidad: *a la que te alejes de la orilla tienes que colocar la orza.*

orzuelo *s. m.* Bulto pequeño que nace en el borde del párpado debido a una infección.

os *pron.* **1** Forma átona del pronombre de segunda persona, en género masculino y femenino y en número plural, que

realiza la función de complemento directo e indirecto: *os vi en el parque; no os canséis.* **2** Forma átona de segunda persona del plural en las construcciones pronominales: *sé que os alegráis mucho de verme.*
OBS Se escribe unido al verbo cuando se pospone a él: *me gusta escucharos.* Cuando se pospone a un imperativo, este pierde la d- final: *amaos los unos a los otros.*

osadía *s. f.* **1** culto Capacidad para enfrentarse sin miedo y con entereza a situaciones difíciles, insólitas o peligrosas. **SIN** coraje, valentía, valor. **ANT** cobardía. **2** culto Valentía en exceso debida a una falta de vergüenza o de respeto en la forma de obrar o de hablar. **SIN** atrevimiento.

osado, -da *adj.* **1** culto Valiente. **2** culto Se aplica a la acción o palabra que implica osadía o valentía: *gesta osada; intento osado.* **3** culto Descarado.
FAM osadía.

osamenta *s. f.* Conjunto de huesos del cuerpo de los vertebrados. **SIN** esqueleto.

osar *v. tr./intr.* culto Atreverse: *¿cómo osas enfrentarte a tu padre?*
FAM osado.

osario *s. m.* **1** En los cementerios, lugar donde se entierran los huesos que se sacan de las sepulturas. **2** Lugar en donde hay muchos huesos enterrados.

óscar *s. m.* Premio que da anualmente la academia norteamericana de artes y ciencias cinematográficas a los mejores actores, directores y películas norteamericanas de ese año, así como a la mejor película extranjera.
OBS Plural: *óscars* y *óscar.* Se escribe normalmente con mayúscula inicial. Puede encontrarse la grafía inglesa *Oscar.*

oscense *adj.* **1** De Huesca (ciudad y provincia de Aragón). **I** *s. com./adj.* **2** Persona que es de Huesca.

oscilación *s. f.* **1** Acción de oscilar. **2** Espacio recorrido por el cuerpo que oscila: *las oscilaciones de un péndulo.* **3** En física, variación de una magnitud alrededor de un punto a lo largo del tiempo.

oscilador *s. m.* Aparato que produce ondas eléctricas que cambian periódicamente de intensidad y de sentido.

oscilante *adj.* Que oscila: *movimiento oscilante.*

oscilar *v. intr.* **1** Moverse alternativamente un cuerpo primero hacia un lado y luego hacia el contrario desde una posición de equilibrio determinada por un punto fijo o un eje. **2** Variar en sentidos opuestos y alternativamente una cantidad, una intensidad o un valor. **3** Variar en sentidos opuestos y alternativamente el estado de ánimo o el modo de pensar de una persona: *oscilar entre la alegría y la tristeza.*
FAM oscilación, oscilador, oscilante, oscilatorio.

oscilatorio, -ria *adj.* Que tiene un movimiento que oscila o va de un lado a otro.

osciloscopio *s. m.* Dispositivo electrónico que permite observar sobre una pantalla las desviaciones que experimenta un haz de electrones cuando es sometido a la acción de campos eléctricos o magnéticos.

ósculo *s. m.* **1** culto Beso o gesto de besar. **NOTA** Frecuentemente usado de forma humorística. **2** Boca u orificio de salida del agua en una esponja.

oscurantismo [también **obscurantismo**, poco usual] *s. m.* Actitud contraria a que se extienda la cultura entre las clases bajas de la sociedad.
FAM oscurantista.

oscurantista [también **obscurantista**, poco usual] *adj.*

1 Relativo al oscurantismo. **I** *adj./s. com.* **2** Se aplica a la persona que es partidaria del oscurantismo.

oscurecer [también **obscurecer**, poco usual] [16] *v. impersonal* **1** Hacerse de noche, empezar a desaparecer la luz del Sol. **SIN** anochecer. **ANT** amanecer. **I** *v. tr.* **2** Disminuir la luz y la claridad: *al correr las cortinas se ha oscurecido la sala.* **3** Hacer disminuir el valor o la importancia. **SIN** ensombrecer. **4** Hacer difícil el entendimiento de una idea. **ANT** aclarar. **I** *v. prnl.* **5** **oscurecerse** Ocultar las nubes el cielo, el Sol o la Luna. **SIN** nublarse. **ANT** despejarse.
FAM oscurecimiento.

oscurecimiento [también **obscurecimiento**, poco usual] *s. m.* Descenso de la intensidad de la luz o la claridad de una cosa o un lugar.

oscuridad [también **obscuridad**, poco usual] *s. f.* **1** Falta o escasez de luz. **ANT** claridad. **2** Lugar donde falta o escasea la luz: *decidieron sentarse en la oscuridad.* **3** Parecido o proximidad de un color con el negro. **4** Dificultad que ofrece una cosa para ser entendida. **ANT** evidencia. **5** Falta o escasez de información acerca de las causas y circunstancias de un suceso: *la oscuridad envuelve este asunto.* **6** Falta de certidumbre o de seguridad. **SIN** incertidumbre.

oscuro, -ra [también **obscuro, -ra**, poco usual] *adj.* **1** Que no tiene luz o que tiene poca. **ANT** luminoso. **2** Se aplica al día o cielo que está tapado por las nubes. **SIN** nublado. **ANT** despejado. **3** Se aplica al color que se acerca al negro y que se opone a otro más claro de su misma tonalidad: *azul oscuro.* **ANT** claro. **4** Que es difícil de entender. **SIN** confuso, ininteligible. **ANT** claro, evidente. **5** Se aplica al suceso o asunto que parece contener algo sospechoso o delictivo. **SIN** turbio. **6** Que destaca poco o que tiene poco prestigio. **7** Que es incierto o poco seguro.
a oscuras (**I**) Sin luz. (**II**) familiar Sin conocimiento o comprensión de algo.
FAM oscurantismo, oscurecer, oscuridad; claroscuro.

óseo, -sea *adj.* **1** Relativo al hueso: *fractura ósea.* **2** Que está hecho de la materia del hueso o que es parecido al hueso.

osera *s. f.* Guarida del oso.

osezno *s. m.* Cría del oso.

osificarse *v. prnl.* Convertirse en hueso o adquirir consistencia ósea un tejido orgánico.
FAM osificación.

osmio *s. m.* Elemento químico de símbolo Os y número atómico 76; es un metal duro de color blanco azulado, muy pesado y quebradizo; se usa en la fabricación de instrumentos de precisión, de puntas de bolígrafo y estilográficas, y de filamentos eléctricos.

ósmosis u **osmosis** *s. f.* **1** Paso de las moléculas de disolvente a través de una membrana semipermeable (permite el paso a través suyo del disolvente pero no de las moléculas del soluto) que separa dos disoluciones de distinta concentración: *la ósmosis permite igualar la concentración de las dos disoluciones en contacto.* **2** culto Influencia recíproca entre dos individuos o elementos: *es una pareja tan compenetrada que generalmente, por ósmosis, tienen opiniones muy parecidas.*
OBS Plural invariable.

oso, -sa *s. m. y f.* **1** Animal mamífero de tamaño grande y pelo largo y espeso, que tiene el cuerpo macizo, el hocico alargado y las patas cortas y provistas de fuertes garras;

es omnívoro: *a los osos les gusta mucho la miel.* ❙ adj./s. com. ② familiar CUBA Se aplica a la persona que hace bravuconadas. ❙ s. m. ③ familiar CUBA Guardaespaldas de un político. ④ familiar MÉX. Acción o actitud ridícula y vergonzosa de una persona.

hacer el oso familiar Hacer o decir tonterías y gracias para provocar la risa en los demás.

hacerse el oso familiar ARG., BOL., URUG. Fingir o simular una persona que no ve o no entiende algo para no verse obligado a contestar o a actuar en consecuencia.

oso hormiguero Animal mamífero de pelo áspero y gris, con cola larga y sin dientes, que tiene una larga lengua que usa para atrapar hormigas: *los osos hormigueros viven en América del Sur.*

oso marino Animal mamífero marino y carnívoro, con pelo; es una especie de foca.

oso panda Animal mamífero que tiene el pelo de color blanco y negro y que se alimenta principalmente de bambú. NOTA También simplemente *panda.*

poner el oso a trabajar familiar CUBA Reflexionar con detenimiento tratando de encontrar la solución a un problema.

FAM osera, osezno.

osobuco s. m. Ossobuco.

ossobuco [también **osobuco**, menos frecuente] s. m. Guiso con la parte de la rodilla de la vaca o la ternera que se sirve sin separarla del hueso: *el ossobuco es un plato típicamente italiano.*

osteíctio, -tia adj./s. m. ① Se aplica al pez que tiene parte del esqueleto parcial o totalmente osificado. ❙ s. m. pl. ② **osteíctios** Grupo taxonómico, con categoría de clase, constituido por estos peces.

ostensible adj. Que se ve o comprueba con facilidad. SIN manifiesto, visible, evidente.

ostentación s. f. Acción y efecto de ostentar.

ostentar v. tr. ① Exhibir abiertamente y con orgullo una cosa: *ostenta un lujo desenfrenado.* ② Ocupar un cargo o estar en posesión de una cosa que resulte ventajosa: *ostenta el título de doctor.* FAM ostensible, ostentación, ostentoso.

ostentoso, -sa adj. ① Que muestra un lujo y riqueza excesivos. ② Que se hace con cierta exageración para que los demás lo vean: *hizo ademanes ostentosos de querer pagar la cuenta, pero al final se dejó invitar.* FAM ostentosidad.

osteopatía s. f. ① Enfermedad de los huesos. ② Método de tratamiento de las enfermedades que se basa en los masajes y la manipulación de las articulaciones. FAM osteópata.

osteoporosis s. f. Fragilidad anormal de los huesos debido a la formación de espacios o huecos en los mismos por falta de calcio. OBS Plural invariable.

ostinato s. m. Patrón melódico y rítmico que se repite a lo largo de una pieza musical y constituye un procedimiento en la técnica del contrapunto.

ostra s. f. ① Invertebrado marino del filo moluscos que tiene dos valvas rugosas y que vive en aguas poco profundas; su carne, que se puede comer cruda, es muy apreciada: *hoy las ostras se crían en piscifactoría.* ❙ int. ② **¡ostras!** familiar Exclamación que denota admiración, asombro o contrariedad.

aburrirse como una ostra familiar Estar muy aburrido. FAM ostrero, ostricultura.

ostracismo s. m. ① culto Destierro a que se condenaba en la antigua Grecia a los ciudadanos que se consideraban peligrosos para el estado: *los griegos condenaban al ostracismo a los ciudadanos muy ambiciosos.* ② culto Aislamiento de la vida pública que sufre una persona por parte del estado o de una colectividad, generalmente por cuestiones políticas.

ostrogodo, -da adj. ① Relativo a un pueblo germánico de origen godo que se estableció al noroeste del mar Negro y finalmente en Italia. ❙ s. m. y f./adj. ② Persona perteneciente a este pueblo: *los ostrogodos constituían un importante reino en el siglo IV.*

otear v. tr. ① Mirar desde un lugar alto. ② Mirar con cuidado para descubrir algo.

otero s. m. Elevación del terreno aislada que domina un llano, de menor altura que un monte y que una montaña.

otitis s. f. Inflamación del oído: *bucear mucho rato en la piscina puede causar otitis.* OBS Plural invariable.

otología s. f. Parte de la medicina que se ocupa del estudio del oído y de sus enfermedades.

otólogo, -ga s. m. y f. Médico especialista en otología.

otomano, -na adj. ① Relativo a la dinastía turca de los Otomanos, descendientes de Utmán I: *el Imperio otomano fue desmembrado tras la Primera Guerra Mundial.* ❙ s. m. y f./adj. ② Persona perteneciente a esta dinastía. ❙ adj./s. m. y f. ③ De Turquía (país de Europa).

otoñal adj. ① Relativo al otoño: *moda otoñal.* ❙ adj./s. com. ② Se aplica a la persona con una edad madura.

otoño s. m. ① Estación templada del año comprendida entre el verano y el invierno; en el hemisferio norte, transcurre entre el 22 ó 23 de septiembre y el 22 de diciembre, y en el hemisferio sur, entre el 21 de marzo y el 22 de junio: *en otoño, los árboles de hoja caduca pierden sus hojas.* ② Tiempo en el que se inicia el declive de una actividad o el final de la vida de una persona. FAM otoñal, otoñar.

otorgar v. tr. ① Dar una cosa a una persona quien tiene autoridad o poder para ello, especialmente un favor o permiso. SIN conceder. ANT denegar. ② Hacer testamento o contrato ante notario. FAM otorgamiento, otorgante.

otorrino s. com. Otorrinolaringólogo.

otorrinolaringología s. f. Parte de la medicina que se ocupa de las enfermedades del oído, la nariz y la garganta. FAM otorrinolaringólogo.

otorrinolaringólogo, -ga s. m. y f. Médico especialista en otorrinolaringología. SIN otorrino. FAM otorrino.

otro, otra det./pron. ① Indica que una persona o cosa es diferente de la que se habla pero de la misma clase. ② Indica una cosa más de la misma clase. ③ Indica que una persona o cosa parece reproducir algo o a alguien a quien se asemeja: *ese valiente soldado es otro Cid.* ❙ adj. ④ Indica un pasado cercano: *la otra tarde vino Juan.* ⑤ Indica el tiempo futuro que sigue inmediatamente: *a la otra semana empiezan las vacaciones.* SIN siguiente.

otro que tal Expresa semejanza, especialmente en algún inconveniente o defecto, entre cosas o personas.

otrora adv. culto En otros tiempos: *de su poder otrora tan visible ya solamente quedan restos.*

otrosí *adv.* culto En lenguaje jurídico, además.

ouija [se pronuncia 'uija'] *s. m.* Tablero alfabético que se utiliza en espiritismo para hacer deslizar sobre él un vaso o algún otro objeto para que transmita mensajes de los espíritus de ultratumba.

out [se pronuncia aproximadamente 'aut'] *s. m.* En algunos deportes, indica que la pelota ha salido fuera del campo.

output [se pronuncia aproximadamente 'autput'] *s. m.* Información que proporciona un ordenador después de procesar un conjunto de datos determinados. SIN salida.

ovación *s. f.* Aplauso sostenido, fuerte, ruidoso y entusiasta de un grupo grande de personas: *al terminar la representación, la actriz recibió la ovación del público.*
FAM ovacionar.

ovacionar *v. tr.* Aplaudir de forma sostenida, fuerte, ruidosa y entusiasta un grupo grande de personas.

oval *adj.* Ovalado: *las hojas de ese árbol son ovales.*

ovalado, -da *adj.* Que tiene forma de óvalo o de huevo.
SIN oval.

ovalar *v. tr.* Dar a una cosa forma ovalada.
FAM ovalado.

óvalo *s. m.* Curva cerrada y alargada con dos ejes diferentes que forman ángulo recto; es una forma semejante a la de un huevo.
FAM ovalar.

ovárico, -ca *adj.* Relativo al ovario.

ovario *s. m.* ① Órgano del aparato reproductor femenino que produce los óvulos y las hormonas sexuales: *los ovarios están situados en la cavidad abdominal junto al útero.* ② Órgano sexual de la flor, en el interior del pistilo de las plantas angiospermas, que contiene los óvulos y que, tras la fecundación, forma generalmente el fruto.
FAM ovárico.

oveja *s. f.* Animal mamífero rumiante hembra que tiene el cuerpo cubierto de lana; es doméstico y se cría por su carne, su leche y su lana: *el macho de la oveja es el carnero.*
oveja descarriada u **oveja negra** Persona cuya conducta o cuyas ideas se apartan de las aceptadas por un grupo: *todos han estudiado menos él, que es la oveja negra de la familia.*
FAM ovejería, ovejero, ovejuno.

ovejería *s. f.* ① AMÉR. SUR Lugar donde se crían ovejas. ② AMÉR. SUR Gran cantidad de ovejas.

ovejero, -ra *adj./s. m. y f.* Que cuida las ovejas.

ovejuno, -na *adj.* Relativo a la oveja.

overbooking [se pronuncia aproximadamente 'overbukin'] *s. m.* Venta de más plazas de las disponibles, generalmente en hoteles y medios de transporte: *no pudimos subir al avión porque había overbooking.*

overol *s. m.* AMÉR. Ropa de una pieza, confeccionada con tela rústica y resistente, que se usa para trabajar en diversos oficios manuales: *un mecánico con overol azul.*

ovetense *adj.* ① De Oviedo (ciudad y provincia de Asturias). I *s. com./adj.* ② Persona que es de Oviedo.

óvido, -da *adj./s. m.* ① Se aplica al animal rumiante de pequeño tamaño, con pelo en el hocico y cuernos en los machos y en las hembras, aunque en los primeros son mayores y arrollados en espiral. SIN ovino. I *s. m. pl.* ② **óvidos** Grupo taxonómico, con categoría de subfamilia, constituido por estos mamíferos. SIN ovinos.

oviducto *s. m.* Conducto del aparato reproductor de los mamíferos que conduce los óvulos desde los ovarios hasta el útero. SIN trompa de Falopio.

ovillo *s. m.* Bola que se forma enrollando un hilo sobre sí mismo: *necesitó cinco ovillos de lana para tejer el jersey.*
hacerse un ovillo (I) Acurrucarse formando una figura redondeada a causa del frío, del dolor o del miedo: *el erizo se hace un ovillo para defenderse.* (II) Hacerse un lío, confundirse al hablar o al pensar.
FAM ovillar.

ovino, -na *adj.* ① Relativo al ganado que tiene lana. I *adj./s. m.* ② Se aplica al animal rumiante de pequeño tamaño, con pelo en el hocico y cuernos en los machos y en las hembras, aunque en los primeros son mayores y arrollados en espiral: *el muflón, la cabra y la oveja pertenecen a los ovinos.* SIN óvido. I *s. m. pl.* ③ **ovinos** Grupo taxonómico, con categoría de subfamilia, constituido por estos animales. SIN óvidos.

ovíparo, -ra *adj./s. m.* Se aplica al animal que nace de un huevo en el que ha completado su desarrollo embrionario, después de ser expulsado por la madre: *las aves son animales ovíparos.*

ovni *s. m.* Objeto volador de origen y naturaleza desconocidos.

ovocito *s. m.* Oocito.

ovogénesis *s. f.* Oogénesis.
OBS Plural invariable.

ovogonia *s. f.* Oogonia.

ovoide *adj.* ① Que tiene forma de huevo. SIN aovado, ovoideo. I *s. m.* ② Cosa que tiene esta forma.

ovoideo, -dea *adj.* Ovoide.

ovovivíparo, -ra *adj.* Se aplica al animal que pasa el proceso de gestación en un huevo que permanece en el cuerpo de la madre hasta después de abrirse la cáscara: *algunos reptiles, como la víbora, son ovovivíparos.*

ovulación *s. f.* Desprendimiento del óvulo, ya maduro para ser fecundado, del ovario en que se forma: *la ovulación se produce hacia la mitad del ciclo menstrual.*

ovular *v. intr.* Desprenderse el óvulo, ya maduro para ser fecundado, del ovario que lo ha formado: *las mujeres ovulan cada veintiocho días.*
FAM ovulación, ovulatorio.

óvulo *s. m.* ① Célula sexual femenina que se forma en el ovario: *a partir del óvulo fecundado se forma un embrión.* ② Célula en forma de saco que se forma en el interior del ovario de la flor. ③ Medicamento en forma de pequeño huevo que se introduce en la vagina.
FAM ovular.

oxácido *s. m.* Ácido que posee uno o más átomos de oxígeno en su molécula: *el ácido sulfúrico y el ácido nítrico son oxácidos.* SIN oxoácido.

oxidación *s. f.* ① Acción de oxidar u oxidarse: *la oxidación de un elemento químico va asociada a una reducción (ganancia de electrones por parte de otra sustancia).* ② Efecto de oxidar u oxidarse.

oxidante *adj./s. m.* Se aplica a la sustancia que es capaz de producir oxidación.

oxidar *v. tr.* ① Formar una capa de color rojizo en la superficie del hierro y otros metales por causa de la humedad o

O

del agua. **2** Transformar un cuerpo mediante la acción del oxígeno. **3** Disminuir el número de electrones de un elemento químico: *los metales se oxidan al combinarse con los no metales.*

FAM oxidación, oxidante; desoxidar, inoxidable.

óxido *s. m.* **1** Capa de color rojizo que se forma en la superficie del hierro y otros metales a causa de la humedad o del aire. SIN herrumbre, orín. **2** Compuesto formado por oxígeno y otro elemento químico, metálico o no metálico: *el óxido de calcio es la cal.*

FAM oxidar; dióxido.

oxigenación *s. f.* **1** Acción de oxigenar u oxigenarse. **2** Efecto de oxigenar u oxigenarse.

oxigenado, -da *adj.* **1** Que tiene oxígeno. **2** Se aplica al lugar que tiene aire puro y limpio porque está ventilado. **3** Se aplica al pelo cuyo color ha sido aclarado con un producto químico, especialmente agua oxigenada: *el rockero llevaba un mechón oxigenado sobre la frente.* **4** Se aplica a la persona que se ha aclarado el color del pelo con un producto químico, especialmente agua oxigenada.

oxigenar *v. tr.* **1** Dejar que aire puro y limpio entre en un lugar. **2** Aclarar el color del pelo con un producto químico, especialmente con agua oxigenada. SIN decolorar. **3** Combinar el oxígeno con otro elemento químico: *los óxidos metálicos resultan de oxigenar los metales.* ‖ *v. prnl.* **4** **oxigenarse** Respirar aire puro y limpio, generalmente fuera de la ciudad: *los fines de semana vamos a oxigenarnos al campo.*

FAM oxigenación, oxigenado; desoxigenar.

oxígeno *s. m.* Elemento químico de símbolo *O* y número atómico 8; es un gas insípido, incoloro e inodoro, que forma parte de la atmósfera terrestre y es indispensable para la respiración de los organismos aerobios, para las combustiones y para los procesos de fotosíntesis: *el oxígeno, combinado con metales y no metales, da lugar a los óxidos.*

FAM oxigenar.

oxímoron *s. m.* Figura retórica que consiste en asociar dos palabras de sentido contrario: *"la oscura luz"* y *" la soledad sonora"* son ejemplos de oxímoron.

OBS Plural: *oxímoros.*

oxitocina *s. f.* Hormona segregada por la hipófisis que tiene la propiedad de provocar contracciones uterinas y estimular la subida de la leche; también se prepara farmacológicamente para ser administrada por inyección intramuscular o intravenosa con el fin de inducir el parto, aumentar la fuerza de las contracciones en el parto, controlar la hemorragia posparto y estimular la subida de la leche.

oxítono, -na *adj./s. f.* Se aplica a la palabra que lleva el acento de intensidad en la última sílaba: *palabras como "tomar"* o *"salí"* son oxítonas. SIN agudo.

FAM paroxítono.

oxiuro *s. m.* Gusano parásito del filo nematodos, de tamaño pequeño (la hembra mide hasta 10 mm y el macho solamente de 2 a 5 mm) que se aloja en el intestino del ser humano y de algunos animales. SIN lombriz blanca.

oxoácido *s. m.* Oxácido.

¡oye! *int.* familiar Expresión que se usa para llamar la atención de alguien que no atiende: *¡oye!, te he dicho que no es por ahí.*

oyente *adj./s. com.* **1** Se aplica a la persona que escucha, especialmente un programa de radio. **2** Se aplica a la persona que asiste a un curso solamente para oír, pero sin estar matriculado, por lo que no se presenta a examen ni puede conseguir un título: *pidió permiso al profesor para asistir a sus lecciones como oyente.*

FAM radioyente.

ozonizar *v. tr.* **1** Convertir el ozono en oxígeno. **2** Combinar o purificar con ozono.

ozono *s. m.* Gas incoloro formado por tres átomos de oxígeno que se encuentra principalmente en la atmósfera y protege la Tierra de la acción de los rayos ultravioletas del Sol: *el ozono es soluble en agua fría y en álcalis, y es un agente oxidante muy fuerte.*

FAM ozonizar, ozonosfera.

ozonosfera *s. f.* Capa de la atmósfera, situada en la estratosfera, en la que se concentra el ozono.

p *s. f.* Decimoséptima letra del alfabeto español; su nombre es *pe*.

p. Abreviatura de *página*.
OBS También *pág.*

p. a. Abreviatura de *por ausencia* o *por autorización*, que se usan para indicar que un documento está firmado por una persona a la que el autor ha concedido autorización.

pabellón *s. m.* ① Edificio que depende de otro principal, del que se encuentra más o menos alejado. ② Edificio que forma parte de un conjunto: *el hospital está formado por tres pabellones*. ③ Pequeño edificio aislado, construido en un jardín o en un parque, que sirve generalmente de refugio. ④ Tienda de campaña cónica sostenida en su interior por un palo y sujeta al terreno con cuerdas y clavos. ⑤ Pieza de madera o de tela que se coloca a modo de techo y como adorno sobre un asiento, una imagen o una cama. **SIN** dosel. ⑥ Bandera nacional: *en el mástil ondeaba el pabellón español*. ⑦ Nacionalidad de un barco de mercancías. ⑧ Extremo ensanchado de algunos instrumentos de viento, que sirve para que se expanda mejor el sonido: *el pabellón de la trompeta*. ⑨ Extremo de un tubo o conducto que se hace más ancho. ■ **pabellón auditivo** Parte visible del oído externo del ser humano y de los mamíferos.

pabilo o **pábilo** *s. m.* ① Mecha que está en el centro de la vela y que se enciende para que dé luz. ② Parte carbonizada de la mecha de una vela.
FAM despabilar, espabilar.

pacato, -ta *adj./s. m. y f.* Se aplica a la persona que muestra excesivos escrúpulos y recato.

pacay *s. m.* AMÉR. SUR Árbol americano de corteza rica en tanino y fruto comestible cuyas semillas van envueltas en una pulpa esponjosa, comestible y de agradable sabor.

pacaya *s. f.* AMÉR. CENTRAL Arbusto en forma de palmera y cuyo cogollo es comestible.

pacense *adj.* ① De Badajoz (ciudad y provincia de Extremadura). ■ *s. com./adj.* ② Persona que es de Badajoz.

pacer [16] *v. tr./intr.* ① Comer el ganado la hierba en el campo: *las ovejas pacen en la dehesa*. **SIN** pastar. ■ *v. tr.* ② Dar pasto al ganado.
FAM apacentar.

pachá *s. m.* En la antigua Turquía, funcionario con un cargo equivalente al de gobernador. **SIN** bajá.

pachaco, -ca *adj./s. m. y f.* AMÉR. CENTRAL Se aplica a la persona que es débil y enclenque.

pachanga *s. f.* ① familiar Diversión muy animada con ruido y desorden. **SIN** jolgorio. ② familiar AMÉR. Fiesta o reunión festiva donde la gente baila y bebe para divertirse. ③ familiar CUBA Intercambio de bromas y de chistes con que la gente se divierte: *por favor, déjate de pachanga, que estoy hablando en serio*.
FAM pachanguero.

pachanguero, -ra *adj.* Se aplica al espectáculo, fiesta o música que es ruidoso, movido y anima a bailar.
OBS Frecuentemente usado de forma despectiva.

pacharán *s. m.* Licor dulce y fuerte que se obtiene de la destilación de la endrina y que es típico de Navarra.

pachón, -chona *adj./s. m.* ① Se aplica al perro con el hocico cuadrado, las patas cortas y el pelo amarillo con manchas marrones. ■ *adj./s. m. y f.* ② familiar Se aplica a la persona que es excesivamente tranquila y lenta en sus acciones o movimientos. ■ *adj.* ③ AMÉR. Peludo, lanudo. ■ *s. m.* ④ AMÉR. familiar Hombre flemático.

pachorra *s. f.* familiar Calma, tranquilidad y lentitud en exceso.

pachucho, -cha *adj.* ① Se aplica a la fruta, flor o planta que está demasiado madura o que no está fresca. **SIN** pasado, pocho. ② Se aplica a la persona que está débil y se encuentra mal de salud.

pachulí o **pachuli** *s. m.* ① Planta muy olorosa originaria de Asia y Oceanía. ② Perfume que se obtiene de esta planta.

paciencia *s. f.* ① Capacidad de sufrir y tolerar las adversidades con valor y sin quejarse. ② Capacidad de esperar con tranquilidad una cosa que tarda. **ANT** impaciencia. ③ Capacidad para realizar una actividad o un trabajo difícil, pesado o minucioso con perseverancia: *es un hombre muy mañoso y con mucha paciencia, por eso se le dan bien los trabajos manuales*. ④ Dulce pequeño, redondo y abombado por arriba que está hecho con harina, huevo, almendras y azúcar y se cuece en el horno.

armarse (o cargarse) de paciencia Prepararse para soportar una cosa pesada, difícil o molesta.
FAM paciente; impaciencia.

paciente *adj.* ① Que tiene paciencia: *fue siempre un maestro paciente y tolerante.* ② Se aplica al sujeto que en una oración pasiva recibe la acción realizada por el complemento agente: *en la frase "el cuadro fue pintado por Goya", el sujeto paciente es "el cuadro".* **SIN** activo. ‖ *s. com.* ③ Persona que recibe tratamiento médico o quirúrgico, respecto de su médico o cirujano: *el médico atendía a sus pacientes en la consulta.*

pacificación *s. f.* ① Acción de pacificar. ② Efecto de pacificar.

pacificar *v. tr.* ① Establecer la paz entre los bandos en conflicto. ‖ *v. prnl.* ② **pacificarse** Quedarse en calma lo que estaba alterado: *pacificarse el mar.*
FAM pacificación, pacificador.

pacífico, -ca *adj.* ① Que no usa la violencia o que no es propenso a fomentar conflictos: *manifestación pacífica.* **ANT** violento. ② Se aplica al lugar que no está alterado por luchas o guerras. ③ Relativo al océano Pacífico o a los territorios situados en sus costas.
FAM pacificar; pacifismo.

pacifismo *s. m.* Movimiento que defiende la paz y es contrario a los actos violentos y a los enfrentamientos armados: *después de la Segunda Guerra Mundial se produjo un auge del pacifismo.* **ANT** belicismo.
FAM pacifista.

pacifista *adj.* ① Relativo al pacifismo: *política pacifista.* **ANT** belicista. ‖ *adj./s. com.* ② Se aplica a la persona que es partidaria del pacifismo. **ANT** belicista.

pack *s. m.* Envase que contiene varios recipientes o productos del mismo tipo.

pacotilla *s. f.* Mercancía que los marineros u oficiales de un barco pueden embarcar sin pagar por ello.
de pacotilla familiar De poca calidad o de escaso valor: *es un actor de pacotilla, a pesar de su fama.*

pacotillero, -ra *s. m. y f.* fam. desp. AMÉR. Mercachifle.

pactar *v. tr./intr.* Acordar una serie de condiciones con la obligación de cumplirlas: *el Gobierno pactó con los sindicatos.*

pacto *s. m.* ① Acuerdo entre dos o más personas o grupos que obliga a cumplir una serie de condiciones: *el presidente del país vencido no quiso firmar el pacto.* ② Condición o serie de condiciones que se han de cumplir por este acuerdo: *el policía les recordó que el pacto había sido liberar al rehén.*
FAM pactar.

paddle [se pronuncia 'pádel'] *s. m.* Pádel.

padecer *v. tr.* ① Sufrir un daño físico o moral. ② Aguantar con paciencia, dolor o resignación una cosa que no es agradable. **SIN** soportar. ‖ *v. intr.* ③ Sufrir dolor físico o moral. ‖ *v. tr.* ④ Tener un engaño, una equivocación o cualquier otra cosa perjudicial.
FAM padecimiento.

padecimiento *s. m.* ① Acción de padecer. ② Efecto de padecer.

pádel *s. m.* Deporte parecido al tenis que se practica con raqueta de madera en una pista limitada por paredes altas; se puede utilizar el rebote de la pelota en las paredes al devolverla.
OBS También *pádel tenis.* Puede encontrarse la grafía inglesa *paddle* (o *paddle tenis*).

padrastro *s. m.* ① Marido de la madre de una persona, con respecto a los hijos que esta tiene de un matrimonio anterior. ② Padre que trata mal a sus hijos. ③ Trozo pequeño de piel junto a las uñas, roto y levantado, que causa dolor y molestia.

padrazo *s. m.* Padre que cuida mucho a sus hijos.

padre *s. m.* ① Hombre o animal macho que ha engendrado algún hijo. ■ **padre adoptivo** Hombre que ha adoptado un hijo y que legalmente tiene las mismas funciones y derechos que un padre biológico. ■ **padre biológico** Hombre que es pariente genético de otra persona, aunque no sea gestante. ■ **padre de familia** Hombre que es cabeza de familia ante la ley. ■ **padre político** Padre del cónyuge de una persona. **SIN** suegro. ② En la religión cristiana, primera persona de la Santísima Trinidad, es decir, Dios. **NOTA** Se escribe con mayúscula inicial. ③ Sacerdote o religioso: *fue a pedir consejo a un padre del convento; vengo de hablar con el padre Juan.* ■ **padre de la Iglesia** Doctor de la antigua Iglesia griega o latina. ■ **padre espiritual** Sacerdote que es el confesor y guía espiritual de una persona. ■ **Padre Santo** o **Santo Padre** El Papa. ④ Causa u origen de una cosa: *el odio es el padre de todas las guerras.* ⑤ Persona que ha creado o inventado una cosa o que ha hecho avanzar mucho una ciencia o una rama del saber: *Newton es el padre de la física.* ⑥ Animal macho que se destina a la cría. **SIN** semental. ‖ *adj.* ⑦ familiar Que es muy grande o muy intenso: *juerga padre; bronca padre.* **NOTA** Invariable en número. ‖ *s. m. pl.* ⑧ **padres** Padre y madre de una persona: *vive con sus padres y su hermana.* ⑨ Antepasados.
de padre y muy señor mío Que es muy grande o muy intenso.
padre nuestro Padrenuestro. **NOTA** Se escribe normalmente con mayúscula inicial.
sin padre ni madre, ni perro que le ladre familiar Expresión que indica que una persona se siente abandonada y sola.
¡tu padre! familiar Expresión que indica enfado: *¡tu padre, qué pesada llegas a ser!*
FAM padrastro, padrazo, padrino.

padrenuestro *s. m.* Oración cristiana que, según el Evangelio, Jesucristo enseñó a sus discípulos: *el Padrenuestro es una oración de la misa.*
OBS Se escribe normalmente con mayúscula inicial. También *padre nuestro.*

padrinazgo *s. m.* ① Condición de padrino. ② Protección o favor que una persona o entidad da a otra para hacer algo.

padrino *s. m.* ① Hombre que presenta o acompaña a una persona cuando esta recibe un sacramento: *padrino de boda.* ② Hombre que presenta o acompaña a una persona cuando esta va a participar en una competición o desafío, o a recibir un honor: *el torero debutante contó con padrinos de gran importancia.* ③ Hombre que protege y favorece a una persona para que esta consiga sus deseos o pretensiones. ‖ *s. m. pl.* ④ **padrinos** Padrino y madrina de una persona.
FAM padrinazgo; apadrinar.

padrón *s. m.* Lista oficial en que figuran el nombre y los apellidos, la edad, la actividad laboral y otros datos de las personas que viven en un término municipal.
FAM empadronar.

paella *s. f.* ① Comida hecha a base de arroz, al que se le añaden otros ingredientes como mariscos, carne, pescado, verduras, legumbres, etc.: *la paella es el plato más típico de Valen-*

cia. **2** Recipiente de metal, de poco fondo y con dos asas, que sirve para cocinar esta comida. **SIN** paellera.
FAM paellera.

paellera *s. f.* Paella (recipiente).

pág. Abreviatura de *página*.
OBS También *p.*

paga *s. f.* **1** Entrega de dinero que se debe por un trabajo. **2** Cantidad de dinero que se cobra o se paga por un trabajo. **3** Cantidad de dinero que se percibe, generalmente de forma periódica, por un servicio o un trabajo realizado. **SIN** salario, sueldo. ■ **paga extra** o **paga extraordinaria** Paga adicional al sueldo y de similar cuantía: *en Navidad cobraremos la paga extra.* **4** Cantidad de dinero que se da a los niños o a los jóvenes todas las semanas o los días de fiesta.

pagador, -ra *adj./s. m. y f.* **1** Se aplica a la persona que debe pagar. I *s. m. y f.* **2** Persona encargada de pagar las pensiones, sueldos, créditos, etc., en un banco o en una oficina.
FAM pagaduría.

paganismo *s. m.* **1** Para los cristianos, conjunto de las religiones o creencias que adoran a varios dioses. **2** Etapa de la civilización, anterior al cristianismo, en que se adoraban a varios dioses, especialmente la antigüedad grecorromana.

pagano, -na[1] *adj.* **1** Relativo al paganismo. I *adj./s. m. y f.* **2** Se aplica a la persona que adora a varios dioses o imágenes, especialmente en la antigua Grecia y Roma: *los paganos construyeron templos a cada Dios.* **3** Se aplica a la persona que no cree en la doctrina cristiana.
FAM paganismo, paganizar.

pagano, -na[2] *adj./s. m. y f.* familiar Se aplica a la persona que paga la culpa o la deuda de otra persona.

pagar *v. tr./intr.* **1** Dar una cantidad de dinero a cambio de una cosa, un servicio o un trabajo. **2** Dar una cantidad de dinero para cubrir una deuda o una carga pública. **3** Cumplir una pena o castigo. **4** Corresponder al cariño o al favor de otra persona. **5** Sufrir las consecuencias de una equivocación: *pagaron su imprudencia con la vida.* I *v. prnl.* **6** **pagarse** Presumir, hacer ostentación de una cosa de la que se está muy satisfecho.
pagarlas Sufrir una persona el castigo o las consecuencias que merece por un conjunto de malas acciones.
FAM paga, pagadero, pagador, paganini, pagaré, pago.

pagaré *s. m.* Documento con el que una o varias personas se comprometen a pagar una cantidad de dinero en un tiempo determinado.

pagel [también **pajel**] *s. m.* Pez marino comestible de unos 20 cm de longitud, cabeza y ojos grandes, lomo rojizo y vientre plateado; su carne es blanca y bastante apreciada. **SIN** breca.

página *s. f.* **1** Cara de la hoja de un libro o escrito. **SIN** plana. **2** Texto escrito o impreso en esta cara de la hoja. **3** Hecho ocurrido en el curso de una vida o una actividad y que será recordado por su importancia: *el día de hoy se señalará como una feliz página en la historia.*

página web Documento de Internet que puede contener texto, gráficos, sonidos o animaciones, generalmente escrito en lenguaje HTML y que permite la relación con otros documentos, mediante enlaces. **NOTA** También simplemente *web*.
FAM paginar.

paginación *s. f.* Orden o numeración de las páginas de un libro, cuaderno o documento.

paginar *v. tr.* Ordenar o numerar las páginas de un libro, cuaderno o documento.
FAM paginación.

pago[1] *s. m.* **1** Entrega de una cantidad de dinero que se debe. **ANT** impago. **2** Cantidad de dinero que se paga. **3** Premio con el que se corresponde a algo recibido: *como pago a sus servicios, me complace entregarle este obsequio.*
FAM impago.

pago[2] *s. m.* **1** culto Aldea. **2** culto Parte de campo que pertenece a un pueblo.

pagoda *s. f.* Edificio con cubierta a varias vertientes en cada planta donde una comunidad religiosa oriental, especialmente budista, se reúne para rezar o para hacer celebraciones religiosas: *las pagodas suelen tener varios pisos con tejados y cornisas.*

pailero *s. m.* CUBA Hombre homosexual.

pailón, -lona *s. m.* **1** BOL., ECUAD., HOND. Terreno bajo y redondo. I *adj./s. m. y f.* **2** CHILE Se aplica a la persona joven que es extremadamente alta para su edad. **3** familiar CHILE Se aplica a la persona que tiene las orejas muy grandes. **4** familiar CHILE Se aplica a la persona que es torpe o necia. I *s. m.* **5** COL. Vasija cilíndrica de metal, porcelana o barro, que tiene gran tamaño. **6** VENEZ. Movimiento giratorio del agua o remolino que se forma en los ríos caudalosos.

paipái o **paipay** *s. m.* Abanico plano de forma redondeada y con mango.
OBS Plural: *paipáis.*

país *s. m.* **1** Estado independiente. **SIN** nación. **2** Territorio que constituye una unidad geográfica o política, limitada natural o artificialmente. **3** Conjunto de los habitantes de este estado o territorio.
del país De la comarca, de la tierra de una persona: *un vino del país.*
FAM paisano.

paisaje *s. m.* **1** Extensión de terreno que se ve desde un lugar determinado: *pararon junto al camino para admirar el paisaje.* **2** Cuadro o fotografía que representa esta extensión: *el pintor presentó una colección de paisajes.* **3** Percepción o visión subjetiva del espacio en que predomina la vertiente estética.
FAM paisajístico; apaisado.

paisajista *s. com.* Persona que pinta paisajes por afición o como artista profesional.

paisajístico, -ca *adj.* Relativo al paisaje.

paisano, -na *adj./s. m. y f.* **1** Se aplica a la persona que ha nacido en el mismo lugar que otra. **SIN** compatriota. I *s. m. y f.* **2** Persona que vive y trabaja en el campo. I *s. m.* **3** Hombre que no es militar ni religioso.
de paisano Que no lleva uniforme militar ni hábito: *es policía pero va de paisano.*
FAM paisanaje.

paja *s. f.* **1** Tallo del trigo y otros cereales, una vez seco y separado del grano. **2** Conjunto de estos tallos secos. **3** Brizna de hierba o de otra cosa parecida: *se le metió una paja en el ojo.* **4** Tubo muy delgado de plástico flexible que sirve para beber líquidos absorbiéndolos. **5** Parte poco importante o con poco contenido en un escrito, una conversación o un asunto: *en el artículo solamente hay una idea importante, todo lo demás es paja.* I *adj.* **6** Se aplica al color que es amarillo claro como el de la paja seca: *me encanta su pelo de color paja.* I *s. f.* **7** AMÉR. CENTRAL, COL. Grifo, llave del agua.

P

hacerse una paja vulgar Masturbarse.

por un quítame allá esas pajas familiar Por una cosa poco importante: *se enzarzaron en una discusión por un quítame allá esas pajas.*

FAM pajar, pajizo.

pajar *s. m.* Lugar donde se guarda la paja.

pájara *s. f.* ① Pérdida de las fuerzas que sufren algunos deportistas, especialmente los ciclistas, al hacer un esfuerzo grande. ② Pájaro, ave pequeña.

FAM pajarita.

pajarera *s. f.* Jaula grande o lugar donde se crían pájaros.

pajarería *s. f.* ① Establecimiento donde se venden pájaros y otros animales domésticos. ② Conjunto de pájaros.

pajarero, -ra *adj.* ① Relativo al pájaro: *reproducción pajarera.* ② familiar Se aplica a la persona que es excesivamente alegre y bromista. NOTA Frecuentemente usado de forma despectiva. ③ familiar Se aplica a la tela o pintura que tiene colores muy chillones y mal combinados. NOTA Frecuentemente usado de forma despectiva. ‖ *s. m. y f.* ④ Persona que se dedica a cazar, criar o vender pájaros. ‖ *adj.* ⑤ AMÉR. Espantadizo, receloso; especialmente referido a las caballerías.

FAM pajarería.

pajarita *s. f.* ① Figura que se hace con un papel doblado varias veces y que recuerda la forma de un pájaro. ② Lazo de tela que se pone alrededor del cuello de una camisa como adorno: *en lugar de corbata, usa pajarita.*

pájaro, -ra *s. m.* ① Ave voladora, especialmente si es de pequeño tamaño. ■ **pájaro bobo** Ave palmípeda marina de plumaje negro y blanco cuyas alas, convertidas en aletas, no le permiten volar. SIN pingüino. ■ **pájaro carpintero** Pájaro de plumaje muy variable que tiene un pico muy fuerte capaz de perforar la madera del tronco de los árboles; posee dos dedos dirigidos hacia delante y dos hacia atrás que le permiten mantenerse sobre el tronco. SIN carpintero, pico. ■ **pájaro mosca** Pájaro de vivos colores y pequeño tamaño que se alimenta del néctar que toma de las flores con su largo pico. SIN colibrí. ‖ *s. m. y f.* ② fam. desp. Persona astuta que provoca desconfianza. ■ **pájaro de cuenta** Persona en la que no se debe tener confianza debido a su mal comportamiento.

matar dos pájaros de un tiro Hacer o lograr dos cosas de una sola vez.

tener pájaros en la cabeza Tener poco juicio o demasiada imaginación.

FAM pájara, pajarera, pajarero, pajarraco; espantapájaros.

pajarraco, -ca *s. m.* ① familiar Pájaro cuyo nombre se desconoce, especialmente el que es grande y feo. ‖ *s. m. y f.* ② fam. desp. Persona astuta que provoca desconfianza. SIN pájaro.

paje *s. m.* ① Hombre joven que servía a un caballero, lo acompañaba en sus salidas, le servía la mesa y realizaba otras tareas domésticas. ② Muchacho que aprende el oficio de marinero en una embarcación.

pajel *s. m.* Pagel.

pajizo, -za *adj.* ① Que es amarillo claro, como el de la paja: *rubio pajizo.* ② Que está hecho o cubierto de paja: *techo pajizo.*

pajolero, -ra *adj.* ① familiar Se usa para expresar rechazo o desprecio hacia lo que se indica, o como intensificador: *no tenía ni pajolera idea de lo que estaba diciendo.* NOTA En esta acepción, va antepuesto al sustantivo. SIN puñetero. ② familiar Que fastidia o molesta.

pajuato, -ta *adj./s. m. y f.* ARG., COL., CUBA, PAR., URUG., VENEZ. Se aplica a la persona que es tonta o tiene poca rapidez mental. SIN pazguato.

pala *s. f.* ① Herramienta que sirve para cavar o para recoger y trasladar materiales (cemento, arena, etc.), consistente en una pieza plana y rectangular o trapezoidal sujeta a un mango largo. ② Utensilio de forma semejante a esta herramienta que sirve para coger y servir ciertos alimentos: *una pala para servir el pastel.* SIN paleta. ③ Cantidad de materia que se recoge con una pala (herramienta) de una sola vez: *han sacado tres palas de escombros.* SIN paletada. ④ Instrumento para golpear la pelota en ciertos juegos o deportes, que tiene una parte ancha, generalmente ovalada, y un mango: *pala de ping-pong; pala de frontón.* SIN paleta, raqueta. ⑤ Plancha que gira alrededor de un eje: *las palas de un ventilador.* SIN aspa, paleta. ⑥ Parte, generalmente movible, en que termina el brazo de ciertas máquinas y que sirve para recoger una carga: *la pala de una excavadora.* ⑦ Parte ancha y plana de ciertas herramientas o utensilios: *la pala del esquí; las palas de una bisagra.* ⑧ Parte superior del calzado que cubre el empeine. ⑨ Diente incisivo superior de la dentadura humana que es ancho y aplanado; especialmente el que le sale a un niño cuando caen los de leche. SIN paleta. ⑩ Parte del pétalo o de una hoja que aparece aplanada.

FAM palada, palamenta, palear, paleta.

palabra *s. f.* ① Sonido o conjunto de sonidos articulados que representan una idea. ② Unidad lingüística constituida por uno o más monemas que, en la escritura, aparece entre dos espacios blancos: *en la frase "volver a empezar" hay tres palabras.* SIN vocablo, voz. ② Capacidad de expresar el pensamiento por medio del lenguaje articulado: *tiene gran facilidad de palabra.* ③ Acto o derecho de hablar a alguien: *dirigir la palabra; pedir la palabra; conceder la palabra; la defensa tiene la palabra.* ④ Promesa de que una cosa es verdad o de que se va a hacer lo que se dice: *dar su palabra; cumplir la palabra.* ■ **palabra de honor** Promesa cuyo cumplimiento está garantizado por la honradez o la reputación de la persona que la hace. ‖ *s. f. pl.* ⑤ **palabras** Expresión vacía de contenido o que no debe tenerse en cuenta: *no lo ha dicho de corazón, solo son palabras.* ⑥ Discurso oral o escrito de una persona: *dijo unas palabras de agradecimiento.*

comerse las palabras Omitir palabras al hablar o escribir.

de palabra Por medio de la expresión oral.

de pocas palabras Se aplica a la persona que suele hablar poco.

dejar con la palabra en la boca Dejar de escuchar lo que dice una persona, generalmente como forma de desprecio.

medias palabras Sugerencias o insinuaciones acerca de un asunto.

medir las palabras Hablar con cuidado para no decir algo que no sea adecuado.

ni palabra Nada: *no entiendo ni palabra de fútbol.*

palabra de Dios o **palabra divina** Texto o conjunto de textos contenidos en las Escrituras o en la liturgia cristiana.

palabras mayores (I) Cosa que puede ofender o insultar: *no quiero llegar a palabras mayores, así que dejemos la discusión.* (II) Cosa o asunto importante: *si hablamos de invertir, eso ya son palabras mayores.*

quitar la palabra de la boca (I) Decir lo que otra persona estaba a punto de expresar. (II) Interrumpir a la persona que habla.

tener unas palabras Discutir dos personas de forma airada o desagradable.

FAM palabreja, palabreo, palabrería, palabrero, palabrota; apalabrar.

palabrear v. tr. ❶ CHILE Insultar a alguien. ❷ CHILE, COL., CUBA, ECUAD. Convenir verbalmente algún asunto con una persona y comprometerla en un proyecto o actividad: *lo he palabreado para que asistamos juntos al baile esta semana.*

palabreja s. f. familiar Palabra rara, especialmente si se usa poco, no se entiende bien o resulta difícil pronunciarla.

palabrería s. f. Abundancia de palabras sin sustancia ni utilidad. SIN verborrea.

palabrota s. f. Palabra o expresión que se considera ofensiva. SIN insulto, taco.

FAM palabrotero.

palacete s. m. Mansión lujosa parecida a un palacio pero más pequeña, usada como casa de recreo o como residencia de la burguesía adinerada.

palaciego, -ga adj. ❶ Relativo al palacio real: *las estancias palaciegas eran lujosas y confortables.* SIN palatino. ❷ Relativo a la corte que vivía en el palacio real: *intrigas palaciegas.* ǀ adj./ s. m. y f. ❸ Se aplica a la persona que formaba parte de la corte. SIN cortesano.

palacio s. m. ❶ Mansión grande y lujosa en que residen reyes, aristócratas o personajes importantes: *los reyes de España viven en el palacio de la Zarzuela.* ❷ Edificio monumental destinado a celebrar actos públicos, como exposiciones, asambleas, competiciones deportivas, etc.: *el palacio del congreso; palacio de deportes.*

FAM palacete, palacial, palaciego.

paladar s. m. ❶ Parte interior y superior de la boca de los vertebrados, que separa esta de las fosas nasales: *el paladar separa la cavidad bucal de la cavidad nasal.* ❷ Capacidad para percibir el sabor de los alimentos: *hay que tener paladar para apreciar estos manjares.* SIN gusto. ❸ Capacidad de valorar una cosa que no es material: *tiene un excelente paladar para la música.*

FAM paladear.

paladear v. tr. ❶ Disfrutar el sabor de un alimento o de una bebida masticándolo lentamente o manteniéndolo en la boca: *paladeaba cada sorbo del rioja.* SIN saborear. ❷ Disfrutar pensando con detenimiento una cosa que agrada: *quiso paladear su última representación en el teatro.* SIN saborear.

FAM paladeo.

paladín s. m. ❶ Caballero que en la guerra se distinguía por sus hazañas valientes y nobles. ❷ culto Persona que defiende con fervor una causa noble: *es el paladín de los derechos humanos.*

paladio s. m. Elemento químico de símbolo Pd y número atómico 46; es un metal de color blanco plateado, dúctil, maleable y resistente a la corrosión que se usa para revestir contactos eléctricos en dispositivos automáticos, en odontología, en joyería, etc.: *el paladio se conoce en joyería como "oro blanco".*

palafito s. m. Vivienda propia de civilizaciones primitivas, construida sobre estacas de madera, normalmente dentro de un lago o un río.

palanca s. f. ❶ Máquina simple que consiste en una barra que se apoya en un punto o puede girar sobre él; sirve para vencer una fuerza (resistencia) mediante la aplicación de otra

fuerza (potencia). ■ **palanca de primer género** Palanca en la que el punto de apoyo se halla entre la potencia y la resistencia: *las tijeras son un ejemplo de palanca de primer género.* ■ **palanca de segundo género** Palanca en la que la resistencia se halla entre el punto de apoyo y la potencia: *el cascanueces es un ejemplo de palanca de segundo género.* ■ **palanca de tercer género** Palanca en la que la potencia se halla entre el punto de apoyo y la resistencia: *las pinzas son un ejemplo de palanca de tercer género.* ❷ Manecilla o pieza que sirve para poner en funcionamiento un aparato: *la palanca del cambio de marchas.* ❸ familiar Influencia que permite conseguir un beneficio.

hacer palanca Ejercer fuerza con una cosa alargada sobre otra para que esta última se mueva: *intentaron levantar la losa haciendo palanca con un palo.*

FAM palanqueta; apalancar.

palangana s. f. Recipiente circular, ancho y poco profundo, usado especialmente para lavarse. SIN jofaina.

FAM palanganero.

palangre s. m. Aparejo de pesca formado por un cordel largo y grueso del cual penden a trechos unas cuerdas más finas con anzuelos en sus extremos.

palanquear v. tr. ❶ familiar ARG., BOL., CUBA, URUG. Emplear una persona su influencia política o institucional en beneficio de alguien para que obtenga un cargo, un puesto de trabajo o un beneficio: *mi tío me palanqueó y logré entrar como secretaria de la empresa.* ❷ ARG., URUG. Sujetar un animal, generalmente un potro o un caballo, a un poste.

palanquín s. m. Silla de manos para transportar a personas importantes, que está constituida principalmente por un asiento con dos varas a los lados: *el palanquín se utiliza especialmente en países orientales.*

palatal adj. ❶ Relativo al paladar: *fisura palatal.* SIN palatino. ❷ Se aplica al sonido o fonema vocálico o consonántico que se articula acercando la lengua al paladar: *la palabra "llave" empieza por un sonido palatal; en español, las vocales palatales son "e", "i".* ǀ s. f./adj. ❸ Consonante que se articula en este punto: *la "ll" es una palatal.*

FAM palatalizar.

palatalizar v. tr. ❶ Dar a un sonido carácter palatal. ǀ v. intr./ prnl. ❷ Adquirir carácter palatal: *la "i" palataliza en el diptongo "hie" a principio de palabra.*

palatino, -na¹ adj. ❶ Relativo al paladar: *bóveda palatina.* SIN palatal. ǀ s. m./adj. ❷ Hueso que forma la parte posterior del paladar y que está constituido por dos láminas situadas por detrás del maxilar superior.

palatino, -na² adj. ❶ Relativo al palacio. SIN palaciego. ǀ adj./s. m. y f. ❷ Se aplica a la persona que ocupaba un cargo destacado en palacio: *conde palatino.*

palco s. m. ❶ En un teatro o sala de espectáculos, departamento independiente en forma de balcón que está provisto de varios asientos para un grupo de personas que asisten juntas. ❷ Tarima elevada para ver un desfile u otro espectáculo, generalmente al aire libre.

FAM antepalco.

palé [también **palet**] s. m. Plataforma de madera sobre la que se apila mercancía pesada y que puede elevarse o moverse utilizando un toro o carretilla elevadora.

OBS Puede encontrarse la grafía inglesa *pallet.*

palentino, -na adj. ❶ De Palencia (ciudad y provincia de

Castilla y León): *el románico palentino.* **|** *s. m. y f./adj.* ② Persona que es de Palencia.

paleoceno, -na *adj./s. m.* ① Se aplica a la época geológica que es la primera del periodo paleógeno de la era cenozoica o terciaria (o, según las escuelas, la primera del periodo terciario de la era cenozoica), y precede al periodo eoceno; se extiende desde hace unos 60 millones de años hasta hace unos 46 millones de años. **|** *adj.* ② Relativo a esta época geológica.

paleocristiano, -na *adj.* Relativo a las primeras comunidades cristianas, desde finales del siglo II hasta el siglo VI: *el crismón es un símbolo iconográfico del arte paleocristiano.*

paleógeno, -na *adj./s. m.* ① Se aplica al periodo geológico que es el primero de la era cenozoica y precede al periodo neógeno; se extiende desde hace unos 65 millones de años hasta hace unos 25 millones de años. **|** *adj.* ② Relativo a este periodo geológico.

paleografía *s. f.* Técnica de interpretar documentos e inscripciones antiguos que permite descifrarlos y determinar su fecha, lugar de origen y autor: *la paleografía es de gran utilidad para historiadores y filólogos.*
FAM paleográfico, paleógrafo.

paleógrafo, -fa *s. m. y f.* Persona que se dedica a la paleografía.

paleolítico, -ca *adj./s. m.* ① Se aplica al periodo más antiguo de los periodos prehistóricos, que se caracteriza por la fabricación y utilización de herramientas de piedra tallada, la práctica de la depredación (caza, pesca y recolección), el nomadismo y la aparición de las primeras manifestaciones artísticas, como son las pinturas rupestres y las esculturas de piedra o hueso: *en la Península, poblada desde muy lejanas épocas, existen restos paleolíticos importantes.* **|** *adj.* ② Relativo a este periodo.

paleología *s. f.* Parte de la lingüística que estudia las lenguas antiguas.
FAM paleólogo.

paleólogo, -ga *s. m. y f.* Persona que se dedica a la paleología.

paleontografía *s. f.* Descripción de los restos orgánicos fosilizados.
FAM paleontográfico.

paleontología *s. f.* Ciencia que estudia los seres vivos extinguidos a partir de los fósiles con el fin de reconstruir sus formas de vida.
paleontología lingüística Ciencia que, basándose en datos lingüísticos, trata de reconstruir fenómenos culturales, sociales, históricos, étnicos, etc., de pueblos que carecen de documentación histórica.
FAM paleontológico, paleontólogo.

paleontólogo, -ga *s. m. y f.* Persona que se dedica a la paleontología.

paleozoico, -ca *adj./s. m.* ① Se aplica a la era geológica que sigue a la era precámbrica y precede a la era mesozoica o secundaria; comprende un periodo que se extiende desde hace unos 570 millones de años hasta unos 245 millones de años. **SIN** primario. **|** *adj.* ② Relativo a esta era geológica. **SIN** primario.

palestino, -na *adj.* ① De Palestina (región de Oriente Medio). **|** *s. m. y f./adj.* ② Persona que es de Palestina.

palestra *s. f.* ① Lugar en el que se celebraban justas y tor-

neos. ② Lugar en el que se celebran ejercicios literarios públicos o desde donde se habla al público.
salir (o saltar) a la palestra Aparecer en los medios de comunicación alguien o algo que es controvertido o polémico: *un nuevo caso de corrupción ha saltado a la palestra.*

palet *s. m.* Palé.

paleta *s. f.* ① Herramienta de albañilería para extender la argamasa, que consiste en una plancha triangular metálica unida a un mango mediante una pieza que forma ángulo recto. **SIN** palustre. ② Utensilio de cocina que tiene forma semejante a la de una pala y sirve para coger y servir ciertos alimentos. **SIN** pala. ③ Instrumento para golpear la pelota en ciertos juegos o deportes, que tiene una parte ancha, generalmente ovalada, y un mango. **SIN** pala, raqueta. ④ Plancha que gira alrededor de un eje: *las paletas de una hélice.* **SIN** aspa, pala. ⑤ Tabla pequeña, delgada y de forma aproximadamente ovalada, con un agujero en un extremo para introducir el pulgar y sujetarla, que sirve para poner y mezclar los colores de pintura al óleo. ⑥ Conjunto de colores utilizados en una pintura o que suele utilizar un pintor. **SIN** colorido. ⑦ Pala (diente).
FAM paletada, paletear.

paletada¹ *s. f.* ① Cantidad de materia que se recoge con una pala (herramienta) de una sola vez: *unos hombres arrojaban paletadas de arena sobre la carreta.* **SIN** pala. ② Golpe dado con una pala o una paleta.
a paletadas familiar En mucha cantidad: *tenía dinero a paletadas.*

paletada² *s. f.* familiar Dicho o hecho propios de un paleto.

paletilla *s. f.* ① Hueso ancho, triangular y aplanado, situado en la parte superior y lateral de la espalda, en el cual se articulan la clavícula y el húmero. **SIN** omoplato. ② Carne de la pata delantera del cerdo u otro animal, curada o preparada para comer.

paleto, -ta *adj./s. m. y f.* ① fam. desp. Se aplica a la persona que ha nacido en un pueblo pequeño o en el campo. ② familiar Se aplica a la persona que se comporta de forma grosera y demuestra poca educación o escasa formación cultural. **NOTA** Frecuentemente usado como insulto. **SIN** palurdo.
FAM paletada.

paliar *v. tr.* ① Calmar o hacer menos intenso algo negativo, como una pena, un dolor, etc.: *envío de alimentos para paliar el hambre.* **SIN** aliviar, mitigar. ② Disimular o hacer menos visible algo: *no se trata de paliar los errores, sino de que no se produzcan otra vez.*
FAM paliativo.
OBS Verbo regular, se acentúa como *cambiar* o como *desviar.*

paliativo, -va *adj./s. m.* Que palia o sirve para paliar: *tratamiento paliativo; condenar sin paliativos una ideología.*

palidecer [16] *v. intr.* ① Ponerse pálido: *palidecer de miedo.* ② Perder o disminuir el valor o la importancia de una cosa al ser comparada con otra: *después de aquel fracaso su prestigio palideció.*

palidez *s. f.* Cualidad de lo que es o está pálido: *la palidez de un rostro; la palidez de un color.*

pálido, -da *adj.* ① Que ha perdido el color natural de la piel y es más claro y menos rosado de lo normal: *una mujer de tez pálida.* ② Se aplica al color que es apagado o poco intenso, que tiene gran parte de blanco en su mezcla: *rosa pálido; amarillo pálido.* **ANT** vivo. ③ Que es mate o no brilla: *la pálida luz* *de la luna.* **4** Que tiene poca fuerza, viveza o intensidad: *una pálida sonrisa.*

FAM palidecer, palidez, paliducho.

paliducho, -cha *adj.* familiar Pálido, más claro y menos rosado de lo normal: *estás paliducho, ¿te encuentras bien?*

palillero *s. m.* Recipiente para palillos de dientes.

palillo *s. m.* **1** Palo de madera pequeño, delgado y afilado por ambos extremos que sirve para pinchar los alimentos o para sacar los restos de comida que quedan entre los dientes. **SIN** mondadientes. **2** Palo largo y delgado que se usa, junto con otro igual, para coger los alimentos y llevarlos a la boca en algunos países orientales: *los chinos comen el arroz con palillos.* **3** Palo largo y delgado, con una cabeza redondeada en uno de sus extremos, que sirve para tocar el tambor y otros instrumentos similares. **4** familiar Persona muy delgada.

FAM palillero.

palimpsesto *s. m.* Manuscrito antiguo en el que se ha raspado o borrado el texto para escribir de nuevo sobre él: *el primer palimpsesto conocido es un manuscrito de la Biblia griega.*

palíndromo *s. m.* Palabra o conjunto de palabras que se leen igual de izquierda a derecha que de derecha a izquierda: *"Ana" y "dábale arroz a la zorra el abad" son dos palíndromos.*

palio *s. m.* **1** Pieza de tela lujosa colocada sobre un armazón de cuatro o más barras bajo la cual va el Santo Sacramento, una imagen religiosa o una persona importante (como el Papa, un prelado o un jefe de Estado) en una ceremonia. **2** Insignia que llevan el Papa y los arzobispos sobre los hombros, consistente en una banda de lana blanca con seis cruces negras y dos apéndices, que caen uno sobre la espalda y otro sobre el pecho. **3** Prenda de vestir de los antiguos griegos y romanos que consistía en un manto cuadrado que se colocaba sobre la túnica y se sujetaba al pecho con una hebilla o broche.

bajo palio Con mucho respeto y consideración: *recibir a alguien bajo palio.*

palique *s. m.* **1** familiar Conversación larga y sobre temas poco trascendentes. **SIN** cháchara, charla. **2** familiar Facilidad para conversar: *tener palique.*

palisandro *s. m.* Madera de color rojo oscuro, veteada de negro, que se obtiene de varios árboles tropicales y es muy apreciada en ebanistería.

palista *s. com.* Persona que practica el deporte del remo.

palitroque *s. m.* **1** Palo, especialmente el pequeño, torcido o tosco. **2** Banderilla del torero.

paliza *s. f.* **1** Serie numerosa de golpes que se dan a una persona para hacerle daño: *la mujer denunció las continuas palizas que recibía.* **2** familiar Derrota contundente en una competición deportiva o en un juego: *el equipo local dio una buena paliza al visitante.* **3** familiar Trabajo, acción o situación que producen gran cansancio: *nos dimos una paliza caminando.* | *s. com.* **4** familiar Persona muy pesada. **SIN** pesado, pelma, plasta.

dar la paliza familiar Discurso o conversación largos, pesados y aburridos.

pallador [también **payador**] *s. m.* ARG., CHILE, URUG. Cantor errante que con una guitarra improvisa canciones compitiendo con otros de su mismo oficio.

palma *s. f.* **1** Parte interior de la mano, especialmente entre la muñeca y el inicio de los dedos: *apoyó las palmas de las manos en la mesa para levantarse.* **2** Parte inferior de la pata de las caballerías. **3** Palmera (árbol). **4** Hoja de esta planta, espe-

cialmente la amarillenta que se utiliza para confeccionar cestos, escobas, abanicos, etc., y en la ceremonia católica del Domingo de Ramos. **5** Victoria, fama y honor que es reconocido por una multitud. **6** Planta de tronco leñoso, hojas grandes, palmeadas o pinnadas, reunidas en un penacho, flores agrupadas en racimos y fruto en baya: *la palmera, el palmito y el cocotero son palmas.* | *s. f. pl.* **7** **palmas** Grupo taxonómico, con categoría de familia, constituido por estas plantas. **8** Palmadas (golpes chocando las manos): *el público daba palmas al compás de la música.*

conocer como la palma de la mano familiar Conocer una cosa muy bien: *conozco esa ciudad como la palma de mi mano.*

en palmas o **en palmitas** Con mucho mimo y consideración, dando todo tipo de atenciones: *llevar en palmas; traer en palmas; tener en palmas.*

llevarse la palma Sobresalir o destacar sobre otras personas en una actividad.

FAM palmada, palmar, palmeado, palmear, palmera, palmero, palmeta, palmo, palmotear.

palmada *s. f.* **1** Golpe dado con la palma de la mano: *me saludó dándome una palmada en la espalda.* **2** Golpe que se da chocando las palmas de las manos una contra la otra: *la gente da palmadas para animar a los atletas.* **SIN** palma. | *s. f. pl.* **3** **palmadas** Ruido que produce este golpe: *las palmadas se escuchaban desde fuera del teatro.* **SIN** aplauso.

palmar[1] *adj.* **1** Relativo a la palma de la mano o de las caballerías. | *s. m./adj.* **2** Músculo situado en la palma de la mano. | *s. m.* **3** Palmeral.

palmar[2] *v. intr.* familiar Morir.

OBS También *palmarla.*

palmarés *s. m.* **1** Conjunto de éxitos, victorias o méritos conseguidos por un deportista, equipo, artista, etc.: *el cantante tiene un palmarés inmejorable.* **2** Lista de ganadores de una competición: *el español, el suizo y el noruego formaban el palmarés del esquí alpino.*

palmario, -ria *adj.* Que es claro, patente y manifiesto: *una prueba palmaria de su inocencia.*

palmatoria *s. f.* Utensilio para sostener una vela, que consiste en un plato pequeño provisto de un asa en el borde y un soporte cilíndrico en el centro donde se coloca la vela.

palmeado, -da *adj.* **1** Que tiene forma semejante a una palmera: *la bóveda se apoyaba sobre cuatro columnas palmeadas.* **2** Se aplica a la hoja de una planta que tiene forma de mano abierta. **3** Que tiene los dedos unidos por una membrana: *las aves acuáticas, como los patos, tienen los dedos palmeados.*

palmear *v. intr.* **1** Golpear las palmas de las manos una contra la otra. **SIN** palmotear. | *v. tr.* **2** Golpear algo o a alguien con la palma de la mano. **SIN** palmotear. **3** En baloncesto, golpear con la palma de la mano la pelota cuando está a punto de salirse de la canasta, para introducirla.

FAM palmeo.

palmense *adj.* **1** De Las Palmas de Gran Canaria (ciudad y provincia de Canarias). | *s. com./adj.* **2** Persona que es de Las Palmas de Gran Canaria.

palmeo *s. m.* Acción de palmear: *el cante flamenco suele acompañarse con palmeo.*

palmer *s. m.* Instrumento que sirve para medir espesores pequeños.

palmera *s. f.* **1** Árbol de tronco recto y alto, con la copa formada por hojas muy grandes y verdes en forma de penacho, flores blancas o amarillentas en racimo y fruto comestible (dátil): *las palmeras crecen en climas tropicales.* SIN palma. **2** Dulce de hojaldre que tiene forma de hoja de palmera o de corazón plano y redondeado por la parte inferior. FAM palmeral.

palmeral *s. m.* Lugar poblado de palmeras. SIN palmar.

palmero, -ra¹ *adj.* **1** De La Palma (isla del archipiélago canario). ‖ *s. m. y f./adj.* **2** Persona que es de La Palma.

palmero, -ra² *s. m. y f.* Persona que acompaña el cante o baile flamenco tocando las palmas.

palmesano, -na *adj.* **1** De Palma de Mallorca (ciudad de las islas Baleares). ‖ *s. m. y f./adj.* **2** Persona que es de Palma de Mallorca.

palmeta *s. f.* **1** Adorno arquitectónico que tiene forma de hoja de palma. **2** Vara o regla pequeña de madera que utilizaban los maestros para golpear a los alumnos en la palma de la mano como castigo.

palmípedo, -da *adj./s. f.* Se aplica al ave acuática, como el pato o la gaviota, que tiene los dedos unidos por una membrana.

palmito¹ *s. m.* **1** Árbol de la familia de las palmas, con el tronco subterráneo o poco saliente, las hojas en forma de abanico y las flores amarillas en panoja; se cultiva en Andalucía y en Levante y sus hojas se emplean para hacer escobas y esteras: *el palmito alcanza 2 ó 3 metros de altura.* **2** Tallo comestible, blanco, grueso y cilíndrico, que se encuentra dentro del tronco de este árbol, y que corresponde a cada una de las hojas aún no desarrolladas.

palmito² *s. m.* familiar Talle esbelto de una mujer.

palmo *s. m.* Medida de longitud que equivale a 21 centímetros, que es aproximadamente la distancia comprendida entre el extremo del pulgar de una mano abierta y extendida y el dedo meñique. **dejar con un palmo de narices** familiar Hacer que una persona sufra una decepción por no hacer o tener lo que esperaba. **palmo a palmo** (I) Con lentitud o con dificultad: *el atleta fue ganando terreno palmo a palmo.* (II) Con atención, detalle y minuciosidad: *explorar palmo a palmo un terreno.* FAM palmito.

palmotear *v. intr.* **1** Palmear. ‖ *v. tr.* **2** Palmear (golpear). FAM palmoteo.

palo *s. m.* **1** Trozo de madera más largo que grueso y generalmente de forma cilíndrica: *apoyarse en un palo para caminar; dar golpes con un palo.* **2** Golpe que se da con un trozo de madera de este tipo: *le dio un palo al pobre animal para que echara a andar.* **3** Madera: *pata de palo; cuchara de palo.* **4** Madero largo colocado perpendicular a la quilla de una embarcación que sirve para sujetar las velas. **5** Madero vertical que, junto con otro, sujeta el madero horizontal (larguero) de una portería de fútbol u otro deporte. SIN poste. **6** Utensilio alargado con el que se golpea la pelota en ciertos deportes: *palo de golf; palo de béisbol.* **7** Trazo de una letra escrita que sobresale de la línea de escritura hacia arriba o hacia abajo: *"h" y "b" tienen un palo hacia arriba.* **8** Serie de cartas que, junto con otras tres series, forma una baraja: *los palos de la baraja española son cuatro: oros, copas, espadas y bastos.* **9** Modalidad del cante flamenco: *alegrías y bulerías son dos palos del flamenco.* **10** familiar Experiencia desagradable o situación difícil que causa molestias o daños: *es un palo tener que levantarse pronto.* **11** familiar

Indica el estado de ánimo o la disposición de una persona con respecto a alguien o algo: *y este tío, ¿de qué palo va?* **a palo seco** Sin acompañamiento, accesorio o ayuda: *se tomó una copa de anís a palo seco.* **dar palos de ciego** Hacer algo sin estar seguro de cómo se hace o sin poder prever las consecuencias. **no dar (un) palo al agua** familiar No trabajar ni hacer nada. **palo dulce** Raíz de paloduz. FAM palillo, palitroque, palote; apalear, empalar, empalizada.

paloduz *s. m.* **1** Planta de tallos gruesos, hojas en punta, flores pequeñas en racimo y fruto con pocas semillas, cuyas raíces se utilizan para mascar y para preparar expectorantes, dulces y cerveza. SIN regaliz. **2** Raíz de esta planta, que se chupa o se masca como golosina para extraer su jugo dulce. SIN regaliz.

paloma V. palomo, -ma.

palomar *s. m.* Lugar donde se refugian o se crían palomas: *los palomares suelen estar en las azoteas.*

palometa *s. f.* **1** Pez marino de color gris azulado con bandas o manchas en los costados, cuerpo aplastado, cabeza pequeña y dientes finos, largos y apretados, que habita en el Atlántico y el Mediterráneo; su carne es comestible. NOTA También *palometa blanca.* ■ **palometa negra** Pez marino de forma ovalada y aplastada, de color pardo grisáceo en el dorso y plateado en los flancos y vientre; habita en el Mediterráneo y es comestible. SIN japuta. ■ **palometa roja** Pez marino cuerpo alto y comprimido, cabeza gruesa y ojos grandes; vive en aguas profundas; su carne es comestible y muy apreciada. **2** Palomilla (soportes).

palomilla *s. f.* **1** Mariposa nocturna pequeña de color gris, cuya larva se alimenta de los granos de los cereales. **2** Mariposa pequeña. **3** Soporte para sostener tablas, estantes o cosas semejantes, consistente en un armazón en forma de triángulo rectángulo que se sujeta a la pared por uno de los lados que forma el ángulo recto. SIN palometa. **4** Tuerca que tiene dos aletas u orejas para poder enroscarla o desenroscarla con la mano. NOTA También *tuerca de palomilla.*

palomino *s. m.* **1** Cría de la paloma silvestre. SIN pichón. **2** familiar Mancha de excrementos en la ropa interior. **3** familiar Hombre joven inexperto y cándido.

palomita *s. f.* **1** Grano de maíz reventado por la acción del calor y convertido en una masa blanca y esponjosa en forma de capullo de rosa. **2** Bebida refrescante elaborada con agua y un poco de anís. **3** Estirada espectacular del portero de fútbol para parar el balón.

palomo, -ma *s. m. y f.* **1** Ave de cuello corto y cabeza pequeña, cuello, patas y pico cortos, y alas largas y afiladas; vuela muy rápido y algunas especies pueden domesticarse; existen más de 300 especies que se diferencian principalmente por el color del plumaje y el tamaño. NOTA Se utiliza el femenino *paloma* como genérico para referirse al animal cuando no se distingue el sexo. ■ **paloma de la paz** Paloma, generalmente blanca, que simboliza la paz y se representa con una ramita de olivo en el pico. ■ **paloma mensajera** Paloma que se usa para enviar mensajes escritos breves por su capacidad para volver al palomar aunque se encuentre muy lejos de él. ■ **paloma torcaz** Paloma de cuerpo robusto y plumaje gris azulado en la parte superior, con una ancha faja blanca a través del ala, los lados del cuello verdes con una mancha blanca, y el pecho rojo cobrizo; vive en el

campo y abunda en la Península Ibérica. **2** familiar Persona bondadosa a la que resulta fácil engañar.
FAM palomar, palomilla, palomino, palomo.

palote *s. m.* **1** Trazo recto y vertical de escritura que se hace en papel pautado cuando se está aprendiendo a escribir. **2** Palo de tamaño mediano.

palpable *adj.* **1** Que se palpa o percibe claramente: *el incremento de aficionados es palpable.* **SIN** manifiesto, palmario, patente. **2** Que puede tocarse con las manos: *había una niebla tan densa que casi era palpable.*
FAM impalpable.

palpación *s. f.* Acción de palpar, especialmente la que realiza el médico al paciente como método de exploración y diagnóstico.

palpar *v. tr.* **1** Tocar una cosa con las manos dándole pequeños golpes o recorriéndola para examinarla o reconocerla: *el médico me palpó la barriga para ver dónde me dolía.* **2** Percibir cierto estado de ánimo o cierta situación de forma clara: *en esta familia se palpa el cariño.*
FAM palpable, palpación.

palpitación *s. f.* **1** Latido del corazón más fuerte y rápido de lo normal. **SIN** pálpito. **2** Movimiento involuntario, rápido y repetido de una parte del cuerpo. **SIN** pálpito.

palpitante *adj.* **1** Que palpita más fuerte y rápido de lo normal: *pulso palpitante.* **2** Que despierta la atención y el interés, en especial por ser de actualidad y considerarse polémico: *un tema palpitante.*

palpitar *v. intr.* **1** Contraerse y dilatarse alternativamente el corazón para bombear la sangre. **SIN** latir. **2** Aumentar la intensidad de este movimiento a causa de una emoción intensa. **3** Moverse o agitarse un órgano del cuerpo de forma involuntaria, rápida y repetida. **4** Manifestarse un sentimiento o pasión con vehemencia: *en sus palabras palpitaba el odio.* **SIN** latir.
FAM palpitación, palpitante, pálpito.

pálpito *s. m.* **1** Sensación que tiene una persona de que una cosa va a ocurrir sin tener pruebas: *por un momento tuve el pálpito de que me habían visto.* **SIN** corazonada, presentimiento. **2** Palpitación.

palpo *s. m.* Cada uno de los apéndices articulados que tienen cerca de la boca los insectos, las arañas, los crustáceos y otros animales para palpar y sujetar la comida.

palta *s. f.* AMÉR. SUR Aguacate (fruto y árbol).

palúdico, -ca *adj.* **1** Relativo al paludismo: *fiebres palúdicas.* **2** *adj./s. m. y f.* **2** Se aplica a la persona que padece paludismo.

paludismo *s. m.* Enfermedad infecciosa caracterizada por ataques intermitentes de fiebre muy alta, que es transmitida por la picadura del mosquito anofeles hembra. **SIN** malaria.
FAM palúdico.

palurdo, -da *adj./s. m. y f.* familiar Se aplica a la persona que se comporta de forma grosera y demuestra poca educación o escasa formación cultural. **SIN** paleto.
OBS Frecuentemente usado como insulto.

palustre[1] *s. m.* Herramienta de albañilería para extender la argamasa, que consiste en una plancha triangular metálica unida a un mango mediante una pieza que forma ángulo recto. **SIN** paleta.

palustre[2] *adj.* Relativo a los pantanos, lagos o lagunas: *abundante vegetación palustre.* **SIN** lacustre.

pamela *s. f.* Sombrero femenino con el ala ancha y flexible; se usa en verano para protegerse del sol.

pampa *s. f.* Llanura extensa que carece de vegetación arbórea, propia de América del Sur y concretamente de Argentina.
FAM pampero.

pámpana *s. f.* Hoja de la vid. **SIN** pámpano.

pámpano *s. m.* **1** Brote tierno de la vid que tiene forma de caracol. **2** Pámpana.
FAM pámpana; despampanar.

pamplina *s. f.* **1** familiar Cosa banal, insignificante o sin importancia: *déjese de pamplinas.* **NOTA** Más en plural. **2** familiar Cumplido o mimo excesivo que se le hace a una persona, generalmente para conseguir que esté contenta. **3** Planta herbácea de hojas pequeñas y flores blancas, propia de lugares húmedos, que se utiliza en medicina y como alimento de pájaros.
FAM pamplinero.

pamplonés, -nesa *adj.* **1** De Pamplona (ciudad capital de Navarra). **SIN** pamplonica. **2** *s. m. y f./adj.* **2** Persona que es de Pamplona. **SIN** pamplonica.

pamplonica V. pamplonés, -nesa.

pan *s. m.* **1** Alimento básico que consiste en una masa a base de harina, normalmente de trigo, agua, sal y levadura, y cocinada al horno: *amasar pan.* ■ **pan ácimo** o **pan ázimo** Pan que se elabora sin levadura: *el pan ázimo se come en la Pascua judía.* ■ **pan blanco** o **pan francés** Pan de corteza crujiente y dorada, miga blanca y esponjosa, que se elabora con harina de trigo refinada. ■ **pan de molde** Pan que se elabora con leche y materias grasas, y se cocina en el horno dentro de un molde rectangular. ■ **pan de Viena** Pan de corteza fina, miga blanca y esponjosa y sabor algo dulce, que se elabora con leche en polvo, mantequilla, azúcar y harina de malta. ■ **pan moreno** o **pan integral** Pan que se elabora con harina de trigo integral o con una mezcla de harinas integrales que contienen el salvado del cereal y que le dan un color oscuro. **2** Pieza de este alimento que puede tener varias formas: *un pan de kilo.* **3** Alimento elaborado con ingredientes prensados o picados y ligados con huevo, que para comerlo se corta a rebanadas como el pan: *pan de higo; pan de nueces.* **4** Alimento necesario para vivir: *trabajamos para ganarnos el pan.* **SIN** sustento. **5** Lámina muy fina de oro, plata u otro metal que sirve para recubrir o adornar cosas.

a pan y agua Siguiendo una dieta o régimen estrictos: *el médico lo puso a pan y agua antes de operarlo.*

a pan y cuchillo familiar Se usa para indicar que una persona vive en casa de otra sin contribuir económicamente: *tener a los hijos a pan y cuchillo.*

con su pan se lo coma familiar Se usa para expresar desprecio por alguien o algo.

contigo pan y cebolla Expresión con la que se indica que una persona siente un amor muy grande por otra aunque no tengan lo suficiente para vivir.

el pan (nuestro) de cada día Cosa que ocurre con frecuencia: *por desgracia, los accidentes de coche son el pan nuestro de cada día.*

pan bendito Hoja redonda y fina hecha de una masa de harina y agua que el sacerdote consagra durante la misa para convertirla en símbolo del cuerpo de Cristo y después da a los fieles en la comunión. **SIN** forma, hostia.

P

ser pan comido familiar Ser algo muy fácil de hacer o de conseguir: *ese trabajo es pan comido.*

FAM panadero, panecillo, panera, paniego, panificar.

pana *s. f.* Tela gruesa de algodón, con pelo muy corto y suave, semejante al terciopelo, que en la superficie presenta acanaladuras de ancho variable; se emplea en la confección de prendas de vestir, como pantalones, camisas y cazadoras.

panacea *s. f.* ① Medicina o sustancia a la que se le atribuye la propiedad de curar distintas enfermedades. ■ **panacea universal** Remedio que buscaban los antiguos alquimistas para curar cualquier enfermedad. ② Remedio o solución para cualquier tipo de problema. **NOTA** También *panacea universal.*

panadería *s. f.* ① Establecimiento en el que se elabora y se vende pan. ② Oficio de panadero.

panadero, -ra *adj.* ① Relativo al pan. ‖ *s. m. y f.* ② Persona que se dedica a hacer o vender pan.

FAM panadería.

panadizo *s. m.* Inflamación aguda de un dedo, principalmente de la zona próxima a la uña.

panal *s. m.* ① Estructura de cera en el interior de una colmena, constituida por pequeñas celdas o casillas de forma hexagonal donde las abejas ponen sus huevos y depositan la miel. ② Cosa que tiene una estructura semejante al panal de las abejas.

panamá *s. m.* ① Tejido de algodón de trama gruesa que se usa para bordar punto de cruz u otro semejante por la facilidad con que se cuentan los hilos: *con el panamá se hacen manteles y servilletas.* ② Sombrero de paja muy flexible con el ala plana, a veces recogida, y la copa baja y cilíndrica. **SIN** jipijapa.

panameño, -ña *adj.* ① De Panamá (país de América Central). ‖ *s. m. y f./adj.* ② Persona que es de Panamá.

panamericanismo *s. m.* Doctrina política que propugna la cooperación entre todos los países americanos para combatir la influencia externa.

FAM panamericanista.

panamericanista *adj.* ① Relativo al panamericanismo. ‖ *adj./ s. com.* ② Se aplica a la persona que es partidaria del panamericanismo.

panamericano, -na *adj.* Relativo a toda América: *cumbre panamericana.*

FAM panamericanismo.

panateneas *s. f. pl.* Fiestas que se celebraban en Atenas en honor a la diosa Atenea, patrona de la ciudad.

panavisión *s. f.* Técnica de filmación y proyección cinematográfica que emplea grandes formatos.

pancarta *s. f.* Papel, cartulina o tela de gran tamaño con frases o consignas, generalmente de carácter reivindicativo, que se muestra en una manifestación.

panceta *s. f.* Tocino con vetas de carne magra del cerdo.

pancho, -cha *adj.* familiar Se aplica a la persona que está tranquila o no se altera: *cuando le dije que había suspendido el examen se quedó tan pancho.*

FAM repanchigarse.

páncreas *s. m.* Órgano del cuerpo de los animales vertebrados que actúa como glándula endocrina que segrega las hormonas insulina y glucagón, y como glándula exocrina que se

encarga de producir los jugos pancreáticos que vierte al intestino para digerir los alimentos.

FAM pancreático.

OBS Plural invariable.

pancreático, -ca *adj.* Relativo al páncreas.

panda[1] *s. f.* ① fam. desp. Grupo de personas que realizan acciones ilícitas o que se consideran moralmente negativas: *esos tipos eran una panda de ladrones.* **SIN** pandilla. ② Pandilla (amigos).

FAM pandilla.

panda[2] *s. com.* Mamífero de aspecto parecido al oso pero emparentado con el mapache, que tiene el pelaje blanco con manchas negras, o rojo con manchas blancas en la cara y las orejas; presenta un sexto dedo en las extremidades anteriores que le permite coger cosas; se alimenta principalmente de bambú y otros vegetales y habita en los bosques del Tíbet.

OBS También *oso panda.*

pandemónium *s. m.* Lugar en el que hay mucho ruido y confusión.

pandereta *s. f.* Instrumento musical de percusión formado por un parche de cuero fino y tensado en un marco circular y rígido, el cual lleva insertados sonajas o cascabeles; se toca golpeando el cuero con la mano o agitándolo.

pandero *s. m.* ① Instrumento musical de percusión semejante a la pandereta pero de mayor tamaño, que puede tener o no sonajas o cascabeles y se toca golpeándolo con la mano o con una maza. ② familiar Nalgas, especialmente si son grandes.

FAM pandereta.

pandilla *s. f.* ① Grupo de personas que se reúnen habitualmente para divertirse o para realizar una actividad determinada en común: *sale con su pandilla todos los fines de semana.* **SIN** panda. ② fam. desp. Panda.

FAM panda.

panecillo *s. m.* Pan pequeño y esponjoso, normalmente de forma redonda o alargada. **SIN** bollo.

panegírico, -ca *s. m.* ① Discurso o composición poética de tono solemne en el que se alaba a una persona de gran relevancia, como un héroe, un santo o un poderoso. ‖ *adj.* ② Relativo a este discurso o que tiene sus características.

panel *s. m.* ① Porción de una pared, puerta u otra superficie, que tiene forma geométrica (generalmente cuadrada o rectangular) y está limitada por molduras o franjas de distinto color: *la puerta de entrada tiene dos paneles cuadrados.* ② Plancha prefabricada de diversos materiales que se usa en construcción para dividir o separar espacios, o como aislante térmico o acústico. ③ Plancha de madera u otro material que se coloca en un lugar público para colgar anuncios, avisos, etc.: *las notas se colgarán en el panel del Departamento de Física.* **SIN** tablón. ④ Cartel grande montado sobre un soporte metálico que sirve para colocar información o propaganda: *los paneles electrónicos indican que hay un tramo de la carretera en obras.* ⑤ Superficie de una máquina o aparato en la que se encuentran los mandos, los botones y los interruptores necesarios para su funcionamiento. **SIN** tablero. ⑥ Conjunto de personas que participan en un debate o en una discusión pública sobre un tema determinado. ⑦ Comunicación expuesta sobre un tablón en un congreso científico.

panel solar (**I**) Dispositivo que convierte la energía solar en energía eléctrica; está formado por numerosas células fotovoltaicas. (**II**) Dispositivo que aprovecha la energía solar para calentar agua en sistemas de calefacción y agua caliente.

panera *s. f.* ① Cestilla o recipiente parecido en el que se pone el pan para servirlo en la mesa. ② Recipiente de forma alargada y con tapa corrediza que sirve para guardar el pan en una casa. ③ Recipiente grande y de material flexible que sirve para transportar grandes cantidades de pan de un sitio a otro. ④ Lugar donde se guarda el pan, la harina o el grano.

pánfilo, -la *adj./s. m. y f.* ① familiar Se aplica a la persona que actúa con mucha lentitud y no tiene voluntad ni energía para actuar. ② familiar Se aplica a la persona que tarda en comprender las cosas, es ingenua y se deja engañar con facilidad.

panfletario, -ria *adj.* Relativo al panfleto o que tiene sus características: *discurso panfletario.*

panfleto *s. m.* ① Escrito breve de carácter crítico o satírico cuyo fin es difamar a alguien, hacer propaganda política o crear polémica sobre algo. ② Acción o cosa que tiene las características del panfleto: *sus películas son panfletos en favor del régimen.*
FAM panfletario.

pangea *s. f.* Continente primitivo a partir del cual se formaron, por fracturación, los continentes actuales.

pangolín *s. m.* Mamífero desdentado de cabeza pequeña, cola prensil, garras potentes, cuerpo cubierto de escamas duras que puede erizar para defenderse, y lengua larga que le permite comer hormigas y termitas; es propio de África y Asia.

pánico, -ca *s. m.* ① Miedo o temor intenso, especialmente el que sobrecoge a una colectividad ante un peligro. **‖** *adj.* ② culto Se aplica al miedo que se siente de forma muy intensa. ③ culto Que es global o total: *unión pánica.*

panificadora *s. f.* Fábrica donde se elabora pan.

panislamismo *s. m.* Doctrina política y religiosa que propugna la unión de los pueblos islámicos, que reclaman su independencia política, religiosa y cultural frente a la influencia de naciones extranjeras.

panizo *s. m.* ① Planta de tallos rectos, con las hojas grandes y las flores agrupadas en racimo, que da un grano comestible; es de origen asiático, pero se cultiva en muchas regiones para alimentar a los pájaros: *de la mazorca del panizo se extrae aceite.* ② Grano de esta planta, redondo, de color amarillo rojizo y brillante.

panocha *s. f.* Fruto de algunas plantas, especialmente del maíz, que se presenta formando una espiga grande de granos gruesos y apretados. **SIN** mazorca.

panoli *adj./s. com.* familiar Se aplica a la persona que es boba y se deja engañar con facilidad.

panorama *s. m.* ① Vista de una gran extensión de terreno desde un lugar determinado, generalmente alto: *desde la habitación del hotel teníamos un panorama de toda la bahía.* **SIN** panorámica. ② Aspecto general que presenta un asunto o una situación: *el panorama económico mundial.* **SIN** panorámica.
FAM panorámica, panorámico.

panorámica *s. f.* Panorama.

panorámico, -ca *adj.* Relativo al panorama: *vistas panorámicas.*

panqué *s. m.* ① MÉX. Bizcocho de masa suave y esponjosa, por lo general de forma alargada, que se cuece en un molde de papel encerado. ② P. RICO, VENEZ. Bizcocho.

pantagruélico, -ca *adj.* Se aplica a la comida que es abundante o excesiva: *el banquete de bodas fue pantagruélico.*

pantaleta *s. f.* MÉX., VENEZ. Braga (prenda interior femenina).

pantalla *s. f.* ① Superficie blanca, plana y lisa, cuadrada o rectangular, sobre la que se proyectan imágenes cinematográficas o fotográficas. ② Superficie de vidrio sobre la que se forma la imagen de un televisor, ordenador o aparato semejante. ③ Mundo del cine y la televisión: *su sueño era convertirse en una estrella de la pantalla.* ■ **pantalla grande** o **gran pantalla** Cine. ■ **pequeña pantalla** Televisión. ④ Imagen que se ve en la zona de visualización del monitor de un ordenador. ⑤ Lámina opaca o translúcida, de vidrio, plástico, papel, etc., que se coloca alrededor de una fuente de luz para dirigirla hacia un punto concreto, para que no moleste a los ojos o para difundirla por todo un recinto. ⑥ Persona o cosa que oculta o hace sombra a otra: *se colocó detrás de la multitud para que le hiciera de pantalla.* ⑦ Persona o cosa que atrae la atención sobre sí misma desviándola de otra persona o cosa: *servir de pantalla.* ⑧ AMÉR. Paipay.

pantallazo *s. m.* Imagen de lo que se muestra en un momento concreto en la pantalla de una computadora.

pantalón *s. m.* Prenda de vestir que se ajusta a la cintura y llega hasta los tobillos, o hasta una altura variable, cubriendo cada pierna por separado. ■ **pantalón pitillo** Pantalón largo que tiene las perneras ceñidas a las piernas; generalmente es de tela elástica.
bajarse los pantalones familiar Ceder ante una situación que se considera injusta o indigna.
llevar los pantalones familiar Mandar o tener autoridad en el hogar: *¿quién lleva los pantalones en tu casa?*
ponerse los pantalones familiar Hacer valer una persona su autoridad en una situación de desorden.
OBS También en plural con el mismo significado que en singular.

pantaloncillo *s. m.* COL., P. RICO, R. DOM. Calzoncillos (prenda interior masculina).

pantano *s. m.* ① Depresión del terreno, generalmente de poca profundidad, en la que se acumula y estanca agua de forma natural y cuyo fondo es cenagoso. ② Depósito artificial de agua construido generalmente en la boca de un valle mediante un dique que retiene las aguas de un río o de la lluvia para utilizarlas en el riego, abastecer poblaciones o producir energía eléctrica. **SIN** embalse, presa.
FAM pantanal, pantanoso; empantanar.

pantanoso, -sa *adj.* ① Relativo a los pantanos. ② Se aplica al terreno donde hay pantanos o charcos. ③ Que es difícil o está lleno de peligros u obstáculos.

panteísmo *s. m.* Creencia o conjunto de doctrinas que identifican a Dios con el universo, de manera que todo lo que existe es de naturaleza divina.
FAM panteísta, panteístico.

panteísta *adj.* ① Relativo al panteísmo. **‖** *adj./s. com.* ② Se aplica a la persona que sigue o defiende el panteísmo.

panteón *s. m.* ① Monumento funerario destinado a enterrar a varias personas, normalmente de la misma familia: *el monasterio de El Escorial es, a la vez, palacio, monasterio, iglesia y panteón.* ② En la antigüedad griega y romana, templo dedicado a todos los dioses. ③ Conjunto de dioses de una religión o una cultura: *los dioses del panteón grecorromano.* ④ AMÉR. Cementerio.

pantera *s. f.* ① Mamífero felino parecido al leopardo, de color totalmente negro o rojizo amarillento con manchas anilladas oscuras y blancuzco en el vientre, cuerpo esbelto, patas cortas, cola larga y garras fuertes; es muy rápido, ágil y fiero, y vive solitario en África y Asia. 2 familiar Mujer atractiva y provocadora que toma la iniciativa en las relaciones sexuales. SIN leona, tigresa.

pantocrátor *s. m.* Representación de Cristo triunfante sentado en su trono, con la mano derecha en actitud de bendecir y la izquierda sobre el libro de los Evangelios; a menudo se presenta rodeado de los cuatro evangelistas: *el pantocrátor es característico del arte románico y bizantino.*

pantógrafo *s. m.* Instrumento que sirve para ampliar o reducir planos y dibujos mediante un sistema de cuatro barras articuladas.

pantomima *s. f.* 1 Representación de teatro en la que los actores se expresan por medio de gestos y movimientos en lugar de palabras. 2 Acción con que se pretende engañar a alguien u ocultar algo. SIN comedia, farsa.

pantorrilla *s. f.* Parte posterior de la pierna de una persona, por debajo de la rodilla y hasta el tobillo, que es musculosa y abultada.

pantufla *s. f.* Zapatilla sin talón y muy cómoda que se usa para estar en casa. OBS Más en plural.

panty *s. m.* Prenda de vestir femenina hecha de un tejido elástico fino o tupido, que cubre cada una de las piernas desde los pies hasta la cintura. SIN media. OBS Plural: *pantis* o *pantys* (se pronuncia 'pantis'). Generalmente en plural con el mismo significado que en singular.

panza *s. f.* 1 familiar Barriga, vientre. 2 Parte convexa de un recipiente u otro objeto: *el jarrón tiene decorada la panza.* SIN barriga. 3 Primera de las cuatro cavidades en que se divide el estómago de los rumiantes. FAM pancista, panzada, panzazo, panzudo; despanzurrar.

panzada *s. f.* 1 familiar Hartazgo de comida: *se dio una panzada de castañas y dulces.* SIN atracón. 2 familiar Acción que se realiza en exceso: *nos dimos una panzada de reír.* 3 familiar Panzazo.

panzazo *s. m.* familiar Golpe en la panza, especialmente el que se da una persona al caer o tirarse al agua. SIN panzada.

panzudo, -da *adj.* Que tiene panza: *una vasija panzuda; un hombre panzudo.*

pañal *s. m.* 1 Tira o braga de material absorbente, generalmente celulosa, que se coloca entre las piernas de un bebé, o de una persona con incontinencia, para retener la orina o los excrementos. NOTA También en plural con el mismo significado que en singular. ‖ *s. m. pl.* 2 **pañales** Conjunto de prendas en las que se envuelve a un bebé. **en pañales** En el comienzo o con poca experiencia en cierta actividad: *dale tiempo, todavía está en pañales.*

pañito *s. m.* Paño para adornar o proteger ciertas cosas.

paño *s. m.* 1 Tejido tupido de lana, generalmente gruesa: *el paño se utiliza para fabricar prendas de abrigo.* 2 Pieza de tela de diversas clases, generalmente cuadrada o rectangular, que se usa para limpiar, secar o cubrir algo: *un paño para secar los platos; limpiaba los cristales con un paño especial.* 3 Pañito. 4 Lienzo de tela que se cuelga en la pared o un balcón como adorno. SIN tapiz. 5 Mancha oscura que sale en la piel. 6 Cosa que disminuye el brillo o la transparencia de algo: *el vidrio tiene un paño de vaho.* ‖ *s. m. pl.* 7 **paños** Vestidura o ropa que lleva una persona.

conocer el paño familiar Conocer muy bien un asunto del que se trata o a la persona de la que se habla.

en paños menores Con ropa interior: *es muy vergonzoso y no le gusta que nadie le vea en paños menores.*

haber paño que cortar familiar Haber mucha materia de la que hablar o mucho trabajo del cual ocuparse.

paño de lágrimas Persona que escucha los problemas de alguien y da consejo y ayuda: *mi hermana es mi confidente y mi paño de lágrimas.*

paños calientes Obra o dicho con que se pretende suavizar o facilitar cierta situación o acción: *si no lo quieres, dilo sin paños calientes.*

ser del mismo paño familiar Tener una persona o una cosa las mismas características o cualidades que otra: *conozco a ese hombre, es del mismo paño que tú.*

FAM pañal, pañería, pañito, pañolón, pañuelo.

pañoleta *s. f.* 1 Pieza de tela triangular o cuadrada y doblada en diagonal que se lleva en la cabeza, alrededor del cuello, sobre los hombros, etc., como adorno o abrigo. SIN pañuelo. 2 Corbata estrecha y corta del traje de luces de los toreros, del mismo color que el fajín.

pañuelo *s. m.* 1 Pieza de tela fina o de papel, pequeña y cuadrada que sirve principalmente para limpiarse la nariz o secarse el sudor o las lágrimas. SIN moquero. 2 Pañoleta de adorno o abrigo.

papa¹ *s. m.* 1 Representante de máxima autoridad en la Iglesia católica: *el Papa es considerado sucesor de san Pedro.* NOTA Se escribe generalmente con mayúscula inicial. SIN Sumo Pontífice. 2 V. papá. FAM papal, papamóvil, papista; antipapa.

papa² *s. f.* 1 AMÉR. Patata (planta). 2 AMÉR. Patata (tubérculo): *papas fritas.* 3 familiar ARG., CHILE, PAR., URUG. Problema o situación comprometida que es de fácil solución: *el examen fue una papa.* 4 familiar ARG., CHILE, PAR., PERÚ, URUG. Agujero de una media o un calcetín. 5 familiar CHILE Mentira.

papa de la guagua CHILE Leche materna.

papa suave familiar CUBA Beneficio que se obtiene con poco esfuerzo.

papa³ *s. f.* Paparrucha, tontería.

ni papa familiar Nada: *no entiendo ni papa.*

papá o **papa** *s. m.* 1 familiar Nombre que dan los hijos al padre. NOTA Se usa como apelativo cariñoso. ‖ *s. m. pl.* 2 **papás** o **papas** familiar Padre y madre de una persona. FAM papaíto, papi.

papada *s. f.* 1 Pliegue de la piel que sobresale en el borde inferior del cuello de ciertos animales, como el cerdo o el toro. SIN papo. 2 Abultamiento carnoso que se forma bajo la barbilla de una persona, normalmente cuando está obesa.

papado *s. m.* 1 Dignidad de papa. 2 Conjunto de papas a lo largo de la historia. 3 Tiempo que dura el mandato de un papa.

papagayo *s. m.* 1 Ave trepadora de pico fuerte, grueso y curvo, plumaje de colores variados y vistosos, que es originaria de países tropicales pero se adapta también a climas templados; es capaz de imitar sonidos propios del lenguaje humano. SIN loro. 2 familiar Persona que habla mucho y dice cosas sin sentido o poco interesantes. SIN loro.

papal *adj.* Relativo al Papa: *mitra papal.*

papanatas *s. com. fam. desp.* Persona que es excesivamente simple o crédula, o que se asombra por cualquier cosa. **OBS** Plural invariable.

papar *v. tr.* **1** Comer cosas blandas que no necesitan ser masticadas: *papar sopa.* **2** familiar Papear.

paparrucha *s. f.* familiar Cosa desatinada o sin sentido que se dice o se hace. **SIN** papa, tontería. **FAM** paparruchada.

papaya *s. f.* Fruto comestible, de forma alargada, pulpa de color amarillo anaranjado y dulce, semejante al melón, y con muchas semillas en la cavidad central.

papear *v. tr.* familiar Comer. **SIN** papar. **FAM** papeo.

papel *s. m.* **1** Lámina delgada hecha con pasta de fibras vegetales que se utiliza para escribir o dibujar en ella, envolver objetos y muchos otros usos. ■ **papel carbón** o **papel de calco** o **papel de calcar** Papel de color negro por una de sus caras que se usa para hacer copias de un escrito. ■ **papel cebolla** Papel traslúcido y fino que sirve principalmente para calcar y copiar. ■ **papel charol** Papel satinado, brillante y de algún color por una de sus caras. ■ **papel continuo** Papel que se presenta enrollado en bobinas y se emplea en la impresión en máquinas rotativas e impresoras. ■ **papel cuché** Papel satinado que se usa para hacer copias fotográficas o para hacer revistas ilustradas. ■ **papel de aluminio** o **papel de plata** Lámina delgada de aluminio que se usa para envolver alimentos, en aparatos eléctricos, etc. ■ **papel de barba** Papel de calidad que conserva los bordes mal cortados y que se emplea para hacer dibujos, documentos, etc. ■ **papel de celofán** Papel transparente, a veces de colores, que está hecho de un material impermeable y se utiliza para envolver. **NOTA** También simplemente *celofán.* ■ **papel de embalar** Papel resistente, normalmente de color marrón, que se utiliza para envolver cosas duras y hacer paquetes grandes. ■ **papel de estraza** Papel fuerte, áspero y sin blanquear que se usa para envolver cosas poco delicadas. ■ **papel de fumar** Papel muy fino, generalmente blanco, que sirve para liar cigarrillos. ■ **papel de lija** Papel fuerte y resistente que tiene granos pequeños y duros en una de sus caras, y sirve para pulir madera y metales. **NOTA** También simplemente *lija.* ■ **papel de seda** Papel muy fino y transparente, que puede ser de varios colores y que se usa principalmente para envolver o adornar objetos. ■ **papel higiénico** Papel suave y fino en rollos para usos sanitarios. ■ **papel moneda** Billete de banco. ■ **papel pautado** Papel en el que hay una serie de rayas horizontales, a igual distancia entre sí, que sirven de guía para escribir, o que tiene pentagramas para la música. ■ **papel pinocho** Papel fino, arrugado y elástico, adecuado para ser estirado al envolver una cosa. ■ **papel pintado** Papel con dibujos o adornos que se utiliza para recubrir las paredes de una habitación. ■ **papel secante** Papel poroso que se usa para secar la tinta de un escrito. ■ **papel vegetal** Papel traslúcido y duro que suelen usar los dibujantes y delineantes. **2** Trozo de esta lámina: *escríbelo en un papel cualquiera.* **3** Documento, carta o certificado que se necesita para solucionar un asunto: *no he firmado el contrato porque me faltan algunos papeles.* **4** Documento escrito con el que se identifica una persona o una cosa: *la policía los detuvo porque no tenían los papeles en regla.* **NOTA** Normalmente en plural. **5** Parte de una obra de cine o teatro que tiene que representar un actor: *le han dado el papel principal.* **6** Personaje representado por un actor: *representa el papel de*

don Quijote en la obra del colegio. **7** Función que una persona desempeña en un lugar o en una situación: *el papel del entrenador es fundamental.* **SIN** rol.

hacer un buen (o mal) papel Quedar bien (o mal) en un asunto o situación.

papel mojado Documento o cosa que no tiene valor legal.

sin papeles Se aplica a la persona cuya situación en un país no está legalmente regularizada.

FAM papela, papeleo, papelera, papelero, papeleta, papelina, papelote; empapelar, pisapapeles, sujetapapeles, traspapelar.

papela *s. f.* **1** familiar Documentación de identificación personal. **2** familiar Hoja de papel, escrita o en blanco.

papeleo *s. m.* Conjunto de trámites, papeles y documentos que son necesarios para llevar a cabo cualquier gestión.

papelera *s. f.* **1** Recipiente en forma de cubo o cesto que sirve para tirar el papel y las cosas que no sirven: *en la oficina, cada mesa tiene su papelera.* **2** Escritorio para guardar papeles, especialmente el que tiene el tablero a la vista y está hecho de madera noble.

papelería *s. f.* Establecimiento en el que se vende papel y otros utensilios e instrumentos para escribir o dibujar.

papelero, -ra *adj.* **1** Relativo al papel: *el sector de la industria papelera.* | *adj./s. f.* **2** Se aplica al establecimiento o empresa que se dedica a la fabricación de papel. | *s. m. y f.* **3** Persona que fabrica o vende papel, o que es propietario de una papelería. **FAM** papelería.

papeleta *s. f.* **1** Hoja pequeña de papel en la que se acreditan derechos u obligaciones, o en la que consta algún dato de interés: *la papeleta de voto; compró varias papeletas de la rifa de Navidad.* **SIN** boleto. **2** Hoja pequeña de papel en la que se apuntan datos para recordarlos. **3** Hoja de papel en la que consta la nota obtenida en un examen. **4** familiar Asunto o situación que son difíciles de resolver: *espera que los demás le solucionen la papeleta.*

papelina *s. f.* **1** Paquete pequeño de papel fino que contiene una dosis de droga, especialmente heroína o cocaína. **2** Dosis de heroína o de cocaína.

papelón *s. m.* **1** AMÉR. Pan de azúcar sin refinar, que se presenta habitualmente con forma cónica alargada. **2** ARG., URUG. Acción ridícula que realiza una persona y por la cual ella misma y otras personas implicadas sienten incomodidad y vergüenza.

papelote *s. m.* **1** Conjunto de papeles usados, que sirven para la fabricación de nueva pasta de papel. **2** AMÉR. CENTRAL, CUBA, MÉX. Cometa (juguete).

papeo *s. m.* familiar Comida: *¿qué hay de papeo?*

papera *s. f.* **1** Desarrollo excesivo de la glándula tiroides que causa un aumento del tamaño de la parte anterior e inferior del cuello. **SIN** bocio. **2** Tumor inflamatorio y contagioso que se forma en la primera parte del aparato respiratorio de los équidos jóvenes. | *s. f. pl.* **3** **paperas** Enfermedad vírica que causa la inflamación de las glándulas salivales situadas en la parte posterior de la boca; afecta principalmente a los niños y a los adolescentes.

papi *s. m.* familiar Papá. **OBS** Se utiliza en el lenguaje infantil.

papiamento *s. m.* Lengua criolla hablada en las islas de Curazao, Oruba y Buen Aire (Antillas holandesas); es una mezcla de lenguas africanas con palabras portuguesas, holandesas y castellanas.

papila *s. f.* ① Pequeña prominencia de forma cónica en que terminan las ramificaciones nerviosas y vasculares de debajo de la epidermis y de las membranas mucosas: *las papilas gustativas se hallan en la lengua y contienen los receptores nerviosos del sentido del gusto.* ② Pequeña prominencia cónica que hay en ciertos órganos de algunos vegetales. ③ Área de la retina que corresponde a la terminación del nervio óptico.
FAM papilar.

papilla *s. f.* ① Alimento de consistencia cremosa que consiste en una mezcla de alimentos triturados (cocidos o crudos), harina y agua, leche, yogur o caldo, que se da a los niños pequeños o a las personas enfermas o mayores con problemas de digestión o de masticación: *papilla de cereales; papilla de fruta; papilla de verduras.* ② Sustancia opaca a los rayos X que debe ingerirse para hacer un análisis radiológico del aparato digestivo.
echar la papilla familiar Vomitar.
hacer papilla (I) familiar Vencer moral o materialmente a alguien, dejarle sin fuerzas o ánimos. (II) familiar Destrozar completamente una cosa: *el pelotazo hizo papilla el jarrón.*
hecho papilla familiar Muy cansado.

papiloma *s. m.* Pequeño tumor debido a la hipertrofia de las papilas de la piel o de las membranas mucosas: *las verrugas son papilomas.*

papión *s. m.* Primate de hábitos terrestres que alcanza 1 m de longitud, de pelaje pardo o gris y con la mandíbula grande y saliente; vive en manadas o grupos y habita en África meridional.

papiro *s. m.* ① Planta de tallo alto, hueco y liso, hojas estrechas y flores pequeñas y verdosas, agrupadas en un penacho de espigas, que puede alcanzar 3 m de altura; es originaria de Oriente Medio. ② Lámina flexible y delicada obtenida del tallo de esta planta y utilizada, especialmente por egipcios, griegos y romanos, para escribir o dibujar en ella.

papiroflexia *s. f.* Arte y técnica de realizar figuras doblando sucesivamente una hoja de papel.

papista *adj./s. com.* ① despectivo Denominación que aplican los protestantes y los cismáticos a los católicos. ② Se aplica a la persona que defiende con vehemencia y sigue con rigor las disposiciones del Papa.
ser más papista que el Papa familiar Seguir una norma o recomendación con excesivo rigor.

papo *s. m.* ① Parte del aparato digestivo que poseen la mayoría de las aves consistente en una bolsa donde se depositan los alimentos antes de ser triturados. **SIN** buche. ② Pliegue de la piel que sobresale en el borde inferior del cuello de ciertos animales, como el cerdo o el toro. **SIN** papada. ③ familiar Mejilla, especialmente cuando es abultada. ④ familiar Desfachatez.
FAM papada, papera; empapuzar, sopapo.

papú o **papúa** *adj.* ① De Papúa Nueva Guinea (país de Oceanía). ‖ *s. com./adj.* ② Persona que es de Papúa Nueva Guinea.

paquebote *s. m.* Embarcación que transporta viajeros y lleva correo de un puerto a otro.

paquete *s. m.* ① Objeto o conjunto de objetos que están atados o envueltos para ser transportados con facilidad: *un paquete de azúcar; recibí un paquete postal con los fascículos que me faltaban.* ■ **paquete bomba** Paquete aparentemente normal que contiene una bomba y que al abrirlo o manipularlo explota. ② Envoltorio de este objeto o conjunto de obje-

tos. ③ Conjunto de cosas del mismo tipo, que comparten alguna función o se complementan de algún modo y están agrupadas de una determinada manera: *hay que organizar toda esta información en paquetes.* ■ **paquete de acciones** Conjunto de acciones de una sociedad que pertenecen a una sola persona o titular. ■ **paquete de medidas** Conjunto de disposiciones, prevenciones, etc., tomadas con un fin determinado: *el Gobierno aprobó un nuevo paquete de medidas económicas.* ④ En informática, conjunto de aplicaciones independientes, aunque compatibles entre sí, en el cual se incluyen programas con un uso común o complementario y que funcionan sobre la misma plataforma. ⑤ En informática, conjunto de datos consecutivos que se envían por una red de un ordenador a otro. ⑥ familiar Persona que acompaña al conductor de un vehículo, especialmente la que acompaña al conductor de una motocicleta: *no le gusta ir de paquete.* ⑦ familiar Castigo, bronca o multa que recibe una persona por su mal comportamiento: *el sargento le metió un paquete a uno de los soldados.* ⑧ familiar Persona torpe o poco eficiente: *tiene un ayudante que es un paquete.* ⑨ familiar Bulto que forman en los pantalones los testículos y el órgano sexual masculino: *marcar paquete.*
FAM paquetería; empaquetar.

paquidermo *adj./s. m.* ① Se aplica al mamífero herbívoro de gran tamaño y peso, que tiene la piel muy gruesa y dura, como el elefante, el hipopótamo, el cerdo o el jabalí. ‖ *s. m. pl.* ② **paquidermos** Grupo sin categoría taxonómica constituido por estos animales.

paquistaní *adj.* ① De Paquistán (país de Asia). ‖ *s. com./adj.* ② Persona que es de Paquistán.

par *s. m.* ① Conjunto de dos personas, animales o cosas de la misma naturaleza o que tienen alguna característica en común: *un par de libros; pasé un par de días fuera.* ■ **par de fuerzas** Conjunto de dos fuerzas del mismo módulo, paralelas y de sentido contrario. ■ **par ordenado** En matemáticas, conjunto de dos elementos en que se distingue cuáles son el primero y el segundo: *el par se representa como "(a, b)".* ② Cosa que es igual a otra y con la cual se complementa: *no encuentro el otro par del calcetín.* **SIN** pareja. ‖ *adj.* ③ Se aplica al número que puede ser dividido por dos un número exacto de veces: *2, 4, 6, 8, 10, 12... son números pares.* **ANT** impar, non. ④ Se aplica al órgano que es igual a otro y ocupa una posición simétrica: *los ojos, las orejas y los riñones son órganos pares.* ⑤ Que es igual o muy parecido a otro. **SIN** parecido, parejo, semejante. ‖ *s. m.* ⑥ En el juego del golf, máximo número de golpes de que dispone el jugador para meter la pelota en un hoyo: *hizo un total de 100 golpes, 7 bajo par.* ⑦ En el juego del golf, número de golpes que en cada campo se fija para cada hoyo como el apropiado para embocar la pelota. ⑧ En física, conjunto de dos cuerpos heterogéneos que, en condiciones determinadas, producen una corriente eléctrica. ⑨ En la Edad Media, título de alta dignidad que el rey concedía a algunos nobles: *los doce pares de Francia.*
a la par A la vez o además: *el «Génesis» menciona la creación de la mujer a la par que la del varón; es sensible y a la par inteligente.*
a pares De dos en dos: *se comía los bombones a pares.*
de par en par Completamente abierto: *abre las puertas y las ventanas de par en par para que corra el aire.*
pares y nones Juego que consiste en adivinar si la suma de los elementos que esconden los jugadores será un número divisible por dos.
sin par Se aplica a la persona o cosa que es única en su es-

pecie, o no puede ser superada por nada o nadie: *un escritor sin par; una obra sin par.* SIN incomparable.
FAM parear, parejo, paridad; impar.

para *prep.* ① Indica la utilidad o función de alguien o algo: *el secador sirve para secar el cabello.* ② Indica la finalidad de la acción que expresa el verbo principal de la oración: *fue al cine para distraerse.* ③ Introduce la persona o cosa (complemento indirecto) a la que se destina algo (complemento directo): *compraron juguetes para los niños; traerán una carta para ti.* ④ Indica la dirección de un movimiento: *salimos para Madrid dentro de una hora.* SIN a, hacia. ⑤ Indica el tiempo aproximado en el que será ejecutada una acción: *le ha quedado una asignatura para septiembre; terminaré de pagar el piso para el año que viene.* SIN hacia. ⑥ Expresa contraposición, comparación o relación de cantidades o ideas, indicando su adecuación o inadecuación: *esto es poco para lo que te mereces.* ⑦ Indica causa o razón de una acción: *me levanto temprano para hacer ejercicio.* ⑧ familiar Indica la proximidad de que ocurra una acción: *como estaba para llover, decidimos no salir.* ⑨ Forma parte de ciertas expresiones que introducen el último elemento de una enumeración de hechos o circunstancias adversas: *estoy dormido y para colmo no queda café; el tren se retrasó y, para rematarlo, cuando llegamos ya se habían marchado.* ⑩ familiar Indica que la acción expresada por un verbo de locución es interior y no se comunica a otros: *pensar para sí; me dije para mí: "cuidado, aquí hay peligro".*
para con Con respecto a: *fue bueno para con toda su familia.*
que para qué familiar Indica que algo es excesivo en tamaño, importancia o intensidad: *hacía un frío que para qué; tiene un genio que para qué.*

parabién *s. m.* Palabra o expresión que indica alegría y satisfacción ante un hecho positivo que le ha ocurrido a una persona: *los invitados dieron el parabién a los novios.* SIN enhorabuena, felicitación.

parábola *s. f.* ① Narración alegórica que pretende expresar una verdad importante o una enseñanza moral: *Jesucristo explicaba sus doctrinas con parábolas.* ② En geometría, curva abierta formada por dos líneas simétricas respecto de un eje y en que todos sus puntos están a la misma distancia tanto del foco (un punto) como de la directriz (recta perpendicular al eje): *una parábola es una representación gráfica de una función polinómica de grado dos.* ③ Trayectoria parabólica que describe un cuerpo lanzado.
FAM parabólico, parabolizar, paraboloide.

parabólico, -ca *adj.* ① Relativo a la parábola (narración). ② Que tiene forma de parábola o es parecida a ella: *trayectoria parabólica.* | *adj./s. f.* ③ Se aplica a la antena que capta las señales transmitidas vía satélite.

parabrisas *s. m.* Cristal de la parte delantera del automóvil que protege del viento al conductor y su acompañante.
FAM limpiaparabrisas.
OBS Plural invariable.

paraca *s. f.* AMÉR. Brisa muy fuerte del Pacífico.

paracaídas *s. m.* Aparato para moderar la velocidad de caída de los cuerpos arrojados desde las aeronaves; consiste en una gran pieza de tela, ligera y resistente, generalmente rectangular o con forma de media esfera, que se sujeta al cuerpo o al objeto que se arroja por medio de cuerdas.
FAM paracaidismo.
OBS Plural invariable.

paracaidismo *s. m.* Actividad militar o deportiva que consiste en saltar con un paracaídas desde un avión.
FAM paracaidista.

paracaidista *adj.* ① Relativo al paracaidismo. | *adj./s. com.* ② Se aplica a la persona que se dedica al paracaidismo.

parachoques *s. m.* Pieza de un vehículo automóvil que se encuentra en la parte delantera y en la trasera y sirve para proteger la carrocería de pequeños choques o impactos.
OBS Plural invariable.

parada *s. f.* ① Interrupción o finalización de un movimiento, acción o actividad: *haremos una pequeña parada y después continuaremos caminando.* SIN detención. ② Lugar en el que se detienen los vehículos de transporte público para recoger o dejar viajeros: *una parada de autobús; una parada de taxis.* ③ En fútbol y otros deportes, acción de detener el balón o la pelota un portero. ④ Conjunto de tropas militares dispuestas para desfilar o pasar revista.
parada nupcial Comportamiento específico desarrollado por el macho de algunas especies animales, durante la época de reproducción, hasta conseguir la fecundación de la hembra.

paradero *s. m.* ① Lugar donde está, vive o ha ido a parar alguien o algo: *estar en paradero desconocido.* ② AMÉR. Parada de algunos transportes públicos.

paradigma *s. m.* ① Ejemplo o modelo de algo: *el «Lazarillo de Tormes» sirvió de paradigma para las novelas picarescas.* ② En gramática, conjunto de formas que sirven de modelo o base en los diferentes tipos de flexión: *las desinencias "-o", "-as", "-a", "-amos", "-áis", "-an" forman el paradigma verbal del presente de indicativo de la primera conjugación.* ③ En lingüística, conjunto de elementos de la misma categoría gramatical que pueden aparecer en un mismo contexto: *en la frase "un sofá rojo", la palabra "rojo" puede sustituirse por otras que pertenezcan al mismo paradigma, como "azul", "verde", "naranja", etc.*
FAM paradigmático.

paradigmático, -ca *adj.* ① Relativo al paradigma: *relación paradigmática; ejemplo paradigmático.* ② En lingüística, se aplica a la relación que existe entre elementos o palabras pertenecientes a un mismo paradigma.

paradisíaco, -ca o **paradisiaco, -ca** *adj.* Que recuerda al paraíso por su belleza y por el placer o bienestar que produce: *playas paradisíacas.*

parado, -da *adj./s. m. y f.* ① Se aplica a la persona que no tiene trabajo. SIN desempleado, desocupado. ② Se aplica a la persona que es tímida y tiene poca iniciativa. SIN pánfilo. | *adj.* ③ familiar Sorprendido, sin capacidad para reaccionar: *me has dejado parado, no me lo esperaba de ti.* ④ AMÉR. Que está de pie, derecho. ⑤ CHILE, P. RICO, PERÚ Se aplica a la persona que es orgullosa y engreída.
dar un parado familiar VENEZ. Hacer que una persona deje de hacer o decir algo que se considera perjudicial: *empezó a decir tonterías, y hacía falta que alguien le diera un parado.*
estar bien parado (I) familiar AMÉR. Tener una persona una buena situación económica. (II) MÉX., PAN. Tener influencias políticas o institucionales para conseguir un beneficio.
salir (o quedar o resultar) bien (o mal) parado Resultar una persona favorecida (o desfavorecida) de determinada manera en un asunto.
FAM malparado.

paradoja *s. f.* ① Hecho o dicho que es contrario a la opinión general de la gente o que encierra una contradicción: *es* una paradoja que sea tan friolero y le guste tanto la nieve. **2** Figura retórica que consiste en formular una contradicción aparente: *la paradoja de fray Luis de León "¡oh muerte que das vida!" se refiere a la muerte física que da paso a una vida espiritual superior.* **FAM** paradójico.

paradójico, -ca *adj.* Que contiene una paradoja: *es paradójico que lo invites a tu casa si te cae tan mal.*

parador *s. m.* **1** Establecimiento de hostelería que ofrece servicios de gran calidad y tiene instalaciones conformes al arte, estilo o tradiciones típicas de la región en la que se encuentra, y que depende de algún organismo oficial: *el castillo se acondicionó como parador.* **NOTA** También *parador nacional o parador de turismo.* **2** Establecimiento o casa particular que ofrece habitaciones de alquiler para huéspedes de paso o forasteros. **SIN** mesón.

parafernales *adj. pl.* Se aplica a los bienes que aporta la mujer al matrimonio fuera de la dote y los que adquiere después del mismo, como herencia o donación.

parafernalia *s. f.* Conjunto aparatoso de ritos o de cosas que acompañan a una persona o a un acto importante: *cumbre de jefes de Estado con toda la parafernalia.*

parafina *s. f.* Sustancia sólida, blanca en estado puro, que se funde fácilmente; se obtiene de la destilación de petróleo crudo y se emplea en la fabricación de bujías y velas, en la impermeabilización de papel o madera, en cosmética, etc.

parafrasear *v. tr.* Realizar la paráfrasis de un texto.

paráfrasis *s. f.* **1** Explicación o interpretación, más o menos libre, que se hace de un texto para aclarar su significado. **2** Traducción libre en verso. **OBS** Plural invariable.

paragoge *s. f.* Adición de una o más letras, generalmente vocales, al final de una palabra; suele hacerse por ultracorrección como licencia poética: *la palabra "filme" está formada por paragoge de "film".* **FAM** paragógico.

paragógico, -ca *adj.* Relativo a la paragoge: *añade una vocal paragógica para que el verso rime.*

parágrafo *s. m.* **1** Fragmento de un escrito que tiene una unidad temática y se diferencia del resto de fragmentos por un punto y aparte, y a veces por estar sangrada la primera línea del texto. **SIN** párrafo. **2** Signo ortográfico (¶) que sirve para indicar que comienza uno de estos fragmentos. **SIN** párrafo.

paraguas *s. m.* **1** Utensilio portátil que sirve para protegerse de la lluvia, formado por una tela impermeable tensada por unas varillas plegables que se doblan alrededor de una vara central que sirve de mango. **2** Protección que ofrece una organización o una persona. **FAM** paragüero. **OBS** Plural invariable.

paraguaya *s. f.* Fruto del paraguayo, comestible, redondo y aplastado, con la piel vellosa de color verdoso, la carne dulce y jugosa y un hueso duro en el centro.

paraguayo, -ya *adj.* **1** De Paraguay (país de América del Sur). **I** *s. m. y f./adj.* **2** Persona que es de Paraguay. **I** *s. m.* **3** Árbol que es una variedad de melocotonero y da un fruto comestible (paraguaya).

paragüero, -ra *s. m.* **1** Recipiente, generalmente en forma de cubo alto y estrecho, que sirve para dejar o guardar paraguas. **2** Mueble situado en la entrada de una casa que sirve

para dejar abrigos, sombreros y paraguas o bastones. **I** *s. m. y f.* **3** Persona que se dedica a fabricar o vender paraguas.

paraíso *s. m.* **1** Lugar maravilloso donde Dios puso a vivir a Adán y Eva, según el Antiguo Testamento. **NOTA** Se escribe normalmente con mayúscula inicial. También *paraíso terrenal.* **SIN** edén. **2** Lugar ideal en el que las personas purificadas del pecado gozan de la compañía de Dios o los dioses, según algunas religiones. **NOTA** Se escribe normalmente con mayúscula inicial. **3** Lugar muy bello, tranquilo y agradable. **4** Lugar que reúne las características más adecuadas para el desarrollo de algo: *aquel barrio se convirtió en el paraíso de la delincuencia.* **I paraíso fiscal** País en el que existe un régimen tributario de impuestos muy bajos o nulos: *Suiza es un paraíso fiscal.* **5** Conjunto de gradas dispuestas de forma escalonada en la parte superior de un teatro, cine o sala de espectáculos, que generalmente corresponde a las localidades más baratas. **FAM** paradisíaco.

paraje *s. m.* Lugar al aire libre, generalmente aislado o alejado de la civilización.

paralela *s. f.* **1** Línea geométrica cuyos puntos están a la misma distancia que los que forman otra y que no se encontraría nunca con esta aunque se prolongasen hasta el infinito. **I** *s. f. pl.* **2 paralelas** Aparato de gimnasia masculina para realizar diversos giros y figuras que está constituido por dos barras paralelas duras y elásticas que están a la misma altura del suelo. **NOTA** También *barras paralelas.*

paralelepípedo *s. m.* Cuerpo geométrico constituido por seis paralelogramos, de los cuales son iguales y paralelos los opuestos entre sí.

paralelinervio, -via *adj.* En botánica, se aplica a la hoja cuyos nervios discurren paralelos y dispuestos longitudinalmente a lo largo del limbo, como en el lirio y el tulipán.

paralelismo *s. m.* **1** Igualdad de distancia entre todos los puntos de dos o más líneas o planos. **2** Relación de semejanza que hay entre dos o más cosas: *existe cierto paralelismo en su comportamiento aunque jamás llegaron a conocerse.* **SIN** paralelo. **3** Figura retórica, utilizada principalmente en poesía, que consiste en la repetición de una misma estructura gramatical o de un mismo pensamiento, con una leve variación final; es propio de las cantigas y la lírica medieval: *"todos duermen, corazón, / todos duermen y vos non" es un breve poema popular formado por un paralelismo.* **4** Doctrina filosófica que niega la acción recíproca entre los procesos fisiológicos y los psíquicos; sostiene que los fenómenos corporales y los estados anímicos se corresponden como dos líneas paralelas.

paralelo, -la *adj.* **1** Que está colocado al lado de otra cosa, en la misma dirección y sin llegar a tocarse nunca con ella: *los rieles del tren son paralelos.* **2** Se aplica a la cosa que es semejante a otra en algunos aspectos: *ideas paralelas.* **SIN** parecido, semejante. **3** Se aplica a la acción que se realiza u ocurre al mismo tiempo que otra: *los terroristas han cometido atentados paralelos en varias ciudades.* **SIN** simultáneo. **4** Se aplica a la línea o el plano que no corta nunca otra línea u otro plano porque todos los puntos que los componen están a la misma distancia: *las caras opuestas del cubo son paralelas entre sí.* **I** *s. m.* **5** Paralelismo (relación): *el autor del libro establece un paralelo entre la vida del protagonista y la del país en que vive.* **6** Cada una de las circunferencias imaginarias paralelas al Ecuador, entre este y los polos, que rodean la superficie terrestre, y que sirven para determinar la latitud de un lugar: *el paralelo* cero es el Ecuador; los paralelos cortan a los meridianos. **7** Círculo que se obtiene al cortar una superficie de revolución por planos perpendiculares a su eje.

en paralelo En electricidad, se aplica al circuito que tiene colocados los componentes con los polos iguales unidos entre sí.

FAM paralela, paralelismo.

paralelogramo s. m. Figura geométrica de cuatro lados, de los cuales son iguales y paralelos los opuestos entre sí: *el rectángulo, el cuadrado, el rombo y el romboide son paralelogramos.*

paralimpiada o **paralimpíada** s. f. Paraolimpiada.

FAM paralímpico.

OBS También en plural con el mismo significado que en singular.

paralímpico, -ca adj. Paraolímpico.

parálisis s. f. **1** Pérdida total o parcial de la capacidad de movimiento de una o más partes del cuerpo, causada generalmente por una lesión en el sistema nervioso, el cerebro o la médula espinal. **2** Cese momentáneo o definitivo de una actividad, en especial económica o política.

FAM paralítico, paralizar.

OBS Plural invariable.

paralítico, -ca adj./s. m. y f. Se aplica a la persona que padece parálisis de una o más partes del cuerpo, especialmente de las piernas.

paralización s. f. Acción de paralizar: *la paralización de la actividad cerebral.* SIN detención.

paralizante adj. Que paraliza: *terror paralizante.*

paralizar v. tr. **1** Hacer que un órgano pierda la capacidad de movimiento o deje de funcionar. **2** Detener el desarrollo de una actividad: *la crisis política paralizó la economía del país.* SIN frenar, parar. ANT mover. **3** Dejar a alguien sin capacidad de reacción o movimiento: *el miedo me paralizó y no era capaz de pensar.*

FAM paralización, paralizante.

paramagnetismo s. m. Propiedad magnética que poseen algunas sustancias.

paramecio s. m. Protoctista unicelular, protozoo de forma ovalada, con cilios que le permiten desplazarse y capturar las bacterias de que se alimenta; habita en aguas dulces estancadas.

paramento s. m. **1** Tela o cosa que cubre y a la vez adorna una superficie. **2** Atavío, ornamento. **3** Cara de una pared, muro o sillar labrado: *el paramento de la fachada está muy dañado.* **4** Aspecto o disposición de los elementos de un muro. **4** Revestimiento de una cubierta, muro, pared o tejado.

paramera s. f. Región fría donde abundan los páramos (terreno).

parámetro s. m. **1** Elemento o constante que debe considerarse al realizar un estudio o análisis: *vamos a calificar el examen teniendo en cuenta dos parámetros: la claridad y la concisión.* **2** Constante de una ecuación cuyo valor se fija dependiendo del problema que se quiera resolver. **3** En música, variable independiente que indica altura, timbre, duración e intensidad de un sonido. **4** En estadística, magnitud medible que permite presentar de forma más sencilla las características principales de un conjunto estadístico. ■ **parámetro de centralización** Parámetro que tiende a situarse en el centro del conjunto de datos ordenados: *los parámetros de centralización más comunes son la media aritmética, la moda y la mediana.*

SIN medida de centralización. ■ **parámetro de dispersión** Parámetro que sirve para saber si los datos están agrupados en torno a las medidas de centralización o no; generalmente miden las desviaciones con respecto a la media del conjunto de los datos: *los parámetros de dispersión más comunes son el recorrido, la desviación media, la varianza y la desviación típica.* SIN medida de dispersión. I s. m. pl. **5** **parámetros** En la expresión algebraica de una familia de funciones, indeterminación explícita cuyo recorrido en un conjunto de constantes numéricas determina las distintas funciones de la familia y sus lugares geométricos correspondientes.

paramilitar adj. Se aplica a la asociación o grupo, generalmente de ideología reaccionaria, que tiene la disciplina, estructura y organización propias de un cuerpo militar sin serlo.

páramo s. m. **1** Terreno llano, pedregoso y desprovisto de vegetación. **2** Llanura elevada, árida y donde hace mucho frío. **3** Periodo de la historia de un pueblo en que hay escasa o nula actividad cultural. **4** AMÉR. SUR Llovizna.

parangón s. m. Comparación o correspondencia entre dos cosas: *el inventor fabricó una máquina que no tiene parangón en el mercado.* SIN semejanza.

FAM parangonar.

paraninfo s. m. Sala grande de una universidad u otro centro de enseñanza donde se celebran los actos públicos: *la apertura del curso se hizo en el paraninfo.*

paranoia s. f. Enfermedad psíquica que se caracteriza por tener ideas fijas y obsesivas, basadas en hechos infundados.

FAM paranoico.

paranoico, -ca adj. **1** Relativo a la paranoia: *la manía persecutoria es un síntoma paranoico.* I adj./s. m. y f. **2** Se aplica a la persona que padece paranoia.

paranomasia s. f. Paronomasia.

paranormal adj. Se aplica al fenómeno que no tiene explicación científica por no ajustarse a las leyes de la naturaleza.

paraolimpiada o **paraolimpíada** [también **paralimpiada**] s. f. Competición paralela a los Juegos Olímpicos cuyos participantes son disminuidos físicos.

FAM paraolímpico.

paraolímpico, -ca [también **paralímpico**] adj. Relativo a la paraolimpiada: *juegos paraolímpicos.*

parapente s. m. **1** Actividad deportiva que consiste en lanzarse corriendo desde una pendiente pronunciada con un paracaídas desplegado, y descender de forma controlada. **2** Paracaídas rectangular con que se practica este deporte.

FAM parapentista.

parapetar v. tr. **1** Resguardar o proteger a alguien o algo detrás de un parapeto u otra cosa para que no sufra daño. I v. prnl. **2** **parapetarse** Utilizar algo como excusa o justificación: *el testigo se parapetaba en su derecho a no desvelar la fuente de información.* SIN escudarse.

FAM parapetado.

parapeto s. m. **1** Valla o barandilla que cierra un lugar alto, como un mirador, una escalera o un puente, para evitar que las personas caigan. **2** Barrera hecha con sacos de arena, piedras u otra cosa para protegerse en una batalla o lucha. SIN barricada.

FAM parapetarse.

paraplejia o **paraplejía** s. f. Parálisis de la mitad inferior del cuerpo.

FAM parapléjico.

P

parapléjico, -ca *adj./s. m. y f.* Se aplica a la persona que padece paraplejía.

parapsicología [también **parasicología**, poco usual] *s. f.* Estudio de los fenómenos psicológicos no conocidos o que no tienen todavía una explicación científica.
FAM parapsicológico, parasicológico.

parapsicológico, -ca [también **parasicológico, -ca**, poco usual] *adj.* Relativo a la parapsicología: *poderes parapsicológicos.*

parapsicólogo, -ga [también **parasicólogo, -ga**, poco usual] *s. m. y f.* Persona que se dedica a la parapsicología.

parar *v. intr./prnl.* [1] Dejar una persona o una cosa de moverse o avanzar: *parece que el viento ha parado.* ‖ *v. intr.* [2] Tener un medio de transporte parada en un lugar determinado: *el tren no para en todas las estaciones.* [3] Llegar a un lugar o circunstancia determinados: *en aquel clima de corrupción la gente se preguntaba dónde íbamos a parar.* [4] Estar durante un tiempo o de manera habitual en un lugar: *no sabemos dónde para Alfredo últimamente.* [5] Llegar una cosa determinada a ser propiedad de una persona: *las joyas pararon en poder de los herederos.* ‖ *v. tr.* [6] Hacer que una cosa o una persona dejen de moverse o avanzar: *el portero para el balón; el conductor para el coche.* [7] Hacer que una cosa deje de funcionar o realizar su actividad: *parar las emisiones radiofónicas; el reloj se ha parado, le daré cuerda.* [8] AMÉR. Poner una cosa en posición vertical. ‖ *v. prnl.* [9] **pararse** AMÉR. Ponerse de pie. [10] MÉX. Despertarse una persona después de haber dormido.
no parar Se usa para ponderar la gran dedicación que pone alguien al trabajar o su esfuerzo e insistencia para conseguir algo: *hay que ver lo que estudian, ¡no paran!*
parar de + infinitivo Cesar una acción o dejar de realizarla: *parece que no pueda parar de leer.*
pararse a + infinitivo (I) Pasar a dedicar tiempo y atención a pensar sobre algo: *tienes que pararte a pensar en el futuro.* (II) Realizar una acción de pensamiento poniendo mucha atención y cuidado.
y para de contar familiar Se usa al final de una enumeración para indicar que es breve y no incluye ningún elemento más: *me quedaba un cepillo de dientes, un poco de dinero y para de contar.*
FAM parachoques, parada, paradero, parado, parador, pararrayos, paro; imparable, malparar.

pararrayos *s. m.* Aparato formado por una o más barras metálicas terminadas en punta y unidas por un extremo con la tierra, que se coloca verticalmente en lo alto de los edificios para protegerlos de los rayos.
OBS Plural invariable.

parasicología V. parapsicología.

parasicológico, -ca V. parapsicológico, -ca.

parasicólogo, -ga V. parapsicólogo, -ga.

parasimpático, -ca *adj.* Se aplica al componente del sistema nervioso vegetativo formado por dos cadenas de ganglios, una a cada lado de la médula, que estimula o retarda la actividad de los órganos: *sistema nervioso parasimpático.*

parasíntesis *s. f.* Procedimiento para la formación de palabras mediante la combinación *prefijo + lexema + sufijo*, o *lexema + lexema + sufijo*, siempre y cuando los dos primeros elementos no existan por separado y los dos últimos tampoco : *las palabras "encañonar" y "picapedrero" se han formado por parasíntesis.*
FAM parasintético.
OBS Plural invariable.

parasintético, -ca *adj.* Se aplica a la palabra que se ha formado por parasíntesis: *las palabras "ropavejero" y "desalmar" son parasintéticas.*

parasitar *v. tr.* [1] Vivir como parásito de otro ser vivo: *el cornezuelo parasita a numerosos cereales.* ‖ *v. tr./intr.* [2] Vivir o estar sin hacer nada y a costa de otra persona o de la sociedad: *parasitar a una familia.*

parasitario, -ria *adj.* Relativo a los parásitos: *enfermedad parasitaria; vida parasitaria.*
FAM antiparasitario.

parasitismo *s. m.* [1] Asociación entre dos seres vivos de especies distintas en la que uno de ellos (parásito) vive a expensas de otro (hospedador). [2] Comportamiento o forma de vida de la persona que vive a costa de otra y se aprovecha de ella sin darle nada a cambio.

parásito, -ta *adj./s. m.* [1] Se aplica al organismo que vive en el interior o en la superficie de otro de distinta especie y se alimenta de las sustancias que elabora este último, causándole un daño: *bacterias parásitas; la pulga y el piojo son parásitos de los animales y de las personas.* ‖ *s. m. y f.* [2] Persona que vive a costa de otra y se aprovecha de ella sin darle nada a cambio.
FAM parasitario, parasiticida, parasitismo, parasitología; ectoparásito.

parasitología *s. f.* Parte de la biología que estudia los parásitos.

parasol *s. m.* [1] Utensilio para dar sombra, parecido a un paraguas pero más grande, que se fija en el suelo mediante un soporte; se usa en la playa y en las terrazas de restaurantes o bares. SIN quitasol, sombrilla. [2] Pieza móvil colocada en la parte interior y superior de un automóvil, sobre el parabrisas, que sirve para evitar que el reflejo del sol moleste al conductor o a su acompañante. SIN visera. [3] Accesorio de una cámara fotográfica que se coloca sobre el objetivo para impedir la entrada de un exceso de luz. [4] Seta comestible muy común en los claros de bosque en otoño. [5] Inflorescencia en que los pedúnculos arrancan de un mismo punto y se elevan a igual altura, formando una especie de paraguas. SIN umbela.

parataxis *s. m.* En gramática, relación que se produce cuando no hay entre las proposiciones ninguna relación de dependencia sintáctica mutua.
OBS Plural invariable.

parca *s. f.* En la mitología griega, cada una de las tres deidades hermanas con figura de viejas, de las cuales una hilaba, otra devanaba y otra cortaba el hilo de la vida de cada persona.
la parca culto La Muerte (figura imaginaria que personifica la muerte): *llegó la parca a buscarle.*
OBS Se escribe normalmente con mayúscula inicial.

parcela *s. f.* [1] Parte de un terreno destinada al cultivo de algo o a la construcción de una vivienda. [2] Terreno que es propiedad de una persona según el catastro o registro legal. [3] Parte de una cosa inmaterial: *hay una parcela de mi vida que desconocéis.*
FAM parcelar.

parcelar *v. tr.* [1] Dividir un terreno en parcelas. [2] Medir y señalar los límites de un terreno para determinar su valor y registrarlos legalmente: *los peritos se encargan de parcelar los terrenos.*
FAM parcelación, parcelario.

parcelario, -ria *adj.* Relativo a las parcelas de terreno: *plan parcelario.*

parche *s. m.* ① Pedazo de tela, papel, plástico u otro material flexible que se pega sobre una superficie para tapar un agujero o una rotura: *lleva parches por si se le pinchan las ruedas de la bici.* ② Pieza de tela o plástico empapada en una sustancia medicamentosa por una de sus caras, que se pega sobre una parte del cuerpo para que produzca el efecto deseado: *parches de nicotina.* ③ Retoque o añadido que estropea el conjunto o desentona en él. **SIN** pegote. ④ Arreglo provisional que se hace para solucionar un problema o para mejorar una situación. ⑤ Piel del tambor, la pandereta y otros instrumentos de percusión sobre la que se golpea para hacerlos sonar. **FAM** parchear.

parchear *v. tr.* Poner parches: *parchear un neumático.*
FAM parcheo.

parchís *s. m.* ① Juego de mesa en el que cada jugador debe completar un recorrido y hacer llegar sus cuatro fichas a un cuadro central antes que los contrincantes, avanzando tantas casillas como indique el dado que tira cada vez que es su turno. ② Conjunto formado por el tablero, las fichas, los dados y los cubiletes que se usan en este juego.

parcial *adj.* ① Que solo afecta a una parte: *parálisis parcial.* **ANT** total. ② Que implica parcialidad: *juicios parciales.* **ANT** imparcial. ③ Se aplica a la persona que actúa o juzga con parcialidad. **ANT** imparcial. | *adj./s. m.* ④ Se aplica al examen que solo trata una parte de la materia: *los parciales serán en diciembre.*
FAM parcialidad; imparcial.

parcialidad *s. f.* Trato a favor o en contra de alguien o algo al actuar o al juzgar un asunto: *juzgar con parcialidad.* **ANT** imparcialidad.

parco, -ca *adj.* ① Se aplica a la persona que hace algo sin excederse: *ser parco en la comida; ser parco en palabras.* **SIN** sobrio. ② Que es escaso aunque suficiente: *lo entendimos todos a pesar de sus parcas palabras.*
FAM parquedad.

¡pardiez! *int.* Se usa para expresar enfado, contrariedad o sorpresa.

pardillo, -lla *adj./s. m. y f.* ① familiar Se aplica a la persona que es ingenua y se deja engañar con facilidad. **SIN** primo. | *s. m.* ② Pájaro cantor con el plumaje pardo rojizo, negruzco en las alas y la cola, encarnado en la cabeza y el pecho, y blanco en el vientre, muy común en Europa: *el pardillo es apreciado por su canto.*

pardo, -da *adj. s. m./adj.* ① Color marrón como el de la tierra. | *adj.* ② Que es de este color: *pelaje pardo; mula parda.* ③ AMÉR. Mulato.
FAM pardear, pardillo, pardusco.

pardusco, -ca o **parduzco, -ca** *adj.* Que tiene un tono pardo o marrón.

pareado, -da *adj.* ① Se aplica a la columna que es doble o geminada. | *s. m.* ② Estrofa constituida por dos versos de arte mayor o menor y rima generalmente consonante: *los versos de Manuel Machado «Me acuso de no amar sino muy vagamente / una porción de cosas que encantan a la gente» forman un pareado.* | *adj./s. m.* ③ Se aplica a uno de estos versos.

parear *v. tr.* ① Formar parejas juntando cosas de dos en dos. ② Igualar o poner dos cosas al mismo nivel: *parear esfuerzos.*
FAM pareado; aparear.

parecer¹ [16] *v. copulativo* ① Tener un aspecto determinado: *la casa parecía un palacio; parece tonto.* | *v. intr.* ② Tener una opinión o creer una cosa: *me parece que va a llover; no le ha parecido bien que te hayas ido antes de acabar.* ③ Dar motivos para creer una cosa: *parece que va a nevar; parecía que el tiempo se había detenido en aquel lugar.* | *v. tr.* ④ Causar una impresión determinada: *pareces cansado, ¿te encuentras bien?* | *v. prnl.* ⑤ **parecerse** Tener una persona o una cosa características iguales a otra: *el padre y su hijo se parecen.*
al parecer o **según parece** Según cierta información, señal o indicio: *al parecer, está enfermo.*
FAM parecido.

parecer² *s. m.* ① Opinión o idea que tiene una persona sobre alguien o algo: *queremos saber tu parecer sobre el asunto.* ② Aspecto físico de una persona: *es un chico muy majo, de buen parecer.*

parecido, -da *adj.* ① Que se parece a otra persona o a otra cosa: *Luisa y su hermana son muy parecidas; es vestido es parecido al mío.* **SIN** semejante, similar. **ANT** diferente, distinto. | *s. m.* ② Conjunto de características comunes que tienen dos cosas o personas que se parecen: *el parecido de esta niña con su madre es sorprendente.* **SIN** semejanza, similitud.
bien (o **mal**) **parecido** Se aplica a la persona que tiene un aspecto físico agradable o desagradable.

pared *s. f.* ① Construcción perpendicular al suelo y de superficie continua que sirve para dividir un espacio, sostener un techo o proteger algo. ■ **pared maestra** Pared de un edificio que soporta el peso mayor de la construcción y es de mayor grosor que las restantes. ② Superficie lisa que protege o envuelve un espacio: *las paredes de un acuario.* ■ **pared celular** Estructura que rodea la membrana plasmática de las células de algunos seres vivos (plantas, hongos, bacterias y algas) y cuya misión es conferir protección, rigidez e inmovilidad a las células que la poseen: *la pared de las células vegetales está constituida mayoritariamente por celulosa.* ③ Vertiente de una montaña que presenta una pendiente vertical o casi vertical. ④ Jugada de fútbol que consiste en pasar la pelota a un compañero de equipo para sortear a uno o varios adversarios y después recuperarla.
entre cuatro paredes Encerrado en la propia casa y aislado de los demás.
subirse por las paredes familiar Estar muy enfadado.
FAM paredón; emparedar.

paredón *s. m.* ① Pared que se mantiene en pie entre las ruinas de un edificio. ② Pared muy gruesa. ③ Pared junto a la que se coloca a los condenados para ejecutarlos.

pareja *s. f.* ① Conjunto de dos personas o animales que tienen alguna relación entre sí; también el conjunto formado por dos cosas de la misma especie o que tienen alguna característica en común: *una pareja de hermanos; una pareja de enamorados; una pareja de ases.* ② Cosa que es igual a otra y con la cual se complementa: *no encuentro la pareja del calcetín.* **SIN** par. ③ Persona que mantiene una relación sentimental con otra y generalmente convive con ella: *se fue a vivir con su pareja.* ④ Persona que baila habitualmente con otra o que realiza alguna actividad con ella: *Marta fue mi pareja en el tango.* ⑤ Conjunto de dos guardias civiles que patrullan habitualmente juntos.
FAM aparejar, desparejar, emparejar.

parejero, -ra *adj./s. m. y f.* ① AMÉR. Se aplica al caballo que es veloz o de carreras. ② AMÉR. Engreído, vanidoso.

parejo, -ja *adj.* ① Que es igual o muy parecido a otro u otros: *la mejora industrial produjo un crecimiento parejo del comercio*. **SIN** semejante. ② Que es uniforme o no presenta diferencias notables.

correr parejos Ser comparable una cosa con otra o ser parecida una cosa a otra.

FAM pareja.

paremiología *s. f.* Parte de la lingüística que estudia los refranes.

FAM paremiológico, paremiólogo.

parénquima *s. m.* ① Tejido celular de relleno, de apariencia esponjosa, propio de las plantas, y con funciones diversas; se distinguen el clorofílico, de reserva, aerífero, acuífero y conductor. ② Tejido conjuntivo esencial de ciertos órganos glandulares: *parénquima pulmonar*.

parentela *s. f.* Conjunto de los parientes de una persona: *celebró la Navidad con toda su parentela*.

parentesco *s. m.* ① Relación entre personas por consanguinidad o por vínculos matrimoniales: —*¿Cuál es el parentesco entre ustedes? —Somos tío y sobrino*. ② Relación entre dos o más cosas que tienen un origen común: *en la Península se conserva una de las pocas lenguas a las que no ha sido posible establecer algún tipo de parentesco, el vasco o euskara*.

paréntesis *s. m.* ① Signo ortográfico dentro del cual se introduce un elemento sintáctico con entonación independiente de la oración en la que se acomoda; se representa mediante (—paréntesis de apertura— y) —paréntesis de cierre: *abrir un paréntesis; cerrar un paréntesis*. ② Frase incidental que no tiene enlace necesario con lo que se viene diciendo. **SIN** inciso. ③ Interrupción, detención o parada en medio de una acción o proceso: *tenemos tres horas seguidas de clase, así que solemos hacer paréntesis de 5 minutos cada hora*. **SIN** pausa.

entre paréntesis En el discurso oral se usa para indicar que se introduce un comentario que no está relacionado directamente con el asunto que se trata.

poner entre paréntesis Poner en duda: *el diputado dijo que había que poner entre paréntesis las promesas del presidente*.

FAM parentético.

OBS Plural invariable.

pareo *s. m.* Prenda de vestir que consiste en un pañuelo grande, generalmente rectangular, que se ciñe alrededor del cuerpo por debajo de los hombros o a la altura de la cintura: *mucha gente va a la playa con pareo*.

paria *s. com.* ① Persona que pertenece a la casta más baja en la India, sin derechos civiles ni religiosos. **SIN** intocable. ② Persona a la que se considera inferior y a la que se le niega el trato y las ventajas de que gozan las demás: *los mendigos y vagabundos son considerados como los parias de nuestra sociedad*. ❘ *s. f. pl.* ③ **parias** Tributo que pagaban los soberanos musulmanes a los estados cristianos peninsulares, como vasallaje o reconocimiento de su supremacía.

parida *s. f.* familiar Tontería que se dice sin reflexionar o que resulta poco oportuna.

paridad *s. f.* ① culto Relación de igualdad o semejanza de dos o más cosas. ② Valor que tiene una moneda con relación a otra o a la unidad de referencia internacional.

FAM paritario.

pariente *adj./s. m. y f.* ① Se aplica a la persona que tiene parentesco de consanguinidad o por vínculo matrimonial con otra persona: *visitar a sus parientes; ese hombre es un pariente*

mío, pero muy lejano. **SIN** familiar. ❘ *s. m. y f.* ② familiar Esposo o compañero sentimental de una persona: *voy a decirle a mi parienta que no iré a cenar*. **NOTA** Femenino: *parienta*. Frecuentemente usado de forma humorística.

FAM emparentar.

parietal *s. m./adj.* ① Hueso plano que forma, junto con otro igual, la parte central superior del cráneo, entre el frontal y el occipital y por encima de los temporales. ② Lóbulo situado en la zona media del encéfalo debajo de estos huesos.

parietaria *s. f.* Planta de tallos rojizos y ramas muy cortas, hojas ásperas, flores verdes y pequeñas reunidas en grupos, y fruto seco, que crece en las grietas de paredes viejas, en las rocas y en terrenos incultos.

parihuela *s. f.* Utensilio que sirve para transportar cosas pesadas entre dos personas, formado por dos varas gruesas con unas tablas atravesadas en medio, donde se coloca la carga, o que se usa como camilla.

OBS También en plural con el mismo significado que en singular.

paripé *s. m.* familiar Engaño o fingimiento que se hace para guardar las apariencias o para conseguir lo que se desea: *ella lo criticaba constantemente pero delante de él hacía el paripé*.

parir *v. tr./intr.* ① Expulsar una hembra vivípara el feto que tiene en su vientre: *la perra parió tres cachorros; su mujer parirá en septiembre*. **SIN** alumbrar. ❘ *v. tr.* ② familiar Producir o crear una cosa.

FAM paridera, paritorio; malparir.

parisilábico, -ca *adj.* Parisílabo.

parisílabo, -ba *adj.* Se aplica a la palabra o verso que tiene el mismo número de sílabas que otro. **SIN** parisilábico.

FAM parisilábico.

parisino, -na *adj.* ① De París (capital de Francia). ❘ *s. m. y f./adj.* ② Persona que es de París.

paritario, -ria *adj.* ① Se aplica a la organización o asamblea que está constituida por varias partes que tienen el mismo número de representantes. ② Que está basado en un criterio de paridad o igualdad.

parka *s. f.* Prenda de abrigo con capucha, acolchada y a menudo de tejido impermeable que tiene una tira elástica o un dobladillo con una cuerda en los puños y la cintura para poder ceñirla al cuerpo e impedir que pase el aire.

parking [también **parquin**; se pronuncia aproximadamente 'parquin'] *s. m.* Edificio o local para aparcar vehículos automóviles por un precio establecido, que tiene delimitadas las plazas mediante líneas pintadas en el suelo. **SIN** aparcamiento.

OBS Plural: *parkings*.

párkinson *s. m.* Enfermedad crónica y degenerativa del sistema nervioso que se manifiesta por falta de coordinación muscular y temblores.

parlamentar *v. intr.* Discutir sobre un asunto o sobre un problema con la intención de llegar a un acuerdo o de encontrar una solución. **SIN** dialogar.

FAM parlamentario.

parlamentario, -ria *adj.* ① Relativo al parlamento (órgano): *sesión parlamentaria*. ❘ *s. m. y f.* ② Político que forma parte de un parlamento.

FAM parlamentarismo; extraparlamentario.

parlamentarismo *s. m.* Sistema político en el que el parlamento controla la actuación del gobierno y elabora, aprueba y reforma las leyes: *en los países democráticos existe pluripartidismo y parlamentarismo.*

parlamento *s. m.* ① Órgano político encargado de elaborar, aprobar y reformar las leyes, que está compuesto por una cámara (unicameral) o dos cámaras (bicameral), cuyos miembros son elegidos por los ciudadanos con derecho a voto: *el Parlamento español está formado por el Congreso y el Senado.* NOTA Con mayúscula inicial cuando hace referencia al parlamento de un país en concreto. SIN cortes. ② Edificio en el que se reúnen los miembros de este órgano político. NOTA Con mayúscula inicial cuando hace referencia al parlamento de un país en concreto. ③ Conversación o diálogo para llegar a un acuerdo o solucionar un asunto. ④ Intervención larga que hace un actor en una obra de teatro: *el parlamento se inicia con la frase "Ser o no ser, he ahí la cuestión...".* FAM parlamentar, parlamentario.

parlanchín, -china *adj./s. m. y f.* familiar Se aplica a la persona que habla mucho, especialmente cuando lo hace indiscreta o inoportunamente.

parlante *adj.* ① Que habla: *muñeca parlante.* ② Se aplica al animal, como el loro o el periquito, que es capaz de reproducir sonidos semejantes a los de la voz humana o a los que escucha en el ambiente.

parlar *v. intr.* familiar Hablar de algo con desenvoltura y sin profundizar en exceso. FAM parlador, parlanchín, parlante, parlero, parlotear. OBS Frecuentemente usado de forma humorística.

parlotear *v. intr.* familiar Hablar de cosas sin importancia, generalmente para pasar el rato. SIN cotorrear. FAM parloteo.

parloteo *s. m.* Conversación o charla insustancial o intrascendente, generalmente para pasar el rato.

parmesano, -na *adj.* ① De Parma (ciudad de Italia). ∥ *s. m. y f./adj.* ② Persona que es de Parma. ∥ *s. m.* ③ Queso de vaca de pasta granulosa y quebradiza de color amarillo claro, olor y sabor fuerte, que a menudo se utiliza rallado como condimento o para gratinar; es originario de Italia.

parnasianismo *s. m.* Movimiento poético francés de la segunda mitad del siglo XIX que se caracteriza por una tendencia a la objetividad en el fondo, una perfección clásica en la forma y una temática que huye del sentimentalismo, recrea mitos griegos y evoca ambientes refinados y exóticos. FAM parnasiano.

parnasiano, -na *adj.* ① Relativo al parnasianismo: *escuela parnasiana.* ∥ *adj./s. m. y f.* ② Se aplica al poeta que pertenece a la escuela parnasiana. FAM parnasianismo.

parnaso *s. m.* ① culto Grupo de poetas representativo de una época, lugar o género. ② culto Conjunto de poemas de un autor, época, lugar o género.

parné *s. m.* familiar Dinero.

paro *s. m.* ① Interrupción o cese de un movimiento, actividad o acción: *paro cardiaco; la falta de suministro eléctrico provocó el paro de la maquinaria.* SIN detención. ② Interrupción voluntaria de la actividad laboral, especialmente cuando se hace como protesta. ③ Situación de la persona que está en condiciones de trabajar pero no tiene empleo o lo ha perdido: *su empresa hizo suspensión de pagos y se quedó en el paro.* SIN desempleo. ④ Conjunto de las personas en esta situación: *el paro ha disminuido en los últimos meses.* ⑤ Cantidad de dinero

que recibe la persona que está en esta situación: *quiere saber si tiene derecho a paro por los años que ha estado cotizando.* SIN subsidio.

parodia *s. f.* ① Imitación burlesca o irónica, generalmente en verso, que se hace de otra obra, estilo, escritor o género exagerando y satirizando sus características esenciales. ② Imitación burlesca de una persona o cosa. FAM parodiar, paródico.

parodiar *v. tr.* Imitar de manera burlesca un género, una obra artística o literaria, el estilo de un escritor, o los gestos o manera de ser de una persona: *nadie mejor que él parodia a los políticos.* OBS Verbo regular, se acentúa como *cambiar.*

paródico, -ca *adj.* Que parodia algo o a alguien, o que implica parodia: *tono paródico.*

parón *s. m.* Detención brusca.

paronimia *s. f.* Paronomasia (semejanza fonética).

parónimo, -ma *adj./s. m.* Se aplica a la palabra que tiene una forma semejante a otra palabra o se pronuncia de forma parecida a ella pero tiene un significado distinto: *"agosto" y "angosto" son palabras parónimas.*

paronomasia [también **paranomasia**] *s. f.* ① Semejanza fonética entre dos o más vocablos, bien por parentesco etimológico, bien por semejanza casual: *se produce paronomasia entre "roja" y "reja", y entre "tela" y "vela".* SIN paronimia. ② Conjunto de vocablos entre los cuales hay semejanza fonética. ③ Figura retórica que consiste en la colocación próxima de dos o más parónimos: *en la frase "como como poco coco, poco coco compro" hay paronomasia.* FAM paronomástico.

paroxismo *s. m.* ① Exaltación máxima y violenta de un sentimiento o una pasión. ② Periodo de máxima intensidad de un fenómeno natural u orgánico: *el paroxismo de un movimiento sísmico; el paroxismo de la fiebre.* FAM paroxístico.

paroxítono, -na *adj./s. f.* ① Se aplica a la palabra que lleva el acento de intensidad en la penúltima sílaba: *la palabra "árbol" es paroxítona.* SIN grave, llano. ∥ *adj./s. m.* ② Se aplica al verso que termina con una palabra que tiene el acento tónico en la penúltima sílaba. SIN grave, llano. FAM proparoxítono.

parpadear *v. intr.* ① Abrir y cerrar los párpados repetidamente y de forma rápida: *cuando nos molesta la luz parpadeamos.* SIN pestañear. ② Apagarse y encenderse una luz, o variar su intensidad, de forma intermitente. FAM parpadeante, parpadeo.

parpadeo *s. m.* Acción de parpadear: *el parpadeo del niño resultó ser un síntoma de conjuntivitis.* SIN pestañeo.

párpado *s. m.* Membrana movible de la piel que cubre y protege el ojo: *las pestañas nacen en el borde de los párpados.* FAM parpadear.

parque *s. m.* ① Terreno acotado de gran extensión, con plantas y árboles, destinado a usos diversos, especialmente a pasear; a menudo tiene una zona con atracciones (columpios, toboganes, etc.) para que los niños puedan jugar y entretenerse: *en el parque había un estanque con patos.* ② Lugar que dispone de instalaciones y servicios destinados a un uso determinado. ■ **parque de atracciones** Recinto en el que hay variedad de atracciones, espectáculos, juegos y aparatos mecánicos para divertirse; para acceder a él debe pagarse una

P

entrada: *en el parque de atracciones hay una gran montaña rusa.*
■ **parque nacional** Figura oficial de protección de una determinada área de especial valor natural, cuya conservación es compatible con el aprovechamiento de sus recursos y las actividades de sus habitantes. ■ **parque natural** Espacio natural protegido por las autoridades, constituido por especies vegetales y animales de gran interés, que forma un conjunto generalmente no explotado por el ser humano y que goza de un estatuto de protección estricto. ■ **parque zoológico** Recinto con instalaciones adecuadas para conservar, cuidar y criar especies diferentes de animales, especialmente salvajes y exóticos, que puede ser visitado por el público; normalmente para acceder a él debe pagarse una entrada. NOTA También simplemente *zoológico* o *zoo.* ③ Conjunto de medios, instrumentos y materiales destinados a un servicio público: *el parque de bomberos cuenta con los vehículos, aparatos y materiales necesarios para apagar incendios.* ■ **parque automovilístico** Conjunto de vehículos de un país o de una ciudad: *el parque automovilístico español se está renovando rápidamente.* ■ **parque móvil** Conjunto de vehículos que son propiedad del Estado y están destinados al servicio de algún ministerio u organismo. ■ **parque tecnológico** Recinto ocupado por industrias y sociedades públicas o privadas dedicadas a la investigación científica y tecnológica que puede ser visitado por el público en general. ④ Recinto militar en el que se guarda la maquinaria y la munición de guerra. ⑤ Armazón rodeado por una red que hace de pared, con el suelo generalmente de lona, que se usa para dejar a los niños pequeños y que jueguen sin peligro.
FAM aparcar.

parqué *s. m.* Pavimento de madera constituido por una serie de tablillas de madera ensambladas, generalmente formando dibujos geométricos.
OBS Puede encontrarse la grafía francesa *parquet.*

parquear *v. tr.* AMÉR. Aparcar un vehículo.

parqueo *s. m.* AMÉR. Acción de parquear.

parquímetro *s. m.* Aparato que mide el tiempo de permanencia de un vehículo automóvil en un estacionamiento de pago en la vía pública y que además cobra al usuario la cantidad debida.

parquin *s. m.* Parking.

parra *s. f.* Planta de vid cuyos tallos crecen en alto al sujetarlos convenientemente en un armazón o soporte pegado a la pared.
subirse a la parra (I) familiar Enfadarse mucho: *no vale la pena subirse a la parra por eso.* (II) Tomar una persona atribuciones que no le corresponden.
FAM parral; emparrado.

parrafada *s. f.* ① Discurso largo y pronunciado sin interrupción. ② Charla o conversación entre amigos: *a ver si nos vemos para echar una parrafada.*

párrafo *s. m.* ① Parte de un escrito comprendida entre dos puntos y aparte. SIN parágrafo. ② Signo ortográfico (¶) que se emplea a veces para señalar cada una de estas partes. SIN parágrafo.
FAM parrafada.

parral *s. m.* Parra o conjunto de parras sostenidas con un armazón, generalmente formando una cubierta.

parranda *s. f.* familiar Juerga o diversión muy animada y ruidosa, en especial la que se hace recorriendo distintos lugares: *salir de parranda.* SIN jarana.

parricida *adj./s. com.* Se aplica a la persona que mata a un familiar, en especial a uno de sus padres, a un hijo o al cónyuge.
FAM parricidio.

parricidio *s. m.* Delito que comete un parricida.
FAM parricida.

parrilla *s. f.* ① Utensilio para asar o tostar alimentos a la brasa que consiste en una rejilla provista de un mango que se coloca sobre una estructura metálica, donde se ponen las brasas. ② Restaurante en el que se sirven alimentos cocinados con este utensilio, generalmente a la vista de los clientes. ③ Espacio de un circuito o pista de carreras en que deben colocarse los vehículos en la salida. NOTA También *parrilla de salida.* ④ Conjunto de programas de la radio o televisión, con su horario correspondiente. NOTA También *parrilla de programación.* ⑤ Rejilla del radiador de un vehículo automóvil.
FAM parrillada.

parrillada *s. f.* Comida que consiste en un surtido de carnes, mariscos o pescados, asados a la parrilla.

párroco *s. m.* Sacerdote encargado del servicio religioso de una parroquia. SIN rector.
FAM parroquia.
OBS También *cura párroco.*

parroquia *s. f.* ① Territorio que está bajo la jurisdicción espiritual de un párroco. SIN curato. ② Iglesia principal de este territorio. ③ Conjunto de fieles de esta iglesia. ④ Conjunto de personas que compran de manera frecuente en un mismo establecimiento o utilizan sus servicios.
FAM parroquial, parroquiano.

parroquial *adj.* Relativo a la parroquia.

parroquiano, -na *s. m. y f.* ① Persona que pertenece a una determinada parroquia. SIN feligrés. ② familiar Cliente habitual de un establecimiento o servicio.

parsec *s. m.* Unidad astronómica de longitud que equivale a 3,27 años luz.

parsimonia *s. f.* Calma y lentitud excesivas en la manera de actuar o de realizar una cosa: *el cliente se explicaba con gran parsimonia.* SIN cachaza, flema.
FAM parsimonioso.

parsimonioso, -sa *adj.* Que es excesivamente calmado y lento: *una persona parsimoniosa; movimientos parsimoniosos.* SIN flemático.

parte *s. f.* ① Elemento independiente o determinado que puede considerarse o establecerse en un todo: *el cuerpo humano se divide en tres partes: cabeza, tronco y extremidades.* ② División que puede establecerse en un todo, especialmente en un texto o una obra teatral o cinematográfica, según ciertos criterios temáticos o formales: *su novela constaba de dos partes, divididas en tres capítulos cada una.* ③ Cantidad determinada o indeterminada de una cosa: *cedió parte de su fortuna al hospital.* ④ Cantidad de una cosa que corresponde a cada uno en un reparto: *quedarse una parte del botín; todos contribuyeron al regalo a partes iguales.* ⑤ Obra literaria, teatral o cinematográfica que mantiene relación temática con otra u otras: *como la primera película tuvo tanto éxito ya se está rodando la segunda parte.* ⑥ Aspecto que puede considerarse en algo: *por una parte, este viaje es el más caro, pero por otra, dura más días y los hoteles son mejores.* ⑦ Persona o grupo que se opone a otro en una discusión o en una guerra o lucha armada, o que interviene en un negocio: *las partes enfrentadas en el conflicto quieren llegar a un acuerdo.* ⑧ Lugar cualquiera: *no encuentro las llaves por ninguna* *parte; va en bicicleta a todas partes.* **SIN** lado. ‖ *s. m.* **9** Informe o comunicación breve: *parte meteorológico.* **SIN** informe. ‖ *s. f.* pl. **10** **partes** Órganos sexuales externos: *el portero recibió un balonazo en sus partes.*

dar parte Comunicar unos hechos o noticias a la autoridad: *le robaron el coche y fue a dar parte a la policía.*

de parte a parte De un extremo al opuesto: *la bala le atravesó el brazo de parte a parte.*

de parte de o **de** *mi/tu/...* **parte** (I) A favor o en defensa de algo o alguien: *siempre estuvo de parte de los más débiles.* (II) En nombre o por orden de alguien: *cuando lo veas, dale recuerdos de mi parte.*

echar a (o **tomar en**) **mala parte** Interpretar una cosa mal o de forma equivocada: *no lo toméis en mala parte, pero preferiría que me dejarais solo.*

en parte No del todo o de manera incompleta: *lo que dijo era en parte verdad y en parte mentira.*

ir por partes Considerar los aspectos de un asunto de manera separada y lógica: *para solucionar este embrollo es mejor que vayamos por partes.*

llevarse (o **tocar**) **la mejor** (o **la peor**) **parte** Resultar beneficiado (o perjudicado) en una lucha, competición o reparto: *el hijo mayor se llevó la mejor parte de la herencia; cuando hay pelea, le toca la peor parte.*

poner de *mi/tu/...* **parte** Hacer todo lo posible por lograr un fin: *un profesor particular te ayudará a aprobar, pero también debes poner de tu parte.*

por *mi/tu/...* **parte** En lo que respecta a la persona de la que se habla: *dice que por su parte no tendréis ningún problema.*

salva sea la parte Expresión eufemística que se usa para referirse a las nalgas: *me dieron ganas de pegarle una patada en salva sea la parte.*

tomar parte Intervenir en algo.

FAM partir.

parteluz *s. m.* Columna delgada que divide verticalmente en dos partes el vano o hueco de una puerta o ventana. **SIN** mainel, montante.

partenaire [se pronuncia aproximadamente 'partener'] *s. com.* Persona que forma pareja con otra en una actividad, especialmente en un espectáculo.

partero, -ra *s. m. y f.* Persona que tiene por oficio asistir a las mujeres en el parto; antiguamente solo ejercían este oficio las mujeres y en la actualidad requiere una titulación. **SIN** comadrón.

parterre *s. m.* Zona de un jardín que tiene anchos paseos y en la que se ha plantado césped, flores, generalmente formando una figura geométrica, y que queda diferenciada del resto.

partición *s. f.* **1** Reparto o división de un todo en varias partes: *el notario hizo la partición de las tierras según constaba en el testamento.* **2** Parte que resulta de hacer el reparto o división de un todo: *uno de los herederos no aceptó la partición que le correspondía.*

FAM bipartición.

participación *s. f.* **1** Intervención, junto con otros, en un suceso o actividad: *el festival contará con la participación de famosos artistas.* **2** Comunicación oral o escrita que se hace de un acontecimiento o suceso: *recibir una participación de boda.* **3** Inversión que una persona hace en una empresa o negocio para obtener ciertos beneficios: *tiene participación en la empresa con un 50% de las acciones.* **4** Recibo que tiene el valor

de una parte de un décimo de lotería, en el que aparece el número por el que se apuesta y la cantidad de dinero que se percibiría en caso de salir premiado.

participante *adj./s. com.* Que participa con otros en una actividad, especialmente en una competición, concurso o sorteo: *los participantes están ya en la línea de salida; hay cuatro equipos participantes.*

participar *v. intr.* **1** Intervenir, junto con otros, en un suceso o actividad: *su sueño era participar en las olimpiadas.* **2** Recibir una parte proporcional de un todo: *todos los socios participan de los beneficios.* **3** Compartir con alguien un sentimiento, estado de ánimo, opinión, cualidad, etc.: *no participaba de las ideas de nuestro invitado.* ‖ *v. tr.* **4** Comunicar una noticia o suceso a alguien: *los novios participan a la familia y amigos la fecha de la boda mediante una carta.* **SIN** avisar, notificar.

FAM participación, participante, participativo.

participativo, -va *adj.* Que participa o toma parte activa en algo: *socio participativo.*

partícipe *adj./s. com.* Que participa en un suceso o actividad.

hacer partícipe Comunicar una cosa a una persona o compartirla con ella: *nos llamó para hacernos partícipes de su alegría.* **FAM** participar; copartícipe.

participio *s. m.* Forma no personal del verbo que presenta el proceso verbal como acabado y participa a la vez de la esencia del verbo (indica tiempo y voz) y del adjetivo (admite flexión nominal). ■ **participio absoluto** Construcción gramatical compuesta por un participio y un sustantivo con el que concuerda en género y número; suele tener función adverbial y expresa idea de tiempo o causa: *en la frase "acabado el permiso, empezó a trabajar", "acabado el permiso" es un participio absoluto.* ■ **participio activo** o **participio (de) presente** Participio cuya acción transcurre al mismo tiempo que la del verbo de la oración: *en "Juan es un dirigente del partido", "dirigente" es un participio activo.* ■ **participio pasado** o **participio pasivo** Participio que expresa estado adquirido o acción pasada anterior a la del verbo de la oración: *en "Pedro llegó agotado", "agotado" es un participio pasado.*

partícula *s. f.* **1** Parte muy pequeña de alguna cosa o cuerpo muy pequeño: *las partículas de polvo se posan sobre los muebles.* ■ **partícula alfa** En física, partícula radiactiva constituida por dos protones y dos neutrones; procede de desintegraciones espontáneas del nucleo: *la partícula alfa es un núcleo de helio.* ■ **partícula beta** En física, electrón o partícula catódica, procedente de la desintegración de una sustancia radiactiva, que se mueve a una velocidad comparable a la de la luz (300 000 km por segundo); tiene carga negativa y una masa muy pequeña. ■ **partícula elemental** En física, partícula fundamental de la materia que no puede dividirse en otras más pequeñas: *hasta el siglo XIX se creía que el átomo era la partícula elemental de los cuerpos; las partículas elementales más pequeñas son los quarks.* **2** En gramática, elemento invariable de la oración que puede funcionar como una palabra (conjunción, preposición o adverbio) o como afijo: *el prefijo "in-" es una partícula que se antepone a un adjetivo para formar otro de significado opuesto, como "culto" e "inculto".*

FAM particular.

particular *adj.* **1** Que es propio o característico de una persona o cosa, o que le corresponde con singularidad: *hay que respetar los gustos particulares de cada persona.* **SIN** peculiar, privativo. **ANT** general. **2** Que es extraordinario, raro o poco corriente: *Gaudí construyó edificios muy particulares.* **SIN** especial, original. **3** Que pertenece únicamente a una persona o es utilizado de forma exclusiva por ella: *la urbanización tiene una piscina particular.* **4** Que es concreto o determinado y no uno cualquiera: *se trata de solucionar este caso particular.* **ANT** general. **5** Que se tiene o se realiza de manera privada o no oficial, fuera de un cargo o empleo público: *el médico trabaja en el hospital y además tiene una consulta particular.* **SIN** privado. **ANT** oficial, público. ▌ *adj./s. com.* **6** Se aplica a la persona como individuo, que no representa a ningún organismo o no tiene título o empleo que la distinga de los demás: *los terrenos de los particulares fueron expropiados para construir la autovía.* ▌ *s. m.* **7** Asunto o materia de que se trata: *tratamos algunos particulares que afectaban a los dos organismos.*

en particular (**I**) Especialmente: *la pubertad se caracteriza por la aparición de pelo en el cuerpo, en particular en las axilas y en el pubis.* (**II**) De forma concreta o determinada: *entre sus recursos naturales destacan los minerales en general y el petróleo en particular.*

sin otro particular Fórmula de despedida utilizada en cartas que indica sin más cosas que decir o añadir: *y sin otro particular, le saludamos atentamente.*

FAM particularidad, particularismo, particularizar.

particularidad *s. f.* **1** Característica o cualidad que distingue una cosa de otras de la misma clase o especie: *eligieron España porque tenía la particularidad de aunar la cultura, el turismo de playa y un clima excelente.* **SIN** peculiaridad, singularidad. **2** Cualidad de lo que es particular o poco común.

particularizar *v. tr.* **1** Dar carácter particular a una persona o una cosa que forman parte de un conjunto: *no hay que particularizar los casos más llamativos.* **2** Mencionar a una persona o una cosa concretas al hablar en general: *sé que algunos alumnos han copiado en el examen pero no quiero particularizar.* **3** Explicar algo con todo detalle: *no particularices tanto y dime qué ocurrió al final.* ▌ *v. prnl.* **4** **particularizarse** Distinguirse o destacar por alguna característica una persona o cosa entre varias: *esta máquina se particulariza por su gran velocidad.* **SIN** singularizarse.

FAM particularización.

partida *s. f.* **1** Acción de partir o salir de un lugar: *me apenó el momento de la partida.* **SIN** marcha. **2** culto Muerte. **3** Cantidad de una mercancía que se entrega, se envía o se recibe de una vez: *devolvieron una partida de conservas que estaban en malas condiciones.* **SIN** remesa. **4** Cantidad que se anota o se asienta por separado en una cuenta, factura o presupuesto. **5** Mano de un juego o conjunto de ellas que se juegan hasta que alguien se proclama vencedor: *una partida de mus; jugaron al mejor en cinco partidas.* **6** Anotación de ciertos hechos o circunstancias referentes a un persona en el libro oficial de una parroquia o registro civil: *partida de nacimiento; partida de defunción; partida de boda.* **7** Documento certificado en la que consta este registro: *para sacarse el carné de identidad por primera vez se necesita la partida de nacimiento.* **SIN** certificado. **8** Grupo pequeño de personas armadas: *salió una partida de cazadores para localizar al jabalí.*

por partida doble (**I**) Sistema para llevar la contabilidad que consiste en hacer constar cada suma dos veces en el libro mayor, ya que para cada operación se considera un deudor y un acreedor. (**II**) familiar Con un resultado que supone el doble de lo esperado: *ha tenido gemelos, ahora es madre por partida doble.*

FAM contrapartida.

partidario, -ria *adj./s. m. y f.* Se aplica a la persona que sigue o defiende una idea, una tendencia, un movimiento o a una persona: *los partidarios de Juan II se llamaron agramonteses y los del príncipe Carlos beaumonteses.* **SIN** seguidor, simpatizante.

partidismo *s. m.* Tendencia exagerada en favor de una ideología, una opinión, una persona o un partido político, en especial cuando se debe ser imparcial. **SIN** parcialidad.

FAM partidista.

partidista *adj.* **1** Relativo al partidismo: *actitud partidista.* ▌ *adj./s. com.* **2** Se aplica a la persona que actúa con partidismo.

partido, -da *s. m.* **1** Conjunto de personas agrupadas en una institución política que comparten y defienden las mismas ideas económicas y sociales: *partido comunista; partido socialista obrero español; partido popular.* **2** Prueba deportiva en la que se enfrentan dos equipos o dos jugadores: *jugar un partido de tenis.* **SIN** encuentro. **3** Territorio que comprende varias poblaciones de una provincia que tienen en común el juzgado de primera instancia: *los dos municipios pertenecen al mismo partido judicial.* **NOTA** También *partido judicial.*

sacar partido Obtener éxito o provecho de algo: *siempre saca partido de todos los negocios.*

ser un buen (**o mal**) **partido** familiar Ser una persona adecuada o poco adecuada para casarse con ella, especialmente por su posición social o económica.

tomar partido Mostrarse partidario de una opinión determinada o de la persona que la defiende: *en la discusión tomé partido por el más débil.*

FAM partidario, partidismo; bipartidismo.

partir *v. tr.* **1** Dividir o separar en partes un todo: *partió la tarta en cinco trozos.* **SIN** fraccionar. **2** Rajar una cosa o romperla en pedazos con cierta violencia: *partieron los tablones para ver lo que había debajo; el espejo se partió en dos.* **3** Cortar y separar un trozo de una cosa grande: *¿me partes un pedazo de pan?* **4** familiar Causar un perjuicio o contrariedad: *cuando le robaron la furgoneta lo partieron, porque trabajaba con ella.* ▌ *v. intr.* **5** Salir de un lugar para iniciar un viaje hasta otro lugar: *partimos hacia Sevilla.* **6** Tener origen una cosa en un punto o momento determinados: *tu explicación parte de una falsa hipótesis; su amistad parte de un viaje que hicieron juntos.* ▌ *v. prnl.* **7** **partirse** familiar Reírse mucho y con ganas: *cuando cuenta chistes, todos nos partimos.* **NOTA** También *partirse el pecho.* **SIN** desternillarse, troncharse.

a partir de (**I**) Desde el momento o el lugar que se expresa: *a partir de aquí no se puede pasar.* (**II**) Tomando el dato, hecho o cosa que se expresa como base: *a partir de las hipótesis que había comentado, sus alumnos desarrollaron la teoría.*

FAM parteluz, partición, partitivo.

partisano, -na *s. m. y f.* Miembro de un grupo civil organizado para la resistencia clandestina contra la autoridad o el ejército invasor; alude especialmente a los miembros de la resistencia durante la Segunda Guerra Mundial.

partitivo, -va *adj.* En gramática, se aplica al elemento que expresa una parte determinada de un todo: *genitivo partitivo; numeral partitivo;* en la frase "Juan comió del pastel", el partitivo es "del pastel".

partitura *s. f.* Representación gráfica de una composición musical, constituida por una serie de pentagramas en los que se colocan las notas y en los que se dan las indicaciones pertinentes sobre ritmo, carácter e intensidad.

parto *s. m.* ⚀ Proceso por el que el feto es expulsado del vientre de la hembra vivípara al final de la gestación: *el parto se desarrolló con normalidad y el niño nació bien; las conejas tienen varias crías en cada parto.* SIN alumbramiento. ⚁ Producción o creación de obras, fruto del ingenio o el entendimiento de la persona. NOTA Frecuentemente usado de forma humorística o irónica.

el parto de los montes familiar Resultado irrelevante o ridículo de algo que se esperaba que fuera importante o de gran valor: *la novela tan esperada resultó ser el parto de los montes; complació a pocos lectores.*

FAM partero, parturienta.

parturienta *adj./s. f.* Se aplica a la mujer que está pariendo o que acaba de hacerlo.

parva *s. f.* ⚀ Cereal cortado y extendido sobre la era para trillarlo o que ya está trillado. ⚁ Cantidad grande de una cosa. SIN montón.

FAM aparvar.

parvulario *s. m.* Centro educativo donde se cuida y educa a los niños en edad preescolar: *en los parvularios los niños aprenden juegos en grupo.*

párvulo, -la *adj./s. m. y f.* ⚀ Se aplica al niño que asiste a un parvulario o tiene la edad para asistir a él. ❚ *adj.* ⚁ Que es propio de un niño de parvulario.

FAM parvulario.

pasa *adj./s. f.* Se aplica al grano de uva desecado de forma natural o artificial. ■ **pasa de Corinto** Pasa de pequeño tamaño originaria de la región griega de Corinto.

como una pasa Con la piel arrugada: *si te estás tanto rato en el agua, te quedarás como una pasa.*

pasable *adj.* Que puede darse por bueno aunque podría mejorarse. SIN pasadero.

pasacalle *s. m.* Composición musical de ritmo muy vivo que tocan las bandas de música en las fiestas populares, generalmente por las calles.

OBS También en plural con el mismo significado que en singular.

pasada *s. f.* ⚀ Acción de pasar alguien o algo de una parte a otra: *la avioneta hizo varias pasadas rasantes sobre el bosquecillo.* ⚁ Acción de pasar o aplicar una cosa sobre otra: *daremos una pasada a la alfombra con el aspirador.* ⚂ Repaso que se da a una cosa que se ha hecho para detectar errores, mejorarla o perfeccionarla: *siempre hace dos o tres pasadas antes de entregar el trabajo.* ⚃ Serie de puntadas largas que se hacen en una prenda de vestir antes de coserla definitivamente: *se le descosió el dobladillo y le dio unas pasadas para que aguantara hasta que pudiera coserlo bien.* ⚄ familiar Cosa o acción extraordinarias o poco comunes, que superan el límite de lo normal o aceptable: *el concierto de ayer fue una pasada.*

de pasada Sin fijarse mucho en lo que se hace, de manera superficial: *me contó su problema de pasada porque no tenía tiempo.* SIN de paso.

mala pasada Acción malintencionada o injusta que perjudica a otro.

pasadizo *s. m.* Pasillo estrecho que sirve para ir de un lugar a otro, especialmente el que está escondido o sirve de atajo: *en el castillo había un pasadizo subterráneo que conducía al exterior.* SIN corredor.

pasado, -da *adj.* ⚀ Se aplica al periodo de tiempo que es anterior al presente, o inmediatamente anterior al presente: *una forma de pensar propia de tiempos pasados.* ⚁ Que ha existido o sucedido en un periodo de tiempo anterior al presente o inmediatamente anterior al presente: *circunstancias pasadas.* ⚂ Se aplica al alimento que está estropeado, ha perdido la frescura o la condición óptima para ser comido: *estos tomates no se pueden comer, están pasados.* ⚃ Que está anticuado o no es de actualidad: *lleva unos pendientes pasados de moda; la película trata un tema muy pasado.* ❚ *s. m.* ⚄ Época o tiempo que es anterior al presente: *en el pasado la gente vestía de modo diferente; esos hechos pertenecen al pasado.* ⚅ Conjunto de vivencias pasadas o de recuerdos de una persona: *tener un pasado misterioso.* ⚆ Forma verbal que expresa una acción anterior al presente o a otra acción: *pasado simple; pasado compuesto; las formas "amé" y "amaba" son pasados del verbo "amar".* SIN pretérito.

FAM antepasado.

pasador *s. m.* ⚀ Horquilla en forma de pinza que sirve para sujetar o adornar el pelo. ⚁ Joya o adorno en forma de pinza que sirve para sujetar la corbata a la camisa. ⚂ Utensilio de cocina para deshacer o colar alimentos que consiste en un cono o una media esfera agujereados y con un mango: *con el pasador hacemos el puré de patata.* SIN pasapurés. ⚃ Barra de metal del cerrojo o pestillo de una ventana o puerta que se introduce en la hembrilla del marco para asegurar el cierre. ⚄ Varilla de metal que se introduce en un agujero realizado en alguna de las piezas que se van a unir, para impedir que se muevan. ⚅ Pieza formada por dos botones unidos que sirve para sujetar el cuello postizo de la camisa o los puños que no llevan botón.

pasaje *s. m.* ⚀ Acción de pasar de un lugar a otro: *el pasaje de esta orilla a la otra va a ser difícil.* ⚁ Calle estrecha y corta o paso entre dos calles, a veces cubierto. ⚂ Lugar por donde se pasa, en especial el que está situado entre montañas, entre dos islas o entre una isla y la tierra. ⚃ Documento o billete que da derecho a viajar en un barco o avión y que se obtiene a cambio de una cantidad determinada de dinero: *¿cuánto cuesta el pasaje?* ⚄ Conjunto de personas que viajan en un barco o avión. ⚅ Fragmento de un discurso o una obra literaria o musical que tiene cierta independencia temática: *leyó un pasaje del «Lazarillo de Tormes» para comentarlo.* ⚆ AMÉR. Boleto o billete para un viaje.

FAM pasajero.

pasajero, -ra *adj.* ⚀ Que pasa pronto o dura poco tiempo: *los analistas aseguran que esta crisis es pasajera.* ❚ *s. m. y f.* ⚁ Persona que viaja en un vehículo, en especial un barco o avión, sin conducirlo ni formar parte de la tripulación: *¡pasajeros al tren!; la azafata atiende a los pasajeros del avión.* SIN viajero.

pasamanería *s. f.* Conjunto de adornos elaborados con hilos o cordones trenzados, borlas, flecos, etc., usados en muebles, uniformes y otras cosas: *los galones, trencillas y cordones son adornos de pasamanería.*

pasamano o **pasamanos** *s. m.* Barra o listón horizontal que une por la parte superior los balaustres o barras verticales de una barandilla: *me agarré al pasamanos y bajé de prisa.* SIN barandal.

OBS Plural: pasamanos.

pasamontañas *s. m.* Gorro de lana o punto que cubre toda la cabeza hasta el cuello y deja libre la cara o los ojos y la nariz, y que se usa para protegerse del frío intenso o para no ser reconocido.

OBS Plural invariable.

P

pasante *adj.* ① Que pasa, en especial de un lugar a otro: *un tornillo pasante*. ‖ *s. com.* ② Ayudante de un abogado que trabaja con él para adquirir práctica en el oficio.
FAM pasantía.

pasaporte *s. m.* ① Documento personal que acredita la identidad y la nacionalidad de una persona y que es necesario para viajar a determinados países: *la policía de las aduanas revisa los pasaportes de los viajeros*. ② Cosa que garantiza el reconocimiento o éxito de una persona: *el primer disco fue su pasaporte al estrellato*.
dar pasaporte (I) familiar Romper el trato con una persona y echarla: *no estaba contento con la dependienta pero sabía cómo darle pasaporte*. (II) familiar Matar o asesinar a alguien.
FAM pasaportar.

pasapurés *s. m.* Utensilio de cocina para deshacer o colar alimentos que consiste en un cono o una media esfera agujereados y con un mango. **SIN** pasador.
OBS Plural invariable.

pasar *v. intr.* ① Entrar en un lugar: *como encontró la puerta abierta, pasó sin llamar*. ‖ *v. tr./intr.* ② Atravesar o cruzar un río, una carretera u otro lugar parecido: *pasaron el río con unas barcazas; los buques pasan por el canal*. ‖ *v. intr./prnl.* ③ Andar, moverse o ir por un lugar determinado: *mucha gente pasa por esta calle para ir a la estación; me pasaré por tu casa al salir de la oficina*. ‖ *v. intr.* ④ Ir de un sitio a otro determinado: *si quieres pasamos al comedor*. ‖ *v. tr.* ⑤ Dar una cosa que se tiene, se posee o está al alcance a otra persona: *por favor, pásame la sal; los jugadores se pasan el balón*. ‖ *v. tr./intr.* ⑥ Dar una nota, una información u otra cosa a alguien: *pásale el recado a Luis; aunque quisieron mantener el secreto, la noticia pasó de boca en boca*. ‖ *v. tr.* ⑦ Trasladar a alguien o algo de un lugar a otro: *pasaron los muebles al pasillo para pintar la habitación; a parte de la plantilla la han pasado al nuevo edificio*. ⑧ Introducir una cosa por el hueco de otra: *pasar el hilo por el ojo de la aguja*. ⑨ Distribuir mercancías de forma ilegal o un producto que está legalmente prohibido: *el detenido pasaba droga y artículos de contrabando*. ⑩ Deslizar una cosa por una superficie: *la madre pasaba el cepillo por el pelo de la niña; se pasó la mano por la frente*. ⑪ Colar o filtrar un líquido u otra sustancia líquida que contiene partículas gruesas: *después de triturar el tomate, lo paso por el colador para que no queden pepitas*. ⑫ familiar Hacer que un alimento llegue al estómago: *había comido tanto que ya no me pasaba nada más*. ⑬ Tolerar o consentir algo: *sus padres le pasaron muchos caprichos y por eso está malcriado; no voy a pasarle otra vez que me insulte en público*. ⑭ Superar a alguien o algo en una cualidad o característica determinada, o en cierta actividad: *en ciencias pasa a su hermano; pasa a todos sus compañeros en altura*. ⑮ Adelantar a alguien o algo que está en movimiento: *en la última vuelta pasó al campeón de pasadas ediciones y logró el título*. ⑯ Aprobar un examen o superar cualquier tipo de prueba: *el joven pasó el examen de conducir a la primera*. ‖ *v. intr.* ⑰ Cambiar de estado o condición una cosa: *tuve que pasar a limpio los apuntes; el agua pasa de líquido a sólido a partir de 0 °C*. ‖ *v. tr.* ⑱ Sufrir o padecer una situación desfavorable o una enfermedad: *pasar penalidades; acaba de pasar la gripe*. ⑲ Contagiar una enfermedad a alguien: *me ha pasado la gripe*. ‖ *v. intr.* ⑳ Acabar o terminar algo: *el mal tiempo ya ha pasado*. ㉑ Dejar de tener cierto estado de ánimo, sentimiento o sufrimiento: *¿ya te ha pasado el enfado?; ¿se le ha pasado el dolor de cabeza?* ㉒ Ocurrir o suceder algo: *¿qué pasó entre vosotros?; ven rápido, ha pasado algo muy raro*. ㉓ Estar una cosa en condiciones de ser usada: *este vestido puede pasar para

la fiesta*. ㉔ Transcurrir un tiempo determinado: *han pasado ya diez años desde que nos reunimos*. ‖ *v. tr.* ㉕ Ocupar un tiempo determinado en una actividad o estar en un lugar durante un tiempo haciendo algo: *pasar el verano en la playa*. ‖ *v. intr.* ㉖ En partidas de cartas, dominó, etc., abandonar la partida o no intervenir en ella cuando llega el turno por falta de juego. ㉗ familiar Mostrar desinterés por algo: *pasar de malos rollos; mucha gente cree que los jóvenes pasan de todo, pero no es verdad*. ㉘ Conformarse con algo, o acomodarse a una situación determinada: *paso sin abrigo; yo paso con pocas cosas*. ㉙ Venir una idea o pensamiento a la imaginación: *nadie sabe lo que le pasa por la cabeza*. ㉚ Ser tenido o considerado por la gente como lo que se expresa: *pasar por listo; con su falsa actitud monjil pasa por buena*. ‖ *v. tr.* ㉛ Proyectar una película: *en este cine solo pasan películas de acción o de aventuras*. ‖ *v. prnl.* ㉜ **pasarse** Ponerse de parte del bando contrario: *el diputado se pasó al partido de la oposición*. ㉝ Olvidar o borrarse de la memoria: *lo siento, se me pasó llamarte por teléfono*. ㉞ Estropearse o pudrirse un alimento con el tiempo: *tenemos que comernos la fruta o se pasará*. ㉟ familiar Excederse una persona en sus funciones o mostrar excesiva confianza o atrevimiento: *creo que te has pasado diciéndole todo lo que piensas*.
pasar a + infinitivo Empezar a realizar la acción que expresa el infinitivo: *después de las presentaciones, pasaron a almorzar*.
pasar las de Caín familiar Sufrir mucho.
pasarlo + adverbio Pasar el tiempo de la forma que se expresa: *pasarlo bien; lo he pasado fatal*.
pasarse de + adjetivo Tener en exceso la cualidad o propiedad que se expresa: *pasarse de listo*.
FAM pasable, pasacalle, pasada, pasadera, pasadero, pasado, pasatiempo, pase.

pasarela *s. f.* ① Puente pequeño, a menudo provisional, hecho de materiales ligeros que sirve para salvar un espacio, como una carretera o las vías del tren, o como el que se coloca entre el barco y el muelle. ② Prolongación alargada y estrecha de un escenario que queda rodeada por los espectadores y por la que los modelos desfilan o los artistas se aproximan al público.

pasatiempo *s. m.* ① Actividad que se realiza para entretenerse y pasar un rato agradable: *la natación y la lectura eran sus pasatiempos de verano*. **SIN** entretenimiento. ② Juego mental que se practica de forma individual y que consiste en resolver ciertos problemas lógicos o adivinar cosas: *los crucigramas, las sopas de letras y los jeroglíficos son pasatiempos*.

pascal *s. m.* Unidad de presión atmosférica del Sistema Internacional, de símbolo *Pa*, que equivale a la presión que ejerce la fuerza de un newton sobre la superficie de un metro cuadrado.
OBS Plural: *pascals*.

pascana *s. f.* AMÉR. SUR Lugar en que descansan los arrieros y caminantes al final de la jornada.

pascua *s. f.* ① Fiesta solemne en que la Iglesia católica celebra la resurrección de Jesucristo: *la Pascua se celebra el domingo siguiente al plenilunio posterior al 20 de marzo*. **NOTA** Se escribe normalmente con mayúscula inicial. También *pascua florida*. ② Fiesta solemne en que la Iglesia católica celebra la Navidad, la Epifanía o Pentecostés. **NOTA** Se escribe normalmente con mayúscula inicial. ③ Fiesta solemne de los hebreos, en la que celebran la libertad y el fin de la esclavitud de su pueblo en Egipto. **NOTA** Se escribe normalmente con mayúscula ini-

P

cial. **|** *s. f. pl.* **4 pascuas** Periodo que comprende de Navidad al día de Reyes. **NOTA** Se escribe normalmente con mayúscula inicial.

como unas pascuas familiar Muy alegre: *hoy empieza sus vacaciones y está como unas pascuas.*

de Pascuas a Ramos familiar De vez en cuando, con poca frecuencia: *desde que se enfadaron solo vienen por aquí de Pascuas a Ramos.*

hacer la pascua familiar Molestar o fastidiar a alguien: *deberías ayudarle en lugar de hacerle la pascua.*

santas pascuas (**I**) familiar Indica que se da por concluida una discusión. (**II**) familiar Se usa para expresar indiferencia hacia alguien o algo.

FAM pascual.

pascual *adj.* **1** Relativo a la Pascua: *cirio pascual.* **2** Se aplica al cordero que ya come pasto.

pase *s. m.* **1** Acción de pasar una cosa o una persona a otro lugar: *en el partido se vieron buenos pases de pelota.* **2** Hecho de pasar de un lugar a otro o de una categoría o estado a otro: *el brillante juego del tenista le permitió su pase a la final.* **3** Documento que permite el acceso a un lugar: *a cada periodista se le da un pase para la rueda de prensa.* **SIN** autorización, licencia. **4** Proyección de una película en el cine o en la televisión: *de esta película solo hacen tres pases al día porque es muy larga.* **SIN** sesión. **5** Desfile de modas: *pase de modelos.* **6** En tauromaquia, lance que consiste en que el torero llama al toro con la muleta y cuando este se acerca lo deja pasar por debajo del capote haciendo un quiebro de cintura. **7** AMÉR. Pasaporte.

paseante *s. com.* Persona que pasea por un lugar.

pasear *v. intr./prnl.* **1** Andar por placer o para hacer ejercicio, generalmente despacio, al aire libre y sin un destino fijo: *pasear por el parque; el enfermo se paseaba por la habitación.* **2** Ir montado en vehículo, un caballo u otro animal por placer o para hacer ejercicio: *paseamos en camello por el desierto.* **|** *v. tr.* **3** Llevar a andar a una persona, en especial a un niño o un anciano, para distraerla o para que le dé el aire. **4** Llevar a un perro a la calle para que haga ejercicio o sus necesidades: *cada día saca a pasear a su perro.* **5** Llevar por distintos sitios a una persona o una cosa de la que se está orgulloso para que todo el mundo pueda contemplarla: *paseaba su descapotable por toda la ciudad.* **6** Pasar las manos por un objeto o la vista por un lugar, deteniéndose en todos sus puntos: *paseaba su mirada por todos los rincones de la habitación; paseaba sus manos por la guitarra sin atreverse a tocarla.* **|** *v. tr./prnl.* **7** Hacer un recorrido por diversos recuerdos con la imaginación o el pensamiento: *miles de ideas se paseaban por su cabeza.*

FAM paseante, paseo.

paseíllo *s. m.* Desfile por el ruedo de los toreros y sus cuadrillas en un orden determinado antes de empezar la corrida: *la música empezó a sonar y los toreros iniciaron el paseíllo.* **SIN** paseo.

paseo *s. m.* **1** Acción de pasear o pasearse por un lugar, andando o montado en algún vehículo: *dar un paseo; el viaje incluye un paseo en camello por el desierto.* **2** Calle, parque u otro lugar público por donde se puede pasear con comodidad. **3** Distancia corta que puede recorrerse en poco tiempo: *de su casa al colegio no hay más que un paseo.* **4** Paseíllo.

a paseo familiar Se usa para rechazar a alguien o algo por enfado o disgusto: *enviar a paseo; mandar a paseo; ¡vete a paseo!* **FAM** paseíllo.

paseriforme *adj./s. m.* **1** Se aplica al ave de pequeño tamaño, alas bien desarrolladas y patas provistas de cuatro dedos, tres dirigidos hacia adelante y el pulgar hacia atrás. **|** *s. m. pl.* **2 paseriformes** Grupo taxonómico, con categoría de orden, constituido por estas aves.

pasillo *s. m.* **1** Pieza larga y estrecha dentro de una casa o de un edificio que comunica unas estancias con otras: *mi despacho está al final del pasillo.* **SIN** corredor. **2** Paso estrecho que se forma entre un conjunto de personas o cosas: *los jugadores tenían que recorrer el pasillo que habían dejado sus seguidores.* **SIN** corredor. **3** Jugada de fútbol que consiste en regatear a un adversario haciendo pasar el balón por entre sus piernas.

pasión *s. f.* **1** Sentimiento muy intenso que domina la voluntad y puede perturbar la razón, como el amor, el odio, los celos o la ira. **2** Sentimiento de amor muy intenso manifestado con gran deseo sexual. **3** Afición o inclinación viva por alguien o algo: *pasión por la lectura.* **4** Persona o cosa por las que se muestra afición o inclinación viva: *el cine es su gran pasión.* **5** Entusiasmo que se pone en algo que se hace o se defiende: *los fans aplauden a sus ídolos con pasión; discutía con excesiva pasión.* **6** Sufrimiento muy intenso, especialmente el de Jesucristo desde su detención por parte de las autoridades judías hasta su muerte en la cruz, narrado en el Evangelio: *en Semana Santa se conmemora la pasión, muerte y resurrección de Jesús.* **NOTA** Con mayúscula inicial cuando hace referencia a la pasión de Cristo. **7** Representación artística o narración del padecimiento de Jesucristo en la cruz que está inspirada en el Evangelio.

FAM pasional; apasionar.

pasional *adj.* **1** Relativo a la pasión: *arrebato pasional; crimen pasional.* **2** Se aplica a la persona que actúa dejándose llevar por los sentimientos, sin pensar en las consecuencias de sus actos.

pasionaria *s. f.* **1** Planta trepadora de tallos ramosos, hojas verdes por el haz y verde claro por el envés y divididas en varios lóbulos, flores olorosas de color morado y fruto comestible (maracuyá). **SIN** maracuyá. **2** Flor de esta planta.

pasividad *s. f.* Actitud de la persona pasiva.

pasivo, -va *adj.* **1** Que recibe o padece el efecto de una acción sin intervenir en ella: *órganos pasivos.* **2** Se aplica a la persona que no actúa cuando debería hacerlo: *ante las injusticias no podemos quedarnos pasivos.* **ANT** activo. **3** Se aplica a la pensión que recibe un funcionario por jubilación, retiro, viudedad u orfandad. **4** En gramática, se aplica a la oración formada por un verbo en voz pasiva y, explícitos o implícitos, un sujeto paciente y un complemento agente. **SIN** paciente. **ANT** activo. ■ **pasiva refleja** Construcción que expresa la voz pasiva mediante el pronombre *se* y el verbo en voz activa: *la oración "ayer se inauguró el restaurante" es una pasiva refleja.* **|** *adj./s. f.* **5** Se aplica a la voz o categoría verbal que expresa que el sujeto recibe la acción o el proceso ejecutado por otro; en español se forma con el verbo *ser* o *estar* como auxiliar seguido del participio pasado del verbo correspondiente. **ANT** activo. **|** *s. m.* **6** Conjunto de las deudas y obligaciones de una persona, empresa o institución: *hay déficit cuando el pasivo es mayor que los beneficios.*

FAM pasividad.

pasma *s. f.* familiar Cuerpo de policía.

pasmado, -da *adj./s. m. y f.* Se aplica a la persona que está embobada y no se entera de lo que se dice o se hace a su alrededor.

pasmar *v. tr.* **1** Causar pasmo o gran asombro o sorpresa.

P

2 Causar pasmo o parálisis. **|** *v. prnl.* **3 pasmarse** familiar Resfriarse.

FAM pasmado, pasmarote, pasmón.

pasmarote *s. m.* familiar Persona que se ha quedado pasmada: *no te quedes ahí como un pasmarote.*

pasmo *s. m.* **1** Asombro o sorpresa grandes que impiden a una persona hablar o reaccionar: *nos miró con ojos de pasmo cuando se enteró de la noticia.* **2** Persona, cosa o situación que causa ese asombro o sorpresa. **3** Parálisis general o de una parte del cuerpo: *del susto que me di, casi me da un pasmo.* **4** familiar Enfriamiento, resfriado.

FAM pasmar, pasmoso.

pasmoso, -sa *adj.* Que causa pasmo (asombro o sorpresa).

paso *s. m.* **1** Movimiento que se hace al caminar que consiste en levantar un pie y volver a ponerlo en el suelo, hacia adelante o hacia atrás: *dar un paso adelante.* **2** Espacio que se recorre en cada uno de estos movimientos: *desde aquí a tu mesa hay seis pasos.* **3** Acción de pasar alguien o algo por un lugar: *el público aplaudía al paso de la carroza real.* **4** Manera de moverse o de andar una persona: *paso ligero; caminar con paso firme.* **5** Manera de andar de los animales cuadrúpedos cuando lo hacen lentamente: *la pantera se acercó a la presa con pasos sigilosos.* **6** Lugar por donde se puede pasar de un lugar a otro: *no cruce las vías del tren, utilice el paso subterráneo.* ■ **paso a nivel** Lugar donde la vía del tren se cruza con un camino o carretera al mismo nivel: *han bajado las barreras del paso a nivel porque va a pasar el tren.* ■ **paso de cebra** o **paso de peatones** Lugar señalizado por donde los peatones pueden cruzar la calle con preferencia sobre los vehículos; suele señalarse mediante franjas o recuadros de pintura blanca en la calzada. **7** Señal que queda en el suelo al pisar: *sobre la arena de la playa se veían los pasos de dos personas.* **NOTA** Más en plural. **SIN** huella, pisada. **8** Movimiento con los pies de los que componen una danza o baile: *el bailarín ensayaba unos pasos de la coreografía delante del espejo.* **9** Avance que realiza un aparato al medir o contar una cantidad determinada y que se registra con números: *en el recibo del teléfono se detallan los pasos de cada llamada.* **10** Progreso o avance en una actividad o ámbito: *ese descubrimiento fue un gran paso para la ciencia.* **11** Gestión, trámite o cosa que es necesario para conseguir algo: *he hecho los pasos necesarios para que te den el permiso.* **NOTA** Más en plural. **12** Suceso importante o significativo en la vida de una persona: *elegir una carrera es un paso difícil para el estudiante.* **13** Escultura o grupo escultórico que representa una escena de la Pasión de Jesucristo y que se pasea por la calle en las procesiones de Semana Santa: *la gente caminaba en silencio detrás del paso de la Última Cena.* **14** Pieza teatral muy breve de carácter cómico o satírico, con lenguaje a veces castizo, que se intercalaba en obras dramáticas para alargar la representación; es propio del Siglo de Oro. **15** Tránsito de las aves de un lugar a otro para invernar. **16** Distancia entre dos vueltas de la rosca de un tornillo. **|** *s. m. pl.* **17 pasos** En baloncesto y balonmano, falta que comete el jugador que lleva la pelota al dar más de un número determinado de pasos sin botarla.

a cada paso Con frecuencia o de forma repetida: *estaba harto de encontrarse errores a cada paso.*

a (o con) ese paso De ese modo: *a ese paso no vais a acabar nunca.*

a paso de tortuga Muy lentamente: *si vas a paso de tortuga, no llegarás a tiempo.*

a pocos pasos Muy cerca: *a pocos pasos de mí estaba el presidente.*

abrir paso Eliminar los obstáculos para poder pasar por un lugar: *un policía iba delante abriendo paso entre la muchedumbre.*

abrirse paso Tener éxito en la vida: *sus comienzos fueron duros pero se abrió paso gracias a su tesón.*

ceder el paso Dejar pasar a una persona por cortesía.

dar paso Permitir que una persona actúe, hable, interprete, etc., o que una cosa funcione o se realice: *a continuación daremos paso a las imágenes.*

dar un paso en falso o **dar un mal paso** Tomar una decisión equivocada.

de paso (**I**) Ir de camino o estar en un sitio provisionalmente: *estábamos de paso por Sevilla cuando nos lo encontramos.* (**II**) Aprovechando la oportunidad o situación: *si vas a la cocina, de paso me traes un vaso de agua, por favor.* (**III**) Sin prestar atención en lo que hace, de manera superficial. **SIN** de pasada.

no poder (o **no saber**) **dar un paso** Necesitar mucho la ayuda de una persona o una cosa: *no sabe dar un paso sin consultar.*

paso a paso Con lentitud: *fue ascendiendo paso a paso.*

paso del Ecuador (**I**) Fiesta que se organiza en un barco cuando se pasa el Ecuador (círculo terrestre). (**II**) Fiesta o viaje que organizan los estudiantes universitarios que se encuentran en la mitad de la carrera.

salir al paso Darse alguien por enterado de algo e impugnar su veracidad o fundamento.

salir del paso Hacer algo solamente para cumplir con una necesidad o una obligación, pero sin poner interés, cuidado o atención.

seguir los pasos (**I**) Vigilar a una persona: *dos policías me siguieron los pasos durante un rato.* (**II**) Tener la misma profesión que otra persona con la que se ha convivido: *los tres hijos siguieron los pasos artísticos de sus padres.*

FAM pasar, pasear, pasodoble; marcapasos.

pasodoble *s. m.* **1** Baile español de ritmo rápido y vivo y carácter semejante a la marcha, que se baila en pareja. **2** Composición musical de ritmo binario y marcado con la que se acompaña este baile.

pasota *adj./s. com.* familiar Se aplica a la persona que muestra indiferencia o desinterés por todo.

FAM pasotismo.

pasotismo *s. m.* Actitud de desinterés e indiferencia por todo.

paspartú *s. m.* Recuadro de cartón o de tela que se coloca alrededor de un objeto, por la parte interior del marco, para que resalte más.

OBS Plural: *paspartús.* Puede encontrarse la grafía francesa *passe-partout.*

pasquín *s. m.* Escrito anónimo de contenido satírico o crítico que se coloca en un lugar público.

pasta *s. f.* **1** Masa consistente y maleable compuesta de una mezcla de sustancias sólidas, machacadas o pulverizadas y sustancias líquidas: *pasta de almendra; la pasta de dientes se usa para la higiene bucal.* **2** Masa elaborada con harina, manteca o aceite y otros ingredientes que se utiliza para hacer pasteles, hojaldre, empanadas, etc.: *¿sabes qué cantidad de levadura hay que poner a la pasta?* **3** Pieza pequeña de pastelería o de bollería hecha con una masa de harina, azúcar, leche y otros ingredientes y generalmente cocida al horno: *para merendar*

es más recomendable un buen bocadillo que una pasta. ④ Masa no fermentada de harina de trigo y agua que se deja secar, con la que se elaboran macarrones, fideos, espaguetis, etc. ⑤ Producto elaborado con esa masa, que tiene distintas formas y a veces lleva otros ingredientes; para consumirlo se cuece en agua o en caldo. NOTA También *pasta alimenticia* o *pasta italiana.* ⑥ Encuadernación de los libros, hecha de cartón. ⑦ Material duro y resistente hecho de papel o cartón machacado: *utilizó platos y vasos de pasta.* ⑧ familiar Dinero. ■ **pasta gansa** familiar Cantidad grande de dinero: *le ha tocado pasta gansa en la lotería.* ⑨ familiar Carácter o modo de ser de una persona.
FAM pastiche, pastoso; empastar.

pastar *v. intr.* Comer el ganado pasto en el campo para alimentarse. SIN pacer.

pastel *s. m.* ① Dulce elaborado con una masa de harina, azúcar, aceite o mantequilla cocida al horno, que se rellena o se cubre de chocolate, crema, nata, frutas u otros ingredientes: *pastel de bodas; pastel de cumpleaños.* ② Alimento consistente en una masa de harina, huevos y mantequilla que se rellena de carne, pescado o verduras y se cuece en el horno en un molde. ③ Lápiz o barra de color aglutinado con una pasta acuosa de caolín, carbonato cálcico, yeso o goma arábiga, que se usa para pintar. ④ Técnica de pintura que emplea estos lápices sobre un papel rugoso y áspero. ⑤ Obra pictórica hecha con esta técnica. | *adj.* ⑥ Se aplica al color o el tono que es suave y pálido: *azul pastel; su casa está decorada en tonos pastel.* NOTA Invariable en número. | *s. m.* ⑦ familiar Dinero u otro beneficio que se reparten las personas que han intervenido en un negocio. ⑧ familiar Asunto ilegal o que se pretende mantener oculto: *la prensa descubrió el pastel.*
FAM pastelero.

pastelería *s. f.* ① Establecimiento donde se elaboran y venden dulces, como pasteles, pastas y bombones. SIN confitería. ② Técnica de elaborar pasteles, pastas y otros dulces. ③ Conjunto de pasteles, pastas y otros dulces.

pastelero, -ra *s. m. y f.* ① Persona que tiene por oficio elaborar y vender dulces, como pasteles, pastas y bombones. SIN confitero. | *adj.* ② Relativo a la pastelería: *crema pastelera.* ③ Se aplica a la persona que se acomoda excesivamente a las circunstancias y nunca considera nada injusto.
FAM pastelería.

pasterización *s. f.* Pasteurización.

pasterizado, -da *adj.* Pasteurizado.

pasterizar *v. tr.* Pasteurizar.

pasteurización [también **pasterización**] *s. f.* Procedimiento que consiste pasteurizar un alimento.

pasteurizado, -da [también **pasterizado, -da**] *adj.* Se aplica al alimento, generalmente líquido, que ha sido sometido a la pasteurización: *leche pasteurizada.*

pasteurizar [también **pasterizar**] *v. tr.* Someter un alimento, generalmente líquido, a una temperatura aproximada de 80 grados durante unos segundos y después enfriarla rápidamente, con el fin de destruir los gérmenes y prolongar su conservación.
FAM pasteurización, pasteurizado.

pastiche *s. m.* ① despectivo Imitación que consiste en tomar diversos elementos y combinarlos de manera que el resultado parezca una creación original. ② Mezcla desordenada de distintos objetos, colores o ideas.

pastilla *s. f.* ① Pequeña porción de alguna sustancia dura o endurecida y de forma cuadrada o redonda: *pastilla de chocolate; pastilla de jabón; si tienes tos, tómate una pastilla de regaliz.* ② Porción pequeña y sólida de una sustancia medicinal, de forma generalmente redonda, que se puede tragar con facilidad o bien disolverse en agua. SIN comprimido. ③ Pieza pequeña de forma cuadrada y plana de un mecanismo o aparato: *el mecánico dice que tengo las pastillas de freno gastadas.*
a toda pastilla (I) familiar Muy rápido o a gran velocidad. (II) Con mucha intensidad: *el volumen de la radio estaba a toda pastilla.*

pastizal *s. m.* Terreno donde abunda el pasto.

pasto *s. m.* ① Hierba que come el ganado en el campo. ② Terreno en el que hay pasto: *en el norte de España están los mejores pastos.* ③ Alimento para los animales: *la alfalfa y las algarrobas forman parte del pasto del ganado.* ④ Alimento para el espíritu de los creyentes: *pasto espiritual.* ⑤ Materia o cosa que se destruye o se consume por una acción o actividad: *cada verano los bosques son pasto de las llamas.*
a (todo) pasto familiar En abundancia.
FAM pastar, pastizal, pastor.

pastor, -ra *s. m. y f.* ① Persona que se dedica a cuidar, guiar y apacentar el ganado: *pastor de ovejas; pastor de vacas.* | *adj.* ② Se aplica al perro que está adiestrado para ayudar al pastor en el cuidado del rebaño. | *adj./s. com.* ③ Se aplica al perro que pertenece a una raza que está dotada para esta función o que la realizó antiguamente: *pastor escocés; pastor de los Pirineos.* ■ **pastor alemán** Perro de cuerpo robusto, pelaje espeso, patas traseras más cortas que las delanteras y pelo de color pardo con zonas negras en el lomo y otras partes; tiene gran capacidad de aprendizaje y es muy común como animal de compañía. | *s. m.* ④ Sacerdote cristiano en cuanto cuidador y guía de sus fieles. ⑤ Sacerdote de una Iglesia reformada: *pastor anglicano; pastor protestante.*
FAM pastoral, pastorear, pastorela, pastoril.

pastoral *adj./s. f.* ① Se aplica a la composición literaria o musical cuyo tema es la vida de los pastores. | *adj.* ② Relativo al pastor o sacerdote: *visita pastoral; labor pastoral.* | *adj./ s. f.* ③ Se aplica a la carta o el escrito que dirige un pastor a sus fieles para instruirlos o guiarlos en materia de fe: *en su última pastoral, el obispo exhortaba a los cristianos a valorar la familia.* | *s. f.* ④ Actividad evangelizadora del pastor.

pastorear *v. tr.* Llevar el ganado al campo y cuidar de él mientras pace: *pastoreaba ovejas en la dehesa.*
FAM pastoreo.

pastoreo *s. m.* Actividad de pastorear el ganado: *cada vez son menos las personas que se dedican al pastoreo.*

pastoril *adj.* ① Relativo a los pastores de ganado: *vida pastoril; nomadismo pastoril.* ② Se aplica al género literario que trata de la vida plácida y feliz de unos pastores idealizados y de sus relaciones amorosas. ③ Se aplica a la obra literaria que pertenece a este género: *Cervantes escribió la novela pastoril «La Galatea».*

pastoso, -sa[1] *adj.* ① Que tiene la blandura y maleabilidad propias de la pasta: *la pomada es una masa pastosa; consistencia pastosa.* ② Se aplica a la boca o a la lengua que están llenas de saliva espesa y pegajosa: *si tienes la boca pastosa, bebe un poco de agua.* ③ Se aplica a la voz timbrada y agradable.
FAM pastosidad.

pastoso, -sa[2] *adj.* AMÉR. Se aplica al campo de buenos pastos.

pata *s. f.* **1** Pie o pierna de un animal: *el perro se hirió en una pata.* **2** Pieza de un mueble u otro objeto que sirve para que se apoye en el suelo o en otra superficie: *la silla está coja porque una de las patas está rota.* **3** familiar Pierna de una persona. **4** Parte baja de la pernera de un pantalón: *pantalones de pata ancha.*

a cuatro patas Se aplica a la manera de andar apoyándose en el suelo con las manos y los pies o las rodillas: *se le había caído una lentilla y recorría la habitación a cuatro patas.*

a la pata coja Se aplica a la manera de andar dando saltos sobre un solo pie mientras se levanta el otro.

a la pata la llana familiar Sin cumplidos o con gran sencillez: *no se puede tratar a todo el mundo a la pata la llana.*

a pata familiar Andando, sin usar ningún medio de transporte.

estirar la pata familiar Morirse.

mala pata familiar Mala suerte: *ha tenido muy mala pata para los negocios.*

meter la pata familiar Cometer un error o decir o hacer algo inoportuno o inconveniente: *metió la pata al hacer la operación final y suspendió el examen.*

pata de gallo Tejido con un dibujo cuadrangular cruzado que recuerda las huellas de un gallo.

patas arriba (I) familiar Del revés, con la parte superior debajo y la inferior encima: *el coche se salió de la carretera y quedó patas arriba.* (II) Se aplica al lugar que está muy desordenado: *el niño estuvo jugando con unos amigos y la habitación quedó patas arriba.*

patas de gallo Arrugas que se forman en la comisura de los ojos.

poner (o dejar) de patas (o patitas) en la calle familiar Echar a alguien del trabajo o de un lugar, especialmente por la fuerza o de mala manera.

FAM patada, patalear, patán, patear; despatarrar, espatarrar, metepatas.

patada *s. f.* **1** Golpe que una persona da con el pie: *pegar patadas al balón.* **2** familiar Gestiones que hay que hacer para solucionar algo: *lograrlo me ha costado muchas patadas.*

a patadas (I) familiar En abundancia o exceso: *en aquel río había truchas a patadas.* (II) familiar Con gran desconsideración: *nos han tratado a patadas.*

dar cien patadas familiar Desagradar o disgustar mucho una cosa: *le da cien patadas tener que levantarse tan pronto.*

dar la patada familiar Despedir a una persona de su trabajo.

darse (de) patadas familiar Ser dos personas o dos cosas totalmente opuestas: *esa combinación de colores se da de patadas.*

en dos patadas familiar Con facilidad, sin esfuerzo, rápidamente: *en dos patadas acabamos el trabajo.*

patalear *v. intr.* **1** Mover las piernas o las patas repetidamente y con fuerza. **2** Dar patadas en el suelo, con fuerza y repetidamente, en señal de enfado o disgusto: *la cría empezó a llorar y a patalear.* SIN patear.

FAM pataleo, pataleta.

pataleo *s. m.* **1** Sucesión de golpes que se dan con los pies en el suelo de forma violenta, especialmente a causa de enfado, desagrado o dolor. SIN pateo. **2** familiar Queja o enfado grandes: *aunque sea ya inútil, nadie me quitará el derecho al pataleo.*

pataleta *s. f.* familiar Manifestación violenta y de poca duración de un disgusto o enfado producido generalmente por una pequeña contrariedad. SIN rabieta.

patán *adj./s. m.* **1** familiar Se aplica al hombre que se comporta de manera poco educada y grosera: *parecía un caballero,* pero en la mesa era un auténtico patán. **‖** *s. m.* **2** Hombre que vive y trabaja en el campo.

patata *s. f.* **1** Planta herbácea de tallos ramosos, hojas ovaladas, flores blancas o moradas y fruto en baya carnosa, amarillenta, con muchas semillas blanquecinas; las raíces son fibrosas y en sus extremos llevan gruesos tubérculos que son comestibles. **2** Tubérculo de esta planta, de forma redonda o alargada y de color marrón por fuera y blanco o amarillento por dentro. **3** familiar Cosa mal hecha o de mala calidad.

ni patata familiar Nada: *cuando habla no se le entiende ni patata.*

patata caliente familiar Asunto complicado que se pasa de una persona a otra por no saber o no poder solucionarlo.

FAM patatal, patatero.

patatal *s. m.* Terreno plantado de patatas.

patatín Se usa en la expresión:

que si patatín, que si patatán familiar Se usa para referirse a las palabras de otra persona o para resumir sus excusas dando a entender que ni unas ni otras merecen todo el crédito que se les supone.

patatús *s. m.* familiar Impresión muy fuerte o ataque de nervios: *del disgusto, casi le da un patatús.* SIN soponcio.

patchwork [se pronuncia aproximadamente 'páchguor'] *s. m.* Tejido hecho por la unión de pequeñas piezas de tela cosidas por los bordes entre sí, con el cual se confeccionan colchas, tapices, etc.

paté *s. m.* Pasta comestible hecha de carne o hígado picados y condimentados, especialmente de oca, pato, cerdo o pescado.

patear *v. tr.* **1** Dar golpes con los pies a alguien o algo. **‖** *v. intr.* **2** familiar Dar patadas en el suelo, con fuerza y repetidamente, en señal de enfado o disgusto: *el público pateó durante gran parte de la representación.* SIN patalear. **‖** *v. tr.* **3** familiar Tratar a una persona o cosa sin delicadeza o de forma desconsiderada. **‖** *v. tr./intr.* **4** familiar Ir de un sitio a otro andando para realizar alguna gestión o conseguir algo: *he pateado todas las tiendas de la ciudad buscando unos zapatos.* **‖** *v. tr.* **5** Manifestar impotencia, dolor o enfado golpeando el suelo con los pies. **‖** *v. intr.* **6** ARG., CHILE, PAR., URUG. Sentar mal un alimento a una persona: *el ajo me patea al estómago.* **7** ARG., CHILE, PAR., URUG. Molestar la conducta de una persona a alguien: *me pateó que me dijera que soy egoísta.* **‖** *v. prnl. tr.* **8** **patearse** familiar Gastarse una persona gran cantidad de dinero: *en una noche se pateó todo el sueldo.*

FAM pateo.

patena *s. f.* Plato pequeño de oro u otro metal en el que se coloca la hostia durante la misa: *el sacerdote limpia la patena antes de terminar la misa.*

limpio como una patena o **más limpio que una patena** Muy limpio o reluciente: *tenía el coche limpio como una patena.*

patentar *v. tr.* Hacer que un invento quede registrado oficialmente a nombre de su inventor: *el industrial quiere patentar un nuevo modelo de lavadora.*

FAM patentado, patentizar.

patente *adj.* **1** Que se percibe con claridad o sin necesidad de razonamientos o explicaciones: *esta novela refleja la realidad de modo patente.* SIN claro, evidente, manifiesto. **‖** *s. f.* **2** Documento oficial en el que se reconoce la propiedad sobre un invento y que permite la exclusividad en su fabricación y venta durante un tiempo determinado. **3** Documento en el que se acredita una condición, mérito o autorización

para hacer una cosa. ■ **patente de corso** (I) Autorización para hacer una cosa que está prohibida a los demás. (II) Autorización que un gobierno otorgaba a su flota para practicar la piratería en caso de guerra. ■ **patente de navegación** Documento que autoriza la bandera de un buque y su navegación y acredita su nacionalidad.
FAM patentar, patentizar.

pateo *s. m.* Pataleo.

patera *s. f.* Embarcación elemental de quilla plana y poco calado, que se usa para pescar en aguas poco profundas.

paternal *adj.* Que es propio del afecto o solicitud de los padres: *consejos paternales; actitud paternal.*
FAM paternalismo.

paternalismo *s. m.* Actitud de la persona paternal.
FAM paternalista.

paternalista *adj./s. com.* Se aplica a la persona que muestra una actitud paternal.

paternidad *s. f.* ① Condición o circunstancia de ser padre: *el hombre se encontraba muy nervioso por su nueva paternidad.* ② Condición de ser el autor o creador de una cosa: *un científico quiso atribuirse la paternidad de la fórmula.*

paterno, -na *adj.* Relativo al padre o a los padres: *apellido paterno; no le queda familia por línea paterna.*
FAM paternal, paternidad.

patesi *s. m.* Título de los antiguos reyes de Sumer y Assur.

patético, -ca *adj.* ① Que causa una gran impresión y mueve a compasión: *un patético gesto de dolor; escribió un relato patético en el que describía sus experiencias en la cárcel.* ‖ *adj./s. m.* ② Se aplica al nervio que mueve el músculo oblicuo mayor del ojo.
FAM patetismo.

patetismo *s. m.* Cualidad de lo que es o resulta patético: *imágenes llenas de patetismo.*
FAM patético.

patíbulo *s. m.* Lugar, generalmente alto, en el que se ejecuta a los condenados a muerte.
FAM patibulario.

patidifuso, -sa *adj.* familiar Sorprendido o extrañado por algo extraordinario o inesperado: *la noticia de su boda nos dejó a todos patidifusos.* SIN patitieso.

patilla *s. f.* ① Franja de pelo que crece delante de las orejas; a veces los hombres se la dejan crecer hasta la mandíbula donde se prolonga hasta unirse con la barba. ② Varilla lateral de la armazón de las gafas, generalmente curvada en el extremo, por donde se sujetan a las orejas. ③ Pieza o parte saliente de una cosa por donde se sujeta o encaja a otra: *la patilla de una hebilla; las patillas de los tablones.* ④ COL., P. RICO, R. DOM., VENEZ. Sandía (planta y fruto).

patín *s. m.* ① Aparato deportivo o de entretenimiento que consiste en una plataforma ajustable a la suela del calzado o a una bota con esta plataforma adherida, montada sobre ruedas o sobre una hoja de metal con filo, según sea para deslizarse sobre una superficie dura y lisa o sobre hielo. ■ **patín en línea** Patín que tiene las ruedas dispuestas en línea recta y con el freno en la parte posterior de la bota. ② Patinete. ③ Embarcación de recreo que está constituida por dos flotadores paralelos unidos con dos o más travesaños y se mueve impulsada por una vela o mediante un sistema de paletas movidas por pedales.
FAM patinar, patinete; monopatín.

pátina *s. f.* ① Capa fina de óxido de color pardo o verdoso que se forma en el bronce y en otros metales a causa de la humedad. ② Debilitamiento del color que produce el paso del tiempo en algunos objetos, especialmente en las pinturas al óleo, o que se obtiene artificialmente como adorno. ③ Distinción u otra cualidad que adquiere alguien o algo con el tiempo.

patinador, -ra *s. m. y f.* Persona que practica el patinaje, en especial si se dedica a ello profesionalmente.

patinaje *s. m.* Deporte que consiste en deslizarse con patines sobre el hielo u otra superficie dura y lisa.

patinar *v. intr.* ① Deslizarse con patines sobre el hielo u otra superficie dura y lisa: *está aprendiendo a patinar y pierde el equilibrio con frecuencia.* ② Escurrirse o deslizarse una persona o una cosa sobre una superficie dura y lisa: *el coche patinó por culpa del hielo.* ③ Estar una superficie resbaladiza: *el suelo encerado patina.* ④ familiar Cometer una equivocación o una falta de discreción.
FAM patinador, patinaje, patinazo.

patinazo *s. m.* ① Acción de patinar bruscamente sobre una superficie lisa y resbaladiza. ② familiar Equivocación o indiscreción.

patinete *s. m.* Aparato de entretenimiento para deslizarse por superficies duras y lisas que consiste en una plataforma alargada montada sobre dos o cuatro ruedas y provista de una barra y un manillar en el que se apoyan las manos; para montar en él, se coloca un pie sobre la plataforma impulsándose desde el suelo con el otro pie. SIN patín.

patio *s. m.* ① Espacio descubierto, o cubierto por cristales, en el interior de un edificio: *los niños salieron al patio del colegio para jugar.* ■ **patio de armas** Patio descubierto destinado a la formación de los soldados o al cambio de guardia. ■ **patio de luces** Patio al que dan las ventanas de un edificio. **cómo está el patio** familiar Se usa para indicar una situación de nervios o de enfado de un grupo de personas: *¡hay que ver cómo estaba el patio ayer en la oficina!, nadie habló en todo el día.*
patio de butacas Planta baja de un cine o un teatro en la que las butacas están dispuestas en filas frente al escenario. SIN platea.

patitieso, -sa *adj.* ① familiar Sorprendido o extrañado por algo extraordinario o inesperado: *la noticia de tu despido me dejó patitieso.* SIN patidifuso. ② familiar Que tiene las piernas o las patas inmovilizadas o paralizadas.

patituerto, -ta *adj.* Que tiene torcidas las piernas o las patas: *la mula era ya vieja y patituerta.*

patizambo, -ba *adj./s. m. y f.* Se aplica a la persona que tiene las piernas torcidas de modo que se le juntan a la altura de las rodillas y se le separan hacia los pies.

pato, -ta *s. m. y f.* ① Ave acuática de pico ancho y aplanado, cuello corto y patas cortas cuyos dedos están unidos por una membrana que les permite nadar. SIN ánade. ‖ *s. m.* ② familiar Persona sosa o de movimientos torpes. ③ ARG. Deporte en el que dos equipos de cuatro jugadores intentan introducir en un aro una pelota de seis asas. ④ ARG. Pelota usada en este deporte. ⑤ familiar COL., CUBA, MÉX. Orinal que suelen usar los hombres enfermos cuando no se pueden levantar de la cama. ⑥ familiar CUBA, P. RICO, VENEZ. Hombre afeminado. ‖ *adj.* ⑦ familiar ARG., CHILE, PAR., URUG. Se aplica a la persona que está sin dinero. ⑧ CHILE Se aplica a la persona que está muy mal de salud o de ánimos.

P

pagar el pato familiar Cargar con una culpa o un castigo sin merecerlos: *en esos casos, casi siempre acaba pagando el pato un inocente.*

patos malos CHILE Pandilla de jóvenes gamberros que deambulan por la vía pública con actitud provocativa.

ser el pato de la boda familiar ARG. Ser la persona a quien se le atribuyen culpas o responsabilidades ajenas.

patochada *s. f.* familiar Dicho o acción inoportunos o disparatados: *no le hagas caso, solo ha sido una patochada de las suyas.* SIN disparate, tontería.

patógeno, -na *adj.* Que produce una enfermedad: *germen patógeno.*

patología *s. f.* ❶ Parte de la medicina que estudia la naturaleza de las enfermedades, especialmente de los cambios estructurales y funcionales de los tejidos y órganos que las causan. ❷ Conjunto de enfermedades de una persona. FAM patológico, patólogo.

patológico, -ca *adj.* ❶ Relativo a la patología. ❷ Que indica enfermedad: *síntoma patológico.*

patólogo, -ga *s. com.* Médico especialista en patología.

patoso, -sa *adj./s. m. y f.* ❶ Se aplica a la persona que es torpe, especialmente la que al andar tropieza o resbala con facilidad. ❷ Se aplica a la persona que presume de chistosa o aguda sin serlo.

patraña *s. f.* Mentira complicada que se explica a alguien: *descubrieron que la noticia era una patraña.*

patria *s. f.* ❶ Lugar o país en el que una persona ha nacido o al que se siente vinculada por razones legales, históricas o sentimentales: *aunque nací en Brasil, mi patria es Portugal porque es donde me he criado.* ■ **patria chica** Pueblo, ciudad o región en la que se ha nacido: *Alcalá de Henares es la patria chica de Cervantes.* ❷ Lugar o comunidad con la que una persona se siente identificada por razones afectivas: *el mundo entero es su patria.* ❸ En la religión cristiana, Cielo. FAM patrio, patriota; apátrida, expatriar, repatriar.

patriarca *s. m.* ❶ Personaje del Antiguo Testamento que fue jefe o cabeza de una numerosa familia o descendencia: *Abraham, Isaac y Jacob fueron grandes patriarcas.* ❷ Hombre que por su edad y sabiduría posee autoridad y es el más respetada en una gran familia o comunidad. ❸ Título de dignidad concedido a algunos obispos, sobre todo de la Iglesia ortodoxa. ❹ Fundador de una orden religiosa. FAM patriarcado, patriarcal.

patriarcado *s. m.* ❶ Predominio o mayor autoridad del hombre en una sociedad o grupo social: *el patriarcado fue un sistema de organización social primitiva.* ❷ Dignidad de patriarca de la Iglesia ortodoxa: *por encima del patriarcado de Constantinopla se reconocía el primado de Roma, pero solo en sentido honorífico.* ❸ Territorio sobre el que ejerce su autoridad el patriarca. ❹ Tiempo que dura un patriarca.

patriarcal *adj.* ❶ Relativo al patriarca o al patriarcado: *organización patriarcal.* ❷ Se aplica a la autoridad o el gobierno que se ejerce con sencillez y sin dureza.

patricio, -cia *adj./s. m. y f.* ❶ Se aplica a la persona que pertenecía en la antigua Roma a la clase social con más privilegios, descendiente de los primeros senadores romanos, y que ejercía cargos importantes en la política y la religión: *la toga de los patricios estaba ribeteada de color púrpura.* ❙ *adj.* ❷ Relativo a los patricios. ❙ *s. m. y f.* ❸ culto Persona que sobresale entre sus conciudadanos por su nobleza o distinción.

patrimonial *adj.* ❶ Relativo al patrimonio: *derecho patrimonial.* ❷ Que pertenece a una persona por razón de su patria, padre o antepasados: *bienes patrimoniales.* ❸ Se aplica a la palabra procedente de un étimo de la lengua originaria, que está en la lengua desde los orígenes y que ha seguido las leyes fonéticas de evolución regulares de esa lengua: *"cabeza" es una voz patrimonial del castellano que procede del latín "capitia".*

patrimonio *s. m.* ❶ Conjunto de bienes que una persona adquiere por herencia familiar: *su patrimonio se calcula en millones de euros.* ❷ Conjunto de bienes que posee una persona o institución y que son susceptibles de estimación económica: *el patrimonio histórico-artístico de un país.* ❸ Cosa material o inmaterial que es propia de algo o de alguien: *las tradiciones forman parte de nuestro patrimonio cultural.* FAM patrimonial.

patrio, -tria *adj.* ❶ culto Relativo a la patria: *glorias patrias; amor patrio.* ❷ Se aplica a la potestad que los padres tienen sobre los hijos que viven con ellos. NOTA En esta acepción, va antepuesto al sustantivo.

patriota *adj./s. com.* Se aplica a la persona que ama a su patria y procura su prosperidad. ANT antipatriota. FAM patriótico, patriotero, patriotismo; compatriota.

patriotero, -ra *adj./s. m. y f.* ❶ familiar Se aplica a la persona que muestra un patriotismo exagerado y superficial. ❙ *adj.* ❷ Que denota un patriotismo exagerado y superficial: *discurso patriotero.* FAM patriotería.

patriótico, -ca *adj.* Relativo a la patria: *la bandera es un símbolo patriótico.* FAM antipatriótico.

patriotismo *s. m.* Amor a la patria.

patrocinador, -ra *adj./s. m. y f.* Se aplica a la persona o entidad que paga los gastos de una actividad determinada, generalmente con fines publicitarios.

patrocinar *v. tr.* ❶ Pagar una entidad los gastos de una actividad deportiva o cultural a cambio de publicidad: *una cadena de productos alimenticios patrocina esa serie de televisión.* ❷ Ayudar a proteger a una persona o promover un proyecto o idea. SIN auspiciar. FAM patrocinador.

patrocinio *s. m.* Acción de patrocinar: *pudo estudiar en un conservatorio de Viena gracias al patrocinio de la escuela de música en que había iniciado su carrera; el patrocinio del concurso de pintura corre a cargo de un centro comercial.* SIN patronato. FAM patrocinar.

patrón, -trona *s. m. y f.* ❶ Persona que emplea obreros o trabajadores en su propiedad o negocio, generalmente para realizar algún trabajo manual. SIN patrono. ❷ Jefe respecto de sus obreros o trabajadores. ❸ Persona que es propietaria de una pensión, casa de huéspedes o establecimiento similar, respecto de la persona que se aloja u hospeda en ellos: *la patrona pedía a los huéspedes el pago de la habitación por adelantado.* ❹ Defensor o protector de alguien o algo. NOTA Frecuentemente usado de forma irónica: *ya salió el patrón de los desamparados.* SIN patrono. ❺ Persona que manda y dirige una embarcación pequeña. ❙ *s. m. y f.* ❻ Santo que una localidad, congregación o cofradía elige como protector, o al cual está dedicada una iglesia, capilla, etc. SIN patrono. ❙ *s. m.* ❼ Modelo de papel, cartón o tela según el cual se corta un material determinado: *la modista hace primero el pa-*

P

trón y luego corta la tela. **8** Unidad que se toma como referencia para determinar el valor de la moneda de un país: *patrón oro.* **9** Objeto, proceso o procedimiento que sirve para definir la unidad de una magnitud física: *durante muchos siglos se ha usado como patrón para la medida del tiempo la rotación de la Tierra sobre su eje.* **10** Conjunto de elementos que forman un unidad diferenciada y que se repiten a lo largo del tiempo, por lo que pueden tomarse como modelo o punto de referencia: *un patrón de comportamiento; el compositor usa un patrón rítmico que va repitiendo durante la pieza, pero cambiando la melodía.*

cortado por el mismo patrón Se usa para resaltar el parecido entre dos o más personas o cosas: *no se puede negar que son padre e hijo, están cortados por el mismo patrón.*

FAM patronal, patronato, patronazgo.

patronal *adj.* **1** Relativo al patrono (propietario). **2** Relativo al patrón de una localidad, congregación, iglesia, etc. **‖** *s. f.* **3** Conjunto de patronos o propietarios que actúa colectivamente para defender sus intereses frente a los obreros y el gobierno.

patronato *s. m.* **1** Sociedad u organización dedicada a fines benéficos: *el patronato donó una cantidad importante para construir un hospital.* **2** Junta que dirige o vigila los asuntos de un organismo social o cultural para que cumpla sus fines: *el director del patronato fue elegido por votación.* **3** Patronazgo.

patronazgo *s. m.* Protección o ayuda prestadas a alguien para realizar un proyecto: *el convento fue fundado con el patronazgo de los condes.* **SIN** patronato.

patronímico, -ca *adj./s. m.* Se aplica al apellido que se ha formado por derivación del nombre del padre o de un antecesor: *los patronímicos españoles suelen terminar en "-ez", como "Fernández", "Pérez" o "López".*

patrono, -na *s. m. y f.* **1** Persona que emplea obreros o trabajadores en su propiedad o negocio, generalmente para realizar algún trabajo manual. **SIN** patrón. **2** Santo que una localidad, congregación o cofradía elige como protector, o al cual está dedicada una iglesia, capilla, etc.: *la Virgen del Pilar es la patrona de España.* **SIN** patrón. **3** Defensor o protector de alguien o algo. **SIN** patrón.

FAM patrón, patronear.

patrulla *s. f.* **1** Grupo pequeño de soldados o personas armadas que vigilan una zona o están encargadas de realizar una misión militar: *una patrulla de la guardia civil llegó rápidamente al lugar del accidente.* **2** Conjunto de barcos o aviones utilizados en la defensa o vigilancia de una zona: *la patrulla costera persiguió la lancha en que huían los contrabandistas.* **3** ARG., CHILE, CUBA, MÉX., PAR., URUG. Automóvil en el que patrullan los policías.

patrullar *v. tr./intr.* Circular una patrulla por un lugar para vigilarlo, mantener el orden o llevar a cabo una misión militar. **FAM** patrulla, patrullero.

patrullero, -ra *adj./s. m.* **1** Se aplica a la persona, el barco o el automóvil que está destinado a patrullar. **‖** *adj./s. f.* **2** Se aplica a la lancha que está destinada a patrullar por un lugar. **‖** *s. m.* **3** ARG., CUBA, ECUAD., URUG. Patrulla (automóvil). **4** PERÚ Agente de policía de carretera.

patuco *s. m.* Calzado hecho de punto o de tela y normalmente en forma de bota, en especial el que se pone a los bebés que no andan. **SIN** peúco.

patulea *s. f.* familiar Conjunto grande y desordenado de personas, en especial de niños, que arman mucho jaleo o alboroto.

patuleco, -ca *adj.* familiar AMÉR. Se aplica a la persona que tiene las piernas o los pies torcidos y camina bamboleándose como los patos.

paulatino, -na *adj.* Que se produce o se realiza de forma lenta o gradual: *la reforma se realizó de forma paulatina.* **FAM** paulatinamente.

paupérrimo, -ma *adj.* culto Superlativo de *pobre.*

pausa *s. f.* **1** Interrupción breve de una acción o movimiento: *el conferenciante hizo una pausa en el discurso; vamos a hacer una pausa para comer.* **2** Lentitud al hacer una cosa o al moverse. **SIN** calma, parsimonia. **3** Silencio en la emisión de la cadena hablada que tiene una duración variable y marca el final de un grupo fónico o de una oración, delimitando así unidades sintácticas o de sentido. **4** Signo ortográfico, como la coma, el punto y coma o el punto, que sirve para indicar este silencio. **5** En música, intervalo en que se deja de tocar o cantar, y que se corresponde en duración con cada figura en la notación musical: *una pausa de negra dura una negra.* **SIN** silencio. **6** Signo de la notación musical que indica ese intervalo. **SIN** silencio. **7** Silencio métrico breve que se produce al final de un verso o entre dos hemistiquios y contribuye a la estructura rítmica del poema. **NOTA** También *pausa métrica.*

FAM pausar.

pausado, -da *adj.* **1** Se aplica a la persona que actúa con lentitud y sin precipitarse: *no pierde nunca la serenidad, es un hombre tranquilo y pausado.* **2** Que ocurre o se realiza con lentitud: *su hablar es pausado; el movimiento pausado de las olas resultaba relajante.*

pauta *s. f.* **1** Norma o modelo que se tiene en cuenta para realizar algo: *el comportamiento de sus mayores le sirvió de pauta en la vida.* **2** Instrumento para trazar rayas paralelas y equidistantes en un papel. **3** Papel en el que hay rayas paralelas y equidistantes y que se pone debajo de otro para no torcerse al escribir. **SIN** falsilla. **4** Conjunto de rayas paralelas de un papel, como el que se traza para no torcerse al escribir o el que se utiliza para la notación musical.

FAM pautar.

pava *s. f.* AMÉR. SUR Vasija para calentar agua, café, té, etc., o para tomar mate.

pavada *s. f.* **1** ARG. Dicho o hecho grosero. **2** familiar ARG., PERÚ, URUG. Dicho o hecho poco serio o que manifiesta poca inteligencia.

pavear *v. intr.* **1** ARG., URUG. Decir o hacer cosas sin importancia y poco inteligentes. **‖** *v. prnl.* **2** **pavearse** PAN. No asistir a clase o a un lugar donde se debe cumplir una obligación.

pavero, -ra *adj./s. m. y f.* **1** Que es presumido y vanidoso. **2** CHILE, PERÚ Que es gracioso o chistoso.

pavesa *s. f.* Parte muy pequeña y ligera de materia que se desprende de un cuerpo que arde y que acaba convirtiéndose en ceniza.

FAM empavesar.

pavimentación *s. f.* Revestimiento de un suelo con asfalto, cemento, adoquines u otro material similar para que esté firme y llano.

pavimentar *v. tr.* Cubrir un suelo con asfalto, cemento, adoquines u otro material similar para que esté firme y llano: *el Ayuntamiento quiere pavimentar las calles del barrio viejo.* **SIN** solar.

FAM pavimentación.

P

pavimento *s. m.* ① Capa de asfalto, cemento, madera, adoquines u otros materiales, lisa, dura y resistente, con que se recubre el suelo para que esté firme y llano. ② Material que se emplea para pavimentar: *en la tienda le recomendaron un pavimento cerámico para el patio.* FAM pavimentar.

pavisoso, -sa *adj.* Se aplica a la persona que es sosa o no tiene gracia ni viveza.

pavo, -va *s. m. y f.* ① Ave gallinácea de la familia del faisán pero de mayor tamaño, que tiene el cuello largo y carnosidades rojas en este y en la cabeza, y el plumaje negruzco o pardo verdoso con manchas blancas en los extremos de las alas y en la cola; su carne es comestible y se cría principalmente en granjas; es originaria de América del Norte. | *adj./ s. m. y f.* ② familiar Se aplica a la persona con poca gracia o desenvoltura: *es un poco pavo para explicar chistes.* | *s. m.* ③ familiar Duro (moneda de cinco pesetas): *no le quedaba ni un pavo en el bolsillo; me prestó veinte pavos.*

pavo real Ave gallinácea de origen asiático, cuyo macho posee un plumaje de vistoso colorido, un penacho de plumas sobre la cabeza y una cola que abre en forma de abanico como reclamo en época de celo; la hembra es más pequeña y de color ceniciento.

pelar la pava familiar Tener conversaciones amorosas una pareja de novios: *antes de despedirse pelan la pava un buen rato en la portería.*

subírsele el pavo familiar Ruborizarse por vergüenza o timidez: *cuando lo sacan a la pizarra, siempre se le sube el pavo.* FAM pava, pavero, pavonar, pavonear.

pavoneo *s. m.* Alarde u ostentación presuntuosa de algo que se posee o que se ha hecho.

pavor *s. m.* Miedo muy intenso: *las personas que sufren de vértigo tienen pavor a las alturas.* SIN terror. FAM pavoroso; despavorir.

pavoroso, -sa *adj.* Que causa pavor: *la deforestación de las últimas décadas ha sido pavorosa.*

payada *s. f.* ARG., CHILE, URUG. Composición poética y musical cantada por un payador.

payador [también **pallador**] *s. m.* ARG., CHILE, URUG. Cantor errante que con una guitarra improvisa canciones compitiendo con otros de su mismo oficio.

payar *v. intr.* ARG., CHILE, URUG. Cantar payadas. FAM payada, payador.

payasada *s. f.* ① Obra o dicho para hacer reír, propios de un payaso: *los niños se rieron mucho con las payasadas del humorista.* ② Obra o dicho ridículos o inoportunos: *el profesor no consentirá ninguna payasada en horas de clase.*

payaso, -sa *s. m.* ① Artista de circo, generalmente vestido y maquillado de forma llamativa, que cuenta chistes o hace mímica para divertir y hacer reír al público: *el payaso llevaba unos zapatos enormes y una nariz roja.* | *adj./s. m. y f.* ② familiar Se aplica a la persona que gasta bromas y hace reír a los demás. ③ fam. desp. Se aplica a la persona que se comporta con poca seriedad y hace el ridículo. FAM payasada.

payés, -yesa *s. m. y f.* Campesino de Cataluña o de las islas Baleares.

payo, -ya *adj./s. m. y f.* ① Entre los gitanos, se aplica a la persona que no pertenece a su raza. | *adj.* ② Que es propio o característico de esta persona: *costumbres payas.*

paz *s. f.* ① Situación en la que no hay guerra ni enfrentamientos entre dos o más países o partes enfrentadas: *es deseo de todos que se acaben las guerras y exista paz en el mundo.* ■ **paz octaviana** Paz prolongada, como la que se disfrutó durante el imperio de Octavio. ② Acuerdo para poner fin a la guerra: *firmar la paz.* ③ Situación de tranquilidad y buena relación entre los miembros de un grupo: *los padres se esfuerzan para que exista paz en la familia.* ④ Tranquilidad o silencio: *se marchó a la montaña en busca de la paz que necesitaba.* ⑤ Parte de la misa católica en que los asistentes se desean la paz unos a otros mediante algún gesto o saludo, como estrecharse la mano.

dar la paz Desear la paz al resto de personas que participan en la misa en el momento de la celebración dedicado a ello, mediante algún gesto o saludo.

dejar en paz familiar No molestar ni importunar a una persona, o no mover o tocar una cosa: *déjale en paz, está estudiando; no dejaba en paz el mando a distancia del televisor.*

descansar en paz Morir o estar muerta una persona, o estar enterrada en un determinado lugar: *padeció una larga enfermedad y ahora descansa en paz.*

estar (o quedar) en paz No tener ninguna deuda o haber devuelto un favor u ofensa recibidos: *aquí tienes el dinero que te debía, y con esto estamos en paz.*

hacer las paces Reconciliarse dos o más personas que han discutido: *los niños hicieron las paces con un abrazo.*

poner paz Intervenir en una discusión o enfrentamiento para encontrar una solución. SIN mediar.

que en paz descanse o **descanse en paz** Fórmula de respeto para referirse a una persona muerta, con la que se muestra el deseo de que goce de la gracia de Dios y de la vida eterna: *aquel hombre, que en paz descanse, fue una persona justa y honesta.*

y en paz familiar Se usa para dar por terminado un asunto. FAM pacificar; apacible, apaciguar.

pazguato, -ta ① *adj./s. m. y f.* Se aplica a la persona que se extraña o se escandaliza por cualquier cosa que ve u oye. ② ARG., COL., CUBA, PAR., URUG., VENEZ. Se aplica a la persona que es tonta o tiene poca rapidez mental. SIN pajuato.

pazo *s. m.* Casa antigua y señorial que es característica de Galicia, en especial la que está en el campo: *el marqués vivía en un pazo alejado del pueblo.*

PC *s. m.* Sigla de la expresión inglesa *personal computer,* 'ordenador personal'.

OBS También *pecé.* Plural invariable.

P. D. Abreviatura de la expresión latina *post datam,* 'posdata'.

pe *s. f.* Nombre de la letra *p.*

de pe a pa familiar Desde el principio hasta el fin: *se aprendió el poema de pe a pa.*

peaje *s. m.* ① Pago obligatorio de una cantidad de dinero para transitar o circular por una autopista o por ciertos puentes, túneles o aduanas: *autopista de peaje.* ② Lugar donde se paga esta cantidad de dinero: *la señal de tráfico anuncia que el peaje está a dos kilómetros.*

peana *s. f.* ① Base o apoyo que sirve para colocar encima una escultura u otro objeto: *en el museo las esculturas estaban colocadas sobre peanas de mármol.* ② Tarima que hay delante de un altar.

peatón, -tona *s. m. y f.* Persona que va a pie por una vía pública. SIN viandante. FAM peatonal.

peatonal *adj.* ◻1 Que está destinado al paso exclusivo de peatones: *calle peatonal*. ◻2 Se aplica al cartero que hace el reparto de la correspondencia a pie.

pebete *s. m.* ◻1 Pasta hecha con sustancias aromáticas, generalmente con forma de varilla, que al quemarse desprende un olor agradable. ◻2 Arg., Urug. Niño.

pebetero *s. m.* ◻1 Recipiente con una cubierta agujereada que se utiliza para quemar sustancias aromáticas. ◻2 Recipiente en el que arde la llama olímpica.

peca *s. f.* Mancha pequeña de color marrón que aparece en la piel, especialmente en la cara, debido a una acumulación de melanina.
FAM pecoso.

pecado *s. m.* ◻1 Falta cometida con conciencia contra la ley de Dios o de algún precepto de la doctrina, en algunas religiones. ■ **pecado original** En algunas religiones, estado de culpa que, desde Adán y Eva (que desobedecieron a Dios y comieron la fruta del árbol prohibido), es inherente a la condición humana y del que la persona es liberada mediante el sacramento del bautismo. ◻2 Acto que se aparta de lo que es recto y justo. ◻3 familiar Acción o cosa lamentable, especialmente cuando se considera un despilfarro: *es un pecado utilizar este vino tan exquisito para cocinar*.

pecador, -ra *adj./s. m. y f.* Se aplica a la persona que peca, ha pecado o puede pecar.

pecaminoso, -sa *adj.* Que implica pecado: *pensamientos pecaminosos; bailes pecaminosos*.

pecar *v. intr.* ◻1 Actuar o pensar, según una determinada religión, contra la voluntad de Dios o contra los preceptos de esa religión: *el hombre supo que había pecado y se arrepintió de corazón*. ◻2 Apartarse de lo que es recto y justo: *pecó al dejarse llevar por el odio y vengarse cruelmente*. ◻3 Tener en exceso la cualidad que se expresa y que se considera negativa: *pecar de ingenuo; pecar de confiado*.
FAM pecado, pecador, pecaminoso.

pecarí o **pécari** *s. m.* Mamífero omnívoro parecido al jabalí, que tiene el hocico largo, el pelaje de color pardo con una franja blanca y no tiene cola; segrega un olor fétido por una glándula situada en la parte superior del lomo; habita en los bosques de América del Sur y América Central.
OBS Plural: *pecaríes, pecarís o pécaris*.

peccata minuta familiar Expresión latina que significa 'error o falta leve' y que indica que algo es poco importante o tiene poco valor.

pecé *s. m.* Ordenador de tamaño reducido que incluye unidad central, teclado, pantalla y una o más unidades de disco y que puede funcionar sin estar conectado a ninguna red informática. SIN ordenador personal.
OBS También *PC*.

pecera *s. f.* Recipiente o pequeño depósito de agua acondicionado para tener peces y otros animales acuáticos.

pechar¹ *v. intr.* ◻1 Asumir una carga, responsabilidad u obligación: *no quiso escuchar su consejo y ahora tendrá que pechar con las consecuencias*. ◻ *v. tr.* ◻2 Pagar un pecho o tributo al rey o señor por los bienes o haciendas. ◻3 Amér. Sablear, estafar.
FAM apechar.

pechar² *v. tr.* Amér. Empujar a alguien, atropellarlo.

pechera *s. f.* ◻1 Parte que cubre el pecho de la camisa u otra prenda de vestir: *la blusa lleva un volante en la pechera*. ◻2 familiar Pecho o senos de la mujer.

pechero, -ra *adj.* ◻1 Se aplica a la persona que estaba obligada a pagar impuestos al rey o señor. ◻ *s. m. y f.* ◻2 Plebeyo, por oposición al noble que no tenía que pagar ciertos impuestos.

pechina *s. f.* ◻1 Concha vacía de los moluscos bivalvos, especialmente la que es pequeña y redondeada: *buscamos pechinas en la playa*. ◻2 Triángulo de lados curvos sobre el que se sostiene una cúpula; sirve para pasar de una planta cuadrangular a una circular.

pecho¹ *s. m.* ◻1 Parte superior del tronco del cuerpo humano, que va desde el cuello hasta el abdomen, en la que se encuentran el corazón y los pulmones. SIN tórax. ◻2 Zona externa que corresponde a esta parte del cuerpo: *se desabrochó la camisa y dejó el pecho descubierto*. ◻3 Parte delantera del tronco de los animales mamíferos o de las aves que está situada debajo del cuello: *la paloma inflaba su pecho; el caballo adelantó el pecho*. ◻4 Conjunto de órganos que forman el aparato respiratorio de una persona: *la niña tenía fiebre y mucho dolor en el pecho*. ◻5 Órgano de la mujer que produce leche. SIN mama, seno. ◻6 Conjunto de estos dos órganos: *el agua fría es excelente para mantener el pecho firme*. SIN busto. ◻7 Parte de la persona que corresponde a sus sentimientos y pensamientos más íntimos: *albergaba en su pecho un gran amor por la chica*. SIN corazón.

a pecho descubierto Sin protección: *luchar a pecho descubierto*.

dar el pecho Amamantar a un bebé.

echarse (o meterse) entre pecho y espalda familiar Comer o beber algo: *compró un bocadillo enorme y se lo metió entre pecho y espalda*.

partirse el pecho (I) familiar Esforzarse o luchar mucho para conseguir algo: *se ha partido el pecho trabajando para dar de comer a su familia*. (II) familiar Reírse mucho o con muchas ganas: *con sus chistes siempre nos partimos el pecho*.

sacar pecho (I) Ponerse erguida una persona, generalmente en actitud desafiante. (II) familiar Afrontar con coraje un contratiempo o situación adversa.

tomarse a pecho (I) Ofenderse una persona por una cosa o considerarla demasiado en serio: *no debes gastarle bromas, se las toma muy a pecho*. (II) Poner una persona gran empeño e interés en una cosa: *se toma muy a pecho su trabajo y sus obligaciones*.
FAM pechera.

pecho² *s. m.* Tributo que se pagaba al rey o señor por los bienes o haciendas.

pechuga *s. f.* ◻1 Pecho de las aves: *este pájaro tiene vistosas plumas en la pechuga*. ◻2 Cada una de las dos partes simétricas que forman el pecho de las aves: *¿qué prefieres comer, la pechuga o el muslo del pollo?* ◻3 familiar Pecho de una persona, especialmente la parte que asoma por el escote de una mujer.
FAM pechugón; apechugar, despechugar.

pechugón, -gona *adj.* ◻1 Se aplica al animal que tiene el pecho abultado: *una gallina pechugona*. ◻ *adj./s. f.* ◻2 familiar Se aplica a la persona, en especial a la mujer, que tiene el pecho muy grande. ◻ *adj./s. m. y f.* ◻3 Amér. Central, Amér. Sur Sinvergüenza, cínico, fresco.

pecíolo o **peciolo** *s. m.* Pedúnculo o rabillo de la hoja de una planta, por el que queda unida al tallo.

pécora *s. f.* Persona muy mala, capaz de hacer daño y de disfrutar haciéndolo: *no te fíes de él, que es una mala pécora*.

pecoso, -sa *adj.* Que tiene pecas: *cara pecosa; las personas pelirrojas suelen ser pecosas*.

pectoral *adj.* **1** Relativo al pecho: *región pectoral; volumen pectoral.* ❙ *s. m./adj.* **2** Medicamento que alivia la tos o las molestias del pecho: *jarabe pectoral; bálsamo pectoral.* **3** Músculo que está situado en la parte anterior del pecho y actúa en distintos movimientos del brazo y en la respiración: *endurecer los pectorales.* ❙ *s. m.* **4** Cruz que llevan los obispos y el Papa sobre el pecho. ❙ *s. m. pl.* **5 pectorales** familiar Pechos de la mujer.

pecuario, -ria *adj.* Relativo al ganado: *vía pecuaria.*

peculiar *adj.* **1** Que es propio y único de una persona o una cosa: *esta fruta tiene un sabor muy peculiar.* **SIN** particular. **2** Se aplica a la persona que resulta extraña por su forma de comportarse, vestir, hablar, etc.: *vino a verle un tipo muy peculiar.* **FAM** peculiaridad.

peculiaridad *s. f.* Cualidad de lo que es peculiar: *estos zapatos tienen una peculiaridad: están hechos de forma artesanal.*

peculio *s. m.* Cantidad de dinero o conjunto de bienes que posee una persona: *ha malbaratado todo su peculio y ya no le queda nada.* **FAM** peculiar.

pecuniario, -ria *adj.* Relativo al dinero: *valor pecuniario.*

pedagogía *s. f.* **1** Ciencia que estudia los métodos y las técnicas destinadas a enseñar y educar, especialmente a los niños y a los jóvenes. **2** Manera que tiene una persona de enseñar o educar. **FAM** pedagógico, pedagogo; psicopedagogía.

pedagógico, -ca *adj.* **1** Relativo a la pedagogía: *un profesor debe tener amplios conocimientos pedagógicos.* **2** Que enseña las cosas con mucha claridad y es útil para aprender: *este método de enseñanza basado en medios audiovisuales es muy pedagógico.*

pedagogo, -ga *s. m. y f.* **1** Persona que se dedica a la pedagogía o es especialista en esta ciencia. ❙ *adj.* **2** Se aplica al maestro que realiza muy bien su labor educativa.

pedal *s. m.* **1** Pieza de una máquina o un aparato que se acciona mediante el pie y transmite el movimiento a un mecanismo: *los pedales de la bicicleta; el pedal del embrague.* **2** Pieza de algunos instrumentos musicales, como el piano o el órgano, que se acciona con el pie y que sirve para producir ciertos sonidos o para darles una característica determinada. **FAM** pedalada, pedalear.

pedalada *s. f.* Impulso que se da con el pie a un pedal, especialmente al de una bicicleta.

pedalear *v. intr.* Poner en movimiento los pedales con los pies, especialmente los de una bicicleta: *al subir una pendiente hay que pedalear con mucha energía.* **FAM** pedaleo.

pedaleo *s. m.* Acción de pedalear: *el pedaleo del ciclista era muy lento en las subidas.*

pedanía *s. f.* Núcleo de población muy pequeño y con muy pocos habitantes que depende de un municipio y que está bajo la jurisdicción de un alcalde pedáneo.

pedante *adj./s. com.* **1** Se aplica a la persona que presume de manera inoportuna de ser un erudito o de tener muchos conocimientos. ❙ *adj.* **2** Que es propio de la persona pedante. **FAM** pedantería.

pedantería *s. f.* **1** Cualidad de la persona que es pedante. **2** Cosa pedante que una persona hace o dice: *las contestaciones demasiado rebuscadas resultan una pedantería.*

pedazo *s. m.* **1** Parte separada de una cosa que se ha partido o roto: *le dio un pedazo de tarta de chocolate.* **SIN** trozo. **2** Parte de un todo o unidad, que se considera de manera independiente: *tengo una casa en un pedazo de tierra junto al mar.* **caerse a pedazos** (I) Estar una cosa en mal estado, a punto de derrumbarse: *ese coche se cae a pedazos de lo viejo que es.* (II) familiar Estar una persona muy decaída por cansancio. **hacer pedazos** (I) Romperse una cosa en muchos trozos pequeños. (II) Dejar a una persona exhausta o muy decaída: *la mudanza nos ha hecho pedazos.* **pedazo de + sustantivo** Se usa para ponderar lo que el sustantivo indica: *pedazo de mujer; pedazo de alcornoque; pedazo de animal.* **pedazo de pan** familiar Persona muy bondadosa y generosa, incapaz de hacer daño a nadie: *cuida mucho a tu amigo porque es un pedazo de pan.* **FAM** despedazar.

pederasta *s. com.* Persona que abusa sexualmente de un niño.

pederastia *s. f.* Abuso sexual de una persona con un niño: *la pederastia es un delito.* **FAM** pederasta.

pedernal *s. m.* **1** Piedra muy dura, compuesta principalmente de sílice, de color gris amarillento, que al romperse forma unos bordes muy cortantes: *el pedernal produce chispas cuando es golpeado.* **SIN** sílex. **2** Dureza de una cosa material o inmaterial: *este pan es un pedernal, no hay quien se lo coma.*

pedestal *s. m.* **1** Cuerpo sólido, generalmente con forma de prisma rectangular, sobre el que se apoya una columna, una estatua u otro objeto. **2** Fundamento en que se apoya o asegura algo: *se derrumbó el pedestal de sus creencias.* **en un pedestal** Se utiliza para indicar que se tiene a una persona en muy buena opinión o consideración: *quería tanto a su padre, que lo tenía en un pedestal.*

pedestre *adj.* **1** Que se realiza a pie: *recorrido pedestre; carrera pedestre.* **2** Que es vulgar o poco delicado: *modales pedestres; trabajo pedestre.* **FAM** pedestrismo.

pediatra *s. com.* Médico especialista en pediatría.

pediatría *s. f.* Parte de la medicina que se ocupa del desarrollo y cuidado de los niños hasta la adolescencia, así como del tratamiento de sus enfermedades. **FAM** pediatra.

pedicelo *s. m.* Pie que sostiene el sombrero de la setas.

pedicura *s. f.* Cuidado de los pies o tratamiento de sus problemas: *hacerse la pedicura.* **FAM** pedicuro.

pedicuro, -ra *s. m. y f.* Persona que se dedica al cuidado de los pies y al tratamiento de las lesiones cutáneas de esta parte del cuerpo: *los pedicuros se encargan de curar los callos y los uñeros.*

pedida *s. f.* Petición que hace un hombre a los padres de una mujer para casarse con ella, generalmente mediante una ceremonia o un acto festivo.

pedido *s. m.* Encargo de mercancías o materiales que se hace a un fabricante o a un vendedor: *no olvides firmar la factura del pedido.*

pedigrí *s. m.* **1** Conjunto de los antepasados de un animal con un origen de calidad, especialmente de caballos, gatos y perros de raza: *han comprado un perro con pedigrí*. **2** Documento donde figura la genealogía de un animal.

OBS Plural: *pedigríes* o *pedigrís*. Puede encontrarse la grafía inglesa *pedigree*.

pedigüeño, -ña *adj./s. m. y f.* Se aplica a la persona que pide cosas con frecuencia e inoportunamente.

pedipalpo *s. m.* Apéndice bucal característico de los arácnidos: *en los escorpiones el pedipalpo se desarrolla en forma de pinza*.

pedir [10] *v. tr.* **1** Decir una persona a otra que le dé o le deje una cosa, o que haga algo por ella o para ella: *me pidió un libro hace tiempo y no me lo ha devuelto; ¿puedo pedirte un favor?* ‖ *v. tr./intr.* **2** Decir una persona a la gente que le dé una pequeña cantidad de dinero para poder vivir o para colaborar en una buena causa: *pedir limosna; en la calle hay unos voluntarios que piden para la Cruz Roja*. ‖ *v. tr.* **3** Pensar o expresar algo que se desea con la intención de que ocurra: *antes de soplar las velas del pastel, pide un deseo*. ‖ *v. tr./intr.* **4** Rogar a Dios o a otra divinidad: *pedir por el alma de alguien*. ‖ *v. tr.* **5** Necesitar o requerir una cosa lo que se expresa a continuación: *estas sábanas están pidiendo un buen lavado*. **6** Poner o fijar un precio a una mercancía que se vende: *me vendo la moto y, como es vieja, solo pido 200 euros*. **7** Expresar oficiosamente un hombre a los padres o responsables de una mujer la autorización para casarse con ella.

FAM pedida, pedido, pedigüeño, pidón.

pedo *s. m.* **1** familiar Ventosidad que se expulsa por el ano. **2** familiar Borrachera, estado de embriaguez. **3** familiar Estado de la persona que se encuentra bajo los efectos de la droga.

FAM pedorro.

pedofilia *s. f.* Conducta sexual de la persona que tiene relaciones sexuales con niños o siente atracción hacia ellos; se considera una perversión o una desviación sexual.

FAM pedófilo.

pedófilo, -la *adj.* **1** Relativo a la pedofilia. ‖ *adj./s. m. y f.* **2** Se aplica a la persona que tiene pedofilia.

pedorrear *v. intr./prnl.* familiar Expeler ventosidades de forma repetida.

FAM pedorreo.

pedorreo *s. m.* familiar Acción de pedorrear.

pedorreta *s. f.* **1** Sonido que se hace con la boca imitando el ruido del pedorreo: *el niño hacía pedorretas y se burlaba de sus hermanos*. **2** Ruido parecido al de una ventosidad. **3** Ventosidad corta y poco ruidosa.

pedorro, -rra *adj./s. m. y f.* familiar Se aplica a la persona que se tira pedos frecuentemente o lo hace sin vergüenza.

FAM pedorrear, pedorrera, pedorreta.

pedrada *s. f.* **1** Acción que consiste en lanzar o arrojar con impulso una piedra: *los recibieron a pedradas*. **2** Golpe o señal de una piedra lanzada: *casi me rompe el cristal del coche de una pedrada*.

pedrea *s. f.* **1** Conjunto de números premiados con una cantidad pequeña en la lotería nacional. **2** Enfrentamiento entre varias personas que se lanzan piedras.

pedregal *s. m.* Terreno en el que hay muchas piedras sueltas.

FAM pedregoso.

pedregoso, -sa *adj.* Se aplica al lugar que tiene muchas piedras o está cubierto de piedras: *caminaron por un sendero pedregoso hasta llegar al río*.

pedrería *s. f.* Conjunto de piedras preciosas que adornan algo: *el vestido llevaba pedrería en el escote*.

pedrisca *s. f.* Pedrisco.

pedrisco *s. m.* Granizo grueso que cae con violencia. **SIN** pedrisca.

pedrusco *s. m.* Trozo grande de piedra sin labrar.

pedúnculo *s. m.* **1** Tallo por el que una hoja, flor o fruto se une a la planta. **2** Prolongación del cuerpo de algunos animales por la cual se fijan al suelo o a cualquier superficie: *los percebes tienen un pedúnculo con el que se adhieren a las rocas*. **3** Cordón de materia blanca que une diferentes partes de la masa encefálica: *pedúnculos cerebelosos*.

peeling [se pronuncia aproximadamente 'pilin'] *s. m.* **1** Tratamiento cosmético que produce el desprendimiento de las células muertas de la epidermis y favorece su regeneración: *los peelings abrasivos deben ser controlados por dermatólogos*. **2** Crema o sustancia que se aplica para este tratamiento cosmético.

peer [20] *v. intr./prnl.* familiar Expulsar a través del ano gases contenidos en el interior del intestino.

pega *s. f.* **1** Obstáculo, dificultad o inconveniente que se presenta o que alguien pone para la realización de algo: *siempre está poniéndole pegas a todo*. **2** Acción de pegar una cosa con otra. **3** familiar Pegamento. **4** AMÉR. Trabajo, empleo.

de pega Que no es real o auténtico sino que es imitación de algo real: *llevaba un bigote de pega*.

pegadizo, -za *adj.* **1** Se aplica a la canción o la música que se graba fácilmente en la memoria. **2** Que se contagia o extiende fácilmente: *tienes una risa simpática y pegadiza*. **SIN** pegajoso.

pegado, -da *adj.* **1** Se aplica al lugar que está inmediatamente junto a otro: *un chalé pegado al mar*. **2** familiar Se aplica a la persona que no sabe qué decir o cómo reaccionar por sorpresa o ignorancia: *estar pegado; quedar pegado; la noticia me dejó pegado*. **3** Se aplica a la prenda de vestir que queda ajustada al cuerpo, sin vuelo. **4** Se aplica a la manga que va cosida por el extremo exterior del hombro. ‖ *s. m.* **5** Operación que consiste en unir dos superficies mediante una sustancia adhesiva.

FAM pegadizo.

pegajoso, -sa *adj.* **1** Que se pega fácilmente: *líquido pegajoso; este caramelo me ha dejado los labios pegajosos*. **2** Que se contagia o extiende fácilmente: *una risa pegajosa*. **SIN** pegadizo. **3** Se aplica a la persona excesivamente cariñosa y afectuosa. **SIN** empalagoso. **4** Se aplica al calor que provoca un sudor espeso y continuo.

pegamento *s. m.* Sustancia líquida o pastosa que sirve para pegar o adherir una cosa a otra: *pegamento en barra*. **SIN** cola.

pegar *v. tr.* **1** Unir una cosa a otra mediante una sustancia adhesiva: *utiliza cola de carpintero para pegar la madera*. **2** Unir la cola u otra sustancia adhesiva dos cosas: *esta cola lo pega todo*. **3** Unir una cosa a otra cosiéndola, atándola o de otro modo parecido: *pegar un botón*. **4** Colocar una cosa o a una persona junto a otra de manera que se toquen o estén en contacto: *bailaban pegados; para que haya más sitio, hay que pegar bien las sillas*. **SIN** arrimar. ‖ *v. intr.* **5** familiar Estar una cosa junto a otra o próxima a ella: *el banco es ese edificio que pega con Correos*. ‖ *v. tr.* **6** familiar Contagiar una persona a otra una enfermedad, una costumbre, una cualidad, etc., al estar en contacto: *creo que le he pegado la gripe a mi hijo; se te ha pegado* *su forma de hablar.* ❙ *v. tr./intr.* **7** Dar una persona golpes a alguien o algo: *pegar patadas; pegar un puñetazo; dos niños se estaban pegando en la calle y un hombre los separó.* ❙ *v. intr.* **8** Chocar, tropezar o golpear con fuerza una cosa contra otra: *el balón pegó en la ventana y rompió el cristal.* ❙ *v. tr.* **9** familiar Realizar la acción que se expresa: *pegar voces; pegar un tiro; pegar saltos; pegar un susto; pegar un grito; pegar un tirón.* **SIN** dar. ❙ *v. intr.* **10** familiar Armonizar una cosa con otra: *esta camisa no pega con los pantalones; los colores de ese cuadro pegan muy bien con el comedor.* **11** familiar Estar de moda o tener mucho éxito una cosa en un momento determinado: *esa canción está pegando fuerte este verano.* **12** Rimar una palabra o un verso con otro: *"risa" pega con "brisa".* **13** familiar Incidir la luz o el calor del sol sobre algo: *el sol pegaba en la ventana de la cocina.* ❙ *v. prnl.* **14** **pegarse** Quedar un guiso adherido al recipiente en que se cocina al quemarse ligeramente: *hay que dar vueltas a las lentejas para que no se peguen.* **SIN** agarrarse. **15** familiar Unirse o seguir una persona a otra o a un grupo de personas sin haber sido invitada: *nos pegamos al grupo de turistas para oír las explicaciones del guía.* **16** familiar Quedarse grabada una cosa fácilmente en la memoria: *se me ha pegado la música de este anuncio.*

pegársela (I) familiar Sufrir una persona o una cosa una caída, un choque o cualquier golpe violento: *por ir mirando hacia atrás se la ha pegado contra una farola.* (II) familiar Engañar una persona a otra, especialmente un cónyuge a otro siéndole infiel con otra persona: *con el tiempo se enteró que durante los años en que estuvieron casados se la había pegado más de una vez.*
FAM pega, pegado, pegajoso, pegamento, pegatina, pego, pegote, pegunte; despegar.

pegatina *s. f.* Lámina de papel o plástico de pequeño tamaño que es adhesiva por una de sus caras y que lleva un dibujo o texto impreso por la otra: *colecciona pegatinas de marcas comerciales.* **SIN** adhesivo.

pego Se usa en la expresión:
dar el pego Aparentar una cosa lo que no es en realidad, o estar hecha a imitación de algo real, de manera que no se nota el engaño: *esta pintura da el pego, parece auténtica pero es una falsificación.*
FAM pegote.

pegote *s. m.* **1** Porción de una sustancia espesa y pegajosa: *el coche estaba lleno de pegotes de barro.* **2** familiar Añadido hecho de manera tosca y torpe sobre una cosa, generalmente con la intención de ocultar algún defecto: *la nueva decoración es un pegote.* **3** familiar Mentira, especialmente la que dice una persona para presumir de algo que no es o de algo que no ha hecho: *¡vaya pegote!, no sé cómo pudiste creer que ese tipo era piloto.* **4** familiar Persona pesada y molesta que acompaña a otra sin haber sido invitada.
FAM pegotear, pegoteo.

pegotero, -ra *adj./s. m. y f.* familiar Que cuenta pegotes o mentiras.

pegujal *s. m.* Parcela pequeña de cultivo, especialmente la que el dueño de una finca agrícola cede al guarda o encargado para que la cultive por su cuenta como parte de su remuneración.

peinado *s. m.* **1** Acción de peinar, especialmente el pelo. **2** Modo de llevar arreglado el pelo una persona: *lleva un peinado moderno; un peinado afro.*

peinar *v. tr.* **1** Arreglar o colocar de una forma determinada el cabello de una persona: *yo siempre me peino con la raya a un lado.* **ANT** despeinar. **2** Arreglar, desenredar o limpiar el pelo

de un animal o de un tejido: *peinó la lana antes de meterla en el colchón.* **3** Examinar o registrar con mucho cuidado una zona para encontrar a una persona o cosa: *la policía peinó el barrio buscando a los atracadores.*
FAM peinado, peinador; despeinar, repeinar.

peine *s. m.* **1** Utensilio que se utiliza para desenredar, arreglar y colocar bien el pelo, formado por una serie de púas paralelas, colocadas en fila y unidas a una parte más gruesa. **2** Parte de algunos mecanismos que tiene una forma muy parecida a la del peine para el pelo, como por ejemplo en un telar o en un arma de fuego.
enterarse de lo que vale un peine familiar Se utiliza para amenazar a una persona o advertirla de un castigo, un escarmiento o una acción negativa que se va a realizar contra ella: *como no llegues puntual, te vas a enterar de lo que vale un peine.*
FAM peinar, peineta.

peineta *s. f.* Especie de peine, de forma ligeramente curva, que se utiliza para sujetar un peinado o para adornar el pelo.

p. ej. Abreviatura de *por ejemplo.*

pekinés, -nesa V. pequinés, -nesa.

pela *s. f.* **1** familiar Peseta. ❙ *s. f. pl.* **2** **pelas** familiar Dinero.

pelacables *s. m.* Herramienta que sirve para pelar cables eléctricos sin cortar el hilo interior; consiste en unas tenazas, semejantes a unos alicates, con una cuchilla en una de las puntas que no llega a hacer una incisión completa.
OBS Plural invariable.

pelada *s. f.* **1** familiar Corte de cabello, especialmente cuando se lo deja muy corto: *después de dos meses sin ir al peluquero, necesitaba que me diera una pelada así.* **2** familiar AMÉR. Cabeza de una persona que tiene el pelo muy corto o que no tiene pelo.
la Pelada familiar ARG., CHILE, CUBA, ECUAD. La Muerte: *en cualquier momento te va a venir a buscar la Pelada.*

peladilla *s. f.* **1** Golosina que está formada por una almendra recubierta con un baño de azúcar, de manera que queda dura, lisa y redondeada. **2** Canto rodado pequeño.

pelado, -da *adj.* **1** Que no tiene una cosa o una característica que habitualmente lo adorna, cubre o rodea: *a lo lejos se veía un monte pelado, sin árboles ni plantas.* **2** Que no tiene dinero o se ha quedado sin él: *estoy pelado, no puedo invitarte a cenar.* **3** Se aplica al número o cantidad que consta de decenas, centenas, millares, etc., justos: *el doscientos pelado.* Con el pelo muy corto o totalmente rapado: *muchos deportistas llevan la cabeza pelada.* ❙ *s. m.* **5** Acción de cortar el cabello de una persona y manera de llevarlo cortado: *llevaban un pelado muy moderno.* ❙ *adj./s. m. y f.* **6** familiar ARG., CHILE, ECUAD., PAR., URUG. Se aplica a la persona que es calva o ha perdido parte del cabello: *se está quedando pelado.* **7** ECUAD. Se aplica a la persona que es joven. **8** MÉX. Se aplica a la persona de la clase social más humilde. **9** MÉX. Se aplica a la persona que es maleducada y grosera: *contesta, no seas pelado.*
FAM peladilla, peladura.

pelagatos *s. com.* fam. desp. Persona insignificante o mediocre, de baja posición social o económica. **SIN** pelanas.
OBS Plural invariable.

pelágico, -ca *adj.* **1** Relativo al piélago: *corrientes pelágicas.* **2** Se aplica a la zona del mar que comprende prácticamente su totalidad, a excepción del fondo y las orillas. **3** Se aplica al animal u organismo que vive en esta zona del mar: *el plancton es un organismo pelágico.*

pelaje *s. m.* ① Pelo o lana de un animal, para referirse a su naturaleza o calidad: *el zorro polar tiene el pelaje blanco.* ② fam. desp. Aspecto externo que presenta una persona o una cosa, a través del cual se puede ver su calidad, su condición o su categoría: *ese chico tiene muy mal pelaje, no quiero que vayas más con él.*

pelambre *s. amb.* Conjunto de pelo abundante y revuelto en todo el cuerpo o en algunas partes de él: *tiene mucha pelambre en el pecho.*
FAM pelambrera.

pelambrera *s. f.* Cantidad abundante de pelo o de vello, especialmente el que está muy largo o enredado.

pelanas *s. com. fam. desp.* Persona pobre y poco importante en la sociedad. **SIN** pelagatos.
OBS Plural invariable.

pelandusca *s. f.* familiar Prostituta.

pelar *v. tr.* ① Quitar, cortar o arrancar el pelo de algo o alguien: *se ha pelado al rape.* ② Quitar la piel, la cáscara o la corteza que recubre un fruto o un tubérculo: *mientras tú pelas las patatas yo batiré los huevos.* ③ Quitar la piel o el pellejo a un animal: *el granjero cogió dos conejos para pelarlos y guisarlos.* **SIN** despellejar. ④ Quitarle las plumas a un ave: *estaba pelando el pavo para poderlo cocinar.* **SIN** desplumar. ⑤ familiar Quitarle a una persona todos los bienes o todo el dinero de manera violenta o engañándola. ⑥ Criticar o hacer murmuraciones acerca de una persona: *estuvieron toda la tarde pelando al vecindario entero.* ⑦ AMÉR. Acompañado de algunos sustantivos, como *dientes, ojos* u *oreja*, significa 'morirse una persona o un animal'. ⑧ familiar ARG. Sacar por sorpresa algo que estaba guardado, y exhibirlo: *peló del bolsillo de su chaqueta una gran cantidad de billetes.* ⑨ familiar ARG., COL., CUBA Desenvainar un arma con la intención de usarla en contra de otra persona. ‖ *v. prnl.* ⑩ **pelarse** Desprendérsele a una persona la piel poco a poco por haber tomado con exceso el sol, o por una quemadura o una rozadura. ⑪ Perder una persona el pelo por una enfermedad u otra causa. ⑫ familiar GUAT., MÉX. Morirse una persona o un animal. ⑬ MÉX. Irse una persona de un lugar.

pelársela vulgar Masturbarse un hombre.

pelárselas familiar Hacer una cosa con mucha rapidez y energía: *este coche corre que se las pela.*

que pela familiar Que produce una sensación muy fuerte o intensa, generalmente de frío o de calor: *hace un frío que pela.*
FAM pelado, peladura, pelagatos.

peldaño *s. m.* Cada una de las pequeñas plataformas horizontales de una escalera donde se apoya el pie al subir o bajar. **SIN** escalón.

pelea *s. f.* ① Enfrentamiento mediante la fuerza física o las armas entre dos o más personas o animales con la intención de hacerse daño, matarse o imponer su voluntad. **SIN** combate, lucha. ② Discusión o enfrentamiento verbal que mantienen dos o más personas por no estar de acuerdo sobre una circunstancia o una idea. **SIN** riña. ③ Esfuerzo grande y continuado que realiza una persona para conseguir una cosa: *trabajar para hacerse un hueco en la sociedad es una pelea diaria.* **SIN** lucha.
FAM peleón.

pelear *v. intr.* ① Emplear entre sí dos o más personas o animales la fuerza, las armas o cualquier otro recurso con la intención de hacerse daño, matarse o imponer su voluntad: *tras el anuncio de la tregua los ejércitos dejaron de pelear.* **SIN** luchar.

② Mantener una persona una discusión o enfrentamiento verbal con otra o con otras por no estar de acuerdo sobre una circunstancia o una idea: *a veces se pelean por cuestiones políticas.* **SIN** discutir, reñir. ③ Realizar una persona un esfuerzo grande y continuado para conseguir una cosa: *peleó duro para conseguir alcanzar su puesto actual.* ‖ *v. prnl.* ④ **pelearse** Enemistarse o perder la buena relación dos o más personas: *se pelearon por culpa de unas tierras.*
FAM pelea.

pelechar *v. intr.* Echar o cambiar un animal el pelo o la pluma.

pelele *s. m.* ① Muñeco de figura humana hecho de paja o de trozos viejos de tela, que se saca a la calle en Carnaval para quemarlo o mantearlo. ② Persona débil o de poco carácter, que se deja manejar por los demás muy fácilmente. ③ Prenda hecha de punto, de una sola pieza, que se pone a los niños pequeños para dormir.

peleón, -leona *adj.* ① familiar Que es muy aficionado a pelear o discutir, o que lo hace con frecuencia. ② Se aplica al vino que es de mala calidad.

peletería *s. f.* ① Establecimiento en el que se venden o se confeccionan prendas de vestir de piel. ② Oficio del que se dedica a trabajar y preparar las pieles o a fabricar con ellas prendas de vestir o de adorno. ③ Comercio de las pieles finas de animales. ④ Conjunto o surtido de pieles finas de animales.

peletero, -ra *s. m. y f.* ① Persona que se dedica a fabricar o vender prendas de vestir de piel. ‖ *adj.* ② Relativo al oficio o al comercio de la peletería: *industria peletera.*
FAM peletería.

peli *s. f.* familiar Película cinematográfica: *¿alquilamos una peli para esta noche?*

peliagudo, -da *adj.* familiar Que es muy difícil de entender o de resolver: *el presidente meditó su decisión ya que el asunto era muy peliagudo.*

pelícano *s. m.* Ave acuática palmípeda cuyo pico, largo y ancho, tiene una membrana en su parte inferior que forma una especie de bolsa donde conserva los peces de que se alimenta; es de plumaje blanco y tiene las patas cortas.

película *s. f.* ① Conjunto de imágenes cinematográficas que componen un asunto o una historia: *¿qué película vamos a ver?* ② Cinta de material sensible a la luz que contiene un conjunto de imágenes grabadas con una cámara de cine o de vídeo, preparadas para ser proyectadas en una pantalla: *colocaron la película en el proyector y apagaron las luces de la sala.* ③ Cinta de material sensible a la luz que se introduce en el interior de una cámara fotográfica sobre la cual se imprimen fotografías o imágenes cinematográficas: *llevé a revelar el rollo de película.* ④ Piel delgada y delicada o capa muy fina que cubre una cosa. ⑤ Explicación de un hecho o de una historia: *te contaré la película de mi vida.*

de película (I) familiar Que tiene unas cualidades extraordinarias. (II) Se utiliza para indicar que una cosa se hace muy bien: *tu madre cocina de película.*
FAM peliculero, peliculón.

peliculero, -ra *adj.* ① Relativo a las películas de cine. ‖ *adj./ s. m. y f.* ② Se aplica a la persona aficionada al cine o que acude a este con frecuencia. ③ familiar Se aplica a la persona fantasiosa o que se deja llevar por la fantasía.

peliculón *s. m.* familiar Película de cine de muy buena calidad.

P

peligrar *v. intr.* Estar en peligro.
FAM peligro, peligroso.

peligro *s. m.* **1** Situación en la que es posible que ocurra un daño o un mal: *durante aquel viaje vivieron muchos peligros; ese jarrón de cristal corre peligro encima de la mesa.* **2** Persona o cosa que puede suponer un daño. SIN amenaza.
FAM peligrar, peligroso.

peligrosidad *s. f.* Posibilidad o riesgo que hay en algunas situaciones de que ocurra un daño o un mal: *la peligrosidad de las grandes ciudades es alarmante.*

peligroso, -sa *adj.* **1** Que tiene peligro o puede causar un daño o un mal. **2** Se aplica a la persona que puede causar daño o cometer actos delictivos y que habitualmente lo hace.
FAM peligrosidad.

pelillo *s. m.* familiar Motivo poco importante de enfado, disgusto o preocupación.
echar pelillos a la mar familiar Olvidar dos o más personas el motivo de su enfado y reconciliarse.

pelín Se usa en la expresión:
un pelín familiar Un poco: *sube un pelín la música.*

pelirrojo, -ja *adj./s. m. y f.* Que tiene el pelo de color tirando a rojo.

pella *s. f.* **1** Trozo de masa de forma redonda. **2** Conjunto de los tallitos de la coliflor y otras plantas semejantes, antes de florecer.
hacer pellas familiar No ir una persona a un lugar donde tiene obligación de ir, sin tener ningún motivo justificado, especialmente a clase.
FAM repellar.

pellejo *s. m.* **1** Piel o trozo de piel de una persona o de un animal: *tiene siempre los labios cortados y llenos de pellejos.* **2** Piel fina de algunas frutas y hortalizas. **3** Recipiente hecho de piel de cabra o de otro animal tratada y cosida convenientemente que se utiliza para contener líquidos, especialmente vino o aceite. SIN odre.
dejarse el pellejo Dedicarle el máximo esfuerzo a algo.
estar (o ponerse) en el pellejo Estar o ponerse una persona en la misma situación o condiciones que otra.
jugarse el pellejo familiar Poner en peligro algo muy importante, especialmente la vida.
no caber en el pellejo (I) Estar muy gordo. (II) Estar muy contento u orgulloso.
perder el pellejo Perder una persona la vida.
salvar el pellejo Salvar una persona su vida de un peligro.
FAM pelleja; despellejar.

pelliza *s. f.* **1** Prenda de vestir de abrigo hecha o forrada de piel. SIN zamarra. **2** Prenda de vestir de abrigo, con el cuello y los puños de tela fuerte, que cubre desde el cuello hasta las rodillas. **3** Chaqueta de uniforme militar con cuello y bocamangas revestidos de astracán.

pellizcar *v. tr.* **1** Coger con dos dedos de la mano una pequeña porción de piel y carne de una persona, apretándola o retorciéndola, especialmente para que produzca dolor. **2** Coger o pillar con fuerza la piel o la carne de una persona: *me he pellizcado con las tenazas porque no las he cogido bien.* **3** Coger con dos dedos de la mano una pequeña porción de algo, apretándola o retorciéndola. **4** Quitar con los dedos una pequeña cantidad de una cosa que está entera: *tenía tanta hambre que se puso a pellizcar el pan.*
FAM pellizco.

pellizco *s. m.* **1** Acción que consiste en pellizcar a una persona: *le dio un pellizco para que se callara.* **2** Señal que queda en la carne al pellizcarla: *todavía se nota el pellizco que me hiciste.* **3** Pequeña cantidad de una cosa que se toma o se quita con los dedos: *cogió un pellizco de pan y se lo llevó a la boca.*
un buen pellizco familiar Gran cantidad de dinero: *ha heredado un buen pellizco de su tío.*

pelma *adj./s. com.* **1** familiar Se aplica a la persona que es excesivamente pesada y molesta. SIN latoso, pelmazo, plasta. **2** familiar Se aplica a la persona que es muy lenta en sus acciones. SIN pelmazo.

pelmazo, -za *adj./s. m. y f.* familiar Pelma.
FAM pelma.

pelo *s. m.* **1** Fibra o filamento delgado, en forma de hilo, que nace de la piel de todos los mamíferos y de otros animales. **2** Conjunto de estas fibras que cubre el cuerpo de algunos animales o algunas partes del cuerpo de las personas: *el joven apenas tenía pelo en la cara; te nía un gato de pelo largo.* **3** Conjunto de estas fibras de la cabeza humana: *llevaba el pelo recogido en un moño.* SIN cabello. **4** Filamento muy fino que hay en la cáscara o la piel de algunos frutos y en algunas partes de las plantas: *el pelo del melocotón me da alergia.* **5** Conjunto de fibras que forman parte de ciertos utensilios, como el cepillo: *he comprado una brocha de pelo duro para pintar las puertas.* **6** Hilo o filamento fino que sobresale o queda en la superficie de algunas telas o tejidos: *el paño está viejo y ya no tiene pelo.* **7** Sierra muy fina que se usa para cortar maderas delgadas. **8** Cantidad muy pequeña o insignificante de una cosa: *no corre ni un pelo de aire.* **9** Raya opaca en piedras de joyería.
a pelo (I) Se utiliza para indicar que una cosa se realiza sin ningún tipo de protección, especialmente sin ropa o sin nada que cubra el cuerpo: *escalaron la montaña a pelo.* (II) Se utiliza para indicar una forma de montar sobre una caballería sin emplear la silla ni ningún elemento sobre ella.
al pelo Se utiliza para indicar que una cosa es muy adecuada u oportuna para la ocasión, o que se realiza en el momento justo: *me regalaron una caja que me vino al pelo para guardar caramelos.*
caérsele el pelo Sufrir una persona las consecuencias por una mala acción que ha cometido, especialmente mediante un castigo duro.
con pelos y señales Indica que algo se explica con gran cantidad de detalles.
dar para el pelo familiar Regañar a una persona o darle una azotaina como forma de castigo por algo que ha hecho.
de pelo en pecho familiar Se aplica a la persona que es muy fuerte o valiente: *era un hombre de pelo en pecho y no se asustaba de nada.*
no tener pelos en la lengua Expresar abiertamente una persona sus pensamientos o sentimientos sin tener ningún reparo para ello.
no tener un pelo de tonto Ser una persona muy despierta e inteligente, en contra de lo que pudiera creerse.
no vérsele el pelo familiar No aparecer una persona o no dejarse ver durante largo tiempo por un lugar que solía frecuentar.
poner los pelos de punta Causar una cosa en una persona un fuerte sentimiento de asombro, miedo o terror.
por los pelos Se utiliza para indicar que una cosa se realiza en el último momento o de manera muy ajustada.
soltarse el pelo Decidirse una persona a hablar o a actuar

sin miramientos ni inhibiciones, de manera arrojada y despreocupada.

tirarse de los pelos Mostrar una persona un gran enfado o arrepentimiento por no haber aprovechado una oportunidad o por haber cometido un error que habría podido evitar.

tomar el pelo (I) *familiar* Burlarse de una persona para ponerla en ridículo. (II) Engañar a una persona haciéndole creer algo que es mentira.

FAM pelaje, pelambre, pelar, pelechar, pelillo, pelirrojo, pelón, peludo, pelusa; crecepelo, contrapelo.

pelón, -lona *adj./s. m. y f.* ① Se aplica a la persona o animal que no tiene pelo o tiene muy poco: *el bebé todavía está pelón.* ② Que lleva el pelo muy corto o rapado totalmente: *los soldados iban todos pelones.* ③ Que es pobre o dispone de muy poco dinero: *a fin de mes siempre está algo pelón.*

pelota *s. f.* ① Bola hecha de cuero, goma u otro material flexible, llena de aire o maciza, que se utiliza para jugar o para practicar determinados deportes. ② Juego que se practica con esta bola. ■ **pelota vasca** Juego que se practica lanzando una pelota con la mano o con distintos instrumentos contra una pared para que rebote. ③ Bola hecha con cualquier materia blanda o flexible: *hizo una pelota de papel y la lanzó a la papelera.* | *adj./s. com.* ④ *familiar* Se aplica a la persona que alaba a alguien o trata de agradar, movido por el interés y con el único objetivo de conseguir un favor o un beneficio. **SIN** pelotillero. | *s. f. pl.* ⑤ **pelotas** *vulgar* Testículos.

devolver la pelota Responder una persona a una acción o un dicho de manera semejante.

en pelota o **en pelotas** *familiar* Completamente desnudo.

en pelota picada (o **viva**) *vulgar* Completamente desnudo.

estar hasta las pelotas *vulgar* Estar una persona harta o cansada de alguien o de algo.

hacer la pelota *familiar* Alabar o tratar de agradar a alguien con el único objetivo de conseguir un favor o un beneficio.

pasarse la pelota *familiar* Pasarse la culpa o la responsabilidad de uno a otro.

FAM pelotazo, pelotear, pelotera, pelotilla; despelotarse, recogepelotas.

pelotari *s. com.* Deportista que juega a la pelota vasca.

pelotazo *s. m.* ① Golpe dado con una pelota. ② *familiar* Copa o trago de una bebida alcohólica: *me acabo de tomar un pelotazo de whisky.* **SIN** lingotazo.

pelotear *v. intr.* Jugar con una pelota por diversión o como entrenamiento, sin disputar ningún partido: *los tenistas pelotearon antes de empezar el partido.*

FAM peloteo.

pelotera *s. f. familiar* Disputa, enfrentamiento o discusión fuerte entre dos o más personas.

pelotilleo *s. m. familiar* Alabanza falsa o exagerada que se hace a una persona con el fin de agradarle para conseguir una ganancia o una ventaja.

pelotillero, -ra *adj./s. m. y f. familiar* Se aplica a la persona que alaba a alguien o trata de agradar, movido por el interés y con el único propósito de conseguir un favor o un beneficio. **SIN** pelota.

pelotón *s. m.* ① Grupo numeroso de personas, que van juntas y sin orden: *cuando acaba la película salen todos del cine en pelotón.* ② Conjunto numeroso de ciclistas que durante una carrera van agrupados circulando al mismo ritmo: *hay un escapado que ha saltado del pelotón.* ③ Pequeña unidad militar de

infantería que forma parte de una sección y está mandada generalmente por un sargento o por un cabo.

FAM apelotonar.

peltado, -da *adj.* En botánica, se aplica a la hoja cuyo peciolo se inserta el centro del envés, en vez de por el extremo, como en el manzano y el nenúfar.

peluca *s. f.* Cabellera postiza.

FAM peluquero, peluquín.

peluche *s. m.* ① Tejido muy suave, con pelo largo por una de sus caras: *osito de peluche; alfombra de peluche.* ② Muñeco hecho de este tejido, que suele tener forma de animal: *a algunos niños pequeños les gusta dormir con peluches.*

peluco *s. m.* jerga Reloj.

peludo, -da *adj.* Que tiene mucho pelo.

peluquería *s. f.* ① Establecimiento en el que se peina, se corta y se cuida el pelo. ② Oficio y técnica de la persona que se dedica a peinar, cortar, arreglar y cuidar el pelo.

peluquero, -ra *s. m. y f.* Persona que se dedica profesionalmente a peinar, cortar, arreglar y cuidar el pelo.

FAM peluquería.

peluquín *s. m.* ① Peluca pequeña que solamente cubre una parte de la cabeza. ② Antigua peluca con bucles y coleta.

ni hablar del peluquín *familiar* Expresión que se utiliza para negar rotundamente una propuesta.

pelusa *s. f.* ① Pelo muy suave y fino que cubre ciertas frutas y plantas: *la pelusa del melocotón le produce alergia.* **SIN** vello. ② Pelo muy fino, casi imperceptible, que crece en la cara y en otras partes del cuerpo de una persona: *solemos tener pelusa en los lóbulos de las orejas.* **SIN** vello. ③ Pelo fino que sueltan las prendas de punto o algunos tejidos con el uso: *los jerséis de angora dejan mucha pelusa.* ④ Acumulación de polvo y suciedad debajo de los muebles y de otros lugares donde no se limpia frecuentemente: *debajo de las camas hay mucha pelusa.* ⑤ Sentimiento de envidia o de celos propio de los niños: *mi hijo mayor tiene pelusa de su hermanito recién nacido.*

pelvis *s. f.* Parte del esqueleto situada en la zona inferior del tronco de los mamíferos y en la que se articulan las extremidades inferiores: *la pelvis está formada por cinco huesos: sacro, ilion, isquion, pubis y cóccix.*

FAM pélvico.

OBS Plural invariable.

pena *s. f.* ① Castigo que una autoridad impone a una persona responsable de una falta o delito: *lo han condenado a una pena de seis meses de cárcel.* **SIN** condena. ■ **pena capital** o **pena de muerte** Condena en la que el culpable de un delito debe ser ejecutado. ■ **pena grave** Pena superior a un mes de cárcel; se impone por los delitos. ■ **pena leve** Pena inferior a un mes de cárcel; se impone por las faltas. ② Sentimiento de dolor, sufrimiento o tristeza que provoca en una persona un hecho adverso o desgraciado. **SIN** lástima. ③ Cosa o hecho que produce estos sentimientos. ④ Dificultad, trabajo o esfuerzo que le cuesta a una persona hacer una cosa: *han conseguido salir de la pobreza a costa de muchas penas.* ⑤ AMÉR. CENTRAL, COL., CUBA, R. DOM., VENEZ. Vergüenza: *me da pena ir contigo por la ropa que llevas.*

a duras penas Se utiliza para indicar que una cosa se hace con mucha dificultad o muy apuradamente.

de pena (I) *familiar* Que tiene unas cualidades muy malas. (II) *familiar* Se utiliza para indicar que una cosa se hace muy mal.

hecho una pena familiar En muy malas condiciones: *tras la fiesta, el salón quedó hecho una pena.*

merecer (o **valer**) **la pena** Ser una cosa suficientemente valiosa como para que se considere bien empleado el esfuerzo que cuesta: *para ir a su casa no vale la pena coger el coche, llegaremos antes en tren.*

sin pena ni gloria Se utiliza para indicar que una cosa se hace sin sobresalir ni destacar, ni por lo bueno ni por lo malo.

so pena de (I) Bajo un castigo. (II) A menos que suceda una cosa.

FAM penal, penar, penoso; apenar.

penacho *s. m.* ① Conjunto de plumas levantadas que tienen algunas aves en la parte superior de la cabeza: *el pavo real luce un penacho de colores brillantes.* **SIN** cresta. ② Conjunto de plumas que se ponen como adorno sobre la cabeza de una persona o animal o en cascos o sombreros.

penado, -da *s. m. y f.* Persona que ha sido condenada a una pena y está cumpliéndola en la cárcel.

penal *adj.* ① Relativo a los delitos y las faltas o a las penas con las que estos se castigan: *solucionar un asunto por la vía penal.* ▎ *s. m.* ② Edificio o local en el que cumplen una pena grave, privadas de su libertad, las personas que han sido condenadas.

FAM penalidad, penalista, penalizar.

penalidad *s. f.* ① Sufrimiento o adversidad grande que padece alguien: *en el desierto pasaron grandes penalidades.* **NOTA** Más en plural con el mismo significado que en singular. ② Sanción impuesta por la ley.

penalista *adj./s. com.* Se aplica al abogado o persona que está especializado en el derecho penal e interviene en casos delictivos o criminales.

penalización *s. f.* Castigo, sanción o multa que se pone a una persona que ha cometido una falta, especialmente en un juego o deporte.

penalizar *v. tr.* Imponer un castigo, sanción o multa a alguien, especialmente en un juego o deporte.

FAM penalización; despenalizar.

penalti *s. m.* ① Falta que en el fútbol y otros deportes comete un jugador dentro del área de gol de su propio equipo, y que es sancionada con el máximo castigo. ② Pena que corresponde a esta falta. ③ Lanzamiento de la pelota que debe efectuar el equipo contrario al que ha cometido esta falta; se ha de tirar directamente a la portería desde un punto determinado del área y sin más defensa que el portero.

casarse de penalti familiar Casarse por haber quedado embarazada la mujer.

OBS Plural: *penaltis.* Puede encontrarse la grafía inglesa *penalty.*

penar *v. tr.* ① Imponer una pena o un castigo a la persona responsable de haber cometido una falta o delito: *el juez penó al acusado con diez años de prisión.* **SIN** condenar. ② Señalar el castigo correspondiente a una acción delictiva: *la ley pena con la cárcel los delitos de robo y asesinato.* ▎ *v. intr.* ③ Padecer o soportar un dolor o una penalidad: *ha penado mucho por sus hijos.* **SIN** sufrir. ④ Agonizar largo tiempo.

FAM penado.

penates *s. m. pl.* Divinidades de los antiguos romanos que protegían el hogar y a sus habitantes: *los penates se representaban mediante estatuillas.*

penca *s. f.* ① Nervio central carnoso que tienen las hojas de algunas plantas, especialmente las hortalizas. ② Hoja tierna y carnosa de ciertas plantas.

penco *s. m.* ① Caballo flaco, débil y de poco valor. ② Persona torpe, inútil o despreciable. **NOTA** Frecuentemente usado como insulto.

pendejo, -ja *s. m. y f.* ① familiar Persona que lleva una vida irregular, viciosa y desordenada. **NOTA** Frecuentemente usado como insulto. **SIN** pendón. ▎ *s. m.* ② Pelo que sale en el pubis y en las ingles.

pendencia *s. f.* Pelea o riña de palabras o de obras: *buscaba pendencia y la encontró.*

FAM pendenciero.

pendenciero, -ra *adj./s. m. y f.* Se aplica a la persona que es muy aficionada a pelear, reñir o discutir.

pender *v. intr.* ① Estar colgada, suspendida o inclinada una cosa: *el cuadro pende de la pared.* ② Estar sin resolver o terminar un juicio o un asunto: *el pleito pende ante el juez.*

FAM pendiente.

pendiente *adj.* ① Que todavía está sin resolver o sin terminar: *el juicio está pendiente de sentencia.* ② Que pone mucha atención en una persona o una cosa o se preocupa mucho por ella: *la madre estaba pendiente de su bebé en todo momento.* ③ Que está inclinado o tiene inclinación: *terreno pendiente.* ▎ *s. m.* ④ Adorno que una persona se pone o lleva colgando de alguna parte del cuerpo, generalmente del lóbulo de la oreja: *esos pendientes te favorecen.* ▎ *s. f.* ⑤ Terreno que está inclinado o tiene inclinación: *la pelota rodó por la pendiente.* ⑥ Ángulo que forma el terreno con respecto a la horizontal: *la autopista tiene una pendiente muy suave.* ⑦ En matemáticas, inclinación que tiene una recta del plano con respecto al eje de las x; es el cociente entre lo que aumenta o disminuye la ordenada y lo que aumenta la abcisa, o la tangente del ángulo que forma la recta con el eje de abcisas: *si la recta tiene por ecuación $y = mx + n$, el número real m es la pendiente de la recta.*

pendón *s. m.* ① Bandera más larga que ancha que usaban como insignia distintiva los regimientos, los batallones y otras agrupaciones militares y religiosas. ② familiar Persona que lleva una vida irregular, viciosa y desordenada. **SIN** pendejo. ③ familiar Mujer que lleva una vida que no está de acuerdo con lo que se considera moralmente aceptable, especialmente en materia sexual.

pendular *adj.* Relativo al péndulo.

péndulo *s. m.* Cuerpo sólido que, desde una posición de equilibrio determinada por un punto fijo del que está suspendido, situado por encima de su centro de gravedad, puede oscilar libremente primero hacia un lado y luego hacia el contrario.

FAM pendular.

pene *s. m.* Órgano del aparato reproductor masculino que permite la cópula y que forma parte del último tramo del aparato urinario: *la introducción del esperma en la vagina se realiza mediante el pene.*

penene *s. com.* familiar En un instituto o una universidad, profesor no numerario.

penetrable *adj.* ① Que puede ser atravesado o penetrado. **ANT** impenetrable. ② Que es fácil de comprender o de entender. **ANT** impenetrable.

FAM impenetrable.

penetración *s. f.* ① Introducción de una cosa en un lugar o en otra cosa: *el Gobierno permitió la penetración de capital extranjero.* ② Introducción del pene en la vagina de la mujer durante el acto sexual. ③ Comprensión de algo difícil u oculto. ④ Capacidad que tienen algunas personas de pensar con gran inteligencia, rapidez y claridad: *discurre con gran penetración.*

penetrante *adj.* ① Que es profundo o penetra muy adentro en un cuerpo: *herida penetrante; olor penetrante.* ② Se aplica al sonido que es agudo o de volumen elevado: *en medio del silencio se escuchó la voz penetrante del tenor.* ③ Que piensa con rapidez y claridad y comprende fácilmente lo más profundo u oculto de las cosas: *mente penetrante; inteligencia penetrante.*

penetrar *v. tr./intr.* ① Introducirse una cosa en un lugar o en otra cosa: *el agua penetra la tierra; la humedad ha penetrado en la habitación.* ② Hacerse sentir de manera intensa y violenta el frío, la humedad u otra sensación molesta: *aquel frío penetraba las carnes.* ③ Afectar algo a una persona produciéndole un dolor o un sentimiento de manera intensa y profunda: *el rechazo de su amada le penetró muy hondamente.* ④ Llegar a entender el pensamiento o las intenciones de una persona o el sentido más profundo de una cosa difícil: *todavía no ha penetrado en el problema.* ❘ *v. intr.* ⑤ Introducirse una persona en el interior de un recinto o dentro de un grupo de personas: *los ladrones penetraron por la ventana.* ❘ *v. tr.* ⑥ Introducir el hombre el pene en la vagina de la mujer al hacer el acto sexual. ❘ *v. prnl.* ⑦ **penetrarse** Comprender una cosa en todos los detalles y en los aspectos más importantes: *se penetró de las teorías marxistas.*
FAM penetrable, penetración, penetrador, penetrante.

penibético, -ca *adj.* Relativo a la Cordillera Penibética (sistema montañoso del sur de España).

penicilina *s. f.* Sustancia antibiótica extraída de los cultivos de un hongo, que se usa en medicina para curar algunas enfermedades producidas por bacterias: *la penicilina fue descubierta por Fleming.*

penillanura *s. f.* Llanura con escasos desniveles y bajas pendientes que se ha formado tras un largo proceso de erosión.

península *s. f.* Extensión de tierra que está rodeada de agua por todas partes menos por una, por donde se une con un territorio de mayor tamaño.
FAM peninsular.

peninsular *adj.* ① Relativo a la península. ② De la Península Ibérica (península europea constituida por España, Portugal y Andorra): *los niños estudian los ríos peninsulares.* ❘ *s. com./adj.* ③ Persona que es de una península. ④ Persona que es de la Península Ibérica, y no de las islas Baleares, Canarias o de las ciudades de Ceuta y Melilla.

penique *s. m.* Moneda de Gran Bretaña que equivale a la centésima parte de una libra esterlina.

penitencia *s. f.* ① Sacramento de la Iglesia católica en virtud del cual el sacerdote perdona los pecados cometidos por un fiel que está arrepentido de ellos. ② Acto o acción que el fiel arrepentido debe hacer para manifestar exteriormente este arrepentimiento o bien para reparar el daño efectuado. ③ Acción sacrificada que una persona realiza como manifestación exterior de su devoción: *algunas personas hacen una parte de un camino sagrado descalzos como penitencia.* ④ familiar Cosa muy molesta que una persona debe hacer o soportar: *convivir con estos vecinos es una penitencia.*
FAM penitenciario, penitente.

penitenciaría *s. f.* ① Edificio o lugar en el que cumplen una pena, privadas de su libertad, las personas que han sido condenadas. **SIN** cárcel, prisión. ② Tribunal eclesiástico de Roma encargado de dispensar bulas y gracias. **NOTA** Se escribe normalmente con mayúscula inicial.

penitenciario, -ria *adj.* ① Relativo a la penitenciaría (edificio o lugar). ② Se aplica al sacerdote encargado de confesar en una iglesia y al cargo que lleva aneja esta obligación. ❘ *s. m.* ③ Cardenal que preside el tribunal de la Penitenciaría de Roma.
FAM penitenciaría.

penitente *s. com.* ① Persona que cumple una pena, generalmente impuesta por un sacerdote, para que Dios le perdone sus pecados. ② Persona que hace penitencia desfilando en las procesiones. **SIN** nazareno. ③ Persona que se confiesa según el sacramento de la penitencia.
FAM impenitente.

penoso, -sa *adj.* ① Que produce pena o dolor. ② Que exige mucho esfuerzo o presenta una gran dificultad: *después de la fiesta viene la penosa tarea de limpiarlo todo.* **SIN** trabajoso. ③ Que es de muy mala calidad: *el trabajo de ese actor es penoso.* ④ AMÉR. CENTRAL, COL., CUBA, MÉX., R. DOM., VENEZ. Vergonzoso.

pensador, -ra *adj.* ① Se aplica a la persona que piensa. ❘ *s. m. y f.* ② Persona que se dedica a estudios muy elevados y profundiza mucho en ellos.
FAM librepensador.

pensamiento *s. m.* ① Capacidad que tienen las personas de formar ideas y representaciones de la realidad en su mente, relacionando unas con otras: *el pensamiento es una cualidad humana.* ② Sitio imaginario o lugar que se guardan las ideas formadas por la mente: *no puedo apartar ese problema de mi pensamiento.* ③ Idea o representación mental de una persona, cosa o situación: *mi novia es mi único pensamiento.* ④ Deseo, intención o propósito que tiene una persona de hacer una cosa: *¿qué pensamientos tienes?* ⑤ Conjunto de ideas propias de una persona o de un grupo de personas: *el libro recoge el pensamiento de Ortega y Gasset.* ⑥ Idea o conjunto de ideas que destaca en un escrito o discurso: *la libertad es el único pensamiento en sus intervenciones públicas.* ⑦ Planta herbácea de jardín de pequeño tamaño que da unas flores aterciopeladas y tricolores. ⑧ Flor de esta planta, con cuatro pétalos que montan uno sobre otro dirigidos hacia arriba y uno dirigido hacia abajo, redondeados y de tres colores.
beber el pensamiento Adivinarle los pensamientos a una persona para realizarlos.
como el pensamiento Con rapidez y ligereza.
leer el pensamiento Adivinar el pensamiento o las intenciones de una persona.
FAM librepensamiento.

pensar [1] *v. tr./intr.* ① Formar una persona ideas y representaciones de la realidad en su mente, relacionando unas con otras: *el ser humano piensa.* ② Examinar una persona con mucho cuidado un asunto o una cuestión para tomar una decisión o formarse una opinión sobre ella: *pensaré en tu oferta y te daré la respuesta el lunes.* **SIN** meditar. ③ Tomar una persona una decisión después de haber examinado detenidamente una cuestión o un asunto: *he pensado aceptar ese puesto de trabajo.* ④ Tener una persona la intención o el propósito de hacer una cosa o hacer proyectos sobre una cosa: *no pienso salir contigo esta noche.* ⑤ Usar una persona su inteligencia para in-

P

ventar una idea útil o un buen método o sistema para hacer una cosa: *el prisionero pensó un plan para escapar.* SIN idear. **6** Tener una persona determinada opinión respecto de algo: *¿tú qué piensas?* SIN opinar.

dar que pensar Preocupar una cosa a alguien: *lo que me ha dicho da que pensar.*

ni pensarlo Se utiliza para rechazar una idea o propuesta o negar el permiso para hacer una cosa.

pensar mal Considerar que las acciones o las palabras de otra persona están llenas de mala intención o de propósitos deshonestos.

sin pensar (I) Forma de hacer una cosa de manera rápida e inesperada: *se aburría, así que, sin pensar, tomó el tren hacia Madrid.* (II) Forma de hacer una cosa de manera involuntaria, sin tener la intención de hacerla: *perdóname, lo hice sin pensar.* FAM pensado, pensador, pensamiento, pensante, pensativo; impensable, impensado, malpensar.

pensativo, -va *adj.* Que está pensando con mucha atención en una cosa, sin atender o darse cuenta de lo que ocurre a su alrededor. SIN meditabundo.

pensión *s. f.* **1** Establecimiento público que ofrece alojamiento y comida a cambio de dinero, y que es de categoría inferior al hostal: *en las pensiones suele haber huéspedes que viven en ellas de forma permanente.* **2** Cantidad de dinero que se cobra por este alojamiento: *este mes no he pagado todavía la pensión.* **3** Conjunto de servicios de alojamiento y comida que se ofrece al cliente en un hotel u otro establecimiento de hostelería. ■ **media pensión** (I) Régimen de alojamiento que se compone de habitación, desayuno y una comida. (II) En un establecimiento educativo, régimen que incluye la enseñanza y la comida del mediodía. ■ **pensión completa** Régimen de alojamiento que se compone de habitación, desayuno, comida y cena. **4** Cantidad de dinero que un organismo oficial paga a una persona de manera periódica y como ayuda económica por un motivo determinado: *los jubilados cobran una pensión del Estado.* **5** Cantidad de dinero que una persona paga a otra como ayuda económica. FAM pensionar, pensionista.

pensionista *s. com.* **1** Persona que recibe una cantidad de dinero de manera periódica y como ayuda económica, especialmente la que lo recibe del Estado porque está incapacitada para trabajar o es demasiado mayor para hacerlo. **2** Persona que paga una cantidad de dinero cierto tiempo para vivir en una casa de huéspedes o por estar internado en un colegio. ■ **medio pensionista** Alumno que recibe enseñanza y comida, pero no alojamiento. FAM mediopensionista.

pentadecaedro *s. m.* Cuerpo geométrico de quince caras.

pentadecágono *s. m.* Polígono de quince lados.

pentadecasílabo, -ba *adj.* **1** Que tiene quince sílabas. ǀ *adj./s. m.* **2** Se aplica al verso que tiene quince sílabas.

pentaedro *s. m.* Cuerpo geométrico de cinco caras.

pentagonal *adj.* Que tiene forma de pentágono: *la casa era de planta pentagonal.*

pentágono *s. m.* Figura geométrica de cinco lados. FAM pentagonal.

pentagrama o **pentágrama** *s. m.* Serie de cinco líneas horizontales y paralelas, situadas a igual distancia unas de otras, que sirve de pauta para escribir sobre ellas las notas musicales.

pentasílabo, -ba *adj./s. m.* Se aplica al verso que tiene cinco sílabas.

pentatlón *s. m.* **1** En la antigua Grecia, conjunto de cinco pruebas deportivas que realizaba un mismo atleta y que incluía carrera, salto de longitud, lucha y lanzamiento de disco y jabalina. **2** Conjunto de cinco pruebas deportivas que realiza un mismo atleta y que incluye 200 y 1500 metros lisos, salto de longitud y lanzamiento de disco y jabalina.

pentatlón moderno Conjunto de cinco pruebas deportivas que realiza un mismo atleta y que incluye equitación, natación, tiro, esgrima y carrera campo a través.

pentatónico, -ca *adj.* **1** Se aplica a la escala musical de cinco tonos con ausencia de semitonos, característica de músicas populares de diversos pueblos y del canto gregoriano. **2** Relativo a esta escala.

Pentecostés *s. m.* **1** Fiesta cristiana que conmemora la venida del Espíritu Santo sobre los apóstoles después de la resurrección de Jesucristo: *Pentecostés se celebra cincuenta días después del domingo de Pascua.* **2** Fiesta judía que conmemora la entrega que Dios hizo a Moisés de las tablas de la ley.

penúltimo, -ma *adj./s. m. y f.* Que ocupa el lugar inmediatamente anterior al último: *la "y" es la penúltima letra del abecedario español.* FAM antepenúltimo.

penumbra *s. f.* **1** Estado o situación en que hay poca luz pero no se llega a la oscuridad: *corrió la cortina y la habitación quedó en penumbra.* **2** En un eclipse, sombra parcial que hay entre la parte que está iluminada y la que está completamente oscura.

penuria *s. f.* **1** Falta o escasez de lo necesario. **2** Situación de la persona que no tiene lo necesario para vivir: *le han prestado dinero para ayudarle a salir de su penuria.* SIN pobreza.

peña *s. f.* **1** Piedra grande que se encuentra en estado natural, o que no ha sido trabajada por el ser humano. **2** Monte o altitud que tiene muchas rocas grandes y elevadas: *llegaron a una peña desde la que se divisaba el valle.* **3** Asociación deportiva, recreativa o cultural: *me he apuntado a una peña futbolística.* SIN club. **4** familiar Grupo de amigos: *el sábado fui de excursión con mi peña.* **5** familiar Gente o grupo de personas muy grande: *había mucha peña en el concierto.* FAM peñasco, peñón; despeñar.

peñascal *s. m.* Lugar en que hay muchos peñascos.

peñasco *s. m.* Roca grande y elevada más grande que la peña. SIN cancho. FAM peñascal, peñascoso.

peñazo *adj./s. m.* familiar Se aplica a la persona o cosa que es muy aburrida, pesada o molesta: *vaya película más peñazo.*

peñón *s. m.* Monte o montaña en que hay muchas rocas o peñascos.

peón *s. m.* **1** Obrero no especializado que tiene la categoría profesional más baja: *peón de albañil; peón agrícola.* ■ **peón caminero** Obrero que trabaja en la conservación y reparación de las carreteras y vías públicas. **2** Pieza del ajedrez que es la de menos valor y se mueve siempre de frente, avanzando un solo cuadro en cada movimiento. **3** Pieza o ficha de otros juegos de tablero. **4** Peonza. **5** Soldado de a pie. FAM peonada, peonaje.

peonada *s. f.* **1** Trabajo que un peón o un jornalero hace en un día, especialmente en las labores del campo. **2** Conjunto de peones que trabajan en una obra.

peonza *s. f.* Juguete con forma de cono, generalmente de madera y con una punta de hierro, al que se enrolla una cuerda para lanzarlo y hacer que gire sobre sí mismo: *hacía bailar la peonza.* SIN peón, trompo.

a peonza familiar A pie.

peor *adj.* 1 Que es más malo o de inferior calidad respecto de otra cosa con la que se compara: *esta tela es peor que la que has comprado.* NOTA Es el adjetivo comparativo de *malo.* Seguido de artículo, forma el grado superlativo: *de todas las ciudades que conozco, esta es la peor.* ANT mejor. 2 Que no es preferible: *las consecuencias todavía podrían ser peores.* ANT mejor. | *adv.* 3 Se utiliza para indicar que una cosa está o se hace más mal respecto de otra cosa con la que se compara o de manera más contraria a lo bueno o conveniente: *el enfermo se encuentra peor.* NOTA Es el adverbio comparativo de *mal.* ANT mejor.

peor que peor Se utiliza para indicar que lo que se propone como remedio empeora aún más las cosas.

tanto peor Todavía peor.

FAM empeorar.

pepinillo *s. m.* Variedad de pepino, de pequeño tamaño, que suele conservarse en sal y vinagre.

pepino *s. m.* 1 Planta herbácea de tallos largos, blandos y rastreros, con hojas grandes y vellosas, flores amarillas y fruto comestible. 2 Fruto de esta planta, de forma cilíndrica, con una corteza áspera y rugosa, verde o amarilla, y en su interior una carne blanca con muchas semillas pequeñas y planas en el centro. | *adj./s. m.* 3 Se aplica al melón que está poco maduro.

importar un pepino familiar No importarle nada una cosa a una persona o no tener ningún valor o interés para ella.

FAM pepinillo.

pepita *s. f.* 1 Semilla de las frutas y hortalizas carnosas, como la uva, la manzana, el melón o el tomate, que es dura y de pequeño tamaño. SIN pipa. 2 Trozo pequeño y pulido de oro o de otro metal, que suele encontrarse en terrenos formados por la acumulación de materiales arrastrados por las aguas: *pepita de oro.* 3 Enfermedad que ataca a las gallinas y otras aves domésticas en la lengua: *la pepita es un tumor que produce trastornos respiratorios y es contagiosa.*

FAM despepitar.

pepito *s. m.* 1 Bollo de forma alargada que tiene dentro crema o chocolate. 2 Bocadillo que tiene en su interior un filete de carne.

pepitoria *s. f.* Guiso a base de pollo o gallina en trozos con una salsa espesa que lleva yema de huevo: *pollo en pepitoria.*

pepona *adj./s. f.* Se aplica a la muñeca que es grande y tosca, generalmente de cartón y con la cara gorda: *nos tocó una muñeca pepona en una tómbola.*

pepsina *s. f.* Enzima que segregan algunas glándulas del estómago y que interviene en la digestión de las proteínas: *la pepsina es una proteína que forma parte del jugo gástrico.*

peptídico, -ca *adj.* Relativo a los péptidos: *el enlace peptídico es la fuerza que une dos o más aminoácidos para dar una estructura más compleja (el péptido).*

péptido *s. m.* Compuesto químico formado por la unión de dos o más aminoácidos.

peque *s. com.* familiar Bebé o niño de corta edad, en especial el propio hijo.

OBS Se usa como apelativo cariñoso.

pequeñez *s. f.* 1 Cualidad de pequeño: *siempre le fastidió la pequeñez de sus ojos.* 2 Cosa insignificante o de poca importancia. SIN menudencia.

pequeño, -ña *adj.* 1 Que tiene un tamaño reducido o unas dimensiones menores de lo que es normal: *tiene la boca pequeña y los ojos grandes.* ANT grande. 2 Que tiene poca altura o es de corta estatura: *para su edad, este niño está muy pequeño.* 3 Que es de poca importancia, duración o intensidad: *ha caído un pequeño aguacero.* | *adj./s. m.* 4 Se aplica a la persona que tiene muy poca edad: *tiene un niño pequeño.*

FAM peque, pequeñez; empequeñecer.

pequeñoburgués, -guesa *adj./s. m. y f.* 1 Se aplica a la persona que pertenece a la clase burguesa media, acomodada pero sin llegar a ser rica. | *adj.* 2 Relativo a estas personas: *mentalidad pequeñoburguesa.*

pequinés, -nesa [también **pekinés, -nesa**] *adj.* 1 De Pequín o Pekín (capital de China). | *s. m. y f./adj.* 2 Persona que es de Pequín o Pekín. | *adj./s. m. y f.* 3 Se aplica al perro que es pequeño, tiene los ojos prominentes, el morro corto y aplastado, las patas cortas, las orejas caídas y el pelo largo.

pera *s. f.* 1 Fruto del peral, comestible, de color verde o amarillo, ancho por la parte de abajo y delgado por la de arriba, con la piel fina y la carne blanca, muy jugoso, de sabor dulce o ácido y, en el centro, unas semillas pequeñas de color negro. 2 Recipiente de goma con la forma de este fruto, que se usa para impulsar un líquido o un gas. 3 Interruptor para llamar a un timbre o para encender y apagar la luz, que tiene la forma de este fruto. 4 Barba recortada formada con los pelos que crecen en la barbilla de los hombres. SIN perilla. | *adj./s. com.* 5 familiar Se aplica a la persona que es muy presumida y demasiado elegante y refinada: *los niños pera acostumbran a usar ropa cara.*

partir las peras Dejar de ser amigas o de relacionarse dos personas.

pedir peras al olmo Pedir o pretender algo que es imposible.

pera en dulce familiar Persona o cosa extraordinaria o con muy buenas cualidades.

poner las peras a cuarto familiar Reprender severamente a alguien o pedirle cuentas de algo.

ser la pera familiar Destacar una persona o una cosa por una cualidad muy buena o muy mala.

tocarse la pera vulgar Estar una persona inactiva o no trabajar.

FAM peral.

peral *s. m.* 1 Árbol de tronco recto y liso, copa muy poblada con hojas ovaladas y puntiagudas, flores blancas en grupo y fruto comestible (pera). 2 Madera de este árbol.

FAM peraleda.

peraleda *s. f.* Lugar poblado de perales.

peralte *s. m.* 1 En una carretera o vía, mayor elevación que tiene la parte exterior de una curva en relación con la interior: *el peralte de la autovía evitó que el coche se saliera de la curva.* 2 Espacio que en la altura de un arco, bóveda o armadura sobrepasa del semicírculo: *los arcos apuntados tienen peralte, pero los de medio punto no.* 3 Elevación de una armadura de cubierta por encima de los puntos de apoyo o arranque: *el peralte de la bóveda da al edificio mayor esbeltez.*

FAM peraltar.

perca *s. f.* Pez comestible de agua dulce, de cuerpo oblongo, con el lomo de color verdoso, el vientre plateado y los costados dorados con rayas oscuras.

percal *s. m.* Tejido de algodón, de poco precio y calidad, generalmente estampado.

conocer el percal familiar Conocer muy bien a una persona o el verdadero trasfondo de un asunto determinado.

percance *s. m.* Hecho o accidente inesperado y de poca gravedad que impide o retrasa hacer lo que se desea. SIN contratiempo.

percatarse *v. prnl.* Darse cuenta una persona de una cosa: *el maestro se percató de que uno de los niños no estaba atento.* SIN notar.

percebe *s. m.* ① Crustáceo comestible, de forma cilíndrica y alargada, con un caparazón en su extremo, que permanece adherido a las rocas mediante un pedúnculo carnoso y que se cría formando grupos: *la carne del percebe es muy apreciada.* ② familiar Persona que es torpe o ignorante.

percentil *s. m.* Valor de una variable estadística que separa un determinado porcentaje de valores de la misma: *el percentil más conocido es la mediana, que es el valor que deja el 50 % de los valores por debajo de él y el 50 % por encima.*

percepción *s. f.* ① Recepción o cobro de algo material, especialmente de un sueldo u otra cantidad de dinero que le corresponde por algo: *el desempleado tendrá derecho a la percepción de una parte de su sueldo base.* ② Proceso por el cual una persona tiene conocimiento del mundo exterior a partir de las impresiones que le comunican los sentidos: *la percepción de un olor.* ③ Conocimiento, idea o comprensión de una cosa mediante la inteligencia: *su percepción del mundo es positiva.* FAM perceptual.

perceptible *adj.* Que puede ser notado o percibido: *es perceptible tu falta de interés.* ANT imperceptible. FAM perceptibilidad; imperceptible.

percha *s. f.* ① Utensilio que sirve para mantener colgadas prendas de vestir; es un soporte ligero, generalmente triangular, hecho de madera, metal o plástico, que se puede colgar de una barra o de otro lugar por medio de un gancho que tiene en la parte superior: *dentro del armario, la ropa se cuelga en perchas.* ② Perchero: *algunas perchas están fijadas a la pared y otras tienen un pie.* ③ Gancho que está diseñado para colgar en él prendas de vestir u otros objetos: *detrás de la puerta está el albornoz colgado de la percha.* ④ Madero o palo que sirve para sostener algo. ⑤ Soporte de madera, formado por un palo horizontal generalmente sostenido por otro vertical, que sirve para que se posen en él las aves. ⑥ familiar Tipo o figura de una persona: *para ponerse un jersey tan ajustado hace falta tener buena percha.* FAM perchero.

perchero *s. m.* Mueble que tiene unos ganchos para colgar la ropa, los sombreros u otros objetos. SIN percha.

percherón, -rona *adj./s. m. y f.* Se aplica al caballo o yegua que es de una raza de origen francés, de gran fuerza y corpulencia.

percibir *v. tr.* ① Tener conocimiento del mundo exterior por medio de las impresiones que comunican los sentidos. ② Recibir una persona una cosa material, especialmente un sueldo u otra cantidad de dinero que le corresponde por algo. ③ Comprender o conocer una cosa por medio de la inteligencia. FAM percepción, perceptible, perceptivo; apercibir.

percusión *s. f.* ① Acción que consiste en dar uno o varios golpes, especialmente cuando ocurre repetidamente: *la percusión incesante del martillo resulta muy molesta.* ② Conjunto de instrumentos que producen música al ser golpeados con una baqueta, maza u otro objeto, o al ser golpeados entre sí: *la percusión de una orquesta de jazz.* ③ Técnica de exploración médica que consiste en dar golpes secos con los dedos sobre una parte del cuerpo. FAM percusionista.

percusionista *s. com.* Persona que toca uno o más instrumentos de percusión.

percutir *v. tr.* ① Dar uno o varios golpes, especialmente cuando se hace de manera repetida: *cogió un martillo para percutir el metal.* ② Explorar una parte del cuerpo dando golpes secos con los dedos. FAM percusión, percusor, percutor.

percutor *s. m.* Pieza que golpea en alguna máquina, especialmente la que provoca la explosión en las armas de fuego.

perdedor, -ra *adj./s. m. y f.* ① Que pierde o es vencido: *el equipo perdedor se portó con deportividad.* ANT ganador, vencedor. ② Se aplica a la persona que nunca o casi nunca tiene éxito en lo que emprende o realiza.

perder [2] *v. tr.* ① Dejar de tener una persona algo que poseía, o no saber dónde está: *he perdido las llaves del piso.* ② Resultar vencido en una lucha, una competición u otro tipo de enfrentamiento: *ha perdido la apuesta que hizo con su compañero.* ANT ganar. ③ Verse privado de la compañía de una persona, generalmente a causa de su muerte: *muchas familias perdieron a sus hijos en la batalla.* ④ Dejar de tener un sentimiento o una actitud: *lo siento, he perdido la calma.* ⑤ Desperdiciar una cosa o no aprovecharla debidamente: *estás perdiendo el tiempo con ella.* ⑥ No conseguir una persona algo que necesita: *he perdido el autobús por entretenerme hablando.* ⑦ Producir una cosa un daño o un perjuicio grave a una persona: *el vicio lo ha perdido.* ⑧ Disminuir una determinada magnitud relativa a una persona o una cosa: *hizo un régimen para perder peso.* ‖ *v. intr.* ⑨ Tener una cosa peor calidad o aspecto o peores cualidades de las que tenía: *este programa ha perdido mucho desde que cambiaron al presentador.* ‖ *v. tr.* ⑩ Disminuir poco a poco el contenido de un recipiente: *la rueda derecha pierde, tal vez está pinchada.* ‖ *v. prnl.* ⑪ **perderse** Equivocarse de camino o no ser capaz de encontrar un camino o una salida correcta: *los excursionistas se perdieron en el bosque.* ⑫ Distraerse o despistarse una persona y no poder seguir el hilo de lo que estaba diciendo, leyendo o escuchando: *lo siento, me he perdido, ¿podría volver a empezar?* ⑬ Caer una persona en un estado o modo de vida deshonesto y entregado a los vicios: *su marido se perdió en juegos y diversiones.* ⑭ Amar o sentir una fuerte pasión por una persona o una cosa: *se pierde por el fútbol.* ⑮ Dejar de disfrutar una cosa: *no llegué a tiempo y me perdí el principio del concierto.* ⑯ Aturdirse o no encontrar la manera de superar un problema o una dificultad: *con tantos números me pierdo.*

¡piérdete! familiar Se utiliza para indicar enérgicamente a una persona que se vaya y deje de molestar o importunar.

tener buen (o **mal**) **perder** Aceptar una persona bien (o mal) una derrota. FAM perdedor, perdición, pérdida, perdido.

perdición *s. f.* ① Caída de una persona en la ruina, la deshonra o la destrucción moral: *su afición a la bebida llevó a la perdición a toda su familia.* ② Persona o cosa que provoca un daño o un perjuicio grave a alguien: *la adicción a las drogas es su perdición.* ③ Amor apasionado. ④ Condenación eterna. ⑤ Cosa o persona que apasiona a alguien pero le comporta algún problema: *el chocolate es mi perdición.*

pérdida *s. f.* ① Acción de perder o perderse lo que se poseía: *pérdida de peso.* ② Daño grave que se produce en una cosa: *la pérdida de la cosecha ha arruinado a los agricultores.* ③ Cantidad o cosa que se pierde, especialmente dinero: *la caída de la bolsa ha provocado pérdidas millonarias.* ④ Escape o fuga de un fluido: *hay que arreglar esta cañería, tiene una pérdida.* ⑤ Mal uso o desperdicio de una cosa: *este trabajo es una pérdida de tiempo.* ⑥ Muerte de una persona: *todos lloraron la pérdida de su hijo pequeño.*

no tener pérdida familiar Ser una cosa fácil de encontrar, especialmente una calle o un lugar.

perdido, -da *adj.* ① Que no tiene o no lleva un destino determinado: *creo que estamos perdidos: vamos a mirar el mapa.* ② Se utiliza para aumentar y reforzar el sentido de ciertos adjetivos peyorativos: *estaba loco perdido.* ‖ *adj./s. m. y f.* ③ Se aplica a la persona que vive entregada a los vicios o tiene malas costumbres. SIN golfo.

estar perdido No tener escapatoria ni salida en una situación comprometida.

poner perdido familiar Ensuciar mucho a una persona o mancharla mucho con algo: *el coche nos salpicó y nos puso perdidos de barro.*

FAM perdidamente.

perdigón *s. m.* ① Bola pequeña de plomo que, junto con otras, forma la munición de un arma de caza. ② Cría de la perdiz. ③ Perdiz macho que usan los cazadores para atraer otras piezas. ④ familiar Partícula de saliva que se despide al hablar.

FAM perdigonada.

perdigonada *s. f.* ① Disparo hecho con una escopeta de perdigones. ② Herida producida por un disparo de perdigón.

perdiguero, -ra *adj.* ① Se aplica al animal que caza perdices: *águila perdiguera.* ② Relativo a la perdiz o a su caza. ‖ *adj./s. m. y f.* ③ Se aplica al perro que es de tamaño mediano y tiene el cuello ancho y fuerte, la cabeza fina, el morro alargado, las orejas muy grandes y caídas, las patas altas y nervudas, la cola larga y el pelo corto y suave: *los perdigueros tienen muy buen olfato y son muy apreciados para la caza.*

perdiz *s. f.* Ave gallinácea del tamaño de una paloma, con la cabeza pequeña y el cuerpo grueso, plumaje ceniciento y el pico y las patas rojas.

marear la perdiz familiar Tratar el mismo asunto una y otra vez sin la intención de llegar a ninguna conclusión.

FAM perdigón.

perdón *s. m.* ① Acción y resultado de olvidar una persona la falta que ha cometido alguien contra ella o contra otros o no tener en cuenta una deuda o una obligación que otra persona tiene con ella: *obtuvo el perdón de su jefe y ya ha vuelto a la oficina.* ② Acción y resultado de librar a una persona de una deuda, un castigo o una obligación: *el juez está considerando otorgar el perdón a un preso.* ③ Absolución de un pecado por el sacerdote tras la confesión.

con perdón Expresión que se usa para disculparse una persona por algo que hace o dice y que puede molestar a alguien.

FAM perdonar.

perdonar *v. tr.* ① Olvidar una persona la falta que ha cometido otra persona contra ella o contra otros y no guardarle rencor ni querer castigarle por ella, o no tener en cuenta una persona una deuda o una obligación que otra tiene con ella: *no le ha perdonado lo que hizo.* ② Librar a una persona de una deuda, un castigo o una obligación: *le han perdonado el dinero que debía.* ③ Privarse una persona de algo que le apetece mucho: *dice que está a régimen pero el postre no lo perdona.* ④ Dejar pasar o escapar algo, especialmente un medio, una ocasión o un esfuerzo: *lo contó sin perdonar detalle.*

FAM perdonable, perdonavidas.

perdonavidas *s. com.* Persona que presume de valiente sin serlo y que se jacta de utilizar la fuerza y la violencia.

OBS Plural invariable.

perdulario, -ria *adj./s. m. y f.* ① Sumamente descuidado o desaliñado. ② Vicioso incorregible.

perdurar *v. intr.* ① Existir todavía una cosa o mantenerse en el mismo estado o situación: *en el este perdura el tiempo lluvioso.* ② Durar o mantenerse de manera indefinida una cosa: *hay muchas tradiciones populares que aún perduran hoy en día.*

FAM perdurable, perduración.

perecedero, -ra *adj.* Que dura poco tiempo o que inevitablemente tiene que perecer o acabarse: *le cuesta aceptar que la vida es perecedera.* SIN caduco. ANT imperecedero.

FAM imperecedero.

perecer [16] *v. intr.* ① Perder la vida una persona como consecuencia de un accidente, una catástrofe o una acción violenta. ② Dejar de existir una cosa o llegar a su fin: *la literatura jamás perecerá* ‖ *v. prnl.* ③ **perecerse** Desear mucho una cosa: *se perecía por viajar a América.*

FAM perecedero.

peregrinación *s. f.* ① Viaje o recorrido que se hace a un lugar sagrado, generalmente a pie, por motivos religiosos: *la catedral de Santiago es un famoso lugar de peregrinación para los cristianos.* SIN peregrinaje. ② Acción de andar o viajar una persona por tierras extrañas: *el viaje por el centro de África fue una auténtica peregrinación.* SIN peregrinaje. ③ Acción de andar una persona de un sitio a otro buscando una cosa o intentando resolver un asunto. SIN peregrinaje.

peregrinaje *s. m.* Peregrinación.

peregrinar *v. intr.* ① Ir a visitar un lugar sagrado, generalmente andando, por motivos religiosos. ② Andar o viajar una persona por tierras extrañas. ③ Andar una persona de un sitio a otro buscando una cosa o intentando resolver un asunto.

FAM peregrinación, peregrinaje.

peregrino, -na *adj./s. m. y f.* ① Se aplica a la persona que va a visitar un lugar sagrado, generalmente andando, por motivos religiosos. ‖ *adj.* ② Se aplica a la persona que anda o viaja por tierras extrañas. ③ Se aplica al ave que emigra de un lugar a otro: *la golondrina es un ave peregrina.* SIN migratorio. ④ Que es extraño, raro o sorprendente por original o poco frecuente o porque carece de lógica: *tiene unas ideas un tanto peregrinas.*

FAM peregrinar.

perejil *s. m.* Planta herbácea, de tallos finos y hojas brillantes y aromáticas de color verde oscuro, que se usa como condimento.

FAM emperejilar.

perengano, -na *s. m. y f.* familiar Se usa para designar a una persona cuyo nombre se desconoce o no se quiere expresar, especialmente la que va en último lugar, después de haber nombrado a otras con palabras como *fulano, mengano y zutano.*

OBS Se escribe normalmente con mayúscula inicial.

perenne *adj.* **1** Que dura indefinidamente o se mantiene completo o con vida durante un periodo de tiempo muy largo. **SIN** perpetuo. **ANT** caduco. **2** Que es continuo y no tiene interrupción: *le tributó una perenne lealtad.* **3** Se aplica a la planta u órgano vegetal que vive más de dos años: *hoja perenne.* **ANT** caduco.

FAM perennidad, perennifolio.

perennifolio, -lia *adj.* Se aplica al árbol o arbusto que cambia sus hojas gradualmente y las tiene verdes durante todo el año: *el pino es perennifolio.*

perentoriedad *s. f.* Necesidad de resolver un asunto lo más rápidamente posible por no poder ser aplazado para más adelante. **SIN** urgencia.

perentorio, -ria *adj.* **1** Se aplica al plazo que es el último o el único que se concede, y no se puede aumentar o prorrogar. **2** Que es determinante, decisivo o definitivo, y no se puede modificar: *una resolución perentoria.* **3** Que es urgente o no puede ser aplazado: *el asunto requiere una respuesta perentoria.*

FAM perentoriedad.

perestroika *s. f.* Política reformista que se llevó a cabo en la Unión Soviética tras la llegada al poder de Mijail Gorbachov en 1985 y que se caracterizó por la apertura hacia los países del bloque occidental, cierta liberalización del sistema económico y transparencia informativa (glasnost).

pereza *s. f.* **1** Falta de ánimo o de disposición para hacer cierta cosa, especialmente para moverse o trabajar: *siempre está ideando cosas, pero no las hace por pereza.* **SIN** dejadez. **2** Flojedad o tardanza en las acciones o movimientos.

FAM perezoso; emperezar.

perezoso, -sa *adj./s. m. y f.* **1** Que no tiene ganas de hacer lo que debe, especialmente de trabajar o levantarse de la cama. ǀ *adj.* **2** Que es lento o torpe: *movimientos perezosos.* ǀ *s. m.* **3** Mamífero desdentado, de cabeza pequeña, pelaje largo y espeso, con largas extremidades y manos provistas de uñas fuertes y encorvadas para trepar por los árboles, y que se desplaza con movimientos lentos y pesados; es originario de América del Sur y se alimenta de vegetales.

perfección *s. f.* **1** Ausencia total de defectos o errores: *el artista quiso reflejar la perfección de la naturaleza.* **ANT** imperfección. **2** Cosa perfecta: *este cuadro es una perfección.* **3** Perfeccionamiento.

a la perfección De manera perfecta.

FAM perfeccionar, perfeccionismo.

perfeccionamiento *s. m.* Mejora que se hace para que una cosa sea más perfecta. **SIN** perfección.

perfeccionar *v. tr.* **1** Acabar una cosa enteramente, dándole el mayor grado de perfección: *perfeccionó su pintura aplicándole una capa de barniz.* **2** Mejorar una cosa que está muy bien o hacerla más perfecta: *se ha ido a Inglaterra para perfeccionar su inglés.*

FAM perfeccionamiento.

perfeccionismo *s. m.* Tendencia a mejorar continuamente un trabajo sin llegar a considerarlo nunca acabado.

FAM perfeccionista.

perfeccionista *adj./s. com.* Se aplica a la persona que tiende al perfeccionismo.

perfectamente *adv.* **1** De manera perfecta: *hice el examen perfectamente y espero sacar un 10.* **2** Totalmente o por completo: *es perfectamente posible que llueva esta tarde.* **3** Indica asentimiento o conformidad: —*¿Te apetece ir al cine?* —*Perfectamente.*

perfectivo, -va *adj.* Se aplica al aspecto del verbo que expresa la acción como acabada, de modo que, si bien la intención del hablante recae sobre el estado actual, recuerda la acción que lo ha determinado: *el pretérito perfecto es un tiempo verbal perfectivo.* **SIN** perfecto. **ANT** imperfectivo, imperfecto.

perfecto, -ta *adj.* **1** Que tiene todas las cualidades deseables o que no posee defectos. **ANT** imperfecto. **2** Que es muy adecuado para hacer alguna cosa: *los vestidos largos son perfectos para ir de fiesta.* **SIN** ideal. **3** Antepuesto a un calificativo negativo, completo o total: *ese hombre es un perfecto mamarracho.* **4** Que tiene plena eficacia jurídica. **5** Perfectivo.

FAM perfección, perfectamente, perfectivo; desperfecto, imperfecto.

perfidia *s. f.* culto Deslealtad o falta de fidelidad.

pérfido, -da *adj./s. m. y f.* culto Desleal o que no guarda fidelidad.

FAM perfidia.

perfil *s. m.* **1** Línea que marca el límite de una cosa mirada desde un punto determinado: *la luna dibujaba el perfil de los árboles en el jardín.* **SIN** contorno, silueta. **2** Vista lateral de una persona o cosa: *en la comisaría le hicieron una foto de frente y otra de perfil.* **3** Contorno de una figura representado en un plano por líneas que determinan su forma: *el pintor esbozó el perfil de la catedral.* **4** Aspecto particular con el que se presenta una cosa: *las negociaciones tomaron un perfil esperanzador para los países en guerra.* **5** Conjunto de cualidades o rasgos propios de una persona o cosa: *un experto desveló el perfil psicológico del asesino.* **6** Figura que representa un cuerpo cortado real o imaginariamente por un plano vertical. **7** Barra metálica con determinada forma en su sección transversal: *los perfiles cuadrados son más resistentes que los perfiles con forma de L.* **8** Corte en el terreno que indica los estratos que lo componen. ǀ *s. m. pl.* **9** **perfiles** Complementos y detalles con los que se termina o perfecciona una cosa: *faltan algunos perfiles, pero la obra pronto estará completa.*

FAM perfilar.

perfilado, -da *adj.* **1** Que tiene los perfiles o los bordes muy marcados: *tiene los labios muy perfilados.* **2** Se aplica al rostro que es delgado y alargado: *se le ha quedado el rostro muy perfilado después de la enfermedad.* **SIN** afilado.

perfilar *v. tr.* **1** Dibujar o marcar un perfil: *el maquillador perfiló los labios de la modelo con un lápiz rojo.* **2** Completar y perfeccionar algo para dejarlo perfecto. ǀ *v. prnl.* **3** **perfilarse** Empezar una cosa a tomar forma y adquirir un aspecto más claro y exacto: *al amanecer, el barco se perfila en el horizonte.*

FAM perfilado.

perforación *s. f.* **1** Acción de perforar. **2** Rotura de las paredes de un órgano hueco del cuerpo humano, como el intestino o el estómago.

perforar *v. tr.* Hacer un agujero en una superficie atravesándola en parte o en su totalidad: *han perforado la montaña para construir el túnel.* **SIN** agujerear.

FAM perforación, perforador.

performance [se pronuncia aproximadamente 'perfórmans'] *s. f.* Espectáculo representado en directo ante un público, en el que se combinan diferentes formas de expresión, como la danza, el teatro, la música, el cine y las artes plásticas; se realiza con espontaneidad e improvisación, y pretende provocar: *las performances surgieron en Estados Unidos en la década de 1970.*

perfumador *s. m.* Recipiente que sirve para pulverizar y esparcir el perfume que contiene.

perfumar *v. tr.* Dar un olor agradable a una persona o cosa mediante una sustancia olorosa.
FAM perfumador.

perfume *s. m.* ① Sustancia líquida o sólida, elaborada con flores, frutas u otras esencias olorosas, que se usa para dar buen olor. ② Olor muy agradable. SIN aroma, fragancia.
FAM perfumar, perfumería, perfumista.

perfumería *s. f.* ① Establecimiento en el que se venden colonias, perfumes, cosméticos y otros productos de tocador. ② Industria que se dedica a la fabricación y comercialización de colonias, perfumes, cosméticos y otros productos de tocador. ③ Conjunto de productos y materias de esta industria.

pergamino *s. m.* ① Piel de las reses limpia y seca, convenientemente preparada y estirada, que se utilizaba antiguamente para escribir. ② Documento escrito en esta piel.
FAM apergaminarse.

pergeñar *v. tr.* familiar Esbozar un trabajo, un proyecto o una idea con más o menos habilidad y con rapidez.

pérgola *s. f.* ① Armazón formado por columnas, pilares o barras que sostienen un enrejado adintelado, por donde trepan plantas ornamentales. ② Jardín que algunas casas tienen sobre la techumbre.

periantio *s. m.* Conjunto de hojas modificadas que rodean los órganos reproductores de una planta: *el periantio consta de cáliz y corola.*

perica *s. f.* jerga Cocaína. SIN farlopa, perico.

pericardio *s. m.* Tejido membranoso que recubre el corazón.
FAM pericarditis.

pericarpio o **pericarpo** *s. m.* Parte exterior del fruto que envuelve la semilla: *el pericarpio consta de tres capas: endocarpio, mesocarpio y epicarpio.*

pericia *s. f.* Habilidad para resolver con acierto, facilidad y rapidez una cosa de cierta dificultad: *tras el reventón de un neumático, solo la pericia del conductor evitó la tragedia.* ANT impericia.
FAM impericia.

pericial *adj.* Relativo al perito o al peritaje: *informe pericial.*

perico *s. m.* ① Periquito. ② Abanico antiguo de gran tamaño. ③ familiar Orinal. ④ jerga Cocaína. SIN farlopa, perica. ⑤ Persona a la que le gusta callejear o que lleva una vida desordenada.
Perico de los palotes familiar Se usa para indicar a una persona indeterminada.

peridoto *s. m.* Mineral compuesto de silicato de hierro y magnesio, de color verde amarillento que suele encontrarse en las rocas volcánicas y se utiliza como piedra preciosa. SIN olivino.

periferia *s. f.* ① Zona que rodea un espacio geográfico considerado como centro o núcleo: *la periferia de la ciudad.* ② Contorno de una figura curvilínea.
FAM periférico.

periférico, -ca *adj.* ① Relativo a la zona de la perife-

ria. ǀ *s. m.* ② Dispositivo exterior conectado a un ordenador, que no forma parte de la unidad central de memoria y de tratamiento, y que sirve para la entrada y la salida de información, como la pantalla, el escáner o la impresora.

perifollo *s. m.* ① Planta herbácea de tallos finos y ramosos, con las hojas muy recortadas y olorosas, flores blancas y semilla pequeña y negra: *las hojas del perifollo son de gusto agradable y se utilizan como condimento.* ǀ *s. m. pl.* ② **perifollos** familiar Adornos excesivos y generalmente de mal gusto en un traje o peinado.
FAM emperifollar.

perífrasis *s. f.* ① Figura retórica que consiste en expresar mediante un rodeo un concepto único, generalmente con fines eufemísticos o como alarde de ingenio: *si digo "la lengua de Cervantes" por "el español", estoy haciendo una perífrasis.* SIN circunlocución, circunloquio. ② Construcción constituida por un verbo en forma personal seguido de un infinitivo, un gerundio o un participio; sirve para señalar características de la acción verbal que no pueden expresarse mediante las formas simples y las compuestas con *haber*: en *"llevo gastado mucho dinero", "llevo gastado" es una perífrasis.* NOTA También *perífrasis verbal.*
FAM perifrasear, perifrástico.
OBS Plural invariable.

perifrástico, -ca *adj.* ① Que no se expresa de manera directa, sino dando un rodeo: *estilo perifrástico.* ② Que se expresa por medio de una perífrasis verbal: *"vamos a cantar" es un futuro perifrástico.* ③ En gramática, se aplica a la expresión equivalente a una sola palabra: *"dar saltos" es la expresión perifrástica de "saltar".*

perihelio *s. m.* Punto más próximo al Sol en la órbita elíptica de un planeta del sistema solar. ANT afelio.

perilla *s. f.* ① Barba recortada formada con los pelos que crecen en la barbilla de los hombres. SIN pera. ② Adorno en forma de pera.
de perilla o **de perillas** familiar Muy bien.

perímetro *s. m.* ① Segmento o conjunto de segmentos que forman el contorno de una superficie o una figura: *una valla recorría el perímetro de la finca.* ② Suma de todas las longitudes de este conjunto de segmentos: *el perímetro de este cuadrado mide 20 centímetros.*

perindola *s. f.* Perinola.

periné o **perineo** *s. m.* Parte del cuerpo que está situada entre el ano y los órganos genitales.
FAM perineal.

perinola *s. f.* Peonza pequeña con un mango en su parte superior, que se hace girar con los dedos pulgar e índice. SIN perindola.

periodicidad *s. f.* Repetición regular de una cosa cada cierto tiempo: *esta revista sale con una periodicidad mensual.*

periódico, -ca *adj.* ① Que ocurre o se hace con intervalos regulares de tiempo o con frecuencia. ② Se aplica a la fracción decimal en la que se repite una cifra o conjunto de ellas de forma indefinida. ③ Se aplica al fenómeno físico que se repite de igual manera, por recuperar su estado y posición inicial el cuerpo o cuerpos en que se manifiesta. ǀ *s. m.* ④ Publicación de información general de aparición regular, en especial la que sale a la venta todos los días: *todos los periódicos del país recogen la noticia del accidente.* SIN diario.
FAM periodicidad, periodista.

periodismo *s. m.* ① Profesión que comprende el conjunto de actividades relacionadas con la recogida, elaboración y difusión de la información que se transmite al público a través de la prensa, la radio o la televisión. ② Conjunto de estudios necesarios para conseguir el título de periodista.

periodista *s. com.* ① Persona que se dedica a informar al público de las noticias que ocurren, a través de la prensa, la radio o la televisión. ② Persona que se dedica a escribir para periódicos.
FAM periodismo, periodístico.

periodístico, -ca *adj.* Relativo a los periódicos o a los periodistas: *el lenguaje periodístico es muy innovador.*

periodo o **período** *s. m.* ① Espacio de tiempo durante el cual se realiza una acción o se desarrolla algo: *el periodo de gestación de la elefanta es de 630 días.* ■ **periodo glacial** Etapa climática que atraviesa la Tierra periódicamente, en la que la temperatura media del planeta desciende notablemente y los hielos polares se extienden hacia latitudes más ecuatoriales. **SIN** glaciación. ② Espacio de tiempo que tarda una cosa en volver al estado o posición que tenía al principio: *el movimiento de la Tierra alrededor del Sol se produce en un periodo de 365 días y unas horas.* ③ Proceso fisiológico por el que las mujeres y las hembras de ciertas especies animales expulsan periódicamente por la vagina un óvulo maduro no fecundado con sangre y otras materias procedentes del útero. **SIN** menstruación, regla. ④ Espacio de tiempo que tarda en producirse cada fase del curso de una enfermedad: *la erupción del sarampión empieza en el primer periodo de la enfermedad.* ⑤ Cifra o conjunto de cifras decimales que se repiten indefinidamente en el cociente de una división no exacta: *10 dividido entre 3 da 3,3 periodo.* ⑥ Valor T de una función f dada, para el cual se verifica que f(x) = f(x + T). ⑦ Conjunto formado por una serie de oraciones simples, relacionadas entre sí, que tienen un sentido completo. ⑧ Espacio de tiempo en que se dividen las eras geológicas: *la era mesozoica se divide en tres periodos: triásico, jurásico y cretácico.* ⑨ Cada una de las filas de elementos de la tabla periódica; las propiedades químicas van variando de forma gradual, desde los metales (a la izquierda) a los no metales (a la derecha): *el último elemento de cada periodo es un gas noble que cierra el ciclo.* ⑩ Tiempo transcurrido durante una vibración completa en un movimiento ondulatorio.
FAM periódico, periodización.

periostio *s. m.* Membrana conjuntiva de aspecto blanquecino y espesor variable que rodea los huesos.

peripatético, -ca *adj.* ① Relativo a la doctrina filosófica de Aristóteles y de sus seguidores. ② familiar Ridículo o extravagante en sus juicios u opiniones.

peripecia *s. f.* Suceso imprevisto y repentino que altera el transcurso de una acción: *el viaje a Grecia estuvo lleno de divertidas peripecias.*

periplo *s. m.* ① Viaje largo por numerosos países. ② Navegación alrededor de un lugar o dando la vuelta al mundo, especialmente la antigua. ③ Obra antigua en la que se narra un viaje por mar alrededor de un lugar.

períptero, -ra *adj.* Se aplica al edificio, especialmente el templo clásico, que está rodeado por un peristilo o hilera de columnas en todos sus frentes, dejando paso entre ellas y el muro.

peripuesto, -ta *adj.* familiar Se aplica a la persona que se viste y se arregla con demasiado esmero y cuidado.

periquete Se usa en la expresión:

en un periquete familiar En un momento, en un tiempo muy breve.

periquito *s. m.* Ave prensora más pequeña que el loro, con el plumaje de colores vistosos, especialmente verde, y el pico fuerte, grueso y curvo. **SIN** perico.

periscopio *s. m.* Instrumento óptico, formado por un sistema de espejos montados en un tubo colocado en vertical, que permite observar un objeto situado por encima del alcance de la visión directa, especialmente el que permite en un submarino ver por encima de la superficie del agua; puede subir, bajar y girar en todas las direcciones.
FAM periscópico.

perisodáctilo, -la *adj./s. m. y f.* ① Se aplica al animal mamífero que tiene un número impar de dedos cubiertos por una pezuña, por lo menos en las patas traseras, y el dedo central más desarrollado: *los caballos y los rinocerontes son perisodáctilos.* ‖ *s. m. pl.* ② **perisodáctilos** Grupo taxonómico, con categoría de orden, constituido por estos animales.

perista *s. com.* Persona que se dedica a la compra y venta de objetos robados sabiendo que lo son.

peristáltico, -ca *adj.* Se aplica al movimiento ondulatorio de contracción y dilatación que producen los músculos de ciertos órganos tubulares, especialmente en el aparato digestivo, que impulsa de arriba abajo su contenido.

peristilo *s. m.* ① Patio rodeado de columnas, característico de la casa griega. ② Galería de columnas que rodea un edificio o un patio interior.

peritaje *s. m.* ① Estudio o trabajo realizado por un perito. ② Conjunto de estudios necesarios para conseguir el título de perito: *el peritaje es una carrera técnica.*

peritar *v. tr.* Realizar un perito un informe técnico.
FAM peritación, peritaje.

perito, -ta *adj./s. m. y f.* ① Se aplica a la persona que tiene experiencia, práctica o habilidad en determinada ciencia o arte: *los críticos de arte son expertos peritos en la materia.* ‖ *s. m. y f.* ② Persona que tiene el título de técnico de grado medio en ingeniería. **SIN** ingeniero. ■ **perito mercantil** Persona que ha realizado la carrera de comercio. ③ Persona que por su profesión tiene conocimientos sobre ciertos puntos e informa al juez bajo juramento: *durante el juicio, fue determinante el informe del perito para aclarar el asesinato.*
FAM pericial, peritar.
OBS Femenino: *perito o perita.*

peritoneo *s. m.* Membrana que cubre el interior del abdomen y que forma varios pliegues que envuelven las vísceras contenidas en él.
FAM peritonitis.

peritonitis *s. f.* Inflamación del peritoneo.
OBS Plural invariable.

periurbano, -na *adj.* Se aplica al conjunto de terrenos que rodean una ciudad y en los que se han construido urbanizaciones de chalés, casas adosadas y viviendas similares para absorber la población creciente del núcleo urbano: *espacios periurbanos.*

perjudicar *v. tr.* Causar un daño material o moral: *el tabaco y el alcohol perjudican la salud.* **ANT** beneficiar.
FAM perjudicial.

perjudicial *adj.* Que causa o puede causar un daño moral o material. **SIN** dañino, maligno, nocivo. **ANT** beneficioso.
FAM perjudicial.

perjuicio *s. m.* Daño moral o material causado por una cosa en el valor de algo o en la salud, economía, bienestar o estimación moral de una persona: *la helada causó grandes perjuicios en la huerta.* **ANT** beneficio.
FAM perjudicar.

perjurar *v. intr.* ① Jurar con falsedad: *perjuró en el juicio para proteger a su padre.* I *v. tr.* ② Jurar con mucha frecuencia por costumbre o para añadir intensidad al juramento: *jura y perjura que no fue él quien rompió el jarrón.* I *v. intr.* ③ Incumplir un juramento.
FAM perjurio, perjuro.

perjurio *s. m.* ① Juramento en falso. ② Incumplimiento de un juramento.

perjuro, -ra *adj./s. m. y f.* Se aplica a la persona que jura en falso o que incumple un juramento.

perla *s. f.* ① Bola pequeña de nácar, de color blanco o gris con reflejos brillantes, que suele formarse en el interior de la concha de algunos moluscos, en especial de la madreperla y la ostra, y que es muy apreciada en joyería: *las perlas se forman como defensa cuando se introduce accidentalmente un cuerpo extraño en la concha.* ■ **perla cultivada** Perla que se forma en el interior de la madreperla o la ostra cuando se introduce de forma deliberada un cuerpo extraño. ② Gota de un líquido muy claro. ③ Persona o cosa muy apreciada por su gran valor o sus buenas cualidades: *ese restaurante presume de ser la perla de la ciudad.* **SIN** joya. ④ Cápsula de gelatina con forma esférica, utilizada para contener medicamentos líquidos en pequeña cantidad.
de perlas Muy bien o de manera oportuna.
FAM perlero.

perlé *s. m.* Hilo de algodón que se utiliza para bordar o para hacer punto o ganchillo.

permanecer [16] *v. intr.* ① Estar en un lugar durante un tiempo: *permaneció en Italia todo el mes de agosto.* **SIN** quedarse. ② Mantenerse sin cambios en un determinado estado, condición o cualidad: *permaneció callado toda la tarde.* **SIN** continuar, seguir.
FAM permanente.

permanencia *s. f.* ① Estancia en un lugar durante un tiempo. ② Mantenimiento o duración de un estado, condición o situación. I *s. f. pl.* ③ **permanencias** Estudio después de clase vigilado por un profesor en un instituto o escuela. ④ Cantidad que se paga por ello.

permanente *adj.* ① Que se mantiene en un mismo lugar, estado o situación sin experimentar cambio alguno: *tenía una tos permanente.* **SIN** continuo, constante. **ANT** pasajero. I *s. f.* ② familiar Rizado artificial del pelo que se mantiene durante largo tiempo; se realiza enrollando los mechones, impregnados de un líquido cosmético, en unos bigudíes.
FAM permanencia.

permeabilidad *s. f.* Propiedad de algunos materiales de poder ser traspasados por líquidos o gases, dependiendo del tamaño del grano y su disposición: *la lana y el algodón son tejidos de gran permeabilidad.*

permeable *adj.* ① Que puede ser atravesado por un líquido, especialmente por el agua, o por una radiación o campo magnético: *el papel es un material permeable.* **ANT** impermeable. ② Se aplica a la persona que se deja influir por los sentimientos o las ideas de los demás: *no fue difícil convencerlo, debido a su carácter permeable.*
FAM permeabilidad; impermeable, semipermeable.

pérmico, -ca *adj./s. m.* ① Se aplica al periodo geológico que es el sexto y último de la era paleozoica o primaria y sigue al periodo carbonífero; se extiende desde hace unos 280 millones de años hasta unos 245 millones de años. I *adj.* ② Relativo a este periodo geológico.

permisible *adj.* Que puede ser permitido: *ese tipo de travesuras solo es permisible en los niños.*
FAM impermisible.

permisividad *s. f.* despectivo Tolerancia excesiva con las personas que se manifiesta consintiéndoles cosas que otros castigarían o reprimirían.

permisivo, -va *adj.* Que permite o consiente hacer cierta cosa: *tu padre es muy permisivo.*
FAM permisividad.

permiso *s. m.* ① Consentimiento dado por una persona que tiene autoridad para hacerlo. **SIN** autorización. ② Autorización para abandonar por un tiempo el trabajo, el servicio militar u otras obligaciones. ③ Tiempo que dura esta autorización: *pidió un permiso de dos días a su jefe para asuntos personales.*

permitir *v. tr.* ① Autorizar o aprobar quien tiene autoridad para ello que se haga una cosa determinada: *no te permito que hables así.* **SIN** consentir, dejar. **ANT** prohibir. ② No impedir una cosa que se debe o se debería evitar: *permitió que lo criticaran y no se defendió.* **SIN** consentir. ③ Hacer posible que una cosa se realice: *estas gafas me permiten ver de lejos.* **SIN** posibilitar. I *v. prnl.* ④ **permitirse** Tener los medios o tomarse la libertad de decir o hacer una cosa: *ella puede permitirse muchos lujos y caprichos.*
FAM permisible, permisivo, permiso.

permuta *s. f.* Permutación.

permutación *s. f.* ① Cambio o sustitución de una cosa por otra. **SIN** permuta. ② Cambio entre dos personas que ocupan un puesto público de sus respectivos empleos. **SIN** permuta. ③ Sustitución del orden de un determinado número de cosas por otro sin que cambien su naturaleza ni su número. **SIN** permuta. ④ En combinatoria, cada una de las distintas formas en que se pueden ordenar todos los elementos de un conjunto.

permutar *v. tr.* ① Cambiar una cosa por otra, de la misma o distinta clase, sin que en el cambio entre el dinero a no ser que sea para igualar el valor de las cosas cambiadas: *el Ayuntamiento quiere permutar unos terrenos con el Ejército.* ② Cambiar entre sí el empleo dos personas que ocupan puestos públicos: *uno de los maestros busca alguien con quien permutar su plaza.* ③ Variar el orden o la colocación en que estaban dos o más cosas.
FAM permuta, permutable, permutación.

pernera *s. f.* ① Parte del pantalón que cubre la pierna. ② Parte de una prenda por donde se mete la pierna.

pernicioso, -sa *adj.* Que causa mucho daño o es muy perjudicial. **SIN** nocivo. **ANT** beneficioso.

pernil *s. m.* Pata posterior de un animal, en especial la del cerdo.

perno *s. m.* Pieza metálica cilíndrica, larga y de cabeza redonda, que se asegura por el extremo opuesto con una tuerca, una chaveta o un remache y que sirve para afirmar piezas de gran volumen.

pernoctar *v. intr.* Pasar la noche en algún lugar fuera de la vivienda habitual, en especial cuando se viaja.
FAM pernoctación.

P

pero *conj.* **1** Indica que el significado del enunciado al que precede es opuesto o contrario al significado de otro anterior: *Juan me ama, pero yo no.* **SIN** aunque. **2** Indica que el significado del enunciado al que precede restringe, matiza o atenúa el significado de otro anterior: *te lo diré, pero no se lo digas a nadie.* **3** Se utiliza siempre al inicio de la frase para expresar con más fuerza e intensidad lo que se dice: *pero ¡qué guapo eres!* ‖ *s. m.* **4** familiar Inconveniente o dificultad: *nunca está contento, siempre me pone algún pero.*

pero que familiar Delante de un adjetivo o adverbio, añade fuerza o intensidad a lo que estos expresan: *tiene una casa pero que muy bonita.*

perogrullada *s. f.* Verdad tan clara o tan conocida que resulta tonto decirla.
FAM perogrullesco.

Perogrullo Se usa en la expresión:
de Perogrullo familiar Tan sabido y conocido que resulta tonto decirlo: *que dos más dos suman cuatro es una verdad de Perogrullo.*

perol *s. m.* Recipiente de metal en forma de media esfera y generalmente con dos asas que se usa para cocinar.
FAM perola.

perola *s. f.* Perol pequeño.

peroné *s. m.* Hueso largo y delgado, situado en la parte externa de la pierna junto a la tibia: *la tibia y el peroné van desde la rodilla hasta el pie.*

perorar *v. intr.* **1** Pronunciar un discurso. **2** familiar Pronunciar un discurso largo y aburrido en una reunión familiar o entre amigos.
FAM peroración, perorata.

perorata *s. f.* Discurso o conversación larga e inoportuna que resulta molesta o aburrida para el que la oye.

peróxido *s. m.* **1** Ion O_2^{-2}. **2** Conjunto de compuestos químicos inorgánicos que contienen este anión: *el peróxido de hidrógeno (H_2O_2) es el agua oxigenada.*

perpendicular *adj./s. f.* Se aplica a la recta o plano que forma un ángulo recto con otra recta o plano.
FAM perpendicularidad.

perpendicularidad *s. f.* Relación que existe entre una recta o un plano con otros con los que forman un ángulo recto al juntarse con ellos.

perpetrar *v. tr.* Cometer un delito o falta grave.
FAM perpetración.

perpetuación *s. f.* Conservación o prolongación de una cosa durante mucho tiempo o para siempre.

perpetuar *v. tr.* Hacer que una cosa dure mucho tiempo o para siempre: *los buenos momentos vividos tienden a perpetuarse en la memoria.*
FAM perpetuación.
OBS Verbo regular, se acentúa como *actuar.*

perpetuidad *s. f.* Duración de una cosa para siempre o para mucho tiempo.

perpetuo, -tua *adj.* **1** Que dura mucho tiempo o para siempre: *en las cumbres de las montañas altas hay nieves perpetuas.* **SIN** eterno. **2** Se aplica al cargo o empleo que dura toda la vida, hasta la jubilación de la persona que lo desempeña.
FAM perpetuar, perpetuidad.

perplejidad *s. f.* Asombro o confusión que se siente cuando no se sabe cómo reaccionar en una situación determinada: *me miró con perplejidad.*

perplejo, -ja *adj.* Se aplica a la persona que siente confusión o asombro en una determinada situación y no sabe qué hacer, pensar o decir: *la sorprendente noticia nos dejó perplejos.*
SIN confuso.
FAM perplejidad.

perra *s. f.* **1** familiar Rabieta o berrinche, especialmente el de un niño: *¡menuda perra ha pillado!* **2** familiar Deseo exagerado o idea fija. **3** familiar Dinero o moneda: *no me queda ni una perra del sueldo de este mes.* **NOTA** Más en plural.
FAM emperrarse, tragaperras.

perrera *s. f.* **1** Lugar donde se guardan o encierran perros abandonados o que no tienen dueño. **2** Furgoneta municipal destinada a la recogida de perros callejeros.

perrería *s. f.* familiar Obra o dicho que causa un daño o está hecho con mala intención: *deja de hacer perrerías al pobre animal.* **SIN** marranada.

perrito *s. m.* Panecillo blando y alargado con una salchicha alemana dentro que suele untarse con ketchup o mostaza.
OBS También *perrito caliente.*

perro, -rra *s. m. y f.* **1** Mamífero carnívoro de la familia de los cánidos, doméstico, con cuatro patas, un olfato muy fino y de gran diversidad de tamaños, formas y pelajes, que sirve al ser humano como animal de compañía o para cazar. ■ **perro de aguas** (o **de lanas**) Perro de cuerpo grueso, cuello corto, cabeza redonda, orejas caídas y pelo largo, rizado y abundante. ■ **perro faldero** Perro de pequeño tamaño que es apreciado como animal de compañía. ■ **perro policía** Perro que ha sido adiestrado para ayudar a la policía en sus tareas. ■ **perro salchicha** Perro de cuerpo y hocico alargados, patas cortas y orejas caídas. ■ **perro San Bernardo** Perro de cuerpo y cabeza de gran tamaño y pelo blanco con manchas marrones. **2** Persona despreciable y malvada por cualquier causa.

a otro perro con ese hueso familiar Se usa para rechazar una propuesta desventajosa o indicar que no se cree una cosa.

atar los perros con longaniza familiar Se usa para destacar de forma irónica la abundancia o la riqueza que disfruta una persona o existe en algún sitio.

como el perro y el gato familiar Expresa que dos personas se llevan mal o discuten continuamente.

de perros familiar Muy malo, molesto o desagradable: *hoy llueve y hace mucho viento, hace un día de perros.*

echar (o **soltar**) **los perros** familiar Regañar a una persona.
perro faldero Persona que muestra gran sumisión ante otra.
perro viejo Persona astuta y hábil a la que su larga experiencia ha hecho muy difícil de engañar.
FAM perrera, perrería, perrero, perruno.

perruno, -na *adj.* Relativo al perro: *olfato perruno.*

persa *adj.* **1** De Persia (antiguo imperio de Asia situado en el actual Irán, que duró del siglo VI a. C. al siglo VII d. C., aproximadamente). ‖ *s. com./adj.* **2** Persona que era de Persia: *Omar Khayyam fue un importante poeta y astrónomo persa.* ‖ *s. m./adj.* **3** Antigua lengua indoeuropea hablada en Persia y lengua moderna derivada de esta, hablada en Irán y Afganistán.

per se *adv.* culto Expresión latina que significa 'por sí mismo' o 'en sí mismo': *que el uso de estupefacientes es reprobable resulta per se evidente para muchas personas.*

persecución *s. f.* **1** Acción de seguir a una persona o a un animal que huye para alcanzarlo. **2** Conjunto de acciones y castigos físicos que sufren las personas que defienden una doctrina, una religión o unas ideas determinadas: *su abuelo fue víctima de persecuciones durante la guerra*. **3** Acoso molesto a alguien para que acceda a algo. **4** Intento, especialmente por parte de la justicia, de acabar con algo que se considera negativo: *la persecución del tráfico de drogas*.

persecutorio, -ria *adj.* Que implica persecución o acoso.

perseguir [10] *v. tr.* **1** Seguir a una persona o animal que huye con intención de alcanzarlo: *la policía persiguió al ladrón por el parque*. **2** Seguir a una persona o buscarla por todas partes, molestándola e importunándola: *lo persiguen los acreedores*. **SIN** acosar, asediar. **3** Tratar de conseguir o alcanzar una cosa poniendo todos los medios para ello: *lo único que perseguía era un puesto mejor*. **4** Acompañar una cosa, que produce malestar o angustia, a una persona sin abandonarla nunca: *la mala suerte le persigue desde que nació*. **5** Proceder la justicia contra una persona o un delito: *la ley persigue el crimen organizado*. **6** Actuar contra una persona o cosa procurando su exterminio o el mayor daño posible. **FAM** persecución, persecutorio.

perseverancia *s. f.* **1** Dedicación y firmeza en las actitudes e ideas o en la realización de las cosas. **SIN** constancia, persistencia. **ANT** inconstancia. **2** Duración permanente o muy larga de una cosa. **FAM** perseverante.

perseverante *adj.* Que persevera.

perseverar *v. intr.* **1** Mantenerse firme y constante en una manera de ser o de obrar: *persevera en el intento de encontrar un buen trabajo*. **SIN** persistir. **ANT** abandonar, desistir. **2** Durar por mucho tiempo: *perseveran los síntomas de la fiebre*. **SIN** persistir. **FAM** perseverancia.

persiana *s. f.* Cierre que se coloca en las ventanas, balcones o puertas exteriores, formado por varias láminas finas y estrechas engarzadas unas con otras, que se pueden bajar, subir o enrollar para regular el paso de la luz. **FAM** persianista.

persignar *v. tr.* **1** Hacer la señal de la cruz con los dedos tres veces, una en la frente, otra en la boca y otra en el pecho. **2** Hacer estas tres cruces y después santiguar: *en la misa, los fieles y el sacerdote se persignan antes de la lectura del evangelio*. **v. prnl.** **3** **persignarse** familiar Manifestar una persona un gran asombro haciéndose la señal de la cruz. **SIN** santiguarse.

persistencia *s. f.* **1** Existencia o duración de una cosa durante mucho tiempo. **SIN** perseverancia. **2** Insistencia y firmeza en las acciones, ideas o intenciones: *me asombra tanta persistencia por llegar a ser alguien importante*. **SIN** perseverancia. **ANT** inconstancia.

persistente *adj.* Que persiste. **FAM** persistencia.

persistir *v. intr.* **1** Mantenerse firme o constante en algo, especialmente en una idea: *no persistas en tu idea porque estás equivocado, reconócelo*. **SIN** insistir, perseverar. **ANT** abandonar, desistir. **2** Durar o existir una cosa durante mucho tiempo: *persiste la gravedad del enfermo*. **SIN** perdurar, perseverar. **FAM** persistente.

persona *s. f.* **1** Individuo de la especie humana. **SIN** hombre, ser humano. **■ persona no (o non) grata** Persona cuya presencia en un lugar no es deseada. **2** Hombre o mujer cuyo nombre se ignora o se omite: *no conozco a esa persona*. **3** Individuo o entidad capaz de tener derechos y deberes. **■ persona física** Individuo o miembro de una comunidad. **■ persona jurídica** Sociedad o grupo de individuos que se unen en un negocio. **4** Categoría que comparten el verbo y el pronombre mediante la cual se señala el ejecutor de la acción verbal o el objeto de la conversación. **■ primera persona** Persona que habla. **■ segunda persona** Persona a quien va destinado el mensaje. **■ tercera persona** Persona o cosa de quien se habla en el discurso y que no es ni la primera ni la segunda. **5** En teología, cada uno de los tres seres, Padre, Hijo y Espíritu Santo, que constituyen la Santísima Trinidad.

en persona Uno mismo; estando presente uno mismo. **FAM** personal, personarse, personificar.

personaje *s. m.* **1** Persona que, por sus cualidades, conocimientos u otras actitudes, destaca o sobresale en una determinada actividad o ambiente social. **SIN** celebridad, personalidad. **2** Ser ficticio, inventado por un autor, que interviene en la acción de una obra literaria o de una película: *la Cenicienta y los tres cerditos son personajes de cuentos infantiles*.

personal *adj.* **1** Relativo a la persona. **2** Que es de una sola persona o para una sola persona: *han traído a la fábrica un paquete personal a tu nombre*. **3** Que pertenece a la vida privada: *los problemas de mi matrimonio son un asunto personal*. **4** Que es característico de la personalidad de un individuo: *el artista supo dejar su toque personal en el cuadro*. **5** En gramática, se aplica al elemento lingüístico que comporta la noción de persona. **6** Se aplica al pronombre que tiene la misión especial de representar a las tres personas que intervienen en la comunicación y de sustituir palabras e incluso oraciones o proposiciones enteras: *la palabra "vosotros" es un pronombre personal*. **s. m.** **6** Conjunto de las personas que trabajan en el mismo lugar o en el mismo organismo o empresa: *el personal de la oficina está en huelga*. **7** familiar Grupo indeterminado de personas. **adj./s. f.** **8** Se aplica a la falta que comete un jugador de baloncesto al tocar o empujar a otro del equipo contrario para impedir una jugada. **FAM** personalidad, personalismo, personalizar, personalmente.

personalidad *s. f.* **1** Conjunto de rasgos y cualidades que configuran la manera de ser de una persona y la diferencian de las demás: *Picasso reflejaba su fuerte personalidad en sus cuadros*. **SIN** carácter, naturaleza. **2** Circunstancia de ser una determinada persona. **3** Persona que por sus cualidades, conocimientos u otras aptitudes, destaca o sobresale en una determinada actividad o ambiente social. **SIN** celebridad, figura, personaje.

personalizar *v. tr.* **1** Referirse a una persona en particular al decir o relatar algo: *me refiero a todos en general, no quiero personalizar*. **2** Adaptar algo a las características, al gusto o a las necesidades de una persona: *Juan ha personalizado totalmente su despacho*. **FAM** personalización; despersonalizar.

personarse *v. prnl.* **1** Presentarse una persona en un lugar: *debes personarte en comisaría para hacer la denuncia del robo*. **2** Presentarse ante el juez para llevar a cabo un trámite legal. **FAM** personación.

personificación *s. f.* **1** Persona o cosa que representa una cualidad o una característica: *Ana es la personificación de la bondad*. **SIN** encarnación. **2** Representación de una cosa, ge-

P

neralmente de un sentimiento o de otra cosa abstracta, en forma de persona: *el escultor realizó la personificación de la pasión en la figura de una bella mujer.* 3 Figura retórica que consiste en atribuir a un animal o a una cosa cualidades propias de los seres humanos: *"el molino sonríe" es una personificación.* SIN prosopopeya.

personificar *v. tr.* 1 Atribuir vida, acciones o cualidades propias de las personas a los animales o a las cosas. 2 Representar o servir de ejemplo de algo una persona, por tener una determinada cualidad muy marcada o desempeñar un papel muy destacado: *Einstein personifica la física del siglo XX.* SIN encarnar. 3 Representar en un escrito o charla, con referencias más o menos directas, a personas determinadas. FAM personificación.

perspectiva *s. f.* 1 Sistema de representación espacial sobre una superficie plana: *los pintores renacentistas impulsaron la técnica de la perspectiva.* ■ **perspectiva aérea** Perspectiva en la que los objetos representados se difuminan a medida que se alejan del espectador. ■ **perspectiva caballera** Perspectiva que se obtiene desde un punto de vista ligeramente elevado, como si se estuviera montado en un caballo. ■ **perspectiva lineal** Perspectiva en la que el tamaño de los objetos representados disminuye en función de su alejamiento del espectador, siguiendo una serie de líneas de fuga que confluyen en un único punto. 2 Obra o representación ejecutada con esta técnica. 3 Paisaje o conjunto de cosas vistas desde un punto determinado, especialmente desde lejos: *desde lo alto del castillo se dominaba una perspectiva de varios kilómetros.* SIN panorama. 4 Punto de vista o modo de ver y considerar las cosas: *el escritor adoptó una perspectiva crítica para tratar el tema.* SIN ángulo, óptica. 5 Circunstancia que puede preverse en un asunto o un negocio, en especial si es beneficiosa: *en este trabajo existen buenas perspectivas.* 6 Distancia o alejamiento desde los que se observa y considera un hecho o una situación con la intención de ganar objetividad: *hay que mirar las cosas con perspectiva.*

perspicacia *s. f.* Capacidad para entender la naturaleza de las cosas, especialmente de las complicadas o confusas. SIN agudeza.

perspicaz *adj.* 1 Se aplica a la persona que tiene perspicacia. 2 Se aplica a la inteligencia o ingenio que es agudo y rápido. 3 Se aplica a la vista que percibe las cosas con gran detalle. FAM perspicacia.

persuadir *v. tr.* Conseguir mediante razones que una persona piense de una manera determinada o que haga cierta cosa: *lo persuadieron para que los acompañase.* SIN convencer. ANT disuadir. FAM persuasión, persuasivo.

persuasión *s. f.* Capacidad o habilidad para convencer a una persona para que haga o crea alguna cosa, empleando argumentos o razones. FAM persuasivo.

persuasivo, -va *adj.* Que es hábil y eficaz para persuadir: *carácter persuasivo.*

pertenecer [16] *v. intr.* 1 Ser algo propiedad de una persona: *la casa nos pertenece.* 2 Ser una cosa obligación de una persona o de un cargo determinado: *estos asuntos pertenecen a las altas esferas.* SIN competer, concernir. 3 Formar parte una persona o cosa de un conjunto o grupo: *no pertenece a ningún partido político.* FAM perteneciente, pertenencia.

perteneciente *adj.* Que pertenece a la persona que se indica o forma parte de aquello que se dice.

pertenencia *s. f.* 1 Propiedad o cosa que pertenece a una persona o a una entidad: *recoge tus pertenencias y márchate: estás despedido.* NOTA Más en plural. 2 Cosa que pertenece a otra como parte o accesorio: *alquiló el piso con todas sus pertenencias.* NOTA Más en plural. 3 Integración en un conjunto o grupo.

pértiga *s. f.* 1 Vara larga y flexible que utilizan los atletas en las pruebas de salto de altura para darse impulso hacia arriba. 2 Vara larga y fuerte. 3 Tubo largo con un micrófono en su extremo para seguir en un rodaje los movimientos de los personajes fuera del alcance de las cámaras.

pertinaz *adj.* 1 Se aplica a la persona que es muy obstinada o se mantiene excesivamente firme en sus actos, ideas o intenciones. SIN tenaz, terco. 2 Que dura mucho tiempo o que se mantiene sin cambios: *una fiebre pertinaz.* FAM pertinacia.

pertinente *adj.* 1 Que está relacionado con lo que se discute o habla: *sus comentarios sobre la situación fueron pertinentes.* SIN relevante. ANT impertinente. 2 Que se refiere o atañe a lo que se expresa a continuación: *en lo pertinente al precio estamos de acuerdo, pero no en el plazo de entrega.* 3 Se aplica a cada uno de los rasgos fonológicos que caracterizan a un elemento distinguiéndolo de los demás dentro del sistema y que sirven a veces para diferenciar significados.

pertrechar *v. tr.* Suministrar lo necesario o prepararlo para el desarrollo de una actividad: *nos pertrechamos de víveres para la travesía.* SIN abastecer, aprovisionar.

pertrechos *s. m. pl.* Conjunto de instrumentos y utensilios necesarios para hacer una actividad determinada, especialmente las cosas que necesita un ejército de campaña para realizar una operación militar. FAM pertrechar.

perturbación *s. f.* 1 Alteración de la tranquilidad, de la paz, del orden o del desarrollo normal de algo. 2 Trastorno de las facultades mentales: *el paciente sufre una perturbación transitoria.*

perturbado, -da *adj./s. m. y f.* Se aplica a la persona que tiene trastornadas sus facultades mentales. SIN loco.

perturbar *v. tr.* 1 Alterar el orden, la tranquilidad o el desarrollo normal de algo. SIN trastornar. 2 Hacer que una persona pierda la calma o se altere: *los gritos de la calle le perturbaban y no podía trabajar.* SIN inquietar, intranquilizar. ANT calmar, tranquilizar. 3 Hacer perder el juicio o volver loco: *se perturbó tras conocer la ruina en que se encontraba.* SIN trastornar. FAM perturbable, perturbación, perturbado.

Perú Se usa en la expresión:
costar un Perú familiar ARG., MÉX. Ser muy cara una cosa.

peruano, -na *adj.* 1 De Perú (país de América del Sur). ❘ *s. m. y f./adj.* 2 Persona que es de Perú.

perversidad *s. f.* Maldad muy grande que lleva a hacer daño intencionadamente.

perversión *s. f.* Corrupción moral de las costumbres, el gusto o las ideas de una persona, causada por los malos ejemplos o los malos consejos.

perverso, -sa *adj./s. m. y f.* Se aplica a la persona que obra con mucha maldad o que hace daño con sus acciones, sentimientos o instintos de manera voluntaria y que disfruta con ello. **SIN** depravado.

FAM perversidad.

pervertido, -da *adj./s. m. y f.* **1** Se aplica a la persona que tiene un comportamiento o gusto sexual anormal y extraño: *es un pervertido al que le gusta espiar a las parejas.* **‖** *adj.* **2** Que sexualmente es anormal y extraño: *comportamiento pervertido.*

pervertir [9] *v. tr.* Corromper o dañar las costumbres, el gusto o las ideas de una persona con malos consejos o malos ejemplos: *las drogas han pervertido a la sociedad.* **SIN** corromper, depravar, viciar.

FAM perversión, perverso, pervertido.

pervivencia *s. f.* Duración o permanencia con vida de una cosa, a pesar del paso del tiempo, de los problemas o de las dificultades. **SIN** persistencia, subsistencia.

pervivir *v. intr.* Durar, permanecer o seguir viviendo una cosa, a pesar del tiempo, de los problemas o de las dificultades.

FAM pervivencia.

pesa *s. f.* **1** Pieza de metal de peso conocido que se usa en una balanza para determinar lo que pesa una cosa; en un plato de la balanza se pone lo que se quiere pesar, y en el otro, las pesas, hasta que la balanza quede equilibrada. **2** Pieza de mucho peso que se cuelga en el extremo de una cuerda o cadena y que se usa para hacer funcionar ciertos relojes o para subir y bajar objetos pesados. **3** Aparato gimnástico formado por una barra de metal con una o más piezas pesadas en cada extremo, que se usa en halterofilia y para hacer ejercicios musculares: *mañana hay una competición de levantamiento de pesas.* **NOTA** Más en plural.

pesadez *s. f.* **1** Lentitud o torpeza de movimiento por estar excesivamente grueso, cansado o por vejez. **2** Cosa que resulta aburrida, molesta o difícil de soportar: *¡qué pesadez de película!* **SIN** aburrimiento. **3** Cosa que resulta trabajosa o exige mucha atención. **4** Sensación de molestia, fatiga o cansancio que se experimenta en la cabeza, en los ojos, en el estómago o en otra parte del cuerpo: *tengo pesadez de estómago.*

pesadilla *s. f.* **1** Sueño desagradable que produce miedo o angustia. **2** Preocupación grave y continua por un asunto importante o por el temor a un peligro o adversidad: *los acreedores son la pesadilla de ese hombre arruinado.* **SIN** angustia.

pesado, -da *adj.* **1** Que pesa mucho: *no puedo mover esta caja: es demasiado pesada.* **ANT** ligero. **2** Que cuesta mucho esfuerzo o que requiere mucha atención: *algunos trabajos manuales son muy pesados.* **SIN** duro, trabajoso. **3** Se aplica al sueño que es profundo y del que cuesta mucho despertarse. **ANT** ligero. **4** Que es muy lento o tranquilo en sus movimientos: *al cabo de las horas su andar se hizo pesado.* **ANT** ligero, rápido. **5** Se aplica a la cosa que es molesta, aburrida o que no despierta interés: *la película resultó muy pesada.* **6** Se aplica a la cosa que ofende o enfada: *me gastó una broma pesada.* **7** Se aplica al órgano que produce una sensación de molestia, fatiga o cansancio: *se tumbó en la cama porque sentía las piernas pesadas.* **SIN** cargado. **8** Se aplica a la comida que puede sentar mal: *no comas plátanos por la noche, que son muy pesados.* **ANT** ligero. **9** Se aplica al tiempo atmosférico que es húmedo y caluroso. **‖** *adj./s. m. y f.* **10** Se aplica a la persona que es latosa, molesta o difícil de soportar.

FAM pesadez.

pesadumbre *s. f.* Sentimiento de pena o disgusto. **SIN** tristeza.

FAM apesadumbrar.

pésame *s. m.* Expresión con la que se muestra a una persona allegada a un difunto que se participa de su dolor y de su pena: *todos los asistentes al entierro dieron su más sentido pésame a la viuda.*

pesar¹ *v. tr.* **1** Tener un peso determinado: *la bolsa de patatas pesa tres kilos.* **‖** *v. intr.* **2** Tener peso, especialmente tener mucho peso: *no debes cargar con cosas que pesen.* **3** Tener una persona o cosa la suficiente importancia para influir considerablemente en algo: *hay una serie de razones que pesan en este asunto.* **4** Constituir una cosa una carga moral o física para una persona: *a sus años, le pesa tener que trabajar tantas horas seguidas.* **SIN** abrumar. **5** Producir a una persona arrepentimiento, pena o dolor un dicho o hecho: *me pesa haberle dejado el coche.* **‖** *v. tr.* **6** Determinar el peso o la masa de una persona o cosa por medio de ciertos aparatos: *hace un régimen muy severo y se pesa todas las mañanas.* **7** Examinar con detalle la importancia o trascendencia de una cosa: *tuvo que pesar las ventajas y los inconvenientes antes de aceptar el trabajo.* **SIN** calibrar, sopesar.

a pesar de Contra la voluntad o el gusto de una persona, o contra la fuerza o la resistencia de una cosa: *a pesar de que era ya anciano, decidió estudiar.*

a pesar de los pesares familiar Contra todos los inconvenientes u obstáculos.

pese a Contra la voluntad o gusto de una persona o contra la fuerza o resistencia de una cosa.

FAM pesacartas, pesada, pesadumbre, pesaje, pesaroso.

pesar² *s. m.* **1** Sentimiento de pena o dolor por una desgracia. **SIN** tristeza. **2** Arrepentimiento por haber hecho o haber dejado de hacer algo: *tengo un gran pesar por lo que te dije ayer.*

pesaroso, -sa *adj.* **1** Que siente mucha pena o disgusto: *está pesaroso por no haber podido venir.* **SIN** triste. **2** Que está disgustado por lo que ha dicho o hecho: *está pesaroso de haberse insultado.* **SIN** arrepentido.

pesca *s. f.* **1** Conjunto de técnicas y actividades para capturar peces, moluscos, crustáceos y otros animales que se encuentran en el mar o en aguas dulces. ■ **pesca de altura** Pesca que se realiza en aguas alejadas de la costa. ■ **pesca de arrastre** Pesca que se hace arrastrando las redes. ■ **pesca de bajura** Pesca que se realiza en pequeñas embarcaciones cerca de la costa. ■ **pesca submarina** Pesca que se realiza en el fondo del mar. **2** Conjunto de peces y animales que viven en el agua y que se pescan o se pueden pescar: *en esta zona del océano abunda la pesca.*

y toda la pesca familiar Expresión que sirve para cerrar o sustituir la parte final de una enumeración.

pescadería *s. f.* Establecimiento o puesto en el que se vende pescado y otros alimentos del mar.

pescadero, -ra *s. m. y f.* Persona que se dedica a vender pescado y otros alimentos del mar.

FAM pescadería.

pescadilla *s. f.* Cría de la merluza.

pescado *s. m.* **1** Pez comestible una vez sacado del agua donde vive. ■ **pescado azul** Pescado abundante en grasa, como la sardina, el boquerón o el jurel. ■ **pescado blanco** Pescado que contiene poca grasa, como la merluza, el gallo y el lenguado. **2** Carne de pescado como alimento: *no sé si tomar carne o pescado.*

FAM pescadero.

P

pescador, -ra *s. m. y f.* Persona que pesca o se dedica a pescar.

pescante *s. m.* ❶ Asiento delantero en el exterior de un coche de caballos, desde donde el cochero gobierna las mulas o los caballos. ❷ Pieza saliente colocada en una pared, en un poste o en una superficie vertical, que sirve para sostener o colgar alguna cosa. ❸ Estructura del escenario de un teatro que se usa para hacer bajar o subir a personas o figuras.

pescar *v. tr.* ❶ Coger peces y otros animales que viven en el mar o en aguas dulces con redes, cañas u otros instrumentos. ❷ familiar Sacar cualquier cosa del fondo del mar, de un río o de otro líquido. ❸ familiar Coger o agarrar alguna cosa, especialmente una enfermedad o una borrachera: *está en la cama porque ha pescado un resfriado.* SIN pillar. ❹ familiar Conseguir una cosa que se deseaba: *por fin ha pescado novio.* ❺ familiar Entender o captar con rapidez y perspicacia el significado de una cosa: *es un lince, pesca los chistes como nadie.* SIN pillar. ❻ familiar Sorprender o descubrir a una persona haciendo una cosa a escondidas. SIN pillar.
FAM pesca, pescado, pescador, pescante, pesquero; repescar.

pescozón *s. m.* Golpe dado con la mano en el pescuezo o en la cabeza.

pescuezo *s. m.* ❶ Parte del cuerpo de un animal entre la cabeza y el tronco. ❷ familiar Cuello de las personas.
FAM pescozón.

pesebre *s. m.* ❶ Especie de cajón, hecho de obra de albañilería, donde se pone de comer al ganado vacuno y a las caballerías: *la mula se acercó al pesebre.* ❷ Lugar donde se coloca este cajón. ❸ Conjunto de figuras y objetos que representan escenas o lugares relacionados con el nacimiento de Jesucristo. SIN belén, nacimiento.

peseta *s. f.* ❶ Unidad monetaria de España desde 1868 hasta su sustitución por el euro en el año 2002. NOTA Su símbolo es *PTA* y su abreviatura es *pta.* para el singular y *ptas.* para el plural. ❷ Moneda con el valor de esta unidad: *en el bolsillo tenía tres pesetas y dos duros.* ‖ *s. f. pl.* ❸ **pesetas** familiar Dinero o riqueza: *a veces es cuestión de pesetas.*
cambiar la peseta familiar Vomitar, especialmente a causa de un mareo o una borrachera.
mirar la peseta Intentar gastar lo menos posible o ser ahorrativo.
FAM pesetero.

pesetero, -ra *adj./s. m. y f.* fam. desp. Se aplica a la persona que da mucha importancia al dinero o que intenta gastar lo menos posible y ganar lo máximo.

pesimismo *s. m.* Tendencia que tienen algunas personas a ver y a juzgar las cosas en su aspecto más negativo o desfavorable. ANT optimismo.
FAM pesimista.

pesimista *adj./s. com.* Se aplica a la persona que tiende a ver y a juzgar las cosas en su aspecto más negativo o desfavorable. ANT optimista.

pésimo, -ma *adj.* Que es extraordinariamente malo o no puede ser peor. ANT óptimo.
FAM pesimismo.

peso *s. m.* ❶ Fuerza con la que los cuerpos son atraídos hacia el centro de la Tierra por acción de la gravedad: *los cuerpos caen en el vacío a causa del peso.* ❷ Valor que tiene esta fuerza: *esta bolsa de patatas tiene cinco kilos de peso.* ■ **peso atómico** Relación entre la masa media de los átomos de un elemento

y la doceava parte de la masa del isótopo de carbono-12. SIN masa atómica relativa. ■ **peso específico** Peso de la materia contenida en la unidad de volumen de un cuerpo o medida de su densidad física. ■ **peso molecular** Relación entre la masa media de las moléculas de un compuesto y la doceava parte de la masa de un isótopo de carbono-12. SIN masa molecular relativa. ❸ Instrumento que sirve para conocer lo que pesa algo. SIN balanza, báscula. ❹ Cantidad que debe pesar una cosa por ley o convenio: *a este pan le falta peso.* ❺ Cosa pesada: *no puede coger mucho peso porque está mal de la columna.* ❻ Unidad monetaria de distintos países americanos, de Filipinas y de GuineaBissau. ❼ Carga, preocupación u obligación que sufre una persona: *con esta noticia me has quitado un peso de encima.* ❽ Influencia o valor: *su opinión no tiene ningún peso.* ❾ Categoría deportiva del boxeo en la que se encuadran los boxeadores atendiendo a su peso. ■ **peso gallo** Categoría inferior al peso pluma y superior al peso mosca, en la que el boxeador profesional pesa menos de 53,524 kilos, y el no profesional no pasa de los 54 kilos. ■ **peso ligero** Categoría inferior al peso pesado y superior al peso pluma, en la que el boxeador profesional pesa menos de 61,235 kilos, y el no profesional no pasa de los 60 kilos. ■ **peso mosca** Categoría inferior al peso gallo, en la que el boxeador profesional pesa menos de 50,802 kilos, y el no profesional no pasa de los 51 kilos. ■ **peso pesado** Categoría superior al peso ligero, en la que el boxeador profesional pesa más de 79,378 kilos, y el no profesional supera los 80 kilos. ■ **peso pluma** Categoría inferior al peso ligero y superior al peso gallo, en la que el boxeador profesional menos de 57,152 kilos, y el no profesional no pasa de los 58 kilos. ❿ Bola o esfera metálica utilizada por los atletas en determinadas pruebas de lanzamiento.
caer por su peso (o **por su propio peso**) familiar Ser una cosa lógica y razonable.
de peso Que es importante o influyente: *es una razón de peso.*
valer su peso en oro Valer mucho, tener muy buenas cualidades: *este chico vale su peso en oro.*
FAM pesa, pesar; contrapeso, sobrepeso.

pespunte *s. m.* Labor de costura que consiste en dar una serie de puntadas seguidas e iguales, de manera que queden unidas entre sí.
FAM pespuntar, pespuntear.

pespuntear *v. tr.* ❶ Coser o adornar una tela con pespuntes. ❷ Pulsar una a una las cuerdas de la guitarra.

pesquero, -ra *adj.* ❶ Relativo a la actividad de la pesca. ❷ Se aplica al pantalón largo que no cubre el tobillo. ‖ *s. m.* ❸ Embarcación que se dedica a la pesca.

pesquisa *s. f.* Indagación o investigación hecha para descubrir o averiguar una cosa.
FAM pesquisar.
OBS Más en plural.

pestaña *s. f.* ❶ Pelo que crece en el borde de los párpados que sirve para protección de los ojos. ❷ Pieza estrecha y saliente en el borde de cualquier cosa: *para abrir la caja de leche, levante la pestaña y tire de ella.*
quemarse las pestañas familiar Esforzar mucho la vista estudiando, leyendo o trabajando, sobre todo cuando se hace de noche o con poca luz.
FAM pestañear.

pestañear *v. intr.* Abrir y cerrar los párpados rápida y repetidamente. SIN parpadear.

sin pestañear (I) Con mucha atención. (II) Con sumisión y sin titubear.

FAM pestañeo.

pestañeo *s. m.* Movimiento rápido y repetido de los párpados. SIN parpadeo.

peste *s. f.* 1 Enfermedad infecciosa y contagiosa que se propaga por seres humanos o animales y causa muchas muertes: *una epidemia de peste porcina.* ▪ **peste bubónica** Peste causada por el bacilo de Yersin, que se caracteriza por la presencia de dolorosos bultos o hinchazones en los ganglios de la zona cervical, las axilas y las ingles. NOTA También simplemente *peste.* ▪ **peste negra** Forma grave de la peste bubónica que se presenta con hemorragias de las mucosas y de la piel: *difundida en 1348 por un barco genovés que regresaba de Asia, la peste negra se propagó por toda Europa causando una gran mortandad.* NOTA También simplemente *peste.* 2 Pestilencia. 3 Desgracia o cosa mala que causa un grave daño entre la población. 4 familiar Gran cantidad o abundancia de una cosa que molesta o es perjudicial: *durante el verano se produjo una peste de mosquitos.* ‖ *s. f. pl.* 5 **pestes** Palabras de enfado, de amenaza o de insulto: *se marchó echando pestes y dando un portazo.*

FAM pesticida, pestífero, pestilente, pestoso; apestar.

pesticida *s. m.* Sustancia o compuesto natural o químico que se aplica en el suelo agrícola para ahuyentar, prevenir, dificultar el crecimiento o destruir insectos, hierbas u hongos perjudiciales para los cultivos.

pestilencia *s. f.* Mal olor. SIN peste.

pestilente *adj.* Que despide mal olor.

FAM pestilencia.

pestillo *s. m.* 1 Barra de hierro, más pequeña que la del cerrojo, que pasa a través de unas anillas y con la que se cierran puertas y ventanas: *entró en la habitación y echó el pestillo para que nadie más pudiera pasar.* 2 Pieza que sale de la cerradura, al girar la llave o impulsada por un muelle, y entra en un hueco, cerrando una puerta, una tapa u otra cosa.

pestiño *s. m.* 1 Dulce hecho con masa de harina y huevos, que se fríe en porciones en aceite y luego se baña en miel o azúcar. 2 familiar Persona o cosa que aburre o molesta: *ese programa es un pestiño.*

petaca *s. f.* 1 Estuche de cuero, metal u otro material, que sirve para llevar cigarros o tabaco picado. 2 Botella plana y de pequeño tamaño que sirve para llevar licor. 3 AMÉR. Baúl hecho de cuero, que se utilizaba para trasladar ropa y otras cosas en animales de carga.

hacer la petaca familiar Gastar una broma que consiste en doblar la sábana de encima de la cama de manera que la persona que se acueste no pueda estirar las piernas y tenga que deshacer la cama y volverla a hacer correctamente.

pétalo *s. m.* Cada una de las hojas modificadas de color que constituyen la corola de una flor: *los pétalos protegen los órganos de reproducción de la flor.*

FAM apétalo, gamopétalo, monopétalo.

petanca *s. f.* Juego en el que cada jugador tira por turno unas bolas procurando acercarse todo lo posible a una bolita que se ha lanzado anteriormente a cierta distancia: *la petanca se practica mucho en Cataluña.*

petar *v. intr.* familiar Apetecer o gustar: *me petaría ir al teatro.*

petardo *s. m.* 1 Tubo de papel o cartón, lleno de pólvora o explosivos, que se prende por la parte inferior y explota pro-

duciendo un ruido muy fuerte. 2 familiar Persona o cosa muy aburrida, pesada o de escasas cualidades: *ese tenista es un petardo, no da ni una.* 3 Persona o cosa fea o poco atractiva. 4 familiar Cigarrillo hecho a mano que contiene droga, generalmente hachís o marihuana, mezclada con tabaco. SIN canuto, porro.

petate *s. m.* 1 Lío o paquete grande de ropa de cama o personal que llevan los marineros, los soldados o los presos. 2 Estera tejida con tiras de hojas de palmera, que se usa en lugar de colchón en lugares tropicales.

liar el petate familiar Marcharse de un lugar.

petenera *s. f.* Cante flamenco de gran intensidad dramática con coplas de cuatro versos octosílabos.

salir por peteneras familiar Decir o hacer algo que no tiene nada que ver con lo que se está hablando o haciendo.

petición *s. f.* 1 Súplica o ruego que se hace a una persona para que conceda o haga cierta cosa. ▪ **petición de mano** Acto por el que un hombre solicita permiso a los padres de una mujer para casarse con ella. SIN pedida. 2 Palabras o escrito en que se pide una o varias cosas: *la petición venía firmada por miles de personas.*

FAM peticionario.

petimetre, -tra *s. m. y f.* Persona que se preocupa en exceso de su aspecto y de vestir según la moda.

petirrojo *s. m.* Pájaro de pequeño tamaño y rechoncho, que tiene el cuello, la garganta y el pecho de color rojo o naranja y el resto de color verdoso.

petiso, -sa *adj.* 1 ARG., BOL., CHILE, PERÚ, URUG. Se aplica a la persona de poca estatura. 2 ARG., BOL., CHILE, PERÚ, URUG. Se aplica al animal de tamaño menor al común de su especie.

peto *s. m.* 1 Prenda de ropa o parte de ella que cubre el pecho. 2 Pantalones con una pieza de tela que cubre el pecho: *me he comprado un peto vaquero.* 3 Armadura defensiva que servía para proteger el pecho.

petrarquismo *s. m.* Estilo poético propio de Petrarca (poeta italiano, 1304-1374) o de sus seguidores.

FAM petrarquista.

pétreo, -trea *adj.* 1 Que es de piedra. 2 Que es parecido a la piedra o con algunas de sus características. 3 Que está cubierto de piedras. SIN pedregoso.

petrificar *v. tr.* 1 Convertir en piedra, o endurecer una cosa de manera que lo parezca: *un fósil es un animal que se ha petrificado con el paso del tiempo.* 2 Dejar a una persona inmóvil por una sorpresa o susto muy grandes.

FAM petrificación, petrificado, petrificante.

petrodólar *s. m.* Dólar que obtienen los países productores de petróleo, especialmente los árabes, gracias a la venta de crudo.

petroglifo *s. m.* Dibujo grabado sobre piedra o roca, propio de la época prehistórica o de los pueblos primitivos.

petróleo *s. m.* Líquido natural de color oscuro, textura aceitosa y olor fuerte, formado principalmente por una mezcla de hidrocarburos combinados con otros elementos (como azufre, oxígeno y nitrógeno), que arde con facilidad y se encuentra en estado natural en yacimientos subterráneos, continentales u oceánicos; es muy apreciado como fuente de energía y en la industria química.

FAM petrolear, petrolero, petrolífero, petrología.

petrolero, -ra *adj.* 1 Relativo al petróleo. ‖ *s. m.* 2 Buque de carga destinado al transporte de petróleo.

P

petrolífero, -ra *adj.* Que produce o contiene petróleo.

petroquímica *s. f.* ① Ciencia y técnica que estudia los productos químicos derivados del petróleo y del gas natural. ② Industria que usa el petróleo o el gas natural como materias primas para la obtención de productos químicos: *la petroquímica elabora los productos en la fase posterior al refinado del petróleo.*

petroquímico, -ca *adj.* Relativo a la petroquímica. **FAM** petroquímica.

petulancia *s. f.* Cualidad de la persona petulante. **SIN** presunción.

petulante *adj./s. com.* Que presume en exceso y de modo ridículo de sus cualidades o sus actos y se cree superior a los demás. **SIN** engreído, presuntuoso. **FAM** petulancia.

petunia *s. f.* ① Planta herbácea muy ramosa y de hojas ovaladas, con flores grandes, que se cultiva en macetas y jardines por su vistosidad. ② Flor de esta planta, en forma de campanilla, muy olorosa, grande y de diversos colores.

peúco *s. m.* Calzado hecho de punto o de tela y normalmente en forma de bota, en especial el que se pone a los bebés que no andan. **SIN** patuco.

peyorativo, -va *adj.* Se aplica a la palabra o expresión que se usa o se entiende en el valor más negativo, despectivo o desfavorable de los que tiene.

pez¹ *s. m.* ① Animal vertebrado acuático de cuerpo alargado y generalmente protegido por escamas, con las extremidades en forma de aletas, que respira por branquias y se reproduce por huevos: *el esqueleto de los peces cartilaginosos, como el tiburón o la manta, está compuesto de cartílago, mientras que el de la mayoría de los peces es óseo.* ■ **pez espada** Pez marino de piel áspera y sin escamas, azul por el lomo y plateada en el vientre, con la mandíbula superior en forma de espada con dos cortes; habita en todos los mares cálidos del mundo y su carne es muy apreciada. ■ **pez luna** Pez marino de cuerpo más alto que largo, de piel áspera de color gris, que acostumbra a flotar a la deriva tumbado de lado. ■ **pez martillo** Pez marino que tiene la cabeza achatada con dos prolongaciones laterales muy vistosas, en cuyos extremos están situados los ojos. ■ **pez sierra** Pez marino de hasta 6 m de longitud, con la cabeza pequeña y el hocico muy largo y aplanado, con dientes laterales triangulares y muy fuertes que le dan aspecto de sierra. ■ **pez volador** o **pez volante** Pez marino de pequeñas dimensiones, cabeza gruesa, ojos grandes y boca pequeña, que está provisto de unas aletas pectorales muy desarrolladas que funcionan como alas y le permiten dar grandes saltos fuera del agua. **NOTA** También simplemente *volador.* ‖ *s. m. pl.* ② **peces** Grupo taxonómico, con categoría de superclase, constituido por estos vertebrados acuáticos. **como pez en el agua** familiar Estar cómodo o sentirse bien en un lugar o en un ambiente determinado. **estar pez** familiar No saber nada sobre un asunto. **pez gordo** familiar Persona con mucho poder e influencia y mucho dinero. **FAM** pecera.

pez² *s. f.* Sustancia negra o de color oscuro, muy espesa y pegajosa, que se saca del alquitrán y se utiliza para impermeabilizar superficies.

pezón *s. m.* ① Parte que sobresale más en los pechos de las hembras de los mamíferos, rodeada por una pequeña zona circular de color rosado, de donde maman las crías. ② Extremo o parte saliente de donde se agarran ciertas cosas. ③ Tallo muy fino que sostiene la hoja, la flor o el fruto de las plantas.

pezuña *s. f.* ① Conjunto de dedos de una misma pata de algunos animales, como el cerdo, la vaca o el caballo, cubiertos con uñas o cascos. ② fam. desp. Mano o pie de las personas.

pH *s. m.* Índice del grado de acidez o basicidad de una disolución acuosa; generalmente se mide en una escala numérica de 0 (acidez máxima) a 14 (basicidad máxima): *la sangre debe mantener constante su pH para realizar sus funciones.*

phi [se pronuncia 'fi'] *s. f.* Nombre de la vigésima primera letra del alfabeto griego; se escribe Φ/ϕ y se transcribe como *f* o *ph*. **SIN** fi.

photofinish [se pronuncia 'fotofínish'] *s. f.* Fotografía que se toma a la llegada de una carrera deportiva mediante una cámara situada en la línea de meta.

pi *s. f.* Nombre de la decimosexta letra del alfabeto griego; se escribe Π/π y se transcribe como *p*.

piadoso, -sa *adj.* ① Se aplica a la persona que siente pena o dolor hacia quienes sufren. **SIN** compasivo. **ANT** despiadado. ② Se aplica a la persona que es muy religiosa y lo demuestra con sus actos. **SIN** devoto, pío.

piamadre *s. f.* Meninge que es la más interna y fina de las tres; se encuentra en contacto con la superficie cerebral: *las meninges son: duramadre, aracnoides y piamadre.* **SIN** piamáter.

piamáter *s. f.* Piamadre.

pianissimo [se pronuncia 'pianísimo'] *adv.* En música, se emplea como acotación interpretativa para indicar que un fragmento o una pieza deben ejecutarse muy suavemente, con muy poca intensidad: *la abreviatura de pianissimo es "pp".*

pianista *s. com.* Persona que toca el piano.

pianístico, -ca *adj.* Relativo al piano.

piano¹ *s. m.* Instrumento musical de cuerda percutida formado por un conjunto de cuerdas metálicas de diferente longitud y grosor, ordenadas de mayor a menor en una caja de resonancia, y unos martillos que las golpean al ser accionados por las teclas. ■ **piano de cola** Piano de gran tamaño cuya caja tiene una forma parecida a un ala y en el que las cuerdas están extendidas horizontalmente. ■ **piano de pared** o **piano vertical** Piano que tiene las cuerdas y la caja extendidas verticalmente, para ocupar menos espacio. **FAM** pianista, pianístico, pianola.

piano² *adv.* ① En música, se emplea como acotación interpretativa para indicar que un fragmento o una pieza deben ejecutarse suavemente, con poca intensidad: *la abreviatura de piano es "p".* ■ **mezzo piano** En música, se emplea como acotación interpretativa para indicar que un fragmento o una pieza deben ejecutarse de manera moderadamente suave: *la abreviatura de mezzo piano es "mp".* **NOTA** Se pronuncia aproximadamente 'medso piano'. ② familiar Poco a poco, sin precipitación.

pianola *s. f.* Instrumento musical parecido a un piano pequeño que se acciona mediante pedales o mediante la corriente eléctrica y produce música de manera autónoma, sin necesidad de que una persona lo toque. **OBS** Es marca registrada.

piar *v. intr.* ① Emitir los pollos y otras aves su voz característica. ② familiar Pedir una cosa con insistencia. **FAM** piada. **OBS** Verbo regular, se acentúa como *desviar.*

piara *s. f.* Manada de cerdos.

piastra *s. f.* Moneda fraccionaria usada en varios países, como Turquía, Egipto, Siria o Líbano.

PIB [se pronuncia 'pe-i-be'] *s. m.* Sigla de *producto interior bruto*, conjunto de bienes económicos que produce un país durante un año.

pibe, -ba *s. m. y f.* ARG. familiar Chaval, chico o muchacho: *no es más que un pibe.*

pica *s. f.* **1** Lanza larga con una punta de hierro cortante en su extremo, usada antiguamente por los soldados de infantería. **2** Vara larga con una punta de hierro cortante en su extremo usada por los picadores en las corridas de toros. SIN garrocha, puya. **3** Carta de la baraja francesa en la que aparecen representados uno o varios dibujos de color negro con forma de corazón invertido y sostenido por una base: *has de tirar una pica.* ▯ *s. f. pl.* **4** **picas** Palo de la baraja francesa que se representa con uno o varios dibujos de color negro con forma de corazón invertido y sostenido por una base: *as de picas.*

poner una pica en Flandes familiar Realizar con éxito una acción difícil.

FAM piqueta, piquete.

picada *s. f.* **1** Mordedura de un reptil o picotazo que da un ave o un insecto. SIN picadura. **2** Marca o señal que deja en la piel la mordedura de un reptil o el picotazo de un ave o un insecto. SIN picadura. **3** Acción de picar el pez el anzuelo. **4** AMÉR. Senda o vereda estrecha que se abre en un bosque o en un monte espeso. **5** AMÉR. CENTRAL, ARG., BOL., PAR., URUG. Carrera ilegal de automotores que se realiza en la vía pública y perturba la normal circulación. **6** ARG., URUG. Conjunto de platos pequeños con aceitunas, papas fritas, fiambres u otros ingredientes, que se sirven como acompañamiento de una bebida, en general alcohólica, antes de la comida del mediodía o de la noche, o como única comida si es abundante. **7** familiar COL. Punzada o dolor agudo que siente una persona.

picadero *s. m.* **1** Lugar donde se doman los caballos y donde las personas aprenden a montar en ellos. **2** familiar Casa o piso que se utiliza solamente para tener relaciones sexuales.

picadillo *s. m.* **1** Comida hecha con carne, tocino, verduras y ajos picados, que se prepara cociendo y sazonando todo con especias y huevos revueltos. **2** Carne de cerdo que se pica y se adoba con especias para hacer chorizos. **3** Alimento picado.

hacer picadillo familiar Dejar o quedar algo en malas condiciones físicas o anímicas: *el coche se hizo picadillo en el accidente.*

picado, -da *adj.* **1** Que tiene agujeros, señales o marcas: *tiene la cara picada a causa de la viruela.* **2** Que está cortado a trozos pequeños: *añadió a la tarta un puñado de almendras muy picadas.* **3** familiar Que está enfadado o disgustado por alguna razón: *está picada conmigo desde el día en que discutimos.* ▯ *s. m.* **4** Golpe fuerte y seco que se da en la parte baja de la bola de billar. **5** Toma que la cámara realiza desde arriba hacia abajo en cinematografía: *a lo largo de la película salen varios picados de la ciudad.* **6** Conjunto de notas que se ejecuta interrumpiendo un momento el sonido entre unas y otras. **7** Técnica de ejecutar este conjunto de notas. ▯ *adj.* **8** AMÉR. Que está ligeramente ebrio.

en picado (**I**) Con mucha rapidez o intensidad: *las ventas del* producto bajaron en picado en los últimos meses. (**II**) Descenso muy rápido y casi vertical de algo que vuela o cae, especialmente un ave o un avión: *el aeroplano bajó en picado a la pista de aterrizaje.*

FAM picada, picadillo; contrapicado.

picador, -ra *s. m. y f.* **1** Persona montada a caballo que se dedica a picar a los toros con la pica o garrocha en las corridas. **2** Persona que se dedica a la doma y al adiestramiento de caballos. **3** Persona que se dedica a sacar minerales picando en la pared de una mina con un pico u otro instrumento parecido.

picadora *s. f.* Aparato o máquina que sirve para picar, especialmente alimentos: *picadora de carne.*

picadura *s. f.* **1** Mordedura de un ave o reptil o punzada que da un insecto con la trompa o aguijón. SIN picada. **2** Señal que deja esta morderdura o punzada. SIN picada. **3** Señales o marcas oscuras que se forman en los dientes por acción de la caries. **4** Tabaco desmenuzado en hebras o en partículas pequeñas para liar cigarrillos o para fumarlo en pipa. **5** Agujero o grieta que se produce en una superficie metálica a causa de la herrumbre.

picaflor *s. m.* **1** AMÉR. SUR Colibrí. **2** familiar AMÉR. SUR Hombre enamoradizo: *tenía muchas novias, era un picaflor.*

picajoso, -sa *adj./s. m. y f.* familiar Se aplica a la persona que se enfada o se ofende con facilidad.
OBS Plural invariable.

picante *adj./s. m.* **1** Se aplica al alimento que produce una sensación de picor o quemazón en el paladar al comerlo: *esta comida tiene salsa picante.* ▯ *adj.* **2** Se aplica al chiste o historia que tiene intención o gracia llena de malicia, normalmente relacionado con el sexo.

picapedrero, -ra *s. m. y f.* Persona que se dedica a extraer la piedra de las canteras o a labrarla para las construcciones. SIN cantero.

picapica *s. amb.* familiar Sustancia vegetal o mineral en forma de polvos o de pelusilla que produce picor o que hace estornudar.

picapleitos *s. com.* fam. desp. Abogado.
OBS Plural invariable.

picaporte *s. m.* **1** Dispositivo sujeto a una puerta o una ventana que sirve para abrirla o cerrarla. **2** Manilla con que se acciona dicho dispositivo. **3** Pieza de metal, generalmente de hierro o bronce, fijada a una puerta para llamar dando golpes con ella. SIN aldaba, aldabón.

picar *v. tr.* **1** Cortar un alimento en trozos muy pequeños: *pidió al carnicero que le picase un kilo de carne de ternera.* **2** Tomar las aves su comida con el pico: *las gallinas picaban el trigo en el corral.* SIN picotear. **3** Morder un pez el cebo puesto en el anzuelo. **4** Morder las aves y los reptiles o pinchar un insecto con la trompa o el aguijón. **5** Hacer agujeros en algún material: *hay que picar la cartulina para poder pasar el hilo.* **6** Marcar una persona autorizada el billete de un medio de transporte o servicio: *el revisor no ha pasado hoy, así que no me ha picado el billete.* **7** Golpear una superficie con un pico o herramienta con punta para arrancar partículas de una cosa dura: *los canteros picaban la piedra hasta caer rendidos.* **8** Comer trozos pequeños de alimento o cogerlos de uno en uno. SIN picotear. **9** Escribir un texto en un ordenador: *tenemos que picar los datos antes de procesarlos.* **10** Golpear el jinete con las espuelas en los cuartos traseros del caballo: *picó espuelas y* *el caballo salió furioso al galope.* SIN espolear. 11 Herir al toro desde el caballo clavándole la pica en el morrillo. 12 familiar Excitar o provocar a una persona: *si te metes con él, se pica.* 13 familiar Causar disgusto o enfado a una persona: *aquella acusación picó su amor propio.* 14 Producir caries: *se le picaron las muelas de comer tantas golosinas.* 15 Corroer o desgastar: *el óxido pica el metal.* 16 Golpear suavemente la bola de billar con el taco, para conseguir un efecto especial. ‖ *v. intr.* 17 Causar picor o escozor en una parte del cuerpo: *esta ropa es muy áspera y pica.* 18 Producir un alimento una sensación de picor o quemazón en el paladar al comerlo: *esta salsa pica mucho.* 19 Caer en un engaño o trampa o dejarse convencer por una cosa: *le preparamos una broma y picó.* 20 Descender un pájaro o un avión en línea casi perpendicular al suelo. 21 Calentar el sol con intensidad. ‖ *v. prnl.* 22 **picarse** Tener o empezar a tener agujeros una tela: *la blusa se ha picado por la polilla.* 23 Empezar a estropearse un alimento o bebida: *ese vino está picado.* 24 Tener o empezar a tener agujeros o grietas una superficie metálica. 25 Agitarse la superficie del mar formando olas pequeñas a impulso del viento: *si la mar se pica, no saldremos a pescar.* 26 jerga Inyectarse droga. SIN chutarse, pincharse.

FAM picado, picador, picadora, picadura, picajoso, picante, picapedrero, picapica, picazón, picor.

picardía *s. f.* 1 Disimulo o astucia para que no se vea o no se sepa una cosa o para sacar provecho de ciertas situaciones. 2 Travesura poco importante en la que hay ligera malicia y engaño. 3 Acción o dicho en el que hay malicia o atrevimiento, normalmente relacionado con el sexo: *se ruborizó con la picardía de sus palabras.*

FAM picardear, picardías.

picardías *s. m.* Conjunto formado por un camisón corto y unas bragas: *le regaló un picardías.*

OBS Plural invariable.

picaresca *s. f.* 1 Subgénero literario al que pertenecen las novelas picarescas, aparecido en España en el Siglo de Oro, caracterizado por representar como personaje central de la obra a un pícaro o antihéroe, y por emplear la técnica de la autobiografía. 2 Conjunto de costumbres que se consideran propias de los pícaros.

picaresco, -ca *adj.* 1 Relativo al pícaro. 2 Se aplica a la obra literaria que tiene como tema la vida y las aventuras de un pícaro.

FAM picaresca.

pícaro, -ra *adj./s. m. y f.* 1 Se aplica a la persona que tiene picardía o que se comporta con astucia y disimulo para conseguir un fin determinado. 2 Se aplica al niño que hace travesuras de poca importancia. SIN pillo. ‖ *adj.* 3 Ligeramente erótico u obsceno. ‖ *s. m. y f.* 4 Personaje central del subgénero literario de la picaresca, que representa al antihéroe desgraciado y de mal vivir, desengañado de la sociedad y que pone por encima de todo el mantenimiento de su libertad y el instinto de supervivencia.

FAM picaresco.

picatoste *s. m.* Rebanada pequeña de pan tostada o frita en aceite.

picazón *s. f.* Sensación molesta que se produce en una parte del cuerpo y que hace rascarse. SIN picor.

piccolo [se pronuncia 'pícolo'] *s. m.* Flauta pequeña y de sonido más agudo y penetrante que la flauta ordinaria. SIN flautín.

picha *s. f.* familiar Pene.

pichi *s. m.* Prenda de vestir parecida a un vestido sin mangas y con escote, que se pone encima de una camisa, una camiseta o un jersey.

pichicata *s. f.* familiar ARG., PAR., URUG. Sustancia con efectos narcotizantes, o medicamento en general: *me tomé una pichicata y pude dormir toda la noche.*

pichicato, -ta *adj./s. m. y f.* AMÉR. Se aplica a la persona que es mezquina y cicatera, y que se enfada por cosas sin importancia.

pichichi *s. m.* 1 Trofeo que recibe en España el jugador de fútbol que más goles ha marcado en el campeonato nacional de liga. 2 Futbolista que más goles ha marcado en el campeonato nacional de liga.

pichincha *s. f.* familiar AMÉR. SUR Ganga (mercancía de buena calidad que se vende a un precio muy bajo).

pichón, -chona *s. m.* 1 Cría de la paloma doméstica. ‖ *s. m. y f.* 2 Término que se aplica cariñosamente a las personas.

picnic [se pronuncia 'pícnic'] *s. m.* Comida o merienda al aire libre, especialmente la que se hace en el campo.

pícnico, -ca *adj./s. m. y f.* Se aplica a la persona o al cuerpo que es de baja estatura, rechoncho y con tendencia a la obesidad.

pico[1] *s. m.* 1 Parte saliente de la cabeza de las aves, formada por dos piezas duras, que sirve para tomar la comida. 2 Parte saliente del borde de un recipiente por donde se vierte el líquido que contiene. 3 familiar Boca de una persona. 4 familiar Facilidad o soltura para hablar muy bien. ■ **pico de oro** familiar Persona que tiene facilidad o soltura para hablar muy bien. 5 jerga Inyección de una dosis de droga, generalmente heroína. SIN chute.

abrir el pico familiar Hablar una persona.

cerrar el pico familiar Callar o dejar de hablar.

irse (o **andar) de picos pardos** familiar Irse de juerga o a divertirse.

tener mucho pico familiar Hablar demasiado sin saber bien lo que se dice.

FAM picar, picotazo, picotear.

pico[2] *s. m.* 1 Parte puntiaguda que sale de la superficie o del borde de un objeto: *el pico de la mesa.* 2 Herramienta grande que sirve para cavar, formada por una pieza de metal duro que termina en dos puntas opuestas y que en el centro lleva insertado un mango largo, generalmente de madera, para sujetarla. 3 Herramienta parecida a la anterior pero con la pieza metálica acabada en punta por un extremo y con forma de pequeña hacha por el otro. 4 Extremo más alto y agudo de una montaña: *los picos más altos siempre están nevados.* 5 Montaña que tiene la cumbre puntiaguda: *el Mulhacén es el pico más alto de la Península Ibérica.* 6 Parte que pasa de una cantidad o de una unidad de tiempo determinada, cuyo valor no se conoce o no importa: *serían las cuatro y pico cuando pasó.* 7 Parte pequeña que pasa de una cantidad determinada: *puedes quedarte con el pico como propina.* 8 Cantidad muy grande de dinero: *ese coche te habrá costado un pico.* 9 Dosis de droga que se introduce en las venas de una vez.

FAM picudo.

picoleto *s. m.* fam. desp. Miembro del cuerpo de la Guardia Civil.

picor *s. m.* 1 Sensación molesta que se produce en una parte del cuerpo y que hace rascarse. SIN picazón. 2 Sensación molesta que se produce en la lengua o el paladar por haber comido una cosa picante.

FAM picazón.

picota *s. f.* **1** Columna que se utilizaba para exponer a los reos a la vergüenza pública. **2** Variedad de cereza que se caracteriza por tener una punta en la parte opuesta al rabo, y una consistencia muy carnosa y dura: *las picotas no suelen tener rabito porque se les cae cuando las cogen de los árboles.* **3** Parte superior en la punta de una torre o montaña elevada. **poner en la picota** Señalar públicamente las faltas o errores de una persona.

picotazo *s. m.* **1** Golpe o mordisco que dan las aves con el pico. **2** Pinchazo o punzada que da un insecto. SIN picadura. **3** Señal o herida producida por el pico de un ave o por un insecto.

picotear *v. tr.* **1** Herir o golpear repetidamente las aves con el pico. **2** Comer cosas distintas y en pequeñas cantidades. SIN picar. ‖ *v. intr.* **3** fam. desp. Hablar mucho dos o más personas de cosas triviales o poco importantes: *algunos vecinos se sentaban en la plaza del pueblo a picotear.* **4** Mover continuamente la cabeza el caballo de arriba hacia abajo.

FAM picoteo.

pictograma *s. m.* Signo o dibujo que tiene un significado en un lenguaje de figuras o símbolos.

pictórico, -ca *adj.* **1** Relativo al arte o técnica de la pintura. **2** Que es adecuado para ser representado en pintura: *un paisaje pictórico.*

picudo, -da *adj.* **1** Que tiene pico o forma de pico: *todas las aves son picudas.* **2** fam. desp. Charlatán.

pidgin [se pronuncia 'pidyin'] *s. m.* Lengua híbrida o criolla; especialmente, lengua hablada en los puertos de China y constituida por un vocabulario inglés adaptado a la gramática del chino.

pídola *s. f.* Juego de niños en el que uno de ellos se coloca encorvado y los demás saltan por encima de él con las piernas abiertas.

pie *s. m.* **1** Parte del cuerpo del ser humano donde terminan las extremidades inferiores, que va desde el tobillo hasta la punta de los dedos, y sirve principalmente para andar y para sostener el cuerpo. ■ **pie cavo** Pie que tiene demasiado curvada la planta. ■ **pie plano** Pie que tiene muy poco curvada la planta. **2** Parte del cuerpo de algunos animales que está en el extremo de cada una de las patas, especialmente de las posteriores: *pie de cerdo; el caballo se ha lastimado un pie.* **3** Parte ventral del cuerpo de los moluscos, que sirve para su locomoción, para su fijación al sustrato o para ambas cosas: *el pie de un caracol.* **4** Parte de un calcetín, media o calzado que cubre esta extremidad de la pierna. **5** Parte inferior o base de una cosa: *tiene el pie muy estrecho; la casa estaba situada al pie de la montaña.* **6** Parte de una cosa que se opone a la principal o cabecera: *los pies de la cama.* **7** Tallo o tronco de una planta: *un pie de viña.* **8** Parte inferior de un escrito y espacio en blanco que queda al final de un papel: *el abogado le hizo firmar al pie del documento.* **9** Texto corto que aparece debajo de un dibujo, una pintura o una fotografía y que sirve de explicación o comentario: *si lees el pie del cuadro, sabrás cuál es su título.* ■ **pie de imprenta** Texto que aparece al principio o al final de un libro o publicación, donde se indican el nombre de la imprenta y el lugar y la fecha de impresión. **10** Última palabra que dice un personaje en una representación teatral, que indica a otro el momento en que debe empezar a hablar.

11 Medida de longitud de valor variable en los distintos lugares en que se usa; en el sistema inglés equivale a 30,48 centímetros (es la unidad que se emplea en aviación), en Castilla era igual a 28 centímetros y en Francia corresponde a 33 centímetros. **12** Unidad rítmica de la prosa y la poesía en lengua española que se manifiesta por la distribución de acentos y la sucesión de sílabas tónicas y átonas en la línea o el verso; constituye una de las bases del versículo. ■ **pie quebrado** Verso de cuatro o cinco sílabas que, combinado con otro más largo, forma la copla de pie quebrado. **13** Cada una de las unidades métricas con que se mide un verso en las poesías que atienden a la cantidad silábica, como la latina y la griega. **a pie** Andando o caminando. **a pie** (o **pies**) **juntillas** Sin ninguna duda, con gran convencimiento. **al pie de la letra** De forma completa y fiel. **al pie del cañón** Atento y sin desatender una obligación. **buscarle tres** (o **cinco**) **pies al gato** Empeñarse en encontrar complicaciones o problemas donde no existen. **con buen pie** De una manera acertada o con buena suerte. **con el pie derecho** De una manera acertada o con buena suerte. **con el pie izquierdo** Sin acierto o con mala suerte. **con los pies por delante** Sin vida, muerto. **con mal pie** Sin acierto o con mala suerte. **con pies de plomo** Con mucho cuidado o cautela. **dar pie** Dar un motivo para que una persona haga algo. **de pie** o **en pie** En posición erguida o vertical. **de pies a cabeza** o **de los pies a la cabeza** De forma total o completa. **en pie de guerra** Dispuesto a enfrentarse. **hacer pie** Llegar a tocar el suelo con los pies cuando se está en el agua. **nacer de pie** Tener mucha suerte en todo lo que se hace. **no dar pie con bola** Equivocarse varias veces seguidas o muy a menudo. **no tener ni pies ni cabeza** No tener lógica o sentido una determinada acción o cosa. **parar los pies** Hacer que una persona no siga haciendo algo que se considera malo. **pie ambulacral** Parte del aparato de circulación del agua de los equinodermos (como las estrellas de mar) consistente en un sistema de tubos terminados en una serie de pies con ventosa. **pie de pato** Calzado de goma para darse impulso en el agua, con la parte delantera muy larga que imita la forma de la pata de un ave acuática. SIN aleta. **pie de rey** Calibrador para medir pequeñas longitudes y espesores así como diámetros exteriores e interiores que consta de una regla metálica con una rama de medición fija y un cursor corredizo. **poner los pies** Llegar una persona a un lugar. **poner pies en polvorosa** familiar Irse o escapar rápidamente una persona de un lugar. **saber de qué pie cojea** Saber cuáles son los defectos o el punto débil de una persona. **tener un pie en** Estar muy cerca de un sitio o de una situación.

FAM calientapiés, milpiés, puntapié, traspié.

piedad *s. f.* **1** Sentimiento de pena o dolor que se tiene hacia quienes sufren. SIN compasión, misericordia. **2** Devoción o fervor religioso. **3** culto Respeto afectuoso hacia los

padres. ④ Pintura o escultura en la que se representa a la Virgen María con Jesucristo muerto entre sus brazos.
FAM piadoso, pietismo; apiadarse, despiadado, impiedad.

piedra s. f. ① Materia mineral muy dura y de estructura compacta. ■ **piedra filosofal** Materia con la que los alquimistas pretendían convertir metales y otros materiales en oro. ■ **piedra pómez** Roca volcánica áspera, frágil, de estructura porosa y color grisáceo. ■ **piedra preciosa** Piedra muy dura y que se usa por su escasez para fabricar objetos valiosos. **NOTA** También simplemente *piedra*. ② Trozo de esta materia mineral dura, generalmente de pequeño o medio tamaño y sin una forma determinada: *a la orilla del río hay unos muchachos lanzando piedras al agua*. ③ Trozo de materia mineral dura al que se da determinada forma: *las piedras del edificio se están cayendo*. ■ **piedra angular** (**I**) Piedra que está en la esquina de la base de una construcción. (**II**) Fundamento o base de una cosa. ④ Acumulación anormal de pequeños trozos de materia mineral u orgánica que se forma en algunos órganos huecos del cuerpo, generalmente en las vías urinarias y biliares: *está en el hospital porque tienen que quitarle unas piedras del riñón*. **SIN** cálculo. ⑤ Pieza de los encendedores con la que se produce una chispa que enciende la llama. ⑥ Objeto grande y grueso, de forma circular y compuesto de materia mineral muy dura, que gira sobre un eje y que sirve para moler: *la piedra tritura el grano en el molino*. **SIN** muela. ⑦ Granizo de gran tamaño. ⑧ Variedad de cuarzo que da chispa en las armas de fuego. ⑨ jerga Porción de hachís.
de piedra Muy sorprendido o impresionado ante un hecho inesperado.
ser (o parecer) de piedra No tener sentimientos una persona.
tirar la piedra y esconder la mano Obrar mal una persona y ocultarlo.
tirar piedras sobre (o contra) el propio tejado Obrar causándose daño uno mismo.

piel s. f. ① Tejido resistente y flexible que cubre y protege el cuerpo de muchos animales, entre ellos el ser humano: *la piel de los vertebrados consta de dos capas: dermis y epidermis*. ■ **piel de gallina** Piel de las personas cuando, por el frío o el miedo, toma un aspecto parecido al de las aves sin plumas. ■ **piel de naranja** familiar Celulitis. ■ **piel roja** Indio indígena de América del Norte. **NOTA** Plural: *pieles rojas*. ② Cuero curtido: *una cartera de piel*. ③ Cuero curtido de forma que conserva su pelo natural: *las organizaciones ecologistas están en contra de la fabricación de abrigos de piel*. ④ Capa delgada que cubre la carne de ciertos frutos: *quita la piel al melocotón antes de comértelo*.
dejarse la piel familiar Esforzarse mucho en un trabajo o tarea hasta acabar agotado.
quitar (o arrancar o sacar) la piel a tiras familiar Criticar con dureza a una persona.
ser de la piel del diablo familiar Ser muy travieso.

piélago s. m. ① Zona del mar que comprende prácticamente su totalidad, a excepción de las orillas y el fondo. ② Cosa que por su abundancia es difícil de enumerar. ③ culto Mar.

pienso s. m. Alimento, especialmente el seco, que se da al ganado. ■ **pienso compuesto** Alimento para el ganado que está formado por varias clases de sustancias para que alimente más.

pierna s. f. ① Miembro inferior del cuerpo que une el tronco con el pie. ② Parte de este miembro que va desde la rodilla hasta el pie. ③ Muslo de algunos animales. ④ Cada una de las dos piezas que forman el compás. ⑤ Trazo vertical de algunas letras, como la *m* y la *n*.
dormir a pierna suelta (o tendida) Dormir muy bien y profundamente.
estirar las piernas Pasear o moverse para que las piernas recuperen la facilidad de movimiento, especialmente después de haber estado mucho tiempo sentado o quieto.
hacer piernas Hacer ejercicio andando.
FAM entrepierna.

pierrot s. m. Personaje cómico del teatro clásico francés que se caracteriza por llevar la cara enharinada, un traje blanco de pantalones anchos y blusa de cuello redondo y grandes botones, y un cucurucho negro en la cabeza: *para Carnaval iba disfrazado de pierrot*.

pieza s. f. ① Cada una de las partes de que se compone un conjunto u objeto: *la cubertería tiene 80 piezas*. ② Elemento que forma parte de un mecanismo: *una pieza del motor*. ③ Trozo de tela, especialmente la que se cose a otra que está rota o vieja: *he puesto unas piezas a los codos de la chaqueta*. ④ Animal que se caza o se pesca: *el perro fue a buscar las piezas cobradas por el cazador*. ⑤ Obra de teatro formada por un solo acto. ⑥ Composición musical: *el pianista interpretó una pieza de Chopin*. ⑦ familiar Persona que destaca por tener un comportamiento poco adecuado: *¿que si conozco a Julio?, ¡claro, menuda pieza está hecho!* ⑧ Figura o ficha que se utiliza en ciertos juegos de mesa como el ajedrez o las damas. ⑨ Habitación o cuarto de una casa. ⑩ Objeto trabajado artísticamente, especialmente si se trata de muebles, joyas u obras de arte: *ese cuadro es una pieza única*. ⑪ Trozo de tejido o papel que se fabrica de una sola vez. ⑫ ARG. BOL., CHILE, COL., MÉX., PAR., PERÚ, URUG. Dormitorio.
de una pieza Muy sorprendido o impresionado ante un hecho inesperado: *nos ha dejado de una pieza*.
FAM piezoelectricidad; despiezar.

piezoelectricidad s. f. ① Conjunto de fenómenos eléctricos que resultan cuando se aplica a algunos cuerpos una presión u otra fuerza mecánica. ② Propiedad de algunos cuerpos de producir electricidad cuando son sometidos a presión o a otra fuerza mecánica.

pífano s. m. Instrumento musical de viento parecido a una flauta pequeña que produce un sonido muy agudo.

pifia s. f. ① familiar Obra o dicho equivocado o sin acierto de una persona: *cuando habla, siempre comete alguna pifia*. ② Golpe malo o poco acertado que se da con el taco en la bola de billar.

pifiada s. f. familiar ARG., CHILE, CUBA, PAR., PERÚ, URUG. Pifia (obra o dicho equivocado).

pifiar v. intr. ① familiar Hacer o decir una cosa equivocada o sin acierto. ② Dar un golpe malo o poco acertado con el taco en la bola de billar.
FAM pifia.
OBS Verbo regular, se acentúa como *cambiar*.

pigmentación s. f. ① Formación del pigmento de la piel o de un tejido. ② Coloración anormal de la piel o de un tejido que puede estar originada por distintas causas.

pigmentar v. tr. Dar color a alguna cosa, especialmente con una sustancia adecuada para ello.
FAM pigmentación.

pigmento s. m. ① Sustancia de diversa naturaleza química que se encuentra en las células de los seres vivos y que da color. ② Sustancia natural o artificial que da color y que se usa en la fabricación de pinturas.

FAM pigmentar, pigmentario.

pigmeo, -mea *adj.* ① Relativo al grupo étnico que está constituido por personas que habitan en ciertas zonas de África y Asia y que se caracterizan por ser de estatura muy baja, tener la piel oscura y el pelo crespo. ‖ *s. m. y f./adj.* ② Persona que pertenece a este grupo étnico.

pijada *s. f.* ① familiar Cosa que tiene poca importancia o poco valor. **SIN** chorrada. ② familiar Cosa que hace, usa o lleva un pijo, persona joven y superficial que tiene dinero y a la que gusta presumir de ello.

pijama *s. m.* Prenda de ropa ligera y cómoda, formada por dos piezas, que se usa para dormir.

pijo, -ja *adj./s. m. y f.* ① fam. desp. Se aplica a la persona joven que pertenece a una familia con dinero y que se comporta de manera superficial y presumida: *esta es una discoteca de pijos.* ‖ *adj.* ② Que es muy refinado, llamativo y propio de personas adineradas: *se han comprado un coche muy pijo.* ‖ *s. m.* ③ vulgar Pene.

un pijo vulgar Nada absolutamente o poquísimo: *no entendió un pijo.*

FAM pijada, pijotero.

pila¹ *s. f.* ① Dispositivo que suministra una corriente eléctrica continua a partir de una reacción química: *las pilas permiten que los aparatos eléctricos funcionen sin necesidad de estar conectados a la electricidad con un cable.* ▪ **pila de combustible** Pila que proporciona electricidad a partir de la reacción química entre oxígeno e hidrógeno; es muy utilizada en vehículos espaciales debido a su alto rendimiento y al hecho de que no contamina. ▪ **pila electroquímica** Pila que transforma en energía eléctrica la energía química liberada por una reacción de oxidación-reducción. ② Recipiente cóncavo hecho de un material resistente donde cae o se echa el agua para diversos usos: *el fregadero de la cocina tiene dos pilas.* ▪ **pila bautismal** Recipiente cóncavo que hay en las iglesias y que contiene agua bendita para administrar el bautismo.

pila atómica Reactor en que se produce la fisión del átomo. **FAM** pilón; meapilas.

pila² *s. f.* ① Conjunto de cosas puestas unas sobre otras. **SIN** montón. ② familiar Cantidad grande de una cosa: *tiene una pila de juguetes.*

FAM pilar, pilastra, pilón; apilar.

pilar *s. m.* ① Elemento vertical de soporte, más alto que ancho, que sirve para aguantar una estructura arquitectónica: *los pilares pueden ser poligonales o circulares y no siguen la proporción de un orden arquitectónico.* ② Persona o cosa que sirve de apoyo o base: *el abuelo era el pilar de la familia.*

pilastra *s. f.* Pilar adosado a un muro, con función de soporte u ornamental.

píldora *s. f.* ① Pastilla de medicamento de pequeño tamaño, generalmente redonda. ② Medicina que se toma por vía oral y que sirve para impedir el embarazo: *desde que se casó, toma la píldora como anticonceptivo.*

dorar la píldora (I) familiar Suavizar una noticia desagradable para evitar el enfado o el disgusto de la persona que la recibe. (II) familiar Decir cosas agradables a una persona para ganar su voluntad o conseguir su favor.

tragarse la píldora familiar Creerse una mentira.

pileta *s. f.* Recipiente pequeño, generalmente de piedra, que

contiene agua bendita y que se encuentra en las iglesias y en algunas casas.

pilífero, -ra *adj.* Se aplica a la planta o parte de una planta que está cubierta de pelos.

pilila *s. f.* familiar Pene.

pillaje *s. m.* ① Robo que se hace con violencia. **SIN** rapiña. ② Robo o destrucción que hacen los soldados en un país enemigo.

pillar *v. tr.* ① familiar Coger o alcanzar una cosa o a una persona. ② familiar Atropellar. ③ familiar Ponerse a la misma altura o nivel: *el Betis ha pillado al Sevilla en la clasificación.* ④ familiar Sorprender a una persona en el momento en que está cometiendo una falta o engaño: *pillaron al cajero tratando de llevarse un fajo de billetes.* ⑤ familiar Sorprender o coger desprevenido: *la noche nos pilló en el monte.* ⑥ familiar Contraer o llegar a tener una enfermedad o un estado de ánimo determinado: *ha pillado un buen enfado.* ⑦ familiar Entender algo que es difícil o que tiene doble sentido: *habla tan rápido que no pillo ni una palabra.* ⑧ Robar o tomar algo por la fuerza: *rompieron los cristales de la tienda y pillaron todo lo que pudieron.* **SIN** saquear. ⑨ Sujetar o aprisionar una cosa, generalmente haciendo daño: *me pillé el dedo con la puerta del coche.* ‖ *v. intr.* ⑩ familiar Encontrarse en una posición determinada con respecto a algo o a alguien: *el trabajo me pilla cerca de casa.* **FAM** pillaje, pillo.

pillastre *s. m.* familiar Chico astuto, que sabe cómo engañar a los demás y siempre trata de buscar su propio provecho. **OBS** Frecuentemente usado como apelativo cariñoso.

pillería *s. f.* Obra o dicho de un pillo.

pillo, -lla *adj./s. m. y f.* ① Se aplica a la persona que es hábil para engañar con el objeto de conseguir una cosa: *es un pillo, nos hizo creer que le dolía la barriga para que le cuidásemos.* **SIN** granuja. ② Se aplica a la persona que es pícara y actúa sin honradez: *el muy pillo se marchó con el dinero.* **SIN** bribón, sinvergüenza.

FAM pillastre, pillería.

pilón¹ *s. m.* Recipiente de piedra en que cae y se acumula el agua de una fuente, que suele usarse como abrevador o lavadero.

pilón² *s. m.* ① Pan de azúcar refinado, de figura cónica. ② Pesa de la romana que puede moverse libremente a cualquier punto del brazo mayor para determinar el peso de las cosas. ③ Contrapeso del molino.

pilongo, -ga *adj./s. f.* ① Se aplica a la castaña seca y arrugada. ‖ *adj./s. m. y f.* ② Flaco y débil o demacrado.

pilono *s. m.* Estructura arquitectónica troncopiramidal, con las paredes en talud decoradas con relieves, situada en la entrada de los antiguos templos egipcios y en otras ocasiones separando las diferentes partes interiores.

píloro *s. m.* Orificio del estómago que comunica con el intestino delgado.

piloso, -sa *adj.* Relativo al pelo (filamento de la piel de algunos mamíferos) o que lo tiene: *un tallo piloso; el pelo nace de un folículo piloso.*

pilotaje *s. m.* ① Conducción de un vehículo: *el pilotaje de un avión requiere gran habilidad.* ② Técnica de conducir o gobernar un vehículo, especialmente un buque o aeronave: *asiste a una escuela de pilotaje.*

pilotar *v. tr.* ① Dirigir o conducir un buque o aeronave: *pilotar un avión.* ② Dirigir o conducir un vehículo, especialmente

cuando tiene potencia para alcanzar gran velocidad: *este año va a pilotar un fórmula uno.*
FAM pilotaje.

pilote *s. m.* Pieza gruesa y larga de madera, hierro o cemento, que se clava en la tierra para asegurar los cimientos de un edificio o de otra construcción.

piloto *s. com.* **1** Persona que conduce un barco o una aeronave. **2** Persona que conduce un coche o una moto de competición. ‖ *s. m.* **3** Luz de un vehículo, de color blanco en la parte anterior y rojo en la parte posterior, que sirve para marcar su posición. **4** Indicador luminoso en el panel de mandos de un vehículo. **5** Luz en un aparato eléctrico que indica si está en funcionamiento. **6** Muestra o modelo que sirve de experimento. **NOTA** Se construye en aposición a otro sustantivo: *piso piloto.*
piloto automático Mecanismo que conduce o gobierna automáticamente un coche, un barco o una aeronave.
FAM pilotar; copiloto.

piltra *s. f.* familiar Cama.

piltrafa *s. f.* **1** Trozo de carne con muchos nervios y con pellejo, que no se puede aprovechar como alimento. **2** Residuo o resto de comida que no se puede aprovechar. **3** Persona que está muy delgada y débil, generalmente por causa de una enfermedad: *después de la gripe me he quedado hecho una piltrafa.* **4** Cosa que tiene mal aspecto o no se puede aprovechar: *la guitarra que me dejaste es una piltrafa.*

pimentero *s. m.* **1** Arbusto de tallos nudosos, hojas ovaladas y gruesas, flores en espiga y fruto comestible (pimienta). **2** Recipiente que contiene pimienta molida.

pimentón *s. m.* Polvo que se obtiene al moler pimientos rojos secos y que sirve para condimentar comidas.

pimienta *s. f.* Fruto del pimentero, comestible, pequeño, redondo y rojo, que toma color negro cuando se seca y que tiene un sabor muy picante. ■ **pimienta blanca** Pimienta que tiene color casi blanco porque se le ha quitado la corteza. ■ **pimienta negra** Pimienta que conserva la corteza, que es seca y arrugada.
FAM pimentero, pimentón.

pimiento *s. m.* **1** Planta herbácea de flores blancas, hojas lanceoladas y fruto comestible. **2** Fruto de esta planta, comestible, hueco y alargado, de color verde, rojo o amarillo, y en cuyo interior hay unas semillas planas de color blanco o amarillo. ■ **pimiento de Padrón** Pimiento que es verde y de pequeño tamaño. ■ **pimiento del piquillo** Pimiento que es rojo de tamaño mediano, un poco picante, terminado en punta y se asa. ■ **pimiento morrón** Pimiento que es rojo, grueso y tiene sabor dulce.
un pimiento (**I**) Nada o muy poco: *me importa un pimiento que vengas o no.* (**II**) Expresión que se usa en frases exclamativas para negar o rechazar algo con rotundidad: *¡y un pimiento!, yo no le plancho la ropa.*
FAM pimienta.

pimpollo *s. m.* **1** Árbol pequeño que está creciendo, especialmente el pino. **2** Brote, yema o tallo nuevo de una planta. **3** Flor de la rosa cuando todavía no se han abierto sus capullos. **4** Persona, especialmente si es joven, que llama la atención por ser bella o graciosa.
FAM despimpollar.

pimpón *s. m.* Ping-pong.

pin *s. m.* Pequeño adorno, generalmente metálico, que se pin-

cha en una prenda de vestir y que puede tener diversas formas.
OBS Plural: *pins.*

pinacoteca *s. f.* Museo o galería abierto al público en el que se exponen o se guardan pinturas.

pináculo *s. m.* **1** Remate puntiagudo que corona los elementos verticales de algunos edificios, especialmente los de estilo gótico. **2** Elemento arquitectónico en forma de cono o de pirámide que adorna un contrafuerte, muro o arbotante de algunos edificios, especialmente los de estilo gótico. **3** Cima o punto culminante de algo inmaterial: *el pináculo del éxito.* **SIN** cumbre, cúspide.

pinar *s. m.* Lugar en el que la especie dominante es el pino.

pincel *s. m.* **1** Instrumento que sirve para pintar, formado por un mango con un conjunto de pelos o cerdas en un extremo, y que es más estrecho y delgado que una brocha. **2** Modo de pintar de una persona o grupo: *admiraba el pincel suave de los impresionistas.*
ir hecho un pincel Vestir de forma muy elegante.
FAM pincelada.

pincelada *s. f.* **1** Trazo hecho con un pincel en una superficie: *en el cuadro se apreciaban pequeñas pinceladas de ocres y marrones.* **2** Expresión de una idea en pocas palabras o por sus rasgos más característicos. **3** Toque o matiz: *una pincelada de buen humor.*
dar la última pincelada (o **las últimas pinceladas**) Poner los elementos finales en una obra o un trabajo para terminarlo o para perfeccionarlo.

pinchadiscos *s. com.* Persona que se dedica a poner música en la radio, en una discoteca o en otro establecimiento.
OBS Plural invariable.

pinchar *v. tr.* **1** Clavar en una superficie un objeto puntiagudo, como una espina, un clavo o un alfiler: *ten cuidado y no te pinches al coger la rosa.* **2** Poner una inyección a alguien: *la enfermera pinchó al paciente.* **3** Sujetar o coger un objeto clavando en él un instrumento acabado en punta: *pincha la carne con el tenedor.* **4** Molestar o provocar a una persona para que se enfade: *deja de pinchar a tu hermano.* **5** Animar a una persona para que haga determinada cosa: *mi familia me pinchó mucho para que me presentara al concurso.* **6** Intervenir una línea telefónica para espiar las conversaciones que se producen a través de ella: *han pinchado el teléfono del presidente.* **7** Poner música variada para que la escuchen varias personas: *Jaime pincha discos en una discoteca.* ‖ *v. intr.* **8** Sufrir un pinchazo en la rueda de un coche. **9** No tener éxito o fracasar en algo que se quiere conseguir: *he vuelto a pinchar en los exámenes de este semestre.* ‖ *v. prnl.* **10** **pincharse** jerga Inyectarse droga. **SIN** chutarse, picarse.
ni pinchar ni cortar Tener muy poco valor o influencia en un asunto.
FAM pinchadiscos, pinchazo, pincho.

pinchaúvas *s. m.* fam. desp. Hombre despreciable o insignificante.
OBS Plural invariable.

pinchazo *s. m.* **1** Introducción a presión de una medicina o de una droga líquida en la sangre por medio de una jeringuilla u otro objeto punzante: *el paciente notó el pinchazo en el brazo, pero no se quejó.* **2** Herida o señal que deja un instrumento que pincha. **3** Agujero que se hace al introducirse un cuerpo acabado en punta en la superficie de un objeto y que produce la salida del aire o líquido que contiene: *el balón tiene* *un pinchazo y por eso se desinfla.* **4** Obra o dicho con que se molesta a una persona o se la convence para que tome una decisión. **5** Sensación dolorosa y aguda en alguna parte del cuerpo, parecida a la que produce algo puntiagudo al clavarse: *notó un pinchazo en los pulmones.* **6** Intervención de una línea telefónica para espiar las conversaciones que se producen a través de ella.

pinche *s. com.* Persona que ayuda al cocinero en la cocina.

pinchito *s. m.* Comida ligera hecha con trozos pequeños de alimentos, que generalmente va pinchada con un palillo y se toma como aperitivo o como comida informal. **SIN** pincho. ■ **pinchito moruno** Comida hecha con trozos de carne, generalmente de cerdo, preparados con especias y que van atravesados por una vara delgada de madera o de metal. **SIN** pincho moruno.

pincho *s. m.* **1** Punta aguda y afilada: *los erizos tienen el cuerpo cubierto de pinchos.* **2** Pinchito. ■ **pincho moruno** Pinchito moruno. **FAM** pinchito.

pineal *adj.* Se aplica a la glándula de forma similar a una piña, situada en la base del encéfalo, cuyas secreciones hormonales regulan el funcionamiento de otras glándulas.

pingajo *s. m.* Trozo de tela roto o viejo que cuelga de un lugar o de una cosa. **SIN** pingo.

pingar *v. intr.* **1** Colgar o estar suspendida una cosa: *a ver si te arreglas el bajo de la falda porque te pinga por delante.* **SIN** pender. **2** Gotear una cosa o una persona que está empapada en algún líquido. *llovía mucho y llegué a casa pingando.* **FAM** pingajo, pingo.

pingo *s. m.* **1** Pingajo. **2** Prenda de vestir, rota, vieja o sucia: *aunque estés en casa, no te pongas esos pingos.* **NOTA** Normalmente en plural. **3** Persona a la que le gusta mucho salir a divertirse.

andar (o estar o ir) de pingo Estar una persona siempre con ganas de divertirse o de juerga.

ping-pong *s. m.* Deporte parecido al tenis que se juega sobre una mesa rectangular dividida por una red en dos campos y que consiste en golpear una pelota pequeña y ligera con una paleta para hacerla botar en el campo contrario. **SIN** pimpón.

pingüe *adj.* Que es muy abundante: *el negocio le reportaba pingües beneficios.* **SIN** copioso.

pingüino *s. m.* Ave de las zonas polares, que tiene las patas cortas y los dedos de los pies unidos por membranas, con la espalda y las alas negras y el pecho y el vientre blancos, que nada muy bien y no puede volar: *los pingüinos viven en las costas del Antártico y se alimentan de peces y crustáceos.*

pinitos *s. m. pl.* **1** Primeros pasos que da un niño que está aprendiendo a andar: *es muy gracioso ver cómo tu hijo hace sus pinitos por el pasillo.* **SIN** pinos. **2** Primeros pasos que da una persona en el aprendizaje o la práctica de un arte o una actividad: *está estudiando música y ya hace sus pinitos con el piano.* **SIN** pinos.

pinna *s. f.* División primaria, en forma de hoja, de las que forman una hoja compuesta de una planta. **SIN** folíolo.

pinnípedo, -da *adj./s. m.* **1** Se aplica al animal mamífero que tiene los dedos de las patas delanteras unidos por membranas, las patas traseras en forma de aleta, una gruesa capa de grasa bajo la piel y vive en el mar, aunque tiene que salir a la superficie para poder respirar: *la foca es un animal pinnípe-*

do. **|** *s. m. pl.* **2** **pinnípedos** Grupo taxonómico, con categoría de orden, constituido por estos mamíferos.

pino *s. m.* **1** Árbol resinoso de tronco fuerte y rugoso, con las hojas estrechas en forma de aguja, cuyas semillas (piñones) se encuentran en el interior de una formación leñosa (piña). **2** Madera de este árbol. **|** *s. m. pl.* **3** **pinos** Pinitos.

en el quinto pino *familiar* Muy lejos.

hacer el pino Poner el cuerpo verticalmente con las manos apoyadas en el suelo y los pies hacia arriba.

FAM pinada, pinar, pinífero.

pinocitosis *s. f.* Proceso por el cual la membrana celular atrapa una gota de líquido y la introduce en el citoplasma en forma de una pequeña vesícula: *la pinocitosis es un tipo de endocitosis.*

OBS Plural invariable.

pinrel *s. m. familiar* Pie de una persona.

OBS Frecuentemente usado de forma humorística.

pinsapo *s. m.* Árbol conífero parecido al abeto que tiene hojas cortas y punzantes, y piñas derechas y más grandes que las del abeto.

pinta¹ *s. f.* **1** Mancha o señal redondeada y pequeña en la piel, el pelo o las plumas de los animales, y en las alas de ciertos insectos. **SIN** mota. **2** Dibujo en forma de mancha redondeada muy pequeña con el que se adorna una tela: *el abrigo es gris jaspeado, con pintas más oscuras.* **3** Aspecto o apariencia exterior de una persona o cosa: *esa comida tiene muy buena pinta.* **4** Carta de la baraja que sirve para señalar el palo que en un juego determinado es el triunfo o palo que tiene más valor. **|** *s. m.* **5** *familiar* Hombre que habla u obra sin vergüenza ni respeto hacia los demás.

FAM pintear, pintojo.

pinta² *s. f.* Medida anglosajona de capacidad para líquidos o para áridos: *la pinta varía según los países.*

pintada *s. f.* **1** Escrito de gran tamaño hecho a mano sobre una superficie, generalmente una pared, que se pinta de manera encubierta y suele hacer referencia a algún aspecto político o social. **2** Ave de la familia de la gallina, con las plumas negras y manchas blancas, que tiene la cabeza pelada y una cresta dura.

pintado, -da *adj.* **1** Pinto. **2** *familiar* Que es muy parecido o casi igual a otra persona o cosa: *María es pintada a su madre.* **SIN** clavado.

el más pintado *familiar* La persona más hábil o adecuada para un determinado asunto.

que ni pintado *familiar* De forma muy adecuada u oportuna o muy a propósito: *tu hermano está que ni pintado con ese frac.*

pintalabios *s. m.* **1** Barra pequeña hecha de una pasta compacta y grasa que se usa como cosmético para dar color a los labios, y que generalmente va guardada en un pequeño estuche alargado. **SIN** carmín. **2** Sustancia grasa que se usa como cosmético para dar color a los labios: *le dio un beso y le dejó una mancha de pintalabios en la mejilla.* **SIN** carmín.

OBS Plural invariable.

pintamonas *s. com.* **1** *fam. desp.* Persona que se dedica a la pintura artística, pero tiene poca habilidad para ella. **2** *fam. desp.* Persona poco importante.

OBS Plural invariable.

pintar *v. tr./intr.* **1** Representar algo en una superficie por medio de colores y líneas: *le gusta pintar cuadros abstractos.* **|** *v. tr.* **2** Cubrir una superficie con pintura. **3** Describir con palabras el aspecto o carácter de algo o alguien: *el niño nos ha pintado el colegio como un sitio horrible.* **4** Dar color, cubrir defectos y hacer más bella la cara, usando productos naturales o artificiales: *Marta se pinta antes de salir a la calle.* **SIN** maquillar. ǁ *v. intr.* **5** Hacer trazos o colorear un lápiz o un objeto de características parecidas: *tengo que comprar una carga de tinta para el bolígrafo porque ya no pinta.* **6** Tener valor o importancia o una determinada función: *¿se puede saber qué pinta Elvira aquí?; él no pinta nada en la empresa.* **7** Señalar una carta de la baraja el palo que más valor tiene en un juego o en una partida.

pintárselas solo Ser suficientemente hábil una persona para hacer una cosa sin ayuda de otras.

FAM pinta, pintada, pintado, pintalabios, pintamonas, pintarrajar, pintarrajear, pintaúñas, pinto, pintor, pintorrear, pintura; despintar, repintar.

pintarrajar o **pintarrajear** *v. tr./intr.* **1** Pintar sin arte ni cuidado. ǁ *v. tr.* **2** Maquillar la cara de una persona de forma excesiva y poco adecuada.

FAM pintarrajo.

pintarroja *s. f.* Pez marino comestible, de cuerpo alargado, cabeza pequeña, con muchos dientes y la piel muy áspera. **SIN** lija.

pintaúñas *s. m.* Laca que se usa para dar color y brillo a las uñas; va en un recipiente pequeño de cristal con una tapa que lleva un pincel para pintar las uñas.

OBS Plural invariable.

pinto, -ta *adj.* Se aplica al animal que tiene manchas de color en la piel, el pelo o las plumas. **SIN** pintado.

pintor, -ra *s. m. y f.* **1** Persona que se dedica a la pintura artística: *Picasso fue un pintor genial.* **2** Persona que se dedica a pintar puertas, paredes, casas y superficies en general.

FAM pintoresco.

pintoresco, -ca *adj.* **1** Que presenta una imagen bella, agradable y única, muy adecuada para ser pintada: *un paisaje pintoresco.* **2** Que llama la atención por ser peculiar o extraño: *mi vecino tiene una forma de vestir muy pintoresca.* **3** Se aplica al lenguaje o estilo que describe la realidad de forma viva y animada.

pintura *s. f.* **1** Arte de pintar: *la pintura es una de las bellas artes.* **2** Obra que se hace aplicando este arte: *este cuadro es una famosa pintura de El Greco.* ▪ **pintura rupestre** Representación pictórica realizada sobre la superficie de la roca en la época prehistórica. **3** Conjunto de obras pintadas de un autor, de un estilo, de un país o de un periodo determinados. **4** Producto con un color determinado que se usa para pintar. **5** Técnica o procedimiento usado para pintar una obra o una superficie. ▪ **pintura al fresco** Técnica pictórica basada en la aplicación de pigmentos sobre un muro revestido con una capa de yeso aún húmeda. ▪ **pintura al óleo** Técnica para pintar en la que se emplean colores disueltos en aceite. ▪ **pintura al pastel** Técnica pictórica en la que se emplean lápices o barras de color formados por la mezcla de pigmento en polvo y una resina. ▪ **pintura al temple** Técnica pictórica en la que se emplean colores mezclados con cola y agua caliente. **6** Descripción de personas o cosas por medio de palabras: *en esa novela se hace una pintura de la sociedad española durante la posguerra.* ǁ *s. f. pl.* **7 pinturas** Conjunto de productos que sirven para pintarse la cara: *si quieres maquillarte, puedes coger mis pinturas.*

no poder ver ni en pintura Sentir mucha antipatía hacia una persona.

FAM pinturero.

pinturero, -ra *adj./s. m. y f. familiar* Se aplica a la persona que presume de ser bella, fina o elegante.

FAM pinturería.

pinza *s. f.* **1** Instrumento para sujetar o apretar cosas formado por dos piezas alargadas, unidas con un muelle o pequeña palanca en el centro, que se separan por un extremo haciendo presión con los dedos por el otro extremo: *siempre usamos pinzas de madera para tender la ropa.* **2** Instrumento para coger cosas formado por dos piezas unidas por un extremo y separadas por el otro, que se juntan haciendo presión con los dedos por el centro: *se quitaba los pelos de las cejas con unas pinzas de depilar.* **NOTA** Generalmente en plural con el mismo significado que en singular. **3** Pieza articulada que tienen algunos animales en el extremo de las patas, que está dividida en dos partes que se cierran con fuerza para coger o apretar algo: *los cangrejos tienen unas pinzas muy fuertes.* **4** Pliegue cosido en la tela de una prenda de vestir: *pantalones de pinzas.*

FAM pinzar.

pinzamiento *s. m.* Opresión de un órgano, de un nervio o de un músculo que se encuentra entre dos superficies: *tengo un pinzamiento en las cervicales.*

pinzón *s. m.* Pájaro pequeño de pico cónico y largo que tiene un canto muy agradable y se alimenta de insectos: *los pinzones machos tienen un plumaje muy vistoso.*

piña *s. f.* **1** Fruto del pino y otras coníferas, que tiene forma ovalada o de cono, termina en punta y está formado por muchas piezas duras y colocadas en forma de escamas, debajo de cada una de las cuales hay uno o dos piñones. **SIN** cono. **2** Planta originaria de América con hojas rígidas acabadas en punta, flores moradas y fruto comestible. **SIN** ananá, ananás. **3** Fruto de esta planta, de forma cónica y tamaño grande, con corteza rugosa y áspera, terminado en un penacho de hojas y de carne amarilla y jugosa. **SIN** ananá, ananás. **4** Conjunto de personas unidas estrechamente con un sentimiento de lealtad y fidelidad: *este grupo de amigos es una piña.* **5** Conjunto de personas, animales o cosas muy juntas: *la familia de chimpancés dormía en una piña.* **6** *familiar* Golpe muy fuerte contra algo: *se dieron una piña contra un muro.* **7** *familiar* Golpe dado con el puño: *le dieron una piña en la cara.*

FAM piñón; apiñar.

piñata *s. f.* **1** Juego que consiste en tratar de romper con un palo y los ojos tapados un recipiente lleno de dulces o regalos que se cuelga del techo. **2** Recipiente que se usa en este juego.

piño *s. m.* **1** *familiar* Diente. **2** *familiar* Golpe.

piñón¹ *s. m.* **1** Semilla del pino. **2** Parte interior comestible de la semilla del pino piñonero.

FAM piñonate, piñonero; apiñonado, empiñonado.

piñón² *s. m.* Rueda pequeña y con dientes en el borde, que se ajusta con otra de igual o mayor tamaño en una máquina para transmitir movimiento: *las bicicletas llevan uno o varios piñones en la rueda trasera.*

piñonero, -ra *adj./s. m.* Se aplica al pino que produce semillas comestibles.

pío¹ *s. m.* Voz del pollo o de los pájaros.

no decir ni pío *familiar* No decir ni una sola palabra.

pío, pía[2] *adj./s. m. y f.* Se aplica a la persona que es muy religiosa y lo demuestra con sus actos. **SIN** devoto, piadoso. **ANT** impío.
FAM piedad; impío.

piojo *s. m.* Insecto parásito muy pequeño, de cuerpo aplastado y carente de alas, con el aparato bucal adaptado para perforar y chupar, que vive fijado al pelo de los seres humanos y de otros animales.
como piojos en costura En un espacio tan pequeño que hay que apretarse mucho para caber.
FAM piojoso; despiojar.

piojoso, -sa *adj.* [1] Se aplica a la persona o animal que tiene muchos piojos. [2] Se aplica a la persona que merece desprecio, generalmente porque no ayuda a los demás. [3] Se aplica a la persona sucia y cubierta de harapos.

piolet *s. m.* Utensilio de metal en forma de pico que utilizan los alpinistas para asegurarse cuando escalan sobre nieve o hielo.
OBS Plural: *piolets*.

pionero, -ra *adj./s. m. y f.* [1] Se aplica a la persona que realiza los primeros descubrimientos o los primeros trabajos en una actividad determinada. ‖ *s. m. y f.* [2] Persona que inicia la exploración o colonización de nuevas tierras: *Colón fue un pionero en la colonización de América.*

piorrea *s. f.* Enfermedad de la boca que consiste en la aparición de pus en las encías y que suele producir la caída de los dientes.

pipa[1] *s. f.* [1] Semilla pequeña de ciertos frutos envuelta en una cáscara fina que se abre fácilmente: *la calabaza, el melón y la sandía tienen pipas.* **SIN** pepita. [2] Semilla negra y comestible del girasol: *pipas con sal.*

pipa[2] *s. f.* [1] Utensilio para fumar consistente en un pequeño recipiente, en el que se quema tabaco picado, unido a un tubo terminado en una boquilla por el que se aspira el humo. **SIN** cachimba. [2] jerga Pistola.
pasarlo pipa Divertirse mucho.
FAM pipeta.

pipermín *s. m.* Licor de menta que se obtiene mezclando alcohol, menta y agua con azúcar.

pipeta *s. f.* Tubo de cristal alargado y estrecho que se usa en los laboratorios para medir volúmenes y trasladar pequeñas cantidades de líquido de un recipiente a otro; está graduado y puede ser más ancho por la parte central.

pipí *s. m.* familiar Orina. **SIN** pis.
OBS Plural: *pipís*.

pipiolo, -la *s. m. y f.* familiar Persona muy joven, especialmente cuando no tiene experiencia.

pique *s. m.* [1] Enfado o disgusto pasajero provocado por una discusión o un enfrentamiento: *tuvieron un pique por una tontería.* [2] Empeño en hacer una cosa por amor propio o para demostrar la superioridad con respecto a otras personas: *son compañeros, pero hay un pique entre ellos para ver quién asciende antes.*
irse a pique (I) Hundirse un barco hasta llegar al fondo: *el Titanic se fue a pique en pocos minutos.* (II) Estropearse o no llegar a su fin un proyecto: *el matrimonio se fue a pique por culpa de sus celos.*

piqueta *s. f.* [1] Herramienta que utilizan generalmente los albañiles para derribar muros, formada por una cabeza de metal, plana por un extremo y acabada en punta por el otro,

y un mango corto de madera. [2] Objeto de madera o de metal acabado en punta que se clava en la tierra.

piquete *s. m.* [1] Grupo de personas que recorren las calles o se colocan en ciertos lugares para impedir que se trabaje cuando se ha declarado una huelga. [2] Pequeño grupo de soldados designado para hacer un servicio extraordinario. [3] Herida de poca importancia hecha con un objeto agudo. [4] Agujero pequeño en un lugar, especialmente en la ropa: *ese chaleco tiene piquetes.*

pira *s. f.* Hoguera, especialmente la que se prepara para hacer sacrificios o para quemar cadáveres.

pirado, -da *adj./s. m. y f.* familiar Se aplica a la persona que tiene muy alterada la razón: *no le hagas mucho caso, está pirado.*

piragua *s. f.* Embarcación muy ligera, estrecha y alargada, con poco calado y sin quilla, que navega propulsada por remos de pala muy ancha no sujetos al casco de la nave, y a veces también a vela.
FAM piragüismo.

piragüismo *s. m.* Deporte que consiste en navegar en una piragua.
FAM piragüista.

piragüista *s. com.* Persona que practica el piragüismo.

piramidal *adj.* [1] Que tiene forma de pirámide. ‖ *adj./s. m.* [2] Se aplica a cada uno de los músculos pares, situados uno en la parte anterior e inferior de la pelvis, y el otro en la posterior de la pelvis y superior del muslo. [3] Se aplica al músculo impar situado debajo de la nariz. [4] Se aplica al hueso del carpo situado en la tercera posición de la primera fila.

pirámide *s. f.* [1] Cuerpo geométrico que tiene como base un polígono cualquiera y cuyas caras laterales son triángulos que se juntan en un vértice o punto común: *en una pirámide recta, la altura cae sobre el centro del polígono base.* [2] Construcción que tiene esta forma, especialmente si tiene por base un cuadrado. ■ **pirámide truncada** Porción de pirámide comprendida entre la base y un plano paralelo a la misma: *las civilizaciones azteca y maya construyeron pirámides truncadas.* [3] Monumento funerario del Egipto faraónico, realizado en piedra y que tiene esta forma. [4] Construcción que sostiene el templo en la América precolombina.

pirámide de población Representación gráfica de la distribución de la población en función de la edad y el sexo, que permite analizar su estructura y evolución.

pirámide trófica Representación gráfica de la estructura alimentaria de un ecosistema, en la que los diferentes niveles tróficos forman una figura piramidal, en cuya base se sitúan los organismos productores, como las plantas, que representan una mayor biomasa.
FAM piramidal.

piraña *s. f.* Pez tropical de agua dulce de 30 cm de longitud, cabeza ancha, dientes muy fuertes y afilados; es carnívoro y vive en grupos que pueden devorar presas de gran tamaño: *las pirañas habitan en grandes ríos sudamericanos como el Amazonas y el Orinoco.*

pirarse *v. prnl.* [1] familiar Irse de un sitio. [2] familiar Volverse loco.

pirata *s. com.* [1] Persona que navega sin licencia y que se dedica a asaltar los barcos en alta mar o en las costas para robar lo que contienen: *los piratas fueron comunes en la época de la conquista y colonización de América.* ■ **pirata aéreo** o **pirata**

del aire Persona que obliga a un avión a cambiar su dirección o su destino, generalmente para reivindicar algo. ■ **pirata informático** Persona con grandes conocimientos de informática que se dedica a acceder ilegalmente a sistemas informáticos ajenos y a manipularlos. **SIN** hacker. **2** Persona que se aprovecha del trabajo o de las obras de otros. **|** *adj.* **3** Relativo a la persona que practica la piratería o a este tipo de asalto en el mar: *barco pirata; bandera pirata.* **4** Que va contra la ley o que no la sigue: *edición pirata de un libro.* **SIN** ilegal. **FAM** piratear, piratería.

piratear *v. intr.* **1** Asaltar naves en el mar para robar lo que contienen. **|** *v. tr.* **2** Aprovecharse del trabajo o de las obras de otros, especialmente copiando programas informáticos u obras de literatura o de música sin estar autorizado legalmente para hacerlo: *lo condenaron por piratear un programa de ordenador.* **FAM** pirateo.

piratería *s. f.* **1** Asalto de naves y robo de lo que contienen. **2** Conjunto de cosas robadas por los piratas. **3** Robo o destrucción de los bienes de una persona. **4** Apropiación del trabajo o las obras de otros.

pirca *s. f.* AMÉR. SUR Pared hecha de piedras en seco, sin argamasa.

pirenaico, -ca *adj.* Relativo a los Pirineos (sistema montañoso que separa España de Francia). **FAM** transpirenaico.

pírex *s. m.* Material transparente, parecido al cristal, que es muy resistente al calor. **OBS** Es marca registrada.

piripi *adj.* familiar Se aplica a la persona que se ha emborrachado ligeramente. **SIN** alegre.

pirita *s. f.* Mineral compuesto de sulfuro de hierro, muy duro, de color amarillo dorado y brillo metálico.

pirograbado *s. m.* **1** Técnica que consiste en grabar dibujos sobre madera o cuero con un instrumento de metal incandescente. **2** Obra que se ha realizado mediante esta técnica.

piromanía *s. f.* Tendencia enfermiza que tienen algunas personas a provocar incendios.

pirómano, -na *s. m. y f.* Persona que padece piromanía. **FAM** piromanía.

piropear *v. tr.* Dirigir piropos a una persona. **FAM** piropeo.

piropo *s. m.* **1** Palabra o frase que dirige una persona a otra para expresar admiración, generalmente por su belleza. **SIN** requiebro. **2** Granate de color de fuego que se emplea en joyería. **FAM** piropear.

pirotecnia *s. f.* Técnica que se ocupa de la fabricación y utilización de fuegos artificiales, explosivos y toda clase de inventos con pólvora, tanto para fines militares como para las diversiones y las fiestas. **FAM** pirotécnico.

pirotécnico, -ca *adj.* Relativo a la pirotecnia.

piroxeno *s. m.* Mineral oscuro y muy duro compuesto de silicato y calcio, magnesio o hierro, que forma parte de ciertas rocas magmáticas y metamórficas.

pirrar *v. tr.* **1** familiar Gustar mucho una cosa: *me pirran los caramelos.* **|** *v. prnl.* **2 pirrarse** familiar Desear una cosa con mucha pasión o tener gran afición por ella: *me pirro por dar la vuelta al mundo.*

pírrico, -ca *adj.* **1** Se aplica a la victoria o al triunfo que ocasiona un grave daño al vencedor y casi equivale a una derrota. **2** Se aplica a la victoria o al triunfo que se consigue con muy poca ventaja sobre el derrotado.

pirueta *s. f.* **1** Movimiento ágil y rápido que se hace con el cuerpo sobre una superficie o en el aire: *el acróbata hizo una pirueta antes de recoger los tres aros.* **SIN** cabriola. **2** Giro completo que realiza una persona sobre sí misma: *el patinador hizo una magnífica pirueta y el público empezó a aplaudir.* **3** Acción con la que se resuelve una situación difícil o se sale de un aprieto: *el negocio iba mal, pero con muchas piruetas consiguió salvarlo.* **NOTA** Más en plural. **4** Vuelta rápida que se hace dar al caballo, obligándole a levantar las manos y a girar apoyado sobre las patas traseras.

pirula *s. f.* familiar Acción que molesta, causa un daño a alguien o está hecha con mala intención: *vaya pirula me hiciste dejándome plantada en el cine.*

piruleta *s. f.* Caramelo de forma plana y circular que va unido a un palito para poderlo coger con la mano y chuparlo.

pirulí *s. m.* **1** Caramelo, generalmente largo y en forma de cono, y con un palo muy fino que sirve de mango para sujetarlo. **2** familiar Pene. **NOTA** Frecuentemente usado de forma humorística. **FAM** piruleta. **OBS** Plural: *pirulíes.*

pis *s. m.* familiar Orina. **SIN** pipí.

pisada *s. f.* **1** Colocación de un pie sobre algo, especialmente en el suelo para andar. **SIN** paso. **2** Huella que deja un pie al pisar. **3** Presión hecha con el pie.

pisapapeles *s. m.* Objeto pesado que se pone sobre los papeles para sujetarlos. **OBS** Plural invariable.

pisar *v. tr.* **1** Poner el pie sobre una persona o cosa: *no pises el suelo con los zapatos sucios.* **2** Estrujar o apretar con el pie o con un instrumento adecuado: *pisar la uva; pisar el acelerador.* **3** Aparecer por un lugar: *hace varios años que no piso su casa.* **4** Tratar mal o despreciar a una persona, causándole un daño moral: *no te dejes pisar por nadie y defiende tus derechos.* **SIN** humillar, pisotear. **5** Adelantarse a otra persona en lograr un objetivo o proyecto: *me pisó el tema del artículo.* **6** Pulsar una tecla o cuerda de un instrumento. **7** Cubrir parcialmente una cosa a otra: *la ilustración cubre el pie de foto.* **8** Cubrir el ave macho a la hembra. **|** *v. intr.* **9** Poner los pies en el suelo al andar: *mira dónde pisas.* **FAM** pisada, pisapapeles, piso, pisón, pisotear.

pisaverde *s. m.* fam. desp. Hombre muy presumido que le da demasiada importancia a su aspecto.

piscícola *adj.* Relativo a la piscicultura.

piscicultor, -ra *s. m. y f.* Persona que se dedica a la piscicultura.

piscicultura *s. f.* Técnica de criar y fomentar la reproducción de peces y mariscos para su estudio y consumo. **FAM** piscícola, piscicultor.

piscifactoría *s. f.* Conjunto de instalaciones donde se crían peces y mariscos.

piscina *s. f.* **1** Recipiente de grandes dimensiones que se llena de agua para poder nadar y bañarse en él. **2** Establecimiento o conjunto de instalaciones donde se puede practicar la natación y otros deportes de agua. **3** Recipiente de gran tamaño que se llena de agua para tener peces u otros animales que viven en el agua: *en el zoo tienen una piscina con tiburones.*

piscis *adj./s. com.* Se aplica a la persona que ha nacido entre el 19 de febrero y el 20 de marzo, tiempo en que el Sol, visto desde la Tierra, recorre la constelación de Piscis, duodécimo signo del Zodiaco.
OBS Se escribe normalmente con mayúscula inicial. Plural invariable.

piscívoro, -ra *adj./s. m. y f.* Se aplica al animal que se alimenta de peces.

pisco *s. m.* AMÉR. Aguardiente de uva.

piscolabis *s. m.* familiar Comida ligera que se toma entre horas y que suele consistir en un bocadillo, un pincho o una tapa. **SIN** tentempié.
OBS Plural invariable.

piso *s. m.* 1 Vivienda en un edificio de varias plantas: *busco un piso en alquiler.* 2 Planta de un edificio o medio de transporte: *vivían en el piso tercero.* 3 Capa o estrato de un terreno o de una roca. 4 Superficie sobre la que se pisa, generalmente plana y cubierta con algún material: *las habitaciones tienen el piso de moqueta.* **SIN** pavimento, suelo. 5 Capa superpuesta que con otras forma una unidad: *en la pastelería encargamos un pastel de tres pisos.* 6 Parte del calzado que queda debajo del pie y que toca el suelo. **SIN** suela.
FAM entrepiso.

pisotear *v. tr.* 1 Pisar repetidamente a una persona, animal o cosa maltratando o estropeando: *tiró al suelo la ropa y la pisoteó.* 2 Maltratar o despreciar a una persona, causándole un daño moral. **SIN** humillar, pisar.
FAM pisoteo, pisotón.

pisotón *s. m.* Pisada que se hace con fuerza sobre alguna cosa, especialmente sobre el pie de otra persona: *le dieron un pisotón en el autobús.*

pispás o **pis-pas** o **pis pas** Se usa en la expresión:
en un pispás o **en un pis-pas** o **en un pis pas** familiar Indica que una cosa se hace o sucede en un momento, con gran rapidez.

pista *s. f.* 1 Señal que queda al pisar o al pasar por un lugar una persona o un animal: *el caballo iba dejando una pista en la arena.* **SIN** huella, rastro. 2 Señal que sirve para descubrir una cosa o para llegar a una conclusión: *el policía seguía una pista falsa.* **SIN** indicio. 3 Superficie donde despegan y toman tierra los aviones. 4 Superficie que se utiliza para practicar deportes o hacer carreras con vehículos: *pista de tenis.* 5 Superficie que se utiliza para bailar. 6 Superficie donde se representan espectáculos o funciones de circo: *los leones saltaron a la pista.* 7 Camino o carretera de tierra. 8 Carretera importante, con dos o más espacios para cada sentido de la circulación. 9 Superficie lineal en que se divide un disco o una cinta magnética y que sirve para grabar información: *este disquete tiene nueve pistas.*
FAM despistar.

pistacho *s. m.* 1 Fruto seco comestible de forma ovalada, que tiene una cáscara muy dura de color marrón claro y una semilla carnosa verde, cubierta por una piel oscura muy fina. I *s. m./adj.* 2 Color verde claro muy brillante. I *adj.* 3 Que es de este color: *venía con una falda pistacho.* **NOTA** Invariable en número.

pistilo *s. m.* Órgano reproductor femenino de las plantas fanerógamas, que tiene forma de botella y está en el centro de

la flor, rodeado por los estambres: *el pistilo consta de ovario, estilo y estigma.*

pisto *s. m.* 1 Comida hecha a base de hortalizas picadas en trozos muy pequeños que se fríen y luego se cocinan lentamente: *el pisto lleva principalmente calabacín, pimiento, tomate, berenjena y cebolla.* 2 AMÉR. CENTRAL, MÉX. Dinero.
darse pisto familiar Presumir o darse mucha importancia una persona por algo que tiene.

pistola *s. f.* 1 Arma de fuego de cañón corto, que puede usarse con una sola mano. 2 Utensilio formado por un recipiente y un mecanismo que permite esparcir un determinado líquido a presión sobre una superficie: *pistola de agua; pistola de pegamento; pistola de pintura líquida.* 3 Barra pequeña de pan.
FAM pistolera, pistolero, pistoletazo.

pistolera *s. f.* 1 Funda con forma de pistola para guardar un arma. 2 familiar Gordura en las caderas: *se ha hecho una liposucción para eliminar las pistoleras.*

pistolero, -ra *s. m. y f.* Persona que usa la pistola para robar, atacar o matar a otras.

pistoletazo *s. m.* 1 Disparo hecho con una pistola. 2 Ruido producido por este disparo. 3 Herida producida por este disparo.

pistón *s. m.* 1 Pieza cilíndrica de un cilindro o una bomba que se mueve de forma alternativa y rectilínea de arriba abajo impulsada un fluido o recibiendo su impulso. **SIN** émbolo. 2 Pieza que tienen ciertos instrumentos de viento en forma de émbolo, que se introduce en el tubo cuando se presiona con el dedo y sirve para modificar la altura de la nota: *los pistones de la trompeta.* 3 Parte de la cápsula de un arma de fuego donde se coloca el fulminante.
FAM pistonudo.

pistonudo, -da *adj.* familiar Que es muy bueno o admirable.

pita¹ *s. f.* 1 Planta de hojas grandes y carnosas que nacen directamente de la raíz y están bordeadas de pinchos, y flores amarillas en ramillete sobre un alto tallo central; es originaria de terrenos secos de América. **SIN** cabuya, maguey. 2 Cuerda o hilo que se hace con una fibra que produce esta planta.

pita² *s. f.* 1 familiar Gallina. 2 Se utiliza para llamar a las gallinas.

pita³ *s. f.* Torta redondeada de harina, agua y sal con forma de bolsa en la que se pueden introducir alimentos para comerla a modo de bocadillo: *en el restaurante turco comimos pitas de carne asada.*

pita⁴ *s. f.* Pitada (conjunto de silbidos).

pitada *s. f.* 1 Sonido o golpe producido por un pito. **SIN** pitido. 2 Conjunto de silbidos, pitos y gritos con que un grupo de personas muestra su rechazo o descontento por algo. **SIN** pita.

pitagórico, -ca *adj.* 1 Relativo a Pitágoras (filósofo griego del siglo VI a. C.), su doctrina o su escuela filosófica. I *adj./s. m. y f.* 2 Seguidor de Pitágoras.

pitanza *s. f.* 1 familiar Alimento diario que toma una persona. 2 Ración de comida que se da a la gente que vive en comunidad o a los pobres. 3 Distribución que se hace diariamente de alimento, dinero u otra cosa.

pitar *v. intr.* 1 Hacer sonar un pito. 2 Producir un sonido agudo y continuo: *me pitan los oídos.* **SIN** zumbar. 3 Hacer so-

P

nar pitos o silbar para demostrar disgusto o rechazo. **4** Hacer de árbitro en una competición deportiva. **SIN** arbitrar. **5** familiar Funcionar o dar el rendimiento esperado. ‖ *v. tr.* **6** Señalar o indicar una falta usando un pito en una competición deportiva.

pitando Con mucha rapidez o de manera precipitada: *adiós, me voy pitando, que tengo mucha prisa.*

FAM pita, pitada, pitido.

pitbull [se pronuncia 'pítbul' o 'pitbul'] *s. com./adj.* Perro de pequeño tamaño, cuerpo musculoso, cabeza ovalada, ojos pequeños y juntos, cola pequeña y recta, y pelo corto y denso; es fuerte y resistente, y puede ser muy violento y agresivo.

OBS Plural: *pitbulls.*

pitecántropo *s. m.* Mamífero homínido que vivió en el pleistoceno, al que algunas teorías científicas consideran el eslabón perdido entre el mono y el ser humano. **SIN** antropopiteco.

pitido *s. m.* **1** Sonido producido por un pito. **SIN** pitada. **2** Sonido agudo y continuado: *el pitido de una sirena.*

pitillera *s. f.* Estuche o caja que sirve para guardar pitillos.

pitillo *s. m.* Cilindro pequeño y delgado de tabaco picado envuelto en un papel especial muy fino, que se fuma. **SIN** cigarrillo, pito.

FAM pitillera.

pitiminí *s. m.* **1** Rosal de tallos trepadores en el que florecen unas rosas muy pequeñas. **2** Rosa muy pequeña que florece en este rosal.

de pitiminí De un tamaño tan pequeño que resulta gracioso, delicado o poco importante: *su boquita de pitiminí la hace muy atractiva.*

OBS Plural: *pitiminíes.*

pito *s. m.* **1** Instrumento sonoro pequeño y hueco con una boquilla por la que se sopla y se produce un sonido agudo y penetrante. **SIN** silbato. **2** Instrumento que tienen algunos vehículos y que produce un sonido fuerte: *el conductor del tren tocó el pito al acercarse al paso a nivel.* **SIN** bocina, claxon. **3** Voz o sonido muy agudo. **4** familiar Pitillo. **5** familiar Pene. **6** Sonido que se produce juntando el dedo medio con el pulgar y haciendo resbalar el primero sobre el segundo. **SIN** chasquido. **7** Ficha del dominó que en alguna de sus mitades tiene marcado el valor de un punto: *puso el pito doble y terminó la partida.*

entre pitos y flautas familiar Considerando todos los aspectos que afectan a una cosa en conjunto.

importar un pito familiar Despreciar o no dar importancia a una persona, una cosa o un acontecimiento.

no valer un pito familiar No tener importancia o valor una persona o cosa.

tomar por el pito del sereno familiar Considerar que una persona no merece ser respetada o valorada.

FAM pitar, pitillo.

pitón[1] *s. m.* **1** Punta del cuerno de algunos animales, especialmente de un toro, o cuerno que empieza a salir. **2** Tubo con forma de cono que sale de la parte superior de ciertos recipientes. **SIN** pitorro.

FAM pitonazo; empitonar.

pitón[2] *s. f.* Serpiente no venenosa de gran tamaño con la cabeza alargada, que vive en tierra o en los árboles de las zonas húmedas y cálidas, y que se alimenta de carne: *la pitón mata a sus presas por asfixia, apretujándolas con su enorme fuerza.*

pitonisa *s. f.* **1** Mujer que tiene poderes mágicos con los que adivina cosas, especialmente los hechos que sucederán en el futuro. **2** Sacerdotisa de Apolo que daba los oráculos en el templo de Delfos.

pitorrearse *v. prnl.* familiar Reírse o burlarse de una persona o cosa, especialmente para ponerla en ridículo.

FAM pitorreo.

pitorreo *s. m.* familiar Hecho o dicho con que alguien se ríe o se burla de otra persona o cosa, especialmente para ponerla en ridículo. **SIN** cachondeo.

pitorro *s. m.* **1** Tubo con forma de cono que sale de la parte superior de ciertos recipientes. **SIN** pitón. **2** Pieza que sobresale de un objeto, con un agujero por donde entra o sale un fluido.

pitote *s. m.* familiar Barullo o jaleo: *un coche mal aparcado tuvo la culpa del pitote que se armó en la calle.*

pituitario, -ria *adj.* **1** Se aplica al órgano del cuerpo animal que contiene o segrega un líquido viscoso, en especial las membranas de la nariz y los bronquios. ‖ *adj./s. f.* **2** Se aplica a la membrana que reviste la cavidad de las fosas nasales. **3** Se aplica a la glándula que está situada en la base del cráneo y se encarga de controlar la actividad de otras glándulas y de regular el funcionamiento del cuerpo: *al llegar la pubertad, la hipófisis o glándula pituitaria empieza a producir unas hormonas que influyen directamente sobre los testículos y ovarios.*

pituso, -sa *adj./s. m. y f.* Se aplica al niño que es pequeño y muy lindo o gracioso.

OBS Frecuentemente usado como apelativo cariñoso.

pívot *s. m.* Jugador de baloncesto, generalmente de gran estatura, que se coloca cerca del tablero de la canasta para recoger los balones cuando no han entrado en la cesta, o para encestar a corta distancia: *en la pista suelen jugar dos pívots, dos aleros y un base.*

OBS Plural: *pívots.*

pivotante *adj.* Se aplica a la raíz de la planta que se hunde o penetra en la tierra verticalmente como una prolongación del tronco.

pivotar *v. intr.* **1** Girar sobre un pivote. **2** Girar sobre un pie un jugador de baloncesto para cambiar de posición.

FAM pivotante.

pivote *s. m.* **1** Extremo de una pieza en el que se apoya otra pieza, de manera que una pueda girar: *el tocadiscos tiene un pivote en el centro para meter los discos.* **2** Jugador de balonmano que se coloca frente a la portería para recibir pases interiores y abrir huecos cuando ataca, y para bloquear a los contrarios cuando defiende. **3** Poste u objeto cilíndrico que se clava en el suelo, especialmente para impedir que aparquen los coches.

FAM pivotar.

píxel o **pixel** *s. m.* En informática, unidad básica de una imagen digitalizada en pantalla a base de puntos de color o en escala de grises: *una resolución de 390 000 píxels.*

OBS Plural: *píxels* o *píxeles.*

piyama *s. m.* AMÉR. Pijama.

pizarra *s. f.* **1** Roca metamórfica de color negro o gris, que se exfolia con facilidad en hojas planas y delgadas. **2** Superficie de forma rectangular que se usa para escribir o dibujar en ella, especialmente cuando es necesario que lo vea un conjunto de personas: *pizarra de rotuladores.* **SIN** encerado.

③ Teja hecha con este material: *en los pueblos del Pirineo los tejados de las casas se construyen con pizarra.*
FAM pizarrín; empizarrar.

pizca *s. f.* Cantidad muy pequeña de una cosa: *a la comida le falta una pizca de sal.*
ni pizca Nada en absoluto: *no entendió ni pizca.*

pizza [se pronuncia aproximadamente 'pidsa'] *s. f.* Masa de harina de trigo plana y redonda sobre la que se pone queso, tomate y otros ingredientes, y que se cocina al horno: *la pizza es típica de la cocina italiana.*
FAM pizzería.

pizzería [se pronuncia aproximadamente 'pidsería'] *s. f.* Establecimiento en el que se hacen, se venden y se pueden comer pizzas.

pizzicato [se pronuncia aproximadamente 'pidsicato'] *s. m.* Modo de producir el sonido en los instrumentos de arco, como el violín, el contrabajo, etc., que consiste en pellizcar las cuerdas con los dedos en vez de frotarlas con el arco.

placa *s. f.* ① Pieza plana y delgada, generalmente de metal, en la que se graba o escribe un texto: *le regalaron una placa conmemorativa.* ② Pieza rectangular de metal que llevan los vehículos en la parte posterior y anterior para indicar el lugar y número de registro legal. **SIN** matrícula. ③ Lámina o capa rígida y fina que se forma sobre una cosa: *tiene placas de pus en la garganta.* ■ **placa dental** Capa endurecida de bacterias y proteínas que se forma en la base de los dientes y muelas y que provoca la aparición de la caries. ④ Pieza de metal, generalmente plana, que forma parte de un aparato y que se calienta mediante una llama o eléctricamente: *este radiador tiene dos placas.* ■ **placa solar** Pantalla de un material especial que recoge la luz solar y la convierte en energía: *las placas solares son un medio natural y no contaminante de obtener energía.* ⑤ Objeto, generalmente de metal, que llevan los agentes de policía como distintivo. **SIN** cha-pa, insignia. ⑥ Pieza de metal delgada cubierta de una sustancia sensible a la luz sobre la que se hacen determinadas fotografías: *me pusieron la placa en la rodilla para hacerme la radiografía.* ⑦ Parte que, junto con otras, forma la capa exterior de la Tierra: *la placa euroasiática es una de las siete que componen la litosfera.* ⑧ Polo negativo o ánodo en un tubo de descarga eléctrica de gases. ⑨ Electrodo de un condensador.

placa base Placa principal de un ordenador, situada dentro de la caja, a la cual se conectan componentes como el procesador, los módulos de memoria RAM, el disco duro, etc.

placa petri Caja de vidrio o plástico, cilíndrica y aplanada, provista de tapadera, que se emplea en cultivos microbiológicos. **SIN** cápsula.
FAM placar, plaqueta.

placaje *s. m.* Hacer un placaje a un contrario.

placar *v. tr.* En rugby, agarrar con las manos al jugador contrario que lleva el balón para detener su ataque.

placebo *s. m.* Sustancia que carece de acción curativa pero que produce un efecto terapéutico si el enfermo la toma convencido de que es una medicina realmente eficaz.
efecto placebo Conjunto de efectos que siente por sugestión la persona que ha tomado un placebo.

pláceme *s. m.* Felicitación o enhorabuena que se recibe por algún suceso feliz. **SIN** congratulación.

placenta *s. f.* ① Órgano de forma redondeada y aplastada, con estructura vascular, materna y embrionaria, que se desarrolla en el interior del útero durante el embarazo, y a tra-

vés del cual el embrión recibe de la madre oxígeno y sustancias nutritivas, y elimina productos de desecho y dióxido de carbono: *la placenta se desprende del útero y se expulsa después del parto.* ② Parte interna del ovario de la flor, a la cual están unidos los óvulos: *la placenta está en el borde del carpelo.*
FAM placentario.

placentario, -ria *adj.* ① Relativo a la placenta: *tejido placentario.* ‖ *adj./s. m.* ② Se aplica al mamífero que se desarrolla en una placenta dentro del útero de su madre. ‖ *s. m. pl.* ③ **placentarios** Grupo taxonómico, con categoría de infraclase, constituido por estos mamíferos.

placentero, -ra *adj.* Que es muy agradable y produce mucho placer.

placer[1] *s. m.* ① Satisfacción o sensación agradable producida por algo que gusta mucho: *es un placer beber agua fresca cuando hace calor.* ② Diversión o cosa que produce alegría: *los placeres de la vida.*
a placer Indica que una cosa se hace con todo gusto y sin impedimento: *le dejaron actuar a placer.*

placer[2] [34] *v. tr.* Producir una sensación agradable a una persona: *me place verla feliz.*
FAM pláceme, placentero, plácido.

placer[3] *s. m.* ① Arenal donde la corriente de las aguas ha depositado partículas de oro. ② Banco de arena o piedra en el fondo del mar, llano y bastante extenso. ③ Banco de ostras perleras de las costas de América.

plácet *s. m.* Beneplácito o permiso que se concede a alguien para hacer una cosa, especialmente en el lenguaje diplomático para aprobar el nombramiento de un representante extranjero: *dar el plácet.*
OBS Plural invariable.

placidez *s. f.* Tranquilidad y paz que se siente o se transmite: *dormir con placidez.* **SIN** sosiego.

plácido, -da *adj.* Que está tranquilo y transmite sensación de paz: *un sueño plácido.* **SIN** sosegado.
FAM placidez.

plafón *s. m.* ① Lámpara plana traslúcida que se coloca pegada al techo o a una pared y que sirve para ocultar una bombilla y difuminar su luz. ② Adorno en relieve que se coloca en el centro del techo de una sala, donde está el soporte de la lámpara. ③ Tablero o superficie que sirve para separar zonas, cubrir, decorar u otros usos. ④ Plano inferior del saliente de una cornisa.

plaga *s. f.* ① Enfermedad o desgracia que afecta a gran parte de una población y que causa un daño grave: *las plagas diezmaron la población.* ② Cantidad grande de personas, animales o cosas, especialmente si causan un daño: *una plaga de langostas.*
FAM plagar, plaguicida.

plagar *v. tr.* Llenar o cubrir una cosa de otra desagradable o nociva: *plagó su discurso de errores sintácticos.*

plagiar *v. tr.* Copiar una idea o una obra de otro autor, presentándola como si fuera propia: *plagiar un artículo.*
OBS Verbo regular, se acentúa como *cambiar.*

plagio *s. m.* ① Copia que una persona hace de las ideas, las palabras o las obras de otra, presentándolas como si fueran propias: *el plagio es un delito penal.* ② AMÉR. Secuestro de una persona: *la policía resolvió el plagio del senador a las pocas horas.* ③ PERÚ Chuleta (papelito para copiar en los exámenes).
FAM plagiar.

P

plan *s. m.* ① Proyecto o idea que se tiene de alcanzar o realizar una cosa: *tiene muchos planes para este verano.* ② Programa detallado de la realización de una cosa y conjunto de medios para llevarla a cabo: *plan económico de desarrollo.* ■ **plan de estudios** Programa donde se detalla el conjunto de enseñanzas que se han de cursar para cumplir un ciclo o para conseguir un título. ■ **plan de pensiones** Programa de ahorro que adopta una empresa o una persona para capitalizar la pensión de jubilación. ■ **plan de trabajo** Conjunto ordenado de actos que se proponen para repartir funciones o actividades. ③ familiar Relación amorosa o sexual que se establece de forma pasajera. SIN ligue. ④ familiar Persona con la que se mantiene esta relación. ⑤ familiar Situación: *no se puede trabajar en ese plan.*
en plan (de) En actitud de lo que se dice a continuación: *salimos en plan de amigos; vino en plan guerrero.*
no ser plan No ser conveniente determinada cosa: *no es plan de que se enfade siempre que algo sale mal.*
FAM planear, planificar.

plana *s. f.* ① Cara de una hoja de papel: *escribir por una sola plana.* ■ **primera plana** Portada de un periódico o una revista. ② Conjunto de jefes y personas al mando de una empresa o comunidad. ■ **plana mayor** Conjunto de jefes y personas al mando de una empresa o comunidad, especialmente de jefes militares que no pertenecen a ninguna compañía determinada del ejército: *la plana mayor del ejército.* ③ Herramienta llana y delgada de metal con un puño de madera que sirve para extender y dejar lisa una masa. SIN llana.
a toda plana Ocupando toda la portada de un periódico o una revista: *mañana saldrá a toda plana la dimisión del presidente.*
FAM planilla.

plancha *s. f.* ① Utensilio formado por una pieza de metal pesada y lisa en su cara inferior, generalmente de forma triangular, que cuelga de un asa en posición horizontal, y que, por la acción de su peso y del calor, sirve para eliminar las arrugas de la ropa: *hay que pasarle la plancha a esta camisa.* ② Lámina de metal u otra materia, lisa y delgada: *una plancha de madera.* ③ Pieza de metal, plana y delgada, que se usa para cocinar sobre ella: *filete a la plancha.* ④ Conjunto de ropa planchada o para planchar: *hay poca plancha.* ⑤ Acción de quitar las arrugas a la ropa: *el domingo es día de plancha.* SIN planchado. ⑥ Equivocación que hace quedar en ridículo: *¡qué plancha, no sabía que lo han despedido!* ⑦ Posición horizontal del cuerpo en la que este no tiene apoyo: *se ha tirado al agua en plancha.*
a la plancha Se aplica a los alimentos cocinados o tostados sobre una plancha metálica caliente, y al modo de prepararlos de esta manera: *gambas a la plancha.*
FAM planchar, planchazo.

planchado *s. m.* Acción de quitar las arrugas a la ropa. SIN plancha.

planchar *v. tr.* ① Pasar una plancha caliente sobre una prenda de ropa para quitarle las arrugas o para estirarla. ② Quitar las arrugas de una prenda de ropa mediante procedimientos mecánicos: *en la lavandería planchan la ropa con prensas.*
FAM planchado.

planchazo *s. m.* ① familiar Error o equivocación grande que comete una persona: *vaya planchazo, entré por error en la sala que no era.* SIN desacierto. ② Golpe que una persona se da en el vientre al caer al agua en posición horizontal. ③ Planchado

rápido y superficial que se da a la ropa: *antes de guardar las sábanas les daré un planchazo.* ④ Plantillazo.

plancton *s. m.* Conjunto de microorganismos vegetales y animales que flotan y derivan en suspensión en aguas dulces o saladas: *el plancton del agua sirve de alimento a algunos animales.*
FAM fitoplancton, zooplancton.

planctónico, -ca *adj.* Relativo al plancton: *organismos planctónicos.*

planeador *s. m.* Aeronave ligera y sin motor, que vuela aprovechando las corrientes de aire.

planeadora *s. f.* Embarcación muy ligera y de forma aerodinámica, provista de un motor de gran potencia, que alcanza grandes velocidades.

planear[1] *v. tr.* ① Pensar o preparar una acción para realizarla en el futuro: *estoy planeando irme de vacaciones.* SIN organizar. ② Pensar la forma de llevar a cabo una obra o idea: *el autor planea ya una nueva novela.* SIN proyectar.

planear[2] *v. intr.* ① Volar un ave con las alas quietas y extendidas: *el águila planeaba en busca de una presa.* ② Mantenerse en el aire o descender una aeronave sin motor o con el motor parado: *el ala delta planeaba sobre el río.*
FAM planeador, planeadora, planeo.

planeta *s. m.* Cuerpo celeste opaco que gira en órbita alrededor de una estrella y que no emite luz propia. ■ **planeta exterior** Planeta del sistema solar cuya órbita se halla más lejos del Sol que la órbita de la Tierra: *Marte, Júpiter, Saturno, Urano, Neptuno y Plutón son los seis planetas exteriores.* ■ **planeta interior** Planeta del sistema solar cuya órbita se halla más cerca del Sol que la órbita de la Tierra: *Mercurio y Venus son los dos planetas interiores de nuestro sistema.*
FAM planetario.

planetario, -ria *adj.* ① Relativo a los planetas. ǀ *s. m.* ② Aparato que refleja en una gran pantalla con forma de bóveda los planetas del sistema solar y reproduce sus movimientos: *en el museo de la ciencia hay un planetario.* ③ Lugar en el que está instalado este aparato.
FAM interplanetario.

planicie *s. f.* Extensión grande de terreno que tiene el mismo nivel en todas sus partes. SIN llanura.
FAM altiplanicie.

planificación *s. f.* Acción de planificar: *planificación económica.* ■ **planificación familiar** Conjunto de medios empleados para controlar el número de hijos de una pareja y el tiempo en que han de nacer.

planificar *v. tr.* Elaborar un plan general, detallado y generalmente de gran amplitud, para la consecución de un fin o una actividad determinada: *planificaron el trabajo hasta el último detalle.*
FAM planificación, planificador.

planilla *s. f.* Impreso o formulario que tiene espacios en blanco para rellenar y que se usa para hacer informes, declaraciones o peticiones.

planisferio *s. m.* Mapa en el que la esfera terrestre o la celeste están representadas en un plano: *en el planisferio estudiamos la posición de las constelaciones.*

planning [se pronuncia aproximadamente 'planin'] *s. m.* Planificación o planteamiento previo de un trabajo o una acción que se va a realizar. SIN plan, programa.

plano, -na *adj.* ① Que es llano y liso: *un terreno plano.* ǀ *s. m.*

2 Representación gráfica y a escala de un terreno, de una población o de la planta de un edificio: *un plano de la ciudad.* **3** Espacio real o imaginario en el que se encuentran objetos que están a una misma distancia desde el punto de vista de la persona que los observa: *la mesa y el florero están en el primer plano de la fotografía.* **4** Punto de vista desde el que se observa o se considera a una persona o un asunto: *en el plano moral es una gran persona.* **5** En geometría, superficie en la que puede haber una línea recta en cualquier posición. ■ **plano de simetría** Superficie que divide un cuerpo en dos partes simétricas: *el plano de simetría de una esfera como la Tierra pasa por el ecuador.* ■ **plano inclinado** Superficie que forma un ángulo agudo con otra superficie. **6** Fragmento de una película que se ha rodado desde un lugar determinado o con unas características determinadas: *rodaron algunos planos en el desierto.* ■ **primer plano** Fotograma o pequeño fragmento de una película que presenta con detalle a personas y objetos enfocados desde muy cerca.

de plano (I) Se usa para indicar que alguien dice una cosa explicándola completamente y sin ocultar información: *el sospechoso confesó de plano.* (II) Se usa para expresar que una cosa incide sobre otra verticalmente y la cubre por completo: *el sol le daba de plano.*

FAM plana, planimetría; altiplano, aplanar, biplano, extraplano, semiplano.

planta *s. f.* **1** Ser orgánico con células que forman tejidos, que vive y crece sin poder moverse, y es capaz de producir su alimento mediante la fotosíntesis: *planta trepadora; planta herbácea.* **2** Planta que, a diferencia del árbol, tiene tallo en lugar de tronco leñoso: *las hortensias son plantas vivaces.* **3** Plantío (terreno). **4** Parte inferior del pie que soporta todo el cuerpo y que está en contacto con el suelo. **5** División horizontal que forma, junto con otras, un edificio o medio de transporte: *la vivienda es de dos plantas.* **SIN** piso. ■ **planta baja** Piso o planta inferior de una casa, situado a la altura de la calle. **6** Instalación industrial en la que se transforman materiales o se fabrican cosas. **7** Aspecto físico de una persona. **8** Dibujo que representa la sección horizontal de un edificio o de un objeto. **9** Disposición de un edificio y sus elementos en función de este dibujo.

de nueva planta o **de planta** Indica que algo se hace de nuevo o desde el principio, especialmente para referirse a la construcción de un edificio.

FAM plantar, plantel, plantilla, plantío; entreplanta.

plantación *s. f.* **1** Gran extensión de tierra dedicada al cultivo de plantas de una determinada especie: *plantación de algodón.* **2** Acción de poner o meter una planta o una semilla en la tierra.

plantar *v. tr.* **1** Poner o meter en tierra una planta para que viva en ella o una semilla para que crezca una planta: *plantar árboles.* **2** Poblar de plantas un terreno: *plantaron el monte de pinos.* **3** Fijar un objeto verticalmente en un lugar: *plantar una cruz.* **4** Colocar una cosa en un lugar determinado: *plantó el florero encima de la mesa.* **5** No acudir a una cita con una persona: *plantar a un amigo.* **6** Pegar o golpear a una persona: *le plantó un bofetón en la cara.* **7** Dar un beso a una persona sin que esta se lo espere: *nos plantó dos besos a cada uno.* **8** Poner a una persona en un lugar o estado contra su voluntad: *lo plantaron en la calle.* ‖ *v. prnl.* **9** **plantarse** Ponerse una persona o animal en un determinado lugar sin moverse: *el burro se plantó en medio del camino.* **10** Mantenerse firme en una idea u opinión: *se plantó en que no iría, y no fue.* **11** En ciertos

juegos, no querer más cartas de las que se tienen: *se plantó con un siete.* **12** Llegar a un lugar que está a cierta distancia en un espacio corto de tiempo: *se plantó allí en media hora.*

FAM plantación, plantado, plantador, plante, plantificar, plantón; replantar, trasplantar.

plante *s. m.* **1** Protesta colectiva que se realiza mediante acuerdo para exigir o rechazar una cosa, negándose a obedecer a una autoridad o a realizar un trabajo. **2** Retraso en acudir a una cita con una persona o no asistencia a ella. **SIN** plantón.

FAM desplante.

planteamiento *s. m.* **1** Esquema del conjunto de datos necesarios para solucionar un problema o para llevar a cabo algo. **2** Manera de mostrar o dar a conocer un asunto.

plantear *v. tr.* **1** Proponer problemas o cuestiones para intentar buscar una solución: *el profesor planteó un problema de álgebra.* **2** Exponer la solución de un problema con un enfoque determinado: *el problema se puede plantear desde puntos de vista muy diferentes.* **3** Pensar la forma de llevar a cabo una obra o idea: *planteó una reforma integral.* **SIN** planear. ‖ *v. prnl.* **4** **plantearse** Examinar o considerar un asunto antes de tomar una decisión o hacer algo respecto a él: *plantearse la compra de una casa.*

FAM planteamiento, planteo; replantear.

plantel *s. m.* **1** Conjunto de personas que destacan por sus cualidades en alguna actividad o profesión: *este equipo tiene un gran plantel de jugadores.* **2** Lugar donde se forman estas personas. **3** Lugar donde se crían y crecen las plantas. **SIN** criadero.

plantígrado, -da *adj./s. m. y f.* Se aplica al animal mamífero de cuatro patas que al andar apoya en el suelo toda la planta de los pies y de las manos: *el oso y el tejón son plantígrados.*

plantilla *s. f.* **1** Pieza delgada de material flexible que se introduce en el interior del calzado. **2** Pieza de material rígido y generalmente delgada, que sirve de modelo o de guía para dibujar o recortar el contorno de un objeto o figura. **3** Conjunto de personas que trabajan de forma fija en una empresa, una oficina u otro lugar. **4** Conjunto de jugadores que forman un equipo.

FAM plantillazo.

plantillazo *s. m.* En fútbol, acción antirreglamentaria que consiste en colocar la suela de la bota para frenar la carrera de un jugador contrario o para impedir que chute, con riesgo de lesionarlo. **SIN** planchazo.

plantío *s. m.* Terreno plantado recientemente de vegetales.

planto *s. m.* Composición literaria de lamento por la muerte de una persona o la desgracia de una colectividad.

plantón *s. m.* **1** Espera muy larga por una persona que se retrasa o no acude a la cita: *le esperé dos horas pero me dio plantón; estuvo de plantón casi una hora.* **SIN** plante. **2** Árbol pequeño y nuevo que ha de ser cambiado de sitio: *tiene varios plantones que transplantar.* **3** Persona que guarda la puerta exterior de un edificio: *está de plantón en la puerta principal.* **4** Soldado que está castigado a estar de guardia más tiempo de lo normal.

plañidera *s. f.* Mujer que llora en los entierros a cambio de dinero.

plaqueta *s. f.* **1** Célula de la sangre de los mamíferos, en forma de disco ovalado o redondo sin núcleo, que interviene en la coagulación de la sangre: *las plaquetas hacen que se cierren las heridas*. ② Pieza de piedra, cerámica u otro material duro, generalmente fina y lisa, que se usa para cubrir los suelos y las paredes.

plasma *s. m.* ① Parte líquida de la sangre que contiene las células o elementos sólidos de esta: *los glóbulos rojos, los leucocitos y las plaquetas están en el plasma*. NOTA También *plasma sanguíneo*. ② Materia gaseosa fuertemente ionizada, con el mismo número de cargas libres negativas y positivas.
plasma linfático Líquido incoloro que constituye la parte fundamental de la linfa.
FAM citoplasma, endoplasma, protoplasma.

plasmar *v. tr.* ① Representar una cosa sobre una superficie o dar una forma determinada a un material que no la tiene: *esta pintura plasma una famosa batalla*. ② Representar o formar una idea por medio de palabras o explicaciones: *su artículo plasma la situación actual del mercado de trabajo*.
FAM plasmación.

plasta *s. f.* ① Masa blanda y de poca solidez: *plasta de barro*. ② Cosa blanda y espesa que debería estar suelta: *el puré quedó hecho una plasta*. ‖ *adj./s. com.* ③ Se aplica a la persona o cosa que resulta fastidiosa o pesada: *ser un plasta; es una película plasta*.
FAM aplastar, emplastar.

plastelina *s. f.* Plastilina.

plástica *s. f.* ① Arte de plasmar o modelar objetos con materiales dúctiles y blandos. ② Conjunto de cualidades de una obra que la hacen expresiva. ③ Cualidad principal de una obra realizada en materias plásticas.

plasticidad *s. f.* ① Propiedad que tiene un material de ser moldeado o trabajado para cambiarlo de forma: *la arcilla es un material de gran plasticidad*. SIN ductilidad. ANT rigidez. ② Expresividad y viveza del lenguaje con las que se realzan las palabras o ideas que se expresan.

plástico, -ca *adj./s. m.* ① Se aplica al material sintético, obtenido mediante determinados procesos químicos, que forma estructuras flexibles y rígidas muy resistentes: *los materiales plásticos pueden ser moldeados sin necesidad de aplicar mucha fuerza o altas temperaturas*. ‖ *adj.* ② Se aplica al material que se puede moldear con facilidad: *los cuerpos plásticos se diferencian de los elásticos en que estos recobran la forma que tenían antes de ejercer una fuerza sobre ellos*. ③ Relativo a la plástica: *artes plásticas*. ④ Se aplica al lenguaje que consigue crear una representación clara en la mente de una idea o concepto: *una descripción muy plástica*.
FAM plástica, plasticidad, plastificar, plastilina.

plastificar *v. tr.* Cubrir con una capa de material plástico: *plastificar un libro*.
FAM plastificación, plastificado.

plastilina [también **plastelina**, menos usado] *s. f.* Material blando que se moldea con facilidad, que no se seca y que se presenta en diferentes colores.

plasto *s. m.* Orgánulo de la célula vegetal en el que se acumulan sustancias orgánicas.

plata *s. f.* ① Elemento químico de símbolo *Ag* y número atómico 47; es un metal precioso de color blanco grisáceo, brillante, muy fácil de moldear, dúctil y maleable; se usa para fabricar joyas y otros objetos decorativos o lujosos, espejos, material de fotografía, etc.: *antiguamente, la plata era uno de los metales con que se hacían las monedas*. ② Conjunto de objetos

hechos de este metal: *regaló toda la plata y se quedó el anillo de oro*. ③ Medalla de este metal que se entrega a la persona que queda en segundo lugar en una competición: *la plata fue para el corredor francés*. ④ familiar Dinero o riqueza: *estar sin plata*. ‖ *adj.* ⑤ Que tiene un color parecido al de la plata. SIN plateado.
como la plata Muy limpio y reluciente.
hablar en plata Hablar sin dar rodeos o utilizando palabras malsonantes: *este asunto es una mierda, hablando en plata*.
FAM platear, platero, platino.

platabanda *s. f.* ① Moldura lisa y plana, con más anchura que vuelo. ② Dintel de sillería realizado en un único bloque de piedra.

plataforma *s. f.* ① Superficie o tablero horizontal descubierto y puesto a cierta altura sobre el suelo, donde se colocan personas o cosas: *en la plaza han instalado una plataforma para la actuación de los músicos*. ② Conjunto de personas que han sido elegidas para representar a otras con un fin social: *los obreros formaron una plataforma reivindicativa*. ③ Medio que sirve para conseguir un fin determinado: *la fiesta le sirvió de plataforma para ascender*. ④ Parte ancha que hay en los autobuses, trenes y otros medios de transporte y por la cual se accede a la parte en que están los asientos. ⑤ Instalación sobre una superficie elevada a cierta distancia del suelo o del mar: *plataforma petrolífera*.
plataforma continental Parte del fondo del mar que rodea los continentes desde la costa hasta una profundidad de 200 m: *la extensión media de las plataformas continentales es de 70 a 100 km*.

platanal *s. m.* Lugar poblado de plataneros. SIN bananal, platanar, platanera.

platanar *s. m.* Platanal.

platanera *s. f.* ① Platanero. SIN bananero, banano, plátano. ② Platanal. SIN bananal, platanar.

platanero, -ra *adj.* ① Relativo al plátano: *industria platanera*. SIN bananero. ‖ *s. m.* ② Planta tropical de tallo alto, parecida a la palmera, con hojas grandes y partidas, cuyo fruto es el plátano. SIN bananero, platanera, plátano. ‖ *s. m. y f.* ③ Persona que se dedica a cultivar o vender plátanos. ‖ *adj.* ④ CUBA, P. RICO Se aplica al viento que tiene fuerza suficiente para abatir las plantas de los plátanos.

plátano *s. m.* ① Platanero (planta tropical). SIN banano, bananero, platanera. ② Fruto del platanero, comestible, de forma alargada y algo curvada, color blanco y piel lisa y amarilla que se despega con facilidad. SIN banana, banano. ③ Árbol de tronco cilíndrico, corteza lisa de la que se van desprendiendo placas, flores apiñadas formando bolas colgantes, y hojas abundantes, anchas y palmeadas: *el plátano abunda en las ciudades*.
FAM platanal, platanera, platanero; aplatanarse.

platea *s. f.* ① Planta baja de un cine o teatro donde se disponen los asientos en filas frente al escenario. ② Palco situado casi al nivel del patio de butacas. NOTA También *palco platea*.

plateado, -da *adj.* ① Que tiene un color parecido al de la plata: *cabellos plateados*. SIN plata. ② Que tiene un baño de plata: *anillo plateado*.

platear *v. tr.* Cubrir una superficie con plata o con una sustancia de color de plata.
FAM plateado.

platelminto, -ta *adj./s. m.* ① Se aplica al gusano de cuerpo aplanado, que carece de sistema circulatorio y de órganos respiratorios, como la duela y la tenia. ❙ *s. m. pl.* ② **platelmintos** Grupo taxonómico, con categoría de filo, constituido por estos animales.

plateresco, -ca *s. m.* ① Estilo de la arquitectura española de finales del siglo XV y principios del XVI caracterizado por la integración de elementos decorativos de inspiración clasicista en edificios góticos y mudéjares: *la fachada de la Universidad de Salamanca es del plateresco.* ❙ *adj.* ② Relativo a este estilo.

platero, -ra *s. m. y f.* ① Persona que tiene por oficio labrar la plata. ② Persona que tiene por oficio vender objetos labrados de oro o de plata o joyas con pedrería. ❙ *s. m.* ③ Mueble con ranuras en la base de los estantes para colocar platos en vertical.
FAM platería.

plática *s. f.* ① Conversación amistosa y relajada. ② Discurso o sermón corto y de contenido moral, generalmente pronunciado en público por un sacerdote.
FAM platicar.

platicar *v. tr.* Conversar.

platija *s. f.* Pez marino comestible de cuerpo plano, parecido al lenguado, con escamas fuertes y de color marrón con manchas amarillentas en la parte superior.

platillo *s. m.* ① Objeto plano y redondo, que tiene forma parecida a un plato: *platillo para la limosna.* ■ **platillo volador** o **platillo volante** Objeto volante, de origen y naturaleza desconocidos, al que se le supone procedencia extraterrestre. ② Soporte de la balanza en la que se coloca lo que se quiere pesar, especialmente la que tiene forma de plato. ③ Disco de metal que produce un sonido al ser golpeado con un palo o con otro disco, y que forma parte de algunos instrumentos musicales de percusión. ❙ *s. m. pl.* ④ **platillos** Instrumento musical de percusión formado por dos discos de metal en forma de plato que suenan al chocar entre ellos.

platina *s. f.* ① Parte del microscopio en la que se coloca el objeto que se quiere observar: *pusieron unas gotas de sangre en la platina.* ② Parte de una cadena de música, de forma rectangular, donde se coloca una cinta magnética y que sirve para reproducir el sonido o grabar en ella. SIN pletina.

platino *s. m.* ① Elemento químico de símbolo *Pt* y número atómico 78; es un metal blanco plateado, brillante, dúctil y maleable, muy duro y resistente a los ácidos; se usa especialmente para fabricar instrumentos médicos, joyas, componentes eléctricos y aparatos de medida: *disco de platino.* ❙ *s. m./adj.* ② Color rubio muy claro, casi blanco. NOTA Se construye normalmente en aposición a los sustantivos *color* y *rubio*: *pelo de color platino, tinte rubio platino.* ❙ *s. m. pl.* ③ **platinos** Piezas que sirven para establecer el contacto eléctrico en el encendido de un motor de explosión haciendo saltar una chispa en las bujías.

plato *s. m.* ① Recipiente bajo, hundido por el centro y generalmente redondo, que se usa para poner alimentos u otras cosas. ■ **plato sopero** Plato bastante hundido por el centro. ② Cantidad de alimento que cabe en uno de estos recipientes. ■ **plato combinado** Conjunto de alimentos servidos en un único plato y que sirve de comida completa. ③ Comida que se prepara para ser consumida: *comió pescado de segundo plato.* ④ Pieza redondeada y plana del tocadiscos sobre la que se coloca el disco y que gira alrededor de un pivote. ⑤ Objeto más o menos plano y de forma circular: *el tiro al plato se*

practica al aire libre. ⑥ Rueda dentada grande de una bicicleta donde se engrana la cadena y que, movida por los pedales, sirve para transmitir la fuerza mecánica a la rueda posterior. ⑦ Pieza de un motor, generalmente circular, que unida a un eje permite transmitir el movimiento de giro de este a otro eje o pieza.
comer en el mismo plato Haber mucha confianza entre dos personas: *¿por qué me tutea, es que hemos comido en el mismo plato?*
no haber roto (nunca) un plato No haber hecho nunca nada malo.
no ser plato de gusto No agradar una cosa: *salir a la calle con el frío que hace no es plato de gusto.*
pagar los platos rotos Ser castigado injustamente o sin tener culpa.
plato de segunda mesa Persona o cosa despreciada o postergada por alguien por haber tenido relación anterior con otra persona.
plato fuerte (**I**) Alimento más importante de una comida: *el plato fuerte del día es cordero.* (**II**) Asunto o tema principal o más importante: *el plato fuerte de esta noche es la actuación de un nuevo cómico.*
FAM platero, platillo; escurreplatos, friegaplatos, lavaplatos.

plató *s. m.* Recinto cubierto en un estudio de cine o televisión preparado con cámaras, focos y decorados y que sirve de escenario para filmar o grabar.

platón *s. m.* AMÉR. Plato grande, hondo o plano, que se usa para poner alimentos.

platónico, -ca *adj.* ① Se aplica al amor que es desinteresado, puro e imposible o muy idealizado. ② Relativo a Platón (filósofo griego del siglo V a. C.) o a su doctrina: *la influencia platónica ha sido decisiva en la historia del pensamiento.* ❙ *adj./s. m. y f.* ③ Se aplica a la persona seguidora de la doctrina filosófica de Platón.

platonismo *s. m.* Doctrina filosófica de Platón, que distingue entre el mundo material (que se capta a través de los sentidos) y el mundo de las ideas (como si tuviesen vida propia y son eternas): *el platonismo fue recuperado por los humanistas en el Renacimiento.*
FAM platónico.

platudo, -da *adj./s. m. y f.* AMÉR. Se aplica a la persona que posee mucho dinero y hacienda.

plausible *adj.* ① Se aplica a la cosa que merece aprobación o recomendación: *resultados plausibles.* ② Se aplica a la cosa que merece ser aplaudida o elogiada: *una acción plausible.*
FAM plausibilidad.

playa *s. f.* Extensión casi plana, formada por arena o piedras, que está en la orilla del mar, de un río o de un lago.
FAM playero.

play-back [se pronuncia aproximadamente 'pléibac'] *s. m.* Interpretación sincrónica mediante la mímica de un sonido pregrabado: *el play-back se usa en cine, televisión y espectáculos en directo.*

play-boy [se pronuncia aproximadamente 'pleiboy'] *s. m.* Hombre joven, generalmente adinerado y atractivo, que lleva una vida ociosa y de seductor.

playera *s. f.* Calzado ligero de tela fuerte y suela de goma, generalmente con cordones.

playero, -ra *adj.* ① Relativo a la playa: *ropa playera.* ❙ *adj./*

P

s. m. y f. **2** Se aplica a la persona que es aficionada a la playa.
FAM playera.

play-off [se pronuncia aproximadamente 'plei of'] *s. m.* Fase final o eliminatoria que se realiza en algunas competiciones deportivas. **SIN** desempate, liguilla.

plaza *s. f.* **1** Lugar espacioso dentro de una población al que, generalmente, van a parar varias calles: *he quedado en la plaza Mayor.* **2** Lugar o espacio que puede ocupar una persona o cosa: *el autocar tiene 40 plazas.* **3** Puesto o empleo: *una plaza de profesor.* **4** Edificio público y permanente en el que se venden alimentos y productos de consumo habitual. **SIN** mercado. **5** Lugar o población, especialmente la que está rodeada por muros de defensa.
plaza de armas Lugar en el que las tropas hacen ejercicios militares.
plaza de toros Construcción redonda con gradas y arena en el centro donde se celebran corridas de toros.
sentar plaza Conseguir reputación de lo que se expresa: *el pobre acabó sentando plaza de tonto.*
FAM plazoleta; biplaza, monoplaza.

plazo *s. m.* **1** Periodo de tiempo en el que se puede o se debe hacer una cosa: *tiene un plazo de tres días para acabar.* **2** Fecha o momento en que termina dicho periodo de tiempo: *hay que pagar antes de plazo.* **3** Parte en que se divide una cantidad de dinero que hay que pagar por una cosa: *pagaré el coche a plazos.*
FAM aplazar.

plazoleta *s. f.* Plaza de extensión reducida, que suele haber en jardines y en algunos paseos con árboles.

pleamar *s. f.* **1** Nivel más alto que alcanza el agua del mar durante la marea alta. **ANT** bajamar. **2** Tiempo en que el nivel del agua del mar se mantiene en estas condiciones. **ANT** bajamar.

plebe *s. f.* **1** Conjunto de personas en una sociedad que no tiene títulos nobiliarios, cargos importantes, ni buena posición económica. **NOTA** Frecuentemente usado de forma despectiva. **2** Conjunto de personas que en la antigua Roma no tenía los privilegios o favores de los patricios: *los esclavos eran una clase social más baja que la plebe.*
FAM plebeyo.

plebeyo, -ya *adj./s. m. y f.* **1** Relativo a la plebe: *gente plebeya; sentimientos plebeyos.* **NOTA** Frecuentemente usado de forma despectiva. **2** Se aplica a la persona que no pertenece a la nobleza. **3** Se aplica a la persona que en la antigua Roma pertenecía a la plebe: *los plebeyos no podían participar en el gobierno del Estado ni ocupar cargos religiosos importantes.*
FAM plebeyez.

plebiscito *s. m.* Consulta que el gobierno de un estado hace a los ciudadanos mediante una votación para aprobar o rechazar alguna cuestión política: *se celebró un plebiscito para que el país decidiera si quería o no entrar en la alianza militar.* **SIN** referéndum.

plectro *s. m.* **1** Pieza pequeña, plana, firme y de forma más o menos triangular que sirve para tocar ciertos instrumentos de cuerda, como la guitarra o el laúd. **SIN** púa. **2** culto Inspiración o estilo de un poeta.

plegable *adj.* Se aplica al objeto que puede ser plegado o doblado sin romperse: *silla plegable.*

plegamiento *s. m.* Fenómeno geológico por el que las capas horizontales de la corteza terrestre se deforman o se pliegan al estar sometidas a grandes presiones.

plegar [1] *v. tr.* **1** Doblar una cosa sobre sí misma de manera que una parte se junte con la otra: *plegar una sábana.* **2** Hacer pliegues o dobleces en una cosa. **3** Doblar sobre sí mismo un objeto articulado, para reducir su volumen y hacerlo más manejable: *plegó la silla para que ocupase menos espacio.* I *v. prnl.* **4 plegarse** Darse por vencida una persona o actuar según la voluntad de otra sin oponer resistencia. **SIN** ceder, someterse.
FAM plegable, plegadura, plegamiento, pliego, pliegue; desplegar.

plegaria *s. f.* Rezo dirigido a Dios o a un santo, especialmente aquel en el que se ruega o pide una cosa, como protección, ayuda o consuelo.

pleistoceno, -na *adj./s. m.* **1** Se aplica a la época geológica que es la primera de la era cuaternaria o neozoica, o, según las escuelas, la primera del periodo cuaternario de la era cenozoica, y precede al holoceno; se extiende desde hace unos 2 millones de años hasta hace unos 10000 años. I *adj.* **2** Relativo a esta época geológica.

pleitear *v. tr./intr.* Enfrentarse en un juicio dos personas o partes: *pleitear una propiedad; pleiteó con sus hermanos por una herencia.*
FAM pleiteante.

pleitesía *s. f.* Muestra de reverencia y cortesía que se hace a una persona: *rendir pleitesía.*

pleito *s. m.* **1** Discusión y resolución en juicio de un problema o diferencia entre dos personas. **SIN** litigio. **2** Discusión o enfrentamiento por una diferencia de opiniones o de intereses entre entre dos o más personas: *eso es un pleito entre vecinos.* **SIN** litigio.
FAM pleitear; picapleitos.

plementería *s. f.* Conjunto de materiales, como piedras o dovelas, con los que se rellenan los espacios libres entre los arcos de una bóveda gótica de crucería y que constituyen su cubierta.

plemento *s. m.* Espacio rellenado con piedras o dovelas, entre los arcos de una bóveda gótica de crucería.

plenario, -ria *adj.* **1** Completo o entero, especialmente referido a una reunión, sesión o indulgencia: *sesión plenaria.* I *s. m.* **2** Reunión general de un grupo o conjunto de personas determinado. **3** Parte del proceso criminal que sigue al sumario hasta la sentencia.

plenilunio *s. m.* Fase de la luna durante la cual se ve entera o llena: *el plenilunio también se llama luna llena.*

plenipotenciario, -ria *adj./s. m. y f.* Se aplica a la persona que representa a un rey, un gobierno o un estado y tiene plenos poderes para tratar o negociar un asunto: *embajador plenipotenciario.*

plenitud *s. f.* Momento de mayor importancia o intensidad: *estar en plenitud de facultades.*

pleno, -na *adj.* **1** Que es total o completo: *plena confianza.* **2** Indica que algo ocurre en el momento culminante, central o de mayor intensidad: *en pleno día.* **NOTA** En esta acepción, va antepuesto al sustantivo. **3** culto Se aplica al espacio o lugar que está lleno o completo: *una sala plena de espectadores.* **ANT** vacío. I *s. m.* **4** Reunión o junta general de una sociedad o institución. **5** Acierto de todos los resultados de una quiniela o de otro juego de azar.

de pleno Indica que una cosa se hace o sucede completamente como se expresa: *acertar de pleno.*

en pleno Sin que falte ninguna de las personas que componen un grupo o conjunto: *acudió el pueblo en pleno.*

FAM plenario, plenilunio, plenipotenciario, plenitud.

pleonasmo *s. m.* Figura retórica que consiste en emplear más palabras de las necesarias para la expresión precisa de un contenido: *si decimos "lo vi con mis propios ojos", utilizamos un pleonasmo.*

FAM pleonástico.

pleonástico, -ca *adj.* Relativo al pleonasmo.

pletina *s. f.* ① Parte de una cadena de música, de forma rectangular, donde se coloca una cinta magnética y que sirve para reproducir el sonido o grabar en ella. SIN platina. ② Pieza metálica de forma rectangular que tiene poco espesor.

pletórico, -ca *adj.* Se aplica a la persona que está llena de alegría o de otra característica positiva: *estar pletórico de fuerzas.*

pleura *s. f.* Bolsa de tejido conjuntivo que recubre los pulmones: *la pleura está formada por dos capas: la interior está unida a los pulmones y la exterior, al tórax.*

FAM pleural, pleuresía, pleuritis.

plexo *s. m.* Red formada por nervios y vasos sanguíneos o linfáticos que se cruzan entre sí: *el plexo cardiaco está situado en el corazón y consta de seis nervios.*

pléyade *s. f.* Grupo de personas que destacan en una actividad, generalmente relacionada con la literatura, y que viven en un periodo de tiempo determinado.

plica *s. f.* Sobre cerrado y sellado que contiene unos documentos que solamente deben darse a conocer en un momento determinado o fijado.

pliego *s. m.* ① Hoja de papel de forma cuadrada o rectangular y doblada por la mitad. ② Hoja de papel que se vende sin doblar. ③ Hoja de papel que se imprime sin ser doblada y que luego se dobla, según la impresión y formato del libro: *del pliego pueden salir, después de dobladas, 4, 8, 12, 16, 24 ó 32 páginas.* ④ Carta o documento que se envía a una persona para comunicarle algo. ■ **pliego de cargos** Escrito que contiene las faltas que se le imputan a una persona que es acusada de una cosa. ■ **pliego de condiciones** Conjunto de condiciones de un contrato, subasta, etc. ■ **pliego de descargo** Escrito en el que constan las alegaciones que utiliza una persona para defenderse de una acusación. ⑤ Conjunto de papeles contenidos en un mismo sobre o cubierta.

pliego de cordel o **pliego suelto** Cuaderno de cuatro u ocho folios que contenía romances, novelas cortas u obras populares y que se vendía suelto.

FAM pliegue.

pliegue *s. m.* ① Parte que se dobla o se pliega en una cosa flexible. ② Señal que queda al doblar o plegar una cosa flexible: *una falda de pliegues.* ③ Ondulación del terreno por el movimiento de rocas sometidas a una presión lateral, que se produce a causa de fuerzas tectónicas: *un pliegue puede ser anticlinal y sinclinal; un pliegue consta de plano axial, flanco, cresta, traza axial y otras partes.* SIN plegamiento.

plinto *s. m.* ① Aparato de gimnasia, de forma rectangular y alargada, hecho con varios cajones superpuestos, generalmente de madera, que se usa para hacer saltos sobre él. ② Pieza cuadrada o rectangular que se coloca como base de una columna.

plioceno, -na *adj./s. m.* ① Se aplica a la época geológica que es la segunda y última del periodo neógeno de la era cenozoica o terciaria, o, según las escuelas, la quinta y última del periodo terciario de la era cenozoica; sigue al mioceno y se extiende desde hace unos 5 millones de años hasta hace unos 2 millones de años. ❙ *adj.* ② Relativo a esta época geológica.

plisar *v. tr.* Formar pliegues de adorno en una tela u otro material flexible: *plisar una falda.*

FAM plisado.

plisplás o **plis-plas** Se usa en la expresión:

en un plisplás o **en un plis-plas** familiar Indica que una cosa se hace o sucede en un momento, con gran rapidez.

plomada *s. f.* ① Pesa de metal que, colgada de una cuerda, sirve para señalar una línea vertical. ② Pesa de metal colgada de una cuerda que se usa para medir la profundidad del agua. ③ Conjunto de piezas de plomo que se colocan en un hilo o red de pescar para que se sumerjan.

plomería *s. f.* ① AMÉR. Fontanería (oficio del fontanero). ② AMÉR. Establecimiento donde se venden, reparan o instalan tubos, grifos y otros elementos de canalización del agua.

plomero, -ra *s. m. y f.* AMÉR. Técnico en trabajos de instalación, reparación, etc., de las conducciones de agua y aparatos sanitarios.

plomizo, -za *adj.* Que tiene un color gris azulado parecido al del plomo: *cielo plomizo.*

plomo *s. m.* ① Elemento químico de símbolo *Pb* y número atómico 82; es un metal denso, blando y de color gris azulado, muy maleable, dúctil y poco conductor del calor y la electricidad, que se oxida fácilmente en contacto con el aire; se usa principalmente para fabricar tubos, pinturas y balas para las armas de fuego. ② Persona o cosa pesada y molesta: *es un plomo de profesor.* ③ Bala o perdigón: *le metió tres plomos en el costado.* ❙ *adj.* ④ Que es de color gris azulado, como el plomo: *el triste color plomo del cielo presagia tormenta.* NOTA También *gris plomo.* ❙ *s. m. pl.* ⑤ **plomos** Hilo metálico que se coloca intercalado en una instalación eléctrica para evitar que pase una intensidad superior a la que esta puede aguantar: *fundir los plomos.* SIN fusible.

a plomo (I) De manera vertical: *cortar una cosa a plomo.* (II) Pesadamente: *se desmayó y se dejó caer a plomo.*

FAM plomada, plomar, plomero, plomífero, plomizo; emplomar.

plotter *s. m.* Periférico de un ordenador que sirve para trazar gráficos.

pluma *s. f.* ① Pieza que cubre el cuerpo de las aves, que es ligera y resistente y tiene un eje central del que salen unos pelillos muy suaves, llamados barbas. ② Conjunto de estas piezas con el que se rellenan almohadas, colchones y objetos parecidos. ③ Pluma de ave o instrumento de metal para escribir. ■ **pluma estilográfica** Instrumento para escribir que funciona con una carga de tinta insertada en el mango. ④ Persona que se dedica a escribir, especialmente obras literarias: *una conocida pluma firmaba aquella novela.* ⑤ Estilo propio de escribir de un autor: *cuando trata temas sociales su pluma es contundente.* ⑥ Rasgo o característica propios de una mujer adoptados por un hombre: *tener pluma.*

a vuela pluma Deprisa y sin detenerse mucho a pensar o corregir.

FAM plumaje, plumazo, plumero, plumífero, plumilla, plumín, plumón; desplumar, emplumar.

plumaje *s. m.* Conjunto de plumas que cubren el cuerpo de un ave: *los loros tienen un plumaje vistoso.*

plumazo *s. m.* Trazo que se hace con la pluma de una sola vez.

de un plumazo Expresión que indica que una cosa se suprime o se finaliza de una manera brusca o rápida: *acabó con su relación de un plumazo.*

plumcake [se pronuncia aproximadamente 'plumqueic'] *s. m.* Bizcocho que se elabora con frutas confitadas y uvas pasas: *el plumcake es un dulce inglés.*

plumero *s. m.* ① Utensilio que sirve para quitar el polvo, compuesto de un manojo de plumas unidas a un mango. ② Conjunto de plumas que sirve para adornar los cascos, los sombreros o los peinados de las mujeres y la cabeza de los caballos.

vérsele el plumero Notársele a alguien su intención o su pensamiento.

plumier *s. m.* Estuche o caja en el que se guardan utensilios que sirven para escribir.

OBS Plural: *plumieres.*

plumífero, -ra *adj./s. m.* ① Se aplica al animal que tiene plumas: *un pequeño plumífero no volador.* ‖ *s. m.* ② Prenda de vestir de abrigo que cubre la parte superior del cuerpo y que está rellena de plumas.

plumilla *s. f.* ① Punta pequeña de metal con una incisión o corte en el centro, que se coloca en el extremo de una pluma para escribir o dibujar: *la plumilla se moja en la tinta.* ② Yema pequeña que sale de la semilla de ciertas plantas y que da lugar al tallo: *la plumilla forma parte del embrión.*

plumín *s. m.* Punta pequeña de metal con una incisión o corte en el centro, que se coloca en el extremo de una pluma estilográfica.

plumón *s. m.* Pluma corta, delgada y suave que tienen las aves debajo del plumaje exterior, especialmente en el pecho y el abdomen.

plural *adj./s. m.* ① Se aplica al número gramatical que denota la existencia de dos o más seres; es propio de los sustantivos y pronombres, y de las palabras que concertan con ellos en número, como el artículo, el adjetivo y el verbo. ‖ *adj.* ② Que presenta varios aspectos o varias características a la vez: *sociedad plural.*

plural de modestia Uso del pronombre personal de primera persona en número plural y de las formas verbales correspondientes, para referirse la persona que habla a ella misma.

plural mayestático Uso del pronombre personal de primera persona en número plural y de las formas verbales correspondientes, para referirse los papas, reyes o emperadores a sí mismos: *si el Papa dice "Nos complace", utiliza el plural mayestático.*

FAM pluralidad, pluralismo, pluralizar.

pluralidad *s. f.* ① Número grande de una cosa: *pluralidad de razas y culturas.* ② Variedad de aspectos o características que se dan a la vez en una cosa: *la pluralidad es esencial en una democracia.*

pluralismo *s. m.* Sistema por el cual se acepta o reconoce la pluralidad de doctrinas o métodos en política, economía u otras materias: *pluralismo político.*

FAM pluralista.

pluralista *adj.* ① Relativo al pluralismo: *sociedad pluralista;* *sistema político pluralista.* ‖ *adj./s. com.* ② Se aplica a la persona que es partidaria del pluralismo.

pluralizar *v. tr.* ① Poner en plural una palabra. ‖ *v. intr.* ② Atribuir a varias personas o cosas una característica propia de una.

FAM pluralización.

pluricelular *adj.* Se aplica al organismo vivo que está formado por un conjunto de células: *los animales son seres pluricelulares.*

pluridisciplinar *adj.* Que concierne a varias disciplinas o las engloba: *la arquitectura requiere un conocimiento pluridisciplinar que engloba desde las matemáticas hasta la historia del arte.*

pluriempleado, -da *adj./s. m. y f.* Se aplica a la persona que ejerce o desempeña varios empleos por los que cobra varios sueldos.

pluriempleo *s. m.* Desempeño de dos o más empleos por parte de una misma persona.

FAM pluriempleado.

plurilingüe *adj.* ① Que habla varios idiomas: *España es un país plurilingüe.* ② Se aplica al libro que está escrito en diversos idiomas.

pluripartidismo *s. m.* Sistema político en el que existe más de un partido.

FAM pluripartidista.

plurisilva *s. f.* Nombre con el que se designa a los bosques tropicales y las selvas ecuatoriales caracterizados por su vegetación exuberante y siempre verde.

plus *s. m.* ① Cantidad de dinero que se añade al sueldo base de una persona: *los obreros del turno de noche cobran un plus de nocturnidad.* **SIN** sobresueldo. ② Característica o cualidad suplementaria que se añade a una persona o cosa: *es un médico competente y tiene el plus de su afabilidad.*

plusmarca *s. f.* Mejor resultado o puntuación más alta conseguida por una persona en una modalidad deportiva, especialmente en atletismo. **SIN** récord.

FAM plusmarquista.

plusmarquista *s. com.* Deportista que tiene la mejor marca conseguida en una competición de su especialidad.

plusvalía *s. f.* ① Aumento del valor de una cosa, especialmente terrenos o valores inmobiliarios, sin que se produzcan cambios en ella: *la casa, aunque vieja y por reformar, se beneficiará de una plusvalía.* **ANT** minusvalía. ② Cantidad de dinero que se debe pagar por este aumento de valor. ③ En la doctrina marxista, diferencia entre el salario del trabajador y el valor de los bienes producidos: *la plusvalía constituye parte del beneficio del empresario.*

plutónico, -ca *adj.* Se aplica a la roca que se forma por la solidificación del magma en el interior de la corteza terrestre: *el granito es una roca plutónica.*

plutonio *s. m.* Elemento químico de símbolo *Pu* y número atómico 94; es un metal radiactivo de color plateado, muy tóxico, que se obtiene de la desintegración del neptunio; se utiliza para producir energía nuclear: *el plutonio es de color blanco plateado.*

FAM plutonismo.

pluvial *adj.* Relativo a la lluvia: *aguas pluviales.*

pluviometría *s. f.* Parte de la meteorología que estudia la distribución de las lluvias o las precipitaciones según el espacio geográfico y las estaciones del año.

pluviómetro *s. m.* Aparato que sirve para medir la cantidad de lluvia que cae en un lugar y en un periodo de tiempo determinados.

pluviosidad *s. f.* Cantidad de lluvia que cae en un lugar y en un periodo de tiempo determinados: *en las zonas secas de España la pluviosidad es muy escasa.*

pluvioso, -sa *adj.* culto Lluvioso.
FAM pluviosidad.

pluvisilva *s. f.* Bosque tropical o ecuatorial, caracterizado por las lluvias constantes y las temperaturas cálidas, que alberga una gran variedad de plantas y animales.

p. m. Abreviatura de la expresión latina *post merídiem*, 'después del mediodía', que se usa en la indicación de la hora: *ocurrió exactamente a las 9.00 p. m.*

PNB [se pronuncia 'pe-ene-be'] *s. m.* Sigla de *producto nacional bruto*, conjunto de bienes económicos que obtiene un país durante un año.

p. o. Abreviatura de *por orden*, indicación que se pone al pie de un escrito cuando quien lo firma es una persona distinta de la que se indica en él.

poblacho *s. m.* fam. desp. Pueblo pequeño que es muy pobre o está muy mal conservado.

población *s. f.* ① Acción de poblar: *política de población.* ② Conjunto de personas que habitan en la Tierra o en cualquier unidad territorial de ella: *la mayor parte de la población española es católica.* ■ **población activa** Conjunto de personas de un país o unidad administrativa, que está ocupada en el proceso productivo y por cuyo trabajo recibe una retribución. ③ Lugar con edificios, calles y otros espacios públicos, donde habita un conjunto de personas: *los pueblos y las ciudades son poblaciones.* **SIN** poblado. ④ Conjunto de organismos de una misma especie que ocupan una misma área geográfica: *la población de garzas aumenta cada año en el coto.* ⑤ Conjunto limitado de individuos o elementos con una característica común que son objeto de estudio estadístico: *la población estudiantil.*
FAM superpoblación.

poblado, -da *adj.* ① Se aplica al lugar que está habitado por personas: *una zona poco poblada.* ② Se aplica al lugar que está lleno de determinados animales o plantas: *un jardín poblado de margaritas.* ③ Se aplica a la barba que es muy espesa y abundante. ‖ *s. m.* ④ Lugar con edificios, calles y otros espacios públicos, donde habita un conjunto de personas: *rivalidad entre poblados.* **SIN** población. ⑤ Lugar habitado por personas: *estábamos ya fuera de poblado.*
FAM superpoblado.

poblador, -ra *s. m. y f.* Persona que habita en un lugar: *los primeros pobladores de la Península Ibérica.*

poblamiento *s. m.* Proceso de asentamiento humano en una región geográfica determinada.

poblar [5] *v. tr.* ① Ocupar un lugar y establecerse en él: *los colonos españoles poblaron las tierras descubiertas de América.* ② Ocupar un lugar con personas u otros seres vivos para que habiten en él: *poblarán el monte con conejos.* ③ Habitar o vivir en un lugar: *algunas tribus pueblan el desierto.* ④ Estar alguna cosa en gran número en un lugar determinado: *los libros poblaban la habitación.* ‖ *v. prnl.* ⑤ **poblarse** Llenarse en gran cantidad de una cosa determinada: *por las noches, el cielo se poblaba de estrellas.*
FAM población, poblado, poblador, poblamiento; despoblar, repoblar, superpoblar.

pobre *adj./s. com.* ① Se aplica a la persona que no tiene lo necesario para vivir o que lo tiene con escasez: *aumenta el número de pobres en el mundo.* ‖ *adj.* ② Que es escaso o no está completo: *un libro pobre de ideas.* ③ Que tiene poco valor o calidad: *una actuación muy pobre.* ④ Se aplica a la persona que es desgraciada o despierta compasión: *es un pobre hombre.* **NOTA** En esta acepción, va antepuesto al sustantivo. ‖ *int.* ⑤ ¡**pobre!** Se usa para expresar compasión hacia una persona o un animal.

¡pobre de mí! o **¡pobres de nosotros!** (I) Se usa para indicar compasión hacia uno mismo: *¡pobre de mí!, siempre estoy enfermo.* (II) Se usa para indicar modestia o inocencia: *¿cómo te voy a ayudar, pobre de mí, si no sé nada de eso?*

¡pobre de ti/él/...! Se usa para amenazar a una persona: *¡pobres de vosotros, como lleguéis tarde!*
FAM pobrete, pobreza; empobrecer.
OBS Superlativo: *paupérrimo* o *pobrísimo.*

pobreza *s. f.* ① Falta o escasez de lo necesario para vivir: *vive en la más absoluta pobreza.* **ANT** abundancia. ② Escasez de una cosa determinada: *pobreza de medios.* **ANT** abundancia. ③ Falta de calidad o valor de una cosa: *la pobreza de ese suelo impide una buena cosecha.* ④ Falta de bondad y de generosidad en una persona o en sus sentimientos: *pobreza de corazón.*

pocha *s. f.* Judía blanca que todavía no está madura pero se puede comer: *las pochas son muy jugosas.*

pocho, -cha *adj.* ① Que no está fresco y tiene un aspecto feo: *la fruta está pocha.* **SIN** pachucho. ② Se aplica a la persona que está débil y se encuentra mal de salud. **SIN** pachucho. ③ Se aplica a la persona que está pálida.

pocilga *s. f.* ① Lugar cubierto en el que se encierra a los cerdos. **SIN** porqueriza. ② Lugar muy sucio o desordenado y, generalmente, con mal olor. **SIN** cuadra.

pocillo *s. m.* Taza pequeña que se usa para tomar chocolate. **SIN** jícara.

pócima *s. f.* ① Bebida elaborada con hierbas que tiene virtudes medicinales y curativas. **SIN** bebedizo. ② Líquido que tiene un sabor desagradable. **SIN** brebaje.

poción *s. f.* Bebida, especialmente la que es medicinal: *poción mágica; el farmacéutico elaboró una poción contra el dolor de muelas.*

poco, -ca *det.* ① Indica una cantidad o número pequeño de personas o cosas: *poca gente; pocos días.* **ANT** mucho. ‖ *pron.* ② Cantidad o número pequeño de personas o cosas: *yo tengo de sobra, toma un poco; un poco de agua.* ‖ *adv.* ③ En una cantidad o grado pequeño o menos de lo que se considera normal: *trabaja poco.* **ANT** mucho. ④ Se usa para expresar escasez de una cualidad: *este niño es poco tranquilo.* **ANT** muy. ⑤ Se usa para expresar un corto espacio de tiempo: *llegó poco después.* **ANT** mucho.

a poco de En un breve periodo de tiempo después de determinada acción.

poco a poco (I) Se usa para indicar que una acción se realiza lentamente: *caminar poco a poco.* (II) Se usa para indicar que algo se toma en pequeñas cantidades: *comer poco a poco.* (III) Se usa para indicar que una acción se realiza de manera gradual: *conocer a alguien poco a poco.*

poco más o menos Indica que una cantidad es aproximada: *hay 50 billetes poco más o menos.*

por poco Indica que alguna cosa ha estado a punto de suceder: *resbaló y por poco se cae.* **SIN** casi.

P

saber a poco Resultar insuficiente: *el pastel estaba tan bueno que me supo a poco.*

servir de poco Ser inútil una cosa o la realización de algo.

tener en poco No dar a una persona el valor o la consideración que se merece: *aunque es muy buena en su trabajo, la siguen teniendo en poco porque es mujer.*

FAM poquedad; apocar.

poda *s. f.* ① Acción de podar. ② Época del año en que se realiza la poda.

podadera *s. f.* ① Tijera de gran tamaño y hojas fuertes que sirve para podar. ② Herramienta de metal que tiene el corte curvo y el mango de madera y sirve para podar.

podar *v. tr.* Cortar o quitar las ramas que no son necesarias de los árboles o plantas para que crezcan y se desarrollen con más fuerza.

FAM poda, podadera, podadura.

podenco, -ca *adj./s. m. y f.* Se aplica al perro de cabeza redonda, orejas tiesas, cola enroscada y patas fuertes y largas; su gran olfato, vista y resistencia hacen de él un perro sagaz y hábil para la caza.

poder[1] [35] *v. tr.* ① Tener una persona o cosa capacidad para hacer algo: *la máquina puede trabajar más rápido.* ② Tener una persona facilidad o tiempo para hacer una cosa: *te puedo devolver el dinero cuando quiera.* ③ Tener autorización o permiso para hacer una cosa: *no se puede fumar aquí.* ‖ *v. impersonal* ④ Ser posible que ocurra una cosa: *está muy nublado, puede que llueva.* ‖ *v. intr.* ⑤ Tener fuerza para vencer o derrotar a otro: *el perro no pudo con el gato.*

no poder con (I) No ser capaz de dominar una situación o de hacer razonar a una persona: *no puedo con él, es muy cabezota.* (II) No ser capaz de aguantar a una persona: *no puedo con él, es superior a mis fuerzas.*

no poder más No tener capacidad para continuar haciendo una cosa.

no poder menos que No tener capacidad para evitar o dejar de hacer una cosa.

¿se puede? Expresión con la que se pide permiso para entrar en un lugar.

poder[2] *s. m.* ① Autoridad para mandar, dominar o influir sobre los demás. ② Gobierno de un estado: *acceder al poder.* ③ Cada una de las tres funciones básicas del gobierno de un país. ■ **poder ejecutivo** Órgano de gobierno que tiene la función de gobernar y hacer cumplir las leyes. ■ **poder judicial** Órgano de gobierno que tiene la función de administrar justicia. ■ **poder legislativo** Órgano de gobierno que tiene la función de dictar y reformar las leyes. ④ Capacidad de una persona para actuar de determinada manera: *poder de convicción.* ⑤ Fuerza o eficacia que tiene una cosa para producir un efecto: *poder de destrucción de una bomba.* ⑥ Autorización que da una persona a otra para que haga alguna cosa en su lugar: *dar poderes a un notario.* **NOTA** Normalmente en plural. ⑦ Propiedad o posesión de una cosa: *la isla pasó a poder del enemigo.*

de poder a poder Indica que una acción se hace entre dos personas o grupos de igual fuerza o autoridad.

FAM poderdante, poderhabiente, poderío, poderoso.

poderío *s. m.* ① Influencia o autoridad para dominar a una persona o una cosa: *el Mediterráneo estuvo bajo el poderío fenicio en la Antigüedad.* ② Fuerza o energía grande para hacer una cosa: *es un jugador con mucho poderío.* **SIN** vigor, vitalidad. ③ Conjunto de bienes y riquezas: *el marqués es un señor con mucho poderío.*

poderoso, -sa *adj./s. m. y f.* ① Se aplica a la persona que tiene autoridad para mandar, dominar o influir sobre los demás: *Alejandro Magno fue un hombre poderoso.* ② Se aplica a la persona que es muy rica y tiene mucha influencia o autoridad: *su ideal es luchar contra los poderosos y defender a los humildes.* ‖ *adj.* ③ Se aplica al país que es muy rico y que influye económica o políticamente sobre otros países. ④ Que produce el efecto que se quiere conseguir: *un detergente poderoso.* **SIN** eficaz, potente.

FAM todopoderoso.

podiatra *s. com.* AMÉR. Podólogo.

podio *s. m.* ① Plataforma en la que se sube el deportista que ha ganado una prueba o competición: *los atletas vencedores suben al podio para recoger sus medallas.* ② Plataforma donde se colocan una o varias personas para presidir un acto o para ser homenajeadas. ③ Plataforma más larga que ancha que sirve de base a un conjunto de columnas.

pódium *s. m.* Podio.

podología *s. f.* Parte de la medicina que se ocupa de las enfermedades y el cuidado de los pies.

FAM podólogo.

podólogo, -ga *s. m. y f.* Médico especialista en podología.

podómetro *s. m.* Aparato que sirve para contar el número de pasos que da una persona y medir la distancia que ha recorrido.

podredumbre *s. f.* ① Descomposición de la materia por la acción de las bacterias. **SIN** putrefacción. ② Inmoralidad o vicio que corrompe a una persona o cosa: *la podredumbre de la sociedad de consumo.*

podrido, -da *adj.* ① Se aplica a la materia que está descompuesta por la acción de las bacterias. ② Que está dominado por el vicio o la inmoralidad: *una sociedad podrida.* **SIN** corrupto.

estar podrido de Tener una cosa o una cualidad determinada en abundancia: *estar podrido de dinero.* **NOTA** Frecuentemente usado de forma despectiva.

podrir V. pudrir.

FAM podre, podredumbre, podrido.

OBS Verbo defectivo, solamente se usa en infinitivo o en participio; las demás formas verbales se obtienen a partir de *pudrir.*

poema *s. m.* ① Obra literaria escrita en verso, con unidad temática y estructural. **SIN** poesía. ■ **poema épico** Poema de carácter nacionalista que narra las hazañas de un héroe histórico o legendario: *el «Poema de Mio Cid» es un poema épico medieval.* ② Cosa que se considera cómica o ridícula: *su cara era todo un poema.*

poema sinfónico Composición musical para orquesta, generalmente en un solo movimiento, que está escrita a partir de un texto literario, el cual hace de programa y ayuda a seguir la pieza.

FAM poemario, poemático.

poemario *s. m.* Libro o colección de poemas.

poesía *s. f.* ① Arte del lenguaje cuyo fin inmediato es expresar o sugerir por medio de la palabra, el ritmo, la armonía y la imagen; generalmente se trata de expresiones artísticas sujetas a las reglas de versificación: *la poesía comprende varios géneros: lírico, épico, dramático, etc.* ② Poema. ③ Conjunto de poemas y manera de practicar el arte de la poesía de un autor, una época histórica o un país. ④ Conjunto de cualidades que

se consideran propios de la poesía y que pueden aparecer en cualquier obra de arte: *en su prosa hay también poesía.* **5** Belleza o encanto que produce un sentimiento o una emoción poéticos: *un paisaje lleno de poesía.*
FAM poético.

poeta, -tisa *s. m. y f.* Persona que se dedica a componer poesía: *Gabriela Mistral fue una gran poetisa.*
FAM poesía, poetastro, poetizar.
OBS Femenino: *poetisa* o *poeta*.

poetastro *s. m.* despectivo Poeta que escribe poemas de mala calidad.

poética *s. f.* **1** Ciencia que estudia el lenguaje literario, especialmente el poético. **2** Obra o tratado que estudia la esencia y las reglas de la poesía. **3** Arte de componer obras literarias.

poético, -ca *adj.* **1** Relativo a la poesía: *recital poético.* **2** Que tiene un conjunto de cualidades que se consideran propias de la poesía: *prosa poética.* **3** Que emociona por su belleza o su encanto: *los nombres de algunas ciudades le resultaban poéticos.* **4** Se aplica a la función del lenguaje que se centra en llamar la atención sobre sí mismo, es decir, sobre la manera de expresar la realidad.
FAM poética.

poetisa V. poeta.

poetizar *v. tr.* **1** Dar carácter poético a una cosa embelleciéndola o idealizándola. ‖ *v. intr.* **2** Componer versos u obras poéticas.
FAM poetización.

pogromo *s. m.* Matanza y saqueo de una comunidad étnica o religiosa, especialmente de las comunidades judías en el Imperio ruso.

pointer *s. com./adj.* Perro que se caracteriza por tener la cabeza alargada, las orejas caídas y el pelo corto y de color variable: *los pointer son perros de un gran olfato.*

poiquilotermo, -ma *adj./s. m.* Se aplica al animal cuya temperatura corporal varía según la del medio ambiente ya que carece de mecanismos reguladores de la misma: *todos los animales, salvo las aves y los mamíferos, son poiquilotermos.*

póker *s. m.* Póquer.

polaco, -ca *adj.* **1** De Polonia (país de Europa). ‖ *s. m. y f./adj.* **2** Persona que es de Polonia. ‖ *s. m./adj.* **3** Lengua eslava que se habla en Polonia. ‖ *adj.* **4** Relativo a esta lengua: *gramática polaca.* ‖ *s. m.* **5** Persona nacida en Cataluña o que vive en esta comunidad autónoma. **NOTA** Frecuentemente usado de forma despectiva.

polaina *s. f.* Prenda de paño o cuero, que cubre la pierna desde el pie a la rodilla y que se abrocha por fuera o se ajusta al pie con una tira.

polar *adj.* Relativo a los polos de la Tierra: *clima polar.*
FAM polaridad, polarizar; bipolar.

polaridad *s. f.* **1** Propiedad que tiene un cuerpo magnético de orientarse en dirección norte o sur dentro de un campo magnético: *la aguja de una brújula tiene polaridad.* **2** Tendencia que tiene una molécula a ser atraída o repelida por una carga eléctrica positiva o negativa: *la polaridad es debida a la colocación asimétrica de los átomos alrededor del núcleo.*

polarizar *v. tr.* **1** Modificar los rayos luminosos por medio de la refracción o la reflexión de manera que no puedan refractarse o reflejarse de nuevo en otra dirección: *las ondas de luz se polarizan al atravesar un determinado medio.* **2** Acumular en dos partes determinadas de un cuerpo cargas eléctricas opuestas. **3** Concentrar una persona la atención o el ánimo en una cosa determinada.
FAM polarización.

polaroid *s. f.* **1** Cámara fotográfica que realiza fotografías instantáneas impresas en un papel especial. **2** Fotografía realizada con esta cámara.
OBS Es marca registrada.

polca *s. f.* **1** Baile de pareja originario del centro de Europa, de movimiento rápido y muy popular en el siglo XIX. **2** Composición musical, en compás binario, con que se acompaña este baile.

pólder *s. m.* Terreno pantanoso que se ha ganado al mar mediante la construcción de diques y que una vez desecado se dedica al cultivo: *el pólder es característico de los Países Bajos.*
OBS Plural: *pólders* o *pólderes.*

polea *s. f.* **1** Rueda giratoria que tiene en el borde un canal por el que se hace pasar una cuerda o un cable y que sirve para levantar cuerpos con facilidad. **2** Rueda plana generalmente acanalada que gira y sirve para transmitir movimiento en un mecanismo por medio de una correa: *el ventilador del automóvil funciona gracias a una polea.*

polémica *s. f.* Discusión o enfrentamiento entre dos o más personas que defienden opiniones contrarias, especialmente por escrito.
FAM polemista.

polémico, -ca *adj.* Que provoca críticas o protestas: *declaración polémica.*
FAM polémica, polemizar.

polemizar *v. intr.* Sostener una polémica.

polemología *s. f.* Estudio de la guerra y de sus formas, causas y efectos como fenómeno social.

polen *s. m.* Conjunto de granos de pequeño tamaño, generalmente microscópicos, contenidos en las anteras de los estambres, que contienen las células masculinas que hacen posible la reproducción en la flor: *el polen sale de los estambres y se deposita en el pistilo.*
FAM polínico, polinizar.

poleo *s. m.* **1** Planta de hojas pequeñas, verdes y de olor agradable, que tiene unas flores de color azulado o morado formando racimos. **2** Hojas secas de esta planta que se usan para hacer infusión. **3** Infusión que se hace con estas hojas.

poli *s. f.* **1** familiar Policía (cuerpo que se encarga de velar por el mantenimiento del orden público): *la poli llegó al lugar del atraco.* ‖ *s. com.* **2** familiar Policía (miembro de este cuerpo): *en el estadio había polis vestidos de paisano.*

poliamida *s. f.* Compuesto químico de elevado punto de fusión que se forma mediante una reacción química; se utiliza en la industria textil: *la forma más conocida de la poliamida es el nailon.*

poliandria *s. f.* **1** Estado de la mujer que está casada con más de un hombre: *la poliandria es común en pueblos del sur de la India y en el Tíbet.* **2** En botánica, condición de la flor hermafrodita que tiene veinte o más estambres. **3** En zoología, organización social de algunos animales por la que una sola hembra fértil vive con varios machos.

policarbonato *s. m.* Plástico que se emplea en la fabricación de gran cantidad de objetos de uso corriente, como envases, lentes plásticas y aislantes térmicos y eléctricos.

polichinela *s. m.* Personaje burlesco de teatro que tiene la nariz grande y arqueada, una joroba por delante y por detrás y va vestido con un traje abotonado y un sombrero de dos puntas que caen a ambos lados de la cabeza: *el polichinela es característico de la comedia del arte italiana.*

policía *s. f.* [1] Conjunto de personas y medios a las órdenes de las autoridades políticas, que se encarga de vigilar el mantenimiento del orden público, la seguridad de los ciudadanos y el cumplimiento de las leyes. ■ **policía judicial** Policía que trabaja a las órdenes de los tribunales de justicia para investigar los delitos y perseguir a los delincuentes. ■ **policía militar** Policía que se encarga de la seguridad y del mantenimiento de la disciplina de los miembros del ejército. ■ **policía municipal** o **policía urbana** Policía que trabaja a las órdenes de un ayuntamiento y se encarga del cumplimiento de las normas del municipio. ■ **policía nacional** Policía que trabaja a las órdenes del gobierno y se encarga del cumplimiento de las leyes de una nación. **NOTA** También simplemente *policía*. ■ **policía secreta** Policía cuyos miembros no van uniformados para pasar inadvertidos y poder realizar misiones muy delicadas. **NOTA** También simplemente *secreta*. I *s. com.* [2] Persona que se dedica a vigilar el mantenimiento del orden público, la seguridad de los ciudadanos y el cumplimiento de las leyes.
FAM policíaco, policial.

policíaco, -ca o **policiaco, -ca** *adj.* [1] Relativo a la policía: *investigación policíaca.* [2] Se aplica al género novelístico o cinematográfico que basa su argumento en la investigación policial de casos criminales y misteriosos.

policial *adj.* Relativo a la policía: *investigación policial; uniforme policial.* **SIN** policíaco, policiaco.

policlínica *s. f.* Centro médico privado que ofrece el servicio de distintas especialidades.

policoral *adj.* Se aplica a la composición musical que es ejecutada por dos o tres grupos de músicos o cantantes, que intervienen simultáneamente o de forma alterna.

policromar *v. tr.* Pintar una cosa de varios colores, especialmente esculturas, tallas, etcétera.

policromía *s. f.* [1] Característica principal de la cosa que tiene varios colores combinados: *en la Alhambra de Granada pudimos admirar la policromía de los techos árabes.* [2] Obra artística, especialmente una escultura, pintada de varios colores.
FAM polícromo.

polícromo, -ma o **policromo, -ma** *adj.* Que tiene varios colores: *un mural policromo.* **ANT** monocromo.
FAM policromar, policromía.

policultivo *s. m.* Sistema de cultivo que consiste en dedicar toda la tierra disponible a producir diversas especies vegetales.

polideportivo, -va *adj./s. m.* Se aplica a la instalación que está acondicionada para practicar distintos deportes.

poliedro *s. m.* Cuerpo geométrico limitado por polígonos llamados caras: *el tetraedro, el cubo, el octaedro, el dodecaedro y el icosaedro son los cinco poliedros regulares existentes.* ■ **poliedro cóncavo** Poliedro situado solamente en uno de los semiespacios que definen cada una de sus caras; en caso contrario el poliedro es convexo. ■ **poliedro simple** Poliedro que no tiene orificios. ■ **poliedros conjugados** Dos poliedros son conjugados si al unir los puntos medios de las caras contiguas de uno de ellos, se obtiene el otro.
FAM poliédrico.

poliéster *s. m.* Resina plástica muy resistente a la humedad

y a los productos químicos: *el poliéster se utiliza para fabricar fibras artificiales y material textil.*

polietileno *s. m.* Plástico que se emplea en la fabricación de gran cantidad de objetos de uso corriente, como envases, tuberías y recubrimientos de cable.

polifacético, -ca *adj.* [1] Se aplica a la persona que realiza varias actividades distintas: *un artista polifacético.* [2] Que tiene varias facetas o aspectos.

polifásico, -ca *adj.* Se aplica a la corriente eléctrica alterna que está constituida por la combinación de varias corrientes monofásicas que tienen el mismo periodo y amplitud, pero distinta fase.

polifonía *s. f.* Música que combina armónicamente los sonidos de dos o más voces o instrumentos de diferente altura, emitidos simultáneamente.
FAM polifónico.

polifónico, -ca *adj.* Relativo a la polifonía.

polifonista *s. com.* Compositor de música polifónica.

poligamia *s. f.* Estado civil o situación de la persona que está casada o convive con dos o más personas: *la poligamia no es legal en España.* **ANT** monogamia.

polígamo, -ma *adj./s. m. y f.* [1] Se aplica a la persona que está casada o convive con dos o más personas. **ANT** monógamo. [2] Se aplica al animal macho que se aparea con dos o más hembras de su especie: *los leones son animales polígamos.* I *adj.* [3] Se aplica a la planta que tiene flores masculinas, femeninas y hermafroditas: *el algarrobo y el fresno son árboles polígamos.*
FAM poligamia.

polígloto, -ta o **poligloto, -ta** *adj./s. m. y f.* [1] Se aplica a la persona que habla varias lenguas. I *adj.* [2] Que está escrito en varias lenguas.
OBS Masculino: *polígloto* o *políglota.*

poligonal *adj.* [1] Relativo al polígono (figura geométrica). [2] Se aplica al prisma y a la pirámide que tienen por base un polígono.

polígono *s. m.* [1] Figura geométrica plana y cerrada limitada por tres o más segmentos llamados lados: *un polígono es regular si tiene todos sus lados y todos sus ángulos iguales.* ■ **polígono circunscrito** Polígono cuyos lados son tangentes a una circunferencia interior a él. ■ **polígono cóncavo** Polígono que tiene alguno de sus ángulos interiores mayor de 180°. ■ **polígono convexo** Polígono en el que todos sus ángulos interiores son menores que un ángulo llano. ■ **polígono de frecuencias** Línea poligonal que se obtiene al unir los puntos medios de los segmentos superiores de las barras de un diagrama de barras. ■ **polígono estrellado** Polígono con forma de estrella que se obtiene al unir las diagonales de un polígono. ■ **polígono inscrito** Polígono que tiene sus vértices sobre puntos de una circunferencia. [2] Superficie de terreno limitada y destinada a fines administrativos, industriales, militares o de otro tipo: *polígono industrial.*
FAM poligonal.

polilla *s. f.* [1] Mariposa de pequeño tamaño, grisácea, de alas estrechas y antenas casi verticales, que suele volar por la noche. [2] Larva o gusano de esta mariposa: *las polillas se alimentan de las sustancias que sacan de los tejidos.* [3] Cosa que progresivamente va destruyendo otra: *la polilla del juego se comió su fortuna.*
FAM apolillarse.

polimerización *s. f.* Reacción química en la que varias moléculas se combinan para formar otra, de elevado peso molecular, y en la que se repiten unidades estructurales identificables con las moléculas que la originaron (llamadas *monómeros*).

polímero *s. m.* Sustancia química constituida por moléculas o grupos de moléculas (monómeros) que se repiten y están unidos entre sí formando cadenas: *el caucho y el plástico son polímeros.*

polimétrico, -ca *adj.* Se aplica a la estrofa o el poema que están compuestos por versos de diferente medida.

polímetro *s. m.* Aparato eléctrico que, entre otras utilidades, sirve para medir la diferencia de potencial entre dos puntos de un circuito o la intensidad de la corriente que circula por él.

polimorfo, -fa *adj.* Que tiene o puede tener varias formas.

polinización *s. f.* Proceso por el cual el polen es transportado desde el estambre de una flor hasta el estigma de otra para que se produzca la fecundación. ■ **polinización anemógama** Polinización en que los granos de polen son transportados por el viento. ■ **polinización cruzada** Polinización desde los estambres de una flor hasta los estigmas de otra flor de otra planta perteneciente a la misma especie. ■ **polinización entomógama** Polinización en que los granos de polen son transportados adheridos al cuerpo de un insecto, como la abeja.

polinizar *v. tr.* Transportar el polen desde el estambre de una flor hasta el estigma de otra para que se produzca la fecundación.
FAM polinización.

polinomio *s. m.* Expresión algebraica formada por dos o más monomios: *la expresión $4x - 7y + 12$ es un polinomio.*

polio *s. f.* familiar Poliomielitis.

poliomielítico, -ca *adj./s. m. y f.* Se aplica a la persona que padece o ha padecido una poliomielitis.

poliomielitis *s. f.* Enfermedad infecciosa producida por un virus que ataca la médula espinal y provoca parálisis: *la poliomielitis es más frecuente en edad infantil.*
FAM polio, poliomielítico.
OBS Plural invariable.

polipasto *s. m.* Polispasto.

polipétalo, -la *adj.* Se aplica a la flor cuya corola tiene muchos pétalos.

pólipo *s. m.* ① Masa de células que se forma y crece en los tejidos que cubren el interior de algunos conductos del cuerpo que se comunican con el exterior: *los pólipos se forman generalmente en la nariz o en la vagina.* ② Animal invertebrado marino, del filo cnidarios, que puede ser solitario o colonial, posee tentáculos y vive sujeto al fondo del mar o a las rocas mediante un pedúnculo: *las anémonas y los corales son pólipos.*

polipropileno *s. m.* Plástico de gran resistencia al desgaste que se emplea en la fabricación de gran cantidad de objetos, como baterías de coche, tacones de zapato y juguetes.

políptico *s. m.* Obra pictórica o escultórica formada por un conjunto de paneles o tableros unidos entre sí, que se pueden cerrar sobre el central.

polirritmia *s. f.* Ejecución de dos ritmos musicales diferentes de manera simultánea: *se produce polirritmia cuando un instrumento ejecuta una negra y otro, de forma simultánea, dos corcheas.*

polis *s. f.* En la Antigüedad, comunidad política independiente formada por una ciudad y su territorio: *las polis tenían sus propias leyes, ejército y dioses.*
OBS Plural invariable.

polisacárido *s. m.* Glúcido formado por la unión de varios monosacáridos.

polisemia *s. f.* Fenómeno del lenguaje que consiste en que una misma palabra tenga varios significados.
FAM polisémico.

polisémico, -ca *adj.* Se aplica a la palabra que tiene más de un significado: *la palabra "órgano" es polisémica.*

polisépalo, -la *adj.* Se aplica a la flor o cáliz que tiene muchos sépalos.

polisílabo, -ba *adj./s. m.* Se aplica a la palabra que tiene más de una sílaba. **ANT** monosílabo.

polisíndeton *s. m.* Figura retórica que consiste en unir varios elementos lingüísticos mediante conjunciones, que no son necesarias pero dan expresividad a lo que se quiere decir: *en "y las manos y el rostro y el cuerpo todo", utilizamos la figura del polisíndeton.*

polisón *s. m.* Prenda con forma de cojín o almohadilla que llevaban las mujeres bajo el vestido para ahuecarlo o abultarlo por la parte de atrás.

polispasto [también **polipasto**, menos usado] *s. m.* Sistema formado por dos grupos de poleas, uno fijo y otro móvil.

politécnico, -ca *adj.* Se aplica al centro de enseñanza que engloba y trata varias ramas de la ciencia o de la técnica: *escuela politécnica.*

politeísmo *s. m.* Creencia religiosa que admite la existencia de varios dioses: *en el politeísmo, a cada divinidad se le atribuyen diferentes poderes.* **ANT** monoteísmo.
FAM politeísta.

politeísta *adj.* ① Relativo al politeísmo: *los griegos tenían creencias politeístas.* **ANT** monoteísta. ‖ *s. com.* ② Persona que cree en varios dioses: *los hinduistas son politeístas.* **ANT** monoteísta.

política *s. f.* ① Ciencia que trata del gobierno o la dirección de los estados, las ciudades o las colectividades en general: *Aristóteles fue uno de los primeros filósofos en teorizar sobre política.* ② Conjunto de acciones encaminadas a gobernar un estado, autonomía, ciudad, etc.: *la política exterior trata de los asuntos que suceden en el extranjero y de su repercusión en el país propio.* ③ Actividad del conjunto de los ciudadanos que participa en los asuntos de un estado, una ciudad, una autonomía, etc., con su voto, sus peticiones, sus protestas o de otra forma. ④ Modo que tiene una entidad o una persona de llevar o dirigir sus asuntos: *la empresa ha cambiado su política de precios.* ⑤ Habilidad o diplomacia para tratar un asunto y conseguir un determinado fin: *para tratar con esa gente hay que tener mucha política.*

politicastro, -tra *s. m. y f.* despectivo Político poco hábil o inmoral.

político, -ca *adj./s. m. y f.* ① Se aplica a la persona que se dedica a la política. ‖ *adj.* ② Relativo a la actividad política: *partido político.* **ANT** apolítico. ③ Relativo a la ciencia política. ④ Se aplica al parentesco por afinidad y no por consanguinidad. ⑤ Que es hábil o diplomático para tratar un asunto y conseguir un determinado fin: *es muy político a la hora de decir las cosas.*
FAM política, politicastro, politiquear, politizar, politología; apolítico.

politizar *v. tr.* Dar contenido político a acciones o pensamientos que no lo tenían. **ANT** despolitizar.
FAM politización; despolitizar.

politonal *adj.* Se aplica a la composición musical en la que se emplean dos o más tonalidades distintas.

politraumatismo *s. m.* Conjunto de varias fracturas en el cuerpo: *politraumatismo craneal.*

poliuretano *s. m.* Sustancia sintética que se utiliza para fabricar plásticos, fibras sintéticas y resinas.

polivalente *adj.* **1** Que tiene varios valores: *ecuación polivalente.* **2** Que puede ser usado con distintos fines: *una estancia polivalente.* **3** Se aplica a la persona que tiene distintas capacidades: *es un profesional polivalente: igual pinta, que estuca, que enyesa.* **4** Se aplica al medicamento que tiene acción contra más de un microorganismo, especialmente los sueros y las vacunas. **5** Se aplica al elemento químico que puede actuar con varias valencias.

polivinilo *s. m.* Sustancia sintética que se utiliza para fabricar materiales plásticos: *el polivinilo se usa como sustituto del caucho.*

póliza *s. f.* **1** Documento que sirve para demostrar la validez de un contrato, en seguros, bolsa y en otros negocios; en él aparecen las condiciones, características, cláusulas, etc., del contrato: *póliza del seguro de accidentes.* **2** Sello que el Estado obligaba a poner sobre ciertos documentos y que se usaba como impuesto.

polizón *s. m.* Persona que sube a un barco o un avión de forma clandestina.
FAM polizonte.

polizonte *s. m.* fam. desp. Agente de policía.

polla *s. f.* **1** Gallina joven que aún no pone huevos o que hace poco que ha empezado a ponerlos. **2** vulgar Órgano sexual masculino. **SIN** pene.

polla de agua Ave zancuda con el plumaje de color verde oscuro y gris, el pico rojizo y una placa córnea roja en la frente; es buena nadadora, habita en parajes pantanosos y abunda en España.

pollada *s. f.* Conjunto de pollos que sacan las aves de una sola puesta de huevos.

pollastre *s. m.* **1** Pollo o polla que está un poco crecido. **2** familiar Chico joven que presume o alardea de ser ya un hombre.

pollería *s. f.* Establecimiento donde se venden huevos y aves comestibles.

pollero, -ra *s. m. y f.* Persona que se dedica a criar o vender pollos.
FAM pollería.

pollino, -na *s. m. y f.* **1** Animal mamífero doméstico con grandes orejas y cola larga, parecido al caballo aunque más pequeño que, por ser muy resistente, se usa para trabajos en el campo y como animal de carga. **SIN** asno, burro. **‖** *adj./s. m. y f.* **2** Persona que no entiende bien las cosas o es ignorante.

pollo, -lla[1] *s. m. y f.* **1** Cría de un ave, especialmente de la gallina: *es un experto: antes de salir del huevo ya sabe si es pollo o polla.* **‖** *s. m.* **2** Gallo o gallina joven, especialmente el destinado al consumo: *pollo asado.* **3** Muchacho joven.
FAM polla, pollada, pollastre, pollero, polluelo; empollar.

pollo[2] *s. m.* Saliva o mucosidad que se escupe por la boca de una vez. **SIN** escupitajo, lapo.

polluelo, -la *s. m. y f.* Cría de un ave, especialmente de la gallina. **SIN** pollo.

polo[1] *s. m.* **1** Extremo del eje alrededor del cual gira una esfera, especialmente cada uno de los dos polos de la Tierra: *los meridianos pasan por los polos geográficos de la Tierra.* **2** Zona cercana a cada uno de los extremos del eje imaginario alrededor del cual gira la Tierra: *el polo sur está en la Antártida.* **3** Helado hecho con agua, colorante y azúcar, de forma alargada y con un palo que lo atraviesa para cogerlo: *un polo de limón.* **NOTA** En este sentido, es marca registrada. **4** Parte extrema de un cuerpo magnético, en la que se acumula gran energía: *polos de un imán; los polos opuestos se atraen.* **■ polo magnético** Cada uno de los puntos del globo terrestre situados en las regiones polares, adonde se dirige de manera natural una aguja imantada: *los polos magnéticos de la Tierra no coinciden con los polos geográficos.* **5** Cada uno de los terminales, positivo y negativo, de un aparato eléctrico entre los cuales hay una diferencia de potencial y fluye una corriente eléctrica. **■ polo negativo** Polo de menor potencial, por el que sale la corriente. **SIN** cátodo. **■ polo positivo** Polo de mayor potencial, por el que entra la corriente. **SIN** ánodo. **6** Lugar, cosa o persona que atrae la atención o el interés por algún motivo: *esta región es uno de los polos de desarrollo industrial del país.* **■ polo**

de polo a polo De una parte a otra, con una gran distancia entre ambas.

polo opuesto Persona o cosa muy diferente a otra: *el hijo y el padre son polos opuestos.*
FAM polar.

polo[2] *s. m.* **1** Deporte en el que se enfrentan dos equipos de cuatro jinetes y que tiene como objetivo meter una pequeña pelota de madera en la meta del equipo contrario golpeándola con unos mazos de mango muy largo que se manejan con una sola mano: *los partidos de polo se disputan sobre campos de hierba.* **2** Prenda de vestir de algodón u otro tejido ligero, con cuello, que cubre la parte superior del cuerpo hasta la cintura y tiene botones desde el cuello hasta el pecho.

pololear *v. tr.* **1** fam. desp. AMÉR. Molestar e importunar a alguien insistentemente con lisonjas o tonterías. **2** BOL., CHILE, COL., ECUAD. Mantener dos personas una relación amorosa que no alcanza el nivel de compromiso del noviazgo. **3** CHILE Hacer bromas a una persona.

polonesa *s. f.* **1** Baile cortesano originario de Polonia, de movimiento moderado y ritmo muy acentuado. **2** Composición musical de ritmo ternario con que se acompaña este baile.

polonio *s. m.* Elemento químico de símbolo *Po* y número atómico 84 que pertenece al grupo de los anfígenos; es un metal raro muy tóxico y muy radiactivo que se utiliza como fuente de neutrones y partículas alfa; procede de la desintegración del radio: *el polonio fue descubierto por Marie Curie.*

poltrona *s. f.* Asiento bajo con brazos, ancho y cómodo.
FAM poltronería; apoltronarse.

poltronería *s. f.* Pereza o dejadez para realizar cualquier trabajo. **SIN** holgazanería, vaguería.

polución *s. f.* **1** Contaminación intensa y dañina del agua, del aire o del medio ambiente, producida por los residuos de procesos industriales o biológicos: *la polución es mayor en invierno.* **2** Expulsión involuntaria de semen: *al dormir pueden producirse poluciones.*
FAM polucionar.

polvareda *s. f.* **1** Cantidad de polvo que se levanta de la tierra, agitada por un viento fuerte o por otra causa. ② Alboroto de la opinión pública provocado por un suceso, un comentario u otro motivo: *sus declaraciones levantaron una gran polvareda.*

polvera *s. f.* Caja de pequeño tamaño que contiene polvos cosméticos y la borla con que se aplican.

polvillo *s. m.* AMÉR. Nombre genérico dado a varios hongos que atacan los cereales.

polvo *s. m.* ① Conjunto de partículas muy pequeñas que se levantan del suelo y flotan en el aire o caen sobre los objetos formando una capa de suciedad. ② Conjunto de partes muy pequeñas que resultan de moler una sustancia sólida o de extraer toda el agua que contiene: *cacao en polvo.* ■ **polvos de arroz** Conjunto de partículas que se obtienen de moler arroz: *antes las mujeres usaban los polvos de arroz para maquillarse.* ■ **polvos de talco** Conjunto de partículas que se obtienen de moler el mineral talco y que se usan en cosmética e higiene. ③ vulgar Acto sexual. ④ jerga Droga en forma de partículas muy pequeñas, especialmente la heroína y la cocaína: *dos kilos de polvo blanco sin cortar.* **‖** *s. m. pl.* ⑤ **polvos** Producto hecho de partículas muy pequeñas que sirve para maquillarse la cara.

echar un polvo vulgar Realizar el acto sexual.

estar hecho polvo Tener poca fuerza o ánimo una persona.

hacer polvo (**I**) familiar Dejar muy cansada o deprimida a una persona: *este trabajo tan duro me está haciendo polvo.* (**II**) Causar daño físico o moral: *la desgraciada noticia lo hizo polvo.* (**III**) Destrozar una cosa: *has hecho polvo el jarrón de porcelana.*

morder el polvo familiar Ser vencida, derribada o humillada una persona.

sacudir el polvo familiar Pegar con fuerza y repetidamente a una persona: *discutieron en la calle y le sacudió el polvo.* SIN zurrar. FAM polvareda, polvera, polvillo, pólvora, polvoriento, polvoroso; empolvar, espolvorear, guardapolvo, matapolvo.

pólvora *s. f.* Mezcla explosiva en forma de granos, generalmente de nitrato de potasio, azufre y carbón, que se enciende a una determinada temperatura y arde desprendiendo una gran cantidad de gases: *la pólvora se usa en armas de fuego y fuegos artificiales.*

correr (o **extenderse**) **como la pólvora** Difundirse algo muy rápidamente.

haber inventado la pólvora Presentar como nueva una cosa que ya se conoce o está inventada. FAM polvorín.

polvoriento, -ta *adj.* Que está lleno o cubierto de polvo: *caminos polvorientos.*

polvorín *s. m.* ① Lugar preparado para guardar pólvora y otras sustancias explosivas. ② Pólvora o mezcla de trozos de metal triturados con que se cargan las armas de fuego. ③ Lugar en el que hay una situación conflictiva y donde se percibe que va a suceder algo.

polvorón *s. m.* Dulce de forma redonda hecho con harina, manteca y azúcar, que se deshace en polvo al comerlo: *es típico comer turrón y polvorones en Navidad.*

pomada *s. f.* Mezcla hecha con grasa y otras sustancias, que se emplea como cosmético o como medicina de uso exterior.

pomelo *s. m.* ① Árbol de tronco recto, copa redonda y abundante, hojas ovaladas de color verde oscuro, flores grandes y blancas, y fruto comestible. SIN toronjo. ② Fruto de

este árbol, de forma parecida a la naranja pero achatado, de color amarillo y sabor muy ácido. SIN toronja.

pomo *s. m.* ① Tirador redondo de una puerta o un mueble. ② Recipiente pequeño de cristal o metal, que sirve para contener y conservar licores, aceites o perfumes. ③ Parte de la espada que está entre el puño y la hoja y que sirve para mantenerlos fuertemente unidos. ④ Fruto de algunos árboles, como el peral y el manzano, que tiene mesocarpio carnoso y endocarpio cartilaginoso que forma un corazón con varias cámaras donde se alojan las semillas.

pompa *s. f.* ① Burbuja de aire que se forma en un líquido. ■ **pompa de jabón** Pompa de agua con jabón. ② Gran despliegue de medios que acompañan a un acto importante o una ceremonia: *la boda real se celebró con gran pompa y boato.* SIN aparato, parafernalia. ■ **pompas fúnebres** Acto o ceremonia que se organiza en honor de una persona que ha muerto. FAM pomposo.

pompi o **pompis** *s. m.* familiar Parte inferior y posterior del tronco del ser humano sobre la que descansa el cuerpo al sentarse. SIN culo, trasero. OBS Plural: *pompis.*

pompón *s. m.* Bola de lana o de otro material que se utiliza para adornar el extremo de una cosa. SIN borla.

pomposidad *s. f.* ① Ostentación o grandiosidad que se hace de una cosa: *una inauguración de gran pomposidad.* SIN magnificencia. ② Presencia abundante de adornos y frases rebuscadas en el lenguaje de una persona: *habla con mucha pomposidad.*

pomposo, -sa *adj.* ① Que muestra un lujo y una riqueza excesivos. SIN ostentoso. ② Se aplica al estilo o modo de expresión que se caracteriza por emplear palabras y construcciones demasiado cultas y rebuscadas, dando un énfasis excesivo a aspectos del discurso que no lo merecen. SIN altisonante, ampuloso. FAM pomposidad.

pómulo *s. m.* ① Hueso saliente de la cara, situado bajo los ojos y a ambos lados de la nariz: *el pómulo es el hueso de la mejilla.* ② Parte de la cara que corresponde a este hueso: *es un niño de pómulos sonrosados.*

ponchada *s. f.* ① ARG., BOL., CHILE, PERÚ, URUG. Gran cantidad de una cosa. ② ARG., BOL., CHILE, PERÚ, URUG. Cantidad de ponche.

ponche *s. m.* ① Bebida alcohólica hecha con ron u otro licor, agua, limón y azúcar. ② Bebida caliente hecha con leche, huevo, azúcar o frutas y ron u otro licor. FAM ponchera.

poncho *s. m.* Prenda de vestir de abrigo, de lana o paño, que consiste en una manta con una abertura en el centro para pasar la cabeza, y que cubre desde los hombros hasta más abajo de la cintura: *los ponchos son prendas originarias de América del Sur.* FAM ponchada; emponchado.

ponderación *s. f.* ① Cuidado, consideración o mesura con que se hace o se dice una cosa: *examinó las pruebas con ponderación.* ② Expresión exagerada de alabanza o elogio que se hace a una cosa o a una persona: *el invitado se deshizo en ponderaciones sobre sus virtudes.*

ponderado, -da *adj.* Se aplica a la persona que se comporta con tacto, consideración o mesura. SIN prudente.

ponderar *v. tr.* ☐ Considerar o examinar con cuidado un asunto. ☐ Alabar de forma exagerada las buenas cualidades de una persona o cosa: *el galán ponderó la belleza y la bondad de su dama.*

FAM ponderable, ponderación, ponderado, ponderativo.

ponderativo, -va *adj.* Que pondera o alaba exageradamente.

ponedero *s. m.* Lugar dispuesto para que la gallina y otras aves pongan los huevos. **SIN** nidal, nido.

ponedor, -ra *adj.* Se aplica al ave que pone huevos, especialmente la gallina.

ponencia *s. f.* Exposición sobre un tema concreto que se presenta ante una asamblea que debe discutir sobre ella.

FAM ponente.

ponente *adj./s. com.* Se aplica a la persona que hace una exposición sobre un tema concreto ante una asamblea que debe discutir sobre ella.

poner [36] *v. tr.* ☐ Colocar o situar una cosa en un lugar: *pondremos el cuadro en esta pared.* ☐ Añadir una cosa a algo para completarlo o rellenarlo: *poner sal al agua.* ☐ Disponer o preparar una cosa con un fin determinado: *poner la mesa.* ☐ Hacer uso de una cualidad o de una habilidad con un fin determinado: *puso todo su empeño en la empresa.* ☐ Adoptar un gesto o una expresión, especialmente en la cara, para expresar un estado de ánimo o una manera de ser: *poner mala cara.* ☐ Hacer que funcione un aparato eléctrico apretando el botón que lo activa: *poner la tele.* ☐ Establecer o instalar un negocio: *han puesto una tienda de ordenadores en el barrio.* ☐ Considerar o suponer una cosa como cierta: *pongamos que ganas una fortuna: ¿qué harías?* ☐ Escribir alguna cosa en un lugar: *pon tu nombre en el papel.* ☐ Representar una obra de teatro o proyectar una película o un programa sobre una pantalla: *hoy ponen una de indios en la tele.* ☐ Exponer una cosa a la acción de un agente determinado: *poner la ropa al sol para que se seque.* ☐ Dejar que un asunto lo decida o lo resuelva otra persona: *he puesto el asunto en manos del abogado.* ☐ Dar un nombre o apodo a una persona o animal: *le pusieron un nombre muy raro.* ☐ Imponer o señalar una obligación a alguien: *poner deberes para casa.* ☐ Utilizar a una persona o cosa que se expresa para un fin determinado: *pongo a Dios por testigo de que no miento.* ☐ Considerar de la manera que se expresa a una persona: *lo puso de ladrón y de mentiroso.* ☐ Dar una nota o calificación a alguien: *poner un sobresaliente.* ☐ Aportar una cosa o una cierta cantidad de dinero: *hay que poner mil euros por cabeza.* ☐ Arriesgar una cantidad determinada de dinero, especialmente en un juego o una apuesta: *lo puso todo al número 15 y perdió.* ❘ *v. impersonal* ☐ Haber una cosa escrita en algún lugar: *y aquí, ¿qué pone?* **SIN** decir. ❘ *v. tr.* ☐ Soltar un ave sus huevos: *las gallinas ponen huevos.* ☐ Colocar o ajustar una prenda u adorno en el cuerpo de una persona o en parte de él: *ponte el jersey azul.* **ANT** quitar. ☐ Situar a una persona en un lugar o posición determinada: *puso a los niños en fila.* ☐ Untar o aplicar una sustancia sobre algo: *¿no pones mantequilla en las tostadas?* ☐ Dedicar a una persona a un empleo o profesión: *lo han puesto de repartidor de pizzas.* ☐ Hacer que una persona o una cosa adquiera un estado o una condición determinados: *la violencia pone malo a cualquiera.* ❘ *v. prnl.* ☐ **ponerse** Mancharse una persona o una cosa con algo: *se puso lleno de barro.* ☐ Hartarse de comer una persona: *se puso morado de bombones.* ☐ familiar Enfrentarse con una persona: *se puso conmigo porque soy más débil.* ☐ Ocultarse un astro: *el*

Sol se pone más pronto en invierno. ☐ Llegar a un lugar determinado: *se puso en Zaragoza en tres horas.* ☐ familiar Empeñarse en una cosa: *cuando se pone, es el mejor.*

poner a parir familiar Hablar muy mal de una persona.

ponerse a + *infinitivo* Comenzar a hacer una cosa determinada: *se puso a leer en cuanto llegó a casa.*

póney *s. m.* Poni.

OBS Plural: *poneis.*

poni *s. m.* Caballo de poca alzada y pelo generalmente largo; existen muchas razas diferentes: *los ponis son fuertes y ágiles.* **SIN** póney.

ponible *adj.* Se aplica a la prenda de vestir que es fácil de llevar puesta por ser cómoda o por combinar bien con otras prendas: *una chaqueta muy ponible.*

poniente *s. m.* ☐ Punto cardinal situado en el lado por donde se oculta el Sol. **NOTA** Se escribe normalmente con mayúscula inicial. **SIN** occidente, oeste. ☐ Parte de un lugar situada hacia este punto. **SIN** occidente, oeste. ☐ Viento que sopla desde este punto. **SIN** oeste.

pontevedrés, -dresa *adj.* ☐ De Pontevedra (ciudad y provincia de Galicia): *monumentos pontevedreses.* ❘ *s. m. y f./ adj.* ☐ Persona que es de Pontevedra.

pontificado *s. m.* ☐ Dignidad de pontífice. ☐ Tiempo durante el cual un pontífice ejerce sus funciones.

pontifical *adj.* Relativo al Papa: *silla pontifical.*

pontificar *v. intr.* ☐ Presentar o exponer principios o ideas de una manera dogmática e irrefutable sin que hayan sido comprobados. ☐ Celebrar actos litúrgicos con rito pontifical.

pontífice *s. m.* Sacerdote cristiano de grado más elevado que gobierna una diócesis: *los obispos y arzobispos son pontífices de la Iglesia católica.* ■ **Sumo Pontífice** Representante de máxima autoridad en la Iglesia católica. **SIN** Papa.

FAM pontificado, pontifical, pontificar, pontificio.

pontificio, -cia *adj.* Relativo al pontífice: *secretario pontificio.*

pontón *s. m.* ☐ Puente hecho de maderas que sirve para pasar un río pequeño. ☐ Barco con su parte anterior de forma redonda, que se usa para pasar ríos, construir puentes y limpiar el fondo de un río o un puerto con ayuda de máquinas. ☐ Barco viejo que, amarrado en un puerto, sirve de almacén, hospital o cárcel.

pony *s. m.* Póney.

ponzoña *s. f.* ☐ Sustancia que provoca trastornos o que causa la muerte de un ser vivo cuando entra en su cuerpo. **SIN** veneno. ☐ Doctrina que se considera un veneno moral para la sociedad.

FAM ponzoñoso; emponzoñar.

ponzoñoso, -sa *adj.* Que tiene ponzoña: *sustancia ponzoñosa; discurso ponzoñoso.*

pop *s. m.* ☐ Estilo musical nacido en la década de 1960, que tiene elementos de la música rock y de la música popular británica y se caracteriza por su estructura sencilla y directa y por la especial importancia que se concede a la melodía. ❘ *adj.* ☐ Relativo a este estilo musical: *cantante pop; estilo pop.* **NOTA** Invariable en número.

pop art *s. m.* Tendencia artística desarrollada en el Reino Unido y en Estados Unidos a partir de la década de 1950 y caracterizada por la representación de imágenes relacionadas con los medios de masas (el cine, el cómic, la publicidad, etc.).

popa *s. f.* Parte trasera de una embarcación. **ANT** proa.
  FAM empopar.

pope *s. m.* Sacerdote de la Iglesia ortodoxa.

populachero, -ra *adj.* ① Relativo al populacho. ② despectivo Que halaga al populacho para obtener fama rápidamente por compartir las opiniones o gustos de la mayoría: *un discurso populachero*.

populacho *s. m.* despectivo Conjunto de personas del nivel social y cultural más bajo. **SIN** chusma.
  FAM populachero.

popular *adj.* ① Que pertenece al pueblo (comunidad o grupo mayoritario): *soberanía popular*. ② Que tiene su origen en el pueblo: *las canciones y cuentos populares son anónimos y se transmiten oralmente*. ③ Que pertenece a las clases más bajas de la sociedad: *barrio popular; lenguaje popular*. ④ Que tiene aceptación y fama entre la mayoría de la gente: *un cantante muy popular*. **SIN** famoso. ⑤ Se aplica a la persona que tiene a favor muchos amigos o personas: *era la chica más popular del colegio*. ⑥ Que está al alcance de las personas de escasa formación cultural. ⑦ Que es barato y está al alcance de las personas con menos medios económicos: *una edición popular*. ⑧ Relativo al Partido Popular. ‖ *adj./s. com.* ⑨ Se aplica a la persona que es seguidora o miembro del Partido Popular.
  FAM popularidad, popularismo, popularizar; impopular.

popularidad *s. f.* Aceptación y fama que tiene una persona o una cosa entre la mayoría de la gente.

popularizar *v. tr.* ① Hacer que una persona o cosa adquiera fama entre la gente: *este baile se popularizó en la década de 1920*. ② Hacer que una cosa con carácter culto y restringido pueda entenderla y disfrutarla la mayoría de la gente: *popularizar la ópera*.
  FAM popularización; despopularizar.

populismo *s. m.* ① Tendencia o afición a lo popular, especialmente en el ámbito del arte. ② Teoría y práctica políticas que se presentan como defensoras de los intereses del pueblo. ③ Modo de obrar en política que busca gustar al pueblo.
  FAM populista.

populista *adj.* ① Relativo al populismo: *Arniches escribió obras de inspiración populista*. ‖ *adj./s. com.* ② Que es partidario del populismo: *una política populista*.

populoso, -sa *adj.* Se aplica al lugar que está muy poblado: *Madrid es una ciudad populosa*.

popurrí *s. m.* ① Conjunto de fragmentos de varias piezas musicales, clásicas o populares, con alguna característica común, enlazadas entre sí formando una sola composición: *un popurrí de música latinoamericana*. ② Mezcla de cosas diferentes, especialmente si es extraña o confusa: *un popurrí de estilos y colores*.

poquedad *s. f.* ① Timidez o falta de ánimo. **SIN** cortedad. ② Cosa insignificante o de poco valor: *no te preocupes por esta poquedad*. ③ Escasez o poca cantidad de una cosa: *hay poquedad de alimentos*.

póquer [también **póker**] *s. m.* ① Juego de cartas o dados que consiste en combinar de diversas formas cinco cartas o dados del mismo valor o del mismo color; gana la partida el jugador que obtiene la combinación de más valor: *al póquer se juega con baraja francesa*. ② En este juego, combinación de cuatro cartas o dados del mismo valor: *póquer de ases*.

por *prep.* ① Indica el lugar a través del cual se pasa: *pasé por tu calle*. ② Indica un lugar o una fecha de manera aproximada:

¿hay una farmacia por aquí cerca?; eso pasó por los cincuenta. ③ Indica una parte o lugar concreto. ④ Indica el espacio de tiempo en que sucede o se realiza una cosa: *iré a verte por Navidades*. **SIN** durante. ⑤ Indica la causa o razón de algo: *lo hice por ti*. ⑥ Indica medio o instrumento a través del cual se hace una cosa: *hablar por teléfono*. ⑦ Indica el modo en que se hace una cosa: *entró por sorpresa*. ⑧ Indica la finalidad de una acción: *ha venido solamente por hablar contigo*. **SIN** para. ⑨ Indica el precio o el valor de una cosa o lo que se obtiene, se da o se sustituye en un intercambio: *lo he comprado por poco dinero; me lo cambió por mi gorra*. ⑩ Indica la proporción de una cantidad: *un diez por ciento*. ⑪ Se usa para multiplicar cantidades: *cuatro por diez son 40*. ⑫ Introduce el complemento agente de una oración pasiva: *el cuadro fue pintado por Picasso*. ⑬ Indica que una cantidad se reparte con igualdad: *tocamos a diez por persona*. ⑭ Indica la persona o la cosa en favor o en defensa de la cual se hace algo: *un canto por la paz*. ⑮ Indica que la persona que se expresa no se opone a una acción determinada: *por nuestra parte no hay ningún problema*. ⑯ Indica la calidad o condición en que actúa o se considera una cosa: *la tomó por esposa; lo tiene por tonto*. ⑰ Indica que se va a buscar o recoger una cosa: *ir por el pan*. ⑱ Indica separación de los elementos de una serie: *miré todos los cajones uno por uno*. ⑲ Introduce muchas locuciones adverbiales: *por consiguiente; por de pronto; por fin*. ‖ *s. m.* ⑳ Signo que indica multiplicación de cantidades; se representa *x*.
  (no) por + *adjetivo/adverbio* + que Se usa para introducir la razón que se opone a la ejecución de una acción, aunque no evite su cumplimiento: *por mucho que te quejes, no te harán ningún caso*.
  por qué Se usa para preguntar la causa o razón de algo.
  por + *infinitivo* (**I**) Indica que la acción que señala el infinitivo todavía no está hecha. (**II**) Precedido de un verbo y seguido de ese mismo verbo en infinitivo, indica falta de finalidad o sentido de una acción: *siempre habla por hablar*.

porcelana *s. f.* ① Loza fina, traslúcida y brillante, que se usa para hacer objetos de adorno: *la porcelana está compuesta de caolín, feldespato y cuarzo y se inventó en China*. **SIN** china. ② Objeto hecho con este material: *una colección de porcelanas antiguas*. ③ Esmalte de color blanco azulado que usan los plateros.

porcentaje *s. m.* Proporción de una cantidad respecto de otra, evaluada sobre cien.
  FAM porcentual.

porche *s. m.* Espacio exterior cubierto que hay a la entrada de algunos edificios.

porcino, -na *adj.* Relativo al cerdo: *ganado porcino*.

porción *s. f.* ① Cantidad separada de otra mayor o de una cosa que puede ser dividida: *una porción de queso*. **SIN** trozo. ② Parte que corresponde a cada persona al repartir una cosa: *quiere su porción de la herencia*.

pordiosero, -ra *s. m. y f.* Persona muy pobre que pide limosna y alimentos. **SIN** mendigo.
  FAM pordiosear.

porexpán *s. m.* Material artificial parecido al corcho, bastante rígido, de color blanco y constituido por una multitud de pequeñas bolas unidas que se emplea principalmente como aislante y para embalajes.
  OBS Es marca registrada.

porfa *adv.* familiar Por favor.

porfía *s. f.* ① Lucha o disputa que se mantiene con insistencia y tenacidad. ② Insistencia inoportuna y obstinada con que se solicita una cosa: *pidió con porfía un aumento de sueldo.*

FAM porfiar.

porfiado, -da *adj./s. m. y f.* Se aplica a la persona que se mantiene excesivamente firme en sus ideas o intenciones. **SIN** terco, testarudo.

porfiar *v. intr.* **1** Discutir de manera obstinada y tenaz. **2** Pedir una cosa de forma repetida, insistiendo hasta molestar. **3** Insistir en una acción para lograr una cosa difícil o que opone resistencia: *la reja no cedía, pero él porfiaba en su intento de derribarla.*

FAM porfiado.

OBS Verbo regular, se acentúa como *desviar.*

porífero *adj./s. m.* **1** Se aplica al invertebrado acuático en forma de saco, con el cuerpo cubierto por poros conectados a canales por los que fluye el agua, como la esponja. ‖ *s. m. pl.* **2** **poríferos** Grupo taxonómico, con categoría de filo, constituido por estos animales.

pormenor *s. m.* **1** Detalle o circunstancia particular de un asunto: *nos contó los pormenores del viaje.* **2** Detalle poco importante de un asunto.

FAM pormenorizar.

OBS Normalmente en plural.

pormenorizar *v. tr.* Describir o referir una cosa con todo detalle o minuciosamente.

porno *adj.* **1** familiar Pornográfico: *revista porno; actores porno.* **NOTA** Invariable en número. ‖ *s. m.* **2** familiar Pornografía: *estos artistas se dedican al porno.*

pornografía *s. f.* **1** Conjunto de rasgos o características de las obras literarias o artísticas que presentan o describen actos sexuales con realismo o dureza. **2** Obra literaria o artística que presenta o describe actos sexuales con realismo o dureza.

FAM porno, pornográfico.

pornográfico, -ca *adj.* **1** Que presenta o describe actos sexuales con realismo o dureza: *película pornográfica.* **2** Relativo a la pornografía.

poro *s. m.* **1** Agujero muy pequeño de la piel, invisible a simple vista, por donde se expulsan el sudor y las toxinas: *el vapor de agua abre los poros.* **2** Agujero pequeño que hay en la superficie de las plantas por el que pasa el vapor de agua y los gases. **3** Espacio pequeño entre las moléculas que forman un cuerpo: *el agua penetra por los poros de la esponja.*

FAM poroso.

porosidad *s. f.* Existencia de poros en una materia.

poroso, -sa *adj.* Que tiene poros: *el cemento es un material poroso.*

FAM porosidad.

poroto *s. m.* **1** AMÉR. Judía, habichuela o frijol. **2** AMÉR. Guiso preparado con esta legumbre.

porque *conj.* **1** Se usa para introducir la causa o razón que explica una determinada acción: *me quedo en casa porque tengo trabajo.* **2** Se usa para indicar finalidad: *recemos porque esta tarde no llueva.*

porqué *s. m.* Motivo o razón de una acción o de una cosa: *tiene sus porqués para hacer eso.*

porquería *s. f.* **1** Suciedad o basura que hay en un lugar: *la calle estaba llena de porquería.* **2** Acción que atenta contra la moral, especialmente en el plano sexual: *en esa película no sa-*

len *más que porquerías.* **SIN** guarrada, guarrería. **3** Cosa sucia o que mancha. **SIN** cochambre, guarrería. **4** Cosa mal hecha, desordenada o sucia: *¡menuda porquería de trabajo!* **5** Cosa para comer que no tiene alimento, generalmente con un sabor agradable, que se come por capricho o sin necesidad: *las chucherías son porquerías.* **6** Cosa de poco valor: *su casa es una porquería.*

porqueriza *s. f.* Lugar cubierto en el que se encierra a los cerdos. **SIN** pocilga.

porquerizo, -za *s. m. y f.* Persona que se dedica a cuidar cerdos.

porra *s. f.* **1** Palo con un extremo muy abultado o en forma de bola que se usa para golpear. **SIN** cachiporra. **2** Objeto en forma de palo cilíndrico corto que usan como arma la policía y otros cuerpos de seguridad. **3** Masa de harina de forma alargada que se fríe en aceite y se cubre de azúcar o chocolate; es más larga y gruesa que el churro. **4** Apuesta que se hace entre varias personas y que gana quien acierta un número o un resultado. ‖ *int.* **5** **¡porras!** Se usa para indicar enfado o disgusto.

a la porra familiar Expresión que sirve para mostrar enfado o disgusto: *¡a la porra, no puedo más!*

irse a la porra (I) familiar Expresión que sirve para mostrar enfado o disgusto hacia una persona: *si no quiere venir, que se vaya a la porra.* (II) familiar Estropearse o salir mal una cosa, especialmente un negocio: *se ha ido todo el trabajo a la porra.*

mandar a la porra familiar Echar a una persona, especialmente con enfado y disgusto.

¡una porra! familiar Expresión que se usa para negar o rechazar con enfado o disgusto.

FAM porrazo; aporrear.

porrada *s. f.* familiar Cantidad grande o abundante de una cosa: *una porrada de dinero.* **SIN** mogollón, montón.

porrazo *s. m.* **1** Golpe dado con una porra o con otro objeto. **2** Golpe fuerte que recibe una persona al caer o chocar contra un cuerpo duro.

porreta *s. com.* familiar Persona que fuma porros de manera habitual.

en porreta o **en porretas** familiar Expresión que indica que una persona está completamente desnuda: *me robaron la ropa y me quedé en porreta.*

porrillo Se usa en la expresión:

a porrillo familiar Expresión que indica que una cosa existe o se da en gran abundancia o cantidad: *los naranjos dan fruta a porrillo.*

porro *s. m.* Cigarro hecho a mano que contiene droga, generalmente hachís o marihuana, mezclada con tabaco. **SIN** canuto.

FAM porreta; emporrado.

porrón *s. m.* Recipiente de cristal, con el cuello estrecho y la base ancha, de la que sale un tubo largo en forma de cono y que sirve para beber a chorro.

portaaviones [también **portaviones**, menos usado] *s. m.* Buque de grandes dimensiones cuya cubierta está preparada para que puedan despegar y aterrizar aviones.

OBS Plural invariable.

portada *s. f.* **1** Primera página de un periódico o de una revista. **2** Página inicial de un libro en la que aparece el título, el nombre del autor y el lugar y fecha de impresión. **3** Fachada o cara principal de un edificio: *la portada de la catedral es gótica.* **4** Adorno arquitectónico que se coloca alrededor de una puerta o en la fachada de un edificio.

FAM portadilla; anteportada, contraportada.

portadilla *s. f.* **1** Página anterior a la portada de un libro en la que suele ponerse el título. **2** Página interior de un libro en la que se indica el capítulo que sigue.

portador, -ra *adj./s. m. y f.* **1** Se aplica a la persona que lleva una cosa de un lugar a otro: *el portador de la carta.* **2** Que lleva en su cuerpo las bacterias o los virus que causan una enfermedad y los puede transmitir o contagiar: *portador del virus del sida.* I *s. m.* **3** Persona que tiene en su poder un documento público o un valor comercial que le da ciertos derechos por el simple hecho de poseerlo.

al portador Expresión que aparece en ciertos documentos, como cheques o talones bancarios, que indica que este pertenece a la persona que lo tiene en su poder: *un cheque al portador.*

portaequipaje o **portaequipajes** *s. m.* **1** Espacio cerrado de un automóvil destinado a llevar maletas y otros objetos. **SIN** maletero. **2** Estructura metálica que se coloca sobre el techo de un automóvil y sirve para llevar maletas y bultos; tiene forma de parrilla. **SIN** baca.

OBS Plural: *portaequipajes.*

portaesquís *s. m.* Soporte que se coloca en el techo de un vehículo automóvil para sujetar los esquís y poderlos transportar.

OBS Plural invariable.

portafolio o **portafolios** *s. m.* Cartera o carpeta de forma rectangular y plana que se lleva en la mano y se usa para guardar y llevar papeles.

OBS Plural: *portafolios.*

portal *s. m.* **1** Parte de un edificio que está a continuación de la puerta principal. **2** Conjunto de arcos y columnas que están situados a lo largo de un muro o alrededor de una plaza y que forman una galería. **SIN** soportal.

portal de Belén Representación del establo donde nació Jesucristo.

FAM portalón; soportal.

portalámpara o **portalámparas** *s. m.* Pieza metálica en la que se enrosca el casquillo de una bombilla para conectarla a la electricidad.

OBS Plural: *portalámparas.*

portalápiz *s. m.* Tubo, estuche o bote para resguardar la punta de los lápices.

portalón *s. m.* **1** Puerta grande que cierra el espacio descubierto que rodea una casa o un palacio. **2** Abertura en forma de puerta que se hace en el costado de un buque para que puedan entrar personas o cosas.

portaminas *s. m.* Lápiz de mina recambiable formado por un tubo hueco de plástico o de metal que contiene la mina con la que se escribe o dibuja.

OBS Plural invariable.

portante *adj./s. m.* Se aplica al paso de una caballería que mueve las extremidades de un mismo lado a la vez.

coger (o **tomar**) **el portante** familiar Irse o marcharse una persona de un lugar.

dar el portante familiar Despedir a una persona de un empleo o echarlo de un lugar.

portaobjeto o **portaobjetos** *s. m.* Plaquilla de cristal sobre la que se pone un objeto para observarlo con el microscopio.

OBS Plural: *portaobjetos.*

portapapeles *s. m.* Área en la que puede copiarse información para pasarla de un programa a otro: *en el portapapeles podemos copiar una parte del texto de un documento y copiarla en otro.*

OBS Plural invariable.

portar *v. tr.* **1** culto Llevar una cosa generalmente en la mano o ayudándose con alguna otra parte del cuerpo: *el caballero portaba el estandarte real.* I *v. prnl.* **2** **portarse** Tener un comportamiento o una actitud determinada: *portarse bien.* **SIN** comportarse.

FAM portaaviones, portador, portaequipajes, portalámparas, portalibros, portaminas, portaobjetos, portarretratos, portarrollos, portátil, porte.

portarretrato o **portarretratos** *s. m.* Marco de metal, madera u otro material, generalmente con un soporte en la parte posterior, que se usa para colocar retratos o fotografías.

OBS Plural: *portarretratos.*

portarrollos *s. m.* Utensilio que sirve para colocar rollos de papel de cocina o de baño.

OBS Plural invariable.

portátil *adj.* Se aplica al objeto que es fácil de transportar de un lugar a otro por ser manejable y de pequeño tamaño: *ordenador portátil; televisor portátil; teléfono portátil.*

portaviones *s. m.* Portaaviones.

OBS Plural invariable.

portavoz *s. com.* **1** Persona que es elegida para representar a un grupo y hablar en su nombre: *el portavoz de los trabajadores.* **2** Funcionario autorizado para comunicar de manera oficiosa una noticia u opinión proveniente de un gobierno o de una casa real.

portazo *s. m.* **1** Golpe fuerte que da una puerta al cerrarse. **2** Golpe fuerte que se da voluntariamente al cerrar una puerta con violencia para molestar o disgustar a alguien o para mostrar enfado: *se marchó dando un portazo; lo despidió con un portazo.*

porte *s. m.* **1** Transporte de una mercancía de un lugar a otro; suele hacerse a cambio de una cantidad de dinero previamente acordada: *el camión hace un porte diario a Madrid.* **2** Cantidad de dinero que se paga por transportar una mercancía de un lugar a otro. **NOTA** Normalmente en plural. **3** Aspecto que muestra una persona y que se hace evidente en sus gestos, su modo de vestir, su educación o su comportamiento: *porte distinguido.* **4** Capacidad de transporte de un buque.

FAM portear.

portear *v. tr.* Llevar o transportar una cosa de un lugar a otro a cambio de un dinero previamente convenido.

FAM porteador.

portento *s. m.* **1** Cosa o hecho extraordinario que produce admiración por su extrañeza o novedad. **SIN** maravilla, prodigio. **2** Persona que sobresale por tener una cualidad extraordinaria.

FAM portentoso.

portentoso, -sa *adj.* Que produce gran admiración, por ser extraño, novedoso o singular. **SIN** prodigioso.

porteño, -ña *adj.* **1** De Buenos Aires (capital de Argentina): *ciudad porteña; costumbres porteñas.* **SIN** bonaerense. **‖** *s. m. y f./adj.* ② Persona que es de Buenos Aires. **SIN** bonaerense.

portería *s. f.* ① Parte inmediata a la puerta principal de una casa o un edificio desde donde vigila el portero. ② Vivienda del portero a la que se accede desde esta parte. ③ Cuarto o garita en la que el portero realiza la vigilancia de un edificio. ④ En ciertos deportes, armazón formado por dos palos verticales, uno horizontal y una red al fondo en el que debe entrar la pelota para marcar un tanto. **SIN** meta.

portero, -ra *s. m. y f.* ① Persona que se dedica a la vigilancia, al cuidado y mantenimiento de la parte no habitable de un edificio. **SIN** conserje. ■ **portero automático** o **portero electrónico** Mecanismo electrónico que sirve para abrir la puerta principal de un edificio desde el interior de cada una de las viviendas particulares. ② Persona que juega en un equipo deportivo y defiende la portería de su equipo para evitar que entre la pelota. **SIN** arquero, guardameta.
FAM portería, porteril.

pórtico *s. m.* ① Espacio exterior cubierto y con columnas que se construye en la parte delantera de un edificio. ② Conjunto de arcos y columnas que están situados a lo largo de un muro o alrededor de una plaza y que forman una galería: *los bares colocaban las mesas bajo los pórticos de la plaza.* **SIN** portal, soportal.
FAM porticado.

portillo *s. m.* ① Abertura o entrada que se abre en un muro. **SIN** postigo. ② Puerta pequeña que está incluida en otra más grande. **SIN** postigo. ③ Hendidura o hueco que queda en una cosa que está rota: *este plato tiene un portillo en el fondo.*

portón *s. m.* ① Puerta de entrada de una finca o una casa grande. ② Puerta trasera de los coches y furgonetas que permite cargar el equipaje o entrar en el coche por detrás.

portorriqueño, -ña *adj.* ① De Puerto Rico (país de América Central). **SIN** puertorriqueño. **‖** *s. m. y f./adj.* ② Persona que es de Puerto Rico. **SIN** puertorriqueño.

portuario, -ria *adj.* Relativo al puerto de mar: *tráfico portuario.*

portugués, -guesa *adj.* ① De Portugal (país de Europa). **‖** *s. m. y f./adj.* ② Persona que es de Portugal. **‖** *s. m./adj.* ③ Lengua románica que se habla en Portugal, en Brasil y en los países que antiguamente pertenecieron a Portugal. **‖** *adj.* ④ Relativo a esta lengua.
FAM portuguesismo.

portuguesismo *s. m.* Palabra o modo de expresión propio de la lengua portuguesa y que se usa en otro idioma: *la palabra "chubasco" es un portuguesismo en español.* **SIN** lusismo, lusitanismo.

porvenir *s. m.* ① Tiempo o suceso futuro: *leer el porvenir en la palma de la mano.* **SIN** futuro. **ANT** pasado. ② Situación o desenvolvimiento profesional de una persona en el futuro: *si quieres labrarte un buen porvenir, debes estudiar mucho.*

pos Se usa en la expresión:
en pos de Se usa para indicar detrás: *ir en pos de la victoria.*

posada *s. f.* ① Establecimiento que hospeda a las personas que viajan o van de paso y donde pueden dormir y comer. **SIN** fonda, mesón. ② Alojamiento que se da a una persona: *le dieron posada en el convento.* **SIN** albergue, hospedaje.
FAM posadero.

posaderas *s. f. pl.* familiar Nalgas.

posadero, -ra *s. m. y f.* Persona que es dueña de una posada o que está a su cargo. **SIN** mesonero.

posar *v. intr.* ① Colocarse una persona en una posición determinada para retratarse o servir de modelo a un fotógrafo, un pintor o un escultor. ② Adoptar una actitud fingida o exagerada con la que se intenta producir un efecto determinado. **‖** *v. tr.* ③ Poner suavemente una cosa sobre otra: *posar un vaso sobre la mesa.* **‖** *v. prnl.* ④ **posarse** Detenerse en un lugar las aves, los insectos o los aparatos aeronáuticos, después de haber volado. **SIN** asentarse. ⑤ Caer y acumularse en el fondo de un líquido la materia sólida que está flotando en él. **SIN** depositarse. ⑥ Caer el polvo que está suspendido en el aire sobre las cosas o en el suelo. **SIN** depositarse.
FAM posavasos.

posavasos *s. m.* Objeto plano que se pone debajo de un vaso para evitar que se manche la mesa o el mantel.
OBS Plural invariable.

posdata [también **postdata**, menos usado] *s. f.* Frase o mensaje que se añade al final de una carta ya firmada: *la abreviatura de la posdata es "P. D.".*

pose *s. f.* ① Postura o posición que adopta una persona que va ser fotografiada, retratada o pintada por otra. ② Actitud fingida o exagerada que adopta una persona en su comportamiento y con la que intenta producir un efecto determinado.

poseedor, -ra *adj./s. m. y f.* Que tiene o posee una cosa.

poseer [20] *v. tr.* ① Tener una cosa o ser dueño de ella: *esa familia posee una gran fortuna.* ② Disponer de una cosa o contar con ella: *esta ciudad posee las instalaciones adecuadas para nuestro proyecto.* **SIN** tener. ③ Tener conocimientos suficientes de un arte, un idioma, una ciencia, etc.: *posee buenos conocimientos de solfeo.* ④ Tener relaciones sexuales con una persona.
FAM poseedor, poseído, posesión, posesivo, poseso; desposeer.

poseído, -da *adj./s. m. y f.* ① Se aplica a la persona que está dominada por un impulso, un sentimiento apasionado o un determinado estado de ánimo: *poseído por los celos.* ② Poseso. ③ Se aplica a la persona que se comporta con superioridad y engreimiento.

posesión *s. f.* ① Hecho o acto de poseer una cosa, tenerla o ser dueño de ella: *la fortuna está en posesión de los herederos.* ② Cosa que tiene o posee una persona: *aquel anillo era su posesión más valiosa.* ③ Hecho de entrar un espíritu en el cuerpo de una persona y dominar su carácter y su voluntad: *posesión demoníaca.* ④ Terreno o finca que forma parte del patrimonio de una persona: *la familia tenía algunas posesiones en Álava.*
NOTA Más en plural.

tomar posesión Ocupar una persona un cargo de forma oficial: *el presidente tomó posesión de su cargo.*
FAM posesionar.

posesivo, -va *adj.* ① Se aplica a la persona que tiene un carácter muy absorbente y pretende tener siempre cerca a las personas que quiere. **‖** *adj./s. m.* ② Se aplica al adjetivo y pronombre que expresan posesión o pertenencia: *"mi", "tu" y "su" son adjetivos posesivos.*

poseso, -sa *adj./s. m. y f.* Se aplica a la persona que está dominada por un espíritu generalmente maligno: *el exorcista trató de sacar el espíritu ajeno del cuerpo del poseso.* **SIN** poseído.

posgrado *s. m.* Estudios universitarios posteriores a la licenciatura: *posgrado en psicología clínica.*

posguerra [también **postguerra**, menos usado] *s. f.* Periodo inmediatamente posterior al final de una guerra, durante el cual se sufren sus consecuencias.

posibilidad *s. f.* **1** Circunstancia u ocasión de que una cosa ocurra o suceda: *que venga es solo una posibilidad, no está asegurado.* **ANT** imposibilidad. **2** Cosa que es posible que ocurra o suceda: *tenemos dos posibilidades: ir al cine o quedarnos en casa viendo la tele.* **3** Opción que tiene una persona de hacer o no hacer una cosa: *tú que tienes la posibilidad de viajar al extranjero, aprovéchala.* | *s. f. pl.* **4** **posibilidades** Conjunto de medios, bienes o riquezas de los que se dispone para hacer algo: *no tienen posibilidades para pagarse un viaje tan costoso.* **SIN** posibles.

posibilitar *v. tr.* Hacer que una cosa sea posible: *la nueva ley posibilitó la entrada de capital extranjero.* **SIN** facilitar. **ANT** dificultar.

posible *adj.* **1** Que puede ser o suceder o que se puede realizar: *es posible que venga mañana.* **ANT** imposible. | *s. m. pl.* **2** **posibles** Conjunto de medios, bienes o riquezas de los que se dispone para hacer algo: *es una persona de posibles.* **SIN** posibilidades.
FAM posiblemente, posibilidad, posibilitar; imposible.

posición *s. f.* **1** Manera de estar o colocarse físicamente una persona, un animal o un objeto: *posición vertical.* **SIN** postura. **2** Lugar o situación que ocupa una persona o una cosa: *el capitán del barco señaló en el mapa la posición en que se encontraban.* **SIN** emplazamiento, puesto. **3** Manera de pensar o de actuar una persona de acuerdo con sus ideas o sus puntos de vista: *el político mantuvo una posición muy radical en el asunto.* **SIN** postura. **4** Condición social o económica de una persona: *socialmente goza de una buena posición.* **5** Punto situado en un lugar estratégico y ventajoso para realizar ciertas operaciones militares: *el ejército tenía una buena posición para iniciar el ataque.* **6** Disposición o manera de estar colocadas las notas dentro de un acorde: *hay tres posiciones básicas, la más elemental es con la tónica en la base del acorde.*
FAM posicionar.

posicionar *v. tr.* **1** Colocar a una persona o cosa en una posición determinada. **2** Situar a una persona en una posición o actitud ideológica determinada: *la prensa lo posiciona en el ala más extremista de su partido.* | *v. prnl.* **3** **posicionarse** Adoptar una posición, actitud o postura determinadas: *se posicionó claramente como progresista; se posicionan contra la guerra.*
FAM posicionamiento.

posimpresionismo *s. m.* Postimpresionismo.

positivar *v. tr.* Convertir en positivo un negativo fotográfico: *el laboratorio fotográfico positivó los negativos.* **SIN** revelar.

positivismo *s. m.* **1** Actitud realista y práctica de una persona ante la vida. **2** Doctrina filosófica y científica que considera que el único medio de conocimiento es la experiencia comprobada o verificada a través de los sentidos: *el positivismo fue formulado por Auguste Comte en el siglo XIX.*
FAM positivista.

positivista *adj.* **1** Relativo al positivismo: *teoría positivista.* | *adj./s. com.* **2** Se aplica a la persona que muestra una actitud realista y práctica ante la vida. **3** Se aplica a la persona que sigue la doctrina filosófica y científica del positivismo.

positivo, -va *adj.* **1** Que indica o expresa afirmación: *una respuesta positiva.* **SIN** afirmativo. **ANT** negativo. **2** Que es cierto, real o que no ofrece duda alguna: *el enfermo experimentó una mejoría positiva.* **3** Que indica la presencia o la existencia de una cosa y no la falta de ella: *la prueba de embarazo ha dado un resultado positivo.* **ANT** negativo. **4** Que es útil, práctico o favorable: *el cambio de trabajo ha sido muy positivo.* **5** Se aplica a la persona que tiende a ver y juzgar las cosas en su aspecto mejor o más agradable: *es una persona muy positiva y optimista.* **ANT** negativo. **6** Se aplica al polo de un generador que atrae los electrones o cargas negativas: *las pilas tienen un polo negativo y otro positivo.* **ANT** negativo. **7** Se aplica al adjetivo que presenta una cualidad del sustantivo en grado neutro, en oposición al grado superlativo y al grado comparativo. **8** Se aplica al número que es mayor que cero: *5 es un número positivo.* **ANT** negativo. | *s. m./adj.* **9** Copia fotográfica que reproduce los claros y oscuros tal y como aparecen en la realidad; se obtiene de un negativo. **ANT** negativo.
FAM positivar, positivismo.

positrón *s. m.* Partícula que tiene igual masa eléctrica que el electrón e igual carga eléctrica, pero positiva.

poso *s. m.* **1** Materia sólida que después de haber estado flotando en un líquido se queda en el fondo del recipiente: *la taza tenía posos de café.* **SIN** asiento, sedimento. **2** Señal o huella que queda en el espíritu tras haber tenido un disgusto o un sufrimiento: *poso de tristeza.*

posología *s. f.* **1** Parte de la medicina que se ocupa de las dosis en que deben administrarse los medicamentos. **2** Serie de indicaciones que deben seguirse para administrar correctamente un determinado medicamento: *la posología de este jarabe viene en el prospecto.*

posoperatorio, -ria V. postoperatorio, -ria.

posparto [también **postparto**] *adj.* **1** Que afecta o concierne a la mujer después del parto: *cuidados posparto.* **NOTA** Invariable en número. | *s. m.* **2** Periodo que sigue al parto.

posponer [36] *v. tr.* **1** Retrasar o retardar una cosa en el tiempo para realizarla en un momento o en una fecha posterior: *tuvieron que posponer el juicio por falta de pruebas.* **SIN** aplazar. **2** Poner una cosa delante de otra. **ANT** anteponer. **3** Apreciar a una persona o una cosa menos que a otra.
FAM posposición, pospuesto.

posposición *s. f.* **1** Acción de posponer. **ANT** anteposición. **2** Retraso o aplazamiento que se produce en la realización de una cosa: *el Gobierno acordó la posposición de las elecciones hasta después de las vacaciones.*

pospuesto, -ta Participio irregular de *posponer.*

posromanticismo [también **postromanticismo**, menos usado] *s. m.* Movimiento cultural que sigue al Romanticismo y que conserva algunos de sus rasgos y características.

posta *s. f.* **1** Conjunto de caballerías que antiguamente estaban preparadas en determinados puntos del recorrido de una diligencia para hacer el relevo a las caballerías que ya venían cansadas. **2** Lugar o casa donde estaba este conjunto de caballerías. **3** Bala pequeña de plomo que sirve de munición para cargar las armas de fuego.
a posta Con intención de producir el efecto que se produce. **NOTA** También *aposta.* **SIN** adrede.

postal *adj.* **1** Relativo al servicio de correos: *servicio postal.* **2** Que se envía por medio del servicio de correos: *un paquete postal.* | *adj./s. f.* **3** Se aplica a la tarjeta que se envía por correo sin sobre y tiene grabada en una de sus caras una fotografía o un dibujo: *una postal de Marruecos.*
FAM aeropostal.

postdata *s. f.* Posdata.

poste *s. m.* **1** Madero, piedra o columna alargado que se coloca de forma vertical para servir de apoyo o señal: *un poste de teléfono.* **2** Palo vertical que hay a cada uno de los lados de una portería en algunos deportes.

P

póster *s. m.* Cartel con una imagen o una fotografía que se cuelga en una pared como elemento decorativo.

postergación *s. f.* ① Acción que consiste en aplazar o retrasar la realización de una cosa. ② Acción que consiste en colocar a una persona o una cosa en un lugar inferior al que le corresponde.

postergar *v. tr.* ① culto Dejar una cosa para hacerla después de otra a la que debería preceder. SIN aplazar, posponer. ② Colocar a una persona o una cosa en un lugar inferior al que le corresponde: *lo han postergado a un segundo plano.* FAM postergación; impostergable.

posteridad *s. f.* ① Conjunto de personas que pertenecen a las generaciones futuras: *la posteridad sabrá reconocer tus méritos.* ② Fama que se tiene después de la muerte: *era un pintor obsesionado por la posteridad.*

posterior *adj.* ① Que está después en el tiempo o el espacio: *su marcha fue posterior a la nuestra.* ANT anterior. ② Que está situado en la parte de atrás de una cosa vista frontalmente: *el maletero del coche está en la parte posterior.* SIN trasero. ANT anterior, delantero. ③ Se aplica al fonema o al sonido consonántico cuyo punto de articulación está en la parte trasera de la cavidad bucal; son los fonemas velares y palatales. ④ Se aplica al fonema vocálico que se articula en la parte posterior de la boca. ‖ *adj./s. f.* ⑤ Se aplica a la consonante o la vocal que se articulan en este punto.

posteriori Se usa en la expresión latina:
a posteriori Significa 'después' y se usa para indicar que una cosa se juzga después de haber sucedido: *es mejor opinar acerca de una cosa a posteriori.*

posterioridad *s. f.* Circunstancia de ser una cosa posterior a otra. ANT anterioridad.
con posterioridad En tiempo posterior.

postguerra *s. f.* Posguerra.

postigo *s. m.* ① Puerta de madera que se coloca en la parte exterior o interior de una ventana o balcón para resguardar de la luz, del agua, del frío, etc.: *el postigo está sujeto al marco de la ventana mediante bisagras.* SIN contraventana. ② Puerta de una sola hoja, que se asegura con cerrojo, con llave, etc. ③ Puerta pequeña que está incluida en otra más grande. SIN portillo. ④ Puerta pequeña que se abre en un muro, una muralla o un vallado. SIN portillo.

postimpresionismo [también **posimpresionismo**, menos usado] *s. m.* Época de finales del siglo XIX, posterior al impresionismo, que rechaza los postulados de este movimiento pictórico.

postín *s. m.* ① Elegancia y distinción: *una familia de mucho postín.* ② Actitud arrogante y afectada de la persona que presume de tener riqueza, lujo y distinción: *se da mucho postín de vivir en la mejor zona de la ciudad.*
de postín Que es rico, lujoso y elegante.

postizo, -za *adj.* ① Que es añadido o imitado y puede sustituir de manera artificial a una cosa natural y propia. ‖ *s. m.* ② Pelo o cabellera artificial o natural que sirve para aumentar el volumen de un peinado o para disimular la falta de pelo propio.

postónico, -ca *adj.* Se aplica al elemento que sigue a la sílaba tónica de una palabra: *vocal postónica.* ANT protónico.

postoperatorio, -ria [también **posoperatorio**, menos usado] *adj.* ① Que es posterior a una operación quirúrgica. ‖ *s. m.* ② Periodo que sigue a una intervención quirúr-

gica y que requiere una atención y vigilancia especial del paciente.

postor, -ra *s. m. y f.* Persona que puja u ofrece una cantidad de dinero por un objeto en una subasta.
mayor postor o **mejor postor** Persona que puja u ofrece la cantidad de dinero más alta por un objeto en una subasta.

postparto V. posparto.

postración *s. f.* Estado de abatimiento o decaimiento en que se encuentra una persona por causa de una enfermedad o un sentimiento de gran tristeza.

postrar *v. tr.* ① Quitar a una persona la energía y la fuerza física y moral: *la enfermedad ha postrado su cuerpo.* ‖ *v. prnl.* ② **postrarse** Ponerse una persona de rodillas ante otra en señal de respeto, súplica, adoración o humillación: *el caballero se postró ante la reina.* SIN arrodillarse. FAM postración.

postre *s. m.* Alimento que se toma al final de una comida, generalmente fruta o dulces: *de postre hay fruta.*
a los postres En la situación que se da al final de una comida o de un acto o celebración: *releía el discurso que leería a los postres.*
de postre o **para postre** Expresión que se utiliza cuando a un acontecimiento negativo le sigue otro que lo es tanto o más.

postrer culto Apócope de *postrero: el postrer día.*
OBS Se usa delante de sustantivos masculinos en singular.

postrero, -ra *adj.* culto Que es el último en una serie ordenada: *el día postrero del año.* FAM postre, postrer.

postrimería *s. f.* ① Último periodo o últimos años de la vida de una persona. NOTA Normalmente en plural. SIN fin, final. ② Última parte de un periodo de tiempo o de una época. NOTA Normalmente en plural. SIN fin, final.

postromanticismo [se pronuncia 'posromanticismo'] *s. m.* Posromanticismo.

postulación *s. f.* ① Acción de postular. ② Postulado.

postulado *s. m.* ① Principio que se admite como cierto sin necesidad de ser demostrado y que sirve como base para otros razonamientos. SIN postulación. ② Idea o principio que defiende una persona o un grupo de personas: *actúa acorde a sus postulados.* SIN postulación.

postular *v. tr.* ① Defender una idea o un principio de interés general: *postula por la democracia y la igualdad de todos los ciudadanos.* ‖ *v. intr.* ② Pedir dinero para utilizarlo con fines benéficos o religiosos. FAM postulación, postulado, postulante.

póstumo, -ma *adj.* Que nace o sale a la luz después de la muerte del padre o del autor: *hijo póstumo.*

postura *s. f.* ① Manera de estar o colocarse físicamente una persona, un animal o un objeto: *posición vertical.* SIN posición. ② Manera de pensar o de actuar una persona de acuerdo con sus ideas o sus puntos de vista. SIN posición. ③ Cantidad de dinero que se ofrece en una subasta por una cosa que se vende o se alquila. ④ Conjunto de huevos que pone un ave de una sola vez. SIN puesta. FAM apostura.

potabilizar *v. tr.* Hacer potable, especialmente el agua del mar.

potable *adj.* ① Se aplica al agua que se puede beber. ② familiar Que puede ser admitido o aceptado como bueno: *lleva un jersey bastante potable.*

FAM potabilidad, potabilizar.

potaje *s. m.* ① Guiso que se prepara con caldo, verduras y legumbres: *un potaje de acelgas y lentejas.* ② Mezcla de cosas distintas.

potasa *s. f.* Hidróxido de potasio que es sólido y de color blanco; presenta propiedades básicas: *la potasa se utiliza en la obtención de jabones blandos.*

potasio *s. m.* Elemento químico de símbolo K y número atómico 19; es un metal alcalino, muy reactivo, de color plateado, blando y ligero; se oxida fácilmente y produce llama en contacto con el agua, ya que se inflama espontáneamente desprendiendo hidrógeno; tiene infinidad de aplicaciones (medicina, fotografía, metalurgia, etc.) y es un nutriente esencial para los seres vivos: *los componentes del potasio se usan como abono.*

FAM potásico.

pote *s. m.* ① Recipiente redondo de pequeño tamaño que sirve para beber o contener diferentes sustancias. **SIN** bote. ② familiar Recipiente de metal, redondo, con barriga, de boca ancha y dos asas pequeñas a los lados que se usa para cocinar. **SIN** olla. ③ Guiso que se prepara con verduras, legumbres y caldo: *el pote es una comida típica de Asturias y Galicia.*

darse pote familiar Presumir una persona de las cualidades propias.

FAM potito.

potencia *s. f.* ① Capacidad para realizar una acción o producir un efecto determinado: *potencia de vuelo.* ■ **potencia eléctrica** Potencia que suministra un generador de corriente eléctrica; depende de la fuerza electromotriz del generador. ② Poder y fuerza con que cuenta un estado para imponerse a los demás: *potencia bélica.* ③ País o nación que tiene un gran poder político o económico a escala internacional: *Estados Unidos es una de las grandes potencias mundiales.* ④ Trabajo realizado por una fuerza en la unidad de tiempo: *la potencia se mide en vatios.* ⑤ Resultado de dividir el trabajo eléctrico realizado por una máquina por el tiempo empleado en realizarlo. ⑥ Posibilidad o capacidad que tiene una cosa de convertirse en otra, de producir un cambio o de llegar a ser algo distinto: *el concepto de potencia fue ampliamente tratado por Aristóteles.* ⑦ Producto que resulta de multiplicar un número por sí mismo una o varias veces: *en la expresión $2^2 = 4$, el cuatro es potencia de dos.* ⑧ Facultad de las tres que componen el alma en la religión católica: *las potencias del alma son el entendimiento, la memoria y la voluntad.*

elevar a una potencia Multiplicar un número por sí mismo tantas veces como indique el exponente: *si elevas 8 a la segunda potencia, el resultado es 64.*

en potencia Que no es o no existe, pero tiene posibilidad de ser o de existir en el futuro: *sin serlo, es un científico en potencia.*

FAM potencial, potenciar, potenciómetro, potente; impotencia, omnipotencia, superpotencia.

potenciación *s. f.* Impulso o estímulo que recibe una cosa para que pueda desarrollarse o existir.

potencial *adj.* ① Que no es o no existe, pero tiene la posibilidad de ser o de existir en el futuro: *los telespectadores son los consumidores potenciales de todos los productos que se anuncian en publicidad.* **SIN** posible. ▌ *s. m.* ② Fuerza o poder del que se dispone para lograr un fin: *potencial militar.* ③ Energía que

tiene un cuerpo al estar situado en un campo de fuerzas: *el potencial eléctrico se mide en voltios.* ④ Tiempo del verbo que sirve para expresar una acción futura en relación con el pasado o probabilidad también en el pasado, o una acción posible si se cumple una condición previa: *la forma "tendría" está en potencial.* **SIN** condicional.

potenciar *v. tr.* ① Comunicar fuerza o energía a una cosa. ② Aumentar la fuerza o el poder de una cosa: *tomar medicamentos con bebidas alcohólicas potencia los efectos negativos del alcohol.* ③ Dotar de la fuerza o ayuda necesaria para que una cosa crezca, se desarrolle o tenga éxito: *hay que potenciar el deporte entre la gente joven.* **SIN** impulsar.

FAM potenciación.

OBS Verbo regular, se acentúa como *cambiar.*

potenciómetro *s. m.* ① Aparato que sirve para medir la diferencia de potencial entre dos puntos cualesquiera de un circuito eléctrico. ② Resistencia que llevan los aparatos electrónicos y que varía según una gama de frecuencias: *los mandos del tono y el volumen son potenciómetros.*

potentado, -da *s. m. y f.* Persona que es muy rica y poderosa.

potente *adj.* ① Que tiene mucha potencia, fuerza física o poder: *motor potente.* ② Que tiene riquezas, autoridad e importancia: *nación potente.* **SIN** poderoso. ③ Que es muy grande o desmesurado: *un grito potente.*

FAM potentado; prepotente.

potestad *s. f.* culto Poder o autoridad que se tiene sobre una persona o una cosa: *el ayuntamiento tiene potestad para efectuar estas obras.* **SIN** dominio. ■ **patria potestad** Poder o autoridad legal que tienen los padres sobre los hijos que aún no están emancipados.

FAM potestativo.

potestativo, -va *adj.* Que es voluntario y no obligatorio: *la concesión de la extradición de un preso desde un país a otro es potestativa.* **SIN** facultativo.

potingue *s. m.* ① Medicamento oral o ungüento: *con tanto potingue te curarás pronto, ¿no?* **NOTA** Frecuentemente usado de forma despectiva. ② Producto cosmético de belleza que tiene una textura cremosa. ③ Comida o bebida de aspecto, sabor u olor extraños.

potito *s. m.* Pote de cristal que contiene alimentos para niños pequeños que ya están cocinados y preparados para ser consumidos.

poto *s. m.* Planta trepadora que tiene las hojas en forma de corazón de color verde claro con vetas blancas o amarillas: *el poto se cultiva como planta ornamental.*

potosí *s. m.* Riqueza extraordinaria o muy grande: *ganó un potosí trabajando en Alemania.*

valer un potosí Tener una persona o una cosa un gran valor.

OBS Plural: *potosíes.*

potra *s. f.* familiar Suerte favorable que tiene una persona.

potrada *s. f.* Conjunto o manada de potros.

potranco, -ca *s. m. y f.* Caballo o yegua que no tienen más de tres años de edad.

potro, -tra *s. m. y f.* ① Cría de la yegua desde que nace hasta que cambia los dientes de leche. ▌ *s. m.* ② Aparato de gimnasia formado por cuatro patas y un cuerpo alargado que sirve para realizar diferentes tipos de ejercicios y saltos. **SIN** caballo, plinto. ③ Aparato antiguo de tortura en el que se

P

sentaba e inmovilizaba a los procesados para obligarles a declarar.

FAM potrada, potranco, potrillo.

poyo *s. m.* Banco de piedra u otro material que normalmente se construye en una casa pegado a una pared o junto a la puerta.

poza *s. f.* ① Hueco de un terreno donde se acumula el agua. **SIN** charca. ② Parte de un río que tiene más profundidad. **SIN** pozo.

FAM pozal.

pozo *s. m.* ① Agujero profundo que se hace en la tierra, generalmente revestido de piedra o ladrillo, para sacar el agua que procede de manantiales subterráneos. ■ **pozo negro** Agujero que se hace junto a las casas para acumular las aguas sucias y residuales: *cuando no hay alcantarillas se construyen pozos negros.* ② Agujero que se hace en la tierra para bajar a una mina o para extraer minerales: *pozo minero.* ③ Persona o cosa que posee en abundancia la cualidad que se expresa: *este chico es un verdadero pozo de ciencia.* ④ Parte de un río que tiene más profundidad. **SIN** poza.

pozo sin fondo Expresión que se aplica a una persona o cosa a la que se da dinero y cada vez reclama o pide más: *esta inversión es un pozo sin fondo.*

FAM pocero, poza.

práctica *s. f.* ① Realización de una actividad de una forma continuada y conforme a sus reglas: *se dedica a la práctica de la medicina desde hace diez años.* ② Habilidad o experiencia que se adquiere con la realización continuada de una actividad. **SIN** destreza. ③ Aplicación de una idea, teoría o doctrina: *la ciencia debe aunar teoría y práctica.* ④ Uso continuado o habitual que se hace de una cosa: *las prácticas religiosas cristianas han variado poco desde la antigüedad.* **SIN** costumbre, hábito. ⑤ Ejercicio o prueba que se hace bajo la dirección de un profesor para conseguir habilidad o experiencia en una profesión o trabajo: *prácticas de enfermería.*

en la práctica Expresión que indica que las cosas no son iguales en la realidad que en la teoría: *sobre el papel está muy bien pero, en la práctica, será un fracaso; en la práctica, nadie quiere mojarse.*

llevar a la (o **poner en**) **práctica** Realizar o llevar a cabo un proyecto o una idea.

FAM practicar.

practicable *adj.* ① Se aplica a la idea o proyecto que puede ser realizado. **SIN** factible. ② Se aplica al camino o paso que puede ser recorrido o seguido sin dificultad: *ese camino es practicable en verano.* **SIN** transitable.

FAM impracticable.

prácticamente *adv.* ① De manera experimentada o con el uso: *este cacharro no ha fallado prácticamente nunca.* ② En la práctica o en la realidad: *es al aplicar una teoría prácticamente cuando se ven los fallos de coherencia que pueda tener.* ③ Casi o por poco: *llegamos a casa prácticamente a las diez de la noche.*

practicante *adj./s. com.* ① Se aplica a la persona que profesa y practica una religión: *eran católicos practicantes.* ‖ *s. com.* ② Persona titulada para ejercer operaciones de cirugía menor, especialmente para hacer pequeñas curas y poner inyecciones.

practicar *v. tr.* ① Realizar de forma continuada una actividad: *practica la natación.* ② Hacer o realizar una cosa: *el forense practicó la autopsia.* ③ Repetir varias veces una cosa que se ha aprendido para adquirir habilidad o experiencia sobre ella:

practicar idiomas. **SIN** entrenar. ④ Profesar y aplicar los principios e ideas de una religión.

FAM practicante.

práctico, -ca *adj.* ① Que es muy útil: *los coches pequeños son muy prácticos en la ciudad.* ② Relativo a la práctica: *ejercicio práctico.* ③ Se aplica a la persona que tiene experiencia y habilidad para hacer una cosa determinada. **SIN** diestro. ④ Se aplica a la persona que tiene un concepto de la vida muy realista: *es muy práctico y poco dado a las utopías.* ‖ *s. m.* ⑤ Persona que dirige o conduce una embarcación en las maniobras difíciles o complicadas: *el práctico dirige la entrada al puerto de los grandes barcos.*

FAM prácticamente, practicar.

pradera *s. f.* ① Campo extenso, llano y con hierba característico de climas de escasa precipitación anual o frío acusado. ② Conjunto de prados: *en el norte de España abundan las praderas.* ③ Formación herbácea cerrada, con predominio de variadas especies de gramíneas.

FAM pradería.

prado *s. m.* Terreno llano y muy húmedo donde crece o se cultiva la hierba para que sirva de pasto al ganado: *los campesinos siegan la hierba de los prados.*

FAM pradera.

pragmática *s. f.* ① Parte de la lingüística que estudia la relación del lenguaje con el hablante y el oyente y con el contexto en que se realiza la comunicación: *la pragmática forma parte de la semiótica.* ② Ley que promulgaba el rey y se diferenciaba de los reales decretos y órdenes generales en las fórmulas de su publicación.

pragmático, -ca *adj.* ① Relativo a la práctica. **SIN** práctico. ② Relativo a la pragmática: *análisis pragmático del discurso.* ③ Relativo al pragmatismo.

FAM pragmática, pragmatismo.

pragmatismo *s. m.* Doctrina filosófica que considera que el único medio de juzgar la verdad de una doctrina moral, social, religiosa o científica consiste en considerar sus efectos prácticos.

FAM pragmatista.

pragmatista *adj.* ① Relativo al pragmatismo: *es un pensador de tendencia pragmatista.* ‖ *adj./s. com.* ② Se aplica a la persona que es partidaria o seguidora de la doctrina filosófica del pragmatismo.

praguense *adj.* ① De Praga (capital de la República Checa). ‖ *s. com./adj.* ② Persona que es de Praga.

praliné *s. m.* ① Crema elaborada con chocolate y almendra o avellana molida. ② Bombón o chocolate relleno de esta crema: *una caja de pralinés.*

praseodimio *s. m.* Elemento químico de símbolo *Pr* y número atómico 59 de la familia de los lantánidos; es un metal raro, sólido, de color plateado, blando, dúctil, maleable y pesado que se utiliza en la fabricación de cerámica, vidrio coloreado y para proyección e iluminación en la industria cinematográfica.

praxis *s. f.* Actividad práctica, en oposición a la teórica. **SIN** práctica.

OBS Plural invariable.

preámbulo *s. m.* ① Introducción a un discurso o escrito. ② Rodeo o explicación que se da antes de decir claramente una cosa: *déjate de preámbulos y ve al grano.* **SIN** digresión.

prebenda *s. f.* ① Dinero o favor que se recibe por algunos cargos u oficios: *algunos cargos eclesiásticos tenían muchas prebendas.* **2** Oficio o empleo en el que se gana mucho dinero y se trabaja poco.

preboste *s. m.* Persona que dirige o gobierna una comunidad o una asociación: *es preboste de una orden militar.*

precalentamiento *s. m.* Conjunto de ejercicios que hace un deportista para preparar el cuerpo y estirar o calentar los músculos antes de hacer un esfuerzo físico grande.

precámbrico, -ca *adj./s. m.* **1** Se aplica a la era geológica que es la más antigua y precede a la era primaria o paleozoica; se extiende desde la formación de la corteza terrestre hace unos 4500 millones de años hasta el comienzo de la vida en los mares hace unos 570 millones de años. I *adj.* **2** Relativo a esta era geológica.

precariedad *s. f.* **1** Carencia o falta de los medios o recursos necesarios para algo: *precariedad tecnológica.* **2** Carencia o falta de estabilidad o seguridad: *precariedad laboral.*

precario, -ria *adj.* **1** Que es poco estable, seguro o duradero: *trabajo precario.* **2** Que no tiene los medios o recursos necesarios o suficientes: *situación tecnológica precaria.* **SIN** escaso. **3** Se aplica a la cosa material que se tiene o se disfruta sin poseer ningún título de propiedad ni ser el dueño: *posesión precaria de un local.* **FAM** precariedad.

precaución *s. f.* **1** Cautela o cuidado con que se hace una cosa para evitar o prevenir un daño o un peligro, o para no ser notado: *hay que cruzar la calle con precaución.* **2** Medida de seguridad o de prevención que se toma para evitar que suceda una cosa que no es deseable.

precaver *v. tr.* Prever un daño o peligro y tomar las medidas o precauciones necesarias para evitarlo: *hay que precaverse contra los resfriados.* **FAM** precaución, precavido.

precavido, -da *adj.* Se aplica a la persona que actúa o se comporta con cautela y precaución e intenta evitar o prevenir un peligro: *las personas precavidas actúan midiendo muy bien las consecuencias de sus actos.* **SIN** avisado, cauto.

precedente *adj.* **1** Que está o va delante en el tiempo o en el espacio: *curso precedente.* I *s. m.* **2** Cosa, dicho o circunstancia del pasado que influye en hechos posteriores y sirve para juzgarlos, entenderlos o preverlos. **SIN** antecedente. **3** Acción realizada con anterioridad que sirve de ejemplo o norma para casos semejantes que sucedan después: *el abogado busca un caso parecido que sirva de precedente.*
sentar precedentes o **sentar un precedente** Hacer una cosa que pueda crear la obligación de actuar de la misma manera ante un caso parecido que ocurra posteriormente. **FAM** precedencia.

preceder *v. tr.* **1** Estar o ir delante en el tiempo o en el espacio: *el sustantivo suele preceder al adjetivo; el embarazo precede al parto.* **SIN** anteceder. **ANT** suceder. **2** Tener una persona o una cosa más importancia o superioridad que otra. **FAM** precedente.

preceptivo, -va *adj.* Que debe ser cumplido o acatado de manera obligatoria por estar ordenado mediante un precepto o una orden: *gramática preceptiva.* **SIN** normativo.

precepto *s. m.* Orden o mandato relativo a una conducta e impuesto o establecido por una autoridad: *los católicos deben cumplir los preceptos de la Iglesia.* **FAM** preceptista, preceptivo, preceptuar.

preceptuar *v. tr.* Dar o dictar preceptos o normas: *la ley preceptúa que todos los motoristas deben circular con el casco puesto.* **SIN** ordenar, prescribir.
OBS Verbo regular, se acentúa como *actuar.*

preces *s. f. pl.* **1** Oraciones o ruegos que se dirigen a Dios, a la Virgen o a los santos. **SIN** plegaria, súplica. **2** Versículos de la Biblia que se utilizan como oraciones o ruegos.

precesión *s. f.* Movimiento de un cuerpo que gira sobre su eje y, además, se traslada; es el movimiento de la Tierra.

preciado, -da *adj.* **1** Que es muy estimado o querido: *eres mi amigo más preciado.* **SIN** precioso. **2** Que tiene mucho valor: *un cuadro muy preciado.* **SIN** valioso.

preciar *v. tr.* **1** Valorar a una persona o cosa: *no precia en nada su amistad.* **SIN** apreciar. **2** Determinar el valor aproximado de una cosa. **SIN** apreciar. I *v. prnl.* **3** **preciarse** Presumir una persona de poseer una cualidad determinada: *se preciaba de valiente.* **SIN** jactarse.
FAM preciado.
OBS Verbo regular, se acentúa como *cambiar.*

precintar *v. tr.* **1** Poner un precinto a una cosa. **2** Mantener cerrado un lugar por mandato judicial mediante una cuerda, una tira de papel o plástico u otras medidas similares: *la policía precintó el lugar del crimen.*
FAM precintado.

precinto *s. m.* Cuerda, tira de papel o de plástico u otro material que sirve para que un objeto o un lugar no pueda ser abierto sin que esa sujeción se rompa y asegurar así que no se abra hasta que corresponda: *precinto de garantía.*
FAM precintar.

precio *s. m.* **1** Cantidad de dinero que hay que pagar por una cosa. ■ **precio de coste** Cantidad de dinero que cuesta hacer o producir una cosa. **2** Esfuerzo o sufrimiento que cuesta conseguir una cosa: *pagó un precio muy alto por alcanzar la fama.*
no tener precio Ser una cosa de mucho valor: *la salud es algo que no tiene precio.*
poner precio Pedir una cantidad de dinero o una recompensa por una cosa: *puso precio a su silencio.*
FAM preciar.

preciosidad *s. f.* familiar Persona, animal o cosa que es muy bello y agradable a la vista: *esos pendientes son una preciosidad.*

preciosismo *s. m.* Tendencia al refinamiento o cuidado extremado en el estilo de una obra de arte que la hacen artificiosa y amanerada.
FAM preciosista.

preciosista *adj.* **1** Relativo al preciosismo: *estilo preciosista.* I *adj./s. com.* **2** Se aplica al artista que tiende a aplicar el preciosismo en sus obras: *poeta preciosista.*

precioso, -sa *adj.* **1** Que tiene mucho valor o estimación: *el agua es un bien precioso en el desierto.* **2** familiar Que es muy bello y agradable a la vista: *un día precioso.* **SIN** bello, hermoso. **ANT** feo, horrible.
FAM preciosidad, preciosismo.

precipicio *s. m.* **1** Corte vertical y profundo de un terreno. **SIN** despeñadero. **2** Ruina espiritual o material: *su depresión le está llevando al borde de un precipicio.*

precipitación *s. f.* **1** Manera rápida o imprevista de suceder una cosa. **2** Prisa o rapidez con la que se actúa o con la que se hace una cosa. **3** Caída de agua en forma de partículas líquidas o sólidas que alcanzan el suelo: *abundantes preci-*

pitaciones en el norte. NOTA Más en plural. ④ Acción de depositarse en el fondo de un recipiente la parte sólida que está suspendida en el líquido de una disolución.

precipitado, -da *adj.* ① Que se hace o se dice de una manera rápida, acelerada o apresurada: *tomar una decisión precipitada.* ② Se aplica a la persona que hace o dice las cosas de manera rápida o apresurada, sin pensar en las consecuencias. ‖ *s. m.* ③ Sustancia sólida suspendida en el líquido de una disolución que se deposita en el fondo del recipiente: *el precipitado no se puede disolver en la mezcla.*

precipitar *v. tr.* ① Lanzar a una persona o una cosa desde un lugar alto: *los marineros precipitaron la carga por la borda.* SIN arrojar. ② Hacer que una cosa se haga o suceda de una manera más rápida, acelerada o apresurada: *la falta de apoyo precipitó la caída del gobierno.* SIN acelerar. ‖ *v. tr./intr.* ③ Hacer que una sustancia sólida suspendida en el líquido de una disolución se deposite en el fondo del recipiente: *esta mezcla ha precipitado 3 gramos de sodio en el fondo; esta mezcla no precipita.* ‖ *v. prnl.* ④ **precipitarse** Hacer o decir una persona una cosa de manera rápida o con mucha prisa y sin pensar en las consecuencias.

FAM precipitación, precipitado.

precisamente *adv.* ① Con precisión: *apunta los datos precisamente.* ② Se usa para enfatizar que la cosa, persona o situación que se expresa es o ha de ser como se indica y no de otra manera: *eso es, precisamente, lo que tienes que hacer.* ③ Se usa para enfatizar una casualidad: *precisamente ahora iba a verte a tu despacho.* ④ Se usa para expresar que una cosa produce el efecto contrario del esperado: *ve que no estamos bien y, precisamente por eso, pasa de ayudarnos.*

precisar *v. tr./intr.* ① Necesitar a una persona o una cosa para un fin determinado: *este trabajo precisa mucha concentración; preciso de tu compañía.* SIN requerir. ‖ *v. tr.* ② Expresar una cosa de un modo exacto y completo: *hay que precisar más las respuestas; el ministro precisó sus declaraciones.* SIN determinar, puntualizar.

FAM precisión.

precisión *s. f.* Exactitud o determinación: *se explica con mucha precisión.* ANT imprecisión, vaguedad.

de precisión Se aplica al aparato o instrumento que es capaz de dar datos o resultados exactos o precisos: *reloj de precisión.*

preciso, -sa *adj.* ① Que es necesario o indispensable para un fin determinado: *es preciso que acabes hoy.* ② Que es exacto o riguroso: *una balanza muy precisa.* ANT impreciso. ③ Que es fijo, puntual o determinado: *en ese preciso instante.*

FAM precisamente, precisar; impreciso.

preclaro, -ra *adj.* Se aplica a la persona que sobresale por sus cualidades en alguna actividad y es digno de admiración y respeto: *escritor preclaro.* SIN ilustre, insigne.

precocidad *s. f.* Cualidad de precoz.

precocinado, -da *adj./s. m.* Se aplica al alimento que se compra ya cocinado y que solo hay que calentar para ser consumido.

preconcebido, -da *adj.* Se aplica a la idea, opinión o concepto que se ha formado una persona acerca de una cosa de la cual no tiene un conocimiento real o experimentado.

preconcebir [10] *v. tr.* Pensar o proyectar una acción con anterioridad a su ejecución o realización.

FAM preconcebido.

preconizar *v. tr.* Defender o apoyar una cosa que se considera buena o recomendable. SIN promover, propugnar.

FAM preconización.

precoz *adj.* ① Se aplica al niño que destaca por tener cualidades morales o físicas que no son propias de su edad, sino de una etapa posterior de su crecimiento: *los padres advirtieron su inteligencia precoz.* SIN adelantado. ② Que se da, hace o se desarrolla antes del tiempo habitual: *fruto precoz; invierno precoz.* SIN temprano. ANT tardío. ③ Se aplica a la detección de las etapas iniciales de un proceso: *diagnóstico precoz.*

FAM precocidad.

precursor, -ra *adj./s. m. y f.* ① Que precede o va delante en el tiempo o en el espacio. ② Que inicia o introduce ideas o teorías que se desarrollarán en un tiempo futuro: *muchos consideran a Goya un precursor del Romanticismo.* SIN pionero.

predador, -ra *adj./s. m. y f.* Se aplica al animal que se alimenta de otros animales (presas) a los que mata: *el lince es un animal predador.* SIN depredador.

predecesor, -ra *s. m. y f.* ① Persona que precedió en un puesto o cargo a determinada persona. ANT sucesor. ② Persona de una familia que ha vivido antes que otra de esa misma familia. SIN ancestro, antecesor, antepasado, ascendiente.

predecir *v. tr.* Anunciar un hecho que va a ocurrir en el futuro. SIN presagiar, vaticinar.

FAM predecible, predicción.

predela *s. f.* Parte inferior o banco horizontal de un retablo o un políptico, subdividida en pequeños compartimentos con pinturas.

predestinación *s. f.* ① Concepción filosófica y religiosa según la cual la vida presente y futura del ser humano está determinada o trazada previamente por fuerzas superiores: *la predestinación niega la libre voluntad humana.* ② Circunstancia de tener Dios elegidas a las personas que lograrán la salvación o la condenación desde toda la eternidad.

predestinar *v. tr.* ① Decidir con anticipación el destino de una persona o de una cosa. ② Elegir Dios, desde la creación del mundo, a las personas que por medio de su gracia gozarán de la salvación o condenación eternas.

FAM predestinación.

predeterminar *v. tr.* Determinar una cosa de una manera anticipada y prácticamente definitiva.

FAM predeterminación.

prédica *s. f.* ① Discurso que tiene un contenido moral o religioso: *prédica sobre la virtud.* SIN sermón. ② Discurso largo y poco oportuno que se hace con cierto apasionamiento y vehemencia.

predicación *s. f.* ① Acción de predicar. ② Doctrina o enseñanza que se predica o se transmite.

predicado *s. m.* ① Cosa que se afirma o se niega de un sujeto en una proposición. ② En gramática, función que desempeña el grupo o sintagma verbal como constituyente inmediato de la oración: *en la oración "el tren llegaba con retraso", "llegaba con retraso" es el predicado.* ■ **predicado nominal** Predicado formado por un verbo copulativo (*ser, estar* y *parecer*) y un nombre o un adjetivo en función de atributo: *la oración "María y Pedro son encantadores" tiene un predicado nominal formado por la forma verbal "son" y el adjetivo "encantadores".* ■ **predicado verbal** Predicado constituido por un verbo

predicativo, esto es, de significado pleno: *la oración "el chico salió a pasear" tiene un predicado verbal cuyo núcleo es "salió"*.

predicador, -ra *adj./s. m. y f.* Se aplica a la persona que enseña o da a conocer la palabra de Dios.

predicamento *s. m.* Opinión o grado de estimación de que goza una persona y que se ha ganado por su manera de actuar o comportarse. **SIN** crédito, prestigio.

predicar *v. tr./intr.* **1** Pronunciar un discurso o un sermón de contenido moral. **SIN** sermonear. **2** Propagar unas ideas o una doctrina: *los apóstoles se dedicaron a predicar el evangelio*. **3** Aconsejar o reprender a una persona. **4** Enunciar o expresar una característica acerca del sujeto de una oración gramatical o de una proposición: *en "los muchachos corrían por el campo" se predica de "los muchachos" que "corrían por el campo"*. **FAM** prédica, predicación, predicado, predicador, predicamento, predicativo.

predicativo, -va *adj.* **1** En gramática, perteneciente al predicado. **2** Se aplica al verbo que tiene significado pleno. **|** *adj./s. m.* **3** Se aplica al complemento que funciona a la vez como atributo del sujeto (concordando con este) y como complemento del verbo: *en la oración "María llega cansada", "cansada" es un complemento predicativo*.

predicción *s. f.* Acción que consiste en predecir o anunciar un hecho del futuro que va a ocurrir. **SIN** pronóstico.

predicho, -cha Participio irregular de *predecir*.

predilección *s. f.* Preferencia o favoritismo que se muestra hacia una persona o cosa entre otras: *tengo predilección por mi sobrino pequeño*. **FAM** predilecto.

predilecto, -ta *adj.* Que es preferido de manera especial y preferente sobre otras personas o cosas: *es mi restaurante predilecto*. **SIN** favorito. **FAM** predilección.

predisponer [36] *v. tr.* **1** Influir en el ánimo de una persona para conseguir que tenga una actitud determinada ante algo. **2** Preparar con anticipación una cosa para conseguir un fin determinado: *lo predispuso todo para que volvierais*. **FAM** predisposición, predispuesto.

predisposición *s. f.* Inclinación o actitud que se tiene ante una cosa: *predisposición para los negocios*. **SIN** propensión, tendencia.

predispuesto, -ta **1** Participio irregular de *predisponer*. **|** *adj.* **2** Se aplica a la persona que tiene el ánimo preparado o dispuesto para adoptar una determinada actitud: *iba predispuesto a aburrirse*.

predominante *adj.* Que es más importante, más característico o más numeroso entre los elementos de su clase: *opinión predominante*. **SIN** reinante. **FAM** predominancia.

predominar *v. intr.* **1** Existir en mayor número un tipo de personas o cosas dentro de un grupo: *en mi familia predominan las personas de ojos claros*. **2** Ser una persona o una cualidad más importante, influyente o poderosa que otras de la misma clase: *para mucha gente, lo que predomina es el dinero*. **FAM** predominante, predominio.

predominio *s. m.* **1** Superioridad en poder o importancia de una persona o cosa sobre otra u otras. **2** Superioridad en número de una persona o cosa sobre otra u otras: *hay predominio del color blanco en esa tela*.

preeminente *adj.* **1** Que está colocado en un lugar superior o más elevado: *lugar preeminente*. **SIN** alto. **2** Que tiene una categoría o una importancia superior a otra persona u otra cosa: *cargo preeminente*. **SIN** alto, elevado. **FAM** preeminencia.

preescolar *adj./s. m.* Se aplica a la etapa educativa que precede a la enseñanza primaria: *la educación preescolar acaba cuando el niño cumple seis años*.

prefabricado, -da *adj.* Se aplica a la construcción o elemento constructivo que ya está fabricado total o parcialmente antes de su instalación y que solo hay que montar y ajustar en un lugar determinado: *una casa prefabricada de madera*.

prefacio *s. m.* **1** Escrito colocado al comienzo de un libro a modo de introducción y que explica algún dato sobre el autor o la obra. **SIN** prólogo. **2** Parte de la misa que precede inmediatamente al canon.

prefecto *s. m.* **1** Persona que dirige y gobierna una comunidad eclesiástica. **2** Persona que gobierna o dirige un departamento en Francia e Italia: *el prefecto en Francia equivale al gobernador de una provincia en España*. **3** Jefe de la policía de París. **4** Jefe militar y civil de la antigua Roma. **FAM** prefectura.

prefectura *s. f.* **1** Cargo o empleo que desempeña un prefecto. **2** Territorio que gobierna un prefecto. **3** Oficina o despacho de un prefecto.

preferencia *s. f.* **1** Ventaja que una persona o cosa tiene sobre otra: *los coches que circulan por la derecha tienen preferencia sobre los demás*. **SIN** prioridad. **2** Inclinación favorable que se siente hacia una determinada persona o cosa: *el abuelo tiene preferencia por su nieta pequeña*. **SIN** predilección. **3** Conjunto de las mejores localidades en una sala de espectáculos.

preferente *adj.* Que tiene ventaja o preferencia sobre otra persona o cosa: *trato preferente*. **FAM** preferencia.

preferible *adj.* Que es mejor, más adecuado o más conveniente.

preferir [9] *v. tr.* Considerar a una persona o cosa mejor, más adecuada o más conveniente que otra u otras: *prefiero el jersey rojo*. **FAM** preferente, preferible.

prefijación *s. f.* Procedimiento para formar una palabra nueva mediante la adición de un prefijo a otra palabra ya existente.

prefijar *v. tr.* **1** Fijar con antelación una cosa: *prefijaron la fecha de la siguiente reunión*. **2** Añadir un prefijo a una palabra para cambiar su significado y formar una palabra nueva. **FAM** prefijación.

prefijo, -ja *adj./s. m.* **1** Afijo que se añade al comienzo de una palabra para formar otra nueva: *el prefijo "in-" indica lo contrario de la palabra a la que se añade, como en "inconstante" o en "intolerable"*. **|** *s. m.* **2** Combinación de cifras o letras que se añade a los números de teléfono de una zona, ciudad o país para distinguirlos de los de otro lugar. **FAM** prefijal, prefijar.

pregón *s. m.* **1** Discurso público con que se da comienzo a una fiesta o un acontecimiento: *pregón de fiestas*. **2** Publicación o aviso oficial de una noticia o un hecho que se hace en voz alta en un lugar público para que sea conocido por todos. **FAM** pregonar.

pregonar *v. tr.* **1** Leer públicamente y en voz alta una noticia o un hecho para que sea conocido por todos: *los empleados del ayuntamiento pregonaban antiguamente los bandos del alcalde.* ② Hacer pública una cosa o darla a conocer a mucha gente, especialmente la que debía mantenerse oculta o en secreto. ③ Anunciar en voz alta la mercancía que se ofrece a la venta. **FAM** pregonero.

pregonero, -ra *adj./s. m. y f.* ① Que pregona: *un artículo pregonero de los avances de la medicina natural.* **I** *s. m. y f.* ② Persona que pronuncia el discurso con que se da comienzo a una fiesta o un acontecimiento. ③ Persona que trabaja en el ayuntamiento de un municipio y lee públicamente y en voz alta una noticia o un hecho para que sea conocido por todos.

pregunta *s. f.* ① Conjunto de palabras con las que se pide una información determinada; se pronuncia con una entonación particular y se escribe entre los signos de interrogación (¿?). **SIN** cuestión, interrogación. ■ **pregunta retórica** Figura retórica que consiste en formular una pregunta sin pretender que se le dé respuesta, únicamente para conseguir una especial fuerza expresiva. **SIN** interrogación retórica. ② Enunciado que se formula en un ejercicio, una prueba o un examen y que debe ser contestado.

preguntar *v. tr./intr.* ① Pedir una persona a otra cierta información acerca de una cosa que le despeje una duda o que le niegue o le afirme algo; se realiza mediante un conjunto de palabras pronunciadas con una entonación determinada o escritas entre los signos de interrogación (¿?). **SIN** interrogar. **ANT** responder. **I** *v. tr./intr./prnl.* ② Exponer una cuestión en forma interrogativa para dar a entender una duda o para dar fuerza a una expresión dicha con anterioridad: *me pregunto si será verdad.* **SIN** cuestionar. **FAM** pregunta, preguntón.

preguntón, -tona *adj./s. m. y f.* familiar Se aplica a la persona que hace demasiadas preguntas y resulta molesta o indiscreta.

prehistoria *s. f.* ① Periodo de la historia de la humanidad que abarca desde la aparición del hombre hasta los primeros documentos escritos: *la prehistoria se divide en tres épocas distintas: paleolítico, neolítico y Edad de los Metales.* ② Parte de la disciplina histórica que estudia este periodo basándose en restos arqueológicos, humanos o de animales. **FAM** prehistórico.

prehistórico, -ca *adj.* ① Relativo a la prehistoria: *los dinosaurios son prehistóricos.* ② Que es muy viejo o muy anticuado: *un coche prehistórico.* **SIN** jurásico.

prejuicio *s. m.* Juicio u opinión preconcebida que muestra rechazo hacia un individuo, un grupo o una actitud social: *los prejuicios pueden llevar a una sociedad al racismo y la intolerancia.*

prejuzgar *v. tr.* Juzgar a una persona o cosa sin tener un conocimiento suficiente sobre ella. **FAM** prejuicio.

prelado, -da *s. m.* ① Hombre que tiene un cargo o una dignidad superior dentro de la Iglesia católica. **I** *s. m. y f.* ② Superior de un monasterio, un convento o una comunidad religiosa de la Iglesia católica. **FAM** prelatura.

prelatura *s. f.* Dignidad u oficio de prelado.

preliminar *adj.* ① Que sirve de introducción para tratar un tema o una materia: *comentario preliminar.* **I** *adj./s. m.* ② Que se hace con anterioridad a una cosa y sirve como preparación: *estudios preliminares.* **I** *s. m. pl.* ③ **preliminares** Serie de

negociaciones y reglas generales que se establecen antes de firmar un tratado o llegar a un acuerdo.

preludiar *v. tr.* Preparar o iniciar una cosa: *el deshielo de las nieves preludia la llegada de la primavera.* **OBS** Verbo regular, se acentúa como *cambiar.*

preludio *s. m.* ① Cosa o acción que precede a otra y que le sirve de entrada, preparación o comienzo. ② Composición instrumental breve del Renacimiento y el Barroco que precedía a otra pieza o a un movimiento o servía de introducción al culto religioso y, al mismo tiempo, como calentamiento preparatorio del intérprete: *los preludios de Bach para clave.* ③ Composición musical propia del Romanticismo, de forma libre y corto desarrollo, generalmente para piano: *un preludio de Chopin.* **FAM** preludiar.

premamá *adj.* Relativo a la mujer embarazada: *vestidos premamá.* **OBS** Invariable en número.

prematuro, -ra *adj.* ① Que se da, ocurre o sucede antes del tiempo debido o conveniente: *parto prematuro.* ② Que no está maduro: *fruto prematuro.* **SIN** precoz, temprano. **I** *adj./s. m. y f.* ③ Se aplica al bebé que nace antes de los nueve meses de embarazo.

premeditación *s. f.* ① Acción que consiste en pensar una cosa detenida y cuidadosamente antes de realizarla: *siempre actúa con premeditación.* ② Acción que consiste en planear y organizar detenidamente la forma de cometer un delito y que constituye una circunstancia que agrava la responsabilidad criminal de la persona acusada: *asesinato con premeditación y alevosía.* **FAM** impremeditación.

premeditar *v. tr.* Pensar una cosa detenida y cuidadosamente antes de hacerla. **FAM** premeditación.

premiar *v. tr.* Dar un premio a una persona como reconocimiento por una obra, una actividad o una cualidad. **SIN** galardonar, recompensar. **FAM** premiado. **OBS** Verbo regular, se acentúa como *cambiar.*

première [se pronuncia aproximadamente 'premier'] *s. f.* Función de estreno de una obra teatral o de cine.

premio *s. m.* ① Cosa que se da a una persona como reconocimiento por una obra, una actividad o una cualidad. **SIN** galardón, recompensa. ② Objeto o dinero que se gana en un juego de azar: *un premio de la lotería.* ■ **premio de consolación** Premio que se otorga a los participantes de un concurso que no han conseguido algunos de los premios principales. ■ **premio gordo** Premio más importante que se da en la lotería nacional: *premio gordo de Navidad.* **NOTA** También simplemente *gordo.* ③ Nombre que reciben algunas competiciones literarias, deportivas o de otro tipo: *premio Nobel.* **premio extraordinario** Calificación máxima que se da en una graduación académica. **FAM** premiar.

premiosidad *s. f.* Lentitud para hacer una cosa: *caminar con premiosidad.* **ANT** rapidez, velocidad.

premisa *s. f.* ① Afirmación o idea probada que se da como cierta y que sirve de base a un razonamiento o una discusión. ② Cada una de las dos primeras proposiciones del silogismo de las cuales se infiere la conclusión.

premolar *adj./s. m.* Se aplica al diente que está situado entre el colmillo y los molares: *hay ocho dientes premolares en la boca de un ser humano.*

premonición *s. f.* **1** Señal, sueño, sensación, etc., que se interpreta como el anuncio de un hecho futuro. **2** Adivinación de los hechos futuros: *tenía el don de la premonición.* **SIN** presagio. **3** Advertencia moral.
FAM premonitorio.

premonitorio, -ria *adj.* **1** Que se interpreta como el anuncio o la adivinación de un hecho que sucederá en el futuro: *sueños premonitorios.* **2** Que tiene carácter de advertencia moral.

premura *s. f.* culto Prisa o urgencia. **SIN** rapidez. **ANT** tardanza.
FAM premioso.

prenda *s. f.* **1** Objeto que forma parte del vestido o del calzado de una persona: *prenda de vestir.* **SIN** ropa. **2** Cosa que se deja como garantía del cumplimiento de una obligación: *dejó su reloj en prenda.* **3** Acción o gesto con el que se demuestra una cosa: *le regaló un collar de perlas como prenda de su amor.* **4** Cualidad física o moral de una persona: *se pasa el día hablando de las prendas de su hija.* **5** familiar Persona a la que se quiere mucho: *¡prenda, ven a darme un beso!* **NOTA** Frecuentemente usado como apelativo cariñoso. **│** *s. f. pl.* **6** **prendas** Juego en el que cada participante que pierde entrega un objeto personal y debe hacer lo que se le mande para recuperarlo.
soltar prenda familiar Decir una persona una cosa por la que puede quedar comprometido.
FAM prendar, prendería.

prendar *v. tr.* **1** Gustar o agradar mucho una persona a otra: *tiene unos ojos que prendan a cualquiera.* **2** Tomar un objeto como garantía del cumplimiento de una obligación. **│** *v. prnl.* **3** **prendarse** Enamorarse de una persona o una cosa: *se ha prendado de ese abrigo.*

prendedor *s. m.* Alfiler o broche que se usa para prender o adornar: *lleva un prendedor en el pelo.*

prender *v. tr.* **1** Sujetar dos cosas o una cosa a otra mediante un objeto adecuado para ello. **2** Detener a una persona y encerrarla en una prisión. **SIN** apresar. **3** Encender un fuego o una luz: *le prendió fuego al monte.* **│** *v. intr.* **4** Empezar a arder una materia: *la leña no prende porque está mojada.* **5** Arraigar una planta en la tierra: *la tierra es fértil y la semilla prenderá enseguida.* **6** Ser aceptada o acogida una cosa o un acontecimiento: *esta nueva música no ha prendido entre la gente joven.*
FAM prendedor, prendido, prendimiento, prensil, prensor.

prendido *s. m.* Adorno femenino que se pone en el vestido o en el pelo.

prendimiento *s. m.* Detención de una persona por parte de la autoridad competente. **SIN** arresto, captura.

prensa *s. f.* **1** Máquina que sirve para aplastar o reducir el volumen de una cosa por medio de dos superficies que se juntan sometiendo a presión lo que queda entre ellas; el accionamiento que junta las dos superficies puede ser mecánico, hidráulico o neumático: *prensa de aceite.* **■** **prensa hidráulica** Dispositivo formado por dos cilindros que se comunican y que tienen diferentes secciones; permite levantar cuerpos pesados aplicando fuerzas pequeñas. **2** Máquina que sirve para imprimir sobre papel y funciona mediante la presión de una plancha que tiene grabados caracteres o figuras. **3** Conjunto de publicaciones periódicas que se impri-

men generalmente a diario y en las que se informa de las noticias tanto de ámbito nacional como internacional. **SIN** periódico. **■** **prensa amarilla** Conjunto de publicaciones periódicas que trata los temas de modo sensacionalista o tiende a exagerar los hechos. **■** **prensa del corazón** Conjunto de publicaciones periódicas que trata temas relacionados con la vida privada y amorosa de personas famosas, populares o de cierta importancia social. **4** Conjunto de personas que se dedican al periodismo: *conferencia de prensa.*
FAM prensar.

prensado *s. m.* **1** Operación que consiste en prensar o comprimir una cosa con una prensa. **2** Operación que consiste en prensar la uva o la aceituna para obtener su jugo: *del prensado de la oliva se obtiene el aceite.*

prensar *v. tr.* Aplastar o reducir el volumen de una materia sometiéndola a presión: *las uvas y las aceitunas se prensan para obtener vino y aceite respectivamente.* **SIN** apretar, comprimir.
FAM prensado.

prensil *adj.* Que sirve para coger, agarrar o sujetar: *trompa prensil.* **SIN** prensor.

prensor, -ra *adj.* **1** Prensil. **│** *adj./s. f.* **2** Se aplica al ave que tiene el pico robusto y dos de los dedos de las patas dirigidos hacia atrás: *el papagayo es un ave prensora.* **│** *s. f. pl.* **3** **prensoras** Grupo taxonómico, con categoría de orden, constituido por estas aves.

prenuncio *s. m.* Anuncio que se hace de forma anticipada.

preñada *adj.* Se aplica a la hembra de animales vivíparos que va a tener un hijo. **NOTA** Aplicado a una mujer es popular o literario.

preñar *v. tr.* Fecundar un animal vivíparo a la hembra. **NOTA** Hablando de personas es popular o literario.
FAM preñado, preñez.

preñez *s. f.* **1** Estado de la hembra preñada. **2** Tiempo que dura este estado. **SIN** gestación.

preocupación *s. f.* **1** Sentimiento de inquietud, temor o intranquilidad que se tiene por una persona, una cosa o una situación determinada. **2** Persona, cosa o situación que provoca inquietud y ofuscación: *la falta de trabajo es mi única preocupación.*

preocupar *v. tr.* **1** Hacer que una persona tenga un sentimiento de inquietud, temor o intranquilidad por otra persona, una cosa o una situación determinadas: *me preocupa esta situación.* **│** *v. prnl.* **2** **preocuparse** Dedicar atención y cuidados a una persona o una cosa de forma voluntaria. **SIN** encargarse, ocuparse.
FAM preocupación, preocupante; despreocuparse.

preparación *s. f.* **1** Acción que consiste en arreglar o disponer las cosas necesarias para realizar algo. **2** Conjunto de conocimientos que una persona posee sobre una determinada materia. **SIN** formación, saber. **3** Enseñanza y práctica de una materia, una disciplina o un deporte. **4** Sustancia orgánica o inorgánica que está dispuesta para ser observada a través de un microscopio.

preparado, -da *adj.* **1** Se aplica a la persona que tiene muchos conocimientos sobre una materia. **│** *s. m.* **2** Sustancia que se elabora de manera industrial para un fin determinado. **3** Medicamento que se elabora en la farmacia: *un preparado contra la calvicie.*

preparador, -ra *s. m. y f.* **1** Persona que se dedica a dar clases o lecciones a alguien sobre una determinada materia.

P

② Persona que se dedica a enseñar, preparar y entrenar a un deportista o a un equipo. **SIN** entrenador.

preparar *v. tr.* ① Disponer a una persona o cosa para un fin determinado: *preparar el equipaje; tengo que prepararme para salir.* ② Estudiar una materia para tener más conocimientos o para realizar una prueba: *preparar un examen.* ③ Dar una clase sobre una materia: *el profesor prepara a los alumnos para la prueba de inglés.* **SIN** enseñar, formar. ④ Entrenar a una persona para realizar una prueba deportiva. ⑤ Disponer a una persona para realizar o afrontar una cosa: *prepara a tus padres para la mala noticia.* **SIN** prevenir. ⑥ Hacer las operaciones necesarias para obtener un producto químico o farmacéutico: *hay que preparar una pomada para aliviar el picor.* ‖ *v. prnl.* ⑦ **prepararse** Darse las condiciones necesarias para que ocurra cierta cosa: *está preparándose una gran tormenta.* **FAM** preparación, preparado, preparador, preparativo, preparatorio.

preparativo *s. m.* ① Preparatorio. ② Acción de disponer una cosa para un fin determinado: *los preparativos de la fiesta mayor.* **NOTA** Normalmente en plural.

preparatorio, -ria *adj.* ① Que prepara o dispone para un fin determinado: *cursillo preparatorio.* **SIN** preparativo. ‖ *s. m.* ② Conjunto de estudios preliminares que se realizan en algunas carreras antes de iniciar los estudios en profundidad: *la carrera de música requiere el preparatorio.*

preponderancia *s. f.* Superioridad que tiene una cosa frente a otra. **SIN** predominio, supremacía.

preponderar *v. intr.* Predominar una opinión u otra cosa sobre todo lo demás: *en este tiempo preponderan las heladas.* **FAM** preponderante.

preposición *s. f.* Palabra invariable que se utiliza para unir o relacionar términos o sintagmas dentro de una oración; la palabra que sigue a la preposición es dependiente de la anterior; el tipo de relación que se establece depende de la preposición: *las preposiciones más usadas son "a", "ante", "bajo", "con", "de", "desde", "en", "entre", "hasta", "hacia", "para", "por", "según", "sin", "sobre" y "tras".* **FAM** preposicional, prepositivo.

preposicional *adj.* ① Relativo a la preposición: *régimen preposicional.* **SIN** prepositivo. ② Se aplica al sintagma que está introducido por una preposición: *"en mi casa" es un sintagma preposicional.* ③ Se aplica al complemento de un verbo que exige una preposición para determinar su significado.

prepositivo, -va *adj.* ① Relativo a la preposición: *función prepositiva.* **SIN** preposicional. ② Se aplica a la locución que desempeña la función de preposición.

prepotencia *s. f.* ① Poder o influencia muy grande o superior al de otro: *la prepotencia de Roma la convirtió en un imperio.* ② Abuso o alarde de poder.

prepotente *adj.* ① Que es muy poderoso o influyente. ② Que abusa o alardea de su poder: *actitud prepotente.* **FAM** prepotencia.

prepucio *s. m.* Piel móvil que recubre el glande.

prerrogativa *s. f.* ① Privilegio o derecho de que disfruta una persona: *entre los alumnos nadie tiene ninguna prerrogativa.* ② Privilegio o derecho del que gozan algunos de los poderes supremos del Estado.

prerrománico, -ca *adj./s. m.* ① Se aplica al arte desarrollado en Europa occidental durante los primeros siglos de la Edad Media, que combina elementos orientales, clásicos y germánicos. ‖ *adj.* ② Relativo a este arte.

prerromano, -na *adj.* Anterior a la antigua civilización romana: *lenguas prerromanas.*

prerromanticismo *s. m.* Movimiento cultural que precede al Romanticismo y que apunta algunos de sus rasgos y características. **FAM** prerromanticista.

presa *s. f.* ① Animal que es cazado y sirve de alimento a otro animal (depredador): *el lobo acechaba a su presa.* ② Dique hecho en una corriente de agua para retenerla o desviarla y poderla aprovechar: *están construyendo una nueva presa en el río para almacenar agua.* **SIN** embalse. ③ Acequia o canal para regar. ④ Persona que sufre o padece un temor, un dolor, una enfermedad o un sentimiento: *fue presa de un ataque de nervios.* **FAM** presilla.

presagiar *v. tr.* ① Anunciar mediante ciertas señales un hecho futuro: *las nubes negras presagiaban una fuerte tormenta.* **SIN** augurar. ② Adivinar o prever un hecho futuro. **SIN** vaticinar. **OBS** Verbo regular, se acentúa como *cambiar.*

presagio *s. m.* ① Señal o signo que anuncia un hecho futuro. ② Adivinación de un hecho futuro. **SIN** premonición, vaticinio. **FAM** presagiar.

presbicia *s. f.* Defecto visual que hace ver confusamente los objetos cercanos, debido a la disminución de elasticidad del cristalino; suele aparecer en personas de mediana y avanzada edad.

presbiterianismo *s. m.* Doctrina religiosa calvinista que tuvo su origen en Escocia en el siglo XVI; sus seguidores sostienen que la suprema autoridad eclesiástica corresponde al conjunto de los sacerdotes.

presbiteriano, -na *adj.* ① Relativo al presbiterianismo: *doctrina presbiteriana.* ‖ *adj./s. m. y f.* ② Se aplica a la persona que profesa esta doctrina. **FAM** presbiterianismo.

presbiterio *s. m.* ① Parte de la iglesia donde está situado el altar mayor, que suele estar cercada por una reja o barandilla. ② Reunión de los presbíteros o sacerdotes con el obispo.

presbítero *s. m.* Hombre de la religión católica, ortodoxa y anglicana que ha sido ordenado para administrar los sacramentos y decir misa. **SIN** sacerdote. **FAM** presbiteriano, presbiterio.

prescindir *v. intr.* ① Dejar de tener en cuenta a una persona o cosa: *el jefe decidió prescindir de su secretaria.* ② Renunciar a una persona o una cosa o privarse de ella: *prescindió del coche y cogió el metro.* **FAM** prescindible.

prescribir *v. tr.* ① Mandar u ordenar una cosa: *la ley prescribe nuestros derechos.* ② Mandar u ordenar el médico que un paciente se tome un medicamento o siga algún otro tratamiento para que se recupere: *el doctor le prescribió un reposo absoluto.* **SIN** recetar. ‖ *v. intr.* ③ Perder efectividad o valor un derecho, una acción o una responsabilidad por haber transcurrido el tiempo fijado por la ley: *el periodo para exigir el pago de esta cuenta prescribe a los cinco años.* **FAM** prescripción. **OBS** Participio irregular: *prescrito.*

prescripción *s. f.* **1** Acción de prescribir: *debo medicarme por prescripción médica.* **2** Cosa que se ordena, manda o determina hacer: *hay que atenerse a las prescripciones del código civil.* **3** Conclusión o extinción de un derecho o una obligación.

prescrito, -ta Participio irregular de *prescribir.*

preselección *s. f.* **1** Selección provisional de algo antes de una selección definitiva: *pruebas de preselección.* **2** Conjunto de deportistas seleccionados entre otros muchos del que saldrá la selección definitiva para participar en una competición. **FAM** preseleccionador, preseleccionar.

presencia *s. f.* **1** Circunstancia de estar presente o de existir una persona, un animal o una cosa en un lugar determinado. **ANT** inexistencia. **2** Apariencia o aspecto externo de una persona: *tener buena presencia.*
en presencia Estando presente la persona o cosa que se menciona: *declaró en presencia del juez.*
presencia de ánimo Tranquilidad o serenidad que demuestra una persona ante un acontecimiento, tanto adverso como próspero. **SIN** entereza.
FAM presencial, presenciar; omnipresencia.

presencial *adj.* **1** Que implica la presencia de una persona o cosa: *curso presencial.* **2** Se aplica a la persona que presencia una cosa o está presente cuando sucede: *testigo presencial.*

presenciar *v. tr.* **1** Ver una persona un hecho o un acontecimiento estando presente durante su desarrollo: *presenció todo el accidente.* **2** Ver una persona un hecho o un espectáculo: *presenciar la final por televisión.*
OBS Verbo regular, se acentúa como *cambiar.*

presentable *adj.* Que está en condiciones de ser presentado en público: *después de dormir unas horas estarás más presentable.* **ANT** impresentable.
FAM impresentable.

presentación *s. f.* **1** Acción que consiste en mostrar, enseñar o exhibir una cosa o a una persona. **2** Manera en que se muestra, se enseña o se exhibe una cosa. **SIN** aspecto, presencia. **3** Acción que consiste en comentar y conducir cara al público un programa de televisión o de radio o un espectáculo.

presentador, -ra *s. m. y f.* Persona que presenta o conduce cara al público un programa de televisión o de radio o un espectáculo.

presentar *v. tr.* **1** Poner a la vista una cosa para que pueda ser examinada con detenimiento: *el abogado presentó las pruebas ante el jurado.* **2** Mostrar una cosa unas características o rasgos determinados: *el herido presenta heridas leves.* **3** Dar a conocer a una persona indicando su nombre: *te presento a María.* **4** Dar a conocer una cosa al público: *presentar un artículo en un congreso.* **5** Conducir un programa de televisión o de radio o un espectáculo, haciendo comentarios o dando a conocer a las personas invitadas: *presenta las noticias en televisión.* **6** Proponer a una persona para ejercer un cargo o empleo: *han presentado a un nuevo candidato.* **|** *v. prnl.* **7** **presentarse** Aparecer una persona en un lugar o ante otra persona, especialmente de forma inesperada: *se presentó cuando la clase estaba a punto de acabar.* **8** Mostrarse o aparecer una cosa de una manera determinada: *el verano se presenta muy caluroso.* **9** Ofrecerse una persona voluntariamente para hacer una cosa: *se presentó en el hospital para donar sangre.*
FAM presentable, presentación, presentador.

presente *adj./s. com.* **1** Que está en un lugar al mismo tiempo que otra persona o en el momento en que sucede alguna cosa: *había varias personas presentes cuando ocurrió el robo.*
ANT ausente. **|** *adj.* **2** Que está o existe en un lugar determinado: *en su obra está presente una buena parte de la simbología cristiana.* **3** Que ocurre o existe actualmente: *momentos presentes; circunstancia presente.* **SIN** actual. **|** *s. m./adj.* **4** Tiempo verbal no marcado, que indica que la acción del verbo se realiza en el mismo momento en que se emite el mensaje; el presente de indicativo puede expresar también acciones pasadas (presente histórico) o futuras (como en "si vas, te acompaño"); el presente de subjuntivo expresa acciones simultáneas o futuras (como en "conviene que mañana vayas"). **■ presente futuro** Tiempo verbal presente que se utiliza para hacer referencia a una acción que todavía no ha ocurrido: *en "nos vamos mañana" se usa el presente futuro.*
■ presente histórico Tiempo verbal presente que se utiliza para narrar un hecho histórico pasado: *en la frase "Lope de Vega nace en 1562" se utiliza el presente histórico.* **|** *s. m.* **5** Tiempo en que se está cuando se habla, en oposición al pasado y al futuro: *nosotros vivimos en el presente.* **6** Regalo o cosa que se da voluntariamente en señal de agradecimiento o afecto: *le obsequiaron con un bonito presente.* **|** *int.* **7** **¡presente!** Contestación que da quien ha sido nombrado al pasar lista.
tener presente Recordar o tener en cuenta a una persona o una cosa: *ten presentes mis consejos.*
FAM presencia.

presentimiento *s. m.* Sensación que tiene una persona de que una cosa va a ocurrir sin tener pruebas: *tengo un mal presentimiento.* **SIN** corazonada, pálpito.

presentir [9] *v. tr.* Tener una persona la sensación o la sospecha de que va a ocurrir una cosa, sin tener pruebas de ello.
FAM presentimiento.

preservación *s. f.* Cuidado o protección que se tiene sobre una persona o cosa para evitar que sufra un daño o un peligro: *preservación de la naturaleza.*

preservar *v. tr.* Proteger de un daño o peligro: *los ecologistas intentan preservar el medio ambiente.*
FAM preservación, preservativo.

preservativo, -va *adj.* **1** Que protege o resguarda de algo. **|** *s. m.* **2** Funda muy fina, de látex u otro material parecido, que se coloca en el pene al realizar el coito y sirve para impedir el embarazo y para prevenir enfermedades de transmisión sexual. **SIN** condón, profiláctico.

presidencia *s. f.* **1** Hecho de tener una persona el primer puesto o cargo en un gobierno, reunión, una empresa o un tribunal: *la presidencia de la empresa.* **2** Cargo de presidente. **3** Tiempo que dura este cargo. **4** Oficina o lugar que ocupa un presidente.
FAM presidencial.

presidencial *adj.* Relativo a la presidencia o al presidente: *coche presidencial.*
FAM presidencialismo.

presidencialismo *s. m.* Sistema de organización política propio de los estados republicanos en el que el presidente es también jefe del Gobierno; se caracteriza por que el presidente es elegido por sufragio universal y no por el parlamento.
FAM presidencialista.

presidente, -ta *s. m. y f.* Persona que preside o dirige un gobierno, una reunión, una empresa o un tribunal.
FAM presidencia; vicepresidente.
OBS Con mayúscula inicial cuando hace referencia al presidente de un gobierno o nación en concreto.

P

presidiario, -ria *s. m. y f.* Persona que está en la cárcel cumpliendo una condena judicial que le priva de libertad. SIN preso, recluso.

presidio *s. m.* ◯1 Edificio o local penitenciario en el que están recluidas las personas que cumplen una condena judicial que les priva de libertad. SIN cárcel, prisión. ◯2 Situación en la que se encuentran las personas que cumplen una condena judicial que les priva de libertad.
FAM presidiario.

presidir *v. tr.* ◯1 Ocupar una persona el primer puesto o cargo en un gobierno, en una reunión, en una empresa o en un tribunal: *el juez presidirá el juicio.* ◯2 Predominar o destacar una cosa sobre las demás: *la justicia preside nuestros actos.* ◯3 Estar colocada una cosa en el lugar más importante de un espacio: *el cuadro de la familia preside el comedor.*
FAM presidente; copresidir.

presilla *s. f.* ◯1 Anilla de tela, hilo o cordón que se cose en el borde de una prenda de vestir para pasar por ella un botón o enganchar un cierre: *el corchete se engancha en la presilla.* ◯2 Costura que se hace en el borde de un ojal para que la tela no se abra.

presintonía *s. f.* ◯1 Dispositivo de una radio o un televisor que memoriza la frecuencia de emisión. ◯2 Frecuencia que queda memorizada en un receptor de radio o televisión.

presión *s. f.* ◯1 Fuerza o empuje que se ejerce sobre una cosa. ◯2 Fuerza ejercida por unidad de superficie de contacto: *el pascal es una unidad de presión.* ■ **presión arterial** Fuerza que ejerce la sangre sobre las paredes de las arterias. SIN tensión. ■ **presión atmosférica** Fuerza que ejerce la atmósfera sobre la superficie de la Tierra: *la unidad que mide la presión atmosférica es el milibar.* ■ **presión osmótica** Fuerza que ejercen las partículas de un cuerpo disuelto en un líquido sobre las paredes del recipiente que contiene la disolución. ■ **presión sanguínea** Presión que ejerce la sangre al circular por los vasos sanguíneos: *la presión sanguínea puede ser arterial o venosa.* ◯3 Influencia que se ejerce sobre una persona o una colectividad para determinar sus actos o su conducta: *en este trabajo estoy sometido a mucha presión.* ◯4 Pressing. ■ **a presión** Por medio de fuerza o empuje: *envasado a presión; riego a presión.* ■ **presión fiscal** Relación entre los ingresos de la hacienda pública y el producto nacional bruto de un país.
FAM presionar.

presionar *v. tr.* ◯1 Realizar una fuerza o empuje sobre una cosa: *presione la tecla de inicio.* ‖ *v. tr./intr.* ◯2 Ejercer influencia sobre una persona o una colectividad para determinar sus actos o su conducta: *me presionan mucho en el trabajo.* ◯3 Acosar insistentemente un jugador o un equipo a otro para dificultar sus jugadas: *el equipo local presiona mucho al visitante.*

preso, -sa *s. m. y f./adj.* ◯1 Persona que está encerrada o recluida en una cárcel cumpliendo una condena judicial que le priva de libertad. SIN presidiario, recluso. ‖ *adj.* ◯2 Se aplica a la persona que está dominada por un sentimiento o una pasión: *presa del pánico.*

pressing [se pronuncia aproximadamente 'presin'] *s. m.* Acoso insistente de un jugador o un equipo sobre otro para dificultar sus jugadas. SIN presión.

prestación *s. f.* ◯1 Servicio o ayuda que una persona, una institución o una empresa ofrece a otra: *prestaciones sociales.* ◯2 Cada una de las características técnicas que una máquina ofrece al usuario. FAM contraprestación.

prestado, -da Se usa en la expresión: ■ **de prestado** (I) Indica que una persona disfruta de una cosa que otra le ha dejado por un tiempo: *vivo de prestado en casa de unos conocidos.* (II) Indica que algo es provisional: *estoy en este trabajo de prestado.*

prestamista *s. com.* Persona que se dedica a prestar dinero cobrando por ello un interés.

préstamo *s. m.* ◯1 Acción de prestar: *las bibliotecas dejan libros en préstamo.* ◯2 Cantidad de dinero o cosa que se presta: *pedir un préstamo al banco.* ◯3 Elemento lingüístico que una lengua toma de otra incorporándola a la misma, ya en su forma primitiva, ya más o menos transformada (calco): *en castellano, la palabra "rock" es un préstamo del inglés.* FAM prestamista.

prestancia *s. f.* ◯1 Aspecto distinguido y elegante: *un hombre con prestancia.* SIN elegancia, excelencia. ◯2 Excelencia o superioridad de una persona o cosa entre otras de su misma clase: *coches de gran prestancia.*

prestar *v. tr.* ◯1 Dejar una cosa a una persona para que la use durante un tiempo y después la devuelva: *prestar dinero.* ◯2 Comunicar o transmitir una cosa: *la prosperidad económica prestó un gran impulso a la cultura y al ocio.* ◯3 Dar u ofrecer una cosa inmaterial de manera desinteresada: *prestar ayuda; prestar colaboración.* ◯4 Conceder o dedicar una cosa: *prestar atención; prestar juramento.* ‖ *v. prnl.* ◯5 **prestarse** Ofrecerse una persona voluntariamente para hacer una cosa de manera desinteresada: *nadie se prestó a ayudarnos.* ◯6 Acceder o avenirse una persona a realizar una cosa: *él no se prestaría a hacer una cosa semejante.* ◯7 Dar motivo u ocasión para que ocurra una cosa: *sus palabras se prestan a malentendidos.* FAM prestado, préstamo.

presteza *s. f.* Habilidad y rapidez para hacer o decir una cosa: *barajaba las cartas con gran presteza.*

prestidigitación *s. f.* Arte, técnica o habilidad para hacer juegos de manos y otros trucos.

prestidigitador, -ra *s. m. y f.* Persona que hace juegos de manos y otros trucos. SIN ilusionista, mago. FAM prestidigitación.

prestigiar *v. tr.* Dar prestigio, autoridad, valor o buena fama a una persona o una cosa. ANT desprestigiar.
OBS Verbo regular, se acentúa como *cambiar.*

prestigio *s. m.* Influencia, autoridad, valor o buena fama que tiene una persona o una cosa: *prestigio internacional.* ANT desprestigio.
FAM prestigiar, prestigioso; desprestigio.

prestigioso, -sa *adj.* Que tiene prestigio: *un prestigioso escritor.*

prestissimo [se pronuncia 'prestísimo'] *adv.* Indica que una composición musical o parte de ella debe interpretarse con un tempo o ritmo muy rápido, superior al presto.

presto, -ta[1] *adj.* ◯1 Que es muy rápido en actuar: *me asombró su presta solución.* ◯2 Que está preparado o dispuesto para hacer una cosa con prontitud y diligencia: *estaba presto a decir la verdad.* ‖ *adv.* ◯3 culto Con prontitud o al instante: *presto tendrá usted noticias mías.*
FAM presteza.

presto[2] *s. m.* Indica que una composición musical o parte de ella debe interpretarse con un tempo o ritmo muy rápido, superior al alegro.

presumido, -da *adj./s. m. y f.* ◯1 Que presume de una cosa.

SIN presuntuoso, vanidoso. **2** Que se arregla mucho y cuida con exageración su aspecto exterior.

presumir *v. intr.* **1** Mostrarse una persona orgullosa de sí misma y alardear de sus propias cualidades: *presume de guapo; presume de ser muy hábil, pero es un patoso.* **SIN** jactarse, vanagloriarse. **2** Cuidar mucho el aspecto personal para resultar atractivo: *se arregla mucho porque le encanta presumir.* **‖** *v. tr.* **3** Sospechar o suponer una cosa a partir de unas señales o indicios: *presumo que la reunión será un fracaso.* **SIN** conjeturar. **FAM** presumible, presumido, presunción, presunto.

presunción *s. f.* **1** Vanidad u orgullo que muestra una persona que presume y alardea de sí misma y de sus propias cualidades. **SIN** engreimiento. **ANT** modestia. **2** Hecho que según la ley se tiene como verdadero hasta que no se demuestre lo contrario: *presunción de inocencia.* **SIN** suposición.

presunto, -ta *adj.* Que se supone o se sospecha aunque no esté demostrado. **SIN** supuesto.
FAM presuntuoso.

presuntuoso, -sa *adj./s. m. y f.* **1** Se aplica a la persona que muestra presunción, vanidad u orgullo. **SIN** engreído, presumido. **ANT** humilde, modesto. **‖** *adj.* **2** Que quiere aparentar lujo y elegancia.

presuponer [36] *v. tr.* **1** Dar por cierta o conocida una cosa sin que haya pruebas o indicios que lo demuestren, para desarrollar un argumento o actuar de una forma determinada: *si él es el asesino hay que presuponer que estuvo aquí a la hora del crimen.* **SIN** suponer. **2** Requerir o necesitar una cosa como condición previa e indispensable para que ocurra otra: *esa reforma presupone una fuerte inversión económica.*
FAM presupuesto.

presupuestar *v. tr.* **1** Calcular los gastos y los ingresos que resultan de un negocio público o privado. **2** Incluir una partida en un presupuesto.

presupuestario, -ria *adj.* Relativo a un presupuesto, especialmente el de un estado: *medidas presupuestarias; política presupuestaria.*

presupuesto **1** Participio irregular de *presuponer.* **‖** *s. m.* **2** Cálculo anticipado de lo que va a costar una cosa: *un presupuesto de reforma.* **3** Cálculo de los gastos e ingresos que se producirán en un periodo de tiempo determinado: *presupuesto general del Estado.* **4** Cantidad de dinero que se calcula necesaria o que se destina para hacer frente a unos gastos determinados: *tenemos un presupuesto suficiente para la compra.*
FAM presupuestar, presupuestario.

presura *s. f.* Sistema de repoblación que se llevó a cabo durante la Reconquista española y que consistía en la ocupación de bienes inmuebles abandonados o arruinados: *la cuenca del Duero se repobló mediante la presura o simple ocupación de las tierras para cultivarlas.*

presuroso, -sa *adj.* Que tiene prisa o implica prisa: *siempre anda presuroso de aquí para allá.*
FAM apresurar.

pretemporada *s. f.* Tiempo que transcurre antes de iniciarse una temporada deportiva y durante el cual se realizan torneos y pequeñas ligas.

pretencioso, -sa *adj./s. m. y f.* **1** Se aplica a la persona que pretende ser más de lo que en realidad es, aparentando virtudes o valores que no posee. **‖** *adj.* **2** Que pretende aparentar lujo, grandeza o importancia: *un discurso pretencioso; una casa pretenciosa.*

pretender *v. tr.* **1** Querer una cosa que se considera difícil o exagerada utilizando los medios necesarios para ello. **2** Querer una cosa sobre la que se cree tener derecho: *varios príncipes europeos pretendían el trono vacante.* **3** Querer una persona tener relaciones formales con otra, especialmente un hombre con una mujer: *la pretendió durante años.* **4** Afirmar una cosa dudosa: *pretende que todo el tema es incorrecto.*
FAM pretendiente, pretensión.

pretendiente *adj./s. com.* **1** Se aplica a la persona que pide o solicita un cargo o un puesto: *este cargo tiene muchos pretendientes.* **SIN** aspirante, candidato. **‖** *s. com.* **2** Persona que pretende tener relaciones formales con otra, especialmente un hombre con una mujer. **3** Príncipe que reivindica el trono de un país al que cree tener derecho.

pretensión *s. f.* **1** Deseo o intención que tiene una persona de conseguir una cosa. **SIN** aspiración, propósito. **2** Cosa que se pretende conseguir: *ese tiene muchas pretensiones, pero no conseguirá nada.* **NOTA** Frecuentemente usado de forma despectiva. **3** Derecho que una persona cree tener sobre una cosa: *la boda truncó sus pretensiones al trono.* **‖** *s. f. pl.* **4** **pretensiones** Voluntad vanidosa de ser una persona lo que se expresa o de ser considerada como tal: *escribe, pero sin pretensiones de escritor.* **NOTA** Frecuentemente usado de forma despectiva. **5** Apariencia de lujo, grandeza o importancia: *una casa con pretensiones de mansión.* **NOTA** Frecuentemente usado de forma despectiva.
FAM pretencioso.

pretérito, -ta *adj.* **1** culto Que existió, se dio u ocurrió en el pasado. **‖** *s. m./adj.* **2** Tiempo verbal que expresa una acción anterior al presente. **■** **pretérito anterior** Tiempo verbal que expresa una acción acabada inmediatamente antes de otra acción pasada y acabada. **■** **pretérito imperfecto** Tiempo verbal que expresa una acción pasada mientras esta se desarrolla. **■** **pretérito perfecto simple** o **pretérito indefinido** Tiempo verbal que expresa una acción acabada en el pasado. **■** **pretérito perfecto** o **pretérito perfecto compuesto** Tiempo verbal que expresa una acción acabada dentro de una unidad de tiempo que incluye el presente. **■** **pretérito pluscuamperfecto** Tiempo verbal que expresa una acción acabada y anterior en relación con otra acción pasada.
FAM preterición.

pretextar *v. tr.* Valerse alguien de un pretexto para hacer o decir algo.

pretexto *s. m.* Razón o causa que se expone para justificar un comportamiento, un fallo o un error: *no vino con el pretexto de estar enfermo.* **SIN** disculpa, excusa.
FAM pretextar.

pretil *s. m.* Muro o barandilla construida en un puente o en un lugar alto para impedir que las personas puedan caerse y para permitir que se apoyen. **SIN** antepecho.

pretónico, -ca *adj.* Se aplica al elemento que precede a la sílaba tónica de una palabra. **SIN** protónico. **ANT** postónico.

pretor *s. m.* Magistrado o alto funcionario que administraba justicia en la antigua Roma o gobernaba una de las provincias del Imperio romano.
FAM pretoriano.

pretoriano, -na *adj.* **1** Relativo al pretor. **‖** *adj./s. m.* **2** Se aplica al soldado que pertenecía a la guardia de un emperador romano: *guardia pretoriana.*

prevalecer [16] *v. intr.* **1** Sobresalir o imponerse una per-

P

sona o una cosa entre otras: *la amistad debería prevalecer por encima de los intereses particulares.* **SIN** dominar. ② Mantenerse o continuar existiendo una cosa no material: *la idea de que el Sol giraba alrededor de la Tierra prevaleció durante largo tiempo.*

prevaricación *s. f.* Delito que consiste en el incumplimiento de las obligaciones propias del cargo por parte de un funcionario, un juez o un abogado.

prevaricar *v. intr.* Cometer un funcionario, un juez o un abogado un delito de incumplimiento de las obligaciones propias de sus cargos.

FAM prevaricación, prevaricador.

prevención *s. f.* ① Medida o disposición que se toma de manera anticipada para evitar que una cosa mala suceda: *campaña de prevención contra el sida.* ② Puesto de policía o de vigilancia de un distrito adonde se lleva a las personas detenidas. ③ Idea preconcebida y poco favorable que se tiene respecto de una persona o una situación: *tengo cierta prevención hacia ella.*

prevenido, -da *adj.* ① Que está dispuesto y preparado para una cosa: *estamos prevenidos contra la sequía.* ② Precavido, previsor. ③ Se aplica a la persona que está avisada de antemano de una cosa: *no lo sorprenderás porque está prevenido.* **ANT** desprevenido.

FAM desprevenido.

prevenir [48] *v. tr.* ① Tratar de evitar o impedir que se produzca un daño o peligro que se conoce con anterioridad: *muchas enfermedades se pueden prevenir.* ② Avisar o informar a una persona de una cosa que va a ocurrir: *lo previno de la llegada del director.* ③ Influir en una persona poniéndola en contra de otra persona o de una cosa: *ella me previno contra ti.* ④ Preparar o disponer con anterioridad las cosas necesarias para un fin determinado. **SIN** precaver.

FAM prevención, prevenido, preventivo.

preventivo, -va *adj.* Que previene un mal o un peligro y sirve para prevenirlo: *medicina preventiva.*

prever [49] *v. tr.* ① Conocer o suponer por medio de señales una cosa que va a ocurrir: *prever el futuro.* ② Preparar o disponer con antelación los medios necesarios para disminuir los efectos negativos de una acción: *no habían previsto las pérdidas y el negocio salió mal.*

FAM previsible, previsión, previsor.

previo, -via *adj.* ① Que es anterior a una cosa o la precede: *ensayo previo al estreno.* ❙ *s. m.* ② Grabación del sonido que se realiza en cine antes de impresionar la imagen.

FAM previamente.

previsible *adj.* Que puede ser previsto o conocido con antelación por medio de ciertas señales o indicios: *es previsible una gran sequía.* **ANT** imprevisible.

FAM imprevisible.

previsión *s. f.* ① Conjetura o cálculo anticipado que se hace de una cosa que va a suceder, a partir de unas determinadas señales o indicios: *previsión meteorológica.* ② Disposición o preparación de las cosas necesarias para prevenir algo que puede suceder: *sistemas de seguridad en previsión de posibles robos.*

previsor, -ra *adj./s. m. y f.* Se aplica a la persona que piensa y prepara con antelación las cosas que hará o necesitará. **SIN** precavido, prevenido.

previsto, -ta Participio irregular de *prever.*

prez *s. amb.* culto Honor, gloria o prestigio que se gana por haber hecho una cosa que merece ser alabada.

prieto, -ta *adj.* ① Que está muy apretado, ajustado o ceñido: *un nudo muy prieto.* ② Que es duro o denso: *carnes prietas.*

prima¹ *s. f.* ① Cantidad de dinero que se concede como estímulo o recompensa para animar o incentivar a una persona en su trabajo: *el Gobierno ha concedido una prima a los ganaderos asturianos.* ② Cantidad de dinero que se paga por tener un seguro.

prima² *s. f.* ① Cuerda primera o la más delgada de ciertos instrumentos musicales. ② Primera de las cuatro partes iguales en que los romanos dividían el día, anterior a la tercia, y comprendida entre la salida del sol y las nueve de la mañana. ③ Oficio religioso diario del clero católico, posterior a laudes y anterior a la tercia, que se celebra hacia las siete de la mañana.

primacía *s. f.* ① Superioridad o ventaja de una persona o una cosa sobre otras de su misma clase. ② Cargo o dignidad del primado.

primado *s. m.* En la Iglesia católica, el primero o el que tiene más categoría de todos los arzobispos y obispos de un país o región.

OBS También *arzobispo primado.*

prima donna *s. f.* Cantante femenina que interpreta el papel principal de una ópera.

OBS También *primadonna* o *primadona.*

primar¹ *v. intr.* Destacar, sobresalir o distinguirse una persona o cosa entre otras por ciertas características: *en los procesos de adopción primará siempre el interés del niño.*

primar² *v. tr.* Conceder o pagar una cantidad de dinero como prima o premio a una persona en su trabajo.

primario, -ria *adj.* ① Que es el primero en orden o importancia. ② Que es necesario, principal o esencial: *los alimentos son un bien primario.* ③ Que es primitivo o rudimentario: *un método muy primario.* ④ Se aplica a la persona que es ruda y se comporta sin educación. ⑤ Se aplica al color que es puro y que, mezclado con otro u otros, puede producir todos los colores existentes: *los colores primarios son el azul, el rojo y el amarillo.* ❙ *adj./s. f.* ⑥ Se aplica a la enseñanza o educación que proporciona los conocimientos que se consideran básicos en la alfabetización. ❙ *adj./s. m.* ⑦ Se aplica a la era geológica que sigue a la era precámbrica y precede a la era mesozoica o secundaria; se extiende desde hace unos 570 millones de años hasta hace unos 245 millones de años. **SIN** paleozoico. ❙ *adj.* ⑧ Relativo a esta era geológica.

primate *adj./s. m.* ① Se aplica al mamífero plantígrado que presenta extremidades terminadas en cinco dedos provistos de uñas, con el pulgar generalmente opuesto, pliegues de piel característicos en la base de pies y manos, ojos frontales y un cerebro altamente desarrollado: *el ser humano, el chimpancé y el orangután son primates.* ❙ *s. m. pl.* ② **primates** Grupo taxonómico, con categoría de orden, constituido por estos animales.

primavera *s. f.* ① Estación templada del año comprendida entre el invierno y el verano; en el hemisferio norte, transcurre entre el 21 de marzo y el 22 de junio, y en el hemisferio sur, entre el 23 de septiembre y el 22 de diciembre: *en primavera florecen las plantas.* ② Planta herbácea y perenne de pequeño tamaño, con las hojas anchas y largas y flores amarillas. ❙ *adj./s. com.* ③ fam. desp. Se aplica a la persona que es fácil de engañar. ❙ *s. f. pl.* ④ **primaveras** Años de edad de una persona joven: *acaba de cumplir veinte primaveras.*

FAM primaveral.

primaveral *adj.* Relativo a la primavera.

primer Apócope de *primero.*
OBS Se usa delante de sustantivos masculinos en singular.

primera *s. f.* ① Velocidad del motor de un vehículo que es la que tiene más fuerza y menos velocidad y se usa para empezar a circular: *meter la primera; circular en primera.* **❙** *adj./s. f.* ② Se aplica a la clase que, en los medios de transporte donde se hace distinción de clases o categorías, se caracteriza por ser la de categoría superior por la comodidad de sus equipamientos o el lujo y por tener el precio más alto: *viajar en primera.* **NOTA** También *primera clase.*

a la primera (o las primeras) de cambio Expresión que se usa para indicar que una cosa se hace en cuanto se tiene la menor ocasión para ello.

de buenas a primeras De manera inesperada o sin que haya una razón justificada: *empezó a llorar de buenas a primeras.*

de primera Muy bueno o excelente: *la paella te ha salido de primera.*

de primera necesidad Que es imprescindible o básico: *productos de primera necesidad.*

de primeras familiar En un primer momento o al principio: *de primeras me pareció un buen chico.*

primerizo, -za *adj./s. m. y f.* ① Que hace por primera vez una cosa o es nuevo en un trabajo o profesión. **SIN** novato. **❙** *adj./s. f.* ② Se aplica a la hembra que va a dar a luz por primera vez.

primero, -ra *num. ord.* ① Que ocupa el lugar número 1 en una serie ordenada: *la primera fila; llegó a la meta el primero.* **ANT** último. **❙** *adj.* ② Se aplica a la persona o cosa que es la más importante o mejor dentro de un grupo o una serie: *primer ministro; el primero de la clase.* ③ Que es antiguo o anterior: *después de la revuelta, las cosas volvieron a su estado primero.* **❙** *adv.* ④ En primer lugar, antes que nada: *primero recoge todas tus cosas y luego podrás irte.* ⑤ Expresa una preferencia entre dos posibilidades: *primero prefiero morirme de hambre que robar.* **SIN** antes.

a primeros En los días iniciales de un periodo de tiempo, especialmente de un mes: *nos iremos a primeros de agosto.*
FAM primerizo.
OBS Cuando va seguido de un sustantivo masculino, se usa la forma apocopada *primer: primer año.*

primicia *s. f.* ① Noticia que se hace pública por primera vez. **❙** *s. f. pl.* ② **primicias** Fruto o producto primero que da cualquier cosa.

primigenio, -nia *adj.* Que es primitivo, originario o primero en el tiempo: *estado primigenio.*

primípara *adj./s. f.* Se aplica a la hembra que pare por primera vez.

primitiva *s. f.* Juego público de azar en el que los participantes marcan seis números en un boleto con los números del 1 al 49; se premia con dinero a las personas que acierten un mínimo de tres números de los seis que se extraen al azar de un bombo. **SIN** loto.
OBS También *lotería primitiva.*

primitivismo *s. m.* ① Conjunto de costumbres y características que se consideran propias de los pueblos primitivos o poco evolucionados. ② Comportamiento rudo, tosco o poco delicado de una persona. ③ Conjunto de características que tiene un artista que se encuentra en la etapa anterior al periodo clásico de un estilo.

primitivo, -va *adj.* ① Que pertenece a los orígenes o primeros tiempos de una cosa. ② Que es muy elemental y está poco desarrollado: *métodos primitivos de cultivo.* ③ Se aplica a la persona ruda, que se comporta sin educación. **❙** *adj./s. m. y f.* ④ Se aplica al pueblo o civilización que tiene un desarrollo y una cultura poco avanzados: *los pueblos primitivos cazaban animales y se cubrían con sus pieles.* **❙** *adj./s. m.* ⑤ Se aplica a la palabra que no se deriva de otra palabra de la misma lengua: *"pescado" es la palabra primitiva a partir de la que se han formado "pescadero" y "pescadería".* **❙** *adj./s. m. y f.* ⑥ Se aplica al artista o a la obra anteriores al periodo clásico de un estilo; en Occidente, se aplica a los artistas anteriores al Renacimiento.
FAM primitivismo.

primo, -ma *s. m. y f.* ① Hijo o hija de los tíos de una persona. **■ primo hermano** Hijo o hija de los tíos carnales de una persona. **■ primo segundo** Hijo o hija de los tíos segundos de una persona: *el hijo del primo hermano de mi padre es mi primo segundo.* **❙** *adj./s. m. y f.* ② familiar Se aplica a la persona que no tiene malicia y que se deja engañar fácilmente. **❙** *adj.* ③ Se aplica al número que solo es divisible por sí mismo y por la unidad.

hacer el primo (I) familiar Ser demasiado ingenuo y dejarse engañar fácilmente. (II) familiar Hacer una persona algo que le resulta molesto, le lleva tiempo o le exige un esfuerzo siendo consciente de que nadie se lo va a reconocer o agradecer.
FAM primado.

primogénito, -ta *adj./s. m. y f.* Se aplica al hijo que nace primero: *nombró heredero a su primogénito.*
FAM primogenitura.

primor *s. m.* ① Habilidad, cuidado o delicadeza al hacer o decir una cosa: *bordaba las sábanas con primor.* ② Cosa muy bella hecha con habilidad, cuidado o delicadeza: *este mantel bordado a mano es un primor.*
FAM primoroso.

primordial *adj.* Que es fundamental, necesario o muy importante. **SIN** básico, esencial.

primoroso, -sa *adj.* ① Que es bello y está hecho con habilidad, cuidado o delicadeza: *una labor de costura primorosa.* ② Se aplica a la persona que tiene habilidad, cuidado o delicadeza al hacer o decir una cosa.

prínceps *s. f./adj.* Edición primera de un autor clásico griego o latino.
OBS Plural invariable.

principado *s. m.* ① Título o dignidad de príncipe o princesa. ② Territorios que pertenecen a un príncipe.

principal *adj.* ① Que es básico o fundamental: *objetivo principal.* **ANT** secundario. ② Que es el primero en estimación o importancia: *es el principal candidato a las elecciones.* **❙** *adj./s. m.* ③ Se aplica al piso que está encima del bajo o del entresuelo de un edificio. ④ Se aplica a la oración o proposición que rige a otra u otra: *en "cuando llegue Paula, saldremos hacia tu casa", "saldremos hacia tu casa" es la oración principal.*
FAM principalmente.

príncipe, princesa *s. m. y f.* ① Hijo del rey o del príncipe de un principado, especialmente el heredero de la corona: *el príncipe Carlos de Inglaterra.* **■ príncipe de Asturias** Título que se da al hijo del rey de España. ② Jefe de Estado de un principado: *el príncipe de Mónaco.* ③ Persona que pertenece a una familia real: *a la boda real asistieron príncipes y princesas de toda Europa.* **❙** *s. m.* ④ Título de honor que da el rey a una persona por su mérito o su valor: *Carlos IV nombró a Godoy prín-*

cipe de la Paz. **5** Hombre que es el primero o el mejor en una cosa: *príncipe de los poetas.* **|** *s. f.* **6** Mujer del príncipe.

príncipe azul Hombre ideal del que una mujer se enamora.

príncipe de Gales Tejido, generalmente de lana, que presenta unos cuadros de líneas finas en el mismo tono con una de ellas central en color más vivo.

príncipe de la tinieblas Satanás, el demonio.

FAM principado, principesco.

principesco, -ca *adj.* **1** Que se considera propio de un príncipe o de una princesa: *palacio principesco; trato principesco.* **2** Que está hecho con mucho lujo y riqueza: *boda principesca.*

principiante *adj./s. com.* Se aplica a la persona que empieza a ejercer una profesión o un oficio y no tiene demasiada experiencia. **SIN** novato.

principiar *v. tr./intr.* culto Dar comienzo o principio a una cosa: *principiar un escrito; principiar con buen pie.*

FAM principiante.

OBS Verbo regular, se acentúa como *cambiar*.

principio *s. m.* **1** Primer momento o primera parte de la existencia de una cosa: *principio de un libro; principio de la vida.* **SIN** comienzo, inicio. **ANT** fin, final. **2** Origen o causa de una cosa: *aquel encuentro fue el principio de una larga amistad.* **SIN** base, fundamento. **3** Idea en la que se apoya un razonamiento o una doctrina: *principios de aritmética; principio de Arquímedes.* **SIN** base. ■ **principio de superposición** En geología, principio por el cual los sedimentos situados en las capas más profundas son los más antiguos. **4** Idea o norma que orienta la manera de pensar o de obrar de una persona: *vivir sin principios.* **NOTA** Normalmente en plural. **5** Elemento que entra con otro en la composición de un cuerpo o una sustancia. ■ **principio inmediato** Compuesto o grupo de compuestos que forman parte de las células: *los principios inmediatos pueden ser inorgánicos, como el agua y las sales minerales, u orgánicos, como los glúcidos o los lípidos.*

a principios En los primeros días de un periodo de tiempo: *a principios de mes.*

dar principio Comenzar o empezar una cosa: *dar principio a la reunión.*

en principio De modo inicial o sin analizar en detalle: *en principio nos vemos mañana.*

FAM principal, principiar.

pringado, -da *adj./s. m. y f.* **1** familiar Se aplica a la persona que es ingenua y se deja engañar con facilidad. **SIN** primo. **2** familiar Se aplica a la persona que paga las culpas de una falta o delito que ha cometido otra.

pringar *v. tr.* **1** Untar o mojar el pan u otro alimento con grasa o pringue. **2** Manchar una cosa con pringue u otra materia grasa. **3** familiar Comprometer a una persona en un asunto que no le interesa o que le puede traer problemas. **SIN** mezclar. **|** *v. intr.* **4** familiar Trabajar más que los demás, especialmente en cosas duras y desagradables. **5** familiar Pagar una persona las culpas de una falta o delito que ha cometido otra.

FAM pringado, pringoso, pringue.

pringoso, -sa *adj.* Que tiene pringue, grasa o suciedad: *llevaba la ropa pringosa.*

pringue *s. amb.* **1** Grasa que suelta el tocino u otro alimento grasiento sometido a la acción del fuego. **2** Suciedad grasienta que se pega a la ropa o a otra cosa.

prion o **prión** *s. m.* Partícula infecciosa de naturaleza proteica que carece de ácido nucleico.

prior, -ra *s. m. y f.* **1** Superior de un monasterio o convento que pertenece a ciertas órdenes religiosas cristianas en las que no hay título de abad o abadesa: *los carmelitas y los cartujos tienen prior.* **2** Superior de un convento o monasterio de rango inmediatamente inferior al del abad o la abadesa.

FAM priorato.

priori Se usa en la expresión latina:

a priori Significa 'antes' y se usa para indicar que una cosa que afecta a un determinado hecho o asunto se decide o se hace antes de conocer su resultado o fin, o sin tener en cuenta las circunstancias que afecten al hecho o asunto en cuestión: *el equipo, a priori, parecía débil, pero a posteriori peleó por la victoria.*

prioridad *s. f.* **1** Ventaja o preferencia que una persona o cosa tiene sobre otra: *este asunto tiene absoluta prioridad.* **2** Cosa que es más importante que otra o tiene ventaja sobre ella: *una de las prioridades de las personas es el bienestar.* **NOTA** Más en plural.

FAM prioritario.

prioritario, -ria *adj.* Que tiene prioridad o preferencia respecto de otra cosa: *asunto prioritario.*

prisa *s. f.* **1** Rapidez o diligencia con que ocurre o se hace una cosa. **2** Deseo o necesidad de hacer una cosa con rapidez. **SIN** urgencia.

correr prisa Ser una cosa muy necesaria y urgente.

darse prisa Hacer una cosa con rapidez. **SIN** apresurarse.

de prisa Deprisa.

meter prisa Intentar que una persona haga una cosa con mucha rapidez. **SIN** apresurar.

FAM aprisa, deprisa.

prisión *s. f.* **1** Edificio en el que están las personas que cumplen una condena judicial que les priva de libertad. **SIN** cárcel, presidio. **2** Pena de privación de libertad que es inferior a la reclusión y superior a la de arresto: *veinte años de prisión.* ■ **prisión mayor** Pena de privación de libertad que dura desde seis años y un día hasta doce años. ■ **prisión menor** Pena de privación de libertad que dura desde seis meses y un día a seis años. ■ **prisión preventiva** Pena de privación de libertad que se aplica a un procesado mientras dura el juicio.

FAM prisionero; aprisionar.

prisionero, -ra *s. m. y f.* **1** Persona que está privada de libertad a causa de un secuestro, una captura u otras causas. ■ **prisionero de guerra** Persona que es capturada en la guerra y privada de libertad por el ejército enemigo. **2** Persona que está dominada por una pasión o una emoción: *prisionero del deseo.*

prisma *s. m.* **1** Poliedro que tiene dos caras iguales y paralelas (bases) y, como caras laterales, tantos paralelogramos como lados tiene cada base. ■ **prisma recto** Prisma cuyas caras laterales forman un ángulo recto con la base. ■ **prisma oblicuo** Prisma cuyas caras laterales no forman un ángulo recto con la base. **2** Cuerpo geométrico de cristal y base triangular que se usa en óptica para reflejar, refractar o descomponer la luz. **3** Punto de vista o manera de entender o considerar una cosa. **SIN** perspectiva.

FAM prismático.

prismático, -ca *adj.* **1** Que tiene forma de prisma: *figura prismática.* **|** *s. m. pl.* **2** **prismáticos** Aparato óptico para ver a distancia con los dos ojos, formado por dos tubos, uno para la visión de cada ojo, que tienen en su interior una combinación de prismas y lentes. **SIN** anteojos, binoculares, gemelos.

privación *s. f.* **1** Pérdida de una cosa que se tenía o se poseía, o se debería tener: *privación de libertad.* **2** Carencia, falta o escasez de las cosas que se necesitan para vivir. NOTA Normalmente en plural.

privado, -da *adj.* **1** Que se realiza en presencia de muy poca gente o de manera muy familiar: *una fiesta privada.* **2** Que es íntimo, personal o particular de cada persona: *vida privada; problemas privados.* **3** Que pertenece a una o varias personas y solamente ellas pueden disponer de su uso: *propiedad privada.* SIN particular. ANT público. **4** Que se tiene o se realiza de manera particular, fuera de una actividad, un cargo o un empleo públicos: *una consulta médica privada.* SIN particular. ANT público. | *s. m.* **5** Hombre que gozaba de la amistad y confianza de un rey y que ocupaba el gobierno de un estado en su nombre: *el condeduque de Olivares fue el privado del rey Felipe IV.* SIN valido.

privar *v. tr.* **1** Dejar a una persona sin una cosa que le pertenece o sobre la que tiene derecho, o dejar algo sin lo que le es propio: *los dictadores privan de sus derechos a los ciudadanos.* SIN despojar, desposeer. | *v. intr.* **2** Gustar mucho a una persona una cosa: *le privan los pasteles.* **3** Estar una cosa de moda: *ahora priva el pelo de color platino.* | *v. prnl.* **4** **privarse** Renunciar una persona voluntariamente a una cosa agradable o útil: *privarse de comer chocolate.*
FAM privacidad, privación, privado, privanza, privativo, privatizar.

privativo, -va *adj.* **1** Que es propio o peculiar de una persona o de una cosa: *instalaciones de uso privativo para los socios.* SIN exclusivo. **2** Que supone o causa privación o pérdida de una cosa: *la condena de prisión es una pena privativa de libertad.*
FAM privatizar.

privatizar *v. tr.* Hacer pasar al sector privado bienes, propiedades y servicios del sector público: *el Gobierno quiere privatizar el servicio de correos.*
FAM privatización; reprivatizar.

privilegiado, -da *adj./s. m. y f.* **1** Se aplica a la persona que disfruta de algún privilegio. | *adj.* **2** Que destaca entre las cosas de su clase por ser extraordinario o muy bueno: *memoria privilegiada.* **3** Que tiene unas características o cualidades naturales que lo hacen excepcional o muy bueno: *vive en un lugar privilegiado, rodeado de árboles y animales.* **4** Que implica o denota algún tipo de privilegio: *información privilegiada.*

privilegio *s. m.* **1** Ventaja, derecho o exención de que disfruta una persona: *los nobles tenían privilegios como el de no pagar impuestos.* **2** Documento en el que figura la concesión de una ventaja, un derecho, un provecho o una exención. **3** Beneficio económico, social o político que se obtiene por poseer un cargo considerado elevado por el resto de la sociedad: *los diputados gozan de ciertos privilegios.*
FAM privilegiar.

pro *s. m.* **1** Ventaja y provecho en alguna cosa: *estudiar los pros y los contras.* NOTA Normalmente en plural. | *prep.* **2** En favor o en ayuda de una persona o de una entidad: *organización pro derechos humanos.*

de pro Se aplica a la persona que tiene prestigio o es importante, o se comporta honrada y honestamente: *un hombre de pro.*

en pro de En defensa de una persona o una entidad: *una petición en pro de la naturaleza; leyeron un manifiesto en pro de la paz.*

proa *s. f.* Parte delantera de una embarcación. ANT popa.

proactinio *s. m.* Elemento químico de símbolo *Pa* y número atómico 91; es un metal claro, brillante y dúctil, muy tóxico y radiactivo, que se crea y se usa en la producción de uranio.

probabilidad *s. f.* **1** Posibilidad de que una cosa se cumpla o suceda: *tengo probabilidades de aprobar.* **2** Cálculo matemático que permite determinar hasta qué punto se puede esperar que ocurra un suceso.

probable *adj.* **1** Que es muy posible que se cumpla o suceda: *es probable que llueva.* ANT improbable. **2** Que puede ser probado o demostrado: *tiene una coartada probable.* ANT improbable.
FAM probabilidad; improbable.

probador *s. m.* Cuarto o cabina en almacenes o tiendas de ropa reservado para que los clientes se prueben prendas de vestir.

probar [5] *v. tr.* **1** Usar una cosa o ponerla a prueba para ver cómo funciona o qué resultado tiene: *probar un motor.* SIN ensayar, experimentar. **2** Tomar una pequeña cantidad de comida o bebida para comprobar el sabor o la calidad: *prueba la sopa para saber cómo está de sal.* SIN catar. **3** Demostrar la verdad de un hecho mediante pruebas y razones: *probar la inocencia de alguien.* **4** Poner a prueba a una persona para examinar sus cualidades físicas o morales. | *v. intr.* **5** Intentar hacer una cosa para probar si puede realizarse con normalidad: *probó a levantarse, pero no pudo.*
FAM probador, probatorio, probatura, prueba.

probatorio, -ria *adj.* Que sirve para probar la verdad de una cosa: *ejemplo probatorio.*

probeta *s. f.* **1** Tubo de vidrio, con pie, generalmente graduado, que se usa en los laboratorios para medir volúmenes de líquidos o gases. | *adj./s. com.* **2** Se aplica a la persona o animal que ha sido engendrado en una probeta: *niños probeta.* NOTA Como adjetivo, es invariable en número.

problema *s. m.* **1** Obstáculo o inconveniente que impide o entorpece la realización o consecución de una cosa: *no tener tiempo para uno mismo es un verdadero problema.* **2** Persona o cosa que plantea alguna dificultad o inconveniente para algo: *su rebeldía lo ha convertido en un problema.* **3** Presentación de un enunciado que plantea unos datos y una pregunta a partir de los cuales hay que dar una respuesta. **4** Asunto, especialmente político o social, que tiene una solución difícil: *el paro es un problema social grave.*
FAM problemático.

problemática *s. f.* Conjunto de problemas relativos a una ciencia o actividad determinada.

problemático, -ca *adj.* **1** Que supone o causa un problema: *una relación problemática.* **2** Que plantea duda e incertidumbre: *un libro problemático.*

probóscide *s. f.* **1** Trompa del elefante, el elefante marino, el tapir y otros animales. **2** Órgano bucal de forma alargada, propio de algunos insectos, invertebrados marinos y otros animales, que les sirve para succionar alimentos.

proboscidio, -dia *adj./s. m.* **1** Se aplica al animal mamífero con trompa prensil, olfativa y respiratoria, e incisivos muy desarrollados en forma de colmillo: *el elefante es un proboscidio.* | *s. m. pl.* **2** **proboscidios** Grupo taxonómico, con categoría de orden, constituido por estos animales.

procacidad *s. f.* **1** Desvergüenza o atrevimiento, especialmente en el aspecto sexual. ② Acción o dicho desvergonzado, insolente o atrevido: *una conversación llena de procacidades*. **SIN** grosería, obscenidad.

procarionte V. procariota.

procariota *adj.* ① Se aplica a la célula que carece de estructuras internas especializadas u orgánulos, como el núcleo, las mitocondrias y los cloroplastos. **SIN** procarionte. **ANT** eucarionte, eucariota. ‖ *adj./s. m.* ② Se aplica al organismo que está constituido por una de estas células: *las bacterias son los únicos organismos procariotas*. **SIN** procarionte. **ANT** eucarionte, eucariota.

procaz *adj.* ① Se aplica a la persona que se comporta o habla de manera desvergonzada, descarada o atrevida: *un hombre procaz*. **SIN** descarado, desvergonzado. ② Se aplica a la acción o el dicho que hace referencia a la sexualidad de una manera grosera e indecorosa. **FAM** procacidad.

procedencia *s. f.* ① Lugar, cosa o persona del que procede alguien o algo. ② Adecuación o conformidad de una acción a la moral, a la razón o al derecho.

procedente *adj.* ① Que procede de una persona, lugar o cosa: *un tren procedente de Lugo.* ② Que es conforme a la moral, a la razón o al derecho: *medidas sanitarias procedentes.* **ANT** improcedente. **FAM** procedencia; improcedente.

proceder[1] *v. intr.* ① Tener origen una persona o cosa en el lugar, persona o cosa que se expresa: *el castellano y el catalán proceden del latín.* **SIN** provenir. ② Comportarse una persona de una manera determinada: *cada uno debe proceder según su conciencia.* ③ Ser una cosa conforme a la moral, a la razón o al derecho: *esa instancia no procede.* **SIN** convenir. ④ Iniciar una serie de acciones ordenadas, según lo acordado o dispuesto: *después de la discusión procedieron a la votación.* ⑤ Iniciar o comenzar un juicio o un procedimiento judicial. **FAM** procedente, procedimiento.

proceder[2] *s. m.* Manera o modo de comportarse una persona: *su proceder no fue el más adecuado.*

procedimiento *s. m.* ① Método o trámite necesario para ejecutar una cosa. ② Actuación que se sigue mediante trámites judiciales o administrativos. **FAM** procedimental.

prócer *s. m.* Prohombre.

procesado, -da *s. m. y f.* Persona a quien el juez imputa un delito.

procesador *s. m.* ① Componente electrónico de un ordenador donde se realizan cálculos, se controlan procesos y se gestionan datos: *el procesador está formado por integrados.* ② Programa informático que procesa o somete a una serie de operaciones la información introducida en el ordenador o que permite que el usuario la modifique: *procesador de textos.* **FAM** microprocesador.

procesal *adj.* Relativo al proceso judicial: *causas procesales.*

procesamiento *s. m.* ① Sometimiento de una persona a un juicio o proceso judicial mediante el cual un juez decide si es responsable de un delito: *auto de procesamiento.* ② Sometimiento de una cosa a un proceso de elaboración o de transformación. **SIN** proceso. ③ Aplicación de un programa informático a unos datos determinados.

procesar *v. tr.* ① Someter a una persona a un juicio o proceso judicial mediante el cual un juez decide si es responsa-

ble de un delito: *el juez procesó al ladrón a un año de prisión.* **SIN** enjuiciar. ② Someter una cosa a un proceso de elaboración o de transformación: *están procesando la materia prima para elaborar tejidos.* ③ Someter un conjunto de datos a un determinado programa informático ejecutando instrucciones sobre él. **FAM** procesado, procesador, procesamiento.

procesión *s. f.* ① Marcha de personas que caminan en orden por la calle con algún fin público, generalmente religioso: *procesiones de Semana Santa.* ② Sucesión de personas, animales o vehículos que van de un lugar a otro formando una hilera: *una procesión de orugas.*

ir la procesión por dentro Expresión que se utiliza cuando se siente pena, dolor o nerviosismo pero se aparenta serenidad y tranquilidad. **FAM** procesional, procesionaria.

procesional *adj.* Relativo a la procesión: *desfile procesional.*

procesionaria *s. f.* Oruga de algunas mariposas que está cubierta de pelo y se traslada en grupos formando filas: *la procesionaria vive en las encinas o los pinos y se alimenta de sus hojas.*

proceso *s. m.* ① Conjunto de las diferentes fases o etapas sucesivas que tiene una acción o un fenómeno complejo: *el proceso de una enfermedad.* ② Procesamiento (sometimiento): *en el proceso de elaboración del pan se utilizan levaduras.* ③ Conjunto de actuaciones que realiza un tribunal de justicia en un procedimiento judicial desde su inicio hasta que se dicta sentencia: *proceso judicial.* **SIN** causa. **FAM** procesal, procesar.

proclama *s. f.* ① Discurso o escrito de carácter político que se expone de manera pública: *proclamas electorales.* ② Anuncio o notificación pública y oficial: *las amonestaciones religiosas son proclama.*

proclamación *s. f.* ① Notificación o anuncio de una cosa en voz alta y públicamente, especialmente si se hace de manera solemne. ② Conjunto de actos públicos con los que se anuncia o se celebra el inicio de una forma nueva de gobierno o de una etapa nueva dentro de él: *proclamación de la república.*

proclamar *v. tr.* ① Decir una cosa en voz alta y públicamente, especialmente si se hace de forma solemne. ② Hacer público el comienzo de un gobierno de una manera solemne y ceremoniosa: *después de derrocar al rey proclamaron la república.* **SIN** declarar, promulgar. ③ Otorgar a alguien un cargo o un título una mayoría unánime de personas: *se proclamó vencedor de la carrera.* ④ Mostrar una cosa ciertas señales, especialmente un afecto o un estado de ánimo: *sus titubeos proclamaban su mal disimulado nerviosismo.* **FAM** proclama, proclamación.

proclítico, -ca *adj.* Se aplica a la palabra átona que se pronuncia unida a la palabra siguiente aunque al escribirla se mantenga separada: *los artículos son palabras proclíticas.* **ANT** enclítico.

proclive *adj.* Que tiene inclinación o propensión natural a una cosa: *la sociedad es proclive al cambio.* **SIN** propenso. **FAM** proclividad.

procónsul *s. m.* ① Cónsul de una provincia en la antigua Roma. ② Gobernador de una colonia u otro territorio ocupado, generalmente con independencia del gobierno central.

procordado, -da *adj./s. m.* Se aplica al animal marino cordado poco evolucionado que respira por branquias y carece de encéfalo y esqueleto, como la ascidia.

procreación *s. f.* Acción de procrear: *la procreación es esencial para el mantenimiento de las especies.*

procrear *v. tr./intr.* Tener descendencia una persona o un animal mediante la reproducción sexual. **SIN** engendrar.
FAM procreación, procreador.

procurador, -ra *s. m. y f.* Persona autorizada legalmente para representar a otra ante los tribunales en un juicio.
FAM procuraduría.

procurar *v. tr.* ① Intentar conseguir o lograr un objetivo o un fin: *procura llegar pronto.* ② Proporcionar una cosa necesaria a una persona: *le procuramos comida y unas mantas.* | *v. intr.* ③ culto Ocuparse o encargarse del bie-nestar de una persona: *siempre procura por la familia.*
FAM procurador.

prodigar *v. tr.* ① Dar una cosa con profusión o en gran abundancia: *la madre prodiga caricias y besos a sus hijos.* ② Gastar el dinero de forma insensata y sin necesidad. **SIN** derrochar, despilfarrar, malgastar. ③ Producir abundante o excesivamente lo que se expresa: *la naturaleza prodiga sus encantos.* | *v. prnl.* ④ **prodigarse** Aparecer en público de forma muy frecuente: *se prodiga mucho en las fiestas de la alta sociedad.*

prodigio *s. m.* ① Hecho extraordinario y maravilloso que no puede explicarse por causas naturales. **SIN** portento. ② Hecho extraordinario y maravilloso que no puede explicarse por causas naturales y que se atribuye a la intervención de un ser sobrenatural: *el pueblo se extrañaba ante los prodigios del profeta.* **SIN** milagro, portento. ③ Persona, cosa o hecho extraordinario que produce admiración por tener unas determinadas cualidades o ser excelente: *las cataratas del Niágara son un prodigio de la naturaleza.* **SIN** maravilla, portento.
FAM prodigioso.

prodigioso, -sa *adj.* ① Que resulta soprendente y causa admiración porque no se puede explicar por causas naturales: *muchos santos han hecho curaciones prodigiosas.* ② Que produce admiración por tener unas determinadas cualidades o ser extraordinario: *tiene una memoria prodigiosa.* **SIN** maravilloso, portentoso.

pródigo, -ga *adj./s. m. y f.* ① Se aplica a la persona que gasta el dinero de forma insensata y sin necesidad. **SIN** manirroto. | *adj.* ② Que es muy generoso y da a los demás todo lo que tiene. **SIN** dadivoso. ③ Que produce o da en abundancia una cosa: *esta tierra es pródiga en agua y materias minerales.*
FAM prodigalidad, prodigar.

producción *s. f.* ① Fabricación o elaboración de un producto: *producción de calzado.* ② Conjunto de los productos que da la tierra o de los que elabora la industria: *la producción del país es eminentemente agrícola.* ③ Fabricación o elaboración de una sustancia u otra cosa que resulta útil para uno mismo. ④ Financiación de los gastos de realización de una película, un programa de radio o televisión o un espectáculo. ⑤ Realización material de una película, un programa de radio o televisión, o un espectáculo teatral: *equipo de producción.* ⑥ Película, programa o espectáculo que resultan de esta realización: *producción cinematográfica.*
FAM coproducción, sobreproducción, superproducción.

producir [18] *v. tr.* ① Dar fruto la tierra, las plantas o los árboles: *la vid produce la uva.* ② Fabricar o elaborar un producto a través del trabajo: *esta empresa produce quesos y otros deriva-*

dos de la leche. ③ Fabricar o elaborar una sustancia u otra cosa que resulta útil para uno mismo: *el hígado produce la bilis.* ④ Causar u ocasionar una cosa un efecto sobre otra: *la picadura de un mosquito produce un gran picor.* ⑤ Financiar los gastos de realización de una película, un programa de radio o televisión o un espectáculo teatral. ⑥ Crear una persona una obra de arte. ⑦ Dar una cosa ganancias o beneficios económicos: *el dinero del banco produce intereses.* | *v. prnl.* ⑧ **producirse** Ocurrir o suceder una cosa: *ayer se produjo un incendio.*
FAM producción, productivo, producto, productor; contraproducente, reproducir.

productividad *s. f.* ① Capacidad de la industria o la naturaleza para producir: *los abonos mejoran la productividad de la tierra.* ② Relación entre la producción obtenida y los factores utilizados para obtenerla.

■ **productividad de un ecosistema** En biología, biomasa final que se acumula en el ecosistema de un periodo determinado.

productivo, -va *adj.* ① Que produce o es capaz de producir. **SIN** fructífero. **ANT** estéril, improductivo. ② Relativo a la producción: *proceso productivo.* ③ Que da un resultado favorable al comparar los precios con los costes: *una inversión productiva.* ④ Que es útil o provechoso: *una reunión productiva.*
FAM productividad; improductivo.

producto *s. m.* ① Cosa que es producida de manera natural o artificial: *productos de la tierra.* ② Resultado o consecuencia de una determinada situación o circunstancia: *su éxito es producto de su perseverancia.* ③ Provecho o ganancia económica que se obtiene de una cosa. **SIN** beneficio, rendimiento.
■ **producto interior bruto** Valor total de la producción de bienes y servicios de un país en un determinado periodo, generalmente un año o un trimestre. **NOTA** Suele utilizarse la forma abreviada *PIB.* ■ **producto nacional bruto** Suma total de todos los ingresos percibidos por un país durante un periodo determinado, generalmente un año o un trimestre. **NOTA** Suele utilizarse la forma abreviada *PNB.* ④ Cantidad que resulta de multiplicar un número por otro: *64 es el producto de multiplicar 8 por 8.*

producto químico Sustancia que se obtiene en una reacción química.
FAM subproducto.

productor, -ra *adj./s. m. y f.* ① Que fabrica o elabora un producto: *las abejas son productoras de miel.* | *adj.* ② En ecología, se aplica a los organismos que sintetizan su propia materia orgánica a partir de sustancias inorgánicas. | *s. m. y f.* ③ Persona que interviene en la producción de bienes y servicios en la organización del trabajo. **ANT** consumidor. ④ Persona que paga o financia los gastos que supone realizar una película, un programa de radio o televisión o un espectáculo teatral.
FAM productora.

productora *s. f.* Empresa o sociedad que produce o financia la realización de películas, programas de radio y televisión o montajes de espectáculos teatrales.

proemio *s. m.* Prólogo.

proeza *s. f.* Acción de gran esfuerzo y valor. **SIN** hazaña, heroicidad.

prof., prof.ª Abreviaturas de *profesor* y *profesora.*

profanación *s. f.* ① Tratamiento ultrajante o irrespetuoso que se hace de una cosa que se considera sagrada, como los muertos o la religión: *profanación de tumbas.* ② Uso indigno o deshonroso que se hace de una cosa que se considera respetable.

profanar v. tr. ① Tratar sin el debido respeto una cosa que se considera sagrada. ② Dañar con palabras o acciones la dignidad, la estima y la respetabilidad de una persona o de una cosa, especialmente la honra y el buen nombre de una persona muerta.
FAM profanación, profanador.

profano, -na adj. ① Que no es sagrado ni está relacionado con la religión: *música profana.* **SIN** laico, secular. I adj./s. m. y f. ② Se aplica a la persona que no tiene conocimientos sobre determinada materia. **SIN** lego.
FAM profanidad.

profase s. f. Primera fase de la mitosis (división celular), en la cual desaparece la membrana nuclear y el nucleolo y las cromátidas se encuentran unidas por el centrómero.

profecía s. f. ① Predicción o anuncio de un hecho futuro que proclama una persona, especialmente un profeta por inspiración divina. ② Predicción que hace una persona sobre un hecho futuro a partir de ciertos indicios o por intuición.

proferir [9] v. tr. Pronunciar o decir unas palabras o sonidos, especialmente cuando son violentos: *profirió gritos de alegría y rabia al mismo tiempo.*

profesar v. tr. ① Aceptar y seguir una religión, doctrina o creencia: *profesa el budismo.* ② Tener una persona una determinada inclinación o un sentimiento hacia alguien: *profesa una gran simpatía a su vecino.* ③ Ejercer una persona una profesión, un arte o un oficio: *profesar la medicina.* I v. intr. ④ Ingresar una persona de manera voluntaria en una orden religiosa comprometiéndose a cumplir los votos propios de la orden: *profesó en los Carmelitas.*
FAM profesante, profesión, profeso.

profesión s. f. ① Empleo, oficio o trabajo que una persona ejerce a cambio de una retribución económica: *ser abogado de profesión.* ② Conjunto de profesionales de un ámbito determinado: *la profesión médica ha expresado su queja al ministerio.* ③ Ingreso voluntario de una persona en una orden religiosa.
FAM profesional.

profesional adj. ① Relativo a la profesión: *actividad profesional.* I adj./s. com. ② Se aplica a la persona que realiza una actividad que constituye su profesión o medio de ganarse la vida: *deportista profesional.* I s. com. ③ Persona que realiza su trabajo con aplicación, seriedad, honradez y eficacia: *es un gran profesional.*
FAM profesionalidad, profesionalizar.

profesionalidad s. f. Característica de la persona que realiza su trabajo con aplicación, seriedad, honradez y eficacia.

profesionalizar v. tr. ① Convertir en profesión una actividad habitualmente no profesional. ② Convertir a una persona aficionada o lega en profesional.

profeso[1] Se usa en la expresión latina:
ex profeso Expresamente, de forma deliberada: *ha venido ex profeso a verte.*

profeso, -sa[2] adj./s. m. y f. Se aplica a la persona que ha profesado en una orden religiosa.

profesor, -ra s. m. y f. ① Persona que se dedica a enseñar una ciencia, un arte, una técnica, etc.: *profesor de lengua.* ② Músico que toca en una orquesta.
FAM profesorado.

profesorado s. m. ① Conjunto de profesores, especial-

mente de un centro de enseñanza. ② Cargo de profesor (persona que enseña).

profeta, -tisa s. m. y f. ① Persona que tiene el don, inspirado por Dios, de predecir hechos que van a suceder. ② Persona que hace predicciones de hechos futuros a partir de ciertas señales o de su intuición.
FAM profecía, profético, profetizar.

profético, -ca adj. Relativo al profeta o la profecía: *revelaciones proféticas.*

profetismo s. m. Tendencia a profetizar de algunos filósofos y escritores de religión, principalmente antiguos.

profetizar v. tr. ① Anunciar una persona un hecho futuro por inspiración divina: *Daniel profetizó la llegada del Mesías.* ② Hacer una persona suposiciones o juicios sobre un hecho futuro observando unas determinadas señales: *un vidente profetizó el terremoto.* **SIN** predecir, pronosticar.

profiláctico, -ca adj. ① Que sirve para preservar o proteger de una enfermedad: *medidas profilácticas.* I s. m. ② Preservativo. **SIN** condón.

profilaxis s. f. Conjunto de medidas que se toman para proteger o preservar de las enfermedades.
FAM profiláctico.
OBS Plural invariable.

prófugo, -ga adj./s. m. y f. ① Se aplica a la persona que ha escapado de la justicia o de otra autoridad. I s. m. ② Hombre que se ausenta o se oculta para no hacer el servicio militar.

profundidad s. f. ① Distancia que hay desde el punto tomado como referencia (parte más alta, entrada, borde, etc.) hasta el fondo de una cosa o de un lugar: *la profundidad del río; los espejos dan sensación de profundidad al salón.* **SIN** hondura. ② Lugar profundo: *las profundidades del océano.* **NOTA** Normalmente en plural. ③ Fuerza o intensidad de una idea, un sentimiento o una sensación: *una imagen metafórica de gran profundidad.* **SIN** hondura. ④ Complejidad de un pensamiento que hace difícil su comprensión. **SIN** hondura. ⑤ Cualidad de lo que ahonda hasta lo más íntimo u oculto, o lo que afecta a lo más esencial de algo: *la profundidad y fuerza de su lirismo.*
en profundidad o **con profundidad** De una forma completa y con absoluto rigor: *tratar un asunto en profundidad.*

profundizar v. intr. ① Estudiar o examinar un tema, una idea o un asunto con gran atención y cuidado para conocerlo y comprenderlo mejor. I v. tr. ② Hacer una cosa más profunda. **SIN** ahondar.
FAM profundización.

profundo, -da adj. ① Que tiene el fondo a mucha distancia del punto tomado como referencia (parte más alta, entrada, borde, etc.): *el río es muy profundo.* **SIN** hondo. ② Que es fuerte o intenso: *amor profundo; sueño profundo.* ③ Que llega hasta muy adentro. **SIN** hondo. ④ Que resulta difícil de entender y requiere una gran penetración del pensamiento para ser comprendido: *idea profunda.* ⑤ Se aplica al pensamiento que resulta difícil de comprender o interpretar. **SIN** hondo. ⑥ Que penetra o ahonda hasta lo más íntimo u oculto y no se detiene en lo superficial: *un escritor muy profundo.* **ANT** superficial. ⑦ Se aplica al sonido que tiene un tono muy grave: *voz profunda.*
FAM profundidad, profundizar.

profusión s. f. Abundancia o cantidad excesiva.

profuso, -sa adj. Que es muy abundante. **SIN** copioso.
FAM profusión.

progenie *s. f.* 1 Linaje o familia de la cual desciende una persona. SIN casta. 2 Conjunto de hijos o descendientes de una persona.

progenitor, -ra *s. m. y f.* Padre o madre biológicos de una persona.

progesterona *s. f.* Hormona sexual producida por el ovario durante la segunda parte del ciclo menstrual y durante el embarazo. SIN luteína.

programa *s. m.* 1 Proyecto o planificación ordenada de las distintas partes o actividades que componen una cosa que se va a realizar: *programa de actividades.* 2 Exposición o declaración previa de las cosas que se harán en una determinada materia: *programa electoral.* 3 Sistema y distribución de las materias que forman una asignatura o un curso escolar: *programa escolar.* SIN temario. 4 Anuncio o exposición de los distintos puntos o partes que componen una celebración o un espectáculo: *programa de fiestas.* 5 Escrito en el que figura este proyecto, esta exposición, este sistema y distribución o este anuncio. 6 Emisión independiente y con un tema propio que retransmite una cadena de radio o de televisión: *la televisión ofrece programas informativos, culturales, deportivos y de ocio.* 7 Conjunto de operaciones que realizan algunas máquinas: *programa de lavado automático.* 8 Conjunto de instrucciones detalladas y codificadas que se dan a un ordenador para que realice o ejecute determinadas operaciones: *un programa de tratamiento de textos.*
FAM programar, programático.

programación *s. f.* 1 Acción que consiste en hacer una planificación ordenada de las distintas partes o actividades que componen una cosa que se va a realizar: *programación de las fiestas.* 2 Conjunto de emisiones o programas que se retransmiten por radio o televisión: *programación televisiva.* 3 Acción de programar un ordenador. 4 Técnica de programar los ordenadores.

programador, -ra *s. m.* 1 Dispositivo automático que pone en funcionamiento el mecanismo electrónico de determinados aparatos o que determina el orden en que deben funcionar los distintos mecanismos de un aparato. | *s. m. y f.* 2 Persona que se dedica a elaborar programas para ordenador.

programar *v. tr.* 1 Establecer o planificar el programa de una serie de actividades. 2 Dar las instrucciones necesarias a una máquina para que realice su función de manera automática. | *v. tr./intr.* 3 Elaborar y aplicar programas para un ordenador.
FAM programable, programación, programador; desprogramar.

programático, -ca *adj.* Relativo al programa: *seguir un orden programático.*

progre *s. com./adj.* 1 familiar Persona que tiene ideas progresistas y tiene un concepto de la vida avanzado e innovador. ANT conservador. | *adj.* 2 Que es propio de estas personas: *una reunión progre.* ANT conservador.

progresar *v. intr.* 1 Pasar una persona, una cosa o una materia a un estado mejor, más avanzado o más adelantado. SIN adelantar. 2 Desarrollarse una sociedad en el aspecto económico, social, científico y cultural.
FAM progresión.

progresión *s. f.* 1 Avance, evolución o mejora de una cosa: *la progresión de una enfermedad.* 2 Serie o sucesión no interrumpida. 3 Serie de números o de términos matemáticos

ordenados según una constante. ■ **progresión aritmética** Sucesión de números en que cada término es igual al anterior más una cantidad fija o constante (la diferencia): *los números 1, 3, 5, 7, 9 están en progresión aritmética.* ■ **progresión geométrica** Sucesión de números en que cada término es igual al anterior multiplicado por una cantidad fija o constante (la razón): *los números 1, 2, 4, 8, 16, 32 están en progresión geométrica.* 4 Procedimiento musical por el que una frase melódica y rítmica se repite de manera simétrica a distinta altura: *las progresiones abundan en las fugas de Bach.*

progresismo *s. m.* 1 Ideología y doctrina que defiende y busca el desarrollo de una sociedad en el aspecto económico, social, científico y cultural: *el progresismo se asocia a los partidos de izquierdas, en oposición a los conservadores o de derechas.* ANT conservadurismo. 2 Movimiento político que defiende y apoya esta ideología. ANT conservadurismo.
FAM progresista.

progresista *adj./s. com.* 1 Se aplica a la persona o el partido político que defiende y busca el desarrollo o la evolución de una sociedad en el aspecto económico, social, científico y cultural. ANT conservador. | *adj.* 2 Relativo al progresismo: *ley progresista.* ANT conservador.
FAM progre.

progresivo, -va *adj.* Que avanza o progresa de forma continuada: *una enfermedad progresiva.*
FAM progresividad.

progreso *s. m.* 1 Cambio que experimenta una persona o una cosa a un estado mejor, más avanzado o más desarrollado: *hace progresos importantes en matemáticas.* SIN mejora. 2 Desarrollo de una sociedad en el aspecto económico, social, científico y cultural: *el progreso supone el gran avance de la humanidad.*
FAM progresar, progresismo, progresivo.

prohibición *s. f.* Acción de prohibir.

prohibir *v. tr.* Imponer quien tiene autoridad para ello que no se haga cierta cosa: *en los hospitales se prohíbe fumar.* SIN vedar. ANT permitir.

prohibitivo, -va *adj.* 1 Que prohíbe o sirve para prohibir: *una ley prohibitiva.* 2 Que es muy caro y no está al alcance de la mayoría de la gente: *los precios de las viviendas son prohibitivos.*

prohijar *v. tr.* 1 Adoptar como hijo a una persona. 2 Acoger o defender como propias ideas u opiniones ajenas.
FAM prohijamiento.

prohombre *s. m.* Hombre famoso e ilustre que es muy respetado por sus cualidades y disfruta de especial consideración. SIN prócer.

prójimo, -ma *s. m.* 1 Persona considerada en relación con cualquier otra, con la que forma parte de la humanidad: *hay que ser solidario con el prójimo.* SIN semejante. | *s. m. y f.* 2 fam. desp. Individuo o sujeto cualquiera.

pról. Abreviatura de *prólogo*, escrito introductorio de un libro.

prolactina *s. f.* Hormona que estimula la secreción de la leche tras el parto a través de una acción directa sobre las glándulas mamarias.

prole *s. f.* Conjunto de hijos que tiene una persona. SIN descendencia.
FAM proletario, proliferar, prolífico.

prolegómeno *s. m.* ① Tratado preliminar fundamental que, al inicio de una obra o escrito, establece los principios y fundamentos generales de la materia que se va a tratar. ‖ *s. m. pl.* ② **prolegómenos** Momentos inmediatamente anteriores a un acontecimiento.

proletariado *s. m.* Clase social formada por las personas que no disponen de los medios propios de producción y venden su fuerza de trabajo a cambio de un sueldo o salario.

proletario, -ria *adj.* ① Relativo al proletariado: *barrios proletarios.* ‖ *s. m. y f.* ② Persona que no dispone de medios propios de producción y vende su fuerza de trabajo a cambio de un sueldo o salario.
FAM proletariado, proletarizar.

proliferación *s. f.* ① Aumento rápido de una cosa en cantidad o número: *proliferación de nacimientos.* ② Reproducción o multiplicación de un organismo vivo.

proliferar *v. intr.* ① Aumentar una cosa de manera rápida en cantidad o en número. **SIN** crecer, multiplicarse. ② Reproducirse por división una célula: *los virus proliferan en un medio adecuado.*
FAM proliferación, proliferante.

prolífico, -ca *adj.* ① Que tiene facilidad para engendrar o reproducirse abundante y rápidamente: *el conejo y la rata son animales prolíficos.* ② Se aplica a la persona que tiene una extensa producción artística o científica: *un escritor muy prolífico.* **SIN** fecundo.

prolijidad *s. f.* Característica de una explicación o exposición que es demasiado larga y detallada.

prolijo, -ja *adj.* ① Que es demasiado largo o extenso y resulta pesado. **ANT** conciso, parco. ② Se aplica a la persona que se extiende demasiado o se detiene mucho en los detalles escribiendo o hablando y resulta pesado. ③ Que se detiene en los detalles más pequeños al hacer una cosa, especialmente al hablar o escribir: *un cálculo prolijo; un investigador prolijo.* **SIN** minucioso.
FAM prolijidad.

prologar *v. tr.* Escribir el prólogo de una obra.

prólogo *s. m.* ① Escrito que precede a la obra y sirve de justificación o presentación. ② Exordio o principio para hacer alguna cosa. ③ En algunas obras literarias, relato breve independiente de la acción principal de la obra, a la cual sirve de antecedente. ④ Discurso que, en el teatro griego y romano, precedía a la representación de la obra y en el cual se narraba el argumento y se pedía la indulgencia del público.
FAM prologar, prologuista.

prolongación *s. f.* ① Acción que consiste en alargar una cosa: *las obras de prolongación de una línea de metro.* ② Parte de una cosa que se extiende o se alarga fuera de ella: *la cola de los animales es una prolongación de su espina dorsal.* ③ Pieza que se añade a una cosa para hacerla más larga: *la escalera tiene una prolongación para poder subir a la azotea.*

prolongar *v. tr.* ① Hacer que una cosa tenga más longitud. **SIN** alargar. ② Hacer que una cosa dure más tiempo de lo normal: *la fiesta se prolongó hasta la madrugada.* **SIN** alargar.
FAM prolongación, prolongado.

promediar *v. tr.* Calcular o determinar el promedio de una cosa.
OBS Verbo regular, se acentúa como *cambiar.*

promedio *s. m.* Resultado que se obtiene al dividir la suma de varias cantidades por el número de sumandos: *las cifras arrojan un promedio del cinco por ciento.*
FAM promediar.

promesa *s. f.* ① Acto y expresión con los que una persona asegura o promete que va a hacer una cosa: *no has cumplido tu promesa.* ② Ofrecimiento solemne que hace una persona de cumplir con rectitud y fidelidad los deberes y obligaciones de un cargo. **SIN** juramento. ③ Ofrecimiento que hace una persona a Dios o a un santo a cambio de que le conceda un ruego o petición. ④ Persona que tiene unas cualidades especiales en una determinada actividad y tiene posibilidades de triunfar en el futuro: *el joven delantero es una promesa del fútbol.*

prometedor, -ra *adj.* Que promete o da muestras de que va a triunfar o a resultar bueno en el futuro: *un futuro prometedor.*

prometer *v. tr.* ① Decir una persona que va a hacer o decir una cosa, obligándose a ello: *prometió no volver a mentir.* ② Asegurar la verdad de lo que se dice: *te prometo que yo no he sido.* ③ Declarar una persona mediante una promesa solemne que se compromete a cumplir con rectitud y fidelidad los deberes y obligaciones de un cargo: *el nuevo ministro prometió su cargo ante el rey.* ④ Dar muestras o indicios una cosa de que será tal como se expresa: *este año promete ser provechoso.* ⑤ Comprometer a una persona con otra para que se casen: *sus padres la prometieron con un hombre mucho mayor que ella.* ‖ *v. intr.* ⑥ Dar muestras una persona o una cosa de que va a triunfar o a resultar bueno en el futuro: *este estudiante promete.* ‖ *v. prnl.* ⑦ **prometerse** Establecer una pareja relaciones amorosas formales: *Raquel y Gustavo se prometieron el año pasado.* **SIN** comprometerse. ⑧ Consagrarse una persona a la vida religiosa y de culto.
prometérselas felices familiar Tener esperanza una persona de lograr lo que desea sin gran dificultad: *se las promete muy felices en su nuevo puesto de trabajo.*
FAM promesa, prometedor, prometido, promisorio.

prometido, -da *s. m. y f.* Persona que está comprometida para casarse con otra.

prometio *s. m.* Elemento químico de símbolo *Pm* y número atómico 61; es un metal radiactivo obtenido artificialmente, de color plateado, que se usa en baterías atómicas y como fuente de partículas beta: *el prometio pertenece a la serie de los lantánidos.*

prominencia *s. f.* Elevación o abultamiento de una cosa sobre lo que está alrededor.

prominente *adj.* ① Que se eleva, se levanta o sobresale con relación a lo que está al alrededor: *nariz prominente.* ② Se aplica a la persona que es ilustre o famosa: *un prominente científico.*
FAM prominencia.

promiscuidad *s. f.* ① Mezcla o confusión. ② Comportamiento de la persona que cambia de pareja sexual con frecuencia.

promiscuo, -cua *adj.* ① Que está mezclado y confuso. ② Se aplica a la persona que cambia de pareja sexual con frecuencia.
FAM promiscuidad.

promisión *s. f.* Promesa (acto y expresión).

promoción *s. f.* ① Acción de promocionar a una persona, un producto, un servicio, etc. ② Campaña publicitaria que se hace de un determinado producto o servicio durante un

tiempo limitado mediante una oferta atractiva: *no se pierda esta promoción: pague dos y llévese tres.* ③ Conjunto de personas que consiguen un grado, un título o un empleo al mismo tiempo: *un compañero de promoción de la universidad.* ④ Ascenso profesional o social de una persona. ⑤ Torneo deportivo en el que se enfrentan dos equipos de los cuales el ganador ascenderá a una categoría superior.
FAM promocional, promocionar.

promocionar *v. tr.* ① Dar publicidad a un producto, un servicio, etc., para que sea conocido públicamente, o a una persona para hacerla famosa, especialmente con intereses comerciales. ② Ayudar a una persona a subir de categoría social o profesional. ‖ *v. intr.* ③ Jugar un equipo deportivo una promoción. ‖ *v. prnl.* ④ **promocionarse** Subir una persona de categoría social o profesional.

promontorio *s. m.* ① Elevación del terreno o monte de poca altura, especialmente si se mete dentro del mar: *el castillo está en un promontorio que domina el valle.* ② Elevación del terreno o punta rocosa que se adentra en el mar.

promotor, -ra *adj./s. m. y f.* Que realiza las acciones necesarias para promocionar cosas o personas: *empresa promotora.*

promover [6] *v. tr.* ① Impulsar la realización o el desarrollo de una actividad, iniciándola si está paralizada o detenida: *promover campañas contra la droga.* **SIN** fomentar. ② Producir o causar una cosa que provoca agitación o polémica: *el descontento de la gente promovió una buena oleada de protestas.* **SIN** suscitar. ③ Ascender a alguien de categoría social o profesional.
FAM promoción, promotor, promovedor.

promulgación *s. f.* Publicación oficial de una ley o disposición de la autoridad.

promulgar *v. tr.* Publicar una cosa de forma oficial, especialmente una ley u otra disposición de la autoridad.
FAM promulgación.

pronombre *s. m.* Categoría gramatical constituida por aquellas palabras que pueden sustituir a un nombre o a un sintagma nominal y desempeñar en la oración las funciones propias del sustantivo; su significado es puramente ocasional o referencial, es decir, depende del contexto en que aparecen. ■ **pronombre demostrativo** Pronombre que se utiliza para señalar o mostrar una persona, animal o cosa que está más o menos lejos de la persona que habla: *"éste", "ése" y "aquél" son pronombres demostrativos.* ■ **pronombre exclamativo** Pronombre que introduce una oración exclamativa: *en la oración "¡qué suerte!", "qué" es un pronombre exclamativo.* ■ **pronombre indefinido** Pronombre que se utiliza para referirse a una persona, animal o cosa de manera poco exacta o concreta: *las palabras "alguien", "nadie", "poco" y "bastante" son pronombres indefinidos.* ■ **pronombre interrogativo** Pronombre que introduce una oración interrogativa: *en la oración "¿cuánto tardarás?", "cuánto" es el pronombre interrogativo.* ■ **pronombre numeral** Pronombre que se utiliza para expresar la idea de cantidad, orden, partición o multiplicación: *"tres", "quinto" y "doble" son pronombres numerales.* ■ **pronombre personal** Pronombre que señala al hablante, al oyente o a cualquier persona, animal o cosa que aparece en la comunicación: *"yo", "tú", "él", "nosotros", "vosotros" y "ellos" son pronombres personales.* ■ **pronombre posesivo** Pronombre que expresa posesión o pertenencia: *"mío", "tuyo", "suyo", "nuestro" y "vuestro" son pronombres posesivos.* ■ **pronombre relativo** Pronombre que introduce una oración de relativo y se

refiere a una persona, animal o cosa que ya se ha mencionado en la oración principal y que hace la función de antecedente: *"quien", "cual", "que" y "cuyo" son pronombres relativos.*
FAM pronominal.

pronominal *adj.* ① Relativo al pronombre: *forma pronominal.* ② Se aplica al verbo que se conjuga en todas sus formas con pronombres reflexivos (*me, te, se, nos, os*), sin tener necesariamente significado reflexivo: *el verbo "arrepentirse" es pronominal.* ③ Se aplica al adverbio que puede utilizarse como pronombre: *"donde", "aquí" y "nunca" son adverbios pronominales.*

pronosticar *v. tr.* ① Anunciar un hecho futuro o la evolución de un proceso a partir de criterios lógicos o científicos: *han pronosticado lluvias generalizadas para el fin de semana.* ② Adelantar lo que va a suceder en el futuro a partir de algunos indicios, datos o informaciones: *la calidad de la uva pronostica un buen año de vino.* **SIN** anunciar.

pronóstico *s. m.* ① Anuncio de un hecho futuro o de la evolución de un proceso a partir de criterios lógicos o científicos: *el pronóstico meteorológico.* **SIN** predicción. ② Juicio que hace el médico sobre el estado o el desarrollo de una enfermedad: *pronóstico leve de una enfermedad.* ■ **pronóstico reservado** Pronóstico que no se revela porque sus indicios no son suficientes para que los médicos emitan un juicio seguro. ③ Acción de comunicar lo que va a ocurrir en un futuro teniendo en cuenta determinadas señales o indicios. **SIN** anuncio.
FAM pronosticar.

prontitud *s. f.* Velocidad o rapidez con la que se realiza una cosa.

pronto, -ta *adj.* ① Que se produce, actúa o reacciona con rapidez: *una respuesta pronta.* ② Que está dispuesto o preparado para hacer una cosa. **SIN** presto. ‖ *s. m.* ③ familiar Reacción o impulso inesperado y generalmente brusco: *le dio un pronto y se fue.* ‖ *adv.* ④ En un breve espacio de tiempo: *volver pronto.* ⑤ Antes de lo acostumbrado, o con anticipación al tiempo previsto: *iremos si acabas pronto.* **ANT** tarde.
al pronto A primera vista: *al pronto, parece joven.*
de pronto Sin que nadie se lo espere: *hacía un sol radiante y de pronto empezó a llover.* **SIN** de repente.
por de pronto o **por lo pronto** Por ahora o por el momento.
FAM prontitud; aprontar.

pronunciación *s. f.* ① Acción de pronunciar sonidos: *ejercicios de pronunciación.* ② Manera de pronunciar de una persona: *mala pronunciación.* **SIN** dicción. ③ Pronunciamiento (declaración).

pronunciado, -da *adj.* Que se nota o sobresale mucho: *tiene unas arrugas muy pronunciadas.*

pronunciamiento *s. m.* ① Declaración de la decisión o sentencia de un juez o un tribunal. ② Alzamiento o golpe de Estado de un ejército, generalmente liderado por un alto mando, contra un gobierno para derribarlo: *durante el siglo XIX, los pronunciamientos fueron frecuentes en España.* ③ Declaración pública de una opinión o una respuesta que va en contra o a favor de algo. **SIN** pronunciación.

pronunciar *v. tr.* ① Emitir y articular sonidos al hablar. ② Decir una cosa en voz alta y ante un público: *pronunciar un discurso.* ③ Hacer pública una sentencia un juez o un tribunal. ④ Destacar o resaltar mucho una cosa. **SIN** acentuar, marcar. ‖ *v. prnl.* ⑤ **pronunciarse** Declararse a favor o en contra de un hecho o de una situación. **6** Rebelarse un grupo militar contra el gobierno para derribarlo.

FAM pronunciación, pronunciado, pronunciamiento; impronunciable.

OBS Verbo regular, se acentúa como *cambiar*.

propagación *s. f.* Acción propagar alguna cosa: *el viento contribuyó a la propagación del incendio.*

propaganda *s. f.* **1** Acción que consiste en dar a conocer al público un producto, una opinión, una idea, etc., con un fin determinado: *propaganda electoral.* **SIN** publicidad. **2** Conjunto de medios o materiales que se utilizan para dar a conocer al público un producto, una opinión o a una persona, con un fin determinado: *el buzón está lleno de propaganda.* **SIN** publicidad.

FAM propagandista, propagandístico.

propagandista *adj.* **1** Relativo a la propaganda: *labor propagandista.* **‖** *s. com.* **2** Persona que hace propaganda, especialmente política o religiosa.

propagandístico, -ca *adj.* Que hace propaganda o difusión de una cosa: *anuncios propagandísticos.*

propagar *v. tr.* Extender, esparcir o hacer llegar una cosa a muchos lugares y en todas las direcciones: *la enfermedad se ha propagado por toda la región.*

FAM propagación, propagador.

propano *s. m.* Gas incoloro que se emplea como combustible y que se extrae del petróleo en bruto.

proparoxítono, -na *adj./s. f.* **1** Se aplica a la palabra que lleva el acento de intensidad en la antepenúltima sílaba: *las palabras proparoxítonas llevan siempre tilde.* **SIN** esdrújulo. **‖** *adj./s. m.* **2** Se aplica al verso que acaba en una palabra paroxítona. **SIN** esdrújulo.

propasarse *v. prnl.* **1** Hacer o decir una cosa que va más allá de lo debido o permitido: *es peligroso propasarse con las bebidas alcohólicas.* **2** Faltar al respeto, especialmente en el terreno sexual.

propelente *adj./s. m.* Se aplica al gas comprimido que sirve para expulsar el líquido de un aerosol.

propender *v. intr.* Inclinarse una persona hacia algo por gusto o afición: *su forma de ser propende al optimismo.* **SIN** tender.

FAM propensión, propenso.

propensión *s. f.* Tendencia o inclinación que una persona o cosa tiene hacia algo, especialmente a lo que es de su gusto o naturaleza: *propensión a la obesidad.*

propenso, -sa *adj.* Que tiene inclinación o disposición natural hacia una cosa: *propenso a engordar.*

propiciar *v. tr.* **1** Ayudar a que sea posible la realización de una acción o la existencia de una cosa: *el buen tiempo propició la excursión.* **SIN** favorecer. **2** Atraer, conseguir o ganar la admiración o la benevolencia de una persona: *propiciar buenas obras.*

FAM propiciatorio.

OBS Verbo regular, se acentúa como *cambiar.*

propiciatorio, -ria *adj.* Que tiene la capacidad de hacer propicia o adecuada una cosa: *antiguamente se sacrificaban víctimas propiciatorias para conseguir el favor de un dios.*

propicio, -cia *adj.* Que es oportuno o favorable: *el clima tropical es propicio para el cultivo de plátanos.* **SIN** adecuado.

FAM propiciar.

propiedad *s. f.* **1** Derecho o poder que tiene una persona

de poseer una cosa y poder disponer de ella dentro de los límites legales: *propiedad privada.* **2** Cosa que pertenece a una persona, especialmente si es un bien inmueble, como por ejemplo un terreno o un edificio: *tiene innumerables propiedades.* **3** Cualidad esencial y característica de una persona o de una cosa: *la tila tiene propiedades calmantes; las propiedades físicas de una sustancia.* ■ **propiedad asociativa** Propiedad de una operación matemática, como la suma, por la cual se verifica que $a + (b + c) = (a + b) + c$, donde a, b y c son tres números cualesquiera. ■ **propiedad conmutativa** Propiedad de una operación matemática, como la suma, por la cual se verifica que $a + b = b + a$, donde a y b son dos números cualesquiera. ■ **propiedad distributiva** Propiedad de la suma con respecto de la multiplicación, por la cual se verifica que $a \cdot (b + c) = a \cdot b + a \cdot c$, donde a, b y c son tres números reales cualesquiera. **4** Adecuación exacta entre el uso que se hace de una palabra o una frase y lo que significan exactamente: *hablar con propiedad.* **ANT** impropiedad. **5** Parecido o semejanza casi perfecta que hay entre una cosa y su imitación.

FAM propietario; copropiedad, impropiedad, multipropiedad.

propietario, -ria *adj./s. m. y f.* **1** Se aplica a la persona que tiene derecho de propiedad sobre una cosa, especialmente sobre un bien inmueble. **SIN** dueño. **2** Se aplica a la persona que ocupa un puesto de trabajo que le pertenece permanentemente. **SIN** titular. **ANT** interino.

propina *s. f.* Cantidad de dinero que se da voluntariamente para agradecer un servicio.

de propina Se usa para indicar que algo se hace por añadidura, además de otra cosa.

propinar *v. tr.* **1** Dar un golpe o una paliza. **2** Hacer experimentar una cosa desagradable, molesta o incómoda: *propinar una bronca.*

FAM propina.

propio, -pia *adj.* **1** Que pertenece a una persona, un animal o una cosa: *tiene casa propia.* **2** Que es característico de una persona, un animal o una cosa: *una conducta propia de un niño.* **3** Que es conveniente y adecuado para un fin determinado: *la ropa deportiva no es propia para una fiesta elegante.* **4** Se utiliza para hacer referencia a la misma cosa o persona de la que se habla: *me insultó en mi propia cara.* **NOTA** En esta acepción, va antepuesto al sustantivo. **SIN** mismo. **5** Se aplica al nombre que se refiere a una persona o cosa en concreto, para designarlos y diferenciarlos de otros de su misma clase: *los nombres propios se escriben siempre con mayúscula.* **ANT** común.

FAM propiedad; impropio.

proponer [36] *v. tr.* **1** Exponer un proyecto o una idea para que otra persona lo acepte: *me propuso un trabajo interesante.* **2** Presentar o recomendar a una persona para que ocupe un determinado cargo o empleo: *lo han propuesto como nuevo director.* **‖** *v. prnl.* **3** **proponerse** Decidirse a conseguir o a realizar una cosa poniendo los medios necesarios para ello: *se propuso aprender a conducir durante el verano.*

FAM proposición.

proporción *s. f.* **1** Relación de correspondencia y equilibrio entre las partes y el todo, o entre varias cosas relacionadas entre sí, en cuanto a tamaño y cantidad: *entre las distintas partes del cuerpo humano hay proporción.* **ANT** desproporción. **2** Igualdad entre dos razones: *proporción aritmética.* **‖** *s. f. pl.*

proporciones Importancia, extensión o intensidad que tiene una cosa: *el incendio alcanzó proporciones extraordinarias.* **FAM** proporcional, proporcionar; desproporción.

proporcionado, -da *adj.* ① Que tiene proporción o armonía entre sus diferentes partes. **ANT** desproporcionado. ② Que tiene una dimensión justa o adecuada sin ser ni demasiado grande ni demasiado pequeño.

proporcional *adj.* Que guarda o respeta una proporción: *reparto proporcional.* **FAM** proporcionalidad.

proporcionalidad *s. f.* Relación o correspondencia de las partes con el todo o de una cosa con otra. ■ **proporcionalidad compuesta** Proporcionalidad en la que intervienen más de dos magnitudes. ■ **proporcionalidad directa** Proporcionalidad que existe entre dos magnitudes si al multiplicar (o dividir) un valor de una de ellas por un mismo número, el valor correspondiente de la otra queda multiplicado (o dividido) por el mismo número: *la segunda ley de Newton establece la proporcionalidad directa entre fuerza y aceleración.* ■ **proporcionalidad inversa** Proporcionalidad que existe entre dos magnitudes si su producto es constante.

proporcionar *v. tr.* ① Dar a una persona o cosa lo que necesita o le conviene para un fin determinado: *proporcionar alimentos y medicinas a los más necesitados.* **SIN** facilitar, proveer, suministrar. ② Producir o causar una cosa, especialmente un sentimiento: *los hijos proporcionan grandes alegrías.* ③ Colocar u ordenar las partes de una cosa con la debida proporción. **FAM** proporcionado.

proposición *s. f.* ① Ofrecimiento o invitación para hacer una cosa determinada. **SIN** oferta, propuesta. ② Entidad gramatical con estructura oracional (es decir, consta de sujeto y predicado) que se une a otra para constituir una oración compuesta o compleja: *en la oración "ven aquí cuando quieras", "cuando quieras" es una proposición.* ③ En retórica, parte del discurso en que se expone aquello de lo que se quiere convencer a los oyentes. ④ En matemáticas y lógica, enunciado de una verdad demostrada o de una opinión o juicio que se quiere demostrar.

propósito *s. m.* ① Voluntad o intención de hacer una cosa: *tiene el propósito de viajar.* **SIN** pretensión. ② Objetivo que tiene una cosa o una acción: *este libro tiene el propósito de ayudar a los estudiantes de matemáticas.* **SIN** objetivo.
a propósito (I) De forma voluntaria o deliberada. **SIN** adrede, aposta. (II) De forma adecuada y conveniente para un fin: *una mesa a propósito para dibujar planos.* (III) Indica que aquello de lo que se está hablando tiene relación con lo que se acaba de decir: *dices que acabas de volver de vacaciones, pero, a propósito, ¿dónde has estado?* **SIN** por cierto.
a propósito de En relación con el tema del que se está hablando: *discutían a propósito de la película.*
fuera de propósito Que no es adecuado ni conveniente. **SIN** inoportuno.
FAM despropósito.

propuesta *s. f.* ① Ofrecimiento o invitación para hacer una cosa determinada. **SIN** oferta, proposición. ② Idea o proyecto sobre un asunto o negocio que se presenta ante una o varias personas que tienen autoridad para aprobarlo o rechazarlo: *una propuesta de ampliación laboral.* ③ Presentación o recomendación de una persona para que ocupe un determinado cargo o empleo.
FAM contrapropuesta.

propuesto, -ta Participio irregular de *proponer.* **FAM** propuesta.

propugnar *v. tr.* Defender una idea u otra cosa que se considera útil o adecuada: *propugnar un cambio.* **FAM** propugnación.

propulsar *v. tr.* Aplicar la fuerza necesaria para que una cosa se mueva: *los cohetes son propulsados por motores.* **SIN** impulsar.
FAM propulsión, propulsor.

propulsión *s. f.* Acción que consiste en aplicar la fuerza suficiente a una cosa para que se mueva: *los barcos y los aviones se mueven por propulsión.* ■ **propulsión a chorro** Procedimiento que se utiliza para mover un vehículo mediante la expulsión de una corriente de gases, producidos a gran presión por el motor, en dirección contraria a la marcha. **SIN** retropropulsión.
FAM autopropulsión, motopropulsión, retropropulsión.

propulsor, -ra *adj.* ① Que propulsa: *leyes propulsoras.* ∣ *s. m.* ② Motor que produce movimiento mediante la expulsión de los gases que en él se producen. **SIN** reactor.
FAM turbopropulsor.

prorrateo *s. m.* ① Repartición proporcional de una cantidad entre varios. ② Procedimiento para distribuir de manera proporcional la renta anual que ha de pagar un conjunto de fincas forales.
a prorrateo De manera proporcional.

prórroga *s. f.* ① Prolongación de la duración de una cosa, o del plazo de tiempo que se tiene para hacerla, por un tiempo determinado: *ha pedido una prórroga de la beca.* ② Aplazamiento del servicio militar obligatorio que se les concede a los que son llamados a filas.

prorrogable *adj.* Que puede ser prorrogado por un tiempo determinado. **ANT** improrrogable.
FAM improrrogable.

prorrogar *v. tr.* ① Alargar o prolongar la duración de una cosa por un periodo de tiempo determinado. ② Aplazar o suspender la ejecución de una cosa: *la empresa quiere prorrogar los pagos.*
FAM prórroga, prorrogable.

prorrumpir *v. intr.* ① Mostrar un sentimiento de forma repentina e intensa: *prorrumpir en aplausos.* **SIN** estallar. ② Salir con fuerza una cosa: *el agua prorrumpió de la tubería.*

prosa *s. f.* ① Forma de expresión del lenguaje oral o escrito que no está sujeta a una rima o a una medida: *los artículos de periódico, las novelas, las redacciones y los cuentos se escriben en prosa.* ② Lenguaje prosaico en la poesía. ③ Conjunto de obras escritas de esta forma por un autor o en una época histórica o un país: *la prosa del siglo XVIII.* ④ Exceso de palabras para decir cosas poco o nada importantes.
FAM prosificar, prosista, prosístico.

prosaico, -ca *adj.* Que resulta vulgar y no tiene ninguna emoción o interés especial, por estar demasiado relacionado con lo material.
FAM prosaísmo.

prosapia *s. f.* Ascendencia o linaje ilustre o aristocrático de una persona.

proscenio *s. m.* ① Lugar de un antiguo teatro griego o latino que está situado entre la escena y la orquesta. ② Parte del escenario que está situada más cerca del público: *el proscenio se halla entre el borde del escenario y los bastidores.*

P

proscribir *v. tr.* ① culto Expulsar a alguien de su patria, generalmente por causas políticas: *las autoridades proscribieron a los rebeldes*. ② Prohibir un uso o una costumbre: *el Gobierno proscribió el consumo de alcohol*.
FAM proscripción, proscrito.
OBS Participio irregular: *proscrito*.

proscripción *s. f.* ① culto Expulsión o destierro de una persona de su patria, generalmente por razones políticas. ② Prohibición de una costumbre o del uso de una cosa. **ANT** autorización.

proscrito, -ta ① Participio irregular de *proscribir*. ‖ *adj./ s. m. y f.* ② Se aplica a la persona que ha sido expulsada de su patria, generalmente por causas políticas.

prosecución *s. f.* culto Continuación de una cosa que se ha empezado.

proseguir [10] *v. tr./intr.* ① Continuar con una actividad que se ha empezado. ‖ *v. intr.* ② Continuar una persona o una cosa en un estado o actitud determinado.
FAM prosecución.

proselitismo *s. m.* Empeño exagerado con que una persona o una institución tratan de convencer y ganar seguidores o partidarios para una causa o doctrina.
FAM proselitista.
OBS Frecuentemente usado de forma despectiva.

proselitista *adj./s. com.* Se aplica a la persona que pone mucho empeño en convencer y ganar seguidores o partidarios para una causa o doctrina.

prosificar *v. tr.* Poner en prosa una composición poética.
FAM prosificación.

prosimio *adj./s. m.* ① Se aplica al primate arborícola de pequeño tamaño, dotado de hocico prominente, larga cola prensil y el segundo dedo provisto de una garra, como el lemur. ‖ *s. m. pl.* ② **prosimios** Grupo taxonómico, con categoría de suborden, constituido por estos primates.

prosista *s. com.* Persona que escribe obras en prosa.

prosístico, -ca *adj.* Relativo a la prosa.

prosodia *s. f.* ① Parte de la gramática que enseña la pronunciación y acentuación correctas. ② Parte de la fonología que estudia los rasgos suprasegmentales de una lengua, como el acento, el tono y la cantidad. ③ Estudio de los rasgos fonéticos que afectan a la métrica de un poema: *la prosodia trata los acentos y el número de sílabas de los versos*.
FAM prosódico.

prosódico, -ca *adj.* ① Relativo a la prosodia. ② Se aplica al rasgo sonoro que afecta a unidades superiores o inferiores al fonema: *la entonación y el acento son rasgos prosódicos*.

prosopopeya *s. f.* ① Figura retórica que consiste en atribuir a un animal o a una cosa cualidades propias de los seres humanos: *"los árboles nos saludan" es una prosopopeya*. **SIN** personificación. ② Gravedad o solemnidad afectada en la manera de hablar o actuar.

prospección *s. f.* ① Exploración del terreno para descubrir la existencia de minerales, agua, yacimientos geológicos u otra cosa: *prospección petrolífera*. ② Estudio de las posibilidades futuras de un negocio teniendo en cuenta los datos de que se dispone. ③ CUBA Reconocimiento médico.

prospectivo, -va *adj.* Que hace referencia al futuro: *visión prospectiva*. **ANT** retrospectivo.

prospecto *s. m.* ① Papel en el que están escritas las características de un determinado producto y las instrucciones para utilizarlo: *antes de tomar un medicamento hay que leer el prospecto*. ② Exposición o anuncio breve que se hace al público sobre una obra, un espectáculo, una mercancía u otra cosa. **SIN** folleto.

prosperar *v. intr.* ① Mejorar de situación, especialmente de posición social y económica: *el negocio prospera*. **SIN** medrar. ② Tener éxito o imponerse una idea, una opinión o una iniciativa.

prosperidad *s. f.* ① Desarrollo favorable, especialmente en el ámbito económico y social: *la situación económica augura un futuro de prosperidad*. ② Éxito y buena suerte en la vida.

próspero, -ra *adj.* ① Que es favorable y que tiene o conlleva éxito o felicidad: *próspero año nuevo*. ② Que se desarrolla de forma favorable, especialmente en el ámbito económico y social: *negocio próspero*.
FAM prosperar, prosperidad.

próstata *s. f.* Glándula del aparato genital masculino de los mamíferos, de pequeño tamaño y forma irregular, que rodea la uretra y está unida al cuello de la vejiga de la orina: *la próstata segrega un líquido blanquecino y viscoso que al mezclarse con los espermatozoides forma el semen*.
FAM prostático.

prosternarse *v. prnl.* Postrarse o arrodillarse una persona en señal de respeto.

prostíbulo *s. m.* Establecimiento en el que trabajan personas que mantienen relaciones sexuales a cambio de dinero. **SIN** burdel.
FAM prostibulario.

próstilo, -la *adj.* Se aplica al templo o edificio con columnas en la fachada principal.

prostitución *s. f.* Actividad de la persona que mantiene relaciones sexuales a cambio de dinero.

prostituir [21] *v. tr.* ① Hacer que una persona mantenga relaciones sexuales a cambio de dinero. ② Deshonrar o envilecer un cargo, autoridad, etc., generalmente para obtener dinero u otro beneficio: *el poder y el dinero prostituyen la política*. ③ Deshonrar o envilecer una cosa, especialmente una cualidad o facultad natural: *prostituye su talento por cuatro duros*.
FAM prostíbulo, prostitución, prostituto.

prostituto, -ta *s. m. y f.* Persona que mantiene relaciones sexuales a cambio de dinero.

protactinio *s. m.* Elemento químico de símbolo *Pa* y número atómico 91; es un metal radiactivo sólido que se encuentra en los minerales de uranio: *el protactinio pertenece al grupo de los actínidos*.

protagonismo *s. m.* Condición que tiene la persona o cosa que desempeña el papel principal en una obra, un hecho o un acontecimiento: *en esa obra la violencia tiene demasiado protagonismo*.

protagonista *s. com.* ① Personaje principal de una obra literaria, una película u otra creación artística. ② Persona o cosa que desempeña el papel principal en una obra, un hecho o un acontecimiento.
FAM protagonismo, protagonizar.

protagonizar *v. tr.* ① Representar el personaje principal de una obra literaria, una película u otra creación artística. ② Desempeñar el papel principal en una obra, un hecho o un acontecimiento.

prótalo o **protalo** *s. m.* Órgano que aparece en una fase del ciclo vital de las plantas pteridofitas; procede de la germinación de las esporas y en él crecen los anteridios y los arquegonios que producen las células sexuales.

prótasis *s. f.* En una oración condicional, proposición que expresa una hipótesis o condición y va introducida por la conjunción *si*: *en la oración "si llueve, te mojas", la prótasis es "si llueve"*. **ANT** apódosis.
OBS Plural invariable.

protección *s. f.* 1 Acción que consiste en proteger a una persona o cosa de un daño o peligro: *protección policial*. 2 Cosa que protege: *protección facial*.
protección civil Organización pública de defensa pasiva destinada a labores de seguridad en caso de catástrofe o guerra.
FAM proteccionismo.

proteccionismo *s. m.* Sistema de política económica que favorece la producción nacional frente a la competencia extranjera gravando con impuestos los productos de otras naciones que entran en el país. **ANT** librecambismo.
FAM proteccionista.

proteccionista *adj.* 1 Relativo al proteccionismo. **ANT** librecambista. | *adj./s. com.* 2 Se aplica a la persona que es partidaria del proteccionismo. **ANT** librecambista.

protector, -ra *adj.* 1 Que protege o defiende de algún daño o peligro: *sociedad protectora de animales*. | *adj./s. m. y f.* 2 Se aplica a la persona que protege, ayuda o favorece a otra. | *s. m.* 3 Objeto que sirve para proteger determinadas partes del cuerpo: *los boxeadores usan protectores en la boca*.
FAM protectoría; dermoprotector.

protectorado *s. m.* 1 Soberanía parcial que un estado ejerce sobre un territorio que no está incorporado por completo a esa nación y que posee autoridades propias: *algunos países europeos ejercieron su protectorado sobre territorio africano*. 2 Territorio en el que se ejerce esta soberanía: *la India fue un protectorado inglés*.

proteger *v. tr.* 1 Hacer que una persona o cosa no sufra daño o no esté en peligro: *esta crema protege del sol*. 2 Emplear una persona su influencia o su dinero para ayudar a alguien o para apoyar el desarrollo de una acción.
FAM protección, protector, protegido.

protegido, -da *s. m. y f.* Persona que recibe la protección, el apoyo y la confianza de otra que tiene más poder social o económico.

proteico, -ca *adj.* Relativo a las proteínas: *sustancia proteica*. **SIN** proteínico.

proteína *s. f.* Principio inmediato formado por una o varias cadenas polipeptídicas (unión de aminoácidos); desempeña multitud de funciones (enzimática, de transporte, movimiento, soporte, nutrición, inmunidad, regulación hormonal, recepción y transmisión de señales).
FAM proteico, proteínico.

proteínico, -ca *adj.* Proteico: *valor proteínico*.

protésico, -ca *adj.* 1 Relativo a la prótesis. | *s. m. y f.* 2 Persona que se dedica a la fabricación de piezas o aparatos artificiales que se colocan en la boca de las personas para sustituir a los dientes. **SIN** mecánico dentista.

prótesis *s. f.* 1 Pieza o aparato artificial que se coloca en el cuerpo de un ser vivo para sustituir un órgano o un miembro: *prótesis de rodilla*. 2 Operación en la que se lleva a cabo esta sustitución. 3 Adición de una o más letras o sonidos al

principio de una palabra: *en "estrés" hay una prótesis de "e" sobre la palabra inglesa "stress"*.
FAM protésico.
OBS Plural invariable.

protesta *s. f.* 1 Muestra de disconformidad, oposición o queja por alguna cosa. 2 Documento o acto con el que se protesta: *firmar una protesta*.

protestante *adj.* 1 Relativo al protestantismo. | *adj./s. com.* 2 Se aplica a la persona que profesa el protestantismo.
FAM protestantismo.

protestantismo *s. m.* Movimiento religioso que surgió de la reforma planteada por Martín Lutero en el siglo XVI que implicó la separación de la Iglesia católica y dio lugar a varias doctrinas, como el luteranismo y el calvinismo: *el protestantismo sostiene la relación directa del creyente con Dios a través de las Sagradas Escrituras*.

protestar *v. intr.* 1 Mostrar disconformidad, oposición o queja por alguna cosa: *protestaron por el cambio de horario*. | *v. tr.* 2 Declarar alguien su intención de ejecutar una cosa: *protestar ganas de viajar*.
FAM protesta, protestativo, protestón.

protestón, -tona *adj./s. m. y f.* familiar Se aplica a la persona que protesta mucho o por cualquier cosa. **SIN** gruñón.

prótido *s. m.* Sustancia orgánica compuesta de nitrógeno y otros elementos, y presente en todos los organismos.

protio *s. m.* Isótopo del hidrógeno cuyo peso atómico es 1.

protista V. protoctista.

protocolario, -ria *adj.* 1 Que se hace según el protocolo o se ajusta a él: *actos protocolarios*. 2 Que se hace solamente por cortesía o por cumplir unas determinadas reglas o costumbres: *visita protocolaria*.

protocolo *s. m.* 1 Conjunto de reglas que se siguen en la celebración de determinados actos oficiales o formales, y que han sido establecidas por decreto o por costumbre: *el protocolo dice que la mesa es presidida por la persona más importante*. 2 Normas de cortesía que deben seguirse en el comportamiento cotidiano. 3 Conjunto de escrituras y documentos que una persona autorizada guarda siguiendo ciertas formalidades. 4 Documento en el que se recoge un acuerdo o las conclusiones extraídas de una reunión. **SIN** acta.
FAM protocolario.

protoctista *adj./s. m.* 1 Se aplica al organismo eucariota unicelular o pluricelular que no forma tejidos diferenciados ni órganos: *los protozoos, las algas eucariotas y los hongos inferiores son los únicos protoctistas*. **SIN** protista. | *s. m. pl.* 2 **protoctistas** Grupo taxonómico, con categoría de reino, constituido por estos organismos. **SIN** protistas.

protón *s. m.* Partícula elemental que se encuentra en el núcleo del átomo y tiene carga eléctrica positiva: *la carga eléctrica del protón es idéntica a la del electrón, pero de signo contrario*.

protónico, -ca *adj.* Se aplica al elemento que precede a la sílaba tónica de una palabra: *sílaba protónica*. **SIN** pretónico. **ANT** postónico.

protórax *s. m.* Parte más anterior de las tres que forman el tórax de los insectos: *el tórax de los insectos se divide en tres anillos: protórax, mesotórax y metatórax*.
OBS Plural invariable.

prototípico, -ca *adj.* Relativo al prototipo: *imagen prototípica; trabajador prototípico*.

prototipo *s. m.* 1 Primer ejemplar que se fabrica de una fi-

P

gura, un invento u otra cosa, y que sirve de modelo para fabricar otros iguales, o molde original con el que se fabrica: *un prototipo de coche eléctrico.* ② Persona o cosa que reúne en grado máximo las características principales de cierto tipo de cosas y puede representarlas: *esa chica es el prototipo de belleza.*
FAM prototípico.

protozoo *s. m./adj.* Microorganismo heterótrofo formado por una sola célula o por una colonia de células en la que todas conservan su independencia, y que está dotado de movilidad: *los protozoos no tienen categoría taxonómica; la ameba es un protozoo.*

protráctil *adj.* Se aplica a la lengua de ciertos animales, que puede proyectarse mucho hacia fuera de la boca: *el camaleón tiene lengua protráctil.*

protuberancia *s. f.* Elevación o bulto de forma redondeada que sobresale de una superficie.
FAM protuberante.

protuberante *adj.* Que sobresale más de lo que se considera normal: *nariz protuberante.*
FAM protuberancia.

provecho *s. m.* ① Efecto beneficioso o positivo para una persona o una cosa que resulta de algo: *sacar provecho de un curso.* ② Capacidad de una cosa de servir para algo: *libros sin provecho.* ③ Eructo: *después de comer, el nene hará un provechito y a dormir.*
buen provecho Expresión que indica deseo de que se siente bien una comida o una bebida: *sigan comiendo y buen provecho.*
de provecho Se aplica a la persona o cosa que es muy útil o muy apta para un fin determinado: *ser un hombre de provecho.*
FAM provechoso; aprovechar.

provechoso, -sa *adj.* Que es útil y produce un beneficio.

proveedor, -ra *adj./s. m. y f.* ① Se aplica a la persona que provee o abastece a otra persona de lo necesario o conveniente para un fin determinado. ② Se aplica a la empresa que se dedica a proveer o abastecer de productos necesarios a una persona o empresa: *proveedora de productos lácteos.*

proveer [20] *v. tr.* ① Proporcionar a alguien lo necesario para un fin determinado: *una empresa provee de comida al colegio.* **SIN** abastecer, suministrar, surtir. ② Reunir las cosas necesarias para un fin determinado: *proveyeron el lugar de camas y víveres.* ③ Resolver o dar salida a un asunto: *habrá que proveer una solución temporal.* ④ Dar un cargo o empleo a una persona: *decidieron proveer el puesto con la persona más preparada.* ⑤ Dictar un juez o un tribunal una resolución que puede llegar a ser sentencia.
FAM proveedor; desproveer.
OBS Participio irregular: *provisto.*

provenir [48] *v. intr.* Proceder o tener origen en el lugar, cosa o persona que se expresa: *mi familia proviene de Cantabria.*
FAM proveniencia.

provenzal *adj.* ① De Provenza (provincia del sur de Francia): *literatura provenzal.* | *s. com./adj.* ② Persona que era de Provenza. | *s. m.* ③ Forma literaria de la lengua de oc, utilizada por los trovadores desde Limoges hasta el Mediterráneo, entre los siglos XI y XV. | *s. m./adj.* ④ Conjunto de dialectos procedentes de la lengua de oc que se hablan actualmente en el sudeste francés.
FAM provenzalismo.

proverbial *adj.* ① Relativo al proverbio. ② Que es muy co-

nocido por todos o desde siempre: *la proverbial hospitalidad de los españoles.*

proverbio *s. m.* ① Refrán, expresión, dicho o sentencia de origen popular que tiene forma fija y en la cual se expresa un pensamiento con un contenido moral, un consejo o una enseñanza: *"no por mucho madrugar amanece más temprano"* es un conocido proverbio. ② Obra dramática que pretende ejemplificar un refrán.
FAM proverbial.

providencia *s. f.* ① Previsión y cuidado que tiene Dios del mundo y de los seres humanos, según algunas religiones. **NOTA** Se escribe normalmente con mayúscula inicial. ② Medida que se toma para lograr un fin determinado o para prevenir o remediar un daño o peligro: *el ayuntamiento dictó providencias para arreglar los daños producidos por el incendio.* ③ Resolución dictada por un juez en un asunto de poca trascendencia.
FAM providencial.

providencial *adj.* ① Relativo a la providencia divina. ② Se aplica al acontecimiento o hecho que se produce de forma inesperada o casual y evita un daño o un suceso desgraciado: *su llegada fue providencial.*
FAM providencialismo.

próvido, -da *adj.* culto Que está dispuesto para proveer con generosidad de las cosas necesarias.

provincia *s. f.* ① División territorial y administrativa en que se organizan algunos países: *en España, las autonomías se dividen en provincias.* ② Distrito que forma parte del territorio de una orden religiosa y que contiene una cantidad determinada de casas y conventos. ③ División territorial y administrativa de las colonias del Imperio romano que era controlada por un gobernador: *Hispania fue una provincia romana que abarcaba toda la Península Ibérica.* | *s. f. pl.* ④ **provincias** Territorio de un país o autonomía, por oposición a la capital: *la compañía inicia una gira por provincias.*
FAM provincial, provinciano.

provincial *adj.* ① Relativo a la provincia: *campeonato provincial.* | *s. m.* ② Religioso que dirige y gobierna las casas y conventos de una provincia.
FAM provincialismo.

provincialismo *s. m.* ① Predilección por las cosas de la provincia en que se ha nacido. ② Palabra o modo de expresión propio de una provincia.

provincianismo *s. m.* Apego excesivo a la mentalidad y costumbres de un lugar determinado. **ANT** cosmopolitismo. **OBS** Frecuentemente usado de forma despectiva.

provinciano, -na *adj./s. m. y f.* ① Se aplica a la persona que ha nacido o vive en una provincia, en oposición a una persona de la capital. ② Se aplica a la persona que tiene una mentalidad cerrada y unas ideas atrasadas y poco desarrolladas. **NOTA** Frecuentemente usado de forma despectiva. | *adj.* ③ Que es muy poco elegante o refinado: *modales provincianos.* **SIN** tosco.
FAM provincianismo.

provisión *s. f.* ① Acción que consiste en proporcionar a alguien lo necesario para un fin determinado: *provisión de medicamentos.* ② Conjunto de cosas, especialmente alimentos o productos de primera necesidad, que se guardan o se reservan para un fin determinado. **NOTA** Normalmente en plural. ③ Reserva de dinero, útiles de mantenimiento u otras cosas para atender una necesidad determinada: *provisión de herra-*

mientas. **4** Resolución o sentencia dictada por un juez o un tribunal.

FAM aprovisionar.

provisional *adj.* Que no es definitivo sino que depende de ciertas circunstancias: *un arreglo provisional*. **SIN** eventual, temporal.

FAM provisionalidad.

provisto, -ta Participio irregular de *proveer*.

provocación *s. f.* **1** Acción de provocar. **2** Cosa o hecho que provoca la ira o el deseo: *su manera de vestir es una provocación*.

provocador, -ra *adj./s. m. y f.* Que provoca: *una mirada provocadora*.

provocar *v. tr.* **1** Provocar una cosa que ocurra otra como reacción o respuesta a ella: *las lluvias torrenciales han provocado el desbordamiento del río*. **SIN** ocasionar. **2** Hacer enfadar a alguien mediante palabras o acciones. ‖ *v. tr./intr.* **3** Despertar el deseo sexual en una persona: *se viste así para provocar*.

FAM provocación, provocador, provocativo.

provocativo, -va *adj.* Que provoca deseo sexual: *ropa provocativa*.

proxeneta *s. com.* Persona que induce a otra a ejercer la prostitución y se beneficia de las ganancias económicas que se obtienen de esta actividad.

proximidad *s. f.* **1** Cercanía o poca distancia en el espacio o en el tiempo. ‖ *s. f. pl.* **2 proximidades** Lugar cercano: *vivo en las proximidades*.

próximo, -ma *adj.* **1** Que está cerca de algo en el espacio o en el tiempo: *en fecha próxima se inaugurará el hotel*. **SIN** cercano. **ANT** lejano. ‖ *adj./s. m. y f.* **2** Que sigue a otra cosa o persona, o que está inmediatamente después: *el mes próximo*. **SIN** siguiente. **ANT** anterior.

FAM proximal, proximidad; aproximar.

proyección *s. f.* **1** Lanzamiento o impulso de una cosa hacia adelante con fuerza para que llegue a gran distancia: *mediante la pólvora se consigue la proyección de la bala*. **2** Influencia o manifestación de una cosa en otra: *una obra literaria de gran proyección internacional*. **SIN** trascendencia. **3** Acción que consiste en reflejar una imagen o una película sobre una pantalla o superficie. **4** Imagen que se presenta sobre una pantalla u otra superficie. **5** En psicología, mecanismo por el cual una persona le atribuye a otra un comportamiento o un sentimiento propio que ella misma no se atreve a reconocer. **6** Representación de un cuerpo en un plano que se consigue trazando líneas rectas desde todos los puntos del cuerpo.

proyectar *v. tr.* **1** Lanzar o impulsar una cosa hacia delante con fuerza para que llegue a gran distancia: *el cañón proyectó la bala a 1 km de distancia*. **2** Pensar y decidir el modo y los medios necesarios para hacer una cosa: *proyectar un viaje*. **SIN** planear. **3** Reflejar una imagen o una película sobre una pantalla o una superficie. **4** Enviar rayos de luz o radiaciones sobre una cosa: *los focos proyectan la luz hacia el cielo*. **5** Hacer visible la figura o la sombra de un cuerpo sobre una superficie mediante la luz: *los árboles proyectan sus largas sombras en el camino*. **6** Hacer que algo llegue o se extienda a otra cosa, o que se manifieste en ella: *el Ayuntamiento proyecta su influencia a varios municipios*. **7** Reflejar un sentimiento, una idea o una pasión en una cosa, especialmente en una obra artística o literaria: *proyectaba toda su frustración en sus hijos*. ‖ *v. prnl.* **8 proyectarse** Determinar la intersección con una superfi-

cie de las rectas o de la serie de rectas trazadas en una dirección determinada desde un punto o los distintos puntos de una figura.

FAM proyección, proyectivo, proyecto, proyector.

proyectil *s. m.* Cuerpo que se lanza con fuerza a distancia, generalmente con armas de fuego.

proyecto *s. m.* **1** Idea de una cosa que se piensa hacer y para la cual se establece un modo determinado y un conjunto de medios necesarios: *tiene el proyecto de hacer un viaje largo*. **SIN** plan. **2** Conjunto de cálculos, análisis e investigaciones que se hacen para llevar a cabo un trabajo o una actividad importante, especialmente cuando se trata de una obra de arquitectura o ingeniería: *han hecho un proyecto para reducir la contaminación de las aguas*. **3** Redacción provisional que se hace de un tratado, ley o reglamento o del conjunto de disposiciones necesarias para llevar a cabo algo.

FAM proyectista; anteproyecto.

proyector *s. m.* **1** Aparato eléctrico que sirve para proyectar o reflejar una imagen o una película sobre una pantalla o superficie. **2** Aparato que concentra y orienta la luz de un foco en una dirección determinada. **SIN** reflector.

FAM retroproyector.

prêt-à-porter [se pronuncia aproximadamente 'pret-a-porté'] *adj.* Prenda de vestir confeccionada en serie según unas medidas o tallas fijas.

prudencia *s. f.* **1** Cuidado, moderación o sensatez que se pone al hacer algo para evitar inconvenientes, dificultades o daños. **SIN** cautela, precaución. **2** Virtud cardinal del catolicismo que consiste en discernir y distinguir lo que está bien de lo que está mal y actuar en consecuencia.

FAM prudencial.

prudencial *adj.* Relativo a la prudencia: *esperar un tiempo prudencial*.

prudente *adj.* Que pone cuidado, moderación o sensatez al hacer algo para evitar inconvenientes, dificultades o daños. **ANT** imprudente.

FAM prudencia; imprudente.

prueba *s. f.* **1** Acción que consiste en usar una cosa o ponerla a prueba para ver cómo funciona o qué resultado tiene. **2** Examen que se hace para demostrar conocimientos o unas capacidades: *una prueba de matemáticas*. ■ **prueba de fuego** La prueba más importante y difícil. **3** Razón o testimonio que demuestra la verdad o la falsedad de una cosa: *el fiscal aportó pruebas concluyentes*. **4** Señal o muestra de una cosa: *te regalo este anillo en prueba de mi amor*. **5** Situación o circunstancia triste y difícil. **6** Cantidad muy pequeña que se extrae de una cosa para examinar su calidad: *prueba de orina*. **SIN** muestra. **7** Análisis médico. **8** Muestra provisional de un texto escrito que se utiliza para corregir los errores que tiene el texto antes de imprimirlo definitivamente: *pruebas de imprenta*. **9** Operación que sirve para comprobar la exactitud de otra que ya está hecha: *haz la prueba de la multiplicación para ver si está bien*. **10** Competición deportiva.

a prueba En una situación que permite comprobar una cualidad o la calidad de una cosa o persona: *trabajará a prueba durante un mes*.

a prueba de *familiar* Indica que una cosa es muy fuerte o resistente a lo que se expresa: *un estómago a prueba de bombas*.

prurito *s. m.* **1** Picor que se siente en una parte del cuerpo o en todo él. **2** Deseo constante, y a veces excesivo, de hacer una cosa lo mejor posible: *tiene un gran prurito profesional*.

prusiano, -na *adj.* ① De Prusia (antiguo estado del norte de Alemania): *ejército prusiano.* ‖ *s. m. y f./adj.* ② Persona que era de Prusia.

pseudónimo V. seudónimo.

pseudópodo V. seudópodo.

psi *s. f.* Nombre de la vigésima tercera letra del alfabeto griego; se escribe Ψ/ψ y se transcribe como *ps*.

psicastenia [también **sicastenia**, poco usual] *s. f.* Trastorno nervioso, variedad de la neurastenia, en el que predominan las depresiones psíquicas.

psicoanálisis [también **sicoanálisis**, poco usual] *s. m.* Método de tratamiento de enfermedades mentales a partir del análisis de los impulsos instintivos reprimidos por la conciencia, impulsos que influyen en las personas de manera inconsciente; para ello se utilizan la hipnosis, la interpretación de los sueños o la asociación libre de ideas.
FAM psicoanalista, psicoanalítico, psicoanalizar.
OBS Plural invariable.

psicoanalista [también **sicoanalista**, poco usual] *adj./s. com.* Se aplica al psiquiatra que practica el psicoanálisis.

psicoanalítico, -ca [también **sicoanalítico, -ca**, poco usual] *adj.* Relativo al psicoanálisis: *tratamiento psicoanalítico.*

psicoanalizar [también **sicoanalizar**, poco usual] *v. tr.* Aplicar el psicoanálisis a una persona.

psicodelia [también **sicodelia**, poco usual] *s. f.* ① Excitación sensorial que se manifiesta con euforia y alucinaciones y que está producida por el consumo de drogas alucinógenas. ② Movimiento artístico, especialmente musical, que intenta plasmar o crear experiencias sensoriales como las que provocan las drogas alucinógenas; surge a finales de la década de 1960 en Estados Unidos.

psicodélico, -ca [también **sicodélico, -ca**, poco usual] *adj.* ① Se aplica al estado psíquico provocado por la ingestión de drogas que se caracteriza por una alteración de la sensibilidad y se manifiesta con euforia y alucinaciones. ② Se aplica a la droga que causa o provoca este estado psíquico. ③ Relativo a la psicodelia (movimiento cultural): *cultura psicodélica; música psicodélica; moda psicodélica.* ④ familiar Que es raro o extravagante: *una decoración muy psicodélica.* ‖ *s. m.* ⑤ Aparato electrónico que está conectado al amplificador de un equipo de música y está provisto de unas luces de colores que se encienden y se apagan al ritmo de la música: *las luces del psicodélico funcionan cuando detectan los sonidos medios, graves o agudos.*

psicofármaco [también **sicofármaco**, poco usual] *s. m.* Fármaco o medicamento que tiene efectos psíquicos.

psicología [también **sicología**, poco usual] *s. f.* ① Ciencia que estudia los fenómenos y procesos psíquicos y el comportamiento del ser humano en relación con el medio que lo rodea y condiciona: *la psicología da cuenta de los procesos conscientes e inconscientes de la mente humana.* ② Manera de sentir, de pensar y de comportarse de una persona o un grupo: *la psicología de los hinchas de fútbol.* ③ familiar Capacidad para comprender y conocer a las personas: *tiene mucha psicología.*
FAM psicológico, psicólogo; parapsicología.

psicológico, -ca [también **sicológico, -ca**, poco usual] *adj.* ① Relativo a la psicología: *teoría psicológica.* ② Relativo a la manera de sentir, de pensar y de comportarse de una persona o un grupo: *presión psicológica.* ③ Se aplica a la situación o suceso que provoca una rápida alteración de la manera de sentir y de pensar de una persona o de un grupo de personas: *marcar un gol psicológico.*

psicólogo, -ga [también **sicólogo, -ga**, poco usual] *s. m. y f.* ① Persona que se dedica al estudio del entendimiento y la conciencia de las personas y el modo en que estos influyen en su carácter y su comportamiento. ② Persona que tiene especial capacidad para conocer el carácter de las personas y comprender las causas de su comportamiento.

psicomotricidad [también **sicomotricidad**, poco usual] *s. f.* Relación que se establece entre la actividad psíquica de la mente humana y la capacidad de movimiento o función motriz del cuerpo: *ejercicios de psicomotricidad.*

psicópata [también **sicópata**, poco usual] *s. com./adj.* Persona que padece una psicopatía.

psicopatía [también **sicopatía**, poco usual] *s. f.* Enfermedad o trastorno mental que se caracteriza por una alteración de la personalidad en cuanto a las relaciones personales y la conducta social, pero que no afecta a las funciones intelectuales.
FAM psicópata.

psicosis [también **sicosis**, poco usual] *s. f.* ① Enfermedad mental grave que se caracteriza por una alteración global de la personalidad acompañada de un trastorno grave del sentido de la realidad: *la esquizofrenia es una psicosis.* ② Miedo o angustia irracional, especialmente la que se da en un colectivo de personas: *está cundiendo la psicosis colectiva al terrorismo.*
FAM psicótico.
OBS Plural invariable.

psicosomático, -ca [también **sicosomático, -ca**, poco usual] *adj.* Que produce una acción de la mente sobre el cuerpo o del cuerpo sobre la mente: *enfermedad psicosomática.*

psicoterapia [también **sicoterapia**, poco usual] *s. f.* Tratamiento de ciertas enfermedades mediante determinados procedimientos psicológicos: *la sugestión y la hipnosis son técnicas de la psicoterapia.*
FAM psicoterapeuta.

psique [también **sique**, poco usual] *s. f.* culto Conjunto de procesos conscientes e inconscientes propios de la mente humana, en oposición a los que son puramente orgánicos.
FAM psíquico, psiquis, psiquismo.

psiquiatra [también **siquiatra**, poco usual] *s. com.* Médico especialista en psiquiatría.

psiquiatría [también **siquiatría**, poco usual] *s. f.* Parte de la medicina especializada en el estudio y tratamiento de las enfermedades mentales.
FAM psiquiatra, psiquiátrico.

psiquiátrico, -ca [también **siquiátrico, -ca**, poco usual] *adj.* ① Relativo a la psiquiatría: *tratamiento psiquiátrico.* ‖ *adj./s. m.* ② Se aplica al hospital o clínica que alberga a los enfermos mentales mientras reciben tratamiento: *clínica psiquiátrica.*

psíquico, -ca [también **síquico, -ca**, poco usual] *adj.* Relativo a la mente: *desarrollo psíquico.*

psiquis [también **siquis**, poco usual] *s. f.* culto Psique.
OBS Plural invariable.

pteridofito, -ta [se pronuncia 'teridofito'] *adj./s. f.* ① Se aplica a la planta con tallos, hojas y raíces y con un sistema vascular bien desarrollado, aunque carente de cámbium, como el helecho: *las plantas pteridofitas crecen en zonas húmedas y sombreadas.* ‖ *s. f. pl.* ② **pteridofitas** Grupo taxonómico, con categoría de división, constituido por estas plantas.

pterodáctilo [se pronuncia 'terodáctilo'] *s. m.* Reptil volador de gran tamaño del cual se han hallado restos fósiles que pertenecían al periodo jurásico, en la era secundaria.

ptialina [también **tialina**; se pronuncia 'tialina'] *s. f.* Enzima de la saliva que transforma el almidón de los alimentos en azúcares simples.

púa *s. f.* ① Cuerpo pequeño, delgado y firme, que acaba en una punta afilada: *algunas plantas tienen púas que pinchan.* ② Pincho o espina de un animal: *los erizos tienen púas.* ③ Diente de un peine o de un cepillo del pelo. ④ Pieza pequeña, plana, firme y de forma más o menos triangular que sirve para tocar ciertos instrumentos de cuerda, como la guitarra o el laúd. **SIN** plectro. ⑤ Trozo de tallo de una planta o de un árbol que se mete en otro para hacer un injerto.

pub [se pronuncia 'pab'] *s. m.* Establecimiento en el que se toman bebidas y se escucha música, y que normalmente tiene una decoración más cuidada que la de un bar.

púber *adj./s. com.* Se aplica a la persona que ha llegado a la pubertad. **SIN** adolescente.
FAM pubertad.

pubertad *s. f.* Primera fase de la adolescencia en la que se producen ciertos cambios físicos, como la aparición de vello en algunas partes del cuerpo o el cambio de voz, y se adquiere la capacidad de reproducción.

pubis *s. m.* ① Parte inferior del vientre, próxima a los órganos sexuales: *el pubis se cubre de vello durante la pubertad.* ② Hueso de los dos que componen la pelvis, que se unen al ilion y al isquion.
OBS Plural invariable.

publicación *s. f.* ① Acción de publicar un periódico, libro, disco, vídeo, etc. haciendo copias y poniéndolo a la venta. ② Acción de hacer pública una información o una noticia, dándola a conocer a mucha gente. ③ Obra impresa que se pone a la venta, especialmente un libro o una revista.

publicano *s. m.* Recaudador de impuestos o rentas públicas del Imperio romano.

publicar *v. tr.* ① Dar a conocer a mucha gente una información o una noticia. ② Hacer pública una cosa, especialmente la que era secreta y se debía ocultar. ③ Hacer copias de un periódico, un libro, un disco, un vídeo, etc., y ponerlo a la venta. ④ Escribir una obra literaria o realizar un disco, un vídeo, etc., y editarlo.
FAM publicación.

publicidad *s. f.* ① Acción que consiste en dar a conocer al público un producto, una opinión, una noticia o a una persona, con un fin determinado. **SIN** propaganda. ② Conjunto de medios o materiales que se utilizan para dar a conocer al público un producto, una opinión o a una persona, con un fin determinado: *los anuncios de televisión y los carteles en la calle son medios muy utilizados por la publicidad.* **SIN** propaganda.
FAM publicista, publicitar, publicitario.

publicista *s. com.* Persona que se dedica a la publicidad.

publicitario, -ria *adj.* Relativo a la publicidad: *anuncio publicitario.*

público, -ca *adj.* ① Que es sabido o conocido por mucha gente: *escándalo público.* ② Que se realiza ante un grupo de personas atentas a lo dicho o hecho o para que sea difundido y conocido por la gente: *comparecencia pública.* ③ Se aplica a

la persona que es muy conocida por la mayoría de la gente: *los políticos y los artistas son personajes públicos.* ④ Que está a disposición de todos los ciudadanos: *parque público.* **ANT** particular. ⑤ Que pertenece al Estado o a su administración: *colegio público.* **ANT** privado. ‖ *s. m.* ⑥ Conjunto de personas que hay reunidas en un lugar, especialmente para ver un espectáculo o un acontecimiento. ⑦ Conjunto de personas que forman una colectividad indefinida: *precio de venta al público.* ⑧ Conjunto de personas que forman un colectivo o participan de las mismas aficiones.
en público De manera que pueda ser visto u oído por una gran cantidad de gente: *hablar en público.*
sacar (o dar) al público Poner en venta una obra escrita u otra cosa.
FAM públicamente, publicar, publicidad.

publirreportaje *s. m.* Reportaje publicitario que se emite por televisión y suele tener una duración o extensión más larga de lo habitual.

pucherazo *s. m.* Fraude electoral que consiste en publicar un resultado falso del recuento de votos.

puchero *s. m.* ① Recipiente redondo, alto y un poco abombado, con la boca ancha y una o dos asas, que sirve para cocinar: *los pucheros suelen ser de barro o de metal.* ② familiar Comida de todos los días: *hoy hay alubias de puchero.* ③ Gesto de la cara que se hace cuando se empieza a llorar: *el bebé empezó a hacer pucheros.* **NOTA** Más en plural.
FAM pucherazo.

pucho *s. m.* ① familiar AMÉR. SUR Colilla de un cigarrillo. ② AMÉR. SUR Cigarrillo: *¿me das un pucho, por favor?*
de a puchos familiar AMÉR. SUR Indica que algo se hace en pequeñas cantidades, poco a poco: *te voy a devolver los libros de a puchos porque todos juntos pesan mucho.*
no importar (o no valer) un pucho fam. desp. AMÉR. SUR No tener una cosa valor o importancia: *esta bicicleta no vale un pucho.*
sobre el pucho familiar AMÉR. SUR Enseguida, inmediatamente: *llegué a la estación sobre el pucho.*

pudelado *s. m.* Procedimiento metalúrgico ideado en 1784 por Cort y perfeccionado en el siglo XIX, para conseguir hierro o acero con menos carbono y por lo tanto más puro.

pudibundez *s. f.* Pudor o vergüenza muy exagerados, especialmente ante temas relacionados con el sexo.

pudibundo, -da *adj.* ① Se aplica a la persona que manifiesta un pudor o una vergüenza muy exagerados o afectados. **SIN** mojigato, pudoroso. ② Que es propio de estas personas: *actitud pudibunda.*
FAM pudibundez.

púdico, -ca *adj.* Que tiene o muestra pudor, especialmente ante temas relacionados con el sexo. **SIN** pudoroso, recatado. **ANT** impúdico.
FAM impúdico.

pudiente *adj./s. com.* Se aplica a la persona que tiene poder y riqueza.

pudin o **pudín** *s. m.* ① Dulce de consistencia esponjosa que se elabora con pan o bizcocho mojados en leche, a los que se suelen añadir frutas, y que se cocina en un molde alargado: *el pudin suele llevar frutas confitadas.* **SIN** budín. ② Alimento no dulce que se elabora con ingredientes muy variados y se cocina en un molde alargado: *pudin de pescado.* **SIN** budín.
OBS Puede encontrarse la grafía inglesa *pudding.*

P

pudor *s. m.* ① Sentimiento que impide mostrar el propio cuerpo o tratar sobre temas relacionados con el sexo. ② Sentimiento que mueve a ocultar los sentimientos, pensamientos o acciones que se consideran íntimos, o a evitar hablar de ellos. ③ Sentimiento de la persona que teme perder su dignidad: *me miraba sin el menor pudor.*
FAM púdico, pudoroso; impudor.

pudoroso, -sa *adj.* Que tiene o muestra pudor, especialmente ante temas relacionados con el sexo. **SIN** púdico, recatado. **ANT** impúdico.

pudridero *s. m.* ① Lugar en que se ponen los desperdicios para que se pudran. ② Lugar donde se tiene durante un tiempo un cadáver antes de colocarlo en un panteón.

pudrir *v. tr.* ① Descomponer o corromper una sustancia animal o vegetal por la acción de diversos factores y microorganismos: *el agua pudre la madera.* ② Causar degradación o corrupción en una persona o cosa: *la ambición y el dinero han podrido su corazón.* | *v. prnl.* ③ **pudrirse** Permanecer encerrada una cosa o persona en un lugar, olvidada de todos y sufriendo deterioro u otra cosa negativa: *tú por ahí de juerga y yo pudriéndome en casa.*
FAM pudridero, pudrimiento.
OBS Participio irregular: *podrido.* Para el infinitivo, también *podrir.*

pueblerino, -na *adj.* ① Relativo al pueblo: *costumbres pueblerinas.* | *s. m. y f.* ② Persona que ha nacido o vive en un pueblo o en un lugar pequeño. | *adj./s. m. y f.* ③ despectivo Se aplica a la persona que tiene malos modales o es poco educada o refinada. **SIN** paleto.

pueblo *s. m.* ① Población más pequeña y con menos habitantes que una ciudad, especialmente aquella en la que prevalecen actividades relacionadas con el sector primario. ② Conjunto de personas que viven en un lugar, región o país determinados: *el pueblo gallego.* ③ Conjunto de personas que forman una comunidad y están unidas por una misma raza, religión, lengua y/o cultura: *el pueblo gitano; el pueblo cristiano.* ④ Conjunto de habitantes de un país considerados en relación con sus gobernantes: *el pueblo elige democráticamente a sus representantes en el gobierno.* ⑤ Conjunto de personas que tienen un nivel socioeconómico humilde: *las clases privilegiadas siempre se olvidan del pueblo.*
FAM pueblerino.

puente *s. m.* ① Construcción que se hace sobre los ríos, los fosos y otros lugares para poder pasar de un lado a otro. ■ **puente colgante** Puente sujeto con cables, cadenas de hierro o cuerdas gruesas. ■ **puente levadizo** Puente cuyo tablero se puede elevar para impedir el paso por él o para permitir el paso de embarcaciones bajo el mismo. ② Día en que no se trabaja por estar entre dos festivos: *como el jueves y el sábado son días de fiesta, haremos puente el viernes.* ③ Conjunto de los días seguidos de vacaciones cuando entre ellos hay un día de puente: *un puente de cuatro días.* ④ Pieza de metal que sirve para sujetar los dientes artificiales a los naturales. ⑤ Conexión entre dos cables que permite el paso de la corriente eléctrica. ⑥ Curvatura de la parte interior de la planta del pie. ⑦ Pieza central de las gafas que sirve para unir los dos cristales. ⑧ Plataforma con barandilla que hay en la cubierta de una embarcación, desde la que los oficiales comunican las órdenes a los marineros: *el puente de mando de un barco.* ⑨ Pieza pequeña y curva de madera colocada en la parte inferior de un instrumento musical de cuerda, que sirve esencialmente para sujetar las cuerdas y transmitir el sonido a la caja de resonancia. **SIN** cordal. ⑩ Ejercicio de gimnasia que consiste en dejar caer el cuerpo hacia atrás en forma de arco hasta hacerlo descansar sobre los pies y las manos. ⑪ Persona o cosa que sirve para poner en contacto dos cosas o lugares o para acercarlos: *los representantes sirven de puente entre los estudiantes y los dirigentes del colegio.*
puente aéreo (**I**) Sistema de transporte aéreo frecuente y regular que se establece entre dos lugares, en el cual no es necesario reservar previamente el pasaje: *el puente aéreo entre Barcelona y Madrid.* (**II**) Conjunto de instalaciones que están al servicio de este tipo de transporte aéreo.
FAM puentear.

puentear *v. tr.* Colocar un puente en un circuito eléctrico.
FAM puenteo.

puerco, -ca *s. m. y f.* ① Animal mamífero doméstico, bajo, grueso, de patas cortas, hocico chato y cola pequeña y torcida, cuya carne es aprovechada por el ser humano. **SIN** cerdo, cochino, marrano. ■ **puerco espín** Animal mamífero roedor, nocturno, que tiene la espalda y la cola cubiertas de espinas y la cabeza cubierta de pelos largos y fuertes, y que se alimenta de frutos secos y raíces: *el puerco espín utiliza sus espinas para defenderse.* **NOTA** Plural: *puercos espinos.* | *adj./s. m. y f.* ② Se aplica a la persona que no cuida su aseo personal o que produce asco por su falta de limpieza. **NOTA** Frecuentemente usado de forma despectiva. **SIN** cerdo, guarro, marrano. | *adj.* ③ familiar Que está muy sucio.
FAM porquera, porquero; emporcar.

puericultor, -ra *s. m. y f.* Persona que se dedica a la puericultura.

puericultura *s. f.* Estudio y práctica de la crianza y cuidado de los niños durante los primeros años de vida.
FAM puericultor.

pueril *adj.* ① Que es propio de los niños pequeños o tiene alguna característica propia de ellos: *comportamiento pueril.* ② Que tiene poco valor, poco interés o poca importancia: *comentario pueril.* **SIN** trivial.
FAM puerilidad.

puerilidad *s. f.* ① Característica de lo que es propio de un niño. ② Hecho o dicho que es propio de un niño. **SIN** niñería. ③ Cosa que tiene poco valor o importancia. **SIN** trivialidad.

puerro *s. m.* Hortaliza de tallo largo, grueso, blanco y comestible, con las hojas verdes, planas, largas y estrechas, y las flores rosas.

puerta *s. f.* ① Abertura que hay en una pared, normalmente de forma rectangular, que va desde el suelo hasta una altura adecuada para poder entrar y salir por ella. ② Abertura que permite acceder al interior de un lugar: *la puerta de la cueva.* ③ Plancha movible que se coloca en estas aberturas, sujeta a un marco: *las puertas del coche.* ④ Entrada a una población, que antiguamente era una puerta monumental en su muralla: *la puerta de Alcalá.* ⑤ Marco rectangular por el que tiene que entrar la pelota para marcar un tanto en un juego o deporte. **SIN** meta, portería. ⑥ Puerto de comunicación. ■ **puerta lógica** Circuito electrónico simple que constituye la base de todo procesador.
a las puertas Muy cerca de lo que se expresa: *a las puertas de la muerte.*
a puerta cerrada En secreto o de forma privada: *la firma del acuerdo se hizo a puerta cerrada.*
coger la puerta familiar Irse o salir de un sitio.

P

dar con la puerta en las narices familiar Negar lo que se pide con malos modos o bruscamente.

de puerta a puerta Directamente del lugar de salida al lugar de destino.

de puertas adentro De forma privada o en la intimidad.

en puertas A punto de ocurrir.

por la puerta grande Triunfalmente o con gran honor, orgullo y dignidad.

FAM antepuerta.

puerto *s. m.* **1** Lugar de la costa o del lado de un río, preparado para que las embarcaciones se puedan refugiar y detener para la carga y descarga de mercancías o para el embarque y desembarque de pasajeros. ■ **puerto franco** Puerto que recibe mercancías libres del pago de impuestos de aduana. **2** Localidad en la que se encuentra este lugar: *Cartagena es un gran puerto del Mediterráneo.* **3** Paso alto y estrecho entre montañas: *el puerto está cerrado al tráfico porque hay nieve.* **NOTA** También *puerto de montaña.* **4** Montaña, sierra o cordillera en que hay alguno de estos pasos. **5** Lugar, situación o persona que sirve de amparo o refugio: *mi madre es mi puerto cuando estoy triste.* **6** En informática, conexión situada en la parte trasera del ordenador, que permite conectar dispositivos de entrada y salida. **NOTA** También *puerto de comunicación.* **SIN** puerta.

llegar a buen puerto Superar una situación difícil o peligrosa y conseguir lo que se desea.

tomar puerto Llegar una embarcación a un puerto.

FAM aeropuerto, antepuerto, helipuerto.

puertorriqueño, -ña *adj.* **1** De Puerto Rico (país de América Central). **SIN** portorriqueño. ‖ *s. m. y f./adj.* **2** Persona que es de Puerto Rico. **SIN** portorriqueño.

pues *conj.* **1** Sirve de enlace gramatical con valor ilativo o consecutivo, y relaciona la frase con lo que se ha dicho inmediatamente antes; a menudo se utiliza en oraciones exclamativas o interrogativas y también para añadir énfasis a lo que se dice: *¿no quieres venir?, pues no vengas.* **2** Sirve de enlace gramatical con valor causal, para explicar el motivo de lo que se dice en la oración principal: *no puedo ir contigo pues viene mi madre a visitarme.* **SIN** porque, puesto que, ya que. **3** Sirve de enlace gramatical con valor condicional: *pues tanto le quieres, cásate con él.*

puesta *s. f.* **1** Acción de ocultarse tras el horizonte el sol u otro cuerpo celeste. **2** Acción de poner en marcha una cosa, especialmente un asunto o un negocio. ■ **puesta a punto** Operación que consiste en regular un mecanismo o una máquina para que funcione correctamente. ■ **puesta de largo** Fiesta que se celebra para presentar a una joven en sociedad. ■ **puesta en antena** Acción que consiste en emitir por primera vez un programa de radio o televisión. ■ **puesta en escena** Preparación del decorado y escenario de una obra de teatro o de una película. **3** Acción que consiste en poner huevos las aves. **4** Conjunto de huevos que pone un ave de una vez.

puesta en marcha Mecanismo que hace arrancar un automóvil.

puesto, -ta **1** Participio irregular de *poner.* ‖ *adj.* **2** familiar Se aplica a la persona que va muy bien vestida o muy arreglada. **3** familiar Que tiene muchos conocimientos sobre una materia o un tema determinado: *está muy puesto en informática.* ‖ *s. m.* **4** Lugar o espacio que ocupa o que le corresponde a una persona o cosa: *los nadadores se colocaron en sus puestos de salida.* **5** Trabajo o cargo que tiene una persona:

tiene un puesto de fontanero. **6** Establecimiento comercial de pequeño tamaño, generalmente desmontable, que se coloca en lugares públicos para vender artículos al por menor: *tiene un puesto de fruta.* **7** Instalación o establecimiento de pequeño tamaño ocupado por un grupo de soldados, guardias, policías o cualquier otro grupo de profesionales que están en acto de servicio.

puesto que Introduce una oración subordinada que expresa la causa o el motivo de lo que se dice en la oración principal: *puesto que eso no tiene remedio, no lo lamentes más.* **FAM** sobrepuesto.

puf[1] *s. m.* Asiento bajo y blando, sin respaldo, sin brazos y sin patas, generalmente de piel y de forma circular.

¡puf![2] *int.* familiar Expresa distintos estados de ánimo, como molestia, cansancio, desagrado, etc.: *¡puf, qué asco!*

pufo *s. m.* familiar Estafa o timo.

púgil *s. m.* **1** Persona que practica el boxeo. **SIN** boxeador. **2** Persona que, en la antigua Roma, combatía con otra a puñetazos.

FAM pugilato.

pugilato *s. m.* **1** Lucha o combate entre dos púgiles. **2** Discusión o pelea, especialmente entre personas muy obstinadas.

pugna *s. f.* Lucha o enfrentamiento, especialmente ideológico.

pugnar *v. intr.* **1** culto Luchar o combatir, utilizando o no las armas o la fuerza: *los habitantes de la ciudad pugnaron por su defensa.* **2** Insistir con esfuerzo para lograr una cosa: *el prisionero pugnaba por escaparse.*

FAM pugna.

puja[1] *s. f.* **1** Acción de pujar (ofrecer cierta cantidad de dinero). **2** Cantidad de dinero que se ofrece de esta manera.

puja[2] *s. f.* Esfuerzo que hace una persona para realizar, conseguir o continuar una cosa venciendo todas las dificultades y obstáculos.

pujante *adj.* Que se desarrolla con mucha fuerza y cada vez tiene más importancia: *la informática es una industria pujante.*

pujanza *s. f.* Fuerza o vigor con la que se desarrolla una cosa o se realiza una acción.

pujar[1] *v. tr.* Ofrecer una cantidad de dinero mayor que las que han ofrecido otros en una subasta.

FAM puja, pujante, pujanza.

pujar[2] *v. intr.* Hacer fuerza para realizar, conseguir o continuar una cosa venciendo obstáculos y dificultades.

pulcritud *s. f.* **1** Cuidado en el aseo y la apariencia personal: *viste con mucha pulcritud.* **2** Manera pulcra, limpia y ciudada de hacer una cosa.

pulcro, -cra *adj.* **1** Que tiene un aspecto muy limpio y cuidado. **2** Se aplica a la persona que hace las cosas con cuidado, limpieza y delicadeza. **3** Se aplica a la cosa que está hecha con cuidado y delicadeza.

FAM pulcritud, pulquérrimo.

OBS Superlativo: *pulquérrimo* o *pulcrísimo.*

pulga *s. f.* Insecto de color negro rojizo, de metamorfosis compleja, ojos sencillos, que es capaz de dar grandes saltos sin alas, y que vive como parásito de los mamíferos y las aves y se alimenta de su sangre: *las pulgas miden unos 3 mm.* ■ **pulga de agua** Crustáceo diminuto que vive en aguas estancadas.

buscar las pulgas Provocar a una persona para que se enfade.

tener malas pulgas familiar Tener mal humor y enfadarse con facilidad.

FAM pulgón, pulgoso.

pulgada s. f. **1** Medida de longitud de diversos países y de valor variable: *la pulgada castellana equivalía a 2,3 centímetros.* **2** Medida de longitud del sistema inglés, de símbolo *in,* que equivale a 2,54 centímetros: *el monitor de mi ordenador es de 15 pulgadas.*

pulgar s. m./adj. Dedo que es el más grueso de la mano.

FAM pulgada.

pulgón s. m. Insecto muy pequeño de color marrón o verde y forma ovalada, dotado de una boca chupadora, y que expulsa un líquido azucarado por la parte posterior de su cuerpo; los machos tienen cuatro alas y las hembras no tienen: *las hembras y las larvas de los pulgones viven como parásitos agrupadas en las partes tiernas de las plantas.*

pulgoso, -sa adj. Que tiene pulgas: *perro pulgoso.*

pulidor, -ra adj. **1** Que pule. ‖ s. m. y f. **2** Persona que se dedica a pulir. ‖ s. m. **3** Pulidora.

pulidora s. f. Máquina o instrumento que sirve para pulir. SIN pulidor.

pulimentar v. tr. Pulir (alisar).

FAM pulimento.

pulimento s. m. **1** Operación que consiste en alisar o dar tersura a una superficie para dejarla brillante. **2** Sustancia que sirve para pulimentar una superficie.

pulir v. tr. **1** Alisar una superficie para que quede suave y brillante. SIN pulimentar. **2** Revisar y corregir una cosa, especialmente un escrito o un dibujo, para perfeccionarla. **3** familiar Robar o hurtar una cosa a una persona. **4** Educar a una persona para que tenga buenos modales y sepa comportarse en sociedad. ‖ v. prnl. **5 pulirse** familiar Gastarse una cantidad de dinero sin orden ni cuidado: *se pulió todo el sueldo en una noche.*

FAM pulido, pulidor, pulidora, pulimento; repulir.

pulla s. f. Expresión irónica con la que se pretende herir u ofender a una persona. SIN aguijonazo, puya, puyazo.

pulmón s. m. **1** Cada uno de los dos órganos del aparato respiratorio de la mayoría de los vertebrados, situados en la cavidad torácica; son blandos y esponjosos y se contraen y se dilatan durante la respiración. **2** Órgano respiratorio de los moluscos terrestres consistente en una porción del manto con abundantes vasos sanguíneos. ‖ s. m. pl. **3 pulmones** familiar Capacidad para emitir una voz fuerte o para hacer ejercicios físicos que exigen un gran esfuerzo.

pulmón artificial o **pulmón de acero** Recinto o cámara de aire en el que se introduce a un enfermo para ayudarlo a respirar, provocando en él los movimientos respiratorios por medio de cambios de presión del aire que se regulan de forma automática.

FAM pulmonado, pulmonar, pulmonía.

pulmonado, -da adj./s. m. **1** Se aplica al molusco gasterópodo que respira mediante una cavidad pulmonar y no por branquias. ‖ s. m. pl. **2 pulmonados** Grupo taxonómico, con categoría de subclase, constituido por estos moluscos: *la babosa y el caracol pertenecen al grupo de los pulmonados.*

pulmonar adj. Relativo a los pulmones: *la sangre llega a los pulmones a través de la arteria pulmonar.*

pulmonía s. f. Inflamación y congestión de los pulmones, o de una parte de ellos, debido generalmente a un virus o una bacteria; provoca fiebre, dolor intenso en el costado afectado del tórax y tos. SIN neumonía.

pulpa s. f. **1** Parte blanda y carnosa de la fruta: *el melocotón y la manzana tienen mucha pulpa.* **2** Parte blanda de algunas plantas leñosas que se encuentra en el interior del tronco o del tallo: *la pulpa de muchos árboles sirve para fabricar papel.* **3** Carne de los animales limpia de huesos y ternilla. **4** Masa que se obtiene después de triturar un fruto o una planta, o de extraerle su jugo, y que tiene diversos usos industriales: *la pulpa de la remolacha se usa como pienso para el ganado.*

FAM pulpejo, pulpería.

pulpejo s. m. Parte carnosa, blanda y redondeada de algunas partes pequeñas del cuerpo, especialmente el lóbulo de la oreja, las zonas blandas del dorso de cada dedo, y la parte de la mano que sale del pulgar.

pulpería s. f. AMÉR. Tienda de comestibles.

púlpito s. m. Plataforma pequeña con antepecho que hay en las iglesias, levantada a cierta altura, desde donde predica el sacerdote.

pulpo s. m. **1** Molusco marino comestible, con el cuerpo redondo, ojos muy grandes y desarrollados, cabeza grande y ovalada, y ocho largos tentáculos con dos filas de ventosas; vive en el fondo del mar y se alimenta de crustáceos y moluscos. ‖ s. com. **2** familiar Persona que toca mucho con las manos a los demás, generalmente para obtener satisfacción sexual, y resulta pesada y molesta. **3** Cuerda elástica con ganchos de metal por los dos extremos, que sirve para sujetar objetos, especialmente una carga a la parte superior de un automóvil.

pulquérrimo, -ma adj. culto Superlativo de *pulcro.*

pulsación s. f. **1** Golpe producido por el movimiento de la sangre en las arterias. **2** Golpe o toque que se da en el teclado de una máquina de escribir o de un ordenador. **3** Toque del dedo en la tecla del piano u otro instrumento de teclado: *una pulsación suave.*

pulsador s. m. Botón que sirve para poner en funcionamiento un mecanismo o aparato: *el pulsador del timbre.*

pulsar v. tr. **1** Tocar una cosa con la yema de los dedos presionando de forma suave: *pulsar una tecla.* **2** Estudiar o tratar de conocer una opinión o el estado de un asunto: *pulsar la opinión pública.*

FAM pulsación, pulsador.

púlsar o **pulsar** s. m. Estrella de neutrones que resulta de la explosión de una supernova, que gira sobre sí misma y emite una radiación en forma de impulsos cortos separados por intervalos regulares.

pulsera s. f. **1** Adorno o joya en forma de aro o de cadena que se pone en la muñeca. **2** Correa o cadena con que se sujeta el reloj a la muñeca.

pulso s. m. **1** Conjunto de golpes o latidos producidos por el movimiento de la sangre en las arterias, que se percibe en algunas partes del cuerpo, especialmente en la muñeca. **2** Parte de la muñeca donde se notan estos golpes. **3** Seguridad o firmeza en la mano para ejecutar una acción delicada con precisión: *le salen las rectas torcidas porque no tiene pulso.* **4** Habilidad o cuidado para tratar un asunto o llevar a cabo un negocio: *tiene mucho pulso con los negocios.* **5** Situación en que se miden las fuerzas o se desafían personas o grupos: *un pulso liguero en primera división.*

a pulso (I) Haciendo fuerza con la mano y la muñeca, sin apoyar el brazo, para sostener o levantar una cosa en alto: *levantar a pulso el motor.* (**II**) Trabajando solo, con el propio esfuerzo y sin ayuda de nadie: *todo lo que tengo me lo he ganado a pulso.*

echar un pulso Cogerse dos personas de una mano apoyando el codo sobre una superficie, y hacer fuerza para vencer la resistencia del contrario hasta hacerle doblar el brazo.

tomar el pulso (**I**) Examinar la frecuencia y el ritmo de las pulsaciones de una persona. (**II**) Intentar conocer las características de un asunto o una opinión antes de tratarlo: *el gobierno encargó una encuesta para tomar el pulso a los ciudadanos sobre la nueva ley.*

FAM pulsar.

pulular *v. intr.* Abundar y moverse mucho en un lugar personas, animales o cosas.

FAM pululación, pululante.

pulverizador *s. m.* Instrumento que sirve para esparcir un líquido en gotas muy pequeñas sobre un lugar. **SIN** atomizador.

pulverizar *v. tr.* **1** Reducir a polvo una cosa sólida: *esas máquinas pulverizan la piedra.* **2** Esparcir un líquido sobre un lugar en forma de gotas muy pequeñas: *ese aparato pulveriza ambientador en la sala.* **SIN** atomizar. **3** Destruir por completo una cosa material o inmaterial: *el pesimismo pulverizó todas sus ilusiones.*

FAM pulverización, pulverizador.

puma *s. m.* Animal felino de pelo suave de color marrón claro, cuerpo esbelto, patas cortas y fuertes uñas que usa para cazar; es muy veloz, ágil y fiero: *el puma vive en toda América.*

puna *s. f.* **1** Extensión de terreno seco, llano y con escasa vegetación de los Andes. **2** Terreno llano y seco donde las plantas son pobres y escasas. **SIN** páramo. **3** AMÉR. CENTRAL Malestar que se siente en las grandes alturas a causa del enrarecimiento del aire.

punción *s. f.* Operación que consiste en introducir un instrumento afilado y puntiagudo en algún órgano, hueco o conducto del cuerpo, para examinar o vaciar su contenido.

pundonor *s. m.* Sentimiento que empuja a una persona a cuidar de su fama y de su honra personal y a tratar de quedar bien ante los demás: *si pones en duda la palabra de una persona, estás hiriendo su pundonor.*

FAM pundonoroso.

punible *adj.* Que merece castigo: *delito punible.*

púnico, -ca *adj.* **1** De Cartago (antigua ciudad del norte de África): *guerras púnicas.* **SIN** cartaginés. ▮ *s. m. y f./adj.* **2** Persona que era de Cartago. **SIN** cartaginés. ▮ *s. m./adj.* **3** Lengua hablada por los cartagineses: *el púnico era una lengua fenicia.*

punitivo, -va *adj.* Que implica castigo: *justicia punitiva.*

punk [se pronuncia 'pank' o 'punk'] *s. m./adj.* **1** Movimiento juvenil y musical que surgió como protesta ante el convencionalismo de la sociedad y la crisis económica, y que se caracteriza por una indumentaria estrafalaria (ropa desgastada y ceñida, el pelo teñido y peinado en forma de cresta) y por la exaltación de la violencia: *el punk es de origen británico y surgió en la década de 1970.* ▮ *s. com./adj.* **2** Punki.

OBS Plural: *punks.*

punki [se pronuncia 'panki' o 'punki'] *s. com./adj.* Persona que es miembro o seguidor del movimiento punk. **SIN** punk.

punta *s. f.* **1** Extremo o parte final de una cosa, especial-

mente si sobresale: *la punta del pie; la punta de un pañuelo.* **2** Extremo agudo de un objeto que corta o pincha: *la punta de una aguja.* **3** Clavo de pequeño tamaño, generalmente sin cabeza. **4** Lengua de tierra alargada, baja y de poca extensión que entra en el mar: *caminamos por la playa hasta la punta.* **5** Grado máximo de desarrollo de una cosa: *un país económicamente en punta.* **NOTA** Se construye en aposición a otro sustantivo: *tecnología punta.* **6** En fútbol, cada uno de los jugadores que forman la parte más adelantada del equipo y que tienen la misión de marcar goles. **SIN** delantero. **7** Pequeña cantidad de una cosa: *esta salsa lleva una punta de coñac.* **8** Cuerno del toro. **9** CUBA Hoja de tabaco.

a punta pala o **a punta de pala** familiar En gran cantidad: *con este trabajo gana dinero a punta pala.*

de punta De manera que queda recto, tieso o con la punta hacia arriba: *llevar el pelo de punta.*

de punta a punta De un extremo al otro: *recorrió la ciudad de punta a punta.*

de punta en blanco Muy arreglado y bien vestido: *se pone de punta en blanco para ir a misa.*

por la otra punta familiar Expresión que indica que algo es contrario a lo que se dice: *es muy simpático por la otra punta.*

sacar punta Encontrar a una cosa un sentido malicioso o negativo que en realidad no tiene: *siempre le saca punta a todo lo que digo.*

tener en la punta de la lengua Estar una persona a punto de decir una cosa, generalmente un nombre, pero no poderlo recordar.

FAM puntada, puntal, puntapié, puntera, puntiagudo, puntilla; sacapuntas.

puntada *s. f.* **1** Pasada que se da con aguja e hilo sobre una cosa que se está cosiendo: *dale unas puntadas al bajo del pantalón.* **SIN** punto. **2** Espacio que hay entre dos de esas pasadas próximas entre sí. **3** Porción de hilo que ocupa este espacio: *tiene unos pantalones negros con las puntadas blancas.*

no dar puntada familiar No hacer nada o no adelantar nada en un asunto.

puntal *s. m.* **1** Madero o barra de un material fuerte y resistente que se fija en posición inclinada en algún lugar para sujetar una pared, una estructura o un edificio que puede caerse: *las paredes de las minas se sujetan con puntales para evitar derrumbamientos.* **2** Persona o cosa que constituye el elemento principal de un sistema o de un asunto y que sirve de apoyo a los demás: *la capital fue el puntal político del país.* **SIN** sostén. **3** Altura de una embarcación desde su parte inferior hasta la cubierta superior. **4** AMÉR. Refrigerio, piscolabis.

FAM apuntalar.

puntapié *s. m.* Golpe dado con la punta del pie.

puntear *v. tr.* **1** Dibujar, pintar o grabar con puntos: *puntear una silueta.* **2** Marcar con puntos una superficie: *el profesor punteó en el mapa mudo las capitales de provincia.* **3** Pulsar por separado, con una púa o con los dedos, las cuerdas de una guitarra u otro instrumento semejante de forma que los sonidos salgan desligados. **4** Comprobar que estén todos los elementos de una lista o de una cuenta.

FAM punteo.

punteo *s. m.* **1** Dibujo o señal que se hace con puntos: *recortar el papel por la línea de punteo.* **2** Interpretación de una pieza musical con una guitarra o un instrumento semejante que se hace pulsando las cuerdas por separado con una púa o con los dedos. **3** Comprobación de una cuenta o una lista que se hace revisando uno por uno todos sus elementos.

puntera *s. f.* **1** Parte del calzado, del calcetín o de la media que cubre la punta del pie. **2** Pieza que adorna o hace más fuerte la parte del calzado que cubre la punta del pie.

puntería *s. f.* **1** Habilidad de una persona para apuntar al blanco o acertar. **2** Acción de apuntar con un arma arrojadiza o de fuego. **3** Dirección en que se apunta con un arma arrojadiza o de fuego.

puntero, -ra *adj.* **1** Que destaca o sobresale dentro de su género, especie o categoría. ‖ *s. m.* **2** Palo o vara acabado en punta que sirve para señalar cosas en un texto o en un dibujo: *señala con el puntero la capital de Argentina.* **3** Instrumento de acero de punta cuadrangular con el que se abren, a golpe de martillo, los agujeros para los clavos en las herraduras. **4** Cincel de punta aguda y cabeza plana. **5** Señal, normalmente con forma de flecha, que se mueve sobre la pantalla del ordenador mediante el ratón u otro dispositivo y que permite seleccionar una función, marcar un fragmento de texto, poner el cursor en un punto determinado, etc. **FAM** puntería.

puntiagudo, -da *adj.* Que tiene la punta aguda: *los pinos tienen las hojas puntiagudas.*

puntilla *s. f.* **1** Encaje estrecho con ondas o puntas que se pone como adorno en el borde de las prendas de vestir y de otras telas: *la puntilla de la cortina es de encaje.* **2** Cuchillo corto para rematar a las reses, especialmente a los toros en una corrida.
dar la puntilla (I) Clavar este instrumento cortante en el cuello del toro para darle una muerte rápida. (II) Destruir o acabar totalmente con una persona o cosa.
de puntillas Sobre las puntas de los pies y sin apoyar los talones: *andar de puntillas.*
FAM apuntillar.

puntillismo *s. m.* Técnica pictórica neoimpresionista que se caracteriza por descomponer los tonos a base de pinceladas yuxtapuestas semejantes a pequeños puntos de colores puros: *Georges Seurat y Paul Signac son los principales representantes del puntillismo.*

puntillo *s. m.* **1** Amor propio muy exagerado y basado en cosas sin importancia. **2** Signo de la notación musical que consiste en un punto que se coloca en el lado derecho de la cabeza de una nota y aumenta la mitad de su duración: *una negra con puntillo equivale a una negra más una corchea.* **SIN** punto.
FAM puntilloso.

puntilloso, -sa *adj.* **1** Se aplica a la persona que se molesta o se enfada fácilmente por cosas sin importancia. **SIN** quisquilloso, susceptible. **2** Que es muy exigente y pone mucho cuidado en todo lo que hace. **SIN** meticuloso. **ANT** descuidado.

punto *s. m.* **1** Señal circular de pequeño tamaño que destaca por el contraste de color o de relieve sobre una superficie: *este dibujo está hecho a base de puntos.* **2** Signo de escritura que se pone sobre las letras *i* y *j.* **3** Signo de puntuación (.) que indica el fin de una oración o que aparece después de una abreviatura. ■ **dos puntos** Signo de puntuación (:) que suele introducir una cita textual o preceder una enumeración. ■ **punto final** Punto que se usa cuando acaba un escrito. ■ **punto y aparte** Punto que se usa cuando acaba un párrafo y el texto continúa en una nueva línea. ■ **punto y coma** Signo de puntuación (;) que se usa para señalar una pausa algo mayor que la que representa la coma. ■ **punto y**

seguido Punto que se usa cuando acaba una oración y el texto continúa en la misma línea. ■ **puntos suspensivos** Signo de puntuación (...) que se usa para indicar falta o se ha omitido algo en el texto. **4** Posición o lugar preciso y concreto: *hay atascos en algunos puntos de la ciudad.* ■ **punto caliente** Región del manto terrestre que se encuentra a altas temperaturas y de la que ascienden columnas de magma que pueden perforar la litosfera y provocar en la superficie un vulcanismo puntual: *bajo los puntos calientes se hallan corrientes ascendentes de magma.* ■ **punto cardinal** Cada uno de los cuatro puntos del espacio (Norte, Sur, Este y Oeste) que sirven para orientarse. **5** Parte o aspecto de una materia o de un asunto del que se trata: *este tema tiene siete puntos principales.* **6** Unidad que sirve para valorar o calificar en algunos juegos o ejercicios: *cada pregunta del examen vale dos puntos.* **7** Instante o momento en el que sucede o se realiza una cosa o fase en la que se encuentra un asunto o el desarrollo de un proceso: *a partir de este punto empieza la cuenta atrás.* **SIN** instante, momento. **8** Extremo o grado que se puede alcanzar con algo: *mi paciencia ha llegado a un punto en que no aguanto más.* **9** Grado de temperatura necesario para que ocurra un determinado fenómeno físico. ■ **punto de ebullición** Temperatura a la que una masa de líquido se convierte en gas, a una presión determinada: *el punto de ebullición del agua es de 100 °C.* ■ **punto de fusión** Temperatura a la que una masa sólida se convierte en líquido, a una presión determinada: *el punto de fusión del hierro es de 1535 °C.* **10** Parte de una recta o plano al que se le puede dar una posición pero que no posee extensión en ninguna de las dimensiones posibles: *el ortocentro, baricentro, circuncentro e incentro de un triángulo se llaman genéricamente puntos notables de un triángulo.* ■ **punto de inflexión** Punto de una curva en el que cambia el sentido de su curvatura. **11** Parte o aspecto de una persona o de una cosa. ■ **punto débil** o **punto flaco** Aspecto o parte de una persona o cosa que es vulnerable, tiene poca fuerza y puede ser dañado con facilidad. ■ **punto fuerte** Aspecto o parte de una persona o cosa que tiene más fuerza. **12** Pasada que se da con aguja e hilo sobre una cosa que se está cosiendo: *coseré el botón de la camisa con un punto.* **SIN** puntada. **13** Trozo de hilo que va de una puntada a otra en una tela, piel, etc., en especial cuando se pasa y se combina con otros de cierta manera: *punto de cruz; punto de cadeneta.* **14** Roto que se hace en las medias al soltarse uno de los nudos del tejido. **15** Tejido elástico fabricado mecánicamente con todo tipo de fibras; por su caída y comodidad, se utiliza principalmente para prendas deportivas y de vestir, como polos, vestidos y chaquetas ligeras: *jersey de punto; falda de punto.* **16** Puntillo. **17** familiar Acción que causa sorpresa porque es buena o favorable: *fue un punto ir a ver esa película.* **18** familiar Borrachera pequeña y ligera.
a punto (I) Preparado para hacer algo: *estoy a punto para salir.* **SIN** listo. (II) A tiempo o en el momento adecuado: *llegar a punto.*
a punto de + infinitivo Expresión que indica que una acción está muy próxima a realizarse: *estoy a punto de salir.*
a punto de caramelo Preparado o listo para un fin determinado: *la comida está a punto de caramelo.*
al punto Al momento o con gran rapidez: *se lo ordenaron y lo hizo al punto.* **SIN** enseguida.
en punto Exactamente: *las tres en punto.*
en su punto En el estado o situación perfectos o en el mejor momento: *han servido la carne en su punto.*

hasta cierto punto En cierto modo, pero no completamente: *hasta cierto punto tienes razón.*

poner los puntos sobre las íes familiar Aclarar o precisar una cosa que no está suficientemente especificada.

punto de nieve Estado que alcanza la clara de un huevo después de batirla hasta que toma consistencia y espesor y pasa a ser de color blanco.

punto de vista Manera de considerar un asunto o una cosa.

punto en boca Expresión que se utiliza para decirle a alguien que debe callarse o guardar un secreto: *de lo que hemos hablado hoy, punto en boca.*

punto muerto (I) Posición en que se encuentra el cambio de velocidades de un automóvil cuando no se comunica el movimiento del motor a las ruedas. (II) Estado en el que se encuentra un asunto que no avanza.

punto negro (I) Cosa que resulta mala y negativa, especialmente un lugar peligroso para el tránsito rodado. (II) Poro de la piel en el que hay grasa y suciedad.

FAM puntear, puntero, puntillismo, puntillo, puntuar.

puntuación *s. f.* ① Conjunto de puntos que se le dan a una persona por hacer un ejercicio: *obtuvo una puntuación muy baja.* **SIN** calificación. ② Conjunto de signos de ortografía que se aplican a un texto y que sirven para distinguir las palabras y separar las oraciones y sus partes: *los puntos y las comas son signos de puntuación.*

puntual *adj.* ① Que llega a un lugar a la hora convenida. **ANT** impuntual. ② Que hace las cosas a tiempo y sin retraso: *esta empresa siempre es puntual en los pagos.* ③ Que es concreto o específico: *un momento puntual.* ④ Que es exacto y detallado: *un informe puntual.* ⑤ Que tiene la extensión de un punto o que no tiene extensión: *masa puntual.*

FAM puntualidad; impuntual.

puntualidad *s. f.* Cualidad que tienen las personas o las cosas de ser puntuales y hacer una cosa a su debido tiempo.

puntualismo *s. m.* Teoría que defiende que la evolución de las especies de seres vivos no es gradual, sino que las especies que están adaptadas a un ambiente determinado, cuando este se modifica, son sustituidas repentinamente por otras formas mejor adaptadas a las nuevas condiciones.

puntualización *s. f.* Precisión o aclaración detallada que se hace sobre una cosa concreta.

puntualizar *v. tr.* Especificar una cosa que se ha dicho para que no quede incompleta o imprecisa y no haya malas interpretaciones. **SIN** concretar, precisar.

FAM puntualización.

puntuar *v. tr.* ① Poner los signos de ortografía necesarios para la comprensión correcta de un periodo gramatical. ② Calificar con puntos un ejercicio o una prueba. | *v. tr./intr.* ③ Ganar o conseguir puntos en una competición deportiva: *el atleta puntuó poco en la carrera de obstáculos.* ④ Contar una prueba o un ejercicio para la puntuación de una competición: *la prueba de hoy puntúa para la clasificación general.*

FAM puntuable, puntuación.

OBS Verbo regular, se acentúa como *actuar.*

punzada *s. f.* ① Herida pequeña y poco profunda producida por un objeto que tiene punta. ② Dolor repentino, agudo y breve, que suele repetirse cada cierto tiempo: *siente punzadas en el estómago.*

punzante *adj.* Que punza: *dolor punzante.*

punzar *v. tr.* ① Clavar una cosa con punta en algún lugar: *le punzaron en un dedo para tomarle una muestra de sangre.*

SIN pinchar. ② Molestar o provocar a una persona para que se enfade. **SIN** pinchar. | *v. intr.* ③ Avivarse un dolor intermitentemente, dando pinchazos momentáneos.

FAM punción, punzada, punzante, punzón.

punzón *s. m.* Instrumento que se utiliza para hacer agujeros en las telas y para grabar metales; consiste en una barra metálica alargada, estrecha y acabada en punta.

puñada *s. f.* Golpe dado con el puño. **SIN** puñetazo.

puñado *s. m.* ① Cantidad de cualquier cosa o materia que se puede contener en un puño: *cogió un puñado de arena.* ② Cantidad pequeña de cualquier cosa o materia: *un puñado de arroz.*

a puñados En grandes cantidades: *en las montañas había oro a puñados.*

puñal *s. m.* Arma de acero de hoja corta y puntiaguda que solamente hiere con la punta.

FAM puñalada; apuñalar.

puñalada *s. f.* ① Herida hecha con un puñal u otra arma blanca parecida. ② Disgusto o pena grande que se produce de pronto y sin aviso: *su muerte fue una puñalada para toda la familia.*

puñalada trapera familiar Acción hipócrita y traidora.

puñeta *s. f.* ① Adorno de bordados y puntillas que se pone en la parte que rodea la muñeca en la manga de una toga: *las togas de los jueces llevan puñetas blancas.* ② familiar Cosa o persona que molesta: *está cargado de puñetas y manías.* | *int.* ③ **¡puñeta!** o **¡puñetas!** Se usa para expresar enfado, desagrado o mal humor: *¡puñetas!, estoy harto de que me cojas mis cosas sin pedirme permiso.*

hacer la puñeta familiar Molestar o hacer daño a una persona con palabras o acciones.

irse a la puñeta (o a hacer puñetas) familiar Fracasar o no poder hacerse una cosa: *por culpa de la lluvia la excursión se fue a la puñeta.*

mandar a hacer (o a freír) puñetas familiar Rechazar o despedir a una persona o cosa con desconsideración o enfado.

FAM puñetero.

puñetazo *s. m.* Golpe dado con el puño. **SIN** puñada.

puñetero, -ra *adj.* ① familiar Que molesta, fastidia o incordia: *¡qué hombre más puñetero!* ② familiar Que es difícil y complicado de hacer: *un trabajo puñetero.* ③ familiar Se usa delante de un sustantivo para expresar desprecio o rechazo, o para intensificar: *todo el puñetero día trabajando.*

FAM puñetería.

puño *s. m.* ① Mano cerrada. ② Parte de la manga de una prenda de vestir que rodea la muñeca. ③ Parte por donde se cogen con la mano algunos utensilios, herramientas o armas de filo: *el puño de su bastón.* **SIN** mango.

comerse los puños familiar Estar muy hambriento.

como puños o **como un puño** Expresión que indica que una cosa es muy grande o más grande que otras de su clase: *una mentira como un puño.*

de puño y letra Escrito a mano por su autor: *tengo una carta de García Lorca escrita de su puño y letra.*

en un puño Con miedo, asustado, intimidado u oprimido: *con sus amenazas, lo tiene en un puño.*

FAM puñada, puñado, puñeta, puñetazo; empuñar.

pupa *s. f.* ① Erupción en cualquier parte del cuerpo, especialmente la que se forma en los labios a causa de la fiebre. **SIN** calentura. ② Costra que se forma en la superficie de una herida al curarse. **SIN** costra. ③ familiar Dolor o herida que siente o tiene un niño en el cuerpo: *tengo pupa en un dedo.* **NOTA** Se usa en el lenguaje infantil. ④ Fase larvaria intermedia del desarrollo de ciertos insectos, como la mariposa. **SIN** crisálida.

pupila *s. f.* Abertura circular, de color negro, situada en el centro del iris y a través de la cual pasa la luz: *la pupila se contrae o se dilata adaptándose a la luz del exterior.* **SIN** niña.

pupilaje *s. m.* ① Estado o condición de pupilo o huésped: *vivir en pupilaje.* ② Vigilancia de vehículos en un garaje u otro lugar parecido por un precio convenido: *tiene el coche en pupilaje en un garaje de su calle.* ③ Cantidad de dinero que se paga por el pupilaje.

pupilo, -la *s. m. y f.* ① Huérfano menor de edad que es educado por un tutor. ② Persona que vive en una pensión o en una casa particular pagando cierta cantidad de dinero. **SIN** huésped. ③ Alumno de un maestro o educador. **FAM** pupilaje.

pupitre *s. m.* Mueble de madera parecido a una mesa, que tiene una tapa en forma de plano inclinado y sirve para escribir sobre él.

purasangre *adj./s. m.* Se aplica al caballo que es de una raza producto del cruce de la raza árabe con las razas del norte de Europa: *el purasangre es muy valorado para las carreras de caballos.*

puré *s. m.* Comida que se hace cociendo y triturando hortalizas, legumbres o verduras hasta conseguir una crema espesa. **hecho puré** familiar Decaído o destrozado física y moralmente.

pureza *s. f.* ① Cualidad que tienen las cosas o las personas puras. **ANT** impureza. ② Estado de la persona que no ha tenido relaciones sexuales. **SIN** castidad, virginidad.

purga *s. f.* ① Medicina que sirve para evacuar el vientre. ② Expulsión de los miembros, considerados indeseables o sospechosos, de una sociedad, una empresa o un partido, especialmente la debida a causas políticas. ③ familiar Eliminación o limpieza de cosas inútiles, viejas o malas: *hacer una purga en los armarios.*

purgación *s. f.* ① Purificación o limpieza de una cosa que se hace eliminando lo que se considera malo o negativo: *purgación de los pecados.* ‖ *s. f. pl.* ② **purgaciones** familiar Flujo mucoso que se produce en la uretra debido a una enfermedad infecciosa de transmisión sexual en la que se inflaman las vías urinarias y genitales. **SIN** blenorragia.

purgante *adj.* ① Que purga, limpia o purifica: *un castigo purgante.* ‖ *adj./s. m.* ② Se aplica a la sustancia que sirve para evacuar el vientre.

purgar *v. tr.* ① Limpiar y purificar una cosa quitándole lo malo, lo peligroso o lo que no conviene. ② Evacuar el vientre mediante una medicina o una sustancia medicinal. ③ Sufrir un castigo o una pena por haber cometido una falta o un delito: *purgar los delitos en la cárcel.* ④ Purificar el alma de pecados para poder alcanzar la gloria. **FAM** purga, purgación, purgante, purgatorio; expurgar.

purgatorio *s. m.* ① Según la Iglesia católica, lugar en el que las almas de los muertos pagan sus faltas antes de poder alcanzar la gloria eterna. ② Lugar donde se pasa mal o se sufren penalidades: *trabajaba en un purgatorio.* ③ Padecimiento físico o moral: *está pasando un purgatorio con la preparación de los exámenes.*

purificación *s. f.* ① Eliminación de las impurezas o imperfecciones de una cosa. ② Fiesta que celebra la Iglesia católica en recuerdo del día en que Jesús fue presentado en el templo de Jerusalén por su madre. **NOTA** Se escribe normalmente con mayúscula inicial.

purificar *v. tr.* ① Quitar los elementos malos o extraños a una cosa para dejarla pura: *purificar el agua.* **SIN** depurar. ② Hacer perfecta o mejor una cosa no material: *purificar las almas.* **FAM** purificación, purificador.

purismo *s. m.* ① Actitud que pretende preservar la lengua de palabras extranjeras o neologismos que no son necesarios por existir palabras propias o patrimoniales con el mismo significado. ② Corriente ideológica que pretende mantener un arte, una técnica o una práctica dentro de la más estricta ortodoxia, sin introducir ningún tipo de cambio o innovación. **FAM** purista.

purista *adj./s. com.* Que defiende o apoya el purismo: *estilo purista; es un purista del flamenco.*

puritanismo *s. m.* ① Movimiento religioso de inspiración calvinista que defiende una rigidez moral extrema y la más absoluta adecuación de las costumbres a la moral evangélica; surgió de la Iglesia anglicana de Inglaterra en los siglos XVI y XVII. ② Rigidez y dureza excesivas en el modo de pensar y de actuar, especialmente en el terreno moral.

puritano, -na *adj.* ① Relativo al puritanismo: *costumbres puritanas.* ‖ *s. m. y f./adj.* ② Persona que practica el puritanismo. ‖ *adj./s. m. y f.* ③ Se aplica a la persona que presume de mostrar una rigidez y una dureza excesivas en el terreno moral y de cumplir con mucho rigor las virtudes públicas y privadas. **FAM** puritanismo.

puro, -ra *adj.* ① Que no tiene mezcla de otra cosa: *oro puro.* **ANT** impuro. ② Que no tiene sustancias sucias o contaminantes: *aire puro.* ③ Que es moralmente recto, honesto y respetuoso: *amor puro.* ④ Que es solo y exclusivamente lo que se expresa: *decir la pura verdad.* **NOTA** En esta acepción, va antepuesto al sustantivo. **SIN** mero. ⑤ Se aplica al lenguaje que es correcto y sigue estrictamente las normas de la gramática: *un castellano muy puro.* ‖ *s. m.* ⑥ Cilindro hecho de hojas de tabaco enrolladas que se enciende por un extremo y se chupa o fuma por el otro. **NOTA** También *cigarro puro.* **FAM** pureza, purificar, purismo, puritano; cortapuros, impuro.

púrpura *s. m./adj.* ① Color rojo fuerte, casi morado: *tinta de color púrpura.* ‖ *adj.* ② Que es de este color: *lleva una túnica púrpura.* **NOTA** Invariable en número. ‖ *s. f.* ③ Sustancia de color rojo fuerte que se usa para teñir o dar color: *los fenicios fueron los primeros en utilizar la púrpura.* ④ Tela de este color, generalmente de lana, que sirve para hacer los trajes de los reyes y las personas que tienen algún cargo importante. **FAM** purpurar, purpúreo, purpurino.

purpúreo, -rea *adj.* Que es de color púrpura: *tono purpúreo.*

purpurina *s. f.* ① Polvo muy fino que se extrae del bronce o de metal blanco y se utiliza para decorar cosas. ② Pintura brillante que se hace con estos polvos.

purulento, -ta *adj.* Que tiene pus: *llaga purulenta.* **FAM** purulencia.

pus *s. m.* Líquido espeso, de color blanco, amarillento o verdoso que se forma en los tejidos infectados y fluye de las heridas: *un grano de pus.*

pusilánime *adj./s. com.* Se aplica a la persona que no tiene ánimo, valor o energía para aguantar las desgracias o para hacer cosas importantes.
FAM pusilanimidad.

pústula *s. f.* Ampolla llena de pus que se forma en la piel.

puta V. puto, -ta.

putada *s. f.* vulgar Acción o dicho que se hace con mala intención y molesta o perjudica a alguien.

putañero *adj.* vulgar Se aplica al hombre que tiene relaciones sexuales de forma frecuente con prostitutas.

putativo, -va *adj.* Se aplica al familiar que se tiene como propio o legítimo sin serlo: *san José fue el padre putativo de Jesucristo.*

putear *v. tr.* vulgar Fastidiar o perjudicar a alguien.
FAM puteo.

puterío *s. m.* vulgar Prostitución.

puticlub *s. m.* familiar Establecimiento en el que se ejerce la prostitución.
OBS Plural: *puticlubs* o *puticlubes.*

puto, -ta *adj.* [1] vulgar Se aplica a las cosas para denigrarlas. ‖ *s. m. y f.* [2] vulg. desp. Persona que mantiene relaciones sexuales a cambio de dinero.
de puta madre vulgar Muy bien: *pasárselo de puta madre.*
pasarlas putas vulgar Estar en una situación muy difícil, incómoda o peligrosa.
FAM putada, putañero, putear, puterío, putero, puticlub.

putrefacción *s. f.* Descomposición de una materia animal o vegetal: *los hongos y las bacterias ayudan a la putrefacción.*
FAM putrefacto.

putrefacto, -ta *adj.* Que está podrido, descompuesto o corrompido: *fruta putrefacta.*
FAM putrefacción.

pútrido, -da *adj.* culto Que está podrido o corrompido: *aguas pútridas.*

putto *s. m.* En el arte italiano, figura de un niño desnudo y alado, a modo de angelote, con la que se representa a Cupido, dios romano del amor, con frecuencia portando algún símbolo alusivo, como un carcaj, flechas, rosas, etc.
OBS Plural: *putti.*

puya *s. f.* [1] Punta de hierro colocada en el extremo de una vara larga con la que se pincha a los toros y vacas para estimularlos o castigarlos. [2] Vara larga con una punta de hierro cortante en su extremo usada por los picadores en las corridas de toros. **SIN** garrocha, pica. [3] Puyazo (expresión irónica).

puyazo *s. m.* [1] Herida producida con una puya. [2] Expresión irónica con la que se pretende herir u ofender a una persona. **SIN** aguijonazo, pulla, puya.

puzle *s. m.* Juego que consiste en recomponer una figura combinando de manera correcta unas determinadas fichas o piezas de forma plana, en cada una de las cuales hay una parte de dicha figura. **SIN** rompecabezas.
OBS Puede encontrarse la grafía inglesa *puzzle.*

PVC *s. m.* Plástico que se obtiene por polimerización de un compuesto orgánico (el cloruro de vinilo) y sirve para fabricar tuberías, envases y otros objetos.

PVP *s. m.* Sigla de *precio de venta al público.*

pyme o **PYME** [se pronuncia 'pime'] *s. f.* Empresa de pequeño o mediano tamaño: *los problemas financieros de las pymes.*

pza. Abreviatura de *plaza.*

q *s. f.* Decimoctava letra del alfabeto español; su nombre es *cu*.

quark *s. m.* Partícula elemental en que puede dividirse la materia atómica: *los neutrones y los protones están formados por quarks.*
OBS Plural: *quarks.*

quásar *s. m.* Fuente de radiación celeste muy intensa que tiene apariencia estelar, pero cuya naturaleza exacta no se conoce.
OBS Plural: *quásares.*

que¹ *pron.* Introduce una proposición de relativo en la que se indican ciertas características del sustantivo al que complementa; equivale a *el cual, la cual, los cuales, las cuales: el libro que me regalaron es muy bueno.*
OBS Puede ir precedido de los artículos *el, la, los, las: pueden venir los que quieran.*

que² *conj.* ① Nexo que introduce una proposición subordinada sustantiva y la une con la principal: *quiero que vengas.* ② En correlación con *más* y *menos,* introduce el segundo término de una comparación de superioridad o inferioridad: *es más bueno que el pan.* ③ Introduce una explicación o una aclaración: *suya es la culpa, que no mía.* ④ familiar Introduce una proposición con matiz causal: *ya verás como lo hace, que ha prometido hacerlo.* **SIN** porque, pues. ⑤ familiar Introduce la consecuencia de lo que se expresa; generalmente está en correlación con *tal, tan, tanto* u otro elemento parecido: *iba tan despacio que llegó tarde; corre que vuela.* ⑥ familiar Introduce una proposición en la que se expresa la finalidad de una cosa; equivale a *para: habla más alto, que te oigan.* ⑦ Precedido y seguido del mismo verbo, indica el progreso de una acción e incrementa su intensidad: *es un cabezota, siempre está dale que dale.* ⑧ Introduce una condición y equivale a *si: ¿quiere venir?, que venga.* ⑨ En combinación con una preposición, adverbio o participio, introduce una circunstancia, un hecho, etc., que estos indican: *antes que; después que.*

el que más y el que menos Todos, sin excepción: *el que más y el que menos sacó una mala nota.*

qué *adj./pron.* ① Introduce preguntas sobre cosas concretas o abstractas: *¿qué libro estás leyendo?; ¿qué voy a hacer ahora?* ② Con un sustantivo, adjetivo o adverbio, introduce oraciones exclamativas que expresan emoción, admiración o disgusto: *¡qué calor hace hoy!*

¿por qué? Se utiliza para preguntar la causa o razón de una cosa.

¿qué? (I) En una conversación, indica que no se entiende lo que dice el interlocutor: —*Me voy a la compra.* —*¿Qué?* —*Que me voy a la compra.* (II) Se usa para responder a una llamada: —*Oye, Silvia.* —*¿Qué?* —*¿Me dejas el coche?*

¿qué tal? (I) Expresión que se utiliza en los saludos para interesarse por la salud o el estado del otro: *¡hombre, Luis!, ¿qué tal?* (II) Se utiliza en preguntas para pedir un juicio o una evaluación sobre una cosa: *¿qué tal me ha salido?*

¿y qué? Expresión que indica que lo dicho o hecho por otro no importa o no interesa: —*Últimamente te portas muy mal.* —*¿Y qué?, ¡me da igual!*

quebracho *s. m.* Árbol de gran altura y madera muy dura característico de algunas zonas de América.

quebrada *s. f.* ① Paso estrecho y abrupto entre montañas. ② Hendidura o abertura estrecha, alargada y poco profunda de una montaña. ③ AMÉR. Riachuelo que corre por el fondo de una quiebra.

quebradero Se usa en la expresión:
quebradero de cabeza Preocupación o problema: *este trabajo es un quebradero de cabeza.*

quebradizo, -za *adj.* ① Que se rompe fácilmente: *material quebradizo.* **SIN** frágil. ② Se aplica al ánimo o salud que es frágil y se debilita con facilidad. **SIN** enfermizo.

quebrado, -da *adj.* ① Que está roto: *pata quebrada.* ② Se aplica al terreno que es desigual y tiene desniveles. **SIN** tortuoso. ③ Se aplica a las líneas, caminos, pasillos y cosas semejantes que no son rectas sino que están formadas por segmentos rectos que van en diferentes direcciones, por ejemplo en zigzag: *las calles quebradas del casco viejo.* ④ AMÉR. Se aplica a la persona que no tiene dinero. ⑤ COL. Se aplica a la persona que está bajo los efectos de alguna sustancia alucinógena. ⑥ familiar VENEZ. Se aplica a la persona que tiene una joroba. ⑦ VENEZ. Se aplica al estudiante que ha suspendido un examen. ‖ *adj./s. m.* ⑧ Se aplica al número que expresa una o varias porciones de un todo dividido en partes iguales: *tres quintos y tres cuartos son números quebrados.* **SIN** fracción.
FAM quebradizo.

quebrantahuesos *s. m.* ① Ave rapaz de gran tamaño, de plumaje gris negruzco por el dorso, alas y cola, y rosado o blanco por debajo, con las patas cubiertas de plumas hasta los dedos; se alimenta de animales muertos y suele vivir en regiones rocosas de África, Asia y Europa. ② familiar Persona pesada o que molesta.

OBS Plural invariable.

quebrantamiento *s. m.* Transgresión o violación de una ley, norma o contrato que supone la nulidad de lo realizado: *el quebrantamiento de la ley puede dar lugar a penas de prisión.*

quebrantar *v. tr.* ① Romper de forma violenta una cosa dura, especialmente sin que lleguen a separarse del todo sus partes: *el viento quebranta las ramas de los árboles.* **SIN** cascar, quebrar, resquebrajar. ② Poner una cosa en estado o situación de que se rompa con facilidad. ③ No cumplir una ley, una palabra dada o una obligación. **SIN** violar. ④ Debilitar la fuerza, la salud o el ánimo de una persona: *si no descansas, tu salud se quebrantará.*

FAM quebrantable, quebrantado, quebrantamiento, quebranto.

quebranto *s. m.* ① Acción de quebrantar: *el quebranto de una ley.* ② culto Falta de ánimos o de fuerza para hacer las cosas: *después de la enfermedad, el quebranto de su persona era inmenso.* **SIN** debilidad, decaimiento. ③ Pérdida, daño o perjuicio: *el incendio produjo grandes quebrantos en el edificio.*

quebrar [1] *v. tr.* ① Romper de forma violenta una cosa dura, especialmente sin que lleguen a separarse del todo sus partes: *el golpe quebró la pata de la silla.* **SIN** quebrantar, resquebrajar. ② Doblar o torcer el cuerpo, especialmente por la cintura. ③ Interrumpir o cortar la continuación de una cosa no material: *se quebraron los planes de salir.* | *v. intr.* ④ Fracasar y dejar de funcionar un comercio o una industria, por no poder pagar las deudas o no poder cumplir las obligaciones. **SIN** arruinarse.

FAM quebracho, quebrada, quebradero, quebradizo, quebrado, quebradura, quebrantar, quiebra, quiebro.

quechua [también **quichua**] *adj.* ① Relativo a un pueblo amerindio que ocupa la franja que abarca Ecuador, Perú, Bolivia y el norte de Argentina, descendiente de los antiguos incas. | *s. com./adj.* ② Persona perteneciente a este pueblo. | *s. m./adj.* ③ Lengua hablada por este pueblo: *el quechua se extendió por el Imperio inca.*

queda *s. f.* Hora de la tarde o de la noche, a partir de la cual la población civil tiene prohibida la libre circulación por las calles y tiene que recogerse en sus casas.

quedar *v. intr.* ① Estar en un sitio durante un tiempo determinado: *me quedaré en Madrid todo el mes de septiembre.* **SIN** permanecer. ② Mantenerse una persona o cosa en un estado o situación igual al que ya tenía: *el documento ha quedado sin firmar.* ③ Pasar una persona o cosa a tener un estado final determinado: *quedó ciego después del accidente.* ④ Haber, estar o existir todavía: *quedan tres manzanas.* **SIN** restar. ⑤ Terminar o acabar: *allí quedó la negociación.* **SIN** cesar. ⑥ Citarse con una persona: *quedamos a las tres en tu casa.* ⑦ Estar situado en un sitio determinado: *la imprenta queda muy cerca de la oficina.* ⑧ Producir una cosa una impresión determinada al colocarla en un lugar, llevarla alguien o combinarla con algo: *ese sombrero te queda muy bien.* ⑨ Producir una persona una impresión determinada a otra: *no quiero quedar mal con mis amigos.* ⑩ Ponerse de acuerdo en algo. **SIN** convenir. | *v. prnl.* ⑪ **quedarse** Coger una cosa y retenerla en su poder: *me quedaré con este bolso.* ⑫ familiar Recordar o acordarse de algo: *no consigo quedarme con tu nombre.* ⑬ familiar Gastarle una

broma a alguien o hacerle creer una cosa que no es cierta: *si te quieres quedar con él, dile que sus amigos no van a venir a buscarle.* ⑭ familiar Perder la vida: *se quedó nada más llevarlo al hospital.* **SIN** morir. ⑮ familiar MÉX. Llegar a la edad madura una mujer sin casarse.

¿en qué quedamos? familiar Expresión con que se pide a una persona que sea clara o que se decida.

FAM queda, quedo.

quedo, -da *adj.* ① culto Que está quieto: *el mar está quedo y no hay olas.* **SIN** silencioso. ② culto Que es silencioso o suave: *voz queda; pasos quedos.* | *adv.* ③ En silencio o suavemente: *camina quedo.*

quehacer *s. m.* Ocupación o tarea que se tiene la obligación de hacer: *los quehaceres de una casa.*

queimada *s. f.* Bebida alcohólica que se elabora con orujo quemado, azúcar y corteza de limón: *la queimada se toma caliente y es típica de Galicia.*

queja *s. f.* ① Expresión de dolor, pena, descontento o enfado: *quejas de dolor.* **SIN** lamentación, lamento, quejido. ② Muestra de disconformidad, oposición o protesta por alguna cosa: *recibieron muchas quejas de los vecinos.* ③ Motivo para que una persona se queje: *es muy buen trabajador y no tengo queja de él.*

FAM quejica, quejoso, quejumbre.

quejarse *v. prnl.* ① Expresar con la voz el dolor o la pena que se siente. **SIN** lamentarse. ② Mostrar disconformidad, oposición o queja por alguna cosa. **SIN** protestar.

FAM queja, quejido; aquejar.

quejica *adj./s. com.* familiar Se aplica a la persona que se queja con frecuencia o de manera exagerada. **SIN** quejicoso.

quejicoso, -sa *adj.* Quejica.

quejido *s. m.* Expresión de dolor, pena, descontento o enfado. **SIN** lamento, queja.

quejigo *s. m.* Variedad de roble que se caracteriza por tener el tronco grueso, copa recogida, hojas grandes y dentadas y como fruto una bellota parecida a la del roble, que se utiliza como alimento para el ganado.

quejoso, -sa *adj.* ① Se aplica a la persona que tiene alguna queja de alguien: *está muy quejoso de su comportamiento.* **SIN** descontento. ② Que denota o expresa queja: *voz quejosa.*

quejumbroso, -sa *adj.* ① Que se queja con frecuencia sin un motivo importante. **SIN** lamentoso. ② Se aplica a la palabra o voz que expresa dolor o pena: *tono quejumbroso.* **SIN** lamentoso.

quelícero *s. m.* Apéndice generalmente acabado en pinza de los dos que tienen algunos artrópodos, como la araña y el escorpión, delante de la boca; sirve para defenderse y atacar.

quelonio *adj./s. m.* ① Se aplica al reptil que se caracteriza por tener el cuerpo protegido por un caparazón duro, cuatro extremidades cortas y mandíbulas sin dientes: *el galápago y la tortuga son reptiles quelonios.* | *s. m. pl.* ② **quelonios** Grupo taxonómico, con categoría de orden, constituido por estos reptiles.

quema *s. f.* ① Acción de quemar o quemarse. **SIN** incendio. ② Destrucción con fuego de una cosa: *quema de rastrojos.* **SIN** incendio.

huir de la quema Alejarse de un peligro o de una situación difícil.

quemadero *s. m.* Lugar en el que se queman cosas, especialmente basuras y desperdicios.

quemado, -da *adj.* **1** familiar Que está enfadado, descontento, cansado o molesto con una persona o con alguna actividad: *este trabajo lo tiene quemado.* ‖ *s. m. y f.* **2** Persona que ha sufrido quemaduras: *unidad de quemados del hospital.*
FAM quemadura.

quemador *s. m.* Pieza que regula la salida de combustible en las cocinas y otros aparatos.

quemadura *s. f.* **1** Herida en la piel producida por el fuego, el calor, por el contacto con sustancias corrosivas, por la electricidad, la radiación o la fricción. **2** Debilidad y mal aspecto de las hojas y partes verdes de una planta debido a los cambios grandes y rápidos de temperatura.

quemar *v. tr.* **1** Destruir a una persona o cosa con fuego: *la Inquisición quemaba a las brujas; el bosque se quema.* **2** Hacer que una cosa caliente mucho por estar expuesta al fuego o a una temperatura elevada, especialmente hasta el punto de estropearla: *el sol del mediodía quemaba la piel de los bañistas.* **3** Causar una sensación de ardor: *el aguardiente me quemaba el estómago.* **4** Secar una planta el calor o el frío excesivos: *las heladas han quemado la cosecha.* **5** familiar Hacer enfadar, molestar o cansar a alguien: *la espera empezó a quemar a la gente.* **6** Derrochar o malgastar una cantidad de dinero o una fortuna. **7** Estropear una cosa, especialmente una tela, una sustancia corrosiva: *la lejía ha quemado la camisa.* **8** Hacer que un elemento orgánico se consuma o se transforme en el organismo: *quemar calorías.* ‖ *v. intr.* **9** Estar muy caliente una cosa: *el agua del baño quema un poco.* ‖ *v. prnl.* **10** **quemarse** Experimentar un sentimiento o una pasión con mucha intensidad. **11** familiar Se usa para indicar que una persona está muy cerca de encontrar una cosa: *busca un poco más, que casi te quemas.* **12** Desgastarse o deteriorarse una persona por el ejercicio continuado de una actividad: *se ha quemado echando tantas horas en ese trabajo.*
FAM quema, quemado, quemador, quemadura, quemarropa, quemazón; requemar, resquemar.

quemarropa Se usa en la expresión:
a quemarropa (I) Expresión que sirve para indicar que se dispara a una persona con el cañón del arma en contacto con su cuerpo o muy cerca de él. (II) Se usa para indicar que una cosa se hace o se dice de forma directa y brusca: *me lo preguntó a quemarropa.*

quemazón *s. f.* **1** Sensación desagradable de calor o de picor. **2** Sensación desagradable de disgusto, tristeza o incomodidad.

quena *s. f.* Flauta hecha de caña, de 25 a 50 cm de largo, utilizada por algunos pueblos de América del Sur, especialmente de los Andes, para acompañar sus cantos y bailes.

quepis [también **kepis**, menos usado] *s. m.* Gorra militar de forma cilíndrica y visera horizontal: *el quepis forma parte del uniforme militar francés.*
OBS Plural invariable.

queratina *s. f.* Proteína de los animales que constituye la parte fundamental de las capas más externas de la epidermis y de órganos como las uñas, el pelo, las plumas, las escamas, las pezuñas o los cuernos.

querella *s. f.* **1** Acusación que se presenta ante un juez o un tribunal competente. **2** Oposición y falta de armonía entre personas o grupos: *entre ellos siempre hay alguna querella.* **SIN** discordia.
FAM querellarse.

querellarse *v. prnl.* Presentar una querella contra alguien ante un tribunal para pedir justicia.
FAM querellante.

querencia *s. f.* Tendencia o inclinación hacia una persona o cosa, especialmente hacia el lugar en que se ha nacido o en el que se ha vivido mucho tiempo.
FAM aquerenciarse.

querer¹ [38] *v. tr.* **1** Tener el deseo, la voluntad o la intención de hacer o conseguir una cosa: *quiero ir al cine.* **2** Sentir afecto, cariño o amor hacia una persona o cosa. **SIN** amar. **3** Se usa para preguntar la cantidad de dinero que hay que pagar por una cosa: *¿cuánto quiere por la mesa?* **4** Se usa para pedir educadamente a una persona lo que se expresa: *¿quieres traerme esto, por favor?* **5** Pedir o requerir una cosa que es necesaria o conveniente: *estos pantalones quieren un lavado.*
como quiera que (I) Indica cualquier manera de hacer, suceder o ser una cosa: *como quiera que sea, lo tengo que acabar hoy.* **NOTA** También *comoquiera que.* (II) culto Puesto que: *como quiera que esto no se acaba hoy, habrá que ampliar el plazo de entrega.* **NOTA** También *comoquiera que.*
hacerse querer Tener una persona o animal buen carácter, de manera que inspira en los demás un sentimiento favorable de cariño o amor: *es tan bueno y simpático con todos que se hace querer enseguida.*
querer decir Significar lo que se expresa: *esa mirada quiere decir que le gustas.*
sin querer Sin intención deliberada: *lo siento, ha sido sin querer.*
FAM querencia, querido; malquerer.

querer² *s. m.* Cariño o amor por alguien: *las cosas del querer.*

querido, -da *s. m. y f.* familiar Amante (persona con la que se mantiene relaciones sexuales al margen del matrimonio).

quermés [también **kermés**, más usado] *s. f.* Fiesta popular al aire libre, con baile y feria, organizada generalmente con fines benéficos.

queroseno [también **keroseno**] *s. m.* Líquido inflamable, mezcla de hidrocarburos, que se obtiene de la destilación del petróleo natural, utilizado en estufas y lámparas al inicio, y que en la actualidad se emplea como combustible de aviones de reacción y para fabricar insecticidas.

querubín *s. m.* **1** En la religión cristiana, ángel que está junto al trono de Dios y tiene un grado jerárquico inferior al serafín: *en las representaciones artísticas, los querubines son representados como niños con dos alas.* **2** Persona de delicada belleza, especialmente un niño pequeño: *mira ese bebé, es un querubín.*

quesera *s. f.* **1** Recipiente formado por un plato y una cubierta, generalmente de cristal, que sirve para guardar y conservar el queso. **2** Lugar donde se fabrica queso. **3** Mesa sobre la que se hace queso.

quesería *s. f.* Establecimiento en el que se elaboran y se venden quesos.

quesero, -ra *adj.* **1** Relativo al queso: *la industria quesera española.* **2** familiar Se aplica a la persona que come queso con frecuencia o le gusta mucho. ‖ *s. m. y f.* **3** Persona que se dedica a hacer queso o a venderlo.
FAM quesería.

quesito *s. m.* Porción de queso envuelta y empaquetada individualmente, que forma parte de un conjunto de varias de estas porciones: *una caja de quesitos.*

queso *s. m.* ① Alimento que se obtiene a partir de una masa de leche cuajada y salada, de la cual se ha extraído el suero: *el queso se puede hacer con leche de vaca, de oveja o de cabra.* ② familiar Pie de una persona: *¡cómo te huelen los quesos!*
dársela con queso familiar Engañar a una persona: *es tan inocente que siempre se la dan con queso.*
FAM quesera, quesero, quesito; requesón.

queta *s. f.* ① Cada una de las cerdas quitinosas finas y rígidas, con una función táctil y locomotriz, que tienen algunos gusanos anélidos en los lóbulos de los segmentos corporales. ② Pelo o cerda de quitina segregada por una glándula en los animales invertebrados.

quetzal *s. m.* ① Ave trepadora de plumaje verde, tornasolado en la parte superior del cuerpo y rojo en el pecho y el abdomen, con el pico y las patas de color amarillento y con un moño sedoso en la cabeza: *el quetzal habita en las regiones cálidas de América y era considerado sagrado entre los indios.* ② Unidad monetaria de Guatemala.

quevedesco, -ca *adj.* Relativo a Francisco de Quevedo (escritor español, 1580-1645) o a su obra: *humor quevedesco.*

quevedos *s. m. pl.* Lentes de forma circular que están provistos de una montura que se sujeta únicamente a la nariz: *los quevedos no llevan patillas para las orejas.*

quiasmo *s. m.* Figura retórica que consiste en intercambiar o cruzar los elementos de dos secuencias paralelas de modo que en la segunda se invierta el orden de la primera: *Unamuno utiliza el quiasmo en "duerme el sosiego, la esperanza duerme".*

quibla *s. f.* Muro de la mezquita que está orientado hacia La Meca, al que los fieles musulmanes miran cuando rezan. **SIN** alquibla.

quiche [se pronuncia aproximadamente 'quich'] *s. f.* Tarta salada de pasta de hojaldre rellena con una mezcla de huevos batidos, leche, queso y diversos ingredientes que se cuece al horno y se sirve caliente o fría.

quichua V. quechua.

quicio *s. m.* Parte de una puerta o ventana en la que están los goznes y las bisagras: *si se sale la puerta del quicio, no se puede abrir o cerrar.*
sacar de quicio (**I**) Poner nervioso, molestar o hacer enfadar a alguien: *las travesuras de los niños me sacan de quicio.* **SIN** exasperar, irritar. (**II**) Interpretar o entender una cosa de modo equivocado, generalmente exagerado: *siempre saca las cosas de quicio.*
FAM desquiciar.

quico¹ [también **kiko**, más usado] *s. m.* Grano de maíz tostado y salado.

Quico² Se usa en la expresión:
ponerse como el Quico familiar Hartarse una persona de comida.

quid *s. m.* Razón, causa o punto más importante o esencial de una cosa o asunto: *ése es el quid de la cuestión.* **SIN** clave.

quiebra *s. f.* ① Cese de la actividad de una empresa, una industria o un comercio por no poder pagar sus deudas. **SIN** bancarrota. ② Falta de medios de un estado o administración para pagar deudas o realizar operaciones financieras. **SIN** bancarrota. ③ Separación de una cosa en varias partes, especialmente la que se produce de manera violenta: *la quiebra de la madera ha hecho caer los andamios.* **SIN** rotura. ④ Abertura o hendidura que aparece en un terreno, generalmente

por causa del agua: *las lluvias han causado una quiebra en el valle.* ⑤ Pérdida, ruptura o disminución (de una cosa no material): *la época renacentista supuso la quiebra de los valores del hombre medieval.*

quiebro *s. m.* ① Movimiento que se hace al doblar el cuerpo hacia un lado por la cintura, como el que se hace en los lances taurinos: *hizo un quiebro para engañar al portero contrario.* ② Elevación del tono de la voz al cantar, que sirve de adorno a una nota principal.

quien *pron.* ① Introduce una proposición de relativo y tiene como antecedente a una persona: *quien desee venir, puede hacerlo; vimos a quien tú ya sabes.* ② Sin antecedente expreso, designa a personas de forma indeterminada: *que lo compre quien quiera.*
como quien Expresión que compara una acción o a una persona con otra: *saltó en paracaídas como quien bebe un vaso de agua.*
quien más, quien menos Todos sin excepción, unos más y otros menos: *quien más, quien menos, todos han bebido cerveza.*

quién *pron.* ① Introduce oraciones interrogativas en las que se pregunta por la identidad de una persona: *¿quién ha venido a vernos?; ¿a quién vas a invitar?; preguntó quién había roto el jarrón.* ② Introduce oraciones exclamativas que expresan deseo o admiración: *¡quién pudiera hacer lo mismo que tú!; ¡quién lo diría!*
no ser quién No tener derecho, capacidad o poder para hacer una cosa: *tú no eres quién para decirme lo que tengo que hacer.*

quienesquiera *det./pron.* Plural de quienquiera: *quienesquiera que fuesen los que lo hicieron, deberían haberlo dicho.*

quienquiera *det./pron.* Cualquier persona indeterminada: *quienquiera que pase, por favor.*
OBS Plural: *quienesquiera.*

quieto, -ta *adj.* ① Que no se mueve: *el perro se estuvo quieto hasta que el cazador lo llamó.* **SIN** estático, parado. ② Que está tranquilo y lleno de paz: *la casa está muy quieta desde entonces.* **SIN** plácido, sosegado.
FAM quietismo, quietud; aquietar, inquieto.

quietud *s. f.* ① Falta de movimiento: *el maestro comenzó la clase, a pesar de que no había quietud y todos murmuraban.* ② Sosiego, reposo o ausencia de agitación y ruido: *la quietud de una tarde fría de invierno.* **SIN** calma, serenidad, tranquilidad.

quif [también **kif**] *s. m.* jerga Hachís. **SIN** chocolate, mierda.

quijada *s. f.* Cada uno de los huesos en los que se alberga la dentadura de los mamíferos vertebrados, especialmente cuando es de gran tamaño, como la del caballo. **SIN** mandíbula.

quijotada *s. f.* Acción que se considera propia de un quijote.

quijote¹ *s. m.* Pieza de una armadura que cubre y protege el muslo.

quijote² *s. m./adj.* Persona que tiene altos ideales y que lucha y defiende causas nobles y justas de forma desinteresada. **SIN** idealista.
FAM quijotada, quijotería, quijotismo.

quijotería *s. f.* Manera de proceder o actuar característica de un quijote.

quijotesco, -ca *adj.* Que tiene las características de don Quijote (célebre personaje de Cervantes) o de cualquiera que se comporta como un quijote: *durante su juventud tuvo unos ideales quijotescos.*

Q

quijotismo *s. m.* Exageración en el idealismo y en los sentimientos que muestra el comportamiento de una persona.

quilate *s. m.* **1** Unidad de masa de las perlas y piedras preciosas equivalente a 200 miligramos. **2** Unidad que expresa la cantidad de oro puro contenida en una aleación, que equivale a una parte de oro puro en veinticuatro partes de la masa total de la aleación: *el oro puro tiene 24 quilates.* **|** *s. m. pl.* **3 quilates** Calidad, valor o bondad de una cosa no material: *esa generosidad vale muchos quilates.*
FAM aquilatar.

quilla *s. f.* **1** Pieza metálica o de madera, de forma alargada, en que se asienta el armazón de una embarcación de proa a popa, por su parte inferior: *el fondo de la barca chocó contra un arrecife y se rompió la quilla.* **2** En las aves, parte saliente de su esternón.

quilo[1] [también **kilo**, más usado] *s. m.* **1** Quilogramo. **2** familiar Millón de pesetas.

quilo[2] *s. m.* Líquido blanco, espeso y con gran cantidad de grasa, procedente de la transformación del quimo a su paso por el intestino delgado, y que luego pasa a la sangre.

quilo[3] *s. m.* CHILE Arbusto de ramas trepadoras y fruto comestible y azucarado con el que en América se fabrica una variedad de chicha (bebida).

quilogramo [también **kilogramo**, más usado] *s. m.* Unidad de masa del Sistema Internacional, de símbolo *kg*, que equivale a la masa del prototipo de platino iridiado que se encuentra en la Oficina Internacional de Pesas y Medidas de París: *un quilogramo son mil gramos.* SIN quilo. **■ quilogramo fuerza** Unidad de fuerza que equivale a la fuerza que actúa sobre la masa de un quilogramo sometido a la gravedad normal. SIN kilopondio.

quilolitro [también **kilolitro**, más usado] *s. m.* Medida de volumen que equivale a 1 000 litros.

quilométrico, -ca [también **kilométrico, -ca**, más usado] *adj.* **1** Relativo al quilómetro: *tengo un mapa de carreteras con indicaciones quilométricas.* **2** familiar Que es muy largo: *ha comprado una cuerda quilométrica para atar los paquetes.* **|** *adj./s. m.* **3** Se aplica al billete de ferrocarril que autoriza a recorrer cierto número de quilómetros en un plazo de tiempo.

quilómetro [también **kilómetro**, más usado] *s. m.* Medida de longitud, de símbolo *km*, que es igual a 1 000 metros. **■ quilómetro cuadrado** Medida de superficie, de símbolo km^2, que es igual a un millón de metros cuadrados. **■ quilómetro cúbico** Medida de volumen, de símbolo km^3, que es igual a 1 000 millones de metros cúbicos. **■ quilómetro por hora** Medida de velocidad, de símbolo *km/h*, que es igual a 1/3,6 metros por segundo.
FAM quilométrico.

quimba *s. f.* **1** AMÉR. Movimiento garboso del cuerpo al andar o bailar. **2** COL., ECUAD., VENEZ. Sandalia rústica de cuero.

quimera *s. f.* **1** Sueño o creación imaginaria que se toma como real, siendo ilusoria, vana y casi imposible de conseguir. SIN ilusión, utopía. **2** Animal imaginario con cabeza de león, vientre de cabra y cola de dragón, que vomita llamas por la boca: *la quimera es un monstruo de la mitología griega.*
FAM quimérico.

quimérico, -ca *adj.* Fantástico, imaginario, irreal o que no tiene una base cierta.

química *s. f.* Ciencia que estudia la composición y las propiedades de la materia, las transformaciones que esta experimenta, sus reacciones y la síntesis de productos artificiales a partir de los ya conocidos. **■ química inorgánica** Parte de la química que estudia los compuestos que no contienen carbono como elemento constitutivo de sus moléculas. **■ química orgánica** Parte de la química que estudia los compuestos que contienen carbono (e hidrógeno) en sus moléculas como elementos mayoritarios, que son los que constituyen la materia viva.
FAM agroquímica, bioquímica, electroquímica, geoquímica, petroquímica.

químico, -ca *adj.* **1** Relativo a la química: *la industria química; las reacciones químicas.* **|** *s. m. y f.* **2** Persona que se dedica a la química. NOTA Femenino: *químico* o *química.*
FAM química.

quimiorreceptor, -ra *s. m./adj.* Receptor sensorial especializado en la captación de estímulos de naturaleza química.

quimioterapia *s. f.* Tratamiento de ciertas enfermedades por medio de sustancias químicas: *la quimioterapia se emplea en el tratamiento del cáncer.*

quimo *s. m.* Pasta homogénea y ácida, de color blanquecino, en que se transforman los alimentos dentro del estómago por efecto de la digestión: *el quimo está formado por los alimentos digeridos, agua y jugos gástricos.*

quimono [también **kimono**] *s. m.* **1** Prenda de vestir japonesa, amplia, con mangas largas de boca ancha y que llega hasta los pies, cruzada y ceñida a la cintura por delante con un cinturón: *el quimono es una prenda que usan especialmente las mujeres.* **2** Prenda deportiva ancha y de tejido resistente compuesta por una chaqueta que se ciñe a la cintura con un cinturón y por un pantalón, y con la que se practican diversas artes marciales.

quina *s. f.* **1** Corteza del quino. **2** Líquido medicinal febrífugo que se extrae de esta corteza. SIN quino. **3** Bebida dulce hecha con este líquido y otros ingredientes, que se toma como medicina o como aperitivo. **tragar quina** Aguantar, soportar o sufrir algo con disgusto y resignación: *el que no se alegre por mi ascenso, que trague quina.*
FAM quinado, quinina.

quincalla *s. f.* Conjunto de objetos de escaso valor, generalmente de metal.
FAM quincallero.

quince *num. card.* **1** Diez más cinco. **|** *num. ord.* **2** Que ocupa el lugar número 15 en una serie ordenada. SIN decimoquinto. **|** *s. m.* **3** Número 15.
FAM quinceañero, quinceavo, quincena.

quinceañero, -ra *adj./s. m. y f.* Se aplica a la persona que tiene alrededor de quince años.

quinceavo, -va *num. part.* Se aplica a cada una de las partes que resultan de dividir un todo en quince partes iguales.

quincena *s. f.* **1** Conjunto formado por quince unidades: *una quincena de personas.* **2** Periodo de quince días: *el tratamiento durará una quincena.* **3** En música, intervalo de quince notas o su registro.
FAM quincenal.

quincenal *adj.* **1** Que se repite cada quince días: *pagos quincenales.* **2** Que dura quince días: *un curso quincenal.*

quincuagenario, -ria *adj.* **1** culto Que tiene entre cincuenta y cincuenta y nueve años. **|** *adj./s. m. y f.* **2** culto Se aplica a la persona que tiene entre cincuenta y cincuenta y nueve años de edad.

quincuagésimo, -ma *num. ord.* ① Que ocupa el lugar número 50 en una serie ordenada: *quincuagésimo aniversario.* ❙ *num. part.* ② Se aplica a cada una de las partes que resultan de dividir un todo en cincuenta partes iguales: *a cada invitado le correspondió un quincuagésimo de la tarta.* **SIN** cincuentavo.

quingentésimo, -ma *num. ord.* ① Que ocupa el lugar número 500 en una serie ordenada. ❙ *num. part.* ② Se aplica a cada una de las partes que resultan de dividir un todo en quinientas partes iguales.

quiniela *s. f.* ① Sistema de apuestas que consiste en pronosticar los resultados de una determinada competición deportiva, de fútbol, hípica, etc.: *se gasta mucho dinero jugando a las quinielas.* ② Boleto que se debe rellenar para participar en este sistema de apuestas: *vamos a rellenar una quiniela, a ver si nos toca.* ③ Premio ganado con este sistema de apuestas: *le tocó la quiniela y se compró una gran casa en la playa.* ④ Arg., Par., R. Dom., Urug. Juego que consiste en apostar a la terminación del número premiado en la lotería.
FAM quinielista, quinielístico.

quinielista *s. com.* Persona que juega a las quinielas, especialmente si lo hace de manera habitual: *los quinielistas sueñan con hacerse ricos de forma rápida y fácil.*
FAM quinielístico.

quinielístico, -ca *adj.* Relativo a la quiniela: *resultados quinielísticos.*

quinientos, -tas *num. card.* ① Cuatrocientos más cien. ❙ *num. ord.* ② Que ocupa el lugar número 500 en una serie ordenada. **SIN** quingentésimo. ❙ *s. m.* ③ Número 500.

quinina *s. f.* Sustancia alcaloide vegetal que se obtiene de la quina, que se utiliza como febrífugo y como preventivo y curativo de la malaria; es de color blanco y de sabor muy amargo.

quino *s. m.* ① Árbol tropical de origen americano, de hojas ovaladas, lisas por el haz y vellosas por el envés, y fruto seco en forma de cápsula con muchas semillas en su interior: *la corteza del quino es la quina.* ② Sustancia medicinal que se extrae de la corteza de este árbol. **SIN** quina.

quinqué *s. m.* Lámpara formada por un depósito y un tubo de cristal, y que utiliza como combustible el aceite o el petróleo.

quinquenal *adj.* ① Que ocurre o se repite cada cinco años: *es una fiesta quinquenal que se celebra cada vez en una ciudad distinta.* ② Que dura cinco años.

quinquenio *s. m.* Periodo de cinco años. **SIN** lustro.
FAM quinquenal.

quinqui *s. com.* ① familiar Persona que pertenece a un grupo social marginado y que se dedica a robar o a otras actividades ilegales. ② familiar Persona sucia, con mal aspecto o mal vestida.

quinta *s. f.* ① Casa de campo que se utiliza para recreo, como ir de vacaciones o para descansar. **SIN** finca. ② Conjunto de nuevos soldados que ingresan cada año en el ejército. **SIN** reemplazo. ③ Conjunto de personas que han nacido el mismo año o tienen la misma edad: *ser de la misma quinta.* ④ Intervalo de la escala musical entre una nota y la quinta superior o inferior a esta: *entre do y sol hay una quinta ascendente.*

quintaesencia *s. f.* Sentido último o más importante de una cosa, o cualidad más pura, fina y elevada que tiene esta: *el compositor buscaba la quintaesencia de la música.*
OBS También *quinta esencia.*

quintal *s. m.* ① Medida de masa antigua que en Castilla equivalía a 46 kilogramos. ② Medida de masa que equivale a 100 kilogramos: *se ha vendido a 60 euros el quintal métrico.* **NOTA** También *quintal métrico.*

quinteto *s. m.* ① Conjunto de cinco instrumentistas o cantantes. ② Composición musical escrita para ser interpretada por este conjunto: *el quinteto «La trucha» de Schubert.* ③ Estrofa de cinco versos de arte mayor y rima consonante que se combinan con libertad, pero teniendo en cuenta que no rimen tres versos seguidos, que los dos últimos no formen pareado, y que no quede ninguno suelto.

quintilla *s. f.* Estrofa de cinco versos de arte menor y rima consonante, cuyo esquema es el mismo que el del quinteto.

quintillizo, -za *adj./s. m. y f.* Se aplica a la persona o animal que ha nacido a la vez que otros cuatro de la misma madre.

quinto *num. ord.* ① Que ocupa el lugar número 5 en una serie ordenada. ❙ *num. part.* ② Se aplica a cada una de las partes que resultan de dividir un todo en cinco partes iguales. ❙ *s. m.* ③ Joven que ha sido llamado para hacer el servicio militar obligatorio. **SIN** mozo. ④ Botella de cerveza de 20 centilitros. **SIN** botellín.
FAM quinteto, quintilla, quintillizo.

quíntuple *adj./s. m.* ① Quíntuplo. ❙ *adj.* ② Que está formado por cinco elementos o se repite cinco veces: *parto quíntuple.*

quintuplicar *v. tr.* Hacer cinco veces mayor una cosa o multiplicar por cinco una cantidad: *las ventas se han quintuplicado.*

quíntuplo, -pla *adj./s. m.* Que es cinco veces el número o cantidad de cierta cosa: *diez es el quíntuplo de dos.* **SIN** quíntuple.
FAM quíntuple, quintuplicar.

quiosco [también **kiosco** o **kiosko**] *s. m.* ① Construcción de pequeño tamaño y generalmente hecha con materiales ligeros, destinada a la venta de periódicos, revistas, golosinas y otros artículos en las calles y lugares públicos. ② Construcción de pequeño tamaño, con forma de templete, que se instala en parques y jardines: *todos los domingos se celebraban varios conciertos en el quiosco de la plaza.*
FAM quiosquero.

quiosquero, -ra [también **kioskero, -ra** o **kiosquero, -ra**] *s. m. y f.* Persona que trabaja en un quiosco vendiendo periódicos y otros artículos.

quiqui *s. m.* familiar Mechón de pelo peinado hacia arriba como si fuera la cresta de un gallo.

quiquiriquí *s. m.* Palabra con la que se representa el canto del gallo.
OBS Plural: *quiquiriquíes.*

quirie [también **kirie**, más usado] *s. m.* Invocación que se hace después de las primeras palabras que el sacerdote pronuncia al principio de la misa.

quirófano *s. m.* Sala de una clínica u hospital destinada a realizar operaciones quirúrgicas.

quiromancia o **quiromancía** *s. f.* Adivinación del futuro por la lectura e interpretación de las rayas de la mano.
FAM quiromántico.

quiromántico, -ca *adj.* ① Relativo a la quiromancia. ❙ *s. m. y f.* ② Persona que practica la quiromancia.

Q

quiromasaje *s. m.* Masaje corporal que se realiza únicamente con las manos: *el quiromasaje tiene propiedades terapéuticas.*

quiropráctica *s. f.* Método curativo de algunas enfermedades óseas o musculares que se basa en manipulaciones y presiones sobre la columna vertebral.

quiróptero, -ra *adj./s. m.* ① Se aplica al animal mamífero volador, de hábitos nocturnos, cuyas alas están provistas de una membrana o patagio que se extiende entre el cuello, las extremidades y la cola, como el murciélago. ‖ *s. m. pl.* ② **quirópteros** Grupo taxonómico, con categoría de orden, constituido por estos animales.

quirquincho *s. m.* AMÉR. SUR Armadillo de cuyo caparazón hacen algunos pueblos americanos ciertos instrumentos musicales.

quirúrgico, -ca *adj.* Relativo a la cirugía: *tuvo que someterse a una operación quirúrgica para salvar la vida.*

quisco *s. m.* CHILE Nombre genérico con el que se conocen varios cactos que crecen en forma de cirio cubierto de espinas y alcanzan más de 30 cm de alto.

quisque o **quisqui** *s. m.* familiar Individuo o persona: *por esta calle pasa todo quisque.*

quisquilla *s. f.* Invertebrado comestible del filo artrópodos y clase crustáceos similar a la gamba pero más pequeño, que vive en aguas saladas y dulces. SIN camarón.
FAM quisquilloso.

quisquilloso, -sa *adj./s. m. y f.* ① Se aplica a la persona que se molesta o se enfada frecuentemente por cosas poco importantes: *es una persona quisquillosa y no aguanta una broma.* SIN puntilloso, susceptible. ② Se aplica a la persona delicada o que da demasiada importancia a cosas que no la tienen: *no seas tan quisquillosa y cómete la carne.* SIN maniático.

quiste *s. m.* ① Bolsa que se forma en los tejidos del cuerpo y que puede contener un líquido o sustancia perjudicial: *los quistes sebáceos no suelen ser peligrosos.* ② Membrana resistente e impermeable que envuelve a un organismo de pequeño tamaño, y lo mantiene aislado del medio. ③ Cuerpo formado por esta membrana y el pequeño organismo encerrado en ella.
FAM enquistarse.

quitaesmalte o **quitaesmaltes** *s. m./adj.* Sustancia líquida para quitar el esmalte de las uñas, y que está compuesta de acetona.
OBS Plural: *quitaesmaltes.*

quitamanchas *s. m./adj.* Sustancia o producto para limpiar o quitar las manchas.
OBS Plural invariable.

quitamiedos *s. m.* ① Parapeto o barra que se coloca en lugares en los que hay peligro de caer y que sirve especialmente para evitar el vértigo.
OBS Plural invariable.

quitanieves *adj./s. m.* Se aplica a la máquina que sirve para quitar la nieve de calles, carreteras y vías de tren: *quedaron atrapados en la nieve hasta que llegó el quitanieves y despejó la carretera.*
OBS Plural invariable.

quitar *v. tr.* ① Coger una cosa y separarla o apartarla del lugar en que estaba: *quitó los platos sucios de la mesa y puso otros limpios.* ANT poner. ② Hacer desaparecer: *este detergente quita hasta las manchas más difíciles; el agua quita la sed.* ③ Robar o coger una cosa de otra persona: *me acaban de quitar la cartera.* ④ Impedir o prohibir una cosa a una persona: *el médico le quitó la sal y las grasas porque estaba un poco obeso; esas pastillas quitan el hambre.* ⑤ Liberar a una persona de una obligación, pena, cargo, etc.: *la madre quitó el castigo a los niños porque empezaron a portarse mejor; la lotería lo ha quitado de trabajar.* ⑥ Arrebatarle a alguien una cosa que le pertenece o de la que disfruta: *la lluvia me quitó la ilusión por salir; quitar el sueño; le quitó la vida.* ⑦ familiar Impedir una cosa: *que tú no me tengas hambre no quita que comamos nosotros.* ⑧ Quedarse sin una o varias prendas de vestir: *se quitó los zapatos.* ANT ponerse. ‖ *v. prnl.* ⑨ **quitarse** familiar Dejar una cosa o apartarse totalmente de ella: *se ha quitado del tabaco; me quité del juego y no me arrepiento.*

de quita y pon Indica que ciertas partes de un objeto se pueden colocar o suprimir de él según la necesidad.

quitarse de en medio Apartarse de un asunto o irse de un lugar para evitar problemas.
FAM quitaesmalte, quitamiedos, quitanieves, quitasol, quite; desquitar.

quitasol *s. m.* Sombrilla grande para resguardarse del sol. SIN parasol.

quite *s. m.* ① Movimiento del torero, generalmente con la capa, para librar a otro de la acometida del toro. ② En la esgrima, movimiento que detiene una acometida del contrario.

estar al quite familiar Estar preparado o dispuesto para ayudar o defender a alguien o librarle de un apuro.

quitina *s. f.* Polisacárido que constituye el material principal del que está formado el esqueleto externo de los artrópodos: *la quitina está formada por hidrato de carbono nitrogenado, y es de color blanco e insoluble en agua.*
FAM quitinoso.

quitinoso, -sa *adj.* Que tiene quitina.

quivi [también **kiwi**, más usado] *s. m.* ① Arbusto trepador de flores blancas o amarillas, cuyo fruto es comestible: *el kiwi es originario de China.* ② Fruto de este arbusto, de forma redonda, con una piel fina y de color marrón cubierta de pelillos, con el interior verde, jugoso y con muchas semillas pequeñas de color negro, y con un altísimo contenido en vitamina C.

quizá o **quizás** *adv.* Expresa posibilidad o duda: *quizá estamos equivocados; quizás vaya a verte mañana.*

quórum *s. m.* Número de personas necesario para que una votación sea válida o para llegar a un acuerdo en una asamblea deliberante.

Q

r *s. f.* Decimonovena letra del alfabeto español; su nombre es *erre* (también se llama *ere* cuando representa la consonante vibrante simple).

rabadilla *s. f.* **1** Extremo inferior de la columna vertebral: *la rabadilla está formada por las últimas vértebras del espinazo.* **2** Extremidad movible de las aves en la que están las plumas de la cola: *las plumas de la rabadilla del pavo real son muy largas y de muchos colores.*

rábano *s. m.* **1** Planta herbácea de tallo ramoso, hojas ásperas y grandes, y flores blancas, amarillas o moradas. **2** Raíz comestible de esta planta, carnosa, redondeada, de color blanco por dentro y rojo por fuera y de sabor ligeramente picante.
coger (o tomar) el rábano por las hojas familiar Interpretar o entender equivocadamente una cosa.
importar un rábano familiar No tener importancia para alguien una cosa: *le estaban insultando pero a él le importaba un rábano.*
¡(y) un rábano! familiar Expresión que se usa para rehusar una idea o propuesta: —*¿Por qué no me ayudas a recoger?* —*¡Un rábano!*
FAM rabanillo.

rabel *s. m.* Antiguo instrumento musical, parecido al laúd, con tres cuerdas que se tocan con arco: *el rabel es el predecesor del violín.*

rabí *s. m.* Rabino.
OBS Plural: *rabís* o *rabíes*.

rabia *s. f.* **1** Enfermedad infecciosa vírica que padecen los animales homeotermos, especialmente los perros, y que se transmite por mordedura: *uno de los síntomas de la rabia es el horror al agua.* **SIN** hidrofobia. **2** Enfado grande y violento, generalmente producido por un hecho que ocurre de forma distinta a como se esperaba: *me dio mucha rabia que no me invitase a su fiesta.* **SIN** furor, ira. **3** Sentimiento de antipatía hacia alguien: *el profesor le tiene rabia.* **SIN** manía.
FAM rabiar, rabieta, rabioso; antirrábico.

rabiar *v. intr.* **1** Dar muestras de enfado o enojo grandes: *no le digas nada hoy, que está que rabia.* **2** Padecer un dolor muy fuerte: *rabia del dolor de muelas que tiene.* **3** familiar Desear una cosa con vehemencia: *rabiaba por tener un coche nuevo.*
FAM enrabiar.
OBS Verbo regular, se acentúa como *cambiar.*

rabicorto, -ta *adj.* Se aplica al animal que tiene el rabo corto. **ANT** rabilargo.

rabieta *s. f.* familiar Enfado o llanto grande y de poca duración que se tiene por motivos insignificantes: *al niño le entró una rabieta cuando le dijeron que no podía ir de excursión.* **SIN** berrinche, pataleta.
FAM enrabietarse.

rabilargo, -ga *adj.* **1** Se aplica al animal que tiene el rabo largo. **ANT** rabicorto. **|** *s. m.* **2** Ave parecida a la urraca, pero más pequeña, con la cola y las alas azules, el vientre y el dorso claro y la cabeza negra.

rabillo *s. m.* Rabo o pedúnculo fino y delgado que une una hoja, un fruto o una flor al tallo de una planta. **SIN** peciolo.
rabillo del ojo Ángulo del extremo exterior del ojo.

rabino *s. m.* Jefe espiritual de la religión hebrea que tiene, entre otras funciones, la de interpretar la Biblia hebrea y la de hacer sermones. **SIN** rabí.

rabión *s. m.* Corriente impetuosa del río en los cauces estrechos o de mucha pendiente.

rabioso, -sa *adj.* **1** Que padece la enfermedad de la rabia: *puso un bozal al perro rabioso.* **2** Muy enfadado, enojado o molesto por algo. **SIN** colérico, furioso. **3** Se aplica a la persona que está violenta por padecer un dolor muy fuerte o por desear una cosa con vehemencia: *está rabioso debido a un intenso dolor de muelas.* **4** Que excede en mucho a lo normal: *el dolor por la muerte del amigo adquirió una intensidad rabiosa.* **5** Total, grande o absoluto: *esta revista recoge las noticias de la más rabiosa actualidad.* **SIN** candente.

rabo *s. m.* **1** Cola de ciertos animales, especialmente de los cuadrúpedos: *el perro agita feliz su rabo.* **2** Pedúnculo fino y delgado que une una hoja, un fruto o una flor al tallo de una planta. **SIN** peciolo, rabillo. **3** Parte delgada y alargada que sobresale de un objeto. **SIN** mango. **4** vulgar Pene.
con el rabo entre las piernas familiar Quedar avergonzado o vencido: *él empezó la discusión, pero se marchó con el rabo entre las piernas.*
FAM rabada, rabicorto, rabilargo, rabillo, rabón; taparrabo.

rabón, -bona *adj.* **1** Se aplica al animal que tiene el rabo más corto de lo normal o que carece de él. **2** familiar ARG., MÉX. Se aplica a la prenda de vestir que es más corta de lo normal: *un vestido rabón.* ❙ *adj./s. m.* ❸ familiar CHILE Se aplica al hombrre que está desnudo o vestido solo con la camisa. ❙ *s. m.* ❹ familiar ECUAD. Machete pequeño y de punta corta que se usa especialmente en trabajos de limpieza de los cultivos en el campo.

racanear *v. intr.* ❶ familiar Comportarse como un rácano o avaro y no ser generoso con los demás: *deja de racanear y pon tu parte como todos.* ❷ familiar Gandulear o comportarse como un vago, evitando el trabajo: *no estudia nada: racanea todo el día.*
FAM racaneo.

racaneo *s. m.* familiar Racanería.

racanería *s. f.* ❶ Actitud de la persona avara o poco generosa con los demás, especialmente en cuanto al dinero. SIN racaneo, tacañería. ❷ Actitud de la persona que procura evitar el trabajo. SIN racaneo.

rácano, -na *adj./s. m. y f.* ❶ familiar Se aplica a la persona que es muy avara y poco generosa con los demás, especialmente en cuanto al dinero. SIN agarrado, tacaño. ANT generoso. ❷ Se aplica a la persona que se comporta como un vago y trata de evitar el trabajo. SIN holgazán, gandul.
FAM racanear, racanería.

racha *s. f.* ❶ Periodo de tiempo corto de buena o mala suerte: *estamos pasando una mala racha.* ❷ Golpe de viento violento y de poca duración: *una racha de aire entró por la ventana y la puerta se cerró bruscamente.* SIN ráfaga.
FAM rachear.

racheado, -da *adj.* Se aplica al viento que sopla a rachas, o de manera violenta y durante espacios de tiempo muy cortos y seguidos.

rachear *v. intr.* Soplar el viento a rachas, o de manera violenta y durante espacios de tiempo muy cortos y seguidos.
FAM racheado.

racial *adj.* Relativo a la raza: *hay que acabar con la discriminación racial.*

racimo *s. m.* ❶ Conjunto de frutos dispuestos a distinta altura sobre un eje o tallo principal, especialmente las uvas: *un racimo de uvas.* ❷ Conjunto de flores dispuestas a distinta altura sobre un eje principal: *el olivo tiene las flores en racimo.* SIN inflorescencia. ❸ Conjunto apretado de personas o cosas: *desde el aire, veíamos racimos de casas blancas.*
FAM racimoso; arracimarse.

raciocinio *s. m.* ❶ Facultad de pensar o razonar. ❷ Conjunto de argumentos e ideas sobre un asunto pensados por alguien: *mediante unos complicados raciocinios, logró convencerlos de que tenía razón.* SIN razonamiento. ❸ Acción que consiste en utilizar la razón.

ración *s. f.* ❶ Cantidad de alimento que corresponde a una persona o animal: *en esta olla se pueden hacer hasta doce raciones.* ❷ Cantidad determinada de comida que se sirve en bares, cafeterías y restaurantes: *una ración de calamares.* ❸ Cantidad suficiente de algo: *he ido a la playa a tomar mi ración de sol.*
FAM racionar.

racional *adj./s. com.* ❶ Se aplica al ser dotado de razón y, por lo tanto, con capacidad de pensar o de razonar: *el hombre es un animal racional.* ❙ *adj.* ❷ Ajustado a la razón, lógico: *la mayor parte de los fenómenos paranormales tienen una explicación racional.* ❸ Relativo a la razón: *su método se basa en el análisis*

racional. ❹ En matemáticas, se aplica al número que puede ser expresado en forma de fracción.
FAM racionalidad, racionalismo, racionalizar; irracional.

racionalidad *s. f.* Actitud de la persona que actúa de acuerdo con la razón y no se deja llevar por sus impulsos.

racionalismo *s. m.* ❶ Doctrina filosófica que considera que la razón es la principal o única fuente de conocimiento: *el racionalismo considera la razón como el único medio para alcanzar la verdad tuvo mucha fuerza en el siglo XVIII.* ❷ Actitud de dar prioridad a la razón frente a los sentimientos, intuiciones, etc.
FAM racionalista.

racionalista *adj.* ❶ Relativo al racionalismo: *una mentalidad racionalista; la filosofía racionalista.* ❙ *adj./s. com.* ❷ Se aplica a la persona que sigue la doctrina filosófica del racionalismo o alguna otra teoría racionalista: *Descartes fue un filósofo racionalista.*

racionalización *s. f.* ❶ Proceso por el cual se da una explicación racional a una forma de comportamiento o a un sentimiento. ❷ Organización de la producción o del trabajo para abaratar los costos e incrementar el rendimiento, mediante la disminución del número de trabajadores, de máquinas necesarias para la producción o de horas de trabajo: *es necesaria la racionalización y modernización de la industria minera.*

racionalizar *v. tr.* ❶ Formular u organizar un asunto siguiendo normas racionales. ❷ Organizar una actividad social, laboral o comercial de forma que se abaraten los costos y se incremente el rendimiento: *la unión de varias compañías de transporte permitirá racionalizar las comunicaciones de toda la provincia.* ❸ Ahorrar, gastar menos, ajustándose a una norma racional: *no solo en épocas de sequía se ha de racionalizar el consumo de agua.* ❹ Quitar las raíces del denominador de una fracción matemática, multiplicando el numerador y el denominador de la fracción por la expresión adecuada.
FAM racionalización.

racionamiento *s. m.* Reparto controlado y limitado de ciertos artículos que son escasos, para asegurar un abastecimiento mínimo: *en épocas de guerra se hace un racionamiento de la comida; cartilla de racionamiento.*

racionar *v. tr.* ❶ Distribuir en raciones. ❷ Limitar una cosa distribuyendo una determinada cantidad a cada persona, especialmente artículos de consumo: *a causa de la escasez de petróleo, el Gobierno ha racionado la gasolina.* ❸ Someter una cosa a una distribución ordenada, generalmente para evitar un mal: *racionar el consumo de agua.*
FAM racionamiento.

racismo *s. m.* ❶ Actitud de rechazo y desprecio hacia las personas que pertenecen a una raza o etnia distinta de la propia. ❷ Doctrina que defiende la superioridad de la raza propia frente a las demás: *el racismo de los nazis y los fascistas causó la muerte de millones de judíos.*
FAM racista.

racista *adj.* ❶ Relativo al racismo: *un comportamiento racista; escribió un artículo racista.* ❙ *adj./s. com.* ❷ Se aplica a la persona que siente rechazo y desprecio por quienes pertenecen a otra raza.
FAM antirracista.

rad *s. m.* Unidad de dosis de radiación absorbida, que equivale a la energía de 100 ergios por gramo de materia irradiada.
OBS Plural: *rads.*

R

rada *s. f.* Entrada de mar en la costa, de pequeñas dimensiones, y que forma una bahía abierta apta para proteger las embarcaciones del viento y del embate del mar. **SIN** ensenada.

radar *s. m.* ☐ Sistema para localizar la presencia y la posición de objetos mediante la reflexión de ondas electromagnéticas: *el radar se usa en navegación y en meteorología.* ② Aparato detector de objetos que utiliza este sistema: *vieron en la pantalla del radar cómo se aproximaban dos aviones enemigos.*

radiación *s. f.* ☐ Transmisión de un suceso por radio. ② Emisión de energía o de partículas, por parte de una sustancia radiactiva, que se propaga por el espacio y a través de los cuerpos con un determinado poder de penetración. ■ **radiación gamma** Radiación que emite un cuerpo radiactivo, parecida a la de rayos X, pero más penetrante al ser menor su longitud de onda. ■ **radiación ionizante** Radiación que produce ionización en el medio que atraviesa: *los rayos X y los rayos alfa, beta y gamma son radiación ionizante.* ③ Emisión de luz, calor u otra energía. ④ Elemento de una onda electromagnética o luminosa.

radiación adaptativa Diversificación de un grupo de seres vivos que sucede en un espacio de tiempo relativamente breve y conlleva la aparición de un gran número de nuevos grupos y especies.

radiactividad [también **radioactividad**, menos usado] *s. f.* Capacidad que tienen algunas sustancias de emitir partículas y energía en forma de radiación cuando se desintegran sus átomos inestables.

radiactivo, -va [también **radioactivo, -va**, menos usado] *adj.* Se aplica al cuerpo o elemento que emite radiaciones de energía cuando se produce la descomposición de sus átomos: *el uranio es radiactivo.*
FAM radiactividad.

radiado, -da *adj.* ☐ Que está dispuesto como los radios de una circunferencia. ② En botánica, que tiene sus partes situadas alrededor de un punto o eje. I *adj./s. m.* ③ Se aplica al animal invertebrado cuyo cuerpo está dispuesto alrededor de un eje central, como la medusa o la estrella de mar.

radiador *s. m.* ☐ Aparato formado por un conjunto de tubos por los que circula un líquido caliente y que sirve para calentar un lugar u otra cosa. ② Aparato formado por un conjunto de tubos por los que circula agua para enfriar el motor de un automóvil.

radial *adj.* ☐ Relativo al radio de una circunferencia o a los radios de una rueda. ② Se aplica a la disposición que es como la de los radios de una circunferencia.

radián *s. m.* Unidad de medida de ángulos del Sistema Internacional, de símbolo *rad*, que equivale a un ángulo plano al que, teniendo su vértice en el centro de una circunferencia, le corresponde un arco de longitud igual a un radio de la circunferencia.

radiante *adj.* ☐ Que brilla o emite mucha luz. **SIN** resplandeciente. ② Que expresa gozo o alegría: *una sonrisa radiante; Pepe estaba radiante de alegría.*

radiar *v. tr.* ☐ Emitir o transmitir un suceso por radio: *radiar un concierto.* ② Despedir un cuerpo radiaciones de energía: *radiar calor.* **SIN** irradiar. ③ Tratar una enfermedad o una lesión con rayos X u otro tipo de radiación.
FAM radiación, radiador, radiante.
OBS Verbo regular, se acentúa como *cambiar.*

radical *adj.* ☐ Relativo a la raíz: *esta planta sufre una enferme-*

dad radical. ② Que afecta a la parte fundamental o al principio de una cosa y es total o completo: *la empresa ha experimentado un cambio radical con el nuevo director.* ③ Tajante, extremo: *una opinión radical.* **SIN** inflexible. I *adj./s. com.* ④ En política, se aplica a la persona partidaria de reformas extremas y arriesgadas, generalmente destinadas a profundizar en los logros democráticos. I *adj.* ⑤ Se aplica a la hoja u otra parte de una planta que nace directamente de la raíz. I *s. m.* ⑥ En gramática, parte de una palabra que se mantiene fija en todas sus formas: *en la palabra "corríamos", "corr-" es el radical.* **SIN** lexema, raíz. ⑦ Signo matemático con que se indica la operación de extraer raíces: *el radical tiene forma de* $\sqrt{\ }$. ⑧ Grupo de átomos libre o integrado como una unidad en un compuesto químico y que pasa inalterado de unas combinaciones a otras. ■ **radical libre** Átomo o grupo de átomos, con existencia propia fuera de la molécula, que posee un electrón desapareado y que no forma ningún enlace.
FAM radicalismo, radicalizar, radicalmente.

radicalismo *s. m.* ☐ Conjunto de ideas y doctrinas que pretenden reformar totalmente o en parte el ámbito político, científico, moral o religioso: *sus discursos dejan ver un radicalismo ideológico total.* ② Actitud tajante e intolerante de la persona que no admite términos medios: *todo el mundo desprecia su radicalismo y su intransigencia.*
FAM radicalista.

radicalizar *v. tr.* Llevar al extremo y hacer poco flexible y tolerante una cosa, especialmente un pensamiento o idea: *ha radicalizado sus ideas políticas.*
FAM radicalización.

radicando *s. m.* Número del que se extrae la raíz: *en la raíz cuadrada de 16, el radicando es 16.*

radicar *v. intr.* ☐ Echar raíces, arraigar o establecerse una persona o una cosa en un lugar: *los helechos radican en zonas húmedas.* ② Estar o encontrarse una cosa en un lugar determinado: *la finca radicaba en la comarca de El Bierzo.* ③ Consistir, tener origen o estar fundada una cosa en otra: *el problema radica en la falta de solidaridad de los países ricos.*
FAM radicación.
OBS Se conjuga como *sacar.*

radícula *s. f.* Parte del embrión de una planta que al desarrollarse constituye la raíz.

radio[1] *s. f.* ☐ Aparato eléctrico que recibe señales emitidas por el aire y las transforma en sonidos: *baja el volumen de la radio.* **SIN** radiorreceptor. ② Técnica de emisión de ondas o señales que pueden recibirse y transformarse en sonidos: *trabaja como técnico de radio.* **SIN** radiofonía. ③ Conjunto de personas, medios e instalaciones destinadas a la emisión de información, música y otros eventos usando esta técnica: *trabaja en la radio.*

radio macuto *familiar* Difusión popular de rumores o noticias sin confirmar: *me enteré por radio macuto.*
FAM radiar.

radio[2] *s. m.* ☐ Segmento que une el centro de un círculo o una esfera con cualquier punto del borde: *el radio de una circunferencia es la mitad de su diámetro.* ② Vara metálica recta que une el centro de una rueda con la llanta. ③ Espacio que cubre la influencia de una cosa: *la epidemia se extendió por un amplio radio del país.* ④ Hueso más externo y fino de los dos que unen el codo con la mano: *el cúbito y el radio son los huesos del antebrazo.* ⑤ Elemento químico de símbolo *Ra* y número atómico 88; es un metal alcalinotérreo, de color blanco pla-

R

teado, que desprende cierta radiación y se oscurece en presencia del aire por desintegración espontánea y muy lenta de sus núcleos atómicos; se utiliza en relojería, para obtener pinturas luminiscentes, en medicina, etc.: *el radio fue descubierto en 1898 por el matrimonio Curie.*

radio de acción Alcance al que se extiende la influencia de una cosa: *el radio de acción de ese tipo de explosivos puede superar los 3 km.*

radioactividad *s. f.* Radiactividad.

radioactivo, -va *adj.* Radiactivo.

radioaficionado, -da *s. m. y f.* Persona que por afición se pone en comunicación con otras a través de un aparato de radio con el que emite y recibe mensajes privados.

radiobaliza *s. f.* Transmisor de radio que emite señales para guiar en la navegación, especialmente la aérea.

radiocasete *s. m.* Aparato que consta de una radio y un casete.

OBS Puede encontrarse la grafía francesa *radiocassette.*

radiocassette [se pronuncia aproximadamente 'radiocaset'] *s. m.* Radiocasete.

radiocomunicación *s. f.* Comunicación a distancia realizada por medio de ondas de radio.

radiocontrol *s. m.* Control a distancia por medio de ondas de radio.

radiodifusión *s. f.* ① Emisión de noticias, música u otros programas, destinados al público, a través de ondas de radio. ② Conjunto de personas y medios destinados a llevar a cabo esta emisión.

radiodirigir *v. tr.* Dirigir un objeto a distancia mediante ondas de radio.

radioescucha *s. com.* Radioyente.

radiofaro *s. m.* Aparato que en la navegación marítima o aérea permite, mediante la emisión de ciertas señales, determinar la posición de un barco o avión.

radiofonía *s. f.* Técnica de emisión de ondas o señales que pueden recibirse y transformarse en sonidos. **SIN** radio.
FAM radiofónico.

radiofónico, -ca *adj.* Relativo a la radiofonía: *programa radiofónico.*

radiofrecuencia *s. f.* Radiación electromagnética utilizada en las radiocomunicaciones.

radiografía *s. f.* ① Procedimiento que permite hacer fotografías por medio de rayos X: *la radiografía permite la exploración de la mayoría de los órganos del cuerpo humano.* ② Imagen o fotografía obtenida con este procedimiento.
FAM radiografiar, radiográfico.

radiografiar *v. tr.* Obtener la imagen radiográfica de algo, especialmente de una parte interna del cuerpo humano.
OBS Verbo regular, se acentúa como *desviar.*

radiográfico, -ca *adj.* Relativo a la radiografía: *técnicas radiográficas.*

radiolario, -ria *adj./s. m.* Se aplica al protozoo marino con un esqueleto interno de sílice y unos órganos pequeños en forma de aguja sueltos o articulados entre sí que parten de un centro común o por capas concéntricas.

radiología *s. f.* Parte de la medicina que estudia las aplicaciones médicas de las sustancias radiactivas y las radiaciones, especialmente los rayos X.
FAM radiológico, radiólogo.

radiólogo, -ga *s. m. y f.* Médico especialista en radiología.

radionovela *s. f.* Obra radiofónica dialogada que se transmite en capítulos sucesivos.

radiorreceptor *s. m./adj.* Aparato eléctrico que recibe señales emitidas por el aire y las transforma en sonidos. **SIN** radio.

radioscopia *s. f.* Examen mediante rayos X del interior del cuerpo humano o de un objeto opaco.

radiotaxi *s. m.* Taxi provisto de un emisor y receptor de radio conectado con una central que comunica al taxista los servicios solicitados por los clientes.

radiotelefonía *s. f.* Sistema de comunicación telefónica por medio de ondas radioeléctricas o hertzianas.
FAM radiotelefónico, radioteléfono.

radioteléfono *s. m.* Teléfono en el que la comunicación se realiza mediante señales de radio.

radiotelegrafía *s. f.* Sistema de comunicación telegráfica sin hilos que utiliza las ondas radioeléctricas o hertzianas para la transmisión de señales.
FAM radiotelegráfico, radiotelegrafista.

radiotelegrafista *s. com.* Persona encargada de enviar y recibir mensajes telegráficos por medio de un aparato de radio.

radiotelevisión *s. m.* ① Transmisión y recepción de imágenes y sonidos a distancia mediante ondas electromagnéticas. ② Empresa que se dedica a ofrecer emisiones de radio y televisión.

radioterapia *s. f.* Tratamiento de ciertas enfermedades o lesiones mediante la aplicación de radiaciones, especialmente de rayos X.

radiotransmisor [también **radiotrasmisor**] *s. m.* Aparato usado en radiotelegrafía y radiotelefonía para producir y emitir ondas que al recibirse pueden transformarse en sonidos o señales.
FAM radiotransmitir.

radiotransmitir [también **radiotrasmitir**] *v. tr.* Transmitir por radio.
FAM radiotransmisión.

radiotrasmisor *s. m.* Radiotransmisor.

radiotrasmitir *v. tr.* Radiotransmitir.

radioyente *s. com.* Persona que oye lo que se emite por radio. **SIN** radioescucha.

radón *s. m.* Elemento químico de símbolo *Rn* y número atómico 86; es un gas noble radiactivo, incoloro e inodoro que se origina por desintegración del radio; se utiliza principalmente en radioterapia, como tratamiento de tumores malignos.

raedera *s. f.* ① Instrumento que sirve para raer. ② Instrumento semicortante de piedra tallado sobre lascas, característico del paleolítico, con una máxima dimensión en el borde, que servía para raspar o raer la superficie de una cosa, especialmente para quitar los pelos de las pieles de los animales.

raer [39] *v. tr.* Raspar una superficie por el rozamiento con otra superficie dura o áspera, o bien con un instrumento duro o cortante.
FAM raedura, raído.

ráfaga *s. f.* ① Golpe de viento violento y de poca duración: *las ráfagas de viento hicieron que la barca se tambaleara.* **SIN** ra-

R

cha. ② Golpe de luz vivo e instantáneo: *el faro lanzaba ráfagas de luz a su alrededor.* ③ Serie de disparos ininterrumpidos de un arma automática: *los soldados disparaban ráfagas de ametralladora desde los helicópteros.* ④ Manifestación pasajera e instantánea de una cosa: *de sus ojos de dolor salía una ráfaga de esperanza.*

rafia *s. f.* ① Fibra muy resistente y flexible que se saca de las hojas de un tipo de palmera procedente de África y América: *un bolso de rafia.* ② Género de palmera de la que se extrae esta fibra.

raglán o **raglan** [también **ranglán**, menos usado] *adj.* ① Se aplica a la manga que llega hasta la línea del cuello y cubre también el hombro: *este jersey tiene mangas raglán.* ② Se aplica a la prenda de vestir que tiene esta clase de mangas: *un abrigo raglán.*
OBS Invariable en número.

ragtime [se pronuncia aproximadamente 'rágtaim'] *s. m.* ① Estilo de música negra bailable nacido a finales del siglo XIX y muy popular a principios del XX, de ritmo binario sincopado, y compuesto fundamentalmente para piano: *la figura más representativa del ragtime es el pianista Scott Joplin.* ② Composición musical de este estilo: *toca este ragtime y ríndete al embrujo de su ritmo.*

ragú *s. m.* Guiso de carne cortada en trozos pequeños, con patatas y verduras.
OBS Plural: *ragúes* o *ragús.*

raid *s. m.* Ataque rápido cuyo propósito principal es causar daño más que ocupar el territorio enemigo: *las tropas efectuaron un raid contra las tribus rebeldes.* **SIN** incursión, razia.

raído, -da *adj.* Se aplica a la tela o al vestido que está muy gastado o estropeado por el uso pero que no ha llegado a romperse: *un traje raído y remendado.*

raigambre *s. f.* ① Conjunto de antecedentes, intereses, hábitos, creencias o afectos que hacen que una cosa sea estable o segura o que ligan a una persona a un lugar determinado: *el carnaval es una fiesta de vieja raigambre en las islas Canarias.* ② Conjunto de tradiciones o antecedentes de una persona o cosa, que se mantienen a lo largo del tiempo: *pertenece a una familia de raigambre liberal.* ③ Serie de raíces unidas entre sí: *tienes que trasplantar el arbolillo con toda su raigambre.*

raigón *s. m.* ① Raíz de una muela o diente, o parte de esta que permanece cuando el resto ha desaparecido. ② Raíz que permanece al arrancar una planta.

raíl o **rail** *s. m.* ① Carril de las vías férreas, que consiste en una barra de hierro que, paralela a otra igual, sirve para construir el camino sobre el que circulan los trenes, vagonetas y tranvías. **SIN** riel. ② Guía sobre la que se desplaza una cosa: *la puerta del garaje se movía sobre raíles.*
FAM monorraíl.

raíz *s. f.* ① Órgano no fotosintético de una planta, generalmente introducido en la tierra, que crece en sentido contrario al tallo y le sirve como sostén y para absorber de la tierra las sustancias minerales y el agua necesarias para su crecimiento y desarrollo: *el árbol tenía las raíces gruesas y retorcidas; la raíz toma las sustancias alimenticias por medio de pelos absorbentes.* ■ **raíz adventicia** Raíz que se halla en contacto directo con el aire: *las plantas con raíces adventicias se sirven de ellas para trepar o extenderse por el suelo.* ■ **raíz axonomorfa** Raíz formada por un eje principal, de cierto grosor, del que salen prolongaciones más delgadas. ■ **raíz fasciculada** Raíz formada por diversas prolongaciones de grosor similar.

■ **raíz napiforme** Raíz con una prolongación principal gruesa en la que se acumulan sustancias de reserva. ■ **raíz tuberosa** Raíz fasciculada que tiene prolongaciones gruesas donde se acumulan sustancias de reserva. ② Parte de una cosa que, como la raíz de una planta, se inserta en un lugar: *el champú actúa en el pelo de la raíz a las puntas.* ③ Origen, principio o causa de una cosa: *la envidia era la raíz de todas sus desgracias.* ④ Parte de los dientes de los vertebrados que queda inserta en los alveolos. ⑤ En gramática, parte de una palabra que se mantiene fija en todas sus formas: *con la raíz "sill-" podemos formar palabras como "silla", "sillón", "sillería", "sillero" o "sillita".* **SIN** lexema, radical. ⑥ Cantidad que, multiplicada por sí misma una o más veces, nos da un número determinado: *en una raíz exacta, el resto es cero.* ■ **raíz cuadrada** Cantidad que, elevada al cuadrado (multiplicada dos veces por sí misma), da un número determinado; es la operación inversa de una potencia de exponente 2: *la raíz cuadrada de 144 es 12.* ■ **raíz cúbica** Cantidad que, elevada al cubo (multiplicada tres veces por sí misma), da un número determinado; es la operación inversa de una potencia de exponente 3: *la raíz cúbica de 125 es 5.* ■ **raíz enésima** Cantidad que, elevada a *n* (multiplicada *n* veces por sí misma), da un número determinado; es la operación inversa de una potencia de exponente *n*. ■ **raíz entera** Mayor número entero que al elevarlo al índice de la raíz da un número menor que el radicando. ■ **raíz exacta** Número entero que al elevarlo al índice de la raíz da el radicando. ⑦ Cada uno de los valores que puede tener la incógnita de una ecuación. ⑧ Número para el cual el valor numérico de un polinomio es cero.
a raíz de Desde, a partir de: *a raíz de este suceso, todo marchó mejor.*
de raíz Enteramente o del principio al fin de una cosa: *había que extirpar el mal de raíz.*
echar raíces Establecerse o afirmarse de manera permanente en un lugar: *echó raíces en América y nunca más volvió a su país.* **SIN** arraigar.
FAM raicilla; enraizar.

raja *s. f.* ① Abertura, corte o hendidura de una superficie o de un objeto: *la raja de una falda; al coger la botella rota se hizo una raja en la mano.* ② Trozo delgado y alargado que se corta de un alimento, especialmente de una fruta: *la sandía y el melón se cortan en rajas.* ③ Parte de un tronco cortado con hacha. ④ vulgar Vulva, parte externa de la vagina.
FAM rajar.

rajá *s. m.* Soberano indio.
OBS Plural: *rajaes.*

rajado, -da *adj./s. m. y f.* ① fam. desp. Persona que falta a su palabra o que deja de hacer algo en el último momento: *ahora dice que no viene con nosotros: es un rajado.* ② fam. desp. Persona cobarde o que tiene miedo: *es un rajado: no se atreverá a subir hasta la cumbre.*

rajar *v. tr.* ① Producir una abertura en una superficie, generalmente con un objeto cortante: *cogió el cuchillo y rajó la piña.* ② Producir una herida a alguien con una navaja, un cuchillo o cualquier otra arma blanca. ③ familiar AMÉR. Desacreditar a una persona o hablar mal de ella, generalmente contando mentiras: *deja ya de rajar a tu hermana.* ④ familiar CHILE, COL., P. RICO Reprobar a un alumno en un examen: *el profesor de química rajó a Alonso porque no sabía el símbolo del potasio.* ⑤ familiar MÉX. Delatar o confesar alguna transgresión. **ǀ** *v. intr.* ⑥ familiar Hablar mucho: *a la hora del café se pusieron a rajar del jefe.* ⑦ familiar Protestar y quejarse de manera continuada de una situación: *cuando se enteró de que no le subían el sueldo, se pasó el día rajando.* ‖ *v. intr./prnl.* **8** familiar Arg., Bol., Urug. Abandonar una persona precipitadamente un lugar: *vi que alguno de los nuestros había rajado; me rajé del restaurante en cuanto vi que entraba mi ex novia.* ‖ *v. prnl.* **9 rajarse** familiar Abandonar, volverse atrás o desistir de algo a última hora: *dijo que vendría de acampada y al final se rajó.* **10** Chile Gastar mucho dinero en obsequios y fiestas.

salir rajando familiar Arg., Urug. Irse una persona precipitadamente de un lugar: *agarró los billetes que estaban sobre la mesa y salió rajando.*

FAM rajado.

rajatabla Se usa en la expresión:

a rajatabla familiar Indica que algo se hace rigurosamente, sin contemplaciones y sin apartarse lo más mínimo de lo previsto, por mucho que cueste: *las leyes se han de cumplir a rajatabla.*

ralea *s. f.* despectivo Clase, condición, especie o género: *a ese tugurio solo acude gente de baja ralea.*

ralentí *s. m.* **1** Número mínimo de revoluciones por minuto que debe tener el motor de un vehículo cuando no está acelerado: *tu coche no carbura bien, tiene el ralentí muy alto.* **2** En cine, cámara lenta.

FAM ralentizar.

OBS Plural: *ralentíes.*

ralentizar *v. tr.* Hacer lenta una actividad o proceso, o disminuir su velocidad: *esta cámara de vídeo ralentiza las imágenes; con la crisis tuvieron que ralentizar la producción en la fábrica.* SIN retrasar. ANT acelerar.

FAM ralentización.

rallador *s. m.* Instrumento de cocina formado por una chapa de metal con agujeritos de puntas salientes que sirve para desmenuzar ciertos alimentos, como el queso, el pan, la zanahoria, etc.: *coge el rallador y ralla un poco de queso para los macarrones.*

ralladura *s. f.* Conjunto de trozos pequeños de un cuerpo, especialmente de un alimento, que ha sido pasado por el rallador: *para hacer rosquillas se necesita la ralladura de la corteza de un limón.*

rallar *v. tr.* Desmenuzar un cuerpo en partes muy pequeñas, especialmente un alimento, raspándolo con un rallador.

FAM rallador, ralladura.

rally *s. m.* Prueba deportiva de velocidad y resistencia para automóviles, que sigue un recorrido accidentado, con distintas pruebas, y se desarrolla generalmente por etapas.

ralo, -la *adj.* Se aplica al cabello o al pelo y a la vegetación que está más separado de lo normal o es poco espeso: *la barba rala le hacía parecer más viejo; un monte de vegetación rala.* SIN claro. ANT tupido.

FAM ralear.

RAM [se pronuncia 'ram'] *s. f.* Sigla de la expresión inglesa *Random Access Memory* ('memoria de acceso aleatorio'), memoria principal del ordenador, donde residen programas y datos, sobre la que se pueden efectuar operaciones de lectura y escritura.

OBS También *memoria RAM.*

rama *s. f.* **1** Parte que crece a partir del tallo o del tronco de ciertas plantas y en la que brotan las hojas, las flores y los frutos. **2** Conjunto de personas que tienen un origen común: *las dos ramas de la familia se encontraron en la boda.* **3** Parte se-

cundaria de otra principal: *pertenece a la rama de gestión de la empresa.* **4** Cada una de las partes de una ciencia, arte o actividad: *la pintura y la literatura son dos ramas del arte.* SIN especialidad.

andarse (o irse) por las ramas Tratar aspectos poco importantes o que tienen poca relación con un asunto, apartándose de lo más importante o principal: *cada vez que le pregunto algo se va por las ramas y no me contesta.*

en rama Estado natural en que se encuentran ciertos productos o materias antes de ser manufacturados o que no están completamente manufacturados: *algodón en rama.*

FAM ramaje, ramal, ramificar, ramoso; enramar.

ramadán *s. m.* Noveno mes del calendario musulmán, durante el cual se guarda riguroso ayuno desde la salida hasta la puesta del sol: *durante el mes del ramadán, noveno mes del año islámico, el musulmán debe abstenerse de comer, beber, fumar, perfumarse y tener relaciones sexuales desde el alba hasta el anochecer.*

ramaje *s. m.* Conjunto de las ramas de un árbol o planta: *el enmarañado ramaje de los árboles.*

ramal *s. m.* **1** Parte que arranca de algo principal y que se bifurca, como una cordillera, un río o una vía de comunicación: *el ramal de salida de una autopista.* **2** Cada uno de los hilos o cabos de que se compone una soga o cuerda: *trenza bien esos ramales para que no se suelte la soga.* **3** Cuerda que se sujeta a la cabeza de una caballería para tirar de ella o para dirigirla. **4** Cada uno de los tramos que concurren en el mismo rellano de una escalera.

FAM ramalazo.

ramalazo *s. m.* **1** familiar Aparición brusca y pasajera de un dolor, una enfermedad o una emoción: *le dio un ramalazo en el hombro y no podía moverse.* **2** familiar Pérdida pasajera del juicio o de la razón: *no nos podemos fiar de él: le dan muchos ramalazos.* **3** familiar Actitud o aspecto afeminado en un hombre: *tiene un ramalazo en la manera de andar que le da un estilo muy personal.* **4** Ráfaga de viento.

rambla *s. f.* **1** Cauce con fondo plano y paredes abruptas que forman las aguas cuando llueve de forma torrencial: *la rambla se seca cuando no llueve; muchas ramblas van a parar al mar.* **2** Avenida o calle ancha y con árboles, generalmente con acera en el centro: *las ramblas son típicas de Cataluña.*

FAM arramblar.

ramera *s. f.* fam. desp. Mujer que mantiene relaciones sexuales a cambio de dinero. SIN prostituta.

ramificación *s. f.* **1** Extensión y división de las ramas de un árbol o planta: *este árbol tiene unas enormes ramificaciones.* **2** Parte de una cosa que se deriva de otra principal: *las grandes empresas de alimentación tienen ramificaciones por todo el país.* **3** División y prolongación de las arterias, venas y nervios para extenderse por todo el organismo: *el aparato circulatorio tiene ramificaciones por todo el cuerpo.* **4** Consecuencia de un hecho o acontecimiento: *el hambre y la destrucción son ramificaciones de las guerras.*

ramificarse *v. prnl.* **1** Extenderse y dividirse en ramas: *el árbol se ramifica tratando de abarcar la mayor superficie posible.* SIN separarse. **2** Ampliarse o difundirse una cosa principal: *la empresa se ha ramificado y ahora fabrica productos muy diferentes.*

FAM ramificación.

ramillete *s. m.* **1** Ramo pequeño de flores o plantas: *la novia lleva en la mano un ramillete de rosas de pitiminí.* **2** Conjunto o grupo de personas o cosas bonitas, selectas y escogidas: *consiguió rodearse de un buen ramillete de intelectuales; ha publicado un ramillete de poesías de amor.* **SIN** selección.

ramo *s. m.* ① Conjunto natural o artificial de flores, ramas o hierbas que se arreglan de modo que formen un conjunto bonito y agradable: *le envió un ramo de rosas como regalo de cumpleaños.* ② Rama de segundo orden que nace de otra rama principal: *de los ramos nacen las flores.* ③ Rama cortada de un árbol: *llevaba en la mano un ramo de olivo.* ④ Cada una de las partes en que se divide una ciencia, una industria, un arte o una actividad: *el ramo de la construcción genera muchos puestos de trabajo.* **FAM** rama, ramillete, ramonear, ramoso.

ramoso, -sa *adj.* Se aplica a la planta o al árbol que tiene muchas ramas.

rampa¹ *s. f.* Plano o superficie inclinada dispuesta para subir o bajar, o para lanzar algo: *subieron los barriles por una rampa de madera.* **FAM** rampante.

rampa² *s. f.* ① Contracción involuntaria y dolorosa de un músculo, especialmente el de la pantorrilla. **SIN** calambre.

ramplón, -plona *adj.* ① Que no tiene o no muestra buen gusto: *viste de manera ramplona.* **SIN** chabacano, vulgar. ② Aburrido, que no provoca interés: *lleva una vida muy ramplona.* **SIN** vulgar. **FAM** ramplonería.

ramplonería *s. f.* ① Falta de buen gusto: *viste con ramplonería.* **SIN** vulgaridad. ② Falta de interés de una cosa por aburrida, común o corriente: *la ramplonería de su trabajo en la oficina le preocupa.* **SIN** vulgaridad.

rana *s. f.* ① Animal anfibio del orden Anuros, sin cola en la edad adulta, de agua dulce, de piel lisa y húmeda y patas posteriores muy desarrolladas para saltar, el tronco rechoncho, la cabeza grande y los ojos saltones, que sufre metamorfosis y se alimenta de insectos que caza con la lengua: *las ranas viven en el agua en su primera edad y respiran a través de pulmones en edad adulta.* ② Juego que consiste en lanzar desde cierta distancia una chapa o moneda para que entre por la boca abierta de una figura de metal con la forma de este animal. ③ Prenda de vestir para bebés que es de una sola pieza, tiene forma de saco en la parte inferior y deja las piernas al descubierto. **cuando las ranas críen pelo** familiar Nunca: *—Isabel, ¿cuándo te casarás conmigo? —¡Cuando las ranas críen pelo!* **salir rana** familiar Defraudar, decepcionar o no resultar del modo que se esperaba: *este niño ha salido rana, parecía tan modosito y ha resultado un respondón.*

ranchera *s. f.* ① Canción popular mexicana, alegre y de carácter rural: *los mariachis entonaron una ranchera.* ② Baile que se ejecuta al ritmo de esta música. ③ Automóvil con gran espacio en la parte posterior, que permite aumentar la capacidad de pasajeros o de carga.

ranchero, -ra *s. m. y f.* ① Persona que posee un rancho y lo dirige o administra. ② Persona que trabaja o vive en un rancho, y se ocupa de él. ❙ *adj.* ③ Relativo al rancho o que pertenece a él. **FAM** ranchera, ranchería.

rancho *s. m.* ① Comida para muchas personas, generalmente hecha en un solo guisado y de mala calidad: *prepararon el rancho para la tropa.* ② Granja americana en la que se cría ganado. **FAM** ranchero.

rancio, -cia *adj.* ① Se aplica al vino o al alimento que con el tiempo toma un sabor y olor más fuertes mejorándose o echándose a perder: *el vino antes olía a rancio; añadió un trozo de tocino rancio al caldo.* **SIN** añejo. ② Se aplica a la cosa que es muy antigua o de largo tradición, o a la persona apegada a ella: *una familia de rancia nobleza.* **SIN** anticuado. ③ Se aplica a la persona que es antipática o seca en el trato: *debido a su carácter rancio tenía pocos amigos en el trabajo.* **FAM** enranciar.

ranglán o **ranglan** *adj.* Raglán.

rango *s. m.* ① Categoría social o profesional de una persona: *el soldado tiene que obedecer porque el cabo tiene mayor rango que él.* ② Diferencia entre el mayor y el menor de los valores que toma una variable estadística. **SIN** recorrido. ③ Clase, índole o categoría: *el Estado dicta normas de distinto rango.* ④ AMÉR. Rumbo, esplendidez.

ranking [se pronuncia aproximadamente 'rankin'] *s. m.* Tabla o lista en que se clasifican una serie de elementos por orden de mayor a menor categoría o puntuación: *esta película encabeza el ranking de las películas más premiadas de la historia del cine.* **SIN** clasificación.

ranura *s. f.* Hendidura larga y estrecha que se abre en un cuerpo sólido con diversos fines: *metió el sobre por la ranura de la puerta.* ■ **ranura de expansión** Ranura de la placa base de un ordenador donde se introducen tarjetas y otros dispositivos, como tarjetas de ampliación o controladoras.

raña *s. f.* ① Terreno seco de poca altura. ② Depósito de cantos de cuarcita, mezclados con arcillas o arenas, que se extiende al pie de una cordillera o en el borde de una cuenca de sedimentación.

rap *s. m.* ① Estilo de música de baile nacido en los años ochenta en los barrios negros e hispanos de Nueva York y otras grandes urbes estadounidenses como derivación del funk y asociado a la cultura hip-hop; se caracteriza por su ritmo monótono y muy sincopado, sus largos textos cantados casi como recitándolos y sus letras radicales sobre temas como la violencia, la lucha contra el sistema establecido, el sexo, el machismo o el trabajo. ② Canción de este estilo musical. ❙ *adj.* ③ Relativo a este estilo musical: *música rap.* **OBS** Plural: *raps.*

rapapolvo *s. m.* familiar Reprimenda severa que se hace a una persona por haber cometido un error o por su mal comportamiento: *le echó un buen rapapolvo por haber llegado tarde al trabajo.* **SIN** bronca.

rapar *v. tr.* ① Cortar el pelo al rape a alguien o algo. **SIN** pelar. ② Afeitar la barba. **SIN** rasurar. **FAM** rape.

rapaz¹ *adj./s. f.* Se aplica al ave dotada de pico robusto, vista aguda, alas fuertes, vuelo rápido y garras muy afiladas que le sirven para cazar a sus presas.

rapaz, -za² *s. m. y f.* Muchacho, chico.

rape¹ *s. m.* Pez marino comestible de color pardo, cuerpo comprimido, cabeza muy grande, redonda y aplanada, ojos salientes, boca muy ancha y el primer radio de la aleta dorsal prolongado a modo de antena, con el que atrae a sus presas: *el rape es un pez carnívoro muy voraz.*

rape² *s. m.* ① Corte descuidado de la barba. ② Corte excesivo del pelo. **al rape** Se aplica al pelo que está cortado de raíz, de modo que queda muy corto: *le cortaron el pelo al rape.*

R

rapé *s. m.* Tabaco en polvo que se aspira por la nariz para provocar el estornudo.

rápel o **rapel** *s. m.* ① Descuento comercial que se hace a un cliente al alcanzar un cierto volumen de compras. ② Rappel.

rapidez *s. f.* ① Velocidad con la que se realiza una actividad, movimiento o proceso u ocurre un suceso: *todo se desarrolló con tanta rapidez que apenas nos dimos cuenta.* **ANT** lentitud. ② Magnitud física que relaciona la distancia recorrida por un móvil con el tiempo que tarda en recorrerla.

rápido, -da *adj.* ① Que se mueve, actúa, evoluciona o se hace con una gran velocidad o prontitud: *tomó una decisión rápida, sin pensárselo dos veces.* **SIN** raudo, veloz. **ANT** lento, pesado. ② Que se hace de forma superficial o con prisas: *he hecho una lectura rápida del texto.* ‖ *s. m.* ③ Parte de un río o de otra corriente en la que el agua corre de forma violenta y con rapidez: *el rápido del río está en la parte más estrecha y rocosa; descendieron por los rápidos en una balsa.* ④ Tren de viajeros que solamente se detiene en las estaciones principales de su recorrido, lo que implica que alcance mayor velocidad de lo normal y llegue antes a su destino. ‖ *adv.* ⑤ A gran velocidad: *habla tan rápido que no se le entiende.* **SIN** rápidamente.
FAM rápidamente, rapidez.

rapiña *s. f.* Robo rápido y violento, aprovechándose del descuido ajeno o de la falta de defensa: *después de tomar la ciudad, las tropas se dieron a la rapiña.* **SIN** hurto, pillaje.
FAM rapiñar.

rapiñar *v. tr.* Robar una cosa con violencia o a escondidas: *durante la revuelta, la muchedumbre se dedicó a rapiñar todo lo que encontró en las tiendas.*

raposo, -sa *s. m. y f.* ① Mamífero salvaje parecido al perro, de pelaje espeso y color entre marrón y rojo, hocico y orejas puntiagudas y cola larga y peluda con la punta blanca, que se alimenta de otros animales: *una raposa se llevó dos gallinas del corral.* **SIN** zorro. ② familiar Persona taimada y astuta: *¡menudo raposo estás hecho, has engañado a todos con tu broma!*
FAM rapossería.

rappel [también **rápel** o **rapel**; se pronuncia 'rápel'] *s. m.* Técnica alpina de descenso rápido en paredes verticales mediante el deslizamiento por una cuerda enlazada al cuerpo.

rapsoda *s. com.* ① Persona que recita poesías propias o ajenas. ‖ *s. m.* ② Persona de la antigua Grecia que se dedicaba a recitar poemas en distintos lugares: *la «Ilíada» y la «Odisea» fueron transmitidas oralmente gracias a los rapsodas.*

rapsodia *s. f.* ① Composición instrumental de forma libre constituida por fragmentos de otras obras o con trozos de aires populares: *las rapsodias húngaras y españolas de F. Liszt.* ② Fragmento de un poema épico que se suele recitar de manera independiente; especialmente, el de los poemas de Homero que eran recitados en la antigua Grecia por los rapsodas.
FAM rapsoda.

raptar *v. tr.* Llevarse y retener a una persona contra su voluntad con el fin de exigir dinero o el cumplimiento de determinadas condiciones: *raptaron al hijo del potentado y exigieron un rescate.* **SIN** secuestrar.
FAM raptor.

rapto *s. m.* ① Retención de una persona contra su voluntad con el fin de conseguir un rescate: *el rapto de un personaje tan famoso conmocionó a la opinión pública.* **SIN** secuestro. ② Impulso súbito y violento provocado en una persona por una fuerte emoción o sentimiento: *dijo cosas horribles en un rapto de ira.* **SIN** arrebato. ③ En las culturas primitivas, acción de llevarse un hombre a una mujer con o sin consentimiento de sus parientes y, generalmente, como ceremonia prematrimonial.
FAM raptar.

raptor, -ra *s. m. y f.* Persona que se lleva y retiene a otra contra su voluntad con un fin determinado. **SIN** secuestrador.

raqueta *s. f.* ① Instrumento ovalado, de madera o de metal, con cuerdas cruzadas en su interior y con un mango, para golpear una pelota en distintos juegos, especialmente el tenis. ② Objeto parecido a este instrumento, que con una base ancha y ovalada, que se sujeta bajo el calzado para andar por la nieve. ③ Desvío en forma de medio círculo que hay en una vía o carretera para realizar un cambio de dirección o de sentido. ④ Utensilio de madera empleado en las mesas de juego para mover el dinero.

raquídeo, -dea *adj.* Relativo al raquis (columna vertebral).

raquis *s. m.* ① Columna vertebral, constituida por un conjunto de huesos pequeños y planos, articulados entre sí, que recorre la espalda de los animales vertebrados y cuya función es la de sujetar el esqueleto: *dentro del raquis se encuentra la médula espinal.* **SIN** columna vertebral. ② Eje de una pluma de ave. ③ Nervio o eje principal de una hoja, un racimo o una espiga.
FAM raquídeo, raquitismo.
OBS Plural invariable.

raquítico, -ca *adj.* ① Se aplica a la persona o al animal que es pequeño y débil: *estaba raquítico de no comer.* **SIN** escuálido, enclenque, endeble. ② Se aplica a la cosa que es muy pequeña o insuficiente: *esta ración de tortilla es raquítica.* **SIN** escaso. **ANT** abundante. ‖ *adj./s. m. y f.* ③ Que padece raquitismo: *los raquíticos padecen deformaciones en los huesos por falta de calcio.*

raquitismo *s. m.* Enfermedad propia de la infancia, producida por la falta de vitamina D debido a una mala alimentación, que se caracteriza por la deformación de los huesos, dolores musculares, degeneración del hígado y del bazo y estado general de debilidad: *el raquitismo se caracteriza por la falta de mineralización de los huesos.*
FAM raquítico.

rara avis *s. f.* culto Expresión latina que significa 'ave desconocida y rara' y se aplica a una persona o cosa que se considera poco común por tener alguna característica que las diferencia de las demás de su misma especie: *el cantante es también, rara avis en esta profesión, un hombre de letras.*

raramente *adv.* Pocas veces: *durante el invierno raramente voy a la montaña; los lunes, raramente salimos a comprar.*

rareza *s. f.* ① Cualidad de la cosa rara, extraña o poco común: *el cuadro valía una fortuna por su rareza.* ② Objeto extraño o poco común: *este jarrón es una verdadera rareza.* ③ Comportamiento característico de una persona rara, extravagante o difícil de tratar: *todos tenemos nuestras rarezas.* **SIN** manía.

rarificar *v. tr.* Hacer menos denso un cuerpo gaseoso: *los gases que eliminan las industrias han rarificado la atmósfera.* **SIN** enrarecer.

raro, -ra *adj.* ① Que es poco común o poco frecuente: *es muy raro que no haya llegado todavía; se dio un fenómeno raro y difícil de comprender.* **SIN** extraño, insólito. ② Que es extraordi-

nario o que hay muy pocos de su clase: *los gorilas albinos son animales raros*. SIN escaso, excepcional. ANT corriente. **|** *adj./ s. m. y f.* **3** Se aplica a la persona de carácter o conducta extravagante o poco común: *es tan raro que ni siquiera sus propios amigos lo entienden.*
FAM raramente, rarear, rareza; enrarecer.

ras *s. m.* **1** Igualdad en la altura de la superficie de las cosas.
a ras de Al mismo nivel que otra otra cosa, casi rozándola: *volaba a ras del suelo.*
al ras Hasta un límite determinado o al mismo nivel en la superficie o la altura de una cosa: *no llenes el vaso al ras, no sea que se derrame el agua; cortaba el césped del jardín al ras.*
FAM rasear.

rasa *s. f.* Terreno allanado por la abrasión marina a causa de haber permanecido sumergido durante un tiempo.

rasante *adj.* **1** Que pasa rozando el suelo u otra superficie: *el vuelo rasante de la avioneta comercial asustó a los bañistas.* **|** *s. f.* **2** Línea de una calle o camino considerada en relación con el plano horizontal: *el edificio tendrá cuatro plantas: tres sobre la rasante y una subterránea.*

rasca *s. f.* **1** familiar Frío: *¡hace una rasca esta noche!* **2** familiar AMÉR. Borrachera. **|** *adj./s. com.* **3** familiar ARG. Se aplica a la persona que es vulgar y poco distinguida. **4** familiar ARG., CHILE Se aplica al objeto que es vulgar o poco distinguido.
pegarse una rasca familiar CHILE, COL. Emborracharse.

rascacielos *s. m.* Edificio de gran altura y de muchos más pisos que lo habitual.
OBS Plural invariable.

rascador *s. m.* Utensilio que sirve para rascar: *se rasca la espalda con un rascador.*

rascar *v. tr.* **1** Hacer rayas en una superficie lisa con un objeto áspero o cortante, generalmente para alisarla o levantar la capa que la cubre: *rascaron la pintura del coche con unas llaves.* SIN raspar, rayar. **2** Frotar la piel con una cosa aguda o áspera, especialmente con las uñas: *se rascaba la espalda con un bolígrafo; deja de rascarte la nariz, que se te va a poner como un tomate.* **3** Arañar a alguien o algo. **|** *v. intr.* **4** Producir una sensación desagradable en la piel un tejido o un objeto: *le rascaba la etiqueta del jersey porque era áspera; si no pones suavizante a la ropa rascará.* SIN picar.
FAM rascador, rasqueta.

rasear *v. tr.* En el fútbol, lanzar la pelota a ras de tierra.

rasero, -ra *adj.* **1** Que se sitúa a ras del suelo: *el débil sol rasero ilumina el borde de los ribazos.* **|** *s. m.* **2** Instrumento para rasar las medidas de los cereales y otros granos, y que consiste en un palo cilíndrico que se usa para quitar la parte que excede de una medida determinada: *antiguamente se utilizaba el rasero para medir el trigo, la cebada y otros cereales.*
por el mismo rasero Con igualdad o sin hacer la menor diferencia, en especial cuando se trata de juzgar a las personas: *todos han de recibir un trato igual y se han de medir sus virtudes por el mismo rasero.*

rasgado, -da *adj.* **1** Que está roto o desgarrado: *tela rasgada.* **2** Se aplica al ojo que tiene muy prolongada la comisura de los párpados: *los ojos rasgados son característicos de algunas razas orientales.* **|** *s. m.* **3** Acción que consiste en rasgar un papel o tela.

rasgadura *s. f.* Rotura o desgarrón en una tela o vestido: *de tanto lavarlas, las toallas estaban deshilachadas y llenas de rasgaduras.* SIN rasgón.

rasgar *v. tr.* Romper o hacer pedazos sin la ayuda de ningún instrumento cosas de poca consistencia y resistencia como el papel o la tela: *el pergamino se rasgó al cogerlo, pues estaba muy deteriorado.*
FAM rasgado, rasgadura, rasgón, rasguear, rasguñar.

rasgo *s. m.* **1** Línea trazada con un instrumento de escritura, especialmente la que se hace para adornar las letras al escribir: *por los rasgos de la escritura se puede conocer el carácter de las personas.* SIN trazo. **2** Forma o línea característica del rostro de una persona: *sus rasgos me son familiares.* NOTA Normalmente en plural. **3** Característica o particularidad en la manera de ser o de actuar de una persona: *la bondad es un rasgo de carácter.* SIN peculiaridad. **4** Acción digna y gentil.
a grandes rasgos De manera general y sin entrar en detalles: *le contó la película a grandes rasgos.*

rasgón *s. m.* Rotura de un vestido o tela. SIN rasgadura.

rasguear *v. tr.* **1** Tocar la guitarra u otro instrumento musical rozando varias cuerdas a la vez con la punta de los dedos. **|** *v. intr.* **2** Hacer rasgos con un instrumento de escritura.
FAM rasgueo.

rasgueo *s. m.* Roce rápido con la punta de los dedos sobre las cuerdas de una guitarra u otro instrumento musical.

rasguñar *v. tr.* Arañar o rascar la piel u otra cosa con las uñas o con un instrumento cortante: *se rasguñó las piernas al pasar entre el alambre de espino.*
FAM rasguño.

rasguño *s. m.* Herida o señal hecha en la piel o en un objeto con las uñas o con algún instrumento cortante: *llegó a casa sucio y lleno de rasguños.* SIN arañazo.

rasilla *s. f.* Ladrillo hueco y delgado que se emplea para dividir espacios o techar en el interior de un edificio.

raso, -sa[1] *adj.* **1** Que es plano, liso y sin obstáculos: *aquella meseta es completamente rasa, sin nada que rompa la monotonía del paisaje.* SIN llano. **2** Se aplica al cielo que está despejado y sin nubes: *después de la tormenta amaneció un día raso.* SIN claro. ANT nublado. **3** Que está completamente lleno, pero sin rebasar el borde: *ponga dos cucharadas rasas de azúcar.* **4** Que no tiene un título, una categoría o una característica que lo distinga: *los soldados rasos no llevan galones ni estrellas.* **5** Que pasa rozando el suelo o se mueve a poca altura de él: *la avioneta inició un vuelo raso; el bateador lanzó una pelota rasa.* ANT alto.
al raso En pleno campo y a cielo descubierto, sin resguardo alguno: *los pastores dormían al raso.*
FAM rasar, rasilla; enrasar.

raso[2] *s. m.* Tela de seda muy brillante, ligera y suave: *el raso se usa en prendas de ropa interior.* SIN satén.

raspa *s. f.* **1** Espina del pescado, en especial la central. **2** Filamento áspero que es la prolongación de la cáscara que envuelve el grano de trigo y de otras plantas gramíneas. SIN arista. **3** Tronco que queda al desgranar una mazorca de maíz o una espiga de trigo. **4** familiar Persona brusca y desagradable con la que no es fácil tratar: *contestó con cara de raspa que no le apetecía salir.* **5** AMÉR. Reprimenda, rapapolvo. **6** AMÉR. CENTRAL Chanza, burla, particularmente la de mal gusto.
FAM rasposo.

raspado *s. m.* **1** Acción de raspar una superficie con otra rugosa o áspera: *¿has terminado el raspado de la pared?* SIN raspadura. **2** Operación quirúrgica que consiste en raer ciertos tejidos enfermos, especialmente el útero o los huesos, para limpiarlos de sustancias extrañas o para obtener muestras del tejido. **SIN** legrado.

raspador *s. m.* Utensilio que sirve para raspar y eliminar la capa superficial de algo.

raspadura *s. f.* **1** Acción de raspar una superficie con otra rugosa o áspera. **SIN** raspado. **2** Señal que queda en la superficie que se ha raspado de una cosa: *el lienzo conserva las raspaduras que el pintor hizo.*

raspar *v. tr.* **1** Frotar una superficie con otra rugosa o áspera o con un objeto cortante o punzante para quitarle alguna parte superficial: *estuvieron raspando la pintura de la pared con la espátula.* **SIN** rascar, rayar. **2** Producir una cosa áspera o cortante un arañazo o sensación desagradable al rozar la piel: *algunos tejidos sintéticos raspan; su barba raspa.* **3** Causar un licor, en especial el vino, una sensación de picor al beberlo: *el orujo raspa la garganta.* **4** Pasar rozando ligeramente un cuerpo con otro: *aquel coche me pasó raspando.*
FAM raspa, raspado, raspador, raspadura, raspón.

raspón *s. m.* **1** Lesión superficial causada por un roce violento. **2** COL. Sombrero campesino.

rasponazo *s. m.* Lesión superficial causada por un roce violento: *al meter el coche en el garaje, le he hecho un rasponazo.*

rasposo, -sa *adj.* **1** Que es áspero al tacto o al paladar: *estas toallas están rasposas; pidieron otro vino porque ese era muy rasposo.* **2** Que tiene muchas raspas: *la sardina es un pescado muy rasposo.* **3** Se aplica a la persona que no es delicada o apacible en el trato.

rasquiña *s. f.* **1** AMÉR. CENTRAL Picor en alguna parte del cuerpo. **2** ECUAD. Sarna (enfermedad cutánea).

rastra *s. f.* **1** Instrumento agrícola consistente en una especie de parrilla con púas por la parte inferior que sirve para allanar la tierra después de arada. **SIN** grada. **2** Tabla que, arrastrada por una caballería, sirve para recoger la parva de la era. **3** Cosa que va arrastrando.
a rastras (**I**) Arrastrándose, moviéndose hacia adelante con el cuerpo pegado al suelo. (**II**) Contra la voluntad de uno, por obligación: *ni a rastras conseguiréis que vaya al dentista.*

rastreador, -ra *adj./s. m. y f.* **1** Se aplica a la persona o al animal que es capaz de encontrar a otras personas o animales siguiendo las señales que dejan al pasar por un lugar. **|** *adj./s. m.* **2** Se aplica al barco destinado a limpiar el fondo de ríos y canales, o a rastrear minas submarinas.

rastrear *v. tr.* **1** Seguir o buscar a una persona o cosa guiándose por su rastro o señal: *el explorador indio rastreaba las huellas de los fugitivos; los perros rastrearán la presa.* **2** Llevar arrastrando por el fondo del agua un instrumento u otra cosa para pescar o encontrar algo. **|** *v. intr.* **3** Volar muy bajo, casi tocando el suelo.
FAM rastreador, rastreo.

rastreo *s. m.* Búsqueda de una persona o cosa siguiendo su rastro o señal: *continúan las labores de rastreo en busca de las tres personas desaparecidas en la montaña.*

rastrero, -ra *adj.* **1** Se aplica a la persona mezquina y ruin que se vale de cualquier medio para conseguir lo que quiere. **2** familiar Se aplica a la actuación y procedimientos despreciables e innobles de esta persona: *consiguió convencerlos con chantajes y otros procedimientos rastreros.* **SIN** ruin, vil. **ANT** noble. **3** Que vuela o se desplaza por el aire casi tocando el

suelo: *a causa del viento, las gaviotas mantenían un vuelo rastrero sobre la playa.* **4** Se aplica al tallo que no es erecto y se halla en su totalidad en contacto con el suelo, o a la planta que tiene este tipo de tallo.

rastrillo *s. m.* **1** Instrumento que sirve para recoger hierba, paja o plantas secas, formado por un rastro o travesaño con púas o dientes, puesto en el extremo de un mango largo y delgado: *segó el césped del jardín y lo amontonó con el rastrillo.* **SIN** rastro. **2** Tabla con muchos dientes gruesos de metal sobre la que se pasa el lino o el cáñamo para separar la estopa de la fibra: *antes de empezar a hilar, tenemos que pasar el rastrillo.*
FAM rastrillar.

rastro *s. m.* **1** Señal o huella que queda al pisar o al pasar una persona o una cosa por un lugar: *al llegar al río, los perros perdieron el rastro de los fugitivos.* **SIN** indicio, pista. **2** Mercado callejero al aire libre en el que se venden todo tipo de objetos, generalmente usados: *mañana iremos al rastro a ver si encontramos alguna ganga.* **3** Instrumento de labranza que sirve para recoger hierba, paja o plantas secas, formado por un mango largo y delgado que termina en una pieza perpendicular con muchas púas. **SIN** rastrillo.
FAM rastrear.

rastrojo *s. m.* **1** Resto de las cañas de la mies que quedan en la tierra después de segar. **2** Campo o terreno después de segar la mies y antes de recibir una nueva cosecha.
FAM rastrojera.

rasurar *v. tr.* Cortar el pelo del cuerpo al nivel de la piel con una cuchilla u otro instrumento, especialmente la barba o el bigote: *los nadadores se rasuran el cuerpo antes de cada competición.* **SIN** afeitar.
FAM rasura.

rata *s. f.* **1** Mamífero roedor más grande que el ratón, de pelo marrón o gris, con cola larga, patas cortas, cabeza pequeña, hocico puntiagudo y orejas tiesas: *las ratas son originarias de Asia, pero se han propagado por los campos y ciudades de todo el mundo.* **2** familiar Persona despreciable por sus malas artes y por el daño que procura a otros. **|** *s. com.* **3** familiar Persona muy tacaña: *no seas rata e invítanos a algo.* **SIN** avaro. **|** *adj./s. com.* **4** familiar MÉX. Ladrón o ratero.
hacerse la rata familiar ARG., URUG. Faltar a clase un alumno y ocultárselo a sus padres.
más pobre que una rata (o **que las ratas**) familiar Extremadamente pobre: *durante la guerra, toda mi familia era más pobre que las ratas.*
FAM ratear, ratero, raticida; desratizar, matarratas.

ratear *v. tr.* **1** Robar con maña cosas que tienen poco valor. **|** *v. intr.* **2** Actuar con tacañería.

ratería *s. f.* **1** Robo de cosas de poco valor. **2** Bajeza o ruindad en un trato o negocio.

ratero, -ra *adj./s. m. y f.* Se aplica a la persona que roba con maña y habilidad cosas de poco valor.
FAM ratería.

raticida *adj./s. m.* Se aplica al producto que se usa para matar ratas y ratones. **SIN** matarratas.

ratificación *s. f.* Aprobación y confirmación de la validez o veracidad de algo dicho o hecho antes, generalmente por medio de la firma en un escrito: *para que la propuesta de ley sea válida solamente falta la ratificación del Senado.*

ratificar *v. tr.* Aprobar y confirmar la validez de algo dicho o

R

hecho antes, generalmente una creencia u opinión: *el acusado ratificó la declaración que hizo cuando fue detenido.* SIN corroborar.

FAM ratificación, ratificatorio.

ratio *s. f.* Relación entre dos cantidades que expresa en qué medida es mayor una que otra: *una ratio de un profesor por cada treinta alumnos.* SIN proporción.

rato *s. m.* ❶ Espacio breve de tiempo: *hace un rato que lo espero; he pasado un mal rato viéndote ahí arriba.* ■ **ratos perdidos** Tiempo libre de ocupaciones: *en mis ratos perdidos me gusta dibujar.* ❷ Distancia o espacio físico: *de Málaga a Barcelona hay un buen rato.*

a ratos En unos momentos sí y en otros no: *a ratos le volvía el dolor de cabeza.*

para rato Para mucho tiempo, generalmente hablando del futuro: *tranquilízate que hay para rato hasta que te toque el turno.*

pasar el rato Pasar el tiempo con algún entretenimiento, distracción o diversión: *va a clases de baile solamente por pasar el rato.*

un rato (largo) Mucho: *sabe un rato largo de arte.*

ratón¹ *s. m.* Mamífero roedor más pequeño que la rata, de pelo blanco o gris, con cola larga, patas cortas, cabeza pequeña y orejas tiesas, que se reproduce con facilidad: *a los ratones les gusta mucho el queso y las cosas dulces.*

ratón de biblioteca familiar Persona que siempre está estudiando o leyendo libros.

FAM ratonera.

ratón² *s. m.* Dispositivo externo que tienen algunos ordenadores que se mueve con la mano arrastrándolo sobre la mesa de trabajo, que sirve para dar instrucciones al ordenador sin utilizar el teclado, y cuyo movimiento se ve reflejado en la pantalla por una flecha o cursor: *el ratón se desliza mediante una bolita que tiene en la parte inferior.*

ratonera *s. f.* ❶ Trampa para coger o cazar ratones: *colocó un pedazo de queso dentro de la ratonera y la puso en la cocina.* ❷ Agujero que hace el ratón en un muro o pared para entrar y salir por él: *se metió en la ratonera y el gato no pudo atraparlo.* ❸ Lugar en el que viven y crían los ratones: *en el desván hay una ratonera.* ❹ Trampa preparada para coger o engañar a una persona: *aquel local era una ratonera porque no tenía salida de emergencia.* ❺ familiar Vivienda o habitación muy pequeña y miserable: *es difícil de imaginar que vivan todos en esa ratonera.*

ratonero, -ra *adj.* ❶ Se aplica al animal que caza ratones: *gato ratonero.* ❷ fam. desp. Se aplica a la música mal compuesta o mal ejecutada. ❘ *s. m.* ❸ Ave rapaz europea similar al águila, de unos 50 cm de longitud, con el plumaje de color marrón, gris y blanco, que se alimenta de pequeños animales que caza, como ratas y ratones.

raudal *s. m.* ❶ Masa abundante de agua u otro líquido que corre con fuerza y rapidez: *cuando el dique se rompió, se escapó un raudal de agua.* ❷ Cantidad grande de cosas que brota o sale de un sitio: *ganó un raudal de dinero en la bolsa.*

a raudales En gran cantidad: *hemos recibido felicitaciones a raudales; esta chica tiene simpatía a raudales.*

raudo, -da *adj.* Que es muy rápido o veloz: *un raudo jinete cabalgó para llevar el mensaje.*

FAM raudal.

raviolis o **ravioles** *s. m. pl.* Pequeños cuadrados de pasta rellenos de carne picada o queso que se cocinan en agua hirviendo.

raya¹ *s. f.* ❶ Línea larga y delgada en un cuerpo o superficie:

fue a una adivina para que le leyera las rayas de la mano; hizo en el papel una raya con el lápiz.* SIN señal. ❷ Línea que resulta al separar el pelo con un peine hacia los lados: *el peluquero le ha hecho la raya a un lado.* ❸ Pliegue o doblez vertical de un pantalón: *cuando planches debes tener mucho cuidado para que la raya de los pantalones quede recta.* ❹ Signo ortográfico que consiste en un guion largo (–) y que se usa para separar oraciones incidentales o para indicar el diálogo en los escritos: *cuando intercala incisos en el relato utiliza rayas en lugar de paréntesis.* ❺ Límite físico o moral que se pone a algo: *parecía un negocio sucio, pero nunca pasó la raya de la ley.* ❻ Línea imaginaria que marca el término o límite en una provincia, región o propiedad: *los aviones de guerra traspasaron la raya que separa los dos estados.* ❼ familiar En el lenguaje de la droga, dosis de cocaína o de otra droga en polvo, que normalmente se inhala por la nariz.

a raya Dentro de los límites tolerados, sin permitir que se propase en nada: *su padre es la única persona que pone al niño a raya.*

mil rayas Tejido cuya superficie presenta una serie de rayas muy juntas sobre un fondo claro.

pasarse de la raya familiar Propasarse o excederse en el límite de lo tolerable: *como vuelvas a pasarte de la raya, vas a tener problemas conmigo.*

FAM rayano, rayar, rayón, rayuela.

raya² *s. f.* Pez marino de color gris, cuerpo aplastado, cola larga y delgada y aletas pectorales muy grandes, característico de mares templados y cálidos: *la raya se desplaza con un movimiento ondulatorio.*

rayado, -da *adj.* ❶ Que tiene rayas: *papel rayado.* ❘ *s. m.* ❷ Conjunto de rayas de una superficie: *el rayado de un papel o de una tela.*

rayano, -na *adj.* ❶ Que está junto al límite de una cosa o situación, o es muy cercano, próximo o parecido a ella: *tiene unos pensamientos rayanos con la locura.* ❷ Que está en el linde o línea que limita dos territorios.

rayar *v. tr.* ❶ Hacer o trazar rayas o líneas: *se puso a rayar un papel con la pluma.* ❷ Hacer rayas en una superficie lisa, generalmente levantando con un objeto agudo la capa que la cubre: *el niño está rayando la pared con un juguete.* SIN arañar, rascar. ❸ Tachar un escrito con rayas: *rayó las opciones que le parecieron correctas.* ❹ Estropear algo haciéndole rayas o incisiones: *ese disco se ha rayado.* ❘ *v. intr.* ❺ Estar una cosa o situación muy próxima a otra o parecerse a ella: *su comportamiento rayaba en la irresponsabilidad; esto raya en lo ridículo.* ❻ Lindar una cosa con otra: *mi casa raya con la suya.* ❼ Comenzar a aparecer la luz del día: *rayar el alba; rayar el día.*

FAM rayado; subrayar.

rayo *s. m.* ❶ Línea de luz que procede de un cuerpo luminoso, especialmente del Sol. ■ **rayos catódicos** Haz de electrones que en un tubo electrónico se dirigen del cátodo al ánodo, acelerados por la acción del campo eléctrico existente entre ambos. ■ **rayos X** o **rayos Roentgen** Radiación electromagnética muy energética y con un gran poder de penetración, lo cual permite su uso para impresionar placas fotográficas y para el diagnóstico y tratamiento en medicina: *los rayos X, gracias a su poder de penetración, permiten analizar el interior de la materia.* ■ **rayos gamma** Radiación electromagnética parecida a los rayos X pero de mayor longitud de onda, que se produce durante la desexcitación de los núcleos de elementos radiactivos: *los rayos gamma no tienen masa ni carga eléctrica.* ■ **rayos ultravioleta** o **rayos UVA** Radiación

R.

electromagnética que desprende el Sol o un aparato especial que hace que la piel humana adquiera un color moreno u oscuro. **2** Chispa eléctrica producida por la descarga entre dos nubes o entre una nube y la tierra: *la tormenta descargó con rayos, relámpagos y truenos; un rayo cayó sobre un árbol y lo partió.* **3** familiar Persona o cosa que actúa con gran fuerza, eficacia y rapidez: *este mecánico es un rayo, ha reparado el coche en una sola tarde.*

a rayos Con muy mal sabor u olor: *este guisado se ha quemado y sabe a rayos.*

echar rayos familiar Expresar ira o enfado.

FAM pararrayos.

rayón *s. m.* Fibra artificial obtenida de la celulosa y que imita a la seda.

rayuela *s. f.* **1** Juego que consiste en tocar una raya con monedas o piedras lanzadas a cierta distancia. **2** Juego de niños que consiste en llevar un tejo empujándolo con un solo pie, llevando el otro levantado, sobre varios cuadros dibujados en el suelo, procurando no pisar las rayas y que la piedra no se pare sobre ellas. **SIN** tejo.

raza *s. f.* **1** Grupo de la especie humana constituido por personas con unas mismas características físicas, como el color de la piel o el cabello o la fisonomía, que se transmiten por herencia: *cada raza se subdivide en etnias; actualmente se rechaza el concepto de raza referido a la especie humana.* **2** Grupo en que están subdivididas algunas especies de animales y plantas, constituido por ejemplares con las mismas características físicas, de comportamiento, etc., que se transmiten por herencia: *la especie del perro se subdivide en muchas razas.*

FAM racial, racismo.

razia [también **razzia**] *s. f.* Incursión rápida en un territorio enemigo para saquearlo o destruirlo.

razón *s. f.* **1** Facultad del ser humano para conocer y pensar, y que le permite formar ideas, juicios y representaciones de la realidad en la mente, relacionándolas entre sí: *la razón es una facultad propia de los seres humanos.* **SIN** entendimiento, intelecto, inteligencia. **2** Motivo o causa de algo: *no sé cuál es la razón que lo impulsa a comportarse de ese modo* **SIN** motivo. **3** Verdad o acierto en lo que una persona dice o hace: *tú tenías razón, yo estaba equivocado.* **4** Argumento o explicación para demostrar o justificar algo: *le expuse mis razones y me dio permiso.* **5** Palabras con que se expresa una idea o pensamiento: *se expresaba con largas y recargadas razones.* **NOTA** Normalmente en plural. **6** Información, recado o aviso: *me mandó razón de que fuera a visitarlo a su casa.* **7** En matemáticas, cociente de dos números o de dos cantidades comparables entre sí: *en una progresión geométrica, la razón es el número por el que hay que multiplicar cada término para obtener el siguiente; en una proporción, la razón es cada una de las dos fracciones que la forman.* ■ **razón de semejanza** Cociente entre las medidas que se correspondan de dos figuras geométricas semejantes. ■ **razón trigonométrica** Relación que existe entre los lados y los ángulos de un triángulo rectángulo: *las razones trigonométricas principales son el seno, el coseno y la tangente.*

a razón de Expresión que indica la cantidad que corresponde a cada parte en un reparto: *salimos a razón de siete euros por persona.*

atender a razones Admitir lo que es razonable o darse cuenta de ello: *cuando se enfada, no atiende a razones.*

dar la razón Reconocer o aceptar que lo que piensa o dice otra persona es cierto.

en razón de Por causa de: *asistió al congreso en razón de su cargo.*

entrar en razón Darse cuenta una persona de lo que es razonable y lo que no lo es, y admitirlo: *nos costó que entrara en razón y se diera cuenta de su error.*

perder la razón Volverse loco.

razón adimensional Razón entre dos cantidades de la misma magnitud física. **SIN** número adimensional.

razón de Estado Política que justifica la manera de actuar de un gobierno en determinadas situaciones.

razón social Nombre por el que es conocida una empresa.

FAM razonar; sinrazón.

razonable *adj.* **1** Que está de acuerdo con la razón, la lógica o la justicia: *es muy razonable que te tomes unas vacaciones al año.* **SIN** justo, lógico. **2** Que es bastante o suficiente en calidad o en cantidad: *podríamos vender la finca por un precio razonable.* **3** Se aplica a la persona prudente o sensata, que se atiene a razones: *es una persona razonable.*

razonamiento *s. m.* **1** Acción de pensar o relacionar ideas, pensamientos o razones como medio de conocimiento: *el razonamiento de Galileo, relativo al movimiento, permitió a Newton formular el principio de inercia o primer principio de la dinámica.* **2** Demostración de una cosa mediante ideas y razones: *sus razonamientos no convencieron al jurado.* **3** Proceso mental por el que, conectando conceptos y proposiciones, se obtienen conclusiones.

razonar *v. intr.* **1** Usar la capacidad de pensar y unir de manera lógica una serie de ideas o razones: *razona un poco antes de elegir; debes ser capaz de razonar con responsabilidad.* **SIN** pensar. **|** *v. tr.* **2** Dar una serie de ideas o razones para demostrar lo que se dice: *contesta a la siguiente pregunta y razona tu respuesta.*

FAM razonable, razonado, razonador, razonamiento.

razzia *s. f.* Razia.

re *s. m.* Segunda nota de la escala musical: *el re está entre el do y el mi.*

OBS Plural: *res.*

reabierto, -ta Participio irregular de *reabrir.*

reabrir *v. tr.* Volver a abrir algo que estaba cerrado o interrumpido: *reabrir un debate; reabrir unas negociaciones.* **SIN** reanudar.

OBS Participio irregular: *reabierto.*

reacción *s. f.* **1** Acción provocada por otra y de efectos contrarios a ella: *cuando me da un dolor de estómago, mi reacción natural es la de poner la mano sobre él y doblar el cuerpo.* **2** Respuesta a una acción o estímulo externo; comportamiento que una persona tiene ante ello: *la reacción del caballo fue salir huyendo.* **3** Cambio de un estado físico, provocado por una enfermedad, un medicamento o una vacuna: *los científicos que investigan ciertas enfermedades, prueban las sustancias primero en animales para observar su reacción.* **4** Proceso por el cual unas sustancias químicas se transforman en otras nuevas, con propiedades y comportamiento totalmente diferentes a los iniciales, ya sea como variación en la capa electrónica o como alteración de su núcleo. ■ **reacción ácido-base** Reacción química entre un ácido y una base; el resultado puede ser una sustancia con un pH menor o mayor que 7 y seguir teniendo características ácidas o básicas. ■ **reacción de adición** Reacción química en la que se produce la unión de dos moléculas, una de las cuales es un compuesto insaturado, con dobles o triples enlaces. ■ **reacción de eliminación**

Reacción química en la que se produce la salida de uno o más átomos de una molécula, descomponiéndose esta en dos, una más pequeña que la otra. ■ **reacción de neutralización** Reacción química entre un ácido y una base en cantidades equivalentes, de tal forma que el pH de la disolución resultante sea neutro (igual a 7). ■ **reacción química** Proceso por el cual unas sustancias se transforman en otras a través de la reorganización de los átomos que las forman: *en una reacción química, se rompen unos enlaces moleculares y se forman otros para dar lugar a una nueva sustancia.* ■ **reacción redox** o **reacción de oxidación-reducción** Reacción química de transferencia de electrones entre una sustancia (reductor) que cede electrones y otra (oxidante) que los capta. ▮ *s. m.* ⑤ Actitud de oposición ante las innovaciones políticas, sociales, religiosas, literarias, etc. ⑥ Conjunto de fuerzas sociales que muestran esta actitud de oposición y que, debido a su favorable situación, se oponen a cualquier movimiento que pueda dañar sus intereses.

a reacción o **de reacción** Se aplica al sistema de propulsión en el que el movimiento de un vehículo se origina por la fuerza de los gases que, producidos a gran presión por el motor, salen en dirección contraria a la marcha, haciendo mover el aparato hacia adelante: *los aviones del ejército llevan motores de reacción.*

FAM reaccionar, reactivo, reactor.

reaccionar *v. intr.* ① Responder o actuar de una manera determinada como respuesta a un estímulo: *el público reaccionó de manera violenta ante la decisión del árbitro.* ② Mejorar una persona en su salud o en sus funciones vitales, o volver una cosa a su actividad normal: *tardó varios días en reaccionar del golpe que lo dejó en estado de coma.* ③ Combinarse dos o más sustancias químicas para producir otra nueva: *las sustancias que reaccionan entre sí se denominan reactivos.*

reaccionario, -ria *adj./s. m. y f.* Se aplica a la persona o a la ideología que defiende la tradición y se opone a las reformas y al progreso: *los reaccionarios se oponen al avance del conocimiento.* **SIN** conservador, moderado. **ANT** innovador, progresista.

reacio, -cia *adj.* Que se opone o no está decidido a hacer una cosa determinada: *siempre ha sido reacio a hablar de su intimidad.*

reactivación *s. f.* ① Arranque o funcionamiento que se hace o se produce de nuevo: *la reactivación de un motor.* ② En economía, recuperación de la actividad económica tras un periodo de recesión: *la reactivación del sector agrario es uno de los objetivos.*

reactivar *v. tr.* ① Volver a activar o a hacer funcionar una cosa: *reactivaron el contador de la luz.* ② Dar más actividad a una cosa: *pretenden reactivar la economía con estas medidas económicas.*

FAM reactivación.

reactividad *s. f.* Capacidad que tiene una sustancia de provocar determinadas reacciones químicas.

reactivo, -va *adj./s. m.* ① Que produce reacción: *el sodio es un metal muy reactivo.* ▮ *s. m.* ② Sustancia que, añadida a otra, reacciona con ella provocando una reacción química; se utiliza en los ensayos y análisis químicos para revelar la presencia o medir la cantidad de otra sustancia: *emplearon un reactivo para detectar la presencia de veneno en el cadáver.* **NOTA** También *reactivo químico.*

FAM reactivar.

reactor *s. m.* ① Motor de reacción cuyo movimiento se origina mediante la expulsión de una corriente de gases producidos por él mismo y que salen en dirección contraria a la marcha. **SIN** propulsor. ② Avión que usa este tipo de motor. ③ Dispositivo destinado a provocar y controlar la producción de energía nuclear: *las centrales nucleares funcionan gracias a un reactor donde se produce la fisión del uranio o del plutonio.*

FAM birreactor, turborreactor.

readaptarse *v. prnl.* Adaptarse o acostumbrarse una persona o animal a una nueva situación: *los niños se han readaptado muy bien al colegio después de las vacaciones.*

FAM readaptación.

readmisión *s. f.* Recibimiento o admisión que se hace, como mínimo por segunda vez, a alguien o algo que ha salido: *se está considerando su readmisión en el partido.*

readmitir *v. tr.* Volver a admitir o a recibir a alguien o algo que ha salido.

FAM readmisión.

reafirmar *v. tr.* ① Volver a afirmar o a asegurar lo dicho o expuesto anteriormente: *el monarca reafirmó su compromiso con su país; el gobierno se reafirmó en su política económica a pesar de las críticas.* **SIN** confirmar. ② Hacer más firme una cosa: *la Iglesia pretendía reafirmar su poder frente al protestantismo.*

FAM reafirmación.

reagrupar *v. tr.* Formar de nuevo un grupo: *los soldados recibieron la orden de reagruparse y disparar.*

FAM reagrupación, reagrupamiento.

reajustar *v. tr.* ① Volver a ajustar o a fijar una cosa: *reajustaron todas las piezas del gran reloj de la iglesia.* ② Aumentar o disminuir los precios, los salarios o los impuestos en función de las circunstancias o necesidades del momento: *el gobierno ha declarado que va a reajustar las pensiones para el próximo año.*

FAM reajuste.

reajuste *s. m.* Cambio o adecuación que se realiza según las circunstancias o necesidades del momento.

real¹ *adj.* Que existe, que es verdadero y auténtico y se puede ver, sentir y tocar: *el argumento de la novela estaba basado en un hecho real.* **ANT** irreal.

FAM realidad, realismo, realmente; irreal.

real² *adj.* ① Relativo al rey, a la reina o a la realeza: *a la boda del príncipe han asistido miembros de todas las casas reales del mundo.* ② En matemáticas, se aplica al número que es racional o irracional. ▮ *s. m.* ③ Antigua moneda española de níquel que valía 25 céntimos de peseta: *el rey Pedro I creó el real en el siglo XI.*

FAM realengo, realeza.

real³ *s. m.* ① Campamento militar y, más concretamente, lugar donde está la tienda del rey o del general. ② Campo abierto donde se celebra una feria.

asentar los reales Acampar un ejército.

realce *s. m.* ① Grandeza, importancia o esplendor de una persona o cosa, que hacen que esta destaque: *se puso dos capas de rímel para dar realce a sus ojos.* ② Adorno o labor que sobresale en la superficie de una cosa: *aprendió a bordar de realce; el libro estaba encuadernado en pergamino con realces dorados.*

FAM realzar.

realengo, -ga *adj./s. m.* ① Se aplica al territorio o a la población que estaban sometidos a la autoridad directa del rey o la reina: *en las villas de realengo no tenían jurisdicción las órdenes militares.* ▮ *adj.* ② **AMÉR.** Vago, holgazán. ③ **MÉX.**, P. **RICO**

Se aplica a lo que no tiene dueño, especialmente a los animales.

realeza *s. f.* ① Dignidad o poder de rey: *todos los que se incorporan a Cristo por el bautismo participan de su realeza y señorío.* ② Conjunto de familias reales y de personas emparentadas con la monarquía.

realidad *s. f.* ① Existencia verdadera y efectiva de una cosa: *no tienes que huir de la realidad, sino afrontarla.* **ANT** ficción. ② Conjunto formado por todo lo existente en el mundo real: *el hombre percibe la realidad a través de los sentidos.* ③ Verdad o hecho que ocurre verdaderamente por contraposición a lo que podría imaginarse: *la realidad es que no podía comprarse el coche porque no tenía dinero.*

en realidad Verdaderamente o sin ninguna duda: *en realidad, no sé cómo resolver este problema.*

realidad virtual Simulación informática de la realidad, que se consigue recreando ambientes y lugares mediante imágenes realistas en tres dimensiones y permitiendo al usuario manipular los objetos recreados.

realismo¹ *s. m.* ① Forma de ver los hechos o las cosas tal como son en realidad: *la radio dio la noticia con tal realismo que dejó a los oyentes sobrecogidos.* ② Tendencia artística y literaria basada en la representación objetiva y no idealizada de la realidad. ③ Movimiento literario de la segunda mitad del siglo XIX, que pretende recrear minuciosa y objetivamente la realidad, seleccionando incluso datos verídicos del ambiente que se describe; la novela es el género más desarrollado, y en ella se presenta el individuo inmerso en la sociedad que lo rodea. ■ **realismo mágico** Movimiento literario suramericano del siglo XX que se caracteriza por la inclusión de elementos fantásticos dentro de una estructura realista. ④ Doctrina que afirma la existencia de una verdad previa e independiente del conocimiento o conciencia de la misma: *el realismo se opone al idealismo.*

FAM realista; superrealismo, surrealismo.

realismo² *s. m.* Doctrina u opinión favorable a la monarquía.

FAM realista.

realista¹ *adj.* ① Se aplica a la persona que actúa de manera práctica y cuya conducta se ajusta a la realidad: *sé realista y reconoce tus propias limitaciones.* ② Relativo al realismo artístico y literario. ‖ *adj./s. com.* ③ Que pertenece al realismo estético o filosófico, o hace referencia a él.

realista² *adj./s. com.* Se aplica a la persona que es partidaria del realismo o monarquía.

reality show [se pronuncia aproximadamente 'réaliti shou'] *s. m.* Programa de televisión que presenta protagonistas reales de la sociedad con sus problemas.

realización *s. f.* ① Ejecución de una obra o de una acción: *el arquitecto consiguió una subvención para la realización del puente.* ② Dirección de la ejecución de una película, vídeo o programa de televisión: *la realización de este documental la ha llevado a cabo un famoso actor.* ③ Desarrollo completo de las aspiraciones, posibilidades o deseos de una persona y la satisfacción consiguiente de haberlo conseguido: *con esta experiencia ha llegado a la total realización como abogado.*

realizador, -ra *adj./s. m. y f.* ① Se aplica a la persona que realiza una cosa. ‖ *s. m. y f.* ② Persona que dirige la ejecución de una película, vídeo o programa de televisión: *el realizador elige la imagen más conveniente en cada momento.*

realizar *v. tr.* ① Ejecutar una acción o llevar a cabo una cosa:

la reconstrucción de la catedral se ha realizado en seis meses. **SIN** efectuar. ② Convertir en dinero bienes o mercancías mediante su venta. ③ Dirigir la ejecución de una película, vídeo o programa de televisión: *John Ford realizó muchas películas del Oeste.* ④ Convertir en realidad un proyecto, aspiración o deseo: *afortunadamente todos mis planes se han realizado; pudo realizar su sueño de ser médico.* ‖ *v. prnl.* ⑤ **realizarse** Conseguir una persona cumplir o desarrollar por completo sus aspiraciones, deseos o posibilidades y sentirse satisfecha por ello: *son muchas las personas que se realizan en su trabajo.*

FAM realizable, realización, realizador.

realmente *adv.* ① Expresa la verdad o eficacia de una cosa o de un hecho: *¿es eso realmente cierto?* ② Precedido de un adjetivo, enfatiza lo expresado por este: *el viaje a la India ha sido realmente apasionante.*

realquilado, -da *adj./s. m. y f.* ① Se aplica a la persona que vive de alquiler en una vivienda que ya está alquilada por otra persona. ② Se aplica a la persona que vive de alquiler en una habitación de una vivienda en la que residen otras personas.

FAM realquilar.

realquilar *v. tr.* Alquilar una cosa que se tiene en alquiler, especialmente un terreno, un local comercial o una vivienda. **SIN** subarrendar.

FAM realquilado.

realzar *v. tr.* ① Destacar o poner de relieve la importancia o las cualidades de una persona o cosa: *se puso un vestido blanco para realzar su piel morena.* **SIN** acentuar, resaltar. ② Hacer que una persona o cosa destaque: *en los cuadros de Zurbarán se realza el color blanco.* ③ Elevar la altura de una cosa: *una vez acabada la escultura, la colocamos sobre una peana para realzar la figura.*

reanimar *v. tr.* ① Devolver las fuerzas o la energía física a una persona: *el aire fresco de la mañana le reanimó.* **SIN** confortar, reconfortar. **ANT** debilitar. ② Hacer recuperar el conocimiento, la respiración o el movimiento del corazón a una persona: *intentaron reanimar al bañista haciéndole la respiración artificial.* ③ Dar ánimo o valor a una persona que está desanimada o abatida: *sus palabras de consuelo consiguieron reanimar al enfermo.* **SIN** consolar. **ANT** desanimar.

FAM reanimación.

reanudación *s. f.* Continuación de una actividad que había sido interrumpida: *la reanudación de las clases.*

reanudar *v. tr.* Continuar o seguir haciendo una actividad que había sido interrumpida: *las clases se reanudarán después de las vacaciones; reanudó el viaje tras un breve descanso.* **SIN** proseguir, reemprender.

FAM reanudación.

reaparecer [16] *v. intr.* Volver a aparecer o a mostrarse una persona o una cosa que había desaparecido o se había retirado: *ese actor se retiró hace cinco años, pero ahora reaparece en los escenarios.*

FAM reaparición.

reaparición *s. f.* Aparición de nuevo de una persona o cosa que había desaparecido o se había retirado: *la reaparición de una cantante.*

reapertura *s. f.* Apertura de una cosa o de un lugar que había permanecido cerrado durante un tiempo, o inicio de un proceso que había interrumpido su actividad: *no os perdáis la reapertura de la discoteca.*

rearmar *v. tr.* Equipar de nuevo con armamento militar o reforzar el que ya existía: *hay que atacar antes de que el ejército enemigo se rearme.*
FAM rearme.

rearme *s. m.* Equipamiento con nuevo armamento militar o refuerzo del que ya existía: *los servicios secretos informan de que se están invirtiendo grandes sumas en el rearme de las tropas.*

reata *s. f.* ☐ Cuerda o correa que ata y une dos o más caballerías para que vayan en fila una detrás de otra. ☐ Fila formada por dos o más caballerías que van unidas por esta cuerda o correa, una detrás de otra: *una reata de burros bajaba al río a cargar arena.*

reavivar *v. tr.* Volver a avivar una cosa o darle más fuerza e intensidad: *reavivaron el fuego con más leña; su tristeza se reavivó al recordar los dramáticos sucesos.*
FAM reavivación.

rebaba *s. f.* Porción de materia sobresaliente en los bordes de un objeto o en las junturas: *la rebaba del cemento entre los ladrillos.*

rebaja *s. f.* ☐ Descuento o disminución de una cosa, especialmente un precio: *le hicieron una rebaja del diez por ciento por ser socio de la librería.* ☐ *s. f. pl.* ☐ **rebajas** Venta de productos a precios reducidos durante un periodo de tiempo en un establecimiento comercial: *en las rebajas se encuentra ropa muy barata.* ☐ Periodo de tiempo en el que se establece este tipo de venta: *durante las rebajas no se admiten devoluciones.*

rebajar *v. tr.* ☐ Disminuir una cantidad o el precio de un producto o de un servicio: *han rebajado todos sus artículos porque están de reforma.* **SIN** descontar. **ANT** aumentar. ☐ Disminuir el nivel o la altura de una cosa: *han rebajado los terrenos antes de hacer los cimientos.* ☐ Disminuir la intensidad, la fuerza o el brillo de una cosa: *el pintor rebajó el color disolviéndolo con agua.* **SIN** suavizar. ☐ Disminuir el sabor, el color o el grado de una bebida con agua u otro líquido: *rebajaré el vino mezclándolo con un poco de gaseosa.* ☐ Humillar o despreciar a una persona: *no la rebajes con tus desprecios; mi orgullo me impide rebajarme ante él.* ☐ Dispensar a alguien de un servicio, especialmente a un soldado del servicio militar.
FAM rebaja, rebajo.

rebaje o **rebajo** *s. m.* Parte del canto o el lado de una pieza de madera o de otra cosa en la que se ha disminuido el grosor o el nivel.

rebanada *s. f.* Porción delgada y ancha de una cosa, especialmente de pan.

rebanar *v. tr.* ☐ Hacer rebanadas de una cosa: *no te olvides de rebanar el pan antes de servirlo.* ☐ Cortar una cosa de un extremo a otro y de una sola vez: *la sierra casi le rebana el dedo.*
FAM rebanada.

rebañar *v. tr.* ☐ Recoger o apurar los restos de una cosa, especialmente referido a un plato de comida: *es de mala educación rebañar el plato.* ☐ Apoderarse de una cosa sin dejar nada.

rebaño *s. m.* ☐ Conjunto grande de cabezas de ganado, especialmente de ovejas: *un rebaño de cabras saltaba por la falda del monte.* ☐ Grupo de fieles que forma la base de la Iglesia: *el sacerdote debe cuidar de la espiritualidad de su rebaño.* ☐ Grupo de personas que actúan en grupo y se dejan manejar o dirigir sin manifestar su opinión, gustos o actos: *yo no quiero pertenecer al rebaño de los que van a esos encuentros a aclamar cualquier cosa que se les diga.*
FAM rebañar.

rebasar *v. tr.* ☐ Pasar o superar cierto límite, marca o señal: *lo multaron por rebasar el límite de velocidad permitido; su comportamiento rebasa lo soportable.* **SIN** exceder. ☐ Adelantar o dejar atrás a una persona o a una cosa en una carrera, marcha o camino: *en el tramo final el nadador rebasó a su contrincante.*

rebatir *v. tr.* Rechazar con razones y argumentos una decisión u opinión: *con el resultado de su experimento rebatió las teorías de su oponente.* **SIN** refutar.
FAM rebatible.

rebato *s. m.* Llamamiento o convocatoria que se hace a los vecinos de un pueblo a toque de campana para avisarles de un peligro o una catástrofe: *el sacristán tocaba a rebato porque había fuego en el pinar.*

rebeca *s. f.* Chaqueta femenina de punto de lana o algodón, que no tiene cuello y se abotona por delante.

rebeco *s. m.* Animal mamífero rumiante, parecido a una cabra, con pelo pardo, cola corta, patas fuertes y cuernos lisos y rectos que se curvan en sus extremos, que vive preferentemente en zonas rocosas y boscosas. **SIN** gamuza.

rebelarse *v. prnl.* ☐ Negarse una persona a obedecer a otra que tiene cierta autoridad o que la ejerce por la fuerza: *el hombre siempre se ha rebelado contra sus opresores.* **SIN** alzarse, levantarse, sublevarse. ☐ Oponer total resistencia a una persona o cosa: *los trabajadores y sindicatos se rebelaron contra la nueva ley laboral.*
FAM rebelión, rebelde.

rebelde *adj./s. com.* ☐ Se aplica a la persona que se rebela o subleva contra algo o alguien: *una actitud rebelde; los rebeldes se refugiaron en las montañas huyendo del ejército.* ☐ *adj.* ☐ Se aplica a la persona o al animal que es difícil de educar, dirigir o controlar porque no hace caso de lo que se le manda: *este niño es muy rebelde y siempre hace lo contrario de lo que se le dice.* **SIN** indómito. **ANT** dócil, sumiso. ☐ Se aplica a la cosa difícil de dominar o manejar: *un pelo rebelde.* ☐ Se aplica a la enfermedad que no responde bien a los medicamentos: *una fiebre rebelde.* ☐ *adj./s. com.* ☐ Se aplica a la persona que no comparece en un juicio una vez citado, o a quien desobedece una orden judicial.
FAM rebeldía.

rebeldía *s. f.* ☐ Cualidad de la persona que es rebelde: *un espíritu de rebeldía.* ☐ Actitud o hecho propios de la persona rebelde: *su rebeldía fue castigada con el destierro; la rebeldía de la clase tenía preocupada a la profesora.* ☐ Estado procesal de quien no comparece a juicio una vez citado o de quien desobedece una orden judicial: *se ha dictado sentencia declarando la rebeldía del demandado por no haber comparecido a juicio.*

rebelión *s. f.* Levantamiento contra una autoridad o gobierno, en especial cuando se realiza con el fin de derrocarlo y sustituirlo por otro: *la rebelión fue sofocada por el ejército.* **SIN** sublevación. **ANT** sumisión.

reblandecer [16] *v. tr.* Poner blanda una cosa o a una persona: *puso los garbanzos en agua para que se reblandeciesen; su corazón se reblandeció cuando contempló tanta pobreza.* **SIN** ablandar. **ANT** endurecer.
FAM reblandecimiento.

reblandecimiento *s. m.* Pérdida de la dureza de un material o disminución de la consistencia normal de los tejidos orgánicos.

rebobinado *s. m.* Operación por la que se enrolla hacia atrás una cinta o una película.

R

rebobinar *v. tr.* ① Enrollar hacia atrás un hilo, cinta o película fotográfica, especialmente la cinta de una película una vez que ha sido proyectada: *¿podrías rebobinar la cinta un poco, que quiero volver a ver esa escena?; rebobinó el carrete y lo llevó a revelar.* ② Volver a enrollar el hilo de una bobina. **FAM** rebobinado.

reborde *s. m.* Saliente doblado o curvado y estrecho que se hace a lo largo del borde de un objeto o de una superficie: *el reborde de la cornisa.* **FAM** rebordear.

rebosadero *s. m.* Orificio o desagüe para que un líquido no rebase un determinado nivel, y por el que sale el agua que sobra en una bañera, lavabo, fregadero o piscina.

rebosante *adj.* Se aplica a la persona que tiene en abundancia aquello que se expresa: *estaba rebosante de felicidad.* **SIN** pletórico.

rebosar *v. intr.* ① Salirse un líquido por los bordes del recipiente o depósito que lo contiene: *llenó tanto la copa, que el vino rebosó.* **SIN** derramarse, desbordarse. ② Estar un recipiente lleno hasta los bordes: *el cazo rebosa; la copa está llena a rebosar.* ③ Mostrar o dar a entender con energía un sentimiento o estado de ánimo: *cuando recuperó la visión, rebosaba de alegría.* ‖ *v. tr.* ④ Abundar una cosa o ser numerosa en exceso: *le rebosa el dinero y no sabe qué hacer con él; rebosa salud.* **FAM** rebosadero, rebosante.

rebotar *v. intr.* ① Botar una cosa contra otra después de haber botado anteriomente contra otra: *en tenis, si la pelota rebota no se puede continuar el juego.* ② Cambiar de dirección un cuerpo en movimiento tras chocar contra un obstáculo: *la pelota rebotó en el bordillo y fue a parar al centro de la calle.* ③ En baloncesto, resultar despedida la pelota del aro o del tablero sin salir del terreno de juego. ‖ *v. tr.* ④ Rechazar una cosa, generalmente una superficie, a otra que choca contra ella: *la pared rebotó el balón.* ‖ *v. prnl.* ⑤ **rebotarse** familiar Molestarse o enfadarse una persona: *cuando le dijeron que no podía ir con ellos, se rebotó.* **FAM** rebotado, rebote.

rebote *s. m.* ① Bote que da un cuerpo tras chocar contra un obstáculo o contra una superficie: *el rebote del balón en el brazo del jugador acabó en penalti.* ② En baloncesto, jugada que se produce cuando el balón golpea en el tablero o en la canasta pero no entra en el aro y cae de nuevo al terreno de juego: *al rebote acuden los jugadores más altos del equipo.* ③ familiar Enfado o disgusto de una persona: *ha cogido un buen rebote.*
de rebote (I) Como consecuencia de un hecho anterior: *ha subido el precio del petróleo y, de rebote, el de la gasolina.* (II) Por casualidad o indirectamente. **FAM** rebotear.

reboteador, -ra *adj./s. m. y f.* Se aplica al jugador de baloncesto que recoge muchos rebotes o desempeña esta función dentro del equipo.

rebotear *v. intr.* En baloncesto, saltar para coger la pelota tras un rebote. **FAM** reboteador.

rebotica *s. f.* Pieza o habitación que está detrás de la principal en una botica o farmacia: *el farmacéutico hace las fórmulas magistrales en la rebotica.*

rebozar *v. tr.* ① Cubrir un alimento con harina, huevo batido y pan rallado para freírlo después. ② Cubrir la cara hasta los ojos con una prenda de vestir: *se rebozó el rostro con la bufanda antes de salir a la calle.* ③ Manchar o cubrir a una persona o una cosa con una sustancia: *resbaló en el barro y se rebozó el trasero.* **FAM** rebozo.

rebozo *s. m.* Prenda de vestir femenina en forma de manto o mantilla o parte de esta prenda que permite cubrirse la cara: *el rebozo impedía que el frío y el viento le dieran en el rostro.* **SIN** embozo.
sin rebozo Abiertamente, claramente y con sinceridad: *la mujer confesó su culpabilidad sin rebozo.*

rebozuelo *s. m.* Seta comestible de color anaranjado y forma de embudo con el borde del sombrero ondulado. **SIN** cabrilla.

rebrotar *v. intr.* Volver a brotar o a salir de una planta tallos, hojas o flores: *las flores del jardín han rebrotado esta primavera antes de tiempo.* **FAM** rebrote.

rebrote *s. m.* ① Tallo nuevo que nace después de cortar o podar una planta. ② Reaparición de un peligro o de algo que se considera perjudicial: *ha habido nuevos rebrotes de cólera.*

rebufo *s. m.* Salida de aire alrededor de la boca de un arma de fuego o por su parte posterior al realizar un disparo: *todos los soldados se alejaron para no ser alcanzados por el rebufo del cañón.*

rebullir [15] *v. intr./prnl.* ① Empezar a moverse lo que estaba quieto: *el gato se rebullía en el sillón al escuchar unos pasos.* ② Moverse una cosa más de lo normal, generalmente un líquido: *la sangre le rebullía en las venas.*

rebuscado, -da *adj.* Que es demasiado complicado o raro, o falto de naturalidad y espontaneidad: *lenguaje rebuscado.*

rebuscar *v. tr.* ① Buscar una cosa repetidamente y con mucho cuidado: *rebuscaba en el bolsillo unas monedas para comprar el periódico.* ② Recoger el fruto que queda en los campos después de la cosecha: *fueron a rebuscar maíz para las palomas.* **FAM** rebusca, rebuscado, rebuscamiento.

rebuznar *v. intr.* Emitir el asno su voz. **FAM** rebuzno.

rebuzno *s. m.* Voz del asno.

recabar *v. tr.* ① Alcanzar o conseguir lo que se desea insistiendo mucho o suplicando: *se preocupó de recabar toda la información posible antes de salir de viaje.* **SIN** lograr, obtener. ② Pedir una cosa inmaterial, como independencia, honor o derechos, por considerar que se tiene derecho a ella: *los trabajadores recabaron sus derechos ante el director.*

recadero, -ra *s. m. y f.* Persona que tiene por oficio hacer o llevar recados o mensajes de un lugar a otro: *la carta me la trajo un recadero.*

recado *s. m.* ① Mensaje o respuesta que se da o se envía de palabra: *me vio por la tarde y me dio tu recado, por eso he venido.* **SIN** aviso. ② Compra, gestión, visita u otro quehacer que requiere que una persona salga a la calle: *voy a salir porque tengo que hacer unos recados.* **SIN** encargo, mandado. **FAM** recadero.

recaer [25] *v. intr.* ① Volver a caer enfermo de una misma enfermedad o empeorar una persona que se estaba recuperando o que había recobrado la salud: *dejó la medicación demasiado pronto y ha recaído.* ② Volver a caer en el mismo error o vicio, o en un comportamiento poco adecuado: *aunque estuvo un tiempo sin fumar, recayó en el tabaco.* **SIN** reincidir. ③ Ir a pa-

rar una cosa sobre alguien o algo: *el premio recayó sobre una persona que no lo esperaba.*
FAM recaída.

recaída *s. f.* Empeoramiento que experimenta una persona en una enfermedad de la que se estaba recuperando o de la que ya se había curado: *cuando ya parecía que estaba curado, sufrió una recaída.*

recalar *v. tr.* **1** Penetrar poco a poco un líquido en un cuerpo seco, dejándolo húmedo o mojado: *la fuga de agua ha recalado la pared.* **SIN** calar, empapar. **I** *v. intr.* **2** Llegar una embarcación a un puerto o a un punto de la costa, como fin de su viaje o para continuar la navegación después de un reconocimiento: *el buque recaló frente al puerto.* **3** Aparecer una persona por un lugar: *todo el grupo de amigos recaló en la fiesta.* **4** Llegar el viento o el mar a un punto determinado: *el viento recaló en la boca de la cueva.*

recalcar *v. tr.* Hablar lentamente e insistiendo en lo que se quiere decir, bien con la ayuda de la entonación, bien repitiéndolo muchas veces para que quede claro lo que se dice: *recalcó que no consentiría otro error.* **SIN** subrayar.

recalcitrante *adj.* Obstinado, aferrado a una opinión, decisión o conducta: *es un defensor recalcitrante de esas antiguas ideas.*

recalentamiento *s. m.* Calentamiento en exceso que experimenta una cosa: *el recalentamiento de un motor.*

recalentar [1] *v. tr.* **1** Volver a calentar una cosa o calentarla en exceso: *en la subida, el coche se recalentó y acabó ardiendo.* **I** *v. prnl.* **2** **recalentarse** Estropearse o echarse a perder ciertos frutos por el excesivo calor: *este año las aceitunas se han recalentado.*
FAM recalentamiento, recalentón.

recámara *s. f.* **1** Parte del cañón de un arma de fuego opuesta a la boca y en la que se coloca el cartucho o la bala que se va a disparar: *sacó las balas de la recámara antes de limpiar la pistola.* **2** Habitación situada detrás de la cámara o habitación principal, destinada a guardar joyas o vestidos. **3** AMÉR. Alcoba o dormitorio.

recambio *s. m.* **1** Pieza destinada a sustituir a otra igual que se ha estropeado: *los recambios de esta lavadora son difíciles de encontrar.* **SIN** repuesto. **2** Sustitución de una pieza por otra igual.
de recambio Se aplica a la pieza que sirve para sustituir a otra que está vieja o averiada: *una rueda de recambio.*

recapacitar *v. intr.* Pensar o reflexionar sobre un asunto con detenimiento y atención: *creo que debes recapacitar antes de tomar esa decisión tan importante.* **SIN** meditar.

recapitulación *s. f.* Exposición resumida y ordenada de lo tratado o explicado anteriormente de forma más extensa: *para terminar, haremos una recapitulación de lo expuesto en la conferencia.*

recapitular *v. tr.* Exponer de forma resumida y ordenada un asunto tratado o explicado anteriormente de forma más extensa.
FAM recapitulación.

recargable *adj.* Se aplica a la cosa que puede ser cargada o llenada de nuevo cuando el depósito que lleva está vacío: *un encendedor recargable.*

recargado, -da *adj.* Demasiado adornado o con excesivos elementos de decoración: *no me gusta el estilo barroco, me parece demasiado recargado.*

recargar *v. tr.* **1** Volver a cargar, o poner un repuesto de un material en el interior de una cosa: *recargó la pluma porque se le había acabado la tinta.* **2** Aumentar la carga de algo o cargar demasiado una cosa o vehículo o a una persona o animal: *si recargas la maleta, va a pesar mucho.* **3** Adornar excesivamente: *ha recargado la casa con muebles de mal gusto.* **4** Aumentar la cantidad de dinero que hay que pagar en un impuesto, cuota o deuda, generalmente debido al retraso en el pago (o por otros motivos): *los ayuntamientos han recargado los recibos de la contribución un diez por ciento.*
FAM recargable, recargado, recargo.

recargo *s. m.* Cantidad de dinero que se aumenta al pago de un impuesto, cuota o deuda, generalmente por retrasarse en el pago (o por otros motivos): *las multas o los impuestos tienen un recargo de un tanto por ciento después del plazo fijado para el pago.*

recatado, -da *adj.* **1** Que se comporta ante los demás con cuidado o reserva: *es muy recatado y apenas habla de sus cosas cuando hay extraños.* **SIN** cauto, prudente. **2** Que procede con honestidad y decencia: *no creo que lo haga porque es muy recatado.* **SIN** decoroso.

recatar *v. tr.* **1** Ocultar lo que no se quiere que se vea o se sepa. **I** *v. prnl.* **2** **recatarse** Desconfiar en el momento de hacer una cosa o de tomar una decisión. **3** Hablar con prudencia, pensando en lo que se debe decir: *no te has recatado en decirle que hacía el ridículo.*
FAM recatado, recato.

recato *s. m.* Cautela o reserva con que se hace o se dice una cosa: *de pequeño le enseñaron a comportarse con recato.* **SIN** prudencia, precaución.

recauchutado *s. m.* Reparación de un neumático desgastado cubriéndolo con una capa de goma o caucho.

recauchutar *v. tr.* Reparar un neumático desgastado cubriéndolo con una capa de goma o caucho.
FAM recauchutado.

recaudación *s. f.* **1** Cobro de dinero o de bienes, especialmente cuando son públicos: *la recaudación de la declaración de la renta comienza el próximo mes.* **2** Cantidad de dinero o de bienes que se obtiene mediante este cobro: *la recaudación del partido de ayer fue de las más altas de la temporada.* **3** Oficina o lugar en el que se realiza este cobro.

recaudador, -ra *adj./s. m. y f.* Se aplica a la persona o al organismo que se encarga de cobrar dinero o bienes, especialmente cuando son públicos.

recaudar *v. tr.* **1** Cobrar una cantidad de dinero o bienes: *el Estado recaudará más dinero este año que el pasado.* **2** Reunir dinero o fondos para una determinada causa: *las asociaciones benéficas recaudaban fondos para ayudar a los necesitados.*
FAM recaudación, recaudador, recaudo.

recaudo Se usa en la expresión:
a buen recaudo Custodiado o vigilado con mucha atención: *puso sus ahorros a buen recaudo.*

rección *s. f.* Relación sintáctica entre dos elementos lingüísticos en la que uno de ellos depende gramaticalmente del otro.

recelar *v. intr.* Sospechar o desconfiar de una persona o cosa: *como ya lo habían engañado muchas veces, recelaba de lo que pudiese ocurrirs.* **ANT** confiar.
FAM recelo.

recelo *s. m.* Sospecha, falta de confianza o temor que siente

una persona hacia alguien o algo: *el niño nos miraba con recelo; la energía nuclear despierta recelos entre la sociedad.* SIN desconfianza. ANT confianza.
FAM receloso.

receloso, -sa *adj.* Que sospecha algo malo ante cierta cosa o muestra falta de confianza: *aunque el vendedor le ofrecía todo tipo de ventajas, se mostró receloso y no compró el producto.* SIN desconfiado.

recensión *s. f.* Reseña, noticia o comentario de una obra literaria, de arte o científica, generalmente de corta extensión: *algunas revistas literarias incluyen recensiones de los libros que acaban de aparecer.*

recental *adj./s. m.* Se aplica a la cría de la oveja (cordero) o de la vaca (ternero) que todavía mama. SIN lechal.

recentísimo, -ma *adj.* Superlativo de *reciente.*

recepción *s. f.* ☐ Acción de recibir: *la recepción de los estímulos se realiza a través de los cinco sentidos; el País Vasco ha sido durante años una zona de recepción de inmigrantes.* ☐ Captación a través de un receptor de ondas radioeléctricas: *la recepción de esa señal en el aparato de radio no es buena.* ☐ Admisión o acogida de una persona como miembro de un colectivo: *la recepción de nuevos socios.* ☐ Oficina o dependencia de un establecimiento en el que se recibe o informa al público: *nos vimos en la recepción del hotel.* ☐ Fiesta de sociedad dada por un personaje importante.
FAM recepcionista.

recepcionista *s. com.* Persona encargada de atender al público en una recepción de cualquier establecimiento.

receptáculo *s. m.* ☐ Cavidad en la que se contiene o puede contenerse una cosa. ☐ Extremo del pedúnculo de la flor donde se asientan las diferentes partes que la constituyen.
NOTA También *receptáculo floral.*

receptividad *s. f.* ☐ Capacidad de escuchar y aceptar nuevas ideas, impresiones o sugerencias: *el gobierno no ha mostrado receptividad alguna a las propuestas hechas por la oposición.* ☐ Facilidad que tiene una persona para contraer enfermedades o infecciones.

receptivo, -va *adj.* ☐ Se aplica a la persona que recibe o tiene capacidad para recibir estímulos externos y para escuchar o aceptar con facilidad e interés lo que alguien dice o propone: *los niños en general son muy receptivos, se interesan por todo lo que pasa a su alrededor y todo lo captan.* ☐ Se aplica a la persona que es sensible a las enfermedades o a las infecciones.
FAM receptividad.

receptor, -ra *adj./s. m. y f.* ☐ Que acepta o recibe: *tienes que poner en el sobre el número de la oficina receptora de la carta.* ‖ *adj./s. m.* ☐ Se aplica al aparato que recibe señales eléctricas, telegráficas, telefónicas o radiofónicas y las convierte en sonidos o señales que se pueden oír o ver: *se ha estropeado el aparato receptor; le hemos regalado un receptor de radio.* ‖ *s. m.* ☐ En biología, estructura de un ser vivo que detecta diferentes estímulos del medio y los transmite al sistema nervioso: *hay diversos tipos de receptores, como los fotorreceptores, los quimiorreceptores y los mecanorreceptores.* ‖ *s. m. y f.* ☐ En lingüística, factor de la comunicación que recibe y descifra el mensaje. ANT emisor.
FAM radiorreceptor.

recesión *s. f.* ☐ Disminución de la actividad económica, generalmente pasajera, que a veces trae consigo un descenso de los beneficios empresariales y el empleo: *durante los periodos*

de recesión económica suele aumentar el índice del desempleo. ☐ Retroceso. ☐ Movimiento de un planeta cuando se aleja del Sol.

recesivo, -va *adj.* ☐ Que produce una disminución de la actividad económica, comercial e industrial, o que tiende a ella: *la contratación de empleados está en un periodo recesivo.* ☐ Se aplica al carácter hereditario que no se manifiesta en el aspecto exterior del individuo que lo posee, pero que puede aparecer en la descendencia de este: *el color azul de los ojos es un carácter recesivo.* ANT dominante.

receso *s. m.* ☐ Separación o alejamiento de un lugar o de una actividad: *hizo un receso en su actividad profesional y se dedicó a viajar.* ☐ Interrupción o descanso momentáneo que se hace en una actividad. ☐ AMÉR. Suspensión temporal de actividades en los cuerpos colegiados, asambleas, instituciones educativas, etc., generalmente por descanso o vacaciones: *los juzgados hacen el receso a comienzos del verano.*
FAM recesión, recesivo.

receta *s. f.* ☐ Nota en la que se indican los componentes de una cosa y el modo de prepararla, especialmente referido a una comida: *receta de cocina; la receta de un perfume.* ☐ Prescripción médica escrita: *la mayoría de los medicamentos solamente pueden ser comprados en la farmacia con receta médica.* ☐ Procedimiento adecuado para hacer o conseguir una cosa: *esa es la receta para vivir sin preocupaciones.*
FAM recetar, recetario.

recetar *v. tr.* Indicar el médico al paciente la medicina que debe tomar, su dosis y su uso: *el médico le recetó unas pastillas.*

recetario *s. m.* ☐ Libro con fórmulas para preparar diversos productos, generalmente sobre la preparación de comidas. ☐ Talonario de recetas médicas.

rechace *s. m.* Golpe que el portero realiza a la pelota en algunos deportes para evitar que esta entre en la portería.

rechazar *v. tr.* ☐ Hacer retroceder una cosa o una persona un cuerpo en su curso o movimiento: *el larguero rechazó el balón que había lanzado el jugador.* ☐ Negarse una persona a aceptar lo que otra dice o no admitir lo que propone u ofrece: *en la reunión rechazaron nuestra propuesta de aumentar el sueldo.* ☐ Reaccionar un organismo contra una sustancia, un tejido o contra un órgano trasplantado de otro individuo, creando anticuerpos que lo atacan e intentan expulsarlo: *por fortuna, no rechazó el riñón trasplantado y ahora puede llevar una vida normal.* ☐ Resistir el ataque del enemigo obligándolo a retroceder: *las tropas rechazaron el ataque y evitaron la invasión.*
FAM rechace, rechazo.

rechazo *s. m.* ☐ Retroceso de un cuerpo en su curso o movimiento debido a la resistencia ejercida por otro: *el rechazo del portero en el último momento salvó la situación.* ☐ Enfrentamiento u oposición a una idea, acción o situación: *mostró su rechazo a la decisión del tribunal.* ☐ Reacción inmunológica por la cual un organismo puede reconocer como extraños una sustancia, un tejido o un órgano, y que consiste en la producción de anticuerpos que los atacan e intentan expulsarlos: *por fortuna, después del trasplante de corazón no hubo rechazo.*

rechifla *s. f.* Burla continuada que se hace de las palabras o actuación de una persona: *el comediante abandonó el escenario ante la rechifla del público.*

rechinar *v. intr.* Producir un sonido desagradable el roce de dos cuerpos, especialmente los dientes al rozar los superiores con los inferiores: *cuando dormía le rechinaban los dientes.*
FAM rechinamiento.

rechistar *v. intr.* Decir algo o emitir un sonido como para empezar a hablar, en especial para protestar: *vamos a ir al médico y no quiero oírte rechistar; los hijos deben obedecer siempre a sus padres sin rechistar.*

rechoncho, -cha *adj.* Se aplica a la persona o animal gruesos y de poca altura: *aunque está rechoncho, es muy ágil en gimnasia y otros deportes.*

rechupete Se usa en la expresión:
de rechupete familiar Indica que está muy bueno o es muy agradable: *me ha salido un flan de rechupete.*

recibí *s. m.* Documento o factura en cuyo encabezamiento aparece la fórmula *recibí*, y que certifica que se ha recibido lo que en el documento se indica: *cuando me entregaron el dinero, firmé el recibí.*

recibidor *s. m.* Parte de una casa situada junto a la entrada principal: *he dejado el abrigo en el perchero que hay en el recibidor.* **SIN** antesala, vestíbulo, zaguán.

recibimiento *s. m.* Acogida (buena o mala) que se hace a una o varias personas que llegan de fuera: *me sentí muy halagado por el caluroso recibimiento que tuve.*

recibir *v. tr.* ① Tomar o aceptar una persona lo que se le da o se le envía: *recibió su regalo con alegría; recibirán el paquete mañana.* ② Salir al encuentro de una persona que llega de fuera: *voy a recibir a mi esposo a la estación.* ③ Admitir visitas una persona: *recibió a sus amigos en casa; el doctor recibe a los pacientes todos los días por la tarde.* ④ Admitir una persona o una institución a otra en su compañía o en su comunidad: *la asociación recibirá dos nuevos miembros.* ⑤ Aceptar o aprobar una cosa que se dice o se propone: *el jefe recibió con gran entusiasmo el nuevo proyecto de remodelación de la empresa.* ⑥ Experimentar o sufrir una acción: *recibió una fuerte conmoción cuando cayó al suelo.* ⑦ Admitir o recoger dentro de sí una cosa a otra: *el río Genil recibe aguas procedentes del deshielo de Sierra Nevada.* ⑧ Esperar o hacer frente a un ataque o peligro con la intención de resistirlo o rechazarlo: *el portero recibió el balón estirando los brazos y evitó el gol.* ⑨ Sustentar o sostener una cosa a otra: *los pilares reciben el peso de la bóveda.* ⑩ Captar un aparato las diferentes ondas radioeléctricas o frecuencias: *la radio no recibía bien la señal de frecuencia modulada.* ⑪ Esperar el torero, en la suerte de matar, el ataque del toro sin mover los pies al clavarle la estocada: *el torero recibió al toro con valentía y consiguió una gran ovación entre el público.* **FAM** recibí, recibimiento, recibo.

recibo *s. m.* Documento firmado que justifica por escrito que se ha recibido una cantidad de dinero, una mercancía o un servicio: *el vendedor de un producto o servicio entrega el recibo al comprador.*
ser de recibo Tener una cosa todas las cualidades necesarias para que pueda ser considerada aceptable: *un trabajo con borrones o tachaduras no es de recibo.*

reciclable *adj.* Se aplica al residuo que puede ser tratado para convertirlo en un material nuevamente utilizable.

reciclado, -da *adj.* ① Se aplica al material que es el resultado de un proceso de tratamiento y transformación de un residuo por el cual es nuevamente utilizable. | *s. m.* ② Reciclaje.

reciclaje *s. m.* ① Recuperación o aprovechamiento al que se someten materiales usados o desechos para que puedan ser nuevamente utilizables, en su uso original u otro: *la recogida selectiva de basuras para su reciclaje es una medida que significa un beneficio para el medio ambiente.* **SIN** reciclado. ② Adquisi-

ción de nuevos conocimientos para realizar un trabajo cuya técnica ha ido modificándose y exige una nueva preparación o una formación complementaria. **SIN** reciclado.

reciclar *v. tr.* ① Someter materiales usados o desperdicios a un proceso de transformación o aprovechamiento para que puedan ser nuevamente utilizables: *si reciclamos el papel, no habrá que talar tantos árboles.* ② Ofrecer una nueva preparación o una formación complementaria a técnicos o a profesionales para que amplíen y pongan al día sus conocimientos: *en la empresa se ha iniciado un programa que pretende reciclar a los trabajadores de más de cuarenta años.* **FAM** reciclable, reciclado, reciclaje.

reciedumbre *s. f.* Fuerza o vigor corporal: *la reciedumbre de un deportista.*

recién *adv.* Desde hace muy poco tiempo, o inmediatamente antes del momento en que se expresa: *el pan recién sacado del horno tiene un olor delicioso.* **OBS** Se usa delante de un participio.

reciente *adj.* ① Que es nuevo, fresco o acabado de hacer: *prueba los buñuelos, ahora que están recientes.* ② Que ha sucedido hace poco tiempo: *después de su reciente éxito, rodará otra película.* **FAM** recién, recientemente. **OBS** Superlativo irregular: *recentísimo.*

recientemente *adv.* En un tiempo muy próximo al presente: *empecé a trabajar hace un año y recientemente me han ascendido.*

recinto *s. m.* Espacio cerrado y comprendido dentro de unos límites: *recinto ferial.*

recio, -cia *adj.* ① Que es fuerte, grueso o robusto: *tenía unos brazos recios.* ② Duro o difícil de soportar: *tras pasar una recia situación económica, consiguió salir adelante.* ③ Se aplica a la persona gruesa o corpulenta: *un recio labrador.* | *adv.* ④ Se utiliza para indicar que una acción se produce de manera violenta y vigorosa: *llovió recio toda la tarde y no pudimos salir a pasear.* **FAM** reciedumbre; arreciar.

recipiente *s. m.* Utensilio hueco, generalmente cóncavo, para contener o conservar una cosa en su interior: *un vaso, una botella, una olla y una bombona son recipientes.*

reciprocidad *s. f.* ① Correspondencia mutua de una persona o cosa con otra: *de esta acción se espera una reciprocidad por parte de los beneficiados.* ② Intercambio mutuo de una misma acción entre dos o más sujetos, recayendo esta acción sobre todos ellos: *el verbo "pegarse" expresa una reciprocidad en la acción.*

recíproco, -ca *adj.* ① Se aplica a la acción o sentimiento que se da entre dos personas o cosas y se ejerce simultáneamente de una hacia otra, y a la inversa: *existía un respeto recíproco entre los líderes políticos; nuestro amor es recíproco.* **SIN** mutuo. | *adj./s. m. y f.* ② Se aplica a la oración o verbo que expresan una acción que es intercambiada entre dos o más sujetos y que recae sobre todos ellos, y a los pronombres que indican dicha correspondencia: *"tutearse" es un verbo recíproco; "los niños se cartean" y "Jaime y Lola se escriben" son oraciones recíprocas.* **FAM** reciprocidad.

recitación *s. f.* ① Pronunciación en voz alta de un texto, generalmente literario, con una entonación determinada: *la recitación del poema conmovió al público asistente.* **SIN** recitado. ② Repetición en voz alta de algo que se ha aprendido de memoria: *los niños hacían una recitación de la tabla de multiplicar.* **SIN** recitado.

recitado *s. m.* **1** Recitación. **2** Poema o texto narrativo o dialogado que se declama acompañado de música: *toda la obra era un recitado con acompañamiento de guitarra.*

recital *s. m.* **1** Espectáculo musical en el que un instrumentista o cantante interpreta varias obras: *un recital de flamenco.* **2** Lectura o recitación de composiciones de un poeta: *entre los actos de homenaje a Machado se hará un recital de sus poemas más conocidos.*

recitar *v. tr.* **1** Decir en voz alta un texto literario con la entonación adecuada para realzar su contenido poético: *recitó unos hermosos versos.* **SIN** declamar. **2** Decir en voz alta un texto o unas palabras que se saben de memoria: *es capaz de recitar la lección de memoria.*

FAM recitación, recitado, recital.

recitativo *s. m.* **1** Estilo de canto generalmente religioso, con muy pocas variaciones melódicas y que imita al habla natural por sus ligeras inflexiones y variaciones rítmicas, especialmente el propio del canto gregoriano. **2** Parte de una ópera, un oratorio u otro género similar en que se canta imitando el habla natural, con poca variación melódica y un escueto acompañamiento instrumental, y que sirve generalmente para que los personajes se expresen en diálogo o monólogo y transcurra la acción.

reclamación *s. f.* **1** Protesta u oposición que se hace a una cosa que se considera injusta o insatisfactoria. **2** Exigencia de una cosa que se hace con derecho o con insistencia.

reclamar *v. intr.* **1** Mostrar oposición contra una decisión o asunto que se considera injusto o insatisfactorio: *reclamaron contra el fallo del tribunal; fue a reclamar a la oficina central del banco contra el cobro de comisiones.* | *v. tr.* **2** Pedir o exigir con derecho o con insistencia una cosa: *reclamaba el pago de una deuda a su amigo.* **3** Llamar a una persona para que acuda a un lugar determinado: *reclaman al botones en recepción.*

FAM reclamación, reclamante, reclamo.

reclamo *s. m.* **1** Ave amaestrada que se lleva a la caza para que con su canto atraiga a otras de su especie: *la caza con reclamo está prohibida en algunos países.* **2** Instrumento que imita la voz de las aves y que sirve para atraer a estas en la caza: *algunos reclamos son como silbatos, y otros emiten el sonido apretando con la mano.* **3** Voz con la que un ave llama a otras de su especie. **4** Procedimiento para atraer la atención de una persona o incitarla a algo, y que se utiliza con fines publicitarios y de propaganda: *un reclamo publicitario; los parques temáticos y de atracciones se han convertido en grandes reclamos turísticos.* **5** Señal hecha en un escrito, que sirve para remitir al lector a otro punto de la obra en el que generalmente se ofrece una explicación o alguna información complementaria. **SIN** llamada.

reclinable *adj.* Que se puede inclinar en una o varias direcciones: *este coche tiene los asientos delanteros reclinables.*

reclinar *v. tr.* **1** Inclinar y apoyar la cabeza u otra parte del cuerpo sobre algo: *se reclinó sobre la almohada y se durmió.* **SIN** recostar. **2** Inclinar una cosa apoyándola sobre otra: *reclinar el respaldo de un asiento.*

FAM reclinable, reclinatorio.

reclinatorio *s. m.* Mueble en forma de silla, con las patas muy cortas y el respaldo muy alto, que se utiliza para arrodillarse sobre él y que suele estar en las iglesias u oratorios: *rezaba todos los días arrodillada en un reclinatorio ante una imagen de Cristo Crucificado.*

recluir [21] *v. tr.* Encerrar o meter a una persona o animal en un lugar para que permanezca en él sin salir (de manera voluntaria o forzada): *estuvo recluida en un convento; lo recluyeron en una prisión de máxima seguridad; el ganado está recluido en el establo.* **SIN** confinar.

FAM reclusión, recluso.

reclusión *s. f.* **1** Encierro (voluntario o forzado) de una persona en un lugar. **ANT** liberación. **2** Lugar en el que alguien está encerrado o recluido.

recluso, -sa *s. m. y f.* Persona que está recluida o encerrada en una cárcel. **SIN** preso, presidiario.

recluta *s. m.* Soldado recién alistado en el servicio militar y que aún no ha terminado la instrucción básica: *los reclutas todavía no han jurado bandera.*

reclutamiento *s. m.* **1** Llamamiento o inscripción para el servicio militar o para formar un ejército. **2** Búsqueda o inscripción de personas para una actividad o un fin determinados: *trabaja en la oficina de reclutamiento de la organización Médicos sin Fronteras.*

reclutar *v. tr.* **1** Llamar o alistar a una persona para el cumplimiento del servicio militar o para formar un ejército: *con la declaración de guerra empezaron las movilizaciones para reclutar al mayor número de jóvenes.* **2** Buscar o reunir a personas para una actividad o un fin determinados: *andan reclutando obreros para arreglar la presa.*

FAM recluta, reclutamiento.

recobrar *v. tr.* **1** Volver a tener lo que antes se poseía: *gracias a la intervención de la policía recobró el dinero que le habían robado; recobrar la salud; recobrar el sentido.* **SIN** recuperar. | *v. prnl.* **2** **recobrarse** Ponerse bien o recuperarse alguien de una enfermedad, de una impresión fuerte, de una pérdida del conocimiento o de un daño recibido: *puede dejar el tratamiento porque ya se ha recobrado de su enfermedad por completo.* **SIN** recuperarse, reponerse, restablecerse.

FAM recobro.

recocer [6] *v. tr.* **1** Volver a cocer una cosa o cocerla en exceso: *los garbanzos se han recocido y están deshechos.* **2** Calentar un metal para que vuelva a tener la dureza o la flexibilidad que tenía antes de trabajarlo.

recochinearse *v. prnl.* Burlarse de una persona mediante algo que puede ser molesto para ella, y divertirse con ello.

FAM recochineo.

recochineo *s. m.* Burla hecha con ensañamiento por alguien que busca divertirse a costa de una desgracia ajena: *me da la peor parte, y encima con recochineo.*

recodo *s. m.* Ángulo o curva que forman las calles, caminos o ríos al variar su dirección: *el coche se averió y tuvimos que parar en un recodo de la carretera.*

recogedor *s. m.* Utensilio en forma de pala y provisto de mango, que sirve para recoger cosas del suelo, especialmente la basura que se barre. **SIN** cogedor.

recogepelotas *s. com.* Persona encargada de recoger las pelotas que salen fuera del campo de juego en algunos deportes: *en un partido de tenis puede haber hasta seis recogepelotas.* **OBS** Plural invariable.

recoger *v. tr.* **1** Coger una cosa que se ha caído: *recoge los papeles del suelo.* **2** Ir a buscar a una persona o cosa al lugar en que se encuentra: *el chico recogió a su novia a las tres; iré a recoger el traje a la tintorería.* **3** Guardar y poner de forma ordenada una cosa en su sitio, especialmente después de haber acabado un trabajo: *cuando acabes los exámenes haz el favor de recoger tu mesa de estudio.* **4** Guardar o poner en lugar seguro una cosa: *recoge esa plata; tiene un depósito para recoger el agua de la lluvia.* **5** Guardar o juntar poco a poco una cosa, especialmente dinero u otra cosa de interés: *he recogido mucha información para hacer el trabajo.* **6** Volver a plegar o enrollar una cosa que se había desenvuelto o estirado para que ocupe menos espacio: *recoge la cortina para que entre más claridad.* **7** Juntar a personas o cosas dispersas: *recoge las cosas de tu habitación.* **8** Recibir u obtener una persona la consecuencia o el resultado, bueno o malo, de algo que ha hecho: *con las buenas notas obtenidas recoge el fruto de las muchas horas de dedicación al estudio.* **9** Acoger o dar asilo a una persona o animal: *en algunas instituciones benéficas recogen a las personas que carecen de vivienda y les proporcionan comida y techo.* **10** Coger los frutos de la tierra: *este año se han recogido las manzanas muy pronto.* **11** Peinar el pelo de modo que quede retirado de la cara y nuca. **12** Registrar una cosa: *un miembro del grupo se encargará de recoger por escrito las primeras conclusiones.* ‖ *v. prnl.* **13** **recogerse** Retirarse una persona o animal a su casa o guarida, generalmente para dormir o descansar: *suele recogerse a las diez de la noche, así que no creo que tarde en marcharse.* **14** Irse una persona a un lugar tranquilo para vivir retirado y alejado del trato y de la comunicación con la gente y meditar o rezar. **FAM** recogedor, recogepelotas, recogida, recogido, recogimiento.

recogida *s. f.* Acción de recoger o recogerse: *la recogida de información; la recogida de espárragos.*

recogido, -da *adj.* **1** Retirado del trato y de la comunicación con la gente: *llevaba una vida muy recogida.* **2** Se aplica al lugar que resulta acogedor y agradable: *siempre vamos a una cala recogida y poco frecuentada por la gente.* **3** Se aplica a la cosa que ocupa poco espacio y no está muy extendida: *lleva un vestido de mangas recogidas.* ‖ *s. m.* **4** Peinado que se hace retirando el pelo de la cara y elevándolo sobre la nuca.

recogimiento *s. m.* Estado y actitud de la persona que se aísla de lo que le distrae o le impide pensar con tranquilidad: *la paz y el silencio del lugar invitan al recogimiento.*

recolección *s. f.* **1** Recogida de los frutos de la tierra y época durante la que se lleva a cabo este trabajo: *la recolección del arroz se hace mecánicamente.* **2** Recogida y unión de cosas separadas o dispersas: *se dedicaba a la recolección de chatarra.*

recolectar *v. tr.* **1** Recoger los frutos de la tierra. **2** Recoger o reunir cosas dispersas, especialmente fondos para una causa determinada: *va a recolectar dinero para reconstruir las casas afectadas por la inundación.* **FAM** recolección, recolector.

recolector, -ra *adj./s. m. y f.* Se aplica a la persona que se dedica a la recolección de los frutos de la tierra.

recoleto, -ta *adj.* **1** Se aplica al lugar que es tranquilo, solitario y apartado de la gente: *una callejuela recoleta; los enamorados se encontraban en los rincones recoletos del parque.* **2** Se aplica a la persona modesta, que vive con retiro y austeridad.

recomendable *adj.* Que se puede recomendar o es conveniente: *hacer un poco de deporte es recomendable para todo el mundo.* **SIN** aconsejable.

recomendación *s. f.* **1** Consejo que se da a una persona por considerarse ventajoso o beneficioso: *seguiré las recomendaciones del médico para evitar las subidas de tensión arterial.* **2** Elogio verbal o escrito con el que se habla en favor de una

persona, generalmente para conseguir una ventaja laboral: *ha entrado a trabajar aquí por recomendación del director.*

recomendado, -da *s. m. y f.* Persona a favor de la cual se ha hecho una recomendación, generalmente para conseguir una ventaja laboral.

recomendar [1] *v. tr.* **1** Indicar a alguien lo que cree que debe hacer, o cómo hacerlo, en una situación determinada: *le recomiendo que use este detergente.* **SIN** aconsejar. **2** Dar buenas referencias o hablar bien de una persona, generalmente para que consiga una ventaja laboral. **FAM** recomendable, recomendado, recomendación.

recompensa *s. f.* Compensación o premio que se obtiene por un servicio, un mérito o una buena acción: *ofrecen una recompensa a quien encuentre el perro extraviado.* **FAM** cazarrecompensas.

recompensar *v. tr.* **1** Premiar a alguien voluntariamente en reconocimiento a un servicio, un mérito o una buena acción: *la policía recompensará a todo aquel que dé alguna pista.* **2** Dar una cosa o hacer algo para disminuir un daño o perjuicio irreparables: *la compañía de seguros le ha recompensado de la pérdida de los muebles a causa del incendio.* **SIN** compensar. **FAM** recompensa, recompensación.

recomponer [36] *v. tr.* Reparar o componer de nuevo una cosa: *después del incendio recompusieron toda la instalación eléctrica.* **FAM** recomposición.

reconcentrar *v. tr.* **1** Reunir en un punto personas o cosas que estaban esparcidas: *el viento reconcentró las hojas en un recodo de la calle.* **2** Hacer más densa una cosa disminuyendo el volumen que ocupa: *para reconcentrar una disolución salina es necesario quitar líquido y añadir más sal.* **3** Disimular o callar un sentimiento. ‖ *v. prnl.* **4** **reconcentrarse** Fijar intensamente la atención en los propios pensamientos. **SIN** ensimismarse, abstraerse. **FAM** reconcentración.

reconciliación *s. f.* **1** Restablecimiento de la concordia o amistad perdidas entre dos personas que se habían enfrentado: *gracias a sus esfuerzos los dos amigos llegaron a la reconciliación.* **2** Vuelta al seno de la Iglesia católica después de un alejamiento: *la comunidad cristiana acogió solemnemente al penitente en un acto de reconciliación presidido por el obispo.*

reconciliar *v. tr.* **1** Restablecer la concordia o amistad perdidas entre dos personas que se habían enfrentado o separado: *la madre siempre consigue reconciliar a los hermanos después de una pelea.* **2** Restituir al seno de la Iglesia católica a una persona que se había separado de ella: *en el sacramento del perdón el pecador queda personalmente reconciliado con Dios y con la comunidad.* ‖ *v. prnl.* **3** **reconciliarse** Volver a tener la concordia o amistad perdidas dos personas que se habían enfrentado o separado: *se reconciliaron después de no haberse dirigido la palabra durante más de diez años.* **FAM** reconciliación; irreconciliable. **OBS** Verbo regular, se acentúa como *cambiar.*

reconcomerse *v. prnl.* Sentir alguien un profundo descontento o impaciencia que mantiene oculto en su interior debido a una causa moral, como los celos o la envidia: *se reconcome pensando en el tiempo que ha perdido a lo largo de su vida.*

recóndito, -ta *adj.* Que está muy escondido, reservado y oculto: *se marchó a un recóndito lugar de las montañas.*

reconfortante *adj.* Que devuelve la fuerza, el bienestar o el ánimo perdidos, o que los da de nuevo con energía y eficacia: *no hay nada más reconfortante que una buena siesta después de una mañana agitada.*

reconfortar *v. tr.* **1** Dar ánimos, apoyo y consuelo a una persona para que sea fuerte en una situación triste o adversa: *tus ánimos me reconfortan.* **SIN** confortar. **2** Renovar las fuerzas y el vigor a una persona cansada o débil: *una taza de té me reconfortó después del frío.* **SIN** confortar.

FAM reconfortante.

reconocer [16] *v. tr.* **1** Distinguir o identificar a una persona o cosa entre varias por una serie de características propias: *reconoció su paraguas por la marca que tenía el bastón.* **2** Examinar detenidamente a una persona o cosa: *el médico reconocía al paciente en la consulta; reconocer el terreno.* **3** Mostrar o manifestar agradecimiento por un bien o un favor recibidos: *hay que reconocer la gran labor que está desarrollando.* **4** Declarar una persona que tiene con otra un parentesco y aceptar los deberes y derechos que trae consigo . **5** Dar fe una persona de la autenticidad de su firma en un documento: *los herederos reconocieron su firma ante el notario.* **6** Admitir o aceptar la certeza o realidad de lo que se dice o sucede, en ocasiones en contra de lo que se había defendido o de los propios gustos: *reconoció que se había equivocado; se reconoció culpable del atraco al banco.* **7** En las relaciones internacionales, aceptar un nuevo estado o gobierno. ‖ *v. prnl.* **8** **reconocerse** Verse una persona a sí misma como lo que es en realidad: *se reconoce un poco perezoso, pero cuando le interesa algo trabaja bien.*

FAM reconocible, reconocido, reconocimiento.

reconocido, -da *adj.* Se aplica a la persona que agradece un bien o un favor que otra persona le ha hecho: *estamos muy reconocidos por la ayuda que los padres han prestado al colegio.*

reconocimiento *s. m.* **1** Examen u observación cuidadosa de una persona o cosa para conocerla mejor y formarse un juicio: *tras el reconocimiento, el médico dictaminó que era un simple resfriado.* **2** Muestra o manifestación de agradecimiento por los bienes o favores recibidos: *me gustaría expresarle mi reconocimiento por su contribución a nuestra obra humanitaria.* **SIN** gratitud, agradecimiento.

reconquista *s. f.* **1** Recuperación de una cosa querida que se ha perdido, como el cariño, la amistad o el afecto: *puso todo su empeño en la reconquista de la amistad que se había deteriorado.* **2** Conquista o toma de un territorio que se había perdido anteriormente, en especial la que se llevó a cabo en España durante la Edad Media para recuperar las tierras ocupadas por los musulmanes: *la Reconquista duró hasta la toma de Granada por los cristianos en 1492.* **NOTA** Se escribe normalmente con mayúscula inicial cuando hace referencia a la reconquista en España del territorio musulmán.

FAM reconquistar.

reconquistar *v. tr.* **1** Recuperar una cosa querida que se había perdido, como el cariño, la amistad o el afecto: *se mostró leal durante muchos años para reconquistar la confianza perdida entre sus compañeros.* **2** Volver a conquistar o a tomar un territorio que se había perdido: *reconquistaron la ciudad un año después del asedio.*

reconsideración *s. f.* Consideración o pensamiento que se hace de nuevo sobre algo, y que puede provocar el cambio de una decisión ya tomada: *quizá quiera hacer una reconsideración de la decisión de no comprar el terreno.*

reconsiderar *v. tr.* Volver a considerar o a pensar una cosa,

hecho que puede provocar el cambio de una decisión ya tomada: *creo que debemos reconsiderar su ofrecimiento de vender los locales comerciales.*

FAM reconsideración.

reconstituir [21] *v. tr.* **1** Volver a constituir una cosa o restablecerla: *trataron de reconstituir el Estado sobre unas bases democráticas.* **2** Hacer que un organismo vuelva a tener sus condiciones normales o fortalecerlo: *para reconstituir la falta de glóbulos rojos el médico le recetó hierro.*

FAM reconstitución, reconstituyente.

reconstituyente *s. m./adj.* Medicamento o remedio que puede devolver al organismo sus condiciones normales o fortalecerlo: *está tomando un reconstituyente para reponerse lo antes posible de la anemia.*

reconstrucción *s. f.* **1** Reparación o construcción que se hace de nuevo de una cosa destruida o deshecha, generalmente de un edificio: *la reconstrucción del castillo ha sido una labor lenta.* **2** Reproducción de un suceso mediante datos, recuerdos o declaraciones que ayudan a reorganizar las circunstancias de este hecho para llegar al completo conocimiento de él.

reconstruir [21] *v. tr.* **1** Volver a construir o reparar una cosa destruida o deshecha, generalmente un edificio: *quieren reconstruir el palacio para hacer en él un hotel.* **2** Reproducir o reorganizar mentalmente todas las circunstancias de un suceso mediante datos, recuerdos o declaraciones, para llegar al completo conocimiento de él: *el detective reconstruyó la escena del crimen para tratar de descubrir al asesino.*

FAM reconstrucción.

recontar [5] *v. tr.* Contar o volver a contar una serie de elementos o cosas para asegurarse de su cantidad: *recontó los asistentes al acto.*

FAM recuento.

reconvención *s. f.* Aviso o represión suave que se hace a una persona por algo que ha dicho o que ha hecho mal: *los niños eran muy traviesos y no hacían caso a las reconvenciones de sus padres.*

reconvenir [48] *v. tr.* Avisar o reprender suavemente a una persona por una cosa que ha dicho o que ha hecho mal: *reconvino a su hija por haber llegado tarde.*

FAM reconvención.

reconversión *s. f.* Proceso de modernización o de transformación de una empresa o de un sector industrial con el fin de mejorar su rendimiento o de adaptarlo a la demanda del mercado.

reconvertir [9] *v. tr.* **1** Hacer que vuelva a su estado normal una cosa que había sufrido un cambio: *se talan los bosques para la explotación de la madera o para reconvertir las tierras en campos de cultivo.* **2** Transformar una empresa o un sector industrial o someterlo a un proceso de modernización con el fin de mejorar su rendimiento o de adaptarlo a la demanda del mercado: *los cambios políticos, económicos o técnicos suelen obligar a los países a reconvertir sus sectores productivos.*

FAM reconversión.

recopilación *s. f.* Reunión de cosas dispersas, especialmente escritos, bajo un criterio que da unidad al conjunto: *una recopilación de cuentos orientales.*

recopilar *v. tr.* Juntar o reunir varias cosas dispersas, especialmente escritos, bajo un criterio que dé unidad al conjunto: *en los últimos años de su vida el poeta recopiló todos sus poemas en un único libro.*

FAM recopilación, recopilador, recopilatorio.

recopilatorio, -ria *adj./s. m.* Se aplica al libro o disco que contiene una recopilación: *un recopilatorio de Eric Clapton.*

¡recórcholis! *int.* familiar Expresión que indica sorpresa, extrañeza o disgusto: *¡recórcholis!, ¡si eres tú!*

récord [se pronuncia aproximadamente 'récor'] *s. m.* **1** Marca máxima conseguida por un deportista en una competición: *el ciclista español batió el récord de la hora; estableció el récord de los 50 metros el mes pasado en Japón.* **2** Resultado (máximo o mínimo) conseguido hasta un momento determinado en una actividad: *récord de ventas; hoy se ha producido el récord de recaudación en las quinielas.*

OBS Plural: *récords.*

recordar [5] *v. tr.* **1** Traer a la memoria o retener una cosa, idea o imagen en la mente: *recuerdo el día en que lo conocí; recordaba la juventud con nostalgia.* **SIN** rememorar. **2** Hacer que una persona tenga presente una cosa que debe hacer: *cuando salgamos del supermercado recuérdame que tengo que pasar por la tintorería a buscar el abrigo.* **3** Parecerse una cosa a otra o sugerir esta algo por cierta semejanza o relación: *su forma de andar me recuerda la de su hermano.*

FAM recordatorio, recuerdo.

recordatorio *s. m.* **1** Tarjeta o impreso en el que se recuerda la fecha de un acontecimiento, en especial de carácter religioso, como una comunión o un entierro: *guarda un recordatorio de su primera comunión en el cajón de la mesilla.* **2** Aviso, nota o cualquier otro medio que se hace para recordar alguna cosa: *cambiarme el anillo de dedo me sirve de recordatorio de las cosas que tengo que hacer.*

recordman [se pronuncia aproximadamente 'récorman'] *s. m.* Hombre que en una prueba deportiva consigue un resultado que supera a los anteriores.

recordwoman [se pronuncia aproximadamente 'recorguoman'] *s. f.* Mujer que en una prueba deportiva consigue un resultado que supera a los anteriores.

recorrer *v. tr.* **1** Atravesar un espacio en toda su extensión o longitud: *ha recorrido toda España en bicicleta.* **2** Hacer un trayecto determinado: *recorrió 12 km a pie.* **3** Registrar una cosa pasando la vista por ella con cuidado para encontrar lo que se desea: *recorrí toda la casa buscando las gafas; recorrió con la vista la habitación en busca de pruebas.* **4** Leer un escrito por encima o a la ligera para ver lo que contiene o buscar algo: *recorrió con la mirada la sección de anuncios de pisos.*

FAM recorrido.

recorrido *s. m.* **1** Espacio que se recorre o que ha de recorrer una persona o cosa: *el recorrido de la carrera es más largo este año.* **2** Distintos lugares que conforman este espacio: *para las vacaciones de este verano hemos pensado hacer un recorrido por las iglesias románicas del Pirineo.* **SIN** ruta, itinerario. **3** Diferencia entre el mayor y el menor de los valores que toma una variable estadística. **SIN** rango.

recortable *adj./s. m.* Se aplica a la figura o al dibujo, de papel o cartulina, que puede ser recortado y usado como juego, entretenimiento o enseñanza: *regalaron a sus hijos recortables con figuras de animales.*

recortado, -da *adj.* **1** Que tiene los bordes o el contorno muy irregulares, con notables y numerosos entrantes y salientes: *el castaño de Indias tiene hojas recortadas; la costa es muy*

recortada, *con acantilados y pequeñas calas.* **2** Se aplica a la escopeta que tiene el cañón acortado: *una escopeta recortada.*

recortar *v. tr.* **1** Cortar o separar de una cosa la parte que sobresale o sobra: *hay que recortar esos hilos que sobresalen del dobladillo del vestido.* **2** Cortar un texto o una figura de papel u otra materia para separarlo de la superficie en que se encuentra: *recortó la fotografía de una revista y la puso en la pared.* **3** Disminuir o hacer más pequeña una cosa: *la familia decidió recortar gastos y ahorrar para las vacaciones.* **‖** *v. prnl.* **4** **recortarse** Dibujarse claramente el perfil de una cosa sobre otra: *las cimas nevadas de la montaña se recortaban en el cielo azul.*

FAM recortable, recortado, recorte.

recorte *s. m.* **1** Trozo que sobra de una materia que se ha recortado: *no tires los recortes de cuero que han quedado al tapizar la silla.* **NOTA** Normalmente en plural. **2** Parte de un papel que ha sido cortada y separada de él: *forró la carpeta con recortes de periódico.* **3** Disminución o reducción de una cosa: *en época de crisis es frecuente que se produzcan recortes en los presupuestos del Estado.* **4** En tauromaquia, quiebro que se hace ante el toro.

recostar [5] *v. tr.* **1** Inclinar y apoyar la cabeza u otra parte del cuerpo sobre algo: *recostó la cabeza sobre la almohada; se recostó sobre el tronco del árbol.* **SIN** reclinar. **2** Inclinar una cosa apoyándola sobre otra: *recostó la pala sobre la pared y descansó un poco.*

recoveco *s. m.* **1** Vuelta o curva pronunciada de una calle, vía, río o conducto: *la gasolinera está en el recoveco de la carretera, a la salida del pueblo.* **2** Rincón o lugar escondido: *me conozco todos los recovecos de este barrio.* **NOTA** Normalmente en plural. **3** Aspecto poco claro o complicado de la manera de ser de una persona, o de una cosa: *la ópera es un fenómeno cultural con una historia llena de recovecos.* **NOTA** Normalmente en plural.

recreación *s. f.* **1** Creación o producción de una cosa a partir de otra ya existente: *este libro es una recreación de las novelas de aventuras.* **2** Diversión, distracción o entretenimiento durante el tiempo libre: *su única recreación era el paseo.* **SIN** recreo.

recrear *v. tr.* **1** Crear o producir una cosa a partir de otra ya existente: *en la película se recrea el ambiente de los años veinte.* **2** Divertir, deleitar o entretener a una persona: *recreó a tus presentes con un bonito poema.* **‖** *v. prnl.* **3** **recrearse** Disfrutar con una cosa, en particular deteniéndose en ello, y en ocasiones con cierta malignidad: *se recrea hablando de sus éxitos en el mundo de los negocios.*

FAM recreación, recreativo, recreo.

recreativo, -va *adj.* Se aplica a la cosa que divierte o entretiene: *sociedad recreativa; juegos recreativos.*

recreo *s. m.* **1** Diversión, distracción o entretenimiento: *observaba los pájaros como recreo.* **SIN** recreación. **2** Tiempo durante el cual se interrumpen las clases en los colegios para que los alumnos descansen o jueguen: *llevo un bocadillo para el recreo.* **3** Lugar destinado al descanso o a la diversión: *casa de recreo.*

recriminación *s. f.* Crítica que se hace de una persona por algo que ha dicho o hecho. **SIN** reproche.

recriminar *v. tr.* **1** Censurar o criticar a una persona por su comportamiento o echarle en cara su conducta: *el jefe recriminó duramente a su empleado por haber llegado tarde.* **SIN** increpar, regañar, reñir, reprender. **2** Responder a unas acusaciones con otras similares: *no sacaron nada en claro porque pasaron la tarde recriminándose sus ofensas.*

FAM recriminación.

recrudecerse [16] *v. prnl.* Aumentar la intensidad o los efectos de un mal físico o moral, o de una cosa desagradable que había empezado a perder fuerza: *los enfrentamientos en el frente norte se han recrudecido durante los últimos días.*

FAM recrudecimiento.

recrudecimiento *s. m.* Nuevo incremento de un mal físico o moral u otra cosa negativa o desagradable cuando había empezado a disminuir.

recta V. recto, -ta.

rectal *adj.* Relativo al recto (último tramo del intestino): *los supositorios deben ponerse por vía rectal.*

rectangular *adj.* 1 Relativo al rectángulo: *las figuras rectangulares tienen cuatro ángulos rectos.* 2 Que tiene forma de rectángulo: *la puerta de la casa es rectangular; el tablero de la mesa del despacho es rectangular.*

rectángulo *adj.* 1 Se aplica a la figura geométrica que tiene uno o más ángulos rectos: *dos de los lados de un triángulo rectángulo forman un ángulo de 90°.* ‖ *s. m.* 2 Paralelogramo que tiene los cuatro ángulos rectos.

FAM rectangular.

rectificación *s. f.* 1 Corrección de un error o defecto: *la artista exigió la rectificación de la noticia.* 2 Operación que consiste en convertir la corriente alterna en corriente continua.

NOTA También *rectificación de corriente.*

rectificado *s. m.* Operación mecánica que consiste en afinar la superficie de piezas mecánicas de precisión: *rectificación del motor de un coche.*

rectificador, -ra *adj./s. m. y f.* 1 Se aplica a la persona que rectifica o corrige algo, o que se dedica a rectificar piezas metálicas. ‖ *s. m.* 2 Aparato que convierte una corriente eléctrica alterna en corriente continua: *muchas máquinas eléctricas o electrónicas llevan incluido un rectificador.*

rectificadora *s. f.* Máquina herramienta que se usa para hacer el rectificado de una pieza metálica.

rectificar *v. tr.* 1 Corregir, enmendar o perfeccionar una cosa ya dicha o hecha: *el periódico rectificó la noticia en el número siguiente.* 2 Corregir o modificar una persona su propia conducta, opinión o comportamiento: *el joven rectificó a tiempo y se enmendó; rectificar es de sabios.* 3 Llevar la contraria a una persona o expresar una opinión opuesta: *perdone que le rectifique, señor diputado, pero no lleva usted razón.* **SIN** contradecir. 4 Poner recta una cosa: *le pusieron un aparato para rectificar la desviación de su columna vertebral.* 5 Convertir una corriente alterna en continua: *los transistores rectifican la corriente.* 6 Corregir la deformación o desviación de una pieza metálica: *las piezas gastadas se pueden rectificar.*

FAM rectificación, rectificador, rectificadora, rectificativo.

rectilíneo, -nea *adj.* 1 Que está formado por líneas rectas o se desarrolla en línea recta: *siguieron una larguísima carretera rectilínea a través del desierto.* **ANT** curvilíneo. 2 Se aplica al carácter o al comportamiento que es recto, escrupuloso y firme desde el punto de vista ético, y no admite cambios: *el director mantiene un comportamiento rectilíneo e inflexible con sus empleados.*

rectitud *s. f.* 1 Carácter de aquello que es recto y justo en el sentido ético o moral: *creo que debes obrar con la mayor rectitud posible en este asunto.* 2 Cualidad de recto, que no tiene curvas ni ángulos: *ha trazado una línea de una rectitud exacta.*

recto, -ta *adj./s. f.* 1 Se aplica a la línea que está formada por una serie continua de puntos en una misma dirección: *las llamadas rectas notables de un triángulo son las alturas, medianas, mediatrices y bisectrices.* ■ **recta de regresión** En estadística, recta que mejor se ajusta a los puntos de un gráfico llamado nube de puntos o diagrama de dispersión, y que marca la tendencia de las variables que estos puntos representan.

■ **recta numérica** Recta con que se representa un conjunto de números (naturales, enteros, etc.): *cuando la recta numérica representa a los números reales, se llama recta real.* ‖ *adj.* 2 Que no se tuerce o desvía a un lado ni a otro: *debes sentarte recto para evitar que se te desvíe la columna vertebral; el cuadro de la pared no está recto.* **SIN** derecho. **ANT** torcido. 3 Que no se desvía del punto al que se dirige: *el bateador golpeó la pelota y llegó recta a las manos de otro jugador.* 4 Se aplica a la persona que se comporta de manera justa y firme: *es un juez recto y llevará el juicio con la máxima imparcialidad.* **SIN** riguroso. 5 Se aplica al significado o al sentido literal y primitivo de una palabra o frase, a diferencia del sentido figurado: *el significado recto de "perla" es distinto de su significado figurado; la mayoría de los poemas no deben ser entendidos en su sentido recto: es necesario buscarles el sentido figurado.* **SIN** literal. **ANT** figurado, traslaticio. 6 Se aplica al folio o plana que queda del lado derecho del libro o cuaderno en relación con la persona que lee: *el folio recto del libro está a la derecha y el vuelto, a la izquierda.* **ANT** vuelto. 7 Se aplica al ángulo que tiene 90°: *la escuadra tiene un ángulo recto.* ‖ *s. m.* 8 Parte final del intestino grueso de los vertebrados: *al llegar al recto, los residuos se endurecen y forman las heces fecales.* ‖ *adv.* 9 En línea recta: *cuando llegues al semáforo, sigue recto y encontrarás una glorieta.*

FAM recta, rectal, rectitud.

rector, -ra *adj.* 1 Se aplica a la persona o cosa que marca o dirige la orientación o sentido de una cosa: *la junta rectora decidió ampliar el capital.* ‖ *s. m. y f.* 2 Autoridad máxima que dirige una universidad o un centro de estudios superiores: *el rector inauguró el curso académico con un breve discurso de bienvenida.* ‖ *s. m.* 3 Sacerdote encargado del servicio religioso de una parroquia. **SIN** párroco.

FAM rectorado, rectoral; vicerrector.

rectorado *s. m.* 1 Cargo de rector: *consiguió el rectorado en la primera votación.* 2 Edificio u oficina del rector: *el rector nos citó en el rectorado para comentarnos las condiciones de las becas.* 3 Periodo durante el cual se ejerce el cargo de rector.

rectoral *adj.* Relativo al rector: *equipo rectoral.*

rectoría *s. f.* 1 Cargo de rector (universitario y religioso). 2 Oficina del rector. 3 Dependencias donde el rector o párroco tiene su vivienda.

recua *s. f.* 1 Conjunto de animales de carga que se usan para transportar mercancías: *usaban una recua de ocho mulos para llevar el agua.* 2 familiar Numeroso de personas o cosas que van o siguen unas detrás de otras: *me encontré con una recua de gente en la puerta del museo y no pude entrar.*

recuadrar *v. tr.* Trazar un recuadro alrededor de un dibujo, palabra, fotografía u otra cosa: *recuadra las fechas relacionadas con el descubrimiento de América.*

recuadro *s. m.* 1 Línea o división en forma de cuadrado o rectángulo, y superficie limitada por esta línea: *marcó en el periódico con un recuadro las películas de cine que le interesaba ver.* 2 Espacio delimitado por líneas para resaltar una noticia en un periódico.

FAM recuadrar.

recubierto, -ta Participio irregular de *recubrir*.

recubrir *v. tr.* Cubrir una cosa del todo o volverla a cubrir: *recubrió el pastel con chocolate*.

FAM recubrimiento.

OBS Participio irregular: *recubierto*.

recuento *s. m.* Cuenta hecha por segunda vez, normalmente para comprobar el número de personas o cosas que forman un conjunto: *recuento de votos; hicieron un recuento cuidadoso de las piezas que faltaban*.

recuerdo *s. m.* ① Acción de recordar a alguien o algo: *se ha levantado un monumento en recuerdo de aquel gran hombre*. ② Imagen o conjunto de imágenes de situaciones o hechos pasados que vienen a la mente: *tenía un recuerdo exacto de todo lo que había sucedido*. **ANT** olvido. ③ Cosa que una persona regala a otra o que trae de algún lugar con el fin de que quien la recibe conserve ese objeto y no olvide el lugar o a la persona en cuestión: *estuve en Navarra y compré varios recuerdos; esta caja de música es un recuerdo de familia.* ❘ *s. m. pl.* ④ **recuerdos** Saludo afectuoso que envía por escrito o a través de un intermediario una persona a otra: *dale recuerdos de mi parte, si lo ves*.

recular *v. intr.* ① Ir hacia atrás o retroceder una persona, animal o vehículo: *reculó un poco con el coche para poder salir de aquel callejón*. **SIN** retroceder. ② familiar Ceder o cambiar una persona de opinión.

recuperación *s. f.* ① Adquisición de una cosa que antes se tenía o lo que se había perdido: *la recuperación de las pinturas robadas fue obra de la policía*. ② Vuelta de una persona a su estado normal después de atravesar una enfermedad o una situación negativa: *la recuperación de este enfermo será lenta y larga*. ③ Fase en el ciclo económico que sigue a la depresión y que se caracteriza por la reactivación del sector productivo: *los expertos prevén una recuperación económica para el próximo año*. ④ Examen que se realiza para aprobar una asignatura que se ha suspendido en otro examen anterior: *se presentó a la recuperación de dos asignaturas en septiembre*.

recuperar *v. tr.* ① Volver a tener lo que antes se tenía o lo que se había perdido: *recuperaron las joyas que les habían sido robadas*. **SIN** recobrar. ② Volver a poner en servicio alguna cosa que ya estaba inservible: *es indispensable la ayuda ciudadana para recuperar el cartón y el vidrio usados*. ③ Trabajar un tiempo determinado para compensar el que se ha perdido por una causa cualquiera: *durante el invierno trabaja una hora más cada día para recuperar la jornada de verano*. ④ Aprobar una asignatura o parte de ella después de no haberla aprobado en un examen anterior. ❘ *v. prnl.* ⑤ **recuperarse** Volver una persona o cosa a su estado normal después de atravesar una enfermedad o una situación negativa: *todavía me estoy recuperando de la impresión que me causó la noticia*. **SIN** reponerse, restablecerse. **ANT** empeorar.

FAM recuperación; irrecuperable.

recurrente *adj.* Que vuelve a ocurrir o a aparecer: *los temas de la libertad y la independencia son motivos recurrentes a lo largo de su obra*.

FAM recurrencia.

recurrir *v. intr.* ① Acudir en busca de la ayuda o el favor de una persona o cosa en caso de necesidad o para conseguir un fin: *recurrió a su amigo cuando se encontró en aquel grave aprieto*. ❘ *v. tr.* ② Interponer un recurso contra una sentencia o resolución: *el condenado recurrirá la sentencia*.

FAM recurrible, recurrente.

recursividad *s. f.* Característica de repetirse indefinidamente que presentan algunos hechos: *la regla de recursividad en sintaxis es aquella que nos permite crear un número indefinido de oraciones*.

recurso *s. m.* ① Ayuda o medio al que se puede recurrir para conseguir un fin o satisfacer una necesidad: *siempre tiene algún recurso ingenioso para salir con buen pie de las situaciones complicadas; el agua es un recurso escaso y fundamental para la vida*. ■ **recurso literario** Recurso lingüístico usado en literatura para lograr un efecto determinado y, en general, mayor expresividad: *la anadiplosis, la comparación y la pregunta retórica son recursos literarios*. ② Reclamación mediante escrito contra una resolución judicial o administrativa: *interpuso un recurso de apelación en el juzgado de primera instancia.* ❘ *s. m. pl.* ③ **recursos** Bienes, riquezas o medios de vida: *no dispongo de recursos suficientes para comprar un piso*. ④ Conjunto de elementos que se poseen para afrontar una situación, para resolver una necesidad o para poner en práctica un proyecto o empresa: *recursos humanos; recursos forestales*. ■ **recursos naturales** Forma de energía o materia presente en la naturaleza que puede ser utilizada por los seres vivos: *los recursos minerales son recursos naturales*.

FAM recursividad.

recusación *s. f.* Rechazo u oposición a admitir una cosa por no considerarla propia o adecuada: *el abogado presentó una recusación contra el jurado por considerar que no actuaría de forma imparcial*.

recusar *v. tr.* Rechazar o no admitir una cosa o a una persona por no considerarla propia o adecuada.

FAM recusable, recusación.

red *s. f.* ① Tejido de malla hecho con hilos, cuerdas o alambres unidos y cruzados entre sí, destinado a diferentes usos, como la pesca, la caza o para cercar: *los pescadores reparaban las redes en la playa; el primer saque del tenista dio en la red*. ② Conjunto organizado de calles, vías, cañerías o hilos conductores: *el país está ampliando la red de carreteras*. ③ Conjunto de calles que convergen en un punto: *red vial*. ④ Conjunto organizado de personas, establecimientos o servicios distribuidos por varios lugares y pertenecientes a una misma empresa o que tienen una sola dirección: *esta empresa tiene una red de agencias de transporte por todo el país*. ⑤ Engaño del que una persona se vale para atraer a otra: *cayó en su red sin darse cuenta*. ⑥ Conjunto de ordenadores conectados entre sí: *internet es una red*.

red trófica Conjunto de relaciones alimentarias que se dan entre las especies de una comunidad.

FAM redecilla; enredar.

redacción *s. f.* ① Expresión que se hace por escrito: *debes cuidar un poco más la redacción para expresar con claridad tus ideas*. ② Escrito hecho como ejercicio escolar sobre un tema determinado: *para el lunes deberán traerme una redacción sobre la Navidad*. **SIN** composición. ③ Lugar u oficina donde se redacta o escribe un periódico, una revista o cualquier publicación periódica: *la redacción permanece abierta durante toda la noche*. ④ Conjunto de los redactores de una publicación periódica.

FAM redactor.

redactar *v. tr.* Expresar por escrito ideas o pensamientos, o relatar unos hechos: *el notario redactó el testamento*.

FAM redacción, redactor.

redactor, -ra *adj./s. m. y f.* Se aplica a la persona que se dedica profesionalmente a la redacción, como por ejemplo el que lo hace en un periódico, en una editorial o en una agencia de publicidad.

redada *s. f.* ① Lanzamiento de la red para pescar. ② Conjunto de peces o animales cogidos de una vez. ③ Operación policial consistente en detener de una sola vez y en un mismo lugar a un grupo de personas sospechosas.

redecilla *s. f.* ① Bolsa pequeña hecha con malla muy fina que se usa para sujetar el pelo, como adorno y, especialmente, para mantener el peinado mientras se duerme: *se puso los rulos y la redecilla*. ② Segunda de las cuatro cavidades en que se divide el estómago de los rumiantes.

rededor *s. m.* Zona que rodea un lugar o población.

al rededor o **en rededor** culto Alrededor de alguien o algo.

redención *s. f.* ① Liberación de una obligación, un trabajo, una situación desfavorable o de un dolor: *los presos pueden conseguir la redención de sus penas colaborando en el trabajo de la cárcel*. ② Salvación y liberación del género humano que, según el cristianismo, hizo Jesucristo dando su vida en la cruz: *la pasión y muerte de Cristo sirvió para la redención de los hombres*. ③ Rescate que se pagaba para liberar de la esclavitud a los cautivos.

redentor, -ra *adj./s. m. y f.* Que redime o pone fin a un dolor, un trabajo u otra molestia; se aplica especialmente a Jesucristo.

OBS Con mayúscula inicial cuando hace referencia a Jesucristo.

redentorista *adj.* ① Relativo a la congregación cristiana fundada en 1732 por Alfonso María de Ligorio, que se dedica a difundir y enseñar la doctrina en las parroquias. I *adj./s. com.* ② Se aplica al religioso que pertenece a esta congregación.

redicho, -cha *adj.* Se aplica a la persona que habla pronunciando las palabras con perfección fingida o empleando términos demasiado cultos o impropios de su edad. **SIN** repipi.

¡rediez! *int.* familiar Expresión que se utiliza para indicar sorpresa, dolor o disgusto: *cuando se pilló el dedo con la puerta, dijo: ¡rediez!*

redil *s. m.* Terreno cercado en el que se guarda el ganado.

redimir *v. tr.* ① Librar a una persona de una obligación, de un dolor o de una situación penosa: *Cristo redimió del pecado original a la humanidad*. ② Conseguir la libertad de una persona o sacarla de una situación comprometida pagando un precio: *el esclavo consiguió, después de muchos años de trabajo, redimirse y redimir a toda su familia*.

¡rediós! *int.* Expresión de asombro, sorpresa, enfado, disgusto o dolor: *como sea verdad, rediós, ya puede ir preparándose, ¡lo machaco!*

redistribución *s. f.* Reparto de una cosa de forma diferente de como se había hecho con anterioridad: *redistribución de la riqueza*.

redistribuir *v. tr.* Repartir una cosa de forma diferente de como se había hecho con anterioridad: *el gobierno plantea una reducción del horario laboral como medio para redistribuir el trabajo*.

FAM redistribución.

rédito *s. m.* Cantidad de dinero que produce periódicamente un capital: *el banco le ofreció un rédito muy elevado por el dinero de la lotería*. **SIN** interés, renta.

redivivo, -va *adj.* Que ha vuelto a la vida.

redoblar *v. tr.* ① Aumentar una cosa el doble de lo que antes era o aumentarla mucho: *redoblaron sus esfuerzos para solucionar el problema; después del atentado se redobló la vigilancia*. I *v. intr.* ② Tocar o hacer redobles con el tambor: *la banda redoblaba el tambor al paso de la procesión*.

FAM redoblante, redoble.

redoble *s. m.* Toque vivo y sostenido que se produce golpeando con las baquetas un tambor u otro instrumento similar de manera rápida y seguida: *el largo redoble daba mayor emoción a la actuación de los malabaristas*.

redoma *s. f.* Recipiente de cristal de fondo ancho, que se va estrechando hacia la parte superior: *la redoma se usa en los laboratorios para hacer experimentos*.

redomado, -da *adj.* Que tiene en alto grado la cualidad negativa que se le aplica: *mentiroso redomado*.

redonda *s. f.* ① Nota musical cuya duración equivale a dos blancas. I *adj./s. f.* ② Se aplica al tipo de letra de forma derecha y circular, usado muy comúnmente: *en este diccionario, las definiciones están en redonda, y los ejemplos, en cursiva*. **SIN** redondilla.

a la redonda Alrededor de un punto concreto: *tienes que buscarlo en tres kilómetros a la redonda*.

redondear *v. tr.* ① Dar forma redonda a una cosa. ② Terminar o completar una cosa de forma satisfactoria: *te falta redondear el trabajo sobre Cervantes: introduce algún texto y escribe una conclusión*. ③ Añadir o quitar a una cifra una parte de una cantidad hasta llegar a otra determinada, de más fácil comprensión o cálculo, mediante unidades de orden superior o inferior: *tocamos a 98 caramelos: si redondeamos, tocamos a 100*.

FAM redondeado, redondeo.

redondel *s. m.* ① familiar Círculo o circunferencia. ② Zona central de la plaza de toros, cubierta de tierra, en la cual se torea. **SIN** albero, arena, ruedo.

redondez *s. f.* Cualidad de la cosa que es curva o redondeada, en vez de recta o con ángulos: *los antiguos dudaban de la redondez de la Tierra*.

redondilla *s. f.* ① Estrofa formada por cuatro versos octosílabos con rima consonante, que siguen el esquema *abba*. I *adj./s.* ② Redonda (tipo de letra).

redondo, -da *adj.* ① De forma circular o esférica o parecida a ellas: *los cristales de mis gafas son redondos*. ② familiar Perfecto, completo o bien logrado: *hizo un negocio redondo con la venta del piso*. ③ Que es exacto, claro, sin rodeo o que no ofrece dudas: *respondió con un "¡No!" redondo*. **SIN** rotundo. ④ Se aplica a la cifra o al número al que se le ha restado o sumado una cantidad, mediante unidades superiores, para que resulte más sencillo de calcular o comprender: *la casa podría costar, en números redondos, ciento ochenta mil euros*. I *s. m.* ⑤ Pieza de carne de forma casi cilíndrica de la parte trasera de las reses: *comimos redondo de ternera con setas*.

en redondo (I) En círculo, dando una vuelta completa alrededor de sí mismo: *la bailarina giró en redondo varias veces*. (II) Expresión que se utiliza para afirmar o negar algo de forma clara y categórica: *se negó en redondo a hacer lo que le mandaban*.

FAM redonda, redondamente, redondear, redondel, redondez, redondilla.

reducción *s. f.* ① Disminución de la fuerza, cantidad, tamaño o intensidad de una cosa: *reducción de peso; reducción sa-*

larial. **2** Reacción química en la que una sustancia (oxidante) se reduce al combinarse con otra (reductor), de tal forma que gana electrones y disminuye su número de oxidación: *siempre que se produce una reducción, se produce la oxidación de otra sustancia.* **3** Descomposición de un cuerpo en sus elementos o principios. **4** Antigua población de indios americanos convertidos al cristianismo y organizados de forma comunitaria por los jesuitas españoles: *las reducciones jesuíticas en la América española se crearon sobre todo en el siglo XVII.*

reducido, -da *adj.* **1** Que es estrecho, pequeño o limitado en cantidad, tamaño, intensidad o importancia: *tenemos un espacio muy reducido para maniobrar.* **ANT** amplio. **2** Que ha sufrido una reducción química.

reducir [18] *v. tr.* **1** Disminuir la cantidad, el tamaño, la intensidad o la importancia de una cosa: *redujo la velocidad al entrar en el peaje; a final de mes se vio obligado a reducir gastos.* **ANT** aumentar. **2** Cambiar un cuerpo de un estado a otro, generalmente para convertirlo en algo más pequeño o de menos valor: *el fuego redujo el edificio a cenizas.* **SIN** transformar. **3** Resumir o hacer una cosa más corta o más simple: *tengo que reducir el discurso porque solamente tengo quince minutos para hablar.* **4** Someter u obligar a obedecer a una persona, a veces haciendo uso de la fuerza: *el capitán logró reducir a los amotinados.* **5** Expresar el valor de una cantidad con otra unidad del mismo o de diferente sistema, sin que se altere su valor: *al reducir fracciones a común denominador, elegimos un múltiplo común a todos los denominadores.* **6** Cambiar una marcha de largo recorrido a otra más corta en un vehículo: *reduce a segunda, que este camino está en muy mal estado.* **FAM** reducción, reducido, reductible, reductor.

reducto *s. m.* **1** País, lugar o grupo que conserva unas ideas, unas tradiciones u otros elementos antiguos o a punto de desaparecer: *tras las invasiones, emigraron hacia el último reducto de su cultura.* **2** Territorio natural en el que se conservan especies raras o que están a punto de desaparecer: *solamente unos pocos ejemplares del oso pardo sobreviven en reductos protegidos de la cordillera Cantábrica y Pirineos.*

reductor, -ra *adj.* **1** Que reduce o sirve para reducir: *las cremas reductoras se anuncian como productos adelgazantes.* ‖ *s. m.* **2** Sustancia química que provoca la reducción de otra (oxidante), perdiendo electrones y aumentando su número de oxidación: *los reductores más fuertes son los metales.*

redundancia *s. f.* **1** Exceso o abundancia de una cosa. **2** Repetición innecesaria o inútil de un concepto: *en el lenguaje coloquial se tiende a cometer redundancias como "bajar abajo" o "lo vi con mis ojos".*

redundante *adj.* Que sobra o que se repite. **FAM** redundancia.

redundar *v. intr.* Tener una cosa un resultado o consecuencia determinados para alguien o algo, ya sea beneficioso o perjudicial: *la educación cívica redunda en el beneficio de todos.* **FAM** redundante.

reduplicación *s. f.* Figura retórica que consiste en la repetición consecutiva de una palabra o de varias palabras en la misma frase o en el mismo verso: *"que por mayo era por mayo", primer verso de un famoso romance, es una reduplicación.*

reduplicar *v. tr.* Redoblar o aumentar una cosa al doble: *debemos reduplicar nuestro esfuerzo para conseguir los objetivos previsto.* **FAM** reduplicación.

reedición *s. f.* **1** Edición de una obra escrita o musical ya editada o publicada anteriormente, generalmente con la inclusión de modificaciones, correcciones o mejoras. **2** Conjunto de ejemplares de esta edición publicados al mismo tiempo y con la misma base de impresión.

reedificar *v. tr.* Construir de nuevo, o hacer muchas reparaciones y cambios en algo que ha sido destruido o dañado: *la ciudad fue reedificada después de la guerra.* **SIN** reconstruir. **FAM** reedificación.

reeditar *v. tr.* Editar una obra escrita o musical ya editada o publicada anteriormente, generalmente con la inclusión de modificaciones, correcciones o mejoras. **FAM** reedición.

reeducación *s. f.* **1** Enseñanza de nuevas formas de comportamiento para integrar de nuevo en la sociedad a quienes han perdido, cambiado o desviado los hábitos adquiridos inicialmente, como los enfermos mentales o los delincuentes: *centro de reeducación.* **2** Conjunto de técnicas que hacen que un órgano o un miembro del cuerpo cuya función había disminuido o se había perdido vuelva a desarrollar su actividad con normalidad: *el médico le recomendó una clínica para la reeducación de sus manos.*

reeducar *v. tr.* **1** Enseñar nuevas formas de comportamiento para integrar de nuevo en la sociedad a quienes han perdido, cambiado o desviado los hábitos adquiridos inicialmente, como los enfermos mentales o los delincuentes. **2** Hacer que un órgano o un miembro del cuerpo cuya función había disminuido o se había perdido vuelva a desarrollar su actividad con normalidad: *tras el accidente tuvo que reeducar el movimiento de sus piernas.* **FAM** reeducación.

reelegir [10] *v. tr.* Volver a elegir o a escoger a alguien: *en las últimas elecciones lo reeligieron diputado.* **FAM** reelección.

reembolsar [también **rembolsar**] *v. tr.* Devolver una cantidad de dinero a la persona que la había pagado con anterioridad: *la estufa que compré estaba estropeada y me reembolsaron el dinero.* **FAM** reembolso.

reembolso [también **rembolso**] *s. m.* Devolución de una cantidad de dinero a la persona que la ha pagado con anterioridad.

a reembolso o **contra reembolso** Se aplica al envío de un objeto (por correo, por una agencia de transporte, etc.) que la persona receptora ha de pagar en el momento de la entrega: *la colección de discos nos la envían por correo contra reembolso.*

reemplazar [también **remplazar**] *v. tr.* **1** Sustituir una persona o cosa por otra. **SIN** cambiar. **2** Suceder una persona a otra en el cargo o empleo que tenía: *reemplazó al profesor que se había jubilado.* **FAM** reemplazo; irreemplazable.

reemplazo [también **remplazo**] *s. m.* **1** Sustitución de una persona o cosa por otra. **SIN** cambio. **2** Conjunto de nuevos soldados que ingresan cada año en el ejército. **SIN** quinta.

reemprender *v. tr.* Reanudar o volver a empezar un trabajo o actividad que se había interrumpido: *reemprendieron la labor después de descansar un rato.*

reencarnación *s. f.* **1** Creencia religiosa o filosófica según la cual el alma humana se traslada a otro cuerpo, tras la muerte. **2** Encarnación de un alma en un cuerpo nuevo, tras separarse de otro por la muerte: *los budistas creen en la reencar-*

R

nación. **3** Ser en el que se encarna de nuevo esta alma: *cuando un lama reinante muere, se envían mensajeros que viajan por todo el mundo hasta encontrar un niño que sea la reencarnación del lama muerto.*

reencarnarse *v. prnl.* Volver a encarnarse el alma en un cuerpo nuevo, tras separarse de otro por la muerte.
FAM reencarnación.

reencontrarse *v. prnl.* Coincidir en un mismo lugar dos o más personas que no se veían desde hacía tiempo.
FAM reencuentro.

reencuentro *s. m.* Coincidencia en un mismo lugar de dos o más personas que no se veían desde hacía tiempo: *el reencuentro con su familia, después de 23 años sin verse, fue muy emotivo.*

reengancharse *v. prnl.* **1** Permanecer en el ejército, una vez terminado el servicio militar, a cambio de un sueldo: *quería hacerse piloto y se reenganchó en el Ejército del Aire.* **2** Seguir participando en una partida de cartas, una vez eliminado de ella, pagando una cantidad de dinero y poniéndose en las condiciones del jugador peor situado: *como has quedado eliminado, debes poner dinero para reengancharte.*
FAM reenganche.

reenganche *s. m.* Permanencia de una persona en el ejército, una vez terminado el servicio militar obligatorio, a cambio de un sueldo.

reestrenar *v. tr.* Volver a estrenar o a presentar, especialmente un espectáculo, una obra teatral o una película de cine que vuelven a proyectarse o a representarse pasado algún tiempo de su estreno.
FAM reestreno.

reestreno *s. m.* Presentación de un espectáculo o una obra teatral o exhibición de una película de cine con las características de un estreno, aunque no lo sea.

reestructurar *v. tr.* Cambiar la forma en que algo está estructurado o darle una nueva estructura: *el Gobierno reestructuró la industria del carbón.* SIN remodelar, reorganizar.
FAM reestructuración.

refajo *s. m.* Falda corta de paño que usaban las mujeres, bien encima de las enaguas, bien como prenda interior de abrigo.

refectorio *s. m.* Comedor de monasterios, conventos y algunos colegios.

referencia *s. f.* **1** Explicación o relación de un acontecimiento, de palabra o por escrito: *hizo una referencia rápida a los hechos de la tarde anterior.* **2** Nota o palabra que remite a otra parte de un escrito o a otro escrito, donde el lector puede encontrar lo que busca: *una referencia bibliográfica.* **3** Dato o información sobre algo: *no tengo ninguna referencia sobre ese asunto.* **4** Informe acerca de las cualidades de una persona, que se exige generalmente en las solicitudes de empleo: *tenemos buenas referencias de estos clientes.* NOTA Normalmente en plural. **5** Persona o cosa que sirve como base, modelo o punto de comparación: *su padre era para él el punto de referencia.* **6** Indicación que se pone como encabezamiento de una carta comercial.
con referencia a En relación con.
FAM referencial.

referencial *adj.* **1** Que expresa una circunstancia o un acontecimiento de manera objetiva y sin valorarlo: *en los documentales se pretende dar un punto de vista referencial de la realidad.* **2** Que sirve de modelo o ejemplo con el cual compa-

rarse: *las canciones de los Beatles fueron un hito referencial para la música pop de los sesenta.* **3** Se aplica al libro que contiene información ordenada y clasificada para facilitar la consulta de un tema determinado: *los diccionarios y las enciclopedias son obras referenciales.*

referendo *s. m.* Referéndum.

referéndum [también **referendo**] *s. m.* Procedimiento jurídico por el que se somete a votación popular una ley o un asunto de especial importancia: *para aprobar la Constitución de 1978 fue necesario convocar un referéndum.*
FAM refrendar.
OBS Plural: *referéndum, referéndums* o *referendos.*

referente *adj.* **1** Que expresa relación con otra persona o cosa: *el asunto referente a la compra de las acciones va por buen camino.* **||** *s. m.* **2** Elemento extralingüístico al que alude una palabra.
FAM referencia.

referir [9] *v. tr.* **1** Contar o dar a conocer un acontecimiento o suceso de palabra o por escrito: *mi abuelo solía referir anécdotas de la guerra.* SIN narrar, relatar. **2** Relacionar, poner algo en comunicación: *este artículo se refiere precisamente a nuestro caso.* **||** *v. prnl.* **3 referirse** Aludir o mencionar a una persona o cosa directa o indirectamente: *creo que se refiere a mí; no me refiero a ese asunto, sino al otro.*
FAM referente.

refilón Se usa en la expresión:
de refilón (I) familiar De lado o de forma oblicua: *le dio con la regla de refilón y no le hizo mucho daño.* (II) De pasada, sin profundizar o sin prestarle mucha atención: *me enteré de refilón, así que no sé mucho del asunto.*

refinado, -da *adj.* **1** Se aplica a la persona que tiene educación y buenos modales. **2** Que es resultado de mucha elaboración: *una cocina refinada.* **3** Que ha sido purificado en un proceso industrial de manera que se han eliminado las sustancias no necesarias: *azúcar refinado.* **||** *s. m.* **4** Refino.

refinamiento *s. m.* **1** Educación y buenos modales. **2** Cuidado extremo en la elaboración o realización de algo: *la civilización china alcanzó un elevado grado de refinamiento que admiró a los europeos.*

refinar *v. tr.* **1** Hacer más fina o pura una sustancia, eliminando las impurezas: *en esa fábrica refinan azúcar; para obtener la gasolina hay que refinar el petróleo.* SIN purificar. **2** Perfeccionar o pulir una cosa adecuándola a un fin determinado: *el artista refinó su técnica para mejorar la calidad de sus cuadros.* **||** *v. prnl.* **3 refinarse** Hacerse una persona más fina en el hablar, en el comportamiento social y en los gustos, perdiendo así su rudeza y vulgaridad: *con la lectura y los viajes se ha refinado un poco.*
FAM refinado, refinamiento, refinería, refino.

refinería *s. f.* Fábrica donde se refina o se hace más puro un producto: *refinería de petróleo.*

refino *s. m.* Proceso industrial mediante el cual se hace más pura una sustancia eliminando sus impurezas: *el refino del petróleo.*

reflectante *adj.* Que refleja: *color reflectante; espejo reflectante; el efecto reflectante de la nieve.*

reflectar *v. tr.* Hacer retroceder o cambiar de dirección la luz u otra radiación oponiéndole una superficie lisa. SIN reflejar.
FAM reflectante, reflector.

reflector, -ra *adj./s. m. y f.* **1** Se aplica a la sustancia o a la superficie que refleja los rayos de luz: *distinguió al fondo de la calle las mangas reflectoras del uniforme del policía.* ‖ *s. m.* **2** Aparato que concentra y orienta la luz de un foco en una dirección determinada: *alrededor del monumento pusieron unos reflectores que lo iluminaban.*

reflejar *v. tr.* **1** Formarse en una superficie lisa y brillante la imagen de algo: *la luna se reflejaba en el agua; la lámpara se reflejaba en el cristal de la ventana.* **2** Rechazar o hacer cambiar de dirección la luz, el calor, el sonido u otra radiación oponiéndoles una superficie lisa: *con un espejo reflejaba los rayos del sol en los ojos de la gente.* **3** Expresar o mostrar de manera clara un estado o una cualidad: *su rostro reflejaba sus sentimientos.* **4** Exponer o hacer patente una cosa: *esta novela refleja muy bien las costumbres del siglo XIX.*
FAM reflexión.

reflejo, -ja *adj./s. m.* **1** Se aplica al sentimiento, al acto o al movimiento que se produce involuntariamente, como una respuesta inconsciente a un estímulo externo: *la succión del pecho es un reflejo del bebé.* ‖ *adj.* **2** Se aplica al dolor que aparece localizado en cierta parte del cuerpo cuando realmente está en otro: *el masajista le dijo que el dolor que sentía en el pecho era un dolor reflejo de la contracción de un músculo de la espalda.* ‖ *s. m.* **3** Luz reflejada: *el sol formaba reflejos en los espejos y en los cristales de la ventana.* **4** Imagen de una persona o cosa reflejada en una superficie: *la niña miraba su propio reflejo en las aguas claras del río.* **5** Representación, imagen o muestra de algo: *sus palabras son reflejo de su pensamiento.* ‖ *s. m. pl.* **6 reflejos** Capacidad que tiene una persona para reaccionar de forma rápida y eficaz ante un hecho no previsto: *los conductores deben tener buenos reflejos.* **7** Mechas de distinto color en el pelo.
FAM reflejar.

reflexión *s. f.* **1** Pensamiento o consideración de una cosa con detenimiento y cuidado: *tras largas reflexiones, llegó a la conclusión de que no sabía nada.* **SIN** meditación. **2** Advertencia o consejo que una persona da a otra para inducirle a actuar de manera razonable: *el sacerdote hizo una reflexión sobre los peligros de la carne.* **3** Cambio de dirección o de sentido de la luz, del calor o del sonido cuando se les interpone un obstáculo: *estudiaba la reflexión de la luz en el espejo.*
FAM reflexionar, reflexivo.

reflexionar *v. intr.* Pensar o considerar una cosa con detenimiento y cuidado: *reflexionó seriamente sobre lo que le dije.* **SIN** cavilar, meditar.

reflexivo, -va *adj.* **1** Que piensa y considera detenidamente un asunto antes de hablar o actuar: *una persona reflexiva y prudente nunca obra a la ligera.* **2** Que refleja: *los espejos son superficies reflexivas de la luz.* **3** Se aplica a la oración o al verbo que expresa o se usa para expresar una acción que es realizada y recibida a la vez por el sujeto: *"lavarse" es un verbo reflexivo; "tú te afeitas" es una oración reflexiva.*
FAM reflexividad; irreflexivo.

reflexoterapia *s. f.* Tratamiento de ciertas enfermedades mediante la provocación de reflejos beneficiosos en una región del organismo situada a cierta distancia de la zona afectada.

reflotar *v. tr.* **1** Hacer que un barco sumergido o encallado vuelva a sostenerse sobre el agua: *están tratando de reflotar el petrolero que se hundió ayer.* **2** Hacer que una empresa con dificultades financieras vuelva a funcionar con normalidad.

refluir *v. intr.* Volver hacia atrás un líquido: *en la bajamar, el mar refluye.*

reflujo *s. m.* **1** Movimiento de descenso de la marea, causado por la atracción del Sol y de la Luna: *con el reflujo, los arrecifes quedaron al descubierto.* **SIN** bajamar. **ANT** flujo. **2** Retroceso de una actividad o tendencia: *se podía prever un reflujo de la economía en los últimos meses.* **SIN** bajada. **ANT** aumento.

refocilarse *v. prnl.* Recrearse, divertirse, disfrutar o entretenerse con algo grosero: *se refocilan con sus conversaciones.*

reforestación *s. f.* Repoblación de árboles y arbustos en un lugar del que habían desaparecido, por tala masiva o incendio, o bien en áreas que han padecido la erosión, campos de cultivo abandonados o márgenes de carreteras y ríos: *la reforestación es una solución a la sobreexplotación de los bosques.*

reforestar *v. tr.* Plantar árboles en un lugar del que habían desaparecido: *varias organizaciones ecologistas están haciendo esfuerzos para reforestar los montes.* **SIN** repoblar.
FAM deforestación.

reforma *s. f.* **1** Arreglo, modificación o cambio cuyo objetivo es el de mejorar algo: *acabamos de hacer una reforma en el piso.* **SIN** corrección, renovación. **2** Modificación que se hace de una cosa para mejorarla, generalmente rehaciéndola o cambiando su forma o contenido: *una reforma agraria pretende mejorar la situación de la agricultura.* **3** Movimiento religioso de renovación nacido en Europa en el siglo XVI a partir de las ideas de Martín Lutero y que dio lugar al protestantismo. **NOTA** Se escribe normalmente con mayúscula inicial.
FAM contrarreforma.

reformador, -ra *adj.* **1** Que reforma. ‖ *adj./s. m. y f.* **2** Se aplica a la persona que encabeza o lidera una reforma, especialmente alguno de los movimientos de la Reforma protestante: *Martín Lutero y Juan Calvino fueron reformadores.*

reformar *v. tr.* **1** Arreglar, modificar o cambiar una cosa con el fin mejorarla: *reformaron la ley de empleo el año pasado.* **SIN** corregir, renovar. **2** Corregir a una persona para que abandone costumbres o comportamientos negativos o perjudiciales: *se ha reformado y ahora es una persona tratable.* **SIN** enmendar.
FAM reforma, reformable, reformador, reformatorio, reformismo.

reformatorio *s. m.* Establecimiento penitenciario donde, por medio de una educación especial, se trata de recuperar socialmente a delincuentes menores de edad. **SIN** correccional.

reformismo *s. m.* Tendencia o doctrina que propone cambios y mejoras políticas, sociales, religiosas o de otro tipo: *el reformismo político nació en los países industrializados en demanda de una reforma electoral.*
FAM reformista.

reformista *adj.* **1** Relativo al reformismo: *la oposición defiende una política reformista.* ‖ *adj./s. com.* **2** Se aplica a la persona que es partidaria del reformismo: *los políticos reformistas piensan que los cambios pueden hacer mejorar la sociedad.* **ANT** conservador.

reforzamiento *s. m.* Acción de reforzar.

reforzar [5] *v. tr.* Hacer más fuerte o resistente una cosa, o aumentar su cantidad: *la incorporación del nuevo socio ha reforzado la situación económica de la empresa; reforzaron el techo colocando una viga.* **SIN** asegurar, fortalecer.
FAM reforzado, reforzador, reforzamiento, refuerzo.

refracción *s. f.* Fenómeno físico por el cual una onda (luminosa, acústica, calorífica, electromagnética, de radio, etc.)

R

cambia de dirección al cambiar su velocidad cuando pasa de un medio a otro de diferente densidad: *calculó el índice de refracción del agua.*

refractar *v. tr.* Hacer que cambie de dirección un rayo de luz u otra radiación al pasar oblicuamente de un medio a otro de distinta densidad: *puedes ver cómo se refracta la imagen del lápiz al introducirlo en el agua.*
FAM refracción, refractario.

refractario, -ria *adj.* ① Se aplica al cuerpo o al material que resiste la acción del fuego sin cambiar de estado ni destruirse: *hicieron el plato de arcilla refractaria; las chimeneas están recubiertas de un material refractario.* ② Que se opone a aceptar una idea, opinión o costumbre: *es difícil cambiar una sociedad tan refractaria.*

refrán *s. m.* Frase o dicho de uso común que suele encerrar una advertencia o enseñanza de tipo moral: *"a buen entendedor pocas palabras bastan" es un refrán que expresa que la persona inteligente comprende con facilidad lo que se le dice.* **SIN** adagio, proverbio, sentencia.
FAM refranero.

refranero *s. m.* Conjunto de los refranes de una lengua: *el refranero español es muy rico.*

refregar *v. tr.* ① Frotar una cosa con otra. ② familiar Poner insistentemente de manifiesto (una persona a otra) algo que le resulta molesto: *siempre me está refregando que no doy dinero en casa.*
FAM refregón.

refreír [12] *v. tr.* Volver a freír, o freír mucho un alimento.
OBS Tiene doble participio: uno regular (*refreído*) y uno irregular (*refrito*).

refrenar *v. tr.* ① Contener o sujetar la fuerza o la violencia de algo: *era incapaz de refrenar su pasión.* ② Sujetar o reducir a un caballo con el freno.

refrendar *v. tr.* ① Dar validez a un documento firmándolo la persona o grupo de personas que tiene capacidad legal para ello. ② Manifestar públicamente la aprobación de algo o alguien: *las autoridades han refrendado las inversiones hechas por extranjeros.*
FAM refrendo.

refrendo *s. m.* ① Firma con la que se da validez a un documento. ② Afirmación pública de que se aprueba o apoya algo o a alguien: *el Papa dio su refrendo al sindicato Solidaridad.*

refrescante *adj.* ① Que tiene el efecto de devolver la energía o el frescor perdidos: *un baño refrescante; una bebida refrescante.* ② Que es agradablemente distinto de aquello a que se está acostumbrado: *la llegada del nuevo jefe supuso un cambio refrescante.*

refrescar *v. tr.* ① Hacer que baje la temperatura o el calor de alguien o de algo: *al sol hace mucho calor, voy a refrescarme; voy a refrescar las bebidas en el río.* **SIN** enfriar, refrigerar. **ANT** calentar. ② Recordar o renovar un sentimiento, recuerdo o acción: *si se te olvida yo te refrescaré la memoria.* ‖ *v. intr.* ③ Disminuir o bajar el calor del aire: *el tiempo refresca por la noche.*
FAM refrescamiento, refrescante, refresco.

refresco *s. m.* ① Bebida sin alcohol que suele tomarse fría: *refresco de limón.* ② Conjunto de bebidas, dulces y otros alimentos que se ofrece en ciertas reuniones: *nos ofrecieron un refresco en la inauguración del curso.*

de refresco Se aplica a la persona o animal que se añade o se incorpora para sustituir al que ya está cansado por un tra-

bajo fuerte: *tropas de refresco; tomaron un caballo de refresco al llegar a la posada.*

refriega *s. f.* ① Batalla o combate de poca importancia. ② Riña o disputa de poca importancia.

refrigeración *s. f.* ① Disminución del calor o de la temperatura de un cuerpo: *que esta abertura esté libre es muy importante para la refrigeración del motor.* ② Sistema eléctrico que se instala en un edificio para mantener el aire fresco: *la refrigeración del edificio se ha estropeado y hace un calor insoportable.*

refrigerador, -ra *adj.* ① Que sirve para enfriar o refrigerar: *los frenos llevan un líquido refrigerador.* **SIN** refrigerante. ‖ *s. m.* ② Electrodoméstico que sirve para enfriar y conservar guardados alimentos y bebidas: *pon la bebida en el refrigerador.* **SIN** frigorífico, nevera.

refrigerante *adj./s. m.* ① Se aplica a la sustancia o producto que sirve para enfriar o refrigerar: *productos refrigerantes; para estudiar a qué temperatura se convierte el agua en hielo, utilizaremos la mezcla refrigerante.* ‖ *s. m.* ② Recipiente para refrigerar o para condensar una cosa.

refrigerar *v. tr.* ① Refrescar o enfriar un lugar o un cuerpo mediante métodos artificiales: *este aparato es muy pequeño para refrigerar esta sala.* ② Enfriar un alimento en una cámara especial para que se conserve, generalmente hasta una temperatura cercana a los 0 grados: *el pescado, si se quiere conservar durante un tiempo, debe refrigerarse.* **SIN** refrescar.
FAM refrigeración, refrigerador, refrigerante, refrigerio.

refrigerio *s. m.* Alimento ligero que se toma para reponer fuerzas. **SIN** piscolabis, tentempié.

refringente *adj.* Que refracta la luz.

refrito, -ta ① Participio irregular de *refreír.* ‖ *s. m.* ② Condimento hecho con ajo, cebolla, tomate y otras verduras picadas y ligeramente fritas en aceite que se añade a un guiso durante su preparación. **SIN** sofrito. ③ Escrito u obra hechos mezclando partes y elementos procedentes de otras obras: *aquel artículo periodístico era un mero refrito de otros muchos.*

refuerzo *s. m.* ① Fortalecimiento o aumento de la fuerza o solidez de una cosa: *unos contrafuertes adosados al muro le sirven de refuerzo.* ② Pieza o parche que se pone a una cosa para aumentar su fuerza, grosor o resistencia: *el asa de la maleta lleva un refuerzo de cuero.* ③ Conjunto de personas que acuden a un lugar para socorrer o ayudar a otras: *el coronel pidió un refuerzo de mil soldados.*

refugiado, -da *s. m. y f.* Persona que, por una catástrofe o guerra o por sus ideas políticas o religiosas, ha de buscar refugio fuera de su país o en algún campamento de asilo, instituido a tales efectos.

refugiar *v. tr.* ① Dar refugio o acogida a una persona para protegerla o ayudarla: *mi familia refugió a dos soldados del bando enemigo.* **SIN** acoger, resguardar. ‖ *v. prnl.* ② **refugiarse** Buscar refugio: *muchos de los cristianos perseguidos se refugiaron por tierras de Siria.*
FAM refugiado.
OBS Verbo regular, se acentúa como *cambiar.*

refugio *s. m.* ① Acogida que se da a una persona en una casa o lugar seguro: *le ofrecimos refugio cuando escapaba de sus perseguidores.* **SIN** asilo, amparo. ② Lugar apropiado para refugiarse, protegerse o defenderse de algo: *refugio atómico; los escaladores buscaron un refugio para pasar la noche.*
FAM refugiar.

refulgente *adj.* culto Que brilla o emite una luz intensa: *jo-*

yas refulgentes; estrellas refulgentes. **SIN** brillante, resplandeciente.

refulgir *v. intr.* culto Emitir una cosa destellos o rayos de luz muy intensa: *el dorado castillo refulge en la lejanía.* **SIN** resplandecer.

FAM refulgencia, refulgente.

OBS Se conjuga como *dirigir.*

refundición *s. f.* ① Acción que consiste en fundir de nuevo un metal o transformarlo en líquido: *para la refundición de las estatuas usaron los mismos moldes.* ② Forma y estructura nuevas que se da a una obra literaria refundida o adaptada de otra composición escrita ya existente. ③ Obra nueva refundida o adaptada de otra: *esta versión es una refundición del «Amadís» que ahora conocemos.*

refundir *v. tr.* ① Fundir de nuevo un metal o transformarlo en líquido: *refundieron las joyas para hacer lingotes.* ② Unir, comprender o incluir varias cosas en una sola: *refundió todas las ideas en un mismo proyecto.* ③ Dar una forma y estructura nuevas a una composición escrita ya existente con el fin de mejorarla o modernizarla: *el autor refundió su antigua novela en una nueva versión ampliada.*

FAM refundición.

refunfuñar *v. intr.* Hablar entre dientes, en señal de enojo o desagrado: *se dejó convencer, pero no dejó de refunfuñar todo el rato.*

FAM refunfuño, refunfuñón.

refunfuñón, -ñona *adj.* familiar Se aplica a la persona que refunfuña, se queja y protesta por cosas poco importantes.

refutar *v. tr.* Contradecir una persona las razones o explicaciones de alguien argumentando que no son ciertas o válidas: *refutó las tesis del científico americano.* **SIN** rebatir, rechazar.

FAM refutación, refutatorio; irrefutable.

regadera *s. f.* ① Recipiente portátil para regar, compuesto por un depósito del que sale un tubo acabado en una boca ancha con muchos agujeros pequeños por donde sale el agua. ② AMÉR. CENTRAL, ARG., BOL., VENEZ. Ducha (aparato para ducharse).

estar como una regadera Estar una persona loca o chiflada: *no le hagas caso, está como una regadera.*

regadío *s. m.* Terreno que se puede regar o está dedicado a cultivos que se fertilizan con riego: *los regadíos producen frutos de mayor tamaño que los secanos.* **ANT** secano.

de regadío Se aplica al terreno o al cultivo que se fertiliza con riego .

regaladamente *adv.* Con placer y delicadeza: *les sirvieron regaladamente.*

regalado, -da *adj.* ① Agradable y con toda clase de comodidades: *lleva una vida regalada.* ② familiar Muy barato: *el viaje nos salió regalado, por eso pudimos ir.*

FAM regaladamente.

regalar *v. tr.* ① Dar u ofrecer una cosa a alguien como muestra de afecto o de consideración: *me regaló estos pendientes por mi cumpleaños.* ② Dar una persona toda clase de comodidades, placeres y diversiones a otra: *regaló al público con su mejor actuación; se agasaja con toda clase de lujos y caprichos.* **SIN** agasajar. ③ Halagar o deleitar los sentidos, como la vista o el oído, con algo: *regalarse la vista.*

FAM regalado, regalo.

regalía *s. f.* ① Privilegio o derecho especial que el Papa concedía a los reyes o soberanos en algún asunto relacionado con la disciplina o leyes de la Iglesia: *exigió que el poder de declarar la guerra perteneciera al Parlamento y no fuera, como hasta entonces, una regalía de la corona.* ② Derecho particular y privativo que tiene un rey u otro soberano en su estado, como la acuñación de moneda.

regalismo *s. m.* ① Teoría y práctica de quienes defendían las regalías o derechos de la monarquía respecto a la disciplina o leyes de la Iglesia en su país.

regaliz *s. m.* ① Planta de tallos gruesos, hojas en punta, flores en racimo, pequeñas y azuladas, y fruto con pocas semillas, cuyos rizomas medicinales se utilizan para mascar y para preparar expectorantes, dulces y cerveza: *el regaliz crece a la orilla de los ríos.* ② Raíz o rizoma de esta planta, que se chupa como golosina y tiene un jugo dulce y agradable: *el jarabe de regaliz quita la tos.* **SIN** paloduz. ③ Golosina hecha con el jugo o extracto de la raíz de esta planta, en forma de barritas o pastillas: *llevaba una bolsa llena de pastillas de regaliz.*

regalo *s. m.* ① Cosa que una persona da u ofrece a otra como muestra de afecto o de consideración: *le trajo como regalo un disco, varios libros y una caja de bombones.* **SIN** obsequio. ② Gusto o placer que proporciona una cosa a una persona: *estas ostras son un regalo para el paladar.* ③ Conjunto de cosas agradables o comodidades con que vive una persona: *se daba todos los regalos y llevaba la vida de un rey.*

regañadientes Se usa en la expresión:

a regañadientes Indica que una cosa se hace a disgusto, protestando o de mala gana: *aceptó el encargo a regañadientes.*

regañar *v. tr.* ① Reñir o reprender a una persona por haber cometido un error o por su mal comportamiento: *su padre lo regañó por llegar tarde a casa.* **SIN** reñir, reprender. ② Gruñir el perro enseñando los dientes. ‖ *v. intr.* ③ Enfrentarse dos personas o disputar una persona con otra por algún motivo: *los conductores regañaron porque ninguno quería aceptar la culpa del accidente.* **SIN** pelearse, reñir.

FAM regañina.

regañina *s. f.* Llamada de atención que se hace a una persona o animal por haber cometido un error o por su mal comportamiento: *se llevó una buena regañina por no recoger su cuarto.* **SIN** bronca, rapapolvo, reprimenda.

regar [1] *v. tr.* ① Echar o esparcir agua sobre una superficie o una planta: *no te olvides de regar la planta cada dos días.* ② Atravesar un río o canal un terreno o un territorio: *el Miño riega las tierras gallegas.* ③ Extender o esparcir un líquido o materia sobre una superficie: *voy a regar estas galletas con chocolate.*

FAM regadera, regadío, regato, reguero, reguera, riego.

regata¹ *s. f.* Arroyo pequeño de un huerto o jardín.

regata² *s. f.* Competición deportiva hecha con embarcaciones ligeras en la que debe completarse un recorrido en el menor tiempo posible.

FAM regatear.

regate *s. m.* ① Movimiento rápido del cuerpo para apartarlo o esquivar algo, especialmente el que hace un jugador de fútbol para no dejarse arrebatar el balón: *tras varios regates el jugador llegó al área y metió gol.* ② Escape hábilmente buscado para salir de una dificultad: *después de mil regates conseguí salvar su empresa.*

FAM regatear.

regatear¹ *v. tr.* ① Discutir el comprador y el vendedor el precio de una mercancía: *estuve regateando el precio de las telas con el comerciante y las conseguí más baratas.* ② Hacer o dar lo

R

menos posible: *no regateó esfuerzos para sacar adelante a su familia.* **SIN** escatimar. I *v. intr.* 3 Hacer regates un jugador para no dejarse arrebatar el balón: *regatea tan bien que nadie puede quitarle el balón.*

FAM regateo.

regatear² *v. intr.* Competir en una regata.

regateo *s. m.* 1 Discusión entre un comprador y un vendedor sobre el precio de una mercancía. 2 Acción de hacer regates un jugador.

regazo *s. m.* 1 Hueco que se forma en la falda de una mujer sentada: *sentó al niño en su regazo.* 2 culto Refugio o consuelo.

regencia *s. f.* 1 Gobierno que una persona autorizada, llamada regente, ejerce en una monarquía mientras el rey o la reina no puedan gobernar: *la regencia se establece cuando el soberano está ausente, es menor de edad o está incapacitado para asumir el reinado.* 2 Gobierno o dirección que ejerce una persona sobre una cosa: *mi padre se ha hecho cargo de la regencia de la empresa.* 3 Periodo de tiempo en que gobierna el regente: *la regencia de la reina María Cristina comenzó en 1833 y acabó en 1840.*

regeneración *s. f.* 1 Mejora que se hace en un sistema o en una actividad para que sea más efectiva o importante, especialmente después de un periodo de deterioro: *la regeneración de la economía y de la vida democrática.* 2 Proceso por el cual se genera o produce de nuevo una cosa, generalmente una parte del cuerpo o un tejido que se había destruido: *la regeneración de las células muertas de la piel.* 3 Abandono de un modo de vida que se considera perjudicial o malo desde un punto de vista moral: *la regeneración de los delincuentes.* 4 Tratamiento de materiales usados o desperdicios para que puedan ser nuevamente utilizables.

regeneracionismo *s. m.* Movimiento ideológico originado en España como consecuencia de la pérdida de las colonias en 1898, que proponía una serie de reformas políticas, sociales y culturales para regenerar o mejorar el país.

regenerador, -ra *adj./s. m.* Se aplica al producto que mejora una cosa gastada o vuelve a ponerla en buen estado: *crema regeneradora; producto regenerador.*

regenerar *v. tr.* 1 Dar nuevo ser, reformar o mejorar algo que se degeneró: *la fotosíntesis constituye uno de los fenómenos bioquímicos de mayor importancia para el planeta, ya que regenera la atmósfera.* 2 Generar o producir de nuevo una cosa, generalmente una parte del cuerpo o un tejido que se había destruido: *la piel que se extrae para trasplantes se regenera.* 3 Hacer que una persona abandone un modo de vida que se considera perjudicial o malo desde un punto de vista moral: *regenerar a un delincuente.* 4 Aplicar un tratamiento a materiales usados o a desperdicios para que puedan ser nuevamente utilizables.

FAM regeneración, regenerador.

regenta *s. f.* Mujer del regente: *la más famosa regenta es Ana Ozores (protagonista de la novela «La Regenta», de Clarín), esposa del regente de Vetusta.*

regentar *v. tr.* 1 Gobernar o dirigir una persona un establecimiento o negocio: *regentaba una farmacia en su pueblo.* 2 Desempeñar temporalmente un cargo o empleo: *regentó el puesto durante su ausencia.*

FAM regente.

regente *adj./s. com.* 1 Se aplica a la persona que gobierna o dirige un estado mientras el rey legítimo no puede gobernar:

el regente estará al mando del gobierno hasta que el príncipe alcance la mayoría de edad.* 2 Se aplica a la persona que gobierna o dirige un establecimiento o negocio sin ser el dueño: *al entrar pregunta por el regente de la farmacia.* 3 Se aplica a la persona que está habilitada para regentar o dirigir una cátedra. I *s. m.* 4 Magistrado que preside una audiencia territorial.

FAM regencia.

reggae [se pronuncia aproximadamente 'regue' o 'rigui'] *s. m.* 1 Estilo musical de origen jamaicano derivado del rock cuyas canciones se caracterizan por el ritmo repetitivo y marcado, las melodías suaves y las letras comprometidas en favor de la paz, de la justicia social, etc: *Bob Marley es la principal figura del reggae.* 2 Canción de este estilo. I *adj.* 3 Relativo a este estilo: *música reggae.*

regicida *adj./s. com.* Se aplica a la persona que intenta matar a un rey o a una reina, o que atenta contra sus vidas, aunque no consume el hecho.

regicidio *s. m.* Asesinato o intento de asesinato de un rey o una reina.

FAM regicida.

regidor, -ra *adj./s. m. y f.* 1 Se aplica a la persona que dirige o gobierna: *es el regidor de la comunidad.* I *s. m. y f.* 2 Persona que en el teatro, el cine y la televisión se encarga del orden y realización de los movimientos y efectos escénicos dispuestos por el director: *el regidor hace indicaciones a los técnicos de iluminación y sonido.* 3 Concejal de un ayuntamiento, especialmente el que no ejerce ningún otro cargo municipal. 4 En la Edad Moderna, miembro del cabildo de Indias. 5 En la Edad Media, miembro de la corporación local.

FAM regiduría; corregidor.

regiduría o **regidoría** *s. f.* Oficio de regidor.

régimen *s. m.* 1 Conjunto de normas o reglas que dirigen o gobiernan una cosa, o que definen la administración de un estado o de una entidad: *este padre quiere para sus hijos un régimen de educación muy severo.* **SIN** normativa, ordenación. 2 Sistema político por el que se rige, gobierna o administra una nación: *en la Edad Media imperaba el régimen señorial; actualmente, España se rige mediante el régimen constitucional.* 3 Conjunto de normas que limitan el consumo de determinados alimentos, o excluye otros, generalmente por motivos de salud o de peso: *régimen de adelgazamiento; régimen para diabéticos.* **SIN** dieta. 4 Conjunto de circunstancias que provocan un fenómeno y que constituyen el modo habitual o regular de producirse este: *el régimen de lluvias en el desierto es escaso.* ■ **régimen hidrográfico** Variación experimentada por el caudal de agua de un río según la estación del año: *el régimen hidrográfico de los ríos mediterráneos indica un aumento de caudal de agua en primavera y en otoño.* 5 Relación de dependencia que guardan entre sí algunas palabras dentro de una oración: *el régimen de un verbo transitivo es el complemento directo.* 6 Preposición que exige cada verbo: *el régimen del verbo "acordarse" es la preposición "de".*

régimen pluviométrico Distribución estacional de las precipitaciones en un área o región determinada.

OBS Plural: *regímenes.*

regimiento *s. m.* 1 Unidad militar compuesta por varios batallones y mandada por un coronel. 2 Conjunto muy numeroso de personas: *un regimiento de alumnos invadió el patio a la hora del recreo.* **SIN** multitud.

regio, -gia *adj.* 1 Propio del rey o de la realeza: *autoridad* *regia; trono regio.* **SIN** real. **2** Que es magnífico o suntuoso: *fue una cena regia, de gran etiqueta.* **3** Se aplica a la sala o al salón espléndido y majestuoso.

región *s. f.* **1** Porción de territorio que forma una unidad por tener unas características geográficas, políticas, climáticas, sociales o de otro tipo comunes: *los polos son las regiones más frías del planeta.* **SIN** zona. **2** División de una nación, definida por rasgos geográficos, históricos y sociales, y que puede subdividirse en provincias, departamentos u otras unidades administrativas. **3** Cada una de las partes en que se divide el cuerpo de una persona o animal: *región torácica; región lumbar; región abdominal.* **SIN** zona.
región angular En matemáticas, porción del plano comprendida entre los dos lados de un ángulo.
región militar Cada una de las circunscripciones territoriales en que se divide un estado desde el punto de vista militar. **FAM** regional.

regional *adj.* Relativo a la región: *asociación regional; traje regional; bailes regionales.* **FAM** regionalismo, regionalizar.

regionalismo *s. m.* **1** Doctrina o tendencia política que defiende que el gobierno de un estado debe considerar y ratificar el modo de ser, las aspiraciones y el carácter propios de cada región: *el regionalismo propugna la autonomía de las regiones.* **2** Amor a la propia región: *la poesía gallega de Rosalía de Castro es una buena muestra de regionalismo.* **3** Palabra o modo de expresión propio de una región determinada. **FAM** regionalista.

regionalista *adj.* **1** Relativo a la doctrina o tendencia política del regionalismo: *los movimientos regionalistas nacieron en el siglo XIX.* | *adj./s. com.* **2** Se aplica a la persona que es partidaria del regionalismo político.

regir [10] *v. tr.* **1** Dirigir, gobernar o administrar un asunto o lugar: *este tratado regirá las relaciones entre esos dos países; cada país se rige por unas determinadas leyes.* **2** Guiar o dirigir una cosa: *las normas que rigen la conducta humana; el piloto regía la nave en la tormenta.* **3** Exigir una palabra la presencia de otra determinada para tener un significado completo y correcto: *los verbos transitivos rigen complemento directo; algunos verbos rigen preposición.* | *v. intr.* **4** Estar vigente una ley o una norma: *todavía rigen leyes que tienen un siglo de antigüedad.* **5** Funcionar bien o estar en plenas facultades la mente de una persona: *es muy anciano pero su cerebro aún rige perfectamente.* **FAM** regidor.

registrador, -ra *adj./s. m. y f.* **1** Se aplica al aparato, máquina o caja que sirve para anotar o grabar automáticamente una serie de datos u operaciones y en el que se ingresa el importe de las ventas: *caja registradora; máquina registradora.* | *s. m. y f.* **2** Persona encargada de un registro público, especialmente el de la propiedad: *antes de comprar el terreno fui a ver al registrador de la propiedad.*

registrar *v. tr.* **1** Mirar o examinar una cosa, un lugar o a una persona con cuidado y detenimiento para encontrar algo que se está buscando: *la policía registró la zona buscando a los delincuentes.* **SIN** inspeccionar, reconocer. **2** Anotar o incluir una cosa en una lista o relación: *este diccionario registra muchos americanismos.* **3** Apuntar o anotar una cosa o un nombre en un registro o en un libro o documento oficial: *he registrado el coche a mi nombre; registrarse en un hotel.* **4** Apuntar o inscribir de manera jurídica o comercial una determinada marca comercial: *la empresa registró la marca comercial de su nuevo pro-*

ducto. **5** Grabar un sonido o una imagen: *nuestras cámaras registraron la boda de la actriz.* **6** Recoger, marcar o indicar un aparato una determinada cantidad o magnitud: *un termómetro registra la temperatura.* **7** Ocurrir una cosa y catalogarla o tomar nota de ella: *se han registrado intensas lluvias en el norte peninsular.* **FAM** registrado, registrador.

registro *s. m.* **1** Acción que consiste en mirar o examinar una cosa, un lugar o a una persona con cuidado y detenimiento para encontrar algo que se está buscando: *cuatro agentes de policía efectuaron un registro en casa del sospechoso.* **2** Inscripción jurídica o comercial de una determinada marca comercial: *la empresa solicitó el registro de la nueva marca comercial.* **3** Libro o documento oficial en que se anotan regularmente hechos o informaciones de los que debe quedar constancia: *el sacerdote anota los bautizos y las bodas en el registro de la parroquia.* ■ **registro civil** Libro o documento oficial que recoge la información sobre los nacimientos, muertes, bodas y otros estados de los ciudadanos: *en el registro civil debe constar tu fecha de nacimiento.* ■ **registro de la propiedad** Libro o documento oficial que recoge los bienes que hay en un lugar y quiénes son sus dueños: *el piso está inscrito a su nombre en el registro de la propiedad.* ■ **registro de la propiedad industrial** Libro o documento oficial por el que se concede a alguien el derecho exclusivo a poner en práctica un determinado invento por un periodo de veinte años. ■ **registro de la propiedad intelectual** Libro o documento oficial que recoge las obras culturales y científicas y quiénes son sus autores. **4** Lugar u oficina en el que se inscribe a alguien o algo en un libro o documento oficial, que normalmente recoge hechos o informaciones que pertenecen a la administración pública: *cuando nace un niño hay que ir a inscribirlo en el registro.* **5** Cordón, cinta u otra señal que se pone en un libro para manejarlo mejor y consultarlo con facilidad: *el misal de mi abuela tenía un registro de seda rojo.* **6** Modalidad expresiva que adopta el hablante según la situación o el contexto comunicativos, como familiar, coloquial, técnico o científico, académico: *registro coloquial; registro culto.* **NOTA** También *registro idiomático.* **7** Unidad completa de almacenamiento de información: *para activar un registro, podemos utilizar el teclado o el ratón.* **8** Extensión o parte del ámbito total de notas musicales que puede emitir una voz o un instrumento o que contiene una composición: *la voz humana alcanza los tres registros, agudo, medio y bajo.* **9** Acción de registrar el desarrollo de una actividad. **FAM** registrar.

regla *s. f.* **1** Instrumento delgado y plano graduado en centímetros y milímetros que sirve para medir y trazar líneas rectas: *para hacer un dibujo geométrico necesito la regla y el cartabón.* **2** Norma que sirve para dirigir o ejecutar una cosa: *las reglas de un juego.* **3** Principio, precepto o máxima de una ciencia o arte: *la regla de formación de palabras en español; las reglas clásicas de la escultura.* **4** Método para hacer una operación matemática. ■ **las cuatro reglas** Las cuatro operaciones matemáticas básicas: suma, resta, multiplicación y división: *en matemáticas solo me defiendo con las cuatro reglas.* ■ **regla de tres** (I) En relación a magnitudes que son proporcionales, operación que se realiza para averiguar una cantidad que no se conoce a partir de otras tres conocidas. (II) Manera de razonar que pretende indicar lo erróneo de un argumento: *¿por qué regla de tres están las patatas más caras hoy que la semana pasada?* ■ **regla del paralelogramo** En física, operación

R

para calcular la resultante de magnitudes vectoriales, como la fuerza, que actúan sobre un cuerpo. **5** Conjunto de principios o normas por los que se rige la vida de una orden religiosa, especialmente monástica: *en este monasterio se sigue la regla de san Benito.* **6** Proceso fisiológico por el que las mujeres y las hembras de ciertas especies animales expulsan periódicamente por la vagina un óvulo maduro no fecundado con sangre y otras materias procedentes del útero. SIN menstruación, periodo. **7** Flujo sanguíneo procedente del útero que se evacua durante este proceso fisiológico. SIN menstruación.

en regla Expresión que indica que una cosa se realiza de manera correcta o como corresponde o debe ser: *no pudo pasar por no tener todos los papeles en regla.*

por regla general Expresión que indica que una cosa sucede normalmente o casi siempre: *por regla general suele venir a las tres.*

regla de las tres erres Principio de educación ambiental basado en la reducción del consumo, la reutilización de lo aprovechable y el reciclaje de los residuos.

FAM reglamento, reglar, regleta.

reglaje *s. m.* Reajuste que se efectúa en las piezas de un mecanismo a fin de conservarlo en buen estado de funcionamiento: *el reglaje y puesta a punto del automóvil.*

reglamentación *s. f.* **1** Sometimiento de una actividad o proceso a determinadas normas, reglas o leyes: *el gobierno se va a encargar de la reglamentación de este tipo de contratos.* SIN regulación. **2** Reglamento.

reglamentar *v. tr.* Someter una actividad o proceso a determinadas normas, reglas o leyes: *se quiere reglamentar la utilización de ciertas zonas del parque.* SIN reglar, regular.

FAM reglamentación.

reglamentario, -ria *adj.* **1** Que está hecho según el reglamento o se ajusta a él: *reforma reglamentaria; medidas reglamentarias.* **2** Que es obligado o exigido por el reglamento: *uniforme reglamentario.* SIN preceptivo.

FAM antirreglamentario.

reglamento *s. m.* Conjunto de normas, reglas o leyes creadas por una autoridad para regir una actividad o un organismo: *el reglamento del baloncesto; el reglamento militar.* SIN regulación.

de reglamento Reglamentario: *un balón de reglamento.*

FAM reglamentar, reglamentario.

reglar *v. tr.* **1** Sujetar o someter una cosa a reglas o normas: *se ha tratado de reglar la enseñanza primaria.* SIN reglamentar. **2** Ajustar un mecanismo para su mejor funcionamiento.

FAM reglado, reglaje.

regleta *s. f.* **1** Pequeña plancha de metal utilizada en imprenta para espaciar las líneas de un impreso. **2** Soporte aislante sobre el cual se disponen los componentes de un circuito eléctrico. **3** Objeto pequeño que se utiliza con fines didácticos, en especial para enseñar a contar.

regocijar *v. tr.* **1** Dar o causar regocijo, alegría o diversión a alguien: *hizo todo tipo de gestos para regocijar a los niños.* SIN alegrar, divertir. | *v. prnl.* **2 regocijarse** Sentir regocijo o alegría una persona: *se regocijaba pensando en lo que se iban a divertir.*

FAM regocijado, regocijo.

regocijo *s. m.* Alegría, gusto o satisfacción interior muy intensos: *tus palabras me llenaron de regocijo.* SIN gozo, júbilo.

regodearse *v. prnl.* **1** Complacerse una persona de una cosa que agrada mucho o deleitarse con ella: *se regodeaba pensando en el negocio que había hecho esa tarde.* **2** Alegrarse una persona con lo que para otra es una desgracia: *se regodea ante las desgracias ajenas.*

FAM regodeo.

regodeo *s. m.* **1** Placer intenso que se experimenta al hacer algo que gusta mucho: *estuvo comiendo pasteles con regodeo.* **2** Placer que una persona ecuentra en algo que es molesto o perjudicial para otra: *le preguntó con regodeo por el robo de su coche.*

regoldar [5] *v. intr.* familiar Expulsar los gases del estómago haciendo ruido por la boca. SIN eructar.

regordete, -ta *adj.* familiar Se aplica a la persona que es pequeña y gruesa: *niño regordete.*

regresar *v. intr.* **1** Volver al lugar de donde se partió: *creo que ya es hora de regresar a casa.* SIN retornar. | *v. tr.* **2** AMÉR. Devolver una cosa a su dueño: *me regresó la computadora que le había prestado hacía un mes.* | *v. prnl.* **3 regresarse** AMÉR Regresar: *nos regresamos hoy mismo.*

FAM regresión, regresivo, regreso.

regresión *s. f.* **1** Retroceso o vuelta hacia atrás de una cosa: *fue un periodo de regresión hacia el autoritarismo.* ANT avance. **2** Proceso de formación de palabras mediante la supresión de afijos de la palabra primitiva.

regresivo, -va *adj.* **1** Que provoca un retroceso o vuelta hacia atrás: *los países con una natalidad muy baja tienen una población regresiva y en proceso de envejecimiento.* **2** Se aplica a la palabra creada por un procedimiento de derivación mediante la supresión de afijos.

regreso *s. m.* Vuelta al lugar de donde se partió: *el turista prepara su regreso al finalizar las vacaciones.* SIN retorno. ANT ida.

regüeldo *s. m.* familiar Eructo: *soltó un gran regüeldo después de beberse la cerveza.*

reguera *s. f.* Canal pequeño para el riego. SIN reguero.

reguero *s. m.* **1** Reguera. **2** Arroyo pequeño. **3** Chorro fino de agua. **4** Señal continuada que queda de una cosa que se va derramando: *un reguero de sangre.*

regulación *s. f.* **1** Acción que consiste en someter o sujetar una cosa a determinadas normas o reglas: *regulación de empleo.* **2** Ajuste del funcionamiento de un aparato: *el botón izquierdo de la lavadora sirve para la regulación de la temperatura del agua.*

FAM autorregulación.

regulador, -ra *adj.* **1** Que regula o ajusta una cosa o una actividad: *el gobierno pondrá en marcha unos precios reguladores del mercado.* | *s. m.* **2** Mecanismo que sirve para ordenar o ajustar el funcionamiento de una máquina o de una de sus piezas: *las botellas de los submarinistas llevan un regulador del oxígeno; el agua actúa como un gran regulador de la temperatura y, por tanto, del clima.* **3** Signo musical en figura de ángulo agudo que, colocado horizontalmente sobre una o más notas, indica, según la dirección de su abertura, que la intensidad del sonido se ha de aumentar (<) o disminuir (>) gradualmente.

regular[1] *adj.* **1** Que no sufre grandes cambios o alteraciones: *el alumno ha seguido una trayectoria regular a lo largo del curso.* SIN uniforme. ANT irregular. **2** Se aplica a la persona o cosa que sigue unas pautas ordenadas y previsibles, sin altibajos ni cambios bruscos: *comportamiento regular; vuelo regular; es una jugadora muy regular.* **3** Mediano o intermedio, generalmente hablando del tamaño o la calidad de algo: *tamaño regular; actuación regular.* ④ Se aplica a la persona que vive sometida a la regla de una comunidad religiosa: *el clero regular se opone al clero secular.* ⑤ Se aplica a la figura geométrica que tiene todos los lados y los ángulos iguales entre sí: *el cuadrado es regular.* ⑥ Se aplica a la palabra que se forma a partir de una regla morfológica general: *"cantar" es un verbo regular.* ‖ *adv.* ⑦ Ni bien ni mal o de manera pasable: *el trabajo me salió regular; mi madre se encuentra regular.*

por lo regular Expresión que indica que una cosa sucede de una manera habitual, normal o común: *por lo regular nos vemos dos veces a la semana.*

regular² *v. tr.* ① Someter o ajustar una cosa a una norma o regla: *las leyes regulan los derechos y deberes de los ciudadanos; regular el tráfico.* ② Ajustar el funcionamiento de un aparato o mecanismo: *el botón del radiador sirve para regular la temperatura de la sala.* **FAM** regulación, regulador, regularizar, regularmente, regulativo.

regularidad *s. f.* ① Uniformidad en la manera de desarrollarse una cosa o una situación sin que se produzcan grandes cambios o alteraciones: *nos visita con regularidad; aprecia la regularidad en el trabajo.* ② Hecho de suceder una cosa con arreglo a una determinada norma: *el banco ingresa los cheques con regularidad.* **SIN** periodicidad, puntualidad.

regularización *s. f.* Acción que consiste en hacer que una cosa funcione o vuelva a funcionar de manera regular o uniforme.

regularizar *v. tr.* ① Hacer regular una cosa que había dejado de serlo: *ha pasado una semana desde el temporal y todavía no se ha regularizado el servicio de trenes en muchos puntos de la costa.* ② Hacer que algo funcione de acuerdo con una norma o regla establecida, generalmente para que obtenga autorización o reconocimiento oficial: *la situación de nuestros trabajadores, que antes era ilegal, se ha regularizado.* **FAM** regularización.

regularmente *adv.* ① De manera regular o siguiendo unas pautas ordenadas y previsibles, sin altibajos ni cambios bruscos: *el enfermo respiraba regularmente; regularmente voy a visitarlo al hospital.* ② De manera proporcionada, con el mismo espacio entre una cosa y otra: *una hilera de patatas colocadas regularmente.*

regurgitar *v. tr.* Volver la comida que no se ha digerido, desde el estómago a la boca y sin vomitarla: *el búho regurgita comida, parcialmente digerida, para alimentar a sus crías.* **FAM** regurgitación.

regusto *s. m.* ① Gusto o sabor que queda en la boca de lo que se ha comido o bebido: *la medicina dejaba un desagradable regusto.* ② Sensación o sentimiento que permanece después de que la experiencia o el estímulo que lo producen ha desaparecido: *el regusto amargo de una pelea.* ③ Impresión o sensación de que algo se parece a otra cosa: *el estilo de su música es claramente rock, aunque con cierto regusto pop.*

rehabilitación *s. m.* ① Conjunto de técnicas y métodos que sirven para recuperar una función o actividad del cuerpo que ha disminuido o se ha perdido a causa de un traumatismo o de una enfermedad: *deberá hacer ejercicios de rehabilitación para volver a mover la mano.* ② Acción que consiste en devolver a una cosa el estado que tenía: *están haciendo obras para la rehabilitación del edificio.*

rehabilitar *v. tr.* ① Devolver a una persona el empleo, cargo

o función que desempeñaba: *tras demostrarse su inocencia fue rehabilitado en su cargo.* **ANT** inhabilitar. ② Recuperar una función o actividad del cuerpo que había disminuido o se había perdido a causa de un traumatismo o de una enfermedad: *tardó cuatro meses en rehabilitar sus piernas después del accidente.* **SIN** restablecerse. **FAM** rehabilitación.

rehacer [31] *v. tr.* ① Volver a hacer lo que está deshecho o mal hecho: *es preciso rehacer la carta entera porque está llena de errores.* ② Arreglar o reparar una cosa material o inmaterial que está estropeada o dañada: *después del divorcio le costó mucho rehacer su vida.* ‖ *v. prnl.* ③ **rehacerse** Recuperarse una persona, volviendo a tener fuerzas o valor para dominar las emociones: *aún no se ha rehecho del todo del accidente que sufrió.* **SIN** fortalecerse. **FAM** rehecho.

rehecho, -cha Participio irregular de *rehacer.*

rehén *s. com.* Persona detenida o encerrada contra su voluntad y de modo ilegal con el fin de garantizar la seguridad de un pacto o tratado, o para obligar a alguien a obedecer una petición o a cumplir unas condiciones.

rehogar *v. tr.* Freír un alimento a fuego lento en aceite, mantequilla u otra grasa: *hay que rehogar cebolla y tomate en una sartén.*

rehuir *v. tr.* ① Evitar o eludir una cosa, una situación o a una persona: *me he dado cuenta de que rehuye encontrarse conmigo.* **SIN** esquivar. ② Rechazar una cosa, una situación o a una persona o apartarse de ella por miedo o por la sospecha de algo: *en nuestras condiciones más nos vale rehuir cualquier pelea.* **SIN** rehusar.

rehusar *v. tr.* Rechazar o no aceptar una cosa: *rehusar un ofrecimiento; rehusar venir.* **SIN** declinar.

reich [se pronuncia aproximadamente 'raij'] *s. m.* Periodo de gobierno o dirección del Estado alemán en tres casos: el Primer Reich o Sacro Imperio Romano-germánico (962-1806), el Segundo Reich, en que gobernó el príncipe Otto von Bismark (1871 1918), y el Tercer Reich, en que gobernó Adolf Hitler (1933-1945).

reimplantar *v. tr.* ① Volver a colocar en su lugar original un miembro del cuerpo que había sido seccionado: *en el hospital le reimplantaron los dedos de la mano que la máquina le había seccionado.* ② Introducir de nuevo una ley, forma de gobierno o costumbre que durante cierto tiempo había dejado de usarse: *en algunos estados se habla de reimplantar la pena de muerte.* **SIN** reinstaurar.

reimpresión *s. f.* ① Impresión de un texto ya publicado utilizando la misma base de impresión, tal como fue impreso la primera vez: *hay que hacer una reimpresión del libro.* ② Conjunto de estos ejemplares reimpresos que se hace de una sola vez: *la editorial va a sacar una reimpresión de esa obra.*

reimpreso, -sa Participio irregular de *reimprimir.*

reimprimir *v. tr.* Volver a imprimir un texto utilizando la misma base de impresión, tal como fue impreso la primera vez. **FAM** reimpresión, reimpreso. **OBS** Tiene doble participio: uno regular (*reimprimido*) y uno irregular (*reimpreso*).

reina ① V. rey, reina. ‖ *adj.* ② Se aplica a la hembra fértil en los insectos sociales, cuya función es procrear. **FAM** virreina.

R

reinado *s. m.* ◫ Periodo de tiempo en el que un rey o una reina ejercen su mandato, o el cargo y las funciones de jefe de Estado ejercidas durante este tiempo: *el reinado de Carlos III se caracterizó por una política exterior tranquila.* ◪ Periodo de tiempo en que domina o está en auge una cosa: *vivimos en el reinado de la agresividad.*

reinante *adj.* ◫ Se aplica al príncipe o al monarca que reina u ocupa un trono: *a la boda real asistieron las casas reinantes de Europa.* ◪ Que domina en una situación determinada: *el buen tiempo reinante.*

reinar *v. intr.* ◫ Gobernar un rey o una reina un estado, o ejercer estos el cargo y las funciones de jefe de Estado: *aquel rey reinó sobre muchos territorios.* ◪ Prevalecer o persistir una cosa de manera general: *en este país reina la paz desde hace muchos años.* **FAM** reinado, reinante.

reincidencia *s. f.* Hecho de incurrir o volver a caer en un mismo error, falta o delito: *fue encarcelado por su reincidencia.*

reincidente *adj./s. com.* Se aplica a la persona que incurre o vuelve a caer en el mismo error, falta o delito: *el procesado es reincidente del delito que se le acusa.* **FAM** reincidencia.

reincidir *v. intr.* Incurrir o volver a caer una persona en el mismo error, falta o delito: *si reincides en lo mismo volverás a la cárcel.* **FAM** reincidencia.

reincorporar *v. tr.* Volver a incorporar a una persona o una cosa a su empleo o lugar, del cual se había separado: *se reincorporó al trabajo la semana pasada.* **FAM** reincorporación.

reingresar *v. intr.* ◫ Entrar de nuevo en un lugar, especialmente un establecimiento sanitario, tras un tiempo de haberlo abandonado: *el enfermo ha sufrido una recaída, y por eso ha reingresado.* ◪ Volver a ser miembro de una colectividad o asociación tras un tiempo de haberla abandonado: *reingresar en el ejército.* **FAM** reingreso.

reino *s. m.* ◫ Estado en el que el jefe de gobierno es un rey o una reina: *España es un reino.* ◪ Territorio o provincia de un estado que antiguamente tuvo rey o reina propios: *el antiguo reino de Navarra; el reino de Sevilla.* ◫ Campo o ámbito (real o imaginario) que es propio de una actividad determinada: *el reino de la informática; el reino de los números.* ◱ Cada uno de los grandes grupos en que se consideran distribuidos los seres y elementos de la naturaleza: *reino animal; reino vegetal; reino mineral.* ◵ Categoría taxonómica de rango más alto en la clasificación de los seres vivos: *los seres vivos se dividen en cinco reinos: animales, vegetales, hongos, móneras y protistas o protoctistas.*
reino de Dios o **reino de los cielos** Paraíso o cielo, según las religiones judía y cristiana. **FAM** reinar.

reinserción *s. f.* Reintegración o nueva adaptación de una persona en la sociedad después de haber estado durante un tiempo al margen de ella: *tras la nueva ley del menor, se han abierto muchos centros dedicados a la reinserción de delincuentes menores de edad.*

reinsertar *v. tr.* Volver a integrar o a adaptar a una persona en la sociedad después de haber estado durante un tiempo al margen de ella: *el gobierno se comprometió a reinsertar a los terroristas arrepentidos.* **FAM** reinserción.

reinstaurar *v. tr.* Instaurar o introducir de nuevo una ley,

forma de gobierno o costumbre que durante cierto tiempo había dejado de estar en vigor: *reinstaurar la democracia.* **SIN** reimplantar. **FAM** reinstauración.

reintegrar *v. tr.* ◫ Restituir, satisfacer o devolver íntegramente una cosa a una persona, generalmente dinero: *le reintegraron el dinero cuando devolvió la lavadora que había salido defectuosa.* ◪ Poner en un documento las pólizas o sellos requeridos: *hay que reintegrar la instancia para que tenga validez.* ◫ Hacer que una persona vuelva a un determinado lugar o situación, o a realizar una actividad: *esta asociación intenta reintegrar a los marginados* ‖ *v. prnl.* ◱ **reintegrarse** Recobrarse enteramente alguien de lo que había perdido, generalmente dinero: *se reintegró de las facturas pendientes de cobro.* **FAM** reintegración, reintegro.

reintegro *s. m.* ◫ Restitución o devolución de una cantidad de dinero que se debe: *fue al banco a hacer el reintegro del préstamo que había solicitado.* ◪ En la lotería, premio igual a la cantidad jugada: *esta semana el reintegro de la lotería es para los números terminados en cero.* ◫ Vuelta de una persona a un determinado lugar o a una antigua situación o actividad.

reír [12] *v. intr.* ◫ Manifestar una persona alegría, placer o felicidad moviendo la boca, los ojos y otras partes de la cara y emitiendo unos peculiares sonidos. ◪ Celebrar con risa una cosa: *le ríen todas sus gracias; me gusta que rías mis bromas.* ‖ *v. prnl.* ◫ **reírse** Burlarse de una persona o cosa: *no me gusta que se rían de mí.* **FAM** sonreír.

reiteración *s. f.* ◫ Repetición de algo ya dicho o hecho: *el paralelismo es la reiteración de una misma estructura sintáctica.* ◪ En derecho, circunstancia agravante derivada de otras condenas de la persona a la que se juzga.

reiterado, -da *adj.* Que se hace o se dice repetidamente: *ha sido despedido por sus reiteradas faltas de puntualidad.*

reiterar *v. tr.* ◫ Volver a hacer o decir algo: *le reitero mi agradecimiento por su amabilidad.* **SIN** repetir. ‖ *v. prnl.* ◪ **reiterarse** Mantenerse o reafirmarse alguien en una idea, opinión o actitud a propósito de un asunto determinado: *nos reiteramos en nuestra decisión.* **FAM** reiteración, reiterado, reiterativo.

reiterativo, -va *adj.* ◫ Que se repite con frecuencia: *fue condenado por violar la ley de forma reiterativa.* **SIN** iterativo. ◪ Se aplica al verbo o perífrasis que expresa la repetición de un hecho: *"golpear" es un verbo reiterativo.* **SIN** iterativo.

reivindicación *s. f.* Solicitud o petición de una cosa que no se tiene y a la que se tiene derecho: *reivindicación laboral; reivindicaciones estudiantiles.*

reivindicar *v. tr.* ◫ Reclamar, solicitar o pedir una cosa que no se tiene y a la que se tiene derecho: *los obreros reivindicaban un salario justo y unas prestaciones sociales dignas.* **SIN** exigir. ◪ Reclamar como propia la realización o la autoría de una acción determinada: *los terroristas reivindicaron el atentado mediante una llamada de teléfono.* **FAM** reivindicación, reivindicativo.

reja[1] *s. f.* Estructura formada por barras de hierro, de varios tamaños y figuras, que se coloca sobre todo en las ventanas y puertas para proteger o adornar: *miraba a la calle desde detrás de la reja de la ventana.*
entre rejas familiar En la cárcel o preso: *está entre rejas por un robo a mano armada desde hace un año.* **FAM** rejilla.

reja² *s. f.* ① Pieza de hierro del arado que sirve para surcar, remover y levantar la tierra. ② Labor que se hace en la tierra con un arado: *acabo de dar la segunda reja a la tierra.* **SIN** arado.

rejilla *s. f.* ① Tela metálica o lámina calada que se pone sobre una abertura como protección o para ocultar el interior: *la rejilla del confesionario; la rejilla de la tapa de un brasero.* ② Tejido delgado y fuerte hecho con tiras entrecruzadas de fibras vegetales, que se utiliza en la fabricación de respaldos y asientos de sillas y para otros usos.

rejón *s. m.* Asta de madera con punta de lanza empleada para rejonear o herir al toro.
FAM rejonear.

rejoneador, -ra *s. m. y f.* Persona que torea a caballo hiriendo al toro con el rejón.

rejonear *v. tr.* ① Herir o pinchar al toro con uno o varios rejones dejando la punta del rejón clavada en el lomo del animal. ② Torear a caballo.
FAM rejoneador, rejoneo.

rejoneo *s. m.* Acción que consiste en herir o pinchar al toro con el rejón: *este torero es un artista del rejoneo.*

rejuvenecer [16] *v. tr.* ① Dar a una persona o cosa un aspecto más joven: *su vuelta al trabajo ha rejuvenecido a mi padre; este corte de pelo te rejuvenece.* ② Renovar o dar actualidad a una cosa: *he decidido rejuvenecer mi vestuario.* ‖ *v. intr./prnl.* ③ Tomar alguien o algo un aspecto más joven: *pretendía rejuvenecer mucho más con un tratamiento médico.* ④ Renovarse una cosa, tomar un aspecto más moderno o actual.
FAM rejuvenecedor, rejuvenecimiento.

relación *s. f.* ① Correspondencia o conexión que hay entre dos o más cosas: *no sé qué relación puede haber entre estos hechos.* ■ **relación de transmisión** En un sistema de transmisión de movimiento, cociente de las velocidades de giro de los árboles de levas. ■ **relación interespecífica** En biología, relación que se establece entre individuos de especies distintas, como el parasitismo o la depredación. ■ **relación intraespecífica** En biología, relación que se establece entre individuos de la misma especie para la obtención de alimento, la defensa de las crías y la protección. ② Relato que se hace de un hecho de palabra o por escrito: *en su carta anterior nos hizo relación de todo lo sucedido.* **SIN** narración. ③ Lista de personas o cosas: *leyó la relación de los asistentes al congreso.* ④ Trato o unión que hay entre dos o más personas: *relación de trabajo; relación amorosa; a estas personas les une una relación de parentesco.* ⑤ Resultado numérico que se obtiene de comparar dos magnitudes o cantidades. ‖ *s. f. pl.* ⑥ **relaciones** Trato amoroso o sexual que hay entre dos personas: *relaciones sexuales; relaciones amorosas; tiene relaciones con una chica del barrio.* ⑦ Conjunto de personas importantes o influyentes con las que alguien mantiene un trato personal o social: *es muy importante en el mundo de los negocios tener buenas relaciones.* **SIN** amistades, influencias. ■ **relaciones públicas** (I) Actividad o profesión que se ocupa de promover o prestigiar la imagen pública de una empresa o de una persona mediante el trato personal con diferentes personas o entidades: *el departamento de relaciones públicas ha organizado una reunión de urgencia.* (II) Persona que se dedica a esta actividad o profesión: *esta chica es la relaciones públicas del hotel.*

con relación a o **en relación con** Con respecto a, en referencia a lo que se expresa: *el partido ha perdido nueve escaños en relación con las pasadas elecciones.*
FAM relacional, relacionar; correlación, interrelación.

relacionar *v. tr.* ① Establecer una relación o correspondencia entre dos o más cosas: *intenta relacionar estos hechos; estos hechos se relacionan entre sí.* ② Relatar un hecho de palabra o por escrito: *soy capaz de relacionar con detalle lo que sucedió la noche del crimen.* **SIN** contar. ‖ *v. prnl.* ③ **relacionarse** Tener trato o relación una persona con otra u otras: *no sale nunca de casa y no se relaciona con nadie; me gusta relacionarme y conocer gente.* ④ Entablar un trato personal o social con una serie de personas importantes o influyentes: *es un hombre que sabe relacionarse.*

relajación *s. f.* ① Estado de tranquilidad, reposo o descanso físico o mental: *la relajación total suele conseguirse mientras se duerme.* **SIN** relax. **ANT** nerviosismo. ② Disminución de la fuerza, la actividad o la tensión de una parte del cuerpo: *relajación muscular.* ③ Tratamiento que consiste en una serie de ejercicios físicos y mentales para conseguir el reposo muscular o psíquico: *estoy aprendiendo ejercicios de relajación para superar los momentos de tensión.* ④ Disminución de la severidad de una regla o norma, que lleva al vicio y a la inmoralidad: *relajación de las costumbres.*

relajado, -da *adj.* ① Que está sereno o muy tranquilo. ② Que no causa tensión o nerviosismo: *tiene un trabajo muy relajado.* **SIN** distendido. ③ Se aplica al sonido que se pronuncia con escasa tensión muscular: *la sílaba final de muchos participios en castellano suele pronunciarse con una "d" relajada.*

relajamiento *s. m.* Relajación.

relajar *v. tr.* ① Disminuir la tensión, la presión o la fuerza a que está sometida una cosa: *relaja la cuerda que está tirante.* **SIN** aflojar, distender. ② Reducir o disminuir la fuerza, la actividad o la tensión de una parte del cuerpo: *relajar las piernas; relajar los músculos.* ③ Hacer menos severo y rígido el cumplimiento de ciertas normas sociales: *el nuevo director relajó la disciplina del colegio.* ‖ *v. prnl.* ④ **relajarse** Conseguir un estado físico y mental de tranquilidad, reposo o descanso dejando los músculos sin tensión y la mente libre de cualquier pensamiento: *está usted muy nervioso y necesita relajarse.* ⑤ Viciarse una persona o adquirir costumbres consideradas malas o negativas moralmente: *cuando la sociedad está en decadencia las personas se relajan en su conducta y en su moral.*
FAM relajación, relajado, relajamiento, relajante, relajo.

relajo *s. m.* ① Descanso o estado de tranquilidad: *necesito unos días de relajo, así que me voy a tomar unas vacaciones.* **SIN** relajación, relajamiento, relax. ② Disminución de la severidad de una regla o norma o degradación de las costumbres que provoca el vicio y la inmoralidad. ③ Desorden: *el día anterior a las vacaciones es normal el relajo que se observa entre los alumnos.* ④ AMÉR. Lío (situación o asunto confuso). ⑤ familiar AMÉR. CENTRAL Alboroto, barullo. ⑥ ARG., CHILE, MÉX. Hecho o dicho que es inmoral o deshonesto. ⑦ ARG., CHILE, CUBA, P. RICO Burla que se hace a una persona. ⑧ EL SALV., HOND., MÉX. Pelea o riña entre dos o más personas.

relamer *v. tr.* ① Chupar una cosa con la lengua de manera repetida e insistente: *el perro relamía el plato.* ‖ *v. prnl.* ② **relamerse** Pasarse una persona la lengua por los labios repetidamente: *se relame para limpiarse el chocolate de los labios.* ③ Sentir una persona mucho gusto, placer o satisfacción pensando en algo: *se relamía pensando en lo bien que le iba el negocio.*
FAM relamido.

relamido, -da *adj.* Se aplica a la persona que no viste de manera natural y va excesivamente aseada o con demasiados adornos: *esa niña va siempre muy relamida con tantos lazos y adornos.*

relámpago *s. m.* ① Resplandor o luz viva y momentánea que se produce en las nubes por una descarga eléctrica: *después del relámpago va el trueno.* ② Persona o cosa muy rápida y fugaz: *¡este chico es un relámpago haciendo los deberes!* **NOTA** Se construye normalmente en aposición a otro sustantivo: *visita relámpago, viaje relámpago.*
FAM relampaguear.

relampaguear *v. impersonal* ① Haber relámpagos: *llueve y relampaguea.* ❙ *v. intr.* ② Destellar una cosa o brillar de manera especial: *los ojos de Susana relampaguean de enfado.* **SIN** centellear, resplandecer.
FAM relampagueo.

relampagueo *s. m.* ① Serie de relámpagos sucesivos que hay durante una tormenta. ② Destello de luz o brillo de una cosa de manera intermitente: *el relampagueo del foco me molesta mucho.*

relanzar *v. tr.* Volver a presentar al público a una persona o cosa o reintroducir una costumbre o tendencia que habían perdido impulso o vigor: *relanzar un cantante; relanzar una campaña de tráfico.*
FAM relanzamiento.

relatar *v. tr.* Contar un hecho o suceso de palabra o por escrito: *relató el accidente de su abuelo con todo detalle.* **SIN** narrar, referir.
FAM relator.

relativamente *adv.* Según un punto de vista relativo.

relatividad *s. f.* ① Cualidad de las cosas que no se consideran de una manera absoluta sino dependiendo de una serie de factores, elementos o circunstancias: *los conceptos del bien y el mal deben considerarse con mucha relatividad.* ② Teoría según la cual las leyes físicas se transforman cuando se cambia el sistema de referencia; se demuestra que es imposible hallar un sistema de referencia absoluto y que todo movimiento es relativo: *la teoría de la relatividad fue formulada en 1905 por el físico alemán Albert Einstein (1879-1955).*

relativismo *s. m.* Doctrina basada en la relatividad o falta de valores absolutos, punto de vista según el cual los conceptos comúnmente aceptados sobre el bien y el mal varían en función del ambiente y de una persona a otra: *el relativismo es una actitud filosófica propia de los sistemas positivistas y empiristas.*
FAM relativista.

relativizar *v. tr.* Conceder a algo un valor o importancia menor: *es necesario relativizar la importancia del dinero para conseguir la felicidad.*

relativo, -va *adj.* ① Que tiene relación o conexión con una persona o cosa o hace refencia a ello: *intentaron solucionar los problemas relativos a la economía.* **SIN** referente. ② Que no es total ni absoluto y depende de una serie de factores, elementos o circunstancias: *la felicidad tiene un valor relativo.* **ANT** absoluto. ③ Que existe o se da en poca cantidad o intensidad: *se ha experimentado un relativo descenso del paro.* **SIN** escaso. ❙ *adj./s. m.* ④ Se aplica al pronombre, adjetivo o adverbio que hace referencia a elementos aparecidos anteriormente en el discurso e introduce una oración subordinada adjetiva: *el pronombre relativo une una oración subordinada con un elemento de la oración principal llamado "antecedente"; en la frase "me gusta el sombrero que me has comprado", "que" es el relativo y "sombrero" es el antecedente.* ❙ *adj./s. f.* ⑤ Se aplica a la oración subordinada que funciona dentro de la oración compuesta como un adjetivo y está introducida por estos pronombres,

adjetivos o adverbios: *en la oración "el año que viene iré a Canarias", "que viene" es la oración de relativo y su antecedente es "año".*
FAM relativamente, relatividad, relativismo, relativizar.

relato *s. m.* ① Cuento o narración breve de carácter literario: *los relatos tienen como finalidad entretener o enseñar algo de manera agradable.* ② Narración de un hecho o suceso de palabra o por escrito: *nos hizo un relato muy detallado de lo que le sucedió.* **SIN** relación.
FAM relatar.

relax *s. m.* Relajación producida por una situación de tranquilidad y bienestar, por la práctica de ejercicio físico y respiratorio, o por un estado de descanso o reposo físico y mental.

relé *s. m.* Dispositivo electromagnético que, estimulado por una corriente eléctrica muy débil, interrumpe o dirige la corriente de otros circuitos eléctricos: *un relé está formado por un interruptor y un electroimán; con un relé podemos controlar dos circuitos independientes por los que circulan corrientes de voltaje diferente.*

relegar *v. tr.* Apartar o dejar de lado a una persona o una cosa: *fue relegado a un cargo poco importante; relegar al olvido a una persona.* **SIN** postergar.
FAM relegación.

relente *s. m.* Humedad que hay en la atmósfera en las noches serenas.

relevancia *s. f.* Importancia o utilidad de algo: *la relevancia de este descubrimiento fue enorme para la curación de numerosas enfermedades.*

relevante *adj.* Que es significativo o importante: *solamente los sucesos que se consideran relevantes son recogidos por los medios de comunicación.*
FAM relevancia.

relevar *v. tr.* ① Destituir o quitar a una persona de un puesto o cargo: *el presidente ha relevado al ministro de su cargo.* ② Librar a una persona de un peso, carga o empleo: *lo relevará de ese quehacer en cuanto pueda.* ③ Reemplazar o sustituir una persona a otra en un trabajo o actividad: *esta noche yo relevaré a mi hermano en el hospital para que pueda dormir un poco.* ④ En una competición deportiva de relevos, sustituir un deportista a otro que está corriendo.

relevo *s. m.* ① Sustitución de una persona o cosa por otra en un trabajo o actividad: *a las tres hacen el relevo en el puesto de guardia.* ② Persona que sustituye a otra en un trabajo o función: *me marcharé a descansar en cuanto llegue mi relevo.* ❙ *s. m. pl.* ③ **relevos** Competición deportiva de atletismo en la que los miembros de cada equipo se van sustituyendo una vez que han corrido una determinada distancia.
FAM relevista.

relicario *s. m.* ① Lugar o caja en el que se guardan reliquias: *en los relicarios se guardan reliquias de santos.* ② Estuche donde se guarda un objeto o recuerdo de una persona: *el relicario se lleva colgado del cuello y suele tener forma de medallón.*

relieve *s. m.* ① Obra escultórica adherida a una superficie plana: *los relieves son de madera, piedra, cerámica u otros materiales.* ② Conjunto de accidentes geográficos que configuran una superficie, especialmente la superficie terrestre, tanto si están sobre el nivel del mar como si se encuentran por debajo de este nivel: *las mesetas y las cordilleras configuran el relieve de un territorio.* ③ Importancia o influencia de una persona o cosa: *es un escritor de gran relieve.*

poner de relieve Destacar o subrayar una cosa: *en su discurso puso de relieve su punto de vista.*

religión *s. f.* Conjunto de creencias, normas morales de comportamiento social e individual y ceremonias de oración o sacrificio que relacionan al ser humano con la divinidad: *la religión acompaña al hombre desde sus orígenes; el Islam, el budismo, el hinduismo y el cristianismo son religiones.* **FAM** religioso; correligionario.

religiosamente *adv.* ① Desde un punto de vista religioso, o de manera religiosa: *el faraón era rey y dios al mismo tiempo, un rey a quien no solo se le obedecía lealmente, sino que se le veneraba religiosamente.* ② Puntualmente o con exactitud: *paga religiosamente sus facturas.*

religiosidad *s. f.* ① Cualidad de religioso (que pertenece a una religión): *la religiosidad de santa Teresa de Jesús.* ② Práctica y cumplimiento esmerado de las obligaciones que marca una religión: *iba todos los domingos a misa con ferviente religiosidad.* ③ Puntualidad y exactitud en realizar una cosa.

religioso, -sa *adj.* ① Relativo a la religión. ② Se aplica a la persona que practica y sigue los preceptos de una religión. | *adj./s. m. y f.* ③ Se aplica a la persona que ha ingresado en una orden religiosa: *unas religiosas trabajan en el hospital.* | *adj.* ④ Que es fiel y exacto en el cumplimiento de su deber: *paga con religiosa puntualidad.* **FAM** religiosamente, religiosidad; irreligioso.

relinchar *v. intr.* Emitir el caballo su voz.

relincho *s. m.* Voz del caballo. **FAM** relinchar.

reliquia *s. f.* ① Parte del cuerpo de un santo u otro objeto relacionado con él que se venera como objeto de culto: *una de las características de la religiosidad medieval es el culto a las reliquias.* ② Resto que queda de una época o una cosa pasada: *en este pueblo quedan muchas reliquias del siglo pasado.* ③ Objeto viejo o antiguo, generalmente valioso, que se tiene en gran aprecio o estima: *mi abuelo me regaló unos libros antiguos que son una auténtica reliquia.* ④ Cosa muy vieja que no sirve para nada: *voy a deshacerme de esta moto porque es una reliquia.* **FAM** relicario.

rellano *s. m.* Superficie llana que hay entre dos tramos de una escalera y que da entrada a una casa o habitación: *esa señora vive en el mismo rellano que yo.* **SIN** descansillo. **FAM** arrellanarse.

rellenar *v. tr.* ① Llenar de nuevo una cosa que ha sido vaciada total o parcialmente: *ha rellenado la botella con vino.* ② Llenar una cosa hueca metiendo algo en ella: *el albañil rellenó el agujero de la tapia con cemento.* ③ Escribir en los huecos en blanco de un documento la información necesaria: *debes rellenar el impreso con tus datos personales.*

relleno, -na *adj.* ① Que está lleno en su interior de alguna cosa: *aceitunas rellenas de anchoa; pollo relleno.* ② Que tiene escritos los datos necesarios: *el impreso ya está relleno.* ③ Se aplica a la persona que está algo gruesa: *no estás gordo, estás rellenito.* **NOTA** Frecuentemente usado en forma diminutiva. | *s. m.* ④ Cosa con la que se rellena el interior de otra, especialmente un alimento: *he preparado el relleno de las empanadillas; el relleno de un cojín.* ⑤ Llenado de un hueco: *estamos haciendo el relleno de cemento para tapar el hueco de la pared.* ⑥ Parte superflua o poco importante que se añade a un escrito o discurso para alargarlo: *en su discurso hubo mucho relleno y pocas ideas nuevas.* **FAM** rellenar.

reloj *s. m.* Aparato que sirve para medir el tiempo o dividir el día en horas, minutos y segundos. ▪ **reloj de agua** Reloj que mide el tiempo a partir de lo que tarda en caer el agua de un tubo o un vaso a otro. ▪ **reloj de arena** Reloj formado por tubos de cristal unidos por un paso estrecho que mide el tiempo por medio de la arena que va cayendo de uno a otro. ▪ **reloj de cuco** Reloj que dispone de la figura de un cuclillo que sale de su interior para indicar las horas con su canto. ▪ **reloj de pulsera** Reloj que se lleva en la muñeca sujeto con una correa o una cadena. ▪ **reloj de sol** Reloj que señala las horas del día por medio de la sombra que proyecta una aguja fija sobre una superficie.

como un reloj De forma exacta, precisa y regular: *mi cuerpo funciona como un reloj.*

contra reloj (I) En el menor tiempo posible o muy deprisa: *esta obra hay que terminarla contra reloj.* (II) Modalidad de carrera ciclista en la que los corredores salen de uno en uno e intentan llegar a la meta en el menor tiempo posible: *este ciclista es el ganador de la contra reloj.* **FAM** relojero; contrarreloj.

relojería *s. f.* ① Arte y técnica de fabricar relojes: *la relojería suiza tiene mucha fama.* ② Establecimiento en el que se venden y se arreglan relojes.

relojero, -ra *s. m. y f.* Persona que se dedica a fabricar, arreglar o vender relojes. **FAM** relojería.

reluciente *adj.* ① Que brilla o emite luz: *una calva reluciente.* ② Muy limpio: *siempre lleva el coche reluciente.*

relucir [17] *v. intr.* ① Despedir o reflejar luz una cosa: *su armadura relucía al sol.* **SIN** brillar, resplandecer. ② Destacar una persona por una virtud o cualidad: *sus hechos relucen en la historia.* **FAM** reluciente.

relumbrar *v. intr.* Emitir un cuerpo una luz muy fuerte o brillante: *su pulsera de brillantes relumbraba mucho al sol.* **SIN** brillar, resplandecer. **FAM** relumbro.

rem *s. m.* Unidad de medida de los efectos de emisiones radiactivas en el ser humano: *un trabajador expuesto a radiaciones no puede recibir más de 5 rem en un año.*

remachado *s. m.* Unión de dos cosas mediante remaches. **SIN** remache.

remachadora *s. f.* Máquina que sirve para colocar remaches o piezas de metal: *las remachadoras se utilizan en la fabricación de maletas, cinturones y cuchillos.*

remachar *v. tr.* ① Golpear la punta o cabeza de un clavo: *remachó bien el clavo para que nadie se enganchase en él.* ② Sujetar con remaches o piezas de metal: *aún queda remachar los cinturones.* ③ Asegurar o recalcar una cosa que se ha dicho o hecho para que quede clara: *remachó bien cuál era su intención.* **FAM** remachadora, remache.

remache *s. m.* ① Pieza de metal parecida a un clavo que, después de pasada por el agujero, se remacha por el extremo opuesto formando otra cabeza y sirve para unir o fijar dos piezas planas entre sí: *la cartera se sujeta a la correa con remaches.* ② Remachado.

remanente *s. m.* Residuo que queda de una cosa: *en el almacén queda el remanente de los productos que no se han vendido esta temporada.* **SIN** excedente, resto.

remansarse *v. prnl.* Detenerse o fluir muy lentamente una corriente de agua.

remanso *s. m.* Lugar donde se detiene el agua de una corriente o donde fluye muy despacio.

remanso de paz Lugar muy tranquilo: *este monasterio es un remanso de paz.*
FAM remansarse.

remar *v. intr.* Mover los remos de una embarcación para hacerla avanzar. **SIN** bogar.

remarcar *v. tr.* Poner de relieve una cosa, especialmente una idea o asunto, para que otros lo tengan en cuenta: *antes de marcharse remarcó con indignación que no volvería.* **SIN** acentuar, recalcar, subrayar.
FAM remarcable.

rematadamente *adv.* Se usa, seguido de un adjetivo que expresa una cualidad negativa, para indicar que alguien tiene en un grado muy alto dicha cualidad: *le dije que estaba rematadamente loco.*

rematado, -da *adj.* Total o absoluto: *eres un tonto rematado: prestas dinero a quien no te lo va a devolver.* **SIN** redomado.
FAM rematadamente.

rematar *v. tr.* ① Acabar o poner fin a una cosa: *rematamos el trabajo en el plazo previsto.* **SIN** concluir, terminar. ② Asegurar o afianzar las últimas puntadas de una costura para que no se deshaga: *remata bien el bajo de la falda que se está descosiendo.* ③ Acabar de estropear una cosa o una situación que está mal: *con lo deprimido que está tus malas noticias lo van a rematar.* ④ Acabar de matar a una persona o animal que está a punto de morir: *el ganadero remató al caballo enfermo para que dejara de sufrir.* ⑤ Adjudicar un objeto en una subasta, poniendo fin a esta. ⑥ Vender lo último que queda de un producto o mercancía a un precio rebajado o más barato: *estamos rematando la ropa que queda de la temporada pasada.* **SIN** liquidar. ⑦ En fútbol y otros deportes, lanzar el balón contra la portería contraria, poniendo fin a una jugada. ‖ *v. intr.* ⑧ Terminar una cosa de cierta manera: *una gran terraza remata el edificio; la reunión remató en fiesta.*
FAM rematado, remate.

remate *s. m.* ① Fin o conclusión de una cosa: *esta frase será un remate brillante para tu discurso.* **SIN** terminación, término. ② Elemento que constituye el final de una cosa: *aquel pináculo es el remate de la torre.* **SIN** extremo. ③ Adorno que se pone en el extremo de una cosa: *el camisón tiene un remate de ganchillo.* ④ Adjudicación de una cosa en una subasta. ⑤ Acción que consiste en vender lo último que queda de un producto o mercancía a un precio rebajado o más barato: *en esta tienda están en promoción de remate porque quieren vender todo lo de la temporada pasada.* **SIN** liquidación. ⑥ En el fútbol, lanzamiento o tiro del balón a portería: *el delantero hizo un remate fortísimo que se convirtió en gol.*

de remate Completa o totalmente, sin remedio: *tonto de remate; loco de remate.*

rembolsar *v. tr.* Reembolsar.

rembolso *s. m.* Reembolso.

remedar *v. tr.* ① familiar Hacer una cosa intentando que sea igual a otra: *esa obra remeda el gran clásico de Cervantes.* **SIN** imitar. ② familiar Imitar una persona las acciones o los gestos de otra con intención de burlarse de ella o ridiculizarla: *el actor cómico remedó a la perfección la manera de hablar de un famoso político.* **SIN** parodiar.
FAM remedo.

remediable *adj.* Que tiene remedio o solución: *mal remediable; error remediable.* **ANT** irremediable.
FAM irremediable.

remediar *v. tr.* ① Poner un remedio o dar una solución a una cosa: *nadie puede remediar esta situación tan difícil.* ② Evitar que suceda una cosa negativa: *se enterará del engaño si nadie lo remedia.*
FAM remediable.
OBS Verbo regular, se acentúa como *cambiar.*

remedio *s. m.* ① Medida que se toma para reparar un daño o para evitar un inconveniente: *puso remedio a todos nuestros problemas técnicos.* ② Medio o sustancia que sirve para curar o mejorar una enfermedad: *los médicos no encuentran remedio alguno para su mal.* ③ Solución a una equivocación o a un error: *darle un castigo no es el mejor remedio.* ④ Auxilio de una necesidad: *salir a dar una vuelta fue un remedio estupendo para su soledad.*

no haber más remedio Ser necesaria una cosa: *no hay más remedio que estudiar este fin de semana.*

no tener remedio Aplicado a personas, ser incorregible.

qué remedio Expresión que se utiliza para expresar resignación para aceptar una cosa: *no me apetece salir, pero ¡qué remedio!*
FAM remediar.

remedo *s. m.* Imitación imperfecta o caricaturesca de una cosa: *es un mal remedo de una novela del XVIII.*

remembranza *s. f.* Imagen o conjunto de imágenes de situaciones o hechos pasados que vienen a la mente: *tenemos remembranzas muy gratas de la época que pasamos con nuestra tía.* **SIN** memoria, recuerdo, reminiscencia.

rememorar *v. tr.* Recordar o traer a la memoria o al pensamiento un hecho pasado: *rememoraba los tiempos en los que era joven y feliz.* **SIN** evocar.
FAM rememoración.

remendar [1] *v. tr.* Poner un remiendo a algo viejo o roto, generalmente a una tela para reforzarla: *ya he remendado dos veces las rodillas del pantalón.*
FAM remendón, remiendo.

remendón, -dona *adj./s. m. y f.* Se aplica a la persona que remienda, especialmente al sastre o al zapatero que arregla prendas usadas.

remero, -ra *s. m. y f.* ① Persona que rema o mueve los remos en una embarcación. ‖ *adj./s. f.* ② Se aplica a cada una de las plumas largas y rígidas con que terminan las alas de las aves.

remesa *s. f.* ① Envío que se hace de una cosa de un lugar a otro: *hay que hacer una remesa con las mercancías que se piden.* ② Conjunto de cosas enviadas de una vez: *remesa de libros; remesa de folios.*

remeter *v. tr.* ① Meter una cosa más adentro o volver a meter algo que se ha salido de su sitio. ② Empujar una cosa para meterla en un lugar o dentro de otra: *remetió las sábanas debajo del colchón.*
FAM arremeter.

remezón *s. m.* ① AMÉR. Temblor de tierra de menor intensidad que la producida por un terremoto. ② AMÉR. Movimiento brusco y breve.

remiendo *s. m.* ① Trozo de tela que se cose a otra que está vieja o rota para reforzarla o cubrir un agujero: *lleva los pantalones llenos de remiendos.* ② Reparación o arreglo que se hace para reparar un desperfecto: *es albañil y se dedica a hacer remiendos para sacarse un sueldo.* ③ Enmienda o añadidura en una cosa.

remilgado, -da *adj./s. m. y f.* Se aplica a la persona que muestra una delicadeza o escrúpulo excesivos en sus gestos y acciones: *las personas remilgadas suelen ser cursis.*

remilgo *s. m.* Delicadeza o escrúpulo excesivos que se muestran con gestos expresivos: *no te andes con remilgos y come todo lo que te apetezca.*
FAM remilgado.
OBS Más en plural.

reminiscencia *s. f.* **1** Recuerdo impreciso de un hecho o una imagen del pasado que viene a la memoria: *aquella película le trajo reminiscencias de su infancia.* **2** Trazo o característica de una obra de arte que influye en la creación de otra, o la evoca: *este libro tiene reminiscencias del «Quijote».*

remisión *s. f.* **1** Indicación que se hace en un escrito para enviar al lector a otra parte o lugar: *en el prólogo el autor hace una remisión a otro libro suyo.* **SIN** envío. **2** Pérdida o disminución de la intensidad de una cosa: *después de tomar el calmante notó la remisión del dolor.* **3** Perdón de una culpa o condena que priva de libertad a una persona: *logró la remisión de la condena por su buen comportamiento.*
sin remisión Sin que exista otra posibilidad o salida: *si no avisamos al veterinario, la vaca morirá sin remisión.*

remiso, -sa *adj.* Que no gusta de hacer una cosa o la hace sin entusiasmo o decisión: *el caballo se mostró remiso a saltar.* **SIN** reacio, reluctante, renuente.

remite *s. m.* Nota que se pone en un sobre o paquete que se envía por correo, y que sirve para indicar el nombre y la dirección de la persona que lo manda.

remitente *adj./s. com.* **1** Se aplica a la persona o entidad que envía un paquete o carta o se hace cargo de un envío. **|** *adj.* **2** Que remite o pierde su vigor: *la fiebre está en fase remitente.*

remitir *v. tr.* **1** Enviar o mandar una cosa o a una persona de un sitio a otro: *han remitido aquí su carta; permíteme que te remita al artículo 351 del código penal.* **2** Perdonar una culpa o condena que priva de libertad a una persona: *el juez remitió la pena del acusado.* **SIN** indultar. **ANT** condenar. **|** *v. intr.* **3** Perder una cosa parte de su intensidad o fuerza: *la tormenta remitió enseguida.* **SIN** ceder. **|** *v. prnl.* **4 remitirse** Atenerse una persona a lo dicho o hecho por ella misma o por otra persona respecto de un asunto: *al dar su opinión se remitió a sus propias palabras.*
FAM remisión, remiso, remisorio, remite, remitente; irremisible.

remo *s. m.* **1** Instrumento de madera, en forma de pala larga y estrecha, que sirve para mover o hacer avanzar una embarcación haciendo fuerza en el agua. **2** Deporte que se practica con embarcaciones movidas mediante este instrumento y que consiste en recorrer una determinada distancia en el menor tiempo posible. **3** *familiar* Brazo o pierna de una persona o de un animal de cuatro patas. **NOTA** Más en plural. **4** Ala de un ave: *el albatros es un ave de grandes remos.* **NOTA** Más en plural.
FAM remar, remero; birreme, trirreme.

remodelación *s. f.* **1** Operación mediante la cual se da nueva forma o estructura a algo: *la remodelación del viejo hotel será cara.* **2** Cambio de la forma en que algo está estructurado. **SIN** reorganización.

remodelar *v. tr.* Cambiar o modificar la forma o la estructura de una cosa o de un edificio: *remodelaron la fachada del edificio.*
FAM remodelación.

remojar *v. tr.* **1** Introducir una cosa en un líquido para mojarlo completamente: *remojó el pan en leche para hacer torrijas; se remojaron los pies en la orilla del río.* **2** Celebrar algo convidando a beber a los amigos: *remojaremos con cava el nacimiento de mi hijo.* **SIN** mojar.
FAM remojo, remojón.

remojo *s. m.* Acción que consiste en introducir una cosa en un líquido para mojarla completamente y para mantenerla en ese líquido un cierto tiempo: *los garbanzos se ponen en remojo la víspera de cocerlos.*

remojón *s. m.* Baño de agua que recibe o se da una persona en gran cantidad, a veces sin esperarlo: *la lluvia nos dio un buen remojón.* **SIN** mojadura.

remolacha *s. f.* **1** Planta que posee un tallo derecho, grueso y ramoso, hojas ovaladas con un nervio central y flores pequeñas en espiga, cuya raíz es comestible: *la remolacha es un cultivo de regadío.* **2** Raíz de esta planta, grande y carnosa: *la remolacha roja se toma en ensalada; la remolacha azucarera se cultiva con fines industriales para la obtención de azúcar.*
FAM remolachero.

remolcador, -ra *adj.* **1** Que sirve para remolcar: *camión remolcador; grúa remolcadora.* **|** *adj./s. m.* **2** Se aplica a la embarcación que se usa para remolcar a otras embarcaciones: *un remolcador arrastró el pesquero hasta el puerto.*

remolcar *v. tr.* Llevar o arrastrar un vehículo o embarcación a otro tirando de él por medio de un cable o cadena: *se le averió el motor y tuvieron que remolcarlo hasta un taller.*
FAM remolcador, remolque.

remolienda *s. f.* CHILE, PERÚ Juerga, parranda.

remolino *s. m.* **1** Movimiento rápido y giratorio de una masa de aire, agua, polvo o humo: *un remolino de aire se llevó todos los papeles que tenía sobre la mesa; el barco se hundió en un enorme remolino de agua.* **SIN** torbellino. **2** Conjunto de pelos que crecen en diferente dirección y son difíciles de peinar o alisar. **3** Cantidad grande de gente que se mueve sin orden: *se perdió entre los remolinos de la multitud.* **4** Persona que se mueve mucho y es muy inquieta: *dice que su hijo pequeño es un remolino porque no para ni un segundo.*
FAM arremolinarse.

remolón, -lona *adj./s. m. y f. familiar* Se aplica a la persona que intenta evitar o eludir cualquier trabajo u obligación: *no te hagas el remolón y ayúdame a fregar los platos.* **SIN** holgazán, vago.
FAM remolonear.

remolonear *v. intr.* Hacerse alguien el remolón, tratando de evitar una responsabilidad o trabajo desagradable o difícil, o deteniéndose a menudo en su ejecución.

remolque *s. m.* **1** Vehículo sin motor que se lleva remolcado por otro que tira de él: *ese coche está preparado para llevar un remolque.* **2** Acción que consiste en llevar o arrastrar un vehículo o una embarcación tirando de ellos por medio de un cable o cadena: *procedieron al remolque del barco detenido.*
a remolque (I) Remolcando o siendo remolcado: *la grúa lleva a remolque un coche averiado.* (II) Expresión que se usa para indicar que una cosa se hace sin actuar la propia voluntad, por impulso o incitación de otra persona: *siempre sale a remolque de los amigos, no por su propia iniciativa.*

remontar *v. tr.* **1** Subir una pendiente para alcanzar su parte superior: *los ciclistas remontaron varios puertos de montaña.* **2** Navegar aguas arriba en contra de la corriente: *tuvieron que*

remontar el río más de veinte kilómetros. ☒ Elevar una cosa en el aire: *el niño remontó la cometa*. ☒ Superar una persona un obstáculo o dificultad: *remontamos con éxito los problemas que teníamos*. I *v. prnl.* ☒ **remontarse** Subir o volar un ave o avión: *el águila se remontó rápidamente con su presa en el pico*. ☒ Retroceder en el tiempo hasta un momento del pasado: *remontarse en la historia a los orígenes del hombre*. ☒ Situarse un hecho o una cosa en una época lejana en el tiempo: *la reconquista de Granada se remonta al siglo XV*. ☒ Ascender o elevarse una cantidad de dinero a una cifra determinada: *nuestros gastos se remontan a setecientos quince euros*.
FAM remonte.

remonte *s. m.* ☒ Acción de remontar o remontarse. ☒ Aparato que se utiliza para remontar o subir una pista de esquí: *desde la llanura de la urbanización parten los remontes para los esquiadores*. ☒ Variedad del juego de cesta en que se utiliza una más corta y de menor curvatura que la ordinaria.

rémora *s. f.* ☒ Pez marino tropical de color gris que se pega fuertemente a los objetos flotantes o a otros peces gracias a un disco ovalado que tiene sobre la cabeza: *antiguamente se creía que las rémoras detenían los barcos*. ☒ Cosa que detiene, impide o dificulta un proceso, un proyecto o una acción: *la hipoteca era una rémora para la economía familiar*.

remorder [6] *v. tr.* Inquietar interiormente una cosa por sentimiento de culpa: *le remuerde la conciencia*.

remordimiento *s. m.* Sentimiento de culpabilidad que tiene una persona a causa de una acción censurable.

remotamente *adv.* ☒ En un espacio apartado o en un tiempo lejano a aquel en que se habla: *esta familia está emparentada remotamente con la mía*. ☒ Sin probabilidad de que exista o sea cierta una cosa: *no estamos ni remotamente interesados en su oferta*. ☒ De manera poco clara o precisa: *sí, ahora que lo dices, recuerdo remotamente haberlo conocido, pero nada más*.

remoto, -ta *adj.* ☒ Que está muy lejos o muy apartado en el tiempo o el espacio: *país remoto; lugar remoto; época remota*. **SIN** distante, lejano. **ANT** cercano. ☒ Que es poco probable o está lejos de suceder en la realidad: *no existe la más remota posibilidad de llegar a saberlo*. ☒ Se aplica a la idea vaga o casi olvidada: *tengo una remota idea de cómo se juega a eso*.
FAM remotamente.

remover [6] *v. tr.* ☒ Agitar o mover repetidamente una cosa dándole vueltas: *remueve la leche con la cuchara para que se disuelva el azúcar*. **SIN** revolver. ☒ Cambiar o mover una cosa de sitio: *removió todos los muebles de la sala*. **SIN** mudar, trasladar. ☒ Tratar de nuevo un asunto que se consideraba olvidado: *ha vuelto a remover el tema y se han enfadado de nuevo*. I *v. prnl.* ☒ **removerse** Moverse mucho una persona que está sentada o acostada: *el niño se remueve en la cuna como si le doliese algo*.

remozar *v. tr.* ☒ Dar un aspecto nuevo o moderno a alguien o algo: *han remozado la fachada de la casa*. **SIN** modernizar, renovar. I *v. prnl.* ☒ **remozarse** Rejuvenecerse o modernizarse alguien o algo.
FAM remozamiento.

remplazar *v. tr.* Reemplazar.

remplazo *s. m.* Reemplazo.

remuneración *s. f.* Cantidad de dinero o cosa con que se paga un trabajo. **SIN** sueldo, salario, retribución.

remunerar *v. tr.* Pagar a una persona por un trabajo o servicio: *existen trabajos que son mejor remunerados que otros*. **SIN** retribuir.
FAM remuneración, remunerativo.

remunerativo, -va *adj.* Que remunera, especialmente aplicado al trabajo que produce beneficio suficiente: *el trabajo tiene una función remunerativa*.

renacentista *adj.* ☒ Relativo al Renacimiento: *el arte renacentista admira los modelos clásicos*. I *adj./s. com.* ☒ Se aplica a la persona que cultiva los estudios o sigue las tendencias propias del Renacimiento: *este es uno de los más brillantes poetas renacentistas*.

renacer [16] *v. intr.* ☒ Volver a nacer: *las flores renacen en el jardín por primavera*. ☒ Recuperar la fuerza, la energía o la importancia una persona o una cosa: *esta tendencia artística ha renacido en los últimos años*. **SIN** resurgir, revivir.
FAM renacimiento.

renacimiento *s. m.* ☒ Circunstancia de volver a nacer: *prometía a sus discípulos un renacimiento tras la muerte*. ☒ Movimiento de renovación cultural y artística desarrollado en Europa en los siglos XV y XVI, que se caracteriza por la recuperación de la cultura clásica grecolatina: *Italia fue la cuna del Renacimiento, tendencia que se manifestó en las bellas artes, la literatura, la música, el pensamiento y las costumbres de la época*. **NOTA** Se escribe normalmente con mayúscula inicial. ☒ Período histórico que abarca los siglos XV y XVI, durante el cual se desarrolló este movimiento: *el Renacimiento comienza en el Trecento (siglo XIV), pero se desarrolla sobre todo en el Quattrocento (siglo XV) y en el Cinquecento (siglo XVI)*. **NOTA** Se escribe normalmente con mayúscula inicial. ☒ Recuperación de la fuerza, la energía o la importancia de una persona o una cosa: *parece que se está produciendo un renacimiento económico*.
FAM renacentista.

renacuajo *s. m.* ☒ Cría o larva de la rana y de otros animales anfibios que vive en el agua, tiene cola, carece de patas y respira por branquias: *los renacuajos se convierten en ranas tras sufrir una metamorfosis*. ☒ familiar Niño pequeño que es muy vivaracho: *nunca sé dónde se mete el renacuajo de mi hijo*. **NOTA** Se usa como apelativo cariñoso.

renal *adj.* Relativo a los riñones: *arteria renal; enfermedad renal*. **SIN** nefrítico.
FAM suprarrenal.

rencilla *s. f.* Riña o pelea entre dos o más personas de la que queda algún resentimiento o rencor: *hay rencillas entre ellos desde que se pelearon*. **OBS** Más en plural.

rencor *s. m.* Sentimiento de hostilidad o enemistad hacia una persona motivado por una ofensa, daño o perjuicio sufridos: *le guarda rencor porque hace tiempo le hizo una mala pasada*. **SIN** odio, resentimiento.
FAM rencoroso.

rencoroso, -sa *adj./s. m. y f.* Se aplica a la persona que tiene o guarda rencor hacia otra.

rendición *s. f.* Vencimiento, derrota o sometimiento de un bando a otro en una guerra: *la rendición se produjo poco después de la batalla*.

rendidamente *adv.* Con sumisión y veneración: *caer rendidamente a los pies de alguien*.

rendido, -da *adj.* ☒ Se aplica a la persona que dedica todo su amor, esfuerzo o tiempo a otra: *rendido admirador; rendido defensor.* **2** Se aplica a la persona que está muy cansada. **FAM** rendidamente.

rendija *s. f.* Abertura o raja estrecha y alargada que está en una superficie o queda entre dos cuerpos: *entra frío por esa rendija de la puerta.* **SIN** hendidura, ranura.

rendimiento *s. m.* **1** Producto o utilidad que da una persona o cosa: *hay que sacar mayor rendimiento a nuestro trabajo.* **2** Cansancio, fatiga, desfallecimiento de las fuerzas. **3** Sumisión o amabilidad excesiva con que trata una persona a otra para servirla o complacerla: *le hacía las preguntas con gran rendimiento.* **4** Resultado de dividir la energía útil obtenida de una máquina por la energía que esta consume.

rendir [10] *v. tr.* **1** Vencer, ganar o someter un bando a otro en una guerra: *los soldados rindieron la plaza enemiga tras varios días de batalla; el ejército enemigo se rindió sin concesiones.* **2** Dar u ofrecer una cosa inmaterial, o someterla al dominio o influencia de algo o de alguien: *rendir homenaje; rendir culto.* **3** Cansar mucho una cosa o una actividad a una persona: *estos niños tan movidos rinden a cualquiera.* ‖ *v. intr.* **4** Dar fruto o ser de utilidad una persona o cosa: *el trabajo nos ha rendido mucho; la hacienda rinde mucho este año.* **SIN** cundir. ‖ *v. prnl.* **5 rendirse** Tener que admitir o aceptar una persona una cosa, dándose por vencida: *se rindió ante la evidencia de los hechos.* **FAM** rendición, rendido, rendimiento.

renegado, -da *adj./s. m. y f.* Se aplica a la persona que abandona sus creencias o su religión para seguir otras diferentes.

renegar [1] *v. intr.* **1** Abandonar una persona sus creencias o su religión para seguir otras diferentes: *renegó del cristianismo y abrazó la religión de sus antepasados.* **2** Decir o proferir una persona insultos o juramentos: *reniega con mucho odio de todos los que le rodean.* **SIN** blasfemar, maldecir. **3** Rechazar una persona a otra con desprecio, o negar la relación que existe con esa persona o con una cosa: *renegar de un hijo.* **4** familiar Refunfuñar, murmurar o protestar una persona en voz baja como muestra de gran enfado: *siempre anda renegando por lo bajo.* ‖ *v. tr.* **5** Negar una cosa con mucha insistencia: *lo negó y lo renegó.* **FAM** renegado, reniego.

renegociar *v. tr.* Tratar de nuevo un asunto, sobre el que ya se había llegado a un acuerdo, para introducir algunas modificaciones: *renegociar un convenio.* **FAM** renegociación. **OBS** Verbo regular, se acentúa como *cambiar.*

renegrido, -da *adj.* **1** De color negro o muy oscuro, especialmente por el uso o la suciedad: *los puños de la camisa están renegridos.* **2** Se aplica al color oscuro, especialmente refiriéndose a contusiones o a la piel.

renglón *s. m.* **1** Serie de letras o escritas en una misma línea y dispuestas de forma horizontal: *redactó el resumen en tan solo tres renglones.* **SIN** línea. **2** Línea horizontal que hay en algunos papeles y que permite que no nos torzamos al escribir. **3 renglones** Carta o escrito breve: *te mandaré unos renglones contándote lo que ocurra.*

a renglón seguido Expresión que indica que una cosa sucede inmediatamente después de algo o a continuación de otra cosa: *dijo que se quedaba y a renglón seguido se marchó sin dar explicaciones.*

reniego *s. m.* **1** Dicho u ofensa contra la dignidad o el honor de una persona, especialmente mediante acusaciones injustas. **SIN** injuria. **2** Palabra o expresión que se dice contra Dios, la Virgen o los santos. **SIN** blasfemia.

renio *s. m.* Elemento químico de símbolo *Re* y número atómico 75; es un metal de color blanco brillante, poco abundante, muy denso y difícil de fundir; se encuentra en los minerales de platino, hierro y molibdeno; se utiliza en aleaciones, en el recubrimiento de joyas, en filamentos incandescentes, etc.

reno *s. m.* Animal mamífero rumiante de patas largas, cola muy corta, pelo espeso y colgante de color marrón o gris en el cuerpo y blanco en el cuello, que tiene dos cuernos divididos en ramas: *el reno habita en las regiones frías del hemisferio norte.*

renombrado, -da *adj.* Se aplica a la persona o cosa que es muy conocida y admirada por tener características que la distinguen de las demás: *en la comarca de la Rioja se producen renombrados vinos.* **SIN** acreditado, afamado, insigne.

renombre *s. m.* **1** Fama o reconocimiento público de una persona: *este actor adquirió un gran renombre en el mundo del espectáculo.* **SIN** prestigio. **2** Nombre que se añade al que es propio de una persona: *ocurrió en el reinado de Alfonso X, de renombre "el Sabio".* **FAM** renombrado.

renovable *adj.* Que puede ser renovado: *el agua es una fuente energética gratuita y renovable.*

renovación *s. f.* **1** Cambio o sustitución de una cosa por otra similar por haber quedado vieja, o por haber terminado su periodo de validez: *tengo que ir a hacer la renovación del carné de identidad.* **2** Reanudación de la fuerza o intensidad de una cosa que estaba interrumpida: *la noche supone la renovación de mis penas.*

renovar [5] *v. tr.* **1** Hacer que una cosa esté como si fuera nueva: *la primavera renueva el verdor de los campos; la naturaleza se renueva día a día.* **2** Restablecer una relación u otra cosa que se había interrumpido: *renovaron su amistad.* **SIN** reanudar. **3** Cambiar o sustituir una cosa por otra nueva o más moderna: *hay que renovar el cartucho de tinta.* **4** Cambiar una cosa que ya no es válida o efectiva por otra de la misma clase: *tengo que renovar el carné de conducir.* **FAM** renovable, renovación, renovador, renuevo.

renquear *v. intr.* **1** Andar o caminar con dificultad inclinando el cuerpo a un lado más que a otro por no poder pisar igual con ambos pies: *ayer se hizo daño en el tobillo y hoy va renqueando.* **SIN** cojear. **2** Marchar una empresa, negocio o quehacer con dificultad: *el negocio familiar renquea últimamente.* **FAM** renqueante.

renta *s. f.* **1** Cantidad de dinero que rinde o produce periódicamente un bien: *va tirando con las rentas de las propiedades que le dejó su abuela.* ■ **renta nacional** Valor total de los bienes económicos obtenidos por una nación en un año. ■ **renta per cápita** Valor que resulta de dividir la renta nacional por el número de habitantes de una nación: *la renta per cápita indica el desarrollo económico de los países.* **2** Cantidad de dinero o de bienes que se paga o se recibe por un arrendamiento o alquiler: *la renta de esta casa es muy alta.* **3** Beneficio que se obtiene de alguna actividad o esfuerzo: *los estudios que he hecho son una buena renta para el futuro.*

vivir de las rentas Aprovecharse de lo que se ha logrado en el pasado: *se retiró muy joven y ahora vive de las rentas de su fama.* **FAM** rentar, rentero, rentista.

R

rentabilidad *s. f.* Capacidad de producir un beneficio que compense la inversión o el esfuerzo que se ha hecho: *la rentabilidad de estas acciones es muy alta.*

rentabilizar *v. tr.* Hacer rentable: *quiere rentabilizar el gasto en un plazo muy corto.* FAM rentabilización.

rentable *adj.* Que produce un beneficio que compensa la inversión o el esfuerzo que se ha hecho: *es un trabajo muy interesante, pero no resulta rentable.* FAM rentabilidad, rentabilizar.

rentar *v. tr.* Producir una inversión económica, el alquiler de una casa u otro bien una cantidad de dinero o un determinado beneficio cada cierto tiempo: *las fincas me rentan varios miles de euros al año.* FAM rentable.

rentista *s. com.* ① Persona que vive de sus rentas o de los ingresos que le producen sus inversiones. ② Persona que cobra o percibe una renta.

rentrée [se pronuncia aproximadamente 'rantré'] *s. f.* Reanudación de un trabajo u otra actividad después de un periodo de interrupción, generalmente por vacaciones: *la rentrée de septiembre.*

renuevo *s. m.* Tallo que echa un árbol o planta después de podados o cortados.

renuncia *s. f.* ① Abandono voluntario de una cosa que se posee o de una actividad que se ejerce: *la causa de su renuncia fue la falta de tiempo para llevar a cabo el trabajo.* ② Documento en el que se da a conocer el abandono voluntario de algo: *el ministro ha presentado la renuncia.* SIN dimisión.

renunciar *v. intr.* ① Abandonar voluntariamente una cosa que se posee o a lo que se tiene derecho: *renunció a la corona.* ② Desistir de hacer lo que se proyectaba o deseaba hacer: *he renunciado a todo por estar a tu lado.* ③ Despreciar o abandonar una cosa: *renunciar al tabaco; renunciar al coche.* ④ No querer admitir o aceptar una cosa o a una persona: *renunciar a las riquezas; renuncié a su compañía.* ⑤ Faltar a las leyes del juego por no seguir el palo (en algunos juegos de cartas) o por no jugar la ficha que se debe (en otros juegos de mesa) pudiendo hacerlo. FAM renuncia, renuncio; irrenunciable. OBS Verbo regular, se acentúa como *cambiar.*

renuncio *s. m.* Mentira o contradicción en que se coge a alguien: *te he cogido en un renuncio.*

reñido, -da *adj.* ① Se aplica a la persona que se ha peleado o enemistado con otra: *Juan y Pedro están reñidos, por eso jamás se hablan ni se saludan.* ② Se aplica a la oposición, elección, concurso o competición en la que existe mucha igualdad y el ganador no se decide hasta el último momento: *la llegada a la meta fue muy reñida; fue un partido muy reñido.* ③ Incompatible, opuesto: *la mentira está reñida con la amistad.*

reñir [11] *v. tr.* ① Reprender severamente a una persona por lo que ha hecho: *le han reñido por llegar tarde.* SIN regañar, reprender. **|** *v. intr.* ② Discutir o pelear dos o más personas: *se llevan como el perro y el gato: siempre están riñendo.* ③ Romper las relaciones o enemistarse una persona con otra: *iban a casarse, pero han reñido.* FAM reñido.

reo, rea *s. m. y f.* Persona que ha sido declarada culpable y condenada a sufrir una pena: *el reo fue conducido a la prisión.*

reoca Se usa en la expresión:

ser la reoca *familiar* Ser extraordinario, salirse de lo corriente: *eres la reoca: no estudias nada y, sin embargo, sacas muy buenas notas.*

reojo Se usa en la expresión:

mirar (o ver) de reojo Mirar o ver de forma disimulada, dirigiendo la vista desde el extremo de los ojos: *el profesor me pilló mirando de reojo el examen de mi compañero.*

reorganización *s. f.* Cambio de la forma en que algo está organizado. SIN remodelación.

reorganizar *v. tr.* Cambiar la forma en que algo está estructurado: *la implantación de la nueva línea de autobuses ha obligado a reorganizar todo el sistema de transporte urbano.* SIN reestructurar, remodelar. FAM reorganización.

reóstato *s. m.* Dispositivo que permite vaciar a voluntad la resistencia dentro de un circuito eléctrico: *el reóstato permite controlar la intensidad con que luce una bombilla.*

repanchigarse *v. prnl.* Repantigarse.

repanocha Se usa en la expresión:

ser la repanocha *familiar* Ser extraordinario, salirse de lo corriente: *eres la repanocha: tu primer día de trabajo, y llegas tarde.*

repantigarse o **repantingarse** *v. prnl. familiar* Sentarse con comodidad, extendiendo y recostando el cuerpo. SIN apoltronarse.

reparación *s. f.* ① Arreglo de lo que está estropeado. ② Compensación por un daño: *la compañía eléctrica ha ofrecido una reparación económica a las empresas afectadas por los cortes de luz.* SIN indemnización. ③ Compensación por un daño físico o moral, generalmente causado por una ofensa: *exige que se publique la verdad como reparación a las acusaciones que se vertieron contra ella.* SIN desagravio.

reparador, -ra *adj./s. m. y f.* ① Que repara, arregla o remedia una cosa: *líquido reparador de muebles.* **|** *adj.* ② Que sirve para reparar o restablecer las fuerzas y dar aliento o vigor: *descanso reparador.*

reparar *v. tr.* ① Arreglar una cosa estropeada: *repararon las tuberías rotas.* ② Remediar un daño o desagraviar una ofensa: *reparar una injusticia; reparé mi olvido con un ramo de flores.* ③ Restablecer las fuerzas perdidas o dar aliento y vigor: *tus palabras repararon mi ánimo.* **|** *v. intr.* ④ Pararse a considerar una acción antes de llevarla a cabo: *no repararon en que allá hace mucho frío.* ⑤ Fijarse o darse cuenta: *reparé en que no llevaba calcetines.* SIN advertir, percatarse. FAM reparación, reparador, reparo; irreparable.

reparo *s. m.* ① Observación o advertencia sobre una cosa, sobre todo, para señalar en ella una falta o defecto: *no dejó de poner reparos a todo lo que decía.* ② Dificultad, duda o inconveniente para hacer una cosa, generalmente a causa de un sentimiento de vergüenza: *no tengas reparos en decirme lo que piensas.*

repartición *s. f.* División y entrega por partes de una cosa. SIN reparto.

repartidor, -ra *s. m. y f.* Persona que se dedica a entregar envíos o mercancías a domicilio: *trabaja de repartidor en una empresa de mensajeros.*

repartimiento *s. f.* Sistema de repoblación, en la Reconquista de España, del territorio conquistado, que consistía en repartir casas y tierras entre los que habían participado en su conquista.

repartir *v. tr.* ① Hacer partes de una cosa y distribuirla entre personas diferentes: *repartieron los caramelos entre los cinco niños; los ladrones se repartieron el botín.* ② Distribuir los elementos de un conjunto en diferentes lugares o destinos: *repartieron los jarrones por varias salas.* ③ Entregar a su destinatario una cosa que ha encargado o que alguien le ha enviado: *repartir el correo.* ④ Extender uniformemente una materia sobre una superficie: *repartió la masilla a lo largo de la grieta.* ⑤ Ordenar o clasificar las partes de un todo y distribuirla entre cosas diferentes: *he repartido la materia en tres libros.* **SIN** dividir. ⑥ Asignar a un actor su papel: *repartir los papeles de una obra.* ⑦ familiar Dar golpes a diferentes personas.
FAM repartición, repartidor, repartimento, repartimiento, reparto.

reparto *s. m.* ① Distribución de las partes de una cosa: *se encargó del reparto del pastel.* ② Distribución de un peso en un espacio o en el interior de un volumen: *el reparto de una carga en un barco.* **SIN** disposición. ③ Entrega de un envío o de un encargo a su destinatario: *reparto del correo; servicio de reparto a domicilio.* ④ Asignación de los diferentes papeles de una obra teatral o cinematográfica a los actores que van a interpretarla: *el director decidirá el reparto esta tarde.* ⑤ Lista de los actores que intervienen en una obra, en la cual se indica el papel que cada uno tiene asignado: *esa actriz no figuraba en el reparto del programa.*

repasar *v. tr.* ① Hacer otra vez una cosa para corregir sus imperfecciones: *el muchacho pintaba las paredes y el padre las repasaba con el rodillo.* ② Examinar o volver a mirar una cosa para comprobar que está bien: *el alumno repasa el examen antes de entregarlo.* **SIN** revisar. ③ Leer otra vez lo que se ha estudiado para retenerlo mejor en la memoria: *el presidente repasaba las notas de su discurso.* ④ Volver a explicar una cosa para recordarla: *el profesor dedica las últimas semanas a repasar lo que hemos visto en el curso.* ⑤ Leer un escrito deprisa y por encima, pasando por él la vista sin prestar mucha atención: *solamente con repasar los trabajos, el profesor se hace una idea del nivel de la clase.* ⑥ Coser y arreglar los desperfectos de la ropa: *la costura de la falda se ha descosido y tendré que repasarla.* ⑦ *v. intr.* Volver a pasar por un sitio: *repasaron el camino para encontrar el pañuelo que habían perdido.*
FAM repaso.

repaso *s. m.* ① Examen o revisión de una obra terminada para corregir los errores: *le daremos un último repaso antes de entregarlo.* ② Lectura que se hace de nuevo para retener mejor en la memoria: *creo que conviene hacer un repaso antes de continuar con el capítulo siguiente.* ③ Rememoración de los puntos más importantes de un asunto ya concluido o de una lección ya explicada: *hicimos un repaso de las actividades de la asociación durante el año anterior.* ④ Lectura que se hace rápidamente y sin prestar demasiada atención: *dice que con un repaso de los titulares ya se pone al día.* ⑤ Arreglo de los desperfectos de una prenda o tejido: *si me das la chaqueta que has comprado haré un repaso de los botones.*
dar un repaso (I) Reñir o reprender a una persona: *sus padres le darán un repaso cuando vuelva.* (II) Demostrar una persona a otra su superioridad en conocimientos o habilidades: *decía que no le ganaba nadie, pero le di un buen repaso.*

repatear *v. intr.* familiar Causar profundo disgusto o desagrado una cosa: *me repatea ese tipo de música.* **SIN** fastidiar.

repatriación *s. f.* Devolución de una persona o cosa a su patria o país de origen: *las autoridades ordenaron la repatriación de los inmigrantes ilegales.*

repatriado, -da *adj./s. m. y f.* Se aplica a la persona que es devuelta a su patria por las autoridades del propio país o de otro.

repatriar *v. tr.* Devolver a una persona o cosa a su patria o país de origen, o hacer que regrese a ella: *me robaron todo el dinero y tuvo que repatriarme el consulado.* **ANT** expatriar.
FAM repatriación, repatriado.
OBS Verbo regular, se acentúa como *desviar* o como *cambiar*.

repecho *s. m.* Cuesta del terreno pronunciada y no muy larga: *al llegar al repecho, el ciclista adelantó a varios de sus rivales.*

repelente *adj.* ① Que causa asco o repulsión: *un olor repelente.* ❙ *adj./s. com.* ② Se aplica a la persona que resulta impertinente por su afectación o porque cree saberlo todo. **SIN** redicho, sabelotodo. ❙ *adj./s. m.* ③ Se aplica a la sustancia o producto que sirve para alejar a los insectos u otros animales: *un repelente para moscas.*
FAM repelencia.

repeler *v. tr.* ① Echar o arrojar una cosa con impulso o violencia: *repeler al enemigo; repeler una invasión.* ② Tender a separarse un cuerpo de otro o no admitirlo en su propia masa o composición: *este material repele el agua; las cargas eléctricas del mismo signo se repelen.* ❙ *v. intr.* ③ Causar repulsión o repugnancia una persona o cosa a alguien: *esa ignorancia arrogante me repele.*
FAM repelente.

repelús *s. m.* Escalofrío producido por miedo, desagrado o asco. **SIN** repeluzno.

repente *s. m.* Movimiento o impulso inesperado y brusco de una persona o animal: *le dio un repente y echó a correr.*
de repente De manera inesperada y brusca, sin pensar: *de repente dijo que se aburría y se marchó.*
FAM repentino, repentizar.

repentino, -na *adj.* Que se produce u ocurre de pronto o sin preparación o aviso: *tuvo un impulso repentino de marcharse de allí.* **SIN** brusco, súbito.

repentizar *v. tr.* Interpretar una partitura o cantar una composición musical sin haberla leído antes.
FAM repentización.

repercusión *s. f.* ① Consecuencia indirecta de un hecho o decisión: *no han calculado bien la repercusión de su política.* ② Comentario que suscita un hecho o decisión: *la noticia de su divorcio tendrá mucha repercusión.* **SIN** resonancia.

repercutir *v. intr.* ① Causar un efecto o incidir una cosa en otra o en una persona, o causarlo indirectamente: *la subida del dólar ha repercutido en los precios de los carburantes.* ② Rebotar un sonido en una superficie y producir eco o resonancia: *la lejana explosión repercutió en las paredes.* **SIN** retumbar. ③ Cambiar de dirección o retroceder un cuerpo al chocar con otro: *el proyectil repercutió en la roca y fue a caer a un campo próximo.* **SIN** rebotar.
FAM repercusión.

repertorio *s. m.* ① Conjunto de obras que una persona o compañía tiene estudiadas y preparadas para representar o ejecutar: *interpretó varias canciones de su repertorio.* ② Conjunto de obras o de noticias de una misma clase: *empezó a contarnos chistes de su repertorio.* ③ Libro o registro en el que se recogen datos o informaciones de manera organizada para facilitar su búsqueda: *repertorio alfabético; repertorio jurídico.*

repesca *s. f.* Segunda oportunidad de conseguir un fin, generalmente en un examen o competición: *espero aprobar en la repesca.*

repescar *v. tr.* ① Admitir de nuevo a una persona que había sido eliminada en una prueba, generalmente un examen o competición: *ha quedado la cuarta en su serie pero quizás la repesquen para la final porque ha hecho un buen tiempo.* ② Recuperar una cosa que se había dejado a un lado o se había olvidado: *he repescado este viejo abrigo de un antiguo baúl de mi madre.*
FAM repesca.

repetición *s. f.* ① Acción que consiste en decir o expresar una idea varias veces, o en volver a hacer algo. ② Cosa que resulta de decir o expresar una idea varias veces, o de volver a hacer algo: *la repetición de las jugadas más interesantes; la repetición crea el hábito.* ③ Figura retórica que consiste en repetir a propósito palabras o conceptos: *la repetición tiene efectos expresivos o literarios especiales.*
de repetición Se aplica al mecanismo que repite su acción de manera automática una vez que se ha puesto a funcionar: *las armas de repetición pueden disparar varias veces sin necesidad de recargarlas.*

repetidor, -ra *adj./s. m. y f.* ① Que repite. ② Se aplica al alumno que vuelve a matricularse y estudiar un mismo curso: *María es repetidora, por eso es la mayor de su clase.* ‖ *s. m.* ③ Aparato que recibe señales de televisión o radio y las envía amplificadas a otro lugar.

repetir [10] *v. tr.* ① Volver a decir una cosa que ya se había dicho: *¿puede repetir la pregunta?* ② Volver a hacer una cosa que ya se había hecho: *repetir un error.* ‖ *v. intr.* ③ Volver a estudiar un curso o una asignatura que no se ha aprobado. ④ Volver a la boca el sabor de lo que se ha comido o bebido: *el pepino repite mucho.* ⑤ Tomar de nuevo una persona un manjar o alimento que ya se ha probado: *ha sobrado pollo, ¿alguien quiere repetir?* ‖ *v. prnl.* ⑥ **repetirse** Usar siempre una misma idea, actitud o perspectiva, especialmente un artista: *ese escritor se repite en todas sus novelas.* ⑦ Volver a suceder una cosa de una manera regular: *los atascos se repiten todos los días en esa zona.*
FAM repetición, repetidor, repetitivo; irrepetible.

repetitivo, -va *adj.* Que se repite continuamente: *dejó aquel trabajo porque lo encontraba muy repetitivo y aburrido.*

repicar *v. intr.* ① Producir una campana, un cascabel u otro instrumento sonoro, un sonido repetido y continuado. ② Producir un sonido repetitivo una cosa al golpear sobre algo: *las gotas de lluvia repican de forma monótona sobre la ventana.*

repipi *adj./s. com.* familiar Se aplica a la persona que habla pronunciando las palabras con perfección fingida y afectación, o empleando términos demasiado cultos o impropios de su edad. **SIN** redicho.

repique *s. m.* Conjunto de toques vivos y repetidos de una campana o de un instrumento semejante, generalmente como señal de alegría: *un repique de campanas anunció el fin de la guerra.*
FAM repiquetear.

repiquetear *v. intr.* ① Sonar las campanas repetidamente y con mucha viveza. ② Golpear repetidamente haciendo ruido.
FAM repiqueteo.

repiqueteo *s. m.* ① Sonido que hacen las campanas al sonar repetidamente y con viveza. ② Sonido producido por el golpe repetido de algo contra una superficie.

repisa *s. f.* ① Estante que sobresale de la pared horizontalmente para poner en él objetos diversos. ② Saliente de un muro y que soporta un peso o sirve de piso a un balcón.

replantar *v. tr.* ① Volver a plantar donde antes ya se había plantado. ② Trasladar una planta con sus raíces del lugar en que estaba plantada a otro. **SIN** trasplantar.
FAM replantación.

replantear *v. tr.* ① Volver a plantear un problema o asunto. ② Trazar en el suelo o sobre un plano la planta de una obra ya proyectada.
FAM replanteamiento, replanteo.

replay [se pronuncia aproximadamente 'ripléi'] *s. m.* En televisión, repetición de fragmentos ya vistos.

replegar [1] *v. tr.* ① Plegar muchas veces. ② Retirar ordenadamente a posiciones defensivas las tropas de un ejército o los jugadores de un equipo: *se replegaron rápidamente para neutralizar el contraataque.*
FAM repliegue.

repleto, -ta *adj.* Muy lleno o lleno hasta no poder contener más.

réplica *s. f.* ① Expresión o discurso en el que se ponen obstáculos o se dice lo contrario de lo que otro ha dicho. ② Copia exacta o muy parecida de una obra artística hecha con sus mismos materiales.

replicación *s. f.* Proceso por el cual el ADN de una célula se duplica antes de la división celular para que, después de esta, cada célula hija tenga la misma información genética.

replicar *v. tr.* ① Responder con viveza oponiéndose a una cosa: *replicar a una crítica.* ‖ *v. tr./intr.* ② Responder con impertinencia o poniendo inconvenientes a lo que se indica u ordena: *¡obedece y no me repliques!*
FAM réplica.

repliegue *s. m.* ① Pliegue doble u ondulación que se forma en una superficie. ② Retirada o retroceso ordenado a posiciones defensivas de las tropas de un ejército o de los jugadores de un equipo.

repoblación *s. f.* ① Acción de repoblar un lugar o territorio con personas procedentes de otros lugares, especialmente tras una guerra o una conquista. ② Acción de repoblar un lugar con fauna y flora que habían desaparecido. ③ Efecto de repoblar: *la repoblación de un río.*

repoblar [5] *v. tr.* ① Volver a poblar un lugar o un territorio con habitantes. ② Volver a establecer vegetación o fauna en un lugar del que había desaparecido.
FAM repoblación.

repóker *s. m.* Repóquer.

repollo *s. m.* Tipo de col que tiene forma de pelota, formada por hojas grandes, muy apretadas entre sí y unidas por la base.

reponer [36] *v. tr.* ① Volver a poner o a adquirir lo perdido: *tenemos que reponer el género vendido.* ② Volver a poner en el lugar, estado o empleo anterior: *han repuesto la farola que tiró el viento.* **SIN** restituir. ③ Repetir la representación de una obra de teatro o la proyección de una película: *reponer una película.* ④ Responder a lo que dice otra persona con un argumento o una justificación: *cuando le acusaron repuso que solamente cumplía órdenes.* ‖ *v. prnl.* ⑤ **reponerse** Recuperarse de una enfermedad o de un malestar. **SIN** restablecerse. ⑥ Recuperar la serenidad: *todavía me estoy reponiendo de la impresión que me causó la noticia.*
FAM reposición, repuesto.

repóquer [también **repóker**] *s. m.* En el juego del póquer, combinación de cinco cartas o dados del mismo valor: *repóquer de ases.*

reportaje *s. m.* Género periodístico de carácter informativo, en el que son relatados unos hechos de forma testimonial por el reportero: *reportaje de guerra.*
FAM publirreportaje.

reportar *v. tr.* ① Proporcionar una cosa un beneficio o una satisfacción: *el cine le ha reportado mucha fama y mucho dinero.* ② Dominar o reprimir una pasión de ánimo o moderarla: *por favor, repórtate, no vayamos a llamar la atención.*
FAM reportaje, reporte, reportero.

reporte *s. m.* culto Noticia: *según los últimos reportes no es conveniente atravesar esa zona.*
FAM reportaje, reportero.

reportero, -ra *adj./s. m. y f.* Se aplica al periodista que se dedica a elaborar reportajes o recoge noticias en el lugar en que se producen.

reposabrazos *s. m.* Parte de determinados asientos que sirve para apoyar los brazos, especialmente en los asientos de los coches.
OBS Plural invariable.

reposacabezas *s. m.* Parte superior de un asiento que sirve para apoyar la cabeza.
OBS Plural invariable.

reposado, -da *adj.* ① Se aplica a la persona que se comporta con calma, sosiego y tranquilidad. ② Se aplica a la cosa que se muestra tranquila, quieta, sosegada: *el mar está reposado.* ③ Que no exige mucha actividad o esfuerzo. **SIN** descansado.

reposapiés *s. m.* ① Tarima pequeña que se pone delante de la silla para apoyar los pies. ② En las motocicletas, especie de estribo situado a ambos lados para apoyar los pies.

reposar *v. intr.* ① Parar en el trabajo o en otra actividad para recuperar fuerzas. **SIN** descansar. ② Dormir durante un corto tiempo: *se ha echado un rato a reposar.* ③ Permanecer en quietud y paz y sin alteración una persona o una cosa: *reposar en un balneario.* ‖ *v. tr.* ④ Apoyar una cosa sobre otra para hacer que se sostenga: *reposó la estatua sobre un pedestal.* ‖ *v. intr.* ⑤ Estar un cuerpo sin vida en la tumba. **SIN** yacer. ⑥ Dejar quieto un líquido para que la materia sólida que flota en él caiga al fondo del recipiente que lo contiene: *el buen vino reposa varios años en barricas.* ⑦ Dejar sin alteración o actividad una mezcla, masa o guiso para que espese o se consuma el líquido que contiene.
FAM reposacabezas, reposado, reposo.

reposición *s. f.* Representación de una obra de teatro, proyección de una película o emisión de una serie de radio o televisión estrenadas en una temporada anterior.

reposo *s. m.* ① Descanso de un trabajo o una actividad para recuperar fuerzas. ② Falta de agitación, movimiento o ruido: *le han recomendado reposo absoluto.* **SIN** quietud. ③ Inmovilidad de un cuerpo cuando ocupa siempre la misma posición respecto a un sistema de referencia fijado.

repostar *v. tr.* Volver a abastecerse de provisiones, combustible, etc.
FAM repostaje.

repostería *s. f.* ① Oficio y técnica del repostero. ② Conjunto de productos que elaboran los reposteros. ③ Establecimiento en el que se hacen o venden dulces y pasteles.

repostero, -ra *s. m. y f.* Persona que se dedica a hacer o vender dulces y pasteles.
FAM repostería.

reprender *v. tr.* Expresar severamente a una persona la desaprobación por lo que ha hecho.
FAM reprensible, represión.

reprensión *s. f.* Expresión severa de desaprobación que se le hace a una persona por su comportamiento.

represalia *s. f.* ① Daño que se hace a otra persona por venganza o para satisfacer un agravio. ② Medida de rigor que adopta un Estado contra otro. **NOTA** Más en plural.
FAM represaliar.

represaliar *v. tr./intr.* Realizar un Estado acciones violentas contra otro como castigo o respuesta a un mal recibido.
OBS Verbo regular, se acentúa como *cambiar.*

represar *v. tr.* Detener el curso del agua corriente para embalsarla.

representación *s. f.* ① Signo, símbolo o imitación que hace pensar en una persona o cosa: *ese cuadro es una representación muy estilizada de una batalla.* ② Signo o imagen que sustituye a la realidad: *se hizo una representación mental de cómo sería la sala.* ③ Ejecución e interpretación en público de una obra de teatro. ④ Conjunto de personas que representan a una entidad: *vino en representación del monarca.*

representante *s. com.* ① Persona que actúa en representación de otra o de una institución o colectivo. ② Persona que hace propaganda y concierta las ventas de los productos de una o varias empresas. ③ Persona que se ocupa de los intereses de un deportista o de un artista profesional. **SIN** manager.

representar *v. tr.* ① Hacer presente una cosa en la mente por medio de signos, imágenes o imitaciones: *las letras representan los sonidos.* ② Interpretar una obra teatral en público. ③ Actuar en nombre de una persona, de una institución o de un colectivo. ④ Aparentar una persona una determinada edad. ⑤ Tener importancia para alguien cierta cosa o persona. **SIN** significar.
FAM representación, representante, representativo.

representatividad *s. f.* Capacidad de actuar en nombre de una persona, de una institución o de una colectividad.

representativo, -va *adj.* ① Que sirve para representar o que tiene capacidad para hacerlo: *las ideas de este chico son representativas de la forma de pensar de su generación.* ② Se aplica a la función del lenguaje en la que el emisor se limita a señalar un hecho objetivo, sin dejar traslucir su opinión al respecto. **SIN** característico.
FAM representatividad.

represión *s. f.* ① Proceso por el que se moderan o frenan impulsos o sentimientos considerados inconvenientes. ② Uso de la fuerza para controlar las acciones de un grupo de personas, especialmente de los habitantes de un país.

represivo, -va *adj.* ① Que reprime desde el poder el ejercicio de las libertades: *política represiva.* ② Que reprime con energía o violencia las actuaciones que se consideran peligrosas para la sociedad, como alteraciones de orden público, manifestaciones o protestas.

represor, -ra *adj./s. m. y f.* ① Que provoca el rechazo de ciertos impulsos o sentimientos considerados inconvenientes: *una educación represora es muchas veces causante de problemas sexuales.* ② Que usa la fuerza para controlar las acciones de un grupo de personas, especialmente de los habitantes de un país.

R

reprimenda *s. f.* Expresión muy severa de desaprobación que se le hace a una persona por su comportamiento.

reprimir *v. tr./prnl.* ❶ No dejar que un sentimiento o impulso se exprese abiertamente: *apenas pude reprimir la risa.* **SIN** contener. ❙ *v. tr.* ❷ Rechazar del pensamiento ciertos impulsos o sentimientos considerados inconvenientes: *reprimir la rabia.* ❸ Usar la fuerza para controlar las acciones de un grupo de personas o de los habitantes de un país: *la policía trataba de reprimir a los huelguistas.*
FAM represión, represivo, represor.

reprís *s. m.* ❶ Capacidad del motor de un automóvil para acelerar rápido en poco tiempo. ❷ Potencia en el arranque.
OBS Puede encontrarse la grafía francesa *reprise.*

reprise [se pronuncia 'reprís'] *s. m.* Reprís.

reprobación *s. f.* Desaprobación de una cosa o de la conducta de una persona.

reprobar [5] *v. tr.* Desaprobar una cosa o la conducta de una persona: *muchas personas reprueban el aborto.* **SIN** censurar.
FAM reprobación.

réprobo, -ba *adj./s. m. y f.* culto Condenado a las penas eternas: *Dios castigó a los réprobos de Sodoma y Gomorra.*

reprochar *v. tr.* Decir a una persona o echarle en cara lo que se cree que no ha hecho bien: *le reprochó su falta de cariño.*
FAM reproche; irreprochable.

reproche *s. m.* Crítica que se hace a una persona por algo que ha dicho o hecho. **SIN** recriminación.

reproducción *s. f.* ❶ Proceso por el que un ser vivo origina otro ser vivo al que transmite su información genética: *la reproducción sexual conlleva la fusión de células sexuales haploides o gametos, a diferencia de la reproducción asexual, en la que el nuevo ser se genera a partir de un único progenitor.* ❷ Acción y resultado de reproducir una cosa que ya existe o ha existido: *reproducción de sonidos.* ❸ Producción nueva de un problema que se había reducido.

reproducir [18] *v. tr.* ❶ Volver a producir una cosa: *las escenas de violencia se han reproducido estos días.* ❷ Hacer una copia o una representación de una cosa: *reprodujo un cuadro de Velázquez.* ❸ Ser copia o representación de una cosa: *esta novela reproduce el ambiente bohemio.* ❙ *v. prnl.* ❹ **reproducirse** Producir los seres vivos descendencia de su misma especie.
FAM reproducción, reproductivo, reproductor.

reproductivo, -va *adj.* Relativo a la reproducción, especialmente de seres vivos.

reproductor, -ra *adj.* ❶ Que está destinado a la creación de una nueva vida o interviene en ese proceso. ❷ Se aplica a la máquina que sirve para producir una copia de imágenes o sonidos.
reproductor multimedia Programa informático que sirve para poner en marcha ficheros multimedia.

reprografía *s. f.* Conjunto de técnicas de reproducción de escritos o dibujos.
FAM reprográfico.

reptar *v. intr.* Desplazarse arrastrándose por el suelo como los reptiles: *los soldados avanzaban reptando para evitar el fuego enemigo.*
FAM reptación, reptante, reptil.

reptil *adj./s. m.* ❶ Animal vertebrado ectotermo con respiración pulmonar, de extremidades cortas o bien carente de ellas, por lo que, en tal caso, se mueve arrastrando el cuerpo por el suelo; y tiene la piel recubierta por escamas o por un

caparazón. ❙ *s. m. pl.* ❷ **reptiles** Grupo taxonómico, con categoría de clase, constituido por estos animales.

república *s. f.* ❶ Forma de gobierno representativo opuesto a la monarquía en que el poder reside en el pueblo, que está personificado en un presidente que es el jefe del estado y se elige por votación, bien a través de unas elecciones, bien por una asamblea de dirigentes. ■ **república federal** República resultado de una federación de estados autónomos. ■ **república parlamentaria** República en que el poder ejecutivo, ejercido por el gobierno, está sometido al control del parlamento. ■ **república presidencialista** República en que el presidente ejerce el poder ejecutivo. ❷ País que se gobierna de esta manera: *Francia, Guinea y Egipto son repúblicas.*
FAM republicano.

republicano, -na *adj.* ❶ Relativo a la república. ❙ *adj./ s. m. y f.* ❷ Que es partidario de la república.
FAM republicanismo.

repudiar *v. tr.* ❶ Rechazar algo por razones morales: *repudio la falta de honradez.* ❷ Rechazar legalmente al propio cónyuge: *repudiar a la esposa.*
FAM repudiable, repudiación.
OBS Verbo regular, se acentúa como *cambiar.*

repuesto, -ta *s. m.* Pieza que es igual a otra y puede sustituirla en un mecanismo o aparato. **SIN** recambio.

repugnancia *s. f.* ❶ Alteración del estómago causada por algo desagradable que produce ganas de vomitar. **SIN** asco. ❷ Aversión o sentimiento de rechazo hacia ciertas ideas o actos, desde el punto de vista moral o intelectual.

repugnante *adj.* Que causa asco o aversión.
FAM repugnancia.

repugnar *v. intr.* ❶ Causar asco profundo o disgusto: *le repugna el olor a huevos podridos.* ❙ *v. tr.* ❷ Ser opuesta una cosa a otra: *el bien repugna el mal.* **SIN** repeler.
FAM repugnante.

repujado *s. m.* ❶ Labrado de una lámina metálica o de un trozo de cuero que se hace con un martillo, cincel o punzón para hacer figuras en relieve. ❷ Objeto de metal o cuero labrado de esta manera.

repujar *v. tr.* Labrar objetos de metal o cuero con un martillo, cincel o punzón para hacer figuras en relieve.

repulsa *s. f.* Condena enérgica de una cosa.
FAM repulsar.

repulsión *s. f.* ❶ Sentimiento de repugnancia hacia algo. ❷ Rechazo u oposición.

repulsivo, -va *adj.* Que causa repulsión o repugnancia.

reputación *s. f.* ❶ Opinión que se tiene sobre alguien. ❷ Buena fama que tiene una persona o una cosa. **SIN** prestigio.

reputado, -da *adj.* Se aplica a la persona o cosa que es muy conocida y admirada: *es un reputado pianista.* **SIN** afamado.

reputar *v. tr.* Estimar la calidad de una persona o cosa: *reputar a una persona por honrada.*
FAM reputación, reputado.

requebrar [1] *v. tr.* Elogiar a una mujer alabando sus atractivos.
FAM requiebro.

requerimiento *s. m.* ❶ Petición de una cosa que se considera necesaria: *el gobierno accedió a los requerimientos de la opo-*

sición. **2** Acto judicial por el que se exige a alguien que haga o deje de hacer una cosa.

requerir [9] *v. tr.* **1** Necesitar una persona o una cosa que se le dedique algo: *hay asuntos que requieren mucha paciencia.* **2** Notificar algo con autoridad pública: *el juez ha requerido su presencia.* **FAM** requerimiento.

requesón *s. m.* Masa blanca y mantecosa que se hace cuajando la leche y colándola después para dejar escapar el suero.

requiebro *s. m.* Expresión de admiración que generalmente dirige un hombre a una mujer.

réquiem *s. m.* **1** Misa que se celebra en recuerdo de un difunto, días o años después de su muerte, para rezar por su alma. **2** Oración que se reza por un difunto al comienzo de esta misa. **3** Composición musical para coro, solistas e instrumentos que tiene como texto las diversas partes de esta misa. **OBS** Plural invariable.

requinto *s. m.* **1** Guitarra pequeña de cuatro cuerdas; es de uso popular. **SIN** guitarrillo. **2** Corneta con el tubo doblado varias veces sobre sí mismo; se usa especialmente en el ejército.

requisa *s. f.* Apropiación de los bienes de una persona o empresa por parte del Estado para remediar una necesidad de interés público, especialmente para el uso del ejército.

requisar *v. tr.* Tomar el Estado una propiedad de una persona o empresa para remediar una necesidad de interés público, especialmente para el uso del ejército. **FAM** requisa.

requisito *s. m.* Condición necesaria para una cosa.

res *s. f.* Animal cuadrúpedo de ciertas especies domésticas, como las vacas o las ovejas, o de las especies salvajes como los jabalíes o los ciervos.

resabiado, -da *adj.* **1** Se aplica a la persona que reacciona con desconfianza o agresividad ante hechos de los que tiene experiencia negativa o desfavorable. **2** Se aplica al animal que ha adquirido una mala costumbre. **3** Se aplica al toro que embiste al torero en lugar de al capote por haber sido ya toreado.

resabio *s. m.* **1** Mala costumbre adquirida por alguna circunstancia: *será difícil quitarle esos resabios de niño rico.* **2** Sabor desagradable que deja una cosa: *todavía me dura el resabio de esa almendra amarga.* **FAM** resabiar.

resaca *s. f.* **1** Fuerza de las olas del mar al retirarse de la orilla. **2** Malestar que se sufre al día siguiente de haber bebido mucho alcohol. **FAM** resacoso.

resalado, -da *adj.* familiar Que tiene mucha gracia o alegría en el trato.

resaltar *v. intr.* **1** Sobresalir mucho una persona o cosa entre otras: *resaltaba en la clase por su simpatía.* **2** Sobresalir una parte de un cuerpo, especialmente en los edificios o en las superficies: *dos balcones resaltan de la fachada principal.* ‖ *v. tr.* **3** Destacar la importancia de una cosa o poner énfasis en ella: *el conferenciante resaltó los puntos más importantes de su disertación.* **SIN** subrayar. **FAM** resalte, resalto.

resalte *s. m.* Saliente de una superficie, particularmente de una pared.

resarcir *v. tr.* Compensar a una persona por un daño o por un perjuicio: *quiero resarcirte por todas las molestias que te he ocasionado.* **FAM** resarcimiento.

resbaladizo, -za *adj.* **1** Que hace resbalar o que se escurre fácilmente. **2** Se aplica al asunto que lleva fácilmente a caer en una falta o error: *no nos adentremos en temas tan resbaladizos.*

resbalar *v. intr./prnl.* **1** Moverse los pies hacia adelante y perder el equilibrio al pisar una superficie deslizante: *resbaló sobre la cáscara de un plátano y se cayó.* **2** Desplazarse una cosa sobre una superficie deslizante perdiendo su posición o control; también, desplazarse una cosa deslizante sobre una superficie: *el agua resbalaba sobre los cristales.* ‖ *v. intr.* **3** Deslizarse involuntariamente: *¡cuidado con esa carretera, que resbala mucho!* **SIN** patinar. **4** Caer en una falta o error: *volvió a resbalar al hablar delante de todos.* **5** familiar No importarle en absoluto una cosa a una persona: *tus amenazas me resbalan.* **FAM** resbaladero, resbaladizo, resbalón.

resbalón *s. m.* **1** Movimiento brusco que se produce al resbalar una persona o cosa sobre una superficie. **2** Falta de discreción o metedura de pata que se comete hablando. **3** Pestillo que tienen algunas cerraduras que se encaja en el cerradero presionando un resorte.

tener un resbalón Caer en una falta o en una flaqueza: *tuve un resbalón y vuelvo a fumar.*

rescatar *v. tr.* **1** Recuperar a cambio de dinero o por la fuerza a una persona o una cosa de la que alguien se ha apoderado: *la policía ha rescatado a los rehenes.* **2** Librar a una persona de un trabajo, de un mal o de una situación desagradable. **3** Recuperar una cosa que se había olvidado o perdido: *la compañía discográfica ha rescatado unas grabaciones de su primera época.* **FAM** rescate.

rescate *s. m.* **1** Recuperación de una persona o una cosa a cambio de dinero o por la fuerza: *la policía se encargó del rescate de las personas retenidas.* **2** Salvación de una persona o cosa de un peligro o de una situación de abandono: *todo el pueblo colaboró en las tareas de rescate.* **3** Dinero que se pide o se paga para liberar a una persona o volver a tener una cosa.

rescindir *v. tr.* Dejar sin efecto un contrato u otra obligación legal. **ANT** prorrogar. **FAM** rescindible, rescisión.

rescisión *s. f.* Acción que consiste en anular o dejar sin efecto un contrato, un acuerdo o una obligación que se había contraído.

rescoldo *s. m.* **1** Brasa pequeña que se conserva entre la ceniza. **2** Resto de un sentimiento, pasión o afecto.

resecar *v. tr.* Hacer que algo quede sin gota de humedad o jugo. **FAM** resecación, reseco.

reseco, -ca *adj.* **1** Que está demasiado seco. **2** Que está demasiado flaco. **FAM** resecar.

resentido, -da *adj./s. m. y f.* Se aplica a la persona que se muestra dolida o enfadada por haber recibido una ofensa o un daño.

resentimiento *s. m.* Sentimiento contenido de disgusto o enfado avivado por el recuerdo de una ofensa o un daño recibidos.

R

resentirse [9] *v. prnl.* ❶ Empezar a flaquear o a estropearse una cosa por la acción de otra. ❷ Sentir dolor o molestia por una dolencia, especialmente si es pasada: *se resentía de su lesión.* **SIN** sentirse. ❸ Sentir disgusto o enfado por haber recibido una ofensa o un daño.
FAM resentido, resentimiento.

reseña *s. f.* ❶ Escrito breve en el que se da noticia y se comenta una obra escrita de reciente publicación. **SIN** recensión. ❷ Noticia breve de un acto reciente. ❸ Enumeración de los principales rasgos de una persona, de un animal o de una cosa.
FAM reseñar.

reseñar *v. tr.* ❶ Dar noticia brevemente de una obra escrita de reciente publicación y comentarla. ❷ Contar de forma breve y clara algún asunto o hecho: *el periódico reseña la noticia del secuestro.*

reserva *s. f.* ❶ Guarda que se hace de una cosa: *tenemos una reserva de víveres para el invierno.* ❷ Cuidado que se pone en no decir todo lo que se piensa o todo lo que se sabe: *guardaba cierta reserva en sus juicios sobre ese asunto.* ❸ Ejército de una nación que terminó su servicio activo pero que puede ser movilizado. ❹ Territorio protegido por ley en un país, especialmente de Estados Unidos, destinado de forma exclusiva a una comunidad indígena y que está sometido a un régimen especial. ❺ Zona de la naturaleza protegida para preservar el conjunto de su ecosistema o una de sus partes. ❻ Conjunto de cosas disponibles para ser usadas en el momento oportuno o para obrar de una manera determinada: *el país cuenta con abundantes reservas naturales.* **NOTA** Más en plural con el mismo significado que en singular. ❼ Conjunto de sustancias que se acumulan en las células de los seres vivos y que el organismo utiliza para nutrirse cuando las necesita: *las grasas son una importante reserva para muchos organismos.* **NOTA** Más en plural con el mismo significado que en singular. ❽ Conjunto de fondos o valores que se guardan para hacer frente a futuras necesidades. ‖ *s. com.* ❾ Jugador que sustituye a otro en un deporte. ‖ *s. m.* ❿ Vino con una crianza mínima de tres años.

reservado, -da *adj.* ❶ Que es cauteloso y no le gusta exteriorizar sus sentimientos. ❷ Que es privado o que no debe darse a conocer: *recuerda que este es un asunto reservado.* ‖ *s. m.* ❸ Habitación o lugar separado que se destina a personas o a usos privados: *en ese restaurante tienen reservados para grupos.*

reservar *v. tr.* ❶ Guardar algo para más adelante o para cuando sea necesario. ❷ Tomar con anterioridad plaza en un hotel, tren, avión u otro servicio. ❸ Separar o apartar una cosa que se reparte reteniéndola para sí o para otro. ❹ Ocultar alguna cosa: *reservó la noticia para sí.* ‖ *v. prnl.* ❺ **reservarse** Conservar o dejar de actuar esperando una mejor ocasión: *estuvo reservándose durante toda la etapa y atacó al final.*
FAM reserva, reservado.

resfriado *s. m.* Malestar físico, provocado generalmente por los cambios bruscos de temperatura, que se caracteriza por la inflamación de las membranas mucosas del aparato respiratorio con aumento de la secreción nasal y suele ir acompañado de tos, fiebre y dolores musculares. **SIN** catarro, constipado.

resfriarse *v. prnl.* Contraer una enfermedad leve del aparato respiratorio consistente en una inflamación de la garganta y del tejido interior de la nariz que a menudo va acompañada de fiebre y dolores musculares. **SIN** acatarrarse, constiparse.
FAM resfriado.
OBS Verbo regular, se acentúa como *desviar.*

resguardar *v. tr.* ❶ Proteger, especialmente del frío, de la lluvia o del mal tiempo: *se resguardaron del chaparrón en un portal.* ‖ *v. prnl.* ❷ **resguardarse** Prevenirse contra un daño.
FAM resguardo.

resguardo *s. m.* ❶ Documento que da garantía de que se ha hecho una entrega o un pago. ❷ Lugar que sirve para proteger o defender .

residencia *s. f.* ❶ Lugar en que se reside o se vive habitualmente: *mi residencia habitual es Madrid.* ❷ Edificio en el que conviven personas que tienen una característica en común y que se sujetan a unas normas. ❸ Hospital grande, generalmente público. ❹ Casa grande y lujosa. ❺ Establecimiento para huéspedes de menor categoría que un hotel pero superior a una pensión.
FAM residencial.

residencial *adj.* Se aplica a la zona destinada casi exclusivamente a las viviendas, sin oficinas ni tiendas y por lo general para familias adineradas.

residente *adj./s. com.* ❶ Que reside o vive habitualmente en un lugar determinado. ❷ Se aplica al funcionario que debe vivir en el mismo sitio donde tiene el empleo: *médico residente.*
FAM residencia.

residir *v. intr.* ❶ Vivir habitualmente en un lugar determinado. ❷ Radicar en un punto o en una cosa el aspecto importante de aquello de que se trata: *el éxito del equipo reside en la defensa.* **SIN** estribar.
FAM residente.

residual *adj.* ❶ Que queda como residuo . ❷ Relativo al residuo.

residuo *s. m.* ❶ Restos que quedan tras la descomposición o destrucción de una cosa: *aprovechan los residuos del matadero en una fábrica de piensos.* ❷ Materiales de desecho que quedan tras la fabricación, transformación o utilización de algo: *los residuos de esta fábrica se vierten al río después de pasar por una depuradora.* ❸ Resto que queda de un todo.
FAM residual.

resignación *s. f.* Aceptación con paciencia y conformidad de una adversidad.

resignar *v. tr.* ❶ Entregar una autoridad el mando a otra en circunstancias excepcionales. ‖ *v. prnl.* ❷ **resignarse** Aceptar con conformidad un estado o situación que perjudica o hace daño: *si estás enfermo, resígnate y métete en la cama.*
FAM resignación.

resina *s. f.* Sustancia pegajosa, sólida o de consistencia pastosa, que se disuelve en el alcohol pero no en el agua y que se obtiene de algunas plantas de forma natural o se fabrica artificialmente.
FAM resinoso.

resistencia *s. f.* ❶ Oposición a la acción de una fuerza: *la ventana ofrecía resistencia, pero al fin se abrió.* ❷ Capacidad para resistir, para aguantar, soportar o sufrir: *el enfermo presentó una fuerte resistencia al virus.* ❸ Capacidad para soportar un esfuerzo o un peso: *la bolsa no tenía resistencia y se rompió.* ❹ Fuerza que se opone al movimiento de una máquina: *la resistencia se vence con otra fuerza mayor de sentido contrario.* ❺ Elemento que se intercala en un circuito para hacer más difícil el paso de la corriente eléctrica o para que esta se transforme en calor: *las planchas dan calor gracias a una resistencia*. **NOTA** También *resistencia eléctrica*. ⑥ Oposición que los cuerpos conductores presentan al paso del calor o de la electricidad: *los materiales aislantes se caracterizan por tener valores altos de resistencia*. ⑦ Movimiento u organización de los habitantes de un país invadido para luchar contra el invasor: *la resistencia francesa contra los nazis fue importantísima en la Segunda Guerra Mundial*.

resistente *adj.* ① Que aguanta un esfuerzo o una fuerza sin romperse ni estropearse. ② Que es capaz de resistir una fuerza contraria o un ataque.
FAM resistencia.

resistir *v. tr./intr.* ① Mantener las cualidades propias a pesar del paso del tiempo o de otros agentes perjudiciales: *es increíble lo que resiste este coche*. ② Oponerse un cuerpo a la acción de otro: *la madera no podía resistir tanto peso y se partió*. | *v. tr.* ③ Tolerar o sufrir una cosa o a una persona: *no resisto las películas de guerra*. | *v. prnl.* ④ **resistirse** Rechazar con fuerza una idea, una tendencia o una situación: *se resiste a utilizar métodos violentos*.
FAM resistente; irresistible.

resma *s. f.* Conjunto de quinientas hojas o pliegos de papel: *una resma equivale a veinte manos de papel*.

resol *s. m.* Reflejo del sol, y luz y calor que produce este reflejo.

resolana *s. f.* **AMÉR.** Luz y calor producidos por la reverberación del sol en un lugar que está a la sombra: *aunque estuve todo el tiempo bajo la sombrilla, la resolana me quemó*.

resollar [5] *v. intr.* ① Respirar con fuerza y haciendo algún ruido. ② *familiar* Hablar o darse a entender: *cuando le eché la bronca, ni resolló*.

resolución *s. f.* ① Decisión que se toma después de considerar todos los factores de un problema o de una duda. ② Determinación y seguridad para hacer una cosa: *creo que le falta la resolución necesaria para afrontar ese problema*. ③ Exactitud o claridad en la reproducción de una imagen: *la resolución de este televisor es muy superior a la de los otros*. ④ Claridad o finura en el detalle que se puede distinguir en una imagen producida por un dispositivo de imagen, como un monitor, impresora o escáner: *la resolución se mide por la cantidad de puntos o unidades de imagen que hay en una unidad de longitud, como la pulgada*.

resolutivo, -va *adj.* Que es capaz de decidir o resolver un asunto rápidamente.

resoluto, -ta *adj.* Resuelto, decidido.

resolver [6] *v. tr.* ① Hallar la solución a un problema: *resolver un problema matemático*. **SIN** solucionar. ② Elegir entre varias opciones o formar un juicio definitivo sobre una cuestión dudosa. **SIN** decidir. ③ Hacer que una cosa se acabe o tenga un resultado claro: *el partido no se resolvió hasta el último minuto*. | *v. prnl.* ④ **resolverse** Reducirse o venir a parar una cosa en otra: *el agua se resuelve en vapor*.
FAM resolución, resolutivo; irresoluble.
OBS Participio irregular: *resuelto*.

resonador, -ra *adj.* ① Que resuena. | *s. m.* ② En física, cuerpo sonoro que entra en vibración al recibir ondas acústicas de determinada frecuencia y amplitud.

resonancia *s. f.* ① Prolongación de un sonido en el espacio una vez ha sido producido, y que disminuye gradualmente hasta desaparecer: *la resonancia es un fenómeno acústico producido por el choque de las ondas sonoras con un obstáculo*. ② Sonido o conjunto de sonidos que se producen por esta prolongación del sonido original a través del espacio: *no se escuchaba bien el concierto porque en el local había mucha resonancia*. ③ Gran divulgación o fama que adquiere un hecho que hace que sea conocido por un gran número de personas: *el asunto ha alcanzado una resonancia enorme*.

resonancia magnética nuclear Técnica de análisis basada en la interacción de un campo magnético con la materia, que permite conocerla con mayor profundidad; se utiliza en medicina como herramienta de diagnóstico.
FAM antirresonancia.

resonar [5] *v. intr.* ① Sonar con fuerza: *los hachazos resonaban en el bosque*. ② Reproducirse en la memoria un sonido: *aquel clamor todavía hoy resuena en mis oídos*. ③ Llegar una cosa al conocimiento de un gran número de personas: *la noticia resuena ya en toda la población*.
FAM resonador, resonante.

resoplar *v. intr.* Respirar fuertemente haciendo ruido, generalmente a causa del cansancio o de un contratiempo.
FAM resoplido.

resoplido *s. m.* Respiración fuerte y ruidosa que generalmente se hace a causa del cansancio o de un contratiempo: *dio un resoplido y se fue enfadadísimo*.

resorte *s. m.* ① Pieza elástica, generalmente de metal, sobre la que se aplica una presión y que es capaz de ejercer una fuerza y de recuperar su forma inicial cuando esta presión desaparece. **SIN** muelle. ② Medio material o inmaterial del que una persona se vale para lograr un fin determinado.

respaldar *v. tr.* ① Ayudar a una cosa o persona a conseguir algo: *puede respaldar la operación financiera porque cuenta con una gran fortuna*. **SIN** apoyar. | *v. prnl.* ② **respaldarse** Inclinarse de espaldas o arrimarse al respaldo de la silla o del banco.
FAM respaldo.

respaldo *s. m.* ① Parte de un asiento en la que descansa la espalda. ② Protección o apoyo.

respectar *v. intr.* Referirse o atañer a cierta cosa o persona: *por lo que respecta al tema del salario, aún está pendiente de decisión*.

respectivamente *adv.* Indica que a cada elemento de un conjunto le corresponde otro que es equivalente u ocupa el mismo lugar en otro conjunto: *María y Juan se encargarán de barrer y fregar, respectivamente*.

respectivo, -va *adj.* Se aplica al miembro de una serie que tiene correspondencia con un miembro que pertenece a un grupo o conjunto diferente: *cada niño deberá ir acompañado por sus respectivos padres*.
FAM respectivamente.

respecto Se usa en las expresiones:
al respecto En relación con lo que se trata: *no tengo nada que añadir al respecto*.
con respecto a o **respecto a** o **respecto de** Por lo que se refiere a: *con respecto a lo que afirmó el día anterior, no ha habido ningún cambio*.

respetable *adj.* ① Que merece respeto o consideración. ② Que es considerable por su número, por su tamaño o por su intensidad. ‖ *s. m.* ③ familiar Público que se encuentra en un espectáculo.

FAM respetabilidad.

respetar *v. tr.* Tener respeto o consideración por una persona o cosa.

FAM respetable.

respeto *s. m.* ① Consideración y reconocimiento del valor de una persona o de una cosa. ② Temor o recelo que infunde una persona o cosa: *volar me da mucho respeto.* ‖ *s. m. pl.* ③ **respetos** culto Saludos de cortesía.

campar por sus respetos Hacer una persona lo que quiere sin atender a los consejos.

FAM respetar, respetuoso.

respetuoso, -sa *adj.* Que causa o guarda respeto: *es muy respetuoso con los mayores.* **ANT** irrespetuoso.

FAM irrespetuoso.

respingar *v. intr.* ① Sacudirse y gruñir un animal porque le molesta la carga que lleva encima. ② familiar Levantarse o elevarse el borde de una prenda de vestir porque está mal hecha o mal puesta: *la americana no te queda bien porque te respinga por detrás.* ③ familiar Hacer algo refunfuñando.

respingo *s. m.* ① Sacudida violenta del cuerpo causada por un sobresalto o sorpresa: *el caballo dio varios respingos y relinchó.* ② Gesto con el que se manifiesta enfado o desagrado a la hora de hacer una cosa.

respingón, -gona *adj.* ① familiar Se aplica a la nariz que tiene la punta un poco levantada hacia arriba. ② familiar Se aplica a la prenda de vestir que respinga.

respirable *adj.* Que se puede respirar sin ser perjudicial para la salud. **ANT** irrespirable.

FAM irrespirable.

respiración *s. f.* ① Intercambio de gases entre un organismo y su medio: *respiración pulmonar; respiración branquial; respiración traqueal.* ② Efecto de respirar: *podía oír sus respiraciones.* ③ Aire que se toma cada vez que se respira: *contener la respiración.* ④ Entrada o renovación de aire en un lugar. **SIN** ventilación.

respiración celular Conjunto de reacciones químicas mediante las cuales una célula obtiene energía a partir de la escisión de moléculas orgánicas: *la respiración celular tiene lugar en las mitocondrias de las células eucariotas.*

respiradero *s. m.* Abertura por donde entra y sale el aire de un lugar cerrado.

respirar *v. intr.* ① Absorber y expulsar el aire los seres vivos: *respirar aire puro.* ② Tener entrada y salida de aire un lugar cerrado: *abre ese cuarto para que respire.* ③ Recobrar el aliento: *al oír las buenas noticias que nos ha dado el doctor, hemos respirado.* ④ Descansar o cobrar aliento después de un trabajo: *cuando acabemos de revisar estos documentos, respiraremos un poco.* ⑤ Hablar o pronunciar palabras: *no respiró en toda la tarde.* ‖ *v. tr.* ⑥ Mostrar una actitud: *respirar simpatía.*

FAM respirable, respiración, respiradero, respiratorio, respiro.

respiratorio, -ria *adj.* Relativo a la respiración.

respiro *s. m.* ① Tiempo corto de descanso en el trabajo que se hace para volver a él con más fuerzas: *nos tomaremos un respiro antes de comer.* ② Disminución de una pena o dolor: *su curación ha sido un respiro para toda la familia.*

resplandecer [16] *v. intr.* ① Brillar fuertemente o emitir rayos de luz una cosa. ② Sobresalir o destacar por una virtud o calidad. ③ Reflejar gran alegría el rostro de una persona.

FAM resplandeciente, resplandor.

resplandeciente *adj.* Que resplandece: *una mañana resplandeciente.*

resplandor *s. m.* ① Luz que emite un cuerpo luminoso. ② Brillo muy intenso de algunas cosas.

responder *v. tr./intr.* ① Dar una contestación a lo que se pregunta o se propone. ‖ *v. tr.* ② Contestar a quien llama. ③ Contestar con viveza oponiéndose a una cosa. **SIN** replicar. ‖ *v. intr.* ④ Dar fruto o resultado: *si la inversión responde nos haremos ricos.* ⑤ Corresponder con una acción a la acción de otra persona: *tengo que responder a sus atenciones.* ⑥ Tener una cosa un efecto que se desea o se busca: *este coche es muy seguro: responde en todos los terrenos.* ⑦ Asegurar o garantizar el funcionamiento o la calidad de una cosa o de una persona haciéndose responsable de ella: *respondo de su buen comportamiento.*

FAM respondón, respuesta.

respondón, -dona *adj./s. m. y f.* familiar Se aplica a la persona que suele responder o replicar a los demás de forma irrespetuosa.

responsabilidad *s. f.* ① Obligación moral o jurídica de responder de algo propio o ajeno. **ANT** irresponsabilidad. ② Capacidad de compromiso o de cuidado de una persona consigo misma y con todo lo de alrededor: *los padres tienen la responsabilidad de alimentar y educar a sus hijos.*

responsabilizar *v. tr.* ① Hacer responsable a una persona de alguna cosa. ‖ *v. prnl.* ② **responsabilizarse** Asumir la responsabilidad de una cosa: *se responsabilizó de los daños ocasionados.*

responsable *adj.* ① Que cumple con lo que se ha comprometido. ‖ *adj./s. com.* ② Que se encarga de una cosa o que la dirige: *la persona responsable del taller no puede ponerse en este momento.* ③ Que es el autor o culpable de una cosa: *los traficantes de armas son responsables de muchas muertes.* ④ Que responde de una persona o una cosa: *la entidad responsable se hará cargo de las pérdidas.*

FAM responsabilidad, responsabilizar; irresponsable.

responso *s. m.* Oración que, separada del rezo, se dice por los que han muerto.

respuesta *s. f.* ① Contestación a lo que se pregunta, se dice o se escribe. ② Efecto o resultado que se desea o se busca: *la respuesta de este vehículo es segura.* ③ Acto provocado por un estímulo: *la respuesta motora de un organismo es la reacción que este tiene ante un estímulo en forma de movimiento.* ④ Acción con la que una persona corresponde a la de otra: *la respuesta fue inmediata: le propinó un tortazo.*

resquebrajar *v. tr.* Hacer o causar grietas en un cuerpo sólido sin acabar de romperlo.

FAM resquebrajamiento, resquebrajoso.

resquemor *s. m.* Sentimiento desagradable que causa en el ánimo una sensación de desazón, angustia o pesadumbre.

resquicio *s. m.* ① Abertura o grieta pequeña y estrecha: *intentó mirar por un resquicio de la pared.* ② Abertura entre el quicio y la puerta: *entraba un poco de luz por el resquicio.* ③ Ocasión que se encuentra para conseguir un fin: *no encuentro un resquicio en mis ocupaciones para escribirle.*

resta *s. f.* ① Operación que consiste en quitar una cantidad de otra y averiguar la diferencia. **ANT** suma. ② Cantidad que resulta de esta operación. **ANT** suma.

R

restablecer [16] *v. tr.* **1** Volver a establecer o a poner en un estado anterior. **|** *v. prnl.* **2** **restablecerse** Recuperarse de una enfermedad o de un malestar. **SIN** recobrarse, reponerse. **FAM** restablecimiento.

restablecimiento *s. m.* **1** Acción que consiste en volver a establecer una cosa: *la reunión sirvió para iniciar el restablecimiento de la paz.* **2** Acción de recuperar la salud una persona tras haber estado enferma o haber sufrido alguna dolencia.

restallar *v. intr.* **1** Producir un sonido seco un látigo u otro objeto semejante al sacudirlo en el aire con violencia. **|** *v. tr.* **2** Hacer una persona que un látigo u otro objeto semejante produzca un sonido seco al sacudirlo en el aire con violencia. **FAM** restallido.

restallido *s. m.* Sonido seco que produce un látigo u otro objeto semejante al restallar en el aire.

restante *adj./s. m.* Que resulta de una resta o que queda.

restañar *v. tr./intr.* Detener o parar el curso de un líquido, especialmente de la sangre.

restar *v. tr.* **1** Separar o sacar una parte de un todo y hallar la parte que queda. **ANT** sumar. **2** Hallar la diferencia entre dos cantidades. **3** Hacer que una cosa baje en cantidad, fuerza o intensidad. **|** *v. intr.* **4** Faltar o quedar. **5** Devolver la pelota del saque en deportes como el tenis o el frontón. **FAM** resta, restante, resto.

restauración *s. f.* **1** Reparación de una obra de arte o un objeto antiguo que está dañado o deteriorado. **2** Acción de volver a poner una cosa en el estado que antes tenía. **3** Restablecimiento en un país del régimen político que existía y que había sido sustituido por otro; especialmente, restablecimiento de la monarquía española por Alfonso XII de Borbón en 1874, tras la Primera República. **4** Periodo histórico que comienza con este restablecimiento: *la Restauración borbónica duró de 1874 a 1902.* **NOTA** Se escribe normalmente con mayúscula inicial.

restaurador, -ra *s. m. y f.* **1** Persona que se dedica a la restauración de obras de arte. **2** Persona que tiene o dirige un restaurante.

restaurante *s. m.* Establecimiento público donde se preparan y sirven comidas.

restaurar *v. tr.* **1** Arreglar o reparar una obra de arte de los daños que ha sufrido. **2** Volver a poner una cosa en el estado que antes tenía. **SIN** restituir. **3** Volver a establecer un régimen político. **FAM** restauración, restaurador.

restitución *s. f.* **1** Acción de devolver una cosa a quien antes la tenía o a quien es su verdadero dueño. **2** Proceso de formación de nuevos tejidos u órganos en plantas que han sufrido algún tipo de lesión.

restituir [21] *v. tr.* **1** Dar una cosa a quien la tenía antes: *le restituyeron todo lo que le habían robado.* **SIN** retornar. **2** Volver a poner una cosa en el estado que antes tenía: *restituyeron la decoración original.* **SIN** restablecer. **FAM** restitución.

resto *s. m.* **1** Parte que queda de un todo. **2** Resultado de una resta. **3** Cantidad que sobra al dividir, en una división de enteros. **4** Cantidad acordada en algunos juegos para jugar y apostar. **5** Acción de devolver la pelota del saque. **|** *s. m. pl.* **6** **restos** Parte que queda de una cosa después de haberla consumido o de haber trabajado con ella.

echar el resto Hacer todo el esfuerzo posible.

restos mortales Cadáver o parte del cadáver de una persona.

restregar [1] *v. tr.* Frotar o hacer que se rocen con fuerza dos superficies. **FAM** restregón.

restregón *s. m.* Señal que queda de restregar.

restricción *s. f.* **1** Disminución o reducción a límites menores de una cosa: *la nueva ley supone una restricción de la libertad.* **2** Disminución o reducción impuesta en el suministro de productos de consumo que escasean: *restricciones de agua.*

restrictivo, -va *adj.* Que tiene capacidad para reducir o restringir a límites menores.

restringir *v. tr.* Disminuir o reducir a límites menores. **FAM** restricción, restrictivo.

resucitar *v. tr.* **1** Devolver la vida a un ser muerto. **|** *v. intr.* **2** Volver a vivir: *Cristo resucitó de entre los muertos.* **SIN** revivir. **|** *v. tr.* **3** Dar vigencia a algo pasado: *resucitar antiguas tradiciones.* **FAM** resurrección.

resuello *s. m.* **1** Respiración, especialmente fuerte y ruidosa. **2** Fuerza o energía.

resuelto, -ta **1** Participio irregular de *resolver.* **|** *adj.* **2** Que es decidido y tiene ánimo o valor para hacer una cosa. **SIN** resoluto.

resulta *s. f.* **1** Se usa en la expresión:

a resultas o **de resultas** Como consecuencia o efecto de lo que se expresa: *el hierro de las minas vizcaínas pasó a ser el más demandado por las siderurgias europeas y, de resultas, se exportó cerca del 90 % de su producción.*

resultado *s. m.* **1** Efecto de un hecho, operación o razonamiento: *hice todas las gestiones posibles, pero no conseguí ningún resultado.* **2** Solución de una operación matemática. **3** Información conseguida después de una operación o investigación: *los resultados de los análisis fueron buenos.* **4** Tanteo de una competición deportiva.

resultar *v. intr.* **1** Nacer, originarse o ser consecuencia de algo: *esta cantidad resulta de las operaciones realizadas.* **2** Parecer, manifestarse o comprobarse una cosa: *el dinero asignado resultaba insuficiente.* **3** Llegar a ser o a obtener un resultado determinado: *la expedición resultó un éxito.* **4** familiar Producir agrado o satisfacción: *la fiesta no acabó de resultar.* **FAM** resulta, resultado, resultante, resultón.

resultón, -tona *adj.* familiar Se aplica a la persona o cosa que resulta atractiva y agradable en su conjunto.

resumen *s. m.* Explicación corta en la que se presenta lo principal de un asunto o materia. **SIN** síntesis.

en resumen Como conclusión.

resumir *v. tr.* Reducir a una exposición corta y precisa lo principal de un asunto o materia. **FAM** resumen.

resurgimiento *s. m.* Acción de recobrar nuevas fuerzas o nuevas capacidades una persona o una cosa.

resurgir *v. intr.* **1** Volver a surgir o a aparecer de nuevo: *resurgió con nuevo ímpetu años después.* **2** Volver a la vida o volver a tener fuerzas o energía: *aunque le hagan daño, siempre resurge de sus cenizas.* **FAM** resurgimiento.

resurrección *s. f.* **1** Vuelta a la vida de un ser muerto: *la*

R

resurrección de Jesús de Nazaret. ② Vuelta al uso o a la existencia de una cosa que se había perdido.

retablo s. m. ① Conjunto o serie de pinturas o esculturas que representa una historia o hecho, generalmente de tema religioso. ② Obra de arquitectura hecha de piedra, de madera o de otra materia, pintada o esculpida, que compone la decoración del muro que hay detrás de un altar.

retaco s. m. ① familiar Persona de poca altura y más bien gorda. ② Taco de billar más corto y más grueso de lo normal. ③ Escopeta corta muy reforzada en la recámara.

retaguardia s. f. ① Parte del ejército que avanza en último lugar o que se mantiene más alejada del enemigo. **ANT** vanguardia. ② Zona más alejada del frente del total de un terreno ocupado por un ejército. **ANT** vanguardia. ③ Parte final de algo.

retahíla s. f. Serie larga de cosas que están, se suceden o se mencionan una tras otra.

retal s. m. ① Trozo de tela o de otro material que sobra después de cortar una pieza mayor. **SIN** retazo. ② Pedazo de tela o de piel que utilizan los pintores para hacer la cola.

retama s. f. Arbusto con muchas ramas largas, delgadas y flexibles, de hojas pequeñas y escasas, y flores amarillas. **SIN** hiniesta.
FAM retamal.

retar v. tr. Provocar a una persona para tener un enfrentamiento físico o verbal con ella. **SIN** desafiar.
FAM reto.

retardar v. tr. Hacer que una cosa ocurra después del tiempo debido o previsto. **SIN** retrasar.

retazo s. m. ① Retal (tela). ② Parte breve de una obra literaria o musical.

retemblar [1] v. intr. Temblar una cosa con movimientos rápidos y repetidos: la explosión hizo retemblar los cristales de las ventanas. **SIN** vibrar.

retén s. m. Grupo de personas que está preparado para ayudar o para actuar en caso de necesidad: hay un retén de soldados haciendo guardia.

retención s. f. ① Marcha muy lenta o detención de coches en una carretera. **NOTA** Más en plural. ② Dinero que se descuenta en un pago o en un cobro, especialmente el destinado al pago de impuestos: la empresa hace una retención del 20 % para el pago de impuestos. ③ Acción de interrumpir el curso normal de algo: este depósito sirve para la retención de agua de lluvia. ④ Conservación en el organismo de una materia, especialmente un líquido, que debería expulsarse: se le hinchan las piernas porque tiene retención de líquidos.

retener [45] v. tr. ① Conservar o guardar para sí. ② Descontar un dinero en un pago o cobro. ③ Conservar en la memoria. ④ Impedir que una persona se vaya o se aleje de un lugar: la policía retuvo a los testigos para interrogarlos. ⑤ Impedir o dificultar el curso normal de una acción.
FAM retén, retención, retentiva, retentivo.

retentiva s. f. Capacidad o facultad de acordarse de las cosas.

reticencia s. f. Reserva o falta de confianza.

reticente adj. Que tiene o muestra reserva o falta de confianza.
FAM reticencia.

retícula s. f. Conjunto de hilos o líneas que se ponen en el foco de algunos instrumentos ópticos para ajustar la visión: la retícula sirve para calcular una distancia.

reticular adj. Que tiene forma de red.

retículo s. m. ① Tejido en forma de red, especialmente el formado por fibras vegetales. ■ **retículo endoplasmático** Orgánulo celular membranoso cuya función es fabricar proteínas y almacenar lípidos; puede ser rugoso si lleva adosados ribosomas a la membrana externa, o liso si carece de ribosomas. ② Retícula. ③ Segunda de las cuatro cavidades en que se divide el estómago de los rumiantes. **SIN** redecilla.

retina s. f. Membrana interior del ojo que recibe las impresiones luminosas y las transmite al cerebro, donde se transforman en sensaciones visuales.
FAM retiniano.

retintín s. m. ① Sonido que deja en los oídos una campana u otro cuerpo sonoro. ② Tono y modo de hablar malicioso o irónico.

retirada s. f. ① Retroceso ordenado de un ejército alejándose del enemigo. ② Toque militar que indica dicho retroceso. ③ Separación o alejamiento de un lugar o circunstancia: su retirada del mundo laboral lo dejó muy deprimido. ④ Hecho de quitar algo: me han amenazado con la retirada del carné de conducir.

retirado, -da adj. ① Que está muy alejado o distante. **ANT** cercano. I adj./s. m. y f. ② Se aplica a la persona que ha alcanzado la situación de retiro o jubilación.

retirar v. tr. ① Apartar o separar algo o a alguien de un sitio: retira la olla del fuego que se va a quemar la comida. ② Hacer abandonar a alguien una actividad por algún motivo determinado: tuvo que retirarse del concurso al sufrir un mareo. ③ Apartar de la vista: retira esa fotografía, que no quiero verla. ④ Declarar que no se mantiene algo dicho anteriormente: si no retiras tus insultos, tendré que tomar medidas severas. ⑤ Negar o dejar de dar: se enfadó conmigo y me retiró el saludo. I v. prnl. ⑥ **retirarse** Abandonar un trabajo o una profesión por haber alcanzado una edad y pasar a percibir una pensión: a los 65 años se retiró de la enseñanza. ⑦ Apartarse o separarse del trato social: se retiró al campo a meditar. ⑧ Irse a descansar; irse a la cama o a casa: yo me retiro porque estoy muy cansado. ⑨ Retroceder ordenadamente un ejército apartándose del enemigo: el ejército se retiró ante las tropas enemigas.
FAM retirada, retirado, retiro.

retiro s. m. ① Abandono de un lugar o de una ocupación habitual, para reflexionar, reconfortar el espíritu, etc.: un año de retiro te vendrá bien para tu depresión. ② Retirada definitiva de un trabajo por haber cumplido la edad determinada por la ley o por enfermedad. **SIN** jubilación. ③ Cantidad de dinero que cobra una persona cuando se produce esa retirada definitiva del trabajo. **SIN** jubilación. ④ Lugar tranquilo y apartado de la gente.

reto s. m. ① Provocación a una persona para tener un enfrentamiento físico o verbal con ella. **SIN** desafío. ② Objetivo difícil de conseguir en el que se pone mucho esfuerzo.

retobar v. tr. ① AMÉR. CENTRAL, ECUAD., MÉX. Rezongar, protestar y hacer rabietas una persona. ② ARG., URUG. Forrar o cubrir con cuero ciertos objetos. I v. prnl. ③ **retobarse** familiar ARG., URUG. Rebelarse una persona ante algo o alguien y no obedecer ninguna orden.

retocar v. tr. ① Perfeccionar los detalles de una cosa, especialmente de una obra o de un arreglo personal: retocar un *cuadro.* **2** Arreglar los daños que ha sufrido una obra de arte para reconstruirla: *tuvieron que retocar todos los techos.* **FAM** retoque.

retomar *v. tr.* Reanudar una cosa que se había interrumpido.

retoñar *v. intr.* **1** Volver a brotar tallos nuevos en una planta. **2** Reproducirse o volver a aparecer una cosa: *tenía miedo a que retoñara la enfermedad.*

retoño *s. m.* **1** Tallo nuevo que brota de una planta. **SIN** vástago. **2** familiar Hijo, especialmente cuando tiene corta edad. **FAM** retoñar.

retoque *s. m.* Detalle con que se termina o corrige una obra.

retorcer [6] *v. tr.* **1** Torcer mucho una cosa dándole vueltas: *retorcía el pañuelo mojado para escurrirlo.* **2** Tergiversar una cosa dándole un sentido distinto al que tiene: *estás retorciendo el sentido de mis palabras.* **|** *v. prnl.* **3** **retorcerse** Hacer movimientos exagerados con el cuerpo a causa del dolor o de la risa. **FAM** retorcido, retorcimiento, retorsión.

retorcido, -da *adj.* **1** Que tiene mala intención. **2** Que usa un lenguaje difícil de entender y poco claro. **|** *adj./s. m. y f.* **3** familiar Que tiene un carácter difícil.

retórica *s. f.* **1** Arte y técnica de hablar y escribir con eficacia y corrección para lograr convencer al público o lector, provocar en él un sentimiento determinado o deleitarlo. **2** Disciplina que estudia la forma y las características de los discursos hablados o escritos. **3** despectivo Manera de expresarse artificiosa o rebuscada y difícil de comprender .

retoricismo *s. m.* Uso excesivo de elementos retóricos. **FAM** retoricista.

retórico, -ca *adj.* **1** Relativo a la retórica. **2** Se aplica al lenguaje que es demasiado rebuscado. **|** *adj./s. m. y f.* **3** Que sabe retórica. **FAM** retorica, retoricismo.

retornable *adj.* Se aplica al envase que puede volver a ser utilizado después de haber consumido su contenido: *los envases retornables suelen ser de vidrio.*

retornar *v. intr.* **1** Volver al lugar de donde se partió. **SIN** regresar. **2** Volver a una situación o estado anterior: *retornó a sus costumbres.* **3** Volver algo a estar en posesión de quien lo tenía antes. **|** *v. tr.* **4** Dar una cosa a quien la tenía antes. **SIN** restituir. **5** Hacer que una cosa vuelva atrás: *retornaron el carro con cuidado.* **FAM** retornable, retorno.

retorno *s. m.* Vuelta o regreso al punto de partida. **ANT** marcha.

retortijón *s. m.* Dolor intermitente y agudo que se siente en la tripa o en el estómago. **OBS** Más en plural.

retozar *v. intr.* **1** Jugar dando saltos y moviéndose alegremente. **2** Realizar juegos amorosos una pareja. **FAM** retozo, retozón.

retractar *v. tr./prnl.* Retirar una persona algo que ha dicho anteriormente: *se retractó DE sus palabras.*

retráctil *adj.* Que puede adelantarse y esconderse por sí mismo: *uñas retráctiles.*

retraer [46] *v. tr.* **1** Disuadir a una persona de hacer algo: *el fuerte viento me retrajo de salir a navegar.* **2** Encoger un órgano o miembro del cuerpo para que quede oculto: *el gato puede retraer las uñas.* **3** Criticar a una persona recordándole abierta-

mente un hecho o una acción que causa vergüenza: *le retrajo todas sus faltas.* **|** *v. prnl.* **4** **retraerse** Retirarse o retroceder en busca de refugio: *se retrajo al ver al enemigo.* **5** Hacer vida retirada, apartada del trato social. **FAM** retráctil, retraído, retraimiento.

retraído, -da *adj.* Se aplica a la persona que es tímida y hace vida retirada o apartada del trato social.

retraimiento *s. m.* Manera de ser de la persona tímida, reservada y poco comunicativa.

retranca *s. f.* **1** Correa ancha que sirve para frenar el carruaje y hacerlo retroceder. **2** En la caza, puestos situados detrás de los que baten. **3** Intención oculta o disimulada en la forma de actuar o de expresarse una persona. **4** CUBA Freno de los carros.

retransmisión [también **retrasmisión**] *s. f.* **1** Acción de retransmitir. **SIN** transmisión. **2** Efecto de retransmitir.

retransmitir [también **retrasmitir**] *v. tr.* **1** Enviar o transmitir una información a través de un medio de comunicación desde el lugar donde se produce: *esta noche retransmiten un partido de fútbol por la radio.* **2** Volver a enviar o transmitir un mensaje o una información a través de un medio de comunicación. **FAM** retransmisión, retransmisor.

retrasado, -da *adj.* **1** Que no ha completado su desarrollo. **|** *adj./s. m. y f.* **2** despectivo Deficiente, subnormal.

retrasar *v. tr.* **1** Hacer que una cosa ocurra después del tiempo previsto o normal: *una avería ha retrasado la llegada del tren.* **SIN** atrasar, retardar. **2** Hacer que un reloj señale una hora anterior a la actual. **SIN** atrasar. **ANT** adelantar. **3** Echar o llevar hacia atrás. **|** *v. intr./prnl.* **4** Marcar un reloj un tiempo anterior al actual: *mi reloj retrasa; mi reloj se retrasa.* **SIN** atrasar. **ANT** adelantar. **|** *v. prnl.* **5** **retrasarse** Quedar alguien rezagado en una actividad por avanzar menos que los demás. **SIN** atrasarse. **ANT** adelantar. **6** Llegar tarde a un lugar. **SIN** atrasarse. **FAM** retrasado, retraso.

retrasmisión V. retransmisión.

retrasmitir V. retransmitir.

retraso *s. m.* **1** Atraso en la realización de algo: *la escasez de lluvia provocará un retraso de la cosecha.* **2** Falta de desarrollo, o desarrollo inferior al normal. **SIN** atraso.

retratar *v. tr.* **1** Hacer retratos: *el pintor la retrató desnuda.* **2** Describir detalladamente con palabras algo o a alguien: *Cervantes retrata sus personajes magistralmente.*

retrato *s. m.* **1** Imagen de una persona reproducida en pintura, escultura, dibujo, fotografía, etc. **■ retrato robot** Supuesto retrato de una persona desconocida que se hace a partir de las explicaciones o señales dadas por otras personas que la han visto. **2** Descripción de la apariencia o el carácter de una persona . **ser el (vivo) retrato de** Parecerse una persona mucho a otra: *es el vivo retrato de su padre.* **FAM** retratar, retratista; autorretrato, portarretratos.

retrete *s. m.* **1** Recipiente conectado con una tubería de desagüe y provisto de una cisterna con agua, que sirve para orinar y evacuar los excrementos en él. **SIN** inodoro, váter. **2** Habitación en la que está el váter, el lavabo y otros elementos que sirven para el aseo personal. **SIN** servicio, váter.

retribución *s. f.* Cantidad de dinero o cosa con que se paga un trabajo. **SIN** remuneración.

retribuir [21] *v. tr.* Pagar a una persona por un trabajo o un servicio. **SIN** remunerar.
FAM retribución, retributivo.

retro *adj.* familiar Que imita o evoca un tiempo pasado o anticuado.

retroactividad *s. f.* Acción de una fuerza o una ley sobre hechos ya pasados: *cometió la falta antes de que se promulgara la ley pero se le aplicó con retroactividad y tuvo que cumplir condena.*

retroactivo, -va *adj.* Que tiene efecto sobre lo pasado: *el aumento de sueldo tendrá carácter retroactivo.*
FAM retroactividad.

retroceder *v. intr.* ① Volver hacia atrás en el tiempo o en el espacio. **ANT** avanzar. ② Abandonar un proyecto antes de realizarlo por encontrar ciertas dificultades. **ANT** avanzar.
FAM retroceso.

retroceso *s. m.* ① Movimiento hacia atrás en el tiempo o en el espacio. **ANT** avance. ② Reavivamiento de una enfermedad que declinaba: *el enfermo ha experimentado un retroceso.* **ANT** mejora. ③ Movimiento brusco hacia atrás de un arma de fuego al dispararla.

retrógrado, -da *adj.* ① Que retrocede. **‖** *adj./s. m. y f.* ② Se aplica a la persona que es partidaria de ideas o instituciones políticas o sociales propias de tiempos pasados. **ANT** progresista.

retropropulsión *s. f.* Sistema de movimiento a partir de la expulsión de un chorro de gases hacia atrás: *la retropropulsión se utiliza en aviones y naves espaciales.*

retroproyector *s. m.* Aparato que sirve para proyectar una imagen mediante un foco eléctrico que incide sobre una base en la que esta se coloca.

retrospección *s. f.* Mirada que se hace de un tiempo pasado para recordarlo.

retrospectivo, -va *adj.* Relativo a un tiempo pasado.

retrotraer [46] *v. tr./prnl.* Retroceder con la memoria a una época pasada para tomarla como punto de referencia: *el psicoanalista pidió a la paciente que se retrotrajera a los momentos felices de su infancia.*

retrovirus *s. m.* Virus cuyo material genético es un ácido ribonucleico (ARN), que posee una enzima que convierte su material genético en ácido desoxirribonucleico al penetrar en una célula viva: *el virus del sida es un retrovirus.*
OBS Plural invariable.

retrovisor *adj./s. m.* Se aplica al espejo que llevan los automóviles para ver lo que está detrás.

retruécano *s. m.* Figura retórica que consiste en contraponer dos frases expresadas con las mismas palabras pero con un orden invertido o distinto, para que sus sentidos o significados contrasten: *"trabajar para vivir, no vivir para trabajar" es un retruécano.* **SIN** conmutación.

retumbar *v. intr.* ① Hacer mucho ruido una cosa. ② Reproducirse o ampliarse el sonido de algo debido a las características del lugar.
FAM retumbante.

reuma o **reúma** *s. amb.* Enfermedad en la que duelen o se inflaman las articulaciones o los músculos del cuerpo. **SIN** reumatismo.
FAM reumático, reumatismo, reumatología.

reumático, -ca *adj.* ① Relativo al reumatismo. **‖** *adj./s. m. y f.* ② Se aplica a la persona que padece reumatismo.

reumatismo *s. m.* Reuma.

reunificación *s. f.* Unificación de cosas que habían estado unidas y se habían separado.

reunión *s. f.* ① Acción de reunir o reunirse. ② Efecto de reunir o reunirse. ③ Conjunto de personas que se reúnen para hablar de un determinado tema.

reunir *v. tr.* ① Congregar a varias personas: *después de muchos años se reunió toda la familia.* ② Juntar o conseguir cosas para coleccionarlas o con otro fin: *reunió muchos libros a lo largo de su vida.*
FAM reunión.

reválida *s. f.* ① Acción de revalidar. ② Efecto de revalidar. ③ Examen que se hacía antiguamente al finalizar algunos estudios.

revalidar *v. tr.* ① Confirmar la validez de algo. **‖** *v. prnl.* ② **revalidarse** Pasar un examen para obtener un grado o título académico.
FAM reválida.

revalorización *s. f.* ① Recuperación del valor que una cosa había perdido. ② Aumento del valor de una cosa. **SIN** revaluación.

revalorizar *v. tr.* ① Aumentar el valor de una cosa: *revalorizaron las tierras al instalar el riego.* **ANT** devaluar. ② Volver a tener algo su justo valor: *su imagen pública, por fin, se ha revalorizado.*
FAM revalorización.

revaluación *s. f.* ① Aumento del valor de una cosa. **SIN** revalorización. ② Aumento del valor de una moneda respecto al valor de la de otro país o respecto al oro.

revaluar *v. tr.* ① Aumentar el valor de una cosa: *el euro se ha revaluado en los últimos meses.* **SIN** revalorizar. **ANT** devaluar. ② Volver a evaluar una cosa: *debemos revaluar de nuevo estos datos.*
FAM revaluación.
OBS Verbo regular, se acentúa como *actuar.*

revancha *s. f.* Venganza o respuesta a una ofensa o daño recibidos. **SIN** desquite.
FAM revanchismo.

revelación *s. f.* Descubrimiento de algo desconocido: *sus ideas sobre la física son toda una revelación.*

revelado *s. m.* Conjunto de operaciones que son necesarias para revelar una imagen fotográfica.

revelar *v. tr.* ① Mostrar algo que era desconocido: *el director reveló a la prensa los datos de la encuesta.* ② Proporcionar muestra de algo: *sus palabras revelan preocupación.* ③ Hacer que se vea una imagen impresa en una placa o película fotográfica: *he revelado ya el carrete de las fotos de nuestras vacaciones.*
FAM revelación, revelado, revelador.

revender *v. tr.* Vender algo que se ha comprado, para obtener un beneficio.

revenirse *v. prnl.* ① Ponerse blando y correoso un alimento a causa de la humedad o el calor excesivos: *el pan se reviene con facilidad.* ② Avinagrarse un alimento en conserva o un licor: *la compota en conserva se ha revenido.* ③ Soltar una cosa la humedad que tiene: *la sal se ha revenido.*

reventa *s. f.* ① Acción de revender. ② Lugar en que se revenden entradas con recargo para un espectáculo. **‖** *s. com.* ③ familiar Persona que se dedica a esta actividad.

R

reventar [1] *v. tr./intr.* **1** Hacer que algo se rompa por no poder soportar una presión interior: *se reventó un neumático y tuvimos un accidente.* | *v. intr.* **2** Tener un deseo muy fuerte difícil de superar: *está que revienta por hablar.* **3** familiar Molestar o provocar enfado: *me revienta que llegues siempre tarde.* **4** Deshacerse en espuma las olas del mar: *cerca de la playa revientan las olas.* **SIN** romper. | *v. tr.* **5** Cansar mucho o agotar: *el jinete reventó al caballo para llegar en un día a la corte.* **6** Hacer fracasar un espectáculo.
FAM reventón.

reventón, -tona *adj.* **1** Que parece que va a reventar. | *s. m.* **2** Abertura y rotura brusca de una cosa que está cerrada y generalmente sometida a una presión interna: *el reventón de la tubería provocó la inundación del piso.* **3** Rotura brusca y desgarro de la cubierta del neumático de un vehículo: *tuve un reventón y me salí de la carretera.* **4** ARG., CHILE Afloramiento de mineral.

reverberación *s. f.* Reverbero.

reverberar *v. intr.* Reflejar las ondas luminosas o sonoras un cuerpo: *el sol reverbera en el lago.*
FAM reverberación, reverbero.

reverbero *s. m.* **1** Reflejo de la luz en una superficie: *el reverbero le impedía ver con claridad el paisaje.* **SIN** reverberación. **2** Persistencia de un sonido en un lugar cerrado: *el reverbero de su voz se oía por toda la sala.* **SIN** reverberación.

reverdecer [16] *v. tr./intr.* **1** Tomar color verde de nuevo las plantas, los árboles o la tierra en general. **2** Recuperar la fuerza, la energía o la importancia una persona o una cosa: *reverdeció el gusto por las formas clásicas.* **SIN** renacer.

reverencia *s. f.* **1** Inclinación del cuerpo en señal de respeto. **2** Respeto que se siente hacia una persona. **3** Tratamiento que se da a los religiosos condecorados. **NOTA** Pueden anteponérsele las palabras *su* o *vuestra.*
FAM reverencial, reverenciar, reverendo, reverente.

reverenciar *v. tr.* Mostrar veneración por una persona o una cosa a la que se estima: *los católicos reverencian sus imágenes sagradas.*
OBS Verbo regular, se acentúa como *cambiar.*

reverendo, -da *adj.* **1** Digno de reverencia. | *adj./s. m. y f.* **2** Se aplica como tratamiento a los sacerdotes o las personas que pertenecen a una orden religiosa.

reverente *adj.* Que muestra reverencia o respeto. **ANT** irreverente.

reversible *adj.* **1** Que puede volver a un estado o situación anterior: *su enfermedad es reversible.* **ANT** irreversible. **2** Que se puede usar indistintamente por el derecho y por el revés: *este colchón es reversible.*
FAM irreversible.

reverso *s. m.* Cara o lado opuesto al anverso o cara principal de ciertas cosas: *el reverso de una carta.* **SIN** revés. **ANT** anverso.

revertir [9] *v. intr.* **1** Volver una cosa a su dueño. **2** Ir a parar una cosa o acción en otra: *las inversiones que estamos haciendo revertirán en nuestro beneficio dentro de unos años.* **3** culto Volver una cosa a un estado o condición anterior.
FAM reversible, reversión, reverso.

revés *s. m.* **1** Lado opuesto a la parte principal de una cosa. **ANT** derecho. **2** Golpe que se da con la mano vuelta: *le dio un revés por ser desobediente.* **3** Situación difícil o desgraciada: *ha tenido que soportar muchos reveses en la vida.* **4** En deporte,

golpe que se da a la pelota cruzando el brazo por delante del cuerpo hacia el lado opuesto al que se tiene la raqueta.
al revés De manera contraria: *has entendido lo que he dicho al revés de como deberías haberlo hecho.*
FAM enrevesado.

revestimiento *s. m.* Capa de algún tipo de material con la que se protege o adorna una superficie.

revestir [10] *v. tr.* **1** Cubrir una superficie con una capa de algún tipo de material, generalmente para protegerla o adornarla. **2** culto Presentar un determinado aspecto, cualidad o carácter: *la cogida no reviste gravedad.* **3** Dar a algo la apariencia de lo que no es: *revistió su declaración de ingenuidad ante el jurado.* **4** Atribuir o conceder cierta facultad o autoridad: *fue revestido con el título de emperador.* **5** Vestir poniendo una ropa sobre otra. | *v. prnl.* **6** **revestirse** Armarse de una cualidad o virtud ante una dificultad grave: *tendremos que revestirnos de paciencia.* **7** Cubrirse de algo.
FAM revestimiento.

revisar *v. tr.* **1** Examinar algo con atención y cuidado para corregir los errores: *revisaron la lección antes del examen.* **2** Examinar algo para comprobar que funciona correctamente. **SIN** repasar.
FAM revisión, revisor.

revisión *s. f.* **1** Observación hecha con cuidado y atención para corregir los errores. **2** Prueba o examen que se hace para comprobar que algo funciona correctamente: *tengo que hacerle una revisión al coche.*
FAM revisionismo.

revisor, -ra *s. m. y f.* Persona que se dedica a revisar o comprobar cosas, especialmente los billetes de los viajeros en un medio de transporte.

revista *s. f.* **1** Publicación periódica con información sobre distintas materias o sobre una específica. **2** Espectáculo teatral de carácter ligero y de humor en el que alternan números musicales con otros dialogados. **3** Reconocimiento u observación que un jefe hace de las personas o cosas que están bajo su autoridad o cuidado: *vino un funcionario del ministerio para hacer una revista sanitaria.* **4** Formación de parte de un ejército para que un jefe la pueda reconocer: *la revista se hizo a primera hora de la mañana.*
pasar revista Revisar algo con detenimiento.
FAM revistar, revistero.

revistero *s. m.* Pieza de mobiliario en la que se guardan revistas o periódicos.

revitalización *s. f.* Acción de dar a algo nueva energía o actividad, especialmente después de un periodo de deterioro o inactividad.

revitalizar *v. tr.* Dar a algo nueva energía o actividad, especialmente después de un periodo de deterioro o inactividad.
FAM revitalización, revitalizante.

revival [se pronuncia aproximadamente 'riváival'] *s. m.* Retorno o reactualización de un estilo, temática o elemento artístico del pasado.

revivir *v. intr.* **1** Volver a vivir. **SIN** resucitar. **2** Volver en sí un ser vivo que parecía muerto: *volvimos a meter el pez en el agua y revivió.* **3** Resurgir un deseo o sensación que parecía muerto: *el odio que sentía por él revivió al volverlo a encontrar después de tanto tiempo.*

revocar *v. tr.* **1** Dejar sin valor o efecto una ley o una orden: *solamente el rey puede revocar la sentencia.* **2** Cubrir una pared con cemento u otro material, especialmente la parte exterior de un muro.

FAM revocación; irrevocable.

revolcar [5] *v. tr.* **1** Derribar a alguien y darle vueltas por el suelo: *el toro revolcó a los mozos.* **2** familiar Suspender una prueba o examen. ‖ *v. prnl.* **3** **revolcarse** Echarse sobre una superficie y refregarse sobre ella: *a los cerdos les encanta revolcarse en el fango.*

FAM revolcón.

revolcón *s. m.* **1** Hecho de caer y dar vueltas por el suelo. **2** Acción de vencer a un oponente. **3** familiar Acción de abrazarse, besarse o hacer el amor dos personas.

revolotear *v. intr.* **1** Volar dando vueltas y giros en un espacio reducido. **2** Moverse una cosa ligera por el aire dando vueltas y giros.

FAM revoloteo.

revoloteo *s. m.* Vuelo que se hace con movimientos rápidos y muchos giros.

revoltijo *s. m.* **1** Conjunto de cosas diversas y desordenadas. **SIN** revoltillo. **2** Confusión o enredo. **SIN** revoltillo.

revoltillo *s. m.* **1** Revoltijo. **2** Revuelto, plato elaborado con huevos.

revoltoso, -sa *adj./s. m. y f.* Se aplica al niño que no se está quieto y es travieso.

revolución *s. f.* **1** Cambio político y social radical alcanzado normalmente de forma violenta y con la participación de amplios sectores de la población, como la Revolución francesa, la mexicana o la rusa. **NOTA** Se escribe normalmente con mayúscula inicial cuando hace referencia a una revolución de un país en concreto: *la Revolución francesa.* **2** Cambio brusco y no violento en el ámbito social, económico o moral de una sociedad o en la manera de tratarse o hacerse algo: *revolución cultural neolítica; el descubrimiento de la penicilina fue una revolución médica.* ■ **revolución industrial** Transformación económica y social ocurrida a finales del siglo XVIII y principios del XIX debida principalmente al fuerte aumento de la producción (gracias al uso de maquinaria que usaba la fuerza del vapor), los avances técnicos y de las comunicaciones y el desarrollo del capitalismo. **3** Desorden o alboroto producido por gran número de personas: *¡qué revolución se armó en las taquillas cuando se descubrió que ya se habían agotado las entradas!* **SIN** revuelo. **4** Movimiento de un cuerpo alrededor de un eje o punto fijo: *este motor puede alcanzar 7 000 revoluciones por minuto.* **5** Movimiento que describe un astro alrededor de otro.

FAM revolucionar, revolucionario; contrarrevolución.

revolucionar *v. tr.* **1** Cambiar un estado de cosas: *la aparición del avión revolucionó los transportes del siglo XX.* **2** Producir un desorden y una agitación que llevan a un cambio violento en el orden político, social y económico de un país: *esta propuesta de ley revolucionará a los senadores.* **3** Hacer que un motor gire a más revoluciones por minuto.

revolucionario, -ria *adj.* **1** Relativo a la revolución política, social o económica. ‖ *adj./s. m. y f.* **2** Que es partidario de la revolución política, social y económica. **3** Que constituye un cambio profundo en algo: *Picasso inventó una técnica revolucionaria en pintura.*

FAM antirrevolucionario.

revolver [6] *v. tr.* **1** Remover algo dándole vueltas: *revolver el chocolate para que no se pegue.* **2** Cambiar ciertas cosas de lugar desordenándolas: *revolver los papeles.* **3** Alterar un orden o un estado. ‖ *v. intr.* **4** Indagar en algo del pasado para extraer alguna información oculta u olvidada. ‖ *v. prnl.* **5** **revolverse** Moverse de un lado a otro con inquietud en un espacio reducido: *Luisa se revolvía incómoda en su asiento.* **6** Volverse con rapidez para enfrentarse a una persona o cosa: *el perro se ha revuelto y ha dado un mordisco a su dueño.* **7** Cambiar el tiempo haciéndose desagradable.

FAM revoltijo, revoltillo, revoltoso, revuelto.

OBS Participio irregular: *revuelto.*

revólver *s. m.* Arma corta de fuego con un tambor giratorio donde se colocan las balas.

revoque *s. m.* **1** Acción que consiste en enlucir o revestir una pared con algún material. **2** Capa o mezcla con que se revoca, especialmente la formada por cal y arena.

revuelo *s. m.* Alboroto formado por varias personas: *cuando la famosa estrella entró, se armó un gran revuelo en el vestíbulo del hotel.*

revuelta *s. f.* **1** Cambio violento en el orden político, social o económico de un país: *desencadenó una revuelta que derrocó el gobierno.* **2** Enfrentamiento entre varias personas implicadas: *se formó una revuelta en la que tuvo que intervenir la policía.*

revuelto, -ta **1** Participio irregular de *revolver.* ‖ *adj.* **2** Que está lleno de cosas mezcladas sin coherencia. **3** Que está agitado o intranquilo: *los ánimos están muy revueltos tras la discusión.* **4** Se aplica al tiempo atmosférico que está muy variable: *el tiempo está muy revuelto.* **5** Se aplica al líquido que está turbio. ‖ *s. m.* **6** Plato que se elabora con un alimento frito o rehogado en aceite, con el que se mezclan unos huevos que se cuajan sin dejar de remover en la sartén. **SIN** revoltillo.

revulsivo, -va *adj./s. m.* Que produce un cambio importante, generalmente favorable.

rey, reina *s. m. y f.* **1** Soberano de una monarquía o reino. **NOTA** Con mayúscula inicial cuando hace referencia al rey o la reina de un reino en concreto. **SIN** monarca. ‖ *s. m.* **2** Pieza del ajedrez que representa un rey; se mueve de cuadro en cuadro en cualquier dirección y es la pieza principal del juego. **3** Carta de la baraja española que lleva el número 11 y representa a un rey: *rey de oros.* **4** Carta de la baraja francesa que lleva la letra *K.* ‖ *s. f.* **5** Esposa del rey. **6** Pieza del ajedrez que representa una reina; puede recorrer en un solo movimiento todos los cuadros que estén libres en cualquier dirección. **SIN** dama. **7** Carta de la baraja francesa que lleva la letra *Q.* **SIN** dama. **8** Insecto hembra de una comunidad que tiene la capacidad y la función de reproducirse. ‖ *s. com.* **9** Persona, animal o cosa que destaca entre las demás de su clase o especie: *el león es el rey de la selva.*

rey de codornices Ave zancuda de plumaje pardo con manchas cenicientas, que acompaña a las codornices en sus emigraciones; es comestible.

Reyes Magos Personajes del Nuevo Testamento que eran tres soberanos de una región lejana de Oriente y viajaron a Belén para adorar al niño Jesús: *los Reyes Magos (Melchor, Gaspar y Baltasar) trajeron al niño oro, incienso y mirra.*

FAM reino, reyezuelo; virrey.

reyerta *s. f.* Enfrentamiento violento entre dos o más personas.

reyezuelo *s. m.* Pájaro cantor insectívoro de unos 9 cm de largo y plumaje verde oliváceo, con una franja naranja o amarilla bordeada de negro en el centro de la cabeza; tiene el

R

cuerpo rechoncho y las alas cortas y redondeadas; es común en España.

rezagar *v. tr.* Dejar atrás algo: *el ciclista se rezagó debido al viento.*

rezar *v. tr.* **1** Decir una oración, mentalmente o de palabra. **|** *v. tr./intr.* **2** Dirigir una oración, mentalmente o de palabra, a una divinidad o a un santo. **|** *v. tr.* **3** Decir o figurar en un escrito.
FAM rezo.

rezo *s. m.* **1** Acción de rezar. **2** Oración o ruego a una divinidad: *empezaba cada mañana con un rezo.* **3** Liturgia correspondiente a cada festividad religiosa.

rezongar *v. intr.* Emitir voces confusas o palabras mal articuladas en señal de enfado o desagrado. **SIN** refunfuñar, rumiar.
FAM rezongón.

rezumar *v. tr.* **1** Transpirar un líquido a través de un cuerpo: *el cántaro rezuma agua.* **2** Dejar traslucir una cualidad o característica en alto grado.
FAM rezumadero.

Rh Abreviatura de *factor Rhesus,* conjunto de antígenos presente en los glóbulos rojos de la sangre humana en el 85 % de los casos, utilizado para la determinación del grupo sanguíneo.

rho *s. f.* Nombre de la decimoséptima letra del alfabeto griego; se escribe P/ρ y se transcribe como *r.*

rhythm and blues o **rhythm'n'blues** [se pronuncia aproximadamente 'ritman-blus'] *s. m.* Estilo musical nacido en la década de 1940 como derivación del blues y emparentado con el jazz, el soul y el gospel; se caracteriza por ser un género principalmente vocal, propio de cantantes solistas o agrupados en cuartetos o quintetos que acompañan su voz con las intervenciones de un coro.

ría *s. f.* **1** Valle fluvial invadido por el mar a causa del hundimiento de las tierras costeras o por una elevación del nivel del mar: *la marea también sube en la ría.* **2** Ensenada amplia. **3** Balsa de agua que se pone como obstáculo en algunas pruebas hípicas.

riachuelo *s. m.* Río de pequeño tamaño por el que corre poca agua.

riada *s. f.* **1** Crecida impetuosa del nivel de las aguas de un río o arroyo ocasionada por precipitaciones intensas o por una rápida fusión de las nieves de las montañas. **SIN** avenida. **2** Inundación provocada por esta crecida. **3** Cantidad grande de gente.

ribazo *s. m.* **1** Parte de terreno que tiene una elevación o inclinación. **2** Elevación o inclinación entre dos terrenos que están a diferente nivel.

ribeiro *s. m.* Vino que se elabora en la comarca de Ribeiro, en la provincia de Orense.

ribera *s. f.* **1** Orilla del mar o del río. **2** Terreno cercano al mar o al río.
FAM ribereño.

ribereño, -ña *adj.* Relativo a la ribera.

ribete *s. m.* **1** Cinta o tira con la que se refuerza o adorna el borde de una cosa. **2** Añadidura que se introduce en la conversación. **|** *s. m. pl.* **3** **ribetes** Indicio que da a conocer una cosa: *este estudiante tiene ribetes de científico.*
FAM ribetear.

ribetear *v. tr.* Poner ribetes a una cosa.

ribonucleico *adj.* Se aplica al ácido nucleico que presenta como glúcido la ribosa y que participa en la síntesis de las proteínas y realiza la función de mensajero de la información genética: *el ácido ribonucleico (o ARN) está presente en los seres vivos bajo formas diversas.*

ribosa *s. f.* Glúcido monosacárido que se encuentra en ciertos ácidos nucleicos.

ribosoma *s. m.* Orgánulo del citoplasma de una célula, rico en ácido ribonucleico, cuya función es participar en la síntesis de proteínas.

ricacho, -cha *adj./s. m. y f.* fam. desp. Ricachón.

ricachón, -chona *adj./s. m. y f.* fam. desp. Se aplica a la persona que tiene mucho dinero o muchos bienes materiales.
SIN ricacho.

ricamente *adv.* **1** Con opulencia y gran ostentación: *el salón estaba ricamente adornado.* **2** Muy a gusto o con toda comodidad: *el bebé dormía tan ricamente.*

ricino *s. m.* Árbol procedente de África de cuyas semillas se saca un aceite medicinal.

rico, -ca *adj./s. m. y f.* **1** Que tiene mucho dinero o muchos bienes. **SIN** acaudalado. **ANT** pobre. **2** Que tiene abundancia o gran cantidad de una cosa: *es una persona rica en ideas.* **3** Que tiene un sabor que resulta agradable: *en esta época del año los tomates están ricos.* **4** familiar Se utiliza aplicado a personas como expresión de cariño: *¡qué niño más rico!*
FAM ricacho, ricamente, ricura, riqueza; enriquecer.

rictus *s. m.* **1** Contracción de los labios que deja al descubierto los dientes y da a la boca un aspecto parecido a la sonrisa. **2** Gesto del rostro que manifiesta determinado sentimiento o estado de ánimo.
OBS Plural invariable.

ricura *s. f.* **1** Cualidad de rico, apetitoso o excelente. **2** familiar Apelativo cariñoso que se aplica a los niños.

ridiculez *s. f.* **1** Acto o dicho que provoca risa por extravagante: *deja de decir ridiculeces y escucha.* **2** Cantidad o intensidad escasa o de poca importancia: *la diferencia de precio es una ridiculez.*

ridiculización *s. f.* Acción de ridiculizar.

ridiculizar *v. tr.* Hacer burla de alguien por sus extravagancias o defectos.
FAM ridiculización.

ridículo, -la *adj.* **1** Que provoca risa por resultar muy extraño, grotesco o extravagante: *un modo de hablar ridículo.* **2** Que es de poca consideración. **|** *s. m.* **3** Situación o hecho que provoca la risa o la burla de los demás.
FAM ridiculez, ridiculizar.

riego *s. m.* **1** Acción de extender agua sobre una superficie de tierra o de plantas. **2** Agua disponible para regar. **3** Acción de extender un líquido por una materia o tejido: *esta tarta estaría mejor con un riego de licor.*

riel *s. m.* **1** Pieza metálica alargada sobre la que se acopla algo para que se deslice. **2** Barra de hierro alargada y paralela a otra igual sobre la que van los trenes. **SIN** carril, raíl.

rielar *v. intr.* culto Brillar con luz trémula.

rienda *s. f.* **1** Correa para gobernar las caballerías. **|** *s. f. pl.* **2** **riendas** Gobierno o dirección de una cosa: *lleva las riendas del negocio.*
dar rienda suelta No poner límite o dejar actuar con libertad.

riesgo *s. m.* ① Posibilidad de que ocurra un peligro. ② Cada uno de los diferentes daños que cubre un seguro: *el seguro no nos cubre el riesgo de inundación.*
FAM arriesgar.

riesgoso, -sa *adj.* AMÉR. Arriesgado: *era un cruce riesgoso, pero no había otra posibilidad.*

rifa *s. f.* ① Sorteo de una cosa entre varias personas. ② Tenderete ambulante donde se rifan cosas.
FAM rifar.

rifar *v. tr.* ① Sortear una cosa entre varias personas. ‖ *v. prnl.* ② **rifarse** familiar Disputarse a una persona. ③ Romperse una vela en un barco.

riff *s. m.* Frase melódica breve usada en el jazz, que se repite varias veces durante la pieza y que se puede modificar o sobre la que se puede improvisar.
OBS Plural: *riffs.*

rifle *s. m.* Arma de fuego de cañón largo y con estrías en espiral en su interior.

rigidez *s. f.* ① Cualidad de lo que no se puede doblar ni torcer. **ANT** flexibilidad. ② Actitud del que cumple o hace cumplir las normas de forma excesivamente rigurosa. **ANT** flexibilidad.

rígido, -da *adj.* ① Que no se puede doblar ni torcer. **ANT** flexible. ② Que cumple o hace cumplir las normas de forma excesivamente rigurosa.
FAM rigidez.

rigodón *s. m.* ① Antigua danza provenzal de movimiento vivo, ejecutada por cuatro parejas o más. ② Música de esta danza.

rigor *s. m.* ① Dureza o severidad excesiva: *trata con excesivo rigor a sus hijos.* **ANT** suavidad. ② Punto de mayor intensidad del frío o del calor en el clima: *rigor del invierno.* ③ Cualidad de exacto o fiel: *rigor científico.* **SIN** precisión. ④ Pérdida de la flexibilidad de los músculos.

de rigor Obligado, necesario: *después de las presentaciones de rigor, empezó el acto.*

en rigor En realidad, atendiendo a la verdad: *en rigor, no dijo nada nuevo en la conferencia.*
FAM riguroso.

rígor mortis Rigidez de los músculos de un cuerpo pocas horas después de la muerte.

riguroso, -sa *adj.* ① Que es extremado o duro: *riguroso invierno.* ② Que cumple o hace cumplir las normas con excesiva exactitud: *rigurosa etiqueta.* **SIN** rígido. ③ Exacto y preciso: *rigurosa puntualidad.*
FAM rigurosidad.

rijoso, -sa *adj.* Que muestra o siente deseo sexual.

rima *s. f.* ① Semejanza o igualdad de sonidos finales de verso, a partir de la última sílaba acentuada: *cuando riman solo las vocales, hay rima asonante, como en "casa/dama"; cuando riman vocales y consonantes, hay rima consonante, como en "casa/brasa".* ② Poema, composición escrita en verso. ③ Acción de rimar.
FAM rimar.

rimar *v. intr.* ① Tener rima una palabra con otra u otras. ② Componer en verso. ‖ *v. tr.* ③ Hacer que dos o más palabras rimen entre sí.
FAM arrimar.

rimbombante *adj.* ① Que resulta llamativo u ostentoso: *utiliza un lenguaje rimbombante.* ② Se aplica a la forma de hablar o escribir exagerada y artificial.

rímel *s. m.* Cosmético que se aplica sobre las pestañas para realzarlas o darles color.
OBS Es marca registrada.

rincón *s. m.* ① Ángulo entrante formado por dos superficies. ② Espacio de dimensiones pequeñas. ③ Lugar donde una persona o animal se aparta o esconde.
FAM rinconada, rinconera; arrinconar.

rinconada *s. f.* Ángulo entrante que se forma en la unión de dos casas, dos calles o dos caminos.

rinconera *s. f.* Mueble con forma adecuada para colocar en un rincón.

ring *s. m.* Tarima elevada de forma cuadrada, y limitada por cuerdas, en la que se disputan los combates de boxeo. **SIN** cuadrilátero.

ringorrango *s. m.* familiar Adorno exagerado y completamente superfluo e innecesario.

rinoceronte *s. m.* Mamífero grande que tiene la piel gruesa, las patas cortas y terminadas en tres dedos, la cabeza puntiaguda y uno o dos cuernos en el hocico: *el rinoceronte es un animal herbívoro.*

riña *s. f.* ① Enfrentamiento entre dos o más personas por no estar de acuerdo sobre una circunstancia o una idea. **SIN** disputa. ② Corrección o llamada de atención que se hace a una persona por haber cometido un error o por su mal comportamiento. **SIN** regañina.

riñón *s. m.* ① Órgano situado en la zona lumbar de los animales vertebrados, que purifica la sangre y produce la orina. ② Figura u objeto que tiene la forma de ese órgano. ‖ *s. m. pl.* ③ **riñones** Zona del cuerpo que se encuentra en la parte baja de la espalda.

costar (o valer) un riñón familiar Ser muy caro.
FAM riñonera; arriñonado, desriñonar.

riñonera *s. f.* ① Faja que sirve para proteger la zona del cuerpo en la que están los riñones. ② Bolsa pequeña unida a un cinturón y cerrada generalmente con una cremallera, que se lleva atada alrededor de la cintura para guardar objetos personales.

río *s. m.* ① Corriente de agua más o menos caudalosa y continua, en todo o la mayor parte del año, que fluye por un cauce natural que va a desembocar a otra corriente, a un lago o al mar. ② Abundancia o gran cantidad de personas o cosas.

correr ríos de tinta Expresión que se utiliza para indicar que un asunto dará lugar a muchos comentarios escritos, porque provoca un gran interés: *la noticia hizo correr ríos de tinta.*
FAM ría, riachuelo, riada.

rioja *s. m.* Vino que se elabora en la comarca de la Rioja, que comprende la provincia de La Rioja y algunos municipios de Álava y Navarra.

riojano, -na *adj.* ① De La Rioja (comunidad autónoma española). ‖ *s. m. y f./adj.* ② Persona que es de La Rioja.

rioplatense *adj.* ① Del Río de la Plata (territorio de América del Sur). ‖ *s. com./adj.* ② Persona que es del Río de la Plata.

R. I. P. *s. m.* Abreviatura de la expresión latina *requiescat in pace,* 'descanse en paz', que se inscribe en lápidas y esquelas.

ripio *s. m.* ① Palabra superflua o frase hecha que se usa con el objeto de completar un verso o de lograr la rima fácilmente y que degrada la calidad del poema. ② Conjunto de piedras y demás materiales de desecho que se usan para rellenar juntas o huecos, o que se colocan entre los mampuestos para que asienten bien. ③ AMÉR. SUR Piedra pequeña usada para pavimentar.

riqueza s. f. ① Abundancia de dinero o de bienes materiales. SIN opulencia. ANT pobreza. ② Gran cantidad o calidad de una cosa. ANT pobreza.

risa s. f. ① Acción de reír que consiste en mover la boca y producir un sonido repetitivo. ② Movimiento de la boca, y del rostro en general, que expresa contento. ③ Situación o acción que induce a reír.

mearse (o mondarse o morirse o partirse) de risa familiar Reírse mucho.

FAM risible, risotada, risueño; sonrisa.

risco s. m. Roca alta y escarpada.

FAM enriscado.

risible adj. culto Que produce risa.

risorgimento s. m. Movimiento ideológico que se desarrolló en los estados que componían la península italiana en el siglo XIX para conseguir el renacimiento nacional del país y que culminó en la unificación de Italia.

risotada s. f. Risa impetuosa y ruidosa. SIN carcajada.

ristra s. f. ① Conjunto de ajos o cebollas unidos por los tallos. ② Serie de cosas colocadas en fila. SIN sarta.

FAM enristrar.

ristre s. m. Pieza de hierro de la armadura en la que se apoya la lanza.

en ristre Expresión que indica que una cosa se tiene bien sujeta entre las manos y bien dispuesta para hacer algo con ella: *pluma en ristre, comenzó a escribir.*

risueño, -ña adj. ① Que muestra un gesto de risa en el semblante. ② Que se ríe con facilidad. ③ Que tiene un aspecto agradable. ④ Que es favorable o prometedor: *parecía que el porvenir sería muy risueño.*

ritardando adv. En música, disminuyendo gradualmente la velocidad de ejecución. ANT accelerando.

rítmico, -ca adj. ① Relativo al ritmo. ② Que tiene un ritmo determinado.

ritmo s. m. ① Periodicidad en la sucesión de una serie de cosas: *el ritmo de la respiración.* ② En música, proporción que se guarda entre el tiempo de un movimiento y el de otro diferente: *el ritmo ternario de un vals; al bailar es importante no perder el ritmo.* ③ Forma de distribuirse una serie de sonidos, acentos y pausas. ④ Cadencia del verso o de un escrito en general.

FAM rítmico; arritmia, biorritmo.

rito s. m. ① Costumbre o ceremonia que se repite siempre de la misma forma. ② Conjunto de reglas establecidas para el culto y las ceremonias religiosas: *se casaron por el rito ortodoxo.* SIN ritual.

FAM ritual.

ritornelo s. m. ① En música, sección que se repite dentro de un movimiento de concierto o de un aria. ② familiar Cosa negativa o indeseable que se repite.

OBS Puede encontrarse la grafía italiana *ritornello.*

ritual adj. ① Relativo al rito. ❙ s. m. ② Rito.

FAM ritualidad, ritualismo.

rival adj./s. com. Que compite con otros o se opone a ellos para conseguir un mismo fin. SIN competidor.

FAM rivalidad, rivalizar.

rivalidad s. f. ① Enfrentamiento entre dos o más personas que aspiran a lograr una misma cosa. ② Enemistad entre dos o más personas.

rivalizar v. intr. Luchar con otros para conseguir un mismo fin: *rivalizan por la copa del mundo.* SIN competir, contender.

rivera s. f. ① Arroyo o riachuelo de pequeño caudal. ② Cauce por el que corre este arroyo o riachuelo.

rizar v. tr. ① Formar rizos, ondas, etc., en el pelo o en otra cosa: *se le riza el pelo con la lluvia.* ② Mover el agua formando olas pequeñas: *la brisa riza las olas del mar.*

FAM rizo, rizoso.

rizo s. m. ① Conjunto de pelos que se enrolla formando ondas o bucles. ② Movimiento de un avión que consiste en dar una vuelta sobre sí mismo.

rizar el rizo familiar Hacer algo más difícil de lo necesario: *y para rizar el rizo, el trapecista hizo un triple salto mortal.*

rizoide adj./s. m. ① Se aplica a la estructura filamentosa que en ciertos vegetales, como musgos, líquenes y helechos, que hace las funciones de raíz. ❙ s. m. ② Parte común con forma de raíz de una colonia de cnidarios.

rizoma s. m. Tallo subterráneo de ciertas plantas, generalmente horizontal, donde se almacenan las sustancias de reserva: *el lirio tiene un rizoma.*

rizópodo, -da adj./s. m. ① Se aplica al protozoo que emite seudópodos mediante los que se mueve y captura alimentos, como las amebas. ❙ s. m. pl. ② **rizópodos** Grupo taxonómico, con categoría de fílum, constituido por estos protozoos.

RNA V. ARN.

ro s. m. Voz que se repite para arrullar a los niños.

róbalo s. m. Pez marino de color gris metálico, cola recta y aletas espinosas, cuya carne es comestible y muy apreciada: *el róbalo tiene la mandíbula inferior más larga que la superior.* SIN lubina.

robar v. tr. ① Despojar a otro por medios ilícitos de lo que por derecho le pertenece: *los ladrones robaron el banco haciendo una galería bajo el suelo.* ② Coger cartas o fichas de un montón en los juegos de mesa. ③ Cautivar el afecto de una persona: *con sus miradas me robaba el corazón.*

FAM robo.

roble s. m. ① Árbol de tronco alto y fuerte con la copa ancha, las hojas ovaladas con el contorno lobulado y flores pequeñas en inflorescencia, y cuyo fruto es un tipo de bellota. ② Madera de ese árbol. ③ familiar Persona fuerte y con buena salud.

FAM robledo.

robleda s. f. Robledal.

robledal s. m. Robledo de gran extensión. SIN robleda.

robledo s. m. Lugar poblado de robles.

FAM robledal.

robo s. m. ① Acción de apoderarse de las cosas ajenas con violencia o intimidación hacia su legítimo dueño. ② Abuso en el precio de algún producto.

robot s. m. ① Máquina programable fabricada para realizar automáticamente movimientos y acciones propios de un ser animado. SIN autómata. ② Persona que actúa sin pensar, por inercia o dirigida por otra.

FAM robótica, robótico, robotizar.

OBS Plural: *robots.*

R

robótica *s. f.* Ciencia que estudia los sistemas que permiten diseñar y construir robots.

robustecer [16] *v. tr.* Hacer una persona o una cosa más robusta o más fuerte de lo que era. **SIN** fortalecer.
FAM robustecimiento.

robusto, -ta *adj.* ① Se aplica a la persona que es fuerte y sana. ② Se aplica a la cosa que es resistente y vigorosa: *un robusto sillón de madera*.
FAM robustecer, robustez.

roca *s. f.* ① Materia compuesta por un agregado de minerales que forma parte de la corteza terrestre: *existen muchos tipos de rocas, entre las que se encuentran las volcánicas (como el granito), las metamórficas (formadas a partir de otras rocas que sufren cambios de temperatura y presión) y las sedimentarias (como la caliza)*. ② Trozo de materia mineral sólida y dura. **SIN** piedra. ③ Piedra de gran tamaño que se levanta en la tierra o en el mar. ④ Cosa muy dura, firme y constante.
FAM rocoso, roqueda, roquedo, roquero, roqueta.

rocalla *s. f.* Motivo decorativo de forma asimétrica que representa formas naturales, como vegetales, rocas o conchas marinas: *la rocalla es característica del estilo rococó francés*.

rocambolesco, -ca *adj.* Que es difícil de creer por ser exagerado o fantástico.

roce *s. m.* ① Efecto que se produce al tocarse dos superficies en movimiento. ② Desgaste que se produce al tocarse dos superficies en movimiento. **SIN** rozamiento. ③ Trato frecuente entre personas. ④ familiar Enfrentamiento ligero entre dos personas.

rociada *s. f.* ① Esparcimiento de un líquido en forma de gotas pequeñas: *una rociada de pintura cubrirá la mancha*. ② Conjunto de pequeñas gotas de agua que se forman sobre la tierra o las plantas a consecuencia del frío de la noche. ③ Conjunto de cosas que se esparcen al lanzarlas o al caer: *una rociada de perlas cayó sobre el suelo al romperse el collar*. ④ Reprimenda dada a alguien: *nos echó una buena rociada por llegar tarde*.

rociar *v. tr.* ① Esparcir un líquido en forma de gotas pequeñas: *rociaba la camisa con agua para plancharla con facilidad*. ② Humedecer con salsa o jugo una comida asada: *rociar el pollo con limón*. ③ Lanzar una cosa para esparcirla sobre una superficie: *las carrozas de la cabalgata rociaron el suelo de las calles con serpentinas de colores*. ❙ *v. impersonal* ④ Formarse sobre la tierra o las plantas pequeñas gotas de agua a consecuencia del frío de la noche: *esta noche ha rociado*.
FAM rociada, rociado.
OBS Verbo regular, se acentúa como *desviar*.

rocín *s. m.* ① Caballo de mala raza y de poca altura. ② Caballo de trabajo. ③ despectivo Hombre torpe y de poca formación cultural.

rocío *s. m.* ① Gotas de agua muy pequeñas que se forman en la tierra y en las plantas al condensarse el vapor de la atmósfera a causa del frío de la noche. ② Lluvia fina y pasajera. ③ Gotas con las que se humedece algo.

rock *s. m.* ① Estilo musical surgido en Estados Unidos y más tarde en Europa en la década de 1960 como derivación del rock and roll y que se caracteriza por el uso de instrumentos eléctricos como la guitarra, el bajo y el teclado (que, junto con la batería, forman la instrumentación básica), por el ritmo enérgico y pronunciado que en ocasiones resta protagonismo a la melodía; a menudo todo ello va unido a una ac-

titud contestataria y provocativa. ② Canción de este estilo musical. ❙ *adj.* ③ Relativo a este estilo musical: *cultura rock*. **NOTA** Invariable en número. **SIN** roquero. ❙ *s. m.* ④ Rock and roll.

rock and roll (I) Estilo musical surgido en Estados Unidos en la década de 1950 a partir de los blues de ritmo más rápido, y que se caracteriza por el uso de un ritmo binario muy marcado, por la importancia otorgada a la melodía y por una instrumentación basada en las guitarras eléctricas, el saxofón, el piano y la sección rítmica (batería y bajo). **NOTA** Se pronuncia aproximadamente 'rokanrol'. También simplemente *rock*. (II) Canción de este estilo: *sonó un rock and roll de Elvis Presley*. **NOTA** Se pronuncia aproximadamente 'rokanrol'. También simplemente *rock*. (III) Baile que se ejecuta en pareja al ritmo de esta canción, de ritmo rápido y movimientos acentuados con las piernas. **NOTA** Se pronuncia aproximadamente 'rokanrol'. También simplemente *rock*.
FAM rocker, rockero, roquero.
OBS Plural: *rocks*.

rockabilly [se pronuncia 'rocabili'] *s. m.* Estilo musical nacido en la década de 1950 en el sur de los Estados Unidos, muy similar al rock and roll pero con mayor influencia de los ritmos y la instrumentación del country: *entre los representantes del rockabilly destacan Gene Vincent, Johnny Cash y el propio Elvis Presley*.

rocker *s. com.* ① Persona que sigue con gran pasión la música del rock and roll. ② Cantante de rock and roll.

rockero, -ra V. roquero, -ra.

rococó *s. m.* Estilo arquitectónico y decorativo surgido en Francia en el siglo XVIII que se caracteriza principalmente por el predominio de las formas curvas y el uso abundante de ornamentos inspirados en elementos de la naturaleza, como la rocalla.

rocoso, -sa *adj.* Se aplica al lugar que está lleno de rocas.

rodaballo *s. m.* Pez marino de cuerpo plano y casi circular, con los dos ojos en el lado izquierdo, de cuerpo liso por el lado superior y escamoso y duro por el inferior.

rodada *s. f.* Señal que deja una rueda en una superficie.

rodado, -da *adj.* ① Se aplica a la circulación y al transporte sobre vehículos con ruedas: *tránsito rodado*. ❙ *adj./s. m.* ② Se aplica al trozo de mineral que se ha desprendido de la veta y está esparcido por el suelo.

venir rodado familiar Suceder o presentarse una cosa de forma favorable sin haberla preparado o sin ofrecer dificultades.

rodadura *s. f.* En geología, se aplica al proceso que implica rozamiento entre una superficie y un material móvil.

rodaja *s. f.* ① Trozo delgado y circular que se corta de un alimento. ② Estrella de la espuela.
FAM arrodajarse.

rodaje *s. m.* ① Conjunto de ruedas. ② Filmación de una película de cine. ③ Periodo de ajuste y suavización en el funcionamiento de un automóvil nuevo. ④ familiar Periodo de tiempo en el que se aprende algo: *acabo de incorporarme a un trabajo nuevo y todavía estoy haciendo el rodaje*.

rodamiento *s. m.* Dispositivo mecánico para reducir el rozamiento entre dos piezas que giran; consta de dos cilindros, en medio de los cuales hay un juego de rodillos o bolas, que giran libremente.

rodapié *s. m.* Banda de madera, plástico u otro material que se coloca en la parte baja de la pared como protección o como decoración. **SIN** zócalo.

rodar [5] *v. intr.* ① Dar vueltas un cuerpo alrededor de su eje: *el neumático rodó bastante antes de detenerse.* **SIN** rular. ② Caer dando vueltas por una pendiente: *empujó la piedra y la echó a rodar ladera abajo.* ③ Moverse por medio de ruedas: *esta bicicleta no rueda bien.* ④ Ir de un sitio para otro: *siempre anda rodando por ahí.* ⑤ Sucederse las cosas de modo natural: *los acontecimientos han venido rodados.* ❙ *v. tr.* ⑥ Grabar una película. **SIN** filmar.
FAM rodado, rodadura, rodaje, rodamiento.

rodear *v. tr.* ① Estar algo alrededor de una persona o cosa: *las murallas rodean la ciudad.* ② Colocar algo alrededor de algo o de alguien: *le rodeó la cintura con sus brazos.* ❙ *v. tr./intr.* ③ Andar o ir alrededor de un lugar: *tardaron una tarde en rodear el lago.* ❙ *v. intr.* ④ Ir por un camino que no es el más corto: *rodearon por el bosque y tardaron demasiado.* ❙ *v. tr./intr.* ⑤ Explicar de forma poco directa: *no rodees tanto con tus argumentos.* ❙ *v. tr.* ⑥ AMÉR. Reunir el ganado disperso. ❙ *v. prnl.* ⑦ **rodearse** Llegar a tener determinadas personas o cosas a su alrededor: *rodearse de comodidades.*
FAM rodeo.

rodeo *s. m.* ① Camino que no es el directo y resulta más largo: *por ese rodeo tardaréis más pero no os verá nadie.* ② Explicación poco clara o poco directa: *deja ya de dar rodeos y reconoce que no habías terminado el trabajo.* **NOTA** Más en plural. ③ Manera poco clara o poco directa de hacer una cosa: *mediante rodeos y tretas, consiguió librarse del trabajo.* **NOTA** Más en plural. ④ Espectáculo propio de algunos países americanos en el que se montan caballos y toros salvajes. ⑤ Reunión del ganado mayor, disperso en el campo.

rodete *s. m.* ① Peinado que se hace trenzando el pelo y enrollándolo sobre sí mismo, dándole forma de rosca. ② Objeto hecho de un material flexible que se pone en la cabeza para llevar un peso. ③ Pieza del interior de una cerradura que permite girar la llave: *la llave debe ajustarse al rodete para poder abrir una puerta.*

rodilla *s. f.* ① Parte de la pierna constituida por la articulación que une el fémur y la tibia y por otras partes blandas que la rodean. ② Parte externa delantera de esta articulación. ③ Articulación de los cuadrúpedos que une el antebrazo y la caña.
de rodillas Con las rodillas dobladas, apoyadas en el suelo: *está rezando de rodillas.*
FAM rodillazo, rodillera; arrodillar.

rodillazo *s. m.* Golpe dado con la rodilla.

rodillera *s. f.* ① Pieza de tela o de otro material que se pone en la rodilla como defensa o adorno. ② Remiendo o parche que se pone en el pantalón a la altura de la rodilla. ③ Bolsa que se forma en algunas prendas en la parte de la rodilla debido al uso.

rodillo *s. m.* ① Utensilio de cocina cilíndrico, de madera y con un mango a cada lado que sirve para extender una masa. ② Instrumento cilíndrico que gira y forma parte de distintos mecanismos.

rodio *s. m.* Elemento químico de símbolo *Rh* y número atómico 45; es un metal que ofrece gran resistencia a ser fundido y se utiliza como catalizador en procesos químicos.

rododendro *s. m.* Arbusto de hojas fuertes y persistentes y flores sonrosadas o de color púrpura, que crece en alta montaña y a veces se emplea como ornamental.

rodríguez *s. m.* familiar Marido que debido a su trabajo tiene que permanecer durante una temporada solo en casa mientras su familia se va de vacaciones.

roedor, -ra *adj./s. m.* ① Se aplica al animal mamífero, de pequeño tamaño, que tiene los incisivos preparados para roer. ❙ *s. m. pl.* ② **roedores** Grupo taxonómico, con categoría de orden, constituido por estos animales: *las ratas y las ardillas son roedores.*

roentgen [se pronuncia aproximadamente 'róengen'] *s. m.* Unidad de la exposición a la radiación, de símbolo *r*, que equivale a la cantidad de rayos gamma que, a través de un centímetro cúbico de aire seco a 0 °C y 760 milímetros de presión, generan iones que transportan una unidad electrostática.
OBS Se ha adaptado al español con la forma *roentgenio*.

roentgenio *s. m.* Roentgen.

roer [40] *v. tr.* ① Raspar con los dientes una cosa, generalmente un alimento, arrancando parte de ella. ② Gastar poco a poco: *el agua roe las rocas.* ③ Atormentar o causar preocupación persistentemente: *el crimen le roía la conciencia.*
FAM roedor.

rogar [5] *v. tr.* Solicitar o pedir por favor.
FAM rogativa, rogativo, ruego.

rogativa *s. f.* Oración pública que se hace para pedir a una divinidad o a un santo la solución de un problema.
FAM prerrogativa.
OBS Más en plural.

rojez *s. f.* Zona enrojecida en la piel. *le gustaba la rojez de sus mejillas.*

rojizo, -za *adj.* Que tiene un tono rojo.

rojo, -ja *s. m./adj.* ① Color como el de la sangre. ❙ *adj.* ② Que es de este color: *usa un pintalabios rojo; es muy vergonzoso y enseguida se pone rojo.* ❙ *adj./s. m. y f.* ③ familiar Que tiene una ideología de izquierdas.
al rojo (vivo) (I) Se aplica al hierro que toma el color de la sangre por efecto del calor. (II) Con los ánimos muy alterados y excitados.
FAM rojez, rojizo; enrojecer, infrarrojo, pelirrojo, sonrojar.

rol *s. m.* ① Parte de una obra de teatro o de una película que es representada por un actor. **SIN** papel. ② Función que una persona desempeña en una situación. **SIN** papel. ③ Lista de los marineros que viajan en una embarcación.
FAM rolar.
OBS Plural: *roles.*

roleo *s. m.* Motivo decorativo que representa un elemento vegetal con forma de espiral o voluta.

rollizo, -za *adj.* Que está grueso y fuerte. **ANT** delgado, flaco.

rollo *s. m.* ① Objeto de forma cilíndrica. ② Película fotográfica o de película enrollada en forma cilíndrica. ③ familiar Persona o cosa que resulta pesada o desagradable. ④ familiar Cuento o historia falsa: *no me metas rollos porque ya sé la verdad.* ⑤ familiar Ambiente social en el que vive o se mueve una persona: *en su casa había muy buen rollo.* ⑥ familiar Asunto o tema sobre el que se trata. ⑦ Comida o alimento al que se le da una forma cilíndrica al cocinarlo.
FAM enrollar, portarrollos.

romana *s. f.* Balanza de brazos desiguales, con un peso constante que se desliza sobre el brazo mayor, en el que se halla trazada la escala de los pesos.

R

romance *s. m.* ① Estrofa característica de los siglos XIV y XV, que consta de un número indeterminado de versos octosílabos con rima asonante en los pares y libre en los impares: *el romance es la composición más genuina de la métrica española.* ■ **romance heroico** Romance de versos endecasílabos. ② Género literario constituido por este tipo de composiciones. ③ Composición de carácter poético escrita en romance. ④ Relación amorosa o sexual pasajera. SIN aventura. ‖ *adj./ s. m.* ⑤ Se aplica a la lengua que deriva del latín.
FAM romancear, romancero, romancillo.

romancear *v. tr.* Traducir a una lengua derivada del latín.

romancero, -ra *s. m.* ① Colección o conjunto de romances: *llamamos romancero viejo o tradicional al que se compuso por artistas anónimos y se cantó desde el siglo XIV.* ‖ *s. m. y f.* ② Persona que canta romances.

romancillo *s. m.* Romance formado por versos de arte menor, generalmente hexasílabos o heptasílabos.

romaní *adj.* ① jerga Gitano. ‖ *s. f./adj.* ② Lengua del pueblo gitano español. SIN caló, romanó.
OBS Plural: *romaníes*.

románico, -ca *s. m.* ① Estilo artístico propio de la arquitectura y las artes plásticas de los siglos XI al XIII, estrechamente vinculado al florecimiento de los monasterios y al aumento de los intercambios culturales a través de las rutas de peregrinación; se caracteriza, en arquitectura, por el empleo del arco de medio punto y la bóveda de cañón; y en pintura y escultura, por las representaciones religiosas antinaturalistas. ‖ *adj.* ② Se aplica a la lengua que procede del latín: *el español, el francés y el italiano son lenguas románicas.*

romanista *s. com.* ① Persona que se dedica al derecho romano. ② Persona que se dedica a estudiar las lenguas derivadas del latín y sus literaturas.

romanización *s. f.* Proceso de difusión o adopción de los rasgos de la civilización de la antigua Roma o de su lengua.

romanizar *v. tr.* Extender las características de la civilización de la Roma antigua o de su lengua.
FAM romanización.

romano, -na *adj.* ① De Roma (capital de Italia). ‖ *s. m. y f./adj.* ② Persona que es de Roma. ‖ *adj.* ③ Relativo a la antigua Roma. ‖ *s. m. y f./adj.* ④ Persona que era de la antigua Roma. ‖ *adj.* ⑤ Relativo a la religión católica: *la Iglesia apostólica y romana considera al obispo de Roma, el Papa, como su máximo representante.*
FAM románico, romanista, romanizar.

romanó *s. m.* Romaní. SIN caló.

romanticismo *s. m.* ① Movimiento cultural, ideológico y artístico desarrollado en Europa y América entre fines del siglo XVIII hasta mediados del XIX; se caracteriza por la exaltación de la individualidad artística, la oposición a las normas clásicas, el protagonismo del sentimiento y de la imaginación por encima de la razón y la valoración de la Edad Media y de las tradiciones nacionales: *el Romanticismo influyó en todas las artes y también en la filosofía.* NOTA Se escribe normalmente con mayúscula inicial. ② Época en que predominó este movimiento. ③ Tendencia a dar excesiva importancia a los sentimientos y a la imaginación.
FAM posromanticismo, prerromanticismo.

romántico, -ca *adj.* ① Relativo al Romanticismo. ‖ *adj./s. m. y f.* ② Que sigue las tendencias del Romanticismo. ‖ *adj.*

③ Que da excesiva importancia a los sentimientos y a la imaginación.
FAM romanticismo; prerromántico.

romanza *s. f.* Composición musical instrumental de carácter sencillo y tierno.

rombo *s. m.* ① Paralelogramo con ángulos opuestos iguales (dos obtusos y dos agudos). ② Carta de la baraja francesa en la que aparecen representados uno o varios rombos de color rojo: *me falta un rombo para la escalera de color.* SIN diamante. ‖ *s. m. pl.* ③ **rombos** Palo de la baraja francesa que se representa con uno o varios rombos de color rojo: *as de rombos.* SIN diamantes.
FAM rómbico, romboide.

romboedro *s. m.* Cuerpo geométrico de seis caras en forma de rombo.

romboide *s. m.* Paralelogramo cuyos lados opuestos son iguales.
FAM romboidal.

romería *s. f.* ① Peregrinación que hace un grupo de personas para visitar un lugar donde hay un santo o una virgen, generalmente con carácter festivo: *la romería del rocío.* ② Fiesta popular, en torno a una ermita o santuario, que se celebra el día de la festividad de un santo. ③ Grupo numeroso de gente que acude a un lugar.

romero[1] *s. m.* Planta muy olorosa de hojas pequeñas, delgadas y duras, y flores pequeñas azules o blancas.

romero, -ra[2] *adj./s. m. y f.* Se aplica a la persona que participa en una romería.
FAM romería.

romo, -ma *adj.* ① Que no tiene punta o que no la tiene aguda: *una espada roma.* ② Que tiene la nariz pequeña y achatada. SIN chato.

rompecabezas *s. m.* ① Juego que consiste en componer una determinada figura que está dividida en piezas pequeñas. ② Acertijo de difícil solución. ③ Arma ofensiva compuesta de dos pesadas bolas sujetas a los extremos.
OBS Plural invariable.

rompehielos *s. m.* ① Buque que abre el camino en los mares helados. ② Saliente duro en la parte anterior de estos buques que les ayuda a abrirse paso entre el hielo.
OBS Plural invariable.

rompeolas *s. m.* Muro que se construye en los puertos para protegerlos de la fuerza del agua. SIN malecón.
OBS Plural invariable.

romper *v. tr.* ① Partir una cosa en trozos irregulares de modo violento. ② Separar violentamente dos cosas que estaban unidas: *ha roto el brazo de la muñeca.* ③ Estropear algo: *el reloj se ha roto.* ④ Hacer una abertura o una raja: *se dio un golpe y se rompió la cabeza.* ⑤ Interrumpir la continuidad de algo: *un grito rompió el silencio.* ⑥ Ir contra una ley, una norma o una tendencia: *disfruta rompiendo los patrones artísticos anteriores.* ⑦ Abrir paso una cosa: *los soldados rompieron el cerco.* ‖ *v. intr.* ⑧ Empezar una acción repentinamente: *romper a llorar.* ‖ *v. tr./intr.* ⑨ Dejar un compromiso o una relación: *se ha roto el acuerdo.* ‖ *v. intr.* ⑩ Deshacerse en espuma las olas del mar. SIN reventar.
■ **de rompe y rasga** familiar De ánimo resuelto y decidido.
FAM rompecabezas, rompehielos, rompeolas, rompiente, rompimiento; irrompible.
OBS Participio irregular: roto.

rompiente *s. m.* Lugar donde el agua del mar o de un río rompe y se levanta.

ron *s. m.* Bebida alcohólica que se consigue por destilación de una mezcla de caña de azúcar y melazas.

roncar *v. intr.* ❶ Hacer un ruido bronco al respirar mientras se duerme. ❷ Gritar el gamo en celo.
FAM ronquido.

roncha *s. f.* Bulto de color rojo que sale en la piel a causa de una picadura o por una enfermedad. SIN habón.

ronco, -ca *adj.* ❶ Se aplica al sonido áspero y bronco. ❷ Que padece ronquera.
FAM ronquear, ronquera; enronquecer.

ronda *s. f.* ❶ Recorrido fijo que sigue un grupo de personas que vigila un lugar: *los guardias hacen su ronda cada hora.* ❷ Grupo de personas que realiza un recorrido fijo por un lugar para vigilarlo: *se metió en un portal para que no le viera la ronda.* ❸ Paseo o calle que rodea una ciudad o una parte de ella: *salga usted hasta esa ronda y dé la vuelta.* ❹ Distribución de tabaco o bebida a un grupo de personas: *sirvió otra ronda de cerveza.* ❺ En algunos juegos de naipes, vuelta o suerte de todos los jugadores: *esta ronda ha sido mala.* ❻ Conjunto de personas que se reúnen por la noche para tocar y cantar por las calles. SIN rondalla. ❼ Carrera ciclista que se hace por etapas. ❽ CHILE Juego del corro.
FAM rondar.

rondalla *s. f.* Ronda (personas que cantan).

rondar *v. tr./intr.* ❶ Circular por un lugar para vigilarlo: *las patrullas rondan durante toda la noche.* SIN patrullar. ❷ Pasear de noche por las calles. ❸ Ir frecuentemente a un lugar: *siempre lo veo rondando por el bar.* ❹ Reunirse por la noche para tocar y cantar por las calles. | *v. intr.* ❺ Estar cerca o alrededor: *sentía que la muerte lo rondaba.* ❻ Andar o estar cerca de una persona para conseguir un provecho o un favor: *lleva rondándola varias semanas, pero ella no le hace caso.*

ronquera *s. f.* Voz ronca que se produce debido a una afección en la laringe.

ronquido *s. m.* Ruido ronco que se produce al respirar mientras se duerme.

ronronear *v. intr.* ❶ Emitir el gato un ruido parecido a un ronquido como muestra de satisfacción. ❷ Emitir un motor un ruido parecido a los ronquidos.
FAM ronroneo.

ronroneo *s. m.* Sonido parecido a un ronquido que emite el gato cuando está contento o satisfecho.

roña *s. f.* ❶ Suciedad grasienta que se acumula en una superficie. SIN mugre. ❷ Orín de los metales. ❸ Enfermedad que padecen diversos vegetales y que está producida por hongos. | *adj./s. com.* ❹ familiar Se aplica a la persona que se resiste a gastar el dinero. SIN roñica, roñoso. ❺ familiar CUBA Sentimiento de irritación y enojo de una persona. ❻ familiar VENEZ. Pereza o lentitud de una persona para hacer una tarea o trabajo. ❼ familiar VENEZ. Erupción cutánea en alguna parte del cuerpo. ❽ familiar VENEZ. Avería o desperfecto de un aparato mecánico.
FAM roñería, roñica, roñoso.

roñica *adj./s. com.* familiar Roña (persona). SIN roñoso.

roñoso, -sa *adj.* ❶ Que tiene suciedad fuertemente pegada. ❷ Se aplica al metal que está oxidado o cubierto de óxido. | *adj./s. m. y f.* ❸ familiar Roña (persona). SIN roñica.
FAM roñosería.

ropa *s. f.* ❶ Conjunto de prendas de tela, especialmente las de vestir. ■ **ropa blanca** Ropa de uso doméstico, generalmente de hilo o algodón, como sábanas, toallas, manteles, etc. ■ **ropa interior** Ropa que se coloca encima de la piel y debajo de las prendas que se ven exteriormente: *las bragas, los calzoncillos y los sujetadores son ropa interior.*

haber ropa tendida Haber alguien presente que no interesa o no conviene que se entere del tema que se está tratando.

ropa vieja Guisado hecho con carne sobrante de otros guisos.
FAM ropaje, ropero; arropar, guardarropa, quemarropa.

ropaje *s. m.* ❶ Conjunto de prendas de tela, especialmente las de vestir. SIN ropa. ❷ Prenda de vestir lujosa o propia de una autoridad.

ropero *s. m.* ❶ Armario o habitación donde se guarda la ropa. ❷ Conjunto de prendas de vestir de una persona.

roque *s. m.* ❶ Pieza del juego del ajedrez en forma de torre: *el roque se mueve en línea recta en todas las direcciones.* | *adj.* ❷ familiar Que está dormido.

roqueda *s. f.* Lugar en el que hay muchas rocas.
FAM roquedal.

roquefort *s. m.* Queso elaborado con leche de oveja que tiene sabor y olor fuertes y un color verdoso debido a un tipo de moho que desarrolla en su elaboración.

roquero, -ra¹ [también **rockero, -ra**] *adj.* ❶ Relativo al rock (estilo musical). SIN rock. | *adj./s. m. y f.* ❷ Se aplica a la persona a la que le gusta mucho el rock. ❸ Se aplica a la persona que canta o forma parte de un grupo de música rock.

roquero, -ra² *adj.* Se aplica a la construcción que se encuentra sobre una roca: *castillo roquero.*

rorro *s. m.* familiar Niño que acaba de nacer o que tiene muy pocos meses. SIN bebé.

ros *s. m.* Gorro de forma cónica y provisto de visera que es más alto por delante que por detrás: *el ros formaba parte del uniforme militar.*

rosa *s. f.* ❶ Flor del rosal. ❷ Figura u objeto que tiene la forma de esta flor. ■ **rosa de los vientos** Figura circular que tiene marcadas alrededor las 32 partes en que se divide la vuelta al horizonte: *se orientaban siguiendo la rosa de los vientos.* ❸ Mancha redonda de color rosado que sale a veces en el cuerpo. | *s. m./adj.* ❹ Color que resulta de mezclar el rojo con el blanco. | *adj.* ❺ Que es de este color: *lleva una camisa rosa.*

como una rosa Muy bien, en buen estado: *aunque ha trabajado diez horas seguidas, está como una rosa.*
FAM rosáceo, rosado, rosal, roseta; sonrosar.

rosáceo, -cea *adj.* ❶ Que tiene un color parecido al rosa. | *adj./s. f.* ❷ Se aplica a la planta dicotiledónea de hojas dentadas, flores regulares y hermafroditas y fruto muy variado. | *s. f. pl.* ❸ **rosáceas** Grupo taxonómico, con categoría de familia, al que pertenecen estas plantas: *el almendro, el rosal y la fresa pertenecen a las rosáceas.*

rosado, -da *adj.* ❶ Que tiene un tono rosa. | *s.m.* ❷ Vino de color rosáceo, más claro y suave que el tinto.

rosal *s. m.* Planta de tallo ramoso y con espinas que produce rosas.
FAM rosaleda.

rosaleda *s. f.* Lugar en el que hay muchos rosales.

rosario *s. m.* ❶ Sarta de cuentas separadas de diez en diez para rezar: *tiene un rosario con cuentas de marfil.* **2** Oración de los cristianos que se reza con ese objeto en la que se recuerdan los misterios de la Virgen y de la vida de Jesucristo. **3** Reunión de personas para rezar esa oración. **4** Serie larga de cosas o personas: *ha sufrido un rosario de pena.*

acabar como el rosario de la aurora familiar Terminar mal una reunión, generalmente por no llegar a un acuerdo o por producirse una discusión.

rosbif *s. m.* Carne de vaca medio asada o asada ligeramente.

rosca *s. f.* **1** Objeto redondo con un agujero en el centro. **2** Relieve helicoidal del tornillo, la tuerca y otros objetos cilíndricos. **3** Figura que forma un círculo con un agujero en el centro. **4** Espacio de un arco delimitado por el trasdós y el intradós.

hacer la rosca familiar Alabar a una persona para conseguir de ella un favor.

no comerse una rosca familiar No conseguir lo que se desea, especialmente en asuntos amorosos.

pasarse de rosca (**I**) No sujetarse un tornillo o una tuerca por estar desgastado. (**II**) Ir más allá de lo debido en lo que se dice o se hace.

FAM rosquilla; enroscar.

rosco *s. m.* **1** Bollo de forma redonda con un agujero en el centro: *en Navidad es típico comer roscos de vino.* **2** familiar Calificación de cero en una prueba o examen.

FAM roscón.

roscón *s. m.* Bollo grande de forma redonda y con un agujero en el centro: *los roscones pueden llevar azúcar y frutas confitadas por encima.*

roseta *s. f.* **1** Mancha de color rosado que sale en la piel de las mejillas. **2** Anillo o pendiente adornados con una piedra preciosa que está rodeada de otras más pequeñas.

rosetón *s. m.* **1** Ventana o vano de forma circular, generalmente de grandes dimensiones, que tiene una vidriera calada y adornada con diferentes dibujos y colores: *el rosetón es característico de las iglesias góticas.* **2** Adorno de forma circular que se coloca en el techo y que recuerda la forma de una flor. **3** Flor que decora el capitel corintio y compuesto.

rosquilla *s. f.* Dulce pequeño de forma redonda y con un agujero en el centro.

rostro *s. m.* **1** Parte anterior de la cabeza de las personas en la que están la boca, la nariz y los ojos. **2** familiar Falta de vergüenza o descaro al actuar: *tiene mucho rostro: ni siquiera nos dio las gracias.* **SIN** cara. **3** Pico del ave. **4** Objeto en forma picuda. **5** Espolón de una nave.

echar en rostro Recordar a alguien que no ha cumplido con una responsabilidad.

FAM arrostrar.

rotación *s. f.* **1** Acción que consiste en ir alternando la actuación de una persona o una cosa en un lugar: *las faenas de casa se van haciendo por rotación de todos los miembros de la familia.* **2** Movimiento giratorio de un cuerpo alrededor de su eje: *la Tierra efectúa una rotación completa cada 24 horas.* **3** Alternancia de cultivos en un campo para no agotar la riqueza mineral de la tierra. **NOTA** También *rotación de cultivos.*

rotar *v. intr.* **1** Rodar (dar vueltas): *la hélice rotaba rápidamente.* | *v. tr./intr.* **2** Alternar de forma sucesiva un trabajo o una función con otra: *en esta tierra rotamos la patata y el cereal.*

FAM rotación, rotacismo, rotativo, rotatorio, rotonda, rotor.

rotativa *s. f.* Máquina que imprime los ejemplares de un periódico con movimiento continuo y a gran velocidad.

rotativo, -va *adj.* **1** Que da vueltas: *la rueda describe un movimiento rotativo sobre su eje.* **2** Que pasa de unos a otros para volver a su origen. | *s. m.* **3** Periódico impreso con una rotativa.

FAM rotativa.

rotatorio, -ria *adj.* **1** Que tiene un movimiento circular. **2** Se aplica a la actividad en la que cada uno de los miembros que intervienen deben pasar por todas las secciones.

rotífero, -ra *adj.* **1** Se aplica al metazoo acuático de pequeño tamaño con una corona de pestañas vibrátiles en su parte anterior, y una especie de cola terminada en pinza en la posterior. | *s. m. pl.* **2** **rotíferos** Grupo taxonómico, con categoría de fílum, constituido por estos metazoos.

roto, -ta **1** Participio irregular de *romper.* | *adj.* **2** Que está partido en trozos irregulares. **3** Que no sirve, no funciona o no se puede usar: *el teléfono está roto y no podemos llamar.* | *s. m.* **4** Desgarrón en la ropa o en cualquier tejido. **5** CHILE Persona de la clase social más baja. **6** MÉX. Petimetre, especialmente el que acompaña su elegancia con gestos ostentosos.

FAM rotura; manirroto.

rotonda *s. f.* **1** Plaza redonda alrededor de la cual circulan los vehículos. **2** Habitación, cenador o edificio de planta circular, especialmente si tiene cúpula.

rotor *s. m.* **1** Pieza de una máquina electromagnética que gira dentro de un elemento fijo: *el rotor de la dinamo es una bobina.* **2** Parte giratoria de las hélices y turbinas.

rótula *s. f.* **1** Hueso redondo situado en la parte anterior de la rodilla, que permite la articulación de la tibia y el fémur e impide que la pierna se doble hacia adelante. **SIN** choquezuela. **2** Pieza que une otras dos y permite que se muevan: *se ha estropeado una rótula del brazo mecánico.*

rotulación *s. f.* Acción que consiste en realizar o colocar un rótulo.

rotulador, -ra *s. m.* **1** Útil de escritura que funciona con tinta especial y tiene una punta, generalmente de fieltro, que permite dibujar con un trazo más grueso que el habitual. | *adj./s. m. y f.* **2** Se aplica a la persona que hace rótulos.

rotular *v. tr.* Poner un rótulo.

FAM rotulación, rotulista.

rótulo *s. m.* **1** Mensaje o texto que se pone en un lugar público y que sirve para dar aviso o noticia de una cosa. **SIN** letrero. **2** Título que se coloca al comienzo de un capítulo o de una parte de un escrito. **SIN** rúbrica.

FAM rotular, rotulista.

rotundo, -da *adj.* **1** Que es definitivo. **2** Que es claro y sonoro.

FAM rotundidad.

rotura *s. f.* **1** Separación de una cosa en trozos irregulares de manera violenta: *rotura de fémur.* **2** Abertura de grieta o agujero en alguna superficie: *el agua se sale porque ha habido una rotura en las cañerías.*

FAM roturar.

roturar *v. tr.* Arar las tierras por primera vez: *se están roturando muchas hectáreas de selva.*

FAM roturador.

roulotte [se pronuncia aproximadamente 'rulot'] *s. f.* Remolque preparado como vivienda.

round [se pronuncia aproximadamente 'raun'] *s. m.* Cada uno de los asaltos o enfrentamientos en que se divide un combate de boxeo.

roya *s. f.* ① Enfermedad de los cereales y otras plantas provocada por hongos parásitos. ② Hongo basidiomiceto que produce esta enfermedad.

royalty [se pronuncia 'royalti'] *s. m.* Derecho que debe pagarse al titular de una patente por utilizarla y explotarla comercialmente.

OBS Plural: *royalties* (se pronuncia 'royaltis').

roza *s. f.* ① Surco estrecho que se abre en una pared o en un techo para pasar un cable o un tubo. ② Técnica de cultivo que consiste en quemar el bosque y el sotobosque para enriquecer la tierra. ③ Conjunto de hierbas y ramas que se obtienen tras haber rozado un terreno.

rozadura *s. f.* ① Herida superficial en la piel. ② Señal producida por un roce en alguna superficie. ③ Enfermedad de los árboles.

rozamiento *s. m.* ① Fuerza que se opone al movimiento de un cuerpo sobre una superficie: *el rozamiento con el aire calienta las alas del avión.* **SIN** fricción. ② Desgaste que se produce al tocarse dos superficies en movimiento. **SIN** roce.

rozar *v. tr./intr.* ① Tocarse dos cosas cuando una de ellas o ambas están en movimiento: *el coche rozó la señal.* ‖ *v. tr.* ② Desgastar al juntar dos superficies. ③ Desbrozar la tierra: *tienes que rozar estos surcos de tomates.* ‖ *v. prnl.* ④ **rozarse** Tener trato o relación dos o más personas: *se rozan poco últimamente.* **FAM** roce, rozadura, rozamiento.

r.p.m. Abreviatura de *revoluciones por minuto.*

Rte. Abreviatura de *remitente*, persona que envía por correo una carta o un paquete.

rúa *s. f.* Calle de un pueblo o una población.

ruana *s. f.* AMÉR. SUR Especie de poncho abierto por delante.

rubeola o **rubéola** *s. f.* Enfermedad contagiosa vírica parecida al sarampión que provoca fiebre, dolor de garganta, inflamación de los ganglios y aparición de granos rojos en la piel.

rubí *s. m.* Piedra preciosa de color rojo que se usa como adorno en joyería.

OBS Plural: *rubíes*.

rubiales *adj./s. com.* familiar Se aplica a la persona que tiene el pelo muy rubio.

OBS Plural invariable.

rubicundo, -da *adj.* ① Que es rojizo; se aplica especialmente a una persona: *cabello rubicundo; faz rubicunda.* ② Que, por su color rojizo y buen aspecto, parece sano: *cerezas rubicundas.* **FAM** rubicundez.

rubidio *s. m.* Elemento químico de símbolo *Rb* y número atómico 37; es un metal parecido al potasio, pero más blando y pesado; se utiliza en semiconductores, como catalizador y para fabricar vidrios especiales.

rubio, -bia *s. m./adj.* ① Color amarillo parecido al oro. ‖ *adj.* ② Que es de este color: *pelo rubio.* ‖ *adj./s. m. y f.* ③ Se aplica a la persona que tiene el cabello de este color. ‖ *adj./s. m.* ④ Se aplica al tabaco de sabor suave y generalmente con alto contenido en nicotina. ‖ *s. m.* ⑤ Pez marino de color rosado y carne muy sabrosa. **FAM** rubiales, rubicán.

rublo *s. m.* Unidad de moneda de Rusia.

rubor *s. m.* ① Color rojo que aparece en la cara en determinadas circunstancias, generalmente a causa de la vergüenza que se siente. **SIN** sonrojo. ② Vergüenza que se puede notar. ③ ARG., MÉX. Maquillaje que se aplican las mujeres en las mejillas para avivar el color de la piel. **FAM** ruborizarse, ruboroso.

ruborizarse *v. prnl.* ① Ponerse roja la cara de una persona a causa de la vergüenza. **SIN** sonrojarse. ② Tener o sentir vergüenza. **SIN** avergonzarse.

ruboroso, -sa *adj.* ① Que muestra rubor o vergüenza. ② Que tiene facilidad para sentir rubor o vergüenza.

rúbrica *s. f.* ① Trazo o conjunto de trazos que forma parte de una firma y se hace encima o alrededor del nombre escrito. ② Título que se coloca al comienzo de un capítulo o de una parte de un escrito. **SIN** rótulo. **FAM** rubricar.

rubricar *v. tr.* ① Poner la firma en un escrito o documento. **SIN** firmar. ② culto Asegurar o certificar que una cosa es cierta: *rubrico lo que acabas de decir.*

rucio, -cia *adj./s. m. y f.* Se aplica al animal de color pardo o canoso.

rudeza *s. f.* ① Falta de educación en el trato y en el comportamiento: *su rudeza al hablar es muestra de su bajo origen.* ② Falta de cultura o de conocimientos elementales. **SIN** incultura.

rudimentario, -ria *adj.* Que es sencillo o elemental.

rudimento *s. m.* ① culto Embrión o estado primitivo de un ser vivo. ② Parte de un ser vivo que no está completamente desarrollada. ‖ *s. m. pl.* ③ **rudimentos** Primeros estudios o experiencias en una ciencia o profesión. **FAM** rudimentario.

rudo, -da *adj.* ① Que es poco delicado en el trato y en el comportamiento: *modales rudos.* ② Que tiene escasa formación cultural: *un rudo hombre de campo.* ③ Que es violento y duro: *un rudo golpe.* **SIN** fuerte. **FAM** rudeza; enrudecer.

rúe *s. f.* familiar Calle (vía pública).

rueca *s. f.* Instrumento que sirve para hilar con una vara larga en cuyo extremo se coloca la lana u otra materia.

rueda *s. f.* ① Objeto de forma circular que puede girar sobre un eje. ② Conjunto de personas reunidas que intervienen por turnos en una conversación. ③ Círculo formado por personas: *los niños juegan a la rueda.* ④ Trozo circular que se corta de una fruta o de un alimento sólido: *compró varias ruedas de merluza congelada.*

chupar rueda (**I**) familiar En ciclismo, ir un corredor justo detrás de otro para que este le ampare del aire. (**II**) familiar Ir detrás de otra persona sacando provecho de su trabajo o de su esfuerzo.

comulgar con ruedas de molino Dar por bueno algo que resulta poco razonable o poco creíble.

rueda de la fortuna Conjunto de todos los hechos encadenados e imprevisibles que depara la vida.

rueda de prensa Reunión que convoca una persona para informar a los periodistas sobre un suceso determinado, y en la que estos pueden hacerle preguntas. **SIN** conferencia de prensa.

sobre ruedas familiar Muy bien, sin problemas: *el negocio marcha sobre ruedas.* **FAM** ruedo.

R

ruedo *s. m.* ① Zona central de la plaza de toros, cubierta de tierra, en la cual se torea: *un espontáneo saltó al ruedo.* **SIN** albero, arena, redondel. ② Círculo formado por personas o cosas que rodean a algo. ③ Contorno de una cosa redonda: *tenía roto el ruedo de la túnica.* ④ Pieza de tejido áspero y resistente, de forma redonda, que sirve para cubrir el suelo: *en el porche había dos mecedoras sobre un amplio ruedo de esparto.* ⑤ Pieza pequeña de material áspero y resistente que se coloca en la entrada de un lugar para que en ella se limpie los pies la persona que quiere pasar. **SIN** alfombrilla, esterilla, felpudo.

ruego *s. m.* Deseo o petición que se expresa mediante palabras.

rufián *s. m.* Hombre despreciable que vive del engaño y de la estafa.

rugby *s. m.* Deporte que se juega entre dos equipos de 15 jugadores y que consiste en llevar un balón ovalado más allá de una línea protegida por el contrario o en meterlo en su meta utilizando cualquier parte del cuerpo.

rugido *s. m.* ① Voz característica de un animal salvaje, especialmente del león: *el rugido del tigre asustó al público del circo.* ② Grito de una persona enfadada. ③ Ruido fuerte y grave del mar o el viento.

rugir *v. intr.* ① Emitir rugidos un animal salvaje, especialmente el león. ② Dar fuertes gritos. ③ Hacer un ruido fuerte y grave el mar o el viento. **FAM** rugido.

rugosidad *s. f.* Cualidad de los cuerpos que presentan en su superficie arrugas o pliegues.

rugoso, -sa *adj.* Que tiene arrugas o asperezas en su superficie. **FAM** rugosidad.

ruibarbo *s. m.* ① Planta herbácea que tiene las hojas grandes, las flores amarillas o verdosas en espiga y el fruto seco. ② Raíz de esta planta, que es de color pardo por fuera y tiene puntos blancos en el interior.

ruido *s. m.* ① Sonido confuso, desagradable y generalmente fuerte. **ANT** silencio. ② Sonido o conjunto de sonidos extraños que rompen la tranquilidad y producen alboroto. **ANT** calma. ③ En electrónica, señal extraña que impide o dificulta una comunicación.

mucho ruido y pocas nueces Se aplica a la cosa que resulta poco importante aunque parecía serlo más. **FAM** ruidoso; buscarruidos.

ruidoso, -sa *adj.* ① Que produce mucho ruido. ② Se aplica al hecho que da mucho que hablar.

ruin *adj./s. com.* ① despectivo Que es despreciable y tiene mala intención: *es un ser ruin que se dedica a hacer daño a los demás.* ② despectivo Que se resiste a gastar el dinero u otras cosas. **FAM** ruindad.

ruina *s. f.* ① Pérdida grande de bienes o de dinero. ② Destrucción o caída que altera el curso normal de algo: *el debilitamiento económico supuso la ruina del imperio.* ③ Causa de esa destrucción, caída o perdición. | *s. f. pl.* ④ **ruinas** Restos de uno o más edificios destruidos o caídos. **FAM** ruin, ruinoso; arruinar.

ruindad *s. f.* ① Característica de la persona que se comporta de forma ruin, con maldad o vileza. ② Acción que se realiza de un modo bajo y ruin.

ruinoso, -sa *adj.* ① Que amenaza ruina o destrucción. ② Que supone ruina o pérdida grande de bienes o de dinero.

ruiseñor *s. m.* Pájaro con el dorso y la cabeza marrón, el vientre más claro y la cola roja; canta bien y vive en zonas próximas al agua.

rular *v. tr./intr.* ① Rodar (dar vueltas): *el cochecito del niño no rula bien.* ② familiar Funcionar correctamente una cosa. | *v. intr.* ③ jerga Liar un porro.

ruleta *s. f.* ① Juego de azar que consiste en lanzar una bola pequeña sobre una rueda horizontal que gira y que está dividida en 36 casillas, numeradas y pintadas de negro y rojo; el jugador debe acertar el color o el número en el que se va a parar la bola. ② Rueda que se utiliza en este juego.

ruleta rusa Juego de azar que consiste en dispararse por turnos en la cabeza con un revólver cargado con una sola bala.

rulo *s. m.* ① Cilindro pequeño y generalmente hueco, de material ligero, que se usa para dar forma al pelo. ② Cilindro que gira alrededor de un eje: *necesito un rulo para pintar las paredes.*

rumano, -na *adj.* ① De Rumanía o Rumania (país de Europa). | *s. m. y f./adj.* ② Persona que es de Rumanía o Rumania. | *s. m./adj.* ③ Lengua románica que se habla en Rumanía y en otras zonas próximas a este país. | *adj.* ④ Relativo a esta lengua: *sintaxis rumana.*

rumba *s. f.* ① Baile típico de Cuba, de procedencia africana, que tiene un ritmo binario y sincopado y carácter alegre. ② Canción o composición musical con que se acompaña este baile. ③ Estilo musical de ritmo rápido y carácter alegre que surge de la mezcla de la música flamenca y los ritmos afrocubanos. **NOTA** También *rumba flamenca.* ④ Canción o composición musical de este estilo. **NOTA** También *rumba flamenca.* ⑤ Baile que se ejecuta al ritmo de esta canción o composición. **NOTA** También *rumba flamenca.* **FAM** rumbear.

rumbear *v. intr.* ① Orientarse o encaminarse hacia un lugar. ② Bailar la rumba. ③ AMÉR. Vagar un animal o una persona de un lado a otro por estar desorientado. | *v. tr.* ④ NICAR. Reforzar con remiendo lo que está viejo o roto: *rumbear una camisa.*

rumbo *s. m.* ① Dirección que se sigue para llegar a un lugar o a un fin determinado. ② Línea dibujada en un mapa para señalar la dirección en la que debe navegar una embarcación. ③ Dirección que sigue una embarcación. **SIN** derrotero. **FAM** rumbear.

rumboso, -sa *adj.* familiar Que es generoso en dar o repartir lo que es suyo. **ANT** tacaño.

rumen *s. m.* Cavidad que, junto con otras tres, forma el estómago de los rumiantes. **SIN** panza.

rumiante *adj./s. m.* ① Se aplica al animal mamífero que se alimenta de vegetales, tragándolos y devolviéndolos después a la boca para masticarlos: *los mamíferos rumiantes, como la vaca o el camello, tienen el estómago dividido en cuatro cavidades.* | *s. m. pl.* ② **rumiantes** Grupo taxonómico, con categoría de suborden, constituido por estos animales.

rumiar *v. tr.* ① Masticar por segunda vez un alimento que vuelve desde el estómago. ② familiar Considerar o pensar con cuidado. | *v. intr.* ③ familiar Emitir voces confusas o palabras mal articuladas en señal de enfado o desagrado. **SIN** refunfuñar, rezongar. **FAM** rumiante. **OBS** Verbo regular, se acentúa como *cambiar.*

rumor *s. m.* ① Comentario o noticia no verificada que corre entre la gente. ② Ruido confuso de voces: *se oye el rumor de la fiesta en el piso de abajo.* ③ Ruido sordo y continuado: *el rumor del río.*
FAM rumorearse.

rumorearse *v. prnl.* Correr un rumor entre la gente.

runrún *s. m.* ① Murmullo continuado y bronco: *de la calle llega el runrún del motor de gasoil del autobús de línea recién llegado.* ② familiar Noticia o rumor que circula entre la gente o se va diciendo de unos a otros.

rupestre *adj.* ① Se aplica al arte prehistórico, surgido en el paleolítico superior (entre el 30000 y el 10000 a. C., aproximadamente) que consistía en pinturas, relieves o grabados sobre las paredes de piedra de las cuevas, que representaban principalmente escenas de caza: *en España destacan dos zonas de arte rupestre: la levantina y la cantábrica.* ② Que está hecho en las rocas.

rupia *s. f.* ① Moneda principal de la India, Indonesia, Pakistán y otros países. ② familiar Peseta.

ruptura *s. f.* Fin o interrupción, especialmente de una relación.

rural *adj.* ① Relativo al campo y a las labores propias de la agricultura y la ganadería. **SIN** rústico. ② Que muestra gustos o costumbres propios de la vida en el campo.

ruso, -sa *adj.* ① De Rusia (país de Europa y Asia). I *s. m. y f./adj.* ② Persona que es de Rusia. I *s. m./adj.* ③ Lengua eslava que se habla en Rusia. I *adj.* ④ Relativo a esta lengua: *ortografía rusa.*

rusticidad *s. f.* Cualidad de lo que es rústico.

rústico, -ca *adj.* ① Relativo al campo y a las labores propias de la agricultura o la ganadería. **SIN** rural. ② Que muestra gustos o costumbres propios de la vida en el campo. ③ Que tiene malos modos o que es poco delicado. **SIN** silvestre. I *s. m.* ④ Hombre del campo. **SIN** aldeano.
en rústica Referido a un libro, encuadernado con papel o cartulina.
FAM rusticidad.

ruta *s. f.* ① Camino establecido para un viaje. ② Camino o dirección que se toma para conseguir una cosa.
en ruta En la carretera: *el equipo está ya en ruta hacia Madrid.*
FAM telerruta.

rutenio *s. m.* Elemento químico de símbolo Ru y número atómico 44; es un metal del grupo de los elementos de transición, de color blanco grisáceo, que se utiliza para endurecer otros metales y se caracteriza por tener óxidos de color rojo: *el rutenio se usa en joyería y odontología en aleaciones de platino y paladio.*

rutherfordio *s. m.* Elemento químico de símbolo Rf y número atómico 104.

rutilante *adj.* culto Que brilla mucho o emite una luz muy intensa.

rutina *s. f.* ① Hábito o costumbre de hacer algo maquinalmente. ② Habilidad aprendida por la práctica.
FAM rutinario, rutinero.

rutinario, -ria *adj.* ① Que se hace por rutina. ② Se aplica a la persona o animal que hace las cosas siempre de la misma manera.

Rvdo., Rvda. Abreviaturas de *reverendo* y *reverenda*, tratamiento que se da a los sacerdotes y otros religiosos.

R

s *s. f.* Vigésima letra del alfabeto español; su nombre es *ese*.

s. ① Abreviatura de *siglo*: *vivimos en el siglo XXI.* ② Abreviatura de *siguiente*. ③ Abreviatura de *san* y *santo*, usada delante de un nombre propio: *S. Juan Bautista; S. Tomás.* **NOTA** Se escribe con mayúscula inicial. Como abreviatura de *santo* se emplea también *Sto.*

S. A. Sigla de *sociedad anónima.*

sábado *s. m.* Sexto día de la semana.

Sábado Santo Celebración solemne de la Semana Santa que se hace el sábado previo al Domingo de Resurrección, en la que se recuerda a Jesucristo crucificado: *en la misa del Sábado Santo no se comulga.*
FAM sabático.

sabana *s. f.* ① Llanura extensa característica de las regiones con clima tropical de África, América del Sur y el noroeste de Australia, cuya vegetación está compuesta principalmente por arbustos, hierbas altas y árboles aislados. ② Formación vegetal que se da en esta llanura.

sábana *s. f.* ① Pieza de tela fina que se pone en la cama acompañada de otra igual o parecida; una pieza sirve para cubrir el colchón y la otra para cubrirse. ② Manto que usaban los hebreos y otros pueblos de Oriente.
pegársele las sábanas familiar Levantarse de la cama más tarde de lo que se debe.
FAM sabanilla.

sabandija *s. f.* ① Reptil o insecto pequeño, especialmente el que es molesto o de aspecto desagradable. ② Persona despreciable.

sabanilla *s. f.* CHILE Tejido de lana fina a modo de colcha.

sabañón *s. m.* Bulto rojo que sale en las manos, los pies o las orejas a causa del frío y que produce picor.

sabático, -ca *adj.* ① Relativo al sábado. ② Se aplica al año que se dedica al descanso o a una actividad diferente de la habitual.

sabedor, -ra *adj.* Se aplica a la persona que tiene conocimiento de una cosa, como un hecho o una circunstancia: *entró Blanquita, sabedora de lo ocurrido.*

sabelotodo *adj./s. com.* fam. desp. Se aplica a la persona que presume de sabio sin serlo. **SIN** sabidillo, sabihondo, sabiondo.
OBS Plural invariable.

saber¹ [41] *v. tr.* ① Tener conocimiento o información de una cosa. **ANT** ignorar. ② Tener capacidad o habilidad para hacer una cosa: *sabe tocar el piano.* ❙ *v. intr.* ③ Tener sabor: *este helado sabe a chocolate.* ④ Ser muy inteligente y rápido de mente: *¡hay que ver lo que sabe!*
a saber Introduce una enumeración que detalla lo que se está explicando: *la mano tiene cinco dedos, a saber: meñique, anular, corazón, índice y pulgar.*
no sé qué Lo que no se puede explicar.
FAM sabedor, sabelotodo, sabidillo, sabiduría, sabiendas, sabio; consabido, resabido.

saber² *s. m.* ① Conocimiento profundo de una materia, ciencia o arte. ② Ciencia o conjunto de conocimientos: *la Iglesia medieval abarcaba una gran parcela del saber de la época.*

sabidillo, -lla *adj./s. m. y f.* fam. desp. Sabelotodo.

sabiduría *s. f.* ① Capacidad de pensar y de considerar las situaciones y circunstancias distinguiendo lo positivo de lo negativo. **SIN** sapiencia. ② Conocimiento profundo en ciencias, letras o artes. **SIN** sapiencia.

sabiendas Se usa en la expresión:
a sabiendas Con conocimiento del resultado o de las consecuencias: *ha llamado a mi puerta aun a sabiendas de que no voy a abrirla.*

sabihondo, -da *adj./s. m. y f.* Sabelotodo.
FAM sabihondez.

sabina *s. f.* Arbusto conífero de hojas pequeñas y fruto de color negro o rojizo que puede medir unos 2 m de altura.

sabio, -bia *adj.* ① Que demuestra o contiene sabiduría. ❙ *adj./s. m. y f.* ② Que posee muchos conocimientos adquiridos a fuerza de estudio. **SIN** docto, culto. ③ Que tiene una gran capacidad de pensar y de considerar las situaciones y circunstancias, para distinguir lo positivo de lo negativo. ❙ *adj.* ④ Se aplica al animal que actúa con habilidad o que responde a órdenes complicadas: *un perro sabio.*
FAM sabihondo, sabiondo.
OBS Superlativo irregular: *sapientísimo.*

sabiondo, -da *adj./s. m. y f.* fam. desp. Sabelotodo.
FAM sabiondez.

sablazo *s. m.* ① Corte hecho con un sable. ② familiar Acción de conseguir dinero pidiéndolo con habilidad o insistencia y sin intención de devolverlo.

sable *s. m.* Arma blanca parecida a la espada, curvada y afilada solamente por un lado.
FAM sablear; tragasables.

sablear *v. intr.* familiar Conseguir dinero pidiéndolo con habilidad o insistencia y sin intención de devolverlo.

sabor *s. m.* 1 Propiedad que tienen ciertos cuerpos de producir sensaciones en el órgano del gusto. 2 Sensación que producen esos cuerpos en el órgano del gusto. 3 Impresión que una cosa produce en el ánimo: *tu contestación me dejó un sabor amargo.* 4 Propiedad que tienen algunas cosas de parecerse o recordar a otras: *escribió una novela de sabor romántico.*
mal sabor de boca Mal recuerdo de una cosa: *el relato de su triste infancia me dejó mal sabor de boca.*
FAM saborear, sabroso.

saborear *v. tr.* 1 Reconocer con agrado y detenimiento el sabor de un alimento o bebida: *saboreó cada bocado de la comida.* 2 Disfrutar con detenimiento de una cosa que agrada: *el cantante está saboreando los mejores momentos de su carrera.*
FAM saboreo.

sabotaje *s. m.* 1 Daño que se hace intencionadamente en servicios como forma de lucha contra los organismos que los dirigen. 2 Acción contraria a una idea o proyecto.
FAM sabotear.

sabotear *v. tr.* Hacer actos de sabotaje.
FAM sabetador, sabotaje.

sabroso, -sa *adj.* 1 Que tiene un sabor agradable. 2 Que es interesante o sustancioso.

sabueso *adj./s. m.* 1 Se aplica al perro que es de tamaño grande y que, por su capacidad para ver y oler, es adecuado para la caza. ‖ *s. m.* 2 Persona que investiga o que tiene especial capacidad para ello.

saca¹ *s. f.* Saco grande de tela fuerte que sirve para transportar cosas: *en correos utilizan sacas para llevar los paquetes y las cartas.*

saca² *s. f.* Acción de sacar.

sacabocados *s. m.* Instrumento con boca hueca que sirve para taladrar superficies de poco espesor.
OBS Plural invariable.

sacacorchos *s. m.* Utensilio que sirve para sacar el corcho que cierra una botella.
OBS Plural invariable.

sacacuartos *s. m.* 1 familiar Cosa en que una persona gasta su dinero por su apariencia atractiva pero que en realidad es de poco valor. ‖ *s. com.* 2 familiar Persona que tiene mucha habilidad para conseguir sacar dinero a los demás con algún engaño o treta.
OBS Plural invariable.

sacamuelas *s. com.* 1 familiar Dentista poco hábil. 2 familiar Charlatán que embauca a la gente con su palabrería.
OBS Plural invariable.

sacapuntas *s. m.* Utensilio que sirve para sacar punta a los lápices. **SIN** afilalápices.
OBS Plural invariable.

sacar *v. tr.* 1 Extraer una cosa del interior de otra. **ANT** meter. 2 Conseguir una cosa de una persona con esfuerzo y trabajo o con violencia: *me costó mucho sacarle el dinero que me debía.* **SIN** arrancar. 3 Echar hacia adelante: *los militares en posición de firmes deben sacar pecho.* 4 Poner en circulación algo o

darlo a conocer. 5 Comprar una entrada o billete. 6 Retirar el dinero que se había dejado en el banco o que se había puesto en un negocio. **ANT** meter. 7 En algunos deportes, poner en juego la pelota dándole el primer impulso. 8 Quitar o apartar de un sitio o de una situación. 9 Averiguar o descubrir algo: *sacar datos de la observación.* 10 Invitar a bailar. 11 familiar Hacer una fotografía o retrato.
sacar a relucir Decir o revelar una cosa de manera inesperada o inoportuna: *creo que has sacado a relucir el tema en un mal momento.*
FAM sacacorchos, sacacuartos, sacadineros, sacamuelas, sacapuntas, saque; entresacar, sonsacar.

sacárido *s. m.* En química, denominación genérica de los azúcares y sus derivados.

sacarina *s. f.* Sustancia o producto de sabor muy dulce que se usa en sustitución del azúcar.

sacarosa *s. f.* Glúcido disacárido formado por una molécula de glucosa y otra de fructosa que se encuentra en muchas plantas y se extrae para su consumo de la caña de azúcar y de la remolacha: *la sacarosa es el nombre científico del azúcar común.*

sacerdocio *s. m.* 1 Cargo, estado y ejercicio del sacerdote. 2 Dedicación a una profesión o un trabajo con gran empeño y fidelidad.

sacerdotal *adj.* Relativo al sacerdote.

sacerdote *s. m.* 1 Hombre que dedica su vida a alguna divinidad y dirige los servicios religiosos. ■ **sumo sacerdote** Sacerdote judío de máxima autoridad en el templo de Jerusalén. **NOTA** Se escribe normalmente con mayúscula inicial. 2 Hombre de la religión católica, ortodoxa y anglicana que ha sido ordenado para administrar los sacramentos y decir misa. **SIN** presbítero.
FAM sacerdocio, sacerdotal, sacerdotisa.

sacerdotisa *s. f.* En diversas religiones, mujer que dedica su vida a alguna divinidad y dirige los servicios religiosos: *las sacerdotisas de Vesta eran vírgenes y se encargaban de mantener el fuego siempre encendido.*

saciar *v. tr.* Satisfacer un deseo o apetito, ya sea de tipo material, como el hambre o la sed, o de tipo espiritual: *se sació un poco con aquel aperitivo.*
FAM insaciable.
OBS Verbo regular, se acentúa como *cambiar.*

saciedad *s. f.* Sensación que se produce cuando se satisface con exceso el deseo de una cosa.

saco *s. m.* 1 Bolsa generalmente grande, de tela u otro material flexible, de forma alargada y abierta por uno de los extremos. ■ **saco de dormir** Saco hecho con un tejido relleno de plumas u otro material que da calor y que se usa para dormir dentro de él, especialmente al aire libre o en tiendas de campaña. 2 Material que se halla contenido en una bolsa de ese tipo: *quedan cuatro sacos de carbón.* 3 Órgano en un ser vivo que tiene forma de bolsa y que contiene generalmente un fluido: *el ojo permanece húmedo gracias al saco lagrimal.* 4 AMÉR. Chaqueta, americana. ■ **saco de pingüino** CHILE, MÉX., P. RICO, PAN. Frac. ■ **saco leva** COL. Saco de pingüino.
a saco familiar Sin ningún cuidado o reparo: *los ladrones entraron a saco en el supermercado.*
no echar en saco roto familiar Tener algo en cuenta: *te recomiendo que no eches en saco roto lo que has aprendido de tu padre.*

saco aéreo Pequeña cámara de aire que, junto con otras, se situá entre el tórax y el abdomen de las aves, en contacto con los pulmones y con prolongaciones en algunos huesos, que las ayuda a volar y contribuye a la respiración pulmonar.

saco de huesos *familiar* Persona delgada.

saco polínico Parte de la antera de las flores donde se forman los granos de polen.

FAM saca.

sacralizar *v. tr.* Dar o atribuir carácter sagrado a una cosa que no lo tenía.

FAM sacralización.

sacramental *adj.* Relativo a los sacramentos.

sacramentario *s. m.* Libro litúrgico cristiano medieval que incluía parte del misal, el ritual y el pontifical.

sacramento *s. m.* Signo material que en el cristianismo simboliza la relación entre una persona y Jesucristo: *los sacramentos del catolicismo son siete: bautismo, confirmación, penitencia, eucaristía, extremaunción, orden sacerdotal y matrimonio.*

FAM sacramental, sacramentar, sacramentario.

sacratísimo, -ma *adj.* Superlativo de *sagrado.*

sacrificar *v. tr.* 1 Ofrecer sacrificios: *los judíos debían sacrificar el cordero pascual.* 2 Matar las reses en el matadero. 3 Perjudicar algo o a alguien para conseguir un fin beneficioso: *no estaba dispuesto a sacrificar a sus hijos por su trabajo.* I *v. prnl.* 4 **sacrificarse** Hacer algo que no gusta o renunciar a una cosa para beneficiar a alguien o para obtener algo: *tendrás que sacrificarte por tu compañero y trabajar un poco más.*

FAM sacrificio.

sacrificio *s. m.* 1 Ofrecimiento a un dios en señal de obediencia o para pedir su favor. 2 Acción que desagrada o no se desea hacer, pero que se hace por obligación, necesidad o altruismo: *levantarme tan temprano es un sacrificio para mí.* 3 Esfuerzo o dolor que se sufre por un ideal o un sentimiento: *ser madre supone mucho sacrificio por los hijos.* 4 En la religión cristiana, acto de la misa en el que el sacerdote transforma el pan y el vino en el cuerpo y la sangre de Cristo, en virtud del sacramento de la eucaristía.

sacrilegio *s. m.* Falta de respeto hacia una persona, cosa o lugar sagrados.

FAM sacrílego.

sacrílego, -ga *adj.* 1 Relativo al sacrilegio o que lo contiene: *el robo de un cáliz es considerado un acto sacrílego.* I *adj./ s. m. y f.* 2 Se aplica a la persona que falta al respeto que se debe hacia una persona, cosa o lugar sagrados: *un sacrílego profanó el cementerio.*

sacristán, -tana *s. m. y f.* Persona que se dedica a cuidar de los adornos y la limpieza de la iglesia: *el sacristán ayuda también al sacerdote en ciertas tareas eclesiásticas.*

ser gran sacristán Tener una persona mucha astucia.

FAM sacristía.

sacristía *s. f.* Lugar en las iglesias donde se visten los sacerdotes y donde están guardados los objetos que se usan en las ceremonias religiosas.

sacro, -cra *adj.* 1 *culto* Sagrado: *música sacra; recinto sacro.* I *s. m./adj.* 2 Hueso formado por cinco vértebras soldadas en el extremo inferior de la columna vertebral y que forma la parte posterior de la pelvis: *el sacro tiene forma de pirámide invertida.* I *adj.* 3 Relativo a este hueso: *región sacra; vértebras sacras.*

FAM sacralidad, sacralizar, sacramento, sacrilegio, sacrosanto.

sacrosanto *adj. culto* Que reúne las cualidades de sagrado y santo.

sacudida *s. f.* 1 Movimiento violento. 2 Impresión fuerte que recibe una persona.

sacudir *v. tr.* 1 Mover violentamente algo de un lado a otro. 2 Golpear o agitar en el aire una cosa generalmente para quitarle el polvo o la suciedad: *sacudió la alfombra por la ventana.* 3 *familiar* Golpear o dar golpes. I *v. prnl.* 4 **sacudirse** Quitarse de encima una cosa o a una persona pesada: *¿cómo has logrado sacudirte a ese pesado?*

FAM sacudida, sacudidor, sacudimiento.

sádico, -ca *adj.* 1 Relativo al sadismo. I *adj./s. m. y f.* 2 Se aplica a la persona que siente placer sexual causando daño o dolor físico a otra persona.

FAM sadismo.

sadismo *s. m.* 1 Práctica sexual en la que se experimenta placer causando daño o dolor físico a otra persona. 2 Crueldad con la que se trata a alguien o se aborda algo.

FAM sadomasoquismo.

sadomasoquismo *s. m.* Tendencia o inclinación sexual que consiste en obtener placer mediante el dolor o el sufrimiento físico o psíquico que se da a la pareja o se recibe de ella.

FAM sadomasoquista.

saduceo, -cea *adj./s. m. y f.* Se aplica a la persona que pertenecía a una antigua secta judía caracterizada por negar la inmortalidad del alma y la resurrección del cuerpo.

saeta *s. f.* 1 *culto* Flecha (proyectil). 2 Manecilla de un reloj o de otro instrumento parecido. 3 Canción religiosa propia de Andalucía, de tono triste y dramático, que se canta sin acompañamiento de instrumentos, especialmente en la Semana Santa.

FAM saetera, saetero; asaetear.

safari *s. m.* 1 Expedición en la que se trata de cazar animales de gran tamaño, especialmente en África. 2 Caravana de personas y animales que la realizan. 3 Lugar en el que se realiza esta expedición.

safaví *adj.* 1 Se aplica a la dinastía musulmana de la rama chiíta que reinó en Persia entre 1501 y 1736. I *s. com./adj.* 2 Persona perteneciente a esta dinastía.

saga *s. f.* 1 Narración de la historia de una familia a lo largo de varias generaciones. 2 Dinastía familiar. 3 Leyenda poética basada en las antiguas tradiciones heroicas y mitológicas.

sagacidad *s. f.* Cualidad de sagaz.

sagaz *adj.* 1 Se aplica a la persona que es hábil e inteligente y se da cuenta de lo que puede ocurrir. **SIN** avisado. 2 Se aplica al perro experto en levantar la caza.

FAM sagacidad.

sagitada *adj.* Se aplica a la hoja que tiene forma de flecha.

sagitario *adj./s. com.* Se aplica a la persona que ha nacido entre el 23 de noviembre y el 21 de diciembre, tiempo en que el Sol, visto desde la Tierra, recorre la constelación de Sagitario, noveno signo del Zodiaco.

OBS Se escribe normalmente con mayúscula inicial. Plural invariable.

sagrado, -da *adj.* 1 Que está dedicado al culto religioso: *una iglesia es un lugar sagrado.* 2 Que es digno de respeto y adoración y no puede ser profanado, dañado o puesto en duda, por estar relacionado con la divinidad. 3 Que ha de

ser respetado y no puede ser transgredido o dañado: *la caja registradora de la tienda es sagrada, no quiero que nadie saque dinero de ella.*
OBS Superlativo irregular: *sacratísimo.*

sagrario *s. m.* ① Urna o mueble, generalmente sobre el altar mayor de una iglesia, donde se guardan las hostias consagradas. **SIN** tabernáculo. ② Lugar del interior de una iglesia en el que se guardan las cosas sagradas. ③ Capilla parroquial con que cuentan algunas catedrales.

saharaui V. sahariano, -na.

sahariana *s. f.* Chaqueta de tela ligera de color verdoso o terroso, con bolsillos en los laterales y sobre el pecho, que se ajusta con un cinturón y es apropiada para climas cálidos.

sahariano, -na *adj.* ① Del Sáhara (desierto y territorio del norte de África). **SIN** saharaui. ‖ *s. m. y f./adj.* ② Persona que es del Sáhara. **SIN** saharaui.

sahumar *v. tr.* Esparcir humo aromático, especialmente en un lugar cerrado.
FAM sahumerio.

sahumerio *s. m.* ① Acción de sahumar. ② Humo con que se sahúma. ③ Sustancia, como una hierba aromática, que se quema y sirve para sahumar.

sainete *s. m.* Pieza dramática en un acto, de carácter satírico, cómico y popular, que se representaba como intermedio de una función teatral o al final de ella.
FAM sainetero, sainetista.

sajar *v. tr.* Hacer un corte en la carne como forma de curación.
FAM sajadura.

sajón, -jona *adj.* ① Relativo a un antiguo pueblo germánico del norte de la actual Alemania que invadió territorios del Imperio romano (a partir del siglo III d. C.) y Gran Bretaña y fue derrotado por Carlomagno en el siglo IX. ‖ *s. m. y f./adj.* ② Persona perteneciente a este pueblo. ‖ *adj.* ③ De Sajonia (región de Alemania). ‖ *s. m. y f./adj.* ④ Persona que es de Sajonia. ‖ *s. m./adj.* ⑤ Variedad dialectal del alemán hablada en Sajonia.

sake *s. m.* Bebida alcohólica que se obtiene a partir de la fermentación del arroz: *el sake es japonés.*

sal *s. f.* ① Sustancia blanca cristalina fácilmente soluble en agua que se usa para dar sabor a los alimentos: *el nombre técnico de la sal es "cloruro de sodio".* **NOTA** También *sal común.* ② Elegancia o gracia en el movimiento. **SIN** salero. ③ Capacidad de pensar y hacer o decir con facilidad cosas divertidas y graciosas. ④ Persona o cosa divertida que rompe la seriedad o el aburrimiento: *tu marido es la sal de la fiesta.* ⑤ Sustancia que se forma al reaccionar un ácido con una base: *el nitrato de plata es una sal.*
sal y pimienta Gracia picante que tiene una persona o cosa.
sales de baño Sal perfumada que se mezcla con el agua del baño para darle buen olor.
FAM salar, salero, salino, salitre, salmuera, salobre, salpimentar, salpresar.

sala *s. f.* ① Habitación principal de una casa donde generalmente se reciben las visitas. ② Conjunto de muebles de esa habitación. **SIN** salón. ③ Habitación de grandes dimensiones. ④ Habitación o espacio destinado a un uso determinado: *estuve en la sala de máquinas del buque.* ■ **sala de estar** Habitación de una casa en la que se pasa la mayor parte del tiempo libre. ⑤ Local donde se reúne un tribunal de justicia para ce-

lebrar audiencia. ⑥ Conjunto de jueces que forman un tribunal: *los autores del crimen tuvieron que responder de su delito ante la sala.* ⑦ Local destinado a un espectáculo. ⑧ Conjunto de personas que asiste a un espectáculo.
FAM salón; antesala.

salacot *s. m.* Sombrero muy ligero hecho generalmente con un tejido de tiras de caña, con la copa de forma semiesférica y rígida que permite la circulación de aire por su interior.
OBS Plural: *salacots.*

saladero *s. m.* Lugar donde se salan carnes o pescados para su conservación.

salado, -da *adj.* ① Se aplica al alimento que tiene sal. **ANT** dulce. ② Se aplica al alimento que tiene demasiada sal. **ANT** soso. ③ Se aplica a la persona que es aguda, viva y tiene gracia. **SIN** saleroso. **ANT** soso. ④ AMÉR. Se aplica a la persona que tiene mala suerte. ⑤ familiar ARG., CHILE, PAR., URUG. Se aplica a la mercancía que es muy cara. ⑥ MÉX. Se aplica a la persona que es víctima de un maleficio: *estar salado.* ‖ *s. m.* ⑦ Operación que consiste en poner sal a un alimento para su conservación. **SIN** salazón.
FAM resalado.

salamandra *s. f.* ① Anfibio de piel lisa, cola larga y cuatro extremidades, parecida a la lagartija, que se alimenta de pequeños invertebrados, como insectos, y habita en los bosques húmedos de Europa y en otros lugares: *la salamandra común presenta una piel de color negro con vistosas manchas amarillas.* ② Estufa de carbón.

salamanqués, -quesa V. salmantino, -na.

salamanquesa *s. f.* Reptil pequeño de cuerpo gris, con la cabeza y los ojos grandes, la piel granulosa, cuatro patas de dedos anchos con los que se agarra a las paredes y la cola larga; se alimenta de insectos.

salami *s. m.* Embutido parecido al salchichón, elaborado con carne de vaca y cerdo mezcladas y muy picadas, prensado en una tripa o un material sintético.

salar *v. tr.* ① Poner sal a los alimentos para que se conserven. **ANT** desalar. ② Echar sal a un alimento para darle más sabor: *¿has salado ya las lentejas?* ③ Echar a un alimento más sal de la necesaria. ④ C. RICA, COL. Provocar mala suerte a una persona. ⑤ C. RICA, GUAT., NICAR., P. RICO, PERÚ Echar a perder a una persona o cosa, o malograr o impedir el desarrollo de algo.
FAM saladar, saladero, salado, salazón; desalar.

salarial *adj.* Relativo al salario.

salario *s. m.* Cantidad de dinero que se recibe por un servicio o un trabajo, especialmente manual.
FAM salarial, salariar; asalariar.

salazón *s. f.* ① Operación que consiste en poner sal a un alimento para su conservación. **SIN** salado. ② Industria que se dedica a poner sal a los alimentos para su conservación. ③ familiar AMÉR. CENTRAL, CUBA Mala suerte de una persona. ‖ *s. f. pl.* ④ **salazones** Conjunto de carnes y pescados a los que se ha puesto sal para su conservación.

salchicha *s. f.* Embutido pequeño de forma alargada hecho de carne cruda y picada y con especias; se come frita o asada.
FAM salchichón.

salchichón *s. m.* Embutido curado de forma alargada hecho con jamón, tocino y pimienta en grano que se come frío sin necesidad de freírlo o asarlo.

saldar *v. tr.* ① Pagar completamente una deuda o una

S

cuenta. **SIN** finiquitar, liquidar. ② Dar algo por terminado: *los dos hermanos saldaron sus diferencias con la ayuda de su padre.* ③ Vender a un precio muy bajo las mercancías de un comercio. **SIN** liquidar.
FAM saldo.

saldo *s. m.* ① Acción de vender una mercancía a un precio más bajo de lo normal para agotarla. ② Conjunto de las mercancías de un comercio que se venden a un precio más bajo de lo normal. **NOTA** Generalmente en plural con el mismo significado que en singular. ③ Estado de una cuenta corriente, en cuanto al dinero que hay en ella: *al hacer el balance del año me ha salido un saldo negativo.* ④ Resultado final a favor o en contra de un asunto: *la vuelta de las vacaciones ha terminado con un saldo de 20 muertos en las carreteras españolas.* ⑤ Liquidación completa de una deuda o de una cuenta.

salero *s. m.* ① Recipiente que se usa para guardar la sal y servirla. ② familiar Elegancia o gracia en el movimiento: *tiene mucho salero y lo demuestra bailando.* **SIN** sal.
FAM saleroso.

saleroso, -sa *adj./s. m. y f.* Se aplica a la persona que es aguda, viva y tiene gracia. **SIN** salado.

salesa *adj./s. f.* Se aplica a la religiosa perteneciente a la orden de la Visitación de Nuestra Señora, fundada en Francia en el siglo XVII por san Francisco de Sales y santa Juana Francisca Fremiot de Chantal.

salesiano, -na *adj.* ① Relativo a las congregaciones religiosas fundadas por san Juan Bosco en el siglo XIX, que se dedican a la enseñanza. | *adj./s. m. y f.* ② Se aplica al religioso que pertenece a estas congregaciones.

salicílico, -ca *adj.* Se aplica al ácido desinfectante extraído de la corteza del sauce y empleado en medicina, especialmente como analgésico.

salida *s. f.* ① Acción de pasar del interior de un lugar al exterior: *la salida de las tropas del país.* **ANT** entrada. ② Acción de irse de un lugar. **ANT** llegada. ③ Parte por donde se pasa del interior de un lugar al exterior. **ANT** entrada. ④ Excursión o viaje. ⑤ Lugar o punto en el que comienza una carrera en distintos deportes. **ANT** meta, llegada. ⑥ Aparición de un cuerpo celeste: *Felipe se levantó a la salida del sol.* ⑦ Solución o medio para vencer una adversidad. ⑧ Cosa ocurrente que se dice o se hace en un momento determinado: *esta chica tiene unas salidas divertidísimas.* ■ **salida de tono** Cosa que se dice o se hace y que no resulta conveniente. ⑨ Acción y resultado de vender una mercancía. ⑩ En lenguaje militar, acometida repentina de las tropas sitiadas. ⑪ Información que proporciona un ordenador después de procesar un conjunto de datos determinados. **SIN** output. | *s. f. pl.* ⑫ **salidas** Posibilidades profesionales que ofrecen los estudios.
dar salida (I) Vender un género o mercancía. (II) Solucionar un asunto.

salido, -da *adj.* ① Se aplica a la parte que sobresale de un cuerpo más de lo normal. ② Se aplica a la hembra que está en celo: *cuando una gata está salida no hace más que maullar.* | *adj./s. m. y f.* ③ fam. desp. Se aplica a la persona que tiene un gran deseo sexual.

salidor, -ra *adj./s. m. y f.* familiar AMÉR. Se aplica a la persona que es aficionada a viajar o salir con frecuencia a divertirse.

saliente *adj./s. m.* ① Se aplica a la parte de una cosa que sale. | *adj.* ② Que sobresale por su importancia: *la aceptación del destino es un rasgo saliente de la actitud de muchos ante la vida.*

salina *s. f.* ① Cuenca propia de las zonas áridas donde se acumulan sales debido a la evaporación de aguas salobres: *fueron a visitar las salinas de Cardona.* ② Lago o depósito poco profundo donde se forma la sal. | *s. f. pl.* ③ **salinas** Instalación para obtener sal por evaporación.
FAM salinero.

salinidad *s. f.* ① Cualidad de salino. ② Cantidad relativa de sales disueltas en un líquido, especialmente el agua del mar.

salinización *s. f.* Proceso por el cual el agua dulce de un lugar se transforma en agua salina.

salino, -na *adj.* ① Que contiene sal. **SIN** salobre. ② Que tiene una característica que se considera propia de la sal: *las lágrimas tienen un sabor salino.*
FAM salina, salinidad.

salir [42] *v. intr./prnl.* ① Pasar del interior de un lugar al exterior: *sal al balcón.* | *v. intr.* ② Aparecer públicamente: *el rey ha salido por la tele.* ③ Aparecer o dejarse ver: *en esta época, el sol sale a las ocho de la mañana.* ④ Nacer o brotar algo: *ya empieza a salir el trigo en los sembrados.* ⑤ Borrar o desaparecer una mancha: *ha salido la mancha de tinta que tenía en la camisa.* ⑥ Ocurrir u ofrecerse: *me ha salido una oferta de trabajo.* ⑦ Ser elegido o sacado por votación o azar: *¿qué número ha salido en la rifa?* ⑧ Terminar bien o mal una cosa: *al final, todo salió mejor de lo que esperábamos.* ⑨ Partir o ir de un lugar a otro: *los jugadores salieron hacia Barcelona.* ⑩ Ir a divertirse con una persona o en grupo. ⑪ Mantener una relación sentimental: *hace tiempo que sale con un chico.* ⑫ Librarse o escapar de una situación: *salir de la pobreza.* ⑬ Decir o hacer una cosa que sorprende o no se espera. **SIN** saltar. ⑭ Corresponder una cantidad igual a diversas personas: *salimos a dos millones por socio.* ⑮ Costar una cantidad de dinero: *la carne de ternera sale a un precio más alto que la de cerdo.* ⑯ Obtener un resultado de una operación. ⑰ Pasar a realizar una acción, generalmente delante de un público. ⑱ Iniciar un juego: *quien saque el número más alto sale el primero.* ⑲ Presentar cierto carácter o índole: *salió aficionado a la pintura.* ⑳ Tener parecido: *el niño ha salido a su madre.* ㉑ Proceder de algo: *el vino sale de la uva.* | *v. intr./prnl.* ㉒ Sobresalir una cosa de otra: *el alero sale casi medio metro.* | *v. prnl.* ㉓ **salirse** Escaparse un líquido por una grieta o agujero: *el caldo se sale de la cazuela.* ㉔ Pasar un líquido por encima del borde del recipiente que lo contiene al hervir. ㉕ Separarse de una actitud o cesar en un cargo: *se salió de cura para casarse.*
salir a relucir Surgir algo en la conversación de forma inesperada o inoportuna.
salir de uno Hacer algo espontáneamente o por voluntad propia: *esperamos que salga de ti hacer las paces con tu hermano.*
salirse con la suya Hacer su voluntad contra el deseo de los demás.
FAM saledizo, salida, salido, saliente; sobresalir.

salitre *s. m.* ① Sustancia que contiene sal: *eran tierras de salitre y no producían buenas cosechas.* ② Sal de nitrógeno y potasio que se forma en el suelo por la descomposición de materias animales y vegetales. ③ CHILE Nitrato de sodio.
FAM salitral, salitroso.

saliva *s. f.* Líquido transparente y acuoso que segregan las glándulas salivales de la boca de las personas y otros animales y que ayuda a preparar los alimentos para su entrada en el estómago, protege la mucosa oral y limpia la boca de bacterias.
gastar saliva familiar Hablar sin conseguir el fin deseado.

tragar saliva Soportar algo molesto sin protestar.
FAM salival, salivar, salivazo; ensalivar, insalivar.

salivación s. f. Segregación de saliva.

salival adj. ① Se aplica a la glándula que segrega saliva: *las glándulas salivales están situadas en la boca.* SIN salivar. ② Relativo a la saliva: *secreción salival.* SIN salivar.

salivar v. intr. ① Segregar saliva. I adj. ② Salival.
FAM salivación.

salivazo s. m. Saliva que se echa de la boca con fuerza y de una vez. SIN escupitajo.

salmantino, -na adj. ① De Salamanca (ciudad y provincia de Castilla y León). SIN salamanqués. I s. m. y f./adj. ② Persona que es de Salamanca. SIN salamanqués.

salmer s. m. ① Primera dovela de un arco, que inicia el arranque de este. ② Piedra sobre la cual descarga una bóveda.

salmista s. m. Autor de salmos.

salmo s. m. Poema o canto religioso de los hebreos, dedicado generalmente a alabar a Dios: *los salmos del Antiguo Testamento fueron adoptados por el cristianismo.*
FAM salmodia; ensalmo.

salmodia s. f. ① Canto eclesiástico o música con que se acompaña o recitan los salmos. ② familiar Canto que es monótono y aburrido.
FAM salmodiar.

salmón s. m. ① Pez comestible que vive cerca de las costas y remonta los ríos en el periodo de la cría; su carne rosada es muy apreciada y se come ahumada o fresca. I s. m./adj. ② Color que es entre rosa y naranja, como el de la carne de ese pez. I adj. ③ Que es de este color. NOTA Invariable en número.
FAM salmonado, salmonete, salmónido; asalmonado.

salmonella [se pronuncia 'salmonela'] s. f. Bacteria que se desarrolla en algunos alimentos y que al ingerirla puede provocar salmonelosis: *la salmonella es la responsable de algunas intoxicaciones alimentarias.*
FAM salmonelosis.

salmonelosis s. f. Intoxicación alimentaria o infección intestinal que se produce por consumir alimentos que contienen salmonella: *la salmonelosis provoca fiebres muy altas y vómitos.*
OBS Plural invariable.

salmonete s. m. Pez marino comestible, más pequeño que el salmón, de color rojizo y con unas barbillas en la mandíbula inferior: *el salmonete abunda en el Atlántico y el Mediterráneo.*

salmuera s. f. ① Agua con mucha sal. ② Líquido preparado con sal y otros condimentos en el que se conservan pescados, carne, etc.: *anchoas en salmuera.* ③ Agua que desprenden las cosas saladas. ④ Solución de sal común.
FAM salmorejo.

salobre adj. Que contiene sal: *cerca del pueblo hay un manantial de agua salobre.* SIN salino.

salomónico, -ca adj. ① Relativo a Salomón (rey de Israel del siglo X a. C.): *época salomónica.* ② Se aplica al juicio o decisión que es justa, sabia y equilibrada. ③ Se aplica a la columna que tiene el fuste contorneado en espiral o en forma helicoidal.

salón s. m. ① Habitación principal de una casa, general-mente más grande que una sala, que se suele usar para reunirse, comer o recibir visitas. ② Conjunto de muebles de esa habitación. SIN sala. ③ Local grande donde se celebran actos a los que asiste mucha gente: *la reunión es en el salón de actos de la escuela.* ④ Local donde se celebran las comidas importantes en un establecimiento hotelero. ⑤ Establecimiento donde se proporcionan ciertos servicios al público: *va todas las semanas al salón de belleza.* ⑥ Exposición de productos para su venta: *visitaron el salón del automóvil.* ⑦ Reunión de carácter político o literario que se celebraba antiguamente. ⑧ ARG., MÉX. Aula de un centro de enseñanza. ⑨ ECUAD. Lugar en el que se venden o ingieren bebidas alcohólicas, y en el que se escucha música generalmente de estilo popular.

de salón despectivo Expresión con la que se designa algo que es producto de la moda o efímero, por lo que se pone en duda su valor: *política de salón.*

salpicadero s. m. ① Tablero de mandos de un automóvil situado delante del asiento del conductor: *el volante, el cuadro de luces y los indicadores están en el salpicadero.* ② Tablero colocado en la parte delantera de algunos vehículos, que defiende al conductor de las salpicaduras de lodo.

salpicadura s. f. ① Acción de esparcirse o saltar un líquido en forma de gotas pequeñas. ② Mancha que produce un líquido al saltar en forma de gotas pequeñas. NOTA Más en plural. I s. f. pl. ③ **salpicaduras** Efecto indirecto y negativo de un hecho: *las salpicaduras de la guerra han afectado a toda Europa.*

salpicar v. tr./intr. ① Saltar un líquido en forma de gotas pequeñas: *la lluvia salpica.* ② Manchar o mojar con gotas pequeñas: *un coche me ha salpicado de barro.* I v. tr. ③ Esparcir sobre algo: *salpicó la ensalada con aceite.* ④ Poner elementos sueltos por un lugar, una situación o una cosa: *salpicó de chistes la conversación.* ⑤ Afectar o alcanzar un asunto a alguien, generalmente de forma negativa.
FAM salpicadero, salpicadura, salpicón.

salpicón s. m. ① Plato que se elabora con pescado o marisco cocido, picado en trozos pequeños junto con otros ingredientes y aderezado todo ello con sal, vinagre, aceite y cebolla: *el salpicón suele tomarse frío.* ② Cualquier cosa desmenuzada. ③ Salpicadura de un líquido u otra cosa semejante.

salpimentar [1] v. tr. ① Aderezar o condimentar un alimento con sal y pimienta. ② Amenizar con agudezas e ingenio.

salpullido s. m. Sarpullido.

salsa s. f. ① Sustancia líquida o espesa hecha con varios comestibles triturados y mezclados, que se usa para acompañar y dar sabor a las comidas. ■ **salsa mahonesa** o **salsa mayonesa** Salsa que se hace mezclando huevo, aceite, vinagre o limón y sal. NOTA También simplemente *mahonesa* o *mayonesa.* ■ **salsa rosa** Salsa que se hace mezclando huevo, aceite, vinagre, sal, tomate frito, especias y licor. ■ **salsa verde** Salsa que se hace con perejil, aceite, vinagre, sal y huevo, y se usa para acompañar pescados. ② Cosa que hace gracia o que anima. ③ Baile popular originario del Caribe, de ritmo rápido y alegre. ④ Canción o composición musical con que se acompaña este baile, de ritmo rápido con influencias africanas, que se suele instrumentar con orquesta.

en su salsa familiar En un ambiente familiar y cómodo.
FAM salsera, salsero.

salsera s. f. Recipiente en el que se sirve una salsa.

saltación s. f. Avance por una corriente fluvial o eólica de

S

partículas de materia mediante saltos de un punto a otro: *la arena de la playa avanza por saltación.*

saltador, -ra *adj.* ① Que salta o que puede saltar. ▌ *s. m. y f.* ② Deportista especializado en alguna de las pruebas de salto. ▌ *s. m.* ③ Cuerda para saltar. **SIN** comba.

saltamontes *s. m.* Insecto de cuerpo alargado, antenas largas, ojos salientes y aparato bucal masticador, con las patas anteriores cortas y las posteriores muy largas que le sirven para dar saltos; los machos producen un típico ruido con el que atraen a las hembras, rozando las patas posteriores contra las alas delanteras: *los saltamontes son animales herbívoros.* **OBS** Plural invariable.

saltar *v. intr.* ① Levantarse de una superficie con un impulso para caer en el mismo lugar o en otro. ② Tirarse desde una altura, generalmente para caer de pie: *el nadador saltó desde un trampolín altísimo.* ③ Levantarse o desprenderse algo con un impulso fuerte: *saltó el tapón de la botella.* ④ Caer el agua de una corriente salvando un desnivel. ⑤ Romperse o explotar violentamente. ⑥ Dar muestras repentinas de enfado o desacuerdo: *no me gustó lo que estaban diciendo de mi hermana y salté.* ⑦ Decir o hacer una cosa que sorprende por ser inesperada: *después de habérselo explicado dos veces, saltó con que no había entendido nada.* ⑧ Salir hacia arriba con ímpetu: *mira cómo saltan las olas.* ⑨ Aparecer de repente una cosa a la imaginación o a la memoria. ▌ *v. intr./prnl.* ⑩ Desprenderse una cosa: *el botón se ha saltado.* ▌ *v. tr.* ⑪ Mover una pieza de un juego, como el ajedrez o las damas, pasándola por encima de otra. ▌ *v. tr./prnl.* ⑫ Pasar de una cosa a otra sin orden: *me salté ese ejercicio porque no sabía hacerlo.* ▌ *v. prnl.* ⑬ **saltarse** Dejar de cumplir una ley o una norma. ⑭ Omitir algo al leer o escribir: *te has saltado un nombre de la lista.*

estar a la que salta Estar atento a las equivocaciones que tiene otra persona o dispuesto a expresar un malestar o un resentimiento a la menor oportunidad.

saltar a la vista Ser una cosa muy evidente. **FAM** saltadero, saltador, saltarín, salto, saltón.

saltarín, -rina *adj.* ① Que salta o se mueve: *el niño miraba la peonza saltarina.* ▌ *adj./s. m. y f.* ② Se aplica a la persona que es inquieta y movida.

salteador, -ra *s. m. y f.* Ladrón que ataca y roba a las personas que van por el campo o por un camino.

saltear *v. tr.* ① Hacer una cosa sin orden o sin continuidad, dejando parte sin hacer. ② Freír ligeramente un alimento crudo o previamente hervido: *me gusta saltear los guisantes con jamón.* **FAM** salteador, salteo.

salterio *s. m.* ① Instrumento musical de cuerda compuesto por una caja de resonancia plana de forma generalmente trapezoidal a la que va unida una serie de cuerdas metálicas; se toca colocándolo en posición horizontal y pulsando las teclas con los dedos o con una púa. ② Libro canónico del Antiguo Testamento que está formado por 150 salmos. **NOTA** Se escribe normalmente con mayúscula inicial. ③ Libro de coro que solamente contiene salmos. ④ Rezo en honor a la Virgen.

saltimbanqui *s. com.* ① Persona que se dedica a realizar acrobacias y ejercicios de saltos y equilibrios ante el público, generalmente en espectáculos al aire libre o de carácter popular. ② Persona muy alborotadora.

salto *s. m.* ① Movimiento que consiste en elevarse del suelo u otra superficie con impulso para caer en el mismo lugar o en otro. ② Movimiento que consiste en lanzarse desde un lu-

gar alto, generalmente para caer de pie. **SIN** brinco. ③ Paso brusco de un lugar a otro o de una parte a otra: *el narrador dio un salto en la historia omitiendo el pasaje más interesante.* ④ Ejercicio deportivo en el que se salta: *saltos de esquí.* ■ **salto con pértiga** Ejercicio deportivo que consiste en superar un listón colocado a gran altura con ayuda de una pértiga. ■ **salto de altura** Ejercicio deportivo que consiste en superar un listón colocado a cierta altura saltando por encima de él. ■ **salto de longitud** Ejercicio deportivo que consiste en saltar la mayor distancia posible desde un punto determinado. ■ **salto mortal** Ejercicio que consiste en saltar y dar una o varias vueltas completas en el aire. ⑤ Avance o progreso importante: *en este último año ha dado un salto en su carrera profesional.* ⑥ Omisión de una parte de un escrito al leerlo o copiarlo: *en la página diez hay un salto de tres líneas.* ⑦ Palpitación violenta del corazón.

a salto de mata *familiar* Sin orden ni previsión, pasando de una cosa a otra sin pensar lo que se hace.

salto de agua Caída de agua en un terreno accidentado.

salto de cama Prenda de vestir femenina que se usa al acostarse y al levantarse de la cama.

salto de falla En geología, distancia que hay entre un bloque y otro de la corteza terrestre en una falla o fractura del terreno.

FAM saltear.

saltón, -tona *adj.* ① Se aplica al ojo o diente que sobresale más de lo normal, que parece que se sale de su sitio. ② Que salta mucho o camina dando saltos.

salubérrimo, -ma *adj.* Superlativo de *salubre.*

salubre *adj.* Que no es perjudicial para la salud: *el agua de esta fuente es salubre.* **ANT** insalubre. **FAM** salubridad; insalubre. **OBS** Superlativo irregular: *salubérrimo.*

salubridad *s. f.* ① Cualidad de salubre. **ANT** insalubridad. ② Estado general de la salud pública en un lugar determinado.

salud *s. f.* ① Estado del ser vivo que ejerce con normalidad todas sus funciones orgánicas. ② Estado físico o psíquico de un ser vivo. **ANT** enfermedad. ③ Estado o funcionamiento bueno de una cosa: *nuestros negocios tienen una salud estupenda.* ▌ *int.* ④ **¡salud!** Se usa como fórmula de despedida con la que se desea que todo vaya bien a una persona.

beber (o brindar) a la salud de Expresar un buen deseo al beber: *bebieron a la salud de los familiares ausentes.*

curarse en salud Prevenir un daño. **FAM** saludable.

saludable *adj.* ① Que sirve para conservar o recuperar la salud física: *el aire de la sierra es muy saludable.* **SIN** sano. ② Se aplica a la persona que tiene buena salud. ③ Que es útil y beneficioso para un fin: *tomó unas medidas muy saludables para nuestra economía.*

saludar *v. tr.* ① Dar muestras de afecto o cortesía mediante expresiones o gestos al encontrarse con una persona. **ANT** despedir. ② Expresar afecto o cortesía hacia una persona que, aunque no está presente, puede tener noticia de esta acción: *cuando salió por la tele, saludó a toda su familia.* ③ Expresar un militar respeto hacia un superior o un inferior o hacia la bandera nacional mediante el gesto de acercar a la sien derecha el extremo de su mano diestra extendida, con los dedos juntos y la palma hacia abajo. **FAM** saludo, salutación.

S

saludo *s. m.* ① Expresión o gesto que una persona dirige a otra cuando se encuentran como muestra de afecto o cortesía. **SIN** salutación. ② Expresión de afecto o cortesía hacia una persona que, aunque no está presente, puede tener noticia de esta acción. **SIN** salutación. ③ Gesto que hace un militar al acercar a la sien derecha el extremo de su mano diestra extendida, con los dedos juntos y la palma hacia abajo, en señal de respeto hacia un superior o un inferior o hacia la bandera nacional.

salutación *s. f.* ① Saludo (expresión). ② Oración destinada a la Virgen, según la Iglesia católica.

salva *s. f.* Disparo al aire de un arma de fuego sin munición, cargada solamente con pólvora, que se hace en señal de saludo o como honor en las celebraciones.

salva de aplausos Ovación calurosa y entusiasta de un grupo de personas.

salvación *s. f.* ① Solución de un problema grave o liberación de un peligro: *la ayuda de tu hermano ha sido nuestra salvación.* ② Según el cristianismo, obtención de la gloria o el estado de felicidad y gracia eterna que provoca estar en el Cielo en unión con Dios.

salvado *s. m.* Cáscara del grano del cereal molida; se usa como pienso y como alimento dietético.

salvador, -ra *adj./s. m. y f.* Se aplica a la persona que salva a otra; se dice especialmente de Jesucristo. **OBS** Con mayúscula inicial cuando hace referencia a Jesucristo.

salvadoreño, -ña *adj.* ① De El Salvador (país de América Central): *la artesanía salvadoreña es muy vistosa.* ‖ *s. m. y f./adj.* ② Persona que es de El Salvador.

salvaguarda V. salvaguardia.

salvaguardar *v. tr.* Defender o proteger a una persona o cosa: *las autoridades deben salvaguardar los derechos de los ciudadanos.*

salvaguardia *s. f.* ① Defensa o protección de una cosa o persona: *la justicia forma parte de la salvaguardia de la democracia.* **SIN** salvaguarda. ② Documento o señal que permite a una persona circular libremente sin ser detenida. **SIN** salvaguarda. ③ Persona que salvaguarda una cosa o una persona. ④ Señal militar puesta en algunos lugares para que sean respetados en tiempo de guerra. **FAM** salvaguardar.

salvajada *s. f.* Dicho o hecho que se considera propio de un salvaje.

salvaje *adj.* ① Se aplica al animal que vive en libertad, que está sin domesticar. **ANT** doméstico. ② Se aplica a la planta que no está cultivada: *hiedra salvaje.* ③ Se aplica al terreno que no ha sido transformado por el ser humano, especialmente cuando es abrupto y escabroso. ④ Se aplica a la acción que es cruel y violenta. ⑤ Que no se puede controlar ni detener: *pasión salvaje.* ‖ *adj./s. com.* ⑥ Se aplica a la persona que no está civilizada y mantiene formas de vida primitivas. **ANT** civilizado. ⑦ Se aplica a la persona que comete actos crueles e inhumanos. ⑧ Se aplica a la persona que no está educada o no se sujeta a las normas sociales. **ANT** civilizado. **FAM** salvajada, salvajismo.

salvajismo *s. m.* ① Modo de comportarse propio de personas salvajes. ② Acción propia de una persona con espíritu de destrucción y sin respeto a nada.

salvamanteles *s. m.* Pieza de metal, madera, cáñamo u otro material que se pone en la mesa debajo de los recipientes que están muy calientes con el fin de evitar quemar o manchar la mesa o el mantel. **OBS** Plural invariable.

salvamento *s. m.* ① Liberación de un peligro, especialmente en un siniestro. ② Sitio en que uno se protege de un peligro.

salvapantallas *s. m.* Programa informático que consiste en una o varias imágenes en movimiento y tiene como finalidad evitar que los píxeles del monitor se quemen por estar mucho tiempo con la misma intensidad; se activa automáticamente cuando pasa cierto tiempo sin que se usen el teclado o el ratón. **OBS** Plural invariable.

salvar *v. tr.* ① Librar de un peligro o un daño: *se salvaron de morir congelados refugiándose en una cueva.* ② Solucionar un problema grave. ③ Entre los católicos, perdonar los pecados y obtener la gloria eterna: *antes de morir se confesó para salvar su alma.* ④ Hacer que una cosa sea más aceptable: *esta película solamente se salva por su magnífica banda sonora.* ⑤ Evitar o superar un contratiempo: *si logramos salvar este inconveniente, lo demás será muy fácil.* ⑥ Vencer un obstáculo pasando por encima de él: *si conseguís salvar estos montes, ya estaréis fuera del país.* ⑦ Recorrer una distancia en menos tiempo o con menos dificultades de lo previsto: *salvaron los dos kilómetros entre el bosque y el pueblo en una hora.* ⑧ No tener en cuenta la diferencia entre dos cosas. ⑨ Grabar o guardar un documento en soporte informático.

sálvese quien pueda Expresión que se usa cuando no se puede vencer un peligro o un problema y se permite que cada uno haga lo posible por evitarlo. **FAM** salva, salvabarros, salvación, salvador, salvamanteles, salvamento, salvavidas, salvo; insalvable.

salvavidas *s. m.* ① Objeto circular y con un agujero en el centro que flota y que las personas se colocan alrededor del cuerpo para mantenerse a flote. ‖ *adj.* ② Se aplica al objeto que flota y sirve para mantener a flote a una o más personas. **OBS** Plural invariable.

salve *s. f.* ① Oración católica que se reza a la Virgen María y que comienza con las palabras *Dios te salve, Reina y madre.* ② Composición musical hecha para cantar esta oración. ‖ *int.* ③ **¡salve!** culto Expresión latina que se usaba como saludo.

salvedad *s. f.* Excepción de una cosa o advertencia que limita lo que se dice o hace: *todos han aprobado, con la salvedad de los que copiaron en el examen.*

salvia *s. f.* Planta herbácea de flores azuladas que se utiliza como desinfectante bucal o de la garganta y como condimento; es común en Europa.

salvo, -va *adj.* ① Se aplica a la persona que ha salido ilesa de un peligro: *salieron sanos y salvos del vehículo accidentado.* ‖ *prep.* ② Indica que determinada persona o cosa no está incluida en lo que se dice y que constituye una excepción: *se estudió todo el libro salvo el último capítulo; mañana iremos de excursión, salvo que llueva.* **SIN** excepto, menos.

a salvo Fuera de peligro: *en el refugio estaréis a salvo.* **FAM** salvedad, salvoconducto.

salvoconducto *s. m.* ① Documento extendido por una autoridad en el que figura un permiso para poder viajar por un lugar determinado sin ser detenido. **SIN** seguro. ② Libertad para hacer una cosa sin temer un castigo: *el jefe le dio salvoconducto para negociar.*

S

samario *s. m.* Elemento químico de símbolo *Sm* y número atómico 62; es un metal radiactivo, de color blanco grisáceo y consistencia muy dura; se utiliza como absorbente de reactores nucleares, absorbente de rayos infrarrojos en vidrios, como catalizador y en láseres.

samaritano, -na *adj.* ① De Samaria (antigua capital del reino de Israel). ‖ *s. m. y f./adj.* ② Persona que era de Samaria. ‖ *adj.* ③ Relativo a una antigua secta hebrea originaria de Samaria que fue considerada hereje por el judaísmo. ‖ *s. m. y f./adj.* ④ Persona perteneciente a esta secta.

samba *s. f.* ① Baile popular típico de Brasil, de procedencia africana, ritmo rápido y tono alegre y festivo. ② Canción o composición musical con que se acompaña este baile, de ritmo rápido y sincopado, compás binario y en el que son especialmente importantes los instrumentos de percusión.

sambenito *s. m.* ① Calificativo de connotaciones negativas que se pone a una persona y que resalta un defecto: *por una vez que me equivoqué me pusieron el sambenito de torpe y tardón.* ② Distintivo que se ponía a las personas absueltas por la Inquisición. ③ Letrero que se colgaba en las iglesias con el nombre y la pena de las personas castigadas por la Inquisición.

samovar *s. m.* Recipiente de origen ruso que se utiliza para hacer té, en el que se hierve el agua y se conserva caliente: *el samovar consta de un tubo interior en el que se pone carbón.*

sámpler *s. m.* Aparato o dispositivo electrónico que permite grabar sonidos digitalmente para poderlos modificar o manipular posteriormente y usarlos para tocar o componer música por medio de un teclado midi u otro controlador: *mientras que en un sintetizador los sonidos vienen previamente registrados, en un sámpler tú puedes grabar tus propios sonidos.* **OBS** Plural: *sámplers.* Puede encontrarse la grafía inglesa *sampler.*

samuray o **samurái** *s. m.* Guerrero que en la antigua sociedad feudal japonesa, entre los siglos XII y XIX, estaba al servicio de un shogún o señor feudal. **OBS** Plural: *samuráis.*

san *adj.* Apócope de *santo* que se utiliza delante de un nombre propio de varón (excepto ante *Tomás, Tomé, Toribio, Domingo* y *Job*): *san Isidro; san Luis.* **OBS** Se escribe normalmente con mayúscula inicial.

sanar *v. intr.* ① Recuperar la salud. **ANT** enfermar. ‖ *v. tr.* ② Hacer recuperar la salud: *el desinfectante ha sanado la herida.* **FAM** sanador, sanalotodo, sanatorio.

sanatorio *s. m.* Establecimiento sanitario donde determinados enfermos, especialmente los que padecen enfermedades de larga convalecencia, heridos o enfermos sometidos a una operación quirúrgica son ingresados para recibir atención médica; generalmente, está en un lugar con unas condiciones climáticas favorables.

sanción *s. f.* ① Pena que la ley establece para el que no la cumple: *le han impuesto una sanción por superar el límite de velocidad.* ② Mal que se sufre como consecuencia de un error cometido y que puede entenderse como un castigo. ③ culto Autorización o aprobación de un acto, uso o costumbre: *el alcalde finalmente dio su sanción y se celebró el homenaje.* ④ Confirmación de una ley por el jefe del Estado. **FAM** sancionar.

sancionar *v. tr.* ① Poner una multa o una pena a quien infringe una ley o comete una falta o delito. **SIN** multar. ② Au-

torizar o aprobar un acto, uso o costumbre. ③ Dar fuerza o carácter de ley a una disposición: *el rey sancionó la ley, la promulgó y ordenó su publicación.* **FAM** sancionable.

sancocho *s. m.* ① Comida a medio cocer. ② AMÉR. Guiso compuesto principalmente de carne, yuca y plátano. ③ CUBA Restos de comida que se destinan al engorde de los cerdos.

sandalia *s. f.* ① Calzado formado por una suela que se asegura al pie con correas o cuerdas: *los romanos usaban sandalias.* ② Zapato ligero y muy abierto que se usa en tiempo de calor.

sándalo *s. m.* ① Árbol con las hojas verdes y gruesas, de flores muy pequeñas formando ramos y madera olorosa y muy apreciada en ebanistería; crece en zonas tropicales de la India y en Oceanía. ② Madera de este árbol, que se utiliza principalmente para hacer muebles. ③ Esencia que se extrae de esta madera.

sandez *s. f.* Hecho o dicho torpe o poco adecuado.

sandía *s. f.* ① Fruta redonda y de gran tamaño que tiene una corteza verde muy dura y la carne roja y llena de pepitas negras; es comestible y su pulpa es muy dulce y jugosa. **SIN** melón de agua. ② Planta herbácea de tallo tendido y flores amarillas que produce esta fruta.

sandinista *adj./s. com.* Se aplica al guerrillero revolucionario de Nicaragua partidario de las ideas de Augusto César Sandino (1893-1934).

sandunga *s. f.* ① Forma de decir o hacer las cosas con gracia y salero. ② AMÉR. Jolgorio, jarana. **FAM** sandunguero.

sandunguero, -ra *adj.* Que tiene gracia en su forma de hablar o de comportarse.

sándwich [se pronuncia aproximadamente 'sánguich'] *s. m.* Bocadillo hecho con dos rebanadas de pan de molde, entre las cuales se pone un alimento. **SIN** emparedado. **OBS** Plural: *sándwiches.*

saneamiento *s. m.* ① Acondicionamiento de un lugar o una cosa a una situación de higiene. ② Mejora que se hace en una cosa para que sea más beneficiosa o rentable: *saneamiento de la economía.* ③ Conjunto de obras, técnicas o medios que sirven para establecer, mejorar o mantener las condiciones sanitarias de las poblaciones o edificios.

sanear *v. tr.* ① Dar condiciones de sanidad a un terreno o edificio. ② Hacer que la economía o los bienes den ganancias. ③ Arreglar o poner remedio a una cosa. **FAM** saneado, saneamiento.

sanedrín *s. m.* ① Durante la dominación romana, consejo de los judíos con poder supremo en materia religiosa y con atribuciones políticas. ② Lugar donde se reunía este consejo.

sanfermines *s. m. pl.* Fiesta típica de Pamplona, que se celebra durante una semana a partir del 7 de julio, festividad de san Fermín.

sangrado *s. m.* ① Espacio blanco que queda en la primera línea de un párrafo cuando empieza más a la derecha que el resto de las líneas del párrafo. ② Acción de sangrar.

sangrar *v. intr.* ① Echar sangre. ‖ *v. tr.* ② Quitar sangre a una persona o a un animal abriéndole una vena: *antiguamente se sangraba a los enfermos.* ③ Dejar salir un líquido encerrado. ④ Sacar resina u otra sustancia de un árbol por medio de un corte hecho en la corteza. ⑤ Empezar una línea de texto más hacia dentro que las demás: *se suele sangrar el primer renglón de* *un párrafo.* **6** familiar Quitar a alguien una cantidad de dinero o de bienes poco a poco.

FAM sangradera, sangrado, sangradura, sangrante.

sangre *s. f.* **1** Líquido rojo compuesto por plasma y células que, impulsado por el corazón, recorre el cuerpo de los animales y cuya función es transportar los nutrientes y el oxígeno y retirar los desechos metabólicos. **2** Raza, familia o condición social a la que pertenece por nacimiento una persona: *lleva sangre latina en sus venas.* ■ **sangre azul** Origen o procedencia noble.

a sangre fría De un modo frío, pensado y calculado, sin rabia ni pasión.

chupar la sangre familiar Abusar, especialmente del dinero o trabajo de una persona.

correr sangre (o la sangre) Haber heridos en una lucha: *regañaron, pero no llegó a correr la sangre.*

de sangre caliente Se aplica al animal que tiene una temperatura del cuerpo que no depende de la del ambiente: *los perros son animales de sangre caliente.*

de sangre fría Se aplica al animal que tiene una temperatura del cuerpo que depende de la del ambiente: *los reptiles son animales de sangre fría.*

llevar en la sangre Tener una cualidad de nacimiento por haberla heredado de la familia.

mala sangre familiar Carácter malo, cruel y vengativo de una persona.

no llegar la sangre al río No ser una situación tan grave como parece, no llegar a sus últimas consecuencias.

no tener sangre en las venas Tener un carácter excesivamente tranquilo y frío y no mostrar los sentimientos.

pura sangre Se aplica al caballo que es de raza pura.

quemar (o alterar o encender) la sangre Hartar o enfadar a una persona.

sangre de horchata Carácter excesivamente tranquilo y frío y que no muestra los sentimientos.

sangre fría Tranquilidad de ánimo: *en el accidente logró salvar a todos gracias a su sangre fría.*

sangre ligera AMÉR. SUR Se aplica a la persona simpática.

sangre pesada AMÉR. SUR Se aplica a la persona antipática.

subirse la sangre a la cabeza Perder la tranquilidad y dar muestras de enfado.

sudar sangre Hacer un gran esfuerzo o trabajar mucho.

FAM sangrar, sangría, sangriento, sanguinario, sanguíneo, sanguinolento; desangrar, ensangrentar, purasangre.

sangría *s. f.* **1** Bebida refrescante hecha con vino tinto, limonada, azúcar y trozos de frutas. **2** Corte o rotura de una vena que se hace para que salga una determinada cantidad de sangre. **3** Salida o pérdida abundante de sangre: *el tiroteo acabó en una terrible sangría.* **4** Gasto de dinero que se hace poco a poco pero de forma continuada y que, sumado en su conjunto, supone una pérdida considerable. **5** Comienzo de una línea de escritura más a la derecha que las demás: *cuando se empieza a escribir un párrafo se debe hacer una sangría.* **6** Corte que se hace en el tronco de un árbol para que salga la resina.

sangriento, -ta *adj.* **1** Que echa sangre. **2** Del color de la sangre. **3** Que está manchado de sangre o mezclado con ella: *la policía encontró un cuchillo sangriento entre los matorrales.* **SIN** sanguinolento. **4** Que es cruel y violento y goza con el derramamiento de sangre: *película sangrienta.* **5** Sanguinario.

sanguijuela *s. f.* **1** Gusano parásito del filo anélidos, de boca chupadora, que posee dos ventosas con las que se adhiere a sus

víctimas; los individuos adultos se alimentan de la sangre de otros animales y los jóvenes son carnívoros. **2** familiar Persona que poco a poco va apoderándose del dinero de otra.

sanguina *s. f.* **1** Lápiz de color rojo oscuro fabricado con hematites. **2** Dibujo realizado con este lápiz.

sanguinario, -ria *adj./s. m. y f.* Que es cruel y violento y goza con el derramamiento de sangre. **SIN** sangriento.

sanguíneo, -nea *adj.* **1** Relativo a la sangre. **2** Que contiene sangre o abunda en ella: *el hígado es una víscera sanguínea.* **3** Se aplica al temperamento que se caracteriza por la tendencia a la ira.

FAM consanguíneo.

sanguinolento, -ta *adj.* **1** Que está manchado de sangre o mezclado con ella. **SIN** sangriento. **2** Que deja ver la sangre interior: *ojo sanguinolento.*

FAM sanguinolencia.

sanidad *s. f.* **1** Conjunto de servicios organizados para cuidar de la salud pública de una comunidad. **2** Calidad de sano.

FAM sanitario.

sanitario, -ria *adj.* **1** Relativo a la sanidad o que sirve para preservar la salud: *normas sanitarias.* ❙ *s. m. y f.* **2** Persona que trabaja en los servicios de sanidad. ❙ *s. m. pl.* **3** **sanitarios** Conjunto de aparatos de higiene que están en el cuarto de baño.

sanjacobo *s. m.* Comida que se hace con dos trozos finos de lomo o de jamón empanados y una loncha de queso blando colocada en medio.

sano, -na *adj.* **1** Se aplica al ser vivo u órgano que se encuentra físicamente bien y que ejerce normalmente todas sus funciones. **ANT** enfermo. **2** Que sirve para conservar o recuperar la salud física: *hacer deporte es muy sano.* **SIN** saludable. **ANT** insano. **3** Que está entero, que no tiene ningún defecto: *no me queda ni una copa sana, todas están desportilladas.* **4** Se aplica a la persona que es sincera y tiene buena intención. **5** Que no tiene vicios.

cortar por lo sano Acabar con una situación de forma expeditiva y sin consideración.

sano y salvo En buen estado de salud o que no ha sufrido ningún daño: *lo rescataron sano y salvo.*

FAM sanamente, sanar, sanear, sanidad; insano, malsano, matasanos.

sánscrito, -ta *adj./s. m.* **1** Se aplica a la lengua que pertenece al grupo de lenguas indoeuropeas de Asia conservada en los textos sagrados y cultos del brahmanismo o sistema religioso y social de la India, escritos entre los siglos XV y X a. C. ❙ *adj.* **2** Relativo a esta lengua: *textos sánscritos.*

¡sanseacabó! *int.* familiar Se usa para dar por terminado un asunto o una acción: *he dicho que salgas ¡y sanseacabó!*

sansón *s. m.* Hombre que tiene una gran musculatura y mucha fuerza física.

santanderino, -na *adj.* **1** De Santander (ciudad y provincia de Cantabria). ❙ *s. m. y f./adj.* **2** Persona que es de Santander.

santateresa *s. f.* Insecto de cuerpo largo y estrecho, de color verde o amarillo, que tiene las patas delanteras largas, erguidas y dotadas de fuertes espinas para sujetar a sus presas; cuando está en reposo, une las patas delanteras de modo que parece estar rezando; se alimenta de otros insectos, y la hembra devora al macho tras la cópula. **SIN** mantis.

S

santero, -ra *adj./s. m. y f.* ① Se aplica a la persona que adora de manera exagerada las imágenes de santos. NOTA Frecuentemente usado de forma despectiva. | *s. m. y f.* ② Persona que cuida una ermita o un santuario. ③ Persona que se dedica a curar utilizando la magia, especialmente si se considera que tiene poderes divinos. ④ Persona que se ayuda de la imagen de un santo para pedir limosna.

santiamén Se usa en la expresión:
en un santiamén familiar En muy poco tiempo: *no te preocupes por eso: lo arreglaremos en un santiamén.*

santidad *s. f.* Cualidad del que es santo o que está dedicado a Dios y a la religión.
Su Santidad Tratamiento que se da al Papa.

santificar *v. tr.* ① Declarar la Iglesia santa a una persona: *dos siglos después de su muerte, santificaron a la joven que murió martirizada.* ② Consagrar o dedicar algo a Dios. ③ Adorar a un santo o a Dios.
FAM santificación.

santiguar *v. tr.* ① Hacer la señal de la cruz, generalmente desde la frente al pecho y desde el hombro izquierdo al derecho: *el obispo santigua en la frente a la persona que recibe la confirmación.* | *v. prnl.* ② **santiguarse** familiar Manifestar una persona un gran asombro haciéndose la señal de la cruz. SIN persignarse.
OBS Verbo regular, se acentúa como *averiguar.*

santo, -ta *adj./s. m. y f.* ① Se aplica a la persona que ha sido canonizada por la Iglesia y recibe culto por haber dado muestras de una gran virtud a través de su sabiduría, sus experiencias místicas, su entrega a los necesitados, etc.: *algunos santos murieron martirizados.* | *adj.* ② Tratamiento que se utiliza precediendo al nombre propio de una de estas personas: *santo Domingo; santa Margarita.* NOTA Se escribe normalmente con mayúscula inicial. Delante de nombre propio de varón, se usa la forma apocopada *san*, excepto ante *Tomás, Tomé, Toribio, Domingo* y *Job.* | *adj./s. m. y f.* ③ Se aplica a la persona que es muy buena, muy entregada a los demás: *tu madre es una santa.* | *adj.* ④ Que está dedicado a la divinidad o a la religión: *una vida santa; un santo lugar.* ⑤ familiar Intensifica el valor del sustantivo que le sigue: *te estuvimos esperando todo el santo día; hace siempre su santa voluntad.* NOTA En esta acepción, va antepuesto al sustantivo. | *s. m.* ⑥ Imagen de una persona canonizada por la Iglesia. ⑦ Fiesta de una persona que se celebra el día dedicado al santo o persona canonizada por la Iglesia cuyo nombre coincide con el suyo: *el día 23 de abril es el santo de Jorge.* SIN onomástica.
a santo de qué Expresión con la que se desaprueba la inconveniencia de una cosa: *¿a santo de qué tienes tú que decir que no podemos pagar el piso?*
desnudar a un santo para vestir a otro Quitar una cosa de un sitio o a alguien, que todavía lo necesita, para ponerla en otro lugar o dársela a otra persona.
irse el santo al cielo familiar Olvidarse una persona de lo que se tiene que hacer o lo que se va a decir.
llegar y besar el santo Conseguir lo que se quiere en el primer intento.
no ser santo de *mi/tu/...* **devoción** familiar No gustar una persona, no causar simpatía.
¡por todos los santos! Expresión de sorpresa y desaprobación.
quedarse para vestir santos familiar Quedarse soltera una mujer.
santo y seña Contraseña que sirve para que un centinela

pueda identificar por la noche a la persona que se acerca a un puesto militar.
FAM santero, santidad, santificar, santón, santoral, santuario, santurrón; sacrosanto.

santón, -tona *s. m. y f.* ① Persona no cristiana que lleva una vida religiosa y de sacrificio, especialmente entre los musulmanes e hinduistas. ② Santurrón.

santoral *s. m.* ① Libro que narra la vida y obra de los santos. ② Lista de los santos cuya fiesta se celebra en cada uno de los días del año.

santuario *s. m.* ① Templo o lugar sagrado donde se venera la imagen o la reliquia de un santo, una divinidad o un espíritu de los muertos o de la naturaleza; generalmente está situado en un lugar apartado fuera de la población y constituye un lugar de peregrinación. ② Lugar donde se goza de impunidad y que se usa como refugio: *ese barrio es el santuario de los ladrones.* ③ Lugar seguro y secreto que se defiende a toda costa.

santurrón, -rrona *adj./s. m. y f.* Se aplica a la persona que aparenta devoción religiosa de forma hipócrita. SIN santón.

saña *s. f.* ① Violencia y crueldad con la que se trata a una persona o cosa provocada por un enfado muy grande. ② Insistencia cruel en un daño provocada por un sentimiento de odio: *criticó con saña a su oponente.*
FAM sañudo; ensañarse.

sañudo, -da *adj.* ① Se aplica a la persona que actúa con saña o es muy propenso a ella. ② Que se hace con saña: *su reacción ha sido sañuda e injusta.*

sapiencia *s. f.* ① culto Capacidad de pensar y de considerar las situaciones y circunstancias, distinguiendo lo positivo de lo negativo. SIN sabiduría. ② Conocimiento profundo en ciencias, letras o artes. SIN sabiduría.

sapientísimo, -ma *adj.* Superlativo de *sabio.*

sapo *s. m.* Animal vertebrado anfibio del orden anuros, parecido a la rana, pero de cuerpo más grueso: *la piel de los sapos está llena de verrugas.*
echar sapos y culebras (**I**) Decir maldiciones o blasfemias. (**II**) Decir disparates.
sapo marino Pez marino de color gris oscuro que tiene el cuerpo pequeño y la cabeza y boca muy grandes; es comestible y su carne es exquisita.

saprófago, -ga *adj.* Se aplica al organismo que se alimenta de materia orgánica en descomposición.

saprofito, -ta o **saprófito, -ta** *adj.* Se aplica al hongo u organismo vegetal que se alimenta de materias orgánicas en descomposición.

saque *s. m.* ① Impulso que se da a la pelota para ponerla en movimiento y comenzar una jugada en un juego o deporte: *saque de banda; saque de esquina.* ■ **saque de honor** Saque inicial de un partido que realiza simbólicamente una autoridad o una persona famosa: *el alcalde hizo el saque de honor.* ② familiar Capacidad para comer o beber mucho: *mi amigo tiene buen saque y es capaz de comerse dos tartas.*

saquear *v. tr./intr.* ① Robar por la fuerza las cosas que se encuentran en un lugar que se ha dominado militarmente. | *v. tr.* ② familiar Coger todo o casi todo lo que hay guardado en un lugar: *saqueé la nevera.*
FAM saqueo.

saqueo *s. m.* Robo de las cosas que se encuentran en un lugar.

sarampión *s. m.* Enfermedad vírica infecciosa y contagiosa frecuente en la infancia que se caracteriza por la aparición de muchos granos rojos en la piel, fiebre alta y síntomas catarrales: *las personas que han padecido el sarampión quedan inmunes a esta enfermedad.*

sarao *s. m.* ① Fiesta nocturna con baile y música. ② familiar Situación en la que hay ruido y falta de orden. **SIN** jaleo, follón.

sarape *s. m.* Manta mexicana de vivos colores que suele tener una abertura en el centro y que utilizan los campesinos como ponche o capote.

sarasa *s. m.* fam. desp. Hombre afeminado o que se siente atraído sexualmente por otros hombres.

sarcasmo *s. m.* ① Dicho irónico y cruel con que indirectamente se molesta o insulta a una persona. ② Figura retórica que consiste en utilizar este dicho irónico.
FAM sarcástico.

sarcástico, -ca *adj.* ① Que expresa o implica sarcasmo: *el político utiliza un lenguaje muy sarcástico cuando se refiere a la oposición.* ❘ *adj./s. m. y f.* ② Se aplica a la persona que acostumbra a usar el sarcasmo.

sarcófago *s. m.* Sepulcro, generalmente de piedra, que se construía levantado del suelo y que servía para guardar el cadáver de una persona.

sardana *s. f.* ① Baile popular catalán de ritmo moderado que se ejecuta formando un círculo varias personas tomadas de la mano y realizando varios pasos y movimientos. ② Composición musical o canción con que se acompaña este baile, de ritmo moderado y compás ternario, que es interpretada por una formación de instrumentos principalmente de viento llamada cobla.
FAM sardanista.

sardina *s. f.* Pez marino comestible, de color azul por encima y plateado en los lados y en el vientre, que vive en las zonas costeras; su carne tiene alto valor nutritivo y en la actualidad se consume fundamentalmente en conserva, aunque también fresca, salada o ahumada: *hay grandes bancos de sardinas en el Atlántico.*
como sardinas (en lata) familiar Expresión que se usa para indicar que se está muy apretado o muy estrecho debido a la gran cantidad de gente reunida en un lugar demasiado pequeño.
FAM sardinal, sardinero, sardineta.

sardinel *s. m.* ① Aparejo de un muro constituido por ladrillos puestos de canto y adosados por sus caras mayores. ② Peldaño de entrada a una casa o habitación.

sardo, -da *adj.* ① De Cerdeña (isla italiana): *la capital sarda es Cagliari.* ❘ *s. m. y f./adj.* ② Persona que es de Cerdeña. ❘ *s. m./adj.* ③ Lengua que se habla en Cerdeña: *el sardo es una lengua románica.*

sardónico, -ca *adj.* Se aplica a la sonrisa y la risa de poca naturalidad o que tiene mala intención.

sargazo *s. m.* Alga propia de mares templados que se utiliza como espesante de gelatinas y otros productos, y también como abono.

sargento, -ta *s. m. y f.* ① Militar del cuerpo de suboficiales que tiene categoría inmediatamente superior a la de cabo primero e inmediatamente inferior a la de sargento primero; cuida del orden y la disciplina de una compañía o parte de ella. **NOTA** Femenino: *sargento* o *sargenta.* ② familiar Persona autoritaria, dominante y brusca. **NOTA** Femenino: *sargento* o *sargenta.* ❘ *s. m.* ③ Herramienta formada por dos piezas (como unas tenazas), una de las cuales se puede deslizar hacia adelante o hacia atrás (para hacer que la boca sea mayor o menor) a lo largo de una ranura que hay en la otra pieza; sirve para hacer fuerza sobre un objeto o fijarlo con firmeza a otro.

sargento primero Militar del cuerpo de suboficiales que tiene categoría inmediatamente superior a la de sargento e inmediatamente inferior a la de brigada.

sari *s. m.* ① Traje largo femenino usado en la India y otros países asiáticos. ② Tela de la que está hecho este traje.

sarmiento *s. m.* ① Tallo largo, delgado, flexible y nudoso de la vid. ② Tallo largo y nudoso capaz de enrollarse o enroscarse.
FAM sarmentoso.

sarna *s. f.* Enfermedad contagiosa de la piel, que padecen las personas y algunos animales domésticos, producida por un ácaro parásito que se introduce debajo de la piel y que se alimenta de las células superficiales; se manifiesta por una multitud de vesículas que producen picor.
FAM sarnoso.

sarnoso, -sa *adj./s. m. y f.* Que tiene sarna.

sarpullido *s. m.* Conjunto de granos o manchas que salen en la piel y que desaparecen pronto. **SIN** salpullido.

sarraceno, -na *adj./s. m. y f.* ① Relativo a las tribus árabes que invadieron la Península Ibérica en el siglo VIII. ② Se aplica a la persona que practica la religión islámica.

sarro *s. m.* ① Sustancia amarillenta que forma una capa que cubre los dientes. ② Sustancia que dejan los líquidos en las paredes de distintos recipientes.

sarta *s. f.* ① Serie de cosas metidas por orden en un hilo o cuerda. ② Serie de personas o cosas dispuestas una tras otra. ③ Serie de cosas o hechos que se suceden uno tras otro.
FAM ensartar.

sartén *s. f.* Recipiente de cocina metálico que es redondo, poco profundo y con un mango largo, que se usa para freír o tostar.
tener la sartén por el mango Dominar una persona una situación y hacer que otra se someta a lo que esta le manda.
FAM sartenada, sartenazo.

sartorio *s. m./adj.* Músculo del muslo que se extiende oblicuamente a lo largo de sus caras anterior e interna y que permite flexionar el muslo sobre el abdomen y la pierna sobre el muslo.

sasánida *adj.* ① Relativo a una antigua dinastía que gobernó Persia desde el siglo III hasta el VII d. C., luchó contra el Imperio romano y fue derrotada por los árabes. ❘ *s. com./adj.* ② Persona perteneciente a esta dinastía: *los sasánidas se hicieron con el poder tras la batalla de Ormuz del año 244.*

sastre, -tra *s. m. y f.* Persona que se dedica a cortar y coser prendas de vestir, especialmente de hombre.
FAM sastrería.

sastrería *s. f.* Establecimiento en el que se hacen, arreglan o venden prendas de vestir, especialmente de hombre.

Satán o **Satanás** *s. m.* En el cristianismo y el judaísmo, diablo o ser sobrenatural que representa las fuerzas del mal.

satánico, -ca *adj.* ① Relativo a Satanás: *las misas negras pertenecen al culto satánico.* ② Que es propio de Satanás por su perversidad, inteligencia y astucia: *plan satánico.* ③ Que es extremadamente perverso.

S

satanismo *s. m.* ① Conjunto de creencias y prácticas con las que se rinde culto a Satán o al demonio. ② Perversidad o maldad extrema con que se hace una cosa de modo que parece propia del demonio.

satélite *s. m.* ① Cuerpo celeste sin luz propia que gira alrededor de un planeta: *la Luna es un satélite de la Tierra.* **SIN** luna. ‖ *adj./s. m.* ② Se aplica al estado que está dominado política y económicamente por otro estado más poderoso: *durante la guerra fría, Estados Unidos y la Unión Soviética tenían muchos satélites.* ③ Se aplica a la persona que siempre acompaña a otra y que depende de ella: *el artista vivía rodeado de satélites que buscaban la fama.* ④ Se aplica a la población que tiene independencia administrativa pero que se halla vinculada a una ciudad mayor por algunos intereses: *muchas urbanizaciones de lujo son satélites de la capital.* ‖ *s. m.* ⑤ Vehículo, en ocasiones tripulado, que se coloca en órbita alrededor de un astro, que lleva aparatos apropiados para recoger información y retransmitirla a la Tierra: *algunos satélites se emplean en las comunicaciones.* **NOTA** También *satélite artificial.*

satélite geoestacionario Satélite artificial que gira alrededor de la tierra a una velocidad tal que siempre está sobre el mismo punto de la superficie terrestre: *la velocidad de rotación de un satélite geoestacionario es igual a la de la Tierra.*

satén *s. m.* Tela de seda muy brillante, ligera y suave. **SIN** raso.

FAM satinar.

satinado, -da *adj.* Que tiene un aspecto liso y brillante: *color satinado.*

satinar *v. tr.* Abrillantar y alisar la tela o el papel ejerciendo una presión fuerte sobre ellos.

FAM satinado.

sátira *s. f.* ① Dicho corrosivo y mordaz con el que se critica algo o a alguien. ② Composición poética con intención crítica y mordaz.

FAM satírico, satirizar.

satírico, -ca *adj.* Que critica de forma mordaz o pone en ridículo a una persona o cosa: *publicó un escrito satírico sobre la sociedad de consumo.*

satirizar *v. tr.* Criticar algo o a alguien de forma mordaz o ridiculizando.

sátiro *s. m.* ① Ser mitológico habitante de los bosques, donde persigue a las ninfas, que se representa con pequeños cuernos, el cuerpo cubierto de vello, rabo y las patas de macho cabrío: *los sátiros son semidioses de la mitología griega.* ② Hombre que es lascivo, que tiene excesiva tendencia al deseo sexual.

FAM sátira.

satisfacción *s. f.* ① Sentimiento de bienestar o placer que se tiene cuando se ha colmado un deseo o cubierto una necesidad: *para dar satisfacción a sus padres, procura tener su habitación ordenada.* ② Cosa que satisface, que produce placer: *hablar contigo siempre es una satisfacción.* ③ Razón o acción con que se responde a una queja o a una ofensa. ④ Respuesta acertada a una pregunta, queja o duda. ⑤ Acción de colmar un deseo o satisfacer una necesidad. ⑥ Premio que se da por una acción que lo merece: *hice el trabajo muy bien y me dieron una satisfacción en metálico.*

satisfacer [43] *v. tr.* ① Cubrir una necesidad, conceder un deseo o realizar aspiraciones: *un buen anfitrión debe satisfacer los deseos de sus invitados.* ② Dar respuesta o solución a una cosa: *el ministro satisfizo la curiosidad de los periodistas.* ③ Pagar

o dar lo que se debe: *el seguro satisface las deudas de la empresa en caso de quiebra.* ④ Resultar suficiente o convincente: *no me satisface del todo la excusa que has dado.* ⑤ Deshacer una ofensa: *te he ofendido, pero espero que me permitas satisfacer mi ofensa.* ⑥ Premiar por una acción: *le ayudé en su trabajo y quiso satisfacerme.* ‖ *v. tr./intr.* ⑦ Gustar o agradar a alguien: *me satisface que mis empleados trabajen a gusto.* ‖ *v. tr.* ⑧ Cumplir la pena correspondiente a un delito o falta. ⑨ Cumplir una cosa ciertas condiciones o exigencias. ‖ *v. prnl.* ⑩ **satisfacerse** Contentarse o conformarse con una cosa: *es muy exigente, no se satisface con nada.* ⑪ Vengarse de una ofensa u obligar al causante que la repare.

FAM satisfacción, satisfactorio, satisfecho.

satisfactorio, -ria *adj.* ① Que satisface: *los resultados son muy satisfactorios.* ② Que es agradable o bueno. ③ Que soluciona, repara o recompensa.

FAM insatisfactorio.

satisfecho, -cha ① Participio irregular de *satisfacer.* ‖ *adj.* ② Que siente satisfacción por un comportamiento bueno o una obra bien hecha. **ANT** insatisfecho. ③ Que ha comido y bebido lo suficiente: *no quiero postre, he quedado satisfecho.* ④ Orgulloso de uno mismo.

FAM insatisfecho.

sátrapa *s. m.* ① Gobernador de una provincia en la antigua Persia. ‖ *s. com.* ② despectivo Persona que abusa de su autoridad y poder para conseguir lo que quiere, sin tener en cuenta a los demás.

saturación *s. f.* ① Estado de una cosa que ocupa o usa un espacio por completo o se llena en exceso. ② Estado de saciedad que produce el exceso de una cosa. ③ Disolución de una sustancia en otra hasta su límite de solubilidad: *la saturación de la sal en agua se consigue con 36 gramos por litro.* ④ Exceso de oferta de un producto en el mercado, hasta el punto de no poder venderse: *la saturación del mercado con un producto puede provocar la caída de su precio.*

saturado, -da *adj.* ① Se aplica a cualquier compuesto químico orgánico que tiene los enlaces, generalmente entre átomos de carbono, de tipo sencillo. ② Se aplica a las disoluciones que no pueden aceptar (disolver) más cantidad de soluto.

saturar *v. tr.* ① Llenar, ocupar o usar por completo o en exceso: *los turistas saturaron los hoteles.* ② Satisfacer por completo o en exceso. ③ Combinar o mezclar dos sustancias en las proporciones máximas. ④ Poner un exceso de un producto en el mercado, hasta el punto de no poder venderse.

FAM saturación.

saturnal *adj.* ① Relativo a Saturno (dios de los campesinos en la mitología latina). ‖ *s. f.* ② Fiesta desenfrenada en que los asistentes se entregan, de manera desinhibida, a todo tipo de placeres, especialmente sexuales. **SIN** bacanal, orgía. ‖ *s. pl.* ③ **saturnales** Fiesta que en la antigua Roma se celebraba en honor del dios Saturno; tenía lugar en noviembre y duraba siete días.

sauce *s. m.* Árbol de tronco alto que tiene la corteza gris, las ramas finas y flexibles y las hojas estrechas y largas: *la madera de sauce se usa para hacer papel.* ■ **sauce llorón** Árbol procedente de Asia que tiene ramas largas y delgadas que caen hasta el suelo.

FAM sauceda.

saucedal *s. m.* Lugar poblado de sauces.

saúco *s. m.* Arbusto que tiene la corteza corchosa y agrietada y cuyas flores, blancas o amarillas, son olorosas y grandes.

S

saudí *adj.* ① De Arabia Saudí (país de Asia). ‖ *s. com./adj.* ② Persona que es de Arabia Saudí.

sauna *s. f.* ① Baño de vapor a muy alta temperatura que produce mucho sudor: *una sauna te ayudará a eliminar grasa y toxinas.* ② Local o habitación donde se puede tomar ese baño.

saurio *adj./s. m.* ① Se aplica al reptil que no incuba sus propios huevos, que posee escamas, cola larga, cuatro patas y ojos con párpados móviles, como el lagarto, la lagartija, la iguana, el camaleón y la salamandra. ‖ *s. m. pl.* ② **saurios** Grupo taxonómico, con categoría de suborden, constituido por estos reptiles.

savia *s. f.* ① Líquido que circula por los conductos de las plantas. ■ **savia bruta** Savia constituida por agua y sales minerales disueltas que es transportada por los haces conductores de la planta desde las raíces hasta las hojas. ■ **savia elaborada** Savia constituida por sustancias nutritivas, fabricadas durante la fotosíntesis, y agua que circulan por los vasos conductores de una planta desde las hojas hacia el resto de la planta. ② Energía o elemento que da vida o ánimo: *el nuevo equipo inyectará savia nueva a nuestra empresa.*

saxo *s. m.* Saxofón.

saxofón *s. m.* ① Instrumento musical de viento de la familia del metal, formado por un tubo cónico doblado en forma parecida a una J, con varios pistones que se abren y cierran con los dedos. **SIN** saxo. ‖ *s. com.* ② Persona que toca este instrumento en una orquesta o conjunto musical. **SIN** saxo.

saya *s. f.* ① Falda o enagua propia de los trajes típicos regionales. ② Túnica antigua.

sayal *s. m.* Tejido áspero de lana de mala calidad.

sayo *s. m.* ① Prenda de vestir ancha y sin botones que cubre el cuerpo hasta la rodilla. ② familiar Vestido muy ancho y con poca hechura. ③ Cualquier prenda de vestir.

sazón *s. f.* ① Punto de madurez de una cosa, especialmente de la fruta. ② Ocasión o tiempo oportuno o adecuado. ③ Estado adecuado de la tierra para plantar y cultivar. ④ Gusto y sabor de una comida: *dale vueltas a este guiso hasta que consiga su sazón.*

a la sazón culto En aquel momento, entonces: *a la sazón tenía treinta años cumplidos.*

en sazón De manera oportuna.

FAM sazonar; desazón.

sazonar *v. tr.* ① Echar especias u otras sustancias a una comida para que tenga más sabor o el sabor deseado. **SIN** aderezar, aliñar, condimentar. ② Poner las cosas en su punto de madurez, hacer que se complete su desarrollo.

FAM sazonado.

scherzo [se pronuncia aproximadamente 'esquerzo' o 'esquerso'] *s. m.* Pieza musical a tres voces, con acompañamiento instrumental, de estilo ligero y casi popular, que forma parte de la sinfonía y la sonata.

scooter [también **escúter**; se pronuncia aproximadamente 'escúter'] *s. f.* Motocicleta de pequeña cilindrada con un espacio libre entre el manillar y el asiento y con una plataforma inferior en la que el conductor apoya los pies.

scout [se pronuncia aproximadamente 'escaut'] *adj.* ① Relativo al escultismo (asociación juvenil que pretende la formación del individuo mediante actividades de grupo y el contacto con la naturaleza): *grupos scout.* **NOTA** Plural invariable. ‖ *s. com.* ② Niño o joven que pertenece a esta asociación. **NOTA** Plural: *scouts.*

se¹ *pron.* ① Forma átona de tercera persona del singular y del plural en las construcciones pronominales: *se afeitó la barba; se quieren mucho.* ② Forma átona del pronombre de tercera persona del singular y del plural que indica que una oración es pasiva: *se hacen arreglos; se vende este piso.* ③ Forma átona del pronombre de tercera persona del singular que indica que una oración es impersonal: *aquí se come muy bien.*

OBS Se escribe unido al verbo cuando se pospone a él: *díselo, hágase saber esta noticia.*

se² *pron.* Forma átona del pronombre de tercera persona, en género masculino y femenino y en número singular o plural, que realiza la función de complemento indirecto: *a ellos no se lo he dicho; cómpraselo.*

OBS Siempre va acompañado de un pronombre personal de tercera persona con función de objeto directo; si no, se usa el pronombre *le* o *les.*

sebáceo, -cea *adj.* ① Relativo al sebo: *quiste sebáceo.* ② Se aplica a las glándulas que segregan el sebo.

sebo *s. m.* ① Grasa saturada, sólida y dura, que se saca de los animales herbívoros y a la que se dan distintos usos: *el sebo se utiliza para hacer jabón.* ② Grasa que segregan las personas y los animales para proteger la piel de la desecación: *el sebo es más abundante en las zonas donde crece el pelo.* ③ Grasa que se forma en exceso en las personas y animales.

FAM sebáceo, seborrea, seboso.

seborrea *s. f.* Secreción excesiva de grasa en algunas regiones de la piel.

FAM seborreico.

seboso, -sa *adj.* ① Que tiene sebo. ② familiar Que está sucio.

secadero *s. m.* Lugar destinado a secar natural o artificialmente ciertos productos: *secadero de tabaco.*

secado *s. m.* Operación que consiste en eliminar totalmente el líquido o humedad contenido en una cosa.

secador *s. m./adj.* Aparato o máquina eléctrica que sirve para secar.

secadora *s. f.* Aparato electrodoméstico que sirve para secar la ropa.

secamanos *s. m.* Aparato eléctrico que sirve para secarse las manos mediante un chorro de aire caliente.

OBS Plural invariable.

secano *s. m.* ① Terreno de cultivo que no es necesario regar. **ANT** regadío. ② Montón de arena que no está cubierto por el agua.

secante¹ *adj./s. m.* Que seca o puede secar: *cuando escribo con pluma, seco la tinta con un secante.*

secante² *adj./s. f.* ① Se aplica a la línea o superficie que corta a otra línea o superficie. ‖ *s. f.* ② En trigonometría, razón inversa del coseno.

FAM cosecante.

secar *v. tr.* ① Quitar la humedad, el líquido o las gotas que hay en una superficie o en otra cosa. **ANT** mojar. ② Consumir el jugo: *los higos se secan con el calor.* ③ Cerrar o cicatrizar una herida. ④ *prnl.* **secarse** Quitarse o perderse la humedad de una cosa mediante la evaporación: *cuelga la ropa al sol para que se seque.* ⑤ Perder una planta su aspecto verde y fresco. ⑥ Quedarse sin agua un río, una fuente u otra cosa. ⑦ Hacerse extremadamente delgado una persona o animal.

FAM secadero, secado, secador, secadora, secamanos, secante; desecar, resecar.

S

sección *s. f.* ① Cada una de las partes en que se divide una cosa o un conjunto de personas. ② Cada una de las unidades de trabajo en que se divide una empresa, un establecimiento comercial, un organismo, etc. ③ Figura geométrica que resulta de la intersección de dos superficies: *una sección cónica es una figura plana que se obtiene al cortar un cono doble por un plano.* ④ Figura que resultaría si se cortara un cuerpo por un plano para mostrar su estructura interna: *el arquitecto nos mostró la planta, el alzado y la sección vertical del edificio.* ⑤ Corte o separación que se hace en una materia vegetal o animal con un instrumento afilado. ⑥ Unidad militar compuesta por varios pelotones dirigido por un oficial. **FAM** seccionar; intersección.

seccionar *v. tr.* ① Hacer un corte en un cuerpo geométrico para obtener un plano. ② Cortar una materia vegetal o animal. ③ Cortar una parte del cuerpo de una persona, especialmente en una operación quirúrgica.

secesión *s. f.* ① Separación de una parte del pueblo o del territorio de un país para formar un estado independiente o unirse a otro estado. ② Suspensión de los negocios públicos.

seco, -ca *adj.* ① Que no tiene agua o humedad. ② Que no tiene o no recibe lluvia o que no tiene humedad atmosférica: *el clima en Andalucía es muy seco.* ③ Se aplica al vegetal que no está verde y le falta lozanía o que está muerto: *hojas secas.* ④ Se aplica al terreno que es poco verde porque tiene poca vegetación o su vegetación está muerta. ⑤ Se aplica al fruto que tiene la cáscara dura y no tiene jugo: *las avellanas, almendras y nueces son frutos secos.* ⑥ Se aplica a la fruta que se ha desecado y se conserva sin humedad: *me gustan los higos y los dátiles secos.* ⑦ Se aplica al alimento que no tiene caldo o jugo. **ANT** jugoso. ⑧ Se aplica al alimento que está duro o que no es reciente: *pan seco.* ⑨ Se aplica a la herida curada y cicatrizada. ⑩ *familiar* Se aplica a la persona que está muy delgada. ⑪ Se aplica a la persona o carácter que es brusco y poco cariñoso en el trato. ⑫ Se aplica a la palabra o estilo que es muy escueto, pero muy tajante y categórico: *me respondió con un seco "No".* ⑬ Que es poco ameno. **SIN** árido. ⑭ Se aplica al sonido que es grave o áspero y sin resonancia: *fue al médico porque tenía una tos seca.* ⑮ Se aplica al golpe que es fuerte y rápido, especialmente cuando produce un sonido corto, intenso y sin eco. ⑯ Se aplica a la bebida que tiene un sabor poco dulce: *vino seco.* ⑰ Que es poco fervoroso.
a secas Solamente, sin otra cosa.
dejar seco *familiar* Matar en el acto.
en seco (I) Sin agua. (II) De repente, de forma brusca: *frenó en seco cuando vio la señal de stop.*
quedarse seco *familiar* Morirse en el acto.
FAM secamente, secano, secar, sequedad, sequía.

secoya *s. m.* Secuoya.

secreción *s. f.* ① Expulsión de una sustancia elaborada por una glándula. **SIN** segregación. ② Sustancia elaborada y expulsada por una glándula. **FAM** secretar.

secreta *s. f.* ① Policía cuyos miembros no van uniformados para pasar inadvertidos y poder realizar misiones muy delicadas. **NOTA** También *policía secreta.* ‖ *s. com.* ② Agente de la policía secreta.

secretar *v. tr.* Elaborar y expulsar una glándula una sustancia que el organismo utiliza con un fin determinado: *algunas glándulas secretan hormonas.* **SIN** segregar. **FAM** secretor.

secretaría *s. f.* ① Oficina donde trabaja un secretario. ② Conjunto de empleados que trabajan en esta oficina: *hoy la secretaría hace huelga.* ③ Destino o cargo de secretario. ④ Cargo del máximo dirigente de un partido político o de un sindicato: *ha decidido abandonar la secretaría general del partido.* ⑤ En algunos estados, cargo de ministro: *ocupa la secretaría de Agricultura.* ■ **secretaría de estado** Cargo intermedio entre el de ministro y el de subsecretario. ⑥ Organismo del Antiguo Régimen que se encargaba de la organización administrativa y ejecutiva de los asuntos de gobierno.

secretariado *s. m.* ① Conjunto de estudios que capacitan para ejercer el puesto de secretario: *estudió secretariado en una academia.* ② Secretaría, cargo de un secretario u oficina en la que trabaja. ③ Conjunto de personas que desempeñan la función de secretario.

secretario, -ria *s. m. y f.* ① Persona que está empleada en una oficina o asociación para escribir la correspondencia, ordenar y guardar los documentos, tramitar asuntos y realizar otros trabajos administrativos. ② Persona que está al servicio de otra persona para redactarle la correspondencia, ordenar y guardar los documentos y para realizar otros trabajos administrativos. ③ Dirigente de un grupo, un partido político o un sindicato. ④ Persona que está al frente de una secretaría o de un despacho ministerial. ■ **primer secretario de estado** Ministro del estado. ■ **secretario de estado** En España, persona que ocupa un cargo intermedio entre el de ministro y el de subsecretario. ‖ *s. m.* ⑤ Persona que en la Edad Moderna tenía la confianza del soberano o rey y le ayudaba en el despacho o solución de los asuntos de estado. **FAM** secretaría, secretariado; subsecretario, vicesecretario.

secreter *s. m.* Mueble que está formado por un tablero para escribir y muchos cajones pequeños y departamentos para guardar papeles.

secreto, -ta *adj.* ① Que está oculto o que no se conoce. ② Que no se dice a todo el mundo, solamente reservado a unos cuantos: *su edad es secreta.* ‖ *s. m.* ③ Conocimiento que exclusivamente tiene alguien de una cosa: *confiar un secreto.* ■ **secreto a voces** Secreto que se ha hecho público o que conoce mucha gente: *su próxima boda es un secreto a voces.* ■ **secreto de estado** Información cuya divulgación, perjudicial para los intereses del Estado, es sancionada. ④ Reserva o discreción sobre una cosa que se sabe. ■ **secreto de confesión** Compromiso que tiene un sacerdote de no desvelar una información de la que ha tenido noticia durante la confesión. ■ **secreto profesional** Obligación de no divulgar hechos confidenciales que se han conocido a partir del ejercicio de la profesión. ⑤ Cosa que no se puede entender: *para los profanos en la materia, la informática sigue siendo un secreto.*
en secreto Sin desvelar o hacer pública una cosa.
FAM secretear, secretista.

secretor, -ra *adj.* Se aplica a la glándula u órgano que tiene la función de elaborar y expulsar una sustancia: *la vejiga forma parte del aparato secretor de la orina.*

secta *s. f.* ① Grupo de personas, generalmente dirigidos por un líder, que son seguidores de una doctrina religiosa que se separa de la considerada ortodoxa: *la Inquisición perseguía a las sectas heréticas.* ② Grupo de personas que viven en comunidad bajo la dirección de un líder religioso o una cúpula directiva que en realidad esconde fines lucrativos. **FAM** sectario, sectarismo.

sectario, -ria *adj./s. m. y f.* ① Se aplica a la persona que defiende y sigue con fanatismo una idea o doctrina, sin admitir crítica alguna sobre la misma. **2** Se aplica a la persona que pertenece a una secta.

sectarismo *s. m.* Fanatismo y dogmatismo con que se defiende una idea o una doctrina.

sector *s. m.* **1** Parte de una clase o grupo que presenta caracteres particulares. **2** Distrito de una ciudad o departamento de una empresa: *vivo en el sector oeste.* **3** Ámbito en el que se desarrolla una actividad económica: *el sector de la construcción está en crisis.* ■ **sector primario** Sector que comprende las actividades que suponen una explotación de los recursos naturales, principalmente la agricultura, la ganadería y la pesca. ■ **sector secundario** Sector que comprende las actividades que transforman los productos del sector primario en otros más elaborados, es decir, la industria y la construcción. ■ **sector terciario** Sector que comprende las actividades de servicios, es decir, que no producen bienes directamente sino que distribuyen o facilitan el consumo de los bienes producidos por los sectores primario y secundario (el comercio, las comunicaciones, la administración, los espectáculos, el turismo, la sanidad, la educación, etc.). **4** División de la actividad económica de un país en función de la propiedad de las empresas: *sector privado; sector público.* **5** Porción de un círculo comprendida entre dos radios y el arco que los une. **NOTA** También *sector circular.* ■ **sector esférico** En geometría, cuerpo que se forma por el giro de un arco sobre uno de los radios que lo limitan.
FAM sectorial; bisector.

sectorial *adj.* Relativo al sector (distintas partes de un grupo de personas): *estudio sectorial.*

secuaz *adj./s. com.* despectivo Se aplica a la persona que sigue las ideas, opiniones y tendencias de otra.

secuela *s. f.* Consecuencia o resultado de un hecho, generalmente de carácter negativo: *las secuelas de un accidente.*

secuencia *s. f.* **1** Sucesión ordenada de cosas que guardan alguna relación entre sí: *al conocer la secuencia de los hechos, la policía descubrió al asesino.* **2** En cinematografía, sucesión de imágenes o escenas que forman una unidad. **3** Orden que siguen las palabras en la frase: *la secuencia normal en español es la siguiente: sujeto, verbo, complementos (directo, indirecto y circunstancial).*
FAM secuencial, secuenciar.

secuenciado, -da *adj.* Ordenado de manera que forma una secuencia: *la danza es la sucesión de movimientos secuenciados y enlazados entre sí.*

secuestrador, -ra *s. m. y f.* Persona que retiene a otra contra su voluntad con el fin de exigir un rescate o el cumplimiento de determinadas condiciones. **SIN** raptor.

secuestrar *v. tr.* **1** Retener a una persona contra su voluntad y de modo ilegal con el fin de exigir dinero o el cumplimiento de determinadas condiciones para su rescate. **SIN** raptar. **2** Apoderarse del control de un vehículo por las armas o con violencia con el fin de exigir dinero o el cumplimiento de ciertas condiciones. **3** Embargar o retirar una cosa o un bien por orden judicial. **4** Depositar judicialmente un objeto en manos de un tercero hasta que se decida a quién pertenece.
FAM secuestrador.

secuestro *s. m.* **1** Retención ilegal de una persona contra su voluntad con el fin de exigir dinero o el cumplimiento de determinadas condiciones para su rescate. **SIN** rapto. ■ **se-**

cuestro aéreo Control de la dirección de un avión por las armas y mediante amenazas. **2** Conjunto de personas secuestradas. **3** Embargo de una cosa o de un bien por orden judicial.
FAM secuestrar.

sécula Se usa en la expresión latina:
in sécula seculorum o **per sécula seculórum** culto Significa 'por los siglos de los siglos' y se utiliza para poner énfasis en la larga duración de una cosa.

secular *adj.* **1** Que dura un siglo o más: *tradición secular.* **2** Que ocurre o se repite cada siglo. **|** *adj./s. m.* **3** Se aplica al sacerdote o religioso que no vive sujeto a una regla monástica en un convento o monasterio, sino que depende de un obispo y vive integrado en el mundo laico. **|** *adj.* **4** Que no está relacionado con la religión: *las monjas actualmente llevan vestimenta secular.* **SIN** seglar.
FAM secularizar; multisecular.

secularización *s. f.* **1** Desaparición de los signos, valores o comportamientos que se consideran propios de una confesión religiosa: *la reforma de la universidad española exigía la secularización de los profesores.* **2** Transformación de algo que pertenecía al estamento eclesiástico en una realidad secular, no relacionada con ninguna confesión religiosa; especialmente, la incautación por parte del Estado de bienes eclesiásticos.

secularizar *v. tr.* **1** Hacer secular lo que era eclesiástico; especialmente, incautarse el Estado de los bienes de la Iglesia. **2** Autorizar a un religioso a vivir fuera del convento, o dispensarlo del cumplimiento de las reglas de la orden a la que pertenece. **|** *v. prnl.* **3** **secularizarse** Hacerse seglar un eclesiástico tras la obtención de un permiso.
FAM secularización.

secundar *v. tr.* Ayudar, favorecer o apoyar una cosa o a una persona: *este sindicato no ha secundado la huelga.*
FAM secundario.

secundario, -ria *adj.* **1** Que es menos importante que otra cosa que es la principal. **SIN** accesorio. **2** Que deriva de una cosa o que depende de lo principal: *aspectos secundarios; efectos secundarios.* **3** Que es el segundo en orden o importancia. **|** *adj./s. f.* **4** Se aplica a la enseñanza o educación que sigue a la primaria y se caracteriza por proporcionar estudios con un grado más alto de especialización: *instituto de secundaria.* **|** *adj./s. m.* **5** Se aplica a la era geológica que sigue a la era primaria o paleozoica y precede a la era terciaria; se extiende desde hace unos 245 millones de años hasta hace unos 65 millones de años. **SIN** mesozoico. **|** *adj.* **6** Relativo a esta era geológica. **SIN** mesozoico.
FAM secundariamente.

secuoya *s. m.* Árbol de tronco recto y grueso que puede sobrepasar los 100 m de altura; crece en terrenos frescos y húmedos en bosques de América del Norte y vive muchos años. **SIN** secoya.

sed *s. f.* **1** Necesidad o deseo de beber. **2** Necesidad de agua o de humedad que tienen los campos o las plantas. **3** Deseo o necesidad muy fuerte de una cosa: *el pueblo tiene sed de justicia.*
FAM sediento.

seda *s. f.* **1** Hilo flexible que segregan ciertas larvas y con el que forman el capullo. **2** Hilo fino, suave y brillante formado por varias de estas hebras. **3** Tela hecha con esos hilos. **4** Filamento parecido a un pelo que poseen en la pared corporal algunos animales, como los anélidos. **SIN** queta.

S

como una (o la) seda (I) Con mucha facilidad, sin ninguna dificultad u obstáculo. **(II)** Dócil y amable con una persona: *desde que sabe que me tocó la lotería, está como una seda conmigo.* **FAM** sedeño, sedero, sedoso.

sedal *s. m.* Hilo o cuerda fina de la caña de pescar del que pende el anzuelo.

sedante *adj.* ⬚1 Que calma o tranquiliza: *esta música clásica es sedante.* ‖ *s. m./adj.* ⬚2 Medicamento que calma los dolores o disminuye la excitación nerviosa. **SIN** calmante.

sedar *v. tr.* ⬚1 Disminuir o hacer desaparecer la excitación nerviosa: *estaba nervioso y un baño caliente lo sedó.* **SIN** calmar. **ANT** excitar. ⬚2 Dar un medicamento que calma los dolores o disminuye la excitación nerviosa. **FAM** sedante.

sede *s. f.* Lugar donde se encuentra la dirección o el domicilio de un grupo, una sociedad, una empresa o una actividad: *la sede de la Unión Europea está en Bruselas.* ▪ **la Santa Sede** **(I)** El Vaticano, lugar donde reside el Papa. **(II)** Poder o autoridad del Papa.

sedentario, -ria *adj.* ⬚1 Se aplica a la persona o animal que se establece a vivir permanentemente en un sitio. ⬚2 Se aplica a la costumbre o al modo de vida que conlleva poco movimiento. **FAM** sedentarismo.

sedentarismo *s. f.* Forma social de vida de una comunidad humana que se establece de forma estable en un lugar concreto. **ANT** nomadismo.

sedición *s. f.* ⬚1 Acción violenta y colectiva llevada a cabo mediante el boicot, la propaganda u otro medio destinada a levantar al pueblo contra el poder establecido, el orden público o la disciplina militar; es menos grave que la rebelión y suele implicar premeditación e intrigas. **SIN** sublevación. ⬚2 culto Sublevación de las pasiones. **FAM** sedicioso.

sediento, -ta *adj./s. m. y f.* ⬚1 Se aplica a la persona que tiene necesidad o deseo de beber. ⬚2 Se aplica al campo, tierra o planta que necesita humedad o riego: *las rosas están sedientas.* ⬚3 Que necesita o desea una cosa con mucha fuerza: *sediento de afecto.*

sedimentación *s. f.* ⬚1 Formación de sedimento en el fondo de un líquido: *en la desembocadura de los ríos se produce la sedimentación de los materiales arrastrados por el agua.* ⬚2 Proceso de acumulación de material orgánico, detrítico o químico, en un medio lacustre, continental o marino: *la sedimentación eólica consiste en la acumulación de partículas arrastradas por el viento; la sedimentación marina se produce en las cuencas de los mares.*

sedimentar *v. tr.* ⬚1 Depositar sedimento un líquido. ‖ *v. prnl.* ⬚2 **sedimentarse** Constituirse sedimento las partículas suspendidas en un líquido. ⬚3 Estabilizarse o sosegarse algo. **FAM** sedimentación.

sedimentario, -ria *adj.* ⬚1 Relativo al sedimento (materia que después de flotar en un líquido cae al fondo por la fuerza de la gravedad). ⬚2 Se aplica al mineral o roca que se ha formado por un proceso de sedimentación: *las rocas sedimentarias se forman por compactación de las materias en suspensión.*

sedimento *s. m.* ⬚1 Materia sólida que después de haber estado flotando en un líquido se queda en el fondo del recipiente. **SIN** asiento, poso. ⬚2 Material sólido en forma de partículas, granos o pequeños bloques, depositado sin consoli-

dar tras un proceso de arranque, suspensión y transporte, ocasionado por agentes erosivos, como el agua, el hielo y el viento: *sedimento fluvial.* ⬚3 Señal o rastro, principalmente emocional, que deja un hecho. ⬚4 Conjunto de conocimientos o sentimientos que quedan depositados en el carácter de una persona con el paso del tiempo. **FAM** sedimentar, sedimentario.

sedoso, -sa *adj.* Que tiene parecido con la seda o una característica que se considera propia de esta, como la suavidad o el brillo: *tenía el cabello rubio y sedoso.*

seducción *s. f.* Fascinación o atracción que ejerce una persona sobre otra.

seducir [18] *v. tr.* ⬚1 Cautivar o atraer la voluntad de una persona: *con su discurso sedujo al auditorio.* ⬚2 Conseguir tener relaciones sexuales con una persona. ⬚3 Gustar mucho, atraer una cosa a una persona. ⬚4 Persuadir a alguien con engaños o promesas para hacer un mal. **FAM** seducción, seductor.

seductor, -ra *adj./s. m. y f.* ⬚1 Que seduce. ⬚2 Se aplica a la persona que cautiva o atrae la voluntad, especialmente en el terreno amoroso. ⬚3 Se aplica a la persona que es capaz de despertar admiración.

sefardí *adj.* ⬚1 Relativo a la comunidad de judíos españoles antes de ser expulsados en 1492 y a los descendientes que, esparcidos por Europa y, en especial, por el área del Mediterráneo oriental, han mantenido la lengua y las costumbres judeoespañolas del siglo XV. **SIN** judeoespañol, sefardita. ‖ *s. com./adj.* ⬚2 Persona perteneciente a esta comunidad o descendiente de ella. **SIN** judeoespañol, sefardita. **OBS** Plural: *sefardíes.*

sefardita V. sefardí.

segador, -ra *adj.* ⬚1 Que corta hierba o cereal: *compró una máquina segadora para la alfalfa.* ‖ *s. m. y f.* ⬚2 Persona que trabaja cortando hierba o cereal. ‖ *s. m.* ⬚3 Araña pequeña de patas muy largas, con el cuerpo redondeado y el vientre comprimido. **FAM** segadora.

segadora *s. f.* Máquina que sirve para cortar hierba o cereal: *antes se segaba con la hoz o la guadaña, y ahora se hace con la segadora.*

segar [1] *v. tr.* ⬚1 Cortar la hierba o una planta con una herramienta o una máquina adecuada. ⬚2 Cortar de un golpe, especialmente lo que está más alto y sobresale: *el guerrero le segó la cabeza con la espada.* ⬚3 Impedir o interrumpir violentamente el desarrollo de una cosa o un proceso: *la guerra segó cientos de vidas humanas.* **FAM** segador, siega.

seglar *adj.* ⬚1 Que no está relacionado con la religión: *el hermano mayor se hizo monje y el pequeño eligió un oficio seglar.* **SIN** secular. ‖ *adj./s. com.* ⬚2 Se aplica a la persona que no es sacerdote ni pertenece a una orden religiosa. **SIN** laico.

segmentar *v. tr.* Dividir en trozos o partes. **FAM** segmentación, segmentado.

segmento *s. m.* ⬚1 Trozo o parte cortada de una cosa. ⬚2 Parte de una clase o grupo que presenta caracteres particulares. **SIN** sector. ⬚3 Parte del cuerpo de ciertos insectos o crustáceos que es igual a otras con las que está dispuesta en línea y con las que se articula: *el ciempiés tiene dos patas en cada segmento.* ⬚4 Parte de una recta comprendida entre dos puntos. ▪ **segmento circular** Parte del círculo compren-

dida entre un arco y su cuerda. ■ **segmento esférico** Porción de esfera comprendida entre dos planos paralelos que la cortan.
FAM segmentar.

segoviano, -na *adj.* ❶ De Segovia (ciudad y provincia de Castilla y León). ❙ *s. m. y f./adj.* ❷ Persona que es de Segovia.

segregación *s. f.* ❶ Expulsión de una sustancia elaborada por una glándula. **SIN** secreción. ❷ Actitud discriminatoria y racista de una comunidad que consiste en separar y excluir de la sociedad a un grupo de personas que pertenecen a una etnia o religión diferente que consideran inferior: *la segregación racial es un problema humano y político importante.* ❸ Separación de una cosa de otra de la que forma parte.
FAM segregacionismo.

segregacionismo *s. m.* Doctrina que propugna la separación de un grupo de personas por su raza, religión o cultura.
FAM segregacionista.

segregar *v. tr.* ❶ Elaborar y expulsar una glándula una sustancia que el organismo utiliza con un fin determinado. ❷ Separar una cosa de otra de la que forma parte. ❸ Separar y excluir de la sociedad a un grupo de personas de otra etnia o religión por motivos discriminatorios y racistas.
FAM segregación.

segueta *s. f.* Sierra pequeña y muy fina que se usa para cortar maderas delgadas: *las seguetas se emplean en trabajos de marquetería.*

seguida *s. f.* Acción que se hace cuando se sigue algo o a alguien.
en seguida Enseguida.

seguidilla *s. f.* ❶ Estrofa popular de cuatro versos de 5 y 7 sílabas que se combinan según el esquema 7a 5b 7c 5b. ❷ Canción y baile folclóricos basados en esta composición.

seguido, -da *adj.* ❶ Que sigue a otra cosa o está inmediatamente a continuación de ella en el tiempo o en el espacio: *una negra seguida de dos semicorcheas.* ❷ Que no está interrumpido en el tiempo: *trabaja cinco o seis horas seguidas.* ❸ Que está dispuesto en línea recta, uno al lado del otro. ❙ *adv.* ❹ Sin cambiar de dirección. ❺ A continuación, inmediatamente.
FAM seguidamente.

seguidor, -ra *s. m.* ❶ Dispositivo o aparato que permite localizar y seguir una señal eléctrica o luminosa: *seguidor solar; seguidor de voltaje.* ❙ *adj./s. m. y f.* ❷ Se aplica a la persona que sigue a una persona o cosa de la cual es partidario: *es un seguidor de Karl Marx.*

seguimiento *s. m.* ❶ Acción de seguir a una persona para vigilar sus movimientos o para detenerla: *la policía le hizo un seguimiento al principal sospechoso.* ❷ Observación minuciosa de la evolución y el desarrollo de un proceso.

seguir [10] *v. tr.* ❶ Ir después o detrás de una persona o cosa: *el jueves sigue al miércoles.* ❷ Perseguir algo o a alguien allá donde vaya: *siga a ese coche.* ❸ Mantener la vista sobre un objeto o persona que se mueve: *seguí el barco con la vista hasta que se perdió en el horizonte.* ❹ Observar el desarrollo o la evolución de un hecho: *mi abuela sigue la telenovela cada día.* ❺ Actuar según la opinión de otra persona: *sería bueno que siguieras sus consejos.* ❻ Cursar una carrera o unos estudios: *sigue los cursos de doctorado en la universidad.* ❼ Profesar o ejercer una doctrina, creencia, ciencia o arte: *este artista sigue el estilo impresionista.* ❙ *v. tr./intr.* ❽ Ir por un camino o dirección: *sigue las flechas amarillas.* ❾ Continuar un proceso o una si-

tuación: *él empieza el trabajo y tú lo sigues y lo terminas.* ❙ *v. intr.* ❿ Continuar con una situación: *sigo viviendo en el mismo sitio.* ❙ *v. prnl.* ⓫ **seguirse** Sacar una conclusión a partir de una cosa: *de lo expuesto se sigue que hay que renunciar a esta empresa.*
FAM seguido, seguidor, seguimiento.

según *prep.* ❶ Expresa el origen de cierto conocimiento o de cierta opinión o quién tiene esa opinión: *según él, aquella casa es demasiado cara.* ❷ Expresa conformidad entre una cosa y el sustantivo al cual precede: *todo salió según lo previsto.* ❙ *adv.* ❸ Indica que una cosa depende de lo que viene a continuación: *iremos a la fiesta, según qué día sea.* ❹ Indica que lo que se hará o se decidirá con respecto a algo de lo que se habla dependerá de las circunstancias y que en el momento de hablar no se está seguro: *—¿Te irás o no? —Según.* ❺ Indica que las acciones van progresando simultáneamente: *según iban entrando los invitados, el mayordomo los iba anunciando.* ❻ Introduce una frase que expresa el modo en que sucede una cosa: *según me lo dijo, pensé que estaba muy enfadado.* ❼ Indica que una cosa se hace de la misma manera que otra: *el padre decidió recompensar al hijo menor, según había hecho con el mayor.*
según como (**I**) Expresa dependencia de alguna condición: *me presentaré según como esté el lunes.* (**II**) Indica que una cosa se hace o se dice de la misma manera que otra: *se lo diré según como tú me lo dices.*
según cómo o **según y cómo** Dependiendo de cómo se mire: *según cómo, la casa no me parece tan grande.*
según que Indica que una cosa depende de lo que viene a continuación: *llevaré a los niños al parque, según que llueva o no.*
según y conforme Indica que una cosa depende de: *se irán colocando según y conforme vayan llegando.*

segunda *s. f.* Intervalo de la escala musical entre una nota y la inmediatamente superior o inferior a esta: *entre do y re hay una segunda mayor.*
con segundas Con doble intención: *decir algo con segundas.*

segundero *s. m.* ❶ Aguja del reloj que señala los segundos. ❙ *adj.* ❷ Se aplica al segundo fruto que dan ciertas plantas dentro del año.

segundo, -da *num. ord.* ❶ Que ocupa el lugar número 2 en una serie ordenada. ❙ *s. m. y f.* ❷ Persona que sigue a la principal en una jerarquía. ❙ *s. m.* ❸ Unidad de tiempo en el Sistema Internacional que equivale a una de las sesenta partes en que se divide un minuto; su símbolo es *s.* ❹ Parte que resulta de dividir el minuto de una circunferencia en 60 partes iguales: *un segundo es cada una de las 3 600 partes en que se divide un grado.* ❺ familiar Periodo de tiempo muy breve: *voy a preparar café, pero vuelvo en un segundo.*
FAM segundero, segundón; microsegundo.

segundón, -dona *s. m. y f.* ❶ Segundo hijo de una familia. ❷ Hijo no primogénito de una familia. ❸ Persona que ocupa un puesto que no es principal y que suele depender de otra persona.

seguramente *adv.* ❶ De manera bastante probable: *no ha venido a trabajar, así que seguramente está enfermo.* ❷ Con seguridad, de forma segura. **SIN** seguro.

seguridad *s. f.* ❶ Ausencia de peligro o daño. ❷ Confianza en una cosa. **ANT** inseguridad. ❸ Certeza o conocimiento de una cosa: *no tengo la seguridad de que acudan todos a la reunión.* **ANT** inseguridad. ❹ Garantía que se da sobre el cumplimiento de un acuerdo: *me ha dado seguridades de que cumplirá su palabra.*

S

seguro, -ra *adj.* ① Que está libre de peligro o daño: *el sótano es el lugar más seguro de toda la casa.* **ANT** inseguro, peligroso. ② Que es cierto y no admite duda. ③ Se aplica a la persona que confía en algo o que no tiene ninguna duda acerca de algo: *estoy seguro de que no va a defraudarnos.* ④ Que no es probable que falle o funcione mal: *los frenos del coche son muy seguros.* ❙ *s. m.* ⑤ Contrato por el cual una compañía se compromete a pagar una cantidad de dinero en caso de que se produzca una muerte, un daño o una pérdida, a cambio del pago de una cuota. ⑥ Mecanismo que impide que un objeto se abra o que una máquina funcione cuando uno no quiere. ⑦ Muelle, que en algunas armas de fuego, impide que se dispare. ⑧ Certeza o seguridad de una cosa: *siempre busca lo seguro.* ⑨ Lugar sin peligro. ⑩ Documento extendido por una autoridad en el que figura un permiso para poder viajar por un lugar determinado sin ser detenido. **SIN** salvoconducto. ❙ *adv.* ⑪ Con toda certeza, sin ninguna duda: *seguro que prefiere la camisa azul.*

sobre seguro Sin exponerse a ningún peligro: *yo prefiero invertir mi dinero sobre seguro.*

FAM seguramente, seguridad; asegurar, inseguro.

seis *num. card.* ① Cinco más uno. ❙ *num. ord.* ② Que ocupa el lugar número 6 en una serie ordenada. **SIN** sexto. ❙ *s. m.* ③ Número 6. **NOTA** Plural: *seises.*

FAM seisavo.

seiscientos, -tas *num. card.* ① Quinientos más cien. ❙ *num. ord.* ② Que ocupa el lugar número 600 en una serie ordenada. **SIN** sexcentésimo. ❙ *s. m.* ③ Número 600.

seísmo *s. m.* Movimiento violento de la superficie de la Tierra producido por fuerzas que actúan en su interior. **SIN** sismo, terremoto.

selacio *adj./s. m.* ① Se aplica al pez de esqueleto cartilaginoso, cuerpo en forma de huso, boca casi semicircular, y con las dos partes de la cola de estructura distinta, una de las cuales contiene el extremo de la columna vertebral, como el tiburón o la raya. ❙ *s. m. pl.* ② **selacios** Grupo taxonómico, con categoría de subclase, constituido por estos peces.

selección *s. f.* ① Elección de una persona o cosa entre otras. ■ **selección artificial** Selección que realiza el ser humano sobre los seres vivos a base de favorecer la reproducción de aquellos individuos que presentan caracteres de interés. ■ **selección natural** Proceso mediante el cual la variabilidad genética de una población de seres vivos varía en el tiempo, y que se debe a un mayor éxito reproductivo de algunos individuos, que están mejor adaptados para sobrevivir y reproducirse en su ambiente: *la teoría de la selección natural fue enunciada por Charles Darwin.* ② Conjunto de cosas escogidas: *aquí tenemos la selección de las prendas que vamos a llevar en el muestrario.* ③ Conjunto de deportistas elegidos para participar en una competición, especialmente en representación de un país.

FAM seleccionar; preselección.

seleccionador, -ra *adj.* ① Que selecciona. ❙ *s. m. y f.* ② Persona encargada de elegir y preparar a los jugadores que forman un equipo en una competición deportiva, especialmente cuando ese equipo representa a un país o región.

seleccionar *v. tr.* Elegir a una persona o cosa de un conjunto por una razón determinada.

FAM seleccionador.

selectividad *s. f.* ① Cualidad de selectivo. ② Conjunto de pruebas que se hacen en España para determinar qué estudiantes pueden acceder a la universidad y los estudios que en ella pueden realizar.

selectivo, -va *adj.* ① Que hace o exige una selección. ❙ *adj./s. m.* ② Se aplica al curso que es el primero o el previo en ciertas carreras universitarias. ❙ *adj.* ③ Se aplica al radiorreceptor capaz de seleccionar una onda determinada. ④ Se aplica al sistema de control para reducir y seleccionar el número de personas que aspiran a un puesto o título cuando superan en número al de puestos existentes.

FAM selectividad.

selecto, -ta *adj.* ① Que es o se considera el mejor entre otras cosas de su especie y por ello ha sido elegido. **SIN** escogido. ② Que es exquisito, destinado a personas entendidas o con gusto refinado capaces de apreciar lo bueno: *música selecta.* ③ Se aplica a la persona que destaca por su forma de comportarse con educación y con maneras agradables y finas. **SIN** distinguido.

FAM selectivo, selector.

selector, -ra *adj.* ① Que selecciona. ❙ *adj./s. m.* ② Se aplica al dispositivo que en un aparato o una máquina sirve para escoger una operación entre varias o para regular una función: *selector de velocidades.* ❙ *s. m.* ③ Pieza de un aparato telefónico que permite establecer la comunicación con otro aparato.

selenio *s. m.* Elemento químico de símbolo *Se* y número atómico 34; es un sólido no metal de color gris brillante que se emplea en la fabricación de células solares y para decolorar el vidrio.

selenita *adj.* ① Relativo a la Luna. ❙ *s. com.* ② Habitante de la Luna. ❙ *s. f.* ③ Yeso que ha cristalizado en láminas brillantes: *la selenita es incolora y transparente.*

self-service *s. m.* Autoservicio, establecimiento en que el cliente elige lo que quiere comprar o consumir.

sellar *v. tr.* ① Imprimir o poner un sello: *sellar un impreso.* ② Marcar a alguien: *su dura infancia la ha sellado para toda la vida.* ③ Cerrar, tapar o cubrir: *sellar una puerta.* ④ Concluir o poner fin: *sellaron el compromiso con una firma.*

sello *s. m.* ① Papel de pequeño tamaño emitido por el gobierno y con valor oficial que se pega a las cartas y paquetes para enviarlos por correo o que se usa para dar validez a ciertos documentos. ② Instrumento que sirve para estampar figuras y signos: *con el sello estampó la palabra "urgente" en el sobre.* ③ Conjunto de figuras y signos que queda impreso con ese instrumento. ④ Disco de lacre, cera o metal que lleva un dibujo impreso con ese instrumento y que cuelga de ciertos documentos de importancia. ⑤ Sortija que lleva grabadas las iniciales de una persona, un escudo de armas, etc. ⑥ Conjunto de características diferentes o particulares de una persona o cosa que revelan su origen o procedencia: *sus obras tienen un sello personal.* **SIN** cuño. ⑦ Marca comercial: *sello discográfico.*

FAM sellar.

seltz *s. m.* Bebida gaseosa transparente y sin alcohol, hecha con agua y ácido carbónico. **SIN** soda.

OBS También *agua de Seltz.*

selva *s. f.* Ecosistema sin cultivar, muy poblado de árboles y con un sotobosque impenetrable que es característico de la zona ecuatorial amazónica y de los bosques de la zona intertropical: *selva amazónica.*

FAM selvático.

selvático, -ca *adj.* Relativo a la selva.

selyúcida *adj.* ① Relativo a una antigua dinastía turca que gobernó las regiones musulmanas de Oriente Próximo en los siglos XI y XII. ‖ *s. com./adj.* ② Persona perteneciente a esta dinastía: *los selyúcidas conquistaron los actuales Irán e Irak.*

sema *s. m.* Rasgo semántico distintivo que diferencia una palabra de otra en un determinado campo semántico: *los semas distintivos de "tibio" son "más caliente que frío", "menos caliente que templado".*

semáforo *s. m.* ① Dispositivo de señalización luminoso para la regulación del tráfico en las vías públicas; consta generalmente de tres luces dispuestas una encima de otra: la luz roja indica prohibición de pasar, la amarilla indica la inminencia de la prohibición de paso y la verde, que se puede pasar. ② Dispositivo de señalización óptica que se utiliza para comunicarse con los barcos, los trenes y otros medios de transporte.

semana *s. f.* ① Periodo de siete días, desde el lunes hasta el domingo: *el curso empieza la próxima semana.* ② Periodo de siete días consecutivos: *la competición dura tres semanas.* ■ **Semana Santa** Semana anterior al Domingo de Resurrección que la Iglesia dedica a recordar la pasión y muerte de Jesucristo. ③ familiar Periodo de lunes a viernes, por contraposición al fin de semana.

entre semana En cualquier día de la semana entre el lunes y el viernes.

FAM semanal, semanario.

semanal *adj.* ① Que se repite cada semana: *revista semanal.* ② Que dura una semana: *un cursillo semanal.*

FAM bisemanal.

semanario *s. m.* ① Periódico o publicación que aparece cada semana. ② Conjunto de siete cosas relacionadas o unidas entre sí, especialmente una pulsera o anillo. ‖ *adj.* ③ Semanal.

semántica *s. f.* Parte de la lingüística que estudia el significado de las palabras y de sus cambios y evolución en el tiempo.

FAM semántico.

semántico, -ca *adj.* ① Relativo al significado de las palabras o de las oraciones: *en el diccionario se reflejan los distintos valores semánticos de cada palabra.* ② Relativo a la semántica.

FAM semántica.

semblante *s. m.* ① Cara de una persona. ② Expresión que tiene la cara de una persona y que revela su estado físico y anímico: *semblante triste.* ③ Aspecto que tiene una cosa y que permite formar una opinión sobre ella.

FAM semblanza.

semblanza *s. f.* Descripción física o moral de una persona, generalmente acompañada de una breve historia de su vida.

sembrado, -da *s. m.* Tierra en la que se han puesto semillas.

sembrador, -ra *adj./s. m. y f.* Se aplica a la persona o máquina que siembra.

sembrar [1] *v. tr.* ① Esparcir semillas en un terreno preparado para que germinen y den plantas o frutos. ② Llenar o cubrir un lugar con determinadas cosas, especialmente sin orden y como adorno: *sembró el camino con pétalos de flores.* ③ Motivar una opinión o causar una sensación con palabras o acciones: *sus mentiras sembraron el desprecio entre sus compañeros.* ④ Propagar una noticia. ⑤ Prepara algunas cosas para obtener frutos más adelante: *sembrar simpatía.*

FAM sembradera, sembradío, sembrado, sembrador, siembra.

semejante *adj.* ① Que es parecido o casi igual que otra persona u otra cosa: *mi hermano y yo tenemos un carácter semejante.* ② despectivo Indica ponderación y equivale a *tal* cuando no aparece el término de la comparación: *no es lícito valerse de semejantes medios.* ③ Se aplica a la figura geométrica que tiene exactamente la misma forma que otra, pero es de diferente tamaño. ‖ *s. m.* ④ Persona cualquiera con respecto a otra: *tenemos que ayudar a nuestros semejantes.* **NOTA** Más en plural.

FAM semejanza.

semejanza *s. f.* Conjunto de características que hace que dos o más cosas o personas sean parecidas. **SIN** parecido. **ANT** desemejanza.

semejar *v. tr.* Ser parecida una persona o cosa a otra de la que muestra características o cualidades similares: *ese árbol semeja un gigante.*

FAM semejante; asemejar, desemejar.

semen *s. m.* Líquido espeso y blanquecino producido por los órganos de reproducción masculinos, que contiene los espermatozoides. **SIN** esperma.

FAM semental, seminal, seminífero; inseminar.

semental *adj./s. m.* ① Se aplica al animal macho que se destina a la reproducción: *caballo semental.* ② familiar Hombre de gran potencia sexual. ‖ *adj.* ③ Relativo a la siembra.

sementera *s. f.* ① Terreno sembrado. ② Tiempo bueno para sembrar. ③ Semilla sembrada. ④ Origen o causa de algunas cosas, especialmente si son desagradables. **SIN** semillero.

semestral *adj.* ① Que ocurre o se realiza cada seis meses. ② Que dura seis meses.

semestre *s. m.* Periodo de tiempo de seis meses.

FAM semestral.

semiabierto -ta *adj.* Que está medio abierto.

semicerrado, -da *adj.* Que está medio cerrado.

semicircular *adj.* ① Que tiene forma de medio círculo: *los arcos del edificio son semicirculares.* ② Relativo al semicírculo.

semicírculo *s. m.* Mitad de un círculo: *el diámetro divide el círculo en dos semicírculos.*

semicírculo graduado Instrumento para medir ángulos que consiste en un semicírculo en el que se encuentran señalados 180 grados sexagesimales.

FAM semicircular.

semicircunferencia *s. f.* Mitad de una circunferencia: *un arco es una semicircunferencia.*

semiconductor, -ra *adj.* Se aplica al material que conduce la electricidad en determinadas condiciones y se utiliza para fabricar ciertos dispositivos electrónicos.

semiconsonante *adj./s. f.* Se aplica a la vocal que es cerrada y va al principio de un diptongo creciente: *"i" y "u" son semiconsonantes en "hierba" y "hueco".*

FAM semiconsonántico.

semicopulativo *adj.* Se aplica al verbo que tiene significación, como un verbo predicativo, pero se construye con atributo, como un verbo copulativo: *"quedarse" y "ponerse" son verbos semicopulativos.*

semicorchea *s. f.* Nota musical cuya duración equivale a la mitad de una corchea.

semicultismo *s. m.* Palabra influida por el latín, o por otra lengua culta, que no ha realizado por completo su evolución fonética normal: *el adjetivo "seglar" es un semicultismo, "secular"*

S

es un cultismo y "siglar" (que no existe en español) sería el término totalmente evolucionado.

semidesnatado, -da *adj.* Se aplica al producto lácteo del que se ha eliminado parte de la nata o la grasa: *leche semidesnatada.*

semidiós, -diosa *adj./s. m. y f.* ① En la mitología griega y romana, se aplica al hijo de un dios y un mortal. ‖ *s. m. y f.* ② Héroe a quien los dioses daban la inmortalidad como premio a sus hazañas, y al que los seres humanos rendían culto: *Orfeo, semidiós del más allá.* ③ Dios secundario de una religión politeísta, como el fauno romano y la ninfa griega.

semiesfera *s. f.* Mitad de una esfera dividida por un plano que pasa por su centro.
FAM semiesférico.

semiesférico, -ca *adj.* Que tiene forma de media esfera: *las bóvedas semiesféricas se llaman cúpulas.*

semiespacio *s. m.* Cada una de las dos partes en que un plano divide el espacio.

semifinal *s. f.* Cada uno de los encuentros o pruebas de una competición deportiva o un concurso que sirven para determinar los finalistas.
FAM semifinalista.

semifinalista *adj./s. com.* Se aplica a la persona que participa en la semifinal de una competición deportiva.

semifusa *s. f.* Nota musical cuya duración equivale a la mitad de una fusa.

semigarrapatea *s. f.* Nota musical cuya duración equivale a la mitad de una garrapatea.

semigrupo *s. m.* En matemáticas, estructura de un conjunto en el que se define una ley de composición que cumple la propiedad asociativa.

semilla *s. f.* ① Parte del fruto que es producto de la fecundación del óvulo y que contiene el embrión de una nueva planta. **SIN** simiente. ② Causa u origen de otra cosa, especialmente de opiniones o de estados de ánimo. **SIN** simiente. ‖ *s. f. pl.* ③ **semillas** Granos que se siembran, a excepción del trigo y la cebada.
FAM semillero.

semillero *s. m.* ① Recipiente o lugar donde se siembran las semillas de las plantas para, una vez nacidas, trasplantarlas al lugar definitivo. **SIN** almáciga. ② Lugar donde se conservan diferentes semillas, generalmente para su estudio. ③ Causa u origen de alguna cosa, especialmente si es desagradable. **SIN** sementera.

semimetal *s. m.* Sólido con brillo y color propio del metal y con cierta conductividad que, al reaccionar para dar compuesto, se parece a un no metal.

seminal *adj.* ① Relativo al semen: *los testículos albergan las vesículas seminales.* ② Relativo a la semilla: *ya se han abierto las cápsulas seminales de los árboles.*

seminario *s. m.* ① Centro de enseñanza en el que se educan y se forman los futuros sacerdotes. ② Conjunto de actividades que realizan en común un profesor y sus discípulos, y que tiene la finalidad de encaminarlos a la práctica y la investigación de alguna disciplina. ③ Despacho en el que trabajan y se reúnen los profesores de una misma asignatura en un centro de enseñanza: *el seminario de lengua española está en la segunda planta del instituto.* ④ Conjunto de profesores de una misma asignatura que trabajan en el mismo centro de enseñanza: *el seminario de matemáticas decidió poner menos exáme-*

nes. ⑤ Institución donde son instruidos y formados niños y jóvenes.
FAM seminarista.

seminarista *s. com.* Persona que estudia en un seminario y se prepara para ser sacerdote.

semiología *s. f.* ① Ciencia que estudia los sistemas de signos en la sociedad, y que forma parte de la psicología social: *la semiología estudia el lenguaje y otros códigos utilizados en la comunicación.* **SIN** semiótica. ② Parte de la medicina que estudia los signos característicos de una enfermedad. **SIN** semiótica.
FAM semiológico, semiólogo.

semiótica *s. f.* ① Ciencia que estudia los signos como instrumentos de comunicación en sociedad: *la semiótica puede ocuparse de la relación del signo con el hablante y el oyente (pragmática), de la relación entre el objeto designado y el signo (semántica) o de la relación de los signos entre sí (sintaxis).* ② Semiología.
FAM semiótico.

semiplano *s. m.* Superficie que resulta de dividir un plano geométrico en dos mediante una recta.

semirrecta *s. f.* Cada una de las dos partes en que un punto divide a una recta: *el vértice de un ángulo es el origen de dos semirrectas.*

semirrecto *adj.* Se aplica al ángulo de 45 grados.

semita *adj./s. com.* ① Relativo a los pueblos que se establecieron en Mesopotamia y el Próximo Oriente antes del primer milenio antes de Cristo y que tenían lenguas con un origen común y paralelismos en sus religiones: *el árabe y el hebreo son lenguas semitas.* ‖ *s. com./adj.* ② Persona perteneciente a este pueblo: *los fenicios, arameos y abisinios son semitas.*
FAM semítico, semitismo; antisemita.

semítico, -ca *adj.* Relativo a los pueblos semitas. **SIN** semita.

semitismo *s. m.* ① Conjunto de doctrinas, instituciones y costumbres propias de los semitas. ② Palabra o modo de expresión propio de una lengua semita y que se usa en otro idioma.
FAM semitista.

semitono *s. m.* Mitad de un tono musical, que constituye la unidad más pequeña de la escala: *entre mi y fa hay un semitono.*

semivocal *s. f.* Vocal que es cerrada y está al final de un diptongo: *"i" y "u" son semivocales en "caiga" y "aura".*
FAM semivocálico.

sémola *s. f.* ① Trigo candeal sin corteza. ② Pasta alimenticia con forma de granos muy pequeños que está hecha con harina de arroz, trigo u otros cereales.

sempiterno, -na *adj. culto* Que perdura eternamente o durante largo tiempo y se mantiene invariable y constante: *la sempiterna Luna; su sempiterna sonrisa.*

senado *s. m.* ① Órgano político que forma parte del parlamento y se encarga de aceptar o rechazar los proyectos de ley que propone el congreso. ② Edificio en el que se reúnen los miembros de este órgano político. ③ Asamblea del Imperio romano cuyos miembros tenían como función asesorar al gobernante.
FAM senador, senatorial.
OBS Se escribe normalmente con mayúscula inicial cuando hace referencia al senado de un país en concreto.

senador, -ra *s. m. y f.* Político que es miembro del senado.
FAM senatorial.

sencillez *s. f.* ① Ausencia de adornos o de lujo: *vive con gran*

S

sencillez. ② Falta de dificultad o de complicación, especialmente al hablar o al escribir.

sencillo, -lla *adj.* ① Que está formado por un solo elemento, que no está compuesto de varias partes. **SIN** simple. **ANT** complejo, compuesto. ② Que no presenta ninguna dificultad ni tiene complicación. **SIN** simple. ③ Que no tiene lujos ni adornos excesivos. ④ Se aplica a la persona que da a los demás un trato de igualdad, aunque sea superior a ellos por cultura, clase social o en algún otro sentido. ⑤ Se aplica a la persona incauta y sin maldad. ⑥ Se aplica al estilo o lenguaje que es claro y natural, sin artificios retóricos. ‖ *adj./ s. m.* ⑦ Se aplica al disco fonográfico de corta duración en el que solo se reproducen una o dos canciones en cada cara. **FAM** sencillez.

senda *s. f.* ① Camino estrecho, especialmente el se ha formado por el paso de personas o animales. **SIN** sendero, vereda. ② Plan de actuación o procedimiento que se sigue para conseguir algo. **FAM** sendero.

senderismo *s. m.* Actividad deportiva o turística que consiste en hacer excursiones a pie por el campo o por la montaña recorriendo senderos o caminos. **FAM** senderista.

sendero *s. m.* Senda. **SIN** vereda. **FAM** senderismo.

sendos, -das *det.* Establece una relación de uno a uno entre los miembros de un conjunto de cosas o personas y los de otro conjunto de cosas o personas denotadas por el sustantivo al cual acompaña: *las trillizas lucían sendos vestidos nuevos.*

senectud *s. f.* culto Último periodo de la vida de una persona, cuando tiene una edad avanzada. **SIN** vejez.

senegalés, -lesa *adj.* ① De Senegal (país de África). ‖ *s. m. y f./adj.* ② Persona que es de Senegal.

senil *adj.* ① Relativo a la vejez: *la demencia senil es el tipo de demencia más frecuente en los ancianos.* ② Se aplica a la persona de edad avanzada que presenta señales de decadencia física o psíquica. **FAM** senilidad.

sénior *adj.* ① Se aplica a la persona que tiene el mismo nombre que otro pero es de mayor edad: *la empresa la dirige José García pero la fundó su padre, José García sénior.* ‖ *adj./s. f.* ② Se aplica a la categoría deportiva que es superior a la de júnior y corresponde generalmente a los deportistas que tienen más de veinte o veintiún años: *la categoría sénior es profesional.* ‖ *adj./s. com.* ③ Se aplica al deportista que compite en esta categoría. **OBS** Plural: *séniors.*

seno *s. m.* ① culto Pecho o mama de la mujer. ② Espacio que queda entre la ropa y el pecho de la mujer: *se escondió el pañuelo en el seno.* ③ Agujero o hueco, especialmente dentro del cuerpo de las personas y animales. ④ Matriz de las hembras de los mamíferos en general, y especialmente cuando es de una mujer y está embarazada. ⑤ Porción del mar que entra en la tierra entre dos cabos o puntas. ⑥ Parte interna de una cosa, especialmente de algo no material. ⑦ Cosa que acoge a otra bajo su protección, dándole consuelo y ayuda: *buscó amparo en el seno de la religión.* ⑧ Cociente que existe entre el cateto opuesto a un ángulo agudo de un triángulo rectángulo y la hipotenusa; es una razón trigonométrica. ⑨ Hueco o cavidad de algunos huesos. **FAM** coseno.

sensación *s. f.* ① Impresión recogida por los sentidos y que es conducida a la mente por medio del sistema nervioso: *tocar hielo produce sensación de frío.* ② Sorpresa o profunda impresión producida por una cosa importante o novedosa: *con ese vestido provocarás sensación en la fiesta.*

dar (o tener) la sensación Dar o tener una determinada idea u opinión de una cosa, sin conocerla completamente. **FAM** sensacional.

sensacional *adj.* ① Que causa una fuerte sensación o llama mucho la atención: *me han contado una noticia sensacional que no te vas a creer.* ② Que es muy bueno, estupendo o maravilloso. **FAM** sensacionalismo.

sensacionalismo *s. m.* Tendencia a destacar los aspectos más llamativos o espectaculares de una información para provocar emoción. **SIN** amarillismo. **FAM** sensacionalista.

sensacionalista *adj./s. com.* Que muestra los aspectos más llamativos o escandalosos de un asunto para impresionar a la gente y llamar su atención.

sensatez *s. f.* Cualidad que tienen las personas que muestran buen juicio, prudencia y madurez en sus actos y decisiones. **SIN** conocimiento. **ANT** insensatez.

sensato, -ta *adj.* ① Que muestra buen juicio, prudencia y madurez en sus actos y decisiones. **ANT** insensato. ② Se aplica a la persona equilibrada en sus actos. **FAM** sensatez; insensato.

sensibilidad *s. f.* ① Capacidad para percibir sensaciones a través de los sentidos: *a causa del accidente ha perdido la sensibilidad en las piernas.* ② Tendencia a dejarse llevar por los sentimientos de compasión o amor. ③ Capacidad de respuesta a ciertos estímulos que tienen ciertos aparatos científicos muy eficaces. ④ Tendencia del ser humano a apreciar lo bello. ⑤ Fuente de conocimiento basada en la experiencia de lo sensible. ⑥ Capacidad que tiene una película fotográfica para ser impresionada por la luz.

sensibilización *s. f.* ① Acción de sensibilizar. ② Efecto de sensibilizar. ③ Proceso por el cual un organismo se vuelve sensible y reacciona de forma visible a una determinada agresión física, química o biológica.

sensibilizar *v. tr.* ① Aumentar o excitar la capacidad de sentir. ② Hacer que una persona se dé cuenta de la importancia o el valor de una cosa, o que preste atención a lo que se dice o se pide: *esta información trata de sensibilizar a la opinión pública sobre el problema de la capa de ozono.* ③ En fotografía, hacer que ciertos materiales, como una película o una placa fotográfica, sean sensibles a la luz. **FAM** sensibilización.

sensible *adj.* ① Que es capaz de percibir una realidad a través de los sentidos: *algunos animales son sensibles al magnetismo terrestre y lo utilizan para orientarse.* ② Que se deja llevar fácilmente por sentimientos como la ternura, la compasión y el amor, y se siente emocionado o herido con facilidad. ③ Que es capaz de distinguir con facilidad la belleza y los valores artísticos. ④ Que presta atención a lo que se dice o se pide. ⑤ Se aplica a la sustancia que reacciona fácilmente a ciertos agentes naturales. ⑥ Se aplica al aparato que puede acusar, registrar o medir fenómenos de muy poca intensidad, o notar cambios muy pequeños porque reacciona con facilidad: *las básculas de precisión son muy sensibles.* ⑦ Que puede ser notado por los sentidos. ⑧ Que es claro y evidente por-

S

que es de gran intensidad o muy fuerte y resulta fácil de percibir por los sentidos.

FAM sensibilidad, sensibilizar, sensiblero; hipersensible, insensible, suprasensible.

sensiblería *s. f.* Sensibilidad o sentimentalismo falso o exagerado: *eso no es romanticismo, es sensiblería.*

sensiblero, -ra *adj.* Que es falsa o exageradamente sensible o sentimental.

FAM sensiblería.

sensitiva *s. f.* Planta americana, variedad de la mimosa, cuyas hojas se repliegan un instante si se rozan.

sensitivo, -va *adj.* **1** Relativo a los sentidos corporales, especialmente las sensaciones relacionadas con el tacto. SIN sensual. **2** Que es capaz de experimentar sensaciones o emociones: *es una chica muy sensitiva para la pintura.* **3** Que estimula o excita la sensibilidad de las personas. ‖ *adj./s. m. y f.* **4** Se aplica a la persona extraordinariamente sensible e impresionable.

FAM sensitiva.

sensor *s. m.* Dispositivo que capta variaciones de luz, temperatura o sonido a corta o larga distancia y sirve para activar un mecanismo.

sensorial *adj.* Relativo a los sentidos: *el niño conoce el mundo a través de sus percepciones sensoriales.*

FAM sensorialidad; extrasensorial.

sensual *adj.* **1** Relativo a los sentidos corporales, especialmente las sensaciones relacionadas con el tacto. SIN sensitivo. **2** Que provoca placer o que es percibido por los sentidos. **3** Que provoca excitación sexual. **4** Que se siente inclinado a los placeres de los sentidos.

FAM sensualidad, sensualismo.

sensualidad *s. f.* **1** Capacidad para provocar o satisfacer los placeres de los sentidos. **2** Tendencia a buscar y satisfacer el placer de los sentidos.

sentada *s. f.* **1** Acción de protesta o en apoyo de una causa, que consiste en sentarse en el suelo en un lugar determinado por un largo periodo de tiempo. **2** Tiempo durante el cual alguien permanece sentado.

de una sentada De una vez, realizado en una sola fase, sin pausas y sin levantarse del asiento: *no es tanto trabajo, podemos terminarlo de una sentada.*

sentado, -da *adj.* **1** Se aplica a la persona que obra juiciosamente. **2** En biología, se aplica al órgano u organismo insertado directamente a un sustrato por su base. SIN sésil.

sentar [1] *v. tr.* **1** Colocar a una persona en un asiento de modo que quede descansando apoyada sobre las nalgas. **2** Fundamentar una teoría o doctrina, especialmente si servirá de base para otro razonamiento o información. **3** Colocar una cosa firmemente apoyada en el sitio en que debe estar: *los obreros sentaron la viga.* **4** Alisar lo máximo posible una cosa, apisonándola o planchándola: *la modista sentó las costuras con la plancha.* ‖ *v. intr.* **5** Ser una comida o bebida bien o mal digerida por el estómago: *a mí me sienta muy mal la comida picante.* **6** Producir una cosa un efecto bueno o malo en el ánimo o en el estado físico de una persona. **7** Favorecer a una persona una prenda de vestir, un adorno o un color determinado. ‖ *v. prnl.* **8** **sentarse** Asentarse en un lugar o posarse.

dar por sentado Dar por supuesta o por cierta una cosa.

FAM sentada; asentar.

sentencia *s. f.* **1** Frase o dicho con un contenido moral o doctrinal. **2** Decisión de un tribunal que pone fin a un juicio o un proceso. **3** Orden o decisión que toma una persona para resolver una discusión entre varias partes.

FAM sentenciar, sentencioso.

sentenciar *v. tr.* **1** Pronunciar un juez o un tribunal una sentencia: *el juez sentenciará el proceso pasado mañana.* **2** Expresar el juicio que decide a favor de una de las dos partes contendientes. **3** Culpar o condenar a alguien: *me sentenció a un castigo por algo que no había hecho.* **4** Destinar una cosa para un fin.

OBS Verbo regular, se acentúa como *cambiar.*

sentencioso, -sa *adj.* **1** Que encierra una sentencia o enseñanza moral. **2** Se aplica a la persona que se expresa con afectada gravedad, como si hablara con sentencias. **3** Se aplica al modo de hablar contundente, que apenas da opción a ser rebatido y parece pronunciar continuas sentencias.

sentido, -da *adj.* **1** Que expresa con sinceridad un sentimiento muy intenso: *le dio un pésame muy sentido.* **2** Que se enfada o se molesta con facilidad. ‖ *s. m.* **3** Capacidad de percibir un tipo de estímulos del mundo exterior mediante ciertos órganos del cuerpo: *los sentidos del cuerpo son cinco: vista, oído, gusto, olfato y tacto.* ■ **sexto sentido** Habilidad especial que tiene una persona para percibir realidades que pasan inadvertidas a otros y que le capacita para una determinada actividad o asunto: *tiene un sexto sentido para los negocios.* **4** Capacidad que se tiene específicamente para realizar un tipo de actividad: *bailo muy mal porque no tengo sentido del ritmo.* **5** Capacidad para razonar y ser consciente del mundo exterior. ■ **sentido común** Capacidad para juzgar razonablemente las situaciones de la vida cotidiana y decidir con acierto. **6** Razón de ser, finalidad o lógica que tiene una cosa. **7** Significado de una palabra o de un conjunto de palabras. **8** Interpretación de un escrito: *lo que importa en este caso es el sentido literal y no el sentido figurado del texto.* **9** Manera particular que tiene cada persona de entender o interpretar una cosa: *su sentido del deber le obliga a ayudarte.* **10** Cada una de las dos formas opuestas de recorrer una línea o un camino: *tendremos que hacer un cambio de sentido y volver por la misma carretera.* **11** AMÉR. Sien.

con los cinco sentidos Con toda la atención puesta en una cosa.

FAM contrasentido, sinsentido.

sentimental *adj.* **1** Que contiene elementos que emocionan o conmueven, o que expresa sentimientos dulces, especialmente de amor, pena o ternura. **2** Que está relacionado con los sentimientos, especialmente los amorosos: *tiene una relación sentimental con un compañero.* ‖ *adj./s. com.* **3** Se aplica a la persona que es muy sensible, se emociona con facilidad y suele actuar llevada por sentimientos y por impulsos afectivos.

FAM sentimentalismo.

sentimentalismo *s. m. despectivo* Cualidad que tienen las cosas que pretenden emocionar o hacer llorar, o que provocan intencionadamente sentimientos de afecto, compasión o ternura: *su poesía está cargada de sentimentalismo.*

sentimiento *s. m.* **1** Estado de ánimo o disposición emocional hacia una cosa, un hecho o una persona: *el único sentimiento que me despierta es el de indiferencia.* SIN sentir. **2** Estado de ánimo triste o afectado por una impresión dolorosa: *le acompaño en el sentimiento.* **3** Parte afectiva o emotiva del ser humano, por oposición a la razón o el intelecto. **NOTA** Normalmente en plural. ④ Capacidad de sentir afecto o de comprender a otras personas. **NOTA** Normalmente en plural. **FAM** sentimental.

sentir¹ [9] *v. tr.* ① Percibir una sensación a través de los sentidos, provenga de un estímulo externo o del propio cuerpo: *sintió un dolor en el estómago.* ② Percibir un sonido, a través del oído. **SIN** oír. ③ Recibir sensaciones provenientes de una parte del cuerpo. ④ Experimentar un sentimiento. ⑤ Lamentar una cosa o experimentar pena por ella. ⑥ Tener la impresión de que va a ocurrir una cosa. **|** *v. prnl.* ⑦ **sentirse** Encontrarse en cierto estado físico o moral: *hoy me siento muy feliz.* ⑧ Sentir dolor o molestia por una dolencia, especialmente si es pasada: *hace tres meses que me operaron y aún me siento.* **SIN** resentirse.

sin sentir Sin que se note o sin darse cuenta: *las vacaciones pasan sin sentir.*

FAM sentido, sentimiento.

sentir² *s. m.* ① Opinión, juicio o sentimiento sobre una cosa: *el sentir general apoya al gobierno.* ② Sentimiento.

seña *s. f.* ① Gesto que se hace con alguna parte del cuerpo para indicar una cosa: *me hizo una seña con la mano para que me acercara.* **SIN** señal. ② Convención establecida entre varias personas para comunicarse. **SIN** contraseña. ③ Nota o detalle característico que permite reconocer o identificar una cosa o a una persona: *el policía pidió al testigo que diera alguna seña del asesino.* **NOTA** Normalmente en plural. ■ **señas personales** Rasgos físicos que describen a una persona. ■ **señas mortales** Signos inconfundibles. ④ Signo utilizado para recordar algo. **|** *s. f. pl.* ⑤ **señas** Conjunto de datos que incluyen el nombre de la calle, el número de la casa y el nombre de la población donde vive una persona. **SIN** dirección.

por más señas Expresa las circunstancias o indicios de una cosa.

FAM señal, señuelo.

señal *s. f.* ① Marca o característica que distingue a una persona o cosa de las demás. ② Huella o marca que queda en una superficie, especialmente la que deja en la piel una herida. ③ Indicio que demuestra alguna cosa o que indica la existencia de algo que es su causa: *no ha venido a comer, señal de que tiene mucho trabajo.* ④ Gesto con el que se quiere decir o indicar una cosa. **SIN** seña. ■ **señal de la cruz** Movimiento que se hace con la mano o los dedos como si se dibujara una cruz, para bendecir, santiguar o persignarse. ⑤ Signo o símbolo convenido entre varias personas para transmitir cierta información o como indicación para hacer algo: *desde la torre, un señor hacía señales luminosas pidiendo socorro.* ■ **señal de tráfico** Signo convencional que representa alguna norma de tráfico y da instrucciones sobre cómo circular. ⑥ Cantidad de dinero que se paga como anticipo antes de abonar el precio total de una cosa: *no llevo suficiente dinero, pero dejaré una señal y vendré mañana a recoger el traje y pagar el resto.* ⑦ Sonido característico de algunos aparatos para avisar o informar sobre su funcionamiento, especialmente el que hace el teléfono al descolgarlo. ⑧ Signo utilizado para recordar algo: *haz una señal en el calendario para recordar su cumpleaños.* ⑨ Onda electromagnética que permite transmitir información a un circuito electrónico: *señal de televisión, señal de radio.*

en señal Como prueba o muestra: *el príncipe dejó su anillo a la campesina en señal de su amor.*

FAM señalar, señalizar.

señalado, -da *adj.* ① Se aplica al día o fecha que es importante o especial por algún motivo determinado. ② Que ha sido convenido previamente para hacer algo: *nos encontramos a la hora señalada, en el lugar señalado.* ③ Que resulta sospechoso.

señalar *v. tr.* ① Poner una marca o una señal a algo o a alguien para distinguirlo y reconocerlo entre los demás. ② Indicar o mostrar una cosa o persona dirigiendo el dedo o la mano hacia ella o por otros medios: *me indicó los puntos que debía tratar señalándolos con una cruz.* ③ Ser una señal o indicio de una cosa: *el humo señala dónde está el fuego.* ④ Fijar los elementos necesarios para un fin, especialmente la fecha para una cita. ⑤ Hacer un gesto como si se tuviera la intención de hacer una cosa, pero sin llegar a hacerla: *el torero señaló una estocada.* ⑥ Dejar una marca en una superficie, especialmente en la piel. ⑦ Fijar una remuneración o el precio de algo. **|** *v. prnl.* ⑧ **señalarse** Hacerse notar o distinguirse por una cualidad o una circunstancia determinada.

FAM señalado.

señalización *s. f.* ① Acción de señalizar. ② Indicación mediante un conjunto de señales: *la señalización de esta ciudad es muy confusa y escasa.*

señalizar *v. tr.* Colocar indicaciones en un lugar, especialmente señales de tráfico en las calles y carreteras para regular la circulación.

FAM señalización.

señera *s. f.* Bandera de Cataluña y Valencia: *la señera es de color amarillo con cuatro bandas rojas verticales.*

OBS Puede encontrarse la grafía catalana *senyera.*

señero, -ra *adj.* ① Que sobresale por sus cualidades únicas y extraordinarias: *Chillida es una de las figuras señeras del arte contemporáneo.* ② Que está solitario, aislado o separado de otras cosas del mismo tipo.

señor, -ra *s. m. y f.* ① Tratamiento de respeto y cortesía que se da a una persona adulta: *el señor alcalde; el señor Pérez está reunido; por favor, señora, pase a la consulta.* **NOTA** Se usa solo o bien antepuesto al nombre propio y el apellido, al apellido solo o, en ocasiones, a un cargo. ② Título nobiliario, generalmente de origen feudal. ③ Persona que es la dueña de una cosa, o que tiene poder o dominio sobre ella, especialmente si se trata de tierras. ④ Persona para la que trabaja un criado: *hoy los señores no vienen a cenar.* **|** *s. m.* ⑤ Tratamiento de devoción o respeto con que los fieles cristianos se dirigen a Dios o a Jesucristo. **NOTA** Se escribe con mayúscula inicial. **|** *s. f.* ⑥ Tratamiento de devoción o respeto con que los fieles cristianos se dirigen a la Virgen María. **NOTA** Se escribe con mayúscula inicial. ⑦ Mujer, esposa: *Manuel vino a la cena acompañado de su señora.* **|** *adj.* ⑧ familiar Que es bueno o grande, o muy señorial: *te has comprado un señor abrigo.* **NOTA** En esta acepción, va antepuesto al sustantivo.

FAM señorear, señoría, señoril, señorío, señorito, señorón.

señorear *v. tr.* ① Dominar o mandar en una cosa como dueño de ella. ② Controlar o tener dominio sobre las propias pasiones. ③ Estar una cosa a mayor altura que otras que están a su alrededor, y sobresalir sobre ellas: *la torre de la iglesia señorea todo el pueblo.*

FAM enseñorearse.

señoría *s. f.* ① Tratamiento que se da a ciertas personas por su cargo o dignidad: *a los jueces y a los diputados se les da el tratamiento de señoría.* **NOTA** Puede anteponérsele la palabra *su.* ② Persona a quien se da este tratamiento. ③ Señorío, domi-

nio o potestad sobre algo. **4** Soberanía de ciertos estados particulares que se gobernaban como repúblicas: *la señoría de Venecia.* **5** Senado que gobernaba ciertos estados independientes.
FAM señorial.

señorial *adj.* **1** Propio del señorío. **2** Que provoca admiración y respeto por su grandeza, superioridad o nobleza: *tienen una mansión señorial en las afueras.*

señorío *s. m.* **1** Autoridad o mando que se tiene sobre una cosa. **2** Autoridad o poder otorgados por un monarca a un señor sobre un territorio y sobre sus vasallos o el pueblo: *los señoríos, que podían pertenecer a un abad, un noble o un miembro de la realeza, fueron abolidos a partir de las Cortes de Cádiz (1810-1814).* **3** Territorio perteneciente a un señor. **4** Gravedad, moderación y elegancia en el aspecto físico, o en la forma de comportarse y de actuar. **5** Conjunto de personas distinguidas.
FAM señorial.

señoritingo, -ga *adj./s. m. y f.* despectivo Se aplica a la persona que es de gustos muy remilgados.

señorito, -ta *s. m. y f.* **1** Hijo o hija de un señor o de una señora importante: *el señorito heredará las tierras de su padre.* **2** familiar Persona joven que no está acostumbrada a trabajar, generalmente porque su familia tiene mucho dinero: *ya está aquí el señorito quejándose de que tiene demasiado trabajo.* **3** Tratamiento que da un criado a las personas jóvenes de la casa en la que trabaja. **|** *s. f.* **4** Tratamiento que se da a las mujeres que no están casadas. **5** Tratamiento que se da a las mujeres que desempeñan ciertos trabajos, especialmente los relacionados con la enseñanza y los de atención al público.

señorón, -na *adj./s. m. y f.* familiar Se aplica a la persona que es o parece muy rico, respetable o importante.

señuelo *s. m.* **1** Objeto que se utiliza para atraer a las aves que se quiere cazar, u otra ave utilizada para el mismo fin: *para facilitar la caza, pusieron algunos señuelos entre los árboles.* **2** Incentivo que se utiliza para atraer o convencer a una persona de una cosa con engaños: *los jóvenes acuden a las sectas atraídos por el señuelo de la espiritualidad y la paz interior.* **3** ARG., BOL. Grupo de cabestros o mansos que guían al ganado.

seo *s. f.* Catedral en algunas regiones españolas, especialmente en Cataluña: *visitamos la seo de Urgel.*

sépalo *s. m.* Hoja modificada y dura que forma parte del cáliz de una flor, muy parecido a la hoja, generalmente de color verde que envuelve y protege los estambres y el ovario de la flor.
FAM asépalo, disépalo, monosépalo, trisépalo.

separación *s. f.* **1** Acción de separar o distanciar dos cosas que estaban juntas en el espacio o en el tiempo. **2** Espacio o distancia que hay entre dos cosas que no están juntas en el espacio o en el tiempo: *entre ambas piezas hay 15 milímetros de separación.* **3** Interrupción de la vida en común de dos personas casadas, por común acuerdo o por decisión de un tribunal, sin que se rompa definitivamente el matrimonio.
separación de bienes Forma de uso de los bienes de un matrimonio, según la cual cada miembro de la pareja conserva sus bienes propios, usándolos y administrándolos sin la intervención del otro.

separar *v. tr.* **1** Hacer que una cosa deje de estar junto a otra o cerca de ella. ANT juntar. **2** Considerar individualmente: *tienes que conseguir separar los problemas personales de tu vida la-*

boral. **3** Formar grupos con elementos iguales o parecidos que antes estaban mezclados con otros distintos. **4** Reservar una cosa para más tarde: *le dije al carnicero que me separara unos filetes para esta tarde.* **5** Hacer que alguien abandone un trabajo, una actividad o un cargo: *el secretario fue separado del cargo por incompetente.* **6** Interrumpir una pelea haciendo que las personas implicadas dejen de luchar. **7** Aislar algo que antes estaba entre otras cosas. **|** *v. prnl.* **8** **separarse** Distanciar sus posiciones dos personas o cosas al tomar caminos o tendencias diferentes. **9** Dejar de vivir juntas dos personas que formaban una pareja o que estaban casadas. **10** Dejar de pertenecer a un grupo, a una actividad o de profesar una creencia. **11** Hacerse independiente una comunidad política de otra: *las distintas repúblicas de la antigua URSS se han separado.*
FAM separable, separación, separador, separata, separatismo.

separata *s. f.* Artículo de una revista o parte de un libro que se publica por separado: *me han mandado 20 separatas del artículo que publiqué en la revista.*

separatismo *s. m.* Doctrina política que defiende la independencia de un territorio, su separación del Estado al que pertenece.
FAM separatista.

separatista *adj.* **1** Relativo al separatismo. **|** *adj./s. com.* **2** Se aplica a la persona que es partidaria del separatismo.

sepelio *s. m.* Entierro de un cadáver y los ritos y ceremonias religiosas o civiles correspondientes.

sepia *s. f.* **1** Invertebrado marino del filo moluscos, clase cefalópodos, de cuerpo ovalado y color blanquecino, parecido al calamar pero con la cabeza más grande y provisto de una concha caliza en el dorso, cubierta por la piel; su carne es comestible. SIN jibia. **2** Líquido colorante que se extrae de la sepia. **|** *s. m./adj.* **3** Color pardo negruzco. **|** *adj.* **4** Que es de este color. NOTA Invariable en número.

septentrión *s. m.* **1** culto Norte (punto del horizonte): *el Septentrión se opone al Sur.* NOTA Se escribe normalmente con mayúscula inicial. **2** culto Viento que sopla desde este punto.
FAM septentrional.

septentrional *adj.* **1** Relativo al Norte: *las regiones septentrionales de Europa son muy húmedas.* ANT meridional. **2** Relativo al septentrión.

septeto *s. m.* **1** Conjunto musical formado por siete voces o instrumentos. **2** Composición musical hecha para ser tocada por este conjunto.

séptico, -ca *adj.* **1** Que contiene gérmenes patógenos. **2** Que produce putrefacción. **3** Que es causado o producido por la putrefacción o por gérmenes patógenos.
FAM antiséptico.

septiembre [también **setiembre**, menos usado] *s. m.* Noveno mes del año: *septiembre tiene 30 días.*

séptima *s. f.* Intervalo de la escala musical entre una nota y la séptima superior o inferior a esta: *de do a si hay una séptima.*

séptimo, -ma *num. ord.* **1** Que ocupa el lugar número 7 en una serie ordenada. **|** *num. part.* **2** Se aplica a cada una de las partes que resultan de dividir un todo en siete partes iguales.
FAM septingentésimo.

septingentésimo, -ma *num. ord.* **1** Que ocupa el lugar número 700 en una serie ordenada. **|** *num. part.* **2** Se aplica a cada una de las partes que resultan de dividir un todo en setecientas partes iguales.

septuagenario, -ria *adj.* **1** culto Que tiene entre setenta y setenta y nueve años. ‖ *adj./s. m. y f.* ② culto Se aplica a la persona que tiene entre setenta y setenta y nueve años de edad.

septuagésimo, -ma *num. ord.* ① Que ocupa el lugar número 70 en una serie ordenada: *septuagésimo aniversario.* ‖ *num. part.* ② Se aplica a cada una de las partes que resultan de dividir un todo en setenta partes iguales: *a cada uno de los setenta asistentes les correspondió un septuagésimo de tarta.* SIN setentavo.

septuplicar *v. tr.* Multiplicar por siete.

sepulcral *adj.* ① Relativo al sepulcro. ② Propio del sepulcro o que tiene características parecidas: *en la sala había un silencio sepulcral.*

sepulcro *s. m.* ① Construcción funeraria, generalmente de piedra, que se levanta para enterrar cadáveres. SIN sepultura. ② Hueco de un altar en el que se guardan selladas y cubiertas algunas reliquias. ③ Urna con una imagen de Jesucristo muerto o yacente.

ser un sepulcro Guardar fielmente un secreto.

FAM sepulcral.

sepultar *v. tr.* ① Enterrar un cadáver o introducirlo en una sepultura. ② Ocultar, esconder o cubrir por completo una cosa o a una persona: *sepultaron la verdad bajo un montón de mentiras.* ③ Hundir el ánimo, abatirse profundamente o sufrir con intensidad un sufrimiento: *sepultó el recuerdo de aquel suceso en lo profundo de su alma.*

FAM sepultura.

sepultura *s. f.* ① Acción que consiste en enterrar un cadáver. ② Lugar excavado en la tierra o construido sobre ella en el que se entierra el cuerpo muerto de una persona. SIN tumba. ③ Construcción funeraria, generalmente de piedra, que se levanta para enterrar cadáveres. SIN sepulcro.

FAM sepulturero.

sepulturero, -ra *s. m. y f.* Persona que tiene como oficio enterrar los cadáveres. SIN enterrador.

sequedad *s. f.* ① Falta de líquido o de humedad: *la crema hidratante actúa contra la sequedad de la piel.* ② Falta de amabilidad o cariño en un comportamiento, especialmente al hablar.

sequía *s. f.* Déficit de lluvia prolongado en una zona en la que suele llover que afecta de forma adversa a los seres vivos que viven en ella y a su actividad.

séquito *s. m.* Conjunto de personas que acompañan y siguen a alguien famoso o importante, como reyes, gobernantes, ministros, etc.

ser[1] [44] *v. copulativo* ① Tener una cualidad intrínseca o natural, o poseerla de modo permanente: *soy una mujer.* ② Tener un oficio o profesión: *soy mecánico, pero ahora estoy de camarero porque no he encontrado otro trabajo.* ③ Estar hecho de un material: *soy de carne y hueso.* ④ Pertenecer a una persona o cosa: *deja ese libro, es mío; este libro es de María.* ⑤ Haber sido creada una obra por un autor: *el cuadro es de Picasso.* ⑥ Haber nacido una persona en un lugar determinado, o proceder una cosa de un lugar: *somos de Barcelona.* ⑦ Formar parte de una comunidad o sociedad: *somos de la clase de al lado.* ‖ *v. auxiliar* ⑧ Seguido de un participio forma la voz pasiva de los verbos. ‖ *v. intr.* ⑨ Ocurrir o tener lugar un acontecimiento: *la manifestación es el martes.* ⑩ Valer o costar dinero: *—¿Cuánto es la entrada? —Son seis euros.* ⑪ Expresa el resultado de una operación matemática. ⑫ Servir o estar

destinado: *estos cubiertos son para pescado.* ⑬ Existir o haber: *estaba entre los pocos sabios que en el mundo han sido.* ‖ *v. impersonal* ⑭ Indica una hora, una fecha o un momento: *hoy es jueves.*

a no ser que Excepto si se cumple la condición que sigue.

como sea De cualquier manera o cueste lo que cueste.

érase una vez o **érase que se era** Fórmula para iniciar cuentos infantiles.

es que Expresión con la que se introduce una disculpa, razón o explicación: *—¿Por qué no viniste? —Es que no me avisaron.*

lo que sea Cualquier cosa: *dile lo que sea, pero entretenlo un momento, por favor.*

no ser quién No haber sido autorizado para hacer algo o no ser importante para ello: *yo no soy quién para decirle que debe rectificar.*

por si era (o **fuera**) **poco** Se usa para indicar un nuevo inconveniente o contrariedad.

puede ser Se usa como respuesta que no niega ni afirma.

ser[2] *s. m.* ① Persona, animal o cosa que existe, especialmente si está viva. ■ **Ser Supremo** Dios. ■ **ser vivo** Organismo capaz de desarrollarse, reproducirse y relacionarse con su ambiente. ② Conjunto de características esenciales de una persona, animal o cosa. ③ Vida o existencia.

dar el ser Engendrar y parir.

sera *s. f.* Cesto grande sin asas de forma rectangular, generalmente hecho de esparto, que sirve para transportar cosas, especialmente carbón.

FAM serón.

serbio, -bia [también **servio**, menos usado] *adj.* ① De Serbia (país de Europa). ‖ *s. m. y f./adj.* ② Persona que es de Serbia. ‖ *s. m./adj.* ③ Lengua eslava que se habla en Serbia. ‖ *adj.* ④ Relativo a esta lengua.

serbocroata [también **servocroata**, menos usado] *adj.* ① Relativo a Serbia y Croacia. ‖ *s. com./adj.* ② Persona que es de Serbia o de Croacia. ‖ *s. m./adj.* ③ Lengua eslava meridional que se habla principalmente en Serbia, Croacia, Bosnia-Herzegovina y Montenegro. ‖ *adj.* ④ Relativo a esta lengua.

serenar *v. tr.* ① Hacer desaparecer la agitación, la preocupación o los nervios: *tienes que serenarte y dejar de llorar.* SIN sosegar. ② Volver una cosa, especialmente el tiempo o las aguas, a su estado normal de calma. ③ Aplacar la ira. ④ Apaciguar disturbios o disputas.

serenata *s. f.* ① Composición musical o poema hecho para ser cantado al aire libre y durante la noche, generalmente para agradar o alabar a una persona. ② Música que se toca durante una ronda de noche. ③ Cosa molesta.

serenidad *s. f.* ① Estado de ánimo de tranquilidad y calma. ② Falta de agitación, movimiento o ruido. SIN quietud. ③ Título de honor de algunos príncipes.

serenísimo, -ma *adj.* Se aplica como tratamiento a los príncipes y otras altas jerarquías.

sereno, -na *adj.* ① Que está claro y despejado. ② Que está sosegado y tranquilo: *el mar está sereno.* ③ Que no está borracho. SIN sobrio. ANT ebrio. ‖ *s. m.* ④ Persona que se dedicaba profesionalmente a vigilar las calles durante la noche, y a abrir las puertas de las casas cuando los vecinos querían entrar. ⑤ Humedad que hay en la atmósfera durante la noche.

al sereno Al aire libre durante la noche: *no encontraron alojamiento y tuvieron que dormir al sereno.*

FAM serenar, serenidad, serenísimo.

serial *s. m.* ① Serie larga de radio o televisión que se emite por episodios, en la que se cuentan las historias dramáticas y sentimentales de un grupo de personajes. ‖ *adj.* ② Relativo a una serie.

serie *s. f.* ① Conjunto de cosas que tienen una relación entre sí y se suceden unas a otras siguiendo un orden: *la serie de los números es infinita.* ■ **serie estratigráfica** Serie de estratos paralelos de la corteza terrestre, superpuestos unos sobre otros, que corresponden a diferentes periodos de sedimentación. ② Conjunto de cosas o personas que tienen algo en común, aunque no estén ordenadas. ③ Obra que se emite por capítulos en radio o televisión. ④ Conjunto de sellos, billetes u otras cosas que forman parte de una misma emisión.
de serie B En cine, se aplica a la película realizada con pocos medios y sin pretensiones, generalmente de mala calidad.
en serie Procedimiento de fabricación que consiste en realizar muchos aparatos iguales, siguiendo un modelo, generalmente mediante una cadena de montaje.
fuera de serie Que es especialmente bueno en su clase.
FAM serial, seriar.

seriedad *s. f.* ① Severidad de una persona o una cosa que no es divertida ni graciosa. ② Responsabilidad o formalidad con que se hace una cosa. ③ Gravedad o importancia que tiene una cosa que provoca preocupación.

serigrafía *s. f.* ① Técnica de grabado que consiste en la filtración del color a través de una trama de seda mediante la presión de una paleta de goma o un rodillo; las partes que no deben filtrar color se impermeabilizan con cola, barniz o laca. ② Imagen impresa mediante este sistema.

serio, -ria *adj.* ① Que tiene un aspecto severo y sobrio. ② Que es responsable y riguroso, y obra pensando bien sus actos, sin hacer bromas y sin tratar de engañar. ③ Que muestra preocupación, enfado o disgusto. ④ Que es grave o importante, o que provoca preocupación: *estamos ante un serio problema de dinero.*
en serio Formalmente.
FAM seriedad.

sermón *s. m.* ① Discurso de contenido moral pronunciado por el sacerdote durante la misa para explicar los textos bíblicos u otro tema religioso o social. **SIN** homilía. ② Consejos y enseñanzas morales destinados a reñir a una persona o corregir un determinado comportamiento especialmente si resultan largos y pesados.
FAM sermonear.

sermonear *v. tr.* ① Echar un sermón a una persona para darle algún consejo o para tratar de corregir su actitud. ‖ *v. intr.* ② Pronunciar el sacerdote un discurso de contenido moral en público. **SIN** predicar.

serón *s. m.* Cesto grande de material flexible, más alto que ancho, que se coloca sobre los animales de carga y sirve para transportar mercancías.

seronegativo, -va *adj./s. m. y f.* Se aplica a la persona que no tiene anticuerpos en el suero sanguíneo, especialmente anticuerpos del sida. **ANT** seropositivo.

seropositivo, -va *adj./s. m. y f.* Se aplica a la persona que tiene anticuerpos en el suero sanguíneo, especialmente anticuerpos del sida. **ANT** seronegativo.

serpentear *v. intr.* Moverse en zigzag, avanzando haciendo curvas como las serpientes: *los ciclistas iban serpenteando por la pista para esquivar los obstáculos.*
FAM serpenteante, serpenteo.

serpentín *s. m.* ① Tubo hueco y enrollado en espiral que sirve para enfriar líquidos o gases calientes: *con una probeta y un serpentín montamos un alambique.* ② Antigua pieza de artillería. ③ Serpentina (mineral).

serpentina *s. f.* ① Tira de papel muy larga y estrecha que está enrollada en forma de disco, y que se lanzan unas personas a otras en las fiestas, sujetándola por un extremo para que se desenrolle. ② Mineral de sílice de color verde con manchas oscuras, de aspecto parecido a la piel de una serpiente. ③ Antiguo dardo de trayectoria ondulante. ④ Antigua pieza de artillería.

serpiente *s. f.* Reptil sin extremidades, de cuerpo largo y cilíndrico, cabeza aplastada, boca grande y piel escamosa, generalmente de distintos colores; especialmente, el de tamaño medio o superior: *hay serpientes terrestres y serpientes acuáticas.* ■ **serpiente de cascabel** Serpiente muy venenosa que tiene al final de la cola un conjunto de anillos que el animal hace vibrar al sentirse amenazada. **NOTA** También simplemente *cascabel.* **SIN** crótalo.
FAM serpentino.

serrado, -da *adj.* Que tiene dientecillos que recuerdan a los de una sierra.

serranía *s. f.* Espacio de terreno cruzado por montañas y sierras.

serranilla *s. f.* Composición poética de finales de la Edad Media, cuyo tema suele ser el encuentro en la montaña y el diálogo, generalmente amoroso, entre un caballero y una campesina.

serrano, -na *adj./s. m. y f.* ① Relativo a la sierra o que vive en ella: *en el prado había una serrana cuidando de las vacas.* ② familiar Que es muy sano y hermoso: *cuerpo serrano.*
FAM serranía.

serrar [1] *v. tr.* Cortar con una sierra. **SIN** aserrar.
FAM serrería, serrín, serrucho; aserrar.

serrería *s. f.* Taller en el que se sierra la madera.

serrín *s. m.* Polvo o conjunto de partículas que se desprenden de la madera al serrarla: *esparció serrín por el suelo mojado para evitar que los clientes resbalasen.*
FAM aserrín.

serrucho *s. m.* Herramienta formada por una hoja ancha de acero con dientes unida a un mango, y que sirve para cortar madera y otros materiales.
FAM aserruchar.

serventesio *s. m.* ① Estrofa formada por cuatro versos de arte mayor, que riman el primero con el tercero y el segundo con el cuarto, con el esquema ABAB. ② Composición de la poesía trovadoresca provenzal de los siglos XII y XIII, de tema político o moral, que tiene a veces un tono satírico.

servicial *adj.* ① Que sirve con atención, cuidado y rapidez. ② Que siempre está dispuesto a servir y a satisfacer a los demás. **SIN** solícito.

servicio *s. m.* ① Trabajo, especialmente cuando se hace para otra persona: *lleva quince años al servicio del Estado.* ■ **servicio militar** Servicio que se presta al Estado siendo soldado durante un periodo de tiempo determinado. ■ **servicio social** Servicio que se presta al Estado colaborando en trabajos de interés social durante un periodo de tiempo determinado. ② Utilidad o función que desempeña una cosa. ③ Favor o beneficio que se le hace a una persona. ■ **servicio público** Servicio realizado a favor de la comunidad. ④ Organización, con su personal y medios, que se encarga de realizar un trabajo que satisface determinadas necesidades de una comunidad: *servicio médico*. ■ **servicio de inteligencia** Organización secreta que se encarga de investigar en un Estado. 5 Conjunto de personas que trabajan como criados en una casa. ■ **servicio doméstico** Persona o conjunto de personas que se dedican a limpiar casas profesionalmente. 6 Habitación en la que está el váter, el lavabo y otros elementos que sirven para el aseo personal. SIN retrete. 7 Conjunto de utensilios que se utilizan para un fin determinado, especialmente para servir comidas o bebidas: *tienen un servicio de café de porcelana china*. ■ **servicio de mesa** Conjunto de cubiertos, platos, vasos y otros utensilios necesarios para comer en la mesa. 8 Impulso que se da a la pelota para ponerla en movimiento y comenzar una jugada en tenis y deportes similares. SIN saque.

de servicio Desempeñando un cargo o una función durante un turno de trabajo determinado.

hacer un flaco servicio familiar Causar daño, generalmente sin querer.

FAM servicial; autoservicio.

servidor, -ra *s. m. y f.* 1 Persona que se dedica profesionalmente a realizar los trabajos domésticos. 2 Persona que está encargada de manejar un arma, una máquina u otro aparato. 3 Ordenador conectado a una red informática que ofrece servicios a otros ordenadores conectados a él: *en este servidor se almacenan programas que van a utilizar las personas conectadas a la red*. 4 Expresión que, por cortesía y respeto, utiliza la persona que habla para referirse formalmente a sí misma: *un servidor piensa que eso debería hacerse de otra manera*. NOTA En esta acepción concuerda con verbos en tercera persona.

servidumbre *s. f.* 1 Conjunto de personas que trabajan como criados en una casa. 2 Condición y trabajo propios del sirviente. 3 Dependencia excesiva que una persona tiene de un sentimiento o idea, o carga exagerada que le supone depender de otra persona. 4 Impuesto sobre un inmueble en beneficio de otro perteneciente a distinto propietario.

servil *adj.* 1 Que muestra una actitud exageradamente humilde y servicial ante los superiores o poderosos, generalmente para obtener un beneficio. 2 Relativo a los criados. 3 Se aplica al trabajo que es humilde o poco valorado por la sociedad.

FAM servilismo.

servilismo *s. m.* Tendencia exagerada a servir o satisfacer ciegamente a una autoridad.

servilleta *s. f.* Pieza de tela o papel que sirve para limpiarse la boca y los dedos, o para proteger la ropa durante las comidas.

FAM servilletero.

servilletero *s. m.* 1 Utensilio, generalmente en forma de aro, que sirve para recoger o guardar una servilleta enrollada. 2 Recipiente o utensilio que sirve como dispensador de servilletas o para guardarlas.

servio, -via V. serbio, -bia.

servir [10] *v. intr.* 1 Estar capacitada una persona o ser útil una cosa para un fin determinado: *es evidente que sirves para los negocios; tus palabras servirán de consuelo*. 2 Tener un utensilio un fin determinado, porque se ha construido para eso. I *v. tr./intr.* 3 Trabajar para una persona, especialmente realizando las tareas del hogar. 4 Trabajar para el ejército, ser soldado en activo: *sirvió muchos años en infantería*. I *v. tr.*

5 Atender a los clientes en una tienda. 6 Obrar con entrega y lealtad al servicio de una persona o de una cosa. 7 Mostrar adoración, obediencia y respeto hacia Dios. 8 Suministrar una mercancía a una empresa o a un cliente: *la fábrica que cerraron servía el pan a esta panadería*. I *v. tr./intr.* 9 Llevar a la mesa la comida o la bebida y distribuirlas en platos o vasos: *acércame tu plato que te voy a servir la sopa*. 10 Asistir a la mesa trayendo los manjares y la bebida. 11 Hacer las veces de otra cosa: *un traje viejo te servirá de disfraz*. I *v. prnl.* 12 **servirse** Dignarse o acceder a realizar una acción: *sírvase firmar este documento, por favor*. 13 Utilizar una cosa para alcanzar un fin: *se sirvió de todas sus influencias*.

FAM servicio, servidor, servidumbre, sirviente; inservible.

servocroata V. serbocroata.

sésamo *s. m.* 1 Planta originaria de la India de tallo recto y flores blancas o rosas en forma de campana, cuyo fruto contiene numerosas semillas, muy grasas y nutritivas: *el sésamo se cultiva en lugares cálidos*. SIN ajonjolí. 2 Semilla que está encerrada en el fruto de esta planta: *el sésamo se usa en repostería*. SIN ajonjolí.

sesear *v. intr.* Pronunciar la *c* y la *z* como una *s*: *en zonas de Andalucía e Hispanoamérica se sesea*.

FAM seseo.

sesenta *num. card.* 1 Cincuenta más diez. I *num. ord.* 2 Que ocupa el lugar número 60 en una serie ordenada. SIN sexagésimo. I *s. m.* 3 Número 60.

los sesenta Década comprendida entre los años 1960 y 1969.

FAM sesentavo, sesentón.

sesentavo, -va *num. part.* Se aplica a cada una de las partes que resultan de dividir un todo en sesenta partes iguales. SIN sexagésimo.

sesentón, -tona *adj./s. m. y f.* familiar Se aplica a la persona que tiene entre sesenta y sesenta y nueve años de edad.

seseo *s. m.* Fenómeno del habla que consiste en pronunciar como *s* la *c* y la *z*: *el seseo se produce en algunas zonas de Andalucía, Canarias e Hispanoamérica*.

sesera *s. f.* 1 Parte de la cabeza de los animales en la que se encuentran los sesos. 2 familiar Cabeza de las personas y de los animales: *¡qué dolor de sesera tengo hoy!* 3 familiar Inteligencia y juicio que posee una persona: *¡qué poca sesera tienes!*

sesgado, -da *adj.* 1 Que está cortado de manera inclinada. 2 Que no es objetivo o imparcial, sino que está condicionado por determinados intereses.

sesgar *v. tr.* 1 Cortar o partir una cosa en diagonal. 2 Torcer o disponer algo inclinado.

FAM sesgado, sesgo.

sesgo *s. m.* 1 Orientación o dirección que toma un asunto, especialmente cuando es desfavorable o hacia un lado poco adecuado: *la discusión está tomando un sesgo desagradable*. 2 Inclinación de una cosa hacia un lado. I *adj.* 3 Cortado o situado oblicuamente.

al sesgo En diagonal o de través: *corté la tela al sesgo para darle más vuelo a la falda*.

sésil *adj.* En biología, se aplica al órgano u organismo insertado directamente a un sustrato por su base. SIN sentado.

sesión *s. f.* 1 Reunión de un grupo de personas para realizar una actividad o tratar un asunto que se desarrolla sin interrupciones, en un intervalo temporal determinado. 2 Fase de una actividad o parte de un proceso que se desarrolla en

S

un intervalo temporal determinado: *sesión de quimioterapia.*
3 Cada representación teatral o proyección de una película o un programa de cine que se celebra en un día. **SIN** pase.

abrir la sesión Comenzar la sesión.

levantar la sesión Terminar la sesión.

seso *s. m.* **1** Masa de tejido nervioso que se encuentra en el interior del cráneo y que se encarga de las funciones cognitivas. **NOTA** Más en plural. **SIN** cerebro. **2** familiar Capacidad para pensar y juzgar.

calentarse (o devanarse) los sesos Pensar mucho en un asunto tratando de encontrarle una solución.

perder el seso Volverse loco.

sorber el seso Hacerle perder a alguien la capacidad de pensar y juzgar ejerciendo una gran influencia sobre él: *la televisión ha sorbido el seso a Alejandro.*
FAM sesada, sesera, sesudo.

sesquicentenario, -ria *adj.* **1** Que tiene ciento cincuenta años: *un edificio sesquicentenario.* | *s. m.* **2** Fecha en que se cumplen ciento cincuenta años desde que se produjo un acontecimiento. **3** Fiesta o celebración con que se conmemora esta fecha.

sestear *v. intr.* **1** Dormir la siesta o descansar después de comer al mediodía. **2** Ponerse el ganado a la sombra durante el día en un lugar fresco.
FAM sesteo.

sestercio *s. m.* Antigua moneda romana de plata que equivalía a dos ases y medio.

sesudo, -da *adj.* **1** familiar Que muestra buen juicio y madurez en sus actos. **2** familiar Que es muy listo, inteligente y culto.

set *s. m.* **1** Parte en que se divide un partido en ciertos deportes, como el tenis y el voleibol: *el tenista venció a su contrincante en el tercer set.* **2** Conjunto formado por varios utensilios que tienen una finalidad común o que están relacionados entre sí: *se compró un pequeño set de herramientas para hacer bricolaje.*
OBS Plural: sets.

seta *s. f.* Hongo con forma de sombrero sostenido por un pie, en muchos casos comestible.

setecientos, -tas *num. card.* **1** Seiscientos más cien. | *num. ord.* **2** Que ocupa el lugar número 700 en una serie ordenada. **SIN** septingentésimo. | *s. m.* **3** Número 700.

setenta *num. card.* **1** Sesenta más diez. | *num. ord.* **2** Que ocupa el lugar número 70 en una serie ordenada. **SIN** septuagésimo. | *s. m.* **3** Número 70.

los setenta Década comprendida entre los años 1970 y 1979.
FAM setentavo, setentón.

setentavo, -va *num. part.* Se aplica a cada una de las partes que resultan de dividir un todo en setenta partes iguales. **SIN** septuagésimo.

setentón, -tona *adj./s. m. y f.* familiar Se aplica a la persona que tiene entre setenta y setenta y nueve años de edad.

setiembre *s. m.* Septiembre.

seto *s. m.* Valla hecha con palos o ramas de arbustos o de otras plantas entretejidas: *el jardinero recortó el seto.*

setter *adj./s. com.* Se aplica al perro que pertenece a una raza que se caracteriza por tener el pelo largo, suave y ondulado, y el hocico alargado, y que es muy apropiada para la caza.

seudónimo [también **pseudónimo**] *s. m.* Nombre falso

que usa una persona para ocultar su identidad, especialmente el utilizado por el autor de una obra: *Azorín es el seudónimo de José Martínez Ruiz.*

seudópodo [también **pseudópodo**] *s. m.* Prolongación del citoplasma de una célula de algunos organismos como la ameba que le sirve para desplazarse y capturar alimentos: *la ameba se mueve formando seudópodos.*

severidad *s. f.* **1** Rigor o intolerancia con que se juzgan las faltas y debilidades de los demás o las propias. **2** Exactitud y rigor en el cumplimiento de una ley, una norma o una regla.

severo, -ra *adj.* **1** Riguroso o intransigente con las faltas o las debilidades de los demás o las propias. **ANT** flexible. **2** Que es estricto y riguroso al aplicar una ley o una regla. **3** Se aplica al aspecto o expresión que es grave, seria o poco expresiva.
FAM severidad.

seviche [también **cebiche** o **ceviche**] *s. m.* AMÉR. Plato de pescado o marisco crudo, troceado y condimentado con cebolla, ají y zumo de limón.

sevillana *s. f.* **1** Baile popular originario de Sevilla, de ritmo rápido o moderado, que se baila en pareja o en grupo realizando distintos pasos y movimientos que varían en cada estrofa. **2** Canción o composición musical con que se acompaña este baile, de ritmo rápido o moderado y compás compuesto (ternario y binario), que se distribuye en cuatro estrofas.

sevillano, -na *adj.* **1** De Sevilla (ciudad y provincia de Andalucía). | *s. m. y f./adj.* **2** Persona que es de Sevilla.

sexagenario, -ria *adj.* **1** culto Que tiene entre sesenta y sesenta y nueve años. | *adj./s. m. y f.* **2** culto Se aplica a la persona que tiene entre sesenta y sesenta y nueve años de edad.

sexagesimal *adj.* Se aplica al sistema de medida que está basado en el número sesenta: *los ángulos se miden con el sistema sexagesimal.*

sexagésimo, -ma *num. ord.* **1** Que ocupa el lugar número 60 en una serie ordenada: *sexagésimo aniversario.* | *num. part.* **2** Se aplica a cada una de las partes que resultan de dividir un todo en sesenta partes iguales: *a cada socio le correspondió una sexagésima parte de las ganancias.* **SIN** sesentavo.
FAM sexagesimal.

sex-appeal [se pronuncia aproximadamente 'secsapil'] *s. m.* Conjunto de características que hacen que una persona resulte atractiva física o sexualmente.

sexcentésimo, -ma *num. ord.* **1** Que ocupa el lugar número 600 en una serie ordenada. | *num. part.* **2** Se aplica a cada una de las partes que resultan de dividir un todo en seiscientas partes iguales.

sexenio *s. m.* Periodo de seis años.

sexi *adj.* Sexy.

sexismo *s. m.* Actitud de la persona que discrimina a otra del sexo opuesto o hace distinción de las personas según su sexo: *hay que evitar el sexismo que todavía existe en el mundo laboral.*
FAM sexista.

sexista *adj./s. com.* Que hace discriminación de las personas según su sexo.

sexo *s. m.* **1** Conjunto de características de un animal o una planta por las que se distingue entre individuos machos y hembras que producen células sexuales (o gametos) masculinas o femeninas. ② Conjunto de los individuos de una especie que comparten una de estas dos series de características. ③ Órganos sexuales o reproductores, especialmente los externos. ④ Actividad física relacionada con la reproducción que proporciona placer sexual.

FAM sexismo, sexología, sexuado, sexual.

sexología s. f. Parte de la medicina y de la psicología que se ocupa del estudio y tratamiento de los problemas relacionados con la sexualidad.

FAM sexólogo.

sexólogo, -ga s. m. y f. Persona que se dedica al estudio de la fisiología y la psicología de la conducta sexual humana.

sex-shop [se pronuncia aproximadamente 'sec-shop'] s. m. Tienda en la que se venden revistas, libros, películas u objetos relacionados con el erotismo o la excitación sexual.

sex-symbol [se pronuncia aproximadamente 'sec-símbol'] s. com. Persona famosa que es considerada como representante del modelo de belleza erótica de una época determinada.

sexta s. f. ① Tercera de las cuatro partes iguales en que los romanos dividían el día, posterior a la tercia y anterior a la nona, y comprendida entre el mediodía y la media tarde. ② Oficio religioso del clero católico, posterior a la tercia y anterior a la nona, que se celebra hacia el mediodía. ③ Intervalo de la escala musical entre una nota y la sexta superior o inferior a esta: *entre do y la hay una sexta.*

sextante s. m. ① Sexta parte de una circunferencia. ② Instrumento náutico que sirve para determinar la posición de un barco a través del cálculo de la altura de los astros.

sexteto s. m. ① Conjunto musical formado por seis voces o seis instrumentos. ② Composición musical escrita para ser interpretada por este conjunto de músicos.

sextilla s. f. Estrofa de seis versos de arte menor con rima consonante, generalmente alterna.

sextina s. f. ① Estrofa de seis versos endecasílabos con rima consonante, cuyo esquema más frecuente es ABABCC. ② Composición poética de origen provenzal formada por seis estrofas de seis versos endecasílabos y una estrofa de tres.

sextina romántica Variante de la sextina que consiste en la combinación de endecasílabos y heptasílabos, que combinan con el esquema *AaBBcB.*

sexto, -ta num. ord. ① Que ocupa el lugar número 6 en una serie ordenada. ‖ num. part. ② Se aplica a cada una de las partes que resultan de dividir un todo en seis partes iguales.

FAM sexta, sextante, sexteto, sextilla, sextina, séxtuplo.

sextuplicar v. tr. Hacer seis veces mayor una cosa o multiplicar por seis una cantidad.

séxtuplo, -pla adj./s. m. Se aplica al número que resulta de multiplicar por seis una cantidad: *54 es el séxtuplo de 9.*

FAM sextuplicar.

sexuado, -da adj. Se aplica al ser vivo que tiene órganos sexuales para reproducirse: *las plantas, animales y personas son seres sexuados.*

sexual adj. Relativo al sexo: *relaciones sexuales.*

FAM sexualidad; asexual, bisexual, heterosexual, homosexual, transexual, unisexual.

sexualidad s. f. ① Conjunto de características físicas y psicológicas propias de cada sexo: *es importante que los jóvenes conozcan no solamente su propia sexualidad, sino también la del sexo*

opuesto. ② Conjunto de actividades y comportamientos relacionados con la atracción entre los sexos, con la reproducción y con el placer sexual. SIN sexo. ③ Fenómeno reproductivo en el que intervienen dos organismos sexuados, uno masculino y otro femenino.

sexy [se pronuncia 'sexi'] adj. Que es muy atractivo y despierta el deseo sexual: *llevaba una falda muy sexy.*

sfumato s. m. Recurso pictórico basado en el difumino de los contornos de los objetos y figuras para conseguir un mayor efecto de integración en el ambiente: *el sfumato fue creado por Leonardo da Vinci.*

sha s. m. Monarca de Irán o de la antigua Persia.

shawarma s. m. ① Carne sazonada, generalmente de cordero, que se asa en un eje vertical que gira sobre sí mismo y se sirve cortada en finas láminas, a menudo dentro de un pan de pita. ② Bocadillo que se hace con esta carne y diversas verduras.

sheriff [se pronuncia aproximadamente 'shérif'] s. m. En los condados de Estados Unidos, representante de la justicia o del poder que se encarga de que la ley se cumpla.

OBS Plural: *sheriffs.*

sherpa adj./s. com. ① Relativo a un pueblo del Nepal situado en la cordillera asiática del Himalaya: *un guía sherpa condujo a los escaladores por la mejor ruta para subir al Everest.* ‖ s. com./ adj. ② Persona perteneciente a este pueblo.

shock [se pronuncia 'shoc'] s. m. Impresión intensa que, debida a un golpe o a una conmoción, altera profundamente el estado mental o los sentimientos de una persona. SIN choque.

FAM electroshock.

shogún s. m. Título de los generales en jefe y de los herederos de sus dinastías, que dirigieron Japón entre 1192 y 1867 bajo la autoridad teórica del emperador o mikado: *en Japón hubo tres dinastías de shoguns: Minamoto, Ashikaga y Tokugawa.* OBS Plural: *shoguns.*

short s. m. Pantalón corto que cubre hasta la mitad del muslo como máximo y que se usa para hacer deporte o cuando hace calor.

OBS Plural: *shorts.* Generalmente en plural con el mismo significado que en singular.

show [se pronuncia 'shou'] s. m. Espectáculo de variedades que se realiza para divertir o entretener a un público en la televisión, un club, sala de fiestas, etc.

si¹ conj. ① Introduce una oración condicional: *si hubiera tren en mi pueblo, no vendría en coche.* ② Introduce oraciones interrogativas indirectas: *pregúntale si quiere ir al cine.* ③ Expresa énfasis en oraciones exclamativas: *¡si será bruto ese tío!* ④ Introduce una oración que expresa una petición o un deseo: *¡si usted pudiera agilizar este trámite!* ⑤ Introduce una oración que expresa sorpresa o protesta: *¡pero si ya hemos llegado!; ¡si yo no he sido!* ⑥ culto Introduce una oración concesiva: *aquel chico, si algo bajo, era muy elegante y distinguido.*

si² s. m. Séptima nota de la escala musical: *el si está entre el la y el do.*

OBS Plural: *sis.*

SI s. m. Sigla de *Sistema Internacional,* sistema de unidades que ha sustituido al sistema métrico decimal.

sí¹ adv. ① Expresa afirmación, asentimiento, especialmente como respuesta a una pregunta. ② Enfatiza el caracter afirmativo de una frase. ‖ s. m. ③ Permiso, consentimiento o respuesta afirmativa a una petición o pregunta: *no sabré si puedo ir a la excursión hasta que que mi padre me dé el sí.* **NOTA** Plural: *síes.*

de por sí Sin tener en cuenta otras cosas, considerado aisladamente: *el niño ya es guapo de por sí.*

para sí Mentalmente o sin hablar: *pensó para sí que todos estaban equivocados.*

porque sí Sin una causa o motivo explicado, sino por voluntad o capricho: *las cosas nunca pasan porque sí, siempre hay una razón.*

sí² *pron.* Forma del pronombre personal de la segunda persona del singular y del plural que se emplea en los complementos con preposición: *no paraba de alabarse a sí mismo; los jugadores están seguros de sí mismos.* **OBS** Con la preposición *con* forma el pronombre *consigo.*

sial *s. m.* Capa superior de la corteza terrestre, compuesta principalmente por sílice y aluminio: *el sial está situado sobre el sima y tiene unos 100 km de espesor.*

siamés, -mesa *adj./s. m. y f.* **1** Se aplica a la persona que ha nacido unido a su hermano gemelo por una parte del cuerpo. **2** Se aplica al gato que tiene el pelo muy corto de color pardo o grisáceo, más oscuro en la cara, las orejas y la cola que en el resto del cuerpo: *los gatos siameses proceden de Asia.* ‖ *adj.* **3** De Siam (antiguo país de Asia correspondiente a la actual Tailandia). ‖ *s. m. y f./adj.* **4** Persona que era de Siam. ‖ *s. m./adj.* **5** Lengua hablada en Tailandia.

sibarita *adj./s. com.* Se aplica a la persona que es aficionada al lujo y a los placeres caros y refinados. **FAM** sibaritismo.

siberiano, -na *adj.* **1** De Siberia (región del norte de Asia): *el clima siberiano es muy frío.* ‖ *s. m. y f./adj.* **2** Persona que es de Siberia.

sibila *s. f.* Mujer que tenía la capacidad de predecir el futuro, según los antiguos griegos y romanos.

sibilante *adj.* **1** Se aplica al sonido que es como un silbido suave. **SIN** silbante. **2** Se aplica al sonido que se articula dejando salir el aire por un estrecho canal formado por la lengua y los alvéolos del paladar. **SIN** silbante. ‖ *s. f.* **3** Letra que representa este sonido: *la "s" es una sibilante.*

sibilino, -na *adj.* **1** Relativo a la sibila. **2** Que es oscuro o parece encerrar un secreto importante. **3** Que es susceptible de tener varias interpretaciones. **4** Se aplica al lenguaje que crea un clima de misterio, con pretensiones de profundidad.

sic Palabra latina que significa 'así, de este modo' y se usa en textos escritos para indicar que una palabra o expresión es una transcripción o copia textual, aunque sea incorrecta o pueda parecerlo: *me dejó una nota que decía: "te hespero (sic) a las diez".*

sicario *s. m.* culto Asesino a sueldo.

sicastenia V. psicastenia.

siciliano, -na *adj.* **1** De Sicilia (isla italiana). ‖ *s. m. y f./adj.* **2** Persona que es de Sicilia. ‖ *s. m./adj.* **3** Variedad dialectal del italiano hablada en Sicilia.

sicoanálisis V. psicoanálisis.

sicoanalista V. psicoanalista.

sicoanalítico, -ca V. psicoanalítico, -ca.

sicoanalizar V. psicoanalizar.

sicodelia V. psicodelia.

sicodélico, -ca V. psicodélico, -ca.

sicofármaco V. psicofármaco.

sicología V. psicología.

sicológico, -ca V. psicológico, -ca.

sicólogo, -ga V. psicólogo, -ga.

sicomotricidad V. psicomotricidad.

sicópata V. psicópata.

sicopatía V. psicopatía.

sicosis V. psicosis.

sicosomático, -ca V. psicosomático, -ca.

sicoterapia V. psicoterapia.

sida *s. m.* Enfermedad producida por un virus (retrovirus) que se transmite por vía sexual o a través de la sangre, y que hace disminuir las defensas naturales del organismo. **FAM** sidoso.

sidecar *s. m.* Especie de cochecito con un solo asiento y una rueda lateral que algunas motocicletas llevan unido a uno de sus lados. **OBS** Plural: *sidecares.*

sideral *adj.* Relativo a las estrellas. **SIN** estelar. **FAM** intersideral.

siderita *s. f.* Mineral compuesto de carbonato de hierro, de color variable que va desde el blanco amarillento hasta el verdoso o el gris, y brillo vítreo o nacarado: *la siderita es muy abundante en Rumanía y Canadá.*

siderurgia *s. f.* Sector de la industria del metal que se ocupa de extraer hierro y elaborar productos derivados de él, como el acero: *la siderurgia ha sido una importante fuente de riqueza en el norte de España.* **FAM** siderúrgico.

siderúrgico, -ca *adj.* Relativo a la siderurgia.

sidoso, -sa *adj./s. m. y f.* despectivo Se aplica a la persona que padece la enfermedad del sida.

sidra *s. f.* Bebida alcohólica hecha con el zumo de las manzanas fermentado: *la sidra asturiana es muy famosa en España.* **FAM** sidrero.

sidrería *s. f.* Establecimiento en el que se vende principalmente sidra o se sirve esta bebida alcohólica como especialidad.

siega *s. f.* **1** Actividad agrícola que consiste en cortar o recolectar las hierbas o los cereales maduros: *la siega del trigo se hace en verano.* **2** Época del año en que se cortan las hierbas o cereales. **3** Conjunto de hierbas o cereales maduros cortados.

siembra *s. f.* **1** Acción que consiste en arrojar y esparcir semillas en un terreno preparado para que germinen. **2** Época del año en que se realiza esta acción. **3** Tierra en la que se han puesto semillas. **SIN** sembrado. **4** Técnica de laboratorio que consiste en colocar microorganismos en medios de cultivo, en un ambiente adecuado para su crecimiento.

siemens o **siémens** [se pronuncia aproximadamente 'símens' o 'símens'] *s. m.* Unidad de conductancia eléctrica en el Sistema Internacional, de símbolo S, que equivale a la conductancia de un conductor con resistencia eléctrica de un ohm. **OBS** Plural invariable. Se ha adaptado al español con la forma *siemensio.*

siemensio *s. m.* Siemens.

siempre *adv.* **1** Todo el tiempo. **2** En todo caso, por lo menos: *quizá no logre mi propósito, pero siempre me quedará la satisfacción de haber hecho lo que debía.*

desde siempre Desde hace mucho tiempo.

hasta siempre Fórmula de despedida que da a entender a la otra persona que siempre será bienvenida.

por siempre Perpetuamente.

siempre que Introduce una oración subordinada temporal: *siempre que puedo voy a casa de mis tíos.*

siempre y cuando Introduce una oración subordinada condicional que expresa una condición que se ha de cumplir obligatoriamente para que sea cierto lo dicho en la oración principal: *iremos al cine siempre y cuando hagas los deberes.*

siempreviva *s. f.* ① Planta herbácea que mide entre 5 y 25 cm, y que se caracteriza por tener unas flores que se mantienen frescas mucho tiempo después de haber sido cortadas: *la siempreviva crece en zonas costeras.* ② Flor que brota de esta planta.

sien *s. f.* Cada una de las dos partes de la cabeza situadas entre la frente, la oreja y la mejilla que se corresponden con los huesos parietales: *me duele la cabeza y noto pinchazos en las sienes.*

sienita *s. f.* Roca plutónica compuesta de feldespato y anfíbol.

sierpe *s. f.* ① culto Serpiente. ② Persona colérica o que se enfada con facilidad. ③ Cualquier cosa que se mueve con rodeos. ④ Ramo tierno que brota de raíces leñosas.

sierra *s. f.* ① Herramienta que sirve para cortar madera y otros materiales duros y que está formada por una hoja de acero con dientes unida a un mango. ■ **sierra de calar** Máquina herramienta de corte, portátil, dotada de una hoja de sierra corta a la que se le aplica un movimiento de vaivén (arriba abajo) o pendular (arriba abajo con un pequeño desplazamiento hacia adelante) que permite realizar el corte deslizando la sierra a lo largo de la superficie que se trabaja. SIN caladora. ② Lugar en el que se sierra. ③ Alineación de montañas con cimas no muy altas y con pocos kilómetros de longitud, especialmente cuando es resultado de un plegamiento geológico.

FAM serreta; aserrador, motosierra.

siervo, -va *s. m. y f.* ① Persona que sirve a otra y está sujeta a su autoridad. ■ **siervo de la gleba** Persona que en el feudalismo estaba ligada de forma hereditaria al terreno del señorío que cultivaba; su condición legal estaba a medio camino entre la del esclavo y la del hombre libre, ya que aunque no pudiese dejar la tierra en que vivía, tenía casa y bienes propios y podía hacer testamento. NOTA También simplemente *siervo.* ② Persona enteramente sometida o entregada al servicio de otra: *soy un siervo de tu amor.* ③ Denominación de los miembros de alguna orden o comunidad religiosa.

FAM servil.

siesta *s. f.* ① Sueño corto que se echa después de comer. ② Momento del día destinado a este sueño corto, y en el cual aprieta más el calor.

FAM sestear.

siete *num. card.* ① Seis más uno. ❘ *num. ord.* ② Que ocupa el lugar número 7 en una serie ordenada. SIN séptimo. ❘ *s. m.* ③ Número 7. ④ Roto con forma de ángulo en una tela o una prenda de vestir: *se sentó en un banco roto y se hizo un siete en el pantalón.*

las siete y media o **el siete y medio** Juego de cartas en el que cada jugador ha de ir sumando los puntos de las cartas que va sacando (las figuras valen medio punto), de modo que gana quien obtiene siete puntos y medio o quien más se acerca a esa puntuación sin sobrepasarla.

FAM sietemesino; matasiete.

sietemesino, -na *adj./s. m. y f.* Se aplica al niño que ha nacido a los siete meses de ser engendrado, y no a los nueve.

sífilis *s. f.* Enfermedad infecciosa producida por una bacteria que se contagia por vía sexual o de la madre gestante al feto. FAM sifilítico.

OBS Plural invariable.

sifilítico, -ca *adj.* ① Relativo a la sífilis. ❘ *adj./s. m. y f.* ② Se aplica a la persona que padece la enfermedad de la sífilis.

sifón *s. m.* ① Botella, generalmente de cristal, con un mecanismo en su parte superior que abre y cierra la salida del agua con gas que contiene en su interior. ② Agua carbónica que hay en el interior de esa botella: *mi padre toma cada día un vaso de vino con sifón.* ③ Tubo curvo en forma de U que se utiliza para que circulen líquidos salvando algún desnivel, o para obstruir la salida de gases en cañerías de retretes y lavabos. ④ Tubo largo que tienen ciertos moluscos como las ostras, los mejillones, etc. para la circulación del agua necesaria para su alimentación y respiración. ⑤ Tubo doblemente acodado y con agua que impide la salida de gases al exterior.

sigilo *s. m.* ① Secreto con que se trata un asunto o se hace una cosa. ② Silencio cuidadoso: *hacía su trabajo con sigilo, para no despertar al niño.*

FAM sigiloso.

sigiloso, -sa *adj.* ① Que se realiza en secreto o que se comporta con discreción. ② Que es silencioso: *los gatos son muy sigilosos.*

sigla *s. f.* ① Letra inicial de una palabra que se usa como abreviatura: *"O.N.U." son las siglas de la "Organización de las Naciones Unidas".* ② Palabra formada por las iniciales de otras palabras: *las palabras "sida" y "radar" son siglas.* ③ Cualquier signo que se utiliza para ahorrar letras o espacios en la escritura.

siglo *s. m.* ① Periodo de cien años: *estamos en el siglo XXI; tardaron más de un siglo en construir la catedral.* ■ **siglo de oro** Periodo de gran esplendor en un país, especialmente en las artes: *el siglo XVI puede considerarse el siglo de oro de la música española.* NOTA Con mayúsculas (Siglo de Oro) cuando hace referencia al periodo de gran esplendor de la literatura española (siglos XVI y XVII). ② familiar Periodo indeterminado que se considera muy largo: *hace un siglo que te escribí.*

por los siglos de los siglos Eternamente.

sigma *s. f.* Nombre de la decimoctava letra del alfabeto griego; se escribe Σ/σ y se transcribe como *s.*

signatario, -ria *adj./s. m. y f.* culto Que firma una carta o documento. SIN firmante.

signatura *s. f.* ① Señal o marca que se pone en un objeto para distinguirlo de otros, especialmente la que está compuesta generalmente por números y letras y se pone en una parte visible del libro o documento para catalogarlo. ② culto Acción de firmar, especialmente cuando se trata de un documento importante.

significación *s. f.* ① Representación o sentido de un fenómeno o hecho determinado: *la significación es un proceso que asocia un ser, una idea o un hecho a un signo que la representa.* ② Sentido de una palabra u oración. ③ Objeto significado o

S

representado. [4] Importancia, influencia o valor que tiene un hecho.

significado *s. m.* [1] Sentido de una cosa, especialmente el de un signo, una palabra o una oración . [2] Uno de los dos elementos componentes del signo lingüístico; en el concepto que se evoca en la mente cuando se oye o se lee este signo: *el significado de la palabra "gato" es el concepto correspondiente al animal así denominado.* ‖ *adj.* [3] Que es importante o conocido.

significante *s. m.* Uno de los dos elementos componentes del signo lingüístico; es el que aporta la imagen acústica o visual: *el significante de la palabra "gato" está formado por la sucesión de las letras "g-a-t-o" o de sus fonemas correspondientes.*

significar *v. tr.* [1] Representar una cosa, fenómeno o hecho, o ser señal de ello: *si se enciende esa luz, significa que hay que apagar el aparato.* [2] Ser una palabra u oración signo o expresión de una idea. [3] Manifestar una idea o un sentimiento. ‖ *v. intr.* [4] Tener importancia para alguien cierta cosa o persona: *él significa mucho para mí.* ‖ *v. prnl.* [5] **significarse** Llamar la atención o distinguirse una persona por una cualidad o circunstancia: *aquel hombre se significó por su capacidad para el trabajo.* [6] Demostrar una persona mediante sus actos o palabras que tiene ciertas ideas, generalmente políticas o religiosas: *se significó partidario de los rebeldes.*
FAM significación, significado, significante, significativo.

significativo, -va *adj.* [1] Que es importante por lo que representa: *los pequeños detalles también pueden ser significativos.* [2] Que es señal de una cosa: *es significativo que Raúl no haya hablado aún.*

signo *s. m.* [1] Cosa perceptible por los sentidos, principalmente por la vista y el oído, que se emplea para representar algo: *son signos los iconos, los indicios y los símbolos.* ■ **signo lingüístico** En lingüística, conjunto constituido por el significante o aspecto formal de la palabra, y el significado o idea o concepto evocado por el significante: *el concepto de signo lingüístico fue introducido por F. de Saussure.* [2] Indicio o señal que da a conocer algo sobre una persona o una cosa. [3] Gesto o movimiento que se hace con una parte del cuerpo para expresar algo. [4] Señal, marca o dibujo que se emplea en la escritura, en la música y en las operaciones matemáticas: *signos de exclamación (¡!); signo de suma (+); el calderón es un signo musical.* [5] Cada una de las doce partes iguales que forman el zodiaco. [6] En medicina, manifestación objetiva y evidente de una enfermedad que puede ser observada por el médico mediante una exploración.
FAM signar, significar.

siguiente *adj.* [1] Que va inmediatamente después de otra cosa en un orden determinado: *allí está el ayuntamiento, y el siguiente edificio es mi casa.* [2] Posterior: *el día siguiente.*

siguiriya *s. f.* Cante flamenco de carácter triste y solemne y ritmo alterno, con coplas de cuatro versos hexasílabos excepto el tercero, que es endecasílabo.

sílaba *s. f.* Grupo fonético elemental de la lengua constituido de uno o varios sonidos que se pronuncian en una sola emisión de voz. ■ **sílaba abierta** o **sílaba libre** Sílaba que termina en vocal. ■ **sílaba átona** Sílaba que, en una palabra, no se pronuncia con tanta fuerza como la sílaba tónica. ■ **sílaba cerrada** o **sílaba trabada** Sílaba que termina en consonante. ■ **sílaba tónica** Sílaba que, en una palabra, se pronuncia con mayor fuerza.
FAM silabación, silabear, silábico; bisílabo, decasílabo, dode-

casílabo, endecasílabo, eneasílabo, heptasílabo, hexasílabo, monosílabo, octosílabo, parisílabo, pentasílabo, polisílabo, tetrasílabo, trisílabo.

silabear *v. tr./intr.* Pronunciar las sílabas de las palabras dejando entre cada una de ellas un espacio de tiempo mayor de lo habitual: *cuando aprendemos a leer, silabeamos.*
FAM silabeo.

silábico, -ca *adj.* Que pertenece a la sílaba: *el núcleo silábico es el punto de máxima sonoridad en la sílaba y lo ocupa generalmente una vocal.*

silbante *adj.* [1] Que silba. [2] Sibilante (sonido).

silbar *v. tr./intr.* [1] Producir un sonido agudo soplando con los labios muy juntos o formando con los dedos y la lengua un conducto estrecho en la boca: *iba silbando una alegre melodía.* [2] Producir sonidos agudos soplando en un cuerpo hueco: *silbaba con el capuchón del bolígrafo.* [3] Producir silbidos para mostrar agrado o desagrado: *el público silbó al actor por su mala interpretación.* ‖ *v. intr.* [4] Producir un silbido el viento o una cosa que agita el aire.
FAM silba, silbante, silbato, silbido, silbo.

silbato *s. m.* [1] Instrumento sonoro pequeño y hueco con una boquilla por la que se sopla y se produce un sonido agudo y penetrante. **SIN** pito. [2] Grieta pequeña por donde escapa el aire o algún líquido.

silbido *s. m.* Sonido agudo que se produce cuando el aire roza con algo a mucha velocidad: *llamó la atención del perro con un silbido.* **SIN** silbo.
FAM silbo.

silbo *s. m.* [1] Silbido. [2] Grito agudo de algunos animales, como la serpiente.

silenciador *s. m.* Pieza o dispositivo que se pone en la salida de un motor o en el cañón de ciertas armas de fuego y que sirve para hacer menos fuerte el ruido que producen.

silenciar *v. tr.* [1] Callar u omitir intencionadamente una cosa, especialmente una información: *silenciaron los resultados de la investigación para que la prensa no se enterara.* [2] Hacer que no se oiga ningún ruido o voz, o que no se pueda expresar algo. [3] Hacer parar el fuego de las armas de alguien: *el ataque aéreo silenció al ejército enemigo.*
FAM silenciador.
OBS Verbo regular, se acentúa como *cambiar.*

silencio *s. m.* [1] Estado en el que no hay ningún ruido o no se oye ninguna voz. [2] Ausencia de noticias o palabras sobre un asunto: *la prensa guarda silencio sobre el asunto.* [3] En música, intervalo en que se deja de tocar o cantar, y que se corresponde en duración con cada figura en la notación musical: *un silencio de blanca dura lo mismo que una blanca.* **SIN** pausa. [4] Signo de la notación musical que indica ese intervalo. **SIN** pausa. ‖ *int.* [5] **¡silencio!** Palabra con la que se pide a las personas que no hablen ni hagan ruido.
en silencio Calladamente o sin hacer ruido.
FAM silenciar, silencioso, silente.

silencioso, -sa *adj.* [1] Se aplica a la persona que no suele hablar. [2] Se aplica al aparato o motor que no hace ruido o hace muy poco. [3] Se aplica al lugar en que no hay ruido o hay muy poco: *en invierno, la casa está completamente silenciosa.*

silepsis *s. f.* [1] Figura retórica consistente en alterar la concordancia gramatical: *en la frase "la mayor parte de la gente ya han llegado" hay un ejemplo de silepsis, pues se utiliza el verbo en*

plural cuando lo correcto es hacerlo en singular, concordando con "la mayor parte de la gente". **2** Figura retórica que consiste en usar una palabra que se puede interpretar en dos sentidos, uno de ellos figurado. **SIN** dilogía.
OBS Plural invariable.

sílex *s. m.* Piedra muy dura formada principalmente por sílice, de color gris amarillento y que al romperse forma unos bordes que son muy cortantes: *los hombres de las cavernas usaban sílex para cortar.* **SIN** pedernal.
FAM sílice.
OBS Plural invariable.

sílfide *s. f.* **1** Mujer que es muy esbelta y guapa. **2** Ninfa del aire.

silicato *s. m.* Sal formada a partir de un ácido del silicio y una base: *el talco y la mica son silicatos.*

sílice *s. f.* Combinación de silicio con oxígeno que constituye un sólido vítreo, incoloro o blanco, insoluble en agua y que se encuentra en ciertos minerales.
FAM silicato, silíceo, silícico, silicio, silicosis.

silíceo, -cea *adj.* Que está compuesto de silicio: *el cuarzo es un mineral silíceo.*

silicio *s. m.* Elemento químico de símbolo *Si* y número atómico 14; es un no metal sólido que, en su forma cristalina, es gris y con brillo metálico, y en su variante amorfa es de color amarillento, muy abundante en la corteza terrestre, y forma parte de la arena y las rocas; se utiliza en la industria del acero como componente de aleaciones, en la fabricación de células solares, rectificadores, transistores y circuitos integrados, así como en vidrios, material refractario, cementos, etc.
FAM silicona.

silicona *s. f.* Producto químico compuesto principalmente de silicio y oxígeno, que es elástico, resistente y aislante de la humedad, del calor y de la electricidad, y que se emplea en la medicina y en la industria: *emplearon silicona para sellar las ventanas.*

silicosis *s. f.* Enfermedad que afecta al aparato respiratorio de las personas y que se produce por haber aspirado polvo de sílice u otros minerales en gran cantidad.
OBS Plural invariable.

silla *s. f.* **1** Asiento para una sola persona, con respaldo y generalmente con cuatro patas. ■ **silla de la reina** Asiento formado entre dos personas con sus cuatro manos. ■ **silla de manos** Asiento sostenido en dos listones a modo de litera. ■ **silla de tijera** Asiento plegable. ■ **silla de ruedas** Asiento que en lugar de patas tiene una rueda grande a cada lado y sirve para que se desplace una persona que no puede andar, o un enfermo para que no se canse. ■ **silla eléctrica** Asiento que está conectado a la corriente eléctrica y que se usa para ejecutar a los condenados a muerte. ■ **silla gestatoria** Asiento portátil en el que se sienta el Papa en ciertos actos solemnes. **2** Armazón de madera y cuero que se coloca sobre el lomo de un animal de montar y sirve para que una persona se siente y cabalgue cómodamente. **3** Cargo de un sacerdote en la Iglesia: *el año pasado pasó a ocupar la silla episcopal.*
FAM sillar, sillería, sillín, sillón; ensillar, telesilla.

sillar *s. m.* Piedra labrada que se emplea en construcción: *en esta cantera labran sillares, además de extraer la piedra.*

sillarejo *s. m.* Sillar pequeño, labrado toscamente, que no atraviesa todo el grosor del muro.

sillería¹ *s. f.* **1** Conjunto de asientos que tienen el mismo estilo y que, generalmente, están en una misma sala o habitación. **2** Conjunto de asientos unidos unos a otros, especialmente los del coro de una iglesia. **3** Establecimiento en el que se hacen o se venden sillas.

sillería² *s. f.* **1** Obra hecha con sillares bien trabajados o piedras labradas, asentados unos sobre otros y en hiladas de juntas finas. **2** Conjunto de estos sillares.

sillín *s. m.* **1** Asiento individual pequeño, especialmente el de la bicicleta y otros vehículos parecidos. **2** Silla de montar más ligera que la ordinaria. **3** Silla de tijera que se coloca sobre el aparejo de las caballerías.

sillón *s. m.* **1** Asiento para una sola persona, con respaldo y brazos, y que es más grande y cómodo que una silla, generalmente acolchado y forrado con tela. **2** Silla de montar, en la que se puede ir sentado como en una silla, sin necesidad de ir a horcajadas.

silo *s. m.* **1** Lugar seco y preparado para guardar el trigo u otras semillas o plantas cortadas: *llevaron la cebada al silo, para que no se mojara durante el invierno.* **2** Cualquier lugar subterráneo profundo y oscuro.

silogismo *s. m.* Razonamiento que está formado por dos premisas y una conclusión que es el resultado lógico de la relación entre las dos premisas.

silueta *s. f.* **1** Línea exterior que delimita el dibujo de una figura, especialmente cuando representa una persona o animal: *dibujó con tiza la silueta de un perro.* **2** Forma que presenta un objeto cuando está sobre un fondo más claro que él.
FAM siluetear.

siluriano, -na V. silúrico, -ca.

silúrico, -ca *adj./s. m.* **1** Se aplica al periodo geológico que es el tercero de la era paleozoica o primaria, sigue al periodo ordovícico y precede al periodo devónico; se extiende desde hace unos 430 millones de años hasta hace unos 395 millones de años. **SIN** siluriano. | *adj.* **2** Relativo a este periodo geológico. **SIN** siluriano.

silva *s. f.* **1** Composición poética formada por una serie indeterminada de versos heptasílabos y endecasílabos que riman a gusto del poeta, y que puede dejar versos sueltos. **2** Colección desordenada de varias materias o asuntos.

silvestre *adj.* **1** Se aplica al vegetal que crece o se cría en el campo o en la selva sin la intervención del ser humano: *frutas silvestres.* **2** despectivo Que tiene malos modos o que es poco delicado. **SIN** rústico.
FAM asilvestrado.

silvicultura *s. f.* **1** Cultivo, cuidado y explotación de los bosques y los montes. **2** Ciencia que se ocupa de estas actividades.
FAM silvicultor.

sima¹ *s. f.* Grieta o pozo muy profundo que se abre en el terreno y, generalmente, comunica la superficie con cuevas o corrientes subterráneas.

sima² *s. m.* Capa interior de la corteza terrestre, compuesta de silicatos de hierro y magnesio y otros materiales pesados, y situada bajo el sial.

simbiosis *s. f.* **1** Asociación en la que dos organismos de especies diferentes se asocian para beneficiarse mutuamente en su desarrollo vital: *en la simbiosis, o bien se benefician todos los organismos que participan en la asociación (mutualismo), o bien solo algunos, tanto si perjudican a los organismos restantes (parasi-*

tismo) como si no los perjudican (comensalismo). ② Relación de ayuda mutua que se establece entre dos personas o entidades, especialmente cuando trabajan o realizan algo en común. **FAM** simbiótico.
OBS Plural invariable.

simbólico, -ca *adj.* ① Que representa o simboliza una cosa. ② Que se expresa por medio de símbolos. ③ Que tiene significado afectivo o moral, o valor representativo, más que material: *un regalo simbólico.*

simbolismo *s. m.* ① Conjunto de símbolos que se utilizan para representar alguna cosa: *el simbolismo químico.* ② Significado de lo que se expresa con uno o varios símbolos. ③ Tendencia artística que consiste en sugerir ideas o evocar objetos sin nombrarlos directamente, mediante símbolos e imágenes: *el simbolismo de una pintura románica.* ④ Movimiento literario y artístico desarrollado en Europa en las dos últimas décadas del siglo XIX y los primeros años del siglo XX, caracterizado por una nueva valoración de la expresión simbólica, entendida como evocación y sugerencia: *Rimbaud, Mallarmé y Verlaine son poetas del simbolismo.*
FAM simbolista.

simbolista *adj.* ① Relativo al simbolismo (movimiento artístico): *el pintor Paul Gauguin tiene algunas obras simbolistas.* ❙ *adj./s. com.* ② Se aplica a la persona que sigue o pone en práctica los preceptos del simbolismo.

simbolizar *v. tr.* Servir una cosa, fenómeno o hecho como representación o explicación de algo, por haber entre las dos cosas una relación natural o convencional: *la paloma blanca simboliza la paz.*
FAM simbolización.

símbolo *s. m.* ① Signo que representa un objeto sin tener ningún parecido o relación con él, por una simple asociación convencional: *son símbolos las palabras, los signos ortográficos, las banderas, la paloma blanca, etc.* ② Cualquier representación de algo. ③ Letra o par de letras que sirven para nombrar un elemento químico; la primera de ellas se escribe con mayúscula y la segunda, si existe, con minúscula. **NOTA** También *símbolo químico.* ④ Figura retórica o estilística mediante la cual un elemento o palabra trasciende su significado normal para evocar otra realidad: *la tarde y todo lo que evoca es, para Antonio Machado, un símbolo de la tristeza y de la muerte.* ⑤ En filosofía, representación de una realidad inaccesible al intelecto.
FAM simbólico, simbolismo, simbolizar, simbología.

simbología *s. f.* Conjunto de símbolos que hay en una cosa, especialmente en una obra artística: *analizó la simbología de algunos cuentos de Borges.*

simetría *s. f.* ① Correspondencia entre los puntos del plano o del espacio situados a uno y otro lado del centro, eje o plano de simetría y a la misma distancia de él: *en la A y en la C encontramos simetría axial porque los componentes se ordenan como si se reflejaran en un espejo, mientras que en la Z existe simetría central.* **ANT** asimetría, disimetría. ② Proporción adecuada de las partes de un todo o de las cosas de un conjunto. **SIN** asimetría, disimetría.

simetría bilateral Distribución regular de las partes del cuerpo de un organismo en dos lados opuestos de un plano de simetría.

simetría radial Distribución igual de las partes del cuerpo alrededor de un eje de simetría.
FAM simétrico; asimetría, disimetría.

simétrico, -ca *adj.* ① Que guarda simetría: *doblad una hoja*

de papel en partes simétricas. **ANT** asimétrico. ② Relativo a la simetría. ❙ *adj./s. m.* ③ Se aplica al número inverso de otro respecto a una operación dada.

simiente *s. f.* ① Parte del fruto que es producto de la fecundación del óvulo y que contiene el embrión de una nueva planta: *el hueso del melocotón encierra la simiente.* **SIN** semilla. ② Causa u origen de otra cosa, especialmente de opiniones o de estados de ánimo. **SIN** semilla.

símil *s. m.* ① Figura retórica mediante la cual se comparan dos cosas para resaltar una de ellas: *"sus mejillas, rugosas como la corteza de una vieja encina" es un símil de Pío Baroja.* **SIN** comparación. ② Semejanza entre dos cosas: *es difícil establecer un símil entre la pintura abstracta y la realidad.*
FAM similar, similitud; disímil.

similar *adj.* culto Que es parecido o semejante a otra persona, animal o cosa. **SIN** parecido.

similitud *s. f.* Parecido o semejanza que hay entre dos o más personas, animales o cosas.

simio, -mia *s. m. y f.* Nombre genérico con que se designa a cualquiera de los primates del suborden de los antropoides (hocico reducido y ojos en posición frontal). **SIN** mono.
FAM simiesco.

simpatía *s. f.* ① Modo de ser o de actuar de una persona que la hace agradable a los demás. **ANT** antipatía. ② Sentimiento de afecto hacia alguien o algo. **ANT** antipatía. ③ Relación patológica o fisiológica que se produce entre dos órganos del cuerpo que no tienen entre sí conexión directa.
FAM simpático, simpatizar.

simpático, -ca *adj.* Se aplica a la persona que inspira simpatía. **ANT** antipático.
gran simpático o **sistema nervioso simpático** Parte del sistema nervioso que dirige el funcionamiento de ciertos órganos del cuerpo sin intervención de la voluntad: *el gran simpático es el encargado de la aceleración del ritmo cardiaco.*

simpatizante *adj./s. com.* Se aplica a la persona que se siente atraída por un club, una ideología o un movimiento político.

simpatizar *v. intr.* Sentir atracción o simpatía por alguien o algo: *Juan ha simpatizado enseguida con sus nuevos compañeros.*
FAM simpatizante.

simple *adj.* ① Que está formado por un solo elemento: *el oxígeno es un elemento simple.* **ANT** complejo, compuesto. ② Que no tiene complicación ni dificultad. **SIN** sencillo. **ANT** complejo, complicado. ③ Se utiliza para indicar que lo que se expresa no es tan importante, complicado o difícil como podía ser: *se trata de un simple dolor de cabeza; con una simple llamada puede ganar un premio.* **NOTA** En esta acepción, va antepuesto al sustantivo. ④ Se aplica al tiempo verbal que se conjuga sin auxilio de otro verbo; expresa aspecto imperfecto, es decir, acción inacabada, excepto el pretérito perfecto simple. ⑤ Se aplica a la oración que tiene como núcleo del predicado un solo verbo en forma personal: *"Juan volverá mañana" es una oración simple.* ⑥ Se aplica a la palabra que está compuesta por un solo monema, que puede ser un morfema libre (como *en* y *el*) o un lexema (como *raíz* y *luna*). ❙ *adj./s. com.* ⑦ Se aplica a la persona que no es inteligente ni rápida cuando razona y resulta fácil de engañar: *le toman el pelo por lo simple que es.*
FAM simplemente, simpleza, simplicidad, simplificar, simplista, simplón.
OBS Superlativo: *simplicísimo* o *simplísimo.*

simpleza *s. f.* ① Falta de inteligencia y rapidez en una persona cuando razona. ② Acto o dicho poco inteligente. ③ Cosa poco importante o de poco valor: *no debes disgustarte por una simpleza semejante.*

simplicidad *s. f.* ① Ausencia total de complicación en una cosa. ② Ingenuidad o carácter simple que tiene una persona. ③ Ausencia de adornos en una obra artística.

simplicísimo, -ma *adj.* Superlativo de *simple.*

simplificación *s. f.* ① Transformación de una cosa en algo más sencillo o más fácil: *los avances técnicos han supuesto una simplificación del trabajo en esta fábrica.* ② Reducción de una cantidad, una expresión o una ecuación a la forma más sencilla, que tiene el mismo resultado.

simplificar *v. tr.* ① Hacer más sencillo o más fácil una cosa. ② Reducir una expresión o una ecuación a una forma más sencilla y equivalente a la inicial: *24/12 se puede simplificar en 12/6 y el resultado es, en ambos casos, 2.* **FAM** simplificación.

simplista *adj.* ① Que está basado en ideas demasiado elementales. ❙ *adj./s. com.* ② Se aplica a la persona que hace razonamientos con ideas demasiado elementales.

simplón, -plona *adj.* ① Que es simple o sencillo en exceso. ❙ *adj./s. m. y f.* ② *familiar* Se aplica a la persona que no es inteligente ni rápida cuando razona y es fácil de engañar.

simposio *s. m.* Reunión de personas especializadas, menos numerosa que un congreso, que se proponen estudiar o exponer un tema determinado.

simulación *s. f.* Presentación de una cosa haciendo que parezca real: *hizo con el ordenador la simulación de un castillo.*

simulacro *s. m.* ① Acción que se realiza imitando un suceso real para tomar las medidas necesarias de seguridad en caso de que ocurra realmente: *los soldados hicieron un simulacro de ataque a una base enemiga.* ② Copia hecha a semejanza de una cosa o persona. ③ Imagen creada por la fantasía.

simulador *s. m.* Aparato o conjunto de aparatos que reproduce las funciones de otro, pero sin producir el efecto propio de él: *simulador de vuelo.*

simular *v. tr.* ① Presentar como cierto o real lo que es falso o imaginado. **SIN** fingir. ② Presentar una cosa haciendo que parezca real: *estas máquinas simulan la cabina de un avión.* **FAM** simulación, simulacro, simulador.

simultanear *v. tr.* Realizar dos o más actividades en un mismo periodo de tiempo: *durante la carrera, simultaneaba sus estudios con un trabajo como camarera.*

simultaneidad *s. f.* Circunstancia de coincidir dos o más hechos o acciones en un mismo momento o periodo de tiempo.

simultáneo, -nea *adj.* Que se hace u ocurre al mismo tiempo que otra cosa: *con el piano puedes producir dos o más sonidos simultáneos.* **FAM** simultanear, simultaneidad.

sin *prep.* ① Indica falta o carencia de una cosa material o inmaterial: *no se quedará sin amigos.* ② Indica que lo que se dice a continuación no queda incluido o no se tiene en cuenta dentro de lo dicho antes: *la compra de la casa me ha salido muy cara, sin los impuestos.*
no sin Equivale a una afirmación: *voy a terminar no sin antes dar las gracias a todos los presentes en esta sala.*
sin + infinitivo Indica que la acción que expresa el infinitivo no sucede: *llevo un mes sin ver a mis padres.*

sinagoga *s. f.* Edificio donde una comunidad judía se reúne para rezar o realizar ceremonias religiosas. **SIN** aljama.

sinalefa *s. f.* Fusión de la vocal final de una palabra con la vocal inicial de la palabra siguiente, de modo que se integren, a efectos fonéticos y métricos, en una sílaba: *el verso de Bécquer "yo atrueno en el torrente" tiene 7 sílabas porque entre "yo" y "atrueno" hay sinalefa.*

sinántropo *s. m.* Fósil homínido cuyos restos se encontraron en China.

sinapsis *s. f.* ① Zona de conexión entre dos neuronas por medio de una sustancia química, que transmite el impulso nervioso. ② Transmisión del impulso nervioso entre neuronas que se produce en esta zona. **OBS** Plural invariable.

sincerarse *v. prnl.* Contar un hecho o un sentimiento personal y reservado sin fingir ni ocultar información, especialmente para justificar un hecho o para aliviar la propia conciencia: *se sinceró con su amiga y le dijo todo lo que pensaba sobre su relación.*

sinceridad *s. f.* Falta de fingimiento en las cosas que se dicen o en lo que se hace.

sincero, -ra *adj.* Se aplica a la persona que habla y se expresa abiertamente, sin fingimiento. **SIN** franco. **FAM** sincerarse, sinceridad.

sinclinal *adj./s. m.* En geología, se aplica al plegamiento de las capas del terreno en forma de U, de modo que los estratos más antiguos envuelven a los más modernos, situados en el núcleo de la formación.

síncopa *s. f.* ① Figura retórica o fenómeno lingüístico consistente en la supresión de una o más letras en medio de una palabra: *"navidad" es síncopa de "natividad".* **SIN** síncope. ② Nota musical que se ataca en el tiempo débil de un compás y se prolonga hasta el tiempo fuerte: *la síncopa es un ritmo típico del jazz.* **FAM** sincopar.

sincopar *v. tr.* ① Hacer síncopa de una palabra o de una nota. ② Hacer una cosa más corta o más breve. **SIN** abreviar. **FAM** sincopación.

síncope *s. m.* ① Paralización momentánea de los movimientos del corazón y de la respiración, que puede producir una pérdida del conocimiento. ② Síncopa (fenómeno lingüístico).

sincretismo *s. m.* ① Sistema filosófico o religioso que trata de armonizar corrientes de pensamiento o ideas diferentes. ② Coincidencia de dos o más funciones gramaticales en una única forma: *en las desinencias verbales hay sincretismo de las categorías de persona, número y tiempo.* **FAM** sincrético, sincretista.

sincronía *s. f.* ① Coincidencia en el tiempo de varios hechos o circunstancias: *debe existir una sincronía entre la conciencia del hombre y su vida personal.* ② En gramática, conjunto de fenómenos que presenta una lengua en su aspecto estático. **ANT** diacronía. **FAM** sincrónico, sincronismo, sincronizar.

sincrónico, -ca *adj.* ① Que ocurre al mismo tiempo que otro hecho o circunstancia. ② Que analiza una lengua o un hecho lingüístico en un estado determinado, sin tener en cuenta su historia o evolución en el tiempo.

sincronización *s. f.* Coincidencia de dos fenómenos o movimientos en un momento determinado.

S

sincronizar *v. tr.* Hacer que coincidan dos fenómenos o movimientos en un momento determinado. **FAM** sincronización.

sindical *adj.* Relativo al sindicato: *los representantes sindicales se reunieron con los directivos.* **FAM** sindicalismo.

sindicalismo *s. m.* Movimiento social y político que defiende el establecimiento de sindicatos de trabajadores asalariados para tratar de defender sus intereses: *el origen del sindicalismo se halla en las teorías de Marx y Bakunin.* **FAM** sindicalista.

sindicalista *adj.* ① Relativo al sindicalismo: *la primera asociación de carácter sindicalista surgió en Inglaterra.* ‖ *adj./s. com.* ② Se aplica a la persona que pertenece a un sindicato o que es partidaria del sindicalismo.

sindicar *v. tr.* ① Asociar a una persona con otras que tienen sus mismos intereses laborales para formar un sindicato: *quieren sindicar a los obreros de esta empresa.* ‖ *v. prnl.* ② **sindicarse** Afiliarse a un sindicato: *los empleados de la fábrica se han sindicado.*

sindicato *s. m.* Unión o agrupación de trabajadores destinada a la defensa de sus intereses económicos y laborales.

síndico, -ca *s. m.* ① Persona elegida por un grupo o comunidad para cuidar de sus intereses, especialmente económicos o sociales. ② Persona encargada de pagar los bienes de un deudor en quiebra. **FAM** sindical, sindicar, sindicato.

síndrome *s. m.* Conjunto de signos o señales que caracterizan una enfermedad o un trastorno físico o mental. ■ **síndrome de abstinencia** Estado físico y mental de malestar producido por interrumpir el consumo de una droga u otra sustancia que crea dependencia. ■ **síndrome de Down** Enfermedad que origina retraso mental y de crecimiento y que produce determinadas anomalías físicas; está producida por la triplicación total o parcial del cromosoma 1. ■ **síndrome de Estocolmo** Actitud que aparece en las personas que son puestas en libertad después de un secuestro y que consiste en mostrarse comprensivo y benevolente con la conducta de los secuestradores. ■ **síndrome de inmunodeficiencia adquirida** Enfermedad infecciosa producida por un virus, que destruye los mecanismos de defensa del cuerpo humano; es contagiosa y se puede transmitir a través de la sangre y del semen. **SIN** sida.

sinécdoque *s. f.* Figura retórica consistente en dar al todo el nombre de una de sus partes (como en "se divisan dos velas" por "se divisan dos barcos de vela") o, al revés, en dar a una parte el nombre del todo ("los mortales" por "las personas").

sine díe Expresión latina que significa 'sin fecha fija' y se usa para indicar que algo se aplaza sin determinar una fecha o plazo determinados: *han aplazado los exámenes sine díe.*

sine qua non Expresión latina que significa 'sin la cual no' y se aplica a una condición que necesariamente ha de cumplirse o es indispensable para que suceda o se cumpla algo: *condición sine qua non.*

sinéresis *s. f.* Licencia poética que consiste en medir dos sílabas como una cuando existen dos vocales contiguas, una que finaliza una sílaba y la otra que comienza la siguiente: *"aho-ra"* por *"a-ho-ra"* es una sinéresis. **OBS** Plural invariable.

sinestesia *s. f.* ① Figura retórica que consiste en atribuir una sensación a un sentido distinto del que le correspondería en realidad: *en "el trino amarillo del canario", Federico García Lorca hace una sinestesia porque atribuye el color ("amarillo") al sonido ("trino").* ② Sensación que se nota en una parte del cuerpo como consecuencia de un estímulo aplicado a otra.

sinfín *s. m.* Cantidad muy grande de alguna cosa, que resulta imposible de calcular o limitar. **SIN** infinidad, sinnúmero.

sinfín corona o **sinfín-corona** Se aplica al sistema de engranaje que permite transmitir un movimiento circular entre dos ejes perpendiculares; consiste en un engranaje helicoidal (sinfín) que transmite el movimiento a una rueda dentada perpendicular a este (corona).

sinfonía *s. f.* ① Composición musical hecha para ser interpretada por una orquesta, que puede tener instrumentos o voces solistas y consta de varios movimientos o partes: *Beethoven y Brahms son grandes compositores de sinfonías.* ② Conjunto numeroso de elementos que están combinados entre sí de manera harmónica y bella. **FAM** sinfónico.

sinfónica *s. f.* Orquesta formada aproximadamente por cien músicos que tocan instrumentos de cuerda, madera, metal y percusión: *la sinfónica de Sevilla.* **OBS** También *orquesta sinfónica.*

sinfónico, -ca *adj.* Relativo a la sinfonía.

singladura *s. f.* ① Distancia recorrida por una nave en 24 horas, empezando a contar el tiempo a partir de las 12. ② Dirección real o imaginaria seguida por algo o alguien: *recordó la singladura de su vida.*

single [se pronuncia aproximadamente 'sínguel'] *s. m.* Disco fonográfico de corta duración en el que solo se reproducen una o dos canciones en cada cara. **SIN** sencillo.

singular *adj./s. m.* ① Se aplica a la categoría gramatical de número que indica una sola persona o cosa. **ANT** plural. ‖ *adj.* ② Que es raro o extravagante. ③ Que es extraordinario o muy bueno entre varias posibilidades: *tenía un don singular para la política.* **FAM** singularidad, singularizar, singularmente.

singularidad *s. f.* ① Característica principal de la cosa que es única o que es extraordinaria o rara. ② Carácter especial de una persona o cosa que la hace destacar entre las demás: *su singularidad lo distinguió entre los pintores de la misma época.*

singularizar *v. tr.* ① Distinguir o dar mayor relevancia a una cosa o persona entre otras: *el alcalde quiso singularizar el problema de la vivienda.* ‖ *v. prnl.* ② **singularizarse** Distinguirse o destacar una persona o cosa entre otras. **SIN** particularizarse. **FAM** singularización.

singularmente *adv.* De manera especial o particular: *apreciamos singularmente su buena disposición.*

siniestra *s. f.* Mano o pierna situada en el lado que corresponde al corazón en el ser humano. **SIN** izquierda, zurda. **ANT** derecha, diestra.

siniestro, -tra *adj.* ① Que está hecho con mala intención. **SIN** perverso. ② Que es desgraciado o está causado por la mala suerte. ③ Que causa cierto temor o angustia por su carácter sombrío o macabro o por su relación con la muerte. ④ culto Que está en el lado izquierdo. **ANT** diestro. ‖ *s. m.* ⑤ Daño o pérdida importante de propiedades o personas a causa de una desgracia, especialmente por muerte, incendio, naufragio, choque u otro suceso parecido.

FAM siniestrado, siniestralidad.

sinnúmero *s. m.* Cantidad muy grande de una cosa, que resulta imposible de calcular o limitar. **SIN** infinidad, sinfín.

sino[1] *conj.* ① Indica que lo que se dice a continuación queda excluido del conjunto que se ha dicho antes: *su coche no es blanco, sino negro*. ② Indica que lo que se dice a continuación queda excluido del conjunto que se ha dicho antes: *nadie lo sabe sino Antonio*. ③ Se usa para añadir un elemento nuevo a otro que se ha dicho antes: *merece ser estimado, no solo por inteligente, sino también por afable*.

sino[2] *s. m.* Fuerza supuesta y desconocida que determina lo que ha de ocurrir. **SIN** destino, hado.

sínodo *s. m.* ① Reunión de eclesiásticos católicos, mayormente obipos y sacerdotes, para tratar asuntos de una diócesis o un territorio, o de toda la Iglesia: *las decisiones adoptadas por los miembros del sínodo deben ser aprobadas por el papa*. ② Reunión de delegados protestantes (pastores o laicos) de los consistorios parroquiales o regionales para tratar asuntos generales. ③ Coincidencia de dos planetas en el mismo grado de la trayectoria que describe la Tierra en su movimiento de traslación alrededor del Sol.

sinonimia *s. f.* ① Coincidencia en el significado entre dos o más palabras. **ANT** antonimia. ② Figura que consiste en usar palabras o expresiones sinónimas para matizar o dar énfasis a una idea.

FAM sinónimo.

sinónimo, -ma *adj./s. m.* Se aplica a la palabra que posee un significado similar al de otra. **ANT** antónimo.

FAM sinonimia.

sinopsis *s. f.* ① Esquema o exposición gráfica de los puntos generales de un tema o materia. ② Resumen muy breve y general de una cosa, especialmente de una novela, película u obra teatral.

FAM sinóptico.

OBS Plural invariable.

sinóptico, -ca *adj.* ① Que presenta las partes principales de un asunto de manera clara, rápida y resumida: *cuadro sinóptico*. ❙ *adj./s. m.* ② Se aplica a los evangelios de san Mateo, san Marcos y san Lucas, que presentan pasajes muy parecidos y otras características que los hacen semejantes entre sí: *los evangelios sinópticos narran hechos que no narra el evangelio de san Juan, y viceversa*. **NOTA** Normalmente en plural.

sinovia *s. f.* Líquido transparente que se encuentra en las articulaciones de los huesos y que sirve para lubricarlas.

FAM sinovial.

sinovial *adj.* ① Relativo a la sinovia: *líquido sinovial*. ② Se aplica a la membrana que segrega sinovia.

sinrazón *s. f.* Acción hecha contra la justicia o fuera de lo que se considera razonable.

sinsabor *s. m.* Sentimiento de tristeza y dolor provocado por una situación desagradable o una desgracia. **SIN** disgusto.

sinsentido *s. m.* Dicho o hecho que no tiene lógica. **SIN** absurdo.

sintáctico, -ca *adj.* Relativo a la sintaxis .

sintagma *s. m.* Grupo de palabras que, en una oración o proposición, poseen sentido unitario y desempeñan entre todas la misma función. ■ **sintagma adjetival** o **adjetivo**

Sintagma que tiene como núcleo un adjetivo: *"capaz de leer el libro"* es un *sintagma adjetivo*. ■ **sintagma adverbial** Sintagma que tiene como núcleo un adverbio: *"hoy por la mañana"* es un *sintagma adverbial*. ■ **sintagma nominal** Sintagma que tiene como núcleo un sustantivo: *"aquel día lluvioso"* es un *sintagma nominal*. ■ **sintagma predicado** Sintagma que hace la función de predicado. ■ **sintagma preposicional** Sintagma nominal inserto en la oración mediante una preposición: *"de madera"* es un *sintagma preposicional*. ■ **sintagma verbal** Sintagma que tiene como núcleo un verbo: *"comimos muy bien"* es un *sintagma verbal*.

FAM sintagmático.

sintagmático, -ca *adj.* ① Relativo al sintagma. ② Se aplica a la relación que mantiene una palabra con las otras del mismo sintagma u oración: *en "tu carpeta nueva", "carpeta" se relaciona con una cualidad, "nueva", y con un posesivo, "tu", que indican a qué carpeta se hace referencia, y todas estas relaciones son sintagmáticas.*

sintaxis *s. f.* Parte de la gramática que estudia la oración y, dentro de ella, la función de las palabras y sus interrelaciones.

FAM sintáctico; morfosintaxis.

sinterización *s. f.* Proceso de fabricación de piezas metálicas a partir de la compactación de polvos de metal mediante la acción del calor y la presión; consiste en prensar la mezcla de polvos hasta formar un bloque y calentarla en un horno eléctrico para conseguir una masa moldeable que vuelve a calentarse a una temperatura superior hasta obtener un endurecimiento permanente de esta.

sinterizado, -da *adj.* Se aplica a la pieza metálica que se obtiene por sinterización.

síntesis *s. f.* ① Explicación corta en la que se presenta lo principal de un asunto o materia. **SIN** resumen. ② Composición o formación de un todo mediante la unión de varios elementos: *esta cultura es la síntesis de otras más antiguas*. ③ Proceso por el que un ser vivo elabora en el interior de sus células las moléculas de sus componentes, a partir de sustancias tomadas del exterior. ④ Proceso por el que se obtiene una sustancia a partir de la combinación de elementos químicos o de sustancias más simples. ⑤ Método de razonamiento deductivo, que parte de lo más simple para llegar a lo más complejo. **ANT** análisis.

FAM sintético, sintetizar; biosíntesis, fotosíntesis, parasíntesis.

OBS Plural invariable.

sintético, -ca *adj.* ① Relativo a la síntesis: *su discurso fue un ejercicio sintético*. ② Se aplica al material que se obtiene mediante procedimientos industriales o químicos y que imita una materia natural: *esa cartera es de piel sintética*.

sintetizador *s. m.* ① Aparato electrónico que lleva incorporado un gran número de sonidos de intrumentos musicales, efectos sonoros, etc. que pueden modificarse o manipularse; se conecta a un teclado u otro controlador midi para producir música. ② Instrumento musical electrónico, generalmente un teclado, que lleva incorporado un banco de sonidos de instrumentos musicales, efectos sonoros, etc. ③ Sistema utilizado en investigación para generar voz a partir de señales eléctricas con la finalidad de estudiar los modelos vocales humanos.

sintetizar *v. tr.* ① Hacer una síntesis o resumen en que se recogen las principales ideas de un asunto o materia. ② Formar

un elemento o sustancia compuesta mediante la combinación de elementos o sustancias simples.
FAM sintetizador.

sintoísmo *s. m.* Religión de origen japonés basada en la adoración de las fuerzas naturales y el culto a los antepasados.

síntoma *s. m.* ① Manifestación subjetiva de una enfermedad que no es observable por el médico, como el cansancio o el dolor. ② Señal o signo de que una cosa está ocurriendo o va a ocurrir.
FAM sintomático, sintomatología.

sintomático, -ca *adj.* ① Relativo al síntoma. ② Que indica que una cosa está ocurriendo o va a ocurrir: *su malhumor es sintomático, habrán vuelto a discutir.*

sintomatología *s. f.* Conjunto de síntomas que tiene un enfermo o que son característicos de una enfermedad determinada.

sintonía *s. f.* ① Música con la que se marca el comienzo o el fin de un espacio de radio o de televisión y que lo identifica entre los demás. ② Igualdad de frecuencia entre un aparato receptor y otro emisor, especialmente la adaptación de un aparato de radio o de televisión a una emisora para captar sus programas. ③ Relación de acuerdo o de correspondencia entre varias personas o cosas: *lo que haces ha de estar en sintonía con lo que piensas.* **SIN** consonancia.
FAM sintonizar; presintonía.

sintonización *s. f.* ① Ajuste de la frecuencia de onda de un aparato receptor con la frecuencia de onda de un aparato emisor. ② Correspondencia en los sentimientos o pensamientos de dos personas que permite que exista armonía en lo que hacen.

sintonizador *s. m.* Sistema que permite aumentar o disminuir la longitud de onda en un aparato emisor, para adaptarla a la de un aparato emisor: *gira el botón del sintonizador para encontrar la emisora que buscas.*

sintonizar *v. tr.* ① Poner un aparato receptor en la misma frecuencia que un aparato emisor para poder recibir su señal: *no deje de sintonizar Radio 3 en el punto 61 de la frecuencia.* ‖ *v. intr.* ② Entenderse bien dos o más personas o cosas por tener ideas y gustos parecidos o un carácter similar.
FAM sintonización, sintonizador.

sinuoso, -sa *adj.* ① Se aplica al trayecto que tiene curvas, ondulaciones o recodos. **SIN** tortuoso. ② Que es poco claro y pretende ocultar la verdadera intención o propósito. **SIN** retorcido, tortuoso.
FAM sinuosidad.

sinusitis *s. f.* Enfermedad que consiste en una inflamación de las membranas que cubren los huesos de la frente a ambos lados de la nariz.
OBS Plural invariable.

sinvergonzonería *s. f.* Comportamiento o acción propios de la persona sinvergüenza.

sinvergüenza *adj./s. com.* ① Se aplica a la persona que habla u obra con atrevimiento, sin vergüenza ni respeto. **SIN** descarado, desvergonzado. ② Se aplica a la persona que tiene habilidad para engañar sin maldad y para no dejarse engañar.
FAM sinvergonzonería, sinvergüencería.

sionismo *s. m.* Movimiento político judío que defiende la colonización judía de los territorios árabes de Palestina y la creación del estado de Israel; surgió a finales del siglo XIX.
FAM sionista.

sionista *adj.* ① Relativo al sionismo. ‖ *adj./s. com.* ② Se aplica a la persona que es partidaria del sionismo.

sioux [se pronuncia aproximadamente 'siucs'] *adj.* ① Relativo a las tribus indígenas que vivían en las llanuras centrales de América del Norte. ‖ *s. com./adj.* ② Persona perteneciente a estas tribus. ‖ *s. m./adj.* ③ Lengua hablada por estas tribus.
OBS Plural invariable.

sique V. psique.

siquiatra V. psiquiatra.

siquiatría V. psiquiatría.

siquiátrico, -ca V. psiquiátrico, -ca.

síquico, -ca V. psíquico, -ca.

siquiera *adv.* ① Indica que lo que se dice a continuación es lo mínimo que se espera de una cosa solicitada o dada: *préstame siquiera 6 euros.* ‖ *conj.* ② Sirve para unir oraciones e indica que lo que se dice a continuación es lo mínimo que se espera sobre lo dicho antes: *querría hablar con el director, siquiera fuese un momento.*
ni siquiera o **ni tan siquiera** Se usa para reforzar una negación de manera que lo que se dice a continuación representa lo más básico de una totalidad que tampoco se cumple: *no recuerda ni siquiera su nombre.*

siquis V. psiquis.

sir *s. m.* Título inglés que se otorga a hombres que se distinguen en su comportamiento y que se emplea también como tratamiento a estas personas: *sir Arthur Conan Doyle.*

sirena *s. f.* ① Ser mitológico que vive en el mar, con cuerpo de mujer hasta la cintura y cola de pez, que atrae a los navegantes con su canto: *las sirenas aparecen en la mitología griega y romana.* ② Aparato que emite un sonido fuerte, generalmente con subidas y bajadas de intensidad, que se oye a mucha distancia, y que sirve para avisar de alguna cosa.
FAM sirénido, sirenio.

sirénido *adj./s. m.* ① Se aplica al mamífero acuático, herbívoro, de estructura hidrodinámica y con el labio superior muy desarrollado, como el manatí o el dugón. **SIN** sirenio. ‖ *s. m. pl.* ② **sirénidos** Grupo taxonómico, con categoría de orden, constituido por estos mamíferos. **SIN** sirenios.

sirenio V. sirénido.

sirimiri [también **chirimiri**] *s. m.* Lluvia muy fina y continua. **SIN** calabobos.

siringa *s. f.* ① Flauta de Pan de la antigua Grecia, que constituía uno de los instrumentos de viento más importantes; estaba formada por una serie de cinco a siete pequeños tubos de desigual tamaño unidos en paralelo y ordenados de mayor a menor, y se tocaba colocándola paralela al cuerpo y soplando por la parte superior de los tubos: *se suele representar a Pan, dios del bosque y el campo, tocando la siringa.* ② AMÉR. Nombre genérico que engloba tanto los distintos árboles que producen látex cauchífero como a las distintas faenas que se realizan para industrializarlo.

sirio, -ria *adj.* ① De Siria (país de Asia). ‖ *s. m. y f./adj.* ② Persona que es de Siria.

sirla *s. f.* familiar Instrumento parecido al cuchillo, cuya hoja está articulada de manera que el filo puede guardarse dentro del mango.

siroco *s. m.* Viento muy caliente y seco que sopla del desierto del Sáhara hacia el Mediterráneo.

sirope *s. m.* Sustancia líquida y espesa, parecida al jarabe, pero más viscosa, que se usa para hacer refrescos o para endulzar y adornar postres.

sirtaki *s. m.* Danza típica griega que se baila generalmente en grupo, formando una hilera con ambos brazos extendidos y dando pasos cortos; originariamente solo lo bailaban los hombres.

sirviente, -ta *s. m. y f.* Persona que se dedica a la limpieza y servicio doméstico en una casa distinta de la suya a cambio de dinero. SIN criado.

sisa *s. f.* 1 Corte curvo hecho en el cuerpo de una prenda de vestir que corresponde a la parte de la axila y por donde se une la manga. 2 Cantidad pequeña de dinero que una persona se queda para sí al hacer una compra con dinero de otra persona.
FAM sisar.

sisar *v. tr.* 1 Quedarse con una cantidad pequeña de dinero de otra persona al hacer una compra para ella. 2 Hacer un corte curvo en una prenda de vestir por la parte de la axila.

sisear *v. intr.* Pronunciar una *s* o un sonido parecido de manera continuada para pedir silencio o como señal de desacuerdo.
FAM siseo.

sísmico, -ca *adj.* Relativo al terremoto.
FAM antisísmico.

sismo *s. m.* Movimiento violento de la superficie de la Tierra producido por fractura y deslizamiento de la corteza terrestre. SIN seísmo, terremoto.

sismógrafo *s. m.* Instrumento que sirve para registrar la intensidad, duración y otras características de los movimientos sísmicos.

sismograma *s. m.* Gráfico de los movimientos vibratorios de la corteza terrestre.

sismología *s. f.* Parte de la geología que estudia las condiciones en que se producen y propagan los terremotos, su distribución y su relación con las estructuras geológicas.

sistema *s. m.* 1 Conjunto ordenado de normas y procedimientos que regula el funcionamiento de una colectividad: *el sistema de gobierno que tenemos en España es la democracia.* 2 Conjunto de reglas, principios o medidas que tienen relación entre sí. ■ **sistema cegesimal** Sistema de pesos y medidas que tiene por unidades básicas el centímetro, el gramo y el segundo. ■ **Sistema Internacional** Sistema de unidades que ha sustituido al sistema métrico decimal: *el ampere es una unidad del Sistema Internacional.* ■ **sistema métrico (decimal)** Sistema de pesos y medidas que tiene por unidades básicas el metro, el kilogramo y el segundo. 3 Conjunto de elementos que forman un todo. ■ **sistema montañoso** Conjunto de montañas que se considera como una unidad: *los Pirineos son el sistema montañoso que separa España de Francia.* ■ **sistema operativo** Conjunto de órdenes y programas que controlan los procesos básicos de un ordenador y permiten el funcionamiento de otros programas. ■ **sistema periódico** Conjunto de los elementos químicos ordenados en una tabla por el orden creciente de su número atómico y según sus propiedades. ■ **sistema planetario** o **sistema solar** Conjunto formado por el Sol y los demás cuerpos celestes que giran a su alrededor. 4 Conjunto de órganos que

intervienen en una función principal dentro del cuerpo: *el sistema nervioso integra y coordina las diversas respuestas de un organismo animal, así como las actividades de todos sus órganos; el sistema inmune se encarga de la defensa del organismo ante los antígenos.* 5 Medio o manera con que se hace una cosa: *un buen sistema de trabajo nos ahorrará tiempo.* 6 Conjunto de elementos lingüísticos que dependen unos de otros y están interrelacionados: *sistema fonológico; sistema sintáctico.*

por sistema Se usa para indicar que una cosa se hace siempre obstinadamente o sin una lógica determinada: *lleva la contraria a sus padres por sistema.*

sistema abierto Sistema termodinámico que puede intercambiar materia y energía con el medio circundante.

sistema aislado Sistema termodinámico que no puede intercambiar materia ni energía con el medio circundante.

sistema de referencia Sistema de coordenadas que se utiliza para determinar la posición de un punto, las componentes de un vector, etc.

sistema físico Cuerpo o conjunto de cuerpos independientes considerados como una entidad.

sistema operativo En informática, programa que asigna los recursos de un sistema informático a los demás programas para que se optimice el rendimiento del sistema.
FAM sistemático, sistematizar.

sistemática *s. f.* 1 Ciencia que estudia los principios, métodos y fines de la clasificación de los seres vivos en función de su semejanza. SIN taxonomía. 2 Clasificación u ordenación en grupos de cosas que tienen unas características comunes, especialmente la de grupos de animales o vegetales que se hace en biología. SIN taxonomía.

sistemático, -ca *adj.* 1 Que sigue o se ajusta a un sistema o conjunto de elementos ordenados: *una investigación sistemática es siempre más fiable.* 2 Se aplica a la persona que actúa con un método determinado y mucha constancia.

sistematizar *v. tr.* Organizar un conjunto de elementos dándoles un orden determinado y lógico.
FAM sistematización.

sístole *s. m.* 1 Movimiento de contracción del corazón que impulsa la sangre al sistema arterial. 2 Figura retórica que se emplea en poesía para mantener el ritmo de un verso y que consiste en el traslado del acento de una palabra a la sílaba inmediatamente anterior.

sitiar *v. tr.* 1 Rodear una ciudad, una fortaleza u otro lugar para atacar a las fuerzas enemigas que están dentro o para impedir que salgan o reciban ayuda. SIN asediar. 2 Hacer que una persona no tenga más remedio que aceptar lo que se le propone con mucha insistencia: *lo sitiaron para que aceptara el cargo.*
OBS Verbo regular, se acentúa como *cambiar.*

sitio[1] *s. m.* 1 Parte o punto de un espacio. SIN lugar. 2 Puesto que corresponde a una persona o una cosa en un determinado momento. 3 Espacio libre o disponible para un determinado fin.

poner en su sitio Hacer ver a una persona cuál es su posición o situación para que no se tome demasiadas libertades ni haga lo que quiera.
FAM sitiar.

sitio[2] *s. m.* Cerco de una ciudad, una fortaleza u otro lugar para atacar a las fuerzas enemigas que están dentro o para impedir que salgan o reciban ayuda. SIN asedio.

sito, -ta *adj. culto* Que está situado en un lugar determi-

S

nado: *el edificio, sito en la calle Velázquez, ha sido clausurado esta tarde.*

situ Se usa en la expresión latina:

in situ Indica que una persona o cosa está en el lugar y en el momento en que ocurre otra cosa: *acudió al teatro para asistir in situ al estreno de su obra.*

situación *s. f.* ◻1 Colocación o posición de una persona, animal o cosa en un lugar: *el edificio tiene una situación privilegiada.* ◻2 Estado o condición en que se halla una persona, animal o cosa en un momento determinado: *la situación del enfermo todavía es crítica.*

situar *v. tr.* ◻1 Poner a una persona, animal o cosa en un lugar o espacio determinado: *el camarero se situó detrás de la barra.* ‖ *v. prnl.* ◻2 **situarse** Lograr una persona buena posición social, económica o profesional de modo que pueda vivir con comodidad.
FAM situación, situado.
OBS Verbo regular, se acentúa como *actuar.*

ska [se pronuncia aproximadamente 'escá'] *s. m.* ◻1 Estilo musical nacido en Jamaica en la década de 1960 como derivación del rhythm and blues, que se caracteriza por el empleo de un ritmo rápido, mecánico y sincopado. ‖ *adj.* ◻2 Relativo a este estilo musical: *ritmo ska.* **NOTA** Invariable en número.

skateboard [se pronuncia aproximadamente 'eskéitboar'] *s. m.* Monopatín (patín compuesto de una tabla y cuatro ruedas).
OBS Plural: *skateboards.*

skay [también **escay**, menos usado; se pronuncia aproximadamente 'escay'] *s. m.* Material plástico que imita el cuero y se usa principalmente para tapizar: *sofá de skay.*
OBS Es marca registrada.

sketch [se pronuncia aproximadamente 'esquech'] *s. m.* Escena de corta duración y de tono humorístico que se intercala en una representación teatral o cinematográfica o en un programa de televisión.
OBS Plural: *sketchs* o *sketches.*

ski [también **esquí**; se pronuncia aproximadamente 'esquí'] *s. m.* Deporte que se practica deslizándose por encima de la nieve o del agua.

skin head [se pronuncia aproximadamente 'esquinjed'] *s. com.* Cabeza rapada (miembro de un grupo urbano y juvenil de comportamiento violento y que se caracteriza por llevar el pelo rapado).
OBS Plural: *skin heads.*

S. L. Sigla de *sociedad limitada.*

slalom [también **eslalon** o **eslálom**; se pronuncia aproximadamente 'eslálom'] *s. m.* Competición de esquí en la que los deportistas siguen un trazado con pasos obligados.

slip [se pronuncia aproximadamente 'eslip'] *s. m.* Prenda íntima masculina hecha de material elástico, que cubre desde la cintura hasta las ingles y se ajusta al cuerpo.
OBS Plural: *slips.* También en plural con el mismo significado que en singular.

slogan [también **eslogan**; se pronuncia aproximadamente 'eslogan'] *s. m.* Frase corta y que se puede recordar fácilmente, que se usa para vender un producto o para aconsejar a la población sobre algo.
OBS Plural: *slogans.*

S. M. Abreviatura de *su majestad*, tratamiento que se da a los reyes o emperadores.
OBS Plural: *SS. MM.*

smash [se pronuncia aproximadamente 'esmash'] *s. m.* En el tenis, golpe muy fuerte que se da con la raqueta de arriba hacia abajo cuando la pelota llega muy alta.
OBS Plural: *smashes.*

smog [se pronuncia aproximadamente 'esmoc'] *s. m.* Niebla de humos contaminantes que cubre grandes extensiones por encima de las ciudades industriales.

smoking [también **esmoquin**; se pronuncia aproximadamente 'esmoquin'] *s. m.* Traje masculino de etiqueta cuya chaqueta no tiene faldones y que se usa en fiestas u ocasiones importantes.
OBS Plural: *smokings.*

SMS [se pronuncia 'ese-eme-ese'] *s. m.* ◻1 Sigla de la expresión inglesa *Short Message Service,* 'servicio de mensaje corto', servicio ofrecido por la telefonía móvil que permite el envío de breves mensajes de texto entre teléfonos móviles, teléfonos fijos y otros dispositivos portátiles. ◻2 Mensaje enviado a través de este servicio.

s. n. o **s/n** Abreviatura de *sin número,* que se utiliza en las direcciones de edificios de una vía pública cuando no reciben numeración: *av. de los Álamos, s. n.*

snack-bar o **snack bar** [se pronuncia aproximadamente 'esnac-bar'] *s. m.* Establecimiento en el que se sirven bebidas y comidas rápidas.

snob [también **esnob**; se pronuncia aproximadamente 'esnob'] *adj./s. com.* Se aplica a la persona que tiene una admiración exagerada por todo lo que está de moda, sea por afectación o para darse importancia.
FAM snobismo.
OBS Plural: *snobs.*

snobismo [también **esnobismo**; se pronuncia aproximadamente 'esnobismo'] *s. m.* Exagerada admiración por todo lo que está de moda, sea por afectación o para darse importancia.

so[1] *prep.* Indica que alguna cosa está, real o figuradamente, bajo otra; en la actualidad se utiliza solamente en las expresiones *so capa, so pretexto* y *so pena: no tiene dinero para pagar el alquiler, so pena de que encuentre trabajo hoy mismo.*

so[2] *adv.* Se usa para enfatizar el valor despectivo de una cualidad que se expresa: *so tonto, deja de decir estupideces.*

¡so![3] *int.* Se usa para hacer que se detenga un caballo, un burro u otra caballería: *¡so, caballo, so!*

soasar *v. tr.* Asar ligeramente un alimento, teniéndolo poco tiempo en el fuego.

soba *s. f.* familiar Cantidad grande de golpes que una persona da o recibe. **SIN** tunda, somanta.

sobaco *s. m.* Cavidad o hueco que se forma en la unión de la parte interior del brazo con el cuerpo: *se puso el termómetro en el sobaco.* **SIN** axila.
FAM sobaquera, sobaquillo.

sobado, -da *adj.* ◻1 Que está muy gastado o estropeado por usarlo continuadamente. ◻2 Se aplica al tema o asunto que está muy usado o muy tratado y por ello es muy poco original: *hablemos de otra cosa, que ese tema está ya muy sobado.* ‖ *s. m.* ◻3 Bollo hecho con harina, abundante manteca o aceite y azúcar.

sobaquera *s. f.* ◻1 Abertura que se deja en algunas prendas de vestir en la unión de la manga y el cuerpo por la parte del sobaco. **2** Trozo de tela o de piel curtida que refuerza la parte del sobaco en una prenda.

sobar *v. tr.* **1** Tocar mucho una cosa, de manera que se estropee o desgaste. **SIN** manosear. **2** Acariciar o toquetear una cosa o a una persona repetidamente con las manos. **SIN** manosear. **3** Oprimir y remover una cosa para que se ablande: *el panadero soba la masa con la que hará pasteles.* **4** familiar Golpear a una persona. **|** *v. intr.* **5** familiar Dormir: *anoche llegó muy tarde y hoy se ha pasado el día entero sobando.*
FAM soba, sobado, sobetear, sobo, sobón.

soberanía *s. f.* **1** Autoridad más elevada sobre el poder político de un pueblo o una nación: *según la constitución española, la soberanía reside en el pueblo.* ■ **soberanía nacional** Autoridad que ejerce el pueblo a través de los órganos que lo representan: *para ejercer la soberanía nacional hay que votar en las elecciones.* **2** Gobierno o dominio que un pueblo o una nación ejerce sobre sí mismo, en oposición al gobierno impuesto por otro pueblo u otra nación: *las colonias africanas y sudamericanas han luchado para conseguir su soberanía.*

soberano, -na *adj./s. m. y f.* **1** Se aplica a la persona que posee y ejerce la autoridad más elevada sobre los asuntos sociales, económicos y políticos de un pueblo o nación: *Juan Carlos I es un rey soberano.* **|** *adj.* **2** Se aplica al pueblo o nación que se gobierna a sí mismo sin estar sometido políticamente a otro: *España es un estado soberano.* **3** familiar Que es muy grande o muy difícil de superar: *le dieron una soberana paliza.*
FAM soberanía.

soberbia *s. f.* **1** Orgullo o sentimiento de superioridad frente a los demás que provoca un trato despectivo y desconsiderado hacia ellos. **SIN** altanería, altivez. **2** Rabia o enfado que muestra una persona de manera exagerada ante una contrariedad.
FAM soberbio; ensoberbecer.

soberbio, -bia *adj.* **1** Se aplica a la persona que muestra orgullo o se cree muy importante: *es muy soberbio y trata con mucho desdén a sus inferiores.* **SIN** altanero, altivo. **2** Que destaca o sobresale entre los demás por sus buenas cualidades. **SIN** extraordinario, magnífico.

sobón, -bona *adj./s. m. y f.* fam. desp. Se aplica a la persona que acaricia o toca mucho con las manos hasta resultar molesta.

sobornar *v. tr.* Ofrecer dinero u objetos de valor a una persona para conseguir un favor o un beneficio, especialmente si es injusto o ilegal, o para que no cumpla con una determinada obligación. **SIN** comprar.
FAM soborno; insobornable.

soborno *s. m.* **1** Ofrecimiento de dinero u objetos de valor a una persona para conseguir un favor o un beneficio, especialmente si es injusto o ilegal, o para que no cumpla con una determinada obligación. **2** Dinero u objetos de valor con que se intenta conseguir de alguien un favor o beneficio, o que no cumpla con una determinada obligación.

sobra *s. f.* **1** Cantidad de una cosa además de la necesaria o útil. **SIN** exceso. **|** *s. f. pl.* **2** **sobras** Restos de una cosa después de haberla usado o consumido: *llevó las sobras de arroz a las gallinas.*
de sobra Más de lo que es necesario.
estar de sobra Molestar o no ser necesaria una persona en un lugar o situación.

sobradamente *adv.* **1** De manera muy abundante o excesiva: *tiene sobradamente capacidad para este trabajo.* **2** De manera suficiente: *sabes sobradamente que sin ti no podría hacerlo.*

sobrado, -da *adj.* **1** Que existe en gran cantidad o más de lo que es necesario. **|** *s. m.* **2** Último piso de una casa que queda justo debajo del tejado, con el techo inclinado, que suele usarse para guardar objetos viejos o que ya no se usan. **SIN** desván.
estar sobrado Se usa para indicar que una persona tiene mucha cantidad de lo que se expresa a continuación.
FAM sobradamente.

sobrante *adj./s. com.* Se aplica a la parte de una cosa que queda sin ser utilizada: *pagaremos las deudas y el dinero sobrante lo invertiremos.*

sobrar *v. intr.* **1** Haber más cantidad de una cosa de la necesaria. **2** Molestar o no ser necesaria una persona o cosa en un determinado lugar o situación. **3** Quedar alguna cosa después de su uso: *sobra solo un euro.*
FAM sobra, sobrado, sobrante, sobrero.

sobrasada [también **sobreasada**, menos usado] *s. f.* Embutido de consistencia pastosa hecho con carne y grasa de cerdo muy picadas y condimentado con sal y mucho pimentón: *la sobrasada es típica de Mallorca.*

sobre[1] *prep.* **1** Indica la posición más alta o en un lugar superior de una cosa: *el helicóptero volaba sobre la ciudad.* **2** Indica de qué materia o asunto trata una cosa. **3** Indica que una cantidad es aproximada: *llegaré sobre las once y media.* **4** Indica la proximidad y elevación de una cosa respecto a otra: *el faro está sobre el acantilado.* **5** Indica superioridad o situación dominante de una persona en relación con otra en una jerarquía: *en la empresa solamente el director general está sobre él.* **6** Indica dirección hacia un lugar determinado: *las tropas avanzaban sobre la ciudad.* **7** Indica control o vigilancia constante hacia una persona: *tengo que estar todo el día sobre el niño para que no haga trastadas.* **8** Se usa precedida y seguida del mismo sustantivo para indicar reiteración de lo que se especifica.

sobre[2] *s. m.* **1** Envoltorio plano, generalmente de papel, que se usa para meter en él cartas, documentos o papeles de cualquier tipo. **2** Envoltorio que tiene esta misma forma y que se usa para contener líquidos, polvos y otras cosas: *tómese dos sobres de estas vitaminas cada día.* **3** familiar Cama.

sobrealimentación *s. f.* **1** Consumo excesivo de alimentos. **2** Exceso de alimentación provocado por la ingestión excesiva de alimentos. **3** Régimen dietético en el que hay un aporte continuo de alimentos excesivamente ricos en calorías, lo que es causa de obesidad.
FAM sobrealimento.

sobrealimentar *v. tr.* **1** Dar a una persona o a un animal más alimentos de lo normal o de lo necesario. **2** Aumentar la presión del combustible en un motor de explosión para incrementar su potencia.
FAM sobrealimentación.

sobreasada *s. f.* Sobrasada.

sobreático *s. m.* Piso de un edificio que está situado encima del ático y que generalmente se ha levantado un tiempo después de la construcción del edificio.

sobrecarga *s. f.* **1** Exceso de carga de una cosa, especialmente de un vehículo. **SIN** sobrepeso. **2** Ocupación o uso completo de una cosa que impide su funcionamiento normal: *las líneas telefónicas están bloqueadas a causa de una sobrecarga.* **3** Sufrimiento, pena o molestia que tiene una persona y que se añade a otros que ya tiene: *la separación de sus padres fue una sobrecarga para Juan.* **4** Molestia que se produce por haber sometido una parte del cuerpo a un trabajo o un peso excesivos: *el futbolista no podrá jugar porque tiene una sobrecarga muscular.* **5** Exceso de aparatos eléctricos que funcionan a la vez en un circuito: *hay sobrecarga en la red telefónica.*

sobrecargar *v. tr.* Cargar más de lo debido una cosa, especialmente un vehículo.
FAM sobrecarga, sobrecargo.

sobrecargo *s. com.* **1** Persona que, bajo la autoridad del comandante de un avión, coordina y supervisa los trabajos de cada miembro de la tripulación a su cargo: *la sobrecargo dio instrucciones a las azafatas.* **2** Persona que se ocupa de la carga de un barco.

sobrecogedor, -ra *adj.* Que causa una impresión fuerte en el ánimo, generalmente de sorpresa o de miedo.

sobrecoger *v. tr.* Causar una impresión fuerte en el ánimo, generalmente de sorpresa o de miedo: *se sobrecogieron al oír la explosión del artefacto.*
FAM sobrecogedor.

sobrecruzamiento *s. m.* Intercambio de fragmentos de material genético entre cromosomas homólogos que se puede producir durante la meiosis; como consecuencia, los cromosomas de las células sexuales (o gametos) resultantes no son idénticos ni entre sí ni respecto a los de las células de los progenitores: *el sobrecruzamiento aumenta la variabilidad de la descendencia.*

sobrecubierta *s. f.* **1** Cubierta que se pone encima de otra para proteger mejor una cosa. **2** Forro externo, protector y decorativo, que se pone sobre las tapas de un libro.

sobredosis *s. f.* Cantidad excesiva de una medicina o de una droga que suele causar intoxicación o incluso la muerte.
OBS Plural invariable.

sobreentender *v. tr.* Sobrentender.

sobreentendido *s. m.* Sobrentendido.

sobreesdrújulo, -la *adj./s. f.* Sobresdrújulo.

sobreexplotación *s. f.* Explotación excesiva de un recurso natural.

sobreexplotar *v. tr.* Explotar un recurso natural de manera abusiva o que excede a lo necesario o recomendable: *han sobreexplotado buena parte de los acuíferos.*

sobrehilar *v. tr.* Dar puntadas en el borde de una tela haciendo que la aguja entre por un lado y salga por el opuesto, de manera que el hilo pasa por encima del borde y la tela no se deshilacha.
FAM sobrehilado.

sobrehumano, -na *adj.* Que está por encima de las posibilidades, de la capacidad o de otra cosa que se considera propia del ser humano: *el corredor tuvo que hacer un esfuerzo sobrehumano para llegar a la meta.*

sobrellevar *v. tr.* Soportar con resignación una enfermedad, una pena o una situación que no satisface completamente.

sobremanera *adv.* De un modo extraordinario: *me asombra sobremanera el valor de los pilotos.*

sobremesa *s. f.* Periodo de tiempo después de la comida en el que se continúa sentado alrededor de la mesa, generalmente conversando.

de sobremesa (**I**) Se usa para indicar que una cosa sucede o se produce en el periodo de tiempo que va inmediatamente después de comer. (**II**) Se aplica al objeto que está destinado a ser colocado sobre una mesa o sobre un mueble parecido.

sobrenadar *v. intr.* Mantenerse un cuerpo o sustancia sobre la superficie de un líquido.

sobrenatural *adj.* Que no sigue las reglas conocidas de la naturaleza o que supera sus límites: *fenómenos sobrenaturales.* **ANT** natural.

sobrenombre *s. m.* **1** Nombre que se da a una persona en lugar del suyo propio: *Cervantes también es conocido con el sobrenombre de "el Manco de Lepanto".* **2** Nombre que se añade al nombre propio de una persona para expresar una de sus características particulares: *el rey Fernando de Aragón tenía como sobrenombre "el Católico".*

sobrentender [2] [también **sobreentender**] *v. tr.* Entender algo que no se expresa con palabras pero que se supone o se deduce a través de ellas o de determinados actos: *si dices que has leído solamente algunos capítulos, se sobrentiende que no te has acabado el libro.*

sobrentendido [también **sobreentendido**] *s. m.* Cosa que se sobrentiende.

sobrepasar *v. tr.* **1** Pasar o dejar atrás a una persona o a un vehículo que están en movimiento. **SIN** adelantar, rebasar. **2** Llegar a ser mejor que otra persona en alguna actividad. **3** Pasar de cierta cosa o de cierta cantidad que se expresa. | *v. prnl.* **4** **sobrepasarse** Ir una persona más allá de lo que se considera moralmente correcto con otra para intentar atraerla.

sobrepelliz *s. f.* Blusón largo y ancho, de tela blanca y fina y con las mangas muy anchas, que el sacerdote se pone sobre la sotana: *la sobrepelliz también la usan, en ocasiones, otras personas que ayudan en las funciones de la Iglesia.*

sobrepeso *s. m.* **1** Exceso de carga de una cosa, especialmente de un vehículo. **SIN** sobrecarga. **2** Exceso de peso de una persona o un animal que se valora en relación con su estatura y la edad.

sobreponer [36] *v. tr.* **1** Añadir o poner una cosa encima de otra. **SIN** superponer. | *v. prnl.* **2** **sobreponerse** Superar un problema o una situación difícil, o no dejarse abatir por un estado de ánimo.
FAM sobrepuesto.

sobrepuesto, -ta **1** Participio irregular de *sobreponer.* | *s. m.* **2** Elemento de decoración que se sobrepone a otro: *este jarrón lleva sobrepuestos de tela.*

sobrero *adj.* **1** Que sobra. | *adj./s. m.* **2** Se aplica al toro que se tiene como repuesto por si falla alguno de los toros que se van a lidiar en una corrida.

sobresaliente *adj.* **1** Que destaca o sobresale entre varias cosas, especialmente por su anchura o su altura: *aquella torre sobresaliente es la de la iglesia.* | *s. m.* **2** Calificación académica inmediatamente inferior a la de matrícula de honor y superior a la de notable. | *s. com.* **3** Persona que hace un trabajo cuando falta otra, especialmente en el teatro y el toreo. **NOTA** Femenino: *sobresaliente* o *sobresalienta.*

sobresalir [42] *v. intr.* **1** Destacar una cosa entre otras por su anchura o su altura: *aquel pino sobresale entre todos los demás.* **2** Distinguirse o destacarse una persona en un grupo por alguna cualidad.
FAM sobresaliente.

sobresaltar *v. tr.* Alarmar, asustar o angustiar un ruido o hecho inesperado.
FAM sobresalto.

sobresalto *s. m.* Alarma, susto, sensación de miedo o angustia producida por un ruido o hecho inesperado.

sobresdrújulo, -la [también **sobreesdrújulo, -la**] *adj./ s. f.* Se aplica a la palabra que lleva el acento de intensidad en la sílaba anterior a la antepenúltima: *la palabra "cómpramelo" es sobresdrújula.*

sobreseer [20] *v. tr./intr.* 1 Parar o suspender indefinidamente un juez o tribunal un proceso judicial, por falta de pruebas o por otra causa. 2 Cesar en el cumplimiento de una obligación.
FAM sobreseimiento.

sobresueldo *s. m.* Cantidad de dinero que se añade al sueldo, generalmente por haber realizado un trabajo o un servicio complementario. SIN plus.

sobretodo *s. m.* Prenda de vestir, generalmente ancha, que se lleva sobre el traje normal para protegerlo o como abrigo.

sobrevenir [48] *v. intr.* 1 Ocurrir inesperadamente un hecho negativo para una persona: *no supo reaccionar cuando sobrevino la desgracia.* 2 Ocurrir una cosa después de otra o añadida a las existentes: *han sobrevenido nuevos problemas.*

sobreviviente *adj./s. com.* Se aplica a la persona que sobrevive a un peligro o catástrofe en el que podría haber muerto.
SIN superviviente.

sobrevivir *v. intr.* 1 Seguir vivo después de un hecho o de un momento determinados, especialmente un peligro o una catástrofe en el que se hubiera podido morir. 2 Seguir vivo después de la muerte de otra persona: *el hermano mayor sobrevivió a los dos pequeños.* 3 Seguir vivo a pesar de las estrecheces y de las dificultades para tener lo más necesario: *el sueldo que me pagan apenas da para sobrevivir.*
FAM sobreviviente.

sobrevolar [5] *v. tr.* Volar por encima de un lugar determinado.

sobriedad *s. f.* 1 Control o moderación que tiene una persona en su manera de actuar, especialmente al comer y al beber. 2 Ausencia de adornos en una cosa, especialmente en una obra artística.

sobrino, -na *s. m. y f.* Hijo o hija de un hermano o una hermana, o de un primo o una prima. ■ **sobrino carnal** Hijo o hija de un hermano o una hermana. ■ **sobrino segundo** Hijo o hija de un primo o una prima.

sobrio, -bria *adj.* 1 Se aplica a la persona que se controla y es moderada en su forma de actuar, especialmente al comer y al beber. 2 Se aplica al estilo que es sencillo y sin adornos. SIN austero. ANT recargado. 3 Se aplica a la persona que no ha bebido o que no se encuentra bajo los efectos del alcohol. SIN sereno. ANT ebrio.
FAM sobriedad.

soca *s. f.* 1 AMÉR. Retoño de la caña de azúcar del tercer o último corte, que se suele utilizar para el transplante. 2 BOL. Brote de la cosecha de arroz. 3 COL. Renuevo que echa el tabaco después de florecer.

socapar *v. tr.* BOL., ECUAD., MÉX. Disimular u ocultar las faltas ajenas para que no haya castigo.

socarrar *v. tr.* Quemar la parte superficial de una cosa o las puntas de algo filamentoso. SIN chamuscar.

socarrón, -rrona *adj./s. m. y f.* Se aplica a la persona a la que le gusta burlarse de los demás de manera graciosa e irónica y lo hace con gran astucia y disimulo.
FAM socarronería.

socarronería *s. f.* Actitud o expresión de la persona a la que le gusta burlarse de los demás de manera graciosa e irónica y lo hace con gran astucia y disimulo.

socavar *v. tr.* 1 Excavar algo por debajo, dejándolo sin apoyo y expuesto a hundirse. 2 Debilitar una ideología o la firmeza de un valor de una persona: *la falta de apoyo de sus compañeros le socavó el ánimo.*
FAM socavación, socavón.

socavón *s. m.* 1 Agujero que se produce al hundirse el suelo por haber debajo un hueco o galería. 2 Cueva o galería que se ha excavado en la ladera de un monte.

sochantre *s. m.* Sacerdote encargado de dirigir el coro que canta durante los oficios religiosos.

sociable *adj.* Que le gusta relacionarse con otros miembros de su especie y tiene facilidad para ello.
FAM sociabilidad, socializar; insociable.

social *adj.* 1 Relativo a la sociedad humana: *se discutieron los principales problemas sociales y políticos de nuestros días.* 2 Del conjunto de personas que se organizan en clases según su nivel económico o su poder político, o que tiene relación con ellas: *clase social.* 3 Se aplica al animal que vive en grupo formando colonias, como la hormiga o la abeja. 4 Relativo a una compañía o sociedad económica: *el capital social se ha visto incrementado con la ampliación de la oferta de acciones.*
FAM socialismo, socializar; antisocial, insocial.

socialdemocracia *s. f.* Corriente política moderada dentro del socialismo que defiende que la transformación de la sociedad puede llevarse a cabo desde una democracia parlamentaria y no necesariamente desde la revolución.
FAM socialdemócrata.

socialismo *s. m.* Sistema político, social y económico que se opone al capitalismo y defiende, principalmente, la igualdad de todos los individuos, la abolición de la propiedad privada y el repartimiento equitativo de la riqueza: *el socialismo se ideó en el siglo XIX como consecuencia de la revolución industrial.* ■ **socialismo científico** Socialismo ideado por Carl Marx y Friedrich Engels, basado en la concepción de la historia como una lucha entre las clases trabajadoras y las clases dominantes: *las ideas del socialismo científico están sintetizadas en el «Manifiesto comunista» de 1848.* ■ **socialismo utópico** Socialismo ideado por Henri de Saint-Simon, Charles Fourier y Robert Owen, que precedió al socialismo científico y cuyos intentos de llevarlo a la práctica fracasaron.
FAM socialista; nacionalsocialismo.

socialista *adj.* 1 Relativo al socialismo. | *adj./s. com.* 2 Se aplica a la persona que es partidaria del socialismo.

socialización *s. f.* 1 Transferencia de los bienes que pertenecen a personas o instituciones particulares al Estado o a un órgano colectivo. 2 Aprendizaje, adquisición e interiorización de las normas sociales por parte de un individuo.

socializar *v. tr.* 1 Transferir bienes que pertenecen a personas o instituciones particulares al Estado o a un órgano colectivo. 2 Hacer que una cosa que afecta a la sociedad favorezca el desarrollo de cada una de las personas que la forman: *el Gobierno ha decidido socializar su política sanitaria.* 3 Enseñar o promover el aprendizaje de pautas sociales que

S

favorezcan la integración y el desarrollo de las personas en la sociedad.

FAM socialización.

sociedad s. f. **1** Conjunto de personas o animales que habitan la Tierra y establecen relaciones organizadas. **2** Conjunto de personas que se relacionan organizadamente y que pertenecen a un lugar determinado o tienen características en común: *la sociedad estamental, organizada en estamentos como la nobleza y la clerecía, es propia del Antiguo Régimen; la sociedad de clases (tales como la burguesía y la clase obrera) es propia de la edad moderna.* ■ **alta sociedad** Conjunto de personas que gozan de un alto nivel económico y, generalmente, cultural. ■ **sociedad de consumo** Sistema de vida que estimula a las personas a que compren y consuman bienes, aunque no sean necesarios. **3** Grupo formado por personas que se unen con un fin determinado: *Marta pertenece a una sociedad deportiva.* ■ **sociedad secreta** Grupo de personas que realiza actividades de forma oculta, generalmente al margen de la ley y para beneficio propio, y cuyos miembros esconden su pertenencia a ella. **4** Grupo constituido legalmente por personas que aportan dinero o bienes en una actividad comercial o industrial para obtener unas ganancias: *los hermanos formaron una sociedad y abrieron una cadena de tiendas de fotografía.* ■ **sociedad anónima** Sociedad formada por un grupo de personas que invierten dinero en una actividad económica y cuya responsabilidad respecto a esta depende de la cantidad de dinero que ha invertido cada una: *la sigla de una sociedad anónima es "S. A.".* ■ **sociedad limitada** Sociedad con menos capital que una sociedad anónima y cuyos miembros no se responsabilizan de manera personal de las deudas que el grupo pueda contraer: *la sigla de una sociedad limitada es "S. L.".*

socio, -cia s. m. y f. **1** Persona que pertenece a un grupo con un fin determinado: *se ha hecho socia del club de natación.* **2** Persona que participa en un negocio junto con otra o más personas: *antes de invertir ese dinero tengo que consultar a mi socio.* **3** familiar Compañero o amigo.

FAM asociar.

sociocultural adj. Relativo al estado cultural de una sociedad: *el nivel sociocultural de las personas de este barrio es bastante alto.*

socioeconómico, -ca adj. Relativo a la sociedad y la economía conjuntamente: *para otorgar las becas, se fijan principalmente en el nivel socioeconómico de los candidatos.*

sociolecto s. m. Conjunto de usos lingüísticos propios de un grupo de hablantes con algún elemento social en común.

sociolingüística s. f. Parte de la lingüística que estudia la relación que hay entre los fenómenos lingüísticos y los fenómenos socioculturales, como el bilingüismo o las lenguas minoritarias.

sociología s. f. Ciencia que estudia la formación, el desarrollo y las características de las sociedades humanas.

FAM sociológico, sociólogo; psicosociología.

sociológico, -ca adj. Relativo a la sociología: *estudio sociológico.*

sociólogo, -ga s. m. y f. Persona que se dedica a la sociología.

socorrer v. tr. Ayudar a alguien que ha sufrido un accidente, está en peligro o tiene una necesidad urgente. **SIN** auxiliar.

FAM socorrismo, socorro.

socorrido, -da adj. **1** Se aplica al medio o la cosa que se usa a menudo para evitar una dificultad, problema o molestia: *las aspirinas son medicinas muy socorridas.* **2** Se aplica al lugar que tiene u ofrece muchas cosas útiles o que no se encuentran con facilidad.

socorrismo s. m. Conjunto de técnicas destinadas a prestar ayuda rápidamente a las personas en caso de accidente o peligro grave.

FAM socorrista.

socorrista s. com. Persona que se dedica a ayudar en caso de accidente, peligro o necesidad y que está especialmente adiestrada para ello: *en todas las piscinas públicas debe haber al menos un socorrista.*

socorro s. m. **1** Ayuda que se presta en una situación de peligro o necesidad. **SIN** auxilio. **2** Cosa que sirve de ayuda en una situación de peligro o necesidad. **3** Conjunto de provisiones que necesita un ejército, especialmente cuando está en un lugar y no se puede mover de él. ‖ int. **4** **¡socorro!** Se usa para pedir ayuda en una situación de peligro o necesidad. **SIN** ¡auxilio!

FAM socorrer.

soda s. f. **1** Bebida gaseosa, transparente y sin alcohol, que está hecha con agua y ácido carbónico; puede estar aromatizada con alguna fruta. **2** Sosa cáustica.

FAM sodio.

sódico, -ca adj. Relativo al sodio.

sodio s. m. Elemento químico de símbolo Na y número atómico 11; es un metal alcalino de color plateado, blando y maleable, buen reductor y muy abundante en la naturaleza; forma sales con otros elementos, es muy reactivo y se descompone con el agua y se oxida con el aire; se utiliza en la conservación de alimentos, como descongelante, como condimento (forma parte de la sal común), etc.; es esencial para los seres vivos.

FAM sódico.

sodomía s. m. Relación sexual en la que se practica la penetración anal.

FAM sodomizar.

sodomizar v. tr. Someter a sodomía a una persona.

soez adj. Que es de mal gusto o poco educado. **SIN** grosero.

sofá s. m. Asiento grande y blando, con respaldo y brazos en el que se puede sentar más de una persona. ■ **sofá cama** Sofá que puede convertirse en cama.

sofisticado, -da adj. **1** Se aplica a la persona que se comporta de forma distinguida y elegante, pero poco natural. **2** Que no es natural ni sencillo: *esas joyas son demasiado sofisticadas para mí.* **3** Se aplica al aparato que es muy complicado y tiene un uso muy completo.

sofisticar v. tr. **1** Hacer más complicada, completa y efectiva una cosa mediante técnicas avanzadas. **2** Perder la naturalidad alguien o quitársela a algo aportando artificio o exceso de refinamiento. **3** Adulterar lo natural o falsificar lo auténtico.

FAM sofisticado.

soflama s. f. Discurso de tono encendido.

sofocante adj. Que sofoca o hace difícil la respiración.

sofocar v. tr. **1** Impedir o hacer difícil la respiración. **SIN** ahogar. **2** Molestar repetidamente a una persona consiguiendo que se ponga nerviosa. **3** Apagar o dominar una cosa que se extiende o se desarrolla, especialmente un fuego. **4** Hacer que una persona sienta vergüenza o se sonroje.

FAM sofocante, sofoco.

sofoco *s. m.* **1** Calor excesivo que impide o hace difícil la respiración o sensación de ahogo. **2** Molestia y nerviosismo que se provoca a una persona cuando se la molesta repetidamente. **3** Sentimiento de vergüenza o ridículo.

FAM sofocón, sofoquina.

sofocón *s. m.* Sentimiento de pena o tristeza causado por una cosa que no se puede conseguir o por una contrariedad. **SIN** sofoquina.

sofoquina *s. f.* Sofocón.

sofreír [12] *v. tr.* Freír ligeramente un alimento con fuego bajo y lentamente.

FAM sofrito.

OBS Tiene doble participio: uno regular (*sofreído*) y uno irregular (*sofrito*).

sofrito, -ta **1** Participio irregular de *sofreír*. ▌ *s. m.* **2** Condimento compuesto por ajo, cebolla, tomate y otras verduras picadas y ligeramente fritas en aceite que se añade a algún guiso durante su preparación. **SIN** refrito.

software [se pronuncia aproximadamente 'sófgüer'] *s. m.* Conjunto de programas, lenguajes de programación y datos que controlan el funcionamiento del ordenador y la realización de las tareas.

soga *s. f.* Cuerda gruesa hecha de fibras vegetales, como el cáñamo, o artificiales. **SIN** maroma.

a soga Manera de construir colocando los ladrillos o piedras con el lado más largo a la vista.

con la soga al cuello Se usa para indicar que una persona se siente amenazada por un peligro grave o está en una situación comprometida.

mentar la soga en casa del ahorcado Hablar de un asunto que molesta o pone triste a una persona que lo ha padecido.

soja *s. f.* **1** Planta de tallo recto, hojas compuestas, flores pequeñas en racimo y fruto en legumbre comestible; se cultiva en lugares de clima caluroso y húmedo. **2** Fruto leguminoso de esta planta que contiene unas semillas de alto valor nutritivo de las que se obtiene aceite.

sojuzgar *v. tr.* Dominar o mandar violentamente sobre una persona o un grupo.

sol¹ *s. m.* **1** Estrella alrededor de la cual gira la Tierra y los demás planetas del sistema solar: *la vida en la Tierra depende de la energía, el calor y la luz del Sol.* **NOTA** Se escribe normalmente con mayúscula inicial. **2** Luz y calor que desprende esa estrella: *hace sol; salió un rato al parque para que le diera el sol.* ▪ **sol de justicia** Sol muy intenso, difícil de soportar. **3** Parte de un espacio a la que llega esta luz: *ponte al sol, a ver si te pones moreno.* **ANT** sombra. **4** Estrella que es el centro de un sistema de planetas: *en nuestra galaxia hay millones de soles.* **5** Unidad monetaria de Perú. **6** familiar Persona muy buena y simpática: *tu novio es un sol, siempre tan atento.*

arrimarse al sol que más calienta Estar de parte de la persona que tiene más poder para conseguir favores.

de sol a sol Desde que sale el sol hasta que se pone: *los segadores trabajan de sol a sol.*

no dejar ni a sol ni a sombra Seguir a una persona a cualquier lugar al que va, estar continuamente con ella.

tomar el sol Ponerse en un lugar donde se recibe la luz y calor del sol.

FAM solana, solano, solar, solárium, solear; asolear, carasol, insolación, parasol, quitasol, resol.

sol² *s. m.* Quinta nota de la escala musical: *el sol está entre el fa y el la.*

sol³ *s. m.* Disolución coloidal que consta de un medio de dispersión líquido en el que están distribuidas partículas sólidas muy pequeñas.

solamente *adv.* Se usa para indicar que no se incluye ninguna otra cosa además de lo que se expresa. **SIN** solo, únicamente.

solana *s. f.* Lugar o parte de un terreno donde el sol da de lleno. **ANT** umbría.

FAM solanera.

solanera *s. f.* **1** Luz y calor excesivos del sol. **2** Lugar no protegido de los rayos del sol.

solano *s. m.* Viento que viene de donde nace el Sol. **SIN** levante.

solapa *s. f.* **1** Parte de las prendas de vestir abiertas por delante, que está unida al cuello y se dobla hacia afuera sobre el pecho. **2** Parte de la cubierta de un libro que se dobla hacia dentro y donde se suele colocar un comentario sobre el libro o su autor. **3** Pieza que cubre una abertura: *la chaqueta lleva los bolsillos con solapa.* **4** Parte del sobre que se dobla para cerrarlo y donde se escribe el remite.

solapado, -da *adj.* Se aplica a la persona que se comporta con disimulo y malicia para no mostrar sus verdaderas intenciones.

solapar *v. tr.* **1** Ocultar o disimular una intención o deseo para que no se advierta: *su rabia se solapaba con buenas acciones.* **2** Colocar una cosa sobre otra, cubriéndola solo parcialmente.

FAM solapado, solapamiento.

solar¹ *adj.* Relativo al sol: *luz solar; crema solar.*

solar² *s. m.* Terreno donde se ha construido o que se destina a construir en él: *en aquel solar van a edificar un centro comercial.*

solar³ [5] *v. tr.* Cubrir un suelo con asfalto, cemento, adoquines u otro material similar para que esté firme y llano. **SIN** pavimentar.

FAM solado.

solar⁴ [5] *v. tr.* Poner suelas al calzado: *solar un zapato.*

solariego, -ga *adj.* **1** Que tiene un linaje noble y antiguo: *visitamos los terrenos solariegos de los marqueses.* ▌ *s. m.* **2** En el Antiguo Régimen, hombre libre que poblaba y cultivaba un dominio ajeno y quedaba sujeto al señor de la tierra.

solario *s. m.* **1** Terraza o lugar reservado y acondicionado para poder tomar el sol. **SIN** solárium. **2** Casa o sanatorio situados en un lugar bien soleado o donde se practica el tratamiento de algunas afecciones mediante radiaciones solares. **SIN** solárium.

solárium *s. m.* Solario.

OBS Plural: *soláriums.*

solaz *s. m.* Diversión, placer u ocupación que relaja.

FAM solazarse.

solazarse *v. prnl.* Dedicarse a una diversión o a una ocupación que relaja.

soldada *s. f.* **1** Cantidad de dinero con que se paga el servicio de un soldado. **2** Cantidad de dinero que se recibe, por lo general todos los meses, por un servicio o un trabajo. **SIN** salario, sueldo.

soldadesca *s. f.* **1** Profesión de soldado. **2** Tropa o conjunto de soldados.

soldadesco, -ca *adj.* Relativo al soldado.

soldado *s. m.* **1** Persona que forma parte de un ejército, especialmente la que pertenece a la tropa. **2** Miembro del ejército que no tiene ningún grado militar. **NOTA** También *soldado raso*. ■ **soldado de primera** Miembro del ejército que tiene categoría inmediatamente superior a la de soldado e inmediatamente inferior a la de cabo; está autorizado para desempeñar algunas de las funciones de este en caso de necesidad. | *adj./s. com.* **3** Se aplica al insecto que tiene el cuerpo adaptado para luchar y defender la comunidad en la que vive: *hormiga soldado*. **FAM** soldada, soldadesco.

soldador, -ra *adj.* **1** Se aplica al aparato que sirve para soldar. | *s. m. y f.* **2** Persona que se dedica a soldar. **3** Aparato eléctrico que sirve para soldar.

soldadura *s. f.* **1** Unión de dos piezas o partes de una cosa, generalmente de metal, mediante calor y una sustancia igual o semejante a las que se pretende unir. ■ **soldadura autógena** Unión de dos piezas mediante calor, sin usar ninguna materia adicional: *la soldadura autógena se realiza con gas*. **2** Material que sirve para este fin. **3** Unión de dos piezas o partes de una cosa: *le han enyesado el brazo para facilitar la soldadura del hueso roto*.

soldar [5] *v. tr.* **1** Unir firmemente dos piezas o partes de una cosa, generalmente de metal, mediante calor y una sustancia igual o semejante a las que se pretende unir. **2** Unir firmemente dos piezas de las mismas características: *este pegamento es ideal para soldar plásticos*. **FAM** soldador, soldadura.

soleá *s. f.* **1** Estrofa compuesta de tres versos, generalmente octosílabos, que riman en asonancia el primero y el tercero y el segundo queda suelto. **2** Cante flamenco que se hace con este tipo de estrofas. **3** Baile flamenco que se realiza al compás de este cante. **OBS** Plural: *soleares*.

soleado, -da *adj.* **1** Se aplica al día o tiempo atmosférico que presenta un cielo sin nubes y en el que brilla el sol. **2** Que recibe mucho sol: *vive en una casa soleada*.

solear *v. tr.* Exponer una cosa al sol temporalmente. **SIN** asolear. **FAM** soleado.

solecismo *s. m.* Error sintáctico que consiste en poner en un orden incorrecto los elementos de una frase.

soledad *s. f.* **1** Falta de compañía. **ANT** compañía. **2** Pesar y tristeza que se siente por la falta, muerte o ausencia de una persona. **3** Lugar desierto o que no está habitado: *tiene una casa en la soledad de la montaña*.

solemne *adj.* **1** Se aplica al acto o celebración que se hace públicamente y con una ceremonia extraordinaria. **2** Se aplica al compromiso que es formal y firme, especialmente si se declara ante otra persona: *promesa solemne*. **3** Que provoca admiración y respeto por su grandeza, superioridad o nobleza: *en esta ciudad hay una catedral solemne*. **SIN** majestuoso, señorial. **4** despectivo Se aplica a la acción o dicho que tiene una cualidad negativa en grado muy alto: *dijo una solemne tontería*. **NOTA** En esta acepción, va antepuesto al sustantivo. **FAM** solemnidad, solemnizar.

solemnidad *s. f.* **1** Importancia o significación de un acto o celebración. **2** Formalidad y firmeza con que se dice o hace una cosa. **3** Acto o celebración que se hace públicamente y con una ceremonia extraordinaria. **de solemnidad** despectivo Se usa para indicar que una determinada cualidad negativa es muy intensa o completa: *ese hombre es tonto de solemnidad*.

solemnizar *v. tr.* **1** Resaltar la importancia de un hecho mediante una fiesta o ceremonia. **2** Celebrar una cosa públicamente y con una ceremonia extraordinaria. **FAM** solemnización.

solenoide *s. m.* Bobina formada por varias vueltas de alambre arrolladas y aisladas, que con el paso de la corriente origina en su interior un campo magnético uniforme; la colocación de una barra de hierro en su interior genera un electroimán.

soler [6] *v. intr.* **1** Tener costumbre o hábito de hacer una determinada cosa: *tu padre suele venir los sábados*. **SIN** acostumbrar. **2** Suceder con frecuencia una cosa: *suele llover mucho en este país*. **SIN** acostumbrar. **OBS** Verbo defectivo, no se usa en los futuros de indicativo y subjuntivo, ni en el potencial ni en el imperativo.

solera *s. f.* **1** Carácter tradicional de una cosa o costumbre que forma parte de la cultura y la vida común de un grupo de personas. **2** Calidad que adquiere el vino con el paso de los años. **3** Suelo del horno.

solfa *s. f.* **1** Sistema de signos con que se escribe la música. **2** Solfeo. **poner en solfa** (**I**) Poner en ridículo a una persona o lo que hace. (**II**) Poner orden y hacer que funcione bien una cosa. **FAM** solfear.

solfatara *s. f.* Abertura en los terrenos volcánicos por donde salen vapores sulfurosos.

solfear *v. tr./intr.* Leer una partitura cantándola y pronunciando el nombre de las notas con la melodía y el ritmo adecuados y generalmente llevando el compás. **FAM** solfeo.

solfeo *s. m.* Técnica y práctica de solfear o leer una partitura cantándola y pronunciando el nombre de las notas con la melodía y el ritmo adecuados, que constituye la base elemental de los estudios musicales. **SIN** solfa.

solicitante *adj./s. com.* Se aplica a la persona que pide o busca una cosa siguiendo un procedimiento establecido.

solicitar *v. tr.* **1** Pedir una cosa, generalmente de un modo formal y siguiendo un procedimiento establecido: *solicitó una audiencia con el ministro*. **2** Enamorar o tratar de enamorar a una persona, especialmente tratándola de manera agradable y cortés: *a esa chica la solicitan todos sus compañeros de curso*. **SIN** cortejar. **FAM** solicitante.

solícito, -ta *adj.* Se aplica a la persona que está dispuesta a servir y satisfacer a los demás. **SIN** servicial. **FAM** solicitar, solicitud.

solicitud *s. f.* **1** Documento formal en el que se pide una cosa. **2** Actitud de la persona que está dispuesta a satisfacer o servir a los demás: *su solicitud en el trabajo le valió el reconocimiento de sus jefes*.

S

solidaridad *s. f.* Apoyo a una causa o al interés de otros.

solidario, -ria *adj.* ① Que se une a una causa: *compromiso solidario.* ② Se aplica a la persona que defiende o apoya una causa o el interés de otros.
FAM solidaridad, solidarizarse.

solidarizarse *v. prnl.* Unirse una persona a otra u otras para apoyar o defender una causa o el interés de otros.

solidez *s. f.* ① Firmeza o seguridad de una cosa material. ② Lógica o fundamentación sobre la que se ordenan las ideas: *quizás su teoría sea falsa, pero tiene una gran solidez.* ③ Organización de una cosa, especialmente de una empresa o institución, que permite que funcione.

solidificación *s. f.* Paso de una sustancia del estado líquido o gaseoso al sólido.

solidificar *v. tr.* Convertir un líquido o un gas en sólido.
FAM solidificación.

sólido, -da *adj.* ① Que es firme, seguro, fuerte y capaz de resistir. ② Que está basado en razonamientos que no se pueden negar: *me convenció con una argumentación muy sólida.* ③ Que está bien organizado y funciona: *es una empresa sólida con grandes beneficios.* ❙ *adj./s. m.* ④ Se aplica al cuerpo que, a diferencia de los líquidos y los gases, presenta forma propia y opone resistencia a ser dividido a causa de su gran cohesión molecular: *el hielo es agua sólida.* ■ **sólido amorfo** Sólido cuyas partículas (átomos, moléculas o iones) no están geométricamente ordenadas, sino dispuestas al azar: *la cera, el jabón y el vidrio son sólidos amorfos.* ■ **sólido covalente** Sólido que posee una estructura cristalina macromolecular formada por enlaces covalentes; es muy duro, aislante y con un punto de fusión muy alto: *el diamante y el grafito son sólidos covalentes.* ■ **sólido cristalino** Sólido cuyas partículas (átomos, moléculas o iones) están geométricamente ordenadas. ■ **sólido molecular** Sólido que posee una estructura cristalina limitada, formada por enlaces covalentes que dan lugar a moléculas individuales; es blando y con un punto de fusión muy bajo: *los cristales de yodo son sólidos moleculares.* ■ **sólido rígido** Sistema de puntos materiales cuyas posiciones relativas permanecen fijas a lo largo del tiempo. ❙ *s. m.* ⑤ Figura que tiene tres dimensiones (longitud, altura y anchura): *los prismas y los cubos son sólidos.* **SIN** cuerpo.
FAM solidez, solidificar.

soliloquio *s. m.* ① Monólogo de una persona consigo misma sin interlocutores presentes. ② Monólogo dramático de un personaje solo en escena.

solista *adj./s. com.* ① Se aplica al cantante o músico que interpreta un solo en una obra musical o que interpreta una obra sin que intervengan otros instrumentistas o cantantes: *el solista del coro se adelantará para que se le oiga mejor; un pianista solista interpretará preludios de Chopin.* ② Se aplica al instrumento o la voz con el que se interpreta un solo o que ejecuta una obra sin que intervengan otros instrumentos o voces: *fuga para piano solista.* ③ Se aplica al cantante o músico que actúa solo, que no forma parte de un grupo.

solitaria *s. f.* Gusano parásito del filo platelminto, de color blanco con forma larga y plana y el cuerpo segmentado en muchos anillos; el adulto, que vive en el intestino de los vertebrados, puede llegar a medir varios metros. **SIN** tenia.

solitario, -ria *adj.* ① Se aplica al lugar que está desierto o que no está habitado. ② Se aplica a la persona, animal o cosa que está sola o que no tiene compañía: *un árbol solitario.* ❙ *adj./s. m. y f.* ③ Se aplica a la persona a la que le gusta

estar sin compañía. ❙ *s. m.* ④ Juego para practicarlo una sola persona, generalmente de cartas. ⑤ Brillante que se pone solo en una joya, generalmente en un anillo.

soliviantar *v. tr.* ① Incitar a una persona a que tenga una actitud violenta o de protesta. ② Alterar el ánimo de una persona.
FAM soliviantado.

sollozar *v. intr.* Respirar con movimientos cortos y rápidos, generalmente al llorar.
FAM sollozo.

sollozo *s. m.* Respiración con movimientos cortos y rápidos que se produce generalmente al llorar.

solo, -la *adj.* ① Que está sin otra cosa o que se considera separado de otra cosa: *había una casa sola en la montaña.* ② Se aplica a la persona que está sin compañía o que no tiene familia o amigos. ③ Que es único en su especie. ❙ *adj./s. m.* ④ Se aplica al café que se sirve sin leche. ❙ *s. m.* ⑤ Pieza musical o pasaje de una obra que es interpretado por uno o varios cantantes o instrumentistas, que tienen un papel predominante sobre el resto. ⑥ Obra musical que es interpretada por un solo instrumentista o en la que un cantante o instrumentista tiene un papel predominante. ⑦ Obra de danza o parte de ella que es ejecutada por un solo bailarín. ❙ *adv.* ⑧ Solamente, únicamente.
a solas Con la única asistencia de las personas implicadas en un asunto.
FAM soledad, solista, solitario.

solo o **sólo** *adv.* Se usa para indicar que no se incluye ninguna otra cosa además de lo que se expresa: *solo tengo un hermano.* **SIN** solamente, únicamente.
OBS Es obligatoria la tilde únicamente en los casos en que en un mismo enunciado esta palabra pueda interpretarse como adverbio o como adjetivo: *se quedará solo (sin compañía) diez minutos; se quedará sólo (únicamente) diez minutos.*

solomillo *s. m.* Trozo alargado y muy tierno de carne de una res, que está entre las costillas y el lomo.

solsticio *s. m.* Cada uno de los dos momentos del año en que se da la máxima diferencia de duración entre el día y la noche y el Sol se encuentra en el punto más alejado del Ecuador. **ANT** equinoccio.

soltar [5] *v. tr.* ① Dejar libre a una persona o animal que estaba encerrado. ② Desatar o dejar que se mueva una cosa que estaba atada o retenida: *por esa compuerta sueltan el agua de la presa.* ③ Dejar de tener cogida una cosa, especialmente abriendo la mano. ④ Expresar un determinado sentimiento o decir una cosa, especialmente cuando se hace con violencia o excesiva sinceridad: *soltó una ruidosa carcajada.* ⑤ *familiar* Hablar mucho de un tema aburriendo a la persona que escucha: *cada vez que nos vemos me suelta el mismo rollo.* ⑥ Desprender o despedir una cosa, generalmente líquida o pastosa: *este árbol suelta mucha resina.* ⑦ Provocar la expulsión frecuente de excrementos sólidos: *las ciruelas son buenas para soltar el vientre.* ⑧ Dar algún tipo de golpe, como una bofetada: *le soltó una bofetada que lo dejó bien tieso.* ❙ *v. prnl.* ⑨ **soltarse** Desarrollar habilidad o desenvoltura para hacer una cosa.
FAM soltura.

soltería *s. f.* Estado de la persona que no se ha casado.

soltero, -ra *adj./s. m. y f.* Se aplica a la persona que no se ha casado.
FAM soltería, solterón.

S

solterón, -rona *adj./s. m. y f.* Se aplica a la persona que tiene edad avanzada y no se ha casado.

soltura *s. f.* Facilidad y rapidez para hacer una cosa o para moverse. **SIN** agilidad.

solubilidad *s. f.* Cantidad máxima de una sustancia que, a una determinada presión y temperatura, puede disolverse en un volumen dado de líquido: *la sal tiene bastante solubilidad en agua.*

soluble *adj.* **1** Se aplica al cuerpo sólido que se puede dividir en partículas muy pequeñas que se mezclan con las de un líquido. **ANT** insoluble. **2** Se aplica a la duda, cuestión o problema que se puede resolver. **ANT** insoluble.
FAM solubilidad.

solución *s. f.* **1** Resolución o respuesta a un problema, duda o cuestión. **2** Fin o resultado de un proceso o acción: *estamos llegando a la solución de nuestro proyecto.* **3** Número o expresión algebraica que aparece como resultado de un problema u operación matemática: *la solución de una ecuación es el valor numérico que, al sustituir la incógnita por él, verifica la igualdad dada por la ecuación.* **4** Mezcla homogénea de sustancias separables por métodos físicos sencillos. **SIN** disolución. **5** Sustancia que resulta de disolver un cuerpo sólido en un líquido. **SIN** disolución.
sin solución de continuidad Paso sin interrupción o pausa de una acción a otra o de un tema a otro.
FAM solucionar.

solucionar *v. tr.* Dar o hallar una solución o una respuesta a un problema, a una duda o a una cuestión. **SIN** resolver, solventar.

soluto *s. m.* Componente de una disolución que se encuentra en menor proporción, de modo que puede disolverse en otro componente que es mayoritario: *en un vaso de leche con azúcar, el azúcar es el soluto.*

solutrense *adj./s. m.* **1** Se aplica a la época prehistórica que pertenece al paleolítico superior y precede al magdaleniense; se caracteriza por una cultura en la que destacan la fabricación de finas puntas, la aparición del arco de caza y el arte rupestre. **|** *adj.* **2** Relativo a esta época prehistórica.

solvencia *s. f.* **1** Situación económica desahogada que permite pagar deudas. **2** Capacidad para dar solución a asuntos difíciles: *es un directivo de mucha solvencia.*

solventar *v. tr.* **1** Pagar una deuda. **2** Solucionar. **SIN** resolver.

solvente *adj.* **1** Que dispone de dinero o recursos económicos para pagar deudas. **ANT** insolvente. **2** Que está libre de deudas. **ANT** insolvente. **|** *adj./s. m.* **3** Se aplica a la sustancia que puede disolver un cuerpo sólido.
FAM solvencia; disolvente.

somalí *adj.* **1** De Somalia (país de África). **|** *s. com./adj.* **2** Persona que es de Somalia. **|** *s. m./adj.* **3** Lengua hablada en Somalia y otros países africanos.
OBS Plural: *somalíes.*

somanta *s. f.* familiar Cantidad grande de golpes que se da o se recibe. **SIN** tunda.

sombra *s. f.* **1** Oscuridad o falta de luz: *le asustaban las sombras de la noche.* **2** Parte de un terreno donde casi nunca da el sol. **SIN** umbría. **ANT** luz, sol. **3** Imagen oscura que proyecta un cuerpo opaco sobre una superficie, al interceptar los rayos de luz: *la sombra del árbol cubría casi todo el jardín.* ■ **sombras chinescas** Espectáculo consistente en la proyección sobre un lienzo de sombras de figuras. **4** Forma oscura que no se percibe con claridad. **5** Color oscuro con que se representa la falta de luz o la oscuridad en un dibujo o pintura para obtener un efecto visual de volumen o perspectiva: *mediante las sombras consigue crear sensación de profundidad.* ■ **sombra de ojos** Capa de color que se pone sobre el párpado para embellecerlo o resaltarlo. **6** Apariencia o semejanza de una cosa: *la sombra de preocupación en su mirada que me hacía temer lo peor.* **7** Mancha de color oscuro, generalmente en la piel. **8** Persona que sigue a otra por todas partes.
a la sombra familiar En la cárcel.
en la sombra De manera oculta o secreta.
hacer sombra Impedir que una persona destaque.
mala sombra (I) familiar Intención de hacer un daño. (II) Falta de gracia o simpatía de una persona, especialmente en el trato con los demás. (III) Mala suerte.
FAM sombraje, sombrajo, sombrear, sombrío; ensombrecer.

sombrajo *s. m.* Resguardo para dar sombra, hecho con ramas, hojas u otros materiales.

sombrear *v. tr.* **1** Dar o producir sombra con una cosa. **2** Representar la falta de luz o la oscuridad en un dibujo o pintura para conseguir un efecto de volumen o perspectiva.

sombrerera *s. f.* Caja que se utiliza para guardar un sombrero.

sombrerería *s. f.* Establecimiento en el que se venden sombreros o taller en el que se hacen.

sombrerero, -ra *s. m. y f.* Persona que se dedica a hacer o vender sombreros.
FAM sombrerería.

sombrerete *s. m.* Sombrerillo. **SIN** sombrero.

sombrerillo *s. m.* Parte abombada de una seta, en cuya cara inferior se forman las esporas. **SIN** sombrerete, sombrero.

sombrero *s. m.* **1** Prenda de vestir que cubre la cabeza. ■ **sombrero cordobés** Sombrero de color negro, de ala ancha y copa baja y cilíndrica. ■ **sombrero de copa** Sombrero de tela negra, ala estrecha y copa alta y cilíndrica que se lleva con esmoquin o frac. **SIN** chistera. ■ **sombrero de pelo** ARG., CHILE Sombrero de copa. ■ **sombrero hongo** Sombrero de ala estrecha y copa baja, rígida y en forma de media esfera: *Charlot llevaba un sombrero hongo.* **SIN** bombín. **2** Sombrerillo. **SIN** sombrerete.
quitarse el sombrero Demostrar admiración y respeto por una persona.
FAM sombrerera, sombrerero, sombrerete, sombrerillo.

sombrilla *s. f.* **1** Objeto plegable, parecido a un paraguas pero más grande, fijado a un soporte, que sirve para dar sombra a más de una persona. **SIN** parasol, quitasol. **2** Objeto plegable, parecido a un paraguas pero más pequeño, que se lleva para protegerse del sol.

sombrío, -bría *adj.* **1** Se aplica al lugar que está poco iluminado: *la casa es amplia, pero demasiado sombría.* **2** Que está o parece triste.

somero, -ra *adj.* **1** Que es ligero, superficial o poco reflexionado: *el médico le hizo un examen somero.* **2** Que está casi encima o muy cerca de la superficie.

someter *v. tr.* **1** Exponer a una acción determinada para conseguir una cosa, especialmente un efecto: *el atleta se sometió a un duro entrenamiento.* **2** Obligar a una persona por la fuerza o con violencia a que acepte una autoridad: *el dictador ha conseguido someter a todo su pueblo.* **3** Proponer una cosa

para que sea valorada o tratada por otra persona o un grupo: *sometió su idea a la junta.* ‖ *v. prnl.* ④ **someterse** Actuar según la voluntad de otra persona sin oponer resistencia: *se somete a su voluntad porque le tiene miedo.*
FAM sometimiento.

sometimiento *s. m.* Imposición de una autoridad sobre otra persona: *su carácter hace que no admita ningún tipo de sometimiento.*

somier *s. m.* Soporte de madera o metal, más o menos flexible, sobre el que se coloca el colchón en una cama.
OBS Plural: *somieres.*

somnífero, -ra *adj./s. m.* Se aplica al fármaco empleado para producir sueño: *toma somníferos para poder dormir.* **SIN** soporífero.

somnolencia *s. f.* ① Sensación de pesadez y torpeza en los movimientos y en los sentidos, provocada por el sueño. **SIN** adormecimiento, sopor. ② Gana o deseo de dormir. ③ Pereza o falta de actividad de una persona.
FAM somnoliento.

somnoliento, -ta *adj.* Que está adormilado o con mucho sueño. **SIN** amodorrado, soñoliento.

somontano, -na *adj./s. m. y f.* Se aplica al terreno o región que está situado al pie de una montaña.

somonte *s. m.* Terreno situado en la falda de una montaña.
FAM somontano.

somormujo *s. m.* Ave con el pico corto y plumaje de colores variados que se alimenta de peces y construye sus nidos sobre el agua; habita en aguas tranquilas de todos los continentes.

son *s. m.* ① Sonido agradable, especialmente cuando es musical. ② Modo o manera de hacer una cosa: *los discípulos trabajan al son de su maestro.*
¿a son de qué? Se usa para preguntar el motivo de una cosa.
en son de Se usa para indicar la voluntad o intención de obrar de una manera agresiva o pacífica: *venir en son de paz.*
FAM soniquete, sonsonete.

sonado, -da *adj.* ① Que llama la atención o que provoca admiración: *la boda de la princesa ha sido muy sonada.* ② Que es muy conocido o tiene fama. ③ Se aplica a la persona que ha perdido parte de su capacidad mental y dice cosas sin sentido. **SIN** chiflado. ④ Se aplica al boxeador que ha perdido facultades mentales como consecuencia de los golpes recibidos.

sonaja *s. f.* ① Conjunto de dos o más chapas de metal atravesadas por un alambre que se coloca en algunos juguetes o instrumentos musicales, como la pandereta, para que suene al moverse. ‖ *s. f. pl.* ② **sonajas** Instrumento musical de percusión parecido a la pandereta pero sin parche de piel, que lleva una serie de sonajas y puede tener forma circular o de media luna.
FAM sonajero.

sonajero *s. m.* Juguete que sirve para entretener a los bebés y está formado por un mango con cascabeles o sonajas que suenan al moverlo.

sonambulismo *s. m.* Enfermedad del sueño que consiste en realizar actos automáticos, como andar o levantarse, y no recordarlos al despertar.

sonámbulo, -la *adj./s. m. y f.* ① Se aplica a la persona que padece sonambulismo. ② Se aplica a la persona que actúa de

manera automática por no haber dormido durante la noche.
FAM sonambulismo.

sonar¹ [5] *v. intr.* ① Emitir un sonido o hacer ruido una cosa. ② *familiar* Resultar una cosa o una persona vagamente conocida por haberla visto u oído antes. ③ Producir cierta cosa una impresión vaga, que puede no ser la definitiva. ④ Tener cierta letra un sonido determinado. ⑤ Ser comentada o mencionarse una cosa: *su nombre suena como sustituto del ministro.* ⑥ *familiar* ARG., CHILE, PAR. URUG. Fracasar en el intento de una actividad: *el negocio sonó.* ‖ *v. tr.* ⑦ Limpiar la nariz de una persona haciendo que suelte fuertemente el aire por ella: *suénale la nariz al niño.* ⑧ *familiar* MÉX., VENEZ. Golpear a alguien con fuerza.
hacer sonar *familiar* ARG., CHILE, PAR., URUG. Castigar o golpear con contundencia a una persona.
FAM son, sonado, sonido; disonar, malsonante, resonar.

sonar² *s. m.* Aparato que sirve para descubrir y localizar objetos u obstáculos debajo del agua, y que funciona emitiendo vibraciones de alta frecuencia.

sonata *s. f.* Composición musical para uno o varios instrumentos solistas, formada por varios movimientos o partes, generalmente tres o cuatro: *sonata para piano.*
FAM sonatina.

sonda *s. f.* ① Cuerda con un peso en uno de sus extremos que sirve para medir la profundidad de las aguas. ② Aparato alargado, delgado y liso que sirve para explorar cavidades. **SIN** catéter. ③ Globo o nave espacial que lleva instrumentos de medida y se emplea para estudiar la atmósfera o el espacio.
FAM sondar.

sondar *v. tr.* ① Echar un peso atado a una cuerda al agua para averiguar la profundidad del fondo. ② Averiguar la profundidad del agua o la composición del suelo de un terreno con instrumentos especiales. ③ Indagar con cautela la intención de una persona o las circunstancias o estado de una cosa. ④ Introducir una sonda en una parte del cuerpo.
FAM sondear, sondeo; insondable.

sondear *v. tr.* ① Sondar, averiguar la profundidad del agua o la composición del suelo de un terreno con instrumentos especiales. ② Sondar, indagar con cautela la intención de una persona o las circunstancias o estado de una cosa.
FAM sondeo.

sondeo *s. m.* ① Medición de la profundidad de las aguas con una sonda. ② Exploración de la composición del suelo de un terreno. ③ Encuesta que se hace a un grupo de personas para saber lo que opinan sobre una cosa e intentar prever un resultado.

sonetista *s. com.* Persona que escribe sonetos.

soneto *s. m.* Composición poética formada por catorce versos endecasílabos, generalmente de rima consonante y distribuidos en dos cuartetos y dos tercetos; su esquema más frecuente es ABBA ABBA CDC DCD.
FAM sonetista.

sonido *s. m.* ① Sensación o impresión producida en el oído por un conjunto de vibraciones que se propagan por un medio elástico, como el aire: *la velocidad del sonido en el aire es de 340 m/s a una temperatura ambiente normal.* ② Manera especial y propia de sonar que tiene una determinada cosa: *el sonido del piano.* ③ Conjunto de aparatos y sistemas que producen, modifican, graban o reproducen la voz, el ruido o la música: *en la radio trabajan los técnicos de sonido.* ④ En lingüística, onda

S

acústica periódica y regular que aparece en el punto preciso de la corriente sonora en que un fonema se realiza.
FAM sónico; infrasonido, ultrasonido.

soniquete *s. m.* ① Sonido continuado que resulta molesto, especialmente el producido por una máquina o mecanismo. **SIN** sonsonete. ② Entonación monótona del habla de una persona. **SIN** sonsonete.

sonoridad *s. f.* ① Capacidad para transmitir el sonido. ② Resonancia que se produce al vibrar las cuerdas vocales en la boca, en la nariz o en ambas.

sonorizar *v. tr.* ① Incorporar el sonido de la voz, el ruido de ambiente o la música a una película cinematográfica. ② Instalar en un lugar los elementos técnicos necesarios para aumentar el sonido o mejorar su calidad. ③ Convertir un sonido consonántico sordo en sonoro.
FAM sonorización.

sonoro, -ra *adj.* ① Que suena o puede sonar. ② Que es de sonido recio y agradable. ③ Se aplica a lo que tiene buenas condiciones acústicas. ④ Se aplica al sonido y fonema consonántico que se emite con vibración de las vocales. **ANT** sordo. I *adj./s. f.* ⑤ Se aplica a la consonante que se pronuncia de esta manera: *"b", "d", "g", "m" y "n", por ejemplo, son consonantes sonoras.*
FAM sonoridad, sonorizar.

sonotone *s. m.* Pequeño aparato que se coloca en la oreja y sirve para aumentar la percepción del sonido de las personas que padecen sordera. **SIN** audífono.
OBS Es marca registrada.

sonreír [12] *v. intr.* ① Curvar la boca hacia arriba como si se fuese a reír, pero sin llegar a hacer ruido, para mostrar alegría, felicidad o placer. ② Ser favorable para una persona alguna cosa o situación: *la suerte nos sonríe.*
FAM sonriente, sonrisa.

sonriente *adj.* Que curva la boca hacia arriba como si fuese a reír, pero sin hacer ruido, para mostrar alegría felicidad o placer.

sonrisa *s. f.* Gesto de alegría, felicidad o placer que se hace curvando la boca hacia arriba como si se fuese a reír, pero sin hacer ruido.

sonrojar *v. tr.* Hacer que la cara de una persona adquiera color rojo por un sentimiento de vergüenza.
FAM sonrojo.

sonrojo *s. m.* Color rojo que aparece en la cara por un sentimiento de vergüenza. **SIN** rubor.

sonrosado, -da *adj.* ① Se aplica a la piel que tiene un color parecido al rosa. ② De color rosa.

sonrosar *v. tr.* Dar un color rosado a algo, especialmente a la piel de la cara.
FAM sonrosado.

sonsacar *v. tr.* Lograr con habilidad que una persona diga una cosa que sabe y pretende ocultar.
FAM sonsaca.

sonsera *s. f.* ① ARG., PAN., URUG., VENEZ. Asunto, dicho o hecho poco importante: *estás diciendo sonseras.* **SIN** zoncera. ② ARG., URUG. Objeto de poco valor. **SIN** zoncera.

sonso, -sa *adj./s. m. y f.* ARG., MÉX., PERÚ, URUG., VENEZ. Se aplica a la persona que dice o hace cosas inoportunas o sin importancia.

sonsonete *s. m.* ① Sonido continuado que resulta molesto, especialmente el producido por una máquina o mecanismo.

SIN soniquete. ② Entonación monótona del habla de una persona. **SIN** soniquete.

soñador, -ra *adj.* ① Se aplica a la persona que sueña mucho mientras duerme. I *adj./s. m. y f.* ② Se aplica a la persona que vive sin tener en cuenta la realidad. ③ Se aplica a la persona que imagina con facilidad.

soñar [5] *v. tr./intr.* ① Representarse cosas o sucesos en la mente mientras se está dormido. ② Creer que es cierta una cosa que se ha imaginado o que es imposible que suceda: *si piensa que le voy a dejar salir hasta tan tarde, sueña despierto.* I *v. intr.* ③ Desear intensamente o durante mucho tiempo: *soñaba con ser piloto.*
FAM soñador; ensoñar.

soñoliento, -ta *adj.* Que está adormilado o con mucho sueño. **SIN** amodorrado, somnoliento.

sopa *s. f.* ① Comida compuesta de un caldo en el que se hierven o cuecen otros alimentos; se toma con cuchara. ■ **sopa boba** Sopa que se da a los pobres en los centros religiosos y que solo contiene alimentos básicos. ■ **sopa de letras** Sopa con pasta muy pequeña en forma de letras. ■ **sopa juliana** Sopa con verduras troceadas. ② Alimento que se echa a un líquido para preparar una sopa, como pasta, arroz o verduras. ③ Trozo de pan que se moja en un líquido, especialmente en un caldo o en la leche: *está tomando leche con sopas.* **NOTA** Normalmente en plural.
comer la sopa boba o **andar a la sopa boba** Vivir holgazanamente a expensas de otro.
como (o **hecho**) **una sopa** (I) Se usa para indicar que una persona está muy mojada, especialmente por la lluvia. (II) Se usa para indicar que una persona está muy resfriada.
dar sopas con honda Demostrar gran superioridad en una materia respecto a los demás.
hasta en la sopa familiar Se usa para indicar que una persona o una cosa está, se ve o se encuentra en todas partes.
sopa de letras Pasatiempo que consiste en encontrar determinadas palabras (que se pueden componer horizontalmente, verticalmente o en diagonal, y del derecho o del revés) entre una serie de letras dispuestas en columnas y filas formando un rectángulo o un cuadrado.
FAM sopear, sopero, sopetear, sopicaldo.

sopapo *s. m.* Golpe fuerte dado con la mano abierta sobre la cara. **SIN** tortazo, torta.

sopera *s. f.* Recipiente profundo en el que se sirve la sopa en la mesa.

sopero, -ra *adj.* ① Que sirve para tomar sopa: *cuchara sopera.* ② Se aplica a la persona a la que le gusta mucho tomar sopa.
FAM sopera.

sopesar *v. tr.* ① Levantar una cosa para calcular aproximadamente el peso que tiene. ② Examinar con atención las ventajas e inconvenientes: *sopesó los pros y los contras y pensó que el negocio era rentable.*

sopetón Se usa en la expresión:
de sopetón Se usa para indicar que una cosa sucede de forma inesperada y brusca: *el ladrón se tropezó con la policía de sopetón.*

sopicaldo *s. m.* Comida que tiene mucho líquido y pocos trozos sólidos.

¡sopla! *int.* Expresa admiración o sorpresa por una cosa: *¡sopla, el mago ha hecho salir un conejo de la chistera!*

soplamocos *s. m.* familiar Golpe con fuerza que se da o se recibe en la cara, especialmente si se roza la nariz. **OBS** Plural invariable.

soplar *v. tr./intr.* ① Despedir aire con fuerza por la boca, formando con los labios un conducto estrecho y redondeado. ② Despedir aire con fuerza un instrumento: *el secador sopla para secar el pelo.* ‖ *v. tr.* ③ Apartar una cosa mediante el aire. ④ Hinchar con aire, especialmente la pasta de vidrio para darle una forma determinada. ⑤ familiar Informar sin darse a conocer sobre alguna mala acción o sobre la persona que la ha cometido, especialmente a la policía: *se asustó y sopló todo lo ocurrido.* ⑥ familiar Decir en voz baja a una persona y de forma disimulada lo que debe decir, especialmente entre estudiantes y actores de teatro: *le soplaron una pregunta en el examen.* ⑦ familiar Robar o quitar una cosa sin que se note. ⑧ En el juego de las damas y otros semejantes, quitar al contrario una pieza con la que debería haber hecho determinado movimiento. ‖ *v. intr.* ⑨ Correr el viento. ‖ *v. intr./prnl.* ⑩ familiar Beber mucho alcohol. **FAM** soplido, soplo, soplón; resoplar.

soplete *s. m.* ① Instrumento que se usa para soldar piezas de metal; consiste en un tubo del que sale un gas inflamable que mantiene encendida una llama muy energética y que puede dirigirse hacia un punto determinado. ② Canuto de madera por donde se hincha la gaita.

soplido *s. m.* ① Cantidad de aire que se expulsa de una vez por la boca o con algún instrumento. **SIN** soplo. ② Expulsión de aire por la boca que se hace formando con los labios un conducto estrecho y redondeado.

soplo *s. m.* ① Cantidad de aire que se expulsa de una vez por la boca o con algún instrumento. **SIN** soplido. ② Movimiento del viento que se percibe: *¡qué calor! No corre ni un soplo de aire.* ③ Periodo de tiempo que es o que parece muy corto: *la tarde se me ha pasado en un soplo.* ④ familiar Información que se da sin darse a conocer sobre alguna mala acción o sobre la persona que la ha cometido, especialmente a la policía. ⑤ Ruido peculiar que produce un órgano del cuerpo en movimiento, especialmente el corazón, y que puede ser tanto normal como patológico. **FAM** soplillo.

soplón, -plona *adj./s. m. y f.* familiar Se aplica a la persona que informa sobre alguna mala acción o sobre la persona que lo ha cometido, especialmente a la policía.

soponcio *s. m.* familiar Pérdida pasajera del sentido y del conocimiento.

sopor *s. m.* Sensación de pesadez y torpeza en los movimientos y en los sentidos provocada por el sueño. **SIN** adormecimiento, somnolencia. **FAM** soporífero.

soporífero, -ra *adj.* ① Que es tan aburrido que provoca ganas de dormir. ‖ *adj./s. m.* ② Se aplica a la medicina que relaja hasta producir sueño. **SIN** somnífero.

soportable *adj.* Que se puede aguantar o hacer, aunque no sea agradable. **ANT** insoportable. **FAM** insoportable.

soportal *s. m.* Espacio exterior cubierto, construido junto a un edificio, cuya estructura se sujeta con columnas y precede a las entradas principales; generalmente rodea una plaza o recorre una calle.

soportar *v. tr.* ① Sostener o llevar encima una carga o peso.

② Aguantar con paciencia, dolor o resignación una cosa que no es agradable. **SIN** sufrir. **FAM** soportable, soporte.

soporte *s. m.* ① Cosa que sirve para sostener o soportar un peso. ② Persona o cosa que sirve de apoyo, base o ayuda. ■ **soporte informático** Conjunto de material informático en que está almacenada la información.

sopranino *s. m.* Flauta o clarinete de sonido más agudo.

soprano *s. m.* ① Voz femenina o infantil más aguda, bajo la cual están las de mezzosoprano y contralto. **SIN** tiple. ‖ *s. com.* ② Persona que tiene esta voz. **SIN** tiple. ‖ *adj.* ③ Se aplica al instrumento musical de viento de registro más agudo que el del instrumento tenor: *flauta soprano; el saxo soprano es más pequeño que el tenor.* **FAM** mezzosoprano.

sor *s. f.* ① Mujer que pertenece a una comunidad religiosa. ② Tratamiento que se utiliza antepuesto al nombre propio de las monjas: *sor María.*

sorber *v. tr.* ① Beber aspirando con la boca o a través de un tubito hueco: *sorbía el batido con una pajita.* ② Atraer y retener un cuerpo sólido a otro en estado líquido o gaseoso. **SIN** absorber. ③ Aguantar la mucosidad aspirando aire con fuerza por la nariz. **FAM** sorbo.

sorbete *s. m.* Refresco helado, dulce y pastoso, generalmente hecho con agua, zumo de frutas y azúcar.

sorbo *s. m.* ① Cantidad de líquido que se toma de una sola vez aspirando con la boca. ② Cantidad muy pequeña de un líquido que se toma para probar su sabor. ③ Aspiración de un líquido con la boca o a través de un tubito hueco. **a sorbos** Poco a poco o con ligeros intervalos.

sordera *s. f.* Falta completa o disminución del sentido del oído.

sórdido, -da *adj.* ① Se aplica al lugar que es o parece muy pobre y sucio. ② Que está en contra de las normas morales socialmente establecidas, especialmente a las de carácter sexual: *cuando empezó a salir con él, no conocía sus sórdidas intenciones.* **SIN** indecente. **FAM** sordidez.

sordina *s. f.* ① Pieza pequeña de madera, concha u otro material que se ajusta a la parte superior del puente de un instrumento de cuerda y arco, como el violín, para que la resonancia sea más débil. ② Cuerpo cónico que se coloca en el pabellón de salida del aire en un instrumento de viento, como la trompeta o el saxofón, y lo obtura tapándolo casi por completo, de modo que el sonido suena más débil o amortiguado. **con sordina** Sin hacer mucho ruido para no llamar la atención.

sordo, -da *adj./s. m. y f.* ① Se aplica a la persona o animal que no oye nada o no oye con claridad. ② Que suena de forma apagada. ③ Que no hace ruido o lo hace muy poco. ④ Que no hace caso de las ideas, peticiones o consejos que recibe. ‖ *adj.* ⑤ Se aplica al sonido de consonante que se articula sin vibración de las cuerdas vocales. **ANT** sonoro. ‖ *adj./s. f.* ⑥ Se aplica a la consonante que se articula de esta manera: *"p", "t" y "k", por ejemplo, son consonantes sordas.* **FAM** sordera, sordina, sordomudo; ensordecer.

S

sordomudo, -da *adj./s. m. y f.* Se aplica a la persona que no ha aprendido a hablar por ser sordo de nacimiento.
FAM sordomudez.

soriano, -na *adj.* 1 De Soria (ciudad y provincia de Castilla y León). | *s. m. y f./adj.* 2 Persona que es de Soria.

soriasis *s. f.* Enfermedad crónica de la piel que se caracteriza por el enrojecimiento de algunas zonas y la aparición de escamas.
OBS Plural invariable.

sorna *s. f.* 1 Entonación irónica o burlona que pone una persona al decir una cosa. 2 Lentitud con que se hace una cosa, especialmente cuando es deliberada y para burlarse.

soro *s. m.* Conjunto de esporangios u órganos que contienen esporas situados en el envés de las hojas de los helechos.

soroche *s. m.* 1 AMÉR. SUR Mal de altura, angustia que se siente en algunos lugares muy elevados. 2 CHILE Galena (mineral de color gris azulado compuesto de azufre y plomo).
FAM asorocharse.

sorprendente *adj.* 1 Que produce sorpresa: *realizó el ejercicio con sorprendente habilidad.* **SIN** sorpresivo. 2 Que es extraño o extraordinario.

sorprender *v. tr.* 1 Coger sin preparación o aviso a una persona: *la sorprendí justo cuando me estaba criticando.* 2 Descubrir una cosa que se esconde u oculta: *sorprendieron su mayor secreto.* 3 Experimentar una alteración emocional cuando una cosa no está prevista o no se espera: *el escándalo nos sorprendió.*
FAM sorprendente, sorpresa.

sorpresa *s. f.* 1 Alteración emocional que causa una cosa que no está prevista o no se espera: *fue una grata sorpresa encontrarte allí.* 2 Motivo que hace que una persona se sorprenda. 3 Objeto que se introduce en el interior de un alimento: *le tocó la sorpresa del roscón.*
coger de (o **por**) **sorpresa** Encontrar sin preparación o aviso: *la nieve los cogió por sorpresa y tuvieron que pasar la noche en un refugio.*
FAM sorpresivo.

sorpresivo, -va *adj.* Que produce sorpresa: *el sorpresivo regalo fue un viaje al Caribe.* **SIN** sorprendente.

sortear *v. tr.* 1 Hacer que la suerte decida quién se queda una cosa que se da o reparte, usando medios diversos: *sortearon el viaje entre los clientes.* 2 Evitar con habilidad o astucia un compromiso, peligro u obstáculo: *sorteó las dificultades y consiguió el trabajo.*
FAM sorteo.

sorteo *s. m.* Juego que consiste en sortear una cosa repartiendo o vendiendo papeletas con números entre varias personas y escogiendo uno de ellos al azar: *sorteo de lotería.* **SIN** rifa.

sortija *s. f.* 1 Aro que se lleva en el dedo, generalmente es de un metal valioso y puede tener adornos, como piedras preciosas. 2 Rizo del pelo en forma de círculo.
FAM ensortijar.

sortilegio *s. m.* 1 Adivinación que no se basa en la ciencia o en la razón, sino en la magia. 2 Acción que se consigue realizando determinados actos mágicos. **SIN** embrujo, hechizo.

sosa *s. f.* Carbonato de sodio. ■ **sosa cáustica** Hidróxido de sodio que se usa para limpiar y para fabricar jabón duro; en estado puro es corrosiva y quema los tejidos orgánicos. **SIN** soda.

sosaina *adj./s. com.* familiar Se aplica a la persona que no tiene gracia, viveza ni atractivo.

sosegar [1] *v. tr.* 1 Hacer que desaparezca la agitación, la preocupación o los nervios de una persona. **SIN** calmar, serenar, tranquilizar. **ANT** desasosegar. 2 Hacer que una persona o cosa no esté agitada: *tras la tormenta las aguas del mar se han sosegado.*
FAM sosegado, sosiego.

sosera *s. f.* 1 Falta de gracia, viveza o atractivo. **SIN** sosería. 2 Dicho o hecho que no tiene gracia: *se cree gracioso pero solo dice soseras.* **SIN** sosería.
FAM sosería.

sosería *s. f.* Sosera.

sosiego *s. m.* Falta de agitación, movimiento o ruido. **SIN** sosiego, quietud, tranquilidad.

soslayar *v. tr.* 1 Evitar una cosa que implica una dificultad o que causa molestia, especialmente una pregunta o un asunto. 2 Colocar una cosa de lado de modo que deje un pequeño espacio para poder pasar: *como no podía pasar entre las mesas, las soslayó.*
FAM insoslayable.

soslayo Se usa en las expresiones:
de soslayo o **al soslayo** Indica que una cosa se hace de lado: *no me gusta que me mires de soslayo.*
de soslayo Indica que un asunto se trata por encima o sin profundizar en él, generalmente porque implica una dificultad o causa molestia.
FAM soslayar.

soso, -sa *adj.* 1 Se aplica al alimento que tiene poca sal o no tiene. **ANT** salado. 2 Que no tiene gracia, viveza, ni atractivo. **ANT** salado.
FAM sosera.

sospecha *s. f.* Creencia o suposición que se forma a partir de cierta información o señal.

sospechar *v. tr.* 1 Pensar, imaginar o formar una suposición o juicio a partir de una información o señal. | *v. intr.* 2 Desconfiar de una persona por intuir o creer que ha cometido una mala acción.
FAM sospecha, sospechoso; insospechable, insospechado.

sospechoso, -sa *adj.* 1 Que da motivos para formar una suposición o juicio sobre una mala acción o sobre quién la ha cometido. | *s. m. y f.* 2 Persona que da motivos para creer que ha cometido una mala acción.

sostén *s. m.* 1 Sujeción que evita que una persona o cosa se caiga o se incline. 2 Persona o cosa que sirve para ayudar, mantener o proteger a otra: *la madre era el sostén de la familia, ella llevaba el dinero a casa.* 3 Apoyo moral o protección que una persona da a otra. 4 Prenda interior femenina que sirve para ajustar y sostener el pecho; está formada por dos trozos de tejido suave, generalmente elástico, de forma más o menos triangular que se acoplan al pecho. **SIN** sujetador.

sostener [45] *v. tr.* 1 Sujetar o evitar que una persona o cosa se caiga o se incline. 2 Aguantar una cosa con las manos o con los dos brazos. 3 Defender o mantener una idea, una opinión o una actitud con seguridad y confianza, especialmente cuando alguien está en contra. 4 Dar a una persona lo necesario para vivir. **SIN** alimentar, mantener, sustentar. 5 Hacer que una acción o estado continúe durante un periodo de tiempo sin variar. | *v. prnl.* 6 **sostenerse** Mantenerse un cuerpo en un medio sin caer o haciéndolo muy lentamente.

FAM sostén, sostenido, sostenimiento; insostenible.

sostenible *adj.* ① Que se puede sostener, soportar o tolerar. **ANT** insostenible. ② Se aplica al desarrollo o la evolución que es compatible con los recursos de que dispone una región, una sociedad, etc.: *un crecimiento económico sostenible.*

sostenido, -da *s. m.* ① Signo (♯) que se coloca a la izquierda de una nota musical para indicar que dicha nota se entona o toca un semitono más alta. ❙ *adj./s. m.* ② Se aplica a la nota musical que está alterada por este signo: *el do sostenido es un semitono más alto que el do natural.*

sota *s. f.* Carta de la baraja española que lleva el número 10 y representa a un paje de pie: *sota de espadas.*

sotabanco *s. m.* Parte inferior de un retablo pictórico o escultórico, generalmente destinada a completar el tema central con escenas narrativas.

sotana *s. f.* Vestido largo de color negro que cubre hasta los tobillos y que usan algunos religiosos, especialmente los sacerdotes católicos.

sótano *s. m.* Piso de un edificio que está bajo el nivel del suelo de la calle; puede usarse como vivienda, pero sobre todo sirve de almacén porque no tiene ventanas que den al exterior o las tiene muy pequeñas.

sotavento *s. m.* Parte opuesta al lado que recibe el viento en un barco, un lugar, un edificio, etc.: *por sotavento se acercaba una lancha.* **ANT** barlovento.

soteriología *s. f.* Parte de la teología que estudia la historia de la salvación de la humanidad gracias al sacrificio de Jesucristo.

soterrar [1] *v. tr.* ① Poner bajo tierra. **SIN** enterrar. ② Ocultar un sentimiento para que no se note.

soto *s. m.* Lugar poblado de árboles y arbustos que se encuentra a la orilla de un río.

sotobosque *s. m.* Formación vegetal compuesta por las hierbas y arbustos que crecen bajo los árboles de un bosque.

sotto voce [se pronuncia aproximadamente 'soto voche'] Se utiliza en música para indicar que un fragmento se ha de interpretar de modo suave y a media voz.

soufflé [también **suflé**; se pronuncia aproximadamente 'suflé'] *s. m.* Comida que se hace con yemas de huevo batidas a punto de nieve a las que se añaden otros ingredientes, y que se cuece en el horno hasta que queda bien dorado.

soul *s. m.* ① Estilo musical nacido entre la comunidad negra de los Estados Unidos en los años cincuenta como derivación de diversas formas musicales afroamericanas (especialmente el rhythm and blues y el gospel) y que se caracteriza por su ritmo suave y sincopado, su emotividad y su aparente espontaneidad vocal. ❙ *adj.* ② Relativo a este estilo musical. **NOTA** Invariable en número.

soutien [se pronuncia aproximadamente 'sutién'] *s. m.* ARG., URUG. Sostén, sujetador.

souvenir [se pronuncia aproximadamente 'suvenir'] *s. m.* Objeto característico de un lugar turístico que sirve como recuerdo de un viaje a este lugar: *el souvenir lleva escrito el nombre del lugar.*

soviet [se pronuncia aproximadamente 'sóviet'] *s. m.* ① Agrupación de obreros o soldados durante las revoluciones rusas de 1905 y 1917. ② Órgano de gobierno local, regional o nacional de la antigua Unión Soviética, formado por delegados de los obreros, campesinos y soldados. **OBS** Plural: *soviets.*

soviético, -ca *adj.* ① De la Unión de Repúblicas Socialistas Soviéticas (antiguo estado de Europa y Asia): *literatura soviética.* ❙ *s. m. y f./adj.* ② Persona que era de la Unión de Repúblicas Socialistas Soviéticas.

SP [se pronuncia 'ese-pe'] *s. m.* Sigla de *servicio público,* que llevan inscrita en una placa los vehículos destinados a este servicio.

spaghetti [también **espagueti**] *s. m.* Pasta de harina de trigo en forma de cilindros macizos, largos y delgados, pero más gruesos que los fideos. **OBS** Normalmente en plural.

spam *s. m.* Forma de propaganda comercial distribuida de forma masiva, generalmente mediante correos electrónicos enviados sin el consentimiento de los receptores.

sparring [también **esparrin**, menos usado; se pronuncia aproximadamente 'esparrin'] *s. m.* Persona que ayuda a un boxeador a entrenarse peleando con él.

sponsor [se pronuncia aproximadamente 'espónsor'] *s. m.* Persona o entidad que paga los gastos de una actividad determinada, generalmente con fines publicitarios. **SIN** patrocinador. **FAM** sponsorizar.

sponsorizar [se pronuncia aproximadamente 'esponsorizar'] *v. tr.* Pagar los gastos de una actividad deportiva o cultural con fines publicitarios. **SIN** patrocinar. **FAM** sponsorización.

sport [se pronuncia aproximadamente 'espor'] Se usa en la expresión:

de sport Se aplica a la ropa que es cómoda e informal: *las cazadoras y los vaqueros son de sport.*

spot [se pronuncia aproximadamente 'espot'] *s. m.* Anuncio de publicidad que se emite en la televisión o en el cine y dura generalmente entre 20 y 30 segundos.

spray [se pronuncia aproximadamente 'esprái'] *s. m.* ① Recipiente o envase para almacenar un líquido a presión y poder lanzarlo en finas partículas en suspensión: *un spray de laca para el pelo.* **SIN** aerosol. ② Líquido acumulado a presión en este recipiente. **SIN** aerosol.

sprint [también **esprín**; se pronuncia aproximadamente 'esprín'] *s. m.* Esfuerzo momentáneo que hace un deportista, generalmente al final de una carrera, para conseguir la máxima velocidad posible e intentar ganar. **FAM** sprintar, sprinter.

sprintar [se pronuncia aproximadamente 'esprintar'] *v. intr.* Acelerar al máximo un deportista o corredor al final de una carrera.

spríner [se pronuncia aproximadamente 'esprínter'] *s. com.* Ciclista o automovilista que se especializa en acelerar al máximo al final de una carrera o al estar cerca de la meta. **OBS** Puede encontrarse la grafía inglesa *sprinter.*

squash [se pronuncia aproximadamente 'escuash'] *s. m.* Deporte parecido al frontón que se practica en una pista o recinto cerrado por los cuatro lados y bastante más pequeño, en el que la pelota puede rebotar en cualquiera de las paredes, salvo en el saque.

Sr., Sra. Abreviaturas de *señor* y *señora,* tratamientos de respeto: *Sra. Martínez; Sr. presidente.*

S

Srta. Abreviatura de *señorita*, tratamiento que se da a las mujeres que no están casadas.

stage [se pronuncia aproximadamente 'estash'] *s. m.* **1** Período de prácticas o de aprendizaje de una actividad profesional: *hará un stage en una importante empresa informática.* **2** Etapa de preparación de un deportista o equipo, previa a su participación en una competición.
OBS Plural: *stages.*

stalinismo [también **estalinismo**, más usado] *s. m.* Conjunto de doctrinas y prácticas defendidas por Stalin y el comunismo internacional de su época, consideradas por ellos continuación del leninismo.

stalinista [también **estalinista**, más usado] *adj.* **1** Relativo al stalinismo. I *adj./s. com.* **2** Se aplica a la persona que es partidaria del stalinismo.

stand [se pronuncia aproximadamente 'están'] *s. m.* Caseta o pabellón desmontable y provisional en el que se expone o se vende un producto en una gran feria o mercado.

standard [también **estándar**, más usado; se pronuncia aproximadamente 'estándar'] *adj.* **1** Que es lo más habitual o corriente, o que reúne las características comunes a la mayoría. **2** Se aplica al producto que ha sido fabricado en serie. I *s. m.* **3** Tipo o modelo muy corriente de una cosa. I *adj./s. m.* **4** Se aplica a la variedad de una lengua que se emplea en el lenguaje escrito, en los ámbitos y circunstancias formales y en la comunicación entre hablantes de diferentes variedades; es una variedad lingüística normalizada que se estudia en la escuela.

starter [se pronuncia aproximadamente 'estárter'] *s. m.* Dispositivo que facilita la entrada de aire en el carburador del motor y sirve para arrancar un vehículo automóvil cuando el motor de explosión está frío.

status [también **estatus**; se pronuncia aproximadamente 'estatus'] *s. m.* Posición social que una persona tiene dentro de un grupo o una comunidad.
OBS Plural invariable.

stick [se pronuncia aproximadamente 'estic'] *s. m.* Bastón curvo que se utiliza en el hockey para controlar e impulsar la pelota.

Sto., Sta. Abreviaturas de *santo* y *santa*, usadas delante de un nombre propio: *Sto. Tomás; Sta. Ágata.*
OBS Como abreviatura de *santo* se emplea también *S.*

stoa *s. m.* Galería cubierta del ágora griega, que resguardaba de la intemperie y del sol y se utilizaba como lugar público de encuentro.

stock [se pronuncia aproximadamente 'estoc'] *s. m.* Conjunto de productos que tiene almacenados un comercio y que están destinados a la venta: *tenemos más tallas en el stock.*
OBS Plural: *stocks.* También en plural con el mismo significado que en singular.

stop [se pronuncia aproximadamente 'estop'] *s. m.* **1** Señal de tráfico que indica que debe hacerse una parada para comprobar si pasan coches o personas por una vía preferente. **2** Parada breve. **3** En un telegrama, palabra o signo que equivale al punto en la escritura. I *int.* **4** ¡stop! Se usa para mandar a una persona que se detenga o que detenga una acción.

stradivarius *s. m.* Instrumento de cuerda y arco, especialmente un violín, muy cotizado y apreciado por la calidad de su sonido, que fue fabricado por el luthier italiano Antonio Stradivarius (1643-1737).
OBS Plural invariable. Se escribe normalmente con mayúscula inicial.

stress [también **estrés**, más usado; se pronuncia aproximadamente 'estrés'] *s. m.* **1** Estado de gran tensión nerviosa, generalmente causado por un exceso de trabajo, que suele provocar diversos trastornos físicos y mentales. **2** Situación en la que un organismo o alguno de sus órganos sufre presiones del medio o exigencias superiores a lo habitual, por lo que puede llegar a enfermar.

striptease [se pronuncia aproximadamente 'estriptís'] *s. m.* Espectáculo en el que una persona se va quitando la ropa progresivamente hasta quedarse desnuda al ritmo de una música.

stupa *s. f.* Monumento funerario que señala el lugar de enterramiento de las cenizas o los restos de un santo budista; suele ser una construcción maciza coronada por una cúpula semiesférica.

su *det.* Forma del determinante posesivo en tercera persona del singular o del plural: *he estado con Luis y hemos hablado de sus problemas; los aficionados animaban a su equipo.*
OBS Plural: *sus.* Va antepuesto al sustantivo.

suajili *s. m./adj.* Lengua bantú que se habla sobre todo en países de la zona oriental del continente africano; tiene influencias persas y árabes.

suave *adj.* **1** Que tiene una superficie lisa, blanda y agradable al tacto: *los melocotones tienen la piel suave.* **ANT** áspero. **2** Que resulta agradable porque no causa impresiones fuertes o bruscas a los sentidos: *se oía una música suave.* **3** Se aplica a la persona que no opone resistencia y está de acuerdo con lo que se le dice, especialmente después de haberse mostrado alterado o enfadado. **4** Que se maneja sin brusquedad y sin necesidad de hacer mucha fuerza.
FAM suavidad, suavizar.

suavidad *s. f.* **1** Lisura y blandura que presenta un objeto al ser tocado y que resulta agradable al tacto: *me gusta el terciopelo por su suavidad.* **2** Actitud pacífica, dulce y amable con que una persona dice o hace una cosa: *trátalo con suavidad porque es muy sensible.* **3** Falta de brusquedad o violencia con que se hace un movimiento: *levanta la palanca con mucha suavidad.*

suavizante *adj.* **1** Se aplica a la sustancia que quita la aspereza o rugosidad de una cosa: *después del champú, usaba una crema suavizante para el pelo.* I *s. m.* **2** Líquido que hace que la ropa quede suave, esponjosa y huela bien, que se echa a las lavadoras automáticas durante el último aclarado.

suavizar *v. tr.* Hacer que una cosa que es áspera o rugosa deje de serlo.
FAM suavización, suavizante.

subacuático, -ca *adj.* **1** Que se realiza debajo del agua: *arqueología subacuática.* **2** Que se encuentra debajo del agua: *vegetación subacuática.*

subalimentar *v. tr.* Alimentar a una persona de manera insuficiente.

subalterno, -na *adj.* **1** Que en un conjunto de cosas tiene menos importancia que otras: *este empleado realiza funciones subalternas.* I *s. m.* **2** Persona que trabaja para otra haciendo trabajos que no requieren conocimientos técnicos. **3** Torero que forma parte de la cuadrilla de un matador.

subarrendar [1] *v. tr.* Alquilar una cosa que ya ha sido alquilada previamente, especialmente un terreno, un local comercial o una vivienda. **SIN** realquilar.
FAM subarrendador, subarrendatario, subarriendo.

subarriendo *s. m.* Alquiler que se hace de una cosa que ya ha sido alquilada previamente.

subasta *s. f.* ① Venta pública en la que se adjudica lo vendido a la persona que ofrece más dinero por ello: *he conseguido algunos candelabros de plata en una subasta.* ② Adjudicación de un trabajo a la persona o la empresa que ofrece las mejores condiciones: *la construcción del hospital se adjudicó en pública subasta.*

subastar *v. tr.* ① Vender en público adjudicando lo vendido a la persona que ofrece más dinero por ello. ② Adjudicar la realización de un trabajo, eligiendo a quien haya ofrecido las mejores condiciones.
FAM subasta, subastador.

subatómico, -ca *adj.* ① Se aplica a la partícula que tiene dimensiones inferiores a las del átomo. ② Relativo a estas partículas: *física subatómica.*

subcampeón, -peona *adj./s. m. y f.* Se aplica a la persona o equipo que queda en segunda posición en una competición o un concurso.

subconjunto *s. m.* Conjunto de elementos que tienen las mismas características y que está incluido dentro de otro conjunto.

subconsciencia *s. f.* Estado inferior de la conciencia psicológica en el que, por la poca intensidad de las percepciones, la persona no advierte su actividad ni su realidad. **SIN** subconsciente.

subconsciente *adj.* ① Que no se analiza con la razón porque está en el nivel de la subconsciencia: *al hablar en sueños desveló sus deseos subconscientes.* **‖** *s. m.* ② Subconsciencia.
FAM subconsciencia.

subcontratar *v. tr.* Contratar una persona a otra para que realice un trabajo o un servicio para el que ella ha sido contratada.

subcutáneo, -nea *adj.* ① Que está o se produce inmediatamente debajo de la piel y sobre el tejido muscular. ② Se aplica a la inyección que se pone debajo de la piel.

subdelegado, -da *adj./s. m. y f.* Se aplica a la persona que está inmediatamente bajo las órdenes del delegado o lo sustituye en sus funciones.

subdesarrollado, -da *adj.* Se aplica al país o sociedad que no ha alcanzado el desarrollo económico completo.

subdesarrollo *s. m.* ① Desarrollo que no es completo o perfecto. ② Situación del país con un desarrollo económico, político, social y cultural muy bajo o pobre respecto a otros: *la renta per cápita y el producto nacional bruto son parámetros para evaluar el desarrollo o subdesarrollo de un país.*

subdirector, -ra *s. m. y f.* Persona que está directamente a las órdenes de un director o lo sustituye en sus funciones cuando este no puede ejercerlas.
FAM subdirectorio.

súbdito, -ta *adj./s. m. y f.* ① Se aplica a la persona que está sujeta a la autoridad de otra persona y que tiene la obligación de obedecerla, especialmente cuando lo establece una ley. **‖** *s. m. y f.* ② Ciudadano de un país que está sujeto a las autoridades políticas de este.

subdividir *v. tr.* Dividir en partes más pequeñas cada una de las partes que resultan de haber dividido una cosa.
FAM subdivisión.

subdivisión *s. f.* Parte que resulta de subdividir una cosa.

subdominante *s. f.* Cuarto grado de la escala musical diatónica: *en la escala de do mayor, la subdominante es el fa.*

subducción *s. f.* En geología, fenómeno por el que la corteza oceánica antigua se introduce bajo la corteza continental.

subeibaja *s. m.* Aparato de entretenimiento para balancearse alternativamente dos o más personas, consistente en una pieza alargada metálica o de madera con uno o dos asientos en cada extremo y un punto de apoyo en el centro. **SIN** balancín, columpio.

subempleo *s. m.* Situación económica en la que la mano de obra no está empleada o aprovechada en su totalidad o lo está por debajo de su cualificación profesional.

súber *s. m.* Tejido con función protectora que se halla en la corteza de las plantas adultas leñosas.

subestimar *v. tr.* Valorar una cosa o a una persona en menos de lo que merece o vale: *subestimó mi capacidad de trabajo.* **SIN** infravalorar, minusvalorar.
FAM subestimación.

subfusil *s. m.* Arma de fuego portátil con el cañón más corto que el del fusil y la culata plegable y que puede disparar ráfagas o tiros libres.

subgénero *s. m.* ① División menor dentro de un género literario: *hay tres subgéneros narrativos fundamentales: la novela, la novela corta y el cuento.* ② Subcategoría taxonómica de clasificación de los seres vivos que tiene rango inferior al de género.

subida *s. f.* ① Paso de un lugar a otro que está más alto. **SIN** ascensión, ascenso. **ANT** bajada. ② Aumento de la cantidad o del valor de una cosa. ③ Aumento de la intensidad o tonalidad de una cosa: *tomó un jarabe porque tuvo una subida de temperatura.* **ANT** bajada. ④ Terreno inclinado, considerado de abajo arriba. **SIN** ascensión, ascenso. **ANT** bajada.

subido, -da *adj.* ① Se aplica al color u olor que causa en el sentido de la vista o del olfato una impresión fuerte o intensa. ② Que es de precio elevado o superior al habitual o al que parece adecuado en comparación con otra mercancía semejante. **SIN** caro.
FAM subida.

subíndice *s. m.* Letra o número de pequeño tamaño que se coloca en el lado derecho inferior de un símbolo para indicar algo: *el subíndice indica el número de moléculas que se combinan de cada elemento químico, como en H_2.*

subir *v. intr./prnl.* ① Pasar de un lugar a otro que está más alto: *si te subes a la torre verás el mar.* ② Colocarse encima de un animal o entrar en un medio de transporte: *sube al coche.* **‖** *v. tr.* ③ Poner en un lugar más alto: *subió los zapatos a la silla para que no los mordiera el perro.* ④ Aumentar la cantidad o valor de una cosa: *me han subido el sueldo.* ⑤ Aumentar la intensidad o el tono de una cosa: *sube el volumen de la radio, que no se oye bien; hoy no le ha subido la fiebre.* ⑥ Recorrer de abajo arriba una cosa que está inclinada: *el escalador subió la montaña.* ⑦ Otorgar a una persona una mayor dignidad o categoría profesional. **‖** *v. intr.* ⑧ Ascender en dignidad, categoría profesional o posesiones: *¿ya has subido de categoría?* ⑨ Alcanzar una cuenta cierta cantidad: *¿a cuánto sube la factura de este*

mes? **|** *v. prnl.* **10 subirse** Hacer efecto una bebida alcohólica provocando mareo o falta de coordinación en los movimientos y en el habla.
FAM subido.

súbito, -ta *adj.* Que se produce de pronto o sin preparación o aviso. **SIN** repentino, brusco.
FAM súbitamente.

subjetividad *s. f.* Manera de pensar en la que para juzgar u opinar sobre las cosas y los hechos intervienen los sentimientos, vivencias o intereses de una persona. **SIN** subjetivismo.

subjetivismo *s. m.* **1** Subjetividad. **2** Doctrina filosófica que basa el conocimiento en el individuo o conjunto de individuos con capacidad para percibir, conocer y juzgar.
FAM subjetivista.

subjetivista *adj.* **1** Que está influido por sentimientos, vivencias o intereses personales. **|** *adj./s. com.* **2** Se aplica a la persona que es partidaria de la doctrina del subjetivismo.

subjetivo, -va *adj.* **1** Que depende de sentimientos, vivencias o intereses personales. **ANT** objetivo. **2** Relativo al modo personal de pensar o de sentir. **ANT** objetivo.
FAM subjetividad, subjetivismo.

subjuntivo, -va *adj./s. m.* Se aplica al modo verbal que expresa una acción, un proceso o un estado como dudoso, posible, deseado o necesario; suele aparecer en oraciones subordinadas: *la forma verbal "hayamos comido" está en subjuntivo.*

sublevación *s. f.* Rebelión de una persona o grupo de personas contra una autoridad o poder establecido al que se niegan a seguir obedeciendo, utilizando la fuerza o las armas. **SIN** alzamiento, levantamiento.

sublevar *v. tr.* **1** Incitar a una persona o a un grupo de personas a que se enfrente a un poder establecido, utilizando la fuerza o las armas. **SIN** amotinar. **2** Provocar a una persona para que se enfade o irrite mucho.
FAM sublevación.

sublimación *s. f.* **1** Exaltación o engrandecimiento de las cualidades de una persona o de una cosa. **2** Paso de una sustancia del estado sólido al gaseoso sin pasar por el líquido.

sublimar *v. tr.* **1** Alabar o exaltar mucho a una persona o una cosa, engrandeciendo mucho sus cualidades. **SIN** elogiar, enaltecer, ensalzar. **2** Hacer que un cuerpo en estado sólido pase directamente al estado gaseoso, sin pasar por el estado líquido.
FAM sublimación.

sublime *adj.* Que destaca enormemente por sus extraordinarias cualidades o que tiene gran valor moral, científico o artístico.
FAM sublimar, sublimidad.

subliminal *adj.* Se aplica a la percepción que se capta a través del subconsciente provocando determinadas sensaciones en la persona.

submarinismo *s. m.* **1** Conjunto de actividades que se realizan bajo la superficie del mar, de un río o de un lago. **2** Conjunto de conocimientos y técnicas necesarios para realizar este tipo de actividades.
FAM submarinista.

submarinista *adj.* **1** Relativo al submarinismo. **|** *adj./ s. com.* **2** Se aplica a la persona que realiza diversas actividades bajo la superficie del mar, de un río o de un lago, generalmente equipado con un traje de goma, gafas, aletas y bombonas de oxígeno. **SIN** hombre rana.

submarino, -na *adj.* **1** Relativo a la zona que se encuentra bajo la superficie del mar. **|** *s. m.* **2** Embarcación que puede navegar bajo el agua, diseñada para poder subir a la superficie del mar o sumergirse según las necesidades. **SIN** sumergible.
FAM submarinismo; antisubmarino.

submúltiplo, -pla *adj./s. m.* Se aplica a la cantidad que está contenida en otra un número exacto de veces: *el número 7 es submúltiplo de 49.*

subnormal *adj./s. com.* familiar Se aplica a la persona que tiene una capacidad mental inferior a la media o a la que se considera normal. **SIN** anormal, retrasado.
FAM subnormalidad.
OBS Frecuentemente usado como insulto.

subnormalidad *s. f.* Capacidad mental inferior a la normal que se considera enfermedad.

suboficial *s. com.* Militar que pertenece a una categoría superior a la de la tropa e inferior a la de los oficiales.

suborden *s. m.* Grupo animal o botánico que forma una categoría comprendida en otra superior; está entre el orden y la familia.

subordinación *s. f.* **1** Dependencia de una persona o una cosa respecto de otra o de otras, por las que está regida o a las que está sometida. **2** Relación existente entre dos proposiciones cuando una de estas desempeña una función gramatical dentro de la otra y, por tanto, posee menor jerarquía gramatical: *en "me alegro de que hayas vuelto" hay relación de subordiación.*

subordinado, -da *adj./s. m. y f.* **1** Se aplica a la persona que depende o está sometida a la orden o a la voluntad de otra. **|** *adj./s. f.* **2** Se aplica a la proposición que desempeña una función gramatical dentro de otra proposición de la cual depende, llamada proposición principal: *en la frase "cuando llueve, me mojo", "cuando llueve" es una proposición subordinada.*

subordinante *adj.* **1** Que subordina un elemento a otro. **2** Se aplica a los elementos gramaticales que subordinan, como la proposición principal, y a los nexos que enlazan la proposición principal con la subordinada.

subordinar *v. tr.* **1** Hacer que una persona o una cosa pase a depender de otra o de otras. **2** Clasificar unas cosas como inferiores a otras o considerar que dependen de otras. **3** Hacer que una proposición tenga una relación de dependencia con respecto a otras: *las conjunciones unen palabras o sintagmas y coordinan o subordinan proposiciones.*
FAM subordinación, subordinado, subordinante; insubordinar.

subproducto *s. m.* Producto, generalmente de poco valor, que se obtiene en un proceso de elaboración, fabricación o extracción de otro producto que tiene más valor: *la gasolina es un subproducto del petróleo.*

subrayado *s. m.* Palabra o conjunto de palabras subrayadas en un escrito.

subrayar *v. tr.* **1** Hacer una raya debajo de una letra, una palabra o una frase escrita, para señalarla, resaltarla o llamar la atención sobre ella por algún motivo. **2** Hablar lentamente e insistiendo en lo que se quiere decir, con la ayuda de la entonación o repitiéndolo muchas veces para que quede claro lo que se dice. **SIN** recalcar.
FAM subrayado.

subrepticio, -cia *adj.* Que se hace o se busca con disimulo o de forma oculta: *agresión subrepticia.*

subsanar *v. tr.* ① Remediar, reparar un daño o corregir una falta. ② Resolver un problema o dar una solución para una dificultad.
FAM subsanable.

subscribir V. suscribir.

subscripción V. suscripción.

subscriptor, -ra V. suscriptor, -ra.

subscrito, -ta V. suscrito, -ta.

subsidiar *v. tr.* Conceder un subsidio a una persona o a una corporación.
FAM subsidiario, subsidio.
OBS Verbo regular, se acentúa como *cambiar*.

subsidiario, -ria *adj.* ① Que se da como ayuda o apoyo. ② Se aplica a la acción o la responsabilidad que sustituye o apoya a otra principal.

subsidio *s. m.* Cantidad de dinero que recibe una persona o entidad, de manera excepcional, como ayuda para satisfacer una necesidad determinada, especialmente la que reciben de un organismo oficial: *los cien despedidos recibirán un subsidio del Estado.*
FAM subsidiar, subsidiario.

subsiguiente *adj.* Que sigue inmediatamente o va inmediatamente después: *la operación, y la subsiguiente rehabilitación le han costado mucho dinero.*

subsistencia *s. f.* ① Conservación y permanencia de una cosa: *la subsistencia de esta empresa depende de sus ventas.* ② Vida de una persona o de cualquier ser vivo: *algunas zonas del planeta hacen difícil la subsistencia del hombre.* ③ Conjunto de alimentos y de los medios necesarios para el mantenimiento de la vida.

subsistir *v. intr.* ① Existir todavía una cosa o mantenerse en el mismo estado o situación. **SIN** perdurar. ② Desarrollar su vida una persona o un ser vivo: *la familia subsiste con el sueldo del hijo mayor.*
FAM subsistente.

substancia V. sustancia.

substancial V. sustancial.

substancioso, -sa V. sustancioso, -sa.

substantivación V. sustantivación.

substantivar V. sustantivar.

substantivo, -va V. sustantivo, -va.

substitución V. sustitución.

substituir V. sustituir.

substitutivo, -va V. sustitutivo, -va.

substituto, -ta V. sustituto, -ta.

substracción V. sustracción.

substraendo V. sustraendo.

substraer V. sustraer.

substrato V. sustrato.

subsuelo *s. m.* Capa o capas de terreno que están debajo de la superficie terrestre o de la capa cultivable.

subteniente, -ta *s. m. y f.* Militar del cuerpo de suboficiales que tiene categoría inmediatamente superior a la de brigada (en los tres ejércitos) e inmediatamente inferior a la de alférez (en los ejércitos de Tierra y Aire) o a la de alférez de fragata (en la Armada).
OBS Femenino: *subteniente* o *subtenienta*.

subterfugio *s. m.* Pretexto o excusa fingida que se utiliza

como recurso para librarse de una obligación, esquivar una situación difícil o escapar de un compromiso.

subterráneo, -nea *adj.* ① Que está bajo tierra o por debajo de la superficie terrestre. ② Se aplica a la parte de una planta que se desarrolla debajo de la superficie del suelo: *la mayoría de raíces son subterráneas.* **ANT** aéreo. ‖ *s. m.* ③ Conducto, pasadizo, habitación o cualquier lugar o espacio que está bajo tierra.

subtitular *v. tr.* ① Poner o escribir un subtítulo en un libro. ② Poner subtítulos a una película.

subtítulo *s. m.* ① Título secundario que algunas obras tienen después del título principal. ② Texto escrito que aparece en algunas películas en versión original, generalmente en la parte inferior de la pantalla, sobre las imágenes, y que traduce el texto original de los diálogos que interpretan los actores.
FAM subtitular.

subtropical *adj.* ① Que se encuentra cerca del trópico pero en una latitud elevada. ② Que se da en la zona situada cerca del trópico pero en una latitud más elevada: *clima subtropical.*

suburbano, -na *adj.* ① Se aplica al edificio, terreno o campo que está cerca de una ciudad. ② Relativo al suburbio. **SIN** suburbial. ‖ *adj./s. m.* ③ Se aplica al ferrocarril que comunica el centro de una gran ciudad con los suburbios o las zonas de la periferia.

suburbial *adj.* Suburbano, relativo al suburbio.

suburbio *s. m.* Barrio o zona a las afueras de una ciudad, especialmente el habitado por personas de bajo nivel económico. **SIN** arrabal.
FAM suburbial.

subvención *s. f.* Cantidad de dinero que recibe una persona, una entidad o una institución como ayuda económica para realizar una obra o para su mantenimiento, especialmente la que se recibe del Estado.
FAM subvencionar.

subvencionar *v. tr.* Contribuir con una cantidad de dinero como ayuda a la realización de una obra o al mantenimiento de una entidad o institución.
FAM subvención.

subversión *s. f.* Alteración del orden público, destrucción de la estabilidad política o social de un país.

subversivo, -va *adj.* Que pretende alterar el orden público o destruir la estabilidad política o social de un país: *el artículo está lleno de alusiones subversivas.*

subyacer *v. intr.* Estar una cosa por debajo de otra u oculta tras ella: *las aguas fluviales penetran en la tierra y subyacen en ella.*
FAM subyacente.

subyugar *v. tr.* ① Someter o dominar completamente a una persona o colectividad por medio de la violencia. ② Agradar o atraer intensamente a una persona.
FAM subyugación, subyugante.

succión *s. f.* ① Extracción de un líquido de su recipiente aspirándolo o chupándolo con los labios. ② Absorción de un líquido o un gas que es atraído hacia el interior de un cuerpo o un mecanismo.
FAM succionar.

succionar *v. tr.* ① Extraer un líquido de su recipiente, aspirándolo o chupándolo con los labios. ② Absorber un líquido

S

o un gas y atraerlo hacia el interior de un cuerpo o un mecanismo.

sucedáneo, -nea *adj./s. m.* ① Se aplica a la sustancia que tiene propiedades parecidas a las de otra y puede servir para sustituirla. ② familiar Que es una imitación, de peor calidad que el original.

suceder *v. tr.* ① Sustituir a una persona en el empleo, cargo o puesto que ha dejado: *el príncipe sucederá a su padre en el trono.* ② Estar o ir detrás en el tiempo o en el espacio: *la primavera sucede al invierno.* ANT anteceder, preceder. ‖ *v. intr.* ③ Ocurrir o producirse un hecho. SIN acaecer, acontecer, ocurrir.
FAM sucesión, sucesivo, suceso, sucesor.

sucesión *s. f.* ① Serie de elementos que se suceden unos a otros, ya sea en el espacio, en el tiempo o en un orden. ■ **sucesión ecológica** En biología, cambio progresivo en la composición de las comunidades vegetales en una zona determinada. ② Sustitución por otra persona de alguien que ha dejado un empleo, cargo o puesto. ③ Conjunto de descendientes directos de una persona o familia. ④ Transmisión de los derechos, bienes y obligaciones que recibe una persona por herencia. ⑤ Conjunto de estos derechos, bienes y obligaciones. ⑥ Serie de números ordenados según un criterio determinado. ■ **sucesión recurrente** Sucesión en la que cada número o término se define a partir de los anteriores: *en la sucesión recurrente 1, 1, 2, 3, 5, 8... cada término es la suma de los dos anteriores.*
FAM sucesorio.

sucesivo, -va *adj.* Que va inmediatamente después de otra cosa: *la ciudad sufrió cuatro ataques sucesivos.*
en lo sucesivo Se utiliza para indicar que lo que se expresa a continuación tiene efecto a partir de ese momento y en adelante: *en lo sucesivo, no quiero que me hables de ese asunto.*
FAM sucesivamente.

suceso *s. m.* ① Hecho que sucede u ocurre, especialmente si es de cierta importancia. SIN acontecimiento, evento. ② Hecho lamentable o desafortunado, como un delito o un accidente. NOTA Más en plural. ③ En cálculo de probabilidades, parte de un conjunto de elementos que cumple unas condiciones determinadas: *un suceso de probabilidad próxima a 0 es un suceso raro, poco probable.* ■ **suceso aleatorio** Suceso cuyo resultado no se puede predecir previamente, como en el lanzamiento de un dado o de una moneda. ■ **suceso contrario** Suceso que se verifica cuando otro no se verifica, y al revés. ■ **suceso elemental** Suceso formado por un único resultado en un experimento aleatorio: *si tenemos cuarenta cartas, cada una de ellas es un suceso elemental.* ■ **suceso equiprobable** Suceso que tiene la misma porobabilidad de verificarse que otro. ■ **suceso imposible** Suceso que nunca se verifica. ■ **suceso incompatible** Suceso que nunca se verifica de manera simultánea con otro. ■ **suceso individual** Suceso formado por un único resultado de un experimento aleatorio. ■ **suceso seguro** o **suceso total** Conjunto de todos los sucesos elementales que pueden aparecer en un experimento aleatorio: *el conjunto 1, 2, 3, 4, 5, 6 formado por las seis caras del dado se llama suceso seguro.*

sucesor, -ra *adj./s. m. y f.* Se aplica a la persona que sustituye a otra en un puesto o cargo. ANT antecesor, predecesor.

suciedad *s. f.* ① Cualidad de lo que es o está sucio. ANT limpieza. ② Conjunto de manchas, de polvo o de impurezas que hay en una cosa o en un lugar. ③ Acción o expresión falta de ética, que va contra las reglas o que se considera obscena, inmoral o innoble: *no sé cómo puedes leer esas novelas tan llenas de suciedades.*

sucinto, -ta *adj.* Que está expresado con pocas palabras, de manera resumida, concisa y precisa: *descripción sucinta.* SIN breve.

sucio, -cia *adj.* ① Que tiene manchas, polvo, impurezas o cualquier sustancia que estropea el buen aspecto. ANT limpio. ② Que se mancha fácilmente o se mantiene limpio durante poco tiempo. ③ Que produce suciedad o ensucia mucho: *la fábrica es muy sucia y contamina el río.* ④ Se aplica a la persona que no cuida su higiene personal, o descuida la limpieza de su ropa o de sus cosas. ⑤ Falto de ética, que va contra las reglas o que se considera obsceno, inmoral o innoble. ‖ *adv.* ⑥ Se utiliza para indicar que una acción, especialmente un juego, se realiza sin cumplir las reglas o las normas.
en sucio Utilizando un borrador: *antes de pasarlos a limpio siempre escribe los textos en sucio.*
FAM suciedad; ensuciar.

sucre *s. m.* Unidad monetaria de Ecuador.

suculento, -ta *adj.* ① Se aplica al alimento que es jugoso, tiene mucho sabor y es nutritivo. ② Se aplica a la planta propia de regiones desérticas o tropicales, de hojas y tallos gruesos que son capaces de almacenar agua para poder sobrevivir largo tiempo sin que llueva, como el cactus y la pita. SIN craso. ③ Se aplica a la hoja o tallo de estas plantas. ④ Que tiene mucho valor o importancia, por su abundancia o por sus buenas cualidades: *recibió una cantidad suculenta de dinero.*
FAM suculencia.

sucumbir *v. intr.* ① Rendirse o ceder ante una presión, dejar de oponer resistencia. ② Morir una persona. ③ Dejar de existir una institución o desaparecer una entidad.

sucursal *adj./s. f.* Se aplica al establecimiento que depende de otro central o principal y que desempeña las mismas funciones que este.

sudadera *s. f.* ① Prenda de vestir de algodón u otro tejido ligero, similar a una camiseta, de manga larga, que cubre la parte superior del cuerpo y que generalmente se usa para hacer deporte. ② Sudor muy abundante.

sudafricano, -na [también **surafricano, -na**] *adj.* ① Del sur de África. ② De la República Sudafricana (país de África). ‖ *s. m. y f./adj.* ③ Persona que es del sur de África. ④ Persona que es de la República Sudafricana.

sudamericano, -na [también **suramericano, -na**] *adj.* ① De América del Sur. ‖ *s. m. y f./adj.* ② Persona que es de América del Sur.

sudanés, -nesa *adj.* ① De Sudán (país de África). ‖ *s. m. y f./adj.* ② Persona que es de Sudán.

sudar *v. intr.* ① Expulsar el sudor a través de los poros de la piel. ② Expulsar algunas cosas ciertos líquidos de su interior, así ciertos vegetales algún jugo y objetos demasiado húmedos gotas de agua. ③ familiar Trabajar una persona muy duramente y esforzándose mucho. ‖ *v. tr.* ④ Mojar una cosa, especialmente la ropa, con sudor. ⑤ familiar Conseguir una cosa con mucho esfuerzo.
FAM sudadera, sudor; resudar, trasudar.

sudario *s. m.* Lienzo con que se cubre el rostro o cuerpo de un difunto.

sudeste [también **sureste**] *s. m.* ① Punto cardinal situado entre el sur y el este, a la misma distancia de ambos. **2** Parte de un lugar situada hacia este punto. **3** Viento que sopla desde este punto.

sudoccidental [también **suroccidental**] *adj.* Relativo al sudoeste: *Extremadura está en la parte sudoccidental de la Península Ibérica.*

sudoeste [también **suroeste**] *s. m.* **1** Punto cardinal situado entre el sur y el oeste, a la misma distancia de ambos. **2** Parte de un lugar situada hacia este punto. **3** Viento que sopla desde este punto.

sudor *s. m.* **1** Líquido transparente que producen las glándulas sudoríparas que hay en la piel de los animales homeotermos y que se expulsa a través de ella. **2** Conjunto de gotas de agua o de otro líquido que expulsan ciertas cosas cuando están húmedas o las plantas. **3** Trabajo o esfuerzo muy grande que cuesta conseguir alguna cosa: *ganarás el pan con el sudor de tu frente.*

FAM sudoración, sudorífico, sudoríparo, sudoroso.

sudoración *s. m.* Expulsión de sudor a través de la piel.

sudoriental [también **suroriental**] *adj.* Relativo al sudeste: *Murcia está situada en el cuadrante sudoriental de la Península Ibérica.*

sudorífero, -ra *adj.* **1** Que hace sudar: *acción sudorífera; efecto sudorífero.* | *adj./s. m.* **2** Se aplica al medicamento que hace sudar.

sudoríparo, -ra *adj.* Se aplica a la glándula que segrega o produce sudor.

sudoroso, -sa *adj.* **1** Se aplica a la persona o animal que está sudando mucho o está lleno de sudor. **2** Que normalmente suda mucho o es muy propenso a sudar.

sueco, -ca *adj.* **1** De Suecia (país de Europa). | *s. m. y f./ adj.* **2** Persona que es de Suecia. | *s. m./adj.* **3** Lengua germánica que se habla en Suecia. | *adj.* **4** Relativo a esta lengua.

hacerse el sueco familiar Fingir una persona que no entiende, que no ve o que no se da cuenta de una cosa, para desentenderse de ella.

suegro, -gra *s. m. y f.* Padre o madre del cónyuge de una persona.

FAM consuegro.

suela *s. f.* **1** Parte del calzado que queda debajo del pie y que está en contacto con el suelo. ■ **media suela** Pieza de cuero con la que se cubre la mitad delantera de la planta del calzado para remendar la suela. **2** Cuero curtido del que está hecha esta parte del calzado.

no llegar a la suela del zapato familiar Ser una persona o una cosa de cualidades muy inferiores a otra.

sueldo *s. m.* Cantidad de dinero que recibe una persona regularmente por su trabajo. SIN paga, salario.

a sueldo Se utiliza para indicar que una persona realiza un trabajo o desempeña una función cobrando por ello una cantidad fija: *tenemos un jardinero a sueldo.*

FAM sobresueldo.

suelo *s. m.* **1** Superficie de la corteza terrestre: *los suelos se clasifican en función de los materiales que los forman.* **2** Superficie sobre la que se pisa, generalmente plana y cubierta con algún material. SIN piso. **3** Terreno que se destina al cultivo de plantas: *este suelo es muy seco para el cultivo de hortalizas.* **4** Terreno que se destina a la construcción de edificios: *el hotel se edificará en suelo del municipio.* **5** Territorio de un país. **6** Superficie inferior sobre la que se apoyan algunas cosas.

besar el suelo familiar Caerse una persona de bruces al suelo.

por el suelo o **por los suelos** (I) familiar Se utiliza para indicar que una cosa está muy barata, o tiene muy poco valor. (II) Se utiliza para indicar que una cosa o una persona se encuentra en muy mala situación, en un estado muy abatido.

poner (o **dejar**) **por el suelo** (o **por los suelos**) familiar Hablar mal y con desprecio de una persona.

FAM entresuelo, sobresuelo, subsuelo.

suelto, -ta *adj.* **1** Que no está pegado o unido de manera compacta: *el arroz de la paella debe quedar suelto, no apelmazado.* **2** Que está libre, que no está sujeto, atado ni encerrado: *lleva el pelo suelto.* **3** Que está separado de otras cosas con las cuales forma un conjunto, una colección o una serie o que no se corresponde con otras cosas: *quedan algunas tallas sueltas.* **4** Que se vende sin empaquetar y se puede comprar por unidades, en la cantidad que se desee: *aquí venden huevos sueltos si no quieres comprar toda la docena.* **5** Que se expresa o actúa con facilidad y desenvoltura: *es un niño muy suelto para su edad.* **6** Se aplica a la persona que tiene diarrea. **7** Se aplica a la prenda de vestir que es ancha y permite moverse con facilidad por no ajustarse al cuerpo. SIN ancho, amplio, holgado. ANT ceñido. | *adj./s. m.* **8** Se aplica al dinero que está en forma de moneda fraccionaria, generalmente de poco valor, y no en billetes: *no llevo suelto.* | *adj.* **9** Que se mueve o actúa de manera muy rápida. SIN veloz. **10** Se aplica al verso que no rima con el conjunto de los de un poema; se indica con un signo de guion. **11** Se aplica al estilo de escribir que es vivo, ameno o fácil de leer.

sueño *s. m.* **1** Estado de reposo en que se encuentra la persona o animal que está durmiendo. **2** Deseo o necesidad de dormir. **3** Conjunto de imágenes y sucesos que vienen a la mente mientras se duerme. **4** Imagen mental irreal fruto de la imaginación. SIN fantasía. **5** Deseo muy difícil o imposible de conseguir. ■ **sueño dorado** Deseo más anhelado de una persona.

echar (o **descabezar**) **un sueño** Dormir durante un corto periodo, especialmente cuando no se está acostado.

FAM entresueño.

suero *s. m.* **1** Sustancia acuosa rica en proteínas y sales que se separa de la parte coagulada de algunos líquidos orgánicos, como la sangre, la linfa o la leche. **2** Mezcla de agua y sales que sirve para alimentar los tejidos del organismo y que se inyecta por razones médicas.

FAM sueroterapia.

suerte *s. f.* **1** Causa que supuestamente hace que ocurra una cosa no condicionada por la relación de causa y efecto ni por la intervención humana o divina: *si acerté la respuesta fue solamente por suerte.* SIN azar, fortuna. **2** Sucesos o circunstancias, sean positivas o negativas, que no han sido intencionadas o previstas sino que se atribuyen a la acción del azar o la casualidad: *tuve la mala suerte de tropezar con el único obstáculo que había.* SIN fortuna. **3** Estos sucesos o circunstancias cuando son positivos o favorables: *te deseo suerte para tu oposición.* **4** Condiciones de vida de una persona o grupo de personas. **5** Hecho o tiempo futuro en el que una persona cree que va a vivir: *la bruja echaba las cartas para adivinar la suerte.* SIN porvenir. **6** Género, clase o especie de una cosa: *había catado toda suerte de vinos.* **7** Parte de una corrida de toros. SIN tercio.

caer (o **tocar**) **en suerte** Corresponder una cosa a una persona por azar o como resultado de un sorteo: *cada uno se conformó con lo que le tocó en suerte.*

de suerte que Se usa para expresar una consecuencia o resultado de lo que expresa: *el testamento se pondrá dentro de un sobre cerrado, de suerte que no pueda sacarse sin romperlo.*

echar suertes (o **a suertes**) Decidir una cosa por azar o dejando la decisión a la casualidad. **FAM** suertudo.

suertudo, -da *adj./s. m. y f.* familiar Se aplica a la persona que tiene buena suerte.

suesetano, -na *adj.* ① Relativo a un pueblo ibero que habitaba en la región de la Península Ibérica correspondiente a la actual Cataluña. ‖ *s. m. y f./adj.* ② Persona perteneciente a este pueblo.

suéter *s. m.* Prenda de vestir de punto de lana o algodón, de manga larga, que cubre el cuerpo desde el cuello hasta la cintura. **SIN** jersey.

suevo, -va *adj.* ① Relativo a un antiguo pueblo germánico que en el siglo V se estableció en la Península Ibérica en calidad de federado del Imperio romano. ‖ *s. m. y f./adj.* ② Persona perteneciente a este pueblo: *los visigodos terminaron con los suevos.*

suficiencia *s. f.* ① Aptitud de la persona que reúne las condiciones que se necesitan o tiene la capacidad para desempeñar un trabajo u otra cosa. **ANT** insuficiencia. ② Presunción o pedantería de la persona que cree tener mayor capacidad que los demás: *no soporto su aire de suficiencia.*

suficiente *adj.* ① Que es bastante o llega a la cantidad, grado o número mínima imprescindible: *su inteligencia es suficiente para resolver este problema.* ② Que está capacitado o es adecuado para lo que se necesita. ③ Se aplica a la persona que presume de manera inoportuna de tener muchos conocimientos. **SIN** pedante. ‖ *s. m.* ④ Calificación académica que es inferior a la de notable y superior a la de suspenso e indica que un alumno ha alcanzado el nivel de conocimientos exigido como mínimo. **SIN** aprobado. **FAM** suficiencia; autosuficiente, insuficiente.

sufijación *s. f.* Procedimiento para formar palabras nuevas mediante la adición de un sufijo a una palabra ya existente o a su raíz.

sufijal *adj.* Se aplica al elemento o morfema que tiene la forma o la función de un sufijo: *los elementos compositivos pueden ser prefijales o sufijales.*

sufijo, -ja *adj./s. m.* Se aplica al afijo o morfema derivativo que se añade al final de un lexema para formar palabras derivadas: *se pueden formar adjetivos añadiendo el sufijo "-ble" a un verbo: "amar" > "amable".* **FAM** sufijal, sufijar.

suflé *s. m.* Soufflé.

sufragar *v. tr.* ① Pagar o satisfacer los gastos que ocasiona una cosa. **SIN** costear. ‖ *v. intr.* ② AMÉR. Votar a un candidato. **FAM** sufragáneo, sufragio.

sufragio *s. m.* ① Elección mediante votación de una opción entre varias que se presentan como candidatas: *el sufragio femenino se consiguió en España en el siglo XX.* ■ **sufragio universal** Sistema electoral en el que tienen derecho a votar todas las personas mayores de edad, sea cual sea su sexo o condición: *las elecciones en España son por sufragio universal.* ② Voto u opción tomada por cada una de las personas que son consultadas, especialmente en materia política. ③ Ayuda económica que se ofrece a una colectividad. ④ Obra que ofrecen los creyentes por las almas del purgatorio. **FAM** sufragismo.

sufragismo *s. m.* Movimiento político que surgió a finales del siglo XIX en Inglaterra y Estados Unidos y reivindicaba el derecho al voto de las mujeres. **FAM** sufragista.

sufragista *adj./s. com.* Se aplica a la persona que es partidaria del sufragismo.

sufrido, -da *adj.* ① Que sufre resignadamente una situación dolorosa o soporta con paciencia las desgracias. ② Se aplica al color o material que disimula la suciedad o aguanta mucho tiempo sin ensuciarse o estropearse: *los colores oscuros son más sufridos que el blanco.*

sufrimiento *s. m.* ① Dolor o padecimiento físico o psíquico que experimenta una persona. ② Paciencia con que se sufre o se soporta una desgracia: *llevó con mucho sufrimiento los últimos años de la vida de su padre.*

sufrir *v. tr.* ① Sentir con intensidad un dolor físico o moral o experimentar una situación desagradable o penosa. **SIN** padecer. ② Aguantar con paciencia, dolor o resignación una cosa que no es agradable. **SIN** aguantar, soportar. ③ Sostener o resistir un peso: *las paredes maestras sufren la carga del forjado.* ④ Ser objeto de un cambio, una acción o un fenómeno determinado, especialmente si es negativo: *el paro ha sufrido un espectacular aumento este mes.* **FAM** sufrido, sufrimiento; insufrible.

sugerencia *s. f.* ① Propuesta de una idea para que se tenga en consideración a la hora de hacer algo. ② Idea que se sugiere o se propone a una persona para que la tenga en consideración o piense en ella a la hora de hacer algo.

sugerente *adj.* ① Sugestivo, que sugiere o provoca ideas. ② Sugestivo, que provoca emoción y resulta muy atrayente: *esa excursión a París es muy sugerente.* **FAM** sugerencia.

sugerir [9] *v. tr.* ① Proponer o dar una idea a una persona para que la tenga en consideración a la hora de hacer algo. ② Evocar o inspirar una idea, un recuerdo o una sensación. **FAM** sugerente.

sugestión *s. f.* Influencia sobre la manera de pensar o de actuar de una persona, que anula su voluntad y la lleva a obrar de una forma determinada. **FAM** sugestionar, sugestivo; autosugestión.

sugestionar *v. tr.* ① Influir en la manera de pensar o de actuar de una persona y llevarla a obrar involuntariamente de una forma determinada. ‖ *v. prnl.* ② **sugestionarse** Dejarse llevar por una idea o una sensación obsesiva. **FAM** sugestionable.

sugestivo, -va *adj.* ① Que sugiere o provoca ideas. **SIN** sugerente. ② Que provoca emoción y resulta muy atrayente. **SIN** sugerente.

suicida *adj.* ① Relativo al suicidio. ② Se aplica al acto o conducta que es muy imprudente y puede provocar la muerte a quien lo realiza. ‖ *s. com.* ③ Persona que se quita o ha intentado quitarse voluntariamente la vida.

suicidarse *v. prnl.* Quitarse voluntariamente la vida.

suicidio *s. m.* Acción de suicidarse. **FAM** suicida, suicidarse.

suido *adj./s. m.* ① Se aplica al mamífero omnívoro, de aspecto rechoncho, con el morro pronunciado, escasa visión y los sentidos del olfato y del oído muy desarrollados, como el jabalí o el cerdo. ‖ *s. m. pl.* ② **suidos** Grupo taxonómico, con categoría de familia, constituido por estos mamíferos.

sui géneris Expresión latina que significa 'de género propio' y se aplica a las personas o cosas que se consideran muy peculiares, originales o estrafalarias.

sulte [se pronuncia 'suit'] *s. f.* ① Composición musical para instrumentos que reúne varias piezas de ritmos variados que son danzas populares o tienen carácter de danzas. ② Selección de fragmentos de una obra extensa, como una ópera o un ballet, para ser interpretada en un concierto. ③ Conjunto de dos o más habitaciones de un hotel que están unidas o comunicadas formando una unidad. **OBS** Plural: *suites* (se pronuncia 'suits').

suiza *s. f.* ① AMÉR. CENTRAL Zurra que da o recibe una persona. ② AMÉR. CENTRAL, CUBA Comba (juego de niños).

suizo, -za *adj.* ① De Suiza (país de Europa). SIN helvético. ▌ *s. m. y f./adj.* ② Persona que es de Suiza. SIN helvético. ▌ *s. m./adj.* ③ Bollo esponjoso de forma ovalada y cubierto de azúcar. ▌ *s. m.* ④ Chocolate a la taza con nata.

sujeción *s. f.* ① Acción de coger o agarrar con fuerza a una persona o una cosa, de manera que no se mueva, ni se caiga o se escape: *pinzas de sujeción.* ② Cosa con la que se sujeta otra o que se utiliza para mantener sujeto algo: *se ha roto la sujeción y se ha caído la pulsera.*

sujetador *s. m.* ① Prenda interior femenina que sirve para ajustar y sostener el pecho; suele ser de tejidos suaves y elásticos. SIN sostén. ② Prenda interior femenina que sirve para ajustar y sostener el pecho; está formada por dos trozos de tejido suave, generalmente elástico, de forma más o menos triangular que se acoplan al pecho. SIN sostén.

sujetar *v. tr.* ① Coger o sostener con firmeza a una persona o a una cosa, con las manos o con cualquier otro instrumento, de manera que no se mueva, ni se caiga o se escape. ② Dominar o someter una persona o entidad a otra que queda bajo su autoridad o su disciplina. **FAM** sujeción, sujetador, sujetapapeles.

sujeto, -ta *adj.* ① Que está cogido o agarrado con firmeza por una persona o cosa, de manera que no se puede mover, caer o escapar. ② Que depende de otra persona o cosa, o está expuesto o sometido a lo que se indica. ▌ *s. m.* ③ despectivo Persona cuyo nombre no se indica: *vino cierto sujeto preguntando por ti.* ④ Función que desempeña el sintagma nominal que es constituyente inmediato de la oración; posee el significado estructural de persona, animal o cosa, que realiza, experimenta en sí o padece el proceso expresado por el verbo. ■ **sujeto activo** o **sujeto agente** Sujeto de una oración con el verbo en voz activa, que hace referencia a la persona o cosa que realiza la acción expresada por el verbo. ■ **sujeto elíptico** Sujeto que está elidido o suprimido de la oración pero ello no impide comprender el significado de esta. ■ **sujeto paciente** Sujeto de una oración con el verbo en voz pasiva, que hace referencia a la persona o cosa que se ve afectada por la acción expresada por el verbo. ⑤ Individuo pensante, en oposición a su mundo exterior: *el sujeto adapta la realidad a sus esquemas mentales.* **FAM** sujetar.

sulfamida *s. f.* Compuesto químico usado en farmacia que combate las enfermedades producidas por bacterias.

sulfatar *v. tr.* Pulverizar ciertas cosas con un producto químico, compuesto por cobre y azufre. **FAM** sulfatador.

sulfato *s. m.* Sal que se obtiene a partir del ácido sulfúrico y un radical mineral u orgánico; se utiliza en la fabricación de pinturas. **FAM** sulfatar.

sulfurar *v. tr.* ① Combinar azufre con otro compuesto químico. ② Causar enojo o enfado a una persona.

sulfúrico, -ca *adj./s. m.* ① Se aplica al ácido hidrosoluble de fórmula química H_2SO_4, que se obtiene a partir del dióxido de azufre; es incoloro, aceitoso y desprende calor en contacto con el agua; es un buen agente oxidante y deshidratante, y se utiliza ampliamente en la industria: *el ácido sulfúrico se usa para la obtención de muchos productos, como detergentes, fertilizantes, etc.* ▌ *adj.* ② Relativo al azufre.

sulfuro *s. m.* Sal que se obtiene a partir del ácido sulfhídrico, compuesta por azufre y un radical. **FAM** sulfurar, sulfúrico, sulfuroso.

sulfuroso, -sa *adj.* ① Que contiene azufre o participa de sus propiedades: *las zonas volcánicas son ricas en minerales sulfurosos.* ② Se aplica al ácido hidrosoluble de fórmula química H_2SO_3; es un agente reductor.

sultán *s. m.* ① Emperador de los turcos, en la antigüedad. ② Príncipe o gobernador de algunos países islámicos. **FAM** sultanato.

sultanato *s. m.* ① Gobierno de un sultán. ② Tiempo que dura este gobierno. ③ Territorio sujeto a este gobierno.

suma *s. f.* ① Operación matemática que consiste en reunir varias cantidades en una sola. SIN adición. ANT resta. ② Cantidad que resulta de esa operación. SIN adición. ANT resta. ③ Conjunto homogéneo de cosas, especialmente una cantidad grande de dinero: *en su cuenta corriente tiene una suma importante.* ④ Resumen o recopilación de las diversas partes de una ciencia. **en suma** Se utiliza para introducir un resumen o una conclusión de todo lo que se ha dicho anteriormente: *la situación, en suma, es bastante buena para todos.* **FAM** sumar; semisuma.

sumamente *adv.* culto En el grado máximo de una determinada cualidad: *se trata de una operación sumamente difícil.*

sumando *s. m.* Cada una de las cantidades que se operan en una suma: *en la suma 4 + 3 = 7, el 4 y el 3 son los sumandos.*

sumar *v. tr.* ① Efectuar la operación matemática de la suma, reuniendo dos o más cantidades en una sola. ANT restar. ② Ser una cantidad el resultado total de la reunión de dos o más cantidades: *la factura suma 803,04 euros.* ANT restar. ③ Unir o juntar varias cosas similares o añadir unas cosas a otras del mismo tipo. ▌ *v. prnl.* ④ **sumarse** Unirse una persona a una doctrina, a un grupo o a una acción determinada: *varios profesores se sumaron a la protesta de los alumnos.* **FAM** sumando; consumar.

sumario, -ria *adj.* ① Que es breve y conciso o que está resumido o reducido a una corta extensión. ▌ *s. m.* ② Conjunto de actuaciones que se llevan a cabo para preparar un juicio, en las que se aportan los datos referentes al delito y las circunstancias en las que se ha realizado y los testimonios de que se dispone. ③ Compendio o exposición resumida de una cosa. ④ Índice temático de una obra. **FAM** sumarial, sumarísimo.

sumergible *adj.* ① Se aplica a la máquina o aparato que puede introducirse en el agua o sumergirse sin estropearse. ▌ *s. m.* ② Embarcación que puede navegar bajo el agua, diseñada para poder subir a la superficie del mar o sumergirse según las necesidades. SIN submarino.

S

sumergido, -da *adj.* Se aplica a la empresa o comercio que funciona ilegalmente para evitar el pago de impuestos.

sumergir *v. tr.* **1** Introducir completamente a una persona o cosa en un líquido, especialmente dentro del agua. **ANT** emerger. ▌ *v. prnl.* **2 sumergirse** Concentrar completamente la atención en un pensamiento, abstrayéndose de la realidad: *se sumergió en sus meditaciones.*
FAM sumergible, sumersión.

sumerio, -ria *adj.* **1** De Sumeria (antigua región del suroeste de Asia): *el pueblo sumerio, procedente del Cáucaso, introduce la escritura cuneiforme y muestra una cultura superior, imponiéndose a los demás pueblos.* ▌ *s. m. y f./adj.* **2** Persona que era de Sumeria.

sumidero *s. m.* Agujero y conducto por donde sale el agua de un recipiente o del lugar en que están contenida.

suministrar *v. tr.* Dar o proporcionar a una persona o entidad una cosa que necesita. **SIN** abastecer, proveer, surtir.
FAM suministración, suministro.

suministro *s. m.* **1** Acción de dar o proporcionar una cosa que se necesita. **SIN** abastecimiento, provisión. **2** Cosa o conjunto de cosas que se suministran.

sumir *v. tr.* **1** Hacer caer a una persona en cierto estado negativo o de desgracia: *la condena la sumió en la más profunda desesperación.* **2** Hundir o meter a una persona o una cosa en el agua o bajo tierra. ▌ *v. prnl.* **3 sumirse** Sumergirse una persona en un estado de abstracción o de concentración profunda.
FAM sumidero.

sumisión *s. f.* Actitud de la persona o animal que se somete a otra y se deja dominar por ella aceptando su voluntad. **ANT** insumisión.

sumiso, -sa *adj.* Se aplica a la persona o animal que se somete y se deja dominar por otros aceptando su voluntad y obedeciendo lo que le imponen. **ANT** insumiso, rebelde.

súmmum *s. m.* Grado más alto, especialmente de una cualidad: *el súmmum de la belleza.*

sumo, -ma[1] *adj.* **1** Que tiene el grado más alto o no es posible un grado superior: *el hombre posee la suma inteligencia entre los seres vivos.* **SIN** supremo. **2** Que es muy grande o enorme en grado o en intensidad: *debes hacerlo con sumo cuidado.*
a lo sumo Indica la situación, el punto o el nivel máximo de una cosa: *a lo sumo seremos cuatro personas.*
FAM sumamente.

sumo[2] *s. m.* Deporte de lucha japonés en el que los dos participantes intentan derribar al contrario o hacerlo salir de un círculo trazado en el suelo.

suní [también **sunni**] *adj.* **1** Relativo a la corriente mayoritaria del Islam, considerada ortodoxa o fiel, que, junto al Corán, acepta como libro sagrado la Sunna o libro de pensamientos y acciones de Mahoma conservados por la tradición, frente a la corriente chiíta, que no acepta la Sunna. **SIN** sunita. ▌ *adj./s. com.* **2** Se aplica a la persona que practica la religión islámica en su vertiente más ortodoxa. **SIN** sunita. **OBS** Plural: *suníes.*

sunita [también **sunnita**] V. suní.

sunní V. suní.
OBS Plural: *sunníes.*

sunnita [también **sunita**] V. suní.

suntuosidad *s. f.* Gran cantidad de lujo y riquezas, especialmente en una vivienda.

suntuoso, -sa *adj.* Que tiene o muestra un lujo extraordinario. **SIN** fastuoso.
FAM suntuosidad.

supeditar *v. tr.* **1** Subordinar o hacer depender una cosa de otra o del cumplimiento de una condición. ▌ *v. prnl.* **2 supeditarse** Someterse o ajustarse una persona a la voluntad de otra o a algún tipo de normas.
FAM supeditación.

súper *adj.* **1** familiar Que sobresale entre lo demás por ser estupendo o muy bueno: *fue una fiesta súper.* ▌ *adj./s. f.* **2** Se aplica a la gasolina que es de 98 octanos. ▌ *s. m.* **3** familiar Supermercado. ▌ *adv.* **4** familiar De forma estupenda o magnífica, muy bien: *lo pasamos súper en el parque de atracciones.*
OBS Plural: *súper.*

superabundancia *s. f.* Gran abundancia de una cosa, por encima de las necesidades.
FAM superabundante.

superación *s. f.* **1** Acción de sobrepasar un límite o de vencer un obstáculo o una dificultad: *la superación de la prueba depende de la habilidad de cada uno.* **2** Resultado de mejorar o de hacer mejor las cosas: *las personas luchan por su propia superación.*

superar *v. tr.* **1** Ser superior o mejor que otra cosa o persona: *ha superado a sus compañeros de equipo.* **SIN** aventajar, exceder. **2** Sobrepasar una cantidad o un límite. **SIN** exceder. **3** Vencer un obstáculo, una dificultad o una situación adversa. **4** Aprobar o pasar satisfactoriamente una prueba o examen. ▌ *v. prnl.* **5 superarse** Hacer las cosas mejor que en otras ocasiones: *el atleta se ha superado y ha batido su propio récord.*
FAM superación, superior; insuperable.

superávit *s. m.* **1** Abundancia o exceso de algo que se considera necesario o beneficioso. **2** Situación en que los ingresos son mayores que los gastos y el saldo positivo que refleja la diferencia. **ANT** déficit.
OBS Plural invariable.

superchería *s. f.* **1** Engaño que se hace para sacar provecho o beneficio, especialmente si se perjudica a una persona. **SIN** fraude. **2** Superstición.

superclase *s. f.* Categoría de clasificación de los seres vivos superior a la de clase e inferior a la de filo.

superconductividad *s. f.* Propiedad de algunas sustancias según la cual, por debajo de cierta temperatura, cesa en ella la resistencia al paso de una corriente eléctrica.

superdotado, -da *adj./s. m. y f.* Se aplica a la persona que tiene cualidades que están muy por encima de lo normal, principalmente la inteligencia.

superestrato *s. m.* Conjunto de fenómenos léxicos, fonéticos y gramaticales que una lengua invasora lega a otra tras un periodo de existencia en común: *en castellano tenemos muchas palabras que provienen del superestrato árabe.*

superestructura *s. f.* **1** Parte de la estructura de una construcción que se eleva por encima del nivel del suelo o del agua. **2** Conjunto de fenómenos políticos, jurídicos y culturales que organizan una sociedad y llegan a controlar las clases dirigentes.

superficial *adj.* **1** Relativo a la superficie. **2** Que está o se queda en la superficie sin entrar más hacia el fondo: *herida superficial.* **ANT** profundo. **3** Se aplica a la persona que es poco seria o profunda en lo que dice o en lo que hace. **SIN** frívolo. **ANT** profundo.

FAM superficialidad.

superficie *s. f.* **1** Parte más externa de un cuerpo que lo limita o separa de lo que lo rodea: *una balsa flotaba sobre la superficie del agua.* **2** Extensión de tierra: *el nuevo polideportivo abarcará una superficie de 10000 m².* **3** Conjunto de puntos generado por la traslación de una línea: *la superficie de un rectángulo se calcula multiplicando la base por la altura.* **4** Aspecto exterior de una persona o una situación, que se percibe a primera vista, sin profundizar más: *algunas personas presentan en la superficie una imagen muy diferente a la real.*

FAM superficial.

superfluo, -flua *adj.* Que no es necesario, que sobra o está de más. **SIN** innecesario.

FAM superfluidad.

superhombre *s. m.* Hombre que tiene unas cualidades físicas o mentales extraordinarias o superiores a las de los demás: *Supermán, el Hombre Araña y otros personajes de cómic son superhombres.*

superíndice *s. m.* Letra o número de pequeño tamaño que se coloca en el lado derecho y en la parte de arriba de un signo gráfico para indicar algo: *las potencias de un número se indican con un superíndice, como en 2^3.*

superintendencia *s. f.* **1** Cargo de superintendente. **2** Oficina del superintendente.

superintendente *s. com.* Persona encargada de la dirección de algo y que ejerce autoridad sobre el resto de las personas que trabajan en lo mismo.

superior *adj.* **1** Que es más alto o que está encima o en un lugar más elevado que otra cosa: *en el piso superior están los dormitorios.* **ANT** inferior. **2** Que es mejor que otra persona o cosa, sea por cantidad, calidad, grado o importancia: *accedió rápidamente a puestos superiores en la empresa.* **ANT** inferior. **3** Que es estupendo o magnífico: *la fiesta fue superior.* **4** Se aplica al animal o especie que se supone más evolucionado porque tiene una estructura más compleja: *los mamíferos son animales superiores.* **5** Se aplica a la educación o estudio que es posterior al bachillerato: *quiere estudiar una carrera para tener estudios superiores.* **|** *s. m.* **6** Persona que tiene poder o autoridad sobre un grupo para dirigir su trabajo o sus actividades: *no puedo desobedecer las órdenes de mis superiores.* **SIN** jefe. **|** *s. com.* **7** Persona que gobierna una comunidad religiosa: *los frailes saludaron al nuevo superior del convento.* **NOTA** Femenino: *superiora.*

FAM superioridad.

superioridad *s. f.* **1** Cualidad o situación de la persona o cosa que tiene el grado o la posición supremos en una escala. **SIN** supremacía. **2** Persona u organismo de autoridad superior.

superlativo, -va *adj.* **1** culto Que es muy grande o muy bueno o que tiene alguna cualidad en su grado más alto. **|** *adj./s. m.* **2** Se aplica al adjetivo que indica el grado más alto o la mayor intensidad de la cualidad que expresa: *el superlativo de "célebre" es "celebérrimo".*

supermercado *s. m.* Establecimiento comercial donde se venden productos alimenticios y otro tipo de artículos, y en el que el cliente elige o coge lo que quiere comprar y lo paga a la salida.

supernova *s. f.* Estrella en la última fase de su existencia que explota y libera gran cantidad de energía y luminosidad.

superpoblado, -da *adj.* Que está poblado u ocupado por un número excesivo de habitantes.

superponer [36] *v. tr.* Añadir o poner una cosa encima de otra. **SIN** sobreponer.

FAM superposición, superpuesto.

superposición *s. f.* Acción que consiste en poner una cosa encima de otra.

superpotencia *s. f.* Nación que tiene un gran poder político y económico sobre otras naciones y los mayores adelantos científicos y técnicos, especialmente en la industria de armas atómicas.

superproducción *s. f.* **1** Producción excesiva de una cosa, por encima de las necesidades de compra del mercado. **2** Obra de cine o teatro que se presenta como muy importante y espectacular, y que está hecha con grandes medios económicos.

superpuesto, -ta Participio irregular de *superponer.*

superrealismo *s. m.* Surrealismo.

supersónico, -ca *adj.* **1** Se aplica al cuerpo cuya velocidad es mayor que la velocidad del sonido en un medio determinado. **2** Se aplica al avión o nave que puede moverse a una velocidad superior a la del sonido.

superstición *s. f.* **1** Creencia que no tiene fundamento racional y que consiste en atribuir carácter mágico u oculto a determinados acontecimientos: *es una superstición creer que pasar por debajo de una escalera trae mala suerte.* **SIN** superchería. **2** Creencia que se aparta de la ortodoxia religiosa. **3** Valoración excesiva de una cosa o fe exagerada en esta.

FAM supersticioso.

supersticioso, -sa *adj.* **1** Relativo a la superstición. **|** *adj./ s. m. y f.* **2** Se aplica a la persona que cree en supersticiones.

supervisar *v. tr.* Inspeccionar quien tiene autoridad para ello el trabajo realizado por otras personas, para comprobar que está bien hecho.

FAM supervisión, supervisor.

supervisión *s. f.* Inspección que hace quien tiene autoridad para ello del trabajo realizado por otras personas, para comprobar que está bien hecho.

supervisor, -ra *adj./s. m. y f.* Se aplica a la persona que se encarga de supervisar un trabajo o una actividad.

supervivencia *s. f.* **1** Conservación de la vida, especialmente cuando es a pesar de una situación difícil o tras de un hecho o un momento muy significativos: *a través de la selva tuvimos que luchar por nuestra supervivencia.* **2** Mantenimiento de una situación o continuación de la existencia de una cosa: *la supervivencia de la cultura indígena está en peligro.*

superviviente *adj./s. com.* Se aplica a la persona que sobrevive a un peligro o catástrofe en el que podría haber muerto. **SIN** sobreviviente.

FAM supervivencia.

supino, -na *adj.* **1** Que está estirado y tiene la espalda tocando al suelo: *los abdominales se hacen colocando el cuerpo en posición supina.* **2** Se aplica a la cualidad negativa que es muy grande o está en su grado máximo: *la ignorancia supina de algunos alumnos enfurecía al profesor.* **|** *s. m.* **3** Forma nominal del verbo en la gramática latina.

S

suplantación *s. f.* Acción que consiste en hacerse pasar una persona por otra para obtener algún beneficio.

suplantar *v. tr.* Ocupar el lugar de otra persona ilegalmente o hacerse pasar por ella contra su voluntad para obtener un beneficio.
FAM suplantación.

suplementario, -ria *adj.* **1** Que sirve para suplir una cosa que falta o para completarla o aumentarla en algún aspecto. **SIN** supletorio. **2** Se aplica al ángulo al que le falta otro para sumar 180°.

suplemento *s. m.* **1** Cosa que sirve para completar a otra o para aumentarla en algún aspecto: *los trabajadores recibieron un suplemento en metálico por la calidad del trabajo.* **2** Publicación independiente que se añade a una obra ya completa, a un periódico o a otra publicación y que se entrega por separado en forma de libro, revista u hoja suelta. **3** Ángulo que le falta a otro para medir dos rectos. **4** Complemento de un verbo que exige una preposición para determinar su significado. **SIN** complemento de régimen.
FAM suplementario.

suplencia *s. f.* Sustitución que hace una persona a otra en un trabajo, generalmente de forma temporal.

suplente *adj./s. com.* Se aplica a la persona que sustituye o reemplaza a otra en el desempeño de un trabajo o una función, generalmente de forma temporal. **SIN** sustituto.
FAM suplencia.

supletorio, -ria *adj.* **1** Suplementario. **‖** *adj./s. m.* **2** Se aplica al aparato telefónico que está conectado a un aparato principal.

súplica *s. f.* **1** Demanda o ruego humilde que trata de provocar compasión. **2** Palabras y gestos con los que una persona hace esta demanda.

suplicar *v. tr.* **1** Pedir o rogar con gran humildad y sentimiento, tratando de provocar compasión. **SIN** implorar. **2** Recurrir ante un tribunal superior una sentencia dictada por él mismo.
FAM súplica, suplicatorio.

suplicio *s. m.* **1** Sufrimiento físico intenso o lesión grave que se inflige a una persona como castigo. **2** Sufrimiento o dolor físico o moral de gran intensidad. **3** Persona o cosa que ocasiona molestias o sufrimientos, porque es muy pesada o engorrosa.

suplir *v. tr.* **1** Completar o añadir algo que falta: *las explicaciones del profesor suplen las deficiencias del manual.* **2** Sustituir a una persona para realizar su trabajo, generalmente de forma temporal. **SIN** reemplazar. **3** Encubrir los defectos de una persona:.
FAM suplente, supletorio.

suponer¹ [36] *v. tr.* **1** Considerar posible o probable una cosa, sin estar completamente seguro. **2** Tener como resultado o producir como consecuencia directa: *la destrucción de la naturaleza supone un peligro para la humanidad.* **SIN** comportar, conllevar, implicar. **3** Conllevar un gasto o esfuerzo: *cambiar el coche supone más de cinco mil euros.* **4** Calcular una cosa de manera aproximada o formar un juicio a partir de unos datos conocidos, aunque no se tenga total seguridad sobre ello: *suponemos el universo tiene 15 000 millones de años.* **5** Ser importante o significativo para una persona o una cosa: *su familia supone mucho para él.*
FAM suposición, supuesto; presuponer.

suponer² *s. m.* familiar Suposición (idea): *lo que acabo de decir es tan solo un suponer.*

suposición *s. f.* **1** Consideración de que una cosa o una idea es posible o probable, sin estar completamente seguro de ello. **2** Idea o circunstancia que una persona considera que es cierta, sin estar completamente segura de ella.

supositorio *s. m.* Medicamento de forma alargada y acabado en punta que se introduce por el ano.

supranacional *adj.* Se aplica a la institución u organismo que no depende de una nación en concreto o que está por encima de una o más naciones: *las ONG son organizaciones supranacionales.*

suprarrenal *adj.* Se aplica al órgano o parte del cuerpo que está situado encima de los riñones: *glándulas suprarrenales.*

supremacía *s. f.* **1** Superioridad de la persona o la cosa que tiene el grado o la posición suprema o más alta en una escala: *las gimnastas rusas mantuvieron la supremacía frente a las americanas.* **2** Grado más alto en una jerarquía de poder: *la supremacía de la Iglesia católica la ejerce el Papa.*

suprematismo *s. m.* Tendencia pictórica desarrollada por el artista ruso Kasimir Malevich a partir de 1915, basada en la representación de formas geométricas simples: *el suprematismo es el precedente de la abstracción geométrica.*

supremo, -ma *adj.* **1** Que tiene el grado más alto o no es posible un grado superior. **2** Que está situado en la posición o categoría más alta entre los de su especie: *Tribunal Supremo.* **3** Se aplica al momento o situación que es muy importante o decisivo para el desarrollo de los acontecimientos.
FAM supremacía.

supresión *s. f.* **1** Acción de hacer que desaparezca una cosa o que una que existía deje de existir: *los ciudadanos exigían la supresión de ese impuesto.* **2** Cosa que se suprime.

suprimir *v. tr.* **1** Hacer que desaparezca una cosa o que algo que existía deje de existir. **SIN** eliminar. **2** No decir o pasar por alto una parte de lo que se está diciendo o explicando o parte de un texto que se está leyendo o escribiendo. **SIN** omitir.
FAM supresión.

supuesto, -ta *adj.* **1** Que no es verdadero pero se pretende hacer pasar por cierto: *el supuesto rey suplantó al verdadero.* **NOTA** En esta acepción, va antepuesto al sustantivo. **2** Que es posible que sea cierto o verdadero, pero no se ha demostrado: *el supuesto culpable va a ser juzgado.* **‖** *s. m.* **3** Idea, juicio o teoría que se supone verdadera, aunque no se haya demostrado o confirmado, y a partir de la cual se extrae una consecuencia o una conclusión. **SIN** hipótesis.
por supuesto Indica la completa certeza que se tiene en lo que se expresa o la rotundidad de la afirmación que se hace: *por supuesto que iremos al cine.*
supuesto que Indica la causa o el motivo de una cosa que se ha dicho: *no temía mi rechazo, supuesto que había sido informado de mi reacción.*

supurar *v. intr.* Formar o echar pus una herida que se ha infectado.
FAM supurativo.

sur *s. m.* **1** Punto cardinal opuesto al Norte. **NOTA** Se escribe normalmente con mayúscula inicial. **2** Parte de un lugar situada hacia este punto: *Andalucía está en el sur de España.* **3** Viento que sopla desde este punto. **SIN** austro.
FAM sudeste, sudoeste, sureño, sureste, suroeste.

sura *s. f.* ① Revelación hecha por Alá al profeta Mahoma: *Alá fue revelando las suras a Mahoma durante su vida.* ② Sección del Corán que contiene esta revelación: *el Corán tiene 114 suras.*

surafricano, -na V. sudafricano, -na.

suramericano, -na V. sudamericano, -na.

surcar *v. tr.* ① Atravesar o desplazarse navegando a través del agua, o por el aire o el espacio: *el águila surca el cielo con majestuosidad.* ② Hacer hendiduras o aberturas alargadas en la tierra, generalmente con el arado. ③ Formar rayas, hendiduras o estrías: *las arrugas surcan la cara del anciano.*
FAM surcar; microsurco.

surco *s. m.* ① Abertura o hendidura alargada que se hace en la tierra, generalmente con el arado. ② Señal o hendidura alargada y estrecha que una cosa produce al pasar sobre una superficie. ③ Arruga profunda y larga en el rostro o en otra parte de la piel. ④ Línea o ranura marcada en la superficie de un disco fonográfico, por la cual se desplaza la aguja para reproducir la grabación.
FAM surcar; microsurco.

surcoreano, -na *adj.* ① De Corea del Sur (país de Asia). ❙ *s. m. y f./adj.* ② Persona que es de Corea del Sur.

sureño, -ña *adj.* ① Que procede del sur o que está situado hacia este punto o en la parte sur de un país, región o territorio: *Andalucía es la región más sureña de España.* ❙ *adj./s. m. y f.* ② Se aplica a la persona que es o procede del sur de un país, región o territorio.

sureste *s. m.* Sudeste.

surf *s. m.* Deporte que consiste en deslizarse por el agua de pie sobre una tabla que es empujada por las olas: *el surf es un deporte de origen estadounidense.* **SIN** surfing.
FAM surfing, surfista; windsurf.

surfing [se pronuncia aproximadamente 'surfin'] *s. m.* Surf.

surfista *s. com.* Persona que practica el surf.

surgir *v. intr.* ① Salir una cosa desde el interior de la tierra o de otro lugar hacia la superficie, especialmente si sale bruscamente y hacia arriba: *del fondo del lago surgió un monstruo terrible.* ② Aparecer, presentarse o hacerse notar de repente una cosa.
FAM surgimiento; resurgir.

suroccidental *adj.* Sudoccidental.

suroeste *s. m.* Sudoeste.

suroriental *adj.* Sudoriental.

surrealismo *s. m.* Movimiento artístico y literario de vanguardia gestado en París en la década de 1920 que afirmó el poder creativo del subconsciente; su influencia se extendió durante varias décadas y en numerosos países de Europa y América. **SIN** superrealismo.
FAM surrealista.

surrealista *adj.* ① Relativo al surrealismo. ❙ *adj./s. com.* ② Se aplica a la persona que sigue este movimiento literario y artístico o es partidaria de él: *Dalí es un pintor surrealista.*

surtido, -da *adj./s. m.* ① Se aplica al producto o artículo que se ofrece como un conjunto de cosas variadas que son de la misma especie: *ha comprado un surtido de caramelos.* ❙ *s. m.* ② Conjunto de varias cosas de una misma especie: *tenemos un buen surtido de camisas.*

surtidor *s. m.* ① Chorro de agua que sale hacia arriba. ② Aparato que sirve para extraer combustible de un depó-

sito y suministrarlo a algún sitio, especialmente el que suministra carburante a los vehículos en las gasolineras.

surtir *v. tr.* ① Proporcionar o poner al alcance de una persona o de una cosa algo que necesita: *este conducto surtirá de gas natural a la ciudad.* **SIN** abastecer, proveer, suministrar. ❙ *v. intr.* ② Brotar el agua o un líquido de algún sitio, especialmente si lo hace con fuerza y hacia arriba. ❙ *v. tr.* ③ Producir algo efecto.
FAM surtido, surtidor.

susceptible *adj.* ① Capaz de recibir modificación o impresión: *el proyecto es susceptible de una revisión posterior.* ② Se aplica a la persona que se enfada o se siente ofendida frecuentemente y por cosas poco importantes.
FAM susceptibilidad.

suscitar *v. tr.* Provocar o causar una cosa, especialmente sentimientos de duda, curiosidad o interés o acciones que implican agitación u oposición, como comentarios, polémicas o discusiones: *ha suscitado el odio entre sus hermanos.* **SIN** promover.
FAM suscitación.

suscribir [también **subscribir**, poco usual] *v. tr.* ① Firmar al pie o al final de un documento. ② Estar de acuerdo con una opinión, propuesta o dictamen: *suscribo todo lo que ha dicho mi representante.* ③ Inscribir a una persona en un lugar para recibir una publicación de forma periódica. **SIN** abonar. ❙ *v. prnl.* ④ **suscribirse** Obligarse a pagar una cantidad para cualquier obra.
FAM suscripción, suscriptor, suscrito.
OBS Participio irregular: *suscrito.*

suscripción [también **subscripción**, poco usual] *s. f.* ① Abono a una publicación periódica. ② Cantidad que se paga por este abono.

suscriptor, -ra [también **subscriptor, -ra**, poco usual] *s. m. y f.* Persona que está suscrita a una publicación periódica.

suscrito, -ta [también **subscrito, -ta**, poco usual] Participio irregular de *suscribir.*

sushi *s. m.* Plato típico de la cocina japonesa que consiste en una pequeña bola de arroz con pescado crudo en su interior y, a veces, enrollada en una hoja de alga.

susodicho, -cha *adj./s. m. y f.* Que ha sido citado o mencionado con anterioridad: *un individuo atracó aquella noche a dos ancianas, y parece que el susodicho individuo era un vecino del barrio.* **SIN** antedicho.

suspender *v. tr.* ① Colgar o levantar una cosa en alto de manera que quede sostenida desde arriba por algún punto. ② Detener o interrumpir durante un tiempo o indefinidamente el desarrollo de una acción o dejarla sin efecto. ③ Apartar a una persona durante un tiempo de su servicio, sus funciones o su trabajo o privarle del sueldo temporalmente. ④ Calificar a una persona con una nota de suspenso, por no llegar al nivel mínimo que se requiere en una prueba o un examen. **ANT** aprobar. ⑤ Producir admiración, impresionar de tal modo que se provoca embeleso. ❙ *v. intr.* ⑥ Obtener una persona una nota de suspenso o no conseguir aprobar un examen, una prueba o una asignatura por no llegar al mínimo exigido: *el estudiante suspendió en junio.* **ANT** aprobar. ❙ *v. prnl.* ⑦ **suspenderse** Asegurarse el caballo sobre las piernas con los brazos al aire.
FAM suspensión, suspense, suspenso.

suspense *s. m.* **1** En la narración de una historia, mantenimiento constante del interés o la emoción mediante sorpresas, desenlaces imprevisibles y frecuentes detenciones momentáneas de la acción: *Hitchcock es el maestro en el género cinematográfico del suspense.* **2** Sensación de ansiedad y angustia que produce la espera o el interés por conocer una cosa. SIN intriga.

suspensión *s. f.* **1** Detención o interrupción del desarrollo de una acción durante un tiempo o indefinidamente. ▪ **suspensión de pagos** Situación de grave crisis de una empresa, en la que declara que no puede pagar sus deudas ni los sueldos de sus trabajadores, por falta de dinero. **2** Conjunto de mecanismos destinados a hacer más suave y elástico el apoyo de la carrocería de un automóvil sobre los ejes de las ruedas y amortiguar así las irregularidades del suelo. SIN amortiguación. **3** Mezcla formada por pequeñas partículas de una sustancia dispersas en un fluido en el que no se disuelven.
en suspensión Referido a las partículas mezcladas con un líquido o gas, que no se disuelven ni depositan en el fondo: *polvo en suspensión.*

suspensivo, -va *adj.* Que tiene la fuerza de suspender o interrumpir algo: *una ley con efectos suspensivos.*

suspenso, -sa *adj.* **1** Se aplica a la persona que está o se queda por un momento desconcertada e indecisa, sin saber qué hacer o qué decir: *con su noticia nos dejó a todos suspensos.* SIN perplejo. I *adj./s. m. y f.* **2** Se aplica a la persona que ha suspendido un examen o una prueba. I *s. m.* **3** Calificación o nota inferior a la de aprobado obtenida en una prueba o examen. ANT aprobado.
en suspenso Se usa para indicar que una acción ha quedado interrumpida o que falta conocer el desenlace.
FAM suspensivo.

suspicacia *s. f.* Cualidad de suspicaz.

suspicaz *adj.* **1** Se aplica a la persona que tiene tendencia a desconfiar de los demás o que frecuentemente sospecha o ve malas intenciones en lo que hacen o dicen. **2** Se aplica a la actitud o comportamiento que es propio de la persona que tiende a desconfiar o sospechar de los demás.
FAM suspicacia.

suspirar *v. intr.* **1** Dar uno o varios suspiros, generalmente como expresión de cierto sentimiento. **2** Querer conseguir o desear a una persona o una cosa con mucha intensidad: *suspira por esa mujer.*
FAM suspiro.

suspiro *s. m.* **1** Aspiración fuerte y prolongada seguida de una espiración profunda y a veces acompañada de un gemido, que generalmente está motivada por un sentimiento de pena, dolor, alivio o deseo. **2** familiar Espacio de tiempo muy breve: *hizo los ejercicios de matemáticas en un suspiro.*

sustancia [también **substancia**, poco usual] *s. f.* **1** Materia de la que está formado un cuerpo: *el agua es una de las sustancias principales que componen el cuerpo humano.* ▪ **sustancia blanca** Sustancia que compone el núcleo del encéfalo y la periferia de la médula espinal, compuesta principalmente de fibras nerviosas. ▪ **sustancia gris** Sustancia que forma la corteza del encéfalo y el núcleo de la médula espinal, compuesta por numerosos cuerpos celulares y dendritas de las células nerviosas, así como por las terminaciones de las fibras nerviosas y otros elementos. **2** Parte o aspecto más importante o esencial de una cosa. SIN esencia. **3** Conjunto de elementos nutritivos de un alimento o jugo que se extrae

de ciertas materias alimenticias. **4** Valor, importancia o estimación que tiene una cosa. **5** familiar Sensatez, juicio o madurez: *es una persona sin sustancia ni atractivo.*
en sustancia En resumen.
FAM sustancial, sustanciar, sustancioso; desustanciar.

sustanciar [también **substanciar**, poco usual] *v. tr.* En derecho, conducir o tramitar un proceso hasta el estado de sentencia.
OBS Verbo regular, se acentúa como *cambiar.*

sustancioso, -sa [también **substancioso, -sa**, poco usual] *adj.* **1** Que tiene gran valor, importancia o estimación: *las palabras del ministro fueron muy sustanciosas.* **2** Que tiene muchos elementos nutritivos o alimenta mucho.

sustantivación [también **substantivación**, poco usual] *s. f.* Atribución de la función de sustantivo o nombre a una parte de la oración. SIN nominalización.

sustantivar [también **substantivar**, poco usual] *v. tr.* Hacer que una palabra o una expresión pase a funcionar como un sustantivo. SIN nominalizar.
FAM sustantivación.

sustantivo, -va [también **substantivo, -va**, poco usual] *adj.* **1** Que es esencial, muy importante o fundamental. **2** Se aplica a la proposición subordinada que, dentro de la oración compleja, desempeña funciones propias de un sustantivo: en *"no quiero que te enfades", "que te enfades" es una proposición subordinada sustantiva.* I *s. m.* **3** Palabra que designa una persona, un animal o una cosa que pueden ser sujetos u objetos de una acción o estado. SIN nombre. I *adj.* **4** Que posee existencia real o independiente.
FAM sustantivar.

sustentar *v. tr.* **1** Sujetar o servir de apoyo a una cosa para que no se caiga o no se tuerza. SIN sostener. **2** Basar, fundamentar o apoyar una cosa a una opinión o idea: *los nuevos datos sustentan la hipótesis contraria.* **3** Conservar una cosa en un estado o una situación, impidiendo que desaparezca, que se extinga o que cambie: *los campesinos sustentan tradiciones muy antiguas.* SIN mantener. **4** Dar a una persona lo necesario para vivir. SIN alimentar, mantener, sostener. **5** Defender o sostener una opinión o una idea.
FAM sustentación, sustento.

sustento *s. m.* **1** Alimento o elementos básicos que se necesitan para vivir. SIN manutención. **2** Persona o cosa que sirve de apoyo, sujeta o conserva en un estado a otra u otras: *su hija hace años que es el sustento de la familia.* SIN sostén.

sustitución [también **substitución**, poco usual] *s. f.* **1** Acción de sustituir. **2** Efecto de sustituir. **3** Método matemático para resolver un sistema de ecuaciones, que consiste en despejar en una de las ecuaciones el valor de una de las incógnitas y sustituirlo en la otra ecuación, con lo que se convierte esta última en una ecuación con una sola incógnita.

sustituir [21] [también **substituir**, poco usual] *v. tr.* **1** Poner a una persona o cosa en lugar de otra para realizar su trabajo o desempeñar su función: *han sustituido al delegado por el subdelegado de la agencia.* **2** Pasar una persona o cosa a ocupar el lugar de otra para realizar su trabajo o desempeñar su función: *esta pieza del motor sustituye a la que se estropeó.* SIN suplir.
FAM sustitución, sustitutivo, sustituto; insustituible.

sustitutivo, -va [también **substitutivo, -va**, poco usual] *adj./s. m.* Que puede ocupar el lugar de otra cosa porque realiza la misma función: *el lenguaje de los sordomudos es un sustitutivo del lenguaje hablado.*

sustituto, -ta [también **substituto, -ta**, poco usual] *s. m. y f.* Persona que sustituye a otra en un trabajo o función.

sustitutorio, -ria *adj.* Que reemplaza o sustituye a una cosa o persona: *arresto sustitutorio.*

susto *s. m.* Impresión brusca y repentina, producida por el miedo o por una sorpresa.
FAM asustar.

sustracción [también **substracción**, poco usual] *s. f.* ① Acción de sustraer o robar una cosa. **SIN** robo. ② Acción de apartar, separar o llevarse una cosa del conjunto del que formaba parte. ③ Operación matemática que consiste en quitar una cantidad de otra o averiguar la diferencia entre las dos. **SIN** resta. **ANT** adición, suma.

sustraendo [también **substraendo**, poco usual] *s. m.* En la operación matemática de restar, cantidad que se resta: *en la resta 10 – 8, el sustraendo es 8.*

sustraer [46] [también **substraer**, poco usual] *v. tr.* ① Tomar una cosa que pertenece a otra persona en contra de su voluntad o de forma oculta, sin utilizar la violencia. **SIN** robar. ② Apartar, separar o llevarse una cosa del conjunto del que formaba parte: *hay que sustraer una parte de la comida para los que no han llegado todavía.* ③ Efectuar una operación matemática que consiste en quitar una cantidad de otra o averiguar la diferencia entre las dos. **SIN** restar. ‖ *v. prnl.* ④ **sustraerse** Evitar o eludir una obligación, una dificultad o una cosa que se considera perjudicial.
FAM sustracción, sustraendo.

sustrato [también **substrato**, poco usual] *s. m.* ① Medio en el que se desarrollan una planta o un animal fijo: *la planta del hinojo vive en un sustrato rocoso.* ② Capa de terreno que está por debajo de otra. ③ Lengua invadida y sustituida por otra, a la que lega ciertos rasgos fonéticos o gramaticales: *las palabras que en latín tenían una "f" inicial pasaron a aspirarse en español debido al sustrato vasco.* ④ Sustancia sobre la que se ejerce la acción de un fermento.

susurrar *v. tr./intr.* ① Hablar una persona con voz muy baja, casi imperceptible. **SIN** murmurar, musitar. ‖ *v. intr.* ② Producir de forma natural un ruido muy suave y agradable ciertas cosas, como una corriente de agua o el viento.
FAM susurro.

susurro *s. m.* ① Ruido suave que produce una persona al hablar con voz muy baja, casi imperceptible. ② Ruido suave y agradable que producen de forma natural algunas cosas: *el susurro del viento.*

sutil *adj.* ① Que es fino y delicado. ② Se aplica a la persona que tiene agudeza e ingenio para comprender o ver con clari-

dad el sentido más profundo de las cosas. **SIN** agudo, perspicaz. ③ Que refleja una gran agudeza o ingenio para comprender o ver con claridad el sentido más profundo de las cosas: *contestación sutil.*
FAM sutileza, sutilidad, sutilizar.

sutileza *s. f.* ① Cualidad de sutil. ② Dicho o idea aguda e ingeniosa, pero que generalmente es inexacta o no se corresponde con la realidad.

sutura *s. f.* ① Cosido que se realiza para cerrar una herida o para unir tejidos u órganos. ② Línea sinuosa que forma la unión de ciertos huesos del cráneo.
FAM suturar.

suturar *v. tr.* Coser una herida o cerrarla mediante puntos de sutura.

suyo, -ya *det./pron.* Forma del determinante y pronombre posesivo de tercera persona del singular o del plural: *me lo contó una amiga suya; me pidieron el coche porque el suyo estaba averiado.*
hacer de las suyas Realizar una persona o animal travesuras o malas acciones que son características de él: *este niño siempre está haciendo de las suyas.*
ir a lo suyo Actuar una persona pensando solamente en su propio interés.
la suya Ocasión más favorable para hacer algo la persona de la que se habla: *ahora es la suya, seguro que lo consigue.*
lo suyo (I) Actividad que hace muy bien o en la que destaca la persona de la que se habla: *lo suyo es la arquitectura.* (II) Se utiliza para indicar que una acción se realiza con mucha dificultad o empleando mucho trabajo, esfuerzo o tiempo: *ordenar esto costará lo suyo.*
los suyos Las personas que pertenecen al mismo grupo, familia o partido que la persona de la que se habla: *esta vez las elecciones las ganarán los suyos.*
salirse con la suya Conseguir una persona lo que se propone o desea después de muchos intentos o de vencer muchas dificultades.
ser muy suyo Tener cierta persona un carácter muy independiente y extraño o imprevisible.

swing [se pronuncia aproximadamente 'suin'] *s. m.* ① Estilo de jazz popularizado en los años 30, interpretado generalmente por una gran orquesta con una sección de viento importante y a menudo acompañando a un vocalista; se caracteriza por su ritmo vivo y flexible y por estar orientado al baile. ② Balanceo rítmico propio del jazz y otros estilos afines, que se logra desplazando levemente el acento de una nota al tiempo débil del compás: *el swing es un cambio de ritmo tan sutil que no puede escribirse en una partitura.*

S

t *s. f.* Vigésima primera letra del alfabeto español; su nombre es *te*.

t. Abreviatura de *tomo*, división conceptual del contenido de una obra.

taba *s. f.* 1 Hueso corto del pie, situado en la parte superior y central del tarso, que se articula con la tibia y el peroné. SIN astrágalo. 2 Juego infantil en que se utiliza este hueso, o un objeto de forma parecida.

tabacal *s. m.* Plantación de tabaco.

tabacalero, -ra *adj.* 1 Relativo al cultivo, fabricación o comercio del tabaco: *la producción tabacalera ha crecido en los últimos años.* | *adj./s. m. y f.* 2 Tabaquero.

tabaco *s. m.* 1 Planta procedente de América, de olor fuerte, tallo grueso y con muchas ramas, de las que salen unas hojas grandes y con nervios marcados. 2 Producto elaborado con hojas secas y picadas de esa planta y que se fuma: *no fumo ningún tipo de tabaco, ni cigarros ni cigarrillos.* ■ **tabaco de picadura** Tabaco picado, casi en polvo, que hay que liarlo en papel para fumarlo. ■ **tabaco negro** Tabaco de color más oscuro y que tiene un sabor fuerte y áspero: *el tabaco negro le dejó la garganta irritada.* ■ **tabaco rubio** Tabaco que mezcla distintas clases y es de color más claro. | *s. m./adj.* 3 Color marrón como el de las hojas secas de esa planta: *el vestido era de color tabaco.* | *s. m.* 4 Enfermedad de algunos árboles que ataca el interior del tronco y lo convierte en polvo.
FAM tabacal, tabaquera, tabaquero, tabaquismo; entabacarse.

tabanco *s. m.* AMÉR. CENTRAL Desván.

tábano *s. m.* Invertebrado del filo artrópodos, clase insectos, parecido a la mosca pero de mayor tamaño, de cuerpo grueso, dos alas transparentes y aparato bucal chupador: *las hembras de los tábanos se alimentan de la sangre que chupan al ganado.*
FAM tabarra, tabarro.

tabaquera *s. f.* 1 Caja en la que se guarda el tabaco. 2 Parte de una pipa de fumar en la que se coloca el tabaco.

tabaquero, -ra *adj.* 1 Relativo al tabaco: *Cuba es un importante país tabaquero.* | *adj./s. m. y f.* 2 Se aplica a la persona que cultiva, fabrica o vende tabaco.

tabaquismo *s. m.* Intoxicación que padece una persona por consumo abusivo de tabaco.

tabardo *s. m.* Prenda de abrigo ancha y larga hecha de paño o tela de lana apretada y tupida.

tabarra *s. f.* Cosa que molesta o que resulta pesada e impertinente.
dar la tabarra familiar Molestar o fastidiar una persona a otra con insistencia: *me estuvo dando la tabarra toda la tarde pidiéndome que lo llevara al cine.*

tabasco *s. m.* Salsa roja y muy picante hecha fundamentalmente con guindillas.
OBS Es marca registrada.

taberna *s. f.* Establecimiento de carácter popular en el que se venden y se consumen bebidas alcohólicas y en algunos casos comidas. SIN tasca.
FAM tabernáculo, tabernario, tabernero.

tabernáculo *s. m.* 1 Urna o mueble, generalmente sobre el altar mayor de una iglesia, donde se guardan las hostias consagradas. SIN sagrario. 2 Templo portátil donde los antiguos judíos guardaban el arca de la alianza.

tabernario, -ria *adj.* Que es propio de la taberna o de las personas que la frecuentan.

tabernero, -ra *s. m. y f.* Persona que tiene una taberna o se dedica a vender y servir bebidas en una taberna: *llamó a la tabernera y le pidió dos vasos de vino.*

tabicar *v. tr.* 1 Cerrar o dividir algo con un tabique: *han tabicado el pasillo para dar mayor espacio a la habitación.* 2 Cerrar u obstruir un conducto que debería estar abierto o tener el paso libre: *lo que más me molesta del catarro es que se me tabiquen las narices.*

tabique *s. m.* 1 Pared delgada que separa las habitaciones de una casa. 2 División plana y delgada que separa dos huecos: *tabique nasal.*
FAM tabicar.

tabla *s. f.* 1 Pieza de madera plana, más larga que ancha, poco gruesa y cuyas dos caras son paralelas entre sí. ■ **tabla armónica** Chapa de madera que cubre la parte superior de un instrumento de cuerda, donde se encuentran los agujeros de resonancia. NOTA También simplemente *tabla*. SIN tapa. ■ **tablas de la ley** Conjunto de las dos tablas de piedra en las que estaban escritos los diez mandamientos y que fueron entregadas a Moisés por Dios, según el Antiguo Testamento. ② Pieza plana y poco gruesa, más larga que ancha, hecha de cualquier material y destinada a un uso determinado: *tabla de planchar; tabla de surf.* ③ Conjunto de datos o informaciones representados gráficamente, generalmente en forma de columna, y dispuestos según determinado orden o clasificación. ■ **tabla periódica** Tabla compuesta por filas denominadas periodos y columnas denominadas grupos, en la que están ordenados los elementos químicos por su número atómico en orden creciente y según sus propiedades. ④ Cuadro de números u otras informaciones ordenadas y dispuestas, generalmente en forma de matriz, de modo que resulte rápido encontrar un dato o el resultado de cierta operación: *la tabla de multiplicar.* ⑤ Doble pliegue ancho y plano que se hace en una tela. ⑥ Pintura hecha sobre una pieza plana de madera. ⑦ Tierra de labor entre dos filas de árboles. ⑧ Cuadro de tierra donde se siembran las verduras. ‖ *s. f. pl.* ⑨ **tablas** Situación final o resultado al que se llega en un juego en el que ningún jugador puede ganar la partida. ⑩ Estado en que queda un enfrentamiento, competición o pugna cuando no hay ningún vencedor ni perdedor. ⑪ Valla que limita el ruedo en una plaza de toros y zona de la arena que queda más próxima a esta valla. ⑫ Soltura y facilidad que ha adquirido una persona con la experiencia para actuar ante un público o para realizar una actividad: *tiene muchas tablas porque lleva bastantes años dedicándose a ello.* ⑬ Escenario de un teatro.

hacer tabla rasa Olvidar o no tener en cuenta una persona cierta cosa, generalmente sin una razón objetiva.

tabla de salvación Último recurso.

FAM tablado, tablar, tablazón, tablear, tablero, tableta, tablilla, tablón; entablar.

tablado *s. m.* ① Suelo plano que está formado con pequeñas tablas de madera unidas entre sí por el canto. ② Suelo de tablas colocado en alto sobre un armazón, donde tienen lugar espectáculos y actos públicos. ③ Escenario de un teatro.
FAM tablao.

tablao *s. m.* ① Suelo de tablas colocado en alto sobre un armazón, que se usa en los espectáculos de cante y baile flamencos: *la bailaora taconeaba sobre el tablao.* ② Local donde se desarrollan esos espectáculos.

tableado, -da *adj.* Se aplica a la prenda de vestir que tiene pliegues rectos y verticales.

tablero *s. m.* ① Plancha de madera, plana, más larga que ancha y poco gruesa, formada por una tabla o varias tablas ensambladas por el canto: *un tablero cubre el agujero de la pared.* **SIN** tabla. ② Superficie cuadrada de madera o de otro material que sirve para jugar a ciertos juegos de mesa, y que tiene dibujados una serie de recuadros, casillas o figuras en ella: *el tablero del juego del ajedrez tiene cuadros blancos y negros.* ③ Plancha de madera o de otro material que se cuelga en algún lugar y sirve para fijar sobre ella carteles, papeles o anuncios. ④ En algunos deportes, cuadro en el que aparecen los puntos que lleva conseguidos cada equipo. **SIN** marcador. ⑤ En baloncesto, superficie de madera o de metacrilato a la que está unido el aro por donde debe entrar la pelota.

tableta *s. f.* ① Pieza de chocolate o de turrón con forma plana y rectangular dividida en porciones. ② Medicamento en forma de pastilla, generalmente plana y de pequeño tamaño. ③ ARG. Golosina.
FAM tabletear.

tablilla *s. f.* ① Tabla de pequeño tamaño en la que se cuelgan listas o anuncios. ② Tableta. ③ Tabla de un material duro que estaba recubierta de cera y se utilizaba para escribir con un punzón.

tabloide *s. m.* AMÉR. Periódico cuyo formato es la mitad del normal, de carácter sensacionalista y con abundancia de fotografías.

tablón *s. m.* ① Tabla gruesa y de gran tamaño: *hicieron un andamio con tablones.* ② familiar Borrachera.

tablón de anuncios Tabla que se cuelga en algún lugar y sirve para fijar sobre ella anuncios, avisos o noticias.

tabú *s. m.* ① Prohibición religiosa impuesta por el ser humano sobre ciertos objetos, personas o cualquier otra realidad, por considerarlos sagrados. ② Cosa que no se puede decir, hacer o tratar debido a ciertos prejuicios o convenciones sociales. ③ Palabra o conjunto de palabras cuyo uso por parte del hablante se evita por motivos de índole religiosa, supersticiosa, social o cultural, y es sustituida por un eufemismo, una metáfora o una deformación de la misma palabra.
OBS Plural: *tabús* o *tabúes.*

tabulador *s. m.* Tecla de las máquinas de escribir y del teclado de los ordenadores que sirve para colocar un margen en un punto predeterminado o para hacer cuadros y listas conservando los espacios pertinentes.

tabular¹ *v. tr.* Expresar u ordenar unos datos en forma de tablas: *hay que tabular estas magnitudes para que se vean más claras.*
FAM tabulación, tabulador.

tabular² *adj.* Que tiene forma de tabla.

taburete *s. m.* Asiento para una persona sin apoyabrazos ni respaldo.

tacada *s. f.* ① Golpe dado con el taco a la bola de billar. ② Serie ininterrumpida de carambolas que hace un jugador de billar sin soltar el taco.

de una tacada familiar De una vez, de un tirón.

tacañería *s. f.* Cualidad de tacaño.

tacaño, -ña *adj./s. m. y f.* Se aplica a la persona que valora el dinero en exceso y tiene un interés exagerado en gastar lo menos posible. **SIN** agarrado, avaro, roñoso.
FAM tacañería.

tacatá *s. m.* Aparato que sirve para que los niños pequeños aprendan a andar sin caerse. **SIN** andaderas, andador, tacataca.

tacataca *s. m.* Tacatá.

tacha *s. f.* ① Falta o defecto que se encuentra en una persona o una cosa y que la hace imperfecta. **SIN** tara. ② Motivo legal para rechazar la declaración de un testigo.
FAM tachar, tachón.

tachadura *s. f.* ① Acción de tachar: *la tachadura de una respuesta correcta invalidó todo el ejercicio.* ② Raya o conjunto de rayas o borrones con los que se tacha lo escrito. **SIN** tachón.

tachar *v. tr.* ① Trazar una o más rayas o borrones encima de lo escrito para indicar que se suprime o que no vale. ② Atribuir a una persona o a una cosa una falta, un defecto o una característica negativa: *su jefe lo tachó de loco e irresponsable.*
FAM tachadura, tachón.

tacho *s. m.* ① AMÉR. SUR Cacerola, cazuela. ② AMÉR. SUR Recipiente de latón, hojalata o plástico destinado a diversos usos: *un tacho de pintura; el tacho de la basura.* **3** familiar ARG. Taxi: *tomaré un tacho para volver a casa.*

irse al tacho (**I**) familiar ARG., CHILE Morirse una persona. (**II**) familiar ARG., CHILE, PAR., URUG. Fracasar un proyecto: *la tienda que Juan abrió hace un año no funcionó, se fue al tacho.*

tachón[1] *s. m.* Tachadura.

tachón[2] *s. m.* Clavo de adorno.
FAM tachonar.

tachuela *s. f.* **1** Clavo corto y de cabeza grande que se utiliza generalmente para clavar objetos o como adorno. **2** COL. Recipiente metálico que se usa para calentar alimentos o líquidos. **3** familiar MÉX. Visita prolongada y aburrida. *| adj./ s. com.* **4** familiar MÉX. Se aplica a la persona que es de baja estatura y regordeta.

tácito, -ta *adj.* **1** Que no se expresa o no se dice pero se supone o se sobreentiende: *acuerdo tácito.* **2** Se aplica a la persona que es callada o habla poco. **SIN** taciturno.

taciturno, -na *adj.* **1** Tácito: *era un adolescente taciturno y tímido, que apenas tenía vida social.* **2** Que muestra tristeza o tiene un carácter melancólico y triste.
FAM taciturnidad.

taco *s. m.* **1** Trozo corto y grueso de madera, de metal u otro material, que se encaja en un hueco. **2** Trozo pequeño, grueso y en forma de dado que se corta de un alimento: *tacos de jamón.* **3** En el juego del billar, palo con el que se golpea la bola. **4** Pieza generalmente de plástico, pequeña y alargada, que se mete en un agujero hecho en una pared para introducir en ella un tornillo: *he puesto dos tacos en la pared para colgar un cuadro.* **5** Conjunto de hojas de papel que forman un bloque. **6** Pieza puntiaguda o cónica que llevan en la suela ciertos zapatos de deporte. **7** familiar Palabrota. **8** familiar Embrollo: *has armado un buen taco.* **9** AMÉR. Tacón del calzado. **10** MÉX. Tortilla de maíz arrollada con algún ingrediente en el centro, como carne, verduras, etc. *| s. m. pl.* **11** **tacos** familiar Años que tiene una persona: *el mes próximo cumplirá 27 tacos.* *| adj./s. com.* **12** CUBA Se aplica a la persona que es inteligente y pone esfuerzo, interés y constancia en la realización de un trabajo o en el desarrollo de una actividad.

darse taco familiar CUBA, EL SALV., HOND., MÉX. Darse importancia o presumir: *se da mucho taco con su nueva casa.*

echarse un taco de ojo familiar MÉX. Mirar a una persona que es atractiva: *le gusta ir a la playa para echarse un taco de ojo.*

hacer taco familiar MÉX. Enrollar o envolver algo hasta convertirlo en un bulto compacto: *hizo un taco con su ropa.*
FAM tacada, tacón.

tacómetro *s. m.* Aparato que indica las vueltas que da un eje o la velocidad de un mecanismo según su número de revoluciones por minuto. **SIN** taquímetro.

tacón *s. m.* Parte de un zapato o una bota que consiste en una pieza semicircular, va unida a la suela por la parte del talón y puede ser más o menos alta.
FAM taconazo, taconear.

taconazo *s. m.* Golpe dado con el tacón del calzado sobre el suelo, sobre otro lugar o contra el otro tacón.

taconear *v. intr.* Hacer ruido con los tacones al andar o bailar: *los bailaores flamencos suelen taconear.*
FAM taconeo.

taconeo *s. m.* Acción de taconear.

táctica *s. f.* **1** Procedimiento que se sigue o método que se emplea para conseguir un fin determinado o ejecutar algo: *el equipo de fútbol empleó una táctica nueva que sorprendió a sus rivales.* **2** Conjunto de reglas y procedimientos que se utilizan para dirigir las operaciones militares que se llevan a cabo en una guerra.
FAM táctico.

táctico, -ca *adj.* **1** Relativo a la táctica. *| s. m. y f.* **2** Persona que es experta en táctica o la practica: *Napoleón fue un gran táctico.*

táctil *adj.* Relativo al tacto (sentido corporal).

tacto *s. m.* **1** Sentido del cuerpo localizado en la piel que permite apreciar la forma, el tamaño, la rugosidad o la temperatura de las cosas mediante el contacto físico con ellas. **2** Cualidad de una cosa que se percibe a través de este sentido: *la superficie de un coco es un tacto muy áspero.* **3** Acción de tocar o palpar una cosa utilizando este sentido. **4** Habilidad que tienen algunas personas para tratar con otras o para llevar un asunto delicado. **SIN** delicadeza, diplomacia, tiento.
FAM táctil; intacto.

taekwondo [se pronuncia aproximadamente 'taecuondo'] *s. m.* Deporte de lucha en el que se dan golpes secos con los puños y con los pies y en el que se han desarrollado las técnicas de salto.
FAM taekwondista.

tafetán *s. m.* Tejido de seda muy tupido, delgado y de brillo más apagado que el de la seda alisa.

tagalo, -la *adj.* **1** Relativo a un pueblo indígena que habita en la isla filipina de Luzón. *| s. m. y f./adj.* **2** Persona perteneciente a este pueblo. *| s. m./adj.* **3** Lengua indonesia que se habla en Filipinas.

tahona *s. f.* Establecimiento donde se hace y se vende pan y otros productos hechos con harina. **SIN** panadería.

tahúr, -ra *adj./s. m. y f.* **1** Se aplica a la persona que es muy aficionada a los juegos de azar o tiene gran habilidad en ellos. *| s. m.* **2** Persona que engaña o hace trampas en el juego.

taifa *s. f.* **1** División política y administrativa del territorio musulmán de la Península Ibérica tras la época del califato cordobés: *las taifas aparecieron en el siglo XI.* **NOTA** También *reino de taifa.* *| adj.* **2** Relativo a los reinos de taifa. *| s. com./ adj.* **3** Persona perteneciente a estos reinos: *rey taifa.*

taiga *s. f.* Bosque típico de los climas fríos y húmedos del norte de Europa, Asia y América del Norte, compuesto básicamente por coníferas que crecen sobre un subsuelo helado; es uno de los grandes biomas.

tailandés, -desa *adj.* **1** De Tailandia (país de Asia). *| s. m. y f./adj.* **2** Persona que es de Tailandia.

taimado, -da *adj./s. m. y f.* Que es hábil para engañar o se comporta con astucia y disimulo para conseguir una cosa o hacer un daño.

taíno, -na *adj.* **1** Relativo a una tribu amerindia que habitaba en el Alto Orinoco y en las Antillas. *| s. m. y f./adj.* **2** Persona perteneciente a esta tribu. *| s. m./adj.* **3** Lengua que hablaba esta tribu.

taiwanés, -nesa *adj.* **1** De Taiwan (país de Asia). *| s. m. y f./adj.* **2** Persona que es de Taiwan.

tajada *s. f.* **1** Trozo que ha sido cortado de una cosa, especialmente de un alimento: *cortó el melón y nos dio una tajada a cada uno.* **2** familiar Borrachera.

sacar tajada familiar Sacar provecho o conseguir una cosa buena o beneficiosa de una situación.
FAM tajadera.

tajamar *s. m.* CHILE, ECUAD. Dique.

tajante *adj.* ⓵ Que no admite discusión o corta cualquier posibilidad de réplica: *el profesor fue tajante en sus respuestas.* **SIN** taxativo, terminante, concluyente. ⓶ Que es claro y no admite un término medio.

tajar *v. tr.* Dividir una cosa en dos o más partes mediante un instrumento cortante.
FAM tajada, tajo; atajar, tajamar.

tajín *s. m.* Guiso de carne y verduras del norte de África.

tajo *s. m.* ⓵ Corte, generalmente profundo, hecho con un instrumento afilado. ⓶ Corte profundo y casi vertical que se forma en un terreno, generalmente por la erosión de un río. ⓷ familiar Trabajo o tarea: *los mineros van al tajo cada mañana.* ⓸ Taburete bajo.
FAM destajo.

tal *adj.* ⓵ Se utiliza como determinante para indicar que el sustantivo al que acompaña ya ha sido mencionado antes o es perfectamente conocido: *el diputado negó tales acusaciones.* **SIN** semejante. ⓶ Se utiliza para añadir un significado ponderativo o intensificador. ⓷ Se utiliza para hacer referencia una cosa que no está determinada o no se quiere determinar: *si me voy tal día o tal otro no es asunto tuyo.* ⓸ Se utiliza junto a un nombre propio de persona y precedido de un determinante para indicar que la persona de que se trata no es muy conocida: *un tal Cárdenas me abrió la puerta.* ‖ *adv.* ⓹ De esa manera, así: *acéptalo tal como es.* ⓺ En correlación con *cual*, forma subordinadas comparativas o de modo: *salió a la calle tal cual estaba.* ⓻ En correlación con *que*, introduce una consecuencia. ‖ *det./pron.* ⓼ En correlación con *como*, introduce un ejemplo o enumeración: *creía en seres fantásticos, tales como las hadas o los duendes.*
con tal de + *infinitivo* o con tal (de) que + *oración* Se usa para indicar que una cosa se realiza o sucede con la condición de que se realice o suceda otra que se expresa.
tal como Se utiliza para establecer una comparación de igualdad entre dos oraciones.
tal cual Indica que una cosa está en su estado natural o en mismo estado en que estaba antes de sufrir un supuesto cambio.
tal para cual Expresión que se utiliza para indicar que dos personas son muy semejantes o coinciden exactamente en ciertas cualidades o características.
FAM talmente.

tala *s. f.* Acción de talar: *el Ayuntamiento prohibió la tala de los pinos del monte.*

taladrado *s. m.* Operación que consiste en realizar agujeros con un taladro.

taladradora *s. f.* Máquina eléctrica que sirve para taladrar o hacer agujeros en una superficie.

taladrar *v. tr.* ⓵ Hacer un agujero en una cosa con un taladro u otro utensilio. ⓶ Causar una cosa una molestia intensa y desagradable en el oído de una persona: *esa horrible música me está taladrando los oídos.*
FAM taladrado, taladradora.

taladro *s. m.* ⓵ Instrumento que sirve para hacer agujeros en la madera o en otro material; consiste en una barra metálica con un extremo cortante de uno o más filos y con una hendidura helicoidal que recorre la barra desde el filo para desalojar la viruta que se arranca durante el corte: *las barrenas y las brocas son taladros.* ⓶ Taladradora. ⓷ Agujero hecho con este instrumento o esta máquina.
FAM taladrar.

tálamo *s. m.* ⓵ culto Lecho nupcial: *por extensión, el tálamo ha pasado a denominar el lecho conyugal.* ⓶ Parte del encéfalo constituida por dos masas ovoides compuestas principalmente por sustancia gris.

talante *s. m.* ⓵ Manera de ser o carácter de una persona. ⓶ Estado de ánimo o actitud que tiene una persona ante una situación determinada o ante la vida en general: *Chema está hoy de muy buen talante.*

talar¹ *v. tr.* Cortar un árbol por la base.
FAM tala.

talar² *adj.* Se aplica a la vestidura o traje que llega hasta los talones: *las sotanas de los frailes y monjas de clausura son vestiduras talares.*

talayot *s. m.* Monumento megalítico de la Edad del Bronce propio de las islas Baleares, en forma de torre o atalaya: *los talayots solían tener un segundo piso del que a veces se conservan restos.* **OBS** Plural: *talayots.*

talco *s. m.* ⓵ Mineral compuesto por silicato de magnesio hidratado, blando y suave al tacto. ⓶ Polvo blanco y suave que se extrae de este mineral y que se usa para el cuidado de la piel. **NOTA** También *polvos de talco.*

talega *s. f.* Bolsa ancha y corta hecha, generalmente, de tela basta que sirve para transportar cosas.
FAM talego.

talego *s. m.* ⓵ Saco grande y de tela fuerte o lona que sirve para guardar o llevar una cosa. ⓶ jerga Cárcel. ⓷ jerga Billete de mil pesetas.

talento *s. m.* ⓵ Capacidad intelectual o habilidad que tiene una persona para aprender las cosas con facilidad o para desarrollar con mucha habilidad una actividad: *tiene mucho talento para la música.* ⓶ Persona que posee una gran capacidad o mucha habilidad para desarrollar una actividad en la cual se utiliza la inteligencia o la mente: *los psicólogos del instituto nos dijeron que nuestro hijo era un talento.* ⓷ Antigua moneda de cuenta utilizada en Grecia y en Roma.
FAM talentoso, talentudo; cazatalentos.

talgo *s. m.* Tren rápido que realiza trayectos de larga distancia.

talibán *adj.* ⓵ Relativo a un grupo de musulmanes seguidores de una de las interpretaciones ultraconservadoras del Islam que, organizado como ejército, tomó el poder en la mayoría del territorio de Afganistán en 1996: *la doctrina talibán prohíbe a las mujeres acceder al mundo laboral.* ‖ *s. m./adj.* ⓶ Miembro de este grupo. **OBS** Plural: *talibán o talibanes.*

talio *s. m.* Elemento químico de símbolo Tl y número atómico 81; es un metal blando, pesado, brillante, dúctil y maleable, de color azulado y parecido al plomo, y tanto él como sus compuestos son muy venenosos.

talión *s. m.* Pena con que se castiga a una persona causándole el mismo daño que ella ha causado.

talismán *s. m.* Objeto que se lleva encima y al que se le atribuye poderes sobrenaturales. **SIN** amuleto.

talla *s. f.* ⓵ Obra de escultura, especialmente la que está hecha de madera. ⓶ Estatura de una persona. ⓷ Medida de las prendas de vestir, expresada en unas magnitudes convencionales que se tienen en cuenta para su fabricación y venta: *necesito una talla menor, esta falda me queda grande.* ⓸ Importancia o valor intelectual o moral de una persona. ⓹ Acción

T

de tallar o labrar el vidrio, piedras preciosas, cristal u otros materiales: *la talla de un diamante*. ⑥ Forma de tallar o labrar estos materiales. ⑦ Procedimiento de grabado a buril sobre plancha de acero o de cobre.

dar la talla Tener una persona o una cosa las cualidades o aptitudes mínimas que exige una determinada situación o tarea: *este trabajo se lo damos a tu secretaria porque es la única que da la talla*.

tallar *v. tr.* ① Dar forma a un cuerpo sólido y uniforme cortando o separando parte de él: *talló una imagen en madera*. **SIN** esculpir. ② Medir la estatura de una persona. ③ familiar CUBA Intentar enamorar a una persona: *no paraba de tallar a la muchacha*. ④ familiar CUBA Hacer gestiones o hablar con alguien para conseguir algo: *tuvo que salir a la calle a tallar un nuevo empleo*. ⑤ MÉX. Fregar con fuerza algún objeto para lavarlo o limpiarlo: *tallar la ropa*. ⑥ MÉX. Pasar la mano una persona repetidamente por alguna parte del cuerpo de otra o propio: *tallar los brazos del niño; tallarse los ojos*. ‖ *v. intr.* ⑦ CHILE Hablar de amor dos enamorados. **FAM** talla, tallado, tallista; entallar.

tallarín *s. m.* Tira delgada y larga hecha de pasta de harina de trigo y agua que se cocina hirviéndola en agua y a la que se añaden otros condimentos. **OBS** Normalmente en plural.

talle *s. m.* ① Cintura del cuerpo humano. ■ **talle de avispa** Cintura muy delgada. ② Parte de un vestido que corresponde a la cintura: *ajústate el talle con este cinturón*. ③ Medida que se toma para hacer una prenda de vestir, desde el cuello a la cintura, tanto por delante como por detrás.

taller *s. m.* ① Lugar en el que se hacen trabajos manuales o artísticos. ② Escuela o lugar de formación en el que se hacen ejercicios o trabajos prácticos: *taller de teatro*. ③ Lugar en el que se realizan reparaciones de máquinas o aparatos, especialmente de coches.

tallo *s. m.* ① Parte del eje de las plantas cormofitas que crece en sentido contrario a la raíz, sirve de soporte a las hojas, las flores y los frutos y por cuyo interior circulan los vasos conductores: *los tallos son aéreos o subterráneos según crezcan por encima o por debajo de la superficie del suelo, y son trepadores o rastreros si ascienden verticalmente o se hallan en su totalidad en contacto con el suelo*. ② Brote nuevo de una planta. **SIN** vástago. ③ Germen que brota de una semilla, un bulbo o un tubérculo. **FAM** tallecer, talludo.

talludo, -da *adj.* Se aplica a la persona que es adulta y se comporta como un niño. **OBS** Frecuentemente en forma diminutiva.

talmud *s. m.* Conjunto de textos en que se encuentran recopilados los preceptos sobre la ley judía, sobre el modo de comportarse ante Dios y ante los demás: *los rabinos interpretan y enseñan el talmud*.

talo *s. m.* Cuerpo vegetativo de los hongos, las algas y las plantas briofitas (como el musgo), en el que no pueden diferenciarse una raíz, un tallo y unas hojas verdaderas y que carece de vasos conductores.

talofito, -ta o **talófito, -ta** *adj./s. m.* ① Se aplica al organismo de organización sencilla cuyo aparato vegetativo es un talo y que no está estructurado en tejidos: *las algas, los hongos y los líquenes son los únicos talofitos*. ‖ *s. m. pl.* ② **talofitos** Antigua división, hoy sin valor taxonómico, constituida por estos organismos.

talón¹ *s. m.* ① Parte posterior del pie humano. **SIN** calcañar. ② Parte del calzado, del calcetín o de la media que cubre esa zona del pie.

pisar los talones Seguir muy de cerca a una persona: *el jinete malagueño va en cabeza, pero el sevillano viene pisándole los talones*.

talón de Aquiles Punto débil o vulnerable de una persona o de una cosa.

talón² *s. m.* Hoja cortada de un cuadernillo en el que queda una parte que se corresponde con ella y permite acreditar su legitimidad, especialmente la que se rellena y se firma por valor de una cantidad de dinero determinada: *pagué los muebles con un talón*. **SIN** cheque. **FAM** talonario.

talonario *s. m.* Cuadernillo formado por hojas que se pueden arrancar dejando una parte que se corresponde con ellas y permite acreditar su legitimidad, especialmente el que es de cheques.

talud *s. m.* Inclinación de un muro o de un terreno: *los niños bajaron por el talud de tierra hasta la orilla del río*. ■ **talud continental** Inclinación o pendiente pronunciada que une la plataforma continental con la llanura abisal, a más de 2000 m de profundidad.

tamal *s. m.* ① AMÉR. Empanada que se hace con harina gruesa de maíz y relleno de carne, queso u otros ingredientes, que varían de una zona a otra. ② familiar AMÉR. Situación complicada en la que hay intriga y de la que es difícil salir.

tamalero, -ra *adj./s. m. y f.* AMÉR. Se aplica a la persona que hace o vende tamales, generalmente en puestos callejeros.

tamaño, -ña *s. m.* ① Conjunto de las dimensiones de una cosa, por las cuales tiene mayor o menor volumen. ‖ *adj.* ② Que es de dimensiones muy grandes o muy intenso: *¡hábrase visto tamaña desvergüenza!*

tamarindo *s. m.* ① Árbol de tronco grueso, copa amplia y hojas en forma de espiga que se cultiva en zonas cálidas. ② Fruto en legumbre que da este árbol.

tambalearse *v. prnl.* ① Moverse una persona o una cosa de un lado a otro dando la impresión de estar a punto de caer. ② Estar a punto de perder su fuerza o firmeza una persona o una cosa: *ante semejantes injusticias, mi fe en la humanidad se tambalea*. **FAM** tambaleante, tambaleo.

también *adv.* ① Se utiliza para afirmar que una cosa es igual o semejante a otra expresada anteriormente, o está conforme o tiene relación con ella: *la puerta es blanca y la pared también lo es*. ② Se utiliza para indicar que la acción expresada por el verbo se añade a otra acción expresada anteriormente: *la oficina tiene una puerta principal y también una trasera*. **SIN** además.

tambor *s. m.* ① Instrumento musical de percusión formado por una caja con forma cilíndrica cerrada por una parte o por las dos con un parche de cuero o una membrana de material sintético; se toca con baquetas, con mazos o con las manos. ‖ *s. com.* ② Persona que toca este instrumento en una orquesta o conjunto musical. ‖ *s. m.* ③ Pieza de forma cilíndrica que forma parte de algunos aparatos o máquinas: *tambor de la lavadora*. ④ Recipiente con forma cilíndrica que se usa como envase de ciertos productos. ⑤ Pieza cilíndrica giratoria de un revólver en la que se ponen las balas. ⑥ Aro redondo, normalmente de madera, sobre el que se coloca una tela para bordarla. ⑦ Membrana o tejido delgado que se en-

cuentra en el interior del oído y que transmite las vibraciones que llegan del exterior a la zona interna del oído. **SIN** tímpano. **8** Disco de acero sobre el que va acoplada la rueda de los automóviles y sobre cuya superficie interior actúan las zapatas para producir el frenado. **9** Pieza cilíndrica del fuste de una columna que no es monolítica. **10** Construcción de planta poligonal que se levanta sobre el crucero de algunas iglesias apoyado directamente sobre los arcos torales. **11** Parte central del capitel, con mayor diámetro o más abultado que el fuste de la columna.
FAM tamboril, tamborrada.

tamboril *s. m.* Tambor pequeño que se lleva colgado del brazo y se toca con una sola baqueta. **SIN** timbal.
FAM tamborilear, tamborilero.

tamborilear *v. intr.* **1** Dar golpes con los dedos sobre una superficie de manera repetida haciendo un ruido parecido al del tambor. **2** Tocar el tamboril.
FAM tamborilero.

tamborilero, -ra *s. m. y f.* Persona que toca el tamboril o el tambor.

tamiz *s. m.* Utensilio que se usa para separar las partes finas de las gruesas de algunas cosas y que está formado por una tela metálica o rejilla tupida que está sujeta a un aro. **SIN** cedazo, criba.
FAM tamizar.

tamizar *v. tr.* Hacer pasar una cosa por el tamiz para separar las partes finas de las gruesas.

tamo *s. m.* Acumulación de polvo y suciedad que se forma debajo de los muebles cuando no se limpia el suelo con frecuencia. **SIN** pelusa.

tampoco *adv.* Se utiliza para añadir una negación a otra negación expresada con anterioridad o para incluir un nuevo elemento en una negación: *mi hermano no irá a la fiesta y yo tampoco.*

tampón *s. m.* **1** Cajita plana que contiene una pieza de tela u otro material empapado con tinta y que se utiliza para entintar los sellos antes de estamparlos. **2** Rollo alargado de material muy absorbente que se introduce en la vagina de las mujeres para que absorba el flujo de la menstruación. **3** Disolución que permite el mantenimiento del pH cuando se añaden pequeñas cantidades de un ácido o una base.

tam-tam *s. m.* Tambor africano grande que se toca con las manos.
OBS Plural: *tam-tams.*

tan *adv.* **1** Se utiliza delante de un adjetivo, un adverbio o una locución adverbial para encarecer o intensificar su significado: *¡qué día tan espléndido!; no comas tan deprisa.* **2** Se utiliza en una comparación para indicar igualdad de grado o equivalencia: *este metal es tan duro como el hierro.* **3** Se utiliza en una correlación para expresar una consecuencia de lo dicho anteriormente: *estaba tan bueno que me lo comí todo.*

tanagra *s. f.* **1** Estatuilla de barro cocido policromada y sin esmaltar, realizada en la antigua ciudad griega de Tanagra, especialmente a partir del siglo IV a. C., que representa a una figura humana en actitud cotidiana; solía colocarse en los ajuares funerarios. **2** Estatuilla hecha siguiendo el modelo de las fabricadas en Tanagra.

tanatorio *s. m.* Lugar en el que se velan los cadáveres y se preparan para ser enterrados o incinerados.

tanda *s. f.* **1** Grupo en que se distribuye un conjunto de personas o cosas para realizar una actividad de manera ordenada: *nos duchamos en dos tandas, primero las chicas y después los chicos.* **2** Turno, vez u orden según el cual se van sucediendo personas o cosas para hacer una cosa. **3** Número no determinado de cosas de la misma clase que se dan o se hacen sin interrupción: *le dieron una tanda de azotes.* **4** AMÉR. Sección o parte de una representación teatral. **5** ARG., URUG. Sucesión de anuncios que se intercalan durante la emisión de un programa de televisión o radio.

tándem *s. m.* **1** Bicicleta para dos personas en la que van sentadas una detrás de otra y ambas pueden pedalear. **2** Unión de dos personas o dos grupos que realizan una misma actividad en equipo o que combinan sus esfuerzos para hacer algo. **3** Conjunto de dos elementos que se complementan.
OBS Plural: *tándemes.*

tanga *s. m.* **1** Traje de baño de hombre o de mujer de tamaño muy reducido. **2** Calzoncillo o braguita de tamaño muy pequeño: *el tanga no cubre las nalgas.*

tangencia *s. f.* Punto único en el que coinciden dos figuras planas que son tangentes entre sí.

tangencial *adj.* **1** Relativo a la tangente (línea o superficie geométrica). **2** Se aplica al asunto que no es principal o importante.

tangente *adj./s. f.* **1** Se aplica a la línea o superficie que se toca en un único punto con otra línea o superficie sin llegarla a cortar. **|** *s. f.* **2** Resultado de dividir el cateto opuesto a un ángulo entre el cateto contiguo al mismo ángulo.
irse (**o salirse** **o escaparse**) **por la tangente** Utilizar una persona evasivas para escapar de una situación difícil o un apuro.
FAM tangencial; cotangente.

tangible *adj.* **1** Que se puede tocar o percibir por medio del tacto. **SIN** palpable. **ANT** intangible. **2** Que se puede percibir de manera clara y precisa: *resultados tangibles.* **ANT** intangible.
FAM intangible.

tango *s. m.* **1** Baile de origen argentino surgido a finales del siglo XIX en las zonas urbanas, de movimientos que varían de lento a rápido, a veces bruscamente, y variedad de pasos, que se ejecuta por una pareja enlazada. **2** Canción o composición musical con que se acompaña este baile, de carácter dramático o melancólico, compás binario y bruscos cambios de ritmo e intensidad, cuya instrumentación básica es el bandoneón, la guitarra y el violín. **3** HOND. Instrumento musical formado por un cilindro de un tronco hueco cubierto en uno de sus extremos con un cuero.
FAM tanguista.

tanque *s. m.* **1** Vehículo pesado de guerra que está fuertemente blindado y que se mueve sobre dos llantas flexibles y articuladas con cadenas que le permiten circular sobre terrenos muy irregulares o escabrosos. **2** Recipiente, generalmente de gran tamaño y cerrado, que sirve para contener líquidos o gases. **SIN** depósito. **3** familiar Jarra de cerveza de gran tamaño.
FAM tanqueta; antitanque.

tanqueta *s. f.* Tanque ligero de guerra que tiene ruedas en lugar de cadenas.

tantalio *s. m.* Tántalo.

tántalo *s. m.* **1** Ave de plumaje blanco y negro que tiene las patas y el cuello muy largos y la cabeza pequeña y sin plumas: *el tántalo habita en regiones pantanosas de África.* **2** Elemento químico de símbolo *Ta* y número atómico 73; es un metal de transición muy duro, pesado y de color gris brillante, y es muy resistente a la corrosión; se utiliza en aparatos de laboratorio, condensadores eléctricos, algunas aleaciones, en medicina, etc. **SIN** tantalio.

tantear *v. tr.* **1** Calcular una persona según su apreciación el peso, el tamaño, la cantidad o el valor de una cosa de manera aproximada: *tanteó el peso de la caja para ver si podía llevarla con facilidad.* **2** Intentar descubrir con cuidado o disimuladamente las intenciones o la actitud de una persona frente a una cosa. **3** Probar o ensayar una cosa antes de realizarla para asegurarse el éxito: *es preciso tantear la situación antes de plantear el negocio.* ‖ *v. tr./intr.* **4** Registrar o señalar los tantos o puntos que se consiguen en un juego o en una competición deportiva. **FAM** tanteador, tanteo.

tanteo *s. m.* **1** Acción de tantear. **2** Número determinado de tantos o puntos que se consiguen en un juego o en una competición deportiva: *el equipo español ganó por un tanteo de 3-0.*

tanto, -ta *det./pron.* **1** En correlación con *como* y con *cuanto*, se utiliza para establecer comparaciones de igualdad en la cantidad: *tiene tanto dinero cuanto puede necesitar; les dieron tantos como a nosotros.* **2** En correlación con *que*, se utiliza para añadir un significado ponderativo: *tenía tanto dinero que podía vivir de las rentas.* ‖ *adv.* **3** Se utiliza con sentido ponderativo para indicar una cantidad muy grande o un grado muy elevado. **4** Indica que una cosa se realiza o sucede empleando gran cantidad de tiempo: *no puedes haber tardado tanto en llegar.* **5** En correlación con *cuanto* y con *como*, indica idea de equivalencia o igualdad: *tanto los novios como los padrinos se quedan de pie frente al altar.* ‖ *s. m.* **6** Objeto con que se registran o se señalan los puntos que se ganan en ciertos juegos. **7** Punto que se consigue o unidad de cuenta que se utiliza en un juego o en una competición deportiva: *el base del equipo solamente consiguió marcar cuatro tantos.* **8** Cantidad determinada de una cosa, especialmente de dinero. ■ **tanto por ciento** Número o cantidad que representa proporcionalmente una parte de un total que se considera dividido en cien unidades. **SIN** porcentaje.

al tanto Indica que una persona está al corriente o enterada de una cosa: *le puse al tanto de las novedades.*

en tanto o **entre tanto** o **mientras tanto** En el mismo periodo de tiempo durante el que se hace u ocurre una cosa: *tú ponte a hacer la comida y entre tanto yo iré a buscar a los niños al colegio.* **NOTA** También *entretanto.*

las tantas familiar Expresión que indica una hora muy avanzada de la noche.

ni tanto ni tan calvo o **ni tanto ni tan poco** familiar Se usa para indicar a una persona que no debe exagerar una cosa ni hacia un extremo ni hacia otro.

otro tanto Lo mismo o el doble. **NOTA** Más en plural.

por tanto o **por lo tanto** Indica que una cosa es la consecuencia de otra hecha o dicha anteriormente. **SIN** por consiguiente.

un tanto Se utiliza para indicar un cantidad pequeña de una cosa que no se determina.

¡y tanto! Se utiliza para confirmar con fuerza o intensidad lo dicho por otra persona: *¡Y tanto que iré!*

y tantos Tras un numeral que indique decenas, indica una cifra aproximada que excede en poco a dicha cantidad: *tiene treinta y tantos años.* **FAM** tantear.

tantra *s. m.* Conjunto de textos sagrados y rituales religiosos esotéricos budistas e hindúes.

tantrismo *s. m.* Sistema religioso y filosófico inspirado en los tantras, que se caracteriza por aspirar a la unión con la divinidad a través de los ritos y de la filosofía de estos textos sagrados.

tañer [13] *v. tr.* **1** Tocar o hacer sonar un instrumento musical de percusión o un instrumento de cuerda que se pulsa con los dedos. **2** Llamar con las campanas. **FAM** tañido.

tañido *s. m.* **1** Sonido que produce un instrumento musical, especialmente un instrumento de cuerda o de percusión: *el tañido del arpa.* **2** Sonido de las campanas. **3** Acción de tañer.

taoísmo *s. m.* Doctrina religiosa y filosófica originada en China en el siglo VI a. C. y expuesta principalmente en la obra de Lao-Tse, que defiende la unión del ser humano con la naturaleza y la no sumisión a los códigos sociales: *el libro básico del taoísmo es el «Tao Te-King» de Lao-Tse (siglo III a. C.).* **FAM** taoísta.

taoísta *adj.* **1** Relativo al taoísmo. ‖ *adj./s. com.* **2** Se aplica a la persona que cree en esta doctrina religiosa.

tapa *s. f.* **1** Pieza que se encuentra en la parte superior de un objeto y que sirve para cerrarlo o cubrirlo. **SIN** tapadera. **2** Cubierta de papel o de cartón que tiene un libro u otra obra encuadernada. **3** Pieza que se pone en la suela de un zapato por la parte del tacón. **4** Alimento ligero o en pequeña cantidad que se sirve en los bares y restaurantes como acompañamiento de una bebida: *nos pusieron una tapa de queso con el vino.* **5** Tabla armónica. **tapa de los sesos** familiar Parte superior de la cabeza. **FAM** tapar, tapear, tapón, tapujo.

tapacubos *s. m.* Pieza redonda y plana que se sujeta a la parte exterior de la rueda de un automóvil y que se utiliza para cubrir la llanta y hacer la rueda más atractiva. **OBS** Plural invariable.

tapadera *s. f.* **1** Tapa (cubierta de un recipiente). **2** Persona o cosa que encubre lo que otra desea que se ignore, generalmente una acción negativa o que constituye un delito: *ese comercio es una tapadera de un negocio de contrabando.*

tapadillo Se usa en la expresión:

de tapadillo Indica que una cosa se hace a escondidas o con la intención de ocultar la verdad: *salía siempre de tapadillo, sin que lo supieran sus padres.*

tapado *s. m.* **1** ARG., BOL., CHILE, PAR., PERÚ, URUG. Abrigo (prenda de vestir). **2** COL., HOND. Comida que preparan los indígenas en un hoyo hecho en la tierra, donde ponen para asar carne y plátanos. **3** MÉX. Candidato político de un partido a las elecciones nacionales cuyo nombre se mantiene oculto hasta poco antes de los comicios. ‖ *adj./s. m. y f.* **4** ARG. Se aplica a la persona que posee valores y los mantiene ocultos.

tapajuntas *s. m.* Listón que sirve para tapar o cubrir el espacio que queda entre el marco de una puerta o una ventana y la pared. **OBS** Plural invariable.

tapar *v. tr.* **1** Cubrir o cerrar lo que está descubierto o

abierto, especialmente con la tapa que está destinada a ello. **ANT** destapar. **2** Cerrar o llenar un orificio o conducto con alguna cosa: *tapó las grietas de la pared con un poco de yeso.* **3** Cerrar alguna cosa un orificio o conducto o estar impidiendo el paso de algo a través de él. **4** Cubrir una persona o una cosa poniéndole algo delante o encima de manera que quede protegida u oculta. **5** Estar una cosa delante o encima de otra de manera que quede cubierta, protegida u oculta: *tu cabeza me tapa la tele.* **6** Hacer una persona que no se descubran las faltas cometidas por otra, ocultándolas o disimulándolas para que no sea castigada.
FAM tapacubos, tapadera, tapadillo, tapajuntas, taparrabo; destapar.

taparrabo o **taparrabos** *s. m.* Pieza de tela o de otro material con que los individuos de algunos pueblos se cubren los genitales.
OBS Plural: *taparrabos.*

tapete *s. m.* **1** Pieza generalmente de tela que se pone encima de un mueble como adorno o para protegerlo. **2** Paño grueso que se pone encima de las mesas de juego.
estar (o poner) sobre el tapete Someter a examen o discutir una cosa.

tapia *s. f.* Muro o pared que rodea un terreno y que sirve como valla.
(sordo) como una tapia familiar Muy sordo.
FAM tapial, tapiar.

tapial *s. m.* Pared hecha con piezas de tierra amasada.

tapiar *v. tr.* **1** Cercar un terreno o una superficie con una o varias tapias. **2** Cerrar un hueco mediante un muro o un tabique: *tapiaron la puerta lateral.*
OBS Verbo regular, se acentúa como *cambiar.*

tapicería *s. f.* **1** Tela o tejido con el que se tapiza un mueble o parte de él: *la tapicería del sofá está ya muy gastada.* **2** Lugar donde se tapizan muebles o se hacen tapices. **3** Oficio, arte o técnica del tapicero.

tapicero, -ra *s. m. y f.* **1** Persona que se dedica a forrar con tela los muebles o una parte de ellos, o a colgar tapices, cortinas u otros objetos decorativos en las paredes. **2** Persona que se dedica a fabricar o arreglar tapices.
FAM tapicería.

tapioca *s. f.* **1** Harina blanca que se saca de la raíz de la mandioca y que se usa como alimento, especialmente para hacer sopa. **2** Sopa que se hace con esa harina.

tapir *s. m.* Mamífero herbívoro parecido al jabalí en el tamaño, que tiene el hocico prolongado en forma de una pequeña trompa y cuatro dedos en las patas anteriores y tres en las traseras: *el tapir vive en Asia y América del Sur.*

tapiz *s. m.* Tejido de lana o seda en el que la trama recubre por completo la urdimbre; suele estar decorado con figuras o dibujos y se utiliza para adornar paredes.
FAM tapicero, tapizar.

tapizado *s. m.* **1** Acción de tapizar. **2** Tela con la que se forra un mueble o una parte de él.

tapizar *v. tr.* **1** Cubrir o forrar con tela o con otro material un mueble o una pared. **2** Cubrir o revestir cierta cosa una superficie extensa: *las nubes tapizaban el cielo.*
FAM tapizado.

tapón *s. m.* **1** Pieza que se introduce en un conducto, orificio o abertura, y que sirve para cerrarlos impidiendo la comunicación con el exterior: *las botellas de vino suelen llevar un* tapón de corcho. **2** Cosa que impide o dificulta el paso de algo a través de un conducto, un orificio u otro lugar: *se le ha formado un tapón de cera en el oído.* **3** Acumulación excesiva de vehículos en un punto de una vía, la cual dificulta o impide la circulación normal. **SIN** atasco, embotellamiento. **4** En baloncesto, jugada mediante la cual se impide que la pelota que ha lanzado un contrario llegue a la canasta interceptándola con la mano. **5** familiar Persona de corta estatura, especialmente la que es de cuerpo grueso y rechoncho.
FAM taponar.

taponar *v. tr.* **1** Cerrar un conducto, un orificio o una abertura con un tapón. **2** Dificultar o impedir el paso una persona o una cosa a través de un conducto, un orificio u otro lugar: *la gente taponó la puerta y no se podía salir.* **SIN** atascar, obstruir.
FAM taponamiento, taponazo.

taponazo *s. m.* Golpe que da un tapón al salir con mucha fuerza de una botella de bebida espumosa y chocar contra algo.

tapujo *s. m.* Manera de hablar o de actuar una persona mediante la cual se oculta o disimula la verdad: *le dijo sin tapujos que la había decepcionado.*

taquicardia *s. f.* Velocidad excesiva del ritmo de los latidos del corazón a causa de una enfermedad cardíaca, de un esfuerzo físico o por otros motivos.

taquigrafía *s. f.* Técnica de escritura en la que se utilizan ciertos signos y abreviaturas especiales para poder escribir a la misma velocidad con que se habla o dicta.
FAM taquigrafiar, taquigráfico, taquígrafo.

taquigrafiar *v. tr.* Escribir mediante la técnica de taquigrafía: *el ministro dictaba la carta y su secretario la taquigrafiaba.*
OBS Verbo regular, se acentúa como *desviar.*

taquígrafo, -fa *s. m. y f.* Persona que se dedica a la taquigrafía: *dos taquígrafos anotan todo lo que se dice en los juicios.*

taquilla *s. f.* **1** Ventanilla, mostrador o sitio donde se venden billetes para un medio de transporte o entradas para un espectáculo. **2** Cantidad de dinero que se recauda en una sesión de un espectáculo. **3** Armario individual, generalmente alto y estrecho, que se usa para guardar ropa u objetos personales: *dejé las zapatillas en la taquilla del gimnasio.*
FAM taquillaje, taquillero, taquillón.

taquillero, -ra *adj.* **1** Se aplica al espectáculo o artista que consigue atraer gran cantidad de público o consigue recaudar mucho dinero: *vamos a ver esa obra de teatro tan taquillera.* **‖** *s. m. y f.* **2** Persona que se dedica a la venta de billetes o entradas en una taquilla.

taquimecanografía *s. f.* Técnica y conjunto de conocimientos de la persona que domina la taquigrafía y la mecanografía.
FAM taquimecanógrafo.

taquimecanógrafo, -fa *s. m. y f.* Persona que se dedica a la taquigrafía y la mecanografía.

taquímetro *s. m.* **1** Instrumento que se utiliza para medir sobre un terreno los ángulos verticales y horizontales y las distancias entre sus vértices: *el taquímetro es una herramienta usada en topografía.* **2** Tacómetro.

tara *s. f.* **1** Defecto físico o psíquico que tiene una persona: *las taras generalmente son defectos hereditarios.* **2** Defecto o mancha que disminuye el valor de una cosa. **3** Peso que co-

T

rresponde al recipiente, envase o vehículo que contiene o transporta una mercancía, sin contar el peso de esta.

taracea *s. f.* ① Técnica ornamental que consiste en incrustar pequeños trozos de madera, nácar u otros materiales en un objeto de madera para decorarlo. ② Labor decorativa hecha con esta técnica.

tarado, -da *adj./s. m. y f.* Se aplica a la persona que tiene un defecto físico o psíquico.
OBS Frecuentemente usado de forma despectiva.

tarambana *adj./s. com.* familiar Se aplica a la persona que se comporta de manera alocada o poco sensata.

taranta *s. f.* ① Cante minero andaluz de carácter triste y fatalista. **SIN** taranto. ② ARG., C. RICA, ECUAD. Arrebato, locura. ③ HOND. Desvanecimiento, mareo.

tarantela *s. f.* ① Música originaria de la región italiana de Nápoles que va acelerando el ritmo a medida que avanza. ② Danza que se baila con esta música.

taranto *s. m.* Cante minero andaluz de carácter triste y fatalista. **SIN** taranta.

tarántula *s. f.* Araña venenosa de color negro por encima y rojo por debajo, que mide unos 3 cm de largo y tiene el cuerpo velloso y las patas muy fuertes: *la picadura de la tarántula produce una inflamación.*

tararear *v. tr.* Cantar una canción o imitar los sonidos de una melodía con la voz sin articular bien las palabras y en voz baja. **SIN** tatarear.
FAM tarareo.

tarareo *s. m.* Canto que se hace sin pronunciar bien las palabras o repitiendo una misma sílaba.

tarascada *s. f.* Golpe, mordisco o arañazo dado con fuerza y violencia: *el gato me dio una tarascada.*

tarascón *s. m.* AMÉR. Tarascada.

tardanza *s. f.* Retraso o empleo de más tiempo del necesario o del normal en hacer una cosa. **SIN** demora, dilación.

tardar *v. intr.* ① Emplear un espacio de tiempo determinado en hacer una cosa. ② Emplear más tiempo del necesario o del normal en hacer una cosa: *tarda en contestar, a lo mejor no está en casa.*
FAM tardanza, tardío, tardo, tardón; retardar.

tarde *s. f.* ① Periodo de tiempo que va desde el mediodía hasta el anochecer: *la tarde termina cuando se pone el Sol, en invierno las tardes son muy cortas.* ② Últimas horas del día. ‖ *adv.* ③ Indica que una cosa se hace a una hora avanzada del día o de la noche: *salimos a bailar y llegamos a casa tarde.* **ANT** temprano. ④ Indica que una cosa se hace en un momento posterior al considerado conveniente, oportuno o previsto. **ANT** pronto.
de tarde en tarde Se utiliza para indicar que una cosa se hace con muy poca frecuencia o dejando transcurrir mucho tiempo entre una vez y la siguiente: *viene por aquí de tarde en tarde.*
FAM tardar; atardecer.

tardío, -día *adj.* ① Que tarda más tiempo del normal en llegar a la madurez: *los árboles silvestres dan frutos tardíos.* ② Que ocurre después del tiempo adecuado o después del momento en que se necesitaba o se esperaba. ③ Que se encuentra en el último periodo o fase de su existencia o desarrollo: *latín tardío.*

tardo, -da *adj.* ① Que hace las cosas muy despacio o emplea más tiempo del necesario o del normal en hacerlas.

SIN lento. ② Se aplica a la persona que es torpe y no tiene facilidad y agilidad para captar, comprender y explicar las cosas: *tardo de oído.*

tardofranquismo *s. m.* Última etapa del franquismo, entre 1972 y 1975.

tardón, -dona *adj./s. m. y f.* familiar Se aplica a la persona que tarda mucho en hacer las cosas o suele retrasarse en llegar a un sitio.

tarea *s. f.* ① Trabajo, obra o actividad que realiza una persona o una máquina: *las tareas del hogar deben ser compartidas por toda la familia.* ② Trabajo que debe hacerse en un tiempo determinado.
FAM atarear.

tarifa *s. f.* ① Precio fijado o establecido de forma oficial y unitaria por el estado, una compañía o una entidad por los servicios que ofrece: *la tarifa nocturna es más económica.* ② Tabla de precios, derechos o tasas.
FAM tarifar, tarifario.

tarifeño, -ña *adj.* ① De Tarifa (localidad de Cádiz). ‖ *s. m. y f./adj.* ② Persona que es de Tarifa.

tarima *s. m.* ① Plataforma, generalmente móvil, hecha con tablas y colocada a poca altura del suelo: *el profesor da la clase hablando desde la tarima.* ② Suelo formado por tablas de madera, que es parecido al parqué pero está hecho con tablas de mayor tamaño.
FAM entarimar.

tarjeta *s. f.* ① Pieza rectangular y pequeña, generalmente de cartulina o plástico que contiene cierta información o tiene un uso determinado: *los asistentes al congreso llevan una tarjeta identificativa colgada.* ■ **tarjeta de crédito** Tarjeta pequeña de plástico, emitida por una entidad bancaria a nombre de una persona y que sirve para pagar sin utilizar dinero en efectivo. ■ **tarjeta de visita** Tarjeta rectangular y pequeña de cartulina, que contiene el nombre y otros datos de una persona, como cargo, domicilio o teléfono. ■ **tarjeta postal** Tarjeta que se envía sin sobre por correo y que tiene una fotografía o ilustración por un lado, y por el otro, un espacio para escribir un texto. **NOTA** También simplemente *postal.* ② En el fútbol y otros deportes, cartulina de un determinado color que el árbitro enseña a un jugador para indicarle que ha cometido una falta de cierta gravedad o que le corresponde una sanción. ③ Placa de circuito impreso que puede ser agregada a un ordenador para permitirle realizar unas funciones específicas e incrementar las capacidades de la máquina: *tarjeta gráfica; tarjeta de sonido.* **NOTA** También *tarjeta de expansión.*
FAM tarjetero.

tarjetero *s. m.* ① Cartera que se usa para llevar ordenadas las tarjetas de visita. ② Caja abierta o bandeja en la que se dejan las tarjetas de visita.

tarot *s. m.* ① Baraja de cartas que se usa para adivinar el futuro y está formada por dos bloques, uno de ellos numerado y el otro con figuras simbólicas: *el tarot está compuesto de 78 cartas.* ② Práctica adivinatoria que consiste en interpretar lo que va a suceder en el futuro y se consigue colocando de diferentes modos las cartas de esta baraja sobre una superficie.

tarota *s. f.* Instrumento de viento de la familia de la madera, típico de la música catalana, que se tocó hasta finales del siglo XIX.

tarraconense *adj.* ① De Tarragona (ciudad y provincia de Cataluña): *el Ebro desemboca en la costa tarraconense.* ❙ *s. com./ adj.* ② Persona que es de Tarragona.

tarrina *s. f.* Recipiente pequeño de vidrio o cerámica que sirve para contener un alimento: *la tarrina de paté.*

tarro *s. m.* ① Recipiente de vidrio o de porcelana, con forma cilíndrica y generalmente más alto que ancho. ② familiar Cabeza, mente o inteligencia de una persona: *es muy inteligente, tiene un buen tarro.* SIN coco.

comer el tarro familiar Intentar meter una persona con insistencia ideas en el pensamiento de otra para que actúe o piense de determinada manera: *¡hay que ver cómo te ha comido el tarro esa chica!*

comerse el tarro familiar Ocupar de manera insistente una persona su pensamiento con determinadas ideas.
FAM tarrina.

tarso *s. m.* ① Conjunto de huesos cortos que forman la parte trasera del pie del ser humano uniendo el pie con la tibia, y de las extremidades posteriores del resto de vertebrados tetrápodos (de cuatro extremidades): *el tarso está situado entre el metatarso y la pierna.* ② Parte más delgada de las patas de las aves, que normalmente no tiene plumas: *el tarso une los dedos con la tibia.* ③ Último segmento de las patas de los insectos.

tarta *s. f.* Pastel grande, generalmente con forma redonda y muy adornado.
FAM tartaleta, tartera.

tartaja *adj./s. com.* familiar Tartamudo.
FAM tartajear, tartajoso.
OBS Frecuentemente usado de forma despectiva.

tartajear *v. intr.* fam. desp. Tartamudear.
FAM tartajeo.

tartaleta *s. f.* Pastel pequeño que está formado por una base de hojaldre o de galleta sobre la que se pone algún ingrediente dulce: *había tartaletas de crema.*

tartamudear *v. intr.* Hablar de manera entrecortada y repitiendo sílabas y sonidos.
FAM tartamudeo.

tartamudeo *s. m.* ① Acción de tartamudear. ② Modo de hablar de forma entrecortada y en la que se repiten algunas sílabas y sonidos: *hablar sin tartamudeos.*

tartamudez *s. f.* Trastorno del habla que se caracteriza por hablar repitiendo sonidos, sílabas o palabras.

tartamudo, -da *adj./s. m. y f.* Que tartamudea.
FAM tartamudear, tartamudez.

tartán *s. m.* ① Tela de lana que tiene líneas cruzadas formando cuadros de distintos colores: *el tartán es de origen escocés.* ② Material compuesto de plásticos, amianto y caucho que es muy resistente y poco deformable y se usa para cubrir superficies de pistas deportivas. NOTA En este sentido, es marca registrada.

tartana *s. f.* ① Carruaje de dos ruedas que es tirado por un caballo u otro animal de tiro, con cubierta en forma de bóveda y asientos laterales. ② familiar Cosa vieja que funciona mal, especialmente un automóvil.

tártaro¹ *s. m.* ① Sustancia que forma una costra cristalina en el fondo y en las paredes de la vasija donde fermenta el mosto. ② culto Infierno.

tártaro, -ra² *adj.* ① Relativo al pueblo mongol que en el siglo XIII se estableció en el este de Europa y hoy habita en el nordeste de Mongolia. ❙ *s. m. y f./adj.* ② Persona que pertenece a este pueblo. ❙ *adj./s. m.* ③ Relativo al grupo de lenguas turcas que hablan los tártaros.

tartera *s. f.* ① Recipiente con una tapa que se cierra herméticamente y que sirve para llevar comida o para mantenerla guardada. SIN fiambrera. ② Recipiente de cocina de base circular, ancho y poco profundo, generalmente de barro y con dos asas y tapa. SIN cazuela.

tartesio, -sia *adj.* ① De Tartesos (supuesto reino prerromano que ocupaba la región occidental de la actual Andalucía y que tuvo su periodo de máximo florecimiento entre los siglos VII y VI a. C.): *el primer estado peninsular del que se tienen noticias es el estado tartesio.* ❙ *s. m. y f./adj.* ② Persona que era de Tartesos.

tarugo *s. m.* ① Trozo de madera corto y grueso que queda al cortarlo de una pieza mayor. ② Pedazo de pan grueso e irregular. ③ fam. desp. Persona que tiene poca inteligencia o pocos conocimientos y se comporta con torpeza.

tarumba *adj.* familiar Se aplica a la persona que está atontada o confundida, especialmente por haber recibido un golpe en la cabeza.

tasa *s. f.* ① Pago o tributo que se exige por el uso o disfrute de determinados servicios: *el Ayuntamiento está estudiando la subida de las tasas municipales.* ② Cantidad que expresa de forma proporcional la relación entre dos magnitudes. ■ **tasa de actividad** Tasa que indica la relación entre el número de personas activas (que trabajan) y la población total: *una tasa de actividad del 30 %.* ■ **tasa de crecimiento** Tasa que indica el aumento de una población en un periodo de tiempo determinado: *la población europea tiene una tasa de crecimiento muy baja: 0,1 habitantes por cada 100.* ■ **tasa de masculinidad** Tasa que indica la relación entre el número de hombres y el de mujeres en un lugar: *una tasa de masculinidad del 102,79 % significa que hay casi tres varones más por cada 100 mujeres.* ■ **tasa de mortalidad** Tasa que indica el número anual de personas fallecidas en un lugar por cada mil habitantes. ■ **tasa de natalidad** Tasa que indica el número anual de nacimientos en un lugar por cada mil habitantes. ■ **tasa de paro** Tasa que indica la relación entre las personas en edad de trabajar que están sin trabajo y el total de la población.

tasación *s. f.* Cálculo o determinación del precio o del valor global de una cosa.

tasar *v. tr.* ① Poner precio o valor a una cosa la persona que tiene autoridad o capacidad para ello. ② Fijar o establecer de manera oficial el precio límite o máximo de una cosa.
FAM tasa, tasación, tasador.

tasca *s. f.* Establecimiento de carácter popular en el que se venden y consumen bebidas alcohólicas y en algunos casos comidas. SIN taberna.

tata *s. f.* ① familiar Niñera o sirvienta. ❙ *s. m.* ② AMÉR. familiar Papá: *fui con el tata al cine.*

tatami *s. m.* Tapiz acolchado que sirve de pista para practicar artes marciales y otros deportes.

tatarabuelo, -la *s. m. y f.* Abuelo o abuela del abuelo o de la abuela de una persona.

tataranieto, -ta *s. m. y f.* Nieto o nieta del nieto o de la nieta de una persona.

tatarear *v. tr./intr.* Tararear.

tatuaje *s. m.* ① Dibujo grabado en la piel de una persona mediante una técnica especial que impide que se borre. ☑ Acción de tatuar.

tatuar *v. tr.* Grabar dibujos en la piel introduciendo sustancias colorantes bajo la epidermis mediante una técnica especial que impide que se borren.
FAM tatuador, tatuaje.
OBS Verbo regular, se acentúa como *actuar*.

tau *s. m.* Nombre de la decimonovena letra del alfabeto griego; se escribe T/τ y se transcribe como *t*.

taula *s. f.* Monumento megalítico propio de las islas Baleares, formado por un bloque principal de piedra colocado en vertical y otro horizontal situado sobre él.

taumaturgo, -ga *s. m. y f.* culto Persona que tiene poderes para hacer milagros o actos prodigiosos.

taurino, -na *adj.* Relativo al toro o al toreo.

tauro *adj./s. com.* Se aplica a la persona que ha nacido entre el 20 de abril y el 21 de mayo, tiempo en que el Sol, visto desde la Tierra, recorre la constelación de Tauro, segundo signo del Zodiaco.
OBS Se escribe normalmente con mayúscula inicial. Plural invariable.

tauromaquia *s. f.* ☑ Arte y técnica de lidiar toros. ☑ Obra o libro que trata de este arte.
FAM tauromáquico.

tautología *s. f.* Repetición de un mismo pensamiento o concepto expresado con distintas palabras o añadiendo otras innecesarias: *"los amigos son los amigos" es una tautología.*
FAM tautológico.

tautológico, -ca *adj.* Relativo a la tautología.

taxativo, -va *adj.* Que no admite discusión o corta cualquier posibilidad de réplica: *las órdenes de los superiores son taxativas.* SIN tajante, terminante.

taxi *s. m.* Automóvil con un conductor que transporta de un lugar a otro a las personas que lo solicitan a cambio de dinero, y que generalmente opera dentro de una ciudad.
FAM taxista; aerotaxi, radiotaxi.

taxidermia *s. f.* Arte de disecar animales muertos.
FAM taxidermista.

taxidermista *s. com.* Persona que se dedica a la taxidermia.

taxímetro *s. m.* Aparato que llevan los taxis y que va marcando automáticamente la cantidad de dinero que se debe pagar por el trayecto recorrido.
FAM taxi.

taxista *s. com.* Persona que se dedica a conducir un taxi.

taxón *s. m.* Unidad sistemática que designa un nivel jerárquico en la clasificación de los seres vivos, como la especie, el género, la familia, el orden y la clase.

taxonomía *s. f.* ☑ Ciencia que estudia los principios, métodos y fines de la clasificación de los seres vivos. SIN sistemática. ☑ Clasificación u ordenación en grupos de cosas que tienen unas características comunes, especialmente la de grupos de animales o vegetales que se hace en biología. SIN sistemática.
FAM taxonómico.

taxonómico, -ca *adj.* Relativo a la taxonomía.

taza *s. f.* ☑ Recipiente pequeño provisto de un asa, que es más ancho que alto y se usa generalmente para tomar ciertas bebidas. ☑ Contenido de este recipiente: *tómate una taza de*

leche. ☑ Receptáculo que forma parte del váter, en el que se orina y se hace de vientre.
FAM tazón.

tazón *s. m.* ☑ Recipiente parecido a una taza pero de mayor tamaño y sin asa, que se utiliza para tomar ciertas bebidas: *echó en el tazón la leche y los cereales.* ☑ Contenido de este recipiente.

te¹ *s. f.* Nombre de la letra *t*.

te² *pron.* ☑ Forma átona del pronombre de segunda persona, en género masculino y femenino y en número singular, que realiza la función de complemento directo e indirecto: *te quiero; te he escrito una carta.* ☑ Forma átona de segunda persona del singular en las construcciones pronominales: *¿te ducharás luego?*
OBS Se escribe unido al verbo cuando se pospone a él: *quítate el abrigo.*

té *s. m.* ☑ Arbusto originario del sureste de Asia, con cuyas hojas se prepara la infusión del mismo nombre. ☑ Conjunto de hojas de este arbusto, convenientemente secadas y ligeramente tostadas. ☑ Infusión que se prepara hirviendo estas hojas y cuyos efectos son estimulantes y digestivos: *después de comer siempre tomo un té con limón.*
FAM teína, tetera.
OBS Plural: *tés.*

tea *s. f.* Palo de madera empapado en resina que se enciende para alumbrar o para prender fuego.

teatral *adj.* ☑ Relativo al teatro: *crítica teatral.* ☑ Que es exagerado y busca llamar la atención o causar un gran efecto: *gestos teatrales.*
FAM teatralidad, teatralizar.

teatralidad *s. f.* ☑ Conjunto de características propias del género teatral o dramático. ☑ Cualidad de teatral (exagerado).

teatralizar *v. tr.* ☑ Preparar y adaptar un texto como obra teatral y representarlo. ☑ Dar un tono exagerado a una cosa, generalmente para llamar la atención.
FAM teatralización.

teatrero, -ra *adj./s. m. y f.* ☑ Se aplica a la persona que es muy aficionada al teatro. ☑ familiar Se aplica a la persona que actúa de manera teatral.

teatro *s. m.* ☑ Género literario al que pertenecen las obras dramáticas compuestas para ser representadas en un escenario. ☑ Conjunto de obras de este género escritas por un autor o producidas en una época histórica o un país. ☑ Edificio destinado a la representación en un escenario de obras dramáticas o de espectáculos de otro tipo. ☑ Lugar o situación en la que ocurren acontecimientos importantes o se desarrolla cierta actividad: *después de las últimas ofensivas ha cambiado el teatro de la guerra.* ☑ Fingimiento o exageración en la forma de actuar de una persona: *ese futbolista tiene mucho teatro, siempre se cae dentro del área.* ☑ Arte de componer o representar obras dramáticas.
FAM teatral, teatrero; anfiteatro.

tebeo *s. m.* Revista o publicación infantil que contiene una serie de dibujos y textos mediante los que se cuenta una historia.
más visto que el tebeo despectivo Demasiado conocido: *ese tema está más visto que el tebeo.*

teca¹ *s. f.* ☑ Árbol de tronco delgado, corteza grisácea, copa esférica y hojas ovaladas de gran tamaño que crece en el Asia tropical, alcanza entre 20 y 50 m de altura y es apreciado por su madera: *la teca se utiliza especialmente para construcciones navales.* **2** Madera de este árbol, de gran resistencia y duración.

teca² *s. f.* **1** En botánica, cavidad de la antera donde se encuentra el polen. **2** Cubierta protectora que presentan algunos organismos o grupos celulares, como las algas diatomeas.

techado *s. m.* Cubierta o parte superior que cubre y cierra una construcción.

techar *v. tr.* Cubrir una construcción construyendo el techo. **FAM** techado.

techo *s. m.* **1** Cubierta o parte superior que cubre y cierra una construcción o cualquier espacio o recinto. **SIN** techado. **2** Cara interior de la cubierta que cierra por la parte superior una construcción o cualquier espacio o recinto. **3** Casa o lugar donde vivir o refugiarse: *hay personas que no tienen un techo donde cobijarse.* **4** Altura máxima que puede alcanzar un avión en un vuelo. **5** Punto más alto o límite máximo a que puede llegar y del que no puede pasar un asunto, un proceso u otra cosa: *la inflación ha alcanzado su techo.* **FAM** techar, techumbre; entretecho.

techumbre *s. f.* Estructura que forma la cubierta de un edificio junto con los diferentes elementos de cierre.

tecla *s. f.* **1** Pieza de algunos instrumentos musicales que se presiona con el dedo para producir el sonido de la nota correspondiente. **2** Pieza de algunos aparatos y máquinas que se presiona con el dedo y sirve para producir un efecto determinado: *las teclas de la calculadora.* **3** familiar Detalle que debe tratarse en un asunto que requiere mucho cuidado: *en este asunto todavía quedan muchas teclas por tocar.*
dar en la tecla familiar Acertar.
FAM teclado, teclear, teclista.

teclado *s. m.* **1** Serie de teclas de un instrumento musical o de un aparato o máquina: *el teclado del piano; el teclado de un ordenador es uno de los periféricos.* **2** Instrumento musical electrónico provisto de una serie de teclas similares a las del piano; puede llevar incorporado un sintetizador y altavoces para que funcione de manera autónoma, o bien puede conectarse a un amplificador y unos altavoces.

teclear *v. intr.* **1** Accionar o pulsar las teclas de un instrumento musical o de un mecanismo. **‖** *v. tr.* **2** Escribir un texto apretando las teclas de una máquina de escribir o un ordenador: *debes teclear el nombre del archivo que quieres recuperar.* **FAM** tecleo.

teclista *s. com.* **1** Persona que se dedica a pasar obras escritas o gráficas a un formato adecuado para ser impreso. **2** Persona que toca un instrumento de teclado en una orquesta o conjunto musical.

tecnecio *s. m.* Elemento químico de símbolo *Tc* y número atómico 43; es un metal de transición, de color gris plateado, radiactivo, que se se utiliza en medicina y en la tecnología de reactores y fue descubierto bombardeando artificialmente núcleos de molibdeno con núcleos de deuterio.

técnica *s. f.* **1** Conjunto de procedimientos o recursos que se usan en una ciencia o en una actividad determinada: *técnicas pesqueras.* **2** Habilidad que tiene una persona para hacer uso de estos procedimientos o recursos. **3** Aplicación práctica de los métodos y de los conocimientos relativos a las diversas ciencias.

tecnicismo *s. m.* **1** Término que posee un sentido concreto y determinado dentro del lenguaje propio de un oficio, ciencia, arte o industria: *la palabra "algoritmo" es un tecnicismo de las matemáticas.* **2** Cualidad de técnico.

técnico, -ca *adj.* **1** Relativo a la técnica (aplicación práctica de los métodos de una ciencia). **2** Se aplica a la palabra o al lenguaje que es propio de una ciencia, un arte, una profesión o una actividad determinada. **‖** *s. m. y f.* **3** Persona que posee conocimientos o habilidades especializadas en relación con una ciencia o una actividad determinada: *el televisor no funciona, habrá que llamar al técnico para que lo repare.* **FAM** técnica, tecnicidad, tecnicismo, tecnificar; politécnico.

tecnicolor *s. m.* Procedimiento usado en cinematografía que permite ver el color de los objetos en la pantalla: *el tecnicolor surgió en 1914 en Estados Unidos.* **OBS** Es marca registrada.

tecnificar *v. tr.* Dar o proporcionar recursos técnicos a una actividad determinada para mejorarla o modernizarla: *con la ofimática se ha tecnificado el trabajo de oficina.* **FAM** tecnificación.

tecno *s. m.* **1** Estilo de música de baile propio de las discotecas nacido en los años ochenta y caracterizado por el empleo de sintetizadores, secuenciadores y otros instrumentos electrónicos. **‖** *adj.* **2** Relativo a este estilo musical. **NOTA** Invariable en número. **OBS** Puede encontrarse la grafía inglesa *techno.*

tecnocracia *s. f.* Sistema político en el que los cargos públicos son desempeñados por técnicos o especialistas en cada una de las distintas materias. **FAM** tecnócrata.

tecnócrata *adj./s. com.* **1** Se aplica a la persona que es partidaria de la tecnocracia. **2** Se aplica a la persona que desempeña una función de gobierno como técnico o especialista en una materia.

tecnología *s. f.* **1** Conjunto de los conocimientos propios de una técnica. **2** Conjunto de instrumentos, recursos técnicos o procedimientos empleados en un determinado campo o sector: *tecnología médica.* **FAM** tecnológico.

tecnológico, -ca *adj.* Relativo a la tecnología (conocimientos técnicos).

tecolote *s. m.* AMÉR. CENTRAL, MÉX. Búho o lechuza.

tectónica *s. f.* Parte de la geología que estudia los plegamientos, las deformaciones y las fallas de la corteza terrestre y las fuerzas internas que los originan. ■ **tectónica de placas** Teoría que postula que la litosfera se halla dividida en placas rígidas que se deslizan y que, en zonas de choque, producen actividad volcánica o sísmica.

tectónico, -ca *adj.* **1** Relativo a la corteza terrestre. **2** Relativo a la tectónica.

tedéum *s. m.* Canto de la liturgia católica para alabar y dar gracias a Dios. **OBS** Plural invariable.

tedio *s. m.* **1** culto Aburrimiento. **2** Estado de ánimo de la persona que no siente interés por nada de lo que le rodea: *la depresión lo sumió en el tedio y la dejadez.* **FAM** tedioso.

tedioso, -sa *adj.* culto Que produce aburrimiento. **SIN** aburrido.

teflón *s. m.* Material plástico que es muy resistente al calor y a la corrosión.

OBS Es marca registrada.

tegumento *s. m.* ① Tejido vegetal que cubre ciertas partes de las plantas: *los óvulos y las semillas están recubiertos por un tegumento.* ② Tejido orgánico que cubre el cuerpo de un animal o alguno de sus órganos internos.

FAM tegumentario.

teína *s. f.* Sustancia alcaloide presente en las hojas del té: *la teína tiene efectos estimulantes.*

teja *s. f.* ① Pieza que forma parte de la cubierta de un tejado y que sirve para que el agua de la lluvia pueda resbalar por ella. ② Objeto que tiene una forma parecida a la de esta pieza.

FAM tejado, tejar, tejo.

tejadillo *s. m.* Tejado que tiene una sola vertiente y está adosado a una pared para cubrir una puerta o una ventana.

tejado *s. m.* Parte exterior de la cubierta superior de un edificio, generalmente recubierta de tejas.

FAM tejadillo.

tejano, -na *adj.* ① Se aplica a la prenda de vestir que está hecha de una tela fuerte de algodón, generalmente azul, y se usa de manera informal: *chaleco tejano.* **SIN** vaquero. ǀ *s. m./ adj.* ② Pantalón hecho con esta tela. **NOTA** Más en plural con el mismo significado que en singular. **SIN** vaquero. ǀ *adj.* ③ De Texas (estado de los Estados Unidos). ǀ *s. m. y f./adj.* ④ Persona que es de Texas.

tejar *v. tr.* ① Cubrir de tejas un tejado. ǀ *s. m.* ② Lugar donde se fabrican tejas y ladrillos.

tejedor, -ra *adj.* ① Que teje: *máquina tejedora.* ǀ *s. m. y f.* ② Persona que se dedica a tejer. ǀ *s. m.* ③ Invertebrado del filo artrópodos, clase insectos, de cuerpo negro, estrecho y alargado, con las patas delanteras cortas y las centrales y traseras muy largas y delgadas, que corre por la superficie del agua con gran rapidez y agilidad; se alimenta de otros insectos. **SIN** zapatero.

tejedora *s. f.* Máquina de tejer.

tejemaneje *s. m.* ① familiar Actividad intensa o movimiento constante que desarrolla una persona en la realización de una cosa: *con el tejemaneje que se trae con los platos, no me extraña que haya roto uno.* ② familiar Medio poco claro o sospechoso que utiliza una persona para conseguir una cosa.

tejer *v. tr.* ① Hacer o formar un tejido cruzando y uniendo unos hilos con otros. ② Formar sus capullos o telas los gusanos de seda o las arañas. ③ Hacer punto o ganchillo. ④ Pensar o idear un plan o un proyecto. **SIN** planear, discurrir. ⑤ Preparar con detenimiento una acción futura: *la conspiración contra el presidente se tejió en el seno de su propia familia.*

FAM tejedor, tejido; destejer, entretejer.

tejido *s. m.* ① Material que resulta de tejer o entrelazar muchos hilos, especialmente el hecho con fibras textiles que se emplea para confeccionar la ropa. **SIN** tela. ② Estructura formada por células de la misma clase y ordenadas para desempeñar una misma función: *tejido celular.* ■ **tejido adiposo** Tejido conjuntivo constituido por células con una gran cantidad de lípidos o grasas: *en la especie humana, el tejido adiposo constituye el diez por ciento del peso corporal.* ■ **tejido cartilaginoso** Tejido conjuntivo de consistencia elástica que forma parte de las articulaciones de los huesos, participa en la formación de estos y da consistencia a ciertas estructuras, como

la tráquea, el oído y la laringe. ■ **tejido conductor** Conjunto de vasos, formados por células vacías, que, en las plantas vasculares, conducen el agua absorbida por las raíces y distribuyen la savia elaborada por todo el organismo. ■ **tejido conectivo** o **tejido conjuntivo** Tejido muy variable, formado por gran cantidad de fibras elásticas y de colágeno, que tiene funciones de sostén o de relleno y de unión con otros tejidos. ■ **tejido de sostén** o **tejido mecánico** Tejido de cualquier tipo que interviene estructuralmente en el mantenimiento de la consistencia o la forma de un organismo, como el tejido óseo y el tejido conjuntivo. ■ **tejido epitelial** Tejido formado por células que, a modo de membrana, recubren un órgano o un sistema. ■ **tejido muscular** Tejido especializado en los movimientos de contracción que posibilita tanto el desplazamiento del propio organismo como los movimientos de ciertos órganos internos, como el corazón. ■ **tejido nervioso** Tejido capaz de recoger, conducir e integrar señales nerviosas; a través de órganos efectores, determina las respuestas del animal frente al medio y controla todos los demás tejidos. ■ **tejido óseo** Tejido con función de soporte para el organismo y de protección para los órganos internos; se caracteriza por presentar la materia situada entre las células mineralizada, lo que le confiere una especial dureza. ■ **tejido sanguíneo** Tejido líquido constituido fundamentalmente por el plasma sanguíneo; contiene el pigmento respiratorio (la hemoglobina en los vertebrados) que conduce el oxígeno hasta todos los órganos; transporta el dióxido de carbono que es expulsado a través del aparato respiratorio y reparte los nutrientes requeridos por las células, retomando para su posterior excreción las sustancias de desecho. ■ **tejido secretor** Tejido de cualquier tipo que contiene células secretoras.

tejo[1] *s. m.* ① Trozo de teja o de piedra con forma plana y redondeada, que se usa para jugar a ciertos juegos. ② Juego en que se usa este trozo de teja o piedra, plano y redondeado, y que consiste en lanzarlo sobre unas casillas dibujadas en el suelo que se van recorriendo a la pata coja. **SIN** rayuela.

echar (o tirar) los tejos familiar Dar a conocer una persona a otra el sentimiento de amor o el interés que tiene por ella.

tejo[2] *s. m.* Árbol con hojas aciculares de color verde oscuro y venenosas, corteza escamosa rojiza y porte piramidal, que vive muchísimos años; se cultiva como ornamental y también por su madera.

tejón *s. m.* Mamífero de color grisáceo, con el pelo largo y espeso, y con mechones blancos y negros en la cabeza, que vive en madrigueras profundas y se alimenta de pequeños animales y de frutos: *el tejón mide alrededor de 1 m de largo.*

tejuelo *s. m.* Trozo de tela o papel que se pega en el lomo de un libro para poner el rótulo u otro tipo de información.

tela *s. f.* ① Tejido hecho con hilos cruzados entre sí. ② Trozo de ese tejido. ③ Tejido orgánico con forma de lámina. **SIN** membrana. ④ familiar Asunto o materia de la que hay que hablar o que se presta a comentarios: *hace mucho que no se veían, así que tienen tela para rato.* ⑤ familiar Tarea que hay que realizar: *hay que pintar toda la casa, así que tengo tela para varios días.* ⑥ familiar Dinero. **SIN** pasta. ⑦ Cuadro o pintura realizado sobre un lienzo.

en tela de juicio En duda: *han puesto mi honor en tela de juicio y debo defenderme.*

haber tela que cortar familiar Haber abundante materia para tratar o mucho trabajo para realizar: *ponte a trabajar, que hay mucha tela que cortar.*

tela de araña Telaraña.

tela metálica Tejido que está hecho con alambre.

FAM telar; entretela.

telar *s. m.* Máquina que sirve para tejer.

telaraña *s. f.* Tejido en forma de red que construyen las arañas con un hilo muy fino que segregan unas glándulas que poseen en el abdomen, y que les sirve para capturar a sus presas. SIN tela de araña.

tele *s. f.* familiar Televisión.

telebasura *s. f.* Programación televisiva de muy baja calidad y mucha audiencia.

telecabina *s. f.* Teleférico que está provisto de cabinas que se mueven por un único cable.

telecomunicación *s. f.* ① Sistema de comunicación a distancia por medio de cables y ondas electromagnéticas. ② Conjunto de medios de comunicación a distancia: *estoy estudiando la carrera de telecomunicaciones.* NOTA También en plural con el mismo significado que en singular.

telediario *s. m.* Programa de televisión donde se informa de las noticias más importantes del día.

teledifusión *s. f.* Transmisión de imágenes de televisión mediante ondas electromagnéticas: *la teledifusión permite que la televisión llegue a todos los hogares.*

teledirigir *v. tr.* Dirigir y controlar un vehículo o un aparato a distancia, generalmente por medio de ondas electromagnéticas.

telefax *s. m.* ① Sistema de comunicación que permite mandar y recibir información escrita a través del teléfono. SIN fax. ② Aparato que permite mandar y recibir información escrita a través de este sistema. SIN fax. ③ Documento que se manda o se envía a través de este aparato. SIN fax. OBS Plural invariable, es marca registrada.

teleférico *s. m.* Sistema de transporte que consiste en una serie de vehículos suspendidos de un cable de tracción y que se usa para superar grandes diferencias de altitud: *el domingo por la mañana mi hermano y yo cogimos el teleférico para subir a la parte alta de la ciudad.*

telefilm o **telefilme** *s. m.* Película hecha para televisión.

telefonazo *s. m.* familiar Llamada de teléfono.

telefonear *v. intr.* ① Llamar a alguien por teléfono. | *v. tr.* ② Comunicar una información o una noticia por teléfono: *te telefonearé los resultados de la encuesta.*

telefonía *s. f.* ① Sistema de comunicación que transmite la voz y el sonido a larga distancia por medios eléctricos o electromagnéticos. SIN teléfono. ■ **telefonía móvil** Sistema de comunicación que permite hacer y recibir llamadas desde cualquier lugar. ② Servicio de comunicaciones telefónicas. FAM radiotelefonía.

telefónico, -ca *adj.* Relativo al teléfono.

telefonillo *s. m.* Aparato en forma de teléfono que está conectado a un portero automático y que permite comunicarse desde la puerta de entrada de un edificio con alguien que está en el interior.

telefonista *s. com.* Persona que trabaja en el servicio de aparatos telefónicos, especialmente la que se dedica a contestar llamadas en una centralita. SIN operador.

teléfono *s. m.* ① Telefonía. ② Aparato que recibe y emite comunicaciones a larga distancia. ■ **teléfono inalámbrico** Teléfono de cuyo auricular no sale ningún hilo o cable y que

funciona gracias a la comunicación con una base conectada a la red normal. ■ **teléfono móvil** Teléfono pequeño que no tiene hilos ni cables externos, que se puede llevar encima, y que permite hablar desde cualquier lugar. ③ Número que corresponde a uno de esos aparatos y que se asigna a cada usuario: *mi teléfono es el 93 345 67 88.* FAM telefonazo, telefonear, telefonema, telefonía, telefónico, telefonillo, telefonista; videoteléfono.

telegrafía *s. f.* Sistema de comunicación que permite la transmisión de información a larga distancia por medio de impulsos eléctricos y utilizando un código de signos preestablecido. SIN telégrafo. FAM telegrafiar, telegráfico; radiotelegrafía.

telegrafiar *v. tr.* Comunicar un mensaje por medio del telégrafo. OBS Verbo regular, se acentúa como *desviar.*

telegráfico, -ca *adj.* ① Relativo al telégrafo: *algunos mensajes oficiales se transmiten mediante comunicación telegráfica.* ② Se aplica a la escritura o al habla que es breve y concisa, con frases cortas y pocas palabras.

telegrafista *s. com.* ① Persona que instala aparatos telegráficos. ② Persona que tiene como profesión el manejo de aparatos telegráficos y atiende el servicio de telégrafos.

telégrafo *s. m.* ① Sistema de comunicación que permite la transmisión de información por medio de impulsos eléctricos y utilizando un código de signos preestablecido: *el telégrafo utiliza el código morse.* ② Aparato que emite y recibe mensajes mediante este sistema de comunicación. FAM telegráfico, telegrafista.

telegrama *s. m.* ① Comunicación o mensaje escrito que se transmite por telégrafo. ② Impreso normalizado en que se recibe escrito el mensaje telegráfico.

telekinesia *s. f.* Telequinesia.

telele *s. m.* ① familiar Desmayo: *con este calor me va a entrar un telele.* ② familiar Ataque de nervios, disgusto o impresión muy fuerte.

telemarketing [se pronuncia aproximadamente 'telemárquetin'] *s. m.* Servicio de venta o promoción de productos por teléfono.

telemática *s. f.* Industria que emplea ordenadores y sistemas informáticos conjuntamente con las telecomunicaciones.

telenovela *s. f.* Historia filmada y grabada que se emite por televisión dividida en capítulos.

teleobjetivo *s. m.* Lente o conjunto de lentes que sirve para filmar o tomar fotografías de cosas o personas que están a gran distancia de la cámara.

teleoperador, -ra *s. m.* ① Empresa que ofrece servicios telefónicos o televisivos. | *s. m. y f.* ② Persona que por teléfono atiende al público o busca nuevos clientes.

teleósteo *adj./s. m.* ① Se aplica al pez de esqueleto completamente óseo, como la mayoría de los peces actuales. | *s. m. pl.* ② **teleósteos** Grupo taxonómico, con categoría de superorden, constituido por estos peces.

telepatía *s. f.* Fenómeno que consiste en la transmisión o la coincidencia de pensamientos entre personas producido sin intervención de los sentidos o de agentes físicos conocidos. FAM telepático.

telepático, -ca *adj.* Relativo a la telepatía.

telequinesia [también **telekinesia**] *s. f.* En parapsicología, desplazamiento de objetos sin causa física apreciable, generalmente en presencia de un médium.

telescópico, -ca *adj.* ① Relativo al telescopio. ② Que está tan lejano que solamente se puede ver con un telescopio: *asteroides telescópicos.*

telescopio *s. m.* Instrumento óptico que sirve para observar y ver agrandados objetos lejanos, especialmente las estrellas y otros cuerpos celestes: *los telescopios están formados por varias lentes: una lente que recoge la imagen del objeto y otra que la aumenta.*
FAM telescópico; radiotelescopio.

telesilla *s. m.* Sistema de transporte formado por una serie de asientos suspendidos de un cable y que se utiliza principalmente para subir a la cumbre de una montaña: *subimos a las pistas de esquí con el telesilla.*

telespectador, -ra *s. m. y f.* Persona que mira la televisión. SIN televidente.

telesquí *s. m.* Instalación situada en las pistas de esquí que sirve para transportar a los esquiadores con los esquís puestos a la parte más alta de las pistas: *el telesquí funciona mediante un sistema de arrastre.*
OBS Plural: *telesquís* o *telesquíes.*

teletexto *s. m.* Sistema de transmisión de información a través de una pantalla de televisor, que permite la intercomunicación del usuario y el centro de datos: *voy a leer en el teletexto las noticias del día.*

teletipo *s. m.* ① Sistema de recepción y envío de mensajes escritos por medio de un teclado que permite también la impresión: *la agencia periodística recibe la información a través del teletipo.* ② Aparato provisto de un teclado que permite la recepción y el envío de mensajes escritos mediante este sistema. ③ Mensaje escrito que se recibe y se envía usando este aparato.
OBS Es marca registrada.

teletrabajo *s. m.* Trabajo que una persona realiza para una empresa desde su propio domicilio u otro lugar alejado de ella, por medio de un sistema de telecomunicación, como internet, el fax o el teléfono.

televidente *s. com.* Telespectador.

televisar *v. tr.* Emitir imágenes por televisión: *van a televisar el partido entre España y Alemania.*
FAM televisada.

televisión *s. f.* ① Sistema de transmisión de imágenes y sonidos a distancia por medio de ondas hertzianas. ② Televisor. ③ Medios y conjunto de personas que se dedican a transmitir información y programas diversos usando esta técnica.
FAM tele, televisar, televisivo; radiotelevisión.

televisivo, -va *adj.* ① Relativo a la televisión. ② Que tiene buenas condiciones para ser emitido por televisión y para gustar al público: *las películas y los concursos son más televisivos que los reportajes.*

televisor *s. m.* Aparato eléctrico que recibe y reproduce imágenes y sonidos transmitidos por televisión. SIN televisión.

télex *s. m.* ① Sistema telegráfico que se efectúa a distancia por medio de teletipos. ② Mensaje que se recibe y se envía mediante este sistema.
OBS Plural invariable, es marca registrada.

telofase *s. f.* Cuarta y última fase de la mitosis (división celular), en la cual los cromosomas se rodean de una nueva membrana nuclear y el citoplasma se divide en dos.

telón *s. m.* Cortina grande que puede subirse y bajarse, y que cubre el escenario de un teatro o la pantalla de un cine.

telón de acero Frontera política e ideológica que separaba los países del este de Europa de los del oeste.

telón de fondo (I) Telón que se coloca en la parte posterior del escenario. (II) Conjunto de circunstancias que rodean un acontecimiento e influyen en él.
FAM telonero.

telonero, -ra *adj./s. m. y f.* ① Se aplica al artista o cantante que en un espectáculo musical actúa antes que el cantante o el grupo principal. ‖ *s. m. y f.* ② Persona que se encarga de subir y bajar el telón en un escenario.

telúrico, -ca *adj.* ① Que surge del interior de la tierra: *los movimientos sísmicos son fenómenos telúricos.* ② culto Relativo a la Tierra.

teluro *s. m.* Elemento químico de símbolo Te y número atómico 52, que pertenece al grupo de los anfígenos; es quebradizo y cristalino, y de color plateado cuando se encuentra en estado sólido; se obtiene del cobre y se utiliza en aleaciones, en la fabricación de semiconductores, en vidrio y en cerámica.

tema *s. m.* ① Asunto principal o materia sobre la que se trata en una conversación, un discurso o un escrito. ② Parte de un manual o de un libro de texto que forma una unidad independiente: *el profesor nos mandó leer el tema tres.* ③ Idea musical básica de una composición, generalmente en forma de melodía, que se va repitiendo y desarrollando de distintas formas a lo largo de toda la obra: *el tema es más largo e independiente que el motivo.* ④ Canción o composición musical: *sonó un tema de rock.* ⑤ En gramática, raíz o radical de una palabra a la que se adjuntan directamente los elementos flexivos: *el tema de perfecto del verbo "decir" es "dij-".*
FAM temario, temático.

temario *s. m.* Lista de temas o asuntos que se tratan en un libro, un curso, una asignatura o una conferencia.

temática *s. f.* Tema general o conjunto de temas parciales de una obra, de un autor o de un asunto general: *la temática de sus novelas es muy variada.*

temático, -ca *adj.* Relativo al tema: *el contenido temático de este libro es muy pobre.*

tembladera *s. f.* familiar Temblor corporal muy intenso.

temblar [1] *v. intr.* ① Agitarse una persona o un animal con movimientos rápidos, continuos e involuntarios. SIN tiritar. ② Moverse o agitarse una cosa de esa manera: *con la explosión, las lámparas del techo temblaron.* ③ Tener miedo o estar nervioso: *estoy temblando por el examen de mañana.*
FAM tembladera, tembleque, temblor; retemblar.

tembleque *s. m.* familiar Temblor.
FAM temblequear.

temblor *s. m.* Agitación o movimiento rápido, involuntario y continuo del cuerpo o de una parte de él, provocado principalmente por miedo, frío, enfermedad o nerviosismo.

temblor de tierra Movimiento violento de la superficie de la Tierra producido por fuerzas que actúan en el interior del globo terrestre. SIN seísmo, terremoto.
FAM tembloroso.

tembloroso, -sa *adj.* Que tiembla: *tenía la voz temblorosa por la vergüenza.*

temer *v. tr.* ① Tener miedo de algo o alguien. ② Creer o sospechar que va a pasar o que ha pasado alguna cosa, especialmente algo malo: *me temo que no podré ir.* ‖ *v. intr.* ③ Sentir temor.
FAM temerario, temeroso, temible, temor.

temerario, -ria *adj./s. m. y f.* ① Que tiene o muestra imprudencia: *la conducción temeraria es una de las causas de los accidentes de tráfico.* **SIN** imprudente. ‖ *adj.* ② Que no tiene fundamento ni razón, y se hace o se dice sin pensar en las consecuencias negativas que pueda tener: *no debes hacer juicios temerarios.*
FAM temeridad.

temeridad *s. f.* ① Cualidad de temerario: *la temeridad del escalador le costó la vida.* ② Acción temeraria.

temeroso, -sa *adj.* ① Que tiene o muestra temor. ② Que causa temor: *una tormenta temerosa.*

temible *adj.* Que causa temor o merece ser temido.

temor *s. m.* ① Sentimiento de inquietud y angustia que mueve a rechazar o a tratar de evitar las cosas que se consideran peligrosas, arriesgadas o capaces de hacer daño. **SIN** miedo. ② Creencia o sospecha de que va a pasar o que ha pasado algo malo o desagradable.
FAM atemorizar.

témpano *s. m.* ① Trozo de hielo plano y delgado que flota sobre el agua. ② Piel extendida de la parte superior del tambor y de otros instrumentos parecidos. ③ Trozo plano y delgado de cualquier material rígido. **SIN** parche. ④ Tímpano (espacio triangular).

témpera *s. f.* ① Técnica pictórica en la que los pigmentos se diluyen en agua combinada con un aglutinante: *la témpera se prepara con agua, pigmento y cola.* ② Obra realizada con este tipo de pintura.

temperamental *adj.* ① Que es propio del temperamento de una persona: *el buen humor es su rasgo temperamental más acusado.* ② Se aplica a la persona que tiene un carácter muy fuerte y difícil de prever y que cambia de humor con facilidad.

temperamento *s. m.* ① Carácter o manera de ser de una persona. ② Carácter fuerte, enérgico, firme y vivo de una persona.
FAM temperamental.

temperante *adj./s. com.* AMÉR. Abstemio.

temperatura *s. f.* ① Propiedad que establece el equilibrio térmico entre dos cuerpos: *el calor fluye siempre del cuerpo que está a mayor temperatura hacia el de menor temperatura.* ■ **temperatura absoluta** Temperatura que se mide en una escala que se cuenta a partir del cero absoluto (–273,16 °C) o punto en el que puede afirmarse que no existe ningún tipo de movimiento; su unidad es el grado kelvin. ② familiar Fiebre (síntoma de enfermedad).

tempestad *s. f.* ① Fenómeno meteorológico producido por variaciones de temperatura en la atmósfera, que se manifiesta con viento, grandes nubes, violentas precipitaciones acompañadas de rayos, truenos y relámpagos. **SIN** tormenta. ② Agitación violenta de las aguas del mar causada por vientos fuertes. **SIN** temporal. ③ Agitación fuerte en el estado de ánimo de una persona: *el castigo del maestro fue tan injusto que levantó tempestades entre sus alumnos.* ④ Expresión ruidosa y violenta de un conjunto de personas, generalmente para desaprobar una acción o mostrar indignación: *su discurso político provocó una tempestad de insultos.*
FAM tempestivo; tempestuoso.

tempestuoso, -sa *adj.* ① Relativo a la tempestad. ② Que provoca tensión o que implica problemas y discusiones: *tienen una relación tempestuosa.*

templado, -da *adj.* ① Que tiene una temperatura media y no está ni frío ni caliente. **SIN** tibio. ② Que está tranquilo y sereno. ③ Que no es exagerado, sino que está en un punto medio entre los extremos: *Ernesto es una persona muy templada.* **SIN** comedido, moderado.

templanza *s. f.* ① Moderación en el ánimo, en las pasiones y en los placeres de los sentidos: *la templanza es una de las tres virtudes cardinales.* **SIN** mesura, prudencia. ② Benignidad del clima.

templar *v. tr.* ① Quitar el frío de una cosa calentándola ligeramente. ‖ *v. intr./prnl.* ② Calentarse ligeramente una cosa: *el clima se templó después de la lluvia.* ‖ *v. tr.* ③ Bajar rápidamente la temperatura de un material que está muy caliente. ④ Hacer más suave o menos intensa la fuerza de una cosa: *la política de protección social ha templado los efectos de la crisis.* ⑤ Poner un instrumento musical en el tono adecuado, especialmente el propio instrumentista en el momento previo a comenzar a tocar: *el maestro templó la guitarra.* ⑥ Tensar moderadamente una cuerda, un muelle, los cables de un barco, etc. ‖ *v. prnl.* ⑦ **templarse** Contenerse en las comidas, en las pasiones, etc. ⑧ AMÉR. SUR Enamorarse.
FAM templado, templanza, temple, destemplar.

templario, -ria *adj.* ① Relativo a la orden religiosa y militar del Temple fundada en el siglo XII por Hughes de Payns y Godofredo de Saint Homer para proteger los lugares santos de Jerusalén y a los peregrinos que iban a esta ciudad. ‖ *s. m./adj.* ② Hombre que pertenecía a esta orden.

temple *s. m.* ① Carácter valiente, fuerte y tranquilo en las situaciones difíciles. ② Estado de ánimo de una persona: *hoy estoy de mal temple.* **SIN** humor. ③ Técnica pictórica basada en la aplicación de pigmento diluido en agua con un aglutinante sobre muro, una tabla, un lienzo u otros soportes muebles: *las bóvedas de la catedral están pintadas al temple.* ④ Obra pictórica realizada mediante esta técnica. ⑤ Preparación de un instrumento musical para que suene en el tono adecuado y produzca los sonidos que le son propios. ⑥ Tratamiento térmico que consiste en calentar un material como vidrio, acero, etc. hasta cierta temperatura y enfriarlo luego rápidamente para endurecerlo.

templete *s. m.* Construcción pequeña que imita la de un templo y que se usa para cobijar una imagen.

templo *s. m.* ① Edificio o recinto público destinado al culto religioso: *las iglesias son templos cristianos; la Mezquita de Córdoba es un templo musulmán.* ② Lugar real o imaginario donde se rinde culto a una ciencia, un arte o una virtud: *París es el templo de la moda.*
FAM templete.

tempo *s. m.* ① Velocidad con que se ejecuta una composición musical: *la música latina suele tener un tempo rápido.* **SIN** tiempo. ② Velocidad con que sucede la acción en una novela, una obra teatral o cinematográfica, o con que se desarrolla un programa de radio o televisión: *tempo narrativo.*

temporada *s. f.* ① Espacio de tiempo que se considera formando una unidad: *los diseñadores sacarán nuevos modelos para*

T

la temporada de otoño e invierno. ② Tiempo durante el cual se realiza habitualmente alguna actividad: *temporada de esquí.*

de temporada Que es propio de una determinada época del año.

FAM temporero; pretemporada.

temporal¹ *adj.* ① Que no es para siempre sino que dura un tiempo determinado. SIN pasajero. ANT eterno. ② Relativo al tiempo (duración): *los minutos y los segundos son unidades temporales.* ‖ *s. m.* ③ Fenómeno atmosférico que provoca un cambio en la presión y fuertes vientos, generalmente acompañados de lluvia o nieve, truenos y relámpagos. SIN tempestad, tormenta. ④ Agitación violenta de las aguas del mar causada por vientos fuertes. SIN tempestad. ‖ *adj.* ⑤ En lingüística, que expresa idea de tiempo: *oración temporal.*

capear el temporal familiar Enfrentarse a problemas o situaciones difíciles y tratar de solucionarlos de la mejor manera posible.

FAM temporalidad, temporalizar.

temporal² *s. m./adj.* Hueso situado en la zona de la cabeza correspondiente a las sienes: *tenemos dos temporales, uno a cada lado del cráneo.*

temporalidad *s. f.* Cualidad de temporal (pasajero): *la temporalidad de la vida humana.*

temporero, -ra *adj./s. m. y f.* ① Se aplica a la persona que desempeña un oficio o empleo durante un periodo corto de tiempo. SIN eventual. ② Se aplica a la persona que trabaja en el campo solamente durante el periodo de recogida de determinados frutos o plantas.

temporizador *s. m.* Dispositivo eléctrico que regula de forma automática el encendido y el apagado de una máquina, un instrumento, etc.

tempranero, -ra *adj.* ① Temprano (con anticipación): *el verano ha llegado tempranero este año.* ② Se aplica a la persona que suele madrugar.

temprano, -na *adj.* ① Que ocurre o se realiza pronto o antes de lo normal. SIN tempranero. ‖ *adv.* ② En las primeras horas del día o de la noche. ③ En un tiempo anterior al señalado, convenido o acostumbrado: *si llegas demasiado temprano, puede que no haya venido nadie todavía.* ANT tarde. ‖ *s. m.* ④ Terreno sembrado con un fruto que se recoge pronto: *va a comenzar la cosecha de los tempranos.*

FAM tempranero.

tempura *s. f.* Fritura típica de la cocina japonesa que puede ser de pescado o verduras, y que generalmente se acompaña de una salsa.

ten Se usa en la expresión:

ten con ten familiar Indica moderación o tacto al tratar a una persona o un determinado asunto: *hay que llevar el asunto con un ten con ten para que todo salga bien.*

tenacidad *s. f.* ① Cualidad de la persona tenaz. ② Resistencia de un material a romperse o deformarse: *el hierro destaca por su tenacidad.*

tenacillas *s. f. pl.* Instrumento con forma de tenaza de pequeño tamaño que puede tener diferentes funciones: *se riza el cabello con las tenacillas.*

tenaz *adj.* ① Se aplica a la persona que se mantiene firme en sus ideas o intenciones y no para hasta conseguir lo que desea. ② Que es muy difícil de quitar, de romper o de separar: *el hierro es un material muy tenaz.*

FAM tenacidad.

tenaza *s. f.* ① Herramienta de metal compuesta por dos brazos movibles unidos por un eje o por un muelle y que sirve para cortar, arrancar o sujetar una cosa con fuerza. NOTA Generalmente en plural con el mismo significado que en singular. ② Parte final de las patas de algunos animales, que tiene forma de pinza y que sirve para sujetar o apretar: *los cangrejos y los alacranes tienen tenazas.*

FAM tenacillas; atenazar.

tenca¹ *s. f.* Pez de agua dulce, comestible, similar a la carpa.

tenca² *s. f.* ARG., CHILE Calandria americana.

tendal *s. m.* ① Toldo o cubierta de tela para dar sombra. ② Tela o red que se tiende en el suelo, debajo de determinados árboles (avellanos, olivos, etc.) para que caigan en él los frutos cuando se recogen. ③ Conjunto de cosas extendidas para que se sequen: *un tendal de ropa blanca.*

tendalada *s. f.* familiar AMÉR. Conjunto de cosas o personas tendidas en desorden en el suelo por alguna causa violenta.

tendedero *s. m.* Lugar donde se tiende una cosa, especialmente la ropa mojada para secarse: *los tendederos están formados por cuerdas o alambres.*

tendencia *s. f.* ① Inclinación o disposición natural que una persona tiene hacia una cosa determinada: *tiene tendencia a engordar y tiene que hacer dieta.* ② Idea u opinión que se orienta hacia una dirección determinada, especialmente ideas políticas, religiosas o artísticas.

FAM tendencioso.

tendencioso, -sa *adj.* Que muestra parcialidad y se orienta hacia una tendencia o inclinación determinada.

tender [2] *v. tr.* ① Desdoblar o extender una cosa con un fin determinado: *tendí la ropa esta mañana y ya está casi seca.* ② Alargar una cosa y aproximarla a otra: *el embajador tendió la mano al ministro.* ③ Suspender, colocar o construir una cosa apoyándola sobre dos o más puntos: *han tendido un puente sobre el río.* ④ Colocar una cosa en posición horizontal: *ha ido a tenderse un rato porque estaba cansado.* SIN echar, tumbar. ‖ *v. intr.* ⑤ Mostrar o tener una inclinación o una disposición natural hacia un estado o una cualidad. ⑥ Tener una característica difícil de precisar, pero aproximada a otra: *sus ojos tienden a azules.* ⑦ En matemáticas, aproximarse progresivamente una variable o una función a un valor determinado: *la variable tiende a infinito.*

FAM tendedero, tendencia, tendente, tendido.

tenderete *s. m.* Puesto de venta instalado al aire libre en el que se tienen las mercancías extendidas y se venden al por menor: *compró esa chaqueta en un tenderete del mercadillo.* SIN parada.

tendero, -ra *s. m. y f.* Persona que se dedica a vender en una tienda, especialmente de comestibles.

tendido, -da *adj.* ① Se aplica al galope o a la carrera más veloces. ② Se aplica a la estocada que entra más horizontalmente de lo adecuado en el cuerpo del toro. ‖ *s. m.* ③ Conjunto de asientos no cubiertos que están próximos a la barrera en una plaza de toros. ④ Conjunto de cables que conducen la electricidad: *la tormenta ha provocado averías en el tendido eléctrico de la ciudad.*

tendinitis *s. f.* Inflamación de un tendón.

OBS Plural invariable.

tendón *s. m.* Cordón resistente de tejido conjuntivo que une los músculos a los huesos o a otros músculos. SIN ligamento.

tendón de Aquiles Tendón que está en la parte posterior de la pierna y une el talón con la pantorrilla.
FAM tendinitis, tendinoso.

tenebrismo *s. m.* Tendencia pictórica desarrollada en el siglo XVII que se caracteriza por el empleo acentuado del claroscuro y la representación detallada de ambientes y personajes: *en el Barroco, el pintor italiano Caravaggio practicó el tenebrismo.*
FAM tenebrista.

tenebrista *adj.* **1** Relativo al tenebrismo. **|** *s. com.* **2** Pintor que practica el tenebrismo.

tenebroso, -sa *adj.* **1** Que es oscuro, cubierto de tinieblas y da miedo. SIN lóbrego, sombrío, tétrico. **2** Que es misterioso, oculto o tiene mala intención: *confiaba en él porque desconocía sus tenebrosos proyectos.*
FAM tenebrosidad.

tenedor, -ra *s. m.* **1** Instrumento con un mango y tres o cuatro púas iguales en uno de sus extremos que se usa para pinchar los alimentos sólidos: *el tenedor se coloca a la izquierda del plato.* **2** Signo que reproduce la figura de ese instrumento y cuyo número sirve para indicar la categoría de un restaurante: *los restaurantes de más categoría tienen cinco tenedores.* **|** *s. m. y f.* **3** Persona que tiene una cosa, especialmente una letra de cambio u otro documento de pago. SIN contable.
FAM teneduría.

tenencia *s. f.* Ocupación y posesión de una cosa: *fue detenido por tenencia ilícita de armas.*

tener [45] *v. tr.* **1** Poseer o ser dueño de una cosa. **2** Coger o sujetar con las manos. **3** Contener o comprender en sí una cosa: *el libro tiene 25 capítulos.* **4** Deber hacer una cosa u ocuparse de ella. **5** Haber cumplido o alcanzado una edad o un periodo de tiempo determinado. **6** Experimentar o padecer un sentimiento, una enfermedad o una sensación. **7** Poseer una característica física o moral: *tiene mucho sentido del humor.* **|** *v. prnl.* **8 tenerse** Estar en posición vertical.

no tenerlas todas consigo familiar Sentir temor por la posibilidad de que ocurra algo malo o poco adecuado.

tener en cuenta o **tener presente** Considerar o recordar una cosa.

tener + *participio de un verbo transitivo* Indica una acción terminada, hecha en el pasado: *tengo entendido que mañana se marcha usted; tengo fritas las patatas desde esta mañana.*

tener por Creer una cosa o tener una opinión determinada sobre algo o alguien.

tener que + *infinitivo* Necesitar o estar obligado a hacer una cosa. SIN deber.

tener que ver con Existir alguna relación o parecido entre dos o más cosas: *aunque yo no tengo nada que ver con Pepe, todos creen que somos hermanos.*
FAM tenedor, tenencia; terrateniente.

tenia *s. f.* Gusano parásito del filo de los platelmintos, de color blanco con forma larga y plana, con el cuerpo segmentado en muchos anillos; el adulto, que vive en el intestino de los vertebrados, puede llegar a medir varios metros. SIN solitaria.

teniente, -ta *s. m. y f.* **1** Militar del cuerpo de oficiales de los ejércitos de Tierra y Aire que tiene categoría inmediatamente superior a la de alférez e inmediatamente inferior a la de capitán. **2** Persona que ejerce el cargo o la función de otra de categoría superior y a la que sustituye: *teniente de al-*

calde. **|** *adj.* **3** familiar Se aplica a la persona que está un poco sorda: *está algo teniente del oído izquierdo.*

teniente coronel Militar del cuerpo de jefes de los ejércitos de Tierra y Aire que tiene categoría inmediatamente superior a la de comandante e inmediatamente inferior a la de coronel.

teniente general Militar del cuerpo de generales de los ejércitos de Tierra y Aire que tiene categoría inmediatamente superior a la de general de división e inmediatamente inferior a la de capitán general.

teniente de navío Militar del cuerpo de oficiales de la Armada que tiene categoría inmediatamente superior a la de alférez de navío e inmediatamente inferior a la de capitán de corbeta.
FAM lugarteniente, subteniente.
OBS Femenino: *teniente* o *tenienta.*

tenis *s. m.* Deporte en el que participan dos o cuatro jugadores y que consiste en impulsar una pelota con una raqueta por encima de una red e intentar que el contrario no la pueda devolver.

tenis de mesa Deporte que se practica sobre una mesa rectangular dividida en dos mitades por una red, con una pelota pequeña de plástico y una pala. SIN pimpón.
FAM tenista, tenístico.

tenista *s. com.* Persona que juega al tenis, generalmente como profesional.

tenístico, -ca *adj.* Relativo al tenis.

tenor *s. m.* **1** Voz masculina más aguda, por debajo de la cual están las de barítono y bajo. **2** Hombre que tiene esta voz. **|** *adj.* **3** Se aplica al instrumento musical de viento de registro medio, más grave que el del instrumento soprano: *el saxo tenor es el más común.* **|** *s. m.* **4** Carácter o forma de ser de determinada cosa: *no es la primera ocasión en que se producen acontecimientos de este tenor.*

a tenor de Teniendo en cuenta cierta cosa: *a tenor de lo que se ha comentado en la reunión, parece que la empresa no está dispuesta a contratar más personal.*
FAM contratenor.

tenora *s. f.* Instrumento musical de viento típico de Cataluña, parecido al oboe, pero de tamaño algo mayor y con el pabellón de metal, que se usa en la cobla (formación orquestral con que se acompaña la sardana).

tenorio *s. m.* Hombre al que le gusta seducir a las mujeres.

tensar *v. tr.* Estirar una cosa para dejarla tirante o tensa.
FAM tensión, tensor.

tensión *s. f.* **1** Estado en el que se encuentra un cuerpo sometido a la acción de fuerzas opuestas: *la goma que sujetaban los dos niños estaba en tensión.* **2** Situación de enfrentamiento entre personas o entre grupos humanos que no se manifiesta abiertamente: *la fuerte tensión entre las dos naciones desembocó en una guerra.* **3** Estado emocional de una persona que está exaltada o nerviosa por estar sometida a preocupaciones o a un exceso de trabajo. SIN nerviosismo. ANT relajación. **4** Diferencia de voltaje entre dos puntos o dos cuerpos distintos. ■ **alta tensión** Voltaje que está por encima de 1 000 voltios para corriente alterna y 1 500 voltios para corriente continua. ■ **baja tensión** Voltaje que está por debajo de 1 000 voltios para corriente alterna y 1 500 voltios para corriente continua: *la electricidad de las viviendas es de baja tensión.* **5** Presión que ejerce la sangre sobre la pared de las arterias: *la tensión arterial depende del ritmo del corazón y del volumen de sangre.* **6** Segunda fase de la articulación de un sonido, en la que los órganos permanecen fijos durante algún tiempo, hasta que sobreviene la distensión.

FAM hipertensión, hipotensión, sobretensión.

tenso, -sa *adj.* ◻1 Se aplica al objeto que está estirado por la acción de fuerzas opuestas: *si dejas muy tenso el cable puede romperse.* **SIN** tirante. **ANT** laxo. ◻2 Se aplica a la persona que está nerviosa o no se muestra relajada.

FAM tensar.

tensor, -ra *adj./s. m. y f.* ◻1 Que pone tensa una cosa o produce tensión: *los músculos tensores sirven para juntar o separar las dos partes de un miembro.* ▌ *s. m.* ◻2 Mecanismo que sirve para poner tensa una cosa.

tentación *s. f.* ◻1 Impulso o estímulo espontáneo que nos empuja a hacer algo, especialmente una cosa mala o que no es conveniente: *no tengo mucho dinero, pero comprarme ropa es una fuerte tentación.* ◻2 Cosa o persona que provoca ese impulso o estímulo: *los dulces son una tentación para mí.*

tentáculo *s. m.* Miembro largo, blando y flexible que tienen ciertos animales invertebrados y que les sirve para tocar y desplazarse o para atrapar a sus presas: *los pulpos tienen ocho tentáculos.*

tentadero *s. m.* Corral o lugar cerrado que sirve para probar a los becerros y comprobar si son bravos y adecuados para la lidia.

tentador, -ra *adj.* Que tiene muy buen aspecto, atrae con mucha fuerza y hace caer en la tentación. **SIN** atractivo.

tentar [1] *v. tr.* ◻1 Influir o empujar a una persona para que haga una cosa, especialmente si es algo malo o poco conveniente: *el diablo nos tienta.* **SIN** inducir, instigar, provocar. ◻2 Hacer el esfuerzo o las acciones necesarias para realizar una cosa, aunque no se tenga la certeza de conseguirlo. **SIN** intentar, procurar, pretender. ◻3 Tocar una cosa con las manos u otra parte del cuerpo para examinarla. **SIN** palpar. ◻4 Probar a un becerro para comprobar si es bravo y apto para la lidia.

FAM tentación, tentadero, tentador, tienta.

tentativa *s. f.* ◻1 Acción que consiste en intentar hacer una cosa. **SIN** intento. ◻2 Principio de ejecución de un delito que no llega a realizarse por motivos ajenos al culpable: *fue sorprendido en plena tentativa de robo.*

tentempié *s. m.* ◻1 familiar Alimento ligero que se suele tomar entre horas. **SIN** refrigerio. ◻2 Tentetieso.

tentetieso *s. m.* Muñeco de plástico u otro material con la base semiesférica y un peso que le permite tambalearse de un lado a otro y volver siempre a la posición vertical. **SIN** tentempié.

tenue *adj.* ◻1 Que es fino, delgado o poco grueso: *el tul es un tejido muy tenue.* ◻2 Que es débil, suave o que tiene poca fuerza: *cenaron a la tenue luz de las velas.*

FAM tenuidad; atenuar.

teñir [11] *v. tr.* ◻1 Darle a una cosa un color distinto del que tenía. ◻2 Dar un determinado carácter o aspecto a una cosa que no es del suyo propio; generalmente se aplica a cosas no materiales: *tiñó sus palabras de tristeza al hablar de su amigo muerto.*

FAM teñido; desteñir.

teocentrismo *s. m.* Doctrina que considera a Dios o a la divinidad como centro y fin último de la realidad y de todo el pensamiento y actividad humana: *el teocentrismo medieval va-*

loraba el mundo, la sociedad y al hombre como reflejos de lo divino, mientras que el antropocentrismo humanista valora lo humano por sí mismo.

FAM teocéntrico.

teocracia *s. f.* ◻1 Sistema de gobierno ejercido por la autoridad religiosa en nombre de Dios. ◻2 Comunidad gobernada por este sistema.

teodolito *s. m.* Instrumento óptico para medir ángulos de distintos planos.

teogonía *s. f.* Relato que explica el nacimiento y las relaciones de parentesco entre los dioses en las religiones politeístas.

teologal *adj.* Se aplica a la virtud que tiene como objeto y como fin a Dios: *las virtudes teologales son la fe, la esperanza y la caridad.*

teología *s. f.* Ciencia que trata de Dios y del conocimiento que el ser humano tiene sobre Él.

FAM teologal, teológico, teologizar, teólogo.

teológico, -ca *adj.* Relativo a la teología.

teólogo, -ga *s. m. y f.* Persona que estudia teología o es especialista en esta ciencia.

teorema *s. m.* Afirmación que se hace dentro de un sistema lógico y que puede ser demostrada a patrir de los axiomas.

teoría *s. f.* ◻1 Conocimiento que se tiene de una cosa y que está basado en lo que se supone o se piensa y no en la experiencia o en la práctica. ◻2 Conjunto de reglas, principios y conocimientos que forman la base de una ciencia, una técnica o un arte. ◻3 Conjunto de leyes o razonamientos que intentan explicar un fenómeno determinado: *Darwin elaboró una teoría sobre la evolución del hombre.*

en teoría Sin haberlo comprobado por medio de la práctica: *en teoría, Ana tenía que llegar a las cuatro, pero son las cinco y aún no ha llegado.*

FAM teórico, teorizar.

teórica *s. f.* Conjunto de conocimientos, reglas y principios que resultan fundamentales para aprender a realizar una actividad: *para obtener el carnet de conducir tienes que aprobar la teórica y la práctica.*

teórico, -ca *adj.* ◻1 Relativo a la teoría. ▌ *adj./s. m. y f.* ◻2 Se aplica a la persona que conoce bien la teoría de una ciencia gracias a la reflexión y al pensamiento, pero no tanto por la práctica: *los teóricos rechazaron ese experimento por imposible.*

teorizar *v. intr.* ◻1 Tratar un asunto solamente en teoría y sin tener en cuenta la realidad. ◻2 Crear y expresar una o varias teorías.

tépalo *s. m.* Cada una de las hojas que envuelven los órganos sexuales de una planta, cuando son todas iguales o semejantes y es difícil distinguir las del cáliz de las de la corola.

tequila *s. m.* Bebida transparente con un grado de alcohol muy elevado, de sabor muy fuerte y que procede de México.

teragramo *s. m.* Medida de masa que es igual a un billón de gramos (10^{12} gramos).

terapeuta *s. com.* Médico especialista en terapéutica.

terapéutica *s. f.* Parte de la medicina que se ocupa del tratamiento de las enfermedades. **SIN** terapia.

FAM terapeuta, terapéutico.

terapéutico, -ca *adj.* Relativo a la terapéutica.

terapia *s. f.* ◻1 Terapéutica. ◻2 Tratamiento que se pone en práctica para curar una enfermedad: *está siguiendo una terapia*

para curar su adicción a las drogas. ■ **terapia de grupo** Terapia que sirve para curar o solucionar un problema o una enfermedad mental y que se lleva a cabo reuniendo a varios enfermos los cuales cuentan y comentan sus experiencias. ■ **terapia génica** Tratamiento de enfermedades hereditarias (de origen genético) que consiste en proporcionar al organismo enfermo los genes que le permitan suplir la funciones que no puede asumir por carecer de ellos o por ser estos defectuosos. ■ **terapia ocupacional** Terapia que sirve para curar a un enfermo manteniéndolo ocupado en un trabajo o en una actividad.
FAM psicoterapia.

terbio *s. m.* Elemento químico de símbolo *Tb* y número atómico 65; es un metal sólido, pesado, gris plateado, maleable, dúctil y muy blando; es bastante estable en el aire y pertenece a los lantánidos.

tercelete *s. m.* Nervio suplementario de las bóvedas estrelladas, que arranca del ábaco del capitel y sube por un lado del arco diagonal, llegando hasta la línea media.

tercer Apócope de *tercero*.
OBS Se usa delante de sustantivos masculinos en singular.

tercera *s. f.* ① Marcha del motor de un vehículo que tiene menos potencia y más velocidad que la segunda. ② Intervalo de la escala musical entre una nota y la tercera superior o inferior a esta: *entre do y mi hay una tercera mayor.*

tercería *s. f.* Actividad propia de terceros o alcahuetes: *Celestina, hábil en tercerías, utiliza todos sus recursos para que Calisto obtenga el amor de Melibea.*

tercermundismo *s. m.* Conjunto de características que son propias de los países del Tercer Mundo: *la falta de recursos económicos y el hambre reflejan el tercermundismo de algunos países.*

tercermundista *adj.* ① Relativo al Tercer Mundo. ② despectivo Que es propio o tiene características parecidas a las de los países menos desarrollados: *las telecomunicaciones de esta región son tercermundistas.*

tercero, -ra *num. ord.* ① Que ocupa el lugar número 3 en una serie ordenada. I *num. part.* ② Se aplica a cada una de las partes que resultan de dividir un todo en tres partes iguales: *si somos tres para comer, me toca una tercera parte de la tarta.* I *s. m. y f./adj.* ③ Persona que no es ninguna de las que intervienen en un asunto; especialmente, la que media entre dos personas para ayudarlas o la que resulta dañada o favorecida por la acción de otros: *este seguro incluye daños a terceros; este asunto debemos resolverlo tú y yo, sin que intervengan terceras personas.*
tercero en discordia Persona que media en una discusión o conflicto entre dos personas para solucionar el problema.
FAM tercer, tercera, tercería, terciario.
OBS Cuando va seguido de un sustantivo masculino, se usa la forma apocopada *tercer: tercer aniversario.*

terceto *s. m.* ① Estrofa formada por tres versos de arte mayor que siguen el esquema ABA, CDC, EFE, etc.: *un soneto está formado por dos cuartetos y dos tercetos.* ■ **tercetos encadenados** Serie de tercetos que forman un poema y en los que el segundo endecasílabo rima con el primero y el tercero con el del siguiente terceto, y así sucesivamente (ABA, BCB, CDC, etc.). ② Conjunto musical formado por tres voces o instrumentos. SIN trío. ③ Composición musical escrita para ser interpretada por ese conjunto. SIN trío.

tercia *s. f.* ① Medida de longitud equivalente a una tercera. ② Segunda de las cuatro partes iguales en que los romanos

dividían el día, posterior a la prima y anterior a la sexta, y comprendida entre las nueve de la mañana y el mediodía. ③ Oficio religioso diario del clero católico, posterior a la prima y anterior a la sexta, que se celebra hacia las nueve de la manana.

terciado, -da *adj.* ① Que tiene un tamaño mediano: *manzana terciada.* ② Que ha quedado reducido a una tercera parte de su tamaño.

terciana *s. f./adj.* Fiebre que se repite cada tres días.
OBS Más en plural con el mismo significado que en singular.

terciar *v. intr.* ① Intervenir en un asunto o enfrentamiento entre dos personas para intentar solucionarlo o hacer que termine: *tuve que terciar para que no se pegaran.* ② Participar en una acción que estaba realizando otra persona, especialmente intervenir en una conversación. I *v. tr.* ③ Colocar una cosa atravesada, torcida o en diagonal: *salió de la taberna terciándose la capa.* ④ Dividir un todo en tres partes iguales. I *v. prnl.* ⑤ **terciarse** Darse el momento adecuado y presentarse la oportunidad para hacer una cosa determinada: *si se tercia, le hablaré del asunto.*
FAM terciado.
OBS Verbo regular, se acentúa como *cambiar.*

terciario, -ria *adj.* ① Que es el tercero en orden o importancia. I *adj./s. m.* ② Se aplica a la era geológica que sigue a la era secundaria o mesozoica y precede a la era cuaternaria o neozoica; se extiende desde hace unos 65 millones de años hasta hace unos 2 millones de años. SIN cenozoico. I *adj.* ③ Relativo a esta era geológica. I *adj./s. m.* ④ Se aplica al período geológico que, según algunas escuelas actuales, es uno de los periodos en que se divide la era cenozoica; sigue al periodo cretácico de la era mesozoica y precede al periodo cuaternario de la era cenozoica; se extiende desde hace unos 65 millones de años hasta unos 2 millones de años. I *adj.* ⑤ Relativo a este periodo geológico.

tercio *num. part.* ① Parte que resulta de dividir un todo en tres partes iguales: *un tercio de tarta; se prevén lluvias en el tercio norte peninsular.* I *s. m.* ② Botella de cerveza de 33 centilitros. ③ Cada una de las tres partes concéntricas en que se divide el ruedo de una plaza de toros. ④ Cada una de las tres partes de que consta una corrida de toros: *la lidia está compuesta por tres tercios: tercio de varas, de banderillas y de muerte.* SIN suerte. ⑤ Cuerpo o batallón de la infantería española de los siglos XVI y XVII.
FAM tercia, terciar.

terciopelo *s. m.* Tejido espeso y delicado, que tiene pelo muy corto y suave en la superficie: *el terciopelo es un tejido velludo hecho con seda o algodón.*
FAM aterciopelado.

terco, -ca *adj.* Se aplica a la persona que se mantiene firme en una opinión o actitud a pesar de las razones o las dificultades que pueda haber en contra. SIN empecinado, testarudo, tozudo.
FAM terquedad.

teresiano, -na *adj.* ① Relativo a santa Teresa de Jesús (religiosa y escritora española del siglo XVI) o a su obra. I *adj./s. f.* ② Se aplica a la religiosa carmelita que pertenece a la institución fundada por santa Teresa de Jesús.

tergal *s. m.* Tejido hecho de fibra sintética de poliéster.
OBS Es marca registrada.

tergiversación *s. f.* Interpretación errónea o deformada de un acontecimiento o de un mensaje.

tergiversar *v. tr.* Deformar el significado de una cosa y hacer que se entienda de una forma equivocada: *tergiversó las palabras del político.* SIN alterar, falsear.
FAM tergiversación.

termal *adj.* ① Se aplica al agua que brota de la tierra a temperatura superior a la del ambiente. ② Relativo a las termas: *pasó una semana en un balneario termal.*
FAM hidrotermal.

termas *s. f. pl.* ① Baños de aguas minerales que brotan de la tierra a temperatura superior a la del ambiente. SIN caldas. ② Baños públicos de los antiguos romanos: *las termas de Caracalla se encuentran en Roma.*
FAM termal.

termes *s. m.* Termita.
OBS Plural invariable.

térmico, -ca *adj.* ① Relativo al calor o a la temperatura: *energía calorífica o térmica.* ② Que conserva una temperatura determinada.
FAM endotérmico, exotérmico, homeotermo, isotérmico.

terminación *s. f.* ① Acción de terminar. SIN conclusión, fin, final. ② Extremo o parte final de una cosa. ③ Letra o serie de letras del final de una palabra que determina su género y número, o su asonancia o consonancia con otros vocablos: *la terminación en "-ado" es característica de los participios de los verbos de la primera conjugación.* SIN desinencia.

terminal *adj.* ① Que está al final o que pone fin a una cosa. SIN último. ② Se aplica a la enfermedad o persona que no se puede curar ni puede mejorar. I *s. f.* ③ Instalación o lugar donde empieza o termina una línea de transporte público. ④ Conjunto de edificios destinados a acoger personas o mercancías en los puertos y aeropuertos: *diríjanse a la terminal de embarque.* I *s. m.* ⑤ Dispositivo, generalmente formado por una pantalla y un teclado, de entrada o de salida de información que se comunica de manera remota con un ordenador central: *el cajero automático de los bancos es un terminal.* ⑥ Extremo de un hilo conductor de electricidad.

terminante *adj.* Que no admite duda o discusión. SIN categórico, concluyente, tajante.
FAM terminantemente.

terminar *v. tr.* ① Hacer que una cosa llegue a su fin: *terminó su jornada de trabajo y se fue a casa.* SIN acabar, concluir, finalizar. ANT comenzar, empezar. ② Consumir completamente. SIN acabar. I *v. intr.* ③ Llegar una cosa a su fin: *tuvimos muchos problemas, pero todo terminó bien.* SIN acabar. ANT comenzar, empezar. ④ Dar fin a una relación entre dos o más personas, especialmente a una relación amorosa. ⑤ *culto* Morir. ⑥ Destruir o estropear una cosa: *el granizo terminó con la cosecha.* SIN acabar. ⑦ Tener una cosa determinada en el extremo: *el bastón del paraguas termina en un mango en forma de pájaro.* SIN acabar.
FAM terminación, terminante, terminativo; interminable.

término *s. m.* ① Fin o conclusión de una cosa. ② Último punto hasta donde llega o se extiende una cosa en el tiempo o en el espacio. ③ Línea que divide los territorios según su organización política. ■ **término municipal** Territorio que comprende un municipio. ④ Palabra de una lengua, especialmente la que se usa en una actividad o ámbito determinado. SIN vocablo, voz. ⑤ Objetivo o finalidad que se busca al hacer una cosa. ⑥ Estado o situación a la que puede llegar una cosa. ⑦ Plano en que se considera dividido un espacio o una escena. ■ **término general** Fórmula que permite calcular el valor de cualquier término de una sucesión conociendo el lugar que este ocupa. ⑧ Palabra o grupo de palabras que está introducido por una preposición. ⑨ Número o expresión matemática que forma parte de un polinomio, razón, proporción, progresión, sucesión, etc.: *en el quebrado 5/8, el 5 y el 8 son los términos; en la sucesión 1, 3, 5, 7, cada número es un término.* I *s. m. pl.* ⑩ **términos** Punto de vista con que se plantea un asunto: *me habló del trabajo en tan buenos términos que no pude resistirme a aceptarlo.* ⑪ Condiciones con las que se soluciona un asunto o se establece una relación: *el comprador y el vendedor estuvieron de acuerdo en los términos del contrato.*
en primer término Indica lo que se trata en primer lugar.
en último término Como última posibilidad.
término medio (I) Estado o situación en que se encuentra un asunto cuando está entre dos posiciones opuestas. (II) En matemáticas, cantidad igual o aproximada a la media aritmética de un conjunto de cantidades. SIN promedio.
FAM terminal, terminar, terminología.

terminología *s. f.* Conjunto de palabras o expresiones propias de una determinada profesión, ciencia o materia: *"osteoporosis" es una palabra de la terminología médica.*
FAM terminológico.

terminológico, -ca *adj.* Relativo a la terminología.

termistencia *s. f.* Termistor.

termistor *s. m.* En física, resistencia cuyo valor varía considerablemente según la temperatura a la que se halla sometida; se usa en los circuitos eléctricos para proteger los dispositivos más delicados de los calentamientos del sistema. SIN termistencia.

termita *s. f.* Invertebrado del filo artrópodos, clase insectos, muy pequeño, social, que se alimenta de la madera: *las termitas son una plaga peligrosa para los edificios.* SIN termes.
FAM termitero.

termitero *s. m.* Nido que construyen las termitas como refugio para vivir, reproducirse y almacenar alimentos, compuesto por diversas cámaras y galerías construidas bajo el suelo o en un montículo de tierra que puede alcanzar grandes dimensiones.

termo *s. m.* Recipiente que se cierra herméticamente y que sirve para mantener la temperatura de los líquidos que se guardan en su interior aislándolos de la temperatura exterior.
OBS Es marca registrada.

termodinámica *s. f.* Parte de la física que estudia la relación mecánica del calor con los otros tipos de energía.

termodinámico, -ca *adj.* Relativo a la termodinámica.

termoelectricidad *s. f.* Electricidad producida por medio de la energía térmica.

termoestable *adj.* ① Se aplica a la sustancia que no se altera físicamente ni pierde sus propiedades al aplicarle calor. ② Se aplica al plástico que no pierde su forma por acción del calor o la presión.

termofusible *adj.* Se aplica a la sustancia adhesiva que queda fundida al aplicarle calor: *el pegamento termofusible es útil para unir piezas de madera.*

termómetro *s. m.* Instrumento que sirve para medir la temperatura.
FAM termometría.

termonuclear *adj.* Que está producido por la fusión de elementos ligeros sometidos a muy altas temperaturas dando lugar a otro elemento más pesado y desprendiendo gran cantidad de energía atómica.

termoplástico, -ca *adj.* Se aplica a la sustancia que puede ser deformada por la acción del calor y la presión y que mantiene la nueva forma adquirida después de enfriarse: *el PVC es termoplástico.*

termorreceptor *s. m.* Receptor sensorial que reacciona ante los cambios de temperatura.

termorregulación *s. f.* Capacidad propia de los animales de regular la temperatura corporal mediante mecanismos fisiológicos: *la termorregulación se controla a través del hipotálamo.*

termosfera *s. f.* Capa de la atmósfera terrestre que se extiende entre los 80 y los 500 km de altitud aproximadamente y cuya temperatura aumenta con la altura; en ella abundan los iones por efecto de las radiaciones ultravioletas del Sol. **SIN** ionosfera.

termostato *s. m.* Aparato que sirve para mantener la temperatura constante de forma automática: *los frigoríficos, los calefactores y los aparatos de aire acondicionado llevan termostato.*

termotaxis o **termotaxia** *s. f.* Reacción de orientación de los organismos celulares libres como respuesta a un estímulo térmico.

terna *s. f.* ① Conjunto de tres cosas o personas propuestas para que se elija de entre ellas la que debe ocupar un cargo o empleo. ② Conjunto de tres diestros que participan en una corrida de toros. **SIN** trío.

ternario, -ria *adj.* ① Que está compuesto por tres elementos o unidades. ② Se aplica al compás musical que está compuesto por tres tiempos, uno fuerte y dos débiles, o al ritmo musical basado en este tipo de compás: *el vals tiene un ritmo ternario.*

ternasco *s. m.* ① Cordero que todavía mama o ha dejado de hacerlo recientemente. ② Cría de la cabra desde que nace hasta que deja de mamar.

ternera *s. f.* Carne de ternero o de ternera.

ternero, -ra *s. m. y f.* Cría de la vaca: *la vaca ha tenido una ternera.*

ternilla *s. f.* Tejido de sostén del organismo, duro y flexible, de resistencia inferior a la del hueso, que reviste las articulaciones y facilita el movimiento. **SIN** cartílago. **FAM** desternillarse.

terno *s. m.* ① Conjunto de tres cosas de una misma especie. ② CUBA, P. RICO Aderezo de joyas compuesto de pendientes, collar y alfiler.

ternura *s. f.* ① Cualidad de la persona que muestra fácilmente sus sentimientos, especialmente de afecto, dulzura y simpatía. ② Muestra de afecto, cariño y dulzura: *nunca tiene una ternura con su mujer.*

terquedad *s. f.* Firmeza excesiva en las ideas o intenciones aunque puedan ser erróneas. **SIN** testarudez.

terracota *s. f.* ① Arcilla modelada y endurecida al horno. ② Escultura de pequeño tamaño que se hace con esta arcilla.

terrado *s. m.* Cubierta plana de un edificio sobre la cual se puede andar: *subió al terrado a tender la ropa.* **SIN** azotea, terraza.

terranova *adj./s. m.* Se aplica al perro que es de gran tamaño y tiene el hocico corto y el pelaje denso y generalmente negro.

terraplén *s. m.* ① Desnivel del terreno que tiene una cierta inclinación. **SIN** talud. ② Montón de tierra que sirve para rellenar un hueco o que se levanta con un fin determinado: *los soldados construyeron un terraplén para defender el castillo.*

terráqueo, -quea *adj.* Relativo a la Tierra: *somos muchos millones de habitantes en el globo terráqueo.*

terrario *s. m.* Instalación en la cual se mantienen artificialmente las condiciones de hábitat adecuadas para ciertos animales de tierra.

terrateniente *s. com.* Persona que es dueña de tierras, especialmente de grandes extensiones de cultivo.

terraza *s. f.* ① Espacio exterior y elevado que sobresale en la fachada de un edificio, al que se llega desde el interior de una vivienda y que está limitado por una barandilla o muro. ② Cubierta plana de un edificio sobre la cual se puede andar: *subió a tomar el sol a la terraza.* **SIN** azotea, terrado. ③ Lugar al aire libre situado junto a un café, un bar o un restaurante, donde los clientes se pueden sentar a comer o a tomar algo. ④ Espacio de terreno llano en la ladera de una montaña que suele utilizarse para el cultivo. ⑤ Resto de una capa aluvial formada por la acumulación de materiales que arrastra un río u otra corriente fluvial, y que la erosión de la propia corriente ha ido recortando o perfilando.

terremoto *s. m.* ① Movimiento violento de la superficie de la Tierra producido por fractura o deslizamiento de la corteza terrestre. **SIN** seísmo, sismo. ② *familiar* Persona que se mueve mucho y produce desconcierto o agitación: *este niño es un terremoto.*

torronal *adj.* Relativo a la tierra, en contraposición al cielo. **SIN** terreno. **ANT** celestial.

terreno, -na *s. m.* ① Espacio de tierra. ‖ *adj.* ② Terrenal: *San Jorge fue soldado en su vida terrena.* **ANT** celeste. ‖ *s. m.* ③ Campo en el que mejor se muestra una característica o una cualidad de alguien: *Sara está en su terreno y sabe que va a ganar.* **SIN** territorio. ④ Conjunto de materias o ideas de las que se trata. ⑤ Conjunto de sustancias minerales que tienen un origen común o cuya formación corresponde a una misma época.

allanar (o **preparar**) **el terreno** Conseguir unas condiciones o una situación favorables para realizar una cosa: *he estado preparando el terreno para que acepten tu propuesta.*

conocer (o **saber**) **el terreno que pisa** Conocer bien el asunto o a la persona que se está tratando.

ganar terreno Progresar o avanzar.

perder terreno Quedarse atrás.

sobre el terreno En el sitio donde ocurre o va a ocurrir la cosa de que se trata o durante la realización de una cosa determinada.

terreno de juego Terreno que está preparado para la práctica de un deporte determinado. **FAM** terrenal; todoterreno, ultraterreno.

terrestre *adj.* ① Relativo a la Tierra. ② Relativo a la tierra, en contraposición al aire y al mar: *el transporte terrestre es generalmente menos rápido que el aéreo.*

terrible *adj.* ① Que causa mucho miedo. ② Que produce o puede producir mucho daño y es difícil de aguantar. **SIN** abominable, tremendo. ③ *familiar* Que es muy grande o extraordinario: *tengo un hambre terrible.*

terrícola *s. com.* Habitante de la Tierra.

terrier *adj./s. m.* Se aplica al perro que tiene un tamaño mediano y es de origen inglés.

T

terrina *s. f.* **1** Tarrina. **2** Plato elaborado con ingredientes diversos mezclados, como carne picada, verduras o huevo, que se cuece al horno en un recipiente o molde generalmente rectangular.

territorial *adj.* Relativo al territorio: *la audiencia territorial ha dictado sentencia sobre el caso.*
FAM territorialidad; extraterritorial.

territorio *s. m.* **1** Extensión de tierra que pertenece a una nación, a una región o a cualquier otra división política. **2** Terreno o espacio donde vive un determinado animal o un grupo de animales de la misma familia y que es defendido por ellos. **3** Campo en el que mejor se muestra una característica o una cualidad de alguien: *me siento a gusto hablando de literatura, porque es mi territorio.* **SIN** terreno.
FAM territorial.

terrón *s. m.* **1** Masa compacta de tierra o de otra sustancia. **2** Masa pequeña y compacta de azúcar en forma de cubo.
SIN azucarillo.

terror *s. m.* **1** Miedo muy fuerte e intenso. **SIN** horror, pánico, pavor. **2** Persona o cosa que provoca mucho miedo: *ese profesor es el terror de los alumnos.*
FAM terrorífico, terrorismo; aterrar, aterrorizar.

terrorífico, -ca *adj.* **1** Que causa terror o miedo muy intenso. **SIN** aterrador, espeluznante. **2** familiar Que es muy grande, muy fuerte o muy intenso: *enciende la calefacción que hace un frío terrorífico.*

terrorismo *s. m.* Forma violenta de lucha política que persigue destruir el orden establecido o provocar el terror en sus adversarios o en la población.
FAM terrorista; antiterrorismo, contraterrorismo.

terrorista *adj.* **1** Relativo al terrorismo. ‖ *adj./s. com.* **2** Se aplica a la persona que es partidaria del terrorismo o que lo practica.
FAM antiterrorista.

terroso, -sa *adj.* **1** Que es de tierra o está mezclado con tierra. **2** Que tiene el aspecto parecido al de la tierra: *tiene un jersey de un color terroso.*

terruño *s. m.* **1** Masa pequeña de tierra. **2** Comarca o tierra, especialmente la del país natal. **3** Tierra en la que se trabaja y de la que se vive.

terso, -sa *adj.* **1** Que es liso y no tiene arrugas: *una piel tersa y suave.* **2** Que está limpio, claro y brillante.
FAM tersura.

tersura *s. f.* Cualidad de terso.

tertulia *s. f.* Reunión de personas que se juntan habitualmente para conversar o discurrir sobre una determinada materia.
FAM tertuliano, tertuliar; contertulio.

tertuliar *v. intr.* familiar AMÉR. Participar en una reunión o una tertulia: *ella siempre hallaba tema para tertuliar.*

tesauro *s. m.* Lista ordenada de palabras que se agrupan por su relación de significado: *los tesauros no contienen definiciones.*

tesela *s. f.* **1** Pequeña pieza cúbica de piedra, mármol, terracota o vidrio coloreado que se utiliza para confeccionar un mosaico. **2** En ecología, unidad básica del estudio de la distribución de las plantas en un terreno.

tesina *s. f.* Trabajo de investigación escrito que se exige para conseguir un grado académico superior al de licenciado e inferior al de doctor.

tesis *s. f.* **1** Opinión o idea que se explica y se defiende con razonamientos. **2** Trabajo de investigación escrito que se debe presentar en la universidad para conseguir el grado académico de doctor.
FAM tesina.
OBS Plural invariable.

tesitura *s. f.* Conjunto de notas musicales del registro total de notas que están entre la nota más grave y la más aguda que puede emitir una voz o un instrumento, o que hay en una composición: *la tesitura de una soprano es más alta que la de una contralto.*

tesla *s. m.* Unidad de inducción magnética y densidad del flujo magnético del Sistema Internacional, de símbolo T, que equivale a la inducción que, repartida sobre una superficie de un metro cuadrado, produce a través de esta superficie un flujo magnético de un wéber.

teso *s. m.* Colina de poca altura que tiene una extensión llana en la cima.

tesón *s. m.* Firmeza, decisión y ganas que se ponen al hacer un trabajo o una actividad: *si estudias con tesón, sacarás muy buenas notas.*

tesorería *s. f.* **1** Cargo u oficio de tesorero. **2** Oficina o despacho del tesorero. **3** Conjunto de bienes en efectivo, de los que una empresa u organismo puede disponer en un momento dado para realizar operaciones.

tesorero, -ra *s. m. y f.* Persona encargada de cobrar, guardar y administrar el dinero de un colectivo de gente o de una sociedad.
FAM tesorería.

tesoro *s. m.* **1** Conjunto de dinero, joyas y otros objetos de valor: *los piratas guardaban un tesoro en la isla desierta.* **2** Conjunto de bienes y rentas del estado de un país. **NOTA** También *tesoro público.* **SIN** erario. **3** Persona o cosa muy buena o de mucho valor y que es digna de admiración o de cariño: *ese chico es un tesoro.* **4** Expresión de cariño que se usa con personas o animales como apelativo afectivo: *¿qué quieres, tesoro?*
FAM tesorero; atesorar.

test *s. m.* Prueba escrita en la que hay que contestar de forma breve a una serie de preguntas o problemas y que sirve para medir una determinada capacidad o aptitud: *tuvo tres fallos en el test del examen de conducir.*
OBS Plural: *test* o *tests.*

testa *s. f.* **1** culto Cabeza o frente de las personas y de los animales. **2** familiar Entendimiento o capacidad de la mente.
FAM testarazo, testera, testuz.

testador, -ra *s. m. y f.* Persona que hace testamento.

testaferro *s. com.* Persona que presta su nombre en un asunto o negocio que no es suyo.

testamentario, -ria *adj.* Relativo al testamento (documento).

testamento *s. m.* **1** Documento o declaración voluntaria en la que una persona expresa a dónde deben ir a parar sus bienes una vez que haya muerto. ■ **testamento político** Obra que algunos políticos escriben para explicar su labor o para indicar las líneas de la política que creen que se deben seguir después de su muerte. **2** familiar Escrito muy largo o libro muy gordo.
Antiguo Testamento o **Viejo Testamento** Parte de la Biblia que comprende los libros canónicos sobre la historia del

pueblo judío y otros de diversas características y géneros literarios que son anteriores al nacimiento de Jesucristo.

Nuevo Testamento Parte de la Biblia que comprende los evangelios y otras obras canónicas posteriores al nacimiento de Jesucristo.

FAM testamentaría, testamentario.

testar *v. intr.* Hacer testamento: *testó a favor de sus sobrinos y no les dejó nada a sus hijos.*

FAM testador, testamento.

testarazo *s. m.* ① familiar Cabezazo. ② Golpe o choque.

testarudez *s. f.* Firmeza excesiva en las ideas o intenciones aunque puedan ser erróneas. SIN terquedad.

testarudo, -da *adj./s. m. y f.* Se aplica a la persona que se mantiene firme en una opinión o actitud a pesar de las razones o las dificultades que pueda haber en contra. SIN empecinado, terco, tozudo.

FAM testarudez.

testicular *adj.* Relativo al testículo: *bolsa testicular.*

testículo *s. m.* Órgano del aparato reproductor masculino que produce los espermatozoides y secreta las hormonas masculinas.

FAM testicular.

testificación *s. f.* ① Acción de testificar. ② Efecto de testificar.

testificar *v. tr.* ① Dar a conocer o explicar unos hechos en un juicio: *testificó lo que sabía del caso.* SIN declarar, testimoniar. ‖ *v. tr./intr.* ② Afirmar con seguridad una cosa, especialmente si se ha visto o se tienen testigos de ella: *testifico que no sé nada del asunto.* SIN atestar, atestiguar. ‖ *v. tr.* ③ Demostrar una cosa.

FAM testificación, testifical.

testigo *s. com.* ① Persona que está presente en un acto o en una acción, especialmente la que habla en un juicio para explicar los hechos que ha presenciado. ‖ *s. m.* ② Cosa que demuestra o atestigua la verdad o la existencia de algo: *las huellas son testigo de tu presencia en la casa.* ③ Palo que se pasan los corredores de relevos para demostrar que la sustitución ha sido correcta.

testigo de cargo Persona que declara en un juicio en contra del acusado: *gracias a la declaración del testigo de cargo condenaron al asesino.*

testigo de descargo Persona que declara en un juicio a favor del acusado.

testigo de Jehová Miembro de un grupo religioso cristiano, fundado por Charles Taze Russell en Estados Unidos en el siglo XIX, que se caracteriza por la interpretación literal de la Biblia.

FAM atestiguar.

testimonial *adj.* ① Que da testimonio de algo: *esa herida es una prueba testimonial de tu accidente.*

testimoniar *v. tr./intr.* Declarar en un juicio para dar fe de un hecho. SIN testificar.

OBS Verbo regular, se acentúa como *cambiar.*

testimonio *s. m.* ① Declaración que hace una persona para demostrar o asegurar un hecho. ② Prueba que sirve para confirmar la verdad o la existencia de una cosa. ③ Documento legalizado en el que se da fe de algo, se resume un documento, etc.

FAM testimonial, testimoniar.

testosterona *s. f.* Hormona sexual masculina segregada por los testículos en la mayoría de los machos mamíferos.

testuz *s. amb.* ① Frente o parte superior de la cara de algunos animales, especialmente de los caballos. ② Nuca de algunos animales, especialmente del toro, el buey o la vaca.

teta *s. f.* Órgano de las hembras de los mamíferos que produce leche. SIN mama, pecho.

de teta familiar Se aplica al bebé o cría que está en periodo de mamar.

FAM tetilla, tetina; destetar.

tétano o **tétanos** *s. m.* Enfermedad grave que se produce por la infección de algunas heridas y que ataca al sistema nervioso: *el tétanos lo produce una bacteria.*

FAM antitetánico.

OBS Plural: *tétanos.*

tête à tête [se pronuncia aproximadamente 'tet a tet'] *s. m.* ① Conversación que mantienen dos personas en privado, sin que intervenga otra persona, generalmente para tratar un tema importante o confidencial. ‖ *adv.* ② Frente a frente y en privado: *estaban por fin tête à tête.*

tetera *s. f.* ① Recipiente con una tapadera y un pitorro que se usa para preparar y servir el té. ② AMÉR. CENTRAL, COL., CUBA, R. DOM., VENEZ. Biberón. ③ R. DOM. Tetina.

tetilla *s. f.* ① Teta no desarrollada de los mamíferos machos. ② Tetina de biberón.

tetina *s. f.* Pieza de goma con un agujero en su extremo, que se pone en la boca de un biberón o en un vaso para que chupen los niños. SIN tetilla.

tetrabrik *s. m.* Envase de cartón opaco impermeabilizado con aluminio y generalmente con forma de tetraedro que se usa para envasar líquidos: *la leche y los zumos se envasan en tetrabrik o en botella.* SIN brik.

OBS Plural: *tetrabriks,* es marca registrada.

tetraédrico, -ca *adj.* ① Relativo al tetraedro. ② Que tiene la forma de un tetraedro.

tetraedro *s. m.* Cuerpo geométrico de cuatro caras.

FAM tetraédrico.

tetragésimo, -ma *num. ord.* ① Que ocupa el lugar número 40 en una serie ordenada. ‖ *num. part.* ② Se aplica a cada una de las partes que resultan de dividir un todo en cuarenta partes iguales.

tetragonal *adj.* Que tiene forma de tetrágono.

tetrágono *s. m.* Poliedro de cuatro lados. SIN cuadrilátero.

FAM tetragonal.

tetragrama *s. m.* Serie de cuatro líneas horizontales y paralelas, situadas a igual distancia unas de otras, que fue el antecedente del pentagrama y se usaba para escribir sobre él los neumas o antiguas notas del canto gregoriano.

tetramorfos *s. m.* Representación simbólica de los cuatro evangelistas en las figuras de un hombre (san Mateo), un águila (san Juan), un león (san Marcos) y un buey (san Lucas).

OBS Plural invariable.

tetraplejia o **tetraplejía** *s. f.* Parálisis conjunta de las cuatro extremidades del cuerpo.

tetrapléjico, -ca *adj.* ① Relativo a la tetraplejia. ‖ *adj./ s. m. y f.* ② Se aplica a la persona que padece tetraplejia.

tetrápodo, -da *adj./s. m.* Se aplica al animal vertebrado que tiene cuatro extremidades: *el hombre es un tetrápodo.*

tetrarca *s. m.* Gobernador al que, en la antigua Roma, le correspondía el mando de una cuarta parte de un reino.
FAM tetrarquía.

tetrarquía *s. f.* ① Gobierno formado por cuatro personas. ② Territorio de la Grecia y la Roma antiguas que estaba dividido en cuatro partes, cada una de ellas gobernada por un tetrarca.

tetrasílabo, -ba ① *adj.* Que tiene cuatro sílabas. ‖ ② *adj./ s. m.* Se aplica al verso que tiene cuatro sílabas.

tetrástilo, -la *adj./s. m.* Se aplica al templo griego que tiene cuatro columnas en su pórtico.

tetrástrofo, -fa *adj.* ① Se aplica a la composición que consta de cuatro estrofas. ② Se aplica a la estrofa que consta de cuatro versos. ■ **tetrástrofo monorrimo** Estrofa formada por cuatro versos alejandrinos (de catorce sílabas) divididos en dos hemistiquios o partes y con una misma rima consonante; es propia de la poesía culta medieval. **SIN** cuaderna vía.

tetravalente *adj.* En química, que funciona con cuatro valencias: *elemento químico tetravalente.*

tétrico, -ca *adj.* Que es muy oscuro, triste y grave, y hace pensar en la muerte.

teutón, -tona *adj.* ① Relativo a un antiguo pueblo germánico establecido en la costa báltica hacia el siglo II. ‖ *s. m. y f./adj.* ② Persona perteneciente a este antiguo pueblo. ‖ *adj.* ③ familiar Alemán (relativo a Alemania). ‖ *s. m. y f./adj.* ④ familiar Alemán (persona que es de Alemania).

tex *s. m.* Unidad de masa de las fibras textiles y de los hilos que equivale a la masa de un kilómetro de la misma materia cuando pesa un gramo.
OBS Plural invariable.

textil *adj.* ① Relativo al tejido: *la industria textil es muy importante en esta zona.* ② Se aplica a la materia que puede tejerse y sirve para fabricar telas y tejidos.

texto *s. m.* ① Unidad total de comunicación oral o escrita, cualesquiera que sean sus dimensiones. ② Pasaje citado de una obra literaria. ③ Libro de texto.
FAM textual; teletexto.

textual *adj.* ① Relativo al texto: *crítica textual.* ② Que reproduce exactamente las palabras de un texto o de un discurso.
FAM textualidad, textualmente.

textura *s. f.* Forma en que están colocadas y combinadas entre sí las partículas o elementos de una cosa, especialmente los hilos de una tela.
FAM contextura.

tez *s. f.* culto Piel de la cara de las personas.
FAM atezar.

theta *s. f.* Nombre de la octava letra del alfabeto griego; se escribe Θ/θ y se transcribe como *th*: *el sonido de la theta es semejante al de la zeta española.*

tholos *s. m.* ① Tumba monumental de planta circular y cubierta en forma de cúpula. ② Edificio griego de planta circular y cubierta en forma de cúpula.
OBS Plural: *tholoi.*

thriller [se pronuncia aproximadamente 'zríler'] *s. m.* Película o novela de suspense, terror e intriga.

ti *pron.* Forma del pronombre personal de la segunda persona del singular que se emplea en los complementos con preposición: *no podría vivir sin ti.*
OBS Con la preposición *con* forma el pronombre *contigo.*

tialina [también **ptialina**] *s. f.* Enzima de la saliva que transforma el almidón de los alimentos en monosacáridos.

tiara *s. f.* Mitra alta usada por el Papa, formada por tres coronas que simbolizan su autoridad.

tiarrón, -rrona *s. m. y f.* familiar Persona alta y muy corpulenta que impone por su aspecto físico.

tibetano, -na *adj.* ① Del Tíbet (región de Asia). ‖ *s. m. y f./adj.* ② Persona que es del Tíbet. ‖ *s. m./adj.* ③ Lengua hablada en el Tíbet.

tibia *s. f.* ① Hueso situado en la parte más anterior de la pierna, desde el pie hasta la rodilla, en el ser humano o en las extremidades posteriores del resto de animales tetrápodos (con cuatro extremidades). ② Uno de los artejos de las patas de los artrópodos.

tibial *adj.* ① Relativo a la tibia. ‖ *s. m./adj.* ② Músculo situado en la tibia.

tibieza *s. f.* Cualidad de tibio.

tibio, -bia *adj.* ① Que tiene una temperatura media entre el frío y el calor. **SIN** templado. ② Que no muestra sentimientos o afecto. **SIN** indiferente.
poner tibio familiar Hablar mal de una persona.
ponerse tibio familiar Hartarse de comida: *cuando fuimos a Galicia me puse tibio de marisco.*
FAM tibieza; entibiar.

tiburón *s. m.* ① Pez marino con una gran aleta dorsal de forma triangular, una boca muy grande en la parte inferior de la cabeza y dientes muy afilados; su esqueleto es cartilaginoso y no óseo. ② Persona muy ambiciosa que busca obtener éxito y ganar dinero por encima de todo lo demás.

tic *s. m.* Movimiento repetido e involuntario de una parte del cuerpo producido por la contracción de uno o varios músculos.

ticket [se pronuncia 'tíquet'] V. **tique.**
OBS Plural: *tickets.*

tictac *s. m.* Sonido seco y acompasado que hacen algunos relojes al marcar los segundos.

tiempo *s. m.* ① Magnitud con la que se mide la duración de un determinado fenómeno o suceso: *en el Sistema Internacional, el tiempo se mide en segundos.* ■ **tiempo libre** Periodo en que no hay obligación de realizar ninguna actividad y se dedica a la diversión o al descanso. ② Periodo determinado durante el cual sucede algo. ■ **tiempo muerto** En algunos deportes, periodo muy breve durante el que se interrumpe el juego: *el entrenador pidió tiempo muerto para tranquilizar a sus jugadores.* ③ Edad de una persona: *—¿Qué tiempo tiene su niño? —Tres meses.* ④ Periodo determinado en la historia de una civilización o de una sociedad al que se hace referencia aludiendo a un hecho histórico, un personaje o un movimiento cultural, económico o político que se ha desarrollado en él: *nació en el tiempo de la República.* ⑤ Periodo del pasado que se caracteriza por una circunstancia: *hubo un tiempo en que iba al cine a diario.* **SIN** época. ■ **tiempo inmemorial** Época muy antigua de la que nadie guarda recuerdo. ⑥ Periodo adecuado o reservado para una acción o para su término. ⑦ Parte en que se divide una actividad o un proceso: *cuando acabó el primer tiempo, el árbitro suspendió el partido por la niebla.* ⑧ Estado de la atmósfera en un periodo y en un lugar determinados: *hacer buen o mal tiempo; el tiempo atmosférico depende de la presión, la temperatura y la humedad atmosféricas.* ⑨ Accidente del verbo que sitúa lo que dice la oración en un tiempo simultáneo, anterior o posterior al momento en que se habla: *la forma verbal "comía" está en tiempo pasado.* **10** Conjunto de formas del verbo en el que se reúnen las que indican una misma expresión temporal: *los verbos pueden estar en tiempo presente, pretérito o futuro.* **11** Parte de igual duración que otras en que se divide un compás musical: *el compás binario tiene dos tiempos, uno fuerte y uno débil.* **12** Parte autónoma de ciertas composiciones musicales (como una sinfonía, una sonata o una suite), generalmente con un compás y una velocidad de ejecución propios: *la suite tiene diversos tiempos de ritmo distinto.* SIN movimiento. **13** Velocidad con que se ejecuta una composición musical. SIN tempo.

a tiempo Expresión que indica que algo se hace en el momento oportuno o cuando todavía no es tarde.

al mismo tiempo o **a un tiempo** Expresión que indica que dos cosas suceden en el mismo momento.

al tiempo Expresión que indica que el futuro demostrará la verdad de lo que se dice: *pronto el hombre pisará Marte, y, si no, al tiempo.*

andando el tiempo Más adelante; después.

dar tiempo (I) No meter prisa; esperar. (II) Disponer de un periodo para hacer una cosa.

dar tiempo al tiempo Esperar el momento oportuno; esperar a que se arregle por sí sola una cosa.

del tiempo A temperatura ambiente: *tomaré un refresco del tiempo porque estoy un poco resfriado.*

el tiempo de Maricastaña Un periodo muy lejano, del que ya no se acuerda nadie.

ganar tiempo (I) Hacer una cosa que sirve para terminar antes o avanzar más rápido. (II) Hacer que una cosa vaya más lenta o se detenga para que termine antes otra: *pidió que le repitieran la pregunta para ganar tiempo.*

hacer tiempo Esperar una cosa haciendo otra para que la espera no resulte molesta.

matar el tiempo Evitar el aburrimiento con alguna actividad o distracción.

FAM pasatiempo.

tienda *s. f.* **1** Establecimiento comercial en el que se vende al por menor cualquier tipo de producto de consumo. SIN comercio. **2** Armazón de madera o de barras metálicas cubierto con una gran pieza de tela o con pieles que se utiliza como alojamiento al aire libre: *los indios americanos vivían en unas tiendas redondas hechas con pieles.* ▪ **tienda de campaña** Tienda plegable de barras metálicas cubierto con una gran pieza de lona que se sujeta al suelo con clavos o ganchos, y que se monta para dormir al aire libre, para acampar transitoriamente.

FAM trastienda.

tienta *s. f.* Prueba que se hace a un becerro para comprobar su bravura y si es apto para la lidia.

a tientas (I) Palpando o tocando con las manos para conducirse al andar en la oscuridad o cuando no se puede ver. (II) Con gran desorientación, incertidumbre o inseguridad.

tiento *s. m.* **1** Cuidado y prudencia con que se comporta una persona ante una situación delicada o especial. SIN cautela. **2** Acción de tentar (palpar). SIN tacto, toque. **3** Palo o bastón que utilizan las personas ciegas para guiarse al andar. **4** Vara pequeña que utiliza el pintor apoyándola sobre el lienzo con la mano izquierda y sirve de soporte a la derecha para no manchar el cuadro. **5** Vara larga que utilizan los equilibristas para no perder el equilibrio. **6** AMÉR. Tira delgada de cuero que está sin curtir. ▮ *s. m. pl.* **7** **tientos** Modalidad del cante flamenco que tiene el mismo compás que el tango pero es más lenta.

dar un tiento familiar Echar un trago.

tierno, -na *adj.* **1** Que es blando y flexible y es fácil de romper o partir. ANT duro, fuerte. **2** Que demuestra fácilmente afecto y dulzura o que despierta estos sentimientos en las personas. **3** Que es muy joven, tiene poco tiempo de vida y no se ha desarrollado todavía por completo: *tierna infancia.*

FAM terneza, ternura; enternecer.

tierra *s. f.* **1** Tercer planeta del sistema solar, en el que habitamos: *la Tierra es el planeta más cercano al Sol tras Mercurio y Venus.* NOTA Se escribe con mayúscula inicial. **2** Parte de la superficie de la Tierra que no está ocupada por el agua: *distinguimos los animales y plantas que viven en el agua de los que viven en tierra.* ▪ **tierra adentro** Lugar que está lejos de la costa. ▪ **tierra firme** Masa de tierra que forman los continentes, en oposición al océano y a la pequeña extensión de las islas y también terreno sólido sobre el que se puede construir. **3** Materia formada por granos de arena y arcilla y por materia orgánica, que cubre gran parte del suelo terrestre: *sobre la tierra se desarrolla la vegetación.* ▪ **tierras raras** Óxidos de ciertos metales que existen en muy pequeñas cantidades en la naturaleza: *los elementos químicos del grupo de los lantánidos son tierras raras.* **4** Terreno dedicado al cultivo o que es apropiado para la agricultura. **5** Nación, país, región o, en general, cualquier parte o división del territorio. ▪ **tierra de promisión** o **tierra prometida** Territorio que Dios prometió al pueblo de Israel que huyó de Egipto dirigido por Moisés, para que fuera su nación, según el Antiguo Testamento. ▪ **Tierra Santa** Lugares de Palestina donde nació, vivió y murió Jesucristo. **6** Nación, región o lugar en que ha nacido una persona: *en mi tierra se hacen unos dulces buenísimos.* **7** Suelo o piso. **8** Suelo, considerado como polo y conductor eléctrico.

echar por tierra Destruir o malograr una cosa.

echar tierra Tratar de ocultar o de disimular un asunto del que no interesa que se hable.

poner tierra por medio Irse o alejarse una persona de un lugar.

quedarse en tierra No hacer un viaje o un proyecto que se había organizado anteriormente.

¡tierra, trágame! Expresión que indica que se siente vergüenza de algún hecho o que se quiere desaparecer de un lugar o de una situación para no tener que enfrentarse a él: *cuando vi entrar a mi jefe me dije "¡tierra, trágame!".*

tomar tierra (I) Aterrizar un avión. (II) Llegar un barco a puerto.

tragárselo la tierra Desaparecer de pronto una persona o una cosa sin dejar ninguna señal.

FAM terráqueo, terrario, terrateniente, terremoto, terreno, terrícola.

tieso, -sa *adj.* **1** Que es duro y firme y difícil de doblar o romper. SIN rígido. **2** Que está levantado, que se mantiene erguido. **3** Que está tenso o tirante: *poned tiesas las cuerdas que voy a tender ropa.* **4** Se aplica a la persona que se mantiene firme en sus ideas o intenciones. SIN tenaz, terco. **5** familiar Se aplica a la persona que se queda inmóvil a causa de una gran impresión o del frío: *no me he abrigado bien y me estoy quedando tieso.* **6** Se aplica a la persona que tiene buena salud y buen aspecto físico. **7** Se aplica a la persona que se muestra seria, orgullosa y antipática. **8** familiar Se aplica a la persona que no tiene dinero. **9** familiar Muerto.

tiesto *s. m.* **1** Recipiente de barro que se usa para cultivar plantas; suele tener forma de vaso ancho. **SIN** maceta. **2** Conjunto formado por este recipiente y la tierra y la planta que contiene: *tengo que regar los tiestos.* **SIN** maceta.

tifoideo, -dea *adj.* Relativo al tifus.

tifón *s. m.* **1** Viento extremadamente fuerte que avanza rápidamente girando sobre sí mismo y acompañado de fuertes lluvias. **SIN** ciclón, huracán, tornado. **2** Nube de forma cónica que se eleva desde la superficie de la tierra o del mar por efecto de un torbellino y gira rápidamente sobre sí misma.

tifosi *s. m. pl.* Hinchas de fútbol italianos: *numerosos tifosi estuvieron presentes en el acto.*

tifus *s. m.* Nombre que se da a varias enfermedades contagiosas causadas por una bacteria y transmitidas generalmente por piojos, que producen una fiebre muy alta y estados de delirios cerebrales.
OBS Plural invariable.

tigre, -gresa *s. m. y f.* **1** Mamífero felino carnívoro de pelo amarillo con rayas negras y con fuertes uñas que usa para cazar otros animales: *el tigre vive en Asia.* **2** Persona muy fuerte y valiente. **3** Persona cruel y que no tiene compasión. **|** *s. f.* **4** familiar Mujer provocativa y que toma la iniciativa en las relaciones sexuales.
oler a tigre familiar Oler muy mal.

tijera *s. f.* Utensilio para cortar, formado por dos hojas de un solo filo, unidas en forma de aspa por un eje central, que se abren y se cierran. **NOTA** También en plural con el mismo significado que en singular.
de tijera Se aplica al objeto que se abre en forma de aspa y se cierra sobre un eje: *silla de tijera.*
FAM tijeretear, tijereta.

tijereta *s. f.* **1** Insecto de cuerpo aplanado que tiene dos piezas curvas en su parte posterior similares a unas tijeras que se abren y se cierran. **2** Salto que se hace cruzando las piernas en el aire, como si se abrieran y cerraran unas tijeras.

tijeretazo *s. m.* Corte rápido y brusco hecho de un golpe con las tijeras.

tiket [se pronuncia 'tíquet'] V. **tique**.
OBS Plural: *tikets.*

tila *s. f.* **1** Infusión o bebida caliente que se prepara hirviendo las flores del tilo y tiene efectos tranquilizantes o sedantes. **2** Tilo. **3** Flor de este árbol que se usa para hacer infusiones.

tildar *v. tr.* Atribuir a una persona un defecto o una característica mala: *me tildan de antipático.*
FAM atildar.

tilde *s. f.* Rayita, rasgo que forma parte de algunas letras (como la *t* o la *ñ*) o que marca el acento ortográfico.
FAM tildar.

tilín *s. m.* Sonido de una campana o una campanilla.
hacer tilín familiar Gustar una cosa o una persona a alguien.

tillita *s. f.* Roca originada a partir de un depósito no estratificado de origen glaciar formado por partículas de tamaños muy diferentes.

tilo *s. m.* **1** Árbol muy alto, de tronco recto, con hojas anchas en forma de corazón y flores olorosas, blancas o amarillas: *las flores del tilo se usan en infusión.* **SIN** tila. **2** AMÉR. Tila (infusión y flor).
FAM tila.

timador, -ra *s. m. y f.* Persona que roba una cosa con engaño. **SIN** estafador.

timar *v. tr.* **1** Quitar o robar una cosa con engaño. **SIN** estafar. **2** Engañar a una persona en una venta o trato con promesas que no se van a cumplir.
FAM timador, timo.

timba *s. f.* **1** familiar Partida de un juego de azar, especialmente de cartas: *los amigos montamos una timba cada fin de semana.* **2** Casa de juego. **SIN** garito. **3** AMÉR. Vientre hinchado.

timbal *s. m.* **1** Tambor pequeño que se lleva colgado del brazo y se toca con una sola baqueta. **SIN** tamboril. **2** Tambor de forma semiesférica y cubierto por la parte superior con un solo parche o membrana. **3** Instrumento musical de percusión derivado de este, que se utiliza en la orquesta occidental moderna; es metálico y de gran tamaño, y puede sonar a diversos tonos regulando la tensión de la membrana con una serie de llaves o tornillos o mediante un pedal; se toca golpeando la membrana con unas mazas.
FAM timbalero.

timbalero, -ra *s. m. y f.* Persona que toca el timbal.

timbrado, -da *adj.* **1** Se aplica a la carta o papel que tiene membrete: *recibí una carta timbrada del ministerio de trabajo.* **2** Se aplica al sonido que tiene un timbre claro y agradable.

timbrar *v. tr.* Poner o estampar un sello, póliza o timbre en ciertos documentos: *hay que timbrar los documentos oficiales.* **SIN** sellar.
FAM timbrado.

timbrazo *s. m.* Sonido o toque fuerte de un timbre.

timbre *s. m.* **1** Dispositivo electromagnético o mecánico que emite un sonido que sirve de llamada o de aviso: *el timbre indica el comienzo de cada clase.* **2** Pulsador que acciona el mecanismo de este dispositivo eléctrico: *cuando llegues toca el timbre para que pueda abrirte.* **3** Cualidad de un sonido que lo hace propio y característico, y lo distingue de otros aunque tengan el mismo tono e intensidad: *el timbre del violín es más brillante que el de la viola, más oscuro.* **4** Sello que se pone en algunos documentos para indicar que se han pagado las tasas o los impuestos que correspondan.
FAM timbrar, timbrazo, tímbrico.

timidez *s. f.* Cualidad de tímido: *su timidez le impidió decir claramente lo que pensaba.*

tímido, -da *adj.* Se aplica a la persona que siente vergüenza e inseguridad en sí misma y tiene dificultades para relacionarse con los demás, sobre todo en situaciones sociales nuevas. **SIN** vergonzoso.
FAM timidez.

timo[1] *s. m.* Robo con engaño, especialmente cuando en una venta o trato comercial no se cumple lo que se ha prometido. **SIN** estafa.

timo[2] *s. m.* Glándula endocrina de los animales vertebrados, situada en el tórax, que interviene en la función inmunológica ya que su secreción estimula la formación de linfocitos.

timón *s. m.* **1** Pieza o mecanismo situado en la parte trasera de un barco o un avión que sirve para conducirlos o controlar la dirección. **2** Palanca o rueda que se mueve para accionar el mecanismo de dirección de un barco o un avión. **3** Varilla de un cohete, que funciona como contrapeso y le permite mantener la dirección. **4** Palo del arado que va desde la cama

hasta el yugo. **5** Dirección o gobierno de un negocio o un asunto: *el presidente lleva el timón de la nación.*
FAM timonel.

timonel *s. com.* Persona que maneja el timón de una embarcación.

timorato, -ta *adj.* **1** Que es indeciso y tímido. **2** Que se escandaliza con facilidad ante hechos o cosas que no se ajustan a la moral convencional. **SIN** mojigato, beato.

tímpano *s. m.* **1** Membrana de tejido delgado situada entre los oídos externo y medio que vibra al recibir los sonidos y los comunica al interior del oído: *el tímpano separa el oído externo del oído medio.* **2** Instrumento musical de percusión formado por varias láminas de cristal de diferente longitud colgadas sobre cuerdas, que se toca golpeándolas con un mazo pequeño de corcho o forrado de piel. **3** Espacio triangular delimitado por las molduras que definen un frontón, frecuentemente decorado con relieves. **SIN** témpano. **4** Espacio delimitado por el dintel de la puerta y los arquitrabes en la portada de una iglesia.

tina *s. f.* **1** Tinaja: *una tina de aceite.* **2** Recipiente de madera en forma de media cuba.
FAM tinaja.

tinaja *s. f.* Vasija grande de barro, más ancha por el centro que por el fondo y la boca; se utiliza normalmente para guardar líquidos. **SIN** tina.

tinción *s. f.* Acción de teñir. **SIN** tinte, tintura.

tinerfeño, -ña *adj.* **1** De Tenerife (isla del archipiélago canario). **‖** *s. m. y f./adj.* **2** Persona que es de Tenerife.

tinglado *s. m.* **1** Asunto o situación que oculta una trama complicada, generalmente con el fin de perjudicar a alguien. **2** Situación confusa, agitada, que presenta bastante desorden y alboroto. **SIN** lío. **3** Lugar cubierto para almacenar mercancías temporalmente.

tiniebla *s. f.* **1** Oscuridad o falta de luz. **NOTA** También en plural con el mismo significado que en singular. **‖** *s. f. pl.* **2 tinieblas** Falta de conocimientos y de cultura. **SIN** ignorancia. **3** Falta de luz en lo abstracto o moral.

tino *s. m.* **1** Habilidad o facilidad para acertar cuando se apunta a un blanco determinado. **SIN** puntería. **2** Juicio o acierto para conducir un asunto delicado: *solucionó el problema con mucho tino.* **SIN** tacto, tiento. **3** Moderación o medida en el comportamiento al realizar una acción: *debes comer y beber con tino, sin excederte.*
FAM atinar.

tinta *s. f.* **1** Líquido coloreado que se utiliza para escribir, dibujar o imprimir. **■ tinta china** Tinta que se hace con negro de humo y se usa, sobre todo, para dibujar. **2** Líquido negro que producen ciertos animales invertebrados marinos y que expulsan al exterior para protegerse de sus depredadores oscureciendo el agua: *la tinta del calamar es muy apreciada en alimentación.*

cargar las tintas Expresión que se utiliza para indicar que se está exagerando demasiado acerca de un tema o cuestión conflictiva.

con medias tintas De modo impreciso o poco claro, sin dar toda la información.

saber de buena tinta Expresión que indica que una persona ha sido informada de algo por una fuente segura y que merece confianza y crédito.

sudar tinta Realizar un gran esfuerzo, un trabajo muy duro para conseguir algún fin.
FAM tintar, tinte, tintero, tinto, tintura; chupatintas.

tintar *v. tr.* Darle a una cosa un color o un determinado carácter que no es el suyo propio. **SIN** teñir.

tinte *s. m.* **1** Color o sustancia que se aplica sobre una cosa o con la que se la cubre para teñirla. **2** Acción de teñir. **3** Establecimiento donde se limpia o cambia de color la ropa. **SIN** tintorería. **4** Apariencia, manifestación superficial de una característica: *el asunto ha adquirido un tinte dramático, pero no pasa nada grave.*

tintero *s. m.* Vaso o recipiente de boca ancha que se usa para guardar la tinta de escribir.

dejarse en el tintero Olvidarse una persona de decir o escribir una cosa o que ha omitido: *en mi crónica me he dejado muchos datos en el tintero.*

tintinear *v. intr.* Producir un sonido agudo, suave y repetido una campanilla o, en general, un metal o un cristal.
FAM tintineo.

tintineo *s. m.* **1** Acción de tintinear. **2** Efecto de tintinear.

tinto, -ta *adj./s. m.* **1** Se aplica al vino que es de color rojo muy oscuro, obtenido de la uva negra. **‖** *s. m./adj.* **2** Color rojo muy oscuro, como el del vino. **‖** *adj.* **3** Que es de este color.
FAM tintorro.

tintorera *s. f.* Pez marino de gran tamaño, del grupo de los tiburones; tiene el dorso de color azul o gris y el vientre claro, la boca semicircular y los dientes afilados y cortantes.

tintorería *s. f.* Establecimiento donde se limpia o cambia de color la ropa. **SIN** tinte.

tintorero, -ra *s. m. y f.* Persona que se dedica a teñir y limpiar tejidos y ropa.
FAM tintorería.

tintorro *s. m. familiar* Vino tinto, especialmente cuando es de baja calidad.

tintura *s. f.* **1** Acción de teñir: *las telas pasan por un proceso de tintura durante su elaboración.* **SIN** tinción, tinte. **2** Sustancia que sirve para teñir. **3** Disolución de una sustancia medicinal en alcohol, agua o éter: *tintura de yodo.*

tiña *s. f.* **1** Enfermedad contagiosa de la piel que afecta especialmente a la de la cabeza y produce escamas, costras y la caída del pelo: *la tiña está provocada por hongos parásitos.* **2** familiar Miseria, tacañería.
FAM tiñoso.

tiñoso, -sa *adj./s. m. y f.* **1** Se aplica a la persona que padece tiña. **2** fam. desp. Se aplica a la persona que es tacaña y miserable.

tío, tía *s. m. y f.* **1** Hermano o hermana del padre o de la madre de una persona, o cónyuge de uno de estos hermanos. **■ tío abuelo** Hermano o hermana de alguno de los abuelos de otra persona. **■ tío carnal** Hermano o hermana del padre o de la madre de una persona. **■ tío segundo** Primo o prima del padre o de la madre de una persona. **2** Tratamiento que se usa en algunos lugares, especialmente en los pueblos, para dirigirse a personas casadas o de edad avanzada: *esas tierras son del tío Ambrosio.* **3** familiar Individuo, persona en general: *ese tío fue el que me dijo aquella grosería.*
FAM tiarrón, tito.

tiovivo *s. m.* Atracción de feria que consiste en una base redonda sobre la que dan vueltas caballitos, coches y otras figuras en las que montan los niños. **SIN** caballitos.

tipi *s. m.* Tienda constituida por un armazón de palos o cañas dispuestos en forma cónica y cubierto con pieles, utilizada por las tribus norteamericanas como vivienda.

típico, -ca *adj.* ① Que es propio, característico o representativo de un tipo o clase. **ANT** atípico. ② Que es característico o representativo de un lugar: *una casa de piedra típica de montaña.*

tipificación *s. f.* ① Conjunto de características que son representativas de un modelo o clase: *el baile flamenco es la tipificación de la cultura andaluza.* ② Adaptación o acomodación de varias cosas semejantes a un tipo o a una norma común: *algunos delitos aún no tienen tipificación dentro del código penal.*

tipificar *v. tr.* Clasificar u organizar en tipos o clases una realidad o un conjunto de cosas.
FAM tipificación.

tiple *s. m.* ① Instrumento musical de viento de sonido muy agudo, fuerte y penetrante, formado por un tubo de madera en forma de cono con llaves y agujeros, que se usa en la cobla (formación orquestral con que se acompañan las sardanas). ② Voz femenina más aguda, bajo la cual están las de mezzosoprano y contralto. **SIN** soprano. ‖ *s. com.* ③ Persona que tiene esta voz: *las tiples de un coro.* **SIN** soprano.
FAM atiplar, vicetiple.

tipo, -pa *s. m.* ① Modelo o clase que reúne las características más representativas que distinguen a un grupo o conjunto: *el tipo del héroe ha variado mucho: antes eran siempre muy violentos y ahora muchos son pacíficos.* ② Modelo ideal que reúne las características principales que caracterizan a un conjunto: *esa es la casa tipo que sirvió de modelo a las otras.* **NOTA** Se construye normalmente en aposición a otro sustantivo: *encuesta tipo, curso tipo.* **SIN** modelo, prototipo. ③ Clase o modalidad de una cosa: *¿qué tipo de traje quieres comprar?* ■ **tipo de interés** Proporción de una cantidad de dinero que hay que pagar a un banco o al acreedor, generalmente a cambio de un préstamo; se expresa en tanto por ciento: *un tipo de interés del 5 %.* ‖ *s. m. y f.* ④ Hombre o mujer: *no me gusta nada esa tipa; es un buen tipo.* **NOTA** Frecuentemente usado de forma despectiva. ‖ *s. m.* ⑤ Figura o línea del cuerpo humano, especialmente el talle: *tiene un buen tipo porque se cuida.* ⑥ Pieza de metal de la imprenta y de la máquina de escribir en que está grabada una letra u otro carácter. ⑦ Clase de letra: *el tipo Courier es muy utilizado en imprenta.* ⑧ Categoría de clasificación de los seres vivos que es más específica que la de reino y más general que la de clase: *los cangrejos pertenecen al tipo de los artrópodos.*
aguantar (o mantener) el tipo Comportarse dignamente una persona en una situación difícil o peligrosa: *todos le atacaron pero él supo mantener el tipo.*
jugarse el tipo Exponerse a un peligro o riesgo: *te estás jugando el tipo con tanto salto sin red.*
FAM tiparraco, tipejo, típico, tipificar, tipismo; arquetipo, prototipo, subtipo.

tipografía *s. f.* ① Técnica de impresión de textos o dibujos, a partir de moldes en relieve o tipos entintados que se aplican sobre el papel: *la tipografía impulsó la difusión de la cultura escrita.* ② Estilo o apariencia de un texto impreso.
FAM tipográfico, tipógrafo.

tipográfico, -ca *adj.* Relativo a la tipografía: *error tipográfico.*

tipología *s. f.* Clasificación y estudio en tipos o clases de un conjunto de elementos: *tipología lingüística.* **SIN** taxonomía.
FAM tipológico.

tipológico, -ca *adj.* Relativo a la tipología: *estudio tipológico.*

tique o **tíquet** *s. m.* ① Papel que se da a un cliente en el que está anotado el precio que este ha pagado por una compra o por un servicio, generalmente para que pueda reclamar: *no se admiten devoluciones sin el tique de compra.* ② Billete que permite usar un medio de transporte o entrar en un establecimiento público o espectáculo: *el tique del autobús.*
OBS Plural: *tiques* o *tíquets.* Pueden encontrarse las grafías inglesas *ticket* y *tiket.*

tiquismiquis *s. com.* ① Persona excesivamente escrupulosa, que se fija en detalles insignificantes y que ve problemas o defectos en todo. ‖ *s. m. pl.* ② **tiquismiquis** Escrúpulos o reparos exagerados y de poca importancia: *esa persona tiene demasiados tiquismiquis.*
OBS Plural invariable.

tira *s. f.* ① Pedazo largo, estrecho y delgado de cualquier material, especialmente de papel o tela. **SIN** cinta. ② Serie de viñetas o dibujos que narran una historia o parte de ella: *una tira cómica.*
la tira familiar Se usa para expresar gran cantidad de personas o cosas: *vino la tira de gente al concierto.*
FAM tirita.

tirabuzón *s. m.* Rizo de pelo largo que cuelga en forma de espiral.

tirachinas *s. m.* Tirador en forma de Y con una tira elástica sujeta a sus dos extremos que se utiliza para lanzar piedras u objetos pequeños. **SIN** tirador, tiragomas.
OBS Plural invariable.

tirada *s. f.* ① Acción que consiste en tirar o lanzar una cosa con la mano de una sola vez: *ganó la apuesta con una sola tirada de dados.* ② Conjunto de cosas que se hacen o dicen de una sola vez: *me leí una tirada de veinte páginas.* ③ Número de ejemplares de una edición: *la primera tirada del libro fue de dos mil ejemplares.* ④ familiar Distancia que hay de un lugar a otro: *de mi casa a la tuya hay una buena tirada.*
de una tirada Sin interrupción: *me leí el libro de una tirada.*

tirado, -da *adj.* ① familiar Que es muy fácil de conseguir porque es sencillo, no presenta dificultad o es muy barato: *un examen tirado de aprobar.* ② familiar Que es despreciable o no tiene valor: *lleva una ropa muy tirada.* ③ familiar Se aplica a la persona que se queda sin medios o sin ayuda en un momento determinado: *me falló el coche y me quedé tirado en la autopista.*

tirador, -ra *s. m. y f.* ① Persona que lanza una cosa o dispara un arma: *la policía abrió fuego contra el tirador del tejado.* ‖ *s. m.* ② Asidero para abrir y cerrar puertas, cajones, etc. ③ Cordón del que se tira para hacer sonar una campanilla. ④ Tirachinas. **SIN** tiragomas.
FAM francotirador.

tiragomas *s. m.* Tirachinas. **SIN** tirador.
OBS Plural invariable.

tiralíneas *s. m.* Utensilio de dibujo terminado en forma de pinza, cuyas dos puntas se abren y se cierran mediante un tornillo, y que sirve para trazar líneas más o menos finas con ayuda de una regla: *el tiralíneas se usa en dibujo lineal.*
OBS Plural invariable.

tiramisú *s. m.* Postre que se prepara con láminas de masa de bizcocho empapada en café con licor y que se alternan con una crema compuesta de claras a punto de nieve mezcladas con un queso suave, azúcar y nata líquida; generalmente se espolvorea la última capa de crema con chocolate en polvo.

tiranía *s. f.* **1** Forma de gobierno en la que el gobernante ejerce un poder total o absoluto, no limitado por unas leyes, especialmente cuando lo obtiene por medios ilícitos: *la tiranía de un dictador.* **2** Abuso de la superioridad o del poder en el trato con los demás. **3** Dominio excesivo que un sentimiento ejerce sobre la voluntad de una persona: *la tiranía de las pasiones.* **4** Forma de gobierno de la Grecia antigua en la que el gobernante alcanzaba el poder por medios ilícitos y lo ejercía sin someterse a leyes.

tiranicidio *s. m.* Asesinato de un tirano.
FAM tiranicida.

tiránico, -ca *adj.* Relativo a la tiranía: *gobierno tiránico.*

tiranizar *v. tr.* **1** Gobernar un tirano con poder total o absoluto, sin leyes que lo limiten: *el dictador tiranizó al pueblo durante cuarenta años.* **2** Dominar excesivamente un sentimiento la voluntad de una persona: *la pasión tiraniza su voluntad.*
FAM tiranización.

tirano, -na *adj./s. m. y f.* **1** Se aplica a la persona que abusa del poder político y gobierna de manera despótica, sin límites legales y, generalmente, de forma corrupta y cruel. **2** Se aplica a la persona que abusa de su superioridad, de su fuerza o de su poder en su relación con los demás. **SIN** déspota, dictador. ‖ *adj.* **3** Se aplica a la pasión o sentimiento que domina completamente el ánimo y la voluntad de una persona: *amor tirano.*
FAM tiranía, tiranicidio, tiránico, tiranizar.

tiranosaurio *s. m.* Dinosaurio carnívoro de gran corpulencia que tenía las patas delanteras más cortas que las traseras: *el tiranosaurio existió en la era secundaria.*

tirante *adj.* **1** Que está estirado o tenso por estar expuesto a unas fuerzas opuestas: *las gomas deben quedar tirantes.* **2** Se aplica a la relación que es fría o difícil y está próxima a romperse o complicarse: *la relación con sus vecinos es cada vez más tirante.* ‖ *s. m.* **3** Tira de un material elástico con un broche metálico en cada extremo que se pasa por encima de cada hombro y se engancha a la cinturilla del pantalón o de la falda, por la espalda y por el abdomen, para impedir que se caiga. **4** Pieza mecánica destinada a sostener un gran peso o tensión, como los que sujetan un puente colgante.
FAM tirantez; atirantar.

tirantez *s. f.* **1** Característica de lo que está estirado o tenso. **2** Situación de tensión o frialdad que se da en una relación entre dos o más personas.

tirar *v. tr.* **1** Lanzar a una persona o cosa hacia un lugar: *tirar piedras.* **SIN** arrojar, echar. **2** Hacer caer una cosa: *no tires los lápices al suelo.* **3** Desechar una cosa o echarla a la basura: *tirar la ropa vieja.* **4** Desperdiciar una cosa o no sacar provecho de ella: *tirar el dinero en tonterías.* **SIN** derrochar, malgastar. **5** Derribar o hacer caer a una persona o cosa: *el fuerte viento ha tirado los árboles.* **6** Disparar proyectiles con un arma de fuego: *tirar al blanco.* **7** Lanzar un artefacto explosivo o hacerlo explotar: *le gusta tirar petardos.* **8** Disparar con una cámara de fotografiar: *tirar fotos.* **9** Lanzar una pieza de un juego, especialmente una pelota, dados o cartas: *tiró los dados y sacó seis puntos.* **10** Reproducir un texto mediante impre-

sión: *han tirado nuevos ejemplares de esta novela.* **SIN** imprimir. **11** Dibujar o trazar una línea: *tirar líneas.* **12** familiar Suspender a una persona en una prueba o no aprobarla en un examen: *lo han tirado en matemáticas.* ‖ *v. intr.* **13** Atraer de manera natural a una persona o cosa: *el peso del plomo tira de la cuerda.* **SIN** estirar. **14** Hacer fuerza para atraer o acercar una cosa: *tiraba de la correa para acercar al perro.* **SIN** estirar. **15** familiar Atraer o gustar mucho una cosa: *a este chico le tira mucho la mecánica.* **16** Quedar estrecha o corta una prenda de vestir: *esta camisa me tira de la espalda.* **17** Funcionar correctamente el mecanismo de un objeto o un aparato: *esta máquina se ha atascado, no tira bien.* **18** Crear una corriente de aire para absorber el humo: *esta chimenea tira muy bien.* **19** Avanzar caminando o circular en una dirección determinada: *cuando llegues a la farmacia tira a la derecha.* **20** Tener cierto parecido o semejanza una persona o cosa con otra: *su pelo tira a rubio.* **21** Ir un corredor delante de los demás marcando el ritmo: *el ciclista que va en cabeza tira del pelotón.* ‖ *v. prnl.* **22** **tirarse** Lanzarse una persona desde una determinada altura: *los polizontes se tiraron del tren en marcha.* **23** Pasar un tiempo determinado realizando una actividad o manteniéndose una persona en un estado: *se ha tirado tres meses enfermo.* **24** vulgar Realizar el acto sexual con otra persona.

tira y afloja Expresa una alternancia entre momentos de tensión y de conciliación.
FAM tirachinas, tirada, tirado, tirador, tiragomas, tiralíneas, tirante, tiro, tirón.

tirita *s. f.* Tira pequeña de esparadrapo o de otro material con una gasa en el centro que se pega sobre una herida pequeña para protegerla.
OBS Es marca registrada.

tiritar *v. intr.* Temblar de frío, miedo u otras causas.
FAM tiritera, tiritona.

tiro *s. m.* **1** Disparo hecho con un arma de fuego. ■ **tiro de gracia** Tiro que se da a una persona o animal ya herido de gravedad para que muera rápidamente. **2** Ruido que produce este disparo: *se oyeron tiros.* **3** Señal o herida que produce este disparo: *tiene un tiro en la pierna.* **4** Conjunto de deportes que consisten en derribar un blanco o acertar en él con armas de fuego o arcos y flechas. ■ **tiro al blanco** Deporte que consiste en disparar a un blanco con un arma. ■ **tiro al plato** Deporte que consiste en disparar con una escopeta a un plato que es lanzado con fuerza hacia arriba. ■ **tiro de pichón** Deporte que consiste en disparar a un pichón al vuelo. **5** Conjunto de caballos o de otros animales que tiran de un carruaje. **6** Distancia que va desde el lugar de unión de las piernas hasta la cintura de un pantalón: *pantalones cortos de tiro.* ■ **tiro libre** Lanzamiento de la pelota directamente a la canasta que se hace desde un punto determinado como castigo a una falta del equipo contrario en el juego del baloncesto. **7** Lanzamiento de la pelota a la meta o a la canasta del equipo contrario, en fútbol, baloncesto y otros deportes: *el tiro salió rozando el larguero.* **8** Corriente de aire con la que se absorbe el humo en una chimenea o un horno. **9** jerga Inhalación de una dosis de droga, generalmente cocaína.

a tiro Al alcance de una persona: *te dio porque te pusiste a tiro.*
a un tiro de piedra Muy cerca: *la cabaña está a un tiro de piedra del lago.*
como un tiro familiar Muy mal o fatal: *el pastel me sentó como un tiro; tu amigo me cayó como un tiro.*
de tiros largos Vestido elegantemente o muy arreglado.

T

ni a tiros familiar De ninguna manera: *no se moverá de allí ni a tiros.*

salir el tiro por la culata familiar Producirse un resultado negativo, contrario al esperado: *pensaba ganar y le salió el tiro por la culata.*
FAM tirotear.

tiroideo, -dea *adj.* Relativo al tiroides.

tiroides *adj./s. m.* Se aplica a la glándula que está situada en la parte superior y delantera de la tráquea y regula el metabolismo y el crecimiento.
FAM tiroideo.
OBS Plural invariable.

tirolés, -lesa *adj.* 1 Del Tirol (región de Austria). | *adj./s. m. y f.* 2 Se aplica a la persona que es del Tirol.

tirón *s. m.* 1 Acción que consiste en tirar de una cosa o una persona con fuerza: *le arrancó la camisa de un tirón.* **SIN** estirón. 2 Procedimiento de robo que consiste en tirar rápida y violentamente de una cosa y huir con ella: *le han robado el bolso por el método del tirón.* 3 Movimiento brusco de un vehículo que está circulando, especialmente al cambiar de velocidad o de marcha. 4 Atractivo especial o capacidad para conseguir seguidores que tiene una persona o una idea: *el ecologismo tiene un gran tirón entre la juventud.* 5 Agarrotamiento o contracción de un músculo del cuerpo: *le dio un tirón en la pierna.*
de un tirón familiar Expresión que indica que una cosa se hace de una sola vez y sin interrupciones ni intervalos: *limpié la casa de un tirón.*

tirotear *v. tr.* Disparar repetidamente un arma de fuego contra una persona o una cosa.
FAM tiroteo.

tiroteo *s. m.* Acción de tirotear.

tiroxina *s. f.* Hormona, segregada por la glándula tiroides, que regula los procesos metabólicos.

tirreno, -na *adj.* 1 Relativo al mar Tirreno o a sus territorios. 2 Relativo a la antigua Etruria: *la zona tirrena estaba situada en el noroeste de la actual Italia.* **SIN** etrusco. | *s. m. y f./ adj.* 3 Persona que era de la antigua Etruria. **SIN** etrusco.

tirria *s. f.* familiar Sentimiento de odio o antipatía que una persona siente hacia alguien o algo: *dice que el profesor de matemáticas le tiene tirria.* **SIN** manía, ojeriza.

tisana *s. f.* Infusión que se prepara con varias hierbas y tiene propiedades medicinales.

tísico, -ca *adj.* 1 Relativo a la tisis. | *adj./s. m. y f.* 2 Se aplica a la persona que padece tisis. **SIN** hético, tuberculoso.

tisis *s. f.* Tuberculosis que afecta a los pulmones.
FAM tísico.
OBS Plural invariable.

tisú *s. m.* Tela de seda entretejida con hilos de oro o plata: *un turbante de tisú.*
OBS Plural: *tisús.*

titán *s. m.* 1 Hombre que es excepcional o que destaca en alguna cosa: *Einstein fue un titán de la ciencia.* 2 Cada uno de los doce gigantes de la mitología griega, hijos de Gea y Urano, que quisieron asaltar el cielo.
FAM titánico.

titánico, -ca *adj.* 1 Que exige un gran esfuerzo. **SIN** enorme, gigantesco. 2 Relativo a los titanes.

titanio *s. m.* Elemento químico de símbolo *Ti* y número atómico 22; es un metal de transición de color blanco, muy ligero y duro, de elevado punto de fusión y muy resistente a la

corrosión; se utiliza para la fabricación de aleaciones para barcos, aviones, plantas químicas, etc.

títere *s. m.* 1 Muñeco articulado que puede ser movido desde arriba por medio de una cruceta y unos hilos atados a su cuerpo, o bien metiendo la mano en su interior, por debajo del vestido. **SIN** marioneta. 2 Persona de poca voluntad y carácter débil que se deja manejar por los demás. **NOTA** Frecuentemente usado de forma despectiva. **SIN** marioneta. | *s. m. pl.* 3 **títeres** Espectáculo público que se realiza con muñecos o marionetas.
no dejar (o quedar) títere con cabeza (I) familiar Destruir o destrozar una cosa por completo. (II) Criticar o hablar muy mal de una persona.
FAM titerero, titiritero.

titi *s. f.* familiar Chica joven.

tití *s. m.* Mono pequeño de color gris, con rayas, de cara blanca y pelada, nariz negra y con una cola muy larga: *el tití vive en las selvas de América del Sur.*
OBS Plural: *titís.*

titilar *v. intr.* 1 Centellear con un ligero temblor un cuerpo luminoso: *las estrellas titilan en el cielo.* 2 Temblar ligeramente una cosa: *el hocico del perro titiló al olor de la liebre.*

titiritero, -ra *s. m. y f.* 1 Persona que maneja títeres o marionetas. 2 Persona que participa en un espectáculo haciendo ejercicios de saltos y equilibrios en el aire o sobre un alambre. **SIN** acróbata, volatinero.

tito, -ta[1] *s. m. y f.* familiar Tío (pariente).

tito[2] *s. m.* Hueso o pepita de una fruta.

titubear *v. intr.* 1 Dudar al elegir unas palabras determinadas o tropezar al pronunciarlas. **SIN** balbucear, tartamudear. 2 Dudar a la hora de tomar una decisión: *aceptó el negocio sin titubear.* **SIN** vacilar. 3 Tambalearse una persona o una cosa que tiene poca estabilidad. **SIN** oscilar.
FAM titubeo.

titubeo *s. m.* 1 Duda en la elección de unas determinadas palabras o tropiezo en la pronunciación de estas. 2 Duda a la hora de tomar una decisión.

titulación *s. f.* 1 Obtención de un título académico: *ha obtenido la titulación de filología.* 2 Elección de un título o del nombre que se pone a una cosa.

titulado, -da *adj./s. m. y f.* Se aplica a la persona que tiene un título académico: *titulado en periodismo.*

titular[1] *adj./s. com.* 1 Se aplica a la persona que ha sido nombrada para ocupar un cargo o ejercer una profesión y posee el título o nombramiento que le acredita para hacerlo: *médico titular.* | *s. m.* 2 Título de una publicación o de una noticia que aparece al principio y en letras de mayor tamaño. | *s. com.* 3 Persona o entidad a la que su nombre para que figure como titular de algo o para que conste como propietario o sujeto activo de un derecho: *el titular de una cuenta.*
FAM titulación, titulado, titularidad.

titular[2] *v. tr.* 1 Poner título o nombre a una obra. | *v. prnl.* 2 **titularse** Obtener un título académico.

titularidad *s. f.* Ejercicio de una profesión o cargo con el título o nombramiento oportuno.

titulitis *s. f.* familiar Aprecio excesivo que tiene una persona por la posesión de títulos académicos.
OBS Plural invariable.

título *s. m.* 1 Palabra o conjunto de palabras que dan nombre a una obra científica o artística, o a una parte de ella, en

la que puede haber alguna indicación sobre el contenido: *título de una novela*. SIN denominación, nombre. **2** Documento con valor académico que acredita que una persona está preparada y capacitada para desarrollar una actividad, puesto que ha cursado los estudios pertinentes y ha superado los exámenes correspondientes: *título de licenciado en biología*. **3** Premio o reconocimiento público que se concede a la persona o al grupo de personas que han sido los mejores en una actividad: *título de campeón*. **4** Dignidad o categoría nobiliaria y persona que la posee: *título de marqués*. **5** Parte o división de un texto jurídico o un código de leyes. **6** Documento que acredita que una persona es propietaria de algún bien o está en posesión de un derecho: *título de propiedad*. **7** Documento que acredita que el poseedor tiene una cantidad de dinero invertida en una empresa del estado. SIN valor.
a título de Expresión que indica que una persona o cosa actúa o funciona en calidad de lo que se expresa o como tal: *me dio un consejo a título de amigo*.
FAM titular, titulitis; subtítulo.

tiza *s. f.* **1** Arcilla blanca arenosa que se usa, pulverizada, para limpiar metales. **2** Barra pequeña de este material que se usa para escribir en una pizarra o encerado. **3** Compuesto de yeso y greda que se aplica en la punta de los tacos de billar.

tiznar *v. tr.* Manchar una cosa con tizne, humo, hollín o ceniza: *el fuego ha tiznado el techo de la cocina*.

tizne *s. amb.* Ceniza y polvo negro que produce el fuego o el humo y que se pega a los objetos.
FAM tiznar.

tizón *s. m.* **1** Palo o trozo de madera a medio quemar: *removió los tizones de la chimenea con un atizador*. **2** Hongo parásito del trigo y otros cereales: *el tizón produce manchas negras en la planta*.
a tizón Expresión que indica que las piedras o ladrillos de un muro se han colocado de manera que se vea en la fachada su lado más pequeño: *las paredes a tizón son más gruesas*.

toalla *s. f.* **1** Pieza de tela de tejido suave y esponjoso que sirve para secarse el cuerpo. **2** Tejido de rizo con el que se fabrica esta pieza de tela: *un albornoz de toalla*.
arrojar (o **tirar**) **la toalla** Abandonar una tarea o darse por vencida una persona.
FAM toallero.

toallero *s. m.* Mueble o soporte que sirve para guardar o colgar las toallas.

toba *s. f.* Roca caliza muy porosa y ligera.

tobillera *s. f.* Venda, generalmente elástica, que se pone en el tobillo para protegerlo o sujetarlo.

tobillo *s. m.* Parte del cuerpo humano donde el pie se articula con la pierna.
FAM tobillera.

tobogán *s. m.* Rampa artificial por la que se deslizan o se dejan caer las personas para divertirse.

toca *s. f.* Prenda que usan las monjas para cubrirse la cabeza: *la toca suele ser del mismo color que el hábito*.

tocadiscos *s. m.* Aparato electrónico que reproduce los sonidos grabados en un disco.
OBS Plural invariable.

tocado¹ *s. m.* **1** Peinado femenino: *la peluquera le recogió el pelo en un tocado con rizos*. **2** Prenda o adorno que se lleva en la cabeza: *la novia llevaba un tocado de flores de azahar*.

tocado, -da² *adj.* **1** familiar Se aplica a la persona que está algo trastornada mentalmente. **2** Se aplica a la fruta que ha empezado a estropearse: *las manzanas están algo tocadas*. **3** Se aplica a la persona que no se encuentra en una forma física óptima a causa de alguna lesión o enfermedad.

tocador *s. m.* **1** Mueble, generalmente en forma de mesa y con un espejo, que se usa para el peinado y el aseo personal. SIN coqueta. **2** Habitación que se usa para el peinado y el aseo personal.

tocamiento *s. m.* Acción de tocar; especialmente, de hacerlo con las manos en alguna zona erógena o sensible a la excitación sexual.

tocar¹ *v. tr.* **1** Palpar con las manos: *tanto tocar la figura y al final se ha roto*. **2** Poner en contacto la mano u otra parte del cuerpo, o un objeto que se sostiene con esta, con una persona o una cosa: *tocó el libro*. **3** Rozar o estar en contacto una cosa con otra: *el respaldo de la silla toca la pared*. **4** Estar una cosa cerca de otra de modo que haya muy poca distancia entre ellas. **5** Hacer sonar un instrumento musical: *tocar la guitarra*. **6** Ejecutar o interpretar una pieza musical: *la orquesta tocaba nuestra canción*. **7** Hacer sonar una cosa, generalmente para avisar o llamar: *tocar la bocina*. **8** Alterar o modificar el estado o condición de una cosa: *no toques más la redacción*. SIN retocar. **9** Tratar un asunto o hablar de él sin profundizar: *han tocado el tema, pero de pasada*. **|** *v. intr.* **10** Haber llegado el momento de una cosa: *hoy me toca lavar la ropa*. **11** Llegar una embarcación o un avión a un lugar por el que están de paso: *el barco tocó tierra en Chipre*. **12** Ser una cosa una obligación, una responsabilidad o un derecho para una persona: *te toca pagar la comida*. **13** Importar o afectar una cosa a una persona: *todos tus problemas me tocan directamente*. **14** Corresponder a una persona una cosa que se reparte o se sortea: *le ha tocado la lotería*. **|** *v. prnl.* **15** **tocarse** Tener dos o más personas una relación de parentesco: *—¿Os tocáis algo? —Sí, somos primos*.
FAM tocado, tocante, tocón, toque, toquetear.

tocar² *v. tr.* **1** Peinar y componer el cabello. **|** *v. prnl.* **2** **tocarse** Cubrirse la cabeza con un sombrero o un adorno: *don Quijote se tocaba con un yelmo*.

tocata¹ *s. f.* Composición musical breve para un instrumento de teclado, en un solo movimiento o parte y con abundantes pasajes que requieren un gran virtuosismo por parte del intérprete.

tocata² *s. m.* familiar Tocadiscos.

tocateja Se usa en la expresión:
a tocateja Indica que una cosa se paga al contado y en el momento de la compra: *lo pagó todo a tocateja*.

tocayo, -ya *s. m. y f.* Persona que tiene el mismo nombre que otra: *Cristina es mi tocaya*.

tocho *s. m.* **1** Ladrillo basto y tosco: *un muro de tochos*. **2** familiar Libro que es muy grueso o de lectura pesada. **3** Lingote de hierro. **4** ARG., EL SALV. Garrote.

tocino *s. m.* Capa de grasa que hay entre la piel y la carne del cerdo. ■ **tocino entreverado** Tocino del cerdo que tiene intercaladas entre la grasa vetas de carne magra.
tocino (o **tocinillo**) **de cielo** Dulce hecho con yema de huevo y almíbar.
FAM tocinillo.

tocología *s. f.* Parte de la medicina especializada en el estudio y cuidado de la salud de las mujeres durante el embarazo, el parto y el periodo posterior a este. **SIN** obstetricia. **FAM** tocólogo.

tocólogo, -ga *s. m. y f.* Médico especialista en tocología. **SIN** obstetra.

tocomocho *s. m.* familiar Estafa que consiste en vender algo supuestamente de mucho valor por un precio inferior al que tiene.

tocón, -cona *adj./s. m. y f.* ① familiar Se aplica a la persona que tiene tendencia a tocarlo todo. ‖ *s. m.* ② Parte de un árbol talado que sobresale de la tierra y está unido a la raíz.

todavía *adv.* ① Hasta ahora o hasta el momento en que se habla: *son las 11 de la mañana y todavía está durmiendo.* **SIN** aún. ② Indica mayor fuerza o grado en una comparación: *Juan es todavía más listo que su hermano.* **SIN** aún. ③ Expresa valor adversativo, con el significado de 'a pesar de' o 'sin embargo': *sé que no me hará caso nunca, y todavía le quiero.*

todo, -da *det./pron.* ① Indica que lo referido por el nombre al que acompaña se toma en su totalidad, sin excluir ninguna parte ni ninguno de los elementos que lo integran: *se lo comió todo.* ② Indica intensificación o grado máximo de una característica o una cualidad: *ese premio es todo un logro; es todo un campeón.* ‖ *s. m.* ③ Cosa entera o tomada en su integridad sin excluir ninguna parte: *el todo es mayor que una parte.* ‖ *adv.* ④ Enteramente o por completo: *la niña era todo lágrimas.*

ante todo Primero o principalmente: *ante todo está la felicidad de mis hijos.*

así y todo A pesar de eso: *me ha insultado, pero así y todo somos amigos.*

con todo Incluso así, a pesar de todo, no obstante: *es un buen atleta pero, con todo, no creo que gane.*

de todas todas Con total y absoluta seguridad: *sé de todas todas que me has traicionado.*

del todo Totalmente o de forma completa.

estar en todo Ocuparse a un tiempo de muchas cosas sin descuidar ningún detalle.

jugarse el todo por el todo Arriesgarse una persona hasta el máximo para conseguir un fin determinado: *me jugué el todo por el todo en un solo examen.*

sobre todo En primer lugar o principalmente: *sobre todo, abrígate antes de salir.*

todo lo más Expresión que indica el máximo que se considera posible para una cosa: *tardaré en llegar una hora todo lo más.*

y todo Expresión que indica ponderación o encarecimiento de algo: *después de mi enfermedad vino a verme a casa y todo.* **FAM** todopoderoso, todoterreno; curalotodo, sobretodo.

todopoderoso, -sa *adj.* Que lo puede todo o tiene un poder ilimitado. **SIN** omnipotente.

el Todopoderoso Dios: *la religión considera que Dios es el Todopoderoso porque tiene poder sobre todas las cosas.* **NOTA** Se escribe con mayúscula inicial.

todoterreno *adj./s. m.* ① Se aplica al vehículo que es muy potente y resistente y está preparado para adaptarse a todo tipo de terrenos, especialmente a los muy accidentados. **NOTA** Como adjetivo, es invariable en número. ② Se aplica a la persona que se adapta a cualquier situación o es útil para cualquier tipo de trabajo: *un jugador todoterreno.* **NOTA** Como adjetivo, es invariable en número.

toga *s. f.* ① Prenda de vestir larga, generalmente de color negro, que se ponen los jueces, los abogados y otros profesio-

nales sobre la ropa cuando están ejerciendo su función o en algunos actos: *el juez debe vestir toga cuando preside un juicio.* ② Prenda de vestir con forma de manto grande y largo que llevaban los romanos sobre la túnica. **FAM** togado.

toilette [se pronuncia aproximadamente 'tualet'] *s. f.* Aseo o cuarto de baño de un establecimiento público. **SIN** lavabo, servicio.

tojo *s. m.* Arbusto de ramas con espinas y flores amarillas que alcanza hasta 2 m de altura; es característico de zonas de clima oceánico.

toldo *s. m.* Cubierta de tela gruesa o lona que se tiende para que dé sombra en un lugar. **FAM** toldilla; entoldar.

toledano, -na *adj.* ① De Toledo (ciudad y provincia de Castilla-La Mancha): *el río Tajo cruza las tierras toledanas.* ‖ *s. m. y f./adj.* ② Persona que es de Toledo.

tolerable *adj.* ① Que se puede permitir, admitir o aceptar aunque no guste o no se apruebe del todo. **SIN** aceptable, pasable. **ANT** intolerable. ② Que se puede sufrir, soportar o aguantar aunque sea una situación dura o muy dolorosa. **SIN** llevadero, soportable. **ANT** intolerable. **FAM** intolerable.

tolerancia *s. f.* ① Respeto a las opiniones, ideas o actitudes de los demás, aunque no coincidan con las propias: *la tolerancia es indispensable para la convivencia.* **ANT** intolerancia. ② Capacidad que tiene un organismo para resistir y aceptar el aporte de determinadas sustancias: *tolerancia a la penicilina.* ③ Diferencia máxima entre el valor nominal y el valor real de la cualidad o la cantidad de una sustancia o de un material.

tolerante *adj.* Que respeta las opiniones, ideas o actitudes de los demás, aunque no coincidan con las propias. **SIN** respetuoso. **ANT** intolerante. **FAM** tolerancia; intolerante.

tolerar *v. tr.* ① Soportar, admitir o permitir una cosa que no gusta o no se aprueba del todo. ② Respetar una persona las opiniones, ideas o actitudes de los demás, aunque no coincidan con las propias. ③ Resistir y aceptar un organismo el aporte de determinadas sustancias. **FAM** tolerable, tolerante.

tolete *s. m.* ① AMÉR. CENTRAL, COL., CUBA, R. DOM., VENEZ. Garrote corto. ② CUBA Bastón pequeño y fuerte que usan los agentes de policía. ‖ *adj./s. com.* ③ fam. desp. CUBA Lerdo, tonto.

tolva *s. f.* Recipiente que sirve para hacer que su contenido pase poco a poco a otro lugar o recipiente de boca más estrecha; suele tener forma de pirámide o cono invertido, ancho por la parte superior y estrecho y abierto por la inferior: *las aceitunas caen en la piedra del molino a través de una tolva.*

toma *s. f.* ① Acción de tomar: *toma de decisiones.* ■ **toma de conciencia** Hecho de darse cuenta de un problema o de un asunto, tras haber meditado sobre ello. ■ **toma de posesión** Acto en el que una persona recibe formalmente un cargo. ② Parte de un alimento o un medicamento que se ingiere de una vez: *una toma de jarabe cada ocho horas.* ③ Lugar por donde se deriva una corriente de fluido o de electricidad: *toma de teléfono; toma de agua.* ■ **toma de corriente** Dispositivo o enchufe que está unido a una red eléctrica y al que se puede conectar un aparato. ■ **toma de tierra** Cable de un aparato eléctrico que lo pone en contacto con el suelo, como medida de seguridad: *la toma de tierra evita el peligro de electrocución.* **4** Fragmento de una película de fotografía o cine que se impresiona o se graba de una vez. **5** Conquista u ocupación de un lugar mediante las armas: *la toma de una ciudad.*

toma y daca Cosa que se hace de manera repetitiva entre dos partes: *el partido fue un toma y daca entre los dos equipos.*

tomado, -da *adj.* Se aplica a la voz que está ronca o afónica.

tomador, -ra *adj./s. m. y f.* familiar AMÉR. Se aplica a la persona que es aficionada a las bebidas alcohólicas.

tomadura *s. f.* Acción que consiste en tomar una cosa.

tomadura de pelo Acción o dicho con que una persona trata de reírse, engañar o poner en ridículo a alguien: *este libro es una tomadura de pelo.*

tomahawk *s. m.* Hacha de guerra usada por los indios norteamericanos.

tomar *v. tr.* **1** Coger o sujetar una cosa con la mano o con un objeto: *toma el dinero y vete; tomó el hielo con unas pinzas.* **2** Escoger una cosa entre varias posibilidades: *toma el que prefieras.* **3** Comer o beber algún alimento: *tomar el desayuno.* **4** Imitar o copiar una cosa de otra persona: *tomó ese pensamiento de su maestro.* **5** Conquistar u ocupar un lugar por la fuerza: *tomar una ciudad.* **6** Hacer uso de algo: *tomaron el autobús; tómate tu tiempo.* **7** Poner por obra lo que se expresa: *tomar medidas; tomar precauciones.* **8** Adquirir o recibir lo que se expresa: *tomar aliento; tomar cariño.* **9** Recibir o aceptar una cosa que se ofrece: *no puedo tomar ese dinero.* **10** Entender o juzgar unas palabras en un sentido determinado: *tomó en broma lo que dijiste.* **11** Grabar o registrar imágenes en una película fotográfica o de cine: *tomó la imagen desde un helicóptero.* **12** Anotar o registrar por escrito: *tomar apuntes.* **13** Contratar a una persona para que preste un servicio. **14** Aceptar a una persona como compañera: *tomar a una mujer como esposa.* **15** Juzgar o formar una opinión acerca de una cosa. **16** Medir una determinada magnitud o medida. ‖ *v. tr./intr.* **17** Seguir una persona un camino o una dirección: *tome el camino de la derecha; en el cruce, tome por la izquierda.* **18** familiar AMÉR. Ingerir bebidas alcohólicas hasta alcanzar cierto grado de ebriedad.

tomarla con Expresión que indica que se tiene manía o antipatía a una persona: *la tiene tomada conmigo.*

tomárselas familiar ARG., BOL., PAR., URUG. Irse una persona de un lugar por conveniencia, a veces evadiendo una responsabilidad o un compromiso: *se las tomó antes de que su jefe le pidiera más cosas.*

FAM toma, tomado, tomadura, tomavistas; retomar.

tomate *s. m.* **1** Fruto de la tomatera, de piel roja, lisa y brillante, con la carne muy jugosa y semillas amarillas y planas. **2** Tomatera: *el tomate es una planta que procede de América.* **3** Salsa que está compuesta básicamente con el fruto de esta hortaliza, generalmente triturado o molido y después frito. **4** familiar Agujero hecho en una prenda de vestir de punto: *llevaba un tomate en el calcetín.* **5** familiar Momento de escándalo, confusión o desorden, generalmente con ruido y alboroto: *se lió un tomate de cuidado.* **6** familiar Discusión o lucha: *los insultos acabaron en tomate.* SIN pelea.

ponerse como un tomate familiar Ponerse la cara roja de vergüenza o indignación: *al oír el piropo se puso como un tomate.* FAM tomatera.

tomatera *s. f.* Planta de tallos vellosos de 1 a 2 m de altura,

con hojas alternas y flores amarillas, cuyo fruto es el tomate. SIN tomate.

tomavistas *s. m.* Cámara de pequeño tamaño que se usa en cine y televisión. OBS Plural invariable.

tómbola *s. f.* **1** Sorteo o rifa de objetos diversos en la que los premios están consignados dentro de sobres que ha de descubrir el participante: *en esa tómbola sortean jamones.* **2** Local donde se celebra este sorteo.

tómbolo *s. m.* Islote cercano a la costa y unido a esta por un cordón de arena.

tomillo *s. m.* Planta silvestre aromática, con muchas ramas, hojas pequeñas y flores blancas o rosas en forma de espiga: *el tomillo se usa como condimento.*

tomo *s. m.* Parte encuadernada de manera independiente y con paginación propia, que forma con otras una obra escrita muy extensa: *una enciclopedia de doce tomos.* SIN volumen.

de tomo y lomo Que es muy grande o importante: *una discusión de tomo y lomo.*

ton Se usa en la expresión:

sin ton ni son Expresión que indica que una cosa se hace sin razón alguna: *hablar sin ton ni son.*

tonada *s. f.* **1** Composición métrica que se crea para ser cantada. **2** Melodía de una canción popular, o la propia canción: *Antonio silba una tonada; cantantes que interpretaban tonadas populares.* FAM tonadilla.

tonadilla *s. f.* **1** Canción alegre y ligera de carácter popular o folclórico. **2** Pieza de teatro cantada que dio origen a la zarzuela: *la tonadilla nació a comienzos del siglo XVIII en el teatro madrileño.* FAM tonadillero.

tonadillero, -ra *s. m. y f.* Persona que compone o canta tonadillas.

tonal *adj.* **1** Relativo al tono o a la tonalidad: *variedad tonal.* **2** Se aplica a la música o composición musical que se estructura mediante tonos, relacionados entre sí mediante la tonalidad: *la mayoría de la música que oímos es tonal.* ANT atonal. FAM tonalidad; atonal.

tonalidad *s. f.* **1** Gradación de diferentes colores y tonos: *la tonalidad del mar varía entre el verde y el azul.* **2** En lingüística, entonación que se da a una frase o a un discurso. **3** Relación que se establece entre los diferentes tonos o notas musicales, según la cual una nota cualquiera es definida como la tónica o primera nota de la escala, de modo que el resto de notas se organizan en base a ella: *una pieza puede estar en tonalidad mayor o menor; que una obra esté en sol mayor significa que el sol es la tónica y que la escala es menor.* SIN tono.

tondo *s. m.* **1** Ornamento circular rehundido en un paramento. **2** Pintura o relieve de contorno circular, similar a un medallón.

tonel *s. m.* **1** Recipiente de gran tamaño que sirve para contener líquidos; está formado por listones de madera unidos con aros metálicos y apoyados sobre una base circular: *un tonel de vino.* SIN barril, cuba. **2** familiar Persona que está muy gorda. FAM tonelada.

tonelada *s. f.* **1** Unidad de masa, de símbolo *t*, que es igual a 1000 kilogramos. NOTA También *tonelada métrica.* **2** Unidad

T

de capacidad de las embarcaciones equivalente a 2,83 metros cúbicos.

FAM tonelaje; megatonelada.

tonelaje *s. m.* Capacidad de carga que tiene una embarcación u otro vehículo de transporte.

tonema *s. m.* Última fase de la curva melódica de un grupo fónico que varía en función del significado.

tóner *s. m.* Tinta en forma de polvo cargado eléctricamente, que se emplea para pigmentar el papel en las impresoras láser, fotocopiadoras y aparatos de fax.

OBS Plural: *tóners*. Puede encontrarse la grafía inglesa *toner*.

tongo *s. m.* En una competición, engaño o trampa que consiste en aceptar dinero u otro tipo de compensación a cambio de dejarse ganar.

tónica *s. f.* **1** Bebida gaseosa, transparente y sin alcohol de sabor ligeramente amargo: *la tónica está hecha con agua, ácido carbónico y quinina*. **2** Rasgo o cualidad característicos de una cosa: *la mediocridad fue la tónica general del discurso*. **3** Primer grado de la escala musical diatónica, en relación con el cual se estructura el resto de los grados: *en la escala de do mayor, la tónica es el do*.

tónico, -ca *adj.* **1** Se aplica a la vocal o la sílaba sobre la que recae el acento de la palabra o de todo un grupo fónico: *en la palabra "camión", la vocal "o" es tónica*. **ANT** átono, inacentuado. **2** Se aplica a la forma del pronombre personal en la que recae el acento de intensidad y que funciona como sujeto o término de una oración: *en "¿vendrás conmigo?", "conmigo" es un pronombre tónico*. | *adj./s. m.* **3** Que da fuerza y energía al organismo: *jarabe tónico*. | *s. m.* **4** Producto cosmético que sirve para limpiar y refrescar la piel de la cara o dar fuerza y vigor al cabello: *tónico facial; tónico capilar*.

FAM tónica, tonificar; diatónico, postónico, pretónico, protónico.

tonificación *s. f.* Vigorización o fortalecimiento del cuerpo humano o de alguna de sus partes.

tonificar *v. tr.* Dar fuerza o vigor al organismo o a una parte de él. **SIN** entonar, vigorizar.

FAM tonificación, tonificante.

tonillo *s. m.* Tono de la voz o del habla que denota desprecio o segundas intenciones: *me habla con un tonillo que denota celos*.

tono *s. m.* **1** Número de vibraciones por segundo que caracteriza a cada sonido, por el cual es más o menos agudo o grave; en la voz, se produce por la mayor o menor relajación de las cuerdas vocales. **2** Inflexión de la voz: *cuando habla tiene cierto tono melodioso*. **3** Carácter de una obra literaria. **4** Tónica, nivel de un escrito, discurso o conducta. **5** Grado de intensidad de un color: *tonos rosados*. **6** Estado del cuerpo o de una parte de él cuando se encuentra en buena forma y cumple sus funciones: *una sopa caliente te hará recuperar el tono*. **7** Intervalo musical formado por dos semitonos, conjunto de las notas que lo forman: *de do a re o de mi a fa sostenido hay un tono de diferencia*. **8** Tonalidad (relación musical).

a tono Expresión que indica que una cosa está en correspondencia con otra o de acuerdo con ella: *lleva los zapatos a tono con el bolso*.

darse tono Darse importancia o presumir de algo.

de buen (o mal) tono Que es propio de las cosas que se consideran de buen gusto y distinguidas o de mal gusto y sin distinción.

fuera de tono Expresión que indica que una cosa está fuera de lugar o es inoportuna: *tu respuesta está fuera de tono*.

subido de tono Expresión que indica que una palabra o un comentario es una grosería o una obscenidad: *un chiste subido de tono*.

subir de tono Hacerse más fuerte o violento: *la conversación subió de tono y acabó en una pelea*.

FAM tonada, tonal, tónico, tonillo; entonar, microtono, monótono, semitono.

tonsura *s. f.* **1** Ceremonia de la iglesia católica en la que se concedía a un hombre el grado preparatorio para el sacerdocio. **2** Ese grado. **3** Corte de pelo en forma de círculo rasurado que llevaban algunos religiosos en la coronilla: *la tonsura se hacía en la ceremonia de preparación*. **SIN** coronilla.

FAM tonsurar.

tontada *s. f.* Acción o comentario falto de razón, de fundamento o de lógica. **SIN** tontería.

tontaina *adj./s. com.* familiar Se aplica a la persona que no tiene gracia y es aburrido. **SIN** bobalicón, tonto.

tontear *v. intr.* **1** Decir o hacer tonterías. **2** familiar Coquetear o flirtear una persona con otra.

tontería *s. f.* **1** Falta de inteligencia o de sentido común. **SIN** necedad. **2** Tontada. **3** Acción, comentario o cosa que tiene poca importancia. **SIN** nadería.

tonto, -ta *adj./s. m. y f.* **1** Se aplica a la persona que es torpe de entendimiento o poco inteligente. **NOTA** Frecuentemente usado como insulto o de forma despectiva. **SIN** bobo, necio. ■ **tonto de capirote** o **tonto de remate** o **tonto del bote** Expresiones que intensifican el significado de la palabra *tonto*. **2** familiar Se aplica a la persona que cree que todo el mundo actúa con buena voluntad. **SIN** ingenuo. **3** familiar Se aplica a la persona que actúa dejándose llevar por los sentimientos: *soy más tonta, cada vez que veo esa película me pongo a llorar*. **4** familiar Se aplica a la persona que es excesivamente cariñosa o mimosa: *como tenía fiebre, el niño se puso muy tonto y solo quería mimos*. | *adj.* **5** familiar Que es absurdo y no tiene sentido o que ocurre sin una causa aparente: *una equivocación tonta*.

a lo tonto Expresión que indica que una cosa se hace sin haberlo previsto de antemano, como quien no quiere la cosa: *no quería pasear y, a lo tonto a lo tonto, casi hago cinco kilómetros*.

a tontas y a locas De manera desordenada, impulsivamente y sin razonar: *todo lo hace a tontas y a locas*.

hacer el tonto (I) Perder el tiempo en cosas sin importancia y no hacer lo que se debería. (II) Hacer payasadas.

hacerse el tonto Aparentar una persona que no nota o advierte una cosa que le conviene no advertir.

FAM tontada, tontaina, tontear, tontería, tontorrón, tontuna; atontar, entontecer.

tontorrón, -rrona *adj./s. m. y f.* Se aplica a la persona que es ingenua o poco perspicaz.

OBS Frecuentemente usado como apelativo cariñoso.

top *s. m.* **1** Prenda de vestir femenina que va ajustada al cuerpo y cubre solamente el pecho. | *adj.* **2** Que ocupa el lugar más alto en una gradación. ■ **top model** Modelo profesional de alta costura que está muy cotizado. **NOTA** Se pronuncia 'top módel'. Plural invariable. ■ **top secret** Se aplica al secreto que no se puede revelar bajo ningún concepto. **NOTA** Se pronuncia 'top sécret'.

OBS Plural: *tops*.

topacio *s. m.* **1** Mineral compuesto de silicato de aluminio y flúor; es una piedra preciosa de color amarillo, verde, azul o rojo y de gran resistencia: *le regaló un anillo con un topa-*

cio. I *s. m./adj.* **2** Color amarillo transparente como el de la piedra preciosa.

topar *v. intr.* **1** Chocar o tropezar una persona o cosa con otra: *siguió adelante hasta topar con la pared.* **2** Encontrar un obstáculo o dificultad que impide avanzar y obliga a detenerse: *topar con dificultades.* **SIN** tropezar. **3** Embestir con la cabeza a una persona o cosa un animal con cuernos: *las cabras topan contra la valla.* **4** Encontrarse por azar o casualmente con una persona: *me topé con mi amigo en la calle.*
FAM topetar.

tope[1] *s. m.* **1** Parte saliente de una cosa que suele estar situada en un extremo y sirve para protegerla de los golpes: *los vagones de tren tienen topes.* **2** Pieza que detiene el movimiento de un mecanismo o sirve para que no se sobrepase un punto determinado: *el pestillo se cierra hasta el tope.* **3** En mecánica, pieza que va montada en el extremo de un eje: *el tope impide que la rueda se salga del eje.* **4** Material que se coloca en la punta del calzado para que no se arrugue.

tope[2] *s. m.* **1** Límite o punto máximo al que se puede llegar en una cosa. **NOTA** Se construye normalmente en aposición a otro sustantivo: *fecha tope.* **2** Extremo superior de un palo.
a tope familiar Hasta el máximo posible: *la sala estaba llena a tope; pisó el acelerador a tope.*
hasta los topes Expresión que indica que una cosa está muy llena: *el metro va hasta los topes.*

topera *s. f.* Madriguera o lugar en el que vive el topo.

topetazo *s. m.* Golpe dado con la cabeza contra una cosa o una persona.

tópico, -ca *adj./s. m.* **1** Se aplica a la opinión, idea o expresión que se usa y repite con mucha frecuencia, y no resulta original: *idea tópica; el abuso de tópicos es síntoma de pereza mental.* I *adj.* **2** Se aplica al medicamento o tratamiento de uso externo, que se suministra o realiza sobre la zona del cuerpo afectada: *una pomada de uso tópico.* I *s. m.* **3** Tema o forma de expresión que utilizaban convencionalmente como recurso retórico los oradores y poetas, y que se repite a lo largo de la historia de la literatura. **SIN** lugar común.

topless [se pronuncia aproximadamente 'top-les'] *s. m.* **1** Hecho de estar desnuda una mujer de cintura para arriba: *tomar el sol en topless.* **2** Bar o local en el cual las camareras que sirven las consumiciones van desnudas de cintura para arriba.

topo *s. m.* **1** Animal mamífero del tamaño de un ratón, pelo fino, ojos muy pequeños y atrofiados, y manos provistas de uñas fuertes con las que excava conductos por debajo de la tierra. **2** familiar Persona que ve poco. **3** Persona que se introduce de incógnito en una organización para averiguar sus actos y planes. **SIN** espía. **4** Dibujo redondo y pequeño, estampado o bordado en una tela o impreso en un papel. **SIN** lunar.
FAM topera.

topografía *s. f.* **1** Técnica para describir y representar con detalle la superficie o el relieve de un terreno. **2** Conjunto de características que presenta la superficie o el relieve de un terreno: *la topografía de España es muy variada.*
FAM topográfico, topógrafo.

topográfico, -ca *adj.* Relativo a la topografía: *técnicas topográficas.*

topógrafo, -fa *s. m. y f.* Persona que se dedica profesionalmente a la descripción y representación de terrenos.

toponimia *s. f.* **1** Estudio del origen y el significado de los nombres propios de lugar. **2** Conjunto de los nombres propios que forman parte de un territorio o de un lugar: *la toponimia española denota una clara influencia árabe.*
FAM toponímico, topónimo.

toponímico, -ca *adj.* Relativo a la toponimia: *estudios toponímicos.*

topónimo *s. m.* Nombre propio de un lugar: *"Amazonas", "Bélgica" y "Aneto" son topónimos.*

toque *s. m.* **1** Acción de poner en contacto la mano u otra parte del cuerpo, o un objeto que se sostiene con esta, con una persona o una cosa. **2** Golpe débil que se da o se recibe. **3** Sonido tocado de ciertos instrumentos musicales o de campanas, especialmente cuando se hace para dar un aviso o como señal: *toque de trompeta; toque de tambores.* ■ **toque de queda** Medida que toma una autoridad en una situación de guerra o en circunstancias extraordinarias y que consiste en prohibir la libre circulación de la población civil por la calle a partir de una hora determinada. **4** Aviso o advertencia que se da con un fin determinado: *le han dado un toque por llegar tarde.* **5** Matiz o detalle que caracteriza una cosa: *su presencia dio un toque festivo a la reunión.* **6** Pequeña modificación que sirve para retocar, pulir o rematar una cosa: *un par de toques y estará listo.*
FAM toquetear.

toquetear *v. tr.* Tocar repetida e insistentemente una cosa con la mano. **SIN** manosear.
FAM toqueteo.

toqueteo *s. m.* Acción de toquetear.

toquilla *s. f.* Prenda de punto, generalmente triangular, con que se cubre los hombros y la espalda o con la que se abriga a un niño pequeño.

torá o **torah** *s. f.* **1** Para el judaísmo, conjunto de los cinco primeros libros de la Biblia: *la Torá está formada por el «Génesis», el «Éxodo», el «Levítico», los «Números» y el «Deuteronomio».* **2** Conjunto de las leyes religiosas del judaísmo, contenidas esencialmente en estos cinco libros.
OBS Con mayúscula inicial excepto para referirse al objeto físico: *una torá ilustrada.*

torácico, -ca *adj.* Relativo al tórax.

tórax *s. m.* **1** Cavidad de los vertebrados limitada por las costillas, la columna vertebral y el esternón, en la cual están alojados el corazón, los pulmones y otros órganos. **SIN** caja torácica. **2** Parte central de las tres en que se divide el cuerpo de los insectos y otros animales articulados, situada entre la cabeza y el abdomen.
FAM torácico; mesotórax, metatórax, neumotórax, protórax.
OBS Plural invariable.

torbellino *s. m.* **1** Movimiento rápido de aire que gira sobre sí mismo. **SIN** remolino. **2** Abundancia de cosas que ocurren al mismo tiempo y producen una sensación de aturdimiento o mareo: *un torbellino de preguntas.* **3** familiar Persona que es inquieta y muy movida.

torca *s. f.* En geología, depresión cónica formada por el hundimiento de un terreno calizo. **SIN** dolina.

torcedura *s. f.* **1** Acción de torcer. **2** Daño que se produce en las partes blandas que rodean la articulación de un hueso por un movimiento brusco o forzado. **SIN** esguince.

torcer [6] *v. tr.* **1** Doblar o dar forma curva a una cosa que estaba recta. **2** Girar los dos extremos de una cosa flexible

en sentido inverso u opuesto. **SIN** retorcer. ③ Hacer cambiar una cosa de dirección o posición: *torcer los ojos*. ④ Interpretar en un sentido distinto la intención o el significado de una cosa que se dice. **SIN** tergiversar. ⑤ Poner con los gestos de la cara una expresión de enfado o desagrado: *cuando no le gusta algo tuerce el gesto*. ⑥ Hacer cambiar a una persona su conducta o su línea habitual: *torcer la voluntad de alguien*. ⑦ Dar un movimiento brusco o forzado a un miembro o una articulación del cuerpo: *le torció el brazo y le hizo daño*. **‖** *v. intr.* ⑧ Cambiar de dirección al caminar o circular: *al llegar a la plaza tuerce a la izquierda*. **SIN** girar. **‖** *v. prnl.* ⑨ **torcerse** Hacerse difícil o imposible un asunto o proyecto: *todo se torció en el último momento*.
FAM torcedura, torcido, torcimiento; retorcer.

torcido, -da *adj.* ① Que no es o no está recto. **ANT** recto. ② Que sigue una dirección que no es recta: *una calle torcida*.

tórculo *s. m.* Prensa de tornillo, especialmente la utilizada en la estampación de grabados en acero, cobre u otros materiales.

tordo, -da *adj./s. m. y f.* ① Se aplica al animal que tiene el pelo mezclado de color blanco y negro: *mula torda*. **‖** *s. m.* ② Nombre común que se da a los pájaros paseriformes de color oscuro y pico delgado y negro, como el mirlo o el ruiseñor.

torear *v. tr./intr.* ① Provocar a un toro para que acometa o embista incitándolo con el movimiento de un capote o una capa y esquivarlo cuando el animal embiste; acaba cuando el torero da muerte al toro. **SIN** lidiar. **‖** *v. tr.* ② Engañar, evitar o esquivar a una persona: *todo el mundo te torea porque no tienes carácter*. ③ Conducir hábilmente un asunto sorteando las dificultades.
FAM toreador, toreo.

toreo *s. m.* ① Acción de torear. **SIN** lidia. ② Arte de torear o lidiar un toro en una plaza.

torera *s. f.* Chaqueta corta que se ciñe al cuerpo y que no pasa de la cintura.

torero, -ra *adj.* ① Relativo al toreo: *gesto torero; gracia torera*. **‖** *s. m. y f.* ② Persona que se dedica a torear.

toril *s. m.* Lugar de una plaza de toros donde se encierra a los toros antes de salir al ruedo.

torio *s. m.* Elemento químico de símbolo *Th* y número atómico 90; es un metal radiactivo de color blanco plateado, brillante, blando, pesado y muy dúctil que puede ser fácilmente moldeado en frío; se utiliza en algunas aleaciones y en la industria nuclear.

tormenta *s. f.* ① Tempestad (fenómeno meteorológico). ② Expresión ruidosa y violenta del estado de ánimo alterado de una persona: *estallar en una tormenta de reproches*. ③ Situación de enfado, tensión, discusión grave que se produce entre dos o más personas: *la reunión desembocó en tormenta*.
FAM tormentoso.

tormento *s. m.* ① Sufrimiento o dolor físico o moral que padece una persona: *este dolor de muelas es un tormento*. **SIN** martirio, suplicio. ② Tortura: *los primeros cristianos de Roma sufrieron tormento y persecución*. ③ Persona o cosa que produce dolor o sufrimiento físico o moral. **SIN** suplicio.
FAM atormentar.

tormentoso, -sa *adj.* ① Se aplica al tiempo atmosférico que lleva o anuncia tormenta: *día tormentoso*. ② Que causa u

ocasiona una tormenta: *nubes tormentosas*. ③ Se aplica a la situación o ambiente que es muy tenso, conflictivo o violento.

tornadizo, -za *adj.* Que cambia con gran facilidad: *su suerte es tornadiza y esquiva*.

tornado *s. m.* Torbellino gigantesco de viento que gira hacia arriba a gran velocidad, producido cuando una fuerte tormenta y el viento de las capas bajas de la atmósfera entran en contacto.

tornar *v. tr.* ① culto Cambiar la naturaleza, el estado o el carácter de una persona o una cosa: *la lluvia tornó el campo en un barrizal*. **‖** *v. intr.* ② culto Regresar una persona al lugar del que salió: *tornó a su tierra natal*.
FAM tornadizo; retornar.

tornas Se usa en la expresión:
cambiar (o volver) las tornas Indica un cambio radical en la dirección o la marcha de un asunto: *se volvieron las tornas y, en vez de cobrar, tuvo que pagar*.

tornasol *s. m.* ① Brillo de una tela o una superficie que cambia de color con el reflejo de la luz. ② Girasol. ③ Sustancia colorante de origen orgánico y color azul violáceo que se emplea para reconocer los ácidos: *el tornasol se vuelve rojo al mezclarse con un ácido*.
FAM tornasolado.

tornasolado, -da *adj.* Que hace o tiene tornasoles: *colores tornasolados*.

torneado, -da *adj.* ① Se aplica a la parte del cuerpo que está bien moldeada y presenta curvas suaves. **‖** *s. m.* ② Acción de tornear (dar forma redondeada).

tornear *v. intr.* ① Dar forma redondeada a una cosa con un torno: *el ceramista torneaba el jarrón*. ② Moldear el cuerpo haciendo ejercicio o dieta.
FAM torneado, torneo.

torneo *s. m.* ① Competición deportiva en la que participan varias personas o varios equipos: *torneo de tenis*. ② Competición que se celebraba en la Edad Media entre caballeros que luchaban entre sí a caballo, con diversas armas y bajo ciertas reglas. **SIN** justa.

tornero, -ra *s. m. y f.* ① Persona que se dedica a trabajar con el torno. **‖** *adj./s. f.* ② Se aplica a la religiosa que atiende el torno en un convento.

tornillo *s. m.* ① Pieza cilíndrica, generalmente metálica, provista de un saliente helicoidal que la recorre, terminada en punta y con una cabeza con una ranura; sirve para sujetar una cosa a otra: *apretar un tornillo*. ② Instrumento de hierro o acero provisto de un tope graduable a diferentes medidas que se utiliza para sostener piezas pequeñas mientras se realiza algún trabajo en ellas.
apretar los tornillos familiar Obligar a una persona a actuar de determinada manera o a hacer algo.
faltar (o haber perdido) un tornillo familiar Expresión que indica que una persona tiene poco juicio o se comporta de forma imprudente.
FAM atornillar, destornillar.

torniquete *s. m.* ① Medio con el que se detiene la hemorragia de una herida presionando sobre un vaso sanguíneo. ② Mecanismo que gira horizontalmente sobre un eje y que se coloca en la entrada de un lugar o un establecimiento para que pasen las personas de una en una: *a la entrada del metro hay varios torniquetes*.

torno *s. m.* ① Máquina que sirve para hacer girar un objeto sobre sí mismo: *el alfarero moldea el barro en el torno.* ② Máquina para levantar o arrastrar pesos, que consiste en un cilindro que puede girar manual o mecánicamente y cuyo eje lleva enrollada una cuerda a la que se ata un objeto: *arrastraron el coche averiado con un torno.* ③ Instrumento eléctrico con un brazo articulado y provisto de una pieza giratoria en la punta que usan los dentistas para limpiar y arreglar los dientes. ④ Máquina herramienta que se utiliza para labrar objetos que tienen forma cilíndrica: *los tornillos se labran en un torno.* ⑤ Cilindro con divisiones verticales que se coloca en el hueco de una pared y que al girarlo sirve para intercambiar objetos entre personas sin que estas se vean: *el torno de un convento.*

en torno a (**I**) Alrededor: *se sentaron en torno a la mesa.* (**II**) Aproximadamente: *habría en torno a cien personas.* (**III**) Acerca: *discutieron en torno a la compra del piso.*

FAM tornar, tornero.

toro[1] *s. m.* ① Animal mamífero macho, adulto, rumiante, de pelo corto, ungulado, cola larga y cabeza gruesa provista de dos cuernos. **NOTA** La hembra del *toro* es la *vaca.* ■ **toro de lidia** Toro que es bravo y se destina a ser toreado en las corridas. ② familiar Hombre que tiene mucha fuerza. ③ Vehículo de pequeño tamaño, provisto de unas horquillas móviles en su parte frontal, que sirve para transportar y apilar mercancías. ‖ *s. m. pl.* ④ **toros** Fiesta o corrida en que se torean reses de lidia.

coger el toro por los cuernos Enfrentarse a un problema sin tratar de evitarlo y con decisión.

pillar el toro Expresión que indica que está a punto de terminar el tiempo o el plazo para hacer alguna cosa.

ver (o **mirar**) **los toros desde la barrera** Observar un hecho sin exponerse a ningún riesgo y sin intervenir en su desarrollo.

FAM torear, torero, toril.

toro[2] *s. m.* Moldura convexa de perfil semicircular. **SIN** bocel.

toronja *s. f.* Fruto del toronjo, comestible, de forma parecida a la naranja pero achatado, de color amarillo y sabor muy ácido. **SIN** pomelo.

toronjo *s. m.* Árbol de tronco recto, copa redonda y abundante, hojas ovaladas de color verde oscuro, flores blancas y fruto comestible (toronja). **SIN** pomelo.

torpe *adj.* ① Que se mueve con dificultad o poca agilidad. **SIN** lento. **ANT** ágil, hábil. ② Se aplica a la persona que tiene poca habilidad o destreza para hacer una cosa: *soy muy torpe para los trabajos manuales.* **ANT** hábil. ③ Se aplica a la persona que es lenta en comprender o tiene dificultades para entender las cosas. ④ Que no es conveniente o puede molestar: *comentario torpe.*

FAM torpeza; entorpecer.

torpedear *v. tr.* ① Lanzar torpedos contra un barco. ② Impedir o dificultar el desarrollo de una acción: *los más exaltados torpedearon la reunión.*

FAM torpedero.

torpedero, -ra *adj./s. m. y f.* ① Se aplica a la embarcación o al avión ligero y rápido que está preparado para lanzar torpedos: *lancha torpedera.* ‖ *s. m. y f.* ② Persona especializada en preparar y lanzar torpedos.

FAM cazatorpedero.

torpedo *s. m.* ① Proyectil en forma de huso provisto de una carga explosiva que se lanza bajo el agua y puede dirigirse o apuntarse hacia un determinado objetivo: *el torpedo va propul-*

sado por un motor. ② Pez marino de cuerpo aplanado que posee dos órganos en la cabeza que producen descargas eléctricas con las que se defienden y paralizan a sus presas.

FAM torpedear, torpedero, torpedista; lanzatorpedos.

torpeza *s. f.* ① Falta de agilidad en los movimientos. ② Acción o dicho poco oportunos o desacertados.

torques *s. m.* Collar metálico rígido de bronce u oro que llevaban los nobles y guerreros célticos en la Edad del Hierro, como adorno o insignia, o los legionarios romanos como condecoración.

OBS Plural invariable.

torr *s. m.* Unidad de presión que equivale a la presión ejercida sobre su base por una columna de mercurio de un milímetro de altura.

torrar *v. tr.* Tostar o poner un alimento al fuego o a un calor intenso hasta que toma color sin llegar a quemarse.

torre *s. f.* ① Construcción aislada o formando parte de un edificio, alta y de forma cilíndrica, cuadrada o poligonal, generalmente usada como defensa, prisión, campanario, etc.: *la torre de una iglesia.* ■ **torre de control** Construcción elevada de un aeropuerto desde la cual se controla y se regula el movimiento de los aviones que aterrizan y despegan. ■ **torre del homenaje** Torre principal de un castillo. ② Chalé, casa de campo o granja: *mis primos tienen una torre en las afueras de la ciudad.* ③ Pieza del ajedrez con figura de torre; se mueve en línea recta, pero no en diagonal, y puede recorrer en un solo movimiento todos los cuadros que estén libres en una dirección. ④ Estructura de metal muy alta que se utiliza para sostener cables eléctricos, antenas emisoras de ondas u otros usos. ⑤ Columna en la que se realizan procesos de destilación en algunas industrias químicas.

torre de Babel Lugar donde hay confusión y desorden, especialmente provocados por varias personas que hablan a la vez. **NOTA** También simplemente *babel.*

FAM torrecilla, torreón, torreta.

torrefacto, -ta *adj.* Se aplica al café que está tostado al fuego con un poco de azúcar.

torrencial *adj.* Se aplica a la lluvia o corriente de agua que es muy fuerte, muy abundante o muy intensa: *las lluvias torrenciales son propias de zonas tropicales.*

torrente *s. m.* ① Corriente de agua de arroyada caracterizada por una fuerte pendiente y un cauce corto, que se origina cuando llueve mucho o se produce el deshielo. ② Abundancia de personas que están juntas en un lugar o gran cantidad de cosas que se producen a la vez: *un torrente de preguntas.* ③ Sangre que circula por las venas, las arterias y los capilares del organismo: *torrente sanguíneo.*

FAM torrencial, torrentera.

torrentera *s. f.* Cauce de un torrente o parte del terreno por donde circula.

torreón *s. m.* Torre grande que sirve para la defensa de una plaza o de un castillo.

torrezno *s. m.* Trozo de tocino frito.

tórrido, -da *adj.* ① Que es muy caluroso: *temperatura tórrida.* ② Se aplica a la zona de la Tierra más calurosa, situada entre los trópicos.

torrija *s. f.* Rebanada de pan mojada en leche o vino, rebozada en huevo, frita en aceite y cubierta de azúcar o miel.

torsión *s. f.* Acción de una fuerza en un cuerpo para retorcerlo sobre su eje central: *los ejes, las manivelas y los cigüeñales están sometidos a esfuerzos de torsión.*

torso *s. m.* **1** Parte principal del cuerpo de una persona o animal, diferenciada de la cabeza y las extremidades. **SIN** tronco. **2** Escultura que representa el cuerpo humano y a la que le faltan la cabeza y las extremidades.

torta *s. f.* **1** Masa plana y redonda de harina, huevos, azúcar y otros ingredientes que se cuece al horno o se fríe: *torta de anís.* **2** Golpe dado en la cara con la palma de la mano. **SIN** bofetada, tortazo. **3** familiar Golpe, choque o caída violenta y accidental. **SIN** tortazo.
ni torta familiar Nada: *sin gafas no ve ni torta.*
FAM tortada, tortita.

tortazo *s. m.* **1** Golpe dado en la cara con la palma de la mano. **SIN** bofetada, torta. **2** familiar Golpe, choque o caída violenta y accidental. **SIN** torta.

tortícolis o **torticolis** *s. f.* Contracción involuntaria de los músculos del cuello que hace que resulte doloroso mover la cabeza. **NOTA** En el lenguaje técnico, tiene género masculino. **OBS** Plural invariable.

tortilla *s. f.* Comida que se prepara con un huevo batido al que se pueden añadir otros ingredientes y que se fríe o se cuaja en una sartén con un poco de aceite. ■ **tortilla de patatas** o **tortilla española** Tortilla que tiene forma redonda y se hace añadiendo al huevo patatas y, generalmente, cebolla. ■ **tortilla francesa** Tortilla que tiene forma alargada y se hace solamente con huevo.
dar la vuelta a la tortilla familiar Hacer que una situación parezca diferente o cambie totalmente.
volverse la tortilla familiar Cambiar una situación o suceder una cosa de manera contraria a lo esperado.
FAM tortillera.

tortillera *s. f.* vulg. desp Lesbiana.

tortita *s. f.* Torta individual que se hace con una masa de agua y harina y puede rellenarse de un ingrediente generalmente dulce: *tortitas de chocolate.*

tórtolo, -la *s. m. y f.* **1** Ave de la familia de la paloma, de cuerpo esbelto y plumaje gris o marrón: *la tórtola es un ave migratoria.* **NOTA** Se utiliza el femenino *tórtola* como genérico para referirse al animal cuando no se distingue el sexo. **2** Persona que se muestra muy cariñosa con su pareja. **NOTA** Frecuentemente en forma diminutiva.

tortuga *s. f.* Reptil marino o terrestre cuyo cuerpo está protegido por un caparazón, con patas cortas, cuello que puede alargar y encoger y boca sin dientes.

tortuoso, -sa *adj.* **1** Que tiene muchas curvas, vueltas y rodeos: *un camino tortuoso.* **SIN** sinuoso. **2** Que es poco claro y pretende ocultar la verdadera intención o propósito. **SIN** sinuoso.

tortura *s. f.* **1** Castigo físico o psíquico que se realiza sobre una persona con el fin de mortificarla o para que confiese algo. **2** Sufrimiento físico o moral muy intenso. **SIN** suplicio, tormento.
FAM torturar.

torturar *v. tr.* **1** Someter a castigo físico o psíquico a una persona con el fin de mortificarla o para que confiese algo. **2** Causar a una persona sufrimiento físico o moral muy intensos: *no me tortures más con tu indiferencia.* **SIN** atormentar.

tory *adj.* **1** Relativo al partido conservador británico. ■ *adj./*

s. com. **2** Se aplica a la persona que pertenece a este partido político.
OBS Plural: *tories* (se pronuncia 'toris').

tos *s. f.* Salida o expulsión violenta y ruidosa del aire contenido en los pulmones. ■ **tos ferina** Enfermedad infecciosa bacteriana que se caracteriza por una tos muy violenta e intensa que produce sensación de asfixia.
FAM toser.

toscano, -na *adj.* **1** De la Toscana (región de Italia): *la capital toscana es Florencia.* ■ *s. m. y f./adj.* **2** Persona que es de la Toscana. ■ *s. m./adj.* **3** Variedad dialectal del italiano hablada en la Toscana. ■ *adj./s. m.* **4** Se aplica al orden arquitectónico caracterizado por el fuste liso y el arquitrabe dividido en tres bandas; es una variente del orden dórico.

tosco, -ca *adj.* **1** Que está elaborado con materiales de poca calidad y de manera poco cuidada. **SIN** basto. ■ *adj./s. m. y f.* **2** Se aplica a la persona que es poco educada o que tiene escasa formación cultural. **SIN** rudo.
FAM tosquedad.

tosedera *s. f.* AMÉR. Tos persistente y continuada que afecta a una persona: *la tosedera no le dejaba dormir.*

toser *v. intr.* Tener tos o provocarla de forma voluntaria.

tosquedad *s. f.* **1** Cualidad de la persona tosca o ruda. **2** Cualidad de lo que es tosco o basto.

tostada *s. f.* **1** Rebanada de pan que ha sido puesta al fuego o expuesta a un calor intenso y que ha tomado color sin llegar a quemarse. **2** MÉX. Tortilla de maíz que se cocina hasta alcanzar una consistencia rígida y de color dorado, y luego se fríe para comerla sola o con otros ingredientes.

tostadero *s. m.* **1** Establecimiento donde se tuestan cereales o café. **2** Lugar donde hace mucho calor: *esta casa es un tostadero en verano.*

tostado, -da *adj.* **1** Que tiene un color oscuro, parecido al marrón: *tono tostado.* ■ *s. m.* **2** Tueste.

tostador, -ra *adj.* **1** Que tuesta. ■ *s. m.* **2** Tostadora.

tostadora *s. f.* Aparato eléctrico que sirve para tostar el pan. **SIN** tostador.

tostar [5] *v. tr.* **1** Poner un alimento al fuego o exponerlo a un calor intenso hasta que toma color sin llegar a quemarse: *tostar pan.* **SIN** torrar. **2** Tomar color la piel de una persona: *los veraneantes tuestan sus cuerpos al sol.* **SIN** broncear.
FAM tostada, tostadero, tostado, tostador, tueste.

tostón *s. m.* **1** Persona o cosa pesada o que causa molestia. **SIN** lata. **2** Garbanzo que ha sido puesto al fuego hasta que ha tomado color sin llegar a quemarse. **3** Trozo pequeño de pan frito con aceite. **SIN** picatoste. **4** Cochinillo asado.

total *adj.* **1** Que es completo, general o incluye todos los elementos o partes de una cosa. ■ *s. m.* **2** Resultado de una suma. **3** Totalidad: *se ha hecho una estadística sobre el total de la población.* ■ *adv.* **4** familiar En fin o en conclusión: *total, que no piensas venir.*
en total Expresión que indica el resultado de una suma o de una situación: *había en total unos diez alumnos.*
FAM totalidad, totalizar.

totalidad *s. f.* Conjunto de todas las personas o cosas que forman una clase o especie: *la totalidad de los vecinos acudió a la reunión.* **SIN** total.
FAM totalitario.

totalitario, -ria *adj.* **1** Que incluye todas las partes de una

cosa: *estudio totalitario.* **2** Relativo al totalitarismo: *régimen totalitario.* **SIN** dictatorial, totalitarista.
FAM totalitarismo.

totalitarismo *s. m.* Sistema político en el que el poder es ejercido por una sola persona o partido de manera autoritaria, impidiendo la intervención de otros y controlando todos los aspectos de la vida del estado: *el totalitarismo es característico de las dictaduras.*
FAM totalitarista.

totalitarista *adj.* **1** Relativo al totalitarismo: *gobierno totalitarista.* **SIN** totalitario. **‖** *adj./s. com.* **2** Se aplica a la persona que es partidaria del totalitarismo.

totalizar *v. tr.* Determinar un total o una suma: *el coste de la obra se puede totalizar en varios millones.*
FAM totalización, totalizador.

tótem *s. m.* Objeto de la naturaleza al que se otorga un valor protector y que se usa como símbolo de una tribu o de un individuo. **SIN** amuleto, fetiche.
FAM totémico.
OBS Plural: *tótemes.*

tour [se pronuncia 'tur'] *s. m.* **1** Viaje o excursión que se hace para conocer un lugar. **■ tour operador** Empresa turística o persona que se dedica a organizar viajes en grupo y los vende a través de una empresa minorista. **2** Gira artística de un cantante o grupo teatral. **SIN** tournée. **3** Vuelta ciclista, en particular la que se celebra anualmente en Francia.
tour de force Demostración de la habilidad y la fuerza de una persona para realizar una cosa.

tournée [se pronuncia 'turné'] *s. f.* Gira artística de un cantante o grupo teatral. **SIN** tour.

toxicidad *s. f.* Cualidad de lo que es tóxico.

tóxico, -ca *adj./s. m.* Se aplica a la sustancia que puede causar trastornos graves o la muerte de un ser vivo por envenenamiento. **SIN** venenoso.
FAM toxicidad, toxicología, toxicomanía, toxina; intoxicar.

toxicología *s. f.* Parte de la medicina que se ocupa del estudio y tratamiento de los productos tóxicos o venenosos.
FAM toxicológico, toxicólogo.

toxicomanía *s. f.* Hábito y necesidad patológica de consumir sustancias que procuran sensaciones agradables o que suprimen el dolor. **SIN** drogadicción.
FAM toxicómano.

toxicómano, -na *adj./s. m. y f.* Se aplica a la persona que tiene el hábito y necesidad patológica de consumir sustancias que producen sensaciones agradables o que suprimen el dolor.

toxina *s. f.* Sustancia venenosa producida por la actividad metabólica de ciertos organismos: *las toxinas aparecen por la acción de los microorganismos.*

tozudo, -da *adj./s. m. y f.* **1** Se aplica a la persona que se mantiene firme en una opinión o actitud a pesar de las razones o las dificultades que pueda haber en contra. **SIN** empecinado, terco, testarudo. **‖** *adj.* **2** Se aplica al animal que no obedece con facilidad o es difícil de dominar: *esta mula es muy tozuda.*

traba *s. f.* **1** Cosa que sirve para sujetar o unir una cosa con otra. **2** Cosa que impide o retrasa el desarrollo de una acción: *poner trabas a un asunto.* **3** Cuerda o cadena que se usa para atar los pies a los caballos y a otros animales de caballería.
FAM trabar, trabilla; destrabar.

trabajado, -da *adj.* Que ha sido elaborado con detalle y minuciosidad: *un dibujo muy trabajado.*

trabajador, -ra *s. m. y f./adj.* **1** Persona que realiza un trabajo a cambio de un salario: *el día 8 de marzo se celebra el día de la mujer trabajadora.* **SIN** empleado. **‖** *adj.* **2** Se aplica a la persona que es muy aplicada en el trabajo. **ANT** vago.

trabajar *v. intr.* **1** Realizar una actividad que requiere un esfuerzo físico o mental: *trabaja todos los fines de semana.* **2** Ocuparse una persona en un oficio o profesión recibiendo a cambio un salario: *trabaja de sastre.* **3** Desarrollar un aparato o una máquina su actividad: *las máquinas trabajan día y noche.* **‖** *v. tr.* **4** Someter una materia a una acción continua y ordenada: *el carpintero trabaja la madera.* **5** Cultivar la tierra: *el labrador trabaja el huerto.* **‖** *v. prnl.* **6 trabajarse** Tratar con esfuerzo e insistencia de convencer a una persona para que actúe de una forma determinada: *se lo trabajó mucho y al final lo convenció.* **7** Dedicarse con empeño a conseguir una cosa: *se ha trabajado bien su ascenso.*
FAM trabajado, trabajador, trabajo.

trabajo *s. m.* **1** Actividad o dedicación que requiere un esfuerzo físico o mental. **2** Oficio o profesión que realiza una persona a cambio de un salario. **3** Lugar donde se ejerce un oficio o profesión: *no llegues tarde al trabajo.* **4** Obra o resultado de una actividad: *un trabajo sobre arte moderno.* **5** Sufrimiento, dolor o penalidad que padece una persona: *¡qué trabajo dan los hijos!* **6** Esfuerzo y dificultad: *cuesta mucho trabajo ganarse el respeto de los demás.* **7** Magnitud equivalente al producto de la fuerza que actúa sobre un cuerpo por la distancia que este recorre desde su punto de aplicación: *el joule es la unidad de trabajo del Sistema Internacional.* **NOTA** También *trabajo mecánico.*

trabajos forzados Trabajo físico que se obliga a hacer a una persona que está en prisión como parte de la pena que se le ha impuesto.
FAM trabajoso; teletrabajo.

trabajoso, -sa *adj.* Que exige mucho trabajo y esfuerzo. **SIN** dificultoso, laborioso.

trabalenguas *s. m.* Palabra o frase difícil de pronunciar que suele proponerse como juego: *"tres tristes tigres" es un trabalenguas.*
OBS Plural invariable.

trabar *v. tr.* **1** Juntar o unir dos o más cosas. **2** Espesar o dar mayor consistencia a un líquido o a una masa: *para trabar la salsa hay que añadirle un poco de fécula.* **3** Comenzar o emprender una cosa: *trabar conversación.* **SIN** entablar. **4** Rellenar con masa de mortero las juntas de una obra de construcción: *trabaron las piedras con argamasa.* **5** Impedir o dificultar la realización de una cosa. **‖** *v. prnl.* **6 trabarse** Pelearse o enfrentarse dos o más personas de forma física o de palabra. **7** Tartamudear o atascarse una persona al hablar: *se le traba la lengua y no habla con claridad.*
FAM trabalenguas, trabazón.

trabazón *s. f.* **1** Unión o enlace de dos o más cosas entre sí. **2** Unión o enlace de una idea con otra.

trabilla *s. f.* **1** Tira de tela pequeña y estrecha que va cosida por los dos extremos a la cintura de una prenda de vestir y sirve para sujetar el cinturón. **2** Tira de tela o cuero que se cose en el bajo de ciertos pantalones y sirve para sujetarlos por debajo de la planta del pie.
FAM trastabillar.

trabucar *v. tr.* **1** Cambiar el orden de ciertas cosas. **SIN** re-

volver. **2** Confundir o cambiar unas cosas por otras: *trabucar los datos de un informe.* ‖ *v. prnl.* **3 trabucarse** Equivocarse al pronunciar o escribir cambiando unas palabras o letras por otras.
FAM trabuco.

trabuco *s. m.* Arma de fuego más corta y ancha que la escopeta: *el trabuco tiene la boca ancha.*

traca *s. f.* Serie de petardos o cohetes colocados a lo largo de una cuerda y que estallan uno tras otro.

tracalada *s. f.* AMÉR. despectivo Multitud.

tracción *s. f.* **1** Fuerza que arrastra a un vehículo sobre una superficie: *vehículo con tracción en las cuatro ruedas.* **2** Acción de una fuerza o un par de fuerzas en un cuerpo para alargarlo: *los cables de un puente están sometidos a esfuerzos de tracción.*

tractor *s. m.* Vehículo de motor provisto de cuatro ruedas, de las cuales las dos traseras son de mayor tamaño y se adhieren fuertemente al terreno; se emplea para el trabajo en el campo.

tradición *s. f.* **1** Conjunto de ideas, usos o costumbres que se comunican, se transmiten o se mantienen de generación en generación: *en mi familia es tradición celebrar juntos la Navidad.* **2** Transmisión o comunicación de este conjunto de ideas, usos o costumbres mantenidas de generación en generación: *la tradición es la base cultural de una comunidad.* **3** Desarrollo de una misma actividad que se produce en un lugar determinado a lo largo del tiempo: *es un pueblo con una larga y reconocida tradición alfarera.*
FAM tradicional.

tradicional *adj.* **1** Relativo a la tradición: *la jota es un baile tradicional.* **2** Que sigue las ideas, los usos o las costumbres del pasado o de un tiempo anterior. SIN conservador.
FAM tradicionalismo.

tradicionalismo *s. m.* **1** Actitud de apego a las costumbres o ideas tradicionales o antiguas. **2** Teoría y sistema político que defienden las instituciones políticas y sociales tradicionales de una nación, en especial la monarquía absoluta y la religión, como el carlismo.
FAM tradicionalista.

tradicionalista *adj.* **1** Relativo al tradicionalismo: *ideas tradicionalistas.* ‖ *adj./s. com.* **2** Se aplica a la persona que es partidaria del tradicionalismo.

traducción *s. f.* **1** Acción que consiste en expresar en un idioma lo que se ha dicho o escrito en otro distinto. ■ **traducción automática** Traducción que se hace por medio de un ordenador. ■ **traducción directa** Traducción que se hace de un idioma extranjero al idioma de la persona que traduce. ■ **traducción inversa** Traducción que se hace del idioma de la persona que traduce a un idioma extranjero. ■ **traducción simultánea** Traducción que se hace oralmente y al mismo tiempo que habla la otra persona. **2** Obra o texto que ha sido traducido por el traductor. **3** Interpretación o lectura que se le da a un texto. **4** En biología, síntesis de proteínas en la que se unen los diferentes aminoácidos que las forman en función del orden determinado por los ribonucleótidos del ARN mensajero (transcrito del ADN).

traducir [18] *v. tr.* **1** Expresar en un idioma lo que se ha dicho o escrito en otro distinto. **2** Equivaler una palabra o forma de expresión de una lengua a otra de otra lengua: *ese término no traduce el significado original.* **3** Mostrar o hacer en-

tendible una cosa, especialmente un sentimiento. **4** Convertir o transformar una cosa en otra: *nuestra pena se tradujo en alegría al verlo entrar.*
FAM traducción, traductor.

traductor, -ra *s. m. y f.* Persona que se dedica profesionalmente a traducir.

traer [46] *v. tr.* **1** Transportar o llevar una cosa hasta el lugar en que se encuentra el hablante. **2** Vestir una persona una prenda o llevarla puesta: *traía un traje muy bonito.* **3** Ser una cosa causa o razón de que suceda algo: *la ociosidad trae malos vicios.* SIN causar, ocasionar. **4** Contener una cosa otra que se expresa a continuación: *la enciclopedia trae una cinta de vídeo de regalo.* **5** Poner a una persona en un estado o una situación determinados: *me trae loco con sus idas y venidas.* **6** Sentir o experimentar una persona una sensación física o psíquica: *trae muy mal humor.*
traer a mal traer Molestar mucho a una persona o causarle problemas.
traer consigo Causar, conllevar o provocar: *tu decisión trae consigo unas graves consecuencias.*
traérselas Expresión que indica que una persona o una cosa presenta más problemas o es más difícil de lo que parece.
FAM traída; maltraer.

tráfago *s. m.* Actividad y movimiento grandes e intensos: *hay mucho tráfago en la oficina.*

traficante *adj./s. com.* Que trafica.

traficar *v. intr.* Comerciar o negociar con una cosa, en especial con mercancías ilegales.
FAM traficante, tráfico.

tráfico *s. m.* **1** Circulación de vehículos por una vía pública o una carretera. SIN tránsito. **2** Comercio o negocio, en especial el que se hace con mercancías ilegales: *tráfico de obras de arte.* **3** Comunicación y movimiento de personas, equipajes o mercancías: *el puerto de Algeciras tiene mucho tráfico.*
tráfico de influencias Uso ilegal que se hace del poder o la influencia de una o varias personas para conseguir una ventaja o un provecho legal a cambio de favores.
FAM narcotráfico.

tragacanto *s. m.* **1** Arbusto de ramas abundantes y hojas compuestas que segrega una goma blanca y pegajosa. **2** Goma que se obtiene de este arbusto: *el tragacanto se usa en la industria y en farmacia.*

tragaderas *s. f. pl.* **1** familiar Garganta o faringe. **2** familiar Tendencia o inclinación de una persona a creérselo todo con gran facilidad. **3** familiar Facilidad de una persona para admitir o tolerar una cosa que no es justa o verdadera: *para aguantar ese trato hay que tener muchas tragaderas.*

tragadero *s. m.* **1** Agujero por el que se introduce o pasa un líquido. **2** familiar Garganta o faringe.

tragaldabas *s. com.* familiar Persona que come mucho. SIN comilón, glotón, tragón.
OBS Plural invariable.

tragaluz *s. m.* Ventana pequeña abierta en el techo o en la parte alta de una pared. SIN claraboya.

tragaperras *adj./s. f.* Se aplica a la máquina de juego que funciona automáticamente al introducirle una o varias monedas y da premios en dinero.
OBS Plural invariable.

tragar *v. tr.* **1** Hacer pasar un alimento o una cosa desde la boca al estómago. **SIN** engullir, ingerir. ② Absorber un terreno o el agua lo que está en la superficie: *el mar se tragó los restos del barco naufragado.* ③ Gastar o consumir una cosa: *mi coche traga mucha gasolina.* ‖ *v. tr./intr.* ④ Comer mucho una persona: *no veas lo que traga, el tío.* ⑤ Soportar o tolerar una cosa que disgusta o molesta: *tuvo que tragar con los insultos.* ‖ *v. prnl.* ⑥ **tragarse** Creerse una cosa con facilidad: *dile lo que quieras porque se lo traga todo.*

no tragar No poder soportar una persona a alguien o algo o sentir desprecio o antipatía hacia ello.

FAM tragaderas, tragadero, tragaluz, tragaperras, tragasables, trago, tragón; atragantarse, tragaluz.

tragasables *s. com.* Artista que realiza un espectáculo que consiste en introducirse por la boca objetos cortantes.
OBS Plural invariable.

tragedia *s. f.* ① Hecho desgraciado. ② Pieza literaria dramática, nacida en la antigua Grecia como manifestación teatral, elaborada en un estilo elevado y con desenlace generalmente funesto. ③ Obra de teatro basada en un tema importante que, generalmente, tiene un desenlace desgraciado. ④ Subgénero literario, parte de la dramática.
FAM trágico.

trágico, -ca *adj.* ① Relativo a la tragedia (género dramático): *personaje trágico.* ② Que es muy triste y produce dolor y sufrimiento moral: *un trágico accidente de aviación.* ③ Se aplica a la persona que exagera mucho sus manifestaciones de dolor: *no te pongas trágico.*

tragicomedia *s. f.* Obra literaria con elementos propios de la tragedia y de la comedia: *«La Celestina» de Fernando de Rojas es una tragicomedia.*
FAM tragicómico.

tragicómico, -ca *adj.* ① Relativo a la tragicomedia. ② Que tiene elementos trágicos y elementos cómicos.

trago *s. m.* ① Cantidad de líquido que se bebe o puede ser bebida de una sola vez: *un trago de agua.* ② familiar Bebida alcohólica: *salimos a tomar unos tragos.* ③ Desgracia, sufrimiento o situación difícil que padece una persona. **SIN** disgusto.

tragón, -gona *adj./s. m. y f.* familiar Se aplica a la persona que come mucho. **SIN** glotón, tragaldabas.

traición *s. f.* Falta que comete una persona que no es fiel y no es firme en sus afectos o ideas o no cumple su palabra. ■ **alta traición** Delito que comete una persona cuando atenta contra la soberanía, la seguridad o la independencia del estado al que pertenece.
FAM traicionar, traicionero.

traicionar *v. tr.* ① No ser fiel una persona y no ser firme en los afectos o ideas o faltar a la palabra dada: *traicionó a sus compañeros delatándolos.* ② Ser la causa del fracaso o el fallo de un intento: *los nervios me traicionaron en el último momento.*
FAM traicionero, traidor.

traicionero, -ra *adj.* ① Que está hecho con traición: *golpe traicionero.* ‖ *adj./s. m. y f.* ② Traidor.

traído, -da *adj.* Gastado, usado, especialmente la ropa: *su indumentaria estaba algo traída por el sol.*

traidor, -ra *adj./s. m. y f.* ① Se aplica a la persona que comete traición. ‖ *adj.* ② Que es muy hábil para engañar o se comporta con disimulo para conseguir una cosa: *actúar con maneras traidoras.* **SIN** traicionero. ③ Que es señal de traición: *sonrisa traidora.* **SIN** traicionero. ④ Se aplica a la cosa que es peligrosa aunque no lo parezca. **SIN** traicionero. ⑤ Que descubre una cosa que se quiere mantener en secreto: *lo descubrieron por una mancha traidora en su ropa.* **SIN** traicionero.

tráiler *s. m.* ① Publicidad de una película en la que se muestran secuencias de esta en pantalla. ② Remolque de un camión, especialmente si es de grandes dimensiones.
OBS Plural: *tráileres.*

trainera *s. f.* ① Embarcación pequeña y alargada que se usa para la pesca con red: *la pesca del boquerón se hace con traineras.* ② Embarcación de remos que se usa en competiciones deportivas.

traíña *s. f.* Red en forma de bolsa grande abierta por arriba que se usa para la pesca de arrastre.

traje *s. m.* ① Vestido exterior completo de una persona: *traje de noche; traje de etiqueta.* ■ **traje de baño** Bañador. ■ **traje de luces** Traje que lleva adornos de oro o plata y que se ponen los toreros para torear. ■ **traje de noche** Vestido femenino largo que suele usarse en fiestas y ceremonias. ■ **traje espacial** Traje de una sola pieza que usan los astronautas cuando viajan al espacio. ② Vestido formado por una chaqueta y unos pantalones o una falda de la misma tela. ③ Vestido de mujer formado por una sola pieza. ④ Vestido típico o característico de una región o un país, o de unas determinadas personas: *traje regional.*
FAM trajear.

trajear *v. tr.* Vestir con traje o de forma más elegante que la habitual: *trajeó al niño para ir a misa.*

trajín *s. m.* Movimiento intenso o gran actividad que se produce en un lugar. **SIN** ajetreo.

trajinar *v. tr.* ① Llevar o transportar una cosa de un lugar a otro. ‖ *v. intr.* ② Realizar una actividad que implica mucho movimiento: *todo el día trajinando arriba y abajo.*
FAM trajín.

tralla *s. f.* ① Trencilla hecha con tiras de cuero que se coloca en el extremo de un látigo para hacerlo restallar cuando se sacude. ② Látigo provisto de esta trencilla.
FAM trallazo.

trallazo *s. m.* ① Golpe o sacudida violenta. ② Golpe dado con una tralla. **SIN** latigazo.

trama *s. f.* ① Disposición interna de las partes de un asunto: *las vidas del vecindario se cruzan en una trama complicada.* ② Argumento de una obra literaria: *esa novela tiene una trama policiaca.* ③ Acción preparada en la que un grupo de personas se une para causar daño a otras. **SIN** conspiración, intriga. ④ Conjunto de los hilos que, cruzados y enlazados con los de la urdimbre, forman la tela.
FAM tramar; entramado.

tramar *v. tr.* ① Preparar o planear una cosa, especialmente en secreto y con intriga. ② Pasar la trama de un tejido.

tramitación *s. f.* Acción de tramitar.

tramitar *v. tr.* Hacer pasar un asunto por los trámites oportunos o necesarios para solucionarlo.
FAM tramitación.

trámite *s. m.* Estado de un proceso administrativo por el que tiene que pasar un asunto para ser solucionado. **SIN** diligencia, gestión.
FAM tramitar.

tramo *s. m.* ① Parte de un camino o una vía. ② Parte de una escalera situada entre dos rellanos.

tramontana *s. f.* Viento frío, seco y desapacible que sopla del norte en Cataluña y en las islas Baleares.

tramoya *s. f.* ① Máquina o conjunto de máquinas que sirven para hacer los cambios de decorado y los efectos especiales en el escenario de un teatro. ② Parte que queda oculta en un asunto o negocio. **FAM** tramoyista.

tramoyista *s. com.* ① Persona que diseña las tramoyas de un teatro. ② Persona que maneja las tramoyas de un teatro.

trampa *s. f.* ① Artificio que se utiliza para cazar animales. **SIN** cepo. ② Plan o acción para engañar a una persona: *los delincuentes tendieron una trampa a la policía.* ③ Puerta situada en el suelo o en el techo que comunica una habitación con otra inferior o superior. **SIN** trampilla. ④ Acción que va contra una regla o una ley y que se hace con disimulo para conseguir algún beneficio: *hace trampas jugando a las cartas.* ⑤ Deuda que se tarda en pagar. **FAM** trampear, trampero, trampilla, tramposo; entramparse.

trampantojo *s. m.* ① Representación pictórica que pretende confundir al espectador sobre los límites entre lo real y lo representado: *el trampantojo era un recurso muy empleado en la pintura griega, romana y renacentista.* ② familiar Trampa, engaño.

trampilla *s. f.* Puerta situada en el suelo o en el techo que comunica una habitación con otra inferior o superior. **SIN** trampa.

trampolín *s. m.* ① Tabla flexible sujeta por un extremo que sirve para saltar al agua o tomar impulso al realizar un salto acrobático. ② Medio utilizado para conseguir un beneficio.

tramposo, -sa *adj./s. m. y f.* Se aplica a la persona que hace trampas en el juego. **SIN** fullero.

tranca *s. f.* ① Palo grueso y fuerte: *amenazó al perro con una tranca.* **SIN** estaca, garrote. ② Palo grueso con el que se aseguran por detrás las puertas y ventanas que están cerradas. ③ familiar Borrachera.
a trancas y barrancas Expresión que indica que una cosa se hace con grandes dificultades y superando muchos obstáculos.
FAM trancar, trancazo, tranquera.

trancar *v. tr.* Cerrar una puerta con una tranca.

trancazo *s. m.* ① familiar Golpe fuerte dado con una tranca o un objeto contundente. ② familiar Gripe o enfermedad.

trance *s. m.* ① Momento o situación muy difícil o apurada de la vida de una persona: *ahora estamos pasando un trance.* ② Estado en el que se suspenden las funciones mentales normales de una persona: *la médium entra en trance al hacer espiritismo.*

tranco *s. m.* Paso o salto largo.

tranquera *s. f.* AMÉR. Puerta rústica de un cercado que consta de travesaños de madera asegurados con alambre o con clavos.

tranquilidad *s. f.* Estado de serenidad y sosiego que siente una persona o que domina un determinado lugar o situación. **SIN** calma, quietud.

tranquilizante *adj.* ① Que tranquiliza: *efecto tranquilizante.* ❙ *s. m.* ② Medicamento que calma o tranquiliza a una persona que está muy nerviosa o alterada: *le recetaron un tranquilizante.*

tranquilizar *v. tr.* Hacer desaparecer la excitación del ánimo de una persona. **SIN** calmar, serenar, sosegar. **ANT** intranquilizar.
FAM tranquilizador, tranquilizante.

tranquillo *s. m.* Hábito o habilidad que se logra o se adquiere a fuerza de repetir una misma acción muchas veces y que ayuda a hacer más fácilmente un trabajo: *ya le he cogido el tranquillo a esta máquina.*

tranquilo, -la *adj.* ① Que no presenta agitación, movimiento o ruido: *el mar estaba tranquilo, casi sin olas.* **SIN** sereno. **ANT** bullicioso. ② Se aplica a la persona que tiene un estado de ánimo sereno y sosegado, con ausencia de toda preocupación o nerviosismo: *ánimo tranquilo.* **ANT** intranquilo, nervioso.
FAM tranquilidad, tranquilizar; intranquilo.

transacción *s. f.* Trato o negocio comercial, generalmente de compraventa.

transatlántico, -ca [también **trasatlántico, -ca**] *adj.* ① Relativo a las regiones situadas al otro lado del océano Atlántico: *países transatlánticos.* ② Que atraviesa el océano Atlántico: *vuelo transatlántico; viaje transatlántico.* ❙ *s. m.* ③ Embarcación de gran tamaño destinada al transporte de pasajeros que recorre grandes distancias: *vino desde Argentina en un transatlántico.*

transbordador [también **trasbordador**] *s. m.* ① Embarcación de gran tamaño destinada al transporte de pasajeros y cargas pesadas que suele hacer siempre el mismo recorrido. ② Vehículo espacial que despega como un cohete y vuelve a la tierra aterrizando como un avión. **SIN** lanzadera.

transbordar [también **trasbordar**] *v. tr.* ① Cambiar a personas o mercancías de un vehículo a otro. ❙ *v. intr.* ② Cambiar una persona de un tren a otro: *habrá que transbordar dos veces antes de llegar.*
FAM transbordador, transbordo.

transbordo [también **trasbordo**] *s. m.* ① Cambio o traslado que realiza una persona de un tren a otro. ② Cambio de línea de metro que realiza una persona en un trayecto o viaje.

transcendencia V. trascendencia.

transcendental V. trascendental.

transcendente V. trascendente.

transcender V. trascender.

transcribir [también **trascribir**] *v. tr.* ① Copiar un escrito trasladándolo a un sistema de escritura distinto: *transcribir un texto griego en caracteres latinos.* **SIN** transliterar. ② Copiar o reproducir un texto en otro lugar. ③ Representar sonidos de manera gráfica mediante un sistema de signos determinado: *transcribir un discurso oral.* ④ Arreglar para un instrumento la música escrita para otra persona.
FAM transcripción, transcrito.
OBS Participio irregular: *transcrito.*

transcripción [también **trascripción**] *s. f.* ① Copia de un escrito trasladándolo a otro sistema de escritura. **SIN** transliteración. ② Copia o reproducción de un texto en otro lugar: *la transcripción de un libro.* ③ Representación gráfica de los sonidos mediante un sistema de signos determinado: *transcripción fonética.* ④ Pieza musical transcrita. ⑤ Síntesis y maduración de una molécula de ARN mensajero complementaria a partir de un fragmento de una de las cadenas de ADN.

transcrito, -ta [también **trascrito, -ta**] Participio irregular de *transcribir.*

transcurrir [también **trascurrir**] *v. intr.* Pasar o correr el tiempo.
FAM transcurso.

transcurso [también **trascurso**] *s. m.* Paso del tiempo.

transductor *s. m.* Dispositivo que recibe energía de un tipo (eléctrica, mecánica, acústica, etc.) y la convierte en otro tipo de energía, aunque de características dependientes de la recibida.

transepto *s. m.* Nave transversal de una iglesia de cruz latina.

transeúnte *adj./s. com.* Se aplica a la persona que pasa andando por un lugar. **SIN** viandante.

transexual *adj./s. com.* Se aplica a la persona que se siente del sexo opuesto y adapta o intenta adaptar su anatomía y su comportamiento a ese sexo.
FAM transexualidad.

transferencia [también **trasferencia**] *s. f.* ① Operación bancaria que consiste en cambiar dinero de una cuenta a otra. **NOTA** También *transferencia bancaria*. ② Acción de ceder una persona a otra un cargo, un poder o un conjunto de bienes. **SIN** cesión.

transferir [9] [también **trasferir**] *v. tr.* ① Cambiar dinero de una cuenta a otra mediante una transferencia bancaria. ② Pasar a una persona o cosa de un lugar a otro: *han transferido al jugador alemán a otro club*. **SIN** traspasar. ③ Ceder una persona a otra un cargo, un poder o un conjunto de bienes.
FAM transferencia, transferible.

transfiguración [también **trasfiguración**] *s. f.* Cambio profundo en la figura o el aspecto de una persona o cosa, generalmente provocado por un sentimiento o un estado de ánimo: *la transfiguración de Jesucristo es la manifestación de este ya resucitado y glorificado ante sus discípulos*.

transfigurar [también **trasfigurar**] *v. tr.* Cambiar radicalmente el aspecto de una cosa o de una persona: *cuando conoció la noticia se le transfiguró el rostro*.
FAM transfiguración.

transfondo V. trasfondo.

transformación [también **trasformación**] *s. f.* ① Cambio de forma que sufre una cosa. ② Cambio de aspecto o de costumbres que sufre una cosa. **SIN** modificación. ③ Cambio completo por el que una cosa se convierte en otra. ④ Jugada deportiva en la que se consigue un tanto por medio de un lanzamiento.
transformación isobara Transformación de un sistema termodinámico que se desarrolla a presión constante.
transformación isocora Transformación de un sistema termodinámico que se desarrolla a volumen constante.
transformación isoterma Transformación de un sistema termodinámico que se desarrolla a temperatura constante.
FAM transformacional.

transformador, -ra [también **trasformador, -ra**] *adj.* ① Que transforma o modifica. ‖ *s. m.* ② Aparato o instalación que cambia o transforma el voltaje de una corriente eléctrica alterna sin modificar su potencia.

transformar [también **trasformar**] *v. tr.* ① Hacer que una persona o cosa cambie de forma o de aspecto: *el gusano se transforma en mariposa después de la metamorfosis*. ② Hacer que una cosa cambie o sea distinta, pero sin alterar sus características esenciales: *la enfermedad transformó su forma de vida*. **SIN** modificar. ③ Hacer que una cosa se convierta en otra distinta: *el mago transformó el bastón en una paloma*. **SIN** transmutar. ‖ *v. tr./intr.* ④ Hacer que un lanzamiento se convierta en un tanto en algunos deportes: *el delantero trans-*

formó el penalti. ‖ *v. prnl.* ⑤ **transformarse** Cambiar una persona de aspecto, de carácter, etc.: *el Dr. Jekyll se transforma en Mr. Hyde*. ‖ *v. tr.* ⑥ Pasar una persona a ser una cosa: *la revuelta se convirtió en símbolo de la libertad popular*.
FAM transformación, transformador, transformativo, transformismo.

transformista [también **trasformista**] *s. com.* Actor que cambia rápidamente de traje y de aspecto para interpretar personajes diferentes, generalmente en un espectáculo de variedades o en el circo.

tránsfuga [también **trásfuga**] *s. com.* ① Persona que huye de un lugar a otro. **SIN** fugitivo. ② Persona que deja un partido político para pertenecer a otro.

transfusión [también **trasfusión**] *s. f.* ① Operación que consiste en hacer pasar sangre de una persona donante a otra receptora. ② Transvase.

transgénico, -ca *adj.* Se aplica al organismo a cuya dotación genética se incopora un gen procedente de otra especie.

transgredir [también **trasgredir**] *v. tr.* Actuar en contra de una ley, norma o costumbre. **SIN** infringir, quebrantar, violar.
FAM transgresión, transgresor.
OBS Verbo defectivo, solamente se usa en los tiempos y personas cuya terminación contiene la vocal *i*: *transgredía, transgrediendo*, etc.

transgresión [también **trasgresión**] *s. f.* Acción que va contra una ley, norma o costumbre. **SIN** infracción.

transgresor, -ra [también **trasgresor, -ra**] *adj./s. m. y f.* Se aplica a la persona que actúa en contra de una ley, una norma o una costumbre.

transiberiano, -na *adj.* ① Que atraviesa Siberia, región oriental de Rusia: *viaje transiberiano*. ‖ *adj./s. m.* ② Se aplica al tren que comunica Moscú con Vladivostok a través de los Urales y Siberia.

transición *s. f.* ① Situación o estado intermedio entre uno antiguo o pasado y otro nuevo, al que se llega tras un cambio: *transición democrática*. ② Paso de un estado o modo de ser a otro distinto: *escritura de transición*. ■ **transición demográfica** Proceso demográfico experimentado por una sociedad, en el cual la mortalidad desciende debido a los avances médicos, pero la natalidad disminuye aún más debido al control anticonceptivo, lo que provoca una disminución de la población: *en Europa, la transición demográfica comenzó con la revolución industrial*. ③ Periodo de la historia de España a partir de la muerte del general Franco en 1975 y hasta 1982 en que se efectuó y consolidó el paso de la dictadura a la democracia: *la Constitución de 1978 fue un hecho clave de la transición*.

transido, -da *adj.* Que está muy angustiado por un dolor físico o moral muy intenso: *transido de pena*. **SIN** acongojado, apesadumbrado.

transigencia *s. f.* ① Actitud de tolerancia o aceptación de la opinión o deseos de otra persona en contra de los propios, especialmente cuando se adopta para evitar una discusión. **ANT** intransigencia. ② Acción de transigir.
FAM intransigencia.

transigir *v. intr.* ① Admitir o aceptar una persona una cosa que no le gusta o que va en contra de su opinión con el fin de llegar a un acuerdo. **SIN** ceder, consentir. ② Tolerar o admitir una cosa que no gusta o que va contra los propios principios: *no transijo con la injusticia*.
FAM transigente.

T

transistor *s. m.* **1** Componente electrónico conectado a un circuito que amplifica las señales eléctricas; es uno de los componentes fundamentales de los aparatos de radio y televisión así como los ordenadores y otros aparatos electrónicos: *el transistor convierte una corriente de entrada con un determinado voltaje en una corriente de salida con un voltaje mayor.* **2** Aparato de radio de pequeño tamaño provisto de estos componentes: *un transistor puede funcionar mediante pilas.*
FAM transistorizar.

transitar *v. tr./intr.* Ir o pasar por una vía pública al ir de un lugar a otro.
FAM transitable, transitivo.

transitividad *s. f.* Cualidad de transitivo.

transitivo, -va *adj./s. m. y f.* **1** Se aplica al verbo que puede llevar un complemento directo: *el verbo "ver" es transitivo.* **2** Se aplica a la oración que tiene por núcleo un verbo que puede llevar complemento directo: *la oración "saludó a sus amigos" es transitiva.*
FAM transitividad; intransitivo.

tránsito *s. m.* **1** Acción de transitar: *no hay apenas tránsito de personas.* **2** Paso de vehículos por una vía pública: *una vía de mucho tránsito.* **SIN** tráfico. **3** Paso de un estado o empleo a otro: *mi tránsito por esta empresa ha sido breve.* **4** Muerte considerada como un paso de una vida a otra: *el tránsito de la Virgen se celebra el día de la Asunción.*
FAM transitar, transitorio.

transitoriedad *s. f.* Característica de algo que no es definitivo, que no está destinado a perdurar mucho tiempo.

transitorio, -ria *adj.* **1** Que dura relativamente poco tiempo: *un periodo transitorio.* **SIN** pasajero, temporal. **2** Que dura un tiempo determinado y no es para siempre: *nuestra vida es transitoria.* **SIN** pasajero, perecedero.
FAM transitoriedad.

translación V. traslación.

translaticio V. traslaticio.

transliteración [también **trasliteración**] *s. f.* Copia que se hace de un escrito trasladándolo a otro sistema de escritura. **SIN** transcripción.

transliterar [también **trasliterar**] *v. tr.* Copiar un escrito trasladándolo a un sistema de escritura distinto. **SIN** transcribir.
FAM transliteración.

translúcido, -da V. traslúcido, -da.

translucir V. traslucir.

transmediterráneo, -nea [también **trasmediterráneo, -nea**] *adj.* Que atraviesa el mar Mediterráneo.

transmigración [también **trasmigración**] *s. f.* **1** Emigración a otro país, especialmente de todo un pueblo. **2** Creencia religiosa según la cual las almas pueden pasar después de la muerte a otro cuerpo humano o animal. **SIN** metempsícosis.

transmigrar [también **trasmigrar**] *v. intr.* **1** Emigrar a otro país, en especial todo un pueblo. **2** Según algunas creencias religiosas, pasar el alma de un cuerpo a otro después de la muerte.
FAM transmigración.

transmisión [también **trasmisión**] *s. f.* **1** Comunicación de un mensaje, una información o una noticia. **2** Emisión que se hace de un programa de radio o de televisión. **SIN** retransmisión. **3** Mecanismo que transmite o comunica energía o movimiento desde un punto de una máquina a otro: *sistema de transmisión del coche.* **4** Contagio de una enfermedad o de un estado de ánimo: *enfermedad de transmisión sexual.*

transmisor, -ra [también **trasmisor, -ra**] *adj./s. m. y f.* **1** Que transmite alguna cosa: *medio transmisor; efecto transmisor.* **|** *s. m.* **2** Aparato que sirve para transmitir o emitir señales eléctricas o telefónicas.
FAM radiotransmisor.

transmitir [también **trasmitir**] *v. tr.* **1** Hacer llegar a una persona un mensaje, una información o una noticia. **2** Emitir o difundir la radio o la televisión un programa. **SIN** retransmitir. **3** Comunicar un dispositivo energía o movimiento desde un punto de un mecanismo a otro: *una polea transmite el movimiento a otra mediante una correa.* **4** Contagiar una enfermedad o un estado de ánimo: *el sida se transmite generalmente por contacto sexual.*
FAM transmisión, transmisor; retransmitir.

transmutar [también **trasmutar**] *v. tr.* Hacer que una cosa se convierta en otra distinta. **SIN** transformar.
FAM transmutación.

transparencia [también **trasparencia**] *s. f.* **1** Capacidad que tiene un objeto de dejar pasar la luz y permitir ver a través de su masa lo que hay detrás: *la transparencia del agua.* **2** Fotografía o diapositiva que está hecha sobre un material transparente. **3** Técnica de cine que consiste en sustituir un fondo real por una imagen fija; se emplea cuando se rueda en el interior de un estudio para simular que se está en el exterior.

transparentar [también **trasparentar**] *v. tr.* **1** Dejar pasar la luz un objeto y permitir ver a través de su masa lo que hay detrás: *esta tela transparenta la ropa interior.* **2** Dejar entrever una cosa a través de los indicios se intuye indirectamente: *su cara transparentaba disgusto.* **|** *v. prnl.* **3** **transparentarse** Ser una cosa transparente: *el cristal se transparenta.*

transparente [también **trasparente**] *adj.* **1** Se aplica al cuerpo que deja pasar la luz y permite ver a través de su masa lo que hay detrás: *el agua es transparente.* **ANT** opaco. **2** Que es claro o fácil de comprender: *una idea transparente.* **|** *s. m.* **3** Tela o papel u otro material que se coloca ante una luz para suavizarla o hacerla menos intensa o directa. **4** Ventana de cristales que ilumina y adorna el fondo de un altar.
FAM transparencia, transparentar; semitransparente.

transpiración [también **traspiración**] *s. f.* **1** Salida de dióxido de carbono y vapor de agua del organismo con función termorreguladora y desintoxicante: *el cuerpo elimina toxinas por medio de la transpiración.* **2** Pérdida de vapor de agua a través de los estomas de las hojas de las plantas.

transpirar [también **traspirar**] *v. tr./intr.* **1** Desprender sudor una persona o un animal a través de los poros de la piel: *con el calor transpiro mucho.* **SIN** sudar. **2** Expulsar una planta vapor de agua. **3** Dejar salir una prenda de vestir el sudor u otro fluido: *esta tela es sintética y no transpira nada.*
FAM transpiración.

transpirenaico, -ca [también **traspirenaico, -ca**] *adj.* **1** Que está al otro lado de los Pirineos: *región transpirenaica.* **2** Que atraviesa los Pirineos.

transplantar V. trasplantar.

transplante V. trasplante.

transponer [36] [también **trasponer**] *v. tr.* **1** Poner a una persona o cosa más allá o en lugar distinto del que ocupa. **2** Trasplantar una planta. **3** Pasar términos de una ecuación matemática al otro lado del signo igual (=): *transponemos términos y reducimos los miembros hasta despejar la incógnita.* **FAM** transposición, transpuesto.

transportador, -ra [también **trasportador -ra**] *adj.* **1** Que lleva una cosa de un lugar a otro: *cinta transportadora.* **║** *s. m.* **2** Regla que tiene forma de semicírculo graduado y sirve para medir y dibujar ángulos.

transportar [también **trasportar**] *v. tr.* **1** Llevar o trasladar una persona o una cosa de un lugar a otro: *transportar mercancías.* **2** Hacer perder una cosa la razón o el sentido a una persona: *esa música nos transporta.* **SIN** enajenar, extasiar. **FAM** transportador, transportista.

transporte [también **trasporte**] *s. m.* **1** Acción de llevar o trasladar una persona o cosa de un lugar a otro. **■ transporte celular activo** En biología, transporte característico de todas las células, mediante el cual se transporta, gracias a moléculas transportadoras, una sustancia desde una zona en la que se halla en poca concentración hasta otra en que se encuentra más concentrada, con el correspondiente gasto de energía metabólica. **■ transporte celular pasivo** Transporte de sustancias por parte de una célula, que no requiere gasto energético alguno, en el que se tiende a igualar las concentraciones de la sustancia transportada a ambos lados de la membrana celular. **2** Vehículo o medio que se usa para trasladar personas o cosas: *transporte aéreo; transporte ferroviario.* **■ transporte público** Servicio de transporte de una ciudad que puede ser utilizado por cualquier persona para trasladarse de un lugar a otro a cambio de una cantidad de dinero: *los autobuses, el metro y los taxis forman el transporte público de una ciudad.* **3** En geología, desplazamiento de los materiales procedentes de la erosión desde su lugar de origen hasta las cuencas sedimentarias: *atendiendo a las vías de transporte, se distingue entre transporte eólico, fluvial, marino y glaciar.* **FAM** transportar.

transportista [también **trasportista**] *adj.* **1** Que se dedica al transporte de mercancías: *empresa transportista.* **║** *s. com.* **2** Persona que se dedica profesionalmente al transporte de mercancías.

transpuesto, -ta [también **traspuesto, -ta**] **1** Participio irregular de *transponer.* **║** *adj.* **2** Ligeramente dormido: *me quedé transpuesto en el sofá.*

transvasar [también **trasvasar**] *v. tr.* Pasar un líquido de un recipiente a otro. **SIN** trasegar. **FAM** transvase.

transvase [también **trasvase**] *s. m.* **1** Paso de un líquido de un recipiente a otro. **SIN** transfusión. **2** Resultado de pasar un líquido de un recipiente a otro.

transversal [también **trasversal**] *adj.* **1** Que está atravesado de una parte a otra de una cosa de manera perpendicular a su dimensión longitudinal. **2** Que se cruza en dirección perpendicular con otra cosa: *calle transversal.* **ANT** longitudinal. **║** *s. f.* **3** Calle o carretera que cruza a otra en dirección perpendicular.

tranvía *s. m.* **1** Vehículo de transporte público que circula por vías o raíles en las calles de una ciudad. **2** Tren de corto recorrido, generalmente destinado al transporte de pasajeros, que se detiene en todas las estaciones y apeaderos del trayecto. **FAM** tranviario.

tranviario, -ria *adj.* **1** Relativo al tranvía: *tarifa tranviaria.* **║** *s. m. y f.* **2** Persona que conduce un tranvía o trabaja en el servicio de tranvías.

trapa *s. amb.* Ruido y alboroto que hay en un lugar donde hay mucha gente.

trapecio *s. m.* **1** Barra horizontal suspendida de dos cuerdas que se usa para hacer ejercicios físicos, gimnásticos o circenses. **2** Figura geométrica de cuatro lados, de los cuales dos son paralelos entre sí: *en un trapecio isósceles, los ángulos formados por los lados y las bases son iguales; en un trapecio rectángulo, el ángulo formado por uno de sus lados con las bases es recto.* **3** Hueso del cuerpo humano que es el primero de la segunda fila del carpo: *el trapecio forma el esqueleto de la muñeca.* **4** Músculo plano y triangular que está situado en la parte superior de la espalda y posterior de la cabeza. **FAM** trapecista, trapezoide.

trapecista *s. com.* Persona que es acróbata o artista de circo y hace ejercicios de habilidad, fuerza y equilibrio en el trapecio.

trapense *adj.* **1** Relativo a la congregación religiosa de la orden de cistercienses reformados de Nuestra Señora de la Trapa, fundada por el abad Rancé (1622-1700). **║** *adj./ s. com.* **2** Se aplica a la persona que pertenece a esta orden religiosa.

trapero, -ra *s. m. y f.* Persona que se dedica a recoger, comprar y vender trapos y otros objetos usados.

trapezoidal *adj.* Que tiene forma de trapecio o de trapezoide: *figura trapezoidal.*

trapezoide *s. m.* **1** Figura geométrica de cuatro lados, de los cuales ninguno es paralelo a otro. **║** *s. m./adj.* **2** Hueso del cuerpo humano que es el segundo de la segunda fila del carpo. **FAM** trapezoidal.

trapichear *v. intr.* **1** familiar Utilizar medios poco lícitos o claros para conseguir un fin determinado. **2** Comerciar con mercancías en pequeñas cantidades de una manera ilegal. **FAM** trapicheo.

trapicheo *s. m.* familiar Uso de medios poco lícitos o claros para conseguir un fin determinado. **OBS** Normalmente en plural.

trapío *s. m.* Gallardía, bravura y buena planta que tiene un toro de lidia.

trapo *s. m.* **1** Trozo de tela, generalmente viejo o de baja calidad, que se usa para diversos fines, especialmente para limpiar, secar o cubrir una cosa: *un trapo para limpiar el polvo.* **2** Tela de lana, seda, hilo o algodón, especialmente la que se utiliza para confeccionar ropa o forrar alguna cosa: *muñeca de trapo.* **3** Conjunto de velas de una embarcación. **SIN** velamen. **4** Tela de la capa de torear de un torero: *el toro embiste el trapo.* **║** *s. m. pl.* **5** **trapos** familiar Prendas de vestir, especialmente femeninas: *gasta mucho en trapos.* **a todo trapo** familiar Con la mayor rapidez o velocidad posible. **estar hecho un trapo** familiar Sentirse una persona muy cansada o débil. **dejar como un trapo** familiar Humillar o avergonzar a una persona. **trapos sucios** familiar Errores, defectos o faltas que se cometen o se tienen y que deberían permanecer en el ámbito privado, especialmente cuando se comentan públicamente. **FAM** trapajoso, trapero.

T

tráquea *s. f.* **1** Conducto del aparato respiratorio de los vertebrados, formado por anillos cartilaginosos, que comunica la laringe con los bronquios y lleva el aire a los pulmones. **2** Órgano en forma de pequeño tubo ramificado que forma el aparato respiratorio de la mayoría de los artrópodos terrestres.
FAM traqueal, traqueotomía.

traqueal *adj.* **1** Relativo a la tráquea: *paredes traqueales.* **2** Se aplica al animal que respira por medio de tráqueas: *los mosquitos son animales traqueales.* **3** Se aplica a la respiración que se realiza a través de la tráquea: *las arañas tienen respiración traqueal.*

traqueotomía *s. f.* Intervención quirúrgica en la que se practica una abertura en la tráquea para comunicarla con el exterior.

traquetear *v. intr.* Moverse o agitarse una cosa produciendo ruido: *el tren traqueteaba al avanzar.*
FAM traqueteo.

traqueteo *s. m.* Movimiento repetitivo de una cosa que traquetea: *el traqueteo del tren.*

tras *prep.* **1** Indica que una cosa sucede a continuación de otra: *tras el lunes llega el martes.* **2** Indica que una cosa está detrás de algo, especialmente si está oculta: *se escondió tras la puerta.* **3** Indica que se persigue o se busca alguna cosa: *andan tras un piso luminoso.* ‖ *s. m.* **4** familiar Trasero (parte del cuerpo).

trasatlántico, -ca V. transatlántico, -ca.

trasbordador V. transbordador.

trasbordar V. transbordar.

trasbordo V. transbordo.

trascendencia [también **transcendencia**] *s. f.* **1** Consecuencia o resultado de carácter grave o muy importante que tiene una cosa: *sus palabras tendrán bastante trascendencia.* **SIN** proyección. **2** Importancia que tiene una cosa: *no supo apreciar la trascendencia de sus palabras.* **ANT** intrascendencia.

trascendental [también **transcendental**] *adj.* **1** Trascendente. **2** Que es básico o principal para fundar o sostener una cosa. **SIN** esencial, fundamental.

trascendente [también **transcendente**] *adj.* **1** Se aplica al hecho que tiene consecuencias muy importantes, más de las que cabría esperar. **SIN** trascendental. **2** Que está relacionado con lo que trasciende los límites de la realidad sensible, en especial, lo que se relaciona con lo espiritual: *el objetivo de la religión es la búsqueda y reconocimiento del sentido último y trascendente de nuestras vidas.* **SIN** trascendental.
FAM trascendencia, trascendental; intrascendente.

trascender [2] [también **transcender**] *v. intr.* **1** Empezar a ser conocida una cosa que estaba oculta: *las pruebas aportadas por la policía trascendieron finalmente a los medios de comunicación.* **2** Extenderse las consecuencias o los efectos de un hecho: *el desánimo trasciende a todos los ámbitos de su vida.* **3** Sobrepasar una cosa un límite determinado: *este asunto trasciende del ámbito familiar.*
FAM trascendente.

trascribir V. transcribir.

trascripción V. transcripción.

trascrito, -ta V. transcrito, -ta.

trascurrir V. transcurrir.

trascurso V. transcurso.

trasdós *s. m.* Cara exterior convexa de un arco o una bóveda. **SIN** extradós.

trasdosar *v. tr.* Recubrir de material el trasdós.

trasegar [1] *v. tr.* **1** Pasar un líquido de un recipiente a otro. **SIN** transvasar. **2** Tomar una bebida alcohólica en exceso.
FAM trasiego.

trasera *s. f.* Parte de atrás de un lugar cerrado o de un objeto con fondo: *la trasera del coche.*

trasero, -ra *adj.* **1** Que está situado en la parte de atrás de una cosa vista frontalmente: *puerta trasera de una casa.* **SIN** posterior. **ANT** anterior, delantero. ‖ *s. m.* **2** Parte del cuerpo de un animal vertebrado constituida por el extremo superior y posterior de los muslos y la zona inferior de la espalda o el lomo. **SIN** culo.
FAM trasera.

trasferencia V. transferencia.

trasferir V. transferir.

trasfiguración V. transfiguración.

trasfigurar V. transfigurar.

trasfondo [también **transfondo**] *s. m.* Cosa, situación o intención que está detrás de la apariencia externa y visible de una acción o una situación: *el trasfondo histórico de una época.*

trasformación V. transformación.

trasformador, -ra V. transformador, -ra.

trasformar V. transformar.

trasformista V. transformista.

trásfuga V. tránsfuga.

trasfusión V. transfusión.

trasgo *s. m.* Duende, espíritu travieso y burlón.

trasgredir V. transgredir.

trasgresión V. transgresión.

trasgresor, -ra V. transgresor, -ra.

trashumancia *s. f.* Traslado de los rebaños de ganado de una región a otra, desde los pastos de las dehesas de verano a las de invierno y viceversa.

trashumante *adj.* Se aplica al ganado que practica la trashumancia.
FAM trashumancia.

trasiego *s. m.* **1** Cambio de una cosa de un lugar a otro, especialmente de un líquido de un recipiente a otro: *en el trasiego se perdió parte del aceite.* **2** Gran actividad y movimiento de gente. **SIN** ajetreo.

traslación [también **translación**] *s. f.* **1** Movimiento que describe la Tierra alrededor del Sol siguiendo una trayectoria elíptica: *el año es el periodo de traslación que necesita la Tierra para dar una vuelta alrededor del Sol.* **2** En matemáticas, transformación geométrica que mantiene la forma, el tamaño y la orientación de las figuras.

trasladar *v. tr.* **1** Cambiar a una persona o una cosa de lugar: *trasladó los muebles al piso nuevo.* **2** Cambiar a una persona de un puesto o cargo a otro, generalmente de la misma categoría. **3** Cambiar o modificar la hora o la fecha en que debe celebrarse un acto: *han trasladado la asamblea al primer jueves del mes.* **4** Traducir un escrito de un idioma a otro: *los alumnos trasladaron el texto del latín al español.*
FAM traslación.

traslado *s. m.* **1** Cambio de domicilio o de sede social. **2** Cambio de lugar de trabajo dentro de la misma empresa o institución, manteniendo un cargo de la misma categoría: *solicitó un traslado a otra provincia.*

traslaticio, -cia [también **translaticio**] *adj.* culto Se aplica al sentido que recibe el uso de una palabra que expresa un significado distinto al que tiene habitualmente: *"castaña" por "golpe" debe entenderse en sentido traslaticio.* **ANT** recto.

transliteración V. transliteración.

transliterar V. transliterar.

traslúcido, -da [también **translúcido, -da**] *adj.* Se aplica al cuerpo que deja pasar la luz pero que no permite ver con nitidez a través de él: *cristal traslúcido.*

traslucir [17] [también **translucir**] *v. tr.* **1** Dejar ver una cosa a través de unos indicios: *el odio se trasluce de sus palabras.* ‖ *v. prnl.* **2** **traslucirse** Ser un objeto traslúcido: *el cristal se trasluce.* **FAM** traslúcido.

trasluz *s. m.* Luz que pasa a través de un cuerpo traslúcido o transparente.

al trasluz Expresión que indica la manera de mirar un objeto colocándolo entre un punto de luz y los ojos: *miró la carta al trasluz para ver su contenido.* **FAM** traslucir.

trasmano Se usa en la expresión:

a trasmano (I) Indica que un objeto está fuera del alcance de la mano o no se puede coger o manejar con comodidad: *la librería me queda a trasmano.* (II) Indica que un sitio está en un lugar apartado o fuera del camino que se recorre habitualmente: *su casa está bastante a trasmano de la carretera.*

trasmediterráneo, -nea V. transmediterráneo, -nea.

trasmigración V. transmigración.

trasmigrar V. transmigrar.

trasmisión V. transmisión.

trasmisor, -ra V. transmisor, -ra.

trasmitir V. transmitir.

trasmundo *s. m.* Mundo fantástico o imaginario.

trasmutar V. transmutar.

trasnochado, -da *adj.* Que está anticuado o ya no es vigente: *ideas trasnochadas.*

trasnochar *v. intr.* Pasar una persona la noche sin dormir o acostarse muy tarde: *ayer trasnoché porque me fui de fiesta.* **FAM** trasnochado, trasnochador.

traspapelar *v. tr.* Extraviar un papel o un documento poniéndolo en un lugar que no le corresponde: *traspapeló la factura entre los documentos de contabilidad.*

trasparencia V. transparencia.

trasparentar V. transparentar.

trasparente V. transparente.

traspasar *v. tr.* **1** Pasar una cosa de una parte de un cuerpo a otra opuesta de este: *la flecha traspasó la manzana.* **2** Pasar de una parte a otra de un lugar: *traspasar el río.* **SIN** cruzar. **3** Trasladar o llevar una cosa de un lugar a otro: *traspasó los muebles de una habitación a otra.* **4** Entregar el alquiler o la venta de un local o un establecimiento a una persona a cambio de dinero: *traspasa el negocio.* **SIN** transferir. **5** Hacerse sentir un dolor físico o moral con mucha intensidad: *el dolor me traspasa el corazón.* **6** Dar o ceder una cosa propia a una persona: *ha traspasado todos sus bienes a su hijo.* **7** Pasar una cosa más allá de cierto límite: *la realidad traspasa los límites de la ficción.* **SIN** sobrepasar. **8** Infringir o quebrantar una norma

o una ley. **9** Vender un club deportivo a alguno de sus jugadores. **FAM** traspaso.

traspaso *s. m.* **1** Acción que consiste en pasar o llevar una cosa de un lugar a otro. **2** Entrega o cesión del alquiler o la venta de un local o un establecimiento a una persona a cambio de dinero.

traspatio *s. m.* AMÉR. Patio interior, que suele encontrarse al fondo o detrás del patio principal de las casas de pueblo.

traspié *s. m.* **1** Tropezón o resbalón que sufre una persona al andar o al correr: *dio un traspié y casi se cae.* **SIN** trompicón, tropiezo. **2** Equivocación o error que comete una persona: *aquel fallo supuso un traspié importante en su carrera.*

traspiración V. transpiración.

traspirar V. transpirar.

traspirenaico, -ca V. transpirenaico, -ca.

trasplantar [también **transplantar**] *v. tr.* **1** Trasladar una planta con sus raíces del lugar en que estaba plantada a otro. **SIN** transponer. **2** Introducir en el cuerpo de una persona una parte de tejido o un órgano sanos para sustituir a los que estaban dañados. **3** Introducir en un país o lugar ideas, costumbres u otras cosas procedentes de otro lugar. **FAM** trasplante.

trasplante [también **transplante**] *s. m.* **1** Traslado de una planta con sus raíces del lugar en que estaba plantada a otro. **2** Introducción en el cuerpo de una persona de una parte de tejido o un órgano sanos para sustituir a los que estaban dañados: *trasplante de corazón.*

trasponer V. transponer.

trasportador, -ra V. transportador, -ra.

trasportar V. transportar.

trasporte V. transporte.

trasportista V. transportista.

traspuesto, -ta V. transpuesto, -ta.

trasquilar *v. tr.* **1** Cortar el pelo o la lana a ciertos animales. **SIN** esquilar. **2** Cortar el pelo a una persona de forma desigual y mal cortado. **NOTA** Frecuentemente usado de forma irónica. **FAM** trasquilado, trasquilón.

trasquilón *s. m.* **1** Corte desigual y mal hecho de un mechón de pelo. **2** Mechón de pelo desigual y mal cortado: *lo han dejado lleno de trasquilones.*

trastada *s. f.* familiar Travesura, acción mala de poca importancia, cometida sin malicia, especialmente la que comete un niño.

trastazo *s. m.* familiar Golpe fuerte que recibe una persona al caer o chocar contra un cuerpo duro: *se dio un buen trastazo.* **SIN** cacharrazo, trompazo.

traste *s. m.* **1** Saliente de metal, hueso u otro material que va colocado junto con otros de manera transversal a lo largo del mástil de la guitarra o de otros instrumentos de cuerda; indica el lugar donde se deben pulsar las cuerdas para producir los diversos sonidos. **2** Espacio que hay entre dos de esos salientes. **3** AMÉR. Trasto, cacharro. **4** familiar ARG., PAR., URUG. Culo de una persona. **5** familiar ARG., PAR., URUG. Buena suerte de una persona: *Susana tiene mucho traste.*

dar al traste Estropear o echar a perder una cosa: *su torpeza dio al traste con nuestros planes.*

trastear *v. intr.* **1** Revolver, remover o cambiar trastos o co-

sas de un lugar a otro: *alguien ha estado trasteando en mi mesa.* **2** Hacer travesuras: *deja de trastear o te castigarán.* ‖ *v. tr.* **3** Manejar con habilidad a una persona o un negocio. **4** Dar al toro pases de muleta.
FAM trasteo.

trastero *s. m.* Habitación que se usa para guardar trastos o cosas que no se utilizan a menudo.
OBS También *cuarto trastero.*

trastienda *s. f.* **1** Habitación situada detrás de la tienda que queda oculta al cliente y en la que generalmente se guarda género. **2** *familiar* Pensamiento o intención que una persona esconde en su forma de actuar o de comportarse, por astucia, cautela o hipocresía: *no me fío de él, tiene mucha trastienda.*

trasto *s. m.* **1** Objeto que no sirve para nada, que carece de valor o que está estorbando en un sitio: *ese mueble es un trasto.* **SIN** cacharro. **2** Máquina, aparato o mecanismo, especialmente el que está muy viejo, funciona mal o está estropeado, o el que es difícil de manejar: *ese coche es un trasto; el trasto este no hay quien lo entienda.* **SIN** cacharro. **3** Persona, especialmente niño, que no tiene formalidad, es inquieta o es un estorbo. ‖ *s. m. pl.* **4** **trastos** Herramientas o utensilios que se emplean habitualmente en un oficio o una actividad: *coge los trastos de pescar y vamos al río.*
FAM trastear, trastero.

trastocar *v. tr.* **1** Alterar el orden que mantenían ciertas cosas o el desarrollo normal de algo. **SIN** trastornar. ‖ *v. prnl.* **2** **trastocarse** Perder el juicio o la razón. **SIN** trastornarse.

trastornar *v. tr.* **1** Trastocar. **2** Hacer que una persona sufra un problema, una molestia o tenga un cambio negativo en su vida: *el problema de las drogas ha trastornado a toda la familia.* **3** Gustar mucho una persona o una cosa a alguien, o provocar en ella una pasión excesiva: *este perfume me trastorna.* **4** Perturbar o alterar el estado físico o anímico de una persona o su estado mental: *las aglomeraciones lo trastornan.* ‖ *v. prnl.* **5** **trastornarse** Trastocarse.
FAM trastorno.

trastorno *s. m.* **1** Cambio o alteración en el orden que mantenían ciertas cosas o en el desarrollo normal de algo: *trastornos atmosféricos.* **2** Molestia, problema o perturbación que altera la vida de una persona o su estado de ánimo: *el cambio de horario no me ha causado ningún trastorno.* **3** Alteración leve en el funcionamiento de un órgano corporal: *trastornos digestivos.* **SIN** desorden, desarreglo.

trasunto *s. m.* Reflejo o imitación fiel de una cosa: *su obra es un trasunto de la sociedad en la que vivimos.*

trasvasar V. transvasar.

trasvase V. transvase.

trasversal V. transversal.

trata *s. f.* Tráfico o comercio en el que se venden seres humanos como esclavos. ■ **trata de blancas** Tráfico o comercio que se realiza con mujeres para obligarlas a prostituirse.

tratable *adj.* Se aplica a la persona que es fácil de tratar porque es simpática, agradable o de trato sencillo: *es un hombre muy tratable.* **ANT** intratable.
FAM intratable.

tratadista *s. com.* Persona que escribe tratados sobre una materia determinada.

tratado *s. m.* **1** Ajuste o acuerdo al que se llega después de haber debatido sobre un asunto, especialmente el que tiene

lugar entre dos o más naciones: *un tratado de paz; un tratado comercial.* **2** Obra que trata sobre una materia determinada: *tratado de biología.*
FAM tratadista.

tratamiento *s. m.* **1** Trato (manera de actuar). **2** Manera de dirigirse a una persona según su categoría, su condición, su edad, o según otras características: *"usted" es un tratamiento de cortesía y de respeto.* **3** Conjunto de cuidados y remedios que se aplican a una persona para curarle una enfermedad: *sigue un tratamiento muy severo contra la tuberculosis.* **4** Manera de trabajar determinadas materias para su transformación o modificación: *planta de reciclaje para el tratamiento de residuos sólidos.*

tratante *s. com.* Persona que se dedica a comprar cosas o animales para después revenderlos: *trabajaba como tratante de cuadros.*

tratar *v. tr.* **1** Actuar, comportarse o proceder una persona de una manera determinada en relación con los demás o con los animales. **2** Usar o manejar una cosa de la manera que se expresa: *trata con cuidado la ropa.* **3** Dar a una persona un tratamiento determinado, según su categoría, su condición, su edad, o según otras características: *por favor, tráteme de usted.* **4** Calificar a una persona de manera despectiva o insultante: *le trató de vago.* **5** Someter una sustancia o una materia a un tratamiento o proceso para su transformación o para la obtención de determinado resultado: *tratan estas telas con unos productos que las hacen impermeables.* **6** Someter a un paciente a una serie de cuidados y remedios para curarle una enfermedad: *me están tratando el reuma.* **7** Negociar, discutir o analizar un asunto o un tema: *en la reunión se trataron los nuevos proyectos.* ‖ *v. tr./intr.* **8** Tener relación una persona con otra: *no nos tratamos desde hace tiempo; no trataban con traidores.* ‖ *v. intr.* **9** Ocuparse o hablar de cierto tema, asunto o materia: *la película trata del problema de la droga.* **10** Intentar conseguir o lograr un objetivo o un fin: *trató de llegar a la hora, pero se retrasó.* **11** Comerciar o comprar cosas para después venderlas: *trata en telas.*
FAM trata, tratable, tratamiento, trato; maltratar.

trato *s. m.* **1** Manera de actuar, de comportarse o de proceder una persona en su relación con los demás o con los animales: *es una persona de trato muy agradable.* **SIN** tratamiento. **2** Manera de usar o manejar alguna cosa: *buen trato.* **3** Relación de una persona con otra: *no tengo mucho trato con él.* **4** Acuerdo al que llegan dos o más personas sobre un asunto: *llegaron a un trato sobre la venta del piso.*
FAM contrato.

trauma *s. m.* **1** Choque emocional que produce una impresión intensa y duradera en el subconsciente de una persona. **2** Traumatismo.
FAM traumático, traumatizar.

traumático, -ca *adj.* **1** Relativo al traumatismo. **2** Que produce un trauma emocional en una persona: *separación traumática.*

traumatismo *s. m.* Daño de los tejidos orgánicos o de los huesos producido por un golpe, una torcedura u otra circunstancia. **SIN** trauma.

traumatizar *v. tr.* Producir un trauma en una persona: *el accidente lo ha traumatizado.*
FAM traumatizante.

traumatología *s. f.* **1** Parte de la medicina que se ocupa de los traumatismos y sus efectos. **2** Departamento de un hospital donde se atiende a las personas que han sufrido un traumatismo.

FAM traumatológico, traumatólogo.

traumatólogo, -ga *s. m. y f.* Médico especialista en traumatología.

trávelin *s. m.* Técnica cinematográfica que consiste en mover la cámara para acercarla o alejarla de lo que se desea filmar.

OBS Puede encontrarse la grafía inglesa *travelling*.

travelling [también **trávelin**; se pronuncia 'trávelin'] *s. m.* Trávelin.

travertino *s. m.* Roca calcárea blanca o amarillenta de gran belleza: *la basílica de San Pedro y el Coliseo de Roma están parcialmente construidos con travertino*.

través Se usa en las expresiones:
a través de (**I**) Indica que una cosa se hace u ocurre pasando o cruzando por en medio o de un lado a otro de algo: *se abrió paso a través de la multitud*. (**II**) Indica que una cosa se hace u ocurre mediante la utilización de otra o gracias a otra: *lo envió a través del servicio de correos*.
al través o **de través** En dirección o posición transversal u oblicua: *se colgó la cartera al través*.
FAM travesaño; atravesar.

travesaño *s. m.* **1** Pieza alargada de madera o de otro material que atraviesa una cosa de una parte a otra: *se ha partido un travesaño de la escalera de mano*. **2** En el fútbol y en otros deportes, palo superior de la portería que une horizontalmente los dos postes. **SIN** larguero.

travesía *s. f.* **1** Calle estrecha que va de una calle principal a otra: *es una travesía tranquila porque es peatonal*. **2** Parte de una carretera que atraviesa una población. **3** Viaje por mar o por aire: *una larga travesía en barco*.

travesti o **travestí** *s. com.* Persona que se viste con ropas propias del otro sexo: *un espectáculo de travestis*. **SIN** travestido.

travestido, -da *adj.* **1** Disfrazado. **|** *s. m. y f./adj.* **2** Travesti.

travestir [10] *v. tr.* Vestir a una persona con ropas propias del otro sexo.
FAM travesti, travestido, travestismo.

travesura *s. f.* Acción mala de poca importancia, cometida sin malicia, especialmente la que comete un niño para divertirse o para burlarse de una persona o cosa. **SIN** diablura.

traviesa *s. f.* Pieza alargada de madera, de metal o de hormigón armado que se atraviesa junto con otras en una vía férrea para asentar sobre ella los raíles.

travieso, -sa *adj.* **1** Se aplica a la persona que hace muchas travesuras, especialmente un niño. **2** Que es propio de estas personas: *un comportamiento travieso*. **3** Se aplica a la persona que no se está quieta o es muy revoltosa.
FAM travesura.

trayecto *s. m.* **1** Espacio o camino que se recorre entre dos puntos o lugares: *un trayecto largo y tortuoso*. **2** Acción de recorrer el espacio que hay entre dos puntos o lugares: *el trayecto se me hizo muy corto*.
FAM trayectoria.

trayectoria *s. f.* **1** Línea descrita en el espacio por un punto que se mueve: *la trayectoria de un proyectil*. **2** Camino o recorrido que sigue alguien o algo al desplazarse: *el huracán sigue una trayectoria perpendicular a la costa*. **3** Curso, desarrollo o

evolución que sigue una persona o una cosa a lo largo del tiempo.

traza *s. f.* **1** Aspecto o apariencia que presenta una persona o una cosa: *esta comedia tiene todas las trazas de un sainete*. **2** Diseño o proyecto de una obra de ingeniería o de arquitectura. **SIN** trazado. **3** Habilidad que tiene una persona para hacer una cosa determinada: *tiene traza para la música*. **4** Plan para realizar un fin. **5** Técnica de análisis para determinar la cantidad porcentual (inferior al 0,01 % en peso) de un componente o sustancia de un elemento en una muestra.

trazado *s. m.* **1** Traza (diseño o proyecto). **2** Recorrido o dirección que sigue sobre el terreno un camino o una vía: *un trazado sinuoso*.

trazar *v. tr.* **1** Dibujar una cosa mediante rayas o líneas: *ha trazado el plano del hotel*. **2** Pensar, idear o preparar un plan o un proyecto: *se ha trazado unos objetivos muy ambiciosos*. **3** Describir o explicar con palabras los rasgos característicos de una persona o asunto.
FAM traza, trazado, trazo.

trazo *s. m.* Línea o raya hecha al escribir o dibujar: *un trazo elegante*.

trébol *s. m.* **1** Planta herbácea cuyas hojas están compuestas por tres folíolos redondeados, o, en raras ocasiones, por cuatro: *un trébol de cuatro hojas*. **2** Carta de la baraja francesa en la que aparecen representados uno o varios tréboles de color negro: *la carta que me queda es un trébol*. **|** *s. m. pl.* **3** **tréboles** Palo de la baraja francesa que se representa con tréboles de color negro: *tiró el cuatro de tréboles*.

trece *num. card.* **1** Diez más tres. **|** *num. ord.* **2** Que ocupa el lugar número 13 en una serie ordenada. **SIN** decimotercero. **|** *s. m.* **3** Número 13.
seguir (o **mantenerse** o **estar**) **en sus trece** Mantenerse obstinadamente una persona en una opinión, actitud o propósito.
FAM treceavo.

treceavo, -va *num. part.* Se aplica a cada una de las partes que resultan de dividir un todo en trece partes iguales.

trecho *s. m.* Espacio o distancia que hay entre dos puntos o lugares: *anduvo un buen trecho*.
a trechos o **de trecho en trecho** o **trecho a trecho** De forma discontinua o intermitente en el espacio o en el tiempo: *se lee los libros a trechos*.

trefilado *s. m.* Operación que consiste en reducir el diámetro de la sección de un producto metálico (barra de metal dúctil, hilo metálico, etc.) mediante tracción, haciéndolo pasar por los agujeros calibrados, cada vez más estrechos.

tregua *s. f.* **1** Detención o suspensión temporal de una lucha o de una guerra. **2** Detención o interrupción temporal de una actividad, un trabajo u otra cosa.

treinta *num. card.* **1** Veinte más diez. **|** *num. ord.* **2** Que ocupa el lugar número 30 en una serie ordenada. **SIN** trigésimo. **|** *s. m.* **3** Número 30.
los treinta Década comprendida entre los años 1930 y 1939.
FAM treintañero, treintavo, treintena.

treintañero, -ra *adj./s. m. y f.* Se aplica a la persona que tiene más de treinta años de edad y menos de cuarenta.

treintavo, -va *num. part.* Se aplica a cada una de las partes que resultan de dividir un todo en treinta partes iguales. **SIN** trigésimo.

treintena *s. f.* Conjunto formado por treinta unidades: *una treintena de libros.*

trekking [se pronuncia aproximadamente 'trequin'] *s. m.* Modalidad de excursionismo que consiste en recorrer a pie largas distancias o una zona determinada.

tremebundo, -da *adj.* ① Que causa terror o hace temblar: *aspecto tremebundo.* ② Que es muy grande o intenso: *una fuerza tremebunda.*

tremendismo *s. m.* Tendencia artística y literaria desarrollada en España después de la Guerra Civil caracterizada por presentar de forma cruda situaciones desagradables y violentas, incluso repulsivas, en un lenguaje también crudo y directo: *«La familia de Pascual Duarte» de Cela inaugura el tremendismo.*

FAM tremendista.

tremendo, -da *adj.* ① Que produce un fuerte sentimiento de sobrecogimiento, susto, miedo o terror. **SIN** terrible. ② Que es muy grande en tamaño o intensidad, o que es extraordinario: *un dolor de cabeza tremendo.* ③ familiar Se aplica a la persona que hace cosas sorprendentes o fuera de lo común. **por la tremenda** (**I**) De forma brusca o violenta: *rompió su relación por la tremenda.* (**II**) Por el aspecto más negativo: *todo se lo toma por la tremenda.*

FAM tremendismo.

trementina *s. f.* Resina oleosa y pegajosa de color amarillo que desprenden algunos árboles y que se usa en la industria y la medicina.

trémolo *s. m.* Serie rápida y continua de muchas notas iguales y de la misma duración.

trémulo, -la *adj.* Que tiembla o se agita con movimientos rápidos y continuos: *voz trémula; luz trémula.* **SIN** tembloroso.

tren *s. m.* ① Medio de transporte formado por varios vagones que están enganchados y que son arrastrados sobre unos raíles por una locomotora. **SIN** ferrocarril. ■ **tren cremallera** Tren cuya locomotora dispone de ruedas dentadas que encajan en un carril, generalmente central y paralelo a los de la vía, para circular por zonas de pronunciado desnivel en que la adherencia no es suficiente para el esfuerzo de tracción. **NOTA** También simplemente *cremallera.* ■ **tren de alta velocidad** Tren que puede alcanzar velocidades superiores a los 200 km/h y que circula por un trazado especial. ■ **tren de cercanías** Tren que comunica una población importante con otras vecinas y generalmente es del tipo tranvía. **NOTA** También simplemente *cercanías.* ■ **tren expreso** Tren que transporta personas y se detiene solamente en las estaciones principales de un recorrido. **NOTA** También simplemente *expreso.* ② Conjunto de máquinas o aparatos empleados para una misma operación y colocados en serie uno tras otro: *tren de lavado; tren de aterrizaje.* ③ Manera o modo de vivir una persona con determinados lujos y comodidades: *lleva un tren de vida superior a sus posibilidades.*

a todo tren (**I**) Se utiliza para indicar que una cosa se hace sin reparar en gastos o con mucho lujo u ostentación: *viven a todo tren.* (**II**) Se utiliza para indicar que una cosa se hace a gran velocidad: *conduce a todo tren.*

estar como un tren familiar Ser una persona muy atractiva físicamente: *esa chica está como un tren.*

para parar un tren familiar Se utiliza para indicar que una cosa es muy abundante o existe en gran cantidad: *tenemos trabajo para parar un tren.*

FAM bonotrén.

trena *s. f.* familiar Cárcel.

trenca *s. f.* Abrigo de lana tupida, que cubre el cuerpo hasta por encima de las rodillas, con capucha y bolsillos con tapa en el frente.

trenza *s. f.* ① Tejido que resulta de entrelazar tres cuerdas, hebras u otras cosas cruzándolas alternativamente entre sí y apretándolas: *el remate de la tela lleva una trenza de hilos de seda.* ② Mechón de pelo entrelazado de esa manera: *lleva trenzas, no coletas.* ③ Adorno u objeto con esta forma: *una trenza de pastelería.*

FAM trencilla, trenzar.

trenzado *s. m.* ① Trenza: *la novia lucía un trenzado muy original.* ② En danza, salto ligero en el que los pies se cruzan rápidamente en el aire.

trenzar *v. tr.* Hacer trenzas con mechones, cuerdas o con otra clase de fibras o hebras: *trenza las cuerdas para hacer una más gruesa.*

FAM trenzado.

trepa¹ *s. com.* ① familiar Persona que intenta ascender profesional o socialmente aprovechando cualquier circunstancia y sin importarle los medios que utilice para ello. ▌ *s. f.* ② Acción de trepar (subir).

trepa² *s. f.* ① Lámina usada como plantilla en algunos sistemas de pintura, en el estampado, etc. ② Adorno que se colocaba en el borde de algunos vestidos.

trepador, -ra *adj.* ① Se aplica a la planta enredadera que asciende verticalmente apoyándose a cualquier saliente elevado, como una verja, una pared u otra plantas: *las plantas trepadoras se adhieren mediante zarcillos, raicillas u otros órganos.* ② Se aplica al tallo propio de este tipo de plantas. ▌ *adj./s. m. y f.* ③ Se aplica al ave que tiene el dedo externo unido al medio o dirigido hacia atrás, lo que le permite trepar con facilidad.

trepanación *s. f.* Perforación de un hueso, especialmente el cráneo.

trepanar *v. tr.* Perforar un hueso, especialmente el cráneo.

FAM trepanación.

trepar¹ *v. intr.* ① Subir a un lugar alto valiéndose de los pies y de las manos: *los gatos trepan por los árboles.* ② Crecer ciertas plantas y subir agarrándose y sujetándose a lo largo de un árbol, una pared, una reja u otro lugar que les sirve de soporte: *la yedra trepa por los muros.* ③ familiar Ascender profesional o socialmente una persona aprovechando cualquier circunstancia y sin importarle los medios que utilice para ello.

FAM trepa, trepador.

trepar² *v. tr.* ① Hacer un agujero en una cosa. ② Guarnecer un bordado con trepa (adorno).

FAM trepa.

trepidante *adj.* ① Que vibra y tiembla con movimientos pequeños y rápidos: *un ruido trepidante.* ② Que se desarrolla de forma muy rápida y emocionante: *una final de fútbol trepidante.*

trepidar *v. intr.* ① Temblar o vibrar una cosa con movimientos pequeños y rápidos. ② AMÉR. Titubear una persona antes de tomar una decisión importante o hacer algo.

FAM trepidación, trepidante.

tres *num. card.* ① Dos más uno. ▌ *num. ord.* ② Que ocupa el lugar número 3 en una serie ordenada. **SIN** tercero. ▌ *s. m.* ③ Número 3. **NOTA** Plural: *treses.*

de tres al cuarto De poco valor o categoría: *no quiero en el equipo jugadores de tres al cuarto.*

ni a la de tres familiar Se utiliza para indicar que una cosa es muy difícil o imposible de realizar, por mucho que se intente: *no va a aprobar ni a la de tres.*

tres en raya Juego de mesa en que se emplea un tablero cuadrado de nueve casillas (tres por lado) y en el que dos jugadores tratan de colocar cada uno sus tres fichas en línea, formando una recta, e impedir que lo haga el contrario. **FAM** tresillo.

trescientos, -tas *num. card.* ① Doscientos más cien. ❘ *num. ord.* ② Que ocupa el lugar número 300 en una serie ordenada. **SIN** tricentésimo. ❘ *s. m.* ③ Número 300.

tresillo *s. m.* ① Conjunto de un sofá y dos sillones a juego. ② Grupo de tres notas musicales de igual duración que se ejecutan en el tiempo que normalmente ocupan dos de la misma duración que ellas: *un tresillo de corcheas equivale a dos corcheas.* ③ Juego de cartas en el que participan cuatro personas, de las cuales solo tres intervienen en cada jugada parcial; cada jugador recibe nueve cartas y se sortea cuál de ellos debe jugar contra los demás.

treta *s. f.* Medio que se emplea con astucia y habilidad para conseguir una cosa, y en el que hay oculto un engaño o una trampa: *las tretas de algunos vendedores rozan la ilegalidad.*

tríada *s. f.* ① Grupo de tres elementos o seres vinculados entre sí: *la tríada divina.* ② Acorde musical formado por tres notas separadas entre sí en intervalos de tercera: *el acorde de do, mi y sol es una tríada.*

trial *s. m.* Modalidad de motociclismo que se practica por terrenos accidentados y con diversos obstáculos preparados al efecto que el motociclista ha de superar manteniendo el equilibrio, sin apoyar los pies en el suelo ni bajar de la moto; gana el que acumula menos puntos de penalización.

triangulación *s. f.* ① Unión de tres puntos de una cosa o un lugar mediante líneas rectas, formando un triángulo. ② En algunos deportes, movimiento de la pelota entre varios jugadores, formando un triángulo imaginario. ③ Disposición de las piezas de una estructura en forma de triángulo.

triangular[1] *adj.* ① Que tiene forma de triángulo: *una pirámide de base triangular.* ② Que se realiza con la participación de tres grupos: *un torneo triangular; un acuerdo triangular.*

triangular[2] *v. tr.* ① Unir tres puntos de una cosa o un lugar mediante líneas rectas, formando un triángulo. ② En algunos deportes, mover la pelota entre varios jugadores, formando un triángulo imaginario. **FAM** triangulación.

triángulo *s. m.* ① Polígono de tres lados. ■ **triángulo acutángulo** Triángulo que tiene sus ángulos agudos, o sea, menores de 90 grados. ■ **triángulo equilátero** Triángulo que tiene los tres lados y los tres ángulos iguales. ■ **triángulo escaleno** Triángulo que tiene los tres lados diferentes. ■ **triángulo isósceles** Triángulo que tiene dos lados iguales y uno diferente. ■ **triángulo oblicuángulo** Triángulo que no tiene ningún ángulo recto. ■ **triángulo obtusángulo** Triángulo que tiene un ángulo mayor de 90 grados. ■ **triángulo rectángulo** Triángulo que tiene un ángulo recto. ② Instrumento musical de percusión formado por una barra de metal doblada en forma de triángulo, que se sostiene con un dedo manteniéndola suspendida en el aire y se toca golpeándola con una baqueta o varilla metálica.

triángulo amoroso Relación amorosa establecida entre tres personas. **FAM** triangular.

triásico, -ca *adj./s. m.* ① Se aplica al periodo geológico que es el primero de la era mesozoica o secundaria y precede al periodo jurásico; se extiende desde hace unos 245 millones de años hasta hace unos 200 millones de años. ❘ *adj.* ② Relativo a este periodo geológico.

triatlón *s. m.* Prueba deportiva que consiste en tres carreras: una de natación, una de ciclismo y una pedestre.

tribal *adj.* Relativo a la tribu. **FAM** tribalismo.

tribalismo *s. m.* Forma de organización social que se basa en la tribu.

tribu *s. f.* ① Organización social, política y económica integrada por un conjunto de personas que comparten un origen, una lengua, unas costumbres y unas creencias y que obedecen a un mismo jefe: *la tribu es una organización propia de pueblos primitivos.* ② familiar Familia, especialmente numerosa: *nos fuimos a la playa con toda la tribu.* **FAM** tribal.

tribulación *s. f.* ① Pena, disgusto o preocupación muy grande que tiene una persona. **SIN** congoja. ② Situación adversa o desfavorable que padece una persona. **FAM** atribular.

tribuna *s. f.* ① Plataforma elevada y generalmente con una barandilla, donde se coloca un orador para hablar al público. ② Plataforma elevada y generalmente con barandilla donde se instalan las autoridades o los espectadores que contemplan un desfile o un espectáculo público, generalmente al aire libre. ③ Medio de comunicación social que se utiliza para expresar o manifestar una opinión: *este periódico es una tribuna abierta a todos los partidos políticos.* ④ Localidad preferente de algunos estadios, pabellones o campos de deporte. ⑤ Galería de una iglesia, situada sobre las naves laterales y abierta en la nave principal, donde se pueden situar los fieles. ⑥ Ventana o balcón desde donde se puede asistir a los oficios religiosos sin ser visto. ⑦ Mirador o palco. **FAM** tribunal.

tribunal *s. m.* ① Conjunto de personas que se encarga de administrar justicia en un estado. ■ **Tribunal Constitucional** Órgano que tienen algunos estados para vigilar el respeto a la Constitución y procurar que las leyes se ajusten a su espíritu. ■ **Tribunal de Cuentas** Órgano encargado de vigilar que los ingresos económicos y los gastos del estado sean correctos. ■ **Tribunal Supremo** Órgano más alto de la justicia, cuyas decisiones no pueden ser apeladas por ningún otro tribunal. ② Edificio o lugar donde se administra justicia. ③ Conjunto de personas que están reunidas para emitir un juicio sobre algo, como un examen o una oposición: *tribunal de oposiciones.*

tribuno *s. m.* Magistrado o alto cargo de la antigua Roma que tenía funciones militares y políticas.

tributar *v. tr./intr.* ① Pagar un tributo, como el que pagan los ciudadanos al estado o el que pagaban los vasallos a su señor. ❘ *v. tr.* ② Manifestar hacia una persona una muestra de reconocimiento, respeto o consideración como prueba de agradecimiento o admiración: *tributa a su maestro un profundo respeto.* **FAM** tributación.

tributario, -ria *adj.* ① Relativo al tributo: *agencia tributaria.* | *adj./s. m. y f.* ② Se aplica a la persona que paga tributos.

tributo *s. m.* ① Cantidad de dinero que un ciudadano debe pagar al estado o a otro organismo para sostener el gasto público. **SIN** impuesto. ② Cantidad de dinero o de otra cosa que el vasallo debía entregar a su señor como reconocimiento de obediencia y sometimiento. ③ Muestra de reconocimiento, respeto o consideración que se manifiesta hacia una persona como prueba de agradecimiento o admiración. ④ Sentimiento favorable que se expresa o se manifiesta hacia una persona: *tributo de amor.* ⑤ Carga continua u obligación que se debe soportar por usar una cosa o disfrutar de ella. **FAM** tributar, tributario.

tricentésimo, -ma *num. ord.* ① Que ocupa el lugar número 300 en una serie ordenada. | *num. part.* ② Se aplica a cada una de las partes que resultan de dividir un todo en trescientas partes iguales.

tríceps *s. m./adj.* Músculo formado por tres partes o porciones que se unen en un tendón. ■ **tríceps braquial** Tríceps que permite doblar y extender el brazo. ■ **tríceps espinal** Tríceps que está situado a lo largo de la columna vertebral e impide que se caiga hacia delante. ■ **tríceps femoral** Tríceps que permite doblar y extender la pierna. **OBS** Plural invariable.

triceratops [se pronuncia 'tricerátops'] *s. m.* Reptil dinosaurio parecido al rinoceronte, con un pequeño cuerno en la nariz y dos cuernos más largos en la parte posterior del cráneo, del cual se han encontrado restos fósiles del cretácico: *el triceratops era herbívoro y tenía de 6 a 8 metros de longitud.* **OBS** Plural invariable.

triciclo *s. m.* Vehículo de tres ruedas, dos traseras y una delantera, especialmente el movido por dos pedales y usado por los niños.

triclinio *s. m.* ① Comedor de la era grecorromana. ② Habitación de las antiguas casas romana y griega que servía como comedor y donde había tres divanes alrededor de una mesa.

tricolor *adj.* Que tiene tres colores.

tricoma *s. m.* Apéndice de la epidermis de las plantas formado por una o varias células y con forma de pelo.

tricornio *s. m.* Sombrero de color negro que tiene el ala dura y doblada de manera que forma tres picos: *los tricornios son característicos de la Guardia Civil.*

tricotar *v. tr.* Hacer labores de punto, especialmente a máquina. **FAM** tricotosa.

tricotosa *s. f.* Máquina para hacer punto.

tricúspide *adj./s. f.* Se aplica a la válvula del corazón que separa la aurícula y el ventrículo derechos.

tridecasílabo, -ba *adj.* ① Que tiene trece sílabas. | *adj./s. m.* ② Se aplica al verso que tiene trece sílabas.

tridente *adj./s. m.* ① Se aplica al utensilio que tiene tres puntas o dientes: *tenedor tridente.* | *s. m.* ② Cetro del dios romano Neptuno, que tiene forma de arpón de tres dientes o puntas.

tridimensional *adj.* Que tiene tres dimensiones: altura, anchura y largura. **FAM** tridimensionalidad.

trienal *adj.* ① Que se repite cada tres años: *exposición trienal.* ② Que dura tres años: *contrato trienal.*

trienio *s. m.* ① Periodo de tres años. ② Incremento económico que se efectúa sobre un sueldo o salario por cada tres años de servicio activo. **FAM** trienal.

trifásico, -ca *adj.* Se aplica al sistema eléctrico que está formado por tres corrientes alternas iguales con fases que se distancian un tercio de periodo: *la corriente trifásica procede del mismo generador.*

triforio *s. m.* Serie de ventanas abiertas en los muros de la nave central de algunas iglesias, por encima de las arcadas que dan a las naves laterales, y que conforma un estrecho pasadizo de circulación.

trifulca *s. f.* familiar Discusión o pelea entre dos o más personas, generalmente con mucho ruido y alboroto.

trifurcación *s. f.* División de algo en tres ramales.

trigal *s. m.* Terreno sembrado de trigo.

trigémino *adj./s. m.* Se aplica al nervio del cráneo que sensibiliza varias partes de la cara.

trigésimo, -ma *num. ord.* ① Que ocupa el lugar número 30 en una serie ordenada: *trigésimo aniversario.* | *num. part.* ② Se aplica a cada una de las partes que resultan de dividir un todo en treinta partes iguales: *eran 30 personas y le correspondió a cada una un trigésimo de tarta.* **SIN** treintavo.

triglifo o **tríglifo** *s. m.* Ornamento del friso de orden dórico, que consiste en un rectángulo saliente con acanaladuras verticales, dos de ellas completas en el centro, y otras dos medias a ambos lados: *los triglifos alternan con las metopas.*

trigo *s. m.* ① Planta de la familia de las gramíneas cuyo tallo termina en una espiga con cuatro o más hileras de granos, de los cuales se saca la harina con la que se hace el pan: *el trigo es un cereal.* ■ **trigo candeal** Variedad de trigo que tiene la espiga cuadrada y recta y los granos ovales: *el trigo candeal da una harina muy blanca con la que se hace un pan esponjoso.* **SIN** blanquillo. ② Semilla o grano de esta planta. **no ser trigo limpio** familiar No ser una persona, asunto o negocio honrado o de buenas intenciones. **FAM** trigal, trigueño, triguero.

trigonometría *s. f.* Parte de las matemáticas que estudia las relaciones entre los lados de un triángulo rectángulo y las razones goniométricas correspondientes a sus ángulos. **FAM** trigonométrico.

trigueño, -ña *adj.* Se aplica al color moreno dorado como el del trigo.

triguero, -ra *adj.* ① Relativo al trigo: *cultivo triguero.* ② Se aplica a la planta que crece entre el trigo.

trilero, -ra *s. m. y f.* familiar Persona que dirige el juego de los triles.

triles *s. m. pl.* Juego de apuestas callejero que consiste en adivinar en cuál de los tres posibles sitios está escondido un objeto que previamente se ha mostrado y se ha movido de sitio varias veces con rapidez. **FAM** trilero.

trilingüe *adj./s. com.* ① Que habla tres lenguas. | *adj.* ② Se aplica al texto que está escrito en tres lenguas: *diccionario trilingüe.*

trilita *s. f.* Trinitrotolueno.

trilla *s. f.* ① Acción de triturar el cereal cortado para separar el grano de la paja. ② Tiempo o época en que se efectúa esta operación. ③ Trillo.

trillado, -da *adj.* Muy conocido o utilizado.

trilladora *s. f.* Máquina que sirve para trillar los cereales, especialmente el trigo.

trillar *v. tr.* ① Triturar el cereal cortado para separar el grano de la paja. ② Usar con excesiva frecuencia una cosa o tratar mucho y repetitivamente un tema determinado. **FAM** trilla, trilladora.

trillizo, -za *adj./s. m. y f.* Se aplica a la persona que ha nacido de un parto triple.

trillo *s. m.* Instrumento que se usa para trillar o triturar los cereales; está formado por una tabla ancha con trozos de piedra o de hierro en su lado inferior: *el trillo es arrastrado por un animal de tiro.* **SIN** trilla. **FAM** trillar.

trillón *s. m.* Conjunto formado por un millón de billones de unidades.

trilobites *s. m.* Invertebrado marino, actualmente extinguido, del filo de los artrópodos, de cuerpo oval y aplanado, con un caparazón articulado formado por tres lóbulos y recorrido a lo largo por dos surcos; vivió durante la era primaria. **OBS** Plural invariable.

trilogía *s. f.* ① Conjunto de tres obras literarias o cinematográficas de un mismo autor relacionadas por el argumento o los personajes: *«El mar» es una trilogía de Pío Baroja.* ② Conjunto de tres tragedias que un autor presentaba a los concursos públicos de la antigua Grecia.

trimestral *adj.* ① Que sucede o se repite cada tres meses: *visita trimestral al médico.* ② Que dura tres meses: *contrato trimestral.*

trimestre *s. m.* Periodo de tres meses: *un año tiene cuatro trimestres.* **FAM** trimestral.

trinar *v. intr.* Cantar un pájaro haciendo cambios de voz con la garganta y produciendo un sonido agudo y repetido con mucha rapidez.

estar que trina Estar muy enfadada o muy nerviosa una persona por algún motivo. **FAM** trino.

trincar¹ *v. tr.* ① familiar Robar una cosa: *trincó el jamón y salió corriendo.* ② familiar Atrapar a una persona, sujetándola fuertemente de manera que no se pueda escapar, especialmente cuando ha cometido un delito. ③ Arg., Urug. Realizar el acto sexual.

trincar² *v. tr.* familiar Beber o tomar una bebida: *se trincaron una botella entera.*

trinchar *v. tr.* Cortar en trozos la comida para servirla. **FAM** trincha, trinchero.

trinchera *s. f.* ① Zanja excavada en la tierra donde se meten los soldados de un ejército para protegerse de los disparos del enemigo y poder disparar al mismo tiempo desde ella. ② Corte hecho en el terreno para construir una vía de comunicación, como una autopista o una vía férrea. **FAM** atrincherar.

trineo *s. m.* Vehículo para deslizarse sobre la nieve y el hielo, provisto de esquíes o patines en lugar de ruedas.

trinidad *s. f.* ① Grupo de tres personas. ② Conjunto de las tres personas divinas (Padre, Hijo y Espíritu Santo) en la esencia de Dios. **NOTA** Se escribe con mayúscula inicial. También *Santísima Trinidad.*

trinitario, -ria *adj.* ① Relativo a la orden religiosa de la Santísima Trinidad, fundada en 1198 por san Juan de Mata y san Félix de Valois, que surgió con el fin de liberar a los cristianos prisioneros de los musulmanes. ‖ *s. m. y f./adj.* ② Religioso perteneciente a esta orden.

trinitrotolueno *s. m.* Explosivo muy potente que se obtiene por la reacción del tolueno con ácido nítrico y ácido sulfúrico. **SIN** trilita.

trino *s. m.* ① Canto o sonido emitido por los pájaros, que consiste en un sonido agudo y repetido con mucha rapidez. ② Nota musical que se emite produciendo una gran vibración del sonido de modo que se llega a alcanzar la nota contigua superior: *el trino se representa con la abreviatura "tr" sobre la nota; el trino es un ornamento típico de la ópera.*

trinomio *s. m.* Polinomio de tres términos.

trinquete¹ *s. m.* ① En un barco de vela, palo más cercano a la proa. ② Frontón cerrado con doble pared lateral. ③ Modalidad de la pelota vasca que se juega en este tipo de frontón.

trinquete² *s. m.* Mecanismo en forma de lengüeta que, colocado en los dientes de una rueda, obliga a que esta gire hacia un lado y no hacia el otro.

trío *s. m.* ① Conjunto de tres personas o cosas. ② Conjunto musical formado por tres voces o instrumentos: *trío de cuerda.* **SIN** terceto. ③ Composición musical hecha para ser interpretada por este conjunto.

tripa *s. f.* ① Intestino de una persona o animal: *la tripa del cerdo se usa para hacer embutidos.* ② familiar Vientre o barriga de una persona o animal. ③ Panza de una vasija o un envase. ‖ *s. f. pl.* ④ **tripas** familiar Parte interior de algunos aparatos y objetos, especialmente los que están formados por muchas piezas.

hacer de tripas corazón Esforzarse una persona para hacer una cosa poco agradable o que le produce asco o repugnancia.

¿qué tripa se le ha roto? Se utiliza para expresar extrañeza o fastidio por una petición urgente o inoportuna de una persona. **FAM** tripón, tripudo; destripar.

tripanosoma *s. m.* Protozoo parásito que vive en medios líquidos, como la sangre, y se mueve mediante flagelos; produce enfermedades infecciosas.

tripartito, -ta *adj.* ① Que está formado por tres partes o miembros: *herencia tripartita.* ② Se aplica al contrato, acuerdo o reunión que está formado por tres grupos de personas: *alianza tripartita; acuerdo tripartito.*

triple *adj./s. m.* ① Que es tres veces la cantidad, número o tamaño de cierta cosa: *seis es el triple de dos.* ‖ *adj.* ② Que está formado por tres elementos o se repite tres veces: *dio un triple salto; esta es una cerradura de seguridad con triple cierre.* ‖ *s. m./ adj.* ③ En baloncesto, canasta que tiene un valor de tres puntos. **FAM** triplicar.

triplete *s. m.* Serie de tres éxitos o victorias en un corto periodo de tiempo, especialmente en deporte.

triplicado *s. m.* Tercer ejemplar o tercera copia de un documento o escrito original, de idénticas características que este tanto en su forma como en su contenido.

por triplicado Indica que una cosa se hace tres veces, especialmente un documento.

triplicar *v. tr.* Hacer tres veces mayor una cosa o multiplicar

por tres una cantidad: *el número de contratos se ha triplicado en el último semestre.*
FAM triplicación, triplicado.

trípode *s. m.* Armazón de tres pies que sirve para sostener ciertos instrumentos: *la cámara se sostenía en el trípode.*

tripón, -pona *adj./s. m. y f.* familiar Tripudo.

tríptico *s. m.* ① Pintura o relieve realizado sobre tres tablas o lienzos articulados, de manera que los dos laterales se pueden cerrar sobre el del centro. ② Libro o tratado que consta de tres partes.

triptongo *s. m.* Agrupación silábica formada por una semiconsonante, una vocal y una semivocal: *en la palabra "limpiáis" hay un triptongo.*
FAM triptongar.

tripudo, -da *adj./s. m. y f.* familiar Se aplica a la persona que tiene la tripa o barriga muy grande. **SIN** panzudo, tripón.

tripulación *s. f.* Conjunto de personas que se encargan de conducir o manejar un barco, un avión o una nave espacial, o que prestan servicio en ellos.

tripulante *s. com.* Persona que se encarga de conducir o manejar un barco, un avión o una nave espacial, o que presta servicio en ellos.

tripular *v. tr.* Conducir o manejar un barco, un avión o una nave espacial, o prestar servicio en ellos.
FAM tripulación, tripulante.

triquina *s. f.* Gusano parásito del filo de los nematodos que vive en los músculos de algunos animales, especialmente el cerdo, y que se transmite al ser humano por vía digestiva ocasionando la enfermedad llamada triquinosis.

triquinosis *s. f.* Enfermedad parasitaria de algunos animales y del ser humano, caracterizada por fiebre alta, dolores musculares y vómitos o diarreas.
OBS Plural invariable.

triquiñuela *s. f.* familiar Treta.

triquitraque *s. m.* ① Serie de golpes repetitivos y seguidos. ② Ruido que producen estos golpes. ③ Rollo delgado de papel con pólvora que se hace explotar encendiendo la mecha que está en uno de sus extremos. ④ Cohete sin varilla que, encendido, corre por el suelo entre los pies de la gente. **SIN** buscapiés.

tris *s. m.* Parte o porción muy pequeña de una cosa, casi inapreciable: *faltó un tris para que me cayera.*
en un tris Se utiliza para indicar que una cosa no sucede o se realiza por muy poco: *estuvo en un tris de caerse.*

triscar *v. intr.* Dar saltos alegremente de un lugar a otro una persona o un animal, de modo semejante a como lo hacen las cabras.

trisílabo, -ba *adj.* ① Que tiene tres sílabas. | *adj./s. m.* ② Se aplica al verso que tiene tres sílabas.

triste *adj.* ① Se aplica a la persona que siente melancolía, pena o tristeza. **SIN** melancólico, pesaroso. **ANT** alegre. ② Se aplica a la persona que es de carácter melancólico o tiende a sentir y mostrar pena o tristeza. **ANT** alegre. ③ Que expresa melancolía, pena o tristeza: *ojos tristes; cara triste.* **ANT** alegre. ④ Que produce melancolía, pena o tristeza: *una noticia triste.* **ANT** alegre. ⑤ Que causa un gran dolor o es muy difícil de soportar: *es muy triste vivir olvidado de todos.* ⑥ Que se hace o sucede con melancolía y pesadumbre: *discurso triste; día triste.* **ANT** alegre. ⑦ Que es insignificante, insuficiente o ineficaz para una cosa.
FAM tristeza, tristón, tristura; entristecer.

tristeza *s. f.* ① Sentimiento de melancolía que provoca falta de ánimo y de alegría e ilusión por las cosas, y que se manifiesta a veces con tendencia al llanto. **SIN** pesar. **ANT** alegría. ② Característica de las cosas que muestran o producen este sentimiento: *la tristeza de las imágenes conmovió a todo el país.*

tristón, -tona *adj.* Que está un poco triste.

tritio *s. m.* Isótopo radiactivo del hidrógeno, cuyo núcleo está formado por un protón y dos neutrones.

tritón *s. m.* Anfibio de aspecto similar a la salamandra, de unos 12 cm de longitud, piel parda con manchas y cola larga y aplanada por los lados, útil para nadar; vive en lugares húmedos y se alimenta de gusanillos e insectos.

trituración *s. f.* Acción de triturar.

trituradora *s. f.* Máquina que sirve para triturar.

triturar *v. tr.* ① Partir o desmenuzar en trozos pequeños una materia sólida, pero sin llegar a convertirla en polvo. ② Masticar o partir una cosa con los dientes, especialmente los alimentos. ③ Rechazar, censurar o rebatir de modo claro una idea o algo que se examina o se juzga: *trituraron uno por uno todos sus argumentos.*
FAM trituración, trituradora.

triunfador, -ra *adj./s. m. y f.* Se aplica a la persona que triunfa en una cosa determinada o que generalmente triunfa en las cosas: *equipo triunfador.*

triunfal *adj.* Relativo al triunfo: *un paseo triunfal.*
FAM triunfalismo.

triunfalismo *s. m.* Actitud exagerada de seguridad y de superioridad sobre los demás que manifiesta la persona que confía excesivamente en sus capacidades.
FAM triunfalista.

triunfalista *adj./s. com.* Que muestra una actitud de seguridad y superioridad hacia los demás.

triunfante *adj.* Que triunfa o lo parece: *un gesto triunfante.*

triunfar *v. intr.* ① Ganar o conseguir la victoria en una lucha o competición. ② Tener éxito una persona o conseguir unos objetivos que se había planteado.
FAM triunfador, triunfante.

triunfo *s. m.* ① Acción de ganar o conseguir la victoria en una lucha o competición. **SIN** éxito, victoria. ② Objeto que se da en señal de victoria o como premio por haber ganado en una competición o haber obtenido uno de los mejores puestos. **SIN** trofeo. ③ En ciertos juegos de naipes, carta de la baraja que tiene mayor valor que otras. ④ Éxito o resultado favorable que se consigue en una cosa.
FAM triunfal, triunfar.

triunvirato *s. m.* ① Gobierno de la antigua república romana que estaba formado por tres personas: *en el año 60 a. C., César, Pompeyo y Craso formaron un triunvirato.* ② Grupo de tres personas que dirigen algo o están al frente de algo.

trivalente *adj.* ① Que vale o sirve para tres cosas: *vacuna trivalente.* ② Se aplica al elemento o radical químico que tiene tres valencias.

trivial *adj.* ① Que no tiene importancia, trascendencia o interés: *asunto trivial.* ② Que es común y sabido por todos: *no dice más que cosas triviales.*
FAM trivialidad, trivializar.

trivialidad *s. f.* ① Falta de importancia, de interés o de trascendencia. ② Cosa que no tiene importancia, trascendencia o interés, o que es común y sabida por todos.

trivializar *v. tr.* Quitar importancia a una cosa, o no dársela. **FAM** trivialización.

trivio *s. m.* Trivium.

trivium [también **trivio**; se pronuncia 'trívium'] *s. m.* Conjunto de las tres artes liberales (gramática, retórica y dialéctica) que se estudiaban como un bloque en la Edad Media, además del cuadrivium.

trizas Se usa en la expresión:
hacer trizas familiar Romper algo en trozos muy pequeños: *tiró el plato al suelo y lo hizo trizas.*

trocar [5] *v. tr.* **1** Entregar una cosa y recibir otra a cambio. **SIN** cambiar. **2** Transformar una cosa en otra diferente: *su risa se trocó en llanto.* **FAM** trueque; trastocar.

trocear *v. tr.* Dividir o cortar en trozos una cosa entera: *trocear la carne para comerla.* **FAM** troceado, troceo.

trocha *s. f.* **1** Vereda o atajo. **2** AMÉR. SUR Espacio que media entre los dos rieles de una vía férrea.

troche Se usa en la expresión:
a troche y moche Indica que una cosa se hace en exceso, sin orden ni medida: *echar maldiciones a troche y moche.*

trofeo *s. m.* **1** Objeto que se da en señal de victoria o como premio por haber vencido en una competición o haber obtenido uno de los mejores puestos. **SIN** triunfo. **2** Cabeza disecada o parte de un animal que una persona conserva como recuerdo de su caza.

troglodita *adj./s. com.* **1** Se aplica a la persona que vive en una caverna o vivienda excavada en una roca: *los hombres prehistóricos eran trogloditas.* **SIN** cavernícola. **2** familiar Se aplica a la persona que es tosca y poco educada.

troika *s. f.* **1** Carruaje ruso grande que va montado sobre patines y tirado por tres caballos. **2** Grupo de dirigentes de la antigua Unión Soviética que estaba formado por el presidente de la república, el jefe de gobierno y el secretario general del Partido Comunista. **3** Grupo de dirigentes formado por tres políticos de alto nivel: *la troika del mercado televisivo estadounidense, integrada por ABC, NBC y CBS, estaba respaldada por el 90 % de la audiencia.*

troje *s. f.* Lugar limitado por tabiques para guardar frutos, especialmente cereales.

trola *s. f.* familiar Mentira. **FAM** trolero.

trole *s. m.* En los vehículos de tracción eléctrica como los tranvías, barra de hierro con una polea o un contacto en el extremo que sirve para transmitir la corriente del cable aéreo conductor al motor.

trolebús *s. m.* Vehículo de tracción eléctrica que se usa para el transporte de personas dentro de la ciudad y que toma la corriente de un cable suspendido en el aire.

trolero, -ra *adj./s. m. y f.* familiar Se aplica a la persona que miente o exagera mucho, generalmente para presumir o llamar la atención de los demás. **SIN** cuentista.

tromba *s. f.* **1** Masa de nubes de pequeño diámetro, con un rápido movimiento giratorio, que baja de un cúmulo hasta la superficie del mar, de un lago o de la tierra. **2** Columna de agua que se levanta en el mar y que gira sobre sí misma a causa de un torbellino. **3** Lluvia muy intensa, violenta y de corta duración. **NOTA** También *tromba de agua.*

en tromba Indica que una cosa aparece o se produce en masa, brusca o violentamente.

trombo *s. m.* Coágulo de sangre que se forma en el interior de una vena.

tromboflebitis *s. f.* Inflamación de una vena producida por un trombo. **OBS** Plural invariable.

trombón *s. m.* Instrumento musical de viento formado por una pieza tubular metálica en forma de U muy larga que es móvil y permite modificar la longitud del instrumento para producir los diferentes sonidos; el tubo termina en un ancho pabellón. **NOTA** También *trombón de varas.* ■ **trombón de pistones** Trombón que tiene pistones que se pulsan para producir los sonidos, en lugar de la pieza tubular móvil.

trombosis *s. f.* Formación de un coágulo de sangre en el interior de un vaso sanguíneo o en el corazón. **OBS** Plural invariable.

trompa *s. f.* **1** Prolongación muscular, hueca y flexible, de la nariz del elefante y el tapir. **2** Aparato chupador que tienen algunos insectos que se puede dilatar y contraer. **3** Instrumento musical de viento de la familia del metal formado por un tubo enroscado circularmente que es estrecho en la boquilla y se va ensanchando hasta terminar en un ancho pabellón en forma de cono; se toca pulsando una serie de pistones que tiene en el tubo. **4** Bóveda semicónica en saledizo, con el vértice en el ángulo de los muros y la parte ancha hacia fuera, que sirve para transformar una planta cuadrada en octogonal. **5** familiar Borrachera, estado de embriaguez de una persona. **|** *adj.* **6** familiar Borracho, embriagado: *estar trompa.*
trompa de Eustaquio Conducto que comunica el oído medio con la faringe en los animales vertebrados.
trompa de Falopio Conducto del aparato reproductor femenino de los mamíferos que une los ovarios con el útero. **SIN** oviducto. **FAM** trompo; entromparse.

trompazo *s. m.* familiar Golpe fuerte que recibe una persona al caer o chocar contra un cuerpo duro. **SIN** cacharrazo, trastazo.

trompeta *s. f.* **1** Instrumento musical de viento de la familia del metal que está formado por un tubo doblado dos veces sobre sí mismo, con una boquilla en un extremo y una abertura en forma de cono en el otro; se toca pulsando tres pistones que tiene en el tubo. **|** *s. com.* **2** Trompetista. **FAM** trompetazo, trompetilla, trompetista.

trompetazo *s. m.* Sonido muy fuerte producido por una trompeta.

trompetilla *s. f.* Instrumento con forma de trompeta pequeña que utilizaban los sordos para percibir mejor los sonidos, acercándoselo al oído.

trompetista *s. com.* Persona que toca la trompeta. **SIN** trompeta.

trompicar *v. intr.* Tropezar o andar tambaleándose una persona. **FAM** trompicón.

trompicón *s. m.* Tropezón o resbalón que sufre una persona al andar o al correr. **SIN** traspié, tropiezo.
a trompicones (I) Dando traspiés: *avanzaba a trompicones.* (II) Con dificultades: *acabó el trabajo a trompicones.*

trompo *s. m.* **1** Juguete con forma de cono, generalmente de madera y con una punta de hierro, que se enrolla en una cuerda y se lanza para hacer que gire sobre sí mismo. **SIN** peón, peonza. **2** Giro que da un automóvil sobre sí mismo, derrapando sus ruedas sobre el suelo.

trompudo, -da *adj./s. m. y f.* **1** familiar AMÉR. Se aplica a la persona que tiene los labios prominentes o gruesos. ‖ *adj.* **2** familiar AMÉR. SUR Se aplica a la persona que está enojada.

trona *s. f.* Asiento para bebé o niño pequeño que consiste en una silla de patas altas con reposabrazos y un tablero pequeño delante que sirve para dejar el plato de comida.

tronado, -da *adj.* familiar Se aplica a la persona que ha perdido el juicio. **SIN** tocado.

tronar [5] *v. impersonal* **1** Haber o sonar truenos. ‖ *v. intr.* **2** Causar una cosa un estampido o un ruido muy fuerte, como el de los truenos: *los cañones tronaban en el combate.* **3** familiar Hablar o escribir una persona de manera violenta contra algo o alguien. ‖ *v. tr.* **4** AMÉR. CENTRAL Suspender a alguien: *me tronaron en el examen.* **5** CUBA Echar a alguien de su puesto de trabajo. ‖ *v. tr./prnl. tr.* **6** MÉX. Matar a una persona: *se lo tronó de un balazo.* **7** familiar MÉX. Poseer sexualmente a una mujer: *el empleado se tronó a la hija del jefe.* **FAM** trueno; atronar.

troncal *adj.* **1** Relativo al tronco (cuerpo, conducto, origen): *perímetro troncal; argumento troncal.* **2** Se aplica a la asignatura que forma parte de las obligatorias en un determinado ciclo de estudios.

tronchar *v. tr.* **1** Partir o romper sin usar herramientas el tronco, el tallo o las ramas de una planta o cosas de figura o consistencia parecidas. **2** Impedir que una cosa se haga o se desarrolle. ‖ *v. prnl.* **3** **troncharse** familiar Reírse una persona mucho y con muchas ganas.

troncho *s. m.* Tallo de las hortalizas.

tronco, -ca *s. m.* **1** Tallo leñoso, fuerte y macizo de los árboles y arbustos. **2** Cuerpo de una persona o de un animal, considerado sin la cabeza y sin las extremidades: *la columna vertebral es el eje del tronco de los vertebrados.* **3** Conducto principal del que salen o al que llegan otros secundarios o menos importantes: *tronco arterial.* **4** Ascendiente común de dos o más ramas, líneas o familias. **5** Cuerpo truncado o al que se le ha cortado un extremo: *un tronco de pirámide.* ‖ *s. m. y f.* **6** familiar Amigo o compañero: *¿qué pasa, tronco?*
como un tronco familiar Profundamente dormido.
FAM troncal; destroncar, entroncar.

tronera *s. f.* **1** Abertura o agujero estrecho en el costado de un barco, en un muro o en otro lugar, hecho para asomar por él las armas de fuego y disparar con protección. **2** Ventana estrecha y de pequeño tamaño. **3** Agujero en las bandas y en las esquinas de algunas mesas de billar, donde se han de colar las bolas.

tronío *s. m.* familiar Elegancia y señorío, especialmente de una persona: *cupletistas de tronío.*

trono *s. m.* **1** Asiento elevado, con gradas y dosel, en el que se sientan los reyes y otras personas de muy alta dignidad, especialmente en ceremonias o actos importantes. **2** Cargo o dignidad de rey o de soberano.
FAM destronar, entronizar.

tronzar *v. tr.* **1** Dividir o cortar en trozos una cosa. **2** Hacer unos pliegues muy pequeños en una falda.

tropa *s. f.* **1** Grupo muy numeroso de personas: *una tropa de niños acudió a la comida.* **2** Conjunto de militares sin grado (soldados rasos) o con grado de soldado de primera, cabo o

cabo primero: *los oficiales y la tropa esperaban en el patio de armas.* **3** Conjunto de militares o de gente armada y organizada para la lucha en la guerra. ‖ *s. f. pl.* **4** **tropas** Conjunto de cuerpos militares que componen un ejército, una división, etc.

tropel *s. m.* **1** Conjunto numeroso de personas, animales o cosas que avanzan o se mueven de forma rápida, ruidosa y desordenada. **2** Conjunto de cosas desordenadas: *tiene un tropel de zapatos debajo de la cama.*
de (o en) tropel Se utiliza para indicar que una cosa se realiza o sucede con amontonamiento de personas o cosas, y de manera desordenada y confusa: *los niños salen de la escuela en tropel.*
FAM tropelía; atropellar.

tropelía *s. f.* Acción violenta, cometida por alguien que abusa de su poder o de su autoridad, que generalmente va en contra de la ley y produce un daño. **SIN** atropello.

tropezar [1] *v. intr.* **1** Dar con los pies en un obstáculo al ir andando o corriendo, o pisar mal perdiendo equilibrio. **2** Encontrar una persona o una cosa un obstáculo o una dificultad que le impide avanzar en su trayectoria o en su desarrollo normal. **SIN** topar. **3** Encontrar por azar e inesperadamente a una persona o una cosa: *me tropecé ayer con tu hermano.*
FAM tropezón, tropiezo.

tropezón *s. m.* **1** Traspié o resbalón que sufre una persona al andar o al correr. **SIN** trompicón, tropiezo. **2** Trozo pequeño de un alimento que se encuentra mezclado con la sopa u otro guiso. **NOTA** Más en plural.
a tropezones familiar Se utiliza para indicar que una cosa se realiza o sucede con muchos obstáculos o dificultades, o que sufre paradas intermitentes en su desarrollo.

tropical *adj.* Relativo al trópico: *clima tropical.*
FAM subtropical.

trópico *s. m.* **1** Círculo imaginario trazado en la esfera de la Tierra y que es paralelo al Ecuador. ■ **trópico de Cáncer** Trópico que está situado en el hemisferio norte de la Tierra: *el trópico de Cáncer atraviesa México.* ■ **trópico de Capricornio** Trópico que está situado en el hemisferio sur de la Tierra: *el trópico de Capricornio pasa por el sur de Brasil.* **2** Región comprendida entre estos dos círculos.
FAM tropical.

tropiezo *s. m.* **1** Tropezón o resbalón que sufre una persona al andar o al correr. **SIN** traspié, trompicón. **2** Obstáculo que estorba o impide avanzar. **3** Falta, equivocación o error que comete una persona al hacer una cosa. **4** Discusión o enfrentamiento que tiene una persona con otra que opina de forma distinta.

tropismo *s. m.* Respuesta de una planta o un animal sésil a un estímulo externo (como la luz, la gravedad, etc.) que implica una variación en la dirección de su crecimiento.

tropo *s. m.* En retórica, cambio de significación que pueden experimentar las palabras cuando se aplican para designar objetos, cualidades o acciones que no son las que directamente evocan: *hay tres clases de tropos: la metáfora, la metonimia y la sinécdoque.*
FAM trópico, tropismo.

tropopausa *s. f.* Capa de la atmósfera que separa la troposfera de la estratosfera.

troposfera *s. f.* Capa de la atmósfera terrestre que está en

T

contacto con la superficie de la Tierra y se extiende hasta una altitud de unos 10 km aproximadamente; en ella se desarrollan todos los procesos meteorológicos y climáticos.

troquel *s. m.* Molde que se usa para grabar un objeto de metal, especialmente una moneda. **SIN** cuño.
FAM troquelar.

troquelar *v. tr.* ① Acuñar monedas, medallas u otros objetos parecidos con un troquel. ② Recortar piezas de cuero, de cartón o de otro material mediante presión.

trotamundos *s. com.* Persona a la que le gusta viajar y recorrer países.
OBS Plural invariable.

trotar *v. intr.* ① Ir un caballo al trote: *el caballo lleva menos velocidad cuando trota que cuando galopa.* ② Cabalgar sobre un caballo que va al trote. ③ familiar Andar mucho o muy deprisa una persona.
FAM trotamundos, trote, trotón.

trote *s. m.* ① Manera de caminar el caballo con paso ligero, dando pequeños saltos y levantando a la vez el pie de un lado y la mano del lado contrario. ② Trabajo o actividad muy intensa, que conlleva mucho ajetreo o produce mucho cansancio.
al trote Con mucha rapidez.

trotón, -tona *adj.* Se aplica a la caballería que acostumbra andar al trote: *yegua trotona.*

troupe [se pronuncia 'trup'] *s. m.* Compañía de espectáculos.

trovador, -ra *s. m. y f.* ① Poeta medieval cuyos orígenes estaban en la Provenza francesa; su poesía, a diferencia de la del juglar, era elaborada y minoritaria, de tema generalmente amoroso y dedicada a reyes, nobles y grandes señores. ② Poeta popular.
FAM trovadoresco.

trovadoresco, -ca *adj.* Relativo a los trovadores.

trovar *v. intr.* Hacer o componer versos: *el arte de trovar era muy apreciado en la Edad Media.*
FAM trova, trovador.

troyano, -na *adj.* ① De Troya (antigua ciudad de Asia Menor). ‖ *s. m. y f./adj.* ② Persona que era de Troya. ‖ *adj.* ③ Se aplica al virus informático que provoca grandes efectos destructivos; se activa cuando un usuario carga un fichero sin haber advertido su presencia.

trozo *s. m.* Parte de una cosa que ha sido separada de ella o que se considera como elemento individual. **SIN** pedazo.
FAM trocear; destrozar.

trucaje *s. m.* ① Conjunto de cambios que se hacen en una cosa para modificar su estructura original. ② Conjunto de trucos que se realizan para conseguir que una cosa adquiera una apariencia real, especialmente en cinematografía: *trucaje acústico.*

trucar *v. tr.* ① Hacer cambios en una cosa para modificar su estructura original. ② Realizar un conjunto de trucos para conseguir que una cosa adquiera una apariencia real, especialmente en cinematografía: *trucar una fotografía.*
FAM trucaje.

trucha *s. f.* Pez de agua dulce propio de los ríos de montaña, de color gris verdoso con manchas negras por encima y blanco en el vientre; es comestible y su carne es blanca o rosada y muy apreciada.
FAM truchero.

truco *s. m.* ① Medio que se emplea con astucia y habilidad para conseguir una cosa, y en el que hay oculto un engaño o una trampa. **SIN** treta. ② Técnica o procedimiento que se utiliza para conseguir determinados efectos que parecen reales aunque no lo sean en realidad, como los que se consiguen en la magia, en la fotografía o en el cine. ③ Arte o habilidad que se adquiere en el desarrollo de un oficio o una actividad para hacer mejor o con menos esfuerzo un trabajo determinado.
FAM trucar.

truculento, -ta *adj.* Que produce horror por su excesiva crueldad o dramatismo.
FAM truculencia.

trueno *s. m.* ① Ruido fuerte que sigue al rayo durante una tormenta. ② Ruido muy fuerte, generalmente producido por un arma de fuego o por fuegos artificiales.

trueque *s. m.* ① Acción de entregar una cosa y recibir otra a cambio, especialmente cuando se trata de un intercambio de productos sin que intervenga el dinero: *el trueque es la forma más primitiva de comercio.* ② Transformación de una cosa en otra diferente.

trufa *s. f.* ① Hongo de forma redonda de color negro por fuera y blanco o marrón por dentro y muy aromática; crece bajo la tierra y es muy apreciado y caro. ② Crema hecha con chocolate y mantequilla, muy usada en repostería. ③ Dulce hecho con esta crema de chocolate, a la que se da forma redondeada y se cubre con granos de chocolate.
FAM trufar.

truhan, -na o **truhán, -hana** *adj./s. m. y f.* ① Se aplica a la persona que no tiene vergüenza y que vive engañando y estafando a los demás. ② Se aplica a la persona que hace reír o trata de divertir a los demás con sus gestos, sus chistes o sus ocurrencias.
FAM truhanería.

truismo *s. m.* culto Verdad obvia o evidente, de sobras conocida. **SIN** perogrullada.

trullo *s. m.* familiar Cárcel, presidio.

truncar *v. tr.* ① Cortar una parte de una cosa, especialmente uno de los extremos: *el rayo truncó la copa del pino.* ② Interrumpir y dejar incompleta una obra o una acción, o algo que se está diciendo o escribiendo: *la frase quedó truncada y se hizo el silencio.* ③ Quitar a una persona las ganas de vivir o la esperanza en una cosa: *este nuevo fracaso ha truncado mis ilusiones.* ④ En matemáticas, sustituir, desde un cierto orden de unidades hacia la derecha, todas las cifras por ceros.
FAM truncamiento.

truque *s. m.* ① Juego infantil que consiste en hacer pasar una piedra plana por un recorrido marcado en el suelo dándole pequeños golpecitos. ② Juego de cartas que se juega sin cuatros ni cincos y en el que cada jugador recibe tres cartas.

trusa *s. f.* ① ARG., PERÚ, URUG. Prenda interior femenina, consistente en unos calzones de tela elástica y resistente, generalmente con una especie de refuerzo en la parte del abdomen, que se usa con fines estéticos o terapéuticos. ② COL., MÉX. Panty. ③ CUBA Bañador de hombre o mujer. ④ MÉX., PERÚ Calzoncillo.

trust *s. m.* Agrupación o concentración de empresas bajo una sola directiva para controlar los precios y dominar o monopolizar el mercado.
OBS Plural: *trusts.*

tsunami *s. m.* Ola marina de grandes dimensiones originada por una erupción volcánica o un movimiento sísmico en alta mar.

tu *det.* Forma del determinante posesivo en segunda persona del singular: *tu pupitre; tus libros.*
OBS Plural: *tus.* Va antepuesto al sustantivo.

tú *pron.* Pronombre personal de segunda persona de singular: *tú no sabes nada de este asunto.*
hablar (o tratar) de tú Dirigirse a una persona usando el pronombre *tú* para indicar familiaridad o confianza. **SIN** tutear.
FAM tutear.

tuareg *adj.* ① Relativo a un pueblo bereber que habita en el norte de África. ‖ *s. com./adj.* ② Persona perteneciente a este pueblo.
OBS Plural invariable.

tuba *s. f.* Instrumento musical de viento de la familia del metal, de grandes dimensiones, formado por un tubo enroscado varias veces sobre sí mismo que se ensancha gradualmente desde la embocadura hasta el gran pabellón de salida del aire; se toca pulsando tres o cuatro pistones que tiene en un lateral.

tubérculo *s. m.* ① Parte de una raíz o de un tallo generalmente subterráneo que se desarrolla y engruesa considerablemente; contiene reservas nutricias y tiene una función de propagación vegetativa: *el boniato y la patata son tubérculos comestibles.* ② Bulto redondo o tumoración que aparece en cualquier parte del cuerpo, que al principio tiene consistencia dura y que más tarde se reblandece. ③ Prominencia de un hueso o del exoesqueleto de algunos animales.
FAM tuberculosis.

tuberculosis *s. f.* Enfermedad infecciosa caracterizada por la formación de tubérculos; puede afectar a diferentes órganos del cuerpo, especialmente a los pulmones, produciendo tos seca, fiebre, expectoraciones sanguinolentas y pérdida de peso: *la tuberculosis es provocada por el bacilo de Koch y se contagia a través del aire.*
FAM tuberculoso.
OBS Plural invariable.

tuberculoso, -sa *adj.* ① Relativo a la tuberculosis. ‖ *adj./ s. m. y f.* ② Se aplica a la persona que padece tuberculosis.

tubería *s. f.* Conducto que sirve para transportar líquidos o gases y que está formado por una serie de tubos empalmados. **SIN** cañería.

tuberoso, -sa *adj.* ① Se aplica a la planta que tiene abultamientos en la raíz o el tallo. ② Que tiene tumores o abultamientos.

tubo *s. m.* ① Objeto cilíndrico, hueco y alargado que está abierto por sus dos extremos: *los humos de la cocina salen al exterior por un tubo.* ∎ **tubo de ensayo** Tubo de cristal que está cerrado por uno de sus extremos y se utiliza para hacer análisis químicos. ∎ **tubo de escape** Tubo que tienen los coches, las motos y otros vehículos en su parte trasera, y que sirve para expulsar los gases que se producen en la combustión del motor. ② Recipiente flexible cerrado con un tapón por uno de sus extremos y abierto por el otro y que sirve para contener sustancias blandas como crema o pasta dentífrica. ③ Recipiente de forma cilíndrica que se cierra con un tapón por uno de sus extremos y sirve para contener objetos de pequeño tamaño: *las pastillas para la tos están en ese tubo blanco.* ④ Conducto que tienen algunos órganos animales o vegetales. ∎ **tubo digestivo** Conducto que, en la mayoría

de animales, forma parte del aparato digestivo; interviene en la digestión y absorción de los alimentos ingeridos. ∎ **tubo polínico** Tubo que forma el grano de polen y por el que los gametos masculinos alcanzan el saco embrionario de las plantas.
por un tubo familiar En gran cantidad.
FAM tubería, tubular; entubar, intubar.

tubular *adj.* ① Que tiene tubos o tiene forma de tubo: *las cañerías del agua son objetos tubulares.* ‖ *s. m.* ② Parte de la rueda de una bicicleta de carreras que contiene aire a presión.

tucán *s. m.* Ave trepadora de pico muy grueso, curvado y casi tan largo como su cuerpo, que tiene las plumas negras con manchas de colores vivos en el pecho y en el cuello; vive en América Central y del Sur y se alimenta de fruta.

tudesco, -ca *adj./s. m. y f.* ① Se aplica a la persona que era partidaria del archiduque Carlos de Austria durante la guerra de Sucesión de España de principios del siglo XVIII. ‖ *adj.* ② culto Alemán (relativo a Alemania). ‖ *s. m. y f./adj.* ③ culto Alemán (persona).

tuerca *s. f.* Pieza, generalmente metálica y de cuatro o seis lados, con un agujero en el centro cuya superficie tiene marcada una espiral que se ajusta a la rosca de un tornillo.
apretar las tuercas Forzar a una persona para que haga o diga una cosa.

tuerto, -ta *adj./s. m. y f.* Se aplica a la persona o animal que no ve por un ojo.
FAM entuerto.

tueste *s. m.* Operación que consiste en someter una cosa, especialmente un alimento, a la acción del fuego o de un calor intenso hasta que adquiera un color dorado, sin llegar a quemarse. **SIN** tostado.

tuétano *s. m.* Sustancia grasa y blanca que se encuentra en el interior de los huesos largos. **SIN** médula amarilla.
hasta los tuétanos familiar Hasta lo más profundo de la parte física o espiritual de una persona: *estaba enamorado de Clara hasta los tuétanos.*

tufo *s. m.* ① Olor molesto y desagradable. **SIN** hedor, peste. ② Emanación gaseosa procedente de las fermentaciones y combustiones imperfectas que dificulta la respiración: *el tufo del brasero mal apagado.* ③ Sospecha de una trampa o un engaño en un asunto.
FAM atufar.

tugurio *s. m.* Lugar mal acondicionado para vivir o para estar.

tul *s. m.* Tejido fino, delicado y transparente, que puede estar hecho de seda, algodón o hilo.

tulio *s. m.* Elemento químico de símbolo *Tm* y número atómico 69; es un metal perteneciente a los lantánidos, muy denso, de color gris plateado, blando, dúctil y maleable; no tiene aplicaciones debido a su precio, pero se puede encontrar en láseres, radiografías, etc.

tulipa *s. f.* Pantalla de lámpara que tiene forma de tulipán.

tulipán *s. m.* ① Planta bulbosa de hojas enteras y tallo recto y liso en cuyo extremo nace una única flor de seis pétalos, forma de campana y colores brillantes; procede de Asia y se cultiva mucho en Holanda. ② Flor de esta planta.

tullido, -da *adj./s. m. y f.* Se aplica a la persona o parte del cuerpo que está herida o no tiene movimiento debido a un accidente o a una enfermedad. **SIN** lisiado.

tumba *s. f.* ☐ Agujero hecho en la tierra para enterrar el cadáver de una persona. ☐ Construcción funeraria, generalmente de piedra, que se construye levantada del suelo y que sirve para guardar el cadáver de una persona.

lanzarse a tumba abierta (**I**) En ciclismo, bajar los ciclistas por una pendiente a gran velocidad y con mucho riesgo. (**II**) Meterse decididamente en un asunto que entraña riesgos.

ser una tumba familiar Guardar muy bien un secreto.

FAM ultratumba.

tumbar *v. tr.* ☐ Derribar o hacer caer una cosa o persona, generalmente al suelo. ☐ Poner una cosa o a una persona en posición horizontal. **SIN** echar, tender. ☐ familiar Hacer perder el sentido a una persona: *el vino nos tumbó a los cuatro.* ☐ familiar Suspender a una persona en un examen: *la han tumbado por quinta vez en matemáticas.* ‖ *v. prnl.* ☐ **tumbarse** Echarse sobre una superficie horizontal, especialmente para dormir.

FAM tumbo, tumbona.

tumbo *s. m.* ☐ Movimiento violento de un cuerpo, primero hacia un lado y después hacia el contrario, que se produce generalmente por falta de equilibrio. **NOTA** Normalmente en plural. ☐ Vuelta que se da apoyando las manos en el suelo, enroscando el cuerpo e impulsando las piernas en alto para caer y reincorporarse siguiendo la trayectoria inicial. **SIN** voltereta.

dar tumbos Tener problemas o dificultades.

tumbona *s. f.* Silla baja con dos brazos y un respaldo largo que se puede inclinar, y que se usa para echarse o recostarse horizontalmente sobre ella.

tumefacción *s. f.* Hinchazón o bulto que se produce en una parte del cuerpo. **SIN** tumoración.

tumefacto, -ta *adj.* Se aplica a la parte del cuerpo que está hinchada por haber recibido un golpe o por otra causa anormal.

tumor *s. m.* Tejido de una parte del organismo cuyas células sufren un crecimiento anormal; puede ser benigno o maligno: *tumor cerebral.*

tumoración *s. f.* ☐ Tumor que se extiende invadiendo y destruyendo los tejidos circundantes y que puede causar la muerte. ☐ Tumefacción.

túmulo *s. m.* ☐ Elevación artificial del terreno que cubre una sepultura. ☐ Armazón cubierto con tela negra que imita un sepulcro sobre el que se coloca el ataúd durante la celebración del entierro. **SIN** catafalco.

tumulto *s. m.* ☐ Agitación desordenada y ruidosa producida por una multitud. ☐ Desorden o confusión de un conjunto de cosas.

FAM tumultuoso.

tumultuoso, -sa *adj.* Que es desordenado y ruidoso.

tuna *s. f.* Grupo de estudiantes universitarios que tocan en un conjunto musical que representa la facultad en la que estudian.

FAM tuno.

tunante *adj./s. com.* ☐ Se aplica a la persona que es muy astuta y sabe cómo engañar a los demás. **SIN** bribón, granuja, tuno. ☐ Se aplica a la persona a la que le gusta la fiesta y el jolgorio.

FAM tunantería.

tunco, -ca *adj./s. m. y f.* ☐ GUAT., HOND., MÉX. Se aplica a la persona a la que le falta un brazo o una mano, o que ha perdido su uso. ‖ *s. m.* ☐ HOND., MÉX. Cerdo (animal).

tunda *s. f.* familiar Serie de golpes que se dan o se reciben. **SIN** somanta.

tundra *s. f.* ☐ Bioma propio de las regiones árticas y las zonas montañosas muy altas, en las que el suelo permanece helado; su vegetación comprende musgos, líquenes y algunos árboles enanos. ☐ Terreno cubierto por esta vegetación: *la tundra siberiana.*

tunecino, -na *adj.* ☐ De Túnez (país de África). ‖ *s. m. y f./ adj.* ☐ Persona que es de Túnez.

túnel *s. m.* Paso subterráneo que se construye para pasar por debajo de la tierra o del agua.

hacer el túnel En el fútbol, pasar el balón por entre las piernas de un jugador contrario.

tungsteno *s. m.* Nombre con que se denominaba antiguamente al volframio, elemento químico de símbolo W y número atómico 74; es un metal de color blanco plateado, dúctil y difícil de fundir; se usa especialmente en los filamentos de las lámparas incandescentes y en aleaciones de acero duras y resistentes.

túnica *s. f.* ☐ Prenda de vestir muy ancha, suelta y sin mangas: *nos disfrazamos de griegos y nos pusimos largas túnicas.* ☐ Membrana fina que cubre distintas partes del cuerpo: *los ojos están cubiertos por una leve túnica.* ☐ Telilla que está pegada a la cáscara de distintos frutos.

FAM tunicado.

tuning *s. m.* Modificación de los elementos exteriores, interiores o mecánicos de un vehículo, con el objetivo de hacerlo exclusivo y diferenciarlo del modelo de serie.

tuno, -na *adj.* ☐ Se aplica a la persona que es muy astuta y sabe cómo engañar a los demás. **SIN** bribón, tunante, granuja. ‖ *s. m.* ☐ Estudiante universitario que forma parte de una tuna.

tupé *s. m.* Mechón de pelo levantado que se lleva sobre la frente: *el rockero Elvis Presley llevaba tupé.*

tupido, -da *adj.* Que está formado por elementos muy juntos y apretados. **SIN** denso, espeso.

tupir *v. tr.* Hacer que una cosa esté tupida y apretada cerrando sus huecos y separaciones.

FAM tupido.

turba¹ *s. f.* Carbón que se produce en lugares húmedos por la descomposición de restos vegetales; es un combustible de poco valor energético.

FAM turbera.

turba² *s. f.* Grupo grande y desordenado de gente.

OBS Frecuentemente usado de forma despectiva.

turbación *s. f.* ☐ Alteración del estado o del curso normal de una cosa: *la crisis económica ha hecho que la empresa viva momentos de turbación.* ☐ Alteración del ánimo de una persona de forma que se quede sin saber qué decir ni qué hacer.

turbante *s. m.* Prenda de vestir oriental formada por una tira ancha y larga de tela que se enrolla a la cabeza.

turbar *v. tr.* ☐ Alterar el estado o el curso normal de una cosa: *el ruido turbó el reposo de los monjes.* ☐ Alterar el ánimo de una persona confundiéndola o aturdiéndola hasta dejarla sin saber qué hacer ni qué decir.

FAM turbación, turbado; perturbar.

turbera *s. f.* ☐ Zona pantanosa o encharcada donde, por acumulación y transformación de vegetales, hay turba. ☐ Vegetación que crece en lugares encharcados.

turbina *s. f.* Máquina que transforma la energía cinética y potencial de un fluido para producir un movimiento de rotación que se transfiere a un eje: *la turbina está formada por una rueda con paletas que gira dentro de un tambor.*

turbio, -bia *adj.* ① Se aplica al líquido que no es claro ni transparente. **ANT** claro. ② Falto de claridad y orden por la mezcla de elementos diversos: *la imagen de la tele se ve turbia.* **SIN** confuso. ③ Que es sospechoso, deshonesto o de legalidad dudosa.
FAM turbiedad; enturbiar.

turbo *adj./s. m.* ① Se aplica al motor que tiene una turbina que aumenta su potencia. ② Se aplica al vehículo que tiene un motor con una turbina que aumenta su potencia.
OBS Plural invariable.

turbodiésel *s. m./adj.* ① Motor diésel provisto de un turbocompresor o compresor movido por una turbina. ② Vehículo provisto de este motor.

turbulencia *s. f.* ① Estado de agitación en que se encuentra un líquido o un gas: *el avión se movió mucho al pasar por una zona de turbulencias.* ② Alteración de la tranquilidad, de la paz, del orden o del desarrollo normal de una cosa. **SIN** perturbación.

turbulento, -ta *adj.* ① Se aplica al líquido o gas que está turbio y agitado. ② Que está en un estado de desorden, confusión o agitación: *don Antonio tuvo una juventud turbulenta.* ❙ *adj./s. m. y f.* ③ Se aplica a la persona que provoca discusiones, desorden y alboroto entre la gente.
FAM turbulencia.

turco, -ca *adj.* ① De Turquía (país de Europa). ❙ *s. m. y f./ adj.* ② Persona que es de Turquía. ❙ *s. m./adj.* ③ Lengua que se habla en Turquía.

turdetano, -na *adj.* ① Relativo a un antiguo pueblo prerromano, supuesto heredero de los tartesios, establecido en el sur de la Península Ibérica. ❙ *s. m. y f./adj.* ② Persona perteneciente a este pueblo.

turgente *adj.* culto Que es abultado, firme y tirante, especialmente si se refiere a una parte del cuerpo.
FAM turgencia.

turismo *s. m.* ① Actividad recreativa que consiste en viajar a un país u otra zona que no es la propia por diversión o placer: *hoy se promocionan los llamados turismos alternativos: cultural, ecológico, deportivo, etc.* ② Conjunto de personas que hacen ese tipo de viajes: *el turismo europeo elige países cálidos como España.* ③ Coche o vehículo automóvil que está destinado al uso particular.
FAM turista, turístico.

turista *s. com.* Persona que visita o recorre un país o lugar para conocerlo por placer.
FAM turístico.

turístico, -ca *adj.* Relativo al turismo.

turnarse *v. prnl.* Alternar con una o varias personas una actividad o un servicio siguiendo un orden determinado: *se turna con sus compañeros para coger las vacaciones.*

turno *s. m.* ① Orden según el cual se alternan varias personas o grupos en la realización de una actividad o un servicio: *el bipartidismo consiste en la alternancia o el turno de dos partidos que entran alternativamente en el poder.* ② Momento u ocasión en que a una persona le corresponde hacer, dar o recibir una cosa: *se ha terminado tu turno de piscina.* ③ Intervención prevista para hablar en una asamblea.

de turno (**I**) Se aplica a la persona o cosa que le corresponde actuar en un momento determinado según un orden establecido: *fui al hospital y me atendió el médico de turno.* (**II**) Se aplica a la persona o cosa que es habitual o muy conocido por todos, y en muchas ocasiones resulta pesado y molesto: *ya está el gracioso de turno haciendo bromas pesadas.*
FAM turnarse.

turolense *adj.* ① De Teruel (ciudad y provincia de Aragón). ❙ *s. com./adj.* ② Persona que es de Teruel.

turón *s. m.* Mamífero carnívoro de pequeño tamaño que es de color marrón con manchas blancas en el rostro y tiene el hocico puntiagudo y las patas cortas; como mecanismo de defensa despide mal olor.

turquesa *s. f.* ① Mineral muy duro, compuesto de fosfato de hierro, aluminio y cobre, de color azul verdoso, que se usa para hacer joyas y otros artículos de adorno. ❙ *s. m./adj.* ② Color azul un poco verdoso. **NOTA** También *azul turquesa.* ❙ *adj.* ③ Que es de este color.

turrón *s. m.* Dulce de forma plana y rectangular que se elabora principalmente con azúcar y almendras u otros frutos secos; es típico de las fiestas navideñas.

turulato, -ta *adj.* familiar Que se queda pasmado o alelado y sin poder reaccionar a causa del asombro. **SIN** patidifuso.

¡tururú! *int.* familiar Expresa negación o rechazo a una cosa: *si crees que voy a sacarte del apuro, ¡tururú!*

tute *s. m.* ① Juego de cartas que consiste en reunir los cuatro reyes o los cuatro caballos de la baraja. ② Jugada de ese juego que consiste en reunir los cuatro reyes o los cuatro caballos de la baraja. ③ familiar Esfuerzo o trabajo penoso, duro y muy cansado: *menudo tute nos hemos dado con la mudanza.*

tutear *v. tr.* Dirigirse a una persona usando el pronombre *tú* para indicar familiaridad o confianza: *no me trates de usted, tutéame.*
FAM tuteo.

tutela *s. f.* ① Autoridad que se da por ley a un adulto para cuidar de otra persona que no puede hacerlo por sí misma, como un niño o un huérfano. **SIN** tutoría. ② Protección y cuidado de una cosa: *la ONU ha tomado bajo su tutela la zona afectada por la epidemia.*
FAM tutelar.

tutelar[1] *adj.* De la tutela legal o que tiene relación con ella.

tutelar[2] *v. tr.* ① Cuidar de otra persona que no puede hacerlo por sí misma. ② Proteger o favorecer a una persona y ayudarla en el desarrollo de una actividad, especialmente proporcionándole dinero.

tuteo *s. m.* Tratamiento que consiste en el uso del pronombre *tú* en vez de *usted.*

tutifruti *s. m.* Pasta a base de nata o crema con pequeños trozos de frutas confitadas, que se utiliza para elaborar helados, yogures, etc.: *helado de tutifruti.*
OBS Puede encontrarse la grafía italiana *tutti frutti.*

tutor, -ra *s. m. y f.* ① Persona que se encarga de cuidar de otra persona que no puede hacerlo por sí misma: *cuando murieron sus padres, su tío se convirtió en su tutor.* ② Profesor particular que se encarga de la educación de un alumno. ③ Profesor encargado de dirigir y aconsejar a un grupo determinado de estudiantes en un centro de enseñanza.
FAM tutela, tutoría.

tutoría *s. f.* ① Autoridad que se da por ley a un adulto para cuidar de otra persona que no puede hacerlo por sí misma, como un niño o un huérfano. **SIN** tutela. **2** Cargo del profesor que se encarga de ayudar y orientar a los estudiantes a lo largo de un curso. **3** Tiempo que emplea ese profesor en ejercer su cargo.

tutti *s. m.* Parte de una composición musical interpretada por todos los instrumentos de la orquesta o por el coro, en oposición al solo o parte interpretada por un solista.

OBS Plural invariable.

tutti frutti [se pronuncia aproximadamente 'tuti fruti'] *s. m.* Tutifruti.

tutú *s. m.* Falda de tejido vaporoso, generalmente de muselina blanca, que usan las bailarinas de ballet clásico.

OBS Plural: *tutús*.

tuyo, -ya *det./pron.* **1** Forma del determinante y pronombre posesivo de segunda persona del singular: *ha llamado un amigo tuyo; mi casa está detrás de la tuya.*

la tuya Ocasión más favorable para hacer algo la persona a la que se dirige el hablante.

lo tuyo Actividad que hace muy bien o en la que destaca la persona a la que se dirige el hablante: *lo tuyo no es la pintura, ¡vaya cuadro más feo!*

los tuyos Las personas que pertenecen al mismo grupo, familia o partido que la persona a la que se dirige el hablante: *no creo que los tuyos ganen la copa.*

twist [se pronuncia 'tuist'] *s. m.* **1** Baile surgido en Estados Unidos en la década de 1960, de ritmo rápido y movimientos vivos y marcados, que se caracteriza por el balanceo de hombros, caderas y rodillas sin apenas mover los pies. **2** Canción con que se acompaña este baile.

u¹ *s. f.* Vigésima segunda letra del alfabeto español; su nombre es *u*.
OBS Plural: *úes*.

u² *conj.* Sustituye a la conjunción *o* cuando la palabra siguiente comienza por *o-* o por *ho-*.

ubérrimo, -ma *adj.* culto Que es muy abundante y muy fértil.

ubicación *s. f.* Situación o lugar en el que se encuentra una cosa.

ubicar *v. tr.* ① Situar en un espacio o lugar determinado. ② ARG., CHILE, COL., CUBA, PAR., PERÚ, URUG. Encontrar algo o a alguien después de haberlo buscado: *ubicó a todas las personas con el mismo apellido que él.* ③ ARG., CHILE, CUBA, PAR., URUG., VENEZ. Reconocer o identificar algo o a alguien: *no te ubico bien, pero me suena tu cara.* ④ BOL. Robar algo a una persona: *me ubicaron la bicicleta.* ‖ *v. prnl.* ⑤ **ubicarse** Estar en un espacio o lugar determinado: *el colegio se ubica en el centro del pueblo.*
FAM ubicación.

ubicuidad *s. f.* Capacidad de estar presente en varios lugares al mismo tiempo. **SIN** omnipresencia.

ubicuo, -cua *adj.* Que está o puede estar presente en varios lugares al mismo tiempo. **SIN** omnipresente.
FAM ubicuidad.

ubre *s. f.* Teta de la hembra, en un animal mamífero: *las ubres de una vaca.*

UCI [se pronuncia 'uci'] *s. f.* Sigla de *unidad de cuidados intensivos*, sección de un centro hospitalario donde se ingresa a los enfermos muy graves que requieren una atención continua y específica.

ucraniano, -na *adj.* ① De Ucrania (país de Europa). **SIN** ucranio. ‖ *s. m. y f./adj.* ② Persona que es de Ucrania. **SIN** ucranio. ‖ *s. m./adj.* ③ Lengua eslava que se habla en Ucrania. **SIN** ucranio.

ucranio, -nia V. ucraniano, -na.

Ud. Abreviatura de *usted*, tratamiento de cortesía.
OBS También *Vd.*

ufanarse *v. prnl.* Mostrarse orgulloso y presumir exageradamente de ser o de poseer una cosa. **SIN** alardear, pavonearse, vanagloriarse.

ufano, -na *adj.* ① Que presume de sí mismo o se muestra orgulloso de poseer una cosa. ② Que está alegre y satisfecho. ③ Que actúa con desenvoltura y sin vergüenza: *vino todo ufano a decirme cómo hacerlo.*
FAM ufanarse, ufanía.

UHF *s. f.* Sigla de la expresión inglesa *Ultra-High Frequency*, frecuencia ultra elevada.

ujier *s. com.* ① Portero de un palacio o de un tribunal. ② Empleado de un organismo público o un tribunal que lleva a cabo tareas que no requieren especialización.

ukelele *s. m.* Instrumento musical de cuerda, más pequeño que la guitarra y con cuatro cuerdas, que se toca con una púa y es originario de Hawai.

úlcera *s. f.* ① Herida abierta en la piel o en los tejidos que cubren los conductos del interior del cuerpo: *úlcera de estómago.* **SIN** llaga. ② Abertura en el tronco de una planta por la que pierde líquido.
FAM ulcerar, ulceroso.

ulcerar *v. tr.* Causar úlcera. **SIN** llagar.

ulceroso, -sa *adj.* ① Relativo a la úlcera. ② Que tiene una úlcera: *pacientes ulcerosos.*

ulterior *adj.* Que se dice, se hace o sucede después de otra cosa.
FAM ulteriormente.

ultimación *s. f.* Preparación de los últimos detalles para terminar una cosa.

últimamente *adv.* En un periodo de tiempo cercano al presente: *últimamente he tenido muy buena suerte en los negocios.*

ultimar *v. tr.* ① Terminar o dar fin a una cosa. ② AMÉR. Matar a un ser vivo.
FAM ultimación.

ultimátum *s. m.* ① Propuesta o decisión definitiva que suele ir acompañada de una amenaza, en la que una persona le da un plazo de tiempo a otra para que haga una cosa. ② Resolución concluyente comunicada por escrito, generalmente con amenazas, en la que un Estado advierte a otro del fin de un plazo.

último, -ma *adj.* ① Que no tiene otra cosa detrás de él. **ANT** primero. ② Que es lo más reciente en el tiempo. ③ Que es definitivo y no admite ningún cambio. ④ Que está muy alejado o escondido: *la televisión llega al último pueblo del país.*

a la última Al tanto de las modas o conocimientos más actuales y modernos.

a últimos En los días en que termina un periodo de tiempo, generalmente un mes: *cobran siempre a últimos de mes.*

estar en las últimas (**I**) Estar a punto de morir. (**II**) Estar muy mal de dinero o de ánimos: *ha perdido el trabajo y la casa y está en las últimas.*

por último Finalmente, para acabar: *por último, recuerden que deben dejar sus datos personales al recepcionista.*

FAM últimamente, ultimar; penúltimo.

ultra *adj./s. com.* Se aplica a la persona que extrema y radicaliza sus posiciones en lo referente a temas políticos, religiosos, etc.: *los ultras de un equipo de fútbol suelen ser peligrosos.*

ultracorrección *s. f.* Corrección innecesaria de una palabra, que se hace deformándola y adaptándola a un modelo que se considera más adecuado: *decir "bacalado" en vez de "bacalao" es una ultracorrección.*

ultraísmo *s. m.* Movimiento poético surgido en 1918 que proponía técnicas renovadoras y un nuevo espíritu; defendía el uso de la metáfora y la imagen en poesía y rechazaba el sentimentalismo y lo anecdótico.

FAM ultraísta.

ultrajar *v. tr.* Insultar u ofender la dignidad o el honor de una persona, especialmente mediante acusaciones injustas.

SIN afrentar, agraviar, injuriar.

ultraje *s. m.* culto Insulto u ofensa contra la dignidad o el honor de una persona, especialmente mediante acusaciones injustas. SIN afrenta, agravio, injuria.

FAM ultrajar.

ultraligero, -ra *adj.* ⓵ Muy ligero, de poco peso. ‖ *s. m.* ⓶ Aeronave de poco peso, fuselaje simple y escaso consumo: *los ultraligeros no vuelan muy alto.*

ultramar *s. m.* País o territorio que está al otro lado del mar en relación con el lugar desde el cual se habla.

FAM ultramarino.

ultramarino, -na *adj.* ⓵ Relativo a ultramar. ⓶ Que está al otro lado del mar. ‖ *adj./s. m.* ⓷ Se aplica al alimento que se conserva durante mucho tiempo sin estropearse. NOTA Normalmente en plural. ‖ *s. m. pl.* ⓸ **ultramarinos** Tienda de comestibles.

ultramicroscopio *s. m.* Microscopio que permite ver objetos más pequeños que los que se ven con un microscopio ordinario.

ultranza Se usa en la expresión:

a ultranza Con total convencimiento y sin detenerse ante ningún obstáculo: *somos defensores a ultranza de la paz y la concordia.*

ultrarrojo, -ja *adj./s. m.* Se aplica a la parte invisible del espectro luminoso, que está a continuación del color rojo.

ultrasónico, -ca *adj.* ⓵ Se aplica a la onda sonora que vibra con una frecuencia superior a la más alta frecuencia audible por el oído humano. ⓶ Relativo a esta onda.

ultrasonido *s. m.* Sonido que no puede ser percibido por el oído humano por tener una frecuencia de vibraciones muy alta.

ultraterrenal *adj.* Ultraterreno.

ultraterreno, -na *adj.* Relativo a lo que está más allá de la vida terrenal. SIN ultraterrenal.

ultratumba *s. f.* Mundo que se cree o se supone que existe después de la muerte: *se oyó una voz de ultratumba y todo el mundo se asustó.*

ultravioleta *adj./s. m.* ⓵ Se aplica al espacio del espectro electromagnético que no es visible para el ojo humano y comprende el intervalo que va desde la luz visible violeta hasta la región de los rayos X: *región ultravioleta.* ‖ *adj.* ⓶ Se aplica a la radiación o rayo que pertenece a este espacio del espectro electromagnético.

ulular *v. intr.* ⓵ Dar gritos o producir sonidos graves y largos: *el búho ululaba en el bosque.* ⓶ Producir el viento un sonido grave y largo.

umbela *s. f.* Conjunto de flores cuyos pedúnculos nacen de un eje común y se elevan a igual altura formando una especie de paraguas: *las flores del hinojo y las del perejil se agrupan en umbelas.*

FAM umbelífero.

umbilical *adj.* Relativo al ombligo: *el feto está unido a la madre a través del cordón umbilical.*

FAM umbilicado.

umbral *s. m.* ⓵ Parte inferior y contrapuesta al dintel de la puerta de una casa. ⓶ Comienzo o primer paso de un proceso: *estamos en el umbral de una nueva era.* ⓷ Valor mínimo de un agente físico o estímulo capaz de producir un efecto: *algunos sonidos sobrepasan el umbral de la percepción humana.*

umbría *s. f.* Lugar o parte de un terreno donde casi nunca da el sol. ANT solana.

umbrío, -bría *adj.* Se aplica al lugar que recibe poco sol o está en la sombra. SIN sombrío.

FAM umbría.

un *det.* Apócope de *uno*: *un niño; un lápiz.*

OBS Se usa delante de sustantivos masculinos en singular, y también delante de sustantivos femeninos que empiecen por *a-* o *ha-* tónicas (*un águila, un haya*).

unánime *adj.* ⓵ Se aplica a la decisión u opinión que es común a todos los de un grupo de personas. ⓶ Se aplica al conjunto de personas que tienen la misma opinión o sentimiento.

FAM unanimidad.

unanimidad *s. f.* Acuerdo común de todos los miembros de un grupo de personas.

unción *s. f.* ⓵ Acción de ungir o extender un líquido graso sobre una superficie. ⓶ Acción de ungir o hacer la señal de la cruz con aceite sagrado sobre el cuerpo de una persona, para administrarle un sacramento o darle un cargo determinado. ■ **unción de los enfermos** Sacramento de la Iglesia católica que se administra al fiel que está a punto de morir y en el que el sacerdote le hace la señal de la cruz en la frente con aceite sagrado. SIN extremaunción. ⓷ Devoción y fervor con que se realiza una acción o se expresa un sentimiento, generalmente un acto religioso.

uncir *v. tr.* Atar o sujetar el yugo a los animales. ANT desuncir.

FAM unción.

undécimo, -ma *num. ord.* ⓵ Que ocupa el lugar número 11 en una serie ordenada. ‖ *num. part.* ⓶ Se aplica a cada una de las partes que resultan de dividir un todo en once partes iguales. SIN onceavo.

ungido *s. m.* Hombre judío del Antiguo Testamento que era una autoridad importante y había sido ungido con un aceite sagrado.

ungir *v. tr.* ① Extender una sustancia grasa sobre la superficie de una cosa. ② Hacer la señal de la cruz con aceite sagrado sobre el cuerpo de una persona, para administrarle un sacramento o darle un cargo determinado. **FAM** ungido.

ungüento *s. m.* Sustancia líquida o pastosa que se unta en el cuerpo y que sirve para curar o para calmar dolores. **SIN** unto.

ungulado, -da *adj./s. m. y f.* Se aplica al mamífero que se alimenta de vegetales y cuyas patas apoyan en el suelo solamente la última falange y están terminadas en pezuña: *las vacas y los elefantes son ungulados.*

únicamente *adv.* De un solo modo o sin nada más: *trajo únicamente lo necesario.* **SIN** solamente, solo.

unicameral *adj.* Se aplica al sistema político que solamente tiene una cámara.

unicelular *adj.* Se aplica al organismo que está formado por una sola célula, como un protozoo o una bacteria.

único, -ca *adj.* ① Que no hay otro igual en su especie. ② Que es extraordinario, fuera de lo común o muy bueno entre varias posibilidades: *Juan es único para contar historias de miedo.* **SIN** singular. **FAM** únicamente, unicidad.

unicornio *s. m.* Animal imaginario de forma de caballo con un cuerno de marfil recto en mitad de la frente al que se atribuían propiedades mágicas.

unidad *s. f.* ① Propiedad que tienen las cosas de no poder dividirse ni fragmentarse sin alterarse o destruirse: *experimentos recientes demuestran que la unidad del átomo no es cierta.* ② Cosa completa y diferenciada que se encuentra dentro de un conjunto: *una docena tiene doce unidades.* ③ Cantidad que se toma como medida o como término de comparación de las demás de su misma especie: *el metro es la unidad de longitud del Sistema Internacional.* ■ **unidad astronómica** Unidad empleada para medir longitudes astronómicas que equivale a $1,495 \cdot 10^8$ m: *la distancia entre el Sol y la Tierra es de una unidad astronómica (u. a.).* ■ **unidad de masa atómica** Unidad empleada para definir la masa atómica relativa de un elemento químico que equivale a $1,66 \cdot 10^{-27}$ kg: *un protón y un neutrón tienen aproximadamente una masa de una unidad de masa atómica (u. m. a.), mientras que un electrón tiene 1/1 849 u. m. a.* ④ Coincidencia o parecido entre dos cosas o dos ideas. **SIN** conformidad. ⑤ Conjunto de personas y aparatos mandados por un jefe, especialmente un conjunto de soldados mandados por su superior dentro de un ejército. ⑥ Conjunto de personas y medios de un hospital dedicados a una labor concreta. ■ **unidad de cuidados intensivos** o **unidad de vigilancia intensiva** Sección de un centro hospitalario donde se ingresa a los enfermos muy graves que requieren una atención continua y específica. **NOTA** Suelen utilizarse las formas abreviadas UCI o UVI.

unidad aritmético lógica Parte de la unidad central de procesamiento que realiza las operaciones básicas del microprocesador, como la adición, la división de enteros o las operaciones booleanas.

unidad central de proceso Conjunto de dispositivos físicos del ordenador que interpretan y ejecutan las instrucciones que se dan. **NOTA** Suele utilizarse la forma abreviada CPU.

unidireccional *adj.* Que tiene una sola dirección.

unifamiliar *adj.* Que pertenece o corresponde a una sola familia: *vivienda unifamiliar.*

unificación *s. f.* ① Unión de varias cosas en una sola o en un solo conjunto: *la unificación alemana supuso la unión de la Alemania Oriental (RDA) con la Alemania Occidental (RFA).* ② Reducción de varias cosas distintas a una cosa de un mismo tipo: *unificación de criterios.*

unificador, -ra *adj.* Que unifica: *el proceso unificador terminó sin provocar problemas.*

unificar *v. tr.* ① Hacer que varias cosas o personas distintas formen un todo: *las dos regiones se unificaron.* ② Hacer que varias cosas distintas sean iguales o semejantes entre sí. **SIN** equiparar, uniformar. **FAM** unificación, unificador; reunificar.

uniformar *v. tr.* ① Hacer que varias cosas distintas sean iguales o semejantes entre sí. **SIN** equiparar, unificar. ② Vestir o hacer que una persona vista un uniforme.

uniforme *adj.* ① Que no presenta variaciones en su conjunto, en su totalidad o en su duración: *se observa en toda su obra un estilo uniforme.* ② Que tiene la misma forma o las mismas características: *estas frutas son uniformes en tamaño.* **ANT** multiforme. ‖ *s. m.* ③ Traje especial que usan los miembros de un grupo y que los distingue de otros. **FAM** uniformar, uniformidad.

uniformidad *s. f.* ① Semejanza o igualdad que existe en las características de los distintos elementos de un conjunto: *uniformidad de opiniones.* ② Continuidad, o falta de cambio o variación: *uniformidad del color.*

uniformismo *s. m.* Teoría geológica que defiende la constancia a lo largo del tiempo de los fenómenos geológicos y de las leyes que los rigen.

unigénito, -ta *adj.* Se aplica a la persona que es hijo único.

el Unigénito Jesucristo.

unilateral *adj.* Que se refiere a una sola parte o aspecto de una cosa: *tomó una decisión unilateral.* **FAM** unilateralidad.

unimembre *adj.* Que está compuesto de un solo miembro o parte.

unión *s. f.* ① Acción que consiste en juntar dos o más elementos para formar un todo o realizar una misma actividad. **ANT** desunión. ② Casamiento de un hombre y una mujer. ③ Conjunto de sociedades, empresas, países o individuos con unos intereses comunes.

unipersonal *adj.* ① Que pertenece a una sola persona o que está formado por una sola persona. ② Se aplica al verbo que solo se usa en tercera persona del singular y que no tiene sujeto en forma personal: *los verbos "llover", "nevar", "amanecer" son unipersonales.*

unir *v. tr.* ① Juntar dos o más elementos distintos para formar un todo o realizar una misma actividad. **ANT** separar. ② Casar a dos personas: *el cura los unió en santo matrimonio.* ③ Relacionar o comunicar dos cosas distintas: *este camino une la autopista con la autovía.* ‖ *v. prnl.* ④ **unirse** Juntarse dos o más personas para conseguir un fin o para ayudarse mutuamente. **FAM** unión; desunir, reunir.

unisex *adj.* Que puede ser usado por personas de los dos sexos: *prendas unisex.* **OBS** Plural invariable.

unisexual *adj.* Se aplica al ser vivo que tiene órganos de re-

producción solo masculinos o solo femeninos: *los insectos son unisexuales.*
FAM unisex.

unísono, -na *adj.* ① Que tiene el mismo tono o sonido que otra cosa, o que se produce al mismo tiempo que otra cosa. ‖ *s. m.* ② Intervalo musical formado por dos notas iguales, de modo que entre ellas no hay ningún semitono: *los dos violines empezaron uno a ascender y el otro a descender, hasta acabar en un unísono.*
al unísono (**I**) Referido a cantar, gritar, etc., a la vez y en el mismo tono: *cantaron el himno al unísono.* (**II**) Con total acuerdo y uniformidad: *todo el pueblo al unísono apoyó la decisión de su alcalde.*

unitario, -ria *adj.* ① Relativo a la unidad. ② Que está formado por una sola unidad. ③ Que busca la unidad o desea conservarla: *a pesar de sus esfuerzos unitarios, el país se fragmentó en múltiples estados.*
FAM unitarismo.

universal *adj.* ① Relativo al universo. ② Que pertenece o se refiere a todos los países, a todas las personas o a todos los tiempos: *el amor es un principio universal.* ③ Que es famoso o conocido en todas partes: *«Romeo y Julieta» es una obra universal.* ‖ *s. m. pl.* ④ **universales** Ideas generales que representan en nuestra mente los hechos particulares de la realidad.
FAM universalidad, universalizar.

universalidad *s. f.* Característica principal de lo que es universal.

universalizar *v. tr.* Extender o hacer general o común una cosa: *estas instituciones tratan de universalizar la ayuda humanitaria.* **SIN** generalizar.
FAM universalización.

universiada o **universíada** *s. f.* Conjunto de competiciones deportivas que tiene lugar cada cuatro años en una ciudad determinada de antemano y en la que participan solo estudiantes universitarios.

universidad *s. f.* ① Institución que se dedica a la enseñanza superior, que está dividida en varias facultades o partes y que concede los títulos académicos correspondientes: *las primeras universidades se crearon en el siglo XIII.* ② Conjunto de edificios e instalaciones de esta institución. ③ Municipio medieval que agrupaba varias poblaciones unidas por intereses comunes.
FAM universitario.
OBS Se escribe normalmente con mayúscula inicial.

universitario, -ria *adj.* ① Relativo a la universidad. ‖ *adj./ s. m. y f.* ② Se aplica a la persona que trabaja, estudia o ha estudiado en la universidad.
FAM preuniversitario.

universo *s. m.* ① Conjunto de todo lo que existe: *en el universo podemos encontrar galaxias, nebulosas, estrellas, agujeros negros y otros objetos más pequeños, como planetas, satélites, asteroides y cometas.* **NOTA** Se escribe con mayúscula inicial. ② Conjunto de individuos o elementos que tienen una o más características en común y que se someten a un estudio estadístico: *el universo de la encuesta lo constituyen personas de 18 a 65 años.* ③ Conjunto unitario y numeroso de elementos inmateriales, en especial ideas o sentimientos, que forman parte de una actividad, disciplina u otra cosa: *el universo de la música; el universo poético de este autor.* **SIN** mundo.
FAM universal.

univitelino, -na *adj.* Se aplica al mamífero que ha sido originado a partir del mismo óvulo fecundado del que se ha originado su hermano: *los gemelos univitelinos son genéticamente idénticos.* **SIN** monocigótico.

unívoco, -ca *adj./s. m. y f.* Que solamente tiene un significado o una interpretación posible. **ANT** polisémico.
FAM univocidad; biunívoco.

uno, una *num. card.* ① Se emplea para designar la unidad: *tú tienes dos billetes y yo solamente una moneda.* **NOTA** Antepuesto a un sustantivo masculino singular, adopta la forma *un*: *un libro, un coche.* ‖ *num. ord.* ② Que ocupa el lugar número 1 en una serie ordenada: *capítulo uno.* **SIN** primero. ‖ *s. m.* ③ Número 1: *el uno es el primer número entero.* ‖ *det.* ④ En plural, indica una cantidad que no se determina, generalmente reducida; seguido de un numeral, indica que hay aproximadamente lo que se dice: *costará unos diez euros.* ‖ *pron.* ⑤ Indica indeterminación al referirse a personas o cosas: *si buscas zapaterías, conozco una muy buena en esta calle.* ⑥ Hace referencia a la primera persona en estructuras de tipo impersonal: *uno no sabe qué hacer en esos casos.* ⑦ Se utiliza en contraposición a *otro* con sentido distributivo: *uno dictaba y el otro escribía.* ‖ *adj.* ⑧ culto Que no está dividido, que forma una unidad. ⑨ culto Idéntico, igual.
a una (**I**) A la vez o al mismo tiempo. (**II**) De común acuerdo: *todos a una.*
no dar una familiar Fallar o equivocarse en todo: *no dio una en el examen.*
una de familiar Indica gran cantidad del sustantivo al que acompaña: *¡tiene una de amigos!*
una de dos Se usa para presentar dos opciones: *una de dos: o me dices quién es el culpable o te castigo a ti.*
FAM único, unidad, unificar, unir; aunar.

untar *v. tr.* ① Cubrir una cosa o una superficie con una sustancia grasa: *untó los zapatos con betún.* ② Extender una sustancia grasa sobre una superficie: *untó la crema en el bollo.* ③ familiar Ofrecer dinero o bienes a una persona a cambio de un favor que no es justo o legal. ‖ *v. prnl.* ④ **untarse** Mancharse con materia grasa.
FAM unto, untuoso.

unto *s. m.* ① Sustancia líquida o pastosa que se unta en el cuerpo y que sirve para curar o para calmar dolores. **SIN** cuerpo. ② Grasa del cerdo u otro animal. **SIN** manteca. ③ familiar ARG., MÉX., URUG. Soborno.

untuosidad *s. f.* Cualidad de untuoso.

untuoso, -sa *adj.* ① Se aplica a la sustancia que es grasa y pegajosa. **SIN** grasiento, pringoso. ② Se aplica a la persona que es empalagosa, cargante o pesada.
FAM untuosidad.

uña *s. f.* ① Placa dura y delgada compuesta de queratina que cubre la parte superior de la punta de los dedos del ser humano y de otros animales vertebrados y sirve como protección. ② Conjunto de los dedos de una misma pata de algunos animales, como el cerdo, la vaca o el caballo. **SIN** pezuña. ③ Uña grande y dura de las patas de estos animales. **SIN** casco. ④ Punta curva en la que termina la cola del alacrán. ⑤ Punta curva en la que acaban distintos objetos de metal: *no te arañes con la uña de ese hierro.* ⑥ Marca o agujero que se hace en algunas piezas, especialmente en objetos de madera o de metal, para poder moverlos empujándolos con el dedo.
a uña de caballo Corriendo velozmente a caballo.

con uñas y dientes *familiar* Con mucha fuerza o intensidad.

de uñas *familiar* De mal humor o en actitud de enfado.

dejarse las uñas *familiar* Trabajar con mucho esfuerzo y poner mucho interés en una cosa.

enseñar (o **sacar**) **las uñas** *familiar* Amenazar a una persona o portarse de forma violenta con ella.

ser uña y carne *familiar* Ser dos personas muy amigas o llevarse muy bien.

FAM uñero; cortaúñas, limpiaúñas, pintaúñas.

uñero *s. m.* ① Inflamación en la raíz de la uña a causa de una infección. ② Herida que sale en el dedo cuando la uña crece demasiado, se dobla y se introduce en la carne.

uperizar o **uperisar** *v. tr.* Someter un alimento líquido, especialmente la leche, a una inyección de vapor a presión durante menos de un segundo, hasta alcanzar los 150 grados, con el fin de destruir los gérmenes y prolongar su conservación.

FAM uperización.

uralita *s. f.* Material hecho de una mezcla de cemento y amianto con el que se fabrican materiales de construcción, como por ejemplo tubos y placas onduladas que se usan para cubrir edificios.

OBS Es marca registrada.

uranio *s. m.* Elemento químico de símbolo *U* y número atómico 92; es un metal muy denso, dúctil, maleable y radiactivo de color grisáceo que se utiliza en fotografía, para producir energía nuclear o para fabricar bombas atómicas.

urbanidad *s. f.* Comportamiento correcto y con buenos modales que demuestra buena educación y respeto hacia los demás.

urbanismo *s. m.* Conjunto de conocimientos, estudios y proyectos dedicados a la planificación, el desarrollo y la reforma del espacio público de una ciudad o un territorio: *los arquitectos especializados en urbanismo proyectan las calles, los parques y las plazas.*

FAM urbanista, urbanístico.

urbanista *s. com.* Persona que se dedica al urbanismo o que tiene muchos conocimientos de esta materia.

urbanístico, -ca *adj.* Relativo al urbanismo.

urbanita *adj./s. com.* ① Se aplica a la persona que ha nacido o que vive en una ciudad. ② Se aplica a la persona que vive en la gran ciudad y prefiere la vida en ella a la vida en el campo o una ciudad pequeña.

urbanización *s. f.* ① Acción que consiste en convertir un terreno en un centro de población, construyendo viviendas, calles, etc., y dotándolo de servicios. ② Conjunto unitario de viviendas situado generalmente en las afueras de una población y que tiene sus propios servicios municipales.

urbanizar *v. tr.* ① Convertir un terreno en un centro de población, creando calles y servicios y construyendo viviendas. ② Hacer que una persona aprenda a comportarse con buenos modales.

FAM urbanización.

urbano, -na *adj.* ① Relativo a la ciudad. ② Guardia de la ciudad que depende del ayuntamiento de esta.

FAM urbanismo, urbanizar; interurbano, suburbano.

urbe *s. f.* Ciudad, especialmente la que es grande y tiene un gran número de habitantes.

FAM urbano.

urdimbre *s. f.* ① Conjunto de hilos colocados paralelamente en el telar para formar un tejido. ② Acción preparada en la que un grupo de personas se une para causar daño a otras o cometer una ilegalidad. **SIN** trama.

urdir *v. tr.* Preparar en grupo un plan para causar daño a otras personas o cometer una ilegalidad. **SIN** tramar.

FAM urdimbre.

urea *s. f.* Sustancia orgánica que se forma en el hígado como producto final del metabolismo y se expulsa con la orina y el sudor.

FAM úrico.

uréter *s. m.* Conducto por el que desciende la orina desde el riñón a la vejiga.

uretra *s. f.* Conducto por el que se expulsa al exterior la orina contenida en la vejiga.

urgencia *s. f.* ① Característica principal de las cosas que son urgentes: *la urgencia del caso nos obligó a dejar todo lo demás.* ② Falta de lo que es totalmente necesario: *los voluntarios solucionaron las urgencias de la población civil.* ③ Asunto que se debe solucionar con mucha rapidez. **SIN** emergencia. ‖ *s. f. pl.* ④ **urgencias** Sección de los hospitales en la que se trata a los enfermos o heridos graves que necesitan cuidados urgentes.

urgente *adj.* ① Que necesita ser realizado o solucionado con mucha rapidez. ② Se aplica a la carta o mensaje que ha de ser enviado y recibido rápidamente o lo antes posible.

FAM urgencia.

urgir *v. intr.* ① Correr prisa y tener que hacerse una cosa con rapidez o lo antes posible. **SIN** apremiar. ② Obligar una autoridad, una ley o una norma a hacer una cosa determinada: *la ley urge a poner en funcionamiento nuevos hospitales.*

FAM urgente.

úrico, -ca *adj.* ① Se aplica al ácido orgánico que se encuentra en la orina de los mamíferos y en los excrementos de las aves y de los reptiles, a partir del cual se forma la urea. ② Relativo a la orina.

urinario, -ria *adj.* ① Relativo a la orina. ‖ *s. m.* ② Local público donde se acude para orinar.

urna *s. f.* ① Caja de forma rectangular con una ranura en la parte superior que se usa para echar las papeletas en las votaciones secretas. ② Recipiente o caja de piedra o de metal que se usa para guardar cosas de valor, como dinero, joyas o las cenizas de las personas muertas. ③ Caja de cristal o de otro material transparente que se utiliza para guardar y proteger objetos de valor y mostrarlos al público al mismo tiempo.

urodelo *adj./s. m.* ① Se aplica al anfibio de cuerpo y cola largos, piel lisa y sin escamas, como la salamandra. ‖ *s. m. pl.* ② **urodelos** Grupo taxonómico, con categoría de orden, constituido por estos anfibios.

urogallo *s. m.* Ave gallinácea que tiene las plumas y el pico oscuros, y las patas con plumas y sin espolones; en época de celo da gritos roncos y discordantes; habita en Europa y Asia, y su carne es comestible.

urología *s. f.* Parte de la medicina que estudia y trata las enfermedades del aparato urinario de las personas y de los órganos de reproducción masculinos.

FAM urólogo.

urólogo, -ga *s. m. y f.* Médico especialista en urología.

urraca *s. f.* Pájaro de color negro brillante con reflejos verdosos, con el vientre blanco y la cola larga, que se domestica con facilidad; suele guardar en su nido todo tipo de objetos brillantes.

ursulino, -na *adj.* **1** Relativo a la orden religiosa fundada bajo la protección de santa Úrsula por santa Ángela Merici en 1535 que se dedica principalmente a la enseñanza. **|** *s. f./ adj.* **2** Religiosa perteneciente a esta orden.

urticaria *s. f.* Enfermedad de la piel caracterizada por la presencia de picores intensos y manchas rojas.

uruguayo, -ya *adj.* **1** De Uruguay (país de América del Sur). **|** *s. m. y f./adj.* **2** Persona que es de Uruguay.

usado, -da *adj.* Gastado y estropeado por el uso.

usanza *s. f.* Costumbre o manera de hacer una cosa.s

usar *v. tr.* **1** Emplear o hacer funcionar una cosa para un fin determinado: *para escribir usamos un bolígrafo o un lápiz.* **SIN** utilizar. **2** Gastar o consumir un producto determinado. **3** Llevar o ponerse habitualmente una prenda de vestir. **4** Aprovechar o disfrutar de una cosa. **|** *v. prnl.* **5 usarse** Practicar habitualmente o estar de moda: *ya no se usa tanto llevar sombrero.*
FAM usado.

usía *pron.* **1** Tratamiento de respeto y cortesía que se usaba antiguamente para la segunda persona del singular: *¿me concede usía el permiso para entrar?* **2** Tratamiento que se da a los coroneles de los ejércitos de Tierra y Aire y a los capitanes de navío de la Armada: *¡a las órdenes de usía, mi coronel!*

uso *s. m.* **1** Empleo o utilización de una cosa para un fin determinado: *el uso de la calculadora está prohibido en este examen.* **SIN** utilización. **2** Funcionamiento o forma de utilizar una cosa, especialmente un aparato o una máquina: *el técnico me enseñó el uso del ordenador nuevo.* **3** Moda, costumbre o modo habitual de actuar en un país un grupo de personas o un lugar determinado. **SIN** hábito.
al uso Según la moda o la costumbre de un lugar, una época o un grupo de personas.
estar en buen uso Ser una cosa útil y estar en buen estado.
uso de razón Capacidad para pensar y para juzgar que consigue una persona cuando ha pasado la primera etapa de la niñez: *desde que tengo uso de razón recuerdo a mi padre fumando puros.*
FAM usar, usuario; desuso, multiuso.

usted *pron.* Tratamiento de segunda persona que indica respeto o cortesía: *es usted muy amable; ustedes dirán.* **NOTA** Se usa con el verbo en tercera persona.
hablar (o tratar) de usted Dirigirse a una persona usando el pronombre *usted* para indicar respeto o cortesía: *a las personas mayores que no conocemos debemos tratarlas de usted.*

usual *adj.* Que es común y ocurre con frecuencia. **SIN** frecuente, habitual. **ANT** inusual.
FAM inusual.

usuario, -ria *adj./s. m. y f.* Se aplica a la persona que usa habitualmente una cosa.

usufructo *s. m.* Derecho por el que una persona puede usar los bienes de otra persona y disfrutar de sus beneficios, con la obligación de conservarlos y cuidarlos como si fueran propios.
FAM usufructuar.

usura *s. f.* **1** Préstamo de dinero que hay que devolver a un interés excesivamente alto: *practicar la usura.* **2** Provecho que se saca de una cosa, especialmente cuando es excesivamente grande.
FAM usurero.

usurero, -ra *s. m. y f.* **1** Persona que se dedica a prestar dinero que hay que devolver a un interés excesivamente alto. **2** Persona que saca un provecho muy alto en cualquier negocio.

usurpación *s. f.* **1** Apropiación injusta de una cosa que pertenece o corresponde a otra persona, especialmente de su cargo, su función o su identidad. **2** Delito que consiste en apoderarse violentamente o con amenazas de una casa, de un bien o de un derecho que corresponde a otra persona.

usurpar *v. tr.* **1** Apropiarse injustamente del cargo, de la función o de la identidad de otra persona. **2** Apoderarse injustamente y de forma violenta de una casa, un bien o un derecho que pertenece o corresponde a otra persona.
FAM usurpación, usurpador.

utensilio *s. m.* Instrumento o herramienta que se utiliza para realizar una actividad, un oficio o un arte determinado. **SIN** útil.

uterino, -na *adj.* Relativo al útero.

útero *s. m.* Órgano muscular interno del aparato reproductor de las hembras de los mamíferos en el que se desarrolla el embrión. **SIN** matriz.
FAM uterino.

útil¹ *adj.* **1** Que produce provecho, beneficio o interés. **2** Que puede servir o ser aprovechado para un fin determinado: *no tires ese bote, que será útil para guardar las conservas.*
FAM utilidad, utilizar; inútil.

útil² *s. m.* Utensilio: *llevaba todos los útiles necesarios para construir el mueble.*
OBS Normalmente en plural.

utilería *s. f.* **1** Conjunto de objetos o elementos empleados en escenografía teatral o cinematográfica. **2** Conjunto de instrumentos y herramientas necesarios para realizar un trabajo o una actividad. **SIN** utillaje.

utilidad *s. f.* **1** Capacidad que tiene una cosa de servir o de ser aprovechada para un fin determinado: *los electrodomésticos son de gran utilidad.* **ANT** inutilidad. **2** Provecho o beneficio que se saca de una cosa: *no tires ese baúl, ya le encontraremos alguna utilidad.*
FAM utilitario.

utilitario, -ria *adj.* **1** Que considera la utilidad de las cosas como lo más importante: *las razones de su decisión son puramente utilitarias.* **SIN** práctico. **|** *s. m.* **2** Automóvil de pequeño tamaño y que consume poco combustible.
FAM utilitarismo.

utilitarismo *s. m.* Criterio según el cual la utilidad de una cosa es su valor más importante.
FAM utilitarista.

utilitarista *adj./s. com.* Que considera la utilidad de una cosa como su valor más importante: *una aproximación utilitarista del arte no resulta nada fructífera.*

utilización *s. f.* Empleo o utilización de una cosa para un fin determinado. **SIN** uso.

utilizar *v. tr.* Emplear o hacer funcionar una cosa para un fin determinado. **SIN** usar.
FAM utilización; infrautilizar.

utillaje *s. m.* Conjunto de instrumentos y herramientas necesarios para realizar un trabajo o una actividad. **SIN** utilería.

utopía *s. f.* Proyecto, idea o plan ideal y muy bueno, pero imposible de realizar. **SIN** quimera.
FAM utópico.

U

utópico, -ca *adj.* Relativo a la utopía.

uva *s. f.* ① Fruto comestible de la vid, pequeño y de forma redonda u ovalada, con una carne muy jugosa y una piel fina; se utiliza para elaborar vino. ② Racimo formado por varios de esos frutos.

de mala uva familiar Enfadado o de mal humor: *la noticia lo puso de mala uva.*

mala uva familiar Mala intención o mal carácter: *tiene muy mala uva y le gusta hacer sufrir a los demás.*

uve *s. f.* Nombre de la letra *v*.

uve doble Nombre de la letra *w*. **NOTA** Plural: *uves dobles.*

UVI [se pronuncia 'uvi'] *s. f.* Sigla de *unidad de vigilancia intensiva*, sección de un centro hospitalario donde se ingresa a los enfermos muy graves que requieren una atención continua y específica: *fue ingresado en la UVI a causa de un infarto.*

úvula *s. f.* Masa carnosa de tejido muscular situada en la entrada de la garganta que cuelga del velo del paladar y lo divide en dos mitades. **SIN** campanilla.
FAM uvular.

uvular *adj.* ① Relativo a la úvula. ② Se aplica al sonido consonántico que se articula con la intervención de la úvula: *el sonido de la "r" francesa es uvular.* ‖ *s. f./adj.* ③ Letra que representa este sonido.

uxoricida *adj./s. com.* Se aplica a la persona que mata a su mujer.

¡uy! [también **¡huy!**, menos usado] *int.* Indica sorpresa, dolor o miedo.

uzbeco, -ca o **uzbeko, -ka** *adj.* ① De Uzbekistán (país de Asia). ‖ *s. m. y f./adj.* ② Persona que es de Uzbekistán.

U

v *s. f.* ① Vigésima tercera letra del alfabeto español; su nombre es *uve*. ② En la numeración romana, tiene el valor de cinco. **NOTA** Se escribe con mayúscula.

vaca *s. f.* ① Hembra del toro. ② Piel curtida de este animal que se utiliza para fabricar diferentes objetos. ③ Carne de este animal que se usa como alimento. ④ fam. desp. Mujer muy gorda. ⑤ familiar AMÉR. Acción de reunir dinero entre dos o más personas para hacer una compra común: *hicieron una vaca para comprar lotería.* ⑥ familiar MÉX. Dinero que que da de una apuesta en la que no hay ganador, y se juega en una nueva apuesta.
FAM vacada, vacuno, vaquero, vaqueta, vaquilla.

vacación *s. f.* Periodo de tiempo durante el cual se descansa y se dejan los trabajos o los estudios que se realizan normalmente.
FAM vacacional.
OBS Normalmente en plural.

vacante *adj./s. f.* Se aplica al lugar o puesto que no está ocupado por nadie: *en el colegio hay una plaza de profesor vacante.*

vacceo, -cea *adj.* ① Relativo a un pueblo prerromano asentado en las llanuras centrales del Duero, en la zona correspondiente a las actuales provincias de Valladolid y Palencia. ‖ *s. m. y f./adj.* ② Persona perteneciente a este pueblo.

vaciado *s. m.* ① Sistema de reproducción de una escultura, relieve u objeto que se realiza llenando un molde con un metal derretido u otra sustancia blanda. ② Pieza o figura que ha sido fabricada mediante este sistema. ③ Hoyo o cavidad abierto de un terreno. **SIN** excavación.

vaciar *v. tr.* ① Sacar lo que está en el interior de una cosa sin dejar nada dentro. ② Hacer un hueco en un cuerpo sólido. ③ Fabricar un objeto llenando un molde con un metal derretido u otra sustancia blanda. ④ Afilar instrumentos cortantes. ⑤ Seleccionar y sacar de un libro o escrito los pasajes o artículos que se necesitan.
FAM vaciado.
OBS Verbo regular, se acentúa como *desviar.*

vacilación *s. f.* ① Movimiento inseguro y falto de equilibrio. ② Falta de firmeza o de seguridad al hablar o al actuar: *respondió sin vacilación.* ③ Asombro o confusión que se siente cuando no se sabe cómo reaccionar en una situación determinada. **SIN** perplejidad.

vacilar *v. intr.* ① Moverse una persona o una cosa de un lado a otro dando la impresión de estar a punto de caer. **SIN** tambalearse. ② Tener poca firmeza o poca seguridad al hablar o al actuar. ③ Ser inestable o poco firme. ④ familiar Tomar el pelo a una persona o decirle cosas graciosas en tono serio: *deja de vacilarme porque me tienes harto.* ⑤ familiar Presumir o darse importancia. *¡cómo vacila con su coche nuevo!* ⑥ AMÉR. CENTRAL, CUBA Divertirse una persona mientras está de fiesta.
FAM vacilación, vacilante, vacile, vacilón.

vacilón, -lona *adj./s. m. y f.* ① familiar Que le gusta hablar en broma. ‖ *adj.* ② familiar Que llama la atención.

vacío, -cía *adj.* ① Que no tiene nada dentro: *estómago vacío; espacio vacío.* **ANT** lleno. ② Que no está ocupado por nadie: *los dos asientos de la cuarta fila están vacíos.* **SIN** desocupado. ③ Se aplica al lugar que no tiene gente o que tiene muy poca. **ANT** lleno. ④ Que no tiene contenido, es superficial y no despierta interés. **SIN** vacuo. ‖ *s. m.* ⑤ Espacio hueco: *en este texto hay algunos vacíos que tenemos que rellenar.* ⑥ Corte vertical y profundo de un terreno. **SIN** abismo, precipicio. ⑦ Falta o ausencia de una persona o cosa que se echa de menos: *todos hemos sentido el vacío que ha dejado tras su partida.* ⑧ Espacio que no contiene aire ni otra materia: *en el interior de las bombillas se hace el vacío.*
al vacío Sin aire dentro.
caer en el vacío familiar No producir ningún resultado o beneficio.
de vacío (I) Sin carga o sin peso: *la fábrica estaba cerrada y el camión regresó de vacío.* (II) Sin haber conseguido lo que se buscaba: *había puesto muchas esperanzas en la entrevista, pero regresó de vacío.*
hacer el vacío Negar el trato y no hablar a una persona.
FAM vaciar, vaciedad.

vacuna *s. f.* ① Sustancia que se introduce en el organismo para evitar que se desarrollen determinadas enfermedades; se elabora a base de bacterias o virus a los que se ha hecho perder o disminuir su capacidad patógena. ② Viruela que se produce en las ubres de las vacas. ③ Supuración de esta en-

fermedad que, inoculada en el organismo humano, lo inmuniza contra la viruela.
FAM vacunar; autovacuna.

vacunación *s. f.* Administración de una vacuna.

vacunar *v. tr.* Administrar una vacuna para evitar que se desarrollen determinadas enfermedades.
FAM vacunación.

vacuno, -na *adj.* Relativo al ganado bovino: *el ganado vacuno abunda en el norte de España.*

vacuo, -cua *adj.* Que no tiene contenido, es superficial y no despierta interés. **SIN** insustancial, vacío.
FAM vacuidad.

vacuola *s. f.* Pequeña cavidad de las varias existentes en el citoplasma de una célula eucariota, que están llenas de aire, líquido o diversas sustancias y desempeñan diferentes funciones: *vacuola digestiva.* **SIN** vesícula.

vadear *v. tr.* ① Atravesar un río u otra corriente de agua por un sitio poco profundo. ② Saber obrar adecuadamente, o saber solucionar o evitar los problemas y las situaciones difíciles.

vademécum *s. m.* Manual de consulta de una ciencia o arte.

vado *s. m.* ① Parte de la acera que está rebajada al nivel de la calzada para facilitar el acceso de vehículos a locales situados en los edificios. **SIN** badén. ② Parte de un río con fondo firme y poco profundo, por la cual se puede pasar andando o en determinados vehículos.
FAM vadear.

vagabundear *v. intr.* Andar o pensar libremente sin una finalidad ni un destino determinado. **SIN** deambular, vagar, errar.
FAM vagabundeo.

vagabundo, -da *adj./s. m. y f.* ① Se aplica a la persona que no tiene casa ni trabajo y va de un lugar a otro. **SIN** vagamundo. ‖ *adj.* ② Que va de un lugar a otro sin un fin determinado. **SIN** errante.
FAM vagabundear.

vagamundo, -da *adj./s. m. y f.* Vagabundo.

vagancia *s. f.* Falta de ánimo o de disposición para hacer una cosa. **SIN** pereza, vagancia.

vagar[1] *v. intr.* Vagabundear, deambular.
FAM vagaroso.

vagar[2] *v. tr.* culto Vaguear.

vagido *s. m.* Llanto de un niño recién nacido.

vagina *s. f.* Conducto fibroso muscular del aparato reproductor de las hembras de los mamíferos que comunica el útero con el exterior, hasta la vulva.
FAM vaginal.

vaginal *adj.* Relativo a la vagina.

vago, -ga[1] *adj./s. m. y f.* Se aplica a la persona a la que no le gusta el trabajo ni cualquier otra actividad que necesite esfuerzo. **SIN** gandul, holgazán, perezoso. **ANT** trabajador.
FAM vagancia, vaguear, vaguedad, vaguería.

vago[2] *adj.* ① Que no es exacto o detallado: *tengo una idea vaga de lo que quieres decir.* ② Se aplica al nervio que se extiende desde el bulbo raquídeo hasta las cavidades del tórax y el abdomen. **SIN** impreciso.

vagón *s. m.* Coche de un tren o de un metro que sirve para el

transporte de mercancías o pasajeros y que se puede separar de los demás.
FAM vagoneta.

vagoneta *s. f.* Vagón pequeño y sin techo que sirve para el transporte de mercancías en el ferrocarril.

vaguada *s. f.* Parte más profunda de un valle por donde corre el agua del río, el deshielo o la lluvia.

vaguear *v. intr.* Estar sin trabajar por propia voluntad o no cumplir con el trabajo asignado por falta de atención e interés. **SIN** gandulear, holgazanear.

vaguedad *s. f.* ① Falta de claridad o de exactitud. **ANT** precisión. ② Expresión o frase imprecisa: *no dice más que vaguedades.*

vaguería *s. f.* familiar Falta de ánimo o de disposición para hacer una cosa.

vahído *s. m.* Pérdida momentánea del sentido o del conocimiento. **SIN** desvanecimiento.

vaho *s. m.* ① Vapor que despiden los cuerpos en determinadas circunstancias: *el espejo del cuarto de baño está lleno de vaho porque me acabo de duchar con agua caliente.* ② Aliento que despiden por la boca las personas o los animales. ‖ *s. m. pl.* ③ **vahos** Método de curación que consiste en respirar el vapor que despide una sustancia al hervirla: *el médico le ha recomendado que haga vahos de eucalipto.*

vaina *s. f.* ① Cáscara flexible y alargada en la que están encerradas en hilera las semillas de ciertas plantas: *las legumbres crecen en vainas.* ② Ensanchamiento del peciolo o de la hoja de una planta, que envuelve el tallo. ③ Funda de un material flexible donde se guardan ciertas armas, como espadas, puñales o cuchillos, u otros instrumentos cortantes. ④ Cartucho metálico donde se aloja la carga de proyección de un disparo, separado o engarzado al proyectil. ⑤ AMÉR. Contrariedad, molestia. ⑥ AMÉR. Lío, situación o asunto confuso. ⑦ BOL., GUAT. Funda de cuero que se pone a los espolones de los gallos. ‖ *adj./s. com.* ⑧ fam. desp. Se aplica a la persona que es poco seria, molesta o presumida: *no le gustaba salir con ese vaina.*

hacerse el vaina familiar CUBA Fingir o simular una persona que no ve o no entiende algo presente o manifiesto para no verse obligado a contestar o a actuar en consecuencia.

salirse de la vaina familiar ARG., BOL., MÉX., NICAR., URUG. Ponerse nerviosa una persona y perder el dominio de sí misma: *se salió de la vaina y le dio un par de cachetadas.*

vaina de mielina Membrana de mielina (sustancia grasa) que recubre las fibras del sistema nervioso y sirve de aislante para posibilitar la conducción de señales.
FAM envainar.

vainilla *s. f.* ① Planta trepadora de tallos muy largos y verdes, hojas anchas y flores grandes, que da un fruto en forma de cápsula; es propia de climas tropicales. ② Fruto muy oloroso de esta planta que se utiliza para dar sabor a las comidas y para dar olor a los perfumes o licores.

vaivén *s. m.* ① Movimiento alternativo de un cuerpo, primero hacia un lado y después hacia el contrario. **SIN** balanceo, oscilación. ② Cambio o variación inesperada en la situación o estado de las cosas. **SIN** altibajo.

vajilla *s. f.* Conjunto de platos, tazas, fuentes y otros objetos que se usan en el servicio de la mesa.
FAM lavavajillas.

vale[1] *s. m.* ① Papel que se puede cambiar por una cantidad de dinero, por un objeto o por un servicio. **2** Entrada gratuita para un espectáculo público o atracción. **3** Nota firmada que se da al entregar una cosa y que sirve para demostrar que se ha hecho la entrega. **4** Arg., Cuba, Urug. Comprobante o factura que se entrega a un comprador con el precio de lo que ha adquirido o por un servicio recibido como confirmación de pago. ▌ *s. com.* **5** familiar Col., Méx., Venez. Camarada, amigo o compinche con el que se tiene una gran confianza.

¡vale!² *int.* familiar Indica acuerdo o conformidad: *¡vale!, entonces quedamos en que nos vemos el sábado.*

valedor, -ra *s. m. y f.* Persona que ayuda o apadrina a otra.

valencia *s. f.* Número que expresa la capacidad de combinación de un átomo con otros para formar compuestos; representa el número de electrones que cada átomo puede aceptar, ceder o compartir al unirse con otro: *para determinar la valencia, se toma como referencia el átomo de hidrógeno.*
FAM ambivalencia.
OBS También *valencia química.*

valencianismo *s. m.* **1** Amor o admiración por la cultura y las tradiciones de la Comunidad Valenciana. **2** Palabra o modo de expresión propio del español hablado en la Comunidad Valenciana. **3** Palabra o modo de expresión propio del valenciano y que se usa en otra lengua. **4** Movimiento que pretende el reconocimiento político de la Comunidad Valenciana y defiende sus valores históricos y culturales.

valenciano, -na *adj.* **1** De la Comunidad Valenciana (comunidad autónoma española) o de Valencia (ciudad y provincia de esta comunidad). ▌ *s. m. y f./adj.* **2** Persona que es de la Comunidad Valenciana o de Valencia. ▌ *s. m./adj.* **3** Variedad lingüística hablada en la mayor parte de la Comunidad Valenciana.

valentía *s. f.* **1** Valor, energía y voluntad para afrontar situaciones difíciles o adversas. **SIN** coraje. **2** Hazaña que se realiza con heroicidad.
FAM valentón.

valentón, -tona *adj.* Se aplica a la persona que es muy arrogante y presume de valiente, generalmente sin serlo o ante personas que considera menos fuertes.
FAM envalentonarse.

valer [47] *v. tr.* **1** Tener un precio o un valor determinado: *¿cuánto vale este libro?* **SIN** costar. **2** Mantener una cosa con otra una relación de igualdad de función, valor, potencia o eficacia, siendo ambas diferentes entre sí: *en música, una nota blanca vale dos negras.* **SIN** equivaler. **3** Merecer una cosa: *tu nuevo puesto de trabajo vale una buena celebración.* **4** Ayudar o proteger a una persona: *¡Dios te valga si se enfada cuando le comuniques la noticia!* ▌ *v. intr.* **5** Ser útil o adecuada una cosa para realizar una determinada función. **6** Tener una persona cierta cualidad o capacidad para desempeñar una función. **7** Ser válida o efectiva una cosa: *tienes que renovar el pasaporte porque ya no vale.* ▌ *v. prnl.* **8** **valerse** Servirse de una cosa o de una persona para un fin determinado: *se valió de su amigo para alcanzar la amistad del director.* **9** Manejarse o desenvolverse sin problemas de forma autónoma, sin depender de otra persona: *aunque es ciego, se puede valer perfectamente por sí mismo.*
hacer valer Hacer que una persona o una cosa sea tenida en cuenta.
FAM vale, valedero, valedor, valencia, válido, valioso.

valeriana *s. f.* Planta que tiene el tallo recto y las inflores-

cencias compuestas de color rosado o blanco; es propia de lugares húmedos y su raíz tiene propiedades sedantes.

valeroso, -sa *adj.* Que tiene valor o determinación para enfrentarse a situaciones arriesgadas o difíciles. **SIN** bravo, valiente. **ANT** cobarde.
FAM valerosidad.

valet *s. f.* Carta de la baraja francesa que lleva la letra *J.*

valía *s. f.* **1** Cualidad por la que una persona o cosa merece consideración o aprecio. **SIN** valor. **2** Valor que recibe una cosa por circunstancias externas, como el aprecio que se le tiene.
FAM valioso; plusvalía.

validar *v. tr.* Hacer firme o legal una cosa: *el presidente validó la votación al final de la jornada.* **ANT** invalidar.
FAM convalidar, revalidar.

validez *s. f.* Característica principal de lo que es correcto o eficaz o de lo que se ajusta a la ley: *el periodo de validez de este documento termina mañana.* **SIN** valor.

valido *s. m.* Persona que gozaba de la confianza de un rey y que ejercía el poder político: *el valido fue una figura característica de la España de los Austrias.*

válido, -da *adj.* **1** Que tiene valor y fuerza legal o capacidad para producir su efecto. **ANT** nulo. **2** Que se puede aceptar o dar por bueno. **SIN** aceptable.
FAM validar, validez; inválido.

valiente *adj./s. com.* **1** Que tiene valor o que actúa con mucha determinación ante situaciones arriesgadas o difíciles. **SIN** bravo, valeroso. **ANT** cobarde. **2** Que tiene poco valor: *¡valiente ayudante estás hecho!* **NOTA** Frecuentemente usado de forma irónica.
FAM valentía, valentón.

valija *s. f.* **1** Saco de cuero en el que se transporta la correspondencia. **2** Maleta o cartera. ■ **valija diplomática** Cartera que contiene documentos oficiales de un estado, y que, por su importancia, no se confía al servicio de correos.
FAM desvalijar.

valimiento *s. m.* Ayuda o protección que recibe una persona.

valioso, -sa *adj.* Que vale mucho o que tiene mucho valor o importancia: *su participación en el trabajo ha sido muy valiosa.*

valla *s. f.* **1** Pared o cerca generalmente de madera que sirve para rodear, señalar o proteger un terreno. **SIN** vallado. **2** Superficie colocada en calles, carreteras u otros lugares en la que se fijan anuncios publicitarios. **3** Obstáculo que deben saltar los participantes en una carrera deportiva.
FAM valladar, vallar, vallista.

valladar *s. f.* Valla (pared o cerca). **SIN** vallado.

vallado *s. m.* Valla (pared o cerca). **SIN** valladar.

vallar *v. tr.* Poner límites a un lugar rodeándolo con un vallado de forma que quede cerrado, resguardado o separado. **SIN** cercar.
FAM vallado.

valle *s. m.* Depresión del terreno situada entre alturas montañosas y formada por la acción erosiva de un curso fluvial.

vallisoletano, -na *adj.* **1** De Valladolid (ciudad y provincia de Castilla y León). ▌ *s. m. y f./adj.* **2** Persona que es de Valladolid.

valor *s. m.* **1** Cualidad por la que una persona o cosa merece consideración o aprecio: *sus recomendaciones tienen un gran va-*

V

lor para nosotros. SIN valía. 2 Precio de una cosa: *¿cuál es el valor de estas tierras?* 3 Importancia o significación de un dicho o un hecho: *su comentario no tiene mucho valor para mí.* 4 Característica principal de lo que es correcto o efectivo, o de lo que se ajusta a la ley. SIN validez. 5 Energía y voluntad para afrontar situaciones difíciles o adversas: *se enfrentó a sus enemigos con valor y arrojo.* SIN coraje, valentía. 6 Capacidad para soportar situaciones desagradables: *tuvo el valor de estar esperando tres horas a que llegara el autobús.* 7 Falta de vergüenza o de respeto. SIN descaro. 8 Persona que tiene buenas cualidades o capacidad para alguna cosa: *es un joven valor del mundo de la música.* 9 Equivalencia de una moneda con referencia a la tomada como patrón: *el valor de las monedas europeas se suele medir con respecto al dólar.* 10 Cantidad o magnitud que se da a una variable: *el valor de x en la ecuación x – 50 = 100 es 150.* ■ **valor absoluto** Valor que se obtiene al quitar a un número su signo: *el valor absoluto de +5 es 5 (+5 = |5|).* ■ **valor numérico** Valor que resulta de sustituir las variables de una expresión algebraica o un monomio por números concretos: *el valor numérico de 4ab para a = 2 y b = 1 es 8.* 11 Duración de una nota musical, según la figura con que esté representada: *el valor de una negra es el doble del de la corchea.* I s. m. pl. 12 **valores** Conjunto de normas o principios morales e ideológicos que dirigen el comportamiento de una persona o sociedad: *los sociólogos aseguran que se están perdiendo muchos valores tradicionales.* 13 Conjunto de documentos que representan la cantidad de dinero prestada a una empresa o sociedad para conseguir unas ganancias. FAM valorar, valorizar; subvalorar, supervalorar.

valoración s. f. 1 Determinación del precio de una cosa. 2 Reconocimiento del valor, del mérito o de las cualidades de una persona o cosa. SIN aprecio. 3 Procedimiento de análisis cuantitativo, basado en la medición del volumen de reactivo que hay que gastar hasta que se produce un determinado fenómeno en el líquido analizado. SIN volumetría. ■ **valoración ácido-base** Valoración en la que se utiliza una reacción ácido-base. SIN volumetría ácido-base. ■ **valoración redox** Valoración en la que se aplica una reacción de óxido-reducción. SIN volumetría de oxidación-reducción.

valorar v. tr. 1 Poner precio a una cosa la persona que tiene autoridad o capacidad para ello. SIN tasar. 2 Reconocer o estimar el valor, el mérito o las cualidades de una persona o cosa. SIN apreciar. 3 Tener en cuenta una cosa para determinar su importancia. 4 Aumentar el precio de una cosa. FAM valorable, valoración; infravalorar, subvalorar, supervalorar.

valorización s. f. 1 Determinación del precio de una cosa. SIN valoración. 2 Aumento del precio de una cosa. SIN revalorización.

valquiria [también **walkiria**] s. f. Divinidad de la mitología nórdica que determinaba en los combates quién debía morir.

vals s. m. 1 Baile de pareja originario de Alemania y Austria, de ritmo moderado y movimientos giratorios suaves y de gran elegancia. 2 Composición musical de compás ternario con que se acompaña este baile.

valva s. f. 1 Pieza dura que forma la concha de los moluscos y otros invertebrados, como la ostra, el mejillón o la almeja. 2 Parte de la vaina de algunos frutos que se abre al madurar, como los guisantes o las habas. FAM bivalvo, polivalvo.

válvula s. f. 1 Dispositivo que abre o cierra el paso de un fluido por un conducto en una máquina o en un instrumento. ■ **válvula de seguridad** o **válvula de escape** Válvula que sirve para dar salida a los gases o líquidos. 2 Pliegue membranoso situado en las venas y en el corazón que permite el paso de los fluidos por los conductos del organismo. ■ **válvula mitral** o **válvula bicúspide** Válvula que está entre la aurícula y el ventrículo izquierdos del corazón de los mamíferos. ■ **válvula tricúspide** Válvula que está entre la aurícula y el ventrículo derechos del corazón de los mamíferos. 3 Lámpara especial de algunos aparatos eléctricos, como ciertos amplificadores de sonido.

válvula de escape Actividad que permite a una persona salir de una situación aburrida o librarse de un trabajo excesivo o problema.

vampiresa s. f. familiar Mujer que aprovecha su belleza y atractivo para conquistar a los hombres y conseguir sus favores.

vampirismo s. m. 1 Conjunto de fenómenos relacionados con los vampiros. 2 Conducta de los vampiros o de las personas que actúan como ellos.

vampiro s. m. 1 Ser inerte e imaginario que sale de su tumba de noche y se alimenta con la sangre que chupa a las personas vivas. 2 Nombre común que recibe el murciélago que se alimenta de la sangre de otros animales. 3 Persona que se enriquece aprovechándose de los demás. FAM vampirismo.

vanadio s. m. Elemento químico de símbolo *V* y número atómico 23; es un metal de transición, blando y dúctil, de color blanco grisáceo y brillante, que se usa mezclado con el acero para aumentar la resistencia de este y en la fabricación de colorantes, fijadores de color y algunos vidrios transparentes.

vanagloria s. f. Muestra excesiva de orgullo que hace una persona de lo que considera que son sus virtudes o bienes propios. SIN jactancia, presunción. FAM vanagloriarse.

vanagloriarse v. prnl. Presumir de forma exagerada o hacer ostentación excesiva de una cosa que se posee. SIN pavonearse. FAM vanaglorioso. OBS Verbo regular, se acentúa como *cambiar.*

vandálico, -ca adj. 1 Relativo al vandalismo. 2 Relativo a los pueblos vándalos: *los pueblos vándalicos se extendieron por la Península Ibérica en el siglo V.*

vandalismo s. m. 1 Actitud o inclinación a destruir y a provocar escándalos sin consideración alguna hacia los demás. 2 Destrucción o devastación ocasionada por vándalos (gamberros).

vándalo, -la adj. 1 Relativo a un pueblo germánico que invadió el Imperio romano y creó un reino en el norte de África. I s. m. y f./adj. 2 Persona perteneciente a este pueblo. I s. m. y f. 3 Persona que hace gamberradas o provoca destrozos. FAM vandálico, vandalismo.

vanguardia s. f. 1 Conjunto de personas o ideas que están más avanzadas en relación con las tendencias de su tiempo, desde el punto de vista artístico, científico, ideológico, etc.: *los humanistas fueron la vanguardia de su tiempo.* 2 Parte de un ejército que va delante del cuerpo principal. ANT retaguardia. FAM vanguardismo.

vanguardismo *s. m.* En arte y literatura, tendencia hacia nuevas formas de expresión con intención renovadora, de avance y de exploración; se usa generalmente para englobar algunos movimientos de principios del siglo XX. **FAM** vanguardista.

vanguardista *adj.* ① Relativo al vanguardismo. ∥ *adj./s. com.* ② Se aplica a la persona que es partidaria del vanguardismo o lo practica: *pintor vanguardista.*

vanidad *s. f.* ① Orgullo o sentimiento de superioridad frente a los demás que provoca un trato despectivo y desconsiderado. **SIN** altanería, arrogancia. ② Cosa que solamente sirve para mostrar riqueza, lujo o poder y que carece de valor moral. **FAM** vanidoso.

vanidoso, -sa *adj./s. m. y f.* Que se muestra excesivamente orgulloso y vanidoso por sus propios actos y cualidades. **SIN** engreído, presuntuoso. **ANT** humilde, modesto.

vano, -na *adj.* ① Que no tiene razón de ser o que se basa en la imaginación: *alimentaba vanas esperanzas de ser un famoso cantante.* ② Que no produce el provecho, resultado o interés adecuado al que era de esperar. **SIN** ineficaz. **ANT** eficaz. ③ Que está vacío o falto de contenido: *sus palabras no eran más que vanas promesas.* ④ Se aplica a la persona que solo se preocupa de su propio bienestar y de divertirse, y que no da a las cosas la importancia debida. **SIN** frívolo, superficial. ⑤ Se aplica al fruto seco que tiene el interior vacío o la semilla seca. ∥ *s. m.* ⑥ Hueco abierto en un muro. **en vano** Sin efecto ni resultado. **FAM** vanidad; envanecer.

vapor *s. m.* ① Gas en que se transforma un cuerpo, generalmente un líquido, por acción del calor. ② Embarcación movida por una máquina que funciona con este gas. **FAM** vaporizar, vaporoso; evaporar.

vaporización *s. f.* Paso de una sustancia del estado líquido al gaseoso. **ANT** condensación.

vaporizador *s. m.* ① Aparato que sirve para transformar un líquido en vapor por la acción del calor. ② Aparato que sirve para esparcir un líquido en forma de gotas muy pequeñas. **SIN** pulverizador.

vaporizar *v. tr.* ① Transformar un líquido en vapor por la acción del calor. ② Esparcir un líquido en forma de gotas muy pequeñas. **SIN** pulverizar. **FAM** vaporización, vaporizador; evaporizar.

vaporoso, -sa *adj.* ① Se aplica al tejido que es ligero, muy fino o transparente: *llevaba una blusa de seda muy vaporosa.* ② Que tiene o produce vapores.

vapulear *v. tr.* ① Golpear o azotar con violencia y repetidamente a una persona o cosa: *vapuleó la alfombra para quitarle el polvo.* **SIN** sacudir. ② Criticar o reprender duramente a una persona. **SIN** reñir. **FAM** vapuleo.

vapuleo *s. m.* Paliza o golpes que se le dan a una persona o cosa moviéndola de un lado a otro con violencia.

vaquería *s. f.* ① Lugar donde se tienen y se crían vacas. ② Establecimiento en el que se vende leche de vaca y productos derivados. ③ Manada de ganado vacuno.

vaqueriza *s. f.* Lugar donde se recoge el ganado durante el invierno, especialmente las vacas.

vaquero, -ra *adj.* ① Se aplica a la tela de algodón que es muy resistente, gruesa y de color azul. ② Se aplica a la ropa que está hecha con esta tela y que se usa de manera informal: *estas camisas vaqueras son preciosas.* **SIN** tejano. ∥ *s. m. y f.* ③ Persona que se dedica a cuidar ganado vacuno. ∥ *s. m. pl.* ④ **vaqueros** Pantalones hechos con esta tela, generalmente ajustados y con los bolsillos de detrás superpuestos: *los primeros vaqueros se inventaron en el Oeste americano.* **SIN** tejanos. **FAM** vaquería, vaqueriza, vaquerizo.

vaquilla *s. f.* ① Ternera o cría de la vaca, especialmente la que tiene entre un año y medio y dos años: *las vaquillas se suelen torear en fiestas populares.* ② CHILE Ternera de entre un año y medio y dos años de edad.

vara *s. f.* ① Palo delgado y largo. ② Rama de un árbol o arbusto delgada, larga y sin hojas. ③ Antigua medida de longitud: *una vara tiene 83,5 centímetros aproximadamente.* ④ Bastón que representa la autoridad de un alcalde o juez. ⑤ Tallo largo y con flores de algunas plantas: *colocó en el florero unas varas de nardos.* ⑥ Palo largo con una punta en uno de sus extremos que sirve para herir al toro desde el caballo. **FAM** varal, varear, varita.

varadero *s. m.* Lugar en el que se varan o colocan las embarcaciones para protegerlas de la acción del mar o para limpiarlas o arreglarlas.

varal *s. m.* ARG. Armazón de palos para tender al sol y al aire la carne de la que se hace la cecina.

varapalo *s. m.* Crítica o represión muy dura.

varar *v. tr.* ① Sacar una embarcación fuera del agua y colocarla sobre la playa para protegerla de la acción del mar o para limpiarla o arreglarla. ∥ *v. intr.* ② Encallar una embarcación o quedarse detenida por tocar su fondo con las rocas o con la arena. **FAM** varadero, varadura.

varear *v. tr.* ① Golpear las ramas de ciertos árboles con un palo o vara para que caigan al suelo los frutos: *varear un olivo.* **SIN** apalear. ② Dar golpes con una vara. **FAM** vareo.

variabilidad *s. f.* Cualidad de las cosas que tienden a cambiar o a transformarse: *los meteorólogos hablan de la variabilidad del tiempo en los últimos años.*

variable *adj.* ① Que varía o puede variar. ② Que está sujeto a cambios frecuentes o probables: *cuando está preocupado tiene un carácter muy variable.* **SIN** inconstante, inestable. ③ Se aplica a la palabra que puede presentar formas diferentes: *la palabra "bueno" es un adjetivo variable.* ∥ *s. f.* ④ Factor o característica que puede variar en un determinado grupo de individuos o hechos, especialmente cuando se analizan para una investigación o un experimento: *los científicos controlan las variables ambientales como la temperatura, humedad, presencia de nutrientes, etc.* ■ **variable aleatoria** Valor numérico que se asocia a cada uno de los resultados o sucesos elementales de un experimento aleatorio. ■ **variable continua** Variable que puede tomar todos los valores intermedios entre dos dados: *la longitud es una variable continua.* ■ **variable cualitativa** Variable cuyos atributos no se pueden medir: *la estación del año en que cae un aniversario es una variable cualitativa.* ■ **variable cuantitativa** Variable cuyos atributos se pueden medir: *la altura que mide una persona es una variable cuantitativa.* ■ **variable dependiente** Variable cuyos valores dependen de los que tome la variable independiente. ■ **variable discreta** Variable que solo puede tomar valores aislados: *el número de hijos es una variable discreta porque puede ser 1, 2, etc.,*

pero no ninguna cantidad intermedia. ■ **variable indepen-diente** Variable que toma valores en función de los cuales la variable dependiente toma los suyos. **5** Magnitud que susti-tuye un conjunto de valores y que puede representarlos den-tro de un conjunto: *dime cuáles son los valores de la variable x en esta ecuación.*
FAM variabilidad; invariable.

variación *s. f.* **1** Cambio o transformación de una cosa: *ha habido una pequeña variación en la ruta.* **SIN** modificación. **2** Repetición de un tema musical introduciendo cambios de tono o de ritmo. **3** Cambio que experimenta en su forma una palabra para expresar distintas categorías gramaticales: *el género y el número son variaciones del sustantivo.* **SIN** accidente. **4** En combinatoria, agrupación ordenada de *n* elementos no repetidos que se puede formar a partir de un conjunto de *m* elementos distintos. ■ **variación con repetición** Variación en la que se permite que los *m* elementos se repitan en los grupos formados con *n* de ellos. ■ **variación ordinaria** Va-riación ordenada de *n* elementos que se toman de entre los *m* posibles, de forma que dos variaciones son diferentes si los elementos o el orden son diferentes.

variado, -da *adj.* **1** Se aplica a la cosa formada por partes de características diferentes: *este artista tiene un público muy variado.* **2** Se aplica a las cosas diferentes entre sí: *helados va-riados.*

variante *s. f.* **1** Diferencia o variación entre las diversas cla-ses y formas de una misma cosa: *sus actividades diarias tienen pocas variantes.* **2** Forma en que se puede presentar una cosa: *las palabras "carne" y "carné" se diferencian por la variante del acento.* **3** Diferencia en el texto de una misma obra al cote-jarse copias de distinta época o edición. **4** Desvío provisio-nal o definitivo de un tramo de un camino o carretera: *con la variante, la carretera nacional ya no pasa por el centro del pueblo.* **5** Signo que indica el empate o la victoria del equipo visi-tante en la quiniela de fútbol: *la quiniela de esta semana tiene pocas variantes.*
FAM invariante.

varianza *s. f.* Media aritmética de los cuadrados de las des-viaciones de los datos con respecto a la media.

variar *v. tr.* **1** Hacer diferente o distinto de como era antes: *desde que tiene dinero han variado sus gustos.* **SIN** modificar. **2** Dar variedad o diversidad a una cosa: *me gusta variar de ropa cada día.* ‖ *v. intr.* **3** Cambiar de forma, estado o cuali-dad: *su forma de pensar ha variado poco con el paso del tiempo.* **4** Ser distinta un cosa de otra: *tu opinión varía de la mía.*
FAM variable, variación, variado, variante, varianza.
OBS Verbo regular, se acentúa como *desviar.*

varice *s. f.* Variz.

varicela *s. f.* Enfermedad contagiosa y benigna provocada por un virus y caracterizada por la aparición de fiebre y erup-ciones en la piel semejantes a las de la viruela: *la varicela ataca principalmente a los niños.*

varicoso, -sa *adj.* **1** Relativo a las varices. **2** Que tiene va-rices.

variedad *s. f.* **1** Cualidad de las cosas que tienen caracterís-ticas o partes diferentes: *en España existe gran variedad de pai-sajes.* **SIN** diversidad, pluralidad. **2** Cada una de las distintas formas en que se presenta una unidad: *del mismo modelo tenían muchas variedades en precio y color.* **3** Cada uno de los tipos o clases que se establecen en algunas especies de plantas o ani-males y que se diferencian entre sí por ciertos caracteres se-

cundarios: *esta planta es una variedad de la enredadera.* ‖ *s. f. pl.* **4** **variedades** Espectáculo teatral ligero formado por varios números de diferente naturaleza.

varietés *s. f. pl.* Espectáculo de variedades.

varilla *s. f.* Barra larga y delgada generalmente de metal o de madera: *las varillas de un corsé.*
FAM varillaje.

vario, -ria *adj.* **1** Que es diferente o distinto: *este asunto con-lleva problemas varios.* **2** Que tiene variedad o que tiene carac-terísticas o elementos distintos: *esta región cuenta con una flora varia y abundante.* **3** Que es inestable o inconstante. ‖ *det./ pron.* **4** **varios** Más de uno, diversos: *ahí tienes varios libros, escoge uno; varios de ellos entraron a la vez.* ‖ *s. m. pl.* **5** Apar-tado o sección que comprende un conjunto de objetos o es-critos variados que se han agrupado de manera arbitraria.
FAM variar, variedad.

variopinto, -ta *adj.* **1** Que contiene elementos distintos: *un público variopinto.* **2** Que muestra distintos colores o as-pectos.

varita *s. f.* Palo delgado y largo que usan los magos para ha-cer algunos de sus trucos de magia y que en los cuentos lle-van las hadas, los magos o los brujos para sus encantamien-tos.

variz *s. f.* Dilatación anormal y permanente de una vena, es-pecialmente en las piernas, producida por una acumulación de sangre debida a un defecto de la circulación. **SIN** varice.
FAM varicoso.

varón *s. m.* Persona de sexo masculino. ■ **santo varón** Hombre de gran bondad y con mucha paciencia.
FAM varonil.

varonil *adj.* **1** Relativo al varón: *esta colonia tiene un aroma va-ronil.* **SIN** viril. **2** Que tiene las características que tradicional-mente se consideran propias de un varón: *es un hombre muy varonil.* **SIN** varonil.

vasallaje *s. m.* **1** Vínculo o relación entre un vasallo y su se-ñor, a través del cual el primero estaba obligado a servir o pa-gar ciertos tributos al segundo a cambio de protección. **2** Tributo que el vasallo pagaba a su señor o servicio que le prestaba según este vínculo. **3** Relación de dependencia o sumisión excesiva que una persona mantiene con otra.

vasallo, -lla *adj./s. m. y f.* **1** Se aplica a la persona que se ponía al servicio de un señor feudal, el cual la protegía a cam-bio de unos determinados servicios. **SIN** siervo. ‖ *s. m. y f.* **2** Persona que está bajo la autoridad de un rey o un país. **SIN** súbdito. **3** Persona que se reconoce inferior a otra y a la que muestra obediencia y sumisión.
FAM vasallaje.

vasar *s. m.* Estante que sobresale horizontalmente de un mueble o una pared y sirve para colocar objetos, especial-mente vasos y platos.

vasco, -ca *adj.* **1** Del País Vasco (comunidad autónoma española). **SIN** vascongado. ‖ *s. m. y f./adj.* **2** Persona que es del País Vasco. ‖ *s. m./adj.* **3** Lengua que se habla en el País Vasco, en parte de Navarra y en el territorio vascofrancés: *el origen del vasco es prácticamente desconocido.* ‖ *adj.* **4** Relativo a esta lengua: *gramática vasca; fonética vasca.*
FAM vascofrancés, vascongado, vascuence, vasquismo.

vascofrancés, -cesa *adj.* **1** Del País Vasco francés (re-gión de Francia). ‖ *s. m. y f./adj.* **2** Persona que es del País Vasco francés.

V

vascón, -cona *adj.* ▣ Relativo a un antiguo pueblo prerromano que habitó la región entre los Pirineos y la cordillera Cantábrica. ▮ *s. m. y f./adj.* ▣ Persona perteneciente a este pueblo: *los vascones no fueron sometidos por el Imperio romano.*

vascongado, -da *adj.* Del País Vasco (comunidad autónoma española). **SIN** vasco.

vascuence *s. m.* Vasco (lengua). **SIN** euskera, vasco.

vascular *adj.* Relativo a los vasos o los conductos por los que circula la sangre u otros líquidos en los animales o en las plantas.
FAM gastrovascular.

vasectomía *s. f.* Operación quirúrgica a que se somete un hombre para que quede estéril y no pueda procrear: *la vasectomía consiste en seccionar los conductos que salen de los testículos.*

vaselina *s. f.* ▣ Sustancia grasa, blanca o transparente, obtenida del petróleo y de la parafina, que se usa como aceite industrial y en la fabricación de pomadas y otros medicamentos: *la vaselina se usa en perfumería y en farmacia.* **NOTA** En este sentido, es marca registrada. ▣ familiar Cuidado y suavidad para comunicar una noticia desagradable. ▣ Jugada muy calculada que consiste en lanzar el balón suavemente por encima del portero, en algunos deportes como el fútbol.

vasija *s. f.* Recipiente, generalmente cóncavo y pequeño, que sirve para contener líquidos o alimentos.

vaso *s. m.* ▣ Recipiente que sirve para contener y para beber líquidos, generalmente de cristal, de forma cilíndrica y cóncava: *llena el vaso de agua.* ▣ Cantidad que cabe en este recipiente: *se bebió dos vasos de vino.* ▣ Recipiente que sirve para contener algún líquido. ▮ **vasos comunicantes** Sistema de dos o más recipientes que están unidos a través de un conducto situado por debajo del nivel del fluido que contienen, lo cual permite que el fluido pase de unos a otros y alcance el mismo nivel en todos los recipientes por estar igualmente sometidos a la presión atmosférica. ▣ Tubo o conducto por el que circulan la sangre y otros líquidos del organismo de los animales y de los vegetales: *los vasos linfáticos conducen la linfa hasta la sangre venosa.* ▣ Escultura con forma de vasija o jarrón: *en la sala segunda se expone una colección de vasos fenicios.*
ahogarse en un vaso de agua familiar Preocuparse por cosas que no tienen importancia.
FAM vasar, vasoconstrictor, vasodilatador; posavasos.

vasoconstrictor *adj./s. m.* Se aplica a la sustancia o al agente que disminuye el diámetro de los conductos por los que circula la sangre.

vasquismo *s. m.* ▣ Palabra o modo de expresión propio de la lengua vasca y que se usa en otro idioma: *las palabras "aquelarre", "izquierda" y "pizarra" son vasquismos.* ▣ Amor o admiración por la cultura y las tradiciones del País Vasco.

vástago *s. m.* ▣ Tallo nuevo que brota de una planta. ▣ Respecto a una persona o a una familia, hijo o descendiente. ▣ Barra o varilla metálica que sirve para unir o sostener otras piezas o transmitir un movimiento a un mecanismo: *el vástago une el émbolo a la biela del motor.* ▣ C. RICA, VENEZ. Tallo del plátano.

vastedad *s. f.* culto Amplitud o gran extensión de algo, especialmente de un terreno.

vasto, -ta *adj.* culto Que es muy extenso o muy grande.
FAM vastedad.

vate *s. m.* culto Poeta.

váter *s. m.* ▣ Recipiente conectado con una tubería de desagüe y dotado con una cisterna de agua en el que se orina y se hace de vientre. **SIN** inodoro, retrete, water. ▣ Habitación en la que está este recipiente y otros elementos que sirven para el aseo humano. **SIN** retrete, servicio, water.

vaticano, -na *adj.* ▣ De la Ciudad del Vaticano (país de Europa situado en la ciudad italiana de Roma y en el cual vive el Papa). ▣ Relativo al Papa o a la corte pontificia: *las decisiones vaticanas repercuten en toda la Iglesia católica.*

vaticinar *v. tr.* Adivinar o anunciar lo que va a ocurrir en el futuro: *esos nubarrones vaticinan tormenta.* **SIN** pronosticar, profetizar.
FAM vaticinador, vaticinio.

vaticinio *s. m.* Adivinación o pronóstico de lo que va a ocurrir en el futuro: *su vaticinio resultó totalmente equivocado.* **SIN** predicción.

vatímetro *s. m.* Aparato para medir la potencia de una corriente eléctrica, generalmente en vatios.

vatio *s. m.* Unidad de potencia, de símbolo W, que equivale a la potencia capaz de conseguir la producción de energía igual a un julio por segundo.
OBS En el Sistema Internacional de unidades se denomina *watt.*

¡vaya! *int.* familiar Expresión que se usa para expresar sorpresa, admiración o desagrado por algo.

Vd. Abreviatura de *usted,* tratamiento de cortesía.
OBS También *Ud.*

vecinal *adj.* Relativo a los vecinos de un municipio .

vecindad *s. f.* ▣ Situación o condición de vivir una persona en un mismo edificio, barrio o pueblo que otras: *la única relación que tengo con Eva es de vecindad.* ▣ Vecindario. ▣ Proximidad entre dos o más personas o cosas. **SIN** cercanía. **ANT** lejanía.
FAM vecindario; avecindarse.

vecindario *s. m.* Conjunto de los vecinos de un mismo edificio, barrio o pueblo. **SIN** vecindad.

vecino, -na *adj./s. m. y f.* ▣ Se aplica a la persona que vive en el mismo edificio, barrio, pueblo o ciudad que otras: *ese chico pelirrojo es vecino mío.* ▮ *adj.* ▣ Que está cercano o próximo: *España y Portugal son países vecinos.* ▣ Que es parecido o que coincide: *somos amigos porque tus ideas y las mías son vecinas.*
FAM vecinal, vecindad; avecinarse, convecino.

vector *s. m.* Segmento de una recta que representa una magnitud física que puede ser medida, teniendo en cuenta un punto determinado en el espacio (punto de aplicación), su módulo (valor), la dirección y uno de sus sentidos: *la fuerza, la velocidad y la aceleración se deben representar con vectores.*
FAM vectorial.

vectorial *adj.* Relativo a los vectores.

veda *s. f.* ▣ Prohibición de una cosa establecida por una ley. ▣ Tiempo durante el cual está prohibido cazar o pescar en un determinado lugar o una determinada especie.

vedar *v. tr.* ▣ Prohibir una cosa por ley o mandato. ▣ Rechazar o poner un impedimento: *nos vedaron la entrada.* **SIN** impedir.
FAM veda, vedado.

vedette *s. f.* [se pronuncia aproximadamente 'vedet'] Mujer que actúa como artista principal en espectáculos de revista o variedades.

V

védico *s. m.* Forma arcaica del sánscrito, empleada especialmente como lengua sacerdotal.

veedor, -ra *adj./s. m. y f.* ① Se aplica a la persona que mira con curiosidad lo que hacen otras. ❙ *s. m.* ② Hombre que tenía distintos cargos de inspección y se encargaba de comprobar si las obras de los distintos gremios u oficinas de bastimentos eran conformes a la ley u ordenanza.

vega *s. f.* ① Terreno bajo, llano y apto para el cultivo que está a la orilla de un río. ② CHILE Terreno muy húmedo. ③ CUBA Plantación de tabaco.

vegetación *s. f.* ① Conjunto de vegetales (árboles, arbustos, plantas, etc.) propios de una región o un clima. ❙ *s. f. pl.* ② **vegetaciones** Crecimiento excesivo de las glándulas situadas en la parte posterior de la nariz, que dificultan la respiración.

vegetal *adj.* ① Relativo a las plantas (seres orgánicos): *célula vegetal; aceites vegetales.* ❙ *s. m.* ② Ser orgánico pluricelular que vive y crece fijado al suelo y es capaz de fabricar sustancias orgánicas a partir de sustancias inorgánicas mediante la fotosíntesis: *los árboles son vegetales.* ❙ *s. m. pl.* ③ **vegetales** Grupo taxonómico, con categoría de reino, constituido por estos seres.
FAM vegetariano.

vegetar *v. intr.* ① Germinar, alimentarse, crecer y multiplicarse las plantas. ② Vivir una persona desarrollando solamente las funciones orgánicas y no las emotivas o intelectuales. ③ familiar Llevar voluntariamente una vida tranquila, sin trabajo ni preocupaciones: *desde que le tocó la lotería se pasa el día vegetando.*
FAM vegetación, vegetativo.

vegetarianismo *s. m.* Régimen alimenticio que consiste en comer casi exclusivamente alimentos de origen vegetal.

vegetariano, -na *adj.* ① Relativo al vegetarianismo: *régimen vegetariano.* ❙ *adj./s. m. y f.* ② Se aplica a la persona que practica o es partidaria del vegetarianismo: *los vegetarianos no comen carne.*
FAM vegetarianismo.

vegetativo, -va *adj.* ① Que vegeta: *las plantas son organismos vegetivos.* ② Se aplica al órgano que realiza todas las funciones vitales excepto la reproducción sexual.
FAM neurovegetativo.

vehemencia *s. f.* Pasión, entusiasmo e irreflexión en la manera de hacer o decir alguna cosa. SIN ímpetu.

vehemente *adj.* ① Que se manifiesta con fuerza, viveza y pasión: *un amor vehemente.* SIN impetuoso. ② Se aplica a la persona que obra con pasión y de forma irreflexiva, dejándose llevar por los sentimientos o los impulsos. SIN impetuoso.
FAM vehemencia.

vehicular *v. tr.* Servir de vehículo o medio de transmisión o de difusión.

vehículo *s. m.* ① Aparato que por tierra, agua o aire sirve para transportar personas o cosas, especialmente de un motor que circula por tierra: *el barco es un vehículo más lento que el avión.* ② Cosa que sirve para llevar o conducir algo: *la suciedad es el vehículo de muchas enfermedades.*
FAM vehicular.

veinte *num. card.* ① Diez más diez. ❙ *num. ord.* ② Que ocupa el lugar número 20 en una serie ordenada. SIN vigésimo. ❙ *s. m.* ③ Número 20.

los veinte Década comprendida entre los años 1920 y 1929.
FAM veinteavo, veintena.

veinteañero, -ra *adj./s. m. y f.* Se aplica a la persona que tiene más de veinte años de edad y menos de treinta.

veinteavo, -va *num. part.* Se aplica a cada una de las partes que resultan de dividir un todo en veinte partes iguales.
SIN vigésimo.

veintena *s. f.* Conjunto formado por veinte unidades: *en esta caja hay una veintena de bombones.*

veinticinco *num. card.* ① Veinte más cinco. ❙ *num. ord.* ② Que ocupa el lugar número 25 en una serie ordenada. ❙ *s. m.* ③ Número 25.

veinticuatro *num. card.* ① Veinte más cuatro. ❙ *num. ord.* ② Que ocupa el lugar número 24 en una serie ordenada. ❙ *s. m.* ③ Número 24.

veintidós *num. card.* ① Veinte más dos. ❙ *num. ord.* ② Que ocupa el lugar número 22 en una serie ordenada. ❙ *s. m.* ③ Número 22.

veintinueve *num. card.* ① Veinte más nueve. ❙ *num. ord.* ② Que ocupa el lugar número 29 en una serie ordenada. ❙ *s. m.* ③ Número 29.

veintiocho *num. card.* ① Veinte más ocho. ❙ *num. ord.* ② Que ocupa el lugar número 28 en una serie ordenada. ❙ *s. m.* ③ Número 28.

veintiséis *num. card.* ① Veinte más seis. ❙ *num. ord.* ② Que ocupa el lugar número 26 en una serie ordenada. ❙ *s. m.* ③ Número 26.

veintisiete *num. card.* ① Veinte más siete. ❙ *num. ord.* ② Que ocupa el lugar número 27 en una serie ordenada. ❙ *s. m.* ③ Número 27.

veintitantos, -tas *num. card.* ① Veinte y algunos más, sin llegar a treinta: *había veintitantas personas en la fiesta.* ❙ *num. ord.* ② Que ocupa un lugar posterior al 20 y anterior al 30 en una serie ordenada: *soy el veintitantos de la lista.*

veintitrés *num. card.* ① Veinte más tres. ❙ *num. ord.* ② Que ocupa el lugar número 23 en una serie ordenada. ❙ *s. m.* ③ Número 23.

veintiún Apócope de *veintiuno.*
OBS Se usa delante de sustantivos masculinos, y también delante de sustantivos femeninos que empiecen por *a-* o *ha-* tónicas (*veintiún almas*).

veintiuno, -na *num. card.* ① Veinte más uno. ❙ *num. ord.* ② Que ocupa el lugar número 21 en una serie ordenada. ❙ *s. m.* ③ Número 21.
OBS Cuando va seguido de un sustantivo masculino, se usa la forma apocopada *veintiún: veintiún libros.*

vejar *v. tr.* Maltratar moralmente a una persona o hacerla pasar por una situación humillante o vergonzosa: *no consiente que lo ofendan y vejen delante de todos.*
FAM vejación, vejamen, vejatorio.

vejatorio, -ria *adj.* Se aplica a la obra o dicho que veja o humilla: *los tratados internacionales prohíben dar un trato vejatorio a los prisioneros de guerra.*

vejestorio *s. m.* fam. desp. Persona muy vieja.

vejez *s. f.* ① Estado natural de la persona que ha llegado a una edad avanzada. ANT juventud. ② Último periodo de la vida de una persona, cuando tiene una edad avanzada. ANT juventud. ③ Cualidad de lo que es viejo o está gastado por el uso.

V

a la vejez, viruelas familiar Expresión que indica que una persona vieja hace cosas que no son propias de su edad. **FAM** avejentar, envejecer.

vejiga *s. f.* ① Órgano muscular de los vertebrados en forma de bolsa en el que se deposita la orina producida por los riñones, la cual se expulsa al exterior de manera voluntaria e intermitente: *la orina llega a la vejiga a través de los uréteres y se expulsa por la uretra.* **NOTA** También *vejiga urinaria.* ② Bulto lleno de líquido que se forma en la piel. **SIN** ampolla. ③ Bolsita formada en cualquier superficie, llena de aire u otro gas o de un líquido.

vejiga natatoria Bolsa membranosa llena de aire que tienen los peces a los lados del aparato digestivo y que les permite flotar en el agua a diferentes profundidades.

vela¹ *s. f.* ① Cilindro de cera u otra materia grasa, con un hilo en el centro que lo recorre de un extremo a otro y que se enciende para dar luz. ② Situación o estado del que está despierto en las horas destinadas al sueño: *estuvo toda la noche en vela.* **SIN** vigilia. ③ Acción de velar a un muerto. ④ Tiempo durante el que se vela por cualquier motivo. | *s. f. pl.* ⑤ **velas** Mocos que cuelgan de la nariz.

a dos velas (**I**) familiar Con poco dinero. (**II**) Sin saber o enterarse de nada.

encender una vela a Dios y otra al diablo Querer tener contentas a dos personas opuestas entre sí.

no dar vela en este entierro familiar No dejar que una persona intervenga en un asunto. **FAM** apagavelas, duermevela.

vela² *s. f.* ① Pieza de lona u otra tela fuerte que se sujeta a los palos de una embarcación y que hace que esta se mueva al recibir el empuje del viento. ② Competición deportiva en la que participan embarcaciones que llevan esta pieza de tela. ③ culto Barco de vela.

a toda vela Muy rápidamente.

hacerse a la vela Zarpar.

recoger velas Desdecirse de algo o suavizar una afirmación. **FAM** velamen, velero.

velada *s. f.* ① Reunión o tertulia nocturna para entretenimiento o distracción. ② Fiesta musical, literaria o deportiva que se celebra por la noche.

velador, -ra *adj./s. m. y f.* ① Se aplica a la persona que vela o cuida algo. | *s. m.* ② Mesa pequeña, generalmente redonda, que tiene un solo pie en su base. ③ AMÉR. Mesilla de noche. ④ ARG., CUBA, ECUAD., MÉX., URUG. Lámpara pequeña o luz portátil que suele colocarse en la mesa de noche.

veladora *s. f.* ① MÉX. Velador (lámpara). ② MÉX. Vela gruesa y corta, en forma de cono truncado o invertido que se enciende por devoción ante la imagen de un santo.

veladura *s. f.* ① Tinta transparente que se aplica en una pintura para suavizar o fundir los tonos: *la veladura es característica del estilo flamenco y del Renacimiento italiano.* ② Técnica fotográfica que utiliza la luz artificial para colorear u oscurecer la película fotográfica o cinematográfica.

velamen *s. m.* Conjunto de las velas de una embarcación.

velar¹ *v. tr.* ① Acompañar por la noche a un muerto o cuidar a una persona enferma: *la familia estuvo velando el cadáver toda la noche.* | *v. intr.* ② Estar sin dormir el tiempo normalmente destinado al sueño: *llevaba varias semanas velando porque tenía un examen muy importante.* ③ Cuidar y mostrar preocupación por una persona o cosa: *la policía vela por la seguridad de los*

ciudadanos. | *v. tr.* ④ Permanecer por turnos vigilando algo por la noche: *velar las armas.* **FAM** vela, velatorio, velorio.

velar² *adj.* ① Relativo al velo del paladar. ② Se aplica al sonido o fonema en cuya articulación la parte posterior de la lengua toca el velo del paladar o se aproxima a él: *las consonantes "j", "k" y "g" y las vocales "o" y "u" son velares.* | *adj./s. f.* ③ Se aplica a la consonante o vocal que se articula en este punto.

velar³ *v. tr.* ① Cubrir una cosa con un velo: *se le veló la vista de tanto mirar la pantalla del ordenador.* ② Borrar total o parcialmente la imagen de una fotografía o de una película fotográfica por la acción indebida de la luz. ③ Ocultar o disimular una cosa: *sus buenas palabras velaban malas intenciones.*

velarizar *v. tr.* Dar a un sonido carácter velar.

velatorio *s. m.* ① Lugar preparado para velar a un difunto. ② Acción de velar a un difunto.

velcro *s. m.* Sistema de cierre o de sujeción que consiste en dos tiras de tela de distinta urdimbre cada una que, al unirse y presionar sobre ellas, quedan enganchadas entre sí. **OBS** Es marca registrada.

veleidad *s. f.* ① Cualidad de veleidoso. ② Capricho o cambio de estado de ánimo sin una causa justificada. **FAM** veleidoso.

veleidoso, -sa *adj.* Se aplica a la persona que no es constante en sus actos, gustos e ideas.

velero *s. m.* Embarcación muy ligera que se mueve por medio de la vela.

veleta *s. f.* ① Objeto de metal giratorio, generalmente en forma de flecha, que se coloca en lugares altos y sirve para señalar la dirección del viento. | *s. com.* ② Persona que cambia con frecuencia de ideas, sentimientos o gustos.

vello *s. m.* ① Pelo más corto, fino y suave que el de la cabeza o la barba que cubre ciertas partes del cuerpo de una persona: *es rubia y apenas tiene vello en los brazos.* ② Pelo corto y fino que cubre la piel de ciertas frutas o plantas y le da un aspecto aterciopelado. **SIN** pelusa. **FAM** velloso, velludo.

vellón¹ *s. m.* Conjunto de lana que se le quita a una oveja o a un carnero al esquilarlo.

vellón² *s. m.* ① Aleación de plata y cobre con que se hacían monedas antiguamente. ② Moneda antigua de cobre que se usó en lugar de la fabricada con plata.

vellosidad *s. f.* Vello de las personas, especialmente cuando es abundante.

velloso, -sa *adj.* Que tiene vello: *las personas morenas suelen ser más vellosas que las rubias.* **FAM** vellosidad.

velludo, -da *adj.* Que tiene mucho vello.

velo *s. m.* ① Tela, generalmente fina, que cubre u oculta algo: *un tenue velo cubría el cuadro.* ② Tela fina y transparente que sirve para cubrir generalmente la cabeza o la cara de las mujeres. ③ Manto con la que las religiosas se cubren la cabeza y la parte superior del cuerpo. ④ Cosa ligera y flotante que impide ver otra con claridad: *un velo de niebla nos impide disfrutar del paisaje.* ⑤ Cosa que encubre la verdad o impide que se vea con claridad: *su profunda tristeza se refugia tras un velo de alegría.*

correr (o **echar**) **un tupido velo** Intentar que se olvide una cosa que no conviene recordar.

velo del paladar Tejido muscular delgado que separa la boca de la faringe.

FAM velar.

velocidad *s. f.* ☐ Rapidez o prontitud en el movimiento o en la acción: *las mecanógrafas escriben a mucha velocidad.* ☐ Magnitud vectorial física que relaciona el desplazamiento que realiza un móvil entre dos posiciones con el tiempo que tarda en desplazarse. ■ **velocidad de crucero** Velocidad invariable que, en condiciones normales, llevan los barcos y los aviones que deben recorrer grandes distancias. ☐ Posición de la caja de cambio de un automóvil que permite variar el número de vueltas que dan las ruedas en función del número de vueltas que da el motor: *la primera velocidad sirve para arrancar.* **SIN** marcha. ☐ Relación existente entre el desarrollo de una acción, proceso o fenómeno físico y el tiempo transcurrido. ■ **velocidad angular** Velocidad que se mide por el ángulo descrito en la unidad de tiempo por el radio vector de un punto en un movimiento de rotación. ■ **velocidad de reacción** En una reacción química, disminución de la concentración de una sustancia (reactivo) o aumento de la concentración de otra (producto) en la unidad de tiempo; la velocidad de reacción depende de la naturaleza del reactivo, de la concentración de los reactivos, de la temperatura y de la presencia de catalizadores: *en la oxidación de un trozo de hierro, la velocidad de reacción es muy lenta.* ■ **velocidad instantánea** Velocidad que se mide por el espacio recorrido por un móvil en un instante determinado. ■ **velocidad lineal** Velocidad que se mide por la longitud del arco recorrido por el radio vector de un móvil en un movimiento de rotación: *la velocidad lineal es el producto de la velocidad angular por el radio de la circunferencia descrita en el movimiento de rotación.* ■ **velocidad media** Valor que se obtiene de dividir el espacio recorrido por el tiempo empleado en recorrerlo: *la velocidad media de un coche que recorre 100 km en dos horas es de 50 km/h.*

velocímetro *s. m.* Aparato que indica la velocidad a la que circula un vehículo.

velocípedo *s. m.* Vehículo formado por un asiento y por dos o tres ruedas, de las cuales una es de mayor tamaño que las otras, que se mueve por medio de pedales: *el velocípedo es anterior a la bicicleta.*

velocirráptor *s. m.* Dinosaurio terrestre de hasta 3 m de longitud, con garras afiladas, patas delanteras prensiles y patas traseras medianas con las que lograba correr a gran velocidad; era carnívoro y vivió en Asia durante el cretácico inferior.

velocista *s. com.* ☐ Atleta que participa en carreras de 100, 200 o 400 metros. ☐ Ciclista que participa en carreras en pista en las que es necesario ser muy veloz.

velódromo *s. m.* Instalación, cubierta o al aire libre, preparada para la celebración de carreras de bicicletas.

velorio¹ *s. m.* ☐ Fiesta o reunión que se celebra en las casas de los pueblos durante la noche, generalmente con motivo de alguna tarea doméstica como la matanza del cerdo. ☐ Acción de acompañar por la noche a un difunto. **SIN** velatorio.

velorio² *s. f.* Ceremonia de tomar el velo una monja o una religiosa.

veloz *adj.* Que se mueve o actúa de manera muy rápida. **SIN** ligero, rápido. **ANT** lento.

FAM velocidad, velocista.

vena *s. f.* ☐ Vaso sanguíneo que conduce la sangre al cora-

zón. ■ **vena cava** Cada una de las dos venas mayores del cuerpo de los vertebrados que tienen cuatro extremidades (o tetrápodos), como el ser humano, que recogen la sangre venosa de todo el cuerpo y la conducen al corazón, concretamente a la aurícula derecha. ■ **vena coronaria** Vena que se extiende por el corazón y otras partes del cuerpo. ■ **vena porta** Vena muy gruesa que recoge la sangre del abdomen y del bazo y la lleva al hígado. ■ **vena yugular** Cada una de las dos venas, interna y externa, situadas a uno y a otro lado del cuello. ☐ Cualidad natural o facilidad de una persona para realizar cierta actividad: *ya desde pequeñito le notamos su vena de músico.* ☐ Estado de ánimo o humor de una persona en un momento determinado: *no le contradigas, que hoy está de mala vena.* ☐ Fibra que sobresale en la cara posterior de las hojas de una planta. ☐ Masa mineral que rellena un agujero o una abertura de una formación rocosa. **SIN** filón, veta. ☐ Lista o faja de diversos colores que tienen en su superficie distintas piedras o maderas. ☐ Lista o faja de tierra o piedra que por su color y otras características se distingue de la masa de la que forma parte. **SIN** veta. ☐ Conducto natural por el que circula el agua en el interior de la tierra.

dar (o entrar) la vena familiar Sentir el deseo o el impulso repentino de hacer una cosa.

estar en vena familiar Estar muy inspirado para realizar cualquier actividad u ocurrírsele grandes ideas.

FAM venal, venero, venoso.

venablo *s. m.* Lanza corta y arrojadiza que consiste en una varilla delgada y cilíndrica acabada en una hoja de hierro en forma de laurel.

venada *s. f.* familiar Impulso repentino de hacer determinada cosa.

venado *s. m.* Mamífero salvaje de patas largas, cola muy corta, pelo áspero y corto, marrón o gris, cuyo macho tiene cuernos divididos en ramas, y que se alimenta de vegetales. **SIN** ciervo.

vencedor, -ra *adj./s. m. y f.* Se aplica a la persona o animal que gana o vence. **SIN** ganador. **ANT** perdedor.

vencejo¹ *s. m.* Cuerda o lazo que se usa para atar o ajustar algo, especialmente los cereales que se acaban de cortar.

vencejo² *s. m.* Pájaro insectívoro semejante a la golondrina, de plumaje blanco en la garganta y negro en el resto del cuerpo, alas largas, patas muy cortas y cola muy larga acabada en horquilla.

vencer *v. tr./intr.* ☐ Resultar ganador en un concurso, oposición o cualquier prueba o quedar por encima de los demás: *el corredor inglés venció en la prueba de los 400 metros.* **SIN** ganar. **ANT** perder. ☐ Dominar o someter al enemigo: *el caballero venció a su rival con la espada.* **SIN** ganar. ‖ *v. tr.* ☐ Afrontar y superar con éxito un obstáculo, problema o dificultad. ☐ Controlar a una persona sus pasiones o sentimientos: *para entrar en esa cueva tan oscura tuvo que vencer el miedo.* ☐ Rendir o superar a una persona una cosa física o moral que es difícil de resistir: *quiso ver la película, pero le venció el sueño.* ☐ Torcer o hundir una cosa el peso de algo: *no te apoyes, que se va a vencer el estante.* ‖ *v. intr.* ☐ Terminar o acabar el plazo o tiempo fijado para una deuda, una obligación o un contrato: *mañana vence el plazo para pagar esta factura.* **SIN** caducar, expirar.

FAM vencedor, vencimiento; invencible.

vencimiento *s. m.* ☐ Cumplimiento del plazo o fin de un periodo fijado para una deuda, una obligación o un contrato. ☐ Torcimiento o inclinación de una cosa por el peso de otra.

V

venda *s. f.* Trozo de tela o gasa largo y estrecho que sirve para cubrir las heridas o para impedir el movimiento de una parte del cuerpo.
FAM vendar.

vendaje *s. m.* **1** Colocación de una venda alrededor de una parte del cuerpo para protegerla o impedir que se mueva. **2** Venda o conjunto de vendas que se colocan de esta forma.

vendar *v. tr.* Cubrir con una venda cualquier parte del cuerpo.
FAM vendaje.

vendaval *s. m.* Viento muy fuerte. **SIN** ventarrón.

vendedor, -ra *adj./s. m. y f.* Se aplica a la persona que se dedica profesionalmente a vender mercancías.

vender *v. tr.* **1** Dar u ofrecer una cosa a cambio de una determinada cantidad de dinero: *Raúl se dedica a vender electrodomésticos.* **ANT** comprar. **2** Ofrecer una cosa que no tiene valor material a cambio de dinero u otro beneficio: *vendió su dignidad para conseguir un ascenso.* **3** Traicionar la amistad o la confianza de una persona en beneficio propio. | *v. prnl.* **4** **venderse** Dejarse corromper por una persona, poniéndose a su servicio o haciéndole un favor, para conseguir un beneficio.
FAM vendedor; malvender, revender.

vendimia *s. f.* **1** Recogida de la uva. **2** Tiempo en el que se recoge la uva.
FAM vendimiar.

vendimiador, -ra *s. m. y f.* Persona que vendimia.

vendimiar *v. tr./intr.* Recoger las uvas de la viña.
FAM vendimiador.
OBS Verbo regular, se acentúa como *cambiar.*

veneciano, -na *adj.* **1** De Venecia (ciudad de Italia). | *s. m. y f./adj.* **2** Persona que es de Venecia.

veneno *s. m.* **1** Sustancia que provoca trastornos graves o incluso la muerte cuando es introducida en el cuerpo de un ser vivo: *el aguijón del alacrán contiene veneno.* **2** Cualquier cosa que puede ser perjudicial para la salud: *el tabaco es un veneno para el organismo.* **3** Mala intención con la que se hace o se dice una cosa: *todas sus preguntas iban cargadas de veneno.*
FAM venenoso; envenenar.

venenoso, -sa *adj.* **1** Que contiene veneno. **2** Que tiene mala intención al hacer o decir una cosa.

venera *s. f.* **1** Concha del molusco de la vieira, formada por dos valvas semicirculares, una plana y la otra muy convexa, que se caracterizan por ser blancas en la parte interior y rojizas en la parte exterior, y por tener catorce estrías muy pronunciadas. **2** Antigua insignia militar colgada del pecho de los caballeros de las órdenes militares. **3** Concha grande semicircular y convexa que se usaba como adorno y símbolo de las peregrinaciones medievales.

venerable *adj.* **1** Que merece respeto, especialmente por su edad o antigüedad: *un anciano venerable.* | *adj./s. com.* **2** Se aplica como título que la Iglesia católica concede a la persona que muere con fama de santidad, antes de declararla beata o santa, y también como tratamiento a estas personas: *el venerable padre Champagnat fue fundador de los hermanos maristas.*

veneración *s. f.* **1** Demostración grande de amor y respeto hacia una persona a causa de su virtud, dignidad o santidad. **2** Culto que se rinde a Dios, a los santos o a las cosas sagradas.

venerar *v. tr.* **1** Demostrar gran amor y respeto a una persona por su virtud, dignidad o santidad. **2** Rendir culto a Dios, a los santos o a las cosas sagradas: *en esta iglesia se venera la imagen de la patrona del pueblo.*
FAM venerable, veneración.

venéreo, -rea *adj.* **1** Se aplica a la enfermedad que se contagia a través del acto sexual.

venero *s. m.* **1** Corriente de agua que brota de la tierra. **SIN** fontana, fuente, manantial. **2** Lugar donde brota esta corriente de agua. **SIN** fontana, fuente, manantial. **3** Lugar donde se encuentra de manera natural un mineral. **4** Procedencia u origen de una cosa.

venezolano, -na *adj.* **1** De Venezuela (país de América del Sur): *Maracaibo es una conocida ciudad venezolana.* | *s. m. y f./adj.* **2** Persona que es de Venezuela.

vengador, -ra *adj.* Que venga o se venga.

venganza *s. f.* Respuesta a una ofensa o daño recibido con otra ofensa o daño dirigido a la persona que lo ha hecho. **SIN** desquite, revancha.

vengar *v. tr.* Responder a una ofensa o daño recibido con otra ofensa o daño dirigido a la persona que lo ha hecho: *juró que vengaría la muerte de su amigo; me vengaré de ti.*
FAM venganza, vengativo; devengar.

vengativo, -va *adj./s. m. y f.* Se aplica a la persona que tiende a vengarse o que quiere hacerlo por las ofensas o daños recibidos.

venia *s. f.* **1** Permiso o licencia para hacer una cosa concedido por una autoridad: *con la venia del tribunal, expondré los cargos que se le imputan al acusado.* **2** Perdón de una culpa u ofensa. **3** Saludo con una inclinación de cabeza.
FAM venial.

venial *adj.* Se aplica al pecado o falta que se opone ligeramente a la ley o la norma y es fácil de perdonar.

venida *s. f.* **1** Desplazamiento de una persona, animal o cosa hacia el lugar en el que está la persona que habla: *nos avisó de su próxima venida.* **2** Llegada de una persona, animal o cosa al lugar en el que está la persona que habla: *la venida de las lluvias.* **3** Regreso o vuelta de una persona, animal o cosa al mismo lugar o punto del que había partido: *la venida de las vacaciones.*

venidero, -ra *adj.* Que está por venir, ocurrir o suceder: *los años venideros.*

venir [48] *v. intr.* **1** Ir o desplazarse hacia el lugar donde está el que habla: —*¿Cuándo vendrás a vernos? —A lo mejor iré el mes que viene.* **2** Llegar al lugar donde está el que habla para quedarse en él: *todavía no ha venido el carpintero.* **3** Ocurrir, producirse o llegar cierto suceso: *luego vino un golpe de Estado; ya vienen las Navidades.* **4** Proceder de un lugar: *este chocolate viene de Suiza.* **5** Tener una persona o cosa su origen: *ella viene de una familia muy pobre.* **6** Surgir o aparecer, especialmente un deseo o un sentimiento: *me vino el deseo de darle un beso.* **7** Adaptarse una prenda de vestir de un modo determinado: *esta falda me viene muy grande.* **8** Convenir o ser adecuado: *nos veremos mañana porque esta tarde no me viene bien.* **9** Figurar, estar incluido o llevar incorporado: *en este libro no viene lo que estoy buscando.* **10** Seguir, en una serie, una cosa a otra: *después del día viene la noche.*

¡venga! (**I**) Expresión que se usa para animar o meter prisa. (**II**) Expresión que se usa para indicar rechazo.

venir a + *infinitivo* (**I**) Acercarse o tener una equivalencia aproximada: *este libro vendrá a costar unos seis euros...* (**II**) Realizarse o llegar a cumplirse: *vino a convertirse en heredero de su abuelo.*

venir a menos Pasar de una situación o un estado bueno a otro peor.

venir + gerundio Insistir en la acción que se expresa: *venía pidiéndome dinero y yo se lo negaba.*

venir + participio Expresa significado pasivo y equivale a *ser, estar* o *resultar: esta situación en el campo viene causada por la falta de lluvias.*

FAM venida, venidero; sobrevenir.

venoso, -sa *adj.* ① Relativo a las venas. ② Que tiene venas o que las tiene muy perceptibles.

FAM endovenoso, intravenoso.

venta *s. f.* ① Entrega de una cosa a una persona a cambio de una cantidad de dinero convenida. ANT compra. ② Conjunto de cosas que se entregan a cambio de dinero. ANT compra. ③ Establecimiento situado en un camino o en un despoblado y que acoge a los viajeros. SIN mesón, posada.

FAM ventero, ventorro; compraventa, reventa, sobreventa.

ventaja *s. f.* ① Característica o situación que hace que una persona o una cosa sea mejor en comparación con otra: *él tiene ventaja porque es mayor que yo.* ANT desventaja. ② Circunstancia o condición que favorece: *irse a vivir fuera de la ciudad tiene sus ventajas y sus inconvenientes.* ③ Distancia o puntos que un competidor o jugador concede de antemano a favor de otro al que considera inferior: *te doy un kilómetro de ventaja en la carrera.* ④ Distancia o puntos que tiene un deportista sobre los demás: *el corredor italiano cuenta con una ventaja de 15 minutos.* ⑤ Provecho o ganancia de algo: *si inviertes en el negocio, conseguirá grandes ventajas.*

FAM ventajista, ventajoso; aventajar, desventaja.

ventajoso, -sa *adj.* Que tiene u ofrece una ventaja o beneficio: *este negocio será muy ventajoso para todas las partes.* ANT desventajoso.

ventana *s. f.* ① Abertura, generalmente de forma rectangular, que se hace en una pared o muro a cierta distancia del suelo para dar luz y ventilación al interior de una construcción. ② Marco de madera o metal con una o más hojas y con cristales que cierran esta abertura: *abrió las ventanas porque había mucho humo dentro de la habitación.* ③ Cada uno de los dos orificios de la nariz. SIN ventanilla. ④ Área de la pantalla de un ordenador donde se visualiza un programa, una aplicación o un documento: *Windows permite tener abiertas muchas ventanas a la vez.*

FAM ventanal, ventanilla, ventano; contraventana.

ventanal *s. m.* Ventana grande en la pared o en el muro de un edificio.

ventanilla *s. f.* ① Abertura pequeña que hay en la pared de distintos establecimientos, a través de la cual los empleados se comunican con el público. ② Ventana pequeña lateral de un vehículo. ③ Abertura rectangular cubierta con papel transparente que tienen los sobres para leer la dirección escrita en la misma carta. ④ Cada uno de los dos orificios de la nariz. SIN ventana.

ventarrón *s. m.* Viento muy fuerte. SIN vendaval.

ventear *v. tr.* ① Olfatear algunos animales el aire para orientarse o reconocer algo: *levantó el morro como si venteara algo comestible.* ② Exponer una cosa a la acción del viento para que se limpie o seque. ‖ *v. impersonal* ③ Soplar el viento.

ventero, -ra *s. m. y f.* Persona que es propietaria o tiene a su cargo una venta para acoger viajeros.

ventilación *s. f.* ① Entrada o renovación de aire en un lugar. ② Abertura que se hace para que se renueve o entre aire en un lugar.

ventilación pulmonar Proceso mediante el cual se renueva el aire contenido en los pulmones.

ventilador *s. m.* ① Aparato formado por un aspa giratoria que sirve para ventilar o refrigerar un lugar o una cosa al mover el aire. ② Abertura hacia el exterior de una estancia para que se renueve el aire, sin abrir las puertas o las ventanas.

ventilar *v. tr.* ① Hacer que entre o se renueve el aire en un lugar: *abre la ventana para que se ventile un poco la habitación.* SIN airear. ② Sacar una cosa al aire libre para que se le vaya el olor o el polvo. SIN airear. ③ Tratar o resolver un asunto con rapidez: *ventilaron el negocio en la última reunión.* SIN despachar. ④ Dar a conocer al público un asunto privado o íntimo: *la prensa se encargó de ventilar su oscuro pasado.* SIN airear. ‖ *v. prnl.* ⑤ **ventilarse** familiar Comerse o beberse por completo una cosa: *se acaba de ventilar la botella de vino él solo.* ⑥ familiar Matar a una persona.

FAM ventilación, ventilador.

ventisca *s. f.* ① Tormenta de viento o de viento y nieve. ② Viento muy fuerte. SIN ventarrón.

FAM ventisco, ventisquero.

ventisquero *s. m.* ① Lugar de una montaña más alto y más expuesto a las ventiscas. ② Lugar de una montaña en el que se conserva largo tiempo la nieve y el hielo. ③ Masa de nieve o hielo que se conserva en este lugar.

ventolera *s. f.* ① Golpe de viento fuerte y de corta duración. ② familiar Decisión o pensamiento extraño e inesperado que no tiene explicación lógica.

ventorro *s. m.* despectivo Venta de hospedaje pequeña y miserable.

ventosa *s. f.* ① Pieza cóncava de material elástico que se adhiere a una superficie lisa por presión, al producirse el vacío en su interior. ② Órgano que ciertos animales tienen en la boca, las extremidades u otras partes del cuerpo y que les permite sujetarse o adherirse fuertemente a los objetos haciendo el vacío: *el pulpo se sujetó a la roca con sus ventosas.* ③ Objeto en forma de vaso o campanilla con que se hace el vacío sobre la piel para hacer afluir la sangre.

ventosear *v. intr.* Expulsar aire o gases intestinales por el ano: *padece aerofagia y no puede evitar ventosear.*

ventosidad *s. f.* ① Conjunto de gases intestinales que se expulsan por el ano: *escupir o soltar ventosidades es de mala educación.* ② Acumulación de gases en el intestino.

ventoso, -sa *adj.* Se aplica al lugar, tiempo o día en que hace un fuerte viento.

FAM ventosear, ventosidad.

ventral *adj.* Relativo al vientre.

ventricular *adj.* Relativo a los ventrículos del corazón o del encéfalo.

ventrículo *s. m.* ① Cavidad de la parte inferior del corazón de mamíferos, aves y reptiles que recibe la sangre procedente de las aurículas y la impulsa hacia las arterias. ② Cavidad del encéfalo de los vertebrados.

FAM ventricular.

ventrílocuo, -cua *adj./s. m. y f.* Se aplica a la persona que tiene la habilidad de hablar cambiando su voz natural sin

V

mover los labios ni los músculos de la cara y da la impresión de que es otra persona la que habla.

FAM ventriloquia.

ventura *s. f.* ① culto Dicha o felicidad. ② Suerte o fortuna: *el adivino me pronosticó buena ventura*

a la buena ventura Sin una idea o un fin concreto: *suele hacer las cosas a la buena ventura.*

por ventura culto Quizá o acaso.

FAM venturoso; buenaventura, desventura, malaventura.

venturoso, -sa *adj.* culto Dichoso o feliz.

venus *s. f.* ① Estatuilla de origen prehistórico con forma de mujer desnuda hecha de piedra, marfil o hueso: *las venus del paleolítico representaban la fecundidad.* ② Mujer que posee una gran belleza física.

OBS Plural invariable.

ver[1] [49] *v. tr./intr.* ① Percibir una cosa a través del sentido de la vista: *desde aquí no se puede ver bien la película.* ‖ *v. tr.* ② Darse cuenta de una cosa con cualquier sentido o mediante la inteligencia: *¿no ves que te has equivocado?* ③ Entender o darse cuenta de un hecho, una realidad o una situación: *no veía los motivos de su mal humor.* ④ Tratar un tema o asunto: *mañana veremos un tema de biología muy interesante.* ⑤ Estudiar o examinar cualquier cosa con atención: *aún no he tenido tiempo para ver el informe que has escrito.* ⑥ Asistir a un espectáculo o acontecimiento: *¿has visto ya la película?* ⑦ Comprobar o hacer lo necesario para informarse de una cosa: *ve a ver quién llama a la puerta.* ⑧ Sospechar o presentir lo que va a pasar, en especial si es desagradable: *estoy viendo que va a llover y no tengo paraguas.* ⑨ Juzgar o considerar de una manera determinada: *no veo las cosas como tú.* ⑩ Visitar o encontrarse con una persona: *nos vemos esta tarde, ¿de acuerdo?* ⑪ Aceptar la apuesta de otro jugador para obligarle a mostrar el juego, generalmente en los juegos de cartas: *solo llevo un trío, pero veo la jugada.* ‖ *v. intr.* ⑫ Tratar de conseguir una cosa: *veré de alcanzar lo que me he propuesto.* ‖ *v. prnl.* ⑬ **verse** Imaginarse o encontrarse en una situación determinada: *no se ve casado y con hijos.*

a ver (**I**) Expresión con la que una persona indica la curiosidad por conocer una cosa: *a ver, cuéntame qué te pasa.* (**II**) Expresión que se usa cuando una persona confirma o expresa su acuerdo con una cosa que se negaba a reconocer.

estar por ver No haberse confirmado o demostrado cierta cosa.

¡habráse visto! Expresión que indica enfado o falta de acuerdo.

no veas Expresión con la que se destaca lo que se dice: *no veas lo nervioso que se puso.*

vérselas familiar Tener un enfrentamiento con una persona.

vérselas y deseárselas familiar Costar mucho esfuerzo o trabajo conseguir una cosa.

FAM antever, entrever, prever.

ver[2] *s. m.* ① Sentido de la vista. ② Aspecto exterior: *sale con un chico de muy buen ver.*

vera *s. f.* Orilla de un camino o de un río.

a la vera Muy cerca o al lado de la persona o cosa que se expresa.

veracidad *s. f.* Cualidad de lo que está conforme con la verdad: *no he dudado ni por un momento de la veracidad de tus palabras.* **ANT** falsedad.

veraneante *adj./s. com.* Se aplica a la persona que veranea.

veranear *v. intr.* Pasar el verano en un lugar, generalmente distinto del de la residencia habitual: *siempre vamos a veranear a un pueblo de la montaña.*

FAM veraneo, veraneante.

veraneo *s. m.* Vacaciones de verano que se pasan en un lugar, generalmente distinto del de la residencia habitual: *este año no nos iremos de veraneo.*

veraniego, -ga *adj.* Relativo al verano. **SIN** estival.

veranillo *s. m.* Breve temporada calurosa que hay en otoño: *veranillo de san Martín.*

verano *s. m.* Estación del año comprendida entre la primavera y el otoño; en el hemisferio norte, transcurre entre el 22 de junio y el 23 de septiembre, y en el hemisferio sur, entre el 22 de diciembre y el 21 de marzo: *el verano es la estación más calurosa.*

FAM veranear, veraniego.

veras Se usa en la expresión:

de veras De verdad, realmente: *—Acabo de cumplir 50 años. —¿De veras?, no los aparentas.*

veraz *adj.* ① Se aplica a la persona o medio que habitualmente dice la verdad: *un hombre veraz; un periódico veraz.* ② Se aplica a la información o dato que es verdadero porque se ha comprobado su autenticidad: *no hay noticias veraces sobre el asunto.*

FAM veracidad.

verbal *adj.* ① Relativo al habla. ② Se aplica al acuerdo que se hace de palabra y no por escrito: *el contrato fue verbal.* **SIN** oral. ③ Relativo al verbo: *sintagma verbal.*

FAM verbalismo, verbalizar; postverbal.

verbena *s. f.* ① Fiesta popular con música y baile que se celebra al aire libre y por la noche la víspera de algunas festividades: *la verbena de san Juan.* ② Planta de tallo largo y piloso, con hojas ásperas y flores en espiga de colores variados; es silvestre o se cultiva en jardinería: *la verbena tiene propiedades sedantes.*

verbo *s. m.* ① Categoría gramatical constituida por las palabras que expresan la acción, el estado, la existencia o el proceso de una persona o cosa en un tiempo pasado, presente o futuro con relación al momento de la enunciación; morfológicamente se caracteriza por las variaciones de tiempo, aspecto, modo, voz, número y persona. ■ **verbo auxiliar** Verbo que pierde o cambia su significado al utilizarse para formar los tiempos compuestos y las perífrasis verbales: *las perífrasis llevan un verbo auxiliar, como "haber", "soler", "deber" e "ir".* ■ **verbo copulativo** Verbo con el sujeto une un atributo: *"ser", "estar" y "parecer" son los principales verbos copulativos.* ■ **verbo defectivo** Verbo que no se puede conjugar en todos los modos, tiempos o personas: *"soler" es un verbo defectivo.* ■ **verbo frecuentativo** Verbo que expresa una acción reiterada o ejecutada más de una vez: *"bastonear" y "berrear" son verbos frecuentativos.* ■ **verbo impersonal** Verbo que solo se usa en tercera persona y no tiene sujeto en forma personal: *en la oración "había muchas personas", "haber" es un verbo impersonal.* ■ **verbo intransitivo** Verbo que no admite complemento directo. **ANT** verbo transitivo. ■ **verbo irregular** Verbo que se aparta de las reglas generales de la conjugación y se altera en la raíz o las terminaciones: *"caber", "ser" e "ir" son verbos irregulares.* **ANT** verbo regular. ■ **verbo predicativo** Verbo que es el núcleo del predicado verbal. ■ **verbo pronominal** Verbo que se construye con un pronombre átono: *"arrepentirse" es un verbo pronominal.* ■ **verbo recíproco** Verbo que expresa, por medio de un pronombre

V

átono, un cambio mutuo de acción entre dos o más personas: *en la oración "Isabel y yo nos tuteamos", "nos tuteamos" es un
verbo recíproco.* ■ **verbo reflexivo** Verbo que tiene por complemento al sujeto, expresado por medio de un pronombre
átono: *"me arrepiento" y "péinate" son formas de verbos recíprocos.*
■ **verbo regular** Verbo que se conjuga de acuerdo con su
paradigma sin que se alteren la raíz ni las terminaciones.
ANT verbo irregular. ■ **verbo transitivo** Verbo que es complementado por un complemento directo. ANT verbo intransitivo. ☑ culto Palabra. ☑ Jesucristo, como segunda persona
de la Santísima Trinidad: *en Jesús, el Verbo se hizo carne.* NOTA
Se escribe con mayúscula inicial.
FAM verbal, verborrea, verbosidad.

verborrea *s. f.* despectivo Tendencia de quien habla demasiado o de quien para expresar poco utiliza muchas palabras.
SIN palabrería.

verdad *s. f.* ☑ Conocimiento de lo que es o de lo que ha pasado realmente: *solamente él sabe la verdad.* ☑ Expresión de
este conocimiento: *quiero que me digas la verdad.* ☑ Conformidad entre lo que se dice y lo que se cree o se piensa: *¿es verdad que me quieres?* ANT mentira. ☑ Carácter de lo que existe,
ha existido o existirá realmente: *dudar de la verdad de un hecho.* SIN realidad. ANT mentira. ☑ Afirmación o principio que
es aceptado como válido por un grupo: *este juicio es una verdad aceptada por todos los científicos.* ☑ Afirmación que se hace
de forma clara y directa: *en cuanto tenga ocasión le voy a decir
cuatro verdades.*
de verdad (I) Como debe ser: *un amigo de verdad.* (II) En serio: *de verdad, me ha tocado la lotería.*
en verdad Según la verdad: *en verdad es un desagradecido.*
FAM verdadero.

verdadero, -ra *adj.* ☑ Se aplica al relato o afirmación que
es conforme a la verdad: *una historia verdadera.* SIN verídico.
ANT falso. ☑ Se aplica a un sentimiento que es real: *tengo verdadero pánico a montar en moto.* SIN auténtico. ☑ Se aplica a la
persona o cosa que es realmente lo que se indica de ella: *es un
verdadero genio.* SIN auténtico.

verde *s. m./adj.* ☑ Color como el de la hierba fresca o el de las
hojas de los árboles: *el verde se obtiene mezclando el azul y el amarillo.* ‖ *adj.* ☑ Que es de este color: *ojos verdes.* ☑ Se aplica a la
planta o leña que no está seca. ☑ Se aplica al fruto que todavía
no está maduro: *los melocotones me gustan más bien verdes.* ☑ Se
aplica a la legumbre que se consume fresca para distinguirla de
la que se guisa seca: *judías verdes.* ☑ Se aplica al proyecto que
está en sus inicios o que todavía falta mucho para que se lleve
a cabo: *lo de mi operación está muy verde.* ☑ Se aplica a la persona
que todavía no está preparada para realizar alguna actividad:
tienes que aprender mucho, todavía estás muy verde. ☑ Se aplica a
la persona que tiene una obsesión por el sexo, especialmente
si se considera impropio de su edad: *viejo verde.* ☑ Se aplica a la
narración que trata o habla del sexo sin inhibición: *me contó un
chiste verde.* ☑ Se aplica a la zona que no puede destinarse a la
edificación porque se utiliza como parque o jardín: *en esta ciudad hay pocas zonas verdes.* ‖ *adj./s. com.* ☑ Se aplica a la persona que defiende la conservación y la mejora del medio ambiente. SIN ecologista. ☑ *s. m.* Hierba corta y abundante que
cubre el suelo: *se tendió sobre el verde del parque.* SIN césped.
☑ Conjunto de ramas y hojas de los árboles y otras plantas,
especialmente si es abundante. SIN follaje.
poner verde Criticar o hablar mal de una persona o una cosa.
FAM verdear, verdecer, verdín, verdor, verdoso, verdura, verdusco.

verdear *v. intr.* ☑ Empezar a ponerse verde el campo o los
árboles al brotar sus primeras plantas u hojas. ☑ Tomar color
verde o tirar a verde. ☑ Mostrar una cosa el color verde que
tiene: *en la llanura inacabable verdea el trigo y amarillea el rastrojo.*

verdecer [16] *v. intr.* Tomar de nuevo color verde las plantas, los árboles o la tierra en general. SIN reverdecer.

verderón *s. m.* Pájaro cantor parecido al gorrión pero de
plumaje verde amarillento.

verdín *s. m.* ☑ Capa de color verde que forman las algas y
otras plantas sin flor en lugares húmedos y en la superficie
del agua estancada. ☑ Capa de color verde que se forma sobre los objetos de cobre, de bronce o de latón, sobre todo si
están al aire libre. SIN cardenillo. ☑ Capa verde que forma el
moho sobre la corteza de frutos como la naranja o el limón
cuando se pudren. ☑ Primer color verde que tienen las plantas al brotar.

verdor *s. m.* Color verde intenso propio de las plantas en su
lozanía. SIN verdura.

verdoso, -sa *adj.* Que tiene un tono verde.

verdugo *s. m.* ☑ Persona que se encarga de ejecutar a los
condenados a muerte o, antiguamente, de aplicar los castigos
corporales que dictaba la justicia. ☑ Persona muy cruel que
maltrata a los demás. ☑ Gorro de punto que abriga toda la
cabeza y el cuello, con una abertura para dejar al descubierto
los ojos, la nariz y la boca. ☑ Espada muy delgada y afilada
solamente en la punta. ☑ Vara estrecha y larga de un material flexible que se usa para azotar. ☑ Herida hecha con esta
vara. ☑ Brote nuevo de un árbol.
FAM verdugón, verduguillo.

verdugón *s. m.* Señal roja que deja en la piel un azote dado
con un látigo o instrumento parecido.

verduguillo *s. m.* Estoque corto y muy delgado con que se
mata instantáneamente al toro clavándoselo en la cérviz o
parte posterior del cuello.

verdulería *s. f.* Establecimiento en el que se venden verduras.

verdulero, -ra *s. m. y f.* ☑ Persona que se dedica a vender
verduras. ‖ *s. m.* ☑ Mueble de cocina donde se guardan
las verduras y hortalizas. ‖ *s. m. y f.* ☑ familiar Persona vulgar
y maleducada.
FAM verdulería.

verdura *s. f.* ☑ Hortaliza o planta comestible que se cultiva
en huerto, especialmente la que tiene hojas verdes y se come
cocida. ☑ Verdor.
FAM verdulero.

verdusco, -ca *adj.* Que tiene un tono verde oscuro.

vereda *s. f.* ☑ Camino estrecho que se ha formado por el
paso de las personas y del ganado. SIN senda. ☑ AMÉR. SUR
Acera.
meter (o hacer entrar) en vereda familiar Hacer que una
persona formalice su comportamiento y cumpla sus deberes.

veredicto *s. m.* ☑ Decisión final de un tribunal. ☑ Opinión
o juicio que da una persona tras pensar cuidadosamente.

verga *s. f.* ☑ Órgano sexual masculino de los mamíferos.
SIN pene. ☑ Palo colocado perpendicularmente y a diferentes
alturas en los mástiles de los veleros grandes; sirve para sujetar las velas rectangulares.
FAM envergar.

vergel *s. m.* ☑ Huerto con gran abundancia de flores y árboles frutales. ② Lugar con gran abundancia y variedad de plantas y flores.

vergonzante *adj.* ① Se aplica a la persona, especialmente al pobre o mendigo, que siente vergüenza de su actividad o de su condición y actúa de manera encubierta. ② Que causa gran vergüenza: *el vergonzante comercio de esclavos*.

vergonzoso, -sa *adj.* ① Se aplica al hecho que causa vergüenza. I *adj./s. m. y f.* ② Se aplica a la persona que siente vergüenza con facilidad. **SIN** tímido. **ANT** atrevido.

vergüenza *s. f.* ① Turbación que se siente ante los demás al cometer una falta o al hacer algo que se considera ridículo o humillante: *no sintió ninguna vergüenza cuando la descubrieron robando.* ■ **vergüenza ajena** Vergüenza que se siente por la falta cometida por otra persona o por el ridículo que hace otra persona. ② Turbación producida por el miedo a cometer ante los demás una falta o a hacer algo que uno mismo considera ridículo o humillante: *sentí mucha vergüenza al pensar que todo el mundo me estaba mirando.* **SIN** timidez. ③ Valoración que una persona tiene de sí misma y que le lleva a actuar de la forma que se considera correcta: *si te queda algo de vergüenza tendrás que reconocerlo.* ④ Acción o hecho que causa indignación o rechazo: *es una vergüenza que los ríos bajen tan contaminados.* ⑤ Persona o cosa que causa deshonra a alguien: *es la vergüenza de la familia.* I *s. f. pl.* ⑥ **vergüenzas** Órganos genitales: *enseñar las vergüenzas.*
FAM vergonzante, vergonzoso; avergonzar, desvergüenza, sinvergüenza.

vericueto *s. m.* ① Camino estrecho y accidentado por el que es difícil andar. ② Complicación que entorpece una acción o un proceso.
OBS Más en plural.

verídico, -ca *adj.* ① Que se ajusta a la verdad. **SIN** verdadero. ② Que se parece a la realidad o se basa en hechos reales. **SIN** verosímil.

verificación *s. f.* ① Comprobación de la autenticidad o verdad de una cosa. ② Hecho que demuestra que un pronóstico era correcto: *los resultados de las elecciones son la verificación del espectacular retroceso del partido.* ③ Comprobación del buen funcionamiento de una máquina, aparato o instalación: *procedieron a la verificación de la instalación del gas.*

verificar *v. tr.* ① Demostrar o comprobar que es verdadera una cosa de la que se dudaba: *se ha verificado la identidad de todos los pasajeros.* **SIN** confirmar, corroborar. ② Comprobar que un aparato funciona bien: *haremos una prueba para verificar el motor.* ③ culto Realizar o llevar a cabo. I *v. prnl.* ④ **verificarse** Cumplirse algo anunciado o pronosticado: *se verificó su predicción.*
FAM verificación.

verismo *s. m.* ① Cualidad de representar las cosas con mucho realismo. ② Movimiento estético que se desarrolló en Italia a finales del siglo XIX y principios del XX y que representaba la realidad sin idealizaciones: *el verismo se inspiró en el naturalismo francés.*

verja *s. f.* ① Enrejado que limita un espacio abierto: *alrededor del parque hay una verja.* ② Reja que se pone en puertas y ventanas para seguridad o como adorno.

vermú o **vermut** *s. m.* ① Bebida alcohólica amarga compuesta de vino aromatizado con ajenjo y otras sustancias vegetales y tónicas; se toma generalmente como aperitivo. ② Aperitivo que se toma antes de comer.
OBS Plural: *vermús* o *vermuts.*

vernáculo, -la *adj.* Se aplica a la lengua o costumbre que es propia de un país o de una región.

verosímil *adj.* Que parece verdadero y cierto. **ANT** increíble, inverosímil.
FAM verosimilitud; inverosímil.

verosimilitud *s. f.* Cualidad de lo que parece verdadero o creíble.

verraco *s. m.* Cerdo macho no castrado que se utiliza como semental

verruga *s. f.* Bulto marronáceo pequeño y benigno, generalmente de forma redonda, que sale en la piel de las personas.

versado, -da *adj.* Se aplica a la persona que es muy experta o entendida en una materia o tema determinados.

versal *adj./s. f.* Se aplica a la letra mayúscula, especialmente cuando es de imprenta.

versalita *adj./s. f.* Se aplica a la letra mayúscula que tiene el mismo tamaño que las minúsculas del texto en que figura, especialmente cuando es de imprenta: *los números romanos de los siglos se escriben en versalita.*

versar *v. intr.* Tratar acerca de una materia o un tema determinado: *este manual versa sobre filosofía.*
FAM versado.

versátil *adj.* Que es inconstante o que cambia con facilidad: *carácter versátil.* **SIN** voluble.
FAM versatilidad.

versatilidad *s. f.* Facilidad excesiva para cambiar de opinión, de gustos o de humor. **SIN** inconstancia, volubilidad.

versículo *s. m.* ① Cada una de las divisiones breves y numeradas de los capítulos de ciertos libros, especialmente la Biblia o el Corán. ② Verso que carece de rima y acentos regulares. ③ Estrofa que forman estos versos; en ella, el ritmo se produce por la repetición de palabras o esquemas gramaticales.

versificación *s. f.* ① Técnica o arte de versificar. ② Conjunto de características métricas de una obra, una época o un autor: *el cantar de gesta tiene una versificación muy variada.*

versificar *v. intr.* ① Componer versos siguiendo las normas de la métrica: *tiene don para versificar.* I *v. tr.* ② Poner en verso lo que estaba en prosa: *versificar una leyenda.*
FAM versificación, versificador.

versión *s. f.* ① Modo particular de entender o relatar un hecho: *tú y ella dais dos versiones muy distintas del accidente.* ② Presentación diferente o adaptación de una obra artística o literaria: *la versión de una canción.* ③ Traducción de una obra escrita: *¿existe versión en portugués de este libro?*
versión original Película que se presenta en su lengua original sin haber sido doblada.
FAM versionar.

verso *s. m.* ① Conjunto de palabras o palabra que constituye una unidad métrica caracterizada por ir entre dos pausas, indicadas gráficamente por el hecho de ocupar un verso dentro de la estrofa de un poema, una obra de teatro, una composición musical, etc.; está sujeto a una métrica, una rima y un ritmo cuyas leyes varían según la tendencia literaria y el idioma. ■ **verso blanco** Verso que no rima con ningún otro pero está sujeto a las leyes métricas. ■ **verso de arte mayor** Verso de más de ocho sílabas. ■ **verso de arte menor** Verso de ocho sílabas o menos. ■ **verso libre** Verso que no está sujeto a rima ni a métrica. ■ **verso suelto** Verso que

no rima con los del conjunto de un poema. ② Género literario de las obras compuestas en verso. SIN poesía.
FAM versificar.

versolari [también **bertsolari** o **bersolari**] *s. m.* En el País Vasco, hombre que compone versos de forma improvisada.

vértebra *s. f.* Hueso corto que se articula con otros parecidos formando la columna de los vertebrados.
FAM vertebral.

vertebrado, -da *adj.* ① Se aplica al animal que tiene esqueleto interno con un eje formado por la columna vertebral, la cual, junto con el cráneo, contiene el centro del sistema nervioso. I *s. m. pl.* ② **vertebrados** Grupo taxonómico, con categoría de subfilo, constituido por estos animales: *el grupo de los vertebrados incluye a peces, anfibios, reptiles, aves y mamíferos.*
FAM invertebrado.

vertebral *adj.* Relativo a las vértebras.

vertebrar *v. tr.* Organizar o estructurar internamente algo, dándole consistencia y cohesión: *el conservadurismo vertebra la línea política del partido.*
FAM vertebración.

vertedera *s. f.* Plancha curva o pala del arado que voltea la tierra que la reja o cuchilla ha levantado.

vertedero *s. m.* ① Lugar donde se tiran basuras, residuos o escombros. ② Sitio adonde o por donde se arroja algo.

verter [2] *v. tr.* ① Echar un líquido o una materia no sólida de un recipiente a otro: *verter agua en un vaso.* ② Dejar caer un líquido o un material fuera del recipiente que lo contiene: *muchos camiones han vertido escombros en ese descampado.* ③ Volcar un recipiente para que caiga el contenido: *vertió el saco de monedas sobre la mesa.* ④ Traducir de una lengua a otra. I *v. intr.* ⑤ Ir a parar las aguas de una corriente en otra: *el río Ebro vierte en el Mediterráneo.* SIN desaguar, desembocar.
FAM vertedera, vertedero, vertido.

vertical *adj./s. f.* ① Se aplica a la recta o plano que es perpendicular al horizonte o a un plano horizontal. I *adj.* ② Se aplica a la cosa que es perpendicular al horizonte o a un plano horizontal. ③ Se aplica a la estructura u orden que está organizado de manera jerárquica: *una sociedad vertical.*
FAM verticalidad.

verticalidad *s. f.* Posición vertical o perpendicular de una cosa respecto a un plano horizontal con el que forma un ángulo de 90°: *al ceder el terreno el muro ha perdido su verticalidad.*
SIN aplomo.

vértice *s. m.* ① Punto en el que concurren los dos lados de un ángulo o polígono: *los vértices de un triángulo.* ② Punto en el que concurren tres o más aristas de un poliedro. ③ Punto más alejado de la base de una pirámide o de un cono. ④ Punto de una parábola que se encuentra sobre su eje y equidista del foco y de la directriz. ⑤ Parte más elevada de una cosa: *el vértice de una colina.*

verticilo *s. m.* Conjunto de hojas, flores, o ramas que nacen a igual altura en torno al tallo.

vertido *s. m.* ① Derramamiento o salida de un líquido. ② Conjunto de materiales de desecho que se vierten en algún lugar, especialmente los procedentes de instalaciones industriales o energéticas: *vertidos tóxicos.*

vertiente *s. f.* ① Cada una de las pendientes de una montaña que van de la cima a la base: *la vertiente norte del Everest.* SIN ladera. ② Cada una de las inclinaciones que tiene una cu-

bierta o tejado para hacer correr el agua: *un tejado de cuatro vertientes.* ③ Territorio por donde circula el agua de los ríos que van a parar al mismo mar o al mismo río: *Andalucía tiene una vertiente atlántica y una vertiente mediterránea.* NOTA También *vertiente hidrográfica.* ④ Punto de vista o manera de considerar una cosa.

vertiginoso, -sa *adj.* ① Que produce vértigo: *una cuesta vertiginosa.* ② Que es muy rápido o intenso: *un éxito vertiginoso; un ritmo vertiginoso.*

vértigo *s. m.* ① Sensación de miedo a perder el equilibrio, semejante a un mareo, que se experimenta en lugares elevados o por trastornos orgánicos: *no puede asomarse al balcón porque padece vértigo.* ② Velocidad o ritmo intenso de una actividad: *no soporta el vértigo de la gran ciudad.* SIN ajetreo. ANT calma. ③ Sensación parecida al mareo producida por una impresión fuerte: *me da vértigo pensar lo que hubiera podido suceder.*
FAM vertiginoso.

vesical *adj.* Relativo a la vejiga (órgano del cuerpo).

vesícula *s. f.* ① Vacuola. ② Bulto pequeño lleno de líquido que se forma en la piel.
vesícula biliar Saquillo membranoso del sistema digestivo que contiene la bilis producida por el hígado y que se vacía durante la digestión.
FAM vesicular.

vespertino, -na *adj.* Relativo a la tarde o que tiene lugar en este momento del día: *crepúsculo vespertino.*

vestíbulo *s. m.* ① Parte de la casa que hay junto a la puerta principal y que se usa para recibir a los que llegan. SIN entrada, recibidor. ② Estancia amplia en la entrada de grandes edificios: *los viajeros están esperando en el vestíbulo del hotel.* ③ Hueco del oído interno.

vestido *s. m.* ① Prenda de vestir femenina que une cuerpo y falda formando una sola pieza. ② Conjunto de prendas de vestir que se ponen sobre el cuerpo para cubrirlo o abrigarlo. SIN ropa, indumentaria, vestimenta.
FAM vestidor, vestidura.

vestidor *s. m.* Habitación que se usa para vestirse o arreglarse.

vestidura *s. f.* ① Conjunto de prendas de vestir que se ponen sobre el cuerpo para cubrirlo o abrigarlo: *venía adornada con joyas y ricas vestiduras.* SIN vestido, vestimenta. ② Vestido que los sacerdotes se ponen encima del ordinario para celebrar la misa.
rasgarse las vestiduras Escandalizarse con ostentación o hipocresía por algo nimio.
OBS Normalmente en plural.

vestigio *s. m.* Señal o resto que queda de una cosa pasada o antigua: *los vestigios de una guerra.*
OBS Más en plural.

vestimenta *s. f.* ① Conjunto de prendas de vestir que se pone sobre el cuerpo para cubrirlo o abrigarlo. SIN ropa, vestido, vestidura. ② Prenda de vestir ridícula.

vestir [10] *v. tr.* ① Cubrir el cuerpo de una persona con ropa: *me visto en un momento y nos vamos.* ANT desnudar, desvestir. I *v. tr./intr.* ② Llevar puesto un vestido o traje. I *v. tr.* ③ Proporcionar vestido: *con su sueldo alimenta y viste a toda la familia.* ④ Hacer vestidos: *la viste una famosa modista.* ⑤ Disimular con alguna acción compensatoria una carencia o defecto: *vestía su egoísmo repartiendo limosnas.* ⑥ Cubrir o resguardar una cosa con otra para adornarla o protegerla: *vestir las paredes con tapices.* **7** Adoptar cierto gesto o actitud para mostrar o aparentar un estado de ánimo: *vistió su rostro de gravedad.* **8** Expresar un concepto con un lenguaje elegante. **‖** *v. intr.* **9** Resultar elegante o apropiado algo, especialmente un vestido, una tela, un material o un color: *el negro viste mucho.*

el mismo que viste y calza Expresión que confirma que se trata efectivamente de la persona de la que se ha hablado. **FAM** vestido, vestidor, vestidura, vestimenta, vestuario; desvestir.

vestuario *s. m.* **1** Lugar destinado a cambiarse de ropa: *los vestuarios de un centro de deportes.* **2** Conjunto de prendas de vestir que posee una persona: *cada primavera renueva su vestuario.* **3** Conjunto de prendas de vestir que se usa en un espectáculo.

veta *s. f.* **1** Franja que forma un dibujo en un material por ser de diferente color o de un material distinto. **SIN** vena. **2** Estrato alargado de un mineral diferente a la formación rocosa que le rodea: *descubrieron vetas de oro y diamantes.* **SIN** filón. **3** ECUAD. Correa para enlazar y sujetar reses. **FAM** vetear.

vetar *v. tr.* **1** Poner el veto a un acuerdo: *el proyecto de ley fue vetado por los miembros del Senado.* **2** Impedir que una cosa se haga: *le han vetado la entrada.* **SIN** prohibir. **ANT** permitir. **FAM** veto.

veteado, -da *adj.* Que tiene vetas.

veteranía *s. f.* Experiencia en una profesión o en una labor por haberla desempeñado mucho tiempo.

veterano, -na *adj./s. m. y f.* **1** Se aplica a la persona que tiene mucha experiencia en una profesión y la conoce en todos sus aspectos por haberla desempeñado mucho tiempo: *los veteranos han de orientar a los nuevos.* **2** Se aplica al militar que lleva un tiempo sirviendo en filas y conoce en profundidad la vida en el cuartel. **ANT** recluta. **3** Se aplica a la persona que tiene una edad más avanzada que otros que practican un mismo deporte o actividad: *un partido de fútbol entre veteranos y jóvenes.* **4** Persona que ha combatido en una guerra. **‖** *adj.* **5** Se aplica a la cosa que lleva más tiempo activa o funcionando que otras de la misma clase: *un programa veterano de la televisión.* **FAM** veteranía.

veterinaria *s. f.* Ciencia que estudia la prevención y curación de las enfermedades de los animales. **FAM** veterinario.

veterinario, -ria *s. m. y f.* Persona que se dedica a curar y prevenir las enfermedades de los animales.

veto *s. m.* Derecho de una persona o de un organismo para impedir o prohibir algo, especialmente la aplicación de un acuerdo: *el Senado tiene derecho a veto.*

vetusto, -ta *adj.* culto Muy viejo o antiguo. **FAM** vetustez.

vez *s. f.* **1** Momento en que se realiza o se repite una acción: *cada vez que lo veo me saluda.* **2** Ocasión en que se realiza o se repite una acción: *tienes que regar las plantas tres veces a la semana.* **3** Puesto que corresponde a una persona en una cola: *pedir la vez; dar la vez.* **SIN** tanda. **4** Momento u ocasión en que a una persona le corresponde por orden hacer una cosa: *espera a que llegue tu vez para hablar.* **SIN** turno.

a la vez Al mismo tiempo.

a veces En algunas ocasiones.

de una vez De manera definitiva: *dímelo de una vez, no te andes con rodeos.*

de vez en cuando En ciertas ocasiones.

en vez de En lugar de.

hacer las veces de Ejercer la función de: *hacía las veces de director durante las vacaciones.*

rara vez Casi en ninguna ocasión.

tal vez Posiblemente, quizá.

una vez o **una vez que** Después de que: *descansaremos una vez que hayamos terminado el trabajo.*

una vez + participio Después de que se haya realizado la acción expresada por el participio: *el regalo, una vez abierto, ya no se podrá devolver.*

v. gr. Abreviatura de la expresión latina *verbi gratia,* 'por ejemplo'.

VHF Sigla de la expresión inglesa *Very High Frequency,* 'alta frecuencia'; se usa para referirse a las ondas de alta frecuencia utilizadas en telecomunicaciones.

vía *s. f.* **1** Camino que conduce de un lugar a otro. **■ vía pública** Calle de una población o carretera por la que circulan las personas y los vehículos. **2** Sistema de transporte o comunicación: *enviaremos el paquete por vía aérea.* **■ vía de comunicación** Vía que sirve para el transporte o el comercio por tierra, mar o aire. **3** Barra de hierro que sirve para construir el camino por el que circulan los trenes. **SIN** carril, raíl. **4** Camino formado por dos barras de hierro, paralelas y unidas entre sí, por el que circulan los trenes. **■ vía muerta** Vía férrea que no lleva a ningún lugar sino que sirve para apartar de la circulación máquinas y vagones. **5** Conducto del cuerpo humano o animal: *vías respiratorias.* **6** Procedimiento o medio que sirve para hacer o conseguir una cosa: *llegaron a un acuerdo por la vía de la negociación.* **‖** *prep.* **7** Indica el medio o sistema para transmitir algo: *imágenes vía satélite.* **8** Indica un sitio o punto principal que se atraviesa en un trayecto o recorrido: *volé a Nueva York vía Londres.*

de vía estrecha Se aplica a la persona que tiene poco valor o importancia.

en vías de En camino de o a punto de: *el conflicto armado está en vías de solucionarse.*

vía crucis Viacrucis.

vía de agua Grieta por la que entra el agua en una embarcación.

FAM vial, viario; aerovía.

viabilidad *s. f.* **1** Posibilidad de llevarse a cabo un plan o proyecto: *han rechazado el proyecto por falta de viabilidad.* **2** Capacidad de vivir, especialmente la que tienen los niños recién nacidos: *la viabilidad de los fetos con problemas cardiovasculares son mayores cada día.*

viable *adj.* **1** Se aplica a la idea o plan que puede realizarse. **SIN** factible. **ANT** inviable. **2** Se aplica al camino que se puede usar. **SIN** practicable. **ANT** inviable. **3** Se aplica al feto que está suficientemente desarrollado para vivir fuera del útero. **FAM** viabilidad; inviable.

viacrucis *s. m.* **1** Conjunto de catorce cuadros y catorce cruces que representan los pasos que dio Jesucristo en su camino al Calvario. **2** Conjunto de oraciones que se rezan en conmemoración de estos catorce pasos. **3** Sufrimiento o aflicción continua y prolongada que sufre una persona. **OBS** Plural invariable. También *vía crucis.*

viaducto s. m. Puente largo que salva un desnivel del terreno y sobre el cual discurre una vía férrea o una carretera.

viagra s. amb. Medicamento que estimula la erección del pene y favorece la actividad sexual.

viajante s. com. Persona que se dedica a viajar para vender los productos de la empresa a la que representa.

viajar v. intr. ① Trasladarse a un lugar que está alejado: *prefiere viajar en coche.* ② Recorrer un trayecto un medio de transporte: *los barcos viajan por el mar.* ③ Ser transportada una mercancía: *el pedido viajará en avión.* FAM viajante.

viaje s. m. ① Traslado a un lugar que está lejos: *un viaje en barco por las islas Baleares.* ② Acción de recorrer el espacio que hay entre dos puntos: *este tren hace el mismo viaje seis veces al día.* SIN itinerario, trayecto. ③ Recorrido que se hace de un lugar llevando algo o para algún fin: *ha hecho tres viajes para transportar todos los sacos de arena.* ④ Carga que se transporta de una vez: *un viaje de ladrillos.* ⑤ familiar Golpe dado con la mano o con un instrumento. FAM viajar, viajero.

viajero, -ra adj./s. m. y f. Que viaja.

vial¹ adj. ① Relativo a la vía (camino): *seguridad vial.* ❘ s. m. ② Calle flanqueada por árboles u otras plantas. FAM vialidad.

vial² s. m. Ampolla que contiene un medicamento inyectable o bebible.

vianda s. f. culto Comida para las personas, especialmente la que se sirve en la mesa. OBS Más en plural.

viandante s. com. Persona que va a pie por la calle. SIN peatón.

viático s. m. ① Sacramento de la comunión que se administra a las personas que están a punto de fallecer. ② Conjunto de provisiones o dinero que se le da a una persona, especialmente a un funcionario, para realizar un viaje.

víbora s. f. ① Serpiente venenosa de longitud mediana, cabeza triangular con dos dientes huecos en la mandíbula superior, y cuerpo robusto de piel gris con manchas negras. ② Persona malévola que gusta de hablar mal de los demás.

vibración s. f. ① Movimiento repetido muy corto y rápido alrededor de una posición de equilibrio: *la vibración de un motor.* ② Sonido o estremecimiento producto de este movimiento. ③ Sonido tembloroso y entrecortado de la voz o de algo inmaterial: *noté que estaba emocionado por la vibración de su voz.*

buenas (o **malas**) **vibraciones** familiar Sentimiento o sensación de simpatía (o antipatía) que produce una persona o una cosa.

vibrador, -ra adj. ① Que vibra. ❘ s. m. ② Dispositivo que vibra o que hace vibrar. ③ Aparato eléctrico manual con movimiento vibratorio y de formas variadas que se utiliza para hacer masajes o en la actividad sexual.

vibráfono s. m. Instrumento musical de percusión similar al xilófono, formado por una serie de placas de metal y con un tubo resonador colocado en vertical debajo de cada placa.

vibrante adj. ① Que vibra o hace vibrar. ② Se aplica al discurso, espectáculo o acto que provoca una excitación o alteración del ánimo: *los dos políticos se enzarzaron en un vibrante debate.* ③ Se aplica al sonido o fonema consonántico en cuya articulación se produce un cierre del canal vocal y una vibra-

ción rápida de la lengua: *en español hay un sonido vibrante simple (r) y otro vibrante múltiple (rr).* ❘ adj./s. f. ④ Se aplica a la consonante que se articula en este punto.

vibrar v. intr. ① Moverse una cosa repetidamente, con gran rapidez y en una amplitud muy corta, a uno y otro lado de su posición de equilibrio: *la guitarra suena al hacer vibrar sus cuerdas.* ② Resonar una cosa por efecto de la vibración: *las paredes vibraron por la explosión.* ③ Emocionarse ante la belleza de algo o por sentirse identificado con algo que se escucha: *el público vibraba al oír la música.* ④ Temblar por efecto de la emoción, especialmente la voz o algo inmaterial: *su voz vibraba al recordar el pasado.* FAM vibración, vibrador, vibrante, vibrátil, vibratorio.

vibrátil adj. Que puede vibrar o es capaz de vibrar.

vibrato s. m. Vibración del sonido producido por la voz o por un instrumento musical, que se realiza para darle mayor expresividad o intensidad: *el vibrato es típico de la música lírica.*

vibratorio, -ria adj. Que oscila de manera intermitente o puede hacerlo: *un movimiento vibratorio.*

vibrio s. m. Vibrión.

vibrión s. m. Bacteria con forma de coma, dotada de movimiento ondulatorio. SIN vibrio.

vicaría s. f. ① Oficio o dignidad del vicario. ② Oficina del vicario. ③ Territorio de la jurisdicción del vicario.

pasar por la vicaría familiar Casarse.

vicario, -ria adj./s. m. y f. ① Se aplica a la persona que sustituye a otra en sus funciones o la ayuda, teniendo el mismo poder y las mismas facultades. ❘ s. m. ② Sacerdote que está bajo la autoridad del párroco en una iglesia. ③ Sacerdote que sustituye a otro o le ayuda en el ejercicio de sus funciones. FAM vicaría.

vicealmirante s. m. Militar del cuerpo de generales de la Armada que tiene categoría inmediatamente superior a la de contraalmirante e inmediatamente inferior a la de almirante.

vicepresidente, -ta s. m. y f. Persona que ocupa el cargo inferior al del presidente y lo sustituye en determinados trabajos. FAM vicepresidencia.

vicerrector, -ra s. m. y f. Persona que ocupa el cargo inferior al del rector y lo sustituye en determinados trabajos.

vicetiple s. f. ① Cantante femenina que interviene en los números de conjunto de las operetas, zarzuelas, revistas y otras representaciones musicales. ② Cantante femenina de voz algo más grave que la de tiple o soprano.

viceversa adv. Al contrario, al revés o cambiando dos cosas recíprocamente: *ella descansa cuando él trabaja, y viceversa.*

viciar v. tr. ① Hacer que alguien adquiera un vicio o una costumbre considerada mala: *no lo lleves tanto a los bares, que lo vas a viciar.* ② Hacer que algo se estropee o se deforme: *viciarse el aire de una habitación.* ③ Anular la validez de un acto o de un documento: *la gran repercusión del caso ha viciado la sentencia.* FAM enviciar. OBS Verbo regular, se acentúa como *cambiar.*

vicio s. m. ① Costumbre o uso que se considera malo, sobre todo desde el punto de vista moral: *la pereza es un vicio.* ② Gusto excesivo por una cosa, generalmente mala: *es una persona sin vicios: ni bebe ni fuma.* ③ Cosa que gusta de modo excesivo: *las pipas son mi vicio.* ④ Cosa incorrecta: *el contrato tiene vicios de forma y no podemos aceptarlo.* SIN error. ⑤ Torce-

V

dura, desviación o postura defectuosa que toma una cosa: *la ventana ha cogido vicio y no encaja bien.*

de vicio (I) familiar Muy bueno o muy bien. (II) Sin ningún motivo o por sistema: *esta chica se queja de vicio.*
FAM viciar, vicioso.

vicioso, -sa *adj./s. m. y f.* ① Que se entrega a placeres considerados malos desde el punto de vista moral. ② Que le gusta algo de modo excesivo: *una persona viciosa de los caramelos.* ③ Que puede llegar a gustar de modo excesivo: *el chocolate es vicioso.*

vicisitud *s. f.* ① culto Acontecimiento contrario al desarrollo o marcha de una cosa. ② culto Sucesión de hechos positivos y negativos que ocurren en un tiempo determinado: *las vicisitudes de un viaje.*
OBS Más en plural.

víctima *s. f.* ① Persona o animal que ha sufrido un daño: *he sido víctima de una agresión.* ② Persona o animal que muere por culpa de alguien o de alguna cosa: *las víctimas de la guerra.* ③ Persona o animal destinado al sacrificio.

victoria *s. f.* ① Superioridad o ventaja que se consigue sobre el contrario en una lucha o competición: *el equipo español se hizo con la victoria.* SIN triunfo. ‖ *int.* ② ¡victoria! Expresión que indica alegría por haber ganado al contrario en una lucha o una competición.

cantar victoria Alegrarse por haber ganado o vencido en una lucha o competición: *no cantes victoria tan deprisa, aún hay que ver los resultados.*
FAM victorioso.

victorioso, -sa *adj.* ① Que ha conseguido una victoria. ② Que tiene como resultado una victoria: *batalla victoriosa.*

vicuña *s. f.* ① Mamífero rumiante parecido a la llama pero más pequeño y esbelto y con el pelo más fino: *la vicuña y la llama son animales andinos.* ② Lana de este animal.

vid *s. f.* Arbusto de tronco leñoso y retorcido, ramas trepadoras con hojas palmeadas y fruto comestible (uva): *de la vid se saca el vino.*

vid. Abreviatura de la palabra latina *vide* ('véase'), que sirve en un escrito para remitir a otro escrito, o a otra parte del mismo escrito.

vida *s. f.* ① Propiedad de los seres orgánicos por la cual crecen, se reproducen y responden a estímulos: *los minerales no tienen vida.* ② Existencia de los seres que tienen esta propiedad: *¿hay vida en otros planetas?* ③ Periodo de tiempo que va desde el momento de nacer hasta el momento de morir. ④ Duración de una cosa: *me han asegurado que este televisor tendrá una larga vida.* ⑤ Conjunto de lo necesario para vivir, especialmente el alimento: *el transporte de mercancías es su modo de ganarse la vida.* ⑥ Modo de vivir: *lleva una vida muy monótona.* ⑦ Trabajo en una actividad determinada: *su vida profesional apenas se deja tiempo libre.* ⑧ Narración de lo que ha vivido una persona. ⑨ Cosa que hace interesante la existencia: *su trabajo y su familia son toda su vida.* ⑩ Cosa que contribuye a que otra exista o se desarrolle: *la ganadería es la vida de esta comarca.*

a vida o muerte Con riesgo grave de morir.
buscarse la vida familiar Intentar conseguir lo necesario para vivir o para un fin determinado.
de por vida Para siempre.
de toda la vida Desde siempre.
hacer la vida imposible Molestar de forma continuada.
pasar a mejor vida Morir.

tener siete vidas (como los gatos) Sobrevivir a situaciones difíciles o a peligros graves.
vida eterna Existencia feliz y afortunada después de la muerte, de que goza una persona que ha cumplido con los preceptos de la religión, según el cristianismo.
vida y milagros Conjunto detallado y prolijo de las experiencias de una persona.
FAM vidorra; perdonavidas, salvavidas.

vidente *s. com.* ① Persona que es capaz de descubrir cosas ocultas o de predecir el futuro. SIN adivino. ‖ *adj./s. com.* ② Se aplica a la persona que puede ver. ANT invidente, ciego.
FAM videncia; invidente, televidente.

vídeo o **video** *s. m.* ① Sistema de grabación de imágenes y sonidos en una cinta que después pueden reproducirse en un televisor. ② Aparato que sirve para grabar imágenes y sonidos en una cinta magnética que después pueden ser reproducidos en una pantalla de televisión: *he programado el vídeo para grabar la película de esta noche.* SIN magnetoscopio. ③ Grabación realizada mediante este sistema: *¿quieres ver el vídeo de nuestro viaje?* ④ familiar Videocasete: *tiene las estanterías llenas de discos y vídeos.*
FAM videocámara, videocasete, videocinta, videoclip, videoclub, videoteca.

videocámara *s. f.* Cámara que permite filmar imágenes en una cinta para reproducirlas posteriormente en un aparato de vídeo.

videocasete *s. f.* Cinta magnética en la que se pueden grabar imágenes y sonidos para reproducirlos posteriormente mediante un aparato de video. SIN videocinta.
OBS Puede encontrarse la grafía francesa *videocassette.*

videocassette [se pronuncia aproximadamente 'videocaset'] *s. m.* Videocasete.

videocinta *s. f.* Videocasete.

videoclip *s. m.* Pequeño cortometraje que se realiza poniendo como banda sonora una canción que se quiere promocionar y acompañándola de imágenes, para su difusión por canales televisivos.
OBS Plural: *videoclips.*

videoclub *s. m.* Establecimiento en el que se pueden alquilar y comprar películas de vídeo ya grabadas.

videoconferencia *s. m.* Comunicación entre dos interlocutores que se encuentran en lugares distintos a través de una red de comunicaciones, un ordenador y una cámara de vídeo, de forma que, además de hablar, pueden verse.

videojuego *s. m.* Juego que se visualiza por medio de una pantalla de televisión y cuyos mandos se accionan electrónicamente.

videoteca *s. f.* ① Colección de videocasetes. ② Lugar en el que se guardan los videocasetes de esta colección.

videoteléfono *s. m.* Aparato telefónico provisto de un sistema de televisión para poder ver al interlocutor al mismo tiempo que se habla con él.

vidorra *s. f.* familiar Vida cómoda y sin preocupaciones.

vidriera *s. f.* ① Estructura de cristales, generalmente de colores, que con fines decorativos va colocada en una ventana o una puerta cerrándola o formando parte de ella: *las vidrieras de una catedral.* SIN vitral. ② AMÉR. Escaparate. ③ AMÉR. Vitrina.

vidrio *s. m.* ① Material duro, frágil, generalmente incoloro y transparente, que se obtiene al fundir a elevada temperatura

V

diversas sustancias (principalmente arena silícea) y enfriarlas con rapidez. SIN cristal. ② Objeto hecho con este material. ③ Placa hecha con este material que se coloca en ventanas o puertas. SIN cristal.

pagar los vidrios rotos Sufrir las consecuencias de una falta o un error sin tener culpa.

FAM vidriar, vidriera, vidriero, vidrioso.

vidrioso, -sa adj. ① Se aplica al ojo que parece cubierto de una capa transparente y líquida: *los ojos vidriosos de un borracho.* ② Se aplica al objeto o superficie que se parece al vidrio por su brillo o por su fragilidad: *un suelo vidrioso.*

vieira s. f. ① Molusco marino comestible, grande, de concha formada por dos valvas semicirculares, una plana y la otra muy convexa, que se caracterizan por ser blancas en la parte interior y rojizas en la parte exterior, y por tener catorce estrías muy pronunciadas. ② Concha de este molusco. SIN venera.

viejales s. com. familiar Persona de edad avanzada, especialmente la de carácter alegre o muy activa.

OBS Plural invariable.

viejo, -ja adj./s. m. y f. ① Se aplica a la persona que tiene mucha edad. SIN anciano. ANT joven. ‖ adj. ② Que tiene mucha edad: *un gato viejo; un árbol viejo.* ANT joven. ③ Se aplica a la persona que parece tener más edad de la que tiene en realidad: *he encontrado a Sebastián muy viejo y estropeado.* ④ Que existe desde hace mucho tiempo: *una casa vieja; el viejo problema de las relaciones entre padres e hijos.* SIN antiguo. ⑤ Se aplica a la cosa que está gastada de tanto usarla. ANT nuevo. ⑥ Se aplica a la cosa que ha pasado su tiempo de empleo idóneo: *periódicos viejos; fruta vieja.* ‖ s. m. y f. ⑦ familiar Padre o madre.

de viejo Se aplica al comercio que vende o trabaja mercancías de segunda mano: *librería de viejo.*

FAM vejete, vejez, viejales.

vienés, -nesa adj. ① De Viena (capital de Austria). ‖ s. com./adj. ② Persona que es de Viena.

viento s. m. ① Corriente de aire que se produce en la atmósfera: *el viento se origina por las diferencias de temperatura de la atmósfera.* ② Impulso o influencia que reina en un ambiente: *vientos de libertad.* NOTA Más en plural. ③ Cuerda o alambre que se ata para mantener derecha una cosa: *los vientos de una tienda de campaña.* ④ Conjunto de instrumentos de una orquesta que producen música al soplar por ellos.

a los cuatro vientos De modo que todo el mundo se entere.

beber los vientos Desvivirse por una cosa o estar perdidamente enamorado de alguien.

contra viento y marea A pesar de los problemas y los obstáculos.

correr malos vientos Ser las circunstancias poco favorables.

irse a tomar viento familiar Desvanecerse un proyecto o fracasar un asunto.

irse (o marcharse) con viento fresco familiar Expresión que se usa para rechazar a alguien con enfado o disgusto o para despreciarle: *vete con viento fresco, que ya estoy harto de ti.*

viento en popa Sin problemas y prósperamente.

FAM ventarrón, ventear, ventilar, ventisca, ventolera, ventoso; aventar.

vientre s. m. ① Cavidad del cuerpo del ser humano y los animales vertebrados en la que se contienen los órganos princi-

pales del aparato digestivo, genital y urinario: *sentía molestias en el vientre.* SIN abdomen, barriga. ② Parte exterior de esta cavidad, comprendida entre el pecho y las extremidades inferiores: *metió el vientre para abrocharse el cinturón.* SIN abdomen, barriga. ③ Parte inferior y opuesta al dorso de los animales en general: *un pez de vientre plateado.* ④ Parte abombada de un recipiente: *el vientre de una vasija.* SIN barriga.

bajo vientre Órganos sexuales de las personas. SIN genitales.

evacuar (o descargar) el vientre Defecar, expulsar excrementos por el ano.

hacer de (o del) vientre familiar Defecar, expulsar excrementos por el ano.

FAM ventral, ventrudo.

viernes s. m. Quinto día de la semana.

Viernes Santo Celebración solemne de la Semana Santa que se hace el viernes previo al Domingo de Resurrección, en la que se recuerda la pasión y muerte de Jesucristo.

OBS Plural invariable.

vietnamita adj. ① De Vietnam (país de Asia). ‖ s. com./adj. ② Persona que es de Vietnam.

viga s. f. Barra gruesa de madera, de metal o de cemento armado que se usa para aguantar el techo de las casas o como elemento de soporte horizontal en las construcciones en general. ■ **viga maestra** Viga que soporta el peso de otras vigas.

vigencia s. f. Periodo de tiempo durante el cual una ley está en vigor o una costumbre está en uso: *esta ley ya no tiene vigencia.*

vigente adj. Se aplica a la ley o costumbre que tiene validez o está en uso.

FAM vigencia.

vigesimal adj. Se aplica al sistema de contar de veinte en veinte.

vigésimo, -ma num. ord. ① Que ocupa el lugar número 20 en una serie ordenada: *vigésimo aniversario.* ‖ num. part. ② Se aplica a cada una de las partes que resultan de dividir un todo en veinte partes iguales: *como somos veinte para comer, me toca una vigésima parte del pastel.* SIN veinteavo.

vigía s. com. ① Persona que vigila desde un lugar apropiado, generalmente alto: *el vigía anunció la llegada de tres jinetes al castillo.* ‖ s. f. ② Torre construida en un lugar alto para vigilar la lejanía. SIN atalaya. ③ Vigilancia desde un lugar apropiado.

vigilancia s. f. ① Atención que se presta a una persona o cosa para observarla y controlarla y así evitar algún daño o peligro: *los policías extremaron la vigilancia del palacio.* ② Conjunto de personas o medios preparados para vigilar: *cada vez hay más empresas de vigilancia.*

vigilante adj. ① Que no deja de vigilar: *actitud vigilante.* ② Que vela o está despierto. ‖ s. com. ③ Persona que se dedica a vigilar en algún lugar. SIN guarda.

FAM vigilancia.

vigilar v. tr. Prestar atención a una persona o cosa para observarla y controlarla y así evitar algún daño o peligro: *vigila el guisado para que no se queme.*

FAM vigilante, vigilia.

vigilia s. f. ① Permanencia de una persona en vela o despierta. ② Falta de sueño o dificultad para dormir. SIN insomnio. ③ Día inmediatamente anterior a otro que es festivo

V

para la Iglesia. **SIN** víspera. ④ Trabajo o actividad que se realiza por la noche. ⑤ Día de abstinencia de comer carne por ser el anterior a una festividad, según los preceptos de la Iglesia.

vigor *s. m.* ① Fuerza y energía de un ser vivo para desarrollarse y resistir esfuerzos y enfermedades: *ha perdido el vigor de la juventud.* ② Fuerza en la expresión de un discurso o en las actividades artísticas o literarias: *un colorido lleno de vigor; le respondió con vigor.* ③ Hecho de tener validez o uso una ley o costumbre: *esta ley entrará en vigor la próxima semana.*
FAM vigorizar, vigoroso.

vigorizar *v. tr.* Dar fuerza y energía. **SIN** fortalecer.
FAM vigorizante; revigorizar.

vigoroso, -sa *adj.* Que tiene fuerza y energía: *un caballo vigoroso.*

vigués, -guesa *adj.* ① De Vigo (localidad de Pontevedra). ❙ *s. m. y f./adj.* ② Persona que es de Vigo.

vigueta *s. f.* Viga corta de acero laminado o de cemento.

vihuela *s. f.* Antiguo instrumento musical de cuerda parecido a la guitarra, con cuerdas dobles, que se toca pulsando las cuerdas con una púa o con los dedos, o frotándolas con un arco: *la vihuela tuvo gran éxito entre los siglos XIII y XVI.*

vikingo, -ga *adj.* ① Relativo a un pueblo escandinavo de guerreros y navegantes que se extendió por las costas atlánticas y por Europa occidental entre los siglos VII y XI. ❙ *s. m. y f./adj.* ② Persona perteneciente a este pueblo.

vil *adj.* ① culto Se aplica a la persona o acción que es despreciable o indigna: *comportamiento vil.* **SIN** villano. ② culto Se aplica a la cosa que es despreciable porque no posee ningún valor, sobre todo espiritual.
FAM vileza; envilecer.

vileza *s. m.* ① Acción vil: *ha sido una vileza por tu parte engañarnos a todos.* **SIN** villanía. ② culto Cualidad de vil. **ANT** nobleza.

vilipendiar *v. tr.* Ofender a alguien gravemente por la palabra o el trato.
FAM vilipendio.
OBS Verbo regular, se acentúa como *cambiar.*

villa *s. f.* ① Casa con jardín separada de las demás, especialmente la que está en el campo y se habita en periodo de vacaciones. ② Población que tiene ciertos privilegios o cierta importancia histórica. ③ Corporación municipal: *la villa de Madrid.* ④ Explotación agraria de la antigua Roma, con una casa de campo utilizada como centro para gestionar las tierras circundantes.
FAM villano, villorrio.

villancico *s. m.* ① Canción popular que se canta en Navidad y cuyo tema central es el nacimiento de Jesús. ② Composición poética de arte menor, formada por una cancioncilla inicial o estribillo en el que se anuncia el tema y una o más estrofas.

villanía *s. f.* ① Condición social baja de una persona: *antiguamente la villanía era la clase social de los habitantes de una villa o aldea.* ② culto Condición de villano (indigno). ③ Vileza (acción vil).

villano, -na *adj./s. m. y f.* ① culto Vil. ❙ *adj.* ② Se aplica a la persona o acción que demuestra falta de educación o de cultura. **SIN** tosco. ❙ *adj./s. m. y f.* ③ Se aplica a la persona que, en la Edad Media, habitaba en una villa y pertenecía al estado llano (campesinos, comerciantes y artesanos, funda-

mentalmente): *los villanos se distinguían de los nobles e hidalgos.*
FAM villanía.

villorrio *s. m.* despectivo Población pequeña y con pocas comodidades.

vilo Se usa en la expresión:
en vilo (I) Sin apoyo o sin seguridad: *el árbol cayó y quedó colgando en vilo sobre la línea de alta tensión.* (II) Con preocupación e inquietud: *estuvimos en vilo hasta saber que estaban bien.*

vinagre *s. m.* ① Líquido de sabor agrio y olor fuerte, rojizo o amarillo, derivado del vino o de otros líquidos alcohólicos, que se usa para aderezar algunos alimentos: *el vinagre se obtiene fermentando el vino.* ② familiar Persona de mal genio.
FAM vinagrera, vinagreta; avinagrar.

vinagrera *s. f.* ① Recipiente que sirve para contener el vinagre que se usa a diario. ❙ *s. f. pl.* ② **vinagreras** Conjunto de dos recipientes que contienen aceite y vinagre, empleado en el servicio de la mesa. **SIN** aceiteras.

vinagreta *s. f.* Salsa fría hecha con aceite, vinagre, cebolla picada y otros ingredientes variables.

vinajera *s. f.* ① Jarro pequeño que se utiliza durante la celebración de la misa para servir el vino o el agua. ❙ *s. f. pl.* ② **vinajeras** Conjunto formado por dos de estos jarros pequeños, uno con vino y otro con agua, junto con la bandeja en la que se colocan.

vinatero, -ra *adj.* ① Relativo al vino: *industria vinatera.* ❙ *s. m. y f.* ② Persona que comercia con vino o lo transporta de un lugar a otro para su venta.

vinchuca *s. f.* AMÉR. Insecto, parecido a la chinche, que chupa la sangre de los mamíferos y transmite diversas enfermedades.

vinculación *s. f.* ① Acción de vincular. ② Efecto de vincular.

vincular *v. tr.* ① Unir cosas inmateriales de manera firme o duradera: *el hombre y la mujer vincularon sus vidas.* ② Relacionar un efecto con su causa. ③ Hacer que una cosa dependa de otra. ④ Obligar a hacer o cumplir una cosa: *el documento vincula a los dos firmantes.*
FAM vinculación; desvincular.

vínculo *s. m.* Unión o relación no material, sobre todo cuando se establece entre dos personas: *vínculos de amistad.* **SIN** lazo.
FAM vincular.

vindicar *v. tr.* ① culto Vengar. ② culto Defender a una persona a quien se acusa injustamente, especialmente por escrito. ③ culto Reivindicar.
FAM vindicación, vindicativo; reivindicar.

vinícola *adj.* Relativo a la vinicultura: *empresa vinícola.*

vinicultor, -ra *s. m. y f.* Persona que se dedica a la vinicultura.

vinicultura *s. f.* Elaboración y crianza del vino.
FAM vinícola, vinicultor.

vinilo *s. m.* ① Radical químico monovalente que se deriva del etileno. ② Resina plastificada derivada de este radical químico: *un disco de vinilo.*

vino *s. m.* Bebida alcohólica obtenida de la fermentación del zumo de la uva. ■ **vino blanco** Vino de color dorado o amarillento. ■ **vino clarete** Vino que es algo más claro que el tinto. **NOTA** También simplemente *clarete.* ■ **vino de aguja**

Vino blanco o rosado con pequeñas burbujas de gas carbónico. ■ **vino de mesa** Vino corriente y de buen precio que se toma para acompañar las comidas diarias. ■ **vino rosado** Vino de color rosado. NOTA También simplemente *rosado*. ■ **vino tinto** Vino de color muy oscuro, con tonalidades rojas. NOTA También simplemente *tinto*.

bautizar el vino Aguar el vino para hacer mejor negocio con él.

tener buen (o mal) vino Comportarse de manera tranquila o violenta al emborracharse.

FAM vinagre, vinajera, vinatero, vinicultura, vinoso; catavino.

viña *s. f.* Terreno en el que se cultiva la vid. SIN viñedo.
FAM viñador, viñedo.

viñador, -ra *s. m. y f.* Persona que se dedica a cultivar viñas o que guarda una viña.

viñedo *s. m.* Viña.

viñeta *s. f.* 1 Recuadro que contiene uno de los dibujos de la serie que forma una historieta o cómic. 2 Dibujo de una publicación que muestra una situación con humor y que va acompañado de un texto breve. 3 Dibujo que se pone como adorno al comienzo y al final de los capítulos de los libros.

viola *s. f.* 1 Instrumento musical de cuerda y arco parecido al violín pero de tamaño un poco mayor y sonido más grave. I *s. com.* 2 Persona que toca este instrumento en una orquesta o un conjunto musical.

viola de gamba Instrumento musical de cuerda y arco parecido al violonchelo, típico de la música barroca, que se toca apoyando el extremo inferior en el suelo y el mástil en el hombro.

violáceo, -cea *adj.* culto Que tiene un tono violeta.

violación *s. f.* Acción de violar: *violación de una ley; violación de una persona.*

violador, -ra *adj./s. m. y f.* Se aplica a la persona que viola.

violar *v. tr.* 1 Desobedecer una ley o norma. SIN contravenir, infringir, transgredir. 2 Tener una relación sexual con una persona por la fuerza y en contra de su voluntad. 3 Penetrar en un lugar sagrado o protegido por la ley o abrirlo con ánimo destructivo: *violar una tumba.* SIN profanar. 4 Quebrantar un pacto o un derecho personal: *has violado mi intimidad.*
FAM violación, violador; inviolable.

violencia *s. f.* 1 Uso de la fuerza para conseguir un fin, especialmente para dominar a alguien o imponer algo: *no debes tratar a nadie con violencia.* 2 Cualidad de violento: *la violencia de una explosión.* 3 Acción violenta: *debes manejar el volante sin violencias.*

violentar *v. tr.* 1 Poner en una situación incómoda o embarazosa: *la violentó hallarse con él a solas.* 2 Utilizar la violencia contra una persona o una cosa para conseguir un objetivo, especialmente para abrir algo: *violentar una cerradura.* I *v. prnl.* 3 **violentarse** Molestarse una persona por una situación que considera perjudicial: *se violentó mucho cuando divulgaron sus secretos.*

violento, -ta *adj.* 1 Se aplica a la persona que tiende a usar la fuerza o a actuar con violencia. ANT pacífico. 2 Se aplica al fenómeno o acción que tiene mucha fuerza o intensidad: *un choque violento.* 3 Se aplica al fenómeno o acción que tiene un efecto intenso sobre los sentidos: *impresión violenta.* 4 Se aplica a la acción que se hace bruscamente y con intensidad. 5 Se aplica a la situación que es embarazosa o incómoda.

6 Se aplica a la persona que se siente incómoda en un lugar determinado o en una situación.
FAM violencia, violentar.

violeta *s. f.* 1 Planta herbácea silvestre o cultivada que da unas flores pequeñas de color morado claro y de perfume dulzón más o menos intenso. 2 Flor de esta planta. I *s. m./ adj.* 3 Color como el de esta flor: *el violeta se obtiene mezclando el rojo con el azul.* SIN violado. I *adj.* 4 Que es de este color. SIN violado.
FAM ultravioleta.

violín *s. m.* 1 Instrumento musical de cuerda y arco formado por una caja de resonancia que se estrecha en el centro de ambos lados y con dos aberturas en forma similar a una *f*, y por un mástil corto con cuatro cuerdas; se toca colocando el instrumento entre el mentón y el hombro y frotando las cuerdas con un arco al mismo tiempo que se pulsan con la otra mano. I *s. com.* 2 Persona que toca este instrumento en una orquesta o conjunto musical.
FAM violinista.

violinista *s. com.* Persona que toca el violín.

violón *s. m.* Instrumento musical de cuerda, de forma semejante a la del violín pero de tamaño mucho mayor y por tanto de tono mucho más grave; se toca de pie, apoyando su extremo inferior en el suelo y frotando sus cuatro cuerdas con un arco. SIN contrabajo.

violoncelista o **violonchelista** *s. com.* Persona que toca el violoncelo.

violoncelo o **violonchelo** *s. m.* Instrumento musical de cuerda más grande que el violín y más pequeño que el contrabajo; se toca estando el músico sentado, apoyando el extremo inferior en el suelo y el mástil en el hombro y frotando sus cuatro cuerdas. SIN chelo.
FAM violonchelista, violoncelista.

vip *s. com.* Persona importante por su poder o influencia social.
OBS Plural: *vips.*

viperino, -na *adj.* Que intenta ofender o desacreditar con palabras: *crítica viperina.*

viraje *s. m.* Acción de virar: *hizo un viraje brusco.*

viral *adj.* Vírico: *infección viral.*

virar *v. intr.* 1 Cambiar de dirección un vehículo en su marcha: *la fragata viró a babor.* 2 Cambiar de ideas o de manera de actuar. I *v. tr.* 3 Someter un papel fotográfico a la acción de un líquido para que tome los colores.
FAM virador, viraje, virazón.

virgen *adj./s. com.* 1 Se aplica a la persona que nunca ha realizado el acto sexual con introducción del pene en la vagina. SIN virgo. I *adj.* 2 Se aplica a la cosa que se encuentra en su estado original porque no se ha utilizado: *una cinta de vídeo virgen.* 3 Se aplica al territorio que no ha sido cultivado o explorado por el ser humano. 4 Se aplica al producto que no ha sufrido procesos o transformaciones artificiales: *aceite virgen.* I *s. f.* 5 María, la madre de Jesucristo: *los católicos sienten una gran veneración por la Virgen.* NOTA Se escribe con mayúscula inicial. 6 Imagen de María, la madre de Jesucristo.

viva la Virgen fam. desp. Persona que no se preocupa por nada y obra sin pensar. NOTA También *vivalavirgen.*
FAM virginal, virginidad.

virginal *adj.* 1 Relativo a la Virgen María o a la virginidad. 2 culto Puro: *blancura virginal.* I *s. m.* 3 Instrumento musical de cuerda y teclado parecido al clavicémbalo, con la caja de resonancia rectangular.

virginidad *s. f.* Estado de la persona que no ha copulado o que no se ha unido sexualmente a otra persona.

virgo *adj./s. com.* ① Virgen. **|** *s. m.* ② Membrana que cierra parcialmente el orificio externo de la vagina. **SIN** himen. **|** *adj./ s. com.* ③ Se aplica a la persona que ha nacido entre el 23 de agosto y el 22 de septiembre, tiempo en que el Sol, visto desde la Tierra, recorre la constelación de Virgo, sexto signo del Zodiaco. **NOTA** Se escribe normalmente con mayúscula inicial. Plural invariable.

virguería *s. f.* ① familiar Cosa hecha con gran habilidad: *es un electricista que hace virguerías con los aparatos estropeados.* ② familiar Adorno o accesorio que se añade innecesariamente.
FAM virguero.

virguero, -ra *adj.* ① familiar Que está hecho con mucho detalle y extraordinaria perfección. ② familiar Se aplica a la persona que hace virguerías: *eres muy virguero tocando la batería.*

vírico, -ca *adj.* Relativo al virus. **SIN** viral.

viril[1] *adj.* ① Propio del hombre (individuo de sexo masculino). **ANT** femenino. ② Se aplica a la personalidad o acción que tiene alguna de las características que se atribuyen tradicionalmente al hombre: *su orgullo viril le impedía fregar los platos.* **SIN** varonil. **ANT** femenino.
FAM virilidad.

viril[2] *s. m.* ① Vidrio antepuesto a algunas cosas para preservarlas, pero permitiendo su visión. ② Caja de cristal con un pequeño cerco dorado, que encierra la hostia consagrada en la misa y se coloca en la custodia para su exposición.

virilidad *s. f.* Cualidad de viril.

virreina V. virrey, virreina.

virreinato *s. m.* ① Cargo de virrey o virreina: *Cristóbal Colón pidió a los Reyes Católicos el virreinato de los territorios que conquistase.* ② Periodo de tiempo en el cual el virrey o la virreina desempeñaban su cargo. ③ Territorio gobernado por un virrey o una virreina.

virrey, -rreina *s. m. y f.* ① Persona que gobernaba un territorio en lugar de un rey o reina, con la misma autoridad y poderes. **|** *s. f.* ② Mujer del virrey.
FAM virreinato.

virtual *adj.* ① Se aplica a la condición que es muy posible que se alcance porque reúne las características precisas: *hasta este momento el corredor colombiano es el vencedor virtual.* **SIN** potencial. ② Se aplica a la cosa que existe solo aparentemente y no es real.
FAM virtualidad.

virtualidad *s. f.* Cualidad de virtual.

virtud *s. f.* ① Cualidad moral que se considera buena. ■ **virtud cardinal** Virtud que se considera principio de las demás cualidades morales. ■ **virtud teologal** Virtud que tiene a Dios como objeto principal. ② Cualidad moral general de las personas que practican el bien: *el camino de la virtud.* ③ Capacidad para producir un efecto determinado, especialmente de carácter positivo: *estas hierbas tienen virtudes curativas.*
en virtud de Como resultado de o según.
FAM virtuoso; desvirtuar.

virtuosismo *s. m.* Gran habilidad para hacer una cosa, especialmente para tocar un instrumento musical.
FAM virtuosístico.

virtuoso, -sa *adj./s. m. y f.* ① Se aplica a la persona que tiene gran habilidad para hacer una cosa, especialmente para tocar un instrumento musical. ② Se aplica a la persona o actitud que tiene buenas virtudes.
FAM virtuosidad, virtuosismo.

viruela *s. f.* ① Enfermedad muy grave y contagiosa caracterizada por provocar fiebre y por la aparición de ampollas de pus en la piel: *la viruela se declaró erradicada en 1979.* ② Ampolla de pus provocada por esta enfermedad.
viruelas locas o **viruela loca** Varicela.

virulé Se usa en la expresión:
a la virulé En mal estado, estropeado o torcido en la forma de llevarlo: *le han dejado un ojo a la virulé.*

virulencia *s. f.* Cualidad de virulento: *la virulencia de esta epidemia causó muchas bajas.*

virulento, -ta *adj.* ① Se aplica a la enfermedad que es maligna y se presenta con una gran intensidad. ② Se aplica a la enfermedad que es producida por un virus: *afecciones virulentas.* ③ Se aplica a la crítica o expresión que es violenta e hiriente: *una sátira virulenta.*
FAM virulencia.

virus *s. m.* ① Agente infeccioso acelular; necesita introducirse como parásito en una célula para reproducirse y está constituido por material genético (ADN o ARN) y una cubierta proteica. ② Programa informático que se reproduce y se propaga cuyo objetivo es dañar los archivos de un ordenador: *si compras programas piratas corres el riesgo de introducir un virus en tu ordenador.*
FAM viral, vírico, virulento; antivirus.
OBS Plural invariable.

viruta *s. f.* Tira delgada y enrollada que sale de la madera o de otro material al pulirlo o rebajarlo con algún instrumento cortante: *virutas de chocolate.*

vis à vis o **vis-à-vis** [se pronuncia 'vis a vis'] *adv.* ① Frente a frente, estando una persona en presencia de otra. **|** *s. m.* ② Entrevista privada de un preso con un familiar o amigo.

visa *s. f.* Visado: *tener la visa caducada.*

visado *s. m.* Señal o palabras que se ponen en un pasaporte o en otro documento para certificar que ha sido revisado y autorizado: *para entrar en ese país necesitas el visado de su embajada.* **SIN** visa.

visaje *s. m.* Gesto o movimiento hecho con los músculos de la cara que expresa un estado de ánimo determinado. **SIN** mueca.

visar *v. tr.* Dar validez una autoridad a un documento, poniéndole la certificación correspondiente después de haberlo examinado, para que pueda ser empleado.
FAM visado.

víscera *s. f.* Órgano contenido en el interior del tronco del ser humano y de los animales: *el estómago y el hígado son vísceras.* **SIN** entraña.
FAM visceral.
OBS Más en plural.

visceral *adj.* ① Se aplica al sentimiento que es muy profundo, intenso e irracional. ② Se aplica a la persona que tiende a dejarse llevar por este tipo de sentimientos y a manifestarlos de forma exagerada. ③ Relativo a las vísceras.

viscosa *s. f.* ① Producto que se obtiene mediante tratamiento de la celulosa. ② Fibra textil obtenida a partir de este producto que se utiliza principalmente en la confección de prendas de verano por su frescura.

viscosidad *s. f.* ① Cualidad de viscoso: *la viscosidad de una papilla.* ② En física, resistencia que ofrece un fluido al movimiento relativo de sus moléculas.

viscoso, -sa *adj.* ① Se aplica a la sustancia que es espesa y pegajosa. ② Se aplica a la superficie o cuerpo que es de tacto desagradable por ser blando, húmedo y pegajoso: *un gusano viscoso.*
FAM viscosidad.

visera *s. f.* ① Ala plana y dura con forma de media luna que tienen por delante ciertas gorras y que protege los ojos de la luz del sol. ② Prenda plana y dura con forma de media luna, que se sujeta a la frente generalmente por medio de una goma y que sirve para proteger los ojos de la luz del sol. ③ Pieza movible del casco que protege la cara. ④ Pieza plana, rectangular y movible colocada en el interior de un coche y a la altura de la cabeza del conductor que sirve para evitar el reflejo del sol en los ojos.

visibilidad *s. f.* Cualidad de visible: *buena visibilidad.*

visible *adj.* ① Que se puede percibir con la vista. **ANT** invisible. ② Que se puede ver o distinguir fácilmente, evidente: *este libro tiene erratas bastante visibles.*
FAM visibilidad; invisible.

visigodo, -da *adj.* ① Relativo a un pueblo germánico que invadió el Imperio romano y se estableció en la Península Ibérica; allí instauró un reino que fue derrotado por los árabes en el siglo VIII. **SIN** visigótico. ‖ *s. m. y f./adj.* ② Persona perteneciente al pueblo visigótico: *los visigodos saquearon Roma en el año 410 d. C.*
FAM visigótico.

visigótico, -ca *adj.* Visigodo.

visillo *s. m.* Cortina pequeña de tela fina y casi transparente que se pone contra los cristales.

visión *s. f.* ① Percepción a través del sentido de la vista. ② Capacidad de ver: *en el accidente perdió la visión de un ojo.* **SIN** vista. ③ Percepción general que permite comprender las cosas: *hoy en día las cosas cambian tan deprisa que hace falta visión de futuro para triunfar.* ④ Manera de ver las cosas y de interpretarlas. ⑤ Aparición de una cosa que no es natural: *decían que ese santo tenía visiones de la divinidad.* ⑥ familiar Persona fea o grotesca.
FAM visible, visionar, visionario; cablevisión.

visionar *adj.* Ver determinadas imágenes cinematográficas o televisivas para tomar una decisión o dar una opinión profesional sobre ellas.
FAM visionado.

visionario, -ria *adj./s. m. y f.* ① Se aplica a la persona que cree ver la verdad de algo y lo defiende fanáticamente, sin someterlo a crítica ni demostración ninguna. ② Se aplica a la persona que tiene o cree tener visiones o revelaciones sobrenaturales. ‖ *adj.* ③ Que es capaz de anticipar una visión justa del futuro: *las novelas visionarias de Julio Verne.* **SIN** profético.

visir *s. m.* Persona que antiguamente ocupaba el cargo de ministro de un soberano o rey musulmán: *el gran visir era el primer ministro del antiguo Imperio otomano.*

visita *s. f.* ① Acción de visitar. ② Persona o conjunto de personas que va a ver a otra u otras: *esta tarde espero visita.* ③ Observación que hace un médico de una persona que ha acudido a su consulta o que ha ingresado en un hospital.

visitación *s. f.* ① Visita que la Virgen María, embarazada de Jesús, hizo a santa Isabel, madre de san Juan Bautista. **NOTA** Se escribe normalmente con mayúscula inicial. ② Representación pictórica o escultórica de esta visita.

visitante *adj./s. com.* ① Se aplica a la persona que visita a alguien o visita un lugar. ② Se aplica al jugador o equipo deportivo que juega en el campo o en el terreno del contrincante: *el equipo visitante viste camiseta roja y pantalón blanco.* ‖ *adj.* ③ Relativo al jugador o equipo deportivo que juega en el campo del contrincante. ‖ *s. m.* ④ familiar Piojo (insecto parásito).

visitar *v. tr.* ① Ir a un lugar para ver a una persona. ② Ir a un lugar para conocerlo. ③ Ir a un sitio de manera repetida: *me encanta visitar los museos.* ④ Ir a un templo por devoción. ⑤ Examinar el médico a los enfermos: *la doctora visita a sus pacientes de cinco a ocho.*
FAM visita, visitador, visitante, visiteo.

vislumbrar *v. tr.* ① Ver con dificultad por la distancia o la falta de luz. **SIN** atisbar. ② Intuir o sospechar algo por indicios o señales, sin verlo claramente. **SIN** atisbar.
FAM vislumbre.

viso *s. m.* ① Prenda interior femenina de tela fina, y parecida a una falda o a un vestido sin mangas; se lleva bajo las faldas o los vestidos transparentes. **SIN** combinación. ② culto Apariencia: *el cuadro atribuido a Velázquez tiene visos de ser obra de un discípulo.* **NOTA** Más en plural. ③ Brillo que cambia con el reflejo de la luz: *el tafetán tiene viso.* **NOTA** Más en plural.
FAM visillo.

visón *s. m.* ① Mamífero carnívoro, parecido a la comadreja pero de tamaño mayor, con patas cortas y cuerpo y cola largos, de orejas muy pequeñas y pelaje suave blanco, gris o marrón, según las especies y variedades: *el visón es un animal de hábitos acuáticos que vive en zonas de América del Norte y Europa.* ② Piel de este animal. ③ Prenda fabricada con la piel de este animal, especialmente un abrigo.

visor *s. m.* ① Parte de una cámara fotográfica que sirve para enfocar rápidamente: *el visor sirve para delimitar el encuadre y para enfocar.* ② Instrumento óptico con lentes de aumento que sirve para ver ampliadas las diapositivas o los fotogramas de una película al montarla. ③ Parte de una cámara por la que el operador ve aquello que quiere filmar o grabar.
FAM retrovisor.

víspera *s. f.* ① Día inmediatamente anterior a otro, especialmente si este es día de fiesta. **SIN** vigilia. ‖ *s. f. pl.* ② **vísperas** Oficio religioso diario del clero católico, posterior a la nona y anterior a completas, que se celebra al anochecer.
en vísperas En un tiempo inmediatamente anterior, a punto, a poco tiempo de una fecha o de un hecho.

vista *s. f.* ① Sentido del cuerpo con el que se perciben, a través de los ojos u órganos de la visión, la luz o parte visible del espectro electromagnético y, con ella, la forma y el color de los objetos. ■ **vista de águila** o **vista de lince** Vista que es muy aguda. ② Conjunto de los dos ojos en tanto que órganos de la visión: *el oculista le ha dicho que tiene la vista cansada.* ③ Mirada que se dirige hacia una persona o una cosa, o fijación de la mirada en un punto. ④ Apariencia o aspecto de una cosa al ser vista. ⑤ Conjunto de cosas que pueden verse desde un lugar, especialmente paisajes o extensión de terrenos, y la posibilidad de verlos: *una habitación con vistas.* **NOTA** También en plural con el mismo significado que en singular. ⑥ Fotografía de un lugar o pintura que lo representa. ⑦ Ha-

bilidad, acierto para conseguir lo que se quiere y para hacer lo que conviene, derivada de una percepción clara y precisa de una situación: *tiene mucha vista para los negocios.* **8** Actos de un juicio celebrados ante el tribunal, en presencia del acusado, en los que se escucha a su defensa y a la acusación: *se produjeron incidentes durante la celebración de la vista.*
a la vista (**I**) En un lugar visible o de manera que puede verse. (**II**) En perspectiva, previsible: *tengo un viaje a la vista.*
a la vista de En presencia de, delante de.
a primera (o simple) vista Sin necesidad de fijarse mucho, en una primera impresión.
a vista de pájaro Desde el aire o desde lo alto.
con vistas a Con la finalidad de.
conocer de vista Conocer a una persona por haberla visto en determinadas ocasiones, sin apenas haber hablado o sin haberla tratado más.
corto de vista Miope.
en vista de Se utiliza para expresar una causa: *en vista de lo sucedido, no cenaremos juntos.*
hacer la vista gorda Hacer ver que no se repara en una falta.
¡hasta la vista! Expresión que se usa para despedirse.
perder de vista (**I**) Dejar de vigilar algo, dejar de ver a una persona o cosa que se aleja o desaparece. (**II**) No tener en cuenta algún dato o alguna información. (**III**) Dejar de tener relación o contacto con una persona o cosa.
saltar a la vista Ser muy claro y evidente.
volver la vista atrás Recordar o pensar en el pasado.
FAM avistar, tomavistas.

vistazo *s. m.* Mirada rápida y superficial, para comprobar algo o como primera aproximación a una cosa: *echa un vistazo a esta revista, es interesante.* **SIN** ojeada.

visto, -ta *adj.* **1** Fórmula que se utiliza para indicar que se da por terminado un proceso judicial o se anuncia el pronunciamiento de la decisión del juez. ■ **visto bueno** Fórmula que se pone al final de ciertos documentos o escritos, acompañada de la firma de la persona autorizada, para indicar que se da por aprobado o que se ajusta a los preceptos legales. **2** *familiar* Ser una persona o cosa demasiado conocida por abundar o aparecer con mucha frecuencia: *este modelo de chaqueta está muy visto, no es nada original.*
estar bien (o mal) visto Estar una persona o una cosa bien o mal considerada por las normas sociales, éticas o morales.
por lo visto Indica que lo que se dice a continuación se deduce de determinados indicios conocidos.
visto que Indica que lo que se dice a continuación es la causa de lo que se dice en la oración principal.
visto y no visto *familiar* Indica que una cosa se realiza o sucede con gran rapidez.

vistosidad *s. f.* Cualidad de vistoso.

vistoso, -sa *adj.* Que es llamativo o que atrae la mirada por su variado colorido, su gran tamaño o su aspecto lujoso: *el pavo real tiene una cola muy vistosa.*
FAM vistosidad.

visual *adj.* **1** Relativo a la vista (sentido corporal). **|** *s. f.* **2** Línea recta imaginaria que une el ojo con un objeto observado.
FAM visualizar.

visualización *s. f.* Acción de visualizar: *el sismógrafo permite la visualización sobre papel de los fenómenos sísmicos.*

visualizar *v. tr.* **1** Hacer visible mediante algún aparato o dispositivo lo que no se puede ver a simple vista: *visualizar unas diapositivas con un proyector.* **2** Formarse en el pensamiento la imagen de una cosa que no se tiene delante o de un concepto abstracto. **3** Representar por medio de imágenes, como gráficos o dibujos, fenómenos no visibles, abstractos.
FAM visualización.

vital *adj.* **1** Relativo a la vida. **2** Que es muy necesario o principal para el mantenimiento de la vida, o para fundar o sostener una cosa: *su ayuda fue vital para toda la familia.* **SIN** básico, esencial, fundamental, trascendental. **3** Se aplica a la persona que despliega mucha actividad y energía: *una mujer vital y optimista.*
FAM vitalidad, vitalismo, vitalizar.

vitalicio, -cia *adj.* **1** Se aplica al cargo o renta que dura toda la vida: *su empleo de funcionario es vitalicio.* **2** Se aplica a la persona que tiene este cargo. **|** *s. m.* **3** Pensión que dura toda la vida.

vitalidad *s. f.* **1** Energía y actividad para vivir o desarrollarse. **2** Característica de la persona o animal que manifiesta una actividad y una energía considerables: *la vitalidad de los niños.* **SIN** dinamismo, vigor. **3** Cualidad de tener vida: *vitalidad de las plantas.*

vitalismo *s. m.* **1** Característica de las personas que viven demostrando una gran energía y un fuerte impulso para actuar. **2** Teoría filosófica y científica que considera que existe un principio de vida que no se puede explicar solamente como resultado de fuerzas físicas o químicas.
FAM vitalista.

vitalista *adj.* **1** Se aplica a la persona que vive mostrando una gran energía y actividad. **2** Relativo al vitalismo (teoría filosófica). **|** *adj./s. com.* **3** Se aplica a la persona que sigue la teoría del vitalismo.

vitalizar *v. tr.* Dar una cosa fuerza o energía a algo o a alguien: *vitalizar el organismo.* **SIN** vigorizar.
FAM revitalizar.

vitamina *s. f.* Sustancia orgánica de naturaleza proteica que es necesario incluir en la dieta en pequeñas cantidades para el desarrollo de los seres vivos y para su metabolismo: *las naranjas contienen mucha vitamina C.*
FAM vitaminado, vitamínico; avitaminosis.

vitaminado, -da *adj.* Se aplica al alimento o medicamento que contiene vitaminas que le han sido añadidas para comunicarlas al organismo.

vitamínico, -ca *adj.* **1** Relativo a la vitamina. **2** Que contiene vitaminas: *un preparado vitamínico.*

vitelino, -na *adj.* Relativo al vitelo: *la membrana vitelina envuelve el óvulo de los animales.*

vitelo *s. m.* Conjunto de sustancias nutritivas que se encuentran almacenadas dentro de un saco y que sirven para alimentar al embrión de los animales: *el vitelo está constituido fundamentalmente por proteínas y grasas.*

vitícola *adj.* Relativo a la viticultura: *comarca vitícola.*

viticultor, -ra *s. m. y f.* Persona que se dedica a la viticultura.

viticultura *s. f.* Técnica de cultivar las vides.
FAM vitícola, viticultor.

vitivinicultura *s. f.* Técnica de cultivar las vides y elaborar el vino.

vitola *s. f.* Anilla de papel que suelen llevar los cigarros puros con la marca o el distintivo del fabricante.

V

vítor *s. m.* ① Aclamación de alegría con que se aplaude a una persona o un suceso. ② Cartel público en que se elogia a una persona por alguna hazaña.
FAM vitorear.
OBS Normalmente en plural.

vitorear *v. tr.* Gritar y aplaudir en apoyo de una persona o de una acción: *el público vitoreaba al candidato a la alcaldía.* **SIN** aclamar, ovacionar.

vitoriano, -na *adj.* ① De Vitoria (ciudad capital de Álava). ❙ *s. m. y f./adj.* ② Persona que es de Vitoria.

vitral *s. m.* Estructura de cristales, generalmente de colores, que con fines decorativos va colocada en una ventana o una puerta cerrándola o formando parte de ella. **SIN** vidriera.

vítreo *adj.* ① Relativo al vidrio. ② Que es semejante al vidrio: *brillo vítreo.*

vitrificar *v. tr.* ① Convertir una sustancia en vidrio: *algunas sustancias se vitrifican mediante su fusión y posterior enfriamiento.* ② Hacer que una cosa adquiera la apariencia o el aspecto del vidrio.
FAM vitrificación.

vitrina *s. f.* Mueble o escaparate con puertas de cristal para proteger los objetos que se hallan en su interior y poder verlos.

vitro Se usa en la expresión latina:
in vitro Significa 'en medio artificial, en laboratorio': *cultivo de organismos in vitro.*

vitrocerámica *s. f.* Cerámica tratada con un procedimiento especial que le da una gran dureza y la hace muy resistente al calor y a los cambios bruscos de temperatura: *las cocinas de vitrocerámica calientan los alimentos sin producir llama.*

vitrola *s. f.* ① AMÉR. Fonógrafo. ② CHILE, CUBA Máquina automática, generalmente en bares o sitios de diversión, que reproduce temas musicales cuando se le inserta una moneda.

vitualla *s. f.* Conjunto de alimentos necesarios para un grupo de personas, especialmente los que se preparan para el ejército o para una excursión o un viaje.
FAM avituallar.
OBS Normalmente en plural.

vituperar *v. tr.* Criticar con mucha dureza o reñir a una persona. **SIN** censurar.
FAM vituperio.

vituperio *s. m.* ① Acción de vituperar. ② Efecto de vituperar.

viudedad *s. f.* ① Viudez. ② Pensión o paga que recibe una persona que ha perdido a su cónyuge: *con la viudedad no le alcanza para llegar a fin de mes.*

viudez *s. f.* Estado de la persona cuyo cónyuge ha muerto. **SIN** viudedad.

viudo, -da *adj./s. m. y f.* ① Se aplica a la persona cuyo cónyuge ha muerto y que no ha vuelto a casarse. ② familiar Se aplica al alimento, principalmente patata, que se sirve solo, sin acompañamiento de carne.
FAM viudedad, viudez; enviudar.

¡viva! *int.* ① Expresión de alegría o entusiasmo que se utiliza al recibir una buena noticia: *¡viva, he aprobado!* ② Expresión que se utiliza para vitorear a lo que se menciona: *¡viva los novios!*

vivac *s. m.* Acampada que se realiza con la intención de pasar la noche al aire libre de manera provisional: *en lugar de* volver al cuartel, las tropas que estaban de maniobras montaron un *vivac.* **SIN** vivaque.
FAM vivaquear.
OBS Plural: *vivaques* o *vivacs.*

vivace [se pronuncia 'vivache'] *adv.* Se emplea como acotación musical para indicar que un fragmento o una pieza deben interpretarse con tempo o ritmo animado: *el alegro vivace es más rápido que el alegro a secas.*

vivacidad *s. f.* Cualidad de vivaz: *la vivacidad de un colorido.* **SIN** viveza.

vivalavirgen *s. com.* fam. desp. Persona informal, muy despreocupada e incapaz de asumir responsabilidades.
OBS También *viva la Virgen.*

vivales *s. com.* familiar Persona que actúa con astucia y sabe aprovechar las circunstancias en beneficio propio.
OBS Plural invariable.

vivaque *s. m.* Vivac.

vivaquear *v. intr.* Pasar la noche al aire libre, acampando en algún lugar para dormir.

vivaracho, -cha *adj.* Se aplica a la persona, animal o rasgo que tiene un carácter vivaz, despierto y alegre: *un cachorro vivaracho; unos ojos vivarachos.*

vivaz *adj.* ① Que muestra entusiasmo, pasión y gran animación: *expresión vivaz.* ② Que es inteligente y rápido en comprender y actuar. ③ Que tiene mucho brillo, intensidad o fuerza. ④ Se aplica a la planta que cada año desarrolla brotes que florecen y mueren según un ciclo anual y durante más de dos años.
FAM vivacidad.

vivencia *s. f.* Experiencia vivida por una persona que influye en su carácter.
FAM vivencial.

vivencial *adj.* Relativo a la vivencia.

víveres *s. m. pl.* Alimentos necesarios para las personas, especialmente si se encuentran en una situación de emergencia o de guerra: *el ejército distribuyó víveres entre la población.*

vivero *s. m.* ① Terreno en el que se plantan árboles pequeños y otras especies vegetales que crezcan. **SIN** criadero. ② Lugar delimitado dentro del agua para la cría intensiva de una especie determinada de pez, crustáceo o molusco. ③ Circunstancia o lugar que es la causa de ciertos sentimientos, especialmente si son negativos: *esa oficina es un vivero de envidias.*

viveza *s. f.* ① Rapidez en los movimientos o en las reacciones: *se desplegaron con viveza para iniciar el contraataque.* ② Agudeza de ingenio o rapidez de comprensión. **SIN** perspicacia, vivacidad. ③ Manifestación de fuerza vital, de energía, exaltación o pasión: *discuten con tanta viveza que no me atrevo a intervenir.* **SIN** vivacidad. ④ Brillo, luminosidad de los colores.

vívido, -da *adj.* culto Se aplica a la descripción o recuerdo que tiene una gran fuerza y claridad, como si estuviera ante los ojos o estuviera sucediendo en ese momento: *me hizo una descripción vívida de lo que había sucedido.*

vividor, -ra *adj./s. m. y f.* despectivo Se aplica a la persona que vive bien, generalmente a expensas de los demás.

vivienda *s. f.* Casa, construcción preparada para que vivan en ella las personas.

viviente *adj.* Que tiene vida o movimiento: *pesebre viviente; a las tres de la tarde y con ese calor, no se veía un bicho viviente en toda la calle.*

vivificar *v. tr.* Dar vitalidad o fuerza a una persona que está débil o a una cosa que ha perdido la energía: *la ducha matutina me vivifica.*
FAM vivificación, vivificador, vivificante.

vivíparo, -ra *adj./s. m. y f.* Se aplica al animal que en su fase reproductiva desarrolla el embrión dentro del útero de la madre, de manera que al nacer la cría ya está formada: *los mamíferos son vivíparos.*

vivir[1] *v. intr.* ▢ Tener vida. **ANT** morir. ▢ Tener las cosas necesarias para la vida: *con este sueldo difícilmente me llega para vivir.* ▢ Pasar la vida o parte de ella en un lugar determinado o con una compañía determinada. **SIN** habitar, residir. ▢ Desenvolverse, actuar de cierta manera o en determinadas circunstancias. ▢ Quedar en la memoria, seguir presente en el pensamiento. ▢ Durar o seguir vigente: *la música de los sesenta vive todavía en algunas composiciones.* ▎ *v. tr.* ▢ Pasar por una situación determinada, experimentarla: *han vivido juntos momentos buenos y malos.* ▢ Identificarse con una situación o poner mucha pasión en lo que se hace: *este actor vive todos los papeles que representa.*
no vivir Sufrir o estar preocupado por una cosa.
FAM vivencia, vividor, vivienda, viviente, vivificar; convivir, malvivir, revivir, sobrevivir, supervivir.

vivir[2] *s. m.* Vida y medios de subsistencia: *tuvo un modesto vivir.*

vivisección *s. f.* Disección practicada en un animal vivo, con el propósito de hacer estudios o investigaciones científicas.

vivo, -va *adj.* ▢ Que tiene vida. ▢ Que continúa vigente o que no ha dejado de existir: *una lengua viva.* ▢ Intenso o fuerte: *una llama viva; un color vivo.* ▢ Se aplica al recuerdo que se mantiene en la memoria. ▢ Se aplica al rasgo que tiene fuerza y claridad. **SIN** vívido. ▢ Se aplica al ritmo o movimiento que es rápido y alegre. ▎ *adj./s. m. y f.* ▢ Se aplica a la persona que es inteligente y rápida para comprender, y sabe aprovechar esas cualidades: *esta niña es muy viva, no conseguirás engañarla.* **SIN** listo. ▎ *adj.* ▢ Se aplica a la arista o ángulo muy agudos. ▎ *s. m.* ▢ Tira de tela que se pone como adorno en el borde de ciertas prendas de vestir.
en vivo (I) En persona, directamente: *Jesús anunciaba su mensaje en vivo.* (II) Transmitido o grabado al mismo tiempo que se produce: *la grabación de estudio produce una mejor calidad de sonido que los conciertos en vivo.* **SIN** en directo.
FAM vivales, vivaracho, vivaz, vívido, vivir, vivisección; avivar.

vizcaíno, -na *adj.* ▢ De Vizcaya (provincia del País Vasco): *Bilbao es la capital vizcaína.* ▎ *s. m. y f./adj.* ▢ Persona que es de Vizcaya.

vizconde, -desa *s. m. y f.* Miembro de la nobleza que tiene un título de categoría inferior a la de conde y superior a la de barón.

v. o. Abreviatura de *versión original*, aplicado a una película o una obra de teatro no traducidas.

vocablo *s. m.* ▢ Palabra, sonido o secuencia de sonidos con significado. **SIN** término. ▢ Representación escrita de estos sonidos: *el vocablo "pez" está formado por tres letras.* **SIN** palabra, término.

vocabulario *s. m.* ▢ Conjunto de palabras de una lengua. ▢ Conjunto de palabras de una lengua que una persona conoce o emplea: *su vocabulario es muy amplio.* ▢ Conjunto de palabras que se usan en una región, un grupo social, una ac-

tividad o un tiempo determinados: *no entiendo el vocabulario técnico.* ▢ Lista de palabras ordenadas y acompañadas de pequeñas explicaciones. **SIN** glosario.

vocación *s. f.* ▢ Inclinación, interés que siente una persona hacia una forma de vida o un trabajo: *desde muy joven manifestó su vocación por el cuidado de los animales.* ▢ Llamada que siente una persona como procedente de Dios que le induce a seguir la fe y llevar una vida virtuosa, especialmente ingresando en una orden religiosa o como sacerdote.
FAM vocacional.

vocacional *adj.* Relativo a la vocación: *su dedicación a los enfermos es vocacional.*

vocal *adj.* ▢ Relativo a la voz. ▢ Se aplica a la música que solo se canta, sin acompañamiento de otros instrumentos. ▎ *s. f.* ▢ Sonido que se produce al vibrar las cuerdas de la laringe y salir el aire sin encontrar ninguna obstrucción. ■ **vocal abierta** Vocal que se pronuncia separando la lengua del paladar: *"a", "e" y "o" son las vocales abiertas del español.* ■ **vocal cerrada** Vocal que se pronuncia acercando la lengua al paladar o al velo del paladar: *la "i" y la "u" son las vocales cerradas del español.* ■ **vocal temática** Vocal que, añadida a la raíz, constituye un tema: *la vocal temática de "amando" es la segunda "a".* ▢ Letra que representa ese sonido. ▎ *s. com.* ▢ Persona que tiene derecho a hablar en una reunión; especialmente, miembro de una junta que no tiene un cargo especial.
FAM vocálico, vocalizar; semivocal.

vocálico, -ca *adj.* Relativo a la vocal: *el sistema vocálico de una lengua.*

vocalista *s. com.* Cantante de un grupo musical o de una pequeña orquesta.

vocalización *s. f.* ▢ Articulación correcta y clara de los sonidos de una lengua: *una buena vocalización es importante en actores y cantantes.* ▢ Transformación de una consonante en vocal. ▢ Ejercicio de canto que sirve para calentar la voz antes de cantar y consiste en una melodía, nota, etc. que se canta a diversos tonos.

vocalizar *v. tr./intr.* ▢ Articular claramente los sonidos de una lengua, las vocales, consonantes y sílabas de las palabras. ▢ Cantar recorriendo una escala de notas con una sola vocal o sílaba.
FAM vocalización.

vocativo *s. m./adj.* ▢ Caso de la declinación de algunas lenguas, como el latín, en que se pone la palabra con la que se invoca, llama o nombra a una persona o cosa. ▎ *adj./s. m.* ▢ Se aplica a la palabra o acto de comunicación que sirve para llamar la atención del oyente o para dirigirse a él: *en la oración "Ernesto, ven aquí, por favor", el nombre propio es un vocativo.* **SIN** apelativo.

vocear *v. intr.* ▢ Hablar en voz muy alta y agitadamente. **SIN** gritar, vociferar. ▎ *v. tr.* ▢ Anunciar dando voces: *el vendedor voceaba sus ofertas.* ▢ Llamar a alguien gritando su nombre. ▢ Gritar repetidamente a coro una palabra o una frase un grupo numeroso de personas: *la manifestación pasó voceando las reivindicaciones de los sindicatos.* **SIN** corear. ▢ Decir una cosa que debería callarse por discreción.

voceras [también **boceras**] *s. com./adj.* familiar Bocazas. **OBS** Plural invariable.

vocerío *s. m.* Ruido producido por un conjunto de voces altas y confusas. **SIN** griterío.

V

vociferar *v. intr.* Hablar en voz muy alta y agitadamente: *cuando las cosas no le salen bien enseguida se pone a vociferar.* **SIN** vocear.

FAM vociferación, vociferante.

vocinglero, -ra *adj.* ① Que grita o habla en voz muy grave. ② Que habla mucho y de forma insustancial.

vodca *s. amb.* Vodka.

vodevil *s. m.* Género teatral que incluye un tipo de comedia ligera, con canciones intercaladas, de temas atrevidos y picantes.

vodka [también **vodca**, menos usado] *s. amb.* Aguardiente incoloro y de fuerte graduación alcohólica que se obtiene de la destilación de cereales como el centeno, el maíz o la cebada: *el vodka se produce y consume sobre todo en los países del este de Europa.*

vol. Abreviatura de *volumen*, que se utiliza en las referencias bibliográficas: «*Enciclopedia de la naturaleza*», vol. 1, pág. 35.

voladizo, -za *adj./s. m.* Se aplica al elemento de construcción o a la estructura que sobresale horizontal o inclinadamente de la vertical de un edificio o pared: *balcón voladizo; elementos voladizos.*

volado, -da *adj.* Se aplica al signo que se coloca al escribir en la parte superior derecha o izquierda de otro signo y es de tamaño más pequeño que él: *los signos volados se utilizan especialmente en abreviaturas, como en "2º" o "M.ª".*

estar volado familiar Estar una persona bajo los efectos de una droga o estimulante.

volador, -ra *adj.* ① Que vuela o puede volar: *hormiga voladora; aparato volador.* ‖ *s. m.* ② Molusco marino comestible, parecido al calamar pero más grande y no tan apreciado. ③ Pez marino de pequeñas dimensiones, cabeza gruesa, ojos grandes y boca pequeña, que está provisto de unas aletas pectorales muy desarrolladas que funcionan como alas y le permiten dar grandes saltos fuera del agua. **NOTA** También *pez volador.* ④ Cohete que se utiliza en los fuegos artificiales, formado por un tubo de papel o cartón lleno de pólvora, que se lanza al aire prendiéndolo por la parte inferior y, una vez arriba, explota produciendo un ruido muy fuerte. ⑤ P. RICO Molinillo (juguete).

voladura *s. f.* Destrucción total de una cosa haciendo que salte por los aires mediante explosivos.

volandas Se usa en la expresión:

en volandas (I) Por el aire y sin tocar el suelo: *entre varios hombres llevaron al torero en volandas.* (II) Rápidamente, en un tiempo muy breve: *no te preocupes, lo compro y lo traigo en volandas.*

volantazo *s. m.* Giro rápido y brusco del volante, para cambiar la dirección de un vehículo.

volante *adj.* ① Se aplica al objeto o animal que vuela o puede volar: *he visto en el cielo un objeto volante, pero no he podido identificarlo.* **SIN** volador. ② Se aplica al equipamiento o trabajador que se desplaza o se lleva de un sitio a otro: *taller volante; meta volante.* **SIN** móvil. ‖ *s. m.* ③ Pieza en forma de rueda que sirve para dirigir un vehículo automóvil y está situada frente al asiento del conductor: *gira el volante a la derecha y tuerce por la primera calle.* ④ Tira de tela rizada o fruncida que sirve para adornar una prenda de vestir o de tapicería: *los vestidos de sevillana llevan muchos volantes.* ⑤ Hoja de papel pequeña en la que se comunica, ordena, pide o certifica una cosa dentro de una institución u organismo: *el médico me ha*

dado un volante para que me hagan un análisis. ⑥ Semiesfera con plumas que, a modo de pelota, sirve para jugar golpeándola con la raqueta, como en el juego del bádminton. ⑦ Rueda de una máquina que sirve para regularizar el movimiento de un mecanismo y para transmitir dicho movimiento a toda la máquina: *las imprentas disponen de un volante para regular la presión.*

FAM volantazo.

volar [5] *v. intr.* ① Sostenerse y moverse por el aire un insecto o animal usando las alas, o un avión o aparato similar por un medio artificial: *las cigüeñas volaban alrededor del campanario; el avión está volando muy bajo.* ② Ir por el aire un objeto que ha sido lanzado con fuerza: *durante la riña volaron los platos y los jarrones.* ③ Viajar en avión: *ha volado a Estados Unidos dos veces a lo largo de este mes.* ④ Elevarse o moverse por el aire una cosa a causa del viento: *se han volado las hojas que estaban sobre la mesa.* ⑤ familiar Desaparecer con mucha rapidez o inesperadamente una persona o cosa: *el chocolate voló en cuanto lo vieron los niños.* ⑥ Pasar con mucha rapidez el tiempo: *¡cómo vuelan los meses!* ⑦ familiar Desplazarse muy rápido: *tendré que volar para llegar a tiempo.* **SIN** correr. ⑧ Hacer una cosa muy deprisa: *desayunó volando porque llegaba tarde al trabajo; me voy volando.* ‖ *v. tr.* ⑨ Hacer que algo vuele por el aire: *hemos ido a volar la cometa a la playa.* ⑩ Destruir totalmente una cosa haciendo que salte por los aires mediante explosivos: *los terroristas volaron el puente por el que pasaba el tren.*

FAM volador, voladura, volandas, volandero, volátil, vuelo; circunvolar, revolotear, sobrevolar.

volátil *adj.* ① Se aplica a la sustancia que se transforma fácilmente en vapor o en gas cuando está expuesta al aire: *la gasolina es una sustancia volátil.* ② Se aplica al carácter u opinión que cambia mucho o es inconstante: *su entusiasmo es volátil.* ③ Que vuela o puede volar: *el polvo está formado por partículas volátiles.*

FAM volatilidad, volatilizar.

volatilizar *v. tr.* ① Transformar un cuerpo sólido o líquido en vapor o gas: *el alcohol se ha volatilizado porque el bote estaba destapado.* ‖ *v. prnl.* ② **volatilizarse** Desaparecer con mucha rapidez y por sorpresa una cosa o persona: *su fortuna se volatilizó sin que llegara a disfrutarla; se han volatilizado las chocolatinas.*

FAM volatilización.

volatinero, -ra *s. m. y f.* Persona que se dedica a realizar saltos y otros ejercicios de acrobacia sobre un alambre o cuerda tendida en el aire: *en un espectáculo de circo hay trapecistas y volatineros.* **SIN** acróbata.

volcán *s. m.* ① Abertura o grieta en la corteza terrestre que está conectada por un conducto o chimenea a una zona del interior de la Tierra donde hay magma; a través de la chimenea, son expulsados materiales incandescentes, gases y vapor de agua, que se van depositando y solidificando a su alrededor: *un volcán en activo puede entrar en erupción, a diferencia de un volcán apagado.* ② Monte de forma más o menos cónica que se forma por la acumulación y solidificación de los materiales expulsados a través de esta abertura o grieta, y que está coronado por el cráter: *el Teide es un volcán.* ③ Persona o lugar en el que se producen pasiones intensas, agitadas o ardientes.

volcánico, -ca *adj.* ① Relativo al volcán: *actividad volcánica.* ② Se aplica a la roca que se forma por la solidificación del magma que sale a la superficie terrestre por los volcanes, en forma de lava: *el basalto es una roca volcánica.*

volcar [5] *v. tr.* **1** Inclinar una cosa de modo que pierda su posición normal y quede apoyada sobre un lado: *el perro ha volcado el jarrón.* **2** Hacer caer el contenido de un recipiente inclinándolo o dándole la vuelta: *volcó el cofre sobre la mesa.* | *v. intr.* **3** Inclinarse un vehículo hasta dar una vuelta o más sobre sí mismo o hasta quedar apoyado sobre un lado diferente al normal: *el coche volcó y dio varias vueltas de campana.* | *v. prnl.* **4** **volcarse** Esforzarse mucho una persona o hacer esta todo lo posible para agradar o beneficiar a otra: *toda su familia se volcó con ella en los momentos difíciles; se ha volcado en atenciones conmigo.*
FAM vuelco.

volea *s. f.* **1** Golpe dado a una cosa en el aire, generalmente una pelota, antes de que toque el suelo: *el tenista hizo una volea a la que su contrario no pudo responder.* **2** Palo que cuelga de una argolla que hay en la punta de la lanza de algunos carruajes, que sirve para sujetar los tirantes de las caballerías delanteras.

volear *v. tr.* **1** Dar un golpe a una cosa que va por el aire antes de que toque el suelo, especialmente a una pelota en ciertos deportes. | *v. intr.* **2** Realizar el golpe de volea: *este tenista volea a la perfección.*
FAM volea; revolear.

voleibol *s. m.* Deporte que se practica en una cancha dividida en dos mitades iguales por una red y se juega entre dos equipos de seis jugadores; consiste en hacer que el balón toque el suelo del campo contrario lanzándolo con los brazos o con las manos por encima de la red, que está a 2,43 m del suelo. **SIN** balonvolea.

voleo Se usa en las expresiones:
a (o **al**) **voleo** (**I**) En la siembra, indica que se arroja la semilla a puñados y esparciéndola al aire. (**II**) familiar Indica que algo se hace al azar o sin pensar: *he contestado todas las preguntas a voleo.*
de (o **en**) **un voleo** familiar Indica que algo se hace rápidamente: *voy y vuelvo de un voleo.*

volframio [también **wolframio** o **wólfram**] *s. m.* Elemento químico de símbolo W y número atómico 74; es un metal de color blanco plateado, muy dúctil y maleable, difícil de fundir; se usa especialmente en los filamentos de las lámparas incandescentes y en aleaciones duras y resistentes. **SIN** tungsteno.

volquete *s. m.* Vehículo provisto de un dispositivo que permite volcar su caja para dejar caer lo que transporta.

volt *s. m.* Unidad de tensión eléctrica, potencial eléctrico y fuerza electromotriz del Sistema Internacional, de símbolo V, que equivale a la diferencia de potencial entre dos puntos de un hilo conductor que transporta una corriente de intensidad un ampere cuando se disipa una potencia de un watt. **OBS** Plural: *volts.* Se ha adaptado al español con la forma *voltio.*

voltaje *s. m.* Diferencia de potencial entre dos puntos de un circuito eléctrico: *el voltaje se mide en volts; el voltaje también puede indicar la fuerza electromotriz de un generador de corriente eléctrica, como una batería.*

volteado, -da *s. m. y f.* familiar MÉX. Homosexual.

voltear *v. tr.* **1** Hacer que una persona o cosa dé vueltas: *voltear un toro al torero; voltear las campanas.* **2** Girar o dar la vuelta a una persona o cosa, o ponerla del revés, de modo que la parte superior quede debajo y la inferior encima: *voltearon el armario y arreglaron las patas.* **3** AMÉR. Derribar con

violencia a una persona, un animal o una cosa: *volteó al ternero sin ayuda de nadie.* **4** AMÉR. Volcar un recipiente u otra cosa de modo que pierda su posición nomal y se vierta el contenido que hay en él: *volteó agua sobre la mesa.* | *v. intr.* **5** Dar vueltas o volteretas una persona o cosa: *los acróbatas voltean sobre la cuerda floja.* | *v. prnl.* **6** **voltearse** CHILE, COL., P. RICO Cambiar de partido político.
FAM voltereta.

voltereta *s. f.* Vuelta que da una persona en el aire, o apoyando las manos en el suelo, enroscando el cuerpo e impulsando las piernas en alto para caer y reincorporarse siguiendo la trayectoria inicial: *saltó del trampolín y dio tres volteretas antes de llegar al agua.*

voltímetro *s. m.* Aparato que mide la diferencia de potencial entre dos puntos de un circuito eléctrico.

voltio *s. m.* Volt.
dar un voltio familiar Dar un paseo.
FAM voltaico, voltaje.

volubilidad *s. f.* **1** Cualidad de quien cambia fácilmente de opinión o tiene un carácter débil y se deja influenciar. **SIN** inconstancia, inestabilidad. **2** Cualidad de lo que gira, cambia de dirección o se enrolla fácilmente: *la volubilidad de la fortuna.* **3** Cualidad de la planta o del tallo que crece enroscándose en espiral en torno a un soporte.

voluble *adj.* **1** Se aplica a la persona que cambia fácilmente de opinión o tiene un carácter débil y se deja influenciar: *un carácter voluble.* **SIN** inconstante, inestable, versátil. **2** Se aplica al material que gira, cambia de dirección o se enrolla fácilmente: *esta cuerda es muy gruesa y poco voluble.* **3** Se aplica a la planta o al tallo que crece en espiral en torno a un soporte: *los guisantes son plantas volubles.*
FAM volubilidad.

volumen *s. m.* **1** Espacio que ocupa un cuerpo: *un paquete de gran volumen.* **2** Espacio, tamaño o medidas expresadas en tres dimensiones: *¿qué volumen tiene esta cisterna?* **3** Libro encuadernado que contiene una obra entera o solamente una parte de otra más amplia: *una enciclopedia en 8 volúmenes.* **SIN** tomo. **4** Intensidad del sonido o magnitud de la corriente eléctrica que lo origina: *baja un poco el volumen de la radio.* **5** Cantidad global o importancia de un hecho, negocio o asunto: *el volumen de ventas ha disminuido.*
FAM voluminoso.

volumetría *s. f.* Procedimiento de análisis cuantitativo, basado en la medición de volúmenes. **SIN** valoración. ■ **volumetría ácido-base** Volumetría en la que se utiliza una reacción ácido-base. **SIN** valoración ácido-base. ■ **volumetría de oxidación-reducción** Volumetría en la que se aplica una reacción de óxido-reducción. **SIN** valoración redox.

voluminoso, -sa *adj.* Se aplica a la cosa o al objeto que ocupa mucho espacio o es grande: *paquete voluminoso; vientre voluminoso.*

voluntad *s. f.* **1** Facultad del ser humano para gobernar sus actos, decidir con libertad y optar por un tipo de conducta determinado: *se puede conocer la voluntad de la mayoría mediante plebiscito.* **2** Capacidad de esforzarse lo que sea necesario para hacer una cosa: *fuerza de voluntad; no tiene suficiente voluntad para estudiar una carrera.* **3** Intención, gana o deseo de hacer una cosa: *siempre quiere que se haga según su voluntad; no tengo voluntad de marcharme.* ■ **última voluntad** Deseo último que expresa una persona antes de morir: *van a construir un hospital con su dinero: fue su última voluntad.* **4** Disposición o

V

mandato de una persona: *si es tu voluntad, lo haré.* **5** Cantidad de dinero que una persona decide dar voluntariamente.

a voluntad Según el deseo de cada persona: *puedes servirte a voluntad.*

ganar la voluntad Conseguir el apoyo de una persona: *ganó su voluntad para que le ayudara.*

FAM voluntario.

voluntariado *s. m.* **1** Conjunto de personas que se unen libre y desinteresadamente a un grupo, generalmente para trabajar con fines benéficos o altruistas: *el voluntariado es la base de muchas organizaciones humanitarias.* **2** Conjunto de las actividades que realizan este conjunto de personas. **3** Alistamiento voluntario de una persona a un ejército: *estos soldados han llegado al ejército a través del voluntariado.*

voluntario, -ria *adj.* **1** Se aplica a la acción que se decide hacer libremente y no por obligación o imposición de otro: *las propinas son algo voluntario.* **SIN** facultativo. **ANT** involuntario, obligatorio. **2** Se aplica a la acción que se decide o se hace conscientemente y no como resultado de algún automatismo, o de un reflejo o impulso: *la respiración no es voluntaria.* **ANT** involuntario. ‖ *s. m. y f.* **3** Persona que hace una cosa sin estar obligada a ello: *necesito tres voluntarios para limpiar el patio; los voluntarios de la Cruz Roja evacuaron a los heridos.* **4** Persona que se alista a un ejército sin haber sido llamada a filas.

FAM voluntariado, voluntariedad, voluntarioso; involuntario.

voluntarioso, -sa *adj.* **1** Se aplica a la persona que pone mucha voluntad y empeño en hacer una cosa. **2** Se aplica a la persona que quiere imponer su voluntad.

voluptuosidad *s. f.* Satisfacción o complacencia por el placer que proporcionan los sentidos, especialmente placer sensual: *el joven miraba a su pareja con gran voluptuosidad.*

voluptuoso, -sa *adj.* **1** Se aplica a la cosa que produce un intenso placer en los sentidos: *tacto voluptuoso; chica de curvas voluptuosas.* ‖ *adj./s. m. y f.* **2** Se aplica a la persona inclinada a buscar los placeres que le proporcionan los sentidos y a disfrutar de ellos.

FAM voluptuosidad.

voluta *s. f.* **1** Adorno en forma de espiral que se coloca en los capiteles de los órdenes jónico y compuesto: *el capitel jónico es más ornamentado que el capitel dórico y se caracteriza por sus dos volutas.* **2** Objeto o cosa con esta forma de espiral: *volutas de humo.*

volver [6] *v. intr.* **1** Regresar al lugar del que se ha salido o en el que se ha estado antes: *volverá a casa dentro de una hora; se volvió por el camino del río.* **2** Ocurrir de nuevo un suceso: *cada marzo vuelve la primavera.* **3** Tomar de nuevo el hilo de un asunto, tema o negocio: *volvamos ahora a la cuestión.* **4** Torcer, cambiar de sentido o tomar otra dirección: *más adelante, la calle vuelve a la derecha.* ‖ *v. tr.* **5** Dar la vuelta a una cosa, de manera que quede a la vista lo que antes estaba oculto: *vuelve la hoja del libro; volvió el colchón.* **6** Poner la cara exterior de una cosa, especialmente de una prenda de ropa, en el interior, de modo que el interior o el revés quede a la vista: *volvió el vestido del revés para coserlo.* **7** Dirigir o llevar hacia un lugar o hacia un fin: *vuelve tu corazón a los demás.* **8** Poner de nuevo una cosa en el estado o lugar original: *volvió el libro al estante.* **9** Devolver lo prestado o dar lo debido: *le vuelvo el libro.* **10** Transformar una cosa o hacer que cambie de aspecto o estado: *con el calor, la mantequilla se ha vuelto líquida; se ha vuelto loco.* ‖ *v. tr./prnl.* **11** Inclinar o girar el

cuerpo o parte de él hacia atrás: *volví la cabeza y nuestras miradas se encontraron.*

volver a + *infinitivo* Repetir lo que antes se ha hecho: *volvieron a salir tres horas después; volveremos a llamar después porque no contestan.*

volver en sí Recobrar el sentido o la consciencia una persona: *a los pocos minutos, volvió en sí del desmayo.*

FAM vuelta, vuelto.

OBS Participio irregular: *vuelto.*

vomitar *v. tr.* **1** Expulsar violentamente por la boca lo que está en el estómago: *se mareó en el coche y vomitó.* **SIN** arrojar. **2** Arrojar fuera de sí una cosa algo que tiene dentro: *el horno vomitaba fuego.* **3** Proferir injurias, insultos y otras palabras desagradables o guiadas por el resentimiento: *no paraba de vomitar improperios.* **4** familiar Revelar un secreto o una cosa que se tenía callada: *¡vomita de una vez lo que piensas!*

FAM vomitivo, vómito, vomitorio.

vomitivo, -va *adj.* **1** familiar Se aplica a la cosa que es muy desagradable o que produce asco o repugnancia: *esa música es vomitiva.* ‖ *adj./s. m.* **2** Se aplica a la sustancia o medicamento que provoca el vómito.

vómito *s. m.* **1** Expulsión violenta por la boca de lo que está en el estómago: *sufría vómitos continuos.* **2** Conjunto de sustancias o alimentos mal digeridos que estaban en el estómago y se expulsan por la boca al vomitar.

FAM vomitona, vomitera.

vomitona *s. f.* familiar Vómito abundante o repetido de una persona o animal.

vomitorio, -ria[1] *adj.* Se aplica a la sustancia que provoca el vómito.

vomitorio[2] *s. m.* En un circo o teatro antiguos, y actualmente en un estadio o recinto similar, puerta de acceso o salida de las gradas por la que entra o sale gran cantidad de gente.

voracidad *s. f.* **1** Cualidad de quien come mucho y con ganas: *la voracidad de los tiburones.* **2** Pasión o ansia al hacer una cosa: *lee novelas del Oeste con voracidad.* **3** Destrucción completa y rápida causada por un fenómeno: *la voracidad de las llamas destruyeron el edificio en pocos minutos.*

vorágine *s. f.* **1** Remolino de gran fuerza e intensidad que se forma en el agua de un mar, río o lago por la acción del viento o las corrientes: *el barco quedó atrapado en la vorágine y naufragó.* **2** Aglomeración o encadenamiento de personas, sucesos o cosas que se amontonan confusamente: *la vorágine de rumores que se desencadenó impidió conocer la verdad sobre el hecho.* **3** Mezcla de sentimientos muy intensos que se manifiestan de forma desenfrenada y que arrastran y enajenan a una persona: *estaba poseído por una vorágine de amor y de pasión hacia su pareja.*

voraz *adj.* **1** Se aplica al animal o a la persona que come mucho y con ganas: *el tigre es voraz.* **2** Se aplica a la sensación que incita a comer así: *tengo un hambre voraz.* **3** Se aplica al fenómeno que destruye completamente y con rapidez: *las voraces llamas destruyeron el viejo edificio.* **4** Se aplica a la acción que se hace con ansia: *un deseo voraz; un beso voraz.*

FAM voracidad.

vos *pron.* Se utilizaba antiguamente como pronombre de segunda persona del singular (en lugar de *tú*) o del plural (en lugar de *vosotros*) y en la actualidad se usa así en poesía o como forma culta de cortesía, y también en algunos países hispanoamericanos como segunda persona del singular: *vos sabéis a qué me refiero.*

FAM vosear.

OBS Como sujeto, exige el verbo en plural, pero concuerda en singular con los adjetivos. Con mayúscula inicial cuando se utiliza para dirigirse a una persona de elevada jerarquía.

vosear *v. intr.* Usar el pronombre personal *vos* en lugar de *tú* para hacer referencia a la segunda persona del singular.

FAM voseo.

voseo *s. m.* Uso del pronombre personal *vos* en lugar de *tú* para hacer referencia a la segunda persona del singular: *el voseo se da en algunas partes de Hispanoamérica.*

vosotros, -tras *pron.* Pronombre personal de segunda persona de plural: *vosotras sois más jóvenes que ellas; iré con vosotros.*

votación *s. f.* ① Emisión de votos hecha por un grupo de personas: *la votación se ha desarrollado sin incidentes; el resultado de la votación.* ② Conjunto de votos emitidos: *la votación ha sido favorable a la reforma.* ③ Sistema de emitir votos: *unos querían que la votación fuese a mano alzada y otros querían que fuese secreta.* ■ **votación nominal** Votación en la que se da el nombre de cada votante. ■ **votación ordinaria** Votación en la que se da el voto al ponerse en pie o al levantar la mano.

votante *adj./s. com.* Se aplica a la persona que vota o emite su voto.

votar *v. intr.* ① Emitir una persona su voto en una elección o consulta: *todos los españoles mayores de dieciocho años tienen derecho a votar.* ‖ *v. tr.* ② Aprobar o desaprobar una cosa por votación: *debemos votar si queremos hacer huelga o no y acatar lo que diga la mayoría; votó si en el último referéndum.*

FAM votación, votante.

votivo, -va *adj.* Ofrecido por voto: *una misa votiva.*

voto *s. m.* ① Opinión expresada en una asamblea o elección para aprobar o rechazar una medida o elegir a una persona o partido: *todavía no he decidido para qué candidato será mi voto.* ■ **voto de calidad** Voto que da una persona con autoridad y que sirve para decidir en caso de igualdad o empate. ■ **voto de censura** Voto que tiene como fin negar la confianza puesta en un órgano de poder: *el gobierno ha recibido un voto de censura de la oposición.* ■ **voto de confianza** (**I**) Aprobación que hace el Parlamento de la libre actuación de un órgano de poder: *han dado un voto de confianza a los gobernantes de ese país y seguirán gobernando dos años más.* (**II**) Aprobación y autorización que se concede a alguien para que actúe libremente en un asunto determinado. ② Papel o escrito en el que se expresa esta opinión: *se cerraron los colegios electorales y se procedió al recuento de los votos.* ③ Derecho a expresar en votación esta opinión: *si no eres socio tienes voz en la asamblea, pero no voto.* ④ Obligación que se contrae ante Dios, especialmente la de las personas que entran en estado religioso: *el voto de pobreza obliga a los religiosos a no enriquecerse.* ⑤ Promesa que una persona hace a Dios, a la Virgen o a un santo, que está obligada a cumplir si se le concede lo que pide: *un enfermo puede hacer el voto de peregrinar a un lugar santo si Dios le cura su mal.*

hacer votos por Rogar a Dios o expresar el deseo de que se cumpla una cosa: *hago votos por su pronta recuperación.*

FAM votar, votivo.

vox pópuli Expresión latina que significa 'voz del pueblo' y que se utiliza para expresar que una cosa es conocida y sa-

bida por todo el mundo, y que por tanto se da como aceptada o verdadera: *las relaciones sentimentales entre la modelo y el torero son vox pópuli.*

voyeur [se pronuncia aproximadamente 'vuayer'] *s. com.* Persona aficionada a espiar o mirar a escondidas a otras personas en situaciones eróticas para excitarse sexualmente: *algunas personas consideran que el comportamiento del voyeur es una desviación sexual.*

voyeurismo [se pronuncia aproximadamente 'buayerismo'] *s. m.* ① Conducta o condición del voyeur.

voz *s. f.* ① Sonido que se produce cuando el aire expulsado de los pulmones pasa por la garganta y hace que vibren las cuerdas vocales: *si no subes la voz no oiré lo que estás diciendo.* ② Conjunto de características de este sonido en cada persona: *en música, la voz de cabeza se produce cuando el timbre es bastante brillante y la intensidad moderada, y la voz de pecho cuando es más oscuro y la intensidad es más fuerte.* ③ Grito o sonido fuerte que emite una persona al hablar: *no deis voces.* ■ **voz de mando** Expresión con la que se da una orden a un subordinado: *al oír la voz de mando, los soldados iniciaron el desfile.* ④ Melodía de las varias que conforman una composición musical instrumental o coral: *las sopranos cantan la voz más alta.* ⑤ Persona que se dedica a cantar: *las voces de la música negra.* **SIN** cantante. ⑥ Derecho a opinar, en una asamblea o reunión: *en esta reunión no tiene ni voz ni voto.* ⑦ Persona o medio de comunicación que habla o expresa la opinión de otras personas o de un colectivo: *Raquel se ha convertido en la voz del grupo.* ⑧ Palabra o vocablo: *¿cuántas voces tiene este diccionario?* ⑨ Noticia o rumor, verdadero o falso, que corre entre la gente: *me ha llegado la voz de que subirán de nuevo los precios; corre la voz de que va a dimitir.* ⑩ Categoría que expresa la relación del verbo con el sujeto gramatical e indica si este realiza la acción del verbo (voz activa) o la recibe (voz pasiva), o si la acción se realiza en el mismo sujeto (voz media): *la oración "el muchacho fue golpeado" está en voz pasiva.*

a voces De manera muy evidente o con urgencia: *estas toallas están pidiendo a voces un buen lavado.*

a voz en cuello (**o en grito**) Dando gritos: *llamaba a su hija por la ventana a voz en grito.*

de viva voz De palabra u oralmente: *no me respondió por escrito, sino que lo hizo de viva voz.*

en voz alta Expresa el modo de hablar o expresarse una persona, con una voz sonora y audible: *puedes recitar tu poema en voz alta, para que lo oigamos todos.*

en voz baja Expresa el modo de hablar o expresarse una persona, con menor intensidad de lo normal: *habla en voz baja, que el niño está durmiendo.*

levantar la voz Hablar a alguien a gritos y sin respeto o educación.

llevar la voz cantante Imponerse o sobresalir en cualquier cosa.

voz blanca En música, voz de un niño.

FAM vocear, voceras, vocería, vocerío, vociferar, vocinglero, vozarrón.

vozarrón *s. m.* Voz muy fuerte y grave: *me dijo con su vozarrón que me callara.*

vs. Abreviatura de la preposición latina *versus*, 'hacia', que se utiliza en escritos para indicar oposición entre dos ideas u opciones: *televisión pública vs. televisión privada.*

v. s. Abreviatura de *versión subtitulada*, aplicado a una película en versión original traducida con subtítulos.

V

vudú *s. m.* **1** Religión muy difundida en Las Antillas y en el sur de Estados Unidos, en la que se mezclan elementos de religiones africanas y del cristianismo, y que se caracteriza por sacrificios rituales y el trance como modo de comunicación con los dioses: *el vudú es de origen africano.* **2** Divinidad que se venera en esta religión. **3** Ritual de esta religión que consiste en clavar alfileres a un muñeco que simboliza una persona con la intención de hacerle daño o incluso de causarle la muerte: *el vudú es una práctica supersticiosa.*

vuecencia *pron.* Tratamiento que se da a los generales de los ejércitos de Tierra y Aire y a los almirantes de la Armada.

vuelapluma Se usa en la expresión:
a vuelapluma Indica que algo se hace deprisa y sin pensar: *escribí esta canción a vuelapluma.*

vuelco *s. m.* **1** Cambio, generalmente inesperado, de la posición normal o natural de una cosa de manera que quede apoyada sobre un lado diferente al normal: *el vuelco del autobús en la autopista produjo varios heridos.* **2** Cambio brusco o transformación completa que sufre una cosa: *la política económica de ese país ha dado un vuelco en los últimos años.*
dar un vuelco el corazón Sentir una persona un susto o sobresalto ante un suceso o noticia que no esperaba: *cuando lo vi acercarse tanto al precipicio me dio un vuelco el corazón.*

vuelo *s. m.* **1** Movimiento o mantenimiento en el aire: *el hombre siempre ha admirado el vuelo de las aves.* ■ **vuelo sin motor** Vuelo que se hace en un aparato que carece de motor, aprovechando las diversas corrientes de aire: *los planeadores realizan vuelos sin motor.* **2** Viaje en avión o en otro vehículo aéreo: *el vuelo duró dos horas.* **3** Extensión de una prenda de vestir en una parte ancha o que no se ajusta al cuerpo: *esta falda tiene mucho vuelo.* **4** Parte que cuelga en una tela: *un mantel con mucho vuelo.* **5** Parte saliente de una construcción. ‖ *s. m. pl.* **6** **vuelos** Conjunto de plumas de las alas de un ave; también, las alas.
al vuelo Rápidamente: *es muy listo, todo lo entiende al vuelo; lo cogió al vuelo.*
alzar (o levantar) el vuelo (I) Echar a volar: *al oír el disparo, los patos alzaron el vuelo.* (II) familiar Marcharse, hacerse independiente: *llega un día en que los hijos alzan el vuelo y abandonan la casa de sus padres.*
dar vuelos Permitir demasiadas cosas a una persona: *le has dado demasiados vuelos al chico.* **SIN** consentir.
de altos vuelos De mucha importancia, sobre todo económica: *se trata de un proyecto de altos vuelos.*
no oírse el vuelo de una mosca Haber un silencio total.
tocar a vuelo las campanas Tocar todas las campanas a la vez.
tomar vuelo (o vuelos) Empezar a desarrollarse o a adquirir importancia una cosa: *mis planes están tomando vuelo, se hacen realidad.*
FAM revuelo.

vuelta *s. f.* **1** Movimiento circular alrededor de un punto: *para abrir el cerrojo tienes que dar una vuelta a la llave.* **SIN** giro. **2** Cada uno de los giros que da una cosa alrededor de ella misma o de otra: *el cinturón me va enorme, me da dos vueltas a la cintura.* **3** Parte de una cosa que se ha girado sobre sí misma o sobre otra. **4** Paseo corto: *saldremos dentro de un rato a dar una vuelta.* **5** Regreso desde un lugar al punto primero o inicial: *no nos volveremos a ver hasta la vuelta de vacaciones.* **ANT** ida. **6** Dinero que sobra cuando, al pagar algo, la cantidad entregada es superior al precio: *quédese con la vuelta.* **NOTA** También en plural con el mismo significado que en sin-

gular. **7** Curva en un camino: *ten cuidado al conducir porque esta carretera tiene muchas vueltas.* **8** Serie de puntos que se dan al tejer: *me faltan tres vueltas para terminar de tejer la bufanda.* **9** Carrera ciclista por etapas alrededor de un país o región: *la vuelta ciclista a España.* **10** Pieza de tela que se pone en las mangas o el cuello de una prenda de vestir: *las vueltas de esta camisa son de color blanco.* **11** Vez o parte en la que se divide un proceso o acción que se repite varias veces: *no se sabrá el resultado de las elecciones hasta la segunda vuelta.* **12** Repetición: *dar otra vuelta a la lección.* **13** Devolución de una cosa a quien la tenía o poseía.
a la vuelta de Cuando pase el tiempo expresado: *nos vemos a la vuelta de vacaciones.*
a vuelta de correo Por correo inmediato y sin perder un día: *espero que me contestes a vuelta de correo.*
buscar las vueltas familiar Intentar con insistencia sorprender a alguien en una falta para sacar provecho: *te lo advierto: no me busques más las vueltas.*
dar cien (o mil) vueltas Aventajar o ser mucho mejor una persona o cosa a otra: *siempre saca las mejores notas, les da cien vueltas a todos sus compañeros.*
dar vueltas (I) Andar de un lugar a otro: *llevo un rato dando vueltas y no he encontrado la dirección que busco.* (II) Pensar o reflexionar constantemente sobre algo: *aunque me he pasado el día dándole vueltas al problema, sigo sin saber cómo solucionarlo.*
estar a vueltas Insistir mucho: *siempre está a vueltas con la subida de sueldo.*
estar de vuelta Estar desengañado de algo o no sorprenderse de nada por tener mucha experiencia: *había pasado por tantos malos tragos que ya estaba de vuelta de todo.*
no tener vuelta de hoja Ser indiscutible: *es una verdad incuestionable: no tiene vuelta de hoja.*
poner de vuelta y media Hablar muy mal de una persona o reprenderla e insultarla duramente: *le puso de vuelta y media aprovechando que no estaba.*

vuelto, -ta **1** Participio irregular de *volver.* ‖ *adj.* **2** Se aplica a la página o folio que queda en la parte posterior de una hoja y que por su parte anterior está escrita: *los folios vueltos llevan la numeración delante.* ‖ *s. m.* **3** AMÉR. Vuelta (dinero que sobra al pagar).

vuestro, -tra *det./pron.* Forma del determinante y pronombre posesivo de segunda persona del plural: *vuestra clase; vuestros amigos; este coche es el vuestro, ¿no?*
la vuestra Ocasión más favorable para hacer algo las personas a las que se dirige el hablante: *si os queréis escapar, esta es la vuestra.*
lo vuestro Actividad que hacen muy bien o en la que destacan las personas a las que se dirige el hablante: *me parece que lo vuestro no es la mecánica.*
los vuestros Las personas que pertenecen al mismo grupo, familia o partido que las personas a las que se dirige el hablante: *los vuestros ganaron el último partido.*

vulcanismo *s. m.* Conjunto de fenómenos geológicos relacionados con la actividad de los volcanes. ■ **vulcanismo atenuado** Actividad volcánica debida a fenómenos originados por la presencia de magma en los niveles freáticos, como los géiseres y las fumarolas.

vulcanizar *v. tr.* Mezclar el caucho natural con azufre para formar una materia elástica y resistente al frío, al calor y al agua: *el caucho que se usa para la fabricación de neumáticos ha sido vulcanizado.*
FAM vulcanización.

V

vulcanología *s. f.* Parte de la geología que estudia los volcanes y los fenómenos que tienen relación con ellos.
FAM vulcanólogo.

vulgar *adj.* ① Común o general. ② Se aplica a la cosa que es muy normal o que no tiene nada de original: *un libro vulgar; una comida vulgar; la decoración de esa casa es muy vulgar.* ③ Se aplica al lenguaje que utiliza la gente corriente, el cual se contrapone al que utilizan los especialistas: *"sobaco" es la denominación vulgar de "axila".* **ANT** culto. ④ Se aplica a la persona, al lenguaje o a la costumbre que es poco refinada, de poca educación o de mal gusto: *escupir es un hábito muy vulgar; ese chico es tan vulgar que no saber decir una frase que no esté llena de palabras soeces.* ⑤ despectivo Se aplica a la persona o cosa que no es más que lo que se expresa: *una vulgar imitación; un vulgar mentiroso.* ⑥ Se aplica al latín propio de la comunicación oral y que se opone al latín clásico: *la evolución del latín vulgar dio lugar a las lenguas románicas, como el español, el gallego y el catalán, entre otras.*
FAM vulgaridad, vulgarismo, vulgarizar.

vulgaridad *s. f.* ① Cualidad de lo que carece de originalidad: *el diseño de estos cubiertos intenta evitar la vulgaridad de los objetos cotidianos.* ② Obra o dicho vulgar o de mal gusto e impropio de personas cultas: *se puso a decir vulgaridades.* ③ Cualidad de lo que es poco refinado o de lo que indica poca educación: *quería ocultar su vulgaridad con frases rebuscadas.*

vulgarismo *s. m.* Vocablo, giro o construcción considerados vulgares e inadmisibles en los registros o usos normales de una lengua: *la forma "haiga" es un vulgarismo.* **ANT** cultismo.

vulgarizar *v. tr.* ① Hacer que una persona o cosa pierda la distinción, la originalidad o el buen gusto: *desde que tiene esos nuevos amigos se ha vulgarizado.* ② Divulgar o hacer accesible una ciencia o técnica reservada a una minoría al gran público no especializado: *hay que vulgarizar el uso de la informática.*
FAM vulgarización.

vulgo *s. m.* ① Conjunto de personas del pueblo, especialmente las que no tienen cultura ni posición social destacada: *se cree tan distinguido que según él todos los demás formamos parte del vulgo.* **NOTA** Frecuentemente usado de forma despectiva. **SIN** plebe. ② Conjunto de personas que, en cualquier materia, solamente conocen lo superficial.
FAM vulgar.

vulnerable *adj.* Se aplica a la persona, al carácter o al organismo que es débil o que puede ser dañado o afectado fácilmente porque no sabe o no puede defenderse: *está bajo de defensas y es muy vulnerable a las infecciones.* **ANT** invulnerable.
FAM invulnerable.

vulnerar *v. tr.* ① Ir en contra de una ley o norma o no cumplirla: *vulnerar el código de la circulación.* **SIN** quebrantar, transgredir. ② Herir, dañar o perjudicar: *esas fotos vulneraron su intimidad; los derechos de los esclavos han sido vulnerados durante años.*
FAM vulnerable.

vulpeja *s. f.* Zorra (animal).

vulva *s. f.* Parte externa del aparato genital femenino y de las hembras de los mamíferos que rodea y constituye la abertura de la vagina.

V

w *s. f.* Vigésima cuarta letra del alfabeto español; su nombre es *uve doble.*

walkie-talkie [se pronuncia aproximadamente 'ualqui-talqui'] *s. m.* Aparato portátil que permite a una persona comunicarse con otra que se encuentra a corta distancia, gracias a un sistema emisor y receptor de ondas radiofónicas: *algunos walkie-talkies tienen un radio de cobertura de varios cientos de metros.*

walkiria [se pronuncia 'valquiria'] *s. f.* Valquiria.

walkman [se pronuncia aproximadamente 'ualman'] *s. m.* Aparato reproductor de casetes, y a veces también receptor de radio, portátil, de reducido tamaño y provisto de unos auriculares, que funciona con pilas o batería.
OBS Plural: *walkmans*, es marca registrada.

wapití [se pronuncia 'uapití'] *s. m.* Ciervo que vive en los bosques caducifolios y en las taigas norteamericanas.

wáter [se pronuncia 'váter'] *s. m.* Váter.
OBS Puede encontrarse la grafía inglesa *water.*

waterpolo [se pronuncia 'uaterpolo' o 'vaterpolo'] *s. m.* Deporte de equipo que se practica en una piscina y que consiste en tratar de introducir un balón en la portería contraria lanzándolo con las manos: *un equipo de waterpolo se compone de siete jugadores.*
FAM waterpolista.

watt [se pronuncia 'vat'] *s. m.* Unidad de potencia del Sistema Internacional, de símbolo *W*, que equivale a la potencia capaz de conseguir una producción de energía igual a un julio por segundo.
OBS Plural: *watts.* Se ha adaptado al español con la forma *vatio.*

wau [se pronuncia 'vau'] *s. amb.* Sonido de *u* que puede ser semiconsonántico (cuando va tras una consonante) o semivocálico (cuando le sigue una vocal con la que forma diptongo): *en "acuario" y "agua" hay una wau semiconsonante, y en "maullar" y "fauna" hay una wau semivocal.*

web [se pronuncia aproximadamente 'ueb'] *s. f.* Documento de Internet que puede contener texto, gráficos, sonidos o animaciones, generalmente escrito en lenguaje HTML y que permite la relación con otros documentos, mediante enlaces.
NOTA También *página web.*

wéber o **weber** [se pronuncia 'béber'] *s. m.* Unidad de flujo magnético del Sistema Internacional, de símbolo *Wb*, que equivale al flujo que atraviesa una espira de un metro cuadrado situada en un campo magnético uniforme de inducción de una tesla.
OBS Plural: *wébers.* Se ha adaptado al español con la forma *weberio.*

weberio *s. m.* Wéber.

western [se pronuncia aproximadamente 'uéster'] *s. m.* **1** Género cinematográfico al que pertenecen las películas ambientadas en el Oeste norteamericano durante el periodo de su colonización: *los protagonistas del western son vaqueros, indios, pistoleros y soldados.* **2** Película cinematográfica que pertenece a este género: *John Ford dirigió varios westerns.*
OBS Plural: *westerns.*

whisky [también **güisqui**, poco usual; se pronuncia 'uisqui'] *s. m.* Bebida alcohólica de alta graduación, de color marrón claro o amarillento, que se obtiene de la destilación de cereales, especialmente cebada.
FAM whiskería.

windsurf [se pronuncia aproximadamente 'uínsurf' o 'uinsurf'] *s. m.* Deporte náutico que consiste en deslizarse una persona sobre el agua subida a una tabla en la que va ajustada una vela: *en el windsurf la vela se coloca de manera que el viento incida sobre ella y empuje la tabla.* **SIN** windsurfing.
FAM windsurfista.

windsurfing [se pronuncia aproximadamente 'uinsurfin'] *s. m.* Windsurf.

windsurfista [se pronuncia aproximadamente 'uinsurfista'] *s. com.* Persona que practica el windsurf.

wok *s. m.* Sartén de hierro de origen chino, con el fondo abombado en lugar de plano, que se emplea para saltear alimentos.

wólfram [se pronuncia 'vólfram'] *s. m.* Volframio.

wolframio [se pronuncia 'volframio'] *s. m.* Volframio.

www Sigla de la expresión inglesa *World Wide Web*, 'telaraña mundial', que se utiliza en las direcciones electrónicas para indicar que se trata de una dirección de Internet.

x *s. f.* **1** Vigésima quinta letra del alfabeto español; su nombre es *equis*. **2** En la numeración romana, tiene el valor de diez: *XX representa el número 20*. **NOTA** Se escribe con mayúscula. **3** Signo que se emplea en lugar de un nombre que no se quiere o no se puede decir. **4** Signo matemático que representa una incógnita. **5** Signo que, en geometría analítica y en las coordenadas cartesianas, representa la abscisa.

xantofila *s. f.* Pigmento amarillo de algunas células vegetales, que participa en la fotosíntesis: *la xantofila interviene en la absorción de la luz por las hojas de las plantas*. **SIN** luteína.

xenofilia *s. f.* Simpatía hacia lo extranjero o los extranjeros. **ANT** xenofobia.
FAM xenófilo.

xenófilo, -la *adj./s. m. y f.* **1** Se aplica a la persona que tiene xenofilia. **ANT** xenófobo. **|** *adj.* **2** Que denota xenofilia: *actitud xenófila*. **ANT** xenófobo.

xenofobia *s. f.* Odio u oposición hacia lo extranjero o los extranjeros. **ANT** xenofilia.
FAM xenófobo.

xenófobo, -ba *adj./s. m. y f.* **1** Se aplica a la persona que tiene xenofobia. **ANT** xenófilo. **|** *adj.* **2** Que denota xenofobia: *teorías xenófobas; violencia xenófoba*. **ANT** xenófilo.

xenón *s. m.* Elemento químico de símbolo *Xe* y número atómico 54; es un gas noble, incoloro e inodoro, que se encuentra en la atmósfera en proporciones muy pequeñas; se emplea en iluminación para llenar bombillas eléctricas, en la industria nuclear y en fotografía rápida: *el xenón no tiene reactividad química*.

xerocopia *s. f.* Copia de un texto o imagen hecha por xerografía o por medios fotoeléctricos, en seco y sin contacto: *la xerocopia es un tipo de fotocopia*.
FAM xerocopiar.

xerocopiar *v. tr.* Reproducir un texto o imagen utilizando la técnica de la xerografía.
OBS Verbo regular, se acentúa como *cambiar*.

xerófilo, -la *adj.* Se aplica al organismo que está adaptado para vivir en lugares o ambientes secos: *el cactus es una planta xerófila*. **SIN** xerófito.

xerófito, -ta *adj.* Xerófilo.

xerografía *s. f.* Sistema de reproducción que, por medios fotoeléctricos, permite obtener en seco y sin contacto copias de un texto o imagen: *la xerografía es un sistema electrostático*.
FAM xerografiar.

xerografiar *v. tr.* Reproducir un texto o imagen por medio de la xerografía: *las fotocopiadoras xerografían una imagen mediante su revelado en seco*.
OBS Verbo regular, se acentúa como *desviar*.

xi *s. f.* Nombre de la decimocuarta letra del alfabeto griego; se escribe Ξ/ξ y se transcribe como *x*.

xifoides *s. m.* Cartílago en que termina el esternón.
OBS Plural invariable.

xilema *s. m.* Tejido vegetal de las plantas vasculares que está constituido por los vasos o conductos que transportan y distribuyen el agua y las sales minerales absorbidas por las raíces.

xilófago *adj./s. m.* Se aplica al insecto que se alimenta de madera: *los termes son xilófagos*.

xilofonista *s. com.* Persona que toca el xilófono.

xilófono *s. m.* Instrumento musical de percusión formado por una serie de láminas de madera de diferentes medidas y ordenadas horizontalmente a modo de teclas, que se toca con dos o cuatro baquetas con una cabeza redonda en el extremo.
FAM xilofonista.

xilografía *s. f.* **1** Técnica de grabado basada en el empleo de una plancha de madera en la que se tallan o se vacían las partes que en la reproducción o impresión deben quedar en blanco. **2** Impresión tipográfica obtenida por medio de planchas de madera grabadas: *la xilografía era empleada como método de impresión de libros*.
FAM xilográfico.

xiloprotector, -ra *adj.* Se aplica al producto o sustancia que sirve para proteger la madera, especialmente de los agentes atmosféricos: *esta casita de madera está tratada con un producto xiloprotector*.

xocoyote *s. m.* MÉX. Hijo menor de una familia o hijo preferido.

xola *s. f.* MÉX. Hembra del pavo.

xoxalero, -ra *s. m. y f.* MÉX. Persona que ejerce de hechicero o brujo en una comunidad indígena.

y¹ *s. f.* ☐ Vigésima sexta letra del alfabeto español; su nombre es *i griega* o *ye*. ☐ Signo matemático que representa la segunda incógnita, cuando hay más de una. ☐ Signo que, en geometría analítica y en las coordenadas cartesianas, representa la ordenada.

y² *conj.* ☐ Se usa para unir dos elementos que están al mismo nivel y que tienen la misma función; indica una adición o una relación de igualdad entre ellas: *Ana y Pedro fueron felices y comieron perdices*. ☐ Se usa para dar énfasis al principio de una pregunta o exclamación: *¿y qué pasa si no quiero ir?; ¡y a mí qué más me da!*

OBS Se sustituye por la conjunción *e* cuando la palabra siguiente comienza por *i-* o *hi-*: *Juan e Isabel*.

ya *adv.* ☐ Indica que una acción había concluido o que la situación expresada había cambiado en el momento mencionado: *ya leía libros a los tres años*. ☐ Indica que una acción ha concluido o que la situación expresada ha cambiado del pasado al momento presente, o en el mismo momento en el que se habla: *ya te entiendo, acabo de darme cuenta*. ☐ Se utiliza para indicar que lo expresado no ha sucedido todavía, pero que sucederá en el futuro (si el verbo está en futuro) o sucederá en un futuro inmediato o dentro de muy poco tiempo (si el verbo está en presente de indicativo): *tú vete que ya voy; ya acabaré yo el trabajo*. ☐ Se utiliza para enfatizar una respuesta o afirmación: *te creo, ya se ve que tienes razón*. ‖ *conj.* ☐ Se utiliza con valor distributivo para enlazar dos o más posibilidades que se alternan: *siempre ha destacado, ya en la milicia, ya en las letras; ya canta, ya ríe*. ‖ *int.* ☐ **¡ya!** Se utiliza para indicar que se recuerda algo, o que se acaba de descubrir: *¡ya!, la solución es tres; ¡ah, ya!, nos conocimos en una fiesta*. ☐ Se utiliza para mostrar incredulidad o para negar una cosa: *¡ya!, seguro que tú eres el más listo*.

no ya No solamente, además de: *escribe perfectamente no ya en francés, sino también en alemán*.

ya que (**I**) Expresa una causa: *ya que tú no quieres venir, invitaré a Mario*. (**II**) Expresa una condición: *ya que tu desgracia no tiene remedio, llévala con paciencia*.

yac [también **yak**] *s. m.* Mamífero rumiante domesticable, de la misma familia que el toro y la vaca (bóvidos), con el cuerpo cubierto de pelos largos y oscuros y con dos cuernos un poco curvados en la frente, que vive en la región del Tíbet: *el yac es de gran tamaño*.

yacaré *s. m.* Caimán suramericano, de piel negruzca, que segrega, por sus glándulas anales, una sustancia utilizada por los nativos como perfume: *el yacaré vive en ríos y pantanos de América del Sur*.

yacente *adj.* ☐ Que yace: *cuerpo yacente*. ☐ Se aplica a la escultura que representa a una persona tumbada: *la estatua yacente del Conde de Agüero*.

yacer [50] *v. intr.* ☐ Estar echada o tendida una persona: *yacía en su cama, murmurando en sueños*. ☐ Estar un cuerpo sin vida en la tumba o sepultura: *aquí yace el más insigne escritor de esta ciudad*. ☐ culto Realizar el acto sexual dos personas. **SIN** copular.

FAM yacija, yacimiento; adyacente, subyacer.

yachting [se pronuncia aproximadamente 'yactin'] *s. m.* Modalidad de competición deportiva que se practica con embarcaciones de vela, y consiste en el enfrentamiento individual o por equipos.

yacimiento *s. m.* ☐ Lugar en el que se encuentran de forma natural minerales, rocas o fósiles, especialmente cuando pueden ser objeto de explotación: *un yacimiento de carbón; yacimiento de diamantes*. ☐ Lugar en el que se encuentran restos arqueológicos.

yacuzzi [también **jacuzzi**; se pronuncia aproximadamente 'yacudsi'] *s. m.* Piscina o bañera dotada de un sistema de corrientes de agua que masajean a la persona mientras se baña.

yagruma *s. f.* CUBA, R. DOM. Árbol de hasta 20 m de altura, de corteza delgada y lisa, escasas ramas, grandes hojas palmeadas con propiedades medicinales y flores de color rosa. **SIN** yagrumo.

yagrumo *s. m.* Yagruma.

yagua *s. f.* VENEZ. Nombre genérico que se da a diversas especies de palmas que se utilizan como hortalizas, para techar chozas, para hacer cestos y sombreros y que, en invierno, dan aceite que sirve para el alumbrado.

yaguar *s. m.* Jaguar (mamífero carnívoro).

yak *s. m.* Yac.

yambo *s. m.* Árbol de gran tamaño, procedente de la India y cultivado en las Antillas, cuyo fruto es la pomarrosa. **SIN** pomarrosa.

yanacón, -cona *adj./s. m. y f.* PERÚ Se aplica al indio que es arrendatario de la tierra que cultiva.

yanacona *s. com.* ① Indio que estaba al servicio personal de los españoles en determinados países de América del Sur. ② BOL., PERÚ Indio yanacón.

yang *s. m.* Principio activo y masculino de la filosofía china que, junto con su complementario y opuesto, el yin, constituye el principio fundamental de la vida y del orden universal: *el yang es la parte positiva y dominada por la luz.*

yanqui *adj.* ① familiar Estadounidense (relativo a los Estados Unidos de América). | *s. com./adj.* ② familiar Estadounidense (persona que es de Estados Unidos).
OBS Frecuentemente usado de forma despectiva.

yantar[1] *v. intr.* culto Comer, especialmente al mediodía.

yantar[2] *s. m.* culto Comida, considerada como placer: *las leyes del buen yantar.*

yapar *v. tr.* AMÉR. Añadir el vendedor gratuitamente algo a lo comprado.

yarda *s. f.* Medida de longitud del sistema inglés que equivale a 91,4 centímetros.

yate *s. m.* Embarcación de recreo o deportiva, de motor o de vela, generalmente lujosa y con camarotes.

yaya *s. f.* ① CHILE, COL., CUBA En lenguaje infantil, herida pequeña o cicatriz. ② COL. Llaga. ③ CUBA Árbol de gran altura de tronco y ramas delgadas, hojas alternas de color verde brillante, flores blanquecinas y frutos de color rojo en forma de uva: *la yaya crece en terrenos pedregosos y su madera se usa en la construcción de casas rurales.*

yayo, -ya *s. m. y f.* familiar Abuelo.

yaz [también **jazz**, más usado] *s. m.* Género musical con un ritmo de tres tiempos muy marcado en el que se da una gran importancia a la improvisación; constituye una evolución de las músicas tradicionales de los negros estadounidenses: *el yaz tuvo su origen en el seno de la comunidad negra de Nueva Orleans.*

ye *s. f.* Nombre de la letra *y.* **SIN** i griega.

yedra [también **hiedra**, más usado] *s. f.* Planta trepadora de hojas brillantes y siempre verdes que crece agarrándose a paredes y árboles mediante unas pequeñas raíces adherentes que salen de su tallo.

yegua *s. f.* ① Hembra del caballo. **SIN** jaca. ② AMÉR. CENTRAL Colilla de cigarro. | *adj./s. com.* ③ AMÉR. CENTRAL Se aplica a la persona que es estúpida o tonta. | *adj./s.* ④ familiar ARG., PAR., URUG. Se aplica a la mujer que es muy sensual y exuberante. ⑤ fam. desp. ARG., PAR., URUG. Se aplica a la mujer que es vulgar y ordinaria. | *s. f.* ⑥ familiar CUBA Hombre homosexual.
FAM yeguada.

yeguada *s. f.* ① Manada de caballos o de ganado caballar: *en esa yeguada hay caballos, yeguas y potros.* ② familiar AMÉR. CENTRAL, P. RICO Dicho o hecho tonto o disparatado.

yeísmo *s. m.* Fenómeno del habla que consiste en pronunciar la *ll* (palatal lateral sonora) como *y* (palatal fricativa sonora), por una tendencia del hablante a hacer central una articulación lateral: *el yeísmo afecta a zonas de España y a gran parte de Hispanoamérica.*
FAM yeísta.

yeísta *adj.* ① Relativo al yeísmo. | *adj./s. com.* ② Se aplica a la persona que practica el yeísmo al hablar: *los yeístas, pronuncian la palabra "pollo" como "poyo".*

yelmo *s. m.* Parte de la armadura que servía para proteger la cabeza y el rostro.

yema *s. f.* ① Núcleo o parte central del huevo de las aves y de otros vertebrados ovíparos, como los reptiles: *en los huevos de las aves la yema es de color amarillo; el embrión se desarrolla en la yema.* ② Dulce elaborado con azúcar y yema de huevo, en forma de bolita y de color amarillo intenso: *las yemas son un producto típico de Ávila.* ③ Parte central del extremo de un dedo opuesta a la uña: *en las yemas tenemos mucha sensibilidad.* ④ Brote de los vegetales que surge del tallo, que está formado por una agrupación de hojas compactas y del que nacen las ramas, las hojas y las flores: *las yemas de ese roble anuncian la primavera.*

yen *s. m.* Unidad monetaria de Japón.

yerba [también **hierba**, más usado] *s. f.* ① Planta de tallos blandos, finos y flexibles, generalmente de pocos centímetros. ② Conjunto de estas plantas en un terreno: *se tumbó en la yerba y se durmió.* ③ Planta que se usa con fines medicinales, en cocina o se toma como infusión. ④ jerga Marihuana.
mala yerba Hierba perjudicial que crece de forma espontánea en un campo de cultivo o en un jardín. **NOTA** Más en plural.
y otras yerbas familiar Expresión con que se acaba una enumeración, generalmente de elementos inconexos: *hablaron de política, deportes y otras yerbas.* **NOTA** Frecuentemente usado de forma humorística.
yerba luisa Yerbaluisa.
FAM yerbabuena.

yerbabuena [también **hierbabuena**, más usado] *s. f.* Planta herbácea de hojas verdes, vellosas y muy aromáticas que se toma en infusión y se emplea como condimento.

yerbaluisa [también **hierbaluisa**, más usado] *s. f.* Arbusto de jardín de hojas alargadas de color verde claro y con olor a limón, y flores pequeñas y violáceas. **SIN** luisa.
OBS También *yerba luisa.*

yermo, -ma *adj./s. m.* ① Se aplica al terreno que está despoblado o sin habitar: *la emigración dejó yermos muchos pueblos pequeños.* ② Se aplica al terreno que está sin cultivar o es estéril: *aquel páramo era un terreno yermo donde no había manera de cultivar nada.*

yerno *s. m.* Marido de una hija, con respecto a los padres de esta.

yerra [también **hierra**, más usado] *s. f.* ① AMÉR. Operación de marcar el ganado en las haciendas con el hierro candente. ② AMÉR. Temporada en la que se marca al ganado. ③ AMÉR. Fiesta que se celebra con motivo de la yerra (operación).

yerro *s. m.* ① Equivocación que se comete por ignorancia o por descuido. **SIN** error. ② culto Falta contra reglas morales o religiosas: *los yerros propios de la inmadurez.*

yerto, -ta *adj.* Se aplica a la persona o animal que está tieso o rígido, especialmente si es a causa de la muerte, del frío o de una emoción fuerte: *un pájaro yerto sobre la nieve.*

yesca *s. f.* ① Materia muy seca preparada para arder con facilidad: *a veces la yesca se hace tratando madera o trapos para que prendan al contacto con una chispa.* ② Cosa o persona que estimula una pasión o perturbación: *los insultos fueron la yesca de la pelea.*

Y

yesería *s. f.* **1** Establecimiento en el que se fabrica o vende yeso. **2** Obra o decoración hecha grabando o tallando formas sobre una superficie de yeso: *las yeserías de la Alhambra son asombrosas.* **3** Técnica para realizar esta obra o decoración.

yeso *s. m.* **1** Mineral blando, compuesto de sulfato cálcico hidratado y generalmente de color blanco, que molido y mezclado con agua forma una pasta usada en construcción y en escultura: *el yeso se endurece con mucha rapidez.* **2** Escultura vaciada y hecha con este material: *los yesos se hacen con unos moldes que luego se vacían.* **3** Vendaje hecho con este material, con el cual se envuelve una parte del cuerpo para mantenerla inmovilizada.
FAM yesero, yesón; enyesar.

yesquero *s. m.* P. RICO, URUG., VENEZ. Encendedor, mechero.

yeta *s. f.* **1** ARG., MÉX., URUG. Desgracia, mala suerte. **‖** *adj./ s. com.* **2** familiar ARG., URUG. Gafe (persona que es considerada por los demás como portadora de mala suerte).

yeti *s. m.* Ser fantástico y monstruoso, con figura humana, aspecto gigantesco y con el cuerpo cubierto de pelo que, según la leyenda, habita en el Himalaya.

yeyé *adj.* **1** Se aplica a la música pop de los años sesenta. **2** Relativo a esta música o a la moda que se desarrolló a partir de ella: *llevaba un sombrero floreado con vivos colores muy yeyé.* **‖** *adj./s. com.* **3** Se aplica a la persona que es seguidora de la música pop de los años sesenta o de la moda que se creó a su alrededor: *un chico yeyé.*

yeyuno *s. m.* Parte media del intestino delgado de los mamíferos, comprendida entre el duodeno y el íleon.

yiddish [se pronuncia aproximadamente 'yídish'] *s. m./ adj.* Lengua hablada por los judíos de origen alemán, que se formó con elementos del hebreo, francés antiguo, alto alemán y dialectos del norte de Italia: *actualmente, el yiddish es hablado por comunidades judías de Rusia, Lituania, Polonia y Estados Unidos.*

yihad [se pronuncia aproximadamente 'yijad'] *s. amb.* Esfuerzo que todo musulmán debe realizar para que la ley divina reine en la Tierra: *el yihad ha sido en ocasiones interpretado como guerra santa.*

yin *s. m.* Principio pasivo y femenino de la filosofía china que, junto con su complementario y opuesto, el yang, constituye el principio fundamental de la vida y del orden universal: *el yin es la parte negativa y dominada por la oscuridad.*

yiro *s. m.* **1** familiar ARG., URUG. Paseo breve e informal: *dar un yiro.* **2** fam. desp. ARG., URUG. Prostituta.

yo *pron.* **1** Pronombre personal de primera persona de singular: *yo sé la verdad sobre el crimen.* **‖** *s. m.* **2** Individualidad y personalidad de un ser humano, en oposición al mundo exterior.

yo que + *pronombre personal* Expresión con la que el hablante hace una sugerencia a una persona, explicando cuál sería su decisión si se encontrara en el lugar de ella: *yo que tú no lo haría.*

yod *s. f.* Sonido de *i* que puede ser semiconsonántico (cuando antecede a una vocal con la que forma un diptongo) o semivocálico (cuando va tras una vocal con la que forma diptongo); se representa en el alfabeto fonético con *j* o *i*, respectivamente: *en "cielo" hay una yod semiconsonante, y en "peine" hay una yod semivocal.*

yodado, -da *adj.* Que contiene yodo.

yodo *s. m.* Elemento químico no metálico, de símbolo *I* y número atómico 53; es sólido, de color negro brillante y al sublimarse, a temperatura ambiente, desprende vapores de color azul de olor irritante; se encuentra muy difundido en el suelo en forma de sales y en las algas y otros organismos marinos; se utiliza como desinfectante en disolución: *el yodo combinado con alcohol se usa como antiséptico.*
FAM yodado, yodato, yódico, yoduro.

yoduro *s. m.* Compuesto de yodo en estado de oxidación, que se utiliza en medicina y en fotografía.

yoga *s. m.* **1** Conjunto de técnicas de concentración que se practica para conseguir un mayor control físico y mental: *el yoga proviene de una antigua filosofía hindú que busca alcanzar la perfección espiritual.* **2** Sistema filosófico y ascético de la India que busca conseguir la perfección espiritual.
FAM yogui.

yogui *s. com.* **1** Asceta hindú adepto al sistema filosófico del yoga. **2** Persona que practica habitualmente el ejercicio físico y mental del yoga: *los yoguis consiguen un profundo control de la respiración.*

yogur *s. m.* Alimento o producto que se obtiene por fermentación de la leche: *el yogur es un producto lácteo rico en calcio y vitamina A y D.*
FAM yogurtera.

yogurtera *s. f.* Electrodoméstico para fabricar yogur.

yonqui *s. com.* jerga Heroinómano: *el yonqui acudió a un centro de desintoxicación.*

yóquey o **yoqui** *s. m.* Jinete profesional de carreras de caballos.

yoyó o **yo-yo** *s. m.* Juguete formado por dos pequeños discos unidos en su centro por un eje en el que se ata un cordón que le hace subir y bajar según se enrolla o desenrolla el cordón a dicho eje.
OBS Es marca registrada.

yuca *s. f.* **1** Planta de hojas verdes, largas y finas acabadas en punta y agrupadas en su base, desde la que forman una semiesfera y en cuyo centro, cuando la planta es adulta, sobresale el tallo de las flores, blancas o amarillas y en forma de campana: *las yucas proceden de América y se utilizan mucho en jardinería por su resistencia y belleza.* **2** Arbusto de tallo cilíndrico y hojas grandes y palmeadas dispuestas desordenadamente, cuya raíz es comestible: *Brasil, Indonesia y Madagascar destacan en el cultivo intensivo de la yuca.* **SIN** mandioca. **3** Tubérculo de este arbusto, de forma alargada, exterior marronáceo e interior blanco, que tiene un gran valor alimenticio: *con la yuca se prepara la tapioca.* **SIN** mandioca.

yudo [también **judo**, más usado] *s. m.* Deporte de origen japonés que consiste en luchar cuerpo a cuerpo dos personas, utilizando solamente la rapidez y agilidad de movimientos y la propia fuerza e impulso del contrario para hacerle perder el equilibrio y caer al suelo: *el yudo es deporte olímpico desde 1964.*
FAM yudoca.

yudoca o **yudoka** [también **judoca** o **judoka**, más usados] *s. com.* Persona que practica el deporte del judo.

yugo *s. m.* **1** Pieza de madera que se pone en la cabeza o el cuello de dos animales de tiro, especialmente bueyes o mulas, para que, colocados uno al lado de otro, tiren de un arado o de un carro: *el yugo se sujeta en los cuernos de los bueyes.* **2** Atadura, sujeción, dominio u opresión impuesta por un

Y

poder superior o una circunstancia: *el yugo de la pobreza; el yugo del matrimonio.*

FAM yugada.

yugoslavo, -va o **yugoeslavo, -va** *adj.* **1** De Yugoslavia (país de Europa). **‖** *s. m. y f./adj.* **2** Persona que es de Yugoslavia.

yugular *adj./s.* **1** Se aplica a la vena que, junto con otra igual, está situada a uno y otro lado del cuello y recoge la mayor parte de la sangre de este y de la cabeza: *un corte en la vena yugular es muy grave.* **‖** *adj.* **2** Relativo al cuello: *lesión yugular.*

yunque *s. m.* **1** Hueso del oído medio de los mamíferos: *el yunque está situado entre el martillo y el estribo.* **2** Bloque de hierro en forma de prisma, generalmente con uno de sus lados acabado en punta, sobre el que se trabajan los metales al rojo vivo golpeándolos con un martillo.

yunta *s. f.* **1** Pareja de animales usados para trabajar y labrar el campo o para tirar de carros: *una yunta de mulas tiraba del arado.* **2** AMÉR. Amigo íntimo, de mucha confianza.

andar en yunta familiar ARG., URUG. Estar dos personas siempre juntas: *Silvia y Leonor andan en yunta, así que lo que le confíes a una lo sabrá pronto la otra.*

FAM yuntero.

yuntero *s. m.* Hombre que labra la tierra con una yunta.

yuppie [se pronuncia 'yupi'] *s. com.* Persona joven con estudios universitarios, que vive en una ciudad y tiene un trabajo y una situación económica de muy alto nivel: *el afán de éxito caracteriza al yuppie.*

yusivo, -va *adj.* Se aplica al modo verbal que expresa un mandato o una orden: *subjuntivo yusivo.*

yute *s. m.* **1** Planta herbácea tropical de tallos leñosos, corteza fibrosa, flores pequeñas y fruto en forma de cápsula. **2** Fibra textil que se obtiene de esta planta y se emplea en la fabricación de cuerdas, sacos, etc.

yuto, -ta *adj.* ARG., BOL. Rabón.

yuxtaponer [36] *v. tr.* **1** culto Poner una cosa junto a otra sin interposición de ningún nexo o elemento de relación: *en lugar de razonar, yuxtapone ideas que no tienen nada que ver.* **2** Unir dos proposiciones, coordinadas o subordinadas, sin emplear una conjunción o nexo que relacione explícitamente esas proposiciones, para formar una oración compleja: *en la aposición "la Luna, satélite de la Tierra" se yuxtaponen dos sintagmas.*

FAM yuxtaposición, yuxtapuesto.

yuxtaposición *s. f.* **1** culto Colocación de una cosa junto a otra sin interponer ningún nexo o elemento de relación: *yuxtaposición de ideas.* **2** Unión de dos proposiciones, coordinadas o subordinadas, sin emplear una conjunción o nexo que las relacione explícitamente, para formar una oración compleja: *en la oración "no salgas: llueve" se produce una yuxtaposición.*

yuxtapuesto, -ta Participio irregular de *yuxtaponer.*

yuyo *s. m.* AMÉR. Hierba silvestre que es perjudicial para los cultivos.

z *s. f.* Vigésima séptima y última letra del alfabeto español; su nombre es *zeta* o *ceta*: *en matemáticas, la "z" se usa para representar el conjunto de los números enteros.*

zafacoca *s. f.* AMÉR. Trifulca o pendencia aparatosa que se origina por causas nimias.

zafado, -da *adj./s. m. y f.* ⒈ ARG., URUG. Se aplica a la persona que es atrevida, descarada o insolente. ⒉ COL., MÉX. Loco, chiflado.

zafadura *s. f.* familiar AMÉR. Dislocación o luxación de los huesos.

zafaduría *s. f.* familiar ARG., CHILE, PAR., URUG. Dicho o hecho desvergonzado, grosero o atrevido.

zafarrancho *s. m.* ⒈ Acción que consiste en dejar dispuesta y preparada una embarcación para una actividad determinada. ■ **zafarrancho de combate** Preparación de una embarcación para afrontar una acción de guerra. ⒉ Limpieza general y organizada de un cuartel o de otro lugar: *ya hemos empezado el zafarrancho de toda la casa.* NOTA Frecuentemente usado de forma humorística. ⒊ Agitación desordenada y ruidosa: *¡menudo zafarrancho habían organizado con la fiesta!*

zafarse *v. prnl.* ⒈ Escaparse o esconderse para evitar un encuentro o peligro: *no consiguió zafarse de sus perseguidores.* ⒉ Librarse de una obligación o molestia: *zafarse de fregar.* FAM zafarrancho.

zafio, -fia *adj./s. m. y f.* Se aplica a la persona que tiene malos modos, es tosca o se comporta con poco tacto. SIN grosero. FAM zafiedad.

zafiro *s. m.* Piedra preciosa de color azul, muy usada en joyería.

zaga *s. f.* ⒈ Parte posterior o trasera de una cosa: *se ha retrasado un poco y está en la zaga de la cola del cine.* ⒉ En algunos deportes, conjunto de jugadores que forman la línea más retrasada de un equipo: *los delanteros deben superar la zaga del contrario.* SIN defensa. ANT delantera. **a la zaga** Detrás: *el potro iba a la zaga de las yeguas.* **ir** (o **irle** o **quedarse**) **a la zaga** Ser inferior a una persona o quedarse detrás de ella: *Andrés es inteligente, pero su hermana no le va a la zaga.* FAM zaguero.

zagal, -la *s. m. y f.* ⒈ Muchacho, persona joven o adolescente. SIN mozo. ⒉ Pastor joven que está a las órdenes de otro pastor.

zaguán *s. m.* Parte de una casa situada junto a la entrada principal. SIN recibidor, vestíbulo.

zaguero, -ra *adj.* ⒈ Que está o va detrás. ANT delantero. ‖ *s. m. y f.* ⒉ En algunos deportes, jugador que se coloca en la zona de juego más retrasada. ANT delantero.

zaherir [9] *v. tr.* Decir o hacer algo para humillar, maltratar o censurar a una persona con burla o malicia. FAM zaherimiento.

zahorí *s. com.* ⒈ Persona a quien se atribuye el poder de descubrir lo oculto, especialmente corrientes o pozos subterráneos de agua. ⒉ Persona perspicaz. OBS Plural: *zahoríes* o *zahorís.*

zaibatsu *s. m.* Grupo financiero japonés constituido por un gran número de empresas de todo tipo de sectores y actividades, tanto comerciales como industriales o bancarias: *los zaibatsu surgieron a finales del siglo XX y son enormemente poderosas.* OBS Plural invariable.

zaino, -na *adj.* ⒈ Se aplica a la caballería (caballo o yegua) que tiene el pelaje completamente castaño oscuro, sin manchas de otro color. ⒉ Se aplica al ganado vacuno (toro o vaca) que tiene el pelo completamente negro, sin manchas de otro color. ⒊ Falso, traidor.

zaireño, -ña *adj.* ⒈ De Zaire (país de África). ‖ *s. m. y f./ adj.* ⒉ Persona que es de Zaire.

zalamería *s. f.* Demostración exagerada o fingida de cariño, generalmente para conseguir una cosa.

zalamero, -ra *adj./s. m. y f.* Se aplica a la persona o animal que demuestra cariño de una forma exagerada o fingida, generalmente para conseguir una cosa: *si el perro está tan zalamero contigo es porque tienes la caja de galletas.* FAM zalamería.

zamarra *s. f.* Prenda de vestir de abrigo, hecha de piel gruesa y tosca o de paño burdo, que cubre el cuerpo hasta medio muslo: *los pastores llevaban zamarras.* SIN chamarra, zamarro. FAM zamarrear, zamarro.

zamarro *s. m.* ⒈ Zamarra. ‖ *s. m. pl.* ⒉ **zamarros** AMÉR. Calzones que se usan para montar a caballo.

zambo, -ba *adj./s. m. y f.* ① Se aplica a la persona que tiene las piernas torcidas de modo que se le juntan a la altura de las rodillas y se le separan hacia los pies. **SIN** patizambo. ② AMÉR. Se aplica al hijo de negro e india, o viceversa.

zambomba *s. f.* Instrumento musical de percusión formado por un recipiente más o menos cilíndrico de barro u hojalata, cerrado por la parte superior con un parche de cuero cuyo centro está atravesado por un palo; se toca frotando el palo arriba y abajo con la mano humedecida. **FAM** zambombazo.

zambombazo *s. m.* ① familiar Golpe fuerte: *se dio un zambombazo contra la pared.* ② familiar Ruido intenso que produce una cosa que explota.

zambullir [15] *v. tr.* ① Meter a alguien o algo debajo del agua con ímpetu: *zambullirse en la piscina; al zambullir una pelota y soltarla, sale disparada del agua.* ▌ *v. prnl.* ② **zambullirse** Concentrarse en la lectura, el estudio u otra actividad, especialmente intelectual. **FAM** zambullida.

zamorano, -na *adj.* ① De Zamora (ciudad y provincia de Castilla y León). ▌ *s. m. y f./adj.* ② Persona que es de Zamora.

zampabollos *s. com.* familiar Persona que come mucho y con avidez. **SIN** comilón, tragón, zampón. **OBS** Plural invariable. Frecuentemente usado de forma humorística.

zampar *v. tr./intr.* familiar Comer mucho y con avidez: *se zampó el pastel en un momento.* **FAM** zampabollos, zampón.

zampón, pona *adj./s. m. y f.* familiar Se aplica a la persona que come mucho y con avidez. **SIN** comilón, tragón.

zampoña *s. f.* Instrumento musical de viento parecido a una flauta o compuesto de varias flautas: *la zampoña es un instrumento que tocaban los campesinos.*

zanahoria *s. f.* ① Planta herbácea de hojas muy divididas y flores blanquecinas que produce una raíz comestible. ② Raíz de esta planta, alargada y de color naranja, que es muy rica en vitaminas: *la zanahoria se puede comer cruda y también cocida.* ▌ *adj./s. com.* ③ fam. desp. ARG., NICAR., URUG. Se aplica a la persona que es necia, torpe o tonta.

zanca *s. f.* ① Parte de la pata de un ave zancuda comprendida entre el tarso y la articulación del muslo. ② familiar Pierna larga y delgada de una persona.

zancada *s. f.* Paso largo.
en dos zancadas Indica la rapidez con la que se puede llegar a un lugar: *vivimos muy cerca, así que en dos zancadas llego a su casa.* **FAM** zancadilla.

zancadilla *s. f.* ① Acción de cruzar una pierna con las de otra persona para que esta tropiece y caiga: *le pusieron la zancadilla y cayó al suelo.* ② Acción con la que se pretende perjudicar a alguien. **FAM** zancadillear.

zancadillear *v. tr.* Poner la zancadilla a alguien: *el portero zancadilleó al delantero dentro del área.*

zancajo *s. m.* ① Hueso del pie que forma el talón. ② Parte de un zapato, calcetín o media que cubre el talón: *coser los zancajos de los calcetines.*
no llegar al zancajo (o **a los zancajos**) Ser una persona o una cosa muy inferior a otra: *conseguirá el papel principal de la película, porque los demás no le llegan a los zancajos.*

zanco *s. m.* Palo largo con un apoyo sobre el que se pone el pie y que sirve, junto con otro, para andar a cierta altura del suelo; se usa especialmente en fiestas tradicionales o populares como juego de equilibrio. **FAM** zancada, zancajo, zancudo.

zancudo, -da *adj.* ① Se aplica al ave que tiene el cuello, el pico y los tarsos muy largos, adaptadas a la vida en zonas pantanosas: *las cigüeñas y las garzas son aves zancudas.* ▌ *adj./ s. m. y f.* ② familiar Se aplica a la persona que tiene las piernas muy largas y delgadas. **NOTA** Frecuentemente usado de forma humorística. ▌ *s. m.* ③ AMÉR. Mosquito.

zanfoña *s. f.* Instrumento musical de cuerda, de aspecto externo similar al de un violín, que se toca colocándolo horizontalmente y dando vueltas a una manivela que tiene en el extremo opuesto al mástil (con la cual se pone en movimiento una rueda untada de resina que frota las cuerdas) a la vez que se toca un pequeño teclado.

zanganear *v. intr.* Andar de un lado a otro sin trabajar y generalmente molestando a otras personas que trabajan: *en la oficina siempre hay alguno que zanganea.*

zángano, -na *s. m.* ① Abeja macho, cuya función es fecundar a la abeja reina; es mayor que las abejas obreras, no produce miel y carece de aguijón. ▌ *adj./s. m. y f.* ② familiar Holgazán. ▌ *s. m. y f.* ③ familiar Persona que vive a costa de otras, sin trabajar ni ayudar. **FAM** zanganear.

zangolotear *v. intr.* ① Moverse una persona de un sitio a otro sin ningún propósito: *estaba muy nervioso y no paró de zangolotear por la casa.* ② Moverse una cosa que está floja o desajustada: *el tirador de la puerta zangolotea.* ③ Agitar o mover algo con violencia y de forma continuada: *zangolotear el agua.*

zanguango, -ga *s. m. y f.* familiar AMÉR. SUR Persona, generalmente corpulenta, que se comporta de manera torpe.

zanja *s. f.* Excavación alargada y estrecha hecha en la tierra para canalizar agua o gas, echar cimientos, etc. **FAM** zanjar.

zanjar *v. tr.* ① Excavar una zanja en el suelo: *están zanjando la calle para cambiar las tuberías del agua.* ② Resolver y concluir de un modo definitivo cierto asunto, especialmente molesto o que causa problemas: *una vez firmado el contrato, quedará zanjada la venta.*

zapa *s. f.* ① Herramienta para cavar o excavar que consiste en una pala de metal de corte duro unida a un palo o mango: *los zapadores abren zanjas con la zapa.* ② Excavación de una zanja u otro agujero en el suelo. **FAM** zapar.

zapador *s. m.* Soldado encargado de cavar para abrir trincheras y para abrir camino en las marchas. **SIN** gastador.

zapapico *s. m.* Herramienta para cavar o picar piedra que es parecida a un pico pero con dos bocas, una acabada en punta y otra estrecha y con el corte muy afilado.

zapar *v. tr.* Excavar una zanja u otro agujero en el suelo. **FAM** zapador.

zapata *s. f.* ① Pieza de un sistema de freno que roza contra una rueda o su eje para disminuir la velocidad del movimiento o para detenerlo. ② Pedazo de madera o goma que sirve para calzar muebles o para impedir que una puerta se cierre. ③ Pieza de goma o cuero de ciertos grifos. ④ Pieza horizontal que se coloca sobre una columna y sobre la que se apoya una

Z

estructura superior, especialmente vigas. ⑤ Tablón que resguarda la quilla al varar la embarcación.

zapatazo *s. m.* Golpe fuerte y sonoro dado con un zapato.
a zapatazos familiar De forma despótica y desconsiderada: *tratar a alguien a zapatazos*.

zapateado *s. m.* ① Baile popular español de estilo flamenco que se ejecuta golpeando vigorosamente el suelo con los zapatos, generalmente por parte de un solo bailarín. ② Composición musical con que se acompaña este baile. ③ Serie de golpes dados en el suelo con los zapatos en este baile o en otros.

zapatear *v. intr.* ① Dar golpes en el suelo u otra superficie con los pies calzados, generalmente siguiendo el ritmo de una música. | *v. tr.* ② Bailar una música con zapateado.
FAM zapateado, zapateo.

zapatería *s. f.* ① Establecimiento donde se venden o se fabrican zapatos. ② Oficio de zapatero: *siguiendo la tradición familiar, se dedica a la zapatería*.

zapatero, -ra *adj.* ① Relativo a los zapatos o al calzado: *industria zapatera*. | *s. m. y f.* ② Persona que se dedica a fabricar, arreglar o vender zapatos: *el zapatero me puso tapas nuevas en las botas*. ■ **zapatero de viejo** o **zapatero remendón** Persona que se dedica a arreglar zapatos rotos o gastados. | *s. m.* ③ Mueble o parte de un mueble que sirve para guardar zapatos. ④ Insecto de cuerpo alargado y negro que presenta las patas delanteras cortas y las traseras largas y delgadas, con las que se desliza a gran velocidad sobre la superficie de las aguas. SIN tejedor. | *adj.* ⑤ Se aplica al alimento que está correoso y duro por haber sido guisado demasiado tiempo.
FAM zapatería.

zapateta *s. f.* Pirueta que se hace en señal de alegría y que consiste en golpear los pies juntándolos en el aire y, en ocasiones, tocar uno de los pies con la palma de la mano.

zapatiesta *s. f.* familiar Situación en la que hay jaleo, discusión o pelea con alboroto y ruido. SIN trapatiesta.

zapatilla *s. f.* ① Calzado ligero y cómodo que se usa para estar en casa. ② Calzado especial que se usa para practicar ciertos deportes: *zapatillas de tenis*.
FAM zapatillazo.

zapatillazo *s. m.* Golpe fuerte y sonoro dado con una zapatilla.

zapatista *adj.* ① Relativo al movimiento revolucionario agrario liderado por el mexicano Emiliano Zapata a principios del siglo XX: *guerrilla zapatista*. | *adj./s. com.* ② Se aplica a la persona que era seguidora de Emiliano Zapata o que es seguidora del Ejército Zapatista de Liberación Nacional mexicano.

zapato *s. m.* Calzado que cubre el pie hasta el tobillo y que tiene la suela de cuero u otro material más duro que el resto.
FAM zapatazo, zapatear, zapatero, zapateta, zapatilla.

zapear *v. intr.* Cambiar de forma reiterada el canal del televisor utilizando el mando a distancia.
FAM zapeo.

zapeo *s. m.* Cambio rápido y continuo del canal de televisión mediante el mando a distancia. SIN zapping.
FAM zapear.

zapote *s. m.* ① Árbol originario de América, de tronco liso y oscuro, madera blanca, fruto comestible y flores rojizas en racimo, del cual se extrae la sustancia con que se elabora el chicle. SIN chicozapote. ② Fruto de este árbol, en forma de manzana, de carne amarillenta, dulce y muy jugosa. SIN chicozapote.

zapoteca *adj.* ① Relativo a un pueblo amerindio que habita en la parte oriental del estado mexicano de Oaxaca y que fue el origen de una importante cultura precolombina: *parece que la primera escritura del continente americano fue utilizada a partir del año 800 por la civilización zapoteca*. | *adj./s. com.* ② Se aplica a la persona que pertenece a este pueblo.

zapping [se pronuncia aproximadamente 'zapin'] *s. m.* Zapeo, cambio rápido y continuo del canal del televisor por medio del mando a distancia.

zar, zarina *s. m. y f.* ① Emperador de Rusia. ② Soberano de Bulgaria. | *s. f.* ③ Esposa del emperador de Rusia o del soberano de Bulgaria.
FAM zarista.

zarabanda *s. f.* ① Jaleo, alboroto o confusión que se produce en un lugar. ② Danza popular española de los siglos XVI y XVII, que se bailaba acompañada de una música alegre y ruidosa, con castañuelas y panderetas: *la zarabanda pasó a constituir una parte de la sonata a mediados del siglo XVII*.

zaragate *adj./s. com.* AMÉR. CENTRAL Se aplica a la persona que es irresponsable y pícara.

zaragozano, -na *adj.* ① De Zaragoza (ciudad y provincia de Aragón). | *s. m. y f./adj.* ② Persona que es de Zaragoza.

zaragüelles *s. m. pl.* ① Calzones anchos, con muchos pliegues, generalmente mal cortados, que usaban los campesinos, que forman parte del traje regional masculino de las regiones de Valencia y Murcia. ② Calzoncillos blancos que asoman por debajo del calzón en el traje regional aragonés, a menudo adornados por la parte visible.

zarandajas *s. f. pl.* Cosas que no tienen valor o importancia: *paga el dinero que debes y déjate de zarandajas*. SIN tontería.

zarandear *v. tr.* ① Agitar o mover de un lado a otro con rapidez y energía a alguien o algo. | *v. prnl.* ② **zarandearse** P. RICO, PERÚ, VENEZ. Contonearse una persona o mover con afectación los hombros y las caderas al andar.
FAM zarandeo.

zarandeo *s. m.* Acción de zarandear: *no puedo viajar en barco porque me marea el zarandeo*.

zarcillo *s. m.* ① Pendiente en forma de aro: *para su comunión le regalaron unos zarcillos de oro*. ② Órgano filamentoso de una planta que se enrosca en los soportes o se agarra a las paredes y le permite trepar.

zarco, -ca *adj.* Que es de color azul claro: *ojos zarcos*.

zarigüeya *s. f.* Mamífero marsupial omnívoro, de aspecto parecido a la rata, con el hocico puntiagudo y la cola larga y prensil, que le sirve para trasladar a sus crías; habita en América y su piel es muy apreciada en peletería: *la zarigüeya es un animal de costumbres nocturnas*.

zarpa *s. f.* ① Mano del animal que tiene uñas fuertes, curvas y afiladas: *las zarpas del león*. SIN garra. ② familiar Mano de una persona.
echar la zarpa (o **las zarpas**) (I) familiar Agarrar o coger fuertemente una cosa con las manos. (II) familiar Conseguir algo que se desea con vehemencia, generalmente por medio de la violencia o el engaño.
FAM zarpazo.

zarpar *v. intr.* ① Salir a navegar un barco: *zarparon rumbo a Nueva Zelanda*. | *v. prnl.* ② **zarparse** familiar ARG., URUG. Actuar una persona de forma inoportuna, atrevida o grosera: *Juan se zarpó anoche en el bar e insultó a un hombre porque lo estaba mirando.*

zarpazo *s. m.* ① Golpe que da un animal con la zarpa. ② Herida o arañazo que produce este golpe.

zarrapastroso, -sa *adj.* ① Que está sucio, viejo o descuidado: *el pobre hombre llevaba una chaqueta zarrapastrosa.* ‖ *adj./s. m. y f.* ② Se aplica a la persona que tiene un aspecto desaseado, viste con ropa sucia, rota o vieja, o que descuida el aseo y arreglo de sus cosas.

zarza *s. f.* Arbusto trepador dicotiledóneo de tallos espinos que da un fruto granuloso, de color rojo o negro, comestible (mora o zarzamora). SIN zarzamora.
FAM zarzal.

zarzal *s. m.* Lugar poblado de zarzas.

zarzamora *s. f.* ① Fruto comestible que se obtiene de la zarza, pequeño, redondeado y granuloso, que es de color verde y rojo o negro cuando madura, y que tiene un sabor dulce. SIN mora. ② Zarza.

zarzaparrilla *s. f.* ① Arbusto trepador monocotiledóneo, de tallos delgados y espinosos, con hojas en forma de corazón, flores verdes en racimo y fruto en forma de bola pequeña. ② Bebida refrescante que está elaborada con la raíz de este arbusto, que tiene un color rojizo o marrón claro.

zarzuela *s. f.* ① Obra musical y dramática española similar a la ópera, en uno o varios actos, en la que se alternan partes cantadas y partes declamadas. ② Género musical y dramático formado por este tipo de obras. ③ Guiso elaborado con varios tipos de pescado y marisco, que suele cocinarse en una cazuela de barro: *la zarzuela es un plato típico de regiones marineras.*
FAM zarzuelero, zarzuelista.

zascandil *s. m.* familiar Persona chismosa y entrometida, que provoca enredos y problemas.
FAM zascandilear.

zascandilear *v. intr.* familiar Moverse de un lado a otro como un zascandil, chismorreando o enredando.

zeda *s. f.* Nombre de la letra *z.* SIN zeta.

zéjel *s. m.* Estrofa de origen hispanomusulmán, especialmente apta para el canto, que dio origen al villancico; está constituida por una breve introducción o estribillo a la que sigue una estrofa o mudanza acabada en un verso de vuelta que rima con el estribillo .

zelota o **zelote** [también **celota**] *s. com.* Miembro de un grupo judío religioso y político que se oponía al Imperio romano y lideró revueltas importantes en el siglo I d. C.

zen *s. m.* Escuela filosófica de la religión budista que da gran importancia a la meditación o contemplación y al ejercicio físico riguroso como método para alcanzar la luz o verdad; fue fundada en China y más tarde se difundió en Japón.

zenit o **zénit** [también **cenit** o **cénit**, más usados] *s. m.* ① Punto del círculo celeste superior al horizonte que corresponde verticalmente a un lugar de la Tierra. ANT nadir. ② Situación del Sol cuando alcanza el punto más alto de elevación sobre el horizonte. ③ Punto culminante o momento de apogeo de una persona o de una cosa: *estaba en el zenit de su carrera artística.*

zepelín *s. m.* Globo aerostático ovalado, lleno de un gas más ligero que el aire (hidrógeno o helio), que lleva una o dos barquillas para transportar viajeros y carga y que dispone de

diversos mecanismos, como un motor, unas hélices y un sistema de dirección, para ser conducido: *el zepelín lleva el nombre de su inventor, el alemán Ferdinand Zeppelin.* SIN dirigible.

zeta [también **ceta**, menos usado] *s. f.* ① Nombre de la letra *z.* SIN zeda. ② Nombre de la sexta letra del alfabeto griego; se escribe Θ/ϑ y se transcribe como *ds.*

zeugma [también **ceugma**, menos usado] *s. m.* Figura retórica que consiste en omitir una palabra en una oración porque, al haber aparecido poco antes, ya se sobreentiende: *en la oración "yo tengo dos cromos y tú solamente uno" se da un zeugma (se omite el verbo).*

zigoto [también **cigoto**] *s. m.* Célula resultante de la unión de dos gametos (célula sexual masculina y célula sexual femenina) a partir de la cual se desarrolla el embrión de un ser vivo.

zigurat *s. m.* Construcción religiosa de la antigua Mesopotamia formada por una torre o pirámide de base cuadrada con varios pisos superpuestos en forma escalonada, a los que se accede por medio de rampas o escaleras, y en cuya parte superior se levanta el templo.
OBS Plural: *zigurats.*

zigzag *s. m.* Línea quebrada constituida por segmentos unidos formando ángulos entrantes y salientes alternativamente: *el camino desciende en zigzag.*
FAM zigzaguear.
OBS Plural: *zigzagues* o *zigzags.*

zigzaguear *v. intr.* Moverse una persona o una cosa en zigzag, o estar dispuesta una cosa en forma de zigzag: *el coche zigzagueó durante unos metros.*
FAM zigzagueo.

zinc [también **cinc**] *s. m.* Elemento químico de símbolo *Zn* y número atómico 30; es un metal de color blanco azulado y brillo intenso que se emplea en aleaciones con fines industriales, en metalurgia para revestimentos y protección de metales, en baterías, en pinturas, etc.
OBS Plural: *zines.*

zíngaro, -ra [también **cíngaro, -ra**, menos usado] *adj.* ① Relativo al pueblo gitano, especialmente el que vive en algunos países del este de Europa, como Hungría o Rusia. ‖ *s. m. y f./adj.* ② Persona perteneciente a este pueblo.

zíper *s. m.* AMÉR. CENTRAL, CUBA, MÉX., VENEZ. Cremallera (cierre).
FAM zigzagueo.

zipizape *s. m.* Alboroto causado por una pelea o riña: *se armó un buen zipizape en el bar.*

zirconio [también **circonio**] *s. m.* Elemento químico de símbolo *Zr* y número atómico 40; es un metal muy raro que se presenta en forma de polvo negro o en masas brillantes de color gris acerado, arde sin producir llama y es inodoro.

zócalo *s. m.* ① Banda de madera, plástico u otro material que se coloca en la parte baja de la pared como protección o como decoración. SIN rodapié. ② Parte inferior de un edificio que sirve para poner los basamentos a un mismo nivel. ③ Parte inferior del pedestal de la columna.

zocato, -ta *adj.* ① Se aplica al fruto que adquiere un aspecto rugoso y amarillento antes de madurar. ‖ *adj./s. m. y f.* ② familiar Zurdo. SIN zoco.

zoco[1] *s. m.* Mercado, generalmente cubierto, propio de algunos países árabes: *los zocos suelen estar situados en el centro de la ciudad, junto a la mezquita.*

Z

zoco, -ca[2] *adj./s. m. y f.* familiar Zurdo. **SIN** zocato.

zodiacal *adj.* Relativo al zodiaco.

zodíaco o **zodiaco** *s. m.* [1] Zona de la esfera celeste dividida en doce partes iguales que el Sol, la Luna y algunos planetas recorren en el periodo de un año: *cada parte del zodiaco está representada por una constelación.* [2] Representación gráfica de esta zona, que tiene forma de círculo dividido radialmente en doce partes. **FAM** zodiacal.

Zollverein *s. m.* Unión aduanera entre los antiguos estados alemanes que, desde 1834, eliminó los impuestos que se pagaban en las fronteras internas al pasar un producto de un estado a otro.

zombi *s. com.* [1] Según ciertas leyendas de Haití y del sur de Estados Unidos, persona muerta que ha sido resucitada mediante la brujería y actúa como un autómata, sin voluntad propia. [2] *adj./s. com.* [2] familiar Se aplica a la persona que está aturdida: *me he levantado muy temprano y estoy un poco zombi todavía.* **OBS** Puede encontrarse la grafía inglesa *zombie.*

zona *s. f.* [1] Superficie acotada, que se distingue de lo que la rodea: *zona desértica; zona agrícola.* ■ **zona azul** Parte de la calle, delimitada con líneas azules pintadas en el suelo, en la que pueden aparcarse vehículos mediante el pago previo de una cantidad de dinero que depende del tiempo de estacionamiento. ■ **zona franca** Zona acotada de libre comercio en la cual no rigen los derechos de aduanas, vigentes para el resto del territorio nacional: *las Canarias son zona franca.* ■ **zona pilífera** Zona de la raíz de las plantas caracterizada por la presencia de un gran número de pelos que se encargan de la absorción del agua y las sales minerales del suelo. ■ **zona verde** Zona dentro de las ciudades que está destinada a parques, jardines y arboladas. [2] Parte en que queda dividida la superficie terrestre por los trópicos y los círculos polares y que se define principalmente por el clima: *en la Tierra podemos considerar cinco zonas: dos polares, dos templadas y una tropical o tórrida.* [3] Parte delimitada de cualquier superficie: *tengo que ponerme esta crema en la zona afectada por las quemaduras.* [4] Parte de un campo de baloncesto próxima a la canasta que está limitada por líneas pintadas en el suelo y tiene forma de trapecio. [5] En geometría, parte de la esfera comprendida entre dos planos paralelos que la cortan. **NOTA** También *zona esférica.* **FAM** zonal.

zonal *adj.* Que se realiza en una zona o espacio delimitado: *defensa zonal.*

zoncera *s. f.* [1] ARG., PAN., URUG., VENEZ. Asunto, dicho o hecho poco importante: *ya estás diciendo zonceras.* **SIN** sonsera. [2] ARG., URUG. Objeto de poco valor. **SIN** sonsera.

zonzo, -za *adj./s. m. y f.* AMÉR. Se aplica a la persona que tiene un desarrollo mental inferior al que se considera normal.

zoo *s. m.* Instalación de gran extensión donde se cuidan, se estudian o se crían animales, generalmente poco comunes, para que el público pueda verlos. **SIN** zoológico.

zoofilia *s. f.* Conducta sexual de la persona que tiene relaciones sexuales con animales; se considera una perversión o una desviación sexual.

zoología *s. f.* Parte de la biología que estudia los animales. **FAM** zoológico, zoólogo.

zoológico, -ca *adj.* [1] Relativo a la zoología. [2] *s. m.* [2] Zoo. **FAM** zoo.

zoólogo, -ga *s. m. y f.* Persona que se dedica a la zoología.

zoom [también **zum**; se pronuncia 'zum'] *s. m.* Objetivo fotográfico o cinematográfico que mantiene enfocada la imagen al variar la distancia focal.

zooplancton *s. m.* Conjunto de organismos protozoos que forman parte del plancton: *el plancton está formado por zooplancton y fitoplancton.*

zopenco, -ca *adj./s. m. y f.* familiar Se aplica a la persona que es torpe para aprender y ruda en su manera de actuar. **SIN** zote. **OBS** Frecuentemente usado como insulto.

zoquete *adj./s. com.* [1] familiar Se aplica a la persona a la que le resulta difícil comprender las cosas aunque sean sencillas. [2] *s. m.* [2] Taco de madera corto y grueso. [3] Pedazo de pan grueso y duro. [4] ARG., CHILE, PAR., URUG. Calcetín. [5] MÉX. Puñetazo.

zorcico *s. m.* [1] Baile popular vasco ejecutado por hombres, que consta de cuatro partes y se acompaña de chistu y tamboril. [2] Composición musical con que se acompaña este baile. **OBS** Puede encontrarse la grafía vasca *zortzico.*

zorra [1] V. zorro, -rra. [2] *s. f.* [2] vulgar Prostituta. **NOTA** Frecuentemente usado como insulto.

no tener ni zorra (idea) vulgar Desconocer completamente algo.

zorrera *s. f.* Cueva o guarida del zorro.

zorrería *s. f.* [1] Habilidad para engañar y no dejarse engañar. [2] Acción propia de una persona zorra.

zorro, -rra *s. m. y f.* [1] Mamífero carnívoro salvaje, parecido al perro pero con el hocico más alargado, el pelo entre marrón y rojo y la cola larga y peluda; habita en bosques de Europa, África, Asia y América del Norte: *el zorro tiene fama de ser un animal muy astuto.* **SIN** raposo. [2] familiar Persona que es astuta o hábil para engañar y para evitar el engaño. **NOTA** Frecuentemente usado de forma despectiva. [3] *s. m.* [3] Piel de zorro utilizada en la confección de prendas de vestir. [4] *s. m. pl.* [4] **zorros** Utensilio para limpiar el polvo que consiste en un conjunto de tiras de tela o cuero unidas y atadas a un mango por un extremo.

hecho unos zorros (I) familiar Se aplica a la persona que tiene el aspecto de estar muy cansada y va muy sucia, con ropa desgastada o destrozada: *cuando acabó la mudanza quedamos hechos unos zorros.* (II) familiar Se aplica a la prenda de vestir que está muy sucia, rota o desgastada: *se estropeó el bombo de la lavadora y la ropa quedó hecha unos zorros.* **FAM** zorrera, zorrería, zorruno.

zortzico *s. m.* Zorcico.

zorzal *s. m.* [1] Pájaro cantor de color marrón, con el pecho de color amarillo con manchas, que hace los nidos en las copas de los árboles o en matorrales; para migrar forma bandadas: *el zorzal pasa el invierno en España.* **SIN** tordo. [2] Pez marino de color más o menos oscuro, cabeza grande y lisa y hocico puntiagudo, que se cría en todos los mares de España. **NOTA** También *zorzal marino.*

zotal *s. m.* Producto de olor muy fuerte que se utiliza como insecticida o como desinfectante en lugares donde hay ganado o animales encerrados.

zote *adj./s. com.* familiar Zopenco.

zozobra *s. f.* ① Hundimiento de una embarcación. ② Sentimiento de tristeza o inquietud.
FAM zozobrar.

zozobrar *v. intr.* ① Hundirse en el agua una embarcación. **SIN** naufragar. ② Peligrar una embarcación debido al oleaje o al viento. ③ Peligrar una cosa: *cuando llegó la guerra el negocio empezó a zozobrar.*
FAM zozobrante.

zueco *s. m.* ① Calzado hecho en una única pieza de madera en el que se introduce el pie calzado para protegerlo de la lluvia o el barro; en algunos países es el calzado empleado por campesinos o pastores. ② Calzado de cuero con suela gruesa de corcho o de madera que cubre el pie de los dedos hasta el empeine y está descubierto por la parte del talón.

zulo *s. m.* Habitáculo de dimensiones reducidas y generalmente subterráneo que sirve para esconder a alguien o algo: *los terroristas escondían las armas en un zulo.*

zulú *adj.* ① Relativo a una tribu de raza negra que habita en el sudoeste de África. ❘ *adj./s. com.* ② Se aplica a la persona que pertenece a esta tribu.
OBS Plural: *zulúes.*

zum *s. m.* Objetivo fotográfico o cinematográfico que mantiene enfocada la imagen al variar la distancia focal.
OBS Puede encontrarse la grafía inglesa *zoom.*

zumba *s. f.* ① familiar Burla o chanza ligera. ② Cencerro grande que lleva el caballo que encabeza una recua o el buey que hace de cabestro. ③ AMÉR. Paliza o tunda de palos que o recibe una persona. ④ MÉX. Borrachera, embriaguez.

zumbador, -ra *s. m.* ① Timbre que emite un sonido continuado y sordo. ❘ *adj.* ② Que produce un zumbido: *abeja zumbadora.* ❘ *s. m.* ③ Instrumento musical rudimentario, de varias formas y con distinto funcionamiento, que emite un zumbido cuando se hace sonar.

zumbar *v. intr.* ① Producir un zumbido: *algunos insectos zumban.* ② Sentir un zumbido dentro de los oídos: *desde la explosión le zumbaban los oídos.* ❘ *v. tr.* ③ familiar Golpear o pegar a una persona. ❘ *v. prnl.* ④ **zumbarse** familiar Volverse loco o majareta.
ir (o **venir** o **salir** o **entrar**) **zumbando** familiar Indica que la acción del verbo de movimiento se realiza con mucha rapidez: *—¿Puedes ir a comprar el pan antes que cierren? —Voy zumbando.*
FAM zumbador, zumbido.

zumbido *s. m.* ① Ruido continuado y sordo que produce molestia o resulta desagradable. ② Sonido silbante en los oídos debido a una irritación de las terminaciones nerviosas.

zumbón, -bona *adj./s. m. y f.* familiar Se aplica a la persona que hace zumba o burla.

zumo *s. m.* ① Líquido contenido en las frutas, que puede extraerse por presión o cocción: *el zumo de naranja es muy rico en vitamina C.* **SIN** jugo. ② Utilidad o provecho que se obtiene de algo. **SIN** jugo.
FAM rezumar.

zurcido *s. m.* Remiendo que se hace en el roto de una tela para que no se note.

zurcir *v. tr.* Remendar un roto en una tela para que no se note.
¡que te/le/... zurzan! familiar Indica que la persona que habla se desentiende de algo malo que le pasa a otra, especialmente cuando cree que lo tiene merecido.
FAM zurcido, zurcidora.

zurda *s. f.* Mano o pierna situada en el lado que corresponde al corazón en el ser humano. **SIN** izquierda, siniestra. **ANT** derecha, diestra.

zurdazo *s. m.* Golpe fuerte que se da con la mano o el pie izquierdos.

zurdo, -da *adj./s. m. y f.* ① Se aplica a la persona que tiene mayor habilidad con la mano y la pierna izquierdas. **ANT** diestro. ❘ *adj.* ② Que está situado en el lado izquierdo: *pie zurdo; la pernera zurda del pantalón.*
FAM zurda, zurdazo.

zurra *s. f.* ① familiar Paliza o cachete: *de pequeño se llevó más de una zurra.* **SIN** somanta, tunda, zumba. ② Acción de zurrar las pieles.

zurrapa *s. f.* Sedimento que se forma dentro de un líquido: *en el vinagre suelen hacerse zurrapas.*

zurrapiento, -ta *adj.* Que tiene zurrapas.

zurrar *v. tr.* ① familiar Dar golpes o azotes a una persona. ② Adobar la piel curtida para que quede blanda y suave.
FAM zurra.

zurriagazo *s. m.* ① Golpe dado con un zurriago u otra cosa larga y flexible: *el pastor dio un zurriagazo para asustar a las ovejas.* ② Desgracia o calamidad que sobrevienen de manera inesperada.

zurriago *s. m.* ① Instrumento para golpear que está formado por una vara rígida y una cuerda o tira larga y flexible, unida a un extremo; se usa principalmente para hacer obedecer a los animales de tiro, a veces simplemente mediante el sonido que produce al restallar. **SIN** látigo. ② Cuerda que se enrolla en el pivote de una peonza para lanzarla y hacerla girar.
FAM zurriagazo.

zurrón *s. m.* ① Bolsa grande de piel o de cuero que se lleva colgada al hombro y que sirve para guardar cosas, generalmente comida, cuando se va al campo: *el pastor sacó el pan y el queso del zurrón y se puso a comer.* **SIN** morral. ② Cáscara primera y más tierna en la que están envueltos ciertos ciertos frutos: *el zurrón de las almendras.* ③ Planta de hojas verdes triangulares y comestibles, flores pequeñas rojizas, y racimos cortos y desnudos en panojas terminales.

zurullo *s. m.* Porción compacta de excremento humano que se expele de una vez.

zutano, -na *s. m. y f.* familiar Se usa para designar a una persona cuyo nombre se desconoce o no se quiere expresar, especialmente cuando va en tercer lugar, después de haber nombrado a otras con las palabras *fulano* y *mengano*, y a veces seguida de *perengano*: *supongamos que vienen fulano, mengano y zutano, ¿qué hago?*

Z

APÉNDICE

Índice

ORTOGRAFÍA

Uso de las letras mayúsculas

La letra mayúscula es una letra que tiene un tamaño mayor que la letra minúscula. Su uso es indicativo de una cualidad de la palabra o frase en que se usa. Podemos escribir con letra mayúscula solo la primera letra de una palabra o todas sus letras.

Las letras mayúsculas a principio de palabra

A principio de palabra, se escribe mayúscula inicial en razón de la puntuación o si se trata de un nombre propio, aunque también hay algunos casos especiales.

En función de la puntuación

Se escriben con letra mayúscula inicial:

– La primera palabra de un texto escrito.

– La palabra que va después de un signo de puntuación que termina frase, ya sea punto (.), punto y seguido, punto y aparte o puntos suspensivos (...) cuando estos cierran un enunciado.

– La palabra que va después del signo que cierra una interrogación (?) o una exclamación (!), cuando no va seguido de coma, punto y coma o dos puntos.

– La palabra que va después de los dos puntos (:) cuando sigue a la fórmula de saludo de una carta o cuando forma parte de una cita textual.

Los nombres propios

Se escriben con mayúscula inicial:

– Los nombres de persona *(David, Mónica)*, apellidos *(García, López)*, apodos y sobrenombres *(el Sabio, el Manco de Lepanto)*.

– Los nombres geográficos *(Asia, Italia, Caracas)*.
Cuando el artículo forma parte de un nombre geográfico, se escriben con mayúscula inicial ambas palabras *(El Salvador, La Habana)*.
Cuando un nombre común *(ciudad, sierra)* forma parte de un nombre geográfico, se escriben con mayúscula inicial los dos sustantivos *(Ciudad de México, Sierra Morena)*, pero no en los demás casos *(la ciudad de Barcelona, la sierra de Madrid)*.

– Los nombres de constelaciones *(Osa menor)*, astros *(Sol)* y planetas *(Marte, Tierra)*. Cuando estos nombres funcionan como comunes, se escriben con minúscula *(tomar el sol, cuerpo a tierra)*.

– Los nombres de los puntos cardinales *(Sur, Este)*. Cuando estos nombres indican orientación, se escriben con minúscula *(vamos hacia el sur del país)*.

– Los nombres de títulos *(Rey, Conde)*, cargos *(Director, Presidente, Ministro)* y dignidades *(Papa, Obispo)*.
Estos nombres se escriben con minúscula cuando funcionan como comunes *(los caballeros eran vasallos de los reyes feudales)* y cuando acompañan al nombre propio de una persona o del lugar al que pertenecen *(el rey Luis XIV, el presidente de Panamá)*.

– Los nombres de los dioses *(Dios, Alá, Zeus, Júpiter, Ra)*.

– Los nombres de las festividades religiosas o civiles *(Navidad, Día de la Hispanidad)*.

– Los nombres y adjetivos que forman el nombre de una organización o institución *(el Museo del Prado, la Real Academia de la Historia)*.

– Los nombres colectivos que designan un organismo concreto *(la Universidad, el Gobierno, el Senado)*.
Estos nombres se escriben con minúscula cuando funcionan como comunes *(se reunieron representantes de diferentes senados europeos)*.

Otros casos

– Los tratamientos de cortesía en su forma abreviada *(Sr., U., D.)* y en ocasiones en la no abreviada *(Excelencia, Ilustrísimo, san/San)*.

– Los pronombres *Tú, Ti, Tuyo, Vos, Él, Ella* en las alusiones a la Divinidad o a la Virgen María, así como los atributos divinos o apelativos referidos a Dios, Jesucristo o la Virgen *(el Altísimo, el Todopoderoso, la Purísima)*.

– La primera palabra del título de una obra *(Las meninas, Rimas y leyendas)*.

– Los nombres y adjetivos que forman el título de una publicación periódica o colección *(Revista de Lexicografía)*.

– Los nombres de determinadas épocas históricas *(el Barroco)*, acontecimientos históricos *(el Descubrimiento de América)*, movimientos religiosos *(la Reforma)*, culturales *(el Modernismo)*, etc.

Las letras mayúsculas en palabras o frases enteras

Las letras mayúsculas se utilizan también, en ocasiones, para destacar palabras o frases enteras de un texto escrito. Se suele emplear la mayúscula para escribir:

– El título de una obra impreso en la cubierta o portada de un libro (ORTOGRAFÍA DE LA LENGUA ESPAÑOLA) y de los apartados de una obra (CAPÍTULO I. LETRAS MAYÚSCULAS).

– Las cabeceras de diarios y revistas (LA VANGUARDIA, EL PAÍS, ABC).

– Las siglas (ESO, UNESCO).

– Los números romanos (Luis XIV). En el caso de siglos, es habitual el uso de versalitas (el siglo XIX).

– Los verbos que, en un texto jurídico o administrativo, presentan el objetivo principal del texto (CERTIFICA, SOLICITA, EXPONE).

Acentuación

El **acento gráfico** (también llamado **tilde**) es el signo que se coloca encima de la vocal de la sílaba tónica de una palabra según determinadas reglas de acentuación, lo que favorece la correcta lectura de las palabras.

Reglas generales de acentuación

Las **palabras agudas** (palabras que tienen tónica la última sílaba) llevan acento gráfico sobre la sílaba tónica cuando terminan en vocal *(bambú)* o en *-n* o *-s* precedidas de vocal *(camión, autobús)*. Las palabras agudas terminadas en vocal + *y* no llevan acento gráfico *(jersey, convoy)*.

Las **palabras llanas** (palabras que tienen tónica la penúltima sílaba) llevan acento gráfico sobre la sílaba tónica cuando terminan en consonante que no sea *-n* o *-s* precedidas de vocal *(árbol, lápiz, bíceps)*. Las palabras llanas terminadas en vocal + *y* llevan acento gráfico *(póney, yóquey)*.

Las **palabras esdrújulas** (palabras que tienen tónica la antepenúltima sílaba) y sobresdrújulas (palabras que tienen tónica la sílaba anterior a la antepenúltima) llevan siempre acento gráfico sobre la sílaba tónica *(ácido, semáforo, regálaselo)*.

Los monosílabos no llevan acento gráfico, salvo algunas excepciones que tienen acento diacrítico (ver más abajo).

Las palabras con **diptongo** y **triptongo** siguen las reglas generales de acentuación. A efectos gráficos, un diptongo está formado por una vocal abierta *(a, e, o)* y una cerrada *(i, u)* o dos cerradas; el triptongo está formado por una vocal abierta entre dos cerradas. Cuando le corresponde llevar acento gráfico a una palabra con un diptongo tónico formado por una vocal abierta *(a, e, o)* y una vocal cerrada *(i, u)*, el acento se coloca sobre la vocal abierta: *náutico, murciélago, averigüéis*. En cambio, cuando le corresponde llevar acento gráfico a una palabra con un diptongo tónico formado por dos vocales cerradas *(i, u)*, el acento se coloca sobre la segunda vocal cerrada: *cuídate*. La presencia de *h* intercalada entre dos vocales no impide que puedan formar diptongo, como en *ahumar, ahijado*.

Las palabras con **hiato** siguen las reglas generales de acentuación. La presencia de una *h* intercalada entre las dos vocales que forman un hiato no influye a la hora de aplicarlas; se escriben, pues, con acento gráfico palabras como *vahído, ahínco, prohíben, búho*.

Hay un pequeño grupo de palabras en las cuales el encuentro entre dos o más vocales puede pronunciarse como diptongo o como hiato y que, en el primer caso, constituyen una palabra monosílaba, mientras que de pronunciarse como hiato forman una palabra bisílaba. Estas palabras pueden escribirse con acento o sin él, según si se percibe nítidamente el hiato o no. Es el caso de *guion/guión, ion/ión, truhan/truhán, hui/huí* (del verbo *huir*), *riais/riáis* (del verbo *reír*) y algunas otras.

Casos especiales

Además de las normas generales de acentuación, es necesario conocer otras normas específicas que responden a casos concretos como los que se especifican a continuación.

● **Las palabras compuestas:** Estas palabras siguen las reglas generales de acentuación. No se tienen en cuenta los acentos gráficos que tenían las palabras antes de unirse. Por ejemplo, *baloncesto (balón + cesto)*, *sociopolítico (social + político)*.

Solamente las palabras compuestas con guion no siguen las reglas generales de acentuación. Cada una de las palabras que forman la palabra compuesta mantiene el acento gráfico si lo tenían antes de unirse. Por ejemplo, *físico-químico (físico + químico)*.

● **Los adverbios acabados en -*mente*:** Estos adverbios no siguen las reglas generales de acentuación. Se escriben con acento gráfico si lo tenía el adjetivo antes de unirse al sufijo -*mente (prácticamente, difícilmente, comúnmente)* y no se acentúan en caso contrario *(generalmente, tontamente)*.

● **Las formas verbales con pronombre:** Estas palabras siguen las reglas generales de acentuación: *escúchame, dáselo, pidiole, acabose*.

- **Las palabras y expresiones latinas usadas en español:** Estas palabras y expresiones siguen las reglas generales de acentuación: *álbum, currículum, alma máter, hábeas corpus, sine díe.*

- **Las palabras procedentes de otras lenguas:** Las palabras que no se han adaptado al español (se escriben en cursiva o entre comillas) y los nombres propios extranjeros no siguen las reglas generales de acentuación del español, y únicamente llevan acento gráfico si lo tienen en la lengua original: *Valéry, scooter, Windsor.* En cambio, las palabras que ya se han incorporado al español o se han adaptado completamente siguen las reglas generales de acentuación: *búnker, córner, fútbol.*

- **Las letras mayúsculas:** Las palabras que llevan letras mayúsculas siguen las reglas generales de acentuación y las indicaciones acentuales que se presentan en este apéndice: *Ávila, Íñigo, ORTOGRAFÍA.*

El acento diacrítico

El **acento diacrítico** o **tilde diacrítica** es el acento que sirve para diferenciar una palabra de otra que se escribe igual pero que tiene distinto significado o distinta categoría gramatical.

- **La conjunción o:** La conjunción disyuntiva *o* puede llevar acento diacrítico cuando aparece escrita entre dos números para evitar que se confunda con un cero, especialmente en la escritura manual:

    Dame 3 ó 4 caramelos.

- **El adverbio aún y la conjunción aun:** El adverbio *aún* (que significa 'todavía') lleva acento diacrítico para diferenciarse de la conjunción *aun* (que tiene el significado de 'hasta', 'también' o 'incluso'):

    Ya nos hemos examinado, pero aún no sabemos los resultados.
    Todos sus amigos, aun los que viven en el extranjero, vinieron a la fiesta.

- **El adverbio solo:** El adverbio *solo* (que puede sustituirse por *solamente* o *únicamente*) puede llevar acento diacrítico para diferenciarse del adjetivo *solo*, que nunca lleva acento:

    Se ha quedado solo en casa (adjetivo).
    A ella solo/sólo le gusta la carne (adverbio).

Si la frase es ambigua, el adverbio *solo* debe llevar acento gráfico:

    Ayer estuvo solo en la oficina (no había nadie más).
    Ayer estuvo sólo en la oficina (no fue a ningún otro sitio).

- **Los pronombres demostrativos:** Los pronombres demostrativos *este, esta, estos, estas, ese, esa, esos, esas, aquel, aquella, aquellos* y *aquellas* pueden llevar acento diacrítico para diferenciarse de los determinantes demostrativos que tienen la misma forma y que nunca llevan acento:

    Iremos al cine esta tarde (determinante).
    Dame esa carpeta (determinante).
    No quiero esta/ésta, dame la otra (pronombre).

Si la frase es ambigua, los pronombres demostrativos deben llevar acento gráfico.

- **Interrogativos y exclamativos:** Las palabras *adonde, como, cual, cuales, cuan, cuando, cuanto, cuanta, cuantos, cuantas, donde, que, quien* y *quienes* llevan acento diacrítico cuando se utilizan en frases interrogativas o exclamativas. Véase el ejemplo de *que/qué*:

    La blusa que llevo es de mi hermana (relativo).
    ¿Qué estás buscando? (interrogativo).
    Me pregunto qué pensara de mí (interrogativo indirecto).
    ¡Qué novela tan interesante! (exclamativo).

- **Los monosílabos:** Los monosílabos no llevan acento gráfico salvo los que aparecen en el cuadro de la página siguiente.

Palabras con doble acentuación

Algunas palabras admiten la escritura tanto con acento gráfico como sin él, consecuencia de dos pronunciaciones posibles. Esta es una pequeña muestra:

alveolo	*alvéolo*
atmosfera	*atmósfera*
austriaco	*austríaco*
bereber	*beréber*
bronquiolo	*bronquíolo*
cardiaco	*cardíaco*
celiaco	*celíaco*
cenit	*cénit*
demoniaco	*demoníaco*
dinamo	*dínamo*
elite	*élite*
guion	*guión*
hemiplejia	*hemiplejía*
ibero	*íbero*
litotes	*lítotes*
meteoro	*metéoro*
misil	*mísil*
omoplato	*omóplato*
osmosis	*ósmosis*
periodo	*período*
policiaco	*policíaco*
pudin	*pudín*
reuma	*reúma*
zodiaco	*zodíaco*

MONOSÍLABOS Y ACENTO DIACRÍTICO					
SIN ACENTO GRÁFICO			CON ACENTO GRÁFICO		
PALABRA	CATEGORÍA	EJEMPLO	PALABRA	CATEGORÍA	EJEMPLO
de	preposición	*gorro de lana*	**dé**	verbo (*dar*)	*no se lo dé a él*
el	determinante	*el lápiz*	**él**	pronombre	*él no lo ha dicho*
mas	conjunción	*oigo, mas no veo*	**más**	adverbio	*quiero más café*
mi	determinante	*mi bicicleta*	**mí**	pronombre	*dámelo a mí*
	nombre	*un mi de guitarra*			
se	pronombre	*se lava la cara*	**sé**	verbo (*ser*)	*sé bueno*
				verbo (*saber*)	*lo sé muy bien*
si	conjunción	*si te llama, ve*	**sí**	adverbio	*sí quiero*
	nombre	*un si de violín*		pronombre	*lo quiere para sí*
te	pronombre	*te lo regalo*	**té**	nombre	*una taza de té*
tu	determinante	*tu casa*	**tú**	pronombre	*tú no lo sabes*

Puntuación

La lengua escrita cuenta con una serie de signos de puntuación que se utilizan para representar por escrito algunas características de las oraciones de la lengua oral, como por ejemplo las pausas o la entonación. La puntuación contribuye a facilitar la comprensión de los mensajes escritos, de ahí la necesidad de conocer el valor de los signos que se utilizan.

El punto (.)

El **punto** indica la pausa que se produce al final de una oración o de un párrafo. Hay tres tipos de punto que indican final de oración o párrafo: punto y seguido, punto y aparte y punto final.

El punto también se utiliza:

– En las abreviaturas: *Dr.* (doctor), *avda.* (avenida).

– Para separar en grupos de tres las expresiones numéricas de cuatro o más cifras: *4.500 kilos, 25.000 espectadores.* (Aunque es preferible, siguiendo la norma internacional, separarlas con espacios: *25 000 espectadores.*)

> Excepciones: las expresiones numéricas que indican años (*año 1492*), códigos postales (*Madrid 28080*), números de página (*pág. 1100*) o números de leyes (*real decreto 1099/1986*).

– En las indicaciones horarias, para separar las horas de los minutos (también se pueden usar los dos puntos): *21.45 h.*

La coma (,)

La **coma** indica una pausa breve que se produce dentro de una oración.

La coma se utiliza:

– Para separar los elementos de una enumeración que no están precedidos por las conjunciones *y, e, o, u*: *Las cuatro estaciones del año son: primavera, verano, otoño e invierno.*

– Para separar las proposiciones de una oración que tienen la misma función sintáctica y no están precedidas por las conjunciones *y, e, o, u*: *Cuando estuvieron en México visitaron las pirámides mayas, comieron comida picante, compraron artesanía mexicana y escucharon mariachis.*

– Para separar el vocativo del resto de la oración: *Adela, ¿qué opinas tú?*

– Para enmarcar un inciso dentro de una oración. El inciso que se coloca entre comas sirve para aclarar, precisar o ampliar lo que se ha dicho: *El precio de la gasolina, según el Gobierno, no subirá este año.*

– Delante de las proposiciones coordinadas adversativas (introducidas por *pero, aunque, sino*, etc.), de las proposiciones consecutivas (introducidas por *conque, así que*, etc.) y de las proposiciones causales lógicas y explicativas (introducidas por *puesto que, ya que, pues*, etc.).

– Para separar del resto de la oración los enlaces como *esto es, es decir, o sea, en fin, por último, por consiguiente, sin embargo, no obstante, además, en tal caso, por lo tanto, en cambio* y *en primer lugar*, tanto al principio de la oración como si se colocan en el interior: *En fin, no pienso seguir discutiendo contigo.*

– Para separar del resto de la oración algunos adverbios y locuciones que desempeñan la función de modificadores oracionales *(generalmente, posiblemente, efectivamente, finalmente, en definitiva, por regla general* y *quizás)*, tanto al principio de la oración como si se colocan en el interior: *Generalmente, llega a las tres a casa.*

– Para indicar que se ha omitido el verbo, porque es el mismo de la proposición anterior o porque se sobreentiende: *Su madre le regaló un bolso; su padre, una chaqueta; y sus abuelos, un libro.*

– En las cabeceras de las cartas, para separar el lugar y la fecha: *Tarragona, 12 de diciembre del 2002.*

– En las expresiones numéricas, para separar la parte entera de la parte decimal: *145,50 euros, 1,85 metros.*

Nunca se debe escribir coma entre el sujeto y el predicado de una oración (excepto cuando hay un inciso entre ellos):
Pablo no supo qué contestar.
Pablo, un poco aturdido, no supo qué contestar.

El punto y coma (;)

El **punto y coma** indica una pausa mayor que la que indica la coma y menor que la que indica el punto. Se utiliza:

– Para separar oraciones que forman parte de una serie o de una enumeración, cuando están muy relacionadas semánticamente y tienen comas en su interior: *No tiene ni un minuto libre: por la mañana lleva los niños al colegio, va al trabajo y hace la comida; por la tarde, va a clases de inglés, hace gimnasia y prepara la cena.*

– Para separar proposiciones yuxtapuestas, especialmente cuando en estas se han empleado comas: *El muchacho, emocionado, fue a abrazarse a su madre; quería mostrarle todo su afecto.*

– Delante de una conjunción o locución como *pero, aunque, sin embargo, por consiguiente...* cuando encabeza una proposición de cierta longitud: *Estuvo lloviendo toda la semana, especialmente en la costa; sin embargo, no pospuso su viaje y se marchó de vacaciones a la playa.*

Los dos puntos (:)

Los **dos puntos** indican una pausa que se produce en el discurso para destacar lo que viene a continuación. Se utilizan:

– Para introducir los elementos de una enumeración: *Los continentes son cinco: Europa, Asia, África, América y Oceanía.*

– Para introducir una cita textual: *Sócrates dijo: "Solo sé que no sé nada".*

– Después de las fórmulas de saludo que encabezan una carta o un documento:
Mi querida amiga:
Como te dije en mi anterior carta...

– Para unir una oración a otra que expresa una relación de causa-efecto *(Ha trabajado mucho este curso: aprobará todas las asignaturas)*, una explicación, ejemplificación o resumen de la primera *(Todo el mundo gritaba y nadie escuchaba la opinión de los demás: la reunión fue un desastre).*

– Detrás del verbo que, en un texto jurídico o administrativo, presenta el objetivo principal del texto:
CERTIFICA:
Que D. Álvaro Pérez Sánchez ha asistido al curso...

– En las indicaciones horarias, para separar las horas de los minutos (también se puede usar el punto): *23:15 h.*

– En las expresiones matemáticas, para indicar la operación de dividir (también se puede usar la barra): *10 : 2 = 5.*

Los puntos suspensivos (...)

Los **puntos suspensivos** indican una interrupción de la oración o un final impreciso. Se utilizan:

– Para dejar inacabada una enumeración: *Encima de la mesa había de todo: libros, carpetas, papeles, lápices, gomas...*

– Para expresar duda, temor o vacilación: *¿Qué... quién... cómo demonios está aquí esto?*

– Para señalar que una oración está incompleta: *Si lo hubiera sabido antes...*

– Para indicar que una cita textual o frase conocida por todos está incompleta *(Ya se sabe que quien a buen árbol se arrima...)* o que se ha suprimido una parte de esta. En este segundo caso, los puntos suspensivos se colocan entre paréntesis o corchetes: *"En un lugar de la Mancha [...] no ha mucho tiempo que vivía un hidalgo [...]".*

Los signos de interrogación (¿?)

Los **signos de interrogación** indican la presencia de una oración interrogativa directa: *¿Cuánto cuesta esta chaqueta?* Son dos: el de apertura (¿) y el de cierre (?). Tras los signos que cierran una interrogación no se escribe punto.

El signo de cierre de interrogación puede usarse, escrito entre paréntesis, para expresar duda o ironía: *Él no puede estar implicado en el asunto (?), o al menos eso opino yo.*

Los signos de exclamación (¡!)

Los **signos de exclamación** indican la presencia de una oración exclamativa directa *(¡Qué frío hace esta tarde!)* o una interjección *(¡Qué va!)*. Son dos: el de apertura (¡) y el de cierre (!). Tras los signos que cierran una exclamación no se escribe punto.

El signo de cierre de exclamación puede usarse, escrito entre paréntesis, para expresar sorpresa o ironía: *Ganó la partida de ajedrez (!), y eso que decía que nunca había jugado...*

Los paréntesis ( )

Los **paréntesis** enmarcan elementos dentro de un enunciado. Los paréntesis son dos: el paréntesis de apertura [( ] y el paréntesis de cierre [ )]. Se utilizan:

– Para enmarcar una aclaración o comentario dentro de una oración: *Esta tarde ha venido Juan (el hermano de Pedro) a visitarnos.*

– Para enmarcar un dato, como una fecha, lugar, nombre, etc.: *El descubrimiento de América (1492) es uno de los hechos históricos de mayor relevancia.*

– Para introducir opciones en un texto sin tener que repetir palabras. En este caso, los paréntesis pueden incluir una palabra completa (entonces se escribe separado) o bien uno solo de sus segmentos (entonces se escribe junto): *El suscriptor debe señalar el (los) mes(es) en que desea recibir la revista.*

– Para indicar que una parte de una cita textual se ha suprimido; dentro de los paréntesis (también se pueden usar corchetes) se colocan los puntos suspensivos.

Los corchetes ([ ])

Los **corchetes** tienen una función similar a la de los paréntesis. Los corchetes son dos: el corchete de apertura ([ ) y el corchete de cierre ( ]). Se utilizan:

– Para enmarcar un elemento u oración dentro de otra oración que está entre paréntesis: *Arturo Pérez Reverte (autor de El maestro de esgrima [1988]) nació en Cartagena en 1951.*

– Para indicar que una parte de una cita textual se ha suprimido; dentro de los corchetes (también se pueden usar paréntesis) se colocan los puntos suspensivos.

Las comillas (« », " ", ' ')

Hay distintos tipos de **comillas**: « », " " y ' '. Las comillas son dos: las de apertura («, ", ') y las de cierre (», ", '). Se utilizan:

– Para enmarcar una cita textual: *Dijo Felipe II: "Yo no mandé mi escuadra a luchar contra los elementos".*

– Para enmarcar una palabra o expresión que se quiere destacar dentro de una oración porque se quiere indicar algo sobre la palabra o expresión en concreto *(La palabra "sacacorchos" es un compuesto)*, la palabra o expresión se utiliza irónicamente *(La condesa fue muy "elegante" a la fiesta: parecía un árbol navideño)* o se trata de una palabra o expresión procedente de otra lengua que no se ha adaptado al español *(La moda "prêt-à-porter" de este otoño es joven y cómoda).*

– Para citar el título de poemas, capítulos, artículos y en ocasiones una obra. En este caso se prefiere el uso de las comillas angulares: *Se encuentra en el segundo capítulo, «Geografía».*

– Para presentar el significado de una palabra. En este caso se prefiere el uso de las comillas simples: *La fonología ('parte de la gramática que estudia los fonemas') es muy interesante.*

La raya (–)

Este signo de puntuación es una raya horizontal más larga que el signo de puntuación llamado *guion* o *guion corto*. La **raya** también se conoce con el nombre de **guion largo**. Se utiliza:

– Para enmarcar un elemento u oración dentro de otra oración: *En la puerta esperaban a Julia —vestidas con sus mejores galas— sus amigas Carmen y Celia, impacientes porque llegaban tarde a la fiesta.*

– Para señalar en un diálogo la intervención de cada uno de los personajes. Se utiliza una raya al principio de cada intervención, y sin espacio entre la raya y la palabra o signo que va detrás:

   —¿Qué piensas, Yolanda?
   —Me estoy acordando de lo bien que lo pasamos juntas el verano pasado...
   —¡Oh, sí, fue una época estupenda!

– Para separar los comentarios o precisiones del narrador de la intervención de un personaje: *—Amigos —dijo el capitán mientras levantaba la copa—, brindemos por la victoria.*

El guion (-)

El **guion**, o **guion corto**, es una raya horizontal más corta que el signo de puntuación denominado *raya* o *guion largo*. Se utiliza:

– Para separar las dos palabras que forman una palabra compuesta cuando se considera que esta no se siente consolidada como una unidad: *médico-quirúrgico, franco-alemán.*

– Para dividir una palabra a final de renglón.

– Para indicar los prefijos y sufijos, o el principio o final de palabra: *-ción, -mente, geo-, pre-.*

– Para unir dos expresiones numéricas, con objeto de referirse al intervalo que va desde una a otra: *en los años 1915-1993, páginas 12-15.*

La barra (/)

La **barra** se utiliza:

– Para señalar dónde acaban los versos de un texto poético: *Con cien cañones por banda, / viento en popa a toda vela, / no corta el mar sino vuela / un velero bergantín.*

– Para sustituir a una preposición en ciertas expresiones,

como *km/h* (kilómetros por hora), €/*mes* (euros al mes) o *real decreto 10/1998* (real decreto de octubre de 1998).

– Para introducir opciones en un texto sin tener que repetir palabras. En este caso, la barra puede separar palabras completas o bien partes de una palabra: *El/los candidato/s presente/s... Los hombres y/o mujeres que...*

– En las expresiones matemáticas, para indicar la operación de dividir (también se pueden usar los dos puntos): *2x/100, 14/2 = 7.*

La diéresis (¨)

La **diéresis**, conocida también con el nombre de **crema**, se coloca encima de la *u* en las sílabas *güe, güi* para indicar que ha de pronunciarse la vocal *u*: *cigüeña, pingüino, averigüéis.*

En textos poéticos, y sobre la primera vocal de un diptongo, indica que debe pronunciarse como hiato, de modo que la palabra a la que afecta cuenta con una sílaba más: *El dulce murmurar de este rüido, el mover de los árboles al viento [...].*

El asterisco (*)

El **asterisco** es un signo con forma de estrella que se utiliza:

– Para indicar una remisión a otra parte del texto, especialmente a una nota al margen o a pie de página.

– Para señalar que una expresión lingüística se considera incorrecta desde el punto de vista ortográfico o gramatical: **vonito, *pienso de que llegaremos tarde.*

– En la explicación de la etimología de una palabra, para indicar que un vocablo es hipotético (es decir, que no está documentado pero que se deduce su existencia en una lengua antigua como resultado de una reconstrucción): *La palabra "mancebo" es una voz patrimonial del latín *mancipus 'esclavo'.*

División de palabras a final de renglón

Cuando una palabra no puede escribirse entera al final del renglón porque no cabe, es necesario dividirla. La parte de la palabra que se escribe al final del renglón se acompaña de guion. Las normas que establecen por dónde pueden dividirse las palabras son:

– Las letras que forman una sílaba no pueden separarse al final del renglón.

– Las palabras formadas con un prefijo más una palabra que funciona independientemente en la lengua y empieza con vocal *(desilusión)* pueden dividirse a final de renglón teniendo en cuenta las sílabas *(de-silusión; desi-lusión; desilu-sión)* o teniendo en cuenta su formación *(des-ilusión)*. Son correctas, pero cada vez menos frecuentes, las divisiones *nos-otros, vos-otros.*

– Los diptongos *(diente)*, los triptongos *(miau)* y los hiatos *(baúl)* no pueden separarse al final del renglón.

– Cuando la primera sílaba de una palabra es una vocal, se recomienda no dejarla sola al final del renglón: *Amé-rica, Améri-ca.*

– Cuando una palabra tiene una *h* precedida de una consonante *(deshacer)*, el guion se coloca tras dicha consonante, y el resto de letras de la palabra pasan al principio del siguiente renglón *(des-hacer)*.

– Los dígrafos *(ll, rr, ch, qu, gu)* no pueden separarse a final de renglón *(se-llar, pe-rro, te-cho, to-que, Mi-guel)*.

– Las abreviaturas y las siglas no pueden dividirse al final del renglón: *Prof., Excmo., ONG, UNESCO.*

Formas abreviadas

Abreviaturas

La **abreviatura** es la representación de una o más palabras en la escritura con menos letras de las que las forman. Se forma seleccionando la primera o primeras letras de una palabra (D. *don*, tel. *teléfono*), o la primera o primeras letras de una palabra más la última o últimas letras de la misma palabra (Sr. *señor*, admón. *administración*).

Aunque la mayoría de las abreviaturas son simples (están formadas a partir de una sola palabra), también pueden encontrarse abreviaturas compuestas que representan dos o más palabras (como p. ej. *por ejemplo*).

Las abreviaturas llevan al final un punto (Dr. *doctor*), salvo en alguna ocasión en que se sustituye el punto por una barra oblicua (c/ *calle*, s/n *sin número*).

Hay palabras que se pueden representar con más de una abreviatura (como *número*, n.º o núm.), y hay abreviaturas que pueden representar más de una palabra (como s., que representa las palabras *siglo* y *siguiente*, y en mayúscula representa las palabras *san* y *santo*).

Una abreviatura se suele escribir con mayúscula inicial si representa una palabra o conjunto de palabras que se escribe con mayúscula (S. M. *Su Majestad*), y se suele escribir con minúscula inicial si representa una palabra o conjunto de palabras que se escribe con minúscula (av. *avenida*, p. ej. *por ejemplo*). Las abreviaturas de los tratamientos de cortesía se escriben con mayúscula inicial (Ud. *usted*).

Para representar la forma plural de una abreviatura formada por una sola letra, puede escribirse dos veces la abreviatura (p. *página*, pp. *páginas*; SS. MM. *Sus Majestades*). Si la abreviatura está formada por las primeras letras de una palabra, puede añadirse -s al final (vols. *volúmenes*) y si está formada por la primera o primeras letras de una palabra más la última o últimas letras de la misma palabra puede añadirse -es (Sres. *señores*).

Se ofrecen aquí algunas de las abreviaturas más usuales en español.

ABREVIATURAS COMPUESTAS	
ABREVIATURA	**EXPRESIÓN ABREVIADA**
a. C. o **a. de C.**	antes de Cristo
a. J. C. o **a. de J. C.**	antes de Jesucristo
a. m.	ante merídiem 'antes del mediodía'
c. e.	correo electrónico
cta. cte.	cuenta corriente
d. C. o **d. de C.**	después de Cristo
d. J. C. o **d. de J. C.**	después de Jesucristo
loc. cit.	loco citato 'en el lugar citado'
op. cit.	ópere citato 'en la obra citada'
p. a.	por ausencia *o* por autorización
p. ej.	por ejemplo
p. m.	post merídiem 'después del mediodía'
p. o.	por orden
s. n. o **s/n**	sin número
v. gr.	verbi gratia 'por ejemplo'

Siglas

La **sigla** es la representación gráfica de una unidad conceptual formada por varias palabras que funcionan como un sintagma. Se forma seleccionando y combinando las letras iniciales de las palabras que constituyen esta unidad conceptual.

Las letras que forman la sigla se escriben con mayúscula y generalmente no se colocan puntos entre las letras (IRPF, *impuesto sobre la renta de las personas físicas*, ESO *Enseñanza Secundaria Obligatoria*, ONG *organización no gubernamental*). Cuando se quiere utilizar en plural una sigla que se escribe con mayúsculas, se emplean en plural las palabras que acompañan la sigla (*las ONG españolas*).

ABREVIATURAS SIMPLES	
ABREVIATURA	**PALABRA ABREVIADA**
admón.	administración
apdo.	apartado
art. o **art.º**	artículo
av. o **avda.**	avenida
c., **c/** o **cl.**	calle
c., **cap.** o **cap.º**	capítulo
cf.	cónfer 'compárese', 'confróntese'
D. / D.ª	don / doña
dcha.	derecha
Dir. / Dir.ª	director / directora
doc.	documento
Dr. / Dr.ª o **Dra.**	doctor / doctora
ej.	ejemplo
entlo.	entresuelo
etc.	etcétera
Excmo. / Excma.	Excelentísimo / Excelentísima
fdo.	firmado
fig.	figura
ib. o **ibíd.**	ibídem 'en el mismo lugar'
Ilmo. / Ilma.	Ilustrísimo / Ilustrísima
izqdo. / izqda.	izquierdo / izquierda
ms.	manuscrito
n.º o **núm.**	número
p. o **pág.**	página
pl. o **plza.** o **pza.**	plaza
Prof. / Prof.ª	profesor / profesora
Rte.	remitente
S.	san
s.	siglo
s. o **sig.**	siguiente
Sr. / Sra., **Sr.ª** o **S.ª**	señor / señora
Srta.	señorita
Sto. / Sta.	santo / santa
tel., **teléf.** o **tfno.**	teléfono
U., **Ud.**, **V.** o **Vd.**	usted
V.	véase
vid.	vide 'véase'
vol.	volumen
vs.	versus 'hacia, contra'

Algunas siglas se han lexicalizado, por lo que se escriben con minúscula y sin puntos entre las letras (sida *síndrome de inmunodeficiencia adquirida*, ovni *objeto volador no identificado*). Estas siglas lexicalizadas hacen el plural como cualquier otro sustantivo (ovnis).

Si la sigla tiene estructura silábica, se lee como una palabra (UNICEF, OTAN); si no, se debe deletrear (ONG *o-ene-ge*, IRPF *i-erre-pe-efe*).

Símbolos

Los **símbolos** son signos convencionales que representan conceptos técnicos y científicos.

La mayoría de los símbolos están formados por letras (Na *sodio*), pero también hay símbolos formados con otros elementos (por ejemplo, en matemáticas tenemos los símbolos **+** [*más*] y **−** [*menos*]).

Desde el punto de vista ortográfico, interesan los símbolos que utilizan letras. Los más frecuentes son los símbolos que representan los elementos químicos (K *potasio*, Au *oro*, Mg *magnesio*, O *oxígeno*), las unidades de medida (kg *kilogramo*, s *segundo*, l *litro*, m *metro*) y los puntos cardinales: N *Norte*, S *Sur*, E *Este*, O *Oeste*).

Los símbolos nunca llevan punto final.

FONOLOGÍA

La fonología es la parte de la gramática que estudia los fonemas. El **fonema** es un producto abstracto, pues se trata de un modelo mental que representa una clase de sonidos. El **sonido**, por su parte, es la realización material de un fonema, un producto real que se puede oír, observar y analizar, y que es distinto en cada hablante. En definitiva, el sonido es lo que se pronuncia al hablar. Finalmente, las **letras** son signos que se utilizan para representar gráficamente los fonemas, es decir, para poner por escrito los sonidos que representan los distintos fonemas.

En español hay infinidad de sonidos y solamente veinticuatro fonemas. En lingüística, los fonemas se representan entre barras oblicuas (por ejemplo, /p/) y los sonidos van entre corchetes (por ejemplo, [p]).

El fonema

Los fonemas se describen, clasifican y distinguen teniendo en cuenta una serie de características, llamadas *rasgos distintivos* o *rasgos pertinentes* porque estos rasgos permiten diferenciar significados. Así, *toro* se opone a *poro* porque la /t/ es una consonante dental oclusiva sorda y la /p/ es una consonante bilabial oclusiva sorda. Ambos fonemas se diferencian únicamente porque la /t/ es dental y la /p/ es bilabial. Son fundamentales dos aspectos: la fonación y la articulación.

LA FONACIÓN. A la actividad de las cuerdas vocales en la producción del sonido se le llama **fonación**. Los sonidos se producen en el aparato fonador humano durante la espiración, es decir, durante el tiempo de la respiración en que el aire sale de los pulmones. Este aire pasa por los bronquios, la tráquea y la laringe. En la laringe se encuentran las cuerdas vocales. Si las cuerdas vocales vibran, se produce un sonido **sonoro**; si no vibran (aunque hacen vibrar el aire, si no, no habría sonido), se produce un sonido **sordo**. De este modo, la /p/ y la /b/ se diferencian porque la /p/ es sorda y la /b/ es sonora.

LA ARTICULACIÓN. Después de pasar por la laringe, el aire llega a la boca, donde dará origen a los distintos sonidos. La **articulación** es la posición que adoptan los órganos de la boca para la producción de esos sonidos. En la articulación intervienen órganos activos (labios, lengua, dientes inferiores y velo del paladar) y pasivos (dientes superiores, alvéolos superiores y paladar).

El sistema fonológico español se divide en dos grandes grupos: **vocales** y **consonantes**. Con respecto a la fonación, las vocales son todas sonoras; en cambio, hay consonantes sordas y sonoras. Con respecto a la articulación, el aire no encuentra obstáculos para la producción de sonidos vocálicos (la lengua adopta distintas posiciones que modifican el hueco de la cavidad bucal y produce distintos sonidos), pero sí encuentra resistencia en la producción de sonidos consonánticos.

Sonido vocálico

Los **sonidos vocálicos** se caracterizan por la abertura de la boca y la forma que adopta la cavidad de esta cuando se colocan la lengua y los labios de una determinada manera, pero el aire no encuentra ningún obstáculo para salir.

Grado de abertura de la boca

Los sonidos vocálicos pueden ser:

– cerrados: se cierra prácticamente la boca;
– semicerrados: la boca está parcialmente abierta;
– abiertos: se abre casi totalmente la boca.

Forma de la cavidad de la boca

Los sonidos vocálicos pueden ser:

– anteriores: se curva la lengua hacia delante y se mueven un poco los labios hacia atrás;
– medios: se coloca la lengua casi plana;
– posteriores: se coloca la lengua hacia atrás y se curva por la parte posterior, y se mueven los labios hacia delante en forma de cucurucho.

El sistema vocálico de la lengua española

El sistema vocálico de la lengua española está formado por cinco fonemas. Las vocales son todas *sonoras* (es decir, las cuerdas vocales vibran cuando pasa el aire que sale de los pulmones) y *orales* (el aire pasa por la boca). En el siguiente cuadro se organizan los fonemas vocálicos según sus rasgos pertinentes:

SISTEMA VOCÁLICO DE LA LENGUA ESPAÑOLA				
		FORMA DE LA CAVIDAD DE LA BOCA		
		ANTERIOR	MEDIA	POSTERIOR
GRADO DE ABERTURA DE LA BOCA	CERRADO	/i/		/u/
	SEMI-CERRADO	/e/		/o/
	ABIERTO		/a/	

Sonido consonántico

Los **sonidos consonánticos** se caracterizan por el punto de articulación y el modo de articulación.

Punto de articulación

El *punto de articulación* es el lugar donde se aproximan o tocan los órganos de la boca en la emisión de los sonidos. Según el punto de articulación, un sonido consonántico puede ser:

- **Bilabial:** se unen los dos labios. Los fonemas /p/ *(persona)*, /b/ *(boca, volante, wolframio)* y /m/ *(misa)* son bilabiales.

- **Labiodental:** se acerca el labio inferior a los dientes superiores. El fonema /f/ es labiodental: *familia*.

- **Interdental:** se coloca la punta de la lengua entre los dientes superiores y los dientes inferiores. El fonema /θ/ es interdental: *zumo, cine*.

- **Dental:** se apoya la lengua en la parte interior de los dientes superiores. Los fonemas /t/ *(teléfono)* y /d/ *(dirección)* son dentales.

- **Alveolar:** se tocan los alvéolos superiores con la punta de la lengua. Los fonemas /s/ *(semana)*, /l/ *(leche)*, /r/ *(cero)*, /r̄/ *(ratón, terraza)* y /n/ *(nieve)* son alveolares.

- **Palatal:** se toca el paladar duro con la lengua. Los fonemas /ĉ/ *(charco)*, /y/ *(yoga)*, /ʎ/ *(llegar)* y /ɲ/ *(teñir)* son palatales.

- **Velar:** se toca el velo del paladar con la parte posterior de la lengua. Los fonemas /k/ *(cueva, kárate, química)*, /g/ *(garbanzo, guisante)* y /x/ *(jubilación, geometría)* son velares.

Modo de articulación

El *modo de articulación* es la posición que adoptan los órganos de la boca en la emisión de los sonidos. Según el modo de articulación, un sonido consonántico puede ser:

- **Oclusivo:** se ponen en contacto dos órganos de la boca, con lo que se interrumpe momentáneamente el paso del aire y después se separan de golpe estos órganos, dejando salir el aire en forma de explosión.

- **Fricativo:** se hace pasar el aire por el hueco estrecho que dejan los órganos de la boca que se han puesto ligeramente en contacto, con lo que se produce cierto rozamiento.

- **Africado:** se empieza a pronunciar como si fuera oclusivo y se termina como si fuera fricativo.

- **Nasal:** el velo del paladar deja de obstruir el paso a la cavidad nasal y permite que el aire pase por la nariz.

- **Líquido:** se hace pasar el aire por la boca sin apenas tocar ningún órgano. Los sonidos líquidos se dividen en sonidos laterales y sonidos vibrantes.

  – lateral: se hace salir el aire por los lados de la boca.

  – vibrante: se coloca la lengua en contacto con la zona alveolar y se producen una o varias vibraciones. Si se realiza una sola vibración, será un sonido consonántico vibrante simple (el fonema /r/ de *cara*), y si se realizan varias, será un sonido consonántico vibrante múltiple (el fonema /r̄/ de *robo, carro*).

El sistema consonántico de la lengua española

El sistema consonántico de la lengua española está formado por 19 fonemas. En el siguiente cuadro se organizan los fonemas consonánticos según sus rasgos pertinentes:

SISTEMA CONSONÁNTICO DE LA LENGUA ESPAÑOLA								
MODO DE ARTICULACIÓN	**PUNTO DE ARTICULACIÓN**							**SORDO/ SONORO**
	bilabial	labiodental	interdental	dental	alveolar	palatal	velar	
oclusivo	/p/			/t/			/k/	sordo
	/b/			/d/			/g/	sonoro
fricativo		/f/	/θ/		/s/		/x/	sordo
africado						/ĉ/		sordo
						/y/		sonoro
nasal	/m/				/n/	/ɲ/		sonoro
líquido lateral					/l/	/ʎ/		sonoro
líquido vibrante simple					/r/			sonoro
líquido vibrante múltiple					/r̄/			sonoro

MORFOLOGÍA

La morfología es la parte de la gramática que estudia la estructura de las palabras, las clases de palabras y las reglas que explican cómo se han formado las que existen y cómo se pueden formar otras nuevas.

El morfema

El morfema es la unidad morfológica más pequeña. Se pueden distinguir las siguientes clases de morfemas:

CLASES DE MORFEMAS			
RAÍZ O LEXEMA			
AFIJOS	DERIVATIVOS	PREFIJOS	
		SUFIJOS	
		INTERFIJOS	
	FLEXIVOS	NOMINALES	GÉNERO
			NÚMERO
		VERBALES	TIEMPO, ASPECTO Y MODO
			PERSONA Y NÚMERO

Raíz o lexema

La **raíz**, que también se conoce con el nombre de **lexema**, es el segmento de la palabra común a todas las palabras que pertenecen a la misma familia, que tiene la misma forma y el mismo significado en todas ellas. La raíz puede coincidir con una de las palabras de la familia (por ejemplo, la raíz de la palabra *flor* es *flor*) o no coincidir con ninguna de ellas (por ejemplo, la raíz de las palabras *negro, negruzco, negrura* y *ennegrecer* es *negr-*).

Afijos

Los **afijos** se unen a una raíz para formar una nueva palabra (afijo derivativo) o para crear diferentes formas de una misma palabra (afijo flexivo).

Afijos derivativos

Los afijos derivativos se unen a la raíz para crear palabras nuevas. Por ejemplo, la palabra *limonero* se ha formado uniendo el afijo derivativo -*ero* a la raíz *limon-*. La palabra *desuso* se ha formado uniendo el afijo derivativo *des-* a la raíz -*uso*.

Se pueden distinguir tres clases de afijos derivativos según la posición que ocupan respecto a la raíz: prefijos, sufijos e interfijos.

• **Prefijo.** Es el afijo derivativo que se coloca delante de una raíz para crear una nueva palabra. Por ejemplo, el prefijo *sub-* se une a la raíz *marino* y forma *submarino*.

• **Sufijo.** Es el afijo derivativo que se coloca detrás de una raíz para crear una nueva palabra. Por ejemplo, el sufijo -*ción* se une a la raíz *investiga-* y forma la palabra *investigación*.

Hay dos tipos de sufijos: sufijos *apreciativos* y sufijos *no apreciativos*. Los sufijos apreciativos añaden matices subjetivos, ya sean de valoración, como en el caso del sufijo -*ucho (debilucho)*, o de tamaño, como por ejemplo el sufijo -*ete (pisete)*. Los sufijos no apreciativos son los que no añaden estos matices subjetivos. Por ejemplo, el sufijo -*ismo (modernismo)*.

• **Interfijo.** Sirve de enlace entre la raíz y los sufijos y no aportan ningún valor significativo. Por ejemplo, -*ic- (carnicero)* o -*ad- (panadero)*.

Afijos flexivos

Los afijos flexivos son aquellos que se unen a una raíz para crear diferentes formas de la misma palabra. Por ejemplo, la palabra *casas* está formada por la raíz *casa* y el afijo -*s*; la -*s* es un morfema flexivo de número, que indica plural.

Hay dos clases de afijos flexivos: afijos flexivos nominales y afijos flexivos verbales.

• **Afijo flexivo nominal.** Forma parte de los sustantivos, adjetivos, determinantes y pronombres. Se pueden distinguir dos tipos: los de género (masculino, femenino, neutro) y los de número (singular, plural). Por ejemplo, la -*a* final de *gata* es un afijo flexivo de género, y la -*s* final de *profesoras* es un afijo flexivo de número.

• **Afijo flexivo verbal.** Forma parte de los verbos. Se pueden distinguir los siguientes tipos: de persona, de número, de tiempo, de aspecto y de modo. Estos morfemas se presentan muchas veces soldados. De ahí que se diferencien dos bloques de afijos flexivos verbales: de tiempo, aspecto y modo, por un lado; y de persona y número, por otro. Así, en la forma verbal *cantáramos* se pueden distinguir el sufijo flexivo verbal de tiempo, aspecto y modo -*ra-*, que indica imperfecto de subjuntivo, y el sufijo flexivo verbal de persona y número -*mos*, que indica primera persona de plural. En algunas ocasiones resulta imposible señalar estos bloques de afijos flexivos verbales (por ejemplo, en la forma verbal *soy*).

Las clases de palabras

La morfología se ocupa de clasificar las palabras en distintas clases o categorías teniendo en cuenta una serie de características comunes a un grupo de palabras. Estas características son de tipo formal, funcional y semántico. Así, obtenemos ocho clases de palabras: sustantivo, adjetivo, verbo, adverbio, determinante, pronombre, preposición y conjunción.

Sustantivo

El **sustantivo** tiene las siguientes características:

– Formales: admite afijos flexivos de género y número, así como sufijos apreciativos.

– Funcionales: es el núcleo del sintagma nominal y puede realizar las funciones de sujeto, complemento directo, complemento circunstancial, atributo y complemento del nombre. El sintagma nominal, cuyo núcleo es un sustantivo, puede estar encabezado por una preposición, en cuyo caso el nombre desempeña las funciones de complemento directo, complemento indirecto, complemento de régimen, complemento circunstancial, complemento agente, complemento del nombre, complemento del adjetivo y complemento del adverbio.

– Semánticas: designa una persona, animal o cosa (material o inmaterial) que tiene existencia independiente.

Género de los sustantivos

El *género gramatical* en los sustantivos atiende a la distinción entre *masculino* y *femenino*. Se pueden encontrar los siguientes casos:

● **Un solo género.** La mayoría de los sustantivos tiene un solo género: masculino o femenino (*casa* es femenino y *techo* es masculino). Estos sustantivos no tienen afijos flexivos de género.

● **Sustantivos epicenos.** Hay sustantivos que tienen también un solo género (masculino o femenino) pero se pueden referir a personas o animales de diferente sexo (la palabra *ballena* es femenina y puede referirse tanto a la ballena macho como a la ballena hembra; el sustantivo *persona* es femenino y puede referirse a una mujer o a un hombre).

● **Distinción de género mediante afijos flexivos.** Otros sustantivos pueden ser masculinos o femeninos dependiendo de los afijos flexivos de género que tengan (*amigo* es un sustantivo masculino que tiene el afijo flexivo de género masculino *-o*, y *amiga* es un sustantivo femenino que tiene el sufijo flexivo de género femenino *-a*). Los afijos flexivos de género en español son los siguientes: *-o*, *-e*, ausencia de afijo para el masculino; *-a*, *-esa*, *-isa*, *-ina*, *-triz* para el femenino.

● **Género común.** Hay sustantivos que comparten la misma forma sin variación de flexión para el masculino y femenino. El género se manifiesta en estas palabras a través de los determinantes y adjetivos que los acompañan (*pianista: una pianista, un pianista*).

● **Heterónimos.** En algunos sustantivos, la diferencia entre el sexo masculino y el femenino se manifiesta con palabras diferentes. Por ejemplo, el femenino de *toro* es *vaca* y el masculino de *mujer* es *hombre*.

● **Género ambiguo.** Hay sustantivos que pueden ser utilizados como masculinos o como femeninos (como *mar: la mar está tranquila, el mar está tranquilo*).

Número de los sustantivos

El *número gramatical* en los sustantivos atiende a la distinción entre *singular* y *plural*. Generalmente, los sustantivos en singular designan una sola realidad (*casa*) y los sustantivos en plural designan varios seres u objetos de la misma clase (*casas*). Sin embargo, algunos sustantivos solo presentan una forma, ya sea singular (*salud*) o plural (*honorarios*).

La formación del plural de un sustantivo depende de la forma de este en singular. El singular no se marca con ningún afijo flexivo de número. El plural se forma añadiendo, según corresponda, los afijos flexivos *-s* o *-es*: *periódicos, manteles*. Las reglas generales de formación del plural son las siguientes:

● Se añade el afijo flexivo de número *-s* a:
  – Los sustantivos que terminan en vocal no acentuada: *casa-casas*.
  – Los sustantivos que terminan en *e* acentuada: *café-cafés*.
  – La mayoría de los sustantivos que terminan en *a* u *o* acentuadas: *papá-papás, buró-burós*.

● Se añade el afijo flexivo de número *-es* a:
  – Los sustantivos que terminan en una consonante distinta de *-s*: *panel-paneles*.
  – La mayoría de los sustantivos que terminan en *i* o *u* acentuadas: *maniquí-maniquíes, iglú-iglúes*.
  – Los sustantivos que terminan en vocal acentuada seguida de *-s*: *compás-compases*.
  – Los sustantivos que acaban en *-y*: *ley-leyes*. Estas palabras mantienen la *y* en la mayor parte de los casos (no es así, por ejemplo, en *jersey-jerséis* o *paipay-paipáis*).

● No añaden ningún sufijo flexivo de número:
  – Los sustantivos llanos o esdrújulos que acaban en *-s* o en *-x*: *crisis, brindis, tórax, clímax*. El número se manifiesta en estas palabras a través de los determinantes que las acompañan. Por ejemplo: *la crisis-las crisis, el tórax-los tórax*.

Clases de sustantivos según su significado

Los sustantivos pueden clasificarse en diferentes grupos dependiendo del significado que aporten:

• **Concreto o abstracto.** Los sustantivos concretos son aquellos que se pueden percibir por los sentidos, como *coche, ruido* o *flor*. Los sustantivos abstractos son los que no se pueden percibir por los sentidos, como *inteligencia, bondad* o *felicidad*. No todos los sustantivos son siempre concretos o abstractos. Por ejemplo, *paseo* es abstracto en una oración como *"Voy a dar un paseo"* (donde significa 'acción de andar por la calle para distraerse') y concreto en *"Han puesto farolas en el paseo"* (donde significa 'calle amplia destinada para que la gente pasee').

• **Común o propio.** Los sustantivos concretos pueden ser comunes o propios. Un nombre común hace referencia a una clase de elementos que comparten unas mismas características. Por ejemplo, *silla* 'mueble para sentarse con respaldo y sin brazos': todos los muebles que tengan estas características recibirán el nombre de *silla*. Un nombre propio distingue un elemento entre todos los que pertenecen a su misma clase. Por ejemplo, el nombre propio *Tajo* diferencia este río de todos los demás ríos, los cuales tienen otros nombres propios, como *Ebro, Danubio, Nilo*...

• **Contable o no contable.** Los sustantivos contables designan realidades que se pueden contar por unidades. Por ejemplo: *una bandera, dos banderas, tres banderas*, etc. También designan realidades que no se pueden dividir, porque dejarían de ser lo que son: si se divide una bandera en partes, cada una de estas partes no es una bandera. Los sustantivos no contables designan realidades que no se pueden contar por unidades. Por ejemplo: *harina, bondad, luz*. También designan realidades que se pueden dividir, de manera que cada parte sigue siendo lo que era. Así, un puñado de harina sigue siendo harina. Algunos sustantivos no contables admiten determinantes y designan porciones o clases; así, "un vino" es una copa de vino, o un tipo de vino.

• **Individual o colectivo.** Los sustantivos individuales son nombres en singular que designan un solo ser u objeto. Por ejemplo: *casa, libro, mesa*. Los sustantivos colectivos son nombres en singular que designan un conjunto de seres u objetos. Por ejemplo: *pinar, rebaño, público*.

Adjetivo

El **adjetivo** tiene las siguientes características:

– Formales: admite afijos flexivos de género y número, así como sufijos apreciativos y sufijos de grado.
– Funcionales: es el núcleo del sintagma adjetivo y puede realizar las funciones de complemento del nombre, atributo y complemento predicativo.
– Semánticas: expresa una cualidad del sustantivo.

Género

El adjetivo concuerda en género con el sustantivo que acompaña; según sea la formación del género, se pueden distinguir dos clases de adjetivos:

• **Adjetivos de dos terminaciones:** una para el masculino y otra para el femenino. Los afijos flexivos masculinos son *-o* (*duro, bonito*) y el *afijo cero* (*francés, holgazán*). El afijo flexivo femenino es *-a* (*dura, bonita, francesa, holgazana*).

• **Adjetivos de una sola terminación:** común para el masculino y para el femenino. Por ejemplo: *triste* (*la triste canción, el triste final*); *verde* (*un árbol verde, una planta verde*).

Número

El número del adjetivo concuerda con el número del sustantivo que acompaña; el adjetivo sigue las mismas reglas de formación del plural que los sustantivos.

Grado

El adjetivo puede estar en grado comparativo, grado superlativo o grado positivo.

• **Grado comparativo.** Se establece una comparación entre la cualidad de una realidad y la cualidad de otra. Hay tres tipos de grado comparativo: de *superioridad* (se utiliza la fórmula *más... que*: *Marte es más grande que la Tierra*); de *inferioridad* (se utiliza la fórmula *menos... que*: *Este capítulo es menos interesante que el anterior*); y de *igualdad* (se utilizan las fórmulas *tan... como* e *igual de... que*: *Viena es tan bonita como Londres; Carlos es igual de serio que su padre*).

Hay adjetivos que tienen unas formas especiales para el grado comparativo: el comparativo de *bueno* es *mejor*; de *malo, peor*; de *pequeño, menor*; de *grande, mayor*.

• **Grado superlativo.** Se expresa una cualidad en su mayor intensidad. Hay dos tipos de grado superlativo: el *superlativo absoluto*, que expresa una cualidad en su mayor intensidad y se construye añadiendo al adjetivo el sufijo *-ísimo* o acompañándolo con el adverbio *muy* (*buenísimo, tranquilísima, muy feliz*); y el *superlativo relativo*, que establece una comparación entre la cualidad de una realidad y la cualidad del conjunto al que pertenece, y se construye con un artículo determinado (*el, la, los, las*) seguido del adverbio *más* o el adverbio *menos* (*la más bromista de todas las hermanas; el menos afortunado de la familia*).

Hay adjetivos que tienen unas formas especiales para el grado superlativo absoluto: de *bueno, óptimo*; de *malo, pésimo*; de *pequeño, mínimo*; de *grande, máximo*.

• **Grado positivo.** Cuando un adjetivo no está en grado comparativo ni en grado superlativo, se dice que está en grado positivo. Por ejemplo: *lento, alegre, amable*.

Clases de adjetivos

Los adjetivos pueden clasificarse en dos grupos dependiendo del significado que aporten al sustantivo:

- **Adjetivos explicativos.** Presentan una cualidad que no es necesaria para diferenciar una realidad de otra de su misma clase. Por ejemplo, *la blanca nieve cubrió los montes*.

- **Adjetivos especificativos.** Presentan una cualidad que es necesaria para diferenciar una realidad de otra de su misma clase. Por ejemplo, el adjetivo *roja* en *chaqueta roja* sirve para diferenciar esta chaqueta de otra que tenga otro color.

Verbo

El **verbo** tiene las siguientes características:
- Formales: admite afijos flexivos verbales.
- Funcionales: es el núcleo del sintagma verbal, que funciona como predicado.
- Semánticas: indica proceso y tiempo.

Afijos flexivos verbales

El verbo está formado por la raíz o lexema y los afijos flexivos verbales. Se pueden distinguir cinco tipos de afijos flexivos verbales: de persona, de número, de tiempo, de aspecto y de modo. Estos morfemas se presentan muchas veces soldados: por un lado, morfemas de tiempo, aspecto y modo; por otro, de persona y número.

- **Persona.** La persona indica la relación que se establece entre el sujeto y el oyente. Se distinguen tres personas gramaticales: la primera persona está relacionada con el hablante *(yo, nosotros, nosotras)*; la segunda persona, con el oyente *(tú, vosotros, vosotras)*; y la tercera persona, con un ser u objeto que no es ni el hablante ni el oyente *(él, ella, ello, ellos, ellas)*.

- **Número.** El número indica si el sujeto es singular *(yo, tú, él, ella, ello)* o plural *(nosotros, nosotras, vosotros, vosotras, ellos, ellas)*.

- **Tiempo.** El tiempo indica si una acción verbal se sitúa en el presente, el pasado (pretérito) o el futuro.

- **Aspecto.** El aspecto informa acerca del desarrollo de la acción verbal, es decir, de si se sigue realizando o ya se ha acabado. Si la acción ya ha terminado, se habla de aspecto perfectivo o perfecto, y si la acción continúa desarrollándose, se habla de aspecto imperfectivo o imperfecto.

- **Modo.** En español hay tres modos: indicativo, subjuntivo e imperativo. El modo indicativo se usa para expresar realidades objetivas. El modo subjuntivo se utiliza para expresar realidades que no se pueden verificar de manera objetiva, así como deseos, dudas, temores, etc. El modo imperativo se usa para expresar órdenes o mandatos.

Vocal temática

Entre la raíz y los afijos flexivos se encuentra la llamada *vocal temática*. Dependiendo de la vocal temática, los verbos españoles se organizan en tres conjugaciones: primera conjugación (vocal temática *-a-*: *caminar, bailar, soñar*); segunda conjugación (vocal temática *-e-*: *temer, valer, poder*); y tercera conjugación (vocal temática *-i-*: *partir, vivir, escribir*).

Verbos regulares y verbos irregulares

Los verbos regulares son los que no presentan cambios en la raíz verbal en ninguna de sus formas conjugadas y toman los mismos afijos flexivos verbales que el modelo de su conjugación. Los verbos irregulares son los que presentan cambios en la raíz verbal de alguna de sus formas conjugadas o no toman los mismos afijos flexivos que el modelo de su conjugación.

Tiempos verbales

Los tiempos verbales son los grupos de formas verbales de una conjugación que expresan el momento o el periodo temporal en que sucede o es ejecutada la acción, en relación con el momento de habla o con el momento de que se habla. Los tiempos verbales son los siguientes:

- **Tiempos simples.** Presente, pretérito imperfecto, pretérito perfecto simple, futuro imperfecto y condicional simple de indicativo; presente, pretérito imperfecto y futuro imperfecto de subjuntivo; e imperativo.

- **Tiempos compuestos.** Pretérito perfecto compuesto, pretérito pluscuamperfecto, pretérito anterior y futuro perfecto de indicativo; pretérito perfecto, pretérito pluscuamperfecto y futuro perfecto de subjuntivo.

Formas simples y formas compuestas

Las formas simples son las que están formadas por una raíz más afijos flexivos verbales *(ganaba, canto, escribiré)*. Las formas compuestas son las que constan de una forma verbal conjugada del verbo auxiliar *haber* más el participio del verbo *(había ganado, he corrido, habré escrito)*.

Formas personales y formas no personales

Las formas personales son aquellas que admiten afijos flexivos de persona, número, tiempo, aspecto y modo. Las formas no personales no expresan persona gramatical, número ni modo (sí expresan aspecto) y son el infinitivo *(cantar)*, el gerundio *(cantando)* y el participio *(cantado)*. Las formas no personales se caracterizan por poder funcionar como verbos y como otras clases de palabras. El infinitivo puede funcionar como un sustantivo *(Comer me gusta mucho)*; el gerundio puede funcionar como un adverbio *(Saltó del asiento gritando)* y el participio puede funcionar como un adjetivo *(El baúl estaba abierto)*.

Voz activa y voz pasiva

La voz condiciona la estructura sintáctica de la oración y la forma del verbo. En las oraciones en activa, el sujeto realiza la acción del verbo (*La Orquesta Platería amenizó la verbena*), mientras que en las oraciones en pasiva, el sujeto padece o recibe la acción del verbo (*La verbena fue amenizada por la Orquesta Platería*), que realiza el complemento agente. La voz pasiva se expresa de dos maneras:

• **Pasiva perifrástica.** Se construye con una forma verbal conjugada del verbo auxiliar *ser* más el participio de otro verbo: *finalmente, el criminal fue descubierto por el detective.*

• **Pasiva refleja.** Se construye con el pronombre *se* y un verbo conjugado: *finalmente, se descubrió al criminal.*

Perífrasis verbales

Una perífrasis verbal es una expresión formada, generalmente, por dos verbos: uno en forma personal, que funciona como auxiliar, y otro en forma no personal (infinitivo, gerundio o participio): *está cantando, sigo dormido, debemos volver.* A veces, entre los dos verbos puede haber una preposición o una conjunción (*tengo que estudiar*). Una perífrasis verbal forma una unidad semántica y funcional.

Según su forma, se clasifican en perífrasis de infinitivo, de gerundio y de participio. Según su significado, se clasifican en perífrasis modales y perífrasis aspectuales. Las perífrasis modales expresan la actitud del hablante con respecto a la acción del verbo (como las perífrasis *haber de + infinitivo*; *poder + infinitivo*; *ir a + infinitivo*). Las perífrasis aspectuales indican el desarrollo de la acción del verbo, ya sea el comienzo inmediato de la acción (perífrasis ingresivas, como *empezar a + infinitivo*), el inicio de la acción (incoativas, como *ponerse a + infinitivo*), la acción en su transcurso (durativas, como *llevar + gerundio*), su terminación (terminativas, como *acabar por + infinitivo*), su repetición (reiterativas, como *volver a + infinitivo*) o su repetición frecuente (frecuentativas, como *soler + infinitivo*).

Adverbio

El **adverbio** tiene las siguientes características:
– Formales: no admite afijos flexivos; los adverbios son, pues, palabras invariables.
– Funcionales: es el núcleo del sintagma adverbial y realiza la función de complemento circunstancial. También puede modificar a un adjetivo, a otro adverbio o a una oración.
– Semánticas: indica aspectos relacionados con el tiempo, lugar, modo, cantidad, etc., del elemento al que modifica.

Los adverbios pueden ser simples, formados por una única palabra, como *ahora, antes, tranquilamente* o *amablemente*, o compuestos, formados por un grupo de palabras, como *de*

pronto o *desde luego*, y que reciben el nombre de *locuciones adverbiales*. Estas locuciones tienen un significado único y funcionan como una sola unidad.

Clases de adverbios

Por el significado que aportan, los adverbios se dividen en:
• Adverbios de tiempo: *pronto, tarde, siempre*, etc.
• Adverbios de lugar: *arriba, lejos, fuera*, etc.
• Adverbios de modo: *bien, mal, tranquilamente*, etc.
• Adverbios de cantidad: *mucho, poco, bastante*, etc.

Determinante

El **determinante** tiene las siguientes características:

– Formales: la mayoría de los determinantes admite afijos flexivos de género y número.
– Funcionales: determina a un nombre común.
– Semánticas: fija la referencia del nombre común, que pasa a designar un ser concreto.

Género y número

La mayoría de los determinantes admite afijos flexivos de género y número y establece concordancia con el nombre al que determina: *aquella casa; algunos problemas.*

Clases de determinantes

Se pueden distinguir dos tipos de determinantes: los artículos y los adjetivos determinativos.

• **Artículos.** Existen dos tipos de artículos: los artículos determinados y los artículos indeterminados.

– *Artículos determinados.* Los artículos determinados son los siguientes:

ARTÍCULOS DETERMINADOS	*Masculino*	*Femenino*	*Neutro*
Singular	el	la	lo
Plural	los	las	

Los artículos determinados admiten afijos flexivos de género (masculino, femenino, neutro) y número (singular, plural) y se utilizan ante sustantivos que apuntan a una realidad conocida por la persona que habla y la que escucha (en *"Voy a la panadería"*, el hablante y el oyente conocen la panadería de la que se está hablando) y para establecer generalizaciones (*"La vaca es un rumiante"*, todas las vacas lo son).

El artículo determinado masculino *el* se utiliza con los sustantivos masculinos, y también con los sustantivos femeninos que empiezan por *a* o *ha* tónicas (por ejemplo, *el águila, el hambre*).

Las preposiciones *a* y *de* seguidas del artículo determinado masculino *el* forman las contracciones *al* y *del*: *voy al supermercado; vengo del cine*.

El artículo determinado neutro *lo* acompaña a adjetivos que funcionan como sustantivos: *Piensa en lo bueno de la vida*.

– *Artículos indeterminados.* Los artículos indeterminados son los siguientes:

ARTÍCULOS INDETERMINADOS	Masculino	Femenino
Singular	un	una
Plural	unos	unas

Los artículos indeterminados admiten afijos flexivos de género (masculino, femenino) y número (singular, plural).

El artículo indeterminado masculino *un* se utiliza con los sustantivos masculinos, y también con los sustantivos femeninos que empiezan por *a* o *ha* tónicas (por ejemplo, *un águila, un hacha*).

• **Adjetivos determinativos.** Dentro del grupo de los adjetivos determinativos se encuentran los siguientes tipos: demostrativos, posesivos, indefinidos, numerales, interrogativos y exclamativos.

– *Demostrativos.* Los demostrativos son los siguientes:

DEMOSTRATIVOS	Singular		Plural	
	Masculino	Femenino	Masculino	Femenino
Proximidad	este	esta	estos	estas
Distancia intermedia	ese	esa	esos	esas
Lejanía	aquel	aquella	aquellos	aquellas

Los demostrativos admiten afijos flexivos de género (masculino, femenino) y número (singular, plural) y se utilizan para señalar algo, ya sea indicando proximidad *(este)*, distancia intermedia *(ese)* o lejanía *(aquel)* con respecto a la persona que habla. Esta distancia puede ser en el espacio *(este coche)* o en el tiempo *(aquel día)*. También se usa para referirse a otras palabras que han aparecido antes en el discurso: *He comprado leche, galletas y cacao. Estos alimentos son muy nutritivos.*

– *Posesivos.* Los posesivos son los que se muestran en las dos tablas de más abajo.

Los posesivos relacionan el sustantivo al que acompañan con un poseedor o varios poseedores. Las formas apocopadas *(mi, mis, tu, tus, su, sus)* se anteponen al sustantivo: *mi casa, sus libros.* Las formas plenas *mío, mía, míos, mías, tuyo, tuya, tuyos, tuyas, suyo, suya, suyos, suyas* se posponen al sustantivo: *una tía mía, aquella respuesta suya.* Las formas plenas *nuestro, nuestra, nuestros, nuestras, vuestro, vuestra, vuestros, vuestras* se pueden anteponer o posponer al sustantivo: *nuestro coche, el coche nuestro.*

– *Indefinidos.* Los indefinidos indican cantidad, intensidad o grado de manera imprecisa. Algunos indefinidos admiten afijos flexivos de género y número *(alguno, alguna, algunos, algunas)*. Otros indefinidos solo admiten afijos flexivos de género *(varios, varias)*. Finalmente, algunos indefinidos solo admiten afijos flexivos de número *(bastante, bastantes)*. Los indefinidos son estos:

– *algún, alguna, algunos, algunas;*
– *ningún, ninguna, ningunos, ningunas;*
– *mucho, mucha, muchos, muchas;*
– *poco, poca, pocos, pocas;*
– *bastante, bastantes;*

POSESIVOS (FORMAS APOCOPADAS)		Singular		Plural	
		Masculino	Femenino	Masculino	Femenino
Un poseedor	1.ª pers.	mi	mi	mis	mis
	2.ª pers.	tu	tu	tus	tus
	3.ª pers.	su	su	sus	sus
Varios poseedores	3.ª pers.	su	su	sus	sus

POSESIVOS (FORMAS PLENAS)		Singular		Plural	
		Masculino	Femenino	Masculino	Femenino
Un poseedor	1.ª pers.	mío	mía	míos	mías
	2.ª pers.	tuyo	tuya	tuyos	tuyas
	3.ª pers.	suyo	suya	suyos	suyas
Varios poseedores	1.ª pers.	nuestro	nuestra	nuestros	nuestras
	2.ª pers.	vuestro	vuestra	vuestros	vuestras
	3.ª pers.	suyo	suya	suyos	suyas

– *demasiado, demasiada, demasiados, demasiadas;*
– *cierto, cierta, ciertos, ciertas;*
– *todo, toda, todos, todas;*
– *otro, otra, otros, otras;*
  varios, varias,
– *cualquier, cualquiera, cualesquiera;*
– *demás (Las demás cajas están en el despacho);*
– *más (No hay más perchas en el armario);*
– *menos (Tiene menos sueño cada día);*
– *cada;*
– *sendos, sendas (Los nominados recibieron sendos premios).*

– *Numerales.* Los numerales indican cantidad exacta. Pueden distinguirse los siguientes tipos:
  – *Cardinales.* Son los números naturales: *uno, dos, tres,* etc. *(Tengo dos gatos).*
  – *Ordinales.* Expresan orden: *primero, segundo, tercero,* etc. *(Se paró en el undécimo escalón).*
  – *Partitivos.* Dividen el contenido del sustantivo al que determinan: *medio, tercio, cuarto,* etc. *(Se comió un doceavo de tarta).*
  – *Múltiplos.* Multiplican el contenido del sustantivo al que determinan: *doble, triple, cuádruple,* etc. *(Dio un triple salto mortal).*

– *Interrogativos.* Los interrogativos acompañan al sustantivo en enunciados que expresan pregunta. El interrogativo *qué* no admite afijos flexivos; ejemplo: *¿Qué coche te has comprado?* El interrogativo *cuánto* sí admite afijos flexivos *(cuánto, cuánta, cuántos, cuántas);* por ejemplo: *¿Cuántos libros hay en la estantería?*

– *Exclamativos.* Los exclamativos acompañan al sustantivo en enunciados que expresan exclamación. El exclamativo *qué* no admite afijos flexivos: *¡Qué castillo tan bonito!* El exclamativo *cuánto* sí admite afijos flexivos *(cuánto, cuánta, cuántos, cuántas):* *¡Cuántos libros hay en la estantería!*

Pronombre

El **pronombre** tiene las siguientes características:
– Formales: la mayoría de los pronombres admite afijos flexivos de género y número; los pronombres personales tienen diferentes formas según las funciones que desempeñan y variación de persona gramatical.
– Funcionales: sustituye al sustantivo, es núcleo de un sintagma nominal y puede realizar las mismas funciones que desempeña un sustantivo.
– Semánticas: no tiene significado léxico propio. Su significado es ocasional y lo recibe en la oración.

Clases de pronombres

Se pueden distinguir las siguientes clases de pronombres: *personales, relativos, posesivos, demostrativos, indefinidos, numerales, interrogativos y exclamativos.*

• **Personales.** Los pronombres personales son los siguientes:

PRONOMBRES PERSONALES			Pronombres tónicos		Pronombres átonos	
			Sujeto	Complemento (con preposición)	Complemento (sin preposición)	
					C. directo	C. indirecto
S i n g u l a r	1.ª persona	Masc.	yo	mí, conmigo	me	me
		Fem.				
	2.ª persona	Masc.	tú	ti, contigo	te	te
		Fem.				
	3.ª persona	Masc.	él	sí, consigo, él	lo, se	le, se
		Fem.	ella	sí, consigo, ella	la, se	le, se
		Neutro	ello	ello	lo	
P l u r a l	1.ª persona	Masc.	nosotros	nosotros	nos	nos
		Fem.	nosotras	nosotras		
	2.ª persona	Masc.	vosotros	vosotros	os	os
		Fem.	vosotras	vosotras		
	3.ª persona	Masc.	ellos	sí, consigo, ellos	los, se	les, se
		Fem.	ellas	sí, consigo, ellas	las, se	les, se

Algunos admiten afijos flexivos de número *(ella, ellas)*, otros admiten afijos flexivos de género *(nosotros, nosotras)*. Una particularidad de estos pronombres es la existencia del género neutro *(ello y lo)*, formas que se refieren a una idea, situación o cosa.

Los pronombres personales se dividen en dos grandes grupos: los *pronombres tónicos*, que tienen acento de intensidad y cuando tienen función de complemento van acompañados de preposición (excepto *conmigo, contigo y consigo*) y los *pronombres átonos*, que no tienen acento de intensidad y cuando funcionan como complemento directo o indirecto no llevan preposición. Los pronombres átonos se suelen colocar delante de las formas verbales *(Yo no lo sé)*, pero se colocan detrás del infinitivo, gerundio e imperativo, unidos a ellos *(Dámelo, quiero irme)*.

El español cuenta con el pronombre personal de cortesía o respeto *usted* (plural *ustedes*). Es un pronombre de segunda persona pero concuerda con el verbo en tercera persona.

• **Relativos.** El pronombre relativo encabeza una oración de relativo y se refiere a un elemento anterior del discurso que se conoce con el nombre de *antecedente*. Dentro de la oración de relativo, el pronombre funciona como si fuera un sustantivo, excepto los pronombres *cuyo, cuya, cuyos y cuyas*, que funcionan como un adjetivo y concuerdan con el sustantivo al que acompañan. Algunos pronombres relativos son invariables (como *que*), otros admiten afijos flexivos de número (como *quien, quienes, cual, cuales*), el pronombre *cual* presenta la variación de género a través del artículo (*el cual, la cual, lo cual, los cuales, las cuales*) y, finalmente, hay también pronombres que admiten afijos flexivos de género y número (como *cuanto, cuanta, cuantos, cuantas y cuyo, cuya, cuyos, cuyas*).

• **Posesivos.** Los pronombres posesivos comparten las características principales de los adjetivos determinados posesivos, con algunas diferencias: no tienen formas apocopadas, pero sí formas neutras (*mío, tuyo, suyo, nuestro y vuestro*) y funcionan como un sustantivo. Son los siguientes:

PRONOMBRES POSESIVOS		Singular			Plural	
		Masculino	Femenino	Neutro	Masculino	Femenino
Un poseedor	1.ª *pers.*	**mío**	**mía**	**mío**	**míos**	**mías**
	2.ª *pers.*	**tuyo**	**tuya**	**tuyo**	**tuyos**	**tuyas**
	3.ª *pers.*	**suyo**	**suya**	**suyo**	**suyos**	**suyas**
Varios poseedores	1.ª *pers.*	**nuestro**	**nuestra**	**nuestro**	**nuestros**	**nuestras**
	2.ª *pers.*	**vuestro**	**vuestra**	**vuestro**	**vuestros**	**vuestras**
	3.ª *pers.*	**suyo**	**suya**	**suyo**	**suyos**	**suyas**

• **Demostrativos.** Los pronombres demostrativos comparten las características principales de los adjetivos determinativos demostrativos, con algunas diferencias: tienen formas neutras (*esto, eso y aquello*) y funcionan como un sustantivo. Son los que se muestran más abajo.

• **Indefinidos.** Pertenecen a este grupo los pronombres *nadie, alguien, nada, algo* y las formas que pertenecen a los adjetivos determinativos indefinidos (excepto *algún, ningún, cualquier, cierto, cierta, ciertos, ciertas, demás, cada* y *sendos*). Funcionan igual que un sustantivo y aportan un significado de imprecisión.

• **Numerales.** Este grupo está formado por las mismas formas que los adjetivos determinativos numerales. Los pronombres numerales funcionan igual que un sustantivo e indican cantidad precisa.

• **Interrogativos.** Estos pronombres se utilizan en enunciados que expresan pregunta. Son tónicos, llevan acento gráfico y funcionan como un sustantivo. Son los siguientes: *qué, quién, quiénes, cuál, cuáles, cuánto, cuánta, cuántos, cuántas*.

• **Exclamativos.** Estos pronombres se utilizan en enunciados que expresan exclamación. Son tónicos, llevan acento gráfico y funcionan como un sustantivo. Son los siguientes: *qué, quién, cuánto, cuánta, cuántos, cuántas*.

PRONOMBRES DEMOSTRATIVOS	Singular			Plural	
	Masculino	Femenino	Neutro	Masculino	Femenino
Proximidad	**este**	**esta**	**esto**	**estos**	**estas**
Distancia intermedia	**ese**	**esa**	**eso**	**esos**	**esas**
Lejanía	**aquel**	**aquella**	**aquello**	**aquellos**	**aquellas**

Preposición

La **preposición** tiene las siguientes características:
– Formales: no admite afijos flexivos.
– Funcionales: sirve para relacionar un elemento sintáctico con otro; la relación que se establece es siempre de dependencia.
– Semánticas: hay algunas preposiciones que tienen significado propio (como *sobre* 'encima de'), el de otras se deduce del contexto (como *con*, que indica compañía en unos contextos e instrumento en otros) y hay algunas que no tienen significado léxico y únicamente son índices funcionales, como la preposición *a* del complemento directo de persona.

Características formales

Las preposiciones son palabras invariables. Pertenecen a esta clase las siguientes palabras: *a, ante, bajo, cabe, con, contra, de, desde, en, entre, hacia, hasta, para, por, según, sin, so, sobre, tras*. Algunas de ellas son anticuadas y apenas se usan (*cabe*, que significa 'junto a', y *so*, que significa 'debajo de'). A veces se pueden agrupar varias preposiciones formando las llamadas *locuciones prepositivas*; por ejemplo: *hasta por* (*No vino hasta por la mañana*). Hay otras palabras que originariamente no eran preposiciones pero que actualmente comparten sus características; por ejemplo: *durante, excepto, mediante* y *salvo*.

Las preposiciones se diferencian de las conjunciones subordinantes en que las preposiciones no pueden introducir oraciones, excepto si van acompañadas de las conjunciones subordinantes *si* o *que*.

Conjunción

La **conjunción** tiene las siguientes características:
– Formales: no admite afijos flexivos.
– Funcionales: sirve para relacionar palabras, sintagmas u oraciones.
– Semánticas: indica el tipo de relación que se establece entre los elementos que relaciona.

Las conjunciones son palabras invariables. Pueden distinguirse dos clases de conjunciones: las *conjunciones simples*, formadas por una única palabra (*y, pero, si*), y las *locuciones conjuntivas*, formadas por varias palabras (*hasta que, antes que*). Las locuciones conjuntivas pueden estar constituidas por una preposición más una conjunción (*para que*) o por un adverbio más una conjunción (*después que*).

Clases de conjunciones

Se pueden distinguir dos clases de conjunciones: coordinantes y subordinantes.

● **Conjunciones coordinantes.** Sirven para unir palabras, sintagmas u oraciones del mismo nivel sintáctico que tienen, por tanto, la misma función. Existen las siguientes clases:

– *Copulativas*: *y, e* y *ni*, que aportan un significado de suma: *Cantan y bailan*.

– *Disyuntivas*: *o* y *u*, que indican alternativas que se oponen: *O vienes o te quedas*.

– *Adversativas*: *aunque, mas, pero* y *sino* y las locuciones conjuntivas *no obstante* y *sin embargo*, que indican oposición total o parcial: *Lo estuve esperando pero no vino*.

– *Explicativas*: las locuciones conjuntivas *o sea, es decir* y *esto es*, que aportan un significado de explicación: *Ha venido María, es decir, la hermana de Juan*.

● **Conjunciones subordinantes.** Sirven para unir una oración subordinada a una principal. Existen las siguientes clases:

– *Completivas*: *que* y *si*, que introducen oraciones que desempeñan la función sintáctica de un sustantivo: *No quiero que vengas tarde*.

– *Causales*: *porque, como* y *pues* y las locuciones conjuntivas *puesto que* y *ya que*, que indican causa o motivo: *No ha venido porque está cansado*.

– *Consecutivas*: *conque* y *luego* y las locuciones conjuntivas *así pues, pues bien, de forma que, de manera que, así que* y *de modo que*, que indican una consecuencia de lo que se ha expresado: *Ya te lo advertí, así que ahora no te quejes*.

– *Finales*: *que* y la locución conjuntiva *a fin de que*, que aportan un significado de finalidad: *Le retiró la bandeja a fin de que no comiera más*.

– *Concesivas*: *aunque* y las locuciones conjuntivas *por más que* y *si bien*, que indican un posible obstáculo que no impide que se realice lo que se ha expresado: *Aunque llores, no te lo voy a comprar*.

– *Temporales*: *cuanto* y las locuciones conjuntivas *tan pronto como* y *cada vez que*, que aportan un significado de tiempo: *Tan pronto como acabe, te lo prestaré*.

– *Condicionales*: *si* y *cuando* y las locuciones conjuntivas *con tal que, siempre y cuando, siempre que* y *a no ser que*, que portan un significado de condición o hipótesis: *Si estudias, aprobarás*.

– *Comparativas*: *que* y *como*, que se utilizan en las comparaciones: *Leo más que tú*.

La formación de palabras

Los procesos morfológicos de formación de palabras en español son los siguientes:

PROCESOS MORFOLÓGICOS DE FORMACIÓN DE PALABRAS	
DERIVACIÓN	PREFIJACIÓN *(predecir)*
	SUFIJACIÓN *(fabricación)*
	PARASÍNTESIS *(abaratar)*
COMPOSICIÓN *(cascanueces)*	
OTROS PROCESOS	ACORTAMIENTO *(bici)*
	SIGLACIÓN *(ONG)*
	ACRONIMIA *(ofimática)*

Derivación

La *derivación* es un proceso de formación de palabras que consiste, básicamente, en añadir un afijo derivativo (prefijo o sufijo) a una raíz.

Si se añade un prefijo, se trata de un proceso derivativo de *prefijación*; por ejemplo, *reabrir (re- + abrir)*. Generalmente, los prefijos no cambian la categoría gramatical de la raíz o del conjunto (raíz + afijos derivativos) a los que se añade.

Si se añade un sufijo, se trata de un proceso derivativo de *sufijación*; por ejemplo, *grisáceo (gris + -áceo)*. Hay dos tipos de sufijos: apreciativos y no apreciativos. Los *sufijos apreciativos* añaden matices subjetivos, ya sean de valoración, como *-ajo (latinajo)*, o de tamaño, como *-ito (besito)*. Los *sufijos no apreciativos* son los que no añaden estos matices subjetivos, como *-ismo (modernismo)*.

La *parasíntesis* es un proceso de formación de palabras que consiste, básicamente, en añadir a la vez un prefijo y un sufijo a una raíz; por ejemplo: *empobrecer*, formada añadiendo a la raíz *-pobr-* el prefijo *em-* y el sufijo *-ecer* a la vez.

Composición

La *composición* es un proceso de formación de palabras que consiste, básicamente, en unir dos o más raíces; por ejemplo, *cortacésped* se ha formado uniendo las raíces *corta-* y *-césped*. En algunos casos, se utiliza una vocal de ajuste para las dos palabras, como *pelirrojo (pelo + rojo)*.

Acortamiento

El *acortamiento* es un proceso de formación de palabras que consiste en suprimir la parte final de una palabra, que suele coincidir con la última o últimas sílabas; por ejemplo, *bici* se ha formado suprimiendo la parte final de la palabra *bicicleta*.

Siglación

La *siglación* es un proceso de formación de palabras que consiste en seleccionar y combinar las letras iniciales de varias palabras que representan una unidad conceptual y funcionan como un sintagma; por ejemplo, *ESO* (que representa la unidad *Enseñanza Secundaria Obligatoria*) o *CD* (del inglés *compact disc*).

La lectura de las siglas depende de su forma. Cuando es posible, se leen como cualquier palabra normal; si no se puede hacer así, entonces se deletrean. El género y el número de una sigla dependen del género y número que tiene la palabra que es núcleo de la forma completa.

Acronimia

La *acronimia* es un proceso de formación de palabras que consiste en seleccionar la parte inicial de una palabra y la parte final de otra y unirlas. Por ejemplo, en *ofimática* se han seleccionado el fragmento *ofi-* de la palabra *oficina* y el fragmento *-mática* de la palabra *informática* y se han unido.

SINTAXIS

El sintagma

Un sintagma es una palabra o conjunto de palabras que, dentro de una oración, tiene un sentido unitario y desempeña una función sintáctica.

El sintagma está formado por un núcleo y una o más palabras que lo acompañan. El núcleo debe aparecer obligatoriamente, mientras que las palabras que lo complementan son opcionales. Hay distintos tipos de sintagmas, según la clase de palabra que sea el núcleo.

Sintagma nominal

Tiene como núcleo un sustantivo o una palabra que funciona como sustantivo. Puede desempeñar las siguientes funciones sintácticas:

– Sujeto: *Mi amiga vive cerca de aquí.*
– Complemento directo: *Mi amiga le compró un libro a su hermano.*
– Complemento indirecto: *Ese chico me ha dado un susto.*
– Complemento circunstancial: *El melón pesa tres kilos.*
– Atributo: *Marte es un planeta del sistema solar.*
– Complemento del nombre: *He visto a Laura, la amiga de Mónica.*

El sintagma nominal puede estar encabezado por una preposición. El conjunto formado por la preposición más el sintagma nominal se conoce con el nombre de *sintagma preposicional*. En estos casos, puede desempeñar las siguientes funciones:

– Complemento directo: *He llevado a la niña a su casa.*
– Complemento indirecto: *Traigo un regalo a tu madre.*
– Complemento regido: *Se arrepintió de su decisión.*
– Complemento circunstancial: *La comida está en la mesa.*

– Complemento agente: *Fue presentado en público por el profesor.*
– Complemento del nombre: *Hoy se ha puesto un vestido de volantes.*
– Complemento del adjetivo: *El cesto está lleno de fruta.*
– Complemento del adverbio: *Su colegio está lejos de casa.*

Sintagma adjetivo

Tiene como núcleo un adjetivo o una palabra que funciona como adjetivo. Puede desempeñar las siguientes funciones sintácticas:

– Complemento del nombre: *Los estudiantes franceses han llegado esta tarde.*
– Atributo: *La vida es bella.*
– Complemento predicativo: *Los niños han dormido tranquilos.*

Sintagma verbal

Tiene como núcleo un verbo. Puede desempeñar la función de predicado: *El público aplaudió con entusiasmo al final de la obra.*

Sintagma adverbial

Tiene como núcleo un adverbio o una palabra que funciona como adverbio. La función principal que puede desempeñar un sintagma adverbial es la de complemento circunstancial: *Escuchó sus razones atentamente.* El sintagma adverbial también puede desempeñar funciones de modificador, ya sea de un adjetivo (*muy bonito*), de otro adverbio (*bastante bien*) o de una oración (*finalmente, llegó solo*).

La estructura de la oración

La oración es una unidad sintáctica formada por una o varias palabras que tiene las características siguientes:

– Comunica un mensaje que tiene significado completo.

– Es autónoma, es decir, no está incluida en otra unidad lingüística mayor.

– Está delimitada por dos pausas mayores y se emite con una determinada entonación.

– Se estructura en dos grandes bloques: un sintagma nominal con función de sujeto y un sintagma verbal con función de predicado.

Sujeto

El **sujeto** designa la persona, animal o cosa que realiza o experimenta la acción verbal. El núcleo del sintagma nominal sujeto concuerda en persona y en número con el núcleo del sintagma verbal predicado.

Predicado

El **predicado** es lo que se dice del sujeto en una oración. Según el tipo de verbo del sintagma, el predicado es verbal o nominal.

Predicado nominal

El predicado es nominal si el verbo es copulativo, o sea, es un verbo que carece de significación y cuya función es servir de enlace entre el sujeto y el atributo, como los verbos *ser, estar* y *parecer*. Las oraciones de predicado nominal se conocen con el nombre de *oraciones atributivas* u *oraciones copulativas*. Por ejemplo: *La vida es bella*. El predicado nominal también puede tener un verbo semicopulativo, o sea, un verbo con significado pero que se construye con un atributo: *Su hermano se ha vuelto insoportable*.

En un predicado nominal siempre hay un sintagma con función de atributo; el atributo generalmente está formado por un sintagma adjetivo, aunque también puede estar formado por un sintagma nominal. Por ejemplo: *Este ordenador parece moderno; Lourdes es profesora*.

Predicado verbal

El predicado es verbal si el verbo es predicativo, o sea, es un verbo con pleno significado léxico. Las oraciones de predicado verbal se conocen con el nombre de *oraciones predicativas*. Por ejemplo: *Su madre trabaja en el hospital*.

Dentro del predicado verbal pueden encontrarse sintagmas con las siguientes funciones sintácticas:

- **Complemento directo.** Está formado por un sintagma nominal (que va encabezado por la preposición *a* cuando se refiere a personas). Indica la persona o cosa sobre la cual recae directamente la acción del verbo: *Carmen ha recibido una carta; Pedro visitó a su madre*.

- **Complemento indirecto.** Está formado por un sintagma nominal encabezado por la preposición *a* o, a veces, por la preposición *para*. Indica la persona o cosa que recibe el beneficio o daño de la acción verbal: *He comprado un regalo a Juan*.

- **Complemento circunstancial.** Puede estar formado por un sintagma nominal (con o sin preposición) o por un sintagma adverbial. Indica las circunstancias en que se desarrolla la acción del verbo. Puede expresar tiempo, lugar, modo, compañía, etc.: *Hemos recibido tu carta esta semana; Escuchó atentamente su explicación*.

- **Complemento agente.** Está formado por un sintagma nominal encabezado por la preposición *por* o, a veces, por la preposición *de*. Indica quién realiza la acción del verbo en una oración pasiva: *El museo fue inagurado por la Reina*.

- **Complemento predicativo.** Está formado por un sintagma adjetivo, cuyo núcleo (un adjetivo) concuerda en género y número con el sujeto: *El chico contestó nervioso la pregunta*.

- **Complemento regido o complemento de régimen.** Está formado por un sintagma nominal con preposición. El verbo selecciona la preposición que encabeza el complemento para delimitar su significado, es decir, el verbo impone la utilización de una determinada preposición: *Tu padre se preocupa por cualquier cosa*.

- **Complemento del nombre.** Puede estar formado por un sintagma adjetivo o por un sintagma nominal con preposición, que delimitan el significado del sustantivo: *Se ha comprado una camisa de cuadros; Se ha comprado una camisa azul*.

Cuando un sintagma nominal complementa al núcleo de otro sintagma nominal sin unirse a él a través de una preposición, recibe el nombre de *aposición*: *He ido con Mónica, la hermana de Juan, al cine*.

- **Complemento del adjetivo.** Está formado por un sintagma nominal con preposición que califica a un adjetivo: *Sandra estaba cansada de estudiar*.

Clases de oraciones según el tipo de verbo

Según el tipo de verbo, podemos distinguir diferentes clases de oraciones:

Oraciones de verbo transitivo

Son aquellas cuyo verbo se construye con complemento directo: *Mi hermano compró un televisor; Los niños han roto mi jarrón preferido*.

Oraciones de verbo intransitivo

Son aquellas cuyo verbo no lleva complemento directo: *La joven dormía plácidamente; Hoy volveré más tarde que otros días*.

Oraciones activas

Son aquellas cuyo verbo está en voz activa: *Colón descubrió América*.

Oraciones pasivas

Son aquellas cuyo verbo está en voz pasiva: *América fue descubierta por Colón*.

Oraciones impersonales

Son aquellas que no tienen sujeto. Puede ser porque el predicado sea un verbo unipersonal, normalmente fenómenos atmosféricos que no admiten sujeto *(llover, nevar, atardecer)* o verbos que admiten construcciones personales pero se utilizan como unipersonales (*Hace frío; Hay dos libros*), o verbos construidos sin sujeto porque se desconoce o no se especifica (*Se dice que no actuará*).

Oraciones reflexivas

Son aquellas en las que el sujeto y el complemento directo o indirecto son el mismo.

Oraciones recíprocas

Son oraciones en las que hay varios sujetos y se interpreta que cada sujeto realiza una acción que tiene como complemento a los otros sujetos: *Los tres hermanos se quieren mucho* (se entiende que cada hermano quiere mucho a sus otros dos hermanos).

Clases de oraciones según su significado

Las oraciones pueden clasificarse por su significado en:

Oraciones enunciativas

Presentan lo enunciado como un hecho real o cierto. Hay oraciones enunciativas afirmativas y oraciones enunciativas negativas: *Ella vive aquí; No quiero sopa*.

Oraciones interrogativas

Se utilizan para hacer una pregunta. Hay dos clases de oraciones interrogativas: *oraciones interrogativas totales*, en que se pregunta por todo el contenido de la oración y las únicas respuestas posibles son *sí* y *no* (*¿Ha llegado María?*), y *oraciones interrogativas parciales*, en que se pregunta por un elemento de la oración y se admiten múltiples respuestas (*¿Dónde vives?*).

Las oraciones interrogativas pueden ser también *interrogativas directas*, que se escriben entre signos de interrogación, e *interrogativas indirectas*, que se escriben sin signos de interro-

gación y son proposiciones subordinadas sustantivas (*No sé si vendrá Juan*).

Oraciones imperativas o exhortativas

Formulan un mandato, una prohibición o un ruego: *Salid del coche; ¡A comer!*

Oraciones exclamativas

Expresan alegría, admiración, sorpresa, etc.: *¡Hace mucho calor!*

Oraciones dubitativas

Se expresa una duda o posibilidad: *Quizás venga mañana*.

Oraciones optativas o desiderativas

Se expresa el deseo de que algo se realice o suceda: *Ojalá nos toque la lotería*.

La oración compleja

Una **oración simple** es una oración que tiene un solo predicado, es decir, un solo verbo en forma personal. Una **oración compleja** (u **oración compuesta**) es una oración que tiene dos o más predicados, es decir, dos o más verbos en forma personal. Las oraciones complejas están formadas por varias proposiciones. Una **proposición** es un conjunto de palabras que tiene estructura oracional, es decir, consta de sujeto y predicado, y que se combina en la oración compleja con otros conjuntos de palabras que también tienen estructura oracional. En las oraciones complejas, las proposiciones pueden relacionarse entre sí de dos maneras: por coordinación o por subordinación.

Coordinación

Dos o más proposiciones se unen mediante **coordinación** cuando ninguna de ellas depende de otra. Las proposiciones que se unen por coordinación se llaman *proposiciones coordinadas*. Las proposiciones coordinadas tienen sentido pleno, pueden funcionar de manera autónoma y no establecen una

relación de dependencia con otras proposiciones, sino que se encuentran en el mismo nivel sintáctico dentro de la oración compleja.

Para unir estas proposiciones se utilizan conjunciones coordinantes. Según el tipo de relación que se establezca entre las proposiciones, se distinguen distintos tipos de proposiciones coordinadas.

Proposiciones copulativas

Suman sus significados. Se unen por medio de conjunciones copulativas (*y, e, ni*): *Riega las plantas y corta los árboles*.

Proposiciones disyuntivas

Presentan opciones que se excluyen, es decir, solo puede darse una de esas opciones. Se unen mediante nexos disyuntivos (*o, u, o bien*): *Iremos al cine o saldremos a cenar*.

Proposiciones distributivas

Presentan acciones que se alternan y no se excluyen. Se

unen mediante nexos como *bien... bien, ya... ya* o *tan pronto... como*: *Tan pronto ríe como llora.*

Proposiciones adversativas

Introducen una información que de alguna manera es contraria a la anterior pero no la niega. Se unen mediante nexos adversativos (*mas, pero, aunque, no obstante, sin embargo, sino, excepto, salvo, antes bien,* etc.): *Es un coche muy bonito pero me parece demasiado caro; No solo es guapo sino que además lo considero el más listo de la clase.*

Proposiciones explicativas

Aclaran el significado de la proposición principal. Se unen mediante nexos con función conjuntiva, como *esto es, es decir, o sea*: *El nenúfar es una planta acuática, o sea, vive en el agua.*

Subordinación

Dos o más proposiciones se unen mediante **subordinación** cuando una de las proposiciones (proposición subordinada) depende de la otra (proposición principal). La proposición subordinada desempeña una función sintáctica (sujeto, complemento directo, complemento circunstancial, etc.) dentro de la proposición principal. Las proposiciones subordinadas, y a veces las principales, no pueden funcionar como oraciones simples, pues solo tienen sentido completo cuando forman parte de una oración compleja.

Según la función que desempeñan las proposiciones subordinadas dentro de la oración, se pueden distinguir las siguientes clases de subordinadas:

Proposiciones sustantivas

Las proposiciones sustantivas pueden desempeñar las mismas funciones que un sustantivo y pueden estar encabezadas por una preposición.

Las proposiciones subordinadas sustantivas se pueden unir a la principal mediante las conjunciones *que* (a veces precedida de alguna preposición) y *si*, así como por los pronombres interrogativos y los adverbios interrogativos.

Proposiciones adjetivas

Las proposiciones adjetivas realizan la función característica del adjetivo, es decir, sirven de complemento de un sustantivo que está en la proposición principal: *Se ha comprado una casa que tiene cinco habitaciones.*

La proposición adjetiva se subordina a un sustantivo que se conoce con el nombre de *antecedente* y se une a él por medio de un pronombre relativo. Estas proposiciones subordinadas adjetivas reciben también el nombre de *oraciones de relativo*. Los relativos pueden ir precedidos de preposición: *El pueblo en que nos conocimos es realmente bonito.*

Las proposiciones adjetivas pueden ser especificativas y explicativas.

Las *proposiciones explicativas* destacan una cualidad que se refiere al antecedente en su conjunto: *Los alumnos, que llegaron cansados, se acostaron pronto.* En este caso, se explica que todos los alumnos llegaron cansados y que todos se acostaron pronto. Las proposiciones explicativas se escriben entre comas.

Por su parte, las *proposiciones especificativas* seleccionan personas u objetos dentro de un grupo: *Los alumnos que llegaron cansados se acostaron pronto.* En este caso, se especifica que únicamente los que llegaron cansados se acostaron pronto.

Proposiciones adverbiales

Las proposiciones adverbiales realizan la función característica del adverbio, es decir, sirven de complemento circunstancial del verbo de la proposición principal.

Pueden distinguirse nueve clases de proposiciones adverbiales:

● **Proposiciones adverbiales de lugar.** Señalan un lugar relacionado con la acción principal, generalmente el lugar donde ocurre esta acción. El nexo más frecuente es el adverbio *donde*, a veces precedido por alguna preposición (*en donde, a donde, por donde,* etc.): *Iremos por donde nos diga Juan.*

● **Proposiciones adverbiales de tiempo.** Informan sobre una acción que se realiza antes, después o a la vez que la acción principal. Los nexos más utilizados son *cuando, apenas, antes (de) que, mientras (que)* y *tan pronto como*: *Todo el mundo se levantó cuando entró el juez.*

● **Proposiciones adverbiales de modo.** Indican el modo o la manera de realizar o realizarse la acción principal. Los nexos más utilizados son *como* y *según*: *He hecho el pastel como tú me dijiste.*

● **Proposiciones adverbiales comparativas.** Sirven de comparación a la proposición principal. El verbo de la proposición subordinada se omite cuando es el mismo que el de la principal: *Su hermano es más alto que su padre.* Entre la proposición subordinada y la principal se puede establecer una relación de igualdad, superioridad o inferioridad.

– *Comparativas de igualdad.* Se construyen con fórmulas como *tan... como, tanto... como* o *tanto... cuanto*: *En la costa no hace tanto frío como en la montaña.*

– *Comparativas de superioridad.* Se construyen con la fórmula *más... que* (o *más... de lo que*): *Madrid tiene más habitantes que Valencia; El viaje fue más largo de lo que pensaba.*

– *Comparativas de inferioridad.* Se construyen con la fórmula *menos... que* (o *menos... de lo que*): *Este trabajo ha sido menos complicado que el anterior; El viaje fue menos arriesgado de lo que pensaba.*

● **Proposiciones adverbiales causales.** Señalan la causa por la cual se produce la acción principal. Los nexos más usuales son *porque, pues, puesto que, ya que, como* y *que*: *Ayer me puse el gorro porque hacía mucho frío.*

● **Proposiciones adverbiales consecutivas.** Indican la consecuencia de la acción principal. Los nexos más frecuentes son *luego, pues, conque, por lo tanto* y *por consiguiente*: *Está lloviendo mucho, luego es mejor que no vayamos al parque.*

● **Proposiciones adverbiales condicionales.** Expresan una condición necesaria para que se cumpla la acción principal. El nexo más utilizado es *si*. Otros nexos son *como, a condición de que, a menos que* y *siempre que*: *Si estudias, aprobarás; No pienso ayudarte a menos que me lo pidas por favor.*

● **Proposiciones adverbiales concesivas.** Presentan una dificultad que obstaculiza el cumplimiento de la acción principal pero no la impide. Los nexos más utilizados son *aunque* y *a pesar de que*: *Iré a la playa aunque haga frío.*

● **Proposiciones adverbiales finales.** Explican para qué se realiza la acción principal, es decir, su finalidad. El nexo más utilizado es *para que*. Otros nexos son *a fin de que, con objeto de que* y *a que*: *Sube el volumen de la radio para que pueda oír la música; Acamparemos esta noche aquí a fin de que podamos recuperar las fuerzas.*

Yuxtaposición

La **yuxtaposición** se produce cuando las proposiciones de una oración (ya sean coordinadas o subordinadas) se unen sin utilizar una conjunción. Por ejemplo:

El nenúfar es una planta acuática: vive en el agua.

Voy a acostarme; estoy muy cansada.

Las proposiciones que se unen sin nexo se conocen con el nombre de *proposiciones yuxtapuestas*. Cuando hay yuxtaposición, la pausa que hay entre las dos proposiciones se señala en la escritura por medio de signos como los dos puntos, el punto y coma o el punto.

LA CONJUGACIÓN

La conjugación regular

Se llama **conjugación** al conjunto de formas que puede tomar un verbo. En un verbo hay tiempos simples y tiempos compuestos. Las distintas formas de los tiempos simples se obtienen añadiendo a la raíz y su vocal temática afijos de tiempo, aspecto, modo, persona y número. Las formas de los tiempos compuestos se obtienen con el verbo auxiliar *haber* en forma personal seguido del participio del verbo.

Cantar   Primera conjugación

INDICATIVO

	Presente	Pretérito imperfecto	Pretérito perfecto simple	Futuro	Condicional
	canto	cantaba	canté	cantaré	cantaría
	cantas	cantabas	cantaste	cantarás	cantarías
	canta	cantaba	cantó	cantará	cantaría
	cantamos	cantábamos	cantamos	cantaremos	cantaríamos
	cantáis	cantabais	cantasteis	cantaréis	cantaríais
	cantan	cantaban	cantaron	cantarán	cantarían

	Pretérito perfecto compuesto	Pretérito pluscuamperfecto	Pretérito anterior	Futuro perfecto	Condicional perfecto
	he cantado	había cantado	hube cantado	habré cantado	habría cantado
	has cantado	habías cantado	hubiste cantado	habrás cantado	habrías cantado
	ha cantado	había cantado	hubo cantado	habrá cantado	habría cantado
	hemos cantado	habíamos cantado	hubimos cantado	habremos cantado	habríamos cantado
	habéis cantado	habíais cantado	hubisteis cantado	habréis cantado	habríais cantado
	han cantado	habían cantado	hubieron cantado	habrán cantado	habrían cantado

SUBJUNTIVO

	Presente	Pretérito imperfecto	Futuro
	cante	cantara o cantase	cantare
	cantes	cantaras o cantases	cantares
	cante	cantara o cantase	cantare
	cantemos	cantáramos o cantásemos	cantáremos
	cantéis	cantarais o cantaseis	cantareis
	canten	cantaran o cantasen	cantaren

	Pretérito perfecto compuesto	Pretérito pluscuamperfecto	Futuro perfecto
	haya cantado	hubiera o hubiese cantado	hubiere cantado
	hayas cantado	hubieras o hubieses cantado	hubieres cantado
	haya cantado	hubiera o hubiese cantado	hubiere cantado
	hayamos cantado	hubiéramos o hubiésemos cantado	hubiéremos cantado
	hayáis cantado	hubierais o hubieseis cantado	hubiereis cantado
	hayan cantado	hubieran o hubiesen cantado	hubieren cantado

IMPERATIVO

Presente
canta (tú)
cantad (vosotros)

FORMAS NO PERSONALES

Infinitivo simple	**Gerundio**	**Participio**
cantar	cantando	cantado

Infinitivo compuesto	**Gerundio compuesto**	
haber cantado	habiendo cantado	

Distinguimos tres tipos de verbos diferentes en función de la vocal temática: verbos de la primera conjugación, con vocal temática -a- (modelo *cantar*); verbos de la segunda conjugación, con la vocal temática -e- (modelo *beber*); y verbos de la tercera conjugación, con la vocal temática -i- (modelo *vivir*).

Las perífrasis verbales están constituidas por dos verbos: un verbo auxiliar que puede conjugarse y el verbo principal en una forma no personal (por ejemplo: *estar* + gerundio, *empezar a* + infinitivo o *llevar* + participio).

Beber   Segunda conjugación

INDICATIVO

	Presente	Pretérito imperfecto	Pretérito perfecto simple	Futuro	Condicional
	bebo	bebía	bebí	beberé	bebería
	bebes	bebías	bebiste	beberás	beberías
	bebe	bebía	bebió	beberá	bebería
	bebemos	bebíamos	bebimos	beberemos	beberíamos
	bebéis	bebíais	bebisteis	beberéis	beberíais
	beben	bebían	bebieron	beberán	beberían

	Pretérito perfecto compuesto	Pretérito pluscuamperfecto	Pretérito anterior	Futuro perfecto	Condicional perfecto
	he bebibo	había bebido	hube bebido	habré bebido	habría bebido
	has bebibo	habías bebido	hubiste bebido	habrás bebido	habrías bebido
	ha bebibo	había bebido	hubo bebido	habrá bebido	habría bebido
	hemos bebibo	habíamos bebido	hubimos bebido	habremos bebido	habríamos bebido
	habéis bebibo	habíais bebido	hubisteis bebido	habréis bebido	habríais bebido
	han bebibo	habían bebido	hubieron bebido	habrán bebido	habrían bebido

SUBJUNTIVO

	Presente	Pretérito imperfecto	Futuro
	beba	bebiera o bebiese	bebiere
	bebas	bebieras o bebieses	bebieres
	beba	bebiera o bebiese	bebiere
	bebamos	bebiéramos o bebiésemos	bebiéremos
	bebáis	bebierais o bebieseis	bebiereis
	beban	bebieran o bebiesen	bebieren

	Pretérito perfecto compuesto	Pretérito pluscuamperfecto	Futuro perfecto
	haya bebido	hubiera o hubiese bebido	hubiere bebido
	hayas bebido	hubieras o hubieses bebido	hubieres bebido
	haya bebido	hubiera o hubiese bebido	hubiere bebido
	hayamos bebido	hubiéramos o hubiésemos bebido	hubiéremos bebido
	hayáis bebido	hubierais o hubieseis bebido	hubiereis bebido
	hayan bebido	hubieran o hubiesen bebido	hubieren bebido

IMPERATIVO

Presente
bebe (tú)
bebed (vosotros)

FORMAS NO PERSONALES

Infinitivo simple	Gerundio	Participio
beber	bebiendo	bebido

Infinitivo compuesto	Gerundio compuesto
haber bebido	habiendo bebido

Vivir   **Tercera conjugación**

	Presente	Pretérito imperfecto	Pretérito perfecto simple	Futuro	Condicional
I	vivo	vivía	viví	viviré	viviría
N	vives	vivías	viviste	vivirás	vivirías
D	vive	vivía	vivió	vivirá	viviría
I	vivimos	vivíamos	vivimos	viviremos	viviríamos
C	vivís	vivíais	vivisteis	viviréis	viviríais
A	viven	vivían	vivieron	vivirán	vivirían
T	**Pretérito perfecto compuesto**	**Pretérito pluscuamperfecto**	**Pretérito anterior**	**Futuro perfecto**	**Condicional perfecto**
I	he vivido	había vivido	hube vivido	habré vivido	habría vivido
V	has vivido	habías vivido	hubiste vivido	habrás vivido	habrías vivido
O	ha vivido	había vivido	hubo vivido	habrá vivido	habría vivido
	hemos vivido	habíamos vivido	hubimos vivido	habremos vivido	habríamos vivido
	habéis vivido	habíais vivido	hubisteis vivido	habréis vivido	habríais vivido
	han vivido	habían vivido	hubieron vivido	habrán vivido	habrían vivido

	Presente	Pretérito imperfecto	Futuro		Presente
S	viva	viviera o viviese	viviere	**I**	vive (tú)
U	vivas	vivieras o vivieses	vivieres	**M**	vivid (vosotros)
B	viva	viviera o viviese	viviere	**P**	
J	vivamos	viviéramos o viviésemos	viviéremos	**E**	
U	viváis	vivierais o vivieseis	viviereis	**R**	
N	vivan	vivieran o viviesen	vivieren	**A**	
T	**Pretérito perfecto compuesto**	**Pretérito pluscuamperfecto**	**Futuro perfecto**	**T**	
I	haya vivido	hubiera o hubiese vivido	hubiere vivido	**I**	
V	hayas vivido	hubieras o hubieses vivido	hubieres vivido	**V**	
O	haya vivido	hubiera o hubiese vivido	hubiere vivido	**O**	
	hayamos vivido	hubiéramos o hubiésemos vivido	hubiéremos vivido		
	hayáis vivido	hubierais o hubieseis vivido	hubiereis vivido		
	hayan vivido	hubieran o hubiesen vivido	hubieren vivido		

FORMAS NO PERSONALES	**Infinitivo simple** vivir	**Gerundio** viviendo	**Participio** vivido
	Infinitivo compuesto haber vivido	**Gerundio compuesto** habiendo vivido	

En las oraciones en voz activa, el sujeto realiza la acción del verbo, pero en las oraciones en pasiva, el sujeto recibe la acción del verbo. Las oraciones en voz pasiva pueden llevar complemento agente, que expresa la persona o cosa que realiza realmente la acción. La voz pasiva puede expresarse por medio de una construcción pasiva refleja (verbo + *se*) o con una pasiva perifrástica, construida con el verbo auxiliar *ser* y el participio del verbo principal, como en el modelo siguiente.

Voz pasiva

	Presente	Pretérito imperfecto	Pretérito perfecto simple	Futuro	Condicional
I N D I C A T I V O	soy observado	era observado	fui observado	seré observado	sería observado
	eres observado	eras observado	fuiste observado	serás observado	serías observado
	es observado	era observado	fue observado	será observado	sería observado
	somos observados	éramos observados	fuimos observados	seremos observados	seríamos observados
	sois observados	erais observados	fuisteis observados	seréis observados	seríais observados
	son observados	eran observados	fueron observados	serán observados	serían observados
	Pretérito perfecto compuesto	**Pretérito pluscuamperfecto**	**Pretérito anterior**	**Futuro perfecto**	**Condicional perfecto**
	he sido observado	había sido observado	hube sido observado	habré sido observado	habría sido observado
	has sido observado	habías sido observado	hubiste sido observado	habrás sido observado	habrías sido observado
	ha sido observado	había sido observado	hubo sido observado	habrá sido observado	habría sido observado
	hemos sido observados	habíamos sido observados	hubimos sido observados	habremos sido observados	habríamos sido observados
	habéis sido observados	habíais sido observados	hubisteis sido observados	habréis sido observados	habríais sido observados
	han sido observados	habían sido observados	hubieron sido observados	habrán sido observados	habrían sido observados

	Presente	Pretérito imperfecto	Futuro		Presente
S U B J U N T I V O	sea observado	fuera o fuese observado	fuere observado	**I M P E R A T I V O**	sé observado (tú)
	seas observado	fueras o fueses observado	fueres observado		sed observados (vosotros)
	sea observado	fuera o fuese observado	fuere observado		
	seamos observados	fuéramos o fuésemos observados	fuéremos observados		
	seáis observados	fuerais o fueseis observados	fuereis observados		
	sean observados	fueran o fuesen observados	fueren observados		
	Pretérito perfecto compuesto	**Pretérito pluscuamperfecto**	**Futuro perfecto**		
	haya sido observado	hubiera o hubiese sido observado	hubiere sido observado		
	hayas sido observado	hubieras o hubieses sido observado	hubieres sido observado		
	haya sido observado	hubiera o hubiese sido observado	hubiere sido observado		
	hayamos sido observados	hubiéramos o hubiésemos sido observados	hubiéremos sido observados		
	hayáis sido observados	hubierais o hubieseis sido observados	hubiereis sido observados		
	hayan sido observados	hubieran o hubiesen sido observados	hubieren sido observados		

FORMAS NO PERSONALES	**Infinitivo simple** ser observado	**Gerundio** siendo observado
	Infinitivo compuesto haber sido observado	**Gerundio compuesto** habiendo sido observado

Verbos regulares terminados en -iar, -uar

Los verbos terminados en -iar y -uar son regulares: no presentan cambios en la raíz ni en las desinencias. Sin embargo, encontramos que hay dos esquemas acentuales: verbos que en algunas personas de presente de indicativo, presente de subjuntivo e imperativo acentúan la -i- o la -u- y otros que no acentúan estas vocales.

	VERBOS TERMINADOS EN -IAR		VERBOS TERMINADOS EN -UAR	
	con acento en -i-	sin acento en -i-	con acento en -u-	sin acento en -u-
MODELO	*desviar*	*cambiar*	*actuar*	*averiguar*
presente indicativo	desvío	cambio	actúo	averiguo
	desvías	cambias	actúas	averiguas
	desvía	cambia	actúa	averigua
	desviamos	cambiamos	actuamos	averiguamos
	desviáis	cambiáis	actuáis	averiguáis
	desvían	cambian	actúan	averiguan
presente subjuntivo	desvíe	cambie	actúe	averigüe
	desvíes	cambies	actúes	averigües
	desvíe	cambie	actúe	averigüe
	desviemos	cambiemos	actuemos	averigüemos
	desviéis	cambiéis	actuéis	averigüéis
	desvíen	cambien	actúen	averigüen
imperativo	desvía	cambia	actúa	averigua
	desviad	cambiad	actuad	averiguad

Verbos terminados en -iar

Los verbos que terminan en **-iar** se conjugan mayoritariamente siguiendo el esquema acentual de *cambiar*, aunque no son pocos los verbos cuya acentuación sigue el modelo de *desviar*.

Entre los verbos que se conjugan como **desviar**, es decir, que acentúan la vocal -i- en determinadas formas verbales (algunas personas del presente de indicativo, del presente de subjuntivo y del imperativo), encontramos los que terminan en -grafiar (como *cablegrafiar, caligrafiar, fotografiar, mecanografiar, radiografiar, taquigrafiar, telegrafiar, xerografiar,* etc.) y muchos otros, como *aliar, amnistiar, ampliar, ansiar, arriar, ataviar, averiar, aviar, chirriar, confiar, contrariar, criar, desafiar, descarriar, desconfiar, desliar, desvariar, enfriar, enviar, espiar, esquiar, expiar, extasiar, extraviar, fiar, gloriarse, guiar, liar, malcriar, piar, porfiar, resfriar, rociar, vaciar* y *variar*.

Entre los verbos que se conjugan como **cambiar**, es decir, que no acentúan la vocal -i- en los tiempos señalados anteriormente, encontramos, por ejemplo: *abreviar, acariciar, agobiar, aliviar, anunciar, apreciar, asediar, asfixiar, asociar, atrofiar, beneficiar, codiciar, columpiar, comerciar, contagiar, copiar, custodiar, denunciar, desperdiciar, despreciar, diferenciar, diluviar, distanciar, divorciar, elogiar, ensuciar, enunciar, envidiar, estudiar, exiliar, expropiar, fastidiar, financiar, fotocopiar, herniarse, incendiar, incordiar, iniciar, intercambiar, irradiar, lidiar, limpiar, mediar, menospreciar, negociar, obsequiar, obviar, odiar, pifiar, plagiar, potenciar, premiar, presenciar, pronunciar, propiciar, reconciliar, refugiar, remediar, renunciar, rumiar, saciar, sentenciar, sitiar, terciar, vanagloriar* y *viciar*.

Por último, hay un pequeño grupo de verbos que admiten **doble acentuación**, es decir, que pueden conjugarse como *desviar* y como *cambiar*. Los principales son *auxiliar, expatriar, historiar, paliar* y *repatriar*.

Verbos terminados en *-uar*

Los verbos que terminan en **-uar** (bastantes menos que los acabados en *-iar*) se conjugan siguiendo el esquema acentual de *actuar*, excepto los acabados en *-guar*, cuya acentuación sigue el modelo de *averiguar* (y hay también algunos verbos que admiten ambas conjugaciones).

Entre los verbos que se conjugan como **actuar**, es decir, que acentúan la vocal *-u-* en determinadas formas verbales (algunas personas del presente de indicativo, del presente de subjuntivo y del imperativo), encontramos, por ejemplo: *acentuar, atenuar, conceptuar, consensuar, continuar, deshabituar, desvirtuar, devaluar, efectuar, evaluar, exceptuar, extenuar, fluctuar, graduar, habituar, insinuar, menstruar, perpetuar, puntuar, situar y tatuar.*

Entre los verbos que se conjugan como **averiguar**, es decir, que no acentúan la vocal *-u-* en los tiempos señalados anteriormente, encontramos todos los que acaban en *-guar*, como *achiguarse, aguar, amenguar, amortiguar, apaciguar, atestiguar, desaguar, fraguar, menguar y santiguar.*

Por último, hay un pequeño grupo de verbos que admiten **doble acentuación**, es decir, que pueden conjugarse como *actuar* y como *averiguar*. Los principales son *adecuar, evacuar y licuar.*

Participios irregulares y dobles participios

Algunos verbos tienen el participio irregular, aunque en el resto de la conjugación pueden ser verbos regulares; otros, tienen dos participios: los tiempos compuestos pueden formarse con cualquiera de ellos.

ABRIR	abierto	INTERPONER	interpuesto
ABSOLVER	absuelto	MANUSCRIBIR	manuscrito
ADSCRIBIR	adscrito	MORIR	muerto
ANTEPONER	antepuesto	OPONER	opuesto
CIRCUNSCRIBIR	circunscrito	PONER	puesto
COMPONER	compuesto	POSPONER	pospuesto
CONTRADECIR	contradicho	PREDECIR	predicho
CUBRIR	cubierto	PREDISPONER	predispuesto
DECIR	dicho	PRESCRIBIR	prescrito
DEPONER	depuesto	PRESUPONER	presupuesto
DESCOMPONER	descompuesto	PREVER	previsto
DESCRIBIR	descrito	PROPONER	propuesto
DESCUBRIR	descubierto	PROSCRIBIR	proscrito
DESDECIR	desdicho	PROVEER	provisto
DESENVOLVER	desenvuelto	REABRIR	reabierto
DESHACER	deshecho	RECUBRIR	recubierto
DESPROVEER	desprovisto	REFREÍR	refreído / refrito
DEVOLVER	devuelto	REHACER	rehecho
DISOLVER	disuelto	REIMPRIMIR	reimprimido / reimpreso
DISPONER	dispuesto	RESOLVER	resuelto
ENCUBRIR	encubierto	ROMPER	roto
ENTREABRIR	entreabierto	SATISFACER	satisfecho
ENTREVER	entrevisto	SOBREPONER	sobrepuesto
ENVOLVER	envuelto	SOFREÍR	sofreído/sofrito
ESCRIBIR	escrito	SUPERPONER	superpuesto
EXPONER	expuesto	SUSCRIBIR	suscrito
FREÍR	freído / frito	TRANSCRIBIR	transcrito
HACER	hecho	TRANSPONER	transpuesto
IMPRIMIR	imprimido / impreso	VOLVER	vuelto
INDISPONER	indispuesto	YUXTAPONER	yuxtapuesto
INSCRIBIR	inscrito		

La conjugación irregular

La mayoría de los verbos españoles son regulares, es decir, en los distintos tiempos y personas la raíz no sufre ninguna alteración y se añaden las mismas desinencias que añaden *cantar*, *beber* o *vivir* (dependiendo de la conjugación correspondiente). Sin embargo, hay un número considerable de verbos que presentan cambios en la raíz verbal en alguna de sus formas conjugadas o no toman los mismos afijos flexivos que los modelos de la conjugación regular.

Encontramos que cuando se produce una irregularidad, existe correlación entre distintos tiempos:

1. Si un verbo es irregular en el presente de indicativo, lo es también en el presente de subjuntivo y a menudo en el imperativo:

SENTIR   (yo) siento   presente de indicativo
          (yo) sienta   presente de subjuntivo
          (tú) siente   imperativo

2. Si un verbo es irregular en el pretérito perfecto simple, lo es también en el pretérito imperfecto de subjuntivo y en el futuro imperfecto de subjuntivo:

PONER   (yo) **puse**   pretérito perfecto simple
          (yo) **pusiera/pusiese**   pretérito imperfecto de subjuntivo
          (yo) **pusiere**   futuro imperfecto de subjuntivo

3. Si un verbo es irregular en el futuro de indicativo, lo es también en el condicional simple:

PODER   (yo) **podré**   futuro de indicativo
          (yo) **podría**   condicional simple

Además, pueden establecerse tipos de irregularidades, lo que permite establecer modelos para saber cómo se conjugan los verbos irregulares. A continuación ofrecemos estos verbos que sirven como modelo agrupados según el tipo de irregularidad que se produce. De cada modelo se ofrecen únicamente los tiempos simples en que se produce la irregularidad y las irregularidades aparecen en letra negrita; el resto de los tiempos siguen la conjugación regular.

Modelo [1] ACERTAR (la *e* diptonga en *ie* en sílaba tónica)
Presente de indicativo   **acierto, aciertas, acierta,** acertamos, acertáis, **aciertan**
Presente de subjuntivo   **acierte, aciertes, acierte,** acertemos, acertéis, **acierten**
Imperativo   **acierta** (tú), acertad (vosotros)

Modelo [2] ENTENDER (la *e* diptonga en *ie* en sílaba tónica)
Presente de indicativo   **entiendo, entiendes, entiende,** entendemos, entendéis, **entienden**
Presente de subjuntivo   **entienda, entiendas, entienda,** entendamos, entendáis, **entiendan**
Imperativo   **entiende** (tú), entended (vosotros)

Modelo [3] DISCERNIR (la *e* diptonga en *ie* en sílaba tónica)
Presente de indicativo   **discierno, disciernes, discierne,** discernimos, discernís, **disciernen**
Presente de subjuntivo   **discierna, disciernas, discierna,** discernamos, discernáis, **disciernan**
Imperativo   **discierne** (tú), discernid (vosotros)

Modelo [4] ADQUIRIR (la *i* diptonga en *ie* en sílaba tónica)
Presente de indicativo   **adquiero, adquieres, adquiere,** adquirimos, adquirís, **adquieren**
Presente de subjuntivo   **adquiera, adquieras, adquiera,** adquiramos, adquiráis, **adquieran**
Imperativo   **adquiere** (tú), adquirid (vosotros)

Modelo [5] CONTAR (la *o* diptonga en *ue* en sílaba tónica)
Presente de indicativo   **cuento, cuentas, cuenta,** contamos, contáis, **cuentan**
Presente de subjuntivo   **cuente, cuentes, cuente,** contemos, contéis, **cuenten**
Imperativo   **cuenta** (tú), contad (vosotros)

Modelo [6] MOVER (la *o* diptonga en *ue* en sílaba tónica)
Presente de indicativo   **muevo, mueves, mueve,** movemos, movéis, **mueven**
Presente de subjuntivo   **mueva, muevas, mueva,** movamos, mováis, **muevan**
Imperativo   **mueve** (tú), moved (vosotros)

Modelo [7] DORMIR (la *o* diptonga en *ue* en sílaba tónica o se convierte en *u* en determinados tiempos y personas)

Presente de indicativo	duermo, duermes, duerme, dormimos, dormís, duermen
Pretérito perfecto simple	dormí, dormiste, durmió, dormimos, dormisteis, durmieron
Presente de subjuntivo	duerma, duermas, duerma, durmamos, durmáis, duerman
Pretérito imperfecto de subjuntivo	durmiera o durmiese, durmieras o durmieses, durmiera o durmiese, durmiéramos o durmiésemos, durmierais o durmieseis, durmieran o durmiesen
Futuro de subjuntivo	durmiere, durmieres, durmiere, durmiéremos, durmiereis, durmieren
Imperativo	duerme (tú), dormid (vosotros)

Modelo [8] JUGAR (la *u* diptonga en *ue* en sílaba tónica)

Presente de indicativo	juego, juegas, juega, jugamos, jugáis, juegan
Presente de subjuntivo	juegue, juegues, juegue, juguemos, juguéis, jueguen
Imperativo	juega (tú), jugad (vosotros)

Modelo [9] HERVIR (la *e* diptonga en *ie* en sílaba tónica o se convierte en *i* en determinados tiempos y personas)

Presente de indicativo	hiervo, hierves, hierve, hervimos, hervís, hierven
Pretérito perfecto simple	herví, herviste, hirvió, hervimos, hervisteis, hirvieron
Presente de subjuntivo	hierva, hiervas, hierva, hirvamos, hirváis, hiervan
Pretérito imperfecto de subjuntivo	hirviera o hirviese, hirvieras o hirvieses, hirviera o hirviese, hirviéramos o hirviésemos, hirvierais o hirvieseis, hirvieran o hirviesen
Futuro de subjuntivo	hirviere, hirvieres, hirviere, hirviéremos, hirviereis, hirvieren
Imperativo	hierve (tú), hervid (vosotros)

Modelo [10] SERVIR (la *e* debilita en *i* en determinados tiempos y personas)

Presente de indicativo	sirvo, sirves, sirve, servimos, servís, sirven
Pretérito perfecto simple	serví, serviste, sirvió, servimos, servisteis, sirvieron
Presente de subjuntivo	sirva, sirvas, sirva, sirvamos, sirváis, sirvan
Pretérito imperfecto de subjuntivo	sirviera o sirviese, sirvieras o sirvieses, sirviera o sirviese, sirviéramos o sirviésemos, sirvierais o sirvieseis, sirvieran o sirviesen
Futuro de subjuntivo	sirviere, sirvieres, sirviere, sirviéremos, sirviereis, sirvieren
Imperativo	sirve (tú), servid (vosotros)

Modelo [11] CEÑIR (la *i* de la desinencia se pierde absorbida por la *ñ* y la *e* se convierte en *i* en determinados tiempos y personas)

Presente de indicativo	ciño, ciñes, ciñe, ceñimos, ceñís, ciñen
Pretérito perfecto simple	ceñí, ceñiste, ciñó, ceñimos, ceñisteis, ciñeron
Presente de subjuntivo	ciña, ciñas, ciña, ciñamos, ciñáis, ciñan
Pretérito imperfecto de subjuntivo	ciñera o ciñese, ciñeras o ciñeses, ciñera o ciñese, ciñéramos o ciñésemos, ciñerais o ciñeseis, ciñeran o ciñesen
Futuro de subjuntivo	ciñere, ciñeres, ciñere, ciñéremos, ciñereis, ciñeren
Imperativo	ciñe (tú), ceñid (vosotros)

Modelo [12] REÍR (sigue el modelo de *ceñir* con la diferencia de que la pérdida de la *i* no se debe a la influencia de ninguna consonante)

Presente de indicativo	río, ríes, ríe, reímos, reís, ríen
Pretérito perfecto simple	reí, reíste, rió, reímos, reísteis, rieron
Presente de subjuntivo	ría, rías, ría, riamos, riáis, rían
Pretérito imperfecto de subjuntivo	riera o riese, rieras o rieses, riera o riese, riéramos o riésemos, rierais o rieseis, rieran o riesen
Futuro de subjuntivo	riere, rieres, riere, riéremos, riereis, rieren
Imperativo	ríe (tú), reíd (vosotros)

Modelo [13] TAÑER (la *i* de la desinencia se pierde absorbida por la *ñ*, en determinados tiempos y personas)

Pretérito perfecto simple	tañí, tañiste, tañó, tañimos, tañisteis, tañeron
Pretérito imperfecto de subjuntivo	tañera o tañese, tañeras o tañeses, tañera o tañese, tañéramos o tañésemos, tañerais o tañeseis, tañeran o tañesen
Futuro de subjuntivo	tañere, tañeres, tañere, tañéremos, tañereis, tañeren

Modelo [14] GRUÑIR (la *i* de la desinencia se pierde absorbida por la *ñ*, en determinados tiempos y personas)

Pretérito perfecto simple — gruñí, gruñiste, **gruñó**, gruñimos, gruñisteis, gruñeron

Pretérito imperfecto de subjuntivo — gruñera o gruñese, gruñeras o gruñeses, gruñera o gruñese, gruñéramos o gruñésemos, gruñerais o gruñeseis, gruñeran o gruñesen

Futuro de subjuntivo — gruñere, gruñeres, gruñere, gruñéremos, gruñereis, gruñeren

Modelo [15] ESCABULLIR (la *i* de la desinencia se pierde absorbida por la *ñ*, en determinados tiempos y personas)

Pretérito perfecto simple — escabullí, escabulliste, **escabulló**, escabullimos, escabullisteis, escabulleron

Pretérito imperfecto de subjuntivo — escabullera o escabullese, escabulleras o escabulleses, escabullera o escabullese, escabulléramos o escabullésemos, escabullerais o escabulleseis, escabulleran o escabullesen

Futuro de subjuntivo — escabullere, escabulleres, escabullere, escabulléremos, escabullereis, escabulleren

Modelo [16] PARECER (la *c* se convierte en *zc* delante de *a* y *o*)

Presente de indicativo — parezco, pareces, parece, parecemos, parecéis, parecen

Presente de subjuntivo — parezca, parezcas, parezca, parezcamos, parezcáis, parezcan

Modelo [17] LUCIR (la *c* se convierte en *zc* delante de *a* y *o*)

Presente de indicativo — luzco, luces, luce, lucimos, lucís, lucen

Presente de subjuntivo — luzca, luzcas, luzca, luzcamos, luzcáis, luzcan

Modelo [18] CONDUCIR (la *c* se convierte en *zc* delante de *a* y *o* y el pretérito perfecto simple es irregular)

Presente de indicativo — conduzco, conduces, conduce, conducimos, conducís, conducen

Pretérito perfecto simple — conduje, condujiste, condujo, condujimos, condujisteis, condujeron

Presente de subjuntivo — conduzca, conduzcas, conduzca, conduzcamos, conduzcáis, conduzcan

Pretérito imperfecto de subjuntivo — condujera o condujese, condujeras o condujeses, condujera o condujese, condujéramos o condujésemos, condujerais o condujeseis, condujeran o condujesen

Futuro de subjuntivo — condujere, condujeres, condujere, condujéremos, condujereis, condujeren

Modelo [19] ERRAR (la *e* se convierte en *ye* en sílaba tónica)

Presente de indicativo — yerro, yerras, yerra, erramos, erráis, yerran

Presente de subjuntivo — yerre, yerres, yerre, erremos, erréis, yerren

Imperativo — yerra (tú), errad (vosotros)

Modelo [20] LEER (la *i* de la desinencia se convierte en *y* delante de *o* y *e*)

Pretérito perfecto simple — leí, leíste, **leyó**, leímos, leísteis, leyeron

Pretérito imperfecto de subjuntivo — leyera o leyese, leyeras o leyeses, leyera o leyese, leyéramos o leyésemos, leyerais o leyeseis, leyeran o leyesen

Futuro de subjuntivo — leyere, leyeres, leyere, leyéremos, leyereis, leyeren

Modelo [21] HUIR (la *i* se convierte en *y* delante de *a, e* y *o*)

Presente de indicativo — huyo, huyes, huye, huimos, huís, huyen

Pretérito perfecto simple — huí, huiste, **huyó**, huimos, huisteis, huyeron

Presente de subjuntivo — huya, huyas, huya, huyamos, huyáis, huyan

Pretérito imperfecto de subjuntivo — huyera o huyese, huyeras o huyeses, huyera o huyese, huyéramos o huyésemos, huyerais o huyeseis, huyeran o huyesen

Futuro de subjuntivo — huyere, huyeres, huyere, huyéremos, huyereis, huyeren

Imperativo — huye (tú), huid (vosotros)

Modelo [22] ANDAR

Pretérito perfecto simple — anduve, anduviste, anduvo, anduvimos, anduvisteis, anduvieron

Pretérito imperfecto de subjuntivo — anduviera o anduviese, anduvieras o anduvieses, anduviera o anduviese, anduviéramos o anduviésemos, anduvierais o anduvieseis, anduvieran o anduviesen

Futuro de subjuntivo — anduviere, anduvieres, anduviere, anduviéremos, anduviereis, anduvieren

Modelo [23] ASIR

Presente de indicativo   asgo, ases, ase, asimos, asís, asen
Presente de subjuntivo   asga, asgas, asga, asgamos, asgáis, asgan

Modelo [24] CABER

Presente de indicativo   quepo, cabes, cabe, cabemos, cabéis, caben
Pretérito perfecto simple   cupe, cupiste, cupo, cupimos, cupisteis, cupieron
Futuro de indicativo   cabré, cabrás, cabrá, cabremos, cabréis, cabrán
Condicional simple   cabría, cabrías, cabría, cabríamos, cabríais, cabrían
Presente de subjuntivo   quepa, quepas, quepa, quepamos, quepáis, quepan
Pretérito imperfecto   cupiera o cupiese, cupieras o cupieses, cupiera o cupiese, cupiéramos o cupiésemos,
de subjuntivo   cupierais o cupieseis, cupieran o cupiesen
Futuro de subjuntivo   cupiere, cupieres, cupiere, cupiéremos, cupiereis, cupieren

Modelo [25] CAER

Presente de indicativo   caigo, caes, cae, caemos, caéis, caen
Pretérito perfecto simple   caí, caíste, cayó, caímos, caísteis, cayeron
Presente de subjuntivo   caiga, caigas, caiga, caigamos, caigáis, caigan
Pretérito imperfecto   cayera o cayese, cayeras o cayeses, cayera o cayese, cayéramos o cayésemos,
de subjuntivo   cayerais o cayeseis, cayeran o cayesen
Futuro de subjuntivo   cayere, cayeres, cayere, cayéremos, cayereis, cayeren

Modelo [26] DAR

Presente de indicativo   doy, das, da, damos, dais, dan
Pretérito perfecto simple   di, diste, dio, dimos, disteis, dieron
Presente de subjuntivo   dé, des, dé, demos, deis, den
Pretérito imperfecto   diera o diese, dieras o dieses, diera o diese, diéramos o diésemos, dierais o dieseis,
de subjuntivo   dieran o diesen
Futuro de subjuntivo   diere, dieres, diere, diéremos, diereis, dieren

Modelo [27] DECIR

Presente de indicativo   digo, dices, dice, decimos, decís, dicen
Pretérito perfecto simple   dije, dijiste, dijo, dijimos, dijisteis, dijeron
Futuro de indicativo   diré, dirás, dirá, diremos, diréis, dirán
Condicional simple   diría, dirías, diría, diríamos, diríais, dirían
Presente de subjuntivo   diga, digas, diga, digamos, digáis, digan
Pretérito imperfecto   dijera o dijese, dijeras o dijeses, dijera o dijese, dijéramos o dijésemos, dijerais o
de subjuntivo   dijeseis, dijeran o dijesen
Futuro de subjuntivo   dijere, dijeres, dijere, dijéremos, dijereis, dijeren
Imperativo   di (tú), decid (vosotros)

Modelo [28] ERGUIR

Presente de indicativo   irgo o yergo, irgues o yergues, irgue o yergue, erguimos, erguís, irguen o yerguen
Pretérito perfecto simple   erguí, erguiste, irguió, erguimos, erguisteis, irguieron
Presente de subjuntivo   irga o yerga, irgas o yergas, irga o yerga, irgamos, irgáis, irgan o yergan
Pretérito imperfecto   irguiera o irguiese, irguieras o irguieses, irguiera o irguiese, irguiéramos o irguiése-
de subjuntivo   mos, irguierais o irguieseis, irguieran o irguiesen
Futuro de subjuntivo   irguiere, irguieres, irguiere, irguiéremos, irguiereis, irguieren
Imperativo   irgue o yergue (tú), erguid (vosotros)

Modelo [29] ESTAR

Presente de indicativo   estoy, estás, está, estamos, estáis, están
Pretérito perfecto simple   estuve, estuviste, estuvo, estuvimos, estuvisteis, estuvieron
Pretérito imperfecto   estuviera o estuviese, estuvieras o estuvieses, estuviera o estuviese, estuviéramos
de subjuntivo   o estuviésemos, estuvierais o estuvieseis, estuvieran o estuviesen
Futuro de subjuntivo   estuviere, estuvieres, estuviere, estuviéremos, estuviereis, estuvieren

Modelo [30] HABER
Presente de indicativo   he, has, ha/hay, hemos, habéis, han
Pretérito perfecto simple   hube, hubiste, hubo, hubimos, hubisteis, hubieron
Futuro de indicativo   habré, habrás, habrá, habremos, habréis, habrán
Condicional simple   habría, habrías, habría, habríamos, habríais, habrían
Presente de subjuntivo   haya, hayas, haya, hayamos, hayáis, hayan
Pretérito imperfecto   hubiera o hubiese, hubieras o hubieses, hubiera o hubiese, hubiéramos o hubié-
  de subjuntivo   semos, hubierais o hubieseis, hubieran o hubiesen
Futuro de subjuntivo   hubiere, hubieres, hubiere, hubiéremos, hubiereis, hubieren

Modelo [31] HACER
Presente de indicativo   hago, haces, hace, hacemos, hacéis, hacen
Pretérito perfecto simple   hice, hiciste, hizo, hicimos, hicisteis, hicieron
Futuro de indicativo   haré, harás, hará, haremos, haréis, harán
Condicional simple   haría, harías, haría, haríamos, haríais, harían
Presente de subjuntivo   haga, hagas, haga, hagamos, hagáis, hagan
Pretérito imperfecto   hiciera o hiciese, hicieras o hicieses, hiciera o hiciese, hiciéramos o hiciésemos,
  de subjuntivo   hicierais o hicieseis, hicieran o hiciesen
Futuro de subjuntivo   hiciere, hicieres, hiciere, hiciéremos, hiciereis, hicieren
Imperativo   haz (tú), haced (vosotros)

Modelo [32] IR
Presente de indicativo   voy, vas, va, vamos, vais, van
Pretérito imperfecto   iba, ibas, iba, íbamos, ibais, iban
  de indicativo
Pretérito perfecto simple   fui, fuiste, fue, fuimos, fuisteis, fueron
Presente de subjuntivo   vaya, vayas, vaya, vayamos, vayáis, vayan
Pretérito imperfecto   fuera o fuese, fueras o fueses, fuera o fuese, fuéramos o fuésemos, fuerais o fueseis,
  de subjuntivo   fueran o fuesen
Futuro de subjuntivo   fuere, fueres, fuere, fuéremos, fuereis, fueren
Imperativo   ve (tú), id (vosotros)

Modelo [33] OÍR
Presente de indicativo   oigo, oyes, oye, oímos, oís, oyen
Pretérito perfecto simple   oí, oíste, oyó, oímos, oísteis, oyeron
Presente de subjuntivo   oiga, oigas, oiga, oigamos, oigáis, oigan
Pretérito imperfecto   oyera u oyese, oyeras u oyeses, oyera u oyese, oyéramos u oyésemos, oyerais u
  de subjuntivo   oyeseis, oyeran u oyesen
Futuro de subjuntivo   oyere, oyeres, oyere, oyéremos, oyereis, oyeren
Imperativo   oye (tú), oíd (vosotros)

Modelo [34] PLACER
Presente de indicativo   plazco, places, place, placemos, placéis, placen
Pretérito perfecto simple   plací, placiste, plació o **plugo**, placimos, placisteis, placieron o **pluguieron**
Presente de subjuntivo   plazca, plazcas, plazca o **plegue**, plazcamos, plazcáis, plazcan
Pretérito imperfecto   placiera o placiese, placieras o placieses, placiera o **pluguiera** o placiese o **pluguiese**,
  de subjuntivo   placiéramos o placiésemos, placierais o placieseis, placieran o placiesen
Futuro de subjuntivo   placiere, placieres, placiere o **pluguiere**, placiéremos, placiereis, placieren
Imperativo   place (tú), placed (vosotros)

Modelo [35] PODER
Presente de indicativo   puedo, puedes, puede, podemos, podéis, pueden
Pretérito perfecto simple   pude, pudiste, pudo, pudimos, pudisteis, pudieron
Futuro de indicativo   podré, podrás, podrá, podremos, podréis, podrán
Condicional simple   podría, podrías, podría, podríamos, podríais, podrían
Presente de subjuntivo   pueda, puedas, pueda, podamos, podáis, puedan

Pretérito imperfecto de subjuntivo
pudiera o pudiese, pudieras o pudieses, pudiera o pudiese, pudiéramos o pudiésemos, pudierais o pudieseis, pudieran o pudiesen

Futuro de subjuntivo
pudiere, pudieres, pudiere, pudiéremos, pudiereis, pudieren

Imperativo
puede (tú), poded (vosotros)

Modelo [36] PONER

Presente de indicativo
pongo, pones, pone, ponemos, ponéis, ponen

Pretérito perfecto simple
puse, pusiste, puso, pusimos, pusisteis, pusieron

Futuro de indicativo
pondré, pondrás, pondrá, pondremos, pondréis, pondrán

Condicional simple
pondría, pondrías, pondría, pondríamos, pondríais, pondrían

Presente de subjuntivo
ponga, pongas, ponga, pongamos, pongáis, pongan

Pretérito imperfecto de subjuntivo
pusiera o pusiese, pusieras o pusieses, pusiera o pusiese, pusiéramos o pusiésemos, pusierais o pusieseis, pusieran o pusiesen

Futuro de subjuntivo
pusiere, pusieres, pusiere, pusiéremos, pusiereis, pusieren

Imperativo
pon (tú), poned (vosotros)

Modelo [37] PREDECIR

Presente de indicativo
predigo, predices, predice, predecimos, predecís, predicen

Pretérito perfecto simple
predije, predijiste, predijo, predijimos, predijisteis, predijeron

Presente de subjuntivo
prediga, predigas, prediga, predigamos, predigáis, predigan

Pretérito imperfecto de subjuntivo
predijera o predijese, predijeras o predijeses, predijera o predijese, predijéramos o predijésemos, predijerais o predijeseis, predijeran o predijesen

Futuro de subjuntivo
predijere, predijeres, predijere, predijéremos, predijereis, predijeren

Imperativo
predice (tú), predecid (vosotros)

Modelo [38] QUERER

Presente de indicativo
quiero, quieres, quiere, queremos, queréis, quieren

Pretérito perfecto simple
quise, quisiste, quiso, quisimos, quisisteis, quisieron

Futuro de indicativo
querré, querrás, querrá, querremos, querréis, querrán

Condicional simple
querría, querrías, querría, querríamos, querríais, querrían

Presente de subjuntivo
quiera, quieras, quiera, queramos, queráis, quieran

Pretérito imperfecto de subjuntivo
quisiera o quisiese, quisieras o quisieses, quisiera o quisiese, quisiéramos o quisiésemos, quisierais o quisieseis, quisieran o quisiesen

Futuro de subjuntivo
quisiere, quisieres, quisiere, quisiéremos, quisiereis, quisieren

Imperativo
quiere (tú), quered (vosotros)

Modelo [39] RAER

Presente de indicativo
rao o raigo o rayo, raes, rae, raemos, raéis, raen

Pretérito perfecto simple
raí, raíste, rayó, raímos, raísteis, rayeron

Presente de subjuntivo
raiga o raya, raigas o rayas, raiga o raya, raigamos o rayamos, raigáis o rayáis, raigan o rayan

Pretérito imperfecto de subjuntivo
rayera o rayese, rayeras o rayeses, rayera o rayese, rayéramos o rayésemos, rayerais o rayeseis, rayeran o rayesen

Futuro de subjuntivo
rayere, rayeres, rayere, rayéremos o rayamos, rayereis, rayeren

Modelo [40] ROER

Presente de indicativo
roo o roigo o royo, roes, roe, roemos, roéis, roen

Pretérito perfecto simple
roí, roiste, royó, roímos, roísteis, royeron

Presente de subjuntivo
roa o roiga o roya, roas o roigas o royas, roa o roiga o roya, roamos o roigamos o royamos, roáis o roigáis o royáis, roan o roigan o royan

Pretérito imperfecto de subjuntivo
royera o royese, royeras o royeses, royera o royese, royéramos o royésemos, royerais o royeseis, royeran o royesen

Futuro de subjuntivo
royere, royeres, royere, royéremos, royereis, royeren

Modelo [41] SABER

Presente de indicativo
sé, sabes, sabe, sabemos, sabéis, saben

Pretérito perfecto simple
supe, supiste, supo, supimos, supisteis, supieron

Futuro de indicativo	sabré, sabrás, sabrá, sabremos, sabréis, sabrán
Condicional simple	sabría, sabrías, sabría, sabríamos, sabríais, sabrían
Presente de subjuntivo	sepa, sepas, sepa, sepamos, sepáis, sepan
Pretérito imperfecto de subjuntivo	supiera o supiese, supieras o supieses, supiera o supiese, supiéramos o supiésemos, supierais o supieseis, supieran o supiesen
Futuro de subjuntivo	supiere, supieres, supiere, supiéremos, supiereis, supieren

Modelo [42] SALIR

Presente de indicativo	salgo, sales, sale, salimos, salís, salen
Futuro de indicativo	saldré, saldrás, saldrá, saldremos, saldréis, saldrán
Condicional simple	saldría, saldrías, saldría, saldríamos, saldríais, saldrían
Presente de subjuntivo	salga, salgas, salga, salgamos, salgáis, salgan
Imperativo	sal (tú), salid (vosotros)

Modelo [43] SATISFACER

Presente de indicativo	satisfago, satisfaces, satisface, satisfacemos, satisfacéis, satisfacen
Pretérito perfecto simple	satisfice, satisficiste, satisfizo, satisficimos, satisficisteis, satisficieron
Futuro de indicativo	satisfaré, satisfarás, satisfará, satisfaremos, satisfaréis, satisfarán
Condicional simple	satisfaría, satisfarías, satisfaría, satisfaríamos, satisfaríais, satisfarían
Presente de subjuntivo	satisfaga, satisfagas, satisfaga, satisfagamos, satisfagáis, satisfagan
Pretérito imperfecto de subjuntivo	satisficiera o satisficiese, satisficieras o satisficieses, satisficiera o satisficiese, satisficiéramos o satisficiésemos, satisficierais o satisficieseis, satisficieran o satisficiesen
Futuro de subjuntivo	satisficiere, satisficieres, satisficiere, satisficiéremos, satisficiereis, satisficieren
Imperativo	satisfaz o satisface (tú), satisfaced (vosotros)

Modelo [44] SER

Presente de indicativo	soy, eres, es, somos, sois, son
Pretérito imperfecto de indicativo	era, eras, era, éramos, erais, eran
Pretérito perfecto simple	fui, fuiste, fue, fuimos, fuisteis, fueron
Presente de subjuntivo	sea, seas, sea, seamos, seáis, sean
Pretérito imperfecto de subjuntivo	fuera o fuese, fueras o fueses, fuera o fuese, fuéramos o fuésemos, fuerais o fueseis, fueran o fuesen
Futuro de subjuntivo	fuere, fueres, fuere, fuéremos, fuereis, fueren
Imperativo	sé (tú), sed (vosotros)

Modelo [45] TENER

Presente de indicativo	tengo, tienes, tiene, tenemos, tenéis, tienen
Pretérito perfecto simple	tuve, tuviste, tuvo, tuvimos, tuvisteis, tuvieron
Futuro de indicativo	tendré, tendrás, tendrá, tendremos, tendréis, tendrán
Condicional simple	tendría, tendrías, tendría, tendríamos, tendríais, tendrían
Presente de subjuntivo	tenga, tengas, tenga, tengamos, tengáis, tengan
Pretérito imperfecto de subjuntivo	tuviera o tuviese, tuvieras o tuvieses, tuviera o tuviese, tuviéramos o tuviésemos, tuvierais o tuvieseis, tuvieran o tuviesen
Futuro de subjuntivo	tuviere, tuvieres, tuviere, tuviéremos, tuviereis, tuvieren
Imperativo	ten (tú), tened (vosotros)

Modelo [46] TRAER

Presente de indicativo	traigo, traes, trae, traemos, traéis, traen
Pretérito perfecto simple	traje, trajiste, trajo, trajimos, trajisteis, trajeron
Presente de subjuntivo	traiga, traigas, traiga, traigamos, traigáis, traigan
Pretérito imperfecto de subjuntivo	trajera o trajese, trajeras o trajeses, trajera o trajese, trajéramos o trajésemos, trajerais o trajeseis, trajeran o trajesen
Futuro de subjuntivo	trajere, trajeres, trajere, trajéremos, trajereis, trajeren

Modelo [47] VALER

Presente de indicativo	valgo, vales, vale, valemos, valéis, valen
Futuro de indicativo	valdré, valdrás, valdrá, valdremos, valdréis, valdrán
Condicional simple	valdría, valdrías, valdría, valdríamos, valdríais, valdrían
Presente de subjuntivo	valga, valgas, valga, valgamos, valgáis, valgan

Modelo [48] VENIR

Presente de indicativo	vengo, vienes, viene, venimos, venís, vienen
Pretérito perfecto simple	vine, viniste, vino, vinimos, vinisteis, vinieron
Futuro de indicativo	vendré, vendrás, vendrá, vendremos, vendréis, vendrán
Condicional simple	vendría, vendrías, vendría, vendríamos, vendríais, vendrían
Presente de subjuntivo	venga, vengas, venga, vengamos, vengáis, vengan
Pretérito imperfecto de subjuntivo	viniera o viniese, vinieras o vinieses, viniera o viniese, viniéramos o viniésemos, vinierais o vinieseis, vinieran o viniesen
Futuro de subjuntivo	viniere, vinieres, viniere, viniéremos, viniereis, vinieren
Imperativo	ven (tú), venid (vosotros)

Modelo [49] VER

Presente de indicativo	veo, ves, ve, vemos, veis, ven
Pretérito perfecto simple	vi, viste, vio, vimos, visteis, vieron
Pretérito imperfecto de subjuntivo	viera o viese, vieras o vieses, viera o viese, viéramos o viésemos, vierais o vieseis, vieran o viesen
Futuro de subjuntivo	viere, vieres, viere, viéremos, viereis, vieren
Imperativo	ve (tú), ved (vosotros)

Modelo [50] YACER

Presente de indicativo	yazco o yazgo o yago, yaces, yace, yacemos, yacéis, yacen
Presente de subjuntivo	yazca o yazga o yaga, yazcas o yazgas o yagas, yazca o yazga o yaga, yazcamos o yazgamos o yagamos, yazcáis o yazgáis o yagáis, yazcan o yazgan o yagan
Imperativo	yace o yaz (tú), yaced (vosotros)

GLOSARIO DE LOCUCIONES Y FRASES LATINAS

ab aeterno: desde hace mucho tiempo.

ab initio: desde el comienzo.

ab ovo usque ad mala: desde el huevo hasta la fruta, del principio al fin.

a contrario sensu: en sentido contrario.

ad calendas graecas: para un futuro lejano (cuando no se sabe cuándo será).

ad cautélam: por precaución.

ad hoc: para el caso.

ad hóminem: contra el hombre.

ad honórem: por lor honores, en consecuencia, sin retribución o compensación económica.

ad infinítum: hasta el infinito.

a divinis: (apartado) de las cosas divinas.

ad líbitum: con libertad.

ad lítteram o **ad pédem lítterae:** al pie de la letra, o textualmente.

ad náuseam: hasta la náusea, en exceso.

ad referéndum: para la aprobación superior (para ser aprobado por la autoridad).

a látere: de al lado.

alma máter: madre alimentadora o bienhechora (se suele aplicar a la Universidad).

álter ego: otro yo (nuestro yo repetido).

a nativitate: de nacimiento.

ante díem: un día antes.

ante merídiem: antes del mediodía (a. m.).

a posteriori: después.

a priori: antes.

casus belli: caso o motivo de guerra.

de facto: de hecho, por oposición a *de jure* (por derecho).

de jure: por derecho.

delenda Carthago!: ¡hay que destruir Cartago!

delírium trémens: delirio con agitación y temblor.

Deo volente: si Dios quiere o queriéndolo Dios.

desiderátum: lo deseado.

Deus ex máchina: Dios bajado mediante una máquina; se refiere al ser sobrenatural que se hace bajar en escena. Desenlace feliz.

de visu: por haberlo visto.

díes írae: día de cólera (se entiende, divina).

ex abrupto: bruscamente.

ex aequo: con igual mérito, con el mismo valor.

ex cáthedra: desde la autoridad (o lo alto) de la cátedra.

ex libris: de los libros.

ex profeso: a propósito.

gloria Patri: gloria al Padre.

gratis et amore: de balde y con gusto.

grosso modo: de manera burda; sin rigurosa exactitud.

hábeas corpus: presencia personal.

honoris causa: por sus méritos.

hórror vacui: horror al vacío.

ibídem: lo mismo.

imprimátur: imprímase.

in albis: en blanco.

in artículo mortis: en el momento de la muerte.

in continenti: en el mismo momento.

in extenso: por extenso.

in fíeri: que está haciéndose, en preparación.

in fraganti: en flagrante (delito); con las manos en la masa.

in illo témpore: en aquel tiempo.

in medias res: en medio de las cosas, en plena acción.

in memóriam: en memoria de.

in péctore: en secreto.

in perpétuum: para siempre.

in situ: en el mismo lugar.

in statu quo: en el mismo estado.

ínter nos: entre nosotros.

in vitro: en tubo de ensayo.

ipso facto: por el hecho mismo.

ipso jure: por la misma ley.

lapsus cálami: error al escribir (con la pluma).

lapsus línguae: error de palabra.

magíster díxit: el maestro lo ha dicho.

magnificat: engrandece.

mapa-mundi: mapa del mundo.

mea (maxima) culpa: por mi (grandísima) culpa.

modus operandi: modo de actuar o proceder.

modus vivendi: manera de vivir.

motu proprio: por propio impulso.

mutatis mutandis: cambiando lo que debe ser cambiado.

níhil óbstat: nada lo impide.

noli me tángere: no quieras tocarme; no me toques.

non bis in ídem: no dos veces por lo mismo (principio jurídico que impide dos sanciones por un mismo delito).

non plus ultra: no más allá.

nota bene: fíjate bien.

Pater noster: Padre nuestro.

peccata minuta: error, falta o vicio leve; cosas sin importancia.

per se: por sí, por su propia esencia.

plácet: parece bien (asentimiento).

plus ultra: más allá.

post merídiem: después del mediodía (p. m.).

post mórtem: que ocurre después de la muerte.

post scríptum: después de escrito; posdata.

prima facie: a primera vista.

pro domo súa: para su casa, por sus intereses.

pro indiviso: sin dividir.

quídam: uno cualquiera.

quid pro quo: una cosa por otra.

quis, quid, ubi, quibus auxiliis, cur, quomodo, quando?: ¿quién, qué, dónde, con qué ayuda, por qué, cómo, cuándo? (hexámetro de Quintiliano que resume las pautas de un discurso: persona, hecho, lugar, medios, motivos, manera y tiempo).

quousque tandem?: ¿hasta cuándo?

relata réfero: lo cuento como me lo contaron.

requiéscat in pace: descanse en paz.

sancta sanctorum: lugar destinado a los santos.

sensu stricto: en sentido estricto.

sic: así.

sine díe: sin fecha fija.

sine qua non: sin la cual no; (condición) indispensable.

statu quo: en el estado en que se hallaron antes las cosas.

sub júdice: bajo el juez.

sui géneris: de género propio; muy especial.

superávit: residuo y sobra de alguna cosa.

sursum corda!: ¡arriba los corazones!

te, Deum: a ti, Dios.

urbi et orbi: a la ciudad y al mundo (bendición papal).

ut supra: como se dice arriba.

vade mecum: ven conmigo.

vade retro, Satanas!: ¡retírate Satanás!

vale: consérvate sano; adiós.

velis nolis: quieras o no.

verbi gratia: por ejemplo.

vía crucis: camino de la cruz.

vice versa: al contrario.

vide: mira.

volavérunt: volaron.

UNIDADES DE MEDIDA

Sistema Internacional de Unidades

El Sistema Internacional de Unidades (SI) establece un valor para cada unidad; la ley 3/1985 determina que las unidades legales de medida en España son las del Sistema Internacional de Unidades.

Unidades básicas

Magnitud	nombre	símbolo
Longitud	metro	m
Masa	kilogramo	kg
Tiempo	segundo	s
Intensidad de corriente eléctrica	ampere	A
Temperatura termodinámica	kelvin	K
Intensidad luminosa	candela	cd
Cantidad de sustancia	mol	mol

Unidades derivadas

Unidades derivadas sin dimensión

Magnitud	nombre	símbolo
Ángulo plano	radián	rad
Ángulo sólido	estereorradián	sr

Unidades derivadas expresadas a partir de unidades básicas y unidades derivadas sin dimensión

Magnitud	nombre	símbolo
Superficie	metro cuadrado	m^2
Volumen	metro cúbico	m^3
Velocidad	metro por segundo	m/s
Aceleración	metro por segundo cuadrado	m/s^2
Número de ondas	metro a la potencia menos uno	m^{-1}
Masa en volumen	kilogramo por metro cúbico	kg/m^3
Caudal en volumen	metro cúbico por segundo	m^3/s
Caudal másico	kilogramo por segundo	kg/s
Velocidad angular	radián por segundo	rad/s
Aceleración angular	radián por segundo cuadrado	rad/s^2

Unidades derivadas con nombres y símbolos especiales

Magnitud	nombre	símbolo
Frecuencia	hertz	Hz
Fuerza	newton	N
Presión, tensión	pascal	Pa
Energía, trabajo, cantidad de calor	joule	J
Potencia, flujo radiante	watt	W
Cantidad de electricidad, carga eléctrica	coulomb	C
Tensión eléctrica, potencial eléctrico, fuerza electromotriz	volt	V
Resistencia eléctrica	ohm	Ω
Conductancia eléctrica	siemens	S
Capacidad eléctrica	farad	F
Flujo magnético, flujo de inducción magnética	weber	Wb
Inducción magnética, densidad de flujo magnético	tesla	T
Inductancia	henry	H
Flujo luminoso	lumen	lm
Iluminancia	lux	lx
Actividad de un radionucleido	becquerel	Bq
Dosis absorbida, energía comunicada másica, índice de dosis absorbida	gray	Gy
Dosis equivalente, índice de dosis equivalente	sievert	Sv

Unidades definidas a partir de las unidades SI, pero que no son múltiplos o submúltiplos decimales de dichas unidades

Magnitud	nombre	símbolo
Ángulo plano	vuelta	
	grado (centesimal o gon)	gon
	grado	°
	minuto de ángulo	'
	segundo de ángulo	"
Minuto	minuto	min
	hora	h
	día	d

Unidades admitidas únicamente en sectores de aplicación especializados

Magnitud	nombre	símbolo
Potencia de los sistemas ópticos	dioptría	
Masa de las piedras preciosas	quilate métrico	
Área de las superficies agrarias y de las fincas	área	a
Masa longitudinal de las fibras textiles y los hilos	tex	tex
Presión sanguínea y presión de otros fluidos corporales	milímetro de mercurio	mmHg
Sección eficaz	barn	b

Prefijo	Símbolo	Factor
deca-	da	10^1
hecto-	h	10^2
kilo-	k	10^3
mega-	M	10^6
giga-	G	10^9
tera-	T	10^{12}
peta-	P	10^{15}
exa-	E	10^{18}
zetta-	Z	10^{21}
yotta-	Y	10^{24}

Prefijo	Símbolo	Factor
deci-	d	10^{-1}
centi-	c	10^{-2}
mili-	m	10^{-3}
micro-	µ	10^{-6}
nano-	n	10^{-9}
pico-	p	10^{-12}
femto-	f	10^{-15}
atto-	a	10^{-18}
zepto-	z	10^{-21}
yocto-	y	10^{-24}

Unidades en uso con el SI cuyo valor en unidades SI se ha obtenido experimentalmente

Magnitud	nombre	símbolo
Masa	unidad de masa atómica	u
Energía	electronvolt	eV

Los símbolos de las unidades pueden verse afectados por prefijos que actúan como múltiplos y submúltiplos decimales. Estos prefijos (que aparecen en la siguiente tabla) se colocan delante del símbolo de la unidad correspondiente sin espacio intermedio.

Indicaciones:

– Los símbolos se escriben con letras romanas, salvo ohm (Ω).

– Los símbolos de las unidades no cambian de forma para el plural y no van seguidos de punto.

– Los símbolos que corresponden a unidades derivadas de nombres propios se escriben con la letra inicial mayúscula.

– Los nombres de las unidades se escriben con minúscula inicial, incluso los que derivan de nombres propios.

– Los nombres de las unidades llevan una s cuando se escriben en plural, excepto los que terminan en s, z o x.

Equivalencias entre el sistema métrico y el sistema anglosajón

Se ofrecen a continuación las principales equivalencias entre unidades de pesos y medidas del sistema métrico y del sistema anglosajón, tanto británico como estadounidense.

Sistema métrico

Se omite la mayor parte de las medidas formadas con los siguientes prefijos: deca-, hecto-, kilo-, deci-, centi-, mili-.

Medidas de longitud

1 milímetro (milimetre)	0,03937 pulgadas (inches)
1 centímetro (centimetre)	0,3937 pulgadas (inches)
1 metro (metre)	39,37 pulgadas (inches)
	1,094 yardas (yards)
1 kilómetro (kilometre)	0,6214 millas (miles)

Medidas cuadradas o de superficie

1 centímetro cuadrado (square centimetre)	0,155 pulgadas cuadradas (square inches)
1 metro cuadrado (square metre)	10,764 pies cuadrados (square feet)
	1,196 yardas cuadradas (square yards)
1 kilómetro cuadrado (square kilometre)	0,3861 millas cuadradas (square miles)
	247,1 acres (acres)
1 área (are) = 100 metros cuadrados (square metres)	119,6 yardas cuadradas (square yards)
1 hectárea (hectare) = 100 áreas (ares)	2,471 acres (acres)

unidades de medida

Medidas cúbicas

1 metro cúbico (cubic centimetre)	0,061 pulgadas cúbicas (cubic inches)
1 metro cúbico (cubic metre)	33,315 pies cúbicos (cubic feet)
	1,308 yardas cúbicas (cubic yards)

Medidas de capacidad

1 litro (litre) = 1 000 centímetros cúbicos (cubic centimetres)	1,76 pintas (pints) 0,22 galones (gallons)

Pesos

1 gramo (gramme)	15,4 granos (grains)
1 kilogramo (kilogramme)	2,2046 libras (pounds)
1 quintal métrico (quintal) = 100 kilogramos	220,46 libras (pounds)
1 tonelada métrica (metric ton) = 100 kilogramos	0,9842 toneladas (tons)

Sistema británico

Medidas de longitud

1 pulgada (inch)	2,54 centímetros
1 pie (foot) = 12 pulgadas	30,48 centímetros
1 yarda (yard) = 3 pies	91,44 centímetros
1 estadio (furlong) = 20 yardas	201,17 metros
1 milla (mile) = 1760 yardas	1,609 kilómetros
1 milla marina	1,852 kilómetros

Medidas de agrimensura

1 link = 7,92 pulgadas (inches)	20,12 centímetros
1 rod (or pole, perch) = 25 links	5,029 metros
1 chain = 22 yardas (yards) = 4 rods	20,12 metros

Medidas cuadradas o de superficie

1 pulgada cuadrada (square inch)	6,45 cm²
1 pie cuadrado (square foot) = 144 pulgadas cuadradas	929,03 cm²
1 yarda cuadrada (square yard) = 9 pies cuadrados	0,836 m²
1 square rod = 30,25 yardas cuadradas	25,29 m²
1 acre = 4840 yardas cuadradas	40,47 áreas
1 milla cuadrada (square mile) = 60 acres	2,59 km²

Medidas cúbicas

1 pulgada cúbica (cubic inch)	16,387 cm³
1 pie cúbico (cubic foot) = 1728 pulgadas cuadradas	0,028 m³
1 yarda cúbica (cubic yard)	0,765 m³
1 tonelada de registro (register ton) = 100 pies cúbicos	2,832 m³

Medidas de capacidad

a) Para líquidos (liquid)

1 gill	0,142 litros
1 pinta (pint) = 4 gills	0,57 litros
1 quart = 2 pints	1,136 litros
1 galón (gallon) = 4 quarts	4,546 litros

b) Para áridos (dry)

1 peck = 2 gallons	9,087 litros
1 bushel = 4 pecks	36,36 litros
1 quarter = 8 bushels	290,94 litros

Sistema avoirdupois (pesos)

1 grano (grain)	0,0648 gramos
1 drachm o dram = 27,34 granos (grains)	1,77 gramos
1 onza (ounce) = 16 drachms	28,35 gramos
1 libra (pound) = 16 ounces	453,6 gramos
1 stone = 14 libras (pounds)	6,348 kilogramos
1 quarter = 28 libras (pounds)	12,7 kilogramos
1 hundredweight = 112 libras (pounds)	50,8 kilogramos
1 tonelada (ton) = 2240 libras (pounds)	1016 kilogramos

Medidas norteamericanas

En EE.UU. se emplea en general el mismo sistema que en Gran Bretaña; las principales diferencias son las siguientes:

Medidas de capacidad

a) Para líquidos (liquid)

1 US liquid gill	0,118 litros
1 US liquid pint = 4 gills	0,473 litros
1 US liquid quart = 2 pints	0,946 litros
1 US gallon = 4 quarts	3,795 litros

b) Para áridos (dry)

1 US dry pint	0,550 litros
1 US dry quart = 2 dry pints	1,1 litros
1 US peck = 8 dry quarts	8,81 litros
1 US bushel = 4 pecks	35,24 litros

Pesos

1 hundredweight (o short hundredweigh) = 100 libras (pounds)	45,36 kilogramos
1 tonelada (ton o short ton) = 20 short hundredweigh = 200 libras (pounds)	907,18 kilogramos